Снежана БОЯНОВА
Лена ИЛИЕВА

АНГЛИЙСКО-БЪЛГАРСКИ РЕЧНИК

БЪЛГАРСКО-АНГЛИЙСКИ РЕЧНИК

GABEROFF

© Снежана Боянова
© Лена Илиева
Английско-български речник
Българско-английски речник
Първо издание, 2003 г.

© *GABEROFF – ЕООД, всички права запазени.*
© Корица, макет и оформление   Иван Габеров

Редактор	Диана Вацова
Технически редактор	Десислава Тодорова
Компютърна обработка	Нели Косатева
	Диляна Колева
	Таня Станчева

Формат 60x84x16
78 п. к.
Отпечатано в "Абагар" АД – В. Търново.
Тираж 1 500 бр.

ОБЯСНЕНИЕ

Комбинираният **Английско-български и Българско-английски речник** включва ок. 45 000 (в английско-българската част) и ок. 55000 (в българско-английската част) думи в основни статии и в словосъчетания – най-важната част от лексиката на съвременния английски и български книжовен език, както и основните думи от различни специализирани области на познанието.

В **английско-българската част на речника** е обърнато особено внимание на съвременното развитие на английския език, което съответства на постоянно променящите се извънезикови реалности. Речниковите статии включват лексика (нови думи и изрази) от 80-те и 90-те години на XX и от началото на XXI век; значенията на български език в статиите са подредени според честотата на употреба, което ще улесни читателите, тъй като в първа позиция са посочени най-употребимите значения на съответната английска дума/израз. Примерите са подбирани с цел да илюстрират езиковата среда, в която битува думата; към всяка ключова дума са прибавени и фразеологични изрази, в този аспект речникът може да претендира за изчерпателност.

Друго предимство на английско-българската част на речника е големият брой наречия, добавени към статиите на съответните прилагателни имена; мястото на наречията е определено според това, какви значения на прилагателните се използват от образуваното наречие. Когато наречието е поставено в края на речниковата статия, тогава то съответства на всички значения на прилагателното име. Преводът на български език е спестен, когато читателят лесно може да го изведе от предложените съответствия на прилагателното. Ако наречието има значение, различно от това на прилагателното, то се обособява в отделна статия.

Българско-английската част е оформена по специфичен начин, съобразен с факта, че речникът е предназначен както за българи, които изучават или си служат с английския език, така и за чужденци, проявяващи интерес към изучаването на българския език. Целта на издателството и съставителите е речникът да бъде помагало не само за изучаващите и ползващите английския език, а и справочник за правописната и правоговорната норма на съвременния български книжовен език. Във връзка с тази цел статиите имат специфична структура – посочено е към коя част на речта принадлежи всяка основна българска дума на базата на морфологичния принцип, т. е. според формата и словообразувателната й структура. В отделни статии са обособени причастните форми на глаголите, което е нетипично за лексикографската практика, но е свързано със стремежа на съставителите да улеснят ползвателите на речника и с особеностите при образуване на причастията в английския език.

Особено внимание в българско-английската част на речника е обърнато на предлозите, употребявани след дума или израз. Предлогът е изписан в скоби на български и на английски език след всички синоними, когато е един и същ, в противен случай – след всеки синоним. Когато някой от английските синоними не се използва с предлог, в скобите се изписва само българският предлог, напр. (**пред** -). Примерите отразяват някаква особеност при употребата на дума или израз.

Комбинираният **Английско-български и Българско-английски речник** не претендира за лексикална изчерпателност в никоя област на познанието, тъй като това не е неговата цел. Съставителите и издателството смятат, че за момента той е най-пълното издание от този вид – достатъчна гаранция за широк кръг от хора, които желаят да общуват чрез английския език.

Съставителите

СЪКРАЩЕНИЯ

АНГЛИЙСКИ

adj	*adjective*	прилагателно	*pl*	*plural*	множествено число
adv	*adverb*	наречие	*poss*	*possessive (pronoun)*	притежателно (местоимение)
attr	*attributive*	атрибутивно	*pp*	*past participle*	минало причастие
aux	*auxiliary*	спомагателен (глагол)	*predic*	*predicative*	предикативно
cj	*conjunction*	съюз	*pref*	*prefix*	представка
comp	*comparative degree*	сравнителна степен	*prep*	*preposition*	предлог
f.	*feminine*	женски род	*pres p*	*present participle*	сегашно причастие
demonstr	*demonstrative (pronoun)*	показателно (местоимение)	*pron*	*pronoun*	местоимение
ger	*gerund*	герундий	*pt*	*past tense*	минало време
imp	*imperative*	повелително наклонение	*refl*	*reflexive*	възвратен
impers	*impersonal*	безличен (глагол)	*rel*	*relative (pronoun)*	относително (местоимение)
inf	*infinitive*	инфинитив	*sing*	*singular*	единствено число
int	*interjection*	междуметие	*sl*	*slang*	жаргон
inter	*interrogative (pronoun)*	въпросително (местоимение)	*s.o.*	*someone*	някой, някого
m.	*masculine*	мъжки род	*s.o.'s*	*someone's*	
n	*noun*	съществително	*s.th.*	*something*	нещо
num	*numeral*	числително	*suf*	*suffix*	наставка
o.s.	*oneself*		*super.*	*superlative degree*	превъзходна степен
o.'s	*one's*		*v*	*verb*	глагол
part	*particle*	частица	*vbl*	*verbal*	отглаголен
pass	*passive*	страдателен залог	*vi*	*verb intransitive*	непреходен глагол
perf	*perfect*	перфект	*vt*	*verb transitive*	преходен глагол
pers	*personal (pronoun)*	лично (местоимение)	*vulg*	*vulgar*	вулгарно

БЪЛГАРСКИ

авиац.	авиация	*вж*	виж	*елипт.*	елиптичен израз
австр.	австралийски израз (дума)	*вин.*	винителен (падеж)	*етн.*	етнография
авт.	автомобилен термин	*вм.*	вместо	*жарг.*	жаргон
адм.	административен термин	*воен.*	военно дело	*жп*	железопътен термин
акуст.	акустика	*вр.*	време	*ж. р.*	женски род
амер.	американски израз (дума)	*в съчет.*	в съчетания	*журн.*	журналистика
анат.	анатомия	*въпр.*	въпросително	*застр.*	застрахователно дело
англ.	английски, употребяван в	*геогр.*	география	*звукоподр.*	звукоподражателно
	Англия	*геод.*	геодезия	*зоол.*	зоология
англоинд.	англоиндийски израз (дума)	*геол.*	геология	*знач.*	значение
антроп.	антропология	*геом.*	геометрия	*и др.*	и други
араб.	арабски израз (дума)	*гл.*	глагол	*изк.*	изкуство
архит.	архитектура	*грам.*	граматика	*изт.*	източен
археол.	археология	*грц.*	гръцки израз (дума)	*икон.*	икономика
астр.	астрономия	*дат.*	дателен (падеж)	*им.*	именителен (падеж)
афр.	африкански израз (дума)	*дет.*	детски израз (дума)	*инд.*	индийски израз (дума)
банк.	банково дело	*диал.*	диалектна дума	*инф.*	информатика
безл.	безлично	*дипл.*	дипломация	*и под.*	и подобни
библ.	библейски термин	*евр.*	еврейски израз (дума)	*и пр.*	и прочее
биол.	биология	*евфем.*	евфемизъм	*ирл.*	ирландски, употребяван в
бот.	ботаника	*егип.*	египетски израз (дума)		Ирландия
брит.	британски израз (дума)	*ед. ч.*	единствено число	*ирон.*	иронично
букв.	буквално	*език.*	езикознание	*исп.*	испански израз (дума)
в.	век	*екол.*	екология	*исп.-ам.*	испано-американски израз
вет.	ветеринарна медицина	*ел.*	електротехника		(дума)

истор.	история	отриц.	отрицание, отрицателно	т. е.	тоест
ит.	италиански израз (дума)		(изречение)	театр.	театрален израз
и т. н.	и така нататък	пад.	падеж	текст.	текстилен термин
кан.	канадски израз (дума)	палеогр.	палеография	тел.	телефон, телеграф
канц.	канцеларски израз	палеонт.	палеонтология	техн.	техника, технически
картогр.	картография	парл.	парламентарен израз	т. нар.	така наречен
келт.	келтски израз (дума)	перс.	персийски израз (дума)	топогр.	топография
кит.	китайски израз (дума)	п-в	полуостров	тур.	турски израз (дума)
книж.	книжовно	под.	подобен, подобни	търг.	търговия, търговски
конкр.	конкретно	подигр.	подигравателно	търж.	тържествено
косм.	космическа техника,	поет.	поетично	увел.	увеличително име
	космонавтика	полигр.	полиграфия	укор.	укорително
крист.	кристалография	полит.	политически, политика	умал.	умалително
кул.	кулинария	полож.	положителен	унив.	университетски
л.	лице	порт.	португалски израз (дума)	усл.	условно изречение
лат.	латински израз (дума)	пощ.	пощенски	уч.	училищен термин
лес.	лесовъдство	превз.	превзето	фам.	фамилиарно
лит.	литературознание;	превъзх. ст.	превъзходна степен	фарм.	фармацевтика
	литературен	предл.	предлог	физ.	физика
лич.	лично (местоимение)	предст.	представка	физикохим.	физикохимия
лов.	ловен термин	презр.	презрително	физиол.	физиология
лог.	логика	прен.	преносно	филос.	философия
мат.	математика	пренебр.	пренебрежително	фин.	финанси
мед.	медицина	прех.	преходен (глагол)	фолкл.	фолклор, фолклорен
междум.	междуметие	прибл.	приблизително	фон.	фонетика
мекс.	мексикански израз (дума)	прил.	прилагателно име	фот.	фотография
мест.	местоимение	прит. мест.	притежателно местоимение	фр.	френски израз (дума)
метал.	металургия	прич.	причастие	хералд.	хералдика
метеор.	метеорология	проз.	прозодия	хим.	химия
мин.	минно дело	провинц.	провинциализъм	хол.	холандски израз (дума)
минер.	минералогия	противоп.	противоположно	църк.	църковен термин
мит.	митология	псих.	психология	ч.	число
мн.	множествено число	радио.	радиотехника	числ.	числително име
мор.	морски термин, морско дело	разг.	разговорна дума	швед.	шведски израз (дума)
м. р.	мъжки род	рел.	религия, религиозен	шег.	шеговито
муз.	музика	ретор.	реторика, реторичен	шотл.	шотландски, употребяван в
напр.	например	рим.	римски		Шотландия
нар.	народна дума	рус.	руски израз (дума)	южноамер.	южноамерикански израз
нареч.	наречие	сег.	сегашно (време)	южноафр.	южноафрикански израз
науч.	научен термин	сел.-ст.	селско стопанство	юр.	юридически термин
нем.	немски израз (дума)	сканд.	скандинавски израз (дума)	яп.	японски израз (дума)
неодобр.	неодобрително	социол.	социология, социологически		
неолог.	неологизъм	спорт.	спорт		
непр.	неправилно, неправилна	сравн. ст.	сравнителна степен		**НАПИСАНИ БЕЗ**
	употреба	средновек.	средновековен		**СЪКРАЩЕНИЯ**
непрех.	непреходен (глагол)	срв.	сравни		
непром.	непроменен	старогрц.	старогръцки израз (дума)		антоним
норв.	норвежки израз (дума)	староевр.	староеврейски израз (дума)		главно
обикн.	обикновено	строит.	строителство		езеро
обр.	обратно на	счет.	счетоводство		инч
ок.	около	събир.	съществително събирателно		при игра на карти
опт.	оптика	съкр.	съкращение		кино
особ.	особено	съчет.	съчетание		грубо
остар.	остарял израз (дума)	същ.	съществително име		рядко
относ.	относително (местоимение)	тв	телевизия		съюз

СПИСЪК НА ЗВУКОВЕТЕ В АНГЛИЙСКИЯ ЕЗИК

(Всеки звук е представен чрез своя фонетичен знак, след който е даден пример с дума, в която той се среща)

Гласни

(i:)	bee	(bi:)
(i)	if	(if)
	big	(big)
	mirror	(mirə)
	furniture	(fənitʃə)
(e)	edge	(edʒ)
	set	(set)
	merry	(meri)
(æ)	act	(ækt)
	bat	(bæt)
	marry	(mæri)
(a:)	ah	(a:)
	part	(pa:t)
	calm	(ka:m)
	father	(fa:ðə)
(ɔ)	ox	(ɔks)
	hot	(hɔt)
	bomb	(bɔm)
	wasp	(wɔsp)
(ɔ:)	order	(ɔ:də)
	ball	(bɔ:l)
	raw	(rɔ:)
(u)	book	(buk)
	tour	(tuə)
(u:)	too	(tu:)
	ooze	(u:z)
	fool	(fu:l)
(ʌ)	up	(ʌp)
	sum	(sʌm)
(ə:)	turn	(tə:n)
	urge	(ə:dʒ)
	burn	(bə:n)
	cur	(kə:)
(ə)	alive	(əlaiv)

Двугласни

(ai)	bite	(bait)
	ice	(ais)
	pirate	(paiərit)
	deny	(dinai)
(ei)	age	(eidʒ)
	rate	(reit)
	say	(sei)
	they	(ðei)
(oi)	oil	(oil)
	joint	(joint)
	joy	(joi)
(eə)	air	(eə)
	dare	(deə)
(iə)	here	(hiə)
	ear	(iə)

	mere	(miə)
	leery	(liəri)
(ou)	hope	(houp)
	over	(ouvə)
	boat	(bout)
	no	(nou)
(au)	out	(aut)
	loud	(laud)
	cow	(kau)

Тригласни

(ouə)	lower	(louə)
(aiə)	fire	(faiə)
(auə)	hour	(auə)

Съгласни

(p)	pool	(pu:l)
	spool	(spu:l)
	supper	(sʌpə)
	stop	(stɔp)
(b)	back	(bæk)
	cabin	(kæbin)
	cab	(kæb)
(t)	team	(ti:m)
	ten	(ten)
	steam	(sti:m)
	butter	(bʌtə)
	bit	(bit)
(d)	do	(du:)
	rudder	(rʌdə)
	bed	(bed)
(k)	keep	(ki:p)
	coop	(ku:p)
	scoop	(sku:p)
	token	(toukn)
	make	(meik)
(g)	give	(giv)
	trigger	(trigə)
	big	(big)
(tʃ)	chief	(tʃi:f)
	butcher	(bʌtʃə)
	beach	(bi:tʃ)
(dʒ)	just	(dʒʌst)
	tragic	(trædʒik)
	badger	(bædʒə)
	fudge	(fʌdʒ)
(l)	leap	(li:p)
	low	(lou)
	mellow	(melou)
	fall	(fɔ:l)
	bottle	(bɔtl)

(m)	my	(mai)
	summer	(sʌmə)
	drum	(drʌm)
	him	(him)
(n)	now	(nau)
	sunny	(sʌni)
	pin	(pin)
	on	(ɔn)
	button	(bʌtn)
(ŋ)	sing	(siŋ)
	Washington	(Wɔʃiŋtən)
(f)	fit	(fit)
	differ	(difə)
	puff	(pʌf)
	telephone	(telifoun)
(v)	voice	(vɔis)
	river	(rivə)
(θ)	thin	(θin)
	ether	(i:θə)
	path	(paθ)
	that	(θæt)
(ð)	then	(ðen)
	smooth	(smu:ð)
(s)	see	(si:)
	passing	(pa:siŋ)
	kiss	(kis)
(z)	zoo	(zu:)
	lazy	(leizi)
	please	(pli:z)
	those	(ðouz)
(ʃ)	she	(ʃi:)
	shoe	(ʃu:)
	fashion	(fæʃən)
	push	(puʃ)
(ʒ)	vision	(viʒən)
	pleasure	(pleʒə)
	mirage	(mira:ʒ)
(r)	read	(ri:d)
	hurry	(hʌri)
	near	(niə)
(h)	here	(hiə)
	hit	(hit)
	behave	(biheiv)

Полугласни

(w)	west	(west)
	witch	(witʃ)
	away	(əwei)
(j)	yes	(jes)
	beyond	(bijɔnd)
	onion	(ʌnjən)

A, a₁ [ei] *n* (*pl* **As, A's** [eiz]) **1.** буквата A; **from A to Z** от край до край, от началото до края, изцяло; напълно, от игла до конец (*разг.*), всичко, подробно, докрай, изведнъж, анблок; **2.** *уч.* отлична оценка; **straight ~** *амер.* пълен отличен; **3.** *муз.* ла; **~ flat** ла бемол; **~ sharp** ла диез.

a₂ [ə, ei] **1.** *indefinite article* пред съгласни звуци (*напр.* **a pen**); *пред гласни звуци, а понякога и пред "h" в неударена сричка* (*напр.* **an hour**) *се употребява дублетната форма* **an**: **what ~ mistake** каква грешка! **what ~ pity!** колко жалко! **2.** *пред съществителни за брой:* **~ lot** много; **~ great many** множество, много; **~ hundred** сто; **3.** *пред собствени имена:* **he is ~ Mozart** в композирането той е (истински) Моцарт; **4.** един и същ: **of ~ hight** с една и съща височина, еднакво високи; **5.** известен, познат, точно определен, някакъв: **in ~ way** в известен (някакъв) смисъл; **6.** който и да е, всеки; **a man must eat** човек трябва да се храни; **7.** *при означаване на очевидно мн.:* **many a year** много години; **8.** някой си, кой да е, еди-кой си (*разг.*), неопределен [ei]; **~ Mr. Smith** някой си г-н Смит.

Aaron [ˈɛərən] *n библ.* Аарон; **~ 's beard** *бот., разг.* жълт кантарион *Hypericum*; **~ 's rod** *бот., разг.*, *обикн.* лопен (свещилка) *Verbascum* или енчец *Solidago*.

abaca [ˈæbəkə] *n бот.* **1.** манилски коноп *Musa textilis*; **2.** филипинска палма.

aback [əˈbæk] *adv* **1.** назад; изотзад; обратно, заднешком, рачешката (*нар.*); **to stand ~ from** избягвам, отбягвам; държа се на разстояние (настрана) от; **to be taken ~** изненадан съм неприятно, слисан съм; **2.** *мор.* с платна, притиснати към мачтата от нарещен вятър.

abaculus [əˈbʌkjuləs] *n строит.* мозаична плочка; мраморна плочка.

abacus [ˈæbəkəs] *n* (*pl* **-ses** [-siz]) **1.** сметало; **2.** номограма, координатна мрежа; **3.** *архит.* абак(а), най-горната част на капител; **4.** *мин.* съд за промиване на злато.

Abaddon [əˈbædn] *n* **1.** *староевр., библ.* Абадон, Авадон – ангелът на бездната (съответства на древногръцкото име Аполион); **2.** ад, преизподня; гибел; пъкъл, мъчилище, бездна, джендем (*остар., разг.*).

abalienation [əbeiliəˈneiʃən] *мед.* душевно разстройство, умопобъркване, психоза.

abalone [æbəˈlouni] *n амер., зоол.* морски охлюв *Haliotis*.

abandon [ˈbændən] **I.** *v* **1.** изоставям, предавам, напускам; отказвам се от; **to ~ fortress** напускам (изоставям) крепост; **to ~ a prosecution** *юр.* прекратявам наказателно преследване; **2.** занемарявам, зарязвам (*разг.*), пренебрегвам, нехая; **3.** *refl* предавам се; отдавам се; отстъпвам, капитулирам, подчинявам се; **to ~ oneself to the waves** оставям се на вълните; **4.** *остар.* заточавам, изпращам на заточение; **II.** *n остар.* увлечение, страст; невъздържаност.

abandoned [əˈbændend] *adj* **1.** зарязан, напуснат, изоставен; пренебрегнат, захвърлен (*нар., остар.*), парясан; **~ wife** изоставена съпруга; **2.** безнравствен, покварен, блудник, похотлив, корумпиран; порочен, развратен, безпътен; **an ~ woman** паднала жена.

abandonee [ə,baːndəˈniː] *n юр.* застрахован, в полза на който остава застрахованата стока или имущество след авария; човек, под чийто контрол е оставено нещо.

abandonment [əˈbændənmənt] *n* **1.** изоставяне, напускане; занемаряване; **2.** страст, увлечение; невъздържаност; **3.** *юр.* оттегляне (на иск, на претенции за авторско право или патент).

abamurus [əbˈæmərəs] *техн.* подпорна стена, контрафорс.

a bas [aˈbaː] *inter* долу!

abase [əˈbeis] **I.** *v прен.* деградирам, понижавам; унижавам; **II. abased** *adj* **1.** унижен; **2.** *остар., хералд.* понижен.

abasement [əˈbeismənt] *n* **1.** понижаване (*в чин, в ранг*); деградиране; **2.** унижение, оскърбление, обида, огорчение, компрометиране, излагане, опозоряване.

abash [əˈbæʃ] *v обикн. в pass* разстройвам, смущавам, сконфузвам; обърквам.

abashment [əˈbæʃmənt] *n* разстройване, смущение, сконфузване; объркване.

abasia [əbˈeiə] *мед.* абазия, неспособност за ходене.

abate [əˈbeit] *v* **1.** намалявам; **2.** понижавам, намалявам, смъквам, свалям, редуцирам (*цени, такси*); **3.** затихвам, спирам, утихвам, стихвам (*за вятър*); **the storm ~d** бурята утихна; **4.** уталожвам, успокоявам, облекчавам (*за страх, болка, гняв*); **to abate the anger of the mob** уталожвам гнева на тълпата; **5.** *юр.* анулирам, прекратявам, суспендирам; **6.** *техн.* закалявам (*метал*); отвръщам (*закалена сплав*); **7.** дялам (*камък*).

abatement [əˈbeitmənt] *n* **1.** намаляване, отслабване (*действието на нещо*); **2.** отстъпка (*в цена*), опрощаване (*на задължения*); **3.** *юр.* анулиране, суспендиране; **4.** *юр.* незаконно владеене на наследствен имот; *хералд.* позорен знак в рицарски герб.

abattoir [ˈæbətwaː] *n* скотобойна, кланица, касапница.

abb [æb] *n текст.* основа, вътък, канава.

abbacy [ˈæbəsi] *n* абатство, абатски сан.

abbess [ˈæbis] *n* игуменка, абатиса.

abbot [ˈæbət] *n* абат, игумен; **the ~ of unreason** *шотл.* "царят" на коледно увеселение.

abbreviate [əˈbriːvieit] *v* съкращавам (*дума*), скъсявам (*филм, разказ*).

abbreviation [ə,briːviˈeiʃən] *n* **1.** съкращение; **2.** *муз.* абревиатура.

ABC *abbr* [ˈeibiːˈsiː] **I.** *n* **1.** азбука;

~ books буквар; **2.** основен принцип, начало; **he doesn't know the ~ of this subject** той няма елементарна представа от този въпрос; **3.** двупосочен билет за пътуване с предварителна заявка; **4.: ~ shop** чайна; **5.: ~ girl** сервитьорка; **II.** *adj воен.* атомен, биологически и химически.

abdicate ['æbdikeit] *v* **1.** абдикирам, отказвам се от престол; **2.** отказвам се от (*право, пост, отговорност*).

abdication [,æbdi'keiʃən] *n* **1.** абдикация, отказване (отричане) от престол; **2.** отказване, оттегляне (*от право, пост, отговорност*).

abdomen ['æbdəmən] *n* **1.** *анат.* коремна област, корем, абдомен; **2.** *биол.* задна част (коремче) на насекомо.

abdominal [æb'dominəl] *adj анат.* коремен, абдоминален.

abduce [əb'dju:s] *v анат.* отвеждам (*за мускул*), изтеглям настрана.

abduct [æb'dʌkt] *v* отвличам, похищавам (*със сила*).

abductor [æb'dʌktə] *n* **1.** похитител; грабител, крадец; **2.** *анат.* абдуктор, отвеждащ мускул.

abecedarian [,eibi'si:'deəriən] **I.** *n* първокласник; *прен.* начинаещ; **II.** *adj* **1.** елементарен, основен, обикновен, разбираем, общопонятен, *прен.* лесен; **2.** подреден по азбучен ред.

aberrance, -cy [æ'bərəns(i)] *n* **1.** отклонение, девиация; **2.** *биол.* анормалност.

aberrant [æ'berənt] *adj* **1.** отклоняващ се (*от стандарта*), различен, правещ изключение; **2.** *биол.* анормален.

aberration [æbə'reiʃən] *n* **1.** отклонение; **2.** *биол.* анормалност; **3.** *астр.* аберация; **diurnal ~** денонощна аберация; **stellar ~** звездна аберация; **velocity ~** скоростна аберация; **4.** *опт.* разсейване; **colour ~** цветно изкривяване (разсейване); **~ of optical system** аберация на оптична система.

abet [ə'bet] *v* (-tt-) подтиквам, насърчавам, тласкам, подстрекавам, подбуждам (*към извършва-*

не на престъпления); изкушавам.

abetment [ə'betmənt] *n* подбудителство; съучастничество.

abettor [ə'betə] *n юр.* подбудител, подстрекател, поощрител, вдъхновител.

abeyant [ə'beiənt] *adj* **1.** скрит, непроявен, латентен; **2.** временно отменен, суспендиран (*закон, право*); **3.** безстопанствен.

abhor [æb'hɔ:] *v* презирам; отвращавам се; ужасявам се; гнуся се; ненавиждам, мразя.

abide [ə'baid] *v* (abode *или* abided [ə'boud, ə'baidid]) **1.** понасям, издържам; толерирам; **to ~ the test** издържам изпитанието; **I can not ~** не мога да издържа, няма да изтърпя; **2.** оставам, устоявам; **to ~ by** приемам (*правилата*), оставам верен на решението си; **3.** чакам, очаквам, изчаквам; **to ~ one's time** изчаквам удобен момент, чакам да ми дойде времето.

abiding [ə'baidin] *adj* постоянен, траен, издържащ; непрекъснат, непреривен (*книж.*), неспирен, вечен; неизменен, установен, непоколебим, твърд, упорит.

abies ['æbiiz] *n бот.* ела.

abigail [æ'bigeil] *n остар., разг.* гувернантка, домашна прислужница.

ability [ə'biliti] *n* **1.** талант, вещина, опитност, сръчност, способност, умение; кадърност; **to the best of my ~** според моите възможности; **a man of ~ (abilities)** способен човек; **working ~** работоспособност; **load-carrying ~** товароподемност; **turning ~** повратливост; **2.** *юр.* компетентност, компетенция; **3.** *pl* дарби, заложби, дарования; **4.** *фин.* платежоспособност; **5.** *юр.* право на наследяване.

abiotic [,eibai'otik] *adj* неорганичен, с неорганичен произход; нежив.

abirritant [æ'biritənt] **I.** *adj* успокоителен; **II.** *n мед.* успокоително, транквилант.

abirritate [æ'biriteit] *v мед.* успокоявам, уталожвам; умирявам, укротявам; облекчавам.

abject ['æbdekt] *adj* **1.** жалък, отвратителен, гнусен; презрян, низвергнат; **an ~ liar** презрян лъжец; **2.** скромен, смирен; **~ apologies** смирени извинения; **3.** лош, нищожен; низък, долен, неморален; **4.** сервилен; **5.** окаян, мизерен, нещастен; **~ poverty** пълна мизерия.

abjection [æb'dekʃən] *n* **1.** унижение, падение; деградация; оскърбление, компрометиране, излагане; **2.** низост, подлост, позор.

abjure [æb'duə] *vt* отричам се (*от клетва*); отказвам се (*от становище*); **~ the realm** отричам се от поданство.

ablate [æb'leit] *v* **1.** *мед.* изрязвам, изваждам, отстранявам; **2.** *геол.* отмивам.

ablative ['æblətiv] *език.* **I.** *adj* аблативен; **II.** *n* аблатив; **~ absolute** аблативус абсолутус.

ablaze [ə'bleiz] *adj* **1.** в пламъци, в огън; **2.** разпален, пламенен, възпламенён; *прен.* пламнал, изгаряш, горящ; **~ with excitement** пламнал от възбуда (вълнение, въодушевление).

able [eibəl] *adj* **1.** способен, компетентен, годен; **~ in boby and mind** *юр.* физически и умствено здрав; **2.** способен, опитен, сръчен, кадърен, надарен, талантлив; квалифициран; **3.: to be ~ to** мога; **4.** *юр.* който има правото да завещава и наследява.

able-bodied ['eibl'bɔdid] *adj* здрав, силен, мощен, крепък, як, издръжлив; годен (*за военна служба*); **~ seaman** *мор.* моряк първа категория.

able-minded ['eibl'maindid] *adj* **1.** интелигентен, просветён, образован, културен, начетен; **2.** схватлив, умен, способен.

ablepsia [æ'blepsia] *n мед.* аблепсия, слепота.

abloom [ə'blu:m] *adv, adj, predic* в разцвет, цъфнал.

ablute [ə'blu:t] *vt техн.* промивам, отмивам.

ably ['eibli] *adv* компетентно, с вещина, опитно, осведомено, авторитетно; умело, сръчно.

abnegate ['æbnigeit] *v* отричам, отказвам; не признавам, отхвърлям; **to ~ o.'s religion** отказвам (отричам) се от вярата си.

abnegation [,æbni'geiʃən] *n* **1.** отричане, отказване; отхвърляне; **2.** себеотрицание; самопожертвование, саможертва, жертвеност (*книж.*), всеотдайност, преданост (*обикн.* self-~).

abnormal [æb'nɔ:ml] *adj* ненормален, анормален; неестествен, патологичен, патогенен, извратен; нередовен; неправилен, необичаен; *техн.* отклоняващ се от средна стойност.

abnormity [æb'nɔ:miti] *n* **1.** ненормалност; **2.** аномалия; **3.** изрод.

abode [ə'boud] *n* дом, къща, жилище, домашен кът, огнище (*прен.*), покрив (*прен.*); местопребиваване.

aboil [ə'bɔil] *adv*, *adj* врящ, кипящ; *прен.* изгарящ от страст.

abolish [ə'bɔliʃ] *v* отменям (*обичай*), апулирам (*закон, решение*); закривам (*учреждение*).

abolishment [ə'bɔliʃmənt] *n* отмяна; анулиране; закриване.

abolitionism [,æbo'liʃənizm] *n* *истор.* аболюционизъм – обществено-политическо движение в САЩ през XVIII и XIX в. за премахване със закон на робството на негрите.

A-bomb ['eibɔm] *n* атомна бомба.

abominable [ə'bominəbəl] *adj* противен, отвратителен; ненавистен, омразен.

abominate [ə'bomineit] *v* **1.** отвращавам се; ненавиждам; отблъсква ме, погнусявам се; презирам; **2.** *разг.* мразя (не обичам да правя нещо).

abomination [ə'bomineiʃən] *n* **1.** отвращение; ненавист (of); **to hold s.th. in ~** изпитвам отвращение от нещо (някого); **2.** нещо отвратително; **3.** абоминация, поругание, хула.

aboriginal [,æbə'ridinəl] **I.** *adj* туземен; автохтонен; **II.** *n* абориген, туземец.

aborigines [,æbə'ridini:z] *n pl* аборигени, туземци; автохтони.

abort [ə'bɔ:t] *v* **1.** помятам, раждам преждевременно; **2.** *прен.* търпя неуспех; провалям се; прекратявам изпълнението (*на мисия, полет и др.*), поради непредвидени нарушения на нормалния ход, отказ или неизправност (*в система, уреди, апарат и др.*); **~ mission!** край на мисията (операцията)!; **3.** *биол.* закърнявам.

aborted [ə'bɔ:tid] *adj* **1.** пометнал; **2.** отменен; прекратен поради неизправност (авария и др.); **3.** закърнял, недоразвит; недорасъл, хилав; *прен., книж.* посредствен; *прен.* несъвършен.

abortion [ə'bɔ:ʃən] *n* **1.** аборт, помятане; преждевременно раждане; **criminal ~** криминален, незаконен аборт; **spontaneous ~**; **natural ~** спонтанен аборт; **2.** недоносче (*за животно*); **3.** *прен.* неуспех, несполука; **4.** *биол.* прекъсване на нормалното развитие; невъзможност да се достигне зрелост.

abortive [ə'bɔ:tiv] **I.** *adj* **1.** преждевременен (*за раждане*); **2.** неуспешен; безплоден, напразен; несполучлив; **3.** *биол.* закърнял, недоразвит; **4.** *мед.* нетипичен; при който липсват обикновените клинични признаци; **II.** *n* средство за предизвикване на аборт.

abound [ə'baund] *v* изобилствам; препълнен, обилен, богат (съм на); **the forest ~s in game** гората е пълна (гъмжи от) дивеч; **to ~ in courage** притежавам голяма смелост.

abounding [ə'baundiŋ] *adj* изобилстващ, обилен, препълнен; неизчерпаем, благодатен, богат.

about [ə'baut] **I.** *adv* **1.** наоколо; навсякъде; тук-там; в кръг, околовръст; **the papers are lying somewhere ~** документите са някъде тук; **there was nobody ~** нямаше никой наоколо; **a mile ~** на една миля околовръст (в кръг от една миля); **2.** приблизително, горе-долу; почти; **you are ~ right** в общи линии си прав; **it is ~ time** време е; **much ~ the same** горе-долу същото; **3.** назад; в обрат-

на посока; **ready ~!** *мор.* готови за обръщане; **~ face** *амер.* кръгом; **~ turn** кръгом; **4.** отново в действие; **to be up and ~**; **out and ~** възстановен след болест, отново съм на крака; **~ to (do s.th.)** занимавам се с нещо, навъртам се наоколо; • **~ East** *разг.* правилно, вярно; **what is he ~** какво има той предвид, какво цели той; **II.** *prep* **1.** за, заради, относно, във връзка с; **he worries ~ his work** той е загрижен за работата си; **2.** около, край, в кръг около; **they gathered ~ the church** те се събраха около църквата; **3.** из, по, в района на; **somewhere ~ the house** някъде из къщата; **4.** в, у, при; **they sold all they had ~ them** продадоха всичко, което имаха (у, в себе си); **I had all the papers ~ me** всички книжа (документи) бяха у мен; **5.** около, към, приблизително; **she is ~ the fifties** тя е към (около) петдесетте (години); **~ midday** към (къде, около) обед (пладне); **6.** навсякъде в; **the tools were strewn ~ the garden** инструментите бяха разпилени навсякъде в градината; **7.** *с inf:* готвя се, възнамерявам; **to be ~ to go** ей-сега тръгвам, готвя се да тръгна; **8.** *остар.* ангажиран, зает с; **what are you ~?** какво правите (искате)? **mind what you are ~!** *разг.* внимавай! опичай си акъла! • **go ~ your business!** гледай си работата!; **be quick ~ it!** по-бързо! не се бави! **III.** *v мор.* променям курса, лавирам.

above [ə'bʌv] **I.** *adv* **1.** предшестващ; гореспоменат; **the ~ evidence is conclusive** гореспоменатото доказателство е решаващо; **the powers ~** небесните сили; **over and ~** в допълнение; **2.** нагоре; **from ~** отгоре; **II.** *prep* **1.** над, отгоре, по-високо от; **~ my head** над главата ми; **he is ~ criticism** (той) не подлежи на критика; **I am ~ it** стоя над това, издигнал съм се над това; **it is ~ me (my head)** не мога да го разбера; **2.** над, повече от; свръх; **~ 100 cars** над сто автомобила; **~**

measure извън мярка; **to live ~ o.'s means** живея не според средствата си, харча повече от това, с което разполагам; 3. по-назад от (*за време*); **it cannot be traced ~ the XVIth century** не може да се проследи по-назад от XVI в.; ● **~ all** над всичко, повече от всичко; най-вече; на първо място; III. *adj* гореспоменат (споменат по-горе), предшестващ; **the ~ matter** гореспоменатият въпрос; IV. *n* (**the ~**) гореспоменатото, гореказаното.

above-board [ə'bʌvbɔ:d] I. *adv* открито (прямо), честно; II. *adj* открит (прям), честен, искрен, откровен, смел.

above-ground [ə'bʌv‚graund] I. *adj* 1. надземен; повърхностен; **work ~** *мин.* надземна работа; 2. жив; II. *adv* 1. на земната повърхност, на земята; 2. между живите.

above-mentioned, above-named [ə'bʌv ‚menʃənd, ə'bʌv‚neimd] *adj* гореспоменат, гореказан, гореупоменат, гореизложен, цитиран, отбелязан, посочен, гореприведен.

abrade [ə‚breid] *v* 1. изстъргвам; изтърквам; изтривам, износвам; 2. одирам, дера, смъквам (*кожа*); 3. *техн.* шлайфам; излъсквам, полирам (*метал*).

abraser [ə'breizə] *техн.* абразив.

abrasion [ə'breiʒn] *n* 1. изтъркване, изтриване; протъркано (ожулено) място; **~ marks** *фот.* драскотини; 2. *геол.* абразия, отмиване (*от морската вода*); 3. *техн.* шлифовка; 4. *техн.* изтриване, износване; **~ testing** изпитание на износване; **~-resistant** износоустойчив; 5. *мед.* абразия, кюртаж; изтръгване.

abrasive [ə'breiziv] I. *adj* абразионен, изстъргващ, изтриващ, износващ, сличащ, отмиващ, изтъркващ, шлифоващ; II. *n техн.* абразив, материал за изтриване или шлифоване.

abreact [æbri'ækt] *v псих.* отреагирам.

abreaction [‚æbri'ækʃən] *n псих.* отреагиране, катарзис.

abreast [ə'brest] *adv* редом, един до друг; на един ред; рамо до рамо, заедно, всички, наред с, паралелно; на едно ниво; **to keep ~ of (with)** вървя в крак с; не оставам назад от; **~ connection** *ел.* паралелна шунтова връзка.

abridge [ə'bridʒ] *v* 1. съкращавам, скъсявам; намалявам (*обем, време на престой и под.*); **~d edition (version)** съкратено издание; **an ~d visit** съкратена визита; 2. ограничавам, намалявам; лишавам; **to ~ s.o. of a right (power)** лишавам (*частично или напълно*) от някакво право.

abridgement [ə'bridʒmənt] *n* 1. съкращаване; резюмиране; съкращение; 2. съкратено издание, резюме; 3. ограничаване; намаляване; ограничение, намаление.

abroach [ə'broutʃ] *adv, adj predic* отворен, разтворен, разкрит, зейнал; **to set a cask ~** отварям (*бъчва*), поставям канелка (*на бъчва*).

abrogate ['æbrogeit] *v* отменям, анулирам (*закон и под.*).

abrogation [‚æbro'geiʃən] *n* отменяне, анулиране.

abrupt [ə'brʌpt] *adj* 1. рязък; 2. внезапен, неочакван; **an ~ turn in a road** внезапен завой на пътя; 3. безцеремонен, груб; рязък; 4. несвързан, накъсан (*за стил, начин на изказ и под.*); 5. стръмен; **an ~ ascent** изкачване по стръмнина; 6. осеян с пропасти.

abruption [ə'brʌpʃən] *n* 1. разрив; разделяне, разединение; 2. *ел.* прекъснато място (*на проводник и пр.*); 3. *геол.* излизане на повърхността; разсед; 4. *мед.* счупване на кост.

abruptly [ə'brʌptli] *adv* 1. рязко; отведнъж; 2. стръмно; **a path that rises ~** стръмна пътека; 3. с прекъсвания (скокове); несвързано, отключено; накъсано.

abruptness [ə'brʌptnis] *n* 1. рязкост; 2. стръмнина, наклон; нагорнище, надолнище, склон, урва, скат; 3. ненадейност, неочакваност; 4. несвързаност, откъслечност, разкъсаност; 5. *ел.* **~ of flux perturbation** стръмност на

смущението на магнитен поток.

abscess ['æbsis] *n* 1. *мед.* абсцес, гнойно възпаление; **dental (alveolar) ~** зъбен абсцес; **hepatic ~** чернодробен абсцес; **subcutaneous ~** подкожен абсцес; 2. *техн.* шупла (*в метал*).

abscind [æbsind] отрязвам, отсичам; прекъсвам.

abscissa [æb'sisə] *n* (*pl* **-as** [-əz], **-ae** [-i:]) *мат.* абсциса; **X-**координата.

abscission [æb'siʒən] *n* 1. отрязване, откъсване; ампутация; кастрация; 2. неочаквано прекъсване; прекратяване; разделяне.

abscond [əb'skɔnd] *v* избягвам, изчезвам, скривам се (*обикн. след кражба*); укривам се (*от закона*); *разг.* офейквам, "изпарявам се", "духвам", "драсвам".

absconder [əb'skɔndə] *n* 1. беглец, бежанец, емигрант; 2. човек, който то се укрива от съдебно преследване; дезертьор, предател.

absence ['æbsəns] *n* 1. отсъствие, липса (*на внимание, на желание и под.*); **~ of mind** разсеяност, несъсредоточеност; **~ without leave (AWOL)** *воен.* самоволно отлъчване; **leave of ~** отпуск; 2. липса; **~ of proof** липса на доказателства; **~ of contrast** *техн.* недостатъчен контраст; **~ of current** *ел.* липса на ток; 3. разсеяност; невнимание; **he has fits of ~** понякога той е разсеян.

absent I. ['æbsənt] *adj* 1. отсъстващ, липсващ, изчезнал, избягал, изплъзнал се; **he is ~** той отсъства; няма го; **revenge is ~ from his mind** у него няма никакъв дух на отмъстителност; той не мисли за отмъщение; ● **long ~, soon forgotten** далеч от очите, далеч от сърцето; очи, които не се виждат се забравят; 2. разсеян; небрежен, нехаен, немарлив, невнимателен, *разг.* забъркан, объркан, заплеснат; II. [əb'sent] *v refl* отеглям се; отделям се; няма ме; отсъствам (**from**).

absenteeism [‚æbsən'ti:zəm] *n книж.* 1. абсентеизъм; 2. отсъствие (*от редовно провеждани*

събрания, заседания и под.); **3.** редовно неоправдано и безпричинно отсъствие от работа.

absent-minded ['æbsənt'maindid] *adj* разсеян; невнимателен; ◇ *adv* **absentmindedly.**

a b s e n t - m i n d e d n e s s ['æbsənt'maindidnis] разсеяност; невнимание.

absinth(e) ['æbsinθ] *n* **1.** *бот.* пелин *Artemisia absinthim*; **2.** абсент – алкохолна напитка, подправена с анасон и други билки.

absolute ['æbsəlju:t] **I.** *adj* **1.** абсолютен; съвършен; пълен; безусловен; върховен, самовластен; ~ **truth** безусловна (абсолютна) истина; ~ **monarch** абсолютен (неограничен, самовластен) монарх; **an ~ majority** абсолютно мнозинство; ~ **art** абстрактно изкуство; **2.** чист, без примеси; ~ **alcohol** абсолютен алкохол – етанол; чист спирт; **II.** *n филос.* **the ~** абсолют – безкрайната, съвършената, неизменната, вечната първопричина на Вселената; *юр.* **decree ~** последна фаза при отсъждане на развод.

absolutely ['æbsəlju:tli] *adv* абсолютно, напълно; безусловно; съвършено; **we ~ must do it** ние непременно трябва да го направим; **a transitive verb used ~** *език.* преходен глагол, употребен без пряко допълнение.

absoluteness ['æbsəlju:tnis] *n* безусловност; неограниченост.

absolutist ['æbsəlju:tist] *n* привърженик на абсолютизма.

absolve [əb'zɔlv] *v* **1.** прощавам, пощадявам, смилявам се, опрощавам (of); **to ~ of sins** *рел.* опрощавам грехове; **2.** освобождавам (*от отговорност*) (from); ~**d from his oath** освободен от клетвата си; **3.** обявявам за невинен, помилвам, амнистирам.

absorb [əb'sɔ:b] *v* **1.** поглъщам, абсорбирам; попивам; поемам, засмуквам, всмуквам; *истор.* асимилирам, присвоявам; **2.** *техн.* амортизирам, поглъщам; смекчавам (*удар*); **3.** *биохим.* всмуквам.

absorbed [əb'sɔ:bd] *adj* погълнат; абсорбиран; ~ **in thoughts** погълнат от мисли.

absorbedness [əb'sɔ:bidnis] *n* абсорбираност; погълнатост.

absorbefacient [əb,sɔ:bə'feiʃənt] *n* *хим.*, *мед.*, *техн.* абсорбент; всмукващо, поглъщащо (*газове, пари, лъчи, топлина и под.*), попиващо средство.

absorption [əb'sɔ:pʃən] *n* **1.** поглъщане, попиване; всмукване; абсорбция; ~ **circuit** поглъщателен кръг; ~ **spectrum** спектър на поглъщане; **the ~ of small farms into a big one** поглъщане на дребните стопанства, за да бъде образувано едно (едро) стопанство; ~ **coeficient** *опт.* коефициент на поглъщане; **2.** задълбоченост (*в мисли, в дейност и пр.*).

absquatulate [əbsk'uɔtjuleit] *v разг.* бягам, избягвам, офейквам, изчезвам, омитам се, вдигам си чукалата.

abstain [əb'stein] *v* въздържам се, пазя се (from); **to ~ from voting** въздържам се от гласуване; **to ~ from comment** въздържам се от коментар.

abstainer [əb'steinə] *n* **1.** въздържател, трезвеник; **total ~** пълен въздържател; **2.** въздържал се (*при гласуване*).

abstemious [æb'sti:miəs] *adj* **1.** въздържан, умерен (*в ядене, пиене и пр.*); **2.** икономичен, пестелив, спестовен; скромен, стеснителен, тих, кротък, непретенциозен, невзискателен.

abstention [æb'stenʃən] *n* въздържане, въздържание (from); **there were three ~s in the council** трима от членовете на съвета се въздържаха от гласуване.

absterge [əb'stə:d] *v* **1.** *мед.* почиствам; **2.** измивам, избърсвам, изчиствам, чистя, изплаквам.

abstinent ['æbstinənt] *adj* **1.** умерен, въздържан; **2.** постещ.

abstract ['æbstrækt] **I.** *adj* **1.** абстрактен, отвлечен, неконкретен; ~ **art** абстракционизъм; **2.** теоретичен; **II.** *n* **1.** абстракция, отвлечено понятие; **in the ~** абстрактно

(теоретично) погледнато; на теория; **the ~ world of ideas** абстрактният свят на идеите; **2.** резюме, конспект; извлечение; съкратена версия; ~ **of title** извлечение от предходни актове за собственост; **III.** [æb'strækt] *v* **1.** изваждам, отнемам, отделям; **2.** отвличам (*внимание*); **3.** резюмирам, конспектирам; правя извлечение; **4.** *филос.* отделям (абстрахирам) мислено съществените от несъществените признаци; **to ~ a conception** отделям (извличам същественото) от определено понятие; **5.** крада, присвоявам; **6.** *хим.* извличам, екстрахирам.

abstracted [æb'stræktid] *adj* **1.** замислен, потънал в размисъл; разсеян; **2.** отделèн; **3.** отвлечен; ◇ *adv* **abstractedly.**

abstractedness [æb'stræktidnis] *n* разсеяност, невнимание, небрежност, нехайство, немарливост.

abstraction [æb'strækʃən] *n* **1.** абстракция; **2.** отнемане; отделяне; оттегляне; ~ **of heat** топлоотнемане; ~ **of pillar** *мин.* изземване на целик; **3.** разсеяност; **in a moment of ~** в момент на невнимание (разсеяност); **with an air of ~** разсеяно; **4.** кражба, присвояване, обсебване, заграбване, ограбване, злоупотребление, плячка, грабеж, обир.

abstruse [æb'stru:s] *adj* **1.** неясен, неразбираем; дълбок; непонятен; **2.** скрит; ◇ *adv* **abstrusely.**

absurd [əb'sə:d] **1.** *adj* абсурден, нелогичен; глупав, нелеп; смешен; **2.** *n* абсурд, нелепост; • **theatre of the ~** театър на абсурда; ◇ *adv* **absurdly.**

absurdity [əb'sə:diti] *n* абсурд; нелепост; глупост, безсмислица, нелогичност, *книж.* парадокс.

abundance [ə'bʌndəns] *n* **1.** изобилие; богатство, охолство, благосъстояние, заможност, имàне; *прен.* доволство, благодат, щедрост, разкош, великолепие, пищност; **to live in ~** живея в охолство; ~ **of the heart** излишък от чувства; **2.** *хим.* относително съдър-

жание; разпространение на елементите; **molecular** ~ разпространение на молекулите; 3. *физ.* концентрация (съдържание) на точно определен изотоп в смес от изотопи.

abundant [ə'bʌndənt] *adj* изобилен, обилен; богат; **to be** ~ изобилствам (в изобилие съм); **an** ~ **supply** обилно количество; **a river** ~ **in carp** река, в която има много шарани; ◇ *adv* **abundantly**.

abuse I. [ə'bju:z] *v* 1. злоупотребявам; **to** ~ **a privilege** злоупотребявам с привилегия; 2. малтретирам; безчестя; *юр.* изнасилвам; 3. обиждам, оскърбявам, ругая; 4. измамвам; излъгвам, изигравам; заблуждавам; **you have been** ~**ed** излъгали са ви; **II.** [əb'ju:s] *n* 1. злоупотреба; неправда; зло; **crying** ~ крещяща неправда; **sexual** ~ сексуален тормоз; ~ **of administrative authority** *юр.* злоупотреба с власт; 2. пристрастяване (към), злоупотреба (с) (*вредни вещества*); **drug** ~ пристрастяване към наркотици; 3. ругатни (*върху някого*); 4. измама; заблуда; 5. ползване без пълномощия; ~ **of invention** използване на изобретение без пълномощие.

abuser [ə'bju:zə] *n* 1. прелъстител, съблазнител, изкушител; 2. грубиян; човек, който ругае и обижда; 3. измамник, мошеник, изнудвач, негодяй, *разг.* шарлатанин, *прен., разг.* въжеиграч.

abusive [ə'bju:siv] *adj* 1. обиден, оскърбителен, арогантен, дързък, нахален, язвителен, непочтен; ~ **language** ругатни; ◇ *adv* **abusively**; 2. който злоупотребява.

abut [ə'bʌt] **I.** *v* (-tt-) 1. гранича; достигам (стигам до) (*обикн. с* **upon**); 2. опирам се (**against**); **II.** *n техн.* подпора; опора; основа.

abutment [ə'bʌtmənt] *n* 1. край; допирна точка; 2. *архит.* контрафорс; *строит.* брегови устои; ~ **stone** опорен камък; 3. подпора.

abuzz [ə'bʌz] *adj predic* бръмчащ, зашумял; плъзнал; **the town is** ~ **with the rumour** из целия град се говори за случая.

abysm [ə'bizəm] *n* 1. *поет.* бездна, бездънна пропаст; 2. *adj прен.* бездънен, безкраен; ~ **ignorance** безкрайно невежество.

Abyssinian [əbi'sinjən] **I.** *adj* абисински, етиопски; ~ **gold** алуминиев бронз; **II.** *n* абисинец, абисинка.

acacia [ə'keiʃə] *n бот.* акация *Robinia pseudoacacia* и растенията от сем. *Leguminosae.*

academic [,ækə'demik] **I.** *adj* 1. академически, университетски; 2. академичен; 3. *прен.* сух, педантичен; теоретичен; ~ **discussion** чисто теоретичен спор; 4. *истор.* ученик от философската школа-та на Платон; **II.** *n* 1. учен; 2. *pl* чисто теоретични (академични) аргументи; 3. *pl* университетско наметало и шапка.

academician [ə,kædə'miʃən] *n* академик, член на академия.

academy [ə'kædəmi] *n* 1. академия; **the (Royal) A.** Лондонската академия за изящни изкуства и ежегодната ѝ изложба; 2. висше учебно заведение; **A. of Music** музикална академия, консерватория; 3. частно учебно заведение за получаване на средно образование; *шотл.* колеж; *амер.* пансион; 4. специализирано учебно заведение, школа; **Military A.** военно училище; **riding** ~ школа по езда; 5. *истор.* философската школа, основана от Платон в Атина (*IV в. пр. Хр.*); 6. *истор.* място край Атина, предназначено за гимнастика и беседи, посветено на героя Академ.

acajou ['ækəu] *n бот.* 1. акажу *Anacardium occidentale*; 2. махагон.

acanthoid, acanthous [ə'kænθoid, ə'kænθəs] *adj* бодлив, трънлив.

acapella [akə'pelə] *adj, adv муз.* 1. а капела; изпълнение на хорова творба без музикален съпровод; ~ **choir** хорова капела; 2. църковно (многогласно) пеене.

acatalectic [ə,kætə'lektik] *adj* цялостен, пълен; акаталектичен (*за стих*).

acatalepsy [ə'kætələpsi] *n филос.* непостижимост, неоткриваемост; неспособност да се разбере нещо.

accede [æk'si:d] *v* 1. съгласявам се, отстъпвам; приемам, склонявам, разрешавам, одобрявам; **to** ~ **to a request** отстъпвам пред нечия молба; 2. встъпвам (*в длъжност, във владение*) (**to**); ~ **to the throne** заемам престола; 3. присъединявам се (**to**).

accelerate [æk'seləreit] *v* ускорявам се, засилвам се; придавам по-голяма скорост; форсирам.

accelerating [æk'seləreitiŋ] *adj* ускоряващ; ~ **force** *физ.* сила на ускорение.

acceleration [æk'seləreiʃən] *n* ускорение; акселерация; ~ **of gravity** *физ.* земно ускорение; **negative** ~ отрицателно ускорение, забавяне; **constant** ~ постоянно ускорение; **uniform** ~ равномерно ускорение.

accelerator [æk'seləreitə] *n* 1. ускорител; *техн.* педал за газта (*на автомобил*); акселератор; **to press on the** ~ натискам газта, давам газ; **to release the** ~ намалявам газта; 2. *хим.* катализатор; 3. *физ.* ускорител на елементарни частици; 4. *ел.* ускоряващ електрод; 5. *воен.* многокамерно оръдие; 6. пощенски автомобил.

accent I. ['æksent] *n* 1. произношение, акцент; **with a slight** ~ **of anger** с леко раздразнен тон; 2. ударение; *муз.* акцент; **sentence** ~ логическо ударение, синтактично ударение; **to put an** ~ **on** наблягам на (върху); 3. *pl поет.* слова, реч, стихове; **he related in broken** ~**s that ...** с отпаднал глас той разказа, че ...; 4. *изк.* акцент (*светлинен*); 5. диакритичен знак, поставен над буква или цифра (' ` ^ ~); **II.** [æk'sent] *v* 1. слагам (поставям) ударение на (върху); 2. произнасям с ударение (акцент); подчертавам, натъртвам; акцентирам.

accentual [æk'sentjuəl] *adj* тонически, ритмически; който се отнася до ударението.

accentuate [æk'sentjueit] *v* 1. поставям ударение на; акцентирам; 2. *прен.* подчертавам, изтъквам; наблягам на; отделям специал-

но внимание.

accept [ək'sept] *v* 1. приемам (*остар. и с* of); допускам; съгласявам се с; признавам; **to ~ an apology** приемам извинение; **to ~ a call** *тел.* приемам повикване; 2. приемам служба, встъпвам в длъжност; 3. утвърждавам, парафирам (*доклад, заповед и под.*); **contrary to the ~ed opinion** противно на общоприетото (мнение); 4. *фин.* акцептирам, приемам да изплатя в срок (*чек, полица и под.*); ● **to ~ the fact (the inevitable)** примирявам се с факта, приемам неизбежното.

acceptability [ək,septə'biliti] *n* приемливост, допустимост.

acceptable [ək'septəbəl] *adj* 1. приемлив, допустим; 2. приятен, желан, добре дошъл; **your cheque was most ~** чекът ви дойде тъкмо навреме; ◇ *adv* **acceptably** [ək'septəbli].

acceptation [,æksep'teiʃən] *n* 1. приемане; одобрение; 2. схващане; възприемане; 3. значение (*на дума*).

accepted [ək'septid] *adj* 1. общоприет, приет; 2. одобрен, утвърден, позволен, разрешен, възприет; допуснат (*при контрол*).

acceptive [ək'septiv] *adj* благоразположен към; одобряващ; **he is ~ of this doctrine** той с готовност приема доктрината.

acceptor [ək'septə] *n* 1. *фин.* получател, който приема; акцептант; 2. *физ.* несъвършен полупроводник с дупчеста проводимост.

access ['ækses] I. *n* 1. достъп (to); **easy of ~** леснодостъпен, леснодостижим; **difficult of ~** трудно-достъпен, труднодостижим; **to gain ~ to s.o.** добирам се, намирам някого; 2. проява; взрив, избухване (*на чувства и под.*); **an ~ of fury** пристъп на ярост; 3. *инф.* достъп (*до данни, ресурси*); **access rights** права за достъп (*на потребител до данни, ресурси*); II. *vt* свързвам се (с), достигам (до), изразявам (*най-дълбоки чувства или подсъзнателни желания*).

accessibility [æk,sesi'biliti] *n* 1. достъпност, достижимост; 2. податливост, отстъпчивост, неустойчивост.

accessible [æk'sesibəl] *adj* 1. достъпен, достижим; **this collection is not ~ to the public** колекцията не е достъпна за публика; 2. податлив, отстъпчив, неиздръжлив; наклонен, предразположен (*за човек*); **~ to bribery** подкупен; **~ to pity** милостив.

accession [æk'seʃən] *n* 1. увеличение; прираст, допълнение, прибавка; **~ catalogue** каталог на нови книги; **~ to o.'s income** увеличение на (допълнение към) приходите; 2. достъп; пропускане (*на нещо*); **~ of light (air)** достъп на светлина (въздух); 3. възкачване, заемане (*на престол*); възцаряване; встъпване (*в длъжност*); **~ to power** идване на власт; **~ to an estate** влизане във владение на собственост; 4. *юр.* присъединяванс към (to), признаване (*на международен договор, конвенция и под.*); придобиване, получаване (*на статут*); 5. приближаване, доближаване, наближаване; достигане; 6. пристъп (*на болест*); изблик (*на чувства*); 7. завоевание, придобивка.

accessorily [æk'sesərili] *adv* свръх, в повече, допълнително, добавъчно, в допълнение на.

accessory [æk'sesəri] I. *adj* 1. допълнителен, добавъчен; спомагателен; второстепенен, случаен; 2. *юр.* съучастнически; 3. *геол.* акцесорен; II. *n* 1. *юр.* съучастник (*и* accessary); **~ to a crime** съучастник в престъпление; **~ before the act** *юр.* съучастник (подбудител, съизвършител); 2. допълнение; *техн. pl* арматура, допълнителни, второстепенни принадлежности; 3. *pl* аксесоари.

accidence ['æksidəns] *n* 1. *език.* морфология; 2. основа (*на предмет*); 3. *неолог.* аварийност.

accident ['æksidənt] I. *n* 1. злополука, нещастен случай, премеждие, катастрофа; **to meet with an ~** търпя злополука; **~ insurance**

застраховка в случай на злополука; **railroad ~** железопътна катастрофа; 2. случайност; **by ~** по случайност; случайно; **~ nothing was left to ~** нищо не беше оставено на случайността, всичко беше предвидено; II. *adj* полигр. акцидентен.

accidental [,æksi'dentəl] I. *adj* 1. случаен; ненадеен, неочакван; ◇ *adv* **accidentally**; **~ sharp (flat, natural)** *муз.* случаен диез (бемол, бекар); 2. дребен, незначителен; допълнителен, спомагателен; II. *n* 1. случайност; 2. нещо несъществено, незначителен елемент; 3. *муз.* неарматурен хроматичен знак; алтерационен знак.

accipiter [æk'sipitə] *n* зоол. ястреб, сем. *Accipiter.*

accipitrine [æk'sipitrin] *adj* 1. зоол. ястребов; 2. *прен.* орлов (*поглед и под.*); 3. хищен, хищнически, граблив, кръвожаден; *прен.* алчен, ненаситен.

acclaim [ə'kleim] I. *v* 1 аплодирам; одобрявам, приветствам или поздравявам с шумни възгласи; 2. провъзгласявам с акламации; II. *n поет.* акламация, възторжен възглас.

acclamation [,æklə'meiʃən] *n* акламация; **carried (voted) by ~, carried with ~** приет (гласуван) с акламации.

acclamatory [ək'læmətəri] *adj* възторжен, одобрителен (*с акламации*), ликуващ, екзалтиран, ентусиазиран, патетичен.

acclimatization [ə,klaimətai'zeiʃən] *n* аклиматизация, приспособимост.

acclimatize [ə'klaimətaiz] *v* 1. аклиматизирам, приспособявам към други условия; **to get (become) ~d** аклиматизирам се, приспособявам се; 2. свиквам, привиквам (*нещо, с някого*); нагаждам се към.

accommodate [ə'kɔmədeit] *v* 1. приспособявам (се), пригодявам (се), пригаждам (се); нагаждам (се); **to ~ to circumstances** приспособявам се към обстоятелствата; 2. настанявам, подслонявам; побирам; разквартирувам

(*войска и под.*); his car can ~ six persons колата му побира шестима (шест души); to be well ~d живея в удобно жилище; 3. правя услуга на; to ~ a friend услужвам на приятел; 4. давам; снабдявам; доставям; to ~ s.o. with a loan давам заем на някого; 5. сдобрявам, примирявам; to ~ differences изглаждам различия; 6. съгласувам се; съобразявам се; *физиол.* акомодирам се.

accommodating [ə'kɔmədeitiŋ] *adj* 1. услужлив, любезен; 2. сговорчив; разбран; in an ~ spirit в дух на разбирателство (съгласие); 3. който се приспособява (нагажда).

accommodation [ə,kɔmə'deiʃən] *n* 1. акомодация, приспособяване; нагаждане, нагласяне; 2. помещение, квартира; 3. настаняване; подслоняване; разквартирувване; 4. съгласуване; сговорчивост; to come to an ~ постигам съгласие (компромис); 5. сдобряване; примиряване; изглаждане (*различия*); 6. удобство; улеснение; 7. любезност, услужливост; 8. заем; 9. *физиол.* акомодация.

accompaniment [ə'kʌmpənimənt] *n* 1. придружаване, съпровождане; 2. *муз.* акомпанимент, съпровод; 3. допълнение, добавка (*за симетрия, украса и пр.*); 4. принадлежност, притежание, атрибут.

accompany [ə'kʌmpəni] *v* 1. придружавам, съпровождам; съпътствам; 2. *муз.* акомпанирам, съпровождам.

accomplice [ə'kɔmplis] *n юр.* съучастник.

accomplish [ə'kɔmpliʃ] *v* завършвам; изпълнявам; осъществявам, постигам, реализирам, довеждам докрай; to ~ o.'s object постигам целта си.

accomplishable [ə'kɔmpliʃəbəl] *adj* постижим, изпълним, достижим; осъществим.

accomplished [ə'kɔmpliʃt] *adj* 1. завършен, постигнат, реализиран; окончателен; an ~ fact свършен факт; 2. завършен, изграден изцяло, усъвършенстван; an ~ art-

ist завършен, цялостно изграден художник; an ~ personality завършена личност; 3. изискан, културен, галантен.

accomplishment [ə'kɔmpliʃmənt] *n* 1. постигане, реализиране; 2. постижение, завоевание; difficult of ~ трудно постижим (осъществим); 3. умение, сръчност (*особ. в изкуството*), с която се допълва образованието; his only ~ was playing the flute единственото му постижение беше умението да свири на флейта; 4. *pl* изящност; изисканост; галантност.

accord [ə'kɔ:d] I. *n* 1. съгласие; мир, хармония; of o.'s own ~ доброволно; по своя собствена инициатива; to be in ~ with s.th. съгласен съм с нещо; to bring into ~ съгласувам, постигам (установявам) съгласие помежду; 2. съглашение, споразумение; уреждане (*на въпрос и под.*); ~ pay заплащане на акорд; II. *v* 1. в съгласие съм, съгласувам (се), съответствам, отговарям (with); хармонирам; 2. оказвам (*почести и под.*), предоставям, давам; they ~ed him a hero's welcome приеха го като герой.

accordance [ə'kɔ:dəns] *n* 1. съгласие, мир; съответствие; съобразност; in ~ with в съгласие с, според, съгласно; 2. даване, предоставяне, оказване.

according [ə'kɔ:diŋ] *adv* 1.: ~ to според, съгласно, по, в съгласие с; съобразно с; ~ to her според нея; ~ to Cocker както следва, по всички правила; 2.: ~ as съответно на, съразмерно с; според; you may either go or stay ~ to your desire можете да си отидете или да останете, както желаете.

accordion [ə'kɔ:djən] *n* 1. *муз.* акордеон, хармоника; 2. контактна пружина със Z-образна форма; 3. *ел.* плосък кабел, положен на хармоника; 4. *жп* гъвкаво междувагонно съединение.

accordion-pleated [ə'kɔ:djən,pli:tid] *n* плисета.

accost [ə'kɔst] I. *v* 1. обръщам се към, заговарям; 2. съблазнявам,

прелъстявам (*за проститутка*); II. *n остар.* поздрав, приветствие.

accouchement [ə'ku:ʃmə:n] *фр. n* акуширане, освобождаване от бременност; раждане.

account [ə'kaunt] I. *n* 1. сметка; отчет; баланс; current ~ текуща сметка; bank ~ банкова сметка; joint ~ обща сметка; 2. отчет, описание, разказ; to give an ~ of s.th. разказвам за нещо, описвам нещо; to give a good ~ of oneself представям се добре; 3. опис; to take (an) ~ of описвам, правя опис (списък) на, правя инвентаризация на; 4. (*само във фрази*) важност, значение; of no (little) ~ маловажен; to make much ~ of придавам голямо значение на; to make little ~ of не отдавам голямо значение на, не смятам за важен; 5.: on ~ of, on s.o.'s ~ поради, по причина на, заради (за); I was afraid on his ~ страхувах се заради него; ● to be called to o.'s ~, *амер.* to hand in o.'s ~ умирам, "хвърлям топа"; last ~ *разг.* Страшният съд; II. *v* 1. давам сметка, отговарям, обяснявам (for) ; this ~s for his behaviour това обяснява неговото държание (поведение); to ~ for a sum of money давам отчет за сума пари; 2. минавам, приемам (се), смятам (се) за; to be ~ed rich минавам за богат; to ~ oneself happy имам се за щастлив.

accountability [ə'kauntə'biliti] *n* 1. отговорност; 2. *фин.* подотчетност; 3. обяснимост, разбираемост, понятност, яснота, логичност.

accountable [ə'kauntəbəl] *adj* 1. отговорен (to пред; for за); 2. обясним, разбираем, понятен, ясен, логичен; ◇ *adv* accountably; 3. *фин.* подотчетен; ● ~ receipt *юр.*, *фин.* заверена сметка.

accountancy [ə'kauntənsi] *n* счетоводство.

accountant [ə'kauntənt] *n* 1. счетоводител; ~'s department счетоводство; chartered ~ експерт-счетоводител; 2. *юр.* ответник.

accouplement [ə'kʌplmənt] *n техн.* 1. куплиране, съединяване; 2. куплунг; скоба; съединител, свръзка.

accoutre [ə'ku:tə] *амер.* accouter *v* обличам, екипирам; *воен.* обмундировам, снаряжавам; обличам във военна униформа (*главно в pp*); fully ~d напълно екипиран, облечен и въоръжен; ill ~d лошо облечен, *воен.* зле екипиран.

accoutrements [ə'ku:təmənts] *n pl* 1. *воен.* снаряжение; 2. *шег.* парадно облекло; официален костюм, премяна.

accredit [ə'kredit] *v* 1. акредитирам (*дипломатически представител*); упълномощавам; 2. приписвам (to, with); to ~ a thing to a person, to ~ a person with a thing приписвам някому нещо; 3. доверявам; поверявам; 4. вярвам; разчитам; 5. признавам официално (*учебно заведение и под.*).

accredited [ə'kreditid] *adj* 1. акредитиран; 2. официално признат; ~ rumour достоверен слух.

accrete [ə'kri:t] I. *v* 1. срастваме се, прилепвам, слепвам (се); придавам (to); 2. увеличавам, наддавам, придавам към; II. *adj бот.* сраснат.

accretion [æ'kri:ʃən] *n* 1. прираст; увеличение (*на органична материя*); 2. срастване; 3. *юр.* увеличаване дела от завещано наследство поради смърт на друг наследник; 4. *геол.* акреция, нанос.

accrual [ə'kru:əl] *n* 1. увеличение, нарастване; 2. прираст.

accrue [ə'kru:] *v* 1. падам се; произхождам; the advantages that ~d to us from this ползата, която имаме от това; 2. увеличавам се, нараствам, прибавям, натрупвам се; interest ~s from today лихвата започва да тече от днес; ~d dividents натрупани дивиденти; 3. *юр.* ставам изпълним (*за иск и пр.*); 4. идвам като естествено следствие.

acculturate [ə'kʌltʃə,reit] *v* възприемам, адаптирам се към чужда култура.

accumulate [ə'kju:mjuleit] *v* натруп-

вам (се); събирам (се); увеличавам (се); *техн.* акумулирам (се).

accumulation [ə,kju:mju'leiʃən] *n* 1. натрупване, събиране; акумулация; *техн.* акумулация; ~ране; primitive ~ *икон.* първоначално натрупване; ~ of data *изч.* натрупване на данни; 2. куп, маса; oil ~ *геол.* нефтено находище.

accumulative [ə'kju:mjulətiv] *adj* 1. акумулиращ, който се събира (натрупва); 2. събирателен; кумулативен.

accumulator [ə'kju:mjuleitə] *n* събирател, събирач; *техн.* акумулатор; колектор.

accuracy ['ækjurəsu] *n* 1. точност, прецизност, акуратност; правилност; достоверност; ~ of fire *воен.* точност (меткост) на стрелбата; 2. *техн.* (абсолютна) грешка при отчитане; ● within the ~ of observation в границите на точността на измерване.

accurate ['ækjurit] *adj* точен, акуратен; верен, правилен; he is quick and ~ at figures той смята бързо и точно; ● ~ to с точност до; ~ to dimensions обработен точно по размерите; ~ to gauge обработен точно по калибър; ~ to three decimal places с точност до третия десетичен знак; ◇ *adv* accurately.

accursed [ə'kə:st] *adj* 1. прокълнат, анатемосан (*църкв.*), афоресан (*църкв.*), отлъчен, осъден; 2. проклет; отвратителен, омразен, ненавиждан, отблъскващ, противен, неприятен, ненавистен.

accusal [ə'kju:zl] *n* обвинение, нападка, упрек, оскърбление, осъждане (*юр.*).

accusant [ə'kju:zənt] *n* обвинител.

accusation [,ækju:'zeiʃən] *n* 1. обвинение; to bring an ~ against s.o. повдигам обвинение срещу някого; 2. *юр.* обвинителен акт.

accusative [ə'kju:zətiv] *език.* I. *adj* винителен (*за падеж*); II. *n* винителен падеж.

accuse [ə'kju:z] *v* обвинявам, виня; to ~ s.o. of theft обвинявам някого в кражба.

accuser [ə'kju:zə] *n* обвинител.

accustom [ə'kʌstəm] *v* 1. свиквам, привиквам; 2. приучвам, приспособявам, навиквам; she ~ed the child to sleeping alone тя приучи детето да спи само.

accustomed [ə'kʌstəmd] *adj* 1. привикнал, свикнал (to); to get ~ to s.th. привиквам (свиквам) с нещо; that is not what I am ~ to не съм свикнал на такива работи; 2. обичаен, привичен; in their manner по техния обичаен (обикновен) начин.

AC/DC *abbr* ['eisi:'di:si:] I. *n* променлив ток/прав ток; II. *adj sl* бисексуален.

ace [eis] I. *n* 1. асо, туз, единица, едно, бирлик (*тур.*) (*карти*); ~ of spades асо пика; an ~ in the hole *амер.* 1) "скрит коз", скрито преимущество (аргумент, довод); 2) приятел, на който може да се разчита при нужда; 2. ек, едно (*на табла*); 3. ас, първокласен летец (*спортист и под.*); 4. (*в тениса*) сервис, който противникът не успява да върне обратно; точка, спечелена направо от сервис; ● within an ~ of насмалко, почти; I was within an ~ of being killed насмалко не ме убиха; животът ми висеше на косъм; II. *adj* отличен, изключителен, първокласен.

acerbic [ə'sə:bik] *adj* горчив, кисел; *прен.* язвителен, горчив (*за ирония, остроумие*), граничещ с грубост.

acerbity [ə'sə:biti] *n* 1. стипчивост, тръпчивост; 2. *прен.* сприхавост, рязкост.

acetic [ə'sitik] *adj хим.* оцетен; ~ acid оцетна киселина.

acetify [ə'setifai] *v хим.* ставам на оцет; вкиселявам се, вкисвам (се).

acetone ['æsitoun] *n* ацетон.

acetylene [ə'setili:n] *n* ацетилен; ~ welding ацетиленово (оксиженово) заваряване; ~ lamp карбидна лампа; ~ torch ацетиленова горелка.

ache [eik] I. *n* 1. болка (*тъпа, продължителна*); he is all ~s and pains навсякъде (всичко) го боли, боли го цялото тяло, целият

е в болки; II. *v* 1. боли, измъчва ме; **I am aching all over** всичко ме боли; 2. *разг.* силно (страстно) се стремя към нещо, жадувам, копнея **(for, to do).**

achievable [ə'tʃi:vəbəl] *adj* достижим, постижим; осъществим; изпълним.

achieve [ə'tʃi:v] *v* постигам; изпълнявам; осъществявам, реализирам; **to ~ o.'s purpose (aim, end)** постигам целта си.

achievement [ə'tʃi:vmənt] *n* 1. постижение; 2. постигане, достигане; извършване, изпълнение; 3. *прен.* подвиг; 4. *хералд.* герб, даден за постижение (подвиг и под.).

achromatic [,ækro'mætik] *adj* 1. безцветен; избелял; ахроматичен; 2. *мед.* страдащ от далтонизъм; далтонист; **~ vision** далтонизъм; 3. *муз.* немодулиран, ахроматичен.

achromatopsy [ə'kroumətɔpsi] *n* *мед.* ахроматопсия; далтонизъм.

acicular [æ'sikjulə] *adj* *бот.* игловиден, иглоподобен.

acid ['æsid] I. *adj* 1. кисел; 2. остър; рязък; груб; *прен.* нелюбезен; **to give an ~ flavour to o.'s praise** похвалвам двусмислено; **~ looks** кисела физиономия; 3. *хим.* киселинен, кисел; **~ radical** киселинен радикал; **~ rain** киселинен дъжд; **~ head (slang)** наркоман, пристрастен към наркотика LSD; II. *n* 1. *хим.* киселина; 2. *sl* LSD или друг халюциноген; ● **~ test** тестване на златото с киселина; *прен.* решителен, крайно важен, тест (изпитание).

acidifier [ə'sidifaiə] *n* *хим.* окислител.

acidify [ə'sidifai] *v* *хим.* окислявам (се); вкисвам (се).

acidity [ə'siditi] *n* 1. *хим.* киселинност; 2. саркастичност, язвителност, хапливост.

acknowledge [ək'nɔlid] *v* 1. признавам (се); приемам; съзнавам; осъзнавам; **to ~ oneself beaten, to ~ oneself defeat** признавам се за победен; предавам се; 2. потвърждавам, удостоверявам, ус-

тановявам, засвидетелствам; **to ~ receipt of** потвърждавам получаването на; **to ~ a signal** *мор.* отговарям на сигнал; 3. признателен съм; благодарен съм, отблагодарявам се.

acknowledg(e)ment [ək'nɔlidmənt] *n* 1. признание; приемане; осъзнаване; **to make an ~ of s.th.** признавам нещо; **~ by record** *юр.* признание (*пред съдебните власти*); 2. потвърждение; уведомяване; **formal ~** формално (писмено) уведомление; 3. благодарност, признателност (of); **~ of indebtedness** признателност, благодарност; **in ~** като благодарност; 4. разписка, квитанция, удостоверение.

aclinal [ə'klainəl] *adj* хоризонтален; без наклон; равнинен.

acne ['ækni] *n* *мед.* акне, младежки пъпки.

acoustic(al) [ə'ku:stik(l)] *adj* акустичен; звуков; слухов; **~duct** *анат.* слухов канал; **~ jamming** заглушаване на радиочестоти.

acoustics [ə'ku:stiks] *n pl* (= *sing*) акустика, звучност (*в зала, театър и пр.*); **moving-media ~** акустика на движещите се среди; **~ of flowing media** акустика на течни среди; **wave ~** вълнова акустика.

acquaint [ə'kweint] *v* 1. запознавам (се); опознавам; запознат съм с; **to ~ oneself with** запознавам се с; опознавам; **to get (become) ~ed with** опознавам, запознавам се с, вниквам в; **I am ~ed with the facts of the case** в течение съм на въпроса, запознат съм със случая; 2. съобщавам; информирам; **to ~ s.o. of a fact** съобщавам (известявам) нещо на някого, информирам някого.

acquaintance [ə'kweintəns] *n* 1. познанство, запознаване; опознаване; **on closer ~** при по-интимно опознаване; **to make s.o.'s ~, to make the ~ of s.o.** запознавам се с някого; **to have a bowing (nodding) ~ with s.o.** познавам се бегло с, поздравявам се с някого; 2. познат, познайник; **to have a wide**

circle of ~s, to have a wide ~ имам широк кръг от познати, дружа с много хора; 3. знание, познание (*в известна степен, непълно*); **his ~ with the languge will be useful to him** познанията му по езика ще му бъдат полезни; ● **~ rape** *журн., жарг.* изнасилване, при което жената познава извършителя.

acquire [ə'kwaiə] *v* придобивам, добивам, спечелвам; постигам, достигам; изграждам; **to ~ a taste for music** придобивам вкус към музиката; **to ~ a language** научавам (усвоявам) език.

acquirement [ə'kwaiəmənt] *n* 1. придобивка; 2. постижение; 3. *pl* знания, култура; **his ~s were considerable** той беше твърде културен (начетен) човек.

acquisitiveness [ə'kwizitivnis] *n* 1. користолюбие; печалбарство; 2. възприемчивост, схватливост, прозорливост.

acquit [ə'kwit] *v* (-tt-) 1. оправдавам, намирам за невинен (of); **he was ~ted on two of the charges** той бе оправдан по две точки от обвинението; 2. освобождавам (*от задължение, обещание и пр.*; of, from); **to ~ s.o. of his promise** освобождавам (някого) от изпълнение на дадено (от него) обещание; 3. изпълнявам (*задължение, обещание*); уреждам (*сметки*); **to ~ a debt** погасявам дълг; **to ~ oneself of a promise** изпълнявам обещание; **to ~ oneself well (ill)** държа (справям) се добре (зле).

acquittal [ə'kwitəl] *n* *юр.* 1. оправдание, освобождаване от обвинение; оправдателна присъда; 2. изпълнение; уреждане (*сметки, задължения*); погасяване (*на дълг*).

acrid ['ækrid] *adj* 1. щипещ, парлив, лютив, лют, остър; дразнещ (*за вкус или мирис*); 2. рязък, груб, язвителен, злъчен, хаплив; ◇ *adv* **acridly.**

acridity [æk'riditi] *n* острота, язвителност и пр.

acrimonious [,ækri'mounjəs] *adj*

злъчен, язвителен, саркастичен, саркастичност; ожесточен, груб; ◊ *adv* acrimoniously.

acrimony ['ækriməni] *n* острота, язвителност, хапливост, сарказъм; ожесточение.

acrobat ['ækrobæt] *n* акробат; фокусник.

acrobatic [,ækro'bætik] *adj* акробатичен; *прен.* ловък, сръчен, гъвкав, изкусен.

acrobatics [,ækro'bætiks] *n pl* (= *sing*) акробатика; **aerial** ~ фигурно летене; висш пилотаж.

acropolis [ə'krɔpəlis] *n* (*pl* -ses, acropoleis [-siz, -laiz]) акропол, укрепление, кале; **the A.** Акрополът (в Атина).

across [ə'krɔs] **I.** *adv* 1. напряко, напреки, през средата; напречно; **folded** ~ сгънат напречно; 2. отвъд, от другата страна; оттатък; **we will soon be** ~ скоро ще сме оттатък, скоро ще преминем; 3. на кръст; **to run** ~ натъквам се на; срещам; **to come** ~ *разг.* плащам, давам пари; давам информация; 4. с широчина, в диаметър; **a river more than a mile** ~ река, широка над една миля; **that tree is one meter** ~ това дърво е с диаметър един метър; **II.** *prep* 1. напряко, напреки, през, от край до край; **to walk** ~ **the country** ходя без пътека, напряко; **to walk** ~ **the street** пресичам улицата; ~ **lots** *амер.* направо; 2. отсреща, насреща, отвъд, оттатък; от другата страна; **the house** ~ **the street** насреща (от другата страна на улицата); **the play couldn't get (put) it** ~ пиесата не можа да предаде нещо на публиката; **to lay s.th.** ~ препречвам с нещо; **to put it** ~ **a person** *разг.* 1) оправям си сметките с някого; 2) натупвам (опухвам) някого; 3. *ел.* включен паралелно, шунтиран; • ~ **the line** *ел.* под пълно напрежение.

acrostic [ə'krɔstik] **I.** *n* 1. *лит.* акростих; 2. шарада, гатанка, при която се отгатват отделните букви или срички на думата; **II.** *adj* акростишен, с форма на акростих.

act [ækt] **I.** *n* 1. акт, действие, постъпка; дело; работа, операция; ~ **of God** *юр.* природно бедствие, природна стихия; **caught in the** ~ заловен на местопрестъплението; ~ **of folly** глупост; 2. акт, закон, наредба, декрет, указ, постановление; **A. of Parliament** законодателен акт; 3. *театр.* акт, действие (*от пиеса, от представление и под.*); **to put on an** ~ *разг.* позьорствам, докарвам се (*пред някого*); **to read s.o. the riot** ~ *разг.* скастрям някого, чета "конско" някому; **II.** *v* 1. действам, извършвам, върша; постъпвам, държа се по определен начин; изпълнявам функцията на; **to** ~ **upon advice** следвам съвет; **to** ~ **as an arbitrator** действам (намесвам се) като арбитър; 2. влияя, оказвам давление (върху някого, нещо), въздействам; **the acid** ~**s on the metal** киселината въздейства на метала; 3. *театр.* изпълнявам, играя, представям ролята на, пиесата; **to** ~ **the play out** изигравам пиесата докрай; **to** ~ **a play over** репетирам пиесата от край до край; • **to** ~ **high and mighty** *разг.* "надувам се", "тежкаря"; ~ **up** *разг., амер.* правя бели (пакости), не слушам, държа се зле; ~ **a part** *разг.* лицемерствам.

action ['ækʃən] **I.** *n* 1. акция, действие; дейност; **to take prompt** ~ вземам бързи мерки, действам бързо; **line of** ~ начин на поведение; **man of** ~ енергичен, деен човек; 2. постъпка, дело; **to suit the** ~ **to the word** постъпвам според думите си, правя това, което казвам; 3. въздействие, влияние, действие (*върху нещо, някого*); 4. *театр.* фабула, драматургично действие; **the** ~ **is laid in, the scene of** ~ **is** действието се развива в; 5. *театр., ретор.* жестове, движения, постановка на тялото при сценична игра; 6. походка, ход (*на кон*); 7. механизъм; функция; действие; ударен механизъм; затвор (*на огнестрелно оръжие*); ~ **radius**

авиац. радиус на действие (*на самолет*); 8. *юр.* съдебен процес, дело; **to bring (lay, enter) an** ~ **against** завеждам дело срещу някого; ~ **at law** съдебен процес; 9. *воен.* бой, военни действия; акция; **killed in** ~ убит в сражение, паднал в бой; **ready for** ~ в бойна готовност; **missing in** ~ изчезнал по време на акция; ~ **stations** бойни позиции, заемани при тревога; 10. *разг.* действия; събития; **II.** *v* *юр.* завеждам дело срещу (*някого или за нещо*); водя процес срещу (*някого или за нещо*).

activate ['æktiveit] *v* 1. *хим., биол.* активизирам, засилвам; ускорявам; 2. *физ.* правя радиоактивен; 3. *амер., воен.* формирам, попълвам бойна единица.

active ['æktiv] *adj* 1. активен, деен, енергичен, работен; жив, оживен; **to become** ~ активизирам се; **to take an** ~ **part in s.th.** участвам активно в нещо; 2. ефикасен; действащ; ~ **remedy** ефикасно средство; **an** ~ **volcano** действащ вулкан; ~ **deposit** радиоактивен материал, утаен на повърхността; ◊ *adv* actively; 3. *грам.* действителен, действен (*за залог*); 4. *воен.* действителен; ~ **list** списък на офицерите на действителна служба; **on** ~ **service (duty)** на действителна служба; **called up for** ~ **service** мобилизиран; 5. *фин., икон.* лихвоносен; продуктивен, печеливш; ~ **bonds** облигации с постоянна лихва; **these shares are very** ~ тези акции носят добър дивидент, котират се добре, търсени са.

activist ['æktivist] *n* активист, активен член (участник), деятел, функционер.

activity ['æktiviti] *n* 1. дейност, активност, деятелност, действеност, интензивност, експедитивност; 2. дееспособност, работоспособност; *прен.* енергия, енергичност; ~ **in the world market** оживление на световния пазар; *pl* **social activities** 1) развлечения; 2) културно-просветни мероприятия; 3. *хим.* активност; 4. *физ.* ра-

диоактивност.

actor [ˈæktə] *n* артист, актьор; **a bad ~** *амер.*, *прен.* ненадежден човек; **stock ~** *театр.* актьор от постоянния състав на театъра; **tragic ~** трагик.

actress [ˈæktris] *n* артистка, актриса.

actual [ˈæktjuəl] *adj* 1. истински, действителен, реален; фактически, съществуващ; **~ cost** *търг.* костуема цена, цена, в която не е включена търговската отстъпка; **~ speed** собствена, действителна скорост; **~ capital** действителен капитал; 2. настоящ, актуален.

actuality [ˌæktjuˈæliti] *n* действителност; реалност, същност, положение, обстоятелства, истина.

actualize [ˈæktjuəlaiz] *v* 1. реализирам, осъществявам, привеждам в действие; 2. пресъздавам реалистично.

actuate [ˈæktjueit] *v* 1. задвижвам; 2. подтиквам, мотивирам; **~d by jealousy** воден от ревност; **~d by the best intentions** изпълнен с най-добри намерения; 3. *ел.* възбуждам.

aculeate [əˈkju:lieit] *adj бот.*, *зоол.* бодлив; трънлив.

acumen [əˈkju:mən] *n* проницателност; съобразителност, находчивост, остроумие.

acuminate I. [əˈkjuminət] *adj биол.* островръх, заострен; II. [əˈkjumineit] *vt* изострям, заострям.

acuminous [əˈkjuminəs] *adj* проницателен; съобразителен, находчив.

acupuncture [ˌækjuːˈrʌntʃə] *n мед.* акупунктура.

acute [əˈkju:t] I. *adj* 1. остър; силен, интензивен; (*за чувства, емоции*); изострен (*за усещане, възприятие*); ◇ *adv* **acutely**; *мед.* акутен, остър (стадий на заболяване); **exceedingly (extremely) ~** *мед.* извънредно остър (*за пристъп*), перакутен, суперакутен; **~ angle** остър ъгъл; **~ remorse** тежки угризения; **~ shortage** остър недостиг; 2. проницателен, съоб-

разителен; умен; хитър; остроумен; 3. пронизителен (*за звук*); II. *n език.* остро ударение (ʹ); маркирам с остро ударение.

acuteness [əˈkju:tnis] *n* 1. острота; сила; 2. проницателност.

adamant [ˈædəmənt] I. *n* 1. елмаз, диамант; 2. *прен.* нещо твърдо (несъкрушимо); **will of ~** желязна воля; **heart of ~** каменно сърце; II. *adj* твърд, непреклонен; *прен.* железен, стоманен; гранитен; **to stand~ on** твърдо настоявам (държа) за; **to be ~ to** недостъпен съм за; непреклонен съм.

adapt [əˈdæpt] *v* приспособявам (се), пригождам (се); адаптирам се; **to ~ oneself to the circumstances** приспособявам се към обстоятелствата; **to ~ a novel for the stage** драматизирам роман.

adaptation [ˌædæpˈteiʃən] *n* 1. адаптация, приспособяване; пригодяване, привикване; **~ to the ground** *воен.* приспособяване (пригодяване) към местността; 2. преработка, адаптация (*на худ. творба и под.*); *муз.* аранжимент; 3. приспособеност; 4. самонастройка.

adapter(-or) [əˈdæptə] *n* 1. *техн.* адаптер; съединител; 2. преходен детайл, втулка; 3. съединителен детайл, нипел; 4. накрайник, удължител, щепсел; 5. *хим.* съединителна тръба; 6. *воен.* гъсенична верига; 7. автор на адаптация (*на худ. творба и под.*).

add [æd] *v* 1. прибавям, притурям; присъединявам; добавям; давам; **this book ~s nothing to what is already known on the subject** тази книга не прибавя (дава) нищо ново към вече известното по въпроса; **to give an ~ed effect to the scene** за допълнителен ефект на гледката; **this ~s to the expense** това увеличава разноските; ● **to ~ fuel (oil) to the flames** наливам масло в огъня; **to ~ term by term** сумирам почленно; 2. *мат.* събирам; сумирам; **to ~ six to eight** събирам шест и осем; **to ~ to** прибавям; увеличавам; **to ~ the interest** *икон.* начислявам лихви;

3. добавям, допълвам.

addendum [əˈdendəm] (*pl* **-da** [-də]) *n* 1. приложение, допълнение; прибавка; 2. *техн.* зъбец на зъбчато колело; **~circle** външна обиколка на зъбчато колело; 3. *хим.* аленд, лиганд.

adder₁ [ˈædə] *n зоол.* 1. пепелянка; 2. *амер.* змия, смок; **horned ~** усойница; **flying ~** еднодневка; **~'s tongue (foot)** сладка папрат.

adder₂ *n* 1. *техн.* смесител; 2. *изч.* суматор; **~-subtractor** сумиращо-изваждащо устройство.

addition [əˈdiʃən] *n* 1. *мат.* събиране; 2. прибавяне, допълване; 3. допълнение, добавка, притурка; **in ~ to** допълнение на; освен, покрай; 4.: **~s** *pl икон.* прираст на основния капитал, мощности и фондове.

additional [əˈdiʃənəl] *adj* допълнителен, добавъчен; **to take ~ care** внимавам още повече, полагам особени (извънредни) грижи.

addled [ˈædəld] *adj* 1. побъркан, невменяем, луд, *разг.* смахнат, малоумен, щур; размътен; изкуфял; 2. развален, негоден, похабен.

address [əˈdres] I. *n* 1. обръщение, реч, адрес; 2. реч; проповед; 3. държание, обноски; поведение; 4. ловкост, сръчност, умение; такт; 5. адрес, местожителство; **~ book** адресник; 6. *pl* ухажване; **to pay ~es to** ухажвам някого; II. *v* 1. обръщам се към; отнасям се до; **to ~ a meeting** държа реч пред събрание; **to ~ the house** говоря в парламента; **you should ~ him as your equal** трябва да му говориш като на равен; 2. отправям; адресирам; надписвам (*писмо*); **to ~ a warning to s.o.** отправям заплаха срещу (заплашвам) някого; 3. *refl* залавям се, захващам се; занимавам се; **to ~ oneself to a task** заемам се с една задача; **he ~ed himself to the pie** той се нахвърли върху сладкиша.

addressee [ˌædreˈsi:] *n* получател; адресант.

adduce [əˈdju:s] *v* привеждам; изтъквам; давам, представям (*до-*

казателства, причини и под.).

ademption [ə'dempʃən] *n юр.* анулиране, обявяване за недействително на завещание или дарение.

adept ['ædept] I. *adj* 1. умел, сведущ (in, at); 2. посветен; II. *n* 1. адепт, последовател на учение, таен съюз, секта и под.; 2. познавач, експерт, специалист, вещо лице (in, *разг.* at); 3. *истор.* алхимик.

adequate ['ædikwit] *adj* 1. достатъчен, задоволителен; 2. съответстващ, съразмерен; подходящ; адекватен, тъждествен; ◇ *adv* adequately.

adhere [əd'hiə] *v* 1. залепвам се, прилепвам се (to); 2. спазвам, придържам се (to); to ~ to a promise спазвам (оставам верен на) обещание; to ~ to the conditions of contract спазвам условията на договора (споразумението).

adherence [əd'hiərəns] *n* привързаност; вярност, приобщеност; последователност; придържане (to); ~ to specifications спазване на (придържане към) техническите изисквания.

adieu [ə'dju:] I. *int* сбогом! прощавайте! адио! II. *n* (*pl* adieus, adieu) сбогом, сбогуване, прощаване; to bid ~ казвам сбогом; to take ~ of сбогувам се с.

adipose ['ædipous] I. *adj* хим., мед. мастен, тлъст; II. *n* тлъстина.

adiposity [ædi'pɔsiti] *n* затлъстяване.

adjacency [ə'deisənsi] *n* 1. близост, съседство; *pl* околности; 2. последователни предавания в телевизионна програма (рубрики).

adjacent [ə'deisənt] *adj* близък, близкостоящ; съседен; ~ angles *мат.* съседни ъгли; the ~ room близката стая (не съседната); ◇ *adv* adjacently.

adjective ['ædiktiv] I. *n език.* прилагателно; II. *adj* 1. адиективен, прилагателен; 2. *рядко* зависим, несамостоятелен; 3. *техн.* нетраен (*за бои или цветове*), слаб, неустойчив, неиздържлив, изтриваем.

adjoin [ə'dʒɔin] *v* 1. прилагам, при-

съединявам (към); 2. гранича (с); допирам се (до); докосвам се (до), достигам (до), съсед съм (с); ~ing parts съседни (граничещи) части.

adjourn [ə'dʒə:n] *v* 1. отлагам, отсрочвам; to ~ the case to the following month отлагам делото до следващия месец; 2. бивам закрит (отсрочен) (*за заседание и пр.*); the meeting ~ed at four o'clock събранието бе закрито (завърши) в четири часа; 3. отеглям се; преминавам; премествам се; to ~ to the living room отеглям се във всекидневната.

adjournment [ə'dʒə:nmənt] *n* отсрочка; прекъсване, пауза, прекратяване, преустановяване, отлагане.

adjudicate [ə'du:dikeit] *v* 1. отсъждам, присъждам; решавам; to ~ on a matter (in a case) решавам (вземам решение по) даден въпрос; 2. съдя, осъждам, издавам присъда; давам под съд.

adjudication [ə,du:di'keiʃən] *n* 1. отсъждане, присъждане; решаване; 2. решение, присъда; 3. обявяване на банкрут.

adjudicator [ə,du:di'keitə] *n* съдия.

adjunct ['ædlŋkt] I. *n* 1. притурка, приложение, допълнение; придатък; добавка (to, of); ~s *pl техн.* добавъчни детайли (*към апаратура*); 2. помощник; *воен.*, *остар.* адюнкт; 3. *език.* определение, обстоятелство; 4. *лог.* несъществен, случаен белег; II. *adj* помощен, спомагателен; допълнителен; случаен.

adjunctive [ə'dlŋktiv] *adj* допълнителен, добавъчен; придатъчен; случаен.

adjuration [,ædu'reiʃən] *n* 1. заклинание, клетва; 2. умоляване; молба.

adjure [ə'dʒuə] *v* 1. заклинам, заклевам; 2. умолявам, моля; апелирам.

adjust [ə'dlʌst] *v* 1. нагласям, наглася;вам; приспособявам, пригласявам; напасвам, натъкмявам (*при монтаж*); 2. оправям, поправям, подреждам; коригирам;

3. изглаждам (*различия*); to ~ differences отстранявам различията; 4. *техн.* регулирам; настройвам; to ~ a bearing регулирам хлабината на лагер; ~ed fire *воен.* точен (коригиран) огън; 5. *refl* приспособявам се; привиквам, свиквам (to); 6. *фин.* уреждам (*застрахователна полица*).

adjuster [ə'dlʌstə] *n* 1. монтьор; 2. регулатор; • phase ~ *ел.* (колекторен) фазокомпенсатор; spring ~ пружинно устройство за регулиране.

adjustmnent [ə'dlʌstmənt] *n* 1. нагаждане, нагласяне, натъкмяване; уреждане, изглаждане; приспособяване, пригодяване; to make ~ to приспособявам се към; 2. *техн.* регулиране, регулировка; монтиране, монтаж; feedback ~ регулиране на обратна връзка; frequency ~ *радио.* настройване на честотата; level ~ настройка (регулиране) на нивото; spark ~ регулиране на запалването (*на двигател с вътрешно горене*); 3. *воен.* коригиране на огъня (стрелбата).

adjuvant ['æduvənt] I. *adj* спомагателен, помощен; II. *n* помощно средство.

ad-lib [æd'lib] I. *v* импровизирам, говоря без подготовка; II. *разг.* импровизиран, спонтанен; III. *adv* неорганично, безкрайно, безгранично, безпределно.

admeasure [æd'meə] *v* 1. отмервам, меря, размервам, премервам; 2. *юр.* определям дял, разпределям.

admeasurement [æd'meəmənt] *n* 1. отмерване, размерване; 2. размери, величина, обем, обхват, формат, мярка, мащаб; 3. *юр.* разпределяне; 4. *рядко* сравнение; съпоставяне.

adminicle [əd'minikəl] *n* 1. *рядко* подкрепа, помощ; 2. *юр.* потвърдителни доказателства.

administer [əd'ministə] *v* 1. управлявам, ръководя, разпореждам се с; администрирам; 2. раздавам (*правосъдие, справедливост и под.*); давам, предписвам (*лекарство*); прилагам, предпис-

вам; **to ~ an oath to s.o.** заклевам някого; **to ~ a will (a law)** изпълнявам завещание (закона); 3. давам, оказвам помощ.

administration [əd'ministreiʃən] n 1. управление, ръководство; разпореждане; *юр.* управление (*на имот*); 2. администрация; 3. правителство; режим; управление; **during the Eisenhower ~** по време на управлението на Айзенхауер; 4. изпълнение (*на закона*); 5. *юр.* **the ~ of an oath** заклеване; 6. *мед.* поставяне, слагане (*инжекция*); даване (*лекарство*).

administrative [əd'ministrətiv] adj 1. административен, управителен; 2. изпълнителен.

administrator [əd'ministreitə] n 1. управител; администратор; ръководител; 2. *юр.* управител (*на имот*).

admiral ['ædmirəl] n 1. адмирал; *англ.* **A. of the fleet**, *амер.* **~ of the Navy** генерал-адмирал; **vice-~** вицеадмирал; **rear-~** контраадмирал; 2. *воен.* адмиралски кораб; флагман; 3. *зоол.*: **red ~** пеперуда адмирал *Vanessa atlanta*.

admiration [,ædmi'reiʃən] n 1. възхищение, възторг; уважение; **lost in ~** преизпълнен от възхищение (възторг); 2. *остар.* чудуване, удивление; **note of ~** удивителен знак; 3. предмет на възхищение (възторг).

admire [əd'maiə] v 1. почитам, уважавам, възхищавам се на, любувам се на; *остар.* удивлявам се на, учудвам се на; 2. *амер.* силно желая; **I should ~ to know** много го бих искал да зная.

admirer [əd'maiərə] n *остар.* поклонник, почитател; обожател.

admit [əd'mit] v 1. (-tt-) допускам; пропускам, пускам, давам достъп на; приемам; **to be ~ted to the bar** *юр.* получавам адвокатски права; 2. позволявам (of); **the circumstances do not ~ of this** обстоятелствата не позволяват това; **the question ~s of no delay** въпросът не търпи отлагане; 3. поемам, побирам, имам място за; **this hall ~s a thousand people**

тази зала побира хиляда човека; 4. признавам, приемам, съгласен съм; допускам; **he ~s stealing it** той признава, че го е откраднал.

admittance [əd'mitəns] n 1. достъп, вход; **no ~!** вход забранен! 2. допускане, приемане; 3. *ел.* проводимост; **complex ~** пълна комплексна проводимост; **emitter ~** емитерна пълна проводимост; **indical ~** преходна проводимост.

admonish [əd'moniʃ] v 1. поучавам, съветвам, наставлявам, назидавам, уча на добро, *разг., ирон.* чета лекция; 2. увещавам, убеждавам, уговарям; 3. предупреждавам (of); 4. напомням, подсещам, (*остар.*) възпоменавам; предупреждавам, правя забележка (of, about); смъмрям.

admonishment, admonition [əd'moniʃmənt, ædmo'niʃən] n 1. убеждаване, съветване, поучаване; 2. известие, съобщение, предизвестие, *книж.* уведомление, *разг.* хабер, сигнал, предупреждение; 3. напътствие, поучение, съвет; 4. забележка, напомняне, смъмряне.

adnoun ['ædnaun] n *език.* 1. прилагателно; 2. субстантивирано прилагателно (*употребено като съществително*; *напр.* the useful – полезните).

ado [ə'du:] n 1. суетене, шум, врява; тропот; безпокойство; **much ~ about nothing** много шум за нищо; **without further ~** без повече церемонии; 2. трудност; мъка, усилия; **I had much ~ to get in** с мъка влязох.

adolescent [,ædo'lesənt] I. adj юношески, млад, младежки; **~ river** *геол.* млада река; II. n юноша, младеж, девойка.

adopt [ə'dopt] v 1. осиновявам; 2. приемам, възприемам; вземам; усвоявам, вземам за свое, приемам като свое; **he ~ed a positive attitude** той възприе положителна позиция; **a word ~ed from a foreign language** дума, заимствана (заета) от чужд език; 3. одобрявам, приемам (*закон и пр.*).

adore [ə'dɔ:] v обожавам (*и прен.*);

покланям се пред; благоговея пред; боготворя, обожавам, уважавам, обичам, тача, почитам, *книж.* въздигам в култ, прехвалвам, превъзнасям, прекланям се, възхвалявам; *разг.* страшно си "падам" по някого (нещо).

adorer [ə'dɔ:rə] n обожател; поклонник.

adorn [ə'dɔ:n] v украсявам, кича, окичвам, накичвам; декорирам.

adornment [ə'dɔ:nmənt] n украсяване, окичване; украшение, накит; декорация.

adroit [əd'rɔit] adj ловък, сръчен, умел, изкусен; ◇ adv **adroitly**.

adroitness [əd'rɔitnis] n ловкост, сръчност, умение, майсторство.

adsorb [æd'sɔrb] v хим. адсорбирам, задържам на повърхността.

adsorption [æd'sɔ:pʃən] n хим. адсорбция; адсорбиране.

adulate ['ædjuleit] v лаская, хвалебствам, блюдолизнича, угоднича.

adulation [,ædju'leiʃən] n ласкателство, хвалебствие, угодничество.

adulator ['ædjuleitə] n ласкател, блюдолизец, угодник; подмазвач.

adulterate [ə'dʌltəreit] I. v фалшифицирам, подправям, добавям долнокачествен примес на (в); II. [ə'dʌltərət] adj 1. подправен, фалшифициран; непълноценен; 2. опетнен от прелюбодеяние; 3. извънбрачен.

adulteration [ə,dʌltəreiʃən] n фалшификация, подправка.

adulterous [ə'dʌltərəs] adj блуден, развратен, безпътен, покварен, *поет.* разблуден, *поет.* разпътен; извънбрачен; ◇ adv **adulterously**.

adultery [ə'dʌltəri] n прелюбодеяние, прелюбодействие, кръвосмешение, разврат, блудство, блудничество; изневяра, съпружеска измама.

adumbrate ['ædʌmbreit] v 1. очертавам, нахвърлям, скицирам; набелязвам; 2. предвещавам, предзнаменувам, предсказвам; 3. засенчвам, затъмнявам.

adumbration [,ædʌm'breiʃən] n 1. очертание, силует; смътна пред-

става; **2.** засенчване, затъмняване.

advance [əd'va:ns] **I.** *v* **1.** напредвам, придвижвам (се) напред; настъпвам; премествам, местя (придвижвам) напред; **to ~ matters** придвижвам въпросите; **2.** издигам (се), авансирам, напредвам, прогресирам; повишавам, издигам; **3.** предплащам, авансирам, давам (плащам) предварително, заемам; **4.** предявявам (*иск, претенции и под.*), изявявам; правя (*предложение*); **to ~ a theory** предлагам една теория; **5.** повишавам, повдигам (*цени и пр.*); **6.** ускорявам; засилвам; **they ~d the wedding date** те преместиха по-напред датата на сватбата; **to ~ the growth of** усилвам растежа на; **II.** *n* **1.** напредък, прогрес; възход; **2.** предплата, аванс; заем; **3.** настъпление; придвижване; **4.** *pl* аванси; **5.** *воен.* офанзива; **6.** повишение (*цени и пр.*); авансиране, повишение, успех (*в служба и пр.*); **7.** адванс (*търговско наименование на медноникелова сплав с високо относително съпротивление*); **to be in ~ of** съм (вървя) пред; **well in ~** много пред(и); **in ~** предварително.

advancement [əd'va:nsmənt] *n* **1.** напредък, прогрес, успех; **2.** повишение; успех; **3.** *техн.* подаване; аванс.

advantage [əd'va:ntid] **I.** *n* **1.** преимущество, предимство, изгода, полза; авантаж; **to take ~ of** възползвам се от; **to have the ~ of, to gain an ~ over** имам (вземам) преимущество над; вземам връх над; **to turn to ~** обръщам в своя полза, използвам в свой интерес; **2.** първа точка, отбелязана след равенство (*в тениса*); **II.** *v* благоприятствам, подпомагам, облагодетелствам; създавам условия, полза или изгода за.

advantageous [ˌædvən'tejdəs] *adj* изгоден, благоприятен; полезен; доходен; ◇ *adv* **advantageously.**

adventitious [ˌædvən'tiʃəs] *adj* **1.** случаен, инцидентен; **2.** допълнителен, външен; **3.** *бот.* адвенти

вен, случаен, спорадичен; ◇ *adv* **adventitiously.**

adventure [əd'ventʃə] **I.** *n* **1.** приключение, авантюра; **2.** риск; смела и рискована постъпка; **at ~** *остар.* напосоки, наслука, случайно; безразсъдно; **3.** финансова или търговска спекулация; **4.** компютърна игра-симулатор, пълна с опасности за играча; **5.** *мин.* минно предприятие; **6.** *остар.* опасност; **II.** *v* рискувам, осмелявам се; **to ~ o.'s life** рискувам живота си; **to ~ an opinion** осмелявам се да изкажа (дадено) мнение.

adventurer [əd'ventʃərə] *n* авантюрист; любител на приключения.

adverb ['ædvə:b] *n* език. наречие.

adversary ['ædvəsəri] *n* противник, неприятел; съперник; **the ~** дяволът, сатаната.

adverse ['ædvə:s] *adj* **1.** противен, враждебен; неблагоприятен; насрещен (*вятър*); вреден; **in ~ circumstances** в затруднено положение; западнал; изпаднал; **~ slavery** противник на робството; **this is ~ to their interests** това противоречи на интересите им; **2.** срещуположен, насрещен; **3.** *икон.* пасивен (*за баланс*); ◇ *adv* **adversely.**

adversity [əd'və:siti] *n* **1.** нещастие, бедствие; злощастие; **~ makes strange bad-fellows** нещастието сближава най-различни хора; **2.** лош късмет.

advertence [ædv'ə:təns] *n* внимание, загриженост.

advertise ['ædvətaiz] *v* **1.** рекламирам; **2.** разгласявам; известявам, публикувам; привличам вниманието към; съобщавам; **to ~ for a car to rent** давам обявление, че търся кола под наем.

advertisement [əd'və:tismənt] *n* реклама; обявление; обява; известие, съобщение.

advice [əd'vais] *n* **1.** съвет; мнение; **2.** съобщение, уведомление, известие; *търг.* авизо (*и letter of ~*); **~ boat** лодка за съобщение.

advise [əd'vaiz] *v* **1.** съветвам (се); **I shall ~ with my friends** ще се

посъветвам с приятелите си; **to ~ with o.'s pillow** *прен.* обмислям до следващия ден; преспивам; **2.** уведомявам, известявам, съобщавам на.

advisement [əd'vaizmənt] *n* консултация; съвет.

adviser [əd'vaizə] *n* съветник, консултант; **legal ~** юрисконсулт; адвокат.

advocacy ['ædvəkəsi] *n* **1.** защита; подкрепа, поддръжка; застъпничество; **2.** *рядко* пропаганда; **3.** адвокатство.

advocate ['ædvəkeit] **I.** *n* **1.** защитник, покровител, застъпник; привърженик, поддръжник; **devil's ~** (*и advocatus diaboli*) *рел.* лице, назначено да изтъкне доводите против канонизацията на някого; *прен.* човек, който вижда само недостатъците у хората; **2.** *шотл.* адвокат; **Lord A.** главен прокурор; **II.** *v* застъпвам, проповядвам, защитавам, пледирам за; пропагандирам.

aegis ['i:dis] *n* егида; щит; броня; *прен.* защита, покровителство, застъпничество, *книж.* протекция, покров; прибежище, подслон; хвала, възхвала, *книж.* аналогия.

aerate ['eəriət] *v* **1.** проветрявам; вентилирам; насищам с въздух; **2.** газирам (*вода и пр.*); **~d water** газирана вода, сода.

aeration [eə'reiʃən] *n* **1.** проветряване, вентилиране, вентилация; **2.** газиране; обгазяване; насищане с газ; аерация; аериране; **sewage ~** аериране на отпадъчни води; **surface ~** повърхностна аерация.

aerial ['eəriəl] **I.** *adj* **1.** въздушен, атмосферен; **~ mapping** снимане на въздушна топографска карта; **~ gunner** *воен.* зенитчик; **~ wire** *радио.* антена; **~ ropeway** въздушна линия; **2.** ефирен; издигащ се високо; нереален; **II.** *n* *радио.* антена.

aerobus ['eərəbʌs] *n sl* самолет, аероплан.

aerodrome ['eərədroum] *n* летище, аеродрум, аеропристанище.

aeronaut [ˈɛərənɔ:t] *n* въздухоплавател, летец, авиатор; аеронавт.

aeronavigation [ˈɛəɡoˌnævi'geiʃən] *n* въздухоплаване, аеронавигация.

aeronavigator [ˈɛəɡoˌnævi'geitə] *n* пилот, летец, навигатор.

aesthetic [i:s'θetik] *adj* естетичен; естетически, красив, изящен, художествен, грациозен, елегантен, хубав.

aesthetics [i:s'θetiks] *n pl* (= *sing*) естетика, красота, хубост, изящество, вкус, хармония.

affable [ˈæfəbəl] *adj* приветлив, любезен, приятен; вежлив, внимателен; непринуден; ◇ *adv* **affably** [ˈæfəbli].

affair [ə'fɛə] *n* 1. работа; дело; въпрос; **mind your own ~s** *разг.* не се бъркай (меси), гледай си работата; **to settle o.'s ~s** оправям (уреждам) си работите; *особ.* правя завещание; **public ~** обществени дела (въпроси); **~s of state** държавни работи (дела); 2. история, афера; **love ~** любовна история (интрига), любов; 3. *разг.* нещо, работа; **the reception was a wonderful ~** приемът беше нещо великолепно; **the car was a strange, old-fashioned ~** това беше една чудновата старомодна кола; **put-up ~** измислена (съчинена, скалъпена) работа.

affection [ə'fekʃən] *n* 1. привързаност (**for, towards**), обич; 2. болест; разстройство; **a gouty ~** подагра; 3. *мат., физ.* свойство, качество; състояние; 4. *остар.* разположение, склонност.

affectionate [ə'fekʃənit] *adj* нежен; привързан, предан, любещ.

affiche [ə'fiʃ] *n фр., остар.* афиш, обявление, публикация, плакат, обява, разглас, реклама.

affiliate [ə'filieit] I. *v* 1. присъединявам (се), сдружавам (се) (**with, to**); 2. *юр.* приписвам (установявам) бащинство; *рядко* осиновявам (**to**); *прен.* установявам връзки с; II. *n амер.* 1. клон, филиал; 2. съдружник, помощник.

affiliation [əˌfili'eiʃən] *n* 1. присъединяване, съединяване, сдружаване; **~ fee** встъпителна вноска;

2. *обикн. pl* връзка; 3. приписване на бащинство.

affine [ə'fain] I. *vt техн.* рафинирам; очиствам; II. *adj мат.* афинен; ◇ *adv* **affinely**.

affinity [ə'finiti] *n* 1. *биол., физиол.* сходство, прилика, връзка (**with, between**); 2. влечение, привличане; *хим.* афинитет; **~ for dancing** влечение към танците; 3. *юр.* сродство, некръвна родствена връзка; сватовство; 4. *мат.* афинност; афинно преобразуване.

affirm [ə'fə:m] *v* 1. твърдя, заявявам; уверявам, заявявам тържествено, изявявам; **he ~ed his loyalty to the country** той заяви верността си към родината; 2. *юр.* потвърждавам, утвърждавам, декларирам; ратифицирам.

affirmation [ˌæfə'meiʃən] *n* 1. твърдение; уверение; 2. *юр.* потвърждаване; потвърждение; 3. *юр.* тържествена декларация вместо клетва (*пред съд*).

affix I. [ə'fiks] *v* 1. прикрепвам, прибавям, притурям; придавам; скрепвам; 2. слагам, поставям (*печат, марка*); II. [ˈæfiks] *n* 1. *език.* афикс, приставка (*префикс, суфикс или инфикс*); 2. добавка, допълнение.

afflict [ə'flikt] *v* 1. измъчвам, огорчавам, опечалявам; засягам, нараням; 2. (*pass*) започва да ме мъчи стара рана (болест).

affliction [ə'flikʃən] *n* бедствие, нещастие; скръб, болка; злочестина; **the bread of ~** горчивият залък.

affluence [ˈæfluəns] *n* 1. изобилие, охолство; богатство; имане; 2. *рядко* наплив, приток; стичане, стечение.

affluent [ˈæfluənt] I. *adj* изобилен, охолен, богат; ◇ *adv* **affluently**; II. *n геогр.* приток.

afflux [ˈæflʌks] *n* 1. прилив, приток; стечение, стичане; 2. *мед.* конгестия, наплив на кръв.

afford [ə'fɔ:d] *v* 1. (*обикн. с can и пр.*) имам средствата (за), позволявам си (да), в състояние съм (да), разрешавам си (да); **we can ~ to sell cheap** можем да си поз-

волим да продаваме евтино; **he spends more than he can ~** той харчи повече, отколкото му позволяват средствата; не се простира според чергата си; 2. давам, доставям, предоставям; произвеждам; осигурявам; **the records ~ no explanation** протоколите не дават никакво обяснение; **the tower ~ a fine view** от кулата се открива чудесна гледка.

affranchise [ə'fræntʃaiz] *v* освобождавам, избавям, спасявам, отървавам, *поет.* троша вериги, пускам на свобода, развързвам, *прен.* отърсвам (*от зависимост, задължение или робство*).

affront [ə'frʌnt] I. *n* обида, оскърбление (*публично*); **to put an ~ (up)on** нанасям обида на; **to pocket an ~** преглъщам обида; II. *v* 1. обиждам, оскърбявам; 2. изправям се срещу, посрещам; **to ~ danger** излизам срещу опасност; **to ~ death** *прен.* презирам смъртта.

afresh [ə'freʃ] *adv* отново, наново, отначало.

after [ˈa:ftə] I. *prep* 1. след, подир, зад; най-накрая; **day ~ day** ежедневно, постоянно, ден след ден; **time ~ time** постоянно, непрестанно; **in a line one ~ the other** в редица един след друг; **~ all** все пак, в края на краищата; след всичко; 2. отношно, за; **to inquire ~ a person** интересувам се за (питам за, търся) някого; 3. по, според, съгласно; като; по подобие на; **~ the European fashion** по европейски (образец); **~ Raphael** по (подобие на) Рафаело; 4. на; **he was named ~ his uncle** той бе кръстен на чичо си; 5. въпреки, при все че, и след; **~ all our help he still went the wrong way** въпреки помощта, която му оказахме, той пак сбърка; • **what is he ~ ?** какво цели (иска) той? **to be ~ s.o.** следя (дебна) някого; **~ o.'s heart (soul)** по сърце, по душа; II. *adv* 1. впоследствие; след това, по-късно, после; **it happened about three hours ~** това се случи около три часа по-късно; 2.

подир, отзад; **the dog came tumbling** ~ кучето нахълта подире; **III.** *cj* след като; ~ **he went away, we discussed the situation** след като той си замина, ние обсъдихме положението; **IV.** *adj* 1. по-късен, следващ, последващ; 2. заден; ~ **cabin** задна каюта.

afterbirth [ˈɑːftəbəːθ] *n* плацента.

afternoon [ˈɑːftəˈnuːn] **I.** *n* следобед; **in the** ~ след обяд, през следобеда; **good** ~ добър ден (*за след обяд*); **the** ~ **of life** *прен.* втората половина на живота; **II.** *adj* следобеден; ~ **tea** следобеден чай със закуски.

again [əˈgein, əˈgæn] *adv* 1. отново, наново, пак, още веднъж; ~ **and** ~, **time and** ~ пак и пак, непрекъснато, непрестанно; 2. пък, освен това; от друга страна; ● **now and** ~ от време на време; **come** ~? *разг.* 1) моля? не чух, повтори!; 2) пак заповядай!

against [əˈgeinst] *prep* 1. против, срещу; о; ~ **the hair** срещу косъма, контра; ~ **the wind** срещу вятъра (*и прен.*); **the rain beats** ~ **the window** дъждът шиба по прозореца; 2. на, на фона на; ~ **a dark background** на тъмен фон; 3. за; **they were warned** ~ **the danger** те бяха предупредени за опасността; 4. към, около; 5. за, срещу, в замяна на; **will you take my Russian stamps** ~ **your Bulgarian**? ще вземеш ли моите руски марки в замяна на твоите български? ● **over** ~ отсреща; **to be up** ~ **it** изправен съм пред (*задача, трудност*); ~ **the odds** *разг.* срещу късмета, без шанс.

age [eid] **I.** *n* 1. възраст; **of (full)** ~ пълнолетен; **to come of** ~ ставам пълнолетен; **under** ~ непълнолетен; 2. век, епоха, период; **the Middle A.s** средните векове; **Stone A.** каменна епоха; 3. вечност; **I haven't seen you for** ~**s** не съм те виждал цяла вечност; 4. старост; 5. поколение; **II.** *v* 1. старея, остарявам; 2. състарявам; 3. отлежавам; оставям да отлежи; 4. съзрявам, достигам зрялост.

agency [ˈeidənsi] *n* 1. представител-

ство, агенция; бюро; 2. средство; съдействие, посредничество; **through the doctor's** ~ **he got full compensation** със съдействието на лекаря той получи пълна компенсация; 3. действие; деятелност; **free** ~ свобода на волята; свободна воля.

agent [ˈeidənt] *n* 1. деятел; **free** ~ човек, който има право да действа съобразно своята собствена воля; 2. представител, пълномощник; **general (sole)** ~ генерален (единствен) представител; 3. посредник, комисионер; **comercial** ~ търговски агент; **forwarding** ~ експедитор, спедитор; 4. служител, чиновник; агент; **land** ~ управител на имот; **secret-service** ~ таен агент; 5. действаща сила, фактор; **chemical** ~ реактив; **injurous** ~ *мед.* вреден агент; нокса; 6. *инф.* полунезависима компютърна програма, която може да изпълнява специфични функции.

aggregate [ˈægrigit] **I.** *adj* общ, съвкупен, съвместен, единен; *юр.* съдружен (*съставен от съдружници*); *геол.* направен от различни минерали, комбинирани в една скала; ~ **membership** общ брой на членовете; **the** ~ **forces** общите сили; ~ **capacity** *техн.* пълна мощност; **II.** *n* 1. съвкупност, сбор; съединение, общност; **in the** ~ в съвкупност, общо взето; 2. *техн.* агрегат; 3. *строит.* запълнител, добавъчен (инертен) материал; **fine (coarse)** ~ фин (ситен), груб (едър) запълнител; **heavy (light)** ~ тежък (лек) запълнител; **III.** *v* 1. присъединявам (to), съединявам (се), сцепявам (се), събирам (се); 2. възлизам на.

aggression [əˈgreʃən] *n* агресия, посегателство, нападение; враждебност; **a war of** ~ агресивна война; **an** ~ **upon someon's rights** посегателство върху правата на някого.

aggressive [əˈgresiv] *adj* 1. агресивен, нападателен, враждебен; **to assume the** ~ започвам вражда; 2. *амер.* енергичен, деен, настой-

чив; ◇ *adv* **aggressively**.

agitate [ˈæditeit] *v* 1. възбуждам, вълнувам; раздвижвам; 2. разбърквам, разбивам, размесвам; 3. агитирам; **to** ~ **for the repeal of a tax** агитирам за отменянето на данък; 4. *остар.* разисквам, обсъждам, обмислям.

ago [əˈgou] *adv* преди; **five days** ~ преди пет дни; **long** ~ много отдавна; **some time** ~ преди известно време.

agrarian [əˈgreəriən] **I.** *adj* 1. аграрен; земеделски; ~ **legislation** аграрно законодателство; 2. *бот.* диворастящ, див; **II.** *n* *полит.* привърженик на аграрна реформа; земеделец.

agree [əˈgriː] *v* (**agreed** [əˈgriːd]) 1. съгласявам се, приемам (**with, to**); ~**d!** съгласен! дадено! дай си ръката! **we** ~**d to differ** решихме, че не можем да се убедим един друг; 2. установявам се, уговарям се (**on, upon**); **as** ~**d** както е договорено; 3. съответствам, подхождам (си), сходен съм, хармонирам (с, на); *език.* съгласувам се (с, на); 4. понася, действа добре; **this climate doesn't** ~ **with me** този климат не ми понася; 5. *фин.* привеждам в ред, подреждам (*сметки и под.*).

agreement [əˈgriːmənt] *n* 1. съгласие; съгласяване; ~ **of opinion** единомислие; **in** ~ **with the facts** в съгласие с фактите; **by mutual** ~ по взаимно съгласие; 2. съглашение, споразумение; договор; **provisional** ~ временно споразумение; временен договор; **to come to an** ~ постигам споразумение; **gentleman's** ~ джентълменско споразумение; 3. сходство, съответствие; хармония; 4. *език.* съгласуване.

ahead [əˈhed] **I.** *adv* напред; отпред; **dead** ~ *разг.* точно отпред (пред нас); **go** ~! карай! давай! **full speed** ~! с пълна скорост напред! **to get** ~ успявам, спечелвам; **to get** ~ **of** изпреварвам, надпреварвам, задминавам; **II.** *adj* преден.

aid [eid] **I.** *n* 1. помощ; подкрепа; ~**s and appliances** помощни съо-

ръжения (приспособления); **to lend o.'s** ~ оказвам помощ (подкрепа); 2. помощник; 3. фин. субсидия, дарение; 4. амер. адютант; 5. pl истор. данъци, налози; II. v помагам, подкрепям; съдействам на; **to ~ and abet** юр. подстрекавам и активно помагам на.

AIDS ['eidz] *abbr* (**Acquired Immune Deficiency Syndrome**) синдром на придобита имунна недостатъчност (СПИН).

aim [eim] I. v 1. целя (се), меря (се), прицелвам (се) (at); **we ~ at (to) safeguarding peace** прен. ние се стремим да запазим мира; **to ~ high, to ~ at the highest** меря (целя) нависоко; прен. поставям си висока цел; 2. амер., диал. възнамерявам (to); II. n 1. цел; стремеж; намерение; 2. прицел; **to take ~** прицелвам се, премервам се.

air [εə] I. n 1. въздух; **in the ~** висящ, неопределен; несигурен; **there are rumours in the ~** носят се слухове; **hot ~** празни приказки, самохвалство; **castles in the ~** въздушни кули; 2. лъх, полъх, подухване; ветрец; 3. изражение, вид, физиономия, изглед; **with a triumphant ~** с тържествуващ вид; **with an ~ of finalty** с такъв вид, като че ли всичко е решено (свършено); 4. pl важничене, надменност, горделивост; **to put one ~s, give oneself ~s** важнича, държа се високомерно; **~s and graces** маниерничене; 5. муз. ария, мелодия, песен; ● **to give s.o. the ~** амер. sl уволнявам някого (и прен.); II. v 1. проветрявам, вентилирам; 2. изкарвам на показ; парадирам с (качества, мнение и пр.); **to ~ o.'s grievances** оплаквам се на всички; **to ~ o.'s dirty linen in public** изнасям си кирливите ризи на показ; 3. оставям да изсъхне; суша, изсушавам; 4. разхождам (куче и пр.); III. adj 1. въздушен, 2. въздухоплавателен, авиационен.

airport ['εərɔ:t] n летище, въздушно пристанище; **~ fiction** леко че-

тиво, "криминале".

airy ['εəri] adj 1. проветрен, просторен; 2. въздушен, ефирен; 3. лек, подвижен, грациозен; **an ~ tread** лека походка; 4. весел, безгрижен; **~ unconcern** весело безгрижие; безгрижна веселост; 5. повърхностен, лекомислен, празен; самодоволен, надменен; **~ notions** празни идеи; **~ manner** надменно държане; 6. нематериален, нереален.

alantin ['æləntin] n мед. инсулин.

alarm [ə'la:m] I. n 1. тревога; бойна тревога, сигнал (за тревога); аларма; **air-raid ~** въздушна тревога; **~ word** парола; **to give (raise, sound) the ~** бия тревога; 2. уплаха, страх, безпокойство; вълнение; смущение; **to take (the) ~** изплашвам се; **to give ~** тревожа, обезпокоявам; ● **~-bell** сигнален звънец; **~ clock** будилник; **~-gauge** манометър със звънец; **~s and excursions** разг. шумотевица, глъчка, врява; II. v 1. вдигам тревога (на оръжие), предупреждавам за опасност; 2. алармирам, тревожа, безпокоя, прен. вдигам много шум.

alarmed [ə'la:md] adj уплашен, разтревожен, обезпокоен, смутен.

album ['ælbəm] n 1. албум; 2. албум, дългосвиреща плоча; 3. книга за посетители.

alcohol ['ælkəhɔl] n 1. хим. спирт, алкохол; етилов спирт; 2. спиртни питиета; **not to touch ~** не близвам алкохол (спиртни напитки).

alcoholic [ælkə'hɔlik] I. adj 1. алкохолен; **~ drinks** спиртни напитки; 2. алкохоличен; II. n алкохолик, пияница, пияч.

aleatory ['eiliətəri] adj 1. случаен, непредвиден, импровизиран; 2. юр. алеаторен; **an ~ contract** алиаторен контракт.

alert [ə'lə:t] I. adj 1. буден, бдителен, внимателен, готов, нащрек; **an ~ mind** буден ум; 2. чевръст, бърз, жив; II. n сигнал за тревога; **(be) on the ~** нащрек, в пълна готовност; **to keep s.o. on the ~** тревожа, не давам мира на ня-

кого; III. v воен. 1. подготвям (военна част) за нападение; 2. давам сигнал (за тревога, нападение); ◇ adv alertly.

alertness [ə'lə:tnis] n 1. бдителност, осторожност; 2. живост, пъргавина, бодрост, подвижност.

alibi ['ælibai] n юр. алиби.

alien ['eiliən] I. adj 1. чужд; **~ subjects** чужди поданици; 2. чужд по природа или характер, несвойствен, далечен; противен (to, from); II. n 1. чужд поданик с местожителство в страната, чужденец; 2. бот. чуждоземно растение.

alienate ['eiliəneit] I. v 1. отчуждавам, отделям, отдалечавам, карам да охладнее (from); 2. юр. прехвърлям (титла или собственост) на друго лице; 3. уединен, самотен; прен. изстинал, охладнял, равнодушен, хладен; II. adj отчужден, чужд; отдалечен.

alienation [eiliə'neiʃən] n 1. отчуждаване, алиенация; 2. юр. алиенация, прехвърляне на собственост; 3. мед. умопомрачение, лудост, алиенация.

alight₁ [ə'lait] v (alighted, рядко alit) 1. слизам (от кон, велосипед); скачам (from, out, of); 2. кацвам (за самолет, птица) (on, upon); **~ing gear** механизъм за кацане на самолет; 3. отдъхвам (след бой).

alight₂ adj predic 1. горящ, запален; 2. осветен.

aliment ['ælimənt] I. n 1. храна, прехрана; хранително средство; 2. издръжка, поддръжка; 3. юр. алиментация; II. v 1. храня; 2. прен. поддържам, издържам.

alimentary [æli'mentəri] adj 1. хранителен, питателен; 2. храносмилателен; **~ track (canal)** храносмилателен тракт; 3. който осигурява поддръжка.

alive [ə'laiv] adj predic 1. жив; **~ and kicking** жив и здрав; пълен с живот; здрав и читав; **to keep ~** поддържам (огън, интерес); 2. действащ, в сила; **to keep a tradition ~** поддържам традиция; 3. буден, бодър, пъргав, енергичен; **look ~!** бързай! по-живо! 4. ел. под

напрежение; **5.** съзнавам, разбирам; **he is ~ to the problem** той разбира проблема; **6.** гъмжащ, оживен, кипящ (**with**); **the sea is ~ with ships** морето гъмжи от кораби; • **man ~, sakes ~!** човече Божи!

all [ɔ:l] **I.** *adj* **1.** целият, всичкият; **~ night** цяла нощ; **~ the world** целият свят; **2.** всеки, всички, вси; всякакъв; **in ~ directions** по всички посоки; **on ~ sides** на (от) всички страни; **3.** най-голям; **with ~ speed** с най-голяма скорост; **with ~ respect** с най-голямо уважение; **II.** *pron* **1.** *рядко* всички; **~ agreed to go** всички се съгласиха да отидат; **2.** всичко; **~ that glitters is not gold** не всичко което блести, е злато; **III.** *n* **1.** всичко, което притежавам; **he gave his ~ to them** той им даде цялото си имущество; **2.** вселената; **IV.** *adv* **1.** напълно, съвсем; **~ alone** съвсем сам; **you are ~ wrong** *разг.* ти си съвсем на погрешен път; **~ covered with dust** цял потънал в прах; **2.** на всеки, на всички, всекиму; **the score is four games ~** резултатът е по четири игри за всеки; • **~ along** през цялото време, от край време, от самото начало; **~ at once** изведнъж; **~ in** изтощен; **~ in ~** общо взето; съвсем, напълно.

allay [ə'lei] *v* **1.** успокоявам, уталожвам (*гняв, вълнение*), укротявам; **2.** облекчавам; **the drug ~ed his pain** лекарството облекчи болката му; **3.** ослабям, намалявам, лишавам.

allege [ə'led] *v* **1.** твърдя, заявявам; твърдя (*особ. без основание*); **to ~ as a fact** твърдя като факт; **2.** привеждам като оправдание; извинявам се с; **to ~ illness** оправдавам се с болест; **3.** *юр.* декларирам (*под клетва*); **4.** *остар.* цитирам (*за потвърждение*).

allergy ['ælədi] *n мед.* алергия, свръхчувствителност.

alleviate [ə'li:vieit] *v* облекчавам (*скръб, болка*); *техн.* понижавам, намалявам (напрежение).

alley ['æli] *n* **1.** алея (*в парк, гра-*

дина); **2.** тясна уличка, сокак, просека; **blind ~** сляпа (задънена) улица (*и прен.*); **3.** пътека (*между редици*); **4.** игрище за кегелбан; • **up (down) o.'s ~** нещо любимо, предпочитано.

alliance [ə'laiəns] *n* **1.** алианс, съюз, съглашение, лига; дружество, съдружие; **matrimonial ~** брачен съюз; **to form (make) an ~ with** съюзявам се с; **2.** връзка, родство, близост.

allied [ə'laid] *adj* **1.** съюзнически, съюзен, съюзен; **~ endeavours** дружни усилия; **~ by marriage** обвързан чрез женитба; **2.** сроден, близък, подобен; **history and ~ subjects** история и други сродни предмети; **~ species** близки сортове.

allocate ['ælokeit] *v* **1.** разпределям, определям част или дял; възлагам; отпускам; **2.** отнасям, приписвам, определям (to).

allocation [ˌælo'keiʃən] *n* **1.** разпределяне, разпределение; **2.** определяне (*на дата, произход*); **3.** разпределена част, дял; **4.** *фин.* отпусната сума (перо).

allot [ə'lɔt] *v* (-**tt**-) **1.** разпределям, определям, раздавам; възлагам (to); **to ~ shares** *фин.* разпределям дялове; **2.** предназначавам, представям, давам, отпускам (*пари и пр.*); **to ~ credit** предоставям кредит; **3.** *воен.* придавам към; **4.** разпределям чрез жребий.

allotment [ə'lɔtmənt] *n* **1.** разпределяне; **2.** *амер., воен.* придаване на личен състав или персонал (към); **3.** полагаема се част, дял; *амер., воен.* част от заплатата на военен, изплащана на друго лице; **4.** парче общинска земя, раздавана за обработване.

allow [ə'lau] *v* **1.** позволявам, разрешавам, давам съгласието си; допускам; толерирам; **no smoking ~ed** пушенето е забранено; **2.** отпускам периодично определена сума (*дарение или помощ*); **3.** давам възможност за; **the passage ~s of only one interpretation** пасажът може да се интерпрети-

ра по един-единствен начин; **4.** признавам, допускам; **5.** приспадам, намалявам, отбивам от дължима сума; **to ~ a shilling in the pound** приспадам по 1 шилинг на паунд; **6.** *амер., диал.* казвам, мисля; **7.** *остар.* одобрявам, утвърждавам; **~ for** вземам под внимание, включвам в сметката; имам предвид, предвиждам; **to ~ of** допускам, оставям място за.

allowance [ə'lauəns] **I.** *n* **1.** *рядко* разрешение, позволение; допускане; толериране; съгласяване; **2.** отпускане периодично определена сума (*на някого*); добавка; **family ~s** семейни добавки; **3.** дажба; **at no ~** неограничено; **to put on short ~** въвеждам ограничени норми (*при потребление или разходи*); **4.** отбив, сконто, отстъпка; **an ~ for cash on a bill** отбив на полица; **5.** вземане под внимание, отстъпка за; **make ~ for his youth** имай предвид младостта му; **6.** фира; **7.** *техн.* допустимо отклонение от нормата; **positive ~** хлабина; **reject ~** допустимо ниво на брак; **II.** *v неолог.* разпределям строго ограничени дажби.

allure [ə'ljuə] **I.** *v* привличам, блазня; подмамвам, примамвам, съблазнявам (to, towards); **II.** *n* **1.** примамливост, привлекателност; **2.** *разг.* сексапил.

allurement [ə'ljuəmənt] *n* **1.** чар, очарование; **2.** примамка, изкушение, съблазън.

ally [ə'lai] **I.** *v* **1.** съюзявам, свързвам (*чрез договор, брак и др.*) (*обикн. pass или refl* c with, to); **England and France were allied in the Great War** Англия и Франция бяха в съюз през Първата световна война; **2.** (*в pass*) близък съм, сроден съм (to); свързан съм; **jazz is allied to primitive folk music** джазът е свързан (корени се) с първичната народна музика; **3.** сплотявам; **II.** *n* **1.** съюзник; **~ of the moment** временен, случаен съюзник; **2.** съдружник; помощник, приятел.

almighty [ˌɔ:l'maiti] **I.** *adj* **1.** всемо-

гъщ, всесилен, всевластен; **2.** *амер., разг.* голям, краен, във висша степен; **he is in an ~ fix** той е в крайно затруднено положение; **II.** *n* Бог; **III.** *adv амер., разг.* много; ужасно; **I'm ~ glad** аз съм ужасно щастлив.

aloe [ˈælou] *n* **1.** *бот.* алое; столетник; **2.** *pl фарм.* сабур, алое; слабително.

alone [əˈloun] **I.** *adj* **1.** *predic* сам, самичък, самотен, усамотен; **to leave ~ (to let ~)** оставям на мира; не се бъркам в; **let ~** да не говорим за, без да споменем, камо ли; **to let well ~** добре е, както си е; **2.** единствен; **I ~ know the story** единствен аз (само аз) знам историята; **II.** *adv* **1.** без чужда помощ, сам; **I did it quite ~** направих го съвсем сам; **2.** само, единствено; **he ~ knows why** само той знае защо.

along [əˈlɔŋ] **I.** *prep* по продължение на, покрай; **~ the river** покрай реката; **II.** *adv* **1.** напред, понататък; **to push ~ (to get ~)** поминувам; напредвам, успявам; **2.: ~ with** заедно с; **to get ~ with** карам, разбирам се с, погаждам се; **come ~ with me** ела с мене; **3.** насам; **be ~** *разг.* пристигам, идвам *(някъде)*; **push it ~** *разг.* дай го насам; **he will soon be ~** той ще бъде скоро тук; **4.** около *(за време);* **~ towards** *амер.* = **towards** към, около; **~ towards evening** надвечер; **●** **all ~** през цялото време, от самото начало, открай време; **right ~** *амер.* винаги, през цялото време, постоянно; **(all) ~ of** *нар.* заради, поради; **go ~** хайде.

alphabet [ˈælfəbet] *n* **1.** азбука; **2.** началните, най-основните принципи *(на учение, наука);* **the ~ of radio** основните принципи на радиото.

alphabetic(al) [ˌælfəˈbetik(əl)] *adj* азбучен; подреден по азбучен ред; **in ~ order** по азбучен ред; ◇ *adv* **alphabetically**.

alphabetize [ælˈfəbitaiz] *v амер.* подреждам по азбучен ред; сортирам, подреждам, разпределям,

групирам, нареждам, класирам, класифицирам, систематизирам, подбирам, редя.

also [ˈɔːlsou] *adv, cj* **1.** също, по същия начин, така също, при това; **2.** освен това; и, също и; **●** **~ ran** *разг.* който не е спечелил в състезание *(за кон),* аутсайдер; барабар Петко с мъжете.

altar [ˈɔːltə] *n* **1.** олтар, храм, светая-светих, светилище; **to lead to the ~** оженвам; **2.** жертвеник, клада.

alter [ˈɔːltə] *v* **1.** променям (се), изменям (се); преправям *(къща, дреха и пр.);* **to ~ o.'s mind** вземам друго решение, разкандардисвам се; размислям; **2.** *амер., австр.* кастрирам.

alteration [ˌɔːltəˈreiʃən] *n* **1.** изменение, промяна, *книж.* трансформация, модификация, преобразование, реформа, реорганизация, замяна, поднова, *книж.* метаморфоза; обрат, поврат, превратност, преврат; разместване, разменяване; **2.** поправка; **3.** *техн.* деформация.

altercate [ˈɔːltəkeit] *v рядко* споря, препирам се; заяждам се, карам се; дърля се.

alternate [ˈɔːltəneit] **I.** *v* редувам (се), сменям се; заменям (се); променям; **day ~s with night** денят и нощта се сменяват; **II.** *adj* **1.** редуващ се през едно; периодичен; **~ lines of red and blue** редуващи се червени и сини линии; **~ failure and success** неуспехи, редуващи се с успехи; **2.** *бот.* разположени през едно *(за листа);* ◇ *adv* **alternately; III.** *n амер.* пълномощник, заместник.

altitude [ˈæltitjud] *n* **1.** височина; надморска височина; **absolute ~** абсолютна (надморска) височина; **2.** *мат.* височина *(на фигура);* **3.** *астр.* ъглова височина на небесно тяло спрямо хоризонта; **4.** височина, високо място; **mountain ~s** планинска област (местност); **5.** *прен.* висота, вис; **● ~ flight** *авиац.* височинно летене.

altitudinal [ˌæltiˈtjuːdinəl] *adj* висок;

височинен.

altogether [ˌɔːltəˈgeðə] **I.** *adv* **1.** напълно, съвсем; цялостно, всецяло; изцяло; **~ bad** съвсем лош; **2.** всичко на всичко; **the debt amounted ~ to 20 dollars** дългът възлизаше всичко на всичко на 20 долара; **3.** общо взето (погледнато); **II.** *n* цяло, цялост; *разг.* **in the ~** гол *(за модел на художник).*

amalgamate [əˈmælgəmeit] *v* **1.** смесвам (се), комбинирам (се); правя амалгама, амалгамирам; **2.** съединявам (се), обединявам (се); сливам (се).

amalgamation [əˌmælgəˈmeiʃən] *n* **1.** смесване, съединяване; обединяване; сливане; **~ of railway companies** обединяване на железопътните дружества; **2.** амалгамация, смесване на живак с друг метал; **3.** *метал.* амалгамация, отделяне на благородните метали от руда с помощта на живак.

amass [əˈmæs] *v прен.* натрупвам, струпвам, акумулирам, събирам; **to ~ a fortune** натрупвам състояние.

amassment [əˈmæsmənt] *n* **1.** натрупване; **2.** куп *(и прен.);* струпване, концентрация, съсредоточаване; групиране, събиране.

amateur [ˈæmətjuə] **I.** *n* **1.** любител, обожател, привърженик, приятел, последовател; *книж.* лайк, нешколуван, необучен, неподготвен, аматьор; **2.** дилетант; **II.** *adj* **1.** любителски, непрофесионален; **2.** дилетантски.

amaze [əˈmeiz] **I.** *v* смайвам, изумявам, поразявам, удивлявам; учудвам; възхищавам; **II.** *n поет.* изумление, удивление, почуда.

ambassador [æmˈbæsədə] *n* **1.** пославик; амбасадор; легат; **~ extraordinary and plenipotentiary** извънреден и пълномощен посланик; **~ at large** който има неограничени пълномощия; **2.** пратеник, представител, пълномощник; вестител; **an ~ of peace** пратеник на мира; **3.** посредник.

ambiguous [æmˈbigjuəs] *adj* **1.** двусмислен, двузначен, неясен; **2.**

съмнителен, неясен, неопределен, смътен; ◇ *adv* **ambiguously.**

ambit [ˈæmbit] *n* 1. обсег, поле на действие; обхват; обиколка, граници, размер; **within the ~ of** в обсега на; **it is outside my ~ as chairman** това е извън моите пълномощия като председател; 2. *архит.* свободно пространство около здание; 3. *техн.* контур; периметър; 4. *ел.* кръг; верига.

ambition [æmˈbiʃən] *n* 1. амбиция; честолюбие, тщеславие; силно желание, стремеж; **his ~ to succeed**, *рядко* **his ~ of success** неговият стремеж за успех; 2. предмет на силно желание, цел на домогване; *прен.* прищявка.

ambitious [æmˈbiʃəs] *adj* 1. амбициозен; тщеславен, честолюбив; силно желаещ; **~ of power** жаден за власт; 2. смел; новаторски; **an ~ project** амбициозен проект; ◇ *adv* **ambitiously.**

ambush [ˈæmbuʃ] I. *n воен.* 1. засада, нападение от засада; клопка, капан; **to lay (make) an ~** устройвам засада; **to fall into an ~** попадам на засада; 2. скрити войници за засада; **to lie in ~** намирам се в засада; 3. закритие на военни части; II. *v* 1. нападам из засада; завардвам; дебна; устройвам засада; 2. прикривам военни части за засада.

ameliorate [əˈmiːliəreit] *v* 1. подобрявам, усъвършенствам, модернизирам, преобразувам, подновявам, обновявам, поправям; правя по-добър; 2. ставам по-добър.

amelioration [ə‚miːliəˈreiʃən] *n* подобрение, усъвършенстване, модернизиране, преобразуване, обновяване, подновяване, поправяне; мелиорация.

amend [əˈmend] *v* 1. поправям, коригирам; **to ~ o.'s behaviour** коригирам поведението си; 2. внасям поправки, изменения, поправям, изменям (*законопроект, резолюция*); 3. оправям се, поправям поведението си.

amendment [əˈmendmənt] *n* 1. подобрение; корекция; поправка;

промяна, изменение, поправка на закон; 2. предложение за промяна в резолюция.

amenity [əˈmiːniti] *n* 1. задоволство, наслада; 2. любезност, вежливост; **feline amenities** котешки любезности; хаплявост; 3. *pl* удобства, удоволствия; **public amenities** места за отдих и култура; благоустройство.

amerce [əˈməːs] *v* 1. налагам глоба, глобявам; 2. наказвам, осъждам, *книж.* санкционирам, бичувам, преследвам; мъча, измъчвам; отмъщавам.

amiable [ˈeimjəbəl] *adj* 1. мил, приятелски, дружелюбен, приветлив; добродушен, добронамерен; 2. *остар.* чудесен, красив; ◇ *adv* **amiably** [ˈeimjəbli].

ammunition [‚æmjuˈniʃən] I. *n воен.* 1. боеприпаси; (*бойни, огнестрелни*) муниции; **~ box** сандъче с патрони; сандъче за картечни ленти; **~ factory** завод за муниции; **~ dump** погреб; **~ hoist** *мор.* елеватор за снаряди; 2. *остар.* муниция, военни припаси (*дрехи*); II. *v* снабдявам с боеприпаси.

amnesty [ˈæmnisti] I. *n* амнистия, помилване; II. *v* помилвам, амнистирам.

among, amongst [əˈmʌn(st)] *prep* между, измежду, у, сред, из; **to go ~ people** отивам сред хората.

amoral [æˈmɔrəl] *adj* аморален, безнравствен, порочен, покварен, развратен, деморализиран, разпуснат, безпътен, безсрамен, порнографен.

amorous [ˈæmərəs] *adj* 1. *остар.* влюбен (**of**); 2. влюбчив; 3. страстен, чувствен; 4. любовен; ◇ *adv* **amorously.**

amorphous [əˈmɔːfəs] *adj* 1. аморфен, неоформен, смачкан, сплескан, сплеснат; безформен, неправилен; 2. *хим.* аморфен; 3. *прен.* неустановен, неопределен, неясен; променлив.

amortize [əˈmɔːtaiz] *v* 1. амортизирам, погасявам (*дълг*); 2. *юр.* прехвърлям (имущество) във владение на корпорация.

amount [əˈmaunt] I. *v* 1. възлизам на (**to**) (*за сума*); 2. равнявам се, равнозначен съм; **this ~s to a refusal** това е равносилно на отказ; **his arguments do not ~ too much** аргументите му не струват нищо; II. *n* 1. обща сума, сбор; **gross ~** брутна сума; **net ~** чиста сума; **total ~** обща сума; **to the ~ of** на сума; 2. количество; размер; **a large ~** голямо количество; 3. значение, смисъл.

amphibian [æmˈfibiən] I. *adj* земноводен; II. *n* 1. земноводно животно или растение; 2. *авиац. и воен.* самолет амфибия; танк амфибия; автомобил амфибия.

ample [æmpl] *adj* 1. предостатъчен, изобилен **~ room for everyone** място за всеки; 2. широк, пълен; обширен.

amplify [ˈæmplifai] *v* 1. увеличавам, уголемявам; разширявам; 2. разработвам, разширявам, развивам с подробности; 3. *радио., ел.* усилвам; 4. *прен.* преувеличавам; 5. разпространявам се, обяснявам се, беседвам надълго и нашироко (**on, upon**).

amplitude [ˈæmplitjud] *n* 1. простор, ширина, шир; пространство; 2. пълнота, изобилие; 3. *прен.* широта, размах, обсег, обхват, простор (*на мисълта и пр.*); 4. *физ. и астр.* амплитуда; 5. *ел.* най-високата точка на променлив ток; 6. *воен., мор.* далекобойност, район на действие на мина.

ampoule, ampule [ˈæmpuːl] *n* ампула.

amputate [ˈæmpjuteit] *v* 1. *мед.* ампутирам, отрязвам част от тялото (*крайник*); 2. *остар.* сека, окастрям, кастря; подрязвам; обрязвам; намалявам.

amputation [‚æmpjuˈteiʃən] *n* 1. ампутация; отрязване на крайник; 2. *прен.* съкращаване на думи или изрази.

amuse [əˈmjuːz] *v* 1. забавлявам, развличам; веселя, разсмивам; занимавам, доставям удоволствие (**with, by**); **you ~ me** вие ме разсмивате; **to ~ oneself with painting** развличам се с рисува-

не; 2. *остар.* поглъщам, завладявам, обсебвам; смущавам, озадачавам.

amusing [ə'mju:ziŋ] *adj* забавен, смешен, занимателен; ◇ *adv* **amusingly.**

anabolism [ə'næbəlizəm] *n биол.* анаболизъм.

anaemia [ə'ni:miə] *n мед.* анемия, малокръвие.

anaemic [ə'ni:mik] *adj* анемичен, малокръвен; ~ **looking** бледен.

anagogic(al) [ænə'gɔdik(əl)] *adj* 1. алегоричен, преносен; 2. мистичен, тайнствен, таен, потаен, загадъчен, неразгадаем, неизвестен, *книж.* неведом, мистериозен, недостъпен; свръхестествен.

analogize [ə'nælədaiz] *v* 1. сравнявам, употребявам аналогии; търся сходство; 2. аналогичен съм с, подобен съм на (**with**).

analogue ['ænəloug] *n* аналог, нещо, което е аналогично (подобно).

analyse ['ænəlaiz] *v* 1. анализирам, правя анализ (разбор); разлагам на съставни части; разглеждам обстойно; изследвам; проучвам; вниквам; 2. *хим.* разлагам, определям състава (на вещество, съединение и под.).

analysis [ə'næləsis] (*pl* -**lyses**) 1. анализ, анализа; 2. *език. и лит.* разбор на текст; **sentence** ~ синтактичен разбор; 3. резюме, кратко изложение, извадка, извлечение, съкращение, накратко, конспект, тезиси, сентенция, обобщение.

anarchism ['ænə:kizəml] *n* анархизъм.

anarchist ['ænəkist] *n* анархист.

anarchy ['ænəki] *n* 1. анархия, безвластие; беззаконие; 2. безредие, стихийност, разбърканост, хаос; неподчинение, своеволие, смут.

anastatic [ænə'stætik] *adj полигр.* релефен, издаден, изпъкнал, издут; *прен.* прегледен, ясен, нагледен, картинен, отчетлив, óбразен.

anatomic(al) [,ænə'tɔmik(əl)] *adj* анатомически, анатомичен.

anatomy [ə'nætəmi] *n* 1. анатомия; 2. дисекция; 3. строеж на тялото (*на животно или растение*); 4.

анатомически трактат; 5. *разг., остар.* скелет; 6. *остар.* анализ.

anchor ['æŋkə] I. *n* 1. котва; **to cast** ~ хвърлям, пускам котва; **to weigh** ~ вдигам котва, тръгвам; отплувам, отплувам; 2. *техн.* анкър, железна съединителна скоба (*при зидане*); анкър на часовник; 3. *воен.* ключова (командна) позиция; 4. *прен.* упование, опора, надежда; II. *v* 1. закотвям, хвърлям котва, пускам котва; 2. *техн.* закрепвам, съединявам; ● **to** ~ **o.'s hopes (in, on)** уповавам се на; надявам се на; ~ **man** основна фигура (*в бизнес, спорт и под.*).

anchorage ['æŋkərid] *n* 1. закотвяне; 2. място за закотвяне; 3. *мор.* такса за престой на кораб; 4. *техн.* анкерно закрепване; укрепване с анкери; 5. *прен.* опора, упование, надежда; 6. жилище на анахорет (отшелник).

ancient₁ ['einʃənt] I. *adj* 1. древен, античен, архаичен; ~ **history** древна история; 2. остарял; *лит.* старинен; стар (*за човек*); II. *n* 1. *pl*: **the** ~**s** древните (народи); 2. античните писатели; 3. *остар.* старец; ● **A. of Days** Бог.

ancient₂ ['einʃənt] *n остар.* 1. знаме, флаг, щандарт; 2. знаменосец; лейтенант.

ancillary [æn'siləri] *adj* помощен, допълнителен, спомагателен; подчинен, второстепенен (**to**).

ancle, ankle ['æŋkəl] *n* глезен; ~ **deep** дълбоко до глезените.

ancon ['æŋkən] *n* (*pl* -**nes**) 1. *анат.* лакът; 2. *архит.* конзола.

and [ænd – *силна форма*; ənd, ən, nd – *слаби форми*] *cj* 1. и; **miles** ~ **miles** километри и километри; **stronger** ~ **stronger** по-силно и по-силно; 2. а; **I shall go** ~ **you shall stay here** аз ще отида, а ти ще останеш тук; 3. *разг.* да (за да); **run along** ~ **catch him** изтичай, за да го хванеш; 4. *остар., диал.* ако; ~ **you please** ако обичаш; ~ **so forth**, ~ **so on** и т. н.

androgynous [,æn'drodinəs] *adj* 1. *бот.* двуполов; 2. хермафродитен.

anecdote ['ænikdout] *n* анекдот, басня, история, легенда, фабула; *прен.* измислица, мълва, клюка, занимателна историйка; виц; любопитна историйка; Am *pl* **anecdotes** непубликувани исторически подробности.

anew [ə'nju:] *adv* отново, наново, пак, още веднъж, в нова форма или по нов начин.

angel ['eindəl] *n* 1. ангел; **fallen** ~ паднал ангел, дявол, сатана; **ministering (guardian)** ~ добър ангел, ангел хранител; 2. стара златна английска монета; 3. *театр.* меценат; 4. *спец.* ехо от невидима цел, уловено с радар; 5. *pl воен.* височина на полета на самолет (*в хил. фута*); ~ **swamp** *амер.* човек от блатиста местност; **to entertain an** ~ **unawares** приемам важна особа, без да подозирам това; **to join the** ~**s** *амер.* умирам; **to rush in where** ~**s fear to tread** хвърлям се необмислено в нещо; 6. *прен.* добър, благороден човек; 7. *прен., разг.* любим човек; ангелче.

angelic(al) [æn'delik(l)] *adj* ангелски; **the Angelical Doctor** св. Тома Аквински; ◇ *adv* **angelically** [æn'delikli].

anger ['æŋgə] I. *n* 1. гняв, яд; 2. *остар., диал.* болка, смъдене; 3. *остар.* мъка; II. *v* 1. разсърдвам, ядосвам, разгневявам; 2. *остар., диал.* възпалявам (*рана*).

angle₁ [æŋgl] *n* 1. ъгъл; **right** ~ прав ъгъл; **acute** ~ остър ъгъл; **obtuse** ~ тъп ъгъл; 2. гледна точка; **under the** ~ **of** от гледна точка на; **our readers want the woman's** ~ **on this** нашите читатели желаят да видят този въпрос от гледна точка на жените; 3. *техн.* ъглова стомана; винкел; 4. ъгълник (*шлосерски инструмент*); 5. *мин.* диагонална галерия.

angle₂ I. *n* въдица; II. *v* 1. ловя риба (с въдица); **to** ~ **for trout** ловя пъстърва; 2. *прен.* пускам (хвърлям) въдица; интригантствам.

angry ['æŋgri] *adj* 1. сърдит; раздразнен, гневен, разгневен, ядосан (**at, with** – *за човек*; **at, about**

– *за нещо*); **2.** *прен.* подлютен, възпален (*за рана*); **3.** *поет.* бурен, градоносен; **an ~ sky** буреносен, мрачен небосвод.

anima ['ænimə] *n* **1.** душà; **2.** *псих.* анима, женствен аспект в мъжката личност.

animal ['æniməl] **I.** *n* животно, добиче; *прен.* скот; **II.** *adj* **1.** животински; **~ black** животински въглен; филтър; **~ husbandry** животновъдство; скотовъдство; **~ spirits** оживление, жизнерадост; **2.** *прен.* скотски, плътски; чувствен; сластолюбив; **~ desires** плътски желания.

animate ['ænimeit] **I.** *v* **1.** оживявам, съживявам; възбуждам, вдъхвам живот (енергия); ободрявам, въодушевявам; **2.** подтиквам, стимулирам, мотивирам; **II.** *adj* **1.** жив, одушевен; органичен; **~ creatures** живи същества; **2.** *прен.* жив, оживен; весел.

animation [ˌæni'meiʃən] *n* **1.** оживление, въодушевление, живост; жизнерадост; **a face devoid of ~** лишен от живот (*за човек*); **2.** изготвяне на анимационен филм.

annex₁ [ə'neks] *v* **1.** присъединявам, прибавям; **2.** прилагам, причислявам, притурям, принаждам, включвам, добавям; служа си, употребявам, *разг.* вкарвам в работа, ползвам; приспособявам, нагаждам; **3.** насилствено присъединявам територия, анексирам.

annex₂ ['æneks] *n* **1.** прибавка, допълнение, приложение; **2.** пристройка, странична сграда.

annihilate [ə'naiəleit] *v* унищожавам, разрушавам, съсипвам, разсипвам, опустошавам, разнебитвам, развалям, събарям, руша, срутвам, хабя, похабявам; убивам, уморявам, причинявам смърт, погубвам, сея смърт, *нар.* затривам, заличавам, премахвам, изкоренявам, смазвам, покосявам, избивам, *разг.* правя на пух и прах; анулирам, прекратявам, отменявам, провалям, изтребвам.

annihilation [əˌnaiə'leiʃən] *n* **1.** уни-

щожаване, изтребване, разрушаване, съсипване, разсипване, разнебитване, развалине, опустошаване, събаряне, рушене, срутване, хабене, похабяване; убиване, уморяване, причиняване на смърт, погубване, сеене на смърт, *нар.* затриване, заличаване, премахване, изкореняване, смазване, покосяване, избиване, *разг.* правене на пух и прах; анулиране, прекратяване, отменяване, проваляне; **2.** *физ.* анихилация, преобразуване.

announce [ə'nauns] *v* **1.** анонсирам, обявявам, публикувам, разгласявам; представям; **2.** съобщавам, известявам; **to ~ guests** въвеждам, представям, съобщавам имена на гости; **3.** водя радио- или телевизионно предаване; чета новини.

announcement [ə'naunsmənt] *n* анонс, обявление, обява; съобщение, известие; представяне.

annoy [ə'nɔi] **I.** *v* раздразвам; досаждам, ядосвам, дразня; безпокоя, закачам; **II.** *n поет.* раздразнение, досада, тегота.

annoyance [ə'nɔiəns] *n* **1.** раздразване, ядосване, досада; **2.** раздразнение, яд; **3.** неприятност, неудоволствие, тягост, досада, скука; *прен.* главоболие; горчивина, мъка, огорчение, обида; *разг.* горчив хап.

annual ['ænjuəl] **I.** *adj* годишен, ежегоден; **~ income** годишен доход; **~ ring** годишен кръг, пласт (*при дървесината*); **II.** *n* **1.** годишник; **2.** едногодишно растение; **3.** *прен.* непрекъснато повтарящо се събитие, възникващ въпрос; **hardy ~** *шег.* досадно, монотонно повтарящо се събитие.

annul [ə'nʌl] *v* анулирам, отменям; унищожавам.

anodyne ['ænodain] **I.** *adj* **1.** успокоителен, обезболяващ, успокояващ болките; **2.** *прен.* скучен; приспиван; **II.** *n* обезболяващо средство, успокоително.

anomaly [ə'nɔməli] *n* аномалия, неправилност, ненормалност,

нередовност; изключение, особеност, отклонение, рядкост.

anonymous [ə'nɔniməs] *adj* **1.** анонимен; безименен; **2.** таен, скрит, неизвестен, невидим.

answer ['a:nsə] **I.** *n* **1.** отговор; **to make no ~** не отговарям; **he has always got an ~** винаги знае как да отговори; **he has an ~ to everything** за всичко има отговор; **2.** отговор, решение (*на задача*); **~ book** ключ (с отговори); **3.** *юр.* защита, ответ; **4.** *муз.* реплика; **II.** *v* **1.** отговарям (на); **to ~ a letter** отговарям на писмо; **the question was never ~ed** на този въпрос не бе отговорено; **to ~ the telephone** вдигам телефона; **2.** отвръщам на, връщам, отплащам се с; плащам с; **to ~ blows with blows** отвръщам на удара с удар, отплащам се за удара с удар; **3.** успявам, постигам целта; **4. to ~ back** отвръщам дръзко; отговарям се; репча се; **5.** казвам се, наричам се; **he ~s to the name of John** наричам се Джон; **6.** отговарям (*на задача*), решавам; **I didn't ~ all the problems** не реших всичките задачи; **7.** отхвърлям, отговарям (*на обвинение*); **to ~ a charge** отхвърлям обвинение; **8.** реагирам на, подчинявам се на; **to ~ the helm** (*за кораб*) подчинявам се на кормчията; **a car that ~s the steering wheel** кола, която се управлява леко; **9.: to ~ for** гарантирам, отговорям за; отговорен съм за; **to ~ for s.o. (for s.o.'s honesty)** отговарям (гарантирам) за някого (за честността на някого); **I'll ~ for it (that)** гарантирам (сигурен съм), че; **to ~ for** отговарям за.

ant [ænt] *n* мравка; **white ~** термит; **• to get (have) ~s in o.'s pants** *амер.*, *разг.* вълнувам се; нервирам се; ставам неспокоен (нервен).

antemeridian [ˌæntimə'ridiən] *adj* сутринен, утринен.

anthropophagy [ˌænθrou'pɔfədi] *n* човекоядство, канибализъм.

antibiotic [ˌænti'baiotik] *n* антибиотик.

antibouncer [,ænti'baunsə] *n техн.* амортисьор.

Antichrist ['æntikraist] *n* антихрист, безбожник, нечестивец, *остар.* поганец, *църк.*, *остар.* богохулник.

anticipate [æn'tisipeit] *v* 1. предвиждам, очаквам; предчувствам, предугаждам; антиципирам; **I ~d as much** предвиждах го, очаквах такова нещо; 2. предварвам, изпреварвам, изпълнявам предварително (*желание, заповед и под.*); **the army ~d the enemy's move** армията изпревари маневрата на противника.

anticipation [æn'tisipeiʃən] *n* 1. очакване; предчувствие; антиципация; **by ~** предварително; **contrary to ~** противно на очакванията; **in ~ of** в очакване на; 2. *юр.* антиципация, предварително изплащане на капитал на малолетен; 3. *муз.* антиципация, предварително започване на акорд.

antifreeze [,ænti'fri:z] *n* антифриз.

antipode ['æntipoud] *n* антипод, пълна противоположност; антитеза; (*pl* ~**s**) *геогр.* антиподи.

antique [æn'ti:k] I. *adj* 1. древен, старинен; 2. античен; 3. старомоден, архаичен; II. *n* 1. антикварен предмет, антика; 2. произведение на античното изкуство; **the ~** антично изкуство, произведение на античното изкуство; 3. *полигр.* антиква, печатарски шрифт.

antiseptic [,ænti'septik] I. *adj* антисептичен; II. *n* антисептично средство.

antisocial [,ænti'souʃəl] *adj* 1. антисоциален, противообществен; 2. необщителен, неразговорлив, затворен, саможив, недружелюбен, нелюбезен, неотзивчив, самотен, уединен, мълчалив, тих, ограничен, отчужден.

anxiety [æŋ'zaiəti] *n* 1. загриженост, безпокойство, тревога; грижа; страх, опасение (**for** за); 2. силно (страстно) желание (**for** за, **to** с *inf* да); 3. *мед.* потиснатост.

any ['eni] I. *pron* 1. (*във въпр. или усл. изречение*) някакъв; някой;

малко (*или не се превежда*); **is there ~ reason?** има ли (някаква) причина; 2. (*в отриц. и отриц. въпр. изречение*) никакъв; никой; никак (*или не се превежда*); **I didn't meet ~ of them** не срещнах никой от тях; 3. (*в утвърдително изречение*) кой(то) и да е, всеки; какъв(то) и да е; **~ policeman will tell you** всеки полицай може да те упъти; **at ~ cost** на всяка цена; независимо от последствията; II. *adv* (*поне*) малко; до известна степен; никак, изобщо (*или не се превежда*); **is that ~ better?** така по-добре ли е? **his advice didn't hepl me ~** съветът му (никак) не ми помогна.

anybody ['enibɔdi] *pron* 1. (*във въпр. изречение*) някой; **did you see ~?** видя ли някого? 2. (*в отриц. изречение*) никой; **he didn't tell ~** не каза никому; 3. (*в утвърдително изречение*) всеки; **~ can do that** всеки може да направи това; 4. някой, нещо, важно лице, човек с някакво положение или значение; **he isn't ~** той нищо не представлява; **he isn't just ~** той не е кой да е; той е важна "клечка".

anything ['eniθiŋ] *pron* 1. (*във въпр. изречение*) нещо; **did you see ~?** видяхте ли нещо? 2. (*в отриц. изречение*) нищо; **they couldn't see ~** не можаха да видят нищо; 3. какво да е; всичко, всяко нещо, нещо въобще, изобщо; **take ~ you like** вземете каквото ви хареса, вземете всичко, което ви хареса; **capable of ~** способен на всичко.

apart ['əra:t] *adv* 1. настрана, отделно; **to stand ~** 1) стоя (намирам се) настрана; 2) *прен.* страня; 3) отличавам се (**from**); **to set ~** отделям, слагам настрана (*със специално предназначение*); **joking (jesting) ~** шегата настрана; 2. разделено, отделно; **to grow ~** отчуждавам се; **to keep ~** не смесвам; разграничавам.

apartment [ə'pa:tmənt] *n* 1. стая (за живеене); 2. апартамент (*обикн. мебелиран*); жилище (*също и pl*);

two-storey ~ мезонет.

aperture [ə'pə:tʃə] *n* 1. отвор, отверстие, цепнатина, пролука; 2. *опт.* апертура; 3. *фот., кино* диафрагма; отвор на диафрагма; **picture ~** *фот., кино* кадрово прозорче; **relative ~** 1) относителен отвор (*на обектив*); 2) светлосила.

apex ['eipeks] *n* (*pl* **apexes** ['eipeksiz], **apices** ['eipisi:z]) 1. връх, връхна точка, климакс (*и прен.*); **the ~ of o.'s fortunes** връх на благополучието; 2. *геол.* връх, било на планина; 3. *астр.* апекс; **solar ~** апекс на Слънцето (*слънчевата система*).

aphorism ['æfərizəm] *n* афоризъм.

apis ['eipis] *n зоол.* пчела.

apocalyptic [ə,pɔkə'liptik] *adj* 1. апокалиптичен; 2. загадъчен, тъмен, тайнствен, мистериозен, потаен, *книж.* неведом, *книж.* неясен, енигматичен, странен, неразгадаем.

apogee [æpə'di:] *n астр. и прен.* апогей, разцвет, връх, слава, величие, лаври, победа, триумф.

apophthegmatic [,æpɔfθeg'mætik] *adj* мъдър, поучителен, *книж.* назидателен, напътствен, наставнически, *книж.* нравоучителен, полезен.

apostate [ə'pɔsteit] I. *n* апостат, вероотстъпник, ренегат, отстъпник; изменник на дадена кауза; II. *adj* ренегатски, отстъпнически, изменнически.

apostle [ə'pɔsl] *n* апостол (*и прен.*), деятел, труженик, деец, борец, ратник, *книж.* радетел, *книж.* остар. ревнител; проповедник.

apostrophize [ə'pɔstrəfaiz] *v* 1. апострофирам, прекъсвам, пресичам, подмятам, подхвърлям; обръщам се (към); 2. слагам апостроф.

apotheosize [ə'pɔθiousaiz] *v* 1. обожествявам; 2. възвеличавам, боготворя.

appal [ə'pɔ:l] *v* ужасявам (се); **to be ~led at** ужасен съм от, ужасявам се от.

apparatus [,æpə'reitəs] *n* (*pl* **-tus**, **-tuses**) 1. апарат; апаратура; уред;

устройство; съоръжение; прибор; 2. *анат.* апарат, система (*от органи*); **digestive (respiratory)** ~ храносмилателна (дихателна) система; 3. набор от данни, апарат; **critical ~, ~ criticus** критичен апарат; **state ~** държавен апарат.

apparel [ə'pærəl] I. *n* 1. облекло, дрехи, одежди; премяна; 2. бродерия на свещенически одежди; 3. *остар.* снаряжение, екипировка; II. *v* 1. обличам; променявам; нагиздям; 2. *остар.* снабдявам, екипирам.

apparent [ə'pærənt] *adj* 1. видим, забележим; ~ **to the naked eye** видим с просто око; 2. очевиден, явен, несъмнен, **heir** ~ пряк наследник, (**to the throne**) престолонаследник; ~ **noon** истинско пладне; ~ **horizon** видим хоризонт; 3. който прилича на нещо, изглежда като нещо; **his ~ coldness is mere shyness** държанието му изглежда студено, а всъщност той просто се притеснява.

appeal [ə'pi:l] I. *v* 1. обръщам се; апелирам (to към); позовавам се (to на); **I ~ to your common sense** апелирам към здравия разум; 2. моля, умолявам; апелирам, подканвам, призовавам, зова; 3. нравя се, харесвам се; привличам; **his novels ~ to the readers** неговите романи се харесват на читателите; **a life of seclusion did not ~ to him** усамотеният живот не го привличаше (блазнеше); 4. *юр.* апелирам, обжалвам, подавам апелационна жалба; 5. *истор., остар.* призовавам на съд; ● **to ~ to the country** разпускам парламента и назначавам общи избори; 6. събирам волни пожертвувания; II. *n* 1. молба; искане; позоваване; обръщение; призив, апел, възвание; **to make an ~ to** отправям молба (искане) към; **an ~ to the umpire** допитване до журито; 2. обжалване; право за обжалване; апелация; **court of ~** апелативен съд; **to allow an ~** удовлетворявам жалба; **to dismiss an ~** отхвърлям молба; 3.

притегателна сила, привлекателност; **to have (a wide, universal) ~** привличам, харесвам се (на всички); **sex ~** сексапил.

appear [ə'piə] *v* 1. явявам се, появявам се; показвам се, виждам се; **his name did not ~ on the list** името му не беше в списъка; 2. явявам се, излизам, представям се (*в съда, обществото, в качеството на официален представител и пр.*), излизам (*в ролята на*); **to ~ for the defendant** явявам се като защитник на обвиняемия (*за адвокат*); **to ~ for the prosecution** явявам се на страната на обвинителя (тъжителя); **to bind over to ~** *юр.* задължавам да се яви в съда; 3. (*за книга и пр.*) излиза (от печат), издава се; 4. излизам пред публика, играя на сцена; **the actor refused to ~ as the villain in the play** актьорът отказа да играе разбойникът в пиесата; 5. изглеждам, имам вид на; **he ~s to be ill** изглежда болен, има вид на болен, като че ли е болен; 6. *безл.* изглежда, струва ми се; може да се допусне; **it ~s to me that you are wrong** струва ми се, че грешиш; **strange as it may ~s** колкото и странно да изглежда.

appearance [ə'piərəns] *n* 1. явяване, проявяване; излизане (*на сцената, от печат*); **to make an** (o.'s) ~, **to put in an ~** появявам се (за кратко); **default of ~** *юр.* неявяване в съда; **to enter into bond for ~** писмено се задължавам да се явя; 2. вид, изглед, външност; **architectural ~** архитектурно оформление; **external ~** външен вид; екстериор; 3. прилиние; лице; **for the sake of ~s** за приличие; за лице; **to keep up (save) ~s** за да се запази приличието; да се поддържа видът; 4. явление, феномен; 5. призрак, видение, фантом, дух.

appease [ə'pi:z] *v* 1. успокоявам, умирявам, укротявам (*гняв и пр.*); изглаждам (*спор*) помирявам; 2. успокоявам, уталожвам; облекчавам (*болка, мъка*); уто-

лявам, насищам, задоволявам (*глад, жажда и пр.*); **appeasing remedies** лекарствени средства за успокояване на болките, успокоителни, обезболяващи.

append [ə'pend] *v* 1. закачам, прикачам; прикрепям; **to ~ a seal to a document** скрепявам с печат, подпечатам документ; 2. прилагам; притурям, добавям, прибавям; **to ~ notes (a commentary etc.) to a book** притурям бележки (коментар) към книга, снабдявам книга с бележки (коментар).

appendicitis [ə,pendi'saitis] *n мед.* апендицит, апандисит, апендикс.

appertain [,æpə'tein] *v* принадлежа, падам се (по правило или по традиция) (to на); числя се; отнасям се (to към); спадам към.

appetite ['æpitait] *n* 1. апетит; **to have a good (poor) ~** имам добър (лош) апетит; **loss of ~** липса на апетит; *мед.* загуба на апетит, анорексия; безапетитие; 2. желание; стремеж; жажда, охота; **an ~ for power** жажда за власт.

appetizing ['æpitaiziŋ] *adj* апетитен, вкусен; съблазнителен, привлекателен; ◊ *adv* **appetizingly.**

apple [æpl] *n* 1. ябълка (*плод и дърво*), ябълковиден плод; 2. очна ябълка; ● ~ **of discord** ябълка на раздора; **like the ~ of o.'s eye** като зеницата на окото; **an ~ of another tree** съвсем друга работа; нещо съвсем различно; **Adam's ~** Адамова ябълка.

appliance [ə'plaiəns] *n* 1. уред, прибор; устройство; **domestic (household) ~s** домикински (битови) електроуреди; 2. адаптер, приспособление, принадлежност; **safety ~** предпазно устройство; предпазител; обезопасител.

apply [ə'plai] *v* 1. слагам, поставям (to на, върху); допирам (to към, до); **to ~ a poultice** слагам лапа; **to ~ a match to a candle** запалвам свещ; 2. използвам, употребявам, прилагам; 3. съсредоточавам (*ум, внимание*); ~ **yourself to your study** съсредоточи се в ученето; 4. **to ~ oneself to** занимавам се с, насочвам внимание-

то си към; залавям се за, захващам се за; **5.** отнася се, касае се, засяга; важи; **that rule applies only to children** това правило се отнася само за децата; **6.** обръщам се, отнасям се (**to s.o. for s.th.** до някого за нещо); ~ **to the director** обърнете се (отнесете се) до директора; ~ **at the office** обърнете се (*за сведения*) в канцеларията; **7.** подавам заявление; кандидатствам (**for** за); **to** ~ **for a job** кандидатствам за работа.

appoint [ə'pɔint] *v* **1.** определям (*място, време, работа*); нареждам, уричам, отреждам; назначавам (*среща*); **it was** ~**ed that he should come** определено беше (уговорено беше) той да дойде; **2.** назначавам (*на служба*); **she was** ~**ed secretary** тя бе назначена за секретарка; **3.** *рядко освен в рр* подреждам, снабдявам; **4.** *юр.* определям правото на собственост или наследство, въвеждам във владение.

appointment [ə'pɔintmənt] *n* **1.** среща (*по предварително споразумение*), свиждане; **to make an** ~ уговарям среща; **by** ~ по предварително споразумение; **2.** назначение, назначаване; **permanent (short-term)** ~ на постоянен (краткосрочен) договор; **3.** място, служба, длъжност; **to hold an** ~ на служба съм; **4.** нареждане, заповед, решение, предписание; **5.** *юр.* завещание, прехвърляне (*на имот*); посочване; **power of** ~ пълномощно; **6.** *pl* екипировка, снаряжение, обстановка, мебели, принадлежност.

apportion [ə'pɔ:ʃən] *v* разпределям, разделям (*пропорционално*); определям; раздавам (*дължимото*); възлагам; **to** ~ **o.'s time** разпределям си времето (**between** между); **to** ~ **praise** раздавам похвали; **to** ~ **a share to s.o.** определям дял на някого.

appraisal [ə'preizəl] *n* **1.** оценка; оценяване; преценка, характеристика, критика; *книж.* усмотрение, разбиране, мнение; **acceptability** ~ оценка за пригодност

(*на изделие*); **2.** *техн.* експертиза.

appraise [ə'preiz] *v* оценявам, поставям оценка на (*стока, имот и под.*); преценявам, премервам (*качества*); давам експертна оценка.

appreciate [ə'pri:ʃieit] *v* **1.** ценя (високо); разбирам (от); имам усет, чувство (за); **to** ~ **music** разбирам (ценя) музиката; **I** ~ **your kindness** ценя (благодарен съм за) вашата любезност; **a reply will be** ~**ed**·моля да ми отговорите; **2.** оценявам, правилно преценявам; схващам; **to** ~ **s.o.'s point of view** разбирам (схващам) нечия гледна точка; **3.** *остар.* оценявам, определям цената (стойността) (на); **4.** повишавам цената (на); **5.** вдига ми се цената; **6.** различавам; **to** ~ **colours** различавам цветовете.

apprehend [ˌæpri'hend] *v* **1.** схващам, разбирам; **2.** предчувствам, очаквам (*нещо лошо*); долавям; опасявам се (от), боя се (от); **to** ~ **danger** предчувствам опасност; **3.** арестувам, задържам.

approach [ə'prout∫] I. *v* **1.** доближавам, наближавам, приближавам се (до), доближавам се (до); **to** ~ **completion** завършвам; **to** ~ **perfection** близо съм до съвършенство; **2.** обръщам се (към), сондирам, започвам преговори, правя предложение; **to** ~ **s.o. on a subject** сондирам (вземам мнението на) някого по даден въпрос; **3.** търся начин да се справя с нещо; **to** ~ **a problem** търся начин за решаване на проблем; **II.** *n* **1.** наближаване, приближаване, доближаване; **they fled at our** ~ те избягаха, щом се приближихме; **2.** близост; **a fair** ~ **to accuracy** приблизителна точност; **3.** достъп; път, през който се минава, за да се стигне донякъде; *pl воен.* подстъп; **town** ~**s** предградия; **4.** *прен.* подход, подстъп, начин на действие, метод; **empirical** ~ емпиречен метод (подход); *pl* предложение за преговори, опити за сближаване, аванси; **5.** път, подготовка (**to** към, за); **a**

practical study of living languages is an excellent ~ **to philology** практическото изучаване на живите езици е сигурен път към филологията; **6.** *спорт.* голф удар, с който топката се мята към дупката; **7.** спускане; подход (подвеждане) за кацане на самолет; **blind** ~ подвеждане за кацане по уреди.

approbate ['æprəbeit] *v амер.* одобрявам, потвърждавам (официално); санкционирам; апробирам; *шотл., юр.* признавам за валиден.

approval [ə'pru:vəl] *n* одобрение, потвърждение; преценка, съгласие; санкция; **I submit this for your** ~ представям го за вашето одобрение (за вашата преценка).

approve [ə'pru:v] *v* **1.** одобрявам, предразположен съм, имам добро мнение за нещо (*обикн.* **of**); **2.** одобрявам (*предложение*), утвърждавам (*решение*), приемам, санкционирам, ратифицирам; **to** ~ **a report** приемам доклад; **3.** *refl* проявявам се (изявявам се) като, налагам се като; **he** ~**d himself a good actor** той се изяви като добър актьор.

apricot ['eiprikɔt] *n* **1.** зарзала, кайсия (*плодът и дървото*); **2.** оранжево-розов цвят.

April ['eipril] *n* април; ~ **Fool's Day** Първи април.

apt [æpt] *adj* **1.** подходящ, уместен; на място (**for**); **2.** схватлив, способен, възприемчив; **he is** ~ **at arthmetic** удава му се аритметиката; **an** ~ **pupil** способен ученик; **3.** склонен; податлив; ~ **to take fire easily** лесно възпламеним (*и прен.*); **4. to be** ~ **to** *разг.* вероятно е да.

aptitude ['æptitju:d] *n* **1.** склонност, наклонност; **musical** ~ музикални наклонности; **2.** способност, влечение, дарба, талант (**for, to** за, към); ~ **test** изпит (тест) за установяване способностите и наклонностите на един човек; **3.** пригодност.

aqua ['ækwə] *n лат.* **1.** вода; **2.** светлосинкавозелен цвят.

aquarium [ə'kweəriəm] *n* аквариум.

aqueduct ['ækwidʌkt] *n* 1. акведукт; водопровод, канал; 2. *анат.* канал.

Arabia [ə'reibjə] *n* Арабия.

Arabian [ə'reibiən] I. *adj* арабски; ~ **Nights** 1001 нощ; ~ **bird** феникс; *прен.* прекрасен човек; II. *n* 1. арабин; 2. арабски език.

Aramean [ˌærə'miən] *n* 1. сириец; 2. арамски (сирийски, халдейски) език.

arbiter ['a:bitə] *n* 1. арбитър; 2. господар, повелител; ~ **of our fate** господар на съдбата ни; 3. *техн.* синхронизатор.

arbitrament [a:'bitrəmənt] *n* 1. *юр.* арбитраж; 2. окончателно, авторитетно решение; 3. *остар.* произвол, произволно решение.

arbor ['a:bə] *n* 1. *техн.* ос, вал; 2. *амер.* дърво; **A. Day** *амер.* Ден на залесяването (*в някои щати*).

arc [a:k] I. *n* 1. *мат.* дъга; **graduated** ~ транспортир, ъгломер; ~ **of fire** сектор на обстрел; **gun** ~ ъгломер на оръдие; 2. небесна дъга; 3. волтова дъга; ~ **welding** дъгова заварка; II. *v* образувам волтова дъга.

arcane [a:'kein] *adj* мистериозен, таен; чуден.

arch₁ [a:tʃ] I. *n* 1. арка, свод, дъга; ~ **of heaven, vaulted** ~ небесен свод; **starry** ~ *поет.* звездно небе; 2. *анат.* извитата част на ходилото; свод; **fallen** ~ дюстабан; 3. *техн.* подвижна част на измервателен уред; 4. *геол.* антиклинала, антиклинална гънка; II. *v* 1. покривам със свод (с арка); 2. извивам във форма на дъга; **to** ~ **o.'s eyebrows** вдигам вежди, показвам неодобрение.

arch₂ *adj* 1. *рядко* главен, най-важен; *прен.* изпечен, стар; 2. хитър, лукав, дяволит, закачлив, шеговит, остроумен; подигравателен, насмешлив; *прен., разг.* антика.

archaeological [ˌa:kiə'lɔdʒikəl] *adj* археологичен, археологически.

archaeologist [ˌa:ki'ɔlədʒist] *n* археолог.

archaeology [ˌa:ki'ɔlədʒi] *n* архео-

логия; **nautical** ~ подводна археология.

archaic [a:'keiik] *adj* архаичен, прастар, древен; античен; старомоден, остарял, старинен; остарял, архаичен (*за език, форми*).

archbishop ['a:tʃ'biʃəp] *n* архиепископ.

arched [a:tʃt] *adj* извит, сводест, куполовиден; (*за вежди*) извити нагоре.

archetype ['a:kitaip] *n* архетип, първообраз, прототип.

architect ['a:kitekt] *n* 1. архитект; строител; **naval** ~ корабостроител; 2. *прен.* творец, създател.

architectonic [ˌa:ki:tek'tɔnik] *adj* 1. архитектурен; 2. *прен.* градивен, конструктивен; системен, систематичен.

architecture ['a:kitektʃə] *n* 1. архитектура; 2. архитектурен стил; 3. *прен.* постройка, строеж, структура, начин на изграждане; **the** ~ **of the speech is poor** речта е лошо построена.

archive(s) ['a:kaiv(z)] *n* 1. архива; 2. архив, книжа, документи, преписки.

archpresbyter [ˌa:tʃ'presbitə] *n* архиерей, протосингел, протойерей.

arctic ['a:ktik] I. *adj* 1. полярен, арктичен; северен; **the A. Ocean** Северен ледовит океан; **the A. Circle** северен полярен кръг; 2. *прен.* много студен; II. *n* (**the A.**) Северният полярен кръг, северната полярна област, Арктика.

ardency ['a:dənsi] *n* 1. жар, плам, жарава; пламък; *прен.* жега, зной, топлина, горещина, топлик, пек; 2. *прен.* възторг, *книж.* екстаз, пламенност, разпаленост, разгорещеност.

ardent ['a:dənt] *adj* 1. пламенен, страстен, горещ, ревностен; разпален; 2. горещ, зноен, жарък, палещ; ~ **heat** зной; ~ **spirits** силни спиртни напитки; ◇ *adv* ardently.

arduous ['a:djuəs] *adj* 1. тежък, труден, изморителен, усилен; ~ **winter** тежка зима; 2. енергичен, ревностен; 3. стръмен, висок, недос-

тъпен; ◇ *adv* arduously.

are *n* ар (*мярка за повърхнина*).

area ['eəriə] *n* 1. площ; пространство; *мат.* повърхнина; ~ **of a square** повърхнина на квадрат; ~ **shooting** *воен.* стрелба на площ; 2. област, район; зона; **vegetable growing** ~ зеленчукопроизводителен район; **settled** ~ населена област; 3. обсег, обхват; сфера на действие; ~ **of investigation** обсег на изследване; 4. дворче пред сутерен под нивото на улицата; 5. *анат.* зона (*на мозъчната кора*).

areal ['eəriəl] *adj* областен, районен, зонален.

arena [ə'ri:nə] *n* 1. арена, сцена, декор; 2. място на действие, полесражение; 3. поприще; **to enter the** ~ **of politics** навлизам в политическото поприще; ● **the** ~ **of the bears and the bulls** фондова борса.

argent ['a:dʒənt] I. *n* 1. *остар.*, *поет.* сребро; 2. *поет.* белота; 3. *хералд.* сребърен цвят; II. *adj* сребрист, сребристобял, блестящ.

Argentina [ˌa:dʒən'ti:nə] *n* *геогр.* Аржентина.

Argentine ['a:dʒəntain] I. *n* аржентинец, аржентинка; II. *adj* аржентински.

argil ['a:dʒil] *n* глина (*обикн. грънчарска*).

argot ['a:gou] *n* арго, жаргон, наречие, диалект, говор.

argue ['a:gju] *v* 1. споря; обосновавам; опитвам се да докажа, привеждам доводи; (**for** в полза на, **against** против); **to** ~ **against a person** оспорвам аргумента на някого; 2. обсъждам; 3. поддържам мнение; 4. убеждавам; **to** ~ **into s.th.** убеждавам някого (да направи нещо); 5. доказвам, показвам (че е); **his behaviour** ~**s lack of will power** поведението му доказва, че му липсва воля.

argument ['a:gjumənt] *n* 1. довод, аргумент; доказателство (**for, in favour of** за, **against** против); аргументация; **to refute** ~**s** оборвам доводи; 2. спор; обсъждане; **to get into (have) an** ~ **with**

s.o. скарвам се (спречквам се) с някого; 3. кратко съдържание, резюме; 4. *остар.* тема, предмет; 5. *остар.* спорен въпрос; 6. *мат.* аргумент.

argumentation [,a:gjumen'teiʃən] *n* 1. аргументация; аргументиране, теза; 2. спор; дебат.

argus-eyed ['a:gəs'aid] *adj* бдителен, проницателен, зорък; наблюдателен.

argy-bargy ['a:dʒi'ba:dʒi] *разг.* I. *n* спор, караница, кавга; II. *v* споря, карам се.

aria ['a:riə] *n* муз. мелодия, ария.

arid ['ærid] *adj* 1. (*за почва*) сух, изсъхнал; безводен; безплоден; 2. *прен.* сух, скучен; празен, кух.

aridity [æ'riditi] *n* 1. суша, безводие; безплодие; засуха; 2. *прен.* сухост, скука; безплодие.

arise [ə'raiz] *v* (**arose** [ə'rouz]; **arisen** [ə'rizn]) 1. произлизам, възниквам; следвам; излизам; **nothing ~s out of that statement** от това изявление не следва нищо; 2. издигам се; появявам се; възниквам; **great confusion arose** стана (вдигна се) голяма бъркотия; **a storm arose** изви се буря; 3. *остар., поет.* ставам, вдигам се; изгрявам; 4. *библ.* възкръсвам.

aristocracy [,æris'tɔkrəsi] *n* 1. аристокрация (*и прен.*); 2. *истор.* олигархия.

aristocratic [,æristə'krætik] *adj* 1. аристократичен, благороднически; 2. олигархичен; ◊ *adv* **aristocratically** [,æristə'krætikəli].

arithmetic I. [ə'riθmətik] *n* аритметика, смятане; **binary (ternary) ~** двоична (троична) аритметика; ● **mental ~** пресмятане наум; II. [,æriθ'metik] *adj* аритметичен; **~ mean** средно аритметично; **~ progression (series)** аритметична прогресия.

arithmetical [,æriθ'metikəl] *adj* аритметически, аритметичен.

ark [a:k] *n* 1. *библ.* Ноев ковчег; **Noah's ~** Ноев ковчег; детска играчка (*кутийка с различни животни*); 2. кивот; **A. of the Covenant** *библ.* ковчег на Завета; 3. *рядко, поет.* ковчег, кивот,

---

сандък; ● **the ~ rested on Mt. Ararat** *разг.* открил Америка; **~ of refuge** скривалище, укритие, сигурно място.

arm₁ [a:m] *n* 1. ръка (*от китката до рамото*); **~ in ~** ръка за ръка; **to walk ~ in ~ with** вървя под ръка с; 2. преден крайник на всяко гръбначно животно, предна лапа; 3. ръкав (*на дреха*); 4. ръкав (*на река*); 5. облегалка за ръката (*на кресло и пр.*); 6. голям клон; 7. *прен.* власт; **the ~ of the law** ръката на закона; **the secular ~** гражданска власт, която привежда в изпълнение решенията на църковен съд; 8. *техн.* рамо (*на лост, пергел, семафор, везни*); дръжка, ръкохватка, ръчка; конзола, стрела (*на кран*); спица (*на колело*); траверса, напречна греда; разклонение (*на тръба*); (*указателна*) стрелка, показалец.

arm₂ I. *n* 1. обикн. *pl* оръжие; въоръжение; **defensive ~s, ~s of defence** оръжия за защита, отбранително оръжие; **offensive ~s, ~s of offence** оръжия за нападение, нападателно оръжие; 2. род войски; **the air ~** въздушните войски; 3. герб (*обикн.* **coat of ~s**); **to bear ~s** нося (фамилен) герб; II. *v* въоръжавам (се) (*и прен.*); **~ed forces** въоръжени сили.

armada [a:'ma:də] *n* армада, военен флот; **the Invincible (the Spanish) A.** *истор.* Непобедимата армада.

armament ['a:məmənt] *n* 1. въоръжение; въоръжаване; 2. въоръжени сили, армия, войска, *книж.* воинство; 3. *pl* големите, далекобойни оръдия на боен кораб.

Armenia [a:'mi:niə] *n геогр.* Армения.

Armenian [a:'miniən] I. *adj* арменски; II. *n* 1. арменец; 2. арменски език.

armoire [a:m'wa:] *n* шкаф, гардероб.

armour [a:'mə] I. *n* 1. броня, ризница, доспехи; *зоол., бот.* защитна обвивка; 2. броня, панцерова обвивка (*на кораб, моторна кола и пр.*); 3. бронирани сили

(войски); 4. водолазен костюм; 5.: **coat ~** *разг., хералд.* герб; II. *v* бронирам, покривам с броня.

armour-clad ['a:məklæd] I. *adj* брониран, блиндиран; II. *n* броненосец (*кораб*).

army ['a:mi] *n* 1. армия, войска; **regular (standings)** ~ редовна войска; **conscript ~** наборна войска; 2. голям брой, множество (of) *прен.* армия; **an ~ of workers** армия от работници; 3. *attr* военен, войскови, боен.

aroma [ə'roumə] *n* аромат, благоухание; *книж.* благовоние, аромат, балсам, *поет.* ухание; дъх.

aromatic [,ærə'mætik] *adj* аромат(ич)ен, благоуханен; **~ compounds** *хим.* ароматни съединения.

around [ə'raund] I. *adv* 1. наоколо; **to fool ~** играя си, мотам се, мотая се, губя си времето; 2. *амер.* наблизо, тук-таме; **spring is ~** пролетта идва вече; II. *prep* англ., рядко около; *амер.* по, из, около, към; **the corner** зад ъгъла; **~ the world** по света.

arousal [ə'rauzəl] *n* 1. рядко будене, събуждане, разбуждане, пробуждане, вдигане от сън, разсънване; 2. възбуда (*сексуална*).

arouse [ə'rauz] *v* 1. будя, събуждам, разбуждам; 2. възбуждам, предизвиквам, раздвижвам.

arrange [ə'reindʒ] *v* 1. аранжирам, нареждам, подреждам, класифицирам, систематизирам; нареждам в боен ред; 2. нагласявам, стъкмявам, приспособявам, преработвам, аранжирам; 3. организирам, уговарям, вземам мерки; 4. постигам споразумение, споразумявам се, уреждам въпрос, нареждам (**with s.o., about s.th.**); **to ~d difference (a matter)** уреждам разногласие (въпрос); 5. *муз.* аранжирам.

arrangement [ə'reindʒmənt] *n* 1. нареждане, подреждане, аранжиране, класифициране, систематизиране; системно излагане; нареждане в боен ред; *архит.* разпределение; **floral ~** фигура от цветя; **chronological ~** хронологичен

ред; 2. нагласяване, стъкмяване, приспособяване, преработване, организиране; 3. споразумение, уговорка, спогодба; **to come to an ~ (~s)** споразумявам се **(with, about)**; 4. ред, устройство, строй; 5. *pl* мерки, приготовления; **to make ~s for** вземам мерки за; нареждам, разпореждам; **wedding ~s** приготовления за сватба; 6. *муз.* аранжимент.

arrest [ə'rest] I. *v* 1. задържам; спирам (*съдебен процес, изпълнение на съдебно решение*); спирам развитието на; **~ed cancer** рак, развитието на който е спряно; **~ed (mental) development** спряно (умствено) развитие; 2. *техн.* спирам, изключвам (машина); застопорявам; аретирвам; 3. арестувам; *шотл.* и *мор.* налагам запор на, конфискувам; 4. спирам, приковавам (*поглед, внимание*); II. *n* 1. задържане, спиране; **~ of judgement** *юр.* спиране изпълнението на присъда на основание на грешка в съдебното решение; 2. арест(уване), затваряне; **under (close, house) ~** под (строг, домашен) арест; **to make an ~** арестувам; **under open ~** *воен.* без право на напускане на частта; 3. *техн.* аретирпно приспособление.

arrival [ə'raivəl] *n* 1. пристигане; 2. идване, достигане (at); 3. човек (нещо), който е пристигнал; *шег.* новородено дете; **late ~** който е пристигнал късно.

arrive [ə'raiv] *v* 1. пристигам (*в държава, голям град –* in, *в малък град –* at); **to ~ on the scene** явявам се на сцената; пристигам на местопроизшествието; 2. идвам, достигам (at); **to ~ at a conclusion (a conviction)** идвам до заключение (убеждение); **to ~ at an age (maturity)** достигам възраст (зрелост); 3. *разг.* успявам, ставам известен.

arrogant ['ærəgənt] *adj* арогантен, високомерен, надменен; безочлив; ◇ *adv* **arrogantly**.

arrow ['ærou] *n* 1. стрела; **an ~ left in o.'s quiver** нещо, оставено в запас; 2. стрелка (показалец); **broad**

~ (и broad ~-head) печат на затворнически дрехи и военни материали (*в Англия*).

art [a:t] *n* 1. изкуство; художество; **applied ~s** приложни изкуства; **fine ~s** изящни изкуства; 2. умение, сръчност; **the ~ of shipbuilding** умението да се строят кораби; 3. хитрост, хитрина; 4. *pl* хуманитарни науки; **Faculty of A.s** историко-филологически факултет; **free (liberal) ~s** седемте небогословски предмета, изучавани през средните векове; 5. *attr* художествен, художествено изработен; **~ critic** познавач на изкуството, художествен критик; **~ exibition** художествена изложба; **~ gallery** художествена галерия.

artful ['a:tful] *adj* хитър, сръчен, ловък, изкусен; ◇ *adv* **artfully**.

article ['a:tikəl] I. *n* 1. артикул, изделие, вид, предмет; **toilet ~s** тоалетни принадлежности; **semi-finished ~** полуфабрикат; 2. точка, клауза, параграф, член (*на закон и под.*); **to be bound under ~s** обвързан с договор (*за чирак и пр.*); 3. статия; **leading ~** уводна статия; 4. *език.* член; II. *v* 1. излагам, представям по точки (*обвинение*); 2. давам на обучаване (*за чирак*) (to).

artifice ['a:tifis] *n* 1. изобретение; 2. изкуство, сръчност; 3. хитрост, лукавство.

artificial [ˌa:ti'fiʃəl] *adj* 1. изкуствен; **~ respiration** изкуствено дишане; 2. неестествен, престорен, превзет; **~ smile** неестествена усмивка; ◇ *adv* **artificially**.

artillery [a:'tiləri] *n* артилерия; *attr* артилерийски; **self-propelled ~** самоходна артилерия.

artist ['a:tist] *n* художник, майстор; артист, човек на изкуството.

artistic(al) [a:'tistik(əl)] *adj* художествен, артистичен, изящен, красив, елегантен, великолепен, прекрасен, превъзходен, изтънчен, грациозен; естетичен, гиздав, напет (*нар.*); ◇ *adv* **artistically**.

as [æz – *силна форма*, əz – *слаба форма*] *adv, cj, pron* 1. както, спо-

ред както, каквото; **~ things go** както вървят работите; **~ it is** при това положение, и без това; и така, и така; 2. като, като напр. **a country such ~ Spain** страна като то (напр.) Испания; **the same ~** същият като; 3. като (*в качеството на*), както; **he played ~** never before игра както никога до тогава; 4. като, както (когато, докато); **~ I was coming home I met Bill** срещнах Бил като се прибирах; 5. тъй като; **~ she is ill, we'll go alone** тъй като тя е болна, ще отидем сами; 6. макар и; колкото и; макар че; **busy ~ he is, he is sure to come** макар и да е зает, той ще дойде непременно; 7. *с inf:* **we started early so ~ to arrive in time** тръгнахме рано, за да пристигнем навреме; **be so good ~ to** бъди любезен да, бъди така добър да.

ascend [ə'send] *v* 1. изкачвам се на, по, възлизам по; възкачвам се; покачвам се на (to до); **to ~ a river** вървя нагоре по течението на река; **to ~ the throne** възкачвам се на престол; 2. издигам се; **to ~ into the air** издигам се във въздуха; 3. извисявам се (*за звук*); 4. водя началото си, датирам (to от).

ask [a:sk] *v* 1. питам (about), интересувам се (за, от); **to ~ fair** *остар.* питам човешки; **to ~ after a person's health** питам как е някой; 2. искам, поисквам, моля, помолвам, търся, потърсвам (for); **to ~ (for) attention** моля за внимание; **to ~ a favor (of)** моля за услуга; ● **he was ~ing for it** той си го търсеше; 3. каня, поканвам (to); **to ~ a person to dinner** каня някого на обед; **to ~ a person in, out, up, down** поканвам някого да влезе, да излезе, да се качи, да слезе; 4. изисквам (искам).

asking ['æskin] *n* питане, запитване; **for the ~** безплатно; само да го поискаш; **that's ~!** *разг.* няма да ти кажа (отговоря).

aslant [ə'sla:nt] I. *adv* криво, накриво, полегато, полегнало; II. *prep* напреки на, напряко на.

asocial [ei'souʃəl] *adj* **1.** асоциален; **2.** саможив, необщителен, затворен, свит, ограничен, див, мизантроп, егоист, недружелюбен, мълчалив, самотен, *разг.* темерут.

aspect ['æspekt] *n* **1.** вид, външност, изглед; изражение; ~ **ratio** *тв* съотношението между широчината и височината на образа; **2.** изложение (*на стая, къща*); **3.** страна (*на въпрос*), аспект; **4.** страна или повърхност, обърната в дадена посока; **the dorsal ~ of a fish** риба, гледана откъм гърба; **5.** *език.* вид на глагола (свършен, несвършен); **6.** *остар.* положение (*на планета или звезда*); **7.** *авиац.* ъгъл на атака (*за крило на самолет*).

asphalt ['æsfælt] **I.** *n* асфалт; **compressed (cutback) ~** уплътнен (разреден) асфалт; **II.** *adj* асфалтов; **III.** *v* асфалтирам.

aspiration [,æspi'reiʃən] *n* **1.** рядко дишане; **2.** аспирация, стремеж, домогване, желание (**for, after**); **3.** *език.* придихание; **4.** *мед.* прилагане, използване на аспиратор.

assail [ə'seil] *v* **1.** нападам, атакувам; нахвърлям се върху, критикувам; *прен.* залавям се за; **2.** обсипвам, отрупвам (*с въпроси, ругатни и пр.* – **with**).

assault [ə'sɔ:lt] **I.** *n* **1.** нападение, атака; пристъп, щурм; ръкопашен бой; **to carry by ~** превземам с пристъп; **~craft** малък кораб за стоварване на щурмоваци на брега при десант; **2.** *юр.* (опит за) физическо насилие; **criminal ~** (опит за) физическо насилие върху малолетен; **3.** *прен.* атака, нападение, кампания (**on**); • **~ of arms** нападение (*при фехтовка*); демонстриране на военни упражнения; **II.** *v* **1.** нападам, нахвърлям се върху; щурмувам; **3.** *юр.* извършвам (заплашвам с) физическо насилие; нанасям побой на.

assaulter [ə'sɔ:ltə] *n* нападател.

assembly [ə'sembli] *n* **1.** събрание; **~ point, point (place) of ~** сборен пункт; **~-room** зала за събрания,

балове и пр.; **2.** законодателно или съвещателно тяло, съвет; **~man** член на съвет; **General A.** Общото събрание на ООН; **3.** монтиране, монтаж; **~ line** монтажен конвейер; производствена линия; **~ hall** монтажно отделение в завод за самолети; **4.** механизъм; агрегат; устройство; **turbo-pump ~** турбопомпен агрегат; **5.** *воен.* (*сигнал за*) сбор; **6.** *инф.* асемблиране, сглобяване (*на компютър*).

assent [ə'sent] **I.** *v* **1.** съгласявам се, изразявам съгласие, давам съгласието си (**to**); приемам; **2.** одобрявам, разрешавам, санкционирам; **II.** *n* **1.** съгласие; **to give o.'s ~** давам съгласието си (**to**); **to nod ~** кимам в знак на съгласие; **with one ~** единодушно; с пълно единодушие; **2.** одобрение, разрешение, санкциониране; **royal ~** кралско одобрение (*на законопроект, приет от Английския парламент*).

assert [ə'sɜ:t] *v* **1.** твърдя, заявявам; **2.** отстоявам, поддържам, изтъквам, изразявам; **to ~ a claim** предявявам иск; **to ~ o.'s rights** защищавам (отстоявам) правата си; **to ~ oneself** защищавам правото си; изтъквам се, тикам се, бутам се.

assets ['æsets] *n* **1.** актив; авоари, вещи, имот; **current (working) ~** оборотни средства; **external ~** авоари в чужбина; **2.** *юр.* авоари, вещи, с които могат да се изплатят дълговете на завещател или на несъстоятелен длъжник (*фирма*); **3.** *счет. sing* отделно перо в сметка; *прен.* актив, ценно качество, предимство, плюс; **~ and liabilities** актив и пасив.

assign [ə'sain] **I.** *v* **1.** определям, номинирам, назначавам, възлагам (**to**); **to ~ a day, a place** определям ден, място; фиксирам; **2.** предназначавам, отделям (**to**); **objects ~ed to certain use** предмети, предназначени за определена употреба; **3.** прехвърлям (*право, имот* – **to**); **4.** приписвам, отнасям, отдавам; предавам

(*стойност и пр.*) (**to**); **to ~ an event to a period** отнасям събитие към период; **II.** *n* *юр.* правоприемник.

assist [ə'sist] *v* **1.** помагам (**with, in**); помагам на, подпомагам; обслужвам; асистирам; **2.** вземам участие (**in**); присъствам (**at**); **3.** *спорт.* асистирам.

assistance [ə'sistəns] *n* **1.** помощ, подпомагане; **to give (lend, render) ~ (to)** подпомагам, оказвам помощ (**на**); **2.** присъстващи (*на някакво събитие и под.*).

associate [ə'souʃieit] **I.** *v* **1.** свързвам (се), съединявам (се) (**with**); сдружавам се; **to ~ oneself with** присъединявам се към, изразявам солидарност с; подкрепям; **2.** свързвам, асоциирам; **3.** общувам, имам вземане-даване (**with**); **II.** *adj* присъединен, асоцииран; сроден, от същия вид, придружаващ, който се асоциира с нещо; **~ editor** *амер.* съредактор; **~ member** кандидат-член; **III.** [ə'souʃiit] *n* **1.** другар, колега; **2.** партньор, съдружник, съучастник; **3.** младши член на сдружение, колегия; член-кореспондент (*на научно дружество*); **4.** нещо, свързано с нещо друго.

association [ə,sousi'eiʃən] *n* **1.** свързване, съединяване, сдружаване; **2.** сдружение, асоциация, дружество; **European Free Trade ~ (EFTA)** Европейска асоциация за свободна търговия (ЕАСТ); **3.** връзка, асоциация; **4.** общуване, другаруване, партньорство, близост; **5.** група растения, които растат заедно и при еднакви условия; **stellar ~** *астр.* звезден куп; **6.** ~ **football** футбол (*за разлика от ръгби*).

assort [ə'sɔ:t] *v* **1.** *остар.* сортирам, подреждам, групирам (**with**); **2.** *рядко* снабдявам с асортимент от стоки; **3.** свързвам се, съгласувам се, отговарям, подхождам, хармонирам (**with**).

assortment [ə'sɔ:tmənt] *n* **1.** асортимент, подбор, подреждане, комплект, избор; **a rich ~ of goods** богат асортимент от стоки; **2.**

сортиране.

assure [ə'ʃuə] *v* 1. уверявам, убеждавам (of); to ~ oneself of убеждавам се в, сигурен съм по отношение на, наясно съм по; to be ~d of уверен съм в; 2. осигурявам, гарантирам, обезпечавам; 3. осигурявам, застраховам.

astable [ə'steibəl] *adj техн.* 1. нестабилен; неустойчив; 2. несинхронизиран; свободно трептящ.

astonish [əs'tɔniʃ] *v* 1. учудвам, удивявам; 2. шокирам; to be ~ed at бивам учуден, удивен от; to ~ the Browns опълчвам се срещу обществените предразсъдъци.

astrology [əs'trɔlədʒi] *n* астрология.

astronaut ['æstrənɔ:t] *n* астронавт, космонавт; **backup** ~ космонавт-дубльор.

astronomer [ə'strɔnomə] *n* астроном.

astronomic(al) [ˌæstrə'nɔmik(əl)] *adj* 1. астрономичен; **astronomical year** астрономична година; 2. *прен.* астрономичен, много голям; **astronomical proportions** много големи размери.

astronomy [ə'strɔnəmi:] *n* астрономия; **gravitational** ~ небесна механика.

asylum [ə'sailəm] *n* 1. приют, убежище; **lunatic** ~ приют за душевноболни, лудница; 2. *полит.* убежище.

at [æt – *силна форма*, ət – *слаба форма*] *prep* 1. *за място:* в, на, при, пред, до; ~ home в къщи; ~ the centre of events в центъра на събитията; ~ table на масата; 2. *място, през което се влиза или излиза:* през; in ~ one ear and out ~ the other през едното ухо влиза, през другото излиза; 3. *разстояние:* на; ~ some distance away на известно разстояние; 4. *време:* в, по; ~ten o'clock в десет часа; ~ lunch на обед; 5. *състояние, положение:* в, на; ~ a loss в недоумение; **at Liberty** на свобода; 6. *действие, занимание:* на, върху; ~ work на работа; ~ school на училище; 7. *опит за извършване на нещо:* he struck ~ the dog with his stick той посег-

на (поиска, понечи) да удари кучето с бастуна си; 8. *движение, посока, цел:* към, по, по адрес на, до, върху; to look ~ pictures гледам картини; aim ~ the centre цели се в центъра; to throw s.th. ~ хвърлям нещо по; 9. *източник:* от; to buy several articles ~ a shop купувам разни неща от магазин; 10. *степен, цена:* на, с, за по; ~ a high level на високо равнище; ~ a breakneck speed с главоломна скорост; they are sold ~ ten for a dollar продават се по десет за долар; 11. *начин:* с, на; ~ random на посоки; ~ one blow с един удар; 12. *причина:* от, срещу, по; to be surprised, frightened, indignant ~ изненадан съм, уплашен съм от, негодувам срещу; ~ the request of по молба на; ~ the invitation of по покана на; 13. *случай:* при; ~ the mention of при споменаването на; 14. по отношение на, по; he is good ~ mathematics той е силен по математика; ● ~ all изобщо; not ~ all съвсем не; ~ best в най-добрия случай.

athlete ['æθli:t] *n* 1. атлет, спортист; силен, подвижен човек; 2. *истор.* атлет, борец.

athletic [æθ'letik] I. *adj* 1. атлетически, атлетичен; 2. силен, подвижен; ~ field игрище, стадион; II. *n pl* атлетика; **light (heavy)** ~s лека, тежка атлетика; *attr* атлетичен; ~s match (meeting, team) атлетично състезание (среща, отбор); ◇ *adv* athletically.

Atlantic [ət'læntik] I. *adj* атлантически; ~ states щатите по източното крайбрежие на САЩ; **North** ~ **Treaty Organization (NATO)** Североатлантически пакт (НАТО); II. *n:* the ~ Атлантическият океан.

atmosphere ['ætməsfiə] *n* 1. атмосфера; въздух (*газова среда*); upper ~ горните атмосферни слоеве; **artificial** ~ кондициониран въздух; 2. *прен.* атмосфера, обстановка; the place talks were held in a friendly ~ мирните преговори протекоха в приятелска ат-

мосфера (*приятна, задушевна обстановка*); 3. атмосфера, единица за налягане.

atom ['ætəm] *n* 1. атом; *attr* атомен; ~ bomb атомна бомба; 2. *прен.* частица, капка, малко; to break (shatter, smash) to ~s разбивам на хиляди частици; not an ~ of truth ни капка истина.

atomic [ə'tɔmik] *adj* 1. атомен; ~ energy атомна енергия; ~ mass атомно тегло; 2. много голям, пълен, цялостен; 3. *филос.* атомистичен, целокупен, неделим; 4. *жарг.* "страхотен"; "жесток"; "готин"; "трепач".

atonement [ə'tounmənt] *n* 1. изкупване, изкупление; компенсиране, компенсация; **vicarious** ~ изкупване на чужда вина; 2. *остар.* сдобряване, помиряване, изглаждане.

atrocious [ə'trouʃəs] *adj* 1. брутален, зверски; 2. *прен.* ужасен, отвратителен; ◇ *adv* atrociously.

attach [ə'tætʃ] *v* 1. прикрепвам (се), закрепвам, закачвам (се), залепвам (се), лепвам (се), прилепвам (се) (to); to ~ a hook to the line закачам кукичка на въдицата; to ~ seal (o.'s signature) to a document скрепявам документ с печат, слагам подписа си върху документ; 2. прилагам (документи); 3. аташирам (to); 4. привързвам, обвързвам, привличам; *refl* привързвам се, присламчвам се (to към); 5. приписвам, придавам, отдавам; to ~ importance to отдавам значение на; 6. свързан съм с, произтичам от, спадам към, тежа на, падам върху (за вина) (to); great responsibilities ~ to power властта е свързана с големи отговорности; no blame ~es to him не му тежи никаква вина; 7. *юр.* арестувам, налагам запор; *остар.* подвеждам под отговорност, съдя.

attaché [ə'tæʃei] *n* аташе; **military** ~ военен аташе.

attack [ə'tæk] I. *v* 1. нападам, атакувам, нахвърлям се върху (*и прен.*); 2. залавям се за; подхващам; започвам; 3. *техн.* въз-

GABEROFF

действам; действам (върху); *хим.* корозирам; разяждам; **4.** *рядко* оспорвам (право, документ); to ~ **a patent** оспорвам патент; **II.** *n* **1.** нападение, атака; нападка; to make ~s on нападам; **2.** пристъп, криза; спазъм, атака; **leart** ~ сърдечен удар; **bilious** ~ жлъчна криза; **3.** *техн.* въздействие; *хим.* корозия; разяждане; **4.** *воен.* подстъп; **5.** *муз.* начално зазвучаване на тон.

attempt [ə'tempt] **I.** *v* опитвам се; заемам се, залавям се за; to ~ **too much** залавям се за нещо, което не е по силите ми; **while** ~ing to **escape** при опит за бягство; **II.** *n* опит; **an** ~ **at escape** опит за бягство; to make an ~ at опитвам се да.

attend [ə'tend] *v* **1.** внимавам, обръщам внимание на, слушам (to); to ~ to o.'s work гледам си работата; **2.** изпълнявам (*поръчка*) (to); **3.** прислужвам; грижа се, погрижвам се за (on); **4.** ходя на, посещавам; присъствам (at на); to ~ **evening classes** ходя на, посещавам вечерно училище; to ~ **a patient** посещавам пациент (*за доктор*); **5.** придружавам, съпътствам, съпровождам; to be ~ed **with** придружен от, водя след себе си; **6.** чакам, очаквам, готов съм.

attendance [ə'tendəns] *n* **1.** грижи, обслужване; **medical** ~ медицински грижи; **regular** ~ редовна поддръжка (*на машина*); **2.** присъствие, посещение; **at school is compulsory** образованието е задължително; ~ **was poor** посещението беше слабо.

attendant [ə'tendənt] **I.** *adj* **1.** придружаващ, съпътстващ, съпровождащ; ~ **circumstances** обстоятелства, свързани с нещо; **2.** обслужващ, който се грижи (on); **3.** присъстващ; **II.** *n* **1.** прислужник, разсилен; **2.** компаньон; **3.** *техн.* обслужващ персонал, оператор; дежурен машинист; **crane**~ крановик; **gearhead** ~ механик, шлосер.

attention [ə'tenʃən] *n* **1.** внимание;

to call (draw, direct) s.o.'s ~ to обръщам внимание (*на някого върху*); to hold, grip, rivet the ~ of приковавам вниманието на; **2.** грижа, грижи, обслужване; **he needs medical** ~ той се нуждае от медицински грижи; to slip s.o.'s ~ скривам се от погледа на; оставам незабелязан от; **3.** *pl* внимание, обикаляне, ухажване; to receive ~s предмет на внимание съм; ● ~! *воен.* мирно! to come to (stand at) ~ *воен.* заставам (стоя) мирно.

attenuate [ə'tenjueit] **I.** *v* **1.** отслабвам, отслабвам, намалявам; смекчавам; **2.** разреждам, размивам; **3.** отслабвам, измършавявам; **II.** *adj* **1.** отслабнал, изтощил се; **2.** разреден, размит.

attest [ə'test] *v* **1.** удостоверявам, засвидетелствам, потвърждавам; атестирам; **2.** свидетелствам (to за); **3.** заклевам (*служебно*).

attestation [ˌætis'teiʃən] *n* **1.** атестация, атестат; удостоверяване, засвидетелстване, удостоверение; заверка; **2.** свидетелско показание; **3.** заклеване, клетва.

attitude ['ætitju:d] *n* **1.** стойка, поза; to assume (strike) an ~ *театр.* заемам поза; **2.** становище, мнение; позиция; отношение (towards); ~ **of mind** начин на мислене, мисловност, манталитет; **3.** положение, разположение; **space** ~ *косм.* пространствено положение на космически кораб при полет; **4.** *геол.* залягане; елементи на залягане.

attract [ə'trækt] *v* **1.** привличам, притеглям (to) (*и прен.*); to play ~ed **a lot of notice** пиесата събуди голям интерес; to ~ **the attention of** привличам вниманието на; **2.** очаровам; омагьосвам; he was ~ed **by her smile** усмивката й го очарова.

attraction [ə'trækʃən] *n* **1.** привличане, притегляне; ~ **of gravity** гравитационна сила; **mutual** ~ взаимно привличане (*и прен.*); **2.** привлекателност, привличаща сила; **3.** атракцион, атракция; **4.**

език. атракция, съгласуване по смисъл.

attractive [ə'træktiv] *adj* привлекателен, притегателен, примамлив; атрактивен, атракционен, очарователен; ~ **idea** притегателна идея; ◊ *adv* **attractively**.

attribute [ə'tribju:t] **I.** *v* приписвам (to); обяснявам с (*за причина*); **the bad performance was** ~d **to his illness** лошото представяне бе обяснено с (приписано на болестта му); **II.** *n* **1.** характерно качество, свойство, белег, признак; **2.** *език.* определение; **3.** атрибут, символ, асоцииран с нещо, постоянно и неотменимо свойство; **the sword and the scales are** ~s **of Justice** мечът и везните са атрибутите на Темида.

attribution [ˌætri'bju:ʃən] *n* **1.** приписване (to); **2.** функция, власт; **3.** свойство, качество, принадлежност.

attrition [ə'triʃən] *n* **1.** изтъркване, изтриване, изхабяване, износване; **2.** изтощаване, изчерпване; **war of** ~ война на изтощение; **3.** покаяние, изповед, смирение, каене; разкаяние, съжаление, признание.

attune [ə'tju:n] *v* **1.** правя съзвучен (with); настройвам, нагласявам (*музикален инструмент*); **2.** нагаждам, пригаждам, съобразявам с (to); **you have to** ~ **your speech to the mood of your audience** трябва да съобразиш речта си с настроението на публиката.

atypical [ei'tipikəl] *adj* атипичен, нетипичен, нехарактерен, несвойствен, най-общ, необичаен, *книж.* непривичен.

auction [ɔ:kʃən] **I.** *n* търг, публична продажба; наддаване, аукцион; to put up to, to sell by (*амер.* at) ~ продавам на търг; ~ **sale** продажба на търг; **II.** *v* продавам на търг.

audacious [ɔ:'deiʃəs] *adj* **1.** смел, безстрашен, неустрашим, решителен, *разг.* куражлия, храбър, сърцат, *остар.* дръзновен, героичен, буен; енергичен, предприемчив, инициативен; нова-

торски, нов, реформаторски; **2.** дързък, безочлив, нахален; ◇ *adv* **audaciously**.

audacity [ɔːˈdæsiti] *n* **1.** смелост; **2.** дързост, безочливост, дебелоочие.

audience [ˈɔːdiəns] *n* **1.** публика, слушатели, зрители, читатели; **2.** аудиенция; *юр.* заседание, сесия; ~-**chamber** зала за аудиенции; **to give (grant) an ~ to** изслушвам; ● **to give ~** слушам, изслушвам.

audit [ˈɔːdit] I. *n* проверка, финансова ревизия, уреждане на сметки; ~-**house**, ~-**room** *n* канцелария (*при катедрала*); ~-**office** *n* сметна палата; **commissioner of** ~ финансов ревизор; ~ **ale** вид силна бира; II. *v* проверявам, правя финансова ревизия на, ревизирам.

audition [ɔːˈdiʃən] I. *n* **1.** слух, чуване; **2.** прослушване (*на певец*); II. *v* **1.** прослушвам (*певец*); **2.** участвам в прослушване.

auditorium [ˌɔːdiˈtɔːriəm] *n* **1.** зала, салон; аудитория; кораб (*на църква*); **2.** приемна (*в манастир*).

auger [ˈɔːgə] *n* свредел; сонда; ~-**hole** дупка, пробита със свредел; ~ **worm** мекотело, което пробива дупки в кораби.

augment [ɔːgˈment] I. *v* **1.** увеличавам (се), уголемявам, усилвам, умножавам; **2.** *език.* прибавям аугмент; II. *n* *език.* аугмент.

augmentation [ˌɔːgmənˈteiʃən] *n* **1.** увеличаване, уголемяване, усилване, нарастване; **2.** прибавка, притурка, приложение, *книж.* анекс, допълнение, добавка, *книж.* придатък; **3.** *икон.* увеличение; прираст; **4.** *муз.* аугментация.

augur [ˈɔːgə] I. *n* *истор.* авгур, гадател, който предсказвал по летенето на птиците; прорицател; II. *v* предсказвам, предвещавам; предвиждам, предугаждам; **to ~ well (ill)** добро (лошо) предзнаменование (поличба) съм (**for**); **his early successes ~ed a brilliant career** ранните му успехи предвещаваха чудесна кариера.

augury [ˈɔːgəri] *n* **1.** гадаене, пред-

сказване; предсказание, прорицание; **2.** предзнаменование, поличба, знак; **3.** предугаждане, предусещане, предчувствие.

August [ˈɔːgəst] *n* август; *attr* августовски.

august [ɔːˈgʌst] *adj* величествен, почтен, внушителен, възвишен; свещен; августейши; ◇ *adv* **augustly**.

aunt [aːnt] *n* леля, тетка, стрина, стрика, вуйна.

aura [ˈɔːrə] *n* **1.** аура, лъх, полъх; **2.** въздух, атмосфера; **3.** *ел.* въздушно течение, причинено от изпразване на електричество; **4.** *мед.* аура, предшестващ симптом.

aural [ˈɔːrəl] *adj* **1.** ушен, слухов; **2.** *техн.* чуваем; ~-**null** с нулева чуваемост.

aureate [ˈɔːriit] *adj* **1.** златен, златист; **2.** позлатен, блестящ, бляскав.

aureola, **aureole** [ɔːˈriələ, ˈɔːrioul] *n* ореол, сияние, хало.

aurora [ɔːˈrɔːrə] *n* **1.** *поет.* зора, призори; аврора, червенината по небето при изгрев слънце; **A. Australis** южно сияние; **A. Borealis** северно сияние; **2.** възрозов цвят.

auroral [ɔːˈrɔːrəl] *adj* **1.** утринен, сутринен, сутрешен; **2.** розов, възрозов; **3.** начален; **4.** източен; **5.** който се отнася до северното или южното сияние.

aurum [ˈɔːrəm] *n* *хим.* злато; ~ **fulminans** златен фулминат.

austere [ɔːsˈtiə] *adj* **1.** строг, сериозен, суров, неумолим; неприветлив, мрачен; **2.** аскетичен, спартански; **3.** строг, стриктен, въздържан (*за стил*); **4.** *остар.* тръпчив, стипчив; горчив, кисел; ◇ *adv* **austerely**.

austerity [ɔːsˈteriti] *n* **1.** строгост, суровост, неумолимост; неприветливост; **2.** *икон.* строга икономия; режим на строги икономии, наложен от държавата; **3.** аскетизъм, аскетичност, пуританство, пуританщина; **4.** студенина, въздържаност; **5.** *остар.* тръпчивост, стипчивост.

austral [ˈɔːstrəl] *adj* южен.

authentic [ɔːˈθentik] *adj* автентичен, истински, действителен, несъмнен, неподправен; достоверен; ~ **signature** действителен (автентичен, оригинален) подпис.

author [ˈɔːθə] *n* **1.** автор, писател; **2.** творец, създател; съзидател; **3.** извършител, причинител, виновник (**of**).

authoritarian [ɔːˌθɔriˈteəriən] I. *adj* авторитарен; II. *n* привърженик на авторитаризма.

authoritarianism [ɔːˌθɔriˈteəriənizəm] *n* авторитаризъм; деспотизъм; недемократизъм.

authoritative [ɔːˈθɔritətiv] *adj* **1.** властен, властолюбив, диктаторски; повелителен; **2.** авторитетен, влиятелен, уважаван, високопоставен, почитан, с престиж, властен, важен; меродавен, компетентен, вещ, опитен, учен, заслужаващ доверие; **3.** достоверен, истинен; ◇ *adv* **authoritatively**.

authority [ɔːˈθɔriti] *n* **1.** власт, пълномощие (**to** *c inf.*, **for**); **State** ~ държавна власт; **set in** ~ облечен във власт; **2.** *обикн.* **pl** the **authorities** властите, органите на властта; **local authorities** местни власти; **3.** авторитет, тежест (**with**); **to carry** ~ тежа, имам тежест, влиятелен съм; **4.** авторитет (**for**), специалист, познавач (**on**), авторитетен източник; справочник (**on**); **5.** достоверен източник, убедителност, основание; **on good** ~ от достоверен източник, според сигурни сведения; **on the** ~ **of an eyewitness** според един очевидец.

authorize [ˈɔːθəraiz] *v* **1.** упълномощавам, оторизирам, делегирам, възлагам на, натоварвам; **2.** санкционирам, потвърждавам, одобрявам; разрешавам, позволявам; ~**d translation** авторизиран превод; **Authorized Version (A. V.)** издаден през 1611 г. английски превод на Библията – преводът на крал Джеймз; **3.** оправдавам, давам основание за; **his conduct was** ~**d by the situation** поведението му се оправдаваше от положе-

нието; **4.** узаконявам, доказвам законността на.

autobiography [,ɔ:tobai'ɔgrəfi] *n* автобиография.

autobus ['ɔtoubʌs] *n* автобус.

autocar ['ɔ:touka:] *n* автомобил.

autocephalous [,ɔ:tə'sefələs] *adj* автокефален, независим, самостоятелен.

autochthonal, autochthonic, autochthonous [ɔ:'tɔkθənəl, ɔ:tək'θɔnik, ɔ:'tɔkθənəs] *adj* автохтонен, първоначален, стар, отколешен.

autocracy [ɔ:'tɔkrəsi] *n* автокрация, самодържавие, еднолична власт, абсолютизъм.

autograph ['ɔ:təgra:f] I. *n* 1. автограф, собственоръчен подпис; 2. оригинал на ръкопис; 3. литографско копие; II. *adj* написан от самия автор, авторски; III. *v* 1. пиша собственоръчно; 2. подписвам се; 3. литографирам.

automatic [,ɔ:tə'mætik] I. *adj* 1. автоматичен, автоматически; ~ **machine** автоматична машина, (машина) автомат; ~ **exchange** АТЦ; ~ **rifle** автоматична пушка, автомат; 2. механичен, механически, машинален; несъзнателен; ◇ *adv* **automatically**; II. *n* автоматичен уред, оръжие; *амер.* пистолет.

automobile [,ɔ:təmɔ'bi:l] I. *n* автомобил, моторна кола; II. *adj* 1. автомобилен; ~ **transportation** автотранспорт; автомобилен превоз; ~ **wagon** камион; 2. самодвижещ се; III. *v амер.* возя се на автомобил.

autonomik ['ɔ:tə'nɔmik] *adj* 1. автономен, независим, самоуправляващ се; 2. *биол.* функциониращ самостоятелно.

autonomy [ɔ:'tɔnəmi] *n* 1. автономия, самоуправление, самоуправа; 2. право на самоуправление; 3. автономна държава, област, общност; 4. *филос.* свобода на волята; 5. *биол.* органична независимост.

autopilot [ɔ:tou'pailət] *n авиац.* автопилот; **redundant** ~ резервен (дублиращ) автопилот.

autopsy ['ɔ:tɔpsi] *n* 1. аутопсия; 2.

прен. критично разглеждане, разкритикуване.

autostrada [,ɔ:tou'stra:də] *n ит.* магистрала, автострада.

autumn ['ɔ:təm] *n* 1. есен; 2. *прен.* края на средната възраст (*на човек*); 3. *attr* есенен; ~-**bells** *бот.* синя тинтява, горчивка *Gentiana pneumonanthe*.

autumnal ['ɔ:tʌmnəl] I. *adj* 1. есенен; 2. *прен.* който клони към старост, преминал; II. *n* растение, което цъфти през есента.

auxiliary [ɔ:g'ziljəri] I. *adj* 1. спомагателен; 2. допълнителен, добавчен, помощен (to); II. *n* 1. помощник, помагач; 2. *език.* спомагателен глагол; 3. *pl* помощни войски; 4. *pl техн.* спомагателни (резервни) устройства (съоръжения).

availability [ə'veilə'biliti] *n* 1. наличност, съдържание; количество, ефектив, запас, реалност; присъствие; 2. годност, пригодност; 3. достъпност.

avalanche ['ævəla:nʃ] *n* 1. лавина; 2. *прен.* дъжд, порой.

avaluative [ə'væljueitiv] *adj* неоценим, безценен, скъп, скъпоценен; рядък, важен, полезен.

avant-garde [əva:n'ga:rd] *фр.* I. *n* авангард (*и прен.*); II. *adj* авангарден, новаторски.

avarice ['ævəris] *n* 1. скъперничество, сребролюбие, свидливост; алчност; 2. силно желание, жадност.

avaricious [,ævə'riʃəs] *adj* скъпернически, сребролюбив, свидлив, алчен, жаден; ◇ *adv* **avariciously**.

avatar [,ævə'ta:] *n инд.* 1. въплъщение (*на божество*), аватар; 2. *прен.* проява, фаза.

avenue ['ævinju:] *n* 1. път, алея (в парк); 2. широка улица, авеню, булевард; 3. *прен.* път, начин, възможност; **an** ~ **of wealth** средство за (бързо) забогатяване; **to explore every** ~, **to leave no** ~ **unexplored** използвам всички възможности.

aver [ə'və:] *v* 1. твърдя, настоявам; 2. *юр.* доказвам, установявам, документирам, обосновавам, аргу-

ментирам, навеждам доводи.

average ['ævəridʒ] I. *n* 1. средното; общо равнище, ниво; **at** (**on, upon**) **an** ~ средно, едно на друго; **to strike an** ~ вземам средна стойност; 2. *търг.* загуба от повреда, морска авария; разпределение на загуба от повреда между заинтересуваните лица; **particular** ~ такова разпределение при неизбежна злополука; II. *adj* среден, обикновен, нормален; III. *v* 1. намирам средна стойност; 2. определям общото равнище на; водя се по средното, общото; 3. разпределям поравно; 4. достигам средно до, давам средно, съдържам, състоя се средно от; • **to** ~ **out** осреднявам.

aversion [ə'və:ʃən] *n* 1. омраза, отвращение, антипатия (to, from, for); **to take an** ~ намразвам; 2. нежелание, неохота (to c ger.); 3. предмет на омраза (отвращение, антипатия); **o.'s chief** (pet) ~ тоя (това), когото (което) мразя най-много, когото (което) не мога да търпя; ~ **therapy** *псих. мед.* специален терапевтичен метод в психологията, чрез който у пациента се насажда омраза към лица или предмети, които е харесвал.

avert [ə'və:t] *v* 1. отблъсквам, отбивам, отклонявам, парирам; 2. обръщам настрана, отвръщам, отклонявам (from); 3. предотвратявам **to** ~ **a danger** предотвратявам опасност.

aviation [,eivi'eiʃən] *n* 1. авиация, въздухоплаване; 2. *attr* авиационен, въздухоплавателен.

aviator ['eivieitə] *n* летец, авиатор, пилот.

avoid [ə'vɔid] *v* 1. отбягвам, въздържам се от, стоя настрана от, страня от; **he** ~**s me like the plague** страни от мен като от чума; 2. *юр.* отхвърлям, отменям, анулирам, касирам; 3. *остар.* опразвам (се); заминавам, избягвам; слизам от кон.

avoidance [ə'vɔidəns] *n* 1. отбягване, избягване, стоене настрана, въздържане, странене; 2. *юр.* от-

хвърляне, отменяне, отмяна, анулиране, касиране, касация; ~ of a contract анулиране на договор; 3. овакантяване, освобождаване (на място за служба); ваканция.

avouch [ə'vautʃ] vt/vi 1. гарантирам (за), поръчителствам (за); 2. утвърждавам, заявявам; 3. признавам.

avow [ə'vau] v 1. признавам (си, открито); refl признавам се за; to ~ oneself the author признавам, че аз съм авторът (извършителят); 2. юр. оправдавам (деяние, постъпка); 3. остар. заявявам, твърдя.

avowal [ə'vauəl] n признание, самопризнание, изповед, откровение, църк. покаяние.

await [ə'weit] v 1. чакам, изчаквам; ~ing your answer в очакване на вашия отговор; 2. очаква, предстои; a disapointment ~s you очаква те разочарование.

awake [ə'weik] I. v (awoke; awoke, awaked); 1. будя, събуждам, пробуждам (и прен.); съживявам, раздвижвам; to ~ s.o. to a sence of duty събуждам у някого чувството за дълг; 2. събуждам се (from, out of); прен. раздвижвам се, размърдвам се, заемам се за работа; he awoke to find himself famous той се видя (осъмна) знаменит; 3. съзнавам, осъзнавам, разбирам (to); to ~ to o.'s dangers съзнавам опасността; II. adj predic 1. буден; to be ~ буден съм, не спя, будувам, бодърствам; wide ~ напълно буден; бдителен, нащрек, предпазлив, внимателен; хитър, с отворени очи; 2. бдителен; to be ~ to съзнавам, разбирам; he was ~ to the risk

той осъзнаваше риска.

awaken [ə'weikən] v събуждам, пробуждам, разбуждам, вдигам от сън; прен. опомням се, сепвам се, съвземам се, трепвам, стряскам се.

award [ə'wɔ:d] I. v давам, присъждам (награда) (to); награждавам (with); II. n 1. решение (на съдия, арбитър); отсъждане, присъждане; 2. наложено наказание, дадена (присъдена) награда; the Academy ~s наградите на Американската филмова академия, оскарите.

away [ə'wei] I. adv 1. за разстояние, отсъствие: далеч; ~ from home не у дома си, заминал; 2. обръщане в друга посока: настрана; to look ~ отвръщам поглед; 3. отдалечаване: to carry ~ отнасям, задигам; увличам; 4. намаляване, изчезване: the fire burned ~ огънят догоря; 5. непрекъснато действие: to work ~ работя и (ли) работя, продължавам да работя; 6. засилване: ~ back много отдавна; II. adj 1. спорт. който се играе на чуждо игрище; 2. отсъстващ; 3. далечен, отдалечен.

awe [ɔ:] I. n страхопочитание, благоговение; to be (stand) in ~ of изпитвам страхопочитание пред; II. v внушавам страх (почит, благоговение) у; they were ~d into silence смълчаха се от страх.

awesome ['ɔ:səm] adj величествен, величав, грандиозен, внушителен; страшен, ужасен, страхотен, страховит; ◇ adv awesomely.

awry [ə'rai] I. adv 1. накриво, косо, настрана, встрани; 2. криво, не както трябва, наопаки, недобре,

неправилно; to go (run, tread) ~ постъпвам не както трябва, бъркам, греша, правя грешка, сгрешавам; to take ~ разбирам криво, обиждам се, тълкувам неправилно; II. adj predic 1. крив; 2. изкривен; 3. погрешен, неверен, неправилен.

axe [æks] I. n 1. брадва, секира; топор; секира на палач; 2. the ~ обезглавяване, наказание; 3. бюджетни съкращения; окастряне, намаляване; to give someone the ~ амер. sl съкращавам някого, уволнявам го, изритвам го от работа; II. v 1. служа си с брадва; 2. съкращавам, окастрям, намалявам драстично; 3. прекратявам.

axis ['æksis] n (pl axes) 1. ос (и геом., полит.); terrestrial ~, ~ of the equator земна ос; 2. бот. главно стъбло; 3. анат. вторият шиен прешлен; 4. pl архит. главни греди; ● the Axis истор. Оста (Рим, Берлин, Токио).

ay [ai] I. int остар. да; ~ ~ мор. тъй вярно; II. n утвърдителен отговор, глас; the ~es have it мнозинството е за.

ayah ['aiə] n англоинд. дойка, бавачка, прислужница (от местното население).

aye [ei] adv поет., диал. винаги; for ~, for ever and ~ завинаги.

azimuth ['æziməθ] I. n астр. азимут; II. adj азимутен; ~ finger авиац. пеленгатор.

azure ['ei3ə] I. adj 1. небесносин, лазурен; 2. безоблачен, ведър, чист, свеж, ясен; II. n 1. лазур, небесна синева, ведро небе; 2. ясносиня боя; 3. (и ~ stone) лазурит, лазулит (lapis lazuli).

B, b₁ [bi:] *n* 1. буквата b; 2. *уч.* оценка "добър"; 3. *муз.* си; **B major, minor** си мажор, минор; **B flat** си бемол, *шег.* дървеница; **B sharp** си диез; 4. кръвна група B.

b₂ *abbr* (bit) *инф.* бит (*най-малката единица за информация*).

babble [bæbəl] I. *v* 1. бръщвя, бръщолевя, бърборя, дърдоря, плещя, дрънкам; 2. издрънквам, избъбрям; 3. шумоля, ромоля, ромоня; II. *n* 1. бръщвеж, бръщвене, бръщолевене, бърборене, дърдорене, плещене, дрънкане, празни приказки; 2. шумолене, ромолене, ромон.

babbler [bæblə] *n* 1. бърборко, дърдорко, дрънкало; 2. дългокрак дрозд *Timaliidae.*

babe [beib] *n* 1. мила, скъпа, душичко (*като обръщение*); 2. маце, "парче", гадже; **a ~ in arms** пеленаче, невръстно дете; **as the ~ unborn** (невинен) като ангел.

babel [beibəl] *n* 1. врява, глъч, глъчка, гюрултия, дандания; 2. вавилония, безредие, бъркотия, неразбория, смешение на езиците, вавилонско стълпотворение; **the tower of Babel** Вавилонската кула.

baby [beibi] *n* 1. бебе, дете(нце), рожба, чедо, кърмаче, пеленаче; **war ~** (извънбрачно) дете, родено по време на война; новопроизведен офицер; новобранец; **the ~ of the family** изтърсакът; 2. малко на животно; **~ bird** птиче; 3. дете; глупав, наивен, неопитен човек, доверчив, наивен, непокварен; **a regular ~** същинско дете; 4. *attr* малък; **~ boy** момченце; **~ bonus** детски надбавки; **~ tooth** млечен зъб; 5. мила, скъпа, пиле (*като обръщение*); 6. *техн.* противотежест; ● **to carry** (hold) **the ~** опирам пешкира; **to throw the ~ out with the bath water** изгарям дюшека заради бълхата; покрай сухото гори и мокрото.

babyish [beibiiʃ] *adj* бебешки, детински, хлапашки.

bacchanal [bækənəl] I. *adj* вакханален, необуздан, буен, несдържан; II. *n* гуляйджия, пияница, пияч, *нар.* сарахош.

Bacchanalia [,bækə'neiljə] *n* вакханалия, оргия, блудство, разврат; пир.

baccy [bæki] *n sl* тютюн.

bachelor [bætʃələ] *n* 1. ерген, бекяр, неженен; **old ~** стар ерген; **~ girl** еманципирано момиче; 2. бакалавър; **~ of Arts (B.A.)** бакалавър по хуманитарните науки; **B. of Science (B. Sc.)** бакалавър по техническите науки; 3. *истор.* млад рицар, който служи под чуждо знаме; **knight ~** рицар, който не е член на рицарски орден; ● **~'s buttons** *бот.* кичесто лютиче, градински парички; вид бисквити.

bachelorhood [bætʃələhud] *n* 1. ергенство, ергенлък, бекярство; 2. бакалавърство.

bacillus [bə'siləs] *n* (*pl* **bacilli** [bə'silai]) бацил, бактерия, вирус; *прен.* зараза, болест.

back [bæk] I. *n* 1. гръб, гърбина, плещи; тил; *прен.* задница; **~ to ~** гръб с гръб; **~ to front** обърнат наопаки, с гърба напред; **at the ~** отзад; отзад; 2. облегалка (*на стол*); 3. гребен, било, хребет, рид, превал; 4. задна част, обратна страна, гръб, тил, опако, дъно; подложка, основа; хастар, подплата; **the ~ of the hand** опакото на ръката (*не дланта*); **the ~ of the head** тил; 5. дебел край, тъпа задна част, тъпото (*на сечиво*); **the ~ of the knife** обратната страна на ножа; 6. *мин.* открита страна (*най-горна част*) на въглищен пласт; 7. *спорт.* защитник; **full ~** краен защитник; **three-quarter ~** среден защитник (*ръгби*); ● **at the ~ of beyond** Бог знае къде; **on the ~ of** след, подир, после, освен; отгоре на; II. *adv* 1. назад, обратно; отново, пак, отначало, още веднъж; **~ and forth** напред-назад, насамнатам, нагоре-надолу; **~ to назад** към; 2. обратно (*за връщане*

към първоначално положение, състояние); **to bend ~** оправям (*нещо изкривено*); 3. отново, отначало, още веднъж, повторно; **to turn ~ to s.o. for support** обръщам се отново към някого за помощ; 4. *за време;* **as far ~ as, away ~ in** още през; **way ~ in** миналото; 5. настрана, навътре, на известно разстояние (from); III. *adj* 1. заден; отдалечен; подолен, по-лош; **~ areas** *воен.* тил, тилови райони; **~ door** задна врата; 2. закъснял, стар, остарял, просрочен; **~ number** стар брой (*на периодично издание*), *прен.* минала слава; **~ file (volume)** стара годишнина, течение (*на периодично издание*); **~ pay** *амер.* неизплатена надница; заплата; 3. обратен; **~ flow** обратно течение; IV. *v* 1. гранича, опирам със задната си страна (on, upon, on to); **his garden ~s onto a school** градината му граничи с училище; 2. движа (се) в обратна посока, връщам, давам заден ход (на); оттеглям се, отдръпвам се, отстъпвам; **to ~ out of the garage** излизам от гаража на заден ход (*за автомобил*); 3. подпирам, подкрепям, поддържам, подсилвам, подпомагам, субсидирам, финансирам, спонсорирам; 4. залагам на; **to ~ the wrong horse** не сполучвам с избора си, сбърквам, излъгвам се в сметките си; 5. подписвам се, написвам на гърба на, джиросвам, прехвърлям, приподписвам (*заповед*); адресирам, изпращам (*писмо*); 6. поставям (служа за) гръб, облегало, фон, основа, хастар, подплата; 7. *разг.* нося на гърба си; 8. яздя, възсядам, яхвам (*кон*); обяздвам; 9. *мор.* обръщам по посоката на вятъра; започвам да духам в противоположна на слънцето посока (*за вятър*);

back away отстъпвам, отдръпвам се, оттеглям се поради страх, уплаха;

back down 1) слизам с гърба напред (по); 2) връщам се при влака (*за локомотив*); 3) оттеглям се,

отдръпвам се, клякам, присядам, подгъвам крак;

back off 1) оттеглям (се), отдръпвам (се); 2) не се меси! стой настрана!

back out 1) движа се заднишком, излизам с гърба напред; 2) не устоявам на думата си; измъквам се (of); **to ~ out of an argument** отказвам се да споря за нещо;

back up 1) подкрепям, поддържам, придържам; покровителствам; подпомагам, издържам; 2) дръпвам назад, давам назад (*автомобил*); 3) подреждам се в колона (*за автомобили при задръстване*).

backbiter ['bæk,baitə] *n* клеветник, клюкар, доносник.

backbone ['bækboun] *n* 1. гръбнак (*и прен.*), гръбначен стълб; **to the ~** до мозъка на костите, в червата; 2. смелост, решителност, непоколебимост, храброст; 3. (главна) опора; носеща част; скелет.

backbreaking ['bæk,breikiŋ] *adj* труден, трудоемък, усилен, тежък, мъчителен.

backcloth ['bækklɔθ] *n* 1. *театр.* проспект; 2. фон; контекст (*на събитие*).

backdoor ['bækdɔ:] I. *n* задна врата, черен вход, *прен.* тайни пътища, вратичка; II. *adj* таен, задкулисен, прикрит, подмолен.

backer ['bækə] *n* 1. поддръжник, покровител, защитник, закрилник, крепител; 2. човек, който залага.

backfill ['bækfil] I. *n* запълване, заравяне; засипване; зазиждане; II. *v* засипвам, запълвам, заравям; зазиждам.

backfire ['bæk'faiə] I. *v* 1. рикоширам; **his plans ~d** плановете му се обърнаха срещу самия него; 2. връщам се, удрям (on); 3. *авт.* възпламеняват се недоизгорели газове; II. *n* 1. *авт.* възпламеняване на недоизгорели газове; 2. *амер.* пожар като противомярка срещу друг (горски) пожар.

backgammon [,bæk'gæmən] *n* табла.

background ['bækgraund] *n* 1. фон;

заден план; **against the ~ of** на фона на; **in the ~** на заден план; 2. произход, среда, обстановка, обкръжение, атмосфера, климат; 3. биографични данни; подготовка; опитност, вещина, майсторство, компетентност, умение, квалификация; **the ~ to the revolution** предпоставки, причини и повод за революцията; 4. звукова кулиса, музикален съпровод; 5. *attr* основен, важен, съществен.

backhander ['bæk'hændə] *n* 1. *разг.* подкуп, рушвет; 2. удар с опакото на ръката; неочакван удар; 3. косвена словесна атака; 4. подкрепа, съдействие, опора, защита, протекция.

backing ['bækiŋ] *n* 1. поддръжка, подкрепа, съдействие, опора, защита, протекция; поддръжници, крепители; 2. подплата, хастар, основа; 3. заден ход, въртене в посока, обратна на часовниковата стрелка (*за вятър*); духане в противоположна на слънцето посока; връщане назад; 4. *полигр.* отпечатване на втората страна на кола; залепяне на гърба на книга преди слагане на корицата (*при подвързване*); *фот.* тъмен слой върху обратната страна на негатив (*за избягване на замъгленост*); 5. *pl* отпадъци от вълна или лен (*след чепкане*); ~ **down** оттегляне, отдръпване; ~ **up** подкрепа, поддръжка; *спорт.* помощ.

backlash ['bæklæʃ] *n* 1. *прен.* отмятане, реакция; 2. *техн.* ритане, засечка; 3. *авиац.* изплъзване на витло; отрицателни последствия; 4. *техн.* хлабина, игра, междина.

backpack ['bækpæk] *n* раница.

back-slapping ['bæk,slæpiŋ] *n* поздравления, насърчаване, окуражаване, поощрение, потупване по рамото.

backslide ['bæk'slaid] *p.t.*, *p.p.* **backslid** ['bæk'slid] *v* 1. отстъпвам, отмятам се (*от вяра*); 2. започвам отново да греша, връщам се (*към заблуда и пр.*).

backslider ['bæk'slaidə] *n* 1. ренегат, отстъпник, дезертьор, клетвопрестъпник, изменник; 2. рецидивист.

backstage ['bæk'steidʒ] *театр.* I. *adv* зад кулисите; II. *adj* задкулисен, прикрит, подмолен, таен.

backstroke ['bækstrouk] *n* 1. обратен удар; 2. удар с опакото на ръката; 3. отдръпване, ритане, блъскане, бутане, тласкане; 4. плуване по гръб.

back-talk ['bæktɔ:k] *n* нахален, безочлив, дързък отговор.

backup ['bækʌp] *n sl* 1. подкрепление, подкрепа; 2. резерва, запас.

backward ['bækwəd] *adj* 1. обратен, противоположен; ~ **glance** поглед назад; 2. назадничав, ретрограден, рутинен; изостанал, недоразвит, недоръсъл; недьгав; ~ **children** (умствено или физически) недоразвити деца; 3. закъснял; късен, къснозреен; 4. без желание, неохотно, насила, против волята; 5. бавен, муден, флегматичен, вял, апатичен; невъзприемчив, несхватлив, ограничен, недосетлив; 6. стеснителен, срамежлив, свит, плах.

backwardness ['bækwədnis] *n* назадничавост, *книж.* ретроградност; ограниченост, изостаналост, недоразвитост.

backward(s) ['bækwəd(z)] *adv* 1. назад, заднишком, гърбом, *разг.* задничката; ~ **and forward(s)** напред-назад; 2. назад, наопаки, в обратна посока; отзад напред; **to go ~s** връщам се назад, към положю; **to reckon ~** смятам назад.

backwater ['bæk,wɔ:tə] *n* 1. затънтено място, затънтеност, усамотеност, непристъпност, отдалечено място, *разг.* вдън земя; назадничаво, некултурно общество; 2. блато, тресавище, мочурище, лагуна, ръкав; 3. заприщена вода.

bacon ['beikən] *n* пушена сланина; бекон; ● **to bring home the ~** *разг.* 1) успявам, постигам успех, напредвам, преуспявам, върви ми; 2) изкарвам прехраната за семейството си; печеля хляба; **to**

save o.'s ~ отървавам (спасявам) кожата си.

bacterial [bək'tiəriəl] *adj* бактериен, микробен, заразен.

bacteriological [bæk,tiəriə'lɔdʒikəl] *adj* бактериологичен, бактериологически, бактериоложки.

bacterium [bæk'tiəriəm] *n* (*pl* -ia [-iə]) бактерия.

bad [bæd] **I.** *adj* (worse [wə:s]; worst [wə:st]) **1.** лош, недоброкачествен, дефектен, развален, негоден, слаб, калпав, западащ; **from ~ to worse** все по-зле и по-зле; от лошо към по-лошо, от развала към провала; **to be ~ at** не ме бива за, слаб съм по; **2.** лош, зъл, злобен, злопаметен, злонамерен, злостен, проклет; ~ **blood** лоши чувства; ~ **temper** лош нрав (настроение); **3.** лош (*за болест, време*); **a ~ cold** сериозна настинка; **4.** развален, негоден, гнил, вмирисан; ~ **egg** развалено яйце, запъртък, мътак; *прен.* подлец; **to go** ~ развалям се, вмирисвам се; **5.** вреден, опасен, пагубен, нездравословен; **beer is ~ for you** бирата ти вреди; **6.** болен, зле със здравето, недобре, болезнен; ~ **finger (leg)** болен пръст (крак); **to feel** ~ лошо ми е; *прен.* чувствам се гузен (виновен, смутен); мъчно ми е (**about**); **7.** *sl* опасен, внушителен; • ~ **coin** фалшива монета; **in ~ faith** нечестно, неискрено, непочтено, недостойно; **a ~ hat** пропаднал човек; непрокопсаник; **II.** *n* зло; **to the ~ за** лошо; в загуба; в графа "загуби"; **to go to the ~** тръгвам по крив път (лоши пътища); свършвам зле, пропадам, провалям се, *разг.* хлътвам; не прокопсвам.

baddie, baddy ['bædi] *n sl* непрокопсаник, нехранимайко.

badass [bæd'as] *sl грубо* **I.** *adj* раздразнителен, избухлив, с труден характер; **II.** *n* сплетник, подбудител.

badge [bædʒ] *n* **1.** значка; **to put up a ~** *мор. разг.* бивам повишен; **2.** знак, признак, символ, емблема.

badger ['bædʒə] **I.** *n* **1.** язовец, борсук; **to draw the ~** изкарвам язо-

вец от дупката му; **2.** четка от косми на язовец; **3.** *разг.* жител на Уискънсин; **II.** *v* гоня, преследвам; вадя душата на, дразня, безпокоя, тормозя, притеснявам, угнетявам; *прен.* накарвам някого да се издаде, да си разкрие картите.

badly ['bædli] *adv* (worse [wə:s], worst [wə:st]) **1.** зле; **to be doing** ~ работите ми не вървят добре; **to take** ~ понасям тежко; **2.** много силно; **to want a thing** ~ нуждая се много, имам голяма нужда от; **3.** тежко, опасно, сериозно, критично, фатално; ~ **hurt** тежко ранен.

bad-mouth ['bæd mauθ] *v sl* клеветя, очерням, злепоставям, опетнявам, опозорявам, злословя.

bad-tempered ['bædtempə:d] *adj* сърдит, недоволен, раздразнен, гневен; раздразнителен.

baffle ['bæfəl] **I.** *v* **1.** обърквам, слисвам, смайвам, учудвам, поразявам, изненадвам, озадачавам; **2.** объркавам, осуетявам, разстройвам (*планове, сметки*); провалям, забавям; попречвам (на); **to ~ pursuit** избягвам от преследвачи; **3.** боря се напразно, безрезултатно; **4.** отбивам, променям течението на; • **to ~ definition** не се поддавам на определение; **to ~ all description** надминавам всяко (не се поддавам на) описание; **II.** *n* **1.** неуспех, поражение, провал, несполука, *книж.* неудача, крах; **2.** *техн.* преграда; заглушител.

baffling ['bæfliŋ] *adj* **1.** неразрешим, непреодолим, загадъчен, тайнствен; смайващ; **2.** *мор.* променлив, неблагоприятен (*за вятър*).

bag [bæg] **I.** *n* **1.** торба, торбичка, чанта; чувал; ~ **and baggage** с целия си багаж, с всичките си пъртошини; напълно, изцяло, много; **to pack o.'s ~s** обирам си крушите, събирам си такъмите; **2.** книжна кесия (*и* paper~); **3.** ловджийска чанта; лов (*убит, хванат дивеч*); **4.** *pl* подочни торбички; **5.** виме; **6.** *зоол.* торбич-

ка; **7.** кесия, торба с пари, портфейл; *pl* богатство; **8.** дипломатическа поща; • ~ **of wind, wind** ~ бърборко, празнодумец, дърдорко, *нар.* фарфара; самохвалко, хвалипръцко; **a mixed** ~ сбор (съвкупност) от нееднородни предмети; сбирщина; **to empty the** ~ изприказвам (избъбрям) всичко; **II.** *v* **1.** пъхвам в торба (торбичка, чанта, чувал); **2.** успявам да осигуря, резервирам, запазвам, заемам, уреждам, вземам; **to ~ a ticket for a performance** осигурявам, сдобивам се с билети за представление; **3.** убивам, удрям (дивеч); **4.** издувам се, надувам се, подувам се; вися като чувал; **5.** *мор.* отклонявам се от курса си.

bagatelle [,bægə'tel] *n* **1.** дреболия, незначителност, нищожност, дребна сума, багатела; **2.** багатела, малка музикална пиеса за пиано с лек, подвижен характер; **3.** моникс.

baggage ['bægidʒ] *n* **1.** багаж (*и воен.*), партакеши; ~ **animal** товарно животно; ~ **train** обоз; **2.** съвкупност от идеи (предразсъдъци); **the ideological ~ of Fascism** идеологическата основа на фашизма; **3.** хитруша, дяволица; *остар.* лека жена.

baggage car ['bægidʒka:] *n* фургон.

baggage-room ['bægidʒrum] *n* гардероб, дрешник.

bagger ['bægə] *n* багер.

baguette [bæg'et] *n* франзела.

bagpipe(s) ['bægpaip(s)] *n* гайда.

bail [beil] **I.** *n* **1.** залог, гаранция, поръчителство, депозит; застраховка; **on** ~ под гаранция; **to forfeit** (*разг.* **jump**) **o.'s** ~ не се явявам в съда в определения срок; **2.** поръчител, гарант; **to be (become, go, stand) ~ for** ставам поръчител за; • **straw** ~ несигурна гаранция; **I'll go** ~ обзалагам се, басирам се, хващам се на бас; **II.** *v* **1.** освобождавам под гаранция (*и* ~ **out**); **2.** ставам поръчител (гарант) на; **3.** давам имущество на съхранение; **4.: to ~ out** спасявам, измъквам (*някого*)

от (парично) затруднение.

bailiff ['beilif] *n* **1.** съдебен пристав; **2.** управител на имение; **3.** иконом, домакин; **4.** *истор.* найвисокопоставеното длъжностно лице в околия.

bailsman ['beilzmən] *n* поръчител, гарант, взаимопоръчител, отговорен (*за някого, нещо*).

bait [beit] I. *n* **1.** стръв, *прен.* примамка, клопка, уловка; live ~ жива стръв; to take (rise to, swallow, jump at, nibble at, fall on) the ~ хващам се, улавям се на, лапвам въдицата (*и прен.*); **2.** съблазън, прелъстяване; примамка, изкушение; **3.** спиране, отбивам се, отсядам (*за почивка, хранене*); • fish or cut the ~ *амер.* вземам решение; избирам курс на действие; спирам да се колебая; II. *v* **1.** слагам стръв (на); to ~ the line слагам стръв на въдицата; *прен.* примамвам, прилъгвам, подмамвам; **2.** храня, нахранвам, зобя, назобвам (*кон*); **3.** спирам се (*за почивка, за хранене*) (at); **4.** *спорт., истор.* насъсквам кучета по (*животно*); **5.** давя, душа, ръфам, разкъсвам (*за кучета*); **6.** подигравам се на, присмивам се на, измъчвам, не оставям на мира, вадя душата на, устройвам хайка на, преследвам.

bake [beik] I. *v* **1.** пека (се), изпичам (се); half ~d недопечен, незрял; *прен.* малоумен; home-~d домашен (*за хляб и пр.*); **2.** суша (се), изсушавам (се), опичам (се); **3.** опичам, обгарям (*за слънце*); почернявам, изгарям, добивам тен; узрявам, *прен.* напредвам, развивам се, оформям се; II. *n* (ястие) печено на фурна.

bakelite ['beikəlait] *n* бакелит; *attr* бакелитен.

baker ['beikə] *n* пекар, хлебар, фурнаджия; • ~'s dozen дяволска дузина, тринадесет; ~'s itch кожна болест; pull devil, pull ~ викам на кучето дръж и на заека беж; to spell ~ *амер.* натъквам се на трудности.

baking ['beikiŋ] I. *adj, adv* горещ (*за време*); палещ (*за слънце*); II. *n* **1.** печене; **2.** фурна хляб; **3.** печиво; **4.** начин за оформяне на модни къдрици.

baking-powder ['beikiŋ,paudə] *n* бакпулвер.

balance ['bæləns] I. *v* **1.** балансирам, уравновесявам, запазвам равновесие, в равновесие съм; **2.** изравнявам, уравнявам, уеднаквявам; **3.** претеглям, преценявам, правя преценка на, сравнявам, съпоставям (with, against); **4.** *търг.* правя баланс, балансирам, уравнявам; the accounts do not ~ сметките не излизат; **5.** уреждам (сметка) чрез заплащане на дефицит; **6.** колебая се, люлея се, движа се насам-натам, трептя, люшкам се, *разг.* кандилкам се; **7.** танцувам в посока, обратна на посоката на своя партньор; II. *n* **1.** равновесие, баланс, равенство; хармония; ~ of power съотношение на силите, (политическо) равновесие; out of ~ с нарушено равновесие; **2.** везни, теглилка, кантар; assay-~ аналитични везни; chemical ~ аптекарски везни; **3.** махало, баланс, балансир; **4.** *търг.* баланс, билан, сметка; отчет; равносметка, салдо; ~ of trade, trade ~ търговски баланс; **5.** остатък, излишък, в повече, ресто; сметка; ~ due дефицит, недостиг, липса, загуба; по-малко; bank ~ банкова сметка; **6.** противовес, противоположност, противопоставка, противно на; **7.** преобладаващо тегло, количество; the ~ of advantage lies with him той има значителни предимства; **8.** капризите, непостоянството, изменчивостта, превратностите на съдбата; **9.** уравновесеност, душевно равновесие, нормалност; **10.** хармония, съзвучие; съразмерност, симетрия; съгласие; хармоничност; **11.** *астр.* (B.) Везни (*съзвездие*); • ~ of nature природен баланс; to be (hang, swing, tremble) in the ~ вися на косъм, в критично положение съм; колебая се, двоумя се, *книж.* намирам се на кръс-

топът, съмнявам се.

balanced ['bælənst] *adj* уравновесен, хармоничен, балансиран; пропорционален; спокоен, улегнал, здравомислещ (*прен.*).

balancer ['bælənsə] *n* **1.** акробат, еквилибрист; **2.** *техн.* уравнител, стабилизатор; **3.** *зоол.* орган на мястото на задно крило (*при двукрилите*).

balance-sheet ['bælənsˌfi:t] *n* баланс, равносметка, билан, сметка; отчет.

balcony ['bælkəni] *n* **1.** балкон; **2.** *театр.* втори балкон.

bald [bɔ:ld] *adj* **1.** плешив; лис; (as) ~ as a coot съвсем плешив; **2.** изтъркан, износен (*за грайфер на гума*); **3.** прост, обикновен, без украшения; ~ statement of facts безпристрастно излагане на фактите, неукрасена истина; **4.** гол, без растителност, козина, пера, мъх; **5.** лис, с бяло петно; **6.** банален, шаблонен, изтъркан, еднообразен, постен, безинтересен, скучен, безцветен, сух; **7.** неприкрит, явен, очевиден, очебиен, забележим, ярък.

baldachin ['bɔ:ldəkin] *n* балдахин, завеса.

balderdash ['bɔ:ldədæf] *n* глупости, безсмислици, нелепости; безразсъдство; мръсотии.

baldly [bɔ:ldli] *adv* **1.** направо, открито, неприкрито, явно; груб(ичко); to put it ~ направо казано; **2.** бедно, оскъдно, мизерно, в лишения.

bale₁ [beil] I. *n* бала, денк; cotton ~ бала памук; II. *v* правя на бала (бали), връзвам денк (денкове); ~-goods стока на бали.

bale₂ [beil] *поет.* беда, зло, нещастие, бедствие, напаст, мъка, неволя, гибел.

baleful ['beilful] *adj* пагубен, гибелен, съкрушителен, вреден, пакостен, зъл; ◇ *adv* balefully.

balk, baulk [bɔ:k] I. *v* **1.** дърпам се, клинча от, манкирам, лавирам, *разг.* кръшкам; изпортвам; to ~ at a difficulty искам да избегна трудности; to ~ at an expense не искам да вляза в разноски, не ис-

кам да се охарчвам; 2. дръпвам се, тегля се, спирам се, плаша се, сепвам се, упорствам, ритам (*за кон*); правя засечка (*за машина*); **the horse ~ed at a leap** конят не искаше да прескочи; 3. сепвам, стресвам, изплашвам, смущавам, изненадвам; 4. преча, попречвам, спъвам, затруднявам, осуетявам; II. *n* 1. греда; напречна греда; 2. спънка, пречка, препятствие, разочарование; 3. ивица между две бразди; синур, межда, слог; 4. място за начало на играта (*в билярда*); **to make a ~** правя удар; 5. въже на рибарска мрежа; 6. *амер.* плашлив кон.

Balkan ['bɔ:lkən] I. *adj* балкански; планински; **the Balkan** Балканът, Стара планина; **the ~ peninsula** Балканският полуостров; II. *n pl* **the ~s** Балканите, Балканският полуостров.

ball₁ [bɔːl] I. *n* 1. топка, топче, топчица, кълбо, кълбце, кълбенце, валмо, чиле, чиленце; **to roll (oneself up) into a ~** свивам се на топка; 2. игра на топка; хвърляне на топка, удар; **a good, difficult ~** добър, труден удар; 3. куршум; сачма; гюлле; 4. топка за гласуване; **black ~** черна топка (*глас против*); 5. хап; 6. *pl sl* тестикули, "топки"; 7. *pl разг.* кураж, смелост, решителност; 8. *pl sl* глупости, врели-некипели; • **~ of the eye** очна ябълка, око; **~ of fortune** играчка на съдбата; II. *v* 1. събирам (се), натрупвам (се), свивам се на топка; 2. навивам на кълбо; **~s up** *sl* объърквам, забъърквам.

ball₂ *n* бал; **to open the ~** откривам бала; повеждам хорото; започвам да действам; оплесквам.

ballast ['bæləst] I. *n* 1. баласт, трошляк, основа (на път, жп линия); **to be in ~** натоварен съм с баласт (*за кораб*); 2. *прен.* уравновесеност, стабилност, улегналост; **mental ~** (душевна) уравновесеност, зрялост, улегналост, умереност; **to have no ~** неуравновесен, колеблив съм, раздвоен съм, непоследователен съм,

несигурен съм; II. *v* 1. натоварвам с баласт; насипвам баласт (трошляк); 2. придавам устойчивост, стабилност (на).

ballerina [,bælə'ri:na:] *n* балерина.

ballet ['bælei] *n* балет.

balletic [bæ'letik] *adj* грациозен (*за движение*).

ball game ['bɔl'geim] *n амер.* бейзболен мач.

ballistic [bə'listik] *adj* балистичен; • **to go ~** побеснявам, изпадам в ярост.

ballistics [bə'listiks] *n pl* (*употр. като sing*) балистика.

balloon [bə'lu:n] I. *n* 1. балон, неуправляван аеростат; **dirrigible ~** управляем аеростат; **the ~ has gone up** положението става сериозно; нещата се усложняват; 2. *архит.* кълбо на върха на стълб и пр.; 3. *хим.* балон, кълбо; 4. "балон", в който са написани репликите и мислите на героите (*в комикси, карикатури и др.*); II. *v* 1. издигам се с балон; 2. издувам се (*и* out); 3. нараствам много бързо, увеличавам се.

ballot ['bælət] I. *n* 1. избирателна бюлетина; 2. (тайно) гласуване, гласоподаване, избор, вот; 3. дадени гласове; 4. теглене на жребий; II. *v* 1. гласувам, гласоподавам, избирам, давам гласа си; **~ for** избирам с тайно гласуване; 2. тегля жребий.

balls-up ['bɔ:lz,ʌp] *n sl* гаф, фал; **to make a ~ of s.th.** оплесквам, обърквам нещо.

balmy ['ba:mi] *adj* 1. ароматен, ароматичен, благоуханен; 2. мек, лек; 3. като балсам, лековит, лечебен, целебен, целителен, успокоителен.

baloney [bə'louni] *n* глупост, празни (безсмислени) приказки.

balsam ['bɔ:lsəm] I. *n* 1. балсам; **Canada B.** канадска смола; 2. лековито, успокоително средство; 3. *хим.* смес от смоли и летливи масла; 4. балсамово растение; **~ fir** канадска ела *Abies balsamea*; II. *v* 1. импрегнирам, ароматизирам с балсам; 2. лекувам, церя, успокоявам; 3. *остар.* балса-

мирам.

balustrade [,bæləs'treid] *n* балюстрада; парапет; перила.

bamboo [bæm'bu:] I. *n* 1. бамбук; 2. *attr* бамбуков; **~ tree** бамбуково дърво; II. *v* бия с бамбукова пръчка.

bamboozle [bæm'bu:zəl] *v разг.* баламосвам, подвеждам, заблуждавам, измамвам, изигравам; **to ~ into doing s.th.** баламосвам някого да извърши нещо; **to ~ out of** вземам чрез измама от.

ban [bæn] I. *v* 1. забранявам; не допускам, не позволявам; лишавам, отнемам; осъждам; **to be ~ned from driving** отнемат ми правото на управление (*на автомобил*); 2. анатемосвам, отлъчвам, кълна̀, проклинам; II. *n* 1. възбрана, забрана, запрещение; **under ~** забранен, под забрана, под запрещение; 2. църковно проклятие, отлъчване, анатема; 3. поставяне извън законите, пращане в изгнание; остракизиране; 4. *истор.* свикване на феодални войски.

banal [bə'na:l] *adj* банален, *книж.* тривиален, прост, вулгарен, незначителен.

banality [bə'næliti] *n* баналност, *книж.* тривиалност, вулгарност, пошлост.

banana [bə'na:nə] I. *n* банан; II. *adj* побъркан, глупав; **to drive s.o. ~s** подлудявам, нервирам, дразня, вбесявам, побърквам някого; **to slip on a ~ skin** подхлъзвам се на динена кора.

band₁ [bænd] I. *n* 1. връзка; *pl* окови, вериги, железа; 2. ивица; лента, панделка, ширит, кордела; колан, пояс; обръч; яка на риза (*и* shirt~); околник на фуражка (*и* cap~); **arm-~** лента (*на ръкав на служебно лице*); **rubber ~** ластиче; 3. *техн.* трансмисионен ремък; 4. *техн.* обръч; пръстен, колан; бандаж; 5. *радио.* сектор, диапазон (*и* frequency~); 6. *pl* две бели ивици, които висят отпред на яка (*на съдия, свещеник*); 7. *pl* ленти, "коренчета" отзад на подвързана книга; II. *v*

поставям лента (*и пр.*) на, шаря с ивици.

band₂ [bænd] I. *n* 1. група, чета, отряд; банда, шайка, тайфа; ~ **of robbers** банда разбойници; 2. музика, банда; **brass-~** духова музика; II. *v* обединявам (се), събирам се, сливам се (*и с* **together**); **to ~ up** съюзяваме се, обединяваме се, съединяваме се, сплотяваме се, групираме се.

bandage ['bændidʒ] I. *n* превръзка, бинт, бандаж; II. *v* 1. превързвам, бинтовам; 2. *остар.* свързвам, завързвам.

Band-Aid ['bændeid] I. *n* лейкопласт; анкерпласт; II. *adj* временен, неефективен (*за решение на проблем*).

banderol(e) ['bændəroul] *n* 1. знаменце, флагче; 2. четириъгълно знаменце на тръба; 3. бандерол.

bandit ['bændit] *n* (*pl* **banditti** [bæn'diti], **bandits**) бандит, злодей, грабител, разбойник; **a banditti** разбойническа банда.

bandoleer, bandolier [,bændo'liə] *n* патрондаш.

bandwagon ['bænd'wægən] 1. партия, страна, която е победила (*на избори и пр.*); 2. нещо, което е станало популярно (модерно); **the environmental ~** нашумелите екологични проблеми; **to climb (jump) on the ~** ангажирам се с проблем, воден от користни подбуди (*за политик*).

bandy ['bændi] *v* подмятам(е си), подхвърлям(е си), разменям(е си), разпространявам (*и с* **about**); **to have o.'s name bandied about** влизам в устата на хората, ставам предмет на приказки.

bane [bein] *n* 1. *поет.* зло, напаст, злощастие, бедствие, проклятие; 2. *остар.* отрова, *прен.* злост, жлъч.

baneful ['beinful] *adj* пагубен, гибелен, катастрофален, опустошителен; злощастен.

bang₁ [bæŋ] I. *v* 1. халосвам, хласвам, фрасвам, цапвам, удрям (**against**); 2. хлопвам (се), тръшвам (се), трясвам (се) (*и с* **to**); **to ~ a door shut** затръшвам врата-

та; **he ~ed down the telephone** той затръшна телефона; 3. гърмя, гръмвам, кънтя, бумтя; стрелям; 4. бия, блъсквам, удрям, млатя; 5. *разг.* надминавам, изпреварвам, оставям зад себе си; 6. *sl* чукам, имам сексуален контакт;

bang away at *разг.* упорствам, постоянствам;

bang off изгърмявам, изпушквам;

bang on about *разг.* мърморя, досаждам, опявам, натяквам;

bang out 1) бълвам, произвеждам в големи количества (*нискокачествена стока*); 2) дрънкам (*на музикален инструмент*);

bang up 1) *разг.* затварям, хвърлям в затвора; 2) *sl* друсам се (*с наркотик*);

II. *n* 1. удар, изстрел, гърмеж, трясък; **to shut the door with a ~** тръшвам вратата; 2. *sl* енергия, дух, хъс; 3. *sl* стимулант; 4. *sl* удоволствие; възбуда; тръпка; 5. *разг.* удивителен знак (*в шрифт*); 6. *sl грубо* съвкупление; • **to go over (off) with a ~** минавам с (бивам изнесен с, имам) голям успех; III. *adv int разг.* фрас, дран, тряс, бум; точно; **to go ~** изгърмявам (*за пушка*); ~ **in the middle** точно (право) в средата.

bang₂ *n амер.* бретон.

banger ['bæŋgə:] *n разг.* 1. салам; наденичка; 2. бричка, бракма, таратайка.

bangle ['bæŋgəl] *n* гривна.

bang-up ['bæŋ'ʌp] *adj sl* първокачествен, първокласен, съвършен, превъзходен, отличен.

banish ['bæniʃ] *v* 1. осъждам на (пращам в) изгнание; изгонвам; изпъждам; пропъждам; 2. гоня, изгонвам, прогонвам, пъдя, изпъждам, пропъждам, отпъждам.

banishment ['bæniʃmənt] *n* (осъждане на, изпращане в) изгнание, изгонване, изпъждане.

banjo ['bændʒou] *n* (*pl* ~**s**, ~**es**) банджо.

bank₁ I. *n* 1. банка; ~ **of issue** емисионна банка; **discount ~** сконтова банка; 2. *карти* каса, банка; **to break the ~** разорявам банката, обирам всичко; 3. резерв,

запас, наличност; 4. игра на карти (*и* **banker**); 5. *attr* банков; ~ **clerk** банков чиновник; • ~ **rate** сконтов процент; **blood ~** център за кръводаряване, кръвна банка; кръв за преливане; II. *v* 1. банкер съм, имам банка; 2. влагам (внасям, държа) пари в банка; **who do you ~ with?** в коя банка си държите парите? 3. превръщам в пари; 4. *карти* държа касата, банката; **to ~ (up) on** разчитам, осланям се на, уповавам се, доверявам се.

bank₂ [bæŋk] I. *n* 1. насип, тераса, вал, рид, рът, ръглина, издигнатина; ~ **of earth** насип; 2. бряг (*на река, езеро*); крайбрежие, кей, пристанище; 3. плитчина, плитко място; 4. облачна маса; прясна, ледена маса; ~ **of clouds** хоризонтални облаци; 5. ред, серия, група (*от еднотипни машини*); 6. откос; *авиац.* вираж; 7. повърхност на рудна жила, възлищен пласт; връх, начало на минна галерия; 8. пласт миди; II. *v* 1. правя насип (откос), ограждам с насип(и); укрепявам, подсилвам, подкрепвам; 2. натрупвам (се) на куп; групирам, съединявам за съвместна работа; 3. *авиац.* навеждам се, наклоням се, правя вираж; **to ~ up** натрупвам (се) на куп (купища, прясна, преспи), образувам маса (*за облаци и пр.*); затрупвам (*огън*).

bank account ['bæŋkə'kaunt] *n* банкова сметка.

bankbook [bæŋkbuk] *n* влогова книжка.

bank card ['bæŋk'ka:d] *n* кредитна карта.

banker ['bæŋkə] *n* 1. банкер; 2. този, у когото е "банката" при хазартна игра.

banking ['bæŋkiŋ] *n* 1. банково дело, банкерство; ~ **house** банкерска къща; 2. морски риболов; 3. дига, насип, преградна стена, яз; 4. вътрешен наклон на завой, вираж.

bank-note ['bæŋknout] *n* банкнота; *остар.* кредитен билет.

bankroll ['bæŋkroul] *амер.* I. *v* фи-

нансирам; подпомагам финансово; II. *n* финансова помощ.

bankrupt ['bæŋkrʌpt] I. *adj* фалирал, банкрутирал, разорен, в несъстоятелност; **to go ~** фалирам, банкрутирам, разорявам се; II. *n* длъжник в несъстоятелност, фалирал длъжник; III. *v* причинявам фалита на, накарвам да фалира, провалям.

bankruptcy ['bæŋkrəpsi] *n* фалит, банкрут, неплатежоспособност, крах, несъстоятелност; фалиране, банкрутиране; *прен.* провал, проваляне.

banner ['bænə] I. *n* 1. знаме, флаг, стяг, пряпорец; хоругва; **to follow the ~** нареждам се под знамената; **to unfurl o.'s ~** развявам знамето; *прен.* изразявам открито мнението си; 2. заглавие, разположено на цяла страница на вестник (*и* ~ **-headline**); II. *adj амер.* отличен, първокачествен, изключителен; **a ~ year** *търг.* година на големи печалби.

banner-bearer ['bænə,bεərə] *n* знаменосец, *нар.* байрактар; *прен.* предводител.

banquet ['bæŋkwit] I. *n* банкет; угощение, гощавка, гуляй, пир; II. *v* давам банкет на, угощавам; правя угощение, пирувам, гуляя.

banter ['bæntə] I. *v* закачам се (с), задявам се (с), шегувам се (с); II. *n* закачки, шеги, задявки; **a piece of ~** шега, закачка, задявка.

banterer ['bæntərə] *n* шегаджия, шегобиец, присмехулник, майтапчия, зевзек.

baobab ['beiobæb] *n бот.* баобаб *Adansonia digitata.*

baptism ['bæptizəm] *n* кръщение, кръщавка, кръщаване; ~ **of fire** бойно кръщение; ~ **of blood** мъченичество.

baptist ['bæptist] *n* 1. *рел.* баптист; 2. кръстител; **John the ~** Йоан Кръстител.

baptize [bæp'taiz] *v* 1. кръщавам, наименовам; покръствам; давам име на; 2. *прен.* очиствам, пречиствам.

bar₁ [ba:] *n* 1. бар; кръчма; питейно заведение; 2. бар, тезгях (*в пи-*

тейно заведение).

bar₂ I. *n* 1. пръчка, прът; *pl* решетки, пречки; преграда, препятствие; **a ~ to communication** пречка в общуването; 2. лом, лост; 3. парче, калъп (*напр. сапун*); слитък (*злато или сребро*); ~ **of chocolate** парче шоколад; 4. място на подсъдимия в съда; **at (to) the ~** на подсъдимата скамейка; 5. адвокатска професия, адвокатура; **to go (be called) to the ~** получавам право на адвокатска практика; 6. *юр.* възражение, което спира по-нататъшния ход на делото; 7. *прен.* съд; 8. *геогр.* крайбрежна ивица от чакъл или пясък, плитчина; 9. лента, полоса; сноп (лъчи); 10. *муз.* тактова черта, такт; 11. резе, лост; 12. място в устата на коня (*между кътните и кучешките зъби*), където се поставя юздата; *прен.* юздечка; 13. *амер.* мрежа за комари; II. *v* 1. преграждам; препречвам; запречвам, запирам (*врата*), залоствам; **all exits are ~red** всички изходи са затворени; няма вече изход; 2. изключвам, забранявам, не допускам; **no holds ~red** всичко е позволено, няма правила; 3. затварям, заключвам, не пускам (да излезе) (~ **in**); не пускам (да влезе) (~ **out**); III. *prep разг.* освен, без; изключвам, независимо, бездруго; ~ **none** без изключение.

bar₃ *n* бар, единица за измерване на атмосферно налягане.

barbarian [ba:'bεəriən] I. *n* 1. варварин, вандал, дивак, грабител; 2. *прен.* човек без културни интереси; II. *adj* варварски, некултурен, вандалски, жесток.

barbaric [ba:'bærik] *adj* 1. варварски, нецивилизован, див; 2. първобитен, примитивен, груб; пищен, шумен.

barbed [ba:bd] *adj* бодлив; с шипове; ~ **wire** бодлива тел; ~ **wire entanglements** телени заграждения.

barbell ['ba:bel] *n спорт.* щанга.

barber ['ba:bə] I. *n* бръснар; ~**'s itch (rash)** сикозис, вид екзема;

~**'s pole** специално оцветен жалон, поставен като знак на бръснарница; ~ **surgeon** *истор.* фелдшер; II. *v* подстригвам (*брада или коса*).

bare [bεə] I. *adj* 1. гол, непокрит, оголен; **in o.'s ~ skin** гол-голеничък, както го е майка родила; **to lay ~** разкривам, оголвам; изкарвам наяве; разобличавам, *книж.* демаскирам, компрометирам; 2. празен, немебелиран, необзаведен; 3. открит; неукрасен, прост; **the ~ truth** самата истина; 4. изтъркан, износен, охлузен, ожулен, олющен, обелен; 5. едва достатъчен; самият; **a ~ majority** съвсем незначително мнозинство; **to earn a ~ living** едва си изкарвам прехраната, едва свързвам двата края; II. *v* откривам, оголвам; разкривам.

bare-faced ['bεə:feist] *adj* 1. безсрамен, безочлив, нахален, нагъл, дебелоок; 2. с открито лице, без маска; голобрад.

barefacedness ['bεə:feistnis] *n* безсрамие, безочие, нахалство, наглост, дебелоочие.

barefoot ['bεəfut] I. *adj* бос, босоног, необут, *прен.* ограничен, невежа (*и* **barefooted**); II. *adv* с боси крака, бос.

barely ['bεəli] *adv* 1. едва, с малко, бавно; само, точно, единствено; просто; 2. *рядко* открито.

bargain ['ba:gin] I. *n* 1. изгодна сделка; **it was a very good ~** беше много на сметка; 2. сделка, гешефт, спекула; договор, покупко-продажба; пазарлък, уговарям се, уславям се; **to make (strike, conclude, drive, settle) a ~** сключвам сделка; **to keep o.'s side of the ~** изпълнявам своята част от уговорката; 3. покупка; **into the ~** на това (всичко) отгоре; **She is rich. And beautiful into the ~** богата е, и на всичко отгоре е и красива; 4. *attr* изгоден, на сметка; ~ **prices** ниски (намалени) цени; II. *v* пазаря се, спазарявам се, уговарям се, уславям се; (**with s. o. about s.th.**) *прен.* съгласявам се.

barge [ba:dʒ] I. *n* 1. шлеп; баркас; 2. голяма украсена лодка за тържествен случай, баржа; 3. *мор.* адмиралтейски катер; 4. файтон; II. *v разг.* движа се тромаво, блъскам се (about); нахлувам, нахълтвам (into, through); клатя се; налитам, натъквам се (into, against); натрапвам се (in), намесвам се, нахалнича, налагам се.

baritone ['bæritoun] *n муз.* баритон (*глас, певец или духов инструмент*).

bark₁ [ba:k] I. *n* 1. кора (*на дърво*); ~ grafting *бот.* присаждане (ашладисване) с пъпка; 2. дъбилна смес от кори; II. *v* 1. обелвам, оголвам, олющвам (*кора на дърво*); *прен.* ожулвам, съдирам; 2. щавя, дъбя.

bark₂ I. *v* 1. лая (at); to ~ up the wrong tree "сбъркал съм адреса", "лая на аба"; the dog ~ed him away кучето го прогони с лай; 2. *прен.* рева, гърмя; to ~ an order изреавам заповед; 3. *амер., разг.* кашлям; II. *n* 1. лай; his ~ is worse than his bite той е лош само на думи; не е толкова страшен, колкото изглежда; той само се ежи; 2. рев, гръм, пукот, трясък, гърмеж (*на огнестрелно оръжие*); 3. кашляне.

bark₃, barque [ba:k] *n мор.* барка, платноход с три мачти.

barley ['ba:li] *n* ечемик; pearl ~ лющен ечемик.

barman ['ba:mən] *n* (*pl* barmen ['ba:mən]) барман.

barminess ['ba:minis] *n sl* лудост, ненормалност.

barmy ['ba:mi] *adj sl* луд, чалнат, ненормален.

barn [ba:n] *n* 1. хамбар, житница, склад (*и прен.*); плевник; 2. *амер.* обор (*за едър добитък*).

barometer [bə'rɔmitə] *n* барометър (*и прен.*).

baron ['bærən] *n* 1. лорд; барон; феодал; пер; 2. магнат; • ~ of beef двойно (неразделено) говеждо филе.

baroness ['bærənis] *n* баронеса.

baroque [bə'rɔk] I. *n* барок (*стил*); II. *adj* бароков; странен, своеоб-

разен, чудноват, особен.

barouche [bə'ru:ʃ] *n* файтон, кабриолет; каляска, ландо.

barracuda [bærə'ku:də] *n* (*pl* barracuda, barracudas) баракуда, риба от сем. *Sphyraenidae*.

barrage ['bæra:ʒ] I. *n* 1. бараж, стена, преграда, заграждение; 2.: (artillery) ~ *воен.* преграден артилерийски огън, огневи вал; ~ balloon *воен.* преграден (баражен) балон; 3. поток въпроси и оплаквания; ~ of criticism поток от критика; 4. бент, яз, зид; *прен.* препятствие, пречка; II. *v* заливам, затрупвам, засипвам (*с въпроси, проблеми*).

barrel ['bærəl] I. *n* 1. каца, буре, бъчва; варел; ~s of *разг.* купища, много, голямо количество; lock, stock and ~ със все партакеши; ~ house (shop) кръчма, механа, пивница; 2. барел, мярка за течности (*англ.* 163,65 л, *амер.* 119 л; за петрол – 195 л; за тежести – около 89 кг); 3. *воен.* цев; тяло (*на оръдие*); double-~led shotgun двуцевна ловджийска пушка, чифте; to give s.o. both ~s, with both ~ (нападам) ожесточено, с все сила; 4. *техн.* барабан, цилиндър, вал; 5. туловище, труп (*на кон, крава*); 6. *анат.* тъпанче; 7. резервоар (*на писалка*); 8. *амер.* средства за обществени (политически) цели; to tap the ~ "бъркам в меда", присвоявам обществени средства; pork ~ *sl* "тлъст кокал"; II. *v* 1. пълня (напълвам) в бъчви; 2. движа се много бързо, препускам, тичам, надбягвам се.

barren ['bærən] I. *adj* 1. безплоден, ялов, безплоден, *книж.* стерилен; 2. непроизводителен, неплодороден, неплодоносен; 3. *прен.* безсъдържателен, празен, пуст, сух, беден, гол; ~ talk (arguments) безсъдържателен разговор (доводи); II. *n обикн. pl* безплодна земя, пустош, пущинак.

barrenness ['bærənnis] *n* 1. безплодие, *книж.* стерилност, бездетство; яловост; 2. непроизводителност, неплодородие; безре-

зултатност; 3. безсъдържателност, беднота, празнота.

barricade [bæri'keid] I. *n* 1. барикада; to raise (build, put up, erect) ~s вдигам барикади; 2. бариера, преграда, препятствие; II. *v* барикадирам, преграждам, заграждам, издигам барикада на (около).

barrier ['bæriə] *n* 1. бариера (*и прен.*); застава; customs ~s митнически бариери (прегради) (*и прен.*); 2. преграда, пречка, препятствие; 3. *прен.* граница, ограничение, пречка, препятствие (to).

barrow₁ ['bærou] *n* 1. носилка; тарга; 2. ръчна количка с едно колело (*и* wheel-barrow); 3. сергиджийска (двуколна) ръчна количка.

barrow₂ *n* 1. *археол.* надгробна могила; 2. ровник, ровница, куп, грамада, камара.

barscreen ['ba:skri:n] *n* скара, решетка.

barter [ba:tə] I. *v* разменям; обменям; правя бартер, давам в замяна (for); ~ away заменям за нещо малоценно; пропилявам; II. *n* размяна, разменна търговия, бартер.

basal [beisəl] *adj* основен, първичен, начален; съществен.

base₁ [beis] I. *n* 1. основа, база, базис; долна част; подножие, поли (*на планина*); 2. постоянно жилище; постоянна работа; 3. *хим.* основа; 4. *воен.* база; (war military) военна база; ~ naval военноморска база; 5. *архит.* фундамент, постамент; пиедестал; цокъл; 6. *спорт.* база (*в бейзбола*); 7. *език., мат.* основа; • off ~ погрешен, неверен (*за преценка, мнение*); to change o.'s ~ *sl* отивам си; избягвам, офейквам, изчезвам, *разг.* духвам; II. *v* основавам, базирам; to ~ oneself on основавам се на.

base₂ I. *adj* 1. низък, долен, подъл, недостоен; 2. *метал.* неблагороден, окисляващ се; ~ coin фалшива монета; 3. *език.* простонароден, народен; ~ Latin вулгарен латински език; 4. *остар.* не-

законороден, извънбрачен; **5.** *юр.* условен, зависим; *остар.* крепостен; **6.** *остар.* долен (*за произход*); **II.** *n муз. остар.* бас.

baseball [ˈbeisbɔ:l] *n спорт.* бейзбол.

basement [ˈbeismənt] *n* **1.** сутерен; **2.** основа, фундамент, постамент, пиедестал, устои; *прен.* основание, мотив.

bash [bæʃ] **I.** *v разг.* **1.** удрям, тряскам, бумтя, гърмя; джасвам; **2.** *журн.* критикувам, нападам ожесточено (*в медиите*);

bash in удрям, разбивам (*глава*); **bash out** *разг.* бълвам, произвеждам в големи количества;

bash up *разг.* нападам, нахвърлям се върху, атакувам; наранявам; **II.** *n* **1.** удряне, трясване, бумтене, гърмене; джасване; **2.** *разг.* купон, парти (*на което присъстват много знаменитости*); **3.** опит, проба; **to have a ~ at** пробвам се, опитвам си силите в.

bashful [ˈbæʃful] *adj* свенлив, срамежлив, плах, свит; ◇ *adv* **bashfully.**

bashfulness [ˈbæʃfulnis] *n* свенливост, срамежливост, скромност, стеснение, смущение.

basic [ˈbeisik] **I.** *adj* **1.** основен, базисен, опорен; **~ stock** *фин.* основен капитал; **2.** *хим.* основен, алкален; **3.** *минер.* слабо силикатен (*за еруптивни скали*); **4.** *метал.* стопен без присъствието на силиций; **~ slag** фосфатен тор; **II.** *n pl* **1.** основна част, правило, принцип, *книж.* максима, начало, постулат; **2.** най-необходимото (*храна, орехи и пр.*); основните неща; **back to the ~s** (*да се върнем*) към основното, (*да помислим*) за принципните неща.

basil [ˈbæzil] *n бот.* босилек *Ocymum basilicum.*

basilica [bəˈzilikə] *n* базилика.

basis [ˈbeisis] *n* (*pl* **bases** [ˈbeisi:z] **1.** основа, база, базис; **2.** основание, *прен., книж.* причина, мотив, аргумент; **3.** начало, принцип, изходна точка.

bask [ba:sk] *v* грея се, топля се, пе-

ка се (*и refl*); **to ~ in the sunshine** грея се на слънце; **to ~ in s.o.'s approval (favour)** радвам се на нечие одобрение (благосклонност).

basket [ˈba:skit] **I.** *n* **1.** кошница, кош, кошче; **2. wastepaper ~** канцеларско кошче, кош за отпадъци; *авиац.* гондола; **3.** *спорт.* баскет, кош; **4.** мрежа (*на смукателна тръба*); **● ~ of goods and services** потребителска кошница; **II.** *v* слагам (хвърлям) в кош; *прен.* захвърлям, запокитвам.

basketball [ˈba:skitbɔ:l] *n спорт.* **1.** баскетбол; **2.** баскетболна топка.

bas-relief [ˈbæsri,li:f] *n* барелеф.

bass [beis] **I.** *n* **1.** бас; **2.** басова партия; **II.** *adj* басов, нисък; **~ clef** басов ключ; **~ drum** тъпан, барабан, тимпан.

bassoon [bəˈsu:n] *n* фагот.

bastard [ˈbæstəd] **I.** *n* **1.** *грубо* копеле; мръсник, кучи син; **2.** незаконородено (извънбрачно) дете; **3.** хибрид; **4.** *остар.* вид сладко вино; **II.** *adj* **1.** незаконороден, извънбрачен; **2.** фалшив, подправен; присторен, привиден; **3.** нередовен, ненормален; необичаен, необикновен; **~ English** завален (развален) английски език; **~ slip** подънка, израстък от корена на ашладисано дърво; **4.** *бот.* подобен, наподобяващ.

baste *v* **1.** бия, пердаша (*с пръчка*), шибам (*разг.*), налагам (*разг.*); **2.** нападам, ругая, хокам, хуля, обиждам.

bastille [bæsˈti:l] *n* крепост; затвор, тъмница, арест, *разг.* дранголник; **the B.** *истор.* Бастилията.

bat₁ [bæt] *n зоол.* прилеп; **blind as a ~** съвсем сляп, "кьор кютюк"; **he's got ~s in the (his) belfry** хлопа му дъската, не е с всичкия си.

bat₂ **I.** *n* **1.** *спорт.* хилка, бухалка (*за бейзбол или крикет*); рядко ракета; **a good ~** добър играч на крикет; **2.** удар, замах, удряне; **3.** тояга, сопа; пръчка, прът; **4.** сигнален уред за насочване на самолети; **● to play a straight ~** **1)** извъртам, отговарям уклончиво; **2)** постъпвам честно и открито;

right off the ~ изведнъж; без подготовка; направо в кариер (*за кон*); **II.** *v* (**-tt-**) **1.** *спорт.* удрям топката (*при бейзбол, крикет и пр.*); **2.** тупам, пляскам, бия, *разг.* шляпам, зашлевявам; **3.** *sl* впускам се, втурвам се; **● to ~ the breeze** *sl* чеша си езика; бръщолевя; **to ~ (it) out** *sl* налягам си парцалите, залягам здраво.

bat₃ *v* (**-tt-**) *разг.* мигам (*в израз на изненада*); **he doesn't ~ an eyelid** (*амер.* **eye**) окото му не трепва.

batcher [ˈbætʃə] *n* бункер, дозатор, питател.

batch-like [ˈbætʃlaik] *adj* с периодично действие.

bate [beit] *v* отслабвам, намалявам; утихвам; смекчавам; притъпявам; **to ~ o.'s hope** преставам да се надявам, отказвам се, отчайвам се, обезверявам се, *книж.* падам духом, *разг.* клюмвам нос.

bath [ba:θ] **I.** *n* (*pl* [ba:ðz]) **1.** баня; вана; **~ of blood** кървава баня; сеч, клане, убийства, кръвопролитие; **2.** къпане, баня; **to take a ~ 1)** къпя се, вземам вана; **2)** *журн.* губя много пари от инвестиция, реализирам голяма загуба; **an early ~** преждевременно оттегляне; **3.** *техн.* баня, вана, ваничка; **hypo ~** фотографска ваничка; **II.** *v* слагам или мия във вана (ваничка).

bathe [beið] **I.** *v* **1.** къпя (се), окъпвам (се), изкъпвам (се); **2.** потапям, намокрям, измокрям, навлажнявам, наквасвам; **3.** мия, умивам, измивам; промивам; обливам; **a room ~d in sunlight** стая, обляна в слънчева светлина; **~d in sweat** облян в пот; **~d in love** обграден с любов; **II.** *n* къпане (*в море, река*).

bathing [ˈbeiðiŋ] *n* къпане; **~ suit** бански костюм.

bathrobe [ˈba:θroub] *n* хавлия; *амер.* халат.

bathtub [ˈba:θtʌb] *n* вана.

baton [ˈbætən] *n* **1.** жезъл; **2.** диригентска палка; **3.** полицейска палка; **to pass (hand) the ~** предавам щафетата; **to pick up the ~**

поемам щафетата.

battalion [bə'tæliən] *n воен.* 1. батальон, артилерийско отделение, дружина; 2. армия в боен ред.

batter₁ ['bætə] I. *v* 1. удрям, бия, бухам; нанасям побой (*на съпруга, дете*); ~ed by wind обрулен от вятъра; 2. *воен.* пробивам, разрушавам (*с артилерийски огън*); ~ing charge *воен.* пълен заряд (*за оръдие*); ~ing train *воен.* група обсадни оръдия; 3. сплесквам; смачквам (*метал, глина*); 4. набивам; очуквам (*монета, букви и пр.*); II. *n* 1. тесто за палачинки; 2. *полигр.* сплеснато място (*в шрифт или клише*).

batter₂ I. *n* наклон (*на стена*); II. *v* наклонявам се навътре, вдавам се (*за стена*).

battery ['bætəri] *n* 1. словесна атака, нападение; 2. *воен.* батарея; *мор.* корабна артилерия; 3. *ел.* батерия; assembled ~ суха батерия; 4. комплект, серия, група (*от еднотипни машини*); **cooking** ~ кухненски принадлежности (*пособия*); 5. *юр.* телесна повреда; обида чрез действие.

battle ['bætəl] I. *n* бой, битка, сражение; *прен.* борба; **maiden** ~ първи бой; бойно кръщение; **pitched** ~ редовно сражение; **to join** ~ **with** завързвам сражение с; II. *v* бия се, сражавам се, водя бой; *прен.* боря се (with, against); **to** ~ **for breath** с мъка си поемам дъх, едва си поемам дъх.

battue ['bætu:] *фр. n* 1. хайка, гонка, засада, *нар.*, *остар.* пусия; клопка; преследване; 2. избиване, клане, сеч; кръвопролитие, изтребление.

bauble [bɔ:bəl] *n* 1. дрънкулка, джунджурия; играчка, дреболия; 2. жезъл на шут; **to deserve the** ~ *прен.* глупав съм, *разг.* будала съм.

baulk, balk [bɔ:k] I. *n* 1. греда; напречна греда; 2. спънка, пречка, препятствие, разочарование; 3. ивица между две бразди; синур, межда, слог; 4. място за начало на играта (*в билярда*); **to make a** ~ правя удар; 5. въже на рибар-

ска мрежа; 6. *амер.* плашлив кон; II. *v* 1. преча, попречвам, спъвам, затруднявам, осуетявам; **to** ~ **a person of his purpose** попречвам на някого (да постигне целта си); 2. сепвам, стресвам, изплашвам, смущавам, изненадвам; 3. дръпвам се, тегля се, спирам се, плаша се, сепвам се, упорствам, ритам (*за кон*); правя засечка (*за машина*); **the horse** ~ed at a leap конят не искаше да прескочи; 4. дърпам се, клинча от, манкирам, лавирам, *разг.* кръшкам; изпортвам; **to** ~ **at a difficulty** искам да избегна трудности; **to** ~ **at an expense** не искам да вляза в разноски, не искам да се охарчвам.

bawdy [bɔ:di] *adj* мръсен, неприличен, непристоен; ~ **house** публичен дом, вертеп, свърталище, място на разврат.

bawl [bɔ:l] I. *v* викам, крещя, рева; **to** ~ **s.o. out** наругавам някого; II. *n* вик, рев, крясък, писък, *поет.* възклик.

bay [bei] *n* залив, пристанище, кей, лиман (*широк*).

baza(a)r [bə'za:] *n* 1. базар, (ориенталски) пазар, тържище, битак, чаршия; 2. голям магазин; 3. базар, разпродажба (*обикн. с благотворителна цел*); 4. безистен.

B.B.C. ['bi:bi:,si:] *abbr* (**British Broadcasting Corporation**) Би Би Си, британска информационна корпорация.

be [bi:] *v* (was [wɔz]; been [bi:n]) *pres sing*: (1) **am**; (2) **are**, *остар.* **art**; (3) **is**; *pl*: (1, 2, 3) **are**; *past sing*: (1) **was**; (2) **were**, *остар.* **wast, wert**; (3) **was**; *pl*: (1, 2, 3) **were**; *pres subjunctive*: ~; *past subjunctive, sing*: (1) **were**; (2) **were**, *остар.* **wert**; (3) **were**; *pl*: (1, 2, 3) **were**; *pp* **been**; *pres p* **being**; *imper* ~; 1. съм (*като свързващ глагол*); **today is Monday** днес е понеделник; **she is my mother** тя е моя майка; 2. равнявам се на, съм; **let x be 6** нека x е равно на 6; 3. струвам; **the fee is 20 dollars** таксата е 20 долара; 4. бъда, съм; съществувам, живея; **he is no more** той не

е вече между живите; **I think therefore I am** мисля, следователно съществувам; 5. става, случва се, сбъдва се, *книж.* обстоятелствата се стичат, осъществява се; **this will not** ~ това няма да стане, "няма да го бъде"; **it was not to** ~ не би, не било писано; 6. *за образуване на всички продължителни времена със сегашното причастие на главния глагол*; **I was not listening** не слушах; 7. *за образуване на страдателния залог*; **the letter is sent** писмото е изпратено; 8. *за образуване на перфект на някои глаголи*: **he is gone** отиде си, няма го; **the sun is set** слънцето залезе; 9. *в съчетание с инфинитива на глагола за означаване на задължение, намерение, възможност*; **they are to arrive on Monday** те трябва (очаква се) да пристигнат в понеделник; **the house is to let** къщата се дава под наем; • **there is, there are** има, намира се, среща се, фигурира, не липсва (*безлично*); **to** ~ **oneself** държа се както винаги, нормално;

be about налице съм, навъртам се, явявам се, отбивам се, мяркам се; **what are you about?** какво (ще) правиш? какво си намислил?;

be along наминавам, навестявам, наобикалям; идвам;

be at занимавам се, работя, зает съм; изучавам; **s.o. has been at my books** някой ми е бутал (бърникал) книгите;

be away отсъствам, няма ме, изчезвам, *разг.* потъвам в земята;

be for в полза съм на; желая, възнамерявам да участвам, да се присъединя; **who's for a walk?** кой ще дойде на разходка?

be in вкъщи съм, у дома съм; **to** ~ **in for it** ще го загазя;

be off отивам си, тръгвам си, потеглям, *разг.* хващам пътя; заминавам; ~ **off!** махай се! да те няма!

be out не съм вкъщи; греша; **to** ~ **out of** свърши ми се, нямам ве-

че; нямам;

be over свършен съм, загубен съм, застрашава ме опасност, загивам, преминал съм;

be up 1) на крак съм, буден съм, готов съм, станал съм; 2) свърши се, край, няма вече; **time is up** времето е минало; **it is all up with him** свърши се с него, отпиши го, заличи го, изтрий го (от).

beach [bi:tʃ] I. *n* 1. плаж, пясък; 2. морски бряг, крайбрежие, кей, лиман; **on the ~** на плажа; *прен.* в трудно положение, на тясно; *мор. sl* в оставка; **to hit the ~** *мор.* излизам (приставам) на брега; II. *v* 1. засядам на пясъка (брега); 2. изтеглям (изкарвам) на пясъка (брега).

beacon ['bi:kn] I. *n* 1. сигнален огън; фар, прожектор; *прен.* светлина, маяк (*и прен.*); 2. място за сигнален огън; хълм; II. *v* 1. осветявам пътя на; водя; 2. поставям фарове (огньове, светлини) за ориентиране; 3. светя като фар.

bead [bi:d] I. *n* 1. мънисто, зърно от броеница (огърлица); 2. *pl* наниз, огърлица; броеница; синци; **to say (tell, count) o.'s ~s** чета (казвам си) молитвата; 3. капка, капчица; мехурче; **~s of sweat** капки пот; 4. *воен.* мушка; **to take (draw) a ~ on** прицелвам се в, вземам на прицел (мушка); 5. *pl* полусферични украшения по ръба на нещо; II. *v* 1. нижа, нанизвам, навървям (*синци и пр.*); 2. украсявам със синци (мъниста); 3. образувам топчета (капки, мехурче) *pl*

beak [bi:k] *n* 1. клюн, човка, *нар.* гага; 2. *sl* нос; 3. *мор.* нос на старинен кораб; 4. шулец, чучурка (*на съд*); 5. *sl* мирови (полицейски) съдия; 6. *уч. sl* учител, директор (*на училище*); 7. филиз, издънка, фиданка, израстък; *прен.* потомък, наследник.

beam [bi:m] I. *n* 1. греда; 2. лъч, сноп; **~ system** *радио.* предаване с насочени вълни; **~ aerial** *радио.* лъчева антена; **a ~ of hope** лъч на надеждата, *прен.* светъл лъч; 3. кросно; 4. рамо (*на вез*

ни); **to kick (strike) the ~** излизам по-лек; *прен., разг.* "падам", победен съм; без значение съм; загубвам значение (влияние); **to tip (turn) the ~** решаващ фактор съм, имам решаващо значение; 5. *мор.* напречна корабна греда (*под палубата*); (най-голяма) ширина (*на кораб, и прен.*); **on the ~** *мор., прен.* странично, напречно; **~ sea** странични вълни; **broad in the ~** дебел; тръплест; 6. процеп, ок, теглич; 7. *техн.* предавателен лост, предавателна щанга; 8. *авиац.* лонжерон, надлъжник; II. *v* 1. сияя, излъчвам, светя (*обикн. прен.*); 2. излъчвам радиопредаване в определена посока.

bean [bi:n] I. *n* 1. бобче, бобово зърно; *pl* боб, фасул; **runner ~** боб, фасул (*обикн. растението*); **~-pod** бобова шушулка; 2. боб зърно (*на кафе и пр.*); 3. *sl* глава; *прен.* мисъл, разум, интелект; ● **full of ~s** запален, въодушевен; жив, енергичен; **to spill the ~s** изтървавам се, изпущам се, раздрънквам се, издавам тайна; II. *v* удрям по главата (*обикн. с топка*).

bean-counter ['bi:nkauntə] *n* счетоводител.

bear₁ [bɛə] *v* (**bore** [bɔ:]; **borne, born** [bɔ:n]) 1. нося (*обикн. прен.*); **rifle-~ing soldiers** войници, въоръжени с пушки; **to ~ the cost** поемам разноските; 2. раждам, добивам (*дете*) (*нар.*), давам живот (*pp* **born**); 3. поддържам, подпирам; нося; **the ice ~s** ледът е достатъчно здрав (*за ходене по него*); 4. издържам на, понасям, изтърпявам, изтрайвам; (*и с* **with**) търпя; **to ~ the misery** понасям несгодите; 5. питая, храня, чувствам, изпитвам, усещам; **to ~ in mind** имам предвид; **to ~ ill will** злонамерен съм; 6. държа се, отнасям се, постъпвам; нося се; **she ~s herself well** тя се държи добре; 7. допускам, предполагам, смятам, подозирам; *книж.* презумирам; **the accident ~s two explanations** произшествието може

да се обясни по два начина; 8. движа се, насочвам се, държа курс; **the ship ~s due west** корабът държи курс точно на запад; ● **to bring influence (pressure) to ~** упражнявам влияние, използвам натиск; **to ~ the brunt of s.th.** понасям най-лошите последствия от нещо;

bear down събарям; преодолявам, надвивам, побеждавам, доминирам; **~ down upon** спускам се върху; връхлетявам върху; (**on**) товар съм за някого;

bear off 1) отнасям, отвличам, отвеждам, отмъквам; 2) отклонявам се, оттеглям се, отстъпвам, отдалечавам се, отстранявам се;

bear on 1) отнасям се до, имам връзка с; 2) натискам, тежа на; **time ~s heavily on him** годините му личат, много е застарял;

bear out потвърждавам, подкрепям; съвпадам с;

bear up 1) поддържам, подкрепям; 2) *мор.* държа курс по вятъра; 3) държа се, не падам духом, крепя се, преживявам, съществувам;

bear with търпелив съм, добър съм, толерантен съм спрямо.

bear₂ I. *n* 1. мечка, мечок; **grizzly ~** гризли, американска сива мечка *Ursus horribilis*; **polar ~** бяла мечка, полярна мечка *Ursus maritimus*; 2. спекулант, който се ръководи в сделките си от очакване за спадане на цените; 3. *астр.* **Great B.** Голямата мечка; **Little B.** Малката мечка; 4. некултурен (груб) човек, невежа, нецивилизован, неук; II. *v* 1. спекулирам в очакване на спадане на цените; 2. опитвам се да понижа цената на.

beard [biəd] I. *n* 1. брада; **to laugh in o.'s ~** подсмивам се тайно, усмихвам се под мустак; **to speak in o.'s ~** говоря под носа си, мърморя, мънкам; 2. *бот.* осили, косми, власи; II. *v* 1. хващам (дърпам) за брадата; 2. действам смело против, хвърлям се срещу, противопоставям се смело на ...; **to ~ the lion in his den** *прен.* хващам бика за рогата.

bearer ['bɛərər] *n* 1. носител; но

сач, хамалин, преносвач; **this tree is a poor ~** това дърво не ражда много; 2. *техн.* опора, подпора; подложка; възглавничка; 3. предявител, приносител, *юр.* държател, титуляр; **a check payable to ~** чек, платим на предявителя; 4. *обикн.* pl хората, които носят ковчега при погребение.

bearing ['bɛəriŋ] *n* 1. държание, поведение; маниер, обноски, отношение; 2. отношение, връзка; **diet has an important ~ on your health** хранението е важен фактор за здравето; 3. раждане, даване плод; 4. понасяне, търпене, траене, страдане; **beyond (past) all ~** нетърпим, непоносим; 5. *техн.* лагер; опора; **ball-~** сачмен лагер; **roller-~** ролков лагер; 6. pl *мор. авиац.* ориентировъчни данни, местоположение; *прен.* ориентировка; **to take (find, get) o.'s ~** ориентирам се, справям се, оправям се; изяснявам си; 7. pl девиз на герб.

beast [bi:st] *n* 1. животно (*четириного*); *прен.* скот, звяр, чудовище; *прен.* жесток, безмилостен, свиреп; **~ of burden** товарно животно; 2. звяр; **~ of prey** хищник, *прен.* грабител; акула, хиена; 3. *прен.* животинска природа (*у човека*).

beasty ['bi:sti] I. *adj* 1. животински, скотски; зверски; 2. *разг.* отвратителен, ужасен, мръсен, гаден, гнусен; II. *adv разг.* отвратително, ужасно, страхотно, изключително много.

beat [bi:t] I. *v* (**beat** [bi:t, bet], **beaten** [bi:tn]) 1. бия, удрям, блъскам; **to ~ black and blue** бия до посиняване; **to ~ time** тактувам; 2. разбивам (*яйца*); кова (*метал*); счуквам; меся (*тесто*); утъпквам (*път*); **to ~ a path to s.o.'s door** път правя до нечия врата (*прен.*); посещавам някого много често; 3. пулсирам, туптя, тупкам; 4. разбивам се (*за вълни*); пляскам (*с криле*); плискам се; шибам (*за дъжд*); 5. побеждавам, надвивам; *разг.* превъзхождам, тържествувам, *книж.* ликувам; **you**

can't **~ soap and water for cleansing** нищо не чисти (пере) по-добре от сапуна и водата; **he ~ me to it** той ме изпревари, превари ме; 6. объркам, не разбирам; **it ~s me** не разбирам, не проумявам; 7. претърсвам, претършувам (*за дивеч*); 8. *sl* изигравам; заобикалям (*закон*); 9. *физ.* бия (*за звук, вследствие интерференция*); 10. *мор.* лавирам (up, about); • **to ~ o.'s breast** бия се по гърдите (*от скръб*); скубя си косите; **to ~ the air** правя напразни усилия, работя на вятъра, работя за тоя, дето духа; преливам от пусто в празно;
beat about лутам се, блъскам се, *разг.* рея се, суетя се, *поет.* витая; *прен.* в безпътица съм, колебая се; **to ~ about (around) the bush** говоря уклончиво, не казвам най-важното, увъртам;
beat down 1) подбивам, намалявам (*цена*); 2) сломявам, съсипвам, *прен.* сразявам, съкрушавам; *книж.* убивам духом; 3) (*за слънце*) сипе жар, пече безмилостно; (*за дъжд*) шибам, плющя;
beat back (off) отбивам, отблъсквам, отклонявам, отхвърлям; *книж.* осуетявам, парирам;
beat out 1) избивам, изчуквам; **to ~ out the meaning** разяснявам значението; **to ~ out a fire** потушавам огън; разгасям огън; **~en out** капнал, премалял, отмалял, изнемощял, изтощен; 2) *амер.* съсипвам, побеждавам (*в състезание*);
beat up 1) пребивам, удрям силно, *нар.* претрепвам, *разг.* смазвам от бой; 2) *разг.* свиквам, събирам; 3) *мор.* движа се срещу вятъра;
II. *n* 1. удар; бой, биене (*на барабан*); **the measured ~ of the waves** отмереното плискане на вълните; 2. туптене, тупкане, пулсиране; 3. *муз.* тактуване, даване на такт; ритъм, такт; 4. плясък на криле; 5. обход, участък, район (*на подвижен пост*); *прен.* обхват, обсег, район на действие, обем, размер; **to be on the ~ об-**

хождам, патрулирам; 6. *физ.* биене (*вследствие интерференция*); 7. *амер.* вестникарска сензация; **to get a ~ on s.o.** излъгвам (изигравам, измамвам, надхитрявам) някого; 8. *мор.* променям курса на кораб спрямо вятъра; 9. район за ловуване; III. *adj разг.* изморен, изтощен, капнал, отмалял, изнемощял; (**dead ~**); **the ~ generation** следващото поколение от отчаяни младежи.

beatitude [bi'ætitju:d] *n* 1. блаженство, доволство, щастие, наслаждение; **His B.** Негово блаженство; 2. *рел.* една от притчите от проповедта на планината.

beautiful ['bju:tiful] *adj* красив, прелестен, прекрасен; хубав, чудесен; **~ people** хора, чиито имена се появяват често в светските вестникарски хроники; ◇ *adv* **beautifully**.

beautify ['bju:tifai] *v* разхубавявам (се), разкрасявам (се), хубавея, ставам хубав (красив).

beauty ['bju:ti] *n* 1. красота, прелест, хубост; **that's the ~ of it** това му е хубавото; 2. красавица, хубавица, омайница, чаровница, *нар.* гиздавелка.

because [bi'kɔz] *cj adv* защото, тъй като, понеже; **~ of** поради, заради, по причина на, вследствие на.

beckon ['bekən] *v* 1. махвам (на), повиквам, кимвам (на), давам знак (на); 2. привличам, примамлив съм; **the attractions of the peninsula ~** прелестите на полуострова са много примамливи; **old age ~s** старостта приближава.

becloud [bi'klaud] *v лит.* заоблачавам, помрачавам, забулвам, покривам с облаци; *прен.* замъглявам, затъмнявам.

become [bi'kʌm] *v* (**became** [bi'keim]; **become**) 1. ставам, случвам се, бивам; **what will ~ of him?** какво ли ще стане (излезе) от него?; 2. подхождам, отивам, прилягам; приличам, подобавам.

bed [bed] I. *n* 1. легло, постеля, ложе; **narrow ~, ~ of dust** *прен.*

гроб; ~ **of roses (flowers, down)** *прен.* лек и приятен живот; ~ **of thorns** *прен.* тежък живот, тежко положение; 2. дъно, русло (*на река, море*); 3. леха; 4. *строит.* основа (*от камъни, на шосе или жп линия*), баласт, фундамент; платно; 5. квартира, пари за квартира; ~ **and board** пълен пансион, храна и квартира; 6. леговище, убежище, дупка, бърлога, "жилище"; **to ~ down somewhere** преспивам някъде; 7. *остар.* дюшек; 8. пласт, слой, настилка, ред; II. *v* (**-dd-**) 1. *остар.* слагам да легне; поставям, полагам; лягам си; 2. слагам постеля (*на добитък, от слама*); 3. разсаждам в лехи (**out**); 4. *геол.* наслоявам се, напластявам се; 5. *остар.* лягам с (**with**).

bedaub [bi'dɔ:b] *v* наплесквам, нацапвам, размазвам, изцапвам.

bedazzle [bi'dæzəl] *v* обърквам, шашвам, замайвам, заслепявам, зашеметявам.

bedevil [bi'devil] *v* 1. тормозя, мъча, терзая; 2. омагьосвам, *прен.* омайвам, заслепявам; 3. обърквам, разбърквам, разстройвам.

bedim [bi'dim] *v* замъглявам, затъмнявам, заоблачавам, затулям, помрачавам.

bedizen [bi'dizn] *v* труфя, кича, украсявам безвкусно, контя, натруфям.

bedlam ['bedləm] *n* психиатрия, лудница, психиатрична болница; *прен.* хаос, бъркотия, безредие, безпорядък, неразбория.

bedlamite ['bedləmait] *adj* луд, умопобъркан, душевноболен.

bedroom ['bedru(:)m] *n* спалня; **single (double) ~** спалня с едно (две) легло.

bee [bi:] I. *n* 1. пчела; **to be like a ~ in a bottle** бръмча непрекъснато; 2. *прен.* трудолюбив, работлив, делови, предприемчив човек; 3. *амер.* компания (*за забавление или работа*); **a husking ~** белянка; **working ~** седянка; 4. *прен.* "бръмбар"; **to have a ~ in o.'s bonnet** влязъл ми е бръмбар в главата, вманиачавам се, увли-

чам се, пристрастявам се; **have o.'s head full of ~s** фантазьор съм, строя въздушни кули; II. *v* гледам пчели.

beech [bi:tʃ] I. *n бот.* бук; II. *adj* (*u* **beechen**) буков.

beef [bi:f] I. *n* (*pl* **beeves** [bi:vz], **beefs** [bi:fs], *събир.* **beef**) 1. *остар.* говедо; 2. говеждо месо; **corned ~** консервирано говеждо, саздърма; 3. *разг.* месо, пълнота; тегло; **to be ~ to the heels** дебел съм като бъчва; **he's got plenty of ~** надебелял е; има доста мускули; 4. *разг.* мускули; сила; 5. *sl* оплакване, жалба; II. *v sl* 1. роптая, негодувам, протестирам, *разг.* зъбя се; 2. оплаквам се, жаля се; окайвам се; възмущавам се, недоволствам; 3.: **to ~ up** подобрявам, утвърждавам, заздравявам, заякчавам.

beefsteak ['bi:f'steik] *n* бифтек, говежда пържола.

beep ['bi:p] I. *n* пиюкане, изписукване; II. *v* пиюкам; писукам (*за телефон, будилник*).

beeper ['bi:pə] *n разг.* пейджър; електронно устройство за съобщения.

beer [biə] *n* бира, пиво; **small ~** слаба бира; *прен.* нещо маловажно, "дребна риба"; ● **to think no small ~ of oneself** имам високо мнение за себе си.

beery ['biəri] *adj* 1. бирен; 2. попийнал, посръбнал си, леко пиян; пиянски.

beetle₁ ['bi:təl] I. *n* 1. бръмбар; буболечка; 2. хлебарка (*u* **black ~**); **~ blind, blind as a ~** напълно сляп; II. *v sl* 1. (*u* **~off, away**) бързам, хуквам, запрасквам; 2. отправям се, тръгвам към, запътвам се.

beetle₂ I. *n* 1. *техн.* трамбовка, баба, тежък дървен чук; 2. бухалка, тепавица; II. *v* 1. трамбовам; 2. дробя камъни; 3. бухам, тупам, блъскам, удрям; тепам.

beetle₃ I. *v* изпъквам, издавам напред, надвисвам; **~ brows** надвиснали вежди; II. *adj* надвиснал.

beezer ['bi:zə] *n sl* 1. лице, мутра; 2. нос.

befall [bi'fɔl] *v* (**befell** [bi'fel]; **befallen** [bi'fɔ:ln]) 1. случвам се, ставам; сполетявам; **it so befell that** така се случи, че; **a strange fate befell him** остар. отнасям се, принадлежа, числя се, спадам към.

befit [bi'fit] *v* подхождам, приличам, пасвам, отивам; подобавам (на).

befog [bi'fɔg] *v* 1. замъглявам, затъмнявам, премрежвам; скривам; 2. *прен.* замотавам, обърквам (*тема, въпрос*).

before [bi'fɔ:] I. *prep* 1. преди; ~ **o.'s time** преждевременно, преди срока; ~ **Christ (B.C.)** преди новата ера, преди Христа; 2. пред; **he walks ~ me** той върви пред мене; ~ **o.'s nose** право пред себе си; 3. пред, в присъствието на; **to appear ~ the Court** явявам се пред съда; ● ~ **the mast** като обикновен моряк; ~ **s.o. eyes** пред очите му; II. *adv* 1. отпред, напред; **he ran on ~** той избяга напред; 2. преди, по-рано; *прен.* по-горе; **come at 5 o'clock, not ~** ела в 5 часа, не по-рано; **as I said ~** както казах преди; 3. досега, по-рано, някога; **I have been there ~** знам си го; **I had met him ~** бях го срещал по-рано (преди това); III. *cj* 1. преди да; **think ~ you answer** мисли, преди да отговориш; 2. по-скоро, отколкото да; нежели да; **I would die ~ I gave in** по-скоро бих умрял, отколкото да се предам.

beforehand [bi'fɔ:hænd] *adv* 1. преди, отпреди, от по-рано, отрано; 2. предварително, прибързано, ненавреме, преждевременно; 3.: **to be ~** избързвам, готов съм преди срока, изпълнявам предсрочно.

befoul [bi'faul] *v* замърсявам, измацвам, оплесквам, оцапвам, омърсявам; *прен.* осквернявам, опозорявам, очерням, оплитавам, петня; **to ~ o.'s own nest** черня собствения си род (себе си).

befriend [bi'frend] *v* отнасям се приятелски (към); помагам, подпомагам, подкрепям (*в нужда*).

befuddle [bi'fʌdəl] v **1.** опивам, упойвам, притъпявам (*с алкохол*); **2.** обърквам, забърквам, мотам.

beg [beg] v (-gg-) **1.** прося, изпросвам, измолвам; to ~ o.'s life измолвам живота си; **2.** моля, замолвам, апелирам; to ~ leave to искам разрешение; ● I ~ to differ казвам, позволявам си да съм на друго мнение; to ~ the question поставям въпроса.

beget [bi'get] v (begot [bi'got]; begotten [bi'gotən]) **1.** раждам, създавам (*за мъж родител*); **2.** пораждам, произвеждам; poverty ~s debt бедността води до задлъжняване.

beggar ['begə] I. n **1.** просяк, *прен.* бедняк, сиромах, дрипльо; **2.** бедняк, сиромах; **3.** *разг.* палангозин; хубостник, непрокопсаник, негодник, *нар.* обесник; човек; poor ~ завалията, бедното, горкото! lucky ~ щастливец, късметлия; II. v **1.** разорявам, опропастявам; to ~ o.s. разорявам се, съсипвам се; пропадам; **2.** превъзхождам, надминавам; it ~s (all) description не се поддава на описание; it ~ belief невероятно е, не може да бъде.

beggary ['begəri] n **1.** бедниотия, нищета, бедност; reduced to ~ доведен до просешка тояга; **2.** просяци, *прен.* бедняк, сиромах, дрипльо.

begin [bi'gin] v (began [bi'gæn]; begun [bi'gʌn]; beginning) започвам, почвам; to ~ at the beginning започвам от самото начало.

beginner [bi'ginə] n начинаещ, начеващ, новак, *прен.* неопитен, некомпетентен, неук; a mere ~ обикновен новак.

beginning [bi'giniŋ] n **1.** започване, начало; *pl* наченки; at (in) the ~ отначало; **2.** изходна, начална, отправна точка, източник; his humble ~s бедното му потекло.

begrudge [bi'grʌdʒ] v **1.** завиждам, изпитвам завист (злоба), *книж.* злорадствам; I do not ~ him the Nobel Prize не му завиждам за Нобеловата награда; **2.** жаля,

скъпя се за; свиди ми се; he did not ~ the money не му свидеха парите.

beguile [bi'gail] v **1.** очаровам, привличам, харесвам се; the paintings ~ed him картините му се понравиха, остана омаян от картините; **2.** измамвам, подлъгвам, залъгвам, прелъгвам, заблуждавам (into); she ~d him of his money измъкна му парите с хитрост; **3.** *прен.* залъгвам (*време, грижи*); to ~ the time убивам времето.

beguiling ['bigailiŋ] adj очарователен, привлекателен; ◇ adv beguilingly.

behave [bi'heiv] v **1.** държа се добре (прилично) (*често refl*); you must ~ трябва да се държиш добре; ~ yourself! дръж се прилично; **2.** *с adv* държа се, постъпвам; отнасям се (to, towards); to ~ beautifully (ill, badly) държа се добре (лошо); **3.** *разг.* работя, върви (*за машина*).

behavio(u)r [bi'heiviə] n **1.** държание, поведение, маниери; proper ~ добро държание; **2.** *техн.* режим (*на работа*); състояние; свойство; характеристики.

behead [bi'hed] v обезглавявам, убивам, умъртвявам, гилотинирам; оставям без ръководител (*прен.*).

behind [bi'haind] I. prep **1.** зад, отзад, оттатък; ~ o.'s back зад гърба на някого; **2.** след, зад; ~ him in rank по-нисшестоящ от него; to be ~ schedule изоставам; II. adv **1.** отзад; назад; to put s.th. ~ преодолявам миналото и заживявам с настоящето; **2.** назад (*в прогрес, развитие*); to fall ~ (in school) изоставам (*в училище*); **3.** назад (*за часовник*); the clock runs ~ часовникът остава назад; III. n *разг.* задница, гръб, задник.

behold [bi'hould] v (beheld [bi'held]) **1.** *лит.* виждам, гледам, поглеждам, забелязвам, съзирам; **2.** *int остар.* виж! гледай! ето! lo, and ~ и какво да видиш!

beholder [bi'houldə] n зрител, очевидец, свидетел; beauty is in the

eye of the ~ красотата е нещо субективно (*което съществува в очите на този, който я възприема*).

being [bi:iŋ] I. n **1.** съществуване; живот; битие; to come into ~ започвам да съществувам, възниквам, появявам се; **2.** същество, организъм, човек; inanimate ~s неодушевени същества; **3.** естество, природа, натура; същност; II. adj настоящ, съществуващ, реален; for the time ~ засега; III. pres p бидейки; that ~ so щом е така.

belabo(u)r [bi'leibə] v *амер.* **1.** удрям, блъскам, бухам, налагам; **2.** обиждам, ругая; **3.** обработвам, работя върху; **4.** *прен.* износвам, изцеждам; to ~ a subject изчерпвам напълно дадена тема.

belch ['beltʃ] I. v **1.** оригвам се; **2.** изригвам, избухвам, бълвам; a cloud of steam ~ed from the engine от двигателя изкочи облак пара; **3.** *прен.* бълвам (*проклятия, обиди*); II. n **1.** оригване; **2.** избухване (*на пламък, газ, дим*).

beleaguer [bi'li:gə] v *воен.* обсаждам; обкръжавам (*и прен.*), заграждам, блокирам.

Belgian ['beldʒən] I. n белгиец; II. adj белгийски.

Belgium ['beldʒəm] n Белгия.

belie, bely [bi'lai] v (belied, belying) **1.** опровергавам, противореча; давам невярна представа за; her looks ~ her 50 years видът й не отговаря на годините й, изглежда много по-млада от 50-годишна; **2.** не оправдавам; his expectations were completely ~d later on очакванията му изобщо не се оправдаха по-късно; **3.** *остар.* злепоставям, излагам, компрометирам, опозорявам, клевета.

belief [bi'li:f] n **1.** вяра, доверие, упование, надежда (in); **2.** убеждение, мнение, възглед, разбиране, съвет; contrary to popular ~ обратно на общоприетото мнение; **3.** *рел.* вярване, вяра; вероизповедание, религия; the Christian ~ християнската религия.

believable [bi'li:vəbəl] adj правдо-

подобен; вероятен, възможен, очакван, хипотетичен.

believe [bi'li:v] 1. вярвам, доверявам се, уповавам се, разчитам; 2. мисля, предполагам, допускам, струва ми се; I ~ so вярвам, предполагам.

believer [bi'li:və] *n* 1. вярващ; християнин; **true** ~ правоверен; 2. привърженик, последовател, сподвижник; **he is a great ~ in herbal medicine** той е голям привърженик на билковото лечение.

belittle [bi'litəl] *v* 1. омаловажавам, подценявам, недооценявам, не зачитам, пренебрегвам; 2. *рядко* смалявам, намалявам.

bell [bel] I. *n* 1. камбана; 2. звънец, звънче; хлопка; **as clear as a** ~ кристално чист (*за звук*), ясен; **there goes the** ~ звъни се; 3. звънене, звън; позвъняване; **to give s.o. a** ~ звъввам един телефон, позвънявам по телефона; 4. *мор. обикн. pl* разделение на вахтата на половин час; **8** ~**s** осем звъна (за означаване на 4, 8, 12 часа); 5. *бот.* чашка; 6. широката част на фуния (*на духов инструмент, лула и пр.*); 7. конус (*на висока пещ*); • ~**s and whistles** дрънкулки, украшения; **sound as a** ~ в превъзходно състояние; чувствам се великолепно (*за вложения, бизнес и др.*); стабилен; II. *v* 1. снабдявам със звънци; 2. вземам форма на звънец; • **to** ~ **the cat** предприемам нещо опасно, рисковано.

belle [bel] *n остар.* красавица, хубавица, чаровница, омайница, вълшебница; **the** ~ **of the ball** царица на бала.

belles-lettres ['bel'letr] *n pl фр.* белетристика.

belletrist [,be'letrist] *n* белетрист, есеист, критик.

belligerent [bi'lidʒərənt] I. *n* воюваща страна; II. *adj* 1. войнствен, нападателен, настъпателен, агресивен; ◊ *adv* **belligerently;** 2. воюваш, водещ война, сражаваш се; *прен.* борещ се; ~ **power** воюващи сили (държави).

bellow ['belou] I. *v* 1. муча; 2. рева,

вия, ридая, *разг.* надувам гайдата, викам високо; 3. гърмя, трещя (*за оръдие*); бушувам, вилнея, развилнявам се (*за вятър*); II. *n* мучене; рев, вик.

belly ['beli] I. *n* 1. корем, търбух; благоутробие; утроба; тумбак; голям корем, шкембе; 2. вътрешност, сърцевина, ядро; *остар., поет.* недра; **the** ~ **of a ship** вътрешност на кораб; 3. изпъкналост, издутина; *муз.* горен профил (*на струнен инструмент*), коремче; 4. *мор.* издутина на корабно платно, ветрило, корем; 5. *прен.* апетит, лакомия, неутолим глад, ненаситност; 6. *прен.* сърце, душа, вътрешен мир, психика, душевност; **to have fire in o.'s** ~ обзет съм от вдъхновение; ~ **up** *разг.* 1) фалирал (*за компания*); умрял, опънал петалата; 2) пиян, гипсиран; ~ **button** *sl* пъп; **to be given to o.'s** ~ чревоугодник (лакомник, гастроном) съм, угаждам си; II. *v* издувам се, надувам се, наедрявам, раста (*и* ~ **out);** ~**ing sails** издути платна.

belly-ache ['belieik] I. *n разг.* стомашна болка; II. *v sl* мърморя, *прен., разг.* негодувам, роптая, сърдя се, ръмжа.

belong [bi'lɔŋ] *v* 1. принадлежа, числя се, отнасям се към, спадам към (**to**); отнасям се до, спадам (**with, among**); **this handwriting** ~**s to a man** почеркът е на мъж (мъжки); 2. мястото ми е; I ~ **here** родом съм от тези места; **we** ~ **to different worlds** ние сме от (принадлежим на) различни светове; 3. приобщен съм, член съм на, свързан съм с; **he** ~**s** той е от нашите; **she** ~**s to the basketball team** тя е от отбора по баскетбол.

below [bi'lou] I. *prep* 1. под; ~ **freezing** под нулата; ~ (**the**) **ground** под земята; 2. под, пониско от (*за качество, ниво и пр.*); **it is** ~ **me to do the housework** под достойнството ми е да се занимавам с домакинство; II. *adv* 1. долу, отдолу; **the place** ~ адът; 2. по-долу (*на страница*);

see the notes ~ виж бележките по-долу (*под линия*); 3. по-долу (*за степен, количество и пр.*).

belt [belt] I. *n* 1. колан, пояс, каиш; **life** ~ спасителен пояс; **safety (seat)** ~ предпазен колан; 2. пояс, зона; район; **shelter** ~, (**green** ~) полезащитен горски пояс; **cotton** ~ памукопроизводителен район; 3. *техн.* трансмисионен ремък; (*и* **driving** ~); **angle** ~ клинов ремък; 4. лента, бандаж; **conveyor** ~ транспортна лента; 5. *воен.* пълнител за автомат; **cartridge** ~ патрондаш; 6. *мор.* брониран пояс; 7. тесен пролив; • **a** ~ **and braces approach** двойно подсигуряване; **to hit below the** ~ *спорт. и прен.* нанасям непозволен удар, постъпвам непочтено, не подбирам средства; II. *v* 1. опасвам, препасвам, обгръщам; **to** ~ **on a sword** препасвам сабя; **to** ~ **with trees** ограждам с дървета; 2. бия с каиш или колан; *разг.* бия, удрям, пердаша; 3.: **to** ~ **it** хуквам, втурвам се, тичам, *разг.* удрям на бяг; ~ **up!** млъкни! затвори си устата!; **to** ~ **along** профучавам бързо, стрелкам се; движа се бързо; 4. (**out**) *разг.* пея с висок дрезгав глас.

bely, belie [bi'lai] *v* (**belied, belying**) 1. опровергавам, противореча; давам невярна представа за; **his acts** ~ **his words** делата му противоречат на думите му; 2. не оправдавам; **his expectations were completely** ~**d later on** очакванията му изобщо не се оправдаха по-късно; 3. *остар.* злепоставям, клевета.

bemire [bi'maiə] *v* изкалям, изцапвам, изплесквам, измърсявам; *прен.* натиквам в кал и мръсотия.

bemoan [bi'moun] *v* оплаквам, окайвам, тъжа, скърбя (*с плач*).

bemuse [bi'mju:z] *v* упойвам, замайвам, зашеметявам; *прен.* поразявам, слисвам, изумявам.

bench [bentʃ] I. *n* 1. скамейка, пейка, седалище; 2. мястото на съдия в съд или на целия състав на съда; 3. съдийска длъжност; съд; *събир.* съдии, управници; **to serve**

on the ~ работя като съдия; **4.** места, банки (*в парламента*); **the back** ~ банки на обикновени членове на партия; бакбенчери; **the front** ~ министерски места; *прен.* министри; водачи на опозицията; **5.** тезгях (*на дърводелец*); **6.** подставка за куче (*на кинолoptions изложба*); **7.** киноложка изложба, изложба на кучета; **8.** *геол.* такса; • on the ~ *спорт.* който не играе в момента, резерва; **to be on the anxious** ~ седя на тръни, безпокоя се; тревожа се; **II.** *v* **1.** снабдявам с, поставям скамейки; **2.** определям местата на състава на съд; заемам мястото си (*като съдия*); **3.** *спорт.* изваждам, отстранявам от мач, игра.

bench-warmer ['bentʃˌwɔːmə] *n sl* бездомник, скитник, бедняк, несретник.

bend [bend] (**bent** [bent]) **I.** *v* **1.** извивам (се), превивам (се); свивам (се); изгърбвам се; **bent double** превит на две; **to** ~ **o.'s brows** свивам вежди, намръщвам се; **2.** навеждам се; покланям се; **to** ~ **towards** навеждам се към; **3.** *мор.* завързвам (*въже, платна*); **4.** опъвам, обтягам (*лък*); **5.** подчинявам (се); пречупвам воля, превивам; **to** ~ **o.'s neck (back)** покорявам се, превивам врат (гръб) пред; **6.** изкривявам, тълкувам превратно (*закон, правило*); **7.** насочвам, съсредоточавам, напрягам; **to** ~ **o.'s steps towards** поемам към; **to** ~ **o.'s energies to a task** съсредоточавам силите си в дадена дейност; **8.** сменям посоката си, завивам, възвивам, криввам, правя завой; правя завой (*и прен.*); **to** ~ **on o.'s attitude** променям становището си (*отношението си*); **II.** *n* **1.** извиване, извивка; завой, ъгъл, заобикалка; **2.** навеждане, изгърбване; поклон, поздрав, привет, *нар.* метан; **3.** *мор.* възел; **4.** коляно, дъга (*на тръбопровод*); **5.** *pl разг.* **the** ~**s** спазми, конвулсии (*от промяна на атмосферното налягане*); • round the ~ смах-

нат, откачен, пернат; **to drive s.o. round the** ~ вбесявам, дразня, лазя по нервите на някого; **beneath** [bi'niːθ] **I.** *prep* **1.** под, отдолу под; ~ **o.'s breath** тихо, шепнешком, шепнейки, *нар.* шепнешката; **2.** под (*за положение, степен*); ~ **criticism** под всякаква критика; ~ **o.'s dignity** под достойнството си; **II.** *adv* долу, отдолу, изпод, от дълбочина.

benefaction [ˌbeniˈfækʃən] *n* благодеяние, добрина, състрадание; дар, милостиня.

benefactor ['benifæktə] *n* благодетел, благотворител, покровител, меценат.

beneficent [bi'nefisnt] *adj* **1.** благотворителен, добродетелен, филантроп; благороден, благодетелен; **2.** благотворен, благоприятен, спасителен.

benefit ['benifit] **I.** *n* **1.** облага, полза, преимущество, печалба, изгода; **to be denied the** ~**s** не се ползвам от преимуществата (привилегиите); **to derive** ~ **from** извличам полза от; **2.** печалба, доход, актив, добив; **fringe** ~**s** парични и натурални надбавки (*към заплата*); **3.** издръжка, подкрепа, прехрана, *книж.* алименти, помощ; **maternity** ~ помощ за майчинство; **disability** ~ заплащане при нетрудоспособност; **4.** *театр.* бенефис, представление с благотворителна цел; ~ **concert** благотворителен концерт; • **to take the** ~ *амер.* обявявам се за неплатежоспособен и се избавям; **II.** *v* **1.** извличам полза, получавам, спечелвам (**by**); **2.** помагам, благодетелствам; **3.** ползвам, получавам облага; имам, владея, боравя.

benevolence [bi'nevələns] *n* **1.** доброжелателство, благосклонност; доброта, милосърдие; благоволение; **2.** щедрост; изобилие, богатство; благотворителност; **3.** *истор. англ.* данък, насилствен заем, събиран от някои крале като особена привилегия.

benevolent [bi'nevələnt] *adj* **1.** благосклонен, доброжелателен, бла-

горазположен, любезен, ласкав; милосърден, благ, състрадателен, доброжелателен; **2.** щедър, великодушен, благотворителен; ◇ *adv* **benevolently.**

benighted [bi'naitid] *adj* **1.** замръкнал, окъснял; **2.** *прен.* потънал в невежество, невеж, прост, ограничен, профан, необразован; ~ **policy** сляпа (некомпетентна) политика.

benign [bi'nain] *adj* **1.** добър, благ; любезен, мил; ◇ *adv* **benignly**; **2.** благоприятен, мек (*за климат*); плодороден (*за почва*); **3.** *мед.* доброкачествен; **4.** облекчен (*за режим*); • ~ **neglect** пренебрегване на проблем с надеждата, че нещата ще се оправят от само себе си.

benignity [bi'nignity] *n* **1.** доброта, човещина, милост, нежност, благост; **2.** добрина, благодеяние, услуга; **3.** мекост (*за климат*).

bent[1] [bent] **I.** *adj* **1.** извит, изкривен; ~ **lever** извит лост; **a** ~ **old man** прегърбен (превит) старец; **2.** твърдо решен, категоричен, решителен (**on**); ~ **on succeeding** решен да успее; **3.** нечестен, корумпиран; **4.** *sl* обратен, хомосексуален; **II.** *n* **1.** склонност, наклонност, стремеж; **a** ~ **for languages** склонност към изучаване на езици; **2.** извивка; склон (*на хълм*); **at the top of o.'s** ~ в найдобра форма съм; **3.** строителна конструкция за опора на мост или постройка.

bent[2] *n бот.* **1.** полска, степна трева *Agrostis*; **2.** поле; степ, пуста.

benumb [bi'nʌm] *v* **1.** вцепенявам, вкочанявам (*за студ*), вдървявам; **2.** *прен.* притъпявам, парализирам, сковавам (*чувства, действия*).

benzine [ben'ziːn] *n* бензин.

bequeath [bi'kwiːθ], [bi'kwiːð] *v* **1.** *юр.* завещавам (*пари*); **2.** предавам, оставям на потомството (*име, пример*); **3.** поверявам, предавам.

bequest [bi'kwest] *n юр.* **1.** завещание, завещаване, *книж.* завет, дарение; **2.** наследство, посмър-

тен дар.

berate [bi'reit] v смъмрям, гълча, карам се, хокам, упреквам.

bereave [bi'ri:v] v (**bereaved, bereft** [bi'reft]) 1. лишавам, отнемам (**of**), отмъквам; заграбвам, присвоявам; **bereft of hope** лишен от надежда; 2. съкрушавам, оставам безутешен, сломявам, съсипвам се, смазан съм (*от смъртта на близък*); **to be ~d of o.'s parents** загубвам родителите си; **the ~d** опечалените, скърбящите, неутешимите.

berg [bə:g] n айсберг, ледена планина.

berserk ['bə:sək] I. adj необуздан, буен, несдържан, стихиен; безумен; ~ **rage** безумен гняв; **to go ~** обезумявам, обхванат съм от ярост; II. n 1. *истор.* безстрашен ✦воин (*от скандинавския фолклор*); 2. разгневен, разярен човек.

beseech [bi'si:tʃ] v (**besought** [bi'sɔ:t]) умолявам, апелирам, моля настоятелно, прося.

beset [bi'set] v (**beset**) 1. обсаждам, заобикалям, обкръжавам, обграждам; нападам; **a country ~ with severe economic problems** страна, затънала в икономически проблеми; 2. преграждам, блокирам, заграждам, заемам (път); 3. нареждам, обсипвам; **with jewels** обсипан със скъпоценни камъни.

beside [bi'said] prep 1. до, при, покрай, близо до; 2. в допълнение на, освен, без, с изключение на, независимо; **other men ~ ourselves** други хора освен нас; 3. в сравнение с; **his efforts look feeble ~ yours** неговите усилия изглеждат нищожни в сравнение с твоите; 4. извън, далеч от; ~ **the question** (**point, mark, purpose**) далеч от въпроса; не на място, не по същество; ~ **oneself with** извън себе си (обезумял, побеснял; *разг.* пощурял, луд) от.

besides [bi'saidz] I. adv освен това; при това, свръх това, в допълнение, нещо повече; също; II. prep 1. освен, без, независимо, вън от това; 2. в допълнение на (към).

besiege [bi'si:dʒ] v 1. *воен.* обсаждам, обкръжавам, обграждам; 2. тълпя се около; 3. *прен.* обсипвам, отрупвам, засипвам, затрупвам (**with**) (*с въпроси, молби и др.*).

besmirch [bi'smə:tʃ] v 1. омърсявам, оплесквам, зацапвам, замърсявам; 2. *прен.* опетнявам, очерням, черня, безчестя.

besot [bi'sɔt] v рядко 1. напивам, напоявам, упоявам, опивам; 2. зашеметявам, вземам ума на, завъртам главата на; 3. *refl* видиотявам се; алкохолизирам се, пропивам се.

bespatter [bi'spætə] v 1. опръсквам, изцапвам, оплесквам, замърсявам (*с кал, мръсотия*); 2. пръскам, разпръсквам, напоявам; пропилявам; 3. *прен.* клеветя; хуля, злословя, обвинявам, охулвам.

bespeak [bi'spi:k] v (**bespoke** [bi'spouk]; **bespoke(n)** [bi'spouk(n)]) 1. показвам, издавам, говоря за, означавам; 2. *поет.* обръщам се към (*някого*).

besprinkle [bi'sprinkəl] v напръсквам, поръсвам, посипвам, разпръсквам (**with**).

best [best] (*превъзх. степен от* **good, well**) I. adj 1. най-добър, най-хубав; 2. най-голям; **the ~ part** най-голямата част от; 3. най-изгоден, удобен, полезен, благоприятен; подходящ; приемлив; **the ~ way to** най-удобният начин да; • **o.'s ~ girl** sl любимо момиче; **o.'s ~ bet** най-доброто, което може да се направи; II. adv най-добре; повече от всичко; **had ~** (*с inf без* **to**) най-добре; най-разумно е да; **you had ~ take a look** най-добре е да погледнеш; III. n най-доброто, най-хубавото (**нещо**); **to be ~** — **the ~ of care** най-добрата грижа; **to be at o.'s ~** блестящ, на висота съм; IV. v разг. превъзхождам, надминавам; вземам връх, побеждавам, бия.

bestial ['bestjəl] adj животински, скотски; брутален, жесток; отвратителен, противен, непоносим, досаден.

bestir [bis'tə:] v refl раздвижвам се,

активизирам се, размърдвам се; залягам, напрягам се.

bestow [bi'stou] v 1. подарявам, дарявам; връчвам, награждавам (**on, upon**); **to ~ a favour on** правя услуга на, облагодетелствам с нещо; **to ~ a title** (**honours**) **on** награждавам с титла (степен, почести); 2. отделям, посвещавам (*време, мисъл и др.*); 3. прилагам, употребявам, използвам.

bestraddle [bi'strædəl] v възсядам, яхам, яздя.

bestrew [bi'stru:] v (**bestrewed**; **bestrewed, bestrewn** [bi'stru:n]) 1. посипвам, наръсвам, ръся; 2. разпръсвам, разпилявам (**with**); 3. покривам, завивам; захлупвам; прикривам; осейвам.

best seller [,best'selə] n 1. бестселър; 2. автор на бестселъри.

bet [bet] I. n 1. бас, басиране, облог, обзалагане; **to make a ~** басирам се; 2. нещо, за което се прави бас; **o.'s best ~** най-сигурен начин за действие; II. v (**bet, betted**) басирам се, хващам се на бас, обзалагам се за (против) (**on, against**), бас държа; **I ~ you** хващам се на бас, бас държа, че.

bethink [bi'θiŋk] v (**bethought** [bi'θɔ:t]) 1. обмислям, обсъждам, съвещавам се, обменям мисли; 2.: **to ~ oneself** спомням си, припомням си, досещам се, идва ми на ума (**of**); ~ **yourself!** ела на себе си! опомни се!

betoken [bi'toukn] v 1. означавам, знача; показвам; 2. предвещавам, вещая, предсказвам; **that ~s no good** това не предвещава добро.

betray [bi'trei] v 1. излъгвам, изменям (*на кауза*); предавам; прелъстявам, съблазнявам; примамвам; изневерявам; **to ~ a friend** изменям на (предавам) приятел; 2. издавам, предавам (*на неприятеля*); 3. разкривам, показвам; издавам (*чувство*); **his voice ~ed him** гласът му го издаде; 4. заблуждавам, подвеждам, изигравам, измамвам; **to ~ s.o. into an error** въвеждам в заблуждение.

betrayal [bi'treiəl] n предателство, измяна, вероломство; дезертьор-

ство.

betrayer [bi'treiə] *n* **1.** предател, изменник, измамник, дезертьор; **2.** прелъстител, съблазнител, изкусител; измамник.

betrothal [bi'trouðəl] *n* годеж, обручение.

betrothed [bi'trouðd] **I.** *adj* сгоден; **II.** *n* годеник, годеница; **the ~** сгодената двойка, сгодените, годениците.

better ['betə] (*ср. степен от* **good, well**) **I.** *adj* **1.** по-добър, по-подходящ; **2.** по-голям; **the ~ part** по-голямата част, мнозинство, повече; ● **the ~ sort** по-видни хора; **the ~ classes** висшето съсловие, буржоазията; **II.** *adv* по-добре (*и здравословно*); по-хубаво, повече; **all the ~ (so much the ~)** толкова по-добре; **none the ~** не по-добре, с нищо по-добре; **III.** *n:* **o.'s ~s** по-видни, по-високопоставени, по-възрастни хора; **a change for the ~** промяна за добро; **to get the ~ of** надхитрям, изхитрям, изиграрам, измамвам; побеждавам, вземам връх, надвивам; **IV.** *v* **1.** подобрявам (се), поправям (се); възстановявам се (здравословно); **2.** надминавам, изпреварвам; превъзхождам, надраствам; **3.:** **to ~ oneself** постъпвам на по-добра работа; достигам по-високо положение; изучвам (се), школувам, добивам опит.

betterment ['betəmənt] *n* **1.** подобряване, подобрение, напредък; мелиорация; **2.** *юр.* подобрение на недвижим имот.

between [bi'twi:n] *adv и prep* между; помежду (*за време, разстояние*); **~ two fires** между два огъня; **~ a rock and a hard place** без избор, притиснат, принуден; ● **there is no love lost ~ them** обичат се като кучето и котката.

beverage ['bevəridʒ] *n* напитка, питие.

bevvy ['bevi] *n разг.* алкохол, пиене; **a few bevvies** няколко чашки.

bevy ['bevi] *n* ято, орляк (*и прен.*); *прен.* множество.

bewail [bi'weil] *v* оплаквам, окай-

вам, тъжа, скърбя, плача.

beware [bi'wɛə] *v* пазя се, вардя се, внимавам (*обикн. в imp или inf с* of); **~ of pickpockets** пази се от джебчии.

bewilder [bi'wildə] *v* обърквам, смущавам, сащисвам, зашеметявам, озадачавам.

bewitch [bi'witʃ] *v* **1.** омагьосвам; **2.** омайвам, очаровам, запленявам; уплитам.

bewitchment [bi'witʃmənt] *n* магия, вълшебство, мистерия; заклинание; чар; омая.

beyond [bi'jɔnd] **I.** *prep* **1.** оттатък, отвъд, от другата страна на; извън; **~ sea(s)** отвъд морето (моретата), зад граница; **~ the pale** зад пределите на нещо, далеч от, извън; вън от реда; изхвърлен от обществото; **2.** по-късно, след това, по-после, *книж.* впоследствие; **~ o.'s time** повече от определеното време; **3.** над, извън, свръх; **~ recognition** неузнаваем; **~ compare** несравним, безподобен, неподражаем, оригинален; *прен.* ненадминат; **II.** *adv* отвъд, оттатък, от другата страна; **the ocean and the lands ~** океанът и земите отвъд; **III.** *n* **the ~, the great ~** оня свят, задгробният живот; **(from) the back of ~** усамотено, уединено място, от не знам къде си, Бог знае откъде.

bias ['baiəs] **I.** *n* **1.** предразположение, склонност, наклонност, интерес; **2.** пристрастие, слабост, влечение (**in favour of**); **3.** предубеждение (**against**), преднамереност, предумисъл; предразсъдък; **4.** отклонение, наклон, полегата линия; **5.** веревна кройка, верев, диагонален шев; **cut on the ~** скроено на верев; **6.** *радио.* смесване, сфазирване; **fixed ~** фиксирано преднапрежение; **II.** *v* **1.** повлиявам, предразполагам, успокоявам, вдъхвам доверие; **to be ~ed against** имам предубеждение против някого; **2.** накланям; **III.** *adj* диагонален, веревен; **IV.** *adv* косо, полегато, диагонално; на верев, веревно.

biathlete [bai'æθli:t] *n спорт.* би-

атлонист, състезател по биатлон.

biathlon [bai'æθlən] *n спорт.* биатлон.

bibb [bib] *n* запушалка, тапа, затулка, втулка; кран.

Bible ['baibəl] *n* Библията (**the ~**); библия, екземпляр от Библията (**a bible**); *прен.* авторитетна книга по даден предмет; **~ societies** несектантски организации, чиято цел е да превеждат, отпечатват и разпространяват Библията.

biblical ['biblikəl] *adj* библейски.

bicker ['bikə] **I.** *v* **1.** карам се, препирам се, заяждам се, дърля се; **2.** ромоля, ромоня, шуртя, плискам, плющя, шибам (*за дъжд*); **3.** *поет.* блесвам, трепкам (*за пламък, светлина*); пламтя; **II.** *n* караница, препирня, кавга.

bicycle ['baisikəl] **I.** *n* велосипед, колело; **II.** *v* карам велосипед.

bicyclist ['baisiklist] *n* велосипедист, колоездач.

bid [bid] **I.** *v* (**bad(e)** [bæd], **bid** [bid], **bidden, bid** [bid(n)]) **1.** (*past, pp* **bid**) предлагам цена за (*при търг,* for), наддавам, прибавям, добавям; *карти* обявявам; **2.** *журн.* опитвам, стремя се към (**for,** *to с inf*); **3.** *остар.* заповядвам, нареждам (*с inf без* to); **do as you are ~den** прави каквото ти кажат; **4.** *остар.* казвам, пожелавам; **to ~ farewell (adieu)** сбогувам се, прощавам се, разделям се; **to ~ goodnight** казвам лека нощ; **5.** *остар.* поканвам, *нар.* калесвам; **~den guest** поканен гост; ● **to ~ fair to** изглежда твърде вероятно да; шансовете са твърде големи да; **to ~ defiance** предизвиквам, бравирам, отнасям се с пренебрежение, пренебрегвам; проявявам неподчинение;

bid against наддавам срещу (в съревнование с) (*на търг*);

bid in наддавам над всички, купувам на търг;

bid up наддавам, покачвам цена; **II.** *n* **1.** предлагане на цена; предложена цена, оферта (*на търг*); **2.** *амер. разг.* покана; **3.** *карти* анонс; **4.** *журн.* опит, начинание;

a ~ **for sympathy** опит да се спечели съчувствие.

biff [bif] *sl* I. *n* удар, плесница, *разг.* шамар; II. *v* удрям.

biff-bang [ˈbifbæn] *n sl* трясък.

bifurcate [ˈbaifəːkeit] I. *adj* раздвоен (*за река, път*); чаталест, разсохат; II. *v* раздвоявам (се), разделяме (се); *прен.* колебаем се.

big [big] *adj* 1. голям, едър, висок; *прен.* крупен, значителен; ~ **gun** тежко оръдие; **the ~ toe** палец на крака; 2. силен, висок, мощен, гръмък (*за глас*); 3. *разг.* важен, виден, влиятелен; надменен, надут; Mr B., ~ **wig** (**pot, gun**; *амер.* **cheese, noise, shot**; *sl* **bug, dog, fish, number**) *прен.* важна особа, важна (голяма) клечка, големец; ~ **words** (**talk**) големи хвалби (приказки); **to talk** ~ хваля се, бия се в гърдите, говоря на едро, на ангро; 4. пораснал, възрастен; ~ **boy** *разг.* братче, бате, друже; 5. щедър, великодушен, благороден; **a ~ heart** 1) великодушен, благороден човек, с широка ръка (сърце); 2) великодушие, благородство; **that's very ~ of you** това е много благородно от ваша страна; 6. бременна (*u ~ with child*); 7. пълен, наситен; **to go over** ~ имам успех; (влияние); правя голямо впечатление (**with** на); ~ **purse** пълна кесия, богатство, имане, пари; обезпеченост; • **to think** ~ мисля мащабно; **to make it** ~ успявам (*в живота*), преуспявам; ~ **stick** политика на силата.

bigamous [ˈbigəməs] *adj* двубрачен, бигамен.

big-headed [ˈbighedid] *adj* самонадеян, самоуверен, арогантен.

big-mouthing [ˈbigˈmauðin] *n* самохвалство, себеизтъкване.

bigoted [ˈbigətid] *adj* фанатичен, надъхан, екзалтиран, настървен, биготен.

bigotry [ˈbigətri] *n* фанатизъм, крайност, екзалтираност, сляпа привързаност, биготизъм.

big-ticket [ˈbigtikit] *adj* скъп, луксозен.

bijou [ˈbiːʒuː] I. *n* фр. (*pl* -**joux** [-ʒuː])

1. бижу, скъпоценност, накит; 2. малък, изящен предмет; II. *adj* малък, изящен.

biker [ˈbaikə] *n* 1. рокер, член на банда мотористи; 2. *разг.* велосипедист, колоездач.

bilateral [baiˈlætərəl] *adj* двустранен, билатерален; ~ **contract** (**agreement**) двустранен договор (споразумение); ~ **symmetry** двустранна симетрия; ◇ *adv* **bilaterally**.

bilberry [ˈbilbəri] *n* боровинка; **red** ~ червена боровинка.

bilbo [ˈbilbou] *n* (*pl* -**oes**) 1. *мор.* вериги, окови, *нар.* пранги, белезници; 2. *остар.* вид сабя.

bile [bail] *n* 1. *физиол.* жлъчка; 2. *прен.* жлъч, злоба, яд; • **scorpion** ~ *амер. sl* лошокачествено уиски, парцуца, шльоковица.

bilge [bildʒ] I. *n* 1. *мор.* дъно (*на кораб*); 2. трюмна вода; ~ **pump** трюмна помпа; 3. *прен.* безсмислица, глупост; 4. най-издутата част на бъчва; II. *v* 1. получавам или причинявам пробив в долната част на кораб; пропускам вода (*в кораб*); 2. издувам (се), надувам (се), подувам (се).

biliary [ˈbiljəri] *adj* жлъчен; ~ **colic** жлъчна колика.

bilingual [baiˈlingwəl] *adj* двуезичен; ~ **dictionary** двуезичен речник.

bilker [ˈbilkə] *n* измамник, мошеник, изнудвач, негодяй, *разг.* шарлатанин.

bill₁ [bil] I. *n* 1. сметка; **padded** ~s надути сметки; **to foot the** ~ плащам сметката, поемам разходите; 2. банкнота; **a five dollar** ~ петдоларова банкнота; 3. законопроект; **to kill the** ~ провалям законопроект; 4. *юр. иск, книж., юр.* ревандикация; **to ignore the** ~ прекратявам дело; 5. циркуляр, бюлетин; **the ~s of mortality** *истор.* ежедневен бюлетин за смъртността (*в Лондон*); 6. обява, обявление, афиш; програма (*за театрална постановка, концерт*) (*u play-*~); **to head (top) the** ~ засенчвам всички останали имена в афиш (*за артист*); **No**

~s! забранено е лепенето на афиши! 7. списък, регистър, каталог, опис, инвентар; ~ **of fare** меню, лист; 8. забавление, програма; **to change the** ~ (**the play -**~) сменям програмата; 9. полица, менителница; **to protest a** ~ протестирам полица; • ~ **of entry** митническа декларация; ~ **of credit** *търг.* акредитив; II. *v* 1. вписвам в сметката; изпращам сметката на; 2. обявявам, разгласявам, оповестявам, обнародвам, известявам (*с афиш, обява*); **he was** ~ed **to appear as Hamlet** беше разгласено (обявено), че той ще играе Хамлет; 3. правя списък; **to** ~ внасям законопроект; 4. разлепвам афиши.

bill₂ I. *n* 1. клюн, човка; 2. връх на котва; 3. козирка; II. *v* целувам с човка (*за гълъби*); *прен.* галя, милвам; **to ~ and coo** галя се, умилквам се, гукам (*и прен.*).

bill-broker [ˈbil,broukə] *n* борсов посредник.

billet₁ [ˈbilit] I. *n* 1. *воен.* разквартировъчен билет; 2. *обикн. pl* квартири за войници; **to go into** ~s разполагам се на квартира; 3. работа, служба, длъжност; 4. бележка; II. *v* разквартирувам войници (**in, at, on**).

billet₂ *n* 1. дърво, цепеница; 2. метална пръчка, палка; 3. ремък на юзда.

billiards [ˈbiljədz] *n* билярд.

billingsgate [ˈbilinzeit] *n* вулгарен, просташки, груб език; **to talk** ~ говоря вулгарно, псувам, ругая.

billy [ˈbili] *n* тояга, пръчка, палка.

bimestrial [baiˈmestriəl] *adj* двумесечен.

bin [bin] I. *n* 1. кофа за боклук; **orderly** ~ кофа за боклуци (*на улицата*); 2. сандък; контейнер; бункер; резервоар; 3. отделение за специални вина (*в зимник*); 4. торба за бране на хмел; II. *v* 1. изхвърлям в кошчето за смет; 2. прибирам в хамбар.

binary [ˈbainəri] *adj* двоен; удвоен; ~ **measure** (**form**) двувременен такт; ~ **compound** *хим.* двуелементно съединение.

bind [baind] I. *v* (**bound** [baund]) **1.** връзвам, свързвам; привързвам, стягам (**down to, on**); **fast ~, fast find** покритото мляко котки го не лочат; **2.** *прен.* обвързвам, свързвам, привързвам (се), обиквам, привлича ме; **bound by convention** обвързан от условностите; **3.** превързвам рана (**up**); **4.** подвързвам (*книга*); **5.** стягам, втвърдявам; сгъстявам (*смес*), бивам скован (*за бетон, сняг, студ*); **stones bound together with cement** циментирани камъни; **6.** *мед.* затягам, запичам; **7.** задължавам; **to ~ o.s. to** поемам задължение, заставен съм, нямам друг изход, задължавам се да; **to be bound** принуден съм, заставен съм, нямам друг изход; **8.** обточвам; **● to ~ s.o. (over) as an apprentice** давам някого на занаят; **to ~ over** задължавам, изисквам, принуждавам; II. *n* **1.** трудно положение; **to be in a double ~** в безизходица съм, притиснат съм от обстоятелствата; **2.** *разг.* досада, досадно занимание; нещо неприятно; **3.** връзка, закрепване, съединителен елемент; свързващ детайл; **4.** *муз.* легато; **5.** втвърдена глина между каменовъглени пластове.

binder [ˈbaində] *n* **1.** книговезец; **2.** папка с метални халки; **3.** средство за свързване (*лента, колан и пр.*); спойка, средство за втвърдяване на бетон и пр.; **4.** сноповръзвачка; **5.** акушерски инструмент; **6.** *pl* дълги върбови клонки (*за плет*); **7.** напречна (свързваща) греда; **8.** *строит.* ребро, "половин тухла".

binding [ˈbaindiŋ] I. *adj* **1.** обвързващ, задължителен, задължаващ, ангажиращ; **~ promise** задължаващо обещание (**on**); **2.** свързващ, запояващ, свързващ, заздравяващ; **~ power** способност за спояване; **3.** *мед.* запичащ; II. *n* **1.** подвързване; подвързия; материали за подвързия; **2.** задължение, ангажимент, отговорност, обвързване; **3.** спойка, заварка, залепено, запоено; **4.** кант.

5. *техн.* обръч.

bing [biŋ] *n* грамада, куп, насип, табан.

binge [bindʒ] I. *n разг.* гуляй, пиршество, веселба; II. *v* гуляя, пирувам.

bingo [ˈbiŋgou] *n* бинго.

biographer [baiˈɔgrəfə] *n* биограф.

biographic(al) [ˌbaiəˈgræfik(l)] *adj* биографичен, биографически.

biography [baiˈɔgrəfi] *n* биография, животопис, *остар.* житие, *книж.*, *остар.* битие.

biology [baiˈɔlədʒi] *n* биология.

bionics [ˈbaioniks] *n* бионика; биоелектроника.

biosphere [ˈbaiəsfiə] *n* биосфера.

biparty [baiˈpa:ti] *adj* двупартиен.

biplane [ˈbaiplein] *n* авиац. биплан.

bipolar [baiˈpoulə] *adj ел.* двуполюсен.

birch [bə:tʃ] I. *n* **1.** бреза; **2.** дървен материал от бреза; **3.** пръчка, сноп от пръчки (*за наказване*) (*и* **~ rod**); II. *v* бия с пръчка.

bird [bə:d] *n* **1.** птица, птичка; **~ of prey** хищна птица; **~ of passage** прелетна птица (*и прен.*); **2.** *разг.* човек, "птица"; **a rare ~** рядка птица, рядък екземпляр; **a cunning ~** хитра лисица; **3.** *sl* момиче; **● for the ~s** за глупаците, за наивниците; **~s of a feather** от един дол дренки; **the early ~ catches the worm** рано пиле рано пее.

birdcage [ˈbə:dkeidʒ] *n* кафез, клетка; *прен.* затвор.

birth [bə:θ] *n* **1.** раждане, рождение, произхождение, начало; **to give ~ to** раждам; *прен.* пораждам, предизвиквам, създавам, причинявам; **by ~** по рождение; **2.** произход, род; потекло; благороден произход; **3.** рожба.

birthday [ˈbə:θdei] *n* рожден ден; **to be in o.'s ~ suit** гол съм, както майка ме е родила.

birthrate [ˈbə:θreit] *n* раждаемост.

biscuit [ˈbiskit] I. *n* **1.** бисквит; **ship's ~** сухар; **● to take the ~** надминавам всичко, нечуван съм (*за нещо лошо*); **2.** неглазиран порцелан; бисквит; неглазирани глинени изделия (*и* **~-ware**) **3.**

светлокафяв цвят; II. *v* изпичам (*неглазиран порцелан*).

bisect [baiˈsekt] *v* **1.** разрязвам на две, разполовявам, разделям, разпределям, презполовявам; *геол.* разполовявам; **~ing line** бисектриса, ъглополовяща; **2.** разделям се, разклонявам се (*за път и пр.*).

bisexual [baiˈsekʃuəl] *adj* двуполов, бисексуален.

bishop [ˈbiʃəp] *n* **1.** владика, митрополит, епископ; **B.'s Bible** английски превод на Библията от 1568 г.; **● why ask the B. when the Pope is around** защо да питаме подчинения, когато началникът е тук; да пием вода направо от извора; **2.** офицер (*фигура в шахмата*); **3.** вино, подправено с плодове, карамфил и др.

bishopric [ˈbiʃəprik] *n* **1.** епархия; **2.** служба на владика.

bison [baisən] *n зоол.* бизон *Bisonus*.

bissextile [biˈsekstail] I. *adj* високосен; II. *n* високосна година.

bistro [ˈbi:strou] *n* бистро.

bisulcate [baiˈsʌlkit] *adj* двукопитен.

bit₁ [bit] *n* **1.** късче, парче, отрязък, фрагмент; частица, малко количество; **● ~ by ~** постепенно, малко по малко, последователно, капка по капка; **wait a ~** почакай малко; **2.** дребна монета; *амер.* монета от 12 1/2 цента; **a long ~** *амер.* монета от 15 цента; **two ~s** *амер.* монета от 25 цента.

bit₂ I. *n* **1.** метална част на юзда, юздечка, мундщук; **to take the ~ between o.'s teeth** (*за кон*) освобождавам се от контрола на ездача; *прен.* ставам самостоятелен, независим, свободен; навирям глава; **2.** *прен.* пречка, преграда; затруднение; "юзда"; **3.** тази част на инструмент, която реже или пробива; острие; свредел, бургия; метална част на брадва; *мин.* длето; **4.** част на ключа, която влиза в ключалката; II. *v* **1.** слагам юздечка на (*кон и пр.*); **2.** *прен.* възпирам, въздържам, слагам юзда на, обуздавам.

bit₃ *n инф.* бит *(най-малката единица за информация).*

bitch [bitʃ] I. *n* 1. кучка; женска лисица, вълчица; 2. *грубо* кучка, зла жена; развратница, блудница, прелюбодейка, проститутка, въртиопашка; 3. *sl* оплакване, жалба, тъжба; недоволство; II. *v* 1. *sl* оплаквам се, проплаквам, пропищявам, вайкам се, подавам жалба; 2. *sl* развалям, изпортвам; to ~ off *sl* дразня, досаждам, лазя по нервите.

bitchy *adj* 1. зъл, отмъстителен, лош; 2. развратен, безпътен, порочен, безнравствен.

bite [bait] I. *v* (bit [bit]; bit, bitten [bitn]) 1. захапвам; хапя; ухапвам; to ~ the dust задавен победен, *прен.* целувам земята; падам на бойното поле; падам от кон; 2. впивам се, врязвам се, притискам силно, забивам се; the belt bit her flesh коланът се впиваше в тялото й; *прен.* налапвам въдицата); 3. захапвам (въдицата); *прен.* налапвам въдицата, хващам се, оставям се да ме подведат, лъжа се, измамвам се; 4. жиля; ужилвам; щипя; ущипвам; лютя (*и прен.*); the wind bit his face вятърът щипеше лицето му; 5. попарвам (*за слана*) осланен; посърнал, клюмнал; 6. разяждам (*за киселина – обикн. с* in) 7. *изк.* ецвам; 8. въздействам силно, правя силно впечатление на, повлиявам на; the recession started biting into the industry рецесията започна да се отразява (*негативно*) върху индустрията; 9. *техн.* скачвам се, закачвам се, хващам; the wheels won't ~ колелата буксуват; • ~ on that! добре си помисли за това, да ти е обица на ухото; to be bitten бивам излъган, изигран, измамен, заблуден, надхитрен;

bite at посягам да ухапя;

bite back 1) глътвам думите си, не казвам това, което ми е на езика; 2) *журн.* реагирам остро в отговор на нападка;

bite into забивам зъбите си в, захапвам, сгризвам, отхапвам, прегризвам;

bite off (out) отхапвам; to ~ off more than one can chew *прен.* лапвам голям залък, залавям се с нещо, което не е по силите ми (което не е за моята уста лъжица);

II. *n* 1. ухапване, ужилване, ущипване; the wind has a ~ вятърът щипе (жули); • his bark is worse than his ~ не е толкова опасен, колкото изглежда; 2. ухапано, ужилено, ущипано (*мястото, раната*); 3. остра болка (*физическа и душевна*); 4. залък, къс, хапка, малко ядене; to have a ~ хапвам си; a ~ of bread малко хлебец; I haven't had a ~ to eat нищичко не съм ял; 5. остър, парлив вкус; *прен.* острота, сила, язвителност, сарказъм (*на стила и пр.*); his criticism lacks ~ в критиката му няма острота (злъчност); 6. кълване по въдицата (*за риба*); 7. *техн.* скачване, закачване; 8. *pl* измама, лъжа; подвеждане; заблуда, въдица.

biting [ˈbaitiŋ] *adj* 1. лют, щипещ, остър, пронизващ (*за студ, вятър и пр.*); 2. остър, болезнен; 3. язвителен, хаплив, саркастичен.

bitten *adj* (with) ентусиазиран, въодушевен, вдъхновен, екзалтиран (за).

bitter [ˈbitə] I. *adj* 1. горчив (*и прен.*); as ~ as gall (as wormwood) горчив като пелин; 2. остър, мъчителен, непоносим, нетърпим; тежък; ~ memories тежки, мъчителни спомени; ~ blow тежък удар; 3. рязък, остър, жесток; wind остър вятър; 4. упорит, непоколебим, безкомпромисен, непримирим; ожесточен, озлобен, раздразнен, враждебен; ~ enimy непримирим (смъртен) враг; ~ attack ожесточено нападение; *adv* bitterly; • to the ~ end до (самия) край; безкомпромисно, до смърт; to be ~ against s.th. противопоставям се рязко срещу нещо; II. *n* 1. горчивина, горчилка, отрова; огорчение; to take the ~ with the sweet приемам спокойно несгодите (всичко, което дойде); 2. (чаша) горчива бира; *pl*

горчивка (ракия); to have a ~s пия аперитив; III. *adv* горчиво, неприятно, противно; скръбно; рязко, жестоко; it is ~ cold ужасно е студено.

bitterness [ˈbitənis] *n* 1. горчивина; горест, мъка; 2. острота; рязкост; жестокост; 3. язвителност; непримиримост; лошо чувство; to act without ~ постъпвам без лошо чувство.

bitumen [biˈtjuːmən] *n* битум, асфалт; **elastic** ~ *минер.* елатерит.

bituminize [biˈtjuːminaiz] *v* асфалтирам; импрегнирам с асфалт; превръщам в асфалт.

bivouac [ˈbivuæk] I. *n* бивак, лагер, стан; to go into ~ разполагам се на бивак; II. *v* разполагам се на бивак.

biz [biz] *n sl* работа, занятие, професия; операция, афера; шоубизнес; good ~! на добър час!

bizarre [biˈzaː] *adj* странен, особен; чудноват; фантастичен; ексцентричен; ◇ *adv* bizarrely.

blab [blæb] I. *v* дрънкам, бърборя; раздрънквам, издавам (*тайна и пр.*); to ~ (out) a secret раздрънквам тайна; II. *n* 1. раздрънкване; дрънкане, бърборене; 2. дрънкало, бърборко.

blabber [ˈblæbə] *n* дрънкало, бърборко; издайник, подлец, измамник, *прен.* велзевул.

black [blæk] I. *adj* 1. черен, черничък; *прен.* злокобен; ~ as soot (night, your hat, a coal, the devil, ink, jet, a pot, thunder) черен като катран (кюморджия, дявол, арап и пр.); 2. тъмен, потъмнял, затъмнен, непрозрачен; ~ darkness непрогледен мрак; ~ with age потъмнял от старост; 3. мрачен, унил, безнадежден, печален, скръбен; нерадостен; ~ care черни грижи; ~ dog *sl* мрачно настроение; 4. ядосан, навъсен, намусен, сърдит; лош; a ~ deed лошо, престъпно дело; ~-browed навъсен; 5. черен, тъмнокож; негърски; 6. мръсен, нечист; 7. злокобен, зловещ, фатален, гибелен, лош; ~ magic (arts) черна магия; 8. незаконен; ~ market черен (не-

легален) пазар, черна борса; 9. заклет, закоравял, непоправим; ~ **liar** непоправим лъжец; • ~ **coffee** кафе без сметана (мляко); **to be ~ in the face (with rage, etc.)** ставам морав от гняв; II. *n* 1. черен цвят; 2. черни дрехи, черно, траур; 3. негър, черен; 4. петно, нещо черно; сажди; 5. черните фигури *(при игра на шах, табла и др.)*; • **to be in the ~** не държа пари никому, не съм на червено; ~ **and white** 1) рисунка с молив или туш; 2) *attr* ясен, недвусмислен, еднозначен; **to have s.th. in ~ and white** имам нещо черно на бяло; III. *v* 1. лъскам; боядисвам *(обувки)*; боядисвам черно *(лице и пр.)*; 2. насинявам; **to ~ s.o.'s eye** насинявам окото на някого; 3. *разг.* бойкотирам *(стока)*;

black down *мор.* намазвам с катран;

black out 1) губя съзнание, припадам; 2) потъвам в мрак *(поради прекъсване на електричеството)*; 3) цензурирам *(филм)*; 4) зачерквам, задрасквам плътно; 5) заличавам *(спомен)*.

blackamoor ['blækəmɔ:] *n* 1. негър; 2. човек от негроидната раса.

blackberry ['blækbəri] *n* къпина *Rubus (плодът и растението)*; ~ **bush** къпинов храст.

blackboard ['blækbɔ:d] *n* черна дъска *(училищна)*.

black box ['blæk'bɔks] *n* авиац., мор. черна кутия.

black economy ['blæki'kɔnəmi] *n* икономика в сянка.

blacken ['blækən] *v* 1. почерням, начерням, опушвам; 2. очерням, злословя по адрес на, злепоставям, клеветя; **his failings have been ~ed into vices** слабостите му се представят за пороци; 3. потъмнявам; помрачавам се; почернявам.

blackguard ['blækga:d] I. *n* мошеник, подлец, негодяй, негодник, мерзавец, долен човек, мизерник; II. *v* 1. ругая грубо, хуля; *разг.* сгазвам; 2. наричам някого мошеник и пр.

blackguardly ['blækga:dli] *adj* мошенически, подъл, долен, безскрупулен, безочлив.

blackmail ['blækmeil] I. *n* 1. изнудване, шантаж, насилие; 2. пари, получени чрез изнудване; II. *v* 1. изнудвам, шантажирам, насилвам, принуждавам; 2. получавам пари чрез изнудване.

blackmailer ['blækmeilə] *n* изнудвач, шантажист, насилвач.

blackness ['blæknis] *n* 1. чернота; тъмнина; 2. злина, лошотия, *нар.* проклетия; нещастие, беда.

blackout ['blækaut] I. *n* 1. *воен.* затъмнение *(при въздушна отбрана)*; 2. временно спиране на електрическия ток; 3. безсъзнание; изгубване на съзнание; 4. цензура; II. *v* затъмнявам.

black pepper ['blæk'pepə] *n* черен пипер.

Black Sea ['blæk'si:] *n* Черно море; *attr* черноморски.

blacksmith ['blæksmiθ] *n* ковач, железар; ~ **'s shop** ковачница, железарница.

black tie ['blæktai] I. *adj* официален, тържествен *(за повод, събитие)*; II. *n* смокинг и папионка *(като официално облекло)*.

black-wash ['blækwɔʃ] *n* черна боя, чернило.

black whale ['blæk 'weil] *n* зоол. делфин *Globicephalis*.

bladder ['blædə] *n* 1. мехур, балон; пришка; пикочен мехур; 2. плавателен мехур *(на риба)*; 3. плондер; 4. бърборко, празнодумец; ~ **lard** сало.

bladdery ['blædəri] *adj* издут, надут, разширен (като мехур).

blade [bleid] *n* 1. острие *(на нож, сабя и пр.)*; сабя; **razor ~** ножче за бръснене; 2. лист, стрък *(на трева, житно растение)*; *поет.* листа; **corn in the ~** зелени (неизкласили) жита; 3. крило *(на семафор)*; перка на вентилатор; дъска на воденично колело, върху която пада водата; 4. широка част на весло, лопата и пр.; 5. *бот.* петура *(на лист)*; 6. *анат.* плешка; *(и* **shoulder ~***)*; 7. буен, стремителен, поривист (жив

младеж; 8. *език.* предната част на езика; 9. *авт.* чистачка на стъклото пред шофьора.

blade-bone ['bleidboun] *n* плешка.

blaeberry ['bleibəri] *n* боровинка *Vaccinium myrtillus*.

blag [blæg] *v разг.* изпросвам, измолвам.

blah [bla:] *n* глупости, безсмислици, нелепости, абсурди, дрънканица, дрън.

blam(e)able ['bleiməbəl] *adj* осъдителен, укорен, неодобрителен, недостоен; непростим.

blame [bleim] I. *v* виня, обвинявам; осъждам; приписвам отговорност на, държа отговорен; **he is to ~ for it** той е виновен (крив) за това; **to ~ a thing on a person** стоварвам вината за нещо върху някого; II. *n* 1. вина, провинение; виновност; отговорност; **the ~ is mine (lies with me)** вината е моя, аз съм виновен; **to shift the ~ on s.o.** прехвърлям вината на някого; 2. упрек, порицание, неодобрение, изобличение; **to incur ~ (for s.th.)** навличам си упрек порицание; **free from ~** безупречно, безукорно; почтено; III. *adj разг.* проклет, пуст, ваджишки.

blameless ['bleimlis] *adj* 1. невинен, оправдателен, непровинен; 2. безупречен, добродетелен.

blamelessness ['bleimlisnis] *n* 1. невинност, непорочност, непоквареност; чистосърдечие; 2. безупречност, чистота; добродушие.

blameworthy ['bleimwə:ði] *adj* осъдителен, неодобрителен, недостоен; непростим; укорен.

blanch [bla:ntʃ] *v* 1. беля, избелвам, обезцветявам; 2. бланширам; 3. беля *(кожица на плодове, бадеми и пр.)*; 4. пребледнявам, посървам, линея; побелявам *(и за коса)*; 5. карам да побелее, пребледнее; 6. лишавам от светлина, за да не придобие зелен цвят *(за растения)*; 7. *метал.* придавам сребрист блясък на *(посредством киселини и пр.)*, калайдисвам; 8.: **to ~ over** *прен.* смекчавам *(вина и пр.)*.

bland [blænd] *adj* 1. любезен, мил,

приятен, ласкав, мек; мазен, угоднически (*за хора, маниер, говор*); ◇ *adv* **blandly**; **2.** ироничен, подигравателен, насмешлив, шеговит; **3.** *прен.* сладникав; **4.** мек, приятен, умерен (*за климат*); **5.** лек (*за храна и пр.*); **6.** слаб, който то не дразни (*за лекарство*).

blandiloquence [blænˈdiləkwəns] *n* ласкателство, похвала, комплимент; сервилност.

blandish [ˈblændiʃ] *v* лаская, подмамвам, предумвам чрез ласкателство.

blandness [ˈblændnis] *n* **1.** любезност, вежливост, учтивост; **2.** ироничност, подигравателност, насмешливост, шеговитост; **3.** сладникавост; **4.** мекота, умереност, мярка, задръжка; благоразумие.

blank [blæŋk] I. *adj* **1.** празен, бял, неизписан (*за лист и пр.*); **to give s.o. a ~ cheque (check)** давам на някого неограничено количество пари; *прен.* давам свобода на действие; давам картбланш; **~ endorsement** чек, издаден, без да се посочи името на получателя; **2.** празен, незастроен; **3.** халосен (*за патрон*); **4.** сляп, гол (*за стена*); **5.** празен, пуст; неинтересен, еднообразен; **6.** безизразен, празен, безсмислен; озадачен, смутен, объркан; **a ~ look** неизразителен поглед; **7.** неримуван; **~ verse** бели стихове; **8.** пълен, абсолютен; **a ~ impossibility** абсолютна невъзможност; **~ silence** пълно мълчание; **9.** проклет (*вместо* **damned** *или някоя друга ругателна дума*); ● **a ~ map** карта без писмени означения, няма карта; **point ~** отблизо, без мерник (за стрелба); *прен.* направо, право в очите, директно, без заобикалки; II. *n* **1.** празно място, интервал (*на страница и пр.*); **2.** празнина, празнота; пропуск; пустота; **to fill in the ~s in o.'s education** попълвам празнотите (пропуските) в образованието си; **3.** тире, многоточие, звездичка (*вместо пропусната дума в текст*); **4.** бланка, фор-

муляр; **5.** непечеливш билет; **to draw a ~ 1)** изтеглям празно; **2)** *прен.* претърпявам неуспех, удрям на камък; **3)** не отбелязвам точка (*в състезание*); не печеля нито една победа; **6.** мишена, прицел, *нар.* нишан; цел; **7.** *техн.* заготовка, балванка, слитък; **8.** незастроено място; **9.** халосен патрон; ● **blanketry ~** проклет, мръсен (*вместо ругатня*); **my mind is a complete ~** нищо не помня; III. *v* **1.** зачерквам; анулирам, правя невалиден; **2.** *разг.* преча на противника да отбележи гол (точка); **3.** разбивам, нанасям крупно поражение; **4.** изрязвам, сека (*монета и пр.*); **5.**: **to ~ off** зазиждам, изкърпвам, запушвам; **to ~ out** сподавям, потискам (чувство).

blank-book [ˈblæŋkˌbuk] *n* бележник.

blanket [ˈblæŋkit] I. *n* **1.** одеяло; **to toss in a ~** подхвърлям с одеяло; **2.** чул (*на кон и пр.*); **3.** покривка (*от сняг, мъгла и пр.*); **under a ~ of snow** под снежна покривка; **4.** *геол.* нанос, горен пласт; **5.** *полигр.* офсетно платно; ● **a wet ~** човек, който разваля удоволствието на другите, който става причина да се прекъсне разговорът; **to put a wet ~ on** действам като студен душ; II. *v* **1.** покривам с одеяло; покривам, завивам; **2.** потулвам, скривам, притайвам; *разг.* замазвам; **to ~ rumo(u)rs** спирам (задушавам) клюмките; **3.** засенчвам, надминавам, превъзхождам; оставям в сянка; **4.** *воен. мор.* заставам между огъня на своите кораби и неприятеля; III. *adj* общ, групов; **a ~ ban** обща забрана; **a ~ rise in prices** общо увеличение на цените.

blankly [ˈblæŋkli] *adv* безизразно; безсмислено; объркано; смутено.

blankness [ˈblæŋknis] *n* **1.** объркаността, смущение, паника, суматоха, объркан (смаян, слисан) вид (изражение); **2.** празнота, липса, недостиг; суетност, безсъдържателност, пустота.

blare [bleə] I. *v* **1.** свиря; тръбя, гърмя; **the band ~d out (forth) a march** музиката гръмна, засвири марш; **2.** прогърмявам; разтръбявам, разгласям, разнасям (*прен.*); **the radio ~d (forth) the news** радиото разтръби новината; II. *n* **1.** шумно свирене, гърмене, тръбене; трясък; **2.** яркост на цветовете.

blarney [ˈblɑːni] I. *n* ласкателство, умилкване, увъртане, раболепие; II. *v* лаская, придумвам чрез ласкателство, умилквам се около; **to have kissed the B. stone** умея да лаская.

blaspheme [blæsˈfiːm] *v* **1.** богохулствам, гавря се, осквернявам, кощунствам; **2.** хуля, петня, черня; сквернословя.

blasphemer [blæsˈfiːmə] *n* **1.** богохулник, *църк.*, *остар.* сквернител, нечестивец, светотат; **2.** хулител, клеветник.

blasphemy [ˈblæsfimi] *n* **1.** богохулство, *църк.*, *остар.* гавра, светотатство, кощунство; **2.** хули, клевети; груби ругатни, псувни, сквернословия.

blast [blɑːst] I. *n* **1.** взрив, експлозия, избухване, детонация; **2.** силен вятър, силно духане, порив, пристъп на вятър, напор, напън; **an icy ~ of wind** леден вятър; **3.** свирене, свирка, звук на духов инструмент; *авт.* **a ~ on the horn** сигнал с клаксона; **to sound a ~** изсвирвам; **4.** *метал.* въздушна струя; тяга (*във висока пещ*); струя; **a ~ of steam** стълб от пара; **to be at full ~** работя с пълна пара (*и прен.*); **5.** заряд (*на взрив*); **6.** болест, чума, напаст, лошо влияние (*и прен.*); вредител (*по растенията, животните и пр.*); **7.** *sl* забава, парти; **8.** *разг.* остра критика, нападки; **9.** струйна обработка, струйно почистване; II. *v* **1.** разбивам с експлозив, хвърлям във въздуха; **2.** атакувам, настъпвам, щурмувам; обвинявам, нападам (*и прен.*); убивам с огнестрелно оръжие; **to ~ o.'s way into a house** нахлувам в дом, като си проправям път с

експлозии и стрелба; **3.** свиря; гърмя (*на инструмент*); (*и ~ out*); **4. (off)** изстрелвам космическа ракета (совалка); **he ~ed the ball into the net** той заби топката в мрежата; **5.** впръсквам (*струя вода*); вдухвам; **6.** попарвам (*растение и пр.*); вредя; поразявам, нанасям поражение на; **7.** разбивам, унищожавам, сразявам (*надежди и пр.*); **8.** удрям (*за гръм*); **9.** *грубо* проклинам, пращам по дяволите; ~ **it!** по дяволите, дявол го взел! ~ **you!** дявол да те вземе!; **10.** *журн.* нападам, критикувам жестоко.

blatancy [ˈbleitənsi] *n* **1.** кресливост; **2.** вулгарност, простащина, грубост, *разг.* дебелащина.

blatant [ˈbleitənt] *adj* **1.** крещящ; шумен; просташки креслив; просташки, нахален, досаден; **2.** крещящ, явен (*за несправедливост, грешка и пр.*); ◇ *adv* **blatantly**.

blather [ˈblæðə] *v разг.* плещя, дрънкам, бъбря.

blaze [bleiz] **I.** *n* **1.** пламък, огнен език, огън, пожар; **in a ~** пламнал, в пламъци; **to stir the fire into a ~** разбърквам огъня да пламне; **2.** блясък, светлина, сияние; **a ~ of light** блестяща (ярка) светлина; **3.** великолепие, пищност, изящество, *прен.* блясък; **in the ~ of her beauty** в пълното величие на красотата си, с цялата си красота; **4.** избухване, изблик, пристъп; **a ~ of fury** изблик на ярост; **5.** *sl* ад, пъкъл, преизподня, мъчилище (*обикн. pl*); **go to ~s!** върви по дяволите! **it's so much money gone to ~s** толкова пари на вятъра; ● **in the ~ of attention** в центъра на общественото внимание; **like ~s** силно, бурно, стремително, та пушек се вдига; **II.** *v* **1.** пламтя, лумтя, горя силно; **2.** блестя, светя, сияя; блясвам, светвам, засиявам; **his eyes ~d** очите му искряха; **3.** избухвам, *прен., книж.* изпадам в афект, не се сдържам; гърмя (*за оръдие*); **with all guns ~** с все сила, с цялата си мощ; енергично; **4. to ~ about, abroad, forth** раз-

тръбявам, разгласявам, *книж.* правя достояние, давам гласност; **to ~ a rumour abroad** разпространявам слух;

blaze away 1) пламти, продължава да гори буйно; **2)** стрелям (непрекъснато); **3)** работя (говоря) непрекъснато;

blaze down светя, пращам лъчите си (**on**);

blaze forth 1) избухвам, пламвам (*за революция, вълнение, гняв*); **2)** явявам се в целия си блясък;

blaze out 1) пламвам; светвам; **2)** загасвам, изпускам последни лъчи (пламъци);

blazing [ˈbleiziŋ] *adj* **1.** ярък, силен, пламтящ; лумнал; ~ **hot** тежко, много горещо (*за време*); **2.** явен; **a ~ scent** прясна следа; **3.** шумен, буен, ожесточен (*за скандал*).

bleach [bliːtʃ] **I.** *v* **1.** избелвам, беля, обезцветявам; **to ~ o.'s hair** изрусявам си косата; **2.** избелявам, обезцветявам се; ● **to ~ out an image** *фот.* изличавам образ; **II.** *n* **1.** обезцветяване, избеляване, избелване; **2.** средство за обезцветяване; белина; **3.** избелени предмети.

bleaching [ˈbliːtʃiŋ] *n* избелване, белене; обезцветяване; изрусяване.

bleak [bliːk] *n* **1.** пуст, гол (*за местност*); **2.** открит, изложен на вятъра; студен; **3.** студен, суров, остър (*за вятър, климат*); **4.** мрачен, суров, отблъскващ; **5.** безрадостен, мрачен, тъжен; **a ~ prospect** мрачни перспективи; **a ~ smile** тъжна (безрадостна) усмивка; **6.** безцветен, бледен, неоцветен; *прен.* безинтересен, безвкусен.

bleakness [ˈbliːknis] *n* **1.** пустота; оголеност, голота; **2.** студенина, суровост; *прен.* неприветливост, неотзивчивост; **3.** мрачност; мрачен, скръбен, загрижен, тъжен вид.

blear [bliə] **I.** *adj* замъглен, затъмнен, неясен; сълзлив; **-eyed** със сълзливи очи; гурелив; *прен.* непроницателен, непрозорлив; недосетлив; **II.** *v* **1.** затъмнявам, замъглявам, размътвам (*повърх-*

ност); **2.** замъглявам, премрежвам (*очи*); **to ~ the eyes of s.o.** хвърлям прах в очите на някого; **III.** *n* неясно, мътно петно; замъгленост, мъглявина, *прен.* неяснота, неразбираемост.

bleary [ˈbliəri] *adj* замъглен, мътен, сълзлив.

bleat [bliːt] **I.** *v* **1.** блея, вряскам, врещя, муча; **2.** говоря с тънък глас, блея, врещя; говоря несигурно; **3.** говоря глупости; **to ~ on about** мърморя, натяквам, опявам, хленча; **4.** раздрънквам, *прен.* разтръбявам, разнасям, *разг.* бия барабан; ● **to ~ out a protest** протестирам плахо; **II.** *n* **1.** блеене, вряскане, мучене; **2.** глупости, празни приказки, безсмислици.

bleed [bliːd] *v* (**bled** [bled]) **1.** тече (ми) кръв; получавам (имам) кръвоизлив; губя кръв; проливам си кръвта; кърви (*за рана*); **to ~ at the nose** тече ми кръв от носа; **2.** страдам, мъчно ми е, терзая се, сърцето ми се къса; **my heart ~s at the thought** сърцето ми се къса при мисълта; **3.** сълзя, пускам сок (*за растение*); **4.** пускам (*за цвят при пране*); **5.** пропускам, сълзя (*за тръба*); **6.** плащам големи суми под натиск; **7.** пускам (*някому*) кръв; **8.** измъквам от някого пари; **to ~ s.o. for money** измъквам пари от някого; **to ~ s.o. white (dry)** измъквам всичките пари на някого, вземам му последния петак; **9.** *полигр.* помествам илюстрация на цяла страница без поле; **II.** *n техн.* дюза, жиглор, струйник.

bleeding [ˈbliːdiŋ] **I.** *n* **1.** кървене; кръвоизлив; **2.** сълзене (*за растения*); **3.** пропускане (*за тръба*); **4.** кръвопускане; **II.** *adj* **1.** кървящ; окървавен; **2.** разбит, разкъсан, измъчен; **with a ~ heart** с разбито сърце, с болка на сърцето; **3.** *sl* проклет, прокълнат; проклетник, зъл.

blemish [ˈblemiʃ] **I.** *n* **1.** недостатък, несъвършенство, дефект, кусур (*физически или морален*); **2.** *прен.* петно, позор, срам, безчес-

тие; **name without** ~ неопетнено име; **II.** *v* 1. повреждам, увреждам, разстройвам; осакатявам; накърнявам; 2. петня, позоря, опетнявам.

blench₁ [blentʃ] *v* 1. трепвам, дръпвам се назад; 2. затварям си очите за; **to** ~ **the facts** затварям си очите пред фактите.

blench₂ *v* 1. побледнявам, пребледнявам, посървам, вехна (**with**); 2. избелявам; карам да побелее.

blend [blend] **I.** *v* (**blended** ['blendid], *лит.* **blent**) 1. смесвам (се); размесвам (се); съединявам (се); **to** ~ **nations** претопявам народи; **to** ~ **in** смесвам се с фона; преливам се в обкръжението си; 2. съчетавам (се), хармонирам; 3. преливат се (*за цветове*); хармонират; 4. *метал.* сплавям, легирам; **II.** *n* смес, съчетание (*от различни вина, тютюни, чай и пр.*); меланж, смес от различни влакна; **special** ~ специална смес; специалитет.

blending ['blendiŋ] *n* 1. смесване, размесване (*на различни видове вина, тютюн, чай и пр., за да се получи по-добър вкус*); 2. *метал.* сплавяне, легиране; 3. *муз.* хармониране (*на гласове и пр.*); 4. примесване, сливане (*на раси*); 5. сливане (*на понятия и пр.*); 6. *текст.* меланжиране.

bless [bles] *v* (**blessed; blessed**, *рядко* **blest**) 1. славя, величая; благопожелавам, благославям; произнасям благословия; **God** ~ **you** Бог да те благослови; наздраве! (*при кихане*); 2. освещавам; **bread** ~**ed at the altar** осветен при литургия хляб, нафора; 3. благославям, благодаря на, благодарен съм на; **I** ~ **my stars** благославям (благодаря на) съдбата (на звездата си); 4. ощастливявам; даряваам, възнаграждавам, премирам, надарявам; **not greatly** ~**ed with wordly goods** не особено богат откъм земни блага; **their union was** ~**ed with many children** бракът им бе благословен с много деца; 5. възвеличавам, славословя, възхвалявам; • **God** ~

me (my soul, heart, life) я гледай! дявол да го вземе! Бога ми! **well I'm blest!** и таз хубава!

blessed ['blesid], **blest** [blest] *adj* 1. свят, свещен; осветен, благословен; **the B. Virgin** Дева Мария; 2. щастлив, ощастливен; благословен; надарен; блажèн, щастлив, честит, *нар.* благат; ~ **event** *амер. sl* щастливо събитие, раждане на дете; 3. *разг.* проклет (*или не се превежда*); **what a** ~ **nuisance!** колко досадно! **the whole** ~ **lot!** всичкото; всички до един.

blessedly ['blesidli] *adv* прекрасно, чудесно, сладко.

blessedness ['blesidnis] *n* щастие, успех, благополучие; доволство; блаженство.

blessing ['blesiŋ] *n* 1. благословия, славене, величаене; благопожелание; **to give (pronounce the** ~ изричам (прочитам) благословия (в църква); 2. благодат; дар; блаженство; щастие; **the** ~**s of civilization** благата на цивилизацията; • **a** ~ **in disguise** всяко зло за добро; **to count o.'s** ~**s** радвам се на това, което имам, благодарен съм за това, което ми е отредено (*и не страдам от това, което ми липсва*).

blight [blait] **I.** *n* 1. лошо, пагубно влияние; бич; 2. болест по растенията (главня, ръжда и пр.); 3. вид листна въшка; 4. задушна, тежка атмосфера (*и прен.*); 5. унилост, безнадеждност, обезверяване, отчаяние; разочарование; **to cast a** ~ **upon** хвърлям сянка върху, развалям (подтиквам) настроението на; **II.** *v* 1. разбивам, разстройвам, осуетявам, провалям (*надежда, планове*); ~**ed prospects** разбито (провалено) бъдеще; 2. повреждам, попарвам (*растения*); изгарям (*за слънцето*); изсушавам (*за вятър*); **a** ~**ed leaf** попарен лист; 3. отравям, развалям, *прен.* ядосвам, дразня, нервирам.

blind₁ [blaind] **I.** *adj* 1. сляп, безрачен, *разг.* кьорав; ~ **in (of) one eye** сляп с едното око; **to be struck** ~ ослепявам; • **a** ~ **spot**

1) слабо място; 2) място, което остава извън полезрението; **the** ~ **leading the** ~ един слепец води другия, един невежа учи друг; 2. сляп (*прен.*), необмислен, безразсъден; който не вижда, не забелязва; ненаблюдателен; нечувствителен, *прен.* доверчив, лековерен, наивен (**to** към, за); ~ **rage** сляпа, безумна ярост; **a** ~ **decision** безразсъдно решение; 3. сляп, задънен, без изход (*за улица*); зазидан (*за прозорец, врата*); 4. *авиац.* без посока; ~ **flying** летене при лоша видимост (по уреди); 5. *разг.* пиян; ~ **drunk**, ~ **to the world** кьоркютюк пиян, мъртво пиян; • ~ **date** уредена от трето лице среща между мъж и жена, които не се познават; **II.** *v* 1. правя да ослепее, ослепявам; **a** ~**ed ex-service man** слепец от войните; 2. заслепявам; заблуждавам, измамвам, подвеждам, *разг.* хвърлям прах в очите; ~**ed by s.o.'s beauty** заслепен от красотата на някого; **to** ~ **s.o. to s.th.** правя някого да не вижда нещо; 3. връзвам очите на; 4. строит. засипвам с пясък; 5. *воен.* блиндирам; 6. *разг.* **to** ~ **along** карам с бясна скорост; **III.** *adv* сляпо; безразсъдно; без посока; **to go at a thing** ~ хвърлям се в (залавям се за нещо, без да обмисля); **to swear** ~ кълна се в майка си и баща си.

blind₂ *n* 1. транспарант; жалузи; 2. наочник; 3. маска, прикритие, параван; 4. прикритие, закритие, подслон, прибежище.

blindage ['blaindʒ] *n* блиндаж.

blindfold ['blaindfould] **I.** *v* завързвам очите на; **II.** *adj, adv* с вързани очи; слепешката; наслуки; безразсъдно; **to know o.'s way** ~ познавам много добре пътя, мога да намеря пътя и с вързани очи; ~ **player** играч, който не гледа при играта (*в шахмата*).

blindly ['blaindli] *adv* сляпо; слепешката, като слепец; напосоки, наслуки; **to rush** ~ **at** втурвам се срещу.

blindness ['blaindnis] *n* 1. слепота;

colour ~ далтонизъм; **night** ~ кокоша слепота; **snow** ~ слепота, причинена от блясъка на снега; **2.** заслепеност, заслепяване; невежество, незнание; ~ **to the facts** игнориране на фактите.

blind-side ['blaind'said] *v* нанасям неочакван, изненадващ удар.

blink [bliŋk] I. *v* **1.** мигам, премигвам, примижавам, намигвам; **2.** мига, мъждука, трепти; светва и угасва (*за светлина*); **3.** затварям си очите за (пред), игнорирам, пренебрегвам, не обръщам внимание; **to ~ at a fault** затварям си очите за грешка, правя се, че не я забелязвам; **4.** измамвам (заблуждавам) кучетата (*за заек*); II. *n* **1.** мигане, премигване; **it was over in the ~ of an eye** всичко свърши за секунди, докато се усетиш и всичко беше приключило; **2.** бърз поглед; **3.** проблясък, искра; просветление; *прен.* надежда; **4.: ice-~** леден отблясък, отражение от ледени полета на хоризонта; ● **on the ~** *амер.* 1) в лошо състояние, в безпорядък; 2) с единия крак в гроба; 3) пиян, пияница, *разг.* насвяткал се.

bliss [blis] *n* блаженство, наслаждение, рай, благоденствие; безоблачно щастие.

blister ['blistə] I. *n* **1.** мехур, пришка; **to raise a ~** правя пришка; **2.** *метал.* раковина; мехурче (*в стъкло*); **3.** *изк.* набъбване на боята, подкожушване; **4.** *воен. авиац.* картечен кръг; **5.** *мед.* външно лекарство, което предизвиква появяване на мехури по кожата; **6.** шупли на кората на препечен хляб; II. *v* **1.** изприщвам (се), карам да се изприщи; *мед.* предизвиквам изприщване; **I ~ easily** лесно се изприщвам; **2.** набъбва, подкожушва се (*за боя на рисунка*); **3.** ругая, хокам; жестоко иронизирам, нахвърлям се, нагрубявам; **4.** *sl* отегчавам, измъчвам, тормозя.

blistering ['blistəriŋ] *adj* **1.** тежък, горещ (*за време*); **2.** хапещ, язвителен, саркастичен (*за забележка*); **3.** *спорт., журн.* светкавичен, мълниеносен.

blithe [blaiθ] *adj* *поет.* весел, радостен, щастлив; весел, игрив, жив; ~ **as a lark** весел (безгрижен) като птичка; **with a ~ heart** с леко сърце; ◊ *adv* **blithely.**

blithering ['bliðəriŋ] *adj* глупав, затъпяващ, идиотски; **a ~ fool** идиот, слабоумен, тъп; глупак, урод.

blizzard ['blizəd] *n* **1.** снежна буря, фъртуна, виелица; **2.** маса, куп, купища, лавина (*от нежелани неща*).

bloat [blout] *v* **1.** подувам се; подпухвам, отичам, подувам се, набъбвам (*обикн. pp*); **2.** подувам, наедрявам, издувам (out); **3.** осолявам и опушвам (*риба*).

blob [blɔb] I. *n* **1.** петно; капка; точица; **a ~ of a nose** нос като копче; **2.** *разг., спорт.* нула; **to score a ~** не сполучвам, провалям се, пропадам, не успявам; **3.** *sl* лъжа, "мента"; II. *v* (**-bb-**) капе, пуска.

block [blɔk] I. *n* **1.** блок; група сгради; квартал, блок, сградите между пресечките на четири улици; *амер.* разстоянието между две пресечки; **he lives two ~s from us** живее през две улици от нас; **2.** каменен блок; грамада (скала); **3.** пън; **a mounting-(horse) ~** пън или камък, от който се качват на кон; **a stumbling ~** спънка, пречка, препятствие; **4.** дръвник; ешафод; **chopping ~** дръвник (*за сечене на дърва*); **to put o.'s head on the ~** залагам репутацията си, поемам голям риск; **5.** калъп, форма; дървена глава (*за перуки, шапки*); дървен шивашки манекен (*за пробване на дрехи*); **a ~ of soap** калъп сапун; **6.** група еднородни предмети; серия, последователност, поредица (*билети, акции на борсата, марки и пр.*); **7.** *прен.* дръвник, недодялан, простак, тъпанар, "пън"; **8.** пречка, преграда, бариера; задръстване, запушване (*на тръба, канал и пр.*); спиране на улично или железопътно движение (*поради струпване на коли, вагони и пр.*); **9.** *мед.* запушване; **10.** скрипец; макара; **11.** *жп* сектор,

блок; **12.** *полит.* блок; **13.** подиум, от който се извършва продажба на търг; **14.** *спорт.* блокиране (на противника); **15.** *спорт.* ерта, на която играчът слага хилката си (*в крикета*); **16.** *полигр.* дървена щега; **17.** блокче от дърво или метал, от което се изрязва нещо; **building ~s** кубчета за игра; **18.** възражение срещу законопроект; **19.** *псих.* блок, психически механизъм, който не позволява на човек да мисли за неприятна тема; II. *v* **1.** спирам, препречвам; задръствам; преграждам; **to ~ s.o.'s way** спирам (препречвам пътя на) някого; **road ~ed** минаването (по този път) забранено; **2.** *фин.* блокирам, задържам (*суми*); **3.** повдигам възражение срещу, спирам приемането на (*законопроект и пр.*); **4.** *мед.* прилагам местна упойка, обезболявам локално; **5.** *спорт.* спирам топката, без да я отблъсна назад (*в крикета*); **6.** отпечатвам релефно букви на корицата на книга; **7.** фасонирам шапка; слагам обувки на калъп; **8.** *спорт.* блокирам, задържам, спирам (*противника*);

block in 1) набелязвам в основни линии; нахвърлям, скицирам, очертавам, схематизирам; 2) заклещвам някого с автомобил; паркирам така, че да не може да излезе;

block off преграждам, запречвам, блокирам;

block out 1) набелязвам в основни линии, скицирам; давам директиви; 2) препречвам (*светлина*), затулям; 3) задрасквам, отстранявам, цензурирам (*пасаж*); **to ~ out a thought** опитвам се да не мисля за нещо;

block up 1) преграждам, блокирам, задръствам; затварям; запречвам; 2) зазиждам (*врата, прозорец*).

blockade [blɔ'keid] I. *n* **1.** блокада, обсада, обграждане, изолация; **paper ~** фиктивна блокада; **to raise the ~** вдигам блокадата; деблокирам; **2.** *амер.* спиране на

влаковете (*поради снежни преспи*); спиране, задръстване на движението; **II.** *v* блокирам, налагам блокада на.

blockhead ['blɔk(h)ed] *n* тъпак, дръвник, тъпанар, простак, глупак.

blocking ['blɔkiŋ] *n* **1.** спиране; пречка; **2.** *жп* блокировка; **3.** *ел.* блокировка, спиране.

block-making ['blɔkmeikiŋ] *n полигр.* клиширане, изработване на клишета.

blond(e) [blɔnd] **I.** *adj* рус, светъл, русокос; бял (*за лице*); **II.** *n* блондин(ка), рус човек, руса жена; **a peroxide** ~ жена с изрусени коси; **a platinum** ~ жена с много светли коси, платиненоруса жена.

blood [blʌd] **I.** *n* **1.** кръв; **to let (draw)** ~ *мед.* пускам кръв; **to shed (spill)** (o.'s) ~ проливам кръв(та си); **2.** страст, темперамент, възбуда, жизненост, чувство; **my** ~ **is up** ядосан съм, разгневен съм; кръвта ми е кипнала; ~ **and thunder** сензационен, шумен, преувеличен, пресилен; **3.** живот, жизненост, бодрост, живот; **to suck the** ~ **of s.o.** изсмуквам някого, изпивам кръвта на някого; **I would give my life's** ~ **to know** бих дал живота си да узная; **4.** род, родство; произход, раса; **they are near in** ~ те са близки роднини (близки по кръв); **of the same** ~ от същия род; **related by** ~ кръвни роднини; **5.** *прен.* кръв, смърт, гибел, край; **his** ~ **shall be on our head** смъртта му ще тежи върху нас (на нашата съвест); **to have** ~ **on o.'s hands** виновен съм за смъртта на някого; **6.** конте, франт, денди; галант; **II.** *v* **1.** пускам кръв, ранявам; убивам; **2.** давам на куче за пръв път да вкуси кръв; настървявам; **3.** посвещавам в нещо ново; **4.** *остар.* изцапвам с кръв.

blood and iron ['blʌdənd'aiən] *n* насилие, принуда; мъчение, гнет, "огън и меч"; ~ **policy** политика на насилието.

blood-curdler ['blʌd,kə:dlə] *n* сензационен, скандален, шокиращ

криминален роман или разказ.

blood-curdling ['blʌd,kə:dliŋ] *adj* ужасен, смразяващ кръвта, чудовищен, мъчителен.

blooded ['blʌdid] *adj* **1.** (*обикн.* в *сложни прилагателни*) кръвен; **warm-**~ топлокръвен; **cold-**~**ed** жесток; **2.** расов (*за кон*); **3.** преминали през бойно кръщение (*за войски*).

blood-giver ['blʌd,givə] *n* кръводарител.

blood group, blood type ['blʌd'gru:p, -'taip] *n мед.* кръвна група.

bloodless ['blʌdlis] *adj* **1.** безкръвен; блед; **2.** студен, нечувствителен, безчувствен; **3.** безкръвен, мирен; ◇ *adv* **bloodlessly.**

bloodline ['blʌdlain] *n* потекло, родословие.

blood preasure ['blʌd'preʃə] *n мед.* кръвно налягане.

bloodsucker ['blʌdsʌkə] *n* **1.** пиявица; **2.** кръвопиец, експлоататор, *разг.*, *укор.* кожодер.

bloodthirstiness ['blʌd,θə:stinis] *n* кръвожадност, жестокост, садизъм, убийство.

bloodthirsty ['blʌd,θə:sti] *adj* кръвожаден, жесток, садист, убиец.

blood vessel ['blʌd,vesəl] *n мед.* кръвоносен съд.

bloody ['blʌdi] **I.** *adj* **1.** кървав, окървавен; изцапан с кръв; *прен.* кървав, жесток, садист, убиец; **to wave the** ~ **shirt** *амер.* поддържам (подстрекавам) несъгласието между северните и южните щати; **2.** *грубо* проклет, пуст,ваджишки; мръсен; **not** ~ **likely!** как не! **II.** *v* окървавявам, изцапвам с кръв, убивам.

bloom [blu:m] **I.** *n* **1.** цвят; **2.** цъфтеж, цъфтене; разцвет, свежест (*и прен.*); **to burst into** ~ разцъфтявам се; **in its first** ~ току-що разцъфнал; **3.** прашец (*на някои плодове – сливи, грозде, праскови, на пеперуди и пр.*); *прен.* **the** ~ **of the plum** свежест на младостта; **to take the** ~ **off s.th.** развалям свежестта на нещо, похабявам; банализирам, вулгаризирам, опростявам, опошлявам; **4.** свежест на лицето, здрав цвят; **5.**

блясък, блестене, лъскавина (*на нови монети, метал и др.*); флуоресценция (*на нефтопродукти*); **6.** вид стафида; **7.** *екол.* воден участък, оцветен от прекомерно увеличение на планктона; **II.** *v* цъфтя, разцъфтявам, *прен.* просперирам, преуспявам, в разцвет съм (*и прен.*).

blooming ['blu:miŋ] *adj* **1.** цъфнал, разцъфтял; **2.** здрав, който цъфти; преуспяващ, оживен; **a** ~ **trade** добра (оживена) търговия (занаят); **3.** *sl* проклет (*често не се превежда*); **it's a** ~ **nuisance** това е голяма досада.

blooper ['blu:pə] *n* **1.** *sl* грешка, гаф; **2.** *спорт.* малък пробег (*в бейзбола*); **3.** *радио.* приемник, който излъчва сигнали.

blot [blɔt] **I.** *n* **1.** петно, леке; *прен.* позор, срам (*и прен.*); **a** ~ **on o.'s escutcheon** петно на името ми; нещо изтрито или зацапано (*при писане*); **II.** *v* (-**tt**-) **1.** правя петно (*с мастило и пр.*); оставям петна (*за писалка*); лесно става на петна (*за материя*); **2.** замацвам; **to** ~ **o.'s copybook** развалям добрата си репутация, *прен.* петня, очерням, осквернявам; **3.** попивам (*с попивателна хартия*); **to** ~ (**up**) **the ink** попивам мастилото; **4.** багря; прониквам (*за течност, боя*).

blot off попивам (*с попивателна, гъба и пр.*); *фот.* изсушавам;

blot out 1) заличавам (*спомен*), зачертавам; *прен.* унищожавам, премахвам, изличавам; 2) замъглявам, закривам; 3) *лит.* унищожавам напълно, заличавам от лицето на земята.

blow₁ [blou] **I.** *v* (blew [blu:]; **blown** [bloun], **blowed** [bloud]) **1.** духам, вея, подухвам, понавявам, лъхам; **it is** ~**ing a gale, it is** ~**ing great guns** вятърът духа много силно, ужасна буря е; **2.** издишам, пъхтя, пъшкам, задъхвам се; **to puff and** ~ пъхтя, дишам тежко; **3.** отвявам, завявам, завличам; духвам; блъскам, издухвам, нося; **we were** ~**n out of our course** *мор.* вятърът ни завлече (в погрешна

посока); **4.** надувам (*духало, мех*); раздухвам, разпалвам, разгарям, подклаждам (*огън; и* ~ **up**); **to ~ the coals** *прен.* раздухвам недоволство; **5.** надувам (*инструмент*), свиря на (*духов инструмент*); **the trumpets were ~ing** тромпетите свиреха; **6.** издухвам (*носа си*); **7.** наплювам (*за мухи*); **fly-~n** наплют от мухи; **to ~ upon s.o.'s reputation** *прен.* черня, позоря, оплювам, охулвам, петня някого; **8.** *ел.* изгарям (*за крушка, бушон*); **9.** правя мехури; надувам (*стъкло*); издувам, надувам (*животни при одиране*); **10.** изпразвам; изхвърлям излишен баласт; **to ~ an egg** издухвам вътрешността на яйце през дупчица на черупката; **11.** (*за кит и под.*) изпускам, изхвърлям вода; **12.** уморявам, карам да се задъха (*кон*); **13.** *sl* прахосвам, пилея, разпилявам; **to ~ it** пропилявам (пропускам) шанса си; **14.** *sl* духвам, измъквам се, изчезвам, изпарявам се, офейквам; **15.** пукам (*гума*); **16.** *sl* грубо правя фелацио (минет), духам; **17.** (*само в itp и pp*) проклет; ~ **it!** по дяволите! • **to ~ the gaff** издавам тайна, изпускам се, раздрънквам се; **to ~ the whistle on** разобличавам;

blow away 1) отвявам, отнасям; разнасям; разпръсквам (*мъгла и пр.*); *воен.* разбивам; **to ~ away an obstacle** *воен.* унищожавам препятствие (*със стрелба*); 2) хвръквам, изхвърчам (*за предмет*); 3) *sl* убивам, гръмвам; 4) *sl* шашвам, слисвам;

blow down събарям, повалям, снемам, бутвам; *техн.* изпразвам;

blow in 1) отварям, разгъвам, открехвам, разтварям; счупвам (*за вятър*); **the wind has ~n in the door** вятърът е отворил вратата; 2) *sl* изхарчвам, изразходвам; пропилявам, загубвам, *прен.* изяждам; 3) *метал.* запалвам (*висока пещ*); 4) *разг.* наминавам, свръщам, отбивам се; довтасвам;

blow off 1) отвявам, отнасям; издухвам; 2) хвръквам, литвам, по-

насям се; **to ~ off steam** *техн.* (из)пускам пара; *прен.* изразходвам излишната си енергия; • **to ~ the lid off** разобличавам, критикувам, *книж.* демаскирам; компрометирам;

blow out 1) угася(ва)м, изгася(ва)м, духам; угасвам; 2) издувам, надувам; 3) хвръквам, изхвърквам, излитам, политвам; 4) *воен.* експлодирам; 5) *техн.* изпразвам; 6) *авт.* пукам се (*за гума*); 7) *ел.* изгарям (*за бушон и пр.*); • **to ~ out s.o.'s brains, to ~ o.'s brains** разбивам (пръсвам) си черепа, застрелвам се в главата, тегля си куршума;

blow over минавам, преминавам, отминавам, разминавам се, забравям се (*за нещастие, смут и пр.*); **the storm has ~n over** бурята премина (*и прен.*);

blow through 1) *техн.* изчиствам, прочиствам (*цилиндър и пр.*); правя отвор (отдушник) на тръба; 2) информирам (доноснича) по телефона;

blow up 1) експлодирам, избухвам; пръсвам се, *амер. прен.* кипвам, избухвам, нервирам се; *разг.* излизам от кожата си; 2) хвърлям (вдигам) във въздуха (*с експлозив*); 3) излизам, надигам се, задавам се (*за вятър, буря*); 4) надувам, напълвам с въздух (*балон и пр.*); напомпвам; *прен.* надъхвам, настройвам; 5) *разг.* насолявам, наругавам; 6) *фот.* увеличавам; 7) раздухвам, разпалвам; *прен.* разгорещявам, подстрекавам; 8) *амер.* фалирам;

II. *n* **1.** духане, издухване, вихър; **2.** разходка, излет, обиколка; проветряване; **3.** самохвалство, *разг.* фанфаронство, горделивост; **4.** яйца на мухи; **5.** приток на газ към въглища.

blow₂ *n* **1.** удар (*и прен.*); **at a ~** с един удар; **2.** взрив, експлозия, гърмеж; **3.** сблъскване, стълкновение, схватка.

blow₃ *sl. v* (**blew** [blu:]; **blown** [bloun]) цъфтя; **II.** *n* **1.** цвят; **2.** разцвет, цъфтеж; *книж.* просперитет, подем.

blubber ['blʌbə] *v* **1.** плача, рева, цивря; **to ~ out** казвам нещо през сълзи (плачейки); **2.** изкривявам се от плач (*за лицето*).

blue [blu:] **I.** *adj* **1.** син, лазурен; **2.** посинял; **you may talk till you are ~ in the face** можеш да говориш до пръсване (докато посинееш); **3.** унил, потиснат, меланхоличен; в лошо настроение; **to look (to be) ~ around the gills** имам болнав (измъчен, лош) вид; **4.** неприличен, циничен, безсрамен, покварен, непристоен; **to turn the air ~** ругая, хокам, хуля; псувам; **5.** въздържан, скромен; безучастен; *книж.* резервиран; строго морален, пуритански, почтен, високонравствен; • **once in a ~ moon** много рядко, от дъжд на вятър; ~ **fear (funk)** паника, тревога, суматоха, безпокойство; панически страх; **II.** *n* **1.** син цвят; **Indian ~** индиго; **2.** небе, *поет.* небеса, висини; **a bolt from the ~** гръм от ясно небе; **3.** море; *прен.* много, изобилно; **4.** синка (*за пране*); **5.** член на спортния отбор на Оксфордския или Кембриджкия университет; **6.** *pl* лошо настроение, униние; меланхолия; **to have (a fit of) the ~s** обзет съм от меланхолия, в лошо настроение съм; **it gives me the ~s** потиска ме, разваля ми настроението; **7.** *муз.* блуз; **8.** консерватор, *прен.* назадничав, ретроград, изостанал; **9.** образована жена, интелектуалка; педантка; **10.** вид танц; • **to cry the ~s** *sl* правя се на беден; **III.** *v* **1.** боядисвам синьо; слагам в синка; **2.** пилея, разпилявам, прахосвам, разхищавам, *разг.* хвърлям на вятъра; **to ~ the pool** изхарчвам (пропилявам) си спестяванията; **3.** придавам тъмен цвят на (*стомана и пр.*); оксидирам;

bluff₁ [blʌf] **I.** *adj* **1.** стръмен, полегат, наклонен, отвесен; **2.** прям, откровен; безцеремонен, грубичък, груборат; **3.** *мор.* с широк нос (*за кораб*); **II.** *n* скала, канара, зъбер, нос; чал.

bluff₂ **I.** *n* **1.** блъф; заблуждаване;

преувеличена опасност, шашарма; **this bill is only a ~** този законопроект е само шашарма; **2.** изменник, шмекер, хитрец, дявол, измамник; **II.** *v* блъфирам; подвеждам, заблуждавам; хваля се с цел да заблудя (да спечеля); **III.** *adj* прям, директен, безцеремонен.

blunder [ˈblʌndə] **I.** *n* **1.** (глупава) грешка *(обикн. по невнимание)*; **2.** нетактичност; нетактична постъпка, гаф, грешка; **a social ~** нетактичност, нетактична постъпка, гаф; **II.** *v* **1.** правя груба грешка, постъпвам нетактично; **2.** вървя слепешката, бутам се, блъскам се **(about, along, against, into)**; **to ~ o.'s way along** вървя слепешката; **3.** развалям, обърквам, изпортвам, не успявам, развалям работата; **4.**: **to ~ a piece of business away** изгубвам (пропускам) сделка поради нетактичност.

blush [blʌʃ] **I.** *v* **1.** зачервявам се, изчервявам се, червя се **(at, for)**; **I ~ for you** червя се (срамувам се) заради теб; **2.** *лит.* порозовявам, заруменявам, руменея *(за небе, цветя)*; **II.** *n* **1.** изчервяване, поруменяване; смущение; засрамване; срам; **to bring ~es to s.o.'s cheeks** карам бузите на някого да заруменеят (от срам), карам някого да се изчерви; **2.** поглед, око, взор *(прен.)*; вид; **at (the) first ~** от пръв поглед; **3.** червенина, руменина; **roses of the deepest ~** тъмночервени рози; • **in the first ~ of youth** в първа младост.

bluster [ˈblʌstə] **I.** *v* **1.** бушувам, вилнея, лудея, рева *(за вятър, вълни и пр.)*; **2.** развиквам се, ругая гръмко, заплашвам **(at)**; емча се, пъча се; деребействам; **to ~ at s.o.** мъча се да сплаша някого; **3.** налагам се чрез арогантни речи; **to ~ o.'s way into a leading role** извоювам си ръководен пост чрез арогантност; **II.** *n* **1.** вилнеене, бушуване, рев; **2.** ругатни, гръмки заплахи; деребейство; самохвалство.

board [bɔːd], [bourd] **I.** *n* **1.** дъска; **bread ~** дъска за (рязане на) хляб; **2.** табло *(за обявления и пр.)* *(и* **bulletin ~, notice ~)**; **sandwichman's ~** рекламно табло, закачено на гърба и на гърдите на човек; **3.** табла *(за шах, табла)*; **chess-~** табла за шах; **4.** *ел., инф.* печатна платка; • **above ~** честно, открито, няма скрито-покрито; **to apply across the ~** отнася се за всички засегнати, касае всички заинтересовани; **5.** маса, трапеза, софра; съвещателна маса; **a festive ~** празнична (празнично подредена) маса; **6.** *pl* сцена, подиум, естрада *(в театър)*; **to go on the ~s** ставам актьор; **7.** храна *(особено в пансион)*; **~ and lodging (room and ~)** храна и квартира, пълен пансион; **8.** картонена подвързия; **(binding in) paper ~** подвързан с картон; **cloth ~s** подвързан с плат (картон, обвит с плат); **9.** *техн.* комутатор, превключвател; **10.** съвещателно тяло, съвет, комисия, комитет, жури; министерство *(в Англия)*; **executive ~** изпълнителен комитет; ръководещ орган; **11.** борд *(на кораб)*; **on ~ (ship)** на борда; **to go on ~** качвам се на кораб; **12.** *мор.* **to make a ~ (~s)** лавирам; **and ~** с лавиране; **13.** ръб, край; **sea ~** морски бряг; **II.** *v* **1.** заковавам, обковавам, облицовам, обшивам (с дъски); **2.** подвързвам *(книга)*; **3.** храня се *(обикн. на пансион)*; приемам на пансион; **to ~ with a family** храня се при някое семейство; **4.** качвам се на *(кораб, влак и пр.)*; **5.** завладявам, превземам *(кораб)*; **6.** *мор.* лавирам;

board out давам (деца) на пансион; **board up** заковавам *(прозорец, врата)*; заграждам с дъски, обшивам, облицовам с дъски.

boat [bout] **I.** *n* **1.** лодка, кораб, параход; плавателен съд; **life ~** спасителна лодка; • **to push the ~ out** охарчвам се, бъркам се дълбоко *(за празненство)*; **to be in the same ~** на едно дередже сме; **2.** продълговат съд (подо-

бен на малка лодка); **incense-~** кадилница; **II.** *v* **1.** разхождам се с лодка, возя се на лодка; карам лодка; **we ~ed up the river** разходихме се с лодка нагоре по реката; **2.** *търг.* пренасям по вода.

bob [bɔb] **I.** *v* (**-bb-**) **1.** клатя се, подскачам; люлея се; **to ~ to the surface** изплувам на повърхността; **2.** покланям се, правя реверанс, поклон, поздрав; **3.** подрязвам, подкъсявам, подстригвам *(коса, опашка)*; **~bed hair** късо подстригана коса (с бретон); **4.** ловя риба с въдица; **5.** пързалям се с шейна; **6.** хващам с уста *(плод, който виси, и пр.)*; **II.** *n* **1.** топка *(на махало)*; тежест *(на отвес)*; опашка *(на хвърчило)*; **2.** плувка *(на въдица)*; кукичка *(за червей)*; **3.** *мор.* лот; **4.** къс кичур коса; късо подстригана коса *(на жена)*; подрязана опашка *(на кон и пр.)*; **~ wig** къса перука; **5.** припев, напев, рефрен; **6.** хитрина, шмекерия, измама, дяволия; **7.** подскачане; рязко движение; (тромав) реверанс, поклон, поздрав; **8.** плаз *(на шейна)*.

bob for посягам да хвана с уста, без да ползвам ръцете.

bob up внезапно се появявам, изскачам, изниквам; внезапно ставам.

bode [boud] *v* предвещавам, вещая, предсказвам, предричам, пророкувам; **this ~s you no good** това не предвещава нищо добро за теб.

bodily [ˈbɔdili] **I.** *adj* телесен, физически; **to go about in ~ fear** постоянно се страхувам за живота си; **II.** *adv* **1.** лично; телесно; **2.** нацяло, всички (всичко) заедно, без остатък; **they resigned ~** всички подадоха оставка.

body [ˈbɔdi] **I.** *n* **1.** тяло, плът, снага; труп, туловище; мъртво тяло, труп; *физ.* тяло; *астр.* небесно тяло *(и* **heavenly ~)**; **~ and soul** тялом и духом; **to keep ~ and soul together** свързвам двата края, поддържам живота си, колкото да не умра; **2.** корсаж; боди; **3.** организация, уст-

ройство, структура; дружество; **a representative** ~ представителен орган; **4.** главна (съществена) част на нещо; **the** ~ **of a book (document)** главното съдържание на книга (документ) (*без притурките и пр.*); **5.** група, част; колектив, общество, общност; **large bodies of the population were starving** голяма част от населението гладуваше; **6.** войскова част; **a** ~ **of infantry** пехотинска част; **7.** маса, народ, множество, мнозинство, голямо количество; **a** ~ **of laws** сборник закони; **8.** корпус, тяло, скелет (*на кораб, здание, самолет и пр.*), каросерия (*на автомобил и пр.*); авиац. фюзелаж; главна (централна) част (*на постройка*); стъбло, ствол, дънер (*на дърво*); дъно (*на шапка*); дръжка (*на писалка*); **9.** *разг.* човек; **a very decent old** ~ свестен човек; **10.** пълнота, плътност (*на вино, тютюн, глас*); консистенция; **paper without enough** ~ тънка, рехава хартия; **II.** *v* обикн. **to** ~ **forth** въплътявам, давам форма на; типизирам, уеднаквявам, стандартизирам.

bodyguard ['bɔdigaːd] *n* бодигард, телохранител; лична охрана.

boil₁ [bɔil] **I.** *v* **1.** вря, кипя (*и прен.*); завирам, възвирам; ~ **dry** извирам; **2.** варя, слагам да заври, възварявам, изварявам;

boil away извирам, изпарявам се, превръщам се в пара; къкря, вря, клокоча;

boil down изпарявам (се), сгъстявам (се), правя (ставам) на бульон; *прен.* съкращавам, свеждам (бивам сведен) до най-същественото, опростявам; **it** ~**s down to this** с две думи казано;

boil over кипвам, прекипявам, изкипявам, преливам (*и прен.*);

boil up възвирам, кипвам, надигам се;

II. *n* врене, кипене, точка на кипене; **to come to the** ~ завирам; достигам критична точка (*за положение*); **to be on (at) the** ~ кипя, варя се; на върха (на успеха) съм.

boil₂ *n* цирей.

bold [bould] *adj* **1.** смел, предприемчив, решителен, амбициозен; **to make** ~ **(to), to be so** ~ **(as) to** осмелявам се, имам смелостта да, посмявам да; ◇ *adv* **boldly; 2.** самоуверен, самонадеян, нескромен; безочлив, безсрамен, нагъл; ~ **as brass** нагъл, безочлив; **3.** ясен, подчертан; който личи, изпъква; **4.** издаден, стръмен (*за скала, нос и пр.*).

boldness ['bouldnis] *n* **1.** смелост, храброст, мъжество, сърцатост; **2.** самоувереност; самонадеяност, нескромност, безочливост; безсрамие, наглост; **3.** яснота, изпъкналост, релефност, подчертаност; **4.** издаденост, изтъкналост, издатина.

bolt₁ [boult] **I.** *n* **1.** техн. болт; **copper** ~ **1)** меден болт; **2)** поялник; **2.** резе, мандало; лост; затвор (*на оръжие*); **3.** гръм, мълния; **a** ~ **from the blue** гръм от ясно небе; **4.** топ плат; връзка върбови вейки, тръстика; **5.** хукване, тичане, бягане, избягване; *амер.* напускане на партия; **to make a** ~ **for it** хуквам да бягам; **6.** излизане, изяждане набързо; **7.** *истор.* стрела; **to shoot o.'s** ~ изгърмявам патроните си; **II.** *v* **1.** заключвам, залоствам (*врата*); **to** ~ **in** заключвам някого (*не му позволявам да излезе*); **2.** хуквам, избягвам, офейквам; **3.** изгълтвам, излапвам, изяждам набързо; **4.** стягам (закрепвам) с болтове; (*и* ~ **on**); **5.** *амер.* напускам, изменям на партията си; **6.** израствам и давам плод много бързо (*за сметка на вкусовите качества*); **III.** *adv* ~ **upright** прав като свещ; щръкнал; изправен, стърчащ, направо.

bolt₂ **I.** *n* сито, решето; **II.** *v* сея, пресявам, отсявам; разглеждам, проучвам; **to** ~ **out** сея, пресявам, отсявам.

bomb [bɔm] **I.** *n* **1.** бомба, ръчна граната; *attr* бомбен; ~ **attempt** бомбен атентат; **delayed-action time** ~ бомба със закъснител; **2.** *спорт.* дълго подаване, дълъг пас (*във футбола, баскетбола*);

3. *театр.* неуспех, фиаско; **II.** *v* нападам (разрушавам) с бомби, бомбардирам; **to** ~ **out** прогонвам чрез бомбардировки.

bombard I. *v* [bɔm'baːd] **1.** бомбардирам, *разг.* атакувам, обстрелвам, нападам (*и прен.* -**with**); **2.** *физ.* облъчвам; **II.** *n* ['bɔmbaːd] **1.** *истор.* най-старото оръдие; **2.** кожена бутилка за спиртни питиета; **3.** *муз.* инструмент, подобен на фагот.

bona fide ['bounə,faid(i)] **I.** *adj* истински, искрен, откровен, чистосърдечен; **II.** *adv* истински, искрено, с най-добри намерения.

bond [bɔnd] **I.** *n* **1.** връзка, сноп, възел, пакет; **2.** *pl* окови, вериги, *разг.* пранги; *прен.* тъмница, затвор, плен; **in** ~ в окови, в тъмница; **3.** *прен.* връзка; спойка; окови, верига, спънка; **4.** задължение, споразумение; договор, писмено задължение, полица; *прен.* подпис; **5.** (*обикн. pl*) облигация, бон; **6.** *строит.* превръзка, свързване на тухли; **English (Flemish)** ~ английска (фламандска) връзка; **•** в митница (*за стока*); **to take out of** ~ освобождавам от митницата; **II.** *v* **1.** свързвам, завързвам, обвързвам, комбинирам; **2.** оставям в митницата; залагам, ипотекирам; **3.** издавам облигации.

bondage ['bɔndidʒ] *n* **1.** робство, робия; крепостничество; **in** ~ под робство, под иго; **2.** *прен.* затвор, неволя, принуда, насилие, натиск.

bone [boun] **I.** *n* **1.** кост, кокал; **skin and** ~ кожа и кости; **to the** ~ до кости, напълно; **2.** *pl* кости, скелет; останки; **3.** нещо, направено от кост, от слонова кост (*зарове, кастанети и пр.*); "кокалче"; **4.** обръчи (*на корсаж и др.*); **5.** *амер. sl* долар; **a** ~ **of contention** ябълка на раздора; **the bare** ~**s** основните положения, скелета (*на идея*); **II.** *v* **1.** обирам (*месо*) от кокалите, изваждам костите на; обезкостявам; **2.** слагам обръч (*на корсаж и др.*); **3.** *sl* крада; **to** ~ **up** *амер. разг.* зубря,

кълва; (on по) III. *adv* крайно, твърде много; he is ~ idle той е много мързелив, ленив, отпуснат, бавен; IV. *adj* костен, изработен от кост.

bonhomie [ˈbɔnəˈmi] *n* фр. добродушие, доброта, отзивчивост, сърдечност.

bonus [ˈbounəs] *n* премия, извънредна заплата, възнаграждение, награда.

bony [ˈbouni] *adj* 1. костен; ~ matter костно вещество; 2. костелив, сух, слаб; неразрешим; нееластичен, твърд, неподвижен (*за съединение*); 3. с едър кокал.

boohoo [buːˈhuː] I. *n* плач, рев, вик, писък; II. *v* плача, рева, викам, пискам.

book [buk] I. *n* 1. книга, тефтер, бележник; *pl* счетоводни книги; ~ of reference справочник, указател, наръчник, азбучник; 2. либрето; 3. списък на залагания за конно надбягване; 4. the B. Библията; 5. *карти* шест взятки; • an open ~ "отворена книга", нещо (някой) което ми е напълно ясно; a closed ~ нещо (някой), което не разбирам, "тъмна Индия", непозната територия; II. *v* 1. записвам в книга, тефтер; 2. купувам, ангажирам, издавам билет; to ~ a passage купувам билет за параход; to ~ a seat купувам билет за театър; 3. поканвам, ангажирам, наемам, запазвам; • I'm ~ed ангажиран съм; зает съм; хванаха ме, изгорях; 4. глобявам; правя досие; записвам нещо в досието на; 5. вписвам името на провинил се футболист; давам жълт картон;

book in регистрирам се (*в хотел*). **booking** [ˈbukiŋ] *n* резервация; поръчка.

bookish [ˈbukiʃ] *adj* 1. книжен, формалист, дребнав; акуратен; педантичен; 2. *остар.* книжовен, учен, образован.

boom I. *n* 1. оживление, подем; building ~ усилен строеж; 2. бързо повишаване на цените; 3. бумтеж, гръм, ек; 4. бръмчене, бръмкане; летене, хвърчене; 5. шум,

рекламиране, сензация, популярност; 6. *attr* шумен, рекламен; ~ prices повишени цени; ~ city (town) град, възникнал за кратко време; град, който бързо се развива; II. *v* 1. добивам широка известност; ставам популярен, всеизвестен; повишавам се бързо (*за цени*); бивам търсен много; 2. бумтя, гърмя, еча, изгърмявам; 3. бръмча, бръмкам; летя, хвърча; 4. правя сензация, рекламирам, лансирам с шум; агитирам за, подкрепям.

boomerang [ˈbuːməræŋ] I. *n* бумеранг; II. *v* рикоширам, давам обратен резултат (*за план*).

boon [buːn] I. *n* благодат; дар, благодеяние; предимство, преимущество; II. *adj* 1. благодатен, плодороден, обилен, богат; 2. весел, радостен, бодър, приветлив; ~ companion весел другар.

boost [buːst] I. *v* 1. повдигам, подтиквам, подпомагам, поддържам, подкрепям; 2. лансирам, изтиквам напред, издигам, показвам, рекламирам; 3. покачвам, повишавам; *ел.* усилвам; II. *n* 1. повдигане, тикане, тласък, подпомагане; 2. лансиране, издигане, показване, реклама.

boot₁ [buːt] I. *n* 1. обувка (*цяла, не половинка*); ботуш; high (riding) ~s ботуши; 2. багажник; 3. *истор.* инструмент за измъчване; 4. *авиац. разг.* гумена тръба за предотвратяване образуването на лед; 5. *авиац. разг.* новобранец; 6. *sl* уволнение; оставка, напускане; • ~ and saddle! *воен.* на коне! to get (be given) the ~ изриват ме, натирят ме, изгонват ме; II. *v* 1. обувам обувки; 2. ритам; 3. *разг.* уволнявам; изритвам; to ~ out изгонвам.

boot₂ I. *n остар.* полза, печалба, предимство, преимущество; to ~ отгоре на това; II. *v остар.* от полза съм, имам смисъл; what ~s (it) to какъв смисъл има да; (it) ~s (me) not няма смисъл.

booth [buːθ] *n* 1. сергия; будка, палатка (*на панаир*); 2. кабина; telephone ~ телефонна кабина; 3.

сепаре (*в заведение*).

border [ˈbɔːdə] I. *n* 1. граница, бразда; the B. границата между Англия и Шотландия; *амер. истор.* границата на неколонизираните области; 2. *attr* граничен, пограничен, демаркационен; ~ area гранична зона; ~ incident пограничен инцидент; 3. ръб, край, ивица; обшивка; 4. широка леха покрай плет; II. *v* 1. гранича, достигам, доближавам се, допирам се (on); 2. приближавам се, клоня (on, upon); 3. слагам ръб на, обшивам, поръбвам, подгъвам.

bore [bɔː] I. *v* 1. отегчавам, досаждам, омръзвам на; to be ~d tears, to be ~d stiff отегчен съм до смърт; 2. провъртявам, пробивам; издълбавам; пронизвам (into); 3. мушкам с главата си; избутвам (*за кон*); II. *n* 1. досаден, отегчителен човек, бърборко; напаст; досада; 2. бургия, бормашина, сонда; 3. (*и* ~ hole) сондажен отвор; шнур, взривна дупка, отвор на цев; калибър.

boring [ˈbɔːriŋ] I. *adj* 1. отегчителен, досаден, скучен, монотонен, еднообразен; ◇ *adv* boringly; 2. който пробива; II. *n* 1. пробиване (*на дупка*); 2. провъртяна дупка, сондажен отвор.

born [bɔːn] *adj* роден (of от); in all o.'s ~ days през целия си живот.

bosom [ˈbuzəm] I. *n* 1. пазва, *прен.* скут; деколте; бюст; 2. *поет.* лоно, обятия, гръд, гърди; to take to o.'s ~ оженвам се за; приемам; 3. сърце, душа; II. *v поет.* 1. скъпя, пазя в най-скрития кът на сърцето си; 2. *остар.* слагам в пазвата си; 3. крия, скривам; III. *adj* близък, интимен, верен, обичан.

boss₁ [bɔs] I. *n* 1. господар, чорбаджия, шеф, бос; 2. ръководител на местна партийна организация; II. *adj* 1. главен, важен, пръв, решаващ; 2. *sl* първокачествен, отличен; III. *v разг.* шеф съм на; разпореждам се с (about, around); to ~ the show играя главната роля, свиря първа цигулка.

boss₂ I. *n* 1. (закръглена) изпъкна-

лост, издатина; кръгъл изпъкнал орнамент в центъра на щит; розетка; **2.** главина на колело; **3.** *геол.* щок, купол, лаколит; **II.** *v* правя (поставям) топчести украшения (розетки).

bother ['bɔðə] **I.** *v* безпокоя (се), давам си труд, грижа се, вадя душата на, ядосвам (се) (за нищо и никакво) (**about**); **I can't be ~ed** to няма да си направя труда да, няма да се размърдам да; ● **oh, ~ it!** дявол го взел! **II.** *n* безпокойство, ядове, грижи, тревоги; неприятности, проблеми; труд, работа (**with, over; of ger**).

bottle [bɔtəl] **I.** *n* **1.** бутилка, шише; буркан (**of**); **over a ~** на чаша; **the ~** пиене; **2.** биберон (*и* **feeding-~**); **to bring up (raise) on the ~** храня изкуствено; **~-baby** изкуствено хранено дете; **II.** *v* **1.** наливам в бутилка (-и), слагам в буркан (-и); **2.: to ~ it** *разг.* хваща ме шубето, губя смелост; **bottle out** хваща ме шубето, губя смелост;

bottle up скривам, сдържам, потискам.

bottom ['bɔtəm] **I.** *n* **1.** дъно, долният край (част) на; **~ up** обърнат надолу, с дъното нагоре; **2.** седалка на стол; *грубо* задник; **3.** низина, котловина, дефиле, падина, долина; **4.** *мор.* кил, корито, кораб; **5.** *pl* утайка; **6.** издръжливост, устойчивост; жизненост; търпение; **7.** *attr* (най-)долен, най-нисък; основен; **to bet o.'s ~ dollar** залагам всичко, което имам, залагам и последния си долар; **II.** *v* **1.** основавам, създавам, базирам; **2.** достигам до дъното, измервам дълбочината на; **3.** слагам дъно, седалка на;

bottom out *журн.* задържам се на достигнатото равнище, престават да падам (да се влошават).

bounce [bauns] **I.** *v* **1.** отскачам (*и* **c off, back**); скоквам, подскачам; втурвам се (**into**); изскачам, изхвърчавам (**out of**); **2.** рефлектирам, отразявам се (*за звук, светлина*); **3.** говоря на едро, хваля се, фукам се, надувам се, изсил-

вам се; **4.** изхвърлям, натирвам, изпъждам; **5.** накарвам, убеждавам, увещавам, принуждавам, *разг.* кандърдисвам (**into, out of**); **6.** отказвам да изплатя чек (*тъй като няма покритие*); **7.** връщам се обратно на подателя (*за електронна поща поради грешен адрес*); **8.: to ~ back** стъпвам отново на краката си, съвземам се (*след удар, неуспех*); **II.** *n* **1.** подскачане, отскачане, скок; **2.** силен удар, изплющяване; **3.** еластичност, жилавост, гъвкавост, пластичност; **4.** *sl* изгонване, изпъждане, натирване; **III.** *adv* внезапно, ненадейно, незабавно, изведнъж, бух!; **to come ~ against** бухвам се в.

bound [baund] **I.** *n* (*обикн. pl*) граница, бразда, преграда, предел; **out of ~s** *уч.* извън разрешения район, забранен; **within the ~s of possibility** (едва) допустим, приемлив, законен; вероятен; **II.** *v* **1.** слагам граници на; ограничавам (**by**); **2.** служа за граница на; **3.** гранича (**on** с); *pass* гранича с, допирам се до, достигам до.

bounteous ['bauntiəs] *adj* **1.** щедър, великодушен; **2.** богат, изобилен.

bounty ['baunti] *n* **1.** щедрост, изобилие, богатство; либералност, *прен.* отстъпчивост, търпимост; **2.** дар, подарък; **3.** държавна помощ, премия, субсидия, стипендия, дотация.

bouquet ['bukei] *n* **1.** букет, китка, цветя; **2.** букет, аромат.

bourgeoisie [,buəʒwa:'zi:] *n* буржоазия; **petty ~** дребна буржоазия.

bout [baut] *n* **1.** пристъп, щурм, атака; *мед.* припадък; **2.** тур, промеждутък; **this ~** за този път, по този случай; **3.** счепкване, борба; **4.** гуляй, пир, веселба.

bow₁ [bau] **I.** *v* **1.** покланям се, свеждам глава, поздравявам; **to o.'s thanks** изразявам благодарност чрез поклон; **2.** навеждам, преклоням (се), превивам (се); подчинявам се; **to ~ down** превивам; *прен.* смазвам, сломявам, поразявам; **II.** *n* поклон, поздрав, почитание; **to make o.'s ~** пок-

ланям се, оттеглям се.

bow₂ [bou] **I.** *n* **1.** лък (*и муз.*); **to bend (draw) the ~** опъвам лък; **2.** дъга, арка; **3.** фльонга, панделка; **to tie into a ~** връзвам панделка; **4.** лира (*на трамвай*); **II.** *v* служа си с лък (*при свирене*).

box [bɔks] **I.** *n* **1.** кутия, кутийка, сандък, сандъче; ковчег; **money-~** (детска спестовна) касичка; **2.** будка, кабина; **sentry-~** караулна будка; **3.** капра; **4.** ложа; **witness-~** свидетелска ложа; **jury ~** съдийска ложа; **5.** отделение в обор или във вагон за добитък; **loose ~** отделение в което животното не е вързано; **6.** наказателна зона (*във футбола*); **7.** сепаре в заведение; **8.** къщичка, вила; хижа (*ловджийска, рибарска*); **9.** *техн.* защитен сандък, лагер; **10.** част от страница, отделена с линии и пр.; **11.** (**Christmas-**) **~** коледен подарък; **12.** дупка в дърво за събиране на сок; **13.** *разг.* ковчег; **14.** *разг.* телевизор; **15.** *sl грубо* влагалища, вагина; ● **a black ~** непозната област; нещо, което не разбирам; **come out of the ~** излизам, появявам се; започвам (*да развивам някаква дейност*); **II.** *v* **1.** слагам в кутия, сандък и пр.; **2.** депозирам (*документ*) в съд; **3.** правя дупка в дърво за събиране на сок; ● **to ~ the compass** *мор.* изброявам поред точките на компаса, *прен.* описвам пълен кръг, свършвам там, откъдето съм започнал;

box in 1) заклещвам, задръствам, попадам в задръстване; 2) поставям в безизходно положение; притискам;

box off отделям чрез преграда, преграждам;

box up затварям; набутвам, наблъсквам, натиквам, натъпквам; нахвърлям.

boxer ['bɔksə] *n* **1.** боксьор; **2.** боксер (*порода кучета*).

boxing ['bɔksiŋ] *n* бокс, боксиране; *attr* за бокс.

boy [bɔi] **I.** *n* **1.** момче, хлапе, малчуган; *прен.* неопитен; **old ~**

бивш ученик; дядка; ~ **child** мъжко дете, момче; 2. туземен слуга; 3. *sl* **the** ~ шампанско; • **one of the** ~s мъжко момче; ~s **will be** ~s мъжете са си мъже, типично в мъжки стил; II. *int амер.* О, боже; олеле (*и* oh ~).

boycott ['bɔikət] I. *v* бойкотирам, саботирам; II. *n* бойкот, саботаж, пречка.

boyfriend ['bɔiˌfrend] *n* приятел, любим; гадже.

boyhood ['bɔihud] *n* 1. юношество, младост; 2. момчета, момчетия.

boyish ['bɔiʃ] *adj* момчешки, хлапашки, юношески; ◊ *adv* boyishly.

brace [breis] I. *v* 1. свързвам, стягам; **to** ~ **o.s. up, to** ~ **o.'s energies** стягам се; 2. закрепям, подпирам (**against**); обхващам; 3. опъвам, обтягам; стимулирам; действам благотворно на; 4. *мор.* натъкмявам (платно) според вятъра; 5. *полигр.* слагам в големи скоби; **to** ~ **up** действам ободрявашо, ободрявам, насърчавам, окуражавам; II. *n* 1. чифт, двойка; 2. *pl* презрамки, тиранти; 3. скоба, свръзка; стяга; *полигр.* голяма скоба; 4. паянт, слаб, нестабилен, подпора; разпънка; 5. *мор.* въже за натъкмяване на платно според вятъра; **to splice the main** ~ пия; 6. ремък, който свързва кола с пружините ѝ; 7. ремък за стягане на барабан; 8. маткап.

bracket ['brækit] I. *n* 1. скоба; **round** ~s малки скоби; 2. графа, категория, класа; **low income** ~ категория (хора) с ниски доходи; 3. конзола, подпора, стълб, опора; 4. *воен.* вилка (*при стрелба*); II. *v* 1. слагам в скоби; 2. свързвам, слагам под еднакъв знаменател (**with**); 3. *воен.* хващам във вилка.

brag [bræg] I. *v* хваля се, величая се, *разг.* бия се в гърдите (**of, about**); II. *n* 1. самохвалство, хвалба, надутост, *разг.* фанфаронство; 2. нещо, с което някой се хвали; 3. игра на карти, подобна на покер; III. *adj амер.* много хубав, първокачествен, отличен, чудесен.

brain [brein] I. *n* 1. мозък; ~ **commotion** *мед.* мозъчно сътресение; **he has a fine** ~ умът му сече, бързо реагира, умен е; 2. *обикн. pl* ум, умствени способности, разум, интелект; **to cudgel o.'s** ~s блъскам си главата; II. *v разг.* разбивам главата на; фрасвам по главата.

brake [breik] I. *n* спирачка, забавяне, спънка; *прен.* юзда, намордник; II. *v* слагам спирачка (на), спирам, прекъсвам, преустановявам; задържам.

branch [bra:ntʃ] I. *n* 1. клон, стрък, вейка, филиз; 2. разклонение (*и на планина*); ръкав, завой (*на река*); 3. отрасъл; филиал, бранш; **the various** ~es **of learning** различните отрасли на науката; 4. родова линия; • **root and** ~ от корен, из основи; II. *v* разклонявам се, разделям се, отделям се (**out, forth**); **to** ~ **away, off** отклонявам се (*за път*); • **to** ~ **out into different directions** отклонявам се в разни посоки.

brash [bræʃ] I. *n* отломки, натрошени камъни, късове лед; II. *adj* 1. безочлив, нагъл, нахален, нахакан; 2. стремителен, прибързан, необмислен; ◊ *adv* brashly; 3. чуплив, ронлив, трошлив, крехък.

brave [breiv] I. *adj* 1. храбър, смел, безстрашен, решителен; ◊ *adv* bravely; 2. доблестен, прекрасен, славен; 3. *остар.* пременен, нагизден, накипрен; II. *v* излизам насреща на; бравирам; не искам да зная за, не се боя от, не ми пука от, предизвиквам; **to** ~ **it out** не давам пет пари; III. *n* 1. *остар.* храбрец, юнак; 2. индиански воин.

bravery ['breivəri] *n* 1. храброст, смелост; 2. *остар.* великолепие, пищност, труфила.

brazen [breizn] I. *adj* 1. безсрамен, безочлив, нахален, дебелоок, нагъл; ◊ *adv* brazenly; 2. меден, бронзов; II. *v* 1.: **to** ~ **it out, to** ~ **o.'s way out** нагло отричам, държа се нахално, не ми мига окото, не ми пука; 2. накарвам (*някого*) да загуби всеки срам, да

загрубее.

breach [bri:tʃ] I. *n* 1. пролом, пробив, бреш; *прен.* престой, прекъсване, спиране, отлагане; **to throw (fling) oneself into the** ~ втурвам (хвърлям) се на помощ; 2. разбиване на вълни в кораб (**clean** ~ – когато мачтите и всичко друго на борда бива отнесено; **clear** ~ – без последици); 3. скъсване, раздиране; прекратяване (**with**); 4. нарушение, провинение, непокорство; ~ **of close** нарушение на владение; 5. скачане на кит над водата; II. *v* правя пролом в, пробивам, издълбавам, правя отвор.

bread [bred] I. *n* хляб; **brown** ~ черен хляб, *амер.* хляб с примес от царевица; II. *v* панирам.

breadth [bredθ] *n* 1. широчина, ширина; **by a hair's** ~ насмалко, без малко, почти; **to a hair's** ~ точно; 2. широта, широчина; размах, предприемчивост; развитие, напредък; ~ **of view** широк поглед; • **to travel the length and** ~ **of** пътувам надлъж и нашир из.

break [breik] I. *v* (**broke** [brouk]; **broken** [broukən]) 1. чупя (се), счупвам (се), троша (се), кършя (се), разбивам (се); **to** ~ **open** отварям със сила; 2. нарушавам, не изпълнявам, не спазвам; развалям; **to** ~ **an agreement** не изпълнявам споразумение; 3. скъсвам (се) (*за конец и пр.*); **to** ~ **a blood-vessel** скъсва ми се кръвоносен съд; 4. прекъсвам, скъсвам, прерязвам; прекратявам (*пътуване, ток и пр.*); **to** ~ **for lunch** правя обедна почивка; 5. пукам (*мехури, цирей*), пуквам се (*за мехур, цирей*), сипвам се, пуквам се (*за зора*); разразявам се (*за буря*); откривам се, изпречвам се пред очите на (*за гледка*) (**on**); **the day broke** зазори се, развиделява се, настъпва ден, пуква зора, съмна се; 6. разкъсвам се, разпръсвам се (*за облаци*); разпръсквам в безредие (*войска*); 7. покарвам, пускам издънки, филизи, избивам; изтръгвам се, отронвам се (*за въздишка, стон и пр.*) (**from**); 8.

начевам, набърквам; развалям (*пари*); to ~ **a loaf** начевам хляб; **9.** разстройвам (*редици*), вдигам (*лагер*); **10.** разбивам, развлачам, гръста, мъна; **11.** пресеквам (*за глас*), променям се (*за глас, тон*), мутирам; **12.** ломя, сломявам, съкрушавам, побеждавам (*дух, съпротива и пр.*); **13.** опитомявам, укротявам, дресирам; тренирам; to ~ **a horse to harness** обяздвам кон; **14.** намалявам силата на, обуздавам, усмирявам, спирам (*стихия*); **15.** разорявам (се), фалирам, банкрутирам, "изгърмявам"; провалям (*стачка*); to ~ **the bank** накарвам банка да фалира; **16.** разжалвам, деградирам; унищожавам, разбивам живота на; **17.** избягвам от; to ~ **(out of) jail** избягвам от затвора; to ~ **loose (free)** измъквам се, освобождавам се, спасявам се, изплъзвам се; **18.** очиствам, утъпквам, пробивам, проправям (*път*); **19.** съобщавам (*новина*); **20.** отучвам; to ~ **s.o. (oneself) to a habit** отучвам някого (се); **21.** променям се, развалям се, влошавам се (*за време*), намалявам, минавам, преминавам (*за студ*); **22.** разшифровам, разбирам, разгадавам (*таен код, шифър*); **23.** извивам, изкълчвам (*врат*); **24.** отклонявам се, криввам (*за топка*), променям хода си (*за кон*); • to ~ **cover** излизам от дупката си, показвам се; to ~ **o.'s duck** бележа първия си успех;

break away откъсвам (се), отделям (се); освобождавам се, избягвам; отклонявам се, изоставям, скъсвам с (**from**);

break down 1) събарям, развалям (се), разрушавам (се), разтурям (се), разпадам се, съсипвам, продънвам (се); претърпявам авария; **2)** провалям се, претърпявам неуспех, бивам осуетен; не издържам, грохвам; **3)** разплаквам се, разревавам се; **4)** разделям, класифицирам, анализирам; **5)** *хим.* разлагам;

break forth 1) бликвам, избликвам, руквам, шуртя; **2)** избивам, избухвам; to ~ **forth into tears** разплаквам се;

break in 1) вмъквам се, намесвам се, прекъсвам (*разговор*); **2)** нахлувам (*за крадец в дом*), влизам с взлом; **3)** укротявам, дресирам, обяздвам, дисциплинирам; **4)** разтъпквам (*нови обувки*);

break in on нарушавам, смущавам, прекъсвам;

break into 1) вмъквам се (в); влизам с взлом (в), разбивам; to ~ **into a till** разбивам чекмедже; **2)** променям хода си; to ~ **into a run, gallop** започвам да тичам, да препускам; **3)** отнемам, обсебвам (*времето на някого*); **4)** навлизам в, завоювам, постигам успехи (*в нова област*);

break off 1) отчупвам (се), откършвам (се), късам (се), откъсвам се; **2)** прекъсвам, прекратявам, преустановявам; to ~ **off a habit** отучвам се; **3)** преставам да говоря; пресеквам, *нар.* секвам, спирам; загубвам (*за глас*);

break out 1) избягвам, хуквам; отървавам се; заобикалям; освобождавам се (*от нещо досадно*); **2)** избивам (*за пот*), излизам (*за пришки и под.*), показвам се; to ~ **out into a (cold) sweat** избива ме (студена) пот; to ~ **out into sobs** разхълцвам се, избухвам в плач, разридавам се; **3)** бликвам, избликвам, руквам, шуртя, потичам; **4)** избухвам (*прен.*), нервирам се, *разг.* излизам вън от себе си; **5)** извиквам, възкликвам, възкликвам; еквам (*за песен и пр.*);

break through 1) пробивам, прониквам (през); показвам се; **2)** преодолявам, превъзмогвам, побеждавам, справям се;

break up 1) развалям (се), разтурвам, разкъсвам, раздробявам, разпокъсвам, разпределям (*работа*); **2)** разпадам се (**into**); разпръсвам, разгонвам; **3)** свършвам, бивам разпуснат, запразнявам; разотиваме се; **4)** западам, отпадам, чезна; губя сили; **5)** променям се, обръщам се, развалям се (*за време*); разформирвам;

II. *n* **1.** пробиване, пукване, разбиване, разкъсване; **2.** пукнатина, пробив, пробито, пролука, дупка, отвор; лом; **3.** прекъсване, спиране, пауза, почивка, междучасие; **coffee ~** почивка за кафе; **~ in the wather** разваляне, влошаване на времето; **4.** шанс, вероятност; щастие; удобен случай; to **get an even ~** получавам равен шанс; **5.** *муз.* промяна (*на регистър*); **6.** скъсване, *прен.* прекратяване, спиране, прекъсване; to **make a clean ~ with** скъсвам напълно с; **7.** хукване, опит за бягство; **8.** *амер. разг.* възможност, шанс; **9.** грешка, погрешна стъпка, нетактичност; to **make a (bad) ~** правя погрешна стъпка, неуместна забележка, постъпвам нетактично, изтървавам се, изпускам се; **10.** *амер.* внезапно спадане на цените; **11.** *спорт.* отклоняване на топка; **12.** *геол.* цепнатина, разместени пластове; • **(the) ~ of day** разсъмване, развиделяване, зазоряване;

breakdown [ˈbreikdaun] *n* **1.** авария, повреда; **~ gang** аварийна команда, бригада; **~ mechanic** ремонтен механик; **2.** проваляне, неуспех, провал, пропадане, разоряване, банкрут, фалит; **3.** изнемощяване, грохване, отпадане; разстройство (*на здравето*); **mental ~** загубване на разума, оглупяване, *мед.* деменция; пропадане, безнадеждност; **4.** *хим.* разлагане, анализ; **5.** танцова фигура, танц (с тропане на краката); негърски танц;

breakneck [ˈbreiknek] *adj* **1.** опасен, страшен, рискован; вреден, гибелен; **it was a ~ path** пътеката беше много стръмна и опасна; **2.** главоломен, бърз, светкавичен; сложен, трудноразрешим;

breakup [ˈbreikʌp] **1.** разпадане, проваляне, разрушение, разложение, разлагане (*на империя и под.*); разтурване на събрание; дружество; физическо изтощение; разбиване (*на параход*); *търг.* фалит, ликвидация; **~ prices** ликвидационни (ниски) цени;

2. краят на учебната година, разпускане на училищата; 3. промяна, обрат, смяна (на времето); the ~ of the frost размразяване, топене; 4. развод, бракоразвод, разтрогване на брака.

breast [brest] I. *n* 1. гръд, гърда; **to give a child the ~** давам на дете да суче; 2. гърди, гръден кош; гърди (като месо); бяло месо (на пиле); **to press s.o. to o.'s ~** прегръщам някого; 3. предница (на дреха); 4. прен. душа, вътрешен мир; сърце; прен. вдъхновител; съвест, морал, честност; **to make a clean ~ of it** разг. правя пълни самопризнания, казвам си всичко, изливам си душата, изповядвам се, признавам, покайвам се; 5. прен.: **the ~ of a mountain** склон на планина; 6. метал. търбух (на висока пещ); 7. ухо, отметателна дъска (на плуг); 8. мин. забой; II. *v* 1. изправям се с лице към (трудности, опасност, борба); опълчвам се срещу, противостоя, въставам; **to ~ the storm of popular abuse** излагам се на (понасям смело) народното негодувание; 2. изкачвам се по (хълм); **to ~ a wave** плувам срещу, боря се с вълните.

breath [breθ] *n* 1. дъх, дишане, дихание; **to be out of (short of) ~** запъхтян, задъхан съм, задъхвам се, запъхтявам се; **to draw ~** дишам, вдишвам; поемам дъх; 2. въздух; ветрец; **to get a ~ of air** излизам малко на въздух; 3. миризма, дъх; лъх, полъх; 4. прен. живот; нещо жизненоважно, от първостепенно значение; **it is the very ~ of life to me** ценя го като живота си; 5. език. издишане.

breathe [bri:ð] *v* 1. дишам, поемам дъх; **to ~ hard** запъхтявам се, задъхвам се, дишам тежко, трудно; духам с пълни гърди; 2. живея, съществувам; **all that ~s** всичко живо; 3. съвземам се, поемам си дъх; **to ~ a horse** оставям кон да си почине; 4. шепна, промълвявам, мълвя; изказвам; бълвам; изпускам; излъчвам; лъхам, вея; духам (за вятър, ин-

струмент); **the spirit that ~s through his work** духът, който лъха от творчеството му, духът, с който е пропито творчеството му; 5. език. произнасям (звук) без глас; 6.: **~ into** вдъхвам, прен. внушавам, повлиявам, будя; **to ~ courage into s.o.** вдъхвам кураж, смелост у някого; • **to ~ upon** прен. опетнявам, оклеветявам, злепоставям, позоря.

breathy ['breθi] *adj* глух, безмълвен, тих, поет. безответен, беззвучен.

breech [bri:tʃ] *n* 1. *pl* (**breeches** ['britʃiz]) панталони, брич; 2. воен. задна част на цев на оръдие или пушка.

breed [bri:d] I. *v* (**bred** [bred]) 1. въдя, раждам; размножавам се, множа се, плодя се; имам поколение; **to ~ in** женя се в същия род; 2. отглеждам, развъждам, разплодявам; 3. отглеждам, отхранвам, възпитавам; подготвям; **he was bred to the law** подготвиха го за юрист; • **what's bred in the bone will come out in the flesh** вълкът козината си мени, нрава си не мени; 4. прен. пораждам, предизвиквам, предразполагам към, настройвам към; **dirt ~s disease** мръсотията причинява (предизвиква) болести; II. *n* 1. порода, вид; раса; сорт, род, сой; • **~ will tell** куче да е, но от сой да е; 2. прен. вид, категория, група (особ. за хора).

breeding ['bri:diŋ] *n* 1. размножаване, плодене, разплождане; 2. развъждане, размножаване, отглеждане; **cattle-~** животновъдство; 3. получаване (създаване) на нови видове (в градинарството); 4. образование, просвета; начетеност; култура, възпитание; 5. добри обноски, добро възпитание (държание, поведение), домашно възпитание; **a man of fine ~** много добре възпитан човек, човек с добри обноски.

breeziness ['bri:zinis] *n* 1. прохлада, хладина, свежест; ветровитост; 2. прен. жизнерадостност, бодрост, непринуденост (на обноски); 3.

живост (на реч, стил).

brick [brik] I. *n* 1. тухла; **burnt ~s** печени тухли; **as hard as a ~** твърд като камък; 2. събир. тухли; 3. калъп, блок, кубче, брикет; **a ~ of tea** кубче разтворим чай; 4. разг. добър (свестен) човек, добро момче, симпатяга, арабия; **be a ~!** хайде, ти си добро момче, разбран човек; • **to make ~s without straw** заемам се с трудна и безполезна работа, мъча се напразно; II. *v* 1. **to ~ in (up)** зазиждам; 2. облицовам с тухли; III. *adj, attr* тухлен; от тухли.

bridal ['braidǝl] I. *n* поет. венчавка, венчаване, женитба; сватба; сватбено тържество; II. *adj* 1. сватбен; **~ bells** биене на камбани по случай сватба, сватбени камбани; 2. булчински, булчин; **~ party** шафери, близки, придружаващи младоженците, сватбари.

bridge₁ [bridʒ] I. *n* 1. мост; **to throw a ~ over (across) a river** хвърлям, построявам мост над река; 2. мор. капитански мостик; ~ заден мостик; 3. воен. мор.: **Admiral's ~** адмиралски мостик; 4. анат. носна кост; (в зъботехниката) мост; 5. муз. магаренце (на цигулка и под.); 6. част от рамката на очила, която свързва двете стъкла; 7. ел. уитстънов мост, мост с метров реохорд; 8. семафор, семафорен мост; 9. дървена подпорка за щеки (в билярда); • **a ~ of gold, a golden ~** лесен начин за отстъпление, за излизане от затруднение; **to burn o.'s ~s** отрязвам си пътя за отстъпление; II. *v* 1. построявам мост (прекарвам път) над (река, долина и пр.) (и с over); **a plank ~s the stream** една дъска служи за мост над потока; 2. прен. попълвам, напълвам, доливам; комплектувам, запълвам; икон. попълвам дефицит; 3. прен. заобикалям, преодолявам, надмогвам, превъзмогвам (трудности) (с over); 4. прен. скъсявам, съкращавам (намалявам) разстоянието.

bridge₂ *n* бридж; **to play ~** играя

бридж.

bridle ['braidəl] I. *n* 1. юзда, гем, оглавник; *прен.* спирачка; to give a horse the ~ отпускам юздите (*и прен.*); 2. поводи (*на кон*); to draw ~ спирам коня, дръпвам поводите; 3. халка, в която влиза резе; 4. *анат.* лигамент, връзка, която държи езика отдолу; 5. *техн.* ограничител; 6. *мор.* корабно (привързано) въже; II. *v* 1. слагам юзда (*на кон*); 2. обуздавам, укротявам, овладявам, държам, въздържам; to ~ o.'s tongue държа си езика, меря си думите; 3. виря глава, дърпам назад глава (*за кон*) (*често с* up); 4. *прен.* виря нос, пъча се, *разг.* перча се; важнича (*често с* up); дърпам се; наежвам се, настръхвам; to ~ in спирам кон.

brigade [bri'geid] I. *n* 1. *воен.* бригада; (*в кавалерията*) бригада (два конни полка); (*в артилерията*) отделение (четири батареи); (*в пехотата*) три или четири дружини (батальони); 2. *амер. воен.* голяма войскова част; 3. бригада, команда, отряд; • one of the old ~ *разг. прен.* поборник; *прен.* изпитан, опитен; ветеран, стара кримка (*за мъж*); минала слава (*за жена*); II. *v* 1. *воен.* събирам полкове в бригада; придавам батарея и пр. към бригада; 2. групирам, събирам, обединявам, образувам група.

bright [brait] I. *adj* 1. светъл, ярък; 2. блестящ, бляскав, лъчист, сияен, лъскав; ~ eyes блестящи очи; 3. полиран, излъскан (*напр. за стомана*); ~ parts полирани части (*на машина*); 4. бистър, чист, прозрачен (*за течност*); 5. ясен (*за звук*); ясен, ведър (*за ден, време*); светъл, слънчев (*за стая*); to become ~er прояснява се (*за времето*); 6. *прен.* щастлив, полезен, благотворен, благоприятен; ~ future (prospects) светло бъдеще, светли перспективи; 7. весел, жив, оживен; a ~ spark жив (енергичен, жизнен) човек; ◇ *adv* **brightly**; 8. буден, умен; духовит; ~ as a button много умен, буден;

II. *adv* светло, силно, ярко (*главно с гл.* shine); • ~ and early рано-рано.

brighten ['braitn] *v* 1. *прен.* разкрасявам, разхубавявам, освежавам, придавам по-свеж вид на; ободрявам; подобрявам; оживявам (се), съживявам (се); this news ~s (up) the situation тази новина обнадеждава; 2. *прен.* пооживявам се, ободрявам се (*обикн. с* up); разведрявам се, просветвам, просветлявам, прояснявам се; изяснявам се; просиявам, засиявам; 3. лъскам, придавам блясък на, излъсквам, полирам (*често с* up).

brightness ['braitnis] *n* 1. блясък, сияйност; степен на осветеност; ~ control механизъм за контролиране яркостта на екрана; 2. яркост, живост (*за цветове*); 3. лъскавина, бляскавост, шлифовка; *разг.* лустро; 4. дневна светлина; 5. *прен.* интелигентност, будност; живост (*на ум*); духовитост, остроумие, находчивост.

bring [briŋ] *v* (**brought** [brɔːt]) 1. довеждам, докарвам, донасям; ~ it to me донеси ми го; 2. предизвиквам, причинявам, докарвам до (to); задействам; имам като последица, влека след себе си; to ~ misfortune on s.o. (on s.o.'s head) докарвам нещастие на някого, навличам беда на някого; 3. склоням, склонявам, предумвам, убеждавам, кандардисвам; накарвам; I can't ~ myself to do s.th. не мога да се наложа (да се реша) да направя нещо; 4. докарвам, нося, докарвам (си) (*печалба*); how much did your honey ~? колко взе от меда си? колко си докара от меда? 5. *юр.* завеждам (*дело*); предявявам (*обвинение, иск*); to ~ an action (a suit) against s.o., to ~ s.o. before the court давам някого под съд, завеждам дело срещу някого; • to ~ (s.th.) home to s.o. накарвам някого да разбере, да почувства нещо; to ~ into the world раждам, давам живот на;

bring about 1) докарвам, причинявам, предизвиквам; 2) постигам, извършвам, изпълнявам, осъществявам; this was also brought about и това бе постигнато; 3) *мор.* обръщам;

bring along довеждам, водя (*някого*), донасям със себе си;

bring away отвеждам, извеждам (*някого*), тръгва с мен; отнасям, вземам със себе си;

bring back 1) връщам (обратно); възвръщам; he has brought back word that the city was captured той се върна с новината, че градът е превзет; 2) *прен.* напомням (за), припомням, извиквам спомени;

bring down 1) събарям, повалям, свалям; 2) *мат.* свалям (*число при деление*); balance brought down счет. пренос, салдо; 3) уцелвам, прострелвам (*птица*); събарям (*самолет*); 4) унижавам, излагам, опозорявам, погубвам; 5) стоварвам, удрям с; 6) намалявам, правя да спадне (*подутина, цени*); 7) *sl* подтискам, депресирам; разочаровам; отчайвам; • to ~ the house down *театр. разг.* имам голям успех;

bring forth 1) раждам; we don't know what the future will ~ forth не знаем какво ни носи утрешният ден, какво ни чака утре; 2) произвеждам, пораждам, зараждам, предизвиквам, причинявам;

bring forward 1) издърпвам напред, изнасям; 2) привеждам, цитирам, изтъквам; 3) изтъквам, лансирам (*някого*); 4) поставям (*въпрос*) на разискване; правя (*предложение на събрание*); 5) насрочвам (*събрание и пр.*) за по-ранна дата от предвиденото; 6) *търг.* пренасям (*сума, сбор*); brought forward пренос;

bring in 1) въвеждам; донасям, внасям; 2) сервирам (*обед, вечеря*); 3) внасям (*стоки*); 4) вмъквам, споменавам (*цитати в реч*); 5) докарвам, нося (*доход, лихва*); 6) *юр.* обявявам (*за жури*); the jury brought him in guilty журито го обяви за виновен; 7) *спорт.*: to ~ in o.'s horse first пристигам пръв (*за жокей*);

bring into задействам, включвам; **to ~ into service** въвеждам в експлоатация;

bring off 1) отървавам, освобождавам, спасявам, избавям; 2) довеждам до успешен край, успявам с; **to ~ it off** успявам, постигам, улучвам, сполучвам;

bring on 1) предизвиквам, причинявам, докарвам (*болест*); 2) поощрявам, помагам (*на растеж, в работата*); **he is ~ing him on an examination** той го подготвя за изпит; 3) *театр.* изкарвам на сцената; поставям, представям, изнасям; 4) предлагам, поставям тема (*за разискване*); 5) започвам, водя, завързвам (*сражение*);

bring out 1) извеждам; изваждам, отвеждам; оттеглям; 2) изразявам, показвам, изтъквам, подчертавам; **to ~ out the inner meaning of a passage** разкривам истинското значение на откъс; 3) въвеждам в обществото (*девойка*), лансирам, издигам, показвам (*актриса*); 4) поставям (*пиеса*); 5) публикувам, обнародвам, изкарвам на бял свят; 6) *фин.* пускам на пазара; 7) *прен.* предизвиквам, накарвам някого да проговори, да каже мнението си; 8) правя да разцъфне, *прен.* да успее, просперира;

bring over 1) 1. докарвам, донасям, внасям (*стоки*) **(from)**; 2. довеждам, *разг.* домъквам (*някого*); 3. предумвам, уговарям, спечелвам на своя страна;

bring round 1) донасям; довеждам, докарвам, водя; 2) свестявам; изправям, вдигам на крака (*за болен*); 3) развеселявам, ободрявам; 4) склонявам, склонявам, предумвам, уговарям, спечелвам на своя страна; 5) докарвам, довеждам (*разговор на дадена тема*);

bring through 1) прекарвам през; прокарвам, пробутвам; 2) спасявам, отървавам; излекувам, изправям на крака (*болен*);

bring to 1) свестявам; 2) *мор.* спирам (*параход*); спирам (*за пара-*

ход);

bring together 1) сближавам, сдобрявам, помирявам; 2) доближавам, допирам, докосвам (*предмети*);

bring under 1) покорявам, поставям в зависимост, подчинявам; **to ~ s.o. under discipline** дисциплинирам някого, приучвам някого да се подчинява; 2) отнасям, причислявам (*към дадена категория*);

bring up 1) качвам; 2) докарвам; доближавам, приближавам, издърпвам; **to ~ up reinforcements** докарвам подкрепления; 3) отглеждам, грижа се (*за някого*) възпитавам; **to have been brought up in a doctrine** закърмен съм с едно учение; 4) повръщам, *нар.* бълвам, *разг.* повдига ми се; 5) повдигам, поставям на разглеждане (*въпрос*); 6) спирам (*особ. за параход*); **to be brought up short by s.th.** (нещо) ме накара да спра внезапно; • **to ~ up the rear** вървя последен, на опашката;

broach [brout∫] I. *v* 1. започвам да обсъждам, зачеквам, подхващам (*въпрос*); **to ~ a subject** подхващам, повеждам разговор за нещо, започвам дискусия; 2. продупчвам, пробивам (*бъчва, тръба*); 3. пускам, отварям (*буре*); набърквам, начевам, започвам; **~ed wine** наливно вино; 4. *техн.* разширявам (*дупка*); коригирам (*тръба отвътре*); 5. дялам (*камък, под прав ъгъл*); 6. намушвам на шиш; 7. разгласявам, оповестявам, разтръбявам; 8. *мор.* обръщам (се) напреки на вятъра (*за кораб*); II. *n* 1. шиш; 2. *архит.* островърха църковна кула; 3. *техн.* свредел.

broad [brɔ:d] I. *adj* 1. широк, просторен, грамаден; **he has a ~ back** той е (широко)плещест мъж; *прен.* той има широк гръб, носи; 2. широк, обширен; **the ~ ocean (seas)** необятната шир; 3. общ, в общи линии; най-съществен, основен; **in ~ outline** в общи линии; 4. подчертан, силен (*за акцент, диалект*); 5. *прен.* свобо-

ден, независим; *поет.* волен, толерантен; **~ mind** (човек) с широк ум (възгледи); 6. груб, неприличен, непристоен, вулгарен; циничен, нецензурен; **~ humour** просташки хумор; • **in ~ daylight** посред бял ден; II. *adv* 1. широко; 2. свободно, независимо, самостоятелно, неограничено; 3. напълно, изцяло, докрай; III. *n* 1. *геогр. pl* the **(Norfolk) Broads** езера, солени блата (в Норфък); 2. широката част на нещо; 3. *sl* лека, продажна жена; 4. *амер. театр.* огледален рефлектор.

brochure ['brɔʃuə] *n* 1. брошура, книжка, свезка; 2. памфлет, сатира, пасквил; оскърбление.

broker ['broukə] *n* 1. брокер, посредник, комисионер, агент; **insurance ~** застрахователен агент; 2. *юр.* съдия-изпълнител.

brood [bru:d] I. *n* 1. люпило; пилило; 2. *прен.* челяд, потомство; домочадие; 3. пасмина, сбирщина, *разг.* тайфа; II. *v* 1. мътя, люпя; 2. разклопвам се; замислям се, седя умислен, размислям се (*често с* **on, over**); изпадам в мрачно настроение, печален, тъжен съм; 4. надвисвам; **night ~s over the scene** нощта обгръща всичко в мрак, нощта разстила тъмнина.

brother ['brʌðə] I. *n* 1. брат; **own, full,** *амер.* **whole ~** роден брат; 2. *рел.* брат, член на религиозно братство (*pl* **brothers, brethren** ['breðrin]); **lay ~s** братя миряни; 3. *attr* събрат, колега, съученик; **~ officer** колега офицер; 4. земляк, съотечественик, сънародник; • **B. Jonathan** *разг.* = **Uncle Sam** Чичо Сам (*правителството на САЩ; типичен американец*); II. *v* отнасям се братски, дружески, приятелски към някого.

brow [brau] *n* 1. чело; **to smooth (unbend) the ~** прояснявам, разведрявам чело; 2. обикн. *pl* вежди; **to knit (pucker) o.'s ~s** свивам вежди, сбърчвам чело, намръщвам се; 3. стръмен склон; 4.

край, ръб (на пропаст); 5. външност, изражение, вид, физиономия.

bruise [bru:z] I. *v* 1. натъртвам (се), удрям (се), контузвам (се); ~d hoof *вет.* набито копито; 2. *прен.* засягам, нагрубявам, обиждам; their egos are so easily ~d тяхното его е толкова уязвимо (лесно наранимо); 3. *амер.* чукам в хаван; грухам (жито); 4. чукам (метал); 5. хващам, приклещвам (в преса, менгеме); II. *n* 1. натъртено място, контузия; 2. набито място (на плод); ударено място (на дърво).

brunet(te) [bru'net] I. *n* брюнетка; II. *adj* мургава, с кестеняви коси и кафяви очи.

brush [brʌʃ] I. *n* 1. четка; hair (tooth) ~ четка за коса (за зъби); • tarred with the same ~ от един калъп изляти, от един дол дренки; 2. (paint-) ~ четка за боядисване, рисуване; the ~ *прен.* живописта; 3. лисича опашка; to show o.'s ~ *разг.* офейквам, изчезвам, измъквам се, избягвам; 4. *ел.* четка; изпразване във вид на искри; 5. *опт.* неясни контури на фигура; 6. изчеткване, почистване; *разг.* правя мили очи; to give s.th. a ~ изчетквам нещо; 7. сблъсък (с неприятел), схватка; спор; недоразумение; *амер. спорт.* среща; 8. ожулване, натъртване на крака (на кон); 9. храсталак, гъстак, гъсталак, шубрак, млада гора; II. *v* 1. четкам, почиствам, изчетквам; 2. сресвам; 3. леко докосвам (повърхност); леко се докосвам (допирам) до (against), бързо минавам край (by, past); 4. набивам, натъртвам, ожулвам си крака (за кон); 5. развлачвам, кардирам; 6. мия (зъби).

brush aside отминавам, подминавам, отхвърлям, пренебрегвам;

brush away 1) изчетквам, изчиствам; изтупвам (кал, прах); 2) леко избърсвам, изтривам (сълзи);

brush down четкам, *прен.* лаская (някого), подмазвам се (разг.); четкам, тимаря (кон); четкам по

косъма (влакнеста шапка);

brush in *изк.* рисувам (нещо) бързо с четката, скицирам, нахвърлям скица;

brush off *разг.* 1) избягвам бързо, измитам се, изчезвам, скатавам се (разг.), офейквам; 2) пренебрегвам, не зачитам, не обръщам внимание (на някого); 3) изчетквам (кал, прах);

brush out 1) изчетквам (напр. косата си); 2) основно почиствам, мета (стая); 3) *изк.* to ~ out a detail махам, замазвам, заличавам подробност (на картина) с четка;

brush over 1) минавам леко с четка по; 2) леко докосвам (при минаване);

brush up 1) (по)изчетквам; чистя (се), нагласявам се; 2) опреснявам, възстановявам, припомням (знания); to ~ up on British history опреснявам знанията си по история на Британия; 3) сресвам (се), реша (се) назад; to ~ o.'s hair up, to ~ o.'s hair реша се назад; 4) to ~ up crumbs събирам трохи (от маса) с четка.

bubble ['bʌbəl] I. *n* 1. мехур, балон (въздушен, сапунен); to blow ~s правя сапунени мехури; *прен.* създавам празни теории; занимавам се с детинщини; 2. шупла (в стъкло, метал); 3. *прен.* несъществим, нереален проект, план; измама; *прен.* външен блясък, суета, празнота, лекомислие; II. *v* 1. пускам мехури; 2. пеня се (за питие); 3. клокоча, клоквам; кълколя, клокотя; 4. кипя (за дейност), оживен съм; to ~ (over) with excitement кипя (преливам) от вълнение, изпълнен съм с възбуда (радостна); 5. *остар.* измамвам, изигравам, подвеждам;

bubble up 1) избликвам, извирам, потичам (за извор); 2) надигам се (за чувство).

bucked ['bʌkt] *adj sl* 1. уморен, грохнал, капнал; 2. весел, радостен, доволен, оживен.

bucket ['bʌkit] I. *n* 1. ведро, кофа; 2. бутало (на помпа); 3. *техн.*

перка; лопатка (на турбина); кофа (на багер и пр.); to come down in ~, to rain ~ вали като из ведро; • to kick the ~ *sl* умирам, хвърлям топа; a drop in the ~ капка в морето; II. *v* 1. черпя, нося вода (с кофа); 2. изтощавам, уморявам (кон) от езда; яздя бързо; 3. греба лошо (като се навеждам прекалено бързо напред); 4. движа се много бързо, святкам се, стрелвам се;

bucket down вали като из ведро, сипе се.

buckle ['bʌkəl] I. *n* 1. тока, катарама; 2. скоба; стяга; винтов обтегач; II. *v* 1. закопчавам (с катарама); to ~ to (a task) запретвам се за работа; 2. *техн.* изкорубвам (се), деформирам (се), изкривявам (се); разцентрирам се, измятам се (за колело); 3. състезавам се, съревновавам се, преборвам се, боря се; **buckle down** заемам се; залавям се за, захващам се за, запретвам се на работа.

bud [bʌd] I. *n* 1. *бот.* пъпка; flower (leaf) ~ цветна (листна) пъпка; 2. *зоол.* пъпка (при пъпкуване); 3. *анат.* телце (вкусово и пр.); 4. *прен. sl* младо момиче, девойка; II. *v* 1. *бот.* напъпвам, пускам пъпки; 2. *зоол.* пъпкувам; to ~ off from размножавам се чрез пъпкуване; *прен.* обособявам се, отделям се; 3. присаждам, ашладисвам.

budding ['bʌdiŋ] I. *adj* 1. напъпил (за растение); 2. *прен.* млад, обещаващ (за човек); ~ beauty момиче пред разцвета на красотата си; II. *n* 1. напъпване, покарване на пъпки; 2. ашладисване.

budget ['bʌdʒit] I. *n* 1. бюджет; to introduce ~, to pass the ~ гласувам бюджета; 2. *остар.* кесия, малка торба; 3. куп, грамада; множество; сбирка; big ~ of news куп (много) новини; II. *v:* заделям, определям, разпределям, нарочвам; to ~ (for) предвиждам кредити в бюджета (за дадени разходи); III. *adj* икономичен, евтин (за стока).

buffalo [ˈbʌfəlou] I. *n* 1. бивол; 2. американски бизон; 3. *прен. амер. sl* негър; 4. член на благотворителното дружество the Ancient Order of Buffaloes; 5. наметало от бизонска кожа (*у индианците*); 6. *воен.* танк амфибия; II. *v амер. sl* 1. сплашвам, тероризирам, измъчвам, всявам страх; 2. обърквам, смесвам; развалям; *прен.* усложнявам.

buffet₁ [ˈbʌfit] *n* 1. удар (*обикн. нанесен с ръка*); 2. *прен.* удар, нещастие, беда, злочестина, премеждие; II. *v* 1. нанасям удар; 2. удрям плесница; бия с юмрук; нанасям побой; ~ed by social and political upheavals разкъсвана от социални и политически катаклизми.

buffet₂ [ˈbufei] *n* 1. бюфет, ресторант (*на гара и пр.*); 2. бюфет (*маса със закуски*); ~ luncheon лек обед (*на крак*); 3. закуски; cold ~ студени закуски.

build [bild] I. *v* (built [bilt]) 1. строя, построявам, градя, изграждам, издигам, зидам, иззиждам, съзиждам; свивам, вия (*гнездо*); to ~ over a piece of land застроявам дадено място; 2. *прен.* създавам, изграждам, правя (*обикн. c up*); формирам, оформям, изграждам (*характер*); кроя (*планове*); 3. възлагам; уповавам се, разчитам, надявам се, възползвам се, извличам дивиденти (on, upon); to ~ vain hopes on s.th. напразно разчитам на нещо, надявам се напразно; ● to ~ a fire клада, огън; I am built that way *прен.* такъв съм си;

build in 1) зазиждам, запушвам (*прозорец, врата*); 2) вграждам, взиждам, зазиждам; a built-in closet вграден шкаф; to ~ a tablet into a wall вграждам табелка в стена;

build up 1) зазиждам, запушвам (*прозорец, врата*); 2) застроявам, обкръжавам с къщи; 3) изграждам, създавам, развивам; *прен.* лансирам, правя реклама на някого, създавам име, имидж; to ~ up a practice създавам си

клиентела (*за лекар, адвокат*); 4) подпомагам, подкрепям, насърчавам;

build up to подготвям (почвата) за, постепенно въвеждам;

II. *n* 1. направа, конструкция, структура; устройство; 2. форма; стил (*на здание*); 3. телосложение; a man of slight ~ дребен, слаботелесен, хилав, слаб човек.

builder [ˈbildə] *n* 1. строител, създател, творец (*прен.*); master ~ предприемач; 2. *прен.* създател, Empire ~ строител, създател на империята.

building [ˈbildin] *n* 1. изграждане, строеж; строителство; ~ ground, land място, парцел за строеж; 2. здание, сграда, постройка; public ~ обществена сграда; 3. *pl* жилищни сгради.

bulb [bʌlb] I. *n* 1. *ел.* крушка; 2. *хим.* колба; 3. *бот.* луковица, глава; ~ of garlic глава чесън; 4. луковично растение; 5. *анат.* разширение, надебеляване; корен (*на косъм, нерв*); фоликул; 6. резервоар (*на термометър*); II. *v* 1. образувам луковица (*и c up*); 2. подувам се, издувам се, надувам се; 3.: to ~ up завивам се, свивам се (*за зелка*).

Bulgaria [bʌlˈgeəriə] *n* България.

Bulgarian [bʌlˈgeəriən] I. *n* 1. българин, българка; 2. български (*език*); II. *adj* български.

bull [bul] I. *n* 1. бик, бивол; мъжки кит, морж, слон и пр.; 2. борсов спекулант, който залага на повишаване на цените; the market is ~ цените на борсата се повишават; 3. (the B.) съзвездието Телец; знак на зодиака; 4. *sl* полицай; percentage ~ корумпиран полицай; 5. *разг.* мишена, цел; ● ~ of Bashan гръмогласен човек; II. *v* 1. спекулирам, за да се повишат цените, надувам цените (*на борсата*); покачвам се (*за ценни книжа*); 2. добре гледан съм; 3. *sl* приказвам на едро, лъготя, извъртам; *разг.* мятам; 4. бутам, тикам, напирам, блъскам се; III. *adj* 1. мъжки, от мъжки пол; 2. биволски и пр.; 3. покачващи се,

повишаващи се (*за цени*); market покачване на борсата.

bullet [ˈbulit] I. *n* куршум; jacketed ~ блиндиран куршум; ● to get the ~ *прен.* бивам уволнен, съкратен; II. *v* движа се бързо, стрелкам се, втурвам се, връхлитам.

bump [bʌmp] I. *v* 1. удрям се, блъсвам се (into, against); сблъсквам се, удрям се в дъното (*за параход*); 2. удрям, буторясвам (against); to ~ o.'s head against the wall удрям главата си в стената; 3. друсам се (*за кола*); 4. правя да експлодира (*мина*); 5. грубо лишавам от собственост;

bump along друсам се, клатушкам се (*при пътуване с кола*);

bump down *разг.* падам, търкулвам се, строполясвам се;

bump into натъквам се на, срещам случайно;

bump off *sl* светявам маслото на, убивам;

bump up увеличавам, надувам (*цена*);

II. *n* 1. сблъскване; тъп удар; to come down to earth with a ~ опомням се внезапно, идвам на себе си изведнъж; 2. друсане, раздрусване, разтърсване (*при возене в кола*); 3. цицина; 4. *спорт.* блъскане, настигане, изпреварване; 5. буца, подутина, оток, цицина (*от силен удар*); 6. неравност (*на път*); *авиац.* въздушна яма; 7. издатина, изпъкналост (*по черепа*); *прен.* способност, талант, дарба, дарование; to feel s.o.'s ~s опипвам издатините по черепа на някого (за да открия способностите му); III. *adv* туп, друс, тряс; to come ~ on the floor тупвам, лупвам, цопвам на земята.

bunker [ˈbʌŋkə] I. *n* 1. бункер (*и мор. за въглища на кораб*); 2. *шотл.* сандък, ковчег, ракла, на която се сяда; 3. *спорт.* (*голф*) препятствия; II. *v* 1. взимам, товаря въглища (*за параход*); 2. *спорт.* (*голф*): to be ~ed намирам се пред препятствие, забутвам топката в трудно място; *прен.* намирам се натясно, в за-

дънена улица, нямам изход.

buoy [bɔi] I. *n* 1. шамандура; 2. спасителен пояс; II. *v* 1. повдигам духа на, окуражавам, насърчавам, поощрявам; **to be ~ed up (with new hope)** обнадежден съм; 2. поставям шамандури; **to ~ (off, out) a channel** поставям шамандури по талвег; 3. задържам (се) на повърхността; **to ~ a net** поставям корк на мрежа;

burden [bə:dn] I. *n* 1. товар, тежест, бреме; **beast of ~** товарно животно; **~ of proof** *юр.* тежест на доказването; 2. *мор.* товароподемност, тонаж; II. *v* 1. товаря; претоварвам, претрупвам, затрупвам; 2. обременявам, затруднявам, отежнявам.

bureau [bjuə'rou] *n* (*pl* **~x, ~s** [z]) 1. бюро, писалище; 2. *амер.* шкаф, скрин; 3. бюро, управление, дирекция, служба, отдел, отделение, секция.

bureaucracy ['bjuə'rɔkrəsi] *n* 1. *събир.* бюрокрация, административен апарат; 2. бюрократизъм, бюрокрация, канцеларщина.

bureaucratic [,bjuərə'krætik] *adj* бюрократичен, административен; формалистичен.

burn₁ [bə:n] I. *v* (**burnt** *или* **burned** [bə:nt]) горя, изгарям; загарям; **his face ~s easily** лицето му лесно загаря; **● to ~ o.'s boat (bridges)** *прен.* изгарям корабите си;

burn away изгарям; поддържам огъня, горя;

burn down 1) изгарям до основи; 2) догарям;

burn in *инф.* тествам интензивно (*нов компютър за няколко часа или дни веднага след купуването му*);

burn into врязвам се, запечатвам се, *прен.* опаковам се, затварям се;

burn off 1) изгарям (*калории*), изразходвам (*енергия*); 2) унищожавам, изгарям (*документи и пр.*);

burn out 1) догарям; 2) изразходвам се, изтощавам се, съсипвам се;

burn up 1) пламвам, разпалвам се; 2) изгарям, дога-

рям, овъглявам се;

II. *n* 1. изгорено място; изгаряне; **first ~** изгаряне първа степен; 2. печене (*на тухли, варовик за вар и пр.*).

burn₂ *n* *шотл.* поток, ручей, бързей, бара, рекичка.

burning ['bə:niŋ] I. *n* 1. горене, пламтене; светене, искрене; 2. изгаряне, обгаряне; 3. печене (*на тухли, керамика*); II. *adj* горящ; запален; *прен.* горещ, жарък, разгорещен; **~ shame (disgrace)** позорен срам; **~ oil** газ за горене.

bursting ['bə:stiŋ] I. *n* взрив, избухване, пръскане; II. *adj* 1. избухлив, избухващ, бризантен, експлозивен; 2. преливащ, кипящ (**with** от) (*за чувство*); 3. силно желаещ, изгарящ от нетърпение; **● ~ at the seams, full to ~** пълен до пръскане.

bus [bʌs] I. *n* (*pl* **buses, busses**) 1. автобус, омнибус; 2. *sl* самолет (*пътнически*); 3. *инф.* (входно-изходна) шина, магистрала; **● like the back end of a ~** *sl* непривлекателен, грозен; II. *v* пътувам с автобус; изпращам с автобус.

business ['biznis] *n* 1. работа, занятие, бизнес; **the ~ of the day (of the meeting)** дневният ред (на събранието); 2. професия, занаят, кариера, специалност; 3. търговия, *разг.* покупко-продажба, търговско предприятие; **line of ~** търговски бранш; 4. задължение, ангажимент, уговорка; длъжност, бреме; **to make it o.'s ~** считам за свое задължение; 5. работа, история; **I am fed up with the whole ~** дотегна ми цялата история, дойде ми до гуша от цялата тази работа; 6. *театр.* жестове, мимика; амплоа; **he has never taken leading ~** той никога не е играл (в) главна роля; 7. месторабота; *търг.* предприятие; **● the ~ end** дебелият край.

butter ['bʌtə] I. *n* 1. масло; **vegetable ~** растително масло; 2. грубо ласкателство; **to lay the ~ on** лаская грубо, прехвалвам; II. *v* 1. намазвам с масло; **he knows on which side his bread is ~ed** той си знае интере-

са; 2. лаская грубо, прехвалвам (*често с* up); **● fine (kind, soft) words ~ non parsnips** хубави приказки работа не вършат.

button [bʌtn] I. *n* 1. копче; 2. бутон; **to press the ~** натискам копчето; *прен.* задействам нещо, поставям нещо в ход; 2. значка, отличителен белег на политическа партия, носен по време на избори; 4. наконечник (*на рапира*); **the ~s came off the foils** наконечниците паднаха от рапирите, *прен.* страстите се разгорещиха (*при спор*); 5. цветна пъпка; млада (недозряла) гъба; 6. *pl* пиколо, прислужник в хотел, клуб и пр.; ливрея; **● a hot ~** злободневен въпрос; II. *v* 1. слагам копчета на; 2. закопчавам (*и* ~up); **~ed up** 1) *воен.* *sl* в пълен ред, в пълна готовност; 2) в кърпа вързан; сигурен; **to ~ up o.'s mouth** *разг.* затварям си устата, мълча.

buzzer ['bʌzə] *n* 1. сирена, клаксон, свирка; **works ~** фабрична сирена; 2. *ел.* електрически звънец.

by [bai] I. *prep* 1. (*за място*); при, край, близо до, до; по; **~ my side** до мене; 2. (*за посока*) около, покрай, през; **to pass ~ the door** минавам през вратата; 3. (*за начин*) чрез, посредством, с, по; за; от; **~ airmail** по въздушна поща; 4. (*за деятеля*) от; **a comedy ~ Shakespeare** комедия от Шекспир; 5. (*за време*) до; през; **~ tomorrow** до утре; 6. (*за мярка*) с, на; **~ metres, ~ the metre** на метър; 7. (*при сравнителна степен*) с; **~ two years older** с две години по-възрастен; 8. според, съгласно, съответно, съобразно с, по; **~ your leave** с ваше разрешение; 9. в името на; **to swear ~ all the saints** кълна се във всички светии; II. *adv* 1. близо, в съседство, недалеч, наблизо; **close (hard) ~** съвсем близо; 2. покрай, настрана; **she passed ~ me** тя ме отмина; **● ~ and ~** след малко, скоро; *остар.* един след друг, поред; непрекъснато; III. *adj* случаен, второстепенен; **~ blow** случаен удар.

C, c [si:] *n* (*pl* cs, c's [si:z]) 1. буквата **c**; 2. *муз.* до; 3. *лат.* 100; 4. училищна оценка между "среден" и "добър"; 5. *sl амер.* банкнота от 100 долара, стотачка; 6. *abbr* (**circa**) около, приблизително.

cab [kæb] I. *n* 1. такси (*и* **taxicab**); 2. файтон; кабриолет; 3. кабина (*на локомотив, самолет, камион*); II. *v* (**-bb-**) пътувам с такси (файтон) (*u* to → it).

cabal [kə'bæl] I. *n* 1. интрига; заговор; конспирация; 2. клика, хунта; II. *v* заговорнича, съзаклятнича, конспирирам.

cabaret ['kæbərei] *n* 1. кабаре; 2. кръчма, ханче (*във Франция*); 3. малка масичка или поднос за сервиране на чай, кафе и пр.

cabin ['kæbin] I. *n* 1. каюта, кабина; → **class** втора класа; 2. хижа; колиба; **log** → дървена хижа; II. *v* затварям на тясно; *adj* → **ed** стеснен, сбит.

cabinet ['kæbinit] I. *n* 1. *полит.* кабинет; 2. шкаф с етажерки; 3. кутия, сандъче; 4. малка уединена стая; II. *adj* 1. кабинетен; → **crisis** кабинетна (правителствена, министерска) криза; 2.: → **size** кабинетен формат (*за снимка и пр.*).

cable [keibl] I. *n* 1. кабел; многожилен проводник; 2. дебело въже; верига или въже на котва; →**'s length** *мор.* мярка за дължина (*англ. 183 м, амер. 219 м*); 3. кабелна телевизия (*u* → **TV**); 4. каблограма, телеграма; 5. *архит.* усукан орнамент; 6. *attr* кабелен, жичен; II. *v* 1. изпращам каблограма, телеграфирам; 2. привързвам с кабел (въже); 3. включвам към кабелна телевизия.

cabriolet ['kæbriolei] *n* 1. кабриолет, двуколка; 2. кабриолет, автомобил с подвижен покрив.

cacao [kə'ka:ou] *n* 1. какао; 2. какаово дърво *Theobroma cacao*.

cache ['kæʃ] I. *n* 1. скривалище; зимник; таен склад; 2. стоките или провизиите в склад; II. *v* 1. скривам; 2. складирам.

cadastral [kə'dæstrəl] *adj* кадастрален; → **map** кадастрален план.
cadastre [kə'dæstə:] *n* кадастър.
cadet [kə'det] *n* 1. кадет, юнкер, курсант; 2. по-малък син (брат); 3. *амер., разг.* сводник.
café ['kæfei] *n* 1. кафене, кафе-сладкарница; 2. снек-бар; 3. евтин ресторант.
cage [keidʒ] I. *n* 1. клетка, кафез; • **to rattle s.o.'s** → дразня, изнервям някого; 2. *техн.* кутия; кожух; корпус; скелет; 3. *остар.* карцер, арест; 4. *мин.* клетка за асансьор; кабина; *спорт.* хокейна врата; 5. сепаратор (*на търкаляш лагер*); 6. стълбище; II. *v* затварям в клетка, държа в клетка.
cahoot [kə'hu:t] *n sl* съдружие, съучастие; лига, сдружение; **in** → **s** в тайно сдружение (*с непочтени цели*).
cairn [keən] *n* грамада; каменна пирамида; паметник.
cajolement, cajolery [kə'dʒoulmənt, -ləri] *n* 1. ласкателство; ласка; 2. предумване.
cake [keik] I. *n* 1. кейк, кекс, торта; • **a piece of** → *разг.* фасулска работа, просто като фасул; **a slice of the** → дял от печалбата (ползата); "парче от баницата"; 2. питка; сплескана топка (от смлян или смачкан продукт); парче; кубче; брикет; **a** → **of soap** калъп сапун; II. *v* спичам (се), втвърдявам (се), вкоравявам се.
calculate ['kælkjuleit] *v* 1. изчислявам, пресмятам, калкулирам; 2. предвиждам; 3. *разг.* предполагам, смятам, считам, мисля; 4. преценявам, претеглям; 5.: → **on** разчитам на.
calendar ['kælində] I. *n* 1. календар; алманах; **the Gregorian** → Григориански календар; 2. *рел.* списък на светците; църковен календар; 3. списък, опис; указател; регистър; 4. *attr* календарен, астрономичен; II. *v* вписвам, регистрирам; инвентаризирам.
calf [ka:f] *n* (*pl* **calves** [ka:vz]) 1. теле; **the golden** → Златният телец; 2. малкото на елен, слон, кит, тюлен и др.; 3. *прен.* "теле", глупак,

глупчо, тъпак; 4. телешка кожа (*обработена*); бокс; 5. *мор.* къс плаваш лед.
call [kɔ:l] I. *n* 1. вик; 2. повик, зов, призив, апел, възвание; 3. призвание, влечение; 4. посещение, визита; **to pay a** → правя посещение, посещавам; 5. покана (*за заемане на преподавателска катедра и пр.*); 6. *театр.* извикване на актьор на сцената (*и* **curtain** →); 7. искане, изискване; претенция; **to have first** → **on** първи имам право на избор, първи имам думата; 8. повикване (*по телефона*), позвъняване; 9. нужда, необходимост; **you have no** → **to blush** няма защо да се червите от срам; 10. *карти* искане за откриване на картите; 11. поименно извикване (*и* **roll**); 12. обаждане (вик, крясък, рев) на птица или животно; звук, имитиращ зов на животно; **within** → наблизо; • **on** → при поискване; II. *v* 1. викам, извиквам, повиквам; 2. наричам, казвам, назовавам, именувам, наименувам; 3. правя визита (посещение); 4. будя, събуждам; 5. свиквам, събирам (*събрание и пр.*); 6. обаждам се (*по телефон*), позвънявам; **to** → **collect** обаждам се за сметка на абоната; 7. искам, изисквам (*плащане*); 8. *карти* искам откриване на картите; • **letters to be** →**ed** писма до поискване; **to** → **in question** поставям под съмнение;
call at наминавам у, спирам се при, посещавам;
call away отклонявам; извиквам (да дойде);
call back 1) позвънявам обратно; 2) отзовавам; вземам обратно;
call down призовавам, навличам (си); **to** → **down blessings (curses)** on благославям (проклинам); *амер.* карам се на, мъмря, оспорвам;
call for 1) изисквам, нуждая се от; 2) минавам да взема (*някого от жилището му*), забирам по пътя си;
call forth пораждам, предизвиквам;

call in 1) извиквам (*лекар, майстор*), привличам; 2) *фин.* събирам, изваждам от употреба; 3) отбивам се, наминавам;

call off 1) отменям; отзовавам; 2) отвличам (*внимание*); 3) извиквам;

call on (upon) 1) посещавам, навестявам; 2) призовавам, обръщам се към, вменявам в дълг;

call out 1) извиквам, свиквам (*под знамената*); 2) изваждам наяве; 3) предизвиквам на дуел;

call up 1) обаждам се по телефона; телефонирам; 2) свиквам, повиквам; 3) поставям на обсъждане (*законопроект*); 4) предявявам искане за изплащане; 5) спомням си.

calling ['kɔːliŋ] *n* 1. призвание, влечение; професия; 2. повикване, призоваване, свикване; 3. посещение, посещаване (on, upon); ~ **card** *амер.* визитна картичка, визитка.

calm [kɑːm] I. *adj* 1. тих, мирен, спокоен; хладнокръвен; ◇ *adv* **calmly**; 2. безветрен; **as ~ as a millpond** напълно спокоен, съвсем тих; II. *n* покой, спокойствие, тишина; затишие, безветрие; **dead (flat) ~** пълно безветрие; III. *v* успокоявам (се), умирявам (се); утихвам (*обикн.* ~ **down**).

calorie ['kæləri] *n физ.* (малка) калория; **large (kilogram, great) ~** голяма калория.

calorific [ˌkæləˈrific] *adj* топлинен, топлообразуващ; ~ **capacity** топлоемкост, топлопоглъщаемост.

camel ['kæməl] *n* 1. камила; **Arabian ~** едногърба камила *Camelus dromedarius*; **Bactrian ~** двугърба камила *Camelus bactrianus*; • **the (last) straw that breaks the ~'s back** последната капка, с която то чашата прелива; 2. *мор.* понтон за повдигане на кораб при преминаване през плитчина; 3. *adj* с цвят на камилска вълна.

camera ['kæmərə] *n* 1. фотографски апарат; камера; ~ **eye** *прен.* отлична зрителна памет; 2.: **in ~** *юр.* извън съдебно заседание, в кабинета на съдията; 3. (*и* ~ **ob-**

scura) *физ.* тъмна камера, камера обскура.

camomile ['kæməmail] *n* лайка, лайкучка *Anthemis*.

camp [kæmp] I. *n* лагер, стан, бивак; къмпинг; *прен.* лагер, страна; ~ **-stool** сгъваемо (походно) столче; **to break ~** вдигам лагер; II. *v* 1. лагерувам, станувам, бивакувам, разполагам (се) на лагер; живея в палатка (*обикн.* ~ **out**); 2. *прен.* настанявам се временно; 3.: **to ~ it up** *разг.* преиграва́вам (*за актьор*), преувеличавам; III. *adj разг.* преувеличен; предизвикателен, провокиращ (*особ.* сексуално; *за поведение, стил и пр.*).

can₁ [kæn] (*силна форма*); [kən, kn] (*слаба форма*) (**could** [kud]) *v aux* *с inf* без to; 1. мога, способен съм, в състояние съм; **I will do all I ~** ще направя всичко възможно; 2. мога, позволено ми е, имам разрешение, имам право; 3. *остар.* знам, разбирам.

can₂ I. *n* 1. кана, канче; 2. гюм, бидон; **milk ~** бидон за мляко; **trash ~** кофа за смет; 3. консервна кутия; ~ **of fruit** плодова консерва; 4. стъклен буркан; 5. *sl амер.* затвор; 6. *разг.* противовоздушна самолетна бомба; 7. *sl* 1) долар; 2) тоалетна; • **to be in the can** готов; в кърпа вързан; **to carry the ~** *разг.* опирам пешкира, поемам цялата вина (отговорност); II. *v* 1. *амер.* консервирам (*продукти*); 2. уволнявам; 3. *sl* затварям (*в затвор*), окошарвам; спирам, задържам;

canal [kəˈnæl] I. *n* 1. канал; 2. *анат.* канал, проход; **alimentary ~** храносмилателен тракт; II. *v амер.* 1. прокарвам канал; 2. канализирам.

cancel ['kænsəl] I. *v* 1. зачерквам, зачертавам, задрасквам; изтривам, заличавам; 2. отменям, анулирам, унищожавам; **to ~ a passport** обявявам паспорт за невалиден; 3. *мат.* съкращавам (*дроб и пр.*); ~ **out** изравнявам се, съкращавам се; 4. компенсирам, балансирам, изравнявам; • **cancel!**

воен. остави! II. *v полигр.* 1. замяна на текст; 2. изхвърлен текст от шпалта; 3. компостер.

cancer ['kænsə:] *n* 1. *мед.* рак, злокачествен тумор; канцер; карцинома; 2. *прен.* зло, язва; беда, нещастие, бедствие; 3. съзвездието Рак; **Tropic of C.** Тропикът на Рака, северният тропик (*23°27′ с.ш.*).

cancroid ['kæŋkrɔid] I. *adj* 1. *зоол.* ракообразен; 2. *мед.* раковиден, ракоподобен; II. *n мед.* канкроид, форма на кожен рак.

candid ['kændid] I. *adj* 1. прям, открит, откровен, честен, искрен; ◇ *adv* **candidly**; 2. *остар.* справедлив, безпристрастен, доброжелателен; 3. ослепително бял; ясен, светъл, чист; II. *n* непринудена (непозирана) снимка.

candied ['kændiːd] *adj* 1. захаросан; 2. *поет.* подсладен, захарен, меден, сладкодумен, ласкател.

candour ['kændə] *n* 1. прямота, откритост, откровеност, честност, искреност; 2. *остар.* безпристрастие, безпристрастност.

cane [kein] I. *n* 1. тръстика, камъш; захарна тръстика; 2. стъбло на бамбук, тръстика и под.; 3. бастун, тръст, пръчка; **the ~** бой с пръчка (*като наказание в училище*); 4. тръстикови пръчки за плетене на кошници; II. *v* 1. плета мебели (*от тръстика*); **to ~ the seat of a chair** изплитам седалищна част на стол; 2. бия с пръчка, нашибвам.

canine ['kænain] I. *adj* кучешки, кучи; вълчи (*и под.*); ~ **teeth** кучешки зъби; II. *n* 1. кучешки зъб; 2. куче; 3. *зоол.* животното от семейството *Canidae* (вълк, чакал, хиена и под.).

canker ['kæŋkə] I. *n* 1. зараза, язва, живеница; ~ **sore** херпес; 2. *мед.* гангренозен стоматит, воден рак, нома; 3. *вет.* болест в копитата на коня; 4. болест по дърветата; II. *v* заразявам (се); разяждам (се); страдам от язви (стоматит, гангренясване).

cannon ['kænən] *n* оръдие, топ; *събир.* артилерия, топове; ~ **fodder** *разг.* пушечно месо; **a loose**

~ свободен, независим, непредсказуем човек.

cannonade [ˌkænə'neid] I. *n* канонада, оръдеен (артилерийски) огън; II. *v* обстрелвам с артилерийски огън.

canny ['kæni] *adj шотл.* 1. вещ, опитен; изкусен, умел; ◇ *adv* **cannily**; 2. предпазлив, внимателен; 3. пестелив; 4. тих, спокоен; уютен.

canon ['kænən] *n* 1. *рел.* канон, църковна наредба; **C. law** канонническо право; 2. правило, канон, закон, норма; критерий; 3. списък на книгите от Библията, признати от Църквата за свещени; 4. цялото творчество на един писател; **the Joyce** ~ всичко, приписвано на Джойс; 5. *рел.* част от католическата меса (литургията); 6. *муз.* канон; 7. *полигр.* шрифт от 48 пункта.

canonical [kə'nɒnikəl] I. *adj* 1. *рел.* канонически, каноничен, църковноправен; 2. приет, признат; II. *n pl* църковни одежди.

cant₁ [kænt] I. *n* 1. откос, фаска; 2. наклонено положение, наклон, полегатост; 3. бутване, прекатурване; 4. *амер.* издялан труп на дърво; II. *v* 1. наклонявам (се); 2. обръщам, събарям, катурвам (се); 3. кантовам, обръщам ръб; обшивам с кант.

cant₂ I. *n* 1. лицемерие; лицемерна набожност; 2. *остар.* жаргон, арго, сленг, таен (условен) език; **theives'** ~ жаргон (език) на крадци; 3. *остар.* провлачен (напевен) говор (тон), хленч; II. *adj* смел, жизнен, весел; III. *v* 1. лицемернича, преструвам се; 2. *остар.* говоря на жаргон; 3. *остар.* говоря напевно, провлачено; хленча.

canteen ['kænti:n] *n* 1. стол, столова (*за хранене*); 2. лавка; **dry** ~ лавка без (с) алкохолни напитки; 3. бюфет; столова; 4. манерка; 5. походно куфарче, сандъче с кухненски прибори.

canvass ['kænvəs] I. *v* 1. разисквам, разглеждам; 2. агитирам, участвам в агитации (в предизборна кампания); 3. преброявам гласо-

ве (*при гласуване*); 4. събирам абонати (поръчки); II. *n* 1. обсъждане, разискване; щателна проверка; 2. предизборна кампания, агитация; 3. изборен резултат, официалните цифри (*при гласуване*); 4. продаване, търговия чрез дистрибутори (*по домовете*).

cap₁ [kæp] I. *n* 1. каскет, кепе, шапка; боне; четвъртита академическа шапка; униформена шапка, фуражка; **steel** ~ шлем; 2. найвисока точка, връх; **toe-**~ връх (бомбе) на обувка; 3. капак, капаче; капсула (*на шише*); капачка; **knee** ~ капаче на коляно; 4. гугла, шапка на гъба; 5. *воен.* капсула; 6. кабза; 7. лимит (*на бюджет, разходи*); ● **feather in o.'s** ~ нещо, с което мога да се гордея; II. *v* (-**pp-**) 1. избирам (*спортист*) да играе в националния отбор (*обикн. pass.*); 2. налагам ограничения върху местните власти (*за правителство*); слагам "шапка" върху; 3. слагам шапка на някого (*спец., шотл.*) при присъждане на научна степен; 4. свалям шапка (*за поздрав*); 5. покривам върха на нещо, покривам, закривам; 6. *прен.* следвам, опитвам се да надмина; **to** ~ **s.o.'s story (with another)** последвам с друг анекдот; 7. завършвам; 8. поставям капсула; ● **to** ~ **it all** като капак на всичко.

cap₂ *abbr* 1. капацитет; 2. капител; 3. капсула; 4. капитализиран; 5. главен (*за буква*).

capable ['keipəbl] *adj* 1. способен, надарен, одарен, талантлив, умен; 2. опитен, компетентен (**for**); ◇ *adv* **capably**; 3. способен (**of**) (*на нещо лошо*); 4. поддаващ се, възприемчив; допускащ, който позволява, дава възможност.

capacity [kə'pæsiti] *n* 1. способност, умствени способности (**for**); **business** ~ търговски способности; 2. мощност, производителност; натоварване; ~ **production** максимална производителност; 3. обем, вместимост, капацитет; ~ **house** *театр.* препълнен са-

лон; 4. положение; качество; **in my** ~ **of an advisor** в качеството си на съветник; 5. компетенция; **in (out) of my** ~ в (извън) моята компетентност; 6. *ел.* капацитет; 7. *юр.* правоспособност.

caper ['keipə] I. *v* 1. подскачам весело, рипам, подрипвам; 2. *прен.* върша глупости (дяволии) (*за да привлека внимание*); лудувам; II. *n* 1. скок, подскачане, подрипване; 2. глупава шега; лудория; ● **to cut** ~**s** скачам, подскачам при танц; лудувам; изигравам номер; *прен.* върша глупости, престъпления, грабежи; 3. престъпление, грабеж; 4. *sl* гуляй.

capital₁ ['kæpitəl] I. *n* 1. капитал, състояние; **big** ~ едрият капитал; **floating (circulating** ~**)** оборотен капитал (*стоки, пари*); 2. столица; 3. главна буква; **in** ~**s (in caps)** с главни букви; 4. *фин.* главница; II. *adj* 1. главен, капитален, основен; ~ **goods** средства за производство; ~ **stock** основен капитал; 2. углавен, наказуем със смърт; смъртен (*за присъда*); ~ **offence (** ~ **crime)** углавно престъпление; 3. *разг.* превъзходен, прекрасен; ~ **speech** прекрасна реч.

capital₂ *архит.* капител.

capitalist ['kæpitəlist] I. *n* капиталист; **cockroach** ~ *амер.* дребен капиталист, търгаш; II. *adj* капиталистически; **the** ~ **class** капиталистическата класа, капиталистите.

capitalize ['kæpitəlaiz] *v* 1. капитализирам, превръщам в капитал; 2. *амер.* влагам (инвестирам) капитал; 3. правя капитал (*от нещо*), извличам полза; натрупвам капитал; **to** ~ **upon** натрупвам капитал, извличам полза; 4. *амер.* пиша с главни букви.

caprice [kə'pri:s] *n* 1. каприз, прищявка; 2. *муз.* капричио.

captain ['kæptin] I. *n* 1. *воен.* капитан; *амер.* командир на рота (ескадра, батарея); ~ **of the day** дежурен офицер; 2. *мор.* капитан I или II ранг; капитан на кораб; ~ **of the fleet** началник на снабдя-

ването; **3.** военачалник; **4.** *спорт.* капитан на отбор; **5.** ръководител; **~s of industry** индустриални магнати; **6.** началник на пожарна команда; **7.** *мин.* минен кондуктор; **II.** *v* ръководя, командвам.

caption [′kæpʃən] **I.** *n* **1.** хващане, вземане, сграбчване; *юр.* арестуване, задържане; **2.** *юр.* свидетелство (забележка) към документ с данни за произхода му; **3.** заглавие, рубрика (*на глава на книга, статия и пр.*), филмов надпис (*в нямото кино*); **4.** *полигр.* легенда за снимка или илюстрация; **II.** *v* поставям надписи под илюстрация или снимка.

captive [′kæptiv] **I.** *n* пленник; **II.** *adj* пленен, взет в плен; поробен; задържан, затворен; **~ nation** поробена страна; **to hold (lead, take s.o.) ~** вземам (държа) в плен; очаровам.

capture [′kæptʃə] **I.** *v* **1.** пленявам, вземам в плен (*насила*); хващам; **to ~ s.o.'s heart** спечелвам любовта на някого; **2.** превземам (*град*); **3.** улавям, пресъздавам (*дух, атмосфера*); **4.** набавям си, печеля, постигам; **to ~ 34 percent of the vote** печеля 34 % от гласовете; **II.** *n* **1.** пленяване; заграбване; хващане, улавяне; **2.** пленник; *мор.* пряза, пленен неприятелски кораб по време на война; *pl* трофеи.

car [ka:] *n* **1.** автомобил, кола (*u* **motor ~**); **goods ~** камион, товарен камион; **2.** а) специални вагони: **freight ~** товарен вагон; **coach ~** пътнически вагон; б) обикновен вагон; **to take the ~s** вземам влака; **3.** трамвай (**street ~**); **electric ~** (електрически) трамвай; **4.** кабина на асансьор; кош на балон и пр.; **5.** *поет.* колесница; **triumphal ~** триумфална колесница; **6.** ирландска двуколка; **7.** перфориран сандък за съхраняване на жива риба.

carbon [′ka:bən] *n* **1.** *хим.* въглерод; **~ dioxide** въглероден двуокис; **2.** химически чист въглен; **3.** *ел.* въгленов електрод, кокс; **4.** индиго

(*u* **~ paper**); **~ copy** точно копие (*u прен.*).

carbonify [ka:′bɔnifai] *v* **1.** овъглявам; **2.** почерням; **3.** карбонизирам (*влакна*).

carcass, carcase [′ka:kəs] *n* **1.** труп, леш, мърша; *презр.* човешко тяло; **to save o.'s ~** спасявам си кожата; **2.** заклано животно (*за храна*); **3.** *строит.* корпус, каркас, скелет; арматура, конструкция; **4.** развалини, останки (*от кораб, къща и пр.*); **5.** *воен., истор.* каркас, запалителен снаряд.

card [ka:d] **I.** *n* **1.** карта (*за игра*); *обикн. pl* карти; **pack of ~s** тесте (колода) карти; **2.** *pl* игра на карти; картоиграчество; **3.** картичка; **visiting ~, business ~** визитна картичка, визитка; **4.** карта; членска карта, книжка, билет; **admission ~** покана (*за концерт, тържество и пр.*); **5.** фиш (*на библиотечен каталог, архив и пр.*); **~ index (catalogue)** картотека; **6.** *спорт.* програма (*за състезания*); **7.** циферблат (*на компас*); **8.** *амер.* обявление (*във вестник*); **9.** *разг.* човек, особняк, чешит; **a cool ~** нахалник, дебелоок (невъзмутим) човек; ● **cooling ~** *остар.* "студен душ"; **leading ~** пример, прецедент; **II.** *v* **1.** снабдявам с карта; **2.** *sl* изисквам карта за самоличност като доказателство за пълнолетие.

cardinal [′ka:dinəl] **I.** *adj* кардинален, главен, основен; важен; **~ virtues** *остар., филос.* основните добродетели на човека (*справедливост, благоразумие, въздържание, устойчивост, вяра, надежда, любов*); **II.** *n* **1.** *рел.* кардинал; **2.** яркочервен цвят; **3.** *зоол., амер.* птица кардинал *Cardinalis cardinalis*; **4.** къса дамска червена наметка.

care [keə] **I.** *n* **1.** надзор, наблюдение, грижа; **in ~ of, under the ~ of** под надзора, под грижите; **2.** внимание, старание, грижа; **to take ~** внимателен съм; **3.** грижа, грижи, безпокойство (*u pl*); **free from ~s** без грижи; **II.** *v* **1.** грижа се (**for, about**); **the children**

are well ~ed for децата са добре гледани, за тях се полагат грижи; **2.** харесва ми, обичам (**for**); желая, искам, (**for, to**); **to ~ for s.o.** обичам някого, държа на някого; **3.** грижа се, безпокоя се; **who ~s?** кого го е грижа, кого го е еня?

career [kə′riə] **I.** *n* **1.** кариера, поприще; успех; **to carve (make) out a ~ for oneself** правя кариера, издигам се, пробивам си път; **2.** професия, занимание, занятие; ● **chequered ~** превратности на съдбата; **3.** бързо движение, устрем; кариер (*за кон*); **in full ~** с всичка сила; **II.** *adj* професионален; **a ~ diplomat** дипломат от кариерата; **III.** *v* тичам бързо, буйно (**about, over, along**).

careful [′keəful] *adj* **1.** внимателен, старателен, грижлив (**of, about, in**); **~ of the rights of others** внимателен (зачитащ) правата на другите; **2.** точен, акуратен; пълен, грижлив, подробен, щателен; **3.** предпазлив; **one cannot be too ~** от предпазливост никой не е пострадал; **4.** практичен; **a ~ housewife** практична (пестелива) домакиня; **5.** *остар.* обезпокоен, загрижен.

carefulness [′keəfulnis] *n* **1.** внимание, грижливост; предпазливост; осторожност; **2.** точност, акуратност.

careless [′keəlis] *adj* **1.** небрежен, невнимателен (**about, of**); **a ~ mistake** грешка по невнимание; **2.** безгрижен, лекомислен; **3.** равнодушен, безразличен, нехаен, немарлив (**of, about, in**); **~ of his dangers and discomforts** безразличен към опасностите и неудобствата; ◇ *adv* **carelessly**.

carelessness [′keəlisnis] *n* **1.** небрежност, нехайство, лекомислие; **a piece of ~** нехайство; **2.** безразличие (**for, about**).

caress [kə′res] **I.** *v* **1.** милвам, галя; целувам; **2.** отнасям се мило; лаская; **II.** *n* милувка, ласка; **to load s.o. with ~es** отрупвам някого с милувки.

caricature [′kærikətjuə] **I.** *n* кари-

катура; **II.** *v* карикатуря; **to ~ a role** окарикатурявам роля.

carnal [ˈkɑːnəl] *adj* телесен, плътски; чувствен, похотлив; сексуален, полов; **have ~ knowledge of** водя полов живот.

carouse [kəˈrauz] **I.** *n* **1.** гуляй, пиршество; **2.** *остар.* тост; **II.** *v* пирувам, гуляя.

carpet [ˈkɑːpit] **I.** *n* килим (*и прен.*); **magic ~** вълшебно килимче; • **to be on the ~** разглежда се, обсъжда се (*въпрос, тема*); мърмрят ме, порицават ме; **II.** *v* **1.** застилам с килим; **2.** *разг.* мъмря, "набивам обръчите" "трия сол".

carping [ˈkɑːpiŋ] *adj* заядлив; придирчив; **~ tongue** зъл (остър, хаплив) език.

carriage [ˈkæridʒ] *n* **1.** кола, файтон, кабриолет, екипаж; карета, каросерия; **a ~ and pair (four)** файтон с два (четири) коня; **2.** вагон; купе; **composite ~** комбиниран вагон; **3.** *воен.* лафет; **4.** *техн.* колесничка, шейна (*на машина*); **5.** превоз, транспорт; **6.** такса, разноски по превоз; навло; **~ paid** превозът е платен; **~ forward** с наложен платеж; **7.** стойка, държание; осанка; **8.** приемане на законопроект; **9.** успех; прокарване, провеждане (*на нещо*); **10.** (*и* **baby ~**) *амер.* детска количка.

carrier [ˈkæriə] *n* **1.** превозвач, киаджия; **2.** разносвач, преносвач; разсилен; *амер.* **mail ~** раздавач; **3.** търговска компания, специализирана за извършването на куриерски услуги; транспортна компания; **4.** *ел.* радиовълна; **5.** багажник (*на автомобил, мотоциклет, велосипед*), който може да се монтира и сваля при нужда; **6.** носител, приносител, бацилоносител; **7.** *мор., авиац.* самолетоносач; **aircraft ~** самолетоносач; **cruiser ~** крайцер самолетоносач; **8.** транспортен самолет; **9.** *техн.* подпорка, поддръжка; ходов механизъм, ходова част; шейна; количка; носещо устройство; **10.** пощенски гълъб; **11.** *воен.* ложа на затвора; **12.** *хим.* катализатор, който предизвиква

преместването на един елемент от едно съединение в друго.

carrot [ˈkærət] *n* **1.** морков *Daucus carota*; **2.** *разг.* червенокос човек, рижав; **3.** стимул, стръв; **~ and stick** поощрения и заплахи.

carry [ˈkæri] *v* **1.** нося; **to ~ a baby** бременна съм, нося дете; **2.** пренасям, занасям, докарвам, возя, превозвам, карам; **to ~ disease** пренасям болест; **3.** довеждам; **to ~ to extremes** довеждам до крайност; **4.** влека, повличам след себе си; **this crime carries the death penalty** това престъпление се наказва със (носи) смъртно наказание; **5.** *refl* държа се, нося се; **to ~ oneself with dignity** държа се с достойнство; **6.** *воен.* завладявам, превземам (*и прен.*); **to ~ the enemy's positions** превземам позициите на противника; **7.** прокарвам (*законопроект и пр.*); налагам, провеждам; **to ~ o.'s point** отстоявам своето, налагам се; **8.** продължавам, разширявам; **9.** достигам, бия; долитам, чувам се; **his voice ~s well** гласът му се чува добре; **10.** понасям, нося се; **to ~ o.'s liquor well** нося на пиене; алкохолът не ме хваща; **11.** увличам, убеждавам; **I hope to ~ you with me** надявам се, че ще те убедя; **12.** имам, внушавам; **to ~ authority (weight)** имам значение, влияние; **13.** поддържам (*те-жест*); **14.** печеля изборите в (*секция, щат и пр.*); **15.** търгувам с, продавам; **do you carry leather goods?** продавате ли кожени изделия? **16.** побирам (*за кола*); помествам (*във вестник*); съдържам, включвам; **17.** правя пренос (*на цифри, сбор, обикн.* **~ over**); **~ one** *мат.* едно на ум; **18.** раждам, произвеждам, давам (*за земя*); поддържам, поддържам финансово, поемам разноски по; изхранвам (*добитък*); **to ~ insurance on a car** плащам застраховката на кола, **19.** запомням; **to ~ s.th. in o.'s head** имам си го в главата (на ума); **20.** *остар.* придружавам (*някого*); **21.** разнасям (*новина и пр.*); • **to ~ the**

bag разпореждам се с парите, касата е в мен; господар съм на положението; **to ~ the ball** действам активно;

carry about (around) нося със себе си, мъкна, влача;

carry across пренасям;

carry away отнасям; увличам, ентусиазирам; **she got carried away with his promises** прие навътре (сериозно) обещанията му;

carry forward 1) продължавам, движа напред; 2) пренасям в друга графа, на друга страница и пр.;

carry off 1) отвличам; отнасям (*и за смърт, болест*); вдигам, задигам, вкарвам в гроба; **the disease carried off thousands** болестта покоси хиляди; 2) спечелвам, грабвам (*награда*); 3) **to ~ it off** успявам, издържам, не давам вид, че съм засегнат;

carry on 1) продължавам, карам; **to ~ on a conversation** водя (поддържам) разговор; 2) държа се; 3) *разг.* флиртувам (**with**); имам любовна връзка; 4) *грубо* правя сцена, викам, крещя, изпадам в истерия;

carry out 1) изнасям, измъквам; 2) изпълнявам, прокарвам, провеждам, осъществявам, реализирам;

carry over 1) пренасям, прекарвам; 2) пренасям в друга графа (*сума*); 3) отлагам;

carry through 1) довеждам докрай; провеждам, прокарвам, изпълнявам, осъществявам; 2) помагам (*на някого*) да премине, да пренесе, да прекара; **their relationship carried them through difficult times** приятелството им помогна да преживеят трудните моменти;

carry up 1) издигам, вдигам, повдигам; 2) вдигам, отмъквам, задигам; завземам.

carrying [ˈkæriŋ] *n* носене, пренасяне, пренос, превоз, транспорт; **~ company** транспортна компания (дружество).

cart [kɑːt] **I.** *n* **1.** кола, каруца, каручка, талига (*обикн.* двуколка); двуколка; детска количка; **2.** *амер.* пазарска количка (*в супермар-*

кет); • **to put the ~ before the horse** правя нещо наопаки, захващам нещо от краката за главата; **II.** *v* 1. превозвам (*товар, стока*); 2. карам кола (каруца);

cart away извозвам; **to ~ away rubbish** извозвам смет;

cart off 1) извозвам; 2) откарвам насилствено.

cartoon [ka:'tu:n] **I.** *n* 1. рисунка; 2. карикатура (*обикн. политическа*); 3. анимационен филм; 4. скица (*на рисунка, картина, мозайка и пр.*); **II.** *v* рисувам карикатури.

cartridge ['ka:tridʒ] *n* 1. патрон; гилза; втулка; **blank ~** халосен патрон; 2. фотографски филм.

carve ['ka:v] *v* 1. изрязвам, дълбая (**out of, in, on**); **to ~ in (on) marble** издълбавам върху мрамор; 2. издялвам (*статуя*); 3. транжирам, режа (*сготвено месо, птица и пр.*); **the meat ~s easily** месото се реже лесно; 4. *sl* харесва ми; 5. прокарвам (*път*); • **to ~ o.'s way** пробивам си път; **to ~ out a career for oneself** правя (създавам) кариера;

carve out издълбавам, изрязвам;

carve up 1) разделям (*наследство, територия*); 2) *разг.* наръгвам, посичам (*с нож*).

cascade [kæs'keid] **I.** *n* 1. каскада; стъпаловиден водопад; 2. *прен.* богати дипли, гънки (*на дантела, коприна, воал*); **II.** *v* 1. изливам се изобилно (*за вода*); 2. падам (*хубаво*) на дипли, гънки (*за дантела и пр.*).

case₁ [keis] **I.** *n* 1. случай; **in ~ in** случая, че, за всеки случай; ако, да не би; • **to be (get) on s.o.'s ~** чета "конско", критикувам, мърморя; 2. състояние, положение; 3. пример; случай; **a clear ~ of murder** очевиден (несъмнен) случай на убийство; 4. случай на заболяване; пациент, болен; **walking ~** *мед.* амбулаторно болен; леко ранен; 5. *юр.* дело, казус; съдебен прецедент; **hard ~** сложно дело; рецидивист, закоравял престъпник; 6. *юр.* факти, доказателства; **to have a good ~** имам необ-

ходимите факти (доказателства); 7. *език.* падеж; 8. *sl* чудак, особняк, чешит; 9. *sl* влюбен до уши; **II.** *vt* оглеждам с цел по-късни действия; инспектирам; **to ~ a joint** оглеждам (изучавам) обект на нападение, обир и пр.

case₂ I. *n* 1. сандък; кутия; **packing ~** сандък за стоки; **jewel ~** кутийка за бижута; 2. чанта, куфар; **dressing ~** несесер за тоалетни принадлежности; **vanity ~** дамска (тоалетна) чантичка; 3. каса (*за вино, шампанско и пр.*); 4. рамка на часовник (*златна, сребърна и пр.*); 5. стъклена витрина (*в музей*); 6. *полигр.* наборна каса; **lower ~** отделение с обикновени (малки) букви; **upper ~** отделение с главни букви; 7. каса на прозорец; 8. кожена или платнена обвивка за книга; подвързия на книга; 9. *техн.* кожух; обвивка; калъф; облицовка; 10. картер (*на двигател с вътрешно горене*) (*и* **crank ~**); 11. външна гума; 12. *воен.* гилза (*и* **cartridge ~**); 13. чифт; **II.** *v* 1. покривам, затварям; 2. поставям в сандък.

cash [kæʃ] **I.** 1. *разг.* пари, мангизи; **to be in ~** имам пари; паралия съм; опаричил съм се; 2. *фин., търг.* пари в наличност; звонкова монета; **~ credit** открита сметка; **II.** *adj* паричен; **III.** *v* осребрявам (*чек и пр.*); **cash in o.'s chips** прекратявам, отказвам се;

cash down *разг.* 1) осребрявам (*чек*); 2) плащам в брой, на ръка; 3) *прен.* умирам;

cash in on *sl* спечелвам (*от нещо*); използвам; печеля дивиденти от.

cashpoint ['kæʃpɔint] *n* банков автомат, банкомат.

casing ['keisiŋ] *n* 1. обвивка, опаковка; обложка, обшивка; калъф; кутия; картер; 2. каса (*на прозорец или врата*); 3. външна гума; 4. карамелена глазура.

casino [kə'si:nou] *n* казино.

cast [ka:st] **I.** *vt* (*pt, pp* **cast**) 1. хвърлям, мятам (**away, off, out**); **to ~ anchor** хвърлям (пускам) котва; 2. тръшвам, запокитвам; **to ~ to the dogs** захвърлям, отхвърлям;

3. разпределям роли; **to ~ an actor for a certain part** определям артист за дадена роля; 4. описвам, представям; 5. помятам (*за животно*); 6. роня листа (*плодове*) преждевременно (*за дърво*); 7. завъртам при танц; 8. шкартирам, бракувам (*кон и пр.*); уволнявам, разжалвам (*войник, полицай*); 9. хвърлям, сменям (*рога, кожа, зъби и под.*); **to ~ the coat** сменям си кожата (*за животно*); 10. изчислявам, пресмятам; събирам (*често с* **up**); **to ~ a horoscope** правя хороскоп; 11. *юр.* осъждам за заплащане на обезщетение, щети и пр. (**in for**); 12. *техн.* лея, отливам (*метал, гипс*); **~ in the same mould** от един дол дренки; • **to ~ (in) a bone (between)** всявам вражда (между);

cast about (around) (for) 1) търся дирята; 2) *прен.* търся, търся отчаяно; 3) подмятам, разхвърлям; **to ~ o.'s eyes about** оглеждам се (**around**);

cast aside отхвърлям, изоставям;

cast away 1) отхвърлям, изхвърлям; 2) прахосвам, разсипвам; пръскам, разпилявам (*състояние*); 3) *мор.* разбивам (*кораба си*) о брега; *обикн. pass* претърпявам корабокрушение; **to be ~ away** изхвърлен съм на брега (*за човек, кораб*);

cast back 1) спомням си; **to ~ o.'s mind back** хвърлям поглед (обръщам се) назад; 2) приличам на (*далечен прадядо*);

cast down 1) отхвърлям; 2) свеждам (очи); 3) *прен.* отчайвам; **to be ~ down** изпадам в униние (отчаяние);

cast in: to ~ in o.'s lot with свързвам съдбата си с (*някого, нещо*); деля скърби и радости с;

cast loose *мор.* отвързвам лодка (кораб), потеглям;

cast off 1) изгонвам, изпъждам, отхвърлям; 2) *прен.* освобождавам се (*от окови*); 3) завършвам плетиво; **to ~ off five stitches** изпускам, изплитам пет бримки;

cast on изплитам (заплитам) първия ред на плетка;

cast out 1) изгонвам, пропъждам, изпъждам; 2) повръщам; 3) хвърлям се; 4) прожектирам (филм);
cast up 1) изригвам, изхвърлям, повръщам; 2) to ~ up o.'s eyes вдигам поглед; 3) пресмятам, изчислявам; 4) натяквам;
II. n 1. разпределение на роли; актьорски състав (в представление); an all-star ~ с участие само на "звезди" (именити артисти); 2. хвърляне, мятане (и на мрежа, въдица, жребий, зар и пр.); 3. хвърлей, разстояние; 4. търсене на диря, душене, надушване (по време на лов); 5. отливка; форма на отливане; образец; plaster ~ гипсова отливка; 6. сменена кожа, риза (на змия, насекомо и пр.); 7. изчисление; сбор; 8. ред, подредване, форма; ~ of a sentence; словоред в изречение; 9. изкривяване; поврат, отклонение; a ~ in the eye леко кривогледство; 10. мед. корава (гипсова) превръзка; 11. вид, тип; черта, израз; склонност, тенденция; отсенка, нюанс, оттенък; speech with an agressive ~ реч с агресивен оттенък; 12. риск; хвърляне на зар; прен. късмет, щастие; III. adj 1. уволнен, разжалван; 2. лят.
casting ['ka:stiŋ] n 1. хвърляне, мятане; 2. изливане, отливане; отливка; loam ~ глинена отливка; 3. театр. разпределение на роли; 4. помятане (на животно); 5. събиране; ~ (up) of figures събиране на цифри.
cast iron ['ka:st,aiɡən] I. n чугун; II. adj (cast-iron) 1. чугунен; 2. прен. непреклонен, непоклатим, твърд, упорит; ~ alibi непоклатимо (железно) алиби.
castle [ka:sl] I. n 1. замък, крепост; кастел; to build ~s in the air (in Spain) прен. градя въздушни кули (фантазии); 2. дворец; 3. тур, топ (шахматна фигура); II. v правя рокада (при игра на шах).
casual ['kæʒjuəl] I. adj 1. случаен, казуален, непредвиден, не по план; непредвидим, неочакван, инцидентен; a ~ aquaintance случаен познат; 2. небрежен, разсеян; без-

системен; ~ glance небрежен поглед; 3. разг. pred небрежен, нехаен; безотговорен; безцеремонен; 4. непреднамерен; 5. неофициален (за облекло); ◊ adv casually; 6. непостоянен, случаен, нередован; ~ labourer (worker) работник на непостоянна работа; 7. предразполагащ, приятен (за атмосфера); II. n 1. скитник, безделник; 2. войник на временен пост; 3. работник на непостоянна работа, временен (сезонен) работник.
cat [kæt] I. n 1. котка; зоол. животно от сем. котки; Tom ~ котарак, котак; • to let the ~ out of the bag издавам тайна, изплювам камъчето; 2. злобна, хаплива жена; 3. sl 1) джазмузикант; 2) sl елегантен сваляч, "бройка"; 3) мъж, човек; 4. мор. механизъм за вдигане на котвата, кат; 5. двоен триножник (с шест крака); 6. камшик с девет върви; II. v 1. мор. вдигам котва; 2. бия с камшик; обучавам; 3. разг. повръщам, "дера котки"; 4. sl клюкарствам, худя; 5.: to ~ around sl скитам, шляя се, кръстосвам улиците.
catalogue ['kætələɡ] I. n 1. каталог; списък; subject ~ предметен каталог; 2. уч. годишник; проспект (за училище); II. v каталогизирам.
catastrophe [kə'tæstrəfi] n 1. катастрофа; беда, бедствие; голямо нещастие; 2. геол. катаклизъм; 3. лит. развръзка (на драма).
catastrophic [,kætə'strɔfik] adj катастрофален, катастрофичен; ◊ adv
catastrophically [kætə'strɔfikli].
catch [kætʃ] I. v (caught [kɔ:t]) 1. хващам, улавям, ловя, залавям; хващам топката във въздуха (при игра на крикет); to ~ a taxi (a ferry) хващам (вземам) такси (ферибот); 2. настигам; 3. улавям, изненадвам, заварвам, издебвам; уличавам, хващам; настигам, изненадвам (за буря, дъжд и пр.); to ~ s.o. (oneself) doing s.th. хващам (залавям) някого (себе си) да прави нещо; 4. хващам, пипвам, прихващам, разболявам се,

заразявам се от; to ~ a cold настивам, пипвам хрема; 5. хващам, измамвам; you don't ~ me! няма да ме излъжеш, мене не можеш да хванеш! 6. долавям, дочувам, усещам, помирисвам; схващам, разбирам; to ~ a smell of burning мирише ми (усещам миризма) на изгоряло; 7. закачам се, запъвам се; 8. грубо забременявам; 9. загарям, залепвам (за дъното на тенджера); the milk has caught (stuck) млякото е загоряло; 10. нанасям (удар, упрек); получавам (удар, упрек); the blow caught him in the arm ударът попадна в рамото му; 11. to ~ at хващам се за, посягам да хвана; • to ~ fire запалвам се, подпалвам се;
catch on 1) разг. разбирам, схващам; 2) харесвам се, имам успех, ставам популярен (известен); разпространявам се; 3) използвам случая;
catch out 1) улавям, хващам (в грешка, лъжа и пр.); 2) изваждам от играта (като хващам топката във въздуха при игра на крикет);
catch over заледявам;
catch up 1) настигам, изравнявам се (with с); his criminal past caught up with him криминалното му минало го застигна, дойде време да си плати за миналото си; 2) обхващам, увличам, заразявам; 3) прекъсвам; to ~ s.o. up (in a speech) прекъсвам някого (когато говори); 4) вдигам, грабвам; 5) привдигам, закачам, връзвам на примка; ~ up on компенсирам; наваксвам; обменям новини;
II. n 1. хващане, улавяне; грабване; пресичане, спиране, секване; to play ~ играя на гоненица; 2. улов, уловено (при риболов); 3. печалба, изгода, полза, келепир; добра партия (за женитба); (it is) no (great) ~, not much of a ~ не е бог знае каква печалба (какъв келепир); 4. хитрина, уловка; what's the ~? къде (каква) е уловката? 5. откъс, къс, парче, част; 6. техн. приспособление за

затваряне, закачане; резе (*на вра-
та*); ключалка, мандало, райбер;
езиче, зъбец; спирачка; аретир;
копче, клавиш; *мин. pl* колчета
за маркиране; 7. *муз.* канон; 8.
откъс, фрагмент; a ~ **question** ко-
варен въпрос; • ~ 22 параграф
22, омагьосан кръг.

catechism ['kætiˈkizəm] *n* 1. *рел.* ка-
техизис; **the (Church) C.** катехи-
зисът на Англиканската църква;
2. *прен.* въпроси, разпит; **to put
a person through a (his)** ~ раз-
питвам някого.

categoric(al) [ˌkætiˈgorik(əl)] *adj* ка-
тегоричен, категорически, ясен,
решителен, окончателен; ~ **im-
perative** *филос.* категорически
императив; ◇ *adv* **categorically**
[ˌkætiˈgorikli].

category ['kætigəri] *n* 1. категория
(*и филос.*); 2. *разг.* група, разред;
~ **man** *воен.* годен за редовна
служба.

cater ['keitə] *v* 1. доставям, снаб-
дявам с (*провизии*); 2. обслуж-
вам (**for**); старая се, угаждам, дос-
тавям удоволствия, задоволявам,
грижа се (**to, for**); **performances
(goods) that** ~ **to all tastes** пред-
ставления (стоки), които задово-
ляват всеки вкус.

cathedral [kəˈθiːdrəl] I. *n* катедра-
ла; II. *adj* катедрален; в който
има катедрала; ~ **town** град, в
който има катедрала, средище
на митрополит.

cathode ['kæθoud] *n ел.* катод, от-
рицателен електрод; ~-**ray glow-
lamp** катодна лампа.

catholic ['kæθəlik] I. *adj* 1. католи-
чески; **the C. Church** 1) Католи-
ческата църква; 2) християнство-
то въобще, християнският свят;
2. ортодоксален, правоверен; 3.
рел. вселенски; 4. широк, либе-
рален; всеобхватен, всестранен;
a ~ **observer** неутрален (непре-
дубеден) наблюдател; II. *n* 1. (**C.**)
католик (*и* **Roman C.**); 2. привър-
женик на течение в Англикан-
ската църква, което най-много се
доближава до католицизма.

cattle ['kætəl] *n* 1. говеда, едър ро-
гат добитък; ~ **market** пазар за

добитък; 2. *разг.* коне; 3. диви би-
кове; 4. *презр.* говеда, добитък
(*за хора*).

cauldron, caldron ['koːldrən] *n* 1. ко-
тел, казан; 2. водовъртеж; 3. *геол.*
котловина, котлообразно пропа-
дане.

cause [kɔːz] I. *n* 1. причина (**of**);
prime ~ първопричина; 2. при-
чина, основание, повод (**for**); **to
show** ~ излагам причините (мо-
тивите); 3. кауза, дело; **to make
common** ~ **with** обединявам си-
лите си за общо дело; 4. *юр.* про-
цес; кауза (*на една от страни-
те в процеса*); **to plead s.o.'s** ~
защитавам, пледирам в полза на
някого; II. *v* 1. причинявам, по-
раждам; 2. карам, накарвам, при-
нуждавам; **to** ~ **s.th. to be done**
накарвам (ставам причина) да се
направи нещо.

caution ['kɔːʃən] I. *n* 1. внимание,
предпазливост; ~! внимание! па-
зи се! 2. предупреждение; предуп-
редителен сигнал; предупредите-
лен знак (*на път и пр.*); **as a** ~
to others като предупреждение
(урок) за другите; 3. мъмрене,
предупреждение; **he was let off
with a** ~ пуснаха го с предупреж-
дение; 4. *шотл., амер.* гарант; ~
money депозит, който студенти-
те в някои университети внасят
срещу евентуални дългове; 5. *sl*
странен човек, странно нещо; че-
шит, особняк, оригинал; човек,
от когото трябва да се пазиш;
• **throw (fling)** ~ **to the winds**
рискувам, действам смело; II. *v*
1. предупреждавам, предпазвам
(**s.o. against s.th.**); 2. мъмря, пре-
дупреждавам.

cautious ['kɔːʃəs] *adj* внимателен,
предпазлив; разсъдлив; **to be** ~
of doing s.th. пазя се да не напра-
вя нещо; ◇ *adv* **cautiously**.

cavalier ['kævəˈliə] I. *n* 1. *поет.* ез-
дач, конник; 2. *остар.* кавалер;
3. *истор.* роялист (*от времето
на английската революция през
XVII в.*); II. *adj* 1. безцеремонен;
небрежен; лек; 2. пренебрежи-
телен; арогантен, надменен; 3.
истор. роялистки.

cavalry ['kævəlri] *n* кавалерия, кон-
ница; ~ **officer** офицер кавале-
рист.

cave [keiv] I. *n* 1. пещера; 2. *полит.*
фракция; II. *v* 1. *рядко* дълбая,
издълбавам; 2. *рядко* хлътвам,
пропадам, потъвам; ~ **in** 1) по-
тъвам, хлътвам (*за покрив и пр.*);
2) огъвам се (*за греда и пр.*); 3)
смачквам, сплесквам (*шапка и
пр.*); 4) *прен.* огъвам се, отстъп-
вам.

cavil ['kævil] I. *v* заяждам се; при-
дирям; правя несъществени и
дребнави възражения (**at, about**);
II. *n* несериозно възражение.

cavilling ['kæviliŋ] I. *adj* заядлив,
дребнав, придирчив; II. *n* заяж-
дане, дребнавост.

cease [siːs] I. *v* 1. *книж.* спирам,
преставам (с *inf*); 2. прекратявам,
прекъсвам, спирам; **to** ~ **fire**
прекратявам военните действия,
спирам огъня; II. *n*: **without** ~
безспир, неспирно, непрекъснато.

cease fire ['siːzfaiə:] *n* примирие.

ceaseless ['siːslis] *adj* безспирен,
неспирен, постоянен, непреста-
нен; ◇ *adv* **ceaselessly**.

ceiling ['siːliŋ] *n* 1. таван (*на стая*),
потон; 2. покрив (*на кола*); 3. по-
риване (*на таван*); дъски за та-
ван; облицовка; 4. *авиац.* таван,
пределна височина; **to fly at the**
~ летя на пределна височина; 5.
мор. вътрешна дървена облицов-
ка на кораб; **floor-** ~ дъски (под)
на дъното на кораб; 6. най-висо-
ка цена; най-голяма продукция;
прен. таван; • **hit the** ~ *sl* избух-
вам, изгубвам самообладание.

celebrity [siˈlebriti] *n* 1. известност,
слава; популярност; 2. знамени-
тост, именит човек.

celestial [siˈlestiəl] I. *adj* 1. небесен;
a ~ **map** карта на звездното не-
бе; аналема; 2. божествен; кра-
сив, дивен, непостижим, прекра-
сен; ангелски; II. *n* 1. обитател
на небесните селения, небесен
дух; 2. китаец, китайка.

cell [sel] *n* 1. килия (*в затвор, ма-
настир*); изба, стаичка; колиба
(*на отшелник*); килийка (*на во-
съчна пита*); 2. малък манастир,

скит; 3. *биол.* клетка; ~ **membrane** клетъчна мембрана; 4. *ел.* елемент, клетка (*на батерия*); 5. *техн.* камера, кутия; 6. *воен.* бойна група; 7. производствен (технологичен) модул (сектор).

cellar ['selə] I. *n* 1. мазе, изба; винарска изба; **to keep a good ~** имам добро вино (добра изба); 2. навес, барака, заслон (*за въглища, бъчви и пр.*); **cyclone ~** скривалище; **from ~ to garret (attic)** из цялата къща; II. *v* прибирам (пазя) в изба (мазе).

celled [seld] *adj* 1. *биол.* клетъчен, с клетки; **one-~** едноклетъчен; 2. *ел.* с елементи; **two-~ battery** двуелементна батерия.

cement [si'ment] I. *n* 1. цимент (*и анат.*); 2. спойка; спояващо вещество; 3. *прен.* връзка, спойка; 4. *мед.* вещество за пломби и залепване на корони (*в стоматологията*); II. *v* 1. циментирам; 2. споявам, затвърдявам (*и прен.*); 3. *метал.* циментирам (желязо).

censor ['sensə] I. *n* 1. цензор (*и истор.*); цензура; 2. контрольор; критикар; 3. служебно лице в Оксфордския университет, което следи за (контролира) дисциплината; II. *v* 1. цензурирам, преглеждам, проверявам; 2. отстранявам, зачерквам; забранявам.

censorious [sen'sɔ:riəs] *adj* строг, критичен (**of, upon**); който обича да съди другите.

censure ['sensə] I. *v* 1. порицавам, не одобрявам; 2. критикувам; II. *n* порицание, неодобрение; отрицателна критика; **to pass ~ on the government** бламирам правителството.

cent [sent] *n* цент (1/100 от долара); монета от един цент; • **not worth a ~** не струва пукната пара.

centenarian [,senti'neəriən] I. *adj* стогодишен; II. *n* столетник, човек на сто години.

centimetre, centimeter ['sentimi:tə] *n* сантиметър.

central ['sentrəl] I. *adj* централен; средищен, главен; най-важен; ◇ *adv* **centrally**; II. *n* телефонна централа.

centralization [,sentrəlai'zeiʃən] *n* централизация, централизиране, съсредоточаване.

centre ['sentə:] I. *n* 1. център; ~ **of gravity** център на тежестта; 2. *спорт.* центърнападател; 3. център, средище; 4. място, където се развива определена дейност; **a ~ of interest** център на внимание; II. *v* 1. поставям в центъра, центрирам; 2. концентрирам (се); съсредоточавам (се) (**in, round**); **to ~ o.'s affections on** отдавам цялата си любов на; 3. *спорт.* изпращам топката към центъра, центрирам; 4. съм в центъра на; 5. отбелязвам центъра на; *техн.* центровам, центрирам.

centrifuge ['sentrifju:dʒ] I. *n* центрофуга; II. *v* въртя на центрофуга, центрофугирам.

century ['sentʃəri] *n* век, столетие, сто години.

ceremonial [,seri'mouniəl] I. *adj* 1. церемониален, официален; **a ~ visit** официално посещение; ◇ *adv* **ceremonially**; 2. обреден; II. *n* 1. церемониал, етикет, етикеция; 2. обред, ритуал.

ceremony ['seriməni] *n* 1. церемония, церемониал; ритуал, обред; 2. церемониалност, формалност, официалност; **to stand (up)on ~** държа на външната (формалната) вежливост.

certain ['sə:tn] *adj* 1. сигурен, уверен (**of в**); **to be ~ of o.'s facts** сигурен съм във (зная добре) фактите, които поддържам (излагам); 2. сигурен, надежден, несъмнен, положителен; ~ **evidence** сигурно доказателство; 3. определен, даден, известен; **at a ~ age** в напреднала възраст; 4. известен, някакъв, някой; **there is a ~ risk (in** *c ger*) съществува известен риск (в това да); 5. някой (си).

certainty ['sə:tnti] *n* 1. сигурност, увереност; 2. сигурност, неминуемост; 3. сигурен (безспорен) факт; **his success was a ~ from the first** успехът му беше сигурен от самото отначало; 4. сигурност, осигуреност; **his position is not one of ~** положението му съвсем

не е сигурно.

certificate I. [sə:'tifikit] *n* документ, сертификат, свидетелство, писмено уверение, удостоверение; **birth (marriage) ~** удостоверение (документ, акт) за раждане, брачно свидетелство; II. [sə:'tifikeit] *v* издавам някому (снабдявам се с) удостоверение (диплома, свидетелство, разрешително за нещо).

certify ['sə:tifai] *v* 1. потвърждавам, удостоверявам; гарантирам; давам показания (**to за**); **I ~ this a true copy** удостоверявам верността на преписа; 2. освидетелствам; **he deserves to be certified** той е направо за лудницата; 3. легализирам (*документ*); 4. давам (издавам) диплома (разрешение и пр.); 5. *остар.* уверявам; съобщавам, уведомявам; **to ~ s.o. of s.th.** уверявам някого в нещо; съобщавам някому нещо, уведомявам някого за нещо.

certifying ['sə:tifaiiŋ] I. *adj* удостоверителен (*за документ*); II. *n* 1. освидетелстване; 2. легализиране.

certitude ['sə:titju:d] *n* сигурност, увереност, убеденост.

cerulean [si'ru:liən] *adj* небесносин, лазурен, яснин.

cervix ['sə:viks] *n анат.* шия; шийка; цервикс.

cessation [si'seiʃən] *n* прекъсване, спиране, прекратяване; ~ **from work** прекъсване на работата.

cession ['seʃən] *n* отстъпване; ~ **of territory (rights)** отстъпване на територия (права).

cetacean [si'teiʃən] *зоол.* I. *adj* китообразен; II. *n* китообразно животно.

Ceylonese [,silə'ni:z] I. *adj* цейлонски; II. *n* цейлонец.

chafe ['tʃeif] I. *v* 1. стоплям чрез търкане, разтърквам, разтривам; 2. протърквам (се), жуля, ожулвам (се), протривам (се); 3. отърквам се (**against**); 4. дразня (се), ядосвам (се); ям се (**at, under** s.th.); • ~ **at the bit** ядосвам се заради закъснение; II. *n* 1. ожулване; 2. раздразнение.

chaff [tʃa:f] I. *n* 1. *n* плява; **a grain**

of wheat in a bushel of ~ дребни резултати от големи усилия; напънала се планината и родила мишка; 2. закачки, подбив, лека ирония; II. *v* 1. закачам, шегувам се (с) (**about**); 2. *рядко* режа сено или слама на ситно.

chagrin ['ʃægrin] I. *n* огорчение, разочарование; II. *v* огорчавам, разочаровам (*особ. в pass*); ~**ed at** s.th. огорчен от нещо.

chain ['tʃein] I. *n* 1. верига, синджир; верижка, синджирче, ланец; **caterpillar** ~ гъсенична верига; 2. *pl* вериги, окови (*и прен.*); **to burst o.'s ~s** скъсвам веригите си, освобождавам се; 3. планинска верига (*и a ~ of mountains*); 4. верига, серия, редица, поредица, система (*от събития, факти и пр.*); a ~ **of ideas** ред от мисли; 5. сгъваема метална пръчка за измерване на повърхност; мярка за дължина (*около 20 м*) (*и Gunter's ~*); 6. *pl мор.* железни плочи на външната страна на кораб, за която се прикрепят вантите; 7. фигура от танц; 8. *attr* верижен, сериен; ~ **belt** *техн.* верижна трансмисия; II. *v* 1. оковавам във вериги; **to ~ s.o. (down)** оковавам някого; 2. завързвам с верига; затварям с верига; **to ~ up a dog** завързвам куче с верига; 3. обвързвам, приковавам; ~**ed up (together)** обвързани един с друг; 4. измервам (*поле и пр.*).

chainlet ['tʃeinlit] *n* верижка, ланец.

chair [tʃɛə] I. *n* 1. стол; **folding** ~ сгъваем стол; • **one man makes a ~ and another sits in it** един бие тъпана, друг събира парсата; 2. стол носилка (*и* **sedan** ~); **bath** ~ инвалидна количка; 3. катедра (*на професор*); **holder of a** ~ титуляр на катедра; 4. председателско място (*в съда, на събрание и пр.*); **to take the** ~ заемам председателското място; откривам заседанието; 5. председателство на общински съвет; 6. *амер.* скамейка на свидетелите; 7. (**electric** ~) електрически стол; **to get (go) to the** ~ бивам изпратен на електрическия стол (осъден на

смърт); 8. *жп* релсова подложка; II. *v* 1. избирам за председател; 2. вдигам и нося някого на стол (*при честване*); 3. *жп* слагам подложки на траверсите.

chairmanship ['tʃɛəmənʃip] *n* председателство; **under the** ~ **of** под председателството на.

chair-warmer ['tʃɛə,wɔːmə] *n* лентяй, ленивец.

chaise longue ['ʃeiz'lɔŋ] *n фр.* шезлонг, канапенце.

chalice ['tʃælis] *n* 1. *поет.* чаша, бокал; 2. *рел.* потир; 3. *бот.* чашка (*на цвят*); **a poisoned** ~ нещо, което изглежда примамливо, а води до провал.

chalk ['tʃɔːk] I. *n* 1. варовик, креда; **French** ~ *минер.* стеатит; • **not by a long** ~ в никакъв случай, съвсем не; 2. тебешир; креда (*за рисуване*); 3. знак с тебешир за отбелязване точките при игра; **сметка, кредит в кръчма; II. *v* 1. отбелязвам с тебешир; пиша с тебешир; 2. намазвам, нацапвам с тебешир; 3. отбелязвам като постижение; 4. ставам на прах;

chalk out очертавам, планирам;

chalk up отбелязвам с тебешир (*точка при игра, сметка*); постигам, бележа (*успех, победа*); **to ~ s.th. up to experience** имам нещо като обеща на ухото, служи ми за урок.

challenge ['tʃælindʒ] I. *n* 1. предизвикване, повикване; предизвикателство, покана (*за дуел, състезание и пр.*); призив (*за съревнование*); **to meet a** ~ отзовавам се на покана (предизвикване и пр.); 2. предизвикателство, заплаха; нещо, което нарушава (руши); a ~ **to the premises of an argument** нещо, което оспорва основната теза; 3. *воен.* искане на паролата от часовой; 4. *юр.* отвод; a ~ **to the array** отвод на целия състав от съдебни заседатели; 5. препятствие; пречка, спънка; 6. *мор.* опознавателен сигнал; 7. лай на хрътки, които са попаднали на следа; II. *v* 1. предизвиквам, извиквам, поканвам; **to ~ to a fight** предизвиквам на борба; 2. ос-

порвам; поставям под съмнение; протестирам срещу; **to ~ s.o.'s right to (do) s.th.** оспорвам нечие право да върши нещо; 3. *юр.* правя отвод на; 4. предизвиквам, събуждам (възбуждам) желание за; **to ~ the imagination** стимулирам въображението; 5. *воен.* искам паролата (*за часовой*), документ за самоличност.

challenging ['tʃælindʒiŋ] *adj* 1. труден, изискващ много усилия и способности, предизвикателен; 2. предизвикателен (*поглед и пр.*); 3. който предизвиква, поканва; **the ~ team** отбор, който е поканил (извикал) друг на състезание.

chamber ['tʃeimbə] I. *n* 1. стая; спалня; *pl* мебелирани стаи; ергенска квартира; 2. зала; **audience ~** зала за аудиенции; 3. камара (*в парламента*); **C. of Commerce (Trade)** търговска камара; 4. *pl* адвокатска кантора; кабинет на съдия; **to hear a case in** ~ разглеждам дело по съкратено производство; 5. *анат.* кухина; *бот.* алвеола; дупка (*в скала, почва*); 6. патронник, гнездо (*на револвер*); 7.*техн.* камера; 8. *мин.* прострел; II. *v* 1. издълбавам; продупчвам; 2. правя дъга (*на подметката на обувка, на седло*); 3. затварям (*в стая*); 4. разделям на отделения.

chameleonic [kə,miːliˈɔnik] *adj* непостоянен, променлив, изменчив, хамелеонски.

champ₁ [tʃæmp] I. *v* 1. дъвча; хапя; хрупам; 2. скърцам със зъби, проявявам нетърпение или раздразнение; ~ **at the bit** нетърпелив съм да започна нещо; II. *n* дъвчене; хапене; хрупане.

champ₂ *n разг.* шампион.

champion ['tʃæmpiən] I. *n* 1. юнак, юначага, герой; 2. *спорт.* шампион, първенец, победител; 3. защитник, борец, поборник; ~**s of peace** борци за мир; 4. нещо, което е спечелило първа награда на изложба (*животно, растение и пр.*); 5. *adj* най-добър, първокласен; превъзходен, премиран; a ~ **liar** *разг.* първокласен лъжец; II.

v боря се за, защитавам; поддържам; явявам се като защитник на.

championship ['tʃæmpiənʃip] *n* 1. защита; поддръжка, поддържане; 2. шампионат.

chance [tʃɑ:ns] I. *n* 1. случай, случайност; **by (mere)** ~ съвсем случайно; 2. случайност, съдба; **to leave things to** ~ оставям всичко на случайността; 3. риск; съдба; късмет; **to take o.'s** ~ оставям (нещо) на късмет; 4. възможност, вероятност, изглед, надежда, шанс; **a good (slim)** ~ **of success** добра (слаба) възможност (изгледи) за успех; 5. удобен случай, възможност; **now is your** ~ сега е удобният случай; II. *v* 1. случвам се (*и безл.*); **I** ~**d to meet him** случи се да го срещна, случайно го срещнах; 2.: **to** ~ **upon** случайно попадам (срещам, намирам), натъквам се на; 3. рискувам, поемам риск; **to** ~ **a scolding** правя нещо с риск да ми се скарат; III. *adj* случаен; ~ **acquaintance** случаен познат.

chancellor ['tʃɑ:nsələ] *n* 1. канцлер; 2. ректор (*на англ. университет*); ~**'s office** ректорат; 3. юридически съветник на епископ; 4. министър-председател (*на Германия и Австрия*); 5. първи секретар на британско посолство.

change [tʃeindʒ] I. *v* 1. сменям, променям; ~ **jobs** сменям работата си; 2. меня (се), изменям (се), променям (се), обръщам (се), превръщам (се) (**into**); **to** ~ **tack** променям подхода; 3. сменям, разменям; **to** ~ **sides** преминавам на другата страна (*и прен.*); 4. разменям, развалям (*пари*); 5. преминавам от една фаза в друга (*за Луната*); 6. променям се от прилив към отлив или обратно; • **to** ~ **horses in the midle of a stream** променям плановете си по средата на важна работа; правя рязък завой;

change about (around) постоянно си променям позициите, идеите и пр.; *прен.* обръщам се на 180 градуса;

change down *авт.* превключвам

на по-ниска предавка;

change off сменям се;

change over 1) преминавам (**from... to**); 2) *воен., мор.* (*за постове*) сменяме се; (*за работници на смени*) сменям се; 3) *ел.* променям ток; комутирам;

change up *авт.* увеличавам скоростта, превключвам на по-висока предавка;

II. *n* 1. промяна, смяна; **a** ~ **of clothes** преобличане, смяна на дрехи; 2. изменение, промяна, разнообразие; **a** ~ **of heart (mind)** промяна на намеренията (плановете); вътрешна промяна; 3. дребни пари; остатък, ресто; **small** ~ дребни пари; *прен.* баналности; дреболии (*в живота*); 4. борса (*u 'change, съкр. от* **Exchange**); 5. редът, по който се бият камбаните; **to ring the** ~**s** 1) създавам разнообразие с различни комбинации от ограничен брой артикули (предмети); 2) бия камбаните с всички възможни пермутации на реда; 6. промяна, смяна (*на пост*); 7. нова луна, новолуние.

changeable ['tʃeindʒəbəl] *adj* 1. променлив, изменчив, непостоянен; 2. който може да се промени; изменяем, променяем.

changeless ['tʃeindʒlis] *adj* постоянен, непроменим, непроменлив, неизменяем.

changelessness ['tʃeindʒlisnis] *n* непроменливост, неизменяемост, постоянство.

changing ['tʃeindʒiŋ] I. *adj* променлив; подвижен; II. *n* смяна, промяна; ~ **of the guard** *воен.* смяна на поста.

channel ['tʃænəl] I. *n* 1. корито, легло, русло (*на река*); 2. *геогр.* проток, пролив; канал; **the (English)** C. Ламанш; 3. жлеб, олук, дълбей; улей; 4. тръба, канал; 5. *архит.* канелюра; 6. *прен.* път, средство; релси, установен път (ред), канален ред; **to send through official** ~**s** изпращам по каналния ред; II. *v* 1. прокарвам, прокопавам канал(и) през; 2. правя (изкопавам, издялвам) жлеб (улей,

канелюра); 3. пускам по канала; **to** ~ **money (resources)** канализирам пари (средства).

chant [tʃɑ:nt] I. *n* 1. песен; монотонно пеене; 2. *рел.* песнопение; II. *v* 1. *поет.* пея, възпявам; **to s.o.'s praises** славословя някого; 2. повтарям монотонно; пея монотонно; 3. пея псалми.

chantress ['tʃɑ:ntris] *n* певица.

chaos ['keiɔs] *n* хаос; безредие, безпорядък, обърканост.

chaotic [kei'ɔtik] *adj* хаотичен; безреден, объркан, разхвърлян; ◇ *adv* **chaotically** [kei'ɔtikli].

chap₁ [tʃæp] I. *v* (**-pp-**) 1. напуквам (се); нацепвам (се); попуквам (се); правя пукнатини в; ~**ped hands (lips)** напукани ръце (устни) (*обикн. от студ*); 2. надробявам, натрошавам; II. *n* пукнатина, цепнатина.

chap₂ *n* челюст; буза (*обикн. на животно*); **bath** ~ солена свинска буза.

chap₃ *n разг.* човек, момче; **a good (nice)** ~ симпатяга, хубав човек.

chaplet ['tʃæplit] *n* 1. венец, венче; панделка, диадема (*около главата*); 2. броеница; 3. огърлица; колие; 4. *техн.* жабка; кофичен елеватор, нория; 5. *зоол.* връв с яйца (*на жаба*); 6. *архит.* украса във вид на гирлянди.

chapter ['tʃæptə] I. *n* 1. глава (*на книга*); **to cite (give, have)** ~ **and verse** цитирам точно главата и стиха от Библията; *прен.* позовавам се на конкретен източник, имам (цитирам) точни данни; 2. *прен.* тема; **enough on that** ~ стига на тази тема; 3. *прен.* глава, страница, епизод (*от живота на някого*); 4. серия, редица; ход; **a** ~ **of accidents** серия от неприятности, поредица от нещастни случайности; 5. *рел.* управително тяло на катедрала или монашески орден; събрание на такова управително тяло; II. *v* разделям на глави.

char₁ [tʃɑ:] I. *v* (**-rr-**) 1. чистя, почиствам (*къща и пр. – за чистачка*); 2. работя като чистачка; II. *n рядко* работа, задължение

(*което трябва да се извърши*).
char₂ I. *v* овъглявам (се); обгарям;
II. *n* животински въглища.
character ['kærəktə] **I.** *n* **1.** характер, нрав (*на човек*); **a man of ~**
човек с характер; **2.** характер, природа, естество; качество; *биол.*
отличителен признак (белег); **hereditary (acquired) ~** *биол.* наследствен (придобит) характер
(или белег); **3.** име, репутация, реноме; **of bad ~** с лошо име (слава, репутация); **4.** референции,
отзив, писмена препоръка, характеристика; **to deliver a certificate of good ~** *адм.* представям
препоръка за честност и благонадеждност; **5.** известна личност; **a great ~ in history** историческа личност; **6.** характер, стил,
облик, физиономия; **work that
lacks ~** творба без собствен стил
(физиономия); **7.** *лит.* действащо лице, персонаж, образ; **8.** роля; **to be in (out of) ~** (не) съм в
ролята си; (не) подхождам, (не)
хармонирам; **9.** *ирон., презр.* субект, чешит, тип, оригинал; **a bad
~** тъмен субект; **10.** буква, писмен знак; цифра; йероглиф; *pl* азбука, писмо; **in German ~s** с готически букви; **11.** почерк; **II.** *v*
1. *рядко* характеризирам; **2.** *рядко*
запечатвам.
characteristic [ˌkærəktəˈristik] **I.** *adj*
характерен, типичен (**of** за); **the
~ odour of cabbage** характерната миризма на зеле; **II.** *n* **1.** характерна черта (*на човек*); **2.** характерен (отличителен) белег; **3.**
език. характеристика (*на глаголно време и пр.*); **4.** *мат.* характеристика (*на логаритъм*); **5.** *pl*
група сигнали, предавани по радиофар.
characterize ['kærəktəraiz] *v* **1.** характеризирам, охарактеризирам;
2. отличавам, открявам, служа
като характерен (отличителен) белег (признак); **3.** определям (*характер*); **a miser is ~d by greed**
алчността е типична за скъперника.
characterless ['kærəktəlis] *adj* **1.**
безхарактерен, безволев; слабо-

характерен, слабоволев; **2.** безинтересен, неизразителен, безличен, блед, без индивидуалност; **3.**
без референции, без препоръка.
charge ['tʃɑːdʒ] **I.** *v* **1.** искам цена
(заплащам за такса и пр.); **to ~
an account with all the expenses**
включвам всички разноски в
сметката; **2.** обвинявам, държа
отговорен (**with** в, за); **to ~ s.o.
with murder** обвинявам някого в
убийство; **3.** пълня, зареждам
(*оръжие, чаша с вино, акумулатор*); товаря, обременявам (*памет*); насищам (*въздух и пр.*); **air
~d with steam** въздух, наситен с
пара; **4.** възлагам на, натоварвам
(**with**); **to ~ s.o. to do s.th.** натоварвам някого да извърши нещо;
5. *воен.* щурмувам, атакувам с
пристъп; втурвам се, спускам се
(**towards** към); **to ~ into s.th.**
хвърлям се срещу; **6.** заповядвам
на, задължавам, изисквам от; **to
~ a jury** *юр.* давам указания на
съдебни заседатели; **7.** *амер.*
твърдя; **8.** *воен.* поставям (*щик*)
за атака; **to ~ bayonets** приготвям пушките за атака на нож; **9.**
хералд. украсявам герб с фигура; **10.** *sl* ограбвам; **II.** *n* **1.** цена;
такса; **power ~** такса за разход
на енергия; **2.** обвинение (**of** в);
обвинителен акт; този, който води обвинението, прокурор; **to
bring (to lay) a ~ of s.th. against
s.o.** давам някого под съд за нещо, подвеждам някого под отговорност за нещо; **3.** поръчение,
задължение, отговорност; **to take
~ of** поемам; вземам в ръцете си,
заемам се с; **4.** повереник; нещо,
поверено на някого; **young ~s**
малки поверenici, деца, за които
то се грижи някой; **5.** пълнеж,
снаряд (*на оръжие, акумулатор
и пр.*); *техн.* дажба; **full ~** *воен.*
боен снаряд; **6.** (парично) задължение; **~s on an estate** задължения (тежести) върху имот; **7.** нареждане, поръчение, предписание (*обикн. на съдия към съдебни заседатели, на владика към
свещеници*); **8.** арестуване, задържане; **9.** *рел.* паство; **10.** *воен.*

пристъп, щурм, атака; сигнал за
атака; **to return to the ~** подновявам атаката; **11.** *спорт.* нападение; **12.** връхлитане, втурване
(*обикн. на животно върху нападателя или жертвата му*);
13. *sl* **1)** инжектиране с наркотик;
2) марихуана; **3)** възбуда (*и сексуална*); **kids get a ~ out of the
circus** децата са луди по цирка.
chargé d'affaires [ˈʃɑːʒei dəˈfɛə] *n*
фр. (*pl* **chargés d'affaires**) шарже
д'афер.
chariness ['tʃɛərinis] *n* **1.** предпазливост, сдържаност, неохота, нежелание; **2.** пестеливост.
charitable ['tʃæritəbl] *adj* **1.** благотворителен; снизходителен; **to
give to ~ uses** давам за благотворителни цели; **2.** благ, доброжелателен, великодушен, снизходителен, либерален; ◇ *adv* **charitably** ['tʃæritəbli].
charity ['tʃæriti] *n* **1.** милосърдие,
милост, благотворителност; **~
begins at home** човек трябва да
се грижи първо за себе си; **2.** милостиня, подаяние; **to live on ~**
живея от подаяние; **3.** великодушие, снизходителност, либералност, щедрост; **4.** благотворително заведение; **to leave money
to charities** завещавам пари на
благотворителни заведения; • **in
~** с добри чувства, милосърдно,
по християнски; **as cold as ~** много студен, неуютен.
charm [tʃɑːm] **I.** *n* **1.** магия, вълшебство, заклинание, чародейство;
to work like a ~ имам силен (невероятен) ефект; **2.** чар, обаяние,
прелест, пленителност, очарование, привлекателност; **to turn on
the ~s** пускам в ход чара си (*за
да се сдобия с нещо*); **3.** талисман, амулет, муска; дрънкулка;
II. *v* омагьосвам, обайвам, омайвам, очаровам, пленявам; **to ~
o.'s way into a place** пробивам си
път, като използвам чара си.
chart [tʃɑːt] **I.** *n* **1.** диаграма, таблица, табло, схема, чертеж; **fever
~** температурен лист; **2.** (*обикн.
pl*) листа (класация) за бестселъри; **3.** морска карта; **barometric**

~ метеорологическа карта; **II.** *v* 1. нанасям върху (на) карта, правя карта; 2. планирам, запланувам; 3. *журн.* влизам в класацията (*за муз. албум*); 4. следя; контролирам; отчитам (*прогрес, развитие*).

charter ['tʃa:tə] **I.** *n* 1. харта, грамота, устав; право; **The C. of the United Nations** Хартата на Обединените нации; 2. *неодобр.* условие, благоприятна почва, предпоставка (**for** за); **II.** *v* 1. наемам (*кораб и пр.*); 2. давам право, привилегия на; 3. *амер.* основавам, учредявам; **III.** *adj* чартърен; ~ **flight** чартърен полет.

chary ['tʃeəri] *adj* 1. предпазлив; внимателен (**of** *с ger*); 2. сдържан, скъп (**of**); **to be** ~ **of o.'s hospitality** не съм гостоприемен.

chase₁ [tʃeis] **I.** *v* 1. ходя на лов за; 2. гоня, преследвам; 3. изгонвам, прогонвам, пропъждам, изпъждам (**from, out of**); премахвам, отстранявам; 4. *разг.* тичам, бързам, движа се бързо; ● ~ **yourself!** *sl* махай се!; 5. *sl* "свалям"; **chase away** прогонвам, пропъждам (*страхове и пр.*); **chase down** 1) догонвам, хващам, залавям; 2) откривам, намирам, добирам се до; **chase up** 1) проследявам (*източник*), разследвам, разнищвам; 2) издирвам;
II. *n* 1. лов, гонитба, преследване; **in** ~ **of** на лов за, по дирите на; 2. място за лов(уване); хора, които участват в лов; право на ловуване; 3. дивеч, лов, преследвано животно; 4. преследван кораб; 5. удар при тенис.

chase₂ [tʃeis] **I.** *n* 1. дуло, цев, отвор; 2. вдлъбнатина, улей, жлеб; 3. *полигр.* рамка; ● **to cut to the** ~ *амер.* заемам се със същността на проблема; залавям се с основните (базисни) неща; **II.** *v* гравирам, издълбавам, украсявам с релеф; правя нарез на винт.

chaser ['tʃeisə:] *n* 1. преследвач; 2. *авиац.* изтребител; 3. *мор.* оръдие на носа или задната част на кораб; 4. *разг.* глътка (чашка) ра-

кия или вода след нещо друго; разредител.

chasing₁ [tʃeisiŋ] *n* гонене, гонитба, преследване.

chasing₂ *n* 1. гравиране; 2. релефно (издълбано) украшение.

chasm [kæzəm] *n* 1. пропаст, бездна (*и прен.*); 2. празно място, празнота.

chaste [tʃeist] *adj* 1. целомъдрен, девствен, непорочен, невинен, чист; 2. приличен, скромен; 3. чист, строг, без нищо излишно, прост, обикновен.

chasten ['tʃeisən] *v* 1. наказвам; 2. ограничавам, дисциплинирам; възпирам, сдържам, обуздавам; 3. изчиствам, смекчавам, опростявам.

chastity ['tʃæstiti] *n* 1. целомъдрие, девственост, невинност, непорочност, чистота; 2. чистота, строгост, простота; 3. въздържание, безбрачие.

chat [tʃæt] **I.** *n* 1.(непринуден, приятелски, свойски, интимен) разговор, беседа, бъбрене, лаф мохабет; **to have a** ~ побъбрям си (**with, about**); 2. *sl* бръщвеж, нахалство; **II.** *v* 1. водя непринуден (приятелски, свойски, интимен) разговор, беседвам, побъбрям си (**with**); 2.: **to** ~ **up** *разг.* заговорвам, завързвам разговор; започвам свалка.

chatter ['tʃætə] **I.** *v* 1. бъбря, бръщвя, бръщолевя, дърдоря, дрънкам, раздрънквам; 2. дрънкам, тракам (*за зъби, машина*); чукам (*за клапан*); 3. кряскам (*за птица*); 4. ромоня, ромоля, шумоля; 5. вибрирам, трептя; **II.** *n* 1. бърборене, бръщвене, бръщвеж, бръщолевене, дърдорене, дрънкане, раздрънкване; 2. тракане; чукане (*на клапан*); 3. кряскане; 4. ромон, шумолене; 5. вибрация.

chatty ['tʃæti] *adj* бъбрив, приказлив, словоохотлив.

chauvinism ['ʃouvinizəm] *n* шовинизъм.

chauvinist ['ʃouvinist] *n* шовинист.

chauvinistic ['ʃouvi'nistik] *adj* шовинистичен.

chaw [tʃɔ:] *v грубо* дъвча; **to** ~ **up**

sl разбивам напълно, правя на пух и прах.

cheap [tʃi:p] **I.** *adj* 1. евтин; на сметка; лошокачествен, долнокачествен, долнопробен; ~ **and nasty** евтин и долнокачествен; ◇ *adv* **cheaply**; 2. неискрен; престорен, "евтин"; 3. *sl* стиснат, скръндзав, свидлив; **II.** *adv* евтино; **to get off** ~(**ly**) отървам се евтино (леко).

cheapen ['tʃi:pən] *v* 1. поевтинявам; 2. намалявам (понижавам, смъквам) цената си; 3. *остар.* пазаря се.

cheapskate ['tʃi:p,skeit] *n sl* скъперник; скръндза.

cheat [tʃi:t] **I.** *v* 1. изигравам, надхитрям, измамвам, "подхлъзвам", служа си с измама, нечестен съм; **to** ~ **s.o. out of** обсебвам, вземам от някого чрез измама, оскубвам; 2. залъгвам; "замазвам очите" (*на някого*); 3. неверявам (**on**); ● **to** ~ **time** убивам времето; **II.** *n* 1. измама, мошеничество; **to put a** ~ **on** измамвам, изигравам; 2. измамник, измамница, мошеник, мошеница.

cheater ['tʃi:tə:] *n разг. амер.* мошеник, измамник.

check [tʃek] **I.** *v* 1. проверявам, сверявам, сравнявам, контролирам (*амер.* – *с* **up**); **to** ~ **a version with** (**against**) **a MS** сверявам текст с ръкопис; 2. спирам (се); възпирам, сдържам, забавям; 3. *амер.* издавам чек (*на името на* **upon**, *на сума* **for**); предавам на (приемам) багаж; 4. *спорт.* обявявам шах (*и* **to give** ~); 5. спирам се при загубване на следа (*за ловджийско куче*); 6. садя шахматообразно; 7. напуквам се; **cheap paint may** ~ евтината боя може да се напука; **II.** *n* (*int*) 1. контрол, проверка; **to keep a** ~ **on** контролирам, проверявам, следя за; 2. пречка, спънка, препятствие, спиране, задържане, отпор; **to act as a** ~ действам като спирачка на; 3. белег, знак (*срещу име и пр.*); етикет; багажна разписка; номерче, гардеробен билет; контра (*и* **pass-** ~); кочан; *амер.* жетон; **to cash (hand, pass)**

in o.'s ~s свършвам, умирам; сдавам багажа; предавам се; признавам се за победен; **4.** *амер.* сметка (*от ресторант и пр.*); **5.** чек (*и* **cheque**); **6.** каре (*шарка на плат*); плат на карета; **7.** *спорт.* шах; **8.** *воен.* незначително поражение; временен неуспех; **9.** загубване на следа (*при лов*); прекъсване; **10.** *attr* контролен; **11.** *attr* кариран;

check at чувствам се засегнат от;
check in 1) давам на гардероб, оставям срещу разписка; 2) регистрирам се като пътник на летището; 3) ангажирам стая в хотел;
check off отмятам;
check out 1) освобождавам стая в хотел; 2) изписвам (се) (*от болница*); 3) проучвам, събирам информация за; 4) *sl* изчезвам, вдигам си крушите; умирам;
check over *sl* проучвам, разследвам;
check up проверявам; проучвам (*някого*) (on s.o.);
check with съвпадам с, отговарям на, идентичен съм (на, с).
check-out ['tʃek,aut] *n* **1.** каса (*в супермаркет*); **2.** проверка, контрол; **3.** *sl* заминаване, тръгване.
cheek ['tʃiːk] I. *n* **1.** страна, буза; **2.** нахалство, наглост, дързост, безочие, безочливост; арогантност; **to have the ~ to** имам нахалството да; **3.** *техн.* чело (*на чук*), челюст (*на клещи и пр.*), каса (*на врата*); **4.** странична стена, калкан; • **~ by jowl** един до друг, интимно; на четири очи, неофициално; II. *v* отговарям нахално, нагрубявам, репча се.
cheekiness ['tʃiːkinis] *n* нахалство, наглост, безочие, дързост, безочливост, арогантност.
cheeky ['tʃiːki] *adj* нахален, нагъл, дързък, безочлив, арогантен; ◇ *adv* **checkily**.
cheer ['tʃiə] I. *v* **1.** аплодирам, акламирам, одобрявам, викам ура на, приветствам; **~ on** насърчавам с викове; **2.** ободрявам, насърчавам, утешавам; давам кураж на; **~ up!** кураж, горе главата!; II. *n* **1.** одобрителен вик, въз-

клицание; ура!; **2.** *pl* одобрителни викове, аплодисменти; аплаузи; **3.** *остар.* душевно състояние, настроение; **to be of good (bad, sad) ~** весел, жизнерадостен, в добро (лошо) настроение съм (тъжен, печален съм); **4.** гощавка, ядене и пиене, ешмедеме; веселие; **to make good ~** пирувам, веселя се, похапвам си добре; • **with good ~** охотно, с радост; **~s** наздраве!
cheerful ['tʃiəful] *adj* **1.** бодър, весел, в добро настроение; **2.** жив, приятен, ободрителен; **~ surroundings** приятна обстановка; **3.** светъл, слънчев; ◇ *adv* **cheerfully**.
cheerless ['tʃiəlis] *adj* мрачен, унил, посърнал, нерадостен; ◇ *adv* **cheerlessly**.
cheerlessness ['tʃiəlisnis] *n* унилост.
cheese ['tʃiːz] I. *n* **1.** сирене, кашкавал; пита кашкавал; **rat ~** тип евтино сирене; **2.** пестил, мармалад; **3.** *sl* *амер.* дрръвник, тъпак; *sl* **4.** важна клечка (*и* **big ~**); **she is the real ~** тя е истинско злато; **5.** лъжа, глупост, преувеличение; **what a line of ~!** каква глупост!; **6.** пари; **I didn't have any ~** нямах пукната пара; • **say "~"** кажи "зеле" (*при фотографиране*); II. *v sl* спирам; **to ~ it** изчезвам, духвам, омитам се;
cheese off *sl* дразня; ядосвам; досаждам.
cheese-cloth ['tʃiːzkloθ] *n* тензух, марля.
cheese-eater ['tʃiːz'iːtə] *n sl* доносник, информатор.
cheesed-off ['tʃiːzd,ɔf] *adj разг.* раздразнен; отегчен; разочарован; недоволен.
heetah ['tʃiːtə] *n* гепард *Felis jubata*.
chef-d'oeuvre ['ʃei'dəːvə] *n фр.* (*pl* **chefs-d'oeuvre**) шедьовър.
chemical ['kemikəl] I. *adj* **1.** химически, химичен; **~ balance** аптекарски везни; **2.** изпитал (преминал през, попаднал под) въздействието на химикали; **~ burns** изгаряне от химикали; ◇ *adv* **chemically**; II. *n* **1.** химикал; **2.** *sl* алкохолно питие, опиат.
chemist ['kemist] *n* **1.** химик; **2.** ап-

текар; **~'s shop** аптека.
chemistry ['kemistri] *n* **1.** химия; химичен състав; **2.** взаимно привличане между хора.
cheque ['tʃek] I. *n* чек; **to cash a ~** осребрявам чек; II. *v*: **~ out** изплащам по чек.
chequebook ['tʃekbuk] *n* чекова книжка.
chequered ['tʃekəd] *adj* **1.** кариран; **2.** пъстър, шарен; **~ shade** пъстра сянка; **3.** *прен.* шарен, разнообразен; **a ~ career** разнообразна (авантюристична) кариера.
cherish ['tʃeriʃ] *v* **1.** храня, питая, лелея; **2.** обичам много, скъпя, ценя; **to ~ o.'s rights** ценя, отстоявам правата си.
cherished ['tʃeriʃt] *adj* любим, обичан, скъп, ценен; **deeply ~ beliefs** дълбоки убеждения.
cherry ['tʃeri] I. *n* **1.** череша; вишна; **to have two bites at the ~** получавам втори шанс; опитвам отново в нещо, в което първият път съм се провалил; **2.** девствена ципа, химен; *sl* девственост; II. *adj* **1.** черешов, вишнов; **2.** неопитен; непокварен.
cherubic [tʃə'ruːbik] *adj* ангелски, херувимски.
chest ['tʃest] *n* **1.** сандък; **~ of drawers** скрин; **2.** каса; ковчежничество; фондове, пари; **the community ~** обществени средства; **3.** гръден кош; гърди; **a pain in o.'s ~** болка в гърдите.
chestnut ['tʃestnʌt] I. *n* **1.** кестен (*и* **Spanish sweet ~**); **horse ~** див кестен; **2.** дорест кон; **3.** стар виц; II. *adj* **1.** кестеняв, шатен; **2.** дорест.
chevalier [,ʃevə'liə] *n* **1.** *истор.* рицар, шевалие, кавалер; **2.** кавалер на орден; • **~ of fortune** (industry) авантюрист, мошеник.
chew [tʃuː] I. *v* **1.** дъвча, предъвквам, сдъвквам; дъвча тютюн; **2.** *прен.* размислям, размишлявам (*и с* **on, upon, over**); **to ~ the cud** предъвквам, преживям (*и прен.*); • **to bite off more than one can ~** заемам се с нещо пряко силите му, лапам голям залък (*прен.*);
chew out скастрям, скарвам се,

гълча, наругавам;

chew over премислям, обмислям; **chew up** 1) сдъвквам; 2) нарязвам на парчета, на дребно; 3) разрушавам, унищожавам, потъпквам; II. *n* 1. дъвкане, преживяне; 2. тютюн за дъвкане; 3. дъвчащ бонбон.

chewing gum ['tʃuːɪŋʌm] *n* дъвка.

chic [ʃik] I. *adj* моден, елегантен, шикозен; II. *n* шик.

chicken ['tʃikən] I. *n* 1. пиле; петел, кокошка; **to count o.'s ~s before they are hatched** рибата още в морето, а той слага тигана на огъня; 2. дете; **she is no spring ~** тя не е вече от младите; 3. страхливец; II. *v* изоставям план от страх, дезертирам (*обикн.* ~ **out**); • **play ~** хваща ме шубето в последния момент.

chicken-liver ['tʃikən‚livə] *n* страхливец, страхопъзльо.

chicken-pox ['tʃikənpɔks] *n мед.* варицела, лещенка.

chide [tʃaid] *v* 1. гълча, карам се (на), хокам; 2. *поет.* вия (*за вятър и пр.*).

chief [tʃiːf] I. *n* 1. шеф, глава, ръководител, началник; **commander-in-~** главнокомандващ; 2. вожд, водач, главатар; II. *adj* главен, пръв, върховен, ръководещ, ръководещ, основен, най-важен; **C. Justice** върховен съдия.

child [tʃaild] *n* (*pl* **children** ['tʃildrən]) дете, рожба (*и прен.*), чедо; ~'s детски; **natural ~** незаконородено дете; • **a (the) burnt ~ dreads the fire** парен каша духа.

childbed ['tʃaildbed] *n* раждане; ~ **fever** родилна треска.

childhood ['tʃaildhud] *n* детство, детинство; детски дни; *attr* детски (*за преживяване, психология и пр.*); **from ~** от детинство; **reminiscences of ~** детски спомени.

childishness ['tʃaildiʃnis] *n* детинщина, вдетиненост.

chill [tʃil] I. *n* 1. студ, мраз, хлад, хладина; **a ~ in the air** мразовит въздух; 2. тръпки; **to catch a ~** настивам, простудявам се; 3. студенина; ох-

ладняване; **to cast a ~ over** поливам със студен душ; 4. калаване; II. *adj* 1. студен(ичък), хладничък, прохладен; 2. студен, хладен, неприветлив, сдържан, дистанциран, официален, угнетителен, обезсърчителен; 3. кален; III. *v* 1. изстудявам, охлаждам; замразявам; ~ **ed (frozen) meat** замразено месо; 2. изстивам; побиват ме тръпки; ~ **ed to the bone** премръзнал; 3. попарвам (*и прен.*), потрисам, покрусвам, съкрушавам, сломявам, обезсърчавам; 4. калявам; изливам в калъп;

chill out *разг.* релаксирам, разпускам, разтоварвам се.

chilly I. ['tʃili] *adj* 1. хладен, студен, мразовит; 2. зиморничав; II. ['tʃili] *adv* хладно, студено, мразовито.

chime [tʃaim] I. *v* 1. бия, удрям (*час*), свиря (*мелодия*); 2. зова, призовавам (**to**); 3. в хармония съм, хармонирам (*и* **together**), римувам се, съответствам, отговарям (**with**); 4. говоря напевно; • **to ~ in** обаждам се, намесвам се; пр*и*гласям; съвпадам (**with**); II. *n* 1. комплект от камбани; звънци; 2. (*и pl*) мелодия на камбани; 3. благозвучие, хармония, хармонично съчетание, напевност.

chimney ['tʃimni] *n* 1. комин, димоотвод; **factory (mill) ~** фабричен комин; 2. камина; 3. лампено шише (на газена лампа); 4. отвор на вулкан, кратер; 5. пукнатина, процеп (*в скала*).

chimp, chimpanzee [tʃimp, ‚tʃimpən'ziː] *n* шимпанзе.

chin [tʃin] I. *n* брада, брадичка; • **to lead with o.'s ~** агресивен съм, вървя с рогата напред; II. *v sl амер.* 1. дрънкам; 2. издигам се (набирам се) на успоредка на височина до брадата.

China ['tʃainə] I. *n* Китай; II. *attr* китайски.

china ['tʃainə] I. *n* порцелан, фарфор, порцеланови съдове; **glass and ~** стъклени и порцеланови съдове; II. *adj* порцеланен, порцеланов; ~ **shop** магазин за пор-

целанови съдове.

chin-chin ['tʃin'tʃin] *int sl* наздраве!

chine₁ [tʃain] *n* 1. гръбнак; месо от гръбнака, рибица, филе; 2. било, хребет.

chine₂ [tʃain] *n* ждрело, гърло, устие.

chink₁ [tʃink] I. *n* 1. дрънкане, звън (*на пари, чаши*); 2. *sl* пари, монети, звонк; II. *v* дрънкам, звънтя.

chink₂ [tʃink] I. *n* пукатина, цепнатина, пролука; дупка; **a ~ of light** светло петно, светъл процеп; • **a ~ in o.'s armour** Ахилесова пета, слабо място; II. *v* 1. запушвам пукатините на; 2. напуквам.

chintz [tʃints] *текст.* I. *n* 1. басма; 2. кретон; II. *adj* басмен, кретонен.

chinwag ['tʃin‚wæg] *v sl* споря, препирам се, дърля се.

chip [tʃip] I. *n* 1. *pl* дребно нарязани пържени картофи, чипс; 2. *ел.* чип (*монолитен микроелемент*), интегрална схема; 3. треска, тресчица, стружка, стъргротина, парченце, отломка; **to make ~** боклуча; 4. нащърбено място, щърбел; 5. жетон, чип; **when the ~s are down** в критична ситуация, при изпитание; 6. тънка ивица лико, слама (*за плетене на кошници и пр.*); 7. надребняване, нарязване на късчета и пр.; 8. (*и* **bargaining**) *прен.* разменна монета; • ~ **off the old block** бащичко; крушата не пада по-далеч от дървото; **to carry (go about with, have, wear) a ~ on o.'s shoulder** държа се предизвикателно, за да избия комплексите си; чувствам се унижен (потиснат); II. *v* 1. дялам, дълбая; 2. нащърбявам (се); ~ **off** отчупвам края на; 3. пържа (*картофи*); 4. пробивам черупката си (*за пиле*);

chip away at 1) подкопавам, подронвам, постепенно отслабвам; 2) намалявам (*сума, дълг*);

chip in 1) давам своя дял (*паричен*), допринасям с определена сума; 2) намесвам се (*в разговор*), обаждам се, вмъквам;

chip off отчупвам (се), откършвам (се).

chipboard ['tʃipbɔːd] *n* талашит.

chipper [ˈtʃipə:] *adj* жизнерадостен, весел, с добро настроение.

chiropodist [kiˈrɔpədist] *n* педикюрист.

chiropody [kiˈrɔpədi] *n* педикюр.

chirp [tʃə:p] I. *n* цвъртеж, цвъртене, цвърчене, чирикане, чуруликане; II. *v* цвъртя, цвърча, чирикам, чуруликам.

chirpy [ˈtʃə:pi] *adj* жив, весел, жизнерадостен.

chirruper [ˈtʃirəpə] *n sl* клакьор.

chisel [tʃizəl] I. *n* длето; секач; the ~ скулптура; ● full ~ *sl* колкото ти сили държат, с най-голяма бързина; II. *v* 1. вая, извайвам, изсичам; дялам, издялвам, гравирам, изрязвам; 2. *sl* използвам, изигравам, измамвам; to ~ in намесвам се.

chiselled [tʃizəld] *adj* изваян, ясно очертан.

chiseller [ˈtʃizələ:] *n sl* измамник, играч, мошеник.

chiselly [ˈtʃizəli] *adj геол.* едрозърнест; чакълест.

chit [tʃit] *n разг.* маце, мацка.

chivalric [ʃiˈvælrik] *adj* рицарски, кавалерски.

chlorine [ˈklɔ:rain] I. *n* хлор; II. *adj* 1. хлорен; 2. светлозелен.

chlorodyne [ˈklɔ:rədain] *n фарм.* успокоително.

chock [tʃɔk] I. *n* 1. клин, брус; 2. подставка, подложка, подпора; 3. *техн.* амортисьор, лагер; 4. спирачна челюст; II. *v* 1. подпирам, слагам подложка, подпора на; 2. *мор.* слагам на подложки; ~ (up) наблъсквам, натъпквам, задръствам, препълвам (with).

chocolate [ˈtʃɔkəlit] I. *n* 1. шоколад; 2. шоколадов бонбон; 3. (*u* hot ~, drinking ~) горещ шоколад; II. *adj* шоколаден, тъмнокафяв.

chocolate-box [ˈtʃɔklitbɔks] *adj* сладникав, сладникаво хубав.

choice [tʃɔis] I. *n* 1. избор; алтернатива; a wide (poor) ~ голям (малък) избор; 2. грижлив подбор, вкус; 3. най-хубавата част, избраното, "цветът"; 4. предпочитание, избор, решение; 5. избраник, избраница; II. *adj* 1. избран, отборен, подбран; високо-

качествен, елитен, отличен, превъзходен; a ~ example отличен пример; 2. *книж.* придирчив, взискателен.

choke [tʃouk] I. *v* 1. давя (се), душа; задушавам (се), задавям (се) (with); to ~ to death задушавам (причинявам смърт чрез задушаване); 2. запушвам (се), задръствам (се); задушавам, заглушавам, затлачвам (се); ~ back сдържам чувствата си;

choke down поглъщам трудно; преглъщам, сподавям;

choke in *разг.* не вземам участие в разговор; затварям си устата;

choke off обезсърчавам, отстранявам, накарвам някого да се откаже от нещо;

choke up заглушавам, бивам заглушен, запушвам (се), задръствам (се); затлачвам (се);

II. *n* 1. (шум от) задавяне; 2. дроселна клапа, смукач.

choked [ˈtʃoukt] *adj* 1. задавен, задушен; 2. запушен, задръстен; 3. бесен, ядосан; разстроен.

choky *n* 1. *англоинд.* бариера, митница; полицейски участък; 2. *sl* затвор.

choler [ˈkɔlə] *n* 1. *остар.* жлъчка; 2. жлъч, гняв, яд.

cholera [ˈkɔlərə] *n мед.* 1. холера; English, bilious, summer ~ дизентерия; 2. *attr* холерен; ~ belt вълнен пояс.

choleric [ˈkɔlərik] *adj* раздразнителен, гневлив, сприхав; холеричен, енергичен, темпераментен.

chomp [ˈtʃɔmp] *v* дъвча шумно, мляскам (on); to ~ at the bit нетърпелив съм, не мога да си намеря място, не ме свърта.

choose [tʃu:z] *v* (chose [tʃouz], chosen [tʃouzn]) 1. избирам (за – *u c* as, for); (*c* between, from) she had to ~ between giving up her career or her family трябваше да избира между кариерата и семейството си; 2. предпочитам, намирам за добре, искам; do just as you ~ постъпи, както намериш за добре (обичаш).

choosy [ˈtʃu:zi] *adj разг.* придирчив, взискателен, претенциозен.

chop₁ [tʃɔp] I. *v* 1. сека, насичам, отсичам, нанасям удар (at); to ~ wood сека дърва; to ~ o.'s way through пробивам си път; 2. кълцам, накълцвам, нарязвам, надробявам; 3. говоря отсечено (отривисто); 4. спирам, намалявам чувствително; bus services in this area have been chopped автобусните линии в този район бяха намалени;

chop about насичам;

chop away отсичам;

chop down отсичам, посичам, повалям;

chop in намесвам се, обаждам се;

chop off отсичам;

chop up нарязвам на дребно, надробявам;

II. *n* 1. удар (*с брадва и под.*); 2. пържола, котлет; 3. леко вълнение; 4. *sl* поставяне край на, ликвидиране, уволнение; it looks as though he is in for the ~ уволнението не му мърда!; to get the ~ изритват ме, изхвърлят ме, отърват се от мен.

chop₂ *n* (*обикн. pl*) челюст (*u* chap); down in the ~s убит, паднал духом, унил, в лошо настроение, потиснат; to lick o.'s ~s облизвам се, точа си зъбите.

chop₃ *n* 1. промяна, непостоянство, колебание; 2. *остар.* размяна; II. *v* 1. колебая се, люшкам се, непостоянен съм (*u* ~ and change); 2. променям посоката си (*за вятър*); 3. разменям; ~ round (about) променям си посоката; сменям курса.

chop₄ *n* англоинд. *Pidg* 1. печат, позволително; 2. търговска марка; сорт, качество; first-, second- ~ първо, второ качество.

chopper [ˈtʃɔpə] *n* 1. сатър; 2. къса секира; 3. човек, който сече; 4. *ел.* тикер; прекъсвач; 5. хеликоптер.

choral [ˈkɔ:rəl] *adj* хоров.

chord₁ [kɔ:d] *n* 1. струна, корда; to touch (strike) the right ~ with s.o. успявам да затрогна; 2. *анат.* (*u* cord) гръбна струна, хорда; vocal ~s гласни струни; 3. *мат.* хорда.

chord₂ *n* 1. акорд; 2. гама (*от цветове*).

chore [tʃɔ:] *n* шетня, шетане, домакинстване, домакинска работа; **to do the ~s** шетам, върша домакинската работа.

choreographed [ˈkɔ:riəgra:ft] *adj* режисиран; нагласен.

choreographer [ˈkɔ:riˈɔgrəfə] *n* хореограф.

choreographic [ˈkɔ:riəˈgræfik] *adj* хореографски.

chorus [ˈkɔ:rəs] I. *n* 1. хор (*и прен.*); **in** – в хор; **to swell the** ~ присъединявам своя глас, присъединявам се към мнението на другите; 2. припев; 3. *муз.* многогласна вокална пиеса; II. *v* пея, повтарям в хор, в един глас.

chrism [krism] *n рел.* 1. светено масло; миро; 2. помазване.

christen [krisən] *v* кръщавам, давам име на.

Christendom [ˈkrisəndəm] *n* християните, християнският свят.

christening [ˈkrisəniŋ] *n* кръщавка, кръщение.

Christian [ˈkristʃən] I. *adj* 1. християнски; ~ **name** малко (собствено) име; 2. *разг.* цивилизован, свестен; II. *n* 1. християнин, християнка; 2. *разг.* свестен, цивилизован човек.

Christianity [ˈkristiˈæniti] *n* християнство.

christianize [ˈkristʃəniaz] *v* християнизирам, покръствам.

Christmas [ˈkrisməs] *n* Коледа, Рождество Христово (*съкр. и* Xmas); ~ **carols** коледни песни.

Christmas-tree [ˈkrisməstri:] *n* коледно дърво, елха.

chromatic [kroˈmætik] *adj* 1. цветен; оцветен; 2. хроматичен, хроматически; ~ **scale** хроматична (цветова) гама.

chromosomal [ˈkroumeˈsouməl] *adj* хромозомен.

chromosome [ˈkrouməsoum] *n* хромозом(и).

chronic [ˈkrɔnik] *adj* 1. *мед.* хронически, хроничен; ~ **invalid** хронично болен; 2. постоянен, повтаряем, вкоренен, затвърден; ~ **doubts** постоянни (вечни) съмне-

ния; 3. лош, ужасен; **the film was absolutely** ~ филмът беше ужасен; ◇ *adv* **chronically.**

chronicle [ˈkrɔnikl] I. *n* хроника, летопис; хронография; II. *v* 1. вписвам, записвам, отбелязвам (*в дневник и пр.*); **to** ~ **small beer** отбелязвам (спирам се на) всяка дреболия, занимавам се с глупости; 2. хроникирам, отбелязвам, съобщавам, предавам, излагам, разказвам (*във вестник, в печата*); водя хроника; **to** ~ **the events of the war** отразявам военните събития (военната хроника).

chronicler [ˈkrɔniklə] *n* летописец, хроникьор; хронист.

chronological [ˌkrɔnəˈlɔdʒikəl] *adj* хронологичен, хронологически, летописен.

chronology [krəˈnɔlədʒi] *n* 1. хронология; 2. хронологична таблица.

chrysanthemum [kriˈzænθəməm] *n бот.* хризантема *Chrysanthemum.*

chuck I. *v разг.* 1. хвърлям, захвърлям, мятам, метвам, запокитвам, запращам; ~ **it in the bin** хвърли го на боклука; 2. зарязвам, отказвам се от; 3. погъделичквам, *особ.* **to** ~ **under the chin** погъделичквам под брадата; 4. *sl* повръщам, драйфам; ~ **away** захвърлям, метвам; пропускам (случай); ● ~ **it!** *sl* стига! престани! зарежи! **to** ~ **o.'s hand in** вдигам ръце, предавам се; признавам се за победен; II. *n sl* изгонване, натирване, уволнение.

chuckle [tʃʌkl] I. *v* 1. подсмихвам се, хихикам, усмихвам се под мустак; 2. радвам се, злорадствам, ликувам, тържествувам (over); 3. кудкудякам; II. *n* 1. хихикане, кискане; 2. кудкудякане.

chum [tʃʌm] *разг.* I. *n* 1. приятел, другар; **make** ~s сприятелявам се с (with); 2. съквартирант; II. *v* (-mm-) 1. живея в една и съща стая (with, together); 2. дружа; ~ **in, up** сближавам се (with).

chumminess [ˈtʃʌminis] *n* интимност, свойско държание.

chummy [ˈtʃʌmi] *adj разг.* близък, интимен, свойски.

chump-change [ˈtʃʌmptʃeindʒ] *adj sl*

долен, долнопробен, гаден.

chunder [ˈtʃʌndə:] *v sl* драйфам, повръщам.

chunk [tʃʌŋk] I. *n* 1. чукан; 2. голям къс, парче, комат; 3. нисък и набит човек; як кон; 4. *sl* патлак, пищов; II. *v разг.* 1. хвърлям, метвам, запращам; 2. избивам.

chunky [ˈtʃʌŋki] *adj* 1. набит; як; 2. тежък, масивен, стабилен; ~ **historical romances** обемисти (дебели) исторически романси; 3. на дребни късчета (*за храна*); ~ **peanut butter** фъстъчено масло с парченца от фъстъци.

church [tʃə:tʃ] I. *n* 1. църква, черква, храм; **Eastern Orthodox** ~ Източноправославната църква; 2. *attr* църковен; ~ **service** църковна служба; II. *v* "приемам" обратно в църквата (*за родилка, на 40-ия ден след раждането*).

church-owl [ˈtʃə:tʃaul] *n* кукумявка.

churn [tʃə:n] I. *n* 1. бутилка; 2. гюм; 3. бъркане; II. *v* 1. бия масло; 2. бъркам, разпенвам; 3. плакна се, кипя, пеня се; ~ **out** произвеждам набързо, изкарвам; бълвам; 4. *прен.* разстройвам; **the bitter argument left her feeling ~ed up inside** злостната препирня я разстрои напълно.

chute [ʃu:t] *n* 1. пръскало, водопад; 2. мазул, улей за спускане на трупи; 3. пързалка (*и на детска площадка*); 4. тръба, ръкав; фуния; **air** ~ вентилационен канал; II. *v* разтоварвам, изсипвам, спускам по улей.

chutney [ˈtʃʌtni] *n* лютеница.

cicatrization [ˌsikətriˈzeiʃən] *n мед.* заздравяване, зарастване, затваряне на рана.

cicatrize [ˈsikətraiz] *v* заздравявам, зараствам, затварям се (*за рана*).

cigar [siˈga:] *n* пура.

cigarette [ˈsigəˈret] *n* цигара; ~ **case** табакера.

cigarette end [ˈsigəretˈend] *n* фас.

cigarette lighter [ˈsigəretˈlaitə:] *n* запалка.

cilia [ˈsiliə] *n pl* 1. *анат.* мигли, клепки, ресници; 2. *бот., зоол.* реси, ресни, камшичета; 3. усукано снопче от нишки; усукан плат.

cinder ['sində] I. *n* 1. сгурия, шлак(а); пепел; 2. изгаснал въглен (*и пр.*); *pl* сажди от локомотив; • **to burn to a ~** изгарям, правя на въглен (*ядене*); II. *v* 1. изгарям, изпепелявам, превръщам в пепел; 2. посипвам със сгурия.

cine-camera ['sini'kæmərə] *n* кинокамера, снимачен апарат.

cinema ['sinimə] *n* кино, кинотеатър; *attr* кинематографичен; **~ screen** киноекран.

cipher ['saifə] I. *n* 1. шифър; **in ~** шифрован; ключ към шифър; 2. нула (*и прен.*); **he is a mere ~** той е кръгла нула, без никакво значение, нищожество; 3. цифра; 4. монограм; 5. развален тон на орган; 6. *attr* който се отнася до шифър; шифрован; **~ key (code)** ключ към шифър; II. *v* 1. пресмятам, изчислявам (**out**); 2. шифровам.

Circean [sə:'si:ən] *adj* прелъстителен, замайващо красив, опасен.

circle [sə:kl] I. *n* 1. кръг, окръжност; **in a ~** в кръг; **to have ~s under the eyes** имам кръгове (сенки) под очите си; 2. *геогр.* кръг; **Polar C.** полярен кръг; **Arctic (Antarctic) C.** Северен (Южен) полярен кръг; 3. орбита (*на планета*); пръстен, кръг (*около Луната*); **to come (turn) full ~** правя пълен кръг по орбитата си; свършвам с това, с което съм започнал; 4. *театр.* балкон; **dress ~** първи балкон; 5. кръговрат, постоянно редуване (смяна); 6. кръг (*от роднини, познати*); познати, близки, компания, среда; **the family ~** семейният кръг; 7. поле, сфера, област (*на дейност, влияние*); кръг (*от интереси*); 8. *лог.* доказателство в кръг; порочен кръг (*и* **vicious ~**); **to argue in a ~** аргументът се върти в кръг; 9. *спорт.* (*гимнастика*) въртене; **to go round in ~s** тъпча на едно място; II. *v* 1. обикалям, въртя се около; 2. въртя се, вия се, извивам се, кръжа (*за самолет, птица и пр.*) (*и с* **about**, **round**); 3. обикалям (*за новина, за вино на маса*) (**round**); 4. (*в

спортната гимнастика*) "слънце" (*на лост*); (*за кон*) правя скок с вдигнати крака; 5. *воен.* движа се в широк кръг (*за кавалерия*); 6. заграждам с кръгче; правя кръгче около.

circuit ['sə:kit] I. *n* 1. обиколка, окръжност; **the ~ of the globe** обиколката на земното кълбо; 2. обиколка, обикаляне (*на район*); **the Earth takes a year to make a ~ of the Sun** Земята прави пълна обиколка около Слънцето за една година; 3. обиколка, заобикаляне, обиколен път; 4. съдебен окръг; обиколка (*на съд в съдебен окръг*); съставът на такъв съд; **to be on ~** (*за съд*) в обиколка съм, провеждам заседания на различни места в окръга; 5. църковна област при методистката църква (*със свои пътуващи проповедници*); **~ rider** *амер.*, *истор.* свещеник (проповедник), който обслужва голям район; 6. серия, верига, цикъл, кръг (*от промени, действия и пр.*); 7. *ел.* верига; **to break (open) the ~** прекъсвам веригата; II. *v* обикалям, обхождам; правя кръг.

circuitous [sə'kju:itəs] *adj* обиколен; заобиколен; със заобикалки; непряк, косвен; **a ~ mode of approach** *прен.* заобикалки; ⋄ *adv* **circuitously.**

circular ['sə:kjulə] I. *adj* 1. кръгъл; 2. обиколен, който се движи в кръг; кръгообразен; околовръстен; **a ~ tour** обиколка; 3. циркуляр, отправен до редица служби, предприятия, лица и пр. (*за съобщение и пр.*); **a ~ letter** циркуляр, окръжно; 4.: **~ constant p** *мат.* числото p; II. *n* 1. циркуляр, окръжно; 2. *търг.* реклама, проспект (*който се изпраща на всички клиенти*).

circulate ['sə:kjuleit] *v* 1. обикалям, циркулирам, движа се в кръг; **blood circulates through the body** кръвта циркулира в тялото; 2. преминавам (предавам) от ръка на ръка; разпространявам се; **to ~ a rumour** разпространявам слух; 3. *мат.* повтарям се (*за пе-

риодична дроб*).

circulation ['sə:kju'leifən] *n* 1. разпространение, тираж (*на списание и пр.*); 2. кръвообращение (*и* **~ of the blood**); **to restore the ~ in o.'s legs** размърдвам си краката, разтъпквам се, раздвижвам се (*след дълго седене*); 3. обращение; употреба; **to put s.th. into ~** пускам в обращение; 4. обикаляне, обиколка, циркулиране, циркулация, движение в кръг; 5. разпространяване, разпространение (*на слухове и пр.*); предаване от ръка на ръка (от ухо на ухо); 6. движение, циркулация (*на въздух, вода и пр.*); **gravity ~** циркулация на водата по силата на земното притегляне.

circumambient ['sə:kəm'æmbiənt] I. *n* околна среда; II. *adj* околен, заобикалящ.

circumference [sə:'kʌmfərəns] *n* периферия, окръжност, обиколка на кръга; **thirty meters in ~** с обиколка тридесет метра.

circumscription ['sə:kəm'skripfən] *n* 1. *мат.* описване (*на фигура около друга*); 2. ограничаване, определяне на граници (*и прен.*); 3. определяне, определение, дефиниция, дефиниране; 4. район, окръг, околия; 5. периферия, контур, очертание; профил; 6. надпис около монета.

circumspect ['sə:kəmspekt] *adj* 1. внимателен, предпазлив, обмислен; разсъдлив, благоразумен; 2. отмерен, премерен, претеглен; ⋄ *adv* **circumspectly.**

circumspection [,sə:kəm'spekfən] *n* 1. внимание, предпазливост; разсъдливост, благоразумие; 2. отмереност; 3. благоприличие, умереност; 4. рядко оглеждане наоколо.

circumspective [,sə:kəms'pektiv] *adj* рядко 1. внимателен, предпазлив, бдителен; разсъдлив, благоразумен; 2. който се оглежда наоколо.

circumstance ['sə:kəmstəns] *n* 1. *обикн. pl* обстоятелство, положение, условие, ситуация; **in (under) the ~s** при тези обстоятелства

(условия), при това положение; **2.** обстоятелство, подробност, факт; **3.** положение, състояние (*на нещата*); обществено положение, материално състояние; **comfortable ~s** добро материално положение; **4.** церемония, салтанат; **with pomp and ~** с всички церемонии, с голям салтанат; • **not a ~ to** *разг.* нищо в сравнение с, не може да се сравни с.

circumstantial [ˈsəːkəmsˈtenʃəl] *adj* **1.** подробен; изчерпателен; **2.** страничен, добавъчен, косвен; ~ **evidence** *юр.* косвени (странични) доказателства, улики.

circumvent [ˈsəːkəmˈvent] *v* **1.** заобикалям (*закон*); **2.** надхитрям, изигравам; предварвам; **3.** разстройвам, развалям, провалям (*планове и пр.*); **4.** *воен.* обграждам.

circus [ˈsəːkəs] *n* **1.** цирк; **a three-ring ~** *амер.* голям панаир, "цирк"; **2.** *геогр.* циркус; **3.** кръгъл площад; **4.** *воен., авиац.* ескадрила (от самолети).

cirrus [ˈsirəs] *n* **1.** *бот.* ластар, пипало, мустаче; **2.** *зоол.* пипалце; **3.** *метеор.* цирус, перест облак.

cirsium [ˈsəːsiəm] *n лат. бот.* паламида.

cistern [ˈsistən] *n* **1.** резервоар, цистерна; водоем; **hot-water ~** бойлер; **2.** паничка (*на барометър*); **3.** щерна, езеро; естествен резервоар.

citadel [ˈsitədel] *n* **1.** цитадела, защитна крепост (или замък) на град; *прен.* последно убежище; опора, защита; **2.** *мор.* бронирана част на боен кораб, където са разположени оръдията.

citation [saiˈteiʃn] *n* **1.** цитиране; **2.** цитат; **3.** повикване пред съда, призовка; **4.** *амер., воен.* почетна грамота; **5.: get a ~** получавам наказание от катаджия.

cite [sait] *v* **1.** цитирам; позовавам се на (*авторитет и пр.*); **2.** повиквам да се яви пред съда, призовавам на съд.

citizen [ˈsitizən] *n* **1.** гражданин, гражданка (*не селянин*); жител, -ка на някой град; **2.** гражданин,

гражданка (*на някоя държава*); поданик, поданичка; **3.** цивилно лице; • **~ of the world** космополит.

citisenry [sitizənri] *n* гражданство, население (*на град, държава*).

citron [ˈsitrən] *n* **1.** *бот.* цитрон, цитрусово растение (*плодът и дървото*) *Citrus medica*; **2.** лимоненожълт цвят.

citrus [ˈsitrəs] *n бот.* цитрусово растение; цитрус.

city [ˈsiti] *n* **1.** (голям) град; сити; **the Eternal C., the city of the Seven Hills** Рим, Вечният град; **2.** (*в Англия*) селище, което е добило значение чрез кралски указ; *особ.* седалище на митрополит; **3.** централна част на град; *особ.* **the C.** Сити, търговският център на Лондон; **4.** *истор.* град държава в древна Гърция.

city-council [ˈsitiˈkaunsl] *n* градски съвет.

civic [ˈsivik] *adj* граждански; ~ **authorities** граждански власти.

civil [ˈsivil] *adj* **1.** граждански; ~ **case** *юр.* граждански процес (дело); **2.** цивилен, не военен; **3.** учтив, любезен, вежлив, възпитан; **to do the ~** *разг.* правя се на много учтив, спазвам протокола.

civilian [siˈviljən] **I.** *adj* цивилен; граждански, не военен; **II.** *n* **1.** цивилен (*не офицер*); **2.** държавен служител; чиновник (*в Индия и Судан*); **3.** специалист по (познавач на) гражданско право.

civility [siˈviliti] *n* учтивост, вежливост, любезност; добри обноски; **to exchange civilities** разменям си любезности.

civilization [ˌsivilaiˈzeiʃən] *n* цивилизация.

civilize [ˈsivilaiz] *v* цивилизовам; **to ~ away an instinct** потискам инстинкт, унищожавам инстинкт под влияние на цивилизацията.

civilized [ˈsivilaizd] *adj* **1.** цивилизован; **2.** възпитан, учтив, културен.

civil rights [ˈsivilˈraits] *n* граждански права; **the ~ rights movement** движение за граждански права.

civil servant [ˈsivilˈsəːvənt] *n* държа-

вен служител, чиновник.

clack [klæk] **I.** *v* **1.** тракам, траквам, тропам, тропвам; **2.** говоря високо; бърборя, дрънкам, говоря като кречетало; **II.** *n* **1.** тракане, тропане, тропот; **the ~ of high heels** тракането на високи токчета; **2.** *провинц.* шуменговор; гюрултия; **cut (stop) your ~!** стига си дрънкал! млъкни! **3.** брътвеж, бърборене; • **~-valve** *техн.* клапа, която се затваря с щракане, когато се повдигне; **mill-~** кречетало.

clad [klæd] *adj* **1.** облечен (**in** в, с); **2.** *техн.* армиран, брониран.

cladding [ˈklædiŋ] *n* **1.** облицовка; **2.** плакиране.

clag [klæg] *n шотл., диал.* полепнала кал.

claim [kleim] **I.** *v* **1.** изисквам; предявявам иск(ане) (за); предявявам претенции (за), претендирам (за); предявявам права; **to ~ attention** изисквам (заслужавам) внимание; **2.** твърдя, претендирам; **to ~ o.'s descent from** претендирам, че съм произлязъл от; **3.** *журн.* получавам, печеля (*награда, победа*); **II.** *n* **1.** искане; иск, претенция, право; **pensions ~** право на пенсия; **to push o.'s ~** настоявам на искането си, упорито отстоявам претенциите си; **to put in a fake ~** предявявам незаконен иск; **2.** *мин.* концесия, периметър, участък; **to hold down a ~** запазвам периметър; **to jump a ~** присвоявам си незаконно чужд участък земя; *прен.* присвоявам си нещо чуждо.

clairvoyance [ˈkleəˈvɔiəns] *n* **1.** ясновидство; **2.** проницателност, предвидливост, наблюдателност.

clairvoyant [ˈkleəˈvɔiənt] **I.** *adj* **1.** ясновидски; **2.** проницателен; **II.** *n* ясновидец, ясновидка.

clamber [ˈklæmbə] **I.** *v* катеря се с мъка, катеря се на четири крака (*обикн. с* up); **II.** *n* трудно изкачване, катерене.

clammy [ˈklæmi] *adj* **1.** хладен и влажен; **2.** лепкав; **3.** клисав, тестав, лепкав.

clamorous [ˈklæmərəs] *adj* **1.** шу-

мен, креслив, заплашителен; **the crowd were ~ for his death** тълпата крещеше и искаше смъртта му; **2.** *поет.* ехтящ, звънлив; бъбрив (*за поток*).

clamour ['klæmə] **I.** *v* 1. викам, кряскам, вдигам врява (глъчка), надавам вой; 2. шумно протестирам; **II.** *n* 1. вик, крясък, врява, глъч, гюрултия, глъчка; вой; 2. шумен протест, вой; **the ~ for revenge** жажда за мъст; **clamour against** викам (протестирам) срещу; **clamour for** викам за; **clamour (s.o.) down** принуждавам някого да млъкне с викове на протест.

clamp₁ [klæmp] **I.** *n* скоба; стяга, щипка, хомот; челюсти, стиски; клема; **wheel ~** скоба за автомобилна гума (*при неправилно паркиране*); **II.** *v* 1. стягам със скоба и пр.; скачам; прикрепям здраво; затягам; **to ~ a car** слагам скоба на автомобил; 2. *разг.* хващам, сграбчвам; стискам; **his elbows ~ed hard down upon the table** с лакти, притиснати на масата; **to ~ down upon s.o.** ставам стриктен; използвам авторитета си, за да предотвратя нещо.

clamp₂ **I.** *n* куп, купчина; ровник, ровница; тухли, наредени в пещ (*за печене*); пещ за тухли; нареден на куп сух торф; **~ firing of bricks** печене на тухли; **II.** *v* 1. натрупвам, струпвам на куп (*картофи, смет*); 2. нареждам тухли в пещ.

clamping ['klæmpiŋ] *n* стягане, прикрепяне, затягане; скачане; **~ band (ring)** ремък (скоба) за стягане.

clan [klæn] *n* 1. клан, род; *прен.* джинс, потекло, семейство; 2. *разг.* група, клика, котерия; компания; 3. вид, род, каса.

clandestine [klæn'destin] *adj* таен, потаен, скрит, нелегален; **~ printing** незаконно (нелегално) отпечатване (*без разрешение на властта*); ◇ *adv* clandestinely.

clang [klæŋ] **I.** *v* 1. звъня, звънтя; звекам, дрънча; 2. карам да звъ-

ни (дрънчи); **II.** *n* звън (*особ. силен*); металически звук, звук, звек; **the ~ of the school bell** екът на училищния звънец.

clangorous ['klæŋgərəs] *adj* звънящ, звънтящ; дрънкащ.

clank [klæŋk] **I.** *v* тракам, дрънча, дрънкам; **II.** *n* тракане, дрънкане.

clap [klæp] **I.** *v* (-pp-) 1. пляскам, ръкопляскам; 2. тупам, потупвам; **to ~ s.o. on the back** потупвам някого по гърба; 3. хлопвам, захлопвам (*капак и пр.*); хлопвам се, затварям се шумно (*и* **to ~ to**); **to ~ s.o. in prison** хвърлям някого в затвора; 4. за бързо, рязко движение; **the police officer ~ed the handcuffs on him** полицаят му щракна белезниците; **to ~ hold of** хващам, сграбчвам, пипвам; **II.** *n* 1. плясък, пляскане, ръкопляскане; **to give s.o. a ~** ръкопляскам на някого; 2. потупване (*по гърба*); 3. гръм, гръмотевица (*и* **thunder ~, ~ of thunder**); ● **at a ~** *остар.* изведнъж, внезапно, като гръм от ясно небе.

clapped-out *adj* 1. износен; **a ~ bicycle** раздрънкан велосипед; 2. грохнал; **she was ~ by the end of the day** в края на деня беше напълно грохнала.

claptrap ['klæptræp] 1. *n* голи (кухи) фрази, фразьорство, празнословие; 2. *attr* празен, празнословен.

claque [klæk] *n* клакьори.

claret ['klærət] *n* 1. червено вино, бордо; 2. цвят бордо; виненочервен цвят, винен цвят; 3. *sl* кръв.

clarification [ˌklærifi'keiʃən] *n* 1. избистряне (*на течност*); рафиниране; 2. изясняване, *прен.* избистряне.

clarify ['klærifai] *v* 1. избистрям (*течност*); избистрям се; рафинирам; претопявам (*масло*); 2. изяснявам (се); уяснявам (се); хвърлям светлина върху; **to ~ the remark** поясням бележката, репликата.

clarion ['klæriən] **I.** *n* 1. *поет.* тръба; рог (*с чист и ясен звук*); 2. звук на тръба (рог); 3. регистър на орган с такъв звук; **II.** *adj книж.*

чист, ясен, зовящ (*за звук*); **III.** *v* прокламирам, разтръбявам (*често* **to ~ forth**).

clarion call ['klæriən'kɔːl] *n* апел, призив, гореща молба.

clarity ['klæriti] *n* яснота; чистота, яснота (*на тон*).

clash [klæʃ] **I.** *v* 1. сблъсквам се, удрям (се) един о друг (*обикн. за оръжия*); **the two armies ~ed** двете армии влязоха в сражение; 2. съвпадам (*по време*) (**with**); **it is a pity the two concerts ~** жалко, че концертите са по едно и също време; 3. в конфликт (разрез) съм, сблъсквам се (*за мнения, интереси и пр.*); 4. не си подхождам, не хармонирам, кре-щя; 5. блъскам; *диал.* затръшвам; 6. трещя, дрънча; **II.** *n* 1. несъгласие, различие; конфликт, борба; противоречие, сблъскване, сблъсък; 2. дисхармония; 3. трясък, дрънчене, дрънкане; удар, сблъскване; 4. *диал.* кавга, спор; *шотл.* брътвеж.

clashing ['klæʃiŋ] *adj* 1. звънтящ, дрънчащ, трещящ; 2. който съвпада по време; 3. противоречив, противоположен, различен; 4. нехармоничен, нехармониращ.

clasp [klɑːsp] **I.** *v* 1. закачвам, закопчавам (*гривна и пр.*); 2. стискам, притискам; прегръщам (се); **to ~ o.'s hands** стискам (сключвам) ръце (*за молба*); 3. обхващам, обгръщам, обвивам се около, прилепвам се до (*за пълзящи растения*); **II.** *n* 1. катарама, тока, пафти; закопчалка; **hair-~** шнола; 2. прегръдка, прегръщане, ръкостискане; 3. бронзова или сребърна пръчица, прикрепена на панделката на военен орден.

class [klɑːs] **I.** *n* 1. каса (*обществена*), социално положение; **the lower ~es** пролетариатът; **the middle ~es** буржоазията; 2. *attr* класов; **~ consciousness** класово съзнание; **~ struggle** класова борба; 3. *биол.* клас; 4. *уч.* клас; учебен час; **~ history** час по история; 5. вид, категория, каса, сорт; качество; *уч.* (категория на) отличие; **in a ~ by itself** единствен (по

рода си), ненадминат; 6. *амер.* випуск; *воен.* набор; 7. класа (*във влак и пр.*); a first ~ ticket билет първа класа; 8. *attr* от класа; a ~ tennis player тенисист от (висока) класа; a ~ act *разг.* първокласен изпълнител (спортист); II. *v* 1. класифицирам, категоризирам, сортирам; подреждам по вид (сорт, качество); определям вида (сорта, качеството) на; not to be able to ~ a person не мога да определя какъв е един човек; 2. класирам (*кандидати*); immigrant workers were ~ed as resident aliens работниците емигранти бяха класифицирани като временно пребиваващи.

classic ['klæsik] I. *adj* 1. класически, типичен; образцов; съвършен; академичен; a ~ example of red tape класически пример за бюрокрация; 2. традиционен; семпъл; който не отминава с модата (*за дрехи, стил*); 3. важен, много известен; с дълга традиция; II. *n* 1. класик; 2. *уч.* ученик от класическия отдел; 3. класическо произведение; 4. *pl* класически (антични) езици и литератури.

classical ['klæsikl] *adj* 1. традиционен; ~ economist икономист традиционалист; 2. класически (*обикн. за музика*); 3. класически, античен; a ~ scholar класик, специалист по класическите езици и литература.

classicism ['klæsisizm] *n* 1. класицизъм; 2. класическа филология.

classicist ['klæsisist] *n* 1. класик, привърженик на класицизма; 2. хуманист; специалист по класическа филология; 3. привърженик (поддръжник) на класическото образование.

classification ['klæsifi'keiʃən] *n* класифициране, класификация; a style that defies ~ уникален стил.

classified ['klæsifaid] *adj* секретен (*за информация*), поверителен.

classify ['klæsifai] *v* 1. класифицирам; 2. засекретявам (*документ*).

classless ['kla:slis] *adj* безкласов.

class-mate ['kla:smeit] *n* съученик.

class-room [kla:srum] *n* класна стая.

classy ['kla:si] *adj sl* елегантен, шик.

clatter ['klætə] I. *v* 1. тракам, дрънкам, тропам; хлопам; тупуркам; to ~ about разтропвам се; to ~ down the stairs слизам по стълбите с тропот; 2. тракам с човка (*за щъркел*); II. *n* 1. тракане, дрънкане, тропане, тропот, тупуркане, тупурдия; 2. шумен говор (смях), глъч, врява; a ~ of tongues глъч; a ~ of noisy laughter шумен смях, кикот.

clause [klɔ:z] *n* 1. пункт, точка, параграф, клауза; escalator ~ параграф в договор, който предвижда изменението му при известни условия; 2. *език.* просто изречение; подчинено изречение.

claustrophobia [,klɔ:strə'foubiə] *n* *мед.* клаустрофобия, болезнен страх от затворени места.

claustrophobic ['klɔ:strəfoubik] I. *adj* страдащ от клаустрофобия, изпитващ патологичен страх от затворени помещения; II. *n* човек, страдащ от клаустрофобия.

clavecin ['klævəsin] *n* *муз.* клавесин.

claw [klɔ:] I. *n* 1. нокът (*на животно, птица*); щипка (*на рак и пр.*); *презр.* ръка; to get o.'s ~s into 1) възползвам се от, забивам ноктите си в; 2) залепям се (закачам се) за; to put out a ~ *прен.* показвам си ноктите; 2. *техн.* клещи; голям чук; зъбец; II. *v* 1. хващам (сграбчвам) с нокти; забивам ноктите си в (*и с* at); драскам с нокти; драсвам леко, почесвам; 2. грабя, заграбвам; *мор.* откъсвам се от брега срещу вятъра; to ~ o.'s way somewhere опитвам се с драпане да се добера до нещо; докопвам се до.

claw back възвръщам си (*пари, власт*).

clay [klei] I. *n* 1. глина; rich (greasy) ~ мазна глина; pottery ~ грънчарска глина; 2. *attr* глинест; глинен; 3. пръст (*и прен.*), прах, пепел; 4. вид настилка за тенис корт (*от финни камъчета и отломки от тухла*); 5. глинена лула (*и* ~-pipe); II. *v* намазвам с

глина; • to have feet of ~ (~ feet) имам съществен недостатък или слабост.

clayey ['kleii] *adj* глинест.

clean [kli:n] I. *adj* 1. чист (*и прен.*); чистоплътен; (из)пран; ~ as a pin чистичък, спретнат; to rub s.th. ~ изтърквам нещо, почиствам с търкане; 2. морален, честен, порядъчен; squeaky~, as ~ as a whistle съвсем чист (порядъчен); ~ game (fight) честна игра (схватка); 3. чист, без примес, без дефекти; ~ timber доброкачествен дървен материал (*без чепове и пр.*); 4. чист, празен, неизписан; a ~ start ново начало, нова страница; 5. добре сложен; добре оформен, изчистен (*за линия*); a car with ~ lines автомобил с изчистена линия; 6. ловък, изкусен, умел; a ~ ball *спорт.* добре хвърлена топка, която отива право в целта; 7. несъдържащ непозволени, забранени предмети; the police raided her flat but it was ~ полицията претърси апартамента ѝ, но не откри нищо; • keep o.'s nose ~ вървя в правия път; make a ~ break with ставам нов човек, скъсвам напълно с; II. *adv* 1. напълно, съвсем; I ~ forgot съвсем забравих; to get ~ away измъквам се, избягвам, без да оставя никакви следи; 2. право, направо, точно; III. *v* чистя, изчиствам, прочиствам, почиствам, пречиствам; мия, измивам; търкам, изтърквам, лъсквам, лъсквам, полирам; разтребвам, разчиствам; to ~ o.'s plate изяждам си всичко, омитам си чинията; to go out ~ing ходя да чистя (*за чистачка*);

clean down 1) чистя (изчиствам) стени от прах, паяжина; 2) чистя (изчиствам; реша, изресвам) кон;

clean off изчиствам, изпилявам, махам (*с четка, пиличка*);

clean out 1) изчиствам; изхвърлям ненужното; 2): to ~ s.o. out *разг.* оскубвам (ошушквам) някого, измъквам някому всичките пари; обирам апартамент;

clean up 1) чистя, почиствам, раз-

требвам; измитам, премитам, по-
митам; 2) рендосвам; **to ~ up a
piece to size** *метал.* оформям
нещо в необходимия размер; 3)
уреждам (изостанали работи) 4)
премахвам замърсител; очист-
вам район (*от престъпност*);
премахвам вредно влияние;
IV. *n* чистене, почистване; **to give
s.th. a ~** почиствам нещо.
clean-bred [ˈkliːnˈbred] *adj* чисто-
кръвен, расов, породист.
clean-cut [ˈkliːnˈkʌt] *adj* 1. ясен, яс-
но очертан; ясно оформен; чист
(*за черти на лицето*); 2. ясен,
определен, точен; недвусмислен,
очевиден.
cleaner [ˈkliːnə] *n* 1. чистач, чис-
тачка; човек, който чисти; 2. пре-
парат за чистене; 3. уред (прис-
пособление) за изчистване; **the
~s** ателие за химическо чистене;
● **to take s.o. to the ~s** одирам
някого, обирам до шушка, из-
мъквам всичките пари.
cleanliness [ˈklenlinis] *n* чистота;
чистоплътност.
cleanly [ˈklenli] *adv* 1. чисто; 2. лес-
но, равно, леко; **blunt scissors
don't cut ~** с тъпи ножици не мо-
же да се реже равно; 3. честно,
почтено, справедливо; 4. чисто,
умело, изпипано, точно; 5. глад-
ко, равномерно.
cleanness [ˈkliːnnis] *n* 1. чистота;
2. яснота, чистота (*на очерта-
ния*).
cleanse [klenz] *v* 1. изчиствам,
очиствам, пречиствам (*главно
прен.*); **confession ~s the soul** из-
поведта (признанието) пречист-
ва душата; 2. дезинфекцирам;
мед. пречиствам; 3. *библ.* изце-
рявам, очиствам (*прокажен*).
clear [kliə] **I.** *adj* 1. ясен, бистър,
светъл, чист; безоблачен; ярък;
~ as a bell ясен, чист (*за звук, об-
раз*); **as ~ as a day** (light) ясно
като бял ден; очевиден; 2. ясен,
определен, точен; отчетлив; раз-
бираем, недвусмислен, очевиден,
сигурен, явен; **loud and ~** ясен и
отчетлив (*за звук, радиосигнал
и пр.*); **a ~ position** определено
(ясно) становище; 3. чист, пълен;

цял; **~ loss** чиста загуба; **a ~ ma-
jority** пълно мнозинство; **three ~
days** три цели дни; 4. чист, без-
препятствен, свободен; **her desk
was ~ of clutter** бюрото ѝ беше
разтребено (не беше отрупано с
вещи); **road ~, line ~** *жп* сво-
бодно; линията е свободна; 5. на-
ясно, с избистрено отношение
(about, on) **he is not entirely ~ on
how he will go about it** не е съв-
сем наясно как да подходи към
въпроса; 6. прозрачен, бистър;
II. *adv* 1. ясно, отчетливо; 2. ясно,
ярко; 3. съвсем, напълно (*често
усилва значението на* away, off,
out, through); свободно, без преч-
ки; **to go ~ through** минавам
през, пронизвам; 4. настрана, да-
леч (*и прен.*); без да докосвам не-
що; **~ of s.th.** настрана от; **to get
~ of debt** освобождавам се (отър-
вавам се) от дългове; **III.** *n:* **in the
~ 1)** вън от опасност; 2) свобо-
ден от подозрение; вън от подоз-
рение; невинен; 3) *спорт.* напред
от останалите, с голяма предни-
на; **IV.** *v* 1. изяснявам (се), проя-
снявам (се); освобождавам; изчист-
вам; избистрям (се); **to ~ the air**
освежавам атмосферата (възду-
ха) (*и прен.*); премахвам напре-
жението, успокоявам топката; 2.
изчиствам, разчиствам, прочист-
вам; освобождавам, опразвам,
изпразвам; **to ~ the road of traf-
fic** освобождавам път от превоз-
ни средства; 3. *търг.* разпрода-
вам; **great reduction in order to
~** голямо намаление за разпро-
даване (*на залежали стоки*); 4.
получавам чист доход (печалба);
to ~ $ 50 докарвам си (печеля)
чисти 50 долара; **to ~ the ex-
penses** покривам разходите; 5. из-
плащам, погасявам (дълг); *фин.*
to ~ a check изплащам (покри-
вам) чек; 6. преминавам (прес-
качам), без да докосна; **to ~ 2,36
metres** скачам 2,36 метра; 7. по-
лучавам разрешение; разреша-
вам (*обикн. в* pass) **the helicopter
was ~ed for take-off** хеликопте-
рът получи разрешение за изли-
тане; 8. (*за кораб*) напускам прис-

танище, след като съм изпълнил
всички формалности; разреша-
вам (*на кораб*) да напусне прис-
танище; вдигам карантина; **to ~
for a port** отплувам за някое прис-
танище; 9. *sl* измъквам се, изпа-
рявам се, изчиствам се (*обикн.* to
~ out);
clear away 1) премахвам, отстра-
нявам (*пречки, съмнения и пр.*);
2) раздигам, разтребвам (*маса*);
3) разпръсвам се, изчезвам; от-
минавам, преминавам;
clear off 1) свършвам, ликвиди-
рам; погасявам; разпродавам; **to
~ off arrears of work** довършвам
изостанали работи; 2) изгонвам,
уволнявам; 3) преминавам (*за
дъжд*); разпръсквам се, разкъс-
вам се (*за облаци*); 4) *sl* махам
се, изчиствам се, отивам си;
clear out 1) разтребвам, чистя
(*стая и пр.*); чистя, прочиствам
(*пасаж, тръба*); измитам, поми-
там; 2) ликвидирам, пласирам,
разпродавам; 3) *разг.* изчерпвам
всичките средства на, оставям без
пукната пара; ошушквам; 4) оти-
вам си, измъквам се, изпарявам
се, махам се, офейквам;
clear up 1) изчиствам, подреждам,
разтребвам; 2) изяснявам, обяс-
нявам, разкривам; разрешавам
(*затруднение*); 3) изяснявам се,
прояснявам се (*за времето*); 4)
преминавам (*за болест и пр.*);
лекувам, излекувам;
clearance [ˈkliərəns] *n* 1. изчиства-
не, прочистване, отстраняване на
препятствие; **to make a ~ of** раз-
чиствам, отървавам се от, осво-
бождавам се от; 2. разчистване,
изсичане (*на гора*); 3. официал-
но одобрение, разрешение; ото-
ризиране; **get ~ from Head Of-
fice** получавам разрешително от
главното управление; 4. *фин.* ми-
наване (прехвърляне) по сметка
(*чек*); 5. чиста печалба; 6. място
за минаване, свободно простран-
ство; 7. *техн.* игра, луфт; надпъ-
тие, клиренс; 8. изселване на ця-
ло село, за да се залеси една об-
ласт; 9. разрешително на кораб
за напускане на пристанище (*и*

~ certificate); отплуване; освобождаване на стоки от митницата; (документ за) освобождаване от военна или държавна служба; **~ inwards (outwards)** документ за право на влизане (излизане) (*в пристанище*); митническо разрешение.

clearing-house ['kliəriŋ'haus] *n* фин. клирингова къща.

clearly ['kliəli] *adv* 1. ясно, разбрано, разбираемо; 2. очевидно; недвусмислено; категорично; 3. ясно, логично, разумно.

clear-ringing ['kliə'riŋiŋ] *adj* звънък, ясен, звучен, чист, звънлив.

clear-sighted ['kliə,saitid] *adj* проницателен; далновиден; предвидлив.

clear-sightedness ['kliə,saitidnis] *n* проницателност; далновидност; предвидливост.

cleat [kli:t] **I.** *n* 1. обтежка (*на палатка*); шпайк; **~ed shoes** шпайкове; 2. *техн.* шпунт, зъб, федер; 3. клин; 4. клема; 5. *мор.* таурел; кнехт; 6. пластинка, дъсчица; летва; 7. *геол.* вертикален процеп; **II.** *v* 1. прикрепям с летва; 2. *мор.* връзвам за кнехтове.

cleavage ['kli:vidʒ] *n* 1. цепене, разцепване; разделение; пропаст; **there is a big ~ between the rich and the poor in this country** има голямо разслоение между бедни и богати в тази страна; 2. цепнатина, пукнатина; 3. *прен.* разцепление, разкол; 4. *биол.* деление (*на клетки*).

cleave₁ ['kli:v] *v книж.* (*p.t.* cleaved, cleft [kleft], *остар.* clove [klouv]; *p.p.* cleaved, cleft, *остар.* cloven ['klouvən]) 1. цепя (се), разцепвам (се); разрязвам, разсичам; **~ a block of wood in two** разцепвам парче дърво на две; 2. цепя, поря; **to ~ (through) the water** поря водата (вълните).

cleave₂ [kli:v] *v* (cleaved [kli:vd]) оставам верен на, придържам се към; **to ~ to old ways of life** придържам се към старите си навици.

cledgy ['kledʒi] *adj* глинест, глиноподобен.

clef [klef] *n муз.* ключ; **the treble (G) ~** ключ сол.

clem [klem] *v диал.* 1. гладувам; мръзна; мизерствам; 2. оставям (карам) някого да гладува (мизерства), уморявам от глад.

clemency ['klemənsi] *n* 1. мекота (*на климат и пр.*); 2. мекота, милосърдие, милост; снизходителност, снизхождение; **he appealed to the judge for ~** той помоли съдията за снизходителност.

clement ['klemənt] *adj* 1. мек (*за климат*); 2. мек, милостив, милосърден; снизходителен.

clench [klentʃ] **I.** *v* 1. стискам (*зъби, юмрук и пр.*); свивам (се); 2. подвивам край на гвоздей; прикрепвам здраво; зачуквам здраво; занитвам; 3. потвърждавам; сключвам (уреждам) окончателно; **II.** *n* стяга, скоба.

clergy ['klə:dʒi] *n* 1. *рел.* духовенство; клир; **regular ~** черно духовенство; монашество; 2. *остар.* знания, познания.

clergyman ['klə:dʒimən] *n (pl* **-men)** *рел.* свещеник, пастор; духовник, духовно лице.

clerical ['klerikl] **I.** *adj* 1. *рел.* духовен, духовнически, свещенически, пасторски; клерикален; 2. *полит.* клерикален; 3. чиновнически, канцеларски, писарски; **a ~ error** грешка при преписването; **II.** *n полит.* клерикал, привърженик на клерикализма.

clericalism ['klerikəlizəm] *n полит.* клерикализъм.

clericalist ['klerikəlist] *n полит.* клерикал.

clerk [kla:k, *амер.* klə:k] **I.** *n* 1. (низш) чиновник, чиновничка, писар, писарка, служещ, служеща, канцеларист, канцеларистка; **correspondence ~** кореспондент; 2. секретар; **~ of the House of Commons (Lords)** секретар на Камарата на общините (на лордовете); 3. *амер.* администратор (*в хотел*); 4. *остар.* духовник, духовно лице, клерк, свещеник (*и* **~ in holy orders**); 5. църковен служител, псалт; 6. продавач, продавачка в магазин, търговски слу-

жител; **II.** *v* служа като чиновник (писар, секретар) (**for s.o.** на, при някого); **I ~ ed it for ten years** бях десет години чиновник.

clever ['klevə] *adj* 1. интелигентен, способен, надарен, талантлив, даровит; умен; остроумен; 2. хитър, тънък, ловък, изкусен; **he was too ~ for us** изигра ни, надхитри ни; 3. сръчен, ловък, умел, изкусен; **to be ~ with o.'s pen** пиша добре; 4. добре направен, добре замислен (скроен); сполучлив; **a ~ device** хитрина; ◇ *adv* **cleverly**; 5. приятен, добродушен; ● **to box ~** играя си картите добре (*прен.*), проявявам съобразителност (*и* извличам печалба, полза); **too ~ by half** самомнителен, надценяващ способностите си.

cleverness ['klevənis] *n* 1. интелигентност, надареност, даровитост; 2. умение, сръчност, ловкост, изкусност; 3. сполучливост.

clew [klu:] **I.** *n* 1. кълбо (*прежда*); 2. *мор.* долният шкотов ъгъл на платно; възел на ъгъла на платното; 3. въжета за закачване на хамак; **head ~** *мор.* горният ъгъл на корабно платно; **~ Ariadne's ~** *мит.* нишката на Ариадна; **II.** *v* 1. навивам на кълбо (**up**); 2. *мор.* привдигам платната нагоре, скатавам; 3. *мор.* привършвам някаква работа.

click [klik] **I.** *v* 1. траквам, щраквам; **the door ~ed shut** вратата се затвори с щракване; 2. цъкам; 3. *sl* имам успех; **to ~ off** оженвам се; 4. *sl* съответствам точно; 5. просветва ми, схващам; **it ~ed!** светна ми! загрях! 6. добивам популярност; **the TV series really ~ed with the audience** телевизионният сериал наистина имаше успех; **II.** *n* 1. щракане, щракване; 2. цъкане; 3. *език.* щракащ звук; 4. *техн.* ключалка, мандало; спусък; 5. *sl* съгласие, споразумение; **III.** *int* щрак.

click-clack ['klik'klæk] *n* тракане, щракане.

client ['klaiənt] *n* 1. клиент (*обикн. на адвокат*); довереник; 2. редовен купувач (посетител), клиент;

човек, който прави поръчки (за стоки); 3. истор. клиент, плебей, зависим от патриций (в древния Рим).

clientele [ˌkliaːnˈteil] n 1. клиенти, довереници; 2. клиентела; редовни купувачи; редовни посетители; 3. поддръжници.

cliffy [ˈklifi] adj скалист, канарист, урвест.

climacteric [ˌklaimækˈterik] I. n 1. мед. климактериум, критическа възраст; **the grand** ~ шестдесет и третата година; 2. критичен (решителен) период; събитие, което става в такъв период; II. adj 1. мед. климактеричен, критически; **the** ~ **years** годините, кратни на седем; 2. критически, решаващ, опасен, тежък, съдбоносен.

climate [ˈklaimit] n 1. климат; 2. област с определен климат; прен. атмосфера, настроение; обществено мнение; климат.

climatic [klaiˈmætik] adj климатичен.

climatotherapy [ˈklaimətouˈθerəpi] n климатолечение, климатотерапия.

climax [ˈklaimæks] I. n 1. връхна (най-висока) точка, връх; кулминационна точка; най-голяма сила, разгар (на епидемия и пр.); **the** ~ **of his political career** върхът на политическата му кариера; 2. лит. градация, климакс; 3. оргазъм; II. 1. v стигам (довеждам) до кулминационната точка; **the play** ~**es in the third act** кулминацията е в третата част на пиесата; 2. изпитвам оргазъм.

climaxing [ˈklaimæksiŋ] adj кулминационен.

climb [klaim] I. v 1. изкачвам, (из)качвам се по, катеря се по; пълзя по (за растения и пр.); издигам се по; **to** ~ **up a mountain** изкачвам планина; 2. прен. изкачвам се, издигам се (в обществото); 3. авиац. изкачвам се, набирам височина; **the plane** ~**ed to 20 000 feet** самолетът се изкачи на 20 000 фута височина; • ~ **(jump) on the band wagon** в крак

съм с модата; **to** ~ **the walls** sl нервнича, не ме свърта на едно място;

climb down 1) слизам; 2) отстъпвам от позициите си; разг. свалям гарда, свалям мерника, клякам; ~ **over** признавам грешка;

climb up изкачвам се, катеря се, покатервам се;

II. n изкачване, катерене.

climbing [ˈklaimiŋ] I. adj 1. пълзящ, увивен (за растение); 2. авиац. нанагорен; II. n 1. (из)качване; катерене; **alpine** ~ алпинизъм; 2. издигане в обществото, кариеризъм.

clinch [klintʃ] I. v 1. решавам (установявам, уреждам) окончателно; **to** ~ **a deal (an argument, a bargain, a victory)** правя сделка, печеля победа; 2. подвивам, зачуквам край на гвоздей; занитвам, заклепвам, заперчвам; 3. мор. привързвам; 4. спорт. вкопчвам се в другия (в бокса); II. n 1. журн. прегръдка; 2. скоба, перчем, нит; 3. стягане, затягане, занитване; 4. игра на думи, каламбур; 5. спорт. вкопчване, клинч (в бокса).

cling [kliŋ] v (**clung** [klʌŋ]) 1. прилепвам (се) (to); **his sodden trousers were** ~**ing to his legs** прогизналите му панталони бяха прилепнали о краката му; 2. прегръщам, притискам, държа се здраво (to); **to** ~ **together (to one another)** държим се здраво един о друг; стоя плътно прегърнат с някого; 3. придържам се, държа се (to); **the ship clung to the coast line** корабът не се отдалечаваше от брега; 4. не изменям, оставам верен, поддържам упорито (принцип, мнение); не изоставям (надежда и пр.); привързан съм (to); 5. залепям се, вкопчвам се, (to за); 6. не изветрявам (за миризма); **the smell of tobacco smoke clung to his garments** миризмата на тютюнев дим не можеше да изветря от дрехите му, дрехите му бяха напоени с миризма на тютюнев дим.

clingy [ˈkliŋi] adj 1. лепкав, леплив;

2. тясно прилепнал (за дрехи); 3. който лесно и дълбоко се привързва.

clinical [ˈklinikl] adj 1. мед. клиничен; 2. безпристрастен, лишен от емоционалност; семпъл, без декорации; **his office was bare and** ~, **painted white throughout** кабинетът му беше празен и семпъл, целият боядисан в бяло; 3. рел. ~ **conversation** покръстване (обръщане в друга вяра) на човек, който е болен или на смъртно легло.

clink [kliŋk] I. v 1. звънтя, дрънча, звънкам; 2. дрънкам (пари и пр.); **to** ~ **glasses** чукам се; II. n 1. звънтене, дрънчене, дрънкане; 2. sl затворническа килия; тюрма, дранголник, пандела, пандиз; воен. арест.

clip₁ [klip] I. n 1. клещи, стяга, стегалка, скоба; обръч, халка; **paper** ~ кламер; 2. клипс; 3. воен. пачка, патронна тенекийка; 4. жп кламон; II. v 1. защипвам; закачвам; закопчавам; **to** ~ **papers together** защипвам листи (документи) с кламер; 2. остар. прегръщам, притискам.

clip₂ I. v 1. кълцвам, подрязвам, кастря, окастрям, орязвам (с ножици); стрижа, постригвам, остригвам; **to** ~ **a hedge (o.'s fingers, a sheep)** подстригвам храст (изрязвам си ноктите, стрижа овца); 2. не изговарям напълно, гълтам, изяждам (думи); **to** ~ **o.'s English** говоря лошо (завалено) английски език; 3. продупчвам, проверявам (билет); 4. орязвам (ръб на монета); 5. зашлевявам, шамаросвам; **to** ~ **s.o.'s ear** зашлевявам някого, лепвам някому плесница; 6. вървя бързо, тичам; 7. удрям рязко; **the car** ~**ped the pavement as it turned** колата закачи тротоара при резкия завой; II. n 1. клип; изрезка от статия във вестник; **here is a** ~ **from the new film** ето кадърът от новия филм; 2. стрижене, стригане (на овце); 3. бърза походка; голяма бързина; **at a fast** ~ много бързо; 4. пълнител (на автоматич

но оръжие); **5.** *sl* силен удар; **6.** *pl* шотл. ножици (*за стригане на овце*).

clipped [ˈklipt] *adj* **1.** подрязан, окастрен; **2.** рязък, насечен (*за говор*).

clique [kliːk] *n* фр. клика.

cloak [klouk] **I.** *n* **1.** плащ, мантия, пелерина; **2.** *прен.* покривка, мантия, було; прикритие; маска; **they left under the ~ of darkness** излязоха под прикритието на нощта; **II.** *v* **1.** покривам с (като с) мантия; **2.** обличам се с мантия (плащ), намятам мантия (плащ); **3.** прикривам, маскирам.

cloak-and-dagger [ˈkloukənˈdægə:] *adj* таен, потулен, скрит; подмолен.

cloak-room [ˈkloukruːm] *n* **1.** театр., жп гардероб(на); ~ **attendant** гардеробиер, гардеробиерка; **2.** тоалетна (в обществена сграда); стая за отдих; **3.** амер., полит., разг. кулоари.

clobber *v sl* **1.** фрасвам, набивам, напердашвам; **2.** ранявам, нараняам; **3.** побеждавам; **our team got ~ed on Saturday** в събота ни размазаха.

clock [klɔk] **I.** *n* **1.** часовник (*стенен, за маса, градски и пр., но не ръчен и джобен*); **Dutch ~, cuckoo-~** часовник с кукувица; **master-~** хронометър; **like a ~** като часовник, точно, прецизно; **2.** мъхната семенна главичка на глухарче (*и* **dandelion ~**); **3.** *sl* лице; **4.** авт. спидометър; километраж; **II.** *v* **1.** засичам време, отчитам; отчитам мили; **my car has ~ed up 50 000 miles** колата ми е навъртяла 50 000 мили; **2.** спорт. постигам (*време, резултат*); **3.** разг. виждам, забелязвам; **4.** *sl* удрям, фрасвам;

clock in 1) отбелязвам времето на пристигане на работа; разг. пристигам; 2) трая, продължавам (at);

clock off отбелязвам времето на напускане на работа; разг. напускам работа;

clock over авиац. забавям (*за мотор*);

clock up постигам, бележа, отбе-

лязвам (*точки, победи*).

clock-face [ˈklɔkfeis] *n* циферблат.

clock-maker [ˈklɔkmeikə] *n* часовникар.

clock tower [ˈklɔkˈtauə:] *n* часовникова кула.

clockwork [ˈklɔkwə:k] *n* **1.** часовников механизъм; **like ~** като часовник, гладко, отлично; точно, редовно; **as regular as ~** точен като часовник; **2.** attr на часовник, като часовник.

clod [klɔd] **I.** *n* **1.** буца пръст; **the ~** земята, почвата; **2.** прен. пръст, прах (*на мъртвец*); тленна плът; **3.** прен. дръвник, дървеняк, глупак, тъпанар; **4.** говеждо месо от врата; **II.** *v* **1.** слепвам се на буци, образувам буци (*за пръст*); **2.** замервам с буци пръст.

cloddish [ˈklɔdiʃ] *adj* **1.** тъп, глупав; селяшки; **2.** на буци.

clog [klɔg] **I.** *v* (-gg-) **1.** задръствам (се), полепвам по; **to ~ up a hole** запушвам дупка; **2.** прен. задръствам, обременявам; **~ ged negative** фот. неясен негатив; **3.** спъвам, преча на; **4.** слагам букаи на, спъвам (кон); **II.** *n* **1.** букаи (на кон); **2.** задръстване (на машина от нечистотии); **3.** пречка, спънка; **4.** обувка с дървена подметка; ● **to pop o.'s ~s** разг. хвърлям топа.

clogging [ˈklɔgiŋ] *n* задръстване, запушване.

cloisterer [ˈklɔistərə] *n* монах, калугер.

cloistral [ˈklɔistrəl] *adj* манастирски; монашески.

clone [kloun] **I.** *n* **1.** бот. размножаване чрез делене на клетките, клонинг; копие, еднакъв екземпляр; **she is almost a ~ of her mother** не е ли копие на майка си? **3.** клонирано животно; **4.** инф. компютър, който изпълнява същите функции като друг компютър; **an IBM ~** компютър тип IBM; **II.** *v* клонирам, създавам чрез клониране.

close₁ [klous] **I.** *adj* **1.** predic близо, наблизо, непосредствено; (**fol-low**) ~ **behind** следвам наблизо, съм (вървя) по петите (на); **they**

are ~ on us настигат ни, по петите ни са; ● **to keep (lie)** ~ спотайвам се, крия се, дебна; **2.** близък (*по време, място, вид*); тесен (*и прен.*); ~ **intervals** малки (близки) интервали; a ~ **relative** близък роднина; **3.** близък, интимен, сърдечен; **4.** внимателен, подробен, щателен; точен; съсредоточен (*за внимание*); a ~ **copy (translation)** точен препис (превод); a ~ **observer** внимателен наблюдател; **5.** почти равен; равностоен (*за шанс, изгледи за успех*); много оспорван; ~ **election** избори, при които кандидатите имат почти изравнени шансове; **6.** душен, задушен, тежък, спарен, запарен; **open the window, it is very ~ in here** отвори прозореца, много е задушно; **7.** уединен, самотен; прикрит, потаен, мълчалив; **to keep oneself ~** живея уединено (самотно); **8.** стиснат, свидлив; **he is very ~ with his money** той е много стиснат; **9.** ограничен (*само за избрани хора*); **10.** строг; добре пазен; **keep s.th. a ~ secret** добре пазена тайна; **11.** забранен (*сезон за лов*); **12.** гъст, плътен (*за тъкан, редица, дъжд и пр.*); сбит (*за почерк, текст и пр.*); **in ~ order** в гъсти редици; **13.** остар. затворен; a ~ **vowel** език. затворена гласна; **II.** *adv* отблизо, внимателно, щателно; **to shave (cut)** ~ избръсвам се гладко; изрязвам ниско (*до корена*); **to look at s.th.** ~ **up (to)** разглеждам отблизо; **III.** *n* оградено място.

close₂ [klouz] **I.** *v* **1.** затварям (се); запушвам, затискам, запълвам (*дупка, цепнатина*); сгъвам (*чадър*); **to have o.'s eyes ~d** не виждам, не желая да видя; **his eyes are ~d** той е мъртъв; **2.** свършвам, завършвам, привършвам; приключвам; **the speaker ~d the meeting** говорителят закри събранието; **to consider the matter ~d** считам въпроса за уреден (приключен); **3.** закривам (*сметка*) **4.** фин. затварям (*на дадена стойност*); **the US dollar ~d**

higher in Tokyo today щатската валута затвори на по-високи стойности днес в Токио; 5. затягам, съсястявам (редици); 6. скъсявам, намалявам; **the distance between the two runners is beginning to** ~ разстоянието между двамата бегачи започва да намалява; • **behind** ~d **doors** при затворени врати; **a** ~d **book** нещо напълно непознато;

close about (round, over) ограждам, обкръжавам, обгръщам;

close down 1) затварям, закривам; прекратявам работа; спирам производството; *радио*. прекратявам предаването; 2) *амер*. потискам, потушавам, репресирам;

close in 1) заграждам, ограждам; 2) падам, спускам се, съсястявам се; **the days are closing in** дните намаляват (се скъсяват);

close off отделям; отцепвам (*район, за полиция*);

close up 1) затварям (се); запушвам (се); 2) ликвидирам; 3) съсястявам (се), затягам (*редици, набран текст*); ~ **up!** *воен*. състете се! сгъстис! **to** ~ **up the rear** вървя най-отзад (*на процесия и пр.*);

close (with) вкопчвам се (в борба) с някого; сбивам се; счепквам се; II. *n* 1. край, завършек, заключение, приключване; закриване; **at the** ~ **of** на края на; **to draw to a** ~ наближавам края си, завършвам; 2. вкопчване, клинч (*в бокса*) **to come to a** ~ вкопчваме се един в друг; 3. *муз*. каденца;

closed [klouzd] *adj* 1. ограничен (*само за избрани хора*); ~ **society (economy)** затворено общество, затворена икономика; 2. затворен, запушен; "**road** ~" "пътят е затворен"; ~ **season** *амер*. забранен сезон (*за лов и пр.*);

close-fitting [ˈklouzˌfitin] *adj* тесен, прилепнал.

closely [ˈklousli] *adv* 1. здраво; плътно; гъсто; 2. строго; 3. тясно, близко; ~ **related** тясно свързан; ~ **contested** много (живо) оспорван; 4. внимателно, щателно; съсредоточено.

close-mouthed [ˈklousˌmauðd] *adj* мълчалив, скъп на думи, необщителен, затворен.

closeness [ˈklousnis] *n* 1. близост, интимност; 2. гъстота, плътност (*на тъкан, редици*); 3. точност (*на превод, прилика и пр.*); 4. щателност; строгост; ~ **of a pursuit** ожесточеност на преследване; 5. задушност, задух (*за време и пр.*); 6. затвореност, необщителност; 7. стиснатост, свидливост, скъперничество.

closet [ˈklɔzit] I. *n* 1. килер; дрешник; шкаф; 2. малка стаичка; 3. работен кабинет; ~ **strategist** кабинетен стратег; 4. тоалетна (*и* **water** ~); • **come out of the** ~ излизам от прикритие (дупката), обявявам открито; II. *adj* прикрит, не явен (*за убеждения и пр.*); ~ **misogyny** прикрито женомразство; III. *v* (-tt-) *остар.* уединявам се; **to be** ~ted **with s.o.** разговарям с някого насаме (на четири очи).

closing [ˈklouzin] I. *adj* 1. последен; завършващ, заключителен; ~ **date** последна дата (срок); 2. който (се) затваря; II. *n* 1. затваряне; ~ (-**down**) **of a factory** затваряне (закриване) на фабрика; 2. приключване, окончателно уреждане; закриване; вдигане (*на заседание*).

closure [ˈklouʒə] I. *n* 1. закриване, вдигане (*на заседание*); затваряне (*на път, граница*); 2. прекратяване на дебатите (пренията); **to move the** ~ предлагам да се прекратят дебатите; 3. запушване (*на клапа и пр.*); 4. *ел*. изключване (*на ток*); II. *v* прекратявам дебатите (пренията).

clot [klɔt] I. *n* 1. нещо сплъстено (съсирено); съсирена кръв; *мед*. тромб; конгломерат; 2. *sl* глупак, идиот; II. *v* (-tt-) съсирвам (се), образувам зрънца; сплъстявам (се).

cloth [klɔθ] *n* 1. плат; тъкан; платно; вълнен плат, сукно; ~ **of gold** златоткан плат; **Lancaster** ~ памучен велур; **bound in** ~ с платнена подвързия; 2. черен плат за свещенически одежди; *прен*. све-

щенически сан; свещеници; **of the** ~ свещеник; 3. кърпа; парцал, изтривалка; пачавра; **abrasive** ~ платнена шкурка; 4. покривка за маса (*и* **table**); **to lay the** ~ слагам покривката; слагам маса (*за ядене*); 5. *мор*. парче (ширина) плат за корабно платно; **a ship that spreads much** ~ кораб с много платна.

cloth cap [ˈklɔθˈkæp] *n* каскет.

clothe [klouð] *v* (*остар*. **clad** [klæd], **clothed** [klouðd]) 1. обличам; **to** ~ **oneself** обличам се; 2. *прен.*: **the ambassador was** ~d **with full powers** посланикът имаше (на посланика бяха дадени) всички пълномощия; 3. обгръщам, покривам; ~d **in mist** обгърнат в мъгла.

cloth-eared [ˈklɔθiə:d] *adj разг*. невнимателен, разсеян.

cloth-ears [ˈklɔθiə:z] *n sl pl* нехранимайко, пройдоха, уличник.

clothes [klouðz] *n pl* 1. дрехи, облекло; тоалет; **a suit of** ~ костюм; • **to steal s.o.'s** ~ *журн*. приписвам си чужди идеи, присвоявам си чужди заслуги; 2. (**bed**-) ~ чаршафи, завивки и пр. за легло.

clothes-hook [ˈklouðzhuk] *n* закачалка (кука) за дрехи.

clothing [ˈklouðin] *n* 1. облекло, дрехи, одежди; 2. покривка, обвивка.

clotted [ˈklɔtid] *adj* съсирен; на зрънца; сплъстен; ~ **nonsense** глупости, дрън-дрън.

clotting [ˈklɔtin] *n* сплъстяване; съсирване.

clotty [ˈklɔti] *adj* съсирен, пресечен.

cloud [klaud] I. *n* 1. облак (*и прен.*); • **to be (have o.'s head) in the** ~s *прен*. в облаците съм, не обръщам внимание на действителността; 2. *прен*. сянка; петно; **a** ~ **of suspicion** сянка на съмнение; 3. мътно петно (*в течност, на стъкло, кристал и пр.*); тъмна жилка (*в мрамор*); черно петно (*на челото на кон*); 4. рояк, глутница, тълпа; 5. пухкав шал за главата; II. *v* 1. заоблачавам се, покривам се с облаци (*и с* **over**); смрачавам се, помрачавам се (*и прен.*); 2. затъмнявам, потъмнявам, помрачавам (*и прен.*); за-

мъглявам, очерням, хвърлям петно върху to ~ s.o.'s mind помрачавам разсъдъка на някого; 3. придавам (на дърво, кожа) потъмни оттенъци; боядисвам (конци) така, че изтъканият плат да има различни оттенъци.

clouded ['klaudid] *adj* 1. облачен, заоблачен; 2. мътен, размътен, замътен; помрачен; ~ **vision** помрачен разсъдък.

cloudiness ['klaudinis] *n* 1. облачност, заоблаченост; 2. замъгленост, размътеност; 3. мъглявост, неяснота (на стил и пр.).

clout [klaut] I. *n* 1. *разг.* фрасване, удар, чукване (обикн. по главата); **to give s.o. a** ~ халосвам някого по главата; 2. влияние; **the union hasn't much ~ with the government** този синдикат няма особено влияние над правителството; 3. парцал, пачавра; 4. железце, налче (за обувки); кабар; 5. *остар., диал.* кръпка; 6. *техн.* шайба; гвоздейче; 7. *разг.* носна кърпа; 8. *pl разг.* дрехи, парцали, фусти; 9. *истор.* мишена (при стрелба с лък); **in ~** в целта; II. *v* 1. *разг.* халосвам, цапвам; фрасвам; 2. закърпвам грубо (обикн. обувки); 3. слагам налчета (кабари) на обувки.

clouting ['klautiŋ] *n sl* пердах, бой, тупаница.

clout-nail ['klaut,neil] *n* кабър.

clover ['klouvə] *n* детелина; **four leaved** ~ четирилистна детелина.

clown [klaun] I. *n* 1. клоун, шут, палячо (и прен.); 2. *разг.* селяндур, селяк, простак, грубиян; II. *v* правя се на клоун (шут) (обикн. **to** ~ **it, to** ~ **about**).

clownish ['klauniʃ] *adj* 1. клоунски, палячовски; 2. *разг.* селяндурски, недодялан; невъзпитан, груб (за държание).

cloy [klɔi] *v* пресищам.

club₁ [klʌb] I. *n* палка; тояга; кривак, сопа (обикн. с дебел край); стик (за голф, хокей); *бот., зоол.* бухалка; **Indian** ~ *спорт.* бухалка (уред в художествената гимнастика); II. *v* (-bb-) 1. бия със сопа (тояга); налагам; **to** ~ **s.o.**

to death убивам някого от бой; 2. *воен.* хващам пушката за цевта.

club₂ I. *n* 1. клуб; "**join the** ~" не си първият, позната история, и с мен (другите) е така; 2. помещения, използвани от членове на клуб; **the** ~ **bar** барчето на клуба; 3. дружество, бизнес организация; **benefit** ~ дружество за взаимно подпомагане; 4.: **night** ~ кабаре, нощен клуб; II. *v* (-bb-) (~ **together**) 1. събирам, внасям (пари), обединявам; **they** ~**bed together to buy a new computer** събираха пари, за да си купят компютър; 2. обединявам се, съюзявам се; ~ **with s.o. for s.th.** съюзявам се с някого за някаква цел.

club₃ *n* спатия; **to play a** ~ играя спатия.

clubbing ['klʌbiŋ] *n* 1. сдружение, съдружие; 2. прибиране (на средства) в обща каса; 3. бой с тояга.

club-rush ['klʌb,rʌʃ] *n бот.* тръстика.

cluck [klʌk] I. *v* 1. клопам (за кокошка); ~**ing hen** квачка; 2. къткам (кокошка); 3. суетя се, въртя се; коткам, грижа се (over, around s.o., s.th.); 4. недоволствам; издавам звуци на неодобрение (at от); **to** ~ **o.'s tongue** цъкам неодобрително с език; II. *n* 1. клопане; 2. къткане.

clucker ['klʌkə] *n* бъбривец, бърборко, дрънкало.

clue [klu:] *n* I. указание, нишка, диря, следа; улика; **the** ~ **of a cross-word puzzle** обяснения, дефиниции в кръстословица; II. *v:* ~ **s.o. up (in)** давам пълна информация; **she is really** ~**ed up on politics** тя наистина знае всичко за политиката.

clued-up ['klu:d,ʌp] *adj* осведомен, информиран, запознат; на ти (**on a subject**).

clumsiness ['klʌmzinis] *n* 1. тромавост, непохватност, несръчност; 2. нетактичност; недодяланост.

clumsy ['klʌmzi] *adj* 1. тромав, тежък; несръчен, непохватен, неловък; ~**instrument** неудобен (тежък) инструмент; 2. груб, недо-

дялан, селяндурски; a ~ **apology** нескопосно (глупаво) извинение; 3. нетактичен; ◇ *adv* **clumsily.**

clunk [klʌŋk] I. *n* трясък; тракане, тупване; II. *v* тупвам.

cluster ['klʌstə] I. *n* 1. група, куп, купчина; тълпа; 2. грозд; кичур, китка; храст; ~ **of grapes** чепка грозде; 3. рой (пчели); 4. насъбиране, натрупване; II. *v* 1. групирам (се), събирам (се) на група (**round**); тълпя (се), трупам (се), струпвам (се); **reporters** ~**ed around the survivors** журналистите се тълпяха около оцелелите; 2. раста на кичури (гроздове, групи); ~**ed vine** лоза, отрупана с гроздове; ~**ing curls** гъсти букли (къдрици); 3. роя се (за пчели).

clutch [klʌtʃ] I. *v* сграбчвам, стисвам здраво, хващам, улавям; **to** ~ **at** посягам към, ~ **at a straw** *прен.* хващам се за сламка; II. *n* 1. сграбчване, улавяне, стисване, хватка; **a last** ~ **at popularity** последно усилие за добиване на популярност; 2. *pl прен.* лапи, нокти; **to fall (get) into s.o.'s** ~**es** попадам в лапите на някого; 3. *авт.* съединител; **claw** ~ палцов съединител; 4. малка група; **a** ~ **of songs** няколко песни; **plate** ~ еднодисков съединител; 5. *техн.* зъбец; клема; скоби.

clutter ['klʌtə] I. *n* 1. безредие, безпорядък, хаос; 2. *остар.* бъркотия, суматоха; суетня; 3. *остар.* шум, глъчка, гълчава, врява; 4. *радио.* смущения; отражения от местни предмети; 5. *изч.* безполезни (излишни) данни; II. *v* 1. объркваम, разбърквам, разхвърлям; задръствам, претрупвам с вещи (мебели) (**up**); **the vehicles** ~**ed up the car park** паркингът беше задръстен от автомобили; 2. шумя, вдигам врява; тропам.

coach station ['koutʃ'steiʃən] *n* автогара.

coadjutor [kou'ædʒutə] *n* 1. помощник, сътрудник; заместник; 2. наместник (на духовен служител); *ж.р.* **coadjutress** [kou'ædʒutris], **coadjutrix** [kou'ædʒutriks].

coal [koul] I. *n* 1. каменни въгли-

ща; **hard** ~ антрацитни въглища; **brown** ~ кафяви каменни въглища; **2.** въглен; **the** ~ **industry** въгледобивна промишленост; *pl* жарава; **her eyes glowd like live** ~**s** очите й блестяха като (горящи) въглени; **3.** дървени въглища; **II.** *v* **1.** овъглявам, правя (изгарям) на въглен; **2.** запасявам (се) с въглища.

coalesce [kouə'les] *v* **1.** срастрвам се, сливам се, съединявам се; **2.** сдружавам се, обединявам се, коалирам се.

coalescence [,kouə'lesəns] *n* **1.** срастване, съединение; **2.** смесване, сливане; ~ **of councils** единодушие; единогласие, единомислие, консенсус.

coal-field ['koul,fi:ld] *n* каменовъглен басейн (находище).

coalition ['kouə'liʃən] *n* коалиция.

coal-oil ['koul,ɔil] *n* газ.

coaly ['kouli] *adj* **1.** въглищен, въгленосен; **2.** черен като въглен.

coarse [kɔ:s] *adj* **1.** груб; необработен; недодялан; суров (*материал*); едър (*пясък*); грапав, неизгладен; ~ **needle** голяма игла, губерка; **2.** груб, долен; неучтив, нетактичен; непристоен; вулгарен; ~ **jokes** груби шеги; ◇ *adv* **coarsely**; **3.** долнокачествен, лошокачествен; ~ **fish** обикновена речна риба.

coarsely [kɔ:sli] *adj* наедро; **to chop onions** ~ нарязвам лук наедро.

coarseness ['kɔ:snis] *n* **1.** грубост, недодяланост, неучтивост; **2.** грапавост; **3.** едрина (*на материал*).

coarse-pored ['kɔ:s,pɔ:d] *adj* едрозърнест.

coast [koust] **I.** *n* **1.** морски бряг, крайбрежие; **to hug the** ~ *мор.* следвам крайбрежната извивка, държа се близо до брега; **ironbound** ~ каменист бряг; **2.** спускане по стръмен наклон с велосипед (автомобил) по инерция; **3.** спускане с шейна по стръмен и заледен склон; *спорт.* шус; **II.** *v* **1.** спускам се с велосипед (автомобил) по инерция, с изключен мотор; **2.** постигам нещо с лекота; **the democrats are** ~**ing to**

victory in the elections лека победа очаква демократите в изборите; **3.** не полагам (достатъчно) усилия, почивам на лаврите си (*и с* **along**) **charles was** ~**ing at school** Чарлз я караше през просото в училище (не се стараеше); **4.** спускам се с шейна по стръмен и заледен склон; **5.** *мор.* плавам по крайбрежието, каботирам.

coastal ['koustəl] **I.** *adj* брегови; крайбрежен; ~ **traffic** каботажно плаване; **II.** *n* плавателен съд на бреговата охрана.

coast-guard ['koust,ga:d] *n* **1.** брегова охрана; **2.** морска погранична служба.

coat [kout] **I.** *n* **1.** връхна дреха, палто, сако; жакет; *воен.* куртка, мундир, кител; **dress** ~, **tail**-~ фрак; **top**-~, **great**-~ пардесю; балтон, горно палто; **2.** козина, мъх, *рядко* кожа (*на животно*); перушина (*на птица*); **a dog with a smooth** ~ куче с гладка козина; **3.** покривка, обивка; слой; пласт; **a** ~ **of snow** снежна покривка; **4.** *техн.* облицовка, обшивка; *мед.* ципа; **first** ~ грунт; шпакловка; **back** ~ хастар (*на мазилка*); ● **to dust a person's** ~ **for him** напердашвам (отупвам) някого; **to turn o.'s** ~ променям си убежденията (пребоядисвам се), ставам ренегат; **II.** *v* покривам, обличам; нанасям покритие; облицовам, замазвам; **chocolate-coated sweets** сладки, покрити (залети) с шоколад.

coated ['koutid] *adj* **1.** покрит, обвит; **peanuts** ~**ed in chocolate** фъстъци с шоколадова глазура; ~ **tongue** *мед.* обложен език; **2.** облечен (*за човек*); с перушина (кожа) (*за животни*).

coax [kouks] **I.** *v* **1.** придумвам, уговарям, убеждавам, увещавам; **I** ~**ed him into talking about himself** предразположих го да говори за себе си; **2.** лаская, примамвам, прилъгвам; измъквам (информация, съгласие); **3.** коткам, работя внимателно и леко (*с машина*), за да постигна желания ефект; **II.** *n* човек, който умее да

увещава (убеждава) или да издейства нещо.

coaxing ['kouksiŋ] *n* придумване, увещаване; ласкаене.

cob [kɔb] **I.** *n* **1.** къс, парче; бучка, буца; ~-**loaf** малко кръгло хлебче; **2.** царевичен кочан (*и* **corncob**); **3.** кирпич; **4.** вид голям лешник *Corylus avellana grandis*; **5.** *англ., диал.* важен човек; главатар; водач; **6.** голяма буца каменни въглища (*и* ~-**coal, cobbles**); **II.** *v* (-**bb**-) **1.** хвърлям, запокитвам; **2.** бия, бичувам; **3.** *мин.* дробя (раздробявам) руда.

cobalt [kɔ'bɔ:lt] *n* **1.** *хим.* кобалт; **2.** кобалтова синя боя; ~ **bloom, red** ~ кобалтов арсенат (*прасковеночервен*); ~ **blue** кобалтовосиньо (*за цвят, боя и под.*).

cobbler ['kɔblə] *n* **1.** обущар, кърпач; **2.** лош майстор, несръчен и небрежен работник; **3.** разхладително питие от вино, лимон и захар (*и* **cherry**-~); **4.** плодов пай с дебела глазура; **5.** *sl* фалшификатор; ● **what a load of old** ~**s!** какви ги дрънкаш!

cobweb ['kɔbweb] *n* **1.** паяжина; *прен.* примка, уловка, капан; **2.** лека и прозрачна материя; **3.** *pl* интриги, сплетни; ~ **morning** мъгливо утро; **to blow (clear) away the** ~**s** проветрявам (се); освежавам, ободрявам; възвръщам енергията и жизнеността.

coca ['koukə] *n бот.* кока *Erythroxylon coca*.

cocaine [kou'kein] *n* кокаин; ~ **addict** наркоман.

cock [kɔk] **I.** *n* **1.** петел; птица мъжкар; **a** ~ **pheasant** мъжки фазан; **2.** кукуригане, "петли" (*първи, втори*); *прен.* разсъмване, зазоряване; **we sat till the second** ~ стояхме до втори петли; **3.** кран; затвор; **blast** ~ кран за изпускане на пара. **4.** ветропоказател (*и* **weather** ~); **5.** ударник, курок, петле, чакмак; **to go off at half** ~, **to go off half**~ **ed 1)** гръмвам случайно (*за пушка*) **2)** действам (говоря) необмислено и прибързано; започвам преди завършване на приготовленията; **3)** про-

валям се позорно; 6. *sl* посрърбнал съм си; 7. *мор.* най-долната палуба (етаж) на кораб; 8. *авиац.* седалка на летеца (*в самолет*); 9. *грубо* пенис; 10. лидер, водач, инициатор, "тартор"; **the ~ of the school** най-големият побойник в училището; 11. вирнатост, изкривеност; **to give o.'s hat a ~** накривявам си шапката; 12. *sl* глупости; **he is talking ~!** той говори глупости! II. *v* 1. изправям, навирвам, вдигам; наострям (*уши*); вирвам (*нос*); **to ~ o.'s eyes** слушам, гледам внимателно; 2. килвам, накривявам (*шапка*); **the bird ~ed its head to one side** птицата изви глава настрани;

cock off *sl* провалям (се);

cock up *разг.* правя гаф (фал); сгафвам.

cock-a-hoop ['kɔkə,hu:p] *adj* доволен (*от успех*); тържествуващ, ликуващ.

cocker *v* разглезвам, разгалвам (*често с* up).

cockeyed ['kɔkaid] *adj* 1. абсурден, невероятен; 2. изкривен, крив (*и* **cock-eye**); **the picture on the wall looks ~ to me** картината на стената ми се струва изкривена; 3. кривоглед; 4. *sl* пиян.

cockiness ['kɔkinis] *n* самоувереност, самонадеяност, арогантност.

cockle₁ ['kɔkl] *n* 1. *бот.* къклица *Agrosemma githago*; 2. плевел; 3. *бот.* главня (*по житните растения*); 4. тъмни петна (*върху кожа*).

cockle₂ I. *n* бръчка, гънка (*на плат, хартия*); II. *v* 1. набръчквам се; нагърчвам се; 2. развълнувам се (*за море*); 3. увивам (се), усуквам (се).

cockleshell ['kɔklʃel] *n* 1. раковина, черупка; 2. малка лека лодка, "черупка", "шлюпка" (*и* **cockleboat**).

cock shot ['kɔk,ʃɔt] *n* 1. прицел; 2. прицелване; **to have a ~ at** хвърлям камък към, прицелвам се в (*и прен.*).

cocktail ['kɔkteil] *n* 1. коктейл (*и прен.*); **~ cabinet (bar)** барче (бар)

за спиртни напитки; **~ shaker** шейкър; 2. смес от нарязани плодове, сервирани в чаша; ордьовър от миди.

cocky ['kɔki] *adj* арогантен, самонадеян, нахакан, наперен.

coco ['koukou] *n* 1. *бот.* кокосова палма; 2. кокосов орех (*и* **cocoa**).

cocoa ['koukou] *n* какао (*прах и напитка*); **~ beans** какао на зърна; несмляно какао.

coco(a)nut ['koukənʌt] *n* 1. кокосов орех; **~ milk** кокосово мляко; 2. *sl* глава.

cocoon [kɔ'ku:n] I. *n* пашкул; какавида; **to live in a ~** живея в "саксия", защитен и изолиран от външния свят; **he stood in a ~ of golden light** той стоеше облян в ярка светлина; II. *v* 1. свивам се на пашкул (*за какавида*); 2. увивам; 3. защитавам, пазя; изолирам.

coco palm ['koukəpa:m] *n* кокосова палма.

coddle₁ [kɔdl] I. *v* увивам, загръщам; изнежвам; разглезвам (се); II. *n* изнежен (мекушав, разглезен) човек (*и* **molly-~**).

coddle₂ *v* 1. варя (се) на слаб огън, къкря; 2. *диал.* пека (*ябълки*).

code [koud] I. *n* 1. *юр.* кодекс, сборник от закони; **Highway ~** закон за движение по пътищата; 2. шифър, азбука; **Morse ~** морзова азбука; 3. система от правила; **the ~ of honour (the duelling ~)** правилата за дуелиране; 4. (*телефонен и пощенски*) код; **what's the ~ for London?** как се избира Лондон? 5. компютърна програма (*и* **computer ~**); II. *v* шифровам; **~d messages** закодирани съобщения.

codex ['koudeks] (*pl* **codices** ['koudisi:z]) *n* 1. кодекс, систематизиран сборник от закони; 2. старинен ръкопис; сборник от старинни ръкописи.

codify ['koudifai] *v* 1. кодифицирам, съставям кодекс, систематизирам (*закони, условни знаци, сигнали, мерки и пр.*); 2. шифровам, кодирам.

coefficient [,koui'fiʃənt] I. *n* 1. *мат.*, *техн.* коефициент; постоянно

число; **production ~** коефициент на производителност; 2. съдействащ фактор; II. *adj* съдействащ.

coerce [kou'ə:s] *v* 1. принуждавам, насилвам, заставям; **to ~ s.o. into submission** заставям някого да се подчини; 2. обуздавам.

coercion [kou'ə:ʃən] *n* принуда, насилие; **C. bill, C. act** закон за отменяне на конституционни гаранции.

coercive [kou'ə:siv] *adj* принудителен, насилнически; **~ measures, tactics** принудителни мерки, стратегия.

coffee ['kɔfi] *n* кафе (*растение, плод, напитка*); **black ~** черно кафе (*без мляко*); **instant ~** нескафе; • **wake up and smell the ~!** събуди се! осъзнай се! слез на земята!

coffee bar ['kɔfi'ba:] *n* кафе-сладкарница.

coffee grinder ['kɔfi,graində] *n* 1. кафемелачка; 2. *воен.*, *sl* картечница; раздрънкан стар самолет.

coffer ['kɔfə] I. *n* 1. ковчеже (*за скъпоценности, пари*); каса; ракла, сандък; 2. *pl* хазна, държавно съкровище; 3. *хидр., строит.* кесон, камера; шлюз; 4. *архит.* декоративен панел на таван; II. *v* 1. поставям (заключвам) в ракла, съхранявам; 2. *мин.* измазвам отвесна шахта (комин); 3. оформям таван с касетки.

coffin ['kɔfin] I. *n* 1. ковчег; **that's another nail (driven) into his ~** *прен.* за него това е още една стъпка към смъртта; това е нов тежък (смъртоносен) удар за него; 2. *мор.* негоден плавателен съд; 3. *мин.* изоставена шахта; II. *v* поставям в ковчег; *прен.* затварям.

cog₁ [kɔg] I. *n* 1. зъб, зъбец, издатина; *техн.* цапфа; палец; **only a ~ in the wheel (machine)** само една брънка от общата верига, само едно винтче в машината; 2. *мин.* странична подпора; II. *v* (-gg-) 1. поставям зъбци (*на колело*); 2. слагам подкова (*на кон*); подковавам; 3. *техн.* зацепвам (*за зъбчато колело*).

cog₂ *v* (**-gg-**) мамя, измамвам, играя с фалшиви зарове; **to ~ the dice** играя нечестно със зарове.

cogency ['koudʒənsi] *n* състоятелност, убедителност, неопровержимост, неоспоримост.

cogent ['koudʒənt] *adj* състоятелен, убедителен, неопровержим, неоспорим; **~ evidence** убедителни доказателства; ◊ *adv* **cogently.**

cogitable ['koudʒitəbəl] *adj* мислим, достъпен за разбиране, разбираем.

cogitate ['kodʒiteit] *v* обмислям; размишлявам (**upon, over**).

cogitation ['kodʒi'teiʃən] *n* мислене, мисъл, размишление (**upon, over**).

cognac ['konjæk, *амер.* 'kounjæk] *n* коняк.

cognate ['kogneit] I. *adj* родствен, сроден; близък, сходен; **~ words** *език.* сродни думи; II. *n* 1. *шотл., юр.* когнат, родственик, роднина (*по майчина линия*); 2. *pl език.* сродни думи.

cognition [kog'niʃən] *n* 1. познавателна способност; 2. знание, познание; компетенция.

cognitive ['kognitiv] *adj* познавателен.

cognizable ['kognizəbl] *adj* 1. познаваем; 2. *юр.* подсъдим, подсъден; **~ offence** подсъдно нарушение; правонарушение, при което виновният може да бъде задържан без заповед за арестуване.

cognizance ['kognizəns] *n* 1. знание, осведоменост, информираност; **to have ~ of** знам за, известно ми е (осведомен съм) за; 2. компетентност; **within (under) the ~ of the court** от компетентността на съда; 3. *хералд.* емблема; герб; отличителен знак.

cohere [kou'hiə] *v* 1. следвам логично; образувам цяло; **parts of the book are brilliant but it fails to ~ as a whole** отделни части в книгата звучат чудесно, но й липсва свързаността на завършено цяло; 2. слепвам се, свързвам се, съединявам се, прилепвам се; 3. съгласувам се.

coherence [kou'hiərəns] *n* 1. сцеп-

ление, свързаност; 2. съгласуваност.

coherent [kou'hiərənt] *adj* 1. свързан, сцепен, сплотен; 2. съгласуван, последователен; **~ economic policy** последователна икономическа политика; 3. понятен, ясен, разбираем; ◊ *adv* **coherently.**

coiffed [kwa:ft] *adj* фризиран.

coiffeur [kwa:'fə] *фр. n* коафьор, фризьор.

coil₁ [kɔil] I. *n* 1. кангал, въже (тел), навито на кравай; 2. намотка; 3. *техн.* спирала, серпентина; намотка, навивка, *ел.* бобина, макара; **current ~** токова бобина; 4. *мед.* спирала; II. *v* навивам (се), намотавам (се); свивам се на кълбо (*за змия, котка*) (*и с* **up**); извивам се.

coil₂ *n остар.* шум, суетене, суматоха, суета; **to shuffle off this mortal ~** да напусна тази земна суета (*Шекспир*); **to make a ~** *остар.* вдигам шум (скандал).

coiled ['kɔild] *adj* спираловиден, навит на спирала; намотан.

coin [kɔin] I. *n* 1. монета; *разг.* пари; **to pay s.o. back in his own ~** връщам на някого по същия начин; 2. *техн.* щемпел; матрица; *pl* шанци; II. *v* 1. сека пари; 2. измислям, съчинявам, изфабрикувам, скалъпвам; **to ~ a lie** скалъпвам лъжа; 3. създавам нови думи (изрази); **a newly- ~ed word** новоизмислена дума, неологизъм; 4. *разг.* фабрикувам фалшиви монети; 5.: **to be ~ing it (money)** *разг.* правя (печеля) луди пари.

coincide [,kɔin'said] *v* 1. съвпадам (**with**); 2. съответствам, равнявам се, отговарям (**with**).

coincidence [kou'insidəns] *n* съвпадение; случайно стечение на обстоятелствата.

coincidental [,kou'insidentəl] *adj* случаен, ненагласен.

coitus ['kouitəs] *n* коитус, полов акт.

coke₁ [kouk] I. *n* кокс; **~ oven** коксова пещ; II. *v* коксувам, превръщам се в кокс (*за въглища*).

coke₂ *n sl* кокаин.

coke₃ *n разг.* кока-кола.

cokey ['kouki] *n sl* наркоман, употребяващ кокаин.

col [kɔl] *n* 1. проход; седловина; 2. *метеор.* минимум на налягане, депресия.

cola ['koulə] *n* 1. *бот.* кола *Cola acuminata*; 2. кола (*питие*).

cold [kould] I. *adj* 1. студен; хладен; **to feel (to be) ~** студено ми е; **as ~ as ice (charity, marble, stone)** леденостуден; 2. студен, неприветлив, нелюбезен; **a ~ stare, welcome, reception** студен поглед, хладно посрещане, студен прием; 3. студен, равнодушен, невъзмутим; безучастен; **in ~ blood** хладнокръвно, без да ми мигне окото; 4. мъртъв; **to knock s.o. ~** нокаутирам някого; удрям някого така, че да изгуби съзнание; ● **to have (catch) s.o. ~** *разг.* държа някого в ръцете си; **to blow hot and ~** постоянно си променям мнението; II. *n* 1. студ; **to leave s.o. out in the ~** 1) посрещам някого неприветливо (студено); игнорирам, пренебрегвам; 2) поставям някого в неудобно (тежко, глупаво) положение; 2. простуда, настинка, хрема; **to catch a ~** простудявам се, хващам хрема.

cold-blooded ['kould,blʌdid] *adj* 1. хладнокръвен; равнодушен; безчувствен, безжалостен, коравосърдечен; **~ murder** хладнокръвно убийство; ◊ *adv* **cold-bloodedly;** 2. обмислен; 3. зимноничав; 4. *зоол.* студенокръвен.

cold-bloodedness ['kould,blʌdidnis] *n* хладнокръвие; равнодушие, безразличие; коравосърдечие.

cold-hearted ['kould,ha:tid] *adj* безсърдечен, безчувствен, с ледено сърце.

coldness ['kouldnis] *n* хлад, студенина.

cold-shoulder ['kould'ʃouldə] I. *n* пренебрежение; хладен прием; **to give s.o. the ~** приемам (отнасям се с) някого нелюбезно; обръщам гръб на някого; II. *v* оказвам лош прием на; нелюбезен съм с; пренебрегвам, игнорирам.

cold war [ˈkouldˈwɔ:] *n полит.* студена война.

colibri [ˈkɔlibri] *n зоол.* колибри *Trochilus.*

colic [ˈkɔlik] *n мед.* колика, остра стомашна болка.

collaborative [kəˈlæbərətiv] *adj* съвместен, общ; ◇ *adv* **collaboratively.**

collaborator [kəˈlæbəreitə] *n* 1. сътрудник, колаборатор; 2. колаборационист, изменник, предател.

collapse [kəˈlæps] I. *v* 1. срутвам се, рухвам; сгромолясвам се; 2. провалям се, загубвам; рухвам, разпадам се; **all opposition to the scheme ~d** всякаква опозиция на плана пропадна; 3. обезценявам се; **the dollar ~ed after the news of the President's assassination** доларът падна след новината за покушението срещу президента; 4. колабирам; 5. почивам си, особено след уморителен ден; 6. сгъвам се; **a chair that ~s** сгъваем стол; 7. сплесквам се, деформирам се; II. *n* 1. внезапно срутване, рухване, сгромолясване; 2. крах, провал, неуспех; **the economy is in a state of ~** икономиката рухва; 3. внезапно падане на цена; 4. *мед.* колапс.

collapsible [kəˈlæpsibəl] *adj* сглобяем, сгъваем; разглобяем; телескопичен, подвижен; **~ chair** сгъваем стол.

collar [ˈkɔlə] I. *n* 1. яка, якичка; **stiff double ~** колосана обърната яка; **stand up ~, high ~** права колосана яка; • **hot under the ~** разсърден, ядосан; вбесен, "кипнал"; 2. гердан; огърлица; *истор.* метална огърлица като отличителен знак на орден или рицарско съсловие; **dog ~** кучешки гердан; *разг.* яка на свещеник (*закопчана отзад*); 3. нашийник, хомот, ярем; конски хамут; **to slip the ~** *прен., остар.* отхвърлям ярема; 4. *бот.* шийка; 5. *зоол.* отличителни знаци около шията (*посветла или тъмна козина, люспи, шипове*) във вид на гердан; 6. *техн.* втулка, тапа; обръч; шайба; пръстен; халка; фланец; 7.

мин. отвърстие на рудник (шахта); II. *v* 1. надявам яка (хомот); 2. хващам за яката; залавям; арестувам; **the policeman ~ed the theif** полицаят залови крадеца; 3. *sl* слагам ръка на нещо, задигам, отмъквам; 4. *спорт.* задържам (преча) на противника; 5. *кул.* навивам и свързвам (*месо, риба*) на рулади.

collar bone [ˈkɔləˈboun] *n анат.* ключица (*кост*).

collar-work [ˈkɔləˌwə:k] *n* изморителна (напрегната, тежка) работа.

collate [kɔˈleit] *v* 1. сравнявам, сверявам подробно, съпоставям; **to ~ all available data** сверявам наличната информация; 2. събирам и подреждам листите на книга; 3. *рел.* назначавам (*свещеник*).

collateral [kɔˈlætərəl] I. *adj* 1. страничен; второстепенен; 2. косвен, допълнителен, колатерален; **~ security** *търг.* допълнителна гаранция; 3. успореден, паралелен; II. *n* 1. родство (роднина) по непряка линия; 2. *търг., юр.* допълнителна гаранция.

colleague [ˈkɔli:g] *n* колега.

collect₁ [ˈkɔlekt] *n рел.* кратка молитва.

collect₂ [kəˈlekt] I. *v* 1. събирам, правя колекция; колекционирам; **information ~ed by satellite** информация, събрана от сателит; **to ~ debt** събирам дълг; 2. събирам се, тълпя се, струпвам се; 3. събирам, вземам; **I will come to ~ you** ще мина да те взема; 4. получавам (*награда*); **she ~ed first prize, a cheque for $ 1000** тя получи първа награда от 1000 долара; 5. събирам пари (*за подарък и пр.*); 6. правя заключение, извод; II. *adj, adv* с наложен платеж; **to send a parcel ~** изпращам пакет с наложен платеж; **call ~** телефонирам за сметка на абоната.

collectable [kəˈlektəbəl] I. *adj* ценен; колекционерски; с колекционерна стойност; II. *n pl* предмети с колекционерна стойност.

collected [kəˈlektid] *adj* 1. събран;

the ~ works of Dickens събрани съчинения на Дикенс; 2. спокоен, хладнокръвен; съсредоточен.

collection [kəˈlekʃən] *n* 1. събиране; сбирка, колекция; **a ~ of poems** сборник с поеми; 2. волни пожертвования; 3. *техн.* вземане; 4. *търг.* дневен сбор, инкасо; 5. събрание; 6. *pl* изпити в края на тримесечието (*в Оксфорд*).

collective [kəˈlektiv] I. *adj* колективен, съвкупен, общ, събирателен; кооперативен; **~ noun** *език.* събирателно съществително; **~ term** сборен (общ) термин; ◇ *adv* **collectively**; II. *n* колектив.

collector [kəˈlektə] *n* 1. колекционер, колектор; 2. *фин.* инкасатор; **tax ~** данъчен агент; бирник; 3. *ел., техн.* колектор; уловител; 4. *истор.* (*в Индия*) административен началник на окръг.

college [ˈkɔlidʒ] *n* 1. колеж, филиал на университет, малък университет; **to go to ~** следвам; 2. колегия, корпорация; **sacred ~** *рел.* кардиналска колегия; 3. специално учебно заведение; **naval ~** морско училище; 4. колеж, пансион, средно училище с интернат; 5. *sl* затвор, "пансион".

collegian [kɔˈli:dʒiən] *n* 1. колежанин; 2. студент; 3. *sl* затворник, "пансионер".

collegiate [kəˈli:dʒiit] I. *adj* 1. университетски, академичен; колежански; 2. колегиален (*и* **collegial**); II. *n рядко* студент в колеж (университет).

collet [ˈkɔlit] *n* 1. рамка, обков (*на скъпоценен камък и пр.*); 2. изолационна пластинка в дръжката на сребърен чайник; 3. *техн.* муфа, гривна, пръстен; 4. гнездо на рубин в часовник.

collide [kəˈlaid] *v* сблъсквам се, удрям се; колидирам, създавам колизия (**with**); **the two trains ~ed head-on** влаковете се сблъскаха челно.

collier [ˈkɔliə] *n* 1. въглекопач, миньор; **~'s lungs** *мед.* антракоза (*професионално белодробно заболяване на миньорите*); 2. транспортен кораб за въглища; 3. мо-

ряк на такъв кораб.

collision [kə'liʒən] *n* **1.** стълкновение, сблъскване, колизия; **to be on a ~ course** движа се право един срещу друг; предстои ми да се сблъскам (да вляза в конфликт); **2.** *прен.* противоречие, сблъсък (*на идеи, интереси*); **a ~ of three generations** сблъсък между три поколения; ● **~ quarters** *мор.* наблюдателен пост за вдигане на тревога.

collocate I. *v* ['kɔləkeit] **1.** *език.* употребявам се с (with); **"weak" ~s with tea, but "feeble" does not** за "слаб" чай можем да употребим "week", но не и "feeble"; **2.** разполагам, настанявам, нареждам, подреждам; II. *n* ['kɔləkət] *език.* дума, която се употребява често в колокация с друга.

collocation [kɔlə'keiʃən] *n* **1.** *език.* колокация, употреба с друга дума; **2.** разположение; настаняване; място.

collocutor [kə'lɔkjutə] *n* събеседник.

colloid ['kɔlɔid] I. *n* хим. колоид; II. *adj* колоидален, колоиден.

colloquial [kɔ'loukwiəl] *adj* език. разговорен, нелитературен; ◇*adv* **colloquially**.

collotype ['kɔlotaip] *n* полигр. **1.** фототип, желатиново клише; **2.** фототипия, светлопечат.

collude [kə'lju:d] *v* рядко (with s.o.) заговорнича, конспирирам, кроя планове зад гърба на.

cologne [kə'loun] *n* тоалетна вода; слаб парфюм.

Colombian [kə'lʌmbiən] I. *adj* колумбийски; II. *n* колумбиец.

colon₁ ['koulən] *n* език. двоеточие.

colon₂ *n* анат. дебело черво.

colonel ['kə:nəl] *n* полковник; полкови командир; **lieutenant ~** подполковник.

colonial [kə'lounjəl] I. *adj* колониален; **~ power(rule)** колониално господство; II. *n* **1.** жител на колония; **2.** войник от американската та армия по време на Войната за независимост.

colonialism [kə'lounjəlizəm] *n* **1.** колониализъм; колониална систе-

ма; **2.** живот в колониите; **3.** колониален израз.

colonization [,kɔlənai'zeiʃən] *n* колонизация; заселване; поселване.

colonize ['kɔlənaiz] *v* **1.** колонизирам, заселвам (*чужда страна*); заселвам (се); **2.** *амер., полит.* преселвам временно избиратели в друг избирателен окръг.

colonizer ['kɔlənaizə] *n* **1.** колонизатор; **2.** заселник, поселник, преселник; **3.** *амер., полит.* избирател, преселил се временно в друг избирателен окръг.

colony ['kɔləni] *n* **1.** колония; **a former British ~** бивша колония на Великобритания; **2.** колония; група; **the American ~ in Paris in the 1920s** американската колония в Париж през 20-те години; **3.** *биол.* колония; група бактерии, произлезли от една клетка.

Colorado beetle [,kɔlə'ra:dou ,bi:təl] *n* зоол. колорадски бръмбар *Leptinotarsa decemlineata*.

coloration [,kʌlə'reiʃən] *n* оцветяване; колориране, колоризация.

colossal [kə'lɔsəl] *adj* **1.** колосален, огромен, гигантски, исполински, грандиозен, грамаден; **2.** *разг.* великолепен, прекрасен, разкошен; ◇ *adv* **colossally**.

colossus [,kə'lɔsəs] *n* колос, исполин, гигант, великан, титан.

colo(u)r ['kʌlə] *n* **1.** цвят, окраска; краска; багра; **primary (secondary) ~s** основни (съставни) цветове; **to be discriminated against on account of o.'s ~** подложен съм на расова дискриминация; **2.** боя, краска; багрилно вещество, пигмент; **food ~** оцветител за храна; **box of ~s** кутия с бои; **3.** руменина, червенина; **to change ~** пребледнявам, почервенявам, "сменям си боята"; **4.** *обикн. pl* знаме, стяг, флаг, прапорец; **to call to (the) ~s** свиквам под знамената, мобилизирам; **5.** колорит, характерна особеност; **style full of ~** колоритен (цветист, образен) стил; **6.** предлог, претекст; прикритие; *юр.* външно (привидно) основание; **under the ~ of** под предлог на; под

прикритието на; **to give(lend) ~ to** правя правдоподобен, потвърждавам, оправдавам; **7.** *муз.* тембър; колорит; **8.** индивидуалност; вид, характер, особеност; **9.** *pl* цветни (не черни) платове; **to dress in ~s** обличам се в ярки цветове; **10.** *мор.* церемония при вдигане и сваляне на знаме; **11.** *мин.* следа (частица) от злато; **12.** *pl* отличие, награда; **win o.'s football ~s** спечелвам футболни отличия; II. *attr* ~ **TV** цветен телевизор; ~ **photography** цветна фотография, хромофотография; III. *v* **1.** оцветявам, обагрям, боядисвам; **to ~ in a drawing** оцветявам рисунка; **2.** *прен.* украсявам; изопачавам, преиначавам; **an account ~ed by bias** разказ, изпълнен с предубеждения; **these facts are improperly ~d** тези обстоятелства (факти) са изопачени; **3.** получавам цвят; поруменявам, почервенявам; изчервявам се (*често с up*); **she ~ed with embarrassment** изчерви се от неудобство.

colourant ['kʌlərənt] *n* оцветител, боя; пигмент, багрило.

colour bar [,kʌlə'ba:] *n* расова дискриминация; **to break the ~** явявам се на място, където ходят само бели (*за негър*).

colourblind ['kʌlə,blaind] I. *n* далтонист; страдащ от далтонизъм; II. *adj* който не дискриминира на база на расата или националната принадлежност.

colour-blindness ['kʌlə,blaindnis] *n* далтонизъм.

colo(u)red ['kʌləd] *adj* **1.** цветен, оцветен; **orange ~** оцветен в оранжево; **highly ~** колоритен, цветист; преувеличен, пресилен; **2.** цветнокож; негърски; ~ **man** негър; **3.** *бот.* не със зелен цвят.

colo(u)rful ['kʌləful] *adj* **1.** ярък, оцветен с ярки цветове; пищен; ◇ *adv* **colourfully**; **2.** цветист; колоритен; картинен, образен; ~ **career** сензационна кариера.

colo(u)ring ['kʌləriŋ] *n* **1.** оцветяване; **2.** окраска, цвят; колорит; **protective ~** *бот., зоол.* защитна

окраска; 3. боя (*и* ~ matter); 4. благовидност, привидност, показност.

colo(u)rless [ˈkʌləlis] *adj* безцветен; блед, бледен; безинтересен.

colo(u)r printing [ˈkʌləˌprinriŋ] *n* полигр. цветен печат, хромотипия.

column [ˈkɔləm] *n* 1. архит., воен. колона; in ~ в колона; зад тил; to dodge the ~ воен., разг. кръшкам, лентяйствам, мързелувам, безделнича; 2. стълб; ~ of mercury живачен стълб; ~ of smoke димен стълб, стълб дим; 3. колона, графа; полигр. шпалта, колумнен; newspaper ~ вестникарска колона, рубрика; 4. прен. опора, стълб, поддръжка, подкрепа; 5. техн. лост, щанга; ~ of a machine стойка (рама) на машина; control ~ авиац. команден пост.

columnar [kəˈlʌmnə] *adj* 1. стълбовиден, колонообразен; 2. напечатан (подреден) във вид на колона; 3. който се крепи на стълбове (колони).

columned [ˈkɔləmd] *adj* с колони.

colza [ˈkɔlzə] *n* бот. рапица; ~ seed рапично семе.

coma [ˈkoumə] *n* мед. кома; ~ inducing който причинява тежък сън.

comatose [ˈkoumətous] *adj* 1. мед. коматозен, в състояние на кома; сънен, сънлив; 2. изтощен, уморен.

comb [ˈkoum] I. *n* 1. гребен; large-toothed (dressing, rake) ~ едър (рядък) гребен; to run a ~ through o.'s hair прекарвам гребен през косата си; 2. гребен на петел; to cut s.o.'s ~ прен. унижавам някого, "отрязвам му квитанцията", смачквам фасона на някого; 3. чесало (и curry-~); 4. текст. чесало, дарак; 5. медена (восъчна) пита; ~ honey мед на пити; 6. било (на покрив, планина); гребен (на вълна, планина); II. *v* 1. разчесвам, реша, сресвам; to ~ s.o.'s hair the wrong way чеша срещу косъма; прен. вървя не по угодата на някого, правя някому напук; 2. преравям, претърсвам

the police ~ed the woods полицията претърси горите; 3. воен. прочиствам, разчиствам (окопи и пр.); 4. текст. разбивам, развличам, изкарвам на дарак; 5. чистя с чесало, тимаря (кон); 6. разбивам се (за вълни);

comb off прен. отстранявам, премахвам;

comb out 1) изчесвам; 2) неолог. преосвидетелствам лица, освободени от военна служба; to ~ out the works провеждам чистка в завода.

combat I. *n* [ˈkɔmbət] 1. борба, бой, сражение, битка, схватка; single ~ единоборство; 2. attr боен; ~ company 1) бойна рота; 2) пионерна рота; ~ liaison боева (бойна) свръзка, свръзка по време на бой; II. *v* [ˈkɔmbæt] сражавам се с, бия се с, сражавам се срещу; to ~ inflation (terrorism) боря се с инфлацията (тероризма).

combatant [ˈkɔmbətənt] I. *adj* боеви, боен; строеви; ~ forces бойни сили; ~ value боеспособност; II. *n* 1. боец; 2. воюваща страна, воюващ; 3. поборник.

combativeness [ˈkɔmbətivnis] *n* агресивност; склонност към влизане в бой; заядливост.

combination [ˌkɔmbiˈneiʃən] *n* 1. съединение (и хим.); съчетание; комбинация; nitrogen in ~ with oxygen съединение на азот и кислород; 2. съюз, сдружение, синдикат, обединение; картел; right of ~ право на сдружаване; 3. *pl* гащеризон (и *pl* a pair of ~s); комбинезон; 4. остар. заговор, съзаклятие, комплот; 5. мотоциклет с кош.

combinative [ˈkɔmbinətiv] *adj* комбинационен; склонен към комбинации; ~ sound комбинаторни изменения на звука.

combine [kəmˈbain] I. *v* обединявам (се); комбинирам, съчетавам (се); смесвам (се); сливам (се); хим. съединявам (се); hydrogen ~s with oxygen to form water водородът се свързва с кислорода и се образува вода; II. *n* [ˈkɔmbain] 1. синдикат; комбинат; обедине-

ние; 2. тръст; картел (специално за контрол върху борсовите цени); horizontal ~ консорциум; 3. техн. комбайн.

combined [kəmˈbaind] *adj* общ, съвместен, обединен.

combing-out [ˈkoumiŋˌaut] *n* 1. разчесване, изчесване; 2. прочистване, чистка (в предприятия и пр.); проверка, претърсване, полицейска; воен. прочистване.

combustibility [kəmˌbʌstiˈbiliti] *n* възпламеняемост; запалимост, запалителност.

combustible [kəmˈbʌstibl] I. *adj* 1. запалителен, възпламеним; 2. прен. лесно възбудим (раздразним) (за тълпа); сприхав (за човек); II. *n pl* гориво, топливо; горивни материали.

combustion [kəmˈbʌstʃən] *n* 1. горене, изгаряне; запалване; ~ chamber техн. горивна камера; internal ~ engine техн. двигател с вътрешно горене; 2. хим. окисляване (на органични вещества).

come [kʌm] *v* 1. идвам, дохождам; a storm is ~ing задава се буря; • easy ~, easy go лесно дошло и лесно си отива; бързо спечелено, бързо пропиляно; to ~ to oneself (to o.'s senses) 1) идвам на себе си, опомням се, свестявам се; възвръщам си разсъдъка; 2) поправям се; 2. случвам се, ставам, бивам; явявам се; he had it ~ing to him той си го търсеше; ~ what may каквото ще да става; 3. образувам (се), ставам; достигам (състояние); to ~ to an end свършвам, спирам, приключвам; to ~ into contact влизам в контакт; 4. достигам, възлизам, равнявам се; if it ~s to that ... ако (се) стигне дотам ...; it doesn't ~ within my duties това не влиза в задълженията ми; 5. представям се за, правя се на, играя роля на, изкарвам се; 6. (в повелително наклонение: възклицание, означаващо подкана, насърчение или лек упрек); ~! ~! хайде! хайде! стига! стига! ~, tell me all you know about it хайде, разкажи ми всичко, което знаеш по този въпрос;

7. излизам, оказвам се; **she came first in English** излезе първа по английски; 8. достигам оргазъм; ● **as they ~** *разг.* страшно много, изключително; **he is as good as they ~** цена няма;

come about 1) случва се, става; **thus it ~s about that** и така се случва, че; 2) *мор.* обръщам другия борд към; 3) меня си посоката (*за вятър*);

come across 1) срещам случайно, натъквам се на; 2) *разг.* плащам; давам; **~ across!** *амер.* признай си! я си развържи кесията; 3) разбран съм правилно; изразявам се (*ясно и точно*); **he spoke for a long time but his meaning really didn't ~ across** говори дълго, но не се разбра какво точно искаше да каже;

come after 1) преследвам, домогвам се; 2) следвам, вървя след (подир); 3) наследявам;

come against 1) вървя срещу; 2) блъсвам се в, удрям се в, попадам на;

come along 1) отивам с, съпровождам (with); **~ along!** ела! **do ~ along!** хайде, ела де! 2) пристигам, появявам се; **when the right opportunity comes along** при удобен случай; 3) прогресирам, напредвам, бележа развитие; 4) *рядко* съгласявам се;

come apart разпадам се на части, развалям се;

come at 1) достигам (до); добирам се до; 2) нападам, нахвърлям се върху;

come away 1) отделям се; излизам, отивам си; **to ~ none the wiser** отивам си, без да съм научил (узнал) нещо; 2) отчупвам се, откъсвам се; отделям се;

come back 1) връщам се; 2) идвам на себе си; 3) **it ~s back to me** спомням си, идва ми на ума; 4) *спорт.* възвръщам предишната си форма; 5) отвръщам със същото, плащам със същата монета; 6) ставам популярен отново;

come before предшествам, предхождам; явявам се пред;

come between разделям;

come by 1) минавам покрай, наминавам; 2) достигам; получавам; намирам; **jobs are hard to ~** трудно се намира работа;

come down 1) слизам; **to ~ down a peg or two** *разг.* ставам по-скромен (тих, непретенциозен); 2) падам, понижавам се (*за цена*); 3) предава се (преминава) по традиция (наследство); 4) връщам се в провинцията; 5) бивам повален (*за дърво*); западам (*за човек*); спадам, понижавам се (*за цени*); 6) достигам; 7) разрушавам се, руша се, падам, събарям се, срутвам се (*за постройка и пр.*); 8) *разг.* заболявам, разболявам се, лягам болен (with от); 9) приземявам се, кацам, изсипвам се; **we were forced to ~ down in a field** направихме принудително кацане в полето; 10): **to ~ down on** нахвърлям се върху; ругая, скастрям; 11) свеждам се до (to);

come forward 1) излизам напред; издигам се (*и* come forth); **to ~ forward as a candidate** поставям кандидатурата си; 2) предлагам услугите си;

come from произхождам, произлизам; идвам от;

come in 1) *разг.* влизайте! заповядайте!; 2) пристигам, получавам се (*за информация, телефонно обаждане*); 3) присъединявам се, включвам се, вземам участие; 4) надигам се (*за прилив*), прииждам; пристигам; започвам (*за година*); идвам на мода; 5) встъпвам в длъжност; 6) узрявам; 7) жребя се, теля се; **money is ~ing in well** приходът е добър; 8) заемам място в състезание;

come in for получавам, идват ми (*за пари*);

come into 1) влизам; **to ~ into being (existence)** възниквам, появявам се; 2) наследявам (имот, пари); получавам;

come near приближавам се; **he came near to killing himself** той за малко (насмалко, едва) не се уби;

come of произлизам; ставам; **what will ~ of him?** какво ще стане с

него? какво ще излезе от него?

come off 1) излизам (сполучлив); оказвам се; **the experiment (trick) came off** опитът (номерът) излезе сполучлив; 2) слизам; напускам; **to ~ off a ship** слизам от кораб; 3) откъсвам се; падам (*за копче, мазилка и пр.*); **the knob ~** дръжката падна; 4) излизам, заемам място (*в състезание*); **to ~ off second best** излизам на второ място; 5) отказвам се, преставам да употребявам (*наркотично вещество*);

come on 1) настъпвам (*за време, пристъп*); започвам; **an illness is ~ing on** разболявам се, започвам да се разболявам; 2) раста, развивам се; напредвам; бележа напредък; **the case is ~ for trial** делото излиза, ще се разглежда; 3) *като повикване, подкана*; **~ on!** напред! хайде! давай! карай! (*недоверие*) хайде де! как пък не!;

come on to 1) навлизам в (*тема*), започвам да дискутирам; 2) *разг.* свалям, задавам, проявявам (*сексуален*) интерес към;

come out 1) излизам, излизам наяве, появявам се (*в печата, обществото*); дебютирам (*на сцена*); **to ~ out flat-footed (for)** *разг.* решително се изказвам (за); 2) излизам, оказвам се; **it all came out well** всичко свърши добре; 3) показвам се (*за слънце*); разпуквам се, разцъфвам (*за цветя и пр.*); **to ~ out on strike** стачкувам, обявявам стачка; 4) избелявам (*боя, цвят*); опадам (*коса*); 5) заявявам публично, че съм хомосексуален; 6) излизам (*за, на снимка*); 7) **to ~ out in spots (a rash)** обривам се, извирам се;

come out with излизам със (*съобщение и пр.*), правя публично достояние;

come over 1) минавам (преминавам) на другата страна; оставам да ме убедят (уговорят, увещаят); склоням; 2) пристигам (*отнякъде отвъд*); 3) овладявам, обхващам; **to ~ over funny (queer)** не се чувствам добре, неразположен съм, не ми е добре; 4) пра-

вя впечатление, минавам за (as);
come (a)round 1) наминавам, отбивам се при, навестявам; 2) идвам на себе си, оправям се (*след болест, умора*); подобрявам се; 3) променям възгледите (становището) си; **I have ~ round to your way of thinking** започнах да мисля като теб; 4) идвам отново (*за годишно време, празник*); 5) заобикалям; 6) *мор.* лавирам (*за кораб*); променям посоката си (*за вятър*);

come through 1) прониквам; 2) успявам; достигам (*край, цел*); **to ~ through on a promise** изпълнявам обещание; 3) оцелявам; съвземам се; преодолявам (*трудност*); **to ~ through with clean hands** излизам (*от афера*) неопетнен; 4) пристигам, получавам се (*за съобщение*);

come to 1) свестявам се, съвземам се, идвам на себе си; 2) достигам до; равнявам се на; **to ~ natural** удава ми се; струва ми се естествено;

come together 1) събирам се, съединявам се; 2) срещам се;

come under попадам под; класифициран съм като; обект съм на; **the government's plans for educational reform came under strong attack** плановете на правителството за образователна реформа бяха остро критикувани;

come up 1) идвам, приближавам се (to); идвам от по-малък град (село, училище); **we have elections coming up** предстоят избори; 2) качвам се; 3) израствам, възниквам (*и прен.*); възниквам; **his name has ~ up a lot** името му често се споменава, често става въпрос за него; 4) идвам, явявам се, излизам (*пред съд*);

come up against изправям се срещу (*проблем, трудност*);

come upon 1) натъквам се на, попадам на; 2) обземам, обхващам; **fear came upon him** обхвана го страх; 3) предявявам иск; 4) в тежест съм (*на някого*), обременявам (*някого*);

come up to достигам нивото на,

изравнявам се с; **to ~ up to the mark** *спорт.* заставам на стартовата линия; отговарям на изискванията; във форма съм;

come up with 1) излизам с (*предложение*), предлагам; 2) осигурявам, доставям (*сума*);

comeback [ˌkʌmbæk] *n* 1. *разг.* възвръщане, връщане, възстановяване (*на власт, популярност и пр.*); **to make a ~ back** изправям се след пропадане, възвръщам си власт (популярност); излизам отново на мода; спечелвам реванш; 2. *sl* рязък отговор, възражение; духовит (остроумен) отговор; 3. отплата, възмездие, ответен удар.

comedian [kəˈmiːdiən] *n* 1. автор на комедии; комик; 2. комичен актьор, комедиант; 3. комик; комедиант, несериозен човек.

comedic [kəˈmiːdik] *adj* комичен.

come-down [ˈkʌmdoun] *n разг.* 1. падение, залез; унижение; 2. разочарование.

comedy [ˈkɔmedi] *n* 1. комедия; ~ **of errors** комедия на грешките; 2. смешен (хумористичен) аспект, смешното (*в дадена ситуация*).

comeliness [ˈkʌmlinis] *n* 1. хубост, красота; миловидност; угледност; 2. приличие, благоприличие, порядъчност.

comely [ˈkʌmli] *adj* 1. миловиден, с приятна външност; хубав; угледен; 2. приличен, порядъчен; приятен.

comer [ˈkʌmə] *n* пришълец; новодошъл; **all ~s** всички, които идват за определен случай.

comestible [kəˈmestibəl] I. *adj* ядивен, хранителен; II. *n pl* хранителни продукти, провизии.

comet [ˈkɔmit] *n* комета.

comfort [ˈkʌmfət] I. *n* 1. утеха, разтуха, утешение; облекчение, успокоение; нещо, което действа успокоително; удоволствие; **cold ~** слаба утеха; 2. удобства, комфорт; **creature ~s** материални блага (*удобства, ядене и пиене*); *воен.* дребни предмети за лично ползване; II. *v* 1. утешавам, успокоявам; облекчавам; 2. *остар.* подпомагам, подкрепям; **guilty**

of comforting and assisting the rebels обвинен в подпомагане на бунтовниците.

comfortable [ˈkʌmfətəbl] *adj* 1. удобен, уютен, комфортен; 2. успокоителен, утешителен; 3. спокоен; облекчен; отпуснат; 4. достатъчен; **to have a ~ lead** имам голяма преднина (*в надпревара*), имам сериозни шансове за успех; 5. обезпечен, материално задоволен; 6. приятен, мил, благ.

comfortably [ˈkʌmfətəbli] *adj* 1. уютно, удобно; 2. достатъчно; **to be ~(well) off** заможен съм, обезпечен съм, осигурен съм; 3. с лекота, лесно; 4. спокойно, без притеснение.

comforting [ˈkʌmfətiŋ] *adj* успокоителен; ◇ *adv* **comfortingly**.

comfortless [ˈkʌmfətlis] *adj* 1. неудобен, неизгоден; 2. неутешим, безутешен, печален, скръбен, нещастен.

comic [ˈkɔmik] I. *adj* 1. комичен; ~ **writers** автори на комедии; 2. смешен, хумористичен, забавен; II. *n* 1. *разг.* комичен артист, комик; 2. кинокомедия; 3. хумористично списание (*и* ~ **book**); 4. *pl разг.* комикс.

comical [ˈkɔmikəl] *adj* смешен, забавен, комичен, шеговит; чуден, чудат, особен, странен, необикновен; ◇ *adv* **comically**.

comic strip [ˈkɔmikˈstrip] *n* комикс.

coming [ˈkʌmiŋ] I. *n* приближаване, доближаване; пристигане, идване; **the Second C.** *рел.* Второто пришествие; ~ **of age** пълнолетие; II. *adj* идващ, приближаващ, настъпващ.

coming-out [ˈkʌmiŋˈaut] 1. износ, експорт (*на стоки*); 2. въвеждане в обществото; ~ **party** първият бал на млада девойка при въвеждането ѝ в обществото.

comity [ˈkɔmiti] *n* вежливост, любезност, учтивост; ~ **of nations** взаимно признаване и спазване на законите, правата и обичаите между държавите.

comma [ˈkɔmə] *n* запетая; **inverted ~s** в кавички.

command [kəˈmɑːnd] I. *v* 1. запо-

вядвам, нареждам; **to ~ obedi-
ence** изисквам подчинение; 2. ко-
мандвам, управлявам, ръководя;
3. господствам над, владея; **to ~
the elements** владея природните
стихии; 4. налагам, вдъхвам, вну-
шавам (*симпатия, съчувствие и
пр.*); 5. разполагам с, имам на
разположение; **to ~ the services
of** ползвам се от услугите на; 6.
издигам се над, доминирам; *воен.*
държа позиция, държа под об-
стрел; **from the rock we could ~
a view of the loch** от скалата пред
нас се откриваше (гледката на)
езерото; 7. контролирам, възпи-
рам, въздържам; **to ~ oneself** вла-
дея се; 8. докарвам, нося; разпо-
лагам с пари; **it is not every day
that I ~ such a sum** рядко разпо-
лагам с толкова пари; II. *n* 1. за-
повед; команда; **at the word of ~**
при подадена команда; 2. господ-
ство, власт; разполагане; **to ~**
мандване; **to be in ~ of** команд-
вам (част); **under ~ of** под ко-
мандването на; 4. военновъздуш-
на част (единица); военна част;
fighter ~ изтребително подраз-
деление; 5. военен окръг; 6. *спец.,
англ.* кралска покана; ● **second in
~** *воен.* помощник-командир; **~
paper** документ, издаден от краля.
commandant [ˈkɔməndænt] *n* 1. на-
чалник, командир; 2. комендант.
commandeer [ˌkɔmənˈdiə] *v* 1. рек-
визирам, иземвам принудител-
но; 2. *разг.* присвоявам, задигам;
3. набирам принудително (*вой-
ници*).
commander [kəˈmaːndə] *n* 1. ко-
мандир; началник; главнокоман-
дващ (*на армия*); ръководител;
~ of guard началник на караула;
2. *мор.* капитан трети ранг; ко-
мандир на флотилия; 3. *техн.*
трамбовка.
commanding [kɔˈmaːndiŋ] *adj* 1.
командващ; **~ officer** командващ
офицер; 2. доминиращ; внуши-
телен; 3. властен, повеляващ
се; 4. разположен на високо; от
който се открива широка гледка
(*за местоположение*).
commando [kəˈmaːndou] *n воен.* 1.

отряд, военна част, команда; 2.
спец. отряд за диверсионни ак-
ции; 3. боец от десантен отряд,
командос.
command post [kəˈmaːndˈpoust] *n*
команден пункт, щаб.
commemorate [kəˈmeməreit] *v* 1.
празнувам (чествам, отбелязвам)
годишнина; 2. ознаменувам, от-
белязвам (*събитие*); 3.
служа за възпоминание (*за ста-
туя и пр.*).
commemoration [kəˌmeməˈreiʃən] *n*
1. празнуване, честване (*на го-
дишнина*); възпоминание; **in ~ of**
в памет на; 2. *рел.* помен.
commemorative [kəˈmemərətiv] *adj*
възпоменателен.
commencement [kəˈmensmənt] 1.
започване; начало; 2. *амер.* офи-
циално раздаване на дипломи от
висше учебно заведение.
commend [kəˈmend] *v* 1. препоръч-
вам; похвалвам; хваля, говоря
благоприятно за; **I'd like to ~ you
for your performance** поздравя-
вам те за доброто представяне;
2. *refl* харесвам се, нравя се; **the
project has much to ~ it** проек-
тът има много положителни стра-
ни (харесва ми); 3. поверявам,
предавам; **Father! to you I ~ my
spirit!** Господи, на теб предавам
духа си.
commendable [kəˈmendəbl] *adj* дос-
тоен за похвала; похвален; препо-
ръчителен; ◇ *adv* **commendably**
[kəˈmendəbli].
commendation [kəˈmendeiʃən] 1.
похвала; 2. препоръка.
commendatory [kəˈmendətəri] *adj*
1. препоръчителен; 2. хвалебст-
вен; 3. *рел.* който получава при-
ходите от незает бенефиций.
commensurable [kəˈmensərəbl] *adj*
съизмерим (with, to); пропорцио-
нален (to).
comment [ˈkɔment] I. *v* 1. коменти-
рам; изказвам се; тълкувам; обяс-
нявам (on); 2. правя обяснител-
ни бележки към текст (on към);
II. *n* 1. забележка; коментар; 2.
обяснителна бележка към текст,
анотация; 3. отражение; индика-
ция (on).

commentary [ˈkɔmintəri] *n* комен-
тар; обяснение; **running ~** комен-
тар, обяснителни бележки под
текст; **he kept up a running ~ of
remarks** той го придружаваше с
постоянни забележки (коментa-
рии).
commentation [ˌkɔmenˈteiʃən] *n* 1.
анотиране; тълкуване (*на текст*);
2. анотация.
commerce [ˈkɔməs] I. *n* 1. търго-
вия (*в голям мащаб*); **foreign ~**
външна търговия; **domestic ~** въ-
решна търговия; 2. общуване;
културни (духовни) връзки; 3.
остар. полов акт; II. *v* търгувам.
commercial [kəˈmə:ʃəl] I. *adj* тър-
говски, комерчески; **~ exploita-
tion of forests** комерческа екс-
плоатация на горите; II. *n* 1. те-
левизионна (радио) реклама; 2.
разг. търговски пътник.
comminate [ˈkɔmineit] *v* анатемос-
вам.
commination [ˌkɔmiˈneiʃən] *n рел.*
заплаха, заплашване с възмездие;
анатема.
comminatory [ˈkɔminətəri] *adj*
обикн. *рел.* заплашителен, заст-
рашителен.
commingle [ˈkɔmiŋgəl] *v* смесвам
(се), размесвам (се); съединявам.
comminute [ˈkɔminju:t] *v книж.*
стривам на прах; раздробявам;
разделям на части (*земя и пр.*);
~(compound) fracture *мед.* счуп-
ване на кост, фрактура.
comminution [ˌkɔmiˈnju:ʃən] *n* 1.
намаляване, смаляване, изчезва-
не; 2. финно стриване, разпраш-
ване.
commiserate [kəˈmizəreit] *v* съчувст-
вам; изказвам съчувствие, съ-
болезнования, съжаление (with).
commiseration [kəˌmizəˈreiʃən] *n* съ-
чувствие, състрадание, съпри-
частност.
commiserative [kəˈmizərətiv] *adj*
съчувствен, състрадателен, съп-
ричастен.
commissar [ˌkɔmiˈsaː] *n* комисар.
commission [kəˈmiʃn] I. *v* 1. упъл-
номощавам; 2. назначавам на
длъжност; произвеждам в офи-
церски чин; 3. възлагам, поръч-

вам; **4.** *мор.* подготвям за влизане в строя; **5.** *мор.* назначавам екипаж (капитан) на кораб; **II.** *n* **1.** поръчка; заповед, нареждане; предписание; ~ **of lunacy** предписание за изследване на душевното състояние на пациент; **2.** пълномощие; **I cannot go beyond my** ~ не мога да превиша правата си; **3.** комисиона; ~ **agent** комисионер; **4.** комисия; ~ **of peace** колегия от мирови съдии; **5.** допускане на грешка, извършване на престъпление; ~ **of murder** извършване на убийство; **sins of** ~ **and ommission** простъпки, допуснати в извършването или неизвършването на нещо; ● **in** ~ *мор.* готов за отплаване (*за кораб*); **6.** чин (длъжност) на военен; **to receive a** ~ получавам (имам) офицерски чин; **to resign a** ~ подавам оставка (*за офицер*); **7.** писмена заповед (грамота) за производство в офицерски чин и за мирови съдии (*и* ~ **of peace**); **8.** употреба; **to put into** ~ въвеждам в експлоатация, пускам в действие.

commissioned [kə'miʃənd] *adj* **1.** упълномощен; който има пълномощия; **2.** *воен.* произведен; ~ **officer** офицер (*срв.* **non-commissioned** подофицер); **3.** *мор.* който то е с назначен екипаж и готов за отплаване (*за кораб*).

commit [kə'mit] *v* (-tt-) **1.** извършвам (*престъпление и пр.*); **to** ~ **suicide** самоубивам се; **2.** заделям, определям, наричам (*за определена цел*); **to** ~ **more money to the poorest nations** отделям повече пари за най-бедните нации; **3.** *refl:* **to** ~ **oneself** компрометирам се; обвързвам се, ангажирам се; поемам задължение (*обикн. опасно*); **4.** изпращам (в психиатрична болница, затвор); **5.** поверявам, предавам (**to**); **to** ~ **for trial** предавам на съд; **6.** предавам законопроект (*в комисия*); **7.** *воен.* предавам на съд; **8.** ангажирам, заплитам в.

commitment [kə'mitmənt] *n* **1.** ангажимент, обвързаност, всеот-

дайност; **2.** задължение, дълг (*и паричен*); **3.** предаване, поверяване; **4.** затваряне, изпращане в затвор (психиатрия); **5.** заповед за затваряне; **6.** извършване (*на престъпление*.

committed [kə'mitid] *adj* обвързан, ангажиран, посветен.

committee₁ [kə'miti] *n* **1.** комитет; комисия; **standing** ~ постоянен комитет; **2.** *attr* комитетски; на комисия; ~ **meeting** заседание на комисия (комитет).

committee₂ [,kɔmi'ti:] *n* юр. опекун; настойник.

commix [kə'miks] *v* смесвам.

commixture [kə'mikstʃə] *n* смес.

commode [kə'moud] *n* **1.** скрин, шкаф; **2.** *остар.* клозет.

commodious [kə'moudiəs] *adj* **1.** просторен, обширен; **2.** *рядко* удобен.

common ['kɔmən] **I.** *adj* **1.** обикновен, обичаен, (широко)разпространен, чест; ~ **knowledge** общоизвестен факт; **2.** общ; съвместен; ~ **lot** обща участ; **3.** обикновен, прост; ~ **run of people** прости хора; **4.** елементарен; който е налице у повечето хора (*за прилика, любезност*); **5.** вулгарен, груб, прост; ~ **as muck** недодялан, груб, прост; ● ~ **council** градски съвет; **6.** обществен; публичен; ~ **land** общинска мера; **II.** *n* **1.** обща (общинска) земя, мера; неоградена, необработена земя; **2.** *юр.* право на ползване на чужди пасбища, води и пр.; ● **to have nothing in** ~ (**with**) нямам нищо общо с, съвсем не си приличаме.

commonly ['kɔmənli] *adv* **1.** обикновено; най-вече; **2.** просто, евтино.

commonness ['kɔmənnis] *n* **1.** разпространеност; **2.** простотия, вулгарност.

commonplace ['kɔmənpleis] **I.** *adj* обикновен, прост; безинтересен, скучен, банален, изтъркан, всекидневен; **II.** *n* **1.** баналност; всекидневна тема; **2.** глупава (плоска) забележка; **3.** известен (прочут) пасаж, който се записва в бе-

лежник; **III.** *v* **1.** вписвам пасаж и пр. в бележник; **2.** повтарям банални неща.

commons ['kɔmənz] *n* **1.** народът, третото съсловие; **2. the House of** ~ Камарата на общините; **3.** *остар.* стол; ● **Doctor's C.** *истор.* асоциация на юристите по граждански дела; църковен и адмиралтейски съд.

common sense ['kɔmən'sens] **I.** *n* разум; здрав разум; **II.** *adj* (**common-sense**) разумен, трезв.

commonwealth ['kɔmənwelθ] *n* **1.** държава; република; **the C.** английска република по времето на Кромуел; **2.** федерация, сдружение; общност; **the British C.** (**of Nations**) Британската общност.

commotion [kɔ'mouʃən] *n* **1.** вълнение, възбуда; сътресение; ~ **of the nerves** нервна възбуда; **2.** безредици, размирици, бунт; смут, суматоха.

communal ['kɔmjunəl] *adj* **1.** обществен, колективен; **2.** комунален; общински; ◇ *adv* **communally.**

commune₁ [kə'mju:n] **I.** *v* **1.** общувам; разговарям, беседвам, събеседвам (**with**); **2.** причествам се; **II.** *остар.* беседване, събеседване; общуване.

commune₂ ['kɔmjun] *n* **1.** комуна; **the (Paris) C.** Парижката комуна; **2.** община (*в някои западноевропейски страни*).

communicant [kə'mju:nikənt] **I.** *adj* съобщителен, комуникационен; *анат.* свързващ се, съобщителен (**with**); **II.** *n* **1.** *рел.* човек, който се причестява; **2.** носител на сведения (новини), информатор.

communicate [kə'mju:nikeit] *v* **1.** общувам (**with**); във връзка съм; съобщавам, предавам (*новина и пр.*) (**to**); **3.** свързвам се (**with**); **the sitting room** ~**s with the bedroom** дневната е свързана със спалнята; **4.** разнасям, предавам болест, заразявам; **5.** *рел.* причествам се; давам причастие.

communication [kə,mju:nikeiʃən] *n* **1.** комуникация; **2.** съобщение, известие; връзка; съобщаване, пре-

даване; **to receive a ~** получавам съобщение; 3. свързване (*за помещения и пр.*); • **privileged ~** професионална тайна.

communion [kə'mju:niən] *n* 1. общуване, взаимност; 2. *рел.* причастие; 3. размяна на мисли, събеседване; 4. *рел.* община, общност, общество; секта, вероизповедание; 5. общност, община; 6. участие; 7. *attr* за причастие; **~ table** олтар.

communiqué [kə'mju:nikei] *фр. n* официално съобщение, комюнике.

communism ['kɔmjunizəm] *n* комунизъм.

communist ['kɔmjunist] I. *n* комунист; II. *adj* комунистически; **the C. Manifesto** Комунистическият манифест.

community [kə'mju:niti] *n* 1. община; църковна община; **the Christian ~** християнската общност; християните; 2. общество (*обикн.* **the ~**); **the interests of the ~** интересите на обществото; 3. колония; **the Chinese ~ in San Francisco** китайската колония в Сан Франциско; 4. общност, взаимност; **~ of property (of goods)** общо владение на имот; **~ of interests** общи интереси, общност в интересите.

communization [kɔmjunai'zeiʃən] *n* комунизиране, комунизация.

commutable [kə'mju:təbəl] *adj* заменяем, заменим, сменяем.

commutation [ˌkɔmju'teiʃən] *n* 1. размяна, замяна, смяна, промяна; промяна в начина на заплащане; *истор.* комутация; 2. намаляване, смекчаване на наказание; **~ of death penalty** замяна на смъртно наказание; 3. *ел.* комутация; 4. абонаментна карта за пътуване с влак, трамвай и под. (*u ~ ticket*).

commutator ['kɔmjuteitə] *n* 1. колектор (*на електродвигател*); 2. комутатор; превключвател.

commute [kə'mju:t] I. *v* 1. пътувам с карта (всеки ден); 2. заменям, сменям, разменям, заменям един начин на заплащане с друг (**for,**

into); 3. намалявам (смекчавам) наказание; **to ~ a death sentence to life imprisonment** заменям смъртна присъда с доживотен затвор; 4. плащам сума наведнъж вместо на няколко вноски, като ползвам известно намаление; 5. *ел.* променям посоката на тока; II. *n амер.* разстояние, което се изминава ежедневно до работното място.

compact₁ ['kɔmpækt] 1. споразумение, договор, спогодба, съглашение, пакт; **the social ~** обществен договор; 2. заговор.

compact₂ [kəm'pækt] I. *adj* 1. плътен, компактен, стегнат; сбит; **~ city** град без бедни квартали; 2. стегнат, добре сложен, спретнат; II. *v* 1. сгъстявам, притискам, правя плътен; сбивам; *прен.* сплотявам, стабилизирам; 2. *метал.* пресовам с матрица; 3. сключвам, подписвам договор.

compaction [kəm'pækʃən] *n* пресоване, сбиване.

compactness [kəm'pæknis] *n* 1. компактност; 2. уплътнение, плътност.

companion [kəm'pæniən] I. *n* 1. другар(ка); съпруг(а); **a ~ in arms** боен другар; 2. съучастник, съдружник; 3. компаньон, събеседник; **a poor (not much of a) ~** скучен събеседник; 4. (случаен) спътник, придружител, компаньон; 5. еш, единият от чифт предмети; 6. кавалер на най-ниска степен рицарски орден; 7. справочник, наръчник; **the Gardeners's C.** справочник на градинаря; II. *v* придружавам, съпровождам.

companionable [kəm'pænjənəbəl] *adj* общителен; приятен; дружелюбен; забавен; ◇ *adv* **companionably** [kəm'pænjənəbli].

companionship [kəm'pæniənʃip] *n* общуване, дружба, другарство, компания; **to enjoy the ~ of** общувам с.

company ['kʌmpəni] *n* 1. *търг.* компания, фирма, дружество; **an insurance ~** застрахователна компания; 2. общество, компания; познанство; **in ~ with** заедно с;

present ~ excepted *разг.* присъстващите правят изключение; • **a man is known by the ~ he keeps** кажи ми кои са ти приятелите, за да ти кажа какъв си; 3. гост, гости; посетител; **to put on o.'s ~ manners** държа се като за пред гости; 4. *театр.* трупа; **stock ~** постоянен състав, трупа; 5. *мор.* екипаж; **ship's ~** екипаж на кораб; 6. военна рота.

comparability ['kɔmpərə'biliti] *n* 1. сравнимост; 2. подобие, идентичност.

comparable ['kɔmpərəbəl] *adj* 1. сравняем, сравним (**with, to**); ◇ *adv* **comparably** ['kɔmpərəbli]; 2. подобен, идентичен.

comparative [kəm'pærətiv] I. *adj* 1. сравнителен; **~ analysis** сравнителен анализ; 2. относителен; **~ safety** относителна безопасност; II. *n език.* сравнителна степен, компаратив.

compare [kəm'peə] I. *v* 1. сравнявам, съпоставям (**with, to**); **to ~ (un)favourably with** по-добър (по-лош) съм от; 2. сравнявам (се), поставям (се) наравно с; **nothing ~d with her artistic excellence** нищо не може да да се сравни с артистичното ѝ съвършенство; 3. уподобявам; оприличавам; 4. *език.* образувам сравнителна и превъзходна степен; • **to ~ notes (observations)** сравнявам записки (наблюдения); разменям мнения (впечатления); II. *n остар.* сравнение; **that is beyond (past, without) ~** това е несравнимо.

comparison [kəm'pærisən] *n* 1. сравнение; **there is no ~ between A and B** не може и дума да става за сравнение между A и B; 2. сходство, уподобяване; 3. *език.* степени за сравнение.

compart [kəm'pa:t] *v* разделям, разпределям.

compartment [kəm'pa:tmənt] *n* 1. отделение; купе (*във влак*); **watertight ~** *мор.* плътно затворено, непропускащо вода помещение на кораб; 2. *архит.* касетка, килийка, кесон (*на таван и пр.*); **~ ceiling** архитектурно оформен

таван; **3.** преграда, преградка, кутийка, отделение; **gloves ~** джабка (*в автомобил*); **4.** глава, раздел (*на закон*).

compass [kʌmpəs] **I.** *n* **1.** компас; **points of the ~** посоките на компаса; **2.** *pl* пергел (*u* **pair of ~es**); **3.** обхват, обсег, обем; **4.** *прен.* граница, размер, предел; **within the ~ of** в границите (пределите) на; **• to fetch a ~** заобикалям, говоря със заобикалки; **5.** *муз.* регистър; **6.** окръжност; *остар.* кръг; **~ window** *архит.* кръгъл прозорец; **II.** *adj* **1.** компасен; **2.** полукръгъл; **III.** *v* **1.** *остар.* заобикалям, обхождам; обграждам, обкръжавам; **to ~ about** заобикалям, обхождам; **2.** постигам, осъществявам, реализирам; успявам; **to ~ o.'s ends** постигам целите си; **3.** замислям, кроя, планирам, подготвям (*нещо лошо*); кроя да убия някого; **4.** схващам; **why this should be so my mind cannot ~** недоумявам защо трябва да е така.

compassion [kəmˈpæʃn] *n* жалост, жал; съчувствие, състрадание.

compassionate [kəmˈpæʃənit] **I.** *adj* съчувствен, състрадателен, жалостив, милостив; **~ leave** отпуск заради тежка болест или смърт в семейството; ◇ *adv* **compassionately; II.** *v* съжалявам, съчувствам, състрадавам.

compatibility [kəmˌpæti'biliti] *n* съвместимост; съгласуваност.

compatible [kəmˈpætibl] *adj* съвместим; съгласуващ се (**with**); съответстващ; *инф.* който може да работи съвместно, съвместим (**with** с) (*за програми, хардуер*); функционално еквивалентен, който работи като, съвместим (*за компютър, процесор и пр.*).

compatriot [kəmˈpætriət] *n* сънародник, съотечественик, компатриот.

compel [kəmˈpel] *v* **1.** принуждавам, заставям, насилвам, карам насила; **he ~led me out of the room** той ме избута от стаята; **2.** *поет.* карам, подкарвам.

compelling [kəmˈpeliŋ] *adj* непрео-

долим; неустоим; властен; **a ~ force** непреодолима сила; ◇ *adv* **compellingly.**

compensate [ˈkɔmpenseit] *v* **1.** възнаграждавам, отплащам (се) (*за услуга*); компенсирам; обезщетявам; **a mechanism to ~ for inflation** механизъм за неутрализация на инфлацията; **2.** *техн.* балансирам, уравновесявам; **3.** плащам.

compensation [ˌkɔmpenˈseiʃn] *n* **1.** възнаграждение, отплащане, компенсация, обезщетение; **2.** *техн.* балансиране, уравновесяване; **3.** плащане.

compensative, -tory [ˈkɔmpensətiv, -təri] *adj* компенсиращ, компенсационен; изравнителен; **~ lengthening** *език.* удължаване на гласна вследствие на изчезването на някой звук.

compensator [ˈkɔmpenseitə] *n* *техн.* автотрансформатор; компенсатор.

compete [kəmˈpiːt] *v* **1.** състезавам се, съревновавам се, съпернича (**with**); **2.** конкурирам (**with ... for**).

competence, -cy [ˈkɔmpitəns, -si] *n* **1.** способност; дарба; **2.** компетентност, компетенция, вещина, опитност; **3.** добро материално положение; доход; **be content with a modest ~** задоволявам се със скромен доход; **4.** *юр.* компетенция.

competent [ˈkɔmpitənt] *adj* **1.** компетентен; подготвен, осведомен, вещ; способен; ◇ *adv* **competently; 2.** достатъчен, задоволителен; **3.** *юр.* правоспособен, пълноправен; **4.** допустим, позволен, разрешен; основателен; **5.** установен, законен; **6.** здрав, устойчив, издръжащ товар.

competition [ˌkɔmpiˈtiʃn] *n* **1.** съперничество, надпревара, състезаване; **2.** *спорт.* състезание, надпревара; **3.** конкуренция; конкурент; конкуриращ продукт; **cutthroat ~** жестока конкуренция; **4.** съревнование; **5.** конкурс; конкурсен изпит.

competitive [kəmˈpetitiv] *adj* **1.** състезателен, конкурсен; **2.** конку-

рентноспособен; **3.** който се съревновава; амбициозен; настървен; ◇ *adv* **competitively.**

competitiveness [kəmˈpetitivnis] *n* **1.** конкурентноспособност; **2.** настървеност за постижения, амбицираност.

competitor [kəmˈpetitə] *n* **1.** конкурент; съперник; **2.** състезател.

compilation [ˌkɔmpiˈleiʃn] *n* компилатор; компилация.

compile [kəmˈpail] *v* **1.** събирам (*факти, данни*), съставям; компилирам; **to ~ a dictionary** съставям речник; **2.** *инф.* компилирам.

complacence, -cy [kəmˈpleisəns, -si] *n* **1.** самодоволство; тихо задоволство, наслада; **2.** *остар.* благодушие, добродушие, добросърдечност, благост.

complacent [kəmˈpleisənt] *adj* **1.** самодоволен; самонадеян; ◇ *adv* **complacently; 2.** *остар.* добродушен, благодушен, добросърдечен, благ.

complain [kəmˈplein] *v* **1.** оплаквам се, жаля се; изказвам недоволство, недоволствам, роптая (**of**); подавам оплакване, жалба, жалвам се, обжалвам; **3.** *поет.* плача, окайвам се.

complainant [kəmˈpleinənt] *n* тъжител; *юр.* ищец.

complaint [kəmˈpleint] *n* **1.** оплакване, недоволство, негодувание, роптание; **2.** болка, болест, оплакване; **3.** *юр.* жалба, оплакване; **~s book** книга за жалби и оплаквания.

complaisance [kəmˈpleisəns] *n* услужливост; вежливост, учтивост, любезност; благосклонност.

complaisant [kəmˈpleisənt] *n* услужлив, вежлив, учтив; внимателен, мил, любезен; благосклонен; отстъпчив.

complement I. [ˈkɔmpliˈment] *v* допълвам, добавям; завършвам; **II.** [ˈkɔmplimənt] *n* **1.** допълнение; добавка; **subject ~** *език.* сказуемно определение; **2.** комплект; **3.** *мор.* екипаж, пълен състав.

complementary [ˌkɔmpliˈmentəri] *adj* допълнителен; добавъчен; до-

пълващ се; ~ **angles** *мат.* допълнителни ъгли (до 90°).

complete [kəm'pli:t] I. *adj* 1. съвършен; пълен, абсолютен, стопроцентов; **he is a ~ fool** той е същински глупак; 2. пълен, цялостен, завършен; ◇ *adv* **completely**; **a ~ dinner service** пълен сервиз (*от съдове за хранене*); 3. *остар.* вещ; опитен; изкусен; II. *v* 1. завършвам, довършвам; 2. попълвам, комплектувам; 3. усъвършенствам.

completion [kəm'pli:ʃən] *n* 1. завършване, завършък; 2. цялостност, пълнота.

complex ['kɔmpleks] I. *adj* 1. сложен, съставен; съвкупен; комплексен; ~ **system of voting** сложна система за гласуване; 2. *прен.* сложен, объркан, заплетен; труден, комплициран; II. *n* 1. *псих.* комплекс; **inferiority** ~ комплекс за малоценност; 2. комплекс (от сгради с определено предназначение); система; 3. *разг.* мания, фикс-идея.

complexion [kəm'plekʃən] *n* 1. цвят на кожата (*обикн. на лицето*), тен; **to be of fair** ~ белолик съм; 2. външност; вид, характер; **people with varing political** ~ хора с различни политически убеждения; 3. *остар.* настроение; темперамент.

compliance [kəm'plaiəns] *n* 1. отстъпване, съгласяване; съгласие; **in** ~ **with** съгласно с, съобразно с; 2. отстъпчивост; услужливост; 3. угодничество, сервилност, раболепие; 4. еластична деформация.

compliant [kəm'plaiənt] *adj* 1. услужлив, вежлив; отстъпчив; 2. угодлив, угоднически, сервилен, раболепен.

complicate ['kɔmplikeit] I. *v* усложнявам; обърквам, забърквам; затруднявам; комплицирам; II. *adj* *бот., зоол.* нагънат, вгънат.

complication [ˌkɔmplikeiʃən] *n* 1. сложност; усложненост; обърканост; усложняване, забъркване, оплитане, комплициране, компликация; 2. усложнение (*и мед.*).

compliment I. ['kɔmplimənt] *n* 1. комплимент; похвала; неискрен комплимент, ласкателство; **to pay a** ~ правя комплимент; 2. любезност; 3. поздравление, приветствие, поздрав; 4. подарък, дар; II. ['kɔmpliment] *v* 1. правя комплимент; 2. проявявам любезност, услужливост; 3. подарявам, дарявам, предоставям; **he** ~**ed us with tickets for the exhibition** той беше така любезен да ни прати билети за изложбата; 4. поздравявам, приветствам.

complimentary [ˌkɔmpli'mentəri] *adj* 1. ласкателен, любезен, похвален, хвалебствен; 2. поздравителен; • ~ **ticket** покана; гратис.

complot ['kɔmplɔt] I. *n* конспирация, заговор, съзаклятие, комплот; II. заговорнича, конспирирам, комплотирам.

comply [kəm'plai] *v* 1. отстъпвам; съгласявам се (**with**); съобразявам се; 2. спазвам, придържам се, изпълнявам (**with**); 3. подчинявам се.

comport [kəm'pɔ:t] *v* 1. *refl* държа се; **to** ~ **oneself with modesty** държа се скромно; 2. съгласувам се (**with**); съответствам, подхождам.

compose [kəm'pouz] *v* 1. съставям, образувам; състоя се от; 2. композирам, съчинявам; пиша; творя; 3. *муз.* композирам, компонирам, пиша музика; 4. *изк.* скицирам, планирам (*картина*); аранжирам (*кадър, образ за фотографиране*); 5. *полигр.* набирам; 6. успокоявам, помирявам; изглаждам, уреждам; **to** ~ **oneself** успокоявам се, съвземам се.

composed [kəm'pouzd] *adj* сдържан, спокоен; улегнал; ◇ *adv* **composedly**.

composedness [kəm'pouzidnis] *n* спокойствие; сдържаност.

composite ['kɔmpəzit] I. *adj* 1. съставен, сложен; комбиниран; ~ **style** смесен стил (*от коринтски и йонийски*); 2. *бот.* сложноцветен; II. *n* 1. смес; съчетание; 2. *бот.* сложноцветно растение.

composition [ˌkɔmpə'ziʃn] *n* 1. съставяне, съединяване, учредяване;

композиране; устройване; 2. *изк.* композиция; литературно или музикално произведение; **freedom to experiment with complex form of** ~ свобода за експериментиране със сложни композиционни форми; 3. *уч.* съчинение; 4. състав; сплав, смес; изкуствена материя; **he seemed to be a** ~ **of several persons** в него като че ли живееха няколко души; 5. компромис; взаимно споразумение; *воен.* споразумение за примирие; 6. природа, характер, устройство, същина; 7. *полигр.* набор, набиране.

compost ['kɔmpɔst] I. *n* 1. смес; смесица; 2. листовка, тор, смесен тор, компост; II. *v* 1. наторявам, обогатявам; 2. превръщам в тор (*за остатъци от растения*).

composure [kəm'pouʒə] *n* 1. самообладание, спокойствие; спокойно (хладнокръвно) поведение; 2. нареждане, съставяне.

compound I. *n* 1. смес; съединение; **organic** ~ органично съединение; 2. *език.* сложна дума; II. ['kɔmpaund] *adj* сложен, съставен; *език.* сложно съчинен; III. [kəm'paund] *v* 1. смесвам, съставям; съединявам, комбинирам; 2. споразумявам се; уреждам (*сметка, дълг и пр.*); погасявам частично дълг; 3. *юр.* опрощавам дълг; **to** ~ **a felony** укривам закононарушение (престъпление); 4. плащам (*членски внос*) с еднократна вноска.

comprehend [ˌkɔmpri'hend] *v* 1. разбирам, схващам, проумявам; 2. обхващам, обгръщам, включвам.

comprehension [ˌkɔmpri'henʃən] *n* 1. разбиране, схващане; **listening** ~ *уч.* слушане с разбиране; 2. обхващане, обемане, обгръщане, включване.

compress I. [kəm'pres] *v* 1. сгъстявам, свивам, стягам, комприрам; 2. *прен.* сбивам, стеснявам (*мисли, стил и пр.*); натъпквам; II. ['kɔmpris] *n* компрес.

comprise [kəm'praiz] *v* 1. обемам, обхващам; включвам; състоя се

от; съдържам; сумирам; съчиня-
вам; the ground floor ~d a shop,
a sitting room and a kitchen дол-
ният етаж се състоеше от мага-
зин, дневна и кухня; 2. съставля-
вам, оформям; the multitude of
ideas, ambitions and regrets that
~ Russia today множеството идеи,
амбиции и съжаления, които със-
тавляват днешна Русия.

compromise ['komprəmaiz] I. *n*
компромис, отстъпка; съгласие;
разбирателство; спогодба; **logic
admits of no ~** логиката не тър-
пи компромиси; II. *v* 1. правя
(постигам) компромис; помиря-
вам се (**with**); 2. излагам на рис-
кове; 3. компрометирам (се), из-
лагам (се), злепоставям (се).

compulsion [kəm'pʌlʃən] *n* 1. при-
нуждаване, принуда; насилие; **un-
der (upon)** ~ по принуда, под на-
тиск, под давление; 2. *псих.* нат-
рапчив (непреодолим) импулс.

compulsive [kəm'pʌlsiv] *adj* 1. при-
нудителен; ~ **reading** задължи-
телен прочит; 2. *псих.* натрап-
чив; непреодолим; **his ~ tendency
to lie** непреодолимата му склон-
ност да лъже; **a ~ liar** непопра-
вим лъжец; ◇ *adv* **compulsively**.

compunction [kəm'pʌŋkʃən] *n* уг-
ризение; съжаление, разкаяние;
покаяние.

computation [,kompju:'teiʃən] *n* из-
числяване, пресмятане; изчисле-
ние, сметка; **round** ~ приблизи-
телно пресмятане (изчисление).

compute [kəm'pju:t] I. *v* пресмя-
там, правя сметка на; изчисля-
вам; II. *n* рядко изчисление; **be-
yond** ~ неизчислим, неизброим.

computer [kəm'pju:tə] *n* 1. компю-
тър; електронно-изчислителна
машина с голяма скорост на ма-
тематически и логически опера-
ции по зададена програма; ~
aided, -assisted с помощта на ком-
пютър; 2. *attr* компютърен; ~ **vi-
rus** компютърен вирус.

computer game [kəm'pju:tə'geim] *n*
компютърна игра.

computerize [kəm'pju:təraiz] *v* ком-
пютъризирам, въвеждам използ-
ването на компютри.

comradely ['komridli] *adj* приятел-
ски, другарски.

comstock ['komstək] *n sl* реформа-
тор.

con [kon] *v* 1. преглеждам внима-
телно; **to ~ the news** преглеждам
новините; 2. уча наизуст, зауча-
вам, наизустявам (*и с* **over**).

concatenate [kon'kætineit] I. *v* свър-
звам, съединявам (*като във ве-
рига*); II. *adj* съединен.

concatenation [kon,kæti'neiʃən] *n* 1.
свързване; серия, наниз, низ, ве-
рига, поредица, последовател-
ност; 2. връзка; *филос.* причин-
на връзка; 3. *ел.* стъпално (кас-
кадно) съединение.

conceal [kən'si:l] *v* скривам, прик-
ривам, крия; маскирам.

concede [kən'si:d] *v* 1. признавам,
отстъпвам (*в спор*); **to ~ the need
for** признавам нуждата от; 2. от-
стъпвам (*нещо*), отказвам се от
(*в нечия полза*), давам; **the strike
ended after the government ~ed
some of the demands of the stri-
kers** стачката приключи, след ка-
то правителството изпълни ня-
кои от исканията на стачкуващи-
те; 3. *спорт.* допускам, позволя-
вам (*да ми вземат точки, да ми
вкарат гол*) **to ~ a goal** допус-
кам гол.

conceit [kən'si:t] I. *n* 1. самомне-
ние; самонадеяност; надутост,
превзетост; **to fall in o.'s own ~**
падам в собствените си очи; ● **to
be out of ~** разочаровам се от; 2.
лит. кончето, пресилено литера-
турно сравнение; II. *v остар.* съз-
давам, измислям, скроявам.

conceited [kən'si:tid] *adj* 1. самом-
нителен, самонадеян, високоме-
рен; тщеславен, славолюбив; суе-
тен; надут; 2. *остар.* остроумен,
находчив; духовит.

conceive [kən'si:v] *v* 1. представям
си (*остар., и с* **of**); смятам, счи-
там; приемам; мисля; **she could
not ~ of anybody enjoying their
company** не можеше да си пред-
стави, че на някого може да му
бъде приятно с тях; 2. измислям,
кроя; **a well ~ed project** добре
замислен проект; 3. зачевам; 4.

прен. поражда се у мене; **to ~ an
affection (dislike) for** привързвам
се към (намразвам) някого; 5.
изразявам, формулирам (*обикн.
pass*); **it is ~ed in plain terms** яс-
но (просто) изразено е.

concentrate ['konsəntreit] I. *v* 1.
съсредоточавам (се); концентри-
рам (се) (**on, upon**); 2. *хим.* сгъс-
тявам, концентрирам; **to ~ acid
by evaporation** концентрирам ки-
селина чрез изпарение; 3. *мин.*
концентрирам, обогатявам руда,
метал и пр.; II. *n* концентрат.

concentration [,konsən'treiʃən] *n* 1.
концентрация; съсредоточаване;
съсредоточеност; **the ~ of all
power in the hands of a single per-
son** съсредоточаване на цялата
власт в ръцете на един човек; 2.
хим. сгъстяване; концентрат; 3.
мин. обогатяване на руда, кон-
центриране; концентрат.

concentration camp [,konsəntreiʃən
'kæmp] *n* концлагер, концентра-
ционен лагер.

conception [kən'sepʃən] *n* 1. схва-
щане, възглед, разбиране; кон-
цепция; представа, понятие, идея;
2. замисъл, идея; план; 3. оплож-
дане, зачеване; зачатие; **the Im-
maculate ~** *библ.* непорочното за-
чатие на Дева Мария; 4. начало.

concern [kən'sə:n] I. *n* 1. безпокойс-
тво, грижа, тревога; **to express ~
about** изразявам загриженост за;
2. работа; отношение; интерес;
have no ~ with нямам нищо об-
що с; 3. концерн; предприятие;
a going (flourishing) ~ предприя-
тие, което върви добре, преуспя-
ващо предприятие; 4. дял, част;
he has a ~ in the business той е
съдружник в предприятието; 5.
значение, важност; **a matter of
great ~** много важна работа (от
голямо значение); II. *v* 1. безпо-
коя, грижа, тревожа, занимавам;
to be ~ed about (for) s.o. загри-
жен съм за някого; 2. *refl* инте-
ресувам се, занимавам се (**with,
in, about**); **to ~ oneself with poli-
tics** занимавам се с политика; 3.
отнасям се, касая се; засягам; **as
~s** що се отнася до; 4. *pass* заме-

сен съм (in); **accused of being ~ed in a riot** обвинен за участие в бунта.

concerned [kən'sə:nd] *adj* 1. зает; ангажиран; заинтересован; засегнат; **parties ~ed** заинтересовани страни; 2. обезпокоен, загрижен, угрижен; **a ~ neighbour** обезпокоен съсед.

concert ['kɔnsət] I. *n* 1. концерт; **to appear in ~** давам представление на живо; 2. съгласие, единодушие; **in ~ with** съвместно с; II. *v* [kən'sə:t] 1. уговарям; замислям; кроя; 2. действам в съгласие, съгласувам, сговарям се; уговарям се (обикн. **together**); пея в синхрон с; **I hope the countries involved will ~ their policies** надявам се, че засегнатите страни ще съгласуват действията си.

conciliate [kən'silieit] *v* 1. омекотявам, умилостивявам; спечелвам благоразположението на; 2. остар. съгласувам, помирявам; **to ~ incompatible qualities** съчетавам несъвместими качества.

conciliation [kən,sili'eiʃən] *n* умилостивяване, спечелване; помирение; помиряване, сдобряване; спогаждане; **court of ~** помирителен съд.

conclude [kən'klu:d] *v* 1. заключавам, правя заключение (извод); 2. свършвам, приключвам, завършвам; **to ~** накрая, за да завърша; 3. сключвам; **to ~ a business deal** сключвам търговска сделка; 4. решавам; 5. остар. ограничавам.

conclusion [kən'klu:ʒən] *n* 1. заключение, извод, конклузия; умозаключение; **to arrive at (come to, draw, reach) a ~** идвам до заключение, правя извод; 2. завършване, приключване; край; **to bring to a ~** довеждам докрай, завършвам; 3. сключване (на договор); 4. изход, резултат; 5. последно решение; ● **to try ~s** 1) пробвам, изпитвам, изследвам; 2) премервам си силите с някого (**with**).

conclusive [kən'klu:siv] *adj* 1. заключителен, конклузивен; 2. ре-

шаващ, убедителен, окончателен; **~ tone** убедителен тон; ◇*adv* **conclusively**.

concoct [kən'kɔkt] *v* 1. сваряввам, правя отвара от; 2. прен. съчинявам, измислям (интриги и пр.); скалъпвам, изфабрикувам; съставям; готвя, подготвям (заговор и пр.); **to ~ an excuse** скалъпвам извинение; 3. техн. концентрирам.

concomitant [kən'kɔmitənt] I. *adj* съпътстващ; едновременен; II. *n* съпътстващо обстоятелство (често и *pl*); **joy is the ~ of productive activity** радостта съпътства конструктивната дейност.

concord ['kɔnkɔ:d] I. *n* 1. съгласие, съглашение, конкордия; договор; 2. съгласуване, съгласуваност (и език.); съчетание; 3. муз. хармония; 4. мир; покой; 5. юр. споразумение; II. *v* 1. в съгласие съм, в хармония с; 2. споразумявам се.

concourse ['kɔnkɔ:s] *n* 1. натрупване, струпване, стичане; стечение; **a greaty ~ of people** огромно стичане на народ; 2. тълпа; множество; 3. широка зала в гара; чакалня; 4. алея (в парк), булевард; 5. пресичане на няколко улици (алеи); 6. амер. спортно игрище, стадион.

concrete ['kɔnkri:t] I. *adj* 1. конкретен, действителен, реален, предметен; **a ~ number** реално (неимагинерно) число; ◇ *adv* **concretely**; 2. бетонен; 3. втвърден; здрав, солиден; II. *n* 1. бетон; **set (embedded) in ~** твърд, окончателен, неподлежащ на промени; 2. език. конкретно съществително; ● **on the ~** практически; III. *v* 1. бетонирам; 2. [kən'kri:t] слепвам (се), срастваме; сгъстявам (се); втвърдявам (се), стягам се.

concur [kən'kə:] *v* 1. съгласявам се, на едно мнение съм (**with**); **he ~ed with the opinion of his patient** съгласи се с мнението на пациента си; 2. съвпадам; съгласувам се; съответствам; 3. съдействам; сътруднича.

concurrent [kən'kʌrənt] I. *adj* 1. ед-

новременен; **~ sessions** паралелни сесии; 2. равностоен, равен; 3. съгласуващ се, хармониращ; съвместен; ◇ *adv* **concurrently**; II. *n* съгласуващо се действие (обстоятелство).

concuss [kən'kʌs] *v* 1. разтърсвам силно; потрисам, раздрусвам; 2. причинявам мозъчно сътресение; 3. прен. сплашвам, принуждавам (**into**).

concussion [kən'kʌʃən] *n* 1. разтърсване, сътресение; удар; мозъчно сътресение; 2. контузия.

condemn [kən'dem] *v* 1. осъждам; укорявам, порицавам, упреквам; не одобрявам; **to ~ the latest wave of violence** осъждам последната вълна на насилие; 2. обричам; юр. осъждам; 3. бракувам; 4. обявявам за негоден за употреба; обявявам за неизлечим; 5. издавам, уличавам; 6. конфискувам (кораб, стока).

condense [kən'dens] *v* 1. сгъстявам, уплътнявам, кондензирам; 2. прен. придавам стегната форма (на стил и пр.); съкращавам; 3. хим. втечнявам, кондензирам (газове); 4. ел. усилвам напрежението на тока; 5. концентрирам (за светлина, лъчи).

condescend [,kɔndi'send] *v* 1. благоволявам (**to** *c inf*); 2. отнасям се снизходително, гледам отвисоко, проявявам снизхождение (**to** към); **I won't be ~ed to** не желая (няма да позволя) да се отнасят снизходително към мен (да гледат на мен отвисоко); 3. унижавам се, падам ниско (**to** дотам, че да); **to ~ to trickery** прибягвам до евтини номера (мошеничество).

condition [kən'diʃən] I. *n* 1. условие; **on ~ that** при условие, че; 2. *pl* условия (на живот, работа и пр.); обстоятелства; **under existing ~s** при наличните условия; 3. състояние, кондиция; **in mint ~** в отлична форма (състояние); **in a ~ of service, in working ~** в изправност; 4. положение; **in a certain (delicate) ~** в положение, бременна; 5. обществено поло-

жение; **to change (alter) o.'s** ~ женя се, сключвам брак; **6.** оплакване, здравословен проблем; **to have a heart** ~ страдам от сърце, имам проблем със сърцето; **II.** *v* **1.** обуславям; **2.** подобрявам състоянието на; *техн.* ремонтирам, поправям; **to ~ o.'s hair** използвам балсам (омекотител); **3.** уговарям, поставям условия (**to do s.th.**); **4.** изпитвам, проверявам (*степента на влажност на коприна, вълна и пр.*); **5.** поддържам необходимата влажност, температура и пр. на въздуха (*в помещение*).

conditional [kən'diʃənəl] **I.** *adj* условен; който зависи от условия; **a promise ~ on good behaviour** обещание, което ще се изпълни при добро поведение; ◇ *adv* **conditionally**; **II.** *n език.* условно наклонение, кондиционал; **in the ~** в условно наклонение.

condole [kən'doul] *v* съчувствам, споделям скръбта (**with s.o.** *на някого*); изказвам съболезнования.

condolence [ˌkən'doulǝns] *n* съчувствие, състрадание; съболезнования; **to express o.'s ~ to s.o.** изказвам съболезнованията си на някого.

condom ['kɔndəm] *n* кондом, презерватив.

condone [kən'doun] *v* **1.** (о)прощавам, намирам извинение за; прощавам (*изневяра*); **2.** изкупвам, компенсирам (*грях*); **3.** приемам, одобрявам (*нещо нередно*); **the whole plan had been ~ed and authorized by him** целият план е бил одобрен и приведен в изпълнение от него.

conduce [kən'dju:s] *v* водя, съдействам, допринасям (към, за); **this has not ~ed to the national interests** това не допринесе нищо за националните интереси.

conduct **I.** ['kɔndʌkt] *n* **1.** водене, ръководене, управление, ръководство; **the ~ of free and fair elections** провеждането (организирането) на свободни и честни избори; **2.** държане, поведение;

laxity of ~ разпуснато поведение (държание); **3.** ескорт, конвой, охрана; **under ~** под ескорт; **II.** [kən'dʌkt] *v* **1.** водя, ръководя; **to ~ an experiment** провеждам научен експеримент; **2.** *refl* държа се; **he cannot ~ himself properly** не умее да се държи; **3.** съпровождам, придружавам; ескортирам, конвоирам; **4.** *муз.* дирижирам; **5.** *физ.* провеждам, добър проводник съм на (*топлина, електричество*).

conductor [kən'dʌktə] *n* **1.** водач; ръководител; **2.** дирижент; **3.** кондуктор; *амер.* началник-влак; **4.** *физ.* електрически проводник, кондуктор; гръмоотвод; (*и* **lightning ~**).

conduit ['kʌndit] *n* **1.** тръбопровод; водопроводна тръба; водопровод; **2.** *ел.* изолационна тръба; подземна тръба за кабели, кондуит (*на електрическа железница*); **3.** таен подземен проход; **4.** *прен.* път, канал; проводник (*на информация между две страни*); **5.** *остар.* чешма, фонтан, шадраван, водоскок.

cone [koun] **I.** *n* **1.** *мат.* конус; нещо с форма на конус; конусообразна фигура; **2.** шишарка; **3.** *метеор.* конусообразен знак за вятър или виелица; **4.**: **~ of fire** военен огневи конус; **5.** *геол.* конус (на вулкан); **6.** *зоол.* мида от род Conus; **7.** *pl* фино бяло брашно за наръсване на нощвите; **II.** **1.** придавам форма на конус на; **2.** *бот.* образувам (раждам) шишарки.

confederacy [kən'fedərəsi] *n* **1.** конфедерация; съюз, обединение; **2.** заговор, съзаклятие; **to be in ~** заговорнича.

confederate [kən'fedərit] **I.** *adj* федеративен; съюзен; **II.** *n* **1.** съюзник; **2.** съучастник (*в престъпление*); помощник; **3.** *истор.* конфедерат, привърженик на южните щати по време на Гражданската война в САЩ; **III.** [kən'fedəreit] *v* **1.** съюзявам (се), образувам съюз (конфедерация); **2.** заговорнича, конспирирам (**with, against**).

confer [kən'fə:] *v* **1.** разговарям, обсъждам, разисквам, съветвам се, съвещавам се (**with s.o., about s.th.**); **2.** давам, удостоявам с; **to ~ large power (authority) on** давам голяма власт на; **3.** *само в imp,* често съкр. **cf** виж, сравни; **~ remarks on p. ...** виж забележките на стр. ...

conference ['kɔnfərəns] *n* **1.** конференция; съвещание, събрание; конгрес; консултация; **2.** разговаряне, съвещаване, обсъждане, разискване, конфериране; **3.** *рел.* годишно събрание на методистката протестантска църква.

confess [kən'fes] *v* **1.** признавам; разкривам; **to ~ to doing (to having done) s.th.** признавам, че съм извършил нещо; **2.** *рел.* изповядвам се; (*за свещеник*) изповядвам (*някого*); **to ~ oneself** изповядвам се; **3.** *остар., поет.* изявявам, прокламирам.

confession [kən'feʃən] *n* **1.** самопризнание, признание; изповед, конфесия; **on their own ~** по тяхно собствено признание; **2.** *рел.* изповед; **auricular ~** тайна изповед, изповед насаме; **3.** вяра, вероизповедание; **4.** *археол.* гроб (*на мъченик, светец и пр.*).

confide [kən'faid] *v* **1.** поверявам, признавам (*тайна и пр.*); доверявам се, споделям (**in** на, с); **we no londer ~ in each other** вече не си споделяме; **2.** поверявам, оставям (*на грижите*), възлагам; **to ~ s.th. to s.o.'s cares** оставям нещо на грижите на някого.

confidence ['kɔnfidəns] *n* **1.** доверие, вяра; **to put (repose) o.'s ~ in s.o.** имам вяра в някого; **2.** увереност, сигурност; самонадеяност, самоувереност; **to gain ~** събирам смелост (кураж); **3.** доверяване, поверяване (*главно в изрази*); **to be in s.o.'s ~** споделям (знам) тайните на някого, някой ми поверява тайните си; **4.** тайна, нещо поверително, конфиденциално.

confidential [ˌkɔnfi'denʃəl] *adj* **1.** таен, поверителен, конфиденциален; **2.** който се доверява, инти-

мен; **to become ~ with s.o.** започвам да се доверявам на някого; **3.** доверен, който се ползва с доверие; **a ~ friend** интимен приятел.

configuration [kən,figju'reiʃən] *n* **1.** конфигурация, форма, очертания; силует; профил (*на пъm*); **2.** *астр.* планетна конфигурация; **3.** *инф.* компютър, заедно със свързаните с него устройства.

confine I. [kən'fain] *v* **1.** *refl* ограничавам се, придържам се (**to** към); **2.** ограничавам (се) (**to** в); **3.** държа в затвор; затварям (**in** в); ограничавам някого (**to** в); **to be ~d to o.'s room (bed)** пазя стаята (леглото); **4.** боледувам; **I have been ~d for three weeks by gout** три седмици лежах с подагра; **5.** заточавам, интернирам; *остар.* граница (**with, to, on** с); **II.** ['kɔnfain] *n обикн. pl* **1.** граници, предели; край; най-отдалечен край; **at the extreme ~ of the earth** в най-отдалечените краища на земята; **2.** ограничения, рамка, граници; **I can't stand the ~s of marriage** не понасям ограниченията, които бракът налага.

confinement [kən'fainmənt] *n* **1.** затвор; **solitary (close) ~** строг тъмничен затвор; **2.** ограничен (затворен, заседнал) живот; **~ to o.'s room** пазене на стаята (леглото); **3.** раждане; **home ~** раждане в домашни условия.

confirm [kən'fə:m] *v* **1.** утвърждавам; засилвам, подкрепям (*съмнения и пр.*); затвърдявам, укрепвам (*съюз, мир*); **this has ~ed me in my decision** това затвърди решението ми; **2.** потвърждавам (*слух, информация и пр.*); **~ing my letter** в потвърждение на писмото ми; **3.** одобрявам, ратифицирам, санкционирам; **to ~ s.o.'s title** признавам някому официално титла; **4.** *рел.* конфирмирам, давам първо причастие на.

confirmed [kən'fə:md] *adj* **1.** хроничен; **2.** стар, закоравял, заклет, непоправим; **~ bachelor** заклет ерген.

confiscate ['kɔnfiskeit] *v* конфиску-

вам, отнемам, изземвам (**s.th. from s.o.** някому нещо).

confiscation [,kɔnfis'keiʃən] *n* конфискация, конфискуване, отнемане, изземване.

conflate [kən'fleit] *v* **1.** сплавям, сливам, обединявам (*в едно*); **2.** комбинирам две версии на текст в една; **the results of the two experiments were ~d** полученото от двата експеримента беше представено като общ резултат.

conflict I. ['kɔnflikt] *n* **1.** противоречие, борба, стълкновение, сблъсък, конфликт; различие; **armed ~** военно стълкновение; **2.** *остар.* сблъскване (*на две тела*); **II.** [kən'flikt] **1.** съм в противоречие (конфликт), противореча; несъвместим съм (**with** с, на); **2.** *остар.* боря се (**with**).

conform [kən'fɔ:m] *v* **1.** приспособявам (се), съобразявам (се), подчинявам (се), следвам, спазвам (**to** to); **refusal to ~** отказ да се съобрази с; **2.** отговарям, подхождам, в съгласие съм (**with** with, to); **the building does not ~ to safety regulations** зданието не отговаря на нормите за безопасност; **3.** *рел.* признавам авторитета на Английската църква.

conformation [,kɔnfə'meiʃən] *n* **1.** форма, структура, устройство; строеж; **2.** очертание, профил (*на пъm*); **3.** *остар.* подчиняване, съобразяване, приспособяване.

conformity [kən'fɔ:miti] *n* **1.** съответствие, съгласие (**with, to**); **in ~ with** в съгласие с; съгласно; **2.** подчинение; спазване; **3.** *рел.* конформизъм, учението на Английската църква.

confound [kən'faund] *v* **1.** обърквам, разбърквам, разстройвам (*планове и пр.*); обърквам, смущавам, внасям смут в; **his behaviour ~ed her** поведението му я обърка; **2.** смесвам, обърквам; вземам някого (нещо) за друг (за нещо друго); припознавам (се); **to ~ a rival, an army** обърквам противник, армия; **3.** *разг.* пращам по дяволите, проклинам; **~ you!** дявол да те вземе.

confusion [kən'fju:ʒən] *n* **1.** бъркотия, безпорядък, безредие, хаос; **to fall into ~** разпадам се; **2.** смущение, объркване, смут, конфузия, неловко положение; **to spread ~** сея смут; **3.** смесване, смешение; объркване; **a ~ of tongues** смешение на езиците; **4.** смесване, объркване (**of s.th. with s.th.**); **there has been a ~ of the names** станало е объркване на имената; **5.** пропадане, проваляне; **6.** замъгляване.

confute [kən'fju:t] *v* **1.** опровергавам, оборвам, отхвърлям, отричам (довод); **2.** опровергавам (разбивам) доводите на (*някого*); убеждавам (*някого*), че не е прав.

congeal [kən'dʒi:l] *v* **1.** смразявам (се), заледявам (се), вледенявам (се), замръзвам (*и прен.*); **2.** съсирвам (се) (*за кръв*); **3.** пресичам (се) (*за мляко*); **4.** втвърдявам (се) (*за мазнина*).

congenial [kən'dʒi:niəl] *adj* **1.** близък, сроден, подобен, конгениален, близък по дух, дарба (**with**); **2.** приятен, по сърце, по вкус, приятен; благоприятен; подходящ (**to**); **~ companion** приятен спътник; **3.** свойствен, присъщ (**to**).

congest [kən'dʒest] *v* **1.** натрупвам (се), струпвам (се); задръствам (се); наблъсквам (се), натъпквам (се); претоварвам; **2.** *мед.* нахлувам (*за кръв*).

conglomeration [kən,glɔmə'reiʃən] *n* **1.** конгломерация, образуване на конгломерат; събиране (натрупване) на различни елементи; **2.** конгломерат (*и прен.*).

congratulate [kən'grætjuleit] *v* **1.** поздравявам, изказвам благопожелания, честитя; **I ~ you on your new job** поздравявам те за новата ти работа; **2.** *refl* поздравявам се, доволен съм; хваля се (**on**).

congratulation [kən,grætʃu'leiʃən] *n* поздравление; благопожелание, честитка; **to offer o.'s ~ s** изказвам поздравленията си (благопожеланията си), честитя, поздравявам.

congregate ['kɔngrigeit] *v* събирам

(се), трупам (се), струпвам (се), натрупвам (се), стичам се.

congregation [ˌkɔŋgri'geiʃən] **1.** *n* струпване, събиране, стичане, сбор (*от хора*); **2.** *рел.* богомолци, паство; **3.** *остар.*, *лит.* събрание, събор; **the C. of Israel** *библ.* събор на целия еврейски народ; **Consistorial C.** съвет на католически кардинали, консистория; **4.** конгрегация, общо събрание на преподавателите в Оксфордския университет; **5.** *рядко* конгрегация, религиозно братство (*на католически общини*); **6.** натрупване, събиране; маса (*от предмети*).

congress ['kɔŋgres] *n* **1.** конгрес; **2.** (**C.**) Конгрес, законодателно тяло на САЩ; **3.** събиране; събрание; • **birds of** ~ птици, които живеят на ята, в съобщества, колонии и под.

congruence ['kɔŋgru:əns] *n* **1.** съгласуване; съгласуваност, съответствие; съгласие; сходство; **2.** *мат.* сходство.

conjecture [kən'dʒektʃə] I. *n* **1.** предположение, догадка, конектура; **2.** конектура, възстановяване на повреден текст; II. *v* **1.** предполагам, догаждам се; **it was just as I had** ~**d** стана точно така, както предполагах; **2.** внасям (предлагам) поправка в (на) текст.

conjugal ['kɔndʒugəl] *adj* брачен, съпружески, семеен.

conjugate I. ['kɔndʒugeit] *v* **1.** *език.* спрягам (се); **how does this verb** ~? как се спряга този глагол? **2.** сношавам се; **3.** *бот.* копулирам; **4.** *лит.* свързвам, съединявам; II. ['kɔndʒugət] *adj* **1.** съединен, свързан; **2.** *език.* спрегнат; **3.** *бот.*: ~ **leaflets** двойни листа.

conjunction [kən'dʒʌŋkʃən] *n* **1.** съединение, връзка; свързване; конюнкция; **in** ~ **with** заедно с, в съгласие с; **2.** съвпадение, стечение; **an unusual** ~ **of circumstances** необичайно стечение на обстоятелствата; **3.** *астр.* предполагаема близост на две небесни тела; пресичане на пътищата, срещане (*на небесни тела*); **4.** *език.*

съюз.

conjunctive [kən'dʒʌŋktiv] *adj* **1.** съединителен; ~ **tissue** съединителна тъкан; **2.** *език.* който служи като съюз, съюзен.

conjure₁ [kən'dʒuə] *v* умолявам, моля настоятелно, апелирам към, призовавам (**s.o. to do s.th.**).

conjure₂ ['kʌndʒə] *v* **1.** призовавам; карам да се появи (*от нищото*) извиквам; **to** ~ **a career from thin air** правя кариера от нищото; **2.** правя магии (фокуси); **to** ~ **away** правя (карам) да изчезне, прогонвам като с магическа пръчка; • **a name to** ~ **with** име, с което можеш да правиш чудеса; **conjure up 1)** извиквам, повиквам, призовавам (*дух*); **2)** извиквам във въображението (*образи, спомени*); **a tune that** ~**s up sweet memories** мелодия, която извиква сладки спомени.

connect [kə'nekt] *v* **1.** свързвам, съединявам (**with, to**); свързвам се, съединявам се; ~**ed by telephone** свързани с телефон; **2.** свързвам, асоциирам; установявам причинна връзка; **3.** свързвам (се), имам връзки; **the search revealed nothing that could** ~ **him with the robbery** при обиска не се откри нищо, което да го свърже с обира; **4.** *воен.* установявам непосредствена връзка; **5.** достигам целта; *спорт.* отбелязвам точка, гол.

connection, connexion [kə'nekʃən] *n* **1.** връзка; **in** ~ **with** във връзка с; **2.** общуване; близост, познанство; **to form a** ~ **with s.o.** свързвам се с някого, сближавам се с някого; **3.** връзки (*семейни*); **4.** роднина, родственик, сродник; *разг.* роднини, род, рода; **5.** *търг.* клиентела; търговски връзки; **to open up a business** ~ **with a firm** установявам търговски връзки с фирма; **6.** връзка (*за влак, параход*); **to miss o.'s** ~ изпускам връзката; **to run in** ~ **with** правя връзка (*за влак, параход*); **7.** всички членове на една религиозна организация; **8.** *техн.* свързване; монтиране; това, което

свързва (*тръба и пр*); **link** ~ шарнирно съединение.

connective [kə'nektiv] I. *adj* съединителен (*за тъкан и пр.*); ~ **tissue** съединителна тъкан; II. *n* *език.* съюз; съюзна дума; израз, който служи за връзка.

conquer ['kɔŋkə] *v* **1.** завоювам, завладявам, завземам (*страна и пр.*); **2.** побеждавам, надвивам (*враг и пр.*); превъзмогвам, преодолявам (*чувство и пр.*); **3.** спечелвам, завладявам (*сърце и пр.*).

conquest ['kɔŋkwest] *n* **1.** завоевание, завладяване (*на територия*); **the (Norman) Conquest** завладяването на Англия от норманите (1066 г.); **2.** завладяна държава (територия); **3.** завоевание, спечелване (*на хора, чувства*); **to boast about o.'s sexual** ~**s** хваля се със сексуалните си завоевания; **4.** човек, който е завладян (спечелен); **5.** решаване (*на проблем*), превъзмогване; **the** ~ **of cancer** побеждаване на рака, намиране на лек за борба с рака.

conscience ['kɔnʃəns] *n* съвест; **to have a good (clean, clear, easy)** ~ съвестта ми е чиста; • **to have the** ~ **to** *sl* имам нахалството да.

conscious ['kɔnʃəs] *adj* **1.** осъзнат, съзнателен; обмислен, предна-мерен; ~ **guilt** съзнание за виновност; ◇ *adv* **consciously; 2.** *predic* който съзнава, усеща, чувства, забелязва; **to be** ~ **of s.th.** съзнавам; чувствам; забелязвам; усещам; **3.** смутен, притеснен; **I was** ~ **of my weight** чувствах се неловко заради килограмите си; **4.** в съзнание; **to become** ~ идвам в съзнание, свестявам се, опомням се.

consciousness ['kɔnʃəsnis] *n* **1.** съзнание; чувство; усещане (**of**); **a** ~ **of being watched** чувство, че съм наблюдаван (че ме следят); **2.** *филос.* съзнание, мислене (*способност да се мисли*); **moral** ~ морално съзнание; **3.** интерес (към), познаване (на); **her political** ~ интересът ѝ към политиката; **4.** съзнание (*обратно на безсъзнание*); **to regain (recover)** ~ ид-

вам в съзнание, свестявам се, опомням се.

consent [kən'sent] I. *v* съгласявам се, давам съгласието си (to s.th.); I ~ съгласен съм; II. *n* съгласие (to); to give o.'s ~ to давам съгласието си за; ● silence gives ~ мълчанието е знак на съгласие.

consequence ['kɔnsikwəns] *n* 1. последствие (*обикн. pl*); резултат; консеквенция; in ~ (of) като резултат (от); 2. значение, важност; it is of no (little) ~ няма (съществено) значение, не е съществено; 3. следствие, извод, заключение.

conservative [kən'sə:vətiv] I. *adj* 1. консервативен; 2. скромен, умерен; a ~ guess умерено (не смело) предположение; 3. който запазва, пази, консервира; II. *n* 1. консерватор; (С.) Консервативната партия (*във Великобритания*); 2. нещо, което запазва; средство за запазване, за консервиране; консервант.

conserve [kən'sə:v] I. *v* пазя, запазвам, съхранявам (*здравето си, паметници и др.*); ~ o.'s strength (resources) пазя, съхранявам силата (ресурсите) си; II. *n* (*често pl*) консервирани плодове, конфитюр.

consider [kən'sidə] *v* 1. смятам, считам; I ~ it my duty to считам за свой дълг да; 2. обмислям, обсъждам, разглеждам, размислям относно; a ~ed opinion обмислено мнение, тежка дума; 3. вземам предвид (под внимание), имам предвид; отчитам; all things ~ed като се има предвид всичко; 4. показвам (отнасям се с) внимание (разбиране, загриженост) към; to ~ the feelings of others отнасям се с внимание към чувствата на другите; съобразявам се с чувствата на другите; 5. *остар.* възнаграждавам (*и парично*).

considerate [kən'sidərit] *adj* 1. внимателен, мил, деликатен (of); it's very ~ of you много мило от ваша страна; ◇ *adv* **considerately**; 2. *остар.* обмислен.

consideration [kən'sidəreiʃən] *n* 1. обмисляне, обсъждане, разглеж-

дане; to give the matter a careful ~ разглеждам внимателно въпрос; 2. внимание, деликатност, внимателно отношение, уважение (for); to have no ~ for не мисля за, нехая за, не уважавам; 3. фактор (който трябва да се вземе предвид); price has become an important ~ цената се е превърнала във важен фактор; 4. съображение, вземане предвид; in ~ of като се има предвид, предвид на; като възнаграждение за; 5. значение, важност; of great ~ от голямо значение, много важен; 6. възнаграждение; отплата; *юр.* насрещна престация; еквивалент; I will do it for you for small ~ ще го направя срещу възнаграждение.

consign [kən'sain] *v* 1. поверявам, предавам; оставям; отдавам (to); to be ~ed to history ставам история, оставам в миналото; 2. *търг.* изпращам (*стоки и пр.*); давам на консигнация; 3. влагам (*пари в банка*).

consist [kən'sist] *v* 1. състоя се, съставен съм, включвам (of от); 2. заключавам се, състоя се (in в); the beauty of the poem ~s in its composition красотата на поемата е в композицията й; 3. съвместим съм, съчетавам се, съгласувам се (with); 4. *биол.* съществувам.

consolidate [kən'sɔlideit] *v* 1. затвърдявам (се), заздравявам (се), укрепвам; 2. сплотявам, обединявам, консолидирам (*територия, предприятие и пр.*); *фин.* консолидирам дългове.

consonance ['kɔnsənəns] *n* 1. съзвучие, асонанс; 2. съгласие, хармония (*на мисли и пр.*); his actions are not in ~ with his words няма покритие между думите и делата му; 3. *физ.* резонанс.

consort I. ['kɔnsɔ:t] *n* 1. съпруг(а) (*особ. в кралско семейство*); queen ~ съпруга на крал; 2. група (*музиканти, инструменти*); 3. кораб, който придружава друг (който плава заедно с друг); 4. съгласие; to act in ~ with дейст-

вам в съгласие с; II. [kən'sɔ:t] *v* 1. *неодобр.* общувам; ятак съм, имам връзки (with); he has been ~ing with criminals свързан е с криминални престъпници; 2. хармонирам, съгласувам се (with).

conspiracy [kən'spirəsi] *n* заговор, съзаклятие, комплот, конспирация; *юр. и* сговаряне, сговор, споразумяване, споразумение.

conspiratorial [kəns'pirə'tɔ:riəl] *adj* 1. таен, заговорнически; her voice sank to a ~ whisper тя сниши глас до поверителен шепот; ◇ *adv* **conspiratorially**; 2. съзаклятнически таен, незаконен.

conspire [kən'spaiə] *v* 1. конспирирам, заговорнича, кроя тайни планове (against); 2. сговарям се, надумвам се, нареждам (*така, че да стане нещо*); everything seemed to ~ to make him late като че ли всичко се нареждаше така, че той да закъснее; 3. *остар.*, *рядко* кроя, гласи (*зло*).

constable ['kʌnstəbəl, 'kɔnstəbəl] *n* 1. полицай; special ~ цивилен полицай; 2. *истор.* управител (*на дворец и пр.*); ● to outrun the ~ задлъжнявам, заборчлявам.

constabulary [kən'stæbjuləri] I. *adj* полицейски; II. *n* полиция; the mouted ~ конна полиция.

constancy ['kɔnstənsi] *n* 1. постоянство, твърдост (*на характера и пр.*); вярност (*в любов, дружба*); ~ of purpose постоянство в преследване на целите; 2. непроменливост (*на температура и пр.*).

constant ['kɔnstənt] I. *adj* 1. непрестанен, непрекъснат, постоянен, вечен, неизменен, константен; ~ complaints (nagging, interruptions) непрекъснати оплаквания (натяквания, прекъсвания); ◇ *adv* **constantly**; 2. непроменлив; ~ current *ел.* прав ток; 3. твърд (*в нещастия и пр.*); 4. верен (*за приятел, любов и пр.*); постоянен; решителен; to be ~ in o.'s studies постоянствам в учението си; II. *n* *мат.*, *физ.*, *хим.* постоянна величина, константа; **pro-pagation** ~ коефициент на разпространение.

constellation [,kɔnste'leiʃən] *n* 1. съзвездие; 2. *прен.* плеяда; a ~ of Hollywood talents съзвездие от холивудски таланти; 3. *астрол.* разположението на планетите; конфигурация; *прен.* положение на нещата, обстоятелства; the political ~ съотношението на силите.

consternation [,kɔnstə'neiʃən] *n* смайване, ужас, вцепеняване от ужас; парализиране; a look of ~ ужасён (смаян) поглед.

constitute ['kɔnstitju:t] *v* 1. съставлявам, представлявам; twelve months ~ a year годината се състои от дванадесет месеца; 2. учредявам, основавам, конституирам; ~d authorities законно установена власт; 3. назначавам (*комисия и пр.*), правя (*някого носител на титла, длъжност*); he has ~ed himself as our representative обяви се за наш представител; 4. *pass* устроен съм, създаден съм, такъв ми е характерът: I am not so ~d не съм такъв, не ми е такъв характерът; 5. издавам, въвеждам в сила (*закон*).

constitution [,kɔnsti'tju:ʃn] *n* 1. съставяне; учредяване, основаване, конституиране; назначаване; издаване, въвеждане в сила (*на закон*); 2. състав; 3. организъм, телосложение, конституция; a delicate (iron) ~ нежен (железен) организъм; 4. *полит.* конституция; 5. *полит.* (обществено, политическо, икономическо) устройство; 6. *истор.* постановление, декрет (*особено църковен*).

constitutional [,kɔnsti'tju:ʃənl] I. *adj* 1. органически; a ~ peculiarity (weakness) органическа особеност (слабост); 2. конституционен; ~ monarchy конституционна монархия; II. *n* редовна разходка, разтъпкване (*за здраве*); to go for an hour's ~ поразтъпквам се един час.

constrain [kən'strein] *v* 1. принуждавам, насилвам; to feel ~ed to do s.th. чувствам се принуден да направя нещо; 2. (*за дрехи*) стягам, притеснявам, ограничавам

движенията на; I feel ~ed to speak my mind freely не се чувствам свободен да изложа мислите си; 3. задържам насила, затварям; 4. *остар.* затварям (*в затвор*), слагам зад решетките.

constraint [kən'streint] *n* 1. принуда, насилие; ограничение; there are no ~s on subject matter for your essays няма тематични ограничения за вашето есе; 2. стеснителност; стеснение, принуденост.

constrict [kən'strikt] *v* 1. свивам, стеснявам (*отвор и пр.*); a drug that ~s the blood vessels вещество, което свива кръвоносните съдове; 2. стягам, притискам, стискам; 3. *физиол.* карам да се свие, свивам.

constriction [kən'strikʃən] *n* 1. свиване, стягане, стесняване, притискане, стискане, констрикция; the ~ of life on a low income "затягане на колана", ограничаване на разходите; 2. ограничение; 3. *мед.* задух, стягане; 4. *физиол.* свиване.

construct [kən'strʌkt] I. *v* строя, построявам, градя, изграждам (*и прен.*); to ~ a spending plan съставям план за разходите; II. *n* 1. понятие, концепция, идея; the underlying ~s which influence behaviour базисните идеи (представи), които определят поведението; 2. постройка; творение; нещо създадено.

construction [kən'strʌkʃən] *n* 1. построяване, изграждане, строеж; under (in course of) ~ в строеж; в процес на изграждане; 2. строителство, строене; the ~ industry строителна промишленост; 3. постройка, сграда; здание; all steel ~ постройка само от желязо; 4. структура, конструкция, строеж, направа; 5. *език.* конструкция; 6. тълкуване, обяснение; what ~ do you put on his actions? как си обясняваш действията му? 7. *мат.* построение.

construe [kən'stru:] *v* 1. тълкувам, обяснявам; helpful behaviour can be ~d as interference желанието

да се помогне може да се изтълкува като вмешателство; 2. превеждам, тълкувам; 3. правя граматически разбор на изречение.

consult [kən'sʌlt] *v* 1. съветвам се с, консултирам се с, допитвам се до; справям се с; to ~ o.'s lawyer, doctor, map консултирам се с адвоката си, с лекаря, с картата; 2. обсъждам (together *заедно с някого*); 3. имам (вземам) предвид, мисля за; показвам уважение към (*чувствата на някого*).

consultation [,kɔnsəl'teiʃən] *n* 1. справяне, съветване; обсъждане, консултиране; 2. справка, допитване, консултация; 3. съвещание; 4. *мед.* консилиум, консулт; to hold a ~ правя консилиум, съветвам се (*за лекари*)

consume [kən'sju:m] *v* 1. консумирам, изразходвам; изяждам, изпивам, ям, пия; ~ resourses (time, stores) изразходвам ресурси (време, запаси); 2. унищожавам, поглъщам (*за огън*); 3. разпилявам, пропилявам, пилея, хабя, похабявам; he soon ~ed his fortune скоро пропиля състоянието си; 4. *pass* ям се, изяждам се, изгарям; умирам; memories ~d him той потъна в спомени; 5. чезна, линея (*обикн.* с away).

consummate I. ['kɔnsəmeit] *v* довеждам докрай, завършвам; *юр.* консумирам (*брак*); II. [kən'sʌmit] *adj* съвършен, завършен, ненадминат; ~ artist (performance) ненадминат художник (представление); ◇ *adv* consummately.

contact I. ['kɔntækt] *n* 1. допир, контакт, съприкосновение; връзка, отношение; point of ~ допирна точка; 2. *ел.* контакт; връзка; to make ~ свързвам; включвам ток; 3. контакт, агент, човек за свръзка; II. [kən'tækt] *v* 1. в съприкосновение съм, допирам се (with); 2. свързвам се, установявам връзка; влизам във връзка със.

contain [kən'tein] *v* 1. съдържам; имам; включвам, състоя се от; побирам; 2. сдържам, въздържам, удържам; he couldn't ~ his en-

thusiasm не можеше да скрие ен-
тусиазма си; **3.** контролирам,
държа под контрол, обуздавам;
4. *воен.* задржам (неприятеля);
~ing forces части, чиято цел е да
задржат неприятеля; **5.** *мат.*
заграждам (*ъгли и пр.*); **6.** *мат.*
деля се без остатък на.

contaminate [kən'tæmineit] *v* за-
мрсявам, заразявам; развалям,
разлагам; осквернявам, скверня;
to ~ the minds of people мътя сз-
нанието на хората.

contamination [kən,tæmi'neiʃən] *n*
1. заразяване, замрсяване; раз-
валяне, разлагане; оскверняване;
radioactive ~ радиоактивно за-
мрсяване; **2.** зараза; разлагащо
влияние (фактор); **3.** *лит.*, *език.*
контаминация.

contemplate ['kɔntempleit] *v* **1.** об-
мислям, планирам, глася, проек-
тирам, взнамерявам да напра-
вя (изврша) (*c ger*); **to ~ a come-
back** планирам завръщане; **2.** раз-
мишлявам върху, размислям, об-
мислям; **to ~ o.'s future** правя
планове за бъдещето; **3.** сзерца-
вам; **4.** очаквам; **I didn't ~ any
oppositon from him** не очаквах
сзпротива от него.

contemplation [,kɔntemp'leiʃən] *n* **1.**
сзерцаване, сзерцание; **lost in
~** потнал в сзерцание; **2.** раз-
мишление, размисъл; **3.** очаква-
не; опасение; **4.** проект, проекти-
ране.

contemporary [kən'tempərəri] **I.** *adj*
свременен; който живее или се
случва по сщото време (**with**);
II. *n* **1.** свременник; **2.** *журн.*
вестник (списание), което изли-
за в сщия ден с друг (друго); **3.**
врстник.

contempt [kən'tempt] *n* **1.** презре-
ние (**for**); **to show ~ for** отнасям
се с презрение към, не зачитам;
2. неуважение, оскрбление; **~ of
court** *юр.* неуважение на сда.

contend [kən'tend] *v* **1.** боря се, сра-
жавам се (**with** с, **for** за); **problems
to ~ with** проблеми, с които тряб-
ва да се преборим; **2.** сперни-
ча, сстезавам се (**with s.o. for**
s.th.); **several teams ~ed for the**

prize няколко отбора се бореха
за наградата; **3.** споря, препирам
се; поддржам, твърдя; **to ~ that**
поддржам (твърдя), че.

content₁ ['kɔntent] *n* **1.** *книж.* обем;
сдржание; вместимост; **with a
high fat ~** богат на мазнини; **2.**
pl сдржание; (**table of**) **~s** с-
држание (*списк на глави, заг-
лавия и пр.*); **3.** *филос.* сщина,
сдржание; основна идея.

content₂ [kən'tent] **I.** *adj pred* до-
волен, задоволен (**with**); **II.** *n* **1.**
доволство, задоволство, чувство
на доволство (удовлетворение);
to o.'s heart's ~ до насита; **2.** глас
за (в полза на) (*в Камарата на
лордовете*); **3.** член на Камарата
на лордовете, който гласува за;
III. *v* **1.** задоволявам; **2.** задоволя-
вам се, доволен съм, не ми тряб-
ва нищо друго (**with** с, освен); **to
~ oneself with updating existing
models** задоволявам се само с по-
добряването на сществуващите
модели.

contention [kən'tenʃən] *n* **1.** спор;
раздор; препирня, прение, сло-
весна борба; **bone of ~** ябълка на
раздора; **2.** сперничество, с-
ревнование; **two teams in ~ for
the title** два отбора се сстеза-
ват за купата; **3.** тврдение; **my
~ is that** твърдя (поддржам), че.

contest I. [kən'test] *v* **1.** споря (**with,
against s.o.** с някого); споря по,
оспорвам, контестирам, правя
контестация (*довод, права и пр.*);
to ~ a statement оспорвам твр-
дение; **2.** боря се за; **to ~ every
inch of ground** *воен.* боря се за
всяка педя земя; **3.** оспорвам си,
сстезавам се за, сперинча си
за (*победа, награда и пр.*); **II.**
['kɔntest] *n* **1.** спор, диспут; **2.** бор-
ба, сстезание, конкурс; **beauty ~**
конкурс за красота.

context ['kɔntekst] *n* контекст; **in
this ~** *разг.* във връзка с това, по
повод на това.

continence ['kɔntinəns] *n* **1.** сдр-
жаност, взджраност, умере-
ност; **2.** взджрание (*особ. сек-
суално*), целомъдрие, непороч-
ност.

continent *n* континент, материк.

contingency [kən'tindʒənsi] *n* **1.**
случайност, случай; непредвиден
случай, евентуалност; **in case of
~, should (a) ~ arise** ако се слу-
чи нещо непредвидено, за всеки
случай; за всяка евентуалност; **2.**
търг. непредвидени разходи; **to
allow (provide) for contingencies**
отпускам (сума) за непредвиде-
ни разходи; **3.** *attr* за всеки слу-
чай, за непредвидени случаи, ре-
зервен.

contingent [kən'tindʒənt] **I.** *adj* **1.**
условен, зависим, който зависи
(**on** от); **our success is ~ on the
weather** успехт ни зависи от вре-
мето; **2.** непредвиден; несигурен,
проблематичен, вероятен, пред-
полагаем, евентуален; **~ advan-
tage** несигурна преднина; **II.** *n* **1.**
контингент (*и воен.*); **2.** дял, пай;
група представители.

continuation [kən,tinju'eiʃən] *n* **1.**
продължаване, продължение; **he
argued for the ~ of the campaign**
той настояваше за удължаване на
кампанията; **2.** продлжение, раз-
ширение, пристройка; **3.** взоб-
новяване, взстановяване; **~ of
play after the interval** взстановя-
ване на играта след полувреме-
то; **4.** тази част на бричове, коя-
то се носи в ботуша.

continue [kən'tinju:] *v* **1.** продлжа-
вам (нещо, да правя нещо), не
прекъсвам; **he ~d up the path** той
продлжи нагоре по пътеката; **2.**
взобновявам (*след прекъсване*),
продлжавам; **I ~d with my pack-
ing after he left** след като той си
тргна, продлжих с опаковане-
то; **3.** оставам, още съм; продл-
жавам да бъда; **for ten days I ~d
in this state** останах в това сс-
тояние десет дена; **4.** оставам (*на
работа*); **5.** продлжавам; трая,
простирам се; **how far does the
road ~?** докъде стига пътят? **6.**
фин. отсрочвам (*окончателно
закупуване на акции*); **to be ~d**
журн., *тв* следва (*продълже-
ние*).

continued [kən'tinju:d] *adj* траен,
продлжителен; **~ fever** *мед.* пос-

тоянна, непрекъсната температура.

continuity [ˌkɔntiˈnjuːiti] *n* 1. непрекъснатост; 2. цялост, връзка, последователност; 3. приемственост; **he stood for ~ rather than change** той търсеше по-скоро приемственост, отколкото промяна; 4. монтаж (*на филм*); ~ **man**, ~ **girl** помощник-монтажист; 5. текст на говорител (*в радиото*).

contra [ˈkɔntrə] (*обикн. съкр. в* con) I. *prep* против, срещу; II. *adv* напротив, наопаки, контра; III. *n* 1. глас против, противно мнение; довод (аргумент) против; 2. *фин.* обратна (кредитна) страна на сметка; **per** ~ обратно, от друга страна; *фин.* в замяна.

contraband [ˈkɔntrəbænd] I. *n* контрабанда, контрабандни стоки; ~ **of war** военна контрабанда; II. *adj* контрабанден; ~ **goods** контрабандна стока.

contract I. [ˈkɔntrækt] *n* 1. договор; контракт; пакт; съглашение; сдружение; споразумение; **to be under** ~ в договорни отношения съм; 2. договор за прехвърляне на собственост; 3. *жп* абонаментна карта; 4. обявяване (*в бриджа*); **to make o.'s** ~ правя си взятките; II. [kənˈtrækt] *v* сключвам договор; уговарям, предприемам, контрактувам (*да извърша*); **to** ~ **a marriage** сключвам брак; 2. свивам (се); скъсявам, сбивам; съкращавам; 3. ограничавам, намалявам; осакатявам; **to** ~ **o.'s faculties by disuse** ограничавам (осакатявам) способностите си, като не ги използвам; 4. *език.* сливам; съкращавам; 5. прихващам, заразявам се от (*болест*); придобивам, спечелвам си (*навик*); 6. навличам си, затъвам в (*дългове, отговорност*); 7. сключвам (*брак*); 8. завързвам (*познанство, приятелство*);

contract out 1) сключвам договор с предприемач; наемам (друга) компания (*за извършване на определена дейност*); 2) отказвам се от участие; оттеглям се.

contraction [kənˈtrækʃən] *n* 1. *мед.* контракция; свиване, скъсяване; **the** ~ **of a muscle** свиването на мускул; 2. *език.* сливане, контракция; скъсяване; съкратена форма; 3. заразяване; придобиване (*на навик*); 4. сключване (*на договор, брак*); 5. *фин.* намаляване, ограничение (*на кредит*).

contractor [kənˈtræktə] *n* 1. предприемач; **building** ~ строителен предприемач; 2. доставчик; ~ **to the government** държавен доставчик; 3. *анат.* мускул, който се свива.

contradict [ˌkɔntrəˈdikt] *v* 1. опровергавам, твърдя противното на; **there is no** ~**ing it** не може да се опровергае (отрече); 2. противореча на; противоположен съм; **the two statements** ~ **each other** двете твърдения си противоречат.

contrary [ˈkɔntrəri] I. *adj* 1. обратен, противен, противоположен; 2. който противоречи, противоречив; 3. неблагоприятен, противен; ~ **winds delayed the ship** неблагоприятен вятър забави кораба; II. *n* 1. нещо обратно (противоположно); **on the** ~ напротив, обратно; 2. *pl* чужди тела, нечистотии (*в хартия*); III. *adv* обратно, превратно, противно, против, в разрез (**to** на, с); IV. *v амер.* противореча, отивам против (*желание, наклонности и под.*).

contrast [ˈkɔntraːst] I. *n* 1. противоположност, разлика, контраст (**to**); 2. противопоставяне, съпоставяне; 3. контраст (*на телевизионното изображение*); II. [kənˈtraːst] *v* 1. противопоставям, съпоставям, сравнявам; 2. съставям контраст, контрастирам, различавам се (**c with**; по **in**).

contribution [ˌkɔntriˈbjuːʃən] *n* 1. съдействие, участие; 2. принос, дял; 3. пожертвование, помощ; **voluntary** ~**s** волни пожертвования, помощи; 4. статия; 5. налог, контрибуция, военно обезщетение.

contrivance [kənˈtraivəns] *n* 1. план; 2. средство, начин, метод, спо-

соб; хитрина; похват, фокус; **by the** ~ **of** с помощта на; 3. изобретение, приспособление, прибор, уред, механизъм, апарат; 4. изобретяване, измисляне; **the** ~ **of an effective method** измислянето на ефикасен метод.

contrive [kənˈtraiv] *v* 1. измислям, изобретявам; **to** ~ **a device** измислям уред, приспособление; 2. замислям, планирам, кроя; 3. смогвам, сполучвам, съумявам, успявам, удава ми се, изхитрям се; **to** ~ **well** стопанисвам добре.

control [kənˈtroul] I. *n* 1. власт, управление, ръководство, контрол; опека; ръководене, регулиране, контролиране; авторитет, влияние (**over**); надзор; **to be in** ~ **of, to have** ~ **of (over)** владея, управлявам; 2. контрол(а), проверка; **arms** ~ проверка на оръжията, въоръжението; контролен опит, контролно животно (*при опит*); **board of** ~ контролен съвет; 3. *техн.* управляващ лост (механизъм); проверочен (контролен) пункт; 4. дух, който се проявява чрез медиум (*в спиритичен сеанс*); II. *v* (-ll-) 1. владея, имам под властта си, господар съм на, в ръцете ми е (са), служа си с, управлявам, надзиравам, напътствам; 2. контролирам, надзиравам, регулирам; проверявам; **to** ~ **immigration** контролирам емиграцията; 3. възпирам, спирам, задържам; сдържам, обуздавам; **to** ~ **oneself** владея се; III. *attr* контролен, проверочен.

controversy [ˈkɔntrəvəːsi] *n* спор, дискусия, полемика.

controvert [ˈkɔntrəvəːt] *v* 1. оспорвам, поставям под съмнение, повдигам възражения срещу; **a fact that cannot be** ~**ed** безспорен факт; 2. оборвам, опровергавам.

convalesce [ˌkɔnvəˈles] *v* възстановявам се, съвземам се, отивам към подобрение; **to** ~ **after a stay in hospital** възстановявам се след болнично лечение.

convenience [kənˈviːnjəns] *n* 1. удобство; **at your (own)** ~ когато ви бъде удобно, когато обича-

те, както намерите за добре; **2.** тоалетна (*и* public ~); **3.** *pl* удобства, комфорт; **modern ~s** модерни удобства; **4.** изгода, облага; **marriage of ~** брак по сметка.

converge [kən'və:dʒ] *v* **1.** срещам (се), събирам (се), съсредоточавам (се) (*в една точка*); **2.** клоня, приближавам се към; **3.** *мат.* схождам се, уподобявам, срещам се.

conversation [ˌkɔnvə'seiʃən] *n* **1.** разговор, беседа, събеседване; **to make ~** поддържам (безсъдържателен) разговор; **2.** общуване, сношение, допир; • **~ painting** (**piece**) жанрова картина.

converse₁ I. *v* [kən'və:s] **1.** говоря, разговарям, събеседвам, беседвам (**with** с; **on**, **about** за); **2.** общувам, поддържам отношения (**with**); II. *n* [ˈkɔnvə:s] *остар.* **1.** разговор, беседа; **2.** общуване.

converse₂ [ˈkɔnvə:s] I. *adj* обратен, противоположен; **to hold ~ opinions** имам противоположни мнения; ◇ *adv* **conversely**; II. *n*: **the ~ of** обратното на, обратната форма на.

convert I. *v* [kən'və:t] **1.** превръщам, преобразувам; обръщам, конвертирам (**into**); **2.** обръщам (*в друга вяра и пр.*) (**to**); заставям някого да промени мнението, светогледа си; причинявам духовен прелом, пробуждане на съвестта у; **to ~ to a view** спечелвам на своя страна; **3.** *юр.* присвоявам; **4.** *фин.* конвертирам, обменям; **~ pounds into levs** превръщам лири в левове; **5.** разменям; **to ~ banknotes into gold** разменям банкноти срещу злато; **6.** приспособявам, преработвам, преправям; **a ~ed loft** приспособено таванско помещение; II. *n* [ˈkɔnvə:t] **1.** човек, обърнат в (преминал към) друга вяра; **Christian ~** покръстен; **2.** човек, преминал в друга партия; • **to make a ~ of** обръщам в своята вяра, спечелвам на своя страна.

convey [kən'vei] *v* **1.** предавам, съобщавам; изразявам, представям, излагам, казвам, говоря; **~ my**

good wishes to your sister предай моите сърдечни поздрави на сестра си; **2.** возя, превозвам, прекарвам, закарвам; предавам, придвижвам, пренасям; **3.** *юр.* прехвърлям, приписвам (*имот*).

conveyance [kən'veiəns] *n* **1.** превоз, превозване, транспортиране, прекарване, каране, предаване, пренасяне, придвижване; **public ~** обществен транспорт; **2.** превозно средство, автомобил, кола; **3.** *юр.* прехвърляне, приписване (*на имот*); **4.** документ за прехвърляне, приписване (*на имот*); **5.** предаване, съобщаване, излагане, изразяване, казване, говорене.

convict I. *v* [kən'vikt] *юр.* намирам за виновен, осъждам (**of**); II. *n* [ˈkɔnvikt] осъден, затворник, каторжник.

conviction [kən'vikʃən] *n* **1.** убеждение; съзнание; **to carry ~** убедителен съм; **2.** убеждаване; **3.** *юр.* намиране за виновен, осъждане; **he has three ~s for theft** той има три присъди за кражба.

convoy I. *n* [ˈkɔnvɔi] **1.** конвой, ескорт, охрана, стража; **travel in ~** пътувам в група; **2.** придружаване, ескортиране, конвоиране; II. *v* [kən'vɔi] **1.** придружавам, ескортирам, конвоирам; **2.** *остар.*, *шег.* водя, развеждам.

convulse [kən'vʌls] *v* **1.** треса, разтърсвам, раздрусвам; **2.** свивам, сгърчвам, предизвиквам гърчене (конвулсии); напушвам (*за смях*); **her face ~d in a series of twitches** лицето ѝ се сгърчи в поредица от тикове.

cook [kuk] I. *v* **1.** готвя, сготвям; варя, сварявам; пека, опичам, изпичам; **2.** готвя се; варя се; пека се; **to ~ well** (*за плод*) ставам за варене (печене); **3.** *разг.* подправям, фалшифицирам, нагласявам (*сметки и пр.*); **to ~ the books** подправям счетоводните книги с цел лично облагодетелстване, върша финансови злоупотреби; • **to ~ o.'s goose** провалям се по собствена вина; сам се накисвам; II. *n* готвач, готвачка.

cool [ku:l] I. *adj* **1.** хладен, прохла-

ден, свеж; хладничък, студеничък, изстинал; с нормална температура; **2.** който държи хладно; **~ cotton shirt** лека памучна риза; **3.** спокоен; невъзмутим, хладнокръвен; **(as) ~ as a cucumber** спокоен, невъзмутим, хладнокръвен, комуто окото не мига; **4.** хладен, равнодушен, безучастен; **a ~ reception** хладен прием; **5.** дебелоок, самоуверен; **~ cheek** дебелоочие, нахалство, наглост, самоувереност; **6.** *разг.* цял; **a ~ million** цял милион; **7.** *разг.* готин, супер, чудесен; **It is ~!** чудесно е! II. *n* хлад, хладина; прохлада; • **to keep (lose) o.'s ~** запазвам (губя) самообладание; III. *v* **1.** разхлаждам, разхладявам (се), прохлаждам, изстудявам, изстивам (*и с down, off*); минавам (*за яд и пр.*); **2.** охладявам (**towards**); • **to ~ o.'s heels** вися, чакам; **~ it!** леко! спокойно! успокой топката!; **3.** отрезвявам; **a day in jail will ~ him off** един ден в затвора ще го отрезви.

coolness [ˈku:lnis] *n* **1.** хлад, хладина, прохлада; **2.** хладнокръвие, спокойствие; **3.** охладняване, несъгласие.

co-operative [kou'ɔpərətiv] I. *adj* **1.** кооперативен; ◇ *adv* **co-operatively**; **2.** сговорчив, съдействащ; II. *n* кооператив, кооперация; кооперативен магазин.

cop₁ [kɔp] *sl* I. *n* **1.** ченге; **2.** хващане; II. *v* хващам, пипвам, арестувам, затварям; **if I ~ you cheating again you will be in trouble** ако отново те хвана в лъжа, ще си изпатиш;

cop out 1) кръшкам (*от отговорност, задължение*), клинча; 2) не успявам, провалям се.

cop₂ [kɔp] *n* **1.** могила; **2.** валмо (*навито на вретено*); • **not much ~** *разг.* не е кой знае какво, слаба работа.

cope [koup] *v* справям се, излизам на глава с (**with**); **~ with difficulties** преодолявам трудности.

coproduction [kouprə'dʌkʃən] *n* съвместна продукция, копродукция.

copy [ˈkɔpi] I. *n* **1.** копие; препис;

подобие; **to make three carbon ~s of a letter** правя три копия с индиго на писмото; **2.** страница, написана по даден образец; образец; **3.** екземпляр; *журн.* (отделен) брой, книжка; **presentation** ~ авторски екземпляр; **4.** *журн., полигр.* материал, ръкопис; **to make ~ out of** използвам като материал (*за дописка*); **5.** текстова реклама; **advertising ~** рекламен сюжет; **6.** *юр., истор.* извлечение от списъците на земевладелеца с условията на арендата; **II.** *v* **1.** копирам, преписвам (*и уч.*); възпроизвеждам; **2.** подражавам (на), вземам за образец; **to ~ out** преписвам грижливо.

copyright [ˈkɔpirait] **I.** *n* авторско право; **II.** *adj* защитен от авторско право; **III.** *v* осигурявам авторското право (на).

coral [ˈkɔrəl] *n* **1.** корал; **II.** *adj* **1.** коралов; **~-island** коралов остров; атол; **2.** червен като корал.

cordon [ˈkɔːdən] **I.** *n* **1.** кордон; **to break through the police ~** пробивам полицейския кордон; **2.** лента на орден; **3.** *архит.* издаден ред камъни в стена; **4.** кордон, овощно дръвче; **II.** *v* (*c off*) заграждам с кордон.

core [kɔː] **I.** *n* **1.** сърцевина, сърце, среда, вътрешност; ядка; **2.** същина, ядро; **the ~ of the argument** същината на въпроса; **3.** сърцевина на въже (кабел); **4.** жило (*на цирей*); **5.** *ел.* магнитно ядро, сърцевина, магнитопровод; **6.** *метал.* сърце на калъп; **7.** болест по овцете; **8.** *attr* най-важен, централен, най-съществен, **~ subjects** основни предмети (*в училище*); **II.** *v* изрязвам сърцевината, сърцето, средата на.

cork [kɔːk] **I.** *n* **1.** корк; **2.** тапа, запушалка; **3.** плувка на въдица; **4.** *бот.* лико, ликов пласт; **pull out the ~** отварям бутилка с коркова запушалка; **5.** *attr* корков; **~-jacket, ~-vest** спасителен пояс, спасителна жилетка; **II.** *v* **1.** запушвам с тапа (*и пр.*); **2.** натърквам с горена тапа; **3.:** **~ it!** *sl* престани, стига си дрънкал!

corn [kɔːn] **I.** *n* **1.** зърно, зрънце; **2.** житни растения, жито, пшеница, просо, ечемик, овес; **to grind ~ to make flour** меля зърно за брашно; **• to earn o.'s ~** излизам добра инвестиция; възвръщам вложените в нари пари; **3.** царевица (*и* **Indian ~**); **4.** банална сантиментална песен или стих; **romantic ballad that is pure ~** изтъркана романтична балада; **5.** *attr* житен, пшеничен; *амер.* царевичен, кукурузен; **sheaf of ~** пшеничен сноп; **II.** *v* **1.** изкласявам; **2.** засявам с жито.

corner [ˈkɔːnə] **I.** *n* **1.** ъгъл, ъгълче, кът, кътче, кьоше, кьошенце; **to cut off a ~** минавам по кратък път (пряко), пресичам; **2.** завой; **3.** *фин.* монополно положение (**in**); **4.** *спорт.* корнер, ъглов удар (*във футбола*); **5.** *attr* на ъгъл(а); **~ house** къща на ъгъл; тайно място; **II.** *v* **1.** притискам до стената; **2.** закупувам със спекулативна цел; **to ~ the market** монополизирам пазара; **3.** срещам се на ъгъл с; завивам зад ъгъл; **4.** завивам на ъгъл.

coronary [ˈkɔrənəri] **I.** *adj* сърдечен, коронарен; **II.** *n* коронарна тромбоза; инфаркт (*и* **~thrombosis**).

corporate [ˈkɔːpərit] *adj* **1.** общ; **~ responsibility** обща отговорност; **2.** фирмен, корпоративен; **~ body, body ~** корпоративна организация.

corps [kɔː] *n* (*pl* **corps** [kɔːz]) *воен.* **1.** корпус; **the Peace ~** Корпусът на мира; **2.** *attr* корпусен.

correct [kəˈrekt] **I.** *adj* **1.** верен, точен, прав, правилен, какъвто трябва; **the ~ time** точното време; **2.** коректен, приличен, благовъзпитан, какъвто трябва; ◊ *adv* **correctly; II.** *v* **1.** коригирам, поправям, изкоригирам, регулирам, сверявам (*часовник*) (**by**); **to ~ a proof** правя коректура; **2.** мъмря, смъмрям, напомням, правя забележка (на); наказвам, изцерявам; **3.** поправям, изправям, неутрализирам; противодействам (на); изцерявам, смекчавам, от-

странявам; **to ~ the curvature in a child's spine** коригирам гръбначно изкривяване на дете.

correction [kəˈrekʃən] *n* **1.** поправка, корекция, коригиране; подобрение; **~ factor** коефициент на корекция; **2.** мъмрене, напомняне; наказание; **house of ~** изправителен дом.

correspond [ˌkɔrisˈpɔnd] *v* **1.** отговарям, съответствам, в съгласие съм (**with, to**); **to ~ to sample** отговарям на мострата; **2.** кореспондирам (**with**), кореспондираме си, пишем си.

correspondence [ˌkɔrisˈpɔndəns] *n* **1.** съответствие, съотношение; **2.** кореспонденция, преписка; **to carry on (keep up) a ~** водя (поддържам) кореспонденция (**with**).

corridor [ˈkɔridɔː] *n* коридор; **the ~s of power** коридорите на властта.

corrugate [ˈkɔrəgeit] *v* набръчквам (се), нагърчвам (се), сбръчквам (се); нагъвам, огъвам, гофрирам.

corrugation [ˌkɔrəˈgeiʃən] *n* **1.** бръчка, гънка, дипла; **2.** набръчкване, сбръчкване, нагърчване; гофриране.

corruption [kəˈrʌpʃən] *n* **1.** продажност, корупция, подкупничество, рушветчийство; **2.** поквара, покваряване, развращаване, разложение; **open to ~** поддавам се на поквара; **3.** разваляне, заразяване, гниене, разлагане; **4.** изопачаване, подправяне, фалшифициране; **• ~ of blood** *юр.* лишаване от права.

cost [kɔst] **I.** *v* (**cost**) **1.** струвам; **to ~ dear(ly)** струвам скъпо; **2.** пресмятам разноските по производството на; определям цената, оценявам; **to ~ out** изчислявам; **II.** *n* **1.** цена, стойност, разход, разноски; **at any ~, at all ~s** на всяка цена; **2.** *pl* съдебни разноски; **to carry ~s** поемам разноските; **• to count the ~** изчислявам щетите (пораженията); отчитам последствията.

costly [ˈkɔstli] *adj* **1.** скъп, ценен; **2.** разкошен, скъпен, великолепен; **3.** скъпо струващ (*за грешка*).

costume [ˈkɔstjuːm] **I.** *n* костюм; **II.**

у костюмирам.

cotton [kɔtən] **I.** *n* **1.** памук; **2.** (памучен) конец (*и* sewing-~, ~thread); **3.** памучна тъкан, плат, материя; **II.** *adj* памучен; **III.** *v sl* **1.** разбирам се, спогаждам се, карам я; хармонирам, съвместим съм (with); **2.** обиквам, привързвам се (to, together with); **I don't ~ to him at all** не ми прави добро впечатление, не ми харесва; ~ **up** сприятелявам се, сближавам се (to); **3.:** ~**on** схващам, разбирам, загрявам, чактисвам; **at last I ~ed on to what they mean** накрая загрях какво искат да кажат.

couch [kautʃ] **I.** *n* **1.** кушетка; **2.** *поет.* ложе, легло; **3.** грунд (*боя*); **II.** *v* **1.** *поет.* лежа, лягам; слагам нещо да лежи; **2.** лежа в засада, дебна, готвя се да скоча (*за звяр*); **3.** изразявам, формулирам (in); прикривам (under); **a carefully ~ed reply** внимателно формулиран отговор; **4.** *мед.* оперирам от катаракт (перде); **5.** навеждам, насочвам (*оръжие*) за нападение; **6.** слагам (*семена*) да покълнат; **7.** зашивам, пришивам (*сърма*).

cough [kɔf] **I.** *n* кашлица; **to have a ~** имам (страдам от) кашлица; **II.** *v* **1.** кашлям; **2.** пръхтя, давя се (*за двигател*); **3.** признавам, казвам;

cough up *sl* плащам, изръсвам се, "кихам".

council [ˈkaunsil] *n* **1.** съвет; **the ~ of Europe** Европейският съвет; **2.** църковен събор, консил; **3.** *библ.* синедрион; **4.** съвещание; ~ **of physicians** лекарски консулт, консилиум; **5.** *attr* общински.

counsel [ˈkaunsəl] **I.** *n* **1.** съвещание, обсъждане, разискване; **to take ~ with, to take into o.'s ~s** съвещавам се с; **2.** съвет; **to keep o.'s (own) ~** тая в себе си това, което знам, не казвам никому, трая си, мълча си; **3.** адвокат; адвокатите на едната или другата страна (*при процес*); **to hear ~ on both sides** изслушвам адвокатите и на двете страни; **4.** замисъл, план; **II.** *v* съветвам, посъ-

ветвам, давам съвет; препоръчвам, настоявам за.

count [kaunt] **I.** *v* **1.** броя, преброявам; смятам, пресмятам, изчислявам; **to ~ on o.'s fingers** броя на пръсти; **2.** смятам, мисля, считам; **I ~ myself lucky** мисля, че съм късметлия; **3.** смятам се, броя се, имам (съм от) значение; **that does not ~** това не се (брои) смята; ~ **o.'s blessings** доволен съм от съдбата си;

count against натежавам срещу, броя се за черна точка;

count for: to ~ for a great deal имам голямо значение;

count in включвам, смятам, прибавям;

count on, upon разчитам, осланям се, възлагам надежди на;

count out 1) броя един по един; **2)** не смятам, не вземам под внимание, изключвам; **3)** *спорт.* обявявам боксьор за победен;

count toward допринасям; водя към;

count up изброявам, пресмятам, изчислявам;

II. *n* **1.** броене, преброяване, смятане, пресмятане, изчисление, изчисляване, сметки; **by my ~** според моите изчисления; **2.** общ брой, сума; **his ~ of years** годините му; **3.** *юр.* точка, пункт, параграф в обвинителен акт; довод; **guilty on all ~s** виновен по всички обвинения; **4.** внимание; **to take no ~ of what people say** не обръщам внимание на хорските приказки; **5.** отношение; **on that ~** в това отношение; ● **to take the ~** *спорт.* бивам повален, победен; *прен.* претърпявам поражение, бит съм.

countenance [ˈkauntinəns] **I.** *n* **1.** израз, изражение, вид, черти (на лицето); лице, "образ"; **of fierce ~** със свиреп вид; **2.** морална подкрепа; **to give (lend) ~** давам моралната си подкрепа, насърчавам; **3.** спокойствие, самообладание; **II.** *v* **1.** допускам; **2.** одобрявам; подкрепям морално, заставам зад, насърчавам; **they would never ~ lying** никога не биха зас-

танали зад лъжа.

counterpart [ˈkauntərpɑːt] *n* **1.** дубликат, копие; **2.** двойник, еш, съответствие.

counterpoint [ˈkauntərpɔint] *n* **I.** *муз.* контрапункт; **II.** *v* *журн.* контрастирам с, изпъквам на фона на.

countersign [ˈkauntərsain] **I.** *n* **1.** парола, пропуск; **2.** заверка; **II.** *v* заверявам, приподписвам, удостоверявам истинността на.

countervail [ˈkauntəveil] *v* **1.** уравновесявам, компенсирам; ~**ing duty** компенсационно мито, мито за уравновесяване на цени; **2.** издържам, излизам насреща на.

country [ˈkʌntri] *n* **1.** страна; **native ~** родина, родна страна; **2.** население на страна, народ, нация; **the whole ~ resisted the invaders** цялата страна се вдигна срещу нашественика; **3.** отечество, родина, татковина, роден край; **4.** село; провинция; **town and ~** градът и селото; **5.** местност, край; **broken ~** пресечена местност; **6.** област, сфера; **this subject is quite unknown ~ to me** този въпрос не е от моята област; **7.** *attr* селски, провинциален; ~ **place** (малък) провинциален град.

coup [ku:] *n* **1.** сполучлив, решителен удар, ход; успех, победа; **2.** пряко вкарване на топка (*в билярда*); **3.** държавен преврат.

couple [ˈkʌpəl] **I.** *n* **1.** двойка; **dancing ~s** танцуващи двойки; **2.** чифт (ловджийски) кучета; **3.** ремък за две кучета; **4.** *физ.* двойка сили; **5.** *ел.* елемент; **6.** две свързани помежду си греди; **II.** *v* **1.** свързвам по две; **2.** съединявам (се), съчетавам (се), комбинирам (се); съешавам (се), чифтосвам (се); женя (се), оженвам (се); **3.** свързвам, асоциирам (together, with); **4.** скачвам (*вагон*); **5.** съвкупявам се.

couplet [ˈkʌplit] *n* куплет, двустишие; **heroic ~** двустишие от стихове в петостъпен ямб.

coupon [ˈku:rɔn] *n* **1.** купон; **petrol ~** талони за бензин; **2.** талон, срещу който се дава отстъпка в цената; **50 c off with ~** петдесет

цента по-евтино при представяне на този талон.

courage [ˈkʌridʒ] *n* мъжество, смелост, решителност, кураж, храброст, юначество, юнащина, сърцатост; **to keep up o.'s ~** не падам духом; не губя кураж.

courageous [kəˈreidʒəs] *adj* решителен, смел, храбър, юначен, мъжествен, сърцат, безстрашен; ◇ *adv* **courageously**.

courageousness [kəˈreidʒəsnis] *n* смелост, решителност, мъжественост, храброст, безстрашие, юначност, сърцатост.

course [kɔ:s] I. *n* 1. курс, път (*и на планета*), движение, течение (*и на река*), посока, насока; **the plane was off ~** самолетът се отклони от курса си; 2. ход, вървеж, развитие, течение; **a ~ of action** курс на действие, линия на поведение; 3. ред, постепенност; **in ~** по ред; 4. линия на поведение, политика; начин на действие; **what ~s are open to us?** какви са алтернативите ни за действие? 5. учебен курс (**in**); **refresher ~** опреснителен курс; 6. лекуване; **~ of X-ray treatments** нагревки; 7. блюдо; **a dinner of three ~s** обед от три блюда; 8. писта; хиподрум (*и* **race-~**); поток (*и* **water-~**); 10. *строит.* ред (пласт) тухли, камъни и пр.; 11. *мор.* долно платно; 12. рудна жила, каменовъглен пласт; 13. *мин.* галерия; 14. *pl* държание, поведение; ● **~ of action** начин на действие; *воен.* ход на сражение; **~ of exchange** валутен курс; II. *v* 1. ходя на лов (*с кучета*), гоня, преследвам (*дивеч – за кучета*); 2. бягам, тичам; тека (*и за сълзи*), циркулирам, движа се (*за кръв*); **tears ~ed down her cheeks** по бузите ѝ се търкаляха сълзи; 3. препускам (*кон*), пускам (*куче*) да бяга.

course book [ˈkɔ:sbuk] *n* учебник.

court [kɔ:t] I. *n* 1. съд, съдилище, съдебна палата; съдия, съдии; **to bring (take) to ~** изправям пред съда, съдя; 2. игрище, корт; 3. двор, вътрешен двор (*и* **courtyard**); 4. двор (*и прен.*), дворец,

палат; **the C. of St. James** английският кралски дворец; 5. *амер.* (събрание на) управително тяло; 6. уличка, тясна улица; сляпа улица; 7. отдел в изложена палата, музей и пр.; 8. обикаляне, ухажване; почтителност; **to (make) pay o.'s ~ to** обикалям, ухажвам; 9. *attr* дворцов; съдебен; II. *v* 1. обикалям, ухажвам; 2. гледам да спечеля, домогвам се до; ● **to ~ danger** излагам се на опасност.

courtesy [ˈkə:tisi] I. 1. *n* учтивост, вежливост, любезност, благовъзпитаност; (акт на) внимание; 2. *pl* любезности, учтиви реплики; II. *adj* 1. безплатен; рекламен; 2. официален (*за визита*); направен в знак на уважение.

cousin [kʌzn] *n* 1. братовчед, братовчедка (*и* **first~**); **second ~** втори братовчед, братовчедка; 2. *остар.* роднина, сродник; **~ seven (several) times removed** далечен роднина; на зълва ми зълвин син; 3. нещо сродно, еквивалент.

covenant [ˈkʌvinənt] I. *n* 1. споразумение, спогодба, съглашение; 2. *юр.* договор; член, точка, параграф, клауза от договор, уговорка; 3. *библ.* завет; **the land of the ~** обетованата земя, Ханаан; II. *v* споразумявам се, договарям се, постигам спогодба, сключвам договор; уговарям (**with, for**).

cover [ˈkʌvə] I. *v* 1. покривам, закривам, потулвам, прикривам; обвивам, обгръщам, затулям (**with, in**); обличам (*копче и пр.*); **to be ~d with** покрит съм с, отрупан съм с, изобилствам с, гъмжа от; 2. закривам, защитавам, прикривам (*и воен.*); закътвам, ограждам; **~ s.o.'s retreat** прикривам нечие отстъпление; 3. осигурявам, обезпечавам, гарантирам, поръчителствам; **are you ~ed against burglary?** застраховката ти включва ли грабеж? 4. включвам, обхващам, обгръщам, отнасям се за; 5. покривам, достатъчен съм, стигам за; **to ~ o.'s expenses** покривам разноските си; 6. снимам в качеството си на репортер, правя репортаж за; 7. из-

минавам (*разстояние*); 8. вземам (*учебен материал*); **to ~ a lot of ground** вземам много материал; 9. прикривам, потулвам, укривам (**for**); 10. мътя (*яйца – за птица*); 11. насочвам (оръжие) срещу; вземам на мушка; стоя с насочено оръжие срещу; доминирам над, в обсега ми е; 12. задоволявам, отговарям на (*изисквания и пр.*); 13. замествам, върша работата на (**for**); 14. покривам (оплождам) (*за животно*); 15. втори защитник съм (*при игра на крикет*); 16. правя кавър версия (*на песен*); ● **well ~ed** дебело (топло) облечен; дебел, пълен;

cover in засипвам, запълвам;

cover over закривам, затулям;

cover up скривам, потулвам, прикривам, обвивам, загръщам;

II. *n* 1. покривка, покривало; капак, похлупак; 2. скривалище, убежище; подслон, сушина, навес, заслон; защита, закрила; гора, гъстак, храсти, храсталак, шубраци; **under ~** на закрито, под покрив; 3. прикритие, параван; покров, було, покривало; саван; **under (the) ~ of** под маската на, под прикритието на; 4. обвивка, калъф, плик; **under the same ~** в един плик (*за няколко писма*); 5. кора, корица, обложка (*на книга*); 6. *воен.* укритие, закритие; 7. куверт; 8. външна гума (*на автомобил, велосипед*); 9. кавър версия; 10. *търг.* гарантиран фонд; III. *adj:* **~ letter** съпроводително писмо.

cow₁ [kau] *n* 1. крава; **milking ~** дойна крава; 2. женска на слон, кит и пр.; **~ buffalo** биволица; ● **to have a ~** *разг. амер.* бесен съм; разстроен съм.

cow₂ *n* 1. клин; 2. капак.

cow₃ *v* сплашвам, тероризирам; усмирявам, укротявам, обуздавам; **to ~ s.o. into submission** сплашвам някого и го принуждавам да се подчини.

coy [kɔi] *adj* 1. свенлив, срамежлив; скромен; необщителен, див; затворен, сдържан; **~ of speech**

който си пести думите; 2. потаен, уклончив; **he was a bit ~ when we asked him about the nature of his illness** отговори уклончиво, когато го попитаха за естеството на заболяването му; 3. престорено свенлив, срамежлив, скромен; "Света Богородица"; ~ **smile** срамежлива усмивка; ◇ *adv* **coyly;** 4. *остар.* презрителен; 5. *остар.* уединен, усамотен; тих, спокоен.

crabbedness ['kræbidnis] *n* 1. раздразнителност, намусеност, опакост; свадливост, злоба; 2. неяснота, неразбраност, измъченост, изкривеност, нечетливост; 3. киселина, стипчивост.

crack [kræk] I. *v* 1. пуквам (се), спуквам (се); изпуквам; троша, строшавам; разбивам, счупвам (*орех, череп и пр.*); **the ice ~ed as I stepped on it** ледът се спропука, когато стъпих върху него; 2. плющя (*за камшик*); щракам, пукам (*за пушка*); трещя (*за гръмотевица*); **to ~ o.'s knuckles** пукам си пръстите; 3. *техн.* обработвам (*нефт*) с крекинг; 4. пресеква, секва, става дрезгав; мутира (*за глас*); 5. падам на земята, грохвам (*за кон*); 6. *шотл.* приказвам, бъбря; 7. огъвам се, отстъпвам, не издържам; **the suspect ~ed under questioning** заподозреният си призна вината по време на разпита; 8. разрешавам (*проблем след дълго обмисляне*); дешифрирам (*код*); разбирам; ● **to ~ a crib** *sl* влизам в къща чрез взлом; ограбвам чрез взлом;

crack down on упражнявам строг контрол; налагам ограничения;

crack on *мор.:* **to ~ on sail** опъвам платната;

crack up 1) разтрошавам; 2) *разг.* разпадам се, грохвам; фалирам; развалям се, раздрънквам се; 3) откачам, побърквам се;

II. *n* 1. пукване, спукване; пукнато, пукнатина, цепнатина; процеп, цепка, дупка, пролука, прозирка; **a vase with bad ~s** силно напукана ваза; 2. щракване; плющене; гръм, изгърмяване; **at the ~ of dawn** при пукване на зората; ● **the** ~ **of doom** *прен.* втората тръба; 3. внезапен силен удар; **to give s.o. a ~ on the head** праскам някого по главата; 4. *sl* първокласен играч (кон и пр.); ас; 5. *sl* кражба с взлом; 6. *sl* крадец; 7. *sl* неуместна забележка; гаф; 8. остроумна забележка; **a dirty ~** хаплива забележка; 9. *разг.* опит; **to get a fair ~ of the whip** получавам добър шанс да успея в нещо; 10. чист обработен кокаин на кристали, крак; III. *adj разг.* първокласен, екстра, фамозен; елитен; IV. *int* пук.

craft [kra:ft] I. *n* 1. плавателен съд, кораб; **small ~s** лодки, малки кораби; 2. занаят; професия; ● **every man to his ~** всеки със занаята си; 3. умение, сръчност, ловкост, майсторлък, изкуство; **the potter's ~** грънчарското изкуство; 4. хитрина, хитрост, лукавство; 5. *истор.* еснаф, гилдия; **the ~** масонска ложа; 6. самолет(и); 7. *мор.* риболовни съоръжения; II. *v* майсторя, изработвам с умение.

cram [kræm] I. *v* (**-mm-**) 1. натъпквам (се), наблъсквам (се) (**into**); препълням; ~ **papers into a drawer** натъпквам хартии в чекмедже; 2. тъпча се; ям лакомо, лапам, нагъвам; тъпча, натъпквам (*с храна*); угоявам (*птици*); 3. *уч.* зубря, кълва (*за изпит*); готвя (*някого*) за изпит, тъпча (*някому*) в главата; 4. изтощавам, преуморявам (*кон*); 5. *sl* лъжа; II. *n* 1. угояване (*на птици*); 2. *уч.* зубрене, кълване; 3. тъпканица, навалица; 4. *sl* лъжа, менте.

cramp₁ ['kræmp] I. *n* 1. спазъм, свиване, схващане; гърч, парализа; **writer's ~** схващане на мускулите на пръстите от продължително писане; 2. *техн.* скоба, стяга; 3. *прен.* парализиращо (спъващо) въздействие; спънка, пречка; II. *v* 1. парализирам, карам (правя) да се свие (да се схване) (*обикн.* в *pass*); **legs ~ed by the cold** схванати (изтръпнали) от студ крака; 2. *прен.* парализирам, спъвам, преча на; ограничавам

(*действия, място*); **to ~ o.'s progress** спирам нечие развитие; 3. *техн.* затягам, стягам; подпирам.

cramp₂ I. *n* (~ **iron**) скоба; метална пръчка с огънати краища, използвана в строителството; II. *v* свързвам с такава скоба.

crank₁ [kræŋk] I. *n* 1. *техн.* манивела; ръчка, дръжка, ръчен лост; кривошип; полуколяно; коленчест лост; 2. *истор.* диск, който престъпниците въртят за наказание; II. *v* 1. превивам, прегъвам; 2. пускам в движение, запалвам (мотор) с манивела (*често с* **up**); **to ~ away** въртя манивелата; 3. лъкатуша (*за река*); 4. изрязвам на зигзаг; 5. стържа (*за колело*);

crank up усилвам, увеличавам, "давам" обороти; засилвам; **this incident ~ed up her fears** този инцидент засили страховете й;

crank out бълвам, произвеждам в големи количества.

crank₂ I. *n* 1. ексцентрик, маниак, чудак; чешит; 2. странен (необикновен, причудлив) израз; странна (причудлива, ексцентрична) идея, каприз, прищявка; II. *adj* 1. разклатен, разнебитен, разхлопан; 2. нестабилен, който лесно се обръща (*за кораб*); 3. *остар., диал.* жив, весел, пъргав.

cranky ['kræŋki] *adj* 1. ексцентричен, чудат, причудлив; 2. опак, раздразнителен, ни се води, ни се кара; 3. разнебитен, разклатен; **a ~ old engine** разнебитен стар двигател; 4. слабоват, кекав, болнав; 5. лъкатушен.

cranny ['kræni] I. *n* процеп, цепнатина, пролука; II. *v* цепя се, разцепвам се; ● **every nook and ~** всяко ъгълче.

crash [kræʃ] I. *n* 1. катастрофа, сблъсък, сблъскване; 2. трясък, грохот; 3. фалит, крах; 4. срутване; II. *v* 1. падам (срутвам се, счупвам се) с трясък; сгромолясвам се; строполясвам се; **to ~ (down)** падам с трясък, строшавам се; 2. блъсвам се (**into**); сблъсквам се (*за автомобил и пр.*); 3. *авиац.* падам, катастрофирам, разби-

вам се; свалям, разбивам; **4.** пропадам, провалям се, претърпявам крах; **5.** *амер. sl* влизам без билет или без покана; нахълтвам; **to ~ a party** намъквам се неканен на купон; **6.** *инф.* блокирам (*за компютър – поради неправилна работа на програма или хардуер*); • **a ~ing bore** изключително досадно човече; **III.** *adv* с трясък, с тропот; **IV.** *int* тряс!

crave [kreiv] *v* **1.** моля за, прося; **to ~ indulgence** моля за снизхождение; **2.** жадувам, копнея, ожидам; силно желая (**for, after**); **I was ~ing for a glass of water** умирах за чаша вода.

crawl [krɔ:l] **I.** *v* **1.** пълзя, лазя, влача се; **to ~ in** влизам пълзейки, пропълзявам вътре; **2.** пълзя, унижавам се (**to, before**); **3.** гъмжа (**with** от); **4.** гъдел ме е, като че ли мравки ме лазят, нещо ме гъделичка; • **make o.'s flesh (skin) ~** карам някого да му настръхне косата; **II.** *n* **1.** пълзене, лазене, влачене; бавно движение; **to go at a ~** едва се движа, движа се (карам) съвсем бавно; **2.** *спорт.* кроул (*и* **~-stroke**); **back ~** кроул на гръб.

craze [kreiz] **I.** *n* **1.** мания; лудост; мода; **to have a ~ for** маниак съм (побъркан съм) на тема, луд съм по; **2.** фина пукнатина, микропукнатина; **II.** *v* **1.** подлудявам, карам да подлудее; **2.** правя малки пукнатини (кракеле) (*по глеч*), напуквам се.

crazy [ˈkreizi] *adj* **1.** луд, полудял, (умо)побъркан, налудничав (**with** от); **to drive (send) s.o. ~** подлудявам (влудявам) някого, карам някого да полудее; ◇ *adv* **crazily**; **2.** луд, вманиачен (**about, over** по, на тема); **to be ~ to do s.th.** изгарям от желание да направя нещо; **3.** разнебитен, разклатен, раздрънкан, разхлопан; **4.** направен от неравни парчета с различна форма; **a ~ quilt** юрган (покривка) от разноцветни парчета плат.

creak [kri:k] **I.** *v* скърцам, скръцвам; скрибуцам; карам (правя) да скърца; **II.** *n* скърцане, скрибуцане.

cream [kri:m] **I.** *n* **1.** каймак, сметана; **2.** *прен.* цвят, каймак, найхубавото, най-доброто, най-интересното; **to skim the ~** *прен.* обирам каймака; **3.** крем; **face ~** крем за лице; **4.** кремав цвят; кон с кремав цвят; **5.** *attr* каймачен; кремав; **II.** *v* **1.** обирам каймака от (*мляко*); **2.** образувам каймак; **3.** пени се (*за бира и пр.*); **4.** слагам каймак в (*кафе и пр.*); **5.** разбивам на крем; **6.** намазвам с крем; **cream away** вземам, отвличам;

cream off **1)** присвоявам, прибирам (*пари, печалби*); **2)** привличам (*кадри*).

crease [kri:s] **I.** *n* **1.** гънка, чупка, ръб (*особ. на панталони*); фалц, огъвка; **to iron a ~ into o.'s trousers** правя ръб на панталона си; **2.** бръчка; **3.** линия, зад която застава батсманът (*при игра на крикет*); **II.** *v* **1.** мачкам (се), смачквам (се), измачквам (се); **2.** сбръчквам се, набръчквам се (*за лице*); **3.** правя ръб на (*панталони*); **4.** *техн.* правя фалц на; **to ~ s.o. up** *разг.* забавлявам някого, карам го да се смее.

create [kriˈeit] *v* **1.** създавам, творя, изграждам, сътворявам; **2.** създавам, причинявам, предизвиквам, правя; **to ~ jobs** създавам (откривам) работни места; **3.** давам (някому) титла, произвеждам в.

creation [kriˈeiʃən] *n* **1.** създаване, сътворяване; **2.** творение, творба; **a ~ of genius** гениално творение, гениална творба; • **that beats (licks) ~** и таз хубава! чудо невиждано! **3.** креатура; **4.** даване (*на титла*), провъзгласяване, произвеждане; **5.** модел, мода, креация.

creator [kriˈeitə] *n* създател, творец; автор; причинител.

creature [ˈkri:tʃə] *n* **1.** остар. създание, творение; **2.** живо същество; живинка, създание, твар; **dumb ~s** неми твари, животни; **3.** човек, същество; **there was not a ~**

to be seen жив човек не се виждаше, нямаше жива душа; **4.** пионка; човек, зависещ от някого; подчинен човек; **5.** креатура; *прен.* оръдие; **6.** *разг., шег.* ракия, уиски (*често* **cratur** *ирл.*); **7.** *attr* материален; **~ comforts** материални блага; ядене и пиене.

credence [ˈkri:dəns] *n* **1.** вяра, доверие; **to give (attach) ~ to** вярвам (имам доверие) на; **to find ~** разчита се на мен, възприемам се; **2.** *рел.* масичка, върху която се слага причастието (*и* **~ table**).

credibility [ˌkrediˈbiliti] *n* вероятност, правдоподобност.

credit [ˈkredit] **I.** *n* **1.** *търг.* кредит; дълг; сума, записана на приход; дясната (кредитната) страна на счетоводна книга; актив; **on ~** на кредит, на версия; **2.** уважение, признание; похвала, чест; заслуга; **he got all the ~ for the discovery** откритието беше признато за изцяло негова заслуга; **3.** вяра, доверие; **to gain ~** спечелвам доверие, започват да ми вярват; **4.** доверие, влияние, уважение; престиж, авторитет, добро име; **a man of highest ~** човек с много добро име; **5.** бюджетна дванадесетинка; **6.** удостоверение за завършен курс в учебно заведение; **7.** *pl* (*и* **credit titles**) списък с имената на актьорите, на директора и на снимачния екип на филм, телевизионна програма и др.; **II.** *v* **1.** *фин.:* **to ~ a sum to s.o.**, **to ~ s.o. with a sum** кредитирам сума на някого (някого със сума); вписвам сума към кредитната страна (прихода) на сметката на някого; **2.** приписвам; **they are ~ing science with power it does not possess** приписват на науката власт, която тя не притежава; **3.** вярвам, приемам за достоверен.

creditor [ˈkreditə] *n* кредитор; **~ nation** полит., икон. държава кредиторка.

creed [kri:d] *n* **1.** вероучение; символ на вярата; **2.** вероизповедание; **3.** верую, убеждение, кредо.

creep [kri:p] **I.** *v* **crept** [krept] **1.** пълзя, лазя, влача се; тътря се; пъл-

зя, вия се (*за растение*); стъпвам дебнешком; прокрадвам се, вмъквам се (**into**); измъквам се (**out, of**); **to ~ up on s.o.** промъквам се крадешком изотзад; 2. *прен.* пълзя; блюдолизнича; 3. побиват ме (полазват ме) тръпки, потръпвам, потрепервам (*от страх, отвращение*); **it makes my flesh ~** тръпки ме побиват; 4. *техн.* плъзгам се, движа се по инерция; 5. *мор.* влача канджа; II. *n* 1. *pl* тръпки (*от страх, отвращение*); **he gives me the ~s** тръпки ме побиват като го видя; 2. *геол.* бавно свличане; 3. *мин.* бавно издигане на пода на галерия; 4. *техн.* плъзгане, движение по инерция; 5. подлизурко, блюдолизец.

creepy ['kri:pi] *adj* 1. страховит, зловещ, злокобен, прокобен; тайнствен; 2. отвратителен, противен, гаден; **a ~ ghost story** зловеща история за призраци; 3. който има чувство, че го полазват тръпки.

crest [krest] I. *n* 1. гребен (*на вълна*); 2. било, хребет; 3. *прен.* връхна точка; апогей; **on the ~ of the wave** на върха на успеха (на славата) си; 4. гребен, качулка, грива; 5. *хералд.* украшение, поставено над герб; 6. плюмаж; гребен на шлем; *поет.* шлем; 7. *анат.* ръб на кост; II. *v* 1. издигам се на, превалям; **as we ~ed the hill we saw the castle** когато се качихме на хребета на хълма, видяхме замъка; 2. украсявам с гребен и пр.; правя било (*на покрив*); 3. *поет.* издигам се, образувам гребен (*за вълна*).

crew [kru:] I. *n* 1. екипаж; матросите (*без офицерите*); 2. екип, бригада, група, тим, сдружение; **a camera ~** снимачен екип; 3. *пренебр.* компания, банда, шайка, пасмина; II. *v* работя като член на екип; **will you ~ for me on my yacht?** искаш ли да бъдеш в екипажа на яхтата ми?

cricket₁ ['krikit] *n* щурец; **as lively as a ~** жизнен, весел, жизнерадостен.

cricket₂ ['krikit] *спорт.* I. *n* крикет;

it isn't ~ *разг.* не е честно, не е по правилата; **to play ~** *прен.* постъпвам честно; II. *v* играя крикет.

crime [kraim] I. *n* 1. престъпление; злодеяние; **to commit a ~** извършвам престъпление; 2. *воен.* провинение; II. *v воен.* обвинявам в (наказвам за) нарушение на дисциплината.

criminal ['kriminl] I. *n* престъпник; злодей, рецидивист; II. *adj юр.* 1. престъпен; криминален; 2. углавен, наказателен; **~ law** наказателно право.

crimson ['krimzn] I. *adj* 1. пурпурен, румен, багрен, виненочервен, тъмночервен; кървавочервен; **to go (blush) ~** пламвам, почервенявам, заруменявам; 2. кървав; II. *n* пурпур, тъмночервен цвят; III. *v* багря, обагрям се, заруменявам (се); боядисвам (правя) тъмночервен; почервенявам, руменея.

cringe [krindʒ] I. *v* 1. свивам се (*от страх, пред удар и пр.*); **a child ~ in terror** детето се сви ужасено; 2. раболепнича; пълзя, подлизурствам, подмазвам се (**to, before**); **she is always ~ing to the boss** тя редовно се подмазва на началника; II. *n* 1. свиване; 2. подлизурство, раболепие, подмазване, пълзене.

cripple ['kripl] I. *n* 1. сакат (куц, хром) човек; инвалид; 2. висящо (подвижно) скеле (*при боядисване*); II. *v* 1. осакатявам, оставям (правя) някого инвалид; 2. намалявам, отслабвам; накърнявам, уронвам (*влияние и пр.*); 3. правя негоден; парализирам (*дейност*).

crisis ['kraisis] *n* (*pl* **crises** [-i:z]) криза; **government ~** правителствена криза.

crisp [krisp] I. *adj* 1. хрупкав, хрускав; **~ biscuit** хрупкава бисквита; 2. *прен.* свеж, освежителен, хладен (*за въздух*); **~ winter morning** студена зимна утрин; 3. отривист; отсечен, лек; решителен, твърд; ясно очертан, чист; твърд; **~ speech** стегната реч;

4. къдрав, накъдрен; 5. гладък, добре изгладен, безупречен (*за дреха*); 6. крехък, трошлив; II. *n* 1. *pl разг.* банкноти; 2. (**~s**) пържени картофи; • **burnt (cooked) to a ~** изпържен (изпечен) така, че да хруска; 3. трошливост, крехкост; III. *v* 1. изпичам така, че да хруска; изпичам се добре; 2. изсъхвам, сбръчквам се (*за листа*); 3. къдря (се), накъдрям (се); 4. крепирам (*плат*); 5. ставам крехък; разтрошавам се.

criss-cross ['kriskrɔs] I. *v* пресичам надлъж и нашир, кръстосвам; пресичам се; II. *adj* 1. пресечен на кръст; набелязан с кръстчета; 2. опак, дръпнат; III. *adv прен.* накриво, наопаки; IV. *n* 1. пресичане; мрежа (*от пресечени линии*); *прен.* лабиринт; бъркотия; 2. кръстче.

critic ['kritik] *n* 1. критик, критичка; 2. критикар; маханджия.

critical ['kritikl] *adj* 1. критичен, критически; **the report was ~ of her work** в доклада се критикуваше работата ѝ; 2. критичен, сериозен, опасен; 3. взискателен, критичен; ◇ *adv* **critically;** • **to be ~ on the point of honour** взискателен съм по въпроса за честта (**of**).

criticize ['kritisaiz] *v* критикувам; разглеждам критично, анализирам, обсъждам.

critique [kri'ti:k] I. *n* 1. критика, критична статия, критична оценка; 2. изкуство да се критикува; II. *v* критикувам.

croak ['krouk] I. *v* 1. крякам, грача; говоря дрезгаво, хриптя; 2. вещая зло, песимист съм, гледам мрачно на бъдещето; оплаквам се; 3. *разг.* умирам, хвърлям топа, ритвам камбаната; 4. *разг.* убивам, светявам маслото на; II. *n* 1. крякане; грачене, грач, крясък; 2. *sl* провал, крах, неуспех.

crochet ['krouʃei] I. *n* 1. плетене с една кука; 2. плетиво; II. *v* плета с една кука; **~ed skirt** пола, плетена на една кука.

crocodile ['krɔkədail] *n* 1. крокодил; • **~ tears** крокодилски съл-

зи; 2. *уч.* ученици в колона; разходка под строй.

croissant [krɔə'saːn] *n* френска кифличка, кроасан.

crooked ['krukid] *adj* 1. извит; крив; изкривен; ◇ *adv* **crookedly**; 2. уродлив (*за човек*); 3. нечестен, *прен.* тъмен; 4. извратен; 5. получен по нечестен начин.

crookedness ['krukidnis] *n* 1. извитост; изкривеност; 2. уродливост; 3. нечестност; 4. извратеност, изопаченост.

crop [krɔp] I. *n* 1. посев, разсад, култура; реколта, родитба, урожай; ~ **failure** лоша реколта; *прен.* 2. куп, маса, голямо количество; 3. късо подстригана коса, прическа ала гарсон; 4. дръжка на камшик; малък камшик за езда; 5. гуша (*на птица*); 6. цяла одрана кожа на животно; 7. отрязано парче, отрязан край; 8. врат (*за говеждо месо*); • neck and ~ с все парцали; II. *v* (-pp-) 1. давам реколта, раждам; 2. събирам, прибирам (*реколта*) 3. сея, засявам; to ~ a field with oats засявам нива с овес; 4. паса, опасвам, хрупам; 5. отрязвам, подрязвам; кърпя, кастря; стрижа, остригвам; **close** ~ped hair остригана коса; **crop out** 1) *геол.* показвам се (излизам) на повърхността; 2) отново се появявам (*за петно, порок и пр.*);

crop up 1) изниквам, явявам се ненадейно; 2) раста бързо.

cross [krɔs] I. *v* 1. пресичам се (*за линии, пътища*); to ~ o.'s arms on o.'s chest кръстосвам ръце; 2. кръстосвам; to ~ swords with s.o. кръстосваме си шпагите; споря с; 3. *refl* кръстя се, прекръствам се; 4. слагам чертичка на буквата t; to dot o.'s i's and ~ o.'s t's много съм точен при писане и говор; 5. *фин.* барирам (*чек*) 6. пресичам, (пре)минавам през; прекосявам; to ~ s.o.'s path срещам някого; попадам (мяркам се) пред очите на някого; преча (противодействам) на някого; 7. срещам се; разминавам се; your letter ~ed mine, our letters ~ed

писмата ни се разминаха; 8. преча (*на плановe*); противя се, вървя срещу нечия воля; she doesn't like to be ~ed не обича да ѝ се противоречи; 9. *биол.* кръстосвам (се), смесвам (се); • ~ my heart! честна дума!; to ~ o.'s bridges when one comes to them ще мисля за това, когато му дойде времето; II. *n* 1. кръст (*и прен.*); Maltese ~ кръст с клиновидни рамена; малтийски кръст; 2. християнството, християнският свят; the Cross Христовият кръст; християнската религия; 3. кръст (орден); 4. *биол.* кръстосване, смесване, хибридизация (between ... and ...); кръстоска, хибрид; 5. неприятност, разочарование; пречка; възражение; 6. кръстопът; 7. веревен плат; cut s.th. on the ~ кроя на верев; 8. *спорт.* тайно споразумение (*между боксьори*), шашма; • to take a child to Banbury ~ друсам дете на колене;

cross off, out зачерквам, зачертавам, задрасквам;

cross over пресичам (*улица и пр.*), преминавам от едната страна на другата;

III. *adj* 1. сърдит, ядосан; to be ~ with s.o. сърдит съм (ядосан съм) на някого; ◇ *adv* **crossly**; 2. напречен; който се пресича с друг; ~ lines пресичащи се линии; 3. противен, обратен, противоположен (to); 4. противен, насрещен, неблагоприятен (*за вятър*); с вълни в противоположни посоки (*за море*).

crossbreed ['krɔsbriːd] I. *n* кръстоска, хибрид; II. *v* (cross-bred ['krɔsbred]) кръстосвам, смесвам, създавам хибриди.

cross-eyed ['krɔsaid] *adj* кривоглед.

crossfertilize ['krɔs͵fəːtilaiz] *v* 1. извършвам кръстосано опрашване (хибридизация); 2. стимулирам.

crossing ['krɔsiŋ] *n* 1. преминаване, пресичане; to have a good ~ успешно преминавам (*море, океан, проток*); преминавам (*море и под.*) при хубаво време; 2. пресечка на улица; кръстопът; пресичане на жп линии; **pedestrian**

~ пресечка за пешеходци; 3. кръстосване, хибридизация; 4. *фин.* бариране (*на чек*); 5. опозиция, противене, възпротивяване, вървене срещу нечия воля.

crosspatch ['krɔspætʃ] *n* мърморко, сърдитко, вечно недоволен човек, мрънкало.

cross reference ['krɔs͵refərəns] I. *n* препратка, отпратка (*в книга*); II. *v* правя препратки; to ~ a book правя препратките в книга.

cross section ['krɔssekʃən] I. *n* напречен разрез, напречно сечение; профил (*на път и пр.*); 2. представителен екземпляр; образец; a ~ of electors представителна група (извадка, подборка) за електората; II. *v* 1. разрязвам напреко, правя напречен разрез; 2. установявам профил.

crotcheteer [͵krɔtʃi'tiə] *n* опърничав, капризен, своенравен човек; фантазьор; човек на приумиците.

crotchetiness ['krɔtʃitinis] *n* своенравност, капризен нрав, опърничавост, упоритост.

crouch ['krautʃ] I. *v* 1. навеждам се, свивам се; стоя приведен (свит); 2. лежа на земята, готвя се да скоча (*за животно*); 3. *прен.* пълзя, подмазвам се, блюдолизнича, раболепнича; II. *n* свиване, свито (наведено, легнало) положение.

crow₁ I. [krou] *n* 1. гарван, врана, гарга; птица от семейство *Corvus*; • a white ~ бяла врана, нещо, което се среща рядко; 2. кукуригане (пеене) на петел; cock ~ първи петли; 3. гукане, радостно писукане (*на дете*); 4. човек, който стои на пост, докато друг краде; II. *v* (crew [kruː], crowed [kroud], crowed) 1. кукуригам, пея; 2. гукам, издавам радостни звуци; 3. ликувам, тържествувам; злорадствам (over); to ~ over o.'s rivals' failure злорадствам над загубите на съперниците си.

crow₂ техн. лост; рудан; скоба; клещи.

crowd₁ [kraud] I. *n* 1. тълпа; навалица, блъсканица, бутаница; to move (go, follow) with the ~ *прен.* следвам (вървя след) тълпата;

нося се по течението; постъпвам като другите; **2.** *разг.* група, тайфа, компания; **I am not a part of this** ~ не се събирам с тази тайфа; **3.** маса, куп, много неща събрани (нахвърляни) заедно; **II.** *v* **1.** трупам се, тълпя се (*особ. с* **together, around**); **2.** блъскам (се), наблъсквам (се), натъпквам (се), тълпя се в; препълням; ~**ed theatre** претъпкан театрален салон; **3.** блъскам, натискам (*някого в тълпа и пр.*); притеснявам, стеснявам; **don't** ~ **me! give me time to think** не ми вади душата! остави ме да си помисля; **4.** *мор.* бързам с издути платна (*за кораб*); **to** ~ **on sail** разпервам повече платна;

crowd in нахлувам в ума на, обземам, завладявам;

crowd out избутвам, изтласквам.

crowd₂ [kraud] *муз.* **I.** *n* (вид) гусла, гъдулка; **II.** *v* свиря на такъв инструмент.

crowded ['kraudid] *adj* **1.** претъпкан, препълнен, изпълнен (**with**); многолюден; **2.** натъпкан, притиснат; ~ **passengers on a bus** наблъскани (натъпкани) пътници в автобус; **a** ~ **program** претоварена (претрупана) програма.

crown [kraun] **I.** *n* **1.** корона; *прен.* (С.) владичество, кралска (царска, императорска) власт; **to assume the** ~ слагам короната; **2.** венец; венче; **3.** коронка (*на зъб*); **4.** *бот.* корона (*на дърво*); коронка (*на цвете*); **5.** теме; *прен.* глава; **from** ~ **to foot** от глава до пети, от горе до долу; **6.** *истор.* крона, монета от 5 шилинга; *сега само* **half-a**~ = 2 шилинга и половина; **7.** дъно (*на шапка*); **8.** *прен.* връх; най-високата част; **the** ~ **of the hill** върхът на хълма; *поет.* апогей; **9.** гребен (*на птица*); **10.** формат хартия; 15 на 19 инча (*за писане*); *англ.* 16,5 на 21 инча (*за печат*) и 15 на 19 инча (*за чертане*); **11.** пета на котвата; **II.** *v* **1.** короновам, коронясвам; *прен.* увенчавам, украсявам; **the award of the prize** ~**ed his career** присъждането на наградата увенча кариерата му; **2.** завършвам; окончавам; **3.** поставям коронка (*за зъб*); **4.** *прен.* възглавявам.

crowning ['krauniŋ] *adj* висш, върховен; **to provide the** ~ **touch** добавям завършващ (последен) щрих.

crucial ['kru:ʃəl] *adj* **1.** решаващ, решителен (*за момент, опит и пр.*); критически, съдбоносен; ◇ *adv* **crucially;** **2.** *мед.* кръстовиден, кръстообразен.

crucifixion [,kru:si'fikʃən] *n* **1.** *рел.* разпъване (разпятие) на кръст, смърт върху кръста; **2.** *прен.* мъки, страдания.

crucify ['kru:sifai] *v* **1.** разпъвам на кръст (*и прен.*); **2.** потискам, задушавам, възпирам, потушавам (*страсти и пр.*); **3.** отнасям се жестоко, критикувам остро, "разнищвам"; **the minister was** ~**ed in the press** министърът беше критикуван остро в пресата.

crude [kru:d] **I.** *adj* **1.** груб, приблизителен, ориентировъчен; **2.** груб, недодялан (*и прен.*); рязък; ~ **remark** цинично подхвърляне; **3.** суров, необработен, непречистен, нерафиниран, натурален; ~ **oil** земно масло, суров (нерафиниран) нефт (петрол); **4.** зелен, незрял (*за плод*); **5.** необмислен; **6.** гол (*за факт, твърдение*); **7.** ярък, крещящ (*за цветове*); **II.** *n* рядко суров нефт (петрол).

crudeness ['kru:dnis] *n* грубост, недодяланост, грубоватост.

cruel [kruil] **I.** *adj* **1.** жесток; **2.** мъчителен; ◇ *adv* **cruelly;** **II.** *adv* грубо ужасно, страхотно.

cruelty ['kruilti] *n* жестокост.

cruise [kru:z] **I.** *v* **1.** *мор.* обикалям (пътувам, плавам) по море; кръстосвам по море; **2.** *разг.* кръстосвам, ходя насам-натам; **3.** *разг.* търся си сексуален партньор (*особ. за хомосексуалист*); **II.** *n* *мор.* пътуване по море; кръстосване на моретата; **pleasure** ~ морска екскурзия, разходка по море, круиз.

cruising ['kru:ziŋ] **I.** *n* **1.** плаване (пътуване) по море; **2.** *воен., мор.*

кръстосване; ~ **submarine** подводница с голям обсег на действие; **II.** *adj* пътен (*за скорост*).

crumb [krʌm] **I.** *n* **1.** троха; *прен.* частица, трошица; **fried in bread** ~**s (breaded)** паниран; **2.** среда (вътрешност, мека част) на хляб; **II.** *v* **1.** троша, роня, надробявам; **2.** овалвам (валям) в галета, панирам.

crumble [krʌmbl] **I.** *v* **1.** роня (се), троша (се), раздробявам (се), разпадам (се) (**away**); ~**ing walls** рушащи се стени; **the soil is** ~**ing away under their feet** (*и прен.*) те губят почва под краката си; **2.** преставам да се боря, предавам се, губя надежда; **II.** *n* вид ронлив плодов пудинг.

crummy ['krʌmi] *adj* **1.** *разг.* лош, долен, отвратителен, лош, грозен; **a** ~ **little street** тясна неугледна улица; **2.** болен, нездрав, неразположен.

crump [krʌmp] *sl* **I.** *v* **1.** удрям силно, бъхтя; **2.** *воен.* обстрелвам, бомбардирам; **II.** *n* силен удар.

crumple [krʌmpəl] *v* **1.** мачкам (се), смачквам (се), набръчквам (се), сбръчквам (се); **2.** *разг.* падам духом; грохвам; рухвам; **her resistance to the proposal has** ~**ed** намаше сили да се противопостави на предложението.

crunch [krʌntʃ] **I.** *v* **1.** хрускам, хрупкам; хрущя; **2.** (*за сняг*) скриптя, скърцам; **II.** *n* **1.** хрускане, хрупкане; **2.** скърцане, скриптене (*за сняг*); *sl* критична ситуация; **a cash** ~ недостигна налични пари, затруднено финансово положение.

crush [krʌʃ] **I.** *v* **1.** смачквам, смазвам; разтрошавам, раздробявам, разбивам; *прен.* съкрушавам, унищожавам, сразявам, потъпквам; потушавам; **the rebellion was** ~**ed** въстанието беше потушено; **2.** смачквам, изстисквам (*грозде за вино*); ~ **the juice out of an orange** изстисквам сока на портокала; **3.** изпивам; **4.** мачкам (се), смачквам (се);

crush down мачкам, смачквам; разбивам; *прен.* сразявам; по-

тъпквам; намествам се;

crush out 1) потушавам, потъпк-вам; 2) изстисквам (*сок от грозде и пр.*); 3) изгасявам (*цигара*);

crush up 1) наситнявам; раздробявам, разбивам; 2) смачквам, свивам; 3) *разг.* сгъстявам се, отмествам се;

II. *n* 1. разбиване, раздробяване и пр.; 2. *разг.* тълпа, блъсканица, навалица, тъпканица; 3. *sl* увлечение, любов; **to have a ~ on** силно обичам (някого), лапнал съм по, хлътнал съм по; 4. напитка от плодов сок; 5. *разг.* соаре, жур.

crust [krʌst] I. *n* 1. кора, коричка; **the upper ~** цветът на обществото, хайлайфът; 2. *бот.*, *зоол.* кора, черупка; 3. *sl* нахалство; **he's got a ~!** колко е нахален! какво нахалство! II. *v* хващам (образувам) кора, покривам (се) с кора.

cry [krai] I. *v* 1. викам, рева, крещя; надавам вик (рев); извиквам; **to ~ out against s.th.** викам срещу нещо; • **for ~ing out lond** за Бога, по дяволите (*емфатично при недоволство*); 2. плача, рева; **to ~ for joy** плача от радост; 3. вия, рева, лая (*за животни*); 4. разгласявам, обявявам; 5. възклицавам; извиквам;

cry down 1) осъждам, порицавам; 2) заглушавам с викове, накарвам да замлъкне; 3) омаловажавам; 4) забранявам;

cry off отказвам се от (*сделка, уговорка, намерение*); **to ~ off a deal (bargain)** анулирам сделка;

cry out 1) извиквам, възкликвам; 2) обявявам на всеослушание; 3): **~ for** настоявам за, изисквам;

II. *n* 1. вик, рев; крясък; писък; **to give (set up, raise, utter) a ~** надавам вик; 2. вой, рев, крясък, писък (*на животно*); **the ~ of the rook** крясъкът на врана; 3. плач, рев; **she had a good ~** тя се наплака, тя добре си поплака; тя даде воля на сълзите си; 4. вой, рев; лай; 5. вик, повик, призив, апел; *полит.* лозунг (*u* **rallying ~**); **a war ~** боен вик, война; **cries of outrage** бурни протести; вълна на недоволство.

crystal [kristl] I. *n* 1. кристал; 2. кристални предмети, кристал, кристално стъкло (*u* **~ glass**); **~ necklace** огърлица от кристал; 3. стъкло на часовник; 4. *поет.* нещо прозрачно (*сълза, вода, лед, око*); 5. *радио.* детекторен кристал; пиезоелектрически (кварцов) кристал; 6. *хим.* кристали от вещество; **sugar and salt ~s** захар и сол на кристали; II. *adj* 1. кристален, кристалинен; 2. *прен.* бистър, ясен, чист, прозрачен.

cuddle [kʌdl] I. *v* прегръщам, сгушвам (се), притискам (се); **we ~ed under the blanket** сгушихме се под одеалото; II. *n* прегръдка.

cudgel [ˈkʌdʒəl] I. *n* тояга, сопа; **to take up the ~s for** излизам в защита на; II. *v* бия с тояга (сопа); **to ~ o.'s brains** *прен.* блъскам си главата, трепя си ангелите.

cue₁ [kju:] I. *n* 1. *театр.* реплика (*последните думи на актьор като знак към партньора да поеме*); условен знак; 2. *прен.* намек, загатване, подсещане, подсказване; **to give s.o. the ~** подсещам, подсказвам, намеквам, загатвам; 3. роля; 4. *муз.* знак, указание; 5. разположение, настроение; **out of ~** без настроение; II. *v*: **~ s.o.** давам знак, сигнализирам; **I'll ~ you in by nodding my head** ще ти дам сигнал с кимване.

cue₂ I. *n* 1. щека (*за билярд*); 2. плитка (*коса*); 3. (*обикн.* **queue**) опашка (*от хора, които чакат за нещо*); II. *v* връзвам на опашка, сплитам (*коса*).

cuff₁ [kʌf] I. *n* 1. маншет, ръкавел; **off the ~ answer** спонтанен отговор; 2. *pl* белезници (*u* **handcuffs**); II. *v* слагам белезници на.

cuff₂ *n* 1. плесница, шамар; 2. удар с юмрук.

cull [kʌl] I. *v* 1. избирам, подбирам; отбирам; 2. *книж.* бера, събирам; намалявам числено; **the heard must be ~ed** трябва да се убият по-слабите животни в стадото; 3. отделям, бракувам; II. *n* 1. *обикн. pl* добитък, отделен за клане; 2. *амер.* бракуван дървен материал.

culmination [ˌkʌlmineiʃən] *n* 1. кулминационна точка; зенит; апогей; 2. *астр.* кулминация.

cult [kʌlt] *n* 1. култ, преклонение (**of**); **personality ~** култ към личността; 2. вероизповедание; човек (нещо), издигнат в култ.

cultivate [ˈkʌltiveit] *v* 1. обработвам; култивирам; 2. отглеждам; 3. развивам, култивирам; **to ~ the friendship of s.o.** спечелвам приятелството на някого; 4. отдавам се на (*наука, изкуство и пр.*).

cultivated [ˈkʌltiveitid] *adj* 1. образован, културен; 2. обработван, разработваем (*за земя*); 3. култивиран.

cultivation [ˌkʌltiˈveiʃən] *n* 1. култивиране, култивация; обработване; **land under (in) ~** обработвана земя; засята площ; 2. образование; 3. култура.

cultural [ˈkʌltʃərəl] *adj* културен; **~ lag** културна изостаналост; ◇*adv* **culturally**.

culture [ˈkʌltʃə] I. *n* 1. култура; **the ~s of the American Indians** културата на американските индианци; 2. приет тип на поведение (*в една компания*); 3. земеделска култура; **broth ~** култура, отглеждана в хранителен разтвор; 4. отглеждане, култивиране; обработване; развъждане; 5. култура, проба, образец; II. *v* отглеждам изкуствено в лабораторни условия (*за бактерии, клетки*); **~d pearl** изкуствено създадена перла.

cunning [ˈkʌniŋ] I. *n* 1. сръчност, умение, ловкост, изкусност, майсторство, изкуство; 2. хитрост, лукавство, коварство; II. *adj* 1. сръчен, умел, ловък, изкусен; 2. хитър, лукав, коварен; **~ smile** лукава усмивка; ◇*adv* **cunningly**; 3. *разг.* знаменит, чудесен; **a ~ device for cracking nuts** хитро приспособление за чупене на орехи.

cup [kʌp] I. *n* 1. чаша, чашка (*не от стъкло*); купичка; **bitter ~** *прен.* горчива чаша; 2. *спорт.* купа; **the World Cup** световната купа (*за всеки вид спорт*); 3. *бот.* чашка (*на цвят*); 4. *мед.* вендуза; 5. *техн.* чашка; **~-and-ball**

joint *техн.* ябълковидно съединение; **6.** *ел.* чашка (*на изолатор*); **7.** масльонка; **8.** съдържанието на една чаша (*обикн. 16 супени лъжици*); **II.** *v* (**-pp-**) **1.** вземам (слагам) като в чаша; **to ~ o.'s hand over o.'s mouth** слагам ръка на устата си; **2.** *мед.* поставям вендузи на.

cuprous [ˈkjuːprəs] *adj* *хим.* меден; **~ oxide** меден окис.

cuprum [ˈkjuːprəm] *n* *хим.* мед.

curative [ˈkjuərətiv] **I.** *adj* **1.** лечебен, целебен, целителен; **2.** рафиниращ, пречистващ; вулканизиращ; **II.** *n* лечебно (целебно) средство, лек, цяр, лекарство.

cure [kjuə] **I.** *v* **1.** лекувам, церя, излекувам, изцерявам; **to ~ s.o. of an illness** излекувам някого от болест; **2.** суша, опушвам, консервирам; обработвам; **3.** *техн.* вулканизирам; **4.** намирам решение на; ликвидирам (*проблем*); **II.** *n* **1.** лек, цяр, лекарство, средство (*за лечение*); **2.** лечение, лекуване; **water~** водолечение; **3.** *рел.* попечителство, църковна грижа; *прен.* паство; **4.** консервиране, запазване от разваляне; **5.** *техн.* вулканизиране, вулканизация.

curiosity [ˌkjuəriˈɒsiti] *n* **1.** любопитство; **out of ~** от любопитство; ● **~ killed the cat** любопитството не води към добро; **2.** любознателност; **3.** рядкост; особеност; **~ shop** антикварен магазин; **4.** *остар.* внимание, грижливост.

curious [ˈkjuəriəs] *adj* **1.** любопитен; **2.** любознателен; **3.** чуден, странен, особен, куриозен; необикновен, ексцентричен; **4.** *остар.* прецизен, внимателен; щателен; придирчив; **5.** *остар.* изящен, изкусен, изискан.

curl [kəːl] **I.** *v* **1.** къдря (се), вия (се), извивам (се), навивам (се), завивам (се); **the dog ~ed up in front of the fire** кучето се сви пред огъня; **2.** сбръчквам се, набръчквам се, подвивам се откъм краищата (*за листа*); ставам на вълни; **3.** карам някого да се чувства неудобно; **II.** *n* **1.** къдрица, къдра,

букла; **the smoke rises in ~s** димът се издига на кълба; **2.** извивка; **with a ~ of the lips** с презрение; **3.** *техн.* спирала; **4.** виене, извиване; **5.** *бот.* свиване (деформиране) на листата (*болест по растенията*).

curly [ˈkəːli] *adj* **1.** къдрав; **2.** извит; усукан.

currency [ˈkʌrənsi] *n* **1.** валута, пари; **paper ~** банкноти, книжни пари; **2.** монетно обращение; **3.** валидност; период на валидност; **4.** разпространение, употреба; **to give ~ to** пускам в обращение, разпространявам; **5.** *остар.* течение; протичане.

current [ˈkʌrənt] **I.** *adj* **1.** текущ; сегашен; **~ issues** текущи проблеми; **2.** в обращение; установен, общоприет, на мода; **3.** плавен; **II.** *n* **1.** течение; поток, струя; **back (reverse) ~** обратно течение; **2.** ход, поток, течение; **the ~ of events** ходът на събитията; **3.** *ел.* ток; сила на тока; **direct (alternating) ~** прав (променлив) ток.

curse [kəːs] **I.** *n* **1.** проклятие, клетва; **to remove (lift) a ~** отменям клетва, проклятие; ● **the ~ comes home to roost** проклятието се връща при този, който го произнася; **2.** ругатня, псувня; **3.** бич, проклятие; **drinking was his ~** пиенето (пиянството) беше бич за него; **II.** *v* **1.** проклинам, кълна; **to ~ s.o. with bell, book and candle** *истор.* анатемосвам, отлъчвам някого от църквата; *прен.* зовавам проклятието на Бога и на всички светии срещу (над) някого; **2.** ругая, псувам; **to ~ God** богохулствам; **3.** *рел.* отлъчвам от църквата; анатемосвам.

cursory [ˈkəːsəri] *adj* бегъл, повърхностен, незадълбочен; **~ glance** бегъл поглед; ◊ *adv* **cursorily**.

curtain [ˈkəːtn] **I.** *n* **1.** завеса, завеска; перде; **to draw the ~s** дърпам (пускам) пердетата; **2.** *театр.* завеса; **the ~ falls (drops, comes down)** завесата пада, представлението (действието) е приключило (*и прен.*); **3.** *воен.* бараж, преграда; **4.** нещо, което прикрива или

предпазва; **safety ~** предпазен екран; **5.** *воен., истор.* куртина, стена или преграда, свързваща две укрепления (*и ~-wall*); **6.** *техн.* капаче на ключалка; **II.** *v* слагам завеса (перде) на; закривам, покривам (*с перде*); **to ~ off a part of the room** отделям (преграждам) част от стаята със завеса.

curve [kəːv] **I.** *n* **1.** крива (линия); извивка, кривина; дъга; **2.** завой; **a sweeping ~** завой с голям радиус; **3.** *мат.* крива; **II.** *v* извивам (се), изкривявам (се); **the road ~ed suddenly to the left** пътят неочаквано зави наляво; **III.** *adj* *остар.* извит, изкривен, вдаден.

cusp [kʌsp] **1.** връх; издатина; **2.** рог, рогче (*на луна и пр.*); **3.** зъбер, зъб; **4.** *мат.* пресечна точка на две криви; **on the ~ of modernity** в апогея на модернизма.

custody [ˈkʌstədi] *n* **1.** попечителство, опека; грижа; **to place in ~** поставям под опекунство; **2.** задържане, арест, арестуване; **to take into ~** арестувам, задържам.

custom [ˈkʌstəm] **I.** *n* **1.** обичай; навик, привичка; **it is my ~ to sit up late** навик ми е да си лягам късно; **2.** клиентела; купувачи; **we lost a lot of ~ since our prices went up** загубихме много от клиентите си, след като повишихме цените си; **3.** мито; **4.** *истор.* налог, данък; **II.** *adj* по мярка, по поръчка; **~ shoes** обувки по поръчка; **~ tailor** шивач, който работи по поръчка; **~ car** автомобил по поръчка.

customer [ˈkʌstəmə] *n* **1.** клиент; купувач; **2.** *разг.* човек; **a tough ~** здравеняк, издържлив човек.

cut [kʌt] **I.** *v* (**cut**) **1.** режа, срязвам, разрязвам, прерязвам; отрязвам, отсичам; сека; **to ~ to pieces** насичам на парчета; *прен.* разбивам на пух и прах; **2.** кося; жъна; прибирам реколта; **3.** кроя, скроявам; **4.** съкращавам, намалявам; скъсявам; **5.** скопявам, кастрирам (*животно*); **6.** изкарвам, пониква ми (*за зъб*); **7.** дълбая, гравирам; **8.** дялам, одялвам; шлифовам (*скъпоценни камъни*); **9.**

пресичам се (*за пътища*); **10.** не поздравявам, правя се, че не виждам, отминавам; to ~ s.o. dead обръщам някому гръб; **11.** разреждам, разтварям; **12.** издавам запис на музика; ● he doesn't (cannot) ~ it не е достатъчно амбициозен, липсва му замах (хъс); **13.** отказвам се, отхвърлям; **14.** правя, върша; **15.** *разг.* бягам от, отсъствам от, пропускам, не присъствам на; to ~ class бягам от час; **16.** *карти* сека; **17.** *спорт.* удрям (*топка – с отсечено движение*), "забивам", "сека"; **18.** шибам, бия; **19.** *sl* офейквам, духвам, избягвам (*и* to ~ loose, to ~ and run); **20.** разреждам, отслабвам ефекта на; to ~ whisky with water разреждам уиски с вода; **21.** пробивам, прокарвам; to ~ a trench прокопавам окоп; **22.** *разг.* спирам, преставам (*и* ~ short); **cut across** 1) пресичам; this ~s across all my principles това е в разрез с всичките ми принципи; 2) засягам, отразявам се върху; **cut asunder** разкъсвам, разделям (на две); **cut at** нанасям удар на; **cut away** 1) отрязвам, изрязвам; 2) режа усърдно; 3) *разг.* избягвам, офейквам, духвам; **cut back** 1) подкастрям; намалявам, ограничавам (*разход и пр.*) (on); 2) *разг.* тръгвам (затичвам се) в обратна посока; 3) връщам се изведнаж към по-раншни събития (*в роман, филм и пр.*); **cut down** 1) отсичам (*дърво*); съсичам; "отнасям"; 2) съкращавам, намалявам; **cut in** 1) намесвам се (в разговор);

влизам в играта; вземам дамата (*при танц*) (*често с* on); 2) врязвам се, впивам се; 3) *ел.* включвам; **the cut-out ~s in too late** *техн.* изключвателят включва твърде късно; **cut off** 1) отсичам, отрязвам; прекъсвам; to ~ off the retreat of отрязвам пътя за отстъпление на; 2) изключвам, прекъсвам, отрязвам, откачам, изолирам (*вода, електричество*); **the storm has ~ us off** бяхме откъснати от света поради бурята; 3) убивам (*обикн. pass*); 4) обезнаследявам, лишавам от наследство; to ~ s.o. off with a shilling лишавам някого от наследство, завещавам някому само един шилинг; **cut out** 1) изрязвам, махам; отстранявам; премахвам; ~ it out! зарежи го! стига! 2) скроявам, оформям; ~ out for създаден само за; 3) отделям, откачам; изтласквам, измествам; to ~ out the light затулям, препречвам светлината; 4) *мор., воен.* превземам (*кораб под охрана*); 5) *ел.* изключвам; 6) спирам действие; **the engine ~ out** двигателят спря; **cut over** сека, изсичам (*гора*); **cut through** прерязвам, пресичам; минавам през; **cut under** *разг.* подбивам (*цена*), продавам по-евтино от; **cut up** 1) разрязвам, разсичам на парчета; 2) *прен.* критикувам остро, бичувам; 3) препречвам пътя (*на автомобил*), пречкам се; ● he is very much ~ up by the news той е силно разстроен от новината; **II.** *n* **1.** разрез; **2.** рязане, разрязва-

не; сечене, разсичане; **3.** рана; порезна рана, порязване; порязано място; **4.** отрязък; изрезка, парче; **5.** пай, дял (*от нечиста афера*); **6.** кройка; модел, фасон, форма; the ~ of o.'s jib (rig) *разг.* външният вид на човек; фасон, маниер; **7.** намаляване, понижаване, намаление, снижение; съкращаване, съкращение; price ~ намаление на цените; **8.** *техн.* сечене, профил; **9.** гравюра върху дърво, дърворезба; **10.** сечене (*на колода карти*); **11.** *кино* бърза смяна на кадрите; **12.** отказ от познанство; **13.** *полигр.* клише; **14.** пресичане, прекосяване, скъсяване, скъсено разстояние, пряк път (*и* short ~); to take a short ~ минавам по пряк път, сека напряко; **15.** *разг.* бягане, отсъствие (*от лекция и пр.*); **16.** *спорт.* удар, "сечене" (*на топка*); ● the ~ and thrust тръпката; това, което прави нещо вълнуващо и стимулиращо; **III.** *adj* **1.** рязан; ~ diamond шлифован диамант; **2.** *бот.* нарязан, назъбен (*за листа*); **3.** *sl* пиян.

cycle [saikl] **I.** *n* **1.** цикъл; кръг; оборот, обръщение; the ~ of seasons цикъл на сезоните; **2.** *разг.* колело, велосипед; **3.** *рядко* век, период; **4.** *физ.* период, цикъл; **II.** *v* **1.** карам (яздя) велосипед; **2.** движа се (минавам през) периоди (цикли); правя обороти.

cylinder ['silində] *n* **1.** *мат.* цилиндър; **2.** *техн.* цилиндър; барабан; валяк; **3.** барабан (*на револвер*); **4.** *техн.* бутилка (*за сгъстен газ*); ● working (firing) on all ~s работя с пълна пара.

D, d [di] *n* (*pl* **Ds, D's** [di:z]) **1.** буквата D; **2.** *муз.* ре; **3.** *техн.* нещо във формата на буква D; **4.** *уч.* слаба бележка, двойка; **5.** римска цифра за 500.

dab [dæb] **I.** *v* (-**bb**-) **1.** потупвам, докосвам леко, леко избърсквам; **2.** цапвам, плесвам, мацвам, мазвам; **to ~ it on thick** *прен.* прекалявам, пресилвам (*обикн. в ласкателство*); **3.** кълва (**at**); **4.** *техн.* маркирам с център; **II.** *n* **1.** потупване, допиране, докосване; **to have a ~** *разг.* пробвам, опитвам; **2.** петно (*боя*); **3.** *прен.* бучица, топчица, малко количество (*от масло и пр.*); **4.** *pl* петна, следи, отпечатъци от пръсти; **5.** *техн.* център, керна.

dabble [dæbl] *v* **1.** плискам (се), пръскам (се); мацвам, цапвам; **2.** бъркам се, меся се, занимавам се повърхностно (**in/at**); **to ~in politics** политиканствам; **3.** оросявам; овлажнявам.

dagger [ˈdægə] **I.** *n* **1.** кама, кинжал; нож; **to be at ~s drawn, to be at ~'s points** на нож съм (**with**); **2.** *полигр.* кръстче (*за отбелязване, справка*); **II.** *v* **1.** промушвам, намушвам (*с кама*); **2.** *полигр.* отбелязвам с кръстче.

dahlia [ˈdeiliə] *n бот.* гергина, далия *Dahlia*; ● **blue ~** нещо невъзможно, неосъществимо.

daily [ˈdeili] **I.** *adv* дневно, ежедневно, всеки ден; **II.** *adj* ежедневен, всекидневен; **it is of ~ occurrence** това се случва всеки ден; **III.** *n* **1.** ежедневник; **2.** приходящ прислужник.

dainty [ˈdeinti] **I.** *adj* **1.** изтънчен, изискан, изящен, фин, нежен; ◇*adv* **daintily**; **2.** придирчив, взискателен (*обикн. спрямо храна*); ● **to have a ~ tooth** придирчив съм към храна; **3.** вкусен; **II.** *n* лакомство, деликатес.

dale [deil] *n* **1.** *диал., поет.* долина, долинка; долчина, дол; **up hill and down ~** по гори и долини; *прен.* без да избирам път, където ми видят очите; **2.** олук, водосток, улей.

dalliance [ˈdæliəns] *n* **1.** флирт, флиртуване; **gentle ~** лек флирт; **2.** прахосване (пропиляване, губене) на време; празно развлечение; **to live in idle ~** живея празен живот; **3.** несериозно отношение (към нещо).

dally [ˈdæli] *v* **1.** губя си времето, занимавам се с празни работи; **2.** играя си (**with**); **to ~ with an idea** занимавам се с някаква мисъл (идея); **3.** шляя се; протакам, забавям; **4.** кокетнича, флиртувам;

dally away 1) пилея, пропилявам (*време*); **2)** пропускам (*възможности*).

dam [dæm] **I.** *n* язовир, бент; язовирна стена; **II.** *v* завирявам; заприщвам, препречвам (*с бент*) (*обикн. с* **up**); **to ~ out** отвеждам вода, отделям (*с бент*).

damage [ˈdæmidʒ] **I.** *n* **1.** вреда, щета; повреда; ущърб; **2.** *pl юр.* обезщетение, вреди и загуби; **to bring an action of ~ against, to sue for ~s** *юр.* предявявам иск за нанесени вреди и загуби; **2.** *разг.* разходи, разноски; стойност; **what's the ~?** колко струва това? **I'll stand the ~** аз плащам; **II.** *v* **1.** повреждам, нанасям повреда на, развалям; **2.** навреждам, вредя, ощетявам; **3.** *рядко* позоря, дискредитирам, очерням.

damaging [ˈdæmidʒiŋ] *adj* вреден; пакостен; позорен; **a ~ admission** признание, с което се излагам.

dame [deim] *n* **1.** *остар.* дама, матрона, госпожа; **D. Fortune** щастието; **2.** (**D.**) титла на жена с орден на Британската империя; (*рядко*) жена на баронет; **3.** *амер. sl* жена; **4.** домакинка на училище и пансион; *истор.* селска учителка; **5.** *остар., шег.* селска баба, бабичка.

damnation [dæmˈneiʃən] **I.** *n* **1.** проклятие; клетва; (**may**) **~ take him!** проклет да бъде! **2.** *рел.* вечни мъки (*в ада*); **3.** *театр.* проваляне (*на пиеса*); **II.** *int* по дяволите! проклятие!

damnatory [ˈdæmnətəri] *adj* **1.** който осъжда (проклина, анатемосва); **2.** който води към осъждане, изобличаващ; **~ evidence** *юр.* показания, които водят към осъждане.

damned [dæmd] **I.** *adj* **1.** осъден, прокълнат; **2.** *разг.* проклет, пуст; **II.** *adv разг.* ужасно, невъзможно, крайно много; **it is ~ hot** ужасно горещо е.

damp [dæmp] **I.** *n* **1.** влага, мокрота, влажност; **2.** изпарения; руднич ен газ гризу; **3.** ун- ние, депресираност, потиснатост, угнетеност; **II.** *adj* влажен, прогизнал, подгизнал; **to grow (become) ~** овлажнявам, подгизвам, намокрям се; **III.** *v* **1.** намокрям, овлажнявам; **2.** задушавам, потискам, заглушавам, притъпявам, смекчавам; **to ~ down a fire** задушавам огън; **3.** обезсърчавам, обезкуражавам, угнетявам, потискам, намалявам, охладявам, попарвам (*прен.*).

damping [ˈdæmpiŋ] **I.** *n* **1.** заглушаване; **2.** намокряне (**off**); **3.** амортизиране; гасене (*на трептения*); **II.** *adj* **1.** навлажняващ; **2.** амортизиращ, поглъщащ (*трептения*).

dance [da:ns] **I.** *v* **1.** танцувам, играя; **~ to (the) music** танцувам под звуците на музика; **2.** *прен.* скачам подскачам, играя (*и за сърце, кръв*); клатушкам се (**~ about, ~ up, ~ down**); **to ~ for joy** подскачам от радост; **3.** подмятам; вия се; люлея се; **4.** подмятам, тантуркам (*дете*); **5.** домогвам се до (**~ in, ~ out, ~ into**) **~ oneself into s.o.'s favour** спечелвам благосклонността на; **6.** губя (**~ away**) **he ~d away his chances** той изпусна (проигра) шансовете си; ● **to ~ to s.o.'s tune** играя по свирката на някого; **II.** *n* **1.** танц; **barn ~** шотландски танц; **2.** танцова вечер, забава, танци, бал; **3.** музика за танц, танцувална музика (*и* **~-music**); ● **to begin (lead) the ~** пръв съм, "повеждам хорото".

dancer [ˈdɑːnsə] *n* танцьор, танцьорка, балетист, балерина; ● **merry**

~s *диал.* северното сияние.

dander ['dændə] *n разг.* яд, гняв, негодувание; **to get a person's (o.'s) ~ up, to put up (raise) a person's (o.'s) ~** разядосвам (се), разсърдвам (се), разгневявам (се), кипва ми.

danger ['deindʒə] *n* 1. опасност (**of, to**); **to keep out of ~** стоя настрана, гледам да не пострадам; 2. заплаха (**to**); 3. *attr* опасен; **~ area** опасна зона.

dangle ['dæŋgl] *v* 1. вися, клатя се, клатушкам се, вея се; 2. закачам, провесвам; клатя, мандахерцам, вея; **to ~ bright prospects before a person** мамя със светли перспективи.

dare [deə] I. *v* (**dared** [deəd], **dared**; *3 л., ед., сег.* **dares, dare**) 1. смея, имам смелостта, осмелявам се, решавам се; **I ~ say** (*или* **~ say**) предполагам, не се съмнявам; сигурно, как не; 2. не признавам, излизам насреща на, противопоставям се на; 3. предизвиквам, подканвам, приканвам; **I ~ you to jump the stream!** хайде, прескочи ручея де! 4. решавам се на, рискувам; **he will ~ any danger** той се излага на всякакви рискове; II. *n* предизвикване, покана; **to take a ~** отзовавам се на предизвикателство.

daring ['deəriŋ] I. *adj* 1. смел, юначен, сърцат, безстрашен; 2. дързък, авантюристичен; ◇ *adv* **daringly**; II. *n* 1. смелост, сърцатост, безстрашие; 2. дързост, авантюристичност.

dark [da:k] I. *adj* 1. тъмен; (**as**) **~ as midnight** (**night, pitch**) тъмно като в рог; 2. мургав, чернокос; черен; **the ~ race** черната раса, негрите; 3. непросветен, некултурен, прост, див; **in the ~est ignorance** потънал в невежество; 4. таен, скришен, неизвестен, загадъчен, за когото нищо не се знае; тера инкогнита; **to keep ~** пазя в тайна; крия се, укривам се; 5. тъмен, неясен, неразбираем, трудноразбираем, загадъчен, двусмислен; 6. лош, жесток, ужасен; **~ deeds** ужасни дела; 7. мрачен,

намръщен, начумерен, нерадостен, унил, печален; 8. *радио.* който не предава; ● **the D. Continent** черният континент, Африка; II. *n* 1. тъмно, тъмнина, мрак, мръкнало; **in the ~** на тъмно; 2. незнание, неведение; **to be in the ~** в неведение (мъгла) съм (**about**).

darken [da:kn] *v* 1. затъмнявам, помрачавам, потъмнявам, ставам (по-)тъмен, (по-)мрачен; 2. притъмнява; 3. сгъстявам (*тон*), давам по-наситен тон, ставам по-наситен (*за тон*); 4. затъмнявам, замъглявам; **to ~ counsel** усложнявам и без това сложното, правя по-трудно и без това трудното.

dart [da:t] I. *n* 1. късо копие, стрела; 2. *pl* (*игра на*) дартс; 3. жило; 4. бързо движение, рязване, хукване; **to make a ~ at** втурвам се върху, връхлитам, нападам; 5. *sl австрал.* план, замисъл, намерение, цел; II. *v* 1. хвърлям, мятам (*стрели и пр.; и прен.*); 2. впускам се, щуквам, хуквам, побягвам; **to ~ off through the streets** хуквам из улиците.

dash [dæʃ] I. *v* 1. пускам се, впускам се, втурвам се, затичвам се, завтичвам се, отърчавам, хуквам; 2. хвърлям, мятам, запокитвам, запращам, блъсвам, тласкам, тръшкам; 3. разбивам (*и прен.*), разбивам се; осуетявам, измамвам (*надежди и пр.*), убивам, сломявам (*дух*), намалявам (*възторг*); обезсърчавам, засрамвам, посрамвам, обезкуражавам; 4. разреждам малко, смесвам, примесвам, намалявам силата на, смекчавам (**with**); 5. лисвам, плисвам, пръскам, опръсквам, изпръсквам, оплесквам (**with**); 6. блъсвам се, сблъсквам се (**against, on, upon, into**);
dash down нахвърлям, написвам набързо;
dash in 1) скицирам; 2) втурвам се;
dash off 1) нахвърлям, скицирам; скалпвам; 2) хуквам;
dash out 1) зачерквам, задрасквам; замацвам; 2) изтичвам, изхвръквам;

II. *n* 1. бързо (стремително) движение, бяг, устрем, отърчаване, втурване, хукване; **to make a ~ at** (**against**) хвърлям се върху; ● **at one ~** наведнъж, на един път, отведнъж; 2. енергия, жизненост, увлечение, смелост; замах, блясък, елегантност; **to cut a ~ разг.** елегантен (екстравагантен) съм; 3. примес, прибавка, доза, капка, капчица, малко, мъничко; **a ~ of salt** мъничко сол; 4. плисък, плискане, шум; 5. драсване на перо; щрих, петно; тире; чертица, тиренце; **~ and line** пунктирана линия; 6. *амер., спорт.* бягане, спринт; пробег; 7. дръжка на чук.

dashing ['dæʃiŋ] *adj* 1. смел, жив, енергичен; 2. елегантен; крещящ.

date₁ [deit] I. *n* 1. дата, време; **to ~** *канц.* до днес, досега; 2. период, епоха (*от която датира нещо*); 3. остар. възраст; 4. *разг., амер.* среща; човек, с когото предстои среща; приятел, -ка; **to keep a ~** отивам на среща; II. *v* 1. датирам, поставям, слагам дата на; **~d June 2** с дата 2 юни; 2. датирам, водя началото си (**from**); **to ~ back, to be ~d from** водя началото си от; 3. определям дата (време, период, епоха) на; отнасям към определена дата (време, период, епоха); 4. отживял (демодиран) съм; личат ми годините.

date₂ [deit] *n бот.* 1. фурма; 2. финикова палма.

dative ['deitiv] I. *adj* 1. дателен; 2. *юр.* сменяем; отчуждаем; II. *n езиⲕ.* дателен падеж, датив.

daub [dɔ:b] I. *v* 1. мажа, измазвам, намазвам (**with**); 2. мацам, измацвам, цапам, изцапвам, калям, изкалвам; 3. цапотя, рисувам как да е; 4. *остар.* маскирам; II. *n* 1. мазилка; 2. петно; 3. цапаница, лоша картина.

daunt [dɔ:nt] *v* 1. всявам страх, сплашвам, уплашвам; 2. обезсърчавам, обезкуражавам; въпирам; **nothing ~ed** смело, без страх.

dawdle ['dɔ:dl] *v* 1. туткам се, разтакавам се, мая се, мотая се, залисвам се, шляя се; **to ~ away o.'s**

time губя си времето; **2.** *спорт.*, *жарг.* прекалено дълго водя топката (*баскетбол*).

dawn [dɔ:n] **I.** *v* **1.** съмва (се), разсъмва се, развиделява се, зазорява се; пука се, сипва се (*за зора*); **2.** *прен.* започвам (да се показвам, появявам); явявам се; **it ~ed on me** стана ми ясно, сетих се; **II.** *n* **1.** зора, зазоряване, разсъмване, съмване, развиделяване; **at (break of) ~** на разсъмване; **2.** *прен.* зора, наченки, начало, първи проблясъци; **the ~ of hope** лъч на надежда.

day [dei] *n* **1.** ден, денонощие; **civil ~** *юр.* денонощие; **all ~ (long)** цял ден, през целия ден, от сутрин до вечер; **2.** време, дни, срок, период, епоха; **in all o.'s born ~s** през целия си живот; **in the ~s of old** в старо време, някога, оно време; **3.** дни на блясък, връхна точка; **to have had (seen) o.'s ~**, **to have seen better ~s** отживял съм си века; и аз съм бил нещо; • **every dog has its ~** на всекиго идва редът; всяко нещо, всичко има край; **every ~ is not Sunday** всеки ден не е Великден.

daylight ['deilait] *n* **1.** дневна светлина, виделина, видело; **in broad ~** посред бял ден; открито, пред хората; **2.** пролука, просвет; луфт; • **to let ~ into** разгласявам, давам гласност на; *sl* очиствам, убивам.

daze₁ [deiz] **I.** *v* замайвам, зашеметявам; **II.** *n* шемет, замаяност.

daze₂ *n геол.* слюда.

dazzle [dæzl] **I.** *v* **1.** заслепявам; **2.** смайвам, поразявам; мамя, примамвам; **3.** маскирам със защитен цвят; **II.** *n* **1.** заслепяване; **2.** ярка светлина; • **~ paint** защитни краски, камуфлаж.

dead [ded] **I.** *adj* **1.** мъртъв, умрял; **as ~ as a doornail (a herring)** умрял, без никакви признаци на живот; **~ as a dodo** отживял, излязъл от употреба; **2.** загубил основните си качества, силата си; изгорял, угаснал; *ел.* без напрежение, изключен от верига; **~ coal (fire)** угаснал въглен, огън; **3.** мъртъв, сух, увехнал (*за рас-*

тение); **4.** неодушевен; **~ matter** неорганична материя; *полигр.* набор за разпиляване; **5.** изтръпнал; измръзнал; **to be ~ cold** премръзвам; **6.** безжизнен, бездеен; изчерпан; непроизводителен; неподвижен; инертен; неактивен; еднообразен; **~ capital** мъртъв капитал; **7.** неизлъскан, матов; **~ white** матово бяло; **8.** глух (*за звук*); **9.** студен (*за цвят*); **10.** остарял, излязъл от употреба (*за закон и под.*); **11.** който не играе, не участва в игра; близо до дупката (*за топка, в голфа*); **12.** загубил всякакъв интерес към, незаинтересован, безчувствен, апатичен, неотзивчив **(to); ~ to honour** без никакво чувство за чест; **13.** *разг.* капнал, изцеден, изтощен; **14.** пълен, абсолютен, безусловен, чист; **in ~ earnest** твърдо решен; напълно сериозно; • **to cut s.o. ~** *разг.* игнорирам, пренебрегвам някого; **II.** *adv* напълно, безусловно, абсолютно; направо; **~ on time** точен до минута.

deadly ['dedli] **I.** *adj* **1.** смъртен, смъртоносен; **~ enemy** смъртен враг; **2.** *разг.* ужасен, непоносим; **3.** *спорт.* свръхточен, прецизен, изкусен; **II.** *adv* **1.** смъртно, смъртоносно; **2.** страшно, необикновено, ужасно, крайно; непоносимо; **~ dull** ужасно скучен.

deaf [def] *adj* **1.** глух; **(as) ~ as an adder (as a post, as a stone)** абсолютно глух; **2.** глух, неотзивчив **(to); to turn a ~ ear to** правя си оглушки, правя се, че не чувам; не искам да слушам, глух съм за, не обръщам внимание на, игнорирам.

deafen [defn] *v* **1.** оглушавам, проглушавам; **2.** заглушавам; **3.** правя звуконепроницаем, изолирам.

deafness ['defnis] *n* глухота.

deal [di:l] **I.** *v* (**dealt** [delt]) **1.** раздавам, разпределям (**out**); дарувам, определям (*за съдбата, провидението и пр.*); **to ~ the cards** раздавам карти; **2.** нанасям (*удар*) **(at); to ~ a blow at** нанасям удар на, удрям; опитвам се да удари

(*и прен.*); **3.** търгувам **(in); to ~ in real estate** търгувам с недвижими имоти; **4.** купувам, пазарувам, клиент съм на **(at, with); to ~ at (with) a shop** купувам от (клиент съм на) магазин; **5.** имам работа, заемам се, имам за тема, третирам, занимавам се с; вземам мерки, уреждам, справям се, разправям се **(with); let me ~ with him** аз ще се разправя с него; **6.** постъпвам, отнасям се, третирам **(with, by); II.** *n* **1.** количество, дял, степен, доза; **there is a ~ of truth in it** в това има известна доза истина; **2.** сделка; споразумение, спогодба; **to do (make) a ~** сключвам сделка, споразумявам се, постигам компромис с **(with); 3.** отношение, отнасяне, третиране; **fair (sqare) ~** *разг.* справедливост; справедливо отношение; **4.** *амер.* политически курс; икономическа политика; **5.** раздаване на карти; ред да се раздават карти; **your ~** ти раздаваш.

dealing ['di:liŋ] *n* **1.** държание, поведение, отношение, третиране, отнасяне; **2.** *обикн. pl* отношения, сношения; вземане-даване, (търговски) връзки; **plain ~s** честни, открити отношения; **to have (no) ~s with** имам (нямам) работа, вземане-даване с.

dear [diə] **I.** *adj* **1.** драг, мил, скъп **(to); D. Sir, Madam** (*официално обръщение в писмо*) уважаеми господине (госпожо); **2.** скъп; **~ price** *англ.* висока цена; **II.** *n* **1.** любим, любима, либе, изгора; **2.** мили, драги, миличък (*обръщение*); **3.** *разг.* мил, миличко, миличък; сладур(че); **III.** *adv* **1.** скъпо; **to sell (buy, pay) ~** *англ.* продавам (купувам, плащам) скъпо; **2.** нежно, с чувство.

death [deθ] *n* **1.** смърт, смъртен случай; **~ by hanging (shooting, from drowning, from starvation)** смърт чрез обесване (разстрел, поради удавяне, от глад); **2.** смърт (*състояние*); **to lie still in ~** лежа мъртъв; **3.** *прен.* край; **the ~ of o.'s hopes** краят на надеждите ми; **4.** мор, чума; **the Black D.** чу-

мата в Европа през XIV в.; • **to be ~ on** *sl* унищожавам, опустошавам; справям се с; гълтам, лапам, много обичам.

deathly [′deθli] I. *adj* смъртен, съдбоносен; мъртвешки; **~ silence** гробно мълчание; II. *adv* смъртно; **~ pale** смъртно бледен.

death-rate [′deθreit] *n* смъртност.

debar [di′ba:] *v* 1. възпирам, не допускам, изключвам; попречвам, лишавам от възможност, препречвам пътя към (**from**); **to ~ a person a right** лишавам някого от право; 2. *рядко* заприщвам, препречвам, запречвам.

debase [di′beis] *v* 1. понижавам (занижавам) качеството, намалявам стойността на; подправям; фалшифицирам; **to ~ the coinage** слагам примес в монетите; 2. унижавам.

debatable [di′beitəbl] *adj* спорен, дискусионен; **~ ground** спорна зона (територия); *прен.* предмет на спор.

debate [di′beit] I. *v* 1. споря, дебатирам, водя дебати по; обсъждам, разисквам; оспорвам; 2. мисля върху (по), обмислям, премислям; **to ~ in o.'s mind** мисля си, обмислям; 3. *остар.* карам се, боря се за; II. *n* 1. разискване, разисквания, обсъждане, дебати; дискусия; **forensic ~s** *юр.* съдебно разглеждане; 2. *остар.* спор, караница, скандал, разправия, разпра; полемика.

debauch [di′bɔ:tʃ] I. *v* 1. развращавам, покварявам, прелъстявам; 2. *остар.* подмамвам, отклонявам; 3. *остар.* развратнича, безпътствам; II. *n* 1. оргия, вакханалия; развратна постъпка; 2. напиване, пиянски гуляй, запой.

debauchery [di′bɔ:tʃəri] *n* 1. разврат, поквара, безпътство; 2. невъздържаност, пиянство.

debility [di′biliti] *n* 1. слабост, немощ, безсилие; *мед.* дебилност, обща слабост; 2. болнавост.

debonair [ˌdebə′neə] *adj остар.* приятен, жизнерадостен, непринуден; весел, жизнерадостен.

debris [′debri:] *n* 1. остатъци, късове, парчета, останки, отломки; изрезки; развалини; строителни отпадъци; **food ~** остатъци от храна; 2. нанос, утайка, наслояване; 3. *мин.* безрудни скали.

debt [det] *n* дълг; дан; **National D.** държавен дълг; **to be in ~ to, to be deeply in ~ to** затънал съм до гуша в дългове.

debtee [de′ti:] *n* кредитор.

debtor [′detə] *n* 1. длъжник; 2. *търг.* дебитор, длъжник.

debut [′deibu:] *n фр.* дебют, начало; първо излизане; **to make o.'s ~** дебютирам.

debutant [′debju:ta:n] *n* дебютант.

decade [di′keid] *n* 1. десетилетие; 2. група от десет; десетица; 3. *истор.* декада, десет дни.

decadence [′dekədəns] 1. упадък, западане, залез; 2. декадентство.

decadent [′dekədənt] I. *adj* упадъчен, декадентски; II. *n* декадент.

decapitate [di′kæpiteit] *v* обезглавявам, отсичам главата на; *юр.* декапитирам.

decapitation [diˌkæpi′teiʃn] *n* обезглавяване; *юр.* декапитация.

decay [di′kei] I. *v* 1. гния, загнивам, залинявам, сплувам се, скапвам се, разкапвам се, разлагам се; 2. отпадам, отслабвам, влошавам се, разстройвам се (*за здраве*); повяхвам (*за хубост и под.*); 3. западам, изпадам; **a ~ed family** изпаднало семейство; II. *n* 1. гниене, загниване, сплуване, скапване, разкапване; 2. разрушение, разруха; **moral ~** морална деградация, нравствен упадък; 3. отпадане, отслабване, влошаване, повяхване, изхабяване, разстройство; **phonetic ~** изхабяване на формите на думи; 4. западане, изпадане, упадък; **fall into ~** изчезвам, забравям се (*за обичай*); 5. *хим.* разпадане, разлагане; 6. послесветене (*напр. на луминисцентен екран*); 7. *геол.* изветряване (*на скали*).

deceit [di′si:t] *n* 1. измама; лъжа, лъжливост, лъжовност; 2. хитрост, хитрина, коварство, лукавство; **full of ~** лукав; коварен; лъжлив; измамен.

deceitful [di′si:tful] *adj* 1. лъжлив, коварен, измамнически; 2. измамен, измамлив, лъжлив, лъжовен.

deceive [di′si:v] *v* 1. мамя, измамвам, заблуждавам, въвеждам в заблуждение; 2. служа си с измама; • **to ~ time** *остар.* гледам да минава по-лесно времето.

December [di′sembə] *n* декември; *attr* декемврийски.

decency [′di:snsi] *n* 1. приличие, благоприличие, добро държание (маниери, поведение); **breach of ~, offence against ~** нарушавам на приличието; 2. *разг.* любезност; **to have the ~** имам любезността, досещам се, договеждам се (to); 3. *pl* прилично (подходящо) поведение, приличие; **careless of ~** безцеремонен, неприличен.

decent [′di:snt] *adj* 1. приличен, благоприличен, с добро държание (поведение); скромен; 2. *разг.* свестен; сносен, поносим, търпим; който се ядва; разбран, добър; чудесен; прекрасен; ◇ *adv* **decently**.

decentralize [di′sentrəlaiz] *v* децентрализирам.

deception [di′sepʃn] *n* 1. измама, лъжа; **to practise ~** мамя, служа си с измама; 2. заблуда, илюзия.

decide [di′said] *v* 1. решавам (се), вземам решение; **to ~ by toss** хвърлям жребий; 2. решавам (*изхода на*); 3. решавам се на, спирам се на, избирам; **to ~ on a course of action** решавам какво да правя; 4. накарвам някого да вземе решение; **that ~d him** това сложи край на съмненията му.

decided [di′saidid] *adj* 1. решителен, несъмнен, безспорен; определен, явен, ясен, недвусмислен; окончателен, категоричен; 2. решен, непоколебим, твърд, установен.

decimal [′desiməl] I. *adj* десетичен; **~ fraction** десетична дроб; II. *n* десетична дроб; **recurring ~** десетична дроб в период.

decipher [di′saifə] *v* 1. дешифрирам; 2. *прен.* дешифрирам, раз-

читам.

decipherment [di'saifəmənt] *n* дешифриране, разчитане.

decision [di'siʒn] *n* **1.** решение; to arrive at (come to, make, take) a ~ вземам решение; **2.** *юр.* заключение, присъда; **3.** решителност, непоколебимост, твърдост; a man of ~ решителен човек; **4.** *спорт.* победа по точки.

decisive [di'saisiv] *adj* **1.** решителен, решаващ, важен, критичен, съдбоносен; **2.** решителен, несъмнен, безспорен, определен, установен, явен, убедителен; ◇ *adv* **decisively.**

deck [dek] I. *n* **1.** *мор.* палуба; to go on ~ качвам се на палубата; **2.** *жп., авт.* платформа; **3.** тесте, колода (*карти*); cold ~ *амер.* белязани, нагласени карти; **4.** настилка; **5.** кофраж; **6.** напорен откос (*на язовирна стена*); II. *v* **1.** слагам палуба на; **2.** украсявам (*и с* out).

decking ['dekiŋ] *n* **1.** украса; **2.** палубни принадлежности; **3.** покритие; облицовка; настилка; **4.** кофраж.

declaim [di'kleim] *v* **1.** *амер.* декламирам, рецитирам; **2.** произнасям с патос (*реч*); **3.** протестирам, нападам, хуля, ругая (against).

declamation [,deklə'meiʃn] *n* **1.** декламация, декламиране; **2.** патетична реч.

declamatory [di'klæmətəri] *adj* **1.** декламаторски; ораторски; **2.** надут, тържествен.

declaration [,deklə'reiʃn] *n* **1.** изявление, декларация; **2.** *юр.* искова молба; клетвена декларация; **3.** митническа декларация; **4.** обявяване (*на война и под.*); **5.** обяснение в любов.

declare [di'kleə] *v* **1.** обявявам, провъзгласявам (за); to ~ o.'s love обяснявам се в любов (to); **2.** обявявам (се), заявявам; изявявам; to ~ off отказвам се (от) (*задължение*); **3.** декларирам (*на митница*); **4.** *юр.* правя клетвена декларация; **5.** *карти* анонсирам, обявявам; **6.** обявявам своя тур за привършен (*в крикета*).

decline [di'klain] I. *v* **1.** *рядко* клоня (соча) надолу; накланям се, навеждам се, вися, спускам се; **2.** клоня към залез, отивам към края си; ~ing years преклонна възраст, старини; **3.** отклонявам се (from); **4.** западам, отпадам, влошавам се (*за здраве*); намалявам (се); спадам, понижавам се (*за температура*); **5.** не приемам, отклонявам, отхвърлям, отказвам се (от); ~ an offer отхвърлям предложение; **6.** *рядко* навеждам, наклонявам, свеждам, скланям, овесвам; **7.** *език.* скланям; II. *n* **1.** западане, упадък; on the ~ в упадък, по нанадолнището, към залез, към края си; **2.** отпадане, влошаване (*на здраве*); изнурителна болест, туберкулоза, охтика; to fall into a ~ залинявам; **3.** намаление, спадане; ~ in population, population ~ намаление на естествения прираст; **4.** упадък, залез, заник, завършък, край.

decompression [,di:kəm'preʃən] *n* декомпресия, понижаване на налягането.

decorate ['dekəreit] *v* **1.** украсявам, кича, китя, накичвам, накитвам, декорирам (with); **2.** боядисвам, тапицирам, слагам тапети на; **3.** украсявам, служа за украшение на; **4.** награждавам, декорирам (with).

decoration [,dekə'reiʃn] *n* **1.** украшение, накит, кичене, китене, накичване, накитване, декорация; **2.** украса; знамена, цветя, зеленина; **3.** орден, медал, лента, знак за отличие; D. Day *амер.* Ден на загиналите във войните (30 май).

decorator ['dekəreitə] *n* **1.** декоратор; **2.** бояджия, тапетаджия.

decorous ['dekərəs] *adj* (благо)приличен, пристоен; скромен; ◇ *adv* **decorously.**

decorticate [di'kɔ:tikeit] *v* **1.** беля (се), лющя (се); **2.** разобличавам, свалям маската на.

decouple [di'kʌpl] *v* **1.** разединявам (се), отделям (се); **2.** прекъсвам, откачам (*телеграфен, телефонен пост*); **3.** *техн.* шунтирам

(*ел. верига*).

decrease [di'kri:s] I. *v* **1.** намалявам (се), отслабвам, понижавам (се), снижавам (се); **2.** свивам бримки (*при плетене*); II. *n* намаление, намаляване; спадане; снижаване; ~ in value намаление (снижение) на стойността.

decree [di'kri:] I. *n* **1.** указ, декрет, закон; **2.** постановление, решение (*на съд*); ~-nisi [naisai] решение за развод, което влиза в сила след определен срок, ако не се повдигне възражение; ~ absolute окончателно постановление за развод; **3.** *рел.* божествено предопределение; **4.** *рел.* постановление на църковен съвет; **5.** повеля (*на природата, съдбата*); II. *v* издавам декрет (указ); заповядвам, постановявам; декретирам; нареждам; повелявам; отсъждам (*награда и пр.*) (to).

deduce [di'dju:s] *v* **1.** извеждам, проследявам, доказвам (*произход, развитие и под.*); **2.** извличам, правя извод, вадя заключение; дедуцирам.

deduction [di'dʌkʃn] *n* **1.** извод, (умо)заключение; *лог.* дедукция; **2.** изваждане; намаляване; удържане; удръжка; ~ (of a tax) at the source *канц.* удръжка на данък от заплатата (рентата и пр.); **3.** *остар.* проследяване (произход и пр.).

deductive [di'dʌktiv] *adj лог.* дедуктивен; ◇ *adv* **deductively.**

deed [di:d] I. *n* **1.** дело; действие, акт, постъпка; ~s not words дела, а не думи; bold in word and ~ смел на думи и на дела; **2.** факт, действителност; in very ~ в действителност; **3.** *юр.* нотариален акт, документ; title ~ крепостен акт; II. *v амер.* продавам по документи.

deem [di:m] *v* смятам, считам, намирам; приемам, мисля, вярвам; I ~ it an honour to считам за чест да; to ~ highly of s.o. имам високо мнение за някого, ценя някого високо.

deep [di:p] I. *adj* **1.** дълбок (*и прен.*); a ~ voice дълбок (плътен) глас;

• **to go off the ~ end** *прен.* 1) кипвам, изгубвам самообладание; 2) вземам нещата много сериозно (трагично, навътре); **2.** потънал, затънал (*и прен.*); хлътнал; **~ in debt (love, study, meditation)** потънал (затънал) в дългове, безумно влюбен, потънал (увлечен) в учене (в съзерцание); 3. широк; **a ~ hem** широк подгъв; 4. (*за цвят*) тъмен; 5. *воен.* по двама (трима и пр.) на ред; **form two ~!** стройте се в две редици! 6. хитър, прикрит, скрит; **he's a ~ one** той е хитрец; **II.** *adv* 1. дълбоко, надълбоко; **~-lying causes** дълбоки причини; 2. до късно; **to work ~ into night** работя до късно през нощта; 3. много; на едро; **to drink ~** пия много; пия с пълна чаша; изпразвам чашата; **III.** *n* 1. дълбоко място; 2. *поет.* море, океан; **to commit a body to the ~** погребвам в морето (океана); 3. *поет.* дълбина, бездна; **ocean ~** бездната на океана; 4. *мор.* фарватер.

deepen ['di:pn] *v* 1. правя по-дълбок, изкопавам по-дълбоко (*трап, канал и пр.*); ставам по-дълбок; 2. правя по-широк, разширявам (*подгъв и пр.*); 3. задълбочавам, разширявам, обогатявам (*знания и пр.*); засилвам, задълбочавам (*чувства и пр.*); задълбочавам се, задълбавам; засилвам се, ставам по-дълбок (*за чувства и пр.*); 4. правя по-тъмен; затъмнявам; ставам по-тъмен, потъмнявам (*за цвят*); ставам по-дълбок (*за глас*); 5. сгъстява се (*за мрак*); **the sha dows ~** сенките се сгъстяват (тъмнеят).

deface [di'feis] *v* 1. обезобразявам; 2. задрасквам, изтривам, заличавам; правя нечетлив (*надпис и пр.*).

defame [di'feim] *v* клеветя, позоря, оклеветявам, опозорявам, очерням.

default [di'fɔ:lt] **I.** *n* 1. неизпълнение на задължение (*обикн. парично*); неустойка; просрочване; **~ in paying** *фин.* просрочване; 2. неявяване пред съд; укриване; **to make ~** не се явявам пред съда;

укривам се; 3. *спорт.* излизане от (напускане на) състезание; **a match won by ~** мач, спечелен поради напускане на едната страна; 4. липса, отсъствие; **~ of heirs** липса на законни наследници; 5. *инф.* стойност по подразбиране (*и ~ value*); **II.** *v* 1. не устоявам на (не изпълнявам) поето задължение; пресрочвам (*платеж*); 2. не се явявам пред съда; укривам се; 3. *юр.* издавам присъда в полза на ищеца поради неявяване на ответника; осъждам задочно; 4. *спорт.* излизам от (напускам) състезание.

defeat [di'fi:t] **I.** *v* 1. побеждавам, нанасям поражение на; сразявам; вземам надмощие над; 2. разстройвам, развалям, провалям, разрушавам (*планове, надежди*); провалям (*законопроект*); 3. отивам против, вървя срещу, противореча на; **to ~ the ends of justice** противореча на целите на правосъдието; 4. *юр.* анулирам, отменям; **II.** *n* 1. поражение, победа (**of** над); **to suffer (to sustain) ~** понасям поражение, победен съм; 2. проваляне, разстройване, рухване, неуспех (*на планове и пр.*); 3. *юр.* анулиране, отменяне, отмяна.

defeatist [di'fi:tist] *n* **I.** пораженец; **II.** *adj* пораженчески.

defeature [di'fi:tʃə] *v* обезобразявам, правя неузнаваем.

defect [di'fekt] **I.** *n* недостатък; слабост, грешка; дефект; повреда; липса; **a ~ in o.'s character** недостатък на характера; **II.** *v* дезертирам (**from** от).

defector [di'fektə] *n* дезертьор.

defence, defense [di'fens] *n* 1. защита; отбрана; отпор, съпротива; **a line of ~** защитна (отбранителна) линия; 2. *pl воен.* укрепления, отбранителни съоръжения; 3. защита, оправдание; **to speak in ~ of** говоря в защита на; 4. *юр.* защита; **counsel for the ~** защита; адвокат на ответника (подсъдимия); 5. *спорт.* защита, отбрана; 6. забрана (*на лов, риболов*).

---

defend [di'fend] *v* 1. браня, отбранявам, защитавам; 2. защитавам, отстоявам (*права и пр.*); оправдавам (*постъпка*); 3. *юр.* защищавам (*подсъдим*) поддържам (водя) защитата на; **to ~ the case** не се признавам за виновен; боря се да бъда оправдан.

defendant [di'fendənt] *n юр.* подсъдим; ответник.

defender [di'fendə] *n* 1. защитник (*и спорт.*); 2. закрилник; **D. of the Faith** защитник на вярата (*титла на английските крале*).

defensive [di'fensiv] **I.** *adj* отбранителен; предохранителен, предпазен; **~ warfare** отбранителни действия; ◊ *adv* **defensively**; **II.** *n* отбрана, отбранително положение, положение на отбрана; **to be on the ~** намирам се (съм в) отбранително положение; *воен.* намирам се в отбрана.

defer₁ [di'fə:] *v* 1. отлагам, отсрочвам, бавя, забавям; протакам, разтакавам; **to ~ doing s.th.** отлагам (бавя се) да направя нещо; 2. бавя се, разтакавам се, отлагам.

defer₂ *v* отстъпвам; съобразявам се, подчинявам се (**to**).

deference ['defərəns] *n* почтително отношение, уважение, почит; **wanting in ~** без нужното уважение.

deferment [di'fə:mənt] *n* отлагане, отсрочване; забавяне; разтакаване; отлагане на военна служба; отсрочка; **to be on ~ (of call up)** *воен.* отложен съм, не съм взет на военна служба.

deferred [di'fə:d] *adj* отложен, отсрочен, забавен; **~ stock** *фин.* акции, за които се плащат по-ниски или никакви дивиденти за определен срок.

defiance [di'faiəns] *n* 1. предизвикателство; предизвикване, извикване (*на спор, борба и пр.*); **to bid ~ to s.o., to hurl ~ at s.o.** държа се предизвикателно към някого; 2. незачитане, непочитание, явно (открито) пренебрежение (неподчинение); **to set s.o. at ~** проявявам явно неподчинение към

някого, вървя открито срещу нечии заповеди, не искам да знам за някого.

deficiency [di'fiʃənsi] *n* **1.** липса, недостиг, недостатъчност (in, of); *мед.* недостиг; ~ **disease** авитаминоза; **2.** недостатък, слабост; несъвършенство; "минус"; **3.** *фин.* дефицит.

defile₁ [di'fail] *v* **1.** замърсявам, заразявам (*води и пр.*); **2.** осквернявам; покварявам; профанирам; **3.** развращавам; **4.** *остар.* обезчестявам.

defile₂ [di'fail] *v воен.* дефилирам, марширувам.

defile₃ [di'fail] *n* дефиле, пролом, теснина, ждрело, боаз, клисура, дервент.

defilement [di'failmənt] *v* **1.** замърсяване; **2.** оскверняване; покваряване; профаниране; профанация; *прен.* петно; **free from** ~ неосквернен, неопетнен, непокварен.

define [di'fain] *v* **1.** определям; дефинирам, давам дефиниция на; установявам; формулирам; **2.** давам определение, обяснявам значение (*на дума*); **3.** очертавам, обозначавам ясно (*обикн. в pass*).

definite ['definit] *adj* **1.** определен, точен, ясен; категоричен; дефинитивен, окончателен; **to come to a ~ understanding** постигам определено споразумение, разбирам се; **2.** *език.* определителен член; **the ~ article** определителен член.

definition [,defi'niʃn] *n* **1.** определение, дефиниция; **to fall under the ~ of** може да се определи като, спада към категорията на; **2.** очертаване, яснота (*на образ и пр.*); сила (*на обектив*); **a negative with fine ~** *фот.* ясен негатив; **3.** *рел.* решение, постановление; **4.** *остар.* разграничаване, разграничение.

deflation [di'fleiʃn] *n* **1.** изпразване, свиване (*на балон и пр.*); спукване (*на гума*); **2.** *фин.* намаляване (*на паричното обращение*); дефлация; **3.** *геол.* ерозия, причинена от вятъра.

deflect [di'flekt] *v* **1.** отклонявам

(се), отплесвам (се) (*и прен.*); дефлектирам; **the bullet was ~ed** куршумът рикошира; **2.** обръщам се навътре; пречупвам се, прегъвам се; **3.** сменям, променям, пренасочвам; **to ~ s.o.'s judgement** убеждавам някого да промени мнението си.

deflection [di'flekʃn] *n* **1.** отклонение; пречупване; **2.** извиване, изкривяване; еластичност (*на пружина и пр.*); ~ **for a given load** степен на извиването, отговаряща на даден товар; **3.** *воен.* ъгъл на хоризонтално насочване (*при стрелба*); **4.** *авт.* извиване (*на предните колела*).

defloration [,di:flɔ'reiʃn] *n* **1.** *мед.* дефлорация, лишаване от девственост; **2.** обезчестяване, изнасилване.

deflower [di'flauə] *v* **1.** обезчестявам, изнасилвам; *мед.* дефлорирам, лишавам от девственост; **2.** развалям, загрозявам, лишавам от свежест (интерес и пр.).

deforce [di'fɔːs] *v* **1.** *юр.* отнемам, присвоявам; **to ~ s.th. from its owner** отнемам нещо от законния му притежател; **2.** *шотл., юр.* преча на представител на властта да изпълни служебните си задължения.

deform [di'fɔːm] *v* обезобразявам, разкривявам, осакатявам, деформирам; *прен.* изопачавам, извращавам, изкривявам.

deformation [,di:fɔː'meiʃn] *n* обезобразяване, разкривяване, осакатяване, деформиране, деформация; изопачаване, изкривяване, извратяване; разваляне.

defraud [di'frɔːd] **I.** *n* измама, мошеничество; **II.** *v* измамвам, отнемам чрез измама; **to ~ s.o. of s.th.** отнемам някому (лишавам някого от) нещо чрез измама, изигравам някого и му отнемам нещо.

deft [deft] *adj* сръчен, ловък, изкусен, умел; пъргав; **with a ~ hand** сръчно, ловко; ◇ *adv* **deftly**.

defuse, defuze [di'fjuːz] *v* **1.** обезвреждам (*бомба, мина*); **2.** намалявам, успокоявам напрежение;

умиротворявам.

defy [di'fai] *v* **1.** предизвиквам; готов съм да се боря (споря); **2.** противя се на, въставам срещу; не зачитам, проявявам неподчинение, не искам да знам за; **to ~ the law** не зачитам закона; **3.** не се поддавам на; противя се на, устоявам на.

degenerate I. *v* [di'dʒenəreit] *биол.* израждам се, дегенерирам (from, into); **2.** *остар.* предизвиквам израждане (упадък); **II.** [di'dʒenərit] *n, adj* изроден, дегенерирал; западнал (човек); дегенерат; изрод.

degeneration [di,dʒenə'reiʃn] *n* **1.** израждане, дегенериране, дегенерация; упадък; *мед., биол.* дегенерация, израждане; **2.** *радио.* отрицателна обратна връзка.

degradation [,degrə'deiʃn] **1.** понижение, деградиране, разжалване; **2.** упадък; западналост; деградация, нищета, морално падение; унижение, позор, срам; **3.** *биол.* израждане; **4.** *хим.* разлагане, разпадане; **5.** *изк.* понижаване, убиване на цветовете (тоновете); **6.** намаляване (намаление на мащаба; **7.** замърсяване (*на околната среда*).

degrade [di'greid] *v* **1.** понижавам, деградирам, разжалвам; **2.** унижавам (се); опозорявам (се); **3.** израждам се, дегенерирам (*за раса и пр.*); **4.** намалявам, снижавам (*стойност, сила и пр.*); **5.** *геол.* денудирам.

degree [di'griː] *n* **1.** степен (*и език.*); **to (in) some ~** до известна степен; **2.** научна степен, титла; **to take o.'s ~** получавам научна степен; завършвам; **3.** *геогр., физ., мат.* градус; **we were thirty ~s south** бяхме на 30° ю. ш.; **4.** *мат.* степен (*на уравнение*); **equation of the second ~** уравнение от втора степен; **5.** *муз.* степен; **6.** качество, сорт; ● **third ~** *амер. sl* разпит с насилие; ● **murder of the first ~** предумишлено убийство.

dehumidify [,di:hju'midifai] *v* суша, изсушавам.

dehydration [,di:hai'dreiʃn] *n хим.*

дехидрация; обезводняване.

deign [dein] *v* 1. благоволявам; удостоявам с; **he didn't ~ me an answer** не ме удостои с отговор; 2. унижавам се; **I do not ~ to answer to such impertinence** не се унижавам да отговарям на такова нахалство.

deity ['di:iti] *n* 1. божество, Бог; **the D.** християнският Бог; 2. *рел.* божественост (*на Христа*).

deject [di'dʒekt] *v* обезкуражавам, обезсърчавам, потискам, причинявам униние.

dejected [di'dʒektid] *adj* потиснат, мрачен, обезкуражен, обезсърчен, унил; ◇ *adv* dejectedly.

delay [di'lei] I. *v* 1. бавя, забавям, задържам; 2. отлагам, забавям, бавя се, разтакавам се; **to ~ o.'s departure** отлагам (забавям) тръгването си; II. *n* 1. бавене, разтакаване, протакане, отлагане; **without further ~** без да се бавя повече, веднага, незабавно; 2. забавяне, закъснение; **an hour's ~** един час закъснение.

delectable [di'lektəbl] *adj книж.* възхитителен, приятен, очарователен, прекрасен, прелестен.

delectableness [di'lektəblinis] *n книж.* прелест, чар, очарование, красота (*на местност и пр.*).

delectation [ˌdi:lek'teiʃn] *n* удоволствие.

delegacy ['deligəsi] *n* 1. делегация; 2. права (пълномощия) на делегат; 3. делегиране.

delegate I. ['deligit] *n* 1. делегат, пратеник; **walking ~** представител на профсъюз; 2. член на Кралската комисия по жалбите към църковните съдилища; 3. член на постоянния комитет (*в Оксфордския университет*); II. ['deligeit] *v* 1. делегирам, изпращам; 2. делегирам, давам (*права и пр.*), упълномощавам; **to ~ the power to a deputy** обличам депутат във власт.

delete [di'li:t] *v* изтривам, зачерквам, зачертавам, заличавам, задрасквам; премахвам; **~ imper** *полигр.* да се заличи.

deliberate I. [di'libərit] *adj* 1. предумишлен, преднамерен, съзнате-

лен; **a ~ insult** преднамерена (съзнателна, нагла) обида; 2. обмислен, предпазлив; 3. бавен (*за движение, говор и пр.*); II. *v* [di'libəreit] обмислям, обсъждам, мисля (**over, on**).

deliberation [diˌlibə'reiʃn] *n* 1. обсъждане, обмисляне, разискване; *pl* дебати; **after due ~** след като обсъдиха въпроса надлежно; 2. внимание, предпазливост; отмереност; **to speak with ~** говоря отмерено (обмислено, внимателно).

deliberative [di'libərətiv] *adj* 1. съвещателен; **a ~ body (assembly)** съвещателно тяло; 2. на размисъл; **in a ~ moment** в момент на размисъл; 3. който очертава политика; обмислен, предпазлив (реч).

delicacy ['delikəsi] *n* 1. изтънченост, изящество, финес; **~ of feature** изящество на чертите; 2. точност, тънкост; чувствителност; 3. слабост, крехкост, нежност (*на здраве*); 4. деликатност, внимание; вежливост, финес; **to outrage s.o.'s ~** накърнявам нечия деликатност; 5. деликатност, обърканост, трудност (*на положение, въпрос*); 6. лакомство, деликатес; **the delicacies of the season** найфините ястия, които позволява сезонът.

delicate ['delikit] *adj* 1. изящен, изтънчен, фин, нежен; 2. точен, фин, чувствителен (*за инструмент, слух и пр.*); 3. нежен, крехък, слаб; болнав, хилав, болничав; 4. деликатен, внимателен, вежлив; 5. деликатен, труден (*за въпрос и пр.*); **to tread on ~ ground** стъпвам (съм на) опасна почва; 6. придирчив, който държи на приличието; ● **in a ~ condition (state of health)** бременна, в деликатно положение; ◇ *adv* **delicately.**

delight [di'lait] I. *v* 1. доставям (причинявам) удоволствие (наслада) на; радвам, очаровам; **I was ~ed with the result** очарован (много доволен) бях от резултата; 2. радвам се, наслаждавам се, изпитвам удоволствие (наслада), прави ми удоволствие (**in**); **she ~s**

in music тя много обича музиката, музиката ѝ доставя голямо удоволствие; II. *n* наслада, удоволствие; радост, възхищение, възторг; **to take ~ in (doing) s.th.** прави ми удоволствие (обичам) да правя нещо; ● **Turkish ~** локум.

delightful [di'laitful] *adj* възхитителен, прекрасен, очарователен; ◇ *adv* **delightfully.**

delineate [di'linieit] *v* 1. очертавам, чертая, начертавам; 2. скицирам; 3. обрисувам, изобразявам (*характер*).

delirium [di'liriəm] *n* 1. *мед.* бълнуване; делир, делириум; **~ tremens** (*съкр.* **D.T.**) делириум тременс; 2. изстъпление.

deliver [di'livə] *v* 1. избавям, спасявам; освобождавам (**from**); **to be ~d (of a child)** освобождавам се от бременност, раждам (дете); 2. *refl* изказвам се; **to ~ oneself of an opinion** изказвам мнение; 3. предавам, раздавам, разнасям; връчвам; **to ~ s.th. into s.o.'s charge** предавам нещо на грижите на някого; 4. произнасям, изнасям (*реч и пр.*); 5. давам, раздавам; представям; оставям; 6. предавам, отстъпвам (**up, over**); **to ~ oneself up** предавам се на властта; 7. нанасям (*удар и пр.*); правя (*нападение*); хвърлям, изпращам (*топка*); 8. (*за машина, динамо*) давам; произвеждам; **to ~ normal power** развивам нормален (обикновен) капацитет; 9. (*за улица*) води, излиза (**into**); 10. *юр.* предавам официално, връчвам (*документ*); 11. *метал.* изваждам (*от форма, калъп*); ● **to ~ the goods** *разг.* сполучвам, улучвам; изпълнявам задачата си.

deliverance [di'livərəns] *n* 1. освобождение, спасение, избавление; освобождаване, спасяване, избавяне; 2. изказване (*обикн. официално*); 3. *юр.* освобождаване, освобождение (*на затворник*); *шотл.* решение (*на съдебни заседатели*).

delivery [di'livəri] *n* 1. 1. предаване, раздаване, разнасяне, доста-

вяне; доставка; разнос (*на писма*); **charge for** ~ разноски (такса) за предаване (*на телеграма и пр.*); 2. *юр.* официално предаване, прехвърляне; въвеждане във владение; 3. дикция, художествен говор; **to have a good (rapid)** ~ говоря добре (бързо) (*обикн. за обществен говорител*); 4. *спорт.* хвърляне (*на топка*), удар; 5. раждане; 6. снабдяване (*с ел. енергия, вода, въглища*); дебит (*на вода*); 7. *техн.* натиск; 8. *техн.* прозводителност (*на помпа, компресор*); 9. отдаване (*на топлина*); II. *adj* 1. захранващ, подаващ; ~ **pipe** тръба за пускане (*на газ и пр.*); 2. нагнетателен; 3. изпускателен.

delocalize [di:'loukəlaiz] *v* 1. разширявам, освобождавам от тесен кръг (*за интереси и пр.*); 2. премествам, изпращам на друго място (*архиви и пр.*); 3. *физ.* делокализирам.

deltaplane ['deltə‚plein] *n* делтаплан.

deltoid ['deltɔid] I. *adj* делтовиден, триъгълен; II. *n анат.* делто(в)иден мускул, делтоид.

delude [di'lu:d] *v* заблуждавам, подлъгвам, вкарвам в заблуждение, измамвам, излъгвам.

deluge ['delju:dʒ] I. *n* 1. потоп; 2. пороен дъжд; 3. *прен.* порой, поток; II. *v* 1. наводнявам (**with**); 2. обливам (*със сълзи*); 3. *прен.* обсипвам, отрупвам, удавям.

delusion [di'lu:ʒn] *n* 1. заблуждаване, измамване; измама; заблуда, заблуждение; самоизмама, грешка, илюзия; **a fond** ~ наивна (празна) заблуда; 2. *мед.* халюцинации, видения; **a** ~ **of grandeur** мания за величие.

delve [delv] I. *v книж.* 1. копая, дълбая, ровя; *прен.* дълбая, задълбочавам се, ровя се (**into**); **to** ~ **up** (**out**) изкопавам, изравям (*съкровище, старина*); *прен.* разкривам, откривам (*факти*); 2. (*за пътека*) спуска се надолу; II. *n* 1. падина; гънка на повърхността, ров; 2. бърлога, дупка; 3. *геол.* канава; кладенец, щурф.

demagogy ['deməgɔdʒi] *n* демагогия; лъжа, лицемерие, измама.

demand [di'ma:nd] I. *v* 1. искам, изисквам (*официално или настоятелно*); **to** ~ **s.th. of (from) s.o.** искам нещо от някого; 2. изисквам, нуждая се от; 3. *книж.* запитвам, питам; 4. *юр.* призовавам (*в съд*); II. *n* 1. искане; поискване; **payable on** ~ платим при поискване; 2. *икон.* търсене; **supply and** ~ предлагане и търсене; 3. *pl* нужди, изисквания; **to make great** ~**s on s.o.'s energy** изисквам голяма енергичност от някого.

demarcate ['di:ma:‚keit] *v* разграничавам; разделям; прекарвам (начертавам) демаркационна линия.

demarcation [‚di:ma:'keiʃn] *n* разграничение, разделяне, демаркация, разграничаване; различие; граница; **line of** ~ демаркационна линия.

demented [di'mentid] *adj* луд, побъркан, ненормален; **like one** ~ като луд.

dementia [di'menʃə] *n мед.* слабоумие, деменция; малоумие; **senile** ~ *мед.* старческо слабоумие.

demerge [‚di:'mə:dʒ] *v* разпадам се, разделям се, отделям се (*за фирма*).

demerit [di'merit] *n* слабост, слаба страна, грешка, недостатък, дефект.

demesne [di'mein] *n* 1. владение, собственост; **to hold s.th. in** ~ във владение съм на нещо, притежавам; 2. земя, която не се дава на арендатор, а се използва от самия земевладелец; *обикн.* парк и градина на имение; 3. *прен.* област, сфера, поле.

demilitarize ['di:'militəraiz] *v* демилитаризирам; разоръжавам.

demission [di'miʃn] *n* оставка; абдикация; демисия.

demobilization [di‚moubilai'zeiʃn] *n* демобилизация.

demobilize [di'moubilaiz] *v* демобилизирам.

democracy [di'mɔkrəsi] *n* 1. демокрация, народовластие; **People's D.** (страна с) народна демокрация; 2. демократизъм; 3. *амер.*

принципи (програма) на Демократическата партия в САЩ; 4. народ, низши слоеве.

demography [di'mɔgrəfi] *n* демография.

demolish [di'mɔliʃ] *v* 1. срутвам, събарям; унищожавам; 2. *прен.* сривам, унищожавам (*доводи*); 3. *разг.* изяждам, излапвам, унищожавам; 4. *спорт.* разбивам, разгромявам.

demon ['di:mən] *n* 1. демон; дявол, зъл дух; 2. (*обикн.* **daemon**) свръхестествено същество, полубог; дух вдъхновител; добър гений; факир; 3. *разг.* енергичен човек; **he is a** ~ **for work** работи като дявол.

demonetize [di:'mɔnitaiz] *v* 1. демонетизирам; 2. изземвам монети от обръщение.

demonstrability [di‚mɔnstrə'biliti] *n* 1. доказуемост; 2. очевидност, нагледност.

demonstrable [di'mɔnstrəbl] *adj* 1. доказуем; 2. очевиден, явен; нагледен; който може да се покаже; ◇ *adv* **demonstrably**.

demonstrate ['demənstreit] *v* 1. доказвам (*истина и пр.*); 2. показвам (*нагледно*), демонстрирам; 3. изказвам, показвам, изявявам, проявявам (*чувства и пр.*); 4. манифестирам, участвам в манифестация; 5. *воен.* правя демонстрация, показвам боевата си готовност (*често с цел да заблудя неприятеля*).

demonstration [‚demən'streiʃn] *n* 1. доказване; доказателство; **proved to** ~ напълно доказан, неопровержим; 2. демонстриране, демонстрация, показване (*на апарат и пр.*); ~ **car (flight)** демонстрационен автомобил (полет); 3. демонстрация, показване, изказване (*на чувства и пр.*); ~**s of love** любовни излияния, доказателства за любов; 4. демонстрация, манифестация; **to make a** ~ правя (организирам) манифестация; 5. *воен.* демонстрация (*с цел да заблудя неприятеля*).

demonstrative [di'mɔnstrətiv] I. *adj* 1. нагледен, убедителен; който до-

казва (показва) (of); **2.** експанзивен, излиятелен; **3.** (*за чувства*) открит, неприкрит, демонстративен; **4.** *език.* показателен; **II.** *n език.* показателно местоимение.

demonstrativeness [di'mɔnstrətivnis] *n* **1.** нагледност, убедителност; **2.** експанзивност; **3.** откритост, неприкритост, демонстративност.

demonstrator ['demənstreitə] *n* **1.** демонстратор; човек, който демонстрира (показва); лаборант демонстратор; **2.** демонстрант, манифестант, участник в манифестация.

demoralization [di,mɔrəlai'zeiʃn] *n* деморализация, поквара; упадък на дисциплината, разложение.

demoralize [di'mɔrəlaiz] *v* деморализирам, покварявам.

demote [di'mout] *v* **1.** *воен.* понижавам, деградирам; *адм.* понижавам (*в службата*); *уч.* оставям да повтаря класа; **2.** *спорт.* пращам в по-долна дивизия.

demount [di'maunt] *v* демонтирам, разглобявам; свалям (*оръдие*) от лафет.

demur [di'mə:] **I.** *v* (-rr-) **1.** противя се; дърпам се, опъвам се; колебая се (**at, to**); **2.** отхвърлям, не приемам; **3.** *юр.* повдигам възражение; **II.** *n* колебание, възражение; **without ~** без колебание (възражение), безпрекословно.

demure [di'mjuə] *adj* скромен, сериозен, въздържан (*обикн. за младо момиче*); престорено (лицемерно) скромен; ◇ *adv* **demurely**.

demureness [di'mjuənis] *n* сериозност, скромност, въздържаност; престорена скромност.

demystify [,di:'mistifai] *v* правя (*нещо*) ясно, разбираемо; разяснявам.

den [den] *n* **1.** бърлога, леговище, дупка, пещера; **2.** клетка (*на животно в цирк, зоопарк и под.*); **3.** бърлога, вертеп, бордей, коптор; **4.** вертеп; свърталище, (*на крадци и пр.*); **5.** *разг.* работна стая, кабинет (*където човек може да се уедини*).

denationalize [di:'næʃənəlaiz] *v* **1.**

лишавам от национални права; **2.** лишавам от (отнемам) правото на суверенитет; **3.** предавам от държавна в частна собственост, денационализирам.

denaturalization [di:,nætʃərəlai'zeiʃn] *n* **1.** *полит.* лишаване от поданство; денатурализация; **2.** лишаване от естествени свойства.

denaturalize [di:'nætʃərəlaiz] *v* **1.** лишавам от (отнемам) поданството на; денатурализирам; **2.** отнемам естествените свойства на, променям свойствата на.

denature [di:'neitʃə] *v* променям свойствата на, правя негоден за ядене или пиене, денатурирам; **~d alcohol** денатуриран спирт.

denaturing [di:'neitʃəriŋ] **I.** *n* денатуриране; **II.** *adj* който денатурира, който изменя свойствата на нещо.

denial [di'naiəl] *n* **1.** отказ; **2.** отричане, опровержение, опровергаване; **to issue a flat (strong) ~** опровергавам категорично.

denigrate ['di:nigreit] *v* очерням (*и прен.*); клеветя, хуля, позоря, петня, охулвам, опозорявам, опетнявам.

denigrator ['di:nigreitə] *n* клеветник, хулител.

denizen ['denizn] **I.** *n* **1.** жител, обитател (*за човек, животно и пр.*); **2.** натурализиран гражданин на някоя страна; **3.** натурализирано животно или растение; **4.** чужда дума, асимилирана в езика; чуждица; **II.** *v* **1.** давам някому (права на) поданство; **2.** населявам, населвам (*страна*).

denominate [di'nɔmineit] *v* назовавам, наименувам, деноминирам.

denomination [di,nɔmi'neiʃn] *n* **1.** име, название, наименование; деноминация; **under a ~** под (с) известно име; **2.** вероизповедание, секта; **3.** стойност (*на пари*); **coins of all ~** монети с най-различна стойност; **4.** единица мярка.

denominator [di'nɔmineitə] *n* мат. знаменател; **to reduce to a common ~** привеждам към общ знаменател.

denotation [,di:nou'teiʃn] *n* **1.** озна-

чаване; **2.** знак, обозначение; название, наименование; **3.** признак, белег; **4.** значение, смисъл (*на дума, термин*).

denote [di'nout] *v* **1.** означавам, обозначавам; показвам, свидетелствам за, говоря за, издавам; **2.** значи (*за дума*).

denounce [di'nauns] *v* **1.** издавам; предавам (*на правосъдието*); изобличавам, разкривам (**as** като); **2.** осъждам; отричам; **3.** денонсирам, отхвърлям (*договор*).

dense [dens] *adj* **1.** гъст, плътен; дебел; компактен; **~ fog (population)** гъста мъгла (население); **2.** *прен.* тъп, глупав; бавен; **3.** *фот.* тъмен (*за негатив*); **4.** непроницаем; непропусклив.

density ['densiti] *n* **1.** гъстота; плътност, компактност; **2.** *хим.* относително тегло; **3.** тъпота, бездънна глупост; **4.** *фот.* тъмнота (*на негатив*); **5.** *инф.* плътност на запис (*за диск и пр.*).

denude [di'nju:d] *v* **1.** оголвам, опустошавам, лишавам от растителност (**of**); **2.** лишавам, отнемам (**of**); **~d of every decent feeling** лишен от всякакво човешко чувство, без всяко чувство за приличие.

deny [di'nai] *v* **1.** опровергавам, отричам истинността на; отхвърлям (*обвинение*); **there is no ~ing it не** може да се отрече; **2.** отказвам (*някому нещо*); **to ~ o.'s signature** отказвам (да дам) подписа си; **3.** отричам се от; **to ~ God** отричам се от Бога; **4.** *refl* лишавам се от, отказвам се от; **he denies himself every pleasure** лишава се (отказва се) от всички удоволствия; **5.** *refl* жертвам се (**for**).

deodorant [di:'oudərənt] **I.** *n* дезодорант; **II.** *adj* който премахва неприятна миризма.

deodorize [di:'oudəraiz] *v* премахвам неприятна миризма, дезодорирам.

depart [di'pa:t] *v* **1.** тръгвам, заминавам, отпътувам (*за влак и пр.*); отивам си; напускам; **2.** отстъпвам, отклонявам се, изменям (**from**); нарушавам; **~ from a rule**

отклонявам се (отстъпвам) от правило; **3.** умирам; **to ~ this life** отивам си от този свят (*остар. освен на надгробни надписи*).

departed [di'pa:tid] **I.** *adj* минал, отминал, преминал; **~ glory** минала слава; **II.** *n* покойник, покойница, покойници.

department [di'pa:tmənt] *n* **1.** отдел, отделение, служба; *търг.* бранш; **surgical ~** хирургическо отделение (*в болница*); **2.** ведомство; *амер.* министерство; **State D.** Министерство на външните работи; **3.** област, дял, клон, отрасъл (*на наука*); **this is not my ~** това не е по моята част, не съм компетентен в това; **4.** департамент (*административна териториална единица във Франция*); **5.** *воен.* военно окръжие.

departure [di'pa:tʃə] *n* **1.** тръгване, отпътуване; заминаване; напускане; **to take o.'s ~** отивам си, тръгвам си, напускам; **2.** отклонение, отстъпление, изменение; промяна; нарушение (from); *юр.* изменение на линията на защитата, отклонение от поддържано становище; **a ~ from the truth** отклонение от истината; **3.** *остар.* смърт, кончина; **4.** *мор.* разстояние на кораб източно или западно от мястото, от което е отплувал; изходна точка; място, от което се тръгва; **5.** *техн.* отклонение (*от зададена или средна величина*).

depend [di'pend] *v* **1.** завися (on, upon); **~ing on** в зависимост от; **2.** разчитам, вярвам, уповавам се (on, upon); **a man to be ~ed on** човек, на който може да се разчита; **3.** на издръжка съм, издържам се (on, upon); **4.** *юр.* в процес е на разглеждане, очаква разрешение; **5.** *остар.* вися (from).

dependence [di'pendəns] *n* **1.** зависимост; подчинено (зависимо) положение; издръжка (on, upon); **to live in ~** не съм самостоятелен; живея на издръжка на друг; **2.** вяра, доверие; **to place ~ in (on) s.o.** имам доверие в някого; **3.** *рядко* упование, опора; **4.** *юр.*

очакване на разрешение.

dependent [di'pendənt] **I.** *adj* **1.** подчинен, подвластен, васален; *език.* подчинен (*за изречение*) (on, upon); **2.** на издръжка, несамостоятелен (on, upon); **3.** зависим, зависещ (on, upon); **4.** *остар.* който то виси (from); **II.** *n* **1.** човек, който е подчинен или на издръжка на друг; **2.** *истор.* слуга, васал.

depersonalize [di:'pə:sənəlaiz] *v* обезличавам; лишавам от индивидуалност, деперсонализирам.

depict [di'pikt] *v* **1.** рисувам, изобразявам; **2.** обрисувам, описвам.

depiction [di'pikʃn] *n* **1.** рисуване, изобразяване; рисунка, изображение, образ; **2.** обрисуване, описване, описание, обрисовка.

depilate ['di:pileit] *v книж.* обезкосмявам, депилирам.

depilation [ˌdi:pi'leiʃn] *n* обезкосмяване, депилация.

depilator ['depileitə] *n* депилатор.

deplete [di'pli:t] *v* **1.** изпразвам; изчерпвам; свършвам; намалявам; **to ~ o.'s resources** изчерпвам всичките си средства; **2.** *мед.* пускам кръв (на), правя кръвопускане; **3.** *прен.* изтощавам.

deplore [di'plɔ:] *v* **1.** осъждам, не одобрявам; възмущавам се от; **2.** съжалявам за, разкайвам се за; оплаквам.

deploy [di'plɔi] **I.** *v* **1.** *воен.* разгръщам (*фронт*); развръщам се (*за колона*); *прен.* разгръщам, проявявам; **2.** разполагам (*ракети и др.*); **II.** *n* *воен.* разгръщане.

deport [di'pɔ:t] *v* **1.** депортирам, изгонвам от страната, приселвам, изселвам, заточавам; **2.** *refl рядко* държа се.

deportation [ˌdi:pɔ:'teiʃn] *n* **1.** депортация, депортиране, изгонване от страната; преселване, изселване, заточение; **2.** (*в Индия, истор.*) превантивно задържане.

depose [di'pouz] *v* **1.** снемам, свалям (*от длъжност*); детронирам, свалям от престола; лишавам от власт; **2.** давам показания (*свидетелствам*) под клетва; **3.** *остар.* отнемам, вземам; **4.** *остар.* разпитвам под клетва;

снемам показания.

deposit [di'pɔzit] **I.** *v* **1.** влагам, депозирам, внасям, слагам, давам за съхранение (*пари и пр. в банка*); **2.** депозирам, давам капаро, правя залог (*депозит*); **3.** депозирам, представям писмено изложение; **4.** слагам, поставям; *геол.* натрупвам; утаявам; правя нанос, отлагам; **6.** нося, снасям (*яйца*); **II.** *n* **1.** влог; залог, депозит; **to place money on ~** депозирам, влагам (внасям) пари в банка; **2.** *геол.* нанос, утайка; залеж.

depositor [di'pɔzitə] *n* **1.** вложител, вложителка; депозитор, депонент, вносител на депозит; **2.** мазач; мистрия.

depot ['depou] *n* **1.** склад; **2.** трамвайно депо; железопътна гара; автобусен гараж; **freight ~** сточна гара; **3.** *воен.* склад за припаси; **~ ship** снабдителен кораб; **4.** *воен.* щаб на полк; допълваща част; учебен батальон; казарма; **5.** военнопленнически лагер; **6.** *attr* запасен; **7.** място в окопите, където не може да достигне противниковия огън.

depravation [ˌdi:prə'veiʃn] *n книж.* **1.** разврат, развала, поквара; поквареност; покваряване; деправация, корупция; **2.** упадък; влошаване, разваляне; **3.** *остар.* упрек, укор, порицание; **4.** извратеност (*за вкус*).

deprecate ['deprikeit] *v* **1.** не одобрявам, осъждам; възразявам силно, противопоставям се на; **2.** *остар.* моля за избавление от, моля да се отклони.

deprecation [ˌdepri'keiʃn] *n* **1.** възражение, противопоставяне, протест; неодобрение, осъждане; **2.** *остар.* молба (*за отклоняване от нещо*).

depreciate [di'pri:ʃieit] *v* **1.** обезценявам (се); пада ми цената, губя стойността си, изхабявам се; **2.** омаловажавам, подценявам, недооценявам; унижавам, говоря с пренебрежие за.

depreciation [diˌpri:ʃi'eiʃn] *n* **1.** обезценяване (*и на пари*); **2.** амортизация, изхабяване; **3.** отбив, от-

стъпка за амортизирана вещ; **4.** пренебрежение, незачитане, омаловажаване.

depress [di′pres] *v* **1.** гнетя, угнетявам, потискам, предизвиквам униние; **2.** отслабям, намалявам, понижавам, спадам (*активност, цена, глас*); **trade is ~ed** търговията е в застой; **3.** спускам, свеждам; наклонявам (*за оръжие*); **4.** натискам, налягам.

depressed [di′prest] *adj* **1.** угнетен, депресиран, измъчен, подтиснат, унил; **he is easily ~** той лесно пада духом; **2.** забавен, снижен, намален, отслабен; **~ area** област с нисък стандарт на живот и голяма безработица; **3.** *бот.*, *зоол.* плосък, проснат; **4.** *архит.* плосък, сведен (*за свод*).

depressive [di′presiv] **I.** *adj* депресивен, отнасящ се до депресия; **II.** *n* човек, страдащ от депресия.

deprive [di′praiv] *v* **1.** лишавам, отнемам (**of**); **2.** (*обикн. рел.*) освобождавам, отстранявам от длъжност, уволнявам, лишавам от енория.

depth [depθ] *n* **1.** дълбочина (*и прен.*); **to bore to a ~ of** пускам сонда на дълбочина; **2.** ширина; **a hem of 3 centimetres in ~** подгъв, широк три см; **3.** *обикн. pl* дълбочини, дълбини, глъбини; **in the ~s of the earth** *поет.* в недрата на земята; вдън земя; **4.** *pl* бездна, пропаст; **5.** наситеност (*за тон, цвят*); **6.** *муз.* низина (*на тон*), дълбочина; **a voice without ~** глас без дълбочини; • **to be out of (beyond) o.'s** ~ в дълбока вода съм, не стигам дъното с краката си, затъвам; *прен.* намирам се в небрано лозе.

deputize [′depjutaiz] *v* **1.** представям, замествам (**for**), действам като пълномощник; **2.** *театр.* дублирам (*за артист* – **for**); **3.** назначавам представител, делегирам.

deputy [′depjuti] *n* **1.** представител, делегат, депутат, пълномощник; **general ~** представител с неограничени пълномощия; **2.** заместник, помощник.

derange [di′reindʒ] *v* **1.** разбърквам, разбутвам, размествам; *прен.* разстройвам, докарвам някого до умопомрачение; **2.** повреждам (*машина*); **3.** *pass* умопобърквам се.

derivation [ˌderi′veiʃn] *n* **1.** произход, произхождение; **2.** получаване, добиване, извличане; извеждане; **3.** източник, начало; **4.** *език.* произход, етимология; **5.** *език.* деривация, словообразуване; **6.** *биол.* еволюция; **7.** *мат.* получаване на производна; дифе-ренциация; решение, извод; **8.** отклонение, деривация; **9.** *ел.* разклонение.

derive [di′raiv] *v* **1.** произхождам, произлизам, произтичам (*често и pass*) (**from**); **2.** обяснявам (установявам) произход; **3.** получавам, извличам, добивам, изкарвам (**from**); **to ~ pleasure from** изпитвам удоволствие от; **4.** наследявам (*черти, характер и пр.*); **5.** отвеждам (*вода*); **6.** *ел.* разклонявам, отвеждам.

descend [di′send] *v* **1.** спускам (се) (по), слизам (от); падам (*и за дъжд*); **to ~ a slope** спускам се по склон; **2.** произхождам, произлизам (**from**); **3.** предавам се (*и по наследство*); **4.** залязвам (*за звезда*);

descend to 1) преминавам към, стигам (слизам) до; **to ~ to particulars** преминавам към подробностите; 2) *прен.* снижавам се; принизявам се с; изпадам дотам да; **he would never ~ to baseness** той никога няма да стигне дотам да си послужи с подлост;

descend upon нападам внезапно, връхлитам; *прен.* идвам на гости без предупреждение, домъквам се, изтърсвам се.

descent [di′sent] *n* **1.** спускане, слизане; **forced ~** *авиац.* принудително кацане; **2.** склон, стръмнина, нанадолнище; **3.** понижение спад, падане (*на звук, температура и пр.*); **4.** произход; **5.** поколение; **6.** *юр.* предаване на наследство; **7.** внезапно нападение, нахлуване; десант; • **the ~ from**

the cross *изк.* свалянето от кръста.

description [dis′kripʃn] *n* **1.** описание, изображение; **to answer to the ~** отговарям на описанието; **2.** вид, сорт, тип, клас, разред, род; **vessels of every ~** най-различни плавателни съдове; **3.** *мат.* описване.

desert₁ I. [di′zə:t] *v* **1.** напускам, изоставям; оставям; **the streets were ~ed** улиците бяха пусти, безлюдни; **2.** *воен.* дезертирам; **II.** [′dezot] *n* **1.** пустиня; **2.** *прен.* скучна тема; **III.** *adj* пустинен, пуст, безлюден; напуснат; **~ island** пуст, пустинен остров.

desert₂ [di′zə:t] *n* **1.** заслуга; **2.** *pl* заслуженото; **to get o.'s just ~s** получавам си заслуженото.

deserter [di′zə:tə] *n* дезертьор.

deserve [di′zə:v] *v* заслужавам; достоен съм за; **to ~ well (ill)** заслужавам награда (наказание).

desiccate [′desikeit] *v* **1.** изсушавам, изсъхвам; **2.** консервирам (*чрез изсушаване, пулверизиране и пр.*); **~ed apples** сушени ябълки.

design [di′zain] **I.** *v* **1.** замислям, възнамерявам, проектирам; **2.** предназначавам, определям; **3.** съставям (*план, скица, проект*); **4.** рисувам, скицирам (*модел и пр.*); изобразявам; **5.** *остар.* означавам, отбелязвам; **II.** *n* **1.** замисъл, намерение; идея; проект; план; **2.** умисъл; **by ~, with a ~** умишлено, с умисъл; **3.** проект, план, скица, чертеж; **4.** десен, шарка; модел; образец; рисунка; **a ~ for a dress** модел за рокля; **5.** конструкция; устройство; **6.** композиция, оформление, строеж; **a picture lacking ~** лошо композирана картина.

designate I. [′dezigneit] *v* **1.** обозначавам, отбелязвам, посочвам, указвам; избирам; **2.** определям за, предназначавам; **3.** назначавам на длъжност (**as, to, for**); **4.** титулувам, озаглавявам; **II.** [′dezignit] *adj* изтъкнат, посочен, назначен (*но невстъпил в длъжност*); с издигната кандидатура; **the governor ~** новоназначеният губернатор.

designer [di'zainə] I. *n* 1. проектант; конструктор; 2. художник, моделиер, дизайнер; 3. интригант; II. *attr* създаден от и носещ подписа на голям дизайнер.

desintegrate ['dezintə,greit] *v* 1. дезинтегрирам, разпадам; 2. раздробявам.

desire [di'zaiə] I. *n* 1. желание, искане, жадуване (for); o.'s heart's ~ желаното, бленуваното (нещо); 2. молба, искане; it is my ~ to искам да; at your ~ по ваше желание (искане); 3. страст, лъст, похот; II. *v* 1. желая, искам; жадувам; лелея; to leave (a lot) to be ~d може да бъде и по-добре, има какво още да се желае; 2. моля, изявявам желание; изисквам; заповядвам.

desist [di'zist] *v* преставам, спирам, въздържам се; to ~ from doing (from attempts) отказвам се да направя нещо (от опити).

desk [desk] *n* 1. писалище, бюро; катедра; to sit at the ~ зает съм с писмена работа; работя канцеларска работа, канцеларски служител съм; 2. *уч.* чин; 3. *рел.* аналой; *амер.* амвон; *прен.* духовен сан; 4. редакция на вестник; 5. *муз.* пулт, пюпитър; 6. *техн.* командно (манипулационно) табло.

desolate I. ['desəlit] *adj* 1. пуст, безлюден, пустинен, необитаем; напуснат, запустял, опустял, изоставен, занемарен; разрушен; тъжен, мрачен; 2. изоставен, самотен; неутешим, безнадежден, тъжен, унил, нещастен, сиротен; II. ['desəleit] *v* 1. опустошавам; разорявам; обезлюдявам; 2. изоставям, напускам; 3. правя нещастен, неутешим, озлочестявам.

despair [di'speə] I. *n* 1. безнадеждност, отчаяние; 2. източник (предмет) на отчаяние, огорчение; that boy is my ~ този ученик ме отчайва; II. *v* отчайвам се, губя надежда (of); his life was ~ed of състоянието му изглеждаше безнадеждно.

despatch, dispatch [dis'pætʃ] I. *v* 1. пращам, изпращам, отправям, отпращам; 2. бързо извършвам

(изпълнявам); справям се с; to ~ o.'s dinner обядвам набързо; 3. убивам; *разг.* очиствам, ликвидирам, светявам маслото, пращам на оня свят; 4. *остар.* бързам; II. *n* 1. изпращане, отпращане, отправяне; 2. телеграма, депеша; официално съобщение, комюнике; mentioned in ~s споменат в заповедите по частите (във военните комюникета); 3. бързина, експедитивност; 4. убиване, очистване, ликвидиране.

desperation [,despə'reiʃn] *n* 1. отчаяние, безизходност, безнадеждност; 2. безразсъдност, безумство.

despise [di'spaiz] *v* презирам; this is not to be ~d това не бива да се пренебрегва.

despoil [dis'pɔil] *v* грабя, ограбвам, плячкосвам, оплячкосвам, обирам.

dessert [di'zə:t] *n* десерт.

destine ['destin] *v* предопределям; предназначавам.

destiny ['destini] *n* съдба; съдбини; провидение, орис, участ, фортуна, карма.

destroy [dis'trɔi] *v* 1. унищожавам, разрушавам, съсипвам, развалям, руша, събарям, срутвам; 2. изтребвам, съсипвам, развалям.

desultory ['desəltəri] *adj* несвързан, безсистемен, непоследователен; безцелен, разхвърлян; ~ fighting *воен.* отделни (единични) схватки; ◇ *adv* **desultorily**.

detach [di'tætʃ] *v* 1. отделям (се); откъсвам (се); 2. отвързвам; the boat ~ed itself лодката се отвърза; 3. *воен., мор.* изпращам със специална мисия (кораб, отряд и пр.).

detached [di'tætʃd] *adj* 1. отделен, отстранен, отдалечен; обособен; a ~ house самостоятелна къща; 2. безпристрастен, незаинтересован; самостоятелен, независим (*за мнение и пр.*); 3. *воен., мор.* изпратен с мисия; ~ service *амер.* командировка.

detail ['di:teil] I. *n* 1. подробност, детайл; to go (enter) into ~ впускам се в подробности; in ~ под-

робно, изчерпателно, обстойно; 2. *техн.* pl детайли, части, елементи; 3. дреболия; подробност; 4. *воен.* наряд, команда; II. *v* 1. изброявам подробно; 2. *воен.* определям, възлагам, изпращам със задача (в наряд), командировам; 3. украсявам изящно.

detain [di'tein] *v* 1. задържам; 2. удържам, задържам (*пари и пр.*); 3. *юр.* задържам под стража, арестувам, затварям; 4. забавям, преча, спирам (*движение и пр.*).

detective [di'tektiv] I. *n* детектив; II. *adj* разузнавателен; детективски.

detention [di'tenʃn] *n* 1. задържане, арестуване, арест; ~ while awaiting trial предварителен арест; 2. задържане; налагане запор (*на заплата*).

deter [di'tə:] *v* възпирам, задържам; раздумвам, разубеждавам.

determine [di'tə:min] *v* 1. определям, установявам; детерминирам; *мат.* определям положението на; 2. решавам, обуславям; 3. разрешавам (*спор, въпрос и пр.*); 4. решавам (се); спирам се, избирам (on); 5. отправям към, склоням (to); 6. *юр.* приключвам (се); изтичам.

determined [di'tə:mind] *adj* решителен; твърд, непоколебим; a ~ attack решителна атака; ◇ *adj* **determinedly**.

detestation [,di:tes'teiʃn] *n* 1. отвращение; омраза; ненавист; to hold (have) s.th. in ~ мразя; ненавиждам; 2. предмет на ненавист (отвращение); he is my ~ не мога да го понасям.

detonate ['detouneit] *v* 1. възпламенявам, взривявам; 2. експлодирам, избухвам, детонирам.

detour [di'tuə] I. *n* заобикалка, заобикаляне, обход; отклонение; to make a ~ заобикалям, избикалям; II. *v* заобикалям, правя обход; карам някого да заобиколи.

devaluate [di'væljueit] *v* обезценявам, намалявам стойността на, девалвирам.

devaluation [di,vælju'eiʃn] *n* обезценяване, девалвация.

devastate ['devəsteit] *v* опустоша-

вам, разорявам, опропастявам, унищожавам, поразявам.

devastation [ˌdevəs′teiʃn] *n* опустошение, опустошаване; разорение; разоряване; унищожаване; унищожение; опропастяване; поражение.

develop [di′veləp] *v* **1.** развивам (се), разгръщам (се); раста, израствам, разраствам (се) (**into**); формирам се; оформям се; започвам да проявявам; напредвам; разработвам, усъвършенствам; **to ~ an argument (a line of thought)** развивам аргументацията (мисълта) си; **2.** оказва се, излиза; **it ~ed that there had been a misunderstanding** оказа се, че не са се разбрали; **3.** *фот.* проявявам; **4.** *мат.* развивам; **5.** разстройвам; **6.** отделям (*газ, топлина*).

development [di′veləpmənt] *n* **1.** развитие; разгръщане, разрастване; развой, напредък; еволюция, разработка; **2.** усъвършенстване, подобрение (*на машина и пр.*); **3.** разкриване, проявяване; проява; **4.** по-сложен вид, етап, стадий (*при развитие*); постижение, резултат; **5.** получаване (разработване) на нови материали; **6.** *фот.* проявяване; **7.** *мин.* подготвителни работи (*при залеж*); **~ companies** компании за проучване и експлоатиране на мини; **8.** *полит.* събития; **to meet unexpected ~s** сблъсквам се с непредвидени обстоятелства; **9.** предприятие; **10.** благоустрояване, застрояване; **11.** *муз.* разработка; **12.** отделяне (*на газ, топлина*); ● **~ area** район с голяма безработица.

deviate [′di:vieit] *v* отклонявам (се) (*и прен.*), тръгвам по лош път (**from**); **to ~ a ship** принуждавам кораб да се отклони от курса си.

deviation [ˌdi:vi′eiʃn] *n* **1.** отклонение, девиация; промяна в посоката (курса); **2.** *полит.* уклон; грешка; **3.** *мор., търг.* отклонение от уговорения рейс; **~ clause** точка от договор, в която се предвижда спиране на кораб в друго пристанище, освен определени-

те в рейса; **4.** отклонение на магнитата стрелка (*мор., авиац., воен.*).

device [di′vais] *n* **1.** способ, приспособление, изобретение; апарат, устройство, механизъм; **2.** средство, начин; **3.** план, проект, схема; **4.** хитрост, хитрина, похват; умисъл; **5.** девиз, емблема; мото; ● **to leave s.o. to his own ~s** оставям някого да си блъска главата.

devil-may-care [′devlmei′keə] *adj* безразсъден, вироглав, необуздан; безгрижен; **a ~ attitude** нехайство.

devise [di′vaiz] I. *v* **1.** измислям, изнамирам, изобретявам; изработвам, създавам; сътворявам; съчинявам; планирам; **to ~ a plan** изработвам план; **2.** *юр.* завещавам (*обикн. недвижим имот*); II. *n* *юр.* завещание (*на недвижим имот*); клауза в завещание, която то съдържа прехвърляне на недвижим имот; завещаният недвижим имот.

devolve [di′vɔlv] *v* **1.** прехвърлям (*задължение, отговорност и пр.*); преминавам, прехвърлям се (*за задължение и пр.*; **upon**); **2.** преминавам, падам се по наследство (**to, upon**); **3.** *остар.* търкулвам се.

devote [di′vout] *v* посвещавам, отдавам, предавам се (**to**); **to ~ one-self** посвещавам се на.

devotion [di′vouʃn] *n* **1.** преданост; привързаност; вярност; девоция; **passionate ~ to golf** силна страст към голфа; **2.** посвещаване; **3.** набожност, девоция; *pl* молитви; **the priest was at his ~s** свещеникът си четеше молитвите.

devout [di′vaut] *adj* **1.** набожен; благочестив; благоговеен; вярващ; **2.** искрен; от все сърце; **a ~ admirer** горещ поклонник; ◇ *adv* **devoutly**.

dew [dju:] I. *n* **1.** роса; **2.** *прен.* сълзи; капчици пот; **3.** *поет.* свежест; ведрина; **4.** изпотяване, кондензат; ● **mountain ~** уиски (*обикн. контрабандно*); II. *v* **1.** роси, пада роса; **2.** *поет.* рося;

оросявам; навлажнявам.

diadem [′daiədem] *n* **1.** корона; диадема; венец за глава (*и от цветя*); **2.** *прен.* царска (кралска) власт.

diagonal [dai′ægənəl] **1.** *adj* диагонален, кос, верижен; **~ cloth** плат с веревни линии (черти); ◇ *adv* **diagonally**; **2.** диагонал.

diagram [′daiəgræm] *n* **1.** диаграма; план; скица; **2.** *мат.* чертеж.

dial [′daiəl] I. *n* **1.** слънчев часовник (*обикн.* **sun~**); **2.** циферблат (*и* **~-plate**); **3.** телефонна шайба; **~ tone** сигнал за свободна линия; **~ exchange** автоматична телефонна централа; **4.** *мин.* компас; **5.** *sl* лице; II. *v* **1.** меря, измервам (*по циферблат, скала и пр.*); **2.** показва (*на скала*); **3.** набирам, избирам (*номер*) на телефон; **4.** *мин.* измервам с компас; **5.** *радио.* намирам (търся) станция.

dialect [′daiəlekt] *n* диалект, наречие, говор.

dialogue [daiə′loug] I. *n* **1.** диалог; **2.** разговор; II. *v* **1.** разговарям; **2.** поставям в диалогична форма.

diameter [dai′æmitə] *n* диаметър.

diamond [′daiəmənd] I. *n* **1.** диамант; брилянт; **black ~** черен диамант; карбон, въглен; *pl* *прен.* въглища; **2.** елмаз за рязане на стъкло (*обикн.* **glazier′s (cutting) ~**); **3.** *мат.* ромб; *attr* ромбовиден; **~ frame** рамка за велосипед; **4.** каро̀ (*боя на карти за игра*); **a small ~** ниска (слаба) карта каро (двойка или тройка); **5.** *спорт.* вътрешните очертания на игрище за бейзбол; **6.** *полигр.* диамант, дребен шрифт (4,5 р); ● **rough ~** необработен диамант; *прен.* нешлифован човек, но добър; II. *adj* **1.** диамантен, брилянтен; **2.** ромбовиден; ● **the D. state** Делауър; **~ wedding** диамантена сватба (60-годишнина); III. *v* украсявам с диаманти (брилянти).

diaper [′daiəpə] I. *n* **1.** пелена, пеленка; кърпа; **2.** ленен плат на ромбчета; **3.** шарка, десен, орнамент на ромбове (*и* **~ pattern**); II. *v* **1.** рисувам, украсявам с ромбове; **2.** повивам (*с пелени*).

diaphragm ['daiəfrəm] I. *n* 1. диафрагма; мембрана; 2. *биол., бот.* преграда, преградна ципа; 3. *опт., фот.* бленда; 4. маточна халка; 5. *техн.* сепаратор, пореста преграда; II. *v* поставям мембрана на.

dice [dais] I. *n pl* 1. зарове; **to play at** ~ играя на зарове; 2. кубчета; II. *v* 1. играя на зарове; **to** ~ **with death** играя си със смъртта; 2. режа на кубчета (*месо и пр.*); 3. украсявам с кубчета.

dictate I. [dik'teit] *v* 1. диктувам; 2. нареждам, заповядвам, диктувам (*условия и пр.*); II. ['dikteit] *n* 1. (*обикн. pl*) предписание; нареждане; заповед; **under the** ~**s of conscience (fancy, prudence)** по повеля на съвестта (въображението, разума); 2. *полит.* диктат.

dictation [dik'teiʃn] *n* 1. диктовка (*u* ~ **exercise**); диктуване; **to take** ~ пиша под диктовка; 2. нареждане, заповядване, диктуване; диктат; **to do s.th. at another's** ~ върша нещо по заповед (внушение) на друг.

dictator [dik'teitə] *n* диктатор.

dictatorial [,diktə'tɔ:riəl] *adj* 1. диктаторски (*за власт, режим*); 2. властен, повелителен, диктаторски; ◇ *adv* **dictatorially**.

dictatorship [dik'teitəʃip] *n* диктатура.

dictionary ['dikʃənəri] *n* речник; **etymological** ~ етимологически речник; • **walking** ~ много осведомена личност, жива енциклопедия, подвижен речник.

diddle [didl] *v разг.* 1. измамвам, изигравам; **to** ~ **a person out of his money** измъквам парите на някого; 2. пилея си времето.

die₁ [dai] *n* 1. *рядко* зар; *поет.* жребий; **the** ~ **is cast (thrown)** жребият е хвърлен; 2. (*pl* ~**s**) архит. цокъл (*на колона*); 3. *техн.* щанца, матрица, пуансон; винторезна дъска; 4. *техн.* изтегляна плоча; 5. *изч.* чип.

die₂ *v* (**died** [daid], **dying** [daiiŋ]) 1. умирам; **to** ~ **of** умирам от (*болест, глад и пр.*); **to** ~ **laughing** умирам от смях; 2. изветрявам, губя сила (*за течност*); 3. *техн.*

спирам, заглъхвам;

die away чезна, изчезвам, гасна; утихвам; заглъхвам;

die back увяхвам, изсъхвам, заспивам (за растение);

die down заглъхвам, изчезвам, чезна, гасна, отслабвам, замирам;

die in протестна демонстрация против ядреното въоръжаване, в която участниците лежат на земята;

die off чезна, изчезвам, умираме един след друг (*за род, раса, население*);

die out 1) изчезвам (*за раса, обичай и пр.*); 2) заглъхвам; 3) изгасвам, угасвам (*за огън*).

diet ['daiət] I. *n* 1. храна; **a frugal** ~ оскъдна храна; 2. диета; **I am on a** ~ на диета съм; 3. *attr* диетичен; II. *v* предписвам, поставям на диета; **to be obliged to** ~ **oneself** принуден съм да пазя диета.

dietetic [daii'tetik] *adj* диетичен.

differ ['difə] *v* 1. различавам се, отличавам се (**from**); 2. не се съгласявам с, не съвпадам, на друго мнение съм (**from, with**); **to agree to** ~ оставаме си на своето, не променяме позицията си.

difference ['difrəns] I. *n* 1. разлика, различие; отлика; **it makes no** ~ няма нищо от това, няма никакво значение, не е от значение (важност); 2. отличителен признак; **specific** ~ *биол.* различие на видовете; 3. остатък, разлика (*u мат.*); **a** ~ **of five miles** разлика от 5 мили; 4. разногласие, несъгласие; конфликт, спор; скарване; II. *v* 1. отличавам, правя разлика, различавам; 2. *мат.* изчислявам разлика.

different ['difrənt] *adj* 1. друг, различен; инакъв (**from, to**); **that is quite** ~ това е съвсем друго нещо; 2. различни, разни (**с** *pl*); ◇ *adv* **differently**; 3. необикновен, особен.

differentiate [,difə'renʃieit] *v* 1. различавам, отличавам; разграничавам; 2. променям (се), видоизменям (се); диференцирам (се), обособявам (се); 3. *мат.* намирам (изчислявам) ди-

ференциал.

difficulty ['difikʌlti] *n* 1. трудност, мъчнотия; **to walk with** ~ ходя с мъка, едва ходя; 2. спънка, пречка, затруднение, препятствие; обструкция; неприятност, усложнение; **to stem difficulties** боря се с трудностите; 3. *pl* материални затруднения; 4. разногласие, разпра.

diffidence ['difidəns] *n* 1. неувереност, несигурност; нерешителност; липса на самочувствие; свитост; 2. стеснителност, свенливост, скромност, срамежливост.

diffident ['difidənt] *adj* 1. неуверен, нерешителен; свит; 2. стеснителен, срамежлив, свенлив; 3. *рядко* недоверчив; ◇ *adv* **diffidently**.

diffuse I. [di'fju:z] *v* 1. разпространявам, разпръсквам; разсейвам; 2. разливам; 3. *физ.* разсейвам (се), дифундирам (се); II. [di'fju:s] *adj* 1. разпространен; разпръснат; *опт.* разсеян; 2. многословен; разлят, развлечен (*за стил*).

diffusion [di'fju:ʒn] *n* 1. разпространение, разпространяване; разпръскване; разсейване; 2. *физ.* дифузия; 3. многословие, разлятост.

dig [dig] I. *v* (**dug** [dʌg], *остар.* **digged** [digd]) 1. копая; изкопавам, изравям; прокопавам (*тунел и пр.*) (**into, through, under**); **to** ~ **a ditch (well)** изкопавам канал (кладенец); 2. *прен.* издирвам, изследвам, проучвам; **to** ~ **(out) the facts from a book** изтичам (търся, черпя) фактите от книга; 3. мушкам, мушвам; пъхам; **to** ~ **s.o. in the ribs** смушквам някого в ребрата; 4. *разг.* работя, трудя се; зубря; залягам; 5. *sl* подигравам се, надсмивам се над; 6. *sl* схващам, разбирам; 7. *sl* харесвам, (нещо) ми прави удоволствие; 8. *sl* обръщам внимание на, слушам внимателно; 9. *sl* живея някъде;

dig around търся, преравям; душа за информация;

dig down копая надълбоко (**to**) (*u прен.*);

dig for търся;

dig from изкопавам, изравям;

dig in 1) заравям, заривам; **the manure should be dug in well** торът трябва да се смеси добре с пръстта; 2) окопавам (в окоп); **to ~ oneself in** окопавам се; 3) мушвам, забивам, блъсвам силно; 4) залягам, зубря; 5) нахвърлям се (*върху храна*);

dig into 1) прониквам (*чрез копаене*); **to ~ into books** ровя се в книгите; 2) забивам (*шпори*); 3) трудя се, залягам; 4) разследвам, проучвам;

dig out 1) изравям, изкопавам, намирам, откривам; 2) *разг.* внезапно заминавам, напускам;

dig over прекопавам;

dig round окопавам, загърлям;

dig through прокопавам, прокарвам;

dig up 1) изравям, изкопавам (*картофи и пр.*); 2) разкопавам; 3) *разг.* изкарвам; намирам, откривам; 4) *sl* изкарвам (*пари*);
II. *n* 1. копка; копаене; 2. мушкане; 3. подигравка, присмех; намек; **that was a ~ at me** това се отнасяше за мене, беше камък в моята градина; 4. *pl разг.* квартира; 5. *sl* зубрач; • **to have a ~ at** опитвам, захващам се (залавям се) за.

digest I. [di'dʒest] *v* 1. смилам (се) (*за храна*); **to ~ well (will not ~)** смилам се лесно, не (се) смилам добре; 2. *прен.* възприемам, схващам, асимилирам (*за територия*); обмислям; **to ~ the events** ориентирам се (оправям се) в случилото се, в събитията; 3. понасям, търпя, "смилам"; 4. подреждам, систематизирам, класифицирам; резюмирам; 5. *хим.* разтварям; II. ['daidʒest] *n* 1. кратко изложение, анотация, извлечение; сборник (*с материали, спец. със закони*); справочник, резюме.

digestion [dai'dʒestʃən] *n* 1. храносмилане; **easy (hard of) ~** лесно (трудно) смилаем; 2. *прен.* усвояване (*на знания, материя*); 3. *хим.* разтваряне, разлагане; 4. *фот.* узряване (*на емулсия*).

digital ['didʒitəl] I. *adj* 1. цифров,

дигитален; ◇ *adv* **digitally**; 2. *анат.* дигитален, на (свойствен на, свързан с) пръстите; II. *n* клавиш.

dignity ['digniti] *n* 1. достойнство; издигнатост, възвишеност; 2. (чувство за лично) достойнство; **to be (stand) on o.'s ~** държа се на положението си; подчертавам собственото си превъзходство; 3. висок, чин, пост, почетно звание; сан, титла.

digress [dai'gres] *v* отклонявам се, отбивам се; отделям се; отплесвам се.

digression [dai'greʃn] *n* 1. отклонение; отстъпление, дигресия; **this by way of ~** това между другото; 2. *астр.* отклонение, ъглово разстояние.

dike, dyke [daik] I. *n* 1. дига, насип (*и на шосе*); бент, яз; 2. *прен.* преграда, препятствие; **the ~s have burst** бентът е отприщен; 3. ров, отводнителен канал; 4. *геол.* дайка, стена; 5. *шотл.* ограда, стена от незазидани камъни, дувар; II. *v* 1. укрепявам с дига, бент; 2. копая, изкопавам рове; пресушавам с отводнителни канали; 3. кисна, топя (*лен, коноп*).

dictat ['diktæt] *n* диктат.

dilapidate [di'læpideit] *v* разнебитвам (се), развалям (руша) се; *прен.* разсипвам, пропилявам, прахосвам.

dilapidation [di,læpi'deiʃn] *n* 1. рушене, разнебитване; полуразрушено състояние; 2. *pl юр.* повреди (*особ. на църковни имоти*); 3. разпиляване, прахосване; 4. *геол.* срутване.

dilemma [di'lemə] *n* дилема; **to be put into a ~, be reduced to a ~, be on the horns of a ~** изправен съм пред дилема.

dilettante [,dilə'tænti] I. *n* (*pl* dilettantes [dilə'tæntiz], dilettanti [dilə'tænti]) дилетант, любител; II. *adj* дилетантски, непрофесионален, любителски; повърхностен.

dilute [dai'lu:t] I. *v* разреждам, разводнявам (*и прен.*); **to ~ labour**

замествам част от квалифицираните работници с неквалифицирани; II. *adj* разреден, разводнен.

dim [dim] I. *adj* 1. слаб, мъждив, блед (*за светлина*); неясен; матов, замъглен, мътен; смътен, неопределен; премрежен; **everything grew ~** премрежиха ми се очите; 2. матов, убит, избелял, избледнял; 3. мрачен, тъмен; 4. слаб, лош (*за зрение, очи*); 5. неясен, неопределен, глух, далечен (*за звук*); 6. *sl* глупав; лош, ужасен, демодиран; 7. малко вероятен, с малки изгледи за успех; 8. безцветен, безинтересен (*за човек*); • **to take a ~ view of s.th.** гледам на нещо неодобрително; гледам скептично на нещо; II. *v* (-mm-) 1. замъглявам (се), ставам (правя) неясен, мержелея се, премрежвам се; 2. карам, правя да избледнее (*спомен*); 3. намалявам (*светлина*); 4. *прен.* засенчвам, затъмнявам; помрачавам; 5. потъмнявам; избледнявам (*и прен.*); отслабвам, гасна, чезна (*за светлина*); **his glory has ~med** славата му потъмня, угасна;

dim out затъмнявам.

dimension [di'menʃn] I. *n* 1. измерение (*и мат.*); размер, величина; **of three ~s** с три измерения; 2. *pl* размери, величина; обем; 3. *прен.* величина; размах; **a plan (scheme) of vast ~s** план (мероприятие) от голям мащаб; 4. *attr техн., търг.* с размери по спецификация (нестандартни); II. *v* *техн.* определям, изчислявам размерите на (*машина и пр.*).

diminish [di'miniʃ] *v* 1. намалявам (се), смалявам (се); отслабвам (*и прен.*); чезна, бледнея, гасна; съкращавам; 2. омаловажавам, принизявам; 3. *техн.* изтънявам (*предмет, част от машина*); 4. *муз.* намалявам с полутон; *архит.* изтънявам, изострям (*колона*).

diminutive [di'minjutiv] I. *adj* 1. микроскопичен, мъничък, миниатюрен; 2. *език.* умалителен; II. *n* 1. *език.* умалително; умалителна наставка; 2. дребосък, дребен човек, мъниче.

din [din] I. *n* врява, глъчка, гюрултия; трясък, грохот, оглушителен шум; **to kick up a ~** *sl* вдигам гюрултия; II. *v* (-nn-) 1. вдигам врява; 2. проглушавам; кънтя (**in**); 3. опявам на, повтарям до втръсване, проглушавам главата някому; **to ~ s.th. into s.o.'s ears (head)** проглушавам някому ушите с, опявам някому за нещо.

dine [dain] *v* 1. обядвам, вечерям; **to ~ in** обядвам (вечерям) в къщи; 2. давам обед (*някому*); нагостявам, гощавам; нахранвам; **a well ~d company** добре нагостени хора; 3. прибирам, събирам (*за маса*).

ding [diŋ] I. *v* (**dinged** [diŋd] *или* **dung** [dʌŋ]) 1. звъня, звънтя; 2. *разг.* опявам; **to ~ it into a person** опявам някому за нещо; 3. *sl* блъскам, събарям; 4. *sl* издавам, разгласявам; 5. *sl* подстрекавам, подкокоросвам; 6. хваля се, перча се, надувам се, пъча се; II. *n* камбанен звън.

dinner ['dinə] *n* обед, вечеря; банкет, официален обед, вечеря; **to have s.o. in to ~** имам гост за вечеря; • **done like a ~** *австр.* смазан, погромен, победен (*често по нечестен начин*).

dip [dip] I. *v* (-pp-) 1. топвам, топя (се), потопявам (се), потапям (се), натопявам (се); гмурвам се; 2. *техн.* галванизирам (*метал*); боядисвам (*плат, вълна*); лея (*свещи*); щавя, дъбя (*кожи*); 3. греба, гребвам, загребвам, черпя (**out of, from**); **to ~ up water** греба (черпя) вода (*със съд, с ръце*); 4. наклонявам (се), наклоням, навеждам (се) (*изведнъж*); спускам се; **to ~ the scale-pan** наклонявам везните; 5. клоня към залез (*за слънцето*); 6. *геол.* залягам, полягам; **to dip into o.'s pockets** бръквам си в джобовете; бръквам се, развързвам си кесията, плащам; II. *n* 1. потапяне, наквасване; **a lucky ~** късмет, шанс; 2. течност, разтвор (*в който то се потапя нещо*); **a sheep-~** дезинфекционен разтвор (*за обеззаразяване на овце*); боя (*за боя-*

дисване плат и пр.); 3. (лоена) свещ; 4. *физ.* наклонение (*на магнитна стрелка*); 5. наклон (*на терен*); склон; хлътване, падина; *геол., мин.* наклон, падение (*на пласт, жила*); 6. *мор.* салют (*със знамена*); 7. *спорт.* от опора на прави ръце, склопка, стойка; 8. сос; 9. *sl* джебчия.

diploma [di'ploumə] I. *n* 1. диплома; свидетелство; **teacher's ~, ~ in education** свидетелство за учителска правоспособност; 2. грамота; харта; II. *v* дипломирам, издавам диплома на (*главно в pp*).

diplomacy [di'plouməsi] *n* 1. дипломация; 2. ловкост, такт; • **shuttle ~** размяна на дипломати за уреждане на политически противоречия.

diplomat ['dipləmæt] *n* дипломат (*и прен.*).

diplomatic [ˌdiplə'mætik] *adj* 1. дипломатически; **~ body (corps)** дипломатическо тяло; 2. дипломатичен, ловък, тактичен; ◊ *adv* **diplomatically** [diplə'mætikli] 1. палеографски, палеографически; текстуален, буквален (*за ръкопис*); **a ~ copy** точен препис.

direct [dai'rekt] I. *v* 1. ръководя, управлявам; организирам (*акция, кампания*); дирижирам (*оркестър*); командвам (*войски*); 2. отправям, насочвам (**towards, to**); **to ~ measures against s.th.** вземам мерки срещу нещо; 3. упътвам, посочвам пътя някому (**to, towards**); 4. заповядвам, нареждам; натоварвам (**to** *c inf*) нареждам някому да направи нещо; **do as you are ~ed** постъпете, както ви е заповядано; 5. *юр.* давам инструкции; **to ~ the jury** разяснявам на съдебните заседатели правен въпрос (*за съдия*); 6. адресирам (*писмо, пакет*); 7. *театр.* директор съм на продукция; *амер.* поставям, продуцирам, режисирам; II. *adj* (*рядко* ['dairekt] *като attr*) 1. пряк, непосредствен, прав; **~ fire** права стрелба (*не от закрита позиция*); 2. пълен, диаметрален (*за контраст*); **in ~ contradiction to** в пълно про-

тиворечие с; 3. прям, откровен; недвусмислен, неуклончив, категоричен; 4. *ел.* прав (*за ток*); 5. *астр.* с посока от запад към изток; III. *adv* направо.

direction [dai'rekʃn] *n* 1. посока, направление; насока (*и прен.*); **in the ~ of** в посока на; 2. ръководство, управление; направление; регулиране; 3. *обикн. pl* нареждания, инструкции; заповед; указание; упътване; директива; наставления; **~s for use** напътствия за употреба; 4. адрес (*на писмо и пр.*); 5. *муз.* указание за начин на свирене.

director [dai'rektə] *n* 1. директор; ръководител; управител; **managing ~** заместник-директор; 2. дир—; игент; **~ of music** *рел.* дирегент на хор; *воен.* капелмайстор; 3. *театр., кино* директор на продукция; *амер.* режисьор; **~ of (operatic) chorus** репетитор (*в опера*); 4. *воен., техн.* бусола, *амер.* артилерийска бусола; 5. *мат.* директриса; 6. *рел.* духовен ръководител (*в Католическата църква*).

directory [dai'rektəri] I. *adj* ръководен; указващ; II. *n* 1. ръководство; *амер.* управителен съвет; 2. наръчник, справочник, указател; годишник; **telephone ~** телефонен указател; 3. *инф.* директория; 4. *фр., истор.* Директория; 5. *рел.* (книга с) наставления за литургия (*или* богослужение).

dirt [də:t] *n* 1. мръсотия; нечистотии, смет, боклук (*и прен.*); кир; изпражнения; кал; **to show the ~** цапа се, мърси се (*за плат*); • **to dish the ~** *sl* пускам клюки, клюкарствам, сплетнича; 2. пръст, земя, почва; **~ road** черен път; 3. *мин.* златоносен пясък (пласт), непречистена руда; 4. мръсни (нецензурни приказки (думи); порнография; **to talk ~** приказвам мръсотии, цапнат съм в устата; 5. *техн.* задръстване, замърсяване (*на машина*); чуждо тяло (*в разтвор*).

dirty ['də:ti] I. *adj* 1. мръсен, замърсен, изцапан, нечист; изпоплескан, изкален; измърсен, омърсен,

кирлив, мърляв; **to wash o.'s ~ linen (laundry) in public** изкарвам кирливите си ризи пред хората; **2.** бурен, лош (*за време*); *мор.* буря, бурно море; **3.** мръсен, нецензурен, неприличен, цапнат; **4.** мръсен, низък, подъл, нечестен; **to do the ~ on s.o.** скроявам някому мръсен номер; **•** **~ money** мръсни пари; нечестно спечелени пари; допълнително заплащане за тежък труд; **II.** *v* мърся (се), омърсявам (се), цапам (се), изцапвам (се), оцапвам (се), замърсявам (се).

disadvantage [‚disəd'væntidʒ] **I.** *n* **1.** несгода, неудобство; пречка; препятствие; неизгодно (неблагоприятно) положение; недостатък; **to labour (lie) under a ~** в неизгодно положение съм; **2.** вреда, загуба, ущърб; **to sell s.th. at a ~** продавам нещо на загуба; **II.** *v* поставям някого в неизгодно положение.

disagreeable [‚disəg'riəbl] **I.** *adj* неприятен; неприветлив, начумерен, намусен, сърдит; противен; ◇*adv* **disagreeably**; **II.** *n pl* неприятности.

disallow [‚disə'lau] *v* **1.** отхвърлям (*иск*); не приемам; отказвам; **2.** забранявам.

disannul [‚disə'nʌl] *v* анулирам, унищожавам.

disappoint [disəpɔint] *v* **1.** разочаровам; изигравам; **2.** обърквам, разстройвам, осуетявам (*намерения*).

disarm [dis'aːm] *v* **1.** обезоръжавам (се); разоръжавам (се); **2.** *прен.* обезоръжавам, размеквам; подкупвам; изненадвам; **3.** обезвреждам; **to ~ mines** обезвреждам мини.

disarticulate [‚disa:'tikjuleit] *v* **1.** нарязвам, разделям (*при ставите*); **2.** разглобявам, демонтирам (*машина*).

disaster [di'zastə] *n* бедствие, нещастие; злополука, катастрофа; беда, зло, удар; гибел; **he is heading for ~** той отива към гибел.

disc, disk [disk] *n* **1.** диск, кръг (*и на слънцето, луната*); **2.** *техн.*

шайба; **gramophone ~** грамофонна плоча; **3.** *бот.* кръгла, плоска част на цвят; пита (*на слънчоглед*); **4.** *спорт.* диск; **5.** (калъп) пироксилин.

discharge I. [dis'tʃa:dʒ] *v* **1.** уволнявам (*и воен.*), освобождавам от длъжност, отстранявам; освобождавам от военна служба; изписвам (*от болница*); **2.** *юр.* освобождавам, пускам на свобода (*от затвора*); освобождавам от отговорност, оправдавам (*обвиняем*); освобождавам от задължение (**of**); реабилитирам; **to ~ a surety** освобождавам гарант; **3.** пускам, изпускам; изхвърлям; отделям, излъчвам; секретирам; гноя; имам (давам) дебит (*за извор, помпа*); изливам (се); бълвам; **the river ~s itself into the sea** реката се влива в морето; **4.** стрелям, изстрелвам, пускам, гръмвам, давам изстрел; **5.** *ел.* изпразвам; **~d battery** празна батерия; **6.** разтоварвам; свалям (*пътници*); *архит.* разтоварвам, разпределям тежестта; **7.** плащам (*сметка, глоба*), отчитам се; изплащам, ликвидирам (*дълг*); изпълнявам (*задължение*); **to ~ o.'s liabilities in full** *юр.* издължавам се напълно; **8.** *техн.* пускам боя; **9.** *техн.* нагнетявам; **II.** [‚dist'ʃa:dʒ] *n* **1.** разтоварване (*на параход, товар*); **2.** изстрел; залп; **3.** *ел.* изпразване, разряд; **globular ~** кълбовидна мълния; **4.** изтичане; оттичане, стичане; отток, дебит (*на вода и пр.*); *мед.* отделяне на гной; гнойна; гноясване; **~ pipe** отводна тръба; **5.** уволняване от длъжност (*и воен.*), характеристика (*на уволнен човек*); демобилизация; **~ note** *воен.* уволнителен билет; **6.** изписване (*от болница*); освобождаване (*от отговорност, затвор*); оправдаване; **7.** изплащане (*на дълг, сметки, задължения*); реабилитиране (*на банкрутирал длъжник*); изпълнение (*на служба, дълг*); **8.** *текст.* обезцветяване (*на тъкани*); разтвор за обезцветяване; **9.** *архит.* разпределяне на тежест.

discipline ['disiplin] **I.** *n* **1.** дисциплина, ред; **to enforce ~** поддържам (строга) дисциплина; **2.** *книж.* дисциплина, клон, дял, раздел, отрасъл на науката; **3.** наказание; *рел.* умъртвяване (бичуване) на плътта; **II.** *v* **1.** дисциплинирам; обучавам; възпитавам, дресирам; **2.** наказвам; *рел.* дисциплинирам, бичувам (се).

discomfort [dis'kʌmfət] **I.** *n* **1.** неудобство; неловкост, притеснение; дискомфорт; неудобно, притеснено положение; **2.** *остар.* мъка, безпокойство; **II.** *v* причинявам неудобство; безпокоя, обезпокоявам, тревожа.

disconnect ['diskə'nekt] *v* **1.** разединявам, разделям; деля, отделям (**with, from**); **2.** *ел.* изключвам (*ток*).

discontent ['diskən'tent] **I.** *n* недоволство; незадоволство; негодуване, неодобрение; **II.** *adj* недоволен (**with**); **III.** *v* предизвиквам (пораждам) недоволство у.

discontinue ['diskən'tinju:] *v* **1.** прекъсвам, прекратявам, преустановявам; спирам, свършвам; **to ~ a newspaper** преставам да получавам вестник, прекъсвам абонамента; **2.** *юр.* прекратявам дело.

discord I. ['diskɔːd] *n* **1.** несъгласие, разногласие, разединение, разцепление, раздор; **civil ~** смут, безредици; **2.** *муз.* дисонанс, дисонантен акорд (нота); *прен.* шум, врява; **II.** [dis'kɔːd] *v* **1.** не се съгласувам (съчетавам), не хармонирам, в разрез съм (**with, from**); **2.** *муз.* правя дисонанс; звуча фалшиво, не хармонирам.

discourage [dis'kʌridʒ] *v* **1.** обезсърчавам, обезкуражавам; **2.** раздумвам, разубеждавам, съветвам някого да се откаже от нещо (**from**); отблъсквам; спирам, спъвам, задушавам, потъпквам; преречвам на.

discouragement [dis'kʌridʒmənt] *n* **1.** обезсърчение, обезкуражаване; падане духом; **2.** неодобрение, липса на поощрение; **to meet with ~** не срещам одобрение.

discourse I. ['diskɔːs] *n* **1.** лекция,

доклад, беседа, проповед; дискурс; **2.** *рядко* трактат; **3.** беседа, говорене, обсъждане, разговор, приказка; **II.** [dis′kɔ:s] *v* **1.** говоря, чета доклад, държа реч, проповядвам (**on, of**); **2.** беседвам, разговарям; **3.** *рядко* пиша.

discover [dis′kʌvə] *v* **1.** откривам, разкривам; намирам; **to be ~d** *театр.* на сцената съм при вдигане на завесата; **2.** разбирам, схващам, давам си сметка, виждам; **she ~ed her aunt to be a little better** тя видя, че леля й е малко по-добре; **3.** *остар.* разкривам, излагам, изповядвам; **to ~ oneself** разкривам самоличността си.

discredit [dis′kredit] **I.** *n* **1.** дискредитиране, загуба на доверие; **to bring ~ on oneself, to fall into ~** злепоставям се, излагам се, дискредитирам се, компрометирам се; **2.** съмнение; **to throw ~ (up)on** поставям под съмнение; **II.** *v* **1.** не вярвам, съмнявам се в, поставям под съмнение; **2.** дискредитирам, компрометирам, злепоставям; позоря.

discreet [dis′kri:t] *adj* благоразумен, внимателен, предпазлив, сдържан, дискретен; ◇ *adv* discreetly.

discretion [dis′kreʃn] *n* **1.** благоразумие, предпазливост, умереност, внимание; **~ is the better part of valour** няма защо човек да се излага на ненужни рискове; **2.** свобода на действие; усмотрение, лична преценка; **I shall use my own ~** ще действам, както намеря за добре; **3.** дискретност, сдържаност, тактично мълчание.

discriminate **I.** [dis′krimineit] *v* **1.** различавам, отличавам (**from**); разграничавам (**A from B; between**), правя разлика (**between**); **2.** правя разлика, дискриминирам, отнасям се различно към; облагодетелствам, привилегировам, покровителствам някого за сметка на друг; **to ~ in favour of s.o., against s.o.** правя разлика в полза на някого, във вреда на някого; **II.** [dis′kriminit] *adj* разумен

(*за действие, поведение, и пр.*).

discriminatory [dis,krimi′neitəri] *adj* **1.** дискриминационен; селективен; **2.** разпознаващ, различаващ.

discussion [dis′kʌʃn] *n* **1.** разискване, обсъждане; дебати, дискусия, прения; **the question is under ~** въпросът се разисква; **2.** преговори; **3.** *шег.* ядене, пиене; **4.** *юр.* преследване на длъжник.

disdain [dis′dein] **I.** *n* презрение, пренебрежение; надменност; **II.** *v* презирам, считам под своето достойнство (*с inf или ger*).

disease [diz′i:z] *n* болест; страдание; заболяване; **~s of the mind** душевни болести.

diseased [di′zi:zd] *adj* **1.** болен; болезнен; **~ in body and mind** болен физически и душевно; **2.** заразен (*за месо*).

disencumber [′disin′kʌmbə] *v* **1.** освобождавам (**of, from**); разтоварвам, облекчавам; **2.** *юр.* освобождавам от ипотека.

disengagement [′disin′geidʒmənt] *n* **1.** освобождение, освобождаване; незаетост, свобода от задължения; свободно време; **2.** *хим.* отделяне (*на газ*); **3.** непринуденост; **4.** разваляне на годеж.

disentangle [,disin′tæŋgl] *v* **1.** разплитам, размотавам (*се*), оправям (*се*) (*нещо объркано*); **2.** измъквам, освобождавам (*от затруднения, затруднено положение*).

disfavour [dis′feivə] *n* **1.** немилост; **to be in ~ with s.o., to incur s.o.'s ~** гледан съм зле от някого; **2.** неодобрение (**of**); **II.** *v* не одобрявам, гледам с лошо око на.

disfigure [dis′figə] *v* обезобразявам, развалям (вида на); загрозявам; петня.

disgorge [dis′gɔ:dʒ] *v* **1.** повръщам; изхвърлям, бълвам, избълвам; **2.** изливам се; вливам се (*за река*); **3.** *прен.* връщам (*нещо откраднато*).

disgrace [dis′greis] **I.** *n* **1.** немилост; **to be in ~** в немилост съм; наказан съм (*за дете*); **2.** позор, безчестие, срам; **to be a ~ to, to be**

the ~ of позор съм за; **II.** *v* **1.** понижавам; унижавам; лишавам от благоразположение, благосклонност; **to ~ an officer** разжалвам офицер; **2.** позоря, опозорявам, безчестя, посрамвам, очерням; **to ~ oneself** ставам за срам, излагам се, очерням се.

disguise **I.** [dis′gaiz] *v* **1.** преобличам; дегизирам, предрешавам, маскирам; **2.** прикривам, преправям; **there is no disguising the fact that** не може да не се признае, че ...; **II.** *n* **1.** дегизиране, маскиране; **in ~** предрешен, маскиран; дегизиран; **2.** лъжлива външност, маска (*и прен.*); преструване; **to throw off all ~** *прен.* свалям маската си; показвам истинския си лик; ● **a blessing in ~** всяко зло за добро.

dish [diʃ] **I.** *n* **1.** паница, чиния (*за сервиране*), блюдо; купа, съд; **to do the ~es** мия чиниите; **2.** ястие, ядене, гозба, блюдо; **standing ~** всекидневно (постоянно) ядене; ястие; *прен.* обичайна тема, "стара песен"; **3.** падина, вдлъбнатина, *геол.* проучвателна шахта; **4.** наклон на спиците (*на колела*); **5.** *фот.* вана; *мин.* съд за промиване на злато; **6.** *sl* маце, "парче", гаджанце; **7.** *sl* клюка; ● **~ of gossip** *остар.* сплетни, приказки; **II.** *v* **1.** сервирам (*и прен.*), приготвям за поднасяне (*обикн. с* **up, out**); **to ~ up well known facts in a new form** пея стара песен на нов глас; **2.** изкорубвам (*се*), огъвам (*се*) (навътре), вгъвам (*се*), подгъвам (*ръб на ламарина*); **3.** *sl* приказвам, бърборя, плещя; ● **~ out** разпределям, раздавам.

dishonour [dis′ɔnə] **I.** *v* **1.** безчестя, опозорявам; обезчестявам (*жена*); **2.** обиждам, унижавам; **3.** не изплащам, отказвам плащане на (*чек и пр.*); не устоявам на (*задължение*); **to ~ o.'s word (promise)** не изпълнявам дадена дума (обещание); **II.** *n* **1.** безчестие, позор, срам; **2.** обида, унижение, афронт; **3.** *търг.* неакцептиране, неплащане (*на чек и пр.*);.

disingenuous [,disin′dʒenjuəs] *adj* **1.**

GABEROFF

dislike 164

neискрен, хитър, лукав; прикрит, скрит, спотаен, потаен; 2. нечестен; лъжлив; ~ tricks хитрини; ◊ adv disingenuously.

dislike [dis'laik] I. v не харесвам, не обичам, не ми е приятен, противен ми е; to ~ doing s.th. не обичам да правя нещо; II. n неприязън, антипатия, отвращение (to, of, for); to take (conceive) a ~ to s.o. намразвам някого; някой ми става антипатичен.

dislocate ['disləkeit] v 1. мед. изкълчвам, измествам; 2. техн. разглобявам; геол. размествам (пластове); 3. прен. обърквам, разстройвам, дезорганизирам; разпокъсвам (империя).

dislodge [dis'lodʒ] v 1. изтиквам, изкарвам, измествам; прогонвам (from); to ~ the enemy воен. прогонвам (изтиквам) противника (от дадена позиция); 2. откъртвам, измествам.

dismal ['dizməl] I. adj мрачен, тъмен, неприветлив; печален, тъжен, натъжен; загрижен, угрижен, унил, потиснат; ◊ adv dismally; II. n pl 1. потиснато (мрачно) настроение; to have the ~s, be in the ~s разг. черно ми е пред очите, в мрачно настроение съм; 2. амер. pl блатиста крайбрежна местност.

dismantle [dis'mæntl] v 1. оголвам (of); изпразвам; събарям, разрушавам, правя негоден, демонтирам, разглобявам; махам, вдигам; разтурям; to ~ a room (a house) изпразвам стая (къща) от мебели (покъщнина); 2. мор. свалям такелажа на; 3. воен. смъквам отбранителните съоръжения на.

dismay [dis'mei] I. v поразявам, слисвам, потрисам, ужасявам (with, at); уплашвам, разтревожвам, обезсърчавам; courage that nothing can ~ смелост, която нищо не може да смути; II. n страх, тревога, смут; ужас; to strike s.o. with ~ поразявам (уплашвам, ужасявам) някого, докарвам някого до ужас.

dismiss [dis'mis] v 1. изпращам, разрешавам някому да се оттегли (за високопоставено лице);

сбогувам се с, отпращам; 2. уволнявам, освобождавам от длъжност (служба) (поради негодност); 3. разпускам, разтурям (парламент); воен. разпускам (войски, запасни); пускам (затворник, роб); воен. освобождавам, пускам от строя; ~! воен. свободни сте! 4. пропъждам, прогонвам, отмахвам (мисъл), преставам да мисля за; отхвърлям, изоставям, отминавам (тема, въпрос); 5. юр. отхвърлям (иск), прекратявам (дело); 6. (от)пращам топката; изваждам играч (в крикета).

disorder [dis'ɔ:də] I. n 1. безредие, безпорядък, бъркотия, объркване, хаос; to throw the ranks into ~ внасям смут в редовете; 2. безредици, смутове, вълнения; анархия; 3. мед. смущения, разстройство; II. v 1. разбъркввам; 2. хвърлям в безпорядък; всявам (внасям) смут; разстройвам; 3. мед. разстройвам, повреждам.

disorganize [dis'ɔ:gənaiz] v дезорганизирам, разстройвам; to become ~d дезорганизирам се, разстройвам се.

disparagement [dis'pæridʒmənt] n 1. очерняне; подценяване, пренебрежително отношение; 2. безчестие, срам.

dispatch, despatch [dis'pætʃ] I. v 1. пращам, изпращам, отправям, отпращам; 2. бързо извършвам (изпълнявам); справям се с; to ~ o.'s dinner обядвам набързо; 3. убивам; разг. очиствам, ликвидирам, светявам маслото, пращам на оня свят; 4. остар. бързам; II. n 1. изпращане, отпращане, отправяне; 2. телеграма, депеша; официално съобщение, комюнике; mentioned in ~es воен. предложен за награда (отличие); 3. бързина, експедитивност; to do s.th. with ~ извършвам нещо бързо; 4. убиване, очистване, ликвидиране.

dispense [dis'pens] v 1. раздавам, разпределям; 2. освобождавам (from); 3. приготвям и раздавам лекарства; to ~ a prescription из-

пълнявам рецепта.

disperse [dis'pə:s] v 1. разпилявам (се), разпръсквам (се); разсейвам (се); разпространявам (се); 2. отиваме си, разотиваме се.

dispersion [dis'pə:ʃn] n 1. разпръскване, разпиляване; 2. физ., воен. разсейване; дисперсия; ~ error воен. отклонение поради разсейване; the D. рел. диаспора; 3. разпръснатост; разпиляност.

displace [dis'pleis] v 1. измествам, заемам мястото на, замествам; 2. премествам; остар. махам; отмествам; 3. (за кораб) има водоизместимост; 4. сменям, уволнявам.

displacement [dis'pleismənt] n 1. преместване, отместване; изместване; 2. водоизместимост; load ~ водоизместимост при пълен товар; 3. техн. литраж (на цилиндър); 4. прогонване, принудително напускане на родното място.

display [dis'plei] I. v 1. показвам, излагам, изкарвам на показ, изваждам навън; to ~ a notice поставям (залепвам) съобщение; 2. показвам, проявявам (качества); развивам (енергия); 3. парадирам с; 4. полигр. отделям с едър или различен шрифт; II. n 1. излагане, показ; представяне; изложба; air ~ парад на военновъздушните сили; 2. проява (на смелост, енергия и пр.); 3. парадиране; афиширане; to make a great ~ of finery натруфвам се; 4. техн., инф. дисплей, (за монитор) екран (устройство за изобразяване на информация); 5. полигр. отделям със специален (особен) шрифт.

disposal [dis'pouzl] n 1. разположение; разпореждане; to place at the ~ of поставям на разположението на; 2. воен. разположение, диспозиция; разгъване; строй; skillful ~ of vessels of war умело разгъване (разположение) на бойни кораби; 3. предаване; пласиране; прехвърляне; for ~ за продан; 4. премахване, отстраняване; освобождаване от; изхвърляне; ~ of a question решаване на

въпрос; 5. *рел.*; the divine ~ божията промисъл, провидението.

dispose [dis'pouz] *v* 1. разполагам; разпореждам, редя; to ~ of an opponent справям се с противник; 2. предразполагам (to); (*в* pass) предразположен съм, разположен (склонен) съм.

disposition [dispə'ziʃn] *n* 1. нрав, характер; well-oiled ~ *разг.* общителен характер; 2. склонност, предразположение; наклонност; there was a general ~ to remain всички бяха склонни да останат; 3. разположение; групиране; *воен.* диспозиция, дислокация; military ~s военна диспозиция; 4. разпореждане, власт; контрол; to have in o.'s ~ имам на (под) свое разпореждане; 5. *pl* приготовления; мерки; to make ~s for a campaign готвя се за поход (кампания); 6. уреждане (*на въпрос*).

dispute [dis'pju:t] I. *n* 1. диспут, дебати, полемика, прение; обсъждане, разискване; it is in ~ намира се в процес на обсъждане, още не е решено; 2. спор, пререкание, препирня; препиране; beyond ~ неоспоримо, безспорно, несъмнено, вън от всякакво съмнение; 3. караница; конфликт; кавга; II. *v* 1. споря, полемизирам, препирам се; оспорвам; to ~ a will (claim) оспорвам завещание (иск); 2. разисквам, обсъждам, разглеждам; дискутирам; 3. противя се на, възпрепятствам; to ~ every inch of ground отстоявам всяка педя земя.

disquiet [dis'kwaiət] I. *n* безпокойство; тревога, вълнение; II. *v* безпокоя, тревожа; вълнувам; III. *adj* рядко обезпокоен, развълнуван, разтревожен.

disquisition [diskwi'ziʃn] *n* 1. дисертация; трактат; слово, беседа, реч (on); 2. *остар.* издирване, анкета, следствие, дознание.

disrupt [dis'rʌpt] I. *v* 1. разбивам, разстройвам, разтурям, разрушавам, разкъсвам; 2. *прен.* подривам (*държава, власт*); развалям (*съюз и пр.*); II. *adj поет.* разбит, разрушен.

disseminate [di'semineit] *v* 1. разхвърлям, разпръсквам, сея, посявам (*семена и пр.*); ~d sclerosis *мед.* разсеяна склероза; 2. *прен.* разпространявам, проповядвам (*учение, възгледи*); разнасям; разпръсквам; 3. сея, предизвиквам (*недоволство и пр.*).

dissipate ['disipeit] *v* 1. разсейвам (се), разпръсквам (се); разгонвам (*облаци и пр.*); to ~ a substance *хим.* разлагам вещество; 2. прахосвам, разпилявам, пропилявам; разточителствам; водя разгулен живот; 3. изчезвам, изгубвам се.

dissipation [disi'peiʃn] *n* 1. разсейване, разпръсване, разнасяне (*облаци*); 2. развлечение, разнообразие; 3. прахосване, разточителство; 4. разпуснатост, разгулност, безпътство; 5. *техн.* утечка (*на електричество и пр.*).

dissociate [di'souʃieit] *v* 1. разединявам, отделям, разделям, откъсвам, отлъчвам (from); to ~ oneself from a question загубвам интерес към някакъв въпрос; 2. *хим.* разпадам се, разлагам се.

dissolution [disə'lu:ʃn] *n* 1. разтваряне, *разг.* стопяване; 2. разпадане, разлагане (*на съставни части*); 3. унищожаване, отменяне, анулиране, разтрогване (*на договор, брак и пр.*); 4. разпускане, закриване, разтурване (*на парламент и пр.*); разформиране; 5. *търг.* ликвидация; 6. разпадане (*на държава*); 7. край, смърт.

dissolve [di'zɔlv] I. *v* 1. разтварям (се), разтопявам (се), топя (се); dissolving agents *хим.* разтворители; 2. разпускам, закривам (*събрание и пр.*); 3. разтрогвам, анулирам; to ~ the monasteries *истор.* разтурвам манастирите; 4. изчезвам постепенно, загубвам се; to ~ a scene into the succeeding one преливам една кинокартина в друга; 5. разлагам; II. *n*: ~ in бързо нарастване на образите на екрана; ~ out постепенно намаляване на образите.

distain [dis'tein] *v остар.* 1. обезцветявам; 2. замърсявам, оцап-

вам, мърся, опетнявам.

distance ['distəns] I. *n* 1. разстояние, отдалеченост; далечина; интервал; дистанция; the town is within walking ~ до града може да се стигне пеш, градът е близо; ● go the (full) ~ върша нещо докрай, стигам до края (целта си); 2. резервираност, сдържаност, хладност; ~ of manners резервираност; надменност; 3. *изк.* далечина, фон, перспектива; middle ~ среден план; 4. промеждутък, период (*от време*), интервал; 5. разлика; 6. *остар.* разногласие, раздор, караница; 7. *attr* ~ control *техн.* телеуправление, дистанционно управление; II. *v* 1. оставям зад себе си, задминавам, надпреварвам; 2. раздалечавам, слагам (размествам) на разстояние едно от друго; the mountain were ~d by the evening haze планините изглеждаха отдалечени във вечерната омара.

distant ['distənt] *adj* 1. далечен, отдалечен; ten miles ~ отстоящ на десет мили; 2. сдържан, хладен, резервиран, студен.

distaste [dis'teist] I. *n* неразположение, отвращение, антипатия (for); II. *v остар.* отвращавам се от.

distasteful [dis'teistful] *adj* неприятен, противен, отвратителен, отблъскващ.

distemper [dis'tempə] I. *n* 1. разстройство, болест; 2. безредици, вълнения; II. *v* разстройвам, разбърквам; a ~ed mind душевно разстройство.

distil [dis'til] *v* (-ll-) 1. дестилирам; рафинирам (*за петрол и пр.*); 2. извличам, екстрахирам; 3. капя; изпускам, издавам; distil into преливам в, превръщам (се) в, преминавам.

distillation [disti'leiʃn] *n* 1. дестилация; dry ~ *хим.* суха дестилация; fractional ~ *хим.* фракционна дестилация; 2. същност, квинтесенция; извлечение.

distinct [dis'tiŋkt] *adj* 1. отделен, различен (from); особен, специален, нарочен; town life as ~ from country life животът в града за

разлика от този на село; **2.** отчетлив, ясен; ясно доловим, ясно очертан; **~ improvement** положително (несъмнено) подобрение; **3.** *поет.* нашарен, изпъстрен; **4.** явен, необикновен забележителен; **a ~ honour** необиковена (изключителна) чест.

distinction [dis′tiŋkʃn] *n* **1.** разлика, различие; **without ~ of persons** без оглед на лицата; **2.** отличителна черта, особеност; **3.** издигнатост; елегантност, изящество, изисканост; **4.** отличие; **a writer of** ~ виден (знаменит, именит) писател; **to gain ~** отличавам се; **5.** различаване, отличаване.

distinguish [dis′tiŋgwiʃ] *v* **1.** различавам, отличавам; разграничавам, правя разлика (**A from B, between**); **2.** отличавам; правя (карам) да изпъкне; изтъквам.

distort [dis′tɔ:t] *v* **1.** изопачавам, извращавам; **2.** извъртам, изкривявам, разкривявам.

distract [dis′trækt] *v* **1.** отвличам (*внимание и пр.*); разсейвам; **2.** обърквам, забърквам; разстройвам, смущавам; подлудявам, влудявам, обезумявам; **to drive s.o. ~ed** подлудявам (слисвам, обърквам) някого.

distraction [dis′trækʃn] *n* **1.** отвличане (*на внимание и пр.*); разсейване; **2.** разсеяност; **3.** развлечение, забава; **4.** обърканост, разстройство; безредица; **5.** безумие, умопомрачение, лудост; **to love to ~** обичам безумно.

distress [dis′tres] I. *n* **1.** беда, злочестина, нещастие; страдание; бедствие; **~ signal** *мор.* сигнал за помощ (**SOS**); **2.** нужда; нищета; **3.** изтощение, умора; **4.** *юр.* право на задържане (*на наемодател върху имуществото на наемател*); **5.** *юр.* изземване, запор; II. *v* опечалявам, натъжавам, наскърбявам, правя нещастен, причинявам страдание (скръб) на; озлочестявам; **2.** изтощавам, изморявам.

distribute [dis′tribju:t] *v* **1.** разпределям, раздавам (**among, to**), разделям; **2.** разпръсквам, разхвър-

лям; **3.** класирам, разпределям; **4.** *лог.* обобщавам; **5.** *полигр.* разпределям (*букви в касите*); **6.** *остар.* раздавам (*правосъдие*).

distribution [distri′bjuʃn] *n* **1.** разпределение; раздаване, разделяне; **2.** разпространение; **3.** *полигр.* разпределяне (*на набор в касите*); **4.** бройка (*продадени вестници, списания*); **5.** *лог.* обобщение.

district [′distrikt] I. *n* **1.** област, район, околия, окръг, участък; *рел.* енория; **back country ~s** отдалечени райони, глуха (дълбока) провинция; **2.** избирателен район (участък); **3.** *attr* околийски, окръжен, районен, областен; **~ court** *амер.* районен съд; II. *v* районирам, разделям (разпределям) на райони (участъци).

distrustful [dis′trʌstful] *adj* недоверчив, подозрителен.

disturb [dis′tə:b] *v* **1.** безпокоя, смущавам, тревожа; обезпокоявам; **~ed market** неспокоен пазар; **2.** нарушавам (*покой, мълчание, равновесие*); **to ~ the peace** нарушавам обществения ред; **3.** разстройвам, разбърквам, развалям (*план и пр.*).

ditch [ditʃ] I. *n* **1.** канавка; ров, яма, изкоп; канал; **drainage ~** дренаж; **2.** окоп; **last ~ attempt** последен отчаян опит; **3.** *sl* море, океан; II. *v* **1.** *разг.* отървавам се от; **2.** *разг.* хвърлям в канавката; **to be ~ed** *разг.* удрям на камък; закъсвам; **3.** копая ров (канал); (*и ~ about, around*) ограждам с канавки (ровове); **4.** чистя канавки (ровове); **hedging and ~ing** поддържане на живи плетове и канавки; зарязвам, изоставям; **5.** *разг.* опропастявам.

dither [′diðə] *разг.* I. *v* **1.** колебая се, двоумя се; пипкам се; щурам се; **2.** треперя, треса се (*от възбуда, страх и пр.*); II. *n* треперене; **all of a ~** цял разтреперан.

dive [daiv] I. *v* **1.** гмуркам се, хвърлям се (*във вода*); пъхвам се, мушвам се; *авиац.* пикирам; (*за подводница*) потапям се, гмуркам се; **to ~ down the street** втурвам

се по улицата; **2.** *прен.* задълбочавам се, вниквам, прониквам (*в тайни и пр.*); **3.** бръквам, пъхвам (мушвам, втиквам) ръка; **4.** падам рязко, понижавам се, спадам (*за цени и пр.*); II. *n* **1.** гмуркане, спускане във вода; скок (хвърляне) във вода (*с главата надолу*); пикиране; **2.** мушване, пъхване; **3.** рязък спад, понижение; **4.** изба; второкласен ресторант; вертеп.

diverge [dai′və:dʒ] *v* **1.** отклонявам се; разклонявам се, отделям се; **2.** различавам се, отличавам се.

diversion [dai′və:ʃn] *n* **1.** отклонение; отбиване; **2.** отвличане на вниманието; **3.** развлечение, забавление; **outdoor ~s** игри (забавления) на открито; **4.** *воен.* диверсия; **5.** отвод; отвеждане; **~ dam** отводен бент.

divert [dai′və:t] *v* **1.** отклонявам; отвличам (*внимание и пр.*); **to ~ s.o.′s thoughts** разсейвам нечии мисли; **2.** развличам; забавлявам.

divest [dai′vest] *v* **1.** отнемам, лишавам; **to ~ s.o. of his rights** отнемам някому правата, лишавам някого от права; **2.** *книж.* събличам; снемам; смъквам.

divide [di′vaid] I. *v* **1.** деля (се), разделям (се); подразделям (се); разглобявам; *техн.* разграфявам, градуирам; **2.** споделям (**with, between, among**); **3.** раздвоявам (се), разединявам (се); **an army ~d against itself** разединена войска (армия); **4.** различавам се, не си приличам; **5.** гласувам; **to ~ the House** пристъпвам към гласуване в парламента; II. *n амер.* вододел, вододелно било (линия); **to cross the Great D.** умирам, отивам на оня свят.

divident [′dividənt] *n* **1.** *фин.* дивидент; **interim ~** временен дивидент; **2.** *мат.* делимо; **3.** *юр., фин.* сума, получена при ликвидацията на несъстоятелна фирма и разпределена между кредиторите; **• to pay ~s** давам дивиденти; (*и прен.*) нося полза (изгода).

divine [di′vain] I. *adj* **1.** божествен; *рядко* свещен; **2.** *разг.* прекрасен, чудесен, прелестен, очарователен;

превъзходен; ◇ *adv* **divinely**; **II.** *n* богослов, теолог; *остар.* духовно лице; **III.** *v* **1.** предчувствам, предугаждам, предвиждам, предусещам; **2.** пророкувам, прорицавам, предсказвам, предричам; **3.** предполагам; предвиждам; **4.** търся (подземни води, находища) с помощта на инструмент (for).

division [di'viʒn] *n* **1.** разделяне, деление; разпределяне; разделение; **2.** *мат.* деление; **~-sign** знак за деление; **3.** преграда; **~-plate** разделителна пластинка; **4.** част; участък; отделение, поделение, отдел; **5.** гласуване; начин на гласуване чрез разделяне на две групи (*в парламент*); **there will be a ~ on this issue** ще се гласува по този въпрос; **6.** окръг (*административен или избирателен*); **7.** различие, разногласие; несъгласие; **8.** *воен., спорт.* дивизия; **9.** раздел, разред; категория, дял, отдел.

divorce [di'vɔ:s] **I.** *n* **1.** развод; **to take (start) ~ proceedings** започвам дело за развод; **2.** разделяне, отделяне; отлъчване; разрив; разкол; **II.** *v* **1.** развеждам (се); разтрогвам брака между; **to be ~d from s.o.**, **to ~ s.o.** развеждам се с някого; **2.** разделям, отделям, откъсвам; разлъчвам; **his conduct is ~d from his principles** неговото поведение няма нищо общо с принципите му.

divulge [dai'vʌldʒ] *v* издавам, изказвам, разкривам, откривам; разгласявам, разпространявам.

do₁ [du:] **I.** *v* (**did** [did]; **done** [dʌn]) **1.** правя, извършвам, свършвам, върша, изпълнявам; занимавам се с; **he did brilliantly at his examination** той се представи чудесно на изпита; ● **to ~ o.'s own thing** постъпвам типично в свой стил; върша това, което ми приляга (хареса); **2.** причинявам, правя; **to ~ o.'s good** полезен съм; **3.** оказвам; **to ~ justice to** отдавам дължимото на, оценявам правилно, справедлив съм към; **4.** разглеждам; посещавам; **to ~ a picture gallery** разглеждам картинна галерия; **5.** угощавам, храня; отнасям се към; **to ~ oneself well** угаждам си; **6.** *разг.* измамвам, подхлъзвам, прекарвам, прецаквам, изигравам, излъгвам; **I think you have been done** мисля, че са те метнали (изиграли); **7.** подхождам, подобавам, приличам; **that will never ~** това е немислимо (непоносимо); така не може; **8.** чувствам се добре; поправям се; преуспявам; **the patient is ~ing well** болният върви към подобрение; **9.** (*в перфектни форми*) свършвам, приключвам, завършвам; **one more question and I am done** още един въпрос и свършвам; **II.** *n разг.* **1.** нещо, работа; **2.** правене, вършене; **the ~'s and ~ nots of society** позволеното и непозволеното в обществото; **3.** отнасяне, третиране; отношение; **4.** измама, мошеничество; **5.** приемане гости, посрещане, прием; вечеринка; банкет; **6.** *шег.* събитие; **7.** *pl* участие; дял; **8.** разпореждане, нареждане; заповед; **9.** *австр. sl* успех;

do away 1) премахвам, унищожавам; *прен.* изкоренявам; **2)** убивам, очиствам;

do by отнасям се към (с), третирам; **~ as you would be done by** отнасяй се с хората така, както искаш те да се отнасят с теб;

do down 1) *разг.* критикувам, злословя против; **2)** *разг.* излъгвам, измамвам, прекарвам, премятам; **3)** измивам, минавам; **4)** *остар.* вземам връх над; преодолявам; подчинявам;

do for 1) грижа се за; **2)** справям се с; убивам, "очиствам", "разчиствам си сметките със"; **another stroke would ~ for him** още един удар ще го довърши;

do in *sl* **1)** изигравам, измамвам; **2)** убивам, очиствам, пращам на оня свят; **3)** унищожавам, разрушавам; **4)** надвивам, побеждавам;

do off 1) снемам, свалям; **2)** прераждам, разделям (*с преградка*);

do on надявам, обличам, слагам, налагам (*шапка и пр.*);

do out аранжирам; декорирам; мебелирам;

do over 1) покривам; намазвам (*с боя и пр.*); **2)** преправям, стягам; **3)** правя (извършвам) повторно; **4)** *разг.* претърсвам; разпилявам, разхвърлям (и ограбвам); **5)** *разг.* пребивам, смазвам (*от бой*); **6)** *sl* скапвам, изтощавам, съсипвам; **7)** *sl* изигравам, премятам;

do to (unto) отнасям се към (с);

do up 1) подреждам; поправям; подновявам; стягам; **to ~ oneself up** стъкмявам се, стягам се; **2)** закопчавам (се), завивам; **done up in paper** завит в хартия; **3)** изтощавам, преуморявам, съсипвам; **4)** *sl* дрогирам се, друсам се;

do with 1) имам нещо общо с; отнасям се до; **I have nothing to ~ with him** нямам нищо общо с него; **2)** свършвам, спирам; **have done with compliments!** стига комплименти (похвали)! **3)** търпя, понасям; **4)** минавам с, задоволявам се с, стига ми;

do without минавам без, мога и без, бива ме и без.

do₂ [dou] *n муз.* до.

dock I. *n* **1.** док; пристанищен басейн; **floating ~** плаващ (подвижен) док; **2.** пристанище (*на река или канал*); **3.** *жп* крайна станция; **4.** *театр.* склад за декорите (*и* **scene-dock**); **5.** *авиац.* хангар; **II.** *v* **1.** пускам (вкарвам) в док; влизам в док; **2.** *жп* гарирам (*влак*); **3.** обзавеждам пристанище с докове (пристани); **4.** скачвам космически кораби в Космоса; **5.** глобявам.

docker ['dɔkə] *n* **1.** докер, пристанищен работник; **2.** човек, който живее в (около) пристанище (док).

doctor ['dɔktə] **I.** *n* **1.** лекар, доктор; ● **just what the ~ ordered** *разг.* тъкмо каквото трябва, точно от това се нуждаем; **2.** доктор (*научна степен*); **3.** *остар.* учен човек, учен; **the D.s of the Church** *рел.* църковните Отци; **4.** вид изкуствена муха (*за риболов*); **5.** *разг.* корабен готвач; **6.** *техн.* стъргало за чистене на мастило

от печатарски валяк; 7. *техн.* (всякакъв вид) спомагателен механизъм; 8. *разг.* човек, който поправя чадъри, писалки и пр.; 9. *остар.*, *sl* фалшив (подправен) зар; 10. *зоол.* вид хрущялна риба *Acanthurus*; II. *v* 1. лекувам; практикувам медицина; to ~ oneself лекувам се, церя се; 2. *рядко* присъждам докторска титла на; 3. *разг.* поправям, ремонтирам набързо, скалъпвам, скърпвам; 4. подправям, фалшифицирам; нагласям; 5. прибавям отрова в.

document I. [ˈdɔkjumənt] *n* 1. документ; свидетелство; удостоверение; legal ~ автентичен документ; 2. *остар.* доказателство; улика; II. [ˈdɔkjument] *v* 1. документирам, доказвам с документи; 2. снабдявам с документи (*обикн. кораб*); 3. *остар.* обучавам, напътвам, поучавам, възпитавам, ръководя.

dodge [dɔdʒ] I. *v* 1. избягвам, отбягвам, отдръпвам се; отклонявам се (*от удар*); скривам се (behind, under); to ~ about, to ~ in and out движа се напред-назад (насам-нататък); *прен.* клинча, хитрувам; 2. извъртам, изплъзвам се, клинча, хитрувам; to ~ a question отклонявам (извъртам) въпрос; II. *n* 1. извъртане, уловка, хитрост; 2. *разг.* хитро приспособление (средство); a good ~ for remembering names добър начин за запомняне на имена.

doff [dɔf] *v* 1. свалям, отлагам (*шапка*); събличам (*дреха*); 2. поздравявам (*със сваляне на шапка*) (to); 3. освобождавам се от, отхвърлям, отказвам се от (*обичай и пр.*); ~ing cylinder *текст.* цилиндър за освобождаване на гребена (*при кардировъчна машина*).

dog [dɔg] I. *n* 1. куче; пес, псе; house~ домашно куче, куче пазач; 2. мъжко животно, мъжкар, самец; 3. *разг.*, *шег.* човек; jolly ~ веселяк, шегаджия; 4. *разг.* "боклук", долнопробно нещо; 5. пиростия, саджак; 6. ударник, спусък на пушка; 7. клещи за гвоз-

дей, керпеден; 8. райбер, кука; резе; 9. *мор.* закра за изопване въжетата на платната; • barking dogs seldom bite куче, което лае, не хапе; II. *v* (-gg-) 1. вървя по дирите (петите), следя, проследявам; to ~ a person's footsteps вървя по петите на някого, следя някого отблизо; ставам сянка на някого; 2. *прен.* преследвам; he is ~ged by ill fortune нещастието го преследва; 3. затварям с резе, запъвам; to ~ down *мор.* затягам въжетата на платната.

dogged [ˈdɔgid] *adj* 1. упорит, твърд, настойчив; инат, твърдоглав; it's ~ that does it с твърдост (упоритост) всичко се постига; 2. *остар.* мрачен, темерут; ◇ *adv* doggedly.

dogma [ˈdɔgmə] *n* (*pl* -as, -ata [-ætə]) 1. догма, догмат; 2. принцип; максима; доктрина; канон.

dogmatic [dogˈmætik] *adj* 1. догматичен; доктринерски; 2. безпрекословен; диктаторски; ◇ *adv* dogmatically.

doing [ˈduːiŋ] *n* 1. действие, постъпка; акт, дело; I have heard of your ~s *ирон.* слушал съм за вашите подвизи; 2. вършене, правене и пр.; by ~ nothing we learn to do ill безделието е най-лошият учител.

dole [doul] I. *n* 1. милостиня; подаяние; помощ; 2. помощ при безработица; to go (be) on the ~ получавам помощ при безработица; II. *v* раздавам неохотно, раздавам в малки количества (out).

dollar [ˈdɔlə] *n* 1. долар (= 100 цента); ~ crisis доларова криза; 2. *sl* крона (*монета от 5 шилинга*); • to look loke a million ~s изглеждам зашеметяващо (прекрасно).

domain [dəˈmein] *n* 1. владение, имение; територия; царство; 2. *юр.* притежание, владение; сфера, област, поле, обхват (*на наука и пр.*).

dome [doum] I. *n* 1. кубе; купола, купол; свод (*и прен.*); 2. *поет.*, *остар.* дворец, палат; величествена сграда; катедрала; 3. *разг.* глава, кратуна, тиква, чутура; II.

v 1. покривам с купол; 2. издигам (се) във форма на кубе, купол, свод.

domestic [dəˈmestik] I. *adj* 1. домашен, семеен; to enter ~ service ставам домашна прислужница; 2. домошарски; който е привързан към семейния живот; 3. домашен, питомен (*за животно, птица*); 4. домашен; роден; ~ trade вътрешна търговия; II. *n* 1. домашна прислужница; 2. *pl* местни стоки; 3. *pl* амер. текстилни стоки за задоволяване на местния пазар.

dominate [ˈdɔmineit] *v* 1. господствам, властвам, господарувам, упражнявам контрол, власт, управлявам (over); 2. доминирам, преобладавам, имам надмощие, издигам се над; 3. владея, овладявам; 4. поглъщам напълно, попивам.

domination [ˌdɔmiˈneiʃn] 1. господство, власт; влияние; авторитет; 2. преобладаване, доминиране; 3. *pl рел.* четвърта степен ангели.

domineer [ˌdɔmiˈniə] *v* 1. тиранизирам; терроризирам, потискам; налагам се на, владея; проявявам деспотизъм (over); 2. превъзхождам, доминирам, държа първо място (over, above); 3. издигам се над (over).

doom [duːm] I. *n* 1. съдба; орис; карма; участ; 2. гибел, разорение; смърт; 3. *остар.* присъда, решение (*неблагоприятно*); 4. *истор.* статут, декрет; II. *v* 1. произнасям присъда, осъждам; 2. обричам на (to).

door [dɔː] *n* 1. врата; вход; behind closed ~s при закрити врати, тайно; 2. *прен.* път; a ~ to success път към успех (слава); • as one ~ closes, another opens всяко зло за добро.

dose [dous] I. *n* 1. *мед.* доза (*и прен.*); 2. подправка на вино; II. *v* 1. дозирам; давам на дози; 2. *разг.* тъпча с лекарство (with); 3. прибавям нещо (*в питие*).

dot [dɔt] I. *n* 1. точка, точица; ~ and dash code Морзовата азбука; three ~s многоточие; 2. *муз.*

точка; **3.** дребно дете, фъстък, дребосък; ● **to a ~ of an i** *разг.* точно, с всички подробности; **II.** *v* (-tt-) **1.** слагам (поставям) точка; **to ~ an i** слагам точката на буквата **i**; **2.** пунктирам (*линия*); **a ~ted line** пунктирана линия; място за подпис; **3.** осеявам, разпръсквам; **to ~ houses over the countryside** застроявам с къщи околността; ● **to ~ o.'s i's and cross o.'s t's** изяснявам всичко с подробности.

double [dʌbl] **I.** *adj* **1.** двоен; удвоен; **~ lock** двойно заключване; **2.** *бот.* кичест, гъст (*за цвят*); **3.** *муз.* контра- (*за инструменти*); **4.** *прен.* двусмислен; двояк; **5.** двуличен, лицемерен, престорен, неискрен; лъжлив; подъл; **~ game** двуличие, лицемерие; **II.** *adv* **1.** двойно; **2.** по двама; **to play ~** *прен.* играя двойна роля, лицемернича; **III.** *n* **1.** двойно количество, двойна част от нещо; **at (on) the ~** *разг.* много бързо, незабавно; **2.** двойник; *театр.* дубльор; **to meet o.'s ~** срещнах си двойника (еша); **3.** дубликат, копие; **4.** игра по двойки (*в тениса*); **mixed ~s** игра със смесени двойки (*мъже и жени*); **5.** *кино* дубльор (*за специална част от роля*); **6.** гънка, дипла; **7.** *воен.* бърз ход, бяг; **advance (at) the ~** напредвам бързо, бегом; **8.** рязък завой, внезапно извръщане назад (*на преследвано животно*); заешки следи; завой на река; **9.** хитрост, ловкост; **10.** *муз.*, *рядко* вариация; **11.** *карти* контриране, дублиране; **IV.** *v* **1.** удвоявам (се); умножавам (се); **2.** сгъвам надве, превивам; **3.** *театр.* дублирам; **to ~ a part** дублирам роля; **4.** свивам, стискам (*юмрук*); притискам; **5.** *мор.* завивам, свивам около, заобикалям нос; правя завой (*на река*); **6.** извръщам се внезапно в друга посока (*при преследване*); **7.** движа се бързо; *воен.* движа се бегом; **8.** изпълнявам двойна служба, служа и като (**as**); **9.** живея с някого в обща квартира; настанявам ня-

кого в една стая или кабина с друг; **10.** повтарям мелодия една октава по-високо или по-ниско;
double back 1) връщам се по дирите (*за дивеч*), извръщам се, завивам, правя завой; **2)** сгъвам, прегъвам, превивам (*в обратна посока*);
double forward бягам напред;
double in подгъвам, подвивам;
double up свивам (се), превивам (се), прегъвам (се), сгърчвам (се); **his knees ~ed up under him** прегънаха му се коленете;
double upon *мор.* обкръжавам (*неприятелски кораби*);
double-minded ['dʌbl'maindid] *adj* **1.** нерешителен, колеблив, неуверен, неуравновесен, лабилен; **2.** двуличен, лицемерен.
double-tongued ['dʌbl'tʌngd] *adj* лъжлив; лицемерен, двуличен.
doubling ['dʌbliŋ] *n* **1.** удвояване; **2.** повторение, дублиране; **~effect** ехо; **3.** внезапно извръщане назад (*при бяг*); **4.** *прен.* неустановеност, колебливост, променливост, изменчивост; **5.** *текст.* пресукване, усукване.
doubt [daut] **I.** *v* **1.** съмнявам се, несигурен съм (*и с* **of**; **whether**, **it**); **2.** нямам доверие, подозирам, усъмнявам се в; не вярвам; **3.** *остар.* страхувам се, боя се; **II.** *n* съмнение; **to be in ~(s)** двоумя се, не знам какво да правя; ● **to give a person the benefit of the ~** оправдавам по липса на доказателства.
doubtful ['dautful] *adj* **1.** съмнителен; неясен, неопределен, несигурен; **to pursue a ~ path** *прен.* вървя по несигурен (опасен) път; **2.** колеблив, изпълнен със съмнения (**about**, **of**); **3.** съмнителен, подозрителен; **a ~ neighbourhood** квартал с лоша слава.
doubtless ['dautlis] **I.** *adv* несъмнено, очевидно, неоспоримо, безспорно; вероятно; **II.** *adj рядко* невъзмутим; хладнокръвен, спокоен.
douche [du:ʃ] **I.** *n* **1.** душ, обливане с водна струя; **2.** промиване, промивка; **II.** *v* **1.** правя промивка на

някого; **2.** обливам с вода; *обикн.* *refl* вземам (си) душ.
doughfaced ['doufeisd] *adj* **1.** бледен, блед (*за цвят на лице*); **2.** слабохарактерен, податлив.
doughnut ['dounʌt] *n* поничка; ● **~it is dollars to ~s** *амер.* несъмнено, положително.
dough-pop ['douprɔp] *v sl* разгромявам, смазвам.
doughy ['doui] *adj* **1.** тестен; недопечен, тежък, тестяв, клисав; **2.** бледен; отпуснат, мек (*за лице*); **3.** *прен.* тъп.
dour ['duə] *adj шотл.* суров, строг; упорит, непреклонен; мрачен, намусен, кисел; раздразнителен; ◇ *adv* **dourly**.
douse, dowse [daus] **I.** *v* **1.** потапям, гмуркам; обливам; наквасвам, омокрям; **2.** *мор.* спускам бързо (*платна*); затварям (*прозорец*); **3.** *разг.* събличам, свалям; **4.** угасям (*светлина*); **II.** *n диал.* удар.
dove [dʌv] *n* **1.** гълъб, гълъбче; **D. of Peace** гълъб на мира; **2.** *умал.* гълъбче, гълъбица (*обикн.* **my ~**); **3.** *прен.* благ (нежен, кротък, добър) човек, добряк; **4.** (**D.**) *рел.* Светия Дух; **5.** миролюбец; **~s and hawks** миролюбци и войнолюбци в политиката.
dove-like ['dʌvlaik] *adj* нежен, благ, мил, добър, кротък, хрисим, смирен.
dovetail ['dʌvteil] **I.** *v* **1.** *прен.* съответствам, съвпадам, прилягам; **to ~ in(to)** идвам (ставам) точно, прилепвам, прилягам; **2.** *техн.* съединявам чрез длаб и зъб; **II.** *n техн.* лястовича опашка, зъб; сглобка на длаб и зъб.
dovish ['dʌviʃ] *adj* миролюбив.
down₁ [daun] *n* **1.** пух, мека перушина; **2.** мъх, мека брада (*на човек*); **3.** *бот.* мъх на растение и плодове.
down₂ **I.** *adv* **1.** *движение към пониско място:* долу, нанадолу, надолу; **the sun goes ~** слънцето залязва, скрива се; **2.** *място, положение:* долу; **~ on o.'s back** легнал по гръб; **3.** *намаляване на сила, големина, размер, количество:* **the fire is burning ~** огъ-

нят догаря, загасва; **4.** *премина-*
ване от по-важно в по-незначи-
телно място: **to go ~ to the**
country отивам в провинцията; **5.**
влошаване на качество; *повре-*
да: **the quality has gone ~** качест-
вото се е влошило; **6.** *predic* **to be**
~: **to be ~ and out** *спорт.* в нок-
аут съм; *прен.* в бедствено поло-
жение съм, напълно закъсал; **7.**
за засилване: **~ below** долу; *прен.*
в низините; на дъното; в ада; **~**
to the ground *разг.* напълно, из-
цяло, всецяло, съвършено; **II.**
prep **1.** по; **to walk ~ a street** вър-
вя по улицата; **2.** надолу по; **3.** в;
~ town в центъра на града; **4.**
през; **~ the ages (years)** през ве-
ковете (годините); **5.** *за време*:
до, чак до, до самия; **~ to our**
days чак до наши дни; • **let it go**
~ the wind остави го, откажи се,
зарежи го; **III.** *adj* **1.** нанадолен;
(on the) ~ grade (по) нанадолни-
ще (*и прен.*); **2.** който идва от по-
голям град; **3.** *спорт.* който изос-
тава по точки; **to be one ~** с една
точка съм по-назад; • **~ and**
dirty 1) *разг. амер.* мръсен, не-
честен; 2) *журн.* мръсен, вулга-
рен, "хард"; **IV.** *v разг.* **1.** свалям,
смъквам; събарям, гътвам, пова-
лям; *прен.* надвивам, преодоля-
вам, сривам, обърквам; **to ~ an**
airplane (о.'s opponents) свалям
самолет (побеждавам противни-
ците си); **2.**: **~!** долу! наведи се!
3. оставям, захвърлям; **to ~ tools**
стачкувам; свършвам си работа-
та за деня; **4.** изпивам (до дъно),
гаврътвам; **V.** *n* **1.** спускане; сли-
зане (*при диаграма*); **2.** *прен.*,
обикн. pl неуспехи, несполуки;
the ups and ~s of fortune (life)
превратностите на съдбата (жи-
вота); • **to have a ~ (~er) on** *разг.*
не харесвам, имам лошо мнение
(отношение) към.
downbeat ['daunbi:t] *adj* **1.** *разг.*
умерен, сдържан; **2.** подтиснат,
унил.
downcast ['daunka:st] **I.** *adj* **1.** на-
веден, сведен (*за поглед*); **2.** убит
(духом), отчаян, съсипан, съкру-
шен, унил; **II.** *n мин.* вентилаци-

онна галерия.
downer ['daunə:] *n разг.* **1.** депре-
сант, успокоително средство; **a**
~ freak човек, пристрастен към
депресанти; **2.** отчайващо (под-
тискащо) положение; **to be on a**
~ подтиснат съм, унил съм.
downess ['daunis] *n* скука, еднооб-
разие.
downfall ['daunfɔ:l] *n* **1.** падане; **2.**
провал, поражение, падение, крах;
упадък; **3.** силен валеж от дъжд
или сняг, порой.
downgrade ['daungreid] **I.** *n* **1.** на-
надолнище; **2.** *прен.* пропадане,
проваляне; **on the ~** по лош път;
в упадък; **II.** *adj* нанадолен, по-
легат, наклонен; **III.** *adv* накло-
нено, надолу, по нанадолнище;
IV. *v* **1.** понижавам (*в служба*); **2.**
омаловажавам.
downhill ['daun'hil] **I.** *adv* надолу,
нанадолу, по нанадолнище; **to go**
~ отивам на зле, влошава ми се
положението; вървя по наклоне-
на плоскост; **II.** *adj* наклонен, по-
легат, нанадолен; **III.** *n* склон;
прен. упадък; **the ~ of life** втора-
та половина от живота, склонът
на живота.
downplay ['daunplei] *v* омаловажа-
вам.
downpour ['daunpɔ:] *n* порой, про-
ливен дъжд.
downright ['daunrait] **I.** *adj* **1.** прям,
откровен, честен, открит; **2.** явен,
очевиден, ясен, чист; пълен; кръ-
гъл; **3.** *остар.* отвесен; отправен
право надолу; **II.** *adv* съвършено,
напълно, съвсем; крайно.
downrightness ['daunraitnis] *n* **1.**
откровеност, прямост, прямота,
честност; **2.** очевидност.
downsize ['daunsaiz] *v* смалявам,
ограничавам, намалявам маща-
ба на.
downspout ['daun,spaut] *n* улук.
downstairs I. [,daun'steəz] *adv* до-
лу; в долния (долните) етаж(и),
в партера; **II.** ['daun,steəz] *adj* на
по-долен етаж; партерен; **a ~**
room партерна стая; **III.** *n* долен
етаж, партер.
downtrodden ['daun,trɔdən] *adj* по-
тъпкан; потиснат, поробен, под-

чинен, угнетен, тормозен; **the ~**
masses потиснатите маси; униже-
ните и оскърбените.
downturn ['dauntə:n] *n* спад, пони-
жение.
downwind ['daunwind] *adv, adj* по
посока на вятъра.
downy₁ ['dauni] **I.** *adj* **1.** пухест; пу-
хен; мъхест; **2.** мек, пухкав; **3.** не-
жен, успокоителен; тих, спокоен;
4. *sl* хитър, лукав; ококорен; **a ~**
old bird стара хитра лисица; **II.**
n sl легло; спане.
downy₂ *adj* хълмист, вълнист.
dowry ['dauəri] *n* **1.** зестра; **2.** *поет.*
талант, дарба.
dowse, douse [daus] **I.** *v* **1.** потапям,
гмуркам; обливам; наквасвам,
омокрям; **2.** *мор.* спускам бързо
(*платна*); затварям (*прозорец*);
3. *разг.* събличам, свалям; **4.** уга-
сям (*светлина*); **II.** *n диал.* удар.
doxy ['dɔksi] *n разг.* **1.** теория, док-
трина; убеждение; **2.** религиозно
убеждение, вярване.
doze [douz] **I.** *v* дремя, клюмам; **to**
~ off задрямвам; **II.** *n* **1.** дрямка;
2. спарушеност на дърво; **3.** *амер.*
sl венерическа болест.
dozen [dʌzn] *n* **1.** дузина; **three ~**
eggs три дузини яйца; **2.** *pl* мно-
го, маса, десетки (**of**).
doziness ['douzinis] *n* сънливост,
дремливост.
dozy ['douzi] *adj* **1.** сънлив, дрем-
лив, сънен; ◇ *adv* **dozily**; **2.** *разг.*
тъп, "бавнозагряващ".
drab [dræb] **I.** *adj* **1.** сив, мръсен;
бозав; **2.** мрачен, тъмен; сив; без-
цветен, скучен, еднообразен; **II.**
n **1.** нечиста (раздърпана, не-
претната) жена, повлекана; **2.** сив
шаяк; **III.** *v остар.* развратнича.
drabble [dræbl] *v* оцапвам (се), оп-
лесквам (се); омокрям (се).
drabness ['dræbnis] *n* сивота, едно-
образие, скука.
draconian, draconic [dræ'kəniən,
dræ'kɔnik] *adj* драконовски, су-
ров, жесток.
draft [dra:ft] **I.** *n* **1.** чертеж, схема,
план; скица, рисунка; рисуване,
описване; **2.** проект; чернова (*на*
книга и пр.); **rough ~** първа ре-
дакция; **3.** ордер, платежно на-

реждане, чек; теглене пари с чек; **to make a ~ on** тегля пари от; *прен.* използвам; **4.** отред, отряд (*и воен.*), контингент; *воен.* команда, военна част; **5.** *амер. воен.* набор; военна повинност; повиквателна; **6.** *строит.* линия, която се издялва на камък, при строеж, за да служи за регулиране; **7.** *остар.* фира, сваляне от теглото (*при мерене, теглене*); **8.** *attr амер.* впрегатен; **9.** наклон за изваждане (в леярска форма); **10.** *attr* наливен; **II.** *v* **1.** правя чертеж (план); **~ to a bill** съставям (*законопроект*); правя в чернова; **2.** подбирам, избирам хора за специална цел; **3.** *амер.* свиквам войници (набор).

drafting [ˈdra:ftiŋ] *n* **1.** чертане; **~ paper** хартия за чертежи; **2.** съставяне (*на законопроект*); **the ~ of this clause is obscure** редакцията на тази клауза е неясна.

drag [dræg] **I.** *v* (**-gg-**) **1.** тегля, изтеглям, дърпам; влача (се), тъгря (се), мъкна (се); **2.** протакам се, провлачвам се; ставам скучен; **time ~s** времето минава бавно (мудно); **3.** изоставам; **4.** бранувам, грапя; **5.** драгирам; търся с канджа; **6.** вдишвам дълбоко, всмуквам; **~ on a cigarette** дръпвам си от цигара; ● **to ~ o.'s feet (heels)** *разг.* бавя се, не се решавам, "ослушвам се", протакам; **7.** *инф.* влача, издърпвам, премествам (*изображение върху екрана чрез мишка*);

drag (oneself) along влача (се);

drag down 1) повличам надолу (*прен.*), опропастявам; 2) подтискам, обезсърчавам; обезсилвам;

drag in 1) вмъквам без нужда (*тема и пр.*); 2) замъквам;

drag on провлачвам се; влача се, проточвам се (*за време, живот*); **to ~ on a wretched existence** водя жалко съществуване;

drag out 1) измъквам, извличам; 2) провличам, протакам (се), разтеглям; 3): **to ~ out negotiations** затягам преговори;

drag up 1) измъквам; изравям (*нещо неприятно от миналото*),

изваждам на бял свят; 2) отглеждам небрежно (как да е) дете; **II.** *n* **1.** *техн.* драга; канджа; **2.** брана; **3.** кучка, спирателна обувка, брус; *прен.* спирачка, "опашка"; товар, бреме, тежест; **to be a ~ on s.o.** в тежест съм на някого, преча му; **4.** *разг.* досада, нещо досадно, неприятно; **5.** теглене, дърпане (*на течение*); бавно движение; **6.** тежка шейна; карета с 4 коня; **7.** вдишване, поемане; **8.** *авиац.* челно съпротивление; **9.** (изкуствена) следа, диря (*по време на лов*); **10.** *амер. sl* влияние; **11.** *амер. sl* вечеринка, училищна забава (танци); ● **in drag** в женски дрехи (*за мъж, актьор*).

drag-ass [ˈdrægˈæs] *sl* **I.** *n* бавен (муден) човек, флегма; **II.** *adj* отегчителен, досаден.

dragger [ˈdrægə:] *n* елеватор (*в мелница*); греблов транспортьор.

draggle [drægl] *v* **1.** влача (се), влека (се), мъкна (се) (*по земята, из калта*); **2.** изцапвам (се), оплесквам (се), наквасвам (се) (*като влача нещо по земята*).

draggy [ˈdrægi] *adj* скучен, досаден, еднообразен.

dragon [ˈdrægən] *n* **1.** дракон; *рядко* голяма змия; **2.** *библ.* кит; акула; змия; крокодил; **3.** *прен.* свиреп човек, пазител на съкровище и пр.; строга възпитателка; **4.** вид къса карабина; войник с такава карабина; **5.** *астр.* съзвездието Дракон; **6.** порода домашен гълъб; ● **the Old D.** дяволът.

drain [drein] **I.** *v* **1.** отводнявам, пресушавам; дренирам; **2.** оттичам се, оцеждам се; изсъхвам; **3.** *мед.* дренирам; **4.** изпивам, пресушавам (*до дъно; и* **to ~ dry**); **to ~ the cup of sorrow to the dregs** изпивам до дъно чашата на страданието; **5.** *прен.* лишавам от нещо, обеднявам; **6.** изразходвам (*пари, средства и пр.*); **7.** *прен.* отивам си, чезна; **8.** изцеждам (се), изпарявам се (*за чувство*), напускам (*за сили*); **9.** осигурявам с дренажна система, канализация (*град, сграда и пр.*); **II.** *n* **1.** отводнителен канал, тръба; ка-

нализация; **2.** водосточна тръба; улук; **3.** *мед.* дренажна тръбичка, катетър; **4.** *прен.* изтощаване; разход, изразходване (*на сили, здраве, пари и пр.*); **a great ~ on my purse** голям разход за кесията ми; **5.** *разг.* малко количество от напитка; ● **to go down the ~** *разг.* изфирясвам, изхарчвам се.

drainage [ˈdreinidʒ] *n* **1.** дренаж, оттичане; пресушаване; **2.** канализация; **3.** басейн на река; **4.** това, което се дренира; **5.** *мед.* дрениране на рана, дренаж; **6.** канални води.

drama [ˈdra:mə] *n* драма.

dramatic [drəˈmætik] *adj* **1.** драматичен (*и прен.*); **2.** театрален; **~ criticism** театрална критика.

dramatics [drəˈmætiks] *n* **1.** *sing или pl* драматургия, драматично изкуство; **2.** *като pl* любителски представления; **3.** театралничене, преструвки, позьорство.

dramatist [ˈdræmətist] *n* драматург.

dramatization [dræmətaiˈzeiʃn] *n* **1.** драматизация (*и прен.*); **2.** драматизиране.

dramatize [ˈdræmətaiz] *v* **1.** драматизирам (*и прен.*); **2.** поддавам се на драматизация.

dramaturgy [ˈdræmətədʒi] *n* драматургия.

dramshop [ˈdræmʃɔp] *n* кръчма.

drape [dreip] **I.** *v* **1.** драпирам; **2.** обличам (**in, with**); **3.** падам на гънки (дипли) (*за плат, дреха*); **4.** поставям, разполагам, полагам; **II.** *n* драпирана завеса.

drastic [ˈdræstik] *adj* **1.** решителен, смел; **2.** драстичен, груб, неприятен; **3.** *мед.* силно действащ; *разг.* "конски"; ◇ *adv* **drastically** [ˈdræstkli].

draught [dra:ft] *n* **1.** теглене; **beast of ~** впрегатно животно; **2.** течение; *техн.* тяга; **to make (create) a ~** правя течение; **3.** регулатор (*на въздух, газ в печка*); **4.** точене (*на питие*); **wine on ~** наливно вино; **5.** глътка; гълток; **to drink at a ~** пия на един дъх, на екс; **6.** течно лекарство; сироп; **bitter ~s** горчиви лекарства; **7.** дълбочината, необходима на кораб, за да

плува; газене; **vessels of shallow ~** кораби с малко газене; **8.** хвърляне на рибарска мрежа; улов; **9.** *sl* дама (*игра*); **10.** театралничене, преструвки; позьорство; **11.** *текст.* вдявка; **12.** *attr* впрегатен; **13.** *attr* наливен.

draughting [ˈdraːftiŋ] *n* **1.** тяга; създаване на тяга; **2.** техническо чертане; *attr* чертожен; **3.** *текст.* вдяване на нишки.

draw [drɔ:] **I.** *v* (**drew** [dru:], **drawn** [drɔːn]) **1.** тегля, влача; дърпам, притеглям; изтеглям, обтягам, издърпвам; **the car ~s easily** автомобилът се кара леко (тегли, дърпа); **2.** вадя, тегля, добивам, придобивам; получавам; извличам, черпя; точа, източвам (*течност*); **to ~ a salary** получавам заплата; **3.** рисувам, чертая; **to ~ a line** тегтая линия, *прен.* тегля черта; определям граница; **4.** (*c adv*) движа се; **to ~ near** доближавам се; наближавам, настъпвам; **5.** предизвиквам, докарвам, изтръгвам (*сълзи, аплодисменти и пр.*); **6.** вдишвам, вземам, поемам въздух; всмуквам, попивам; **7.** изтърбушвам; **8.** смуча, тегля (*за комин и пр.*); **9.** привличам; **the play is ~ing well** пиесата привлича много публика; **10.** *мор.* имам водоизместимост (*за кораб*); **11.** разкривявам (се), свивам (се), изопвам (се); **with ~n features** с изопнато лице; **12.** тегля, хвърлям (*жребий*); **to ~ lots (cuts) (for, on, over), to ~ straws** *амер.* хвърлям жребий; **13.** запарва се; набъбва, разкисва се (*за чай*); попарвам; **14.** изваждам, изтеглям, измъквам; **at daggers ~n** във враждебни (лоши) отношения, на нож; **15.** претърсвам (*местност по време на лов*); измъквам (*лисица и пр.*), принуждавам да излезе от дупката си; *прен.* принуждавам някого да проговори, да си разкрие картите; **he was not to be ~n** от него нищо не можеше да се изкопчи, нищо не издаде; **16.** *мор.* издувам се (*за платно*); **17.** *спорт.* завършвам (*мач, игра, среща*) наравно; **the

two teams drew** двата отбора завършиха наравно; **18.** *техн.* закалявам; **19.** изтеглям жица; **20.** пресушавам (*блато и пр.*); ● **to ~ it fine** едва успявам, разчитам на последната минута;

draw along влача след себе си;

draw apart 1) оттеглям се; **2)** разделям; разделяме се, отчуждаваме се;

draw aside 1) оттеглям се, отдръпвам се; **2)** отвеждам настрана;

draw away 1) отдръпвам се; **2)** отвеждам; отдалечавам се;

draw back 1) отстъпвам, оттеглям се, отдръпвам (се); **2)** отказвам се;

draw down 1) спускам, смъквам (*завеса, перде и пр.; и прен.*); **2)** навличам (*гняв и пр.*);

draw forth предизвиквам, докарвам;

draw in 1) вкарвам, въвличам; вмъквам (се), скривам (се); **to ~ in o.'s horns** скривам рогата си (*за охлюв*); *прен.* свивам се; **2)** приближавам се към края си; намалявам (*за ден*); **3)** вдишвам; **4)** *прен.* привличам (*за обща работа*); въвличам, вплитам; **5)** съкращавам, намалявам (*разходи*); ставам по-предпазлив; **6)** събирам (*дългове и пр.*);

draw off 1) *воен.* оттеглям (се), отстъпвам; **2)** отвличам; **3)** отвеждам (*вода*); **4)** свалям (*ръкавица*);

draw on 1) слагам, надявам, навличам (*ръкавици и пр.*); **2)** привличам, примамвам; **3)** довеждам, докарвам; приближавам (се) (*към края си*); **4)** заимствам, заемам; ползвам се от;

draw out 1) обтягам, разтягам, изтеглям (*тел и пр.*); **2)** удължавам се (*за ден*); **3)** провлачвам, протакам, разтакавам; **4)** правя план, скицирам; **5)** изваждам, издърпвам; **6)** накарвам някого да говори, предизвиквам го да каже нещо; предразполагам;

draw over примамвам, привличам на моята страна;

draw round събираме се в кръг;

draw to дръпвам (*завеса*);

draw together сближаваме (се); съ

бираме се;

draw up 1) изтеглям; **2)** *refl* изправям се, заставам мирно; **3)** слагам (привеждам) в пълен ред; нареждам; строявам; **4)** спирам (*за кола и пр.*); **5)** съставям (*документ*); **6)** доближавам; **7)** *техн.* затягам (*винт*);

II. *n* **1.** теглене; изтегляне; издърпване; **2.** лотария, томбола, теглене, тираж; **3.** *театр.* примамка; **to be a great ~** имам голям успех; **4.** уловка; хапльо, жертва; **5.** *строит.* подвижна част на мост; **6.** *спорт.* игра, която е завършила при равен резултат; **7.** изваждане на револвер; **quick on the ~** който умее да изважда бързо револвера си; **8.** клисура; **9.** резервоар за оттичане на вода; **10.** *спорт.* списък на състезателя за всеки етап; **11.** аванс на търговски пътник.

drawback [ˈdrɔːbæk] *n* **1.** спънка, пречка, неудобство, затруднение, трудност, мъчнотия; **2.** недостатък, отрицателна страна; **3.** отстъпка, намаление, отбив.

drawdown [ˈdrɔːdaun] *n* **1.** намаление, съкращение; **2.** изпразване на водохранилище, спадане на водното ниво във водохранилище.

drawer₁ [ˈdrɔːə] *n* **1.** чертожник; **2.** рисувач.

drawer₂ [ˈdrɔːə] *n* чекмедже; **chest of ~s** скрин; ● **not out of the top ~** прост; низък, долнопробен.

drawing [ˈdrɔːiŋ] *n* **1.** рисуване; чертане (*и mechanical ~*); рисунък; **out of ~** погрешно, лошо нарисуван, без перспектива; **2.** рисунка; скица; графична рисунка (композиция); чертеж; **line ~** рисунка с молив или перо; **3.** дърпане; теглене, изтегляне (*на жица и пр.*); **4.** закаляване на метал; **5.** (теглене на) лотария; тираж.

drawing-room [ˈdrɔːiŋrum] *n* **1.** гостна (стая), приемна, салон; **2.** официален прием (*за представяне на дами в дворец*); **3.** *амер.* частно купе във вагон; **4.** чертожна зала.

drawl [drɔːl] **I.** *v* говоря провлече

но; **II.** *n* провлечен говор.
drawn [drɔ:n] *adj* **1.** нерешен, без резултат, без победа (*за сражение, състезание, игра*); **2.** измъчен, изпит (*за лице*); **3.** оттеглен, отдръпнат; изваден, гол (*за нож*); **4.** *мин.* изкопан.
draw-well ['drɔ:'wel] *n* кладенец.
dray [drei] **I.** *n* **1.** платформа, каруца, талига; товарен автомобил; **2.** шейна; **II.** *v* **1.** товаря, натоварвам; **2.** пренасям с платформа.
dread [dred] **I.** *v* боя се от, страхувам се от, страх ме е от, плаша се от, ужасявам се от; изпитвам страхопочитание пред; **II.** *n* **1.** страх, ужас, уплаха; боязън; **to live in ~ of** живея във вечен страх от; **2.** страхопочитание; **III.** *adj* **1.** *разг.* неприятен, досаден, гаден; **2.** *книж.* ужасен, страшен, страхотен; велики (*в обръщения*).
dreadful ['dredful] **I.** *adj* **1.** ужасен, страшен, страхотен; **2.** *разг.* отегчителен, скучен, ужасен, страхотен; **to feel (look) ~** чувствам се (изглеждам) зле (разстроен); ◇ *adv* **dreadfully; II.** *n*: **a penny ~** евтин (булеварден) криминален роман, криминале.
dream [dri:m] **I.** *n* **1.** сън, присъница; съновидение; **to go to o.'s ~s** лягам си, заспивам; **2.** халюцинация; **3.** блян, мечта; илюзия, фантазия; **II.** *v* (**dreamt** [dremt], **dreamed** [dri:md]) **1.** сънувам (**of**); **2.** мечтая, бленувам; фантазирам (**of, about**); **to ~ up** *разг.* измислям, фантазирам; **3.** мисля, помислям (*с отриц.*).
dreamer ['dri:mə] *n* мечтател; фантазьор.
dreamlike ['dri:mlaik] *adj* **1.** приказен, фантастичен; **2.** неясен, призрачен.
dreamy ['dri:mi] *adj* **1.** мечтателен, замечтан; **2.** призрачен, неясен, смътен; **a ~ recollection** смътен спомен; ◇ *adv* **dreamily.**
dreariness ['driərinis] *n* **1.** мрачност, нерадостност; **2.** пустота.
dreary ['driəri] *adj* **1.** мрачен, тъмен, пуст; отегчителен, скучен; **2.** печален, тъжен, мрачен, нерадостен, потиснат, меланхоличен

(*за човек*); ◇ *adv* **drearily.**
dredge [dredʒ] **I.** *n* **1.** *техн.* драга; екскаватор, земекопачка; **2.** мрежа за стриди; **3.** *мин.* негодни, второкачествени, отпадъчни материали (*от руда*); **II.** *v* **1.** драгирам; чистя, греба (*с драга*); **2.** копая, правя по-дълбок (*канал и пр.*; **up**); **3.** ловя (*стриди и пр.*; **for**); **4. to ~ up** изравям (*от миналото*), *прен.* изкопавам; извиквам отново в паметта си.
dreg [dreg] *n* **1.** *pl* утайка; остатъци, отпадъци; **the ~s of society** утайката (отрепките) на обществото; **2.** остатък, малко количество; **not a ~** нищичко, нито капка.
drench [drentʃ] **I.** *v* **1.** намокрям, измокрям, наквасвам, напоявам; **2.** давам доза лекарство (*на животно*); **II.** *n* **1.** наквасване, намокряне, измокряне; **2.** проливен дъжд; **3.** доза лекарство (*за кон и пр.*); **4.** голяма доза (*питие и пр.*).
dress [dres] **I.** *v* **1.** обличам (се); докарвам (се), гиздя (се), кипря (се), кича (се) (*и с* **up**); **~ed to kill** нагизден, наконтен; **2.** украсявам, нареждам, подреждам; *мор.* украсявам кораб със знаменца; **to ~ the streets** украсявам улиците (*по някакъв случай*); **3.** сресвам се, правя си прическа; **4.** тимаря, чеша, чистя (*кон*); **5.** превързвам (*рана*); **6.** приготвям, гарнирам (*салата и пр.*); **7.** изготвям, изработвам; обработвам (*кожи, тъкани, руда и пр.*); шлифовам (*камък*); **8.** торя (*земя*) за посев; **9.** изравнявам; *воен.* равнявам се, подравнявам (се); **to ~ ranks** подравнявам редиците; **10.** рендосвам, дялам; **11.** *мин.* обогатявам, обработвам (*руда*); **12.** чистя (*пиле, риба и пр.*); **13.** *текст.* апретирам;
dress down 1) чеша, тимаря (*кон*); 2) нахоквам, сидеросвам, бия;
dress out гиздя се;
dress up 1) обличам се изискано (официално); маскирам се (*с костюм;* **as**); 2) украсявам, декорирам;
II. *n* **1.** облекло, дрехи; рокля; **evening ~** вечерно облекло; фрак;

смокинг; **2.** одеяние, одежда, премяна; **3.** *attr* официален (*за рокля*).
dresser ['dresə] *n* **1.** аранжор на витрини; декоратор; **2.** хирургическа сестра; асистент при операция; **3.** кожар; **4.** *театр.* камериер, камериерка; **5.** *мин.* сортировчик; **6.** чук за изправяне (планиране) на листов материал; тенекеджийски чук; **7.** мастар.
dressing ['dresiŋ] *n* **1.** обличане; облекло; **2.** приготвяне, приготовление, нагласяване (*особ. в съчет.*); украса; **window ~** аранжиране на витрина; **3.** *кул.* сос; гарнитура; плънка (*на птица*); **salad ~** сос за салата; **4.** превързочни материали и лекарствени препарати за обработване на рани; превръзка; **5.** *воен.* равнение, подравняване; **6.** тор, наторяване; **a ~ of lime** торене с вар; **7.** *мин.* обработване, обогатяване на руда; **8.** *текст.* кола, апретура; скроб, чур; **9.** изравняване (планиране) на листов материал.
dressing-bag ['dresiŋ,bæg] *n* **1.** несесер (*с тоалетни принадлежности*); **2.** санитарна чанта; аптечка.
dressing-gown ['dresiŋgaun] *n* халат, пеньоар.
dressing-room ['dresiŋrum] *n* **1.** гримьорна; **2.** будоар.
dressing-up ['dresiŋʌp] *n* маскировка, дегизация.
dribble [dribl] **I.** *v* **1.** капя, капвам; **2.** лигавя се; **3.** *спорт.* дриблирам; ● **to ~ out** издрънквам; **II.** *n* **1.** капене; росене (*за дъжд*); капка; **2.** *спорт.* дриблиране, дрибъл.
drift [drift] **I.** *n* **1.** (бавно) течение; морско (речно) течение; **2.** *мор., авиац.* дрейф (*на кораб, самолет от курса му*), отнасяне, отклонение; **3.** направление, насока, посока; тенденция; намерение, цел, стремеж; **the general ~ of affairs was towards war** нещата водеха към война; **4.** пасивност; бездействие; **5.** пряспа; нанос; куп (*от пясък и пр.*); **6.** *геол.* нанос (*от ледник, вода и пр.*); **7.** плавей; речен нанос; **8.** плаваща рибарска мрежа; **9.** *мин.* хоризон-

тална галерия; **10.** *воен.* шомпол; **11.** *техн.* шабър; **12.** инструмент за набиване; **13.** шибан от вятър, дъжд и пр.; **14.** *амер.* надмощие, силно влияние; **II.** *v* **1.** нося се, отнасям (се), дрейфувам (*от вятър, течение*); **the boat ~ed out to sea** вълните отнесоха лодката навътре в морето; **2.** разнасям (се), разпръсквам (се) (*за дим и пр.*); **3.** пускам трупи (*по вода*); **4.** нанасям, натрупвам (*сняг, пясък и пр.*); бивам нанесен; **5.** бездействам; оставям всичко на самотек, на съдбата; **6.** *техн.* разширявам отвор; **7.** *воен.* рикоширам, отплесвам се, отскачам; **8.** нося се без компас, скитам; **to ~ from job to job** постоянно си сменям работата;

drift in отбивам се, наминавам, свръщам;

drift off унасям се, задрямвам.

drill₁ [dril] **I.** *n* свредел; бургия; бормашина; **II.** *v* **1.** пробивам дупка (*със свредел и пр.*); сондирам, пускам сонда (**for**); **2.** пробивам се (*и* **drill through**); **3.** *sl* прострелвам, застрелвам.

drill₂ I. *n* гимнастическо упражнение, тренировка; *воен.* строева подготовка; **~ cartridge** учебен патрон; **II.** *v* обучавам, тренирам; *воен.* обучавам войници; минавам строева подготовка; **to ~ in grammar** уча на граматика, упражнявам граматиката.

drill₃ I. *n* **1.** бразда; **2.** редосеялка; **II.** *v* сея на бразди, редове.

drilling ['driliŋ] *n* **1.** обучение (*на войски*); **2.** пробиване със свредел, провъртане; сондиране; **3.** редова сеитба (с редосеялка); **4.** *амер.* композиране на влакове.

drink [driŋk] **I.** *v* **1.** (**drank** [dræŋk]; **drunk** [drʌŋk], *поет.* **drunken** ['drʌŋkən]); **2.** пия, изпивам; **to ~ the health (the toast) of**, **to ~ to** пия за здравето на, вдигам тост, наздравица за; **you must ~ as you have brewed** каквото си надробил, това ще сърбаш; **3.** пия, пиянствам, пияница съм; **4.** вдишвам дълбоко; **to ~ the air** вдишвам с пълни гърди;

drink away изпивам, пропивам (*имот, пари*); удавям (*грижите си*) в пиене;

drink down 1) изпивам (глътвам) наведнаж; **2)** надпивам (*някого*); **3)** удавям (*мъка и пр.*) с пиене; забравям в пиене;

drink in 1) поглъщам жадно (*думи, гледка*); опивам се от; захласвам се, прехласвам се по; слушам прехласнат; **he drank it all in** той попи всичко; **2)** поглъщам влага (*за растения*);

drink to пия за (*здравето и пр.*) на, вдигам (пия) наздравица за;

drink up изпивам; **~ up!** изпразнете (изпийте си) чашите!

II. *n* **1.** питие, напитка; **hard ~s** алкохолни напитки; **soft ~s** безалкохолни напитки; **2.** количество, което се изпива; глътка; чаша, чашка; **a ~ of water** глътка (чаша) вода, малко вода; **to have (take) a ~** пия, пийвам; **3.** спиртни напитки, пиене, пиянство; **strong ~** спиртни напитки; **small ~** бира, пиво; **• a long ~ of water** *разг.* дългуч, много висок човек, върлина; **to be meat and ~ to** много съм важен за, като хляба и водата съм за; **4.** *амер., разг.* море, океан; **the big ~** Атлантическият океан; **to go into the ~** *авиац. sl* падам в морето; кацам във вода.

drinking ['driŋkiŋ] *n* **1.** пиене; **2.** пиянство; **to be given to ~** пия, пиянствам.

drinking-bout ['driŋkiŋ‚baut] *n* гуляй.

drinking-water ['driŋkiŋ‚wɔtə] *n* вода за пиене.

drink-money *n* ['driŋk‚mʌni] бакшиш, почерпка.

drip [drip] **I.** *v* капя; пускам капка по капка; **to ~ with wet** цял съм мокър, вода тече от мен; **II.** *n* **1.** капене, капка; **2.** шум от капки; **~-~**, **~-drop** кап-кап; **3.** *мед.* венозна инфузия (*и* **intravenous ~**); **rectal ~** ректална инфузия, капкова клизма; **4.** *разг.* глупак, мухльо; **• ~ coffee-pot** перколатор, филтър (*за кафе*); **right of ~** *юр.* право да се стича дъждовната вода от една къща над мястото

на съседа.

dripper ['dripə] *n* гутатор, капкомер.

dripping-pan ['dripiŋ‚pæn] *n* тава.

dripple [dripl] *v* тека, стичам се на едри капки.

drippy ['dripi] *adj разг.* мекушав, сантиментален, глуповат.

drive [draiv] **I.** *v* (**drove** [drouv]; **driven** [drivn]) **1.** карам (*кола, автомобил и пр.*); карам, управлявам, привеждам в движение, движа (*машина и пр.*); карам, закарвам, откарвам, докарвам (*с превозно средство*); возя (се); **to ~ a hoop** търкалям обръч (*за деца*); **2.** докарвам, довеждам (*до отчаяние и пр.*); принуждавам, тласвам, тласкам; **to ~ s.o. into doing s.th.** принуждавам някого да направи нещо; **he won't be ~n** той не допуска да му се налагат (да го принуждават); **3.** чукам, зачуквам, забивам, вкарвам (*гвоздей, нож и пр.*); *прен.* докарвам (довеждам) докрай; убеждавам; **to ~ a lesson home** втълпявам; **4.** карам; гоня, пъдя (*добитък, дивеч и пр.*); преследвам; пропъждам (*неприятел*); **to ~ the country for game** търся дивеч; **to ~ into a corner** *прен.* поставям натясно, притискам до стената; **5.** удрям, изпращам, запращам (*топка при игра*); изпращам, мятам (*оръжие*); **6.** върша, правя (*търговия, сделка*); **7.** прокарвам (*тунел, път, жп линия*); **8.** шибам, блъскам, тласкам, нося (*за дъжд, буря*); нося се стремително; **to ~ before the wind** (*за облаци, кораб*) носи се от вятъра; **to be ~n ashore** изтласкан (изхвърлен) съм на брега; **9.** претоварвам с работа, експлоатирам; **10.** отлагам; **to ~ to the last minute** отлагам до последната минута; **11.** *амер.* пускам (сплавям) трупи по вода; **12.** проявявам предприемчивост;

drive against блъскам се о; хвърлям се срещу;

drive along 1) карам, гоня (*добитък и пр.*); **2)** пътувам с кола; карам кола;

drive at 1) преследвам, целя; бия;

what are you driving at? какво целиш? накъде биеш? какво искаш да кажеш? 2) работя неуморно (непрестанно) над (**at**);

drive away 1) изгонвам, прогонвам, пропъждам (*грижи и пр.*); 2) отпътувам, тръгвам (*с кола и пр.*); 3) работя неуморно (непрестанно);

drive back 1) отблъсквам; 2) потискам, сподавям (*чувство и пр.*); 3) докарвам обратно; връщам се (*с кола и пр.*);

drive down 1) откарвам (довеждам) някого на село (в провинцията); отивам (*с кола и пр.*) на село (в провинцията) (*от града, от Лондон*); 2) принуждавам (*самолет*) да кацне;

drive in 1) забивам, набивам, зачуквам (*гвоздей и пр.*); 2) връщам се, прибирам се (*с кола и пр.*); връщам, прибирам, вкарвам (*кола и пр.*); прибирам (*добитък*);

drive on 1) блъскам, карам, подкарвам; 2) слагам (*обръч на бъчва*); 3) продължавам пътя си, карам нататък;

drive out 1) изгонвам, прогонвам, пропъждам; 2) избивам, изваждам (*гвоздей и пр.*); 3) излизам с кола; 4) *полигр.* изхвърлям (*набран текст*);

drive over 1) *полигр.* изхвърлям (*дума*); 2) идвам (*с кола и пр.*);

drive through 1) забивам, промушвам; разбивам; **to ~ a sword through s.o.'s body** промушвам някого със сабя, забивам сабята си в тялото на някого; 2) преминавам, пътувам през; **we were merely driving through** ние само преминавахме (*без да се спираме*);

drive under потискам, сподавям (*чувство и пр.*);

drive up 1) приближавам (се); спирам (*с кола*); 2) изтеглям, измъквам (*бутало и пр.*);

II. *n* 1. разходка (*с автомобил и пр.*); 2. път, шосе (*за автомобили и пр.*); алея (*за коли*) към къща; широк път в гора; просека; 3. преследване, гонене, гонитба

(*на неприятел, дивеч и пр.*); 4. енергия, сила, активност; предприемчивост; **to have plenty of ~** енергичен (предприемчив) съм; 5. *техн.* привеждане в движение; задвижване; двигателен механизъм; трансмисия; **differential ~** *авт.* диференциал; 6. *инф.* запаметяващо устройство; **disk drive** дисково запаметяващо устройство; 7. *спорт.* плосък удар (*при тенис и пр.*); 8. *воен.* удар, атака, енергично настъпление; 9. кампания (*за набиране нови членове и пр.*); 10. *амер.* събиране на говеда, за да им се сложи клеймо; 11. *мин.* галерия, щрек; 12. *амер.* възбуда, възбуждение (*от наркотични средства*); 13. *псих.* подтик, импулс.

drive-gear ['draiv,giə] *n техн.* трансмисия.

drivel [drivl] I. *v* 1. лигавя се, текат ми лигите (*за дете и пр.*); сополивя се, текат ми сополи; 2. бърборя (дърдоря) глупости; 3. прахосвам; II. *n* глупости, безсмислици; глупаво поведение; **to talk ~** дрънкам глупости, плещя, *прен.* лигавя се.

driveller ['drivələ] *n* 1. глупак, идиот; 2. лигльо, сополанко.

driver ['draivə] *n* 1. шофьор; машинист (*на влак и друга машина*); ватман; колар, кочияш, файтонджия; **to be a good ~** карам добре, умея да карам; **a private ~** любител шофьор; 2. човек, който кара добитък, пастир, говедар, коняр; преследвач, който преследва дивеч; 3. надзирател (*на роби*); човек, който кара да му работят неуморно, експлоататор (*и* **slave-~**); 4. *техн.* машина-двигател; трансмисия, трансмисионно колело; механизъм (ръчка и пр.) за привеждане в движение; инструмент за набиване на обръчи (*на бъчви*); 5. *инф.* драйвер (*програма за управление на периферно устройство*); 6. *амер.* впрегатен кон; 7. *спорт.* стик за голф (с дървена глава) за далечни удари; 8. *мор.* шестата мачта на шхуна; 9. *текст.* дръвце, кое-

то бута совалката.

driving ['draiviŋ] I. *adj* 1. движещ, двигателен; **~ force** двигателна сила; двигател (*и прен.*); 2. пороен, шибащ (*за дъжд*); 3. *амер.* предприемчив, енергичен; II. *n* 1. каране и пр.; **back-seat ~** *прен.* намеса в чужди дела; **to be in the ~ seat** контролирам положението; 2. *спорт.* силен, дълъг удар при голф.

drizzle [drizl] I. *v* ръми, пръска, препръсква, роси; II. *n* ситен дъжд.

drizzly ['drizli] *adj* дъждовен.

droll [droul] I. *adj* смешен, забавен, комичен; II. *n* 1. смешен (комичен) човек, клоун, комедиант, палячо; 2. комизъм; комично; III. *v* правя се на палячо, смешен съм.

drollery ['drouləri] *n* 1. шеги, комедии, смехории; 2. комичност, забавен характер.

droning ['drouniŋ] I. *adj* бръмчащ; провлачен, монотонен; II. *n* 1. бръмчене; 2. монотонно (провлачено) пеене или говор; 3. безделие.

droop [dru:p] I. *v* 1. свеждам се, навеждам се, прекланям се, покланям се, скланям се; клюмвам; 2. *рядко* свеждам, навеждам (*очи*); отпускам; клюмвам (*глава*); **to ~ the colours** навеждам знаме (*за поздрав*); 3. клюмвам, вехна, увехвам, крея, линея; *книж.* унил съм; падам духом; **to ~ with sorrow** линея от скръб; II. *n* 1. свеждане, скланяне, клюмване, навеждане (*на очи, глава и пр.*); 2. униние.

drooping ['dru:piŋ] *adj* 1. наведен, клюмнал; увиснал (*за мустаци*); 2. клюмнал, увехнал, повехнал, посърнал (*за цвете*); 3. унил, линеещ; оклюмал; паднал духом.

droopy ['dru:pi] *adj* унил, бездушен, наведен.

drop [drɔp] I. *n* 1. капка, капчица; **to have ~s in o.'s eyes** слагат ми капки в очите; **a ~ in the bucket** капка в морето; 2. глътка, малко количество; **to take (have) a ~ too much, to have a ~ in o.'s eye** напивам се, сръбвам си; 3. перла (диамант) на обица и под.; висул-

ка; кристал на полилей; **4.** дропс, бонбонче; **5.** височина, склон, надолнище; **a ~ of ten feet from the window to the ground** 10 фута височина от прозореца до земята; **6.** падане; пускане; спускане; **7.** падане, спадане, намаление, снижение (*на цени, температура, напрежение и пр.*); **8.** *театр.* падаща (спускаща се) завеса (*и ~ curtain*); **9.** *спорт.* ритане на топката от въздуха, воле; **10.** (дължина на на) въже, с което се обесват осъдени на смърт; **11.** подставка под бесилка; *разг.* бесилка; **12.** *техн.* спадане, спад; праг (*на канал*); **13.** *техн.* капаче на ключалка; • **at the ~ of a hat** веднага, незабавно, тутакси, тозчас, при най-малкия повод; **to get (have) the ~ on s.o.** *амер.* поставям някого в неизгодно положение, вземам връх над някого; **II.** *v* (-pp-) **1.** капя; пускам (наливам) капка по капка; роня (*сълзи*); **2.** пускам, изпускам, изтървам; оставям да падне; спускам; падам; отпускам се; **3.** изпускам, пропускам, не произнасям; **4.** спускам се, смъквам се, скачам; слизам; **5.** снижавам се, хлътвам (*за терен*); снижавам, понижавам (*глас*); навеждам (*очи*); намалявам (се), спадам (*за цени, температура и пр.*); стихвам (*за буря и пр.*); **6.** изоставям, зарязвам, отказвам се от; прекъсвам, преставам, спирам, сиквам; **7.** докарвам, довеждам (*с превозно средство*); придружавам; **will you ~ this parcel at Mrs Brown's?** бихте ли оставили този пакет у г-жа Браун (*като минавате оттам*)? **8.** свалям, повалям (*с удар, изстрел*); **to ~ a bird** свалям (прострелвам) птица; **9.** драсвам (*писмо и пр.*); **~ me a line** драсни ми един ред; **10.** казвам; изпускам изтървавам; правя (*забележка*); **to ~ a hint** загатвам; **to ~ a word in s.o.'s ear** подшушвам някому нещо; **11.** изгубвам (*пари*) (**over a transaction** при сделка); **12.** отелва се, обагня се, ожребва се (*и преждевременно*); • **to ~**

asleep заспивам; **to ~ the hem of a skirt** отпускам подгъва на пола; **to ~ short** не стигам; не постигам целта си;

drop across *разг.* 1) срещам случайно, натъквам се на; 2) мъмря, укорявам;

drop away 1) отиваме си един по един; умираме един по един; 2) намалява се (*за посещение, приходи и пр.*); 3) изоставам назад (*при надбягване*); 4) спускам се надолу (*за терен*);

drop back 1) отпускам се (*на легло и пр.*); 2) връщам се назад (*към базата си*);

drop behind изоставам назад, позволявам да ме надминат;

drop by отбивам се, наминавам, посещавам.

drop down 1) падам на земята, падам долу; 2) смъквам се, спускам се; 3) **to ~ down(stream)** вървя по течението;

drop in 1) капя, пускам (наливам) капка по капка; 2) навестявам, свръщам (отбивам се), наминавам да видя някого; 3) влизаме един по един, точим се;

drop into 1) свръщам (отбивам се) в; 2): **to ~ into a habit** навиквам, привиквам; 3) включвам се в (*разговор*), намесвам се;

drop off 1) падам, капя, окапвам (*за листа*); 2) *разг.* заспивам (*и ~ off to sleep*); 3) умирам, пуквам (*и ~ off the hooks*);

drop on нахвърлям се върху; мъмря, чеша, начесвам;

drop out 1) изпускам нещо навън; 2) изпускам, пропускам (*сричка, буква, име от списък и пр.*); 3) падам навън, изпадам; изплъзвам се от; **it has ~ped out of my mind** изплъзнало ми е от ума, забравил съм, изумил съм; 4) отпадам, оттеглям се, преставам да участвам; **he has ~ped out of things** той вече не участва в нищо, оттеглил се е.

drop-dead ['drɔp,ded] *adj, adv* зашеметяващ, шеметен, великолепен.

dropped [drɔpt] *n* смъкнат, спуснат, наведен надолу; **~ handle-**

bar кормило на велосипед със спуснати надолу дръжки.

dropping ['drɔpiŋ] *n* **1.** капане, капене; **2.** смъкване, спускане, навеждане; спадане, понижаване, понижение (*на цени и пр.*); изпускане (*на дума, буква и пр.*); **3.** отеляване, обагняне и пр.; помятане (*за животно*); **4.** *pl* капки; тор (*от животни*).

dropping off ['drɔpiŋ'ɔf] *n* **1.** окапване, падане (*на листа*); **2.** намаляване (*на числа, брой*).

drop-shaped ['drɔpʃeipt] *adj* капковиден.

dross [drɔs] **I.** *n* **1.** шлака; **2.** отпадъци, остатъци, смет; **3.** нещо малоценно; *прен.* боклук, брак; **4.** *разг.* пари; **II.** *v* отделям (давам) шлака.

drossiness ['drɔsinis] *n* малоценност.

drossy ['drɔsi] *adj* **1.** малоценен; **2.** който дава много шлака; **3.** нечист.

drought [draut] *n* **1.** суша, задуха; засуха, сушаво време; **2.** жажда; зажадвялост, изжаднялост.

droughty ['drauti] *adj* **1.** сух, сушав; **2.** *остар.* жаден, изжаднял.

drown [draun] *v* **1.** давя (се), удавям (се); **to ~ oneself** удавям се (*съзнателно*), хвърлям се във водата (*за да се удавя*); **2.** *прен.* удавям (*в пиене*), забравям; **3.** наводнявам (*местност*); **to be ~ed out** оставам бездомен след наводнение; **4.** удавям, сподавям (*глас, звук*), заглушавам, карам да се изгуби; **eyes ~ed in tears** окъпани (плувнали) в сълзи очи.

drowned [draund] *adj* **1.** удавен; **a ~ man** удавник; **like a ~ rat** мокър като кокошка; **2.** наводнен.

drowning ['drauniŋ] **I.** *adj* давещ се; **a ~ man will cling (catch at) a straw** удавникът за сламка се хваща; **II.** *n* **1.** удавяне; **2.** наводняване.

drowse [drauz] **I.** *v* **1.** дремя; **to ~ away (off)** задрямвам; **2.** приспивам, правя сънлив; **3.** *прен.* проспивам (**away**); **II.** *n* дрямка, полусън; сънливост, съненост.

drowsiness ['drauzinis] *n* сънливост.

drowsy ['drauzi] *adj* сънлив, дремлив; който кара на сън; ◇ *adv* **drowsily**.

drowsy-headed ['drauzi,hedid] *adj* сънлив; бавен, отпуснат; скучен.

drub [drʌb] *v* 1. бия (*с пръчка*), бъхтя, налагам, пердаша; надвивам, набивам (*противник*); **to ~ s.th. into s.o.** карам някого да разбере нещо (набивам нещо в главата на някого) с бой; 2. тропам, удрям, барабаня.

drubbing ['drʌbiŋ] *n* бой, налагане, бъхтене, пердах; **to give s.o. a ~** напердашвам (налагам) някого; набивам (напердашвам) противник; **to take a ~** претърпявам поражение, "ям пердах".

drug [drʌg] I. *n* 1. лекарство, лек; **to be doing ~s** *мед. sl* уча фармакология; 2. опиат, наркотик, наркотично вещество; *pl* наркотици (*и* **narcotic ~s**); **to take ~s** наркоман (наркоманка) съм, вземам наркотици; II. *v* 1. слагам наркотично вещество (*в храна, питие и пр.*); 2. вземам (употребявам) наркотици; наркоман (наркоманка) съм; 3. давам (*някому*) наркотик, упоявам; 4. *лит.* упоявам, омайвам, опиянявам.

druggie ['drʌgi] *n sl* наркоман; наркопласьор.

druggist ['drʌgist] *n* 1. аптекар; фармацевт; 2. търговец на лекарства и санитарни материали.

drug-habit ['drʌg'hæbit] *n* наркомания, морфинизъм, кокаинизъм.

drug-traffic ['drʌg'træfik] *n* наркотърговия; трафик на наркоцити.

drum [drʌm] I. *n* 1. барабан, тъпан; **to beat (bang) the big ~** бия големия тъпан; *прен.* бия барабана, правя реклама; шумно протестирам; 2. биене на барабан (тъпан), барабанене; шум (звук) от барабан; 3. вик на птицата воден бик; 4. *анат.* тъпанче; *зоол.* слухова ципа; 5. *техн.* барабан, цилиндър; 6. цилиндрична кутия; бидон; 7. *архит.* барабан (*на купол*); цилиндричен блок за колона; вътрешната част на коринтски капител; 8. *остар.* вечеринка; 9. *зоол.* риба от семейство

Sciaeidae; II. *v* 1. бия (удрям, думкам) барабан (тъпан); свиря на барабан; 2. барабаня, удрям, чукам (по), тропам; 3. издавам вик (*за птицата воден бик*); 4. бръмча (*за насекомо*); 5. пляскам с крила; ● **to ~ s.th. into o.'s head** набивам нещо в главата на някого;

drum out *воен.* изгонвам от полка (деградирам) с биене на барабан;

drum together събирам с барабан;

drum up 1) събирам (*с барабан*); **to drum up customers** *амер.* събирам (търся) купувачи; 2) *sl* подстрекавам, подкокоросвам, насъсквам; 3) *sl* преструвам се;

drummer ['drʌmə] *n* 1. барабанчик, барабанист; 2. *амер.* търговски пътник, търговски агент, пласьор; 3. човек, който разпространява новини.

drunk [drʌŋk] I. *adj* 1. пиян; **to get ~** напивам се; **dead (blind) ~** мъртвопиян; 2. пиян, опиянен (**with** от); II. *n* 1. човек, съден за пиянство (*пред съда*); 2. случай на пиянство (*разглеждан в съда*); 3. пияница; 4. *sl* запиване, запой; **to be on the ~** запивам се.

drunkard ['drʌŋkəd] *n* пияница, алкохолик, алкохоличка.

drunkenness ['drʌŋkənnis] *n* пияно състояние; пиянство.

dry [drai] I. *adj* (**drier** [draiə], **driest** ['draist]) 1. сух (*и за климат, време*); изсъхнал, пресъхнал (*за кладенец и пр.*); **as ~ as a bone (a chip, dust, tinder)** съвсем сух; **~ land** суша, земя, бряг; 2. жаден, изжаднял; който причинява жажда (пали на вода); **~ work** работа, която кара човек да изжаднява; *истор.* "сух" (*който забранява употребата и продажбата на спиртни напитки*); **to go ~** забранявам употребата и продажбата на спиртни напитки; 4. сух, скучен, безинтересен; 5. сух, студен (*за маниер, прием и пр.*); необветрен, въздържан; студен, ироничен (*за усмивка и пр.*); **~ humour** невъзмутима иро-

ния; 6. прост, гол, неукрасен (*за факти*); 7. сух (*за процес на обработване и пр.*); **~ masonry** зидария без хоросан; 8. който няма сладък вкус, резлив (*за вино*); 9. *воен. sl* учебен; ● **to be left high and ~** *прен.* оставам на сухо; оставам настрана; изоставен съм; изостанал съм от времето си; II. *v* 1. съхна, изсъхвам; суша, изсушавам; избързвам; 2. пресъхвам; пресушавам (*често с* **up**); престава да дава мляко, прегаря (*за крава*);

dry off изпарявам (*вода и пр.*); изпарявам се, изсъхвам;

dry out лекувам (се) от алкохолизъм или наркомания;

dry up 1) пресъхвам, пресеквам (*за кладенец*); изсъхвам; съсухрям се; 2) *прен.* изчерпвам се, ставам безинтересен (непродуктивен); 3) *разг.* млъквам, преставам да говоря; изчерпвам се; **dry up!** млъкни! стига!

III. *n* сухо време; суша.

dryness ['drainis] *n* 1. сухота; изсъхналост, пресъхналост; 2. сухота, студенина (*на тон и пр.*); скука, апатичност, липса на интерес; острота.

dual ['djuəl] I. *adj* двоен, двойствен; състоящ се от две (части); *език.* двойствен; **~ ownership** съвместно владение (*от две лица*); II. *n език.* двойствено число.

dualistic [,djuə'listik] *adj филос., рел.* дуалистичен.

duality [dju'æliti] *n* двойственост.

dubiety [dju:'baiəti] *n* колебание, несигурност, съмнение (**regarding** относно).

dubious ['dju:biəs] *adj* 1. колеблив, несигурен; **to be ~ of a man's honesty** съмнявам се (не съм сигурен) в честността на някого; 2. съмнителен; неясен; който може да се тълкува и добре, и зле; **~ character** тъмен (съмнителен) субект (човек); ◇ *adv* **dubiously**.

duck₁ [dʌk] *n* 1. патица; месо от патица; **to take to s.th. like a ~ to water** върви ми в нещо, лесно се справям (свиквам) с нещо; обичам нещо; **to make ~s and drakes**

of, to play (at) ~s and drakes with *прен.* пропилявам, профуквам (*пари, живота си и пр.*); 2. *прен.* пиле, пиленце, душа, душичка; 3. *спорт.* нулев резултат (*и* ~'s **egg**); **to break o.'s** ~ отбелязвам първата си точка.

duck₂ I. *v* 1. навеждам (се) бързо, свивам (се) (*за да избягна удар и пр.*); 2. избягвам, клинча, кръшкам от (**out**); 3. гмуркам (се), потапям (се), топвам (се); **II.** *n* 1. бързо навеждане, свиване; 2. потапяне, гмуркане, топване.

duct [dʌkt] *n* 1. канал, провод, тръба; 2. *анат.* канал, път, провод; **bile** ~ жлъчен канал; 3. *бот.* трахея.

ductile [′dʌktail] *adj* 1. еластичен, ковък, разтеглив (*за метал*); 2. мек, пластичен (*за глина*); 3. податлив, послушен (*за характер*).

ductility [dʌk′tiliti] *n* 1. еластичност, ковкост, разтегливост (*на метал*); 2. мекота, пластичност (*на глина*); 3. податливост (*на характера*).

ducting [′dʌktiŋ] *n* 1. тръбопровод, система от тръби; 2. полагане на тръби (тръбопровод).

dud [dʌd] **I.** *adj* некадърен, калпав, лош; несполучлив; фалшив, измислен; ~ **stock** *търг.* стока, която вече не се харчи, залежала стока; **II.** *n sl* 1. неизбухнал снаряд; 2. нещо несполучливо (калпаво), "боклук"; несполука, неуспех, разочарование; 3. човек, който не го бива, некадърник; **the** ~**s** слаби (некадърни) ученици; некадърници, кретени; 4. *pl* дрехи, "парцали"; 5. зубрач; 6. фалшификат, "менте".

dudley [′dʌdli] *n sl* провал, неуспех, гаф.

due [dju:] **I.** *adj* 1. *фин. обикн. predic* дължим, платим; който трябва да се плати; **bills still** ~ още неизплатени сметки; 2. надлежен, дължим, подобаващ, справедлив; съответен; **it is** ~ **to him to say that** длъжни сме да кажем за него, че; **in** ~ **form** както трябва, както е прието, както му е редът, съответно, по установената фор-

ма; 3. *predic* който се очаква (да пристигне и пр.); **the train is** ~ **at ten, it is over** ~ **now** влакът трябва да пристигне в 10 часа, вече е закъснял; **I was** ~ **to start today** трябваше да тръгне днес; 4. дължащ се, причинен, който се дължи (**to**); **what is it** ~ **to?** на какво се дължи това? 5. поради; ~ **to the fog** поради мъглата; **II.** *n* 1. това, което се дължи (полага), дължимо, заслужено, полагаемо; право; **to claim o.'s** ~ искам това, което ми се полага; 2. *pl* такса, налог; членски внос; **custom** ~**s** митнически такси; **taxes and** ~**s** данъци и такси; **III.** *adv* (на)право; **the wind is** ~ **east** вятърът вее право от изток.

duel [′dju:əl] **I.** *n* 1. дуел, двубой; **to fight a** ~ бия се на дуел, дуелирам се; 2. състезание, борба, двубой; **II.** *v* дуелирам се, бия се на дуел.

duelling [′dju:əliŋ] *n* дуелиране; дуел; ~ **pistols** револвери за дуел.

duet [dju:′et] *n* 1. *муз.* дует; пиеса за пиано на четири ръце; *шег.* разговор, разпра; 2. двойка, двама души.

duff [dʌf] **I.** *v sl* 1. фалшифицирам; правя стари стоки (дрехи) да изглеждат нови; 2. сгафвам, не сполучвам (*и с* **up**); 3.: **to** ~ **over** (**up**) удрям, цапардосвам, пребивам; 4.: **to** ~ **around** шляя се (*без работа*), мотая се; 5. *рядко* крада добитък и сменям клеймото (печата) му; **II.** *adj* безполезен; долнопробен; ненужен.

dulcet [′dʌlsit] *adj* поет. сладък, мелодичен, приятен, нежен (*за звук*).

dulcify [′dʌlsifai] *v* подслаждам (*и прен.*); техн. дулцифицирам.

dull [dʌl] **I.** *adj* 1. тъп, бавен, бавно загряващ; **all work and no play makes Jack a** ~ **boy** само работа без игра затъпява децата; 2. тъп (*за болка*); тъп, глух (*за шум*); 3. притъпен, нечувствителен (*за сетива*); 4. матов, без блясък; замъглен; слаб, загасващ, мъждукащ (*за огън*); мъглив, сив (*за ден, време*); **to become** ~ потъм-

нявам, изгубвам свежестта си (*за цвят*); 5. скучен, отегчителен; еднообразен, монотонен; **a** ~ **beggar (fish)** скучен човек; 6. тъжен, потиснат, унил, мрачен, вял; ◇ *adv* **dully**; 7. *търг.* мъртъв, слаб, замрял (*за сезон*); 8. тъп, тъпен (*за острие и пр.*); **II.** *v* 1. затъпявам (*умствени способности*); притъпявам (се) (*за усет, чувство, болка*); отслабям (*сетиво*); правя глух, заглушавам (*звук*); 2. притъпявам (*острие*); **to** ~ **the edge of appetite (pleasure)** намалявам (притъпявам) апетита (удоволствието); 3. замъглявам (се) (*за повърхност*); потъмнявам, губя блясъка си.

dullness [′dʌlnis] *n* 1. тъпост, тъпота (*на умствени способности*); 2. тъпота (*на болка*); глухота (*на звук*); 3. притъпеност, нечувствителност (*на сетива*); 4. матовост, липса на блясък; замъгленост, мъглявина, сивота; 5. отегчителност; еднообразие, монотонност; 6. тъжно (потиснато, мрачно) настроение; 7. *търг.* застой, стагнация, мъртвило; 8. тъпота, притъпеност (*на острие*).

dumb [dʌm] **I.** *adj* 1. ням; който мълчи (не издава глас), безмълвен; ~ **as a fish (an oyster)** ням като риба; ◇ *adv* **dumbly**; 2. без струни (*за пиано*), без звук (*за клавиш*); без мачти или платна (*за кораб*); 3. *разг.* тъп, глупав, скучен; **II.** *v рядко* карам да занемее (замълчи); заглушавам (*шум*).

dumbfound [dʌm′faund] *v* смайвам, слисвам, потрисам, сащисвам, втрещявам.

dump₁ [dʌmp] *n* 1. малък, къс и дебел предмет; трупче, бучка, буца; 2. тантурест човек; 3. оловно топче; оловен жетон (*при игра*); 4. голям кръгъл бонбон; 5. вид болт (*при корабостроене*); 6. стара австралийска монета.

dump₂ I. *v* 1. стоварвам (се), тръсвам (се), изтърсвам (се); друсвам (се); 2. изхвърлям (*смет*); разтоварвам, обръщам (*вагонетка и*

пр.); **3.** правя дъмпинг; **4.** зарязвам, изоставям, захвърлям; **5.** *инф.* копирам, записвам (*данни, информация*); **6.** *амер.* уволнявам; **7.:** to ~ on s.o. *разг.* отнасям се зле; мачкам; **II.** *n* **1.** бунище, купища смет; куп шлака (сгурия и пр.); куп въглища (руда и пр.); *прен.* хаос, безпорядък, "кочина"; бардак; **2.** *воен.* временен склад за муниции, припаси и пр.; **3.** *амер. sl* уволнение.

dumpish [ˈdʌmpiʃ] *adj* мрачен, унил, кисел, нацупен.

dump-lorry [ˈdʌmpˈlɔri] *n* самосвал.

dumps [dʌmps] *n pl* мрачно настроение, униние, подтиснатост.

dun₁ [dʌn] **I.** *adj* сиво-кафяв; *поет.* тъмен, мрачен; **II.** *n* **1.** сиво-кафяв цвят; **2.** сиво-кафяв кон; **3.** вид изкуствена муха (*за риболов*).

dun₂ **I.** *v* настоявам да ми се плати дълга, врънкам (*някого*) да си плати дълга; **II.** *n* **1.** настойчив кредитор; **2.** агент, който събира дългове; **3.** настойчиво искане да се изплати дълг; врънкане.

dune [djuːn] *n* дюна (*и* sand-dune).

dunghill [ˈdʌnhil] *n* **1.** торище, бунище; сметище; **2.** *прен.* мизерия, нищета; to raise s.o. from the ~ *прен.* издигам (изваждам) някого от калта.

dupable [ˈdjuːpəbl] *adj* лековерен.

dupe [djuːp] **I.** *n* лековерен човек, наивник, будала; to be the ready ~ of s.o. лесно се оставям да ме измами някой; **II.** *v* мамя, измамвам, лъжа, излъгвам, подхлъзвам.

dupery [ˈdjuːpəri] *n* измама, лъжа.

duplex [ˈdjuːpleks] *adj* двоен; ~ engine двуцилиндров двигател; ~ paper двуцветна хартия.

duplicate [ˈdjuːplikit] **I.** *adj* **1.** двоен, удвоен; **2.** който е наподобява точно; **3.** който е дубликат на нещо; ~ document дубликат; **4.** резервен, запасен; ~ parts резервни части; **II.** *n* **1.** дубликат; копие (*от документ, разписка и пр.*); разписка от заложна къща; in ~ в два екземпляра; **2.** копие, точно съответствие; **3.** език. синоним; **4.** *pl* запаси (резервни) части;

III. [ˈdjuːplikeit] *v* **1.** удвоявам, умножавам по две; **2.** правя (издавам, снимам) копие от, преписвам, вадя няколко копия от, размножавам (*на циклостил и пр.*).

duplication [ˌdjuːpliˈkeiʃn] *n* **1.** удвояване, удвоение; умножение по две; **2.** снимане (вадене) на копия; размножаване; **3.** дубликат, копие.

duplicator [ˈdjuːplikeitə] *n* циклостил.

duplicity [djuːˈplisiti] *n* двуличие, лицемерие.

durable [ˈdjuːrəbl] *adj* **1.** траен, здрав (*за материя и прен.*); **2.** продължителен, дълготраен.

duration [djuəˈreiʃən] *n* продължителност, времетраене; срок на валидност (*на патент и пр.*); *муз.* трайност (*на нота*); of short ~ краткотраен, кратковременен.

duress [ˈdjuəres] *n* **1.** затвор, лишаване от свобода; **2.** *юр.* принуждаване, принуда, насилие; to act under ~ действам под принуда; действам при законна самоотбрана.

dusgusting [disˈgʌstiŋ] *adj* **1.** отвратителен, гнусен, гаден, противен; **2.** възмутителен.

dusk [dʌsk] **I.** *n* мрачина, тъмнина, сянка; здрач, сумрак, дрезгавина, полумрак; привечер; it is growing ~ здрачава се, смрачава се; свечерява се, настъпва (пада) вечер (здрач); **II.** *adj* остар., *лит.* **1.** здрачен, сумрачен; **2.** тъмен, мрачен, неясен; **3.** мургав; **III.** *v поет.* смрачавам се, тъмнея; помрачавам, потъмнявам, хвърлям сянка върху.

duskiness [ˈdʌskinis] *n* **1.** здрач, сумрак, полумрак; тъмнина; **2.** мургавост.

dusky [ˈdʌski] *adj* **1.** тъмен, мрачен; мъгляв, неясен; **2.** тъмен, мургав; с негърска кръв.

dust [dʌst] **I.** *n* **1.** прах; to shake the ~ off o.'s feet отивам си възмутен; the ~ settles (clears) нещата се уталяват, ситуацията се избистря; **2.** смет, прах; **3.** *бот.* прашец; **4.** *поет.* прах, тленни останки; смърт, гроб; to be buried

with the ~ of o.'s ancestors погребан съм при прадедите си; to turn to ~ and ashes разбивам на пух и прах (*надежди и пр.*); **5.** прах, пясък (*от минерали, злато и пр.*); gold ~ златен прах; *амер. sl* пари; **6.** *разг.* бъркотия, шум, шумотевица, гюрултия; to kick up (raise) a ~ правя сцена (скандал), вдигам гюрултия; in the ~ and heat of battle в разгара на боя; **II.** *v* **1.** поръсвам, наръсвам (*със захар и пр.*); **2.** напрашвам, посипвам с прах; **3.** бърша (избърсвам, обърсвам, тупам, изтупвам праха (от)); to ~ a room избърсвам праха в стая; • to ~ s.o.'s jacket (coat) for him натупвам (напердашвам) някого; отупвам му праха; **4.** къпя се в прахта (*за птичка*); **5.** отстъпвам; измъквам се;

dust down (off) *разг.* 1) предъвквам (*някаква стара идея*), преповтарям; 2) отърсвам се, съвземам се (*от болест, удар*); 3) почиствам, забърсвам.

duster [ˈdʌstə] *n* **1.** парцал, бърсалка за прах; feather ~ бърсалка за прах от пера; **2.** човек, който бърше прах; **3.** малко сито за ръсене на захар и пр.; **4.** *амер. sl* крадец по влаковете; **5.** *мор.* знаменце; red ~ на търговски кораб; **6.** пясъчна буря; **7.** *техн.* прахоуловител; обезпрашител; **8.** прашилка; опрашвалка.

dusting [ˈdʌstiŋ] *n* **1.** наръсване, посипване, поръсване (*със захар и пр.*); **2.** бърсане (избърсване) на прах; **3.** *sl* пердах, лобут; **4.** *мед.* антисептичен прах за рани; **5.** *мор., разг.* лошо време.

dust-up [ˈdʌstˌʌp] *n* кавга, караница, свада; бой.

dusty [ˈdʌsti] *adj* **1.** прашен, напрашен, изпрашен, покрит с прах, потънал в прах; to get ~ изпрашвам се, напрашвам се, потъвам в прах; **2.** *хим.* на прах, като прах; **3.** пепеляв, сиво-кафяв; **4.** скучен, сух, безинтересен; it's not so ~ *разг.* не е толкова лошо, бива го; ◊ a ~ reply (answer) рязък (груб) отговор (отказ).

dutiful ['dju:tiful] *adj* покорен, послушен; верен, предан; **with all ~ respects to you** при всичкото ми уважение към вас ...; ◇ *adv* **dutifully**.

duty ['dju:ti] *n* **1.** дълг, морално (правно) задължение (**to** към); **to do o.'s ~ by** (**to**) изпълнявам дълга си (към); **from a sense of ~** по задължение; **as in ~ bound, as bound in ~** както повелява дългът; както трябва, както е редно; **2.** подчинение, покорство; уважение, почит; **to return to ~** възвръщам се към покорство (към изпълнение на дълга си) (*за бунтовник*); **3.** задължение, служба, обязаност; **to enter upon o.'s duties** встъпвам в длъжност, поемам службата (задълженията) си; **4.** *воен., мор., уч.* дежурство; пост; наряд; **to be on ~** дежурен съм; **5.** мито, налог; данък; **customs ~** мито (върху); **liable to ~** който подлежи на обмитяване; **6.** *техн.* полезно действие (*на двигател*), рандеман, мощност; **a heavy-~ machine** двигател с голяма мощност (с голям коефициент на полезно действие); **7.** *attr* дежурен.

dwarf [dwɔ:f] **I.** *n* джудже, мъниче; малко (дребно) растение, растение джудже; *мит.* джудже, гном, пигмей; *астрол.* звезда-джудже; **II.** *adj* малък, дребен; **III.** *v* **1.** спирам (прекъсвам) развитието на; **2.** карам (правя) да изглежда малък (нищожен) в сравнение с.

dwell [dwel] **I.** *v* (**dwelt, dwelt** [dwelt]) **1.** живея, обитавам (**at, in**); **2.** стоя, оставам, не напускам (*за мисъл, надежда и пр.*); постоянно мисля, не забравям (**on**); спирам, задържам (*поглед и пр.*) (**on**); спирам се, бавя се, задържам се (**on**); **her memory ~s with me** споменът за нея не ме напуска; **3.** запирам се, спирам се, колебая се (*за кон, преди да скочи*); **II.** *n* **1.** кратко равномерно прекъсване на работата на машина; **2.** спиране, запиране, колебание (*на кон, преди да скочи*).

dwelling ['dwelin] *n* **1.** живеене, обитаване; **2.** жилище, дом, къща, резиденция; **3.** спиране (*на въпрос*); задържане (*на нота*).

dwindle ['dwindl] *v* **1.** намалявам се, смалявам се, *прен.* стопявам се; свивам се, топя се; стопявам се (*от болест, старост*) (*често с*

away); **to ~ to nothing** изчезвам, *прен.* стопявам се; **2.** губя значението (влиянието) си, упадам, западам; **a dwindling reputation** залязваща слава.

dying ['daiiŋ] **I.** *adj* **1.** умиращ; загиващ, пропадащ; **2.** предсмъртен, последен; **till o.'s ~ day** до смъртта си, до последния си час; **3.** чезнещ; отпаднал, примилял, примрял; **a ~ look** примилял поглед; **II.** *n* умиране; смърт.

dynamic [dai'næmik] **I.** *adj* **1.** динамичен; **2.** *прен.* динамичен, енергичен, действен, активен; **3.** *мед.* функционален; ◇ *adv* **dynamically** [dai'næmikli]; **II.** *n* движеща сила, енергия.

dynamite ['dainəmait] **I.** *n* динамит; **II.** *v* взривявам с динамит.

dynamo ['dainəmou] *n* динамо, динамомашина, динамомотор; **~ lighting** осветление с динамо.

dynastic [dai'næstik] *adj* династичен.

dynasty ['dainəsti] *n* династия.

dysentery ['disəntri] *n мед.* дизентерия.

dysfunctional [,dis'fʌnkʃənəl] *adj* неадекватен, с отклонения от нормалното, проблемен.

E, **e**₁ [i:] *n* 1. буквата е; E for Eliot е като Елиът; 2. *муз.* ми. **E**₂ *n* изток, *adj* източен.

eagerness ['i:gənis] *n* желание, готовност; нетърпение, нетърпеливост; страст, пламенност; енергия; жажда, алчност.

eagle [i:gl] *n* 1. орел; **bald (American) ~** белоглав орел *Haliaeetus leucocephalus*; 2. орел (*на герб*); **doubleheaded ~** двуглав орел; 3. съзвездието Орел; 4. *рел.* поставка за библия и пр. на амвона, която представлява орел с разперени криле; 5. златна монета от десет долара; **double ~** монета от двадесет долара; 6. *спорт.* два удара повече от средния брой за вкарване на топката в една дупка (*при голф*).

eagle-owl ['i:gəlaul] *n* бухал *Bubo maximus*.

ear [iə] *n* 1. ухо (*и прен.*); слух; **external (outer) ~** външно ухо; **middle ~** средно ухо; **internal ~** вътрешно ухо; 2. дръжка (*на кана и пр.*); ръчка; *техн.* ухо; гнездо; клема за контактен проводник; 3. отвор (за свързване); входен отвор (*на вентилатор*); 4. *журн.* маншет (*каре в горния ъгъл на вестник, където се дава кратко съдържание на броя*).

early ['ə:li] I. *adj* ранен; **to be ~** пристигам рано (навреме); **the ~ cock** първи петли; II. *adv* рано; преждевременно; в началото; **~ in the year** в началото на годината.

earn [ə:n] *v* 1. печеля, спечелвам (*пари, слава и пр.*); докарвам си, припечелвам; **~ing capacity** доходност, рентабилност; 2. заслужавам.

earned [ə:nd] *adj* 1. спечелен, заработен; 2. заслужен; **~ run** *спорт.* точка, спечелена чрез добра игра, а не от грешка на противника (*в бейзбола*).

earnest₁ ['ə:nist] I. *adj* 1. задълбочен; сериозен; (добро)съвестен; ревностен; **~ efforts** сериозни (упорити) усилия; 2. искрен, убеден; 3. настойчив, горещ (*за молба и пр.*); ◇ *adv* **earnestly**; II. *n:* **in ~** сериозно, не на шега; **to work in real (good) ~** работя сериозно (не на шега).

earnest₂ *n* 1. *търг.* капаро; депозит; 2. *разг.* гаранция, залог; проба; **an ~ of more to come** гаранция (залог) за бъдещето, залог за добро бъдеще.

earnestness ['ə:nistnis] *n* 1. сериозност; задълбоченост; (добро)съвестност; ревност; 2. искреност, убеденост; 3. настойчивост.

earning ['ə:niŋ] *n* 1. препечелване, спечелване; 2. нещо спечелено; 3. *pl* доход, приход; заплата; това, което печеля (си докарвам).

ear-piece ['iə,pi:s] *n* слушалка (на телефон).

ear-piercing ['iə,piəsiŋ] *adj* оглушителен, остър, рязък, пронизителен, писклив.

ear-ring ['iəriŋ] *n* обица.

earth [ə:θ] I. *n* 1. земя, земно кълбо; суша; свят; този свят; **from the ends of the ~** от край света; **on ~** на земята; 2. земя, почва; пръст; 3. дупка, леговище (*на лисица и пр.*); **to take ~, to go (run) to ~** скривам се в леговището си; **to run to ~** преследвам (*лисица и пр.*) до дупката й, откривам леговището на; *прен.* откривам източника на; откривам, намирам, откривам скривалището на; II. *v* 1. заравям, окопавам (*растение*) (често с **up**); 2. преследвам (*диво животно*) до леговището му; проследявам, намирам, откривам (често с **down**); 3. скривам се в леговището си (*за диво животно*); 4. *ел.* заземявам; 5. свалям, принуждавам да кацне (да се приземи) (*самолет*).

earth-born ['ə:bɔ:n] *adj* 1. смъртен, човешки; 2. земен, суетен (*за мисли и пр.*); 3. *мит.* роден от земята (*за божества*).

earthen ['ə:θən] *adj* пръстен, глинен; грънчарски.

earthing [ə:θiŋ] *n ел.* заземяване; **single-point ~** заземяване в една точка.

earthly ['ə:θli] *adj* земен, светски; суетен; • **he hasn't an ~ chance**, *sl* **he hasn't an ~** той няма абсолютно никакъв шанс за успех.

earthmover ['ə:θ,mu:və] *n* багер, булдозер, земекопна машина.

earthquake ['ə:θkweik] *n* 1. земетръс, земетресение; **~ proof** антисеизмичен; 2. сътресение (*политическо, обществено*).

earth-shattering ['ə:θʃætəriŋ] *adj* важен, от голямо значение (*за откритие и пр.*).

earthy ['ə:θi] *adj* 1. който наподобява земя (пръст), пръстен; 2. безжизнен, студен; 3. земен, светски; 4. груб, животински; **of the earth ~** *разг.* груб (за човек).

ease [i:z] I. *n* 1. лекота, леснота; простота; **~ of access** достъпност; **with ~** леко, лесно, без всякакво затруднение; 2. спокойствие, покой; успокоение; непринуденост; **to be at ~** спокоен съм, не се тревожа; не се притеснявам; **to be ill at ~** неспокоен съм, тревожа се; чувствам се неудобно (неловко), притеснявам се; 3. свобода; ширина; удобство; спокойствие, безгрижие, рахатлък, охолство; **to live a life of ~** живея охолно; 4. непринуденост, естественост (на маниер, стил); **social ~** непринудени обноски, умение да се държа в обществото; 5. свободно време; рахатлък; 6. успокоение, облекчение (на болка) (**from**); II. *v* 1. намалявам, облекчавам, успокоявам, отслабвам (*болка, страдание*); намалявам, отлабвам, успокоявам се (*за болка и пр.*); облекчавам (*болен*); успокоявам, разсейвам тревогите (грижите) на; **the situation has ~d** положението се облекчи, напрежението намаля; **to ~ s.o.'s mind** успокоявам някого, разсейвам грижите на някого; 2. облекчавам, освобождавам (**s.o. of** *или* **from sth**); **to ~ oneself of a burden** разтоварвам се, освобождавам се от товар (*и прен.*); **to ~ s.o. of his purse** *разг.* открадвам кесията на някого; 3. отпускам, отхлабвам, разхлабвам, разхалтвам; **~ the engines** *мор.* забавете

хода, намалете скоростта! **4.** премествам, вдигам леко (*товар*); **ease along** движа се спокойно, без да бързам;

ease away 1) отпускам, разхлабвам (*въже, платно и пр.*); 2) намалявам, отслабвам (*усилия, скорост, напрежение*);

ease back отпускам се, облягам се назад (*на нещо меко*);

ease down намалявам (се), отпускам (се), отхлабвам (се);

ease in вмъквам се, влизам някъде внимателно;

ease off 1) *мор.* отпускам, отхлабям (*въже и пр.*); 2) отдръпвам (се), оттеглям (се); отдалечавам (се) от брега (от лодка и пр.); оттласвам (бутам) от брега; 3) отпускам се, работя по-малко; 4) *търг.* намалявам се, спадам (*за курс на ценни книжа*);

ease out отстранявам тактично от пост; изваждам внимателно;

ease round завивам в обратна посока, обръщам внимателно (*за кола*);

ease up 1) *мор.* отпускам (*въже на мачта, скрипец и пр.*); 2) намалявам скоростта, забавям крачка.

easel [i:zl] *n* **1.** триножник (*на художник*), статив, поставка; **2.** чертожна маса, стойка за окачване на чертежи; **~-picture** кавалетна живопис (*картина*).

easily [′i:zili] *adv* **1.** лесно, с лекота; **2.** неоспоримо, безспорно; **this is ~ the best film I've ever seen** това безспорно е най-добрия филм, който някога съм гледал; **3.** вероятно; като нищо; **it may ~ rain tomorrow** много е вероятно утре да вали.

easiness [′i:zinis] *n* **1.** лекота, леснота; **2.** естественост, непринуденост, непресореност, свобода (*на маниери, движения, стил и пр.*); **3.** спокойствие, покой; **4.** безгрижие; **5.** икономически спад.

east [i:st] **I.** *n* **1.** изток; **to the ~ of** на изток от; **2.** E. Изток, Ориент; *амер.* източните щати; **the Near (Middle, Far) E.** Близкият (Средният, Далечният) изток; **II.** *adv* на

(към, от) изток; в (от) източна посока; източно; **the house faces ~** къщата е с източно изложение; **III.** *adj* източен; ориенталски; **the E. Indies** островите на изток от Индия; **IV.** *v* **1.** движа се на (към) изток; вземам курс към изток; **2.** *refl* ориентирам се.

Easter [′i:stə] **I.** *n* Великден; Възкресение Христово; **~ week** Светлата неделя; **II.** *adj* великденски; **~ egg** великденско яйце (*може и шоколадово*).

eastern [′i:stən] **I.** *adj* **1.** източен; ориенталски; **~ custom** ориенталски обичай; **~ trade** търговия с източните страни (с Ориента); **2.** *рел.* източноправославен; **II.** *n* **1.** ориенталец; **2.** член на Източноправославната църква.

easy [′i:zi] **I.** *adj* **1.** лесен, лек; прост; **it is ~ for me to** лесно ми е да; **~ to read** лесен за четене; **2.** удобен (*за дреха*); **3.** спокоен; **to make o.s (one's mind) ~ about sth** успокоявам се, преставам да се тревожа (*за нещо*); **4.** свободен; облекчен; успокоен; **to feel easier** чувствам се облекчен (по-добре); **my cough is getting easier** кашлицата ми започва да се успокоява; **5.** непринуден, свободен, лек (*за маниер, разговор, стих и пр.*); свободен, лек, гладък, плавен (*за движение*); **free and ~** непринуден, лек; **an ~ current** тих (спокоен) поток; **6.** лесен, приятен, лек (*за човек, характер*); разбран; **he is not ~ to work with** не е лесно да работиш с него; **7.** лек, несериозен; не твърде строг; **of ~ virtue** леконравен; **8.** охолен; **to live in ~ circumstances,** *разг.* **to be on (in) ~ street** живея охолно (нашироко); **9.** *търг.* неоживен, замрял, в застой, слаб (*за пазар*); нисък (*за цена*); **prices are getting easier** цените спадат; **10.** бавен, неприбързан, спокоен (*за ход и пр.*); **to travel by ~ stages** пътувам с чести почивки; **at an ~ pace** бавно, спокойно; ● **to come in an ~ first** *спорт.* пристигам много преди другите; **on ~ terms** *търг.* на изплащане; **II.**

adv разг. **1.** лесно, леко, без мъка (*вм.* **easily**); **easier said than done** по-лесно е да го кажеш, отколкото да го направиш; **2.** спокойно; без бързане; **to take things (it) ~** не бързане, не си давам зор; не се притеснявам; **III.** *n разг.* спиране, почивка, отпускане (*особ. при гребане*); **IV.** *v разг.* отпускам веслата, преставам да греба.

easy chair [′i:zi′t∫eə] *n* кресло, фотьойл.

eat [i:t] (ate [et, eit]; eaten [i:tn]) **I.** *v* **1.** ям; **I could ~ a horse** ужасно съм гладен; **to ~ like a horse** имам страхотен апетит; **2.** (*с adv или adj*) яде се; **it ~s well** приятно е за ядене, вкусно е; **3.** храня се, обядвам, вечерям; **4.** *разг.* храня, нахранвам; **5.** разяждам, прояждам (*за киселина*); ● **what's ~ing you?** *разг.* какво ти е? какво те мъчи? **II.** *n pl разг.* ядене, клъпане, храна; **I'll arrange the ~s** аз ще уредя яденето (храната);

eat away 1) ям непрекъснато, гълтам, лапам; 2) разяждам, подривам (*скали, бряг и прен.*); изяждам, изгризвам, прояждам; 3) разяждам (*за киселина*);

eat in храня се у дома;

eat into 1) разяждам (*за киселина, червей и пр.*); 2) разпилявам част от, накърнявам (*състояние и пр.*);

eat off 1.: **to ~ one's head off** 1) изяждам повече, отколкото изработвам; много яде, малко работи (*за кон*); не е рентабилно (*за предприятие*); безработен съм; 2) ругая, карам се, натяквам; 3): **to ~ off a field** изпасвам (опасвам) всичката трева; пускам (*стадо*) да пасат в поле;

eat out храня се по ресторанти (извън къщи); **to ~ one's heart out** измъчвам се, страдам, ядосвам се, изяждам се от мъка;

eat up 1) изяждам, унищожавам; **his opponent simply ate him up** *разг.* противникът му просто го унищожи; 2) изчерпвам, изразходвам (*средства и пр.*); 3) изразходвам безполезно, изхабя-

вам, пропилявам, хвърлям на вятъра; 4) *pass* ям се, изяждам се (with от); to be ~en up with jealousy (pride) изяждам се от ревност (гордост); 5) *pass* разяден съм, подкопан съм; схванат съм, скован съм (*от ревматизъм и пр.*).

eating [ˈiːtiŋ] I. *n* ядене; храна; II. *adj* който разяжда (измъчва, тормози).

eating house [ˈiːtiŋhaus] *n* ресторант, гостилница.

eau-de-cologne [ˈoudəкəloun] *n* одеколон.

eaves [iːvz] *n pl* стряха, корниз.

ebb [eb] I. *v* 1. спадам, оттеглям се, отдръпвам се (*за прилив*); to ~ and flow прииждам и се оттегля (*за прилив и отлив*); 2. *прен.* отслабва, гасне, угасва, намалява (*за светлина и пр.*); his rage was ~ing away гневът му постепенно стихваше; II. *n* 1. отлив; ~ and flow прилив и отлив; the tide is on the ~ започва отливът; 2. западане; отпадане, отпадналост, слабост; to be at a low ~ отпаднал съм; at the lowest ~ of fortune в най-затруднено положение.

ebony [ˈebəni] *n* 1. абанос; 2. *attr* абаносов; черен като абанос.

ebullience, -cy [iːˈbʌliəns, -si] *n* бликане, изблик, кипеж (*на сили, жизнерадост*); буйност, възбуда, жизнерадост.

ebullient [iˈbʌljənt] *adj* 1. кипящ, врящ; 2. бурен, поривист, разпален, ентусиазиран, темпераментен, пламенен, буен, оживен.

ebullition [ˌebəˈliʃən] *n* 1. кипене; 2. *прен.* изблик, пристъп.

eccentric [ikˈsentrik] I. *adj* 1. ексцентричен, чудат, странен, своенравен, оригинален; ◇*adv* eccentrically [ikˈsentrikəli]; 2. *мат.*, *техн.* ексцентричен, разноцентрен; *астр.* ексцентричен, който не се движи в кръг; II. *n* 1. чудак, особняк, оригинал, ексцентрик; 2. *техн.* ексцентрик.

ecclesial [ikˈliːʒəl] *adj* църковен; еклектичен.

echelon [ˈeʃələn] I. *n* 1. *воен.* еше-

лон; 2. подразделение, част; 3. стъпало, стъпаловидно разположение. II. *v* ешелонирам (*части*).

echo [ˈekou] I. *n* (*pl* echoes) 1. ехо, отзвук, отклик, отглас; 2. звукоподражание; 3. *прен.* отклик, подражание; 4. подражател; II. *v* 1. отеквам (се), отразявам се; ехтя, еча, кънтя; 2. повтарям, подемам, подражавам; to ~ through разнасям се, изпълвам със звук.

eclecticism [iˈklektisizm] *n* еклектизъм, еклектика.

eclipse [iˈklips] I. *n* 1. *астр.* затъмнение; a total ~ of the sun пълно слънчево затъмнение; 2. *прен.* залез, упадък; помрачаване, засенчване; to be in ~; to go into ~ западам, намалявам, спадам (*за влияние, сила, авторитет и пр.*); 3. *зоол.* зимна перушина; II. *v* затъмнявам, засенчвам, помрачавам (*и прен.*).

ecological [ˌekouˈlɔdʒikəl] *adj* екологичен; ~ balance екологичен баланс; ◇*adv* ecologically [ˌekouˈlɔdʒikəli].

ecologist [iˈkɔlədʒist] *n* еколог.

ecology [iˈkɔlədʒi] *n* *биол.* екология.

economic [ˌiːkəˈnɔmik] *adj* икономически, стопански, стопанствен; ~ crisis икономическа криза; ◇*adv* economically.

economical [ˌiːkəˈnɔmikəl] *adj* 1. икономичен, пестелив, спестовен; to be ~ with sth пестя, не пилея нещо; ◇*adv* economically; 2. икономически, стопански.

economics [ˌiːkəˈnɔmiks] *n pl* (= sing) икономика, стопански науки; политическа икономия; the ~ of a country стопанският строй на една страна.

economist [iːˈkɔnəmist] *n* 1. пестелив човек; 2. икономист, специалист по икономика; 3. (E.) *истор.* физиократ.

economize [iːˈkɔnəmaiz] *v* икономисвам, правя икономии, пестя, спестявам (on).

economy [iːˈkɔnəmi] *n* 1. икономисване, икономия, пестеливост, спестовност; пестене; ~ in fuel consumption икономия на гори-

во; 2. стопанисван; domestic ~ домакинство; 3. икономка; стопанство; political ~ политическа икономия.

ecstasy [ˈekstəsi] *n* 1. екстаз, захлас, унес, възторг, въодушевление; to go into ecstasies about sth изпадам в екстаз, захласвам се по нещо; 2. *мед.* екстаз.

ecstatic [ekˈstætik] I. *adj* екстатичен, възторжен; ◇*adv* ecstatically [iksˈtætikəli]; II. *n* човек, който изпада в екстаз.

eczema [ˈeksimə] *n* *мед.* екзема; moist, weeping ~ ексудативна екзема.

edelweiss [ˈeidlvais] *n* *бот.* еделвайс *Leontopodium*, сем. *Compositae*.

edematous [iˈdemətəs] *adj* подут, отекъл.

edge [edʒ] I. *n* 1. ръб, край, периферия; бордюр; первраз; обрез (*на лист хартия, на книга*); поле (*на печатна страница*); бряг, крайбрежие (*на река, езеро*); сервитутна линия (*край шосе*); • to be on the ~ of doing sth тъкмо се каня (готвя) да направя нещо; 2. острие, острец, острило, резец; to put an ~ on наточвам, остря (*и прен.*); 3. острота, злъчност (*за стил и пр.*); (all) on ~ изострен, изпънат (*за нерви*), настръхнал, нервен; нетърпелив; to set (one's nerves) on ~ дразня, раздразням, нервирам; II. *v* 1. точа, наточвам, изострям; 2. изглаждам (изравнявам, правя) ръб на; подшивам, обточвам, обтакам (*дреха*); 3. заграждам, ограждам; минавам (раста) край; the road is ~d with poplars пътят е засаден с тополи от двете страни; 4. промъквам се, намърдвам се, навирам се (into), движа се настрани, предпазливо; to ~ one's way придвижвам се, промъквам се; to ~ s.o. out избутвам, изтиквам някого;

edge away отмествам се, отдръпвам се;

edge in казвам, намесвам се (*в разговор*);

edge on насъсквам, подбуждам;

edge out 1) измъквам се; 2) отст-

ранявам (някого) от работа; 3) побеждавам (*противников от- бор*) с малка разлика.

edged [edʒd] *adj* 1. остър, заострен, наточен, режещ (*за сечиво*); **to play (jest) with ~ tools** играя си с огъня; 2. с острие; **a two-~ sword** меч с две остриета, двуостър меч (*и прен.*); 3. подгънат, кантован.

edginess ['edʒinis] *n разг.* нервност, раздразнителност.

edgy ['edʒi] *adj* 1. с ръб, остър, режещ; 2. *изк.* с резки очертания; 3. *прен.* раздразнителен, нервен, изнервен, кибритлия; **he seemed very ~** той изглеждаше много нервен (напрегнат).

edible ['edibəl] I. *adj* ядивен, който може да се яде; **~ mushrooms** ядивни гъби, гъби които могат да се ядат; II. *n pl* храна, съестни продукти.

edict ['i:dikt] *n* декрет, указ, едикт.

edification [,edifi'keiʃən] *n обикн. ирон.* назидание, наставление.

edifice ['edifis] *n* сграда, здание, постройка (*обикн. голяма, и прен.*).

edify ['edifai] *v* 1. *остар., поет.* строя, издигам, изграждам, построявам; 2. поучавам, назидавам.

edifying ['edifaiiŋ] *adj* поучителен, назидателен, наставнически.

edit ['edit] *v* редактирам, приготвям за печат; редактор съм на; *инф.* редактирам, променям (*данни, текст, изображение*); **to ~ out** изрязвам (премахвам) материал (*от филм, текст, книга и пр.*).

editing ['editiŋ] *n* редактиране.

edition [i'diʃn] *n* 1. издание; **~ de luxe** луксозно издание; 2. тираж; 3. специално издание, поредица от книги, печатани от издателство.

editor ['editə] *n* редактор; **sporting ~** спортен редактор.

editorial [edi'tɔ:riəl] I. *adj* редакторски; **the ~ staff** редакционна колегия, редколегия; II. *n* уводна статия.

educate ['edjəkeit] *v* 1. образовам, давам образование на, възпитавам, просвещавам; **he was ~d at**

Oxford той получи образованието си в Оксфорд; 2. развивам, формирам, тренирам; **to ~ one's memory** тренирам паметта си; 3. изучавам, поемам разноските за образованието на някого; **he ~d his son for the bar** той изучи сина си за адвокат.

education [edjə'keiʃən] *n* 1. възпитаване, отглеждане; 2. образование; обучение; просвета; **higher (university) ~** висше, университетско образование; 3. педагогика; **school of ~** педагогически институт.

educational [,edjə'keiʃənəl] *adj* образователен, възпитателен, педагогически; **~ television** образователни курсове (програми) по телевизията.

educator ['edjəkeitə] *n* възпитател, учител, педагог.

educe [i'dju:s] *v* 1. извличам, карам да се прояви; 2. *хим.* отделям, изпускам, освобождавам; 3. извличам, изваждам, заключавам (from).

eduction [i'dʌkʃən] *n* 1. *хим., техн.* извличане, отделяне, екстракция; изпускане, изтакане; оттичане, стичане; 2. продухване, издухване; 3. *филос.* дедукция, извод.

eely ['i:li] *adj прен.* несигурен, непостоянен, хлъзгав.

eerie ['iəri] *adj* 1. зловещ, мрачен, странен, мистериозен, тайнствен; свръхестествен; ◇ *adv* **eerily** ['iərili]; 2. *шотл.* суеверен.

eeriness ['iərinis] *n* странност, мистериозност, тайнственост.

efface [i'feis] *v* 1. заличавам (*и прен.*); изтривам; премахвам; 2. *прен.* засенчвам, правя (*някого, нещо*) да бледнее; 3. *refl* държа се настрана (в сянка), самозаличавам се, отбягвам внимание.

effect [i'fekt] I. *n* 1. последица, следствие; резултат; **ecological ~s** екологически последствия; 2. действие, въздействие, ефект; влияние; **to suffer from the ~s of heat** страдам от (зле понасям) горещината; 3. (външен) ефект, впечатление; **to do s.th. for ~** правя нещо за да впечатля (ня-

кого); 4. художествен ефект, мотив; **night ~s** нощни мотиви; **lighting ~s** светлинни ефекти; 5. смисъл, съдържание; намерение, цел; 6. *юр., канц.* действие, сила; изпълнение, приложение; 7. *техн.* научно откритие, ефект; **Edison ~** ефект на Едисон; 8. *техн.* полезно действие, производителност; 9. движимо имущество, вещи, *търг.* ценни книжа; *фин.* покритие; • **in ~** всъщност, фактически, в действителност; по същество; II. *v* извършвам, осъществявам, постигам; **to ~ repairs** извършвам ремонт.

effective [i'fektiv] I. *adj* 1. ефективен, резултатен, полезен; действен, действителен, наличен; *воен.* годен за военна служба; използваем, годен за употреба; 2. ефектен, сполучлив; **~ retort** уместен отговор, отговор на място; ◇ *adv* **effectively**; 3. *амер., юр.* действащ, в сила; **to become ~** влизам в сила; II. *n pl воен.* ефективни, военни сили; 2. *фин.* ефективи; наличност в пари, ценни книжа и др.

effectiveness [i'fektivnis] *n* 1. ефективност, действеност, резултатност, сила на въздействие; **operational ~** експлоатационна ефективност; 2. ефектност, сполучливост.

effervesce [,efə'ves] *v* 1. пеня се, кипя, шупвам; отделям се във вид на мехури (*за газ*); 2. *рядко* кипя, завирам; 3. *прен.* възбуден съм, вълнувам се; кипя; разядосвам се; ликувам.

effervescence, -cy [,efə'vesəns, -i] *n* 1. кипене, кипеж, шупване, пенене; 2. отделяне (*на газ*); 3. *прен.* оживеност, възбуденост, оживление, кипеж, вълнение.

effete [i'fi:t] *adj* изчерпан, изтощен; хилав; негоден, изхабен; упадъчен.

efficacious [,efi'keiʃəs] *adj* ефикасен, резултатен, действен; ◇ *adv* **efficaciously**.

efficiency [i'fiʃənsi] *n* 1. работоспособност, изпълнителност, експедитивност; квалификация; **fight-**

ing ~ боеспособност; **2.** *техн.,* *физ.* полезно действие; коефициент на полезно действие; производителност, продуктивност.

effigy [ˈefidʒi] *n* изображение, образ, лик, портрет; статуя, фигура; подобие.

efflorescence [ˌeflɔˈresns] *n* **1.** *бот.* разцъфтяване, цъфтеж; цъфване; период на цъфтеж; **2.** *прен.* разцвет, подем; **3.** *хим.* ефлоресценция; изветряване (*на кристали*); **4.** *мед.* обрив; **5.** плесенясване, мухлясване.

effluence [ˈefluəns] *n* книж. **1.** изтичане; еманация; **2.** сияние; **3.** *физ.* излъчване на радиоактивни вещества, радиация.

effluvium [iˈfluːviəm] *n* (*pl* -via [-viə]) **1.** изпарение; еманация; **2.** зловонни (вредни) изпарения; миазми.

effort [ˈefəːt] *n* **1.** усилие, напрежение; старание, опит; **sustained** ~ постоянно, непрекъснато усилие; **2.** *разг.* постижение; **that's not a bad ~, it's rather a good ~** това не е лошо, това е доста сполучливо; **3.** работа; форсиран режим на работа; **4.** работна (изследователска) програма; **reliability** ~ мероприятия по осигуряване на надежност.

effrontery [iˈfrʌntəri] *n* безочливост, нахалство, дебелоочие, нахалство, дързост, арогантност.

effulgence [iˈfʌldʒəns] *n* блясък, сияйност, лъчезарност.

effulgent [iˈfʌldʒənt] *adj* бляскав, сияещ, сияен, светлозарен, лъчист.

effuse [iˈfjuːz] *I.* *v* *лит.* изливам, проливам (*течност*); излъчвам, лея (*светлина*); лея се, изливам се, тека, изтичам (*и за кръв*); *II.* *adj* бот. разпръснат, разлат.

egg₁ [eg] *n* **1.** яйце; **a bad** ~ развалено яйце, запъртък (*и прен.*); **2.** яйцеклетка; **3.** *воен., амер. sl* бомба, самолетна бомба, мина; **4.** *разг.* неуспех, провал, крах; **5.** *архит.* овален орнамент на корниз или йонийски капител; ● **bad** ~ *разг.* мошеник; **as sure as ~s is** ~s абсолютно сигурно, със си-

гурност.

egg₂ *v* подстрекавам, насъсквам, подбуждам (*обикн. с* **on**).

egg-plant [ˈegplaːnt] *n* патладжан, син домат.

egg-shaped [ˈegʃeipt] *adj* яйцевиден, овален.

egoism [ˈegouizm] *n* егоизъм, себелюбие, себичност.

egoist [ˈegouist] *n* егоист, себичен човек.

egregious [iˈgriːdʒəs] *adj* **1.** *неодобр.* ненадминат, забележителен, нечуван; **an** ~ **fool** ненадминат глупак; **2.** *остар.* превъзходен; ◇*adv* **egregiously.**

eidolon [aiˈdoulən] *n* призрак, привидение.

eight [eit] *I.* *num* осем; *II.* *n* осмица, осморка.

eighteen [eiˈtiːn] *num* осемнадесет.

eighty [ˈeiti] *num* осемдесет; **(at) the age of** ~ (на) осемдесетгодишна възраст.

either [ˈaiðə] *I.* *adj* един (*от двама*); и единият, и другият; всеки; **on** ~ **side of the river** от двете страни на реката; *II.* *pron* един (*от двама*); или единият, или другият (*от двама*); *III.* *cj, adv* **1.:** ~... **or** или ... или; ~ **today or tomorrow** или днес, или утре; **2.** с отриц. също и; нито пък; пък дори и; всъщност; не дотам ...; **I can't play golf** ~ и аз (аз също) не мога да играя голф.

ejaculate [iˈdʒækjuleit] *v* **1.** възкликвам, възкликвам; **2.** *физиол.* изхвърлям, еякулирам.

eject *I.* [iˈdʒekt] *v* **1.** изхвърлям, изгонвам (**from**); *юр.* изваждам (наемател); уволнявам; **2.** изхвърлям, изригвам, избълвам; изтласквам, изтиквам; *физиол.* отделям; *II.* [ˈiːdʒekt] *n* филос. нещо, което не може да бъде пряк обект на нашето съзнание.

ejector seat [iˈdʒektəˈsiːt] *n* авиац. катапулт.

eke [iːk] *I.* *v* (*обикн. с* **out**) донаждам, прибавям, попълвам, додавам, допълвам (*нещо оскъдно*); разреждам (*за вино и пр.*); използвам пестеливо; **we must** ~ **out a living (an existence)** трябва да

гурност.

свържем някак си двата края; *II.* *adv* *остар.* също, също така.

elaborate *I.* [iˈlæbərit] *adj* сложен; подробно изработен, подробен, обстоен; претрупан, натрупен, претенциозен; **an** ~ **dinner** богата вечеря; ◇ *adv* **elaborately**; *II.* [iˈlæbəreit] *v* **1.** изработвам; изпипвам; създавам, разработвам, (до)развивам, усложнявам; *физиол.* изработвам (*секреция, сок и пр.*); **2.** давам допълнителни подробности, доразвивам, разработвам в подробности (*обикн. с* **on, upon**); **please** ~ **your plans for the job** моля доразвийте вашите планове за работата.

elan [eiˈlaːn] *n* устрем, възторг, въодушевление, жар, ентусиазъм.

elapse [iˈlæps] *v* минавам, измервам, изтичам (*за време*).

elastic [iˈlæstik] *I.* *adj* **1.** ластичен; **2.** еластичен, разтеглив (*и прен.*); **3.** *прен.* оптимистичен, жизнерадостен; ~ **step** енергична (лека) походка; **4.** гъвкав, променящ се съобразно условията (*за политика, идеи и пр.*); *II.* *n* ластик; ~**s** жартиери.

elasticity [ˌilæsˈtisiti] *n* **1.** еластичност и пр.; гъвкавост; ~ **of extension** еластичност при опън; **2.** *техн.* еластична (пъргава, възвратна) деформация.

elate [iˈleit] *I.* *v* повдигам духа на, ободрявам, обнадеждавам, окуражавам, въодушевявам; изпълвам с гордост, правя горд; **to be** ~**d with joy, success** сияя от радост, опиянен съм от успех; *II.* *adj* *остар.* **1.** висок, издигнат, възвишен; **2.** въодушевен, ликуващ; възгордян.

elated [iˈleitid] *adj* въодушевен, ликуващ; **to be** ~ с високо самочувствие съм; *разг.* развеселен съм от пиене, на градус съм; ◇ *adv* **elatedly**.

elation [iˈleiʃən] *n* **1.** повишено настроение, въодушевление; **2.** възгордяване, главозамайване.

elbow [ˈelbou] *I.* *n* **1.** лакът; **at one's** ~ наблизо; под ръка; **2.** завой (*на път*); **3.** *техн.* коляно, колянова тръба; ъгълник, винкел; **4.** *мор.*

намотка (*в кабел*); **II.** *v* **1.** бутам с лакът; **to ~ s.o. aside** избутвам някого с лакът; **2.** извивам, правя завой (*за река, път*).

elder [ˈeldə] **I.** *adj* **1.** (*сопр от* **old**) по-голям, възрастен (*за хора от едно и също семейство*); **2.** старши (*за колега*); **II.** *n* **1.** по-възрастният, по-старият (*от двама*); **she is my ~ by four years** тя е с четири години по-голяма от мене; **2.** старейшина.

elect [iˈlekt] **I.** *v* **1.** избирам (*с гласуване*); определям; **he was ~ed to the Academy** той бе избран за член на академията; **2.** решавам (се), предпочитам; **he ~ed to deave the town** той реши (намери за по-добре, предпочете) да напусне града; **3.** избирам (допълнителна специалност или предмет) в университет, колеж; **II.** *adj* избран; новоизбран, бъдещ; **bride ~** избраница; **III.** *n* избран, привилегирован човек; **God's ~** (**the ~**) богоизбраните.

election [iˈlekʃən] *n* **1.** избор, избиране; **2.** избори; **to hold an ~** правя, произвеждам избори; **3.** *рел.* предопределение; **4.** *юр.* опция, упражнение на право на избор; **5.** *attr* избирателен, предизборен.

elective [iˈlektiv] *adj* **1.** изборен; **2.** избирателен; който има право да избира; **~ franchise** избирателно право; **3.** *амер.* факултативен, избирателен; **~ system** образователна система, при която студентите сами избират предметите, които ще изучават; **4.** *хим.* по избор; **~ affinity, attraction** симпатия, привличане между двама души.

elector [iˈlektə] *n* **1.** избирател, гласоподавател; **body of ~s** избирателна колегия; **2.** *истор.* електор, курфюрст.

electoral [iˈlektərəl] *adj* избирателен; **~ college** *амер.* избирателна колегия (*която избира президента*); ◇ *adv* **electorally**.

electorate [iˈlektərit] *n* **1.** електорат, всички избиратели, избирателна колегия; **2.** *амер.* избирателен район; **3.** *истор.* сан, юрисдик-

ция на електор (курфюрст); земи, управлявани от електор (курфюрст).

electric [iˈlektrik] **I.** *adj* **1.** електрически; **~ fire** електрическа печка (*за отопление*); **2.** *прен.* поразителен; възбуждащ, напрегнат, наелектризиран; **~ atmosphere** напрегната атмосфера; **II.** *n* **1.** *разг.* електрически влак; **2.** *остар.* вещество, което може да се наелектризира чрез търкане.

electrical [iˈlektrikəl] *adj* **1.** електрически; **~ engineering** електротехника; **2.** *прен.* наелектризиран, бурен; **~ atmosphere** наелектризирана, бурна атмосфера; ◇ *adv* **electrically** [iˈlektrikəli].

electrician [ilekˈtriʃən] *n* електротехник, електромонтьор.

electricity [elekˈtrisiti] *n* **1.** електричество; *разг.* електрически ток, енергия; **~ works** електроцентрала; **2.** *прен.* напрежение.

electric-meter [iˈlektrikˈmiːtə] *n* електромер.

electrify [iˈlektrifai] *v* **1.** наелектризирам (*и прен.*); **2.** електрифицирам.

electrobus [iˈlektrouˈbʌs] *n* тролейбус; акумулаторен автобус.

electrode [iˈlektroud] *n* електрод.

electrolysis [ilekˈtrolisis] *n* електролиза.

electrolyte [iˈlektrəlait] *n* електролит.

electrolytic [ilektrəˈlitik] *adj* електролитен.

electron [iˈlektron] *n* **1.** *физ.* електрон; **~-deficiency** недостиг на електрони; **~-excess** излишък на електрони; **2.** *истор.* електрон, сплав от злато и сребро.

electronic [ilektrˈonik] *adj* електронен; **~ mail** *инф.* електронна поща; **~ music** електронна музика; ◇ *adv* **electronically** [ilekˈtronikəli].

electronics [ilekˈtroniks] *n* електроника, електронна апаратура; **on-board ~** бордова електронна апаратура.

electrum [iˈlektrəm] *n* **1.** кехлибар; **2.** електрум, природна самородна сплав от злато и сребро; **3.** никелова сплав.

eleemosynary [ˈeliiːˈmɔnsinəri] *adj* *книж.* **1.** благотворителен; безплатен; **2.** който зависи от благотворителността.

elegance, -cy [ˈeligəns. -si] *n* елегантност.

elegant [ˈeligənt] *adj* **1.** изискан, елегантен, изтънчен, изящен; **2.** *амер. и sl* чудесен, великолепен, шикозен, фин; ◇ *adv* **elegantly**.

elegiac [ˌeliˈdʒaiək] **I.** *adj* елегичен; тъжен; **II.** *n pl проз.* елегични стихове.

elegy [ˈelidʒi] *n* елегия.

element [ˈelimənt] *n* **1.** елемент; **2.** стихия, природна сила; **to be exposed to the ~s** изложен съм на природните стихии; **3.** естествена среда, стихия; **to feel out of one's ~** чувствам се неловко, не съм в собствената си среда; **4.** елемент, съставна част; **to reduce sth to its ~s** разлагам нещо на съставните му части, анализирам; **5.** *ел.* електрод; **6.** *ел.* нагревател (*за печка, чайник, бойлер и пр.*); **7.** фактор; **the human ~** човешкият фактор; **8.** *pl* основи, принципи (*на наука*); увод; **the ~s of grammar** основни граматични правила; **9.** *мат.* диференциал; **10.** *воен.* поделение; **11.** *рел.* **Eucharistic ~s** евхаристични елементи, нафора и вино.

elemental [eliˈmentl] **I.** *adj* **1.** стихиен, на природните сили (стихии); **~ forces** природните сили; **2.** първичен, основен; **3.** *рядко* начален, първоначален, елементарен, основен; **4.** *хим.* прост; **5.** съставен (*за част*); ◇ *adv* **elementally**; **II.** *n* дух (*въздушен, земен, огнен, воден*).

elementary [eliˈmentəri] *adj* **1.** елементарен, начален, първоначален, основен; **~ school** начално училище; **2.** *хим.* прост, неразложим; **~ particle** елементарна частица.

elephant [ˈelifənt] *n* **1.** слон; **~ trumpet** рев на слон; **2.** *остар.* слонова кост.

elevate [ˈeliveit] *v* **1.** вдигам, издигам, повдигам; **2.** въздигам, повишавам (*в по-горен чин*); вди-

гам (*очи*), повишавам; **to be ~d to** повишен съм в; **3.** вдигам (*глас*); насочвам вертикално (*оръдие*); **4.** събуждам, пробуждам (*надежди*); възвишавам (*духа, душата*); **5.** ободрявам, развеселявам.

elevated ['eliveitid] *adj* **1.** издигнат, повдигнат, висок; **~ position** високо положение (*и прен.*); *воен.* високи, командващи позиции; **2.** *прен.* издигнат, възвишен, висок, благороден; **~ conversation** разговор на възвишени теми; **3.** *разг.* развеселен, сръбнал, пийнал, на градус.

elevation [,eli'veiʃən] *n* **1.** издигане; *прен.* повишение (*в чин*); **~ to the peerage** удостояване с благородническа титла; **2.** възвишение, хълм; височина (*над морското равнище*); **3.** *прен.* величественост, възвишаване, възвишеност, благородство (*на стил, характер*); **4.** *воен.* вертикално насочване на оръдие, насочване в далечина; мерник; **angle of ~** ъгъл на възвишение; **5.** *астр.* елевация, височина на звезда над хоризонта; **6.** *архит., техн.* разрез, вертикално сечение; **front ~** фасада, лице.

elevator ['eliveitə] *n* **1.** елеватор, подемник; долап, градинарско колело; **2.** *амер.* асансьор; **3.** *амер.* **(grain-) ~** силоз, зърнохранилище; **4.** *авиац.* хоризонтален стабилизатор; **5.** *анат.* мускул повдигач.

eleven [i'levn] **I.** *num* единадесет; **II.** *n* **1.** единадесет (души); **2.** *спорт.* отбор, тим (от 11 души).

elf [elf] *n* (*pl* **elves** [elvz]) **1.** *мит.* елф, фея, горски дух; самодива; **2.** дребосък, джудже; **3.** пакостниче.

elicit [e'lisit] *v* изтръгвам, извличам; предизвиквам; разкривам; **to ~ a fact from a witness** карам свидетел да признае даден факт.

elide [i'laid] *v* *език., проз.* изпускам, елидирам; **2.** премълчавам, потулвам; **3.** *юр.* отменям, анулирам.

eligibility ['elidʒi'biliti] *n* **1.** избирае-

мост; **2.** приемливост.

eligible ['elidʒəbəl] *adj* **1.** избираем (**to**); **2.** приемлив, с необходимите качества (**for**); подходящ, желателен; **~ for membership** който може да бъде приет за член; ◇ *adv* **eligibly** ['elidʒəbli].

eliminate [i'limineit] *v* **1.** елиминирам, премахвам, отстранявам, изключвам; **2.** *хим., физиол.* отделям (**from**); прочиствам, изхвърлям, освобождавам се от; **3.** *мат.* освобождавам се от, изключвам (*неизвестно*); **4.** убивам, ликвидирам, очиствам.

élite [ei'li:t], [i'li:t] *n* елит, отбрано общество, цветът на обществото; **corps d'~** *воен.* елитни войски.

elixir [i'liksə] *n* **1.** еликсир, вълшебно питие; **2.** философски камък; **3.** силно лекарство; пенкилер; **4.** *фарм.* тинктура.

ellipse [i'lips] *n* **1.** *мат.* елипса, овал; **2.** *мат.* елипса.

elliptic(al) [i'liptik(l)] *adj* **1.** *мат.* елипсовиден; **2.** *език.* елиптичен; ◇ *adv* **elliptically** [i'liptikəli].

elocution [,elə'kju:ʃən] *n* дикция, декламация, ораторско изкуство.

elocutionary [,elə'kju:ʃənəri] *n* ораторски, декламаторски; който се отнася до дикция.

elongate ['i:lɔngeit] **I.** *v* **1.** удължавам, изтеглям, разтеглям; **2.** *бот.* удължавам се, изтънявам се, стеснявам се; **II.** *adj* *бот. и зоол.* копиевиден, мечовиден.

eloquence ['eləkwəns] *n* красноречие, сладкодумство.

eloquent ['eləkwənt] *adj* красноречив, сладкодумен, убедителен, изразителен; **his whole attitude was ~ of a quick temper** цялото му поведение говореше красноречиво за̀ сприхавия му характер; ◇ *adv* **eloquently**.

else [els] *adv* друг, още, освен това; **sb ~** някой друг; **nothing (sth) ~** нищо (нещо) друго.

elucidate [i'lu:sideit] *v* изяснявам, пояснявам; разяснявам, осветлявам, хвърлям светлина върху.

elude [i'lu:d] *v* избягвам, отбягвам, измъквам се от, изплъзвам се от;

заобикалям (*закон*); **he ~d his pursuers** той се изплъзна от преследвачите си.

elusive [i'lu:siv] *adj* неуловим; който се изплъзва; **an ~ reply** уклончив отговор; ◇ *adv* **elusively**.

E-mail *n* *инф.* електронна поща.

emanate ['eməneit] *v* **1.** произлизам, произтичам, произхождам, водя началото си; **his fear of water ~d from an accident in his childhood** страхът му от водата произхождаше от злополука в детството му; **2.** излъчвам се; отделям се (*за светлина, миризма, топлина*).

emanation [emə'neiʃən] *n* **1.** отделяне, излъчване; **2.** еманация, излъчено вещество; миризма, миризми, изпарения; **3.** *прен.* продукт, плод, рожба.

emancipated [i'mænsipeitid] *adj* еманципиран, освободен.

emancipation [i,mænsi'peiʃən] *n* еманципация, освобождение.

emasculate I. [i'mæskjuleit] *v* **1.** кастрирам, скопявам; **2.** *прен.* ослабям, осакатявам; **the film was ~d by censorship** цензурата окастри (осакати) филма; **II.** [i'mæskjulit] *adj* скопен, кастриран, безсилен, немощен, обезсилен; женствен.

emasculation [i,mæskju'leiʃən] *n* **1.** скопяване, кастриране; **2.** *прен.* безсилие, немощ, отслабване.

embalm [em'ba:m] *v* **1.** балсамирам; **2.** *прен.* запазвам спомен за, спасявам от забрава; **his memory is ~ed in his works** той ще живее в творбите си; **3.** изпълвам с аромат.

embargo [em'ba:gou] *n* (*pl* **embargoes**) ембарго, забрана; **to lay (take off) an ~ on** налагам, слагам (снемам, вдигам) ембарго върху; **II.** *v* слагам под забрана, забранявам; секвестирам.

embark [im'ba:k] *v* **1.** качвам (се) на параход (**in, on**); тръгвам на път; предприемам пътуване; товаря; **2.** *прен.* предприемам, започвам, залавям се с, впускам се в (**on**); **to be ~ed on (upon)** започнал съм, захванал съм се с, заловил съм се с.

embarrass [im'bærəs] *v* **1.** затрудня-
вам; спъвам, преча, попречвам,
възпрепятствам; **to ~ s.o.'s move-
ments** спъвам (ограничавам) не-
чии движения; **2.** обърквам, сму-
щавам, притеснявам; карам ня-
кого да се чувства неудобно (не-
ловко); **3.** затруднявам финан-
сово.

embarrassed [im'bærəst] *adj* **1.** зат-
руднен; **to be financially ~** зат-
руднен съм финансово, имам па-
рични затруднения; **2.** объркан,
смутен, притеснен; **to be ~** чувс-
твам се неловко (неудобно), сму-
щавам се, притеснявам се.

embarrassing [im'bærəsiŋ] *adj* не-
удобен; който поставя в неудоб-
но положение, нетактичен; ◇ *adv*
embarrassingly.

embarrassment [im'bærəsmənt] *n* **1.**
смущение, стеснение; объркване;
неудобно положение; **2.** затруд-
нение; пречка, препятствие.

embassy ['embəsi] *n* **1.** посолство;
2. мисия, делегация; **3.** положе-
ние, служба, функции на посла-
ник; мисия (*с която е натова-
рен специален пратеник*).

embed [im'bed] *v* (**-dd-**) **1.** закреп-
вам, закрепям, поставям в; зара-
вям, забивам; навирам (*особ. в
pp*); обхващам; *refl* и затъбвам; **2.**
прен. запечатвам; **this day is ~ded
for ever in my recollection** този
ден е запечатан в паметта ми за-
винаги; **3.** заботонирам, заливам
с бетон; влагам, вграждам, за-
зиждам.

embedding [im'bediŋ] *n* **1.** закреп-
ване, забиване; **2.** влагане, вграж-
дане; зазиждане.

embellish [im'beliʃ] *v* украсявам,
разкрасявам, разхубавявам.

embellishment [im'beliʃmənt] *n* **1.**
украсяване, разкрасяване, разху-
бавяване; **2.** украса, украшение;
последни щрихи.

embitter [im'bitə] *v* **1.** вгорчавам;
2. огорчавам; отравям; озлобя-
вам, ожесточавам; причинявам
огорчение (мъка); **to ~ s.o. against
s.o.** озлобявам някого срещу ня-
кой друг.

emblazonry [im'bleizənri] *n* **1.** герб,

хералдика; **2.** *разг.* пищна украса.

emblem ['embləm] **I.** *n* символ, ем-
блема; **II.** *v* рядко символизирам;
типичен съм за, представям.

emblematic(al) [,embli'mætik(əl)]
adj символистичен, емблемати-
чен, символизиращ; ◇ *adv* emble-
matically.

embody [im'bɔdi] *v* **1.** въплъщавам,
въплъявам; **2.** изобразявам, оли-
цетворявам; осъществявам; **to ~
one's ideas in a speech** давам из-
раз на схващанията си в реч; **3.**
събирам, обединявам в; включ-
вам в себе си; **4.** *воен.* формирам,
събирам (*войски*); **5.** придавам
плътност (*на цвят*).

embolden [im'bouldn] *v* насърча-
вам, окуражавам; поощрявам.

embosom [im'buzm] *v* **1.** прегръ-
щам, притискам; **2.** обкръжавам,
затварям (*за гори, хълмове*); **a
village ~ed in trees** село, потъна-
ло сред дървета.

embossment map [im'bɔsmənt'mæp]
n релефна карта.

embowed [em'boud] *adj* **1.** сводо-
образен, дъгообразен, извит; **2.**
хералд. извит.

embrace [im'breis] **I.** *v* **1.** прегръ-
щам, притискам в прегръдките
си; прегръщам се; **2.** обгръщам,
обхващам; **his lecture ~d many
interesting topics** лекцията му
включваше много интересни те-
ми; **3.** *прен.* използвам, възполз-
вам се от (*случай*); приемам, въз-
приемам, присъединявам се
към; влизам (*в партия*); **to ~ the
diplomatic career** влизам в дип-
ломатическата кариера, ставам
дипломат; **4.** включвам, съдър-
жам, обхващам; *прен.* схващам;
II. *n* прегръдка; *евфем.* полов
акт.

embrocate ['embrəkeit] *v* намазвам,
трия, разтривам, втривам.

embroider [im'brɔidə] *v* **1.** броди-
рам; **to ~ a pattern** бродирам де-
сен; **2.** *прен.* украсявам, разкра-
сявам, разхубавявам, преувели-
чавам.

embroidery [im'brɔidəri] *n* **1.** бро-
дерия; **~ scissors** ножички за бро-
диране; **2.** украсяване, разкрася-

ване, украса; **fields with an ~ of
daisies** полета, цели изпъстрени
с маргаритки.

embroil [im'brɔil] *v* **1.** обърквам, за-
бърквам, заплитам (*работа и
пр.*); **2.** въвличам в, замесвам в;
3. скарвам (**with**).

embryo ['embriou] **I.** *n* (*pl* **embryos**)
биол. ембрион, зародиш; **in ~** в
зародиш(но състояние), нераз-
вит (*и прен.*); **II.** *adj* ембриона-
лен, зародишен, зачатъчен; нача-
лен; **~ stage** начален етап.

emend, emendate [i'mend,
'i:mendeit] *v* поправям, изправям,
коригирам (*особ. текст*).

emerald ['emərəld] **I.** *n* **1.** смарагд;
2. смарагдов цвят, яркозелено;
II. *adj* **1.** смарагдов, от смарагд;
2. смарагдовозелен.

emerge [i'mə:dʒ] *v* **1.** изплувам, по-
давам се, излизам (показвам се)
на повърхността; излизам от (*и
прен.*); появявам се (**from**); **to ~
from retirement** излизам отново
сред хората; **2.** излизам наяве,
очертавам се; ставам известен
(*за факт*); възниквам (*за въп-
рос*); изниквам (*за трудност,
факт*); **it ~d that she had been
drinking** оказа се (стана ясно), че
тя пие.

emigrant ['emigrənt] **I.** *adj* емиг-
рантски; **II.** *n* емигрант, -ка.

emigrate ['emigreit] *v* **1.** емигри-
рам, изселвам се; **to ~ from
France to America** емигрирам от
Франция в Америка; **2.** *разг.
амер.* сменям местожителство-
то си (*в същата страна*); **3.** из-
селвам (*население*), уреждам из-
селването (*на население*).

emigration [,emi'greiʃən] *n* емигри-
ране, изселване; емиграция.

eminence ['eminəns] *n* **1.** възвише-
ние, височина, хълм; **2.** *прен.* ви-
соко положение, отличие; знаме-
нитост; възвишеност; благород-
ство (*на характера*); величие; **to
rise to ~** издигам се, прославям
се, достигам висок пост (ранг),
ставам известен; **3.** *рел.* Е. ви-
сокопреосвещенство (*титла на
кардинал*).

eminent ['eminənt] *adj* **1.** висок, из-

дигнат; изпъкнал; издаден; **2.** изтъкнат, виден, бележит, именит; известен, прочут; **3.** забележителен, който се отличава с (*за качества*); **a man of ~ goodness** забележително добър човек; • **~ domain** *амер.*, *юр.* право на отчуждаване за обществена полза.

emissary ['emisəri] *n* емисар, пратеник (*често неодобр.*).

emission [i'miʃən] *n* **1.** издаване, изпускане, изхвърляне, отделяне; излъчване, лъчение; предаване на информация; **vehicle ~** замърсяване (на атмосферата) от автотранспорта; **2.** *физ.* еманация, изправане, разред; електронна емисия; **particle ~** емисия на (елементарни) частици; **3.** *фин.* емисия.

emit [i'mit] *v* **1.** издавам, изпускам, отделям; изхвърлям; излъчвам; **to ~ a shriek** изкрещявам, изписквам; **2.** емитирам, пускам в обращение (*пари*).

emitting [i'mitiŋ] *adj* предавателен; **~ station** *радио.* радиопредавател, радиопредавателна станция.

emolesce [imə'les] *v* размеквам, омеквам.

emolument [i'mɔljument] *n книж.* възнаграждение, заплата; доход; хонорар.

emotion [i'mouʃən] *n* **1.** вълнение, възбуда; **intense ~** силно вълнение; **2.** чувство, емоция; прочувственост; **to appeal to the ~s** действам на чувствата.

emotional [i'mouʃənəl] *adj* **1.** емоционален, присъщ на чувствата; **2.** емоционален, темпераментен; който лесно се възбужда, вълнува; ◊ *adv* **emotionally.**

emotionless [i'mouʃənlis] *adj* безстрастен, нечувствителен, безчувствен, студен.

emotiveness, emotivity [i'moutivnis, i,mou'tiviti] *n* емоционалност.

empathy ['empəθi] *n* съчувствие, състрадание, отзивчивост.

empathetic [empə'θetik] *adj* състрадателен, изпълнен (предизвикан) от съчувствие; ◊*adv* **empathetically** [empə'θetikəli].

emphasize ['emfəsaiz] *v* **1.** подчертавам, наблягам на, изтъквам; придавам особено значение на; **2.** *език.* поставям емфатично ударение.

emphatic [im'fætik] *adj* **1.** емфатичен, подчертан, силно изразителен; силен; категоричен (*за тон*); **2.** ясно изразен, недвусмислен; убедителен, изразителен, силен, енергичен; ◊ *adv* **emphatically** [im'fætikəli].

empire ['empaiə] **I.** *n* **1.** империя; **the E.** Британската империя; *истор.* Свещената римска империя; **2.** владичество, власт, господство; *прен.* влияние; **II.** *adj* **1.** имперски; **2.** [a:ŋ'riə] ампир (*архитектурен стил*).

empirical [em'pirikl] *adj* емпиричен, опитен; **~ formula** емпирична формула; ◊ *adv* **empirically** [em'pirikəli].

empiricism [em'pirisizm] *n* емпиризъм.

emplacement [im'pleismənt] *n* **1.** местоположение, разположение; планировка, определяне на място (*за сграда*); **2.** *воен.* платформа (*на оръдие*), картечно гнездо.

employ [im'plɔi] **I.** *v* **1.** употребявам, използвам, служа си с (**for**, **in**, **on**); **you should ~ your time better** трябва по-рационално да използваш времето си; **2.** държа на служба (работа), наемам; давам работа на; **she is ~ed as a secretary** тя е наета като секретарка; **3.** занимавам се с, отдавам се на, прекарвам си времето (*обикн. с* **in**); **she was busily ~ed in** writing letters тя се занимаваше с писане на писма; **II.** *n остар.* занимание, работа; **to be in the ~ of, to be in s.o.'s ~** служа на, на служба съм у; работя за.

employee [,emplɔi'i:] *n* чиновник, служещ; **state ~ (an ~ of the state)** държавен служител.

employer [em'plɔiə] *n* **1.** работодател; господар; **2.** *юр.* упълномощител.

employment [im'plɔimənt] *n* **1.** служба, занятие, работа; наемане на работа; **to be out of ~** без-

работен съм, без работа съм; **bureau** бюро по труда; **2.** употреба, употребяване, използване; **~ of children** използване на детски труд; **3.** занимание.

empower [im'pauə] *v* **1.** *юр.* упълномощавам, давам пълномощие (пълномощно) на; **2.** давам право, разрешавам; **the police are ~ed to anest any violent demonstrators** полицаите имат право да арестуват (на полицията е разрешено да арестува) развилнелите се демонстранти; **3.** давам възможност на.

emptiness ['emptinis] *n* празнота.

empty ['empti] **I.** *adj* **1.** празен; пуст; **~ street** безлюдна (пуста) улица; **2.** *прен.* празен, безсъдържателен, без стойност; **~ promises** празни (голи) обещания; **3.** *техн.* празен, ненатоварен, без товар; **II.** *n* **1.** *търг.* *pl* празни бутилки (сандъци, каси), амбалаж; **2.** незаета (празна) къща; немебелирана къща; **3.** празно (свободно) такси; **III.** *v* **1.** изпразвам (се), опразвам; **the storm emptied the streets** от бурята улиците опустяха; **2.** изсипвам, изливам, източвам, изтеглям, изваждам (**out of**); **3.** вливам се (**into**) (*за река*) (*и refl*).

empty-headed ['empti'hedid] *adj* празноглав; вятърничав, лекомислен.

emulate ['emjuleit] *v* **1.** подражавам ревностно на, съревновавам се с; старая се да надмина; **2.** *инф.* емулирам.

emulative ['emjulətiv] *adj* състезателен; **~ spirit** дух на съревнование.

emulator ['emjuleitə] *n* **1.** подражател, съперник; **2.** *изч.* емулатор (*вид програма*); **stand-alone ~** автономен емулатор.

emulsion [i'mʌlʃən] *n* емулсия; **multiple ~** хетерогенна емулсия.

enamel [i'mæml] **I.** *n* **1.** емайл; глеч (*на зъб*); **2.** емайллак; **vitreous ~** стъкловиден емайл, керамично емайлово покритие; **3.** емайлирани съдове; **4.** *изк.* рисунка върху емайл; предмет, украсен с

разноцветни емайли; **5.** *остар.* козметично средство, мазило, помада; *амер.* лак за нокти; **6.** *поет.* злак, зеленина; **II.** *v* **1.** емайлирам; лакирам; **2.** *изк.* инкрустирам с емайл; **3.** правя козметична маска; **4.** *поет.* изпъстрям; **fields ~led with flowers** поля, изпъстрени с цветя.

enamour [i'mænə] *v остар.* вдъхвам любов, очаровам, омайвам (*главно в pass*); **to be (become) ~ed of** влюбен съм, влюбвам се в, очарован, пленен съм от; увличам се в, лудея по.

enchant [in'tʃɑːnt] *v* **1.** омагьосвам; **2.** *прен.* омайвам, обайвам, пленявам, очаровам, възхищавам.

enchanter [in'tʃɑːntə] *n* **1.** чародей, магьосник, вълшебник; **2.** чаровен, очарователен човек.

enchanting [in'tʃɑːntiŋ] *adj* чаровен, очарователен, пленителен, обаятелен, омаен, дивен; ◇ *adv* **enchantingly.**

enchantment [in'tʃɑːntmənt] *n* **1.** омагьосване; магия; **2.** очарование, обаяние; омая, чар; прелест; **the ~ of her smile** пленителната й усмивка.

enchase [in'tʃeis] *v* **1.** монтирам, поставям (*скъпоценен камък*); **diomonds ~d in gold** диаманти, монтирани на злато; **2.** украсявам, гравирам, инкрустирам; **a ring ~d with diamonds** пръстен, украсен с диаманти; **3.** *прен. разг.* вмъквам (*хвалебствие*) в реч.

encircle [in'sə:kəl] *v* **1.** обкръжавам, заграждам, обграждам, заобикалям; **2.** обикалям, движа се в кръг; опасвам.

encirclement [in'sə:kəlmənt] *n* обкръжаване, заграждане, обграждане, заобикаляне; обикаляне.

enclose, inclose [in'klouz] *v* **1.** обграждам, заграждам (**with, in, by**); заобикалям, ограждам; обгръщам, обхващам; **2.** затварям (*в нещо*); *техн.* поставям в картер (корито, кожух); **3.** прилагам (*към, в писмо*); **a letter enclosing a check** писмо, съдържащо чек; **~d herewith** тук приложено; **4.**

истор. обграждам, обсебвам (*общински земи*).

encode [in'koud] *v* кодирам, шифровам.

encoding [in'koudiŋ] *n* кодиране.

encomiastic [en,koumi'æstik] *adj книж.* хвалебствен; ласкателски.

encomium [en'koumiəm] *n* (*pl* **encomia, -s**) похвала, възхвала, хвалебствие, панегирика, венцехваление; **to bestow ~s on s.o.** обсипвам някого с похвали.

encompass [in'kʌmpəs] *v* **1.** обграждам, обкръжавам; заобикалям, заобикалям (*и прен.*); **2.** *прен.* съдържам, включвам; обхващам.

encounter [in'kauntə] **I.** *v* **1.** срещам (се с) неочаквано, попадам на; **2.** сблъсквам се с (*неприятел, трудности*); изправен съм пред, срещам, натъквам се на (*пречки и пр.*); имам за противник; **II.** *n* **1.** (неочаквана, случайна) среща; **2.** сблъскване, схватка, стълкновение, удар; **missile-target ~** среща на ракета с целта; **3.** дуел; ● **~ of wits** размяна на остроумия.

encourage [in'kʌridʒ] *v* насърчавам, окуражавам, обнадеждавам, поощрявам, подкрепям.

encouragement [in'kʌridʒmənt] *n* насърчаване; подкрепа, поощрение.

encroach [in'kroutʃ] *v* **1.** незаконно навлизам, нахлувам (*в чужда земя*) (**on, upon**); **2.** присвоявам; нахлувам (*за море*); не зачитам, посягам (*на права и пр.*) (**on, upon**); **3.** злоупотребявам (*с добрината, времето на някого*); **4.** начевам (*капитал*) (**on, upon**).

encumber [in'kʌmbə] *v* **1.** обременявам, затруднявам, тежа на, в тежест съм на, преча на, спъвам; **2.** затрупвам, задръствам (*място*) (**with**).

encumbrance [in'kʌmbrəns] *n* **1.** бреме, товар, тежест, затруднение, пречка, спънка, препятствие; **without ~** *разг.* бездетен, без деца; **2.** *юр.* ипотека; сервитут; **estate freed from all ~s** необременен с тежести имот.

encyclop(a)edia [in,saiklou'pi:diə] *n*

енциклопедия.

encyclop(a)edic, encyclop(a)edical [en,saiklou'pi:dik(l)] *adj* енциклопедически.

end [end] **I.** *n* **1.** край; завършек; привършване, изчерпване; **~ for ~** обърнат наопаки (обратно); **~ to ~** с допрени краища; по дължина; непрекъснато; **2.** край, остатък; **odds and ~s** (ненужни) дреболии, вехтории, остатъци; *прен.* откъслечни думи (фрази) от разговор; **3.** край, смърт, кончина; **one's latter ~** кончина, смърт; **4.** цел; **to (for) this ~, with this ~ in view** с тази цел; **5.** резултат; **to no ~** напразно, безрезултатно; **6.** *attr* краен, последен; **~ man** последният човек в редица; **~ product** краен продукт; ● **to the ~ of time** завинаги, вечно, во веки веков; **to be at the end of one's rope (tether)** намирам се в затруднено положение, попадам в безизходица; **II.** *v* **1.** свършвам (се); слагам край на; завършвам, приключвам (с); спирам; **he ~ed by insulting me, it ~ed in his insulting me** накрая той ме обиди; **2.** умирам, свършвам; **to ~ it all** самоубивам се; слагам край на живота си;

end in 1) завършвам с; **2)** окончавам на; ● **to ~ in smoke** пропадам, отивам на вятъра;

end off, up завършвам, приключвам; **he ~ed off his speech** той завърши речта си;

III. *adj* краен, финален, заключителен.

endearment [in'diəmənt] *n* **1.** обич, привързаност, симпатия; **terms of ~** нежности, гальовни, ласкави думи; **2.** *pl* ласки, нежности; гальовни думи.

endless ['endlis] *adj* безкраен, безконечен, нескончаем; безграничен, безпределен, безкрайно дълъг, неограничен, неизчерпаем; безспирен, вечен; **a man of ~ resource** човек с неограничени възможности; ◇ *adv* **endlessly.**

endow [in'dau] *v* **1.** дарявам на, завещавам на; осигурявам доход (издръжката) на; **2.** давам (*пра-*

ва, привилегии) (with); **3.** (*особ. в pp*) надарявам.

endowment [in'daumənt] *n* **1.** даряване, надаряване; дарение, дар; **2.** фондация, фонд; **3.** дарба, дарование, талант, способност; **4.** *застр. attr*: ~ **policy** застрахователна полица, която регламентира изплащането на определена сума след изтичането на някакъв срок.

endurance [in'djuərəns] *n* **1.** издържане, понасяне, изтърпяване, изтрайване; **2.** твърдост; издръжливост; **to have great powers of** ~ много издръжлив съм; **3.** търпеливост; търпение; **4.** *книж.* трайност, продължителност, времетраене; **5.** *рядко* изпитание; лишение; **6.** *техн.* съпротивление на износване, трайност, издръжливост; износоустойчивост.

endure [in'djuə] *v* **1.** издържам, устоявам на, изтрайвам; понасям с твърдост, с търпение, търпя; изтърпявам; **not to be able to** ~ *прен.* не мога да търпя (понасям); мразя; **2.** трая, оставам; **a work that will** ~ произведение, което ще остане завинаги.

enduring [in'djuəriŋ] *adj* **1.** продължителен, траен, постоянен; **2.** издръжлив, търпелив, който много понася; **3.** дълготраен.

enema ['enimə] *n* **1.** клизма; **2.** иригатор.

enemy ['enəmi] *n* **1.** неприятел, враг, противник (of, to); **he is no one's** ~ **but his own** той вреди само на себе си; **public** ~ *амер.* обществен враг, социално опасен елемент; бандит; • **how goes the** ~ колко е часът? **to kill the** ~ убивам времето; **2.** неприятелски кораби, войски и пр.; **3.** *attr* неприятелски, вражески, противников, на противника; ~**-occupied territories** територии, окупирани от неприятеля.

energetic [enə'dʒetik] *adj* енергичен, деен, активен, деятелен; силен; ◇ *adv* **energetically** [enə'dʒetikəli].

energizer ['enədʒiazə] *n* наркотик, стимулант.

energy ['enədʒi] *n* **1.** енергия; сила,

мощ; **to brace one's energies** напрягам всички сили; **2.** сила; изразност, изразителност, действеност (*на дума, фраза*).

enervate I. ['enə:veit] *v* обезсилвам, изтощавам, изморявам, изнурявам, омаломощавам; **enervating climate** изтощителен климат; **II.** [i'nə:vit] *adj* обезсилен, изтощен, омаломощен, отпуснат, слаб, отпаднал (*и прен.*).

enervation [,enə:'veiʃən] *n* **1.** отслабване, обезсилване; изтощаване; изтощение; **2.** слабост, отпуснатост, отпадналост.

enfeeble [in'fi:bəl] *v* отслабвам, омаломощавам, обезсилвам, изтощавам.

enfold, infold [in'fould] *v* **1.** обхващам, обгръщам, обвивам, увивам (in, with); **2.** прегръщам; **3.** ограждам.

enforce [in'fɔ:s] *v* **1.** прилагам строго, привеждам в сила, поставям в действие, налагам спазването на (*закон*); **2.** налагам, изисквам; **to** ~ **obedience** заставям (някого) да се подчини; **3.** подсилвам, подкрепям (*искане, довод*).

enframe [in'freim] *v* **1.** поставям (*картина*) в рамка; **2.** служа като рамка на.

engage [in'geidʒ] *v* **1.** задължавам (се), поемам задължение (*често refl*); **2.** гарантирам, нося отговорност, отговарям за (that, for); **3.** *refl* сгодявам се; **to** ~ **oneself, to become, get** ~**d to s.o.** сгодявам се за някого; **4.** ангажирам се, приемам покана, обещавам да (*и refl*); **5.** наемам (*прислуга, работник*); запазвам, ангажирам (*стая, място*); *обикн. refl* уславям се, главявам се, постъпвам на работа; **6.** заемам, запълвам, ангажирам; **reading** ~**s all my spare time** прекарвам цялото си свободно време в четене; **7.** въвличам, включвам в; завладявам, привличам (*внимание*); спечелвам (*обич*); възбуждам, събуждам (*интерес*); **to** ~ **s.o. in conversation** заговарям някого, влизам в разговор с; **8.** *воен.* нападам, завързвам бой с; **to** ~ **the**

enemy нападам врага; **9.** *техн.* включвам, зацепвам (*за две машинни части*); **to** ~ **first gear** *авт.* включвам първа скорост; **engage for** гарантирам; **engage in** занимавам се с, включвам се в, залавям се с, заемам се с, захващам се с (*като професия или временно*); **to** ~ **in battle** влизам в бой.

engaged [in'geidʒd] *adj* **1.** обещан; запазен, ангажиран; **2.** сгоден; **the** ~ **couple** годениците; **3.** зает; **I am** ~ **for tonight** тази вечер не съм свободен, тази вечер съм зает; **4.** *воен.* участващ в сражение (*за боец*); **5.** *техн.* включен, зацепен.

engagement [in'geidʒmənt] *n* **1.** задължение, ангажимент, обещание; **to enter into (keep) an** ~ поемам (изпълнявам) задължение; **2.** насрочена среща, покана, уговорка, ангажимент, заетост, работа; **social** ~**s** светски ангажимент; **3.** годеж; ~ **ring** годежен пръстен; **4.** наемане на (*работник, служещ*); служба, работа; **a lucrative** ~ добре платена работа; **5.** *воен.* сражение; схватка, бой, битка; **close** ~ ръкопашен бой; **6.** *техн.* включване, зацепване, залавяне, сключване, свързване.

engaging [in'geidʒiŋ] *adj* приятен, мил, привлекателен, пленителен, очарователен, чаровен; закачлив; ~ **child** сладко дете; ◇ *adv* **engagingly**.

engender [in'dʒendə] *v* **1.** пораждам; предизвиквам, причинявам; **2.** *остар.* раждам.

engine ['endʒin] **I.** *n* **1.** мотор; двигател; **internal-combustion** ~ двигател с вътрешно горене; **2.** уред, машина, инструмент; съоръжение; **fire** ~ пожарна кола (помпа); **3.** *жп* локомотив; парна машина (*на локомотив*); **electric (motor)** ~ мотриса; **4.** *остар.* средства; **II.** *v* (*особ. в pp*) поставям мотор на; снабдявам с машина, с мотор; **two-**~**d** с два мотора, двумоторен.

engineer [,endʒi'niə] **I.** *n* **1.** инже-

нер; **civil, bridge and road** ~ строителен инженер; **2.** механик; *мор.* машинист; *амер., жп* машинист; **3.** *воен.* пионер, сапьор; ~ **force, Corps of E.s** *амер.* инженерни войски; **4.** *прен.* инициатор; "комбинатор"; **II.** *v* **1.** работя като инженер; **2.** строя, проектирам (*за инженер*); **3.** глася, нагласявам, уреждам, организирам, устройвам (*спектакъл, сделка, заговор*).

engineering [ˌendʒiˈniəriŋ] **I.** *n* **1.** инженерство; техника; машиностроене; ~ **college** висше техническо училище; **2.** (*обикн. неодобр.*) машинации, маневри; **3.** проучване, проектиране, строителство и експлоатация на обекти (инженеринг); **II.** *adj* **1.** технически; ~ **data** технически данни; **2.** приложен (*за наука*); **computer** ~ компютърна (изчислителна) техника; **radio** ~ радиотехника; **television** ~ телевизионна техника.

engineman [ˈendʒinmən] *n* машинист.

engine-shed [ˈendʒinˌʃed] *n* локомотивно депо.

engird(le) [inˈɡəːd(l)] *v поет.* опасвам, обграждам (*и прен.*); обкръжавам.

English [ˈiŋgliʃ] **I.** *adj* английски; **II.** *n* **1.** *pl* **the** ~ англичаните; **2.** английски език; **Standard** ~ литературен, книжовен английски език; **III.** *v остар.* **1.** превеждам на английски; **2.** придавам английски вид на.

engorge [inˈɡɔːdʒ] *v* **1.** *книж.* поглъщам, лапам, излапвам; ям лакомо, тъпча се; **2.** *pass* претъпкан съм, преял съм; **3.** *техн.* to **become** ~d задръствам се; **4.** *мед.* наливам се, изпълвам се с кръв (*за орган*).

engorgement [inˈɡɔːdʒmənt] *n* **1.** *книж.* поглъщане; **2.** *техн.* задръстване; **3.** *мед.* хиперемия, местно кръвонапълване.

engraft, ingraft [inˈɡrɑːft] *v* **1.** присаждам, ашладисвам (**into, upon**); **2.** *мед.* присаждам, трансплантирам; **3.** включвам, инкор-

порирам (**into**); **4.** насаждам, втълпявам (*принципи*).

engraftment [inˈɡrɑːftmənt] *n* **1.** ашладисване, присаждане; **2.** присадка, калем (*за ашладисване*); **3.** насаждане, втълпяване (*на принципи и пр.*).

engrave [inˈɡreiv] *v* **1.** гравирам, изразявам, издълбавам (*надпис, рисунка*) на, върху метал, камък (**on**, *амер. и* **in**); **to** ~ **an inscription on a tablet, to** ~ **a tablet with an inscription** издълбавам надпис на плочка; **2.** *refl прен.* врязвам се, запечатвам (се) (*в паметта*) (**on, upon**).

engraver [inˈɡreivə] *n* **1.** гравьор; **wood-**~ дърворезбар; **2.** гравьорска игла; резец, длето.

engraving [inˈɡreiviŋ] *n* **1.** гравиране; **wood** ~ ксилография, дърворезба, гравиране на дърво; **2.** гравюра, щампа; **3.** клише на гравюра; **process** ~ цинкография, фотомеханичен метод за изработване на клишета, фотоцинкография.

engross [inˈɡrous] *v* **1.** завладявам, поглъщам (*прен.*), монополизирам; **2.** пиша, преписвам на чисто (*документ*) с едри букви; *юр.* съставям (*документ*); **3.** *истор.* изкупувам (*стока*) от пазара (за да диктувам цените); **to be** ~**ed in one's work** погълнат съм от работата си.

engrossing [inˈɡrousiŋ] *adj* увлекателен, занимателен; който поглъща цялото внимание, извънредно интересен.

engulf [inˈɡʌlf] *n* поглъщам; **the flames** ~ **ed him** пламъците го погълнаха.

enhance [inˈhɑːns] *v* повишавам, усилвам, увеличавам (*качества, стойност, репутация и пр.*); покачвам, повишавам (*цени*); подчертавам, откроявам, правя да изпъкне.

enhanced [inˈhɑːnst] *adj* **1.** усилен, увеличен, повишен; **2.** *хералд.* поставен на по-високо от обичайното място.

enhancement [inˈhɑːnsmənt] *n* повишаване, усилване, увеличава-

не; покачване, повишаване (*на цени, стойност*).

enigma [iˈnigmə] *n* **1.** загадка, енигма; **2.** гатанка; **3.** загадъчна, енигматична личност.

enigmatic [enigˈmætik] *adj* енигматичен, загадъчен, озадачаващ; неясен; тъмен, мистериозен; ◇*adv* **enigmatically** [enigˈmætikəli].

enjoin [inˈdʒɔin] *v* **1.** налагам, изисквам (**on, upon**); настоявам; нареждам, заповядвам; задължавам; **to** ~ **that sth should be done** настоявам, нареждам нещо да се направи; **2.** *юр.* забранявам; **the company was** ~**ed from using false advertising** на дружеството (фирмата) бе забранено да прави лъжлива реклама.

enjoy [inˈdʒɔi] *v* **1.** изпитвам удоволствие от, наслаждавам се на, радвам се на; обичам; нещо ми доставя удоволствие; **to** ~ **doing sth** обичам да правя нещо; с удоволствие върша нещо; **2.** *refl* забавлявам се, прекарвам добре; **3.** ползвам се с, радвам се на, имам, притежавам, разполагам с.

enjoyable [inˈdʒɔiəbl] *adj* приятен, забавен, развлекателен; ◇ *adv* **enjoyably** [inˈdʒɔiəbli].

enjoyment [inˈdʒɔimənt] *n* **1.** удоволствие, наслада; развлечение, забавление; радост; **his visit was a great** ~ **to me** посещението му ми достави голямо удоволствие; **2.** полза, облага (от нещо, което притежавам); **the** ~ **of wealth** ползата от богатството; **3.** *юр.* ползване (*на право*), владеене.

enlace [inˈleis] *v* **1.** увивам, обвивам; обгръщам; **2.** омотавам, оплитам, преплитам.

enlarge [inˈlɑːdʒ] *v* **1.** увеличавам (се), уголемявам (се) (*и фот.*); разширявам (се); **2.** *прен.* развивам, обогатявам; ~**d ideas** широки, либерални идеи, схващания; **3.** спирам се върху, доразвивам (**upon, on**); впускам се в подробности; **4.** *юр.* продължавам (*валидност, срок*); **to** ~ **the payment of a bill** продължавам полица.

enlargement [inˈlɑːdʒmənt] *n* **1.** увеличаване, уголемяване; нараст-

ване; разширяване; **2.** разширение, увеличение (*и фот.*); пристройка; **3.** *мед.* хипертрофия, неестествено увеличаване обема на тъкан или орган.

enlighten [in'laitn] *v* **1.** просвещавам (*особ.* в *рр*); **2.** осведомявам, информирам, осветлявам (**on,** **about**).

enlightening [in'laitniŋ] *adj* **1.** поучителен; **2.** показателен (**as to**).

enlightenment [in'laitənmənt] *n* **1.** просвещение, просвета; **2.** просветеност.

enliven [in'laivn] *v* съживявам, оживявам; развеселявам, разведрявам; раздвижвам (*търговия*).

enlivening [in'laivniŋ] **I.** *adj* **1.** ободрителен, оживителен; който настройва весело; **2.** резлив, освежаващ (*за въздух, климат*); **II.** *n* **1.** оживяване, оживление; **2.** развeселяване.

enmesh [in'meʃ] *v* **1.** *книж.* улавям в мрежа; оплитам, впримчвам, омотавам; **2.** *техн.* зацепвам, залавям, скопчвам.

enmity ['enmiti] *n* враждебност, антагонизъм; to be at ~ with s.o. враждувам с някого.

enormous [i'nɔ:məs] *adj* **1.** огромен, грамаден; **2.** *остар.* чудовищен, зверски.

enough [i'nʌf] **I.** *adj* достатъчен; ~ time достатъчно време; **II.** *n* достатъчно; ~ and to spare, more than enough предостатъчно; **III.** *adv* **1.** достатъчно; the meat is not cooked ~ месото не е достатъчно сварено; **2.** за усилване; sure ~ действително, не щеш ли, наистина; разбира се; well ~ много добре, отлично; *пренебр.* не лошо, доста добре.

enrage [in'reidʒ] *v* разярявам, разгневявам, вбесявам; влудявам; измъчвам, тормозя.

enrapture [in'ræptʃə] *v* захласвам, унасям, очаровам, пленявам, възхищавам; to be ~d with sth във възторг (захлас) съм от нещо.

enrich [in'ritʃ] *v* **1.** обогатявам (*и* *прен.*); *refl* забогатявам; **2.** торя, наторявам, обогатявам (*почва*);

3. украсявам, разкрасявам (*и* *стил*) (**with**).

enrol *рядко* **enroll** [in'roul] *v* (**-ll-**) **1.** записвам, вписвам, включвам в списък; записвам (се), приемам; събирам, вербувам (*работници и пр.*); to ~ (**oneself**) in a society ставам член на дружество; **2.** *воен.* събирам, свиквам, рекрутирам (*войници*); постъпвам във войската (флота); **3.** *юр.* регистрирам, вписвам (*акт*) в официален регистър.

ensign ['ensain, 'ensən] *n* **1.** знак, значка, кокарда, емблема, символ (*на служба*); **2.** знаме (*на нация, особ. военно*), флаг ['ensn] **3.** *воен. остар.* знаменосец; младши лейтенант; *амер., мор.* мичман втори ранг; *съкр.* Ens; **4.** *остар.* знак, сигнал.

enslave [in'sleiv] *v* **1.** поробвам, заробвам; **2.** *прен.* пленявам, покорявам, завладявам; to be ~d to habit робувам на навика.

enslavement [in'sleivmənt] *n* **1.** поробване, заробване; **2.** иго, робство.

ensnare [in'sneə] *v* **1.** впримчвам, вкарвам в клопка; **2.** *прен.* примамвам, омагьосвам, пленявам с чара си (*за жена*).

ensuant [in'sjuənt] *adj* последващ; **conditions ~ on the war** условия, които са последица от войната.

ensue [in'sju:] *v* **1.** последвам (**on,** **from**); настъпвам; **2.** произлизам, произтичам, произхождам, последвам (**from**); последица съм на; **3.** *библ.* преследвам, старая се да постигна.

ensure [in'ʃuə] *v* **1.** осигурявам, предпазвам от (**against, from**); **2.** осигурявам, обезпечавам.

entangle [in'tæŋgl] *v* **1.** вплитам, оплитам, омотавам, заплитам, замотавам, спъвам; **2.** *прен.* оплитам; заплитам, забърквам, обърквам; въвличам; впримчвам; **the country became ~d in a grave economic crisis** страната бе въвлечена в сериозна икономическа криза.

entanglement [in'tæŋglmənt] *n* **1.** заплитане, оплитане, замотава

не; задръстване, струпване (*на* *коли и пр.*); **2.** *прен.* забъркване; объркване; объркано положение; затруднение; **3.** любовна афера (*история*); **4.** *воен.* телени мрежи.

enter ['entə] *v* **1.** влизам (в), навлизам в; to ~ a shop влизам в магaзин; **2.** прониквам, влизам в; пронизвам (*за куршум*); to ~ one's mind минава ми през ума, идва ми на ум, хрумва ми; става ми ясно; **3.** постъпвам в (*университет, войската и пр.*); залавям се за, започвам (*професия*); ставам член на (*дружество, клуб*); to ~ religion (the Church) ставам свещеник, запопвам се; **4.** записвам (*в списък*); вписвам, записвам, регистрирам; *търг.* минавам (по книгите); to ~ a competition участвам в състезание; **5.** започвам да дресирам (*кон, куче*); **6.** *инф.* въвеждам (*данни*); • to ~ an action against s.o. *юр.* завеждам дело против някого;

enter in записвам (се) за участие в; to ~ a yacht in a race записвам яхта за участие в състезание;

enter into 1) започвам; участвам, вземам участие; to ~ into conversation with започвам разговор с, заговарям някого; 2) занимавам се с, разглеждам; to ~ into details влизам в подробности, разглеждам подробно, разяснявам детайлно; 3) поемам (*задължение*); сключвам (*договор*); влизам в (*съдружие с*); 4) влизам в, съм съставна част на; this subject does not ~ into the question тази тема е извън въпроса; 5) споделям (*чувства, идеи*); съчувствам на; участвам в; to ~ into the spirit of the game вживявам се (съпричастен съм) в играта; 6) *юр.* встъпвам; to ~ into the rights of a creditor встъпвам в правата на кредитор;

enter on, upon 1) започвам (*кариера, нов живот, разговор*), подхващам, предприемам; to ~ upon one's duties встъпвам в длъжност; 2) *юр.* встъпвам във (*владение*).

enterprise ['entəpraiz] *n* **1.** пред

приятие (*търговско, индустри-
ално*); **2.** начинание, инициатива;
рисковано, опасно начинание;
авантюра; **3.** предприемчивост,
инициатива, дух на инициатива;
енергичност; смелост; **a man of
great ~** предприемчив, енерги-
чен човек; ● **free ~** частна сто-
панска инициатива; **private ~**
частният сектор.

enterprising ['entəpraiziŋ] *adj* пред-
приемчив, енергичен; готов да
поема рискове; ◇ *adv* **enterpris-
ingly.**

entertain [entə'tein] *v* **1.** забавля-
вам, занимавам; **2.** угощавам,
приемам гости; давам прием; **to
~ s.o. to dinner** давам обед (ве-
черя) на някого; **3.** храня, тая; из-
питвам, чувствам, питая; **to ~ a
high esteem for s.o.** много ценя
някого; **4.** приемам, одобрявам,
разглеждам благосклонно, съг-
ласявам се с (*мнение, предложе-
ние*); **I cannot ~ such an idea** не
мога да приема такава идея; **5.**
остар. поддържам (*кореспон-
денция*).

entertaining [entə'teiniŋ] I. *adj* за-
бавен, занимателен, интересен;
◇ *adv* **entertainingly;** II. *n* **1.** дава-
не на приеми; **2.** естрада, естрад-
но изкуство; **3.** приемане (*на
предложение*).

entertainment [entə'teinmənt] *n* **1.**
забавляване; забавление; развли-
чане; развлечение; **much to the ~
of the crowd** за голямо удоволс-
твие на тълпата; **2.** забава, пред-
ставление; прием, угощение, бан-
кет; **to give an ~** устройвам ли-
тературно-музикална програма,
забава; **3.** приемане на гости (*в
хотел*), обслужване; **house of ~**
особ. *юр.* хотел, странноприемни-
ца; **4.** приемане, одобряване (*на
идея, предложение*).

enthral [in'θrɔ:l] *v* **1.** *остар. обикн.
прен.* поробвам; **2.** омайвам, оча-
ровам; увличам; **he was ~led by
the book** той бе увлечен от кни-
гата, той чете книгата с увлече-
ние.

enthrone [in'θroun] *v* поставям
на престол, възцарявам (*крал*);

ръкополагам (*владика*); **2.** *прен.*
уважавам, въздигам, превъзна-
сям; **he was ~d in the hearts of
his people** той бе спечелил сър-
цата на народа си.

enthusiasm [in'θju:ziæzm] *n* енту-
сиазъм, възторг (**for, about**).

enthusiastic [in'θju:zi'æstik] *adj*
ентусиазиран, възторжен; **an ~
fisherman** страстен ("запален")
рибар; ◇ *adv* **enthusiastically**
[in'θju:zi'æstikəli].

entice [in'tais] *v* **1.** примамвам,
привличам, подлъгвам; съблаз-
нявам; **to ~ s.o. to do sth** предум-
вам някого да направи нещо; **2.**
юр. своднича.

enticement [in'taismənt] *n* **1.** при-
мамване, привличане, съблазня-
ване, прелъстяване; **2.** примам-
ка; **3.** чар; **4.** съблазън.

enticing [in'taisiŋ] I. *adj* съблаз-
нителен, изкусителен, прелъсти-
телен, лъстив; привлекателен;
◇ *adv* **enticingly;** II. *n* *юр.* свод-
ничество.

entire [in'taiə] I. *adj* **1.** цял, пълен;
непокътнат, здрав; **this set of
china is not ~** този порцеланов
сервиз не е пълен (комплект); **2.**
нескопен, некастриран; II. *n* **1.**
жребец; **2.** (неподправена) тъм-
на бира, портер.

entirely [in'taiəli] *adv* **1.** съвършено,
напълно, изцяло, всецяло; съв-
сем; **~ different** коренно разли-
чен; **2.** само, единствено, изклю-
чително; **to be devoted ~ to
money-making** отдавам се само
на печелене на пари.

entirety [in'taiərəti] *n* **1.** цялост,
пълнота; **in its ~** в своята цялост,
изцяло, напълно; **2.** *юр.* общо
владение.

entitle [in'taitl] *v* **1.** озаглавявам,
наричам, назовавам, кръщавам
(*книга и пр.*); **2.** давам благород-
на титла на, правя някого благо-
родник; **3.** давам право на (**to**);
**his age and experience ~ him to
respect** неговата възраст и опит
изискват уважението на всички.

entourage [ˌɔntu'a:ʒ] *n* **1.** окръже-
ние, среда; обстоятелства; **2.** сви-
та, придружаващи лица, анту-

раж.

entrammel [in'træml] *v* впримчвам,
оплитам.

entrance ['entrəns] *n* **1.** влизане (*и
прен.*); *театр.* явяване; **to make
one's ~ into a room** влизам в стая;
2. вход, достъп; **to force an ~ into
a house** влизам в къща насилст-
вено (с взлом); **3.** вход, такса (*за
представление и пр.*); **4.** вход,
портал (*на къща*); **main
(side) ~** главен (страничен, че-
рен) вход; **5.** встъпване (*в длъж-
ност*); **~ into office, upon one's
duties** встъпване в длъжност; **6.**
attr входен, встъпителен; **~ ex-
amination** приемен изпит.

entrancement [in'tra:nsmənt] *n*
омайване, очарование; екстаз.

entrancing [in'tra:nsiŋ] *adj* омаен,
очарователен, пленителен, оба-
ятелен; ◇ *adv* **entrancingly.**

entreat [in'tri:t] *v* **1.** умолявам, мо-
ля настойчиво; **I ~ your indul-
gence** моля да бъдете снизходи-
телен; **2.** *остар.* отнасям се с; **3.**
амер., остар. увещавам, предум-
вам, уговарям.

entreating [in'tri:tiŋ] *adj* умолите-
лен; ◇ *adv* **entreatingly.**

entrée ['ɔntrei] *n фр.* **1.** достъп (**to,
into**), свободен достъп; **2.** пре-
дястие, ордьовър; блюдо, което
се сервира между рибата и ме-
сото; **3.** антре, главно блюдо на
обяд или вечеря.

entrepreneur [ˌɔntrəprə'nə:] *n фр.*
1. *муз.* импресарио; **2.** предпри-
емач; предприемчив човек.

entrepreneurial ['ɔntrəprə'nə:riəl]
adj инициативен, предприема-
чески.

entrust [in'trʌst] *v* **1.** поверявам (**to**);
предавам на грижите на (**to**); **to
~ s.o. with money, to ~ money to
s.o.** поверявам на някого пари; **2.**
възлагам, натоварвам, задължа-
вам; **I ~ed him with the duty of
locking up** поверих му задълже-
нието да заключи, задължих го
да заключи.

entry ['entri] *n* **1.** влизане; *театр.*
появяване; **~ visa** входна виза; **2.**
муз. встъпване, встъпление; **3.**
юр. влизане във владение; **4.**

вход; устие (*на река*); *мин.* главна галерия; **bleeder** ~ вентилационна галерия; **5.** вписване, регистриране (*на име в списък, на акт в регистър и пр.*); деклариране (*на стоки в митница*); *търг.* минаване, вписване по книгите; **(book-keeping by) double** ~ двойно счетоводство; **6.: (customhouse)** ~ митническа декларация; **7.** *спорт.* списък на състезатели; записване (*на състезатели*); участник, кандидат; **there are 45 entries for the competition** 45 състезатели са се записали да участват; **8.** *техн.* конкурсен проект; **9.** предверие, вестибюл; **10.** вкарване, въвеждане **data** ~ вкарване (въвеждане) на данни.

entwine, intwine [in'twain] *v* **1.** преплитам, сплитам (*клони, пръсти*); изплитам, вия (*венец*); **with arms ~d** хванати под ръка; **2.** обвивам, обгръщам; обраствам (**with, about**); вия се, увивам се (**round**) (*за пълзящи растения*).

enumerate [in'ju:mǝreit] *v* изброявам; пресмятам.

enunciate [i'nʌnʃieit] *v* **1.** излагам, формулирам (*учение, теория*); **2.** изговарям, произнасям; **to ~ clearly** имам ясна дикция, изговарям ясно.

enunciation [i,nʌnsi'eiʃǝn] *n* **1.** излагане, формулиране (*на теория и пр.*); **general** ~ обща формулировка; **2.** изговаряне, произнасяне; изговор, дикция.

envelop [in'veləp] *v* **1.** обвивам, загръщам, забулвам (**in**) (*и прен.*): **~ed in flames** цял обхванат от пламъци; **2.** *воен.* обкръжавам.

envelope ['envǝloup] *n* **1.** плик; **2.** обвивка, покривало, покривка; защитна среда; **modulation** ~ модулационна обвивка.

envious ['enviǝs] *adj* **1.** завистлив; **to make s.o.** ~ изпълвам някого със завист; **2.** *остар.* злобен; ◇ *adv* **enviously**.

environ [in'vaiǝrǝn] *v* **1.** обкръжавам, опасвам, ограждам, заобикалям (**with**); **2.** *воен.* заграждам.

environment [in'vaiǝrǝmǝnt] *n* **1.** (околна) среда (*и биол.*) **adverse**

~ неблагоприятна околна среда; неблагоприятни външни условия; **2.** обстановка; околност; **urban** ~ градска среда; градски условия.

environs ['enviǝnz] *n pl* околности; предградия.

envoy ['envɔi] *n* **1.** пратеник; агент; лице, натоварено със специална мисия; **2.** дипломатически пратеник.

envy ['envi] **I.** *n* **1.** завист; **to be (turn) green with** ~ пукам се, пръскам се от завист; **2.** обект на завист; **she was the ~ of the town** целият град ѝ завиждаше; **I ~ (him) his nice car** завиждам му за хубавата кола.

enwreathe [in'ri:ð] *v* **1.** увенчавам, украсявам с венец (гирлянди); **2.** сплитам, заплитам, преплитам.

enzym, enzyme ['enzim, 'emzaim] *n биол.* ензим.

epidemic [epi'demik] **I.** *adj* епидемичен; **II.** *n* епидемия (*и прен.*).

epidermis [,epi'dǝ:mis] *n* (*pl* **-mes** [-mi:z], **-es**) **1.** *анат., бот., зоол.* епидермис; **2.** външна обвивка, ципа, люспа и пр. на семенни растения.

epigram ['epigræm] *n* епиграма.

epigrammatic [,epigrǝ'mætik] *adj* епиграматичен; сбит, хаплив, духовит, язвителен, сатиричен.

epigraph ['epigra:f] *n* **1.** епиграф, мото; надпис; **2.** мото, девиз.

epilate ['epileit] *v* правя епилация, обезкосмявам.

epilation [,epi'leiʃǝn] *n* епилация, козметично обезкосмяване.

epilepsy ['epilepsi] *n мед.* епилепсия.

epileptic [,epi'leptik] *мед.* **I.** *adj* **1.** епилептичен; **2.** болен от епилепсия; **II.** *n* епилептик.

epilog(ue) ['epiləg] *n* **1.** епилог; **2.** заключително слово, послесловие, заключение.

episcopal [e'piskǝpl] *adj* епископски, владишки, епископален.

episodic [,epi'sɔdik] *adj* епизодичен; ◇ *adv* **episodically** [epi'sɔdikǝli].

epithelium [,epi'θi:ljǝm] *n* **1.** *анат.* епител; **2.** *бот.* епидерма, образувана от млади клетки.

epithermal [,epi'θǝ:mǝl] *физ.* надтоплинен.

epithet ['epiθet] *n* **1.** епитет; **2.** пряко, прозвище.

epitome [i'pitǝmi] *n* конспект, сбито изложение, резюме.

epoch ['i:pɔk] *n* **1.** епоха; **2.** период; **3.** *геол.* век; **drift** ~ ледников период.

epochal ['epɔkl] *adj* епохален.

epopee ['epǝri:] *n лит.* епопея.

epos ['epɔs] *n* епос.

equability [,ekwǝ'biliti] *n* равномерност, уравновесеност.

equable ['ekwǝbǝl] *adj* **1.** равномерен, еднакъв, непроменлив; **2.** уравновесен, балансиран, спокоен; ◇ *adv* **equably**.

equal ['i:kwǝl] **I.** *adj* **1.** равен, еднакъв (**to, with, in**); ~ **shares** равни дялове; **2.** спокоен, равен, уравновесен; **to preserve an** ~ **mind** запазвам присъствие на духа; **3.** готов съм да, способен да, имам сили да; ◇ *adv* **equally**; **II.** *n* **1.** равен; **you will not find his** ~ (втори) друг като него няма; **to find one's** ~ намирам си майстора; **2.** *pl мат.* равни стойности; **III.** *v* (**-ll-**) равнявам се на, равен съм на, равнявам се (**in** по); **not to be** ~**led** ненадминат, без равен на себе си.

equality [i:'kwɔliti] *n* равенство; равноправие, еднаквост; **on a footing of** ~, **on** ~ **with** на равна нога, при равни условия.

equalization [,i:kwǝlai'zeiʃǝn] *n* **1.** изравняване; компенсиране; уравняване, уравнение, уравниловка; ~ **fund** *адм.* уравнителен фонд; **2.** *техн.* стабилизиране; премахване на напреженията.

equalizing ['i:kwǝlaizin] **I.** *adj техн.* изравнителен, уравнителен; **II.** *n* **1.** изравняване, уравняване; еднаквяване; **2.** *техн.* компенсация, уравновесяване, балансиране; ~ **gear** диференциална предавка (*на автомобил*), диференциал.

equanimity [i:kwǝ'nimiti] *n* хладнокръвие, самообладание, спокойствие, присъствие на духа, невъзмутимост.

equation [i'kweiʃǝn] *n* **1.** уравнява-

не, изравняване, уеднаквяване; **2.**
мат., *хим.*, *астр.* уравнение; **affected** ~ уравнение с неизвестни
от различна степен.
equator [i'kweitə] *n* екватор.
equatorial [,ekwə'tɔːriəl] **I.** *adj* екваториален; **II.** *n* (*и* ~ **telescope**)
екваториален телескоп.
equibalance [,i:kwi'bæləns] **I.** *v* уравновесявам; **II.** *adj* равновесен.
equilateral ['i:kwi'lætərəl] **I.** *adj*
мат. равностранен; **II.** *n* равностранна фигура.
equilibrist [i:'kwilibrist] *n* еквилибрист.
equilibrium [,i:kwi'libriəm] *n* **1.** равновесие (*и прен.*); **to maintain, to
lose one's** ~ запазвам, загубвам
равновесие; **2.** балансиране, съчетаване (*на интереси, желания
и пр.*); **3.** безпристрастие.
equinoctial ['i:kwi'nɔkʃəl] **I.** *adj* равноденствен; ~ **gales** бури по време на равноденствието; **II.** *n* линия на равноденствието, небесен
екватор.
equinox ['i:kwinɔks] *n* равноденствие; **vernal** (**autumnal**) ~ пролетно (есенно) равноденствие.
equip [i'kwip] *v* (**-pp-**) снабдявам (*с
инвентар, съоръжения*) (**with**);
обзавеждам, екипирам, въоръжавам (*войска*); **he was fully ~ped
for the journey** той беше напълно готов (екипиран) за пътуването.
equipage ['ekwipidʒ] *n* **1.** принадлежности (*за път и пр.*); екипировка; **a dressing** ~ тоалетни
принадлежности; тоалетен несесер; **2.** свита; прислуга; **3.** *остар.*
екипаж (кола).
equipe [ei'ki:p] *n спорт.* екип, тим,
отбор.
equipment [i'kwipmənt] *n* **1.** екипиране, снабдяване; обзавеждане; **kitchen** ~ кухненско обзавеждане; **2.** *често pl* екипировка,
екип; снаряжение (*на войник*);
мебелировка, инсталации (*на къща*); **3.** *техн.* машини и съоръжения, оборудване; **building** ~
строителни съоръжения; **4.** *жп*
подвижен състав, парк; арматура; • **capital** ~ средства за про-

изводство.
equitable ['ekwitəbəl] *adj* справедлив, безпристрастен, обективен;
◇ *adv* **equitably** ['ekwitəbli].
equitableness ['ekwitəblinis] *n*
справедливост, безпристрастие,
обективност.
equity ['ekwiti] *n* **1.** справедливост,
безпристрастност, обективност;
2. *юр.* система от правни принципи, основани на справедливостта (*като допълнение на обичайното и писаното право*);
Court of E. съд, основан на тази
система; **3.** *юр.* справедлив, основателен иск (право); ~ **of redemption** право на ипотекарен
длъжник да изкупи имота си; **4.**
амер. имущество, което остава
при ликвидация след удовлетворяване на кредиторите.
equivalence, -cy [i'kwivələns , -si] *n*
1. равностойност, равноценност;
равнозначност; ~ **test** приравнителен тест; **2.** *хим.* еквивалентност.
equivalent [i'kwivələnt] **I.** *adj* **1.** еквивалентен, равностоен, равноценен; равнозначен; отговарящ
на; **2.** *хим.* с еднаква валентност;
3. *мат.* равнолицев (*за геометрични фигури*); **II.** *n* еквивалент,
равностойност.
equivocal [i'kwivəkəl] *adj* **1.** двусмислен; **without** ~ **phrases** без
двусмислени фрази; без извъртания; **2.** несигурен, неопределен,
неясен; съмнителен; ~ **position**
неустановено (неудобно) положение; **3.** съмнителен, подозрителен; • ~ **generation** *биол.* спонтанно зараждане; ◇ *adv* **equivocally**.
equivocality [i,kwivə'kæliti] *n* **1.** двусмисленост, двоякост; **2.** двусмислен израз, двусмисленост.
equivocation [i,kwivə'keiʃən] *n* двусмислица; извъртане, преиначаване; усукване, лавиране.
era ['iərə] *n* ера; епоха; **to mark an**
~ отбелязвам, правя епоха; имам
епохално значение.
eradiate [i'reidieit] *v* излъчвам.
eradiation [i,reidi'eiʃən] *n* излъчване; сияние (*и прен.*).

eradicate [i'rædikeit] *v* **1.** изкоренявам (*и прен.*); **2.** премахвам, унищожавам, изтребвам.
eradication [i,rædi'keiʃən] *n* изкореняване (*и прен.*).
erase [i'reiz] *v* изличавам, заличавам, премахвам (*и прен.*); изтривам, изстъргвам; *инф.* изтривам
(*данни от диск*).
eraser [i'reizə] *n* **1.** гума (*за изтриване*); **ink** ~ гума за (изтриване на) мастило; **2.** инструмент за
изстъргване.
erasing [i'reiziŋ] *n* заличаване, унищожаване, изтриване; изстъргване; зачеркване; **memory** ~ *изч.*
изтриване на паметта.
erasure [i'reiʒə] *n* **1.** изличаване, заличаване, премахване, изтриване, изстъргване; **2.** изтрито място в текст.
ere [eə] *поет.* **I.** *prep* преди, до; ~
this, ~ **now** досега, преди; **II.** *adv,
cj* преди да, отколкото; **I would
die** ~ **I consented** по-скоро бих
умрял, отколкото да се съглася.
erect [i'rekt] **I.** *v* **1.** издигам, изправям; **2.** издигам, построявам, изграждам; **3.** *прен.* създавам, построявам (*теория*); **4.** въздигам,
повишавам (**into**); **to** ~ **a tradition into a law** въздигам традиция в закон; **5.** *техн.* монтирам,
инсталирам (*машина*); **6.** *мат.*
издигам (*перпендикуляр*); **7.** *юр.*
създавам, учредявам (*съд*); **II.** *adj*
изправен; вертикален (*за диаметър*); перпендикулярен; настръхнал (*за коса*); **to stand** ~ стоя
изправен; изправям се; ◇ *adv*
erectly.
erection [i'rekʃən] *n* **1.** издигане, изправяне; **2.** построяване, изграждане; **3.** създаване (*на теория*);
4. *техн.* монтиране, инсталиране, изграждане; **balanced** ~ окачено сглобяване (монтиране); **5.**
юр. учредяване на съд; **6.** *физиол.*
ерекция; **7.** сграда, здание, постройка.
erector [i'rektə] *n* **1.** строител (*на
сграда*); **2.** монтьор (*на машина*); монтажник, работник инсталатор; **pipe** ~ монтьор на тръбни инсталации; **3.** *анат.* повди-

гащ; ~ (-muscle) повдигач (мускул).

eremite ['erimait] *n поет., истор.* отшелник, пустинник, аскет.

eremitic(al) [‚eri'mitik(l)] *adj истор.* пустиннически, аскетичен, отшелнически.

erethismic ['ereθizmik] *adj физиол.* раздразнен, свръхчувствителен.

erode [i'roud] *v* 1. разяждам (*за киселина, ръжда*); 2. ерозирам, руша, подкопавам, подривам, подмивам; **confidence in the government was ~d by inflation** инфлацията разруши доверието към правителството; 3. *амер.* руша се, разяждам се.

erosion [i'rouʒən] *n* 1. разяждане; 2. *геол.* ерозия, изветряване, подмиване, подкопаване; **bank ~** ерозия на бреговете; 3. *техн.* ерозия, механично износване (*на материали*); **head ~** настъпваща (развиваща се) ерозия.

erosive [i'rousiv] *adj* ерозивен, който причинява ерозия.

erotic [i'rɔtik] I. *adj* еротичен, чувствен, сладострастен; ~ **insanity** *мед.* повишен полов инстинкт; ◇*adv* **erotically** [i'rɔtikli]; II. *n* еротично стихотворение.

erotica [i'rɔtikə] *n pl* еротика, книги и рисунки, свързани със секса.

eroticism [e'rɔtisizm] *n* чувственост, еротизъм.

err [ə:] *v* 1. греша, заблуждавам се, лъжа се; 2. греша, съгрешавам, прегрешавам; **to ~ is human** човешко е да се греши; 3. *остар.* блуждая, изгубвам се, отклонявам се от пътя; • **to ~ on the side of** прекалявам с.

errancy ['erənsi] *n* заблуждение, заблуда.

errand ['erənd] *n* поръчка; **to go on, run ~s for s.o.** изпълнявам поръчки на някого.

errant ['erənt] I. *adj* 1. блуждаещ; 2. който греши (се заблуждава); блуден; ◇*adv* **errantly**; II. *n* странстващ рицар.

erratic [i'rætik] I. *adj* 1. изменчив, непостоянен, безотговорен, ексцентричен, капризен; блуждаещ; непостоянен, нестабилен, некон-

центриран; ◇ *adv* **erratically** [i'rætikəli]; 2. *геол.* ератичен; довлечен от ледник; 3. *техн.* който засича, не работи гладко, прескача; II. *n* ексцентрик, особняк.

erring ['ə:riŋ] *adj* греховен, блуден, грешен; ◇*adv* **erringly**.

erroneous [i'rouniəs] *adj* грешен, погрешен; неправилен; ◇*adv* **erroneously**.

error ['erə] *n* 1. грешка, погрешка; **make (commit) an ~** правя грешка, сгрешавам; 2. *юр.* съдебна грешка; **writ of ~** постановление за ревизия на наказателно дело; 3. заблуждение, заблуда; **to run (fall) into ~** изпадам в заблуждение, заблуждавам се; 4. прегрешение, простъпка; **~s of youth** младежки грехове; 5. отклонение (*на компаса*).

ersatz ['eərza:ts] I. *adj* (*за продукт*) синтетичен; II. *n* 1. синтетичен заместител; 2. имитация, фалшификат.

erudition [‚erju'diʃən] *n* ерудиция, осведоменост, начетеност; образованост, ученост.

erupt [i'rʌpt] *v* 1. изригвам (*за вулкан*); 2. избухвам (*за война, епидемия, бунт, пожар, безредици и пр.*); 3. *мед.* пробивам, пониквам (*за зъби*).

escalate ['eskəleit] *v* 1. ескализирам; 2. покачвам се, повишавам се (*за цени и пр.*).

escalation ['eskəleiʃən] *n* 1. ескалация; 2. повишаване (*на цени и пр.*).

escalator ['eskəleitə] *n* ескалатор.

escape [is'keip] I. *v* 1. избягвам (**from, out of, to**); 2. изплъзвам се (**от**), измъквам се (**от**), спасявам се (**от**), избягвам, отървавам се **от**, освобождавам се **от**; **to ~ by the skin of one's teeth** едва се спасявам, едва си отървавам кожата; 3. изплъзвам се (неволно), изтръгвам се; **a tear ~d her** сълза се отрони от очите й; 4. изтичам, излизам (*за течност, газ*); II. *n* 1. избягване, бягство; **to make (effect) one's ~** избягвам; 2. спасяване, спасение; **to have a narrow ~** едва се спасявам, едва си

отървавам кожата; прескачам трапа (*за болен*); 3. изтичане, губене (*на газ, течност*); **electron ~** загуба на електрони; 4. *хидр.* преливник на язовирна стена; 5. *архит.* връзка (преход) между колона и капител; 6. градинско цвете, което расте в диво състояние; 7. *лит.* откъсване; бягство от действителността.

escort ['eskɔ:t] I. *n* 1. ескорт, охрана, конвой; **under the ~ of** под охраната на; придружен от; 2. придружител, кавалер (*който придружава дама*); II. *v* 1. съпровождам, придружавам, ескортирам, конвоирам, охранявам; I **will ~ you home** ще ви придружа (изпратя) до вкъщи; 2. *амер.* ухажвам (*момиче*).

especial [is'peʃəl] *adj* особен, специален; изключителен; **of ~ importance** от особено (първостепенно) значение.

espionage [‚espiə'na:ʒ] *n* шпионаж, шпиониране.

espouse [is'pauz] *v* 1. *прен.* прегръщам, възприемам, присъединявам се за, за; 2. женя се за, оженвам се за, вземам за съпруга; 3. женя, оженвам, омъжвам, давам (*дъщеря си*) (**to**).

esprit [e'spri:] *n* 1. живост, будност; 2. жив (пъргав) ум, интелигентност, духовитост.

espy [is'pai] *v* 1. съзирам, забелязвам отдалече; 2. забелязвам, откривам (*дефект*).

esquire [is'kwaiə] I. *n* 1. *остар.* благородник, оръженосец; 2. *съкр.* Esq. господин (титла, поставена на писмо, документ след името вместо **Mr.**); 3. кавалер, придружител; II. *v* 1. *истор.* придружавам (*рицар*) като оръженосец; 2. давам (*на някого*) титлата оръженосец; 3. обръщам се към някого с титлата господин (**esquire**).

essay ['esei] I. *n* 1. *книж.* опит (**at**), усилие; **my first ~ at authorship** моите първи литературни опити; 2. *уч.* съчинение; 3. есе, очерк; 4. проба, образец; II. *v* 1. изпитвам, пробвам; подлагам на из-

пробване; **2.** опитвам (се); **to ~ a task, to ~ to do sth** опитвам се да изпълня задача, да извърша нещо.

essence [′esəns] *n* **1.** *филос.* (духовна) същност; субстанция; **2.** съществуване; **3.** същност (*на въпрос*), същина, есенция; **the ~ of the play** основната идея на писата; **4.** есенция, екстракт, дестилат; парфюм; ракия; **fruit ~** плодова есенция.

essential [i′senʃəl] **I.** *adj* **1.** съществен, основен, крайно необходим (**to**), най-важен, от първостепенно значение; **~ foodstuffs** хранителни продукти от първа необходимост; **2.** пълен, съвършен, абсолютен; **~ happiness** пълно, непомрачено щастие; **3.** етеричен, летлив, лесно изпарим; **~ oil** етерично масло; **II.** *n* (*обикн. pl*) съществен елемент, *прен.* ядро; основно, необходимо качество.

establish [is′tæbliʃ] *v* **1.** установявам, създавам, основавам; въвеждам; **the tradition has been, has become ~ed to** установена традиция е да ...; **2.** настанявам (**in**); **to ~ oneself in the country** установявам се да живея извън града (на село); **3.** доказвам, установявам; **we have not ~ed why you were so angry** не разбрахме защо ти беше толкова сърдит; **4.** установявам като официален (държавен) (*църква*).

establishment [is′tæbliʃmənt] *n* **1.** установяване; създаване, изграждане, формиране, образуване, основаване; **2.** учреждение, институт, заведение; **business ~** търговска къща, фирма; **3.** домакинство, дом; **to keep up an ~** живея на широка нога; **4.** прислуга; персонал; **5.** *особ. воен.* ефективи, състав, численост; кадри, щат; **Civil Service ~** чиновнически щат, кадри; **6.** ведомство; **7.** the (**church**) **E.** официалната, господстващата църква; **8. the E.** върхушката.

estate [is′teit] *n* **1.** *остар.* ранг, (обществено) положение; **2.** *истор.* съсловие; **the Third E.** третото съсловие, буржоазията; **3.** имение, имот, земя; **4.** *юр.* имущество; **personal (real) ~** движим (недвижим) имот (имущество); **5.** *юр.* наследство, наследствена маса; **~ duty** данък върху наследствата; **6.** *търг.* актив, имуществена маса (*при несъстоятелност*); • **housing ~** жилищен комплекс.

esteem [is′ti:m] **I.** *n* **1.** уважение, почит; **to hold s.o. in high ~, to profess a great ~ for s.o.** уважавам (ценя) много някого; **2.** *остар.* оценка, преценка; мнение; **II.** *v* **1.** уважавам, почитам, ценя; **to ~ s.o. highly** не уважавам (не ценя) много някого; **2.** считам; **I ~ him nothing but a fool** смятам, че той не е нищо друго освен един глупак.

estimate **I.** [′estimit] *n* **1.** (приблизителна) оценка, преценка, пресмятане, сметка, изчисление, калкулация; **on (at) a rough ~** по приблизителна оценка; **2.** *търг.* девиз, основна стойност (*при отдаване на търг*), оферта (*при търг*); **to put in an ~** правя оферта (*при търг*); **3.** *pl* бюджетни предвиждания, бюджетни кредити; **army ~s** военни кредити; **II.** [′estimeit] *v* оценявам, преценявам; пресмятам, определям, изчислявам приблизително, измервам на око; **~d cost** приблизителна стойност.

estimation [esti′meiʃən] *n* **1.** оценяване, преценяване, пресмятане, определяне, измерване; **2.** преценка, оценка; мнение; **in my ~** по моя преценка, по мое мнение, според мен; **3.** уважение, почит; **to hold s.o. in ~** уважавам някого.

estrange [is′treindʒ] *v* **1.** отчуждавам, отделям, отдалечавам, откъсвам, отблъсквам; **the boy has become ~d from his father** момчето се отчужди от баща си; **2.** настройвам срещу (**from**).

eternal [i′tə:nəl] **I.** *adj* **1.** вечен, безкраен; **the E. City** Рим; **2.** *прен.* вечен, безкраен, нескончаем, непрекъснат, безконечен; неизменен, вековен; **~ principles** неиз-

менни принципи; ◇ *adv* **eternally**; **II.** *n* **the E.** Господ.

ethic(al) [′eθik(əl)] *adj* етичен, нравствен, морален; ◇ *adv* **ethically** [′eθikəli].

etiquette [ˌeti′ket] *n* **1.** етикет, протокол, церемониал; **a breach of ~** нарушение на протокола; **2.** професионална етика; **medical ~** лекарска етика.

eulogize [′ju:lədʒaiz] *v* възхвалявам, превъзнасям, отправям хвалебствия към.

eulogy [′ju:lədʒi] *n* възхвала, хвалебствие, славословие; **to pronounce a ~ on s.o.** държа хвалебствено слово (реч) за някого.

euphonic(al) [ju:′fɔnik(əl)] *adj* благозвучен, мелодичен, хармоничен.

euphony [′ju:fəni] *n* **1.** благозвучие, хармония, музикалност; **2.** *език.* евфония; **for the sake of ~** за благозвучие.

European [juərə′pi:ən] **I.** *adj* европейски; **~ Community** Европейска икономическа общност; **II.** *n* европеец.

evacuation [ivækju′eiʃən] *n* **1.** опразване, евакуиране, евакуация; освобождаване; **2.** *физиол.* изпразване, очистване (*на черва, стомах*); **3.** *pl* изпражнения, екскременти; **4.** вакуумиране, създаване на вакуум.

evaluate [i′væljueit] *v* **1.** оценявам; **2.** *мат.* изчислявам, изразявам в цифри.

evaluation [ivælju′eiʃən] *n* оценка; оценяване; **performance ~** оценка на технически характеристики.

evaporate [i′væpəreit] *v* **1.** изпарявам (се); съставявам (се), кондензирам; **~d milk** кондензирано мляко; **2.** *разг.* изчезвам, изпарявам се, изфирясвам, офейквам, духвам.

eve [i:v] *n* **1.** навечерие; **on the ~** в навечерието; **2.** *поет.* вечер; **at ~** вечер, вечерно време.

even [i:vən] *n поет.* вечер; **at ~** вечерно време.

even₁ **I.** *adv* **1.** даже, дори, още; още по; **he didn't ~ ask** той дори не попита; **2.** равно; еднакво; **the two**

horses ran ~ двата коня препускаха еднакво бързо; **3.** *остар.* точно; точно както (когато); ~ **now**, ~ **then** точно в този момент; **II.** *adj* **1.** еднакъв, еднообразен; равен; ритмичен; **an ~ beat of the heart** равномерен (ритмичен) пулс; **2.** равен, гладък; заравнен; плосък; **to make ~ with the ground** изравнявам със земята; **3.** непроменлив, уравновесен, установен; спокоен; **an ~ voice** спокоен глас; ◊ *adv* **evenly**; **4.** четен (*за число*); **odd or ~** чифт или тек; **III.** *v* (*и* ~ **up, out, off**) **1.** изравнявам, оглаждам (*повърхност*); **2.** изравнявам (се), поставям (излизам) наравно с; • **to ~ up on** *амер., разг.* разплащам се с, оправям си сметките с; *прен.* връщам на някого със същата монета; **IV.** *n* чифт, четно число.

evening [ˈiːvnɪɳ] **I.** *n* **1.** вечер; **all the ~** цяла вечер; **2.** вечеринка; вечерно забавление; **musical ~** музикална вечер, вечерен концерт; **II.** *adj* вечерен; ~ **dress** вечерен (бален) тоалет; фрак.

event [ɪˈvent] *n* **1.** случай, събитие; случка; **in the ~ of** в случай на; в случай, че; **2.** изход, резултат; **in the ~** на действие, най-сетне, най-после, накрая; **3.** *спорт.* дисциплина; **athletic ~s** атлетически състезания; **4.** *техн.* такт (*на мотор*).

ever [ˈevə] *adv* **1.** винаги, постоянно; непрекъснато; **she is ~ ready to help me** тя винаги е готова да ми помогне; **2.** някога, когато и да е; **now if ~** сега е времето, сега или никога; • **be the weather ~ so bad I must go** колкото и да е лошо времето, трябва да си ходя.

everlasting [evəˈlɑːstɪɳ] **I.** *adj* **1.** вечен; *прен.* безкраен, безспирен; непрекъснат, постоянен; **2.** *остар.* траен, издръжлив; ~ **colours** трайни бои; ◊ *adv* **everlastingly**; **II.** *n* **1.** *разг.* вечност; **for ~** завинаги, вечно; **from ~** от памтивека; **2.** *бот.* безсмъртниче, сем. *Compositae*, имортела, сухо цвете (*и* ~ **flower**); **3.** вид здрав

вълнен плат.

every [ˈevrɪ] *adj* всеки; ~ **other (second) week** всяка втора седмица; през седмица.

evict [ɪˈvɪkt] *v* **1.** *юр.* отнемам, конфискувам (*по съдебен ред*); **2.** изпъждам, изгонвам; изваждам (*от квартира и пр.*).

evidence [ˈevɪdəns] **I.** *n* **1.** доказателство, доказателства, указания, данни, факти; *юр.* свидетелски показания; **to bear (give) ~** давам показания, свидетелствам; телства; **2.** очевидност, явност; **to be very much in ~** изпъквам; **3.** *юр.* свидетел; ~ **for the prosecution (defence)** свидетел на прокурора (защитата); **4.** *техн.* (експериментални) данни, показания; **II.** *v* **1.** служа за доказателство; доказвам; **2.** свидетелствам; **3.** показвам; **he ~d no talent for music** той не показа никаква музикална дарба.

evil [ˈiːvl] **I.** *adj* **1.** лош, зъл; ~ **tidings** лоши новини; **2.** вреден, пагубен; **to get into ~ ways** тръгвам по лоши пътища; • **to fall on ~ days** изпадам в беда; **3.** неприятен, лош, отблъскващ, отвратителен; противен; **an ~ noise** неприятен шум; **II.** *n* **1.** зло; злина; **a social ~** социално зло; **2.** бедствие, нещастие; *остар.* болест.

evildoer [ˈiːvlˈduːə] *n* **1.** престъпник, злодей, злосторник; **2.** грешник.

evince [ɪˈvɪns] *v* **1.** проявявам, изказвам, изявявам; **this clearly ~s that ...** това ясно говори, че ...; **2.** *остар., рядко* доказвам; **to ~ the truth** *прен.* накарвам (правя) истината да блесне.

eviscerate [ɪˈvɪsəreɪt] *v* **1.** изкормвам, изтърбушвам; **2.** *прен.* изпразвам, лишавам от съдържание.

evoke [ɪˈvouk] *v* **1.** предизвиквам, възбуждам, извиквам, (*спомени, възхищение и пр.*); пробуждам, будя, събуждам; пресъздавам; поражда; **the letter ~d a storm of protest** писмото предизвика бурен протест; **2.** *юр.* предавам (*дело*) на по-висша инстанция.

evolution [evəˈluːʃən] *n* **1.** развитие; еволюция; растеж; **doctrine of ~**

еволюционно учение; **2.** *мат.* извличане на корен, коренуване; **3.** *мор., воен.* маневра, престрояване; придвижване; **4.** *физ., хим.* отделяне, излъчване (*на светлина, топлина и пр.*); **gas ~** газообразуване, отделяне на газ; **5.** *техн. (обикн. pl)* оборот, въртене (*на машина*).

evolve [ɪˈvɔlv] *v* **1.** еволюирам, развивам (се), разгъвам (се); произхождам, проистичам; **everything ~s from it** всичко е последица от това; **2.** отделям; излъчвам, изпускам (*топлина, газове и пр.*); изваждам; **3.** измислям, създавам (*план, теория*).

exacerbate [ekˈsæsəˈbeit] *v* **1.** изострям, усилвам, разгарям; **2.** раздразвам, ожесточавам, настървявам; отежнявам; влошавам; огорчавам.

exact [ɪgˈzækt] **I.** *adj* **1.** точен, прецизен, съвършен, акуратен; ~ **science** точна наука; **2.** методичен, последователен; грижлив; **II.** *v* **1.** искам настоятелно, настоявам за, изисквам; **to ~ obedience** изисквам подчинение; **2.** налагам (*плащане на дълг, изпълнение на присъда*).

exaggerate [ɪgˈzædʒəreit] *v* **1.** преувеличавам, пресилвам; **2.** шаржирам, излишно подчертавам (натъртвам).

exalt [ɪgˈzɔlt] *v* **1.** въздигам, издигам; **2.** величая, възхвалявам, възвеличавам, превъзнасям; **3.** *рядко, остар.* издигам, повдигам; **4.** усилвам, подсилвам (*ефект и пр.*); сгъстявам (*бои, цветове*).

examination [ɪgzæmiˈneiʃən] *n* **1.** изследване, проучване, изпитване; изучаване; анкетиране; **close ~** щателен преглед; **2.** изпит; класно упражнение; **to take (go in, go up, sit, enter for) an ~** явявам се на изпит; **3.** *юр.* дознание, следствие; разпит; **cross ~** кръстосан разпит.

examine [ɪgˈzæmin] *v* **1.** изследвам, проучвам, изучавам; преглеждам внимателно (*паспорт, сметка и пр.*); **I must ~ the facts** трябва да

проуча фактите; **2.** *мед.* преглеждам; преслушвам; **to get ~d** подлагам се на медицински преглед, преглеждам се; **3.** изпитвам, подлагам на изпит; **4.** *воен., мор.* разпитвам, разследвам, правя дознание (следствие); **the lawyer ~d the witness** адвокатът разпита свидетеля.

example [ig'za:mpl] *n* **1.** пример, образец; модел; **practical ~** конкретен случай; **2.** назидание, поука; урок.

exasperate [ig'za:spəreit] *v* **1.** раздразням, разгневявам, ожесточавам, изкарвам из търпение, нервирам, вбесявам; **to be ~ed by (at)** вбесявам се от; **2.** усилвам, увеличавам (*болка, омраза и пр.*).

exceed [ik'si:d] *v* **1.** превишавам, надминавам, надхвърлям, прехвърлям границата на; **the outcome ~ed all expectations** резултатът надмина всички очаквания; **2.** превъзхождам, надминавам; **to ~ sb in strength (height)** по-силен (по-висок) съм от някого; **3.** *книж.* преобладавам, господствам; имам надмощие; невъздържан съм (*в ядене, пиене и пр.*); прекалявам.

excel [ik'sel] *v* **1.** превъзхождам, превишавам, надвишавам (**in**, **at**); **2.** изпъквам, очертавам се.

except [ik'sept] I. *v* **1.** изключвам; изпускам; **present company ~ed** с изключение на присъстващите; **2.** възразявам (**against, to**); отхвърлям, не признавам; *юр.* правя отвод (**to**); **to ~ to a tribunal** оспорвам компетентността на съда; II. *prep* освен, с изключение на; III. *cj* остар. освен; ако не.

exception [ik'sepʃən] *n* **1.** изключение; **without ~** без изключение; **2.** възражение; противопоставяне; *юр.* отвод; **to take ~ to** възразявам срещу.

excerpt I. ['eksə:pt] *n* **1.** извлечение, извадка, откъс, ексцерпция; **a few ~s from her diary** няколко откъса (извадки) от нейния дневник; **2.** *полигр.* отделен отпечатък; II. [ek'sə:pt] *v* правя извадки, изваждам, извличам, ексцерпирам; ци-

тирам.

excess [ik'ses] I. *n* **1.** излишък; връхнина; *мат.* разлика; **~ profits** свръхпечалби; **2.** (*често pl*) невъздържаност, прекаляване, прекаленост; ексцес, изстъпление; **to ~ прекалено**; II. *adj* прекомерен, прекален; **~ weight** свръхтегло.

exchange [iks'tʃeindʒ] I. *v* обменям (*опит и пр.*); разменям, сменям, меня, заменям; II. *n* **1.** смяна, размяна; обмяна, замяна; **in ~ for** в замяна на; вместо; **2.** размяна на думи, разговор в който отделните страни си разменят остри думи; **3.** валута; **free ~** свободна валута; **4.** полица, менителница, запис на заповед; **bill of ~ полица**; **5.** борса; **Stock E.** фондова борса; **6.** *техн.* телефонна станция; комутатор; **international ~** международна телефонна централа.

excise I. *n* акциз (*и duty*); **the E. Office** акцизно управление; II. *v* взимам акциз от, налагам акциз на.

excite [ik'sait] *v* **1.** възбуждам, вълнувам; **the novel did not ~ my interest** романът не ме заинтригува; **2.** подбуждам, подтиквам; стимулирам; **to ~ rebellion** подбуждам към (вдигам) въстание; **3.** *физ.* възбуждам; *рядко* намагнитизирам; образувам магнитно поле.

excited [ik'saitid] *adj* **1.** възбуден; раздразнен, нервиран; напрегнат; **to get ~** *разг.* запалвам се, кипвам; нервирам се; ядосвам се; ◇ *adv* **excitedly**; **2.** *ел.* възбуден; **3.** *мед.* възбуден, стимулиран.

excitement [ik'saitmənt] *n* възбуждане; възбуда, вълнение, разчувстване; **to cause great ~** произвеждам сензация (фурор).

exclaim [iks'kleim] *v* възкликвам, извиквам; **to ~ at (against, on)** протестирам против; високо възразявам срещу.

exclamation [eksklə'meiʃən] *n* възклицание, възклик, възглас; удивление; **~ mark (point)** удивителен знак, удивителна.

exclude [iks'klu:d] *v* изключвам (**from**); отхвърлям; не допускам.

exclusive [iks'klu:siv] I. *adj* **1.** изключителен, ексклузивен; **~ rights (privileges)** особени права (привилегии); **2.** единствен; **~ interview** ексклузивно (специално) интервю (*дадено само пред представител на една медия*); **3.** недостъпен, затворен; ограничен достъп (*за клубове, организации и пр.*); **4.** *амер.* отличен, първокласен, изключителен; **5.** *разг.* модерен, на мода; II. *adv* **1.** като не се включва (счита, смята), с изключение на, изключая (**of**); **2.** (*за числа и дати*) без да се броят първото и последното число в поредица; III. *n журн.* сензационна новина.

excruciate [iks'kru:ʃieit] *v* мъча, измъчвам, терзая, тормозя.

exculpate ['ekskʌlpeit] *v* оправдавам; реабилитирам.

excursion [iks'kə:ʃən] *n* **1.** екскурзия, излет; **~ train** увеселителен влак; **2.** туристическа компания, група излетници; **3.** отклонение, отстъпление, екскурс; **4.** *техн.* отклонение (*от средно положение, ос и пр.*); **voltage ~** изменение на напрежението, отклонение от номиналното напрежение; **5.** *остар., воен.* вилазка; набег; **6.** *астр.* отдалечаване на планета от еклиптиката.

excuse I. [iks'kju:z] *v* **1.** извинявам, прощавам, оправдавам; **~ my coming late** извинете, че закъснях; **2.** освобождавам (*от задължения, данъци и пр.*); **your attendance today is ~d** днес може да не присъствате; II. [iks'kju:s] *n* **1.** извинение, оправдание; **to advance an ~** поднасям извиненията си, извинявам се; **2.** предлог, причина, претекст; **to make (offer) ~s** оправдавам се; търся начин да се измъкна; **3.** освобождаване (*от задължения и пр.*).

execrate ['eksikreit] *v* **1.** ненавиждам, презирам, отвращавам се от, гнуся се от, не мога да понасям; **2.** кълна, проклинам.

execration [eksi'kreiʃən] *n* **1.** нена-

вист, презрение; **to hold s.o. up to public ~** излагам някого на публично порицание; **2.** проклятие; **3.** *рядко* предмет на (причина за) отвращение.

execute ['eksikju:t] *v* **1.** екзекутирам; **2.** изпълнявам, извършвам, довеждам докрай; **3.** изпълнявам, пресъздавам, претворявам (*художествено произведение*); **the dance was very skilfully ~d** танцът бе изпълнен майсторски; **4.** екзекутирам, прилагам (*закон, решение на съд*); **5.** *юр.* регламентирам, оформям (*завещание, акт и пр.*); **6.** *инф.* изпълнявам (*програма, команда*).

execution [eksi'kju:ʃən] *n* **1.** екзекуция, прилагане на смъртно наказание; **to put to ~** екзекутирам, предавам на смърт; **2.** изпълнение, изпълняване, извършване; **in the ~ of one's duty** при изпълнение на дълга си; **3.** претворяване, пресъздаване, изпълнение (*на художествено произведение*); **4.** *юр.* оформяне (*на документи*); уреждане, регламентиране; **5.** *юр.* екзекуция, изпълнение (*на съдебно решение*); **writ of ~** изпълнителен лист.

exemplar [ig'zemplə] *n* **1.** образец, пример; **2.** тип, вид; оригинал, прототип; **3.** *рядко* екземпляр.

exemplary [ig'zæmpləri] *adj* **1.** образцов, отличен, примерен, за пример; **an ~ father** образцов (идеален) баща; **2.** назидателен, за пример; **3.** илюстративен; типичен.

exempt [ig'zempt] **I.** *v* **1.** освобождавам (*от задължение – from*); **2.** *остар.* изземвам, конфискувам; **II.** *adj* **1.** освободен, свободен; **he was ~ from military service** той беше освободен от военна служба; **2.** *остар.* конфискуван, иззет.

exercise ['eksəsaiz] **I.** *n* **1.** упражнение, занимание; упражняване; изпълнение, изпълняване; **gymnastic ~, physical ~** гимнастика, физически упражнения; **2.** обучение, упражнение, тренировка; **spelling ~s** упражнения по пра-

вопис; **3.** проявяване; проявление, проява; **~ of judgement** самостоятелна преценка (оценка); **4.** *pl, амер.* тържества, празненства (*особ. училищни*); **graduation ~s** празненства при завършване на училище; **5.** *рел.* обред, ритуал; **religious ~s** (пост и) молитва; **II.** *v* **1.** упражнявам (се), занимавам (се), тренирам; **to ~ o.s. in fencing** тренирам фехтовка; **2.** практикувам; **3.** обучавам, школувам (*глас*); **4.** *воен.* обучавам се; провеждам учение; **5.** изпълнявам (*функции*); проявявам (*способности, воля*); упражнявам, използвам, ползвам се с (*права и пр.*); **6.** безпокоя (*обикн. pass*); **I'm ~d about his health** безпокоя се за здравето му.

exfoliate [iks'foulieit] *v* **1.** беля (се), обелвам (се), люшя (се), ексфолиирам; падам на слоеве (люспи); разслоявам се; **2.** разлиствам се (*за дървета*), развивам се (*за пъпки*).

exhalation [ekshə'leiʃən] *n* **1.** издишване, дихание, дъх; **2.** пара, изпарение; мъгла; **3.** *прен.* избухване, изригване.

exhale [eks'heil], [ig'zeil] *v* **1.** издишвам, изпускам; *прен.* излъчвам; **his whole person ~s dignity** от цялата му личност лъха достойнство; **2.** отделям (*пара и пр.*), изпарявам (се); **3.** *прен.* избухвам, *разг.* кипвам; **to ~ one's wrath** избухвам в гняв.

exhaust [ig'zɔ:st] **I.** *v* **1.** изморявам, изтощавам; изразходвам; отслабям; **2.** изчерпвам, изсмуквам, извличам, изтеглям; изпразвам; изпомпвам; **3.** изпускам (*пара, газове и пр.*); **II.** *n техн.* **1.** аспух, изпускателна тръба; **~-valve** изпускателен вентил; **2.** изгорели газове, отработена пара и пр.; **~ trails** *авиац.* видима следа от изгорелите газове.

exhausted [ig'zɔ:stid] *adj* **1.** изморен, изтощен, изнурен; **~ land** изтощена земя (почва); **2.** изчерпан (*и за въпрос, търпение и пр.*).

exhibit [ig'zibit] **I.** *v* **1.** показвам; проявявам; **2.** представям, изла-

гам; **to ~ a charge** *юр.* предявявам обвинение; **3.** *остар., мед.* предписвам (*лекарство и пр.*); **II.** *n* **1.** експонат, изложен предмет; мостра; **on ~** на показ, показан; **2.** рекламни снимки (*на филм*), фотоси; **3.** *юр.* документ; веществено доказателство; **4.** излагане (*на предмет, стоки*); представяне (*документи и пр.*).

exhibition [eksi'biʃən] *n* **1.** показване; показ; проявление, проява; **~ of documents** *юр.* предявяване на документи; **2.** изложба, изложение; **3.** стипендия; **4.** *амер.* ученическа забава; **5.** *мед.* предписване (*на лекарство*).

exhilarate [ig'ziləreit] *v* развеселявам, ободрявам, освежавам; оживявам, въодушевявам.

exhort [ig'zɔ:t] *v* **1.** увещавам, убеждавам, предумвам, кандардисвам; съветвам, поучавам; **2.** призовавам, апелирам; зова.

exigent ['eksidʒənt, 'egzidʒənt] *adj* **1.** неотложен, належащ, срочен, спешен, незабавен, който не търпи отлагане; **2.** взискателен, придирчив.

exile ['eksail] **I.** *n* **1.** изгнание, заточение; **to go into ~** бивам заточен; **2.** заточеник, заточеница, изгнаник, изгнаница; **II.** *v* заточавам, изгонвам, изпращам в изгнание, осъждам на изгнание.

exist [ig'zist] *v* **1.** съществувам; **2.** намирам се, съм; **3.** преживявам, храня се с (**out, on**); **she ~ed only on milk** тя се хранеше само с мляко.

existence [ig'zistəns] *n* съществуване; съществуване; наличие; **to call into ~** създавам; извиквам на живот; пускам в ход.

exit ['eksit] **I.** *n* **1.** изход; **emergency ~** изход за в случай на пожар; **2.** *прен.* смърт; **3.** *театр.* напускане на сцената; **II.** *v* **1.** излизам, тръгвам си (*с from*); **2.** *театр.* "излиза" (*ремарка*).

exorbitant [ig'zɔ:bitənt] *adj* прекален, извънмерен; екстравагантен; **~ price** безбожна цена; ◊*adv* **exorbitantly**.

exotic [eg'zɔtik] **I.** *adj* **1.** екзотичен,

чуждестранен; **2.** *разг.* необикновен, странен, атрактивен; ◇ *adv* **exotically**; **II.** *n* **1.** екзотично растение; **2.** чужда дума, чуждица.

expand [iks'pænd] *v* **1.** разширявам (се), увеличавам (се), разтягам (се), уголемявам (се), разпускам (се); **2.** разглеждам подробно, детайлно (*тема, теория*) (*с* **on**); **3.** *бот.* разлиствам се, разпуквам се, разцъфтявам; **4.** развивам (се), опъвам (се) (*за платно и пр.*); разтварям, разпервам (*крила и пр.*); **5.** *мат.* отварям, разкривам (*скоби*).

expanse [iks'pæns] *n* **1.** шир, простор, широко пространство; протежение, разстояние; **2.** разширение, разпростиране.

expect [iks'pekt] *v* **1.** очаквам; **I ~ her to tell me the truth** очаквам тя да ми каже истината; **2.** надявам се, разчитам; **to be ~ing** (*за жена*) очаквам дете, бременна съм; **3.** *разг.* предполагам, струва ми се; мисля, считам.

expectancy [iks'pektənsi] *n* **1.** очакване, чакане, надежда; **2.** упование; **3.** разчитане; вероятност; **heir in ~** *юр.* вероятен (предполагаем) наследник.

expedition [ekspi'diʃən] *n* **1.** експедиция; поход; екскурзия, излет; **2.** бързина, точност, акуратност, деловитост, изпълнителност.

expeditious [ekspi'diʃəs] *adj* бърз, енергичен, експедитивен; ◇ *adv* **expeditiously**.

expend [iks'pend] *v* разходвам, харча, изразходвам (**on**); **to ~ time on** отделям време за.

expense [iks'pens] *n* **1.** разход, разноски (*често pl*); **to go to (incur) ~s** правя разноски, влизам в разноски, охарчвам се; **2.** *прен.* цена; сметка; **at the ~ of** за сметка на, с цената на.

expensive [iks'pensiv] *adj* **1.** скъп; **~ car** луксозна (скъпа) кола; **2.** който отнема много време и пр.; трудоемък.

experience [eks'piəriəns] **I.** *n* **1.** опит (*житейски и пр.*); **a man of ~** опитен човек, човек с опит; **2.** преживяване; случка, преживелица;

a **painful ~** болезнено (мъчително) преживяване; **3.** познания; практика; майсторство; подготовка, квалификация; **4.** *остар.*, *рядко* изпитание; **II.** *v* **1.** изпитвам, преживявам; претърпявам; **the shares have ~d a fresh decline** акциите спаднаха отново; **2.** *рядко* научавам от опит.

experienced [eks'piəriənst] *adj* опитен (**in**); **~ in the business** *разг.* изпечен в работата.

experiment I. [iks'perimənt] *n* **1.** опит, експеримент; проба, опитване; **to make (try, carry out) an ~** правя (провеждам), осъществявам опит; **2.** *остар.* опитност; практика; **II.** [iks'periment] *v* правя опит (експеримент), опитвам, пробвам (**on, upon, with**).

expert ['ekspə:t] **I.** *n* познавач, специалист, експерт, вещо лице; **II.** *adj* **1.** вещ, изкусен, опитен (**in, at**); **2.** *attr* експертен, на експерт, на вещо лице.

expire [iks'paiə] *v* **1.** издишвам; **2.** умирам, замирам, угасвам, издъхвам, свършвам; предавам Богу дух; **3.** свършвам се, изтичам (*за срок*).

explain [iks'plein] *v* обяснявам, разяснявам; тълкувам; пояснявам.

explanation [eksplə'neiʃən] *n* обяснение, пояснение, разяснение, тълкуване, коментар.

explode [iks'ploud] *v* **1.** експлодирам, избухвам, изгърмявам; пуквам (се); **to ~ into laughter** избухвам в смях; **2.** оборвам, опровергавам, дискредитирам, подривам основите на (*теория, предразсъдъци и пр.*); **3.** *прен.* пламвам, избухвам, прихвам (**with**); **4.** *език.* образувам (*експлозивна съгласна*) с преграда; **5.** *остар.* свалям от сцената чрез освиркване (*за пиеса, изпълнител и пр.*).

exploitation [eksploi'teiʃən] *n* **1.** експлоатация, използване (*и прен.*); **2.** *мин.* разработване, експлоатация.

exploration [eksplə'reiʃən] *n* **1.** изследване, проучване; **space ~** изследване на космическото прост-

ранство; **2.** *мед.* сондаж (*на рана*).

explore [iks'plo:] *v* **1.** изследвам, изучавам, проучвам; **2.** *мед.* сондирам (*рана*), правя сондаж на; изследвам; **3.** *мин., геол.* проучвам; **to ~ for oil** правя проучвания за нефт; **4.** *остар.* откривам, добирам се до; търся.

explorer [iks'plo:rə] *n* **1.** изследовател; пътешественик; експлоататор; **2.** *мед.* сонда.

explosive [iks'plousiv] **I.** *adj* **1.** избухлив, експлозивен; взривен; **2.** *прен.* раздразнителен, избухлив, сприхав; ◇ *adv* **explosively**; **II.** *n* **1.** взривно (избухливо) вещество, експлозив, взрив; **gelatinous ~** пластично взривно вещество; **2.** *език.* преградна (експлозивна) съгласна.

export I. [iks'po:t] *v* изнасям, експортирам (*стоки*); **II.** ['ekspo:t] *n* **1.** експорт, износ; **2.** (*обикн. pl*) износни стоки (предмети); **balance of ~s and imports** равносметка за внесените и изнесените стоки, равносметка на вноса и износа; **III.** *adj* експортен, износен; **~ duty** износно мито.

expose [iks'pouz] *v* **1.** откривам, разкривам, излагам; **to ~ oneself to danger** излагам се на опасност; **2.** изоставям (*на произвола на съдбата*); **3.** излагам на показ; **4.** *фот.* експонирам; осветявам; **5.** разкривам (*тайна*); разобличавам; бламирам.

exposed [iks'pouzd] *adj* **1.** отворен, непокрит, открит; **an ~d root of a tree** оголен корен на дърво; **2.** незащитен, изложен, оставен без защита (подслон); **3.** експониран (*при фотографиране*).

exposition [ekspə'ziʃən] *n* **1.** изложение, обяснение, описание; тълкуване, разяснение, интерпретация; коментар; **2.** изложба, изложение; **3.** *фот.* експонация; осветяване; **4.** подхвърляне, изоставяне (*на дете*).

expostulate [iks'postjuleit] *v* споря, възразявам; увещавам, убеждавам, уговарям (**with s.o.; about, on, for sth**); **2.** протестирам, противопоставям се.

exposure [iks'pouʒə] *n* **1.** излагане (*на показ, слънце, студ и пр.*), оставяне; **2.** подлагане, подхвърляне (*на риск, опасност*); **3.** изоставяне, подхвърляне (*на дете*); **4.** разобличаване, демаскиране, разкриване; **fear of ~** страх от публичен скандал; **5.** *фот.* експонация; експониране; **6.** *геол.* оголване на пластове; **7.** изложение; **house with southerly ~** къща с южно изложение.

express [iks'pres] I. *v* **1.** изразявам, изказвам, изявявам; **he has difficulty in ~ing himself** трудно му е да се изразява; **2.** изпращам (*писмо*) с бърза поща; **3.** *амер.* изпращам (*колет, багаж*) чрез куриерска служба (агенция); **4.** пътувам с експрес; II. *adj* **1.** точен, ясен, изричен; **~ orders** изрични заповеди; **2.** нарочен, специален; **3.** бърз, спешен, експресен; **~ train** експрес, бърз влак; III. *n* **1.** *жп* бърз влак, експрес; **2.** директен междуградски автобус; **3.** срочно (бързо) съобщение; бърз превоз; **4.** (нарочен) куриер; **5.** транспортно дружество (кантора, къща, бюро); **6.** изпращане (превеждане) (*на пари, стоки и пр.*) чрез такова дружество; IV. *adv* **1.** *разг.* нарочно, специално; **2.** бързо; **to travel ~** пътувам с бърз влак.

expression [iks'preʃən] *n* **1.** израз; изражение; **beyond (past) ~** неизразимо; **2.** израз, фраза; **common ~** обикновен (банален) израз; **3.** *мат.* израз; **4.** изразност, изразителност, експресия; изражение; **to sing with ~** пея с чувство, изразително; **5.** *рядко, остар.* изцеждане, изстискване, пресоване.

expunge [eks'pʌndʒ] *v* **1.** задрасквам, зачерквам, зачертавам; **2.** изтривам, избърсвам; заличавам, премахвам; унищожавам, ликвидирам.

extend [iks'tend] *v* **1.** простирам (се), протягам (се), удължавам (се); **his working day often ~s well into the evening** работният му ден често продължава и вечерта; **2.** обтягам, изпъвам, натягам, изтеглям (*жица между стълбове и пр.*); **3.** разширявам (*граници и пр.*); продължавам (*жп линия, шосе и пр.*), удължавам (*срок и пр.*); **to ~ a leave for three more days** продължавам отпуск с още три дни; **4.** разпространявам (*влияние*); **5.** оказвам; изказвам, поднасям (*съчувствие и пр.*); **6.** *воен.* разпръсквам (се) във верига; **7.** напрягам (се), напъвам се; **8.** *остар., юр.* налагам запор (*на имущество*); **9.** предлагам, подавам, предоставям (**to**).

extent [iks'tent] *n* **1.** степен, размер; обхват, обсег; **to a great ~** до голяма степен; **2.** протежение; пространство; **3.** *юр.* запор (запрещение) върху имуществата за изплащане на данъци; **4.** оценяване на имущество.

exterior [eks'tiəriə] I. *adj* **1.** външен; страничен; **~ wall** външна стена; **2.** чужд; II. *n* **1.** външност, външна страна, външен изглед, екстериор; **2.** *pl* външни снимки; **3.** *pl* външни белези.

extra ['ekstrə] I. *adj* **1.** добавъчен, допълнителен, извънреден; **2.** висококачествен, чудесен, екстра, супер; **~ binding** луксозна подвързия; II. *adv* **1.** допълнително, добавъчно; отделно, отгоре на всичко; **2.** извънредно, изключително, много; III. *n* **1.** допълнителна такса, нещо допълнително; извънредно издание (*на вестник*); допълнителен номер (*в програма*); извънреден (допъл-

нителен) работник; нещо, за което се плаща допълнително; **2.** фигурант, статист (*в киното*); **3.** (предмет от) високо качество; **4.** *полигр.* поправка на текст, корекция; **5.** *pl* екстри; допълнителни (специални) приспособления и принадлежности към машина.

extreme [iks'tri:m] I. *adj* **1.** краен, най-отдалечен (далечен); **2.** последен; **in one's ~ moments** пред смъртта си; **3.** необикновен, външреден, краен, извънмерен, екстремен; **an ~ case** особен (изключителен) случай; **4.** много суров (строг); **the ~ penalty (of the law)** *юр.* смъртно наказание; ◇*adv* **extremely;** II. *n* **1.** крайност, крайна степен; **to go (run) to ~s, (an ~)** изпадам в крайност, стигам до крайност; **2.** *pl* противоположности; ● **~s meet** противоположностите се привличат; **3.** (*обикн. pl*) особено положение (*опасност, мизерия, нещастие*); III. *adv, остар.* извънредно, необикновено, крайно.

eye [ai] I. *n* **1.** око; **with the naked ~** с просто око; **2.** (*поглед*); **to collect ~s** събирам погледите, привличам вниманието; **3.** *бот.* израстък (око) на картоф; **4.** петелка; **hook and ~** мъжко и женско копче; **5.** уши (*на игла*); **6.** клуп, примка (*на края на въже*); **7.** стъкло на очила; **8.** *амер. sl* шпионин; съгледвач; **9.** център на мишена; **10.** око (*на паунова опашка*); **11.** око, област с ниско налягане в центъра на ураган; ● **to see ~ to ~** съгласявам се, разбирам се, намирам общ език (с); II. *v* гледам, поглеждам; разглеждам; наблюдавам; **~ to ~** директно, направо, лице в лице.

eyesight ['aisait] *n* **1.** зрение; виждане; **2.** зрително поле.

F, f [ef] *n* (*pl* Fs, F's) [efs] 1. буквата F; 2. *муз.* фа.

fable ['feibəl] I. *n* 1. басня; 2. предание, легенда; мит; 3. измислица, фантазия, лъжа, басня; 4. *остар.* фабула; II. *v* 1. *поет.* пиша (разказвам) басни (легенди, приказки); 2. измислям, лъжа; фантазирам, разправям приказки, басни.

fabled ['feibld] *adj* 1. приказен, митичен; легендарен; 2. измислен, несъществуващ, въображаем.

fabric ['fæbric] *n* 1. материя, тъкан, плат; изделие; 2. постройка, здание, сграда; корпус на сграда; 3. *прен.* структура, устройство; the ~ of society структурата на обществото; 4. качество (*на плат*); 5. *attr* платнен, от тъкан; ~ gloves плетени (не кожени) ръкавици.

fabricate ['fæbrikeit] *v* 1. произвеждам, фабрикувам; строя; правя конструкции от готови части; 2. подправям, фалшифицирам; изфабрикувам; 3. измислям, съчинявам, изфабрикувам, скалъпвам, скроявам.

fabulous ['fæbjuləs] *adj* 1. баснословен (*и прен.*), митичен, легендарен; a ~ price баснословна цена; ◇ *adv* fabulously; 2. невероятен, измислен; 3. *разг.* превъзходен, чудесен.

face [feis] I. *n* 1. лице, лик; физиономия, образ; full — анфас; с лице към нещо; 2. лице, израз, изражение; with a ~ of anger разгневен, разсърден; 3. гримаса; to make (pull) ~s правя гримаси, гримаснича, кривя се; 4. външен вид; страна; to put a new ~ on s.th. променям нещата (обстоятелствата); 5. лицева страна, лице; фасада; повърхност; от лицето на земята; лежи с обратната страна навън (нагоре); 6. *разг.* нахалство, наглост, смелост; to show (push) a ~ държа се нахално; 7. циферблат; 8. *мат.* страна; 9. *воен.* фас; 10. *мин.* забой; 11. *техн.* чело; 12. ширина на дъска; 13. ниво (*на течност*);

• on the ~ of s.th. явно, очевидно; II. *v* 1. заставам (обърнат съм) срещу (с лице към), гледам; 2. срещам, посрещам, изправен съм пред; *спорт.* излизам на състезание с; имам насреща си; 3. държа се пред, не трепвам; to ~ facts приемам фактите; 4. облицовам, покривам; 5. слагам ревери (маншети, гарнитура) от друг плат (*на дреха*); 6. полирам, изглаждам, заглаждам; 7. показвам карта (*при игра*);

face about *воен.* обръщам се кръгом; давам команда да се обърне кръгом;

face down укротявам с погледа си; карам да обърне поглед;

face out не трепвам; не се уплашвам; изтрайвам; не признавам;

face up to готов съм да посрещна.

facile ['fæsail] *adj* 1. лесен, лесно постижим; 2. лек, свободен, гъвкав; a ~ hand лека ръка; 3. извършен без много труд, повърхностно; 4. сговорчив, отстъпчив, податлив, мек.

facilitate [fə'siliteit] *v* улеснявам, облекчавам, благоприятствам, спомагам; подпомагам, съдействам.

facsimile [fæk'simili] I. *n* 1. факсимиле, точно копие; in ~ точно, прецизно; 2. *радио.* изпращане на снимки чрез радиотелеграф; снимка, получена по радиотелеграф; II. *v* правя факсимиле.

fact [fækt] *n* 1. факт; събитие, случка; обстоятелство; accomplished ~ свършен факт; 2. истина, действителност; 3. *pl* (фактически) данни; 4. (*деяние*): taken in the ~ заловен на местопрестъплението.

factitious [fæk'tiʃəs] *adj* фалшив; изкуствен; привиден; престорен; ~ enthusiasm фалшив ентусиазъм.

factory ['fæktəri] I. *n* 1. фабрика, завод; 2. търговско представителство; фактория; 3. *attr* фабричен, промишлен; • a boiler — *разг.* шумно място; II. *v* изкупувам чужди дългове на по-ниска цена с цел печалба от общата сума на покупката.

facultative ['fækəltətiv] *adj* 1. факултативен, незадължителен; 2. случаен; 3. *биол.* който може да се приспособява към различни форми на живот.

faculty ['fækəlti] *n* 1. способност, дарба, дар, талант; умение; he lost the faculty of speech той изгуби дар слово; 2. факултет; 3. преподавателско тяло (*на факултет*); ~ meeting факултетски съвет; 4. the F. *разг.* лекарите като цяло; 5. разрешение, право; • collect o.'s faculties овладявам се, идвам на себе си, мобилизирам се.

fade ['feid] *v* 1. вяхна, увяхвам, повяхвам, посървам, клюмвам; ~d youth посърнала (повяхнала) младост; 2. белея, избелявам, избелвам; променям се (*за цвят*); чезна, губя се; заглъхвам (*и прен.*); the colours ~ into one another цветовете се преливат; 3. *кино* преминавам една в друга (*за снимка, кадър*); увеличавам или правя да замре (*звук при радиопредаване, филм и пр.*); 4. *разг.* залагам, обзалагам се (*при хвърляне на зар*);

fade away 1) умирам; 2) чезна, изчезвам, губя се, заглъхвам; you just ~ away изчезвай! да те няма!;

fade in преминавам една в друга (*за кадър, снимка*), осветявам постепенно;

fade out 1) замирам, чезна, губя се; 2) бавно, постепенно затъмнявам (*кадър*); бавно изчезва (*за кадър*).

fag [fæg] I. *v* (-gg-) 1. изморявам, изтощавам, претоварвам; to be ~ged out капнал съм от умора; 2. трудя се, трепя се, заробвам се; to ~ (away) at s.th. заробвам се, трепя се над нещо; 3. ползвам се от услугите на по-малък ученик (*в английските училища*); извършвам услуги на по-голям ученик (for); II. *n* 1. тежък, изнурителен труд, работа; занимание; ангария; what a ~! ужасно тежка (скучна) работа! 2. умора, изтощение; brain ~ умствена преумора; 3. ученик, който

прислужва на по-голям; 4. *sl* цигара.

fail [feil] I. *v* 1. пропадам, не успявам, не сполучвам; провалям се, фалирам, разорявам се; **the crop ~ed** реколтата беше слаба; 2. липсвам; не стигам; свършвам се; изчерпвам се; **our supplies ~ed** припасите ни се свършиха; 3. западам, отпадам, отслабвам, губя сили; гасна, угасвам; **his sight is ~ing (is beginning to ~ him)** зрението му започва да отслабва; 4. пренебрегвам, пропускам, забравям; **don't ~ to come** непременно ела; 5. скъсвам (*на изпит*); 6. не се сбъдвам, не оправдавам надежди, разочаровам; 7. изменям, изневерявам; **his heart ~ed him** изгуби самообладание (кураж); 8. отказвам да работя, излизам от строя (*за машина и пр.*); II. *n*: **without ~** непременно, положително.

failing ['feilin] I. *n* слабост, недостатък; слабо място; II. *adj* 1. недостигащ, липсващ; 2. слабеещ, отпадащ, към края си; **~ memory** слаба (отслабваща) памет; III. *prep* ако не, в случай, че не; **~ an answer to my letter I shall telegraph** ако не получа отговор на писмото си, ще телеграфирам.

failure ['feiljə] *n* 1. неуспех, несполука, провал, поражение; **a dead ~** пълен неуспех; 2. недостиг, липса; 3. неизпълнение; **~ in duty** неизпълнение на дълга; 4. отпадане, отслабване; **a ~ in health** заболяване; 5. несъстоятелност, фалит, банкрут; 6. *техн.* повреда, авария; 7. *геол.* срутване.

fain [fein] *остар.* I. *adj* 1. *predic* склонен, готов; 2. принуден, заставен, насилен, задължен; II. *adv* охотно, с желание, на драго сърце, с готовност; **he would ~ have done it** той с радост би го направил.

faint [feint] I. *adj* 1. слаб, немощен, изтощен; **to go ~** припадам, губя съзнание; 2. плах, боязлив, колеблив, нерешителен, страхлив; **~ heart never won fair lady** нерешителният никога не печели; 3.

блед(ен), неясен; незначителен; **a ~ tinge of orange** бледооранжев оттенък; 4. тежък, задушен (*за въздух*); II. *n* припадък, губене на съзнание; **a dead ~** пълно изгубване на съзнание; III. *v* 1. припадам, прилошава ми; призлява ми; отпадам; 2. *остар.* проявявам плахост, губя кураж.

fair₁ [feə] *n* 1. панаир; **Vanity F.** панаир на суетата; 2. (благотворителен) базар; • **a day too late for the ~** със закъснение; след дъжд качулка.

fair₂ I. *adj* 1. справедлив, безпристрастен; честен; **by ~ means** с позволени средства; 2. добър, задоволителен; голям, значителен, солиден; **a ~ chance of success**, *sl* **~ pop (go)** доста добър шанс за успех; 3. добър, хубав, светъл, ясен, чист, безоблачен (*за време, ден*); **a ~ wind** попътен (благоприятен) вятър; 4. рус, светъл; 5. благоприятен; вероятен; **to be in a (on the) ~ way to do (of doing) s.th.** имам добри изгледи, известна вероятност, на път съм да направя нещо; 6. чист, пресен, свеж; **~ name** неопетнено име; 7. любезен, хубав, обещаващ (*за думи*); 8. *поет.* красив, хубав; приятен; **the ~ sex** нежният пол; **~ one** красива, любима жена; II. *adv* 1. честно, почтено; **~ and square l)** открито, честно, прямо; 2) точно; 2. право, точно; 3. ясно, четливо; 4. благоприятно, с добри изгледи; с вероятност; **to bid ~** обещавам; 5. любезно; III. *n остар.* хубавица; **the ~** *поет.* нежният пол.

fairness ['feənis] *n* 1. справедливост, честност, безпристрастност; **in all ~** което си е право; 2. хубост, красота; 3. белота (*на кожата*), рус цвят (*за коса*); 4. безоблачност, яснота; 5. любезност, вежливост; 6. *остар.* чистота; свежест.

fair-spoken ['feə'spoukn] *adj* учтив, любезен, вежлив; красноречив, убедителен; общителен.

faith [feiθ] *n* 1. вяра, доверие; опора; **to pin o.'s ~ to (upon)** вярвам

сляпо (абсолютно) на; разчитам (осланям се) на; 2. вяра (религия); **Reformed F.** протестантство; 3. честност, искреност; **good ~** добросъвестност; честност, честни (добри) намерения; преданост, вярност; 4. обещание, дадена дума; **to give (pledge, plight) o.'s ~** давам (честната си) дума; • **in ~ whereof** в уверение на което.

faithful ['feiθful] I. *adj* 1. верен, предан (to); 2. верен, истински, точен, достоверен; **a ~ account of** точно описание на; II. *n pl* **the ~** правоверните.

faithfullness ['feiθfulnis] *n* 1. вярност; достоверност; 2. честност.

fake [feik] *разг.* I. *v* 1. подправям, фалшифицирам; правя имитация на; измислям, съчинявам (up); 2. преструвам се, симулирам; **to ~ an illness** преструвам се на болен; II. *n* 1. фалшификация, подправка; имитация; 2. измислица; 3. фалшификатор; мошеник, лъжец; 4. преструван; симулатор; III. *adj амер.* фалшив, подправен, лъжлив.

fall [fɔ:l] I. *v* (**fell** [fel], **fallen** ['fɔ:lən]) 1. падам; **the rain ~s fast** вали силно; 2. (с)падам, намалявам се, снижавам се (*и прен.*), утихвам, стихвам; **the glass has ~en** барометърът спадна; 3. падам, загивам, бивам убит; рухвам (*и прен.*); 4. падам, предавам се; **the city fell to the enemy** градът бе превзет от неприятеля; 5. спускам се; падам на гънки, дипля се (*за плат*); **her eyes fell** тя сведе поглед (очи); 6. падам морално, изкушавам се; **a ~en woman** паднала жена; 7. настъпвам, спускам се; обземам, обхващам (upon); **night (silence) fell** настана нощ (настъпи мълчание); 8. (с *adj predic*) **to ~ asleep** заспивам; 9. бивам повален; **the house fell in an earthquake** къщата бе съборена при земетресение; 10. падам се; **the duty (lot) fell to him** жребият се падна на него; 11. попадам, случвам (се) (c **across**, **into**, **among**, **on**); 12. бива произ-

несен, казан (**from**); **he let ~ that he was leaving** той спомена (случайно), че ще замине; **13.** ражда се (*за агнета и пр.*); • **~ between two stools, (between two stools one ~s) to the ground** от два стола (та) на земята;

fall about *разг.* смея се до припадък;

fall across срещам случайно, натъквам се на;

fall among попадам случайно между; **to ~ among thieves 1)** бивам нападнат от разбойници; **2)** *прен.* попадам в лоша компания;

fall apart 1) разпадам се; разделяме се; **2)** изживявам емоционален срив;

fall away 1) напускам, изоставам; **2)** западам, гина; **3)** отслабвам, линея, крея, западам; **4)** опадам (*за зъби*); **5)** спускам се рязко (*за терен*);

fall back оттеглям се, отстъпвам; **fall back (up)on 1)** *воен.* отстъпвам към; **2)** прибягвам до (към);

fall behind (behindhand) изоставам; присъединявам се;

fall by *sl* отбивам се, посещавам за кратко;

fall down 1) падам, спущам се; спадам; **2)** срутвам се, рухвам; **3)** *амер. разг.* претърпявам неуспех, не сполучвам; пропадам (*на изпит*);

fall for 1) *амер. разг.* влюбвам се, налапвам въдицата, хлътвам; **2)** *sl* подвеждам се от, оставам изигран (излъган) от, хващам се на въдицата;

fall in 1) срутвам се, събарям се, руша се; падам; **2)** хлътвам (*за бузи и пр.*); **3)** *воен.* строявам (се), влизам в строя; **4)** изтичам (*за срок*); **5)** съгласявам се, съвпадам (**with**); **6)** срещам случайно; присъединявам се (**with**); **7)** пада ми се; идва ми изневиделица; **to ~ in s.o.'s way** натъквам се на, срещам някого;

fall into 1) вливам се (*за река*); **2)** изпадам в (*някакво състояние*); **to ~ into error** сгрешавам; **3)** *прен.* съответствам, в съответствие съм с; **to ~ into company**

with случайно се запознавам с;

fall off 1) падам; **2)** отпадам, изоставам; **3)** оттеглям се; **4)** отдалечавам се, отчуждавам се; напускам, отпадам; **5)** спадам, отслабвам, намалявам се (*и за интерес*); **6)** *мор.* не мога да бъда управляван, губя посока (*за кораб*);

fall on 1) нападам; нахвърлям се на; **2)** попадам на, случвам; **3)** прибягвам до; пристъпвам към; **to ~ on evil days** изпадам в нищета; настъпват черни дни;

fall out 1) падам, изпадам от; изоставам; **2)** *воен.* излизам от строя; *разг.* разрешавам (*на някого*) да излезе от строя; **3)** скарвам се, спречквам се (**with**); **4)** случва са, става; излиза, че; **it so fell out that** така се случи, че; **5)** (*преставам*): **~ out of a habit** отвиквам от навик;

fall over 1) падам; стpополявам се, просвам се; **2)** *прен.* хлътвам; **to ~ over backwards** *sl* слисвам се, пада ми шапката;

fall through провалям се;

fall to 1) затварям се (*за врата*); **2)** започвам, предприемам, подхващам, захващам се, залавям се; започвам да ям; **to ~ to the fisticuffs (elbows)** сбивам се;

fall under 1) попадам под; **2)** подлагам се на; **to ~ under s.o.'s eye (notice)** обръщам вниманието на някого върху себе си;

fall upon 1) нападам; **2)** натъквам се на; **to ~ upon s.o.'s neck** хвърлям се на врата на;

II. *n* **1.** падане; *прен.* падение; **to have a ~** падам; **2.** разрушаване, срутване, събаряне (*на здание и пр.*); отсичане, поваляне (*на дърво*); брой на срутеното дървета; **3.** падане, капитулация; разгром; **4.** спадане (*на цена, температура и пр.*); **5.** *спорт.* поваляне на противник (*при борба*); схватка; **to try (wrestle) a ~ with** боря се с; премервам си силите с; изправям се срещу противник; **6.** грехопадение; **the ~ of man** грехопадението; **7.** *амер.* есен; **8.** *обикн. pl* водопад; **9.** валеж; **~ of snow** снеговалеж; **10.** наклон, склон;

11. *техн.* височина на пад, налягане (*на вода*); **12.** *мор.* фал; разстояние между две палуби; **13.** агнетата от едно агнило; **14.** воалетка; • **at ~ of day** привечер.

fallacy ['fæləsi] *n* **1.** заблуда, заблуждение; самоизмама; **a popular ~** общоразпространена заблуда; **2.** софизъм; **3.** *лог.* погрешен извод (разсъждение).

false [fɔ:ls] **I.** *adj* **1.** лъжлив; неверен, погрешен, неточен; неправилен; фалшив; **~ witness** лъжесвидетел; **2.** неверен, неискрен; престорен, притворен; лицемерен; нечестен, вероломен; ◇ *adv* **falsely**; **3.** неистински, фалшив, изкуствен; **~ hair** перука; **4.** временен; **~ supports for a bridge** допълнителни подпори на мост; **II.** *adv* **to play s.o. ~** мамя (измамвам, излъгвам) някого.

falseness ['fɔ:lsnis] *n* **1.** нечестност, невярност, фалш, двуличие, лицемерност, вероломство; измама, изневяра; **~ of heart** изневяра, измяна, вероломство; **2.** погрешност.

falsify ['fɔ:lsifai] *v* **1.** подправям, фалшифицирам; **2.** преиначавам, изопачавам, изкривявам, извращавам; **3.** не оправдавам, излъгвам, разочаровам.

falter ['fɔ:ltə] **I.** *v* **1.** вървя несигурно, залитам, клатушкам се, спъвам се; **2.** говоря неуверено; запъвам се, заеквам, преплита ми се езикът; **to ~ out (forth) an excuse** промърморвам извинение; **3.** колебая се, дърпам се; губя куража си, трепвам, уплашвам се; **II.** *n* **1.** препъване; **2.** колебание; засечка, запъване.

fame [feim] **I.** *n* **1.** слава, известност; **to win ~** прочувам се, ставам известен; **2.** репутация, име; реноме, имидж; **of good (ill) ~** с добро (лошо) име; **3.** мълва, слух; **II.** *v поет.* прославям, разнасям славата на.

familiar [fə'miljə] **I.** *adj* **1.** близък, познат; **to be ~ (on ~ terms) with** в близки отношения съм с; запознат съм с; **2.** известен, познат, обикновен; **a ~ sight** обичайна

гледка, позната картинка; **3.** фамилиарен; който фамилиарничи; свойски; интимен (*в любовни отношения, връзки*); **4.** лек, свободен, непринуден; **5.** *остар.* семеен; домашен, личен; ● **~ phrase** *език.* клише; **II.** *n* **1.** близък приятел; близък; **2.** *рел.* фамулус; **3.** зъл дух (*на вещица*) (*u* **~ spirit**).

family ['fæmili] *n* **1.** семейство (*u език.*); фамилия; домочадие, челяд; род; **a man of ~** човек от благородно потекло; *амер.* семеен човек; **2.** *биол.* семейство, род; **3.** *attr* семеен, родов; домашен; **~ skeleton** скрит (пазен в тайна) семеен позор; ● **in a ~ way** интимно, свойски, без официалности.

famish ['fæmiʃ] *v* **1.** гладувам; **to be ~ing (~ed)** *разг.* много съм гладен, умирам от глад; **2.** изгладнявам; **the child looked half ~ed** детето изглеждаше недохранено.

famous ['feiməs] *adj* **1.** прославен, известен, знаменит, именит, прочут; **to be ~ for** славя се с; **2.** *разг.* прекрасен, чудесен; **to have a ~ appetite** радвам се на завиден апетит.

fan₁ [fæn] **I.** *n* **1.** ветрило; **2.** вентилатор (*u* **rotary ~**); турбина на прахосмукачка; **~ draught** течение, причинено от вентилатори; **3.** веялка; **4.** допълнително крило на вятърна мелница (*за нагаждане към вятъра*); **5.** перка на самолетно или параходно витло; **6.** *архит.* ветрилообразен свод; **II.** *v* **1.** вея (си) (*с ветрило и пр.*); вея (*жито и пр.*); **to ~ oneself** вея си; **2.** разпервам (се) като ветрило (**out**) **3.** *поет.* подухвам; **4.** *прен.* раздухвам, разпалвам (**up**) ● **~ away the dust** избърсвам прах (*със специална четка*).

fan₂ *n разг.* фен, запалянко, почитател, страстен поклонник на.

fanatic [fə'nætik] **I.** *n* фанатик; **II.** *adj* фанатичен, фанатизиран; екзалтиран; разпален, ревностен, запален.

fanatical [fə'nætikəl] *adj* фанатичен; ◇ *adv* **fanatically** [fæ'nætikli].

fanaticism [fə'nætisizəm] *n* фана-

тизъм.

fanciful ['fænsiful] *adj* **1.** капризен; непоследователен; произволен; **2.** особен, странен, чудноват, фантастичен, нереален; **3.** надарен с въображение; **a ~ writer** писател с богато въображение; **4.** фантазьорски.

fancy ['fænsi] **I.** *n* **1.** склонност, желание; вкус, слабост към; *остар.* любов; **to take (catch) the ~ of (o.'s ~)** харесвам се, нравя се, по вкуса съм на; **2.** фантазия, въображение; **to have a pretty ~** имам голямо въображение; **3.** хрумване; каприз, прищявка; **a passing ~** временно желание; прищявка, каприз; **4. the ~** любителите, запалянковците, феновете; **II.** *adj* **1.** фантазе; луксозен; **~ goods (articles)** галантерийни стоки; модни неща; **2.** въображаем, измислен; **a ~ portrait** портрет по въображение; ласкателен портрет; ● **~ prices** фантастични цени; **III.** *v* **1.** харесвам; нрави ми се; **to ~ oneself** имам високо мнение за себе си, самомнителен съм; **2.** представям си; въобразявам си; **3.** отглеждам луксозни животни (специални сортове растения).

fantastic(al) [fæn'tæstik(əl)] *adj* **1.** чуден, чудноват, странен; гротескен, ексцентричен; **2.** фантастичен, въображаем, недействителен, нереален; удивителен, чуден, баснословен; ◇ *adv* **fantastically** [fæn'tæstikli]. **3.** капризен.

fantasy, phantasy ['fæntəsi] *n* **1.** фантазия; фантазиране; **2.** илюзия; халюцинация; плод на въображението; **3.** оригинална, чудновата идея, мисъл и пр.; **4.** *муз.* фантазия.

far [fa:] **I.** (**farther** ['fa:ðə], **further** ['fə:ðə]; **farthest** ['fa:ðist], **furthest** ['fə:ðist]) **1.** далече, далеко, надалеч; **to go ~** отивам далеч, *прен.* успявам, постигам много; **2.** (*за засилване*): **1)** (*за разстояние*) **~ away** много далече; **2)** (*за време*) **~ into the night** до много късно; **3)** (*за степен*) много, значително, несравнено; **it is ~ better to** много по-добре е да; **3.** (*в съчет.*)

as (not so) ~ as (не) чак до; (не) доколкото; **II.** *adj* **1.** далечен; отдавнашен; **it is a ~ cry to** далеч е до; **2.** другият, оттатъшният, отсрещният, отвъдният (*за край, бряг и пр.*); **III.** *n*: **to come from ~** идвам от далечна страна, отдалеч.

fare [feə] **I.** *n* **1.** такса, цена на билет, пътни разноски, път; **excess ~** доплащане; **2.** пасажер, пътник; **3.** храна, ядене; **bill of ~** меню; **4.** *остар.* положение; **II.** *v* **1.** *поет.* пътувам, странствам; **to ~ forth** тръгвам, заминавам; **2.** *книж.* прекарвам, успявам; **3.** *impers книж.* върви ми; **it has ~d ill with him** не му провървя; **4.** храня се.

farm [fa:m] **I.** *n* **1.** ферма; чифлик; стопанство; **poultry ~** птицеферма; **2.** дом, в който се отглеждат чужди деца (*u* **baby-~**); **3.** склад за петрол, отпадъци и пр.; ● **to buy the ~** *разг.* умирам, ритам камбаната; **II.** *v* **1.** обработвам (земя); занимавам се със земеделие; **I ~ed for many years** бях фермер дълги години; **2.** давам (вземам) под аренда; **3.** откупвам получаването на данък, приход и пр.; **4.** гледам деца срещу заплащане.

farmer ['fa:mə] *n* **1.** фермер, земеделец, земеделски стопанин; **2.** човек, който дава под аренда; **3.** човек, който откупва получаването на приходи, данък и пр.; **4.** човек, който отглежда деца (*u* **baby-~**); ● **afternoon ~** безделник, лентяй.

fash [fæʃ] **I.** *v провинц.* безпокоя (се), тревожа (се), вълнувам (се), нервирам (се); **II.** *n* беля, безпокойство, нервиране.

fashion ['fæʃən] **I.** *n* **1.** начин, маниер; **after the ~ of** по подобие на; като; **2.** мода; стил, фасон, кройка; **in the height of (in the latest ~)** по последна мода; **3.** светско общество; **4.** *остар.* майсторство; изработване, изработка, направа; **II.** *v* **1.** оформям, придавам форма, вид, фасон (**in, to, into**); *техн.* формувам, придавам

желаната форма; изработвам, фасонирам; 2. приспособявам, нагаждам (to).

fashionable ['fæʃənəbəl] I. *adj* модерен; моден; светски; ◇*adv* **fashionably**; II. *n* (*обикн. pl*) светски хора, висшето общество.

fast₁ [fɑːst] I. *v* постя, говея; II. *n* 1. пост, постене; 2. пости.

fast₂ I. *adj* 1. бърз; ~ **buck** лесно спечелени пари; 2. здраво закрепен (вързан), неподвижен, стабилен, твърд, крепък, здрав, як; ~ **colour** траен цвят; 3. лекомислен, разпуснат, екстравагантен; **to lead a ~ life** водя лек живот; 4. *амер. разг.* мошенически; **to pull a ~ one** погаждам номер, лъжа; 5. *фот.* високочувствителен; II. *adv* 1. здраво, яко, силно; непоклатимо, стегнато; трайно; ~ **shut** плътно, здраво затворен; 2. бързо, скоро; **her tears fell ~** сълзите ѝ се лееха; ● **play ~ and loose** непоследователен съм, несериозен, безотговорен, ту така, ту иначе; нарушавам обещание, дадена дума; III. *n мор.* въже за връзване кораб (самолет).

fasten [fɑːsn] *v* 1. завързвам, свързвам, скачвам; закрепвам, прикрепвам; 2. закопчавам (се); заключвам (се) (in); 3. *строит.* втвърдявам се, стягам се; 4. насочвам, отправям; привличам, приковавам (*мисли, поглед и пр.*);

fasten on 1) прикачвам, скачвам, прикрепвам; **to ~ o.'s eyes on s.th.** втренчвам поглед в нещо; 2) *прен.* приписвам, отдавам; **to ~ a crime (responsibility, nickname) on** приписвам престъпление (отговорност) на; давам прякор на; 3) залавям се за; **he ~ed on me** той се залепи (се захвана) за мене;

fasten up затварям; завързвам; закопчавам; закътвам;

fasten upon залавям се, захващам се здраво за, вкопчвам се.

fastener ['fɑːsnə] *n* 1. ключалка, резе; 2. закопчалка; цип (*и* **zip** (**slide**) ~); 3. кламерче (*и* **paper** ~); 4. скоба; стяга; затвор.

fastidious [fæs'tidiəs] *adj* 1. придирчив, взискателен, претенциозен, капризен; злояд (in, about); 2. изтънчен, изискан, префинен; чувствителен, деликатен; ~ **taste** изтънчен вкус; ◇ *adv* **fastidiously**.

fastness ['fɑːstnis] *n* 1. бързина; 2. здравина, якост, стабилност; 3. твърдина; 4. крепост, защита.

fat [fæt] I. *adj* 1. дебел, пълен; угоен, тлъст; ~ **type** черни букви; 2. мазен, тлъст, блажен, маслен; а ~ **diet** тлъста храна; 3. плодороден (*за почва*); богат; изобилен; доходен; ~ **pastures** тучни пасища; ● а ~ **chance** *ирон.* никакви шансове (изгледи, възможности); II. *n* 1. мазнина, тлъстина; лой; сало; **animal (vegetable) ~** животинска (растителна) мазнина; 2. пълнота, дебелина; **to put on (run to)** ~ дебелея, пълнея; напълнявам; 3. *техн.* смазка, грес; 4. най-хубавата част от нещо, тлъст пай; *театр.* голяма (централна) роля (*и* ~ **part**); **to live on (off) the ~ of the land** живея охолно, в разкош; 5. *sl* средства; **to live on o.'s own** ~ живея със свои (спестени) пари; ● **a bit of** ~ *sl* приятна изненада; нещо, което прави живота по-приятен; III. *v* 1. угоявам (се) (*и c* up); пълнея, дебелея, затлъстявам; 2. торя (почва); ● **kill the ~ted calf** посрещам гост с радост.

fatal ['feitəl] *adj* 1. съдбоносен, неизбежен, фатален; важен, решителен (to); **the ~ hour has struck** последният час удари; 2. гибелен, пагубен; смъртоносен.

fatality [fə'tæliti] *n* 1. съдба, участ, неизбежност, предопределеност, фаталност; 2. нещастие, катастрофа, беда; 3. (насилствена, случайна) смърт.

fate [feit] I. *n* 1. съдба, участ, орис, орисия; предопределение, неизбежност; 2. *мит.* орисница, парка; 3. зла участ, гибел, смърт; **to tempt ~** търся си белята, играя си с огъня; II. *v pass* предопределено ми е, обречен съм.

fateful ['feitful] *adj* 1. съдбоносен, фатален; решителен, важен; 2.

предопределен, неизбежен, обречен; 3. пророчески.

father ['fɑːðə] I. *n* 1. баща, родител, татко; 2. родоначалник; прародител; праотец; **to be gathered to o.'s ~s** умирам, отивам на оня свят; 3. духовен баща, отец (*и* **spiritual** ~); **the Holy F.** папата; ● **the wish is ~ to the thought** човек вярва в (на) онова, което най-много му се иска; II. *v* 1. ставам (съм) баща на; *прен.* създавам, творя; 2. осиновявам; действам (отнасям се) бащински към; *прен.* поемам отговорност (*за книга, законопроект*); 3. *юр.* припознавам, признавам за свое (*дете*); 4. възлагам (натоварвам с) бащинска отговорност (**on, upon**); приписвам; **I know this article has been ~ed on me** знам, че тази статия се приписва на мене.

fatherly ['fɑːðəli] I. *adj* бащински; *прен.* нежен, внимателен, грижлив; II. *adv* бащински.

fathomless ['fæðəmlis] *adj* 1. неизмерим, безкраен, бездънен; 2. неразбираем, неразгадаем, непонятен.

fatigue [fə'tiːg] I. *n* 1. умора, изтощение; **to drop with ~** капвам от умора; 2. *техн.* умора (*на метал и пр.*); ~ **of the track** износване на жп линия; 3. изтощителна работа (*и* ~**ing work**); 4. *воен.* наряд; **to be on ~** (в) наряд съм, нося наряд; II. *v* 1. изморявам, уморявам, изтощавам, омаломощавам, изнурявам, смазвам; 2. *техн.* износвам, изхабявам.

fatty ['fæti] I. *adj* 1. тлъст, мазен, блажен, маслен; 2. дебел, охранен, угоен; затлъстял; 3. *хим.* мастен; II. *n* шишко, дебеланко.

fatuity [fə'tjuiti] *n* 1. глупост, нелепост; безсмисленост; 2. гламавост, тъпоумие.

fatuous ['fætjuəs] *adj* 1. глупав, безсмислен, плиткоумен, нелеп; 2. гламав, малоумен, слабоумен, тъпоумен; 3. безполезен, безсмислен; нереален, недействителен; ● ~ **ass** *грубо* тъпак, тъпанар, тъп гъз.

fault [fɔːlt] *n* 1. грешка, недоста-

тък, несъвършенство, дефект; **my memory was at ~** изневери ми паметта; 2. грешка, опущение, простъпка, вина; **my ~, the ~ is mine** грешката (вината) е у мене; 3. *спорт.* нарушение, фаул; 4. изгубена следа; **to be at ~** изгубвам следата; *прен.* не знам какво да правя, чудя се; 5. *геол.* разсед, свличане, преплъзване, възсядане (*на земни пластове*); 6. *техн.* повреда, неизправност; 7. *ел.* късо съединение.

faultfinding [ˈfɔːltfaindiŋ] I. *adj* придирчив, претенциозен, капризен, маханджийски; II. *n* 1. придирчивост, придирване; 2. *техн.* откриване на повреда.

fauna [ˈfɔːnə] *n* (*pl* -ae [iː], -as [-əz]) 1. фауна; 2. научно изследване на фауна (*на даден период*).

favour [ˈfeivə] I. *n* 1. благосклонност, благоразположение; доброжелателство, милост; **to fall out of ~** изпадам в немилост, не съм популярен; 2. услуга, любезност; **do me a ~** направи ми една услуга; 3. *pl* ласки (*на жена*); **to grant the last ~s, bestow ~s** отдавам се; 4. покровителство, протекция, защита; пристрастие; **more by ~ than by merit** с протекция; 5. полза, интерес; помощ; **to be in ~ of** съм за, подкрепям; издаден е в полза на, на името на (*за документ*); 6. *търг.* писмо; **your ~ of yesterday** писмото Ви с вчерашна дата; 7. значка, розетка; фльонга; II. *v* 1. благосклонен съм, отнасям се благосклонно, любезно, с внимание; благоволявам; **please ~ me with an answer** моля Ви да ми отговорите; 2. благоприятствам, подпомагам, подкрепям, улеснявам; насърчавам, поощрявам; поддържам, одобрявам (*теория и пр.*); 3. покровителствам; изразявам предпочитание (пристрастие) към; протежирам; 4. *остар.* приличам на.

favourable [ˈfeivərəbəl] *adj* 1. благоприятен, подходящ, удобен, изгоден, износен (**for**); **a ~ star** щастлива звезда; 2. благоскло-

нен, благоразположен (**to**); ◇ *adv* **favourably.**

favoured [ˈfeivəd] *adj* 1. привилегирован; облагодетелстван; щастлив; **most ~** най-облагодетелстван; 2. благодатен (*за климат*).

favourite [ˈfeivərit] I. *adj* любим, предпочитан; II. *n* 1. любимец, -ка, фаворит, -ка (**with** на); **an old ~** нещо старо, но добре познато и изпитано; 2. *спорт.* състезател или отбор, който се очаква да спечели, фаворит.

fear [fiə] I. *n* 1. страх, уплаха, опасение, боязън, боязливост; ужас; **to be (stand, go) in ~ of s.o. (s.th.)** боя се (страхувам се) от някого (нещо); 2. опасност; риск; вероятност; възможност; II. *v* 1. боя се, страхувам се, опасявам се (от); **to ~ the worst** опасявам се от най-лошото (че ще се случи най-лошото); 2. *остар., поет.* плаша, изплашвам.

fearful [ˈfiəful] *adj* 1. страшен, ужасен, чудовищен; 2. страхлив, боязлив, плах, плашлив; 3. изпълнен със страх (уважение, страхопочитание); ◇ *adv* **fearfully.**

fearless [ˈfiəlis] *adj* безстрашен, смел, неустрашим, юначен, мъжествен; ◇ *adv* **fearlessly.**

fearlessness [ˈfiəlisnis] *n* безстрашие, неустрашимост, смелост; юначество, мъжество.

feast [fiːst] I. *n* 1. празник, празненство; ежегоден църковен празник, събор; 2. пир, пиршество, угощение, гуляй, банкет; **to make a ~ of** гуляя (пирувам) с, наяждам се до насита с (*някаква храна*); 3. *прен.* пир, наслаждение, наслада; 4. множество, куп, купища (**of**); II. *v* 1. пирувам, гуляя; **to ~ the night away** пирувам (гуляя) цяла нощ, прекарвам цялата нощ в гуляй; 2. гощавам, угощавам, нагостявам; 3. наслаждавам (се) (**on**).

feat [fiːt] I. *n* 1. подвиг; **a ~ of arms** боен подвиг; 2. изключителна проява, изключително майсторство (умение, сръчност), изкуство; **a regular ~** истинско (забележително) постижение; II. *adj*

остар. 1. сръчен, ловък, умел; 2. елегантен, кокетен (*за дреха*).

feather [ˈfeðə] I. *n* 1. перо, перце; перушина; 2. пернат дивеч; 3. щръкнали косми на опашката или крака на куче или кон; 4. переста мъглявина или драскотина на скъпоценен камък (стъкло); 5. пенлив гребен на вълна; 6. *техн.* перо, зъб, федер; издадина, издатък, ребро; ръб, ръбец; фланец, надлъжен клин; шпонка; откос; 7. гребане (удар) с плоската страна греблото; II. *v* 1. покривам (украсявам) с пера; прикрепвам перо (пера) на (*стрела и пр.*); **to ~ o.'s nest** оплитам си кошницата, уреждам се; 2. свалям няколко пера от птица (*с изстрел*); 3. *техн.* сглобявам дъски с шпунт (зъб, федер); правя ръб (шпунт, канал) (*в дърво*); 4. греба с плоската страна на веслото; **to ~ along the water** греба по водата; 5. опервам се, оперям се, оперушинвам се (*често с* **out**); 6. люшкам се (люлея се, олюлявам се) на вятъра (*за посеви*); 7. пеня се, запенвам се (*за гребен на вълна*); 8. пада, стели се леко (*за сняг*); 9. насочвам кучета на следа (*за куче*); 10. въртя леко (трептя леко с) опашка, когато попадна на следа (*за куче*); 11. *остар., прен.* перя се, перча се като петел, надувам се; придавам си важност.

feature [ˈfiːtʃə] I. *n* 1. *обикн. pl* черти (*на лицето*); *pl* физиономия, лице; **pronounced (prominent) ~s** характерна физиономия, рязко очертани черти на лицето; 2. черта (особеност) на характер; характерна страна (черта), отличителен белег (черта); свойство, качество, признак; особеност; **natural ~s of a country** топография на страна; 3. *журн.* статия, колона (*за специална тема*); 4. *амер.* номер (*в програма*); атракция; специалитет; 5. *кино* игрален (художествен) филм; *амер.* филм (*и* **~ film, ~ picture**); II. *v* 1. отличавам, характеризирам, съм (представлявам) отличителен (характерен) белег на; 2.

изобразявам, рисувам; **3.** *кино* показвам на екрана; играя (*главна роля*); **4.** включвам, отразявам; *журн.* поставям на видно място (на първа страница).

February [ˈfebruəri] *n* февруари; **in** ~ през февруари.

feckless [ˈfeklis] *adj* **1.** безпомощен, неспособен, некадърен, негоден за нищо; вял, слаб, слабоват, вързан, схванат, кекав; **2.** *шотл.* безотговорен; небрежен, лекомислен.

fecklessness [ˈfeklisnis] *n* **1.** безпомощност, некадърност, неспособност, негодност; вялост, слабоватост; **2.** *шотл.* безотговорност; небрежност, лекомислие, безразсъдство.

federal [ˈfedərəl] **I.** *adj* федерален, съюзен; ◇ *adv* **federally**; **II.** *n* федералист; член на федерация.

fee [fi:] **I.** *n* **1.** хонорар, възнаграждение (*на лекар, адвокат*); такса (*училищна, изпитна и пр.*); вноска (*встъпителна и пр.*); бакшиш; **to draw o.'s ~s** получавам си хонорара (възнаграждението); **2.** *истор.* васален имот; **3.** феодално (васално) покорство; **4.** наследствен имот; **5.** *остар.* собственост; имот; жива стока; **6.** *шотл.* надница; **II.** *v* (**feed, feed** [fi:d]) **1.** плащам хонорар (възнаграждение); давам бакшиш на; ангажирам, наемам (*адвокат*) **2.** *разг.* подкупвам, давам рушвет (подкуп) на.

feeble [fi:bəl] *adj* **1.** слаб, слабоват, немощен, безсилен; хилав, болнав, кекав; **to have a ~ hold on llife** едва се държа за живота; **2.** слаб, неясен (*за светлина*); слаб, посредствен (*за ум, работа*); слаб, неиздръжлив, нищожен (*за преграда и пр.*); слаб, лабилен, слабохарактерен, мекушав, мек (*за характер*); ◇ *adv* **feebly** [ˈfi:bli].

feebleness [ˈfi:blnis] *n* слабост, слабоватост; болнавост, хилавост, немощност, кекавост; посредственост; безхарактерност; неиздръжливост; неиздържаност.

feed [fi:d] **I.** *v* (**fed** [fed]) **1.** храня

(се); нахранвам (се); давам храна (зоб *и пр.*) на, давам да яде на; паса; кърмя; **2.** *грубо, ирон.* ям, храня се, обядвам, вечерям; **3.** подхранвам, захранвам; поддържам (*с гориво*); слагам дърва в (*огън*); снабдявам, осигурявам (*машина с гориво, пазар със стоки и пр.*); **to ~ information into a computer** вкарвам информация в компютър; ● **fed to the death (to the back teeth)** *разг.* преситен, отегчен;

feed down (off) изпасвам, опасвам (*ливада и пр.*) (и ~ **a meadow bare**);

feed on храня (се) с (*и прен.*); **to ~ s.o. on hopes** храня някого с празни надежди; **to ~ o.'s eyes on** наслаждавам се (любувам се) на;

feed up **1)** угоявам, охранвам; **to be fed up** *прен.* омръзва ми, стига ми толкоз, до гуша ми идва; **2)** възстановявам се (*след болест*);

II. *n* **1.** хранене, пасене; **out at ~** на паша; **2.** храна, зоб, фураж; **to be off o.'s ~** нямам апетит, не искам да ям (*особено за животно*); **3.** порция, дажба (*фураж и пр.*); **4.** *разг.* ядене, гуляй; **to have a good ~** хубаво си хапвам, съдирам се от ядене; **5.** снабдяване, поддържане, подхранване (*на машина с материал, гориво и пр.*); гориво, материал (*за машина и пр.*); заряд (*на оръжие*).

feel [fi:l] **I.** *v* (**felt** [felt]) **1.** пипам, опипвам, напипвам; **to ~ about in the dark** опипвам в тъмното; **2.** съм... на пипане (за усещания); **to ~ hard, soft, hot, etc.** твърд, мек, горещ и пр. съм (*на пипане*); **3.** усещам, чувствам; изпитвам; имам усет (чувство) за; чувствителен съм към; понасям зле; **I can ~ spring coming** усещам, че идва пролетта; **4.** чувствам се; **to ~ well (ill)** чувствам се добре (зле, болен) добре (болен) съм; **5.** чувствам, смятам, считам; **6.** чувствам, предчувствам; предусещам, предугаждам (*и* ~ **in o.'s bones**);

feel for 1) търся пипнешком; **2)** съчувствам, проявявам състрадание;

feel out 1) търся, опипвам за; проучвам; **2)** *воен.* стрелям все подалеч, търся (*със стрелба*); **3)** **to ~ out of things** чувствам се пренебрегнат (изостанал);

feel up *sl* грубо галя, милвам, опипвам (за да възбудя сексуално);

II. *n* **1.** пипане; **to ~** на пипане; **2.** усещане; **3.** усет, чувство, разбиране; **to acquire the ~ of o.'s plane** овладявам добре самолета си.

feelgood [ˈfi:lgud] *adj* приятен, разтоварващ (*за филм*).

feeling [ˈfi:lin] **I.** *n* **1.** осезание (*и* **sense of ~**); **2.** чувство, усещане; емоция, страст; **a man without ~s** безчувствен човек; **3.** чувство, отношение, настроение, впечатление; **there is a general ~ that ...** общото впечатление е, че...; **4.** усет, разбиране (**for**); **II.** *adj* чувствителен, деликатен; прочувствен; пълен със съчувствие, съчувствен; **a ~ heart** чувствително сърце; сърце, изпълнено със съчувствие.

feign [fein] *v* **1.** *книж.* симулирам, давам си вид, преструвам се (на), правя се (**to do s.th.**); **to ~ death(ignorance)** правя се, преструвам се на умрял (че нищо не знам); **2.** *остар., поет.* измислям, съчинявам.

feigned [feind] *adj* **1.** престорен, лицемерен, прикрит, лъжовен, неискрен; **2.** подправен, фалшив, фалшифициран; фиктивен, неистински; **~ action** *юр.* фиктивен процес.

felicitation [fi,lisiˈteiʃən] *n* (*обикн. pl*) поздравление, благопожелание, честитка.

felicitous [fiˈlisitəs] *adj* **1.** уместен, удачен, подходящ, сгоден, на място, добре избран (подбран); **to be ~ in o.'s choice of words** добре подбирам думите си, успявам да намеря най-точни, подходящи думи; **2.** *рядко* щастлив, ощастливяващ.

felicity [fiˈlisiti] *n* **1.** щастие, бла-

женство; **2.** уместност, удачност; умение да си подбирам думите; **3.** уместна забележка, добре подбрана дума (израз); **4.** благосъстояние.

fell₁ I. *v* **1.** повалям, събарям; **2.** сека, отсичам (*дърво*); **3.** почиствам (*шев*); II. *n* **1.** количество изсечени дървета; **2.** почистен шев.

fell₂ *adj* остар. **1.** жесток, свиреп, зверски, безмилостен, безчовечен, безпощаден; **at one ~ swoop** с един (смъртоносен) удар; **2.** престъпен, незаконен, тъмен (*за замисли и пр.*); **3.** мрачен, тежък; трагичен.

fellow ['felou] I. *n* **1.** другар; компаньон; събрат; колега; съученик; съучастник; **~ sufferer** другар по съдба (в страданието); **2.** равен (*по качества*), еш; **3.** човек (*обикн. от по-долна класа*); грубиян, простак; **4.** разг. човек (*и безл.*); тип, субект; **a queer ~** странен човек (тип), особняк, чудак; **5.** член на преподавателското тяло на университетски колеж; стипендиант, който се занимава с научна работа; член на научно дружество; **6.** амер. разг. приятел, симпатяга; II. *v* намирам еша на (*ръкавица и пр.*).

fellow-feeling ['felou'fi:liŋ] *n* **1.** съчувствие, разбирателство, симпатия; **2.** общност, сходство на вкусове и пр.

fellowship ['feloušip] *n* **1.** дружба, другарство, приятелство; добри (другарски, дружески, приятелски) отношения; разбирателство; родство на мисли, чувства; **2.** сдружение, съдружие, дружество, корпорация; братство; **the ~ of man** братство между хората; **3.** звание и положение на **fellow 4.** стипендия за научна работа.

female ['fi:meil] I. *adj* женски, от женски пол; **a ~ child** момиче; бот., техн. женски; II. *n* жена; женска (на животно), самка; бот. женски цвят.

fen [fen] *n* тресавище, мочурище, блатиста местност.

fence [fens] I. *n* **1.** ограда; стобор, парапет (*и* lath~); спорт. пре-

пятствие; **green ~** жив плет; **2.** фехтовка; **3.** sl укривател на открадвати вещи; човек, който получава или търгува с откраднати вещи; **4.** sl скривалище (склад) на крадени вещи; **5.** техн. регулатор; предпазител; II. *v* **1.** фехтувам се; **2.** пазя, защитавам, предпазвам, прикривам (from, against); **3.** отбягвам, отбивам, парирам (*удар*) (*и* ~off); **4.** заграждам, ограждам (in, about, round); **5.** прескачам, преодолявам ограда, препятствие (*за кон*); **6.** sl укривам или търгувам с крадени вещи; **7.** забранявам лов или риболов в даден участък;

fence in (round) ограждам.

fence off **1.** отклонявам, предотвратявам, парирам (*удар, последици и пр.*); **2)** преграждам (*част от място*);

fence with (a question) отбягвам, измъквам се от (*въпрос, разискване*); извъртам, шикалкавя, гледам да печеля време; парирам въпрос с въпрос.

feral₁ ['fiərəl] *adj* книж. **1.** див, неопитомен, примитивен; **2.** подивял; **3.** некултурен, груб, варварски, нецивилизован.

feral₂ *adj* амер. **1.** погребален; **2.** съдбоносен, фатален; смъртоносен.

ferment I. ['fə:mənt] *n* **1.** фермент; квас; **2.** ферментация; втасване, кипене; **3.** прен. кипеж, вълнение, възбуда; **to be in a state of ~** кипя, вълнувам се; II. [fə'ment] *v* **1.** ферментирам; предизвиквам ферментация (втасване, кипене); **2.** възбуждам (се), вълнувам (се), кипя; карам да кипи.

fermentation [,fə:men'teišən] *n* **1.** ферментация, ферментиране, кипене; **2.** запарване, спарване (*на жито, сено и пр.*); **3.** кипеж, вълнение, възбуда.

fern [fə:n] папрат; **wall ~** бот. сладка папрат *Polypodium vulgar*.

fertility [fə:'tiliti] *n* **1.** плодородност, плодородие; **2.** плодовитост; богатство, изобилие (*и* прен.); **3.** кълняемост.

fertilize ['fə:tilaiz] *v* **1.** торя, нато-

рявам, подобрявам, обогатявам (*почва*); **2.** биол. оплождам, оплодявам; бот. опрашвам.

fervency ['fə:vənsi] *n* прен. жар, жарава, горещина; страст, плам, разгореженост; ревност.

fervent ['fə:vənt] *adj* **1.** горещ, жарък, пламтящ; **2.** прен. горещ, жарък, разгорещен, разпален, пламенен; страстен, ревностен; **~ adv** fervently.

fester ['festə] I. *v* **1.** гноя, загноявам, нагноявам, бера, забирам; **2.** гния, разлагам се; **3.** причинявам загнояване (гниене, разлагане); разлагам; **4.** измъчвам, гризя (*за лошо чувство*); II. *n* гнойник, цирей; гнойна (загноила) рана; забрало място.

festival ['festivəl] I. *n* **1.** празненство, празник; **2.** фестивал; II. *adj* **1.** празничен; **2.** фестивален.

festive ['festiv] *adj* **1.** празничен, тържествен; **2.** весел, радостен, празнуващ; **3.** весел, който обича да се весели; развеселен (*от пиене*); **4.** уч. sl нахакан, нахален.

fetch [fetš] I. *v* **1.** отивам да взема (да донеса, да доведа); донасям, довеждам (*отнякъде*); вземам (*отнякъде*); **2.** изваждам, изкарвам, добивам; **to ~ tears from s.o.'s eyes** докарвам сълзи в очите на някого; накарвам някого да се просълзи; **3.** продава се на, докарва, стига до (*цена, печалба*); **4.** привличам, харесвам се на, нравя се на, допадам на; очаровам, омайвам, спечелвам, покорявам, пленявам, грабвам; **5.** мор. стигам, достигам; докарвам; • **(s.o.) a blow (one)** разг. нанасям някому удар, удрям;

fetch about мор. лавирам.

fetch away **1)** отвеждам, откарвам, отнасям; **2)** мор. падам, търкалям се (*за предмети на борда при буря*); **3)** освобождавам се, изскубвам се, измъквам се;

fetch back връщам, донасям (докарвам, довеждам) обратно;

fetch down **1)** снемам, свалям, донасям (*отнякъде горе*); **2)** повалям, събарям (*противник*); улучвам, убивам (*птица*); **3)** карам

да спадне, намалявам, свалям (*цена*);

fetch in довеждам вътре; внасям, прибирам;

fetch to свестявам (се), съвземам (се), опомням (се), идвам на себе си;

fetch up 1) довеждам, донасям, качвам (*горе*); 2) повръщам, бълвам; 3) спомням си, припомням си; 4) наваксвам (*изгубено време и пр.*); 5) *амер.* отглеждам (*деца*); 6) *разг.* спирам се; 7) стигам, пристигам (at);

II. *n* 1. усилия, мъки, зор; 2. хитрина, хитрост, номер; 3. път, разстояние; ширина на залив; 4. *мор.* лавиране; 5. *комп.* извличане на данни от паметта на компютър.

fetching ['fetʃiŋ] *adj разг.* привлекателен, обаятелен, очарователен, прелестен, възхитителен.

fetish ['fetiʃ] *n* 1. муска, амулет, талисман, фетиш; 2. фетиш, култ, идол, кумир.

fetter ['fetə] I. *n обикн. pl* 1. окови, вериги (*и прен.*), букаи; 2. робство; **in ~s** (окован) във вериги; II. *v* 1. оковавам (слагам) във вериги; спъвам (*кон*); 2. *прен.* преча на, спъвам, възпрепятствам.

fettle [fetəl] I. *n* състояние, положение; **in fine (good) ~** в добро състояние (настроение), в добра форма; *sl* пиян, пийнал, на градус; II. *v* 1. *диал.* оправям, нареждам; *диал.* правя се на много зает; суетя се.

fever ['fi:və] I. *n* 1. температура; треска (*и прен.*); малария; нервна възбуда; **yellow ~** жълта треска; 2. *attr* трескав, маларичен; **~ zones** малариични области; II. *v* хвърлям в треска; разболявам се от треска; вдигам температура.

feverish ['fi:vəriʃ] *adj* 1. трескав (*и прен.*), горещ, пламнал; 2. възбуден, нервен, напрегнат, неспокоен; ◇*adv* **feverishly**; 3. нездрав (*за климат*).

few [fju:] I. *adv* малко (*на брой*); **he has ~ friends** той има малко приятели, почти няма приятели; II. *pr, n* малко, малцина; **a ~** ня-

колко, неколцина; ● **have a few (too many)** *разг.* пийвам някоя и друга чашка.

fiat ['faiæt] I. *n* 1. съгласие, одобрение; *юр.* одобрение (съгласие) на министър на вътрешните работи в Англия за завеждане дело срещу короната; 2. декрет, указ, постановление, нареждане; **~ money** *амер. фин.* книжни пари без златно покритие; **by ~** по заповед отгоре; II. *v рядко* 1. одобрявам, санкционирам; давам съгласието си за; 2. нареждам, постановявам, издавам декрет (указ).

fickle [fikəl] *adj* непостоянен; изменчив, променлив; капризен; неверен.

fiction ['fikʃən] *n* 1. белетристика, художествена проза; **light ~** леки романи; 2. фикция; плод на фантазията (въображението); заблуда; **polite ~** лъжа, която привидно се приема от всички за истина.

fictitious [fik'tiʃəs] *adj* 1. въображаем, измислен; 2. подправен, фалшив, фалшифициран; привиден, неистински, мним, лъжлив; фиктивен; престорен.

fiddle [fidəl] I. *v* 1. играя си, въртя в ръцете си; бърникам; променям, бъзикам (with); 2. подправям, променям (*финансови документи за собствена облага*); 3. свиря на цигулка (гъдулка и пр.); скрибуцам (стържа) на цигулка и пр; 4. губя си времето, занимавам се с празни работи, бездельнича, мотая се, заглавиквам се (about); **~ away o.'s time** пилея (пропилявам, губя) си времето; 5. *sl* измамвам, мятам, подхлъзвам, пързалям; II. *n* 1. цигулка; гъдулка; всякакъв инструмент, подобен на цигулка (виола, чело и пр.); цигулар (*в оркестър*); **to play second ~ to s.o.** играя второстепенна роля в сравнение с някого; 2. измама; **to be on the ~** правя финансови измами, присвоявам средства; 3. *мор.* дървена рамка (подпорка), която се слага на масите в кораб, за да не

падат нещата при вълнение; 4. *мор.* тауреп.

fiddler ['fidlə] *n* 1. *често пренебр.* цигулар, гъдулар; свирач; **to pay the ~** поемам разноските; тегля последствията; 2. мошеник, финансов измамник; 3. човек, който подлъгва други да залагат на конни състезания; 4. безделник; несериозен човек, любител.

fiddling ['fidliŋ] I. *adj* 1. дребен, незначителен, маловажен; безсмислен; 2. който стърже (скрибуца) на цигулка; 3. който си губи (пилее) времето; II. *n* 1. финансова измама; 2. стържене (скрибуцане) на цигулка; 3. бърникане, ровичкане; **~ around (about)** губене (пиленее) на време.

fidelity [fi'deliti] *n* 1. вярност, преданост (to); 2. точност, правилност, прецизност; **high ~** *радио. и пр.* прецизност на възпроизвеждания звук.

fidget ['fidʒit] I. *v* 1. въртя се, шавам, не ме свърта, не мога да стоя на едно място (да си намеря място); (*u* **~ about, around**); 2. играя си, въртя в ръцете си (with); 3. тревожа (се), притеснявам (се), безпокоя (се), измъчвам (се); не мога да се съсредоточа; II. *n* 1. *често pl* нервност, неспокойствие; суетене, нервни движения; шумолене (*на дрехи*); **to be in a ~, have the ~s** не ме свърта на едно място; 2. човек, който не се свърта на едно място, който вечно си играе с нещо.

fiduciary [fai'dju:ʃəri] I. *adj* 1. доверен; поверен; 2. основан на доверие; чиято стойност се гради върху общественото доверие (*за книжни пари*); II. *n* доверeник, доверено лице.

field [fi:ld] I. *n* 1. поле; кър; нива; ливада; **corn ~, a ~ of wheat** пшенична нива; 2. *мин.* поле, находище, басейн; **ore ~** рудно находище; 3. голямо пространство; **a ~ of snow, a snow ~** голямо снежно пространство, снежно поле; 4. фон, поле (*на картина, знаме, монета, щит и пр.*); 5. поле, обсег на действие; **acous-**

tic ~ акустично (звуково) поле; 6. бойно поле, полесражение (и ~ of battle); театър на военни действия; сражение, битка; to keep the ~ продължавам сражението (борбата), не отстъпвам (и прен.); 7. поле, поприще, сфера (на дейност); област, клон, бранш, специалност; to have a clear ~ before one имам свобода на действие; 8. спорт. игрище, терен; спортна площадка; част от игрището вън от квадрата (при бейзбол); всички участници в състезание; to place the ~ разпределям играчите по местата им в игрището; 9. спорт. писта (за конни състезания); всички коне, които участват в състезание, освен предполагаемия победител; всички ловци, които участват в даден лов; • fair ~ and no favour еднакви условия за всички (при борба, състезания и пр.); II. adj полеви; в реална обстановка, на практика (а не на теория); III. v спорт. 1. хващам топката и я връщам (при бейзбол, крикет); 2. разпределям играчите (при бейзбол, крикет); 3. залагам на конни състезания срещу предполагаемия победител; 4. журн. справям се с, отговарям успешно на (въпрос); 5. журн. издигам, предлагам (кандидат).

fiend [fi:nd] n 1. сатана, дявол, демон, зъл дух; бяс; зъл човек, престъпник, злодей, звяр; 2. маниак на някаква тема, страстен поклонник на нещо, запалянко; strong-tea ~ страстен любител на силния чай; 3. голям майстор, факир (at).

fiendish ['fi:ndiʃ] adj 1. дяволски, демоничен, сатанински; ужасен, адски; зъл, пъклен, мъчен, непосилен; ◇ adv fiendishly.

fierce [fiəs] adj 1. жесток, свиреп; 2. бурен, буен, бушуващ, неудържим, силен (за буря, чувства и пр.); страстен, пламенен (за желание и пр.); усилен, много напрегнат (за работа и пр.); when the argument waxed ~st в разгара на спора; 3. груб, брутален; 4.

sl отвратителен, противен, неприятен, гаден; ◇ adv fiercely; 5. бързодействащ, рязък (за съединител).

fierceness ['fiəsnis] n 1. жестокост, свирепост; 2. бурност, буйност; сила, страст, страстност, разпаленост, пламенност; 3. грубост, бруталност.

fieriness ['faiərinis] n 1. плам, пламенност, жар, страст, страстност; 2. зной, жар, парещи лъчи; 3. горещ (парлив) вкус.

fiery ['faiəri] adj 1. пламнал, горящ, пламтящ, разпален, огнен; 2. пламенен, разпален, страстен, ревностен; раздразнителен, избухлив, прибързан; 3. лют, парлив, който изгаря гърлото; 4. възпламенителен, запалителен (за газ); 5. възпален, лют (за рана).

fifty ['fifti] num петдесет; go ~-~, do a deal on a ~-~ basis деля наполовина (наравно).

fight [fait] I. v (fought [fɔ:t]) 1. боря се, бия се, сражавам се, воювам, водя борба, участвам в борба (сражение, битка) (against, with с, срещу, против); споря; to ~ an election участвам в избори, боря се за пост; 2. управлявам, направлявам (кораб при сражение); насочвам, стрелям с (оръдие); 3. насъсквам за борба (кучета, петли и пр.);

fight back съпротивлявам се на (болест и пр.);

fight down побеждавам, надвивам, преодолявам, превъзмогвам (изкушение, съпротива);

fight off 1) отблъсквам (неприятел); 2) надвивам (на болест); 3) to ~ off a tie играя решаваща партия (след равен резултат); to fight out 1) решавам (спор); 2) ~ it out боря се докрай;

II. n 1. борба; бой, битка, сражение; борене; спор; to have a hard ~ to с мъка успявам да; 2. борчески дух, желание за борба, умение да се боря; to put up a good (poor) ~ оказвам силна (слаба) съпротива; защитавам се (боря се) добре (зле);

fighter ['faitə] n 1. борец; боец; 2.

авиац. боен самолет, изтребител (и fighter-plane).

fighting ['faitiŋ] I. adj 1. борчески, боек; боен, боеви; ~ forces воен. бойни сили; 2. готов за борба; to be on ~ terms на нож сме; II. n борба, сражение; борене, боричкане.

figment ['figmənt] n измислица, небивалица, плод на въображението (фантазията) (и a ~ of o.'s imagination).

figurative ['figjurətiv] adj 1. език. фигуративен, образен, преносен; 2. метафоричен, символичен; изпълнен с метафори; a ~ writer писател, който обича метафорите; 3. който изобразява символично (метафорично); ◇ adv figuratively; 4. изобразителен, пластичен; ~ art изобразително изкуство.

figure ['figə] I. n 1. фигура, образ, облик, външен вид; чевек; тяло; телосложение; to lose o.'s ~ напълнявам, развалям фигурата си; 2. личност; деец; герой, действащо лице (в драма и пр.); a public ~ общественик, обществен деец; 3. изк. изображение (на човешка и пр. фигура), образ, фигура, статуя; a lay ~ модел (на художник); прен. неправдоподобен (схематичен) герой; човек без всякаква индивидуалност, "пионка"; 4. фигура, илюстрация, чертеж, диаграма, таблица (в книга и пр.); 5. мат. фигура, тяло; 6. фигура (при танц, кънки и пр.); to cut ~s правя фигури по леда (с кънки); 7. десен (на плат); 8. астр. хороскоп; to cast a ~ правя хороскоп; 9. цифра; double ~ двуцифрено число; pl смятане, аритметика; сума, цена; 10. лит. реторическа фигура; преносен израз; метафора, сравнение (и ~ of speech); 11. муз. мотив; II. v 1. рисувам, изобразявам; представям графически; чертая, въчертавам; 2. представям си, въобразявам си (to oneself); 3. обикн. pass украсявам с фигури; десенирам; 4. означавам с цифри; (пре)смятам, изчислявам; 5. фигури-

рам, съм, явявам се, участвам; **to ~ as s.o.** явявам се като някого, правя се на, играя ролята на някого; **6.** *амер. разг.* смятам, преценявам; мисля; **7.** *муз.* цифровам *(бас)*; **8.** *амер.* подразбира се **(that ~s);**

figure on *амер.* разчитам на; **I had ~d on him** разчитах на него;

figure out 1) възлизам **(at** на**); 2)** пресмятам; изчислявам; **3)** измислям, намислям; решавам *(проблем)*, разбирам, проумявам, създавам си картина за;

figure up *рядко* събирам; изчислявам, смятам;

file₁ [fail] **I.** *n* **1.** пила; **smooth ~** ситна пила; **2.** *прен.* изглаждане, излъскване, обработване; **it needs the ~** има нужда от изглаждане; **II.** *v* **1.** пиля, изпилявам; **2.** *прен.* изглаждам, обработвам;

file away изпилявам *(грапавина и пр.)*;

file down пиля, изпилявам;

file up изпилявам, изглаждам с пила;

file through изпилявам (така че да се разделят на две).

file₂ [fail] *n* **1.** папка; дело; архива; картотека; списък; **2.** досие, лично дело; **3.** *инф.* файл; **II.** *v* **1.** регистрирам, нареждам (пазя, подреждам) в архива *(и ~ away);* **2.** *амер.* подавам *(молба, заявление);* **to ~ for divorce** подавам документи за развод;

fill [fil] **I.** *v* **1.** пълня (се), напълвам (се), изпълвам (се) **(with);** насищам, засищам; **~ a glass full to overflowing** препълвам чаша; **2.** запълвам, затъпквам, натъпквам; пломбирам *(зъб)* **(with);** **the siren ~ed the air** във въздуха отекна вой на сирена; **3.** запълвам, изпълням; заемам *(място, служба);* изпълнявам (роля); **to ~ s.o.'s shoes** наследявам някого в службата, изпълнявам службата на някого; **4.** *амер.* изпълнявам *(поръчка, рецепта);* отговарям на *(изисквания);* **5.** наливам **(into);** **6.** *мор.* надувам се, издувам се *(за платна);*

fill in 1) затъпквам, натъпквам;

запълням, напълвам, *(трап и пр.);* зазиждам *(врата и пр.);* **2)** попълвам *(празнина, формуляр и пр.);* **3)** прекарвам, запълвам *(време);*

fill out 1) напълням (се); надувам (се), закръглям (се); **2)** напълнявам, закръглям се; **3)** разширявам, допълвам;

fill up 1) пълня (се) до горе, напълвам (се); препълвам (се), претъпквам (се); **2)** запълвам *(време);* **3)** насищам, засищам *(за храна);* • **to ~ s.o. up with a story** накарвам някого да повярва някаква история;

II. *n* **1.** достатъчно количество, колкото е нужно; толкова, колкото е необходимо за дадена цел; едно пълнене; **2.** ситост, насита; **to eat (drink) o.'s ~** наяждам се (напивам се) до насита, ям (пия) до насита.

film [film] **I.** *n* **1.** филм, тънък (лек) пласт (слой); тънка (лека) покривка; **2.** було, воал; корица, кожица, ципица; мъглявина, мъглявост; лека мъгла, мъглица; потъмняване; **3.** нишчица, жилчица, жичка; **4.** *фот.* филм; **5.** *кино* филм; *pl* киноиндустрия; **to take (shoot) a ~** снимам филм; **6.** *attr* кино-, филмов; **~ library (store)** филмотека; **II.** *v* **1.** покривам (се) с тънък слой (пласт); замъглявам (се); потъмнявам; **2.** снимам, правя снимка; филмирам, снимам филм; **he ~s well** той е фотогеничен.

filter [ˈfiltə] **I.** *n* филтър; цедка, цедилка; **II.** *v* **1.** филтрирам, прецеждам, пречиствам *(често с* **out**); **2.** изцеждам се, прецеждам се, оцеждам се; прониквам *(често с* **through**).

filthy [ˈfilθi] *adj* **1.** мръсен, кирлив, отвратителен, гаден; **2.** развратен, порочен; неприличен, циничен; порнографски.

filtration [filˈtreiʃən] *n* филтрация, прецеждане, пречистване.

final [ˈfainəl] **I.** *adj* **1.** финален, последен, краен, заключителен; **2.** окончателен, решаващ; категоричен; безвъзвратен; **to give a ~**

touch to, put the ~ touches to довършвам; **3.** *език.* за цел; **~ clause** подчинено изречение за цел; **II.** *n* **1.** *спорт.* финал; **to run (play) in the ~s** играя във финала; **2.** последен изпит; **3.** последната буква на дума; **4.** *муз.* финал *(на песен).*

finale [fiˈnɑːli] *n* **1.** *муз.* финал, заключение; **2.** заключение, край, финална сцена.

finality [faiˈnæliti] *n* **1.** окончателност, решителност; безвъзвратност; **with an air of ~** като че ли слагам точка на всичко; **2.** край, завършък; завършеност; окончателно уреждане; последно (решително) изказване; **proposals in which there is no ~** предложения, които не водят до нищо решаващо (окончателно).

finance [faiˈnæns] **I.** *n* **1.** финанси *(като наука);* **a system of ~** финансова система; **2.** *pl* финанси *(на държава, предприятие);* бюджет; **II.** *v* **1.** финансирам, отпускам парични средства на, подкрепям, подпомагам с пари; **2.** *рядко* занимавам се с финанси (финансови операции); **3.** *рядко* осигурявам средства чрез заем.

financial [faiˈnænʃəl] *adj* финансов; паричен; бюджетен; **a ~ year** бюджетна година; ◇ *adv* **financially.**

find [faind] **I.** *v* **(found** [faund]**) 1.** намирам, откривам; виждам; срещам, попадам на, натъквам се на; заварвам, сварвам; **not to be found** не може да се намери; **2.** намирам, считам, смятам; узнавам; убеждавам се, установявам, констатирам, стигам до заключение; *юр.* признавам; **to ~ s.o. guilty** *юр.* признавам някого за виновен; **3.** снабдявам **(in, with** с**); to be well found in literature** имам добро литературно образование;

find out 1) разбирам, откривам, разкривам, давам си сметка за, обяснявам си; **2)** хващам, улавям *(някого в грешка, лъжа и пр.);* разбирам какво представлява; **he has been found out** разбраха как-

во представлява той;
II. *n* откритие, находка; **a sure ~** място, където винаги се намира дивеч; *прен.* човек (предмет), когото човек не може да намери.

finding ['faindiŋ] *n* **1.** откриване, намиране; нещо намерено, открито; **2.** снабдяване; **3.** съдебно решение, заключение, констатация, извод; **4.** *pl* получени данни, сведения; резултати, открития; *амер.* принадлежности.

fine [fain] **I.** *adj* **1.** хубав, чудесен, прелестен, прекрасен; доблестен; внушителен, представителен, величествен; добре сложен, напет, елегантен; **2.** тънък (*и прен.*); фин, нежен, деликатен, изящен; изтънчен; the ~ details дребните детайли; **3.** тънък, остър, заострен, изострен; **4.** ситен, дребен; ~ flour (sand, rain) ситно брашно (пясък, дъжд); **5.** хубав, добър, отличен, прекрасен (*и ирон.*); **6.** хубав, светъл, сух, слънчев, чудесен, прекрасен (*за ден, време*); здрав (*за климат*); **one (some) ~ day** един прекрасен ден; **7.** остър, тънък, проницателен (*за ум*); **a ~ sense of humour** тънко чувство за хумор; **8.** рядък, неконцентриран (*за газ и пр.*); **9.** чист, рафиниран; пречистен; **10.** елегантен, изтънчен (*често неодобр.*); натруфен, накипрен; **a ~ lady** светска дама; **II.** *adv* **1.** отлично, чудесно, прекрасно; **that will suit me ~** *разг.* това ще ми свърши работа; това е съвсем удобно за мен; **2.** на ситно, на дребно; **to chop ~** нарязвам на ситно, на дребно; **3.** едва, на косъм съм (*особ. в изрази*); **to run (cut) it rather ~** едва успявам, едва сварвам; оставям си едва достатъчно (*време и пр.*); **III.** *n* **1.** хубаво (слънчево) време; **2.** *pl* чисти минерали; **IV.** *v* **1.** избистрям (се), пречиствам (се), рафинирам (*често с* down, off); **2.** изтънявам (*често с* away, down, off); **3.** намалявам (се).

fineness ['fainnis] *n* **1.** финес, финост, деликатност, изящество, изтънченост; тънкост; **2.** остро-та, заостреност; изостреност; **3.** чистота, пречистеност, рафинираност; **4.** хубост, красота; напетост, елегантност; **5.** острота, проницателност; **6.** превзетост, натруфеност; **7.** точност, прецизност; **8.** дребнозърненост, ситност, финост.

finger ['fiŋgə] **I.** *n* **1.** пръст; **to have a ~ in the pie** имам пръст, участвам, меся се в; **2.** пръст (*количество, мярка*); **a ~ of brandy** един пръст бренди; **3.** сюрме, резе, мандало; **4.** стрелка (*и на часовник*), показател; **5.** *техн.* палец; щифт; **II.** *v* **1.** пипам с пръсти, въртя в ръцете си; пипам, опипвам, бърникам; **2.** пипам, задигам, отмъквам, крада, пооткрадвам; **3.** вземам подкуп; **4.** *муз.* свиря на, означавам (прилагам) апликатура; **5.** разобличавам, издавам (*на властите*).

finicality, finicalness [fini'kæliti, 'finikəlnis] *n* **1.** придирчивост, взискателност, дребнавост, педантичност, формализъм; **2.** детайлираност; претрупаност.

finicking, finicky, finikin ['finikin, -ki, -kin] *adj* придирчив, дребнав.

finish ['finiʃ] **I.** *v* **1.** свършвам (се), умирам, изкарвам (докрай); завършвам; финиширам; приключвам (with с); **2.** свършвам, довършвам, донатъкмявам, усъвършенствам, изпивам, доизкусурявам (*и с* off); **to ~ cloth with nap** кардирам плат; **3.** изядам, дояждам, доизяждам, изпивам, допивам, доизпивам, консумирам, изконсумирам (*и с* off); изчитам, дочитам, прочитам (*и с* up); **4.** довършвам, очиствам, премахвам, ликвидирам, убивам, доубивам, пречуквам, затривам, светя маслото (на някого), виждам сметката на, преуморявам, изтощавам, изнурявам (*и с* off); **5.** преставам, спирам, прекъсвам, преустановявам, секвам (*и с* ger); **6.** свършвам се, изминавам, изтичам; **the party ~ed up with music** увеселението завърши с музикални изпълнения; **7.** *техн.* обработвам чисто, подла-

гам на окончателна обработка;
II. *n* **1.** завършък, завършване, свършек, свършване, край (*и на лов*); *спорт.* финиш; смъртта на лисицата; **to be in at the ~** присъствам на края, свидетел съм на развръзка; **2.** довършване, дотъкмяване, оглаждане, изглаждане, последни подробности, щрихи, завършеност; **to lack ~** незавършен, недоизкарвам нещо, недодялан съм; **3.** *строит.* фина мазилка, последен слой боя; лустро, гланц; *текст.* апретура; **a dull ~** матова повърхнина.

finished ['finiʃt] *adj* завършен, в завършен вид, изкаран докрай, оформен, доизкусурен, изпипан; съвършен, отличен; ~ **state** завършен (окончателен) вид.

finite ['fainait] *adj* **1.** определен, ограничен, с граници, предели; **2.** *език.* финитен, който има лице и число (*за глагол*).

fire₁ ['faiə] **I.** *n* **1.** огън, *прен.* печка; **to nurse the ~** поддържам огъня; **2.** пожар; **to be on ~** горя, запален съм; пламнал съм, в пламъци съм; във възбудено състояние съм; проявявам усърдие; **3.** огън, треска; възпаление, болка; **4.** блясък; **5.** жар, пламък, страст, увлечение, възторг, въодушевление, ентусиазъм, устрем, приповдигнато настроение, живост на въображението, вдъхновение; **6.** *воен.* огън, стрелба, стреляне, обстрелване; **stand ~** устоявам на огъня на неприятеля; устоявам на нападки и пр.; • **to breathe ~** бълвам огън и жупел, беснея; **II.** *v* **1.** паля, запалвам (се), подпалвам (се); **to be ~d with** задвижван съм от; **2.** пламвам, възпламенявам (се), запалвам (се), разгорещявам (се), развълнувам (се), възбуждам (се), раздразвам (се); **3.** пека (*тухли, грънци*); суша (*чай, тютюн*); **4.** зачервявам се, почервенявам, изчервявам се; **5.** стрелям, давам изстрел, гърмя, гръмвам (с) (at, on, upon); пукам, хвърлям, мятам; изстрелвам; запалвам (*мина*); **to ~ a gun** стрелям с пушка; • **to ~ on all**

cylinders *sl* вървя (развивам се) отлично, напредвам с пълна пара; **fire away** почвам, карам; стрелям непрекъснато;

fire off гръмвам, пуквам, изгърмявам, изстрелвам; *прен.* изтърсвам, изтървавам (*забележка и пр.*);

fire out *разг.* изгонвам, изпъждам, уволнявам, отхвърлям;

fire up пламвам, разсърдвам се, избухвам, кипвам.

fire₂ *v разг.* уволнявам, изхвърлям.

firing ['faiəriŋ] *n* 1. стрелба, стреляне; 2. гориво, топливо, огрев; 3. палене (*на печка и под.*), напалване, отопление; 4. печене (*на тухли и пр.*); 5. дамгосване; 6. *мин.* запалване на фитил.

firm₁ [fə:m] *n* 1. фирма; предприятие; 2. (*u long ~*) група мошеници, банда, шайка.

firm₂ I. *adj* 1. твърд, корав, сбит, плътен; **to be on ~ ground** стъпил съм на здрава почва, чувствам се сигурен; 2. устойчив, издръжлив, непоколебим, несломим, солиден, стабилен, постоянен, неизменен, траен; **~ government** стабилно правителство; здрава власт; 3. твърд, строг; решителен, уверен; **to give a person a ~ glance** поглеждам някого строго в очите; II. *adv* твърдо, здраво; **to hold ~ to** държа се здраво за; III. *v* затвърдявам (се), вкоравявам (се), сбивам (се), уплътнявам (се), закрепявам здраво (*u ~ up*).

firmness ['fə:mnis] *n* 1. твърдост, коравост, сбитост, плътност; 2. устойчивост, издръжливост, непоколебимост, непреклонност, солидност, стабилност, постоянство, неизменност, трайност; 3. решителност, строгост.

first [fə:st] I. *adj* пръв, първи; **at ~ sight (blush), at the ~ blush (glance, face)** на пръв поглед; II. *n* 1. начало; **from ~ to last** отначало докрай, открай докрай, изцяло, общо, съвсем; 2. (the ~) първи, първо число; 3. *pl* първокачествена стока; първи плодове; *мин.* най-богатата руда, сор-

тирана руда; концентрат; III. *adv* 1. отначало, най-напред; **~ and foremost** преди всичко, първо на първо; 2. по-скоро, преди това; **he would die ~** той би предпочел да умре (по-скоро би умрял); 3. първо (*u firstly*).

first-class ['fə:st'kla:s] I. *adj* 1. първокласен, първостепенен; **~ cabin** каюта първа класа; 2. експресна, бърза (*за поща в Англия*); II. *adv* 1. *разг.* превъзходно, отлично; **to feel~** чувствам се отлично; **to travel ~** пътувам първа класа; 3. по бърза (експресна) поща.

first-rate ['fə:st'reit] I. *adj* първокачествен, първостепенен, първокласен; II. *adv разг.* прекрасно, отлично, чудесно.

fiscal ['fiskəl] I. *adj* фискален, финансов; **~ year** отчетна година; II. *n* чиновник от финансовото ведомство (*извън Англия*).

fish [fiʃ] I. *n* 1. (*pl* fishes, fish) риба; **to be (feel) like a ~ out of water** чувствам се като риба на сухо; **neither ~, (nor) flesh, nor fowl (nor good old herring)** ни рак, ни риба; 2. морски животни; китове, делфини, раци, стриди; 3. *разг.* човек, тип, субект; **big ~** важна клечка; 4. плячка, жертва; 5. **the Fish (Fishes)** риби (*съзвездие, знак на зодиака*); 6. жетон, чип; 7. *attr* риби, рибен; **~ story** преувеличена история; II. *v* ловя риба (в); **to ~ in troubled waters** ловя риба в мътна вода;

fish out 1) изваждам, извличам (*от вода*), измъквам (*от джоб*); 2) изтръгвам, опитвам се да изтръгна (*тайна и пр.*); 3) улавям всичката риба в;

fish up изваждам, извличам (*от вода*).

fisherman ['fiʃəmən] *n* 1. рибар, риболовец, въдичар; 2. рибарски, риболовен кораб.

fishing ['fiʃiŋ] I. *n* 1. риболов, рибарство, въдичарство; 2. място, където се лови (е разрешено да се лови) риба; право на риболов; II. *adj* рибарски, риболовен (*за лодка, мрежа, кооперация*); **~**

industry риболов (*организиран*).

fishy ['fiʃi] *adj* 1. рибен, риби, подобен на риба; **~ eye** мътен (безучастен, празен) поглед, поглед без изражение; 2. който мирише (има вкус) на риба; 3. пълен, изобилстващ с риба; 4. съмнителен, подозрителен; **~ tale** невероятна, неправдоподобна история.

fission ['fiʃən] I. *n* 1. цепене, разцепване, разпукване, пропукване; **~ bomb** ядрена бомба; 2. *биол.* деление на клетки; II. *v* цепя се, деля се.

fissure ['fiʃə] I. *n* 1. цепнатина, пукнатина, пролука; 2. *анат. бот.* цепка, гънка; 3. *мед.* счупване, строшаване; разцепване, разпукване; счупено, строшено място; II. *v* разцепвам (се), разпуквам (се), пропуквам (се).

fist [fist] I. *n* 1. юмрук, пестник, пестница; **to clench o.'s ~** свирам юмрук; 2. *разг.* ръка; **to grease s.o.'s ~** давам подкуп на, "пускам"; 3. *шег.* почерк; **to write a good ~** имам хубав почерк; 4. *разг.* опит, проба; ● **to make a good ~ at (of)** правя сполучлив опит с, справям се с, върша добре; 5. *полигр.* знак, който представя ръка с насочен показалец; II. *v* 1. удрям с юмрук (по); 2. *мор.* работя, справям се с.

fit₁ [fit] *n* 1. припадък, пароксизъм, пристъп, атака; истерия; **to (have) throw a ~** *амер.* изпадам в ярост, истерия; 2. пристъп, напън, настроение, пришашка, каприз, момент; **~ of energy** прилив на сили.

fit₂ I. *adj* 1. годен, пригоден, подходящ, съответстващ, съответен, удобен (for); **~ for a soldier** годен за войник; 2. подобаващ, уместен, подходящ, какъвто трябва; **see (think) ~** смятам за уместен; 3. способен, кадърен, квалифициран, компетентен, сведущ, достоен; **not ~ to hold a candle to** не може да се мери с; 4. *разг.* готов; достатъчен, за да те накара да (*c inf*); **till one is ~ to drop** до припадък, до прималяване; 5. здрав, як, силен, във форма; **(as) ~ (амер.** fine) as a fiddle (flea)**

здрав като камък, в отлично здраве, в отлична форма; **II.** *v* 1. отговарям, съответствам, подхождам, отивам, прилягам, ставам, уйдисвам, пасвам, приличам на; **to ~ like a glove** точно по мярка съм, "залепвам"; 2. натъкмявам, нагласявам, нагаждам, пригаждам, приспособявам, подготвям; квалифицирам; премервам, правя проба на (**for**); **to ~ oneself to new duties** приспособявам се към нови задължения; 3. слагам, снабдявам (**with**); **~ a lens on a camera** слагам обектив на фотоапарат; 4. *мед. разг.* слагам вътрематочна спирала на;

fit in 1) слагам, поставям, вмъквам, вкарвам; намирам (*място, време*); 2) натъкмявам (се), нагаждам (се), приспособявам (се), отговарям; подхождам, отивам, прилягам, ставам, влизам; **to ~ into a category** влизам в категория;

fit on премервам, правя проба, пробвам; **to ~ on a coat** пробвам палто;

fit out снабдявам, доставям, екипирам, обзавеждам;

fit up 1) снабдявам, набавям, доставям, екипирам, обзавеждам, мебелирам; **the hotel is ~ted up with all modern conveniences** хотелът разполага с всички удобства; 2) сглобявам, монтирам (*машина*);

III. *n* 1. натъкмяване, нагласяване, нагаждане, приспособяване, прилягане; **to be a good (bad, excellent, tight) ~** стоя добре (не стоя добре, стоя отлично, стягам) (*за дреха*); 2. *техн.* сглобка.

fitfullness ['fitfulnis] *n* непостоянство, променливост, колебливост, несигурност, капризност.

fitment ['fitmənt] *n* 1. свързване, пасване; 2. приспособление, устройство; *pl* съоражения; арматура.

fitness ['fitnis] *n* 1. годност, способност, кадърност, добро здраве, съответствие, хармония; 2. почтеност; 3. правилност, уместност; **the ~ of things** общата хар-

мония, редът на нещата.

fitted ['fitid] *adj* 1. годен, пригоден, удобен, подходящ; 2. снабден, обзаведен (**with** c); 3. вграден (*за гардероб*); **~ carpet** килим, изрязан с формата на пода, така че да го покрива изцяло; 4. *техн.* сглобен.

fitting ['fitiŋ] **I.** *adj* подходящ, удобен, годен, пригоден, съответен, надлежен, какъвто трябва, подобаващ; ◇ *adv* **fittingly**; **II.** *n* 1. натъкмяване, нагласяване, нагаждане, приспособяване; премерване, пробване, проба; 2. сглобяване, монтаж; прокарване (полагане) на тръбопровод; 3. *pl* принадлежности, прибори, арматура, инсталация; тръбни съединителни части, фитинги; **office ~s** офисобзавеждане.

five [faiv] **I.** *num* пет; **II.** *n* 1. петорка; 2. *разг.* ръка, юмрук (*и* **bunch of ~s**); 3. *pl* номер пет (*на обувки, ръкавици и пр.*); 4. *pl* облигации с лихва 5%.

fix [fiks] **I.** *v* 1. закрепвам, прикрепвам, заковавам, забождам, забивам, инсталирам, поставям, слагам; **to ~ the blame on** стоварвам вината върху; 2. поправям, ремонтирам, оправям; уреждам (*въпрос*); 3. насаждам, втълпявам, внедрявам; **to ~ facts in o.'s mind** запаметявам факти; 4. спирам, насочвам (*поглед, внимание*) (**on, upon**), впивам (*поглед*) в, привличам (*поглед, внимание*); **to ~ a person with o.'s eyes** впивам поглед (вглеждам се, втренчвам се, вторачвам се) в някого; 5. определям, установявам, уточнявам, посочвам, фиксирам; насрочвам, назначавам, решавам; **there is nothing ~ed yet** още няма нищо положително; 6. утаявам се, сгъстявам (се), сирвам (се), втвърдявам (се), замръзвам, изцъклям (се); 7. *фот., хим.* фиксирам, ецвам, байцвам; 8. приготвям (*храна, коктейл*); 9. *разг.* нареждам, оправям, поправям; изиграмам, излъгвам, справям се с (подкупвам); 10. уреждам, нагласям (*конкурс, със-*

тезание); 11. *амер.* възнамерявам, каня се; **it is ~ing to rain** времето е на дъжд;

fix on, upon установявам се на, спирам се на, избирам;

fix up *разг.* 1) инсталирам, поставям, слагам; **to ~ up a tent** опъвам палатка; 2) настанявам, нареждам (*и прен.*), оправям работата на; **to ~ s.o. up for the night** настанявам някого за през нощта; 3) определям, назначавам, решавам; 4) уреждам, организирам, натъкмявам, нагласявам, оправям, поправям, урегулирам; **to ~ up a quarrel** уреждам спор; 5) подправям, фалшифицирам;

fix up with уреждам, доставям;

II. *n* 1. *разг.* дилема, затруднено положение; **in a ~** в трудно положение; 2. поправка, ремонт, оправяне, уреждане; **no quick ~** не е дребна работа, не е толкова лесно да се оправи; 3. определяне местоположението (*на самолет, кораб*); 4. малко количество, доза; доза наркотик; 5. *sl* подкуп; 6. нагласена работа, нечестен (предварително уреден) конкурс и пр.; ● **to get a ~ on** *разг.* разбирам.

fixed [fikst] *adj* 1. фиксиран, неподвижен, устойчив, стабилен, постоянен, твърд, закован, определен, установен, неизменен; **no ~ address (abode)** без постоянен адрес; 2. *хим.* който не се изпарява, нелетлив; 3. *разг.* предварително уговорен, нагласен; 4. *техн.* неразглобяем; ● **well ~** осигурен материално, заможен, имотен, комуто е добър хълът.

fixedness ['fiksidnis] *n* неподвижност, устойчивост, стабилност, твърдост, неизменност.

fizgig ['fizgig] *n австрал. sl* информатор, доносник.

fizz [fiz] **I.** *v* шипя, съскам, пеня се, пръскам; **II.** *n* 1. шипене, съскане, пенене, пръскане; 2. *разг.* шампанско; газирана напитка; 3. *разг.* живост, живинка, "искра".

fizzing ['fiziŋ] *adj sl* 1. отличен, първокачествен, първокласен; 2. проклет, гаден.

flabbergast ['flæbəga:st] *v* поразявам, учудвам, удивявам, слисвам, смайвам, сащисвам.

flabby ['flæbi] *adj* 1. отпуснат, мек, увиснал, провиснал; затлъстял; 2. слаб, слабохарактерен, малодушен, безволев, мекушав; ~ **will** слаба воля.

flaccid ['flæksid] *adj* 1. провиснал, увиснал, отпуснат, мек; 2. слаб, неенергичен, мекушав; 3. слабохарактерен, безхарактерен, малодушен, безволев.

flag₁ [flæg] I. *n* 1. флаг, знаме, флагче, байрак; 2. знаме на флагман; **to hoist o.'s (the)** ~ поемам командването, обявявам за своя територия; 3. опашка (*на ловджийско, нюфаундлендско куче*); 4. *амер. полигр.* коректорски знак за нещо пропуснато; 5. *pl* крилни пера; II. *v* 1. сигнализирам с флагче; **to** ~ **a train** спирам влак (*чрез сигнализиране с флагче*); 2. слагам знаме на; украсявам (означавам) със знамена.

flag₂ *v* 1. увисвам, провисвам; 2. отпускам се, клюмвам, падам духом; отслабвам, отпадам, намалявам се, линея, крея, гасна, слабея; **the story** ~**s towards the end** напрежението спада към края.

flagellate ['flædʒəleit] I. *v* бичувам, удрям с бич; II. *n* ['flædʒəlit] *зоол.* камшичесто едноклетъчно; III. *adj зоол.* камшичест.

flagitious [flə'dʒiʃəs] *adj* престъпен, ужасен, отвратителен, позорен.

flagrant ['fleigrənt] *adj* флагрантен, явен, очевиден, очебиен, скандален, крещящ, ужасен; **in** ~ **delict** на местопрестъплението; ◇ *adv* **flagrantly**.

flair [fleə] *n* 1. усет, нюх, способност, дарба, склонност (**for**); 2. оригиналност, хъс.

flake [fleik] I. *n* 1. люспа, люспица, шушка, снежинка; **in** ~**s** на парцали; 2. вид карамфил (*с бели линийки*); 3. *pl* микропукнатини в стомана, флокеини; II. *v* 1. беля се, лющя се, къртя се, люпя се (*и с away, off*); 2. падам, сипя се на парцали, посипвам;

flake out *разг.* припадам; заспи-

вам като труп (*от изтощение*).

flame [fleim] I. *n* 1. пламък, огнен език; **a ball of** ~**s** огнено кълбо; 2. ярка светлина, блясък; 3. жар, увлечение, страст, любов; **to fan the** ~**s** разпалвам, раздухвам страст (*страстите*); 4. *шег.* "любов", изгора, либе; **an old** ~ **of his** негова стара изгора; II. *v* 1. пламтя, горя; 2. пламвам, лумвам, избухвам; червеня (се), почервенявам, изчервявам се (**with**); 3. сигнализирам чрез огън (огньове); 4. горя, обгарям, опърлям; ~ **out** пламвам, избухвам.

flameproof ['fleimpru:f] *adj* огнеупорен, огнеустойчив.

flaming ['fleimiŋ] *adj* 1. пламтящ; 2. яръk; 3. горещ, знолен; 4. пламенен, буен, страстен; 5. цветист, образен, хвалебствен, прекален, преувеличен; 6. *разг.* проклет, досаден.

flammable ['flæməbəl] *adj* запалителен.

flange [flændʒ] I. *n* 1. *техн.* фланец; 2. край, ръб; II. *v* слагам фланец (край, ръб).

flank [flæŋk] I. *n* 1. хълбок, слабина, страна; 2. страна (*на здание и пр.*); склон; 3. *воен.* фланг; **to take in** ~ нападам във фланг; 4. *attr воен.* флангов; фланкиращ; II. *v* 1. разположен съм (разполагам) от страна на, заграждам; **mountains** ~**ed us on either side** и от двете ни страни ни ограждаха планини; 2. *воен.* пазя (защитавам, прикривам, усилвам; застрашавам, обхождам, нападам) фланга на, нападам във фланг; подлагам на анфилада, обстрелвам откъм фланговете; 3. гранича с; опирам о.

flap [flæp] I. *v* 1. пляскам (слабо), цапвам, первам, бръскам, пъдя; 2. махам, пляскам с (*криле*); пърхам, пърпоря; 3. махам, размахвам, вея (*се*), развявам (се), ветрея се, клатя (се), клатушкам (се), люлея (се), мандахерцам (се), плющя; **the flag** ~**s in the wind** знамето плющи; 4. обръщам надолу (*периферия на шапка*); увисвам; • **to** ~ **the heels** *sl* плюя

си на петите, търтя да бягам, драсвам; II. *n* 1. плясък, цапване, перване, бръсване; 2. махане, пляскане с криле, пърхане, пърпорене; 3. мухобойка; 4. *техн.* клапа, запушалка, затулка, капаче; 5. крило (*на врата, прозорец*); 6. *авиац.* предкрилка, задкрилка; 7. *авиац. sl* въздушно нападение; • **get into a** ~ развълнувам се, разтревожвам се, загубвам и ума, и дума.

flare [fleə] I. *v* 1. пламвам, лумвам (*и с* up); 2. горя ярко, блестя, блещукам; 3. мигам, пуша (*за лампа*), трепкам, трептя (*за пламък*); 4. пламвам, избухвам, кипвам, разсърдвам се, ядосвам (се), разгневявам се (*и с* out, up); 5. разширявам се, отварям се (във вид на камбана); **the skirt** ~**s at the knees** полата е клош; 6. *sl* перча се, пъча се, надувам се; 7. **to** ~ **up** пламвам, избухвам (*и прен.*); II. *n* 1. ярка, колеблива светлина, пламък; 2. избухване; блясък, блещукане, сияние; 3. бенгалски огън; 4. сигнална ракета; 5. *фот.* замъгляване; 6. разширяване, разширение; клош; разширен край на тръба; 7. *разг.* перчене, пъчене, надуване.

flare-up ['fleər'ʌp] *n* 1. пламване, лумване, избухване; 2. краткотрайна известност, слава; 3. пламване, избухване, кипване, разсърдване, разядосване, разгневяване; 4. караница, препирня, крамола, кавга; 5. веселба, веселие, го-щавка, пир, гуляй, увеселение.

flash [flæʃ] I. *v* 1. блясвам, проблясвам, блестя, блещукам, светвам, светкам, искря, разискрям се, пускам искри; избухвам; **to** ~ **a glance (look, o.'s eyes) at** хвърлям бърз (мигновен) поглед на, поглеждам; 2. мярквам се, мярвам се, вестявам се, вествам се; **the idea** ~**ed across (into, through) my mind, the idea** ~**ed on me** дойде ми внезапно, хрумна ми мисълта; 3. профучавам, прехвърчавам; **a car** ~**ed by (past)** профуча автомобил; 4. изваждам изведнъж, измъквам (*и с* out); **to** ~ **o.'s**

identity card показвам си набързо личната карта; **5.** предавам, съобщавам (*по телеграфа и пр.*); **6.** заливам, наводнявам; **7.** *техн.* разливам (се) (*за стъкло*); покривам (*стъкло*) с тънък цветен пласт; **8.** запалвам, възпламенявам; **9.** *sl грубо* показвам половите си органи на публично място; **10.** *sl грубо* усещам действието на наркотик;

flash out проблясвам; изваждам изведнъж, измъквам;

II. *n* **1.** пламване, лумване, избухване, блясък, блясване, проблясък, проблясване, светване, блещукане, разискряне, избухване; **a ~ in the pan** несполучлив опит, несполука, неуспех, провал, фиаско; язък за барута; **2.** миг; **in a ~** за миг, моментално, докато се усетиш; **(as) quick as a ~** светкавично, моментално; **3.** външен блясък, евтина елегантност; **4.** арго, жаргон (*на крадци*); **5.** бент, шлюз; **6.** водна струя, пусната от бент; ставило; **7.** смес за оцветяване на спиртно питие; **8.** *кино* снимка, кадър; **9.** *амер.* кратко съобщение; **III.** *adj* **1.** скъп, шикозен, луксозен; **2.** фалшив, имитация; **3.** на арго, жаргон; който се отнася до крадци.

flash flood [ˈflæʃˈflʌd] *n* наводнение, заливане.

flashy [ˈflæʃi] *adj* крещящ, ярък, евтин, безвкусен, блудкав.

flat₁ [flæt] **I.** *adj* (-tt-) **1.** плосък, равен, водоравен, хоризонтален; проснат, разпространен; **~ nose** сплеснат нос; **2.** гладък, без грапавини; **3.** изравнен със земята, легнал, проснат, съборен, срутен, разрушен, нисък (*за здание*); **4.** изветрял, който не кипи (*за бира и пр.*); изтощен (*за батерия, акумулатор*); **5.** еднообразен, монотонен, неинтересен, безжизнен, безвкусен, блудкав, плосък, банален, вял, скучен; **6.** паднал духом, нажален, унил, угнетен, потиснат, убит; **to feel ~** скършено ми е; уморен, потиснат съм; **7.** глух, неемоционален (*за глас*); **8.** слаб, в застой, замрял

(*за пазар*); нисък (*за цени*); **flat fees** твърди (фиксирани) такси; **9.** категоричен, решителен, окончателен, абсолютен, безусловен, недвусмислен, пълен, чист, ясен, прям, без забикалки; **that's ~ това** е окончателно (сигурно); няма какво да се спори; **10.** *изк.* недостатъчно релефен; еднакъв, еднообразен, монотонен, убит; **11.** *муз.* бемол; недостатъчно високо, нисък, детонирал; **12.** *воен.* прав (*за траектория*); **13.** *език.* произнесен при сравнително хоризонтално положение на езика (*за гласна*); **14.** *език.* без окончание (*за наречие*); **15.** *шег.* дървеница; **II.** *adv* **1.** наравно със земята, в изпънато положение; **to fall ~** просвам се; *прен.* не успявам, нямам успех, провалям се, не постигам целта си, не правя никакво впечатление; **2.** тъкмо, точно; **to go ~ against orders** действам в пълно противоречие със заповедта, правя тъкмо обратното на това, което е заповядано; **3.** направо, без забикалки; **~ and plain** ясно, точно, направо, без забикалки; право, куме, та в очи; **III.** *n* **1.** плоскост, равна повърхност; плоската част на нещо; "плоското"; **on the ~** *изк.* с две измерения; **2.** равнина, низина, мочур, мочурище, зелен бряг, плитко място, плитчина; **3.** спукана (изпусната) гума; **4.** плоскодънна лодка; **5.** плитка кошница, панер; **6.** *муз.* бемол; **sharps and ~s** черните клавиши на пиано; **7.** *театр.* кулиса; **to join the ~s** *прен.* съставям, сглобявам; **8.** широкопола сламена шапка; **9.** глупак, хапльо, тъпанар, тиквеник; **10.** *pl* обувки с ниски токове; **IV.** *v* (-tt-) *техн.* правя (ставам) плоскъ.

flat₂ *n* апартамент; *pl* жилищен дом.

flatly [ˈflætli] *adv* **1.** плоско, равно; **2.** решително, категорично.

flatness [ˈflætnis] *n* **1.** сплеснатост, гладкост; **2.** еднообразие, безвкусие; **3.** отегчителност; **4.** решителност, категоричност.

flatspin [ˈflætˌspin] *n разг.* суматоха, паника.

flatten [ˈflætn] *v* **1.** правя (ставам) плоскъ, равен, гладък, сплесквам (се); изравнявам; карам нещо да полегне; **to ~ oneself against a wall** прилепвам се до стена; **2.** потискам, угнетявам, обезверявам, отчайвам, обезкуражавам, обезсърчавам, обърквам, ужасявам; **3.** повалям (*с удар*); погромявам, разбивам, "смилам"; **4.** изветрявам, ставам безвкусен (*за алкохолно питие*); **5.** правя (ставам) неинтересен, блудкав, втрьсвам се; **6.** *муз.* понижавам тона на, спадам (*за глас*); **7.** матирам, правя матов;

flatten out 1) сплесквам, разточвам; **2)** *авиац.* заемам отново хоризонтално положение.

flatter [ˈflætə] *v* **1.** лаская; **2.** пораждам празни надежди у; **to ~ oneself that** смея да мисля, лаская се с мисълта, че; **3.** украсявам, представям в по-хубав вид; **orange ~s those with golden skin tones** оранжевото ходи (стои добре) на хора с бронзов тен на кожата ("отваря" хората с такъв тен); **4.** галя, милвам, задоволявам (*окото, слуха*).

flatterer [ˈflætərə] *n* ласкател.

flattering [ˈflætəriŋ] *adj* **1.** ласкателен; **2.** ласкав; **3.** разкрасяващ, "отварящ"; ◇ *adv* **flatteringly**.

flattery [ˈflætəri] *n* ласкателство.

flaunt [flɔːnt] **I.** *v* **1.** вея (се), развявам (се) гордо; **2.** показвам (се), излагам на показ, парадирам, перча се, надувам се, пъча се (с); **to ~ o.s.** показвам се, парадирам; ● **to ~ an action** правя нещо под носа на някого; **II.** *n рядко* парадиране.

flavour [ˈfleivə] **I.** *n* **1.** вкус; приятен вкус; букет (*на вино*); **2.** *остар.* благоухание, аромат, мирис; **3.** особен, отличителен вкус, миризма; **4.** *прен.* нотка, жилка, нюанс; особено настроение; **~ of the month (year)** най-популярното нещо за месеца (годината), изключително модерен; **II.** *v* **1.** подправям, слагам подправка на,

придавам вкус на, ароматизирам; 2. правя интересен, пикантен.

flavouring ['fleivəriŋ] *n* подправка; есенция; **vanilla ~** ванилин.

flavourless ['fleivəlis] *adj* 1. безвкусен; 2. без миризма.

flaw [flɔ:] I. *n* 1. недостатък, повреда, дефект, недъг, кусур, слабост, петно; **a ~ in a theory** слабо място в теория; 2. пукнатина, цепнатина, цепка, пролука; 3. *юр.* пропуск, грешка (*в документи и пр.*); II. *v* 1. пуквам (се), цепвам (се), разцепвам (се), повреждам (се), развалям (се); 2. *юр.* правя недействителен, невалиден.

flawed [flɔ:d] *adj* дефектен, напукан, сбъркан.

flawless ['flɔ:lis] *adj* без недостатък (повреда, дефект, кусур, слабост, недъг), безупречен, безукорен, изряден, отличен, превъзходен; ◇ *adv* **flawlessly**.

flawlessness ['flɔ:lisnis] *n* безукорност, безупречност, изрядност, отлично състояние.

flax [flæks] *n* 1. лен; 2. ленени влакна; 3. ленено платно, плат.

flaxen ['flæksən] *adj* ленен, светложълт.

flay [flei] *v* 1. одирам, съдирам, смъквам кожата на; **to ~ alive** одирам жив (*и прен.*); 2. *рядко* беля, обелвам кожата (кората) на; 3. *прен.* скубя, оскубвам, дера, обирам, ограбвам, експлоатирам; 4. *прен.* дера, изяждам с парцалите, правя на бъз и коприва, критикувам жестоко.

flay-flint ['fleiflint] *n* 1. кожодер, грабител, скубач, експлоататор; 2. скъперник, скръндза, стипца, сребролюбец, циция, пинтия.

flea [fli:] *n* бълха; • **to flay a ~ for the hide and tallow, skin a ~ for its hide** цепя косъма, треперя над стотинката.

fleck [flek] I. *n* 1. петно, петънце, точка, точица, луничка; **~s of sunlight** слънчеви петна; 2. частица, шушка; **~ of dust** прашинка; II. *v* покривам с петна, пъстря, изпъстрям, шаря, нашарвам.

flecked [flekt] *adj* опръскан, про-

шарен; изпъстрен.

flee [fli:] *v* (**fled** [fled]) 1. *книж.* бягам, избягвам, побягвам (**from, out of, to**); **the blood fled back from her face** кръвта се отдръпна от лицето ѝ, тя пребледня; 2. избягвам от, напускам внезапно; **to ~ the country** избягвам в чужбина; 3. бягам, избягвам, гледам да отклоня; **to ~ from temptation** избягвам изкушенията; 4. изчезвам, минавам, отлитам.

fleece [fli:s] I. *n* 1. руно; **the Golden F.** *истор.* Златното руно (*австрийски и испански орден*); 2. руно (*вълна от една овца*); 3. буйна, рошава, разбъркана коса; 4. *прен.* пухкав, кълбест облак; пухкав сняг; 5. мъх (*на плат*), махнатост; II. *v* 1. *рядко* стрижа (*овце*); 2. скубя, оскубвам, обирам, ограбвам, оголвам, ошушквам; • **a sky ~d with clouds** небе, покрито с пухкави облачета.

fleecy ['fli:si] *adj* пухкав, мек, мъхнат, рунтав.

fleer₁ [fliə] *n* беглец.

fleer₂ I. *v* усмихвам се презрително, надсмивам се, присмивам се, подигравам се на (с); II. *n* презрителен, подигравателен поглед, подигравка.

fleet₁ [fli:t] *n* 1. флота; военноморска флота; **the ~** английската военна флота; 2. флотилия; 3. парк (*автомобилен и пр.*); **a ~ of buses (lorries, taxies)** автобусен (тежкотоварен, таксиметров) парк.

fleet₂ [fli:t] I. *v* 1. *поет.* плъзгам се, плувам по повърхността, движа се бързо; минавам бързо, трая малко, отлитам, изчезвам; **the years ~ by** годините минават, отлитат; 2. *воен.* променям позициите си, премествам се; II. *adj* *поет.* бърз, пъргав, чевръст; (as) **~ as a deer** бърз като сърна.

fleet₃ I. *adj* плитък; II. *adv* плитко.

fleet₄ *n* залив, заливче.

fleeting [fli:tiŋ] *adj* краткотраен, кратковременен, скоропреходен, мимолетен, преходен, ефимерен; ◇ *adv* **fleetingly**.

flesh [fleʃ] I. *n* 1. (сурово) месо; 2. плът; **~ and blood** плът и кръв;

човешката природа, човешкият род, хората, човек; *attr* жив, от плът и кръв; 3. месо (*на плод*); 4. похот; **sins of the ~** нецеломъдрие; • **neither fish, ~ nor fowl** ни рак, ни риба; II. *v* 1. настървявам, давам (*на животно*) да вкуси кръв; подбуждам, настървявам, насъсквам; 2. приучвам, посвещавам; 3. сефтосвам, употребявам за пръв път; 4. забивам (*оръжие в живо тяло*), окървавявам; 5. отглеждам; *разг.* дебелея, пълнея, напълнявам; 6. очиствам месото от одрана кожа; 7.: **to ~ out** допълвам с факти, разширявам.

fleshless ['fleʃlis] *adj* сух, слаб, мършав, кльощав, кожа и кости.

fleshliness ['fleʃlinis] *n* 1. телесност; 2. чувственост, сластолюбие, похотливост; 3. смъртност, тленност; вещественост, материалност.

fleshly ['fleʃli] *adj* 1. плътски, телесен; 2. чувствен, сладострастен, похотлив, сластолюбив; 3. човешки, смъртен, тленен; веществен, материален; 4. от тоя свят, светски.

fleshy ['fleʃi] *adj* 1. пълен, пълничък, топчест; 2. от месо, подобен на месо; 3. месест, меснат.

flex [fleks] I. *n* *ел.* шнур; гъвкав проводник; II. *v* огъвам (се), прегъвам (се), извивам (се); **to ~ o.'s muscles** показвам (демонстрирам) силата си.

flexibility [,fleksi'biliti] *n* 1. гъвкавост; 2. податливост, отстъпчивост; 3. подвижност, съобразителност, приспособимост.

flexible ['fleksibəl] *adj* 1. гъвкав (*и прен.*); 2. податлив, отстъпчив; 3. подвижен, съобразителен, приспособим, който се приспособява (нагажда) лесно; ◇ *adv* **flexibly**.

flexion ['flekʃən] *n* 1. *техн. мед.* флексия, свиване, извиване, превиване, сгъване, прегъване, огъване; 2. извивка, извита част на нещо, извитост; 3. *език.* флексия; 4. *мат.* извивка.

flick [flik] I. *n* 1. лек удар, перване, плясване; изплющяване (*с кам-*

шик); • **to give (s.o.) the ~ (pass)** отхвърлям, отървам се (*от някого*); **2.** трепване, свиване; **3.** пукот, пукане; **4.** *sl* филм; *pl* кино (представление); **5.** *sl* нож, ножка; **II.** *v* **1.** удрям леко, первам (*с пръст*); бръскам, шибвам, жилвам; изплющявам (*с камшик*); **to ~ through a book (television channels)** прелиствам книга (превключвам канали с дистанционно управление); **2.** отмахвам, очиствам (*и с* **away, off**); **~ out** изваждам бързо, измъквам; **3.** щраквам; включвам (**on**); изключвам (**off**).

flicker ['flikə] **I.** *v* **1.** блещукам, проблясвам, примигвам, мъждея, мъждукам; **2.** трепкам, трептя; повявам, полъхвам; **a smile ~ed across his face** по лицето му пробягна усмивка; **3.** пърпам, пърхам; **II.** *n* **1.** блещукане, проблясване, мъждеене, мъждукане, примигване; колеблива светлина; **a ~ of regret** (кратък) момент на разкаяние; **2.** повяване, полъхване; трепкане, трептене; **3.** пърпане, пърхане; **4.** *pl разг.* филм.

flight₁ [flait] *n* **1.** летеж, полет; **maiden ~** пръв полет (*на самолет*); **2.** прехвръкване, прелитане, бързо движение (*на снаряд и пр.*); минаване (*на време*); **3.** разстояние на полет; **4.** ято, орляк, рояк; самолетна ескадра; **5.** пилило, птички, които се учат да летят едновременно; **6.** излитане, проблясък, проява; **a ~ of fancy (imagination)** полет на въображението, на фантазията; **7.** ред стъпала; рамо на стълбище (*и ~ of stairs*); **8.** редица препятствия (*при конни надбягвания*); **9.** редица шлюзове; **10.** етаж; **11.** *архит.* анфилада (*помещения, разположени в една ос с влизане от едно в друго*); **12.** дъжд (*от стрели, куршуми*); **13.** преследване на дивеч от сокол; **14.** овесени люспи.

flight₂ *n* бягство, избягване, побягване; **to put to ~** обръщам в бягство.

flimsiness ['flimzinis] *n* **1.** крехкост, чупливост, несолидност, нетрайност, трошливост; **2.** незначителност; **3.** неубедителност, необоснованост, повърхностност, несериозност.

flimsy ['flimzi] **I.** *adj* **1.** слаб, лек, крехък; който се къса лесно, несолиден, нетраен; "паянтов"; **2.** нищо и никакъв, обикновен, незначителен, нищожен; **3.** недостатъчен, неубедителен, необоснован, плитък, кух, повърхностен, несериозен; **~ excuse** неубедително ("шито с бели конци") извинение; **II.** *n* **1.** тънка хартия (*цигарена, за копиране*); дописка и пр. на тънка хартия; **2.** *sl* банкнота; **3.** *sl* телеграма.

flinch [flintʃ] *v* **1.** трепвам, потрепервам, сепвам се; **2.** плаша се, дърпам се, бягам (**from**).

fling [fliŋ] **I.** *v* (**flung** [flʌŋ]) **1.** хвърлям, захвърлям, мятам, запращам (**at**); **to ~ caution to the winds** изоставям всякаква предпазливост, тръгвам през просото; **2.** *поет.* издавам, изпускам (*звук, миризма*), пръскам (*светлина*); **3.** хвърлям (*ездач – за кон*), сборям (*противник – при борба*);

fling about разхвърлям; **to ~ o.'s arms about** размахвам ръце, жестикулирам;

fling aside отхвърлям, изоставям, отказвам се от, отърсвам се от;

fling away 1) отхвърлям; 2) прахосвам, пропилявам, съсипвам, разсипвам, изяждам, профуквам; 3) обръщам се троснато; отивам си сърдит;

fling back отблъсквам, отхвърлям; отварям изведнъж (*врата*);

fling down хвърлям, тръшвам, съборям;

fling into: to ~ oneself into an undertaking хвърлям се в, заемам се здравата с нещо;

fling off 1) хуквам, изкачвам навън, избягвам; 2) хвърлям, махам, отхвърлям, изоставям, отказвам се, отърсвам се от; 3) избавям се от, отървавам се (откопчавам се, изтръгвам се) от;

fling open отварям, разтварям изведнъж;

fling out 1) избухвам, развилнявам се, разпсувам се, нахвърлям се (**at**); 2) ритам (*за кон*) (**at**); 3) изхвърквам стремглаво; • **to ~ out o.'s arms** разтварям широко ръце;

fling to тръшвам, затръшвам;

fling up изоставям, напускам, зарязвам; **to ~ up o.'s heels** плюя си на петите;

fling upon: to ~ oneself upon a person's mercy предоставям се на благоволението на;

II. *n* **1.** хвърляне, захвърляне, мятане, запращане; **2.** бързо, рязко движение; **3.** остра забележка, подигравка, присмех; **to have (indulge in) a ~ at** подигравам се на (с); надсмивам се над, нападам; **4.** отпускане, буйство, веселба, веселие; **to have o.'s ~** повеселявам се, поживявам си; **5.** *разг.* връзка, любовна авантюра; **6.** *sl* опит, проба; **to have a ~ at** опитвам се, правя опит с; • **full ~** бързо, бързешком; с всички сили, с пълна пара.

flintiness ['flintinis] *n* **1.** твърдост, упоритост, непреклонност; **2.** суровост, жестокост, коравосърдечност.

flinty ['flinti] *adj* **1.** кремъчен; **2.** твърд, упорит; **3.** суров, жесток, безмилостен, безжалостен, коравосърдечен.

flippant ['flipənt] *n* **1.** лекомислен, леконравен, вятърничав, несериозен, несмешлив, пренебрежителен, фриволен, непочтителен; ◇ *adv* **flippantly**; **2.** *остар.* словоохотлив, бъбрив, приказлив.

flirt [flə:t] **I.** *v* **1.** флиртувам, кокетирам (**with**); **2.** махам, размахвам, връцкам се, вея; **to ~ a fan** махам (кокетирам с) ветрило; **3.** *остар.* запращам, запокитвам, метвам, чуквам с пръст; **II.** *n* **1.** бързо движение, тръскане, пръскане, бръскане, друсване, друсане, размахване; **2.** кокетка, флиртаджия, флиртаджийка.

flirtation [flə:'teiʃən] *n* флиртуване, флирт.

flit [flit] **I.** *v* (-tt-) **1.** прелитам, прехвръквам, отлитам; хвърча, летя бързо (безшумно); **the memory**

~ed through her mind споменът пробягна (проблесна) в съзнанието й; пробягвам; **2.** минавам бързо, отлитам (*за времето*); **3.** *главно шотл.* заминавам, отивам си, умирам; **4.** премествам се (*в нова квартира*); **II.** *n* преместване, промяна на местожителство.

float [flout] **I.** *v* **1.** плувам, плавам (*и за човек – без движение на крайниците*), не потъвам, задържам се, нося се (*и във въздуха*); понасям се (*за заседнал кораб*); **2.** *прен.* нося се; she ~ed down the corridor тя се носеше грациозно по коридора; **3.** пускам (*нещо да плава*) във вода; сплавям (*дървен материал*); **4.** носи (*за вода*); понася, поема (*заседнал кораб*); there is enough water to ~ the ship има достатъчно вода да поеме кораба, да може корабът да плава; **5.** наводнявам; заливам; **6.** пускам, разпространявам (*слух*); пускам в обращение, лансирам, основавам, създавам (*предприятие и пр.*); to ~ a loan откривам подписка за заем; **7.**: to ~ a country's currency *икон.* оставям валутния курс да се движи свободно, освобождавам курса; **8.** не е изтекла (*за полица*); **9.** *ел.* работа с малка натовареност (на празен ход); **10.** to ~ off l) отплувам; 2) понасям, поемам (*заседнал кораб*); **II.** *n* **1.** нещо, което плава, се носи, се задържа на повърхността на вода; плавей, плаващ дървен материал (*по река*); плаваща маса лед; водорасли и пр.; **2.** сал; шамандура; **3.** плувка (*на въдица*); **4.** пояс (*за плуване*); спасителен пояс; **5.** *зоол.* плавателен мехур; **6.** поплавък (*на резервоар*); **7.** платформа (*кола – особ. за шествия*); **8.** авиац. шаси с поплавък (*на хидроплан*); **9.** дребни пари за връщане; **10.** кандило, лампичка (*и* ~-light); **11.** *театр.* обикн. *sl* долна рампа; **12.** *геол.* нанос; **13.** лопатка (*на воденично колело – и* ~ board); **14.** мистрия, маламашка; **15.** рашпила,

грубо насечена.
floatation [flou'teiʃən] *n* **1.** плаване; centre of ~ център на тежестта на плаващо тяло; **2.** сплавяне, свличане на дървен материал по вода; **3.** *търг.* основаване (*на дружество*); **4.** *фин.* емисия (*на заем*); **5.** *техн., мин.* флотация.
floating ['floutiŋ] **I.** *adj* **1.** плаващ; ~ light плаващ фар; осветена шамандура; **2.** свободен, неприкачен; подвижен; който се мести; непостоянен; ~ rib плаващо ребро; **II.** *n* **1.** плуване по гръб; **2.** пускане (*на кораб*) във водата; **3.** сплавяне, свличане (*на трупи*) по вода; **4.** *търг.* основаване (*на предприятие*); **5.** *фин.* емисия (*на заем*); **6.** *сел.-ст.* наводняване (*на нива и пр.*); **7.** *строит.* изравняване (*на мазилка*); втори пласт мазилка; **8.** *ел.* буферен режим, работа в буферен режим.
flock [flok] **I.** *n* **1.** стадо (*обикн. овце*); ято, рояк (*птици*); ~s and herds дребен и едър рогат добитък; **2.** тълпа от хора (*често pl*); in ~s на тълпи; със стотици; **3.** челяд; семейство; потомци, възпитаници, ученици (*на учител*); **4.** *рел.* паство; **5.** *остар.* сбирка, куп, камара; безброй; a ~ of leaves безброй листи; **II.** *v* **1.** трупам се, тълпя се, събирам се (*и с* together); **2.** събирам се, образувам ято (*за птици*); birds of a feather ~ together краставите магарета и през девет баира се подушват; които си приличат, се привличат; търкулнало се гърнето, намерило си похлупака.
flog [flog] *v* (-gg-) **1.** бия с пръчка (камшик), шибам; ● ~ a dead horse *прен.* правя безполезни усилия; подхващам изтъркана теза (спор); **2.** *спорт.* удрям (*топка*) силно (*при игра на крикет*); **3.** *sl* продавам.
flood [flʌd] **I.** *n* **1.** наводнение; потоп; разливане, прииждане (*на река*) (*особ. в pl*); порой; *прен.* изблик; ~ victims пострадали от наводнение; **2.** прилив; at the ~ *прен.* в благоприятния момент;

3. *остар. и поет.* море; река; езеро; водна шир; **II.** *v* **1.** заливам, наводнявам; **2.** причинявам прииждане (*на река*); излиза от бреговете си, приижда (*за река*); *прен.* обсипвам, заливам; насищам (*пазар*); трупам се; **4.** *техн.* задавям (*карбуратор*); **5.** *мед.* имам маточен кръвоизлив;
flood back нахлувам (*за чувство, спомен*), връщам се в съзнанието;
flood out обезлюдявам; изкарвам (*съоръжение*) от строя (*за наводнение*).
floodlight ['flʌdlait] **I.** *n* прожектор (*и театр.*); светлина от прожектор; **II.** *v* осветявам (*сграда*) с прожектори.
floodtide ['flʌdtaid] *n* прилив.
floor [flɔ:] **I.** *n* **1.** под, дюшеме (*на стая и пр.*); настилка; mud (dirt) ~ пръстен под; **2.** партер (*в зала, борса, съд и пр.*); слушатели, аудитория; to hold the ~ монополизирам разговора; **3.** етаж; **4.** дъно (*на море*); **5.** пътната част на мост; **II.** *v* **1.** поставям под (дюшеме, паркет, плочки); **2.** повалям (*противник*); *прен. разг.* надвивам на, затварям (запушвам) устата на; давам някому да се разбере; озадачавам, смайвам, слисвам, сащисвам, смущавам, обърквам; the argument ~ed him доводът, аргументът го постави натясно; **3.** *sl* натискам педала до дупка, кракът ми залепва за педала.
flop [flɔp] **I.** *v* (-pp-) **1.** сгромолясвам (се) (down), строполясвам (се), стоварвам (се); сядам, падам тежко; пльосвам се; **2.** цопвам, цапвам (in); цамбурвам (се); **3.** увисвам, клепвам; пърпоря тромаво; пляскам, бия (с криле); мятам се, блъскам се (about); **4.** *амер. разг.* не успявам; провалям се; **5.** тътря се, влача се, шляпам; кандилкам се, олюлявам се, ходя тежко, тромаво (about); **6.** обръщам надолу (*периферия на шапка*); **7.** *амер. разг. полит.* преминавам в друга партия; пребоядисвам се; **8.** *амер. sl* спя; кърти; **II.** *n* **1.** плясване, цопва-

не; глух звук; **2.** главоломно падане (*на валута*); **3.** *разг.* неуспех, провал, фиаско; **the film was a ~** филмът беше пълен провал; **4.** *амер. разг.* мекушав човек, шушумига, мижитурка; **5.** *амер. разг.* мека шапка (*с широка периферия*); **6.** *амер.* легло; **III.** *int* пляс, туп, цап, бух; **IV.** *adv* с пляссък; **he went ~ into the water** той цапна във водата; **•** **go ~** *sl* пропадам, фалирам, провалям се.

flopping [ˈflɔpiŋ] *adj* увиснал, клепнал.

floppy [ˈflɔpi] *adj* **1.** отпуснат, увиснал; много широк (*за дреха*); **2.** отпуснат, муден, вял; **3.** неточен, небрежен, неизискан (*за стил*).

floppy disk [ˈflɔpidisk] *n инф.* флопи диск, дискета.

florescene [flɔˈresns] *n* **1.** *бот.* цъфтене; цъфтеж; време на цъфтеж; **2.** *книж. прен.* разцвет, процъфтяване, преуспяване.

florescent [flɔˈresnt] *adj бот.* цъфтящ.

florid [ˈflɔrid] *adj* **1.** пищен, претрупан; цветист, надут (*за стил*); **2.** крещящ, ярък; вулгарен (*за облекло, външност и пр.*); **3.** червендалест, румен; **4.** *архит.* F. късноготически; **5.** *остар. рядко* украсен с цветя, цветен.

floridity, floridness [flɔˈriditi, ˈflɔridnis] *n* **1.** пищност, претрупаност; **2.** цветист стил.

florist [ˈflɔrist] *n* цветар, -ка, цветопродавач, -ка; **a ~'s** цветарски магазин.

flossy [ˈflɔsi] **I.** *adj* **1.** копринен; като коприна; **2.** лек, пухкав, мъхест; **3.** *sl* докаран, фантазе; наконтен, накипрен; елегантен; **II.** *n* (*и* **flossie**) **1.** *sl* натрупена лека жена (момиче); **2.** *sl* жена, момиче, кокона.

flounce [flauns] **I.** *v* **1.** буйствам, хвърлям се (**about**); втурвам се (**in**), изхвърчавам (гневно, възбудено) (**out of**); **2.** мятам се, пляскам (*за риба във вода*); **II.** *n* **1.** рязко движение (*като израз на гняв, възмущение, нетърпение*); **2.** мятане, пляскане (*на риба във вода*).

flounder [ˈflaundə] **I.** *v* **1.** газя, цапам във вода (кал); ритам, мъча се да стана (да се движа); **2.** *прен.* препъвам се, забърквам се; заплитам се; загазвам; **3.** западам, пропадам, вървя към провал; **II.** *n* цапане, газене.

flour [ˈflauə] **I.** *n* **1.** брашно; **2.** *attr* брашнен; **~ sack** брашнен чувал; **II.** *v* **1.** набрашнявам, посипвам, поръсвам с брашно; **2.** *рядко и амер.* смилам на брашно.

flourish [ˈflʌriʃ] **I.** *v* **1.** вирея; **2.** *прен.* вирея, процъфтявам, цъфтя, преуспявам, благоденствам; **3.** деен съм, достигам върха на дейността (творчеството) си; живея и творя в дадено време (**in, at, about**); **4.** (присторено, очебийно) ръкомахам; жестикулирам; размахвам, развявам; **5.** пиша със завръкулки; **6.** служа си с цветист език; хваля се; **7.** *муз.* свиря шумен пасаж; тръбя на фанфара; **8.** *рядко* украсявам със завръкулки; **II.** *n* **1.** размахване (*и на сабя*); претенциозен жест; **with a ~ 1)** с елегантен жест; **2)** със замах (парадно); **2.** завъртулка (*при писане*); **3.** цветист израз; **4.** *муз.* шумен, бравурен пасаж; фанфара; **a ~ of trumpets** *муз.* туш; *прен.* тържествено посрещане; шумна реклама; **5.** *остар.* благоденствие, преуспяване, процъфтяване, разцвет; **in full ~** в пълен разцвет.

flourishing [ˈflʌriʃiŋ] **I.** *adj* **1.** цветущ, як, здрав; **2.** преуспяващ, успешен; **II.** *n* **1.** цъфтеж, вирeene (*на растения*); **2.** преуспяване, благоденствие, разцвет, процъфтяване; **3.** размахване; **4.** *муз.* туш (*на тромпети, тръби*).

flout [flaut] **I.** *v* надсмивам се (на), присмивам се (на), подигравам се (на) (**at**); пренебрегвам, държа се (говоря) пренебрежително, проявявам презрение към, не искам да зная за; **II.** *n* подигравка, присмех; пренебрежение, обида, оскърбление.

flow [flou] **I.** *v* (**flowed** [floud] *pp* и *остар.* **flown** [floun]) **1.** тека; вливам се, втичам се (*за река*) (**into**);

издигам се (*за пушек*); **2.** прииждам (*за прилив*; *обр.* **to ebb**); *остар. амер.* преливам, наводнявам; **3.** минавам, движа се като поток (масово) (*за тълпа и пр.*); тека, нижа се, изминавам, преминавам (*за време, живот*); **4.** *прен.* лея се, тека гладко (плавно) (*за разговор, стил*); **5.** *прен.* произлизам от (**from**); последвам; **6.** спускам се, падам свободно (*на дипли, на вълни*); **~ing hair** пищни коси; **7.** бликам, извирам, струя се, шуртя; **8.** *лит.* изобилствам (*обикн. за вино и пр.*); **to ~ like water** лее се, изобилно е (*за вино*); **to ~ with milk and honey** *прен.* тече мед и масло, има изобилие от блага;

flow along тека;

flow away оттичам се;

flow back отдръпвам се; връщам (*за вода в тръба и пр.*);

flow in втичам се (*за течност*); стичам се (*за хора*);

flow out изтичам (се), изливам (се); **II.** *n* **1.** течение, течене; изтичане; **to go with the ~** оставям се на течението; **2.** бликане, шуртене; течение; поток, струя; *геол.* плъзгане (*на пласт*); **3.** прилив (*обр.* **ebb**); **4.** дебит; **~ of milk** млеконадой; **5.** разливане, преливане, прииждане (*на река*); **6.** *прен.* поток; леене (*на думи*), плавност (*на стил*); излияния; **~ of spirits** весело настроение, жизнерадост; **7.** падане, диплене, плавна линия (*на драперии*).

flowage [ˈflouidʒ] *n* **1.** течение; преливане, заливане; **2.** наводнение; **3.** *геол.* движение, плъзгане (*на глетчеров лед*).

flower [ˈflauə] **I.** *n* **1.** цвете, цвят; **2.** цветно растение; **3.** цъфтеж, разцвет (*и прен.*); **to burst into ~** разцъфтявам се; **4.** *прен.* цвят; елит, каймак; **the ~ of the flock** гордостта (най-изтъкнат член) на семейството; **5.** украса (*архит. и на стил*); *полигр.* винетка; **6.** *pl остар. хим.* цвят, ситен прах; **7.** *pl разг.* менструация; **•** **no ~s** моля не пращайте венци и цветя (*при погребение*); **8.** *attr* цветар-

ски; ~ **market** пазар за цветя; ~ **show** изложба на цветя; **II.** *v* 1. цъфтя, разцъфтявам (се); 2. *прен.* развивам се; съм в (достигам) апогея си; 3. отглеждам, карам да цъфти (*цветя в парник*); 4. украсявам с цветя, с цветни мотиви.

fluctuate ['flʌktʃueit] *v* 1. флуктуирам, варирам, колебая се, меня се, движа се, непостоянен съм; **to ~ between fear and hope** ту ме обзема страх, ту се изпълвам с надежда; 2. *рядко* вълнувам се, движа се вълнообразно; 3. раздвижвам.

fluent ['fluənt] **I.** *adj* 1. плавен, гладък; свободен, лек (*за стих, език, говор*); който говори леко (свободно, бързо); **to speak ~ French** говоря френски свободно; 2. *мит.* променлив; 3. текущ, който тече; течен; тънколивък; ◇ *adv* **fluently**; **II.** *n мат.* интеграл; функция; променлива величина.

fluid ['flu:id] **I.** *adj* 1. течен, текущ; газообразен; на (за) течности; ~ **measures** мерки за течности; 2. *прен.* непостоянен, променлив, неустановен, неизбистрен, неизяснен (*за мнение и пр.*); 3. *прен.* плавен, гладък, който се лее (*за стил, реч и пр.*); **II.** *n* 1. флуид; течно тяло; течна или газообразна среда; течност; **braking ~** спирачна течност; 2. *остар. и нар.* флуид, невидима течност, чрез която до XVIII в. се обяснявали явленията на магнетизма, електричеството и др.; 3. *pl мед.* **body ~s, tissue-~s** секреции.

flump [flʌmp] **I.** *v разг.* 1. тупвам, пухвам (*на земята*), строполявам се; бухвам; **to ~ about** тропам, трополя, ходя шумно; 2. тръшвам на земята; изпускам шумно; **II.** *n* тупване, строполясване; **III.** *int* бух (на земята!).

flurry ['flʌri] **I.** *n* 1. подухване (порив) на вятър, внезапна вихрушка; превалявание; 2. смут, безредие, суматоха, бъркотия, суетня; вълнение, смущение, безпокойство, тревога; **a ~ of diplomatic acti-**

vity трескава дипломатическа дейност; **II.** *v* смущавам, разтревожвам, смайвам, слисвам, забъркам, шашардисвам; **to get flurried** обърквам се, слисвам се, шашардисвам се.

flush₁ [flʌʃ] **I.** *v* 1. вдигам (*птица*); 2. излитвам внезапно, вдигам се (*за птици, подгонени от ловец*); подплашвам (*дивеч*); **II.** *n* 1. вдигане, излитане (*на птици, при лов*); 2. ято птици, излетели едновременно.

flush₂ [flʌʃ] **I.** *v* 1. бликвам, бликам, тека изобилно, шуртя, струя (се) (*обикн. с* forth, out, up); 2. нахлувам, качвам се (*в лицето, за кръв*); 3. заливам, наводнявам (*ливада и пр.*); изпълвам; 4. промивам, изчиствам (със силна струя вода) (*канал и пр.*); прогонвам, пропъждам; (*и с* out); **to ~ the toilet** пускам водата в клозета; 5. (*и с* up) зачервявам се, изчервявам се, почервенявам, заруменявам, пламвам (*за лице*); сияя, руменея (*за облаци, небе*); **his face ~ed, he ~ed** (*и с* up) лицето му (той) се изчерви, пламна; 6. зачервявам, карам да се изчерви; **shame (the running) ~ed their cheeks** бузите им се зачервиха (пламнаха) от срам (тичането); 7. възбуждам, въодушевявам, вдъхновявам, ободрявам, ентусиазирам; ~**ed with victory** опиянен от победата; 8. *рядко* пущам издънки, листа; покарвам наново; правя да покарва; **the rain ~ed the plants** дъждът съживи (освежи) растенията; 9. *мед.* обливат ме горещи вълни; **II.** *n* 1. силна струя; 2. промиване (*на канал*); 3. отвеждащ канал (*на воденично колело*); 4. бързо разпъпване, разлистване; бърз растеж; 5. разцвет (*на сили, младост и пр.*); свежест, сила; *прен.* изблик (*на чувства*); опиянение; **the first ~ of young love** опиянението (вълнението) от първата любов; 6. внезапен наплив (*от поръчки, покани и пр.*); **a ~ of memories** внезапно нахлуване на спомени; 7. прилив

на кръв; изчервяване, руменина, почервеняване (*на лицето*); 8. *поет.* сияние; заря; **the ~ of dawn** утринна заря; 9. пристъп (*на треска*); огън; **a busted ~** *разг.* провал, неуспех; изгубена кауза; 10. *sl* клозет; **III.** *adj* 1. придошъл, изпълнил коритото си (*за река*); 2. *разг.* в големи количества, изобилен (*за пари*); добре запасен, снабден с (*особ. с пари – за век*), паралия; 3. *разг.* разточителен, щедър, с широки пръсти; 4. равен, изравнен, на еднакво равнище с (*за плоскости*) (with); **to make parts ~** изравнявам части; 5. силен, здрав; 6. червендалест; **IV.** *adv* 1. наравно, изравнен; скрит (*за винт, нит*); 2. право, направо; *амер.* **a blow ~ in the face** удар право в лицето.

fluster ['flʌstə] **I.** *v* забърквам (се); развълнувам (се); нервирам (се); шашардисвам (се); **to ~ oneself** вълнувам се, тревожа се; **II.** *n* тревога, обърканост, вълнение, смущение.

flute [flu:t] **I.** *n* 1. флейта; 2. флейтист (*в оркестър*); 3. регистър на орган със звук на флейта; 4. *архит.* канелюра, декоративен жлеб (*по колона*); 5. предмет, наподобяващ флейта; *особ.* висока, тясна винена чаша; франзела; 6. дипла, гънка; **II.** *v* 1. свиря на флейта; 2. пея, свиря с уста, говоря с тънък глас (наподобяващ флейта); 3. изсвирвам (*мелодия*) на флейта; казвам (*нещо*) с тънък глас; 4. *архит.* правя канелюри (*по колони*); набраздявам, правя жлебове (*по нещо*); 5. диплям (*дреха, плат*).

flutter ['flʌtə] **I.** *v* 1. пляскам (с криле), пърхам, пърполя, пърпоря; прехвръквам (*за птица*); нося се из въздуха (*за лист и пр.*); *прен.* въртя се около някого (around); 2. вея се, развявам се, плющя, пърполя, пърпоря (*за знаме*); 3. бия неправилно, неравномерно (*за пулс*); туптя (*за сърце*); 4. вълнувам се, възбуден съм; трьпна; суетя се; сащисвам се; обърквам се; възбуждам се; **to ~ about** (*to*

and fro) суетя се, щурам се; **5.** развявам (*напр. кърпичка*); **6.** развълнувам, стряскам, смущавам; **II.** *n* **1.** пляскане с криле, пърхане, пърпорене; примигване (*на клепачи*); **2.** развяване, плющене (*на знаме и пр.*); **3.** кино трептене (*на звук*), примигване, трепкане (*на светлина*); *авиац.* вибриране (*на перка*); **4.** ускорено биене (*на сърцето*); вълнение, възбуда, трепет; сензация; a ~ of pleasure радостно вълнение; **6.** *разг.* спекулации, залагане на дребно.

flux [flʌks] **I.** *n* **1.** постоянна промяна, постоянно движение; **in a state of** ~ в постоянно движение, постоянно променящ се; **2.** *книж.* прилив; ~ **and reflux** прилив и отлив; *прен.* появяване и изчезване; **3.** течение (*на вода, газ*); бликане, извиране; **4.** *мед.* течение; **the bloody** ~ *остар.* дизентерия; **5.** *техн.* флюс, топилка; **6.** *физ.* поток, енергиен поток; **7.** *мат.* непрекъснато движение; **II.** *v* **1.** рядко тека; **2.** прииждам (*за прилив*); **3.** *мед.* отделям се, тека (*за гной, кръв*); давам очистително; **4.** *техн.* топя, стопявам (се); обработвам (покривам) с флюс.

fluxion ['flʌkʃən] *n* **1.** *мед.* течение; **2.** *рядко, остар.* течение, бликане, извиране; **3.** *рядко* постоянна промяна; **4.** *мат.* диференциация; *pl* диференциално смятане.

fly₁ [flai] **I.** *v* (flew [flu:]; flown [floun]) **1.** хвърча, летя; **as the crow flies** по права (въздушна) линия, по най-краткия път; **to** ~ **at high game** *прен.* хвърча високо, имам големи амбиции; **2.** пътувам (превозвам) със самолет; управлявам, пилотирам (*самолет*); **to** ~ **the Atlantic** прелитам Атлантическия океан; **3.** пускам (да хвърчи); **to** ~ **a hawk** ходя на лов със сокол, пускам сокол; **4.** развявам се, вея се; издигам (*знаме*); пътувам под (*англ. и пр.*) знаме (*за кораб*); ~**ing hair** развети коси; **5.** летя, хвръквам, прехвърчам, нося се из въздуха;

to make the dust (feathers) ~ *прен.* вдигам скандал (гюрюлтия, пара); **6.** бързам, спускам се; прескачам; **I must** ~ **or I'll miss my plane** трябва да тичам, защото ще изпусна полета си; **7.** движа се бързо (внезапно, рязко) (*за неодушевени предмети*); **the door flew open** вратата внезапно се отвори; ● ~ **in the face of** открито се обявявам против, отричам; предизвиквам;

fly about прехвърквам, прехвърчавам, прелитам, хвърча (насам-натам); **loose pieces of paper** ~ **about** из въздуха се носят парченца хартия;

fly along тичам с все сила; препускам (*по път и пр.*), профучавам; *прен.* отлетявам;

fly at нахвърлям се, нападам (*и прен.*); **to** ~ **at s.o.'s throat** хващам някого за гушата;

fly away излитам, изхвръквам, отлетявам (*и прен.*); избягвам, побягвам, хуквам (*за човек*); **the devil** ~ **away with you** *разг.* да те вземат дяволите;

fly back 1) долитам (*и прен.*); 2) отплесвам се, отскачам (*за клон и пр.*);

fly by минавам светкавично бързо, профучавам;

fly in 1) долитам; 2) доставям, докарвам по въздуха;

fly into изпадам в (*гняв и пр.*); **to** ~ **into a rage (a passion, a temper)** избухвам, кипвам;

fly off 1) побягвам, избягвам, запрашвам; 2) отхвърквам, откъсвам се (*за копче и пр.*);

fly out 1) излитам, изхвръквам; 2) *бейзбол* излизам от играта (*след като удрям топката, която друг играч улавя във въздуха*);

fly out at избухвам в гняв, кипвам; обсипвам с ругатни; нахвърлям се върху;

fly past *воен. авиац.* прелитам във формация (*при парад*);

II. *n* (*pl* flies) **1.** полет, летене; разстояние на полета; **on the** ~ в движение; в ход (*за влак, самолет и пр.*); **2.** (наемен) лек кабриолет с един кон; **3.** копчелък,

шлиц; **4.** перде (врата) на палатка; платнище за покрив на палатка; *разг.* дюкян, копчета на панталон; **5.** дължина (*на знаме*); най-отдалечената част на знаме от пръта; **6.** крило (*на вятърна мелница*).

fly₂ *n* (*pl* flies [flaiz]) **1.** муха; **house** ~ домашна муха; ● a ~ **in amber** *прен.* музейна рядкост; добре запазена антика; **2.** *зоол.* мушица, дребно двукрило насекомо от рода *Diptera*; **3.** изкуствена муха (*за ловене на риба*); **4.** *сел.-ст.* (селскостопански) вредител; болест по растенията и зеленчуците, причинена от вредители; **5.** *полигр.* събирач, -ка (*и уред*).

fly₃ *adj sl разг.* **1.** бърз, подвижен, сръчен; **2.** хитър, с остър ум; отворен, отракан.

flying ['flaiiŋ] **I.** *adj* **1.** хвърчащ, летящ, който хвърчи (лети); ~ **corps** *авиац. воен.* военновъздушни сили, въздушни войски; **2.** летателен; **3.** развяващ се; **with** ~ **colours** *прен.* победоносно, много успешно, блестящо; **4.** много бърз; *авиац.* ескадрила; **5.** понесен във въздуха; **to get off to (make) a** ~ **start** тръгвам (стартирам) успешно, започвам добре (*и прен.*); **6.** много кратък; **7.** висящ, подвижен, свободен, неприкрепен, люлеещ се; **8.** бягащ; **II.** *n* **1.** летене, хвърчене; полет; авиация, въздухоплаване; **2.** изгаряне (*на бушони и пр.*); изпускане, отхвръкване (*на искри*); избухване (*на снаряд и пр.*); **3.** бягство; **4.** пускане (*на сокол, при лов; на хвърчило*); **5.** развяване (*на знаме*).

foam [foum] **I.** *n* **1.** пяна; **to break into** ~ пеня се (*за вълна*); **2.** *поет.* море; **3.** порест материал; **II.** *v* **1.** пеня се (*за поток често с* **along, over, down, off, away**); **2.** *амер.* разпенвам, запенвам; **3.** излиза ми пяна от устата (*често с* **at the mouth**) (*при припадък*); *прен.* беснея, побеснял съм; ~ **over** преливам (*за пяна*).

focus ['foukəs] **I.** *n* (*pl* foci ['fousai], **focuses** ['foukəsiz]) **1.** *физ., мат.*

focused ['foukəst] *adj* фокусиран; целенасочен; ясно очертан; конкретизиран.

foetal ['fi:təl] *adj* ембрионален, зародишен.

fog [fɔg] I. *n* 1. мъгла; 2. облак от прах, дим, воден прах и пр.; 3. *фот.* воалиране (*на филм*); 4. *прен.* озадаченост, объркаността, мъглявост; забърканост; **to have o.'s mind in a ~** замътена ми е главата; 5. изпотяване (*на прозорец и пр.*); II. *v* (-gg-) 1. замъглявам (се); 2. *прен.* правя неразбираем, неясен, завоалирам; объркам, забърквам; озадачавам; 3. загнивам, умирам от влага (*за растение*) (*обикн. с off*); 4. поставям петарди (детонатори) (*по жп линия*); 5. *амер. sl* убивам.

fogginess ['fɔginis] *n* замъгленост, мъгливост, мъглявост (*и прен.*), неяснота.

foist [fɔist] *v* пробутвам, хързулвам (**on**) (*и ~ off*); натрапвам (**on, upon**); **to ~ in** (**into**) вмъквам (самоволно) (*особ. пасаж в текст*).

fold [fould] I. *v* 1. сгъвам (се), нагъвам (*и с up*); прегъвам (се); надиплям; **to ~ o.'s arms** скръствам ръце (*и прен.*); 2. загъвам (се), загръщам (се), обвивам, увивам (**in**); **to ~ o.'s cloak about one** загръщам се с пелерината си; прегръщам; **to ~ a person in o.'s arms** (**to o.'s breast**) прегръщам някого; 4. *техн.* фалцувам; правя ръб (*на картон, за да се сгъне*); 5. *sl* провалям се, слизам от сцената (*за пиеса*); 6. *разг.* бивам закрит (за бизнес, магазин); спирам, прекратявам; 7.: **to ~ into** прибавям, добавям (при готвене)); II. *n* 1. гънка, чупка; баста, плисе; дипла; ръб (*на сгънат плат*); 2. падина, гънка (*на мест-*

ност); 3. *геол.* земна гънка; 4. *разг.* преустановяване; затваряне, закриване.

folk [fouk] *n* 1. народ; 2. (*с гл. в мн. ч.*) хора; **fine ~** светски хора, висшето общество; **my ~s** нашите; роднините ми; 3. *attr* народен.

follow ['fɔlou] *v* 1. (по)следвам, вървя след (*и с after*); **to ~ in s.o.'s** (**foot**)**steps** (**wake**) следвам някого, вървя по стъпките на някого (*и прен.*); 2. гоня, подгонвам, преследвам, ходя на лов за; 3. търся, искам да се добера (да стигна) до истината; 4. следвам, вървя по (път) (*и прен.*); 5. следвам (*по време, по ред, по чин*); идвам след, последвам; **as ~s** както следва; 6. практикувам, упражнявам професия; **to ~ the drum, the law, the plough, the sea** ставам (съм) войник, адвокат, земеделец, моряк; 7. служа на; съм от свитата на; придружавам; 8. следвам, водя се по, последовател съм на, вървя по стъпките на; съгласявам се с; възприемам мнение, гледище на; подражавам на; **to ~ a party** член съм на (членувам в) партия; 9. следвам, придържам се към, съблюдавам, спазвам; 10. разбирам, схващам; следя (долавям) мисълта на; **do you ~ me?** следваш ли мисълта ми? 11. слушам, наблюдавам, следя внимателно; гледам, следя с очи; 12. следва, явява се като последица (резултат) от (*обикн. impers*); **it ~s that ...** следва (явно е), че ...;

follow on 1) *разг.* продължавам (*обикн. след прекъсване*); следвам по-късно, идвам подире (*често с behind, after*); 2) продължавам да преследвам, гоня; 3) *билярд* продължавам в права посока след удряне на друга топка;

follow out изпълнявам, изкарвам докрай (*замисъл, нареждания*);

follow through продължавам да правя (да мисля за) нещо до пълната му реализация; постоянствам; довеждам докрай;

follow up 1) следвам отблизо (упо-

рито); продължавам да преследвам; догонвам (**to**); 2) *прен.* извеждам (изкарвам) докрай; подемам, продължавам, разширявам, доразвивам; **to ~ up a clue** проследявам възможностите, посочени от дадена улика; 3) затвърдявам и използвам, подкрепям, консолидирам (*победа, дадено положение*); **to ~ up an advantage** използвам предимство; 4) *спорт.* подкрепям.

following ['fɔlouiŋ] I. *adj* 1. следващ, следен, идващ, иден (*по време*); 2. следващ, следен (*по ред*); **two days ~** два дни наред; **the ~** следните лица (предмети); 3. попътен (*за вятър, течение*); II. *n* 1. последователи; широка публика; 2. свита; III. *prep* след, в резултат (следствие) на; **~ his death** след смъртта му.

folly ['fɔli] *n* 1. (*и act, piece of ~*) глупост, безразсъдност; безразсъдство, безумство; безумие; лудост, полуда, щуротия; **the height of ~** върхът на глупостта; 2. декоративна сграда; глупава причудливка; 3. *остар. амер.* престъпление.

fondness ['fɔndnis] *n* 1. обич, нежност, привързаност (**for**); **to have a ~ for s.o.** обичам, държа на някого; 2. прекалена обич, лудеене по; 3. склонност; **~** (**for**).

food [fu:d] *n* 1. храна (*и прен.*); кърмило; хранителни продукти; **~ for the mind, mental** (**intellectual**) **~** духовна храна; 2. специално приготвена храна, специалитет; **infant ~** храна за кърмачета; 3. *attr* хранителен; на храни; за храна; **~ poisoning** хранително отравяне.

fool [fu:l] I. *n* 1. глупак, глупец, тъпак; **to make a ~ of oneself** ставам смешен (за смях), върша глупости; 2. жертва, предмет на подигравки; **to make a ~ of s.o.** измамвам, подигравам се с някого; 3. шут, глумец, шегобиец, смешник; **to play the ~ with** измамвам; развалям (нещо); 4. *остар.* идиот, малоумен (човек); **natural ~** малоумен по рожде-

ние; **5.** *attr амер.* глупав; **II.** *v* **1.** държа се глупаво; **2.** измамвам (*на шега*), изигравам; мистифицирам; правя си шега с; правя да изглежда смешен; правя номер (*някому*); **you can't ~ me** на мене не ми минават тия;

fool about, fool around 1) шляя се, мая се, мотая се, скитам безцелно; **2.** *разг.* флиртувам, свалям, задявам (**with** с);

fool away разпилявам, разпръсквам (*време, пари*);

fool out of изигравам, надхитрявам, с хитрост лишавам от;

fool with играя си с, забавлявам се с, бърникам.

foot [fut] **I.** *n pl* **feet** [fi:t] **1.** крак (*от глезена надолу*); стъпало, ходило; **the fore (hind) feet** предни (задни) крака; **2.** ход, походка; **to change ~ (feet)** променям хода си; **3.** *воен.* пехота; **~ soldier** пехотинец; **4.** стъпало, ходило (*на чорап*); **5.** край (*на креват, маса, гроб*) (*обр.* **head**); **6.** подставка (*на статуя*); основа (*на колона*); столче (*на чаша*); **7.** долна част (*на стена, стълба*); поли, подножие (*на планина*); край (*на списък*), крак (краче) (*на шевна машина*); **8.** *зоол.* орган за придвижване у безгръбначни животни (*гъсеница, охлюв и пр.*); **9.** *бот.* част, с която се прикрепва венечен лист; корен (*на косъм*); **10.** *проз.* стъпка; **11.** фут, мярка за дължина = 12 инча, 1/3 от ярда = 30,48 см; **12.** (*pl* **foots**) утайки, нерафинирана захар; **II.** *v* **1.** *остар.* танцувам; изпълнявам (*фигура на танц*); **2.** рядко вървя по; **3.** слагам стъпало (*на чорап*); **4.** (*и* **foot up**) събирам (*колона с цифри*), правя сбор; **to ~ the bill** плащам сметката (поемам разноските).

footing ['futiŋ] *n* **1.** основа, база; солидно положение; **to obtain a ~ in society** създавам си добро положение в обществото; **2.** отношение, положение, условия; **on a friendly ~** в приятелски отношения; **3.** стъпване; поставяне, местене на краката (*при ходене,*

танц, фехтовка); **4.** поставяне на стъпало (ходило) (*на чорап*); материал за стъпала; **5.** тясна ненена дантела (като основа, бордюр на дантела с десен); **6.** цокъл (*на стена, колона*); **7.** събиране на колона цифри; общият сбор (*и с* **up**).

footstep ['futstep] *n* **1.** стъпка; **2.** *pl* (звук от) стъпки; **3.** отпечатък, диря, следа от стъпка; **to follow in s.o.'s ~s** *прен.* вървя по стъпките на някого; подражавам на някого, следвам някого.

for [fɔ:, fə] **I.** *prep* **1.** (*предназначение, в полза, вреда на*) за; **the teachers** за учителите; **2.** (*в подкрепа, защита на*) за; **counsel ~ the defence** адвокат на подсъдимия; **3.** (*цел, намерение*) за, заради; **~ my sake** заради мене; **4.** (*замяна, размяна, съотношение*) за, срещу, с; **word ~ word** дума по дума, буквално, дословно; **5.** (*на мястото на; представляващ; във вид на*) за, вместо, като с; **open the door ~ me** отвори ми вратата; **6.** (*времетраене*) за, през, в продължение на, от, след; *и не се превежда*; **~ good** завинаги; **7.** (*движение към*) за; **the train ~ York** влакът за Йорк; **8.** (*определен момент*) за; **the latest fashions ~ autumn and winter** последните модни тенденции на есенно-зимния сезон; **9.** (*при пространство*) на; по протежение на; *и не се превежда*; **to run ~ a mile** тичам една миля; **10.** (*причина*) за, поради, по, от (*и след сравнителна степен*); **~ fear of ...** (*с ger*) от страх да не е ...; **11.** (*след гл., същ., прил. и междум., изразяващи чувства, способност, качество, годност; също след прил. и нар. с* **too, enough**) за, към; *и не се превежда*; **too beautiful (stupid) ~ words** неизразимо хубаво (глупаво); **12.** колкото за, доколкото що се отнася до; относно; откъм; **~ the rest** колкото до другите; иначе; **13.** (*предвид на*) за; **he was tall ~ an eight-year-old** беше твърде висок за 8-годишно мом-

че; **14.** колкото и да, въпреки (*с* **all** изразява пречка, спънка); **~ all that** въпреки всичко; **15.** (*с гл. с двойно допълнение*) за, като, с качеството на; **16.** (*за въвеждане на подлог към inf*) **it is not ~ me to arrange this** не аз трябва (не е моя работа) да уреждам това; **II.** *cj* тъй като, защото.

foray ['fɔrei] **I.** *n* **1.** набег, нападение; **2.** начинание; навлизане в нова област (*на проучване, експлоатиране и пр.*); **II.** *v* грабя, ограбвам, плячкосвам, опустошавам (*страна*); върша грабеж; правя, извършвам набег, нападение.

forbearing [fɔ:'beəriŋ] *adj* **1.** въздържан; **2.** търпелив, снизходителен, толерантен.

forbid [fə'bid] *v* (**forbad(e)** [fə'bæd]; **forbidden** [fə'bidn]) **1.** забранявам, запрещавам (*и юр.*); **to ~ s.o. the house** забранявам на някого да посещава къщата ми; затварям вратата на къщата си за някого; **2.** възпрепятствам, изключвам, правя невъзможно.

force [fɔ:s] **I.** *n* **1.** сила, енергия (*и физ., техн.*); ефикасност, въздействие (*на лекарство, отрова*); мощност (*на мотор*); **brute ~** груба сила, насилие; **2.** сила, насилие, принуда (*и юр.*); **by ~** насила, принудително, насилствено; **3.** *прен.* (*морална*) сила, влияние, въздействие; авторитет; авторитетна личност; **the ~ of his ideas** убедителността (силата) на идеите му; **4.** въоръжен отряд; *воен. мор. авиац.* сили, ефектив; *pl* войски, въоръжени сили; **air ~** военновъздушни сили; **5.** *юр.* валидност, сила; **the law comes into (remains in) ~** законът влиза (остава) в сила; **6.** сила на вятъра; **7.** значение, употреба; **a verb with passive ~** глагол, в пасивно значение; ● **by ~** of чрез, посредством; **8.** *attr* силов, принудителен; **II.** *v* **1.** насилвам; вкарвам, изтръгвам насила (**into, from**); *техн.* форсирам, претоварвам; **2.** *воен.* завладявам, пробивам, форсирам (*позиции*); **3.** изнасилвам

(*жена*); **4.** принуждавам, заставям, карам, накарвам (**to** *c inf*; **into** *c ger*); налагам (**on, upon**); **to ~ s.o.'s hand** принуждавам някого да действа прибързано, против разбиранията си; **5.** *сел.-ст.* изкуствено ускорявам растежа, узряването; отглеждам в парник; *прен.* пресилвам, претоварвам (*ученик*); **6.** ускорявам (*ход*); **7.** *карти* накарвам да се играе коз или дадена карта; **~ the game** *и прен.* рискувам много, за да спечеля много; насилвам си късмета;

force back отблъсквам (*неприятел и пр.*); спирам, задържам (*вода, въздух*); сподавям, потискам (*чувство*);

force down затварям със сила (*капак*); вкарвам със сила (*въздух в мина*); понижавам, смъквам (принудително) (*цени*);

force in 1) разбивам (*врата*); 2) вкарвам насилствено (*някого, нещо*);

force off 1) накарвам (*някого*) да се пусне, да слезе, да се махне; 2) махам със сила (*капак и пр.*);

force on 1) карам (тикам) (*някого*) да върви; 2) оковавам (*колело*) с шини;

force out изтласквам, избутвам, изтиквам; насила изтръгвам;

force up насилствено (изкуствено) повишавам (*цени*)

forced ['fɔːst] *adj* **1.** насилствен, принудителен, задължителен, наложен; принуден; **a ~ landing** *авиац.* принудително кацане; **2.** *сел.-ст.* изкуствено отгледан, ранен (*за плодове, зеленчуци*).

forceful ['fɔːsful] *adj* **1.** силен, мощен, твърд, енергичен (*за характер, човек*); **2.** убедителен, въздействащ (*за език и пр.*); ◇*adv* **forcefully.**

forcefulness ['fɔːsfulnis] *n* сила, твърдост, енергичност; убедителност.

forebode [fɔː'boud] *v* **1.** вещая, предвещавам (*нещастие*); рядко предсказвам; **2.** предчувствам, имам предчувствие (за, че); предусещам (*обикн. зло*).

forecast I. [fɔː'kaːst] *v* (**forecast** *или* **forecasted**) предвиждам, предсказвам, предричам; **II.** ['fɔːkaːst] *n* **1.** предвиждане, предсказване; предсказание, прогноза (*за времето*); **2.** *рядко* предвидливост, благоразумие, далновидност; гадателски способности.

forehead ['fɔrid] *n* **1.** чело; **2.** *амер.* фронт, лице; **3.** *прен. остар.* "лице", нахалство, наглост, безочие.

foreign ['fɔrin] *adj* **1.** чужд, чуждестранен, външен; **~ policy (trade)** външна политика (търговия); **2.** чужд, несвойствен (**to**); несвързан с; **3.** *амер.* от друг щат.

forelock ['fɔːlɔk] *n* кичур от косата, перчем; **to touch (pull, tug) o.'s ~** 1) докосвам си челото (*като поздрав*); 2) прекланям се (**to** пред), благоговея.

foremost I. [fɔː'moust] **I.** *adj* **1.** пръв, най-ранен; най-преден, челен; **2.** пръв, най-важен, изтъкнат, главен; с най-горен чин; **II.** *adv* първо; **first and ~** преди всичко (другого), на първо място.

forensic [fə'rensik] *adj* съдебен, юридически; адвокатски; **~ medicine** съдебна медицина.

foreordain ['fɔːrɔː'dein] *v* предопределям, предрешавам.

foreshadow [fɔː'ʃædou] *v* предвещавам, предзнаменувам; предвиждам; загатвам предварително за.

foreshow [fɔː'ʃou] *v* показвам предварително; предричам, предсказвам.

forest ['fɔrist] **I.** *n* **1.** гора (*и прен.*); **open ~** високостъблена гора; **2.** ловен парк; **3.** *attr* горски; **~ fire** горски пожар; ● **the Black F.** планината Шварцвалд; **II.** *v* залесявам, превръщам в гора.

forestry ['fɔristri] *n* **1.** лесовъдство; **2.** *сбир.* гори.

foretell [fɔː'tel] *v* (**foretold** [fɔː'tould]) **1.** предсказвам, предричам, предугаждам, пророкувам, предусещам; прогнозирам, правя прогноза (*за времето*); **2.** предвещавам, вещая.

foretelling [fɔː'teliŋ] **I.** *adj* пророчески; **II.** *n* предсказание, гадание.

forethought I. ['fɔːθɔːt] *n* предвидливост; преднамереност, предумисъл; **crime of ~** предумишлено престъпление; **II.** [fɔː'θɔːt] *adj* *рядко остар.* преднамерен, предумишлен (*за престъпление*).

foretoken I. ['fɔːtoukn] *n* знамение, предзнаменование, предвестие, поличба; **II.** [fɔː'toukn] *v* предзнаменувам, предвещавам, вещая.

forever [fə'revə] **I.** *adv* **1.** навеки; the **drive seemed to take ~** пътуването сякаш трая (се проточи) цяла вечност; **2.** непрекъснато; **3.** изключително, крайно, в крайна степен; **II.** *n* вечността.

forewarning [fɔː'wɔːniŋ] *n* предупреждение, предчувствие.

foreword ['fɔːwəːd] *n* предговор, предисловие, уводни думи.

forfeit ['fɔːfit] **I.** *n* **1.** глоба; залог; конфискувана вещ; **2.** неустойка, просрочка; **3.** конфискация, лишаване от права; **4.** *остар.* престъпление, злоупотреба; **5.** *pl* игра, при която се залагат различни предмети; **II.** *adj* *истор. юр.* конфискуван; **III.** *v* **1.** загубвам поради конфискация; **to ~ to the State** конфискувам в полза на държавата; **2.** лишавам се от, загубвам, отказвам се от; **to ~ o.'s honour (word)** загубвам честта си (не устоявам на думата си).

forge₁ [fɔːdʒ] **I.** *n* **1.** ковачница; **2.** огнище на ковачница; **3.** работилница за топене и рафиниране на метали; металургичен завод; **4.** *прен.* планов отдел; **II.** *v* **1.** *прен.* изковавам, изфабрикувам, изграждам; измислям, съчинявам; скалъпвам (*план*); **2.** подправям, фалшифицирам (*подпис, чек и пр.*); върша фалшификации; **3.** кова, изковавам; **to ~ hot (cold)** кова в горещо (студено) състояние.

forge₂ *v* движа се, напредвам (*за кораб*) (*и* **~ ahead**); постепенно излизам напред, на първо място (*за кон, състезател при състезания*).

forgery ['fɔːdʒəri] *n* **1.** *юр.* фалшификация, подправяне (*на документ*); **2.** подправен документ

(банкнота).

forget [fə'get] v (forgot [fə'gɔt]; forgotten [fə'gɔtn]) 1. забравям (*често с about*); ~ (about) it остави, зарежи го; няма значение; 2. пропущам, забравям (*обикн. с inf*); 3. не обръщам внимание на; to ~ o.'s manners държа се неприлично.

forgive [fə'giv] v (forgave [fə'geiv]; forgiven [fə'givn]) прощавам (на), опрощавам.

forgiveness [fə'givnis] n 1. опрощение, прошка; опрощаване (*на дълг*); to ask s.o.'s ~ моля някого за прошка; 2. снизхождение, милост; незлобивост, снизходителност.

forgivingness [fə'giviŋnis] n снизходителност, незлобивост, милост.

forgo [fɔ:'gou] v 1. (forwent [fɔ:'went]; forgone [fɔ:'gɔn]) отказвам се от (*право и пр.*); 2. въздържам се от; I cannot ~ mentioning it не мога да не го спомена.

forgoing [fɔ:'gouiŋ] n 1. отказ, отказване (of); 2. въздържане (from).

fork [fɔ:k] I. n 1. вила за сено (*и* pitch-~); 2. вилица; fish ~ вилица за риба; 3. чатал; соха, разсоха, вилка; 4. сопа (*за подпиране*); 5. пръчка, която показва (*на търсач на вода*); 6. разклонение на път; 7. разклонена светкавица; 8. камертон (*и* tuning-fork); 9. (*в шахмата*) виличка; 10. воен. вилка; 11. вилка (*на велосипед*); 12. техн. чаталест (*тръбен*) разклонител; 13. техн. рогатка, вилка, машинна част във форма на вила; 14. мин. водосборна яма, зумпф; 15. sl джебчия; 16. sl pl пръсти; II. v 1. разклонявам се (*за дърво, път*); 2. вдигам, прехвърлям с вила (*сено, тор*); 3. набождам с вилица; 4. правя на чатал, разцепвам; 5. спорт. правя вилица (*в шахмата*); 6. амер. възсядам (*кон*);

fork out 1) измъквам с вила; 2) бъркам се, плащам (*пари*); 3) плащам, бръквам се;

fork over преравям, прехвърлям

(*с вила*);

fork up изравям, вдигам (*с вила*); прен. изравям.

forlorn [fɔ:'lɔ:n] adj лит. 1. безнадежден, отчаян, пропаднал, загубен (*за начинание и пр.*); 2. изоставен, запуснат, напуснат, усамотен (*за място*); 3. окаян, в окаяно положение (състояние), нещастен; ◇ adv **forlornly**; 4. поет. лишен от (of).

form [fɔ:m] I. n 1. форма, вид, очертание; to take ~ оформям се; очертавам се; 2. тяло, фигура, силует, образ (*на човек, животно*); 3. форма, вид, система, начин; 4. муз., лит. форма, стил; 5. формалност, форма; in (due, proper) ~ юр. в установената форма, по всички правила; 6. церемониал, церемония; 7. държане; true to ~ верен на себе си, типично в своя стил; 8. обрат на речта; it is a ~ of speech просто фраза; 9. бланка; формуляр; telegraph ~ бланка за телеграма; 10. спорт. форма (*и прен.*); to be in (good top) ~ в (добра, отлична) форма съм (for); 11. уч. клас; 12. чин, пейка; 13. техн. форма; калъп; кофраж; образец, тип, модел; 14. печатарска форма (*и* forme); 15. дупка на заяк; II. v 1. (при)давам форма, правя, фасонирам, моделирам, изработвам (after, by, from, upon a model); 2. формирам, тренирам, обучавам; техн. формувам, профилирам, фасонирам; 3. създавам, придобивам (*навик*); 4. формирам, образувам, учредявам, организирам (*дружество и пр.*); създавам (*армия, република, нова дума*); съставям (*правителство, план, изречение*); съставям си (*мнение и пр.*); to ~ o.'s style on изработвам стила си под влиянието на; 5. част съм от, член съм на, съставлявам; 6. воен. (*и* form up) строявам (се); to ~ a regiment into columns строявам полк в колони.

formal ['fɔ:məl] I. adj 1. формален; външен, привиден, неистински; ~ resemblance външна прилика; 2. филос. отнасящ се до същи-

ната на нещата, съществен; 3. извършен в съответните форми, редовен (*за процедура, договор и пр.*); официален, редовен (*за разписка, заповед и пр.*); официален, изричен (*за заповед, опровержение и пр.*); 4. формален, несъществен; само колкото да се каже; the invitation is entirely ~ поканата е чисто формална; 5. официален (*за поздрав, облекло, вечеря*); тържествен (*за поклон, стил и пр.*); 6. който държи на протокола; въздържан, студен, неприветлив (*за човек, поведение и пр.*); 7. висок, литературен (*за стил*); ~ garden строго симетрично подредена градина; ◇ adv **formally**; II. n амер. разг. 1. официално събиране (*със задължително вечерно облекло*); 2. вечерна рокля.

formality [fɔ:'mæliti] n 1. спазване на установените форми, правила; благоприличие; ред; 2. формализъм, педантичност; 3. формалност, формални изисквания; 4. етикет, протокол; 5. официалност, сковано, официално държане; 6. скованост, бездушност (*на рисунка*).

formalize ['fɔ:məlaiz] v 1. придавам тържественост, скованост, официалност (*на церемония, прием*); 2. правя шаблонен, шаблонизирам (*стила си, изкуството си*); 3. давам определена форма на, оформям, редактирам (*разказ, документ*).

format ['fɔ:mæt] I. n 1. формат; форма, структура; his latest album is available on all ~s последният му албум се предлага във всички формати (*касета, компакт диск*); 2. инф. формат (*на входни или изходни данни; диск и пр.*); II. v инф. форматирам (*входни или изходни данни*); форматирам (*диск*); dos formatted форматиран за работа с ДОС.

formation [fɔ:'meiʃən] n 1. образуване, формиране, съставяне, организиране, създаване (*на дружество и пр.*), сключване (*на съюз*); установяване (*на републи-

ка); образуване (*на геологични формации*); формиране; **2.** образуване, новообразуване; създание; **pathological** ~ патологично образуване; **3.** *геол.* формация; **4.** строеж, структура; **5.** *воен.* ред, строй, разположение; **in open** ~ в разгънат строй; **6.** *жп* състав, композиция.

formative ['fɔ:mətiv] I. *adj* **1.** образуващ, формиращ; ~ **years** години на развитие, на растеж, на формиране на характера; **2.** *език.* словообразувателен; II. *n* формант, словообразувателна частица.

former₁ ['fɔ:mə] *adj* **1.** бивш, предишен, минал, някогашен; **he is a mere shadow of his** ~ **self** нищо не е останало от него, което беше някога; **2.** първият (*от споменатите двама*).

former₂ *n* **1.** създател, творец; **2.** *техн.* шаблон, матрица, калъп; **3.** *ел.* макара без намотка; **4.** *ав.* шпангоут, спомагателно ребро (*на крило*).

formidable ['fɔ:midəbəl] *adj* страшен, страховит; застрашителен; огромен, мъчен; ◇ *adv* **formidably.**

formula ['fɔ:mjulə] *n* (*pl* **-las, lae** [-ləz, -li:]) **1.** формула, правило, образец; установен израз, стереотипна фраза; клише; **hackneyed** ~**s** изтъркани клишета; **2.** *полит.* формула, формулировка, установка; приемлива за всички постановка на въпроса; **3.** *рел.* верую, кредо; сакраментален израз; **4.** *фарм.* рецепта; **5.** *мат., хим.* (*pl* обикн. **formulae**) формула; **structural (constitutional)** ~ структурна формула; **6.** мляко на прах (*за бебета*).

formulate ['fɔ:mjuleit] *v* **1.** формулирам, изразявам (сбито и системно), излагам; **2.** изразявам с формула.

formulation [fɔ:mju'leiʃən] *n* **1.** формулиране, изразяване; излагане; **2.** формулировка.

fornicator ['fɔ:nikeitə] *n* **1.** развратник; **2.** *библ.* блудник, прелюбодеец; **3.** *библ.* идолопоклонник.

forsake [fə'seik] *v* (**forsook** [fə'suk], **forsaken** [fə'seikən]) **1.** изоставям, напускам, захвърлям; **2.** отказвам се от (*навик*), отричам се (*от вярата си*).

forswear [fɔ:'sweə] *v* (**forswore** [fɔ:'swɔ:], **forsworn** [fɔ:'swɔ:n]) **1.** отричам се, отказвам се под клетва от; отричам се от, отказвам се от; **2.** (*обикн. refl*) заклевам се лъжливо, полагам лъжлива клетва; **to be forsworn** клетвопрестъпник съм; **3.** нарушавам (*клетвата си*).

fort [fɔ:t] *n* **1.** форт, укрепление; **2.** укрепен град, крепост; **hold the** ~ *разг. прен.* справяй се с положението, замествай ме, докато ме няма; **3.** *истор.* (укрепено) търговско депо.

forth [fɔ:θ] I. *adv* лит. **1.** напред, нататък (*пространствено*); **to go** ~ поемам, тръгвам; **2.** на показ, наяве; надълго и широко; (*обикн. с глаголи*); про-; раз-; **to put** ~ **leaves** разлиставам се; **3.** занапред, нататък (*по време*); **from this time** ~ отсега нататък, занапред; • **and so** ~ и тъй-нататък, и прочее; II. *prep остар.* от, из.

forthcoming [fɔ:θ'kʌmiŋ, 'fɔ:θkʌmiŋ] I. *adj* **1.** предстоящ; **2.** който предстои да излезе (да бъде публикуван) (*за книга, закон*); **3.** готов; налице, наяве; **the money is** ~ парите ще (предстоят да) бъдат получени; **4.** любезен, вежлив, внимателен, приветлив; общителен; II. *n* **1.** излизане; **2.** появяване, приближаване.

forthright ['fɔ:θrait] I. *adv* **1.** направо; **2.** откровено; **3.** веднага; II. *adj* **1.** прав, пряк; **2.** прям, откровен, праволинеен; който не си поплюва; III. *n* прав път.

forthwith ['fɔ:θ'wið] *adv* веднага, незабавно.

fortification [fɔ:tifi'keiʃən] *n* **1.** укрепване, засилване, усилване; подсилване (*на вино*); **2.** укрепяване (*на град, позиция*); **3.** *pl* фортификация, укрепления.

fortify ['fɔ:tifai] *v* **1.** усилвам, подсилвам, укрепявам (*постройка и пр.*); укрепвам (*здравето и пр.*);

подкрепям (*твърдение с факти, цифри*); потвърждавам (*съобщение*); **2.** окуражавам, ободрявам; подкрепям духовно; затвърдявам (*решение*); **3.** *вет.* имунизирам; **4.** подсилвам с витамини; **5.** подсилвам (*вино*); **6.** укрепявам (*град*); строя укрепления.

fortress ['fɔ:tris] I. *n* крепост; укрепен град; II. *v поет.* защитавам, укрепявам.

fortuitous [fɔ:'tjuitəs] *adj* случаен, непредвиден; ~ **event** *юр.* случайно събитие.

fortuity [fɔ:'tjuiti] *n* **1.** случайност, случаен характер; **2.** непредвиден случай (случка).

fortunate ['fɔ:tʃnit] I. *adj* **1.** щастлив, честит; късметлия; **2.** сполучлив, успешен; II. *n* рядко щастливец.

fortune ['fɔ:tʃən] I. *n* **1.** щастие, късмет; успех, сполука; **a piece of good** ~ щастлив случай; късмет; **2.** състояние, богатство; имот; **a small** ~ *разг.* цяло състояние, голяма (крупна) сума; • **a man of** ~ състоятелен (богат) човек; щастлив (късметлия) човек; **3.** съдба; предопределение; участ, орис; **the child (darling) of** ~ галеник на съдбата; човек с късмет; II. *v* **1.** *остар.* случва се, става; **2.** *рядко* давам състояние (богатство) на.

forty ['fɔ:ti] *пит* четиридесет; **in the forties** (*за човек*) между 40 и 50 години.

forum ['fɔ:rəm] *n* **1.** *истор.* форум; **2.** *прен.* съд, трибунал.

forward ['fɔ:wəd] I. *adj* **1.** преден; **2.** напредничав, прогресивен; който напредва; ~ **march** ход (движение) напред; *прен.* напредък, възход; **3.** напреднал; преждевременен; ранен; **to be** ~ **with o.'s studies** напред съм с (в) учението; **4.** нахален, дързък; **5.** бърз, готов, отзивчив; **6.** *търг.* предварителен, в аванс; бъдещ; ~ **delivery** бъдеща доставка; II. *adv* напред; нататък; **to look** ~ **to** очаквам с нетърпение, предвкусвам; III. *n* **1.** *спорт.* нападател; **centre** ~ център-нападател; **2.**

прен. пионер; **IV.** *v* **1.** помагам на, подпомагам, способствам за, поощрявам; ускорявам; **2.** отпращам, отправям, изпращам, експедирам; препращам (*пратка, писмо и пр.*).

forwarding ['fɔ:wədiŋ] *n* изпращане, експедиране; ~ **agency** транспортна агенция.

forward-looking ['fɔ:wə:d,lukiŋ] *adj* напредничав, далновиден.

fosse [fɔs] *n* **1.** *воен.* окоп, ров; **2.** *анат.* вдлъбнатина, улей (*обикн. на кост*).

fossilize ['fɔsilaiz] *v* **1.** вкаменявам (се), превръщам (се) във вкаменелост; **2.** закостенявам; **3.** *рядко* търся вкаменелости.

foster ['fɔstə] *v* **1.** храня, подхранвам; **2.** отглеждам, възпитавам, грижа се за, гледам; **3.** насърчавам, поощрявам; подпомагам; благоприятствам за.

foul [faul] **I.** *adj* **1.** отвратителен, противен, гнусен, гаден; *разг.* грозен; **2.** мръсен, нечист, замърсен; задръстен, запушен (*за тръба*); гноен (*за рана*); обложен (*за език*); ~ **bottom** *мор.* дъно (*на кораб*), обраснало с миди и водорасли; **3.** нечестен, несправедлив, непочтен, долен; *спорт.* неправилен; ~ **play** *спорт.* нечестна игра, чрез измама, нечестна постъпка; престъпление; **4.** заплетен, оплетен, объркан, омотан; заклещен; ~ **berth** *мор.* теснина, опасно (*за сблъскване*) място; **5.** противен, насрещен; неблагоприятен (*за вятър и пр.*); бурен; **II.** *adv* нечестно, непочтено; неправилно; **to play s.o.** ~ измамвам (изигравам, предавам) някого; **III.** *n* **1.** сблъскване, стълкновение; сплитане, заплитане; **2.** *спорт.* нарушение (*на правилата*); фаул; **to claim (cry)** ~ *спорт.* правя контестация; **3.** нещо лошо (неблагоприятно), нещастие; лошо време; **IV.** *v* **1.** измърсявам (се), изцапвам (се); **2.** задръствам (се), запушвам (се); повреждам; **3.** обраствам (*за дъно на кораб*); **4.** оплитам (се) (в), забърквам (се); оплесквам; сгафвам (**up**); **5.**

сблъсквам се; **6.** *спорт.* фаулирам; нарушавам правилата, правя фаул; **to** ~ **s.o. out** изкарвам някого от игра, като го фаулирам.

foulness ['faulnis] *n* **1.** мръсотия, нечистотия; **2.** невярно отчитане (на уред); погрешност.

foul-up ['faulʌp] *n* **1.** неразбория, суматоха, объркана работа; **2.** гаф; грешка.

found₁ [faund] *v* **1.** основавам, полагам основите на; учредявам, създавам; **2.** основавам, базирам (**on**); ~**ed on fact** основан върху истинска случка; **3.** *рядко* основавам се, основан съм.

found₂ *v* лея, отливам; топя (*метал, стъкло*).

foundation [faun'deiʃən] *n* **1.** основа; *техн.* фундамент; **to lay the** ~**s of** полагам основите на; **2.** основаване, създаване; учредяване; **3.** основание; достоверност; **4.** фондация; благотворителен фонд.

founder₁ ['faundə] *n* основател, учредител; родоначалник; създател.

founder₂ *n* леяр.

founder₃ **I.** *v* **1.** потъвам; потапям (се), потапям (*за кораб*); **2.** засядам (*за здание*); падам, събарям се, срутвам се, сгромолясвам се; провалям се, пропадам; **3.** накарвам (правя) (*кон*) да окуцее; **4.** окуцявам; спъвам се, препъвам се; **5.** забивам (вкарвам) топката в мека земя (*при голф и пр.*); **II.** *n вет.* възпаление на крака (*на кон*).

foundry ['faundri] *n* **1.** леярна, леярница; **2.** леене, леярство; ~ **proof** *полигр.* машинна ревизия.

fountain ['fauntin] *n* **1.** извор; **2.** *прен.* източник; произход; **3.** фонтан, шадраван; **4.** чешма; **5.** резервоар (*на писалка, газена лампа и пр.*).

four [fɔ:] *n* **1.** четири; **to the** ~ **winds** по всички посоки; **2.** четворка (*в разни значения*); **on all** ~**s** на четири крака, по (на) ръце и крака; **3.** еднакъв, тъждествен (*обикн. отриц.*) (**with**); **coach and** ~ каляска (карета) с четири коня.

four-square ['fɔ:'skweə] **I.** *n* квадрат; **II.** *adj* **1.** квадратен, четвъртит; **2.** стабилен, устойчив, здрав; **3.** *разг.* честен, почтен; **III.** *adv* недвусмислено.

fourth [fɔ:θ] **I.** *num* четвърти; **the** ~ **dimension** времето (*като четвъртото измерение*); **II.** *adv* четвърто, на четвърто място; **III.** *n* **1.** четвърт, четвъртина, четвърта част; **bottle three-**~**s empty** четвърт бутилка (*за съдържание*); **2.** четвърти (*ден на месеца*); **3.** *муз.* кварта; **augmented** ~ увеличена (голяма) кварта; **4.** *pl търг.* долнокачествени стоки.

fowl [faul] **I.** *n* **1.** птица (*обикн. домашна*); кокошка; птици (*събир.*); **the** ~**s of the air** *поет.* пернатите животни (създания); **2.** месо от птица; **II.** *v* ходя на лов за птици.

fox [fɔks] **I.** *n* **1.** лисица; лисугер; *прен.* хитрец; **to play the** ~ хитрувам; **2.** *амер. sl* първокурсник; **II.** *v* **1.** хитрувам; **2.** *разг.* обърквам, смущавам, озадачавам; **3.** покривам (се) с кафяви петна (*за хартия*); **4.** правя (карам, оставям) да прокисне.

fracas ['fræka:, *амер.* 'freikəs] *n* врява, крамола, скандал, сбиване.

fraction ['frækʃən] *n* **1.** частица, част, къс, парче; **to a** ~ *разг.* напълно, съвършено, цялостно, без остатък; **not by a** ~ ни най-малко, ни на йота; **2.** *мат.* дроб; **decimal** ~ десетична дроб; **3.** *хим.* фракция; **4.** счупване, строшаване; *рел.* разчупване (на хляб).

fractional ['frækʃənəl] *adj* **1.** частичен; съставен от отделни части; ~ **currency** монети (банкноти), представляващи част от установената монетна единица; **2.** *мат.* дробен; **3.** *хим.* фракционен; на фракции; **4.** *разг.* незначителен, дребен, маловажен; ◊ *adv* **fractionally.**

fractious ['frækʃəs] *adj* капризен, раздразнителен, нервозен, сприхав, избухлив.

fractiousness ['frækʃəsnis] *n* капризност, раздразнителност, избухливост.

fracture ['fræktʃə] **I.** *n* **1.** счупване,

строшаване; *мед.* фрактура; **com-pound** ~ *мед.* външно счупване; **2.** начин (форма) на счупване (чупене), лом; **3.** *език.* дифтонгизация; **II.** *v* счупвам (се), строшавам (се), чупя (се).

fractured ['fræktʃə:d] *adj* **1.** разединен, накъсан; напукан, пукнатинен; **2.** *sl* пиян, гипсиран.

fragile ['frædʒail] *adj* **1.** чуплив, крехък, трошлив; ~ **happiness** преходно (мимолетно, несигурно) щастие; **2.** деликатен, нежен, чувствителен (*за човек*).

fragility [frə'dʒiliti] *n* **1.** чупливост, крехкост; **2.** нежност, деликатност, чувствителност.

fragment I. ['frægmənt] *n* фрагмент, къс, парче; откъс, част; отломък; **II.** [fræg'ment] *v* разделям (се), разпадам (се на части); разкъсвам (се).

fragmentary ['frægməntəri] *adj* **1.** фрагментарен; *геол.* отломъчен; **2.** частичен, откъслечен, непълен.

fragrance ['freigrəns] *n* благоухание, благовоние, ухание, аромат, мирис.

fragrant ['freigrənt] *adj* благоуханен, благовонен, ароматен, ароматичен.

frailty ['freilti] *n* **1.** слабост, деликатност; хилавост; **2.** слабохарактерност, неустойчивост, слабост; **3.** грешка, грях, прегрешение.

frame [freim] **I.** *n* **1.** рамка; гергеф; *техн., строит.* рама, ферма; шаси; станок; ~ **of a window** каса (рамка) на прозорец; **2.** направа, устройство, структура, скелет; скеле; *прен.* форма, система; **3.** телосложение, тяло; **4.** парник, парникова рамка; **5.** състояние (*умствено или душевно*); ~ **of mind** настроение, разположение на духа; **6.** *кино* кадър; **II.** *v* **1.** оформям; съставям; изработвам; измислям; построявам, сглобявам; **2.** поставям в рамка; **3.** развивам се, оформям се; напредявам; **4.** приспособявам, пригодявам; **5.** *амер. sl* нагласям, скроявам (*лъжливо обвинение и пр.*); обвинявам несправедливо; **to ~ up** *разг.* измислям, съчи-

нявам; наглася вам; инсценирам (*процес и пр.*), изфабрикувам.

framework ['freimwə:k] *n* **1.** скелет; структура; *техн.* шаси; *строит.* кофраж; ферма; скеле; **2.** *прен.* рамки; **within the ~ of** в рамките на.

frank [fræŋk] **I.** *adj* **1.** искрен, откровен, прям, открит, чистосърдечен; **2.** явен, открит, неприкрит, отявлен; ◇ *adv* **frankly; 3.** *рядко* щедър; **4.** *остар.* свободен; **II.** *v* **1.** франкирам, изпращам (*стока, писмо*) безплатно за получателя; **2.** пускам (*човек на събрание и пр.*) без пари (билет); поемам разноските на, плащам за; **3.** *остар.* освобождавам; **III.** *n* **1.** подпис (знак) печат за освобождаване на писмо (пратка) от пощенски разноски; **2.** право на безплатна поща; **3.** писмо (пратка, пакет), освободен от пощенски такси.

frankness ['fræŋknis] *n* откровеност, прямота, искреност, чистосърдечност.

frantic ['fræntik] *adj* **1.** безумен, неистов; френетичен, екзалтиран; **2.** трескав, енергичен, шеметен; ◇ *adv* **frantically** ['fræntikli].

fraternal [frə'tə:nəl] *adj* братски; ~ **twins** двуяйчни близнаци.

fraternity [frə'tə:niti] *n* **1.** братство; **2.** *прен.* общност, общество; **3.** *амер.* студентска организация.

fraud [frɔ:d] *n* **1.** измама; **constructive** ~ косвена измама; **2.** измамник, мошеник; нещо, което излъгва (измамва).

fraudulence ['frɔ:djuləns] *adj* измамливост; мошеничество, измама.

fraudulent ['frɔ:djulənt] *adj* измамлив, мошенически; ◇ *adv* **fraudulently.**

fraught [frɔ:t] **I.** *adj predic* **1.** пълен, изпълнен, преизпълнен (**with**); **2.** натоварен; тежък; **II.** *n остар., шотл.* товар.

fray₁ [frei] *n* **1.** сбиване; свада, крамола; **2.** надпревара, борба, конкуренция.

fray₂ **I.** *v* оръфвам (се), изтърквам (се), протривам (се); **to be ~ing**

at (around) the edges отслабвам, закъсвам, западам, започвам да се разпадам; **II.** *n* оръфано (изтъркано, протрито) място.

freak₁ [fri:k] **I.** *n* **1.** каприз, прищявка, приумица; **2.** *разг.* особняк, чудак, чешит; маниак; **control** ~ човек, обсебен от мания да държи всичко под контрол; **3.** аномалия, анормалност; изключение, единично явление; **II.** *v* шашвам (се), сащисвам (се); шокирам (се); **III.** *adj* необикновен, чуден, странен; нередовен, неправилен; анормален, неестествен.

freak₂ **I.** *v* изпъстрям, напръсквам (*с петна, ивици*); **II.** *n* петно; ивица.

freaked ['fri:kt] *adj* (*c out*) *sl* **1.** сащисан, стреснат; **2.** каталяса̀л, скапан (*от умора*); **3.** под влияние на наркотик, надрусан; **4.** изпъстрен, напръскан, пъстър, на петна.

freakish ['fri:kiʃ] *adj* **1.** капризен; **2.** чудноват, чуден, странен, особен, необикновен.

freckle ['frekəl] **I.** *n* луничка; **II.** *v* покривам (се) с лунички.

free [fri:] **I.** *adj* **1.** свободен; независим; волен; ~ **as the air (a bird)** волен като птичка; **2.** непринуден, лек, свободен; **3.** разпуснат; **to make** ~ **with** позволявам си волности с; **4.** щедър; изобилен; **to be** ~ **with o.'s advice** раздавам акъл; **5.** чист (*от примеси*); не съдържащ (**from**); ~ **from fumes** без пари (изпарения); **6.** безплатен, даден даром; **7.** неприкрепен, незакрепен, с голяма хлабина; подвижен; несвързан (*химично*); **8.** леснообработваем, податлив на обработка; ● ~ **fight** общо сбиване, бой на всеки срещу всеки; **II.** *adv* **1.** свободно; волно; **to roam** ~ разхождам се (скитам) на свобода (воля); **2.** безплатно; **III.** *v* отървавам (**from**); освобождавам; пускам на свобода.

freedom ['fri:dəm] *n* **1.** свобода, независимост; ~ **of assembly** свобода на събранията; **2.** волност;

свобода; **to take ~s with s.o.** позволявам си волности с някого; **3.** свободен достъп (разрешение, ползване) (**of**); **4.** *техн.* хлабина, мъртъв ход.

free-hearted ['fri:ha:tid] *adj* **1.** чистосърдечен, непринуден, прям, откровен, открит; **2.** щедър.

freeness ['fri:nis] *n* **1.** свобода; волност; **2.** либералност.

freeze [fri:z] **I.** *v* (**froze** [frouz]; **frozen** [frouzn]) **1.** замръзвам; замразявам (се), заледявам (се), вледенявам (се); **to be freezing** много ми е студено, умирам от студ; **2.** измръзвам; премръзвам; вкочанявам се; **3.** *прен.* смразявам (се), вцепенявам (се); "изстивам"; смразявам кръвта на; поливам със студена вода; фиксирам, закрепвам на определено ниво (*заплати и пр.*); стандартизирам; **5.** замразявам (*авоари и пр.*), налагам забрана върху;

freeze in: to be frozen in скован съм в лед (*за кораб и пр.*);

freeze on *sl* отнасям се пренебрежително; отритвам; обръщам гръб на;

freeze on to *sl* хващам се здраво за, вкопчвам се за; привързвам се към;

freeze out не допускам; отстранявам; отърравам се от (*чрез бойкот, конкуренция*);

freeze over замръзвам, покривам се с лед;

freeze up **1)** замръзвам, вкочанявам се; **2)** *sl* млъквам, затварям си устата, държа си езика зад зъбите;

II. *n* **1.** замръзване; **2.** фиксиране; замразяване; блокиране; **3.** замръзнало състояние, замръзналост; **4.** *sl* зарязване, изоставяне; **to give (s.o.) the ~ (out)** зарязвам, бия дузпата.

freezer ['fri:zə] *n* **1.** фризер, хладилник, замразител, охладителна инсталация; **2.** работник, който обслужва хладилна инсталация; **3.** *sl* студено време.

freezing ['fri:zin] **I.** *n* **1.** замръзване; замразяване; заледяване; **2.** *прен.* смразяване; **II.** *adj* леден,

вледеняващ, замразяващ; **~ plant** хладилен завод, хладилно хранилище, хладилна инсталация.

freightage ['freitidʒ] *n* **1.** транспорт, пренос, превоз; **2.** стойност на превоза, навло; **3.** товар, стока.

French [frentʃ] **I.** *adj* френски; **II.** *n* **1.** френски език; **2.** *pl* (**the ~**) французите.

frenzied ['frenzid] *adj* обезумял, безумен, див, бесен, яростен, неистов.

frenzy ['frenzi] *n* **1.** *n* ярост, безумие; полуда; **feeding ~** *журн.* скандал; **II.** *v рядко* докарвам до безумие (ярост), вбесявам, побърквам.

frequency ['fri:kwənsi] *n* **1.** честота; повтаряне; **2.** *физ.* фреквенция, честота; **high ~ current** ток с висока честота.

fresco ['freskou] (*pl* -os, -oes) **I.** *n* фреска, стенопис, стенна живопис; **II.** *v* украсявам със стенопис, изписвам, изрисувам (*стена*).

fresh [freʃ] **I.** *adj* **1.** пресен; свеж; **~ sprouts** млади филизи; **2.** нов; скоропшен, ненадминат; допълнителен, добавъчен; **~ news** последни новини; **3.** неопитен, зелен; млад; **a ~ hand** новак; **4.** бодър, свеж; жизнен; отпочинал; **as ~ as a daisy (as paint)** *разг.* свеж като репичка; **5.** ободрителен, свеж; студен; силен (*за вятър*); **~ gale** вятър със сила осем бала; **6.** нахакан, дързък, самонадеян; **7.** несолен, сладък; **8.** *sl* попийнал, србнал, "развеселен"; **II.** *adv* неотдавна, скоро, току-що; **III.** *n* прохлада; свежест.

freshen ['freʃən] *v* **1.** ободрявам (се), освежавам (се), опреснявам; усилвам се; (*и ~ up*); **2.** обезсолявам, правя пресен; **3.** *мор.* премествам (*въже*), за да не се трие на едно и също място; **4.** рафинирам, пречиствам.

fret [fret] **I.** *v* (-**tt**-) **1.** гриза, разяждам (се); **2.** (*и refl*) измъчвам (се), тормозя (се), терзая (се); *разг.* ям (се) (**over, about**); **to ~ and fume** много съм ядосан, кося се; беснея, фуча; **3.** развълнувам (се) (*за водна повърхност*); **4.** *техн.* из-

тривам (се), изтърквам (се), задирам, заяждам; **II.** *n* **1.** проряждане, разяждане; **2.** разядено място то; **3.** дразнене, ядосване, яд, тормозене, терзание, тормоз; **4.** ферментиране, кипене (*на напитки*).

fretful ['fretful] *adj* раздразнителен, капризен, нервозен; плачлив, ревлив.

fretfulness ['fretfulnis] *n* раздразнителност; капризност; плачливост.

friable ['fraiəbəl] *adj* ронлив, трошлив, рохкав, пръхкав, сипкав.

friar ['fraiə] *n* **1.** монах, калугер (*от някой орден*); **Grey F.** францисканец; **2.** *полигр.* бледо отпечатано място.

fribble [fribəl] **I.** *v* безделнича, лентяйствам, хайлазувам; **~ away** пилея, прахосвам, пропилявам (*времето си*); **II.** *n* безделник, лентяй, хайлаз; шушумига, мижитурка.

friction ['frikʃən] *n* фрикция, търкане, триене (*и прен.*); **~-strip** (**-slip**) каф, място за драскане на клечките (*на кибритена кутия*).

Friday ['fraidi] *n* петък; **Good ~** разпети петък.

friend [frend] **I.** *n* **1.** приятел; **a ~ in need is a ~ indeed** приятел в нужда се познава; **2.** *юр.* колега; **3.** доброжелател, поддръжник; привърженик; *прен.* приятел; **4.** (**F.**) квакер; **Society of F.s** квакери; **II.** *v поет. рядко* приятел съм на; помагам на; закрилям.

friendliness ['frendlinis] *n* приветливост, доброжелателство, благосклонно отношение.

friendly ['frendli] **I.** *adj* **1.** приятелски, дружески, любезен, приветлив; **to be on ~ terms with** в приятелски отношения съм с; **2.** благосклонен, одобрителен; благоприятен; **3.** (*в сложни думи*) **1)** невредящ на, без отрицателни ефекти върху; **ozone-~** невредящ на озоновия слой; **2)** лесен, достъпен за; **user-~** лесен за ползване от потребителя; **II.** *adv рядко остар.* по приятелски, като приятел.

friendship ['frendʃip] *n* приятелст-

во, дружба; **to strike up a ~ with** сприятелявам се с, завързвам приятелство с.

fright [frait] I. *n* 1. уплаха, ужас; страх; **to take (get, have a) ~** изплашвам се; 2. *разг.* страшилище, плашило; II. *v поет.* плаша; тревожа.

frighten ['fraitn] *v* изплашвам, плаша, стресвам; **to ~ the life (wits) out of s.o.; to ~ s.o. out of his wits** изкарвам някому акъла от страх.

frightful ['fraitful] *adj* 1. страшен, страховит, ужасен; 2. страхотен; безобразен; ◇ *adv* **frightfully**.

frigid ['fridʒid] *adj* 1. студен, мразовит, леден; **F. Zone** *геогр.* полярен кръг; 2. въздържан, хладен, студен, безразличен; 3. фригидна.

frigidity [fri'dʒiditi] *n* 1. мразовитост; 2. въздържаност, студенина, безразличие; 3. фригидност.

frill [fril] I. *n* 1. набор, волан (*на дреха*); 2. жабо; яка; 3. *pl* ненужни украшения, висулки; *прен.* важничене, превземки; **to take the ~s out of** *sl* смачквам фасона на; 4. *фот.* накъдряне на желатина по краищата; II. *v* правя набор (волан) на, накъдрям (се); гофрирам.

frilly ['frili] *adj* накъдрен, набран; украсен (покрит) с набор (волани); гофриран.

fringe [frindʒ] I. *n* 1. ресна, пискюл; 2. бретон; 3. ръб, край, бордюр; **a ~ of houses** ред къщи; 4. *прен.* повърхност, несъществени неща; елементарни (първоначални) положения; 5. *attr* периферен, страничен, несъществен; II. *v* 1. украсявам с ресни; 2. *прен.* ограждам, заграждам, опасвам.

frisk [frisk] I. *v* 1. подскачам, подрипвам; 2. развявам, махам; 3. *амер., sl* претърсвам, опипвам (*за оръжие и пр.*); II. *n* подскачане, подскок, скок.

frivolity [fri'voliti] *n* лекомислие; лекомислена постъпка, глупост.

frivolous ['frivələs] *adj* 1. лекомислен, празен, несериозен; повърхностен, глупав; 2. незначителен, дребен.

frog [frog] I. *n* жаба; II. *v* (**-gg-**) ловя (хващам) жаби.

frolic ['frolik] I. *n* веселие, веселба; лудуване; II. (**-ck-**) веселя се, лудувам; III. *adj поет.* весел, шеговит.

from [from, frəm] *prep* 1. (*начална точка*); **~ childhood, ~ a child** от детинство, още като дете; 2. от, по (*източник, причинна връзка*); **~ experience** от опит; **to die ~ AIDS** умирам от СПИН; **to tell silk ~ cotton** да различа коприна от памук; 3. от; из (*движение от*); **home ~ school** върнал се от училище; 4. от (*отнемане*); **to deduct ~ a salary** спадам (отнемам) от заплата; 5. от (*разстояние от*); **two minutes' walk ~ the station** на две минути път от гарата; 6. от (*за материя, произход*); **made ~ white flour** направен от бяло брашно; 7. от (*за нещо закачено, падащо и пр.*); **large fans hanging ~ the ceiling** големи ветрила висящи от тавана; 8. от (*при глаголи, които означават ограничение, въздържане, отнемане и пр.*); **to refrain ~ laughing** сдържам смеха си.

front [frʌnt] I. *n* 1. фасада, лицева страна (част), предна част; лице (*на здание и пр.*); **to make ~ to** обръщам се с лице към; 2. *воен.* фронт (*и прен.*), бойна линия, предни позиции; 3. *поет.* чело; *прен.* лице, лик; **to show (keep up) a bold ~ to, to put a brave ~ on it** посрещам храбро; 4. нахалство, безочие, наглост; 5. плаж, бряг; кей; място за разходка, крайбрежна улица; 6. прикритие, параван; 7. нагръдник; 8. руло от фалшива коса на челото; 9. *език.* предна част на устата; средна част на езика (*с която се образуват палаталните звукове*); 10. *език.* небен (палатален) звук; 11. вратовръзка; 12. *метеор.* фронт; II. *adj* преден, лицев; **to have (take) a ~ seat** сядам на първия ред; III. *v* 1. гледам към, обърнат съм към; 2. ръководя, оглавявам, начело съм; 3. противопоставям се на, опълчвам се

против; 4. *език.* палатаризирам; 5. *воен.* заемам фронт; **left ~!** *воен.* наляво! (команда); IV. *adv* напред.

frontage ['frʌntidʒ] *n* 1. фасада, лицева страна, лице; 2. граница (*на земя*), по протежение на улица (*път, река и пр.*); лице; 3. *воен.* ширина на фронта; 4. изглед.

frontal ['frʌntəl] I. *adj* 1. фронтален; преден; 2. челен, на челото; II. *n* 1. *анат.* челна кост; 2. част на броня, която прикрива челото; 3. *рел.* завеса на олтар; 4. фасада, лицева част, лице.

frontier ['frʌntiə] I. *n* 1. граница (*между държави*); 2. граница на населените (обитаваните) райони на страната; 3. *прен.* граница на познанието; II. *attr* граничен, подграничен; **~ guard** граничар.

frost [frost] I. *n* 1. мраз; скреж; слана; **white ~** скреж, слана; 2. *прен.* студенина, хладност; отчужденост; 3. *sl* разочарование; неуспех; 4. матова повърхност; II. *v* 1. попарвам (*със слана*), осланявам (*и прен.*); побелявам (*за коса*); 2. покривам с пудра захар или с глазура.

frosted ['frostid] *adj* 1. измръзнал; премръзнал; осланен; 2. *прен.* студен, хладен; 3. покрит със слана (скреж), заскрежен; 4. напръскан със захар; глазиран; 5. матиран (*за стъкло*); 6. *прен.* побелял (*за коси*).

frost-proof ['frost,pru:f] *adj* студоустойчив, мразоустойчив.

frosty ['frosti] I. *adj* 1. мразовит, студен, леден; 2. заскрежен; 3. *прен.* побелял (*за коса*); 4. *прен.* студен, хладен; отблъскващ; II. *n sl* бира.

froth [froθ] I. *n* 1. пяна; 2. *прен.* празни приказки (мисли); празнословие, пустословие; 3. *разг.* пеняве не; **to be on the ~** *разг.* пени се, сърди се, кара се; II. *v* 1. пеня (се); разбивам на пяна; 2. *прен.* говоря празни приказки; 3. (*u ~ at the mouth*) пеня се, ядосвам се; преливам от вълнение (нетърпение).

froward ['frouəd] *adj остар. англ.*

опак, вироглав, непокорен, непослушен, упорит, своенравен.

frown [fraun] **I.** *v* мръщя се, намръщвам се, навъсвам се, чумеря се (**at**); *прен.* гледам неодобрително, нацупвам се (**on, upon**); **II.** *n* намръщване, начумерване, свиване на вежди; **the ~s of fortune** *прен.* ударите на съдбата.

frowning ['frauniŋ] *adj* намръщен, навъсен, начумерен; нацупен, намусен.

frugal ['fru:gəl] *adj* **1.** пестелив, икономичен; **2.** скромен; въздържан, умерен; евтин; **~ supper** скромна вечеря; ◊ *adv* **frugally**.

frugality [fru:'gæliti] *n* **1.** пестеливост; икономия; **2.** скромност; умереност, въздържаност.

fruit [fru:t] **I.** *n* **1.** плод; плодове; овошки; *прен.* резултат, продукт; **to bear ~** давам плод (*и прен.*); **2.** *attr* плоден; за (от) плодове; **II.** *v* давам плод.

fruiter ['fru:tə] *n* **1.** овошка, плодно дърво; **a good (poor) ~** дърво, което ражда много (малко); **2.** кораб, който пренася плодове; **3.** овощар.

fruitful ['fru:tful] *adj* **1.** плодороден; плодоносен, плодовит; **2.** плодотворен; ◊ *adv* **fruitfully**.

fruition [fru:'iʃən] *n* **1.** ползване; наслаждаване (*на блага и пр.*); **2.** осъществяване, сбъдване, изпълняване (*на надежда и пр.*); **to come to ~** сбъдвам се.

fruitless ['fru:tlis] *adj* **1.** безплоден, ялов; **2.** *прен.* безполезен, безсмислен, напразен, безрезултатен, ялов; ◊ *adv* **fruitlessly**.

fruit-sugar ['fru:t'ʃu:gə] *n* плодова захар, фруктоза.

frustrate I. [frʌs'treit] *v* **1.** разстройвам, огорчавам; ядосвам, дразня; **2.** осуетявам плановете на; **II.** ['frʌstreit] *adj остар.* **1.** сразен; **2.** осуетен, разстроен.

frustration [frʌs'reiʃən] *n* **1.** осуетяване, разстройване; възпрепятстване; разстройство; *прен.* рухване; **2.** (чувство на) немощ, безсилие, безпомощност.

fry [frai] **I.** *v* **1.** пържа (се), пража (се); **to ~ in o.'s own grease** *разг.*

пържа се в собствената си мас; **2.** *остар.* терзая (се), измъчвам (се); **3.** пеня се, кипя (*за море*); **4.** *амер. sl* отивам на електрическия стол; **II.** *n* **1.** пържено, пражено; дреболии; скара; *pl* пържени картофки; **2.** *разг.* мъчение, тревога.

fuddle [fʌdəl] **I.** *v* **1.** опивам, напивам; **2.** обърквам, замайвам, зашеметявам; **II.** *n* глупост; обърканост.

fudge [fʌdʒ] **I.** *n* **1.** глупост, празни приказки, празна работа, врелинекипели; **2.** фондан (*домашен*); **3.** *полигр.* новина от последния час (*обикн. отпечатана с различно мастило*); **II.** *v* **1.** скърпвам, скалъпвам (**up**); **2.** увъртам, извъртам; **III.** *int* глупости, дрън-дрън, тинтири-минтири.

fuel ['fjuəl] **I.** *n* гориво; топливо; **to add ~ to the fire (flames)** наливам масло в огъня; **II.** *v* снабдявам (се) с гориво (*за кораб, моторна кола и пр.*); набавям си гориво (топливо) (*за зимата*).

fuggy ['fʌgi] *adj* **1.** застоял, душен, спарен, вмирисан (*за въздух*); **2.** склонен към застоял (затворен) живот.

fugitive ['fju:dʒitiv] **I.** *n* **1.** беглец; бежанец; **2.** дезертьор; **II.** *adj* **1.** бягащ; избягал; **2.** бегъл, бърз, краткотраен; преходен; мимолетен; ефемерен; случаен; **~ verse** стихоплетство; **3.** скитнически, скитащ се.

fulfilment [ful'filmənt] *n* **1.** изпълняване, извършване, осъществяване; изпълнение; **2.** удовлетворение; реализация.

fulgurant ['fʌlgjurənt] *adj книж.* светкавичен; **~ pain** *мед.* стреляща, пронизваща болка.

full [ful] **I.** *adj* **1.** пълен, изпълнен; напълнен; цял, цялостен; *прен.* съвършен, истински; **~ to the brim (to overflowing)** пълен до върха (до преливане), препълнен; **2.** обилен, изобилен, богат; **a very ~ harvest** богата реколта; **3.** сит, нахранен; напоен; пиян; **4.** погълнат; зает; **~ of o.s.** самовлюбен, надут, възгордял се; **5.**

широк, свободен; рехав; набран (*за дреха и пр.*); **6.** пълен, едър, надут; **7.** надут (*за платно*); **II.** *adv* **1.** напълно, съвършено; много; **~ well** много добре; **2.** точно, (на)право; **~ in the face** право в лицето; **III.** *n*: **to the ~** в пълен размер, напълно, окончателно; **IV.** *v* **1.** набирам, правя набор на; отпускам; **2.** *рядко* (*за дреха*) широк (свободен, набран) е.

full-blooded ['ful'blʌdid] *adj* **1.** пълнокръвен; жив, жизнен, буен; ◊ *adv* **full-bloodedly**; **2.** чистокръвен.

full-bodied ['ful'bɔdid] *adj* **1.** пълен, възпълен; **2.** пълноценен, истински; **3.** (*за вино*) гъст.

ful(l)ness ['fulnis] *n* **1.** пълнота, цялост, завършеност, целокупност; **2.** заситеност, ситост; ● **the earth and its ~** земята и всичко, което тя включва в себе си.

full-scale ['fulskeil] *adj* цялостен, цял, пълен, несъкратен; в естествена големина.

fulminant ['fʌlminənt] *adj* **1.** гръмотевичен, мълниеносен, светкавичен; **2.** *мед.* скоротечен.

fulminate ['fʌlmineit] **I.** *v* **1.** *прен.* изригвам; изгърмявам; изтрещявам, изревавам; **to ~ against** *прен.* нахвърлям се върху, сипя огън и жупел срещу; **2.** гърмя, трещя, експлодирам, избухвам; детонирам; взривявам (се); възпламенявам (се); **3.** светкам, блясвам; **II.** *n хим.* фулминат, вид избухливо вещество; **~ of mercury** живачен фулминат, гърмящ живак.

fulminating ['fʌlmineitiŋ] *adj* **1.** трещящ, гърмящ; **2.** заплашителен; **3.** *мед.* скоротечен.

fulmination ['fʌlmineiʃən] *n* **1.** светкане, бляскане; **2.** гърмене, трещене, избухване; гръм, гърмеж, взрив, експлозия; **3.** *прен.* нахвърляне (**against**).

fulminatory ['fʌlminətəri] *adj* **1.** възпламенителен, гърмящ, който експлодира (детонира); **2.** застрашителен, заплашителен.

fulsome ['fulsəm] *adj* **1.** *остар.* обилен, изобилен; прекален; **2.** *остар.* отвратителен; **3.** неиск-

рен; ~ **flattery** грубо ласкателство; ◇ *adv* **fulsomely.**

fulsomeness ['fulsəmnis] *n* 1. *остар.* изобилие; прекаленост; 2. *остар.* отвратителност; 3. неискреност.

fumble [fʌmbəl] I. *v* 1. бърникам, въртя, опипвам, играя си с, подхващам неумело (**at, with**) 2. тършувам (**after, for**); **to ~ for words** търся думи; 3. *спорт.* изпортвам (топка); II. *n* бърникане; изпортване.

fumbling ['fʌmbliŋ] I. *n* 1. пипкане, бутане; 2. бърникане; II. *adj* пипкав, несръчен, смотан.

fume [fju:m] I. *n* 1. дим, пара, изпарение; 2. яд, гняв, озлобление; **in a ~** ядосан, разгневен; **to put s.o. in a ~** ядосвам (вбесявам, побърквам) някого; 3. възбуда; **in a ~ of anxiety** силно разтревожен (обезпокоен); II. *v* 1. димя, пуша, изпускам изпарения; **to ~ away** изпарявам се; 2. изпълвам с дим; опушвам; 3. ядосвам се, гневя се (**at, over**).

fuming ['fju:miŋ] I. *adj* 1. димящ; който изпуска пари; 2. ядосан, вбесен; II. *n* 1. опушване; дезинфекция; 2. *фот.* обработване с амонячни пари.

fun [fʌn] I. *n* 1. шега, смешка, закачка, майтап; **in ~** на шега; 2. забава, забавление, развлечение; приятно прекарано време; **to have ~** забавлявам се, веселя се, прекарвам приятно (забавно); ● **like ~** *разг.* енергично, бързо; докрай; II. *v* (**-nn-**) шегувам се, майтапя се (*обикн.* **to be funning**).

function ['fʌŋkʃən] I. *n* 1. функция, служба; назначение; предназначение; работа, длъжност; 2. церемония; тържество; събрание; **society** ~ прием; 3. *мат.* функция, зависима променлива величина; II. *v* функционирам, действам, работя, служа; изпълнявам функцията (назначението, службата) (на).

functional ['fʌŋkʃənəl] *adj* функционален; служебен; ◇ *adv* **functionally.**

fund [fʌnd] I. *n* 1. капитал; *pl*

разполагаеми средства (парични), кредити; **to be in ~s** *разг.* разполагам с пари; 2. фонд; **slush ~** черна каса; 3. *pl* държавни лихвоносни ценни книжа, облигации; 4. запас; цюк; **a ~ of energy** неизчерпаема енергия; II. *v* 1. финансирам, осигурявам средства за; 2. консолидирам (*държавни заеми*) в общ заем (*с издаване на облигации*); 3. събирам средства за изплащане на лихви (*заеми*); 4. влагам (пари) в ценни книжа.

fundamental [ˌfʌndə'mentəl] I. *adj* основен, фундаментален; *прен.* съществен, важен; ~ **research** теоретично (принципно) изследване; II. *n* 1. основа, основно правило; принцип; начало; **to agree on ~s** постигам принципно съгласие; 2. *муз.* основен тон (*на акорд*).

funding ['fʌndiŋ] *n* финансиране.

funeral ['fju:nərəl] I. *n* 1. погребение; погребална служба; 2. погребална процесия; ● **that's not my ~!** това не ме интересува (засяга), това не е моя работа (мой проблем); II. *adj* погребален; ~ **pile** (**pyre**) *истор.* клада за изгаряне на мъртвец.

funeral parlour ['fju:nərəl'pa:lə:] *n* погребално бюро.

funereal [fju:'niəriəl] *adj* 1. погребален; 2. *прен.* траурен, гробовен; мрачен.

fun-fair ['fʌnfeə] *n* лунапарк.

fungal ['fʌŋgəl] I. *adj* 1. гъбен; 2. гъбовиден, като гъби (гъбички); II. *n* гъба, гъбичка.

fungible ['fʌndʒibəl] *юр.* I. *adj* заменим, заменяем; II. *n* заменяема вещ.

fungus ['fʌŋgəs] *n* (*pl* **fungi** ['fʌŋgai], **funguses**) 1. гъба; гъбичка, плесен; 2. *мед.* гъбест израстък (нарастък); ~ **disease** *мед.* микоза, заболяване, причинено от гъбички; 3. *прен.* нещо, което се появява (израства) бързо; 4. *sl* брада, мустаци.

funicular [fju:'nikjulə] I. *adj* въжен; II. *n* въжена железница (**u ~ railway**).

funk [fʌŋk] *разг.* I. *n* 1. фънк (*стил в музиката*); 2. *разг.* страх; паника; **to put s.o. into ~** изплашвам някого; **blue ~** паника; 3. страхливец, пъзльо, страхопъзльо; II. *v* 1. страхувам се от, бягам (кръшкам) от; 2. боя се, паникьосвам се.

funky ['fʌŋki] *adj* 1. фънки, фънк (за муз. стил); 2. особен, загадъчен, странен, необикновен; *разг.* страхлив, плашлив, пъзлив; наплашен, боязлив.

funnel ['fʌnəl] I. *n* 1. фуния; 2. комин, димоходна тръба (*на локомотив, параход и пр.*); II. *v* насочвам; канализирам.

funnily ['fʌnili] *adv* 1. смешно; 2. странно, чудно, необикновено, необичайно; ~ **enough** *разг.* колкото и чудно (странно) да е.

funniness ['fʌninis] *n* 1. забавност, шеговитост; 2. странност, чудноватост, необичайност, екстравагантност, ексцентричност.

funny ['fʌni] *adj* I. 1. смешен, забавен; **as ~ as a crutch** *шег.* съвсем не смешен; 2. странен, особен, чуден, необичаен; **to feel ~** чувствам се особено (неудобно, недобре); ~ **business** мръсна работа, измама; II. *n* шеговито държание, зевзеклък.

funster ['fʌnstə] *n* смешник.

fur [fə:] I. *n* 1. кожа (с козината); ~ **coat** кожено палто, кожух; **to set the ~ flying** създавам раздори (кавги); 2. козина, вълна (*на животно*); 3. животни с козина (вълна); ~ **and feather** дивеч за ловуване; 4. обложеност, "бяло" (*на езика*); 5. *техн.* котлен камък; накип (*на винени бъчви и пр.*); II. *v* 1. облицовам (украсявам, поръбвам) с кожа; 2. правя (образувам) накип (котлен камък); 3. ставам обложен (бял) (*за език*); 4. *строит.* обшивам (*стена и пр.*) с дъски или летви (*преди измазване*); 5. **to ~ up** запушвам се (*за вени, артерии*).

furbish ['fə:biʃ] *v* 1. търкам, лъскам, излъсквам, полирам; 2. възстановявам, ремонтирам, подновявам (up).

furcate ['fə:keit] I. *adj* раздвоен, чаталест; II. *v* раздвоявам (се), разклонявам (се).

furcation [fə'keiʃən] *n* раздвояване, разклоняване.

furfur ['fə:fə] (*pl* -res [-ri:z]) *n мед.* пърхот.

furious ['fjuəriəs] *adj* 1. яростен, разярен, бесен, вбесен, озверен; 2. *разг.* гневен, нервиран, ядосан, разлютен; 3. много силен, "страхотен", "ужасен"; ◇*adv* **furiously**.

furiousness ['fjuəriəsnis] *n* разяреност; ярост.

furl [fə:l] I. *v* свивам, скатавам (*за знаме, платно, крило и пр.*); събирам (се); навивам (се); II. *n* 1. свиване, скатаване, събиране (*на платно и пр.*); 2. нещо свито (навито, събрано).

furnish ['fə:niʃ] *v* 1. снабдявам, доставям, набавям, осигурявам; давам; предоставям (with); **to ~ proof** предоставям доказателства; 2. мебелирам; обзавеждам; съоръжавам.

furnishing ['fə:niʃiŋ] *n* 1. обзавеждане; мебелиране; 2. *pl* мебелировка, мебели; покъщнина; принадлежности; 3. *pl* украшения.

furniture ['fə:nitʃə] *n* 1. мебел, мебелировка, покъщнина; **to be (become) part of the ~** *разг.* ставам неотделима част от; застоявам се; 2. инвентар; принадлежности, прибори; съоръжения, екипировка; 3. *полигр.* гарнитура; щеги; сляп материал.

furore ['fjuə'rɔ:ri] *n* фурор.

furrier ['fʌriə] *n* кожар, кожухар.

furriery ['fʌriəri] *n* 1. кожарство, кожухарство; 2. кожи.

furrow ['fʌrou] I. *n* 1. бразда; **to plough a lonely (o.'s own) ~** действам (работя, живея) сам; 2. улей, вдлъбнатина, рязка; 3. дълбока бръчка (*на лице, чело*); 4. *поет.* орна земя; 5. оране, оран; II. *v* 1. правя бразди; браздя, набраздявам; ора; 2. *прен.* поря (*море, вода*); 3. набръчквам, сбръчквам.

further ['fə:ðə] I. *adv* 1. по-нататък,

по-далеч; **~ ahead** още по-напред, още по-далеч в бъдещето; 2. допълнително, още повече, в допълнение, освен това, също така, после; **until you hear ~** до второ нареждане; II. *adj* 1. по-нататъшен, по-далечен, оттатъшен, отсрещен; 2. допълнителен, добавъчен; **~ evidence** нови доказателства; III. *v* придвижвам, подпомагам, подкрепям, съдействам на, способствам за; **to ~ s.o.'s cause** подкрепям (подпомагам) нечия кауза; IV. **~ to** *prep* относно, във връзка с.

furtherance ['fə:ðərəns] *n* подпомагане, подкрепа, поддръжка, помощ; съдействие; придвижване напред.

furtherer ['fə:ðərə] *n* поддръжник, привърженик, радетел.

furtive ['fə:tiv] *adj* 1. скрит, потаен, таен, прикрит; лукав; **to cast a ~ glance** поглеждам крадешком; 2. плах, свит; ◇*adv* **furtively**.

furtiveness ['fə:tivnis] *n* 1. скритост, потайност, прикритост; лукавство; 2. плахост, свитост.

fury ['fjuəri] *n* 1. ярост, бяс; лудост; настървение; **to get into a ~** побеснявам, изпадам в ярост; 2. *прен.* мощ, сила; **under the ~ of the sun's blaze** под палещите лъчи на слънцето; 3. (F.) *мит.* фурия (*и прен.*).

fuscous ['fʌskəs] *adj* тъмен; кафяв; тъмносив.

fuse₁ ['fju:z] *v* 1. топя (се), разтопявам (се), разтапям (се), стопявам (се), втечнявам (*за метал*); 2. стопявам (се) наедно, смесвам (се); сливам (се), съединявам (се), сраствам се.

fuse₂ I. *n* 1. фитил (*за възпламеняване*), бикфордов фитил (шнур); запалка, възпламенител; 2. *ел.* бушон, предпазител; • **to blow a ~** *разг.* избухвам, кипвам, избивам ми чивията; II. *v* 1. възпламенява (запалка); 2. изгарям (*за електроуред*).

fusible ['fju:zibəl] *adj* разтопим.

fusile ['fju:sail] *adj* разтопен, втечнен, течен.

fusillade [,fju:zi'leid] I. *n* 1. *воен.* залп, стрелба (*и прен.*); **a ~ of questions** градушка от въпроси; 2. разстрел (със залп); II. *v* 1. изпращам залп; 2. разстрелвам със залп.

fuss [fʌs] *разг.* I. *n* 1. безпокойство, тревога; суетене, суетня, щуране, шетня; шум, врява, дандания; бъркотия; **to make a (kick up) ~ about** вдигам (голям) шум за нищо; правя демонстрация от; 2. човек, който се безпокои за дреболии; II. *v* 1. тревожа (се), безпокоя (се); дразня (се), ядосвам се за нищо (*често с* about); **to ~ over (around)** прекалявам с грижите си; 2. карам се.

fussiness ['fʌsinis] *n* 1. суетливост, нервност; дребнавост, придирчивост; 2. претрупаност.

futile ['fju:tail] *adj* 1. безполезен, напразен, безплоден, ялов, неслучулив, безсмислен, безуспешен; 2. несериозен, празен, повърхностен, лекомислен, леконравен.

future ['fju:tʃə] I. *adj* бъдещ; **~ delivery** *търг.* доставка в срок; II. *n* 1. бъдеще; **for the ~, in (the) ~** занапред, за в бъдеще, отсега нататък; 2. бъдеще, перспектива, изгледи; 3. *език.* бъдеще време; 4. *рел.* **the F.** (*и* **F. life, state**) задгробният живот; 5. *pl търг.* стоки (*зърнени храни, вълна и пр.*), пазарени предварително с уговорка за заплащане при доставянето им; фючърси.

fuzz [fʌz] *n* 1. мъх; влакънца; 2. коса като пух или мъх; 3. *език.* мъглявост; неясност; 4. *sl* полицейски агент.

fuzzy ['fʌzi] *adj* 1. мъхнат, мъхест, пухест; размъхан (*за коприна*); 2. неясен, мъглив (*и език.*); 3. *инф.* имитиращ човешкото мислене; който се адаптира към промяната в обстоятелствата (*за логика, система*).

G, g [dʒi:] *n* (*pl* gs, g's [dʒi:z]) **1.** седмата буква от английската азбука; **2.** *муз.* сол; **3.** *амер. sl* хиляда долара.

gab [gæb] **I.** *n* **1.** *разг.* дърдорене, бърборене, бъбрене, бъбривост; дрънкане; празнословие; **to have the gift of the ~** имам дар слово, сладкодумие, "чене"; **2.** *техн.* кука, вилка; **3.** отвор, отверстие; вдлъбнатина; **II.** *v разг.* бърборя; дърдоря, дрънкам, бръщолевя, *разг.* плещя.

gabble [gæbəl] **I.** *v* говоря бързо и неясно; ломотя, *разг.* бръщвя, бъбля, дъдря, бръщолевя; **II.** *n* **1.** бързо и неясно говорене; бръщолевене; **2.** крякане (*на гъска и пр.*).

gag [gæg] **I.** *n* **1.** *разг.* запушалка, затулка, затикалка, тапа (*за уста и прен.*); **2.** *мед.* усторазширител; **3.** *sl* измама, шмекерия, заблуда; **4.** *разг.* шега, смешка, виц; **5.** (*за парламент*) прекратяване на дебати; **to apply the ~ to** отнемам дума на; **6.** *театр.* импровизация (*в изпълнението на артист*); (остроумна) реплика, остроумие, находчивост; **7.** задръстване; запушване; **II.** *v* (-**gg**-) **1.** запушвам устата на някого (*и прен.*); **2.** *sl* *театр.* импровизирам (*в ролята си*); **3.** мамя, лъжа, заблуждавам, изигравам; **4.** задавям се; повдига ми се; **5.** *мед.* държа отворена устата на някого с усторазширител; **6.** *техн.* изправям, изравнявам, рихтовам.

gaga [ˈgægə] *adj sl* изкуфял, оглупял, изкукуригал, *разг.* изветрял, изплискан; **to go ~** изкуфявам, вдетинявам се, оглупявам.

gage [geidʒ] **I.** *n* **1.** залог, депозит, гаранция; *прен.* доказателство, уверение; **2.** "ръкавица", хвърляне на ръкавицата, предизвикателство; **to throw down a ~** предизвиквам, хвърлям ръкавицата; **II.** *v* **1.** давам като гаранция (залог); **2.** *остар.* обзалагам се, залагам.

gaiety [geiəti] *n* **1.** веселост, весел-

ба, веселие; **2.** празничен вид; **3.** *pl* развлечения, забавления, удоволствия.

gain [gein] **I.** *v* **1.** получавам, придобивам, постигам; **to ~ confidence** придобивам увереност; **2.** извличам полза, имам изгода (*с* **from**); **3.** печеля, спечелвам (*с труд*); спечелвам (*награда, победа*); сполучвам, върви ми, преуспявам; **to ~ o.'s end** (**object, point**) постигам целта си, отстоявам позициите си; **4.** подобрявам се; напредвам, прогресирам; **to ~ speed** набирам скорост; **5.** достигам, добирам се до; **to ~ the shore** достигам (добирам се до) брега; **6.** избързвам (*за часовник*); **my watch ~s about 10 minutes every day** часовникът ми избързва с около 10 минути всеки ден;

gain on (**upon**) 1) настигам, догонвам; задминавам, изпреварвам; 2) заемам част от сушата (*за море*); 3) *прен.* завладявам (харесвам се) постепенно; получавам, спечелвам (нечие благоразположение);

gain over привличам на моя страна, спечелвам; убеждавам, увещавам, предумвам;

II. *n* **1.** печалба, доход; изгода; **2.** увеличение, прираст, повишаване, нарастване; **power ~** нарастване на мощността; *прен.* прогресиране, напредък, успех; **3.** *pl* доходи, приходи, заработка; **4.** усилване, коефициент на усилване; **audio ~** усилване на звукова честота.

gainful [ˈgeinful] *adj* **1.** доходен, изгоден, рентабилен; **2.** жаден, алчен, ненаситен; ◊ *adv* **gainfully**.

gainless [ˈgeinlis] *adj* недоходен; неизгоден, нерентабилен, на загуба.

gainsay [geinˈsei] *v* (**gainsaid** [geinˈsed]) противореча; отричам, оспорвам; **there is no ~ing his integrity** не може да се отрече, че е честен (почтен).

gala [ˈga:lə, *амер.* ˈgeilə] *n* **1.** гала, празненство, тържество; **2.** *attr* гала, празничен, тържествен, церемониален; **~ night** *театр.* га-

лапредставление.

galactic [gəˈlæktik] *adj астр.* галактически, космически.

galaxy [ˈgæləksi] *n* **1.** *астр.* Галактиката, Млечният път; **2.** блестяща група, съзвездие, плеяда, много, множество; **~ of talent** съзвездие от таланти.

gale [geil] *n* **1.** вихър, силен вятър, хала; *мор.* буря; **2.** *поет.* зефир, ветрец; **3.** *разг.* изблик, проява, избухване (*на смях и пр.*).

gall₁ [gɔ:l] *n* **1.** жлъч; **2.** жлъчка, жлъчен мехур; **3.** *прен.* жлъч, злоба, зложелателство, озлобление; **to vent o.'s ~ on s.o.** изкарвам си яда, изливам злобата си върху някого; **4.** *амер. sl* нахалство, наглост, безочие; наглост; • **and wormwood** крайно неприятен.

gall₂ **I.** *n* ожулено, протрито място; подутина, пришка (*на кон*); **II.** *v* **1.** протривам, ожулвам, протърквам, охлузвам (*кон*); **2.** дразня, предизвиквам; тревожа, безпокоя.

gallant [ˈgælənt] **I.** *adj* **1.** храбър, смел, юначен, доблестен, мъжествен, безстрашен; **to put up a ~ fight** бия се храбро; **2.** *остар.* красив, блестящ, пищен, гиздав (*за облекло*); **to make a ~ show** предизвиквам фурор; **3.** внушителен, представителен; **4.** *поет.* бърз, изгрив, жив (*за кон*); **5.** галантен, внимателен, извънредно любезен, вежлив, кавалерски; **6.** любовен; ◊ *adv* **gallantly**; **II.** *n* **1.** конте; кавалер; **2.** галантен кавалер; ухажор, поклонник; любовник; **III.** *v* [и gəˈlænt] **1.** флиртувам; ухажвам; **to ~ (with) the ladies** ухажвам жените; **2.** придружавам, съпровождам (*дама*).

gallantry [ˈgæləntri] *n* **1.** храброст, смелост, неустрашимост; **2.** галантност, учтивост, вежливост, изисканост; **3.** ухажване, флирт; задиряне, ласкаене; любовна история.

galled [gɔ:ld] *adj* **1.** ожулен, охлузен, протрит, протъркан; **2.** раздразнен, възбуден, разтревожен, неспокоен; унижен, обиден, оскърбен.

gallery ['gæləri] *n* **1.** галерия, коридор, проход (*в или под здание*); **2.** *театр.* галерия; публиката от галерията или от състезание по голф; **3.** балкон; *амер.* веранда, тераса; **4.** коридор, проход, пасаж; *мин.* галерия; **blind ~** скална галерия; **5.** художествена галерия, изложбена зала.

galley ['gæli] *n* **1.** *истор.* галера; *прен.* **the ~s** каторжна, принудителна работа; **2.** вид тясна бързоходна лодка; **3.** малък едномачтов кораб; **4.** *мор.* камбуз; **5.** *полигр.* компас; шпалта.

galley slave ['gæli,sleiv] *n* **1.** каторжник, *остар.* заточеник, изгнаник; **2.** *прен.* човек, натоварен с крайно тежка работа; роб, черен роб.

gallon ['gælən] *n* галон, мярка за течности (*англ.* = 4,54 л (*и* **imperial ~**); (*амер.* = 3,78 л).

gallop ['gæləp] I. *n* галоп, препускане (*и прен.*); **at a ~** в галоп; II. *v* **1.** галопирам, летя (*прен.*), препускам с всички сили, в бърз бяг; галопирам (*кон*), препускам (*кон*) в галоп; **2.** говоря (чета) бързо (**over, through**); **there is no need to ~ through the reading** няма нужда да четеш толкова бързо; **3.** развивам се бързо (*за болест*); **~ing consumption** скоротечна туберкулоза;

gallop away избягвам, изоставям; *разг.* зарязвам, напускам бързо;

gallop back връщам се в галоп, идвам обратно, назад, в обратна посока;

gallop off отдалечавам се в галоп;

gallop up пристигам в галоп.

galloping ['gæləpiŋ] *adj* галопиращ, необуздан, неудържим; **~ inflation** галопираща инфлация.

gallows ['gælouz] *n pl* (*обикн.* = *sing*) **1.** бесилка, бесило; **2.** *строит.* скеле; **3.** *спорт.* паралелки, успоредка; **4.** *разг.* презрамки.

galvanic [gæl'vænik] *adj* **1.** галваничен; **2.** *прен.* конвулсивен, неестествен, изкуствен, фалшив; **~ smile** престорена усмивка.

galvanize ['gælvənaiz] *v* **1.** *техн.*, *мед.* галванизирам; поцинковам;

2. *прен.* съживявам; възбуждам, инжектирам; **to ~ s.o. into doing s.th.** стимулирам някого да направи нещо, подбуждам, ентусиазирам, въодушевявам, "запалвам".

gamble [gæmbəl] I. *v* **1.** играя комар; **2.** рискувам големи суми; рискувам; **3.** спекулирам, злоупотребявам, изкориствам; **to ~ on the Stock Exchange** играя на борсата; II. *n* **1.** хазартна игра; комар; **2.** рисковано предприятие, спекула; въпрос на късмет; **to take a ~** поемам риск.

gambler ['gæmblə] *n* комарджия, страстен играч.

game₁ [geim] I. *n* **1.** игра; *спорт.* мач; *pl* състезания, игри; **to play the ~** играя по правилата, спазвам правилата; *прен.* прям (откровен, честен, искрен) съм; **2.** *спорт.* отделна игра (*при тенис, баскетбол*); партия (*при карти*); **3.** *спорт.* гейм (*при тенис, баскетбол*); спечелена игра; **drawn ~, ~ all** наравно, с равен резултат; **4.** шега, закачка, *разг.* дивотия; **to make ~ of** присмивам се на, осмивам, вземам на подбив; **5.** хитрост; примка, уловка, капан; **double ~** двуличие, лицемерие, двойна игра; **6.** план, проект, замисъл, намерение; **the ~ is up** планът пропадна; **7.** дивеч; **easy ~** лесна плячка; *прен.* доверчив човек; • **to be ahead of the ~** *разг.* 1) намирам се в изгодна позиция; 2) пристигам по-рано от определеното време; II. *adj* **1.** енергичен, смел, активен; **to die ~** умирам, но не се предавам; **2.** готов; **I am ~ for anything** готов съм на всичко; от нищо не ме е страх, не се боя, ербап съм; III. *v* играя хазартни игри; **to ~ away** проигравам.

game₂ *adj разг.* сакат, осакатен, недъгав; куц.

gameness ['geimnis] *n* решителност, смелост, бойкост, непоколебимост, кураж.

gamin [ga'mæn] *n* гамен, безделник, хулиган.

gammadion [gə'meidiən] *n* (*pl* -dia

[-diə]) свастика, пречупен кръст.

gamut ['gæmət] *n* **1.** *муз.* гама; мажорна гама; **2.** диапазон, обхват, регистър (*на глас*); **3.** *прен.* всички видове, всички разновидности.

gander₁ ['gændə] *n* **1.** гъсок; **2.** *прен.* глупак, тъпак, будала, "гъска"; • **what's sauce for the goose is sauce for the ~** отвръщам със същото; щом ти така, и аз така (каквото повикало, това се обадило).

gander₂ *n sl* поглед, око, взор; **to take ~s** хвърлям поглед.

gang [gæŋ] I. *n* **1.** група, работна бригада; **composite ~** комплексна бригада (*от различни специалисти*); **2.** банда, тайфа, шайка; **3.** комплект, набор (*инструменти*); **cutter ~** комплект от фрези, които обработват едновременно няколко повърхнини; II. *v* **1.** образувам шайка, съюзявам се (*и* **up, together**); **they are ~ing up against you** те се съюзяват срещу тебе; **2.** *техн.* обработвам едновременно няколко детайла, свързани в пакет.

gangrene ['gæŋgri:n] I. *n* **1.** *мед.* гангрена, рана, язва, загниване; некроза; **2.** *прен.* източник на поквара, разложение; недъг; порок; II. *v* причинявам гангрена; гангренясвам, загнивам.

gaol [dʒeil] I. *n* затвор, тъмница; II. *v* затварям, арестувам, задържам.

gaolbird ['dʒeil,bə:d] *n* затворник, арестуван, задържан; престъпен тип, рецидивист.

gaoler ['dʒeilə] *n* тъмничар, надзирател, надзорник, *разг.* надзелвач.

gap [gæp] I. *n* **1.** пролука, процеп, дупка, междина, зев, празно място (пространство); "прозорец"; **2.** пролом, дефиле, клисура, дервент, теснина, дере; **3.** празнина, празнота; пропуск, недостатък; достъп, картбланш (*фр.*); **to fill up (stop, supply) a ~** запълвам празнина (дупка); **4.** *прен.* бездна, пропаст; различие; **5.** *техн.* луфт, фуга; • **to stand in the ~** на топа на устата съм; II. *v* правя

дупка, пробивам.

gape [geip] I. *v* 1. зея, зяпвам, зина, отварям (се) широко (*за уста*); 2. прозявам се; 3. гледам, зяпам, заплесвам се, захласвам се (at); **to stand gaping at** зяпам (гледам) глупаво;

gape after (for) силно (страстно) желая нещо, копнея, чезна, жадувам, бленувам за нещо;

gape on (upon) гледам с изумление (учудване), смаян съм;

II. *n* 1. прозявка; 2. изумен, учуден, смаян поглед; 3. отвор на уста (човка).

garden [′ga:dn] I. *n* 1. градина; **flower ~** цветна градина; 2. *pl* парк; специална градина; **botanical (zoological) ~ s** ботаническа (зоологическа) градина; 3. *attr* градински; • **to lead s.o. up the ~** (**path**) увличам; заблуждавам; мамя, баламосвам, подвеждам, подлъгвам; II. *v* 1. обработвам градина; 2. планирам (създавам) градина.

gargle [′ga:gǝl] I. *v* правя (си) гаргара; II. *n* гаргара.

garish [′gɛǝriʃ] *adj* 1. крещящ, ярък, очебиен (*и прен.*); 2. блестящ, ослепителен; ◇ *adv* **garishly**.

garland [′ga:lǝnd] I. *n* 1. гирлянда, украшения, цветя; венец; 2. *прен.* награда, лавров венец; **to carry away (gain, go away with, win) the ~** спечелвам награда, излизам пръв, побеждавам, окичвам се с лавров венец; 3. диадема; II. *v* 1. украсявам с гирлянди, венци; увенчавам с венец; 2. *рядко* плета венец.

garner [′ga:nǝ] *поет.* I. *n* 1. хамбар; житница; 2. *прен.* хранилище, депо, магазия, склад; сбирка от литературни творби; II. *v* натрупвам, пазя, запазвам; събирам старателно и по малко (*сведения, информация*); *прен.* крия в себе си, тая, спотаявам.

garnish [′ga:niʃ] I. *v* 1. гарнирам (*и ядене*); украсявам, накичвам; 2. *юр.* предупреждавам, известявам; привличам по дело; 3. налагам запор на дълг; II. *n* украшение, накит, брошка, бижу; гар-

нитура (*и на ядене*), прибавка.

garnishing [′ga:niʃiŋ] *n* 1. украшение; гарнитура, прибавка, накит; добавка; 2. украсяване, гарниране.

garrison [′gærisǝn] I. *n* гарнизон; II. *v* 1. поставям гарнизон в; 2. назначавам на служба в гарнизон.

garrulity [gæ′ru:liti] *n* словоохотливост, сладкодумство, приказливост; бъбривост, приказливост.

garrulous [′gærǝlǝs] *adj* 1. бъбрив, сладкодумен, разговорлив, приказлив, словоохотлив; 2. клокочещ; ромолящ, бълболещ, бъбрив; ◇ *adv* **garrulously**.

garter [′ga:tǝ] I. *n* 1. жартиер; 2. орден на жартиерата; II. *v* 1. слагам (стягам с) жартиер; 2. награждавам с Ордена на жартиерата.

gas [gæs] I. *n* 1. газ; светилен газ; газообразно тяло; **natural ~** природен (земен) газ; 2. *воен.* боен (отровен) газ (*и* poison ~); 3. *мед.* райски (смехотворен) газ (*и* laughing ~); **to have ~** бивам упоен, замаян, приспан; 4. *мин.* гризу, метан (*и* pit ~); 5. *разг., амер.* бензин; газ, гориво; петрол; **to step on the ~** давам газ; 6. *разг.* празни приказки, бръщвеж, бръщолевене; II. *v* 1. *воен.* употребявам газове, отравям с газове, обгазявам; осъществявам химическа атака; тровя с газ; 2. насищам (пълня) с газ; 3. изпускам (отделям) газ; 4. напълням (се) с бензин, зареждам; 5. *разг.* плещя, плямпам, бръщолевя.

gasconade [,gæskǝ′neid] I. *n* хвалене, самохвалство; II. *v* одобрявам, хваля, възхвалявам; лаская.

gasmain [′gæsmein] *n* газопровод, газова магистрала.

gasmask [′gæsma:sk] *n* противогаз, газова маска.

gasmeter [′gæs,mi:tǝ] *n* газомер.

gasolene, gasoline [′gæsǝlin] *n* 1. *амер.* бензин; **~ station** бензиностанция; 2. газолин.

gasp [ga:sp] I. *v* 1. задъхвам се, пъшкам, дишам тежко, пъхтя; 2. оставам с отворена уста, спирам

да дишам, ахвам; зяпвам, учудвам се, смайвам се;

gasp for (after) *прен.* жадувам, мечтая, бленувам, копнея, страстно желая; **he is ~ing for a drink** много му се пие, той умира за едно питие;

gasp out (forth) произнасям със задъхване; **to ~ out o.'s life** умирам;

II. *n* издихание, последен дъх; **at the (o.'s) last ~** пред смъртта; на умиране.

gassy [′gæsi] *adj* 1. газообразен, газов; запълнен с газ; 2. бъбрив, словоохотлив, приказлив, разговорлив; общителен.

gastric [′gæstrik] *adj* стомашен, *разг.* коремен; гастритен; **~ ulcer** язва на стомаха.

gastronome [′gæstrnoum] *n* гастроном, чревоугодник, лакомник, гладник.

gastronomy [gæ′strǝnǝmi] *n* кулинарно изкуство; гастрономия.

gate [geit] *n* 1. врата, порта, вратник; вход, антре; *прен.* праг; *прен.* достъп; **main ~s** главна врата; параден вход; 2. планински проход; 3. шлюз; 4. *техн.* клапа, шибър, регулатор; леяк (*на форма*); 5. *спорт.* брой на публиката (*на мач, състезание*); приход от такса за вход; • **to come through the ~ of ivory (horn)** сбъдвам се (не се сбъдвам) (*за сън*).

gatekeeper [′geit,ki:pǝ] *n* вратар; портиер, пазач.

gate money [′geit,mʌni] *n* вход, входна такса, такса за влизане.

gather [′gæðǝ] *v* 1. събирам (се), струпвам (се); прибирам; **a storm is ~ing** надига се, задава се, идва буря; 2. бера, късам, събирам (*цветя, плодове*); прибирам (*реколта*); 3. свързвам (*книга*); 4. трупам, събирам, придобивам, натрупвам (*опит и пр.*); напрягам, напъвам (*сили, мисли*); **to ~ way (speed)** набирам бързина (скорост); 5. сбръчквам (*чело*); набирам, нагъвам, надиплям, плисирам (*рокля*); 6. загръщам се (*с шал и пр.*) (с about, to); 7. заключавам, правя извод, разби-

рам, подразбирам, научавам се, подочувам; **I ~ that he knows her** разбирам (подразбирам), че той я познава; 8. бера, гноя, забирам (*u* to ~ **to a head**); 9. *мин.* прокарвам изработка в нарушен масив; • **a rolling stone ~s no moss** валчест камък темел не хваща.

gathering [ˈgæðəriŋ] *n* 1. събиране, прибиране; комплектуване; 2. събрание; сбирка, събиране (*на близки хора и пр.*); 3. увеличаване; засилване; *метал.* увеличаване на сечението на заготовка; 4. цирей, фистула, гнойник; гноясване, забрало място; 5. набиране (*на плат, дреха*); 6. *полигр.* свързване (*на книга*).

gauche [gouʃ] *adj* нетактичен, недодялан, простак, *разг.* в гората расъл.

gaucherie [ˈgouʃəri] *n* несъобразителност, нетактичност, гаф; груба (недодялана) постъпка.

gaudiness [ˈgo:dinis] *n* 1. демонстративност, показност; ефектна (пищна) външност; 2. претрупаност (*за стил*).

gaudy [ˈgo:di] I. *adj* 1. ярък, крещящ; кичозен, безвкусен; евтин; 2. пищен, натрупан, претрупан, риторичен (*и за стил*); ◇ *adv* **gaudily**; II. *n* 1. голям банкет, празненство; 2. годишен банкет в чест на бивши възпитаници (*в англ. университети; и ~*-**day**).

gauge [geidʒ] I. *n* 1. мярка, размер, мащаб; калибър; дебелина, диаметър; големина, величина; 2. измервателен уред (прибор); 3. диаметър на дуло (*на оръдие*); дебелина (*на метален лист, жица и пр.*); 4. ширина на жп линия; **broad (narrow)** ~ широколинеен (теснолинеен) път; 5. *мор.* (*обикн.* **gage**) положение спрямо вятъра; 6. критерий; мерило, мярка; шаблон, еталон; калибър; **to take the ~ of** измервам, оценявам; 7. номер, дебелина (*на тел, ламарина*); 8. датчик; II. *v* 1. измервам, проверявам; 2. *прен.* преценявам, оценявам; **I couldn't ~ what he wanted** не можах да преценя какво иска той; 3. градуи-

рам; подпечатвам (*мерки и теглилки*); 4. калибрирам; еталонирам; 5. дялам камъни, правя тухли по калъп; 6. правя силен набор (буфан) (*на дреха*).

gaunt [go:nt] *adj* 1. сух, мършав, измършавял, недохранен, изпит, много слаб; 2. измъчен, изтощен, изнурен, изнемощял; повехнал; 3. висок, източен, дълъг (*за дърво и пр.*); 4. мрачен, неприветлив, недружелюбен; *поет.* неприветен.

gauntness [ˈgo:ntnis] *n* 1. измършавялост, изпосталялост, хилавост, слабоватост, немощност; 2. височина (*на дърво*); дължина (*на сянка*).

gauzy [ˈgo:zi] *adj* тънък, ефирен, прозрачен, бистър, ясен, видим, прозирен.

gawk [go:k] I. *n* 1. несръчен, стеснителен, срамежлив човек; тромав човек, "мечка"; 2. дръвник, глупак, заплес; II. *v* 1. върша нещо несръчно, непохватен съм, неумел съм; 2. гледам глупаво; заплесвам се; зяпам.

gay [gei] I. *adj* 1. весел, енергичен, сангвиничен, жизнерадостен, игрив; 2. разпуснат; **to lead a ~ life** водя лек живот; 3. дързък, нахален, безочлив; 4. ярък, пъстър; бляскав, блестящ, великолепен (*и за облекло*); 5. *разг.* хомосексуален; II. *n* хомосексуалист, педераст.

gaze [geiz] I. *v* втренчвам се, впервам поглед; вглеждам се (**at, on, upon**); II. *n* (втренчен) поглед; **to stand at** ~ гледам втренчено.

gazelle [gəˈzel] *n* газела.

gear [giə] I. *n* 1. механизъм, апарат, машина, прибор; 2. *техн.* зъбчато колело; предавателен механизъм; трансмисия; **to throw out of** ~ изключвам механизъм; *прен.* дезорганизирам; разстройвам; 3. приспособление; принадлежности; **fishing** ~ риболовни принадлежности; 4. *мор.* такелаж и др. принадлежности (*на кораб*); лични принадлежности (*на моряк*); 5. хамут, впрегатни принадлежности, амуниция (*на кон*);

6. движимо имущество, покъщнина; 7. *остар.* дрехи, одежди, рухо, премяна, *нар.* носия; II. *v* 1. привеждам в движение, включвам (*механизъм*); **to ~ up (down)** ускорявам (намалявам, забавям) скоростта на движение; 2. съоръжавам, оборудвам, екипирам; 3. впрягам (*и с* **up**); 4. фалшифицирам, подправям, приспособявам (*избори*).

gelatine [ˈdʒeləti:n] *n* 1. желатин; ~ **paper** *фот.* копирна хартия; 2. желе, пелте, пихтия; *прен.* безформеност; ~ **meat-broth** желиран бульон.

gelatinous [dʒiˈlætinəs] *adj* желатинен, пихтиест, безформен, желеобразен.

gelation [dʒiˈleiʃən] *n* замразяване, изстудяване, заледяване, запазване чрез замразяване.

geld [geld] *v* (**gelded** [ˈgeldid], **gelt** [gelt]) кастрирам, скопявам.

gelid [ˈdʒelid] *adj книж.* леден; студен, леденостуден, хладен, *прен.* суров, хладнокръвен, безразличен (*и прен. - тон, обноски*).

geminate I. [ˈdʒemineit] *v* 1. удвоявам, дублирам, повтарям; 2. събирам в двойки; чифтосвам; II. [ˈdʒeminət] *adj* удвоен, дублиран; на чифтове.

gemination [ˌdʒemiˈneiʃən] *n* 1. удвояване, дублиране, удвоение, нареждане на чифтове; 2. *език.* геминация, удвояване.

gender [ˈdʒendə] *n* 1. *език.* род; **common** ~ общ род; 2. *шег.* пол; 3. *остар.* вид, сорт, порода, разновидност, тип.

gene [dʒi:n] *n биол.* ген.

genealogical [ˈdʒi:niəˈlɔdʒikəl] *adj* родословен, генеалогичен.

genealogy [dʒi:niˈælədʒi] *n* генеалогия; родословие, произход, начало, потекло.

general [ˈdʒenərəl] I. *adj* 1. генерален, общ, всеобщ, повсеместен, общочовешки, общоприет; ~ **elections** общи избори; ~ **strike** всеобща стачка; 2. генерален, основен; 3. обичаен, познат; **as a ~ rule** обикновено, по правило; 4. общ, неконкретен; **a ~ idea** об-

ща представа; • ~ **practitioner** лекар по обща медицина; **II.** *n* **1.** *воен.* генерал; пълководец, военачалник; **2.** общо; **from the ~ to the particular** от общото към частното.

General-in-Chief [ˈdʒenərəlinˈtʃiːf] *n* главнокомандващ.

generalization [ˌdʒenərəlaiˈzeiʃən] *n* обобщение; обобщаване, синтез, дедукция, генерализация.

generalize [ˈdʒenərəlaiz] *v* **1.** обобщавам, синтезирам, правя изводи; **2.** говоря общо, неопределено; **3.** разпространявам, правя известен; въвеждам в употреба.

generate [ˈdʒenəreit] *v* **1.** произвеждам (*и за ел. ток*); причинявам; създавам, творя, изграждам, образувам; пораждам; генерирам; **2.** *техн.* нарязвам на фрезова машина.

generation [ˌdʒenəˈreiʃən] *n* **1.** пораждане, зараждане (*и биол.*); размножаване; **spontaneous ~** самозараждане; **2.** поколение, генерация; период от около 30 год. (*който отделя едно поколение от друго*); **the rising ~** подрастващото поколение; **3.** род, поколение, деца, наследници, потомство; **4.** *техн.*, *физ.* образуване, произвеждане на енергия и пр.; **heat ~** получаване на топлина, топлоотделяне.

generative [ˈdʒenərətiv] *adj* **1.** детероден; размножителен; генеративен; **2.** произвеждащ, изработващ, създаващ; **3.** производителен; **4.** *език.* генеративен, пораждащ.

generator [ˈdʒenəreitə] *n* **1.** производител, създател; творец, *книж.* извършител; **2.** *техн.* генератор; източник на енергия.

generosity [ˌdʒenəˈrɔsiti] *n* **1.** великодушие, благородство, почтеност, възпитание; **2.** щедрост.

generous [ˈdʒenərəs] *adj* **1.** великодушен, благороден; **2.** щедър; **3.** обилен, богат, изобилен; плодороден (*за почва*); **4.** интензивен, наситен (*за цвят, тон*); **5.** силен, плътен, гъст (*за вино*); ◇*adv* **generously**.

genesis [ˈdʒenisis] *n* **1.** произход, начало, генезис, родословие; създаване, формиране, възникване, зараждане; **mineral ~** *геол.* генезис на минералите; **2. (G.)** *библ.* книгата Битие.

genetic [dʒiˈnetik] *adj* генетичен, родословен; генен; **~ code** генетичен код; **~ engineering** генно инженерство; ◇ *adv* **genetically** [dʒiˈnetikəli].

genial [ˈdʒiːniəl] *adj* **1.** мил, сърдечен, добросърдечен, добър, радушен; **2.** весел, жизнерадостен; общителен, дружелюбен, сърдечен; **3.** мек, топъл (*за климат*); **4.** *остар.*, *поет.* производителен, плодороден; брачен; **5.** *остар.*, *рядко* гениален; ◇ *adv* **genially**.

genitive [ˈdʒenitiv] *език.* **I.** *adj* родителен; **II.** *n* родителен падеж.

genius [ˈdʒiːniəs] *n* **1.** (*pl* -**ses** [-siz]) гений, талант, гениален човек; **2.** гениалност, надареност, способност; **a ~ for painting** дарба за художник; **3.** характер, природа, дух (*на език, народ, закон и пр.*); **~ of a place** атмосфера на дадено място; **4.** (*pl* **genii** [ˈdʒiːniai]) гениална личност; дух; **good (evil) ~** добър/зъл гений (дух).

genre [ˈʒɑːŋr] *n фр.*, *изк.* жанр, род, вид; маниер, стил; **~ painting** битова (жанрова) живопис.

genteel [dʒenˈtiːl] *adj* **1.** *остар.* възпитан, вежлив, учтив; **2.** *ирон.* буржоазен, благовъзпитан, префинен, светски; с претенции за елегантност (изтънченост, аристократизъм), позиращ, маниерен; ◇ *adv* **genteelly**.

gentle [ˈdʒentəl] **I.** *adj* **1.** *остар.* благороден, знатен; благовъзпитан, великодушен, любезен, вежлив; **of ~ birth** от благороден произход; **2.** благ, мек, кротък, добър, ласкав; тих, спокоен, нежен (*за характер и пр.*); внимателен, деликатен (*за отношение*); **the ~ sex** нежният, прекрасният пол; **3.** лек, слаб, умерен; недрастичен (*за лекарство*); **4.** послушен, мирен (*за животно*); • **~ pursuits** *остар.* благородни занимания; **~ reader** *остар. или ирон.* любезен

читател (*обикн. обръщение на автор*); **II.** *n остар.* аристокрацията, благородниците; **III.** *v рядко* **1.** опитомявам; обяздвам (*кон*); **2.** облагородявам, вчовечавам, възпитавам (*човек*).

gentleman [ˈdʒentlmən] *n* **1.** джентълмен; кавалер; благороден и порядъчен човек; **2.** господин; **Ladies and Gentlemen!** дами и господа! **3.** *остар.* придворен, камериер (*обикн.* **~ in waiting**).

gentlemanlike [ˈdʒentlmənlaik] *adj* джентълменски; почтен, благороден, кавалерски, галантен; добре възпитан, вежлив.

gentleness [ˈdʒentlnis] *n* **1.** благост, кротост, нежност, мекост, доброта; **2.** *остар.* знатност, високопоставеност; **3.** лекота, слабост, умереност.

gently [ˈdʒentli] *adv* **1.** нежно, тихо, кротко, благо; **2.** спокойно, внимателно; умерено, леко.

genuine [ˈdʒenjuin] *adj* **1.** оригинален, истински, неподправен, действителен, автентичен; **2.** искрен, откровен, предан, честен, истински; **3.** расов, от чиста порода; ◇ *adv* **genuinely**.

genus [ˈdʒiːnəs] *n* (*pl* **genera** [ˈdʒenərə]) **1.** *биол.* род; **the ~ Homo** човечеството; **2.** сорт, класа, вид, род, подвид; категория, система.

geographic(al) [dʒiəˈgræfik(əl)] *adj* географски; ◇*adv* **geographically**.

geography [dʒiˈɔɡrəfi] *n* география.

geological [ˌdʒiəˈlɔdʒikəl] *adj* геологичен, геологически, геоложки; **~ age** геоложка възраст; ◇ *adv* **geologically**.

geology [dʒiˈɔlədʒi] *n* геология; **stratigraphic ~** стратиграфия.

geometrical [ˌdʒiəˈmetrikəl] *adj* геометричен, геометрически; **~ progression** геометрична прогресия; ◇ *adv* **geometrically**.

geometry [dʒiˈɔmitri] *n* геометрия; **plane ~** планиметрия.

geophysical [ˌdʒiːəˈfizikəl] *adj* геофизичен.

geophysics [ˌdʒiːəˈfiziks] *n pl* (= *sing*) геофизика.

germ [dʒəːm] **I.** *n* **1.** *биол.* зародиш,

ембрион, зачатък (*и прен.*); in ~ в зародиш; **2.** *мед.* микроб, бацил; ~ **warfare** бактериологична война; **3.** *бот.* плодова пъпка, завръз, кълн; **II.** *v* покълвам, поникнам; развивам се, еволюирам (*книж.*).

germane [dʒə:'mein] *adj* уместен, навременен, благоприятен, свързан с, подходящ (**to**).

germ cell ['dʒə:msel] *n* биол. **1.** клетка; **2.** сперматозоид.

germinal ['dʒə:minəl] *adj* зародишен, зачеващ, зачатъчен, герминативен.

germinate ['dʒə:mineit] *v* **1.** напъпвам, кълня, покълвам, никна, изниквам, покарвам, развивам се, пониквам; **2.** правя да поникне (да покълне, да се развие), пораждам.

gerrymander ['dʒerimændə] **I.** *v* **1.** променям, подправям, фалшифицирам; **2.** *амер., полит.* фалшифицирам (*избори*); **II.** *n амер.* предизборни машинации.

gesticulate [dʒes'tikjuleit] *v* жестикулирам, ръкомахам, размахвам, махам.

gesticulation [dʒes,tikju'leiʃən] *n* жестикулация, ръкомахане, жестикулиране, размахване, махане.

gesture ['dʒestʃə] **I.** *n* **1.** жест, замах, размах, *прен.* инициатива, предприемчивост (*и прен.*); движение с ръка или с тяло; **to make a** ~ правя жест, движение с ръка; **2.** мимика (*и* facial ~); friendly ~ дружески жест; **II.** *v* жестикулирам; изразявам чрез мимика (жест), правя знак.

get [get] *v* (got [gɔt]; *остар. и амер. pp* gotten ['gɔtn]) **1.** вземам; получавам; **to** ~ **information** получавам информация; **2.** придобивам, добивам, получавам (*и с труд*); **to** ~ **a prize** получавам награда; изкарвам, изтръгвам (*с молба, искане, въпрос*) (**from**, **out**, **of**); **3.** печеля, спечелвам, добивам; **to** ~ **a name** спечелвам си име; **4.** хващам, пипвам, улавям, улучвам; *прен.* схващам, възприемам, разбирам; долавям; завладявам, поразявам; **the bullet got**

him in the back куршумът го улучи в гърба; **5.** разболявам се; хващам (*зараза*); заразявам се; **to** ~ **the chicken pox** разболявам се от варицела; **6.** купувам; **7.** приготвям; **to** ~ **a meal** приготвям ядене; **8.** ангажирам, запазвам резервирам (*място, билет, стая в хотел и пр.*); **9.** продава се за, стига до (*цена, печалба*); **10.** намирам, донасям; доставям; отивам да търся; **to** ~ **s.th. to drink** намирам нещо за пиене; вземам нещо за ядене; **11.** стигам, пристигам, идвам; отивам; добирам се; **to** ~ **home** стигам до вкъщи, *прен.* попадам в целта; побеждавам, постигам победа (*за спортист*); **12.** сполучвам, успявам, постигам; **to** ~ **a sight of** успявам да видя; **13.** карам, накарвам, убеждавам; заставям, принуждавам (*със сложно допълнение*); **I could** ~ **s.o. else to do it** мога да накарам някой друг да свърши това; **14.** ставам, започвам да бъда (*с predic*); **I am** ~**ting cold** става ми студено; **15.** *разг.* имам, владея, притежавам (*в pres perf* = *гл.* to have); **I've got a new bag** имам нова нива (*за*); **16.** трябва, длъжен съм, задължен съм, *остар.* отговорен съм (*в pres perf + inf*); **I have got to do it** длъжен съм да го направя; ● ~ **up and go** *амер., разг.* инициатива, предприемчивост, настойчивост;

get about 1) движа се, обикалям, ходя; започвам да ходя (*след боледуване*); **2)** разпространявам се, ставам известен, разчувам се, разнасям се; прочувам се (*за слух, мълва*); **it is sure to** ~ **about** сигурно ще се разчуе;

get above oneself порастват ми ушите; възгордявам се, *разг.* надувам се;

get across 1) преминавам, прехвърлям (се); **2)** (**to s.o.**) *разг.* успявам да предам ясно смисъла на нещо някому, правя разбираем, понятен, разбран, лесен; **3)** имам успех (*за пиеса*);

get after преследвам;

get ahead 1) надминавам (**of s.o.**);

2) напредвам; преуспявам, *книж.* просперирам, *разг.* върви ми;

get along 1) тръгвам; отивам си, махам се; ~ **along (with you)!** *разг.* махай се! обирай си крушите! стига, спри! не приказвай глупости! хайде, хайде; **2)** справям се с, *разг.* намирам му лесното, карам; **to** ~ **along with s.o.** разбирам се с някого; **3)** старея; навлизам в години; **to** ~ **s.o. along to hospital** изпращам (завеждам, закарвам, отвеждам) в болница;

get around 1) обикалям; пътувам, вървя, странствам; **2)** разпространявам се, разчувам се, разнасям се; **the news has got around** новината се разчу; **3)** предумвам, склонявам; **4)** решавам се, наканвам се (*с to); **5)** избягвам, заобикалям (*закон, правило и пр.*);

get at 1) достигам, добирам се до; **2)** свързвам се с (*по телефон*); установявам връзка с; **3)** попадам; **4)** подкупвам; **the witness had been got at** свидетелите бяха подкупени; **5)** *sl* нападам, нахвърлям се върху; **you're always** ~**ting at me** ти постоянно се заяждаш с мен; винаги ме критикуваш; **6)** подигравам се на, осмивам; заблуждавам, измамвам;

get away 1) избягвам; отървавам се; измъквам (се); отивам си; **to** ~ **away for the holidays** отивам във ваканция; **2)** *авт.* тръгвам; *авиац.* излитам, откъсвам се; **to** ~ **away a torpedo** *мор.* пускам (изстрелвам) торпила; **3)** излизам (*за дивеч*); **4)** докарвам (някого) до някакво състояние (*с to*); **5)** завеждам, отвеждам; **6)** махам, разкарвам (*нещо от някъде*);

get back връщам се, идвам си, прибирам се; възвръщам си (*нещо*); **to** ~ **back at** отвръщам по същия начин;

get behind изоставам, забавям се; *разг.* оставам назад; *прен.* не успявам навреме;

get beyond надминавам, изпреварвам;

get by 1) минавам, преминавам; промъквам се край; **2)** полагам, вземам (*изпит*); **3)** отървавам се,

оставам ненаказан; минавам (*за извинение, шега и пр.*); 4) смогвам, справям се, преживявам, оправям се, свързвам двата края; **get down** 1) спускам се, слизам (**from, off** *и без предлог*); 2) свалям (*книга от рафт*); откачам (*дреха от закачалка*); *мор.* свалям (*платна*); 3) залягам, старая се, полагам усилия, залавям се за (**to**); **to ~ down to business** залавям се за работа; 4) преглъщам (*залък*); гълтам, изпивам, изяждам (*нещо неприятно*); 5) записвам, описвам; **did you ~ the address down?** записа ли адреса?; 6) потискам, развалям настроението на някого, унивам; **this bad weather ~s me down** това лошо време ме потиска;

get forward напредвам, изпреварвам; успявам; отхвърлям работа;

get in 1) влизам; качвам се (*на превозно средство*); прибирам се; **they got in about 10 o'clock** те се прибраха към 10 часа; 2) събирам, прибирам (*сено, реколта, данъци, пари и пр.*); 3) бивам избран, идвам на власт, печеля избори (*за народен представител*); 4) нанасям (*удар*); 5) пристигам (*за влак*); **did the train ~ in on time?** на време ли пристига влакът?; 6) получавам (*стока*); **to ~ in tenants** приемам (вземам) квартиранти; 7) купувам, набавям (*въглища, продукти и пр.*); 8) повиквам някого да свърши работа; **I must ~ s.o. in to repair the fridge** трябва да повикам някого да поправи хладилника; • **to ~ o.'s hand in** свиквам, привиквам;

get into 1) влизам, прониквам; попадам; вкарвам; поствам; **to ~ into the university** влизам (приемат ме) в университета; 2) *разг.* нахлузвам, намъквам (*дреха*); 3) изпадам, попадам (*в някакво състояние*); *разг.* обеднявам; заборчлявам (*нар.*); • **to ~ it into o.'s head** набивам си (вкарвам си) в главата; въобразявам си;

get off 1) слизам (*от влак, трамвай, кон и пр.*); 2) избягвам, спа-

сявам се, измъквам се, отървавам се от; **to ~ off cheap** леко се отървавам; 3) отделям се; отправям се; *авиац.* отделям се, откъсвам се от земята, излитам, издигам се; **to ~ off the mark** *спорт.* стартирам правилно; *прен.* започвам успешно; 4) изтърсвам, *разг.* изплесквам, пускам (*шега*); 5) събличам, свалям; махам; 6) изпращам (*писмо, колет*); 7) уча наизуст; запаметявам; 8) отклонявам се; 9) *sl амер.* изпитвам удоволствие от наркотици; 10) запознавам се, харесвам се, правя впечатление (*на лице от другия пол*) (**c with**); • **tto ~ off the trail** обърквам, изгубвам следа;

get on 1) качвам се (на); яхвам; 2) ставам; **to ~ on o.'s feet** ставам от мястото си, вземам думата; ставам на крака (*след болест*); *прен.* независим, самостоятелен съм, стъпил съм на краката си, материално съм обезпечен; 3) обличам, намъквам; 4) наближава, става, приближава (*за време*); **time is ~ting on** времето напредва; 5) старея; остарявам; **to be ~ting on (in years)** застарявам, старея; 6) успявам, напредвам, преуспявам; **to ~ on (in the world)** напредвам, преуспявам, успявам; 7) карам, *разг.* бачкам, работя; **how are you ~ting on?** как върви работата? как я караш? 8) разбирам се, погаждам се (**with**); **they don't ~ on well together** не живеят добре, не се погаждат; • **to ~ on s.o.'s nerves** действам на нервите на някого;

get out 1) излизам; слизам (*от влак*); **to ~ out of prison** излизам от затвора, освобождават ме, амнистират ме; 2) измъквам, изкопчвам (*тайна, пари*); изкарвам; **to ~ a notion out of o.'s head** избивам си го от главата; 3) избягвам, измъквам се; 4) произнасям с мъка, едва промълвям; 5) издавам, съставям, изготвям; **to ~ out a book** издавам книга (*за издател*); 6) излизам, водя социален живот; 7) призовавам; • **to ~ out to sea** излизам в открито

море;

get over 1) прехвърлям се, прескачам; преминавам (*разстояние*); 2) преодолявам, преживявам, превъзмогвам, *разг.* изправям се на крака; съвземам се от (*болест, затруднения, страх*); **to ~ over a bad habit** освобождавам се от лош навик; отвиквам от нещо лошо; 3) приключвам, свършвам; завършвам неприятна работа; **let's ~ it over at once** нека да го приключим веднага;

get round 1) придумвам, склонявам, увещавам (*с нежност, търпение*); **she knows how to ~ round her father** тя знае как да придума баща си; 2) успявам да се занимая (*с въпрос и пр.*); наканвам се (*c to и ger*); 3) заобикалям (*закон, въпрос*); 4) надхитрям, измамвам; 5) оздравявам, стабилизирам се, съвземам се; 6) пристигам, отивам, стигам (*и прен.*); **to ~ round to the truth** добирам се (стигам) до истината;

get through 1) преминавам, минавам през; пристигам; 2) справям се с, оправям се с, *разг.* намирам ми по-лесното (*работа и пр.*); 3) справям се с, минавам (*изпит*); 4) свързвам се (*по телефон*); 5) прокарвам, бивам приет (*за законопроект*); 6) свършвам, отхвърлям (*работа и пр.*); 7) добирам се, стигам (*някъде, до нещо*); 8) вземам (изкарвам) изпит;

get to 1) залавям се, заемам се, захващам се за; **to ~ to first base** *sl* правя първата крачка; 2) стигам, добирам се до, доближавам се до;

get together 1) събирам (се); срещам (се); 2) съвещавам се; постигам съглашение; 3) слагам в ред;

get under 1) минавам отдолу, промушвам се под; 2) вмъквам се, въвирам се под; 3) гася, потушавам (*пожар, въстание*); 4) побеждавам (*опонент*); • **to ~ under way** 1) *мор.* отплувам; отпътувам, заминавам, тръгвам; 2) почвам, стартирам; осъществявам;

get up 1) ставам (*и от легло*), из-

правям (се), вдигам (се); to ~ up early *прен.* предприемчив съм; 2) качвам се, сядам (*на кон, в кола*); изкачвам (се), (*на*) *планината*, (*по*) *стълба*); 3) стигам; настигам (to, with); 4) усилвам се, разразявам се, разраствам се (*за пожар, огън, вятър и пр.*); the sea is ~ting up морето се надига, почва да се вълнува; 5) поскъпвам (*за стока*); 6) подготвям, организирам, осъществявам; 7) приготвям, придавам добър търговски вид на; оформям (*книга*); a nicely got up article изкусурен, изпипан предмет; 8) гримирам; обличам (се); нагласям; сресвам; 9) маскирам се; to ~ oneself up издокарвам се; контя се; 10) поставям (*пиеса*); 11) вдигам (*котва*); 12) отскачам високо (*за топка*); 13) подбуждам, подстрекавам; фабрикувам, измислям; to ~ up to mischief правя пакост; 14) разсърдвам (се), дразня се, гневя се; 15) вдигам, подбирам, плаша (*дивеч*); ● to ~ o.'s back up ядосвам се; заинатявам се.

ghastly ['gɑːstli] I. *adj* 1. ужасен, ужасяващ, страхотен, страшен; 2. мъртвешки; призрачен; ~ dance призрачен танц; 3. *разг.* отвратителен, ужасен, неприятен, противен; to look ~ имам ужасен вид; II. *adv* 1. ужасно, отвратително; a ~ sight противна (неприятна) гледка; 2. мъртвешки, блед, изпит, безжизнен.

ghost [goust] I. *n* 1. дух, привидение, призрак, фантом; to raise a ~ викам (извиквам) дух; 2. душа, дух; to give up the ~ *шег.* предавам Богу дух; повреждам се (счупва се) така, че не може да се поправи (*за машина, кола и пр.*); 3. *прен.* сянка; следа; 4. раздвоено изображение; 5. светла ивица (*в металографски шлиф*); II. *v* 1. пиша вместо друг автор, редактирам (*анонимно*) работата на друг (*и* to ~-write); работя вместо друг; 2. правя се на дух; скитам като дух, призрак, *разг.* таласъм.

ghostly ['goustli] *adj* 1. духовен; ~

father духовник; изповедник; 2. призрачен; a ~ visitant призрак, видение, дух, сянка.

giant ['dʒaiənt] *n* 1. гигант, великан, колос, исполин; титан (*и прен.*); *прен.* велик; like a ~ refreshed *книж.* с нови сили; пълен с енергия; 2. *attr* гигантски, великански, исполински, колосален, огромен; грамаден, титаничен.

gibbet ['dʒibit] I. *n* 1. бесило, бесилка; 2. стрела, наклонена подпора; 3. конзола; II. *v* 1. обесвам; 2. опозорявам, опетнявам, *разг.* омаскарявам, излагам, правя за посмешище.

gibbous ['gibəs] *adj* 1. *книж.* издут, подут, изпъкнал; приведен, гърбав, гърбат, превит, изкривен (*прен.*); 2. която наближава (е преминала) пълнолуние, между втора четвърт и пълнолуние (*за Луната*).

gibe [dʒaib] I. *v* подигравам се, присмивам се, надсмивам се; гледам с презрение (at); II. *n* подигравка, насмешка, ирония, присмех, презрителна забележка.

giddy ['gidi] *adj* 1. замаян, на който му се вие свят (е замаяна главата), зашеметен; олюляващ се; to be (feel) ~ вие ми се свят, мае ми се главата; 2. шеметен, от който се завива свят, който причинява шемет; ~ success зашеметяващ успех; 3. лекомислен, безразсъден, непостоянен, вятърничав, празноглав; необмислен; ◊ *adv* giddily; ● to play the ~ goat *разг.* държа се (постъпвам) лекомислено, безразсъдно; водя вятърничав живот.

gift [gift] I. *n* 1. дар, дарение, завещание, подарък; 2. дарба, дарование, талант, способност; a gift for painting дарба за рисуване; II. *v* дарявам, надарявам (with); подаряввам.

giggle [gigəl] I. *v* кикотя се, кискам се, хиля се, хихикам, смея се нервно или глуповато; II. *n* 1. хихикане, нервен (глупав) смях, кикот; 2. майтап, лудория, шега.

gild [gild] *v* (**gilded; gilded** [gildid], **gilt** [gilt]) *v* 1. позлатявам; вара-

косвам; 2. позлатявам, озарявам, огрявам, блясвам, светквам (*за слънцето и пр.*); 3. разкрасявам, разхубавявам; украсявам.

ginger ['dʒindʒə] I. *n* 1. джинджифил, исиот; 2. *разг.* енергия, живот, въодушевление, огън; темперамент, характер, нрав; to put some ~ into it влагам огън в нещо; работя с ентусиазъм; 3. червеникавокафяв цвят, риж (*особ. на коса*); *sl* червенокос човек; II. *v* 1. подправям с джинджифил; 2. възбуждам, съживявам, стимулирам, ободрявам (*често с* up).

gingerly ['dʒindʒəli] I. *adj* 1. предпазлив, внимателен; 2. деликатен, изтънчен, фин, претенциозен; II. *adv* предпазливо, внимателно; страхливо.

gipsy ['dʒipsi] I. *n* 1. циганин, циганка (*и* Gipsy); 2. цигански език; II. *adj* цигански; a ~ camp цигански стан (табор); III. *v* обядвам или лагерувам на открито; водя скитнически, чергарски, бездомнически живот.

gipsy-looking ['dʒipsi,lukiŋ] *adj* мургав, тъмен, черен.

gird₁ [gəːd] *v* (**girded, girt** [gəːdid], **gəːt**) 1. опасвам, препасвам; to ~ on o.'s sword препасвам си сабята; 2. стягам се, глася се, тъкма се, приготвям се (*за борба и пр.*); to ~ oneselff, to ~ up o.'s loins стягам се (приготвям се) за борба (*трудна работа и пр.*); 3. *прен.* обличам (*с власт и пр.*) (with); 4. заобикалям, обкръжавам, опасвам.

gird₂ [gəːd] I. *v* подигравам се, надсмивам се; задявам, закачам, дразня (at s.o.); II. *n* подигравка, насмешка, ирония, присмех; задявка, закачка.

girdle ['gəːdəl] I. *n* 1. пояс, колан, *прен.* ивица, пръстен, кръг; *анат.* пояс; **pelvic (hip)** ~ тазов (бедрен) пояс; 2. *техн.* скоба, пръстен, обръч, гривна; 3. *геол.* тънък пласт от пясъчник; 4. пръстен около стъблото на дърво, направен чрез обелване на кората; 5. корсет; 6. тази част на скъпоценен камък, която се обхваща от обкова; II. *v*

1. опасвам, препасвам; **2.** превързвам, обвързвам, обхващам; **3.** заобикалям, обкръжавам, опасвам; **4.** обелвам кора на дърво във форма на пръстен.

girl [gə:l] *n* **1.** момиче, девойка; млада жена; госпожица; а ~'s school девиче училище; **2.** домашна прислужница, момиче (*u* servant-~); **3.** *разг.* любима, възлюбена, приятелка; his (best) ~, his ~ (friend) приятелката му; **4.** интимно обръщение към жена на всякаква възраст; old ~ моето момиче (независимо от възрастта); ● principal ~ *театр.* актриса, която изпълнява главната женска роля.

gist [dʒist] *n* **1.** същина, съдържание; реалност, истина; същност; главна точка; **2.** *юр.* главен мотив.

give [giv] **I.** *v* **1.** давам, връчвам (s.th. to s.o., s.o. s.th. *някому нещо*); to ~ an answer давам отговор, отговарям; **2.** подарявам, давам; оставям, завещавам; what are you giving him for his birthday? какво ще му подариш за рождения ден?; **3.** връчвам, предавам; съобщавам; they gave her bad news at the hospital съобщиха й лоша новина в болницата; **4.** заплащам, давам, плащам; the lady gave me a dollar tip дамата ми даде бакшиш от един долар; **5.** давам, посещавам, отдавам; to ~ o.'s life for давам живота си за; **6.** определям, налагам (*наказание*); осъждам на, наказвам с; *юр.* издавам (*решение*); осъждам; he was given 10 years in prison осъдиха го на 10 години; **7.** давам, излъчвам, изпускам, източник съм на (*светлина, топлина и пр.*); to ~ a report изгърмявам; **8.** показвам, отбелязвам, бележа, давам; he gave no sign of life той не даваше (показваше) никакви признаци на живот; **9.** изнасям, давам, устройвам, уреждам (*банкет*); изпълнявам (*концерт, пиеса и пр.*); to ~ a party давам (устройвам, уреждам) забава; каня гости; **10.** предлагам (вдигам) наздравица, пия за

(*здравето и пр.*) на; **11.** създавам, причинявам (*болка, неприятност и пр.*); заразявам; доставям, правя (*удоволствие и пр.*); the noise ~s me a headache от шума ме боли главата; **12.** давам, нося, донасям, докарвам (*доход и пр.*); раждам (*за дърво и пр.*); **13.** давам, предавам, описвам, обрисувам; **14.** отстъпвам, съгласявам се с; the government's got to ~, or the miners will go on strike правителството трябва да отстъпи, иначе миньорите ще вдигнат стачка; **15.** поддавам се, огъвам се, хлътвам, еластичен съм; счупвам се (*u* way); отпускам се, отхлабвам се, разхлабвам се; he felt his legs gave beneath him той чувстваше, че не го държат краката (че краката му се подкосяват); **16.:** to ~ way отстъпвам, оставям се, отдавам се; оставям да мине (to), отстъпвам място; падам (*за цени, акции и пр.*); *мор.* греба силно, натискам силно греблата; **17.** избелява (*за цвят*); **18.** започва да се топи; затопля се, омеква, стопля се (*за време*); ● to ~ a child a name кръщавам, именувам, наричам, назовавам;

give about разпространявам, разнасям (*слух и пр.*);

give away 1) подарявам; раздавам (s.th. to s.o.); 2) предавам (*булка*) на младоженец – като част от сватбения обред; 3) отказвам се от, отричам се, пренебрегвам; жертвам; 4) *разг.* издавам (*съзнателно или не*); her accent gave her away акцентът й я издаде; 5) изпускам, пропускам (*възможност, случай и пр.*);

give back 1) връщам; възстановявам, възвръщам, обновявам; 2) отгласям (*ехо*); отразявам (*образ*); 3) връщам си, отвръщам със същото, отмъщавам си; 4) отстъпвам, оттеглям се;

give forth 1) излъчвам, изпускам, пускам (*светлина, аромат и пр.*); *хим.* освобождавам; 2) пускам (*издънки и пр.*); 3) издавам (*звук*); 4) съобщавам, разпрост-

ранявам, разнасям, разгласявам (*новина, слух*);

give in 1) предавам, връчвам (*пакет, писмо, работа и пр.*); съобщавам (*името си, за да бъда представен, записан*); 2) отстъпвам; предавам се, отказвам се, признавам се за победен, оставям се, отдавам се (to); to ~ in to an emotion оставям се (отдавам) се на чувство;

give off 1) изпускам, издавам (*миризма, топлина, светлина и пр.*); 2) пускам разклонения (издънки), разклонявам се; ~ off! *разг.* стига (толкова)!;

give on (upon) води, гледам към, соча към; излизам на; this door ~s (up)on the garden тази врата води към градината;

give out 1) раздавам, разпределям; 2) съобщавам, оповестявам; обявявам; 3) давам (*интервю*); 4) свършва се, привършва се, изчерпва се, към края е; his money is giving out парите му са на привършване; 5) издавам, изпускам, излъчвам (*миризма, топлина и пр.*); 6) изтощавам се, изчерпвам се (*за сили и пр.*); повреждам се, счупвам се (*за машина и пр.*); the car gave out колата се повреди;

give over 1) предавам, връчвам, оставям (s.th. to s.o.); 2) спирам, преставам, изоставям, отказвам се (*c ger*); ~ over crying! престани да плачеш! 3) *refl* отдавам се неудържимо на, жертва съм, посвещавам се, обричам се (to) (*на чувство, навик и пр.*); to be given over to evil courses държа се лошо; 4) отделям, посвещавам (*време на нещо*);

give up 1) отстъпвам, предавам; отказвам се, жертвам, отричам се, посвещавам се; 2) отказвам се, преставам, изоставям, зарязвам; хвърлям; to ~ up smoking отказвам се от пушенето; 3) предавам (*на полицията и пр.*); 4) *refl* отдавам се, предавам се; задълбочавам се, посвещавам се; her life was entirely ~n up to work животът й беше посветен всеця-

ло на работата; 5) отстъпвам, жертвам, отказвам се (*от нещо в полза на някого*); the young men gave up his seat to the old lady младежът отстъпи мястото си на възрастната дама; • to ~ up the ghost 1) умирам; 2) отказвам се; II. *n* еластичност, гъвкавост (*и прен.*); отстъпчивост, примирителност, мекушавост, добрина.

given [givən] I. *adj* 1. определен, даден (*и мат.*); at a ~ point в определена точка; 2. склонен, способен, готов, предаден (to); увличащ се от; she is ~ to making stupid remarks тя има навика да прави глупави забележки; II. *adv*, *prep*, *cj* при, при предположение, като се приеме; като се вземе впредвид; ~ bad conditions при лоши условия.

glacial ['gleiʃiəl] *adj* 1. геол. ледников; глациален; 2. леден, *прен.* безчувствен, строг, суров, много студен (*и прен.*); 3. хим. кристализирал, на кристали, кристален.

glaciate ['gleisieit] *v* 1. заледявам, замразявам; 2. геол. покривам с лед или ледници; издрасквам или изльсквам повърхността на скала и пр. (*за ледник*); 3. метал. матирам (повърхност).

glacier ['glæsiə, *амер.* 'glæʃər] *n* ледник, глетчер; dead ~ неподвижен ледник.

glad [glæd] I. *adj* (-dd-) 1. *attr noem.*, *остар.* щастлив, весел; 2. *predic* доволен, радостен; to be ~ радвам се, доволен съм, приятно ми е, хубаво ми е, добре ми е, драго ми е (to *c inf*); 3. радостен, весел, щастлив; • to give s.o. the ~ hand *sl* приветствам сърдечно, стискам най-сърдечно ръката на някого; II. *v остар.* (за)радвам; веселя, развеселявам.

gladness ['glædnis] *n* радост, веселост, охота, удоволствие, *разг.* на драго сърце.

glamorous ['glæmərəs] *adj* 1. обаятелен, очарователен, омаен, чаровен; 2. ефектен, *книж.* фрапиращ; резултатен, бляскав.

glamour ['glæmə] I. *n* 1. чар, оча-

рование, обаяние; магия; романтика, романтичен ореол; to lend a ~ to правя очарователен, придавам чар (обаяние) на; 2. ефект, впечатление, въздействие; резултат, илюзия; блясък; привлекателност; II. *v* очаровам, омайвам; омагьосвам, пленявам.

glance [glɑːns] I. *v* 1. рикоширам, отскачам, отплесвам се (*често с* aside, off); 2. отразявам, отражавам (*често с* back); блестя, проблясвам; 3. хвърлям поглед, поглеждам бегло (набързо), отгоре-отгоре, как да е, повърхностно (at); to ~ aside отмествам погледа си; 4. споменавам между другото или с насмешка (at); II. *n* 1. кос удар; 2. (про)блясък; 3. (бърз, бегъл) поглед (at, over, into); at a ~ с един поглед.

gland [glænd] *n* 1. анат. жлеза; лимфен възел; 2. *pl разг.* "сливици".

glare₁ [glɛə] I. *v* 1. блестя ослепително; светя ярко, ослепително; 2. гледам гневно (свирепо, кръвнишки, заплашително), хвърлям гневен (свиреп, кръвнишки, заплашителен) поглед (at); to ~ defiance (anger) at s.o. гледам (поглеждам) някого предизвикателно (гневно); II. *n* 1. ослепителен блясък; ярка, ослепителна светлина; blinding ~ пълно заслепяване; 2. фалшив блясък; 3. гневен (страшен, свиреп, кръвнишки, заплашителен) поглед; • in the full ~ of publicity в центъра на общественото внимание.

glare₂ I. *n амер.* гладка, лъскава, гланцирана, полирана повърхност; II. *adj* гладък и лъскав, полиран, гланциран.

glass [glɑːs] I. *n* 1. стъкло; lead ~ оловно (кристално) стъкло; 2. стъкло (*на прозорец, часовник и пр.*); стъклен похлупак; 3. стъклена чаша; чаша (*съдържанието*); measuring ~ мензура, мерителен цилиндър; 4. *разг.* стъклария; стъклени съдове; ~ industry стъкларска индустрия, стъкларство; 5. огледало (*и* looking ~); 6. *pl* очила; dark ~es слънче-

ви очила; 7. *pl* бинокъл, далекоглед, телескоп; field ~es полеви (военен) бинокъл; 8. барометър (*и* weather-~); 9. оптическа леща; окуляр; микроскоп; 10. пясъчен часовник (*и* hour-~, sand-~); времето, отмерено от пясъчен часовник; 11. *attr* стъклен; стъкларски; • people who live in ~ houses should not throw stones не копай яма другиму, сам ще паднеш в нея; II. *v* 1. отразявам, отражавам; 2. *рядко* остъклявам, слагам стъкла на; слагам под стъкло.

glaze [gleiz] I. *v* 1. поставям стъкла (на); остъклявам; to ~ (in) a window поставям стъкла на прозорец; 2. гланцирам, придавам гланц (блясък) на (*хартия, кожа*); сатинирам (*плат*); глазирам, украсявам (*сладкиш*); желирам (*месо, риба*); глазирам (*керамични изделия*), гледжосвам; емайлирам; полирам; 3. замаскирам, замазвам (*грешка и пр.*) (*с* over); 4. изцъклям се, ставам безжизнен (*за очи*) (*и с* over); ставам лъскав (*и с* over); 5. обледявам, заледявам, покривам с лед; II. *n* 1. глазура; блясък, гланц; глеч; емайл; политура; желе; 2. глазиране; гланциране; гледжосване; емайлиране; полиране; желиране; 3. глазиран порцелан или керамични изделия; 4. изцъкленост, безжизненост (*на очи*); 5. ледена покривка.

glazy ['gleizi] *adj* 1. лъскав, блестящ, гланцов; полиран, емайлиран, глазиран; 2. изцъклен, изблещен, безчувствен, безжизнен.

glee [gliː] *n* 1. радост, ликуване, веселие; 2. песен за няколко гласа (*често без акомпанимент*); ~ club певческо дружество.

gleeful ['gliːful] *adj* весел, радостен, ликуващ; щастлив; ◇ *adv* gleefully ['gliːfuli].

glide [glaid] I. *v* 1. плъзгам (се), нося (се) леко (плавно); тека леко (плавно); (пре)минавам неусетно (*за време*); вървя (минавам) тихо (крадешком), прокрадвам се, промъквам се, шмугвам се; to ~

out of the house излизам безшумно от къщата; **2.** *авиац.* летя без мотор, планирам; **II.** *n* **1.** плъзгане, леко (плавно) движение; **2.** *муз.* портаменто; хроматична гама; **3.** *език.* преходен, промеждутъчен звук; **4.** *авиац.* безмоторно летене; планиране; **5.** наклонена плоскост; пързалка.

glider [′glaidə] *n* **1.** безмоторен самолет; планер; **2.** хидроплан.

gliding [′glaidiŋ] *n* **1.** плъзгане, плавно движение; **2.** *авиац.* планиране.

glimmer [′glimə] **I.** *v* светя слабо, мъжделея, мъждукам, блещукам, мигам, просветвам; проблясвам; светвам и угасвам; **to go ~ing** *sl амер.* пропадам, провалям се (*за план и пр.*); **II.** *n* мъждукане, блещукане; проблясък, лъч (*и прен.*); **a ~ of hope** *разг.* лъч на надежда.

glint [glint] **I.** *v* (про)блясвам, (про)светвам; **II.** *n* (про)блясък, ярка светлина, отблясък.

glisten [glisn] **I.** *v* лъщя, блестя; сияя, светя, искря; **II.** *n* блясък, лъскавина, светлина, отблясък.

glitter [′glitə] **I.** *v* блестя, лъщя; искря; **all that ~s is not gold** не всичко, което блести, е злато; **II.** *n* **1.** блясък; искрене; **2.** блясък, пищност, помпозност, великолепие.

glittering [′glitəriŋ] *adj* **1.** блестящ, лъскав; искрящ; **2.** блестящ, пищен, помпозен, великолепен; **~ promises** големи, но празни обещания.

gloating [′gloutiŋ] **I.** *adj* алчен (*за очи*); злорадстващ, злорад(ен); недоброжелателен; ◇ *adv* **gloatingly**; **II.** *n* злорадство, ненавист, недоброжелателство.

global [′gloubəl] *adj* **1.** сферичен; **2.** световен, всемирен, в световен мащаб; **3.** глобален, всеобщ; ◇ *adv* **globaly**.

globe [gloub] *n* **1.** кълбо, сфера, топка; **2.** земно кълбо, земя; небесно тяло; **3.** глобус (*геогр., като емблема на лампа и пр.*); абажур; **4.** очна ябълка; ● **to cap the ~** минавам всички граници; стигам върха (*на глупостта и*

пр.), бия всички рекорди.

globe-trot [′gloub,trot] *v* обикалям света, пътувам през много страни, пътешествам, странствам.

globose [′gloubous] *adj книж.* кръгъл, сферичен, кълбовиден, топчест; закръглен; изпъкнал.

gloom [glu:m] **I.** *n* **1.** мрак, тъмнина; **2.** мрачно настроение, униние, меланхолия, потиснатост; **to throw (cast) a ~ over (upon)** *прен.* хвърлям сянка върху, помрачавам (*настроението на*); **II.** *v* **1.** мрачен (унил, потиснат) съм; **2.** заоблачава се, мръщи се, намръщва се (*за небето*); **3.** натъжавам, предизвиквам униние, помрачавам настроението на.

gloomy [′glu:mi] *adj* **1.** мрачен, тъмен; **2.** навъсен, намръщен; тъжен, унил, потиснат, меланхоличен; ◇ *adv* **gloomily** [′glu:mili].

gloria [′glo:riə] *n рел.* слава; част от литургията; ореол, сияние; *прен.* слава.

glorify [′glo:rifai] *v* **1.** възхвалявам, славя, прославям; **2.** славословя; превъзнасям, величая; окръжавам с ореол; **3.** *разг.* украсявам, разкрасявам, придавам по-важен (богат) вид на нещо просто (обикновено).

gloriole [′glo:rioul] *n* ореол, нимб, сияние, *прен.* слава.

glorious [′glo:riəs] *adj* **1.** славен, знаменит; **2.** великолепен, възхитителен, чудесен; прекрасен, божествен; **3.** *разг.* славен, знаменит, чудесен, прекрасен (*и ирон.*); **it was ~ fun** знаменито (славно) беше; ◇ *adv* **gloriously**; **4.** *разг.* пийнал, развеселен; в приповдигнато настроение.

glory [′glo:ri] **I.** *n* **1.** слава, знаменитост, популярност; **to crown s.o. with ~** прославям някого, увенчавам някого със слава; **2.** великолепие, красота, блясък, величие; **the glories of** красотите (забележителностите) на; величието на; **3.** триумф, връх на славата; **to be in o.'s ~** на върха на славата си съм; **4.** ореол, нимб, сияние; ● **Old G.** знамето на САЩ; **II.** *v* гордея се, ликувам,

тържествувам (**in**); хваля се, перча се (**in**).

glorying [′glo:riiŋ] *adj* **1.** хвалебствен, възхваляващ, превъзнасящ, славословен; **2.** изпълнен със самохвалство.

gloss [glos] **I.** *n* **1.** блясък, лъскавина; политура; **2.** външен блясък, измамна външност, "лустро"; **to put a ~ on the truth** замазвам (прикривам) истината; **II.** *v* **1.** лъскам (се), излъсквам (се), полирам; **2.** *прен.* изяснявам, хвърлям светлина върху (*труден пасаж и пр.*); **3.** *прен.* замазвам (*грешки и пр.*) (*често с* **over**).

glossy [′glosi] *adj* лъскав, излъскан, гладък, блестящ, полиран, лъщящ, гланцов; ◇ *adv* **glossily** [′glosili].

glove [glʌv] **I.** *n* ръкавица; **to pull (draw) on o.'s ~s** слагам си ръкавиците; **II.** *v* **1.** покривам с (слагам) ръкавица (на); **2.** снабдявам с ръкавици; **a ~d hand** ръка в ръкавица.

glow [glou] **I.** *v* **1.** грея, светя; блестя; нажежен съм; нагрят съм до бяло; **2.** горя (*без пламък*), тлея, загнивам; замирам; **3.** *прен.* горя (**with** от); светя, пламтя; пламвам; **to ~ with health** излъчвам здраве; **II.** *n* **1.** нажеженост; жарава; **2.** светлина; (от)блясък; огънче; **3.** топлина, затопляне, затопленост; **4.** червенина, руменина; **5.** яркост, ярък цвят; **6.** *прен.* жар, плам(ък).

glower [′glauə] **I.** *v* гледам намръщено (сърдито, кръвнишки), мръщя се (**at**); **II.** *n* сърдит (намръщен, застрашителен, кръвнишки) поглед.

glowering [′glauəriŋ] *adj* сърдит, застрашителен, заплашителен; ◇ *adv* **gloweringly**.

glowing [′glouiŋ] *adj* **1.** нажежен (*до бяло*); **2.** *прен.* пламенен, горещ; възпламенен, пламнал; почервенял, заруменял, пламнал (*за бузи*); **3.** ярък (*за цвят*); **to paint in ~ colours** представям в най-благоприятна светлина, рисувам с най-хубави краски.

glue [glu:] **I.** *n* туткал; лепило; клей;

• to stick like ~ to не се отделям от, лепнал съм се за, постоянно преследвам; **II.** *v* 1. намазвам с лепило (туткал, клей); 2. лепя, залепвам **(to, on)**; to ~ up a broken object залепвам нещо счупено.

glum [glʌm] *adj* навъсен, начумерен, намръщен; мрачен, кисел; **as ~ as a funeral** *разг.* мрачен като нощ, навъсен като облак, като че са му потънали гемиите; ◇ *adv* glumly.

glut [glʌt] **I.** *v* (-tt-) 1. пресищам; насищам; тъпча, натъпквам до краен предел **(with)**; to ~ oneself **(o.'s appetite)** тъпча се, натъпквам се; 2. задоволявам до насита, отдавам се без мярка на (*обикн. за низки инстинкти*); **~ted with pleasure** преситен от удоволствия; 3. *търг.* наводнявам, заливам **(with)**; **II.** *n* 1. пресищане; 2. *търг.* наводняване, пресищане, заливане, преситеност (*на пазар*); излишък.

glutinous ['glu:tinəs] *adj* лепкав, *прен., разг.* дотеглив, досаден, натрапник.

gluttonous ['glʌtənəs] *adj* лаком, ненаситен, гладник, *диал.* ящен; ◇ *adv* gluttonously.

gluttony ['glʌtəni] *n* лакомия, ненаситност, неутолим глад.

gnaw [nɔ:] *v* (gnawed; gnawed, gnawn [nɔ:d, nɔ:n]) 1. гриза, глозгам; to ~ (at) a bone гриза (глозгам) кокал; 2. разяждам (*за киселина*); 3. мъча, безпокоя, измъчвам, тормозя, терзая; **~ed by hunger** измъчен (изтерзан) от глад.

gnome₁ [noum] *n* джудже, гном, дребосък; *презр.* нищожество.

gnome₂ *n* сентенция; афоризъм, мъдрост, вечна истина.

go₁ [gou] *v* (went [went]; gone [gɔn]) 1. отивам; ходя; минавам, вървя, пътешествам; I'll ~ and see him in the morning ще отида да го видя утре сутринта; 2. движа се, в движение съм; работя, в действие съм (*за механизъм*); бие (*за сърце*); в обращение е (*за пари*); the clock won't ~ часовникът не работи; 3. вървя, минавам, напредвам, развивам се;

(пре)успявам; how ~es it? how are things ~ing? *разг.* как си? как вървят работите? 4. отивам си, върви си, тръгвам; (за)почвам; we must ~ (be ~ing) now трябва да си вървим (да тръгваме); 5. изчезвам, изгубвам се, *прен.* отивам; свършвам се, изчерпвам се; пропадам, загивам; бивам махнат (отстранен, уволнен); the battery has ~ne акумулаторът се е изтощил; 6. пропадам, срутвам се, рухвам; скъсвам се; продънвам се; търпя крах; фалирам; in the flood the fence went in three places от наводнението оградата се срути на три места; 7. минава (*за време*); he has still two weeks to ~ остават му още две седмици; 8. звъни, бие, удря; it has just ~ne 12 току-що удари (би) 12; 9. навършвам (*години*); she is (has) ~ne fifty тя има вече петдесет (години); 10. развалям се, повреждам се; счупвам се; the clutch on this car has ~ne съединителят на тази кола се е повредил; 11. вървя, минавам; водя, стигам, простирам се; the road ~es to the city пътят води до центъра на града; 12. става, достатъчно дълъг (голям) е; побира се, минава; влиза, дели се; the plank just ~es across the brook дъската тъкмо стига да се пресече потокът; 13. стои, слага се; 14. водя се, слагам, спазвам (by); 15. продава се, харчи се, търси се, върви; в обращение е; these bags are ~ing well тези чанти вървят (се продават добре); 16. правя (*някакво движение, гримаса, шум и пр.*); to ~ bang *разг.* трясва, избухва, експлодира; 17. гласи, казва, е (*за текст, мелодия и пр.*); this is how the tune ~es ето как е мелодията; 18. бива даден (оставен, завещан), пада се (to); the house went to his son къщата стана собственост на сина му; 19. допринася, служи, необходим е; 20. *само в pres p* има, намира се, дава се; предлага се, сервира се; there is a cold supper ~ing downstairs долу има

(се сервира) студена вечеря; 21. съм, ходя, намирам се, живея (*в някакво обичайно състояние*); 22. *последван от прилагателно или израз* ставам; to ~mad (crazy) полудявам; • to ~ flop *sl* претърпявам поражение, провалям се, не успявам;

go about 1) ходя насам-натам, излизам, движа се; носи се (*за слух*); there's a rumour ~ing about that... носи се слух, че...; 2) ходя, излизам (*с момиче, момче*); 3) *мор.* променям курса, правя завой; заобикалям; *воен.* обръщам се кръгом; 4) кръстосвам, скитам (*прен.*), *разг.* митkaм, циркулирам, движа се по; 5) залавям се, започвам (*работа*); to ~ about o.'s work гледам си (върша си) работата;

go across преминавам (*река, мост и пр.*);

go after 1) тичам по (*жена*); 2) търся (*работа, служба, удоволствия*);

go against съм против, обръщам се против; съм във вреда на; противореча, оборвам, оспорвам; his appearance ~es against him външният му вид не го представя добре; • to ~ against the tide (the current) плувам срещу течението (*и прен.*); действам противно на общественото мнение;

go ahead 1) напредвам, изпреварвам, вземам преднина; *прен.* развивам се; 2) продължавам; ~ ahead! тръгвай! карай! продължавай! действай! 3) качвам се, повишавам се (*за цени, валута и пр.*);

go along 1) вървя по(край); 2) работя; напредвам; it will become easier as you ~ along ще ти стане по-лесно в процеса на работа; 3) заминавам, тръгвам; 4) съпровождам, съгласявам се; • ~ along with you! *разг.* махай се! не говори глупости! не ти вярвам!

go aside отклонявам се; отделям се;

go at 1) нападам, нахвърлям се на; 2) залавям се (заемам се) енергично (здравата) с; he was ~ing at it for all he was worth (hammer

and tongs) той беше се заел с това здравата;

go away 1) отивам си, заминавам, махам се; 2) минавам, преминавам, изчезвам (*за болка, усещане и пр.*); 3) *спорт.* откъсвам се от, изпреварвам останалите състезатели; **to ~ away with s.th.** задигам, открадвам, отнасям, отмъквам;

go back 1) (за)връщам се; 2) отдръпвам се, отстъпвам, отказвам се; 3) връщам се назад, влошавам се, западам, израждам се; 4) стигам до, водя началото си от, датирам от; **a family that ~es back a long way** фамилия, която води началото си от далечното минало;

go before 1) вървя отпред, предшествам; 2) имам предимство над; 3) тръгвам, потеглям (отивам) по-рано;

go behind 1) вървя отзад; 2) търся истинската причина (смисъл, факт); преразглеждам; 3): **to ~ behind a decision** ревизирам (променям) решение;

go between посреднича, намесвам се; помирявам;

go beyond превишавам; **to ~ beyond o.'s orders** превишавам дадените ми нареждания, позволявам си повече от разрешеното;

go by 1) минавам край (покрай, през); 2) минавам, отминавам, преминавам (*и за време*); **life ~es by so fast** животът минава толкова бързо; 3) не обръщам внимание на, пренебрегвам; **to let ~ by** пропускам, изпускам (*възможност*); 4) водя се по; съдя по; **I ~ by what I have seen** съдя по това, което съм видял;

go down 1) слизам, спускам се (по); 2) спуска се, пада (*за завеса*); **to go ~ on o.'s knees** падам на колене, коленича; 3) гълта се; приема се (*за храна*); минава (*за извинение, лъжа, обяснение и пр.*); **this story will not ~ down with me** тази история при мен няма да мине; 4) залязва (*за слънце, луна*); 5) падам; потъвам, затъвам; **to ~ down in an exam** про-

падам на изпит; 6) *карти* не правя обявените взятки; 7) поевтинявам, намалявам, спадам (*за цени, температура, вода, оток и пр.*); стихвам (*за вятър, вълни и пр.*); 8) западам; **he has ~ne down in the world** западнал е; изгубил е предишното си положение; 9) продължавам; стигам (*до даден период от време*); **this history book ~es down to the 19th century** тази история стига до XIX в.; 10) запомням се, влизам, оставам (*в историята и пр.*); **he will ~ down to posterity as a traitor** ще бъде запомнен от бъдещите поколения като предател; 11) *разг.* завършвам, напускам университет; 12) разболявам се внезапно (от **with**);

go for 1) отивам за, отивам да повикам; 2) (на)хвърлям се на, нападам, атакувам; **~ for him!** дръж! (*на куче*); 3) мъча се да докопам (хвана), стремя се към, устремявам се, насочвам се; 4) *sl* гласувам за; поддържам каузата на; 5) струвам; имам значение (влияние); имам цена;

go forth 1) *лит.* излизам, отпечатвам; 2) бивам публикуван (издаден); **an order went forth** издадена бе заповед;

go forward 1) напредвам; **the work is ~ing forward well** работата напредва добре; 2) става, случва се; **what is ~ing forward here?** какво става тук?;

go in 1) влизам; 2) (*за луна, слънце*) скрива се зад облак; **the sun went in** слънцето се скри; 3) занимавам се (**for** *c*); участвам (**for** в); **to ~ in for art** занимавам се с изкуство; 4) **to ~ in with** сдружавам се, обединявам се, присъединявам се към; 5) *воен.* нападам, атакувам, щурмувам, настъпвам; 6) съвокуплявам се;

go into 1) влизам в; встъпвам; **to ~ into the army (Parliament)** ставам войник (влизам в парламента); 2) влизам, навлизам, впускам се в; проучвам; **to ~ into detail(s)** впускам се в подробности; 3) изпадам в (ярост, истерия), избух-

вам в; **to ~ into fits of laughter** избухвам в смях; 4) блъскам се, удрям се в (*за автомобили*);

go near приближавам (доближавам) се до; **I never went near him** не съм се и доближавал до него;

go off 1) отивам си, вървя си, отдалечавам се, тръгвам, заминавам; напускам (излизам от) сцената; избягвам; 2) гръмва, изстрелва (*за оръжие*), избухва, експлодира; 3) избелява (*за цвят*); избледнява, заличава се (*за впечатление, ефект*); губи свежестта (силата, вкуса) си; разваля се; става по-лошо; отслабва, намалява (*за болка и пр.*); 4) върви, минава, излиза (добре, зле); **how did the meeting ~ off?** как мина заседанието? 5) продава се, върви добре, търси се, харчи се, продава се; 6) изгубвам вкус към, не ми се яде (нещо), не ми се нрави; отказвам се от; **I has ~ne off coffee for the moment** изгубил е вкус към кафето, не ми се пие кафе; 7) умирам, издъхвам, отивам си от този свят; 8) отдавам се на нещо, започвам да правя нещо, впускам се в нещо; **he went into a talk about his past** той започна да говори за миналото си; 9) припадам; заспивам; 10) иззвънявам, започвам да звъня; **what time will the alarm clock ~ off?** в колко часа ще звънне будилникът? • **to go ~ at s.o.** ругая, карам се;

go on 1) вървя нататък, продължавам, не преставам, не прекъсвам; **~ on with your work** продължете си работата; 2) *разг.* постъпвам, действам, държа се; **she went on dreadfully** тя постъпи ужасно; 3) става, върши се, води се, прави се; **a big argument was ~ing on** водеше се голям спор; 4) ставам, по мярка съм (*за дрехи, обувки и пр.*); 5) светвам (*за светлина*); 6) *спорт.* започвам да играя, влизам в игра; 7) карам, преживявам, справям се, смогвам; **how did you ~ on in your examination?** как се справи с (изкара) изпита?;

go out 1) излизам; водя социален живот; **to ~ out riding** излизам на езда; 2) емигрирам, заминавам **(to)**; 3) излизам от мода, минава ми модата, не се търси вече (*u* **to ~ out of fashion**); **this article has quite ~ out** *търг.* тази стока вече никак не се търси; 4) изчезвам (*за болка, чувства и пр.*); **all the anger had ~ne out of his voice** в гласа му вече нямаше никакъв яд; 5) *полит.* изгубвам властта, слизам от власт, излизам от кабинета; подавам оставка; 6) угасвам; *sl* умирам; 7) оттегля се (*за прилив*); 8) отивам към края си, към края си съм; свършвам, изтичам (*за месец, година*); 9) *остар.* излизам на дуел (**against**);10) изгасвам (*за огън, светлина и пр.*); 11) излизам от печат, публикувам; издавам (*заповед и пр.*); 12) съобщавам; разпространявам, разнасям (*слух, тайна и пр.*); **I heard my name ~ out over the loudspeaker** чух да съобщават името ми по високоговорителя; • **to ~ out of o.'s way** отклонявам се от пътя си; *прен.* полагам всички усилия, правя всичко възможно;

go over 1) отивам, преминавам през (над); пресичам (**to** *към*); **I went over to open the window** отидох да отворя прозореца; 2) преглеждам, разглеждам; изучавам подробно; проверявам; преговарям, преповтарям; **to ~ over o.'s lesson** преговарям си урока; 3) минавам (*рисунка, чертеж*) наново; повтарям, дублирам; копирам; 4) обръщам се, прекатурвам се (*за превозно средство*); 5) *хим.* преминавам, превръщам се; 6) *спорт.* преминавам тъч-линията; • **to ~ over big** *разг.* успявам, имам успех;

go round 1) заобикалям, правя обиколка; 2) въртя се; **my head is ~ing round** вие ми се свят; 3) обикалям; 4) носи се, разнася се (*за слух*); 5) стига за всички; 6) минавам, отбивам се, навестявам; **I went round to see him yesterday** отбих се да го видя вчера;

go through 1) минавам през (*улица, дупка, страна*); **a shiver went through me** побиха ме тръпки; 2) изкарвам, свършвам (*курс*); изпълнявам (*роля, формалности*); преживявам, претърпявам; **if you knew what I have ~ne through** ако знаехте, какво преживях; 3) прониквам през, пронизвам; пробивам, продупчвам; 4) преглеждам внимателно; проучвам; преговарям; 5) претърсвам, издирвам, *разг.* тършувам; 6) бива приет (*за законопроект, предложение и пр.*); 7) разпилявам, изяждам (*имот, пари*);

go to 1) *остар.* залавям се за работа; 2) замайвам (*за питие*); **it has ~ne to his head** главозамаял се е от това;

go together вървят заедно, съответстват си, подхождат си, схождат си (*за цветове, идеи и пр.*); съчетават се, хармонират;

go under 1) потъвам, давя се; 2) загивам, умирам; 3) пропадам; разоравам се; 4) залязва, скрива се зад хоризонта; изчезва; 5) под упойка съм, упоен съм; изгубвам съзнание (*при упойка*);

go up 1) (из)качвам се; вдига се (*за завеса*); издигам се, надигам се; **a cry went up from the crowd** от тълпата се надигна вик; 2) отваря се, разтваря се (*за чадър*); 3) (по)качва се, повишава се, нараства (*за температура, цена и пр.*); **bread is ~ing up** хлябът поскъпва; 4) избухва (*в пламък*); експлодира; възпламва се; изгаря; **the lights went up** лампите светнаха; 5) *амер.* разоравам се, провалям се, фалирам; 6) минавам в по-горен клас; 7) изпаднал съм под въздействието на наркотици; • **to ~ up to the university** постъпвам в университета;

go with 1) придружавам, съпровождам, отивам (вървя) с; заедно с някого съм; **to ~ with the times** в крак съм с времето; 2) подхождам на, вървя с, хармонирам (*за цветове, мнения и пр.*); **the carpet ~es with the wallpaper** килимът подхожда на тапетите;

3) съгласявам се с, поддържам, гласувам за;

go without минавам без; нямам, лишен съм, не разполагам, липсва ми;

go₂ *n разг.* (*pl* **goes** [gouz]) 1. движение; ход; **on the ~** в движение; 2. енергия, въодушевление, стръв, предприемчивост, замах; **to be full of ~**, **to have plenty of ~** пълен съм с енергия; 3. опит, удар, замах; **to have a ~ at s.th.** опитвам се да направя нещо; 4. порция (чаша) питие; глътка; 5. пристъп, припадък (*на болест*); 6. непредвидено положение (случка); неочакван обрат; **it was a near ~** едва отървахме кожата; 7. успех, успешно предприятие; **to make a ~ of** успявам в, правя да преуспее; • **to be on the ~** готвя се да си ходя (да си вървя, да тръгвам); *sl* пийнал съм.

goal [goul] *n* 1. *спорт.* врата; финал, финиш; **to keep ~** вратар съм; 2. *спорт.* гол; **to score (get, kick) a ~** вкарвам гол; 3. цел, задача; местоназначение; **my ~ in life** моята цел в живота.

goalkeeper ['gooul,ki:рə] *n спорт.* вратар.

goat [gout] *n* 1. коза, козел; 2. зодиакалният знак Козирог; 3. развратник; 4. *разг.* несериозен човек; • **to get s.o.'s ~** *sl* раздразням, ядосвам, сърдя, нервирам.

go-between ['goubi,twi:n] *n* 1. посредник; 2. сводник, развратник.

god [gɔd] I. *n* Бог; божество; **G.** Всевишният; **a (little) tin ~** кумир, идол; II. *v* боготворя, обожествявам.

god-awful ['gɔd,ɔ:ful] *adj sl* ужасен, страшен; грозен; отвратителен.

godforsaken ['gɔdfɔ,seikən] *adj* 1. *разг.* изгубен, покварен (*за човек*); 2. отдалечен, захвърлен, загубен, затънтен, пуст (*за място*).

godless ['gɔdlis] *adj* 1. безбожен, неверен; нечестив; 2. *рядко* изоставен от Бога.

godly ['gɔdli] *adj* набожен, религиозен.

godsend ['gɔdsend] *n* благодат, божи дар; късмет, щастие; съдба,

орис; неочаквано щастливо събитие.

goffer ['gɔfə] I. *n* 1. плисе; набор; 2. гофриране, нагъване; II. *v* плисирам; набирам; гофрирам.

goggle ['gɔgəl] I. *v* 1. пуля се, зверя се, гледам с широко отворени (ококорени) очи; 2. изпъкнал (*за око*); II. *n* 1. ужасен, изумен (изненадан) поглед, опулени очи; 2. *pl* защитни очила за слънце или против прах; *sl* очила.

go-go ['gou'gou] *adj* 1. енергичен, необуздан; 2. спекулантски; 3. характерен за дискотека, дискотечен; ~ **dancers** (наети) танцьорки в дискотека; 4. ултрамодерен.

gold [gould] I. *n* 1. злато (*и прен.*); **virgin (native)** ~ самородно злато; 2. златни предмети, златни монети; богатство; съкровище; ~ **reserve** златен резерв; 3. позлата; 4. златен (златист) цвят; **old** ~ старо злато (*цвят*); **hair of** ~ златиста коса; II. *adj* златист; златен.

golden ['gouldən] *adj* 1. *остар.* златен (направен от злато); 2. *прен.* златен, много ценен, прекрасен, отличен; ~ **age** златен век; 3. златист.

goluptious [gə'lʌpʃəs] *adj sl англ.* вкусен, екстра, чудо, възхитителен.

gondola ['gɔndələ] *n* 1. гондола; 2. *амер.* голяма плоскодънна товарна лодка; 3. *авиац.* гондола, кош (*на балон*), кабина (*на дирижабъл*); 4. платформен товарен вагон (*и* ~ **car**); 5. кабина (*на лифт*); 6. бетоновоз; 7. щанд за открито излагане на стоки, гондола.

gondolier [,gɔndə'liə] *n* гондолиер.

gone [gɔn] *adj разг.* 1. изгубен, загинал; умиращ; пропаднал; отслабнал; осъден (обречен) на смърт; **a** ~ **case** изгубена работа (кауза); 2. напреднал; **to be far** ~ **in love** много съм влюбен, съвсем съм хлътнал.

gong [gɔn] I. *n* 1. гонг; 2. *sl* военен орден; II. *v* удрям (давам знак с) гонг.

goober ['gu:bə] *n* фъстък.

good [gud] I. *adj* (better ['betə]; best [best]) 1. добър, доброкачествен, хубав; **to put in a** ~ **word for** казвам добра дума за; 2. хубав, приятен; **this meal is** ~ **to eat** това ядене е приятно на вкус; 3. добър, полезен, здравословен; **aspirin is** ~ **for headache** аспиринът помага при главоболие; 4. хубав, добър, достатъчен, изобилен, богат; здрав; 5. добър, добродетелен; милостив; ~ **deeds (works)** добри дела, благодеяния; 6. добър, мил, любезен; **it was very** ~ **of you** много мило (любезно) беше от ваша страна; 7. добър, правилен; целесъобразен; приличен; **I thought it** ~ **to do that** сметнах, че е добре (правилно, прилично) да направя това; 8. добър, послушен (*особ. за деца*); **there's a** ~ **boy!** ти си добро момче! 9. добър, опитен, който го бива (**at**); подходящ, годен (**for**); умел, изкусен; **to be** ~ **at swimming** добре плувам, бива ме в плуването; 10. добър, свеж, пресен (*за продукти*); 11. истински, валиден, нефалшифициран; **the passport is** ~ **for five years** паспортът важи за пет години; 12. добър, здрав, силен; **a** ~ **fire** силен огън; 13. способен да издържи (да понесе, да плати); надежден; **the tyres are** ~ **for another 5000 km** гумите могат да изкарат още 5000 км; 14. добър, удобен, изгоден; благоприятен; **a** ~ **marriage** изгоден брак; 15. *често за усилване на друго прилагателно*: истински; доста, много; цял; ~ **hard work** усилена работа; зор; • **as** ~ **as pie** много симпатичен; II. *adv* здравата, хубавичко, както трябва; ~ **and hard** усилено, здравата; • ~ **for you!** браво! III. *n* 1. добро, благодеяние, добро дело; **to do** ~ върша добро; 2. добро, благо; полза; **for the common** ~ за общо добро (благо); 3. *pl* вещи, движимо имущество; 4. *pl* стока, артикули; ~ **and chattels** лични вещи; 5. *pl* товар, багаж, стоки; *attr* товарен, багажен; **a** ~**s train** то-

варен влак; 6. *pl* (**the** ~) улики, веществени доказателства.

good-bye [gud'bai] *n, int* довиждане, сбогом; прощални думи; **to bid (wish)** ~ **to** сбогувам се с; прощавам се с.

good-fellowship [,gud'felouʃip] *n* 1. дружба, другарство; 2. общителност, дружелюбие, разговорливост.

good-hearted ['gud'ha:tid] *adj* добросърдечен, добродушен, добър, мекосърдечен, милостив; ◊ *adv* **good-heartedly**.

good-heartedness ['gud'ha:tidnis] *n* добрина, добросърдечност, добродушие, човещина, милостивост, човечност.

good-intentioned ['gudin'tenʃənd] *adj* добронамерен, с добри намерения.

good-looking ['gud'lukiŋ] *adj* хубав, красив, приятен (*за външност*).

good looks ['gud'luks] *n* хубост, приятна външност.

goodly ['gudli] *adj* 1. красив, хубав, миловиден; напет, гиздав; 2. доста голям, значителен; 3. *ирон.* чудесен, великолепен, прекрасен.

good nature ['gud'neitʃə] *n* добрина, човещина, добродушие, доброта.

good-natured ['gud'neitʃəd] *adj* добър, добродушен; човечен; ◊ *adv* **good-naturedly**.

goodness ['gudnis] *n* 1. добрина, доброта, добросърдечност, добродушие; великодушие; любезност; 2. доброкачественост; добродетел; 3. сила, същност; най-добрата част на нещо; най-хранителното; най-ценното.

good-tempered ['gud'tempəd] *adj* добродушен, благ; уравновесен, спокоен, улегнал.

goodwill [,gud'wil] *n* 1. доброжелателство; благосклонност; благоразположение; благоволение; **to be in s.o.'s** ~ ползвам се от нечие благоволение; 2. желание, добра воля; готовност, охота; 3. *търг.* клиентела (репутация) на фирма; право да се ползва клиентелата на фирма при откупването ѝ.

goose₁ [gu:s] *n* (*pl* geese [gi:s]) 1. гъска (*и прен.*); 2. гъше месо; • he can't say bo (boh, boo) to a ~ и на мравката път прави; to chase the wild ~ гоня празни мечти.

goose₂ *v* стимулирам, насърчавам, поощрявам; the ad ~d sales рекламата увеличи продажбите.

gorge [gɔ:dʒ] I. *n* 1. *остар.* гърло; my ~ rises at it, it makes my ~ rise това ме отвращава (възмущава), кипвам; 2. *геогр.* дефиле, клисура, теснина; 3. тесен проход през външните стени на укрепление; 4. *архит.* амулюра, извитост на горната част на корниз; 5. жлеб; 6. лапане, тъпкане; богато ядене; II. *v* тъпча се, лапам, излапвам, гълтам (*лакомо, ненаситно*), нагълтвам, нагъвам; they ~d themselves on food те се натъпкаха с храна.

gorged [gɔ:dʒd] *adj* 1. натъпкан, претъпкан, преситен; 2. издут, подут, препълнен.

gorgeous [ˈgɔ:dʒəs] *adj* 1. великолепен, разкошен, блестящ, внушителен, величествен; пищен; 2. *sl* прекрасен, чудесен, великолепен; 3. украсен, помпозен (*за стил*); ◇ *adv* gorgeously.

gorgeousness [ˈgɔ:dʒəsnis] *n* великолепие, блясък, разкош; помпозност; внушителност, величественост.

gorgonize [ˈgɔ:gənaiz] *v* вкаменявам; смразявам (*от страх*); хипнотизирам, фиксирам (*с поглед*).

gormand [ˈgɔ:mənd] *n* лакомник, гладник, ненаситник.

gormandize [ˈgɔ:məndaiz] I. *v* тъпча се, лапам, ям лакомо; II. *n* лакомия, неутолим глад, лакомство.

gory [ˈgɔ:ri] *adj* 1. кървав, окървавен, покрит с кръв; кръвясъл; 2. кървав, кръвопролитен.

gospel [ˈgɔspəl] *n* евангелие (*и прен.*); to take for ~ вземам (на доверие, сляпо) за истина.

gossamery [ˈgɔsəməri] *adj* лек, ефирен, въздушен, прозрачен; *прен.* безплътен; тънък като паяжина.

gossip [ˈgɔsip] I. *n* 1. клюка, клюки; клюкарство; слух; сплетня; 2.

клюкар, -ка; сплетник; 3. бъбрица, бърборко; 4. сладки приказки, моабет; беседа, интимен разговор; 5. *остар.* кръстник, кръстница; 6. *остар.* интимен приятел, -ка; II. *v* клюкарствам (**about**), сплетнича.

gossipy [ˈgɔsipi] *adj* 1. бъбрив, приказлив; 2. който обича да клюкарства; 3. пълен (изпълнен) с новини и клюки (*за писмо, разговор и пр.*).

Gothic [ˈgɔθik] I. *adj* 1. готски; 2. варварски, вандалски; груб, жесток; 3. готически (*стил, шрифт и пр.*); II. *n* 1. готски език; 2. готическа архитектура; готически стил (*и за шрифт*); **florid ~**, **tertiary ~** късна готика.

go-to-meeting [goutəˈmi:tiŋ] *adj attr разг.* празничен, официален, най-добър (*за дрехи*).

gourmand [ˈguəmənd] *n* 1. лакомник; 2. гастроном, чревоугодник.

govern [ˈgʌvən] *v* 1. управлявам; 2. определям, обуславям; ръководя, напътвам, насочвам, направлявам, давам насока на; he motives ~ing a decision подбудите, от които зависи дадено решение; 3. владея, обуздавам, сдържам, усмирявам, укротявам (*обикн. refl*); to ~ o.'s temper владея се; 4. определям, регулирам; 5. *език.* изисквам, управлявам (*даден падеж и пр.*).

governable [ˈgʌvənəbəl] *adj* покорен, послушен, подчиняващ се, примиряващ се.

governance [ˈgʌvənəns] *n остар.* 1. управление, начин на управление, власт, упражняване на власт; 2. ръководство, напътване, ръководене, насочване.

governess [ˈgʌvənis] *n* 1. гувернантка, възпитателка; 2. учителка.

governing [ˈgʌvəniŋ] *adj* 1. контролиращ; управляващ; ~ **body** управително тяло; 2. главен, ръководен; основен.

government [ˈgʌvənmənt] *n* 1. правителство; to form a ~ съставям, сформирам правителство; 2. управление; форма на управление; начин на управляване; изпълни-

телна власт; 3. провинция, административна област; *истор.* губерния; 4. *език.* съгласуване, управление; 5. *attr* правителствен, държавен; **G. machinery** държавен апарат; • under petticoat ~ под чехъл.

governmental [ɡʌvənˈmentəl] *adj* правителствен, държавен; ◇ *adv* governmentally.

gown [gaun] I. *n* 1. рокля; dinner (evening) ~ вечерна дълга рокля; 2. мантия; расо; студентско (професорско, адвокатско) наметало; a judge's ~ съдийска мантия; 3. римска тога; arms and ~ война и мир; II. *v* обличам с мантия; намятам.

grab [græb] I. *v* 1. сграбчвам, хващам, улавям (*и* ~ hold of *разг.*); to ~ at опитвам се (посягам) да сграбча; 2. *разг.* грабя, грабвам, отнасям, задигам, присвоявам; 3. *разг.* хващам, залавям, улавям, пипвам, арестувам; II. *n* 1. (опит за) сграбчване (хващане, улавяне); to make a ~ at насочвам се, протягам ръка към; 2. *разг.* грабене, грабване, заграбване, грабителство, присвояване, хайдутлук; 3. нещо заграбено; 4. *техн.* механизъм за хващане; екскаватор, багер; • to be up for ~s *разг.* на разположение на всеки, който се интересува.

grace [greis] I. *n* 1. грация, грациозност, елегантност, изящество; 2. благоволение, благоразположение, благосклонност; to be in (get into) s.o.'s good ~s радвам се на (спечелвам) благоволението на; 3. приличие, благоприличие; такт; with a good ~ охотно, с готовност, с желание; любезно; 4. *обикн. pl* привлекателни качество, елегантност; салонни маниери; airs and ~s превземки, превзетост, маниерност; 5. милост, милосърдие, състрадание; Act of ~ всеобща амнистия; 6. отсрочка, продължаване на срок; to give a month's ~ давам отсрочка от един месец; 7. разрешение за получаване на научна степен; 8. кратка благодарствена молит-

ва (*преди и след ядене*); **9.** *муз.* фиоритура (*и* ~-**note**); **10.** *рел.* Божия милост, благодат; **11.** преосвещенство, светлост, (ваша) милост; **Your G.** ваша светлост (*като обръщение към херцог или архиепископ*); **12.** *мит.* грация, *книж.* изящество, прелест; **the Graces** трите грации; **II.** *v* **1.** украсявам, служа за украшение на, придавам хубав вид на; **2.** правя чест на; **3.** награждавам, удостоявам (**with**).

graceful [ˈgreisful] *adj* грациозен, елегантен, приятен, миловиден, изящен; ◇ *adv* **gracefully.**

gracefulness [ˈgreisfulnis] *n* грация, елегантност, миловидност, изящество.

graceless [ˈgreislis] *adj* **1.** безсрамен, безочлив, безобразен, непристоен; загубен; покварен; **2.** *рядко* груб, неизтънчен, тежък (*и за стил*); **3.** безобразен, непривлекателен.

gracelessness [ˈgreislisnis] *n* **1.** безсрамие, безочливост; безобразие; поквареност; **2.** *рядко* грубост, неизтънченост, нахалство, безцеремонност.

gracious [ˈgreiʃəs] *adj* **1.** благ, милостив, състрадателен; добър; **2.** благосклонен, снизходителен; **3.** *лит.* приятен, миловиден; **4.** *остар.* благотворен; ◇ *adv* **graciously.**

gradate [grəˈdeit] *v* **1.** степенувам, нареждам по степени; градирам; **2.** преминавам неусетно (от един нюанс в друг), преливам се.

gradation [grəˈdeiʃən] *n* **1.** градация, степенуване, постепенно преминаване (*от едно към друго*); **colour** ~ степенуване на оттенъци; **2.** *обикн. pl* степен, стадий, етап; **3.** *изк. pl* нюанси, отсенки, преливане; **4.** *език.* отглас, аблаут, степенуване; • **mechanical** ~ ситов анализ.

grade [greid] **I.** *n* **1.** степен, ранг, разред, класа, категория; звание; **this pupil has a high** ~ **of intelligence** този ученик е много интелигентен; **2.** качество, вид, сорт; **textural** ~ класификация на поч-

ви според характера на механичния им състав; **3.** кръстоска, хибрид; подобрена порода; **4.** *амер.* отделение, клас (*в начално училище*); *pl* начално училище; ~ **school** начално училище; **5.** бележка за успех, оценка; **6.** *жп* наклон; **adverse** ~ обратен наклон; **7.** *език.* степен; **II.** *v* **1.** степенувам, нареждам по степени; класирам, класифицирам; сортирам; **2.** преливам се, преминавам постепенно (**into**); **3.** кръстосвам (*животно*); **4.** нивелирам, изравнявам; **5.** *pass език.* бивам променен чрез отглас; **6.** преглеждам и оценявам (*писмена работа*); **to** ~ **up** подобрявам породата на.

gradient [ˈgreidiənt] **I.** *n* **1.** наклон, стръмнина, склон, урва; **2.** *физ.* градиент; **3.** относителна разлика (*в температура и пр.*); **II.** *adj* *рядко* **1.** който се издига, спуска постепенно, полегат; **2.** който се придвижва чрез ходене (*за животно*); пригоден за ходене (*за крака на птица*).

gradienter [ˈgreidiəntə] *n* нивелир.

gradualness [ˈgrædjuəlnis] *n* постепенност, последователност, на етапи, части.

graduand [ˈgrædjuənd] *n* абсолвент; кандидат за научна степен.

graduate [ˈgrædjueit] **I.** *v* **1.** градуирам, разделям на градуси; нанасям деления; **2.** степенувам, нареждам (разпределям) по степени; ~**d taxation** прогресивно облагане; **3.** завършвам университет (**at, from**); давам научна степен (диплома) на; завършвам учебно заведение (**from**), квалифицирам се (**as**); **4.** променям (**se**), изменям (се), *биол.* видоизменям (се) постепенно (**into**); **5.** *хим.* съсъстявам чрез изпаряване (*за течност*); **II.** [ˈgrædjuit] *n* **1.** висшист; абитуриент, завършил, възпитаник (**of**) (*и за невисшисти*); **a** ~ **course of study** специализация; **2.** градуиран съд, мензура (*за мерене на течности*); **III.** *adj* завършил университет (*амер. каквото и да е учебно заведение*); ~ **student** завършил

студент.

graft [graːft] **I.** *n* **1.** присад; присадка; **2.** присаждане (*и мед.*), ашладисване; **3.** *амер.* подкуп, рушвет; корупция; подкупничество, рушветчийство; афера; **II.** *v* **1.** присаждам (*и прен.*), ашладисвам; **to** ~ **a new variety on (upon, into) another** присаждам един сорт на друг; **2.** давам, вземам подкуп, рушвет, рушветчия съм; корумпиран съм.

grafter [ˈgraːftə] *n* рушветчия; мошеник, измамник.

grail [greil] *n* граал (*чаша*); **the Holy G.** свещеният Граал.

grain [grein] **I.** *n* **1.** зърно, зрънце; *събир.* зърна; зърнени храни; **a** ~ **of corn (wheat)** житно зърно; **2.** жито, житно растение; *събир.* житни растения; **3.** пивоварска каша; **4.** зърно, зрънце, частица, шушка; *прен.* капка, мъничко; **a** ~ **of sand** песъчинка; **5.** строеж, устройство, структура; зърнест строеж (повърхност); гранулираност; **a man of coarse** ~ неделикатен човек; **6.** *attr* житен; ~ **market** пазар на зърнени храни; • **to receive (take) s.th. with a** ~ **of salt** отнасям се скептично, критично, с недоверие към; **II.** *v* **1.** раздробявам (се), ставам на зърна; гранулирам; **2.** боядисвам с трайна боя; **3.** имитирам дърво (мрамор) (*при боядисване*); **4.** придавам зърнеста повърхност на; **5.** очиствам кожа от козина (от вълната).

grainy [ˈgreini] *adj* **1.** зърнест; грапав; гранулиран; **2.** пълен със зърна; **3.** с естествени жилки; боядисан като фладер (*за дърво*).

graminivorous [ˌgræmiˈnivərəs] *adj* тревопасен, тревояден.

grammar [ˈgræmə] *n* **1.** граматика; учебник по граматика; **a** ~ **lesson** урок по граматика; **2.** *прен.* основи, принципи, въведение в елементите (*на наука, изкуство*); книга върху тях; **a** ~ **of painting** основи на живописта; **3.** граматически познания.

grammarless [ˈgræməlis] *adj* неграмотен, безграмотен, невежа, не-

образован.

grammatical [grə'mætikəl] *adj* 1. граматичен, граматически; 2. (граматически) правилен; ◇ *adv* **grammatically**.

gramme [græm] *n* грам.

gramophone ['græməfoun] *n* грамофон; патефон; ~ **record** грамофонна плоча.

grand [grænd] I. *adj* 1. величествен, величав, внушителен, импозантен, грандиозен, със замах; 2. възвишен, благороден, издигнат; ~ **style** висок стил; 3. велик (*в титла*); G. Vizier велик везир; 4. главен, параден; ~ **entrance** параден вход; 5. (много) важен; 6. великолепен, разкошен, блестящ, пищен; **to live in** ~ **style** живея нашироко; 7. важен, виден, знатен, изтъкнат, бележит; високомерен, надменен; претенциозен; ~ **air** внушителен вид; 8. *разг.* отличен, първокласен, знаменит, славен; възхитителен; ~ **passion** голяма любов; ◇ *adv* **grandly**; II. *n* 1. роял (*и* ~ **piano**); **upright** ~ обикновено пиано, голям модел; 2. *sl* хиляда долара (лири), хилядарка.

grandeur ['grændjə] *n* 1. големство, високо обществено положение, сан; знатност; 2. величие; 3. величественост, величавост, импозантност, внушителност, грандиозност; 4. великолепие, пищност, блясък.

grandfather ['græn(d),fa:ðə] *n* дядо.

grandiloquence [græn'dilɔkwəns] *n* тържественост, надутост, високопарност, бомбастичност.

grandiloquent [græn'dilɔkwənt] *adj* тържествен, надут, високопарен, бомбастичен; ◇ *adv* **grandiloquently**.

grandiose ['grændious] *adj* 1. грандиозен, величествен, величав, внушителен, със замах; 2. помпозен, надут, претенциозен; ◇*adv* **grandiosely**.

grandmother ['græn,mʌðə] I. *n* баба; II. *v* баба съм на; *прен.* глезя, изнежвам.

grandness ['grændnis] *n* 1. величественост, величавост, импо-

зантност, внушителност, грандиозност; 2. възвишеност, благородство, издигнатост; 3. великолепие, пищност, разкош.

granite ['grænit] *n* 1. гранит; 2. *attr* гранитен; 3. *прен.* упорит, твърд като гранит; коравосърдечен.

granitic [græ'nitik] *adj* гранитен; *прен.* твърд като гранит, упорит; коравосърдечен.

grant [gra:nt] I. *v* 1. давам (официално), отпускам, отстъпвам, предоставям, разрешавам (to); субсидирам, дотирам; 2. задоволявам (*желание, молба и пр.*); **to** ~ **s.o. permission** давам някому разрешение; 3. съгласявам се, съгласен съм, разрешавам, приемам, допускам, признавам, зачитам; ~**ed** (~**ing**) **that you are right**... ако приемем, че ти си прав...; II. *n* 1. даване, отпускане; отпусната сума, субсидия, дарение; акт за дарение; **a** ~ **of money** (**land**) отпуснати пари (земя); 2. съгласие, позволение, разрешение; признаване, допускане, приемане, зачитане; 3. стипендия.

grant-aided ['gra:nt,eidid] *adj* субсидиран, подпомогнат.

grant-in-aid ['gra:ntin'eid] *n* субсидия, помощ, дотация, стипендия, дотация.

grantor ['gra:ntə] *n* дарител, благодетел.

granular ['grænjulə] *adj* зърнест, зърнист, гранулиран; **coarse** ~ едрозърнест; **finely** ~ дребнозърнест; ◇ *adv* **granularly**.

granulate I. ['grænjuleit] *v* 1. правя, превръщам в, ставам на зърна; раздробявам; ~**d sugar** захар на пясък; 2. *метал.* гранулирам; 3. *мед.* гранулирам, заздравявам, сраствам се; II. ['grænjulət] *adj* зърнест, зърнист, на зърна.

granulation [,grænju'leiʃən] *n* гранулация, гранулиране; раздробяване.

granule ['grænju:l] *n* гранула, зрънце; **carbon** ~ графитно зърно.

granuloma ['grænju'loumə] *n мед.* гранулом(а).

grapefruit ['greipfru:t] *n* грейпфрут.

grape-vine ['greipvain] *n* 1. лоза; 2. таен съобщителен път – канал.

graph [gra:f] I. *n* график, диаграма; крива; **bar** ~ хистограма; II. *v* чертая график; III. *attr*: ~ **paper** милиметрова хартия.

grapheme ['græ,fi:m] *n език.* графема, буква.

graphic ['græfik] *adj* 1. изобразителен, графически, графичен; ~ **arts** изобразителни изкуства; 2. диаграмен, чертежен; 3. самопишещ, регистриращ (*за уред*); 4. писмен; ~ **symbol** писмен знак; 5. жив, нагледен, живописен, картинен (*за разказ*).

graphite ['græfait] *n* графит; **crucible** ~ тигелен графит.

graphitic [grə'fitik] *adj* графитен.

grapple [græpəl] I. *n* 1. кука; 2. счепкване, борба; схватка; 3. укрепване с анкерни болтове (връзки); II. *v* 1. хващам, улавям, сграбчвам; 2. закрепвам, вкопчвам, закачам се (on, to); 3. счепквам се, боря се (with); *мор.* превземам с абордаж; **the two wrestlers** ~**d together** двамата борци се вкопчиха.

grasp [gra:sp] I. *v* 1. хващам, улавям, сграбчвам; **to** ~ **at an opportunity** използвам удобен случай; 2. стискам, държа здраво, не изпускам; 3. схващам, разбирам, осъзнавам; II. *n* 1. хващане, улавяне, сграбчване, стискане, стискане, хватка; 2. власт, контрол, надмощие; **to slip from o.'s** ~ изплъзва ми се от ръцете; 3. схващане, разбиране, проумяване, долавяне; схватливост; • **within** (**ready to**) **o.'s** ~ близък, досегаем, достъпен, в ръцете на; по силите на; 4. ръкохватка; дръжка на приклад.

graspable ['gra:spəbəl] *adj* разбираем, достъпен, понятен.

grasping ['gra:spiŋ] *adj* алчен, лаком, ненаситен; ◇*adv* **graspingly**.

graspingness ['gra:spiŋnis] *n* алчност, лакомия, ненаситност.

grass [gra:s] I. *n* 1. трева; **to lay down in** ~ засявам с трева, затревявам; 2. *бот.* тревисто (житно) растение; 3. паша, пасбище,

пасище; **to put (send, turn) out to ~** изкарвам на паша; **4.** *мин.* земна повърхност; **at ~** на повърхността на земята, не в мината; **5.** пролет; **6.** *разг.* аспержа; **7.** *sl* марихуана; "трева"; **8.** доносник, информатор; ● **to let the ~ grow under o.'s feet** бездеен съм, бавя се, мотам се; **II.** *v* **1.** затревявам, засявам с трева, покривам (се) с трева (чим); озеленявам (*c* over); **2.** паса; изкарвам на паша; **3.** *спорт.* събарям, повалям противников играч; **4.** улучвам, уцелвам (*птица*); **5.** издърпвам, измъквам (*риба*) на брега; **to ~ on s.o.** *sl* издавам, предавам някого.

grassland ['gra:slænd] *n* пасище, ливада, мера, паша.

grate₁ [greit] **I.** *n* **1.** решетка; **2.** решетка на камина; камина; **3.** скара (*на пещ*); **II.** *v* ограждам с решетка.

grate₂ *v* **1.** стържа, настъргвам; **2.** трия, скърцам; **to ~ the teeth** скърцам със зъби; **3.** трия (се), търкам (се), стържа (**against, on**); **4.** действам неприятно, правя лошо впечатление, дразня (**on**); **to ~ on the ear** дразня слуха; **such expressions ~ on me** такива изрази не са ми приятни.

grateful ['greitful] *adj* **1.** благодарен, признателен (**to, for**); **2.** благодарствен; **3.** приятен, успокоителен, освежителен; **~ warmth, shade** приятна топлина, сянка.

gratefulness ['greitfulnis] *n* благодарност, признателност, доволство.

grater ['greitə] *n* **1.** стъргало, ренде; **2.** рашпила, едра пила.

gratification [͵grætifi'keiʃən] *n* **1.** задоволяване, удовлетворяване, задоволство, удовлетвореност, задоволеност, удоволствие; **2.** възнаграждение; бакшиш.

gratify ['grætifai] *v* **1.** задоволявам, удовлетворявам; **to ~ the curiosity of** задоволявам любопитството на; **2.** доставям удоволствие на, радвам, полаская; давам воля на; **3.** *остар.* възнаграждавам, подкупвам.

gratifying ['grætifaiiŋ] *adj* задоволи-

телен, удовлетворителен, приятен (to); ◊ *adv* **gratifyingly**.

gratis ['greitis] **I.** *adv* безплатно, даром, гратис; **II.** *adj* безплатен, безвъзмезден.

gratuitous [grə'tju:itəs] *adj* **1.** безплатен, безвъзмезден, безкористен, доброволен; **~ help** безвъзмездна помощ; **2.** безпричинен, с нищо неоправдан, неоснователен, ненужен; непредизвикан; **a ~ insult** с нищо неоправдана обида; ◊ *adv* **gratuitously**.

gratuitousness [grə'tju:itəsnis] *n* **1.** безвъзмездност, безкористност; **2.** безпричинност, неоснователност, неоправданост.

gratuity [grətju:iti] *n* паричен подарък; бакшиш.

gravamen [grə'veimen] *n* **1.** тъжба; жалба; **2.** същността на обвинение.

grave₁ [greiv] *n* **1.** гроб; **to make s.o. turn in his ~** накарвам някого да се обърне в гроба си; **to have one foot in the ~** с единия крак съм в гроба; **2.** смърт, гибел, ад.

grave₂ *v* (**graved** [greivd]; **graved, graven** ['greivən]) **1.** *книж.* дълбая, издълбавам, изрязвам, изсичам, гравирам; **2.** *книж.* запечатвам (**on, in**); **3.** *остар.* погребвам.

grave₃ *adj* **1.** сериозен, важен, тежък; (**as**) **~ as a judge** със сериозен вид; **2.** важен, който може да има тежки последици, застрашителен; **~ news** тревожни новини; **3.** важен, тържествен, внушителен, строг, улегнал; **4.** мрачен, тъжен, печален, замислен; заплашителен; **5.** прост, строг; **6.** *език.* тежък (*за ударение*); **7.** нисък, приглушен, тъп (*за тон, звук*); **8.** мрачен, печален, тъмен (*за бара, цвят*); ◊ *adv* **gravely**.

graveclothes ['greivklouðz] *n pl* саван, покров.

grave digger ['greivdigə] *n* **1.** гробар, гробокопач; **2.** бръмбар гробар.

gravel ['grævəl] **I.** *n* **1.** едрозърнест пясък, дребен чакъл; **ballast ~** чакъл за баластра; **2.** златоносен пясък; **3.** *мед.* пясък (*в бъбреците, жлъчката*); **II.** *v* **1.** насип-

вам, настилам с пясък; **2.** *разг.* объркам, смущавам, озадачавам; поставям в безизходица; **3.** *разг.* ядосвам, дразня.

graveyard ['greivja:d] *n* гробище, гробища.

graving ['greiviŋ] *n* гравиране.

gravitate ['græviteit] *v* **1.** *физ.* бивам претеглен (**towards**); **2.** падам на дъното, утаявам се; **3.** клоня, стремя се, тегля, гравитирам, бивам привлечен (**to**); **4.** обогатявам по гравитационен метод.

gravitation [͵grævi'teiʃən] *n* **1.** (земно) притегляне; падане; гравитация; **2.** стремеж, амбиция, влечение, тенденция.

gravitational [͵grævi'teiʃənəl] *adj* гравитационен.

gravity ['græviti] *n* **1.** сериозност, важност, тържественост, внушителност, импозантност; улегналост, строгост; **to keep (preserve) o.'s ~** запазвам сериозния си вид; **2.** сериозност, сериозен характер, критичност, критичен характер; опасност; **3.** тежест, тегло; (земно) притегляне; **centre of ~** център на тежестта.

graze₁ [greiz] *v* **1.** паса (*за добитък*) (**on**); **to send to ~** *прен.* изгонвам, изпъждам, изхвърлям с парцалите; **2.** паса, водя на паша; **3.** използвам за паша.

graze₂ **I.** *v* **1.** докосвам се леко до, закачам, бръскам, допирам, одрасквам; жулвам; **2.** минавам (**along, past, by**); **3.** *воен.* обстрелвам с бръснещ огън; **II.** *n* **1.** леко докосване, съприкосновение, закачане; **2.** драскотина, ожулено място.

grazing (**-ground, -land**) ['greiziŋ (͵graund,lænd)] *n* паша, пасбище, пасище, ливада, мера, паша.

grease I. [gri:s] *n* **1.** мас, мазнина; **2.** масло, смазка, грес; **3.** серей; серива вълна; **4.** мас на дивеч; **in (pride, prime of) ~** тлъст; угоен; **5.** *вет.* (мокър) лишей; ● **chafe (fret, fry, melt, stew) in o.'s own ~** от ума (акъла) си тегля; **elbow ~** силно търкане; **II.** [gri:z] *v* мажа, намазвам, смазвам; **to ~ the fist (hand, palm) of** подкупвам,

давам подкуп на, подпъхвам не-
що на.
greasing ['gri:ziŋ] *n* 1. омасляване,
смазване, намазване; 2. смазка.
greasy ['gri:zi, -si] *adj* 1. мазен,
тлъст; серив, непран (*за вълна*);
2. плъзгав, хлъзгав, кален, разка-
лян (*за път*); 3. мазен, угодни-
чески; 4. *вет.* с мокър лишей; 5.
мръсен, лош, неблагоприятен (*за
време*); ◇ *adv* greasily.
great [greit] I. *adj* 1. велик, именит,
прочут; a ~ statesman велик дър-
жавник; 2. голям (*обикн. прен.*);
the ~ majority голямото мнозин-
ство; 3. възвишен, благороден; ~
thoughts възвишени мисли; 4.
разг. голям, грамаден; ужасен,
страхотен; чудесен, славен, зна-
менит; забележителен; a ~ story-
teller славен разказвач; 5. *predic
разг.* that's ~! чудесно! възхити-
телно! 6. пра- (*при степени на
родство*) напр. ~ grandmother
прабаба; • no ~ scratch (*разг.*
shakes, things) не много хубав, не
кой знае какъв; II. *n* (the ~) ве-
ликото; *pl* големците; силните на
деня; класиците; ~ and small хо-
ра с различно обществено поло-
жение.
greatcoat ['greitkout] *n* 1. (горно)
палто, балтон; 2. шинел.
greaten [greitn] *v* 1. правя (ставам)
по-голям, увеличавам (се); 2. пре-
увеличавам, пресилвам, *разг.* го-
воря на едро.
great-grandchild ['greit'græntʃaild]
n (*pl* -children [-tʃildrən]) правнук,
правнучка, правнуче.
great-hearted ['greit,ha:tid] *adj* 1.
великодушен; с голямо сърце; 2.
храбър, юначен, смел, безстра-
шен, сърцат.
great-heartedness ['greit,ha:tidnis]
n 1. великодушие; 2. храброст,
юначност, безстрашие, смелост,
сърцатост.
greatness ['greitnis] *n* 1. величие;
сила; 2. големина, размер, об-
хват, величина.
greed [gri:d] *n* лакомия, ненасит-
ност, жадност, похот, страст, ал-
чност, стръв (for).
greedy ['gri:di] *adj* лаком, ненаси-

тен, жаден, алчен (of, for); (as) ~
as a wolf много лаком; ◇ *adv*
greedily.
Greek [gri:k] I. *n* 1. грък; гъркиня;
2. източноправославен; 3. *остар.*
мошеник, шмекер, хитрец, из-
мамник; 4. гръцки език; it's ~ to
me нищо не разбирам; II. *adj*
гръцки; ~ (Orthodox) Church Из-
точноправославната църква.
green [gri:n] I. *adj* 1. зелен, неуз-
рял; *прен., разг.* млад, неопитен;
2. тревист; разлистен, зашумен;
покрит със зеленина; 3. растите-
лен (*за храна*); 4. незрял, недоз-
рял, суров, млад, нежен; ~ fruit
зелени плодове; 5. суров, влажен,
неизсъхнал, неотлежал, неизпе-
чен, необработен, неошавен; ~
timber суров дървен материал; 6.
млад; "зелен", неопитен, довер-
чив; ~ hand новак; 7. необязден
(*за кон*); 8. пресен (*за месо, ра-
на*); ~ wound незаздравяла рана;
9. пресен, невтвърден (*за бетон,
гипс*); неизпечен (*за тухли*); 10.
държелив, деен, енергичен; to live
to a ~ old age оставам деен до
дълбока старост; 11. преблед-
нял, блед, болезнен; позеленял
(with от); ~ with envy позеленял
от завист; • ~ winter мека, без-
снежна зима; II. *n* 1. зелен цвят,
боя; 2. поляна (*и за игра*), трев-
на площ; 3. растителност; 4. *pl*
зеленина; зеленчук; • the ~ green
амер. sl долари, пари; III. *v* 1. ста-
вам зелен, позеленявам; 2. боя-
дисвам в зелено; 3. *sl* измамвам,
изигравам.
greenness ['gri:nnis] *n* 1. зелен цвят,
зеленина; 2. незрелост, суровост;
3. неопитност.
greensward ['gri:nswɔ:d] *n* поляна,
ливада, морава; чим, трева.
greet [gri:t] *v* 1. поздравявам, поз-
дравяваме се; приветствам, пос-
рещам; 2. изпречвам се, появя-
вам се, откривам се, показвам се
пред; a forest ~ed her eyes пред
нея се изпречи гора; 3. достигам
до (*за звук*).
greeting ['gri:tiŋ] *n* поздрав, при-
ветствие; посрещане; New Year
~s поздравления по случай Но-

вата година.
Gregorian [gri'gɔ:riən] *adj* григори-
ански; ~ calendar григориански
календар.
grenade [gri'neid] *n* 1. гранатата; 2.
пожарогасител.
grey [grei] I. *adj* 1. сив; пепелив, пе-
пеляв; 2. прошарен, бял, побе-
лял; *прен.* стар, възрастен, опи-
тен, зрял; to turn ~ прошарвам
се, побелявам; 3. убит, тъмен,
мрачен; 4. мрачен, невесел, без-
радостен; the future looks ~ бъ-
дещето изглежда мрачно; • the
situation is a ~ area положение-
то е неясно; II. *n* 1. сив цвят, боя;
2. сивота, здрач, студ; 3. сив кон;
4. сив плат, облекло; III. *v* 1. си-
вея (се), посивявам; 2. прошар-
вам се, побелявам (*и* turn ~); 3.
фот. матирам, копирам през ма-
тово стъкло.
grid [grid] *n* 1. решетка; air ~ вен-
тилационна решетка; 2. скара; 3.
радио. тв модулатор; 4. *опт.* рас-
тер; 5. мрежа; (електрическа) мре-
жа; reference ~ координатна мре-
жа; енергийна система.
gridiron ['grid,aiən] *n* 1. скара; 2.
решетка, мрежа; 3. подпора на
кораб в сух док; 4. *театр.* ре-
шетка, скара (*над сцената*); 5.
жп мрежа от успоредни линии;
6. *разг., амер.* футболно игрище;
7. комплект от резервни части и
ремонтни инструменти.
grief [gri:f] *n* скръб, тъга, горест,
мъка; беда (at, for); to come to ~
пострадвам, изпадам в беда,
случва ми се нещастие; свърш-
вам лошо, претърпявам неуспех;
провалям се.
grievance ['gri:vəns] *n* обида, (по-
вод за) оплакване, "болка"; не-
правда, несправедливост; social
~s обществени неправди.
grieve [gri:v] *v* 1. огорчавам, натъ-
жавам, наскърбявам, опечаля-
вам; I was ~d at his behaviour аз
бях огорчен от държанието му;
2. скърбя, оплаквам, жално ми е,
страдам по (at, for, over).
grievous ['gri:vəs] *adj* 1. *книж.* жа-
лен, тъжен, горестен, прискър-
бен, печален; ~ news печална

вест; 2. тежък, силен, мъчителен (*за болка и пр.*); ~ **bodily harm** *юр.* тежка телесна повреда; 3. *остар.* ужасен, страшен; ◇ *adv* **grievously.**

griffon [grifn] *n* 1. *мит.* гриф, грифон; *архит., хералд.* грифон; 2. *зоол.* гриф, грифон (*лешояд*) (*и* ~ **vulture**); 3. грифон (*куче*); 4. бдителен пазач, цербер.

grifter [griftə] *n амер. sl* измамник, мошеник, шарлатанин.

grill [gril] I. *n* 1. скара; грил; ~**ed** (печен) на скара; 2. скара (*месо*); ● **to put on the** ~, **to gine s.o. a** ~**ing** подлагам на строг разпит, разпитвам подробно; II. *v* 1. пека (се) на скара; 2. пека, сипя жар (*за слънцето*); 3. пека, измъчвам, въртя на шиш; 4. подлагам на строг разпит.

grim [grim] *adj* 1. строг, суров, безпощаден, неумолим, непреклонен, безжалостен, безмилостен; ~ **courage** решителност, непоколебимост; 2. неприветлив, отблъскващ; мрачен, невесел, страшен, зловещ, ужасен, страхотен, страховит; 3. свиреп, жесток; ● **to hold on like** ~ **death** държа се здраво, вкопчвам се; ◇ *adv* **grimly.**

grimace [gri'meis] I. *n* гримаса; мимика; **to make** ~**s** правя гримаси; II. *v* правя гримаси, гримаснича.

grime [graim] I. *n* 1. мръсотия, нечистота, кир, кал; 2. сажди, въглищен прах; II. *v* цапам, изцапвам, мърся, измърсявам.

grimeness ['graimnis] *n* мръсотия, нечистотия, смрад; *прен.* подлост.

grimy ['graimi] *adj* мръсен, нечист, кирлив, изцапан, замърсен, кален, покрит със сажди; ◇ *adv* **grimily** ['graimili].

grin [grin] I. *v* 1. хиля се (at); **to** ~ **like a Cheshire cat** хиля се като пача; 2. *остар.* зъбя се; II. *n* 1. хилене, ухилване; **sardonic** ~ сардонична усмивка; 2. *остар.* озъбване.

grind [graind] I. *v* (**ground** [graund]) 1. меля (се), смилам (се), стри-

вам; дъвча, сдъвквам; счуквам (*на прах*); **to** ~ **corn (flour)** меля жито (брашно); 2. точа, наточвам, остря; 3. гладя, изглаждам, лъскам, излъсквам; шлифовам; матирам; 4. свиря на (латерна); 5. *разг.* работя усърдно, усилено, бъхтя, опъвам; уча усърдно, зубря (at); 6. *разг.* обучавам, подготвям; 7. търкам (се), стържа; 8. потискам, гнетя, измъчвам; ● **to** ~ **to a halt** спирам внезапно, със скърцане на спирачки;
grind away *разг.* работя, занимавам се усърдно, уча (at); **to** ~ **away at o.'s studies** уча усърдно;
grind down 1) смилам (се), стривам (се); 2) изтривам; захабявам чрез точене (острене); 3) мъча, измъчвам, изтормозвам, смазвам, тормозя, потискам, сломявам; **to be ground down by poverty** тъна в мизерия;
grind into натривам, натърквам; **to** ~ **into s.o.'s head** набивам в главата на някого;
grind out 1) произвеждам, изпълнявам с мъка; 2) свиря (*мелодия на латерна*); 3) изричам през зъби; 4) смачквам, стъпквам (*цигара и пр.*);
grind up смилам, стривам; II. *n* 1. мелене, смилане, стриване; 2. тежка, еднообразна, скучна, отегчителна работа; **the daily** ~ всекидневие; сивото ежедневие; 3. разходка за упражнение (*по предписание*); 4. конно надбягване с препятствия; 5. зубрач, *прен.* папагал, кълвач.

grinding ['graindiŋ] *adj* 1. остър, скърцащ, стържещ; 2. изнурителен, изтощителен, тежък, досаден; 3. угнетителен; 4. силен (*за болка*); 5. жесток, въпиещ (*за необходимост*); ◇ *adv* **grindingly.**

grip [grip] I. *n* 1. хващане, улавяне, стискане, вкопчване; ръкостискане; *спорт.* гриф, хватка; **to get a good** ~ **on** хващам, улавям здраво; 2. власт, контрол, влияние, въздействие (on); **to lose o.'s** ~ **of (on)** загубвам властта (контрола, влиянието, въздействието) си над; загубвам нишката (

амер. загубвам ентусиазма си, падам духом, ставам негоден; 3. дръжка, ръчка; ръкохватка; 4. куфарче, дамска чанта; 5. спазъм; 6. грип, инфлуенца; 7. *sl* сценичен работник; 8. *техн.* теглич; стиска; скоба, зъбец, кука; 9. максимално разстояние между глави на нитове; 10. работна дължина на болт (*от главата до гайката*); 11. тръбен ключ; 12. зацепване; сцепление; **the new tyres give a much better** ~ новите гуми осигуряват много по-добро сцепление (с пътната настилка); II. *v* (-**pp**-) 1. стисвам, хващам, улавям; **to** ~ **in a vice** стягам в менгеме; 2. стискам, държа здраво, не изпускам от ръцете си; 3. завладявам, приковавам вниманието на, увличам; 4. стягам, заклещвам; **the ship was** ~**ped by the ice** корабът бе скован от ледове; 5. действам (*за спирачка*), вкопчвам се, закачам се (*за котва*); 6. обхващам, обземам, овладявам (*за чувство*); сковавам (*за студ, страх*); 7. разбирам, схващам.

gripe [graip] I. *v* 1. хващам, улавям, стисвам; 2. стискам, държа здраво, стягам; 3. гнетя, угнетявам, потискам, измъчвам; 4. причинявам гърчове (спазми, колики); присвива ме стомахът; **to be** ~**d** присвива ме стомахът; 5. *мор.* завързвам; 6. *мор.* навлизам в зоната на вятъра; 7. изнудвам; 8. мърморя, оплаквам се; 9. постигам, разбирам, усвоявам; II. *n* 1. хващане, улавяне, стискане, стягане; **to come to** ~**s** счепквам се; 2. власт, контрол, влияние, въздействие; 3. мърморене, оплакване; 4. *pl* гърчове, спазми, колики, присвиване; 5. скоба, зъбец, кука; спирачка; 6. дръжка, ръчка; ръкохватка; 7. *pl мор.* въжета за връзване на лодка.

grisly ['grizli] *adj* 1. ужасен, страшен, страхотен, страховит; който предизвиква суеверен страх; 2. мрачен, неприятен, зловещ.

grit [grit] I. *n* 1. пясък, песъчинки; частици от нещо; ситен чакъл;

2. строеж, устройство, структура на камък; **3.** метални стружки; **4.** характер, твърдост, упоритост, издържливост, смелост, решителност, кураж, висок дух; ● **to put (a little) ~ in the machine** слагам прътове в колелата, спъвам работата, саботирам; **II.** v скърцам, стържа; **to ~ o.'s teeth** скърцам със (стискам) зъби.

gritty [ˈgriti] adj **1.** пясъчен, от (като) пясък, с песъчинки, песъчлив; зърнест; **2.** твърд, издръжлив, упорит, смел, решителен, с висок дух; **3.** грапав, ръбат.

groan [groun] **I.** v **1.** стена, издавам стон, пъшкам, охкам; **2.** изпъшквам, изохквам, простенвам; казвам (изговарям, изричам, разказвам) пъшкайки, охкайки, стенейки (*и с* **out**); въздишам; **3.** страдам, бивам потиснат, отрупан, превивам се под товара на (**under, beneath, with**); a **~ing board** маса, отрупана с ястия; **4.** копнея, жадувам, умирам (**for**); **5.** викам "у"; дюкам; **~ down** накарвам някого да млъкне, заглушавам някого (*с неодобрителни възгласи*); **II.** n стон, стенание, пъшкане, мърморене, въздишка, охкане; скърцане.

gross [grous] **I.** adj **1.** груб, едър, голям, обемист; охранен, угоен, тлъст, шишкав, уяден; **2.** буен, тучен, избуял, гъст (*за растителност*); **3.** гъст, плътен (*за газ, течност*); **4.** груб, едър, едрозърнест, едро смлян, прост, долнокачествен; **5.** противен, гаден, отвратителен, мазен, лош (*за храна*); ~ **feeder** непридирчив човек, който яде, каквото му попадне или се храни неприлично; **6.** груб, неделикатен, вулгарен, непристоен, просташки, долен; мръсен, неприличен, нецензурен, циничен; **7.** тъп, тъпичък, невъзприемчив, неизтънчен (*за сетиво и пр.*); a ~ **ear** немузикален слух; **8.** груб, очебиен, очевиден, крещящ, скандален, възмутителен, флагрантен; ~ **injustice** жестока несправедливост; **9.** общ, брутен; ~ **income** общ доход, брутен при-

ход; **10.** макроскопичен; ◇ adv **grossly**; **II.** n **1.** маса; **in (the) ~** изобщо, общо взето, изцяло (взето), на едро, топтан; **2.** гроса (*и* **small ~**); **great ~** 12 гроси; **III.** v достигам брутна печалба; възлизам общо на.

ground [graund] **I.** n **1.** земя, почва; под, настилка; грунд; **above ~** на повърхността на земята; **2.** място, местност, пространство, област, район; разстояние; **battle ~** бойно поле; **3.** земя, имущество, имот, състояние, владение; **4.** позиция; **to shift (change)** o.'s ~ променям позицията си (*при спор и пр.*); **5.** игрище, спортна площадка; полигон, плац, терен (*в съчет.*); **building ~** строителна площадка; парцел за строеж; **6.** pl градина, парк, двор (*към здание*); **7.** морско дъно; **8.** изк. грунд, фон; **9.** основание, причина, повод, подбуда, мотив (*и* pl); **10.** pl утайка (*от кафе; в спиртни напитки и пр.*); **11.** ел. заземяване; **12.** пласт, който съдържа руда или каменни въглища; **13.** остар. партер на театър; **14.** attr земен; ● **above ~** жив, между живите, на тоя свят; **II.** v **1.** поставям, слагам, турям на земята; **to ~ arms** слагам оръжие, предавам се; **2.** основавам, установявам, уреждам, устройвам; обосновавам (**on**); **3.** обучавам, давам основа (**in**); **to ~ s.o. in English** обучавам някого по английски; **4.** грундирам; **5.** засядам; закарвам (*кораб*) на плитко (*на брега*); **6.** ел. заземявам; **7.** слагам основа (*на бродерия*); **8.** авиац. забранявам излитания на самолети; отнемам на летец позволителното за летене (*правото да летиш*); задължавам да се приземи.

group [gruːp] **I.** n **1.** група, дружина, сбор; a ~ **of people** група хора; **2.** групировка, фракция, крило; **3.** хим. радикал; **4.** pl кръгове, слоеве, среди (*на обществото*); **business** ~ делови кръгове; **5.** attr групов; ~ **verb** (фразеологично) глаголно съчетание; **II.** v **1.** групирам (се); **to ~ together**

групирам; **2.** подбирам (*цветове и пр.*); **3.** класифицирам, подреждам; **4.** образувам, съставям (част от) група; **5.** ел. свързвам (*елементи*).

grow [grou] v (**grew** [gruː], **grown** [groun]) **1.** раста, порастам, израствам; **to ~ to maturity** възмъжавам, достигам зрелост; **2.** нараствам, развивам се, увеличавам се, усилвам се; **to ~ in experience** добивам опит, ставам все по-опитен; **3.** ставам, идвам, достигам до; **to ~ old, young, rich, pale, well** остарявам, подмладявам се, забогатявам, пребледнявам, оздравявам; **4.** произтичам, произлизам, водя началото си; **his troubles ~ out of his bad temper** причината за неговите неприятности е лошият му нрав; **5.** става навик, налага се постепенно, харесва се все повече и повече, пленява (**on**); **6.** отглеждам, култивирам, засявам, произвеждам, получавам; **7.** pass обрастъм, покривам се (*и с* **up with, over with**);

grow on привиквам, свиквам;

grow out 1) ставам голям за; **you have ~n out of this jumper** този пуловер ти е умалял (станал тесен); **2)** отвиквам от, минава ми; **to ~ out of a bad habit** отвиквам от нещо лошо (*привички*);

grow up 1) порастам, израствам; съзрявам; **to ~ up into a man** порастам и ставам голям, възмъжавам; **2)** възниквам, появявам се, пораждам се, създавам се.

growl [graul] **I.** v **1.** ръмжа, зъбя се; **2.** мърморя, оплаквам се; **3.** еча, ехтя, тътна; гърмя (*за гръм*); **II.** n **1.** ръмжене; **2.** мърморене, оплакване; **3.** ек, екот, ехтене, тътен, грохот, тътнеж.

growth [grouθ] n **1.** растеж, развитие; ръст; **full ~** пълно развитие; **2.** прираст, увеличение; **population ~** прираст на населението; **3.** отглеждане, произвеждане; **of foreign ~** от чужд произход; **4.** стрък, стъбло, израстък; култура (*растителна*); **5.** рожба, продукт, последица, резултат; **6.**

мед. процес, новообразуване, тумор, буца, оток.

grub [grʌb] I. *v* (-bb-) 1. копая, ровя, рия, рина (*и с* **about**); 2. изкопавам, изравям, изваждам, изкарвам (*корени и пр.*); разкопавам, преравям (**up, out**); 3. ровя се, тършувам (**about, around**); изравям (**up, out**); изкопавам (*в книга, архив*); 4. трудя се, работя много, мъча се, опъвам, бухам, къртя (**on, along, away**); 5. *sl* храня (се), ям; II. *n* 1. ларва, червейче, личинка; 2. писач, драскач, компилатор; 3. *разг.* мърльо; повлекана; 4. *sl* храна; 5. топка, запратена по земята (*при игра на крикет*); 6. екскаватор.

grudge [grʌdʒ] I. *n* недоволство, яд, злоба, недоброжелателство; завист; II. *v* 1. завиждам; 2. давам неохотно, свиди ми се, не ми се дава; **to ~ no pains** не щадя усилия.

grumpy [ˈgrʌmpi] *adj разг.* кисел, ядосан, нацупен; сръдлив, раздразнителен, нелюбезен; свадлив, заядлив; ◇ *adv* **grumpily**.

guarantee [ˌgærənˈtiː] I. *v* 1. гарантирам, поръчителствам за; **to ~ s.o.** гарантирам за някого; 2. поемам отговорност (задължение); заричам се, давам дума, обещавам (**that, to**); **to ~ that a debt shall be paid** гарантирам за изплащането на дълг; 3. обезпечавам, осигурявам, застраховам (**against, from, in**); 4. *разг.* твърдя, мога смело да кажа; II. *n* 1. гаранция, поръчителство, залог; **money is no ~ of happiness** парите не са гаранция за успех; 2. гарант, поръчител; 3. човек, на когото се дава гаранция; **guard** [gaːd] I. *v* 1. пазя, охранявам, карауля; бдя, бдителен съм; **to ~ a bank** охранявам банка; 2. защищавам, закрилям, вардя, покровителствам, предпазвам, стоя на стража, опазвам (**from, against**); 3. осигурявам, вземам предпазни мерки (**against**); **to ~ against a cold** вземам предпазни мерки против настинка; 4. предпазвам се, пазя се, внимавам, гледам да

не (**against**); **to ~ against doing s.th.** гледам да не правя нещо; 5. сдържам, възпирам, ограничавам; **to ~ o.'s tongue (words)** държа си езика, внимавам какво говоря; 6. *мед.* неутрализирам; 7. *спорт.* заемам отбранителна позиция (*при фехтовка*); 8. *спорт.* браня, защищавам (*в шахмата*); II. *n* 1. стража, пазач, охрана, караул; конвой; часовой; **~ of honour** почетен караул; шпалир; 2. конвой, ескорт; 3. *pl* гвардия; 4. войскова част; **advance(d) ~** авангард; **rear ~** ариергард; 5. *жп* кондуктор; 6. бдителност; предпазливост; 7. *спорт.* отбранително положение/движение (*в бокса*); 8. предпазно, защитно приспособление; решетка на камина (*и* **fire-~**); чашка, предпазник (*на сабя*); верижка на часовник; фалц (*на книга*); *техн.* капак, решетка, екран, параван, щит, престилка.

guess [ges] I. *v* 1. гадая, мъча се да отгатна, налучквам (**at**); предполагам (**by, from**); 2. отгатвам, налучквам, досещам се, познавам; **to ~ a riddle** отгатвам гатанка; 3. *амер.* мисля, смятам, считам, струва ми се; II. *n* (приблизителна) сметка; предположение, догадка; **round ~** приблизителна сметка, изчисление.

guest [gest] *n* 1. гост; 2. посетител, клиент (*на хотел и под.*); 3. *биол.* паразит (*животно или растение*).

guide [gaid] I. *n* 1. водач, гид; екскурзовод; 2. *воен.* разузнавач; 3. *прен.* съветник; 4. белег, ориентир, ориентировъчен знак; пътепоказател (*и* **~-post**); 5. ръководно начало (принцип), пример, указание; **let this be a ~ to you** нека това да ти служи за пример; 6. ръководство, наръчник (**to**); пътеводител (*и* **~-book**); 7. *техн.* приспособление за направляване; кулиса; трансмисионен лост; направляващо устройство; 8. пропускателен пръстен (*на въдичарски прът*); 9. шаблон, копир; II. *v* 1. водя, водач съм на; 2. ръководя, направлявам, на-

сочвам, напътвам; **to ~ the steps of** ръководя стъпките на; 3. управлявам, движа; тласкам; **to be ~d by o.'s sense of duty** движен съм от чувството си за дълг.

guilt [gilt] *n* 1. вина, виновност (*и юр.*); 2. *остар.* престъпление, закононарушение; 3. *рел.* грях, греховност.

guilty [ˈgilti] *adj* 1. виновен, провинен (**of**); **to plead ~ (not ~)** признавам се (не се признавам) за виновен; 2. гузен, виновен, смутен (*за съвест, поглед и пр.*); ◇ *adv* **guiltily**; 3. престъпен (*за действие, тайна и пр.*); 4. *остар.* заслужаващ (**of**).

guise [gaiz] *n* 1. вид, образ, облик; изглед, външност; 2. *прен.* маска, маскировка; 3. *остар.* облекло, одеяние, одежда, премяна; **in lowly ~** скромно (бедно) облечен; 4. *остар.* маниер, обичайно държание.

gun [gʌn] I. *n* 1. оръдие, топ; огнестрелно оръжие, пушка; револвер; миномет; *pl* артилерия; 2. залп, салют; **the evening ~** вечерен салют; 3. човек с (който носи, е въоръжен с) пушка; ловец; стрелец; 4. *техн.* запушвачка; шприц, спринцовка, църкало (*за боя*); машина за пръскане против насекоми; 5. *sl* крадец, разбойник, обирник, бандит; II. *v* 1. стрелям с оръдие (пушка); обстрелвам с артилерия; 2. ловувам; преследвам (**for, after**); 3. застрелвам (**down**); 4. *авт.* давам газ, увеличавам скоростта (**up**).

gush [gʌʃ] I. *v* 1. бликам, избликвам, лея се, струя; руквам (*и с* **forth, out**); 2. тека, лея се (*за думи*); 3. *разг.* правя излияния, лигавя се, сантименталнича, изпадам в телешки възторг (**over**); II. *n* 1. бликане, избликване, струене, леене; рукване; 2. поток (*и прен.*); (силна) струя; 3. излияния, словоизлияния, бъбривост; приказливост; излишек.

gybe [dʒaib] I. *v* люлея на вятъра (*за платно и пр.*); обръщам се срещу вятъра; люлея; II. *n* люлеене; обръщане срещу вятъра.

H, h [eitʃ] *n* буквата h; **to drop o.'s h's** не произнасям звука h (*характерен белег на лондонския простонароден говор*).

haberdashery [ˈhæbəˌdæʃəri] *n* 1. галантерия, галантерийни стоки; мъжки ризи; 2. *амер.* ателие, магазин за мъжка мода.

habit [ˈhæbit] I. *n* 1. навик; привичка, обичай; **it's a ~ with her** това й е навик; 2. склонност, наклонност, темперамент; **~ of mind** начин на мислене; 3. *анат.* хабитус, структура, телосложение; 4. *бот., зоол.* хабитус; 5. *остар.* облекло, одежда, одеяние; **riding-~** костюм за езда (*обикн. дамски*); 6. наркомания; 7. *геол.* развитие, форма (*на кристал*); II. *v* 1. обличам; **~ed in black** облечен в (с) черно; 2. *остар.* живея в, обитавам, населявам.

habitable [ˈhæbitəbəl] *adj* обитаем; заселен, обитаван; годен за живеене.

habitation [ˌhæbiˈteiʃən] *n* 1. обитаване, живеене; **no longer fit for ~** негоден за живеене; 2. къща, жилище, резиденция; местопребиваване.

habitual [həˈbitjuəl] *adj* 1. обичаен, привичен; свойствен (to); *мед.* хабитуален, хроничен; 2. *прен.* закоравял (*за лъжец, пияница и пр.*); **a ~ criminal** рецидивист.

habitualness [həˈbitjuəlnis] *n* 1. обичайност; привичност; 2. *прен.* закоравялост.

habituate [həˈbitjueit] *v* привиквам, свиквам, приучвам (s.o. to s.th.); *refl* свиквам, навиквам, привиквам, приучвам се.

habitude [ˈhæbitjud] *n* 1. рядко навик, привичка, обичай; 2. *лит.* наклонност, склонност, темперамент.

hack [hæk] I. *v* 1. насичам; кълцам, накълцвам; разсичам; режа, нарязвам; дялам, издялвам (*почва*); разбивам, разтрошавам (*почва*); **to ~ away (down)** унищожавам, разбивам, повалям; 2. *спорт.* ритам (*краката на противника*) с

обувката си; 3. кашлям сухо, бухам; II. *n* 1. сечене; дялане; разбиване; 2. удар с брадва и пр.; 3. порязано място, рязка; 4. натъртено място (*от ритане*); 5. суха кашлица; 6. *рядко* мотика, кирка.

hackneyed [ˈhæknid] *adj* банален, изтъркан, безинтересен, шаблонен.

haggard [ˈhægəd] *adj* изпит, измъчен, измормозен, изнемощял, изтощен; измършавял (*за лице*).

haggardness [ˈhægədnis] *n* изпитост, изнемощялост, изтощеност; измършавялост (*за лице*).

haggle [ˈhægəl] I. *v* пазаря се (over, about); споря; II. *n* пазарене; пазарлък; спорене; спор.

hail₁ [heil] I. *n* град, градушка (*и прен.*); II. *v* 1. вали град; 2. сипе се, вали като град; сипя (*ругатни и пр.*) (on върху).

hail₂ *v* 1. поздравявам, приветствам; акламирам; 2. извиквам, повиквам, давам знак на; **to ~ a taxi** извиквам такси, давам знак на такси да спре; 3. *мор.* извиквам, сигнализирам на (*кораб*); 4. *мор.* идвам, тръгвам (from) (*за кораб*); **where does she ~ from?** откъде пристига корабът? II. *n* приветствие, поздрав; извикване; **within ~** наблизо (така, че да чуя, като ме повикат); • **to be ~ fellow well met with everyone** интимен съм с всички, държа се интимно (свойски) с всички.

hair [hɛə] I. *n* 1. косъм; влакно, косъмче, влакънце; власинка; вълна; **keep o.'s ~ on** *разг.* запазвам спокойствие; 2. *събир.* коса, козина, четина, руно; **to have (get) o.'s ~ cut (done)** подстригвам се; 3. тънка жичка; 4. *текст.* мъх (*на плат*); 5. *техн.* нишка, жичка (в оптичен уред); II. *v* 1. щавя кожа; 2. *муз.* слагам коси на лък.

hairdo [ˈhɛədu] *n* прическа, фризура.

hairdresser [ˈhɛədresə] *n* фризьор, -ка, коафьор.

hairdressing [ˈhɛədresiŋ] *n* фризиране; фризьорство, коафьорство.

hair-dryer, hair-drier [ˈhɛədraiə] *n* сешоар.

hair-raising [ˈhɛəˌreiziŋ] *adj* страшен; чудовищен; ужасен, страховит; ◇ *adv* **hair-raisingly**.

hair-splitting [ˈhɛəsplitiŋ] I. *n* дребнавост; формализъм; педантизъм; II. *adj* дребнав; формалист; педантичен; тънък (*за разлика и пр.*).

hairy [ˈhɛəri] *adj* космат, покрит с коса (косми); *бот.* покрит с власинки (косъмчета); • **he's a bit ~ about the heels (the fetlocks)** *разг.* малко е недодялан (груоват, прост), непохватен.

hale₁ [heil] *adj* здрав, як; запазен (*за човек*); **~ and hearty** здрав и бодър, в цветущо здраве.

hale₂ *v* 1. *остар.* тегля, влача, мъкна, завличам, тътря, затъргвам; 2. принуждавам да отиде.

half [haːf] I. *n* (*pl* **halves** [haːvz]) 1. половина, половинка; **an hour and a ~ (one and a ~ hours)** час и половина; 2. *уч.* срок, семестър; *спорт.* полувреме; 3. билет с 50% намаление (*напр. детски*); 4. страна (*в спор, договор и пр.*); 5. *разг.* нещо значително, изключително; **it was a party and a ~** беше купон и половина; II. 1. *adj* половин; полу-; **~ a mile (a yard, an hour etc.)** половин миля (ярд, час и пр.); 2. недостатъчен; **a ~ conviction** непълно (незатвърдено) убеждение; III. *adv* 1. наполовина; донякъде; **he only ~ understands** той разбира само донякъде; 2. почти; доста; **he felt ~ dead with tiredness** той беше полужив от умора; 3. *грубо за усилване* ама че; **not ~ и още как**; *ирон.* хич, и таз добра.

half-assed [ˈhaːfaːsd] *adj sl* грубо 1. недостатъчен; случаен, необмислен, недовършен; 2. неспособен, некадърен.

half-baked [ˈhaːfbeikt] *adj* 1. недопечен, полусуров; 2. неопитен, незрял; слабоумен, недоразвит, малоумен; 3. недостатъчно проучен, недообмислен; не добре подготвен.

half-empty [ˈhaːfˈempti] I. *adj* полупразен, празен до половината; II. *v* изпразвам до половината.

half-hearted ['ha:f'ha:tid] *adj* 1. без ентусиазъм, вял, апатичен; половинчат; 2. нерешителен; плах, боязлив; колеблив; 3. раздвоен от противоречиви чувства.

half-year ['ha:fjiə] *n* полугодие, семестър; **first (second)** ~ зимен (летен) семестър.

hall [hɔ:l] *n* 1. зала, салон, приемна (банкетна) зала; **concert** ~ концертна зала; 2. трапезария (*в университет*) (*и* **dining-**~); обед в университетска трапезария; 3. замък, къща (резиденция) на земевладелец; 4. голяма обществена сграда; община, палата; сграда (зала) за събрания на организация, дом; **town** ~ община, общинска палата, градски съвет; 5. общежитие при университет; 6. антре, преддверие; хол, вестибюл (*и* **entrance-**~); 7. коридор; 8. (производствено) хале.

hallmark ['hɔ:lma:k] I. *n* 1. контролен печат, клеймо; проба (*на злато и сребро*); 2. отличителен белег, признак; критерий; **a** ~ **of gentility** белег на благородство; II. *v* 1. слагам (поставям) контролен печат (клеймо) на; 2. слагам белег (признак) за високо качество, отличавам.

hallow ['hælou] I. *n остар.* светец, светица; II. *v* 1. светя, осветявам, освещавам, правя свят; 2. считам за свят, почитам, тача; 3. посвещавам (*на Бога, на някаква висока цел и пр.*).

hallucinate [hə'lju:sineit] *v* рядко предизвиквам халюцинации; халюцинирам.

hallucination [hə'lju:si'nei∫ən] *n* халюцинация; **to be under a** ~ жертва съм на халюцинация, страдам от халюцинации.

hallway ['hɔ:lwei] *n* коридор; вестибюл.

halo ['heilou] *n* ореол; венец, сияние, нимб (*и прен.*); *астр., анат.* ареола; хало; корона.

halt₁ [hɔ:lt] I. *n* 1. спирка; застой; **to make (call) a** ~ *воен.* (временно) спирам настъпление, спирам се, прекъсвам; 2. спирка, станция; II. *v* спирам (се), прекъсвам;

воен. спирам настъпление на войски.

halt₂ I. *adj остар.* куц, сакат; II. *v* 1. *остар.* куцам; 2. колебая се, двоумя се (**between**); 3. говоря несигурно (несвързано), спъвам се, запъвам се; 4. *прен.* куцам (*за стих, довод и пр.*); III. *n* куцане; запъване, спъване.

halting ['hɔ:ltiŋ] I. *adj* 1. несигурен, накуцващ; 2. колеблив; безволев; несигурен, неуверен, запъващ се; ◇ *adv* **haltingly**; II. *n остар.* 1. куцане, накуцване; 2. колебание; безволие; неувереност, несигурност; запъване.

halve [ha:v] *v* 1. деля (разделям) наполовина (**with**); разполовявам; 2. намалявам (съкращавам) наполовина; 3. цепя (колода карти); 4. *техн.* снаждам (*дъски*) със сглобка на стъпало.

ham [hæm] *n* 1. бут, бедро; **to squat on o.'s ~s** клеча; 2. свински бут, шунка.

ham-fisted ['hæm,fistid] *adj* непохватен, несръчен, неумел; некадърен, неспособен.

hammer ['hæmə] I. *n* 1. чук; чукче; **to come (go) to (under) the** ~ бивам продаден на търг; 2. *техн.* чело (*на ръчен чук*); бойник; 3. *остар.* петле (*на пушка*); 4. *ел.* прекъсвач с чукче; II. *v* 1. чукам, зачуквам, кова, заковавам (**into**); *разг.* оформям, усъвършенствам (*план и пр.*); 2. блъскам, удрям; налагам, бия; напердашвам здравата; нанасям тежко поражение на; 3. обявявам за несъстоятелен; 4. *разг.* повтарям многократно (*за да убедя някого*); 5. принуждавам насилствено;

hammer at 1) удрям (блъскам) по; 2) връткам, не оставям (*някого*) на мира; 3) работя непрестанно (неуморно) върху (*и* ~ **away at**);

hammer away 1) работя непрестанно (*неуморно*); 2) стрелям непрестанно (*за оръдия*);

hammer down зачуквам, заковавам (*капак и пр.*); начуквам; набивам;

hammer in (into) 1) зачуквам, заковавам, вкарвам (*гвоздей и пр.*);

2) набивам в главата на някого;
hammer out 1) изтънявам, изковавам тънко; 2) изглаждам с чукане (*грапавини*); 3) изяснявам въпрос чрез разискване; 4) скалъпвам; измислям, изработвам; **to** ~ **out an excuse** скалъпвам (измислям) извинение.

hammered ['hæməd] *adj* 1. кован, изкован; ~ **ironwork** ковано желязо; 2. *sl* женен.

hammering ['hæməriŋ] I. *n* 1. коване, изковаване; чукане; заковаване; 2. удари от коване, удари на чук; 3. обстрелване, съсредоточен огън, бомбардиране; 4. *разг.* поражение, пердах; **to give s.o. a good** ~ здравата напердашвам някого (*и прен.*); 5. *авт.* чукане (*на двигател с вътрешно горене*); II. *adj* тежък; солиден; *прен.* труден; *прен.* муден; ~ **blows** тежки удари.

hamper ['hæmpə] I. *v* затруднявам; затормозявам; възпрепятствам, спъвам, преча (попречвам) на; обременявам; **a** ~**ed lock** ключалка, която запъва (която трудно се отваря); II. *n мор.* тежък (неудобен) багаж (съоръжения и пр.); ● **top** ~ вършина, върхар.

hamster ['hæmstə] *n зоол.* хамстер, хомяк *Cricetus frumentarius*.

hand [hænd] I. *n* 1. ръка (*от китката надолу*); предна лапа на животно; *прен.* ръка, власт; ● **an open** ~ щедра (широка) ръка; 2. *в обстоят. изрази*: **at** ~ наблизо, под ръка; 3. работник, работничка, работна ръка; моряк; майстор; ~**s wanted** търсят се работници; 4. източник; **at first (second)** ~ от първа (втора) ръка (*за сведения и пр.*); 5. почерк; **a big (small, round)** ~ едър (дребен, закръглен) почерк; 6. подпис; **to set o.'s** ~ **to** слагам подписа си на; 7. страна; **on the right/left** ~ отдясно (ляво), от дясната (лявата) страна; 8. *карти* ръка (*карти, които получава всеки играч*); **to call (declare, show) o.'s** ~ откривам (разкривам) си картите (*и прен.*); 9. игра, партия; **let's have a** ~ **of poker** да изигра-

ем една партия покер; **10.** мярка (*около 10 см*) за измерване височина на кон; **11.** стрелка (*на часовник*); крило (*на семафор*); стрела (*на пътен знак*); изображение на ръка с насочен пръст; **12.** *sl театр.* аплодисменти; овации; **big** ~ посрещам някого с бурни аплодисменти, аплодирам някого бурно; **13.** *техн.* характеристика на режещ инструмент (*ляв, десен*); **14.** *техн.* направление (*напр. на винтова линия*)м **15.** *амер.* хенд (*единица за дължина: 101,6 mm*); **16.** *attr* ръчен; портативен; който се направлява с ръка; ~ **luggage** ръчен багаж; **II.** *v* **1.** (пре)давам, връчвам (**to**); **2.** подавам; **3.** изпращам (*с писмо и пр.*); ● **to ~ it to s.o.** признавам превъзходството на някого; **to ~ a sail** *мор.* свивам (прибирам) платно;

hand around (about) раздавам; давам, пръскам; подавам от човек на човек (*бутилка, нещо за ядене*); поднасям на всички;

hand down 1) помагам на някого (подавам на някого ръка) да слезе (*от кола и пр.*); **2)** снемам нещо и го подавам (**to**); **3)** предавам (*традиция, легенда, качества и пр.*); оставям като наследство; завещавам;

hand in 1) връчвам; давам на ръка, предавам; **2)** подавам (*оставка*); **3)** *остар.* водя, завеждам, придружавам (*дама*);

hand into подавам ръка (*на дама и пр.*) да се качи в (*кола*);

hand off *спорт.* блъскам (бутам, тикам, избутвам) (*противника си*) с ръка;

hand on предавам (**s.th. to s.o.**);

hand out 1) давам, раздавам; **2)** *разг.* харча;

hand over 1) предавам (**s.th. to s.o.**); **to ~ s.o. over to justice** предавам някого на съда (правосъдието); **2)** отстъпвам поста си, оттеглям се, предавам длъжност (командване) на;

hand up предавам (*нещо нагоре*) подхвърлям.

handbook [ˈhændbuk] *n* **1.** ръковод-

ство, наръчник, справочник, пътеводител; **a drung** ~ рецептурен справочник (*за медикаменти*); **2.** книга за записване облозите при състезания.

handcuff [ˈhændkʌf] **I.** *n обикн. pl* белезници; вериги, окови; **II.** *v* слагам белезници на.

handful [ˈhændful] *n* **1.** шепа (*количество*) (*и прен.*); **by the** ~, **in** ~**s** с (на) шепи; **2.** *разг.* недисциплинирано (буйно, палаво, *разг.* щуро) дете; мъчен човек, тежък (труден) характер; трудна задача; **that boy is a real** ~ това момче е цяло наказание.

handgrip [ˈhændgrip] *n* **1.** ръкостискане, здрависване, ръкуване; **2.** ръкопашен бой; **3.** дръжка (*на сабя и пр.*); **4.** *техн.* ръчка, ръкохватка.

handicap [ˈhændikæp] *n* **I. 1.** *спорт.* хандикап; **2.** пречка; спънка; нещо, което поставя човека в неизгодно положение; **to be under a heavy** ~ в много неизгодно положение съм; **3.** недостатък, дефект (*физически или психически*); инвалидност; **II.** *v* (**-pp-**) **1.** *спорт.* налагам хандикап на; **2.** преча на, възпрепятствам, затруднявам, спъвам, поставям в неизгодно положение.

handicraft [ˈhændikra:ft] *n* **1.** занаят; **2.** ръчна работа; **3.** сръчност; ловкост, умелост, опитност.

handicraftsman [ˈhændikra:ftsmən] *n* (*pl* -**men**) занаятчия; майстор, еснаф, работник.

handily [ˈhændili] *adv* **1.** сръчно, изкусно, умело, ловко; **2.** наблизо; в съседство.

handiness [ˈhændinis] *n* **1.** сръчност, ловкост, умение; **2.** удобство (*на предмет за носене, използване и пр.*); близост.

handle [ˈhændəl] **I.** *n* **1.** дръжка; ръчка; манивела; ● **to fly (go, slip) off the** ~ *разг.* изгубвам самообладание, излизам вън от себе си; *sl* умирам; **2.** *амер.* прякор, име, псевдоним; **II.** *v* **1.** пипам, опипвам; **2.** работя с, боравя с; манипулирам с; **a material that** ~**s easily** материал, с който лесно се ра-

боти; **3.** управлявам, маневрирам (*кораб и пр.*); справям се (оправям се) с; **the police** ~ **the investigation effectively** полицията добре се справя с (регулира) разследването; **4.** третирам, отнасям се с (към); **to be roughly** ~**d** малтретиран съм; **5.** занимавам се с, третирам, разглеждам (*тема*); **6.** търгувам с; **to ~ orders** изпълнявам поръчки; **7.** товаря, разтоварвам; претоварвам; транспортирам.

handling [ˈhændlin] *n* **1.** боравене, работене; манипулация, манипулиране; **2.** маневриране, управляване; **3.** третиране, отношение; **rough** ~ лошо (грубо) отношение; **4.** справяне; успяване, смогване; **5.** третиране, разглеждане (на тема); ● **he takes some** ~ *разг.* трудно е да се справиш с него.

handout [ˈhændaut] *n главно амер.* **1.** милостиня, подаяние; благодеяние, *книж.* лепта; **2.** *журн.* новини, дадени за публикуване.

handpick [ˈhændpik] *v* **1.** избирам, подбирам грижливо; **2.** *техн.* сортирам ръчно.

handrail [ˈhænd,reil] *n* перила, парапет.

handshaking [ˈhændʃeikin] *n* ръкуване, здрависване; поздравяване; **I am on a** ~ **terms with him/her** доста добре го познавам.

handsome [ˈhænsəm] *adj* **1.** хубав, красив, напет; строен (*за мъж*); **2.** представителен; внушителен; ◇ *adv* **handsomely; 3.** щедър; великодушен, благороден; **to make** ~ **amends** давам пълно удовлетворение; **4.** значителен, достатъчен; доста голям; **a** ~ **sum** доста голяма сума; **5.** *остар.* удобен; подходящ; лесен за манипулиране; **6.** *остар.* приличен, благоприличен, възпитан.

handsomeness [ˈhænsəmnis] *n* **1.** хубост, красота, напетост; стройност; представителност, внушителност; **2.** щедрост; великодушие, благородство; **3.** значителност, големина.

hands-on [ˈhændzˈɔn] *adj* ръчен, практически; на дело, в действи-

телност (*не теоретически – за знания, опит, метод на работа*); • **hands-on approach** практически подход към работата.
handworked ['hændwə:kt] *adj* изработен на ръка, ръчен.
handwriting ['hændritiŋ] *n* 1. почерк; **in his/her ~** с неговия почерк; 2. ръкопис.
handwritten ['hændritən] *adj* ръкописен.
handy ['hændi] I. *adj* 1. сръчен, изкусен, ловък; **~ with the needle** сръчен в шиенето; 2. удобен, лесен за манипулиране; полезен; **that would come in very ~** това би свършило много работа, това би дошло тъкмо навреме; 3. наблизо, под ръка; **the hospital is ~** болницата е наблизо; II. *adv разг.* наблизо; **this lively town is ~ for Londoners** това оживено градче се намира на удобно разстояние за лондончани.
hang [hæŋ] I. *v* (**hung** [hʌŋ]) 1. закачам, окачам; накачам (**on, from**); 2. накичвам, украсявам (**with**); **the trees are hung with fruit** дърветата са нависнали от плод(ове); 3. вися; увиснал съм; **to ~ by a thread (a hair)** вися на косъм; 4. навеждам, провесвам, клюмвам, клепвам; **he hung his head in shame** той сведе засрамено глава; 5. (**hanged** [hæŋd]) обесвам; бивам обесен; *refl* обесвам се; **you will ~ for it** ще те обесят за това; 6. виси, пада (*за дреха, коса и пр.*); **her hair hung about her neck** косата й падаше на тила; 7. присъствам постоянно; витая (из); 8. лепя (*тапети*); 9. закачам, провесвам, окачвам, оставям (*дивеч*) закачен (*да престои, докато стане добър за готвене*); • **the ship is ~ing** корабът е спрял поради безветрие;
hang about, around 1) навъртам се, скитам; кисна (в, около, из); ухажвам (*жена*); 2) бездействам, въртя се насам-натам, шляя се; 3) трупам се около; 4) нависнал съм (*за буря и пр.*);
hang back 1) отдръпвам се назад, не излизам напред; 2) колебая се,

двоумя се (*да действам*);
hang behind стоя назад; влача се изотзад; изостанал съм;
hang down вися; **her hair is ~ing down** косата й е увиснала (паднала);
hang on 1) държа се, задържам се (to); 2) не оставям, не напускам, не се отделям от; **he is always ~ing on to his mother** той не се отделя никога от майка си; 3) продължавам, упорствам, не се отказвам;
hang out 1) закачвам (*така че да виси навън*); **to ~out flags** закачвам знамена (*от прозорците на къщите*); 2) вися навън; изплезвам (*език*), виси ми (*езикът*) (*за куче и пр.*); 3) навеждам се навън (**out of a window** от прозорец); 4) вися, надвиснал съм (**over** над) (*за скали и пр.*); 5) *sl* живея; навъртам се; **where do you ~ out?** къде живееш? къде се навърташ?
hang over 1) вися, надвиснал съм над (*за облаци, дървета, скали и пр.*); 2) *прен.* надвиснал съм над, заплашвам, застрашавам; **disaster ~ over the nation** беда бе надвиснала над страната; 3) стоя близо до, навъртам се около;
hang together 1) не се отделяме един от друг, винаги сме заедно; поддържаме се, подкрепяме се (*за хора*); 2) подхождат си, схождат си, отговарят си, пасват си (*за неща*); свързани са логически; 3) държа се, крепя се (*за стар предмет*);
hang up закачам, окачвам; **to ~ up the receiver** (*амер.* **to ~ up**) оставям (окачвам) слушалката; прекъсвам (свършвам) разговора (*по телефона*);
hang (up)on 1) облягам се на (*ръката на някого*), държа някого под ръка; 2) вися от; 3) зависа от, обвързан съм, влияя се; **election ~s (up) on one vote** изборът зависи от един глас; • **to ~ upon s.o.'s words** слушам внимателно (прехласнато), отдавам голямо значение на това, което казва някой;
II. *n* 1. начин, по който стои (па-

да) дреха и пр.; 2. склон, скат; стръмнина, урва; 3. устройство; начин на работа; чалъм; 4. смисъл, значение; тенденция; • **I don't care a ~** пет пари не давам, не ми пука.
hangar ['hæŋga:] *n* хангар; навес; склад.
hangdog ['hæŋdog] *n* подлец, измамник, долен човек; *attr* гузен, виновен, засрамен (*за вид*).
hang-gliding ['hæŋ,glaidiŋ] *n* делтапланеризъм.
hanging ['hæŋiŋ] I. *adj* висящ (*за мост, лампа, стълба, градина и пр.*); **~ gardens** висящи градини; • **a ~ judge** *разг.* строг (жесток) съдия; съдия, който често издава смъртни присъди; II. *n* 1. закачане, окачване; украсяване, накичване; 2. обесване; 3. *pl* драперии, пердета; книжни тапети; **waterproof ~** миещи се тапети; 4. *attr* за закачане; **a ~ wardrobe** гардероб за закачане на дрехи.
hangman ['hæŋmən] *n* (*pl* **-men**) палач; главорез, убиец.
hang-up ['hæŋ,ʌp] *n* 1. *разг.* безпокойство, страх, притеснение; **to have a ~ (~s) about s.th.** безпокоя се за нещо, притеснявам се от нещо; 2. *техн.* засядане, задиране (*на клапан*); 3. *мин.* задържане (*на руди или скали при източване*); запушване.
hank [hæŋk] *n* 1. чиле, гранка, топче (*прежда и пр.*); 2. *мор.* кангал, връзка (*въже*); 3. *мор.* халка (*за окачване на платната*).
hanker ['hæŋkə] *v* жадувам, копнея (**for, after**); мечтая, бленувам, въздишам (*за непостижимото, забраненото*) (**after**).
hankering ['hæŋkəriŋ] *n* копнеж, жажда, стремеж, мечта, блян; **to have a ~ for s.th.** копнея (въздишам) по нещо.
hanky-panky ['hæŋki-pæŋki] *n разг.* измама, шмекерия; шарлатания; фокуси, илюзии; неморално държание (поведение); **he/she is up to some ~** той готви някаква измама.
hap [hæp] *остар.* I. *n* 1. (добър) случай, щастлива случайност,

късмет; случка, случайност; **2.** съдба, орис, орисия; участ; **II.** *v* **1.** пристигам (идвам) случайно; **2.** случва се, че, случайно правя *(нещо)*; **to ~ on s.th.** случайно попадам на (намирам) нещо.

haphazard [ˈhæphæzəd] **I.** *adj* случаен, с налучкване; **a ~ attempt** случаен опит; **II.** *n техн.* намотка с безпорядъчна навивка *(напр. на магнетофонна лента)*; **at (by) ~** наслуки, неопределено, без посока; **III.** *adv* както дойде; как да е.

hapless [ˈhæplɪs] *adj* остар. нещастен, злочест; злощастен, злополучен, безуспешен.

haplessness [ˈhæplɪsnɪs] *n остар.* нещастие, злочестие; злополучност, злощастие, безуспешност.

happen [ˈhæpən] *v* **1.** случва се, става (to); **nothing ~ed** нищо не се случи; **2.** с *inf* случва се..., случи се, че...; **he/she ~ed to come** случайно дойде; **3.** *разг.* появявам се, влизам в живота на някого.

happening [ˈhæpənɪŋ] *n* **1.** случка, събитие; преживелица, приключение; **2.** хепънинг; **3.** *разг., англ.* оживено, популярно място за развлечение и отдих *(напр. клуб, ресторант, парк, пр.).*

happenstance [ˈhæpənˌstæns] *n* шанс; вероятност; случай; щастие; случайно обстоятелство.

happiness [ˈhæpinɪs] *n* щастие, радост, шанс.

happy [ˈhæpi] *adj* **1.** щастлив; доволен; радостен; **I am ~ to** щастлив съм (радвам се) да; **2.** уместен, добре подбран, подходящ, успешен, на място; **a ~ retort** уместен отговор.

happy-go-lucky [ˈhæpigouˈlʌki] *adj attr* безгрижен; нехаен; безотговорен; **a ~ fellow** безгрижен човек.

harangue [həˈræŋ] **I.** *n обикн. неодобр.* публична реч; (пламенно) обръщение; тирада, декламация, словоизлияние; **II.** *v* **1.** обръщам се към, говоря на *(тълпа и пр.)*; **2.** произнасям публична реч; произнасям тирада; правя словоизлияния.

harass [ˈhærəs, həˈræs] *v* **1.** измъчвам, мъча, тормозя, безпокоя, угнетявам; дразня, задявам, притеснявам, не оставям на мира; **2.** *воен.* безпокоя (изтощавам) с постоянни нападения.

harassing [ˈhærəsɪŋ] *adj* мъчителен; дразнещ, тормозещ.

harassment [ˈhærəsmənt] *n* **1.** измъчване, безпокоене, тревожене, терзаене; дразнене, задяване; **2.** безпокойство, тревога; обърканост, нещастие.

harbinger [ˈha:bindʒə] **I.** *n* предвестник, вестител; **II.** *v* предвестявам, предизвестявам.

harbour [ˈha:bə] **I.** *n* **1.** пристанище; **2.** *остар.* подслон, убежище; **3.** леговище *(на елен)* **II.** *v* **1.** *мор.* стоя на (пускам) котва *(в пристанище)*; **2.** приютявам, подслонявам, давам подслон на; крия, укривам; **3.** тая, питая, изпитвам, усещам *(обикн. лоши чувства)*; **to ~ envy** тая завист; **4.** проследявам дивеч до леговището му; скривам се (крия се) в леговището си.

harbourage [ˈha:bəridʒ] *n* убежище; заслон; *остар.* приют; подслон; място за хвърляне на котва.

hard [ha:d] **I.** *adj* **1.** твърд, корав; **a ~ nut to crack** *прен.* костелив орех, трудна задача; **2.** здрав, як, кален *(за човек)*; **~ as nails** здрав като камък; **3.** тежък, силен *(за удар и пр.)*; труден, тежък, мъчен, усилен *(за работа, времена и пр.)*; тежък, суров; студен; труден, неотстъпчив *(за характер)*; **this book is ~ reading** тази книга трудно се чете (е тежка); **4.** усърден, упорит, акуратен, неуморен *(за работник)*; **5.** суров, строг; корав, безмилостен, безжалостен, неумолим, жесток; нечувствителен; **he/she is as ~ as flint** сърцето му/ѝ е от камък; непреклонен (неотстъпчив) е; **6.** суров *(за климат, сезон и пр.)*; **7.** твърд, варовит *(за вода)*; **8.** ярък, крещящ *(за цвят)*; рязък, остър, груб *(за звук)*; **9.** силен, спиртен *(за питие)*; **10.** *език., разг.* твърд; беззвучен; **11.** висок *(за цена)*;

стабилен, здрав, твърд *(за валута)*; **12.** закален *(за метал)*; **13.** варовит *(за вода)*; **14.** твърд, проникващ *(за радиация)*; **15.** мъчнотопим *(за стъкло)*; **II.** *adv* **1.** твърдо, кораво; **2.** силно енергично, с все сила, усилено; **to work ~** работя усилено; **3.** мъчно, трудно, тежко; болезнено, с мъка, мъчително; **these last four years have been ~ on them** последните четири години бяха трудни за тях; **4.** много, без мярка; **5.** наблизо, по петите, непосредствено; **to follow ~ (up)on, (after, behind)** идвам непосредствено след, следвам непосредствено; **III.** *n* **1.** *провинц.* твърд бряг, подходящ за слизане от кораб; **2.** *разг.* каторжна работа *(и ~ labour)*; **3.** пресован тютюн *(за дъвчене)*; **4.** *pl* отпадъци *(при обработка на лен и пр.)*.

hard disk [ˈha:dˌdisk] *n инф.* твърд диск.

harden [ˈha:dn] *v* **1.** втвърдявам (се), затвърдявам (се); ставам твърд (корав); **2.** калявам *(и метал)*, заякчавам; *refl* калявам се, заяквам; **3.** закоравявам, ставам нечувствителен (груб); ставам жесток, ожесточавам се; **a ~ed criminal** закоравял престъпник; **4.** ставам груб (студен, рязък) *(за глас)*; **5.** *техн.* втвърдявам се *(за синтетична смола, бетон и пр.)*; **6.** *хим.* хидрогенизирам *(мазнини)*; **● prices (shares) hardened** цените (акциите) се стабилизираха (останаха високи).

hardening [ˈha:dnɪŋ] *n* **1.** втвърдяване, затвърдяване; **2.** каляване заякчаване; **3.** закоравяване; **4.** загрубяване, огрубяване; **5.** *мед.* склерозиране, втвърдяване *(на кръвоносни съдове)*.

hard-fisted [ˈha:dfistid] *adj* стиснат, свидлив; *разг.* скръндза.

hardheaded [ˈha:dˈhedid] *adj* **1.** практичен, трезв, здравомислещ; **2.** твърдоглав; *разг.* инат; ◇ *adv* **hard-headedly.**

hard-hearted [ˈha:dˈha:tid] *adj* коравосърдечен; студен, нечувствителен; ◇ *adv* **hard-heartedly.**

hard-heartedness [ˈhɑːd,hɑːtidnis] *n* коравосърдечност; суровост, студенина, нечувствителност.

hardihood [ˈhɑːdihud] *n* 1. смелост, кураж; решителност, самоувереност, сърцатост; 2. дързост, наглост, безочие.

hardly [ˈhɑːdli] *adv* 1. едва; едва що; едва ли; **he can ~ walk** той едва върви; 2. жестоко, сурово, грубо; лошо, зле; 3. ожесточено, с ожесточение; 4. с мъка, с усилие, много трудно, с напражение.

hardness [ˈhɑːdnis] *n* 1. твърдост, коравина; 2. якост, здравина, издръжливост; 3. сила (*на удар и пр.*); трудност; 4. усърдие, упоритост, неуморимост; 5. суровост, строгост, неотстъпчивост; жестокост, безмилостност; нечувствителност; 6. суровост (*на климат*); 7. твърдост, варовитост (*на вода*); 8. яркост (*на цвят*); острота, рязкост (*на звук*); 9. височина (*на цена*), стабилност (*на валута*).

hard-nosed [ˈhɑːd,nouzd] *adj разг.* груб, несантиментален; сопнат, строг, твърд.

hard-set [ˈhɑːdˈset] *adj* 1. втвърден (*за цимент и пр.*); 2. решен; упорит, непреклонен, твърд; 3. изгладнял, много гладен.

hardship [ˈhɑːdʃip] *n* трудност; затруднение; изпитание; беда, нужда, лишение; страдание, мъка; **to suffer great ~s** преживявам тежки изпитания (страдания).

hardworking [ˈhɑːdwəːkiŋ] *adj* работлив, трудолюбив, работен; неуморим, акуратен.

hardy [ˈhɑːdi] I. *adj* 1. смел, решителен; дързък; безразсъден; прибързан; 2. издръжлив, устойчив (*и за растения*); жилав, кален; II. *n техн.* остър долняк, остра доляна на щанца; насечка; секач; длето.

hare [hɛə] I. *n* заек; **as timid as a ~** страхлив (боязлив) като заек; II. *v разг.* тичам бързо (като заек).

harebrained [ˈhɛəbreind] *adj* вятърничав, непостоянен, несериозен, лекомислен.

hark [hɑːk] *v* слушам, ослушвам се, вслушвам се, давам ухо, наост-

рям уши (**to**); **~!** слушай! чуй!; **hark after** спускам се, хуквам, търтвам (*разг.*) да гоня;

hark back 1) връщам се там, откъдето съм тръгнал; 2) връщам се отново на някакъв въпрос (**to**); **to ~ back (upon) the past** постоянно се връщам към миналото, все опявам за миналото.

harlotry [ˈhɑːlətri] *n* проституция; блудство, разврат.

harm [hɑːm] I. *n* вреда, пакост; зло, лошо; **to do ~ to s.o.** причинявам някому зло (вреда), навреждам някому; II. *v* 1. причинявам вреда на, вредя, навреждам, увреждам; накърнявам интересите на; 2. случва ми се нещо лошо.

harmful [ˈhɑːmful] *adj* вреден, пакостен; злостворен.

harmless [ˈhɑːmlis] *adj* 1. безвреден, невинен (*и за лекарство*); 2. безобиден; незлобив, чистосърдечен; кротък; **as ~ as a dove** кротък като агънце; ◇*adv* **harmlessly.**

harmlessness [ˈhɑːmlisnis] *n* 1. безвредност, невинност; 2. безобидност, незлобивост, чистосърдечие, кротост.

harmonic [hɑːˈmɔnik] I. *adj муз.*, *мат.* хармоничен, хармонически; съзвучен, строен; *мат.* синусоидален; II. *n муз.* обертон.

harmoniousness [hɑːˈmouniəsnis] *n* 1. хармоничност, съзвучие, мелодичност, звучност; 2. стройност, хармонични пропорции; 3. (за)дружност, съвместност, сговорност, единство, съгласие, разбирателство.

harmonize [ˈhɑːmənaiz] *v* 1. *муз.* хармонизирам; аранжирам; 2. привеждам в хармония, правя (карам) да се съгласуват; съгласувам, координирам, съчетавам (се) (*книж.*); подхождам си (**with**).

harmony [ˈhɑːməni] *n* 1. хармония, съзвучие; 2. съгласие; единодушие, разбирателство.

harp [hɑːp] I. *n* 1. *муз.* арфа; 2. лира (*на металорежеща машина*); сито; II. *v* 1. свиря на арфа; 2. *прен.* "опявам", *прен.*, *разг.* мърморя, сърдя се, "бая си", пов-

тарям непрекъснато (**on, upon**).

harpoon [hɑːˈpuːn] I. *n* харпун, китоловно копие; **~ gun** оръдие за изхвърляне на харпун (*от китоловен кораб*); II. *v* удрям (убивам) с харпун.

harrow [ˈhærou] I. *n* брана, грапа; **seed ~** следсеитбена брана; II. *v* 1. бранувам, браносвам (*посеви и пр.*); 2. мъча, измъчвам, терзая, тормозя; малтретирам, *разг.* вадя душата.

harrowing [ˈhærouiŋ] I. *adj* 1. мъчителен; сърцераздирателен, покъртителен, трогателен; 2. *остар.* опустошителен, унищожителен, разрушителен; II. *n сел.-ст.* брануване.

harry [ˈhæri] *v* 1. опустошавам, разрушавам, грабя, плячкосвам; разсипвам, превръщам в пепелище; 2. тормозя, безпокоя, угнетявам, тревожа, мъча; 3. *амер.* разграбвам.

harsh [hɑːʃ] *adj* 1. суров, рязък, остър, груб (*и за плат*); безчувствен; 2. рязък, остър; пронизващ (*за звук*), дрезгав, сипкав (*за глас*); ◇ *adv* **harshly;** 3. ярък, крещящ, очебиен, "дразнещ", *книж.* фрапиращ (*за цвят и пр.*); 4. тръпчив; **~ truth** горчивата истина.

harshness [ˈhɑːʃnis] *n* 1. суровост; грубост; твърдост; 2. дрезгавост, сипкавост; 3. яркост, ослепителност; 4. тръпчивост.

harum-scarum [ˈhɛərəmˈskɛərəm] *adj* безразсъден, неблагоразумен, безотговорен, лекомислен; небрежен, нехаен; припрян, прибързан.

harvest [ˈhɑːvist] I. *n* 1. жътва, прибиране на реколтата; 2. реколта, добив, плодородие; **to get in (win) the ~** прибирам реколтата; 3. *прен.* резултат; плод; II. *v* жъна, събирам, прибирам (реколта).

hasher [ˈhæʃi] *n* месомелачка.

hashish [ˈhæʃiʃ] *n* хашиш; дрога.

hasp [hæsp] I. *n* 1. закопчалка, скоба; кука; петелка; 2. вретено; бобина; 3. гранче (прежда); масур; II. *v* закопчавам, заключвам.

hassle [ˈhæsəl] I. *n* 1. кавга, караница, свада, конфликт; 2. неприятна ситуация, неудобно положе-

ние; **II.** *v* притеснявам някого, досаждам някому.

haste [heist] *n* **1.** бързина, бързане, спешност, неотложност, експедитивност; **in** ~ на бърза ръка, набързо; **2.** прибързаност; припряност; • **his note bears the sigh of** ~ личи си, че е писал бележката набързо.

hasten ['heisn] *v* **1.** бързам; действам бързо, спешно, експедитивно; движа се бързо; **2.** ускорявам, правя (карам) да стане по-бърз (ранен); **to** ~ **o.'s pace** ускорявам (забързвам) крачките си;
hasten away отивам си, тръгвам си набързо, бързо се отдалечавам;
hasten back бързо се (за)връщам, си идвам, си пристигам;
hasten down слизам, спускам се; приземявам се бързо;
hasten forward избързвам, бързам, прибързвам напред;
hasten in влизам бързо, втурвам се, нахълтвам;
hasten out излизам, тръгвам, измъквам се (на)бързо;
hasten up 1) избързвам, изтичвам, затичвам се; 2) ускорявам, фиксирам, засилвам, *разг.* давам зор.

hastiness ['heistinis] *n* **1.** бързина, спешност; **2.** прибързаност; припряност; необмисленост; **3.** сприхавост, раздразнителност, невъздържаност, гневливост.

hasty ['heisti] *adj* **1.** бърз; набързо направен, *разг.* как да е (извършен); ~ **growth** бърз растеж; **2.** прибързан, припрян, набързо направен; необмислен; импровизиран; **a** ~ **glance** бърз (повърхностен) поглед; поглед отгоре-отгоре; **3.** сприхав, раздразнителен; невъздържан; гневлив.

hat [hæt] **I.** *n* **1.** шапка; шлем, работна (каска); **cocked** ~ триъгълна шапка; писмо, сгънато на триъгълник; **2.** *прен.* разбирания, убеждения, роля; **putting on my patriotic** ~ от позицията ми на (убеден) патриот...; **3.** *техн.* горен (повърхностен) слой (пласт); **4.** *мин.* покривка (*над залеж*); • **to hang up o.'s** ~ разполагам се; правя дълга (арменска) визи-

та; **II.** *v* (**-tt-**) *рядко* **1.** слагам шапка на, покривам с шапка; **a smarty** ~**ted woman** жена с хубава шапка; **2.** правя кардинал, давам кардиналски сан на.

hatch₁ [hætʃ] *n* **1.** отвор (капак) на под (таван, покрив, палуба); ~ **house** *мор.* кабинка над люк; **2.** *мор.* вход (стълба) от палубата към вътрешността на кораба; **3.** яз, бент, шлюз, бараж.

hatch₂ **I.** *v* **1.** люпя (се), излюпвам (се), мътя (се), измътвам (се); **2.** замислям, кроя, намислям, обмислям, тайно подготвям; **to** ~ **a theory** измислям теория; **II.** *n* **1.** люпене, излюпване; **2.** люпило; **to keep o.'s** ~ **before the door** *прен.* пазя мълчание, не издавам тайна.

hatch₃ **I.** *v* **1.** защриховам; **2.** гравирам (инкрустирам) с (на) тънки ленти (ивици); **II.** *n* щрих; черта, линия.

hatchet ['hætʃit] *n* брадвичка, секирка; томахавка; • **to bury the** ~ сключвам примирие (мир); слагам край на вражда.

hate [heit] **I.** *v* мразя, ненавиждам, презирам; **I** ~ **being (to be) bothered** мразя да ме безпокоят; **II.** *n* омраза, ненавист; презрение; погнуса.

hateful ['heitful] *adj* **1.** омразен; презрян; ненавистен; отвратителен; ◇ *adv* **hatefully;** **2.** *рядко* изпълнен с омраза; зложелателен.

hater ['heitə] *n* противник, враг; неприятел; конкурент.

hatred ['heitrid] *n* омраза, ненавист; презрение; **out of** ~ **for** от омраза към.

hatter ['hætə] *n* шапкар.

haughtiness ['hɔ:tinis] *n* надменност, високомерие; горделивост; надутост, напереност, самонадеяност.

haughty ['hɔ:ti] *adj* надменен, високомерен; горделив, надут; ◇ *adv* **haughtily.**

haul [hɔ:l] **I.** *v* **1.** влача, тегля; дърпам; мъкна; *мор.* карам на буксир; **to** ~ **at (upon) a rope** дърпам (тегля) въже; **2.** превозвам, пренасям; подвозвам; **3.** изпра-

вям пред съда (*обикн.* **to be** ~**ed up**); **4.** променям посоката си, обръщам се (*за вятър, кораб*); **to** ~ **off** оттеглям (се), отдръпвам (се); *мор.* обръщам се настрана от, отдалечавам се; **5.** *мор.* държа (се) срещу вятъра; **II.** *n* **1.** теглене, дърпане, влачене; **2.** превозване, превоз; **3.** *жп* превоз; **4.** улов (*за риба*); *прен.* придобивка, печалба.

haulage ['hɔ:lidʒ] *n* **1.** теглене, влачене, дърпане; **2.** извозване, превозване, транспортиране; подвоз; пренасяне; **3.** стойност на превоза (транспорта), навло.

haunch [hɔ:ntʃ] *n* **1.** бедро, бут; ханш; **to squat on o.'s** ~**es** приклеквам, присядам; **2.** *архит.* полусвод; **3.** *строит.* край на греда (*който се подава под покрив и пр.*); **4.** удебеляване (*за усилване на конструкция*), вута.

haunt [hɔ:nt] **I.** *v* **1.** често посещавам, навестявам, спохождам, наобикалям, наминавам; **2.** дружа, контактувам (общувам) с; **to** ~ **bad company** имам лоша компания (среда); **3.** обитавам; витая в; **the place is** ~**ed by ghosts** в това място има (витаят) духове; **4.** преследвам (*за мисли и пр.*); **I am** ~**ed by the thought** преследва ме мисълта; **II.** *n* **1.** свърталище; убежище; леговище; **his heart is the** ~ **of base thoughts** в сърцето му се таят лоши (долни) мисли; **2.** любимо място, често посещавано място.

haunting ['hɔ:ntin] *adj* натрапчив, преследващ (*за мисъл, мелодия и пр.*); ◇ *adv* **hauntingly.**

have [hæv, *редуцирани форми* həv, əv] **I.** *v* (**had** [hæd, həd]) **1.** имам, притежавам; държа; **to** ~ **to do with** имам общо с; **to** ~ **a baby** имам (раждам) дете; **2.** получавам; вземам; придобивам; **we had news** получихме (имахме) известие (новини); **3.** прекарвам (време); **to** ~ **a nice time** прекарвам добре; **4.** трябва, налага се, нужно е; **this work has to be done quickly** тази задача трябва да бъде изпълнена бързо; **5.** давам да

се (с *pp*); to ~ o.'s watch repaired давам часовника си на поправка; 6. *sl* излъгвам, изигравам, измамвам; I am not to be had на мен не ми минават, не съм вчерашен; 7. побеждавам, бия, взимам връх над; you ~ (got) me there! тук ме хвана натясно! 8. казвам, твърдя, поддържам; rumor has it носи се слух, говори се; ● to ~ o.'s own way налагам се, правя каквото си искам;

have at: (let us) ~ at him! дръжте го!, хванете го!

have back получавам обратно; връща ми се; let me ~ it back to morrow върнете (донесете) ми го утре;

have down 1) смъквам, свалям; 2) повиквам, извиквам; свиквам;

have in 1) вкарвам; докарвам; повиквам, извиквам, призовавам, поканвам; свиквам; 2) имам у нас (вкъщи); next week we shall ~ the carpenters in следващата седмица ще имаме дърводелци вкъщи;

have on 1) нося, облечен съм с; 2) залагам (пари) на; 3) *sl* занасям, подигравам, поднасям, баламосвам, будалкам;

have out 1) изкарвам, изваждам; 2) доизкарвам, свършвам, довършвам, приключвам; let him ~ his sleep out остави го да си отспи; 3) to ~ it out with s.o. обяснявам се с някого, говоря и се оправям с някого;

have up 1) карам да се качи; изваждам; повдигам; 2) повиквам, поканвам (обикновено от провинцията); 3) давам под съд; II. *n* 1.: the ~s and ~ nots *разг.* които имат и които нямат; 2. *sl* шарлатанство, мошеничество, измама; подлост.

haven [heivn] I. *n* 1. пристанище, порт, пристан; 2. *прен.* убежище, *прен.* прибежище; II. *v* приютявам, подслонявам.

having [ˈhævin] I. *adj* алчен; II. *n pl* собственост, имущество; състояние, имот.

havoc [ˈhævək] I. *n* опустошение, разрушение; поразии; to make ~ of, to play ~ with among правя

поразии сред; опустошавам, поразявам, разрушавам; II. *v* разрушавам, опустошавам, помитам, премахвам, заличавам.

hawk₁ [hɔ:k] I. *n* 1. ястреб; 2. *прен.* хиена, пантера, хищник; акула; II. *v* 1. ходя на лов със соколи; 2. връхлитам, налитам, спускам се (on, at).

hawk₂ I. *v* окашлям се, изкашлям се; II. *n* окашляне.

hawkeyed [ˈhɔ:kaid] *adj* 1. с орлов поглед; 2. бдителен, предпазлив, зорък.

hay [hei] I. *n* сено; II. *v* 1. кося, режа, окосявам и суша (трева) на сено; 2. давам сено на (добитък); 3. използвам като ливада, използвам като сено.

haymaking [ˈheimeikiŋ] *n* сенокос; коситба; ~ season коситба, време за косене.

hazard [ˈhæza:d] I. *n* 1. шанс, вероятност; *разг.* късмет; случай, случайност; blind ~ сляп случай; 2. риск, заплаха, угроза; опасност; to run the ~ of поемам риска да, рискувам да; 3. хазарт, хазартна игра, комар; II. *v* 1. рискувам; поставям на карта; 2. осмелявам се, решавам се (*c ger*); to ~ a remark осмелявам се да се обадя.

hazardous [ˈhæzə:dəs] *adj* рискован, опасен, авариен; несигурен, застрашителен.

haze [heiz] I. *n* 1. омара, мараня, жега, пек; 2. *прен.* неяснота, мъгла, замъгленост; 3. *фот.* воал (на филм); II. *v* замъглявам (се).

haziness [ˈheizinis] *n* 1. мъгливост, мъглявина, мъгла; 2. неяснност, *прен.* непонятност, неразбираемост; 3. *фот.* воалираност (на филм).

hazy [ˈheizi] *adj* мъглив, замъглен; неясен, смътен; *прен.* непонятен, неразбираем.

he [hi] I. *pron pers* той; it is ~ (*разг.* him) това е той; II. *n* мъжкар, самец (*за новородено*) момче е; (*за котенце и пр.*) мъжко е; ~-man мъжествен, силен, юначен човек; истински мъж.

head [hed] I. *n* 1. глава; *прен.* чо-

век, глава; глава добитък (*pl без изменение*); to walk with o.'s ~ high in the air ходя с високо вдигнато чело; 2. *прен.* ум, разум, разсъдък; *разг.* акъл; it never entered my ~ that никога не ми е идвало наум, че; 3. началник; шеф, бос; ръководител; водач; вожд, главатар; 4. предна част, начало, глава; нос (*на кораб*); острие (*на брадва*); чело (*на чук*); *воен.* заряд (*на граната, торпедо*); at the ~ of начело на; 5. връх, горна част, глава; главичка (*на гвоздей*); at the ~ of the list на първо място в списъка, начело на списъка; 6. извор; fountain-~ извор; *прен.* източник; 7. *геогр.* нос; 8. рубрика, отдел; заглавие; under separate ~s отделно, под отделни заглавия; 9. ези, лицева страна на монета; ~s or tails ези-тура; 10. *строит.*, *архит.* ключ, ключов камък (*на свод*); 11. общ брой, число; II. *adj* 1. челен, преден; първи, главен; ~ agent главен представител; 2. насрещен, срещуположен; ~ tide (wind) насрещно течение (вятър); 3. *муз.* от горен регистър (*за глас*); III. *v* 1. възглавявам, начело съм на, водя; 2. тръгвам, отивам, вървя (for); 3. озаглавявам; слагам заглавие на; 4. водя началото си от (*за река*); извирам от; 5. отсичам главата на (*животно*), обезглавявам; 6. *спорт.* удрям (*топка*) с глава;

head back връщам, пращам в обратна посока; препречвам, преграждам, запречвам пътя на;

head off 1) отклонявам; I ~ed him off from making a speech отклоних го от намерението да държи реч; 2) отблъсквам; 3) възпрепятствам; препречвам, преграждам, запречвам пътя на, попречвам на.

headache [ˈhedeik] *n* 1. главоболие; мигрена; 2. *амер.*, *прен.* неприятност, главоболие, трудност; спънка, усложнение.

headiness [ˈhedinis] *n* 1. стремителност, буйност, сила; 2. опияняващо въздействие; 3. шеметност, вихреност, главоломност.

heading ['hediŋ] *n* 1. заглавие, заглавка; надпис; 2. *амер., мор.* посока, курс; направление; 3. *мин.* галерия; тунел; проход; 4. *мин.* фронт; забой; *воен.* край (дъно) на галерия.

headlong ['hedlɔŋ] I. *adj* 1. стремителен, неудържим, буен, бърз; 2. прибързан, необмислен, безразсъден, неблагоразумен; 3. *рядко* стръмен; II. *adv* 1. с главата напред; 2. стремително, неудържимо, бързо; 3. прибързано, необмислено, безразсъдно, неблагоразумно.

headman ['hedmən] (*pl* -men) *n* 1. главатар, вожд, водач, предводител; 2. отговорник, старши (*на група работници и пр.*).

headoffice ['hed'ɔfis] *n* дирекция, (главно) управление; *прен.* канцелария на директор.

headpiece ['hedpi:s] *n* 1. шлем; 2. шапка (*и прен.*); 3. *радио.* слушалки, слушалка; 4. оглавник; 5. глава; ум; разум; интелект; 6. *прен.* разумен човек; 7. *полигр.* винетка (орнамент) в началото на книга или глава.

headreach ['hedri:tʃ] *мор.* I. *v* лавирам; нагаждам се, извъртам, манкирам; II. *n* халс.

headship ['hedʃip] *n* шефство, водачество, предводителство, върховенство.

head-shrinker ['hedʃrinkə] *n* психиатър.

head start ['hed,sta:t] *n* предимство, преднина; **he had a ~ over his competitors** той имаше преднина спрямо конкурентите си

headstone ['hedstoun] *n* надгробен камък, плоча.

headstrong ['hedstrɔŋ] *adj* своеволен, непокорен; вироглав, твърдоглав, упорит; опърничав; *разг.* луда глава.

headstrongness [hedstrɔŋnis] *n* вироглавие; твърдоглавие, упоритост, непреклонност, инат; опърничавост.

headway ['hedwei] *n* 1. напредване, движение (ход) напред; *прен.* напредък, възход, прогрес, успех; **to make ~** напредвам, вървя нап-

ред; 2. *техн.* свободна височина (*до свод, трегер на врата и пр.*); 3. промеждутък от време, *книж.* междувремие (*между два влака, автобус и пр.*); 4. *мин.* бремсберг, съоръжение за спускане на товари по големи наклони; главна галерия; изработка на пласт.

headwork ['hedwə:k] *n* 1. умствен, интелектуален труд; 2. *архит.* изображение на глава върху ключовия камък на свод; 3. хидровъзел.

heady ['hedi] *adj* 1. стремителен, буен, силен, неудържим, вихрен; 2. упоителен, който опива (упоява); **~ wine** силно вино; 3. опиянителен, замайващ; 4. шеметен (*за височина*).

heal [hi:l] *v* 1. лекувам, церя, излекувам, изцерявам; **to ~ s.o. of a wound** излекувам раната на някого; 2. (*за рана*) оздравявам, зараствам; затварям се (**up, over**); *прен.* уединявам се, изолирам се; 3. *прен.* оправям, поправям; уреждам; **to ~ the breach between two people** помирявам двама души.

healable ['hi:ləbəl] *adj* лечим, излечим, излекуем, изцерим.

healing ['hi:liŋ] I. *n* лечение, лекуване, излекуване, изцеление; II. *adj* лечебен, лековит, лечителен, целебен.

health [helθ] *n* 1. здраве; 2. здравеопазване; хигиена; **~ centre** здравен център; детска консултация; 3. тост, реч на празненство; наздравица; **to drink (to) the ~ of** пия за здравето на.

healthful ['helθful] *adj* 1. здравословен, хигиеничен; 2. здрав; бодър, жизнен.

healthy ['helθi] *adj* 1. здрав, в добро здраве; 2. здравословен, полезен за здравето; хигиеничен, чист; ◊ *adv* **healthily**.

heap [hi:p] I. *n* 1. куп, купчина, камара; **in a ~** накуп; 2. *разг.* маса, много; *pl* множество, навалица, многолюдие, тълпа; **~s of times** много пъти, често; 3. *мин.* табан, насипище; II. *v* 1. трупам, натрупвам, правя на куп (купчина) (**up**); **to ~ up riches** трупам (съ-

бирам) богатство; 2. отрупвам, препълвам (**with**); **a ~ed spoonful of sugar** препълнена лъжица захар; 3. обсипвам (**on, upon**); **to ~ blessings (insults) upon a person** отрупвам някого с благословии (оскърбления).

hear [hiə] *v* (**heard** [hə:d]) 1. чувам; **I have heard it said** чувал съм да казват, говори се, че ...; 2. слушам; изслушвам, дослушвам, доизслушвам (**out**); **to ~ the witnesses** *юр.* изслушвам свидетелите; 3. дочувам, научавам; 4. получавам известие (**of, about**); получавам писмо (**from**).

hearer ['hiərə] *n* слушател; зрител; присъстващ, свидетел.

hearing ['hiəriŋ] *n* 1. слух; **out of ~** извън обсега на слуха; далеко; 2. слушане, чуване, изслушване; **trial ~ of a singer** прослушване на певец; 3. *юр.* разглеждане (на дело); разпитване (на свидетели); **to condemn s.o. without a ~** осъждам някого, без да му дам възможност да се защити.

hearsay ['hiəsei] I. *n* слух, мълва, версия, вест; празни приказки; **I have (know) it from ~** чувал съм само да казват, знам го от хорски приказки; II. *adj* основан на слухове; **~ evidence** *юр.* свидетелски показания, основани на чуто от другиго.

hearse [hə:s] I. *n* 1. катафалка, погребална кола; 2. *поет., остар.* ковчег; *прен.* сандък, кутия; II. *v* *рядко* поставям в ковчег; нося с (върху) катафалка.

heart [ha:t] *n* 1. сърце; **with bleeding ~** с разтуптяно сърце; *прен.* с нетърпение (страх); 2. *прен.* сърце, душа; *прен.* чувствителност, отзивчивост, благост; **at ~** дълбоко в себе си; по душа; 3. *прен.* същина, същност; **to get to the ~ of the matter** добирам се до същината на въпроса; 4. мъжество, смелост; храброст; ● **to keep a good ~, to keep up ~** не падам духом, държа се геройски, не унивам; 5. *прен.* любов; любимо същество; **to win (gain) s.o.'s ~** спечелвам любовта на

някого, покорявам нечие сърце; **6.** сърцевина, ядка; среда; **in the ~ of the country** в най-затънтения край на страната; **7.** плодородие (*на почвата*); **in good, strong ~** плодороден, богат; **8.** *техн.* сърце; ядро; сърцевина; **9.** *pl карти* купа; **queen of ~s** дама купа; **10.** сорт череши със сърцевидни плодове; ● **with ~ and hand** с всичките си сили, с ентусиазъм, енергично; **to learn (get) by ~** уча наизуст; II. *v* **1.** образувам сърцевина (*обикн. c* up); **2.** *строит.* запълвам (in).

heartbeat ['ha:tbi:t] *n* **1.** пулс, пулсиране на сърцето; **2.** *прен.* вълнение, трепет, възбуда.

heartbreaking ['ha:tbreikiŋ] *adj* **1.** сърцераздирателен, трогателен, покъртителен; **2.** *разг.* скучен, досаден; ◇ *adv* **heartbreakingly.**

heartbroken ['ha:tbroukən] *adj* съкрушен, сломен, разсипан; с разбито сърце, с причинена душевна болка; ◇ *adv* **broken-heartedly** ['brəukən,ha:tidli].

hearten [ha:tn] *v* насърчавам, окуражавам, ободрявам; **to ~ up** повдигам духа на, окрилям духом; успокоявам се, оживявам се, развеселявам се, ободрявам се.

hearth [ha:θ] *n* **1.** (домашно) огнище; **without ~ or home** без подслон, бездомен; **2.** камина, открита печка.

heartily ['ha:tili] *adv* **1.** сърдечно, чистосърдечно, искрено, от сърце; **to congratulate ~** честитя (поздравявам) от все сърце; **2.** охотно; на драго сърце; усърдно; **to eat ~** ям с апетит; **3.** силно, много, съвсем; **I am ~ sick of it** съвсем ми омръзна, дойде ми до гуша, *разг.* писна ми.

heartiness ['ha:tinis] *n* **1.** искреност, сърдечност, чистосърдечност; откровеност; **2.** здраве, сила.

heartless ['ha:tlis] *adj* безсърдечен; безжалостен, безмилостен, жесток; бездушен, безчувствен, студен.

heart-rending ['ha:t,rendiŋ] *adj* сърцераздирателен, покъртителен, трогателен, съкрушителен.

heart-searching ['ha:t,sə:tʃiŋ] I. *adj* изпитателен, проникновен, проницателен; II. *n pl* скрупули; съвест, морал; задръжки; **after many ~s I accepted** след дълго колебание аз приех.

heartsick ['ha:tsik] *adj* угнетен, изтерзан, отпаднал духом; **a ~ lover** отчаяно, много силно, безнадеждно влюбен.

heart-to-heart ['ha:t,tu'ha:t] *adj* искрен, честен, откровен, чистосърдечен; задушевен.

hearty ['ha:ti] I. *adj* **1.** сърдечен; честен, искрен, прям, откровен; ◇ *adv* **heartily; 2.** здрав, крепък, як, енергичен; **he is still ~** *разг.* още го бива; **3.** голям, добър (*за апетит*); **he is a ~ eater** апетитът му е завиден (добър, отличен); **4.** плодороден (*за почва*); II. *n* **1.** добър и смел човек; **2.** моряк; **3.** *унив.* спортист.

heat [hi:t] I. *n* **1.** горещина, топлина; **latent ~** *физ.* скрита топлина; **2.** *прен.* жар, разпаленост, възбуда, раздразнение; разгорещяване; гняв, ярост, ожесточеност; **to reply with some ~** отговарям малко раздразнено; **3.** *метал., техн.* нагряване, нажежаване; **to raise iron to white (red) ~** нажежавам желязо до бяло (червено); плавка (отделен цикъл на топене; стопилка при едно топене); **4.** разгонване, разпасване (*у животните*); **5.** нещо извършено с едно усилие; **6.** *спорт.* част от състезание; **qualifying ~** квалификационно състезание (рунд); **7.** *мед.* зачервяване (*на кожата*); **8.** спарване, ферментация; II. *v* **1.** нагрявам (се), грея (се), топля (се) (*също ~* up); **to ~ up the soup** претоплям супата; **2.** нагорещявам (се), нажежавам (се); **3.** *прен.* възбуждам (*фантазия и пр.*); разгарям, разпалвам (страсти); раздразвам; **4.** спарвам се; ферментирам.

heatedly ['hi:tidli] *adv* възбудено, разпалено; гневно, яростно, ожесточено.

heater ['hi:tə] *n* **1.** нагревател; грейка; отоплител; радиатор; печка;

радио. отопление; нагревател на катод (*на електровакуумен уред*); **immersion ~** бързовар; **2.** огняр; **3.** *sl* револвер, пистолет.

heath [hi:θ] *n* **1.** степ; пустиня, пустош; **2.** *бот.* пирен, гарига.

heathen ['hi:ðən] I. *adj* **1.** езически; **2.** *разг.* нерелигиозен; **3.** *разг.* непросветен; некултурен; нецивилизован, див; II. *n* **1.** езичник; **2.** *разг.* нерелигиозен човек, безбожник, безверник; **3.** *разг.* дивак.

heating ['hi:tiŋ] I. *n* **1.** нагряване, сгорещяване; **~ surface** нагревна площ; **2.** отопление, изкуствено затопляне; **stream ~** парно отопление; **3.** спарване, запарване (*на жито и пр.*); ферментиране; II. *adj* **1.** нагревателен; **2.** топлинен, отоплителен.

heave [hi:v] I. *v* (heaved *u* hove [houv] *особ. мор.*) **1.** издигам (се), повдигам (се); **2.** премествам, отмествам; прехвърлям (*тежест*); *геол.* размествам се хоризонтално, възсядам се (*за пластове*); **to ~ coal** товаря въглища; **3.** надигам (се) и (се) отпускам (*за вълни, гърди*); издувам се; правя вълнообразни движения; повдигнувам се; смущавам се; **to ~ with laughter** треса се от смях; **4.** изпускам (*въздишка и пр.*); **to ~ a sigh** въздъхвам тежко; **5.** *мор.* обръщам се; завивам; движа се; **to ~ a ship down** килвам кораб настрана; **6.** *разг., мор.* хвърлям, мятам; **to ~ the lead** *мор.* хвърлям лот (*за измерване на дълбочината*); **7.** свивам се конвулсивно (*за гърло, стомах*); повръща ми се, гади ми се, повдига ми се; II. *n* **1.** повдигане, издигане; *спорт.* хватка за сваляне на противника при борба; **2.** (морско) вълнение; **3.** повдигане на стомаха, гадене; напъни за повръщане; **4.** *геол.* хоризонтално разместване, възсядане (*на земните пластове*); **5.** *pl вет.* **the heaves** вид астма у конете; запъхтяване.

heaven [hevn] *n* **1.** небе, небосвод; небеса; **the starry ~s** звездните небеса; **2.** *прен., рел.* небе, рай; блаженство; **in (the) seventh ~** на

седмото небе; крайно блажен. **heavenly** [ˈhevnli] *adj* **1.** небесен; ~ **body** небесно светило; **2.** *прен.* прекрасен, възвишен, райски; божествен, небесен; ~-**minded** откъснат от земното (*за човек*); набожен; свят; **3.** *разг.* възхитителен, чудесен, прекрасен; **what ~ peaches!** какви разкошни праскови!

heaver [ˈhiːvə] *n* **1.** носач, хамалин; докер, товарач (*на въглища и пр.*); **2.** *техн.* лост; повдигач; **3.** *мор.* дървен скрипец за навиване на корабно въже.

heavily [ˈhevili] *adv* **1.** тежко; мъчително, тягостно; **times hangs ~** времето тече мудно; **2.** силно, тежко; **to lose ~** губя големи суми; **3.** мъчително, с усилие (*за дишане, движение*); **4.** *остар.* мрачно, печално, тъжно, унило.

heaviness [ˈhevinis] *n* **1.** тежест, товар; **2.** несръчност, неловкост, тромавост; **3.** инертност; отпуснатост; **4.** унилост, депресия, угнетеност; ~ **of heart** сърдечна мъка.

heavy [ˈhevi] **I.** *adj* **1.** тежък; голям, труден; ~ **casualties** *воен.* тежки човешки загуби; **2.** тежко натоварен (**with**); *прен.* претоварен; **air ~ with scent** въздух, преситен с ухание (*парфюми*); **3.** голям; обемист; **to be a ~ eater** ям много; **4.** богат, изобилен; ~ **crop** изобилна (богата) реколта; **5.** тежък, тромав, непохватен; помпозен, надут; **a ~ tread** тежка (тромава) походка; **6.** тъп; скучен; **this book is ~ reading** тази книга е скучна; **7.** силен; ~ **rain** проливен дъжд; **8.** бурен; облачен, мрачен; **a ~ sea was running** морето беше бурно; **9.** сериозен; ~ **offence** тежко провинение; **10.** тежко обработваем, сбит, глинест (*за почва*); разкалян (*за път*); клисав (*за хляб*); лепкав (*за тесто*); вискозен, гъст; **11.** висок; ~ **prices** високи цени; **12.** груб, недодялан; ~ **features** груби черти; неизразителна физиономия; **13.** *полигр.* черен (*за шрифт*); **14.** тъжен, унил, потиснат; мрачен; **15.** бре-

менна; ~ **with young** (*за животно*) спрасна, стелна, скотна и пр.; **16.** *хим.* слабо летлив, тежък; **17.** сънен, унесен; упоен; **II.** *n* **1.** *театр.* сериозна (трагична) роля; **2.** актьор, който изпълнява такива роли; **3.** *воен.* тежкокалибрено оръдие; **the heavies** тежката артилерия; тежките бомбардировачи.

heavy-hearted [ˈheviˈhaːtid] *adj* печален, меланхоличен, унил, тъжен, обезсърчен, сломен, паднал духом.

heckle [hekəl] **I.** *n текст.* гребен, чесалка (*и* **hackle, hatchel**); **II.** *v* **1.** апострофирам, репликирам, прекъсвам (*оратор*); задавам неудобни въпроси; *разг.* зачесвам (*някого*); **2.** чеша (*лен или коноп*); *текст.* хехеловам.

hectic [ˈhektik] *adj* **1.** туберкулозен; трескав; болезнено зачервен; ~ **flush** трескава руменина; **2.** изнурителен, уморителен, убийствен, изтощителен; **3.** възбуден, трескаво оживен; **we had a ~ time** преживяхме трудни времена.

hedge [hedʒ] **I.** *n* **1.** плет, ограда, заграждение; жив плет; **to be on the right side of the ~ (fence)** постъпвам правилно, заемам правилно становище; **2.** *прен.* преграда, препятствие; ~ **of police** полицейски кордон; **3.** *attr* долнокачествен; съмнителен; ~ **tavern** долнопробна кръчма; **II.** *v* **1.** ограждам, заграждам, окръжавам (**about, in**); преграждам (**off**); поставям ограда; **to ~ round with care and affection** обграждам с грижа и обич; **2.** работник съм по поддръжката на плетове; **3.** *прен.* ограничавам, възпрепятствам, възпирам; затруднявам; **to ~ a person's path with difficulties** спъвам пътя на някого; **4.** *прен.* предпазвам (се), обезпечавам (се), осигурявам (се), застраховам (се) (*срещу евентуални загуби*); *амер., търг.* осигурявам покритие на акции; **5.** *прен.* отбягвам да взема определено становище, усуквам го, увъртам го, шикалкавя; подсигурявам се, оставям

си отворена вратичка.

heed [hiːd] *книж.* **I.** *n* внимание, предпазливост, грижа, загриженост, безпокойство; **to pay (give) ~ to** обръщам внимание на; **II.** *v* обръщам внимание на, взимам под внимание; вслушвам се в.

heedful [ˈhiːdful] *adj книж.* внимателен, грижлив, грижовен; **he is ~ of advice** той се вслушва в съвети.

heedless [ˈhiːdlis] *adj* невнимателен, небрежен, нехаен, непредпазлив, необмислен.

heel₁ [hiːl] **I.** *n* **1.** пета; **Achilles' ~** ахилесова пета; *прен.* уязвимо (слабо) място; **to fling (pick up) o.'s ~s, to show a clean pair of ~s, to take to o.'s ~s** офейквам, избягвам, "духвам", плюя си на петите; **2.** ток (*на обувка*); пета (*на чорап*); **French ~s** тънки високи токчета; **3.** заден крак на животно; шип (*на подкова*); шпора, махмуз; **4.** кора; край (*на хляб и пр.*); **5.** *строит.* основа (долна част) на мертеци (ребра); **6.** ръб, долен край; долна (крайна, задна) част; надебелен край (*на калем за разсад*); **7.** *спорт.* закривена част на стик за голф; **8.** *sl амер.* мръсник, вагабонтин, мерзавец, гад; **9.** *мор.* шпора, пета (*на мачта*); **10.** *хидр.* пета на воден откос на язовирна стена; **II.** *v* **1.** слагам пети (токове) на; **2.** преследвам (следвам) по петите, плътно съм до него (*прен.*); **3.** тракам с токовете (*при танц*); **4.** *спорт.* удрям (топката) със закривената част на стика за голф; **5.** заравям временно корените (*на растения, преди да се засадят окончателно*); ● **walk to heel** вървя по петите, следвам покорно господаря си.

heel₂ [hiːl] **I.** *v мор.* наклонявам (се), навеждам (се); килвам (се) (**over**); **II.** *n мор.* наклоняване (килване) на кораб встрани; ъгъл на наклоняването.

heft [heft] **I.** *n* **1.** *диал.* тегло, тежест; **2.** *амер., разг.* главна част, болшинство, мнозинство; **the ~ of the crop** по-голямата част от

реколтата; **II.** *v* **1.** определям на ръка тежестта на нещо; **2.** *диал.* повдигам, вдигам, издигам.

hefty [′hefti] *adj* **1.** *разг.* як, здрав, мускулест; мъжествен, снажен, *нар.* левент; **2.** голям, тежък.

hegemonic(al) [hi:gi′mɔnik(l)] *adj* ръководещ; доминиращ, господстващ, главен.

hegemony [hi:′geməni] *n* хегемония, господство, първенство, надмощие, приоритет.

height [hait] *n* **1.** височина; височина; ръст; ~ **above sea level** височина над морското равнище; **2.** възвишение, хълм; хребет; ~**s and hollows of the ground** неравности на терена; **3.** *прен.* връх, апогей, кулминационна точка; най-висша степен; **at (in) the ~ of** в разгара на; **dressed in the ~ of fashion** облечен по последна мода; **4.** *pl библ.* небе; **5.** *архит.* стрела (*на арка, свод*); **6.** *геол., мин.* мощност (*на жила, пласт*).

heighten [haitn] *v* **1.** повишавам (се), издигам (се), усилвам (се), засилвам, подчертавам; **to ~ a colour** правя цвят по-интензивен; **2.** преувеличавам, пресилвам; **to ~ a description** украсявам (разкрасявам) описание (*с преувеличения*).

heinous [′heinəs] *adj книж.* отвратителен, противен, гнусен, ужасен, непоносим; грозен.

heir [εə] **I.** *n* наследник, потомък; продължител, приемник; **to fall ~ to a property** наследявам имущество; ~ **to the crown** престолонаследник; **II.** *v* наследявам.

heist [heist] *n sl* ограбване, грабеж, кражба с взлом, престъпление; *рядко* убийство.

heliacal [hi:′laiəkəl] *adj* **1.** слънчев; *прен.* светъл, ясен, хубав; **2.** *астр.* който съвпада с изгрева (залеза) на слънцето.

helical [′helikəl] *adj* **1.** *книж.* спираловиден, завит, навит, извит; **2.** *техн.* винтов, спирален, хеликовиден; **3.** с наклонени зъби (*за зъбно колело*).

helicopter [′helikɔptə] *n авиац.* вертолет, хеликоптер.

helium [′hi:liəm] *n хим.* хелий.

helix [′hi:liks] (*pl* **helixes, helices** [′hi:lisi:z]) *n* **1.** спирала, спирална линия, винтова линия; **2.** *анат.* завит край на ушната раковина; **3.** *техн.* винт; **4.** *зоол.* охлюв; **5.** *архит.* спираловиден, завит, извит орнамент; волута на капител; **6.** *ел.* соленоид.

hell [hel] *n* **1.** ад, пъкъл, преизподня (*и прен.*); **a (regular) ~ of a noise** адски шум; **a ~ of a price** безбожна цена; **2.** игрален дом; вертеп; **3.** кошче за парцали (*на шивач*); **4.** *полигр.* сандъче за разпилени коли; **5.** *амер., разг.* гуляй; **6.** *амер.* пещ за изгаряне на отпадъци.

hell-bent [′hel′bent] *adj разг.* настървен (**on**), ожесточен, *разг.* с хъс, насъскан.

Hellenism [′helinizəm] *n* елинизъм; древна гръцка култура.

hellion [′heliən] *n амер., разг.* **1.** неспокоен човек; **2.** непослушно дете, палавник, пакостник, беладжия, *разг.* щуро дете.

hellish [′heliʃ] *adj* адски, дяволски, пъклен; страшен, жесток, ужасен; **it was ~ to see** изглеждаше ужасно.

hello [′hʌ′lou, he′lou] **I.** *int* ало! здравей!; ~, **is that you?** я гледай, ти ли си бил? **II.** *v* викам "ало".

helm [helm] **I.** *n* **1.** кормило, волан; *мор.* румпел; щурвал; **to be at the ~** държа (направлявам) кормилото; **2.** *прен.* власт, управление; **to take the ~** взимам управлението в свои ръце; поемам юздите, кормилото; **II.** *v* направлявам, насочвам, управлявам.

helmsman [′helmzmən] *n* кормчия; ръководител, водач, управляващ.

help [help] **I.** *v* **1.** помагам на, оказвам помощ (съдействие) на, съдействам (допринасям) за; подпомагам; ~ **me across the street** помогни ми да пресека улицата; **2.** подобрявам, поправям, облекчавам; **3.** сервирам (храна), поднасям, сипвам (**to**); **to ~ s.o. to soup** сипвам супа на някого; ~ **yourself** вземете си, не се стеснявайте; **4.** *с can*: попречвам на,

възпрепятствам, предотвратявам; **things we cannot ~ happening** неща, които не можем да предотвратим;

help along помагам (*на някого*) да напредне, *разг.* подавам му ръка; придвижвам (*работа, въпрос*);

help down помагам (*на някого*) да слезе, подавам ръка;

help downstairs помагам (*на някого*) да слезе по стълбите, прикрепям го, подкрепям го;

help forward подтиквам, придвижвам; *книж.* поощрявам, стимулирам; улеснявам хода на (*работа и пр.*);

help in помагам (*на някого*) да влезе (да се качи в кола);

help into 1) помагам (*на някого*) да влезе; **2)** помагам (*на някого*) да облече (*дреха*); държа (*на някого дреха*);

help off помагам да се свали (отдели); **to ~ s.o. off his/her coat** помагам на някого да си свали (съблече) палтото;

help on 1) подпомагам, улеснявам; придвижвам; **2)**: ~ **me on with my overcoat** помогни ми да си облека палтото;

help out 1) помагам (*на някого*) да излезе; **2)** изваждам от затруднение, спасявам от беда; оказвам помощ;

help over помагам (*на някого*) да прескочи (преодолее, прехвърли) (*стена, препятствие*);

help through изваждам от затруднение, спасявам от беда (неприятност);

help up помагам (*на някого*) да се издигне (качи) (*и прен.*); да заеме по-висок пост (*прен.*);

II. *n* **1.** помощ, опора, съдействие, подкрепа; **to cry for ~** викам помощ; **2.** средство; спасение; **there is no ~ for it** това не може да се оправи; тук няма какво да се прави; **3.** помощник; наемен работник; прислуга; **lady ~** *евфем.* домашна помощничка; **4.** *рядко диал.* порция.

helper [′helpə] *n* **1.** помощник; **2.** *техн.* подръчник; спомагателен механизъм; **3.** *мин.* спомагателна

взривна дупка; **4.** жп спомагателен локомотив (и ~-**engine**).

helpful ['helpful] *adj* полезен; услужлив; благотворен (за *лекарство*); ефикасен; резултатен; ◇*adv* **helpfully.**

helping ['helpiŋ] **I.** *adj* помощен, спомагателен, подкрепителен; **to lend a ~ hand** предлагам услугите (помощта) си; **II.** *n* **1.** помагане, подкрепяне; **2.** порция (*храна*); **have another ~** вземете си още; **I had a second ~** взех (сипах) си повторно.

helpless ['helplis] *adj* безпомощен, беззащитен; ◇ *adv* **helplessly; as ~ as a babe** съвсем безпомощен; **I was ~ with astonishment** останах като гръмнат (тряснат) от учудване.

helplessness [helplesnis] *n* безпомощност.

helter-skelter ['heltə'skeltə] **I.** *adv* безредно, безразборно; презглава, както попадне; **II.** *v* суматоха; безпорядък, бъркотия; паническо бягство; **III.** *adj* безпорядъчен, безреден; безразборен; **a ~ flight** паническо бягство.

helve [helv] *n* дръжка.

hem [hem] **I.** *n* **1.** подгъв; ивица, ръб, кант; край; **plain ~** обикновен подгъв; **open-work ~** подгъв с ажур (*на носна кърпа и пр.*); **2.** бордюр; **II.** *v* **1.** подгъвам; свивам, свивам; поръбвам; подшивам; **2.** ограничавам; ограждам, обкръжавам; затварям (**in, about, round**).

h(a)ematic [hi:'mætik] **I.** *adj* кръвен; подобен на кръв, съдържащ кръв; **II.** *n* лекарство, което действа на кръвта.

hemicycle ['hemisaikəl] *n* полукръг; нещо направено в полукръг (*стена, стая и пр.*).

hemisphere ['hemisfiə] *n* **1.** полукълбо, полусфера, полушарие, хемисфера; **2.** анат. полукълбо на главния мозък, хемисфера.

hemispheric(al) ['hemisferik(l)] *adj* полусферичен.

hemp [hemp] *n* **1.** коноп; **2.** индийски коноп, хашиш (и **Indian ~**); **3.** наркотик, приготвен от индийски коноп (хашиш); дрога; **4.** прен., остар. въже (*на палач*); бесилка.

hempen ['hempən] *adj* кълчищен, конопен; **~ collar** разг. въже за бесене (бесилка).

hen [hen] *n* **1.** кокошка; **2.** женската у птиците; **3.** шег. жена; **~ with one chicken** грижлива (работлива, дейна) жена.

hence [hens] **I.** *adv* книж. **1.** оттук; **get thee ~!** остар. махай се оттук! изчезвай! да те няма! **2.** отсега, след; **a month ~** след един месец; **3.** следователно, и така; прочие; от това следва, че; **~ his anger** оттам и гневът му, това е причината за гнева му; **II.** *int* остар. вън!

henceforth ['hens'fɔ:θ] *adv* отсега нататък, тепърва, в бъдеще.

henchman ['hentʃmən] (*pl* -**men**) *n* **1.** истор. оръженосец; копиеносец; **2.** привърженик, последовател, поддръжник; довереник, вярно лице; **3.** полит. мазник, подмазвач, подлизурко, прен. хамелеон; презр. помощник, помагач.

hen-house ['hen'haus] *n* курник, кокошарник, птичарник.

henna ['henə] **I.** *n* къна; **II.** *v* къносвам, боядисвам с къна; **to have o.'s hair ~ed** къносвам си, боядисвам си косата.

herald ['herəld] **I.** *n* **1.** пратеник, вестител, вестоносец, глашатай; **the lark, ~ of the morning** чучулигата, предвестник на утрото; **2.** лице, чиято служба е да раздава (регистрира) титли и фамилни гербове; **II.** *v* **1.** съобщавам официално, известявам, възвестявам; **to ~ in the morn** известявам пукването на зората; **2.** въвеждам (**into**).

heraldic [he'rəldik] *adj* хералдически; **~ bearing** герб.

heraldry ['herəldri] *n* **1.** хералдика; **2.** събир. гербове.

herb [hə:b] *n* **1.** трева, билка, биле, лековито растение; подправка; **medicinal ~s** лечебни (лековити) билки; лекарствени растения; **2.** остар., поет., рядко трева, зеленина.

herbaceous [hə:'beiʃəs] *adj* бот. **1.**

тревист (за *растение*); **2.** подобен на обикновен лист.

herbage ['hə:bidʒ] *n* **1.** събир. трева, зеленина; **2.** остар. пасбище; паша; **3.** юр. право на пасбище.

herbarium [hə:'bɛəriəm] (*pl* -**iums**, -**ia**) *n* хербарий.

herbivorous [hə:'bivərəs] *adj* тревопасен.

herd [hə:d] **I.** *n* **1.** стадо, чарда; табун (*коне*); **the ~ instinct** стадно чувство; **2.** прен. тълпа; множество, маса; **the common (vulgar) ~** простолюдието, тълпата; **3.** пастир, овчар, говедар; **II.** *v* **1.** събирам (трупам) се в стадо; живея в стадо; движа се вкупом, тълпя се; **these animals ~ together** тези животни живеят на стада; **2.** паса, гледам (*стадо*); **to ~ together** събирам.

herder ['hə:də] *n* **1.** пастир; овчар, говедар; **2.** амер. човек, който отговаря за стадото.

here [hiə] **I.** *adv* **1.** тук, на това място; **come in ~ please** минете оттук, моля; **up to ~, down to ~** дотук; **2.** в тази посока, насам; **~ and there** тук и там, тук-таме, разхвърляно; *рядко* от време на време; **~, there and everywhere** навсякъде, на много места; **3.** ето; **~ I am!** ето ме!; **~ is a chance!** ето ти случай!; ●**~'s to you!** **~'s how!** наздраве, за ваше здраве! **II.** *n* този свят, този живот; **the ~ and now** настоящият момент.

hereditary [hi'reditəri] *adj* **1.** наследствен, потомствен; фамилен, семеен; **2.** традиционен.

heredity [hi'rediti] *n* наследственост, приемственост, семейственост; генетика.

herein [hiə'rin] *adv* книж. **1.** в това; тук; **the letter enclosed ~** тук приложеното писмо; **the event related ~ above** юр. гореспоменатата случка; **2.** при това, освен това, с оглед на това, предвид на това.

heretic ['herətik] *n* еретик, разколник, отцепник; сектант.

heretical [hi'retikəl] *adj* еретически; разколнически, отцепнически; сектантски.

hereupon ['hiərə'pɔn] _adv_ **1.** след това, в бъдеще, тепърва; **2.** вследствие на това.

heritable ['heritəbəl] **I.** _adj_ **1.** наследствен, потомствен; **2.** _юр._ наследяем; който има правото да наследи; **II.** _n pl_ наследяемо имущество.

heritage ['heritidʒ] _n_ **1.** наследство; бащиния; завещание; **to enter into the ~ of** ставам наследник на; **2.** _шотл._, _юр._ недвижими имущества; **3.** _библ._ богоизбраният народ, израилтяните; **4.** _рел._ Християнската църква.

heritor ['heritə] _n_ **1.** наследник, приемник, потомък; **2.** _шотл._ владетел (наемател) на земя в някоя епархия.

hermaphrodite [hə:'mæfrədait] **I.** _n_ хермафродит; **II.** _a_ **1.** хермафродитен; **2.** _прен._ смесен, с противоположни качества; **~ brig** кораб с квадратно платно на предната мачта и с платна като шхуна на главната мачта.

hermeneutic [hə:mi'nju:tik] _adj_ обяснителен, пояснителен, разяснителен, тълкувателен, херменевтичен.

hermetically [hə:'metikli] _adv_ херметично, плътно; здраво прилепнало.

hermit ['hə:mit] _n_ **1.** отшелник, пустинник, аскет, анахорет; **2.** _амер._ вид курабии с меласа, стафиди и орехи; **3.** _зоол._ вид колибри.

hernia ['hə:niə] _n мед._ херния, изсипване, кила.

hero ['hiərou] (_pl_ **-oes**) _n_ **1.** герой, _остар._ юнак; **~ of the hour** герой на деня; **2.** _мит._ герой, полубог.

heroic [hi'rouik] **I.** _adj_ **1.** героичен, геройски, юначен, храбър; смел, безстрашен; **~ age** епохата на античните герои; ◇ _adv_ **heroically** [hi'rouikli]; **2.** _проз.:_ **~ verse** петостъпен римуван ямб (_в английската поезия_); александрийски стих (_във френската поезия_); хекзаметър (_в античната поезия_); **3.** високопарен, бомбастичен, надут, претенциозен; **4.** ре-

шителен, драстичен; **~ measures** драстични мерки; **5.** _изк._ с размери по-големи от естествените, но не монументален; **II.** _n pl_ **1.** героични стихотворения (стихове); **2.** _прен._ декламаторство, позьорство, театралничене; надут (бомбастичен, високопарен) език; **to indulge in ~s, to go into ~s** декламирам, изпадам в афект.

heroin ['herouin] _n фарм._ хероин.

heroism ['herouizəm] _n_ героизъм, геройство; смелост, безстрашие; доблест.

hero-worship ['hiərou,wə:ʃip] _n_ култ, преклонение, почит към героите.

herpes ['hə:pi:z] _n мед._ херпес.

herring ['heriŋ] _n_ херинга, селда _Clupea harengus_; **red ~** пушена херинга; _прен._ нещо за отвличане на вниманието.

hers [hə:z] _pron poss_ неин (_абсолютна форма_); **a friend of ~** една нейна приятелка, един неин приятел.

herself [hə:'self] _pron refl_ **1.** се, себе, себе си (_само за ж. р._); **she hurt ~** тя се удари; **2.** (_като форма за подсилване или подчертаване_) сама, самичка, лично; **she did it ~** тя сама (лично) го направи; ● **she is not ~ today** днес тя не е на себе си; **she is living by ~** тя живее сама.

hesitance, -cy ['hezitəns(i)] _n_ **1.** колебливост; боязливост; двоумение, нерешителност; **2.** заекване, запъване (_дефект в говора_).

hesitant ['hezitənt] _adj_ колеблив, нерешителен, плах, неуверен; боязлив; ◇ _adv_ **hesitantly.**

hesitate ['heziteit] _v_ **1.** колебая се, двоумя се, не се решавам; боя се; ● **he who ~s is lost** колебанието е пагубно; **he ~s at nothing** него нищо не го спира, той не се спира пред нищо; **2.** заеквам, запъвам се.

hesitation [,hezi'teiʃən] _n_ **1.** колебание; плахост, боязливост; нерешителност; двоумение; **2.** заекване, запъване (_в говора_).

het [het] _adj разг._ разгорещен, разлютен, ядосан, кипнал; **don't get**

~ up about it не се гневи, не се дразни, не се ядосвай, _разг._ не вдигай пàра.

heterochromus [hetərə'krouməs] _adj_ разноцветен, пъстроцветен, от различни цветове.

heteroclite ['hetərəklait] **I.** _adj_ **1.** хетероклитен, който се отклонява от общоприетите правила; **2.** _език._ хетероклитен, неправилен; **II.** _n_ **1.** аномалия; изключение; **2.** чудак, особняк; оригинал, ексцентрик; **3.** _език._ дума с неправилно склонение (спрежение).

heterodox ['hetərədɔks] _adj_ неправоверен, иноверски, друговерски.

heterodoxy ['hetərədɔksi] _n_ ерес, хетеродоксия; друговерие, иноверие; мнение, което се отклонява от общоприетото.

heterogeneous ['hetəro'dʒi:niəs] _adj_ **1.** разнороден, нееднороден, разновиден, основно различен, хетерогенен; чужд; **2.** _хим._ хетерогенен.

heterologous [hetə'rɔləgəs] _adj_ **1.** несъответстващ, неотговарящ; **2.** _мед._ състоящ се от тъкан, различна от нормалната (_напр. при тумор_).

hew [hju:] (**hewed; hewed, hewn** [hju:n]) _v_ **1.** сека, просичам; цепя; **to ~ out a career** правя кариера; **2.** насичам, надробявам; **3.** провалям; откъртвам (**away, down, from, off, out** _и пр._); **4.** одялвам, отсичам.

hewer [hjuə] _n_ **1.** дървар; дърводелец; дърворезач; **2.** каменар, каменоделец; **3.** _мин._ рудокопач.

hex [heks] **I.** _n_ вещица, магьосник; **II.** _v_ нося нещастие чрез магия; омагьосвам.

hexagon ['heksəgən] _n мат._ шестоъгълник, хексагон.

hexagonal [hek'sægənəl] _adj_ **1.** шестоъгълен, хексагонален; **2.** с шестоъгълни стени (_за кристал и пр._).

heyday ['heidei] _n_ разцвет; връх, зенит, апогей; триумф.

hi [hai] _int_ ей! хей!

hibernal [hai'bə:nəl] _adj книж._ зимен.

hibernate ['haibəneit] *v* **1.** спя зимен, летаргичен сън (*за животно*); **2.** зимувам; **3.** *прен.* бездействам.

hibernation [haibə'neiʃən] *n* хибернация; зимен сън, летаргия.

Hibernian [hai'bə:niən] *шег.* **I.** *adj* ирландски; **II.** *n* ирландец.

hiccup, hicough ['hikʌp] **I.** *n* хълцане; **II.** *v* хълцам, хълцукам.

hide₁ [haid] **I.** *n* **1.** кожа (*на едро животно*); одрана кожа (*сурова или обработена*); кожен полуфабрикат; **2.** *разг.* човешка кожа; **to have a thick ~** *прен.* имам дебела кожа, никой не може да ме засегне; не ми пука; ● **~ and hair** без остатък; **II.** *v* **1.** *разг.* бия с камшик; съдирам от бой; **2.** *остар.* дера, одирам (*кожа*).

hide₂ *v* (hid [hid]; hidden, hid [hidn]) крия (се), скривам (се); укривам (се); прикривам (се); закривам, покривам; **to ~ (away) a treasure** скривам съкровище; **to ~ away a secret in o.'s heart** заключвам тайна в сърцето си; ● **to ~ o.'s light (candle) under a bushel** погребвам си таланта; **on a ~ing to nothing** ситуация, от която при всички положения губиш.

hide-and-seek ['haidənd'si:k] *n* криеница, жмичка.

hideous ['hidiəs] *adj* грозен, отвратителен, ужасен, омразен, противен, гнусен.

hide-out ['haidaut] *n* скривалище, убежище.

hider ['haidə] *n* **1.** укривател; съучастник; **2.** беглец.

hie [hai] *v refl поет.* бързам; **he ~d him homeward** той избърза към къщи.

hierarchic(al) [haiə'ra:kik(əl)] *adj* йерархически, йерархичен.

hierarchy ['haiəra:ki] *n* **1.** йерархия (*и рел.*); **2.** *остар.* всяка от трите групи ангели; ангели.

hieroglyph ['haiərəglif] *n* йероглиф.

higgle ['higəl] *v* **1.** пазаря се, уговарям; **2.** споря; **3.** продавам по улиците.

higgledy-piggledy ['higldi'pigldi] **I.** *adv* в безпорядък, без ред; безразборно, разбъркано; **II.** *adj* разбъркан, един през друг, разхвърлян; **III.** *n* безпорядък, бъркотия, неразбория.

higgling ['higliŋ] *n* спазаряване, пазарлък, уговорка.

high [hai] **I.** *adj* **1.** висок, издигнат, възвисен; **2.** висш, главен, върховен; **High Command** върховно командване; **high official** висш служител; **3.** главен, важен (*и за последица и пр.*); **~ treason** държавна измяна; **4.** голям; силен; висок; **~ velocity (speed)** голяма скорост; **5.** в най-високата си точка, в разгара (*за време, сезон и пр.*); **~ noon** точно по пладне; **6.** остър, писклив, тънък (*за глас, тон*); **7.** превъзходен, отличен; **~ quality (class)** първо качество; **to have a ~ opinion of s.o. (to speak of s.o. in ~ terms)** имам отлично мнение за някого; **8.** възвишен, благороден; **~ thinking** нравствена извисеност; **~ aims** благородни цели (идеали); **9.** разкошен, богат; **10.** весел, развеселен; *разг.* развеселен (*и от пиене*); **in ~ feather (spirits)** в добро (отлично) настроение; весел, радостен; **11.** надменен, горд; **~ looks** важен вид; **~ and mighty** високомерен, надменен; **12.** леко вмирисан (*за месо от дивеч*); **~ antiquity** дълбока древност; **~ latitudes** географски ширини при полюсите; **II.** *adv* **1.** високо; **to aim (fly) ~** меря, целя се (летя, хвърча) високо; **2.** силно; **to run ~** вълнувам се силно (*за море*); разгарям се, разпалвам се, разгорещявам се, раста (*за чувство, страсти, думи*); увеличавам се, повишавам се (*за цена*); **3.** високо; пискливо, тънко; ● **to search (hunt) ~ and low** търся навсякъде, под дърво и камък; **to live ~** живея в разкош, нашироко; **III.** *n* **1.** високо ниво; *метал.* антициклон; **2.** *карти* най-силната карта; **3.** висша точка, максимум; **an all-time ~** рекорд; ● **~ and low** всички, бедни и богати; **~ and mighties** знаменитости.

high-altitude ['hai,æltitjud] *adj* **1.** многоетажен; **2.** височинен.

high-blown ['hai,bloun] *adj* **1.** силно надут, подут, издут; **2.** *прен.* надут, наперен, високомерен, арогантен.

high-bred ['haibred] *adj* **1.** породист; **2.** добре възпитан, етичен.

highbrow ['haibrau] **I.** *n разг.* интелектуалец, интелигент, образован, начетен, културен; **II.** *adj* интелектуален, интелигентски, образован, начетен; *неодобр.* културен; **~ music** *неодобр.* класическа музика; (ултра) модерна музика.

high-class ['hai,kla:s] *adj* първокачествен, първокласен.

high-coloured ['hai,kʌləd] *adj* **1.** румен, поруменял, зачервен, изчервен, червен; **2.** жив, ярък, образен (*за стил*) (*и прен.*); преувеличен, подсилен.

high-falutin(g) ['haifə'lju:tin(-iŋ)] **I.** *adj* надут, високомерен, бомбастичен; екстравагантен; **II.** *n* бомбастичност, гръмки, високопарни фрази.

high-handed ['hai'hændid] *adj* своеволен; властен, повелителен, заповеднически, тираничен.

high-hat ['hai'hæt] *разг.* **I.** *n* високопоставено лице; надут, високомерен човек, големец; **II.** *adj* надут, високомерен; **III.** *v* държа се високомерно (към).

high-hearted ['hai'ha:tid] *adj* сърцат, смел, безстрашен, неустрашим, дързновен.

high-heartedness ['hai'ha:tidnis] *n* сърцатост, безстрашие, дързновеност, дръзновение.

high-heat ['hai'hi:t] *adj* огнеупорен, трудноотопим.

high jinks ['hai'dʒiŋks] *n pl разг.* веселие, шум, джамборе, дандания.

high-level ['hai,levəl] *adj* високоактивен; интензивен.

high-life ['hai'laif] *adj* жизнерадостен, жизнен, пълен с живот, оживен; енергичен.

highly ['haili] *adv* **1.** много; силно; високо; **~ seasoned** силно подправен; **~ pleased** извънредно доволен; **2.** благоприятно, благосклонно; **to think ~ of** имам много добро (отлично) мнение за.

high-minded ['hai'maindid] *adj* **1.** благороден, възвишен; великодушен; **2.** *остар., библ.* горд, надменен.

high-mindedness ['hai'maindidnis] *n* благородство, възвишеност; великодушие.

highness ['hainis] *n* **1.** височина; височина; възвишеност; **2.** висока степен (*на нещо*); the ~ of prices високите цени; **3.** величина; **4.** (Н.) височество; His (Your) H. (Негово) Ваше височество.

high-performance ['hai pə'fɔ:məns] *adj* високоефективен, с добри работни характеристики.

high-pitched ['hai'pitʃt] *adj* **1.** висок, тънък; пищящ, пронизителен (*за звук*); **2.** остър, стръмен, силно наклонен (*за покрив*); **3.** *прен.* възвишен, благороден (*за цел, характер и пр.*); **4.** надменен, високомерен.

high-powered ['hai 'pawəd] *adj* мощен, свръхмощен; с голямо увеличение (*за оптични уреди*).

high-ranking ['hai,rænkiŋ] *adj* високопоставен; първокласен, отличен.

high-sounding ['hai,saundiŋ] *adj* **1.** громък, оглушителен, шумен, силен; **2.** *прен.* високопарен, бомбастичен, пищен, надут (*за стил и пр.*).

high-speed ['hai,spi:d] *adj* високоскоростен.

high-spirited ['hai,spiritid] *adj* **1.** смел, решителен, неустрашим, безстрашен, дръзновен; **2.** горещ, буен (*и за кон*); сприхав, *разг.* дръпнат; **3.** жизнерадостен, жизнен.

high-strung ['hai,strʌŋ] *adj* **1.** чувствителен; лесно възбудим, раздразнителен, нервен; **2.** възбуден, развълнуван, раздразнен, напрегнат, изопнат.

high-toned ['hai,tound] *adj* **1.** *муз.* на висок тон, глас; **2.** възвишен, благороден; ~ journal моралистично списание; **3.** *амер.* модерен, модерен.

highway ['haiwei] *n* **1.** голям път, магистрала; шосе; **2.** главен път (*и мор.*); **3.** *прен.* прав път; ● to be on the ~ to success (ruin) на път съм да успея (да се проваля).

highwayman ['haiweimən] *n истор.* разбойник, бандит, грабител; похитител.

hike [haik] **I.** *v* **1.** скитам, пътешествам, ходя пеш (*из планини и пр.*; about); to ~ it измивам пешком; **2.** *амер., воен.* маршрирам; **3.** мъкна, тътря; **4.** скитам, безделнича; **5.** повишавам (*рязко*) цени; **6.** дръпвам, придръпвам; **II.** *n* **1.** екскурзия (*пеш*); **2.** *амер., воен.* марш, поход.

hilarious [hi'lɛəriəs] *adj* весел, жив; шумен.

hilarity [hi'læriti] *n* веселост, веселие, веселба.

hill [hil] **I.** *n* **1.** хълм, височина, възвишение, могила, рид, бърдо, баир; to spend the summer in the ~s прекарвам лятото на планина; **2.** *авт.* стръмнина, наклон; **dangerous ~s** опасно слизане; **3.** куп, купчина, камара, купчинка; ant ~ мравуняк; ● not to care a ~ of beans *разг.* не давам пет пари; to go over the ~ *воен., жарг.* дезертирам; **II.** *v* **1.** правя на куп; **2.** окопавам (*картофи и пр.*); **III.** *adj* хълмист; ~ country хълмист терен, местност.

hillocky ['hiləki] *adj* хълмист, неравен.

hillside ['hil'said] *n* склон, скат, хребет.

himself [him'self] *pron refl* **1.** себе си; he cut ~ той се поряза; **2.** той самият (*за усилване*); he did it all by ~ той го извърши съвсем сам; ● Richard is ~ again още е жив, още е жив (*за някой, който е оздравял след тежка болест*).

hind₁ [haind] *n* **1.** сърна, кошута; **2.** женската на елен.

hind₂ *adj* заден; ~ legs задни крака; to get on o.'s ~ legs *шег.* изправям се на нокти, наежвам се.

hinder ['hində] *v* **1.** преча, спъвам, спирам, затруднявам, възпрепятствам; I was ~ed from coming бях възпрепятстван да дойда; **2.** забавям; **3.** бивам пречка за.

hindmost ['haindmoust] *adj* последен, най-заден, изостанал.

hindrance ['hindrəns] *n* пречка, спънка, задръжка, препятствие, бариера; мъчнотия, затруднение, трудност; to act without ~ имам пълна свобода на действие.

Hindu ['hin'du:] **I.** *adj* индуски; **II.** *n* индус.

hint [hint] **I.** *n* **1.** намек; подмятане, загатване; to take a ~ разбирам, вземам си бележка (*с леко загатване*); **2.** кратък съвет; ~s on housekeeping домакински съвети; **II.** *v* намеквам, подмятам, загатвам; внушавам; to ~ at s.th. намеквам (загатвам) за нещо.

hip [hip] *n* **1.** бедро; хълбок; ханш; **measurement round the ~s** обиколка на ханша; **2.** *строит.* ребро на покрив; триъгълен или трапецовиден скат на покрив; външен ъгъл на било на покрив; ● to have (get, take, *остар.* catch) s.o. on (upon) the ~ държа някого в ръцете си (във властта си).

hippodrome ['hipədroum] *n* хиподрум.

hippopotamus [hipə'pɔtəməs] *n* (*pl* -muses, -mi [-məsiz, -mai]) *зоол.* хипопотам *Hippopotamus*.

hire [haiə] **I.** *n* **1.** наем; наемане, заемане; to let (out (on) ~ давам под наем; cars for ~ коли под наем; **2.** наем; заплащане, възнаграждение; заплата; *прен.* награда; **II.** *v* **1.** наемам, ангажирам; главявам, ценявам, вземам на работа; to ~ a clark вземам служител; **2.** давам под наем (out); **3.** главявам се, пазарявам се (*разг.*) (out) (*u refl* to ~ oneself out as).

hirer ['haiərə] *n* наемател.

hirsute ['hə:sju:t] *adj* книж., шег. космат, обрасъл, власат; брадат.

his [hiz, iz] *pron poss* негов, свой; he took my pen and ~ той взе моята и неговата писалка; a friend of ~ един негов приятел.

hiss [his] **I.** *n* **1.** съскане, свистене; **2.** свиркане; **3.** *език.* съскащ звук; **II.** *v* **1.** съскам (*за гъска, змия и пр.*); свистя; пропускам пара със свистящ звук; **2.** освирквам; дюдюкам; to be ~ed бивам освиркан; to ~ disdain изразявам силно презрение (недоволство).

hissing ['hisiŋ] I. *adj* съскащ, свистящ; II. *n* съскане, свистене; освиркване.

histologic(al) [,histə'lɔdʒik(əl)] *adj* хистологичен; ◇ *adv* **histologically** [,histə'lɔdʒikəli].

histology [his'tɔlədʒi] *n* хистология.

historian [his'tɔ:riən] *n* историк.

historic [his'tɔrik] *adj* исторически, с историческо значение; ~ **tenses** *език.* исторически времена.

history ['histəri] *n* 1. история; **modern** ~ нова история; ~ **(book)** учебник по история; 2. историческа пиеса (*особ. от Шекспир*); 3. график на зависимостта от времето; изменение (*на параметър*) по време; 4. закономерност; протичане (*на процес*).

histrionic [,histri'ɔnik] I. *adj* 1. сценичен; актьорски; ~ **mania** *мед.* склонност към театрални пози, изражения, жестове и думи; 2. театрален, позьорски; II. *n pl* 1. театрално представление, спектакъл; 2. *прен.* театралничене, позьорство, преструвки; 3. театрално изкуство.

hit [hit] I. *v* (hit [hit]) 1. удрям, бия, нанасям удар; удрям се (**against, on, upon**); **to** ~ **s.o. in the face** удрям някого по лицето; **to** ~ **the nail on the head** улучвам, отгатвам, познавам; постъпвам правилно; казвам точно на място; 2. удрям, улучвам, уцелвам, умервам; попадам в целта; **to** ~ **the target** улучвам мишената; 3. засягам, наранявам, обиждам; **to be hard** ~ бивам силно засегнат; 4. попадам на, намирам, натъквам се, налучквам (*и* ~ **on**); случвам, срещам; **to** ~ **s.o.'s fancy** харесвам се на някого, допадам му; 5. отгатвам, улучвам; **you've** ~ **it** ти отгатна, улучи, позна; 6. правя впечатление, впечатлявам; **it** ~**s you in the eye** бие на очи, не може да не го видиш; 7. *амер., разг.* пристигам; **to** ~ **(the) town** пристигам в града; **to** ~ **the beach** *мор.* слизам на брега;

hit off 1) улучвам прилика (сходство); докарвам точно, имитирам; 2) скалъпвам, създавам на-

бързо, импровизирам; 3): **to** ~ **it off with** погаждаме се, разбираме се, добре я карам;

hit on (upon) срещам, натъквам се на, намирам;

hit out удрям силно (*с юмруци*), нападам;

II. *n* 1. удар; 2. попадение; **full** ~ точно попадение; 3. нападка; сатирична забележка, остра духовитост; сарказъм (**at**); **that was a** ~ **on me** това беше камък в моята градина; 4. успех, сензация; **to make a** ~ правя сензация; произвеждам ефект; успявам напълно; 5. ~**s** *изч.* срив (кратковременно смущение в линия); • ~ **or miss** наслуки, както дойде, безразборно.

hitch [hitʃ] I. *v* 1. дръпвам, дърпам се; 2. закачам (се), завързвам (**on, on to**); 3. засичам, правя засечка (*за пистолет; и прен.*); 4. впрягам (*и с* **up**); **to** ~ **up with** *разг.* събирам се с, съюзявам се с; женя се за; 5. *амер.* накуцвам; 6. *амер., разг.* разбирам се, погаждам се, карам; • **to** ~ **o.'s wagon to a star** имам големи планове (мечти); II. *n* 1. дръпване; 2. закачване; 3. спънка, пречка, препятствие, затруднение; засечка; задръжка; трудност, мъчнотия; **a** ~ **in the negotiations** затруднение в преговорите; 4. *мор.* вид възел; 5. впрягане; 6. накуцване; 7. *амер., разг.* военна служба; 8. *геол.* слабо разместване на пластове.

hitched [hitʃt] *adj* 1. скачен, свързан, зацепен, привързан; 2. *амер. sl* женен, омъжена (**up**).

hit-or-miss ['hitɔ:'mis] *adj* нехаен, случаен, наслуки; ~ **methods** налучкване.

hive [haiv] I. *n* 1. кошер (*и* **beehive**); 2. рой, рояк (*пчели*); 3. *прен.* "кошер", "мравуняк" (*от хора*); II. *v* 1. прибирам пчели (в кошер); 2. правя мед (в кошер); 3. роя се (*и* ~ **off**); 4. *прен.* подслонявам; 5. *прен.* трупам, натрупвам; 6. живея в общество.

hoar [hɔ:] I. *adj поет.* 1. побелял, посребрен (*за коса*), посивял; ос-

тарял; 2. побелял (*от слана, скреж*); II. *n рядко* 1. старост; старини, стари години; 2. скреж, слана (*и* ~ **frost**).

hoard [hɔ:d] I. *n* 1. запас, резерва, припаси; 2. съкровище, имане; II. *v* 1. складирам, натрупвам, трупам, запасявам; 2. пазя, съхранявам; скривам (**up**).

hoarding *n* 1. запасяване; 2. складиране, натрупване; 3. *pl* богатства, имане.

hoarfrost ['hɔ:frɔst] *n* скреж, слана.

hoariness ['hɔ:rinis] *n* 1. заскрежаване; побеляване от слана; 2. побелялост (*на коса*); старост, старини, стари години.

hoarse [hɔ:s] *adj* 1. дрезгав; сипкав, пресипнал; 2. скрибуцащ, скърцащ (*за механизъм и пр.*).

hoarseness ['hɔ:snis] *n* дрезгавост, сипкавост.

hoary ['hɔ:ri] *adj* 1. побелял, посивял; остарял; 2. стар, древен; почтен; ~ **antiquity** (най-)дълбока древност; 3. *бот.* покрит с бели влакънца.

hoax [houks] I. *v* излъгвам, баламосвам, подвеждам, погаждам номер на; II. *n* измама, подвеждане; номер, шега; *журн.* измислица.

hoaxer ['houksə] *n* лъжец, майтапчия, зевзек.

hobble ['hɔbl] I. *v* 1. куцам, накуцвам; окуцявам (*някого*); правя да куца; **to** ~ **along** вървя куцайки; 2. спъвам (*кон*) с букаи; II. *n* 1. куцане, накуцване; **to have a** ~ **in o.'s gait** куцам, накуцвам; 2. спъване (*на кон*); букаи, спънка; 3. *разг., рядко* затруднено положение.

hobby ['hɔbi] *n* хоби; страст; мания; **to paint as a** ~ рисувам за удоволствие.

hob-nob ['hɔbnɔb] I. *v разг.* 1. дружа (*и* интимно), другарувам, ходя, събирам се (**with**); **to** ~ **with strangers** общувам с непознати; 2. чуквам се, пия, пийвам с; II. *n рядко, грубо* приятелски разговор.

hobo ['houbou] (*pl* **hobos, hoboes**) *амер. sl* I. *n* 1. безделник, скит-

ник; **2.** странстващ сезонен работник; **II.** *v* скитам, бродя.

hockey ['hɔki] *n спорт.* хокей; **ice ~** хокей на лед; **field ~** хокей на трева.

hoe [hou] **I.** *n* **1.** мотика; **2.** кирка, търнокоп; **3.** гребло, лопата (*на багер*); **4.** (въжен) скрепер; **II.** *v* копая (*с мотика*); окопавам, прекопавам; • **a long row to ~** продължителна и трудна работа; **to ~ o.'s own row** сам си върша работата.

hog [hɔg] **I.** *n* **1.** свиня, прасе, кастриран шопар; **2.** *диал.* шиле; биче годинак, даначе; **3.** *прен.* алчен човек, лакомник; мръсник; егоист; **4.** *техн.* изкривяване, огъване; провисване, деформация; **5.** стъргало, стъргалка, четка за чистене на дъно на кораб отвън; **to bring o.'s ~s to (the wrong) market** излъгвам се в сметките си, провалям се; не успявам в работата си; **II.** *v* **1.** извивам се, изкорубвам се, измятам се; **2.** сграбчвам лакомо; **3.** *авт.* карам безогледно.

hog-backed ['hɔgbækt] *adj* **1.** отвесен, стръмен (*за било, хребет и пр.*); **2.** *геол.* вълнист, с издатъци (*за долнище на пласт*).

hoggish ['hɔgiʃ] *adj* **1.** свински, като прасе; **2.** *прен.* груб, неприятен; лаком, алчен, егоистичен.

hoggishness ['hɔgiʃnis] *n разг.* **1.** лакомия, ненаситност; **2.** грубост, простащина; **3.** мръсотия, свинщина.

hogsty ['hɔgstai] *n* свинарник; кочина.

hoist [hɔist] **I.** *v* дигам, издигам, вдигам, качвам (*със скрипец, кран*); *прен.* качвам, вдигам (*с мъка*); **II.** *n* **1.** вдигане, издигане, изкачване; **2.** *техн.* лебедка, хаспел; **3.** асансьор; **4.** *мор.* вертикална дължина на платно.

hoister ['hɔistə] *n* **1.** подемник, подемна машина; **2.** кранист, машинист на подемна машина.

hold₁ [hould] **I.** *v* (held [held]) **1.** държа; държа се; **to ~ aloof** държа се настрана; **to ~ oneself** държа се изправен; **2.** поддържам,

крепя, държа здраво, подпирам (*и с* **up**); издържам; **a knot that will ~** възел, който ще държи; **3.** задържам, удържам (*позиция, неприятел и пр.*); **to ~ o.s ground** държа се здраво (твърдо), не отстъпвам позициите си; **4.** имам сила, в сила съм, важа; **does your offer still ~?** предложението ти важи ли още? **5.** притежавам, имам; владея; заемам (*длъжност и пр.*); имам (*звание, титла*); **to ~ a medal** носител съм на медал (орден); **6.** събирам, побирам; **a carriage that ~s five people** кола за пет човека; **7.** държа, привличам, завладявам (*човек, внимание и пр.*); **to ~ the stage** задържам (приковавам) вниманието на публиката (*за артист*); задържам се, играя се дълго (*за пиеса*); предмет съм на разговори; **8.** държа се, задържам се, трая (*за време*); **if your luck ~s** ако продължи да ти върви; **9.** спирам; преча, попречвам, възпрепятствам; въздържам (се) (*и с* **back**, **up**, **in**); **to ~ o.'s breath** спирам, затаявам дъх; **10.** постоянствам; непоклатим, верен съм; държа (*на обещание и пр.*); упорствам; **to ~ by (to) o.'s opinion (decision)** не отстъпвам от мнението (решението) си; **11.** задържам; **to ~ s.o. prisoner** (*остар.* **captive**) държа някого в плен; **12.** провеждам, водя; **to ~ elections** провеждам избори; **13.** имам, питая; **to ~ strange opinion** имам странни възгледи; **14.** поддържам, на мнение съм; считам, смятам, мисля; **to ~ s.o. responsible** държа някого отговорен; **15.** пазя, празнувам, тача (*традиция, празник, обичай*); • **to ~ by the ears** държа здраво в ръцете си, имам голямо влияние над;

hold back 1) спирам, задържам (*тълпа, сълзи и пр.*); обуздавам, озаптявам, овладявам; 2) скривам, премълчавам; 3) оставам на заден план; 4) въздържам се; държа се настрана; дърпам се (**from**);

hold by придържам се към; вслушвам се в, следвам (*съвет*);

hold down 1) държа наведен, натиснат, подтиснат; 2) *амер.* продължавам да заемам длъжност, пост; **to ~ down a job** заемам длъжност;

hold forth 1) ораторствам, говоря въодушевено; **to ~ forth at length on** говоря на дълго и широко за (върху, по); 2) протягам, предлагам;

hold in 1) стягам (*юзда и пр.*); спирам; затварям; 2) *прен.* обуздавам, укротявам, овладявам (*чувства*); ограничавам; **to ~ oneself in** владея се, сдържам се, стърпявам се;

hold off 1) задържам; държа (се) на разстояние, страня, отбягвам; отлагам, забавям (се); 2) въздържам се (**from**);

hold on държа се здраво (*за нещо*); не изоставям, не напускам; *прен.* упорствам, продължавам; **~ on a minute!** почакай, чакай (още малко, минутка)! стой! не затваряй! (*на телефона*);

hold out 1) протягам, простирам, изпръщам; 2) предлагам, давам (*надежда, обещание*); **to ~ out a hand to** протягам (подавам) ръка на (*при нужда*); 3) издържам, удържам на; държа се; **to ~ out to the end** държа се, устоявам (издържам) докрай;

hold over 1) *adv* забавям; отлагам, отсрочвам; **to ~ over o.'s decision** отлагам решението си; 2) *prep* държа над; **to ~ a threat over s.o.'s head** държа под страх някого;

hold to 1) придържам се към, следвам (*мнение и пр.*); 2) не давам да мръдне от; **to ~ s.o. to his promise** заставям някого да изпълни обещанието си;

hold together прилепвам, съединявам; държа (се); *прен.* сплотявам, обединявам, укрепвам; **they ~ together** те се поддържат, подкрепят;

hold up 1) държа изправен; задържам се (*и за време*); **to ~ up o.'s nose** вирвам нос, важнича, придавам си важности; 2) поддържам, подпирам, подкрепям; 3)

излагам (*на присмех и пр.*) (to); 4) спирам, свършвам, прекратявам; задържам, бавя; 5) спирам за грабеж (*по пътищата*); ограбвам; ● to ~ up o.'s hands вдигам ръце, признавам се за победен; учудвам се; hold with съгласявам се с; поддържам, подкрепям, оказвам съдействие; *разг.* одобрявам; II. *n* 1. хващане, задържане; хватка; to catch (grip, take, lay) ~ of хващам здраво, сграбчвам; 2. власт, контрол; авторитет, влияние; to have a ~ on (over) s.o. имам власт (влияние) върху (над) някого; 3. дръжка, ръкохватка; нещо за захващане; 4. *остар.* затвор; килия; укрепено място; крепост, кале (*обикн.* stronghold); 5. *муз., остар.* пауза; ● to take ~ *амер.* започвам да действам; вземам активно участие, участвам активно.

hold₂ [hould] *n мор.* трюм; хамбар, склад.

holder ['houldə] *n* 1. дръжка; рамка; 2. притежател, собственик; small ~ дребен собственик; 3. наемател; арендатор; 4. *юр.* човек, който притежава полица; 5. *техн.* рамка, обков, легло, гнездо; 6. *спорт.* носител (*на рекорд, купа*).

holding ['houldin] *n* 1. хващане, захващане; *техн.* прикрепване; 2. владеене, притежаване; 3. имение; участък земя; small-~s system система на дребна собственост; 4. *фин.* авоар; вложение; gold and silver ~ of a country златна и сребърна наличност на една страна; 5. *спорт.* непозволено хващане.

hole [houl] I. *n* 1. дупка, дупчица; трапчинка, вдлъбнатина; трап, яма; to dig ~s правя (копая) дупки; 2. отвърстие, изход; отвор; inspection ~ отвор за наблюдаване; 3. дупка, бърлога (*на животно*); 4. затънтено място; лошо жилище, "дупка"; затвор; black ~ *остар.* карцер; 5. *техн.* кухина, шупла (*в метал, отливка, стъкло*); 6. *мин.* отвесен изкоп (*за руда*); взривна дупка; 7. *авиац.*,

остар. въздушна яма; 8. *спорт.* дупка за топка (*при голф и пр.*); вкарване на топка; точка; to play the ~ постигам (правя) точка; 9. *амер.* малко заливче или пристанище; 10. *sl* затруднено положение; to be in a ~ (for, to the extent of) *амер.* дължа, задлъжнял съм с; 11. *разг.* непоследователност, нелогичност, недостатък, пропуск; to knock ~s in an argument разбивам аргумент; *разг.* сразявам противник; ● a ~ in o.'s coat петно на репутацията ми; II. *v* 1. правя дупки; пробивам се (*и за чорап, кораб и пр.*); 2. вкарвам (влизам) (*в дупка*); *спорт.* вкарвам топката (*при голф*) (*и с out*); правя точка; 3. пробивам, прокопавам (*тунел*); 4. *мин.* правя изкоп (*за каменни въглища*); 5. зимувам в дупката си (*за животно*).

holiday ['holidei] I. *n* 1. *обикн. pl* ваканция; отпуск; to be on ~ (on o.'s ~s) прекарвам си отпуска, в отпуск съм; 2. празник; почивен ден; Bank ~ официален празник; 3. *attr* ваканционен; празничен; ~ time (season) ваканционно време; летуване, почивка; ~ camp къмпинг за летовници; II. *v* прекарвам отпуск (ваканция); летувам, почивам.

holier-than-thou ['houliəðæn'ðau] *adj* самодоволен, надут, високомерен.

holiness ['houlinis] *n* святост, свещеност, *прен.* неприкосновеност; His H. *рел.* Негово светейшество.

hollow ['holou] I. *adj* 1. кух, празен; 2. вдлъбнат; хлътнал; 3. дълбок (*за съд*); 4. глух, тъп, неясен (*за звук, тон*); 5. *прен.* празен, несериозен; неискрен, фалшив, лъжлив; 6. гладен; ● to ring (sound) ~, have a ~ ring звуча фалшиво, изглеждам безстойнотен; II. *n* 1. кухина; празнина; пещера; 2. вдлъбнатина, хлътнатина, падина, котловина; 3. хралупа, коруба; III. *v* дълбая, издълбавам (*обикн. с* out).

hollow-hearted ['holou,ha:tid] *adj*

неискрен, фалшив, лицемерен.

hollowness ['holounis] *n* празнота; безсъдържателност; фалш.

holocaust ['holəkɔ:st] *n* унищожение, гибел.

holograph ['holəgra:f] I. *n* саморъчно написан документ; II. *adj* саморъчен.

holster ['houlstə] *n* 1. кобур; 2. *техн.* рама, станок.

holy ['houli] I. *adj* 1. свят, свещен; H. Writ Светото писание; 2. благочестив, отдаден Богу; религиозен, набожен; ~ water светена вода; II. *n:* H. of Holies Светая Светих.

homage ['homidʒ] *n* почит, уважение; тачене, зачитане; to pay (do) ~ to отдавам почит, почитам.

home [houm] I. *n* 1. дом, домашно (бащино) огнище, покрив; жилище, къща; to be (feel, make oneself) at чувствам се като у дома си; 2. семейство, семеен живот; have you news from ~? имате ли известие от вашите? 3. родина, отечество; 4. метрополия; the old ~ метрополията; стария свят; родина, отечество; 5. приют; сиропиталище; nursing ~ (частна) клиника; 6. начална точка, база (*на експедиция и пр.*); 7. място, в което играчът не може да бъде хванат (*при детски игри*); *спорт.* врата; ● to sit at ~ пасивен съм, бездействам, не правя нищо; II. *adj* 1. домашен; семеен; роден; ~ computer *инф.* домашен компютър; 2. вътрешен; местен (*за стоки и пр.*); ~ market вътрешен пазар; 3. обратен (*за влак, пътуване и пр.*); ● a ~ truth горчива(та) истина; III. *v* 1. връщам се у дома (*особено за пощенски гълъб и др. животно*); 2. предоставям къщата си на, приютявам, приемам в дома си; 3. изпращам (донасям) вкъщи; 4.: to ~ in on насочвам (се) към; съсредоточавам се върху, целя (се) в; 5. *техн.* вкарвам, надявам; IV. *adv* 1. вкъщи, у дома; to go ~ отивам вкъщи, *прен.* умирам; 2. *в съчет. с гл.:* в определеното място, докъдето трябва (може), на-

вътре, надълбоко; в целта; **the shaft went (struck)** ~ стрелата се заби дълбоко (право в сърцето), *прен.* намекът го засегна дълбоко; 3. *спорт.* до финала; **to scrape** ~ *прен.* едва изкарвам (се измъквам, се оправям); • **to bring (come, get) oneself** ~ възстановявам се, оправям се финансово.

home-bred ['houm'bred] *adj* 1. доморасъл, домашен; 2. простоват, прост, груб, нешлифован.

homeless ['houmlis] *adj* бездомен, клошар, несретен.

home-like ['houmlaik] *adj* домашен, уютен, удобен.

home-maker ['houm,meikə] *n* домакиня.

homesickness ['houmsiknis] *n* носталгия.

homespun ['houmspʌn] **I.** *adj* 1. прост, груб; **a** ~ **proverb** народна мъдрост; 2. домашно изпреден; домашен; **II.** *n* домашен плат.

homework ['houmwə:k] *n* домашна работа, домашно; **to do o.'s** ~ пиша си домашното; подготвям се; подковавам се със знания.

homey ['houmi] *adj амер., разг.* уютен, приятен.

homicidal [,həmi'saidl] *adj* 1. убийствен, смъртоносен, унищожителен, гибелен, пагубен; 2. който има склонност към убиване.

homily ['həmili] *n* проповед, хомилия; **to read s.o. a** ~ чета на някого "евангелие", морал.

homogeneity [,həmɔdʒe'ni:iti] *n* еднородност, хомогенност.

homogeneous [,həmɔ'dʒi:niəs] *adj* еднороден; хомогенен, еднакъв; *мат.* съизмерим.

homologous [hɔ'mɔləgəs] *adj* 1. сходен, съответен, съобразен; 2. *хим.* хомоложен.

homonym ['həmənim] *n* 1. *език.* омоним; 2. едноименник.

homonymous [hɔ'mɔniməs] *adj* 1. едноименен; 2. омонимен; 3. двусмислен.

homo sapiens ['houmou'sæpiənz] *n* хомо сапиенс; човечество, човек.

homosexual [,həmo'seksjuəl] *adj* хомосексуален.

homosexuality [,həmoseksju'æliti] *n*

хомосексуализъм.

honest ['ɔnist] *adj* 1. честен; искрен, почтен; ~ **to God!** честна дума! наистина! действително! ~ **as the day is long** изключително честен; 2. истински, действителен, същински, неподправен; правдив; **an** ~ **piece of work** добре извършена работа; 3. *остар.* целомъдрен; добродетелен.

honesty ['ɔnisti] *n* 1. честност, искреност; почтеност; 2. правдивост; откровеност, прямота; **in all** ~ ако трябва да бъда откровен; честно казано; 3. *бот.* лопатка *Lunaria*.

honey-bee ['hʌni,bi:] *n* медоносна пчела.

honeyed, honied ['hʌnid] *adj* меден, подсладен, сладък; *прен.* ласкателен, меден, прелестен, глезен.

honeymoon ['hʌnimu:n] **I.** *n* меден месец; сватбено пътешествие; **II.** *v* отивам на сватбено пътешествие.

honey-mouthed ['hʌni,mauθd] *adj* сладкодумен; ласкателен, меден, глезен.

honorarium [,ɔnə'rɛəriəm] *n (pl* -riums, -ria) 1. премия, (паричен) подарък; 2. хонорар.

honorific [,ɔnə'rifik] **I.** *adj* 1. почетен; изразяващ почит; 2. почтителен; **II.** *n* 1. словоформи (думи) за изразяване на почит и уважение в източните езици; 2. почетна титла (*за доктор, професор и пр.*).

hono(u)r ['ɔnə] **I.** *n* 1. чест; **to be bound in** ~ морално съм задължен; 2. почит, уважение; **to give (pay)** ~ оказвам (засвидетелствам) уважение, почит; 3. *остар.* добро име, репутация; целомъдрие; 4. честност; благородство; 5. *pl* почести, награди; ордени; 6. *pl* унив. отличие (*обикн. при научен профил*); ~**s degree** диплома (степен) за научен профил; **II.** *v* 1. удостоявам (with); 2. почитам, уважавам; **I would be** ~**ed to** за мен ще бъде чест да; 3. плащам в срок (*за полица*); 4. удържам дадена дума; **to** ~ **an arrangement** изпълнявам уговорка.

honourable ['ɔnərəbəl] *adj* 1. почтен, честен, благороден; ◇ *adv* **honorably**; 2. почетен; 3. (*като обръщение*) уважаеми, почитаеми.

hood [hud] **I.** *n* 1. качулка; гугла; капишон; *унив.* шапка, знак за научна степен; 2. капак, похлупак; обвивка; покривало; *техн.* капак на автомобилен двигател; капак на механизъм; гюрук, покрив (*на файтон, кабриолет*); 3. *мор.* постройка с врата (*над стълбите*); 4. *sl* хулиган; **II.** *v.* 1. покривам с качулка, капак и пр.; похлупвам, захлупвам; 2. *прен.* скривам, закривам, прикривам, покривам.

hoodwink ['hudwiŋk] *v* 1. мамя, измамвам, изигравам, хвърлям прах в очите на; 2. закривам очите (*на човек*); 3. слагам капаци на кон.

hook [huk] **I.** *n* 1. кука, ченгел; кукичка (*на телено копче*); ~ **and eye** телено (мъжко и женско) копче; 2. въдица (*и прен.*); 3. канджа; 4. сърп, крив нож; 5. остра извивка, меандър, завой (*на река*); нос, земя, вдадена в море; 6. *sl* хитрец, измамник, крадец; • **by** ~ **or by crook** с всички средства; така или иначе; **II.** *v* 1. закачам, окачам, окачвам (up, on, upon, in); 2. свивам (се) във вид на кука; 3. хващам (*риба с въдица и прен.*); 4. (на)мушвам (*с рога*); 5. закопчавам; **to** ~ **at the back** закопчава се на гърба (отзад); 6. *sl* пипам, крада на дребно; 7. *спорт.* удрям странично със свит лакът (*в бокса*); • **to** ~ **o.'s fish** оплитам си кошницата; измамвам някого;

hook on хващам под ръка;

hook up 1) захващам, залавям с кука; скачвам, скачам, включвам (*механизъм, апарат*); 2) обединявам се за съвместна музикална дейност (with с).

hooked [hukt] *adj* 1. крив, изкривен, изгърбен, извит; 2. снабден с куки; 3. закопчан; закачен, окачен; 4. завладян, обсебен, вманиачен (on от); **to be** ~ **on a drug** зависим съм от наркотик.

hoop [hu:p] **I.** *n* 1. обръч; колело,

обръч (*за детска игра*); **2.** обръч (*на кринолин*); кринолин; **3.** халка (*на пръстен*); **4.** *техн.* скоба, обръч, рамка; гривна, пръстен; ● **to go (put s.o.) through (the) ~s** понасям, изтърпявам (подлагам на) изпитания, мъчения; **II.** *v* **1.** стягам, затягам (*с обръч*); **2.** обхващам, прегръщам.

hop₁ [hɔp] **I.** *v* (-**pp-**) **1.** подскачам, скачам (*на един крак*); карам да подскача (*топка и пр.*); **2.** *разг.* прескачам (*и с* **over**); **3.** *амер.* скачам в (*в движение*); **to ~ a train** пътувам нелегално; **4.** махам се, офейквам (*обикн.* **to ~ it**); **5.** *sl авиац.* отделям се от земята, литвам (*и* **off**); **6.** *sl* танцувам, играя; **7.** *sl* куцам; **II.** *n* **1.** скок, подскок (*на един крак*); **to catch on the ~** хващам (*топка*) при отскок; *прен.* намирам (*някого*) точно преди да тръгне; хващам неподготвен, изненадвам; **to keep s.o. on the ~** намирам работа на някого, не оставям някого да бездейства; **2.** *разг.* танц; вечеринка; бал; **3.** *sl авиац.* полет; етап на летене; **4.** *sl* опиум; **a ~ step (skip) and jump** троен скок; *прен.* (на) две крачки.

hop₂ **I.** *n* хмел; **II.** *v* **1.** бера хмел; **2.** слагам хмел (*за малцови питиета*).

hope [houp] **I.** *n* надежда; очакване; вяра; **to dash s.o.'s ~s** разбивам надеждите на някого; **some ~**, **not a hope** малко вероятно; едва ли; **II.** *v* надявам се; вярвам, имам вяра; очаквам, чакам (**for**, **to** *c inf*); **to ~ against ~** надявам се на чудо.

hoped-for [ˈhoupfɔ:] *adj* желан, очакван.

hopefulness [ˈhoupfulnis] *n* оптимизъм; надежда, вяра, упование.

hopeless [ˈhouplis] *adj* безнадежден, изгубен; безизходен, отчайващ; ◇ *adv* **hopelessly**.

hopelessness [ˈhouplisnis] *n* безнадеждност; безизходност; отчаяние, обезсърчаване, униние.

horde [hɔ:d] **I.** *n* **1.** орда; *презр.* шайка, банда; тайфа; **2.** *прен.* стадо; глутница; рояк; ято; **II.** *v* тъл-пя се, трупам се, събирам се на тълпи, в банди и под.

horizon [həˈraizn] *n* **1.** хоризонт, кръгозор; **on the ~** предстоящ; **2.** *прен.* кръгозор; **3.** *геол.* пластове, утаечни скали от една и съща геоложка формация.

horizontal [hɔriˈzɔntəl] **I.** *adj* **1.** хоризонтален, водоравен; ◇ *adv* **horizontally**; **2.** хоризонтен; **II.** *n* хоризонтал; хоризонтално положение; *мат.* хоризонтала.

hormonal [hɔːˈmounəl] *adj* хормонален.

hormone [ˈhɔ:moun] *n* хормон.

horn [hɔ:n] **I.** *n* **1.** клаксон, сирена (*и на автомобил*); **2.** рог (*и на охлюв, на луната*); рогово вещество; **~ of plenty** рог на изобилието; **3.** ловджийски рог; *муз.* хорн; *sl* тръба; **4.** *радио.* говорна тръба, рупор; звукоприемник; **5.** мустачки, пипалца (*на насекомо*); **6.** *техн.* издатина, рог, ребро, ръб, лост; **7.** задна и предна висока част на седло; **8.** *авиац.* лост, ръчка; **9.** ръкав (*на река, залив*); **10.** *attr* рогов; **to be on the ~s of a dilemma** затруднен съм, поставен съм пред дилема, изправен съм пред трудна задача; **II.** *v* **1.** муша, бода, намушвам (*с рога*); **2.** *мор.* обръщам кораб под прав ъгъл към кила.

hornswoggle [ˈhɔ:nswɔgəl] *v sl* мамя, премятам, прецаквам.

horoscope [ˈhɔrəskoup] *n* хороскоп; **to cast a ~** правя хороскоп.

horrible [ˈhɔrəbəl] *adj* **1.** ужасен, страшен, чудовищен, страхотен; **2.** *разг.* неприятен, отвратителен, безобразен, противен; ◇ *adv* **horribly**.

horrific [hɔˈrifik] *adj* ужасяващ, потресаващ; ужасен, страховит; ◇ *adv* **horrifically** [hɔˈrifikli].

horrify [ˈhɔrifai] *v* **1.** ужасявам, изпълвам със страх (ужас); **2.** *разг.* шокирам, потрисам, отвращавам.

horror [ˈhɔrə] *n* **1.** ужас; страх; потрес; **2.** отвращение, погнуса (**of**); **to have a ~ of** гнуся се от; **3.** *разг.* "ужас", грозотия; **4.** *остар.* настръхване; **5.** *attr* ужасен; **~ film** филм на ужасите.

horror-stricken, horror-struck [ˈhɔrəstrikən, ˈhɔrəstrʌk] *adj* поразен, ужасѐн, гръмнат, уплашен.

hors d'oeuvre [ˈɔ:dəːv] *n* ордьовър.

horse [hɔ:s] **I.** *n* **1.** кон; **riding ~** кон за езда; **2.** конница, кавалерия; **light ~** лека кавалерия; **3.** кон (*фигура при игра на шах*); **4.** кон (*гимнастически уред*); **5.** магаре (*за рязане на дърва и пр.*); **6.** стойка, рамка (*за сушене на пране, кожи и пр.*); **7.** *sl* преписване, подсказване, шмекеруване, шмекерия; **8.** *мин.* ингресия; **9.** *attr* конен, конски; *прен.* див, едър; **10.** *остар.* героин; ● **to ride two ~s at the same time (at once)** върша едновременно две несъвместими неща; нося две дини под една мишница; **II.** *v* **1.** доставям коне; снабдявам с кон(е); **2.** слагам на кон (*на дървено магаре и пр.*); рядко нося на гърба си; **3.** рядко яздя, яхам; **4.** бия с камшик; **5.** *разг.* принуждавам някого да работи; **6.** правя за смях; **horse around** *разг.* лудея, мятам се, подскачам.

hors(e)y [ˈhɔ:si] *adj* **1.** конен, конски; **2.** който обича (интересува се от) коне; **3.** *sl* конски (*за външност*), едър, груб.

hortation [hɔːˈteiʃən] *n* увещаване, придумване, уговаряне.

hortative, hortatory [ˈhɔːtətiv, ˈhɔːtətəri] *adj* увещателен, придумващ, уговарящ.

hose₁ [houz] **I.** *n* маркуч; **II.** *v* поливам, напоявам (*с маркуч*); **to ~ down** обливам (почиствам) с маркуч.

hose₂ *n* **1.** *търг.* чорапи; **half-~** къси чорапи; **2.** *истор.* тесни, опнати панталони (*до коляното или до глезена*).

hospitable [ˈhɔspitəbəl] *adj* гостоприемен, гостолюбив; радушен; *прен.* отворен, открит за, готов да приеме (*идея*; **to**).

hospital [ˈhɔspitəl] *n* **1.** болница, амбулатория, санаториум, клиника, диспансер; **2.** *остар.* благотворителен дом; **3.** *attr* болничен.

hospitality [ˌhɔːspiˈtæliti] *n* гостоприемство, гостолюбие, гостолюбивост; радушие, радушност.

hospitalization [ˈhɔspitəlaiˈzeiʃən] *n* хоспитализация, хоспитализиране.

hospitalize [ˈhɔspitəlaiz] *v* настанявам в болница, хоспитализирам.

host₁ [houst] *n* I. 1. домакин, стопанин; **to play ~ to** домакин съм на (*състезание, конференция и пр., за страна*); 2. хотелиер, съдържател; 3. презентатор (*на радио, тв програма*); 4. биол. гостоприемник – организъм, който храни паразити; ● ~ (**computer**) компютър, който управлява терминали; II. *v* домакинствам, играя ролята на домакин.

host₂ *n* 1. множество; тълпа; маса; **~s of troubles** куп неприятности; 2. остар. войнство, войска.

hostage [ˈhɔstidʒ] *n* 1. заложник, заложница; 2. залог, гаранция; ● **be ~ to** играчка съм в ръцете на.

hostelry [ˈhɔstəlri] *n* хан, хотел, мотел, *остар.* странноприемница.

hostile [ˈhɔstail] I. *adj* вражески, неприятелски, враждебен (**to**); II. *n* враг, неприятел; ~ **witness** *юр.* свидетел, който дава показания срещу страната, която го е призовала.

hostility [hɔsˈtiliti] *n* 1. враждебност, враждебно чувство (настроение); неприязън, омраза; 2. *обикн.* pl военни действия; **to open** (**suspend**) **hostilities** започвам (спирам) военни действия.

hot [hɔt] I. *adj* (-tt-) 1. горещ, топъл, жарък; **news ~ from** (**off**) **the press** последни новини; 2. *журн.* наболял, актуален, на дневен ред; **too ~ to handle** твърде деликатен, труден, опасен, щекотлив; 3. ярък (*за цвят*); 4. лют(ив); 5. ожесточен, лют (*за спор, битка, преследване*); буен, пламенен, избухлив (*за темперамент*); нашумял, шик, моден; вълнуващ (*за място, дейност*); **a ~ favourite** всеобщ любимец, безспорен фаворит; 6. увлечен, запален (**on**); **a ~ sportsman** голям спортист,

запалянко на тема спорт; 7. който то се доближава до целта; **you are getting ~** близко си до целта; 8. възбуден (*полово*); 9. *муз.* с жив джазов ритъм; 10. *sl* необикновен, привлекателен, вълнуващ; ~ **shot** чудесен (силен) удар; отличен стрелец (играч); 11. *sl* опасен (*за откраднати вещи и пр., които могат да бъдат познати*); 12. *ел.* под напрежение; 13. радиоактивен; II. *n sl* нещо крадено; ● **to have the ~s for** лапнал съм по, увлечен съм по; сексуално съм привлечен от; III. *adv* горещо; **the sun shone ~ on the head** слънцето пареше над главите; IV. *v*: **to ~ up** нагорещявам се (*прен.*); кипя от трескава дейност.

hot dog [ˈhɔtˈdɔg] *n* хотдог, сандвич с кренвирш.

hotel [houˈtel] *n* хотел; **European plan ~** хотел, в който не е задължително да се храниш.

hotel-keeper [houˈtel,kiːpə] *n* хотелиер, хотелиерка; съдържател, съдържателка на хотел.

hot-foot [ˈhɔtfut] I. *v разг.* бързам, забързвам се; II. *adv остар.* бързо, незабавно, веднага; **to follow ~ on the fleeing enemy** следвам неприятеля по петите.

hot-headed [ˈhɔthedid] *adj* буен, луд, невъздържан.

hothouse [ˈhɔthaus] *n* парник, оранжерия; ~ **plant** оранжерийно растение (*и прен.*).

hot-tempered [ˈhɔt,tempəd] *adj* сприхав, избухлив, холеричен.

hound [haund] I. *n* 1. *остар.* куче; 2. ловджийско куче, *обикн.* фоксер; хрътка; **to follow the ~s, to ride to ~s** ходя на лов с фоксери; 3. *презр.* куче, пес; ● **publisity ~** *sl* човек, който обича да си прави реклама; II. *v* 1. преследвам безмилостно (*и с* **down**); **to ~ s.o. to death** гоня някого до дупка; 2. *остар.* гоня с кучета.

hour [auə] *n* 1. час; ~ **by** — от час на час; **eight ~ day** осемчасов работен ден; 2. *рел.* време на деня, определено от канона на Католическата църква за молитва.

hour-glass [ˈauə,glɑːs] *n* пясъчен часовник; ~ **waist** *разг.* много тънък, прищъпнат кръст, талия.

house [haus] I. *n* (*pl* **hoses**) 1. къща, дом, жилище, домакинство; **town ~** къща в града; **to set up ~** започвам свое домакинство, отделям се (*за младо семейство*); 2. *attr* къщен, домашен, домакински; 3. сграда, помещение, пристройка; 4. семейство, потекло, династия, род; **the H. of Stuart** *истор.* династията на Стюартите; 5. камара, палата (*в парламент*); **the H. of Commons** (**Lords**) Камарата на общините (лордовете); 6. фирма, търговска къща; 7. пансион; пансионери, всички ученици и пр. от един пансион; манастир, монашеско братство; 8. хан, хотел, кръчма; 9. театър, театрална зала (салон), публика; представление; **to bring down the ~** имам много голям успех (*за пиеса, актьор*); 10. вид хазартна игра; *воен.* вид лото; ● **a half-way ~** компромис, средно положение; II. *v* 1. давам (намирам) жилище на, подслонявам; давам подслон на; **this building ~s an art gallery** в това здание се помещава художествена галерия; 2. побирам, събирам, вмествам; 3. прибирам, вдигам; прибирам на гараж (в хангар); 4. *техн.* поставям, влагам, вмъквам, врязвам; 5. живея; домакинствам; **to ~ together** живеем заедно.

housecoat [ˈhauzkout] *n* халат, домашна роба.

household [ˈhaushould] *n* 1. семейство, домакинство, къща; дом; 2. *attr* домакински; домашен; ~ **goods** покъщнина; 3. слуги, прислуга (*в даден дом*); 4. братство; членове на една религиозна секта; последователи на едно и също учение.

housel [hauzəl] *рел., остар.* I. *n* причастие, причестяване; II. *v* причестявам, давам причастие на.

houseless [ˈhauslis] *adj* бездомен, безприютен; скитнически.

housemate [ˈhausmeit] *n* съквартирант, съквартирантка.

house porter [ˈhaus,pɔːtə] n портиер, портиерка.

housetop [ˈhaustɔp] n покрив.

housing [ˈhauziŋ] n 1. квартира, жилище, убежище, подслон; 2. attr жилищен; a ~ development (estate) жилищен комплекс; 3. жилищно строителство; 4. разквартируване, подслоняване; 5. прибиране (на стада, реколта, кола в гараж и пр.); 6. техн. израз, вдлъбнатина, длаб; 7. техн. корпус, скелет, рама, тяло; навес над механизъм; 8. малко, отоплено помещение на открита работна площадка; 9. техн. картер, кожух, риза, мантия, жакет, футляр; капак; 10. будка на екскаватор; 11. техн. свръзка; паянта, подпорка; 12. техн. рама; 13. мор. смъкване на мачта.

hovel [ˈhɔvəl, ˈhʌvəl] I. n 1. бордей, коптор, хижа, колиба; 2. навес; 3. архит. ниша за статуя; 4. пещ за порцелан; II. v 1. приютявам в бордей и пр.; 2. построявам във форма на навес (пещ).

hover [ˈhɔvə] I. v 1. нося се (рея се, кръжа, въртя се) във въздуха; 2. въртя се, навъртам се (around, about, near s.o.); 3. колебая се; 4. надвиснал съм (за опасност и пр.) (over); a smile ~ed over his lips на устните й трепна (заигра) усмивка; II. n кръжене (въртене) във въздуха.

how [hau] I. adv 1. как, по какъв начин; ~ do you like your tea? как обичате чая? как ви се вижда (харесва ли ви) чаят? and ~ и още как; 2. колко, как, на каква цена; ~ is the dollar today? каква е стойността (какъв е курсът) на долара днес? 3. колко (за степен и брой); ~ many колко (на брой); • here's ~! за твое здраве! II. conj как, че; III. n начин, способ; метод; прен. път; the ~s and the whys of it как и защо стана това, по какъв начин и по какви причини.

howl [haul] I. v 1. вия (за вълк, куче, вятър и пр.); to ~ with laughter (pain) рева от смях (болка); 2. крещя, викам;

howl down прекъсвам (заглушавам) някого с викове; надвиквам;

howl out изгонвам с викове;

II. n 1. рев, вой; 2. радио. свирене, пищене в апарата.

howling [ˈhauliŋ] I. adj 1. ревящ, виещ, стенещ, който реве (вие); a ~ tempest ураган; 2. прен. крещящ; it is a ~ shame that цял скандал е, че; 3. sl голям, огромен, нечуван, невиждан, небивал; • a ~ wilderness пустиня (пустош), пълна с диви зверове; 4. микрофония.

hubbub [ˈhʌbʌb] n шум, гюрултия, глъч, врява, викове, гълчава.

hubris [ˈhjuːbris] n амер., разг. арогантност, грубост.

hubristic [hjuːˈbristik] adj високомерен, горделив, надменен, арогантен.

huckle-backed [ˈhʌklbækt] adj гърбав, прен. изкривен, превит.

huddle [ˈhʌdəl] I. v 1. натрупвам (се), струпвам (се); наблъсквам (се) (up, together); to ~ together притискаме се един към друг, гушим (сгушваме се) един до друг; 2. свивам (се) (на кълбо); 3. навличам (дрехи) (on); 4. върша надве-натри, как да е, небрежно, през куп за грош; to ~ up a contract набързо скалъпвам договор; II. n 1. куп(чина), тълпа; блъсканица, бъркотия; a ~ of roofs покриви, наблъскани един до друг; 2. разг. тайни преговори (съвещания); to go into a ~ (with) шушукаме си (с).

hue [hjuː] n цвят, отсенка, оттенък, нюанс; dark (light) ~d тъмен (светъл) на цвят; с тъмен (светъл) цвят.

huff [hʌf] I. v 1. обиждам (се); оскърбявам (се); сърдя се, муся се; to ~ and puff пуфтя, недоволствам; 2. заплашвам, сплашвам, тероризирам; to ~ s.o. into silence сплашвам някого и го накарвам да млъкне; 3. остар. пухтя; 4. вземам фигура на противника (при игра на дама); II. n 1. сръдня, мусене, раздразнение; to get into a ~ разсърдвам се; 2. наказателно вземане на фигура

(при игра на дама).

huffiness [ˈhʌfinis] n сърдене, мусене, цупене; сърдито държание, лошо настроение.

huffy [ˈhʌfi] adj 1. сърдит, намусен, нацупен; обиден, раздразнен; ◇ adv **huffily**; 2. обидчив, сръдлив.

huge [hjuːdʒ] adj грамаден, огромен, гигантски, колосален, великански.

hugger-mugger [ˈhʌgə,mʌgə] I. n 1. бъркотия, безредица, миш-маш, хаос, безпорядък; 2. потайност, "шушу-мушу"; in ~ (по)тайно; II. adj разбъркан, объркан, безреден; in a ~ fashion без ред, хаотично, объркано; III. v 1. живея в безредие (без система); to ~ along живея (карам я) как да е; 2. остар. потулвам, прикривам.

hum [hʌm] I. v (-mm-) 1. жужа, бръмча, буча; 2. тананикам със затворена уста; 3. мънкам; to ~ and ha(w) мънкам, хънкам, запъвам се, говоря неуверено; колебая се; увъртам; 4. оживен е (за търговия, работа); to make things ~, to keep things ~ming раздвижвам, не оставям да спре (работата и пр.); 5. sl смърдя, мириша неприятно, воня; II. n 1. жужене, бръмчене; бучене; 2. мънкане; 3. далечен (глух) шум; the ~ of conversation неясен шум от разговор; 4. оживление, дейност.

human [ˈhjuːmən] I. adj човешки; he must be less than ~ not to be moved by such a story трябва да не е човек, за да не се трогне от такава история; II. n разг. човек, човешко същество.

humane [hjuːˈmein] adj 1. човечен, човеколюбив, хуманен, благороден, милостив, милосърден; ◇ adv **humanely**; 2. хуманитарен; ~ learning хуманитарни науки.

humaneness [hjuˈmeinnis] n човечност, човеколюбие, хуманност; благородство, милост, милосърдие.

humanism [ˈhjuːməniˌzəm] n хуманизъм.

humanist [ˈhjuːmənist] n хуманист.

humanity [hju:'mæniti] *n* 1. човешка природа; 2. човечество, човешки род; 3. човечност, хуманност; милосърдие; **an act of** ~ хуманно дело; 4. *pl* класически езици и литература, хуманитарни науки.

humanize ['hju:mənaiz] *v* 1. вчовечавам, очовечавам; облагородявам; смекчавам; 2. придавам човешки качества на.

humanness ['hju:mənnis] *n* рядко човекоподобие.

humble [hʌmbəl] I. *adj* 1. скромен; обикновен, прост, беден, непретенциозен; **in** ~ **circumstances** със скромно обществено положение; 2. смирен, кротък; покорен; 3. без самоуважение, без достойнство; който се унижава; • **to eat** ~ **pie** унижавам се, подлагам се на унижение; смирено искам извинение; II. *v* унижавам; смирявам.

humbleness ['hʌmblnis] *n* 1. скромност; 2. непретенциозност, простота, бедност; 3. смирение; кротост; покорност.

humbling ['hʌmbliŋ] I. *n* унижаване, смиряване; II. *adj* унизителен, срамен, позорен.

humbug ['hʌmbʌg] I. *n* 1. неискреност, фразьорство, шашма, шарлатанство, шарлатания; мистификация; 2. глупости, празни приказки; 3. фразьор, шмекер, шарлатанин; ласкател; 4. празен човек; дърдорко, самовалко; II. *v* 1. подлъгвам, подвеждам, баламосвам; 2. лаская, мамя с ласкателство.

humdrum ['hʌmdrʌm] I. *adj* скучен, еднообразен, монотонен, банален, обикновен, изтъркан; II. *n* 1. скука; еднообразие, монотонност; баналност; 2. скучна (еднообразна) работа (занимание, разговор); 3. домошар(-ка), домосед (-ка); III. *v* (-**mm**-) живея (работя) монотонно.

humid ['hju:mid] *adj* влажен, намокрен, напоен.

humidification [hju:midifi'keiʃən] *n* овлажняване, навлажняване.

humidify [hju:'midifai] *v* навлажнявам, овлажнявам, намокрям, напоявам.

humidity [hju:'miditi] *n* влага, мокрота, влажност; **atmospheric** ~ влажност на въздуха.

humiliate [hju:'milieit] *v* унижавам, обиждам, оскърбявам, позоря.

humiliating [hju:'milieitiŋ] *adj* унизителен, обиден, оскърбителен, позорящ; ◇ *adv* **humiliatingly**.

humiliation [hju:,mili'eiʃən] *n* унижение; унижаване, обида, оскърбление, позор.

humility [hju:'militi] *n* 1. смирение, смиреност; кротост; покорство, покорност; 2. скромност.

humky ['hʌmki] *adj* изпъкнал; хълмообразен.

humming ['hʌmiŋ] I. *adj* бръмчащ, бучащ; тананикащ, мънкащ; II. *n* бръмчене; бучене; тананикане.

humorist ['hju:mərist] *n* 1. шегаджия, комик; 2. писател хуморист.

humorous ['hju:mərəs] *adj* 1. хумористичен; 2. весел, комичен; шеговит; ◇ *adv* **humorously**; 3. *остар.* капризен, опърничав; ексцентричен.

humorousness ['hju:mərəsnis] *n* 1. хумористичност; 2. веселост; комичност, шеговитост.

humour ['hju:mə] I. *n* 1. хумор; чувство за хумор; смешна страна; 2. настроение; **to be in good (bad)** ~ в добро (лошо) настроение съм; 3. темперамент; 4. *остар.* течност, влага, пара, изпарения; II. *v* 1. угаждам на, глезя, коткам, отнасям се снизходително към; търпя, понасям, нагаждам се към, отстъпвам пред; **to** ~ **the feelings of others** зачитам чувствата на другите; 2. нагаждам работата си към материала, който използвам.

hump [hʌmp] I. *n* 1. гърбица; 2. издатина, изпъкналост, издутина, подутост; 3. *sl* лошо (потиснато) настроение; **to get the** ~ *разг.* ядосвам се, раздразвам се; II. *v* 1. нося, мъкна, влача (*нещо тежко*); 2. изгърбвам (се), прегърбвам, извивам; 3. *австр.* нагърбвам, слагам (мятам) на гърба си; 4. *sl* развалям настроението на,

раздразням, разсърдвам; 5. *разг.* давам си зор (*и* ~ **oneself**); 6. *sl* чукам, сношавам се.

humpbacked ['hʌmpbækt] *adj* гърбав, гърбат.

humped [hʌmpt] *adj* 1. гърбав, гърбат, прегърбен, с гърбица; 2. *sl* в лошо настроение.

humungous [hju:'mʌŋgəs] *adj* огромен, колосален, внушителен.

hunched ['hʌntʃt] *adj* прегърбен, превит, свит (*и* ~ **up**).

hundred ['hʌndrid] I. *num* сто; **one** ~ **percent** сто процента; стопроцентов, напълно; II. *n* стара административна единица в Англия, окръг.

hunger ['hʌŋgə] I. *n* 1. глад; **to die of** ~ умирам от глад; 2. *прен.* глад, жажда, страстен стремеж, копнеж (**for**, **after**); II. *v* 1. гладувам; 2. *прен.* жадувам, копнея, стремя се страстно (**for**, **after**); 3. оставям някого да гладува, изгладявам.

hunger-strike ['hʌŋgə,straik] I. *n* гладна стачка; II. *v* (-**struck**) *неолог.* обявявам (правя) гладна стачка.

hungriness ['hʌŋgrinis] *n* глад, *прен.* недоимък, беднотия.

hungry ['hʌŋgri] *adj* 1. гладен; **to go** ~ гладувам, стоя гладен; 2. гладен, беден, неплодороден (*за почва*); 3. *прен.* жаден, изпълнен с копнеж (**for**); ◇ *adv* **hungrily**.

hung up ['hʌŋ,ʌp] *adj* разг. обсебен, вманиачен (**about**).

hunt [hʌnt] I. *v* 1. ловя, ходя на лов за; ловувам, ходя на лов (*в Англия с кучета и без пушка*); **to go** ~**ing** ходя на лов; 2. гоня, прогонвам (*и с* **away**); преследвам, гоня; 3. претърсвам, търся (**for**); гоня, преследвам (**after**); **to** ~ **high and low** претърсвам навсякъде; 4. ловувам в (даден район); 5. използвам (кон, кучета) за лов; 6. *техн.* играя; колебая се, подскачам (*за стрелка на уред*);

hunt down 1) преследвам, докато хвана; хващам, намирам, откривам (*престъпник и пр.*); 2) преследвам, тормозя, гоня;

hunt out 1) намирам; измъквам

изравям; 2) изгонвам, прогонвам, пропъждам;

hunt up измъквам, изнамирам, изравям;
II. *n* 1. лов; 2. ловна група (с коне и фоксери); 3. (Н.) местно ловно дружество; ловна дружинка; 4. място за лов; местност, където се ловува; 5. преследване, търсене; **witch ~** *истор.* лов на вещици.

hunter [ˈhʌntə] *n* ловец, ловджия (*и за животно*).

hunting [ˈhʌntiŋ] I. *adj* ловджийски, ловен; II. *n* 1. лов; **fox-** (**boar, etc.**) **~** лов на лисици (глигани и пр.); 2. лов, гонитба, преследване, търсене; **house-~** търсене на къща.

hunting dog [ˈhʌntiŋdɔg] *n* ловджийско, ловно куче.

huntsman [ˈhʌntsmən] *n* ловджия.

hurl [hə:l] I. *v* 1. (за)хвърлям, запращам, мятам; **to ~ oneself upon** нахвърлям се върху; **to ~ abuse at** сипя ругатни върху, обсипвам с ругатни; 2. *остар.* свистя, фуча, профучавам; 3. играя на ирландски хокей; 4. *шотл.* возя, докарвам с кола;

hurl back отблъсквам (неприятел); отвръщам (*на обвинение*); **hurl down** хвърлям долу; повалям; II. *n* хвърляне, запращане, мятане.

hurly-burly [ˈhə:li,bə:li] *n* врява, шум, гюрултия, тупурдия, дандания.

hurrah [huˈra:] I. *int* ура; II. *n* вик(ове) "ура"; III. *v* викам "ура"; поздравявам (посрещам) с ура.

hurricane [ˈhʌrikein] *n* 1. ураган (*и прен.*); **a ~ of applause** буря (ураган) от аплодисменти; 2. *авиац.* вид изтребител.

hurriedness [ˈhʌridnis] *n* бързина, прибързаност, притесненост, безпокойство, смущение.

hurry [ˈhʌri] I. *v* 1. бързам, побързвам, избързвам, прибързвам; **to ~ over a task** набързо се справям със (претупвам) задача; **to ~ into o.'s clothes** обличам се набързо; 2. карам да бърза, препирам, притеснявам; **I don't want to ~ you into a decision** не искам

да те препирам да вземеш бързо решение; 3. изпращам бързо; **she hurried him to his bed** тя го изпрати бързо в леглото; 4. ускорявам; **to ~ the ending** *театр.* набързо стигам до развръзката;

hurry along 1) карам някого да върви бързо с мен; 2) вървя (крача) бързо, бързам;

hurry away 1) бързо отвеждам (извеждам, изпращам); 2) отивам си бързо, бързам (да си отида);

hurry back 1) връщам (някого) бързо; карам (някого) бързо да се върне; 2) връщам се бързо; бързам да се върна;

hurry down 1) бързо снемам (карам да слезе); 2) слизам бързо, бързам да сляза;

hurry in бързо влизам, втурвам се;

hurry off отивам си бързо, *разг.* изчезвам;

hurry on 1) карам (някого) да бърза; ускорявам; активизирам; 2) бързам; продължавам бързо;

hurry out 1) бързо извеждам (избутвам) навън; 2) излизам бързо;

hurry up 1) *разг.* бързам; **now then, ~ up** хайде, по-скоро; 2) карам да бърза, давам зор (на); 3) пристигам (доближавам се) бързо (до);
II. *n* 1. бързане, прибързване, избързване; **to be in no ~** не бързам; не си давам зор; 2. припряност, бързина, нервност; прибързаност; 3. *муз.* тремоло.

hurt [hə:t] I. *v* 1. причинявам болка на; наранявам, убивам, натъртвам; **my shoes ~** обувките ми убиват; 2. боли; **my foot ~s (me)** кракът ме боли; 3. наскърбявам, обиждам, наранявам; **to ~ s.o.'s feelings** оскърбявам (обиждам) някого; 4. вредя (на), причинявам вреда (на); повреждам, увреждам на; накърнявам; **it won't ~** нищо от това, няма вреда от това; 5. *разг.* случва ми се нещо лошо; **I am ~ing** боли ме (*прен.*), обидно ми е; II. *n* 1. повреда; вреда; 2. болка; рана; **feelings of ~ and anger** чувство на болка и ярост.

hurtful [ˈhə:tful] *adj* вреден, опасен (**to** за).

hurtfulness [ˈhə:tfulnis] *n* вредност, опасност.

hurtle [ˈhə:təl] I. *v* 1. профучавам, прелетявам; изсвиствам; падам с шум (грохот, трясък); **to ~ along** (*за кола*) фуча, профучавам; 2. *рядко* замервам, запращам, захвърлям, запокитвам; 3. втурвам се, спускам се (шумно); 4. блъскам се, тряскам се (**against**); 5. *остар.* сблъсквам се (**together**); II. *n* сблъскване; трясване; трясък.

hurtless [ˈhə:tlis] *adj* *поет.* 1. безвреден, безопасен; 2. невредим.

husk [hʌsk] I. *n* 1. люспа, обвивка, черупка; 2. *pl* *прен.* неинтересна страна (*на въпрос*); сухо, безинтересно третиране; лющя, чистя от черупки, листа и пр.

huskiness [ˈhʌskinis] *n* 1. дрезгавост; 2. якост, твърдост, здравина.

husky₁ [ˈhʌski] I. *n* здравеняк, мъжага, бабаит; II. *adj* 1. подобен на люспа (обвивка), люспест; 2. покрит с люспа (обвивка), люспест; 3. *разг.* едър, як, плещест.

husky₂ *adj* дрезгав, прегракнал, хриплив; ◇ *adv* huskily.

husky₃ *n* 1. ескимос; 2. ескимоски език; 3. хъски, ескимоско куче.

hustle [ˈhʌsəl] I. *v* 1. принуждавам (някого) да действа, карам да бърза, тласкам; **I won't be ~d** няма да (позволя да) ме накарат (принудят) да действам прибързано; 2. бързам, избързвам, побързвам; разшавам се, размърдвам се, разтичвам се; суетя се; 3. блъскам (се); бутам (се); ръчкам (се); **to ~ s.o. out of the car** избутвам (изкарвам) някого от колата; 4. ускорявам, активизирам (*и с on*); 5. *sl* блъскам се в някого и му измъквам нещо (*за джебчия*); 6. *амер.* измъквам с мошеничество; изкарвам пари (*по нечестен начин*); II. *n* 1. бързо (енергично) действие; енергия, активност, предприемчивост; 2. нервно суетене; 3. блъскане, бутане.

hut [hʌt] I. *n* 1. колиба; хижа; 2. барака, временна постройка; II. *v*

настанявам (се) в бараки (колиби); живея в бараки (колиби).

hutch [hʌtʃ] I. *n* 1. клетка (кафез) за малки животни; 2. сандък (*за жито и пр.*); 3. вагонетка за въглища; 4. хлебарски нощви; 5. корито за промиване на руда; 6. *техн.* бункер; 7. *разг.* "дупка"; II. *v* 1. промивам руда в коритo; 2. *остар.* прибирам в сандък.

hybrid [ˈhaibrid] I. *n* хибрид, кръстоска (*и прен.*); мелез; II. *adj* хибриден.

hybridize [ˈhaibridaiz] *v* кръстосвам, правя кръстоска, хибридизирам.

hydraulic [haiˈdrɔːlik] *adj* 1. хидравличен, хидравлически; ◇ *adv* **hydraulically**; 2. който съдържа вода.

hydraulics [haiˈdrɔːliks] *n pl* (= *sing*) хидравлика.

hydroacoustics [ˌhaidrouəˈkuːstiks] *n* хидроакустика.

hydroelectric [ˈhaidrouiˈlektrik] *adj* водноелектрически.

hydrogen [ˈhaidrədʒin] *n* водород; ~-**bomb** водородна бомба.

hydrogenic [ˈhaidroudʒenik] *adj* водороден.

hydrophyte [ˈhaidrofait] *n* водно растение, хидрофит.

hydroplane [ˈhaidroplein] *n* 1. хидроплан, водосамолет; 2. глисер, хлъзгач.

hydrotherapy [ˌhaidrouˈθerəpi] *n* хидротерапия, водолечение.

hyena [haiˈiːnə] *n зоол.* хиена *Hyaena.*

hygiene [ˈhaidʒiːn] *n* хигиена, здравеопазване.

hygienic [haiˈdʒiːnik] *adj* хигиеничен, здравословен, който се отнася до хигиена (здравеопазване).

hygroscopic [ˌhaigrəˈskɔpik] *adj* хигроскопичен, влагопоглъщащ.

hymeneal [ˌhaimiˈniəl] I. *adj* сватбен, брачен; II. *n* сватбена песен.

hymn [him] I. *n* 1. химн; 2. църковна песен; II. *v* пея химни, славословя, възхвалявам, възпявам; **to ~ s.o.'s praises** възхвалявам (славословя) някого.

hype [haip] I. *n* публичност, шумна реклама; II. *v* рекламирам; натрапвам на общественото внимание (*проудкт*);

hype up *разг.* възбуждам; въодушевявам.

hyped up [ˈhaiptˌʌp] *adj разг.* възбуден, развълнуван.

hyper [ˈhaipə] *adj разг.* енергичен, жизнен.

hyperactive [ˈhaipəˈæktiv] *adj* превъзбуден, свръхактивен.

hyperaesthesia [ˌhaipəriːsˈθiːziə] *n мед.* свръхчувствителност.

hyperborean [haipəˈbɔːriən] *adj* северен, полярен, хиперборейски; много студен.

hypercritical [ˌhaipəˈkritikəl] *adj* прекалено критичен, много строг в критиката си; на когото не може да се угоди.

hypnosis [hipˈnousis] *n* 1. хипноза; 2. приспиване.

hypnotic [hipˈnotik] I. *adj* 1. приспивателен; 2. хипнотичен; II. *n* 1. приспивателно; наркотик; 2. *фарм.* хипнотик.

hypnotism [ˈhipnətizəm] *n* хипноза (*и прен.*).

hypnotize [ˈhipnətaiz] *v* хипнотизирам (*и прен.*).

hypocrisy [hiˈpɔkrəsi] *n* лицемерие, лицемерност, престореност, двуличие, притворство, хипокризия.

hypocrite [ˈhipəkrit] *n* лицемер, двуличник, хипокрит.

hypocritical [hipəˈkritikəl] *adj* лицемерен, двуличен, притворен.

hypodermic [haipoˈdəːmik] I. *adj мед., анат.* подкожен; II. *n* лекарство, което се инжектира под кожата; подкожна инжекция.

hypophysis [haiˈpɔfisis] *n анат.* хипофизна жлеза, хипофиза.

hypostatic(al) [ˌhaipəˈstætik(l)] *adj* 1. *остар.* съществен, основен; 2. *рел.* ~ **union** единство на човешката и божествената същност на Христа; 3. *мед.* хипостатичен.

hypotenuse [haiˈpɔtinuːz] *n мат.* хипотенуза.

hypothesis [haiˈpɔθisis] *n* (*pl* **hypotheses** [haiˈpɔθisiːz]) 1. хипотеза; 2. предположение, догадка.

hypothesize [haiˈpɔθisaiz] *v* градя хипотези, правя предположения (догадки).

hypothetic(al) [ˌhaipəˈθetik(l)] *adj* 1. хипотетичен, предполагаем; ◇ *adv* **hypothetically** [ˌhaipəˈθetikli]; 2. склонен към хипотези.

hysteria [hisˈtiəriə] *n мед.* истерия.

hysteric(al) [hisˈterik(l)] *adj* истеричен, нервен, раздразнителен, истерически; ◇ *adv* **husterically** [hisˈterikli].

Hz *съкр. за* херц.

I

I, i [ai] *n* деветата буква от английската азбука; **to dot o.'s i's** *прен.* педантично точен съм.

Iberian [ai'biəriən] **I.** *adj* иберийски; **II.** *n* **1.** жител на древна Иберия; **2.** представител на иберийската раса; **3.** древен иберийски език.

ice [ais] **I.** *n* **1.** лед, ледове; **open ~** лед, който не пречи на корабоплаването; **2.** *attr* леден, ледников; заледен; **the I. Age** ледниковата ера; **3.** сладолед; **choc ~** шоколадов сладолед; **4.** (захарна) глазура; **II.** *v* **1.** заледявам (се), замръзвам, вледенявам (се); вкочанясвам (се), сковавам (се); **the ship was ~d up** корабът замръзна между ледовете; **2.** изстудявам, охлаждам (*напитки и пр.*); **3.** кандирам, покривам със захар (*сладки*).

iceberg ['aisbə:g] *n* **1.** айсберг, плаваща ледена планина; **2.** *прен., разг.* студен човек, "айсберг".

ice-cold ['ais,kould] *adj* **1.** леден, леденостуден; мразовит, студен, ветровит; **2.** студен, неприветлив.

ice-cream ['ais'kri:m] *n* сладолед; **~ man** продавач на сладолед.

iced [aist] *adj* **1.** студен, охладен, замразен (*за напитки и пр.*); **2.** кандиран, глазиран, покрит със захар; **3.: ~ over** заледен, замръзнал, студен.

ichthyology [ikθi'ɔlədʒi] *n* ихтиология.

icily ['aisili] *adv* ледено, студено (*и прен.*); коравосърдечно, безчувствено, неприветливо.

icky ['iki] *adj sl* **1.** неприятен, грозен; **2.** долнокачествен, долнопробен.

icon ['aikən] *n* **1.** икона; **2.** образ, изображение, портрет, статуя; **3.** символ, знак, емблема; **4.** *инф.* икона.

iconic [ai'kɔnik] *adj* изобразителен, портретен; в традиционен стил (*за статуя*).

iconoclast [ai'kɔnəklæst] *n* **1.** иконоборец, иконокласт; **2.** *прен.* унищожител на (борец срещу) об-

щоприети вярвания и пр.

iconostasis [,aikə'nɔstəsis] *n* иконостас.

icy ['aisi] *adj* **1.** заледен, замръзнал; **2.** леден, мразовит; ледовит; **3.** *прен.* леден, студен, безчувствен, неприветлив.

idea [ai'diə] *n* **1.** идея, хрумване; план, намерение; **a man of ~s** човек с идеи, изобретателен човек; **that's the ~!** именно! точно така! чудесна идея!; **2.** идея, схващане, разбиране, мнение; мисъл; **a fixed ~** натрапчива мисъл, фикс-идея; **to get the ~** схващам (за какво става въпрос), разбирам; **3.** *разг.* идея, представа, понятие, впечатление; **to form an ~ of** добивам представа за; **to have no ~ of** нямам представа за; **4.** *филос.* идея.

ideal [ai'diəl] **I.** *n* идеал, цел, стремеж; образец (**of**); **II.** *adj* **1.** идеален, съвършен, образцов; **2.** идеален, въображаем; мислен; създаден по въображение; нереален; ◇ *adv* **ideally**.

idealism [ai'diəlizəm] *n* идеализъм (*и филос.*).

idealist [ai'diəlist] *n* идеалист (*и филос.*).

idealistic [,aidiə'listik] *adj* идеалистичен (*и филос.*); идеалистически.

ideality [aidi'æliti] *n* **1.** идеалност, съвършенство, възвишеност; образцовост; **2.** идеализация, величаене, превъзнасяне.

idealization [ai,diəlai'zeiʃən] *n* идеализиране; идеализация, величаене, превъзнасяне.

idealize [ai'diəlaiz] *v* идеализирам, величая, превъзнасям; бленувам, фантазирам.

identical [ai'dentikəl] *adj* **1.** еднакъв, идентичен, тъждествен (**with**); **twins** еднояйчни близнаци; ◇ *adv* **identically**; **2.** същият, самият; този именно.

identification [ai,dentifi'keiʃən] *n* **1.** установяване на самоличността, идентификация; **~ papers** (**card**) документи за самоличност, лична карта; **2.** отъждествяване, уподобяване, приравняване (**with**); **3.**

воен. установяване номерата на частите на противника.

identify [ai'dentifai] *v* **1.** установявам самоличността на; разпознавам, познавам; **to ~ oneself** удостоверявам самоличността си; **2.** считам за същия, идентифицирам, отъждествявам, уподобявам, приравнявам (**with**); **3.** *refl* солидаризирам се (**with**); **4.** *разг.* забелязвам, откривам; определям.

identity [ai'dentiti] *n* **1.** самоличност; **proof of ~** доказване (удостоверяване) на самоличността; **2.** еднаквост, идентичност, тъждественост; **3.** *мат.* тъждество, равенство.

identity card [ai'dentiti'ka:d] *n* лична карта, карта за самоличност.

ideogram, ideograph ['idiougræm, 'idiougræf] *n* идеограма; символ.

ideological [,aidiə'lɔdʒikəl] *adj* идеологичен, идеологически; ◇ *adv* **ideologically**.

ideologist [,aidi'ɔlədʒist] *n* идеолог.

ideology [,aidi'ɔlədʒi] *n* идеология.

idiom ['idiəm] *n* **1.** идиом, идиоматичен израз, устойчиво словосъчетание; **2.** език, говор, диалект; **3.** отделен стил (*в музиката, архитектурата и пр.*).

idiomatic [,idiə'mætik] *adj* език идиоматичен; богат с идиоматични изрази; ◇ *adv* **idiomatically**.

idiosyncratic [,idiousin'krætik] *adj* **1.** особен, характерен, типичен; **2.** *мед.* идиосинкратичен, алергичен.

idiot ['idiət] **I.** *n* идиот (*и прен.*); **II.** *adj* видиотен; глупав.

idiotic [idi'ɔtik] *adj* идиотски, глупав, малоумен; *прен., разг.* баламски (*и прен.*); **don't be ~!** не бъди (не ставай) идиот.

idle [aidl] **I.** *adj* **1.** незает, без работа, бездеен, безработен; **2.** неупотребяван, неизползван, бездействащ (*за машина и пр.*); *техн.* празен, ненатоварен, свободен; **to lie (stand) ~** не се използва, стои неизползван; **3.** ленив, мързелив; **4.** напразен, безполезен; неоснователен; **it is ~ to expect help from him** напразно ще очаквате помощ от него,

безполезно е да очаквате помощ от него; **5.** празен, безсъдържателен; безцелен, случаен; **~ chatter** безсъдържателен разговор; празни приказки; **II.** *v* **1.** безделнича, бездействам, лентяйствам, мързелувам; шляя се; **to ~ away o.'s time** пилея (пропилявам, губя) си времето; **2.** *техн.* работи на празен ход (*за машина*); **3.** оставям без работа (*работници, машини*); затварям (*предприятие*).

idleness [ˈaidlnis] *n* **1.** безделие; **to live in ~** живея в безделие; **2.** бездействие; **3.** леност, мързел, лентяйство, *разг., укор.* готованщина; **4.** безполезност; **5.** празнота, безсъдържателност.

idler [ˈaidlə] *n* **1.** лениец, мързеливец, готован, *прен.* паразит; безделник, лентяй; **2.** повърхностен (лекомислен, несериозен) човек; **3.** *техн.* свободна макара (скрипец и пр.); макара (скрипец и пр.) водач.

idol [aidl] *n* **1.** идол, кумир (*и прен.*); **2.** *остар.* образ, изображение; отражение (*в огледало и пр.*); фантом, сянка; **3.** *лог.* погрешно схващане, грешка; заблуждение, предразсъдък, предубеждение, заблуда; суеверие.

idolator [aiˈdɔlətə] *n* **1.** идолопоклонник; **2.** поклонник, обожател, почитател.

idolatry [aiˈdɔlətri] *n* **1.** идолопоклонство, идолатрия; **2.** обожание, преклонение, боготворене, обожествяване; култ.

idolize [ˈaidəlaiz] *v* издигам в култ, боготворя, обожествявам, обожавам, прекланям се пред.

idolizer [ˈaidəlaizə] *n* обожател, обожателка, поклонник, поклонничка.

idyll [ˈidil, *амер.* aidəl] *n* идилия, патриархалност, непоквареност, естественост.

idyllic [iˈdilik, aiˈdilik] *adj* идиличен, патриархален, естествен, непокварен, тих; ◇ *adv* **idyllically**.

if [if] **I.** *cj* **1.** ако; **~ needed** ако е нужно; **~ (it be) so** ако е така; **2.** (макар, даже) и да (*и* **even if**);

pleasant weather, ~ rather cold приятно време, макар и малко студено; **3.** дали, нима, наистина ли; **I wonder ~** чудя се дали; **4.** когато (и да); **~ I don't understand I always ask** когато не разбирам, винаги питам; **5.** *във възклицателни изречения за желание* да; **~ only you had told me** само ако ми беше казал! **II.** *n* условие, предположение, "ако"; **I am tired of your ~s and buts** омръзна ми твоето вечно "ако" и "но" (вечните ти възражения).

iffy [ˈifi] *adj разг.* несигурен, неопределен, неустановен; уклончив.

igloo [ˈiglu:] *n* иглу, ескимоска колиба от лед.

ignitable [igˈnaitəbəl] *adj* запалителен, възпламеним.

ignite [igˈnait] *v* паля (се), запалвам (се), подпалвам (се), възпламенявам (се).

ignoble [igˈnoubəl] *adj* **1.** низък, долен, подъл; позорен, срамен; **2.** плебейски, от низък произход.

ignobleness [igˈnoublnis] *n* **1.** низост, подлост, безчестие; позор; **2.** плебейски характер (*на произход и пр.*).

ignominious [ˌignəˈminiəs] *adj* долен, подъл, нечестен; позорен, срамен; ◇ *adv* **ignominiously**.

ignominy [ˈignəmini] *n* **1.** позор, срам, унижение; **2.** долно (низко, нечестно) поведение (постъпка).

ignorance [ˈignərəns] *n* невежество, непросветеност; незнание; неведение (**of**); **through ~** от незнание.

ignorant [ˈignərənt] *adj* **1.** невежа; необразован, неук, ненаучен, неграмотен, прост; **2.** невежествен, който издава невежество; **3.** който не знае, неосведомен, неинформиран (**of**); **to be ~ of the world** не познавам света.

ignore [igˈnɔ:] *v* **1.** игнорирам, не обръщам внимание на, пренебрегвам; **2.** *юр.* отхвърлям (*обвинение, молба*).

iguana [iˈgwa:nə] *n* игуана, голям тропически гущер *Iguana*.

ikebana [ˌi:keˈba:nə] *n яп., изк.* икебана.

ill [il] **I.** *adj* **1.** *predic* болен; нездрав; **to fall (get, be taken) ~** разболявам се, заболявам (**with** от); **2.** лош, зъл; враждебен, неприязнен; вреден; неблагоприятен; **~ effects** неблагоприятни последици; **3.** лош (*за име, влияние, услуга и пр.*); **4.** лош, тежък, раздразнителен, мрачен, намусен (*за настроение, характер*); лош, невъзпитан, неприличен (*за поведение*); **5.** лош, незадоволителен, несъвършен; **~ success** неуспех; **6.** *остар.* мъчен, капризен (*за човек*); **II.** *adv* **1.** зле, лошо; неправилно, криво; неблагоприятно; **to take s.th. ~** разбирам нещо зле (неправилно, криво); обиждам се, засягам се; **2.** зле, недостатъчно; **to be ~ provided with** не съм добре снабден с, недостатъчно съм снабден с; **3.** едва ли, трудно; **I can ~ afford to** едва ли мога да си позволя да; **III.** *n* **1.** зло, вреда; **to do ~** върша зло; **2.** нещо лошо (неблагоприятно); **I know no ~ of him** не знам нищо лошо за него; **3.** *pl* нещастия, несгоди, беди, страдания, мъки; **the ~s of life** несгодите на съдбата.

ill-advised [ˈiləd'vaizd] *adj* необмислен, неблагоразумен, неразумен, прибързан.

illation [iˈleiʃən] *n* заключение, извод, дедукция.

ill-balanced [ˈilˈbælənst] *adj* неуравновесен, нестабилен, небалансиран.

ill-conditioned [ˈilkənˈdiʃənd] *adj* **1.** лош, проклет; злобен, зъл, с лош нрав; **2.** раздразнителен, намусен, сърдит, свадлив; груб; **3.** в лошо (физическо) състояние.

ill-defined [ˈildiˈfaind] *adj* неточен, приблизителен.

illegal [iˈli:gl] *adj* незаконен; нелегален; илегален.

illegality [ˌiliˈgæliti] *n* **1.** незаконност, неправомерност; нелегалност, илегалност; **2.** незаконна постъпка.

illegally [iˈli:gəli] *adv* незаконно, неправомерно.

illegible [iˈledʒibəl] *adj* нечетлив, не

ясен, неразбираем, непонятен.

illegitimate I. [ˌiliˈdʒitimit] *adj* **1.** незаконен, илегитимен; **2.** незаконороден, извънбрачен, илегитимен; ~ **child** извънбрачно дете; **3.** нелогичен, погрешен, неправилен, непоследователен; **II.** [ˌiliˈdʒitimeit] *v* обявявам за незаконен (незаконороден, извънбрачен; нелогичен, неправилен, погрешен).

ill-equipped [ˈiliˈkwipt] *adj* неспособен, непригоден, неподготвен.

ill-fated [ˈilˈfeitid] *adj* обречен, предопределен, предназначен (на нещастия), нещастен.

ill-favoured [ˈilˈfeivəd] *adj* **1.** грозен, грозноват; **2.** *остар.* отвратителен, отблъскващ, неприятен, противен.

ill-founded [ˈilˈfaundid] *adj* необоснован, неоснователен (*за слух*).

illiberal [iˈlibərəl] *adj* **1.** свидлив, стиснат; **2.** ограничен, прост, некултурен, необразован; **3.** тесногръд, ограничен, простоват, елементарен.

illiberality [iˌlibəˈræliti] *n* **1.** свидливост, стиснатост; **2.** ограниченост, тесногръдие, елементарност, простоватост.

illicit [iˈlisit] *adj* незаконен, незаконосъобразен; забранен, непозволен, недопустим, неразрешен.

illimitability [iˌlimitəˈbiliti] *n* безграничност, безкрайност, безпределност, необятност.

illimitable [iˈlimitəbəl] *adj* безграничен, безкраен, безпределен, необятен.

ill-intentioned [ˈilinˈtenʃənd] *adj* злонамерен, отмъстителен, злобен, коварен (**towards**).

illiteracy [iˈlitərəsi] *n* неграмотност; невежество, необразованост.

illiterate [iˈlitərit] **I.** *adj* неграмотен, необразован, невеж; **II.** *n* неграмотен (необразован, неук) човек.

ill-judged [ˈilˈdʒʌdʒd] *adj* **1.** необмислен, неблагоразумен, неразумен; **2.** ненавременен, прибързан, недооценен.

illness [ˈilnis] *n* болест, заболяване; боледуване; **industrial** ~ професионално заболяване.

ill-nourished [ˈilˈnʌriʃt] *adj* недохранен, гладен, гладуващ, изгладнял.

illogical [iˈlɔdʒikəl] *adj* непоследователен, нелогичен, илогичен; ◇ *adv* **illogically** [iˈlɔdʒikli].

illogicality [iˌlɔdʒiˈkæliti] *n* нелогичност, непоследователност, илогичност.

ill-tempered [ˈilˈtempəd] *adj* раздразнителен, нервен, невъздържан; лош; (*за животно*) зъл.

illuminant [iˈluminənt] **I.** *adj* осветяващ, озаряващ, огряващ, илюминиращ; осветителен, илюминационен; **II.** *n* източник на светлина, осветително тяло.

illuminate [iˈlumineit] *v* **1.** осветявам, озарявам, огрявам; илюминирам; **2.** хвърлям светлина върху, обяснявам, разяснявам; **3.** просвещавам, давам духовна светлина на; **4.** украсявам с цветни инициали (илюстрации), оцветявам (*ръкопис*); **5.** *прен.* придавам блясък на, украсявам.

illuminated [iˈluːmineitid] *adj* **1.** осветен, огрян, озарен; **2.** илюминиран.

illuminating [iˈljuːmineitin] *adj* **1.** осветлителен, светлинен; ~ **gas** светлинен газ; **2.** *прен.* който хвърля светлина; **an** ~ **talk** разговор, който изяснява, обяснява (хвърля светлина върху) нещата (положението).

illumination [iˌluːmiˈneiʃən] *n* **1.** осветяване, огряване; осветление; озаряване, заря, блясък; **2.** илюминиране; илюминация (*често pl*); **3.** оцветяване на илюстрации и пр.; *pl* цветни илюстрации; **4.** просвещаване; просвещение; **5.** хвърляне на светлина; обясняване, обяснение; разясняване, разяснение.

illumine [iˈluːmin] *v* **1.** озарявам, осветявам; **2.** просвещавам; **3.** разведрявам, разсейвам (*мрачни мисли и пр.*).

ill-usage [ˈilˈsidʒ] *n* малтретиране, измъчване, изтезание, жестоко отношение.

ill-used [ˈiljuːzd] *adj* онеправдан;

пренебрегнат; **an** ~ **tone of voice** оскърбителен (обиден) тон.

illusion [iˈluːʒən] *n* **1.** илюзия (*и прен.*); (само)измама; **to be under an** ~ жертва съм на илюзия, правя си илюзии, самоизлъгвам се, внушавам си; **2.** халюцинация; **3.** прозрачен тюл.

illusionary [iˈluːʒənəri] *adj* **1.** илюзорен, измамен, въображаем, недействителен, неосъществим, лъжовен; **2.** склонен да си създава илюзии, който лесно става жертва на илюзии.

illusionism [iˈluːʒənizəm] *n* филос. илюзионизъм.

illusionist [iˈluːʒənist] *n* филос. илюзионист.

illusive, -sory [iˈluːsiv, -zəri] *adj* илюзорен, измамен, въображаем, недействителен, лъжовен, неосъществим.

illustrate [ˈiləstreit] *v* **1.** пояснявам, обяснявам, разяснявам (с пример, нагледно), илюстрирам; **2.** илюстрирам, снабдявам с илюстрации (*книга и пр.*); **3.** остар. правя блестящ (прочут).

illustration [ˌiləˈstreiʃən] *n* **1.** пример, нагледно пояснение, илюстрация; пояснаване, обяснаване, разяснаване, илюстриране; **2.** илюстриране (*на книга и пр.*); илюстрация; **text** ~ винетка.

illustrative [ˈiləstrətiv] *adj* илюстративен, който служи за пример, пояснителен; ~ **of** който показва, разкрива (доказва).

illustrious [iˈlʌstriəs] *adj* знатен, виден, прославен, известен, прочут, знаменит.

image [ˈimidʒ] **I.** *n* **1.** образ (*и опт.*), изображение; отражение (*в огледало*); образ и подобие; **he is the very (the living, the spitting) ~ of his father** той е образ и подобие на баща си, много прилича на баща си; **2.** образ, представа, имидж; **to improve o.'s** ~ подобрявам имиджа си; **3.** лит. образ, метафора; **to speak in ~s** говоря образно, изразявам се с метафори; **a style full of ~s** образен стил; **4.** статуя, картина; идол, истукан; икона; **II.** *v* **1.** изобразявам, ри-

сувам; **2.** отразявам; **3.** извиквам във въображението си, представям (въобразявам) си (**s.th. to oneself**); **4.** *прен.* рисувам (изобразявам) живо; представям.

imaginary [i'mædʒinəri] *adj* **1.** въображаем, фантастичен, невероятен, имагинерен, възможен само в съзнанието; **2.** *мат.* имагинерен.

imagination [i,mædʒi'neiʃən] *n* въображение, мечта, блян, измислица, фантазия; **to stretch o.'s ~** давам воля на въображението.

imagine [i'mædʒin] *v* **1.** представям си, въобразявам си; **2.** мисля, предполагам, струва ми се.

imagining [i'mædʒiniŋ] *n* въображение, фантазия, химера, илюзия, мечта, блян.

imagism ['imidʒizəm] *n лит.* имажинъзъм.

imagist ['imidʒist] *n* имажинист.

imbecile ['imbisi:l] **I.** *adj* слабоумен, малоумен, ненормален; *мед.* имбецилен; **II.** *n* слабоумен (малоумен) човек; идиот; луд; *разг.* откачен, хлопа му дъската.

imbecilic [,imbi'silik] *adj* идиотски, ненормален, *разг.* шантав, откачен; луд.

imbecility [,imbi'siliti] *n* слабоумие, идиотщина, лудост; *разг.* откаченост, малоумие; *мед.* имбецилност (форма на олигофрения).

imbibe [im'baib] *v* **1.** приемам, поглъщам, попивам (*въздух, храна и пр.*); **2.** *разг.* пия; пиянствам, смуча, къркам; **3.** *прен.* поглъщам, възприемам, попивам.

imbroglio [im'brouliou] *n* бъркотия, безредие, хаос; объркано положение; недоразумение, неизвестеност, грешка.

imbrue [im'bru:] *v книж.* обагрям, оцветявам, опетнявам (**in, with**); **to ~ o.'s hands with blood** (*често прен.*) опетнявам ръцете си с кръв.

imbue [im'bju:] *v* **1.** напоявам, насищам (**with**); **to be ~d** бивам пропит, проникнат, обзет, овладян, изпълнен (**with**); **2.** боядисвам, оцветявам, обагрям, импрегнирам (**with**); **3.** вселявам, вдъх-

вам, насаждам (**with**).

imitate ['imiteit] *v* **1.** подражавам (на), наподобявам, повтарям, копирам, имитирам; **2.** имитирам, карикатуря; **3.** наподобявам, фалшифицирам, подправям.

imitation [,imi'teiʃən] *n* **1.** подражаване, наподобяване, повтаряне, подражание, копиране, имитиране, карикатуриране, имитиране; **2.** имитация, подправка, заместител; сурогат, ерзац; **3.** *муз.* имитация; **4.** *attr* имитиран, подправен, изкуствен; **~ pearls** изкуствени перли.

imitator ['imiteitə] *n* подражател, имитатор, плагиатор.

immaculacy [i'mækjuləsi] *n* **1.** неопетненост, непокварeност, чистота; **2.** безукорност, почтеност, безупречност.

immaculate [i'mækjulit] *adj* **1.** неопетнен, чист; **I. Conception** *рел.* непорочно зачатие; **2.** безукорен, безупречен, безукоризнен, изряден, непокварен; почтен, съвършен; ◇ *adv* **immaculately**; **3.** *зоол.* без петна.

immaculateness [i'mækjulitnis] *n* **1.** неопетненост, чистота, непокварeност; **2.** безукорност, безупречност, съвършенство, изрядност.

immanent ['imənənt] *adj* **1.** присъщ, свойствен, характерен (**in**); **2.** иманентен, вътрешно присъщ, постоянен.

immaterial [,imə'tiriəl] *adj* **1.** невеществен, нематериален, безтелесен, безплътен, иматериален; духовен; **2.** маловажен, незначителен, второстепенен, несъществен, без значение; **~ details** несъществени подробности.

immateriality [,imətiri'æliti] *n* **1.** невеществеността, нематериалност, безплътност, безтелесност, иматериалност; духовност; **2.** маловажност, незначителност, несъществеността, второстепенност.

immature [,imə'tjuə] *adj* незрял, недозрял, недоразвит; *прен.* ненавременен; **~ delivery** *мед.* аборт на нежизнеспособен плод.

immeasurable [i'meʒərəbəl] *adj* неизмерим, огромен, грамаден, ко-

лосален, монументален; ◇ *adv* **immeasurably** [i'meʒərəbli].

immediate [i'mi:diət] *adj* **1.** непосредствен, непосреден, пряк, найблизък; **~ contact (contagion)** непосредствен допир (заразяване); **2.** незабавен, бърз; **to take ~ action** действам незабавно; **3.** пряк, от първа ръка; **~ information** сведения от първа ръка; **4.** неотложен; **work of ~ urgency** работа, която не търпи отлагане, неотложна работа.

immediately [i'mi:diətli] *adv* **1.** незабавно, веднага **it is ~ apparent** веднага (от пръв поглед) се вижда; **2.** непосредствено, пряко.

immemorial [,imi'mɔ:riəl] *adj* незапомнен, от памтивека; вековен; **from (since) time ~** от памтивека, от край време, от незапомнени, стари, далечни времена.

immense [i'mens] *adj* **1.** необхватен, безмерен, необятен, грамаден, огромен; **2.** *разг.* великолепен, прекрасен, отличен, чудесен; ◇ *adv* **immensely**.

immerse [i'mə:s] *v* **1.** потопявам; потапям (*особ. при кръщаване*) (**in**); **2.** заравям, затрупвам (**in**); **3.** *refl* и *pass* затъвам, потъвам; съм в, бивам погълнат (**in**); **to be ~d in a book** чета съсредоточено, погълнат съм от книгата.

immigrate ['imigreit] *v* **1.** имигрирам, заселвам се (**into**); **2.** довеждам, заселвам.

immigration [,imi'greiʃən] *n* **1.** имиграция, заселване; **2.** имиграционен контрол (*на митница*).

imminence ['iminəns] *n* заплаха опасност; неизбежност, близост

immobile [i'moubail] *adj* неподвижен, имобилен, инертен (*книж.*)

immobilization [i,moubilai'zeiʃən] *n* **1.** заковаване, прикрепяне, фиксиране, приковаване; спиране задържане; **2.** *мед.* имобилизация, обездвижване; **3.** изтеглян от обращение, замразяване (*на пари*)

immobilize [i'moubilaiz] *v* **1.** заковавам, прикрепям, приковавам фиксирам; спирам, задържам; **2** *мед.* имобилизирам, обездвиж

вам, слагам шина; **3.** изтеглям от обращение, замразявам (*пари*).

immoderate [i'mɔdərit] *adj* неумерен, прекомерен, краен, прекален, пресилен, неестествен.

immodest [i'mɔdist] *adj* **1.** нескромен, неприличен, безсрамен, безнравствен; безпътен; **2.** нескромен, безочлив, нахален, нагъл.

immodesty [i'mɔdisti] *n* **1.** нескромност, неприличие, безнравственост, безсрамие; **2.** нескромност, безочливост, нахалство, наглост.

immolate ['iməleit] *v* принасям в жертва (*и прен.*); лишавам се, отказвам се; жертвам (**to**).

immolation [,imə'leiʃən] *n* жертвоприношение, жертва, загуба; саможертва; изкупление.

immoral [i'mɔrəl] *adj* безнравствен, неморален, развратен, покварен.

immorality [,imɔ'ræliti] *n* безнравственост, неморалност, разврат, аморалност, поквареност.

immortal [i'mɔːtəl] **I.** *adj* безсмъртен, вечен, имортален; **II.** *n* прославен (известен, знаменит, "безсмъртен") човек; **the ~s** *pl* боговете.

immortality [,imɔː'tæliti] *n* безсмъртие, вечност.

immortalization [,imɔːtəlai'zeiʃən] *n* обезсмъртяване, увековечаване, прославяне.

immortalize [i'mɔːtəlaiz] *v* обезсмъртявам, увековечавам, прославям.

immovability [i,muːvə'biliti] *n* **1.** неподвижност; **2.** несменяемост; **3.** непоколебимост, непоклатимост, устойчивост, стабилност, солидност; **4.** спокойствие, невъзмутимост.

immovable [i'muːvəbəl] **I.** *adj* **1.** неподвижен, недвижим; **~ property** недвижим имот; **2.** твърд, непоколебим, непоклатим, устойчив, стабилен, солиден; **3.** постоянен, несменяем; **~ feast** *рел.* постоянен празник (който е винаги на определена дата); **4.** спокоен, безстрастен, невъзмутим; **II.** *n pl* недвижим имот.

immune [i'mjuːn] **I.** *adj* **1.** свободен, осигурен; с имунитет; не-

прикосновен (**against, from, to**); **~ against attack** непревземаем; **2.** имунен, на имунната система; **II.** *n* човек с имунитет, имунизиран.

immunity [i'mjuːniti] *n* свобода, независимост; волност; неограниченост (**from**); имунитет; привилегия, неприкосновеност.

immunization [i,mjuːnai'zeiʃən] *n* имунизация, имунизиране.

immunize ['imjunaiz] *v* имунизирам (**against**).

immure [i'mjuə] *v* **1.** затварям; **to ~ oneself** затварям се, оттеглям се, усамотявам се, погребвам се жив; затварям се в своята специалност; **2.** вграждам, взиждам, зазиждам; **3.** ограничавам, заобикалям (като) със стена.

immutability [i,mjuːtə'biliti] *n* неизменност, неотменимост, непроменяемост.

immutable [i'mjuːtəbəl] *adj* неизменен, неотменим, непроменим.

impact **I.** ['impækt] *n* **1.** влияние, въздействие; **adverse ~** отрицателно въздействие; **2.** удар, удряне, сблъскване (**on, against**); **force of ~** ударна сила); **II.** [im'pækt] *v* **1.** стискам, закрепвам; стягам, натъпквам; **2.** удрям (се), сблъсквам се; **3.** *амер.* влияя, въздействам, отразявам се (**on** на).

impaction [im'pækʃən] *n* **1.** стискане, заклещване, стягане, натъпкване; **2.** удряне, сблъскване.

impair [im'peə] *v* **1.** накърнявам, намалявам, понижавам; **2.** повреждам, уронвам, развалям, разстройвам; **~ed health** разклатено здраве.

impairment [im'peəmənt] *n* **1.** накърняване, намаляване, понижаване; **2.** повреждане, уронване, разваляне, разстройване; **visual ~** повреда в зрението.

impalpable [im'pælpəbəl] *adj* **1.** неосезаем, неусетен; **2.** недоловим; неразличим; незабележим; нищожен, незначителен.

imparity [im'pæriti] *n* неравенство, различие, несходство, несъвпадение.

impart [im'paːt] *v* **1.** съобщавам, предавам (**to**); **2.** давам, прида-

вам (**to**).

impartial [im'paː[əl] *adj* безпристрастен, непредубеден, обективен, справедлив; ◇ *adv* **impartially**.

impassable [im'paːsəbəl] *adj* непроходим, непристъпен, недостъпен.

impassible [im'pæsibəl] *adj* **1.** нечувствителен (*към болка*); **2.** безстрастен, безчувствен, невъзмутим.

impassioned [im'pæʃənd] *adj* обхванат от страст, възбуден, страстен, пламенен, неукротим.

impassive [im'pæsiv] *adj* **1.** нечувствителен; **2.** безстрастен, безчувствен, невъзмутим; студен; **3.** спокоен, тих; ◇ *adv* **impassively**.

impatience [im'peiʃəns] *n* **1.** нетърпение, нетърпеливост (**of**); **2.** отвращение, погнуса (**of**); **3.** силно желание (**to** *c inf*).

impatient [im'peiʃənt] *adj* **1.** нетърпелив (**at, with**); **2.** който не може да търпи, понася (**of**); **3.** който гори от нетърпение, иска много, желае страстно, жадува (**for, to** *c inf*); ◇ *adv* **impatiently**.

impeach [im'piːtʃ] *v* **1.** поставям под съмнение, хвърлям сянка върху, дискредитирам, подбивам авторитета на, излагам; **2.** обвинявам, порицавам, укорявам, осъждам (**of, with**); **3.** обвинявам в държавна измяна.

impeccability [im'pekə'biliti] *n* безпогрешност, безукорност, изрядност, точност, акуратност.

impeccable [im'pekəbəl] *adj* безпогрешен, безукорен, безукоризнен, изряден, точен, акуратен; ◇ *adv* **impeccably** [im'pekəbli].

impecunious [,impi'kjuːniəs] *adj* безпаричен, беден, сиромашки, несъстоятелен, нуждаещ се.

impede [im'piːd] *v* спъвам, преча на, възпрепятствам, осуетявам, забавям; спирам.

impediment [im'pedimənt] *n* **1.** пречка, осуетяване, спънка, препятствие; **speech ~** заекване; **2.** *юр.* пречка за встъпване в брак; **3.** *pl* багаж (*и* **impedimenta**).

impel [im'pel] *v* (**-ll-**) **1.** тласкам, движа, придвижвам, карам; **2.**

подтиквам, подбуждам, насъск-
вам (**to, to** *c inf*).
impend [im'pend] *v* 1. вися, надвис-
нал съм (**over**); 2. предстоя, каня
се, заплашвам, застрашавам.
impending [im'pendiŋ] *adj* пред-
стоящ, неизбежен, съдбоносен,
неминуем, наложителен.
impenetrability [im,penitrə'biliti] *n*
непроницаемост, непрогледност,
тъмнина, мрак.
impenetrable [im'penitrəbəl] *adj* 1.
непроницаем, гъст, непрогледен;
2. непроходим, непристъпен; 3.
неразбираем, неразгадаем, тайн-
ствен; ~ **mystery** неразгадана
тайна; 4. недостъпен (**to**); тъп,
глупав, невъзприемчив; **his mind
is ~ by (to) new ideas** той не мо-
же да възприеме нищо ново.
impenetrably [im'penitrəbli] *adj* не-
разбираемо, неразгадаемо.
imperative [im'perətiv] I. *adj* 1. по-
велителен, заповеден, императи-
вен (*и език.*), заповеднически,
настоятелен, безапелационен; 2.
наложителен, задължителен, не-
отложен; II. *n* 1. императив; не-
що належащо (задължително),
неотложна необходимост; 2. *език.*
императив, повелително накло-
нение.
imperativeness [im'perətivnis] *n*
безапелационност, настоятел-
ност, императивност; наложи-
телност, неотложност.
imperceptibility ['impə,septi'biliti] *n*
неусетност, неуловимост, недо-
ловимост.
imperceptible [,impə'septəbəl] *adj*
неусетен, неуловим, недоловим,
едва забележим, незначителен;
◇*adv* **imperceptibly** [,impə'septibli].
impercipient [,impə'sipiənt] *adj*
книж. невъзприемчив, несхват-
лив, недосетлив, ограничен.
imperfect [im'pə:fikt] I. *adj* 1. не-
съвършен, незавършен, недоста-
тъчен, дефектен; **a child's ~ un-
derstanding of the world** непъл-
ното разбиране на едно дете на
света около него; ◇ *adv* **imper-
fectly**; 2. *език.* несвършен, импер-
фективен; 3. неидеален, нереален
(*за газ, горене*); II. *n език.* импер-

фект, минало несвършено време.
imperfection [,impə'fekʃən] *n* 1. не-
съвършенство, непълнота, неза-
вършеност; 2. недостатък, про-
пуск, дефект.
imperfective [,impə'fektiv] *adj език.*
несвършен, имперфективен; **the
~ aspect** несвършен вид.
imperial [im'piəriəl] *adj* 1. импер-
ски, на империя; който се отна-
ся до Британската империя; 2.
установен, приет (*за английски
мерки*); 3. императорски; 4. вър-
ховен, най-важен, висш; 5. вели-
чествен, грандиозен, внушите-
лен, величав; 6. великолепен, раз-
кошен, пищен, блестящ.
imperialism [im'piəriəlizəm] *n* 1. уп-
равление на император; 2. импе-
риализъм.
imperialist [im'piəriəlist] *n* 1. им-
периалист; 2. *attr* империалисти-
чен, империалистически.
imperialistic [im,piəriə'listik] *adj*
империалистичен, империалис-
тически.
imperil [im'peril] *v* излагам на
опасност; рискувам.
imperious [im'piəriəs] *adj* 1. пове-
лителен, заповеднически, запове-
ден, властен, деспотичен; 2. над-
менен, високомерен, самонаде-
ян, арогантен; ◇*adv* **imperiously**;
3. належащ, неотложен.
imperiousness [im'piəriəsnis] *n* 1.
повелителност, властност, дес-
потичност; 2. надменност, висо-
комерие, арогантност, самона-
деяност; 3. неотложност, настоя-
телност.
imperishability [im,periʃə'biliti] *n*
нетленност, вечност, безсмър-
тие; *прен.* слава.
imperishable [im'periʃəbəl] *adj* нет-
ленен, вечен, безсмъртен; *прен.*
прославен.
imperium [im'piəriəm] *n лат.* не-
ограничена власт; ~ **in imperio**
държава в държава.
impermanence, -cy [im'pə:mənəns,
-si] *n* непостоянен (временен) ха-
рактер, временност.
impermanent [im'pə:mənənt] *adj*
непостоянен, временен.
impermeability [im,pə:miə'biliti] *n*

непроницаемост, непромокае-
мост.
impermeable [im'pə:miəbəl] *adj*
непроницаем; непромокаем; ~
to water непромокаем.
impermissible [,impə'misibəl] *adj*
недопустим, немислим; забра-
нен, незаконен.
impersonal [im'pə:sənl] *adj* 1. без-
личен (*и език.*); общ; който не се
отнася до определено лице; ~
verb безличен глагол; 2. обекти-
вен, безпристрастен, непредубе-
ден; 3. хладен, безучастен, без-
различен; ◇*adv* **impersonally**.
impersonality [im,pə:sə'næliti] *n*
безличие, общ характер; обек-
тивност, безпристрастие, непре-
дубеденост; хладност.
impersonate [im'pə:səneit] *v* 1. оли-
цетворявам, въплъщавам, персо-
нифицирам; 2. играя (ролята на),
изпълнявам (интерпретирам) ро-
лята на, представям; 3. представ-
ям се за, правя се на.
impersonation [im,pə:sə'neiʃən] *n* 1.
олицетворение; персонификация;
въплъщение; 2. изпълнение (ин-
терпретиране, интерпретация) на
роля, представяне; **to give an ~
of** представям.
impersonator [im'pə:səneitə] *n* 1.
изпълнител, интерпретатор (*на
роля*); 2. самозванец, непризнат,
натрапен.
impertinence [im'pə:tinəns] *n* 1.
наглост, нахалство, безочливост;
2. неуместност.
impertinent [im'pə:tinənt] *adj* 1.
нагъл, нахален, безочлив; 2. неу-
местен, не по въпроса.
imperturbability ['impə:,tə:bə'biliti]
n невъзмутимост, спокойствие,
безразличие, индиферентност.
imperturbable [,impə:'tə:bəbəl] *adj*
невъзмутим, спокоен, безразли-
чен, индиферентен.
impervious [im'pə:viəs] *adj* 1. глух,
неотзивчив, неподатлив (**to**); 2
непромокаем, непроницаем (**to**).
imperviousness [im'pə:viəsnis] *n* 1.
неотзивчивост, неподатливост
2. непромокаемост, непроница-
мост.
impetuosity [im,petju'ositi] *n* 1

стремителност, буйност, вихреност, пламенност, устременост; **2.** прибързаност, необмисленост, ненавременност.

impetuous [im'petjuəs] *adj* **1.** стремителен, буен, бурен, пламенен, вихрен, яростен; **an ~ gale** буен вихър; **2.** прибързан, необмислен, ненавременен.

impetus ['impitəs] *n* **1.** стремителност, сила, устрем; **2.** тласък, подбуда, импулс, стимул; **to give ~ to** давам тласък на.

impiety [im'paiəti] *n* **1.** неблагочестие, безверие, безбожие; **2.** незачитане, непочтителност, неуважение.

impinge [im'pindʒ] *v* **1.** падам, удрям се (**on, upon, against**); **rays of light ~ on the retina** върху ретината падат светлинни лъчи; **2.** навлизам, посягам, извършвам посегателство (**upon**).

impingement [im'pindʒmənt] *n* **1.** удар; навлизане, посегателство; заграбване, обсебване; **2.** отражение.

impious ['impiəs] *adj* нечестив, неблагочестив, безбожен, сатанински, дяволски.

impish ['impiʃ] *adj* немирен, палав; игрив, жив (*прен.*); непослушен; дяволит; ◇ *adv* **impishly.**

implacability [im,plækə'biliti] *n* неумолимост, твърдост, суровост, непреклонност.

implacable [im'plækəbəl] *adj* неумолим, непреклонен, твърд, суров; ◇*adv* **implacably** [im'plækəbli].

implant I. [im'pla:nt] *v* **1.** мед. имплантирам, присаждам; **2.** поставям, слагам, закрепвам (**in**); **3.** насаждам, внушавам, втълпявам, внедрявам, вдъхвам (**in**); **to ~ an ambition** амбицирам; II. ['impla:nt] *n мед.* тъкан или вещество, използвани при имплантиране.

implantation [,impla:n'teiʃən] *n* **1.** слагане, поставяне, закрепяване; *мед.* имплантация, присаждане; **2.** насаждане, втълпяване, внушаване, внедряване, вдъхване.

implausibility [im,plɔ:zi'biliti] *n* неправдоподобност, странност, не-

естественост, неприемливост.

implausible [im'plɔ:zibəl] *adj* неправдоподобен, странен, неестествен, неприемлив; ◇ *adv* **implausibly.**

implement I. [impli'ment] *v* **1.** изпълнявам, завършвам; осъществявам, реализирам, превръщам в дело; **to ~ a new system** внедрявам нова система; **2.** допълвам, попълвам; II. ['implimənt] *n* **1.** сечиво, инструмент, оръдие, уред, прибор; **kitchen ~s** кухненски прибори; **2.** *прен.* оръдие, агент; **3.** *шотл., юр.* изпълнение.

implementation [,implimen'teiʃən] *n* изпълнение, реализиране, осъществяване, превръщане в дело; внедряване.

implicate I. ['implikeit] *v* **1.** въвличам, замествам, намесвам, вплитам, уплитам, впримчвам, импликирам; **2.** съдържам, включвам в себе си, импликирам; *pass* свързан съм; **3.** *рядко* заплитам, обгръщам; II. ['implikit] *n, adj* (нещо), което се подразбира.

implication [,impli'keiʃən] *n* **1.** въвличане, замесване, намесване, уплитане, вплитане, впримчване, импликация; **2.** нещо, което се подразбира, извод, заключение, загатване; **the political ~s of this decision** политическите последици от това решение; **3.** *рядко* заплитане, обгръщане.

implicit [im'plisit] *adj* **1.** който се подразбира, косвен, имплицитен; ням, скрит; който се съдържа, заключава (**in**); **~ denial** мълчаливо отричане; **2.** пълен, абсолютен, неограничен, безрезервен, безграничен; **~ belief** сляпа вяра; ◇ *adv* **implicitly.**

implicitness [im'plisitnis] *n* **1.** косвеност; **2.** абсолютност, неограниченост, безусловност, безрезервност, безграничност.

implode [im'ploud] *v* **1.** спуквам се, пръсквам се (навътре); **2.** пропадам, провалям се; **3.** *език.* изговарям с имплозия.

implore [im'plɔ:] *v* моля, умолявам, замолвам; апелирам.

imploring [im'plɔ:riŋ] *adj* умолите-

лен, замолващ; апелиращ; ◇ *adv* **imploringly.**

imply [im'plai] *v* **1.** съдържам, заключавам в себе си, имплицирам; предполагам, имам за предпоставка; означавам, знача; **2.** загатвам, подмятам, намеквам, подхвърлям, подразбирам, инсинуирам, искам да кажа.

impolite [,impə'lait] *adj* неучтив, невежлив, непочтителен, нелюбезен; неетичен.

impoliteness [,impə'laitnis] *n* неучтивост, невежливост, непочтителност, нелюбезност.

impolitic [im'pɔlitik] *adj* неполитичен, неразумен, нецелесъобразен.

import I. [im'pɔ:t] *v* **1.** внасям, импортирам (**into**); **~ing country** страна вносителка; **2.** внасям, въвеждам; **to ~ personal feelings** влагам лични чувства; **3.** давам да се разбере, означавам, знача, изразявам; **4.** имам значение, от значение съм, важен съм; засягам; II. ['impɔ:t] *n* **1.** внос, импорт; **2.** *pl* вносни стоки; **3.** смисъл, значение, важност; **4.** *attr* вносен; **~ duty** вносно мито.

importance [im'pɔ:təns] *n* **1.** значение, важност, значителност; **to attach ~ to** отдавам значение на, смятам за важен; **2.** достойнство; **3.** важност, самомнение, самочувствие (*u* **self-~**).

important [im'pɔ:tənt] *adj* **1.** важен, значителен; **2.** важен, с голямо мнение за себе си, самомнителен, претенциозен, надут; ◇ *adv* **importantly.**

importation [,impɔ:'teiʃən] *n* **1.** внос, импорт; **2.** вносна стока.

importer [im'pɔ:tə] *n* вносител, импортьор.

importunate [im'pɔ:tjunit] *adj* настойчив, упорит; досаден, отегчителен, непоносим; нахален, нагъл.

importune [im'pɔ:tju:n] I. *v* моля (прося) настойчиво, изтривам прага на; вадя душата на; II. *adj* ненавременен.

importunity [,impɔ:'tju:niti] *n* настойчивост, упоритост, натрапчи-

вост; нахалство, наглост; досаждане с молби.

impose [im'pouz] *v* 1. налагам (*мнение и пр.*); *refl* натрапвам се (**on, upon**); 2. заблуждавам, мамя, измамвам, използвам; "пробутвам", хързулвам (**on, upon**); 3. *рядко* правя впечатление, импонирам (**on, upon**); 4. *полигр.* връзвам на страници; 5. *остар.* слагам, поставям (**on, upon**).

imposing [im'pouziŋ] *adj* внушителен, огромен, величествен, импозантен, колосален, фрапантен.

imposition [,impə'ziʃən] *n* 1. налагане (*на данък*), налог, такса, данък; мито; *прен.* товар, бреме, нещо непоносимо, нещо "наказание"; 2. измама, хитрина; 3. *полигр.* връзване на страници; 4. работа, възложена на ученик за наказание (*съкр., разг.* impo, impot).

imposition of hands [,impə'ziʃənəv 'hænds] *n рел.* ръкополагане, благословия.

impossibility [im,pɔsə'biliti] *n* невъзможност, безсилие, неосъществимост.

impossible [im'pɔsibəl] *adj* 1. невъзможен, неосъществим, неизпълним; **it is ~** невъзможно е, не е възможно (**to**); 2. невъзможен, непоносим, невъобразим, възмутителен, скандален, чудовищен; ◇ *adv* **impossibly** [im'pɔsibli].

impostor [im'pɔstə] *n* 1. измамник, мошеник, шарлатанин; 2. самозванец, непризнат, натрапен.

imposture [im'pɔstʃə] *n* измама, мошеничество, шарлатанство.

impotence ['impətəns] *n* 1. безсилие, слабост; 2. импотентност, полово безсилие.

impotent ['impətənt] I. *adj* 1. безсилен, слаб, грохнал; 2. импотентен, полово безсилен; II. *n* импотентен човек, импотент.

impound [im'paund] *v* 1. конфискувам; 2. затварям, запирам, задържам (*особ. избягал добитък*); арестувам, задържам, окошарвам; 3. събирам (*вода*) в резервоар.

impoundage [im'paundidʒ] *n* 1. затваряне, задържане, арестуване; 2.

конфискуване, конфискация; 3. събиране (*на вода*) в резервоар; завиряване; заприщване.

impoverish [im'pɔvəriʃ] *v* 1. лишавам от средства, обеднявам, осиромашавам; 2. изчерпвам, изтощавам, изхабявам; **~ed soil** обедняла (изтощена) почва; 3. правя неинтересен (безинтересен, еднообразен, отегчителен, скучен); **an ~ed existence** еднообразен, сив, скучен живот.

impracticability [im,præktikə'biliti] *n* 1. неосъществимост, неизпълнимост; 2. неподатливост, упоритост, упорство, инат, опърничавост; 3. неизползваемост, негодност, неприложимост.

impracticable [im'præktikəbəl] *adj* 1. неосъществим, неизпълним; 2. неподатлив, упорит, опърничав, инат; 3. неизползваем, негоден, неприложим.

imprecate ['imprikeit] *v* 1. *остар.* моля се на, умолявам; 2. призовавам, пожелавам (*зло*) (**on, upon**); **to ~ evil** кълна, проклинам (**on, upon**).

imprecation [,impri'keiʃən] *n* клетва, проклятие, заклинание, *нар.* пустосване.

imprecise [,impri'sais] *adj* неверен, неточен, погрешен, фиктивен; неясен.

imprecision [,impri'siʒən] *n* неточност; неяснота; грешка, фиктивност.

impregnability [im,pregnə'biliti] *n* 1. непревземаемост, необоримост, неуязвимост; 2. способност (*на нещо*) да бъде напоено, импрегнирано.

impregnable [im'pregnəbəl] *adj* 1. непревземаем, *прен.* необорим, неуязвим; 2. който може да бъде напоен, импрегниран.

impregnate I. ['impregneit] *v* 1. насищам, напоявам, импрегнирам (**with**); *прен.*; внедрявам, насаждам, вкоренявам; 2. оплождам, накарвам (*жена*) да забременее; II. [im'pregnit] *adj* 1. оплоден, бременна; 2. наситен, напоен (**with**).

impregnation [,impreg'neiʃən] *n* 1. оплождане; *биол.* импрегнация;

2. насищане, напояване, импрегниране; *прен.* насаждане, вкореняване.

impresario [,impre'sa:riou] *n* (*pl* **-ios, -i** [-i]) импресарио.

impress₁ I. [im'pres] *v* 1. правя впечатление на, засягам, повлиявам на, въздействам на, поразявам, раздвижвам, развълнувам; **to be greatly (favourably) ~ed (by)** прави ми силно (благоприятно) впечатление; 2. запечатвам в съзнанието, втълпявам, внушавам; печатам, отпечатвам, подпечатвам, удрям (слагам) печат (щемпел, клеймо); щемпелувам, щамповам (on); **to ~ with a seal** скрепявам с печат; II. ['impres] *n* 1. отпечатък, печат, щемпел, клеймо; 2. белег, отпечатък, впечатление, характерна черта.

impress₂ *v* 1. *истор.* (за)вербувам насилствено, с измама (**into**); 2. реквизирам, изземвам; 3. *прен.* привличам, използвам, послужвам си с; **to ~ a fact into o.'s service** привеждам факт (*като довод*).

impressibility [im,presi'biliti] *n* впечатлителност; схватливост, чувствителност, досетливост.

impressible [im'presibəl] *adj* впечатлителен; схватлив, чувствителен, досетлив.

impression [im'preʃən] *n* 1. впечатление; **to create (give) an ~ of space** създавам чувство за пространство; 2. импресия; пресъздаване на роля (образ); 3. отпечатък, белег, следа; **the ~ of fingers** отпечатък от пръсти, пръстови отпечатъци; 4. печатане, отпечатване, подпечатване, щемпелуване, щамповане; 5. издание (*на книга*).

impressionability [im,preʃənə'biliti] *n* 1. впечатлителност; възприемчивост; 2. чувствителност.

impressionable [im'preʃənəbəl] *adj* 1. впечатлителен, възприемчив, схватлив, досетлив, лековерен; податлив на влияние; 2. чувствителен.

impressionism [im'preʃənizəm] *n* импресионизъм.

impressionist [im'preʃənist] I. *n* импресионист; II. *adj* импресионистичен.

impressiveness [im'presivnis] *n* внушителност, импозантност, колосалност.

imprimatur [,impri'meitə] *n* 1. разрешение за печатане; 2. санкция, одобрение.

imprint I. [im'print] *v* 1. печатам, отпечатвам, щамповам (on, with); to ~ a kiss on s.o.'s brow целувам по челото; 2. запечатвам в съзнанието, втълпявам, внушавам (on, in); to ~ a person's mind with fear вдъхвам страх у; II. ['imprint] *n* отпечатък, белег; (*и прен.*) въздействие, ефект.

imprison [im'prizn] *v* затварям, хвърлям в затвора; държа в плен; лишавам от свобода.

imprisonment [im'priznmənt] *n* затваряне, хвърляне в затвора; държане в плен; лишаване от свобода.

improbability [im,probə'biliti] *n* невероятност, необичайност, невъзможност.

improbable [im'probəbəl] *adj* невероятен, неправдоподобен, необичаен, невъзможен; ◇ *adv* **improbably** [im'probəbli].

improbity [im'proubiti] *n* нечестност, безчестие; аморалност.

improper [im'prɔpə] *adj* 1. неподходящ, непригоден, неподобаващ, неуместен; 2. неправилен, погрешен, сгрешен, сбъркан, неточен; 3. неприличен, непристоен, непочтен; ◇ *adv* **improperly**.

impropriety [,imprə'praiəti] *n* 1. неуместност; 2. неточност, неправилност, грешка; 3. неприличие, непристойност, непочтеност.

improve [im'pru:v] *v* 1. подобрявам (се), усъвършенствам (се), разширявам, обогатявам (*знания*); изтънчвам (*вкус*), увеличавам (*благосъстоянието*), ставам похубав (по-добър); to ~ on a previous achievement постигам още по-добър резултат, подобрявам предишно постижение; 2. оправям се, съвземам се, идвам на себе си, заяквам, укрепвам; 3. използвам, възползвам се от; to ~ o.'s time by studying използвам времето си да уча.

improvement [im'pru:vmənt] *n* подобрение, усъвършенстване; напредък; мелиорация, подобряване; благоустройство; *pl* подобрения, промени; to be an ~ on превъзхождам, надминавам, изпреварвам.

improvidence [im'prɔvidəns] *n* 1. непредвидливост, несъобразителност, недалновидност; 2. нехайство, немарливост, небрежност; 3. разточителност, разточителство, прахосничество, разсипничество.

improvident [im'prɔvidənt] *adj* 1. непредвидлив, несъобразителен, недалновиден; 2. нехаен, немарлив, небрежен; 3. разточителен, прахоснически, разсипнически.

improvisatorial, improvisatory [,imprɔvizə'tɔːriəl, ,imprə'vizətəri] *adj* импровизаторски, неподготвен, скалъпен (*разг.*).

improvise ['imprəvaiz] *v* 1. импровизирам, приготвям набързо, *разг.* скалъпвам; 2. стъкмявам, направям, приготвям на бърза ръка; an ~d meal обед, приготвен на бърза ръка.

imprudence [im'pru:dəns] *n* неблагоразумие, необмисленост, прибързаност, непредпазливост; an ~ необмислена постъпка.

imprudent [im'pru:dənt] *adj* неблагоразумен, необмислен, прибързан, непредпазлив, безразсъден, неразумен.

impudence ['impjudəns] *n* безсрамие, безочливост, дързост, нахалство, дебелоочие, наглост.

impudent ['impjudənt] *adj* безсрамен, безочлив, дебелоок, дързък, нахален, нагъл.

impugn [im'pju:n] *v* оборвам, оспорвам, поставям под съмнение, опровергавам, не признавам.

impugnable [im'pju:nəbəl] *adj* оспорим; опровержим, дискусионен, оборим.

impugnment [im'pju:nmənt] *n* оборване, оспорване, поставяне под съмнение, опровержение, опро-

вергаване.

impuissance [im'pju:isəns] *n* слабост, немощ, безсилие, неефикасност.

impuissant [im'pju:isənt] *adj книж.* слаб, немощен, безсилен, неефикасен.

impulse ['impʌls] *n* 1. тласък, подбуда, подтик, стимул, импулс; under the ~ of the moment без много много да му мисля; 2. вътрешен импулс, инстинкт, хрумване, порив; to act on an ~ следвам едно хрумване; 3. *attr* импулсивен (*за покупка*); ~ turbine *техн.* активна турбина.

impulsion [im'pʌlʃən] *n* тласкане, бутане, изтикване, движение.

impulsive [im'pʌlsiv] *adj* 1. тласкащ, бутащ, изтикващ, движещ; 2. импулсивен, емоционален; ◇ *adv* **impulsively**.

impulsiveness [im'pʌlsivnis] *n* импулсивност, емоционалност, невъздържаност.

impunity [im'pju:niti] *n* безнаказаност, своеволие, *нар.* распасал си пояса; with ~ безнаказано.

impure [im'pjuə] *adj* 1. нечист, мръсен; 2. смесен, с примес, нечист, подправен; ~ motives нечисти подбуди; 3. нецеломъдрен, омърсен, порочен, покварен, развратен, безнравствен, неморален; 4. *език.* неправилен, неграматичен, изпълнен с чуждици.

impurity [im'pjuəriti] *n* 1. нечистотия, мръсотия; 2. примес; 3. нецеломъдреност, порочност, поквареност, развратност, безнравственост, неморалност.

imputation [,impju:'teiʃən] *n* 1. приписване, отдаване; 2. вменяване във вина (грях); (косвено) обвинение, намек (of); by ~ косвено; 3. укор, упрек, порицание; to cast an ~ on the character of хвърлям сянка върху доброто име на.

impute [im'pju:t] *v* 1. приписвам, прехвърлям върху, придавам, отдавам, обяснявам (to); 2. вменявам във вина, грях.

in [in] I. *prep* 1. *за място, положение* (*и при глаголи за движение*): в, на, у; ~ the front row на

първия ред; **2.** *за състояние, об-*
стоятелства, условия: в, на,
при, с, по, под; ~ **trouble** в беда;
3. *за причина, подбуда, цел:* от,
в; ~ **reply to** в отговор на; **4.** *за*
време: през, в, на; ~ **June** през
юни; **5.** *за времетраене:* за, въ-
ре в, след; ~ **a week (a month)** за
(след) една седмица (месец); **6.**
за обсег: в, пред, според, по; ~
o.'s power в моя власт; **7.** *за сте-*
пен, размер, ограничение: на, в,
с, по, по отношение на, откъм;
~ **length** на дължина; **8.** *за на-*
чин: в, с, на; ~ **a few words** с ня-
колко думи, накратко; **9.** *за про-*
порция: от, на; **once** ~ **ten years**
веднъж на десет години; **10.** *за*
принадлежност, участие, вли-
зане в състава на нещо, зана-
ят: в, с; **to be** ~ **business** занима-
вам се с търговия; **11.** *за преми-*
наване в ново състояние: на; **to**
break ~ **two** счупвам (се) на две;
12. *за средство, материал:* с, от;
to write ~ **pencil (ink)** пиша с мо-
лив (мастило); **13.** *predic* **to be** ~
it участвам, вземам участие,
имам дял; **II.** *adv* **1.** вътре; **day** ~,
day out ден след ден, всеки ден;
2. *predic* **to be** ~ вътре (у дома,
вкъщи) съм; идвам, пристигам,
настъпвам; на власт съм; на мо-
да съм; играя (*крикет*); **III.** *adj*
вътрешен; **IV.** *n pl* **the** ~**s** поли-
тическа партия на власт.

inaccessibility [ˈinəkˌsesiˈbiliti] *n* **1.**
недостъпност, непристъпност;
недостижимост, недосегаемост;
2. въздържаност, резервираност.

inaccessible [ˌinəkˈsesibəl] *adj* **1.** не-
достъпен, непристъпен (**to**); не-
достижим, недосегаем; **2.** въз-
държан, резервиран; **3.** който не
се намира на пазара.

inaccurate [inˈækjurit] *adj* **1.** нето-
чен, неверен; **2.** погрешен, неис-
тински; ◇ *adv* **inaccurately.**

inaction [inˈækʃən] *n* **1.** бездейст-
вие, пасивност; мудност, инерт-
ност; *мед.* неефикасност; **2.** *техн.*
засечка.

inactive [inˈæktiv] *adj* **1.** бездеен,
бездействащ, пасивен; без рабо-
та, в застой, неподвижен; муден,

инертен; **2.** *мед.* неефикасен; **3.**
хим., физ. инертен.

inactivity [ˌinækˈtiviti] *n* бездейст-
вие, пасивност; мудност, инерт-
ност; *мед.* неефикасност.

inadequacy [inˈædikwəsi] *n* **1.** не-
достатъчност, непълнота; неком-
петентност, неспособност; **2.** не-
съответствие.

inadequate [inˈædikwit] *adj* **1.** не-
достатъчен, непълен; незадово-
лителен, неудовлетворителен; **2.**
неотговарящ, несъответстващ
(**to**); не в състояние, неспособен
(**to** *c inf*); **my words are** ~ **to ex-**
press my gratitude не мога да на-
меря думи да изразя благодар-
ността си; **3.** неподходящ, нето-
чен, неправилен; ◇ *adv* **inad-**
equately.

inadmissibility [ˈinədˌmisiˈbiliti] *n*
недопустимост, немислимост, не-
възможност, незаконност.

inadmissible [ˌinədˈmisibəl] *adj* не-
допустим, немислим, невъзмо-
жен, незаконен.

inadvertence [ˌinədˈvəːtəns] *n* **1.** нев-
нимание, нехайство, небрежност;
немарливост, недоглеждане; **2.**
непреднамереност, неумишле-
ност.

inadvertent [ˌinədˈvəːtənt] *adj* **1.**
невнимателен, нехаен, небрежен,
немарлив; **2.** непреднамерен, неу-
мишлен; ◇ *adv* **inadvertently.**

inadvisable [ˌinədˈvaizəbəl] *adj* не-
желателен, непрепоръчителен,
неприемлив.

inalienable [inˈeiliənəbəl] *adj* неот-
чуждаем, неотемен.

inalterable [inˈɔːltərəbəl] *adj* неиз-
менен, един и същ, непроменим.

inane [iˈnein] **I.** *adj* **1.** празен, пуст,
безсъдържателен, без стойност;
2. глупав, безсмислен, несерио-
зен; ◇ *adv* **inanely; II.** *n* празно
пространство.

inanimate [inˈænimit] *adj* **1.** неоду-
шевен, нежив; ~ **matter** мъртва
материя; **2.** безжизнен, бездушен,
апатичен.

inanimation [inˌæniˈmeiʃən] *n* **1.** нео-
душевеност; **2.** безжизненост, апа-
тичност, отпуснатост, флегма-
тичност.

inanition [ˌinəˈniʃən] *n* **1.** пустота,
празнота; **2.** слабост, изтощение,
изтощеност (*вследствие на не-*
дояждане).

inanity [inˈæniti] *n* **1.** пустота, без-
съдържателност; **2.** глупост, без-
мисленост, несериозност.

inapplicability [inˌæplikəˈbiliti] *n*
неприложимост, неуместност,
несъответствие.

inapplicable [inˈæplikəbəl] *adj* не-
приложим; неподходящ, несъот-
ветен (**to**).

inapposite [inˈæpəzit] *adj* неподхо-
дящ, неуместен, неприложим.

inappreciable [ˌinəˈpriːʃəbəl] *adj* **1.**
незабележим, неуловим, недоло-
вим, незначителен; **2.** *остар.* без-
ценен, неоценим.

inapprehensible [inˌæpriˈhensibəl]
adj недоловим, неразбираем, нея-
сен.

inapproachable [ˌinəˈprəutʃəbəl] *adj*
1. недостъпен, непристъпен, не-
достижим, недосегаем; **2.** резер-
виран, хладен, дистанциран.

inappropriate [ˌinəˈprəupriit] *adj*
неуместен, неподходящ, който не
отговаря, не съответства (**to, for**);
◇ *adv* **inappropriately.**

inaptitude, inaptness [inˈæptitjuːd,
inˈæptnis] *n* **1.** неспособност, неу-
мение; **2.** несъответствие, несъв-
местимост, дисхармония.

inarguable [inˈaːgjuəbəl] *adj* беспо-
рен, необорим, несъмнен, кате-
горичен.

inarticulate [ˌinaːˈtikjulit] *adj* **1.** не-
членоразделен; **2.** който не мо-
же да изговаря ясно, да се изра-
зява; ням, онемял, мълчалив; ~
with rage който не може да го-
вори от яд; **3.** неясен, неразбира-
ем; **4.** *анат.* нечленоразделен.

inarticulateness [ˌinaːˈtikjulitnis] *n*
1. нечленоразделност; **2.** онемя-
лост, мълчаливост; **3.** неясност,
неразбираемост; **4.** *анат.* несъч-
лененост.

inattention [ˌinəˈtenʃən] *n* невнима-
телност, невнимание, нехайство,
небрежност.

inattentive [ˌinəˈtentiv] *adj* невни-
мателен, небрежен, разсеян, не-
хаен.

inaudibility [in‚ɔ:diˈbiliti] *n* неяснота, недоловимост, неразбираемост.

inaudible [inˈɔ:dibəl] *adj* нечут, недоловим, неразбираем.

inaugural [inˈɔ:gjurəl] *adj* встъпителен; ~ **address** реч, слово при откриване на нещо, при встъпване в длъжност.

inaugurate [inˈɔ:gjureit] *v* 1. въвеждам (официално) в длъжност; 2. откривам, освещавам; 3. въвеждам, слагам началото на.

inauthentic [‚inɔ:ˈθentik] *adj* неавтентичен, неоригинален, недостоверен.

inborn [ˈinbɔ:n] *adj* вроден, естествен, присъщ, наследствен, по рождение.

inbreathe [inˈbri:ð] *v* вдъхвам (*и прен.*), *прен.* внушавам, настройвам, влияя.

inbred [ˈinbred] *adj* 1. вроден, по рождение, естествен, наследствен, присъщ; 2. чийто родители са роднини помежду си.

incalculability [in‚kælkjuləˈbiliti] *n* 1. неизчислимост, неизброимост, несметност; 2. несигурност, нестабилност, неувереност.

incalculable [inˈkælkjuləbəl] *adj* 1. неизчислим, неизброим, безброен, многочислен, несметен; 2. непредвидим, на който не може да се разчита, несигурен.

incantation [‚inkænˈteiʃən] *n* заклинание, магична формула; *pl* чародейство, вълшебство, магия.

incapability [in‚keipəˈbiliti] *n* неспособност, невъзможност, неумение, некадърност.

incapable [inˈkeipəbəl] I. *adj* 1. неспособен (of); некадърен, негоден; **drunk and ~** мъртвопиян; 2. *юр.* лишен от права, неправоспособен; 3. който не може да се грижи за себе си; II. *n* неспособен човек, некадърник.

incapacitate [‚inkəˈpæsiteit] *v* 1. правя неспособен (негоден); възпрепятствам, попречвам, осуетявам (for, from); 2. *воен.* изваждам от строя; 3. *юр.* лишавам от права.

incapacitation [ˈinkə‚pæsiˈteiʃən] *n* възпрепятстване, попречване; ли-

шаване от права.

incapacity [inkəˈpæsiti] *n* 1. неспособност, некадърност, негодност, невъзможност (for); 2. неправоспособност.

incarcerate [inˈka:səreit] *v* затварям, хвърлям в затвора, лишавам от свобода.

incarnate I. [ˈinka:neit] *v* въплъщавам, осъществявам, инкарнирам; II. [inˈka:nit] *adj* 1. олицетворен, осъществен, съвършен, въплътен; 2. с цвета на кожата.

incarnation [‚inka:ˈneiʃən] *n* 1. въплъщение, инкарнация; прераждане; 2. цветът на кожата; розов оттенък; зачервяване; 3. *мед.* зарастване.

incautious [inˈkɔ:ʃəs] *adj* непредпазлив, прибързан, необмислен, без подготовка, импровизиран; ◊ *adv* incautiously.

incautiousness [inˈkɔ:ʃəsnis] *n* непредпазливост, необмисленост, прибързаност, импровизираност, без подготовка.

incendiary [inˈsendjəri] I. *adj* запалителен, възпламенителен; *прен.* подстрекателски, подбудителски; II. *n* 1. подпалвач; *прен.* подстрекател; 2. *воен.* запалителна бомба, запалително вещество.

incense₁ [ˈinsens] I. *n* 1. тамян; 2. *прен.* "кадене на тамян", ласкателство, подмазване, хвалби; II. *v* кадя (тамян), прекадявам; *прен.* кадя тамян на, лаская, подмазвам се.

incense₂ [inˈsens] *v* сърдя, разсърдвам, ядосвам, дразня, раздразням; разярявам, вбесявам, подлудявам, изваждам от търпение (*обикн. pp* – against, with, by, at).

incentive [inˈsentiv] I. *n* подбуда, подтик, стимул (to); II. *adj* който подбужда, подтиква, импулсира; ~ **wage** *амер.* постепенно увеличаване на надницата.

inception [inˈsepʃən] *n* 1. начало, започване, *прен.* старт; 2. получаване на научна степен.

inceptive [inˈseptiv] I. *adj* начален, който започва, начеващ, който се заражда; II. *n език.* начинателен глагол.

incertitude [inˈsə:titju:d] *n* неувереност, боязливост, плахост, несигурност; неустановеност.

incessant [inˈsesnt] *adj* непрестанен, непрекъснат, постоянен; безкраен, безконечен, вечен; ◊ *adv* **incessantly**.

incest [ˈinsest] *n* кръвосмешение.

inch [intʃ] I. *n* 1. инч, цол (= 2,54 см); 2. *прен.* педя, шушка; **by ~es, ~ by ~** малко по малко, стъпка по стъпка, постепенно; 3. *pl* ръст; ● **every ~** напълно, изцяло, от глава до пети, същински, цял; II. *v* движа (се), карам, изтласквам бавно (малко по малко); **вмъквам се, промъквам се (in, by, past, through); to ~ along** *sl* напредвам бавно, но сигурно.

incidence [ˈinsidəns] *n* 1. случване; случай; 2. падане върху, допир с; 3. разпространение, разпространеност, област, сфера на действие, обсег, обхват; 4. *физ.* падане, наклон; ъгъл, под който пада лъч и пр.; 5. *авиац.* ъгъл на атаката.

incident [ˈinsidənt] I. *n* 1. случка, случай, събитие, произшествие, инцидент; случайност; 2. *лит.* епизод; 3. *юр.* привилегия (данъчен товар), свързана с притежаването на нещо; II. *adj* 1. присъщ, свързан, съпътстващ, придружаващ, произтичащ, произхождащ (to); 2. *юр.* свързан, който произтича (to); 3. случаен; 4. *физ.* който пада, контактува, влиза в допир (досег, съприкосновение), удря (on).

incidental [insiˈdentəl] I. *adj* 1. случаен, несъществен, инцидентен, второстепенен, страничен; ~ **expences** непредвидени разходи; 2. присъщ, съпътстващ, придружаващ, свързан, произтичащ, произхождащ (to); II. *n* 1. нещо случайно, несъществено, второстепенно, странично; 2. *pl* непредвидени разходи.

incinerate [inˈsinəreit] *v* изгарям, превръщам в пепел, изпепелявам.

incineration [in‚sinəˈreiʃən] *n* изгаряне, изпепеляване, кремация.

incise [inˈsaiz] *v* врязвам; издълба-

вам, изрязвам, гравирам, резбо-
вам.

incision [in'siʒən] *n* 1. рязване, вря-
зване; издълбаване, изрязване, гра-
виране, резба; 2. рязка, рана, бе-
лег; 3. хим. разтваряне; 4. мед.
разрез, разрязване, инцизия.

incisive [in'saisiv] *adj* 1. остър, про-
ницателен (за ум); 2. рязък, сбит;
язвителен, хаплив; 3. който ре-
же, се врязва; 4. хим. който раз-
тваря, размива, разрежда.

incisiveness [in'saisivnis] *n* 1. ост-
рота, проницателност (на ума);
2. рязкост; язвителност, хапли-
вост.

incite [in'sait] *v* подбуждам, под-
тиквам, насъсквам, подстрека-
вам, (to и с inf).

incitement [in'saitmənt] *n* 1. под-
буждане, подтикване, подстрека-
ване; 2. стимул.

inciter [in'saitə] *n* подстрекател,
подбудител, поощрител; вдъхно-
вител.

incivility [,insi'viliti] *n* 1. неучти-
вост, невежливост, некоректност,
грубост; 2. остар. нецивилизо-
ваност.

inclemency [in'klemənsi] *n* 1. су-
ровост (на климат, време); 2.
остар. суровост, безчовечност.

inclement [in'klemənt] *adj* 1. суров,
студен, бурен (за време); 2. остар.
безжалостен, безмилостен, без-
сърдечен.

inclinable [in'klainəbəl] *adj* рядко
склонен, разположен, благораз-
положен (to).

inclination [,inkli'neiʃən] *n* 1. склон-
ност, наклонност, предразположе-
ние (to, for); обич, привърза-
ност, влечение, вкус (for); to fol-
low only o.'s own ~ правя само
това, което ми е изгодно; 2. нак-
лон; наклоненост, склон, нана-
долнище, полегатост.

incline I. [in'klain] *v* 1. разполагам,
предразполагам; предразположе-
жен съм, клоня, склонен съм,
проявявам склонност (тенден-
ция) (to); I ~ (am ~d) to think на
мнение съм (that); to ~ to corpu-
lence пълнея; 2. накланям (се),
наклонявам (се), клоня, навеж-

дам (се) (to); to ~ the head на-
веждам глава; II. ['inklain] *n* 1. нак-
лонена плоскост, наклон, склон,
нанадолнище, наклоненост, по-
легатост; 2. физ. инклинация; 3.
мин. наклонена шахта; брамберг.

inclined [in'klaind] *adj* 1. склонен,
наклонен, предразположен (to);
he is ~ that way, he is that way ~
той клони натам; 2. наклонен, на-
веден, полегат; 3. надарен, въз-
приемчив (към дадена наука и
пр.); he is artistically ~ той е с
артистични наклонности.

inclined plane [in'klaind'plein] *n*
наклонена плоскост.

inclose, enclose [in'klouz] *v* 1. об-
граждам, заграждам (with, in,
by); заобикалям, ограждам; об-
гръщам, обхващам; 2. затварям
(в нещо); техн. поставям в кар-
тер (корито, кожух); 3. прилагам
(към, в писмо); a letter enclosing
a check писмо, съдържащо чек;
4. истор. обграждам, обсебвам
(общински земи).

inclosure, enclosure [in'klouʒə] *n*
1. ограждане; 2. ограда; 3. огра-
дено място; 4. приложение (към
писмо); 5. истор. ограждане, об-
себване (на общински земи).

include [in'klu:d] *v* 1. включвам,
обхващам, обгръщам; 2. включ-
вам, числя; смятам, считам; I ~
you among my friends аз те смя-
там за свой приятел.

incognito [in'kɔgnitou] I. *n* (*pl* -tos,
-ti [-ti:]) 1. неизвестен човек; 2.
инкогнито; II. *adv* инкогнито, под
чуждо име, като частно лице.

incognizance [in'kɔgnizəns] *n* нез-
наене, непознаване, несъзнаване,
недосещане.

incoherence, -cy [,inkou'hiərəns,
-si] *n* несвързаност, непоследо-
вателност, разхвърляност.

incoherent [,inkou'hiərənt] *adj* 1.
несвързан, непоследователен,
разхвърлян, разбъркан; 2. който
не може да говори (да се изразя-
ва) ясно; ◇ *adv* incoherently.

incombustible [,inkəm'bʌstibəl] I.
adj невъзпламеняем, огнеупорен;
II. *n* нещо невъзпламеняемо, ог-
неупорно.

income ['inkʌm] *n* доход; to exceed
(outrun) o.'s ~ надхвърлям до-
ходите си.

incoming ['inkʌmiŋ] I. *adj* 1. който
идва, пристига, следващ; ~ mail
входяща поща; 2. новодошъл,
новозаселил се; 3. входящ, кой-
то постъпва (трябва да постъпи),
постъпил; ~ profit реализирана
печалба; II. *n* 1. влизане, идване,
пристигане; 2. *pl* доход, доходи,
приход, приходи, постъпления.

incommensurable [,inkə'menʃərəbəl]
adj 1. несъизмерим, несъразме-
рен, несъответен, неравен (with);
2. мат. ирационален; некратен.

incommensurate [,inkə'menʃərit]
adj несъизмерим, несъразмерен,
несъответстващ, недостатъчен
(to, with); our means are ~ to our
wants нашите средства не стигат
за задоволяване на нуждите ни.

incommodious [,inkə'moudiəs] *adj*
неудобен, тесен.

incommunicable [,inkə'mju:nikəbəl]
adj 1. непредаваем, неизразим,
неизказан; 2. без връзки, необщу-
ващ, изолиран.

incommunicative [,inkə'mju:nikətiv]
adj необщителен, който страни
от хората, саможив, затворен; ре-
зервиран, въздържан.

incommutable [,inkə'mju:təbəl] *adj*
1. неизменен, неизменяем; 2. кой-
то не подлежи на замяна (под-
мяна).

incomparable [in'kɔmpərəbəl] *adj* 1.
несравним, неповторим, ориги-
нален (with, to); 2. безподобен,
несравним, превъзходен; ◇ *adv*
incomparably [in'kɔmpərəbli].

incompatibility ['inkəm,pæti'biliti] *n*
несъвместимост; несходство на
характери.

incompatible [,inkəm'pætibəl] *adj*
несъвместим, различен, несхо-
ден (with).

incompetence, -cy [in'kɔmpitəns,
-si] *n* 1. некомпетентност; неспо-
собност; неумелост, неумение; 2.
негодност; 3. юр. неправоспо-
собност, неквалифицираност.

incompetent [in'kɔmpitənt] I. *adj* 1.
некомпетентен, неспособен, не-
умел; разг. некадърен; 2. лошо

направен (извършен), негоден; **3.** *юр.* неправоспособен, неквалифициран (**for**); **I am ~ to advise on this matter** въпросът не е от (е извън) моята компетентност; **4.** слаб, неиздръжлив; рохкав, ронлив; **II.** *n* некомпетентен човек.

incomplete [,inkəm'pli:t] *adj* непълен; дефектен, с недостатъци; незавършен, недоизкаран.

incompleteness [,inkəm'pli:tnis] *n* непълнота; дефектност; незавършеност.

incompliant [,inkəm'plaiənt] *adj* неотстъпчив, упорит, нереклонен, инат (*разг.*).

incomprehension [in,kɔmpri'henʃən] *n* неразбиране, несъгласие.

incomputable [,inkəm'pju:təbəl] *adj* неизброим, неизчислим, безброен, безчислен, несметен.

inconceivable [,inkən'si:vəbəl] *adj* **1.** немислим, невъобразим; **2.** *разг.* знаменит, забележителен.

inconclusive [,inkən'klu:siv] *adj* неубедителен; нерешаващ, неокончателен, неопределен.

inconclusiveness [,inkən'klu:sivnis] *n* неубедителност, неокончателност, неопределеност.

incongruity [,inkən'gruiti] *n* **1.** несъответствие, контраст, противоположност; **2.** неуместност, нелепост; **3.** несъвместимост, несъгласуемост, противоречие.

incongruous [in'kɔngruəs] *adj* **1.** несъгласуван, в противоречие (разрез); несъвместим (**with**); **~ medley** смесица; **2.** неуместен, неподходящ, нелеп; ◇ *adv* **incongruously**.

inconsecutive [,inkən'sekjutiv] *adj* непоследователен, нелогичен, инконсеквентен.

inconsequent [in'kɔnsikwənt] *adj* **1.** непоследователен, нелогичен, несвързан, разхвърлян, разпилян, безсистемен, инконсеквентен; **2.** неуместен, неподходящ.

inconsiderable [,inkən'sidərəbəl] *adj* незначителен, маловажен, несъществен, нищожен, безстойностен.

inconsiderate [,inkən'sidərit] *adj* **1.**

егоистичен, невнимателен, неделикатен (**to**); **2.** необмислен, прибързан, ненавременен, преждевременен.

inconsiderateness, inconsideration [,inkən'sidəritnis, ,inkənsidə'reiʃən] *n* **1.** егоизъм, невнимание, неделикатност, некоректност; **2.** необмисленост, прибързаност, непредпазливост, лекомислие.

inconsolable [,inkən'souləbəl] *adj* неутешим, безутешен, скърбящ, печален.

inconsonance [in'kɔnsənəns] *n* несъзвучност, дисхармония.

inconsonant [in'kɔnsənənt] *adj* несъзвучен, който не хармонира, не е в хармония (**with, to**).

inconspicuous [,inkən'spikjuəs] *adj* незабележим, неразличим; ненатрапващ се; ◇ *adv* **inconspicuously**.

inconstancy [in'kɔnstənsi] *n* **1.** непостоянство, променливост, превратност, колебливост, несигурност; капризност, лекомисленост; изневяра; **2.** нередовност.

inconstant [in'kɔnstənt] **I.** *adj* **1.** непостоянен, променлив, превратен, колеблив, несигурен; капризен, вятърничав, лекомислен; неверен; **2.** нередовен; **II.** *n* променлива величина (фактор).

incontestability ['inkən,testə'biliti] *n* безспорност, неоспоримост, неопровержимост, несъмненост.

incontestable [,inkən'testəbəl] *adj* безспорен, неоспорим, неопровержим, несъмнен, необорим.

incontinent [in'kɔntinənt] *adj* **1.** невъздържан, несдържан (**of**); разпуснат, безнравствен, аморален, порочен; **2.** *мед.* който не задържа (**of**); **~ of urine** който се изпуска, не може да задържа урината.

inconvenience [,inkən'vi:njəns] **I.** *n* неудобство, притеснение, безпокойство, затруднение, главоболие; **to put to ~** безпокоя, обезпокоявам; **II.** *v* създавам неудобство (на), безпокоя, обезпокоявам, притеснявам, затруднявам, главоболя.

inconvenient [,inkən'vi:njənt] *adj* **1.**

неудобен, неприятен; който създава неприятности (затруднения), докарва главоболия, опак, затруднителен; **if not ~ to you** ако не ви е неудобно; ◇ *adv* **inconveniently**; **2.** *остар.* неподходящ, ненавременен; неприличен.

incorporate I. [in'kɔ:pəreit] *v* **1.** включвам, обединявам (се), присъединявам (се), включвам в състава на (**in**), инкорпорирам; съединявам (се), комбинирам (се), съчетавам (се), смесвам (се), сливам (се) (**with**); **2.** регистрирам, узаконявам; **to ~ a business** регистрирам предприятие; **3.** приемам за член, присъединявам към състава на, инкорпорирам; **he was ~d a member of the college** той бе приет за член на колегията; **4.** въплъщавам, излагам, изразявам; **II.** [in'kɔ:pərit] *adj* съединен, обединен.

incorporation [in,kɔ:pə'reiʃən] *n* **1.** съединяване, обединяване, комбиниране, съчетаване, смесване, сливане, обединение, инкорпорация, инкорпориране; **2.** регистриране, узаконяване; **3.** корпорация; **4.** въплъщаване, въплъщение, излагане, изразяване.

incorrect [,inkə'rekt] *adj* **1.** неправилен, неверен; **2.** погрешен, неточен, сбъркан, неизправен; **3.** некоректен, неподходящ; **4.** *полигр.* некоригиран, неоправен; ◇ *adv* **incorrectly**.

incorrectness [,inkə'rektnis] *n* **1.** неправилност, невярност; **2.** погрешност, неизправност, неточност; **3.** неконкретност.

incorrigible [in'kɔridʒibəl] *adj* непоправим, все същият.

increase I. [in'kri:s] *v* увеличавам (се); раста, нараствам; множа се, размножавам (се), плодя се; усилвам (се); качвам (се), повдигам, повишавам; **to ~ o.'s pace** ускорявам крачките си, тръгвам по-бързо, забързвам; **II.** ['inkri:s] *n* **1.** увеличаване, увеличение; растеж, нарастване, прираст; множене, размножаване, плодене; покачване, усилване, повдигане, повишаване; **~ of population**, popu-

lation ~ прираст на население-
то; 2. продукт, печалба, лихва.
incredible [in'kredibəl] *adj* 1. не-
правдоподобен, невероятен, не-
обикновен, странен; 2. *разг.* чу-
ден, странен, забележителен;
◇ *adv* **incredibly** [in'kredibli].
incredulity [,inkri'dju:liti] *n* недо-
верчивост, скептичност, мнител-
ност, подозрителност.
incredulous [in'kredjuləs] *adj* не-
доверчив, скептичен, подозрите-
лен, мнителен; който не вярва (не
се доверява) лесно; I was ~ не
можах да повярвам; ◇ *adv* **in-**
credulously.
increment ['inkrimənt] *n* 1. увели-
чаване, нарастване, растеж; 2. уве-
личение; прираст; 3. приход, пе-
чалба; 4. *мат.* инкремент, при-
ход; диференциал.
incrimination [in,krimi'neiʃən] *n* об-
винение, инкриминиране, инкри-
минация.
incubate ['inkjubeit] *v* 1. мътя; сла-
гам в инкубатор; измътвам (се);
излюпвам (се) (*пилета и пр.*); 2.
прен. мъдрувам (умувам) над;
измислям, кроя, скроявам (*план
и пр.*).
incubator ['inkjubeitə] *n* 1. инкуба-
тор; 2. кувьоз.
inculcate ['inkʌlkeit] *v* насаждам,
втълпявам; налагам; запечатвам
в ума; to ~ discipline (obedience)
налагам дисциплина (подчине-
ние).
inculpate ['inkʌlpeit] *v* обвинявам,
виня; съдя, осъждам.
inculpation [,inkʌl'peiʃən] *n* обви-
няване, обвинение; съдене, осъж-
дане.
incunabular [,inkju'næbjulə] *adj*
старопечатен (*за книга и пр.*).
incur [in'kə:] *v* (-rr-) излагам се на
(*опасност и пр.*); навличам си
(*обвинения и пр.*); спечелвам си
(*омраза и пр.*); понасям, претър-
пявам (*загуби*); правя, влизам в
(*разходи, дългове*).
incurability [in,kjuərə'biliti] *n* неиз-
лечимост, неизцеримост; непо-
правимост.
incurable [in'kjuərəbəl] I. *adj* 1. не-
изцерим, неизлечим; 2. непопра-

вим, закоравял, закостенял, зак-
лет, неизкореним; ◇ *adv* **incurably**
[in'kjuərəbli]; II. *n обикн. pl* болен
от неизлечима болест, безна-
деждно болен; непоправим чо-
век.
incursion [in'kə:ʃən] *n* 1. нашест-
вие, нахлуване, нахълтване, нав-
лизане; нападение, набег (into);
2. натрапване.
incursive [in'kə:siv] *adj* нападате-
лен, настъпателен, нашествени-
чески.
incuse [in'kju:z] I. *v* щамповам, се-
ка (*монета, печат*); II. *adj* щам-
пован, щанцуван; III. *n* отпеча-
тък, фигура (*на монета и пр.*).
indebtedness [in'detidnis] *n* 1. дълг;
дългове; 2. чувство на задълже-
ние, благодарност, признател-
ност.
indecency [in'di:sənsi] *n* 1. непри-
личност, непристойност; 2. не-
приличие; неприлична постъпка
(проява); неприлична (нецензур-
на) дума (израз, изказване), ци-
низъм.
indecent [in'di:sənt] *adj* 1. непри-
личен, непристоен, неблагопри-
личен, неблагопристоен; цини-
чен, нецензурен; 2. нереден, не-
подобаващ; ◇ *adv* **indecently.**
indecipherable [,indi'saifərəbəl] *adj*
нечетлив; неразбираем, неразга-
даем; който не може да се де-
шифрира.
indecision [,indi'siʒən] *n* нереши-
телност, колебание, колебливост.
indecisive [,indi'saisiv] *adj* 1. нео-
кончателен; 2. нерешителен, ко-
леблив, неуверен; 3. неопреде-
лен, неясен, неразбираем, смътен
(*разг.*).
indecorous [in'dekərəs] *adj* небла-
гоприличен, нереден, неподоба-
ващ, некоректен; неприличен, не-
пристоен, неблагоприятен.
indeed [in'di:d] I. *adv* 1. наистина,
в действителност; 2. дори, даже;
3. *за усилване:* I am very glad ~
извънредно много се радвам; 4.
за отстъпка: I may ~ be wrong
може пък и да не съм прав; II.
int нима, хайде де; как не, ами.
indefatigability ['indi,fætigə'biliti] *n*

неуморимост, неуморност, неиз-
тощимост, бодрост, жизненост,
енергичност.
indefatigable [,indi'fætigəbəl] *adj*
неуморен, неуморим, неизтощим,
енергичен, бодър, жизнен; ◇ *adv*
indefatigably [,indi'fætigəbli].
indefeasible [,indi'fi:zibəl] *adj* неот-
меним, ненарушим, непоклатим
(*за права и пр.*).
indefectible [,indi'fektibəl] *adj* 1.
книж. безупречен, идеален, съ-
вършен; 2. който не може да се
развали (повреди).
indelicacy [in'delikəsi] *n* 1. недели-
катност, грубост, неприличност,
непристойност; 2. проява на не-
деликатност (грубост), груба (не-
деликатна) постъпка; неприли-
чие, безсрамие.
indelicate [in'delikit] *adj* неделика-
тен, нетактичен, груб; неприли-
чен, непристоен, безсрамен.
indemnification [in,demnifi'keiʃən]
n 1. осигуряване, предпазване,
застраховане (from, against); 2.
обезщетяване; обезщетение; ком-
пенсация (for); 3. гарантиране, че
няма да бъде наказан (преслед-
ван) някой; освобождаване от на-
казание.
indemnify [in'demnifai] *v* 1. осигу-
рявам, застраховам; предпазвам,
запазвам (from, against); 2. обез-
щетявам, плащам обезщетение,
компенсирам (for); 3. гаранти-
рам, че няма да бъде наказан; ос-
вобождавам от наказание (for).
indemnity [in'demniti] *n* 1. осигу-
реност, обезщетеност; 2. *юр.* ос-
вобождаване от отговорност; 3.
обезщетение, индемнитет; ком-
пенсация; 4. контрибуция (*след
война*).
indent₁ [in'dent] I. *v* 1. назъбвам,
нарязвам, насичам (*по ръба*); 2.
полигр. врязвам, правя абзац; 3.
издавам документ в два екзем-
пляра (*от първоначално цял
лист*); 4. правя искане (поръч-
ка) (*за стоки и пр.*); to ~ upon a
store for goods правя поръчка за
стока в магазин, поръчвам сто-
ка в магазин; II. *n* 1. назъбване;
зъбец; врязване, нарязване, на-

рез; 2. искане, поръчка, заявка (*за стоки*); 3. *полигр.* абзац, врязване.

indent₂ I. [in'dent] *v* 1. правя вдлъбнатина (трапчинка) в; 2. щанцовам, отпечатвам на; II. ['indent] *n* 1. вдлъбнатина, трапчинка; 2. клеймо, отпечатък.

independence [,indi'pendəns] *n* 1. независимост; самостоятелност; свобода; 2. доход, който осигурява финансова независимост.

independent [,indi'pendənt] I. *adj* 1. независим, самостоятелен, свободен, финансово независим (of); 2. самостоятелен, самоуверен, самонадеян; ◇ *adv* **independently**; 3. собствен, самостоятелен (*за доход*); който има собствен доход, самостоятелен; 4. независим, отделен, несвързан с друг; ~ **proof** отделно (специално) доказателство; 5. *полит.* свободен, независим, безпартиен; II. *n* 1. *полит.* независим, безпартиен; 2. *истор.* индепендент.

indestructibility [ˈin,distrʌkti'biliti] *n* неразрушимост, нерушимост, здравина, стабилност, устойчивост.

indeterminable [,indi'tə:minəbl] *adj* 1. неопределим, неустановен, неуточнен; 2. неразрешим, заплетен, неразгадаем.

indetermination ['indi,tə:mi'neiʃən] *n* нерешителност, колебливост, колебание.

index ['indeks] I. *n* (*pl* книж. и -**dices** [-disi:z]) 1. индекс, показалец, азбучник; 2. показател, показателно явление; 3. показалец (*пръст*) (*и* ~ **finger**); 4. стрелка (*на механизъм, уред*); 5. *мат.* (*pl* **indices**) показател, индекс; 6. *полигр.* изображение на ръка с насочен показалец; II. *v* 1. снабдявам с индекс (показалец); 2. включвам в индекс; 3. индексирам.

Indian ['indiən] I. *adj* 1. индийски, индуски; **the** ~ **Ocean** Индийският океан; 2. индиански; 3. *амер.* от царевично брашно; II. *n* 1. индиец, индийка, индус(ка); 2. европеец (*особ. англичанин*), кой

то е живял в Индия; 3. индианец, индианка; 4. *амер.* индиански език.

indicate ['indikeit] *v* 1. показвам; соча; посочвам; **at the hour** ~**d** в посочения час; 2. означавам, свидетелствам за; 3. изисквам, налагам (*мерки, лечение*); 4. загатвам за, давам да се разбере (със знак); **to** ~ **assent** давам знак, че съм съгласен; 5. сигнализирам (*при шофиране*), давам мигач; 6. *техн.* измервам мощност на машина с индикатор.

indication [indi'keiʃən] *n* 1. показване, посочване, означаване; 2. указание; знак, признак, симптом, белег; **there is every** ~ **of his speking the truth** по всичко личи, че той казва истината; 3. *техн.* показание, индикация (*на уред*); отчитане на показание на уред; **warning** ~ предупредителна сигнализация.

indicator ['indikeitə] *n* 1. показател, указател; 2. *техн.* индикатор (*и* хим.); стрелка на циферблат; *ел.* номератор; брояч; **train** ~ информационно табло (*в жп гара*); мигач (*на автомобил*) (*и* **traffic** ~).

indicium [in'disiəm] *n* (*pl* -**cia** [siə]) рядко указание, знак, признак, белег, симптом.

indictment [in'daitmənt] *n* 1. обвинение, нападка; оскърбление; 2. *юр.* обвинителен акт.

indifference [in'difərəns] *n* 1. безразличие, равнодушие, незаинтересованост, апатия, индиферентност; невъзмутимост (**to, towards**); **it is a matter of perfect** ~ **to me** това ми е съвсем безразлично; 2. незначителност; маловажност; **a matter of** ~ незначителна (маловажна) работа; 3. посредственост (*за книга и пр.*); 4. *остар.* безпристрастие, обективност.

indifferent [in'difərənt] I. *adj* 1. безразличен, равнодушен, безучастен, незаинтересован, индиферентен (**to**); **I am** (**feel**) ~ **about him** той ми е безразличен; 2. неутрален, безпристрастен; 3. посредствен; среден; 4. *ел., хим.*,

физ. неутрален; 5. *биол.* недиференциран; II. *n* неутрален (аполитичен, нерелигиозен) човек.

indigence, -cy ['indidʒəns, -si] *n* нищета, немотия, бедност, сиромашия.

indigenous [in'didʒinəs] *adj* 1. туземен, местен, характерен за дадена страна (**to**); присъщ (**to**); • ~ **schools** училища, в които се преподава на местния език.

indigent ['indidʒənt] *adj* 1. беден, сиромашки, бедняшки, в крайна нужда; 2. *остар.* лишен от (**of**).

indignant [in'dignənt] *adj* възмутен, изпълнен с негодувание; **to be** (**feel**) ~ **at s.th.** (**with s.o.**) възмущавам се, възмутен съм от нещо (някого); **to make s.o.** ~ възмущавам някого, изпълвам някого с възмущение; ◇ *adv* **indignantly**.

indignation [,indig'neiʃən] *n* възмущение, негодувание (**at**).

indignity [in'digniti] *n* унижение, обида, оскърбление, позорене.

indigo ['indigou] *n* индиго (*цвят*).

indirect [,indi'rekt] *adj* 1. околен, заобиколен; непряк, косвен (*и за данък и пр.*); индиректен; уклончив (*за отговор и пр.*); ~ **hit** рикошет; 2. *език.* непряк, косвен; ~ **object** непряко допълнение; 3. страничен, вторичен (*за резултат*); 4. подмолен, прикрит, нечестен, непочтен, безнравствен (*за действия, средства*).

indiscernible [,indi'sə:nəbl] *adj* незабележим, неразличим, неотличим.

indiscreet [,indis'kri:t] *adj* 1. недискретен; нетактичен; нескромен; 2. неразумен, неблагоразумен, лекомислен; непредпазлив, невнимателен; **an** ~ **step** необмислена постъпка.

indiscretion [,indis'kreʃən] *n* 1. неблагоразумие, необмисленост, невнимание, непредпазливост; 2. недискретност; нетактичност; издаване на тайна; 3. провинение, простъпка (*срещу установения морал*), любовна авантюра.

indiscriminate [,indis'kriminit] *adj*

безразборен; сляп; объркан, хаотичен, безсистемен; ~ **admirer** сляп почитател; ◇*adv* **indiscriminately.**

indispensability [ˌindiˌspensə'biliti] *n* необходимост, потребност, неотложност, нужда.

indispensable [ˌindi'spensəbəl] I. *adj* 1. необходим, потребен, належащ (**to s.o., for, to s.th.**); **articles of ~ use, ~ articles** предмети от първа необходимост; 2. задължителен (*за закон, дълг*); II. *n амер.* крайно необходим човек (вещ); • **~s** *шег.* панталони.

indispose [ˌindi'spouz] *v* 1. настройвам против, премахвам желание за; не предразполагам, разубеждавам (**towards, from**); 2. правя негоден, неспособен (**for; to do**); 3. причинявам (слабо) неразположение.

indisposed [ˌindi'spouzd] *adj* 1. неразположен; **to be (feel) ~** не ми е добре, неразположен съм, не се чувствам добре; 2. несклонен, без желание за (**to do**).

indisposition [ˌindispə'ziʃən] *n* 1. (временно) неразположение, леко заболяване; 2. нежелание, несклонност, неохота (**to**); 3. лошо отношение, неблагоразположение (**to, towards**).

indisputable [ˌindi'spju:təbəl] *adj* неоспорим, безспорен, очевиден; положителен; ◇ *adv* **indisputably** [ˌindi'spju:təbli].

indistinct [ˌindi'stiŋkt] *adj* неясен, смътен, замъглен; неопределен; ◇ *adv* **indistinctly.**

indistinctness [ˌindi'stiŋktnis] *n* неясност, неяснота, неопределеност, замъгленост.

indistinguishable [ˌindi'stiŋgwiʃəbəl] *adj* 1. неотличим (**from**); неразличим; **they are ~** човек не може да ги различи един от друг; 2. незабележим; недоловим (*за звук*); **~ to the naked eye** невидим с просто око.

indite [in'dait] *v* 1. съчинявам (*стихотворение*), изготвям (*реч*); *шег.* измайсторявам, скалъпвам, съчинявам (*писмо*); съставям, редактирам (*оплакване, документ*);

2. *остар.* подсказвам, диктувам.

inditement [in'daitmənt] *n* 1. съчиняване, съчинителство, съставяне; 2. съчинение.

individual [ˌindi'vidjuəl] I. *adj* 1. отделен, единичен; 2. индивидуален, личен, самобитен, характерен, особен, отличителен, собствен, оригинален; **he is so ~ in his views** идеите му са толкова оригинални; II. *n* 1. индивид; 2. човек, лице; *разг.* субект, същество; **a private ~** частно лице.

individualism [ˌindi'vidjuəlizəm] *n* 1. индивидуализъм; егоизъм; 2. *амер.* индивидуален характер, индивидуалност; индивидуална особеност; 3. *икон.* учение за ненамеса на държавата в стопанския живот.

individualize [ˌindi'vidjuəlaiz] *v* 1. индивидуализирам, обособявам, придавам индивидуалност* (индивидуален характер) на; 2. определям подробно (точно); споменавам поотделно.

indivisibility ['indiˌvizi'biliti] *n* неделимост, сплотеност, неразделност.

indivisible [ˌindi'vizibəl] I. *adj* 1. неделим; безкрайно малък; 2. *мат., амер.* който не се дели без остатък; II. *n* нещо неделимо; нещо безкрайно малко.

indocile [in'dousail] *adj* непокорен, непослушен; неподатлив; труден за обучаване.

indocility [ˌindou'siliti] *n* непокорство; неподатливост на обучение.

indoctrinate [in'dɔktrineit] *v* внедрявам у, втълпявам у, доктринирам; **to ~ s.o. with an idea (opinion)** втълпявам идея някому.

indolence ['indələns] *n* 1. леност, мързел, отпуснатост, вялост, безразличие, индолениция; 2. безделие; 3. *мед.* безболезненост (*на тумор и пр.*).

indolent ['indələnt] *adj* 1. ленив, мързелив, отпуснат, безучастен, безразличен, индолентен; 2. *мед.* безболезнен (*за тумор и пр.*).

indoor ['indɔ:] *adj* вътрешен, ста-

ен, вкъщи, на закрито; домашен (*за дреха, живот*); **~ plant** стайно растение.

indubitable [in'dju:bitəbəl] *adj* несъмнен, неоспорим; ◇ *adv* **indubitably** [in'dju:bitəbli].

induce [in'dju:s] *v* 1. докарвам, причинявам, предизвиквам; **~d birth** *мед.* изкуствено (предизвикано) раждане; **to ~ the hope that** вдъхвам вяра, че; 2. убеждавам, накарвам, придумвам, склонявам (*с inf*); 3. *рядко* заключавам, вадя заключение; 4. *ел.* индуцирам; възбуждам; създавам; пораждам.

inducement [in'dju:smənt] *n* 1. подбуда, подтик, стимул; мотив; **the ~s of a large town** примамките на големия град; 2. *юр.* подбудителство, подстрекателство (**to**); 3. *юр.* обяснително въведение в пледоария.

induction [in'dʌkʃən] *n* 1. въвеждане, встъпване в длъжност; официално въвеждане в длъжност; 2. *лог.* индуктивен метод; индукция; 3. *мат., ел.* индукция; **~ motor** индукционен двигател; 4. *техн.* всмукване (*на горивна смес*); пускане (*на пара, течност*) в машина; 5. *мед.* причина; **~ of labour** *мед.* предизвикване на раждане.

indulge [in'dʌldʒ] *v* 1. задоволявам, предавам се на, отдавам се на (*желания и пр.*), давам воля на, тая, храня (*чувства, страсти*); 2. позволявам си (**in**); **to ~ in a nap** изкарвам сладка дрямка; 3. глезя, разглезвам; угаждам на; удовлетворявам; **to ~ oneself** не се лишавам от нищо; 4. *рел.* давам индулгенция; 5. *търг.* давам отсрочка, отлагам плащане (*на длъжник*); 6. *разг.* пия прекомерно; **will you ~**? *разг.* ще си пийнете ли нещо (една чашка)?

indulgence [in'dʌldʒəns] *n* 1. задоволяване; отдаване на (*нещо*); задоволеност; 2. угаждане; удовлетворяване; глезене; слабост; снизхождение (**for, to**); 3. *истор.* привилегия, предимство, опрощаване; 4. *рел.* индулгенция; опрощение; 5. *търг.* отсрочка, отлагане (*на плащане*).

indulgent [in'dʌldʒənt] *adj* (прекалено) снизходителен; отстъпчив, който глези, угажда на (to, towards); ◇ *adv* **indulgently**.

indurate I. ['indjuəreit] *v книж.* втвърдявам (се) (*и мед.*); закоравявам (*и прен.*); загрубявам (*за чувства и пр.*); правя (ставам) безчувствен, бездушен, жесток, коравосърдечен; закалявам (се) (*за хора*); затвърдявам се (*за обичаи*); II. ['indjuərit] *adj* 1. втвърден, закоравял; 2. безчувствен, бездушен, коравосърдечен, жесток.

induration [,indjuə'reiʃən] *n книж.* 1. втвърдяване, закоравяване (*и прен.*); 2. втвърдено състояние; 3. *мед.* индурация, уплътняване и втвърдяване на тъкани и органи; уплътнена, втвърдена тъкан.

industrial [in'dʌstriəl] I. *adj* индустриален, промишлен; производствен; ~ **goods** промишлени стоки; II. *n* 1. индустриалец; 2. *pl* акции (ценни книжа) на промишлени предприятия.

industrious [in'dʌstriəs] *adj* работлив, трудолюбив, усърден, прилежен, *разг.* работяга; ◇ *adv* **industriously.**

industry ['indʌstri] *n* 1. индустрия, промишленост; отрасъл на дадена промишленост; **the heavy industries** тежка промишленост; 2. усърдие, прилежание, трудолюбие; 3. системна работа, обичайно (редовно) занимание; 4. *събир.* индустриалците.

ineffective [,ini'fektiv] *adj* 1. неефикасен, безрезултатен, безуспешен, без ефект; безполезен; 2. който не прави впечатление, без художествено въздействие; 3. неспособен, бездарен, некомпетентен, некадърен, неумел (*за хора*); ~ **speaker** неубедителен, слаб оратор.

ineffectiveness [,ini'fektivnis] *n* 1. неефикасност, безрезултатност; 2. неспособност, некомпетентност, некадърност.

ineffectual [,ini'fektʃuəl] *adj* безрезултатен; неефикасен, безплоден; безуспешен; несполучлив, слаб;

an ~ **person** некадърник, бездарник; ◇ *adv* **ineffectually.**

inefficiency [,ini'fiʃənsi] *n* 1. неспособност, некомпетентност; 2. неефикасност; безполезност.

inefficient [,ini'fiʃənt] *adj* 1. неспособен, некомпетентен; некадърен; 2. неефикасен; безрезултатен (*за мерки и пр.*); който не работи (действа) добре, неизправен; ◇ *adv* **inefficiently.**

inelastic [,ini'læstik] *adj* 1. нееластичен; 2. *прен.* негъвкав, неподвижен; скован; 3. твърдо установен; който не допуска изменения (изключения).

inelasticity [,inilæs'tisiti] *n* 1. нееластичност; 2. липса на гъвкавост, скованост.

inelegant [in'eligənt] *adj* 1. неелегантен, неизящен; 2. неграциозен, грубоват, недодялан, тромав, непохватен; 3. без вкус, без чар.

ineligible [in'elidʒəbəl] I. *adj* 1. неизбираем; 2. неподходящ; неприемлив; който няма необходимите качества; 3. негоден (*особ. за военна служба*); II. *n* 1. лице, което не може да бъде избрано; 2. неподходящ кандидат (*за женитба*).

ineluctable [,ini'lʌktəbəl] *adj* неизбежен, неминуем, предопределен.

inept [i'nept] *adj* 1. неподходящ, неуместен; 2. глупав, нелеп, абсурден; 3. *амер.* неспособен; тромав, несръчен, неловък, непохватен; 4. *юр.* нищожен, невалиден (*за договор*).

ineptitude [i'neptitju:d] *n* 1. неуместност; 2. неспособност, негодност, неумение (**for, to do**); 3. глупост, нелепост.

inequality [,ini'qwɔliti] *n* 1. неравенство (*и мат.*); 2. разлика, различие (*в размер, чин, качество*); 3. неравност, грапавост (*на повърхност, стил*); 4. променливост, непостоянство; 5. неравномерност, несъразмерност.

inequitable [in'ekwitəbəl] *adj* несправедлив, незаконен; непочтен.

inequity [in'ekwiti] *n* несправедли

вост, незаконност; непочтеност.

inert [i'nə:t] *adj* 1. инертен, бавен, муден, вял, бездеен, пасивен; 2. *физ., хим.* инертен; благороден; неактивен.

inertia [i'nə:ʃjə] *n* 1. *физ.* инерция; 2. инертност, мудност, бавност, бездейност, леност, пасивност.

inertness [i'nə:tnis] *n* инертност, бездейност, бездействие, пасивност, мудност, бавност.

inescapable [,inis'keipəbəl] *adj* неизбежен, неминуем, неотменен, непредотвратим; ◇ *adv* **inescapably** [,inis'keipəbli].

inessential [,ini'senʃəl] I. *adj* несъществен, второстепенен, без значение, незначителен; II. *n* нещо несъществено.

inestimable [in'estiməbəl] *adj* 1. неизчислим, безброен; 2. неоценим, безценен, скъп; **of** ~ **value** извънредно ценен, неоценим.

inevitable [in'evitəbəl] *adj* неизбежен, неминуем; фатален, гибелен; ◇ *adv* **inevitably** [in'evitəbli].

inexact [,inig'zækt] *adj* неточен, грешен; некоректен (*прен.*).

inexhaustibility ['inig,zɔ:stə'biliti] *n* неизчерпаемост, изобилие, богатство.

inexhaustible [,inig'zɔ:stəbəl] *adj* 1. неизчерпаем, изобилен, богат; неизтощим; 2. неуморим.

inexistant [,inig'zistənt] *adj* несъществуващ, фиктивен, нереален.

inexorability [in,eksərə'biliti] *n* неумолимост, непреклонност.

inexorable [in'eksərəbəl] *adj* неумолим; непреклонен, безжалостен; ◇ *adv* **inexorably** [,in'eksərəbli].

inexpedience, -cy [,inik'spi:diəns, -si] *n* нецелесъобразност, неуместност, ненавременност.

inexpedient [,inik'spi:diənt] *adj* нецелесъобразен, неподходящ, неуместен, ненавременен.

inexperience [,inik'spiəriəns] *n* неопитност (**of**), неумелост, неспособност.

inexpert [in'ekspə:t] *adj* неумел, неизкусен; неопитен; тромав (**in**); любителски.

inexplicit [,iniks'plisit] *adj* неизречен, неизказан; неопределен, неяс

сен; неконкретен.

inexpugnable [ˌiniks'pʌgnəbəl] *adj*
1. *книж.* непревземаем, неприс-
тъпен; 2. *прен.* необорим, неата-
куем; ненакърним.

inextricable [in'ekstrikəbəl] *adj*
особ. прен. объркан, сложен, зап-
летен; който не може да се оп-
рави; безизходен; неразрешим.

infallibility [inˌfælə'biliti] *n* непог-
решимост, точност, акуратност.

infallible [in'fæləbəl] *adj* 1. непог-
решим, безпогрешен (*за човек*);
сигурен (*за средство и пр.*); 2. не-
избежен, неминуем, непредотвра-
тим; ◊ *adv* **infallibly** [in'fælibli].

infamy ['infəmi] *n* 1. позор, безчес-
тие; 2. позорно поведение (дейст-
вие, деяние); низост, подлост; 3.
морално падение, поквара, по-
рочност; 4. *юр.* лишаване от
граждански права.

infant ['infənt] I. *n* 1. пеленаче, бе-
бе, новородено; **the ~ Jesus** мла-
денецът Христос; 2. *юр.* малоле-
тен, непълнолетен човек; 3. но-
вак; II. *adj* 1. детски; ~ **voices** дет-
ски гласчета (гласове); 2. *прен.*
зачатъчен, в зародиш.

infantile ['infəntail] *adj* 1. детски (*и
за болести*), на пеленачета; ~
paralysis *мед.* детски паралич,
полиомиелит; 2. детински, ин-
фантилен, недоразвит; 3. нача-
лен, в най-ранен стадий; наче-
ващ, зачатъчен.

infantilism [in'fæntilizəm] *n* 1. *мед.*
инфантилизъм; 2. инфантилност,
недоразвитост.

infarct [in'fa:kt] *n мед.* инфаркт.

infatuate [in'fætjueit] *v* замайвам,
завъртам главата (*на някого*); ув-
личам, омайвам; **to ~ s.o. with an
idea** "запалвам" някого за една
идея.

infatuated [in'fætjueitid] *adj* увле-
чен, заслепен, глупав, оглупял,
обезумял, *особ.* безумно влюбен
(**with, by**); **I became ~ with the
case** случаят изцяло ме обсеби.

infatuation [inˌfætju'eiʃən] *n* засле-
пение; пристрастеност, увлича-
не; страст, сляпо увлечение, бе-
зумно влюбване.

infeasable [in'fi:zəbəl] *adj* трудно-

приложим, неприложим, невъз-
можен.

infect [in'fekt] *v* 1. заразявам (*и
прен.*) (**with**); предавам зараза (*на
някого*); инфектирам; 2. *прен.* ко-
румпирам, покварявам (**with**); 3.
юр. опорочавам (*договор и пр.*)
(**with**); 4. *език.* променям (*гласна*).

infection [in'fekʃən] *n* 1. заразява-
не, инфектиране; 2. инфекция; за-
раза; **liable to ~** податлив на за-
раза; 3. *прен.* покваряване, ко-
румпиране; 4. *прен.* повлияване,
заразителност; **the ~ of his en-
thusiasm** заразителният му въз-
торг; 5. *юр.* опорочаване (*на до-
говор и пр.*); 6. *език.* преглас.

infectious [in'fekʃəs] *adj* 1. зарази-
телен; заразен; прилепчив; ин-
фекциозен; ~ **disease** заразна бо-
лест; 2. *прен.* заразителен, увли-
чащ; 3. зловонен (*за въздух*).

infelicitous [ˌinfi'lisitəs] *adj* 1. зло-
щастен, злополучен, нещастен;
2. неподходящ, неуместен, неу-
дачен.

infelicity [ˌinfi'lisiti] *n* 1. злощастие,
нещастие; злополучие, беда; 2.
неуместност, неудачност; несло-
лучлив (неуместен) израз; гаф.

infer [in'fə:] *v* (**-rr-**) 1. заключавам,
правя заключение; 2. загатвам,
подсказвам.

inference ['infərəns] *n* 1. заключа-
ване, подразбиране; **by ~** *лог.* по
дедукция; 2. извод, заключение;
to draw an ~ from s.th. вадя зак-
лючение, правя извод от нещо.

inferior [in'fiəriə] I. *adj* 1. долен
(*по място*), разположен долу (*и
анат.*); *полигр.* напечатана по-
долу (*за буква*); 2. *прен.* нисш,
(по)нискостоящ (*по чин и пр.*);
воен. подчинен, младши (**to**); **to
be in no way ~ to s.o.** с нищо не
отстъпвам на някого; 3. долно-
качествен, нискокачествен, лош;
посредствен; ~ **quality** ниско (ло-
шо) качество; II. *n* подчинен,
подчинено лице; човек с по-мал-
ки способности.

infernal [in'fə:nəl] *adj* 1. адски; **the
~ regions** ад; 2. дяволски, пък-
лен, жесток, безчовечен; 3. *разг.*
проклет, пуст, дяволски; **an ~**

---

nuisance ужасно неприятно, бе-
ля и половина.

infernally [in'fə:nəli] *adv* 1. адски;
2. *за усилване:* страшно, стра-
хотно; **it is ~ hot** нетърпима же-
га е, адска горещина.

infertile [in'fə:tail] *adj* неплодоро-
ден; безплоден, ялов.

infertility [ˌinfə'tiliti] *n* неплодоро-
дие; безплодност.

infidel ['infidəl] I. *n* 1. невярващ,
атеист, безбожник; 2. *истор.* не-
верник, друговерец, нехристия-
нин; 3. езичник; II. *adj* безверен,
нерелигиозен, невярващ; нехрис-
тиянин.

infidelity [ˌinfi'deliti] *n* 1. безверие,
безбожие; 2. изневяра; 3. невяр-
ност; нелоялност.

infill ['infil] I. *v* запълвам, попъл-
вам; II. *n* пълнеж, запълване.

infiltration [ˌinfil'treiʃən] *n* 1. про-
 cеждане, просмукване, инфилт-
рация (**into, through**); 2. *мед.* ин-
филтрат; ~ **anaesthesia** местна
упойка; 3. *мин.* инфилтрация; 4.
воен. проникване между неприя-
телски позиции; 5. *полит.* про-
никване; подривна дейност (*в ор-
ганизация и пр.*); 6. *амер.* нещо,
което прониква, се просмуква.

infinite ['infinit] I. *adj* 1. безкраен,
безграничен, безпределен, без-
мерен, безбрежен; необхватен,
необятен, неизмерим, обширен,
огромен; ~ **mercy** неизчерпаема
(безкрайна) добрина; 2. (*c pl n*)
много, безброй, многоброен, без-
броен; ~ **varieties** безбройни ви-
дове; 3. *език.* [*и* 'in,fainait] неоп-
ределен по лице и число (*за гла-
голни форми*); неизброим; II. *n*
1. **the I.** Бог, Творецът; 2. прост-
ранство, космос, безкрайност.

infinitive [in'finitiv] I. *adj език.* не-
определен; II. *n* инфинитив, не-
определена форма на глагола.

infirm [in'fə:m] *adj* 1. немощен, не-
дъгав, безсилен, отпаднал (*особ.
от старост*); 2. колеблив, ла-
билен, нерешителен, слабохарак-
терен, слабоволев, малодушен;
слабоумен; 3. *рядко* неустойчив,
слаб, нетраен (*за постройка*).

infirmity [in'fə:miti] *n* 1. немощ,

слабост; отпадналост (*физическа и душевна*); 2. телесен или морален недостатък, недъг; the infirmities of old age старчески недъзи; 3. слабохарактерност, малодушие, слабоволие; ~ of purpose слаба воля; 4. *юр.* невалидност (*на документ*).

infix I. [in'fiks] v 1. втиквам, навирам, пъхам, затъквам (in); 2. *прен.* запечатвам (*в ума*); 3. *език.* вмъквам (*сричка, словообразувателен елемент*); II. ['infiks] n вмъкната сричка (словообразувателен елемент).

inflame [in'fleim] v 1. запалвам, разпалвам (се), възпламенявам (се); 2. *мед.* възпалявам (се); 3. *прен.* разпалвам, възбуждам (се); разгорещявам (се).

inflammability [in'flæmə'biliti] n 1. запалимост, възпламеняемост; 2. възбудимост, раздразнителност.

inflammation [,inflə'meiʃən] n 1. *мед.* възпаление; 2. възпламеняване, запалване; 3. възбуждение, възбуда.

inflammatory [in'flæmətəri] adj 1. възбуждащ, възбудителен, който възбужда (*страстите*); 2. провокаторски, бунтарски, подстрекателски, подбуждащ към бунт (*за реч, слово*); 3. *мед.* възпалителен.

inflate [in'fleit] v 1. надувам; напомпвам (*гума*); изпълвам (*с газ, въздух*) (with); to ~ the lungs with air *мед.* вкарвам въздух в дробовете, изпълвам дробовете с въздух; 2. карам да се надува (*от важност*) (with); to ~ s.o. with pride карам някого да се възгордее; 3. *фин.* предизвиквам инфлация; 4. *търг.* изкуствено повишавам (*цените*).

inflationary [in'fleiʃənəri] adj инфлационен, присъщ на инфлация.

inflict [in'flikt] v 1. нанасям (*удар, рана*), причинявам (*болка, страдание*) (on, upon); 2. налагам (*наказание*); • to ~ oneself upon s.o. натрапвам се на някого.

influence ['influəns] I. n 1. влияние, въздействие (*и на лекарство*)

(on, upon, over, with); to have ~ имам влияние (тежест); влиятелен съм; имам връзки (with); 2. влиятелен човек; 3. *ел.* индукция; II. v влияя (*на някого*); оказвам влияние, въздействам (*за предмет*); to ~ s.o. in favour of doing s.th. склоням (придумвам) някого да направи нещо.

infold [in'fould] v 1. обхващам, обвивам, обгръщам, увивам (in, with); 2. прегръщам; 3. надиплям.

inform [in'fɔ:m] v 1. осведомявам, уведомявам, съобщавам, информирам (of, about, on); 2. *юр.* правя донесение (on); 3. изпълвам с; вдъхвам (*чувство*) (with, by); *рядко* формирам (*характер*), образовам (*ум*); ~ed with life пълен с живот.

information [,infə'meiʃən] n 1. осведомяване, осведоменост, информиране, информираност; 2. сведения, информация (on, about); 3. знание, знания; данни; факти; 4. *юр.* донесение (against); (полицейски) акт; 5. *юр.* обвинение (against), депозирано в съда.

infringe [in'frindʒ] v 1. нарушавам, престъпвам (*закон, обещание и пр.*); 2. нарушавам, засягам (*право*) (upon, on); to ~ (on, upon) a patent използвам чужд патент без разрешение; 3. нарушавам границите (on, upon).

infuse [in'fju:z] v 1. наливам, преливам (*течност*) (into); 2. вливам (*живот*), вдъхвам, придавам (*кураж, надежда и пр.*) на някого (into), изпълвам някого (с жар и пр.) (with); 3. попарвам; накисвам, кисна (*чай, билка*).

inhibit [in'hibit] v 1. забранявам на някого да (from *с* ger); 2. спъвам, (въз)препятствам, задържам; спирам; забавям; 3. *мед.* задържам, спирам (*секреция и пр.*); 4. *рел.* аргосвам, забранявам на свещеник да извършва богослужение; 5. *псих.* потискам, сдържам (*чувство*).

inimical [i'nimikəl] adj 1. враждебен, неприязнен, недоброжелателен (to); 2. неблагоприятен, вреден (to).

iniquity [i'nikwiti] n 1. неправда, груба (крещяща) несправедливост, грубо беззаконие, престъпление, произвол, злодеяние; to commit iniquities върша неправди; 2. порок, грях, прегрешение, греховност.

initiate I. [i'niʃieit] v 1. започвам, откривам; поставям началото на, лансирам, въвеждам; to ~ measures вземам мерки; 2. посвещавам (*в тайна*) (into); 3. въвеждам, посвещавам (*в наука, изкуство*) (in); 4. инициирам, приемам с ритуал (*в тайно общество*) (into); II. [i'niʃiit] adj посветен; III. [i'niʃiit] n човек, посветен в тайна, религия.

initiative [i'niʃiətiv] n 1. почин, начинание, инициатива; предприемчивост; 2. (право на) законодателна инициати.

injunction [in'dʒʌŋkʃən] n 1. заповед, предписание, разпореждане; 2. *юр.* съдебно разпореждане.

injure ['indʒə] v 1. увреждам, засягам (*реноме, интереси и пр.*), нанасям щета (вреда), ощетявам, онеправдавам, несправедлив съм към; 2. повреждам, развалям, похабявам; 3. (на)ранявам, повреждам, засягам.

injury ['indʒəri] n 1. нараняване; рана, травма, поражение, вреда; *мед.* поражения; to receive severe injuries ранен съм тежко; 2. вреда, щета; ощетяване (*и юр.*); to the ~ of s.o. във вреда (ущърб) на някого; 3. повреда (to); to do ~ to повреждам, нанасям повреда на (*машина и пр.*); 4. несправедливост, неправда; 5. *остар.* обида, оскърбление; клевета; 6. *юр.* противоправно деяние (действие), правонарушение.

ink [iŋk] I. n мастило; invisible ~ симпатично мастило; II. v 1. изцапвам с мастило; 2. (*и* ~ up) намазвам с мастило (*букви*); 3. *sl* подписвам договор.

inland ['inlənd] I. n вътрешност (*на страна*); II. adj 1. вътрешен, отдалечен от брега или границата (*за страна*); 2. вътрешен, вътре в страната; ~ trade вътрешна тър-

говия; **III.** *adv* [in'lænd] към (във) вътрешността (*на страната*); **to go ~** пътувам навътре в страна.
inner ['inə] **I.** *adj* 1. вътрешен; 2. *прен.* вътрешен, духовен; **our ~ life** духовният ни живот; 3. вътрешен, приближен, посветен; **~ circle** приближени хора; управляваща клика; 4. интимен, скрит, потаен (*за чувства и пр.*); **~ meaning** скрит, дълбок, истински смисъл; същност; **II.** *n* 1. първият кръг около центъра на мишена; 2. попадение в този кръг.
inoculate [i'nɔkjuleit] *v* 1. *мед.* ваксинирам, инокулирам, заразявам като предпазна мярка; посявам; 2. *бот.* присаждам; облагородявам; 3. *прен.* заразявам; вселявам; 4. *воен.* провеждам тактически занятия под огън; 5. заквасвам, подквасвам.
inpouring ['in,pɔ:riŋ] **I.** *n* нахлуване, нахълтване; **II.** *adj* нахълтващ, нахлуващ; **~ passengers** пътници, които пристигат на тълпи.
inquire [in'kwaiə] *v* 1. запитвам, разпитвам, интересувам се, осведомявам се, информирам се (**about**); 2. събирам сведения; изследвам; разузнавам; изследвам; **to ~ about (after)** осведомявам се за, питам за.
inquisition [,inkwi'ziʃən] *n* 1. разпитване, разпит, разследване; *юр.* следствие; анкета; 2. *прен.* мъчение, инквизиция.
inroad ['inroud] *n* 1. набег, нашествие, нападение, нахлуване; 2. *прен.* посегателство; **to make ~s upon s.o.'s time** заемам (отнемам) времето на някого.
inscribe [in'skraib] *v* 1. надписвам, вписвам, пиша (**in, on**); 2. врязвам, нарязвам, изрязвам (*надпис*); 3. посвещавам (*книга и пр.*); 4. *мат.* вписвам (*фигура*); 5. вписвам, регистрирам; 6. регистрирам имената на купувачите (*на акции и пр.*); **~d stock** поименна акция.
insect ['insekt] *n* 1. *зоол.* насекомо, инсект; 2. *прен., разг.* нищожество, нула.
inseminate [in'semineit] *v* 1. оплож-

дам; 2. сея, насаждам; всаждам (**with**).
insemination [in,semi'neiʃən] *n* 1. оплождане, заплодяване; **artificial ~** изкуствено оплождане; 2. насаждане, садене.
insert [in'sə:t] **I.** *v* 1. вмъквам, втиквам, пъхвам, мушвам, вставям; 2. помествам (*във вестник*); 3. *ел.* включвам, съединявам; **II.** ['insə:t] *n техн.* втулка; подложка.
inside [,in'said] **I.** *adj* 1. вътрешен; **the ~ ring** посветените, вътрешните хора; 2. таен, секретен; **II.** *n* 1. вътрешна част, вътрешност; опако, опакова страна (*на дреха и пр.*); **to turn ~ out** обръщам наопаки; 2. вътрешната страна (*на завой, път, ръка и пр.*); 3. [in'said] *разг.* вътрешности (*стомах, черва*); 4. *прен.* съдържание, замисъл, душа; 5. пътник в автобус и пр. (*който не е на горния етаж*); 6. *спорт.* страничен нападател, крило; **~ left (right)** ляво (дясно) крило; 7. таен агент; **III.** *adv* вътре; отвътре; **~ an hour** в рамките на един час; **IV.** *prep* във, вътре във; **to get ~ a part** *театр.* вживявам се в ролята си.
insight ['insait] *n* 1. проницателност, проникновение, прозрение, вникване (**into**); 2. интуиция, шесто чувство; 3. *псих.* самопознание.
insinuate [in'sinjueit] *v* 1. намеквам, правя алюзия (намек), инсинуирам; 2. промъквам, вмъквам тайно (незабелязано); 3. *refl прен.* прокрадвам се, промъквам се.
insipid [in'sipid] *adj* 1. безвкусен, блудкав; 2. *прен.* скучен, безинтересен, безцветен, еднообразен; вял.
insist [in'sist] *v* 1. настоявам, наблягам, подчертавам (**on, upon**); твърдя настойчиво, заявявам (декларирам) твърдо; 2. искам настойчиво (**on, upon**).
inspect [in'spekt] *v* 1. разглеждам внимателно, преглеждам, разследвам, проучвам, изследвам; 2. наблюдавам, надзиравам; 3. инспектирам, ревизирам, правя преглед; **~ing officer** инспектор.

inspector [in'spektə] *n* 1. инспектор; ревизор, контрольор; 2. надзирател; наблюдател; 3. *рядко* приемчик; човек, който упражнява контрол върху качеството.
inspiration [,inspi'reiʃən] *n* 1. вдъхновение, просветление; импулс; **poetic ~** поетично вдъхновение; 2. вдишване, вдъхване; *мед.* инспирация; 3. подбуда; внушение.
inspire [in'spaiə] *v* 1. окуражавам, въодушевявам, насърчавам, подтиквам; вдъхновявам; 2. внушавам, вселявам (*чувство и пр.*); **to ~ s.o. with confidence (fear)** внушавам (вдъхвам) някому доверие (страх); 3. инспирирам, подбуждам, внушавам тайно, подстрекавам; **an ~d article** статия, написана по указание на друго лице; 4. вдишвам, вдъхвам; 5. *остар.* духам в (върху).
instance ['instəns] **I.** *n* 1. пример, отделен случай; илюстрация; 2. искане, настояване; внушение; **at the ~ of** по искане на; 3. *юр.* инстанция; **in the first ~** *прен.* найнапред, първо, на първо място; 4. *остар.* настойчивост; **II.** *v* 1. привеждам за (като) пример; давам за пример; 2. служа като пример.
instant ['instənt] **I.** *n* миг, момент; **on the ~** веднага, незабавно, моментално, на часа, на минутката; **II.** *adj* 1. незабавен, неотложен; моментален, непосредствен, мигновен; 2. спешен; **an ~ need** въпиеща нужда от; 3. който се приготвя бързо и лесно (*за храна*); **~ soup** полуготова супа; 4. *търг.* от текущия месец.
instigate ['instigeit] *v* 1. подбуждам, подстрекавам (**to**); 2. предизвиквам, провокирам; раздухвам (*свада, недоволство*).
instinct I. ['instiŋkt] *n* инстинкт, интуиция; **to act on ~** действам по инстинкт; **II.** [in'stiŋkt] *adj* пълен, изпълнен (*с живот, красота и пр.*).
institute ['institju:t] **I.** *n* 1. институт, учреждение, организация; 2. *амер.* кратък курс; серия (цикъл) лекции; 3. *pl юр.* основи на пра-

вото; **4.** *остар.* институция; закон; **II.** *v* **1.** учредявам, основавам, установявам, институирам; въвеждам; **newly ~d office** новосъздадена служба; **2.** поставям в действие; започвам; **to ~ an inquiry** назначавам анкета (следствие); **3.** назначавам, обличам във власт.

institutor ['institju:tə] *n* **1.** основател, основоположник, учредител; **2.** *рел.* лице с власт да назначава духовници.

instruct [in'strʌkt] *v* **1.** обучавам, уча, поучавам; инструктирам (**in**); **2.** информирам, известявам, уведомявам, съобщавам на; **3.** давам указания, нареждам, заповядвам; **4.** *юр.* давам материали (нареждания) на (*адвокат*).

instruction [in'strʌkʃən] *n* **1.** обучение; обучаване; **driving ~** уроци по шофиране, шофьорски курс; **2.** указание; поръчение; инструктаж; *pl* наставления, директиви, инструкции, предписания; **book of standing ~s** правилник, устав; **3.** *pl юр.* обяснения, факти; нареждания; указания на съдия за съдебните заседатели; **4.** *амер., полит.* поръчение (*за гласуване за определен кандидат*).

instrument I. ['instrumənt] *n* **1.** инструмент, оръдие, сечиво; инструмент, уред, прибор, апарат; **~ board** контролно табло; табло с инструменти; **2.** *прен.* средство, оръдие, *разг.* маша; **3.** *юр.* акт, документ, договор, инструмент; **II.** [instru'ment] *v* **1.** осъществявам (на практика), провеждам; **2.** *муз.* оркестрирам, инструментирам.

insulation [ˌinsju'leiʃən] *n* **1.** *техн.* изолация; **2.** отделяне, изолиране.

insult I. ['insʌlt] *n* **1.** обида, оскърбление; **2.** *остар.* атака, нападение; **II.** [in'sʌlt] *v* **1.** оскърбявам, обиждам; **2.** *остар.* нападам, атакувам.

insurance [in'ʃuərəns] *n* **1.** застраховка, осигуровка; **2.** застрахователна премия, застраховка; **3.** застрахователна полица (*и* **~ policy**).

insure [in'ʃuə] *v* **1.** застраховам (се);

права застраховка; **2.** осигурявам, обезпечавам, гарантирам.

insurrection [ˌinsə'rekʃən] *n* **1.** въстание; **2.** бунт; метеж, размирица.

integrate ['intigreit] **I.** *adj* **1.** сложен, съставен; **2.** цял, цялостен, пълен; **II.** *v* **1.** обединявам; съставям цяло; присъединявам (се); **2.** определям средното значение (обща сума); **3.** *мат.* интегрирам, намирам интеграла на.

intellect ['intilekt] *n* интелект, ум, разум, разсъдък; умствени способности.

intellectual [ˌinte'lektʃuəl] **I.** *adj* **1.** интелектуален, умствен, мисловен, духовен; **~ pursuits** интелектуални занимания; **2.** мислещ; ◇ *adv* **intellectually; II.** *n* **1.** интелектуалец, интелигент; **2.** *pl* интелигенция.

intelligence [in'telidʒəns] *n* **1.** ум, разум, разсъдък, интелект; **~ test** тест за интелигентност; **2.** интелигентност, схватливост, бързо разбиране; **3.** сведения, информация; новина, вест; **latest ~** последни новини; **4.** разузнаване.

intend [in'tend] *v* **1.** възнамерявам, предвиждам, имам намерение, имам предвид, планирам; **2.** определям, предназначавам; **3.** знача, означавам; подразбирам.

intense [in'tens] *adj* **1.** силен; прекомерен, краен; **~ heat** *метеор.* силни горещини; **2.** интензивен, наситен, дълбок (*цвят и др.*); **3.** ревностен; горещ; емоционален, прочувствен, страстен; напрегнат; **~ activity** трескава дейност; ◇ *adv* **intensely.**

intention [in'tenʃən] *n* **1.** намерение, стремеж, цел, умисъл, интенция; **2.** смисъл, значение; **to grasp s.o.'s ~** схващам мисълта на някого; **3.** *филос.* понятие, идея; **4.** *мед.*: **first ~** бързо зарастване (заздравяване).

intercept I. [ˌintə'sept] *v* **1.** пресичам, преграждам, спирам; запречвам, закривам (*гледка и пр.*); преча на; залавям (*писмо и пр.*); подслушвам, прихващам (*телефонен разговор*); отсичам, отрязвам, прекъсвам; *радио.* заг-

---

лушавам; **2.** *мат.* отделям с две точки част от линия, правя отсечка; **3.** *воен., авиац.* прехващам (*противников самолет*); **II.** ['intəsept] *n* **1.** *воен.* откъсване, отрязване; **2.** *мат.* отсечка.

interchange I. ['intətʃeindʒ] *n* **1.** размяна, обмяна; обмен; **2.** редуване, сменяне; **3.** пресечка на магистрала; **II.** [ˌintə'tʃeindʒ] *v* **1.** разменям, сменям; обменям; **2.** сменявам (се), правя размяна, размествам; **3.** редувам (се), сменявам (се).

interdict I. [ˌintə'dikt] *v* **1.** *книж.* забранявам; възпирам; **to ~ s.o. from doing s.th.** забранявам на някого да прави нещо; **2.** *юр.* лишавам от право на ползване, налагам възбрана на; **3.** *воен.* преграждам, пресичам; **4.** *рел.* отлъчвам; **II.** ['intədikt] *n* **1.** *юр.* запрещение, забрана; възбрана; **2.** *шотл.* заповед за уволнение; **3.** *рел.* отлъчване, интердикт.

interest ['intrist] **I.** *n* **1.** заинтересованост, интерес, любопитство; влечение; внимание; **to take (feel) ~ in** се интересувам от; **2.** изгода, полза; **in the ~ of** в полза на; **3.** участие в нещо, дял в печалбите; част; **vested ~** пряко участие (*обикн. с капитал*); **4.** важност, значение; **a matter of no little ~** твърде важна работа; **5.** влияние; **6.** група лица с общи интереси; **the banking ~** банковите кръгове, банкерите; **7.** лихва, лихвен процент; **II.** *v* **1.** заинтересувам, привличам вниманието на; **to be ~ed in** интересувам се от; **2.** заангажирам с участие в нещо, заинтересувам.

interfere [intə'fiə] *v* **1.** бъркам се, меся се (**with**); намесвам се (**in**); **2.** преча, спъвам, възпрепятствам; вредя, навреждам, увреждам; **3.** *разг.* пипам, бърникам, бутам (**with**); **4.** сблъскваме се един с друг; противоположни сме един на друг; **5.** *физ.* интерферирам; кръстосвам се; **6.** *спорт.* фаулирам; **7.** *амер.* оспорвам правото на патент.

interior [in'tiəriə] **I.** *adj* вътрешен;

II. *n* 1. вътрешна страна, вътрешност; 2. вътрешни области, вътрешност (*на страна*); *воен.* дълбок тил, вътрешност; 3. (I.) министерство на вътрешните работи; 4. природна същност (*на нещата*); духовна страна, чувства (*на човек*); 5. *pl* вътрешности, стомах и черва; 6. *изк.* интериор; *фот.* вътрешна снимка.

interlock [,intə'lɔk] *v* 1. съединявам (се), сключвам (се), скопчвам (се); 2. сглобявам; 3. *техн.* блокирам; 4. *кино* синхронизирам.

intermediate I. [,intə'mi:djət] *adj* 1. междинен, среден, промеждутъчен, преходен; ~ **product** полуфабрикат; 2. спомагателен; ~ **agent** спомагателно средство; 3. средно напреднал (*в изучаването на език и пр.*); II. *n* 1. нещо междинно (средно); 2. междинен изпит; 3. *хим.* междинен продукт (*в химически процес*); 4. средно напреднал (*в изучаването на език и пр.*); 5. *рядко* посредник; III. [,intə'mi:dieit] *v рядко* посреднича; намесвам се.

intermission [,intə'miʃən] *n* 1. прекъсване, пауза; 2. *амер.* междучасие; антракт; почивка; 3. *мед.* неправилност, неравномерност; прескачане (*на пулса*).

internalize [in'tə:nəlaiz] *v* усвоявам, възприемам.

international [,intə'næʃənl] *adj* международен, интернационален; ◇ *adv* **internationally.**

interplay ['intəplei] *n* взаимодействие, съдружие, взаимопомощ, сътрудничество.

interpose [intə'pouz] *v* 1. слагам помежду; вмъквам, втиквам; преправечвам; 2. прекъсвам, подхвърлям, подмятам, вмятам (*думи, забележки*); намесвам се; 3. посреднича, застъпвам се; интервенирам.

interpret [in'tə:prit] *v* 1. обяснявам, тълкувам, разяснявам; 2. *театр., муз.* интерпретирам, изпълнявам; 3. превеждам (*устно*).

interpretation [in,tə:pri'teiʃən] *n* 1. тълкование, обяснение, интерпретация; 2. *муз., театр.* интер-

претация, изпълнение; 3. превод (*устен*); 4. *воен.* разчитане, разшифроване (*на въздушни снимки, сигнали и пр.*).

interrupt [,intə'rʌpt] I. *v* 1. прекъсвам, намесвам се в (*разговор*); 2. забавям, спирам (*движение*); прекъсвам (*ел. ток*); преча; преграждам; II. *n инф.* прекъсване.

intersperse [,intə'spə:s] *v* 1. разпръсвам (разсипвам, пръскам) помежду; 2. осейвам, обсипвам; разнообразявам.

intertwine [,intə'twain] *v* преплитам (се), сплитам (се), вплитам (се).

interval ['intəvəl] *n* 1. промеждутък, разстояние, интервал; **at** ~**s** на промеждутъци, от време на време; **тук там**; 2. *муз.* интервал; 3. почивка, пауза, антракт; междучасие; 4. плодородна ивица земя покрай бреговете на река (*обикн.* ~**-land**).

intervene [,intə'vi:n] *v* 1. намесвам се, взимам участие, проявявам отношение, интервенирам (**between**); *юр.* взимам страна; 2. пресичам, попречвам; прекъсвам, спирам; 3. става, случва се, явява се; намира се, лежи (*между две неща*).

intimate₁ ['intimit] I. *adj* 1. вътрешен; съкровен; 2. интимен; личен; ~ **friend** близък приятел; 3. частен, личен; ~ **diary** личен дневник; 4. задълбочен, дълбок, детайлен; проникновен; **a more ~ analysis** един по-подробен анализ; 5. тесен, близък (*за връзка*); ◇ *adv* **intimately**; II. *n* близък (интимен) приятел.

intimate₂ ['intimeit] *v* 1. намеквам, подмятам, давам да се разбере; внушавам; 2. *рядко* обявявам, разгласявам, известявам, съобщавам.

intimidate [in'timideit] *v* сплашвам, уплашвам; принуждавам (заставям) чрез заплаха (**into** *с ger*).

intoxicate [in'tɔksikeit] I. *v* 1. опиянявам; упоявам; напивам; **intoxicating liquors** алкохол, спиртни напитки; 2. силно възбуждам; 3. *мед., остар.* отравям; II. *adj остар.* опиянен, замаян.

intricate ['intrikət] *adj* заплетен, объркан, сложен, комплициран; ~ **plot** сложна интрига; ◇ *adv* **intricately**.

intrigue [in'tri:g] I. *v* 1. интригантствам, сплетнича; 2. възбуждам любопитството на, заинтригувам; 3. имам тайна любов с (**with**); 4. *остар.* измамвам, излъгвам; II. *n* 1. интрига, сплетня; машинация; 2. тайна любовна връзка; *разг.* таен роман, любовна авантюра; 3. *лит.* фабула.

intriguing [in'tri:giŋ] *adj* 1. любопитен, заинтригуващ, привличащ вниманието; ◇ *adv* **intriguingly**; 2. интригантски; двуличен.

introduce [,intrə'dju:s] *v* 1. въвеждам; внасям, вкарвам (**into**); 2. предавам (на), запознавам (с); посвещавам (*в* **to**); 3. внасям за разглеждане, представям (*законопроект и пр.*); **to ~ a question** поставям въпрос на дневен ред; 4. представям (*програма*).

intrude [in'tru:d] *v* 1. влизам без покана (позволение); нахълтвам, втурвам се (**into**); 2. натрапвам (се), досаждам, преча (**on, upon**); 3. *геол.* внедрявам (се) (*за скала и пр. в земните пластове*); ~**d rocks** внедрени скали.

intruder [in'tru:də] *n* 1. досадник, нахалник, нахал; неканен гост; 2. *юр.* нарушител (*на владение, права*); 3. узурпатор; самозванец.

intrust [in'trʌst] *v* поверявам, възлагам; натоварвам (*и* **entrust**).

intuition [,intju'iʃən] *n* интуиция, усет; *разг.* шесто чувство.

intwine, entwine [in'twain] *v* 1. преплитам, сплитам (*клони, пръсти*); изплитам, вия (*венец*); **with arms ~d** хванати под ръка; 2. обвивам, обгръщам; обрастъам (**with, about**); вия се, увивам се (**round**) (*за пълзящи растения*).

inundate ['inʌndeit] *v* заливам, наводнявам; потопявам (*и прен.*); ~**ed with letters** отрупан с писма.

inundation [,inʌn'deiʃən] *n* наводняване, заливане; наводнение; потоп.

inure [i'njuə] *v* 1. приучвам, привиквам, свиквам; калявам, зака-

лявам; to ~ oneself to приучвам се към; 2. *юр.* влизам в сила (употреба) (*u enure*).

invade [in'veid] *v* 1. нахлувам в, нахълтвам в; 2. завладявам, овладявам (*u прен. за чувства*); 3. нарушавам; посягам на; to ~ s.o.'s privacy нарушавам спокойствието на някого.

invalid₁ ['invəli:d] I. *adj* 1. неработоспособен, нетрудоспособен; болен, болнав, нездрав; 2. предназначен за болни; II. *n* болен, болник; инвалид, недъгав, сакат човек; III. *v* 1. правя (ставам) инвалид; ~ed for life осакатен за цял живот, осакатен до края на живота си; 2. освобождавам (се) от военна служба по инвалидност (като инвалид).

invalid₂ [in'vælid] *adj* недействителен, невалиден (*пред закона*), *юр.* нищожен, лишен от законна сила; необоснован.

invalidate [in'vælideit] *v* обезсилвам, анулирам.

invasion [in'veiʒən] *n* 1. нашествие; нахлуване, нахълтване; инвазия; агресия; 2. посегателство, похищение; накърняване; 3. *мед.* инвазия, проникване на болестни причинители в организми.

inveigh [in'vei] *v* ругая, обиждам, хуля, бичувам (against).

inveigle [in'vi:gəl] *v* примамвам, привличам, съблазнявам, измамвам, прилъгвам, подлъгвам (into); to ~ s.o. into doing s.th. подлъгвам някого да направи нещо.

invent [in'vent] *v* 1. изобретявам, изнамирам, създавам, измислям; 2. измислям, съчинявам, нагласям.

invention [in'venʃən] *n* 1. откритие, изобретение; 2. изобретяване, изнамиране; 3. изобретателност; 4. измислица, измишльотина, съчинение, басня; 5. въображение, фантазия, измислица (*в изкуството и литературата*); 6. *муз.* инвенция.

inventory ['invəntəri] I. *n* 1. инвентар; опис, списък на имущество; 2. инвентаризация; II. *v* инвентаризирам, правя инвентаризация;

включвам в инвентара.

inversion [in'və:ʃən] *n* 1. обръщане, преобръщане; обратно положение (*u в съотношение*); 2. *език.*, *хим.*, *метал.* инверсия; 3. *език.* произнасяне на звук с върха на езика, обърнат нагоре и допрян до небцето; 4. *муз.* обръщане (*на интервал*); 5. хомосексуализъм.

invert I. [in'və:t] *v* 1. обръщам (наопаки), преобръщам; катурвам; ~ed commas кавички; 2. *език.* обръщам и извивам върха на езика нагоре към небцето; ~ed consonant съгласна, членена по такъв начин; 3. *муз.* обръщам (*интервал*); II. ['invə:t] *n* 1. нещо, което е обърнато, преобърнато; *архит.* обърнат свод; 2.: ~ sugar инвертна захар; 3. хомосексуалист, "обратен".

invest [in'vest] *v* 1. влагам (пари), инвестирам; to ~ in влагам пари в (*u във вещ*); *разг.* купувам, харча за (*нещо*); 2. обличам (*обикн. официално или прен.*), короновам, покривам, ръкополагам; декорирам, слагам (награждавам с) отличия (ордени) (with); 3. обличам (*с пълномощия, власт*; with); 4. *прен.* обкръжавам, придавам (*някакъв характер на нещо*; in, with); 5. *воен.* обсаждам, обграждам.

investigate [in'vestigeit] *v* 1. изследвам, проучвам, проверявам; 2. разследвам, анкетирам, издирвам.

investment [in'vestmənt] *n* 1. вложения, капиталовложение; влог; инвестиция; инвестиране, влагане; 2. обличане, докарване; облекло; 3. *воен.* обкръжаване, обсаждане; обсада.

invidious [in'vidiəs] *adj* 1. оскърбителен, наскърбителен, несправедлив, обиден, унизителен; неудобен, неприятен; 2. *рядко* завистлив.

invigorate [in'vigəreit] *v* 1. засилвам, подсилвам, укрепвам; 2. освежавам, ободрявам, въодушевявам, подобрявам, подтиквам.

invite [in'vait] I. *v* 1. каня, покан-

вам, подканвам, приканвам (to в, на, у); 2. *прен.* привличам, подтиквам; изкушавам; to ~ confidence вдъхвам доверие; 3. навличам си; предизвиквам; to ~ trouble докарвам неприятности; II. *n sl* покана.

invoice ['invɔis] I. *n* фактура; II. *v* издавам фактура.

invoke [in'vouk] *v* 1. призовавам, зова; 2. моля, умолявам; настоявам; 3. обръщам се, търся, потърсвам; позовавам се на; to ~ (the power of) the law търся (потърсвам) защитата на закона; 4. викам (*дух*) със заклинания, заклинам.

involuntary [in'vɔlənt(ə)ri] *adj* 1. неволен; машинален, механичен, автоматичен, несъзнателен, неумишлен; 2. *анат.* рефлексен; 3. нежелан, принудителен; ◇ *adv* involuntarily ['invɔləntrəli; *амер.* 'invɔlən'teərili].

involve [in'vɔlv] *v* 1. включвам (in); означавам, знача; подразбира се; влека след себе си; 2. заплитам, оплитам, замесвам, забърквам, обърквам; усложнявам; to get ~d with (in) бивам замесен, забъркан в; 3. *остар.* загръщам, обгръщам, обвивам; 4. поглъщам, бивам силно заинтересуван; 5. повличам, увличам; 6. завивам на спирала; 7. *мат.* степенувам, повдигам на степен.

irk [ə:k] *v книж.* дотягам, досаждам; безпокоя, притеснявам, смущавам; it ~s me to (that) неприятно ми е да; тежи ми, че.

irksome ['ə:ksəm] *adj* досаден, уморителен, неприятен, тягостен.

iron ['aiən] I. *n* 1. желязо; чугун; a man of ~ як, твърд, корав, "железен" човек; упорит човек; • strike while the ~ is hot желязото се кове, докато е горещо; 2. ютия (*u flat ~*); 3. железен предмет, инструмент и пр. (*обикн. в съчет.*); 4. *pl мед.* шини; 5. *pl* окови, вериги; to put in ~s слагам в окови; 6. *pl* стремена; 7. *sl* пищов, револвер (*u barking, shooting ~*); 8. *остар.* сабя; 9. харпун; 10. *фарм.* лекарство, съдържащо желязо (*за

усилване на организма); • **to have too many ~s in the fire** имам (залавям се с) много работа наведнъж; **II.** *adj* **1.** железен; **2.** *прен.* силен, як, здрав; твърд, корав, непоклатим; **~ hand (first)** "железна" ръка; твърдо управление; **3.** *прен.* суров, жесток; • **~ ration** неприкосновен запас; **III.** *v* **1.** гладя; **to ~ out** *амер.* изглаждам, нагласям, слагам в ред; **2.** покривам с желязо, обковавам; **3.** слагам окови на.

iron-clad ['aiənklæd] **I.** *adj* **1.** брониран; покрит с броня; **2.** *прен.* строг, суров, непреклонен, непоклатим; **II.** *n* *мор.* брониран кораб, броненосец.

ironic(al) [ai'rɔnik(əl)] *adj* ироничен, подигравателен; ◇ *adv* **ironically** [ai'rɔnikli].

irony₁ ['aiəni] *adj* железен, железоподобен.

irony₂ ['aiərəni] *n* ирония; **the ~ of fate** ирония на съдбата.

irradiant [i'reidiənt] *adj* сияещ; озарен, озаряващ; лъчист, блестящ, лъчезарен, светъл.

irradiate [i'reidieit] *v* **1.** сияя, светя, осветявам; блестя, озарявам, изпускам светлина; грейвам (*за лице*); **2.** *прен.* осветлявам, обяснявам; **3.** излъчвам, изпускам, разпръсквам; **4.** *мед.* облъчвам; **5.** отоплявам (*с лъчисто отопление*); **6.** излагам на радиация.

irradiation [i,reidi'eiʃən] *n* **1.** блясък, сияние, лъчезарност; **2.** озаряване, осветяване; **3.** лъчеизпускане, излъчване; облъчване; използване на лъчиста енергия с лечебни цели; **4.** *физ.* радиация.

irreconcilable [i'rekənsailəbəl] **I.** *adj* **1.** несъвместим, несъгласуем, антагонистичен, противоречив; **2.** непримирим, неукротим, безкомпромисен; неотстъпчив; враждебен; **II.** *n* *полит.* непримирим противник.

irregular [i'regjulə] **I.** *adj* **1.** неправилен, нередовен, невалиден, незаконен; **2.** ненормален, неестествен, нередовен; **~ breathing** *мед.* неравномерно дишане; **3.** несиметричен, неправилен, несъразмерен, нехармоничен; **4.** неравен, грапав; ◇ *adv* **irregularly**; **5.** разюздан; порочен, безнравствен, непорядъчен; **6.** *език.* неправилен; **7.** *воен.* нередовен; **II.** *n* нередовен войник.

irreligious [,iri'lidʒəs] *adj* нерелигиозен, невярващ; безверен, безбожен.

irreparable [i'repərəbəl] *adj* непоправим, невъзстановим; незаменим, единствен; ценен; ◇ *adv* **irreparably** [i'repərəbli].

irresistible [,iri'zistəbəl] *adj* **1.** непреодолим, неудържим; неотразим, завладяващ, омайващ, покоряващ; **2.** неопровержим, неоспорим, категоричен, сигурен; ◇ *adv* **irresistibly** [,iri'zistibli].

irrevocable [i'revəkəbəl] *adj* безвъзвратен; неотменим, окончателен, фатален; ◇ *adv* **irrevocably** [,iri'voukəbli].

irrigate ['irigeit] *v* **1.** напоявам; поливам, оросявам; *прен.* освежавам; **2.** прокарвам канали за изкуствено напояване; **3.** *мед.* промивам, правя промивка.

irrigation [,iri'geiʃən] *n* напояване, оросяване, иригация; *мед.* иригация, промивка на вътрешни органи.

irritate₁ ['iriteit] *v* **1.** дразня, раздразвам, разсърдвам, ядосвам, сърдя, нервирам; **2.** *физиол.* дразня, правя чувствителен, възбуждам, стимулирам; **3.** *мед.* раздразвам, възпалявам.

irritate₂ *v* *юр.* анулирам, обезсилвам, правя недействителен.

island ['ailənd] **I.** *n* **1.** остров; **2.** нещо изолирано; **3.** площадка на трамвайна спирка и на пресечка

на улица (*за граждани*; **и safety ~**); **4.** *мор.* горна част, надстройка, мост (*на параход*); **5.** *анат.* изолирана тъкан; **II.** *v* **1.** превръщам в остров; изолирам, отстранявам, откъсвам; **2.** осейвам (*като*) с острови.

it [it] **I.** *pron pers* **1.** той, тя, то (*за предмети и животни*); **2.** това; лицето, за което става дума; **~ is me** аз съм; **3.** *като подлог на безлични глаголи* (*не се превежда*): **~ is going to rain** ще вали; **4.** *като заместник на сложен подлог или допълнение* (*обикн. не се превежда*): **I owe ~ to you that I am here** на тебе дължа, че съм тук; **5.** *за подчертаване на някоя част от изречението*: **~ was Charles that said so** (именно) Чарлз го каза; **6.** *в качество на допълнение при глаголи, които обикновено са непреходни, образува разговорен идиом, а също и от съществително и глагол*: **to foot ~** вървя пеш; танцувам; **II.** *n* **1.** *разг.* идеал, връх на съвършенство; **to be ~** връх на съвършенство; **2.** *разг.* сексапил; **3.** играч, който се извиква да направи нещо (*при детски игри*); **you are ~** ти гониш (*при жмичка*).

item ['aitəm] **I.** *n* **1.** точка, пункт (*в списък*); параграф; номер (*в програма*); **2.** новина, съобщение, бележка (*във вестник*); **II.** *adv* също (*при изброяване*); **III.** *v* отделям по точки; включвам като точка.

iterate ['itəreit] *v* повтарям; преповтарям.

itinerary [i'tinərəri] **I.** *adj* пътен; **II.** *n* **1.** маршрут, път; **2.** пътепис; **3.** пътеводител.

itself [it'self] *pron* (*pl* **themselves**) **1.** *emph* самият, самата, самото, самите; **2.** *refl* се, себе си, си; **by ~** сам, самичък; от само себе си.

J

J, j [dʒei] *n* (*pl* **Js, J's** [dʒeiz]) буквата j.

jab [dʒæb] I. *v* (**-bb-**) 1. ръгам, сръгвам, муша, мушкам, намушвам; пробождам; набучвам, забивам, втъквам (**into**); 2. удрям рязко (*с юмрук*); II. *n* 1. (внезапен) удар; ръгване, мушване; 2. пробождане, промушване (*с щик*); 3. *разг.* инжекция; 4. *разг.* остра, хаплива забележка.

jabber [ˈdʒæbə] I. *v* 1. бърборя, дърдоря, бръщолевя, брътвя; 2. ломотя, изломотвам, говоря бързо и неразбрано; 3. смутолевям; говоря сконфузено; II. *n* 1. бърборене, дърдорене, бръщолевене, брътвеж; 2. ломотене.

jackanapes [ˈdʒækəneips] *n* 1. нахалник; 2. франт, празноглавец, перушан.

jacket [ˈdʒækit] I. *n* 1. яке; сако; куртка; жакет; **dinner** ~ смокинг; 2. блуза (*на жокей*); 3. козина, кожух (*на животно*); 4. изолация, кожух (*на тръба, бойлер*); 5. обложка, обвивка (*на книга*); II. *v* обвивам, слагам обвивка, изолирам.

jackpot [ˈdʒækpɔt] *n* 1. *покер* банка, която се играе само ако първият играч има поне две валета; 2. *амер.* джакпот, голяма печалба (*при лотария; и прен.*); **to hit the** ~ улучвам голямата печалба; удрям кьоравото; 3. *амер.* **in the** ~ натясно.

jack tar [ˈdʒækˈtaː] *n* моряк, матрос.

Jacobin [ˈdʒækɔbin] I. *n* 1. доминиканец; 2. *истор.* якобинец; 3. краен привърженик (*особ. полит.*); II. *adj* якобински, краен, отчаян; необуздан, несдържан, своеволен.

jactitation [ˌdʒæktiˈteiʃən] *n* 1. *юр.* лъжливо твърдение; 2. *мед.* конвулсии, спазми, гърчови потрпвания.

jade [dʒeid] *n минер.* нефрит.

jaded [ˈdʒeidid] *adj* 1. уморен, изтормозен; 2. преситен.

jag [dʒæg] I. *n* 1. остър издатък, зъбец (*и на скала*); 2. нащърбено място; 3. дупка, съдрано място;

pl остар. парцали, дрипи; II. *v* 1. нащърбявам; изрязвам на фестон; 2. дера; развалям, осакатявам при кроене; • **to ~ up** *sl* налагам наказание.

jagged [ˈdʒægid] *adj* назъбен, неравен, грапав; лошо скъсан, съдран.

jaggedness [ˈdʒægidnis] *n* назъбеност, неравност, грапавост, грапавина.

jaguar [ˈdʒægjuə] *n* ягуар.

jail [dʒeil] I. *n* затвор; II. *v* затварям.

jailbird [ˈdʒeilˌbəːd] *n* арестант, затворник; рецидивист, престъпен тип.

jail break [dʒeilˈbreik] *n амер.* бягство от затвора.

jailer [ˈdʒeilə] *n* пазач, тъмничар.

jailhouse [ˈdʒeilhauz] *n* дрънголник; затвор.

jake [dʒeik] *n sl* 1. карти вале; 2. сутеньор, жиголо; • **everything is** ~ всичко е наред.

jalousie [ˈʒæluzi] *n* жалузи.

jam₁ [dʒæm] I. *v* 1. тъпча (се), натъпквам (се), претъпквам (се), напъхвам (се), натиквам (се) (**into**); 2. натискам; приклещвам; притискам; смазвам; **to ~ on the breaks** натискам рязко спирачките; 3. задръствам (се); 4. *техн.* засичам, правя засечка, заяждам се, закучвам се, затягам (се); 5. заглушавам (*радиостанция*); 6. *амер. sl* правя импровизации и вариации на джазови мелодии; 7. претоварвам (*телефонна линия*); II. *n* 1. натискане, притискане, смазване; 2. претъпкване, натъпкване; 3. задръстване, натрупване; навалица, блъсканица; тъпканица; **a traffic** ~ задръстване на движението; 4. *остар.* засечка; 5. *рядко* заглушаване; 6. *sl:* **to be in a** ~ натясно съм, загазил съм.

jam₂ I. *n* конфитюр, сладко, джем; ~ **today** облаги и удоволствия, които могат да се получат още сега, а не в неясното бъдеще; II. *v* правя мармалад, правя мармалад от.

jamboree [ˌdʒæmbəˈriː] *n sl* 1. джамборе, веселие, гуляй, купон; 2. съ-

бор, събрание (*особ. на скаути*); 3. международен скаутски лагер.

jamming [ˈdʒæmiŋ] *n* 1. *техн.* заяждане; засечка, закучване; прещипване; 2. *радио.* смущения, заглушаване (*на предаване*); 3. задръстване, спиране (*на улично движение*).

jammy [ˈdʒæmi] *adj разг.* късметлия, щастлив.

jam-packed [ˈdʒæmˈpækt] *adj* претъпкан, пълен, тъпкан (**with** с).

jam session [ˈdʒæmˌseʃən] *n амер.* джем сешън; джазов концерт, в който всички присъстващи музиканти вземат участие и импровизират.

jangle [dʒæŋgl] I. *v* 1. дрънкам, дрънча, раздрънквам; издавам остър, неблагозвучен звук (шум) (*обикн. за звънец*); 2. говоря шумно, сърдито; дърля се, карам се; 3. изопвам, изопнат съм (*на нерви*); II. *n* 1. рязък звук (шум); дрънкане; 2. спор, кавга, дразга.

janitor [ˈdʒænitə] *n* 1. портиер, вратар; 2. *амер.* разсилен; пазач; домоуправител.

jannock [dʒænək] *adj диал.* прям, честен.

January [ˈdʒænjuəri] *n* 1. януари; 2. *attr* януарски.

Jap [dʒæp] *разг.* I. *n* японски; II. *n* японец.

Japan [dʒəˈpæn] I. *n* 1. Япония; 2. твърд, черен (японски) лак; 3. японско изделие, японски стил; 4. *attr* лакиран; в японски стил; II. *v* лакирам с черен (японски) лак.

jape [dʒeip] *остар. шег.* I. *v* 1. шегувам се; 2. подигравам се, надсмивам се; II. *n* шега.

jar₁ [dʒaː] I. *v* 1. разтърсвам (се), раздрусвам (се) леко; предизвиквам сътресение; *техн.* вибрирам; 2. дразня, дращя (*на ухото*); 3. удрям се, блъскам се, сблъсквам се (**upon, against**); 4. не се съгласувам; сблъсквам се (*за мнения*; **with**); 5. не си подхождам, не се съчетавам (*за цветове, тонове, стилове*); 6. споря, дърля се; карам се; 7. дразня, отблъсквам, отвращавам; **to ~ on s.o.** нерви-

рам, безпокоя, ядосвам някого; **II.** *n* 1. рязък шум (звук); 2. удар, сблъскване; сътресение; силна възбуда; **the news gave me a nasty ~** новината ме изненада неприятно; 3. *прен.* несъгласие, разногласие, спор; караница; 4. *техн.* вибрация; трептене.

jar₂ *n* 1. делва, гърне; буркан; **Leyden ~** лайденска стъкленица; 2. количеството течност и пр. в една делва или буркан; **to have a ~** *разг.* пийвам по едно (питие) с приятели.

jargon ['dʒɑːgən] **I.** *n* 1. жаргон; 2. неразбория, бъркотия; **II.** *v* говоря на жаргон.

jarred ['dʒɑːd] *adj sl* пиян, нафиркан, поркан.

jasmin(e) ['dʒæsmin] *n* жасмин.

jasper ['dʒæspə] *n минер.* яспис.

jaunt [dʒɔːnt] **I.** *n* пътуване, излет, екскурзия, увеселително пътуване; **II.** *v* 1. отивам на екскурзия; 2. движа се пъргаво, наперено.

jauntiness ['dʒɔːntinis] *n* оживеност, веселост, жизнерадост; напереност.

jaunty ['dʒɔːnti] *adj* самодоволен, наперен; весел, жив, оживен.

jaw [dʒɔː] **I.** *n* 1. челюст (*и техн.*); **lantern ~s** хлътнали страни (бузи), изпито лице; 2. *pl* уста; устие (*на долина*); 3. *прен.* **to snatch victory from the ~s of defeat** грабвам победата най-неочаквано (изненадващо в последния момент); **II.** *v sl* 1. дърдоря, меля, приказвам; 2. чета морал (конско евангелие).

jaw-bone ['dʒɔːˌbəun] *n* 1. челюстна кост; **II.** *v sl* бърборя, дрънкам, чеша си езика.

jaw-breaking ['dʒɔːˌbreikiŋ] *adj* труднопроизносим (*за дума*).

jaws ['dʒɔːz] *n pl* менгеме, стяга, стиски, клещи.

jazz [dʒæz] **I.** *n* 1. джаз, джазова музика; 2. модерни танци; 3. *амер.* живост, енергичност, бодрост; 4. комични елементи (*в драма, стихотворение и пр.*); **II.** *adj* 1. джазов; 2. *амер.* жив, буен; 3. ярък, крещящ (*за цвят*); прост, вулгарен; **III.** *v* свиря джазова музика;

танцувам джаз; джазирам;

jazz around *sl* флиртувам, похождам си;

jazz up *sl* влагам живост, енергия; действам енергично, размърдвам се.

jazz-band ['dʒæzˈbænd] *n* джазов оркестър.

jealous ['dʒeləs] *adj* 1. ревнив (of); **to be ~ of** ревнувам; 2. завистлив; подозрителен (of); 3. ревностен, грижлив; бдителен (of); ◊ *adv* **jealously**.

jealousy ['dʒeləsi] *n* 1. ревност, ревнивост; 2. завист; подозрителност.

jeans *pl* [dʒiːnz] джинси.

jeep [dʒiːp] *амер.* **I.** *n* 1. джип; 2. малък самолет; **II.** *v* карам джип; закарвам с джип.

jeer [dʒiə] **I.** *v* подигравам се, надсмивам се (at); осмивам; **II.** *n* подигравка, присмех.

jejune [dʒiˈdʒuːn] *adj книж.* 1. постен, беден, оскъден; безсъдържателен; безинтересен, скучен; празен, сух; 2. беден, неплодороден (*за почва*); 3. незрял, младежки.

jell [dʒel] *v амер. разг.* желирам се; *прен.* ставам, вземам; установявам се, кристализирам, добивам форма; **the party wouldn't ~** гостите не се отпускаха.

jellied ['dʒelid] *adj* 1. желиран; 2. с желе, покрит с желе.

jellify ['dʒelifai] *v* желирам.

jelly ['dʒeli] **I.** *n* 1. желе, пелте; 2. пихтия; **II.** *v* желирам (се), пелтосвам (се).

jelly-fish ['dʒelifiʃ] *n* 1. медуза; 2. *амер.* "мекотело".

jeopardize ['dʒepədaiz] *v книж.* излагам на опасност, рискувам.

jeopardy ['dʒepədi] *n книж.* опасност; риск.

jerk₁ [dʒɜːk] **I.** *n* 1. рязко (внезапно) движение; тласък; дръпване; друсане; трепване; 2. конвулсия (*на мускул*), спазъм; **the ~s** конвулсии на крайниците или лицето (*обикн. при рел. обреди*); 3. *pl разг.* гимнастически упражнения, гимнастика; 4. *амер.* продавач на газирани напитки (*и soda-s*); 5. *амер. sl* мижитурка, шушу-

мига; **II.** *v* 1. тласкам, дръпвам (се), хвърлям (се), правя рязко движение; трепвам; 2. говоря (произнасям, казвам) на пресекулки (отсечено);

jerk around разигравам, размотавам;

jerk off *sl* мастурбирам.

jerk₂ **I.** *v* суша на слънце (*пастърма*); **II.** *n* пастърма.

jerkiness ['dʒɜːkinis] *n* друсане; неравно (поривисто) движение.

jerky ['dʒɜːki] *adj* 1. рязък, внезапен, неочакван; отривист; 2. друсащ (*за кола*); 3. нервен; конвулсивен; на пристъпи; ◊ *adv* **jerkily**.

jessamine ['dʒesəmin] *n* жасмин.

jest [dʒest] *книж.* **I.** *n* 1. шега, смешка; закачка; **in ~** на шега; 2. подигравка, насмешка; 3. предмет на шеги, закачки, присмех, посмешище; 4. *истор.* шут; **II.** *v* 1. шегувам се, закачам се (с; with); 2. подигравам се, надсмивам се, осмивам.

jester ['dʒestə] *n* шут.

jesting ['dʒestiŋ] *книж.* **I.** *adj* 1. шеговит; закачлив; 2. насмешлив, подигравателен; **II.** *n* шегуване.

Jesuit ['dʒezjuit] *n* 1. йезуит; 2. лицемер, двуличник, интригант.

Jesuitic(al) [ˌdʒezjuˈitic(əl)] *adj* 1. йезуитски; 2. *прен.* лицемерен, двуличен, подъл, коварен.

Jesuitism ['dʒezjuitizəm] *n* йезуитщина, лицемерие, подлост, интригантство.

jet [dʒet] **I.** *n* 1. реактивен самолет (*и ~-plane*); 2. струя; 3. *техн.* жигльор; горелка; 4. *воен.* далечина на изстрел; **II.** *v* 1. пътувам с реактивен самолет; 2. изхвърлям във вид на струя; бликам, избликвам, струя; **III.** *adj* реактивен.

jet-black ['dʒetˈblæk] *adj* смолисточерен.

jet-driven ['dʒetdrivən] *adj* реактивен, задвижван от реактивен двигател.

jet(t)on ['dʒetən] *n* жетон.

jet-setting ['dʒetˌsetiŋ] *adj* богат, екстравагантен, живеещ в лукс.

jettison ['dʒetisən] **I.** *v* 1. изхвърлям

(*товари от кораб*); 2. *прен.* отказвам се от, пожертвам, изхвърлям; II. *n* изхвърляне на товари от кораб (*при авария*).

jetty *n* 1. вълнолом; 2. скеля, пристан, кей; 3. еркер, закрит балкон.

Jew [dʒu:] I. *n* 1. евреин; 2. *прен. sl* лихвар; II. *v разг.* излъгвам, измамвам, премятам.

jewel ['dʒuəl] I. *n* 1. скъпоценен камък; *pl* бижута, накити, украшения (*с камъни*), скъпоценности; 2. скъпа вещ; *прен.* съкровище (*за човек и пр.*); 3. камък (*на часовник*); **the ~ in s.o.'s crown** най-голямата гордост, най-доброто постижение; II. *v* 1. украсявам със скъпоценни камъни; 2. монтирам камъни (*в часовник*).

jeweller ['dʒuələ] *n* бижутер, златар.

jewellery, jewelry ['dʒuəlri] *n* скъпоценности, бижута.

Jewish ['dʒuiʃ] *adj* еврейски, юдейски.

jib₁ [dʒib] I. *n* 1. *мор.* кливер (*триъгълно платно*); 2. *техн.* рамо, стрела (*на кран*); • **the cut of o.'s ~** физиономия; II. *v* 1. завъртам се, обръщам се (*за платно, стрела на кран*); 2. обръщам платно (*при промяна на курс*).

jib₂ *v* (-bb-) *v* 1. спирам неочаквано, дърпам се назад (настрани) (*за кон*); 2. *прен.* спирам се, въздържам се да направя нещо; закучвам се, инатя се; проявявам неразположение към.

jig₁ [dʒig] I. *n* 1. жига (*танц*); 2. *диал. sl* номер, шега, трик; 3. *sl* негър, черен; • **the ~ is up** всичко е свършено, край; II. *v* 1. танцувам (свиря) жига; 2. движа (се) бързо с резки движения; друсам (се), тръскам се, подскачам, раздърсвам (се).

jig₂ I. *n* 1. инструмент, сечиво за хващане, държане; патрон, супорт; 2. *полигр.* матрица; 3. *мин.* промивачка; 4. *строит.* напречна греда; 5. риболовна кука; 6. *радио.* поредица затихващи вълни; II. *v* 1. работя с матрица (патрон); 2. промивам руда; 3. сортирам.

jiggery-pokery ['dʒigəri'poukəri] *n* *разг.* 1. далавера, нечиста работа; 2. дрън-дрън, фрази, празни приказки, тинтири-минтири.

jiggle ['dʒigl] *v* 1. поклащам, полюшвам, залюлявам; 2. *разг.* движа (се) (*нервно*) напред-назад (нагоре-надолу).

jihad [dʒi'ha:d] *n* араб. 1. джихад, хазават, свещена война на мюсюлманите; 2. *прен.* (кръстоносен) поход.

jimp [dʒimp] I. *adj* шотл. 1. строен, тънък, елегантен; 2. къс, тесен (*за дреха*); II. *n* духовита шега, остроумие, духовитост.

jingle ['dʒiŋgl] I. *n* 1. дрънчене, дрънкане, звънтене, звън; 2. звучен, алитеративен стих; 3. *остар.* лека двуколка; II. *v* дрънча, дрънкам, звънтя; **the cart ~d past** каруцата мина, дрънчейки.

jingled ['dʒiŋgəld] *adj sl* объркан; шашнат; замаян.

jingling ['dʒiŋliŋ] *adj* дрънчащ, дрънкащ, звънтящ.

jingoism ['dʒiŋgouizm] *n* шовинизъм, патриотарство.

jingoistic [dʒiŋgou'istik] *adj* шовинистичен, патриотарски.

jink ['dʒiŋk] I. *v* отклонявам се, лъкатуша, измъквам се, изплъзвам се, избягвам, отбягвам; II. *n* отклонение, лъкатушене; измъкване, изплъзване; • **high ~s** шумна веселба (игра).

jinxed [dʒiŋkst] *adj* злощастен, злочест.

jism ['dʒizəm] *n sl* сила; енергия; мускули.

jitter ['dʒitə] *v* I. треперя, нервнича, тревожа се, безпокоя се; II. *n* техн. 1. отклонение на скоростта от нормалната; 2. трептение, вибрация; пулсиране.

jitterbug ['dʒitəbʌg] *sl* I. *n* 1. паникьор; страхливец, пъзльо, пъзла; 2. любител на джаза; II. *v* амер. *sl* танцувам буйно.

jitters ['dʒitəz] *n* амер. *разг.* уплаха; **to have the ~** изплашвам се, паникьосвам се, треперя.

jittery ['dʒitəri] *adj разг.* нервен, разтреперан, уплашен.

jiu-jitsu [dʒu:'dʒitsu] *n спорт.* жиу-

жицу (*вид японска борба*).

job₁ [dʒɔb] I. *n разг.* 1. работа; занимание; задача; **to do a ~** върша (свършвам) работа; **by the ~** на акорд, на парче; 2. работа, занаят, място, служба; **to be out of a ~** без работа съм; **a fat ~** топло местенце, доходна служба; 3. тежка работа (задача), зор; **he made it a ~ to make both ends meet** струваше му доста усилия да свърже двата края; 4. далавера, афера, нечиста сделка; **his appointment was a ~** назначен бе чрез лични връзки; **a put-up ~** уговорена сделка; 5. *полигр.* акциденция; 6. *sl* обир, взлом; 7. *техн.* детайл, част; изделие; 8. *attr* наемен, нает за определено време; **a ~ lot** разнородни предмети (*особ. при търг*); евтина, несортирана стока; II. *v* (-bb-) 1. работя нередовно, върша каквато работа намеря; 2. работя на акорд (на парче); наемам работници на акорд; 3. правя гешефти (спекулации, афери); играя на борсата; използвам положението си за лични цели; **he ~bed his son into the position** той назначи сина си на това място посредством личните си връзки; 4. работя (служа) като търговски посредник; 5. давам под наем (*кон, кола*); прекупвам и препродавам; 6. свършвам (работа); **that ~'s ~bed** *sl* тази (работа) е свършена.

job₂ I. *v* мушкам, смушквам, ръгам, сръгвам, бутам (**at**); II. *n* ръгане, мушкане, смушкване, сръгване; дърпане на юздата.

jobbery ['dʒɔbəri] *n* спекулация, далавера, афера, нечиста сделка (работа); използване на служебно (обществено) положение за лични цели.

job centre ['dʒɔb,sentə] *n* бюро по труда.

jobless ['dʒɔblis] *adj* безработен.

joblessness ['dʒɔblisnis] *n* безработица, незаетост.

jockey ['dʒɔki] I. *n* 1. жокей; 2. *остар.* търговец на коне, джамбазин; 3. *остар.* мошеник; 4.

истор. шотл. странстващ певец;
5. *техн.* направляваща шайба; **II.**
v 1. подмамвам, прилъгвам, под-
хлъзвам, подвеждам, манипули-
рам (**into** *c ger*); 2. *мор.* маневри-
рам (**for**); 3. домогвам се; доби-
рам се (*чрез интриги*).

jocose [dʒɔ'kous] *adj* шеговит, ве-
сел, игрив, закачлив; който оби-
ча да се шегува; казан на шега.

jocoseness, jocosity [dʒɔ'kousnis,
dʒə'kɔsiti] *n* шеговитост, веселост, игривост, закачливост; ше-
говито държание (разговор).

jog [dʒɔg] **I.** *v* (-gg-) 1. движа се (бя-
гам) бавно, влача се, тътря се;
друсам се (**on, along**); 2. сбутвам,
бутам, сръгвам, побутвам; муш-
кам, смушквам (*за да обърна
внимание на някого*); 3. *прен.*
размърдвам, разбутвам (*паметта
си и пр.*); 4. карам, работя;
we ~ged along quietly работехме
си тихичко; **II.** *n* 1. бутане, сбут-
ване, мушкане, смушкване; 2. ба-
вен ход, тръс (*и* ~-**trot**); 3. малка
пречка; 4. *амер.* издатина, вдлъб-
натина, неравност; 5. отрязък от
крива.

jogging ['dʒɔgiŋ] *n спорт.* джогинг,
бягане за здраве в бавно темпо.

joggle [dʒɔgl] **I.** *v* 1. разклащам,
раздрусвам; побутвам; мушкам,
смушквам; 2. клатя се, разкла-
щам се, клатушкам се; раздрус-
вам се; 3. движа се на тласъци,
на пресекулки; **II.** *n* разклащане,
раздрусване; побутване.

joggled ['dʒɔgəld] *adj* извит, изкри-
вен; колянов.

jog-trot ['dʒɔgtrɔt] *n* 1. бавен, те-
жък, монотонен тръс; 2. еднооб-
разие, скука, монотонност; 3. *attr*
еднообразен, скучен, монотонен.

join [dʒɔin] **I.** *v* 1. съединявам, обе-
динявам; **to ~ hands in matri-
mony** сключваме брачен съюз,
венчаваме се; **to ~ forces with**
действаме заедно (съвместно) с;
обединявам силите си; 2. свърз-
вам; 3. сглобявам, прикрепям; 4.
прилагам, прибавям (**with, to**);
присъединявам; 5. вливам се (*за
река*), свързвам се, съединявам
се (*за път, шосе*), имам обща

граница с; 6. присъединявам се;
отивам (при, в); участвам, включ-
вам се; ставам член;
join in вземам участие;
join on прикрепям, привързвам;
съединявам (се) (**to**);
join up влизам в армията;
II. *n* 1. присъединяване; свързва-
не; 2. връзка; съединение; кон-
тактна повърхност.

joinder ['dʒɔində] *n юр.* обединява-
не, съюзяване; съюз.

joint [dʒɔint] **I.** *adj* общ, съвместен,
(за)дружен, обединен; **~ owner-
ship** съсобственост; ◇*adv* jointly;
II. *n* 1. място (точка, линия, плос-
кост) на съединение, контактна
повърхност; съединяване, свърз-
ване; *техн.* челно съединение,
челна тъпа сглобка, джонт; чело;
шев; фуга; шарнирна сглобка; 2.
начин на свързване (сглобяване);
инструмент за сглобяване; 3.
анат. става; **out of ~** изкълчен;
прен. объркан; 4. голямо парче
месо (бут, плешка и пр.); 5. *бот.*
възел; основа (*на разклонение*);
зоол. членче; 6. част от нещо; ко-
ляно; **the ~ in s.o.'s armour** сла-
бото място, ахилесовата пета; 7.
геол. цепнатина, пукнатина; 8.
лента по дължината на подвър-
зия, която съединява гърба с ко-
рицата; 9. *sl* вертеп, свърталище;
къща; долнопробно заведение;
an eating ~ гостилница, закус-
валня; 10. *sl* трева, джойнт – ци-
гара с марихуана; 11. *sl грубо* пе-
нис; **III.** *v* 1. съединявам (свърз-
вам, сглобявам) съставни части
(колена); 2. разделям на части,
разчленявам; разрязвам при ста-
вите; 3. фугирам (*при зидане*).

joke [dʒouk] **I.** *n* 1. шега; смешка;
анекдот, виц; **for a ~, by the way
of a ~** на шега, на майтап; на
смях; 2. посмешище, обект на по-
дигравки, на присмех; **II.** *v* шегу-
вам се; присмивам се, подигра-
вам се; правя си шеги (**at, about**
s.th., **with** s.o.); **I'm not joking** не
се шегувам, говоря сериозно.

joker ['dʒoukə] *n* 1. шегаджия, ше-
гобиец, веселяк; **a practical ~** чо-
век, който обича да погажда ло-

ши (груби) шеги; 2. *sl* човек, тип,
субект, индивид; **the ~ in the
pack** особнякът, чешитът (в гру-
пата); 3. *карти* джокер; 4. *амер.*
двусмислена фраза в договор, за-
кон и пр., "вратичка".

jokey ['dʒouki] *adj* забавен, весел,
смешен.

joking ['dʒoukiŋ] **I.** *adj* шеговит (*за
тон и пр.*); ◇ *adv* jokingly; **II.** *n*
шеги; шегуване; майтап.

jollification [,dʒɔlifi'keiʃən] *n разг.*
1. развеселяване; 2. веселба, ве-
селие, увеселение, парти, купон.

jollify ['dʒɔlifai] *v разг.* развеселя-
вам (се).

jolly ['dʒɔli] **I.** *adj* 1. весел, развесе-
лен (*и от пиене*); **the ~ god** Бак-
хус; 2. *разг.* приятен, хубав; **a ~
fellow** чудо човек, чудесен човек;
3. *sl ирон.* хубав, хубавичък, го-
лям; **II.** *adv разг.* много, хубавич-
ко, здравата; **you'll ~ well do what
I tell you** ще правиш каквото ти
казвам, чуваш ли! **III.** *n sl* моряк
от военната флота; **IV.** *v* 1. отна-
сям се шеговито (весело) към, за-
качам; лаская, предумвам с лас-
кателство; будалкам (**along, up**);
2. *амер.* шегувам се, правя шега
(смешки), веселя се.

jolt [dʒoult] **I.** *v* друсвам (се), раз-
друсвам (се), тръсквам, разтърс-
вам (*особ. в превозно средство*);
II. *n* 1. друскане, друсане, разд-
русване, разтърсване, тръскане;
сътресение; 2. *разг.* изненада,
сюрприз; шок; 3. *sl* осъждане,
присъда; **it gave me a bit of a ~**
това доста ме потресе.

jostle [dʒɔsl] **I.** *v* 1. бутам (се), блъс-
кам (се), пробивам си път с лак-
ти; 2. боря се с (някого); **to ~ for**
съревновавам се за; домогвам се
до, стремя се към; **II.** *n* 1. бута-
не, блъскане; бутаница, блъска-
ница; 2. борба (с някого).

jotter ['dʒɔtə] *n* бележник.

journal ['dʒə:nl] **I.** *n* 1. дневник,
журнал; 2. сметководна книга; 3.
вестник; списание; периодично
издание; 4. *мор.* корабен днев-
ник; 5. *техн.* цапфа, шийка, шип
II. *adj* остар. всекидневен, еже-
дневен; **III.** *v техн.* въртя (пос

тавям) на цапфа.

journalism ['dʒə:nəlist] *n* журналистика; **gutter** (*амер.* sidewalk) ~ булевардна преса.

journalist ['dʒə:nəlist] *n* журналист.

journalistic [,dʒə:nə'listik] *adj* журналистически, вестникарски.

journey ['dʒə:ni] I. *n* 1. пътуване, воаяж; **life's** ~ жизнен път; 2. изминато разстояние, разстояние за изминаване, път; **a three day's** ~ три дни път; 3. *мин.* композиция от вагонетки; II. *v* пътувам, пътешествам, правя пътешествия (**from... to**).

journeying ['dʒə:niiη] *n* пътуване; пътешествие, пътешествия.

joust [dʒaust] I. *v* 1. съревновавам се, конкурирам се; 2. *истор.* участвам в турнир или двубой; II. *n* 1. надпревара, конкуренция; 2. двубой в турнир; турнир.

jovial ['dʒouviəl] *adj* весел; добродушен, приветлив; общителен; ◇ *adv* **jovially**.

joviality ['dʒouvi'æliti] *n* веселост, весел нрав; добродушие, приветливост; общителност.

joy [dʒɔi] I. *n* 1. радост; веселие; удоволствие; 2. нещо, което доставя (носи) радост, удоволствие; **no** ~ провал, неуспех, липса на късмет; II. *v поет.* 1. радвам се, приятно ми е, прави ми удоволствие; 2. радвам, правя (доставям) удоволствие на; 3. *остар.* наслаждавам се на.

joyful ['dʒɔiful] *adj* весел, радостен, щастлив; ◇ *adv* **joyfully**.

joyless ['dʒɔilis] *adj* безрадостен, лишен от радости; мрачен, тъжен.

jubilance ['dʒu:biləns] *n* ликуване, радост, възторг, тържествуване.

jubilant ['dʒu:bilənt] *adj* ликуващ, тържествуващ.

jubilate ['dʒu:bileit] I. *v* ликувам, тържествувам; скачам от радост; II. *n* вик на радост, тържествуващ (ликуващ) вик.

jubilee ['dʒu:bili:] *n* 1. юбилей; петдесетгодишнина; 2. празненство.

judas [dʒu:dəs] *n* шпионка (*на врата*) (*и* ~**-trap, -hole, window**).

judge [dʒʌdʒ] I. *n* 1. съдия; **a** ~ **of**

appeal апелативен (касационен) съдия; 2. експерт; познавач, ценител; 3. съдия, рефер; арбитър; член на жури; II. *v* 1. изслушвам процес; съдя; произнасям присъда (решение); отсъждам; **to** ~ **in favour of** отсъждам (произнасям присъда) в полза на; 2. съдя, отсъждам; оценявам, преценявам (**by** по); произнасям се по (върху); **as far as I can** ~ доколкото мога да преценя; 3. съдия (рефер) съм; произнасям се като съдия (рефер, член на жури, арбитър); 4. изчислявам, пресмятам (*разстояние и пр.*); 5. смятам, считам, намирам; **to** ~ **well** (**ill**) **of** имам добро (лошо) мнение за някого.

judg(e)ment ['dʒʌdʒmənt] *n* 1. решение, присъда; ~ **provisionaly enforceable** условна присъда; 2. преценка, мнение; възглед; **to form a** ~ **on** (**of**) създавам си мнение за; 3. *разг.* възмездие, пръст Божи; 4. разсъдък, разум; **to use** ~ **in s.th.** върша нещо с разум.

judger ['dʒʌdʒə] *n* познавач, експерт, ценител.

judicial [dʒu:'diʃl] *adj* 1. съдебен; съдийски; юридически, правен; ~ **proceeding** съдебно преследване; 2. разсъдлив; безпристрастен; разсъдчен; ◇ *adv* **judicially**.

judicious [dʒu:'diʃəs] *adj* (благо)разумен, здравомислещ; ◇ *adv* **judiciously**.

judiciousness [dʒu:'diʃəsnis] *n* благоразумие, (здрав) разум.

judo ['dʒu:dou] *спорт.* джудо.

juggle [dʒʌgl] I. *v* 1. жонглирам; правя фокуси; 2. **to** ~ **with** извъртам, изопачавам (*факти и пр.*); играя си (*с чувствата на някого*); мотая, мамя, лъжа; II. *n* 1. фокус; жонгльорство, жонгльорски номер; 2. хитра измама; мистификация.

juggler ['dʒʌglə] *n* 1. жонгльор, фокусник, илюзионист; 2. измамник, лъжец.

jugglery ['dʒʌgləri] *n* 1. жонгльорство, фокусничество; 2. измама, лъжа; мистификация, извъртане, извращаване.

juice [dʒu:s] I. *n* 1. сок (*и мед.*); 2. същност, есенция, най-съществeното, най-хубавото; 3. *амер. sl* електрически ток (енергия); 4. *амер. sl* бензин, гориво; ● **to stew in o.'s own** ~ патя си поради собствената си глупост; пържа се в собствения си сос; II. *v pass амер.* бивам убит (ударен) от електрически ток; **to** ~ **up** стимулирам, подбуждам, ускорявам.

juiciness ['dʒu:sinis] *n* 1. сочност (*и прен.*); 2. интерес, пикантност.

juicy ['dʒu:si] *adj* 1. сочен; влажен; 2. влажен, дъждовен; 3. *разг.* много интересен, "сочен", пикантен; 4. *изк.* с топли, светли, сочни тонове; 5. *разг.* печеливш, богат.

ju-ju ['dʒu:dʒu:] *n* 1. муска, амулет, талисман; 2. забрана, табу; магия.

juke-box ['dʒu:k,bɔks] *n* джубокс, автомат за просвирване на грамофонни плочи.

Julian ['dʒu:liən] *adj* юлиански (*от Юлий Цезар*); **J. Calendar** юлиански календар.

July [dʒu'lai] *n* м. юли; *attr* юлски.

jumble [dʒʌmbl] I. *v* разбърквам (се), размесвам (се) (*често с* up, together); **a** ~**d story** объркан разказ (история); II. *n* 1. бъркотия, бърканица, неразбория, безпорядък; миш-маш, каша, смесица; 2. стари непотребни вещи.

jumbly ['dʒʌmbli] *adj разг.* объркан, разбъркан, размесен, безреден.

jumbo ['dʒʌmbou] I. *adj* огромен, много голям; II. *n* (*pl* -s) 1. едър, тромав човек (животно); "слон"; голям неудобен предмет; 2. човек с необикновен успех; 3.: ~ **jet** голям пътнически реактивен самолет.

jump ['dʒʌmp] I. *v* 1. скачам, подскачам; прескачам; изскачам; **to** ~ **rope** скачам на въже; **to** ~ **the queue** пререждам на опашка; 2. карам да прескочи (подскочи, отскочи); 3. тупа, чука, кове (*за болен зъб и пр.*); 4. карам (*някого*) да вземе прибързано решение; подхлъзвам; 5. *амер.* качвам се в (слизам от) (*превозно сред-*

ство) по време на движение; **6.** начуквам, сплесквам; заварявам плътно (на тъпо); пробивам, продупчвам *(скала);* **7.** пържа *(палачинки, като ги подмятам в тигана);* **8.** подплашвам, подгонвам, вдигам *(при лов);* **9.** спорт. вземам ан пасан *(в шахмата);* • to ~ a claim присвоявам си чужд периметър; to ~ the gun *разг.* тръгвам преди да е даден старт, избързвам;

jump about (around) подскачам наоколо (насам-натам);

jump across прескачам (през);

jump at приемам с готовност *(предложение и пр.),* лапвам; хващам се за;

jump back отскачам (назад);

jump down скачам (долу); помагам да скочи (долу); to ~ down s.o.'s throat прекъсвам грубо; отвръщам рязко на някого;

jump in 1) взимам, качвам се бързо, скачам *(в превозно средство);* скачам *(във вода).;* 2) впускам се в, предприемам бързо решително действие;

jump into 1) влизам в, качвам се бързо в; хвърлям се, скачам във *(вода);* 2) *прен.* хвърлям се, впускам се;

jump on (with both feet) *разг.* карам се на, гълча; нападам, нахвърлям се върху;

jump out 1) изскачам; I nearly ~ out of my skin *разг.* подскочих, това ме накара да подскоча; 2) очевиден съм, очебиен съм;

jump over прескачам; to ~ all over s.o. *sl* нападам някого, хокам, гълча, карам се;

jump together *разг.* съвпадат, схождат си *(за факти и пр.);*

jump to *прен.* хвърлям се, нахвърлям се; ~ to it! хайде! бързо! to ~ to a conclusion правя прибързано заключение;

jump up 1) подскачам; 2) скачам на крака; 3) качвам се бързо;

jump up and down не мога да си намеря място *(от някаква сила на емоция);*

jump upon (on) нападам, нахвърлям се на; гълча, хокам;

jump with съвпадам с, съответствам на, отговарям на;
II. *n* **1.** скок; подскачане; прескачане; **high (long) ~** спорт. висок (дълъг) скок; **2. the ~s** *sl* нервно състояние, възбуда; нервни движения; **3.** внезапно покачване *(на цени и пр.);* **4.** прекъсване, прескачане *(в серия, процес на работа и пр.);* **5.** спорт. препятствие; **6.** *в шахмата* вземане ан пасан; • to be for the high ~ сгазил съм лука.

jumpiness ['dʒʌmpinis] *n* **1.** нервност, нервно състояние, възбуда; **2.** непостоянност, нестабилност.

jump-off [,dʒʌmp'ɔf] *n* старт, начало *(на състезание, атака).*

jumpy ['dʒʌmpi] *adj* **1.** нервен; to feel ~ about s.th. неспокоен съм (треперя) за нещо; **2.** непостоянен, нестабилен *(за пазар и пр.);* **3.** неравен *(за стил).*

junction ['dʒʌŋkʃən] **I.** *n* **1.** съединяване, свързване; точка на съединение; възел; спойка, съединение; **2.** кръстопът; място, където една река се влива в друга; *жп* възел; **II.** *v жп* свързвам се (with) *(за две или повече линии).*

June [dʒu:n] *n* м. юни; *attr* юнски.

jungle [dʒʌŋgl] *n* **1.** джунгла; **2.** *разг.* бъркотия, "джунгла"; **3.** *attr* подобен на джунгла; **4.** *разг.* свърталище, вертеп.

junior ['dʒu:niə] **I.** *adj* по-млад, младши; **five years my ~** пет години по-млад от мен; **II.** *n* **1.** човек, по-млад от някой друг; **2.** човек с по-низш чин.

junk [dʒʌŋk] **I.** *n* **1.** остатъци, отпадъци, вехтории; **2.** *sl* боклуци; **3.** *sl* глупости; **4.** стари въжета, използвани за кълчища; **5.** *мор.* солено месо; **6.** *амер. sl* наркотици; **II.** *v* **1.** (из)хвърлям на боклука; **2.** продавам *(нещо непотребно, излишно);* **3.** късам (режа, чупя) на парчета.

junto ['dʒʌntou] *n* заговор, съзаклятие, конспирация; конспиратори, заговорници, интриганти, политическа клика, фракция, хунта.

juridical [dʒuə'ridikl] *adj* юридически, правен, съдебен.

jurisconsult [,dʒuəriskən'sʌlt] *n* юрисконсулт.

jurisdiction [,dʒuəris'dikʃən] *n* **1.** правораздаване, правосъдие; **2.** власт, пълномощия; юрисдикция; подведомствност; компетенция; ресор; подведомствена област; сфера на пълномощия; to have ~ over имам власт над.

jurist ['dʒuərist] *n* юрист, -ка, правник; *амер.* адвокат; студент, -ка по право; съдия.

jury ['dʒuəri] *n* **1.** съдебни заседатели; **2.** жури *(на конкурс);* **3.** *прен.* съд.

just [dʒʌst] **I.** *adj* **1.** справедлив; заслужен *(за наказание, награда и пр.);* основателен; to get o.'s ~ deserve *разг.* получавам заслуженото; ◇ *adv* justly; **2.** правилен, верен, точен; **3.** законен, валиден; **II.** *adv* **1.** точно, тъкмо; досущ; that's ~ it точно така, вярно, правилно; **2.** едва; едва-едва; **3.** току-що; ей-сега, сегичка; **4.** само, просто; ~ once само веднъж; **5.** *разг.* съвсем; просто; it's ~ lovely просто чудесно.

justice ['dʒʌstis] *n* **1.** справедливост; правда; **2.** правосъдие; to bring s.o. to ~ привличам под отговорност, предавам на съда; **3.** съдия.

justification [,dʒʌstifi'keiʃən] *n* **1.** оправдаване, реабилитация; **2.** оправдание, извинение; in his ~ за негово оправдание; **3.** полигр. двустранно подравняване.

justify ['dʒʌstifai] *v* **1.** оправдавам, обяснявам, извинявам, доказвам правотата на; **2.** полигр. подравнявам двустранно набран текст.

justness ['dʒʌstnis] *n* справедливост; правота; вярност, правилност.

juvenile ['dʒu:vinail] **I.** *adj* **1.** млад, младежки; юношески; непълнолетен, малолетен; **2.** детински, инфантилен, незрял; **II.** *n* юноша, младеж.

juvenility [,dʒu:vi'niliti] *n* младост.

juxtapose ['dʒʌkstəpouz] *v* съпоставям, поставям един до друг.

juxtaposition ['dʒʌkstəpə'ziʃən] *n* противопоставяне, съпоставяне.

K, k [kei] *n* 1. буквата к; 2. **К.** *хим.* калий; *физ.* Келвин; 3. *разг.* хилядарка, бон. **kack up** [ˈkæk,ʌp] *v sl* стимулирам.

kaleidoscope [kəˈlaidəskoup] *n* калейдоскоп (*и прен.*).

kalendar [ˈkælində] I. *n* 1. календар; алманах; **the Gregorian ~** Грегориански календар; 2. *рел.* списък на светците; църковен календар; 3. списък, опис; указател; регистър; 4. *attr* календарен, астрономичен; II. *v* вписвам, регистрирам; инвентаризирам.

kamikaze [ˈkæmi,kaˈzi] I. *n* камикадзе; II. *adj* 1. много рискован, опасен; 2. готов да жертва живота си.

kangaroo [,kæŋgəˈruː] *n* 1. кенгуру; 2. *pl sl* акции от австралийски мини; спекуланти с такива акции; ● **to have ~s in o.'s top paddock** *разг.* не съм наред, хлопа ми дъската.

kaolin [ˈkeiəlin] *n* каолин.

karate [ˈkərati:] *n спорт.* карате.

karma [ˈkaːmə] *n* инд., *рел.* карма; съдба; орис.

katabolism [kəˈtæbəlizm] *n* катаболизъм, деструктивен метаболизъм.

keck [kek] *v* оригвам се, повдига ми се, повръща ми се; **to ~ at s.th.** *разг.* отказвам (храна) с отвращение.

keckle [kekəl] I. *v* 1. хихикам, кискам се, кикотя се; 2. кудкудякам; II. *n* изкикотване, кикот.

keel₁ [kiːl] I. *n* 1. кил (*на кораб*); *поет.* кораб; **on an even ~** без да се клати (клатушка); спокойно, гладко; (*за човек*) спокоен, уравновесен; 2. плоскодънен кораб; шлеп (*за товарене на въглищни кораби*); 3. *авиац.* вертикален стабилизатор; 4. *бот.*, *зоол.* ръб; II. *v* обръщам кораб, за да се поправя или почисти дъното му; **to ~ over** 1) (пре)обръщам (се), (пре)катурвам (се); 2) *разг.* припадам, колабирам; умирам.

keel₂ *v остар.* разхлаждам; бъркам, за да не изкипи.

keen [kiːn] *adj* 1. ревностен; енергичен; страстен; който силно желае; който силно се стреми; **to be (dead) ~ on (over, about)** *разг.* много (силно) желая; имам амбиция за; много обичам; увличам се от, запален съм; 2. остър, силен (*за усещане, чувство*); интензивен; ожесточен (*за борба и пр.*); **~ scent** остра миризма; 3. остър; заострен, изострен (*и прен.*); проницателен; ◇ *adv* **keenly**; 4. нисък, снижен, спаднал (*за цена*).

keenness [ˈkiːnnis] *n* 1. енергичност, страст, ревностност, ентусиазъм; 2. острота, заостреност.

keeno [ˈkiːnou] *adj sl* опитен, изкусен.

keep [kiːp] I. *v* (**kept** [kept]) 1. държа; 2. държа, задържам; **he kept me waiting** той ме държа (накара) да го чакам; 3. държа, пазя; поддържам, запазвам; скътвам, запазвам, съхранявам; кътам; **to ~ o.'s counsel** държа си езика, трая си; **to ~ o.'s looks** запазвам хубостта си; 4. поддържам, издържам, храня, изхранвам; **to ~ s.o. (a machine) going** поддържам (подпомагам) някого материално, поддържам машина в ход; 5. държа, имам (*магазин, слуги, кола, животни и под.*); гледам, отглеждам (*животни*); водя, ръководя (*училище и под.*); продавам, харча (*стоки*); **to ~ house** водя домакинство; 6. закрилям, пазя, защищавам; **to ~ (the) goal** *спорт.* вратар съм; 7. спазвам, съблюдавам (*закон, договор и под.*); оставам верен на, устоявам на; **to ~ a promise** изпълнявам обещание; 8. празнувам, пазя, тача, почитам (*празник*); **to ~ faith with** оставам верен на; 9. водя (*дневник, сметки*); 10. съм, поддържам се, оставам, продължавам да бъда (*в известно състояние*); запазвам се, не се развалям, трая; **the weather ~s fine** времето все още е хубаво (си остава хубаво); 11. *разг.* живея, квартирувам; **where does he ~?** къде живее той? 12. продължавам, не преставам (*да ger*); **the thought**

kept recurring мисълта постоянно се връщаше в ума му, тази мисъл не го напускаше;

keep at 1) не напускам, не прекъсвам (*работа*) не спирам да работя върху; **we were kept at it all day** цял ден не ни оставиха да си отдъхнем; 2) постоянно безпокоя, не оставям на мира, досаждам, тормозя (**with**);

keep away 1) отстранявам; гоня; държа настрана, крия (**from**); задържам, попречвам да дойде; **what kept you away?** какво ти попречи да дойдеш? 2) стоя настрана, страня; не се доближавам, не идвам (**from**); **he kept away for a few months** няколко месеца той не се яви;

keep back 1) задържам, спирам (*армия и пр.*); въздържам, удържам (*сълзи и пр.*); 2) забавям (*реколта и пр.*); 3) задържам, удържам (*сума*); 4) стоя назад (настрана); 5) скривам, укривам, прикривам; **he kept back some of the facts** той скри някои от фактите;

keep down 1) потушавам, спирам, усмирявам (*въстание*); държа в подчинение, потискам; въздържам, удържам (*въздишка, чувство и пр.*); 2) преча (възпирам) да стане (да се надигне, да расте); държа (задържам) ниски (*цени*); 3) стоя седнал (легнал); държа наведени (*очите си*); гледам надолу; 4) не се надига (*за вятър*);

keep from въздържам (се) да не (*с ger*); **I cannot ~ from laughing** не мога да не се смея;

keep in 1) държа вкъщи, не позволявам да излиза; стоя си у дома, не излизам; 2) задържам (*ученик*) след часовете като наказание; 3) задържам, не пускам (*вода в резервоар и пр.*); 4) въздържам, удържам (*яд и пр.*); 5) поддържам (*огън*); скривам, прикривам, спотаивам (*чувства и емоции*); продължава да гори, не угасва (*за огън*); 6) **to ~ in with s.o.** поддържам добри отношения (не си развалям отношенията) с някого;

keep off 1) не си слагам, оставам

(стоя) без; **he kept his hat off** стоеше с шапката си в ръка; 2) държа на разстояние, спирам, попречвам на; **the wind will ~ off the rain** вятърът ще разнесе дъжда; 3) стоя настрана, не се доближавам; отбягвам; **I kept off the subject** гледах да не засегна този въпрос;

keep on 1) не свалям, стоя с (*шапка и пр.*); държа си (*шапката*) на главата; 2) задържам, не уволнявам (*слуга и пр.*); 3) не загасвам, не спирам (*лампа, машина*); 4) продължавам, не преставам; постоянно, упорито (*с гл. в ger*); **~ on trying** продължавай да се опитваш;

keep out 1) не (до)пускам да влезе (нахлуе); 2) стоя настрана, не се намесвам (в); **to ~ out of s.o.'s way** отбягвам някого;

keep to придържам се към; поддържам, спазвам (*диета и пр.*); карам някого да не се отклонява; **to ~ s.o. to his promise** изисквам от някого да изпълни обещанието си;

keep together държа заедно, не разделям; стоим заедно, не се разделяме; единни сме; **to ~ body and soul together** колкото да поддържам живота, да не умра от глад;

keep under държа в подчинение; владея, обхващам, овладявам (*чувство*); потушавам, изолирам, не позволявам да се развие, ограничавам (*пожар*);

keep up 1) поддържам да не падне, крепя; държа вдигната (*глава, ръка*); **to ~ prices up** поддържам високи цени; 2) поддържам (в *добро състояние*; *кореспонденция, приятелство, крачка и пр.*); не прекъсвам; **to ~ o.'s end up** настоявам на своето; 3) стоя буден, не си лягам; държа буден, не оставям да си легне (да заспи); 4) не спадам (*за цена*); остава (продължава да е) същото (*за времето*); 5) издържам, запазвам духа си (спокойствието си); **in spite of the cold they kept up wonderfully** въпреки студа те

издържаха великолепно;
II. *n* 1. (пари за, цена на) прехрана, фураж; храна и квартира; издръжка; 2. *истор.* централна кула на крепост; 3. *мин.* клинчета на шахтна клетка; • **for ~s** завинаги, за постоянно.

keep-fit [ˈkiːpˈfit] *n* фитнес.

keeping [ˈkiːpiŋ] *n* 1. държане, задържане, запазване; съблюдаване, спазване; почитане; празнуване; тачене; поддържане; отглеждане (*на добитък*); **finding is ~** щом си намерил нещо, то си е твое, намереното си е твое; 2. владение; съхранение, пазене, опазване; охрана, опека, грижа; закрила; **to have s.o. (s.th.) in o.'s keeping** имам грижата за, грижа се за, отговорен съм за някого (нещо); • **in ~ with** в съгласие (хармония с), съответстващ (отговарящ) на; 3. *attr* траен, който може да се запази, устойчив (*за плод и пр.*).

keir [kɛə] *n* котел, казан.

kempy [ˈkempi] *adj* текст. груб, неравен.

ken₁ [ken] I. *n* 1. остар. (по)знание; **out of (outside, beyond) o.'s ~** неизвестен, непознат, вън от компетентността на; невидим; II. *v* (**kenned** [kend], **kent** [kent]) остар., диал. 1. зная, познавам; 2. виждам, забелязвам.

ken₂ *n sl* бърлога (свърталище, скривалище) на крадци.

kennel [kenəl] I. *n* 1. кучешка колиба; дупка, бърлога, леговище на животно; **to go to ~** скривам се; 2. обикн. *pl* място, където се държат ловджийски кучета; 3. сюрия ловджийски кучета; глутница (*вълци*); 4. колиба, бордей; II. *v* (-ll-) 1. слагам (държа) (*куче*) в колиба; прибирам (*хрътк   и*) в колибите им; 2. живея (държат ме) в колиба (*за куче*); прибирам се в колибата си; прибирам се (скривам се) в дупката си (*за животно*).

keramic, keramik [kiˈræmik] *adj* керамичен, грънчарски.

kerb [kəːb] I. *n* бордюр (*на тротоар*); • **business done on the ~**

търг. сделка, направена след затваряне на борсата; II. *v* слагам бордюр (*на тротоар*).

kerfuffle [kəˈfʌfəl] *n разг.* препирня, врява, дандания.

kerplump [kəˈplʌmp] *n sl* падане, сгромолясване.

kerplunk [kəˈplʌnk] *v sl* тупвам, стоварвам, сгромолясвам.

kermess [ˈkəːmes] *n* събор.

kernel [kəːnəl] *n* 1. ядка (*на плод*), зърно; 2. същност, същина, ядро; 3. остар., *провинц.* подуване на шийните жлези; жило на цирей.

kerosene [ˈkɛrəsiːn] *n* керосин; *амер.* газ (*за лампи*); петрол.

ketchup [ˈketʃʌp] *n* кетчуп.

key₁ [kiː] I. *n* 1. ключ (*и техн.*); а **golden ~ opens every door, money is a golden ~** парите отварят всички врати; 2. ключ, разрешение (*на загадка и пр.*); ключ, път, начин; ключова позиция; *спорт.* първият ход, с който се разрешава задача (*и ~ move*); **the ~ to a difficulty** ключ за разрешаване (отстраняване) на трудност; 3. легенда, условни знаци (*на карта*); код, шифър; буквален превод; ключ, сборник с отговори на задачи и пр.; 4. *муз.* ключ, тоналност, тон, височина (*на гласа*), стил; **in a minor ~** минорно (*и прен.*), тъжно, жално; 5. *изк.* тон (*на цвят*); **a picture painted in a low ~** картина в убити (мрачни) тонове; 6. клавиш, клапа (*на духов инструмент*); ключ (*на цигулка*); буква на пишеща машина; 7. *техн.* клин, тибла, шпилка; 8. отварачка (*за консерви*); 9. *техн.* резе, ключалка, ригла; ку-ка; 10. *архит.* ключ (*на свод или дъга*); 11. *ел.* прекъсвач, ключ; 12. *строит.* хастар (*на мазилка*) 13. *pl* властта на папата (*и power of the ~*); 14. *attr* ключов, най-важен, жизнен; а **~ man in industry** важна личност в индустрията; II. *v* 1. прикрепвам с клин (тибла), заклинвам; 2. *муз.* настройвам (*и с* up); **key in** набирам (*информация в компютър*);

key up възбуждам, предизвиквам (*очаквания*) раздувам, раздвиж-

вам (*смелост*), повишавам (*ниво*); настройвам; подстрекавам, "навивам"; **to ~ s.o. up to doing s.th.** подстрекавам някого да направи нещо.

key₂ *n* (коралов) риф.

key-bit [ˈkiːˈbit] *n* отвъртка.

key-board [ˈkiːbɔːd] I. *n* муз., полигр. и др. клавиатура; II. *v* полигр., инф. набирам (*текст*), въвеждам (*данни*).

keyed-up [ˈkiːdˌʌp] *adj* нервен, напрегнат, неспокоен.

keyhole [ˈkiːhoul] *n* (дупка на) ключалка; **to spy through (listen at) the ~ (~s)** подслушвам, шпионирам.

keylock [ˈkiːlɔk] *v* техн. фиксирам, закрепвам; блокирам.

keynote [ˈkiːnout] *n* 1. муз. основен тон, тоника; 2. основното, основна идея, основен принцип; **to strike (sound) the ~ of** изразявам основното (основната мисъл).

key-word [ˈkiːˌwəːd] *n* прен. 1. ключ; обяснение; 2. инф. ключова дума (*за търсене в база от данни*).

khaki [ˈkaːki] I. *adj* жълтокафяв, каки, хаки; II. *n* жълтокафяв плат за военна униформа; **to get into ~** ставам войник.

kibosh [ˈkaibɔʃ] *sl* I. *n* 1. глупости, празни приказки; 2. **to put the ~ on s.th.** слагам край на (*нещо*) веднъж завинаги; затварям устата; (захар чак (качулка) на; II. *v* слагам край на (*нещо*) веднъж завинаги; правя да не успее нещо.

kick [kik] I. *v* 1. ритам, хвърлям къч; **to ~ a goal** спорт. отбелязвам гол; 2. "рита", отскача назад (*за оръжие*); 3. отсквам, рикошира (*за топка и пр.*); 4. протестирам, реагирам, опъвам се; ● **to ~ o.'s heel** губя си времето; принуден съм да чакам;

kick about 1) ритам насам-натам; 2) разг. (*само progr*) търкалям се (*за вещи*); **to leave o.'s clothes ~ing about the room** оставям дрехите си разхвърляни (да се търкалят) из стаята;

kick against (at) протестирам срещу, противя се на, не одобрявам,

бунтувам се срещу; **to ~ against the pricks** ритам срещу ръжен;

kick around амер., разг. 1) отнасям се грубо с някого (*нещо*); прен. подритвам; 2) скитам се; мотая се; живея без корени; 3) подхвърлям, подмятам (*идеи, предложения*);

kick back 1) прен., разг. връщам си; 2) давам бакшиш;

kick down събарям с ритник;

kick in 1) прибирам с ритане; сритвам; 2) разбивам (*врата*) с ритане; 3) започвам да действам, давам ефект;

kick off 1) хвърлям си (обувката); 2) изпълнявам начален удар по топката; 3) започвам; 4) изритвам, изхвърлям;

kick out 1) изритвам; 2) изгонвам, уволнявам, изхвърлям; 3) спорт. изваждам топката в тъч;

kick over прекатурвам, събарям (с ритане);

kick up вдигам (прах, гюрултия); II. *n* 1. ритане, ритник; къч; **a ~ in the teeth** разг. разочарование; провал; 2. откат; техн. тласкане; 3. спорт. **a good (bad) ~** добър (лош) играч; 4. сила, енергия (*да се съпротивлявам*); съпротива, опозиция; **he has no ~ left in him** съвсем е съсипан (капнал); 5. амер. протест, оплакване; **I have no ~ coming** няма от какво да се оплаквам; 6. sl разг. сила, градус (*на питие*); sl удоволствие; трепет; стимул; **to give s.o. a ~** доставям някому удоволствие;

kick-and-rush [ˈkikəndˈrʌʃ] *adj* спорт. неорганизиран, лошо организиран, не по правилата.

kick-off [ˈkikˌɔf] *n* разг. начало.

kickshaw [ˈkikʃɔː] *n* 1. лакомство, деликатес; 2. джунджурия, красива дреболия.

kickstart [ˈkikstaːt] *v* задействам, давам начален тласък; паля (*мотоциклет*).

kick-up [ˈkikˌʌp] *n* разг. 1. скандал, врява, глъч, дандания, гюрултия; 2. веселие, гуляй, джамборе, танц.

kid₁ [kid] I. *n* 1. козле, яре; ярешко месо; 2. ярешка кожа; шевро; *pl*

разг. ръкавици от ярешка кожа; **to treat (handle) s.o. with ~ gloves** пипам с кадифени ръкавици, коткам; 3. разг. дете, хлапе, момче, момиче; *pl* дечурлига, хлапетия; **~'s stuff** sl детска играчка, фасулска работа; II. *v* окозвам се.

kid₂ sl I. *n* измама, мистификация; II. *v* (-dd-) 1. измамвам, мистифицирам; 2. майтапя, будалкам, вземам на подбив, закачам (се).

kidder [ˈkidə] *n sl* майтапчия, кодошлия.

kiddie [ˈkidi] *n* разг. дете, хлапе, малчуган.

kidding [ˈkidiη] *n sl* майтап, будалкане, закачане; **no ~** без майтап.

kidnapping [ˈkidnæpiη] *n* отвличане, похищение.

kidney [ˈkidni] *n* 1. бъбрек; **movable (floating) ~** плаващ бъбрек; 2. attr бъбрековиден, като бъбрек; **~ bean** зелен фасул.

kidney-stone [ˈkidnistoun] *n* минер. нефрит.

kill [kil] I. *v* 1. убивам, умъртвявам, погубвам; затривам; **to ~ oneself laughing** разг. умирам си от смях; **to ~ oneself to do s.th.** полагам неимоверни усилия, за да направя нещо, претрепвам се, за да постигна нещо; 2. бия, убивам, стрелям (*дивеч*); 3. коля, заколвам (*животно*); 4. прен. убивам, премахвам, отстранявам, унищожавам, изкоренявам; неутрализирам; развалям ефекта на; налагам вето; провалям (*пиеса, законопроект*); **to ~ odours** отстранявам миризми; 5. sl поразявам, смайвам, слисвам; **dressed (dolled up, fit) to ~** издокаран, наконтен, нагизден, натруфен, пременен; 6. полигр. зачерквам; 7. ел. намалявам напрежението; 8. метал. окислявам; 9. спорт. удрям (*топката*) така, че да не може да бъде върната (*при игра на тенис*); 10. спорт. спирам (*топка*); ● **to ~ with kindness** правя мечешка услуга на; **to ~ two birds with one stone** с един куршум два заека; II. *n* 1. убийство; **to move (close) in for the ~** възползвам се от ситуация, за да реализирам плано-

вете си; нанасям решителен удар; **2.** животно, убито (животни, убити) на лов; плячка, лов; отстрел.

killer [kilə] I. *n* **1.** убиец; *амер. sl* кръвопиец, кръвник; **2.** хищен делфин; **3.** *техн.* ограничител; изключвател; заглушител.

killing [ˈkiliŋ] I. *adj* **1.** убийствен, съсипващ; уморителен, изнурителен, изтощителен; **2.** възхитителен; да се пукнеш от смях; II. *n* убиване, убийство, клане; to make a ~ имам голяма печалба; удрям кьоравото.

kilo [ki:lou] *n* **1.** килограм; **2.** километър.

kilogram(me) [ˈkiləgræm] *n* килограм.

kilometre [ˈkiləmi:tə] *n* километър.

kin [kin] I. *n* род, семейство; джинс; рода, роднини; родство; II. *predic* ~ най-близък по род; II. *predic* роднини, родственик; родственица; we are (of) ~, he is ~ to me роднини сме.

kind₁ [kaind] *n* **1.** род, семейство, раса, порода; **2.** вид, сорт, разновидност; that is the ~ of thing I meant исках да кажа нещо такова; he is a ~ of trader той е нещо като (един вид) търговец; **3.** природа, естество, същност, характер, качество; to replay (pay back, answer) in ~ плащам със същата монета, връщам го тъпкано; **4.** *рел.* вид (*за причастие*).

kind₂ *adj* **1.** добър, добродушен, добросърдечен, сърдечен, любезен, мил, приветлив, благ, приятен, благоразположен, благоприятен (to); it is very ~ of you to много любезно от твоя страна, че; ◇ *adv* **kindly**; **2.** нежен, ласкав; **3.** с който се работи, борави лесно; обработваем.

kind-hearted [ˈkaindˈha:tid] *adj* добродушен, добросърдечен.

kindle [kindəl] *v* **1.** запалвам, разгарям, разпалвам; the setting sun ~d the sky небето пламтеше от лъчите на залязващото слънце; **2.** *прен.* разпалвам, подклаждам, разгорещявам, възбуждам, възпламенявам; to ~ s.o. to do s.th. подбуждам, подтиквам, подстре-

кавам, насъсквам някого да направи нещо (*обикн. лошо*); **3.** запалвам се, пламвам, лумвам; блясвам, светвам (*и с* up); разпалвам се (*и прен.*); въодушевявам се, ентусиазирам се; his eyes ~d очите му засвяткаха, заискриха (with).

kindly [ˈkaindli] I. *adj* **1.** добър, с добро сърце, благ, мек; to have a ~ feeling towards чувствам симпатия към; **2.** мек, приятен (*за климат*); a ~ shower благоприятен дъжд; **3.** (лесно) обработваем; **4.** *остар.* коренняк, по рождение; a ~ Scot коренняк шотландец; II. *adv* **1.** любезно, приветливо, от сърце; to speak ~ говоря от сърце, казвам хубави неща (to, of); **2.** охотно, с удоволствие; to take ~ to приемам охотно, привързвам се, привиквам към.

kindness [ˈkaindnis] *n* **1.** добрина, доброта, благост, доброжелателство, добронамереност (towards); **2.** симпатия, благоразположение, слабост (for); to have a ~ for изпитвам симпатия, имам слабост към; **3.** услуга, благодеяние, добро дело; любезност; to do a ~ правя услуга (to).

king [kiŋ] I. *n* **1.** крал, цар; **2.** пръв в своята област, "цар"; **3.** магнат; an oil ~ петролен магнат; **4.** поп (*карта*); **5.** цар (*при игра на шах*); II. *v* провъзгласявам за цар, крал.

kingdom [ˈkiŋdəm] *n* **1.** кралство, царство; кралска (царска) власт; to come into o.'s ~ бивам признат, налагам се; **2.** *прен.* царство.

kingliness [ˈkiŋlinis] *n* царственост, величественост.

kingly [ˈkiŋli] *adj* кралски; царствен, величествен.

kink [kiŋk] I. *n* **1.** извивка, чупка; гънка; *шег.* схващане (*на шия*); to work out the ~s разнищвам (разрешавам) проблеми; **2.** прищявка, странност, своеобразност, ексцентричност, чудатост; he's got a ~ in the brain нещо му липсва; **3.** примка, възел; II. *v* **1.** усуквам (се), образувам чупка; **2.** правя примка (възел).

kinkled, kinky [ˈkiŋkld, ˈkiŋki] *adj*

1. *разг.* перверзен, извратен; **2.** къдрав, чуплив, с чупки.

kinship [ˈkinʃip] *n* **1.** родство, роднинство; **2.** сродство, близост, прилика.

kinsman [ˈkinzmən] *n* (*pl* -men) роднина, родственик, сродник.

kip [kip] I. *n sl* **1.** хан; бордей, вертеп; **2.** квартира; **3.** легло; **4.** сън, преспиване, спане; II. *v* (-pp-) преспивам.

kiss [kis] I. *n* **1.** целувка; to blow a ~ пращам въздушна целувка; the ~ of life изкуствено дишане уста в уста; **2.** леко докосване, галене; чукване (*на билярдни топки*); **3.** бонбонче; **4.** *дет.* пяна, мехури; II. *v* **1.** целувам; целуваме се; *прен.* галя; to ~ and make up сдобряваме се; **2.** едва се докосвам (до); чуквам леко (*за билярдни топки*); ● kiss ass *sl* грубо подмазвам се, раболепнича, угодннича.

kiss-off [ˈkis,ɔf] *n sl* **1.** тръгване, заминаване; **2.** зарязване, изхвърляне, изоставяне.

kit [kit] I. *n* **1.** екип, екипировка, принадлежности; торба, чанта (*и пр.*) за принадлежности; **2.** (съдържанието на) войнишка раница (торба); **3.** комплект инструменти; кит; набор (*и* ~ of tools); **4.** багаж; **5.** каче, бъчвичка, ведро; ● the whole ~ (and boiling) цялата пасмина, всичките; II. *v* (-tt-) екипирам, снабдявам с (*и* up, out).

kitchen [ˈkitʃin] *n* **1.** кухня, готварница; **2.** *attr* кухненски; ~ unit, ~ cabinet комбиниран кухненски шкаф.

kitchenware [ˈkitʃinwɛə] *n* кухненски прибори; съдове, посуда.

kittle [ˈkitəl] I. *adj* мъчен, опак, опърничав, неразбран, своенравен, труден, деликатен (*въпрос*); който ни се води, ни се кара; women are ~ cattle не е лесно да се разправяш с жени; II. *v* гъделичкам, погъделичквам.

klaxon [ˈklæksn] *n* клаксон.

knack [næk] *n* **1.** сръчност, похватност, вещина, умение, майсторство, похват, начин, леснина, "цака", сгода, навик; there is a ~ in

it трябва да му хванеш цаката; **2.** *рядко* играчка, дреболия, джунджурия.

knacky ['næki] *adj* сръчен, ловък, умел, майсторски.

knapsack ['næpsæk] *n* раница.

knave [neiv] *n* **1.** мошеник, измамник; негодник, мискин; **2.** *карти* вале; **3.** *остар.* момче, слуга.

knavery ['neivəri] *n* мошеничество, измамничество; лъжа, измама.

knavish ['neiviʃ] *adj* мошенически, измамнически.

knead [ni:d] *v* **1.** меся, замесвам, мачкам (*тесто, глина*); **2.** *прен.* оформям; **to ~ together** споявам; **3.** масажирам, правя масаж (на); мачкам, разтривам; **4.** пластифицирам.

knee [ni:] I. *n* **1.** коляно; **up to the ~s** до колене; **2.** *техн.* коляно; ъгълник, паянта; **3.** *мат.* промяна в посоката на крива; **4.** *pl* набрани колена (*на панталон*); II. *v* **1.** допирам се, удрям с коляно; **2.** *строит.* съединявам, заякчавам с коляно (*паянта*); **3.** *разг.* правя (*панталон*) да се набере в коленете; **4.** *остар.* коленича (**to**).

kneel [ni:l] *v* (**knelt** [nelt] или **kneeled** [ni:ld]) **1.** коленича, падам на колене (*и* ~ **down**); **2.** коленича, преклонявам се, превивам врат (**to**).

knee-tribute ['ni:'tribju:t] *n* преклонение.

knife [naif] I. *n* (*pl* **knives**) **1.** нож; **the assassin's ~** убийство; **2.** нож (*на машина*); острие; **3.** хирургически нож; скалпел; *прен.* операция, "нож"; **to go under the ~** отивам под ножа, подлагам се на операция; ● **to twist the ~ (in the wound)** хвърлям сол в раната; правя ситуацията още по-болезнена; II. *v* **1.** режа с нож, кастря; **2.** нанасям удар, промушвам с нож; **3.** *прен.* забивам нож в гърба.

knight [nait] I. *n* **1.** рицар; ● **adventurer** странстващ рицар; **2.** титлата **knight** (*по-ниска от баронет*); **3.** кавалер на орден; **K. of the Garter** кавалер на Жартиерата; **4.** *истор.* представител на графство в Парламента (*и* ~ **of**

the shire); **5.** *истор.* конник (*в древния Рим*); **6.** кон (*при игра на шах*); **7.** кавалер; II. *v* давам званието на.

knightlike ['naitlaik] *adj* рицарски.

knit [nit] I. *v* (**knitted** [nitid] или **knit**) **1.** плета; **2.** съединявам (се), свързвам (се); втвърдявам (се), стягам (се); срастам се (*за кост*); завързвам (*за плод*); **the treaty ~ted the economies of the two nations together** договорът свърза икономиките на двете страни; **knit together** сплитам, преплитам; съединявам (се), свързвам (се); споявам (се), сраствам се, зараствам; **knit up 1)** заплитам (*изпуснати бримки*), изплитам (*вълна и пр.*); **2)** свързвам (**with**); **3)** завързвам (*интрига*); **4)** завършвам, приключвам (*изложение*); II. *n* плетка; III. *adj*: **well ~** добре сложен, як; добре скроен (*за фабула, аргумент*).

knitted ['nitid] *adj* плетен, трикотажен; ~ **goods** трикотаж.

knitter ['nitə] *n* **1.** плетач, плетачка; **2.** плетачна машина.

knitting ['nitiŋ] *n* **1.** плетене; плетиво; ~ **stitch** плетка; ● **to stick to o.'s ~** гледам си работата; върша това, от което разбирам; не си правя експерименти; **2.** срастване (*на кост*).

knob [nɔb] I. *n* **1.** буца, изпъкналост; **2.** топчеста дръжка (*на врата*), топка (*на бастун и пр.*); **3.** копче (*на радиоапарат*); главичка; **4.** бучка (*въглища и пр.*); **5.** *амер.* хълмче; **6.** *sl* глава, тиква, кратуна, куфалница; II. *v* (**-bb-**) *рядко* поставям валчеста дръжка (топка) на.

knobbiness ['nɔbinis] *n* топчеста, валчеста форма; неравност.

knobby ['nɔbi] *adj* **1.** неравен, с буци (изпъкналости); **2.** топчест, валчест; **3.** *sl* елегантен.

knock [nɔk] I. *v* **1.** удрям (се), чукам (се), чуквам (се), почуквам, хлопам, похлопвам, тропам, потропвам; **to ~ against s.th.** удрям се, блъсвам се о; натъквам се на нещо; **2.** *sl* смайвам, поразявам,

сащисвам (*и* ~ **s.o. sideways**); **3.** *амер., разг.* отзовавам се пренебрежително за, злословя по адрес на; **4.** чукам (*за аванса на двигател*); детонирам, работя с детонации;

knock about (around) 1) бия, удрям, млатя; **2)** блъскам, тласкам, отнасям се грубо с; **3)** скитам, развявам се, хойкам, водя нередовен живот;

knock back 1) *разг.* гаврътвам; **2)** възпрепятствам, спъвам; **3)** изхвърлям, захвърлям, отказвам (се от);

knock down 1) събарям (*на земята*); повалям, катурвам; оборвам, разрушавам; **he was ~ed down by a motor car** блъсна го автомобил; **2)** бруля, обрулвам; **3)** разглобявам; **4)** намалявам, смъквам (*цена*); **5)** пазаря се; стремя се да намаля цената; **6)** продавам (*на търг*) (**to**);

knock home 1) забивам, зачуквам (*гвоздей и пр.*); **2)** затвърдявам, онагледявам, доказвам; **he ~ed home his argument with an example** той затвърди аргументацията си с пример;

knock in забивам, зачуквам; набивам в главата на;

knock off 1) махам (от); свалям (от); **to ~ s.o. off his pins** *sl* зашеметявам (*с удар*); **2)** спадам, намалявам, редуцирам, смъквам; **3)** свършвам набързо, претупвам; изкалъпвам, скърпвам; **4)** свършвам, прекратявам, преустановявам; ~ **it off!** стига! престани! **5)** *разг.* задигам, крада; **6)** *разг.* убивам, елиминирам, ликвидирам;

knock out 1) избивам, изкъртвам, изваждам (*око и пр.*), изтърсвам (*пепел от лула*); **to ~ stupid ideas out of** избивам глупости от главата на; **2)** *спорт.* нокаутирам (*в бокса*); *прен.* съсипвам; **to be ~ed out** съсипан съм от умора; **3)** махам (*дума и пр.*); **4)** нахвърлям, скицирам; **5)** съсипвам, изтощавам;

knock over 1) прекатурвам, събарям; **2)** *sl* убивам, очиствам,

премахвам;

knock together скалъпвам, изработвам набързо, сковавам;

knock under подчинявам се, покорявам се;

knock up 1) скалъпвам набързо, импровизирам; 2) събуждам, разбуждам, вдигам с чукане; 3) изморявам, изтощавам; **~ed up with fatigue** убит, смазан от умора; 4) **to be ~ed up** *амер.*, *грубо* забременявам; 5) первам, удрям нагоре, подхвърлям (*топка*); 6) удрям се, блъсвам се (**against**); срещам случайно, попадам на (**against**); • **to ~ up runs** отбелязвам (набирам) точки (*при игра на крикет*);

II. *n* 1. удар, чукване; **to get a nasty ~** ударен съм зле (*и прен.*); 2. чукане, почукване, хлопане, похлопване, тропане, потропване; **~ing at Heavens' door** екстаз, транс; *sl* оргазъм; 3. *техн.* прекъсване, чукане, детонация (*неправилно функциониране на машина*); 4. *sl* ред (*при игра на крикет*); 5. лош късмет, кутсуз, нещастие; • **to get the ~** претърпявам поражение; уволнен съм; не се харесвам, нямам успех (*за пиеса*).

knock-about [ˈnɔkəbaut] **I.** *adj* 1. шумен, буен, груб, просташки; 2. работен, всекидневен (*за облекло*); **II.** *n* 1. груб фарс, просташко представление; 2. *амер.* бой, скандал; 3. *амер.* малка яхта, автомобилче.

knock-down [ˈnɔkˈdaun] **I.** *adj* 1. съкрушителен, нокаутиращ (*за удар*); 2. разглобяем; 3. минимален, най-нисък (*за цена*); **II.** *n* 1. съкрушителен, нокаутиращ удар; 2. общ бой; 3. *sl* представяне (*на някого от някого*); 4. *sl* намаляване, спад.

knock-on [ˈnɔk͵ɔn] *adj* последващ; второстепенен, страничен (*за ефект*).

knock-out [ˈnɔkˈaut] **I.** *n* 1. *спорт.* нокаут; съкрушителен, зашеметяващ удар; 2. *прен. sl* решителен аргумент; изненада, неочакван удар; 3. *sl* трепач, убиец, върхът, супер; 4. *техн.* избутвач, изхвъргач; **II.** *adj* 1. нокаутиращ; 2. *спорт.* квалификационен, при който само единият отбор (състезател) продължава съревнованието.

knot [nɔt] **I.** *n* 1. възел; 2. фльонга, джуфка; 3. *прен.*: **to tie the (marriage, nuptial) ~** съединявам с брачни връзки, извършвам венчален обред, венчавам; 4. трудност, мъчнотия, проблем; **Gordian ~** гордиев възел; 5. интрига (*на фабула*); 6. *бот.* нарастък, израстък; чеп, чвор; възел; 7. *анат.* възел; **nerve-~** нервен възел; 8. група, куп (**of**); **to gather (stand about) in ~s** събираме се (стоим) на групи; 9. *мор.* възел (= 1853 м); 10. дупка, шупла (*в отливка*); • **true-love (true-lover's) ~** двоен възел (*символ на вярност и любов*); **II.** *v* (-tt-) 1. свързвам; връзвам възел; връзвам на възел, свързвам се, сковавам (*стави, при различни заболявания*); 2. свивам се на топка (*за стомах от нерви*); 3. правя ресни; 4. образувам възли; заплитам (се), омотавам (се), обърквам (се), уплитам (се); 5. свивам (вежди); 6. замаскирам чеповете (*в паркет и пр.*).

knotwork [ˈnɔtwəːk] *n* 1. плетеница; 2. вид бродерия.

knout [naut] *naut рус.* **I.** *n* камшик; кнут; **II.** *v* бия с камшик.

know [nou] **I.** *v* (**knew** [nju:], **known** [noun]) 1. зная, познавам, запознат съм с, осведомен съм върху, разбирам от; **to ~ what's what** зная, в течение съм, посветен съм; 2. зная от опит, зная какво е; **I have ~n it (to) happen** това е нещо, което съм виждал да става; 3. познавам, разпознавам, различавам; **to ~ good from evil** различавам доброто от злото; 4. зная, умея, мога; **to ~ how to read** зная да чета; 5. посещавам, спохождам, навестявам; имам работа; **they are neighbours of ours but we don't ~ them** те са ни съседи, но не общуваме с тях; 6. *остар.* познавам; имам полови сношения с; • **to ~ s.th. backwards (inside out)** познавам нещо като дланта си (перфектно);

know about зная, осведомен съм за, в течение съм на; **I don't ~ about that!** не съм сигурен в това!;

know of зная, чувал съм, осведомен съм за; **not that I ~ of** доколкото зная – не;

II. *n*: **to be in the ~** *разг.* зная, в течение съм на, посветен съм в (*известна работа*), разполагам с поверителна информация.

know-how [ˈnou͵hau] *n sl* 1. умение, вещина, сръчност, похват; 2. ноухау; начин, тайни, секрети на производство.

knowing [ˈnouiŋ] **I.** *adj* 1. хитър, буден, с отворени очи, отракан; сръчен, ловък, похватен; 2. *разг.* моден, кокетен, хубав; **II.** *n* знание, разбиране.

knowingly [ˈnouiŋli] *adv* 1. съзнателно, умишлено, преднамерено, целенасочено, с цел; 2. изкусно, сръчно, ловко, майсторски.

know-it-all [ˈnouit͵ɔːl] *n* всезнайко.

knowledge [ˈnɔlidʒ] *n* 1. знание (**of**); **to bring to the ~ of** довеждам до знанието на; 2. знание, знания, познания, ерудиция (**of**); **to have a ~ of** владея (*език и под.*); 3. новина, съобщение, известие, вест (**of**); 4. наука.

known [noun] *adj* известен, познат; **~ as** известен като, под името.

knurl [nəːl] **I.** *n* рядко 1. чеп, чвор, израстък; 2. копче, дръжка; 3. изпъкналост, рязка, резчица, нарез, бразда (*на метал*); **II.** *v* украсявам с изпъкналости, резки, назъбвам, нарязвам, набраздявам.

kook [ku:k] *n sl* 1. ексцентрик, чудак; 2. глупак, тъпак.

kooky [ˈku:ki] *adj sl* ексцентричен, чалнат, смахнат.

kraal [kra:l] **I.** *n юж.-афр.* 1. село; 2. ограда за добитък, кошара; **II.** *v* затварям в кошара.

Kuwaiti [kuˈweiti] **I.** *adj* кувейтски; **II.** *n* жител на Кувейт.

kybosh [ˈkaibɔʃ] *sl* **I.** *n* глупости, празни приказки; **II.** *v* слагам край на (*нещо*) веднъж завинаги; правя да не успее нещо.

L, l [el] *n* (*pl* **Ls, L's** [elz]) **1.** буквата L; **2.** нещо във вид на L; коляно, извита тръба, крило на постройка под прав ъгъл с корпуса и́; **L-square** ъгълник за чертане; **3.** знак У (на учебен автомобил); **4.** *abbr* (**litre**) литър.

labefaction [,læbi'fækʃən] *n* разклащане, отслабване, западане, упадък.

label [leibəl] I. *n* **1.** етикет (*и прен.*), надпис; **to attach a ~ to** слагам етикет на; **2.** *юр.* прибавка към документ; **3.** фабрична марка; **4.** *архит.* стряха (*над врата*); II. *v* (-ll-) **1.** залепям (слагам) етикет на, етикетирам; слагам цена на (*стока*); **2.** означавам, класифицирам, описвам, определям (**as**); наричам, назовавам; **to ~ a man** (**a**) **liar** наричам някого лъжец.

labial [leibiəl] I. *adj* лабиален; II. *n* лабиален звук (*и ~* **sound**).

labile [leibail] *adj* неустойчив, колеблив, лабилен; **~ substance** *хим.* лабилно вещество.

labor [leibə] I. *n* **1.** труд, работа; усилия, задача; **forced ~** принудителен труд; **2.** *pl* усилия, мъки, тегло, теглило; **his ~s are over** той свърши земния си път, отърва се; **3.** труд (*за разлика от капитал*); работна ръка, работническа класа; **skilled ~** квалифициран труд; **4.** родилни мъки, раждане; **5.** *attr* трудов, работнически; **~ code** кодекс на труда; **6.** (**L.**) работничеството като политическа сила, работническа партия; *attr* на работническата партия; лейбъристки; II. *v* **1.** трудя се, мъча се, тренпя се, залягам, полагам усилия, старая се, стремя се (**for**); **to ~ at, over** трудя се над; **2.** движа се, напредвам бавно, с мъка, с усилие, едва-едва кретам (*и с* **along**); **3.** спъван (затруднен, обезпокоен) съм; страдам, жертва съм (**under**); **to ~ under a disadvantage** в неизгодно положение съм; **4.** работя, функционирам трудно (*за машина*); **5.** клатя се, мятам се тежко (*за кораб*); **6.** изпитвам

родилни мъки (*и ~* **with child**); **7.** обработвам, разработвам, усъвършенствам; впускам се в подробности; **I will not ~ the point** няма да се впускам в подробности, няма да се разпростирам; **8.** *остар.* обработвам земя.

laboratorial [,læbərə'tɔ:riəl] *adj* лабораторен.

laboratory [læbrət(ə)ri] *n* лаборатория; **~ technician** лаборант.

laborious [lə'bɔ:riəs] *adj* **1.** тежък, труден, усилен, напрегнат, уморителен, изтощителен, изнурителен, съсипващ; **2.** тежък, измъчен (*за стил*); **3.** прилежен, трудолюбив, усърден, неуморен, неуморим; ◇ *adv* **laboriously.**

laboured [leibəd] *adj* **1.** тежък, маниерен, неестествен (*за стил и пр.*); **2.** тежък (*за дишане*).

labourer [leibərə] *n* **1.** работник; **2.** общ работник.

labyrinth [læbərinθ] *n* лабиринт.

lace [leis] I. *n* **1.** връв, връзка (*за обувки, корсет*); **2.** галон, ширит (*обикн.* **gold ~, silver ~**); **3.** дантела; **point ~** везана дантела; **4.** спиртно питие, налято в кафе и пр.; **5.** *attr* дантелен; **~ curtains** дантелени пердета; II. *v* **1.** връзвам (*връзките на обуща*) (*и с* **up**), стягам (*корсет*) (*и с* **up**); връзвам се с връзки (*за обуща и пр.*); стягам (**се**), пристягам (**се**); **2.** сплитам, преплитам (**with**); **3.** прокарвам, нижа (*връв и пр.*) (**through**); **4.** обшивам, обточвам, поръбвам, гарнирам, украсявам (**with**); **5.** пъстря, изпъстрям, шаря, нашарвам, разнообразявам (**with**); **6.** *разг.* бия, набивам, тупам, натупвам, пердаша, напердашвам (*и* **to ~ s.o.'s coat, jacket**); **7.** наливам спиртно питие в (**with**); **8.** *мор.* свързвам, съединявам; **9.** **to ~ into** нахвърлям се върху, нападам.

lacerate I. *v* [læsəreit] **1.** разкъсвам, раздирам (*и прен.*); **~d wound** жива рана; **2.** измъчвам, раннвам, огорчавам, съкрушавам; II. *adj* [læsərit] **1.** назъбен; **2.** нарязан (*за листа*).

lachrymatory [lækrimətəri] I. *adj*

сълзотворен (*за газ*); II. *n* лакриматориум (*и ~* **vase**).

lachrymose [lækrimous] *adj* сълзлив, плачлив.

lack [læk] I. *n* **1.** липса, недостиг, отсъствие, недоимък, оскъдица (**of**); **~ of balance** липса на равновесие, неуравновесеност; **2.** нещо, от което има нужда; II. *v* **1.** липсва ми, не ми достига, нуждая се, лишен съм от, нямам (*и с* **for**); **we ~ (for) nothing** не ни липсва нищо; **2.** липсвам, отсъствам, не достигам, недостатъчен съм.

lackadaisical [,lækə'deizikəl] *adj* вял, отпуснат, престорено апатичен, сантиментален; превзет.

lackey [læki] I. *n* лакей (*и прен.*); II. *v* **1.** прислужвам, придружавам, следвам; **2.** лакейнича, угоднича, раболепнича.

lacking [lækiŋ] *adj остар.* несъобразителен, глупав, тъп, с бавен ум.

laconic [lə'kɔnik] *adj* лаконичен, лаконически; ◇ *adv* **laconically** [lə'kɔnikəli].

lactic [læktik] *adj хим.* млечен; **~ acid** млечна киселина.

lactose [læktous] *n* лактоза, млечна захар.

ladder [lædə] I. *n* **1.** стълба; **step-~** подвижна стълба; **2.** корабна стълба, трап; **3.** пусната бримка на чорап; • **to climb up the ~** издигам се, правя кариера; II. *v* пускам (*лесно*) бримки.

lade [leid] *v* (**laded** [leidid] **laded, laden** [leidn]) **1.** товаря, натоварвам, отрупвам (**with**); **2.** греба, изгребвам, черпя, изчерпвам (*вода*).

laden [leidn] **1.** натоварен, отрупан; **heavy-~** тежкотоварен; **a well-~ tree** дърво, отрупано с плод; **2.** обременен, смазан, съсипан, съкрушен.

lading [leidiŋ] *n* **1.** товарене, натоварване; отрупване; **bill of ~** товарителница; **2.** товар.

lady [leidi] *n* **1.** дама; жена; **a great ~** дама от висшето общество; **2.** (**L.**) лейди (*титла на благородничка по-ниска от херцогиня*); **L. Mayoress** жена на кмет; **3.** господарка, домакиня, стопанка,

чорбаджийка; 4. жена, съпруга; 5. *остар.* обожаема; 6. *attr* женски; ~ author писателка; • Our L. Дева Мария, Богородица.

lag₁ [læg] I. *v* (-gg-) 1. оставам назад, изоставам, тътря се (*и с* behind); забавям се, закъснявам; to ~ behind the times оставам назад от времето си; 2. спадам, намалявам, западам; production lagged производството спадна; II. *n* 1. забавяне, закъснение; изоставане, изостаналост; time ~ забавяне; 2. *ел.* фазова разлика.

lag₂ *sl* I. *n* 1. арестант, затворник, каторжник; *истор.* заточеник; 2. (осъждане на) затвор; *истор.* заточение; II. *v* 1. осъждам на каторга; *истор.* заточавам; 2. задържам, арестувам, пипвам.

laic, laical [ˈleiik, ˈleiikəl] I. *adj* светски; II. *n* 1. светско лице, мирянин; 2. любител, аматьор, дилетант, лаик.

laid-back [ˈleidbæk] *adj* безгрижен, весел, небрежен.

lair [ˈlɛə] I. *n* 1. бърлога, леговище, пещера, дупка; 2. скривалище, свърталище; 3. кошара, сушина, сайвант; 4. *шотл.* гроб, място в гробище; II. *v* 1. отивам, лягам в бърлогата си; правя си бърлога; 2. закарвам, настанявам (*добитък*) в кошара, сушина.

lake [leik] *n* 1. езеро; 2. *attr* езерен.

lama [ˈlɑːmə] *n* лама (*будистки монах*).

lamb [læm] I. *n* 1. агне; 2. агнешко (*месо*); ~ cutlet агнешки котлет; 3. невинно дете, "агънце"; 4. кротък, безпомощен човек, "агне"; "овца"; *амер.* глупак, простак; 5. пиле, пиленце, миличко (*обръщение*); 6. дете от паство; • the L. (of God) агнец божи, Христос; II. *v* 1. агня се, обагням се; 2. грижа се за овце по време на агнене (*и с* down).

lambent [ˈlæmbənt] *adj* 1. трептящ, трепкащ, бледен, мек (*за светлина и пр.*); светнал (*за небе и пр.*); 2. бляскав, блестящ, искрящ, лек (*за хумор*).

lame₁ [leim] I. *adj* 1. куц, хром, окуцял, сакат, осакатял; ~ of (in) one

leg куц с единия крак; 2. вкочанен, схванат, изтръпнал; 3. слаб, неубедителен, незадоволителен; a ~ excuse неубедително извинение; 4. който куца, неправилен (*за стих, размер*); II. *v* осакатявам, карам някого да куца (накуцва); правя неспособен.

lame₂ [ˈleim] *n* 1. ламела, пласт, лист; 2. свързващ елемент в сглобяеми конструкции.

lament [ləˈment] I. *n* 1. ридание, вопъл, оплакване, жалба; 2. елегия, тъжна (погребална) песен; II. *v* 1. ридая, плача, оплаквам се; тъжа, тъгувам, скърбя, жалея; 2. оплаквам се, жалея (*и с* for, over); to ~ over оплаквам загубата на.

lamentation [ˌlæmənˈteiʃən] *n* ридание, вопъл, оплакване, жалба.

laminate [ˈlæmineit] *v* 1. правя, точа (*метал*) на листове; 2. цепя (се), деля (се) на листове, люспи; 3. покривам (обшивам) с метални листове (пласт, слой).

lamp [læmp] I. *n* 1. лампа; фенер; oil ~ газена лампа; 2. *прен.* светлина, факел, фар; II. *v* 1. светя; 2. *поет.* осветявам; 3. *амер.* виждам; гледам.

lampoon [læmˈpuːn] I. *n* памфлет, пасквил; II. *v* пиша памфлет, пасквил (против).

lampoonery [læmˈpuːnəri] *n* сатира, сатиричност.

lamp-shade [ˈlæmpˌʃeid] *n* абажур.

land [lænd] I. *n* 1. земя, суша; to travel by ~ пътувам по суша; to come to ~ влизам в пристанище; 2. земя, почва, терен; fat (poor) ~ плодородна (слаба) почва; 3. земя, страна, край, област; home (native) ~ родна страна, отечество, родина; 4. земище; 5. земя, поземлена собственост; имение; their ~ goes up to the wood имението им стига до гората; *pl* имения; 6. ивица орна, пасищна земя; 7. *воен.* поле (*разстояние между два нареза в цевта на огнестрелно оръжие*); 8. *attr* земен, сухоземен; поземлен, аграрен; ~ rent поземлена рента; • to see how the ~ lies (spy) out the ~ *прен.* проучвам почвата, виждам

какво е положението ("хавата"), как стоят работите; II. *v* 1. слизам на суша, дебаркирам; пристигам, акостирам (*за кораб*); кацвам (*за самолет, летец*); слизам (*от кола*); to ~ from a ship, at a place, on a coast слизам от кораб, в (пристанищен) град, на бряг; 2. свалям, стоварвам на суша, дебаркирам; 3. влизам в пристанище (*лодка, кораб*); 4. извличам на брега (*риба*); 5. *разг.* спечелвам, придобивам (*награда, служба*); 6. завеждам, довеждам, закарвам, докарвам (in); намирам се, попадам (in); 7. стоварвам, нанасям (*удар*); I ~ed him one in the face стоварих му един по лицето; 8. изтърсвам се, падам; 9. падам на краката си (*след скок*); приземявам се (*с парашут*); to ~ on one's feet успявам, измъквам се успешно от трудна ситуация; 10. пристигам (*при конно надбягване*); 11. *sl* хващам, намирам; to ~ a job намирам работа; 12. *мор.* слагам, наглася вам (*мачта и пр.*).

landlady [ˈlændˌleidi] *n* 1. хазяйка, стопанка, наемодателка; 2. ханджийка, хотелиерка, съдържателка на пансион.

land-loper [ˈlændˌloupə] *n* скитник.

landlord [ˈlændlɔːd] *n* 1. земевладелец; 2. хазяин, стопанин, наемодател; 3. ханджия, хотелиер, съдържател на пансион.

landscape [ˈlændskeip] I. *n* 1. пейзаж; 2. широкоъгълен (за обектив); II. *v амер.* правя подобрения в оформлението на парк (градина).

land-slide [ˈlændslaid] *n* 1. свличане, свлачище, срутване на почвата; 2. голямо поражение (*при избори*); 3. *амер.* съкрушителна изборна победа.

language [ˈlæŋgwidʒ] *n* 1. език, реч; finger ~ езикът на глухонемите; speak/talk s.o.'s (the same) ~ намирам общ език с; 2. *attr* езиков.

languid [ˈlæŋgwid] *adj* 1. отпуснат, безжизнен, инертен; 2. бездушен, апатичен, безразличен; 3. бавен, муден, вял, провлачен; замрял

(за търговия); ◇ adv languidly.

languish ['læŋŋwiʃ] v 1. слабея, отпадам, отмалявам, линея, чезна, крея; вехна; 2. кретам; прен. гния (в затвор, мизерия); 3. прен. отслабвам, намалявам (за интерес и пр.); 4. копнея за (for, after); 5. сантименталнича, разнежвам се; 6. преструвам се, превземам се (за да събудя състрадание).

languor ['læŋgə] n 1. отпуснатост, отмалялост, премалялост; притома; 2. безразличие, инертност, апатия; 3. унесеност, замечтаност; 4. потискащо затишие.

languorous ['læŋgərəs] adj 1. отпаднал, премалял; 2. замечтан; 3. приспиващ, упоен, упоителен.

lantern ['læntən] n 1. фенер; 2. мор. (горна част на) фар; 3. архит. фенер, застъклен купол, горна светлина; 4. техн. (и ~-pinion) фенер, цевно колело; ● magic ~ магически фенер.

lapse [læps] I. n 1. течение (на поток); ход, минаване (на времето); 2. малка грешка, пропуск, лапсус; a ~ of the pen (of the tongue, of memory) грешка на перото (на езика); изневеряване на паметта; 3. отклонение (от правия път); падение, прегрешение (from, into); a ~ into vice отдаване на порока; 4. изпадане (в полошо, ниско положение); 5. промеждутък (от време); 6. юр. погасяване (на право); II. v 1. пропадам (морално); отдавам се на (порок и пр.); прегрешавам; отново греша; 2. изпадам (в предишно или по-лошо състояние) (into); to ~ into unconsciousness (into silence) губя съзнание, умълчавам се; 3. юр. губя сила; погасявам се (за право), ставам невалиден (за осигуровка); to have ~d погасен съм; падам се някому (за наследство) (to); 4. тека (за вода), (за време и away).

lapsus ['læpsəs] n лат. грешка; ~ calami (linguae) грешка на перото на езика).

laptop ['læptɔp] n миниатюрен преносим компютър; лаптоп.

larceny ['la:sni] n юр. кражба; petty

~ дребна кражба.

lardy ['la:di] adj мазен, тлъст.

lardy-dardy ['la:di'da:di] adj sl превзет, префърцунен; отпуснат; небрежен.

large [la:dʒ] I. adj 1. голям; едър, висок; обемист; обширен, просторен, широк; in a ~ measure до голяма степен; 2. голям, многочислен; 3. широчък (за дреха, обувки); 4. прен. широк, неограничен, либерален (за схващания, права); 5. прен. голям, едър; a ~ landowner едър земевладелец; 6. мор. благоприятен, попътен (за вятър); II. adv 1. едро; to write ~ пиша едри букви; 2. (говоря) на едро; 3. мор. с (при) благоприятен вятър.

large-grain ['la:dʒ,grein] adj едрозърнест.

large-hearted ['la:dʒ'ha:tid] adj 1. великодушен; човеколюбив; доброжелателен; толерантен; 2. щедър.

largeness ['la:dʒnis] n 1. големина, величина; обем; обширност; 2. великодушие, широта на възгледи; 3. величие.

lark₁ [la:k] n чучулига; ● to rise with the ~ ранобуден съм, ставам много рано.

lark₂ I. n шега, лудория, майтап; веселие; for a ~ на шега; II. v забавлявам се, закачам се, лудувам (around, about).

larva ['la:və] n (pl larvae ['la:vi:]) 1. зоол. личинка, ларва; недоразвито животно (напр. попова лъжичка и пр.); 2. свръхестествено чудовище; дух.

larval ['la:vəl] adj 1. гъсеничен; ларвовиден; 2. мед. скрит, латентен.

larynx ['læriŋks] n ларинкс.

lascivious [lə'siviəs] adj похотлив, сладострастен.

laser ['leizər] n лазер.

laser-beam printer ['leizəbi:m'printə] n лазерен принтер.

lash [læʃ] I. v 1. шибам, бия (с камшик); замахвам (at); шибам (за дъжд, град) (и с against); разпенвам (вода) (за вятър); удрям, разбивам се о (брега – за вълни); 2. силно възбуждам, дразня, ра-

зярявам, разядосвам, вбесявам (to, into); 3. въртя, движа (опашка) бързо, ядосано (за животно); мятам се, движа се бързо, нервно, шибам (за опашката на животно); 4. прен. остро критикувам, порицавам, бичувам, скастрям; подигравам; 5. свързвам, завързвам (together); връзвам за (to, down, on); 6. мор. закрепвам (части на кораб в очакване на лошо време);

lash down 1) изливам се като из ведро (за дъжд); 2) завързвам, стягам;

lash on бия (животно) с камшик, за да върви;

lash out (at) 1) внезапно започва да рита, да хвърля къч (за кон); 2) прен. нахвърлям се върху, остро нападам;

II. n 1. (пресукан) камшик, бич; 2. удар на камшик; прен. остра критика; 3. мигла, клепка (и eye-~).

lassitude ['læsitju:d] n умора, изтощение; отпадналост.

lasso ['læsou] I. n ласо; II. v улавям с ласо.

last₁ [la:st] I. adj 1. последен; the ~ man in a race последният в състезание; 2. минал (за седмица, година и пр.); ~ night снощи; 3. последен, най-нов, модерен; най-авторитетен; окончателен, решаващ; a matter of the ~ importance въпрос от първостепенно значение; 4. най-незначителен, най-маловажен; ● but not least последен по ред, но не и по значение; the L. Supper Тайната вечеря; II. n 1. последен; последно споменат (с the, this, these); in my ~ в последното си писмо; 2. последно действие; the ~ of pea-time разг. последен етап (стадий); 3. край; смърт; to (till) the ~ докрай, до последния момент; до смъртта; III. adv 1. последно, накрая; ~, we visited Paris накрая посетихме Париж; 2. за последен път.

last₂ I. v 1. продължавам, трая, издържам; задържам се (за време); изтрайвам; 2. стигам, достатъчен съм (за запаси и пр.) (и с out);

these apples will ~ through the winter тези ябълки ще стигнат за цялата зима; **3.** трая, здрав съм, не се износвам (*за плат*); **4.** надживявам (out); изтрайвам, изкарвам (*даден период, за предмет*) (out); надживявам някого; **this coat will ~ me for years** това палто ще ме изкара с години; **II.** *n* издръжливост.

last-ditch [ˈlaist,ditʃ] *adj* последен, краен, окончателен, решаващ; ~ **attempt** последен опит.

latch [lætʃ] **I.** *n* **1.** резе, мандало, ключалка, сюрме; **on the ~** незаключен; **2.** секретна брава; **3.** *техн.* палец, език; **4.** *ел.* блокиращ ключ; **5.** буферен тригер; **II.** *v* **1.** затварям (се), заключвам (се) с резе; **2.** *мин.* закачвам извозна кофа (*към подемно въже*); • **to ~ onto s.o.** *разг.* закачам (лепвам) се за някого.

latch-key, latchkey [ˈlætʃki:] *n* секретен ключ; • **to win one's ~** възмъжавам, ставам самостоятелен (*за младо момче*).

late [leit] **I.** *adj* **1.** късен; закъснял; напреднал (*за сезон, време*); **to be ~** закъснявам, закъснял съм; **2.** предишен, скорошен, последен; минал, бивш; **of ~ years** през последните години, напоследък; **3.** покоен; **4.:** ~**st** последен, найнов; **5.** продължителен, дълъг (*повече от нормалното*); **a ~ meeting** продължително заседание; **II.** *adv* **1.** (твърде) късно, със закъснение; **to arrive ~ for the train** закъснявам за влака; **2.** късно; **to sit up ~** стоя до късно; **3.** наскоро, напоследък; **too ~ in the day** твърде късно (*за да бъде от полза или да бъде взет насериозно*).

lateness [ˈleitnis] *n* **1.** закъснение; **the ~ of the hour** късният (напредналият) час; **2.** неотдавнашност.

latent [ˈleitənt] **I.** *adj* латентен (*и* биол.); скрит (*и юр.*); непроявен, потенциален; ~ **period** *мед.* инкубационен период; **II.** *n* физиол. времето между дразненето и реакцията.

lateral [ˈlætərəl] *adj* **1.** страничен,

разположен отстрани; второстепенен; паралелен; **2.** съребрен; **the ~ branch (of a family)** роднини по съребрена линия; **3.** *език.* страничен.

lath [la:θ] **I.** *n* летва; **II.** *v* покривам с летви.

lathe [leið] **I.** *n* **1.** (*и* turning-~) струг; **2.** грънчарско колело; **II.** *v* струговам, обработвам на струг.

latitude [ˈlætitju:d] *n* **1.** *геогр.* ширина; **in the ~ of 30° N.** на 30° северна ширина; **2.** *обикн. pl* области на дадена географска ширина; **cold ~s** студените части на земното кълбо; **3.** свобода; волност; широта; толерантност, търпимост (*особ.* религиозна); толеранс; **school rules allow the individual little ~** училищните правила дават малко свобода на индивида; **4.** *рядко* обсег, сфера на действие; приложимост; възможности; **5.** *шег.* ширина; **hat with great ~ of brim** широкопола шапка; **6.** *астр.* ъглово разстояние от еклиптиката.

latitudinarian [ˈlætiˌtju:diˈnɛəriən] **I.** *adj* прен. широк, либерален; свободомислещ; толерантен; който е израз на верска търпимост; **II.** *n* свободомислещ човек.

latter [ˈlætə] *adj* (*стара сравн. ст. на* late) **1.** последен, втори (*с* the, при споменати две неща обр. на the former); **2.** последен, краен, втори; **the ~ half (part) of the week** втората половина на седмицата; **3.** *остар.* късен.

latter-day [ˈlætədei] *adj* съвременен, днешен.

lattice [ˈlætis] **I.** *n* **1.** решетка; рамка от летви; *техн.* ~ **frame** решетъчна конструкция; **2.** прозорец с решетка; прозорец от малки ромбовидни парчета стъкло, споени с олово (*и* ~-window); **II.** *v* поставям решетка на, покривам с решетка.

latticed work [ˈlætistwə:k] *n* **1.** преграда, ограда, решетка; **2.** решетъчна конструкция.

laud [lɔ:d] **I.** *n* **1.** *поет.* възхвала; **2.** *pl рел.* утринна молитва (*при католиците*); **II.** *v* хваля, въз-

хвалявам.

laudation [lɔ:ˈdeiʃən] *n* хвалебствие.

laudatory [ˈlɔ:dətəri] *adj* хвалебен, хвалебствен.

laugh [la:f] **I.** *v* **1.** смея се; **to ~ in/ up one's sleeve** смея се под мустак; **2.** смея се на (*шега и пр.*) (*c* at, over); **3.** веселя се, шегувам се; **4.** смея се, подигравам се на (at); **5.** присмивам се на, не обръщам внимание на (*опасности, съдбата, несгоди и пр.*) (at); **6.** засмян съм, усмихвам се, излъчвам радост (*за пейзаж и пр.*); **7.** изразявам чрез смях; **her eyes ~ed an acceptance** смехът в очите ѝ показваше, че приема; • **he who ~s last ~s longest** който последен се смее, той се смее най-добре; **II.** *n* смях; **to raise a ~** предизвиквам (възбуждам) смях.

laughable [ˈla:fəbəl] *adj* смешен.

laughing [ˈla:fiŋ] *adj* **1.** засмян, усмихнат; **2.** *прен.* свеж, засмян, весел, оживен, усмихнат (*за гледка*); **3.** смешен; **he is in no ~ mood** не му е до смях.

laughter [ˈla:ftə] *n* смях; **to be convulsed, shaken with ~** умирам от смях.

launch [lɔ:ntʃ] **I.** *v* **1.** хвърлям, мятам; изхвърлям, изстрелвам (*ракета и пр.*); **2.** насочвам (удар, атака); **3.** обсипвам с (*ругатни*) (at); **4.** спускам (*параход, лодка* в морето; пускам във въздуха (*самолет*); изхвърлям (*самолет*) с помощта на катапулт; **5.** почвам, предприемам (*акция*), пускам в ход; основавам, образувам, създавам (*предприятие*); лансирам (*човек*); **launch into, launch out (forth) into** отдавам се на, заемам се с, впускам се в; **launch out 1)** пилея, пръскам пари; говоря надълго и нашироко; **2)** тръгвам на път, на морско пътешествие (*книж. и* forth); **3)** предприемам нещо рисковано; **II.** *n* **1.** спускане (*на параход*) във водата; **2.** *мор., архит.* стапел.

launcher [ˈlɔ:ntʃə] *n* стартова площадка, катапулт.

laureate [ˈlɔ:riit] **I.** *adj* лавров; увен-

чан с лавров венец; **II.** *n* **1. Poet L.** придворен поет (назначен от краля); поет лауреат, изтъкнат поет; **2.** лауреат; **III.** *v* **1.** увенчавам с лавров венец; давам лауреатско звание на; **2.** назначавам на служба придворен поет.

laurelled [ˈlɔrəld] *adj* **1.** увенчан с лавров венец; **2.** почетен, награден.

lava [ˈlaːvə] *n* лава.

lave [leiv] *v поет.* **1.** мия, обливам; промивам (*рана*); **2.** мия, плискам, удрям се о (*за море, река*).

lavish [ˈlæviʃ] **I.** *adj* **1.** щедър (in, of); to be ~ in (of) praises сипя похвали, разсипвам се да хваля; **2.** пищен, изобилен, обилен; **3.** разточителен (in, of); to be ~ of one's money пилея си парите; **II.** *v* **1.** прахосвам, разсипвам, разхищавам (*пари*); **2.** щедро раздавам; обсипвам с; ◇ *adv* **lavishly.**

law [lɔ:] *n* **1.** закон; законност; to carry out the ~ прилагам закона (законите); **2.** право; юриспруденция; civil ~ гражданско право; criminal ~ наказателно право; **3.** право (*като професия*); to practice ~, go in for the ~ юрист съм, практикувам (*за адвокат*); **4.** съд, съдопроизводство, съдебна процедура; to go to ~ with s.o. завеждам дело срещу някого, съдя някого; **5.** съдийство; адвокатура, адвокатско съсловие (*често с* the); **6.** правило, принцип (*на игри, в изкуствата и пр.*); **7.** закон, принцип, правило (*в науката*); the ~ of gravitation законът за гравитацията; **8.** *спорт.* преднина, преимущество (*време, разстояние, дадено на противник*); **9.** отсрочка; • his word is ~ думата му е закон, думата му на две не става.

law-abiding [ˈlɔ:əˌbaidiŋ] *adj* послушен, хрисим.

lawbreaker [ˈlɔ:breikə] *n* правонарушител, престъпник.

lawful [ˈlɔ:ful] *adj* **1.** законен; **2.** справедлив, основателен (*за претенции*); • ~ age пълнолетие.

lawfulness [ˈlɔ:fulnis] *n* законност.

lawgiver [ˈlɔ:givə] *n* законодател.

lawgiving [ˈlɔ:giviŋ] **I.** *n* законодателство; **II.** *adj* законодателен.

lawlessness [ˈlɔ:lisnis] *n* **1.** беззаконие, анархия; **2.** необузданост, разюзданост.

lawyer [ˈlɔ:jə, ˈlɔiə] *n* **1.** адвокат; **2.** юрист, законовед.

lax [læks] **I.** *adj* **1.** отпуснат (*и прен.*); хлабав, халтав; **2.** неточен; небрежен, немарлив, неизпълнителен; ~ attendance нередовно посещение (*на лекции*); **3.** разхлабен (*за стомах*); **4.** разпуснат, безнравствен, развратен, безпътен; **5.** *бот.* рехав, рядък; **6.** *език.* отпуснат, без напрежение; **II.** *n* гласна, произнесена с отпуснати мускули.

laxity [ˈlæksiti] *n* **1.** отпуснатост; **2.** слабохарактерност, мекост; **3.** разпуснатост, безнравственост, разврат; **4.** неточност (*на израз, стил*).

lay₁ [lei] *adj* **1.** светски, мирски; послушница; **2.** аматьорски, непрофесионален, несвързан с дадена професия; to the ~ mind за неспециалист.

lay₂ *v* (laid [leid]) **1.** поставям, слагам, полагам; to ~ stress on наблягам върху; **2.** полагам, поставям (церемониално); ръкополагам; to ~ a wreath полагам венец; **3.** събарям, повалям (*обикн. с adv*); to ~ low (in the dust) повалям, събарям (*и за болест*); унизявам, оскърбявам; **4.** правя (*посеви*) да полегнат (*за вятър, дъжд*); *обикн. pass* слягам се, полягам; **5.** правя да спадне, да стихне, да се уталожи (*вятър, вълни*); правя да не се вдига (*прах*); *прен.* разпръсвам, разсейвам (*страх, опасения*); изгонвам (*привидения*); **6.** *воен.* насочвам (*оръдие*); **7.** излагам (*въпрос, факти*) (before); *юр.* подавам (*тъжба, жалба*); предявявам (*права*); to ~ a charge against депозирам (предявявам) обвинение срещу; **8.** слагам (*маса*); постилам; **9.** залагам; обзалагам се, държа бас (that); **10.** снасям; **11.** налагам (*наказание, данък, глоба и пр.*) (on, upon);

to ~ an embargo налагам ембарго; **12.** приписвам, обвинявам; to ~ the blame on хвърлям вина върху; **13.** полагам (*основи*); редя (*тухли*); трасирам, поставям (*жп линия*); правя, начертавам (*план*); начертавам, определям (*курс, за кораб*); **14.** поставям, довеждам до дадено състояние; to ~ asleep *остар.* погребвам; убивам, изпращам на оня свят; **15.** бия, удрям; нанасям (*удари*) (on); to ~ about (one) удрям където завърна; нанасям безразборно удари; **16.** усуквам (*въже*); **17.** нанасям (*побой*); **18.** стъквам (*огън*); **19.** поставям, залагам (*капан*);

lay aside 1) слагам настрана; отделям, определям (*за някаква цел*); 2) освобождавам се от, отказвам се от (*навици, предразсъдъци*); 3) изоставям, пренебрегвам; 4) *pass* неспособен съм; неработоспособен съм (поради болест);

lay away 1) слагам настрана, прибирам, скътвам; пестя; 2) (*обикн. в pass*) погребвам;

lay back изтеглям назад;

lay down 1) слагам (*и оръжие*); слагам да легне; 2) напускам, отказвам се от (*служба*), гоня (*надежда*); 3) залагам (*пари*); 4) жертвам, отдавам (*живота си*); 5) (започвам да) строя (*кораб, железница*); the ship was laid down six years ago строежът на кораба започна преди шест години; 6) формулирам, утвърждавам, поддържам (*принципи*); съставям, изработвам (*план, правилник*); laid down in the agreement предвиден по договора, включен в договора; 7) засаждам, засявам (to, under, with); 8) постилам (*пода*); 9) *амер.* (on s.o.) правя засечка (*за машина*); 10) *юр.* оттеглям (*жалба, за прокурор*);

lay in 1) запасявам се с; 2) нахвърлям (*картина, разказ и пр.*); 3) акостирам; 4) преставам да разработвам (*обикн. мина*); 5) засаждам, насаждам; 6) насочвам, оформям в желаната посока (*фи-

лизи и пр.) • **to ~ in a good meal** *разг.* похапвам си;

lay into *разг.* бия, нанасям побой; нахоквам, смъмрям; атакувам, нападам;

lay low 1) свалям, повалям *(някого с удари)*; 2) свалям на легло *(за болест)*;

lay off 1) свалям, събличам; 2) уволнявам *(работници, особ. временно)*; 3) *мор.* направлявам *(кораб)* към морето или по-далече от друг кораб; стоя в открито море *(далеч от брега)*; 4) *мор.* нанасям *(на карта)*; определям мястото на кораб върху карта *(чрез засечки, пеленги)*; 5) очертавам *(разстояния)* върху повърхност; 6) *амер. sl* преставам да дразня; 7) *амер.* почивам, безработен съм *(за работник)*; 8) разпределям залози, за да избегна риска *(за букмейкър)*; 9) *амер.* спирам работа, затварям *(магазин, фабрика)*;

lay on 1) налагам *(данък, наказание)*; 2) нанасям *(удари, побой)*; нападам; 3) покривам с *(боя)*, измазвам с *(мазилка)*; **to ~ it on** грубо лаская; преувеличавам, удрям в цената; 4) инсталирам *(електричество, газ)*, свързвам, прокарвам *(вода)*; 5) доставям, осигурявам; 6) пускам *(кучета)* по следа *(и прен.)*; 7) подавам *(хартия)* на печатарска машина;

lay open отварям, откривам; **the victory ~d open the road to Paris** победата откри пътя към Париж;

lay out 1) изваждам, нареждам за показ, излагам; 2) *разг.* повалям, събарям; *спорт.* повалям в нокаут; 3) нагласям, обличам *(мъртвец)*; 4) *sl* убивам; 5) устройвам, планирам *(градина)*, трасирам *(път, улица)*; 6) харча *(пари)*; • **to ~ oneself out for danger (criticism)** излагам се на опасност (критика);

lay over забавям, отлагам;

lay to *мор.* заставам на дрейф;

lay together събирам; **to ~ heads together** съвещавам се, обмислям, обсъждам;

lay up 1) трупам, натрупвам, сла-

гам настрана, пестя, скътвам; **to ~ up s.th. for a rainy day** събирам бели пари за черни дни; 2) вадя от строя (временно) *(за параход, автомобил, при ремонт)*; 3) *pass* лежа болен, на легло съм, болен съм (with).

lay₃ *n* 1. *sl* работа, занимание, занятие; специалност; **that doesn't belong to my ~** това не е по моята част; 2. положение, разположение, релеф *(на местност, терен)*; **the ~ of the land** както стоят нещата.

layer₁ [ˈlɛə] I. *n* 1. слой, пласт; наслоение; 2. *бот.* отвод; 3. място за развъждане на стриди; II. *v* 1. нареждам на слоеве; наслоявам; 2. полягам *(за жито)*; 3. размножавам чрез отводи; пускам издънки.

layer₂ [ˈleiə] *n* 1. монтьор, монтажник; инсталатор; работник по паважи; 2. човек, който залага против даден кон *(при състезания)*; 3. кокошка носачка; 4. *воен.* мерач.

layman [ˈleimən] *n* 1. мирянин; 2. лаик; профан, дилетант.

layover [ˌleiˈouvə] *n* престой, спирка *(по време на пътуване)*.

laziness [ˈleizinis] *n* безделие, мързел, леност.

lazy [ˈleizi] *adj* 1. мързелив, ленив, безделен; **~ beggar (bones, dog)** лентяй, леновец, безделник; 2. който предразполага към мързел; горещ *(за време)*.

leach [liːtʃ] *v* 1. филтрирам, прецеждам; 2. накисвам, напоявам; 3. прецеждам се *(за течност)*; разтварям се; разтопявам се.

lead₁ [led] I. *n* 1. олово; 2. графит *(и black ~)*; боя за печка; 3. *мор.* лот; **to swing the ~** *sl* симулирам, преструвам се; съчинявам, преувеличавам; 4. тежест *(на рибарска мрежа, въдица)*, отвес; 5. (захранваща) тръба, канал; 6. ход *(на резба)*; 7. *геол.* жила, златоносен пясък; 8. *pl* оловна ламарина за покриване на покрив; (плоска част на) покрив; 9. *полигр.* дурхшус, разредка; 10. *attr* оловен; **~ shot** сачми; 11. оловен

разделител *(при витражи)*; • **to get the ~** *sl* застрелват ме; II. *v* 1. покривам (пълня) с олово; 2. поставям тежести *(на мрежа, въдица)*; 3. правя оловна рамка *(на прозорец)*; 4. *полигр.* разреждам линии, давам въздух.

lead₂ [liːd] I. *v* (led [led]) 1. водя; карам; **to ~ the way** водя, вървя начело; 2. убеждавам, увещавам, карам, придумвам, склонявам; **this ~ s me to believe** това ме кара да вярвам; 3. водя, ръководя; предвождам, командвам; дирижирам; 4. отвеждам *(вода, пара)*; прекарвам *(въже)*; 5. водя *(съществуване, живот)* *(особ. с прил.)*; **to ~ a miserable life** живея мизерно; 6. начало съм *(в шествие и пр.)*; пръв съм *(по успех)*; *спорт.* водя, имам преднина; 7. водя *(за път)*; *прен.* довеждам до, имам за резултат; **to ~ nowhere** не давам никакъв резултат; 8. започвам, играя *(цвят при карти)*; 9. свиря първа цигулка; 10. прицелвам се пред движещ се обект;

lead about развеждам; извеждам на разходка;

lead astray отклонявам от правия път, подвеждам;

lead away отвеждам *(особ. в pass)*; отклонявам (from);

lead off 1) започвам; откривам *(бал, танц, дебати)*; 2) отвеждам;

lead on водя *(някого)* към; поощрявам; подвеждам, "подхлъзвам";

lead out извеждам; подвеждам; водя *(дама, момиче)* до дансинга *(при покана за танц)*;

lead out of свързан съм направо с, имам врата към *(за стая)*;

lead to водя към; *прен.* довеждам до;

lead up изкачвам; довеждам; водя *прен.* довеждам до, подготвям почвата постепенно (to);
II. *n* 1. водене, ръководство; инициатива; пример; **to follow s.o.'s ~** следвам някого, водя се по някого, вземам пример от някого; 2. указания; интифа; 3. *спорт.* преднина; първо място; 4. *карти* започване на ръка; карта, игран цвят; 5. *театр.* главна роля; ар-

тист, изпълнител на главна роля; 6. поводи (на кон); каишка (на куче); 7. водносилов канал; улей; 8. ел. фазово изпреварване; захранващ проводник; входящ проводник; техн. изпреварване (при изпускане на пара); 9. техн. далечина на извозване; 10. техн. стъпка на резба; 11. техн. стрела; 12. мин. жила.

leaden ['lednl adj 1. оловен; 2. оловносив; 3. прен. тежък, непробуден (за сън); натежал, тежък като олово (за крайници); 4. бавен, муден; 5. амер. унил, мрачен.

leader ['li:də] n 1. водач; вожд; предводител, ръководител; 2. главен адвокат (при гледане на дело); 3. муз. солист водач; фронтмен (в попмузиката); диригент; първа цигулка, водещ музикант; 4. отводна тръба; тръбопровод; 5. анат. сухожилие; 6. уводна статия; 7. радио. най-важно съобщение (в новините); 8. бот. връхна вейка; 9. ел. проводник; 10. мин. главна жила; 11. полигр. пунктир; • community ~ местен обществен деятел.

leadership ['li:dəʃip] n 1. водачество; ръководене; ръководство; 2. качества на водач; 3. воен. командване.

leading ['li:diŋ] I. n 1. ръководство, водачество, водене; ръководене; управляване; 2. воен. командване; II. adj 1. ръководен; водещ, модерен; ~ question юр. навеждащ въпрос; 2. главен, важен, изтъкнат; ~ man (lady) изпълнител(ка) на главна роля; 3. преден, пръв; челен (за колона, кораб и пр.); 4. техн. водещ, задвижващ (за колело, част).

lead-off ['li:d'ɔ:f] I. n 1. начало, откриване; 2. спорт. първи удар, тур; II. adj начален.

leaf [li:f] I. n (pl leaves [li:vz]) 1. лист, листо, листа, шума; the fall of the ~ листопад; прен. преклонна възраст; 2. лист (на книга); to turn over a new ~ започвам нов живот; поправям си поведението; 3. металек лист, пластинка; 4. крило (на врата, разтегателна ма-

са и пр.); 5. техн. зъбец (на колело); II. v 1. разлиствам се; 2. прелиствам (over, through).

league [li:g] I. n лига, съюз; the L. of Nations истор. Обществото на народите; II. v съюзявам (се); образувам съюз (together with).

leak [li:k] I. v 1. пропускам вода; тека, капя (за съд, покрив и пр.); 2. изтичам (out), просмуквам се (in) (за течност, газ); 3. прен. разчуквам се, разкривам се (out); II. n 1. дупка; пробито място; цепнатина, пукнатина (през която изтича или се втича течност, газ); to stop a ~ запушвам дупка; 2. изтичане, изпускане; take (go for) a ~ sl отивам по малка нужда, пускам една вода; 3. изтекло количество (течност, газ); 4. ел. утечка; 5. радио. разсейване; • take a leak sl грубо пикая, уринирам.

leakage ['li:kidʒ] n 1. изтичане, изпускане, пропускане (на течност); 2. ел. загуба, утечка; 3. изтекло количество (газ, вода и пр.); 4. разг., прен. издаване (на поверителни сведения и пр.); 5. фира.

leaky ['li:ki] adj 1. пробит, спукан; който пропуска; 2. разг. недискретен; който много дрънка.

lean₁ [li:n] I. adj 1. сух, жилест; слаб, мършав, постал; 2. крехък, постен (за месо); 3. слаб (за реколта, диета и пр.), гладен (за години); оскъден; недоходен; 4. мин. беден (за руда); II. n крехко месо (без тлъстина).

lean₂ I. v (leant, leaned [lent, li:nd]) 1. наклонявам (се), наклонен съм; 2. облягам се, опирам (се) (against, on); 3. разчитам, облягам се, осланям се, уповавам се (on, upon); 4. навеждам (се) (over, back, forward, towards); 5. склонен съм, клоня (to); предпочитам; to ~ to an opinion склонен съм да приемам дадено мнение; • to ~ on/upon s.o. оказвам натиск върху, принуждавам, заставам; II. n наклон.

leaning ['li:niŋ] n 1. наклоняване, навеждане; наклон; 2. склонност, тенденция (to, towards).

leanness ['li:nnis] n сухост, слабост, мършавост.

leap [li:p] I. v (leapt, leaped [lept, li:pt]) 1. скачам; look before you ~ три пъти мери, един път режи; 2. прескачам; to ~ a horse at a wall накарвам кон да прескочи стена; 3. бия силно, туптя (за сърце); II. n 1. скок (и прен.); a ~ in the dark рисковано начинание; смърт; by ~s and bounds много бързо, стремително, с много ускорено темпо; 2. геол. дислокация.

leaping ['li:piŋ] I. adj скоклив; II. n скачане, скок; прескачане.

leap-year ['li:pjiə] n високосна година.

learn [lə:n] v (learnt, learned [lə:nt, lə:nd]) 1. уча (се), научавам; live and ~ човек се учи, докато е жив; 2. научавам (се), научавам за; узнавам; to ~ up разг. готвя се по, назубрям (набързо).

learned ['lə:nid] adj 1. учен; to be ~ in the law голям юрист съм, специалист съм по правото; 2. научен (за дружество и пр.).

learning ['lə:niŋ] n 1. учене, научаване; 2. наука, ученост, ерудиция; познания; a man of great ~ ерудиран човек.

lease [li:s] I. n 1. (договор за) наем, наемане, лизинг; to take on ~ вземам под наем; 2. наемен срок; to have (take) a 2 year ~ of a car наел съм (наемам) кола за 2 години; II. v давам под наем (out); вземам под наем, на лизинг.

leasing ['li:ziŋ] n 1. икон. лизинг; 2. остар. лъжа, измама.

least [li:st] I. adj най-малък, най-маловажен, незначителен; II. adv най-малко; III. n най-малко количество (степен); not in the ~ ни най-малко, съвсем не.

leastone ['li:stoun] n геол. слоест пясъчник.

leat [li:t] n улей; канавка; водоизпускател.

leather ['leðə] I. n 1. кожа; undressed ~ сурова кожа; 2. нещо, направено от кожа, напр. поводи, каиши за стреме (и stirrup-~); спорт. (футбол, крикет)

топка; **3.** *pl* кожени бричове (гамаши) за езда; **4.** *sl* (собствена) кожа (*прен.*); **5.** *attr* кожен; **II.** *v* **1.** покривам, гарнирам с кожа; **2.** *разг.* пердаша; бия (с кожен камшик); **3.** *разг.* работя усилено, бухам, бльскам.

leave₁ [li:v] **I.** *n* **1.** позволение, разрешение; **to beg ~** моля за разрешение; **2.** (*и ~ of absence*) отпуск; ваканция; **on ~** в отпуск; **3.** прощаване, сбогуване; **to take ~ of** сбогувам се с; **II.** *v* (*pt u pp* **left** [left]) **1.** оставям; **to be left an orphan** оставам сирак; **2.** оставям, завещавам; **3.** напускам, тръгвам; отивам си; **to ~ school** свършвам училище; **4.** оставям, изоставям, зарязвам; **he left his wife** той напусна (заряза) жена си; **5.** давам, оставям (*на гардероб*); **6.** оставям, предоставям; **~ it to me** остави тази работа на мен; **7.** *с определение* оставам (*в дадено състояние, положение*); **to ~ the door open** оставям вратата отворена; **8.** *pass* оставам (*след изразходване*); **nothing was left to me but to** не ми оставаше друго, освен да; нямах друг избор, освен да; ● **be/get (nicely) left** изгарям (*в смисъл провалям се*), изигран съм; **9.** *мат.* е равно на, прави; **three from seven ~s four** седем минус три е равно на четири;

leave behind 1) оставям, забравям; 2) оставям след себе си; 3) задминавам, надминавам, изпреварвам;

leave off 1) преставам да (*с ger*); напускам, отказвам се от, изоставям; **to ~ off work** прекратявам работа; 2) спирам; 3) изпускам, пропускам;

leave out изключвам, не включвам; изпускам, пропускам; не вземам предвид (под внимание); оставям; **he left the key out for you** той остави ключа така, че да го намериш;

leave over 1) отлагам; 2) *pass* оставам; **you may keep what is left over** задръжте остатъка.

leave₂ *v* разлиствам се.

leaven ['levn] **I.** *n* **1.** квас, подква-

са; мая; **2.** *прен.* влияние, въздействие; **II.** *v* **1.** замесвам с мая; правя (*тесто*) да се надигне; **2.** *прен.* пропивам, прониквам в; оказвам въздействие, променям (*за добро*); разведрявам, облекчавам.

leavening ['levəniŋ] **I.** *n* **1.** подквасване; **2.** повлияване, въздействие; **3.** мая, подкваса; **II.** *adj* преобразяващ.

leave-taking ['li:v,teikiŋ] *n* прощаване, сбогуване.

leaving ['li:viŋ] *n* **1.** напускане; **~ examination** *уч.* матура; **2.** *pl* останки; отпадъци.

lecture ['lektʃə] **I.** *n* **1.** лекция; **to give (deliver) a ~** чета лекция; **2.** нотации, укор; **to read s.o. a ~** чета нотации някому, смъмрям; **II.** *v* **1.** чета лекция; **2.** чета конско, гълча, укорявам.

lecturer ['lektʃərə] *n* лектор, университетски преподавател.

ledge [ledʒ] *n* **1.** издатина, ръб; поличка; *геол.* тераса, шкарпа; **2.** риф; **3.** корниз (*на сграда*); **4.** *мин.* рудна жила; **5.** *техн.* реборд.

lee [li:] **I.** *n* **1.** завет; **in (under) the ~** на завет; **2.** *мор.* подветрена, запазена от вятъра страна; **under the ~ (of the land)** на завет от вятъра; **II.** *adj* *мор.* подветрен, откъм подветрената страна.

lees [li:z] *n pl* утайка (*на вино, кафе*); ● **to drink a cup to the ~** изпивам чаша до дъно.

leeway ['li:wei] *n* **1.** дрейф, отклонение на кораб или самолет от курса му; **2.** *прен.* загуба на време, забавяне на ход, темпо; **to have ~** *разг.* разполагам със свобода на действие, излишни пари и пр.; дадена ми е отсрочка.

left [left] **I.** *adj* ляв; **on my ~ hand** от лявата ми страна, наляво; **II.** *adv* наляво; **III.** *n* **1.** левица, лява ръка; **on (to) the ~** наляво, откъм лявата страна; **2.** *воен.* ляв фланг, крило; **3.** *полит.* (**the L.**) *pl* левицата; **4.** *спорт.* ляв удар, ляво кроше (*в бокса*).

leg [leg] **I.** *n* **1.** крак (*от бедрото до стъпалото*); **to be on one's ~s** стоя прав; шетам, ставам, за да вземам думата; **2.** протеза, изкуст-

вен крак; **3.** бут; **~ of lamb** агнешко бутче; **4.** крак (*на мебел*); краче (*на компас*); подпорка; поставка; стойка; **5.** крачол; **6.** *мор.* (разстояние на) курс (*на кораб*); **7.** *ел.* фаза; **8.** *техн.* коляно; винкел; **9.** етап, част (*от състезание, пътешествие*); **10.** страна на триъгълник, катет, по-дългата страна на правоъгълник; **11.** *sl* мошеник; **II.** *v*: **to ~ it** *разг.* ходя пеша; офейквам, запрашвам.

legacy ['legəsi] *n юр.* завещание; **to come into a ~** получавам наследство.

legal ['li:g(ə)l] *adj* **1.** правен, юридически; **~ adviser** правен съветник, адвокат; **2.** законен, легален, позволен от закона; **~ tender** законно платежно средство.

legality [li:'gæliti] *n* **1.** законност; **2.** *рел.* легализъм.

legalize ['li:gəlaiz] *v* узаконявам, легализирам.

legate₁ ['legit] *n рел.* легат, нунций, папски пратеник.

legate₂ [li'geit] *v* завещавам.

legatee [legə'ti:] *n* наследник.

legation [li'geiʃən] *n* легация.

legend ['ledʒənd] *n* **1.** легенда; *истор.* житие; **2.** *прен.* басня, измислица; невероятна история; **3.** легенда (*на карта*); **4.** надпис на медал, монета и под.

legendary ['ledʒənd(ə)ri] **I.** *adj* **1.** легендарен; **2.** приказен, чутовен; **II.** *n* сбирка от легенди.

legerdemain ['ledʒədə'mein] *n* **1.** ловкост, жонгльорство, фокусничество; **2.** *прен.* извъртане, софистика; хитрина; измама; ловка кражба.

legibility [,ledʒi'biliti] *n* четливост.

legible ['ledʒibəl] *adj* четлив.

legion ['li:dʒən] *n* **1.** *истор.* легион; **2.** *predic* множество.

legislative ['ledʒislətiv] **I.** *adj* законодателен; **II.** *n* законодателно тяло.

legislator ['ledʒisleitə] *n* законодател.

legislature ['ledʒisleitʃə] *n* законодателна власт; законодателно тяло.

legitimacy [li'dʒitiməsi] *n* **1.** законност, легитимност; **2.** законоро-

деност.

legitimate [li'dʒitimit] **I.** *adj* **1.** законен, легитимен; справедлив; основателен, допустим; **2.** законороден; • ~ **drama** драматична пиеса (пиеси); сериозна драма (*изключваща фарс, ревю, мюзикъл и т. н.*); **II.** *v* **1.** узаконявам; **2.** признавам (*извънбрачно дете*) за законородено; припознавам.

leisure ['leʒə, 'li:ʒə] *n* **1.** незаетост; свободно време; **to be at** ~ свободен съм, не съм зает; **2.** *attr* свободен (от работа), незает.

leisurely ['leʒəli] **I.** *adj* бавен, спокоен, отмерен; ~ **pace** отмерена крачка, бавен ход; **II.** *adv* бавно, неприпряно, без бързане.

leitmotiv, leitmotif ['laitmou,ti:f] *n* муз. и прен. лайтмотив.

lemon ['lemən] **I.** *n* **1.** лимон; **2.** лимоново дърво; **3.** *амер. sl* мухльо; грозотия; негодна вещ; **the answer is a** ~ това няма да го бъде; **4.** *sl амер.* жертва на шантаж; **to hand s.o. a** ~ измамвам, изигравам, надхитрям; **II.** *adj* лимонен (*за цвят, вкус*); **2.** лимонен, лимонов, от лимон.

lemonade [,lemə'neid] *n* лимонада.

lemur ['li:mə] *n* зоол. лемур; примат.

lend [lend] *v* (**lent** [lent]) **1.** давам на заем, заемам (*и с to*); **to** ~ (**out**) **books** заемам книга; **2.** оказвам (*помощ*); **to** ~ **a hand (in, at)** (*с ger*) помагам (да) ...; **3.** придавам (качество и пр.); **4.** *refl* предавам се (на **to**), ставам оръдие на; **to** ~ **oneself to dishonest practicles** прибягвам до (служа си с) непочтени средства; **5.** *refl* служа за, върша работа като; поддавам се на (*описание и пр.*).

length [leŋθ] *n* **1.** дължина; протежение; **over the** ~ **and breadth of a country** надлъж и нашир в една страна; **2.** дължина, време, времетраене; ~ **of service** старшинство, прослужени години; **3.** степен, обсег; разстояние; **to go the** ~ **of** (*с ger*) стигам дотам, че (да); **to go to great (all, any)** ~**s** готов съм на всичко, не се спи-

рам пред нищо; **4.** *език., муз.* дължина; **5.** парче, къс (*канап, плат, дърво*); (**trouser**) ~ плат, колкото за една рокля (панталон); • **to keep at arm's** ~ избягвам близостта на някого.

lengthen ['leŋθ(ə)n] *v* **1.** удължавам (се); продължавам (се); проточвам (се); снаждам (*дреха*); раста, нараствам (*за деня*); **to** ~ **out** проточвам се (*за време*); **2.** преминавам в (**into**) (*за годишните времена*).

lenience, -cy ['li:niəns, -si] *n* снизходителност, мекота, търпимост, толерантност.

lenient ['li:niənt] *adj* **1.** снизходителен, мек, милостив, толерантен (**to, towards**); **2.** лек (*за наказание*).

lenitive ['lenitiv] **I.** *adj* смекчаващ, успокоителен; **II.** *n* **1.** успокоително; **2.** палиативна мярка.

lens [lenz] *n* **1.** леща (*оптическо стъкло*); лупа; **2.** обектив; **3.** анат. (*и* **crystalline** ~) кристалин, леща на окото; **4.** фасета; **5.** геол. изпъкнал земен слой.

lentil ['lentil] *n бот.* леща *Lens esculenta.*

leonine ['liənain] *adj* лъвски.

leopard ['lepəd] *n* леопард *Felis pardus.*

leprosy ['leprəsi] *n мед.* лепра, проказа; **2.** *прен.* морална зараза, корупция.

leprous ['leprəs] *adj* прокажен.

less [les] **I.** *adj* по-малък; **the** ~ **time is taken, the better** колкото по-бързо, толкова по-добре; **II.** *prep* минус, без; **III.** *adv* по-малко; **my head aches** ~ **now** сега главата ме боли по-слабо; **IV.** *n* по-малко (количество); **though lame he is none the** ~ **active** макар и куц, той е много подвижен; • **the remark was s.th.** ~ **than polite** забележката далеч не беше учтива.

lessee [le'si:] *n* наемател.

lessen ['lesən] *v* **1.** намалявам (се); смалявам; **2.** подценявам.

lesser ['lesə] *adj attr* **1.** по-малък; **2.** *the* ~ **of two evils** по-малката от две злини; **2.** малък, второстепенен; **the** ~ **Bear** *астр.* Малката

мечка.

lesson ['lesən] *n* **1.** урок; **French** ~ урок по френски; **to do one's** ~**s** уча си уроците; **2.** нотация; поука; **to read s.o. a** ~ мъмря, чета нотация някому; **the punishment has been a** ~ **to him** наказанието му послужи за урок; **3.** *pl* учение; **not very bright at his** ~**s** не много силен ученик; **4.** *pl* курс; **5.** *рел.* откъс от Библията (*част от службата за даден ден*); чтение.

lessor [le'sɔ:] *n* наемодател, -ка.

let₁ [let] *v* (**let**) **1.** оставям; **to** ~ **alone**, ~ **be** оставям на мира; не пипам (не се бъркам); **2.** *аих* оставям, позволявам, разрешавам, пускам (*с int без* **to** *или с изпуснат глагол*); **to** ~ **oneself go** загубвам самообладание, избухвам; **3.** *itp* (*1, 3 л.*) да, нека (да), хайде да; ~ **us** (~**'s**) **go at once** да тръгнем веднага; **4.** (от)давам под наем (*къща, стая*); дава се под наем; *амер.* възлагам (*работа*); дава се под наем (*къща*); **this flat** ~**s for 100 a year** този апартамент се дава под наем за 100 лири годишно;

let by пускам да мине;

let down 1) спускам; 2) удължавам (рокля); 3) захвърлям, изоставям, изневерявам (*за памет*); • **to** ~ **s.o. down** разочаровам, измамвам; оставям някого на сухо;

let in 1) вкарвам, пускам да влезе; отварям (*някому*) вратата; 2) пускам (*въздух*), пропускам вода, тека (*за обувка*); *прен.* отварям широко вратите на (*за нередности*); 3) изигравам, измамвам; **I've been** ~ **in for a thousand** изгърмях с една хилядарка; • **to** ~ **s.o. in on a secret** *разг.* поверявам някому тайна;

let into 1) пускам да влезе, вкарвам (*някого вкъщи*); отварям (*някому*) вратата; 2) снаждам в (*дреха*); 3) посвещавам в (*тайна*); 4) *sl* нахвърлям се на, нападам;

let off 1) изстрелвам (*куршум, стрела*); 2) изпразвам оръжие; 3) изпускам (*пара, вода*); ~ **to steam** *прен. разг.* изпускам (изливам) гнева си; 4) давам (*част от къ-*

ща) под наем; 5) пускам без наказание; освобождавам (*от задължение, работа*) (from, from c *ger*) прощавам;

let on *разг.* 1) издавам (*тайна*); давам да се разбере; правя се, че знам; 2) *амер.* преструвам се, че...; **he ~ on he was a police inspector** той се правеше на инспектор от полицията;

let out 1) пускам да излезе; пускам на свобода; изпускам (*въздух от гума и пр.*); 2) (от)давам под наем; 3) издавам (*тайна*); 4) отпускам (*шев*); отпускам юзди (*на кон*); 5) замахвам (*с ръка*), удрям; *прен.* ругая (at); 6) откривам случайно; 7) издавам (*звук и пр.*), изричам, произнасям (*думи*); 8) свършвам (*за събрание и пр.*), разпускам (*училище и пр.*); 9) уволнявам;

let through пускам, пропускам;

let up *амер.* 1) намалявам (*за дъжд, усилена работа*); 2) спирам (да правя нещо); правя почивка; отпускам се.

let₂ I. *v* (letted, let ['letid, let]) *остар.* попречвам на, възпрепятствам; II. *n* пречка; **without ~ or hindrance** безпрепятствено.

letdown ['let'daun] *n авиац.* снижаване, приземяване.

let-in ['let'in] I. *n* пускане; смукване; втичане, влизане. II. *adj* вграден, лежащ (*напр. в жлеб*).

lethal ['li:θəl] *adj* смъртоносен, летален; фатален; **~ chamber** камера за безболезнено убиване на котки и кучета.

lethargic(al) [le'θa:dʒik(l)] *adj* 1. *мед.* летаргичен; 2. деен.

lethargy ['leθədʒi] *n* 1. летаргия; 2. вялост, сънливост, отпуснатост, апатия, инертност; бездействие.

lethiferous [li'θifərəs] *adj* смъртоносен.

let-off ['let.ɔ:f] *n* опрощаване.

letter ['letə] I. *n* 1. буква; **the ~ of the law** буквата на закона; 2. писмо; послание; **dead ~** писмо, недоставено по посочения адрес или непотърсено от получателя; **~s of credence, ~s credential** *полит.* акредитивни писма; 3.

полигр. шрифт; излята печатна буква; 4. *pl* книжнина, литература; начетеност; ученост; **a man of ~s** учен (книжовен) човек; писател; II. *v* 1. надписвам; обозначавам с букви; 2. щемпелувам, отпечатвам.

lettered ['letəd] *adj* 1. начетен, образован; 2. маркиран с букви; с гравирани букви; **a book ~ in gold** книга, чието заглавие е изписано със златни букви; 3. културен.

lettering ['letəriŋ] *n* 1. надпис; релефни букви; 2. шрифт; 3. *полигр.* букви, буквен материал.

letterless ['letəlis] *adj* неук, прост, неграмотен; необразован.

lettuce ['letis] *n* маруля (*и* long-leaved ~); салатка (*и* cabbage, Cos ~).

let-up ['let.ʌp] *n амер.* прекратяване, спиране; прекъсване; намаляване, отслабване.

levee₁ ['levi] *n* 1. прием, даван от държавен глава; **to hold a ~** давам прием; 2. прием.

levee₂ I. *n амер.* 1. насип, дига; вал; 2. естествено стръмен бряг; 3. *истор.* пристан, кей; II. *v* издигам насип (вал).

level ['levəl] I. *n* 1. равнище, ниво, висота; **top-~ conference** съвещание на висше равнище; 2. равнина; **dead ~** равнинна местност, монотонна равнина; *прен.* еднообразие, монотонност; 3. *техн.* нивелир, либела (*и* spirit (air) ~); **vertical ~** отвес; 4. *мин.* етаж, хоризонт; II. *adj* 1. равен, гладък, плосък; хоризонтален; **~ with** на същата височина (ниво, равнище) с; 2. еднакъв, равен, равностоен, равномерен; *прен.* уравновесен, спокоен; **~ temperature** постоянна температура; III. *v* (-ll-) 1. заравнявам, изравнявам, изглаждам, уравнявам, нивелирам; **to ~ to** (with) **the ground** сривам до земята, изравнявам с лицето на земята; 2. насочвам, прицелвам се, премервам се (at, against); **to ~ sarcasm** (accusations) **at** отправям саркастични забележки (обвинения) към; ◇ *adv* **levelly**; **level away** 1) заравнявам; израв-

нявам; 2) *прен.* премахвам (*различия*);

level down 1) сривам със земята; събарям; 2) принизявам;

level off 1) изравнявам, изглаждам; 2) стабилизирам, постигам равновесие; 3) *авиац.* преминавам в хоризонтален полет;

level up докарвам до по-високо ниво; приравнявам;

level with казвам истината, говоря открито;

IV. *adv* равно, хоризонтално.

level-headed ['levl'hedid] *adj* уравновесен, здравомислещ.

levelling ['levəliŋ] *n* 1. изравняване, нивелиране; 2. изправяне, рихтоване.

lever ['li:və] I. *n* 1. *техн.* лост; ръчка; лом; **control ~** ръчка (лост) за управление; 2. *физ.* лост, рамо; II. *v* повдигам с лост (out, over, up).

levigate ['levigeit] *v книж.* 1. стривам, счуквам на прах; смилам; 2. правя на паста с (with); 3. отделям (*фина субстанция от по-груб материал*), рафинирам.

levitate ['leviteit] *v* повдигам (се), издигам (се).

levity ['leviti] *n* 1. лекомислие, несериозност; безотговорност; вятърничавост; 2. лекомисленост, безотговорност.

levy ['levi] I. *n* 1. събиране, вземане; 2. облагане (*с данък*); 3. отчуждаване, експроприиране, изземване; 4. *воен.* свикване под знамената, набиране новобранци, мобилизиране; набор; **~ in mass, ~en masse** обща мобилизация; 5. новобранци, набор, мобилизирани войници; II. *v* 1. вземам, налагам (*данък, налог*); **to ~ duty on goods** облагам стоки с данък; 2. изземвам, отчуждавам, експроприирам (*имот*); 3. мобилизирам, свиквам под знамената, набирам (*войници*); ● **to ~ war on** започвам война срещу.

lewd [lju:d] *adj* 1. похотлив; развратен, разгулен; 2. неприличен, нецензурен, мръсен.

lexical ['leksikəl] *adj* 1. лексикален, словен; 2. речников; речникар-

ски, лексикографски.

lexicology [ˌleksiˈkɔlədʒi] *n* лексикология.

lexicon [ˈleksikən] *n* речник, словар; лексикон.

lexis [ˈleksəs] *n pl* **lexes** лексика, всички думи в един език.

liability [ˌlaiəˈbiliti] *n* 1. отговорност; ~ of indemnity отговорност за обезщетение; 2. дълг, задължение; *pl* пасив; 3. предразположение, наклонност, склонност.

liable [ˈlaiəbəl] *adj* 1. отговорен (for); задължен (to *c inf*); 2. подлежащ, предразположен; податлив на; уязвим; ~ to duty който подлежи на облагане; 3. *predic* вероятен, възможен; difficulties are ~ to occur възможно е да се появят трудности, могат да се очакват затруднения.

liaision [liːˈeizən] *n* 1. връзка, свръзка; *воен.* взаимодействие; съгласуване; ~ officer офицер за свръзка; 2. любовна връзка; 3. *език.* лиезон, фонетично свързване.

liana [liˈaːnə] *n бот.* лиана.

libel [ˈlaibəl] I. *n* 1. клевета (*обикн. в печата*), очерняне; 2. *юр.* молба на тъжителя (*обикн. в духовен съд*); II. *v* клеветя, петня, черня, очерням, злепоставям.

libel(l)er [ˈlaibələ] *n* клеветник.

libel(l)ous [ˈlaibələs] *adj* клеветнически.

liberal [ˈlibrəl] I. *adj* 1. щедър; обилен, изобилен; ~ reward щедра отплата; 2. свободомислещ, свободен от предразсъдъци; с широки възгледи; либерален; ~ arts хуманитарни науки; 3. *полит.* либерален; II. *n* либерал.

liberalism [ˈlibrəlizəm] *n* либерализъм.

liberality [ˌlibəˈræliti] *n* 1. щедрост; изобилие; 2. *остар.* подарък, дарение, дар; 3. либералност, свободомислие; 4. либерализъм.

liberalize [ˈlibərəlaiz] *v* правя (ставам) либерален и пр.; либерализирам (се).

liberate [ˈlibəreit] *v* 1. освобождавам (from); 2. *хим.* отделям, ос-

вобождавам.

liberation [ˌlibəˈreiʃən] *n* 1. освобождаване, освобождение; 2. *хим.* отделяне, освобождаване.

liberator [ˈlibəreitə] *n* освободител.

liberty [ˈlibəti] *n* 1. свобода; ~ of speech свобода на словото; to set s.o. at ~, to give s.o. his ~ пускам някого на свобода; 2. безцеремонност, волност; своеволие; to take the ~ of doing (to do) smth позволявам си (осмелявам се) да направя нещо; 3. *pl* привилегии, права (*дадени от официална власт*); 4. район, в който важат известни привилегии; 5. *амер., воен., мор.* кратък (градски) отпуск; 6. незает; безработен.

libido [liˈbidou] *n псих.* 1. либидо, влечение; 2. енергия, предизвикана от половия инстинкт.

librarian [laiˈbrɛəriən] *n* библиотекар, -ка.

library [ˈlaibrəri] *n* библиотека; walking ~ *шег.* подвижна (жива) енциклопедия.

librate [ˈlaibreit] *v* колебая се; осцилирам.

libration [laiˈbreiʃən] *n книж.* колебание, клатушкане; потрепване, осцилация (*на везни, на небесно тяло*).

libretto [liˈbretou] *n* либрето.

licence [ˈlaisəns] *n* 1. разрешение, позволение; 2. позволително, лиценз, разрешително, патент; gun ~ разрешение за носене на оръжие; driving ~ шофьорска книжка; 3. диплома; 4. волност, невъздържаност, своеволие, слободия, разпуснатост; 5. свобода; he was allowed some ~ in interpreting the instructions беше му дадена известна свобода да тълкува указанията.

license [ˈlaisəns] *v* лицензирам, позволявам, разрешавам, давам позволително (разрешително, патент) на (за); to ~ a man to keep a beer shop давам някому разрешение да държи бирария.

licensing [ˈlaisənsiŋ] *n* лицензиране, преотстъпване (отдаване) на лиценз.

licentious [laiˈsenʃəs] *adj* 1. безнрав-

ствен, разпуснат, безпътен, разгулен; невъздържан; 2. *остар., рядко* свободен; който се отклонява от правилата (общоприетото).

lichen [laikn] *n бот., мед.* лишей.

licit [ˈlisit] *adj* позволен; законен.

lick [lik] I. *v* 1. лижа, близья; облизвам; to ~ s.o.'s boots (shoes), to ~ the feet of s.o. лижа някому нозете, унижавам се (раболепнича) пред някого; 2. *разг.* натупвам, набивам, бия, тупам; побеждавам с голяма преднина (*в състезание*); to ~ a problem *амер.* разрешавам задача; 3. треперя, трепкам (*за пламък, огън, вълна*); 4. *sl* тичам, бягам, търча; II. *n* 1. лизане, близане, лижене; облизване; to put in o.'s best (big, solid) ~s *амер., разг.* полагам всички усилия; 2. "близка", глътка, парченце, троха; 3. място, където животните отиват да ближат сол; 4. *разг.* голяма бързина, бърз ход; at a great (at full) ~ с пълна пара; 5. *разг.* силен (зашеметяващ) удар; 6. мазка (*с боя, четка*).

lickspittle [ˈlikspitəl] *n* блюдолизец; подлизурко, мазник.

lid [lid] *n* 1. капак; похлупак; to keep the ~ on *разг.* засекретявам, държа в тайна, не разгласявам; 2. клепка, клепач (*и eyelid*); 3. *sl* шапка, капела; 4. *sl* доза марихуана.

lie₁ [lai] I. *n* лъжà, измама; to give s.o. the ~ изобличавам някого в лъжа, опровергавам някого; ~s have short legs на лъжата краката са къси; II. *v* лъжа; to ~ oneself out of a scrape измъквам се от неудобно положение с лъжи (лъжа).

lie₂ I. *v* (lay [lei]; lain [lein]) 1. лежа; to ~ like a log лежа неподвижно (като труп, без съзнание); 2. разположен съм, намирам се, простирам се; съм; the town ~ near the river градът е разположен край реката; 3. намирам се, съм (*в някакво състояние*); to ~ in ambush стоя в засада, причаквам (for); 4. тежи ми (*задължение и*

пр.); **to ~ under a charge** обвинен съм в нещо; тежи ми някакво обвинение; **5.** *юр.* допуска се, законно е; **action does not ~** не може да се предяви иск (да се повдигне, възбуди следствие); **6.** *мор.* на котва съм; *остар.* престоявам, оставам, пренощувам; • **the ship ~s her course** корабът не се отклонява от пътя (курса) си;

lie about търкалям се, пръснат съм;

lie back лежа по гръб; облягам се назад;

lie by 1) не съм употребяван; бездействам; безработен съм; 2) почивам; 3) стоя в резерв;

lie down лягам (си); **to go and ~ down** лягам да си почина;

lie off 1) *мор.* намирам се на известно разстояние от брега; 2) временно преустановявам работата, оставам временно безработен (*за сезонни работници и пр.*);

lie out 1) нощувам вън от къщи; 2) простирам се; • **to ~ out of one's money** още не съм се добрал до парите си;

lie over отложен съм за по-късно; оставам висящ;

lie round присъствам, налице съм;

lie to *мор.* стоя (оставам) почти неподвижен (*за платноход, при специално положение на платната*);

lie up 1) пазя леглото (стаята); лежа; 2) *мор.* на док съм; 3) *прен.* стоя в бездействие; неизползван; **II.** *n* положение, разположение; насока; очертание; **the ~ of the land** конфигурацията (очертанието) на терена; *прен.* положението на нещата.

lieutenant [lef'tenənt, *амер.* lju:'tenənt] *n* 1. лейтенант; **first ~** старши лейтенант; *остар.* поручик; 2. заместник, помощник.

life [laif] *n* (*pl* **lives**) 1. живот; **to bring to ~** докарвам в съзнание; възкресявам, връщам към живота; **a matter of ~ and death** въпрос на живот и смърт; 2. жизненост, бодрост; живот; **he was the ~ of the party** той бе душата на

компанията; 3. *изк.* натура; естествена величина (големина); **as large (big) as ~** в естествена големина; като жив; 4. общество; **high ~** хайлайф, светско (аристократично) общество, аристокрация, висша класа; 5. биография, животоописание; 6. човек, застрахован за живот (*против смърт*); **a good ~** човек, чийто живот не е застрашен от опасност; добър обект за застраховка живот; 7. дълготрайност, живот (*на машина и пр.*); **full-load ~** дълготрайност при максимално натоварване; 8. *спорт.* нов старт; друга възможност.

life-boat ['laifbout] *n* спасителна лодка.

life-force ['laif,fɔ:s] *n* жизнена сила.

life-giving ['laif,givin] *adj* животворен, живителен; който възстановява силите (живота).

life-guard ['laif,ga:d] *n* 1. бодигард, лична охрана; 2. *амер.* спасител.

life insurance ['laif,in'ʃuərəns] *n* застраховка живот.

lifeless ['laiflis] *adj* 1. безжизнен; мъртъв; 2. вял, скучен, безинтересен; • **he is ~ that is faultless** човешко е да се греши.

lifelong ['laiflɔŋ] *adj* доживотен, пожизнен, за цял живот.

life-saving ['laif,seivin] *adj* спасителен; **~ service** водно-спасителна служба.

lifetime ['laiftaim] *n* 1. човешки живот; **within our ~** докато сме живи; 2. време на живот, продължителност (срок) на действие; **satellite ~** време на пребиваване на спътник в орбита.

lift [lift] **I.** *v* 1. вдигам (се), повдигам (се); издигам (се); **to ~ (up) one's voice against** надигам глас срещу, протестирам против; **to ~ an embargo** вдигам ембарго; 2. *sl* задигам, отмъквам, крада, "дигам"; плагиатствам; 3. вадя, прибирам, събирам (*от земята*); **to ~ seedlings** вадя разсад (*за засаждане или пикиране*); **to ~ potatoes** вадя картофи; 4. *амер.* плащам (полица), изплащам, очиствам; 5. вдигам се, разпръс-

вам се, разнасям се; преставам; **the fog ~ed** мъглата се вдигна; **II.** *n* 1. вдигане, повдигане, издигане; **to get a ~ up in the world** издигам се по-високо в обществото; 2. товар (*който се повдига*); 3. асансьор, лифт; 4. *техн.* подемна машина, хаспел, елеватор, лифт; **air ~** пневматичен подемник, въздушна помпа; 5. *физ., техн.* подемна сила; 6. *мин.* дебелина на пласт; 7. ход (*на клапан*); 8. *геол.* изваждане на сондажен инструмент; 9. височина на издигане; напорна (смукателна) височина; 10. *мор.* въже, което се спуска от върха на мачтата на платноход до края на напречната рейка на платното; 11. вътрешна кожа в бомбето или форта на обувката;

lift away махам, премахвам.

ligament ['ligəmənt] *n* 1. свръзка, съединение, връзка; 2. *анат.* лигамент; сухожилие.

ligate [li'geit] *v* 1. свързвам; 2. легирам, добавям примеси.

ligature ['ligətʃuə] **I.** *n* 1. *мед.* лигатура; лигиране; превръзка; 2. връзка; 3. *муз.* легато, лигатура; 4. *полигр.* лигатура; **II.** *v мед.* лигирам; превързвам (*кръвоносен съд*).

light₁ [lait] **I.** *n* 1. светлина; виделина; **by the ~ of the moon** на лунна светлина; **at first ~** на зазоряване, на разсъмване; 2. *прен.* светлина, бял ден; **to bring to ~** изкарвам наяве; изяснявам; 3. аспект; **to put the best ~ on s.th.** представям нещо в най-благоприятна светлина; 4. озарение; **the ~ of one's countenance** *ирон.* благоразположение, благосклонност; 5. светилник, светило, лампа, фар, свещ; светлина; осветление; **to shut o.'s ~s** умирам, отивам си от този свят; 6. сигнална лампа; *pl* светофар; **to see a (the) red ~** виждам (подозирам за) опасност; 7. *изк.* светлина; **and shade** светлина и сянка; *прен.* резки различия, контрасти; 8. огън (*за запалване*); **to put a ~ to the fire** запалвам огън; 9. про-

зорец; светъл отвор, стъкло, част от прозорец; **10.** светило, знаменитост; **leading** ~ голям капацитет; **11.** прозрение; **a** ~ **broke in upon him** той разбра, стана му ясно; **12.** светлинна реклама; **II.** *adj* светъл; ~ **blue** светлосин; **III.** *v* (lit [lit] *или* lighted) **1.** запалвам (се), паля (се); **2.** осветявам; **to** ~ **s.o. downstairs** светя някому докато слиза по стълбището; **3.** *прен.* оживявам (се), пламвам (*обикн. с* up).

light₂ I. *adj* **1.** лек; **a** ~ **touch** леко докосване; **to be a** ~ **sleeper** спя леко, имам лек сън; **2.** лек, конструиран от леки материали, с лека конструкция; ~ **wooden shed** лек дъсчен навес; **3.** слаб, малък, незначителен; лек; ~ **crop** слаба (бедна) реколта; **4.** рохкав, трошлив (*за почва*); **5.** лекомислен; непостоянен; празен; **to make** ~ **work of** правя нещо с лекота; **6.** лекотоварен; **II.** *adv* леко; **to get off** ~ отървавам се с малко, минавам леко; ◇ *adv* lightly.

light₃ *v* (lighted, *рядко* lit) **1.** рядко слизам (*от кон, превозно средство*) (**off, from, down from**); отпускам се, слягам се (**on, upon**); **2.** кацвам (*за птичка*); падам върху (*за слънчев лъч, поглед и пр.*); **3.** натъквам се неочаквано, попадам случайно (**on, upon**); **4.** *амер. sl* (lit) спускам се, нахвърлям се; нападам (**into**); **light off** офейквам.

lighten₁ [laitn] *v* **1.** осветявам, озарявам; *изк.* приглушавам, намалявам яркостта на (*боя, тон*); **2.** просветвам, прояснявам (се), разведрявам (се); **3.** святкам, проблясвам.

lighten₂ *v* **1.** облекчавам, улеснявам; олеквам; **my heart** ~ed олекна ми на сърцето; **2.** смекчавам (*наказание*); **3.** разтоварвам.

light-fingered [ˈlaitˈfiŋgəd] *adj* **1.** ловък, изкусен, сръчен; **2.** крадлив, с дълги ръце (пръсти).

light-headed [ˈlaitˈhedid] *adj* **1.** лекомислен; необмислен; **2.** умствено разстроен; побъркан; замаян.

light-hearted [ˈlaitˈhɑːtid] *adj* безгрижен, весел, с леко сърце.

lighthouse [ˈlaithaus] *n* фар, маяк; **fixed-light** ~ фар с неподвижна светлина.

lighting [ˈlaitiŋ] *n* **1.** светене, осветяване; ~ **effects** светлинни ефекти; **2.** запалване, възпламеняване.

light-minded [ˈlaitˈmaindid] *adj* лекомислен, фриволен.

lightness [ˈlaitnis] *n* **1.** лекота, леснота; **2.** лекомислие, безгрижие; **3.** осветеност.

lightning [ˈlaitniŋ] *n* мълния, светкавица; **ball** ~ кълбовидна мълния.

lightning-like [ˈlaitniŋˌlaik] *adj* светкавичен, мълниеносен.

lightsome₁ [ˈlaitsəm] *adj* остар. светъл; ясен.

lightsome₂ [ˈlaitsəm] *adj* остар. **1.** лек, гъвкав, грациозен; **2.** въздушен, ефирен; **3.** весел, радостен; безгрижен.

likable, likeable [ˈlaikəbəl] *adj* приятен; привлекателен, мил.

like₁ [laik] **I.** *adj* **1.** подобен, сходен, приличен на; **they are as** ~ **as two peas** те си приличат като две капки вода; **2.** еднакъв, равен; **we are** ~ **as we lie** *спорт.* имаме еднакъв брой точки (*при игра на голф*); **II.** *prep* **1.** както, като, по същия начин, както; **to work** ~ **blazes** работя като фурия; **2.** характерен за, типичен за; ● ~ **a shot** с голяма бързина; **III.** *adv* **1.:** ~ **enough, very** ~ много възможно, твърде вероятно; **2.** *нар.* така да се каже, като че ли; **IV.** *cj разг.*, *особ.* амер. като че ли; **do it** ~ **he does** направи го като него; ● ~ **father** ~ **son** крушата не пада по-далеко от дървото; **V.** *n* нещо подобно (еднакво, равно); **we shall never look upon his** ~ **again** никога вече няма да видим такъв човек като него.

like₂ *v* **1.** харесвам, харесва ми се, обичам; **how do you** ~ **his new play?** как ти се струва новата му пиеса? **2.** остар. (безл.): **it** ~**s me well** нрави (харесва) ми се; **II.** *n pl* склонности, предпочитания, влечения; ~**s and dislikes** вкусо-

ве; симпатии и антипатии.

likable, likeable [ˈlaikəbəl] *adj* приятен; привлекателен, мил.

likely [ˈlaikli] **I.** *adj* **1.** вероятен, възможен; **a** ~ **story** правдоподобна история; **2.** подходящ; задоволителен; обещаващ; надеждан; **a** ~ **candidate** подходящ кандидат; **3.** *амер.* хубав, красив; **II.** *adv* вероятно; ~ **as not, as** ~ **as not** по всяка вероятност, твърде вероятно.

likeness [ˈlaiknis] *n* **1.** сходство, прилика (**between** – между; **to** – с); **speaking** ~ поразително сходство, точно копие; **2.** портрет; **to draw s.o.'s** ~ рисувам нечий портрет; **3.** образ, подобие, вид.

liking [ˈlaikiŋ] *n* **1.** симпатия, склонност, наклонност; разположение; **to take a** ~ **to s.o.** привързвам се към някого; **2.** вкус; **to one's** ~ по нечий вкус, по вкуса на някого.

lily-livered [ˈliliˌlivəːd] *adj* малодушен, страхлив.

limb [limb] *n* **1.** крайник, член (*на тяло*); **2.** клон; **3.** палавник, палавница.

limit [ˈlimit] **I.** *n* **1.** граница, предел, край; *икон.* лимит, размер; **speed** ~ ограничение на скоростта; **2.** *мат.* граница; **3.** *остар.* област, район; **cartage** ~ район на доставка (превозване); **4.** *техн.* допуск, толеранс; **II.** *v* ограничавам.

limitation [limiˈteiʃən] *n* **1.** ограничение; ограничаване; ограниченост; **2.** уговорка, резерва; **3.** *юр.* краен (пределен) срок; давностен срок.

limited [ˈlimitid] *adj* ограничен; ~ **(liability) company** дружество с ограничена отговорност.

limitless [ˈlimitlis] *adj* безграничен, безпределен, безкраен; неограничен.

limp₁ [limp] **I.** *v* **1.** накуцвам, куцам; **to** ~ **down** слизам накуцвайки; **2.** движа се бавно, с усилие; **II.** *n* накуцване, куцане.

limp₂ *adj* **1.** мек; отпуснат, неенергичен; **2.** безволев, слаб; **3.** *полигр.* ~ **covers** с меки корици.

limpid ['limpid] *adj* прозрачен, бистър, кристален; *прен.* ясен.

line [lain] I. *n* 1. линия, щрих, черта; **goal ~** *спорт.* голлиния; 2. линия на поведение; **to keep (take) one's own ~, to strike out a ~ of one's own** следвам своя път; 3. граница, погранична линия (черта); предел; **one must draw the ~ somewhere** *прен.* всяко търпение си има граници; 4. *обикн. pl* очертание, контур, силует; 5. линия (*съобщителна, търговска, транспортна*); **all along the ~** по цялата линия; *прен.* навсякъде, във всяка точка; 6. *воен.* развърнат строй, верига; фронтова линия; **in ~** в развърнат строй; 7. *геогр.* екватор; 8. произход, родословие, коляно, потекло; линия; **male (female) ~** мъжка (женска) линия; 9. бразда; бръчка; 10. връв; канап, шнур; въженце, въже; **clothes-~** въже за простиране на пране; 11. въдица, корда; 12. кабел, жица; 13. ред; *pl* стихове; **drop me a few ~s** драснете ми няколко реда; 14. редица; опашка (*от чакащи хора*); **to stand in ~** чакам на (в) редица; правя опашка; 15. ресор, специалност, поприще; занятие, работа, професия; **it is not in my ~, it is out of my ~** с такова нещо не се занимавам, не разбирам от такова нещо; не съм по тази част; 16. вид, естество; **~ of goods** вид стока; 17. дванадесета част от цол (инч); 18. тръба; ● **to fall into ~ with** приспособявам се, нагаждам се към; II. *v* 1. разчертавам, тегля (чертая) линии върху; 2. набраздявам; 3. поставям, нареждам (се) в редица (линия) (*и* **~ up**); **to ~ up with** нареждам се с, присъединявам се към; III. *v* подплатявам, обшивам (облицовам, тапицирам) отвътре; *техн.* облицовам, подвързвам (*книга*).

lineage ['liniidʒ] *n* потекло, родословие, произход.

linear ['liniə] *adj* 1. линеен; **~ integrated circuit** *ел.* линейна интегрална схема; 2. продълговат, дълъг; ◇ *adv* **linearly.**

linger ['lingə] *v* бавя се, мая се, влача се, точа се; **to ~ over one's work** бавя се с работата си.

linguistic [ling'wistik] *adj* езиков; езиковедски, лингвистки; ◇ *adv* **linguistically.**

lion ['laiən] *n* 1. лъв; **a great ~** знаменитост, известна (популярна) личност; 2. *астр.* Лъв.

lion-hearted ['laiən,ha:tid] *adj* храбър, безстрашен, неустрашим, с лъвско сърце.

lip [lip] I. *n* 1. устна; **to seal s.o.'s ~s** затварям някому устата, накарвам някого да млъкне; 2. *sl* нахалство; дързък отговор; **none of your ~!** стига! не с този тон! 3. край, ръб (*на съд, рана, кратер и пр.*); 4. *муз.* положение на устните при свирене (*на духов инструмент*); 5. *муз.* мундщук; 6. улей (на пещ); 7. *хидр.* праг; II. *adj* 1. език. лабиален, устен; 2. *прен.* неискрен, повърхностен, само на думи; III. *v* (**-pp-**) 1. докосвам с устни, *остар.* целувам; 2. промълвям, казвам тихо.

liquefy ['likwifai] *v* втечнявам (се), разтапям, разтварям.

liquid ['likwid] I. *adj* 1. течен; 2. прозрачен, бистър, светъл; ясен; чист; хармоничен (*за тон*); 3. непостоянен, изменчив, променлив (*за убеждения*); разтеглив, еластичен (*за принципи*); 4. език. плавен, сонорен, ликвиден (*за звук*); 5. *фин.* ликвиден; който лесно може да се реализира (*за ценни книжа*); наличен; свободен (*за капитал*); II. *n* 1. течност; 2. език. плавен звук, сонор, ликвида (*напр.* л, р).

liquidate ['likwideit] *v* 1. ликвидирам, закривам (*търговско, промишлено, банково или друго стопанско предприятие*); 2. фалирам; 3. изплащам (*дълг*), разчиствам, уреждам (*сметки*); 4. превръщам в пари.

liquidation [likwi'deiʃən] *n* 1. *търг.* ликвидация; 2. изплащане, уреждане (*на дълг*).

liquidize ['likwidaiz] *v* пасирам, правя на пюре.

liquor ['likə] I. *n* 1. напитка, питие;

spiritous ~s силни спиртни напитки; 2. течност, разтвор (*при обработка на кожи, в бояджийството и пр.*); 3. бульон от месо; сос (*от печено месо*); 4. масло, останало след пържене; 5. *хим., мед.* разтвор; тинктура; II. *v* 1. *разг.* пия, гаврътвам, изпивам (*обикн. с* **up**); **to ~ s.o. up** напивам някого; 2. намазвам (смазвам) с мазнина (*за кожи, обувки*); 3. накисвам, натопявам.

lisp [lisp] I. *v* 1. фъфля; 2. говоря неразбрано (*за дете*); II. *n* 1. фъфлене; неправилен говор; 2. шушнене, съскане; бълбукане, ромон, ромолене (*за поточе*).

lissom(e) ['lisəm] *adj* 1. гъвкав, еластичен; 2. пъргав, подвижен, чевръст, бърз.

list₁ [list] I. *n* списък; опис; листа; регистър, каталог; индекс; инвентар; **wine ~** лист за вината (*в ресторант*); II. *v* 1. вписвам, нанасям в списък, каталогизирам, регистрирам; правя опис на; 2. изброявам, описвам; 3. *остар., нар.* записвам се войник, отивам войник.

list₂ *n* 1. край, ивица, кант, ръб, бордюр; *текст.* ива; 2. *pl* арена; **to enter the ~s** 1) предизвиквам на двубой; приемам двубой; 2) участвам в състезание; 3. *архит.* листел, тясна изпъкнала ивица на йонийски капител.

listen [lisn] *v* 1. слушам, вслушвам се, ослушвам се (**to**); 2. отстъпвам (*пред молба, изкушение*).

listener ['lisnə] *n* слушател; радиослушател.

listless ['listlis] *adj* равнодушен, безучастен, безстрастен, апатичен, безразличен; незаинтересован, отпуснат.

literal ['litərəl] I. *adj* 1. буквен; **~ error** *полигр.* грешка при набора; 2. точен, буквален, дословен, литерален; **the ~ truth** чистата (голата) истина; 3. прозаичен, сух, педантичен; без въображение (*и* **~-minded**); II. *n* полигр. грешка при набора.

literary ['litərəri] *adj* 1. литературен; **~ man** литератор; 2. лите-

ратурно образован.

literate ['litərit] I. *adj* грамотен; начетен; образован; учен; II. *n* грамотен (образован) човек; ерудит; учен.

literature ['litərət[ə] *n* 1. литература; 2. *остар.* образование, ерудиция; литературни познания и вкусове.

lithe [laið] *adj* гъвкав, жилав, подвижен.

littery ['litəri] *adj* разхвърлян, разпилян, разпръснат, хаотичен.

little [litəl] I. *adj* (*сравн. ст.* less, lesser; *превъзх. ст.* least; 1. малък; дребен; *прен.* незначителен; the ~ ones децата; малките; 2. кратък, къс (*за време и разстояние*); after (in) a ~ while след малко, след кратко време; II. *adv* 1. малко, в малка степен; 2. (*с някои глаголи, като* dream, think, imagine, guess, know *и пр.*) никак, съвсем не, ни най-малко; he ~ thought, ~ did he think той съвсем не мислеше (предполагаше); III. *n* нещо малко (дребно); every ~ makes a mickle, many a ~ makes a mickle капка по капка, вир става.

littoral ['litərəl] I. *adj* крайбрежен, приморски; литорален; II. *n* 1. крайбрежие, крайбрежен (приморски, крайморски) район; 2. крайбрежни води, крайбрежна ивица.

liturgy ['litə:dʒi] *n* рел. литургия, църковна служба; меса.

livable ['livəbəl] *adj* 1. сносен; поносим, търпим (*за живот*); 2. обитаем, годен (приятен) за живеене; 3. дружелюбен, общителен.

live₁ [liv] *v* живея; съществувам; доживявам; to ~ well живея нашироко, от нищо не се лишавам; живея благочестив живот;

live beyond: to ~ beyond one's means живея не според средствата си; простирам се не според чергата си;

live by 1) живея (преживявам) от, препитавам се с; 2) спазвам, съблюдавам, следвам; • man ~s by hope надеждата крепи човека;

live down: to ~ down a sorrow превъзмогвам мъката си;

live for: to ~ for the day (time) when s.th. will happen с нетърпение очаквам деня (момента), когато ще се случи нещо;

live in 1) спя (нощувам, живея) в къщата, където работя (*за слуги*); 2) обитавам;

live off 1) храня се с, живея от; 2) живея на чужд гръб;

live on 1) продължавам да живея; 2) храня се от (с); живея с; to ~ on others живея на чужд гръб;

live out 1) преживявам; изживявам; издрайвам; 2) живея отделно от мястото, където работя; 3) изпълнявам, реализирам, осъществявам; • to ~ out of a suitcase (trunk) постоянно съм на път, често пътувам (*поради служебни задължения*);

live through изкарвам, изживявам; надживявам;

live together съжителствам (*извънбрачно*);

live up to живея съобразно (съгласно, според); to ~ up to one's promise изпълнявам (удържам) обещанието си;

live with 1) съжителствам с (*без брак*); 2) примирявам се с, приемам (*дадено положение*).

live₂ [laiv] *adj* 1. жив, живеещ, съществуващ; 2. жив, жизнен, буден, енергичен; наситен (*за цвят*); 3. актуален, реален, действителен, съществуващ; 4. горящ; ~ coal жив въглен; 5. в действие, действащ, зареден, неексплодирал; 6. *техн.* променлив (*за товар*); 7. *ел.* под напрежение; 8 директен, на живо (*за предаване*); • ~ wire *амер.* енергичен човек, "огън" човек.

livelihood ['laivlihud] *n* прехрана, препитание, средства за преживяване (препитаване).

livelong ['livlɔŋ] *adj поет.* 1. цял; the ~ day цял ден, от сутринта до вечерта; 2. траен, вечен.

lively ['laivli] I. *adj* 1. жив; бърз, подвижен; жизнен, витален, бодър; буен; ~ reaction *хим.* бурна реакция; 2. весел, оживен; 3. ярък;

силен (*за цвят, впечатление, чувства и пр.*); • to make things ~ for a person правя нечий живот черен, правя нечий живот труден; II. *adv* живо, оживено; бързо.

liven [laivn] *v* оживявам (се), развеселявам (се), ободрявам (се) (*обикн.* ~ up).

living ['liviŋ] I. *n* 1. живеене, живот, начин на живеене; 2. прехрана, издръжка, средства за препитание; high ~ живот (живеене) на широка нога; лукс, разкош; 3. *рел.* бенефиций; 4. *attr* за живеене; ~ standard жизнен стандарт; II. *adj* 1. живеещ, жив, съществуващ; clean ~ който води почтен живот; 2. *прен.* жив (*за език, вяра и пр.*) • this event is within ~ memory все още има живи свидетели на събитието.

lizard ['lizəd] *n* 1. гущер; 2. *авиац.* лупинг.

load [loud] I. *n* 1. товар, тегло, тежест; dead ~ *техн.* неполезен товар; баласт; собствена тежест; та ра; 2. *прен.* тегло, бреме; to take a ~ off one's mind освобождавам се от грижа (безпокойство); олеква ми на душата; 3. товар, количество, което може да се натовари (носи); *техн.* натоварване; 4. *воен.* заряд; 5. *изч.* въвеждане, зареждане, натоварване; ~and-go въвеждане и изпълнение; 6. *pl разг.* много, множество; • get a ~ of this *амер.* слушай внимателно; II. *v* 1. товаря, натоварвам; 2. *прен.* обременявам, утежнявам, затруднявам; 3. отрупвам, обсипвам; 4. претоварвам (*за стомах*); 5. зареждам, пълня (*оръжие, фотоапарат*); 6. подправям (*вино и пр.*), фалшифицирам; 7. "зареждам" от една страна (*за зарове*); 8. добавям към премията (*на застраховка*); 9. *разг.* натъпквам се, набухвам се, здравата се наяждам.

loaded ['loudid] *adj* 1. натоварен, претоварен; 2. удължен (*за антена*); 3. богат, заможен, състоятелен.

loan [loun] I. *n* 1. заем; **Goverment**

(State) ~ държавен заем; 2. нещо заето; заемка (за дума, обичай); II. v 1. амер. давам на заем, заемам; 2. заимствам (дума, обичай и пр.).

lobby ['lɔbi] I. n 1. преддверие, антре, вестибюл; фоайе; коридор; 2. парл. кулоар; 3. амер. лоби; II. v 1. опитвам се да влияя на законодатели за прокарване на закон; посещавам често кулоарите; 2. интригантствам.

local ['loukəl] I. adj местен; локален; ~ time местно време; ◇adv locally; II. n 1. пътнически влак; 2. местен жител; 3. местна организация; 4. (местна, най-близка) пивница; локал; 5. местни новини (във вестник); 6. пощенска марка, валидна само в определен район.

locality [lou'kæliti] n 1. място; местност; местоположение; to have a sence of ~ умея да се ориентирам; 2. населен пункт, населено място (и inhabited, populated ~); 3. обикн. pl покрайнини, околности; 4. способност за ориентиране.

localization ['loukəlaizeiʃən] n локализация, локализиране, определяне на местоположение.

localize ['loukəlaiz] v 1. локализирам, ограничавам; 2. определям местонахождението.

lock [lɔk] I. n 1. брава; ключалка; кофар, катинар, катанец; under ~ and key под ключ; 2. спусчен механизъм (на пушка); 3. шлюз; 4. техн. чивия, клин; спирачка; 5. ключ (хватка в борбата); 6. задръстване (на уличното движение); 7. преддверие на зала, в която се работи със сгъстен въздух; II. v 1. заключвам (се); затварям (се); 2. стягам, затягам; спирам (със спирачка); 3. стисвам (при борба); притискам, прегръщам силно; 4. скрепявам; 5. преплитам, скопчвам (пръсти и пр.); 6. движа (се) през шлюзове; 7. поставям шлюзове; 8. блокирам (за колело).

lock away заключвам (в чекмедже и пр.);

lock in (to) 1) заключвам (човек) отвън; 2) ограждам;

lock on следя автоматично цел с радар, сензор;

lock out заключвам (отвътре), за да не влезе (някой), не пускам да влезе; не пускам (работници) на работа, провеждам локаут срещу;

lock up 1) заключвам; 2) затварям (в затвор, лудница); 3) замразявам капитал.

locomotive ['loukə,moutiv] I. adj движещ се; ~ power (faculty) способност за движение; движеща сила; II. n 1. локомотив; 2. pl sl крака, мотовили.

logarithm ['lɔgəriθəm] n логаритъм.

logarithmic(al) [,lɔgə'riθmik(əl)] adj логаритмически, логаритмичен.

logic ['lɔdʒik] n 1. логика; 2. изч. логическа схема, система от логически елементи.

logical ['lɔdʒikəl] adj 1. логически; 2. логичен, последователен; ◇adv logically.

logistic [lə'dʒistik] I. adj логичен; вещ в логиката; II. n обикн. pl смятане, изчисление; ◇adv logistically.

loiter ['lɔitə] v бавя (се), мотая се, пипкам се; to ~ away one's time губя си времето, безделнича, размотавам се.

loiterer ['lɔitərə] n безделник, празноскитащ.

loll [lɔl] v 1. излягам се, облягам се, отпускам се, излежрям се; 2. вися, увисвам (език); отпускам.

lone [loun] adj 1. сам, отделен, уединен; to play a ~ hand действам напълно независимо, самостоятелен съм; 2. самотен; 3. неженен; 4. изолиран.

loneliness ['lounlinis] n 1. самота, самотност; 2. отстраненост, уединеност, усаменост.

lonely ['lounli] adj 1. самотен, сам; усамотен; 2. уединен, отделен, отстранен; ~ hearts club клуб за запознанства.

long₁ [lɔŋ] I. adj 1. дълъг; продълговат; дългнест; to make a ~ arm пресягам се, протягам се; 2. продължителен, дълъг; a ~ time ago

много отдавна; 3. бавен, муден; скучен; 4. многоброен, многочислен; ~ figure многоцифрено число; 5. юр. който има давност, далечен, отдавнашен; 6. разг. висок, дълъг (за човек); 7. ударен (за сричка); II. adv 1. дълго; to live (last) ~ живея дълго; 2. за подсилване; ~ before дълго преди, отдавна; 3. за подсилване след същ., което означава време: all summer ~ през цялото лято; III. n 1. дълго време; before ~ не след дълго, скоро; 2. муз. дълга нота; 3. език. дълъг звук (сричка).

long₂ v 1. копнея, бленувам (for); 2. (с inf) жадувам; to ~ to be told умирам да знам.

long-distance ['lɔŋ'distəns] I. adj далечен; ~ call междуградски (международен) телефонен разговор; II. n 1. амер. телефонна служба за извънградски разговори (и ~ telephone service); 2. дългосрочна прогноза за времето.

long-standing ['lɔŋ'stændiŋ] adj продължителен; дългогодишен, отдавнашен, отколешен.

look [luk] I. v 1. гледам, поглеждам; to ~ in the face гледам в очите; 2. изглеждам, имам вид; to ~ oneself изглеждам добре; 3. гледам, имам изглед към (на сграда, прозорец и пр.; towards, on, to, into, down); • to ~ before and after размишлявам, дълго обмислям;

look about, look around 1) оглеждам (се); обмислям ситуацията, обмислям предварително; (и to ~ about one); 2) търся (for);

look after 1) грижа се за; 2) следвам с поглед;

look ahead гледам напред, обмислям бъдещето; ~ ahead! пази се! внимавай!;

look at гледам (нещо); вглеждам се, заглеждам се в; обръщам внимание на; преглеждам; to ~ at him като се съди по вида му;

look back 1) гледам назад (и прен.) (to, upon); 2) с отриц. отивам назад; 3) посещавам отново; 4) гледам скептично на;

look down 1) гледам отвисоко (on,

upon), презирам; 2) подчинявам, покорявам с поглед; 3) падам (за цени);

look for 1) търся; 2) чакам, очаквам, надявам се;

look forward (to) очаквам (с нетърпение);

look in (on) 1) поглеждам, надничам, надзъртам; 2) навестявам; правя кратка визита;

look into оглеждам, разглеждам внимателно; изследвам; изучавам;

look on 1) гледам; наблюдавам; наблюдател, зрител съм (at); 2) считам (as); 3) he ~s on her as a child той я смята за дете;

look out 1) нащрек съм, внимавам; ~ out for snakes внимавай, има змии; 2) грижа се (for); 3) подбирам, избирам старателно; 4) имам изглед към (*за прозорец, стая и пр.*; on, over); 5) търся;

look over преглеждам; хвърлям поглед на; разглеждам внимателно част по част; инспектирам;

look through 1) гледам (*през прозорец и пр.*); 2) преглеждам, прехвърлям, разглеждам набързо; 3) виждам, прозирам всичко у някого; 4) игнорирам някого, "гледам през него";

look to 1) гледам, грижа се за; 2) гледам към; 3) внимавам; обръщам внимание на; 4) очаквам, надявам се на; 5) разчитам на; 6) *амер.* (и ~ toward) стремя се към; имам склонност към;

look up 1) гледам нагоре; вдигам очи, поглед; to ~ up to гледам почтително, с уважение, стремя се, домогвам се до; 2) виждам, намирам (*в карта и пр.*); търся, правя справка (*в указател, речник и пр.*); 3) оправям се, съживявам се; 4) посещавам (някого), обаждам се на;

look upon гледам на; смятам, считам някого за;

II. *n* 1. поглед; 2. *обикн. pl* израз, изражение; външност, вид, изглед; good ~s хубава външност, красота.

looker-on [ˈlukərˈɔn] *n* зрител, наблюдател.

looking-glass [ˈlukiŋglaːs] *n* огледало.

look-out [ˈlukˈaut] *n* 1. бдителност, зоркост, острожност; to be on the ~ (for) нащрек съм; 2. *воен., мор.* наблюдателен пост; вахта, стража; 3. *разг.* предмет на наблюдение (грижа); that's my ~ това го остави на мен, това е моя отговорност; 4. изглед; 5. *разг.* изгледи, перспективи, шансове.

loose [luːs] I. *adj* 1. хлабав, разхлабен, халтав, нестегнат; несвързан; широк (*за дреха*), неподвързан (*за книга*); ~ tooth разклатен зъб; ◇ *adv* loosely; 2. свободен, на свобода; to let (set) ~ пускам (на свобода), освобождавам; давам воля на; 3. неточен; неопределен, неясен; общ; лош (*за стил*); ~ translation свободен превод; неточен, погрешен превод; 4. ронлив, рохък, сипкав (*за почва*); 5. рядък (*за тъкан*); 6. небрежен, немарлив, разпуснат; ~ handwriting разхвърлян почерк; 7. разпуснат, неморален; 8. небрежен, неточен (*за удар в играта*); 9. отпуснат (*за бузи и пр.*); 10. дълъг, дългунест, тромав, непохватен; 11. *техн.* празен, ненатоварен; 12. разхлабен (*за стомах и* ~ bowels); II. *adv* 1. свободно; 2. широко; 3. неточно; ● to sit ~ to отнасям се с безразличие към; III. *v* 1. освобождавам, пускам на свобода, давам свобода на; 2. отвързвам, развързвам; пускам, отвързвам (*лодка и пр.*); 3. стрелям (at), изстрелвам (и ~ off); пускам стрела; 4. *остар.* опрощавам грехове.

loot [luːt] I. *n* 1. плячка (*и във война*); 2. плячкосване, мародерство, грабеж; II. *v* 1. плячкосвам, грабя, отдавам се на грабеж; ограбвам; 2. крада, присвоявам (*за служител*).

looting [ˈluːtiŋ] *n* грабеж.

lop₁ [lɔp] I. *v* (-pp-) 1. режа, подрязвам (*клони и пр.*), кастря, окастрям (off, away); 2. отсичам, отрязвам (*глава, крайник на човек*); II. *n* 1. отсечена част; 2. вейка, клонка (*и* ~ and top, ~ and crop).

lop₂ *v* (-pp-) 1. увисвам; клепвам (*за уши*); правя да клепнат (уши); 2. мъкна се, влача се (без работа); ~ about шляя се.

lop-sided [ˈlɔpˈsaidid] *adj* 1. неуравновесен; наклонен на една страна; изкривен; 2. несиметричен.

loquacious [lɔˈkweiʃəs] *adj* бъбрив, приказлив.

loquacity [lɔˈkwæsiti] *n* бъбривост, приказливост.

lord [lɔːd] I. *n* 1. лорд, пер; ~s temporal лордове, членове на Камарата на лордовете; 2. господар, управник, повелител, владетел, крал; индустриален магнат; 3. *употребява се към звание на длъжност, без лицето да има лордска титла* (*шег.* paper L.); First L. of the Admiralty министър на флота; 4. Господ, Бог (*обикн.* the L.); our L. Христос; 5. мъж, съпруг; ● to live like a ~ живея нашироко; II. *v* 1.: to ~ it over държа се властно, разпореждам се; 2. давам титла лорд; 3. наричам, титулувам някого "лорд".

lordliness [ˈlɔːdlinis] *n* 1. величие, великолепие; 2. щедрост; 3. високомерие, надменност.

lordship [ˈlɔːdʃip] *n* 1. власт, господство, господарство; *обикн.* власт на феодал; 2. *пер.* контрол, овладяване, владеене; Your (His) Lordship Ваша (Негова) светлост (*официално обръщение към лорд, епископ, лордмер, върховен съдия*); 4. *истор.* владение, имот (*на феодален лорд*).

lore [lɔː] *n* 1. *остар.* ученост, знания; ерудиция; 2. знания, система от знания, наука (*обикн. традиционни или емпирични*); 3. научна дисциплина; 4. *остар.* обучение.

lorgnette [ˈlɔːnjet] *фр. n* 1. лорнет; 2. театрален бинокъл.

lorn [lɔːn] *adj остар.* изоставен, самотен; нещастен, безутешен, неутешим.

lorry [ˈlɔːri] I. *n* 1. камион; 2. *жп* вагонетка; 3. платформа; II. *v* пъ-

тувам с камион и под.; превозвам с камион и под.

lose [lu:z] *v* (lost [lost]) **1.** губя, изгубвам, загубвам; претърпявам загуба; **to ~ one's way (oneself)** загубвам се, забърквам се, обърквам се; **to ~ one's head** загубвам ума и дума, онемявам от изненада, шашардисвам се; **2.** изпускам, пропускам; изтървам, изтървавам; изпускам, пада ми (*обувка и пр.*); **3.** отървавам се от, освобождавам се от; **4.** предизвиквам загуба; **her rudeness ~ her job** нейната грубост й коства мястото (работата); **5.** *обикн. pass* загивам, пропадам; **lost to all sence of decency (duty)** изгубил всякакво чувство за приличие (дълг); **6.** изоставам (*за часовник*).

losing [ˈlu:ziŋ] **I.** *adj* непечеливш, от който се губи; **to play a ~ game** играя без изгледи за успех; **II.** *n* губене; *pl* загуби (*обикн. от спекулации или на комар*).

loss [lɔs] *n* **1.** в загуба; **dead ~** чиста загуба; **to sell at a ~** продавам на загуба; **2.** шкарт, брак; **3.** *attr.* **to be at a ~ for words** нямам думи, не намирам думи.

lost [lost] *adj* **1.** изгубен, загубен; **2.** пропуснат, пропилян; **sarcasm is lost on her** сарказмът не й прави впечатление; **3.** объркан, безпомощен; ● **~ to the world** задълбочен, съсредоточен в нещо.

lot [lɔt] **I.** *n* **1.** жребий; *прен.* участ, съдба; **to cast (draw) ~s (between, for, on, over)** хвърлям (тегля) жребий; **to cast (throw) in one's ~ with s.o.** свързвам съдбата (живота) си с някого; **2.** парцел; **parking ~** *амер.* място за паркиране на коли; **across ~s** *амер. разг.* по прекия път, напряко; **3.** *разг.* много, маса; **a ~ of people (money)** много хора (пари); **4.** *разг.* огромни количества, много; **the whole ~** всички заедно, целокупно; **5.** компания, група; **6.** няколко предмета, които се продават едновременно на търг; партида; **7.** артикул; **8.** *кино* студио и принадлежащите му земи; **9.** *истор.* данък; ● **job ~** смесени партиди

стоки, които се продават на едро; вещи, които са купени преоценени; **II.** *v* (-tt-) **1.** деля на части, разделям (*и с out*); **2.** тегля (хвърлям) жребий; **3.** подбирам; **III.** *adv* много; **a ~ better** много по-добре.

lothario [louˈθεəriou] *n* донжуан.

lottery [ˈlɔtəri] *n* лотария.

loud [laud] **I.** *adj* **1.** силен, висок; гръмък, гръмогласен; **2.** шумен; креслив; **3.** звучен; **4.** *разг.* крещящ, ярък (*за цвят и пр.*); **5.** *разг.* силен, неприятен (*за миризма*), вмирисан; **6.** просташки, груб, вулгарен; ● **to be ~ in one's prises** разсипвам се да хваля; **II.** *adv* силно, високо; гръмко.

loudhailer [ˈlaudˈheilə] *n* мегафон.

loud-mouthed [ˈlaudmauðid] *adj* гръмогласен; шумен, креслив.

loud-speaker [ˈlaudˈspi:kə] *n* високоговорител.

lounge [laundʒ] **I.** *v* **1.** излежавам се; излягам се, излеврям се; **2.** безделнича; хайманосвам; **3.** разтакавам се, шляя се, мъкна се (**about, along**); **II.** *n* **1.** излягане, ленива походка; **2.** кресло, шезлонг; **3.** салон (*в клуб, хотел*); всекидневна, дневна.

lounger [ˈlaundʒə] *n* безделник, празноскитащ, хаймана.

lout [laut] **I.** *n* дебелак, грубиян, простак; хулиган; **II.** *v остар., поет.* кланям се.

loutish [ˈlautiʃ] *adj* груб, недодялан, дебелашки.

lovable [ˈlʌvəbəl] *adj* мил, привлекателен, обичлив, симпатичен, обичан.

love [lʌv] **I.** *n* **1.** любов, обич (**of, for, to, towards**); **to feel ~ to (towards)** изпитвам любов към; **~ at first sight** любов от пръв поглед; **2.** любим, любима (*обикн. в обръщение* **my ~**); **3.** нещо привлекателно, прелестно; **what a ~ of a child** какво сладко дете; **4.** (**L.**) Купидон, Амур; **5.** *спорт.* нула; **not for ~ or money** за нищо на света; **6.** *attr* любовен; **II.** *v* любя, обичам (**to** *c inf; ger*); **I would ~ to** с най-голямо удоволствие.

love-affair [ˈlʌvəˌfεə] *n* любов, лю-

бовна история, интрига, афера.

loveliness [ˈlʌvlinis] *n* красота, прелест; чар, очарование.

lovely [ˈlʌvli] *adj* **1.** прелестен, чаровен, прекрасен, възхитителен, очарователен; **2.** *разг.* великолепен, чудесен; **to have a ~ time** прекарвам чудесно; **3.** *рел.* високо морален, нравствен.

lover [ˈlʌvə] *n* **1.** любовник; **2.** любим, симпатия; обожател; **two ~s** двама влюбени; **3.** годеник; **4.** любител; привърженик; **~s of peace** привърженици на мира.

love-story [ˈlʌvˌstɔ:ri] *n* любовна история (роман, разказ и под.).

loving [ˈlʌviŋ] *adj* **1.** любещ, нежен; **2.** верен (*формула*); **our ~ subjects** нашите верноподаници.

low [lou] **I.** *adj* **1.** нисък; **a ~ bow** нисък поклон; **2.** нисък, тих (*за глас, звук*); *муз.* нисък (*за тон, нота*); **a ~ whisper** тих шепот; **3.** слаб (*и за пулс, здраве*); безсилен; **~ pressure 1)** ниско налягане; **2)** спокоен, неагресивен; **4.** отчаян, меланхоличен; **~ spirits** пониженo настроение; **to feel ~** чувствам се зле, унил съм; **5.** недостатъчен, оскъден, ограничен; беден; изчерпан (*за запас*); **~ supply** недостатъчно снабдяване; **in ~ supply** дефицитен; **6.** низш (*и биол.*); обикновен, прост; **a ~ form of life** низша форма на живот; **of ~ birth (origin)** от незнатен (със скромен) произход; **7.** *геогр.* близо до екватора; тропически; **8.** груб, вулгарен; прост; невъзпитан; непристоен, неприличен; **~ company** лоша компания; **~ life** утайката на обществото; **9.** подъл, низък, долен; **a ~ trick** подъл номер; **10.** нецивилизован, некултурен, необразован; **11.** неблагоприятен, недобър; пренебрежителен; **12.** *език.* отворен (*за гласна*); **to have (hold, form) a ~ opinion of** имам лошо мнение за; ● **L. Sunday** *рел.* Томина неделя; **II.** *adv* **1.** ниско; **to lie ~** лежа опънат, умрял; скрит съм; крия се, мълча си, изчаквам; **2.** ниско, тихо, слабо; *муз.* ниско; **speak ~er** говори по-тихо; **3.**

оскъдно, бедно; евтино, на ниска цена; **the sands are running ~ (in the glass)** времето почти изтече; наближава краят на живота; 4. низко, подло, неприлично; she wouldn't sink as ~ as that тя не би паднала толкова ниско; 5. унижено; **brought ~** унижен; смирен; III. *n* 1. ниско ниво; 2. област с ниско атмосферно налягане; 3. *авт.* първа скорост.

low-bred ['lou'bred] *adj* невъзпитан; груб; вулгарен, долен.

low-down ['lou,daun] I. *adj разг.* 1. подъл, презрян, нечестен; 2. груб, вулгарен; II. *sl амер.* точни факти, пълни подробности; вътрешна (поверителна) информация.

lower₁ [louə] I. *adj* низш, по-долен; ~ **middle-class** дребнобуржоазен; II. *v* 1. намалявам (*ниво*), спадам, снижавам, редуцирам; *муз.* понижавам; 2. спускам, навеждам (*очи; платна, лодка и пр.*); спускам се; 3. *мед.* понижавам тонуса; 4. *прен.* унижавам, унизявам; уронвам, понижавам, деградирам; **to ~ oneself** to унижавам се да; **his arrogance ~ed him in her estimation** авторитетът му пред нея бе уронен от неговата арогантност.

lower₂ ['lauə] *v* мръщя се, намръщвам се, чумеря се, потъмнявам, притъмнявам (*и за небе*).

lowering ['louərin] I. *n* спускане, сваляне, понижаване, снижаване; II. *adj* надвиснал, мрачен, намръщен.

low-grade ['lou'greid] I. *adj* 1. долнопробен, долнокачествен; 2. наклонен, полегат; II. *n* наклон, полегатост.

lowland ['loulənd] *n (обикн. pl)* низина, равнина; **the Lowlands** равнинните части на Шотландия.

lowly ['louli] I. *adj* незначителен, низш; непретенциозен, семпъл; обикновен, скромен; II. *adv* скромно, семпло.

low-minded ['lou'maindid] *adj* подъл, низък; вулгарен.

low-octane ['lou,oktein] *adj* нискооктанов (*за бензин*).

low profile ['lou,prə'fail] *n* неза-

бележим, незначителен; 2. потаен, завоалиран.

low-relief ['louri'li:f] *n* барелеф.

low-spirited ['lou'spiritid] *adj* паднал духом, угнетен.

low-tension ['lou'tenʃən] *adj* нисковолтов.

loyal ['lɔiəl] *adj* 1. верен, лоялен; предан; 2. честен, почтен.

loyalty ['lɔiəlti] *n* вярност, лоялност; преданост; честност; *pl* (чувство на) вярност.

lubricant ['lu:brikənt] I. *n* 1. смазка, смазочен материал; 2. *прен.* мехлем, балсам; II. *adj* смазочен.

lubricate ['lu:brikeit] *v* 1. смазвам (*машина и пр.*); 2. *прен., разг.*: **to ~ s.o.'s palm** давам бакшиш, рушвет; подкупвам.

lubricious [lju'briʃəs] *adj* похотлив, неприличен, пикантен, нецензурен, циничен.

lubricity [lju'brisiti] *n* 1. хлъзгавост; намасленост; 2. *прен., рядко* уклончивост; нестабилност; 3. похотливост; цинизъм; неприличност, пикантност, нецензурност, циничност.

lubricous ['lu:brikəs] *adj* 1. хлъзгав, плъзгав, гладък; 2. маслен, намаслен; 3. нестабилен, непостоянен.

lucence, -cy ['lju:səns(i)] *n* 1. блясък; яркост; 2. прозрачност.

lucent ['lju:snt] *adj* 1. блестящ; светещ; светъл; ярък; 2. прозрачен.

lucid ['lu:sid] *adj* 1. *поет.* чист, прозрачен; 2. *поет.* светъл, ясен, блестящ, ярък; 3. разбираем; ясен, бистър; ~ **intervals** моменти на просветление (*при умопомрачение*), кратка ремисия, светъл период.

lucidity [lu:'siditi] *n* 1. яснота; 2. прозрачност, чистота; 3. разбираемост, яснота.

luck [lʌk] *n* щастие, късмет, шанс; съдба; **bad (hard, ill, rough) ~** нещастие, лош късмет, беда; **good ~** късмет, успех; всичко хубаво! на добър час! **to be in (out of) ~** късметлия съм, върви ми (не ми върви, нямам късмет).

lucky ['lʌki] *adj* 1. щастлив, късметлия; ~ **beggar (devil, dog, ras-**

cal) *разг.* късметлия, с късмета си; блазе му; 2. добър, сполучлив, успешен; 3. носещ щастие; **a ~ day** ден, в който ми върви; добър ден; 4. случаен; • **cut (make) o.'s ~** *жарг.* изчезвам, офейквам, умитам се.

lucrative ['lu:krətiv] *adj* доходен, рентабилен; изгоден, печеливш.

lucre ['lu:kə] *n книж.* печалба, доход (като мотив); богатства.

luculent ['lu:kjulənt] *adj рядко* 1. ясен, светъл, прозрачен; 2. ясен, убедителен.

ludicrous ['lu:dikrəs] *adj* абсурден, нелеп, комичен.

lug₁ [lʌg] I. *v* (-gg-) 1. тегля, дърпам (*и с* at); влача, тътря, мъкна (about, along); 2. *прен.* вмъквам (*обикн. неуместно*), вмесвам (in, into); **to ~ off** свалям, събличам; **to ~ out** измъквам; II. *n* 1. влачене, дърпане, теглене; 2. *pl амер.* важничене; **to put on ~s** важнича; придавам си важност.

lug₂ [lʌg] *n* 1. ухо, дръжка (*на съд, брадва и пр.*); 2. гайка, кожена примка на седло; 3. *техн.* подставка, конзола; 4. *техн.* издатина, издатък, гърбица; 5. скоба, стяга; 6. лаг (*мярка за дължина, равна на 5,02 м*).

luggage ['lʌgidʒ] *n* 1. багаж; 2. *attr* багажен.

lugubrious [lu:'gju:briəs] *adj* печален, скръбен, траурен; мрачен; ◇ *adv* **lugubriously.**

lukewarm ['lu:k,wɔ:m] *adj* 1. хладък; 2. *прен.* равнодушен, безразличен, апатичен, хладен.

lull [lʌl] I. *v* 1. приспивам (*дете*); 2. успокоявам (се) (*и за болка*); **to ~ s.o.'s suspicions** приспивам съмненията на някого; 3. убеждавам, придумвам; 4. утихвам, отслабвам (*за буря и пр.*); II. *n* 1. (временно) затишие, затихване, успокоение; 2. временен престой, временно спиране на дейност; ~ **before the storm** *прен.* затишие пред буря; 3. звук, който действа успокоително.

lumbago [lʌm'beigou] *n* лумбаго.

lumbar ['lʌmbə] *анат.* I. *adj* лумбален; II. *n* лумбален прешлен,

артерия и под.

luminesce [lu:mi'nes] *v* излъчвам светлина.

luminescence [,lu:mi'nesəns] *n* луминесценция, флуоресценция.

luminescent [lu:ni'nesənt] *adj* луминесцентен.

luminosity [lu:mi'nɔsiti] *n* 1. блясък, сияйност, лъчезарност; 2. нещо блестящо.

luminous ['lu:minəs] *adj* 1. сияен, лъчист, лъчезарен, блестящ, ярък; ~ **bodies** небесни тела; ~ **paint** фосфорна боя; 2. *прен.* блестящ; разбираем, ясен.

lump [lʌmp] I. *n* 1. буца, парче, блок; **a ~ in the (one's) throat** заседнала буца на гърлото (*при вълнение*); ~ **sugar** захарни бучки; 2. подутина, цицина, "краставица" (*от удар*); 3. сбор; ~ **sum** обща, глобална сума; **to take in the ~** *прен.* разглеждам цялостно, общо; II. *v* 1. смесвам, слагам заедно (**together, with**); събирам безразборно; 2. правя на буци, късове, парчета; 3. вървя, стъпвам тежко, тромаво, с мъка (**along**); сядам тежко (**down**).

lumpish ['lʌmpiʃ] *adj* 1. тежък, тромав, груб; 2. тъп, глупав; бавен, муден.

lunacy ['lu:nəsi] *n* 1. психоза, лунатизъм, сомнабулизъм, умопобърканост; 2. *юр.* невменяемост; 3. *прен.* безумие, глупост.

lunar ['lu:nə] *adj* 1. лунен; ~ **month** астрономически (лунен) месец; ~ **rainbow** дъга от лунни лъчи; 2. блед, слаб (*за светлина, слава и пр.*); 3. сърповиден; 4. сребрист, сребърен.

lunatic ['lu:nətik] I. *adj* 1. луд, безумен, обезумял; ~ **asylum** психиатрична болница; лудница; 2. ексцентричен; щур; глупав; II. *n* луд човек, душевно болен, лунатик.

lunch [lʌntʃ] I. *n* (лек) обед; **to have (take) ~** обядвам; II. *v* обядвам.

lung [lʌŋ] *n* бял дроб; *обикн. pl* **the ~s; inflamation of the ~s** пневмония; • **good ~s** силен глас.

lunkhead ['lʌnkhed] *n* *амер., разг.* твърдоглавец; дървеняк, дръв-

ник, тъпак, "пън".

lurch [lə:tʃ] I. *n* 1. залитане, накланяне; **to give a ~** залитам, накланям се; 2. *амер.* склонност; II. *v* залитам, накланям се.

lure [ljuə] I. *n* 1. примамка (*при лов със соколи*); 2. *прен.* примамка, изкушение; обаяние, чар; **to alight on o.'s (the) ~; to come (stoop) to the ~** *прен.* хващам се на въдицата, лапвам въдицата; II. *v* примамвам, изкусявам (**away, into**); **to ~ on** примамвам по лош път; убеждавам.

lurid ['ljuərid] *adj* 1. огнен, червеникав (*за небе, залез*); ярък, в силни тонове (*за картина, корица на книга*); 2. мрачен, зловещ; 3. сензационен; трагичен, страшен, ужасен, потресаващ; **to cast a ~ light on** предавам, разкривам в сензационна (трагична) слетлина; 4. пепеляв, бледен.

lurk [lə:k] I. *v* 1. крия се, скривам се (*в засада*); тая се, спотайвам се, притаявам се; намирам се в латентно състояние; 2. промъквам се, прокрадвам се; II. *n* 1.: **to be on the ~** дебна, шпионирам; 2. *sl* лъжа, измама.

luscious ['lʌʃəs] *adj* 1. много сладък; приятен; силно ароматичен; 2. сладък до втръсване; 3. *прен.* претрупан, пищен, наситен с чувственост (*за музика, литература и пр.*); 4. *разг.* сексапилен.

lush [lʌʃ] *adj* 1. сочен; 2. буен, избуял; тучен, тлъст; 3. претрупан; прекален.

lust [lʌst] I. *n* 1. силно желание, страст, ламтеж, лъст (**for, of**); **a ~ for power** жажда за власт; 2. страст, сласт, похот, сладострастие; II. *v* 1. изпитвам страст, похот; 2. силно желая, ламтя (**after, for**).

lustful ['lʌstful] *adj* похотлив, сладострастен, страстен.

lustre ['lʌstə] I. *n* 1. лъскавина, гланц, глазура; лустро; блясък, отблясък; 2. блясък, великолепие; лустро; слава, реноме, престиж; **to add (give) ~ to, to shed (throw) ~ on** придавам блясък на; 3. полилей; 4. висулка (*на по-*

лилей); 5. лъскав плат от памук и вълна; 6. вид лъскава вълна; II. *v* придавам гланц, гланцирам (*тъкан*), гледжосвам, глазирам (*керамика*).

lustrous ['lʌstrəs] *adj* лъскав, гланциран, блестящ, гледжосан; лустросан.

luxation [lʌk'seiʃən] *n* *мед.* изкълчване, луксация, навехване.

luxe [lu:ks] *n* лукс; **de ~** луксозен.

luxuriance, -cy [lʌg'zjuəriəns(i)] *n* 1. изобилие, пищност, буйност, буен растеж; 2. *прен.* пищност, богатство, натруфеност (*на стил*).

luxuriate [lʌg'zjuərieit] *v* 1. избуявам, раста гъсто (изобилно); 2. живея охолно, в разкош; 3. наслаждавам се от (**in, on**).

luxurious [lʌg'zjuəriəs] *adj* 1. луксозен, разкошен, богат; 2. разточителен, с вкус към лукса (*разкоша*); ◇ *adv* **luxuriously**.

luxury ['lʌkʃəri] *n* 1. разкош, лукс; **to live in (the lap of) ~** живея охолно; 2. луксозен предмет; **table luxuries** лакомства; 3. удоволствие, кеф. 4. *attr* луксозен; **article** луксозен предмет.

lying ['laiiŋ] I. *adj* лъжлив; II. *n* лъжене; лъжливост.

lymphatic [lim'fætik] I. *adj* 1. лимфатичен; 2. *прен.* лимфатичен, муден, отпуснат; бледен; II. *n* лимфатичен съд или жлеза.

lynch [lintʃ] *v* линчувам.

lyre ['laiə] *n* *муз.* лира.

lyric ['lirik] I. *adj* 1. лиричен, лирически; 2. *муз.* лиричен (*за тенор, сопран*); • ~ **drama (stage)** опера; II. *n* 1. лирично стихотворение; 2. *обикн. pl* текст на песен.

lyrical ['lirikəl] *adj* прочувствен, възторжен; **to become quite ~** изпадам във възторг; ◇ *adv* **lyrically**.

lyricism ['lirisizm] *n* 1. лиризъм, лиричност; 2. прочувственост, възторг.

lyricist ['lirisist] *n* 1. лиричен поет, лирик; 2. автор на популярни песни, текстописец.

lyriform ['lairəfɔ:m] *adj* лирообразен, с форма на лира.

M, m [em] *n* (*pl* **M's, Ms** [emz]) **1.** буквата М; **2.** о. Малта; **3.** съкращение за магистрала, като след М има цифра; **4.** символ за обозначаване на числото 1000 в римските цифри.

macabre [mə'ka:br] *adj* страховит, ужасен.

macaroni [mækə'rouni] *n* макарони.

macerate ['mæsəreit] *v* **1.** накисвам, разлагам, разтварям; **2.** изтезавам, мъча, измъчвам; **3.** изтощавам се, отслабвам много (*от постене*).

machinate ['mækineit] *v* интригувам.

machination [,mæki'neiʃən] *n* машинация, интрига; измама, заблуда.

machinator ['mækineitə] *n* интригант.

machine [mə'ʃi:n] I. *n* **1.** машина; двигател; **coin ~** монетен автомат; **2.** апарат, инструмент, механизъм, уред, устройство; **3.** превозно средство, кола; велосипед, автомобил; *амер.* пожарникарска помпа; самолет, апарат; **4.** организация; апарат; служба; **state ~** държавен апарат, държавна машина; **5.** *attr* машинен; извършен, изработен от/на машина, стандартен, стереотипен; еднообразен, шаблонен; **~ works** машиностроителен завод; II. *v* **1.** изработвам на машина; обработвам (*метал*); **2.** минавам на шевна машина; **3.** *полигр.* печатам.

machinebuilding [mə'ʃi:n,bildiŋ] I. *n* машиностроене; II. *adj* машиностроителен.

machine-gun [mə'ʃi:ngʌn] *n* картечница.

machinery [mə'ʃi:nəri] *n* **1.** машинария, машини; **conveying ~** транспортни съоръжения; **2.** механизъм; **3.** (социална, държавна, военна и под.) организация; организационен апарат; машина; **4.** *лит.* неочаквана развръзка.

machine-tool [mə'ʃi:n,tu:l] *n* техн. струг, режеща машина.

machinist [mə'ʃi:nist] *n* **1.** механик;

шлосер; **2.** квалифициран работник, стругар; **3.** машинист, водач на машина; **4.** машиностроител, машинен инженер; **5.** човек, който шие на машина, шивач.

mackintosh ['mækintoʃ] *n* **1.** мушама; импрегнирано, непромокаемо платно; макинтош; **2.** шлифер.

macrobiotic ['mækrəubai'ɔtik] *adj* естествен, природен, натурален.

macrocosm ['mækroukɔzm] *n* макрокосмос, вселена, всемир.

macrostructure ['mækrəu'strʌktʃə] *n* макроструктура.

macular ['mækjulə] *adj* с (на) петна; петнист.

mad [mæd] I. *adj* **1.** луд, обезумял, безумен (*и прен.*); умопомрачен, умопобъркан; **to drive s.o. ~** влудявам някого; **~ with joy** обезумял, вън от себе си от радост; **2.** *прен.* луд, лудешки, безумен; необуздан; **3.** запален, побъркан по (**about, after, on, upon**); **to run ~ after** влюбвам се в; **4.** бесен (*за куче*); **5.** *разг.* ядосан (**at, with**); **hopping ~** *амер.* вбесен, изпаднал в ярост; **6.** развихрен, изпаднали, силно развеселен; II. *v* рядко **1.** влудявам, подлудявам (*някого*); **2.** лудея, луд съм, държа се като луд.

madcap ['mædkæp] I. *adj* вятърничав, налудничав, лекомислен; II. *n* лудетина.

madden [mædn] *v* **1.** влудявам, подлудявам (*някого*); **2.** дразня, раздразвам, вбесявам; **3.** *рядко* подлудявам, загубвам ума си.

made [meid] *adj* **1.** направен, изработен, фабрикуван; приготвен, сготвен (*от няколко храни*); **2.** (добре) сложен (*за човешка фигура*); **3.** сполучлив, успешен; **a ~ man** успял човек; **he's a ~ man** наредил си е, нагласил си е (в живота).

made-up ['mrid'ʌp] *adj* **1.** измислен; **2.** гримиран.

madhouse ['mædhaus] *n* лудница (*и прен.*); психиатрия.

madness ['mædnis] *n* **1.** умопомрачение, лудост, безумие (*и прен.*); **2.** бяс (*у животните*); **3.** *разг.* бяс, ярост.

Maecenas [mi:'si:nəs] *n* меценат.

maelstrom ['meilstroum] *n* водовъртеж (*и прен.*).

mafia ['ma:fiə] *n* мафия.

magic ['mædʒik] I. *n* **1.** магия, вълшебство, чародейство; магьосничество; **as if by (like) ~** като по чудо; **2.** обаяние, чар; II. *adj* (*главно attr*) магически, магичен, вълшебен; чародеен; • **~ wand** магическа пръчка.

magical ['mædʒikəl] *adj* магически, вълшебен.

magically ['mædʒikəli] *adv* тайнствено, загадъчно, мистериозно.

magician [mə'dʒiʃən] *n* **1.** магьосник, вълшебник, чародей; заклинател; **2.** фокусник, илюзионист.

magistrate ['mædʒistreit] *n* **1.** съдия, магистрат; **2.** мирови съдия; **examining (investigating) ~** съдия-следовател.

magma ['mægmə] *n* магма.

magnanimity [,mægnə'nimiti] *n* великодушие, благородство.

magnanimous [mæg'næniməs] *adj* великодушен, благороден, възвишен.

magnate ['mægneit] *n* магнат, големец; едър земевладелец.

magnet ['mægnit] *n* магнит (*и прен.*).

magnetic [mæg'netik] *adj* **1.** магнитен (*и прен.*); **2.** хипнотизиращ; **3.** силно привлекателен; **~ field** магнитно поле; ◇ *adv* **magnetically** ['mæg'netikəli].

magnetization [,mægnitai'zeiʃən] *n* магнитизиране; привличане.

magnetize ['mægnitaiz] *v* **1.** магнитизирам (се), намагнитизирам; **2.** очаровам, омайвам, силно привличам; **3.** *остар.* хипнотизирам.

magnificence [mæg'nifisəns] *n* великолепие, величественост, величие.

magnificent [mæg'nifisənt] *adj* великолепен, величествен, чудесен, блестящ; ◇ *adv* **magnificently**.

magnify ['mægnifai] *v* **1.** увеличавам (*образ*), усилвам (*тон*); **2.** величая, възхвалявам; **3.** преувеличавам.

magnifying ['mægnifaiiŋ] *adj* увеличителен (*за стъкло*); **~ glass** лупа.

magnitude ['mægnitju:d] *n* 1. големина, величина, степен, магнитуд(а); размери; • **of the first ~** първокласен, огромен; 2. значимост; 3. *астр.* величина.

magnolia [mæg'nouliə] *n бот.* магнолия.

magnum opus ['mægnəm'əupəs] *n* шедьовър.

magpie ['mægpai] *n* 1. сврака; **as thievish as a ~** крадлив като сврака; 2. *прен.* бърборко; 3. *воен.* (попадение в) външния предпоследен кръг на мишена.

mahogany [mə'hɔgəni] *n* 1. махагон, махагоново дърво; червено дърво; 2. *attr* който е (изработен) от махагон; махагонов (цвят); 3. *прен.* трапеза.

Mahometan [mə'hɔmitən] I. *adj* мохамедански; мюсюлмански; II. *n* мохамеданин; мюсюлманин.

maiden ['meidən] I. *n* 1. *поет.* девойка, дева, девица; момиче, мома; 2. *истор.* вид гилотина; II. *adj attr* 1. неомъжена; момински; ~ **lady** госпожица; 2. девствен; 3. неопитен; неизпитан; нов, пръв; ~ **attempt (battle, flight, voyage, speech)** пръв опит (битка, полет на самолет, пътуване на кораб, реч и под.).

maiden-like ['meidnlaik] I. *adj* момински; скромен, свенлив; II. *adv* по момински, свенливо.

mail₁ [meil] I. *n* 1. ризница; броня; 2. черупка на костенурка, рак и пр.; II. *v* обличам в (покривам с) ризница; **the ~ed first** *прен.* груба сила, железен юмрук.

mail₂ I. *n* 1. (*и pl*) поща, писма и колети, пратени заедно; 2. поща, ведомството, което се занимава с този вид услуги; E~ електронна поща; 3. пощенски чувал; 4. пощенски влак (кораб, самолет); 5. *attr* пощенски; II. *v амер.* изпращам по пощата.

mail-box ['meilbɔks] *n* пощенска кутия (*и инф. – за електронна поща*).

maim [meim] *v* осакатявам (*и прен.*), повреждам.

main [mein] I. *adj* 1. главен, основен, най-важен; **the ~ point (of an**

argument) възловият въпрос, същественото, същината, есенцията (*в спор*); **the ~ office** *търг.* седалище, централа, дирекция; 2. силен, мощен; **by ~ force** със сила, насилствено; II. *n* 1. главна, най-важна част; **in the ~** главно; най-много, общо взето; 2. магистрала; главен водопровод (газопровод, електропровод, кабел); колектор; **the town ~s** градска канализационна мрежа; водопроводна мрежа; 3. *мор.* гротмачта; 4. *поет.* океан, открито море; • **with might and ~s** с все сила.

mainland ['meinlənd] *n* земя, суша, континент, материк.

maintain [men'tein] *v* 1. поддържам, издържам, храня, отглеждам; 2. отстоявам, защитавам; пазя, подкрепям; **to ~ o.'s ground** държа се, не отстъпвам, съпротивлявам се; 3. запазвам, продължавам (да имам и пр.); **to ~ silence** пазя тишина; (продължавам да) мълча; 4. държа (*персонал, прислуга*); 5. твърдя, заявявам; 6. *техн.* поддържам, обслужвам, експлоатирам.

maintenance ['meintənəns] *n* 1. поддържане; запазване; продължение; оставане (*на служба*); защита; **in ~ of his opinion** в подкрепа на това становище; 2. издръжка (*и юр.*); прехрана; 3. *юр.* поддръжка на една от съдещите се страни от трето лице с користна цел; 4. *техн.* експлоатация; поддържане; ~**-free** неизискващ (текущо) поддържане (обслужване); 5. *attr техн.* ремонтен.

maisonette ['meizə'net] *n* мезонет.

maize [meiz] *n* 1. царевица; 2. царевично зърно; 3. жълт цвят.

maizena [mei'zi:nə] *n* царевично брашно.

majestic [mə'dʒestik] *adj* величествен, царствен; ◇ *adv* **majestically**.

majesty ['mædʒesti] *n* 1. величественост; величие; величавост; царственост; 2. върховна власт, суверенитет; 3. величество (*титла, използвана при обръщение*); **Your (His, Her) Majesty** Ваше (Негово, Нейно) Величество.

major ['meidʒə] I. *adj* 1. (по-)голям; (по-)важен, главен, значителен; старши; **the ~ poets** големите, значителните поети; 2. *юр.* пълнолетен; 3. *лог.* пръв, главен (*за член на силогизъм*); 4. *муз.* мажорен; II. *n* 1. *юр.* пълнолетен човек; 2. *воен.* (*съкр.* **Maj.**) майор; 3. *муз.* мажорна гама (ключ, интервал); III. *v амер.*, *уч.* специализирам (се) (**in**).

majority [mə'dʒɔriti] *n* 1. мнозинство, болшинство; **narrow ~** мнозинство от няколко гласа; **to gain (carry) the ~** получавам мнозинство; 2. множество (хора); **the ~ of the people** повечето хора; 3. *юр.* пълнолетие; **to attain o.'s ~** ставам пълнолетен; 4. *воен.* майорски чин, звание майор; **to obtain o.'s ~** произведен съм в звание майор.

make [meik] I. *v* (**made** [meid]) 1. правя; построявам, изграждам; изработвам; произвеждам; фабрикувам; създавам, творя, съчинявам, написвам (*пиеса, стихове*); съставям (*документи, завещание*); **to ~ a speech** държа реч; 2. правя, причинявам, предизвиквам, създавам; **to ~ a fuss** вдигам шум, патардия (*и прен.*); раздухвам въпроса; **to ~ war** водя война, воювам; 3. оправям, приготвям, приготвям, нареждам, стъкмявам; **to ~ a fire** паля (клада) огън; 4. образувам, формирам, изграждам, развивам; **to ~ oneself** изграждам характера си, издигам се (*от*); 5. със съществително или прилагателно образува фразеологичен глагол със значението на съответното съществително или прилагателно; **to ~ fast** прикрепям, завързвам; 6. правя, равнявам се на, възлизам на; представлявам; съставна част съм от/на; **one swallow doesn't ~ a summer** една ластовица пролет не прави; 7. печеля, спечелвам (си име), придобивам; правя (*пари, състояние*); правя (*печалба*) изкарвам (*прехраната си*); **to ~ friends** спечелвам си приятели, сприятелявам

се; **8.** разбирам, схващам, проумявам (**of**); считам, смятам; приемам, възприемам; **I can ~ nothing of it** не мога да го проумея; **9.** ставам, оказвам се; **he will ~ a good writer** от него ще стане добър писател; **10.** правя някакъв (*с предикативно прилагателно*); правя, избирам, назначавам, въздигам, произвеждам (в) (*с предикативно съществително*); **to ~ s.o. happy (rich)** ощастливявам (обогатявам) някого; **11.** карам, накарвам, принуждавам, правя да (*с inf без* to *в* active voice); **I made him repeat it** накарах го да го повтори; **12.** правя (се) на, изкарвам (се); представям, изобразявам като; **this portrait ~s him too old** този портрет го прави (изкарва) много стар; **13.** създавам, правя да преуспее; издигам, прославям; **14.** *мор.* съзирам, виждам (*земя*); пристигам в, стигам до; **15.** правя, изминавам, извървявам, пропътувам, покривам (*километри, мили в час; разстояние*); **16.** тръгвам, запътвам се (отправям се, спускам се) към (**for, towards**); простирам се към (**towards**); **17.** *разг., амер.* успявам (да); **he made the team** той успя да влезе в отбора; **18.** отбелязвам, печеля точки (*в игра*); **19.** понечвам, посягам (да) (*с* as if, as though to *с inf*); **he made as though to strike me** той понечи да ме удари; **20.** прииждам (*за вода, прилив*); **21.** *ел.* включвам; **to ~ and break** включвам и изключвам, прекъсвам (*ток*); **make after** преследвам, гоня; **make away** отдалечавам се; **make away with 1)** задигам, отмъквам, свивам, открадвам; **2)** отървавам се от, захвърлям; прахосвам, пропилявам (*състояние*); **3)** доизяждам; **4)** убивам, ликвидирам; **make down** смалявам, стеснявам, намалявам размера на (*дреха*); **make for 1)** запътвам се за, отправям се към, тръгвам за; **2)** допринасям, спомагам за; **3)** нападам, нахвърлям се върху;

make into правя на, превръщам в; **make off** избягвам, офейквам; измъквам се, изнизвам се; **make out 1)** съзирам, съглеждам, забелязвам; **2)** разчитам; разгадавам, декодирам, дешифрирам; **3)** схващам, разбирам, проумявам; **4)** написвам, издавам (*чек*); съставям (*документ*); попълвам (*формуляр*); **5)** доказвам, стигам до резултат, идвам до заключение (извод); **6)** изкарвам (*някого някакъв*); **he is not such a fool as people ~ out** той не е толкова глупав, колкото го изкарват хората; **make over 1)** прехвърлям, приписвам (*някому*), дарявам (*имущество, имот*) (**to**); **2)** преправям (*дреха и пр.*), преустройвам, преобразявам (*и прен.*); **make up 1)** попълвам, допълвам, прибавям към (*непълен брой, количество*); закръглям (*сума*); допълвам (*дохода си*); **2)** възстановявам, възвръщам си, спечелвам обратно; обезщетявам, компенсирам, покривам, уравновесявам (**for**); **to ~ up for lost time** наваксвам си загубеното време; **3)** приготвям; *фарм.* изпълнявам (*рецепта*); увивам; правя на вързоп, пакетирам (**into**); **4)** съставям (*списък и пр.*), изготвям (*документ, снимки*); **5)** образувам, съставям, съставен съм от, състоя се от; **the payments ~ up a considerable total** тези плащания представляват (правят) голяма сума; **6)** съчинявам, измислям; **7)** свиквам, събирам (*компания, група*); събирам (*сума, пари*); **8)** организирам, уреждам; **9)** разпалвам (*огъня*); **10)** изглаждам (*спор*); **to ~ it up (with)** помирявам, сдобрявам се (с); **11)** гримирам (се); **12)** *полигр.* връзвам (*на страници*); **II.** *n* **1.** модел, фасон; **2.** *търг.* марка; направа, производство; фабрикация; **our own ~** наше производство; **3.** телосложение; **a man of slight ~** дребен човек; **4.** *прен.* характер; **a man of quite another ~** човек от друго тесто; • **to be on the ~** правя си кариера, издигам

се, без да подбирам средствата. **maker** ['meikə] *n* **1.** производител, конструктор (*на машини*); **2.** творец, създател; **3.** *остар., лит., поет.* писател. **make-ready** ['meikredi] *n* приготвяне; настройване, установяване, центроване; комплектуване. **makeshift** ['meikʃift] *n* **1.** заместител; временно импровизирано средство; **2.** *attr* временен, импровизиран. **making** ['meikiŋ] *n* **1.** създаване, образуване, сътворение; строеж, построяване; приготвяне; направа, производство, фабрикуване; ушиване (*на дрехи*); съчиняване (*на стихотворение*); **2.** развой, развитие; **in the ~** в процес на създаване, зараждащ се; **3.** *pl* качества, заложби, дарби; **he has the ~s of a musician** от него ще (има качества да) стане добър музикант; **4.** *pl* печалби; **5.** изделие; **6.** *pl* *амер., разг.* материали, съставки (*за приготовляване на нещо*; *тютюн и хартия за цигари*); всичко необходимо за коктейл). **maladroit** ['mælə'drɔit] *adj* **1.** тромав, несръчен, непохватен; **2.** нетактичен. **malady** ['mælədi] *n* болест, страдание. **malaise** [mə'leiz] *n* (физическо) неразположение. **malapert** ['mæləpə:t] *остар.* **I.** *adj* нахален, дързък, нагъл, безсрамен; **II.** *n* нахалник, безсрамник. **malaria** [mə'lɛəriə] *n* **1.** малария; **2.** миазми, вредни и зловонни изпарения при блатисти местности. **malarial** [mə'lɛəriəl] *adj* маларичен. **malcontent** ['mælkəntent] **I.** *adj* недоволен; бунтовнически, бунтовен, непокорен; **II.** *n* **1.** недоволник; бунтар; **2.** недоволство, брожение, вълнение, непокорство. **male** [meil] **I.** *adj* **1.** мъжки, от мъжки пол; **2.** мъжки, мъжествен; силен; **3.** *техн.* входящ; **II.** *n* мъж; животно от мъжки пол, мъжкар, самец. **malediction** ['mæli'dikʃən] *n* проклятие, проклинане, прокоба.

maledictory [mæli'diktəri] *adj* зложелателен, ругателен.

malefaction [mæli'fækʃən] *n* злодеяние, престъпление.

malefactor ['mælifæktə] *n* злодей, злосторник, престъпник.

maleficence [mə'lefisəns] *n* вреда, пакост, зловредност.

maleficent [mə'lefisənt] *adj* **1.** вреден, пакостен, пагубен (to); злобен; злосторен, злотворен; **2.** лош, престъпен.

malfeasance [mæl'fi:zəns] *n* юр. злоупотреба, злодеяние, престъпление (*обикн. на служебно лице*).

malfeasant [mæl'fi:zənt] **I.** *adj* престъпен, противозаконен, злосторнически; **II.** *n* злодей, злосторник, престъпник.

malformation ['mælfɔ:'meiʃən] *n* уродливост, деформация, малформация.

malformed [mæl'fɔ:md] *adj* уродлив, деформиран.

malfunction ['mæl'fʌŋkʃən] *n* неизправна работа; работа с прекъсване.

malice ['mælis] *n* **1.** злоба, зломислие, зла воля, злост; злонамереност; to bear ~ to (towards) s.o. имам (храня) лоши чувства към някого; **2.** *юр.* умисъл; with (of, through) ~ prepense, with ~ aforethought с умисъл, злонамерено, умишлено.

malign [mə'lain] **I.** *adj* **1.** лош, зъл, злостен; **2.** вреден, пагубен; **3.** *мед.* злокачествен; **II.** *v* **1.** злепоставям, клеветя, злословя за; подценявам.

malinger [mə'liŋgə] *v* симулирам, преструвам се на болен.

malingerer [mə'liŋgərə] *n* симулант, кръшкач, мнимо болен.

mall [mɔ:l] *n* алея.

malleability [,mæliə'biliti] *n* **1.** ковкост; **2.** *прен.* отстъпчивост, лекота, покорство.

malleable ['mæliəbəl] *adj* **1.** ковък; **2.** отстъпчив, мек, покорен; хрисим; смирен.

malnourished ['mæl'nʌriʃt] *adj* слаб, изнемощял, недохранен.

malnutrition ['mælnju'triʃən] *n* недохранване.

malodorous [mæl'oudərəs] *adj* зловонен.

malt [mɔ:lt] **I.** *n* малц, слад; ~ liquor бира; **II.** *v* правя на малц (*ечемик*); ставам на (превръщам се в) малц (*за зърната*).

malt-house ['mɔ:lt,haus] *n* пивоварна.

maltreat [mæl'tri:t] *v* държа се (отнасям се) зле към, малтретирам.

maltreatment [mæl'tri:tmənt] *n* грубо отношение, малтретиране.

mamma [mə'ma:] *n* мама.

mammal ['mæməl] *n* бозайник, млекопитаещо.

mammary ['mæməri] *adj* анат. гръден.

mammonism ['mæmənizm] *n* сребролюбие.

mammonist ['mæmənist] *n* сребролюбец.

mammoth ['mæməθ] *n* **1.** *палеонт.* мамонт; мамут; **2.** *attr* гигантски, огромен.

mammy ['mæmi] *n* мама.

man [mæn] **I.** *n* (*pl* men [men]) **1.** човек; all men всички (хора); • (all) to a ~; to the last ~ всички до един, без изключение; **2.** човечество, човешки род; **3.** човек, всеки, кой да е; **4.** мъж; мъжествен човек; to play the ~ държа се мъжки; between ~ and ~ като мъж на мъж; по мъжки; **5.** слуга, прислужник; *воен.* ординарец; *адм.* служещ; like master, like ~ какъвто господарят, такъв и слугата; **6.** съпруг, любим; ~ and wife мъж и жена (съпрузи); **7.** (*обикн. pl*) работници; служещи; **8.** *pl воен., мор.* войници, редници, моряци; **9.** *истор.* васал; **10.** *спорт.* играч; шахматна фигура; **11.** *attr* мъжки; ~-cook готвач; **II.** *v* **1.** *воен., мор.* попълвам състава (екипажа) на; поставям хора при, заемам; заставам при; **2.** набирам работна ръка за; **3.** *прен.* насърчавам, окуражавам, *обикн.* to ~ oneself давам си кураж, събирам смелост; **4.** опитомявам.

manacle ['mænəkəl] **I.** *n* **1.** *обикн. pl* окови, белезници; **2.** *прен.* преч-

манаж — ка, препятствие, спънка; **II.** *v* слагам окови на, оковавам.

manage ['mænidʒ] *v* **1.** боравя, работя, манипулирам, служа си с (*инструмент, сечиво*); въртя; **2.** ръководя (*предприятие*); управлявам (*и лодка*); гледам (*работа*); водя, въртя (*търговия, домакинство*); администрирам, стоя начело на; **3.** гледам, наглеждам (*деца*); държа под своя власт; справям се с; докарвам се пред; въртя, навивам (*някого*); укротявам, обуздавам (*животни*); he's a difficult person to ~ той ни се води, ни се кара; **4.** успявам, съумявам, смогвам; справям се, оправям се; she ~s well тя добре се справя с работата си; **5.** *разг.* изяждам (*с* can *или* be able to); can you ~ another bun? би ли изял още една кифла?

manageability [,mænidʒə'biliti] *n* послушание, податливост, сговорчивост.

manageable ['mænidʒəbəl] *adj* податлив на въздействие (внушение); укротим, послушен; лесно управляем; който лесно се води (управлява); сговорчив.

management ['mænidʒmənt] *n* **1.** ръководство; управление; управляване; дирекция, управа; engineering ~ техническо ръководство (управление); **2.** манипулиране; **3.** справяне (*с работа*); **4.** умело отнасяне (*с хора*).

manager ['mænidʒə] *n* **1.** управител, директор; началник; ръководител; надзирател, уредник; администратор; **2.** домакин(я) (*обикн. с определение*); **3.** *юр.* синдик (*при фалит*); управител на вакантно наследство.

managing ['mænidʒiŋ] *adj* **1.** ръководещ, завеждащ; **2.** енергичен делови; който се налага, склонен към командване; натрапчив; **3.** пестелив; стиснат.

man-child ['mæntʃaild] *n* (*pl* men-children) мъжка рожба, момче.

mandarin(e) ['mændərin] *n* **1.** *бот.* мандарина; **2.** ликьор от манда рини; **3.** тъмнооранжева боя.

mandate ['mændeit] **I.** *n* **1.** *поет.*

заповед, указ; **2.** мандат; **II.** *v* поставям под мандат.

mandatory ['mændətəri] **I.** *adj* **1.** мандатен; **2.** *амер.* задължителен; **II.** *n* мандатьор.

mandolin(e) ['mændəlin] *n* мандолина.

mane [mein] *n* **1.** грива; **2.** буйна, дълга коса (*на човек*).

manfull ['mænful] *adj* мъжествен, смел, решителен, юначен; ◇ *adv* **manfully.**

manfullness ['mænfulnis] *n* мъжество, твърдост, смелост.

manger ['meindʒə] *n* ясли.

mangle [mæŋgəl] *v* **1.** разкъсвам; насичам, изпосичам; обезобразявам; осакатявам; смазвам (*от бой*); **2.** *прен.* развалям, обезобразявам, изопачавам, изкривявам; **3.** каландрирам.

mangy ['meindʒi] *adj* **1.** крастав; **2.** *прен.* мизерен, мръсен, бедняшки; долен.

manhandle ['mæn,hændəl] *v* **1.** предвижвам; товаря ръчно, с ръце; **2.** малтретирам, отнасям се грубо с; мачкам, тъпча.

manhood ['mænhud] *n* **1.** възмъжалост; зрелост, пълнолетие; **to arrive at** ~ възмъжавам, ставам мъж; **2.** мъжественост, мъжество; **3.** мъжете, мъжкото население (на една страна); ~ **suffrage** избирателно право само за пълнолетни мъже.

manhunt ['mænhʌnt] *n* преследване, полицейска хайка.

mania ['meiniə] *n* мания.

maniac ['meiniæk] **I.** *adj* маниашки; маниакален; маниачески; **II.** *n* маниак; **tobacco** ~ страстен пушач.

maniacal [mæ'naiəkəl] *adj* луд, безумен, маниакален; ◇ *adv* **maniacally.**

manic ['mænik] *adj* обезумял, безумен, див, бесен, неистов.

manicure ['mænikjuə] **I.** *n* маникюр; **II.** *v* правя маникюр на.

manicurist ['mænikjuərist] *n* маникюрист, маникюристка.

manifest ['mænifest] **I.** *adj* явен, ясен, очевиден; открит; **II.** *v* **1.** показвам, проявявам; разкривам;

правя очевиден, откривам; **2.** доказвам; **3.** обнародвам, заявявам открито; представям; **4.** *refl* проявявам се (*за болест*); **5.** (по)явявам се (*за дух и пр.*); **6.** *търг.* декларирам, вписвам в митническа декларация; **7.** манифестирам, участвам в манифестация; издавам манифест; **III.** *n* **1.** манифест; **2.** митническа декларация.

manifestation [,mænifes'teiʃən] *n* **1.** проява, проявяване, проявление; показване, обявяване; **2.** израз, изявление; **3.** обнародване, представяне.

manifestly ['mænifestli] *adv* явно, очевидно.

manifesto [,mæni'festou] *n* (*pl* -os, -oes) манифест.

manifold ['mænifould] **I.** *adj* **1.** разнороден, различен, многостранен, разновиден, разнообразен, нееднакъв; **2.** многократен, многочислен, многоброен; **II.** *v* размножавам (*документи*); **III.** *n* **1.** копие (*на документи*); ~ **paper** циклостилна хартия; **2.** *техн.* тръбопровод; **3.** *техн.* коляно (*за тръба*); **4.** *техн.* колектор, събирател; **exhaust** ~ изпускателен колектор.

manifolder ['mænifouldə] *n* циклостил.

manikin ['mænikin] *n* **1.** джудже, човече; **2.** *анат.*, *изк.* манекен.

manipulate [mə'nipjuleit] *v* **1.** манипулирам; обработвам, боравя с; **2.** *прен.* ловко подвеждам; фалшифицирам, изопачавам.

manipulation [mə'nipju'leiʃən] *n* **1.** манипулиране, манипулация, боравене; **2.** *прен.* машинация; изопачаване, извращаване.

manipulative [mə'nipjulətiv] *adj* манипулационен.

manipulator [mə'nipjuleitə] *n* **1.** *техн.* манипулатор, ключ; **2.** машинист, оператор.

manliness ['mænlinis] *n* мъжественост, смелост.

manly ['mænli] *adj* смел, решителен, мъжествен; с мъжки нрав (*за жена*).

man-made ['mænmeid] *adj* изкуствен, синтетичен, направен от чо-

---

век; антропогенен.

mannequin ['mænikin] *n* манекен.

manner ['mænə] *n* **1.** начин; **in (after) this** ~ по този начин; **2.** маниер, държание, поведение; *pl* (добри) обноски, маниери; **bad** ~**s** лошо, невъзпитано държание; **3.** *изк.* форма, стил, маниер; маниерност; **the** ~ **and the matter** форма и съдържание; **4.** *остар.* навик, обичай; *pl* обичаи, бит, нрави; **he does it as if to the** ~ **born** идва му отвътре, естествено; **5.** *остар.* вид, род; **by no** ~ **of means** в никакъв случай.

mannerism ['mænərizm] *n* **1.** маниерност, превзетост; **2.** *изк.* маниеризъм.

mannerless ['mænəlis] *adj* невъзпитан, неучтив.

mannerliness ['mænəlinis] *n* добро възпитание, учтивост.

mannerly ['mænəli] *adj* възпитан, учтив.

manoeuvrability [mə'nu:rəbiliti] *n* маневреност; подвижност; лесна управляемост.

manoeuvrable [mə'nu:vərəbəl] *adj* подвижен, маневрен.

manoeuvre [mə'nu:və] **I.** *n* **1.** *pl* воен. маневри; **2.** *прен.* маневра, ловко действие, хитър ход; *pl* интриги; **II.** *v* **1.** *воен.* маневрирам, придвижвам войски при маневри (*и прен.*); маневрирам; лавирам; постигам с ловкост, хитрост; с хитрост вкарвам в, изкарвам от (**into, out of**); **to** ~ **s.o. into a corner** притискам някого до стената; *прен.* поставям някого натясно.

mansard ['mænsəd] *n* мансарда.

mantelet ['mæntlit] *n* пелеринка, късо наметало; мантела.

mantic ['mæntik] *adj* пророчески, гадателски.

mantle [mæntəl] **I.** *n* **1.** мантия, плащ, наметало; пелерина; **2.** *прен.* покривка, покривало, покров; **3.** чорапче (*на газена лампа или газов фенер*); **4.** *зоол.* мантия; **5.** *техн.* кожух, риза; опорен, основен пръстен (*на висока пещ*); **6.** *анат.* кортекс, мозъчна кора; **7.** *геол.* нанос; **II.** *v* **1.** намятам, покривам с наметало; об-

вивам, покривам, закривам; **2.** образувам кора; обраствам; **3.** изчервявам се (*за лице*); обагрям (*за зората*); **the dawn ~s in the sky** зората обагря небето.

manual ['mænjuəl] **I.** *adj* ръчен; мануален; **~ alphabet** азбука за глухонеми; **sign ~** саморъчен подпис; **II.** *n* **1.** *муз.* мануал, клавиатура на орган; **2.** наръчник, учебник, мануал.

manufactory [,mænju'fæktəri] *n* работилница, фабрика, манифактура.

manufacture ['mænjufæktʃə] **I.** *n* **1.** производство, произвеждане; изработка; направа; **2.** промишленост; **steel ~** производство на стомана; **3.** фабрикат; *pl* изделия; **II.** *v* **1.** фабрикувам, произвеждам, изработвам; **2.** *прен.* изфабрикувам, измислям.

manufacturer ['mæni'fæktʃərə] *n* фабрикант.

manufacturing ['mænju'fæktʃəriŋ] **I.** *n* производство; изработване; **computer-aided ~** компютризирано производство; **II.** *adj* производствен, промишлен.

manure [mə'njuə] **I.** *n* тор; **II.** *v* наторявам, торя.

manuscript ['mænjuskript] **I.** *adj* ръкописен; **II.** *n* (*съкр.* MS, *pl* MSS) манускрипт, ръкопис; **a work still in ~** ненапечатан труд.

many ['meni] **I.** *adj* (**more, most**) многоброен, много (*при броими съществителни*); **~ a man** много хора, **II.** *n* много хора, множество; **the ~** тълпата.

many-coloured ['meni,kʌlə:d] *adj* многоцветен, пъстър, пъстроцветен.

many-sided ['menisaidid] *n* многостранен.

many-stage ['menisteidʒ] *adj* многостепенен, многостъпален, каскаден.

many-valued ['meni'vælju:d] *adj* многозначен.

map [mæp] **I.** *n* карта (*географска и пр.*); план (*на град*); **off the ~** маловажен, несъществен; остарял; **not on the ~** невъзможен, малко вероятен; **II.** *v* правя карта, нанасям върху карта; **~ out** съставям план на; разпределям (*времето си*); начертавам.

mar [ma:] *v* (**-rr-**) развалям; обезобразявам; помрачавам.

marathon ['mærəθən] *n* маратон; **the M.** маратонско бягане.

maraud [mə'rɔ:d] *v* мародерствам, ограбвам, обирам, отдавам се на грабеж (**on, upon**); подлагам на грабеж.

marauder [mə'rɔ:də] *n* мародер.

marauding [mə'rɔ:diŋ] *adj* мародерски.

marble [ma:bəl] **I.** *n* **1.** мрамор; (**as**) **cold as ~** *прен.* безжизнен, безчувствен; **2.** *pl* мрамор, колекция от мраморни статуи, скулптурна група от мрамор; **3.** топче за игра; **4.** *attr прен.* твърд, корав, непоклатим, безчувствен, безразличен; *прен.* хладен като мрамор; **~ breast** кораво сърце; **5.** *attr* бял като мрамор, мраморно бял; **6.** *attr* с жилки на мрамор; **II.** *v* боядисвам, шаря (дърво) като мрамор; **• to lose o.'s ~s** полудявам, откачам.

marcel (wave) [ma:'sel(weiv] **I.** *n* къдрене с маша; **to have o.'s hair ~-waved** къдрят ми косата с маша; **II.** *v* (**-ll-**) къдря с маша.

March [ma:tʃ] *n* **1.** месец март (*съкр.* **Mar.**); **2.** *attr* мартенски.

march₁ [ma:tʃ] **I.** *n истор.* **1.** граница, предел; **2.** погранична, спорна област; покрайнини; **II.** *v* (*често с* **with**) граничи с, намирам се до (*за държави, имения и под.*).

march₂ **I.** *n* **1.** *воен.* марш, маршируване; поход; **~ past** военен парад; церемониален марш; **2.** ход, поход, марш; **slow ~** бавен ход; **quick ~** бърз ход; **3.** преход (*разстояние*) (*и* **day's ~**); **forced ~** дълъг преход; **4.** *прен.* ход, течение (*на времето, събития*); напредък, прогрес, постижения, успехи; развитие; **5.** *муз.* марш; **dead ~** погребален марш; **II.** *v* **1.** маршировам; **2.** ходя, крача, напредвам; запътвам се (**to, towards**); **3.** предвижвам (*войски*); заповядвам на, карам (*войски*) да маршируват; **4.** закарвам, отвеждам

(**off**); **5.** *прен.* напредвам, прогресирам (*за събития, начинание*);

march along напредвам;

march away (off) отивам си; тръгвам, оттеглям се, потеглям;

march back маршировам обратно, връщам се;

march by (past) минавам в церемониален марш, дефилирам;

march forth потеглям, настъпвам;

march in (into) влизам (в);

march on продължавам да напредвам (да маршировам); потеглям напред.

marching ['ma:tʃiŋ] *n воен.* маршируване, маршировка; **~ past** дефилиране.

marconigram [ma:'kounigræm] *n* радиограма, радиотелеграма.

mare [mɛə] *n* кобила; **the gray ~ is the better horse** в тоя дом кокошка пее; **• to ride Shanks's ~** хващам "двойката", вървя пешком.

margarine ['ma:gərin, ma:dʒə'ri:n] *n* маргарин, заместител на краве масло.

margin ['ma:dʒin] **I.** *n* **1.** ръб, край; предел; (речен) бряг; **2.** поле (*на страница*); **3.** малък запас, излишък, резерва (*от време, пари*); разлика; **4.** свобода (на действие); простор; фин. марж; възможност(и); минимална печалба; (**by**) **a narrow ~** едва-едва, с големи усилия; **to play on ~** *борс.* спекулирам; **II.** *v* **1.** записвам, отбелязвам на полето; **2.** оставям поле (*на страница*); **pages insufficiently ~ed** страници с твърде малко поле; **3.** *фин.* депонирам марж.

marginal ['ma:dʒinəl] *adj* **1.** маргинален, страничен, написан в полето; **2.** маловажен, незначителен, дребен; **3.** краен, на ръба; **4.** *мед.* маргинален; **~ constituency** с малко мнозинство от последните избори; ◇ *adv* **marginally**.

marguerite [,ma:gə'ri:t] *n бот.* маргаритка *Chrysanthemum leucanthemum*.

marigold ['mærigould] *n бот.* невен *Calendula officinalis*.

marihuanna [mæri'hwa:nə] *n исп*

марихуана, изсушени цветове и листа на индийски коноп *Cannabis sativa*, използвани като наркотик.

marinade [ˌmæriˈneid] I. *n* маринената; II. *v* мариновам.

marine [məˈriːn] I. *adj* 1. морски; ~ **painting** морски пейзаж; 2. морски, корабен, корабоплавателен; ~ **insurance** морска застраховка; 3. военноморски; служещ на военен кораб (*за моряк*); II. *n* 1. флот(а); 2. морски пехотинец; моряк на служба във военния флот.

mariner [ˈmærinə] *n* поет., спец. моряк; **master** ~ капитан на търговски кораб.

marionette [ˌmæriəˈnet] *n* марионетка.

mark [maːk] I. *n* 1. петно (*и на животно*); белег (*и от рана*); отпечатък (*и прен.*); 2. въздействие, влияние; именитост, известност, слава; значение; **of great (little)** ~ от голямо (малко) значение; 3. (отличителен) знак, белег; признак; кръст (*вместо подпис*); 4. печат; щемпел; търговска марка (*на фабрични стоки, сребро и пр.*); 5. цел; прицел; мишена; **beside (wide) of the** ~ далеч от (неулучил) целта; *прен.* далеч от истината, на крив път; погрешно, неуместно; **on the** ~ верен, точен, правилен; 6. *уч.* бележка (*оценка на успех*); бал; 7. граница, предел, ниво; *истор.* покрайнини; гранична област; 8. *спорт.* стартова линия; • **easy (soft)** ~ жертва; доверчив, лековерен човек; II. *v* 1. бележа, правя (отличителен) знак на; отбелязвам, записвам; маркирам (*стоки*); **to be ~ed with spots** на петна съм; 2. отбелязвам, надписвам цена (*на стоки*); *уч.* поставям бележка (*оценка*); 3. записвам резултат (*точки*) (*в игра*); 4. забелязвам, взимам под внимание, взимам си бележка; обръщам внимание на; ~ **me,** ~ **you,** ~ **my words** помни ми думите! 5. **to** ~ **time** тъпча на място (*и прен.*); 6. характеризирам, бележа, отличавам; посочвам, показвам, засвидетелствам;

to ~ **an era** откривам нова ера; 7. *спорт.* маркирам (*във футбола*);
mark down 1) записвам; вписвам (в списък); взимам си бележка от; 2) намалявам цената (*на стоки*); продавам с намалени цени;
mark off 1) отмервам, отбелязвам, очертавам, начертавам границите на; 2) измервам; нанасям на карта; 3) отличавам (**from**);
mark out 1) отбелязвам, очертавам, набелязвам, начертавам; 2) отличавам; • **the was ~ed out as a spy** смятаха го за шпионин;
mark up 1) написвам; 2) покачвам цените на.

marked [maːkt] *adj* 1. белязан; по който има белези, знаци, означен, маркиран; 2. подчертан, явен, ярък, очевиден, очебиен, безспорен, несъмнен; **strongly** ~ **features** остри черти; 3. забележителен, изтъкнат, важен, подчертан, преднамерен; **a** ~ **man** набелязана жертва, човек, когото следят; виден, бележит, именит човек; 4. чувствителен, значителен, доста голям; ◇ *adv* **markedly**.

markedness [ˈmaːktnis] *n* 1. очевидност, явност, очебийност, несъмненост; 2. забележителност, важност.

market [ˈmaːkit] I. *n* 1. пазар, пазарище, тържище; хали (*и* **covered** ~); **to bring to (put on the)** ~ пускам на пазара (в продажба); 2. търсене; **there is no** ~ **for fruit** няма търсене на плодове; **to find (meet with) a ready** ~ продавам си бързо стоката; 3. борса, търговия, цена, курс; **black** ~ черна борса; **labour** ~ трудова борса; 4. пазарни; страна, област за пласмент на стоки; **struggle for ~s** борба за пазари; 5. *attr* пазарен, пазарски; • **to mend o.'s** ~ подобрявам положението си; II. *v* 1. докарвам на пазара; продавам (купувам) на пазара; пазарувам; 2. продавам; намирам за пазари за, пласирам; ~ **price/value** пазарна цена/стойност.

marketing [ˈmaːkitiŋ] *n* 1. търговия; 2. покупки; 3. пласиране; 4.

маркетинг.

market-place [ˈmaːkitˈpleis] *n* пазар, пазарище, пазарно място.

market-price [ˈmaːkitprais] *n* пазарна цена; **at the** ~ на пазарна цена/стойност.

marking [ˈmaːkiŋ] *n* 1. белязване, означаване, маркиране; 2. белег, знак, марка, бележка; 3. удряне на печат, подпечатване, поставяне на клеймо; 4. характерен цвят, петна и под. (*на животно, растение*).

marooner [məˈruːnə] *n* 1. безделник, скитник, хаймана, хайта; 2. *амер.* екскурзиант.

marquis [ˈmaːkwis] *n* маркиз.

marquise [maːˈkiːz] *n* маркиза.

marriage [ˈmæridʒ] *n* 1. брак, женитба (**to**); **civil** ~ граждански брак; **religious** ~ църковен брак; 2. сватба, венчавка, венчило, бракосъчетание; 3. семеен живот; 4. *прен.* тясна връзка, единство, общуване; 5. *карти* "мариаж"; 6. *attr* брачен; ~ **bonds** брачни връзки; ~ **lines** брачно свидетелство.

married [ˈmærid] *adj* 1. женен, омъжена (**to**); **to get** ~ оженвам се, омъжвам се; 2. брачен.

marrow₁ [ˈmærou] *n* 1. *анат.* костен мозък; **spinal** ~ гръбначен мозък; 2. същина, ядка (*и* **pith and** ~); 3. сърцевина, вътрешната част на плод; 4. тиквичка (*и* **vegetable** ~).

marrow₂ *n шотл.* 1. другар, другарка; 2. съпруг, съпруга; 3. еш; лика-прилика.

marry [ˈmæri] *v* 1. женя, оженвам, омъжвам; венчавам, бракосъчетавам (**to**); 2. женя се, оженвам се, омъжвам се, венчавам се за; **to** ~ **beneath one** встъпвам в неравен брак; 3. *прен.* съединявам, съчетавам, свързвам, споявам; **to** ~ **up** натъкмявам, нагласявам, нагаждам.

marsh [maːʃ] *n* блато, мочур, тресавище.

marshal [ˈmaːʃəl] I. *n* 1. *воен.* маршал; фелдмаршал (*в Англия*); 2. церемониалмайстор; 3. началник на военна полиция (*и* **provost-~**); 4. разпоредител; II. *v* (**-ll-**)

1. нареждам, подреждам; композирам (*влак*); **2.** строявам, построявам; заемам си мястото, събирам се; **3.** водя, въвеждам тържествено (into); **4.** *хералд.* съставям (*герб*).

marshy [′ma:ʃi] *adj* блатен, блатист, мочурлив, заблатен.

martial [′ma:ʃəl] *adj* **1.** военен; ~ law военно положение; **2.** войнствен, храбър, смел, юначен, сърцат.

martyr [′ma:tə] **I.** *n* мъченик, мъченица; to make a ~ of oneself жертвам се; изкарвам се мъченик, самосъжалявам се; **II.** *v* **1.** убивам (*мъченик*); **2.** измъчвам, преследвам; правя мъченик от.

martyrdom [′ma:tədəm] *n* **1.** мъченичество; мартириум; **2.** мъки, мъчения, измъчване.

martyred [′ma:təd] *adj* многострадален, трогателен, покъртителен, сърцераздирателен.

martyrize [′ma:təraiz] *v* мъча, измъчвам.

marvellous [′ma:vələs] *adj* чуден, чудесен, дивен, прекрасен, изумителен, удивителен; ◇ *adv* marvellously.

Marxism [′ma:ksizm] *n* марксизъм.

mascot [′mæskət] *n* талисман, муска, амулет; човек (животно, предмет), който носи щастие.

masculine [′ma:skjulin] **I.** *adj* **1.** мъжки; като на мъж; **2.** мъжествен, силен, юначен; енергичен, деен; **II.** *n* **1.** *език.* мъжки род; **2.** дума от мъжки род.

masculinity [,mæskju′liniti] *n* мъжественост.

mash [mæʃ] *sl остар.* **I.** *v* омайвам, пленявам; to make o.′s ~ пленявам, покорявам нечие сърце; **II.** *n* любим, любима, изгора, либе.

mask [ma:sk] **I.** *n* **1.** маска (*и прен.*); to assume (put on, wear) the ~ of слагам маската на; **2.** маскиран човек; маскарад; **3.** посмъртна маска (*и* death ~); **4.** противогаз (*и* gas ~); **5.** лисича муцуна; **II.** *v* **1.** маскирам, прикривам; **2.** слагам си маска; маскирам се, предрешавам се; **3.** *воен.* маскирам, замаскирам.

masking [′ma:skiŋ] *n* маскиране, замаскиране, маскировка.

mason [′meisn] **I.** *n* **1.** зидар, строителен работник, дюлгер, майстор; каменоделец, каменар; ~′s rule дюлгерски метър; **2.** масон, франкмасон, свободен зидар (*и* free ~); **II.** *v* зидам, градя, строя.

masonic [mə′sɔnik] *adj* масонски.

masquerade [,mæskə′reid] **I.** *n* маскарад; *прен.* лъжлива външност; **II.** *v* **1.** участвам в маскарад; маскирам се, предрешавам се; **2.** придавам си лъжлив вид, преструвам се; представям се за.

mass₁ [mæs] *n рел.* меса, литургия, богослужение в Католическата църква.

mass₂ **I.** *n* **1.** маса, грамада, камара, куп, купчина, голямо количество, множество (of); ~ of people тълпа, навалица; **2.** по-голямата част от; **3.** *pl* the ~es) народните маси, масите; **4.** маса, обем, размер, големина; **5.** *attr* масов; ~ produktion серийно производство; **II.** *v* **1.** събирам (се) на куп, скупчвам (се), трупам (се); **2.** *воен.* струпвам (*войски*).

massacre [′mæsəkə] **I.** *n* сеч, клане, избиване; **II.** *v* коля, изколвам, избивам.

massage [mæ′sa:ʒ] **I.** *n* масаж; **II.** *v* **1.** правя масаж на, масажирам; **2.** *разг.* подправям, фалшифицирам, нагласявам (*данни, цифри, доказателства*).

massed [mæst] *adj* гъст, плътен, компактен.

masseur [mæ′sə:] *n* масажист.

massive [′mæsiv] *adj* **1.** масивен, едър, обемист, плътен, здрав, тежък; **2.** солиден, сериозен; ~ protest (opposition) сериозен протест (опозиция); **3.** голям по размери, с голям обхват, от голяма величина; мощен; **4.** *геол.* без определена кристална решетка; еднороден; ◇ *adv* massively.

mast [ma:st] **I.** *n* мачта; **II.** *v* слагам мачта.

master [′ma:stə] **I.** *n* **1.** господар, собственик, притежател; ~ of the situation господар на положението; **2.** работодател, "чорбаджия";

3. глава на семейство, стопанин, домакин (*и* ~ of the house); **4.** майстор, експерт; маестро; he is a ~ at chess той е отличен играч на шах (шахмайстор); **5.** майстор, занаятчия; **6.** капитан (*на търговски кораб*); **7.** учител, преподавател; dancing-~ учител по танци; **8.** (M.) магистър (*научна степен*); M. of Arts магистър по хуманитарните науки; **9.** художник, стар майстор; **10.** ръководител на колеж; **11.** директор на ученически пансион (*и* house ~); **12.** господин (*обръщение към младеж*); **13.** *шотл.* титла на най-големия син на виконт или барон; **14.** *attr* главен, водещ; ~ passion най-голяма страст; ● to make oneself ~ of овладявам, усвоявам, изучавам; **II.** *v* **1.** надделявам, надмогвам, побеждавам, надвивам, справям се с, подчинявам, укротявам; to ~ o.′s temper овладявам се; **2.** овладявам, усвоявам, изучавам; изпраксвам; **3.** ръководя, управлявам.

masterful [′ma:stəful] *adj* **1.** деспотичен, властен, своеволен; **2.** уверен; **3.** майсторски, изкусен.

masterfulness [′ma:stəfulnis] *n* **1.** властност, деспотичност, своеволие; **2.** увереност.

masterpiece [′ma:stəpi:s] *n* шедьовър.

mastery [′ma:stəri] *n* **1.** власт, владичество, господство, надмощие; to have, gain (the) ~ over имам, добивам надмощие над; **2.** изкуство, майсторство, умение; съвършено познаване (владеене) (of); the ~ of technique овладяване на техниката.

masticate [′mæstikeit] *v* **1.** дъвча, сдъвквам; **2.** разбърквам, пластифицирам.

mastication [′mæstikeiʃən] *n* **1.** дъвчене, сдъвкване; **2.** разбъркване, пластифициране.

masturbate [′mæstəbeit] *v* мастурбирам.

masturbation [,mæstə′beiʃən] *n* онанизъм, мастурбация.

mat₁ [mat] **I.** *n* **1.** рогозка, черга, чердже, килимче; *спорт.* тепих

2. изтривалка (*и* **door-~**); **3.** подложка, подставка, салфетка, покривчица (*за под чиния и пр.*); **4.** нещо сплетено; сплъстени коси; *мор.* сплетени стари въжета; **5.** *полигр.* отпечатък (*от клише*); ● **to be on the ~** *разг.* оплел съм конците, в затруднено положение съм; хокат ме, ругаят ме; **II.** *v* (-tt-) **1.** постилам рогозка и под. върху/на; покривам (*растение*) с рогозка за през зимата; **2.** сплитам (се); сплъстявам (се).

mat₂ I. *adj* матов, нелъскав, неполиран; **II.** *v* правя матов, матирам.

match₁ [mætʃ] *n* **1.** (клечка) кибрит; **to strike a ~** драсвам клечка кибрит; **2.** *воен.* фитил.

match₂ I. *n* **1.** подобен, съответен предмет (лице), равен, равностоен, еш; **a perfect ~ of colours** пълна хармония на цветове; **2.** брак, женитба; подходящ кандидат за женитба, подходяща партия; **they are a good ~** те са един за друг; те са си лика-прилика; **3.** мач, среща, спортно състезание; **tight ~** състезание при (почти) равни шансове; ● **meedle with your ~** намерил си църква да се кръстиш; **II.** *v* **1.** подбирам, съчетавам, съединявам; **a well (an ill) ~ed couple** добре (зле) подбрана двойка, лика-прилика, (не) един за друг; **2.** равен (подобен) съм, отговарям, съответствам, прилягам, подхождам, отивам, уйдисвам (**with**); **these colours don't ~** тези цветове не си отиват (не хармонират, не си подхождат); **3.** противопоставям; **to ~ o.'s strength with (against)** премервам силите си с; **4.** противопоставям се, излизам насреща на, меря се, състезавам се с; **nobody can ~ him in skating** никой не може да се мери с него на кънки; **5.** женя, оженвам, омъжвам, задомявам; ● **to ~ coins** хвърлям ези-тура.

nate₁ [meit] **I.** *n* мат (*в шаха*); **fool's ~** мат при втори ход; **II.** *v* правя мат, матирам.

nate₂ I. *n* **1.** другар, другарка, колега, колежка; **2.** другар (съпруг), другарка (съпруга); **3.** мъжкар, самец; женска, самка (*от двойка животни*); **4.** помощник; **5.** помощник-капитан (*в търговския флот*); **II.** *v* **1.** съчетавам, оженвам (се); **2.** чифтосвам, съешавам; съвкупявам се; **3.** свързвам, съединявам, скачвам се; **4.** общувам (**with**).

material [mə'tiəriəl] **I.** *adj* **1.** материален, веществен, предметен, обективен, физически; **~ evidence** веществени доказателства; **2.** материален, диктуван от материални съображения, материалистически, материалистичен; **3.** телесен, плътски, груб, сетивен, чувствен; **4.** насъщен, всекидневен; земен, **5.** светски, (чисто) външен; **~ civilization** материална култура; **6.** конкретен; **in a ~ sense** в конкретен смисъл; **7.** важен, съществен, значим, от значение (**to**); **~ objections** сериозни възражения; **II.** *n* **1.** материал; материя, вещество; **building ~s** строителни материали; **2.** елементи, съставни части, материал; **to collect ~ for a book** събирам материали за книга; **3.** материя, тъкан, плат; **dress ~** плат за рокля; ● **writing ~s** канцеларски материали.

materialize [mə'tiəriəlaiz] *v* **1.** материализирам, придавам материална форма на, превръщам в реален факт; **2.** карам (*дух*) да се яви; материализирам се, явявам се (*за дух*); **3.** осъществявам (се); **4.** въплъщавам; **5.** карам (*някого*) да загрубее, превръщам в материалист (*някого*).

maternity [mə'tə:niti] *n* майчинство; **~ leave** отпуск по майчинство.

matey ['meiti] *adj* **1.** общителен; **2.** приятелски.

mathematical [ˌmæθi'mætikəl] *adj* математически, математичен.

mathematics [ˌmæθə'mætiks] *n pl* (= *sing*) математика; **higher ~** висша математика.

matriarchal ['meitri'a:kəl] *adj* матриархален.

matter ['mætə] **I.** *n* **1.** вещество, ма-

терия; **colouring ~** багрилно вещество; **2.** материал; **postal ~** пощенска пратка; **plate ~** *амер.* литературен материал, изпращан във вестници с рекламна или пропагандна цел; **3.** предмет, съдържание, смисъл, значение, същина, въпрос; **4.** работа, нещо; **subject ~** съдържание, сюжет (*на книга и под.*); **5.** *юр.* фактите, въз основа на които се води дело; **6.** гной; **7.** *полигр.* набор, набрани букви; ● **to make a ~** вдигам шум, предизвиквам вълнение; **II.** *v* **1.** има значение, от значение е (**to**); **it doesn't ~** няма значение; нищо; **2.** *остар.* гноя, отделям гной.

matter-of-fact ['mætərəv'fækt] *adj* **1.** сух, прозаичен, скучен, неинтересен, лишен от фантазия; реалистичен; **2.** прост, обикновен.

mattress ['mætris] *n* **1.** дюшек, тюфлек, матрак; **2.** пружина (на легло) (*обикн.* **spring ~**).

mature [mə'tʃuə] **I.** *adj* **1.** зрял, узрял, съзрял, напълно развит; **~ wine** отлежало вино; **2.** зрял, добре обмислен; **after ~ deliberation** след зряло обмисляне; **3.** назрял, готов (за употреба) (**for**); **4.** платим; **II.** *v* **1.** узрявам, развивам се напълно; назрявам; **2.** довеждам до състояние на зрелост (пълно развитие); разработвам; **to ~ o.'s ideas** избистрям идеите си, идеите ми узряват; **3.** идвам (*за срок на полица*).

matutinal [ˌmætju:'tainəl] *adj* **1.** утринен, сутрешен; **2.** ранен.

maudlin ['mɔ:dlin] **I.** *adj* сълзлив, сантиментален, сладникавотъжен; **II.** *n* сълзливост, сантименталност.

mausoleum ['mɔ:zəliəm] *n* мавзолей.

mawkish ['mɔ:kiʃ] *adj* сладникав, блудкав; *прен.* сантиментален, сълзлив.

mawkishness ['mɔ:kiʃnis] *n* сладникавост, блудкавост, сантименталност, сълзливост.

maxim ['mæksim] *n* **1.** максима, сентенция, афоризъм; **2.** логически или етически принцип, основ-

но правило (в живота).

maximum ['mæksiməm] **I.** *n* (*pl* -**ma** [-mə]) максимум; **II.** *attr* максимален.

may₁ [mei] *v* (**moght** [mait]) мога; *изразява*: **1.** *възможност, вероятност*: he ~ have gone somewhere else той може да е отишъл някъде другаде; **2.** *молба, позволение*: you might at least offer to help ти би могъл (би трябвало) поне да предложиш помощта си; **3.** *пожелание*: ~ you be happy! дано да бъдеш щастлив! **4.** *употребява се и при обстоятелствени изречения за цел*: write to him at once so that he ~ know the time пиши му веднага, за да научи навреме; ● you ~ well say so *разг.* точно така, абсолютно вярно.

may₂ *n поет.* дева, девойка, девица.

maybe ['meibi] *adv* може би.

mayor [mɛə] *n* кмет.

maze [meiz] **I.** *n* **1.** лабиринт; **2.** бъркотия, хаос; **3.** объърканост, забърканост, слисаност, несигурност; ● to be in a ~ съвсем съм объркан; **II.** (*обикн. pp*) объъркавам, забъърквам, слисвам, смайвам, изумявам.

maziness ['meizinis] *n* **1.** заплетеност, объърканост, сложност, неясност; **2.** объърканост, замаяност, изуменост.

mazy ['meizi] *adj* **1.** заплетен, забъркан, сложен, неясен; **2.** крив, криволичещ; **3.** объркан, замайн.

me [mi:, mi] *pers pron* **1.** винителен и дателен падеж от I; мене, ме, ми; **2.** *разг.* аз; it is ~ аз съм; **3.** *остар. поет.* възвратно местоимение; I laid ~ down аз легнах; ● dear ~! Боже мой!

meagre ['mi:gə] *adj* **1.** мършав, сух, слаб; **2.** оскъден, беден, недостатъчен, постен; ~ attendance слабо посещение; **3.** беден откъм съдържание, безсъдържателен, ограничен.

meal [mi:l] **I.** *n* **1.** ядене (*закуска, обед, вечеря*), храна; to have a square ~ нахранвам се добре; **2.** надой; **II.** *v* рядко ям.

mean₁ [mi:n] *adj* **1.** посредствен, оскъден, недостатъчен, скромен;

слаб, обикновен; of no ~ ability много способен; **2.** бедняшки, беден, сиромашки, скромен, дрипав, опърпан; **3.** долен, безчестен, низък, подъл, за презрение, презрян; **4.** дребнав, тесногръд, ограничен; а ~ trick мръсен номер; **5.** скъпернически, стиснат, скръндзав; ~ about money (over money matters) който трепери над парата, цепи косъма (парата); **6.** *амер., разг.* лош, зъл, жесток; **7.** *амер., разг.* засрамен, гузен; ● to feel ~ чувствам се зле (не особено добре); чувствам се посрамен, виновен; в лошо настроение съм.

mean₂ **I.** *adj* среден (*и мат.*); ~ quantity, number средна величина (стойност), число; ● in the ~ time (while) между това, през това време, междувременно; **II.** *n* **1.** среда, средина; **2.** *мат.* средно число; **3.** *pl* (*u = sing*) средства, средство, начин, способ; by any ~s по какъвто и да е начин, с цената на всичко; **4.** *pl* средства; състояние, богатство; ~s of subsistence средства за прехрана (препитание, съществуване).

mean₃ *v* **1.** възнамерявам, имам намерение, искам; to ~ business имам сериозни намерения; говоря сериозно; **2.** предназначавам, глася, тъкмя, (предварително) определям, предопределям (for); this present is meant for you този подарък е за теб; **3.** искам да кажа, имам пред вид, подразбирам; I ~ what I say говоря сериозно, не се шегувам; **4.** знача, означавам (to); this ~s nothing to him това не значи нищо за него.

meandrine [mi'ændrin] *adj* **1.** криволичещ, извит, вит; **2.** с гънки, спираловидни извивки.

meaning ['mi:niŋ] **I.** *n* значение; **II.** *adj* многозначителен.

meaningful ['mi:niŋful] *adj* **1.** значителен, важен, смислов, значим; ~ discussion важна (сериозна) дискусия; **2.** разбираем, понятен; **3.** изразителен (*за усмивка, поглед и пр.*); ◇ *adv* **meaningfully**

mean-looking ['mi:nlukiŋ] *adj* бе-

ден, бедняшки, сиромашки.

meanly ['mi:nli] *adv* **1.** слабо, малко, оскъдно, недостатъчно; **2.** сиромашко, бедняшко, скромно, бедно; ~ born от скромно семейство; **3.** низко, безчестно, подло, долно.

meanness ['mi:nnis] *n* **1.** низост, гадост, подлост, безчестие; a piece of ~ подла постъпка, мръсен номер; **2.** духовна бедност, духовна немощ, убогост, посредственост.

mean-spirited ['mi:nspiritid] *adj* долен, низък, подъл, безчестен, гаден; ~ fellow подлец.

measurable ['meʒərəbəl] *adj* измерим; in the ~ future в близко бъдеще.

measuration [meʒə'reiʃən] *n* измерване, премерване.

measure [meʒə] **I.** *n* **1.** мяра, мярка, размери, количество, единица, уред за мерене; to keep (observe) ~ сдържан съм, имам чувство за мярка; to know no ~ не зная мярка; **2.** мярка, размери; made to ~ по мярка (поръчка) (*за дрехи и под.*); **3.** мярка, мерило, критерий, мащаб; to give the ~ of давам (вярна) представа за; **4.** мярка, мероприятие; закон, постановление; to take ~s вземам мерки (for, against); **5.** *мат.* делител; greatest common ~ общ най-голям делител; **6.** ритъм, стихотворна стъпка (размер); **7.** *муз.* такт; **8.** *остар.* танц; to tread a ~ танцувам бавен танц; **9.** *pl геол.* пластове; ● ~ for ~ око за око, зъб за зъб; **II.** *v* **1.** меря, измервам; to ~ by a yardstick меря с аршин; **2.** вземам мярка на (for); to ~ with o.'s eye измервам с поглед (на окомер); **3.** оценявам, преценявам; **4.** премервам; to ~ o.'s strength премервам силите си (with, against); **5.** отмервам, раздавам, разпределям (to); **6.** *поет.* изминавам, прекосявам, преброждам; ● ~ thrice and cut once седем пъти мери, един път режи

measure off отмервам;

measure out 1) меря, размервам; 2) давам, раздавам, разпределям

measure up (to, with) 1) достигам (до); 2) отговарям (на); имам нужния ценз; **to ~ up to o.'s task** справям се със задачата, задачата е по силите ми; 3) оправдавам (*надежди*).

measureless ['meʒəlis] *adj* неизмерим, безграничен; огромен, грамаден.

measurement ['meʒəmənt] *n* 1. мерене, измерване, премерване; измерение; 2. мярка; *pl* размери; **made to ~s** правен по мярка; 3. тонаж; • **unit of ~** единица мярка.

meat [mi:t] *n* 1. месо; **white, dark ~** бяло, черно месо; 2. *остар.* храна; **green ~** трева, зеленчук; 3. *остар.* ядене; **~ and drink** ядене и пиене; **at ~** по време на ядене, на масата; 4. месо (*на плод*), белтък и жълтък на яйце, ядка; 5. храна за ума, духовна храна, повод за размишление; **full of ~** съдържателен; 6. *attr* месен; **~ diet** месна храна; • **every man's ~** нещо общодостъпно, разбираемо за всички.

meatless ['mi:tlis] *adj* безмесен, постен.

mechanic [mi'kænik] I. *n* 1. механик, техник; **master ~** главен механик; 2. занаятчия; II. *adj остар.* механичен, механически.

mechanical [mi'kænikəl] *adj* 1. машинен; механичен, механически; **~ engineer** машинен инженер; 2. занаятчийски; **~ arts** занаяти; 3. фабричен, индустриален; 4. извършен с помощта на машина; 5. машинален, автоматичен, несъзнателен; 6. механичен, като машина; неоригинален, неспонтанен, банален; 7. *хим.* механичен; 8. *филос.* механистичен, механистически; ◇ *adv* **mechanically**.

mechanicalness [mi'kænikəlnis] *n* машиналност, механичност, автоматичност, несъзнателност; неоригиналност.

mechanism ['mekənizm] *n* 1. механизъм, апарат, машина, съоръжение; 2. устройство, строеж, направа, конструкция, система; 3.

система; организация; 4. механистична теория (витализъм).

mechanization [,mekənai'zeiʃən] *n* механизация; **integration ~** комплексна механизация.

mechanize ['mekənaiz] *v* механизирам.

mechanized ['mekənaizd] *adj* механизиран.

medal [medəl] *n* медал, орден, отличие, възпоменателен знак; **the reverse of the ~** обратната страна на медала.

medallion [mi'dæljən] *n* медальон.

meddle [medəl] *v* 1. меся се, намесвам се, бъркам се (**in**); бъркам се, където не ми е работа, пъхам си гагата; **to ~ in (with) other people's affairs** меся се в чужди работи; навирам си носа; 2. бърникам, барам, пипам, играя си (**with**); **don't ~ with my books** остави книгите ми на мира.

meddlesome ['medəlsəm] *adj* натрапничав, натрапнически; който бърника.

median ['mi:diən] I. *adj* среден, по средата, междинен; II. *n* 1. *мат.* медиана; 2. *анат.* средна артерия, вена, нерв.

mediate I. ['mi:diit] *adj* 1. *рядко* междинен, промеждутъчен; 2. непряк, косвен, относителен; II. ['mi:dieit] *v* 1. посреднича (**between**); 2. постигам, осъществявам, уреждам чрез посредничество, намеса; 3. заемам междинно положение, посреднича, служа за връзка (**between**).

mediation [,mi:di'eiʃən] *n* посредничество.

mediator ['mi:dieitə] *n* посредник, медиатор.

medical ['medikəl] I. *adj* 1. медицински; (**~ aid (help)**) медицинска помощ; **~ care** лекарски грижи; 2. терапевтичен; **~ ward** терапевтично отделение в болница; терапия; II. *n* 1. *разг.* медик, медичка; 2. студент (студентка) по медицина.

medicament [me'dikəmənt] *n* лекарство, лек, медикамент.

medicate ['medikeit] *v* 1. лекувам (*с лекарства*); 2. правя лековит,

лечебен.

medicative ['medikətiv] *adj* лечебен, лековит, целебен, целителен, изцелителен.

medicinal [me'disinəl] *adj* лечебен, лековит, целебен, целителен; **~ substance (drug)** лечебно средство; **~ bath treatment** балнеотерапия.

medicine ['medsin] I. *n* 1. медицина (*терапия, терапевтика*); **doctor of ~** доктор по медицина; 2. лекарство, лек, цяр; **to take o.'s ~** вземам лекарство; *шег.* пийвам (*спиртно питие*); *прен.* понасям достойно своето наказание; 3. талисман, муска, амулет, фетиш; II. *v* лекувам, давам лекарство на, церя.

medieval [,medi'i:vəl] *adj* средновековен.

mediocre ['mi:dioukə] *adj* посредствен, незначителен, среден, умерен, скромен.

meditate ['mediteit] *v* 1. размишлявам, размислям (се), замислям се; обмислям (**on, upon**); **to ~ over the future** мисля за бъдещето; 2. медитирам; 3. замислям, кроя, скроявам, планирам, подготвям.

meditation [,medi'teiʃən] *n* 1. размисъл, размишление; 2. медитация; 3. съзерцание, мечтателно настроение, вглъбеност.

meditative ['meditətiv] *adj* съзерцателен, вглъбен, мечтателен, замислен, медитативен; ◇ *adv* **meditatively**.

meditator ['mediteitə] *n* мечтател, съзерцател.

medium ['mi:diəm] I. *n* (*pl* **mediums, media** ['mi:diə]) 1. средство, сила, фактор; **circulating ~; ~ of circulation** пари, оборотни средства; 2. среда, нещо средно, среднина, междинно, промеждутъчно (*средно качество, число, междинна степен и под.*); (**social**) **~** обществена среда; **happy ~** златна среда; 3. (*pl* **media**) (околна) среда, условия на живот, обкръжение; 4. проводник, агент, посредник; **the air is a ~ for sound** въздухът е добър проводник на звука; 5. разтворител (*на боя*); 6.

лог. средното съждение на силогизъм; **7.** (*pl* **mediums**) медиум; **8.** *pl* масмедии, медии; **II.** *adj* **1.** среден, междинен, умерен; **2.** мек, яваш (*за тютюн*); **of ~ height** със среден ръст; **3.** *воен.* среднокалибрен.

medley ['medli] **I.** *n* **1.** смес, смесица, смешение, миш-маш; **2.** смесено общество; разноцветно общество, пъстра навалица; **a ~ of books and papers** безреден куп от книги и книжа; **3.** *муз.* китка, потпури; **4.** литературен сборник; **II.** *adj* смесен, пъстър, шарен, разнообразен, разновиден; **~ race** смесена щафета; **III.** *v* смесвам, размесвам, разбърквам.

meek [mi:k] *adj* кротък, отстъпчив, мек; скромен; хрисим, покорен, смирен; **as ~ as a lamb (as Moses)** кротък като агне; ◊ *adv* **meekly**.

meekness ['mi:knis] *n* кротост, отстъпчивост; скромност; хрисимост, смирение, покорство.

meet [mi:t] **I.** *v* (**met** [met]) **1.** срещам (се с), срещам(е) се, събирам(е) се, общувам; **to ~ in the face** срещам се лице в лице с; **2.** разминаваме се (*и ~ and pass*); **the two trains met** двата влака се разминаха; **3.** докосвам (се до), допирам (се до), досягам; **4.** срещам(е се), събирам(е се); сливам се, съединявам се с (*за река и пр.*); **many virtues ~ in him** той е човек с много добродетели; **5.** посрещам; **to ~ a train** посрещам влак; **6.** посрещам, приемам; **7.** запознавам се с; опознавам; **I am glad to ~ you** приятно ми е (да се запознаем); **8.** посрещам, покривам, задоволявам, плащам, изплащам; **to ~ a bill** изплащам полица; **9.** посрещам, излизам насреща, отговарям на; оборвам, опровергавам (възражение); **to ~ a challenge** *прен.* справям се със задача; **10.** бия се с; бия се на дуел, дуелирам се с; • **to ~ halfway** готов съм да направя компромис(и) с (отстъпки на); спогаждам се с;

meet with 1) срещам (се с), натъквам се на; **to ~ (with) a friend** сре-

щам (се с) един приятел; **2)** претърпявам, случва ми се, преживявам, постига ме, сполита ме; постигам, намирам; **to ~ with an accident** претърпявам злополука; **II.** *n* среща, събиране, сбор (*на ловци и пр.*); място на среща, събиране, сборен пункт.

meeting ['mi:tin] *n* **1.** събиране, стичане, събиране, стечение, митинг; **to call (hold, open, dissolve) as** свиквам (провеждам, откривам, закривам) събрание; **2.** среща; **~ point** място на среща; **3.** заседание; **4.** дуел; двубой; **5.** среща, състезание; **sports ~** спортна среща; **6.** група богомолци; **7.** *техн.* съединение, свързване, шарнир, възел; • **to speak out of ~** *амер.* изказвам се свободно, казвам какво мисля.

megaphone ['megəfoun] **I.** *n* мегафон, рупор, високоговорител; **II.** *v* говоря с мегафон (рупор).

melancholia [,melən'kouliə] *n* **1.** *мед.* меланхолия; **2.** униние, отпадналост, тъга, скръб.

melancholic [,melən'kɔlik] *adj* меланхоличен; тъжен, унил.

mêlée ['melei] *n* **1.** ръкопашен бой, схватка; сбиване; меле; **2.** блъсканица, навалица, тълпа; **3.** оживено разискване, разгорещен спор.

melioration [,mi:liə'reiʃən] *n* подобрение, подобряване, мелиорация.

meliorative ['mi:liərətiv] *adj* мелиоративен, подобряващ.

mellifluous [mi'lifluəs] *adj* мелодичен, меден, сладкогласен; медоречив, сладкодумен, красноречив.

mellow ['melou] **I.** *adj* **1.** узрял, зрял, мек, сладък, сочен; който се топи в устата (*за плод*); **2.** пивък; благ, отлежал; **3.** глинест, богат, мазен (*за почва*); **4.** поумнял, помъдрял, улегнал, уталожен; **5.** *прен.* мек, богат, сочен; **6.** любезен, добродушен, приятен, благ, топъл, добър, сърдечен; общителен, весел; **7.** *разг.* пийнал, с повишено настроение, на градус; **II.** *v* **1.** зрея, узрявам, омеквам, ставам мек (*за плод*), сладък, сочен; **2.** поумнявам, улягам, по-

мъдрявам, уталожвам се; карам някого да поумнее, да улегне, да се уталожи, омекотявам; **a man ~ed by time** човек, улегнал с възрастта.

mellowness ['melounis] *n* **1.** сладост, сочност; **2.** пивкост, благост; **3.** улегналост, уталоженост; **4.** мекота, сочност; **5.** любезност, добродушие, топлота, доброта, сърдечност, веселост, общителност.

melodious [mi'loudiəs] *adj* **1.** мелодичен; **2.** звучен, напевен, музикален, мек, нежен.

melodiousness [mi'loudiəsnis] *n* **1.** мелодичност; **2.** звучност, напевност, музикалност, мекота, нежност.

melodize ['melədaiz] *v* **1.** правя мелодичен; **2.** композирам мелодии.

melodrama ['melədra:mə] *n* **1.** мелодрама; **2.** мелодраматичност, театралност.

melody ['melədi] *n* **1.** мелодия; **2.** мелодичност.

melon ['melən] *n* **1.** пъпеш, пипон, каун; **2.** диня, любеница (*и* **water~**); **3.** *pl фин.* тантиема, допълнително възнаграждение; печалба.

melt [melt] **I.** *v* **1.** топя (се), стопявам (се), разтопявам (се), разтапям (се); **it ~s in the mouth** топи се в устата (*за храна*); **2.** смекчавам (се), омеквам, размеквам се, омекотявам; разкисвам се; **to ~ with pity** умилостивявам се; **3.** преминавам, превръщам се; сливам се, преливам се (**into**); **one colour ~s into another** цветовете се преливат; **4.** чист съм (*за звук*); **5.** *pl* пръскам, пилея (*пари*); развалям (*банкнота*);

melt away 1) стопявам се; *прен.* увирам, умирам от горещина; **2)** разпръсквам се, разсейвам се; **3)** изчезвам, загубвам се, изпарявам се;

melt down стопявам, стапям; претопявам;

melt out топя, разтопявам, разтапям;

II. *n* **1.** стопен метал; **2.** количество, стопено на един път.

member ['membə] *n* 1. член (*в различни значения*); членка; **M. of Parliament** член на парламента, депутат; 2. човек (*от раса, публика, тълпа и под.*; *и sl*); ~ **of the armed forces** военнослужещ; 3. съставна част, елемент; 4. *език.* част от изречение; 5. *мат.* член на уравнение.

memorable ['memərəbəl] *adj* паметен, забележителен, незабравим; ◇ *adv* **memorably.**

memorial [mi'mɔ:riəl] I. *adj* 1. мемориален, който служи да напомня, паметен; ~ **tablet** паметна плоча; 2. възпоменателен; в памет на; II. *n* 1. паметник (*и писмен*); празник, обичай; **war** ~ паметник на загинали във война; 2. записка, изложение; 3. *pl* хроника, мемоари, спомени, записки; 4. петиция; III. *v* съставям (подавам) петиция до.

memorize ['meməraiz] *v* 1. запаметявам, уча (научавам) наизуст; 2. записвам, отбелязвам.

memory ['meməri] *n* 1. памет; **a good (retentive)** ~ добра (силна) памет; **if my** ~ **does not fail me (serves me right)** ако паметта (ми) не ме лъже (не ми изневерява); 2. *инф.* памет; 3. спомен; 4. *attr* по памет; ~ **sketch** скица по памет; 5. запомнящо устройство (*на изчислителна машина*).

menace ['menəs] I. *n* заплаха, опасност (**to**); II. *v* заплашвам, застрашавам (**with**).

menacing ['menəsiŋ] *adj* заплашителен, застрашителен, опасен; ◇ *adv* **menacingly.**

mend [mend] I. *v* 1. поправям, извършвам поправки на, ремонтирам, правя ремонт на; кърпя, закърпвам, изкърпвам; **to** ~ **a broken window** поставям стъкло на прозорец; 2. подобрявам (се), възстановявам (се); **to** ~ **o.'s manners** започвам да се държа подобре; **the patient is** ~**ing** здравето на болния се подобрява, болният отива на поправка; II. *n* 1. кръпка; запълнена дупка (пукнатина); 2. подобряване, подобрение, възстановяване; **to be on**

the ~ отивам към подобрение, възстановявам се.

mendacious [men'deiʃəs] *adj* лъжлив, неверен, измамен, лъжовен, неистинен.

mendicity [men'disiti] *n* просия, просене; **to reduce to** ~ докарвам до просяшка тояга.

menial ['mi:niəl] I. *n* 1. слуга, роб; 2. лакей; II. *adj* 1. робски, долен, низък; ~ **job** черна работа; 2. раболепен, угоднически, сервилен, лакейски.

menstrual ['menstruəl] *adj* 1. менструационен, менструален; 2. *астр.* месечен.

menstruation [ˌmenstru'eiʃən] *n* *мед.* менструация, мензис.

mental [mentəl] *adj* 1. умствен, мисловен; ~ **powers** умствени способности; 2. душевен; ~ **hospital (home)** приют за душевноболни; 3. мислен; който става в мислите, вътрешен, неизказан; 4. *разг.* душевноболен; побъркан, чалдисан, куку.

mentation [men'teiʃən] *n* *псих.* 1. мислене, мисловна дейност, умствена работа; 2. мисловен процес; 3. душевно състояние.

mercantile ['mɜ:kəntail] *adj* 1. търговски, комерчески (*за флот и под.*); 2. търгашески, сметкаджийски, меркантилен.

mercantilism ['mɜ:kəntailizm] *n* 1. *икон.* меркантилизъм; 2. търгашество, сметкаджийство.

mercenariness ['mɜ:sinærinis] *n* 1. корист, користолюбие; меркантилизъм, търгашество, сметкаджийство; продажност; 2. наемност.

merchant ['mɜ:tʃənt] *n* 1. търговец, търговец на едро, ангросист (*и* **wholesale** ~); 2. *амер., шотл.* дюкянджия, занаятчия; 3. *sl* човек, "тип"; 4. *attr* търговски; ~ **service** търговски флот.

merciful ['mɜ:siful] *adj* 1. милостив, състрадателен, милосърден, добросърдечен, доброжелателен, благосклонен, снизходителен; 2. благоприятен, щастлив; 3. мек, лек (*за наказание*); ◇ *adv* **mercifully.**

merciless ['mɜ:silis] *adj* безжалостен, безмилостен, суров, жесток; ◇ *adv* **mercilessly.**

mercury ['mɜ:kjuri] *n* 1. *хим.* живак; 2. живачен стълб; барометър; **the** ~ **is rising** барометърът се качва; *прен.* работите вървят на добре; възбуждането расте; 3. живачен препарат.

mercy ['mɜ:si] *n* 1. милост, пощада; милосърдие, състрадание; снизхождение; **to have (take)** ~ **on, show** ~ **to** смилявам се над, пощадявам; 2. късмет, щастие, благодат.

merge [mɜ:dʒ] *v* сливам (се) (**in**), съединявам (се), обединявам (се), събирам (се), съсредоточавам (се); смесвам (се) (**in, into**); уедрявам се (*за предприятия*).

mergence ['mɜ:dʒəns] *n* сливане, съединяване, обединяване, обединение.

meridian [mə'ridiən] I. *n* 1. *геогр., астр.* меридиан; **prime** ~, **first** ~ Гринуички меридиан; 2. зенит; пладне; пладнина; 3. *прен.* зенит, апогей; кулминация, връх (*на слава и под.*); разцвет; II. *adj* 1. пладнешки, обеден; 2. *астр.* зенитен; 3. кулминационен; върховен, на разцвет.

merit ['merit] I. *n* 1. (*и pl*) заслуга; **to take** ~ **to o.s. for sth, to make a** ~ **of** (*c ger*) приписвам си (голяма) заслуга за; 2. *pl* основание, основателност; същина; **the case is at y issue upon its** ~**s** делото се гледа по същество; 3. достойнство, качество; цена; **man of** ~ достоен, ценен човек; II. *v* заслужавам, достоен съм за.

meritorious [ˌmeri'tɔ:riəs] *adj* похвален, заслужаващ похвала; заслужен.

merriment ['merimənt] *n* веселие, веселба.

merriness ['merinis] *n* веселост, повишено настроение.

merry ['meri] *adj* 1. весел; радостен; засмян; разположен, в настроение; **to make** ~ веселя се, забавлявам се; 2. *остар.* приветлив, приятен, привлекателен; 3. *разг.* пийнал, фирнал, развеселен;

• the ~ dancers северното сияние; ◇ adv merrily.

merry-andrew ['meri'ændrju:] n шут, смешник, шегаджия; лаладжия, лала, бърборко.

merry-making ['meri,meikiŋ] n веселие; веселба; увеселение; забава.

mesh [meʃ] I. n 1. дупка, бримка на мрежа; клуп, примка; 2. прен. мрежа; железопътна мрежа; 3. pl прен. примки, капани, уловки; 4. техн. зацепване; II. v 1. улавям (се) в мрежа; прен. вприсмъчвам; 2. техн. зацепвам (се).

mesial ['mi:ziəl] adj среден, медиален, срединен, средищен.

mesmerize ['mezməraiz] v хипнотизирам (и прен.).

message ['mesidʒ] I. n 1. известие, съобщение, хабер; **telegraph** ~ телеграма; 2. амер. послание (на президента пред Конгреса); 3. поръчка; **to go on a** ~, **to run** ~s изпълнявам поръчки; 4. мисия; поръчение, завет; 5. attr за съобщения; II. v 1. рядко изпращам известие; 2. ел., жп носещо въже, носещ кабел, носач.

messenger ['mesindʒə] n 1. пратеник; куриер (и дипломатически); 2. прен., остар. вестител, предвестник; 3. ел., жп носещо въже, носещ кабел, носач.

messy ['mesi] adj 1. мръсен, нечист; 2. разхвърлян, неподреден; ◇ adv **messily**; 3. опасен, труден, мъчителен, деликатен (за положение).

metal [metəl] I. n 1. метал; **sheet** ~ ламарина; 2. метал. металоносна руда, рудна жила; **coarse** ~ меден камък; 3. разтопен материал (в стъкларството и грънчарството); 4. чакъл (и road ~); жп баласт; 5. pl жп релси; **to leave (jump, run off) the** ~s дерайлирам, излизам от релсите; 6. амер., воен. тежест на залпа; 7. полигр. буквалеярска сплав; печатарски букви; 8. attr металён; II. v 1. метализирам, обшивам, покривам с метал; 2. метализирам, вулканизирам; 3. настилам с чакъл (път); ~**led road** шосе; 4. жп полагам баласт на платното на жп линия.

metallic [mi'tælik] adj металён; направен от, присъщ на метал; металически (и за пари); металичен (и за звук); прен. звънък, рязък, остър (за глас).

metallurgic(al) [,metə'lə:dʒik(l)] adj металургически, металургичен.

metallurgist [me'tælədʒist] n металург.

metallurgy [me'tælədʒi] n металургия.

mete [mi:t] I. n пограничен знак; граница; ~**s and bounds** юр. граници и предели; II. v 1. поет. отмервам, меря; 2. (~ **out**) раздавам, предназначавам; отсъждам (наказание).

meteoric [,mi:ti'ɔrik] adj 1. метеорен; 2. прен. подобен на метеор, светкавичен, стремглав, блестящ и главоломен; ~ **career** блестяща, бърза кариера; 3. атмосферен.

meteorite ['mi:tiərit] n астр. метеорит.

meteorologic(al) [,mi:tiərə'lɔdʒik(l)] adj метеорологичен, метеорологически.

meteorologist [,mi:tiə'rɔlədʒist] n метеоролог.

meteorology [,mi:tiə'rɔlədʒi] n метеорология.

metering ['mi:təriŋ] I. n измерване, дозировка; **dose** ~ дозиметрия; II. adj измервателен, дозиращ.

mete-wand ['mi:twɔnd] n прен. мерило, критерий, мярка.

method ['meθəd] n 1. метод; начин; ~ **of work** начин на работа; 2. система, ред; последователност (в работа); **man of** ~ човек на реда; 3. схема за класификация.

methodic(al) [mi'θɔdik(l)] adj 1. методичен, системен, планомерен; подреден, последователен; 2. уреден, (човек) на реда; систематичен; ~ **life** редовен живот.

methodise ['meθədaiz] v подреждам, слагам ред, прилагам плановост, системност (в работа); ◇ adv **methodically**.

meticulous [mi'tikjuləs] adj 1. педантичен, точен, добросъвестен до дребнавост; най-щателен; 2.

остар. боязлив.

metrical ['metrikəl] adj 1. лит. метрически, мерен, ритмичен, стихотворен; 2. метров; метричен; 3. измерителен, измервателен; мат. свързан с измерване.

metropolis [mi'trɔpəlis] n 1. столица; 2. главен център; 3. рел. митрополия, седалище на митрополит.

metropolitan [,metrə'pɔlitən] I. adj 1. столичен; 2. рел. митрополитски; II. n 1. столичанин; 2. рел. архиепископ; митрополит; 3. метро.

mettle [metəl] n 1. характер, нрав, темперамент; 2. дух, кураж; ревност, усърдие; издръжливост; **to be on o.'s** ~s амбицирам се.

mettled [metld] adj усърден, ревностен; смел, безстрашен.

miasmatic [miæz'mætik] adj вреден, заразен, маларичен, малариен.

miau, miaow [mjau] I. n мяукане; II. v мяукам, мяуча.

microbe ['maikroub] n микроб.

microbial, microbic [mai'kroubiəl, mai'krɔbik] adj микробен.

microclimate ['maikrou'klaimət] n микроклимат.

micron ['maikrɔn] n микрон.

microphone ['maikrəfoun] n микрофон.

microprocessor ['maikrəprə'sesə] n инф. микропроцесор.

microscope ['maikrəskoup] n микроскоп.

microscopic(al) [maikrəs'kɔpik(l)] adj микроскопичен (и прен.).

midday ['middei] n 1. пладне, обед; 2. attr пладнешки, обеден; ~ **meal** обед.

middle [midəl] I. adj 1. среден; централен; ~ **years** средна възраст; 2. език. среден (за залог); 3. техн. основен, главен; II. n 1. среда; the ~ **of the night** полунощ; 2. талия, кръст; **I've got a pain in my** ~ боли ме стомах; 3. език. среден залог; 4. лог. общ член (в силогизъм); 5. pl стоки със средно качество; 6. спорт. подаване на топката към центъра; III. v поставям в средата.

middlebrow ['midəlbrau] I. adj

обикновен, посредствен, лесен за разбиране (*за книга, телевизионна програма и пр.*); II. *n* човек, който обича да чете булевардна литература или да гледа развлекателни програми.

middlemost ['midlmoust] *adj* среден, централен.

middling ['midliŋ] I. *adj* 1. среден; 2. обикновен, второстепенен; посредствен; средно, доста добър, не кой знае какъв, "средна работа"; II. *adv* средно (*висок и пр.*); III. *n* (*обикн. pl* ~s) 1. стоки със средно качество (*обикн.* брашно); 2. *техн.* шлам, руден пулп, рудна каша.

midget ['midʒit] *n* 1. дребосък, мъниче, фъстък; джудже; 2. миниатюрен предмет; 3. *attr* миниатюрен.

midnight ['midnait] *n* 1. полунощ; 2. непрогледен мрак (*и прен.*), тъма; **dark, black as** ~ тъмно като в рог; 3. *attr* среднощен, полунощен, късен; **to burn the** ~ **oil** работя до късно през нощта.

midst [mitst] I. *n* среда; **in the** ~ **of us** сред нас, в нашата среда; II. *prep poet.* сред, всред.

midwife ['midwaif] *n* акушерка.

mien [mi:n] *n* вид; външност; изражение; обноски; **lofty** ~ величествена осанка.

miffed [mift] *adj* сърдит, нацупен, начумерен, намръщен.

mightiness ['maitinis] *n* сила, мощ, могъщество; величие.

mighty ['maiti] I. *adj* 1. мощен, могъщ; силен; 2. *разг.* много голям, извънреден, извънмерен; ♦ **high and** ~ много горд (надменен, надут, арогантен); II. *adv разг.* извънредно, съвсем.

migrant ['maigrənt] I. *adj* миграционен, номадски, скитнически; прелетен (*за птици*); II. *n* 1. преселник, преселница; 2. прелетна птица.

migrate [mai'greit] *v* 1. преселвам се; емигрирам; 2. мигрирам, прелитам (*за птици*).

migration [mai'greiʃən] *n* 1. миграция, преселване; преселение; 2. миграция (*на прелетни птици*);

3. емиграция, общество от емигранти.

mild [maild] *adj* 1. кротък, тих, безобиден; мек, благ; 2. мек (*за климат*); слаб (*за лекарство, питие*); лек (*за наказание*); яваш (*за тютюн*); 3. умерен; невинен (*за забавление*); **the play was a** ~ **success** пиесата имаше известен успех; ♦ **draw it** ~ *разг.* не преувеличавай; ей, умната; не се увличай (изхвърляй).

mildewed ['mildjuid] *adj* плесенясал.

mild-mannered ['maild'mænə:d] *adj* възпитан, любезен, вежлив.

mildness ['maildnis] *n* мекота; кротост, благост; умереност.

mile [mail] *n* миля; ♦ **it stands out a** ~ *sl* ясно е като бял ден.

mileage ['maildʒ] *n* 1. километраж; 2. бързина, ход (*в мили*); 3. *амер.* пътни разходи; 4. полза, облага, изгода (*с in; out of*); ♦ **to make political** ~ **of s.th.** използвам нещо за политически цели.

militancy ['militənsi] *n* войнственост, войкост; агресивност, нападателност, стремителност.

militant ['militənt] I. *adj* войнствен, борчески, нападателен; стремителен, активен; II. *n* боец, воин; ◇ *adv* **militantly**.

militarism ['militərizm] *n* 1. милитаризъм; 2. войнолюбие.

militaristic ['militə'ristik] *adj* милитаристичен, войнствен.

militarize ['militəraiz] *v* милитаризирам.

military ['militəri] I. *adj* военен; войнишки; войскови; ~ **service** военна служба; II. *n pl* военни, войска.

militia [mi'liʃə] *n* 1. *истор.* войска; 2. *истор.* народно опълчение.

milk [milk] I. *n* 1. мляко; 2. млечен сок; 3. "мляко" (*бяла течност*); ~ **of lime** варно мляко; 4. остар. мляко (*у риба*); 5. *attr* млечен; ♦ ~ **of human kindness** доброта, човещина, състрадание; II. *v* 1. доя (*и прен.*); **to** ~ **the ram** (**bull**) искам (да постигна) невъзможното; 2. давам мляко (*за добиче*); 3. срязвам кората на дърво,

за да пусне сок; 4. *разг.* използвам, експлоатирам, прецаквам, изигравам; 5. подслушвам (*съобщение*).

milk-livered ['milklivə:d] *adj* страхлив, плах, боязлив.

milky ['milki] *adj* млечен, подобен на, примесен с мляко; който отделя мляко (*за растение*); **the M. way** *астр.* Млечният път.

mill [mil] I. *n* 1. мелница, воденица; **to go to** (**pass**) **through the** ~ *прен.* минавам през големи изпитания; 2. мелничка (*за кафе и под.*); 3. фабрика, завод; ~ дъскорезница, бичкиджийница; 4. *sl* боксов мач; борба с юмруци; 5. *sl* дранголник; II. *v* 1. меля; 2. *мин.* троша; 3. *техн.* обработвам на фрезмашина, фрезувам, валцувам; правя ръб (*на монети*); 4. *кул.* разбивам; 5. *sl* боксирам се; налитам, млатя; 6. *sl* пращам в дранголника; 7. *обикн. амер.* въртя се в кръг, кръжа (*за тълпа, добитък*) (**around**).

millenium [mi'leniəm] *n* 1. хилядолетие; 2. милениум, "златен век".

miller ['milə] *n* 1. мелничар, воденичар; 2. *техн.* фреза; фрезист; 3. *зоол.* майски бръмбар *Melolontha*.

millesimal [mi'lesiməl] I. *adj* хиляден, с хиляда части; II. *n* хилядна част.

millet ['milit] *n* просо.

milliard ['milja:d] *n* милиард.

millimetre ['milimi:tə] *n* милиметър.

million ['miljən] *num* 1. милион; **two** ~ **men, two** ~**s of men** два милиона души; 2.: ~**s of** милиони, безброй; 3. *обикн. pl* (*с the*) милионите, масите.

millionaire [,miljə'neə] *n* милионер.

millwright ['milrait] *n* строител, машиностроител; конструктор.

mime [maim] I. *n* 1. *истор., театр.* мим, пантомима; фарс (*в древна Гърция и древен Рим*); 2. *театр.* мим, изпълнител на пантомима; 3. мим, смешник, шут; II. *v* 1. играя в пантомима; 2. мим съм; играя (*роля*) в пантомима; 3. изразявам чрез мимика, имитирам.

mimeograph ['mimiəgra:f] I. *n* циклостил, мимеограф; II. *v* отпечатвам на циклостил.

mimesis [mai'mi:sis] *n биол.* мимикрия.

mimetic [mai'metik] *adj* 1. мимичен, имитиращ, подражателен; 2. присъщ на мимикрията, имитативен.

mimic ['mimik] I. *adj* 1. мимически, подражателен; имитативен; склонен да подражава; **the ~ art (stage)** мимиката, мимодрамата, пантомимата; 2. престорен, привиден; изкуствен; 3. имитиран, копиран, по подражание на; **~ battle** *воен.* военна игра; II. *n* имитатор; пародист; подражател, мимик, мим; III. *v* (**-ck-**) 1. подражавам на, пародирам, имитирам; 2. напълно наподобявам; 3. *биол.* приемам защитна окраска (мимикрия).

mimicry ['mimikri] *n* 1. имитиране, подражаване, пародия; 2. *биол.* мимикрия.

mimini-pimini ['mimini'pimini] *adj* превзет.

minatory ['minətəri] *adj* заплашителен, заплашващ, застрашителен.

mince [mins] I. *v* 1. кълцам, меля (*месо*); 2. *прен.* смекчавам, омекчавам, омекотявам; **not to ~ matters** (o.'s words) не му цепя басма, не се церемоня, говоря направо, без заобикалки; 3. ситня, ходя с дребни крачки; II. *n* кайма, кълцано месо; задушено кълцано месо.

mind [maind] I. *n* 1. ум, разум, разсъдък; интелект; **to bring o.'s ~ to** осъзнавам, проумявам, става ми ясно; **great ~s** великите умове; 2. дух, съзнание; **to wander in o.'s ~** бълнувам, говоря несвързано; 3. нрав; начин на мислене, манталитет, мисловност; **high ~** великодушие, благородство; 4. склонност, вкус; **to find s.th. to o.'s ~** нещо ми допада, по вкуса ми е; 5. мнение, мисъл, намерение; решение; **to be of s.o.'s ~, to be of the same ~ as s.o., to be of a ~ with s.o.** съгласен съм, единодушни сме с някого, споделям

мнението на някого, на същото мнение съм като някого; 6. *във фрази*: спомен, памет; **to bear (keep) in ~** не забравям, спомням си, имам грижата за; вземам предвид; II. *v* 1. обръщам внимание на, имам грижата за; **don't ~ what other people say** не слушай какво казват другите; 2. помня (*главно в imp*); **~ what was told you!** да не забравиш какво ти казаха! 3. внимавам; пазя, полагам грижи за, гледам; **~ the paint!** пази се от боята! внимание, боя! 4. обръщам внимание на, уважавам; **you ought to ~ your elders** би трябвало да слушате старите хора; 5. (*обикн. в отриц. и въпр. изречение*) имам нещо против, не ми се харесва, тежи ми; **I should not ~ a cup of tea** с удоволствие бих изпил чашка чай.

minded ['maindid] *adj* склонен, наклонен, с намерение да; **he was not so ~** той нямаше такива намерения.

mindfulness ['maindfulnis] *n* внимание, грижа, загриженост (of).

mindless ['maindlis] *adj* 1. глупав, безсмислен; 2. нехаен, безразличен; който забравя, пренебрегва (of).

mine₁ [main] *pron poss absolute form predic* мой; **a friend of ~** един мой приятел, една моя приятелка.

mine₂ I. *n* 1. мина, рудница (*и прен.*), рудник; кариера; 2. *pl*: **the ~s** миннната промишленост (индустрия); 3. желязна руда; залежи, каменовъглен пласт; 4. *воен., мор.* мина; **to spring a ~ on s.o.** *прен.* правя неприятна изненада (*на някого*); II. *v* 1. копая; изкопавам; прокопавам; подкопавам; подривам; 2. *мин.* копая, добивам; разработвам, експлоатирам мина; **to ~ coal** добивам въглища; 3. *воен., мор.* минирам; поставям мини; 4. *рядко, прен.* подривам, подронвам, подкопавам (*авторитет и под.*); **his political career was ~d** политическата му кариера се провали.

miner ['mainə] *n* 1. *мин.* миньор,

рудокопач, въглекопач; 2. *воен.* сапьор.

mineral ['minərəl] I. *adj* 1. минерален; 2. *хим.* неорганичен; II. *n* 1. минерал; 2. *pl* полезни изкопаеми; руда; 3. *pl разг.* газирана вода; сода; минерална вода.

mineralization [ˌminərəlai'zeifən] *n* минерализация.

mineralize ['minərəlaiz] *v* 1. минерализирам, насищам с минерални соли; 2. *геол.* правя геоложки проучвания; занимавам се с геология.

mineralogy [ˌminə'rælədʒi] *n* минералогия.

mineral water ['minərəl'wɔ:tə] *n* 1. минерална вода; 2. *разг.* газирана вода, сода, лимонада, сироп със сода.

mingle ['mingəl] *v* 1. смесвам; смесвам се (**with**); **to ~ in the crowd** загубвам се, смесвам се с тълпата; 2. общувам (**in, with**); **to ~ in society** движа се в обществото.

mingy ['mindʒi] *adj разг.* 1. стиснат; 2. оскъден, беден, мизерен.

miniature ['minjət[ə] *n* I. *n* миниатюра; **in ~** в миниатюра, в малък мащаб; II. *adj* 1. миниатюрен; отнасящ се до миниатюра; **~ painting** рисуване на миниатюри; 2. миниатюрен, много дребен; **~ work** *кино* снимане с макети.

miniaturist ['minjətjuərist] *n* миниатюрист.

minibus ['minibʌs] *n* микробус.

minimal ['miniməl] *adj* минимален, най-малък; ◇ *adv* **minimally**.

minimize ['minimaiz] *v* 1. намалявам, свеждам до минимум; минимизирам; 2. омаловажавам, намалявам.

minimum ['miniməm] *n* 1. минимум; 2. *attr* минимален; **~ thermometre** минимален термометър.

minion ['miniən] *n* 1. любимец, фаворит; 2. креатура; 3. *остар.* любовник, любовница.

minister ['ministə] I. *n* 1. министър (и пълномощен министър); 2. свещеник, пастор (*неангликански*); 3. *остар.* слуга, подчинен, агент;

Minister without Portfolio министър без портфейл; **II.** *v* **1.** служа, прислужвам, обслужвам; **to ~ to a persons's needs** грижа се за, обслужвам, гледам (*някого*); задоволявам нуждите на някого; **2.** съдействам за (to); **3.** *остар.* свещенодействам; извършвам (*обред и пр.*); оказвам (*помощ*).

ministerial [,mini'stiəriəl] *adj* **1.** министерски; правителствен; **2.** свещенически, пастирски; **3.** *остар.* подчинен, служебен, изпълнителен.

ministrative ['ministrətiv] *adj* помощен, служещ.

minor ['mainə] **I.** *adj* **1.** по-малък, по-незначителен, второстепенен; маловажен; дребен; **2.** по-малък (*от двама*); *уч.* младши (*от двама братя*); **~ court** съд от низшна инстанция; **3.** *муз.* миньорен; **4.** *прен.* тъжен, миньорен; **II.** *n* **1.** непълнолетен (човек); **2.** *лог.* трети член; втора предпоставка (*в силогизъм*); **3.** *муз.* миньор.

minus ['mainəs] **I.** *prep* минус, без; **~ o.'s clothes** *разг.* без дрехите си, гол; **II.** *adj* отрицателен; **~ charge** *ел.* отрицателен заряд; **III.** *n* **1.** минус; знак за изваждане; **2.** отрицателна величина.

minute₁ ['minit] **I.** *n* **1.** минута; **2.** *разг.* миг, момент; **wait a ~!** почакай за минута! **I'll come in a ~, I shan't be a ~** ей сега идвам; **3.** *мат., астр.* минута; **4.** паметна бележка към договори, инструкции; официален меморандум, писмени нареждания; **5.** *pl* протокол (*на събрание*); **II.** *v* **1.** измервам време в минути (*на състезание и пр.*); **2.** протоколирам, записвам в протокол; **to ~ down** записвам, отбелязвам.

minute₂ [ma'nju:t] *adj* **1.** съвсем малък, дребен; **2.** незначителен; **3.** най-подробен, щателен, точен (*за изследвания и пр.*).

minutely₁ [minitli] **I.** *adj* **1.** ежеминутен; **2.** чест, постоянен; **II.** *adv* ежеминутно; често, постоянно.

minutely₂ [mai'nju:tli] *adv* подробно, основно, щателно, внимателно.

miracle ['mirəkəl] *n* **1.** чудо; **2.** умно направен, остроумен, находчив; шедьовър; **a ~ of speech** остроумна (чудесна) реч.

miraculous [mi'rækjuləs] *adj* **1.** чудотворен, свръхестествен; **2.** *разг.* великолепен, чудесен.

mirage [mi'ra:ʒ] *n* **1.** мираж (*и прен.*); **2.** *прен.* измама, илюзия.

mire [maiə] **I.** *n* **1.** кал; тиня; киша; блато; **to sink in the ~** затъвам в калта; *прен.* унизявам се, опозорявам се; **2.** *прен.* позор; **II.** *v* **1.** оплесквам (се) с кал, тикам в кал; **2.** *прен.* очерням, позоря, опетнявам; **3.** потъвам в кал.

mirror ['mirə] **I.** *n* **1.** огледало; огледална повърхност; **2.** *прен.* отражение; образец, модел; **II.** *v* отразявам (като огледало) (*и прен.*).

mirth [mə:θ] *n* веселие, радост; смях.

mirthful ['mə:θful] *adj* радостен, весел.

mirthless ['mə:θlis] *adj* нерадостен, тъжен; ◇ *adv* **mirthlessly.**

miry ['maiəri] *adj* **1.** кален, изцапан, оплескан с кал; **2.** блатист.

misadventure [,misədvent∫ə] *n* **1.** нещастен случай, нещастие, злополука; **by ~** по една нещастна случайност (съвпадение); **2.** *юр.* непреднамерено убийство.

misalignment [,misə'lainmənt] *n* **1.** неправолинейност; **2.** разместване, несъвпадане; **3.** разцентрованост.

misanthropist [mis'ænθrəpist] *n* мизантроп, човекомразец.

misapprehension [,misəpri'hen∫ən] *n* недоразумение; **to be under a ~** в заблуда съм.

misappropriate [misə'prouprieit] *v* **1.** незаконно присвоявам (*пари*); злоупотребявам (*с пари*); **2.** погрешно употребявам.

misbegotten [,misbi'gɔtn] *adj* **1.** извънбрачен (*за дете*); **2.** незаконно придобит; **3.** *разг.* пропаднал, несполучлив, "загубен".

misbelief ['misbi'li:f] *n* **1.** заблуда, погрешно мнение; грешна представа; **2.** ерес.

misbelieving [misbi'li:vin] *adj* **1.** заблуден; **2.** еретичен; друговерски.

misbirth ['misbə:θ] *n* аборт, помятане.

miscarriage [mis'kæridʒ] *n* **1.** несполука, неуспех; **~ of justice** съдебна грешка; **2.** недоставяне, непредаване (*на стоки, писмо*); **3.** помятане, аборт.

miscarry [mis'kæri] *v* **1.** не сполучвам, претърпявам неуспех; **2.** изгубвам се (*за писмо, пратка*); **3.** помятам, абортирам, не донасвам.

miscellaneous [,misə'leiniəs] *adj* **1.** смесен, сборен, разнообразен; **2.** многостранен, с много качества (*за човек*).

miscellany [mi'seləni] *n* **1.** сбирщина, смес; **2.** *лит.* сборник.

mischance [,mis't∫a:ns] *n* нещастен случай, злополука; **by ~** по една нещастна случайност; без да искам.

mischief ['mist∫if] *n* **1.** пакост, вреда, поразия, повреда, разрушения; зло, злина, беда; беля; неприятност; **great ~ was wrought by the storm** бурята направи големи пакости; **2.** немирство, палавост, палавщина; **to keep children out of ~** наглеждам деца, за да не правят пакости; **3.** *разг.* палавник, палавница, лудетина, беладжия; ● **he that ~ hatches, ~ catches** който копае гроб другиму, сам пада в него.

mischief-maker ['mist∫if'meikə] *n* сплетник, интригант.

mischievous ['mist∫ivəs] *adj* **1.** зловреден, злонамерен; **2.** пакостен, пакостлив, палав, немирен; **3.** игрив, закачлив, дяволит; ◇ *adv* **mischievously.**

misconception [miskən'sep∫ən] *n* **1.** недоразумение; **2.** погрешно мнение, схващане.

misconduct [mis'kɔndʌkt] **I.** *n* **1.** лошо държание, поведение; **2.** лошо ръководене (администриране); **3.** съпружеска изневяра; **II.** *v* **1.** зле ръководя (*работа*); **2.** *refl* държа се зле; **3.** *refl* изневерявам (with).

miscreant ['miskriənt] **I.** *adj* **1.** лош; низък, подъл; **2.** *остар.* друговерски, погански; **II.** *n* **1.** мерза-

вец, злодей, грубиян; низък, долен човек; **2.** *остар.* иноверец; еретик.

miscreated [ˈmiskriˈeitid] *adj* уродлив.

misdate [ˌmisˈdeit] *v* слагам погрешна дата (*на писмо и пр.*); датирам грешно.

misdealing [ˌmisˈdiːliŋ] *n* **1.** нечестна постъпка; безпринципно поведение; **2.** *карти* неправилно раздаване.

misdeed [ˈmisdiːd] *n* престъпление, злодеяние.

misdirect [ˌmisdiˈrekt] *v* **1.** неправилно напътствам; **2.** погрешно адресирам (*писмо*); **3.** давам погрешни указания, зле осведомявам; **4.** прицелвам се неточно, удрям слабо; *прен.* погрешно насочвам.

misdoing [ˌmisˈduːiŋ] *n* **1.** грешка; **2.** злодеяние.

misdoubt [ˈmisˈdaut] *остар.* **I.** *v* съмнявам се; опасявам се; подозирам; **II.** *n* съмнение, предположение, подозрение; опасение.

miser₁ [ˈmaizə] *n* **1.** скъперник; **2.** *остар.* нещастник, бедняк.

miser₂ *n* сонда.

miserable [ˈmizərəbəl] *adj* **1.** отчаян, окаян, нещастен, злочест, клет; **to feel ~** потиснат съм, черно ми е пред очите; **2.** окаян; **3.** мизерен; нищожен, жалък; **a ~ sum** нищожна сума; **4.** презрян, пропаднал, окаян; **5.** *разг.* лош, отвратителен, ужасен, под всяка критика, невъзможен.

miserliness [ˈmaizəlinis] *n* скъперничество, алчност.

miserly [ˈmaizəli] *adj* **1.** скъпернически; стиснат, свидлив; **2.** алчен; **3.** нищожен, незначителен.

misery [ˈmizəri] *n* **1.** мъка, нещастие, несгоди; **2.** мизерия, нищета, немотия.

misfortune [misˈfɔːtʃən] *n* нещастие, беда; лош късмет; **it is more his ~ than his fault** той е по-скоро за окайване, отколкото за укор.

misgiving [misˈgiviŋ] *n* опасение, лошо предчувствие.

mishandle [misˈhændəl] *v* **1.** отнасям се грубо, мачкам, тъпча; мал-

третирам; **2.** *прен.* справям се зле с, не подхващам правилно, изтървавам, изпускам.

mishap [ˈmishæp] *n* злополука, нещастен случай; неуспех; лош късмет.

misinform [ˈmisinˈfɔːm] *v* зле осведомявам, информирам.

mislay [misˈlei] *v* (**mislaid** [misˈleid]) забутвам, не мога да намеря; (временно) загубвам.

mislead [misˈliːd] *v* (**misled** [misˈled]) **1.** заблуждавам, въвеждам в заблуждение; **2.** измамвам.

misleading [misˈliːdiŋ] *adj* заблуждаващ, лъжлив; ◇ *adv* **misleadingly**.

mismatch [ˈmisˈmætʃ] *n* несъответствие, несъвпадане, несъгласуваност.

misprize [ˌmisˈpraiz] *v* недооценявам; презирам.

misquote [ˌmisˈkwout] *v* неправилно цитирам.

miss₁ [mis] **I.** *v* **1.** не улучвам; не постигам целта си (*и прен.*); **to ~ o.’s mark (aim)** не постигам целта си, удрям на камък; **2.** не намирам, не срещам, не заварвам (*вкъщи*); не успявам да взема, да получа, да хвана, да достигна, да задържа; **I called at his house yesterday, but ~ed him** вчера се отбих у тях, но не го заварих; **3.** изпускам (*влак и пр.*); пропускам (*удобен случай*); **an opportunity not to be ~ed** случай, който не е за изпускане; **4.** избягвам, избавям се от; **he narrowly ~ed (just ~ed) being killed** за малко не го убиха (не загина); **5.** не забелязвам; не намирам; пропускам; **I ~ed him in the crowd** не го забелязах в тълпата; **6.** забелязвам отсъствието на; **we are sure to be ~ed** непременно ще забележат отсъствието ни, ще забележат, че ни няма; **7.** чувствам отсъствието на (*някой, нещо*), липсва ми (*някой, нещо*); **I ~ you very much** много ми липсвате; **8.** изпускам, пропускам (*ред, дума при четене и писане*) (*и с out*); **II.** *n* **1.** пропуск, несполучлив удар; **a ~ is as good as a mile** не-

успехът си е неуспех; **2.** *остар.* липса (**of**); **to give sth a ~** отминавам (прескачам, пропускам, не посещавам) нещо.

miss₂ **I.** *n* **1.** госпожица; **2.** *пренебр.* младо момиче, неженена жена; *шег.* кукла; **II.** *v* *разг.* наричам, викам (*някого*) госпожица.

misshapen [misˈʃeipn] *adj* безформен, обезобразен, деформиран, уродлив.

missing [ˈmisiŋ] *adj* **1.** липсващ, отсъстващ; изгубен; **the ~ link** липсващото звено; *биол.* хипотетичният животински вид между маймуната и човека; **2.** *воен.* (безследно) изчезнал; **reported ~** обявен за изчезнал.

mission [ˈmiʃən] **I.** *n* **1.** мисия; делегация; *амер.* посолство, легация; **2.** мисия, призвание, цел; **3.** задача, поръчение, мисия; командировка; *воен., авиац.* бойна задача; **to come on a special ~** идвам със специална задача (мисия); **4.** *рел.* мисия, религиозна организация, изпращана да разпространява християнството сред нехристиянски народи; мисионерска (религиозна) дейност; **5.** *attr* мисионерски; **II.** *v* *рядко* **1.** изпращам с мисия (задача) (*обикн. pass*); **2.** покръствам (*езичници*); **3.** *рел.* ръководя мисия.

missionary [ˈmiʃənəri] **I.** *n* мисионер; проповедник; **II.** *adj* мисионерски.

missish [ˈmisiʃ] *adj* *разг.* неестествен, превзет, профърцунен.

misspend [ˈmisˈspend] *v* (**misspent** [ˈmisˈspent]) **1.** изразходвам неправилно (неудачно, напразно), разхищавам; **2.** пропилявам, разпилявам, прахосвам.

mist [mist] **I.** *n* **1.** (лека) мъгла; **2.** мъглявина, мъглявост, замъгленост; *прен.* воал, було, перде (*пред погледа*); **to see things through a ~** виждам мъгляво, виждам като през воал; **to cast (throw) a ~ before s.o.’s eyes** *прен.* хвърлям прах в очите на някого; **II.** *v* **1.** замъглявам (се); помрачавам се; помръквам; **the landscape is ~ing over** пейзажът потъва в мъглата;

2. *безл.*: it is ~ing роси, ръми.

mistake [mis'teik] I. *v* (**mistook** [mis'tuk], **mistaken** [mis'teikən]) 1. сбърквам, бъркам; погрешно разбирам; **there is no mistaking his words** не може да има никакво съмнение относно думите му; 2. вземам (погрешно) за; сбърквам (*някого с*); припознавам се в (for); II. *n* грешка; заблуждение, заблуда; **to make a** ~ сбърквам, греша, правя грешка.

mistaken [mis'teikən] *adj* 1. погрешен, грешен; неправилен; 2. грешен, в грешка; сгрешил, сбъркал; **you are** ~ вие грешите, вие не сте прав; **if I am not** ~ ако не се лъжа.

mistakenly [mis'teikənli] *adv* 1. погрешно, грешно, неправилно; 2. *рядко* неразумно, безразсъдно.

mistimed [mis'taimd] *adj* ненавременен; неудачен, несполучлив, неуспешен, злополучен.

mistiness ['mistinis] *n* мъглявост; неяснота, забуленост.

mistranslate ['mistrənsleit] *v* превеждам погрешно (неправилно, невярно).

mistress ['mistris] 1. господарка; *прен.* владетелка, повелителка; 2. *остар.* госпожа, мадам; 3. учителка; **dancing** ~ учителка по танци; 4. майсторка; специалистка; 5. любовница, метреса, държанка; 6. *поет.* любов, любима, възлюблена.

mistrust [mis'trʌst] I. *n* недоверие; подозрение; II. *v* нямам доверие на (в), съмнявам се в, подозирам.

mistrustful [mis'trʌstful] *adj* недоверчив; подозрителен; **to be** ~ **of** нямам доверие в.

misty ['misti] *adj* 1. мъглив, замъглен; 2. неясен, смътен; мътен; 3. насълзен, пълен със сълзи (*за очи*).

misunderstand ['misʌndə'stænd] *v* (**misunderstood** ['misʌndə'dtud]) неправилно (криво, погрешно) разбирам; не разбирам.

misuse [mis'ju:z] I. *n* 1. неправилна (погрешна) употреба; 2. злоупотреба, злоупотребление; II. *v* 1. употребявам (прилагам) не-

правилно (погрешно); 2. злоупотребявам; 3. отнасям се грубо с (към), малтретирам.

mitigate ['mitigeit] *v* смекчавам; облекчавам; уталожвам, успокоявам; намалявам (*за болки, наказание и пр.*); **mitigating circumstances** *юр.* смекчаващи вината обстоятелства.

mitigation [,mitig'eiʃən] *n* смекчаване; облекчаване, облекчение.

mitigatory ['mitigeitəri] *adj* 1. смекчаващ; 2. *мед.* успокоителен, облекчаващ, омекотяващ.

mitre ['maitə] I. *n* 1. *рел.* митра; 2. *прен.* владишки (епископски) сан; II. *v рядко* ръкополагам за владика (епископ), давам владишки (епископски) сан.

mix [miks] I. *v* 1. смесвам (се), размесвам (се); примесвам, разбърквам; **to** ~ **drugs** приготвям лекарства; 2. комбинирам, подбирам, съчетавам (се); **they** ~ **well** те добре си подхождат (схождат); 3. общувам; **to** ~ **in society** движа се в обществото; 4. кръстосвам (*породи*); ~**ing valve** смесителен кран на чешма;

mix in *разг.* примесвам, замесвам, вмесвам (се); започвам да се бия, счепквам се, замесвам се в бой;

mix up 1) смесвам (размесвам) основно, разбърквам; 2) обърквам, забърквам; **to** ~ **up one tune with another** бъркам една мелодия с друга; 3) въвличам, замесвам; **to be** ~**ed up with a gang** имам връзки (вземане-даване) с една банда; II. *n* 1. смес; 2. *разг.* хаос, бъркотия, неразбория; **to be in a** ~ объркан съм, не съм наясно.

mixed [mikst] *adj* 1. смесен, размесен; разнороден; ~ **feelings** противоречиви (смесени) чувства; 2. *разг.* объркан, забъркан, заблуден, замаян; **he got** ~ **over the dates** той обърка датите.

mixer ['miksə] *n* 1. *техн.* миксер, бъркачка; смесителен пулт; **concrete** ~ бетонобъркачка; 2. *амер., разг.* общителен човек; **he is a bad** ~ той е саможив (затворен) човек.

mix-in ['miksin] *n амер., разг.* сва-

да, сбиване; счепкване.

mixture ['mikstʃə] *n* 1. смесване, размесване; 2. смес, смесица; комбинация; 3. *фарм.* микстура, разтвор, лекарство; 4. *текст.* меланж, тъкан от разноцветни нишки; **heather** ~ кафява тъкан; меланж.

mix-up ['miskʌp] *n* 1. *разг.* неразбория, бъркотия; суматоха; 2. свада, сбиване, сборичкване; меле.

mizzle₁ ['mizəl] I. *v* роси, ръми; II. *n* ситен дъжд, ръмеж.

mizzle₂ *v sl* избягвам, офейквам, "изпарявам се", "духвам".

mnemonic [ni:'mɔnik] I. *adj* мнемоничен, мнемонически; който усилва (помага на) паметта, засилва асоциативното мислене; II. *n* 1. мнемоничен метод; 2. *pl* (= *sing*) мнемоника, мнемотехника.

moan [moun] I. *n* 1. стон, стенание; пъшкане, охкане; 2. *поет., остар.* жалба, оплакване, опяване; II. *v* 1. стена, охкам; 2. оплаквам (се), вайкам се; овайквам; 3. вия (*за вятър*).

mob [mɔb] I. *n* 1. тълпа; сган; сбирщина, паплач; простолюдие; ~ **law** законът на тълпата; самоуправа; 2. *sl* апашка шайка (банда); II. *v* 1. тълпя се, трупам се; 2. малтретирам; нападам, нахвърлям се върху.

mobile ['moubail] *adj* 1. подвижен, мобилен; *прен.* лек, жив, бърз; ловък, похватен; ~ **warfare** *воен.* маневрена война; 2. променлив, непостоянен.

mobility [mə'biliti] *n* 1. мобилност, подвижност; *прен.* живост, бързина; 2. непостоянство.

mobilization [,moubilai'zeiʃən] *n* мобилизиране, мобилизация.

mobilize ['moubilaiz] *v* 1. *воен. и прен.* мобилизирам (се); 2. пускам (вкарвам) в обращение (действие); привеждам в действие, активизирам (*за средства, капитали и пр.*).

mock [mɔk] I. *v* 1. присмивам се на, надсмивам се, осмивам; подигравам (се) (at); 2. закачам, задирям, задявам се с, дразня; 3.

осуетявам; **the river ~ed all our efforts to cross** всичките ни усилия да прекосим реката останаха напразни; **4.** лъжа, мамя, полъгвам, излъгвам, измамвам; **5.** примерен тест, който се дава като упражнение за предстоящия изпит; **II.** *n* **1.** подигравка; насмешка; присмиване, осмиване; **2.** посмешище; **to make a ~ of s.b.** правя някого за смях; **3.** пародия; **4.** имитация; **III.** *adj* лъжлив, измислен, мним, неистинен; неверен, фалшив; **~ batle (attack)** мнима атака (за отвличане вниманието на противника.

mocker ['mɔkə] *n* присмехулник.

mockery ['mɔkəri] *n* **1.** подигравка, насмешка; осмиване, присмиване; присмех; **to make a ~ of s.b.** взeмам на подбив, подигравам се с, осмивам; **2.** посмешище; **3.** нещо негодно (неподходящо); **4.** безплоден опит, напразно усилие.

mocking ['mɔkiη] *adj* високомерен, презрителен, надменен, пренебрежителен.

modality [mou'dæliti] *n* модалност.

mode [moud] *n* **1.** метод, способ, начин; маниер, стил; образ; **2.** мода; **to be all the ~** по последна мода; **3.** *муз.* лад, тоналност; **4.** форма; вид; **heat is one of the ~s of motion** топлината е една от формите на движението.

model ['mɔdəl] **I.** *n* **1.** модел; макет; образец, мостра; шаблон; **~ maker** моделиер, дизайнер; **2.** пример, еталон, образец; **3.** манекен, манекенка, модел; **II.** *adj* примерен; образцов; **III.** *v* (-ll-) **1.** моделирам; придавам форма на, оформям; *техн.* формувам и формовам; **2.** създавам (правя) по образец **(after, on, upon)**; **to ~ o.s. (up)on a person** имам някого за образец (пример).

modeller ['mɔdələ] *n* моделиер.

modelling ['mɔdəliη] *n* **1.** моделиране; **2.** изработване (изпълнение) по модел.

modem ['moudəm] *n инф.* модем.

moderate ['mɔdərit] **I.** *adj* **1.** умерен, с мярка; среден; сдържан;

въздържан; **~ demands** скромни (умерени) искания; **2.** обикновен, посредствен; среден; **II.** *n* умерен поддръжник (привърженик); човек с умерени възгледи; **III.** *v* **1.** правя умерен (въздържан); намалявам; смекчавам; **2.** стихвам, утихвам; успокоявам се, укротявам се; **3.** председателства на; ръководя (*събрание, разисквания и пр.*); ◇ *adv* **moderately.**

moderation [,mɔdə'reiʃən] *n* **1.** умереност; сдържаност, въздържаност; **in** ~ с мярка, умерено; **2.** въздържание, мярка.

moderator ['mɔdəreitə] *n* **1.** арбитър, посредник; **2.** *техн.* модератор, регулатор; **3.** председател, ръководител (*на събрание и пр.*); **4.** член на изпитна комисия (*в университет*).

modern ['mɔdə:n] **I.** *adj* съвременен, нов; модерен; **~ history** нова (най-нова) история; **II.** *n* съвременен човек, човек на новото време; съвременник.

modern-day ['mɔdə:ndei] *adj* съвременен, днешен.

modernity [mɔ'də:niti] *n* съвременност, новост, съвременен характер.

modernization ['mɔdənai'zeiʃən] *n* модернизиране, модернизация; осъвременяване, обновяване.

modernize ['mɔdənaiz] *v* модернизирам; осъвременявам, обновявам.

modest ['mɔdist] *adj* **1.** скромен; непретенциозен; благоприличен, благоразумен; **2.** умерен; сдържан; спокоен; ◇ *adv* **modestly.**

modesty ['mɔdəsti] *n* **1.** благоприличие; скромност; **2.** умереност; сдържаност, спокойствие.

modifiable ['mɔdifaiəbəl] *adj* изменяем, променлив; приспособим, аптивен, който може да се видоизменя.

modification [,mɔdifi'keiʃən] *n* **1.** изменение, промяна, видоизменение; модификация, преобразуване; приспособяване; **2.** смекчаване; **3.** *език.* преглас, умлаут; **4.** уговорка, уточняване; ограничение.

modify ['mɔdifai] *v* **1.** изменям (се),

видоизменям (се), променям (се); **2.** смекчавам, намалявам; снижавам; **3.** *език.* определям; **4.** *език.* прегласям се.

modish ['moudiʃ] *adj* моден; модерен, по модата.

modular ['mɔdjulə] *adj* **1.** модулен; **2.** унифициран.

modulate ['mɔdjuleit] *v* **1.** изменям, променям, модулирам (*честота, глас, тон*); **2.** приспособявам, пригодявам; **3.** *муз.* преминавам от една тоналност (гама) в друга; модулирам.

modulation [,mɔdju'leiʃən] *n* модулация, модулиране.

module ['mɔdju:l] *n физ., техн.* **1.** модул; коефициент; стъпка; **2.** единица мярка; **3.** степен, модул (*на ракета*).

modus ['mɔudəs] *n (pl* modi [-ai]) начин, метод, способ, система; вид; **~ operandi** начин на действие.

Mohammedan [mo'hæmidən] **I.** *adj* мохамедански; **II.** *n* мохамеданин, мохамеданка.

moil [mɔil] *остар.* **I.** *v* трепя се, блъскам се, бухам, работя тежка работа; **II.** *n* блъскане, тежка работа; *прен.* мъка, мъчение; **2.** безпорядък, бъркотия, хаос, неуредица; неприятности.

moist [mɔist] *adj* влажен; **to grow ~** овлажнявам.

moisten ['mɔisən] *v* навлажнявам (се), намокрям (се).

moisture ['mɔistʃə] *n* влага, влажност.

moisture-proof [,mɔistʃə'pru:f] *adj* влагоустойчив, влагонепроницаем, хидроизолиран.

molar ['moulə] **I.** *adj* кътен (*за зъб*); **II.** *n анат.* молар, кътник, кътен зъб.

mole₁ [moul] *n* бенка, черна точка (пъпчица, комедион).

mole₂ [moul] *n* **1.** къртица; **2.** внедрен шпионин; **II.** *v* копая, рия (*под земята*).

mole₃ *n* **1.** мол, вълнолом; **2.** пристанище, пристан, мол.

molecular [mo'lekjulə] *adj* молекулярен; молекулен; **~ weight** молекулно тегло.

molecule ['mɔlikju:l] *n* молекула.

molest [mɔ'lest] *v* задявам, безпокоя, закачам.

mollescent [mə'lesənt] *adj* смекчаващ, смекчителен.

mollification [ˌmɔlifi'keiʃən] *n* смекчаване; успокояване.

mollify ['mɔlifai] *v* смекчавам, угаложвам, успокоявам, облекчавам.

molten ['moultn] *adj* 1. стопен, разтопен (*за метали*); 2. лят, отлят, излят (*от метал и пр.*).

moment ['moumənt] *n* 1. момент, миг; *прен.* минута; **to the very ~** на минутката (секундата), точно навреме; **the ~ of truth** критичен (решаващ) момент; 2. *физ., техн.* момент; **bending ~** момент на огъване; 3. важност, значение; **it is of no ~** това няма значение, това не е важно; **of the first ~** от най-голяма важност (значение).

momentary ['mouməntəri] *adj* 1. моментен, мигновен; кратковременен, краткотраен; 2. ежеминутен; **in ~ expectation of his arrival** в очакване да пристигне всеки миг.

momentum [mə'mentəm] *n* (*pl* **-ta** [tə]) 1. *физ., техн.* момент; **by its own ~** по инерция; 2. *разг.* импулс, движеща сила, мощ.

monarch ['mɔnə:k] *n* 1. монарх; *прен.* владетел, властелин; 2. *зоол.* голяма оранжева и черна американска пеперуда *Danaus plexippus.*

monarchal [mɔ'na:kəl] *adj поет.* царствен, царски.

monarchic(al) [mɔ'na:kik(l)] *adj* монархически; едновластен.

monarchist ['mɔnəkist] *n* монархист.

monarchy ['mɔnəki] *n* монархия.

monastic [mə'næstik] I. *adj* монашески, манастирски; II. *n* монах.

Monday ['mʌndi] *n* понеделник.

monetary ['mʌnitəri] *adj* 1. монетен; паричен; 2. валутен, девизен.

money ['mʌni] *n* (*pl* **moneys, monies** ['mʌniz]) 1. пари; *прен.* богатство, състояние, капитал; **piece of ~** монета; **ready ~** налични средства (пари); ● **your ~ or your life!** парите или живота! 2. монета, пара; 3. *pl остар., юр.* средства, суми; **public ~** обществени сред-

ства; 4. *attr* паричен; **~ article** финансов бюлетин; **~ matters** парични въпроси; ● **~ talks** богатите са влиятелни.

money-agent ['mʌni'eidʒənt] *n* банкер.

money-lender ['mʌni,lendə] *n* лихвар.

moneyless ['mʌnilis] *adj* беден, безпаричен; без пари (стотинка).

money-market ['mʌni,ma:kit] *n* финансов пазар.

mongrel ['mʌŋgrəl] I. *n* мелез; смесена порода; хибрид; II. *adj* смесен, нечистокръвен.

monition [mɔ'niʃən] *n* 1. предупреждение; 2. наставление, съвет; указание; 3. *рел.* известие, съобщение; 4. *рел.* заповед (нареждане) на епископ; 5. *юр.* призоваване в съд.

monitor ['mɔnitə] I. *n* 1. наставник, съветник; 2. отговорник, старши; дежурен (*при писмен изпит*); 3. нещо, което напомня (предупреждава); 4. *мор.* монитор; 5. *зоол.* варан, голям тропически гущер; 6. *инф.* монитор; II. *v* 1. съветвам, наставлявам; 2. дежуря при (*изпит*); наглеждам, контролирам; 3. *радио.* провеждам контролни приемания.

monkey ['mʌŋki] I. *n* 1. маймуна; 2. *прен.* пакостник, палавник, лудетина; 3. *sl* яд, гняв; **to get (put) o.'s ~ up** разгневявам се, разядосвам се, разсърдвам се; 4. *мин.* малка галерия или отвърстие; ● **to have a ~ on o.'s back** *sl* вземам наркотици, наркоман съм; II. *v* 1. правя шеги (лудории, маймунджилъци) (**about**); 2. подражавам на, подигравам се на; 3. бърникам, играя си (**with**).

monogamous [mɔ'nɔgəməs] *adj* еднобрачен, моногамен.

monogram ['mɔnəgræm] *n* монограм.

monolithic [ˌmɔnə'liθik] *adj* монолитен, колосален.

monomial [mɔ'nɔmiəl] *мат.* I. *adj* едночленен, мономен; II. *n* моном, едночлен.

monophase ['mɔnəfeiz] *adj ел.* монофазен, еднофазен.

monopole ['mɔnəpoul] *adj* еднополюсен, униполярен.

monopolist [mə'nɔpəlist] *n* 1. монополист; 2. защитник (привърженик) на монополната система.

monopolize [mə'nɔpəlaiz] *v* 1. монополизирам, правя монопол от; 2. завладявам изцяло, поглъщам напълно; **to ~ the conversation** не давам никому думата (*в общ разговор*); говоря само аз.

monopoly [mə'nɔpəli] *n* монопол; **to have the ~ of** (*амер. разг.*) **sth.** имам монопол върху нещо.

monotonous [mə'nɔtənəs] *adj* монотонен, еднообразен, *прен.* досаден, скучен, отегчителен; ◇*adv* **monotonously.**

monsoon [mɔn'su:n] *n* мусон; **the wet (rainy) ~** летният мусон.

monster ['mɔnstə] I. *n* 1. чудовище; 2. урод, изчадие, изрод; изверг; 3. *разг.* колос, грамада; II. *adj* грамаден; исполински; чудовищен, страховит.

monstrosity [mɔn'strɔsiti] *n* 1. чудовищност; ужас; 2. уродливост, изроденост; 3. урод; чудовище.

monstrous ['mɔnstrəs] *adj* 1. чудовищен; 2. уродлив, изроден, безобразен, безформен; 3. грамаден, огромен, чудовищен, исполински; 4. жесток, зверски; 5. *разг.* невъзможен, абсурден; ◇*adv* **monstrously.**

montage ['mɔnta:ʒ] *n* монтаж (*в киното, фотографията, радиото*).

montane ['mɔntein] *adj* планински.

month [mʌnθ] *n* месец; **by the ~** на месец, месечно.

monthly ['mʌnθli] I. *adj* ежемесечен, месечен; II. *adv* (еже)месечно, всеки месец; III. *n* 1. месечно списание; 2. *pl* менструация, мензис.

monument ['mɔnjumənt] *n* 1. величествен паметник, монумент; 2. граничен (синорен) знак, пирамида; 3. *рядко* гробница; 4. *остар.* документ.

monumental [ˌmɔnju'mentəl] *adj* 1. паметников; величествен; 2. изумителен, удивителен, поразителен, смайващ; **~ ignorance** изу-

мително невежество; **3.** паметен, увековечаващ; ~ **mason** майстор на надгробни паметници; ◇ *adv* **monumentally.**

monumentalize [ˌmɔnjuˈmentəlaiz] *v* увековечавам.

mooch [muːtʃ] *v sl* **1.** лентяйствам; шляя се, мотая се, мотам се; **2.** задигам, крада, "муфта", "гепя", "чопвам"; **3.** изплъзвам се, измъквам се.

mood₁ [muːd] *n* настроение; разположение; **a man of ~s** човек с (на) различни настроения.

mood₂ *n* **1.** *език.* наклонение; **2.** *муз.* лад, тоналност.

moon [muːn] **I.** *n* **1.** луна; месечина; **full ~** пълнолуние; **new ~** новолуние; • **to cast beyond the ~** правя невероятни предположения; **2.** *астр.* спътник, сателит, луна (*на планета*); **3.** *поет.* месец, месечина; **4.** *прен.* лунни лъчи, лунна светлина; **II.** *v* мая се, шляя се, разтакавам се (**about**); пропилявам в мечти (**away**).

mooncalf [ˈmuːncaːf] *n* **1.** малоумен, идиот; **2.** изрод, урод.

moonless [ˈmuːnlis] *adj* безлунен; тъмен, мрачен.

moonlight [ˈmuːnlait] **I.** *n* лунна светлина; **in the ~, by the ~** на лунна светлина; **II.** *adj* лунен; на (по, при) лунна светлина; ~ **night** лунна нощ.

moonscape [ˈmuːnskeip] *n* лунен пейзаж.

moonstruck [ˈmuːnstrʌk] *adj* побъркан, смахнат, умопобъркан.

mope [moup] **I.** *v* меланхоличен (унил, отпаднал духом) съм, апатичен, безучастен съм към всичко; **to ~ (oneself) to death** умирам от скука; **II.** *n* **1.** унил (меланхоличен, отпаднал) човек; **2.** *pl* униние, лошо настроение, апатия, меланхолия; **to have (a fit of) the ~s** изпаднал съм в униние.

mopish [ˈmoupiʃ] *adj* унил, отпаднал духом, меланхоличен, апатичен.

moral [ˈmɔrəl] **I.** *adj* **1.** морален, етичен, нравствен; ~ **philosophy** етика; ~ **sense** усет за добро и зло; **2.** морален, нематериален,

духовен; ~ **victory** морална победа, победа на духа (справедливостта); **3.** явен, интуитивно възприет (доказан); ~ **certainty** почти пълна увереност, почти несъмнен факт; **II.** *n* **1.** поука, морал; **2.** *pl* нравственост, нрави; етика; **3.** *разг.* олицетворение; голяма прилика (сходство); **the boy is the very ~ of his father** *прен.* момчето е одрало кожата на баща си.

morale [mɔˈraːl] *n* дух; **high ~** висок (силен) дух.

moralism [ˈmɔrəlizm] *n* **1.** морализиране, четене на морал; **2.** нравствен принцип; **3.** принципи на поведение, основани на нормите на нравствеността (*а не на религията*).

moralist [ˈmɔrəlist] *n* **1.** моралист; **2.** човек със здрави нравствени принципи.

moralistic [ˌmɔrəˈlistik] *adj* назидателен, поучителен.

morality [mɔˈræliti] *n* **1.** нравственост, морал; етика; **copy-book** ~ книжен (изтъркан) морал; **2.** нравоучение; етика.

moralize [ˈmɔrəlaiz] *v* **1.** морализирам, проповядвам морал; **2.** извличам поука (урок) от; **3.** поучавам, проповядвам морал на.

morally [ˈmɔrəli] *adv* **1.** морално, нравствено, етично, добродетелно; **2.** от морална (нравствена) гледна точка; **3.** фактически, на практика, в действителност.

morass [məˈræs] *n* тресавище, мочур, блато (*и прен.*).

moratorium [ˌmɔrəˈtɔːriəm] *n* мораториум.

morbid [ˈmɔːbid] *adj* **1.** болезнен, нездрав; **2.** патологичен; болестен; ~ **anatomy** патологична анатомия; **3.** *разг.* ужасен, страховит, отвратителен; ◇ *adv* **morbidly.**

morbidezza [ˌmɔːbiˈdetsə] *n изк.* деликатност, финес; изтънченост, чувствителност.

morbidness [ˈmɔːbidnis] *n* болезненост.

morbific [mɔːˈbifik] *n* причинител на болест.

morceau [mɔːˈsou] *n муз., лит.* откъс, парче.

mordacity [mɔːˈdæsiti] *n* язвителност; хапливост.

mordant [ˈmɔːdənt] **I.** *adj* **1.** хаплив, язвителен; заядлив; рязък, саркастичен; **2.** *хим., мед.* разяждащ, ядлив; **II.** *n* **1.** *хим.* стипцовка, фиксатор (*за боя*); **2.** киселина, ец (*за гравиране*).

more [mɔː] **I.** *adj* **1.** повече; още; над определен брой; **he has ~ ability than his colleagues** той е още по-способен от колегите си; ~ **than** извънредно, необикновено, много; **2.** добавъчен, допълнителен; **two ~ planes were shot down** още два самолета бяха свалени; **II.** *adv* **1.** повече; **and ~** все повече и повече; **he is ~ of a scientist than a lawyer** той е повече учен, отколкото адвокат; **2.** по-: служи за образуване на сравнителна степен на многосричните прилагателни и наречия: ~ **beautiful** по-красив; **3.** още; **once ~** още веднъж; • **he only does the ~ harm** той нанася повече вреда (отколкото помага); **III.** *n* **1.** по-голямо количество, повече; **there remains no ~ but to thank you** не остава нищо друго, освен да ти благодаря; **2.** по-голям по ранг и пр.

mores [ˈmɔːreiz] *n* нрави, обичаи, традиции.

morgue₁ [mɔːg] *n* **1.** морга; **2.** *sl журн.* картотека за биографични данни.

morgue₂ *n* рядко надменност, горделивост, високомерие, гордост.

moribund [ˈmɔːribʌnd] *adj* умиращ; *прен.* замиращ, изчезващ, затихващ.

morning [ˈmɔːniŋ] *n* **1.** сутрин, утрин, утро; зора; заря; **the ~ of life** *прен.* началото (утрото) на живота; **early in the ~** рано сутрин; **2.** *attr* сутрешен, сутринен, утринен; ~ **dress** всекидневни дрехи.

morose [məˈrous] *adj* мрачен, навъсен, сърдит; ◇ *adv* **morosely.**

morphia, morphine [ˈmɔːfjə, ˈmɔːfiːn] *n фарм.* морфин, морфий.

morphological [ˌmɔ:fə'lodʒikəl] *adj* морфологичен.

morphology [mɔ:'fɔlədʒi] *n* морфология.

Morse [mɔ:s] *n* морз, морзова азбука, морзов апарат; ~ **code** морзова азбука.

morsel ['mɔ:səl] *n* 1. хапка; мръвка, залък; 2. къс, късче.

mortal [mɔ:təl] I. *adj* 1. смъртен; тленен; ~ **fear** смъртен страх; *разг.* ужасяващ страх; 2. смъртоносен; смъртен; ~ **sin** смъртен грях; II. *n* смъртен, простосмъртен, човек; III. *adv диал.* ужасно, страхотно.

mortality [mɔ:'tæliti] *n* 1. смъртност; брой (процент) на смъртните случаи; 2. смъртност, тленност; 3. *разг.* хора, човечество, смъртните.

mortgage ['mɔ:gidʒ] I. *n* ипотека; залог; **blanket** ~ обща ипотека; II. *v* ипотекирам; залагам; **to** ~ **o.'s reputation** залагам (рискувам) реномето си.

mortgagee [ˌmɔ:gə'dʒi] *n* кредитор по ипотека.

mortification [ˌmɔ:tifi'keiʃən] *n* 1. усмиряване, сподавяне, смазване, заличаване, потъпкване, потушаване; обезсилване, покоряване; ~ **of the flesh** потъпкване (бичуване) на плътта; 2. огорчение, унижение, обида; покруса; унижаване, огорчаване; 3. *мед.* гангренясване, гангрена, некроза; мортификация.

mortify ['mɔ:tifai] *v* 1. сподавям, смазвам, потъпквам, потушавам, усмирявам; 2. огорчавам; унижавам; покрусвам; 3. *мед.* умъртвявам; 4. *мед.* гангренясвам, изсъхвам, умирам (*за тъкан*).

mortise ['mɔ:tis] *техн.* I. *n* жлеб; сглобка на длаб (*и* ~ **and tenon**); II. *v* 1. правя длаб; 2. сглобявам с длаб; сглобявам (съединявам) здраво.

mortuary ['mɔ:tjuəri] I. *adj* погребален; II. *n* 1. морга; 2. дом на покойниците.

mosaic [mɔ'zeiik] I. *n* 1. *изк.* мозайка, мозаична творба; 2. *прен.* потпури; сбирка; 3. *attr* мозаичен (*и прен.*); от (за) мозайка; ~ **gold** имитация на злато, калаен сулфид; II. *v* правя посредством (с) мозайка; украсявам с мозайка.

mosque [mɔsk] *n* джамия.

mosquito [məs'kitou] *n* комар; ~ **net** мрежа срещу комари.

moss [mɔs] I. *n* мъх; II. *v* покривам с мъх.

mossiness ['mɔsinis] *n* мъхавост, мъхнатост.

most [moust] I. *adj* най-много, най-голям; ~ **exercise is beneficial** в повечето от случаите движението е полезно; II. *n* най-голямо количество (величина, брой, степен); **at the** ~ най-много, най-вече; III. *adv* 1. най-вече, най-много, в най-голяма степен; 2. *амер.* почти.

mote, [mout] *n* прашинка.

mote, *v остар.* мога.

motel [mou'tel] *n амер.* мотел.

moth [mɔθ] *n* 1. молец; 2. нощна пеперуда.

mother ['mʌðə] I. *n* 1. майка; мама; ~ **to be** бъдеща майка, бременна, която очаква първата си рожба; ~ **earth** майката земя; ● **like** ~, **like child (son, daughter)** крушата не пада далеч от дървото; 2. възрастна жена; баба (*като обръщение*); M. **Superior** майка игуменка; 3. *прен.* начало, произход, първоизточник, източник; 4. *прен.* инкубатор; 5. *остар.* истерия; II. *v* 1. отнасям се майчински към, третирам като майка; 2. майка съм на; създавам, сътворявам; 3. осиновявам.

motherhood ['mʌðəhud] *n* майчинство; майчинство.

motherland ['mʌðələnd] *n* родина, отечество, татковина.

motherlike ['mʌðəlaik] *adj* майчински.

mother-of-pearl ['mʌðərəv'pə:l] *n* седеф.

motile ['moutail] *adj биол.* подвижен, двигателен, който има способност да се движи.

motion ['mouʃən] I. *n* 1. движение; ход; **to put (set) in** ~ пускам в движение; 2. жест, жестикулация; 3. воля; намерение; подбуда; подтик; **of o.'s own** ~ по своя собствена воля; 4. предложение (*на събрание*); 5. *юр.* искане до съда за издаване на постановление или решение; 6. *остар.* куклен театър; ● **to go through the** ~**s** преструвам се, давам си вид, правя се на; II. *v* давам (правя) знак (на), махам (на); **she** ~**ed him to a chair** тя му кимна (даде знак) да седне на стола.

motional ['mouʃənəl] *adj* двигателен.

motionless ['mouʃənlis] *adj* неподвижен; без движения; ~ **as a carving (statue)** неподвижен (изваян) като статуя.

motivate ['moutiveit] *v* 1. подбуждам, подтиквам; подканвам; 2. служа като мотив (причина) за; мотивирам, обосновавам.

motivation [mouti'veiʃən] *n* мотивиране, обосноваване; мотивация, мотивировка, обосновка.

motive ['moutiv] I. *n* повод, мотив; подбуда; **from political** ~ **s** по политически причини (съображения); II. *adj* движещ, двигателен.

motley ['mɔtli] I. *adj* 1. пъстър, разноцветен; шарен; 2. разнороден; 3. облечен в пъстро облекло; II. *n* 1. смесица; пъстрота; 2. *истор.* пъстър костюм на шут.

motor ['moutə] I. *n* 1. мотор, двигател; **electric** ~ електромотор; 2. автомобил; 3. *анат.* двигателен (моторен) мускул (нерв); 4. *attr* моторен, двигателен; автомобилен; ~ **show** автомобилна изложба; II. *v* пътувам (отивам) с автомобил; карам автомобил; вземам (закарвам) с автомобил.

motor bus ['moutəbʌs] *n* автобус.

motorcycle ['moutə,saikəl] *n* мотоциклет; моторетка; ~ **with sidecar** мотоциклет с кош.

motordom ['moutədəm] *n* 1. автомобилизъм; 2. автомобилна индустрия.

motorist ['moutərist] *n* автомобилист; шофьор.

motorize ['moutəraiz] *v* моторизирам.

motor lorry ['moutə,lɔri] *n* камион.

motorman ['moutəmæn] (*pl* **-men**)

n **1.** ватман; **2.** машинист (*на електрически влак*).

motorway ['moutəwei] *n* автомагистрала.

motory ['moutəri] *adj* двигателен; моторен.

mottle [motəl] **I.** *n* петно; оцветяване; **II.** *v* изпъстрям, нашарвам.

mottled ['motəld] *adj* изпъстрен, пъстър, на точки (петна), нашарен.

motto ['motou] *n* девиз, лозунг, мото.

mould₁ [mould] **I.** *n* **1.** земя, пръст, хумус; рохкава почва; **2.** *поет.* прах; **3.** *поет.* гроб; **II.** *v* покривам с пръст, закривам, заравям (*обикн. с* up).

mould₂ **I.** *n* плесен; **II.** *v* плесенясвам, покривам се с плесен (*и прен.*).

mould₃ **I.** *n* **1.** форма; калъп (*за отливане*); формичка (*за кейк и пр.*); **2.** шаблон; матрица; **3.** модел, образец; **4.** отливка, нещо отлято; **5.** желе и пр.; **6.** *прен.* характер, нрав; **people of special ~** особени хора; **II.** *v* **1.** отливам във форма, формувам; **2.** оформям, моделирам, придавам определена форма на; (*прен.: за характер*) формирам; **to ~ s.o. like wax** моделирам, правя с някого както си искам; **3.** украсявам с отливки.

moulder₁ ['mouldə] *v* **1.** разпадам се, разтрошавам (се); **2.** разкапвам се; **3.** *прен.* разлагам (се); упадам.

moulder₂ *n* **1.** леяр; формовчик; **2.** *прен.* създател, творец.

mouldy₁ ['mouldi] *adj* **1.** мухлясъл, плесенясал; *прен.* остарял, демодиран, старомоден; **2.** *sl* скучен, отегчителен.

mouldy₂ *n sl мор.* торпила.

mound [maund] **I.** *n* **1.** могила, купчина пръст (*и на гроб*); куп, купчина; насип; **2.** могила, хълм; **II.** *v* правя на куп, натрупвам; издигам могила; укрепявам с насип.

mount₁ [maund] *n* планина; височина, хълм, възвишение.

mount₂ **I.** *v* **1.** качвам (се), изкачвам, покачвам; яхам, възсядам;

to ~ the stairs изкачвам стъпала; **2.** увеличавам се; повишавам се, качвам се (*и за цени*); натрупвам се (**up**); издигам се (*по чин, положение, сила*); **3.** слагам, нагласям, поставям; насновавам (*стан*); **to ~ a play** поставям пиеса; **II.** *n* **1.** обездка (*при състезание*); **2.** лафет.

mountain ['mauntin] *n* **1.** планина; **2.** *прен.* куп, огромно количество; ~ **of flesh** човек планина; **3.** *attr* планински; ~ **chain (range)** планинска верига.

mountaineer [,maunti'niə] **I.** *n* **1.** планинец, планински жител; **2.** планинар, алпинист; **II.** *v* катеря се по планините, занимавам се с алпинизъм.

mountaineering [,maunti'niəriŋ] *n* алпинизъм.

mountebank ['mauntibæŋk] **I.** *n* шарлатанин; **II.** *v* шарлатанствам.

mounter ['mauntə] *n* монтьор.

mourn [mɔːn] *v* **1.** тъгувам, скърбя, жалея (**for, over**); **2.** оплаквам; **to ~ the loss of o.'s mother** оплаквам загубата на майка си.

mournful ['mɔːnful] *adj* **1.** печален, скръбен, тъжен, нажален, мрачен; **2.** траурен, погребален; ◇*adv* **mournfully.**

mourning ['mɔːniŋ] *n* **1.** скръб; ридание, плач, оплакване; **2.** траур; **to go into ~** слагам (обличам се в) траур; **3.** *attr* траурен; ~ **band** траурна лента за ръката.

mourning-coach ['mɔːniŋkoutʃ] *n* катафалка.

mouse [maus] **I.** *n* (*pl* mice) **1.** мишка; **a game of cat and ~** играя си на котка и мишка; **2.** *прен.* тих, плах, боязлив човек; **3.** *инф.* мишка; **4.** малка тежест на макара на прозорец; **5.** *attr* миши; **II.** *v* **1.** ловя мишки; **2.** дебна, следя.

moussaka, moussakas [mu'sækə, mu'sækəs] *n* мусака.

moustache [məs'taːʃ] *n* мустак; **old ~** *прен.* ветеран, стар войник.

mouth [mauθ] **I.** *n* (*pl* mouths) **1.** уста; **from ~ to ~** от уста на уста; **to open o.'s ~ too wide** правя си устата; искам много висока це-

на; **2.** гърло, отвор (*на бутилка и пр.*); изход, излаз; устие, дуло; **3.** гримаса; **4.** *sl* нахалство, наглост, безсрамие, безочие; **II.** *v* **1.** говоря емоционално, с гримаси; **2.** ям; дъвча; докосвам с устни, вкусвам; лизвам; **3.** притискам с устни; **4.** гримаснича; **5.** обяздвам (*кон*); **6.** вливам се (**into**).

mouthful ['mauθful] *n* хапка, залък; глътка.

mouthwatering ['nauθwɔtəriŋ] *adj* апетитен, съблазнителен.

mouthy ['mauθi] *adj* **1.** надут, бомбастичен; **2.** бъбрив.

move [muːv] **I.** *v* **1.** местя (се), премествам (се); **to ~ (to ~ house)** местя се в друго жилище; **2.** движа се, раздвижвам (се); въртя (се); размърдвам (се); **3.** раздвижвам (се), активизирам (се), действам, карам, подтиквам към; **to fell ~d to speak** нещо ме подтиква да говоря; **4.** напредвам, прогресирам; **5.** преминавам (**to**); **6.** разчувствам, трогвам;

move about местя (се); размествам;

move away 1) излизам, измествам се (*от жилище*); 2) отдалечавам се, махам се, отдръпвам се;

move back връщам се, вървя назад;

move down спускам; придвижвам се по;

move for ходатайствам за, правя предложение за;

move forward преминавам напред;

move in 1) въвеждам; 2) влизам, нанасям се (*в ново жилище*); 3) нахълтвам (пробивам си път) със сила;

move off 1) отдалечавам се, махам се; тръгвам; 2) *търг.* разпродавам се;

move on 1) придвижвам (се); 2) минавам, отминавам (*за време, дни месеци и пр.*);

move out изнасям се, излизам, премествам се (*от жилище*);

move to подбуждам към; премествам се в;

move up премествам (се); придвижвам (се);

II. *n* **1.** местене, преместване; **2.** движене; **3.** ход, ред за местене

(*при шах*); *прен.* стъпка, крачка, ход; **to have the first ~** местя пръв.

movement ['mu:vmənt] *n* **1.** движение, движене; *воен.* придвижване; ход, действие; **2.** движение, брожение, вълнение; **in the ~** в хармония с времето; **3.** оживеност, раздвижване, дейност; *pl* действия; порив; **4.** *театр.* действие, динамика (*в пиеса*); сюжет, развитие (*на разказ и пр.*); **5.** каране, работене (*на машина*); **6.** *pl* движения, маниери, държание; **7.** местене, преместване; миграция; преселване; **8.** *бот.* растеж; **9.** *муз.* темпо; част (*на симфония и пр.*); **10.** *мед.* разхлабване (*на червата*); **a regular ~ of the bowels** редовен стомах.

mover ['mu:və] *n* **1.** двигател, движеща сила; **2.** инициатор, автор; **chief (prime) ~** главен инициатор, първопричина.

movie ['mu:vi] *n* *амер., разг.* **1.** филм; **2.** *pl* кино.

moving-pictures ['mu:viŋ'piktʃə:z] *n* филм.

moving-staircase ['mu:viŋ'stɛəkeis] *n* ескалатор.

much [mʌtʃ] **I.** *adv* (**more, most** [mo:, moust]) **1.** много; **~ pleased** много доволен; **2.** (*при сравн. ст.*) много, значително; **~ better** много по-добре; **3.** приблизително, горе-долу; **~ (about) the same** приблизително същият; **II.** *adj* (**more, most**) много; **~ trouble** голямо безпокойство; **III.** *n* голямо количество, много; **to gain ~** печеля много; **• I thought as ~** така си и мислех.

mud [mʌd] *n* **1.** кал; тиня (*и* **river~**); **to get stuck in the ~** затъвам в калта; **2.** мръсотия; **his name is ~** името му е опетнено.

muddle ['mʌdəl] **I.** *v* **1.** разбърквам, развалям; **2.** сбърквам, смущавам; размътвам (*и за алкохол*); **to ~ away** прахосвам, пропилявам (*време и пр.*); **II.** *n* **1.** бъркотия, безпорядък, неразбория; **2.** смущение, обърканост.

muddy ['mʌdi] **I.** *adj* **1.** кален; мръсен; **2.** мътен; неясен; непрозра-

чен; **3.** объркан, забъркан, заплетен (*за стил*); **II.** *v* **1.** оцапвам, наплесквам; **2.** размътвам (се); **3.** разбърквам, обърквам.

mull [mʌl] *разг.* **I.** *v* забърквам, обърквам, заплитам, забатачвам; **II.** *n* бъркотия, забърканост; батак; **to make a ~ of o.'s work** забатачвам си работата.

multicoloured ['mʌltikʌlə] *adj* многоцветен.

multifarious [,mʌlti'fɛəriəs] *adj* разнообразен, разновиден; многообразен.

multiform ['mʌltifɔ:m] *adj* разновиден, разнороден, разнообразен.

multilateral [,mʌlti'lætərəl] *adj* **1.** многостранен; **2.** *полит.* с участието на повече от две нации.

multinational ['mʌlti'næʃənəl] *adj* международен, интернационален.

multiple ['mʌltipəl] **I.** *adj* **1.** съставен от много части; **2.** многократен; многоброен; многочислен; **3.** *ел.* многопроводен; **4.** *мат.* кратен; **II.** *n* *мат.* кратно (*число*); **least common ~** общото наймалко кратно.

multiplex ['mʌltipleks] *adj* **1.** сложен; **2.** многократен.

multiplicate ['mʌltiplikeit] *adj* **1.** сложен, съставен; **2.** разнообразен, разностранен.

multiplication [,mʌltipli'keiʃən] *n* **1.** *мат.* умножение; **~ table** таблицата за умножение; **2.** *рядко* размножаване.

multiply ['mʌltiplai] *v* **1.** увеличавам (се), умножавам (се); **2.** *мат.* умножавам; **3.** размножавам (се), развъждам (се).

multiprocessor ['mʌlti,prousesə] *n* *изч.* мултипроцесор, мултипроцесорна система.

multi-purpose ['mʌlti,pə:pəs] *adj* универсален.

multistory ['mʌlti'stɔ:ri] *adj* многоетажен.

multitude ['mʌltitju:d] *n* **1.** множество; **2.** многочисленост, многобройност; **3.** тълпа, навалица, множество.

multitudinous [,mʌlti'tju:dinəs] *adj*

многоброен, многочислен.

mumble [mʌmbəl] **I.** *v* смънквам, мънкам, смутолевям; **II.** *n* мънкане, смънкване.

mumchance ['mʌmtʃa:ns] *остар.* **I.** *adj* мълчалив; **II.** *n* тишина; мълчание.

mummify ['mʌmifai] *v* **1.** мумифицирам (се); балсамирам; **2.** изсъхвам, ставам като мумия.

mummy ['mʌmi] *n* **1.** мумия; **2.** старо, сбръчкано същество; **3.** безформена маса; **to beat (smash) to a ~** правя на каша, обезформям; **4.** тъмнокафява боя.

munch [mʌntʃ] *v* дъвча, мляскам.

mundane ['mʌndein] *adj* земен, светски.

municipal [mju:'nisipəl] *adj* **1.** градски, общински; комунален; **2.** самоуправляващ се; муниципален; **~ law** държавно право.

munition [mju:'niʃən] **I.** *n pl* **1.** муниции, бойни припаси; **2.** запасен фонд (*обикн. паричен*); **II.** *v* снабдявам с муниции (бойни припаси).

mural ['mjuərəl] **I.** *adj* **1.** стенен; **~ painting** стенопис, фреска; **2.** закрепен на стена; **II.** *n* стенопис, фреска.

murder ['mə:də] **I.** *n* убийство (*предумишлено*); **judicial ~** юридическо убийство; съдебна грешка; **• like blue ~** с всички сили, през глава; **II.** *v* **1.** убивам; коля, заколвам; унищожавам; **2.** *прен.* развалям, кепазя.

murderer ['mə:dərə] *n* убиец.

murderous ['mə:dərəs] *adj* **1.** убийствен; смъртоносен; **2.** способен да убие; кръвожаден; **3.** *прен.* непоносим, убийствен, непосилен; ◇ *adv* **murderously.**

murk [mə:k] *n* мрак, мрачина, тъмнина.

murky ['mə:ki] *adj* **1.** мрачен, тъмен, навъсен (*за време*); **2.** *прен.* тъмен, съмнителен, подозрителен.

murmur ['mə:mə] **I.** *n* **1.** мърморене; шепот; **a ~ of pain** сподавен вик от болка; **2.** шумолене (*на листа*); жужене; ромон, ромолене; плисък; **3.** *мед.* шум (на сър-

цето); **4.** мърморене, ропот, недоволство; **II.** *v* **1.** мърморя, промърморвам; шепна; **2.** ромоля; жужа; **3.** мърморя, недоволствам, мрънкам (**at, against**).

muscle [mʌsəl] **I.** *n* **1.** мускул; **2.** *прен.* сила; **a man of** ~ силен човек; **II.** *v амер., разг.* пробивам си път със сила; **to** ~ **in** *sl* нахълтвам със сила.

muscled [ˈmʌsəld] *adj* силен, мускулест.

muscular [ˈmʌskjulə] *adj* **1.** мускулен; ~ **dystrophy** дистрофия на мускулите; **2.** мускулест; силен; развит.

muscularity [ˌmʌskjuˈlæriti] *n* мускулатура; сила, развитост.

muse₁ [mju:z] *n* муза; **the m.** поезията.

muse₂ I. *v* **1.** размишлявам, унасям се в мисли (**on, upon, over**); **2.** гледам замислено (учудено; **on**); **II.** *n остар.* размишление; замисленост; **lost in a** ~ погълнат в мисли, размисъл.

museum [mjuˈziəm] *n* музей; **a** ~ **piece** антика, рядкост.

mush [mʌʃ] *n* **1.** каша; **to make a** ~ **of** *разг.* обърквам, развалям; **2.** *амер.* качамак; **3.** *прен.* сълзлива сантименталност.

mushroom [ˈmʌʃrum] **I.** *n* **1.** гъба; ~ **growth** бърз растеж, развитие; **2.** нещо във форма на гъба; **3.** парвеню; бързо издигнал се човек (институт и пр.); **4.** *attr* новоизлюпен; **II.** *v* **1.** събирам гъби (*обикн.* **to go** ~**ing**); **2.** имам форма на гъба; **3.** раста, никна бър-

зо като гъба.

mushy [ˈmʌʃi] *adj* **1.** мек; отпуснат; **2.** сантиментален, сълзлив; **3.** порест, шуплест.

music [ˈmju:zik] *n* **1.** музика; **2.** ноти; **to play without** ~ свиря наизуст, без ноти; **3.** *остар.* хор; духова музика; оркестър.

musical [ˈmju:zikəl] **I.** *adj* **1.** музикален; **2.** мелодичен, приятен; ◇ *adv* **musically**; **II.** *n* музикална комедия, оперета.

musician [mjuˈziʃən] *n* **1.** музикант, музикален изпълнител; **2.** композитор.

mutability [ˌmju:təˈbiliti] *n* **1.** променливост, изменчивост; **2.** непостоянство.

mutate [mju:ˈteit] *v* **1.** променям (се), изменям (се), видоизменям (се), мутирам (се); **2.** *език.* прегласям (се).

mute [mju:t] **I.** *adj* **1.** ням; **2.** мълчалив, безмълвен; безгласен; неразговорлив; **II.** *n* **1.** ням човек (*особ.* **deaf** ~ глухоням); **2.** *театр.* фигурант, статист; **3.** *език.* беззвучна съгласна; буква, която не се произнася.

muteness [ˈmju:tnis] *n* **1.** немота; **2.** мълчание, безмълвие.

mutilate [ˈmju:tileit] *v* **1.** осакатявам; **2.** повреждам, развалям (*и прен.*); изопачавам, изкривявам.

mutineer [mju:tˈniə] **I.** *n* бунтовник, метежник, размирник; **II.** *v* бунтувам се.

mutiny [ˈmju:tini] **I.** *n* метеж, бунт (*особ. воен.*); **II.** *v* (раз)бунтувам се (**against**).

mutter [ˈmʌtə] **I.** *v* **1.** мърморя, мън-

кам, говоря неясно; **2.** мъркам, мрънкам, роптая, негодувам (**against, at**); **to** ~ **to o.s.** мърморя под носа си; **3.** тътна (*за буря*); **II.** *n* **1.** мърморене; **2.** мъркане, роптане.

mutual [ˈmju:tjuəl] *adj* **1.** взаимен; ~ **affection** споделена любов; **2.** *непр.* общ, съвместен; ~ **friend** общ приятел.

my [mai] *pron poss attr* мой, моя, мое, мой.

myopic [maiˈəupik] *adj* **1.** късоглед, който не вижда надалеч; **2.** *прен.* недалновиден, непрозорлив.

mysterious [misˈtiəriəs] *adj* тайнствен, загадъчен, мистериозен; ◇ *adv* **mysteriously.**

mystery [ˈmistəri] *n* **1.** мистерия, тайна; **2.** *рел.* тайнство; **3.** тайнствен, загадъчен; ~ **story** детективски роман (разказ).

mystic [ˈmistik] **I.** *adj* **1.** мистичен, тайнствен; **2.** *поет.* тайнствен, загадъчен, странен; мистериозен; **II.** *n* мистик.

mystical [ˈmistikəl] *adj* мистичен, загадъчен, окултен; ◇ *adv* **mystically.**

mystify [ˈmistifai] *v* **1.** озадачавам, смущавам, замайвам; **2.** заблуждавам, забърквам; **3.** обкръжавам с тайнственост, мистерия.

myth [miθ] *n* **1.** мит; **2.** *прен.* измислица.

mythical [ˈmiθikəl] *adj* **1.** митически, легендарен; **2.** *прен.* въображаем, измислен.

mythology [miˈθɔlədʒi] *n* митология.

N, n [en] *n* (*pl* N's, Ns [enz]) 1. буквата N; 2. *мат.* неопределена величина; **to the n-th power** до ента степен, до безкрайност.

nab [næb] *v* 1. *разг.* сграбчвам, сбарвам, чопвам, пипвам, докопвам, задигам; 2. *sl* арестувам, залавям, пипвам.

nacre ['neikə] *n* 1. седеф; 2. седеф на мида.

nacr(e)ous ['neikr(i)əs] *adj* 1. седефен; 2. като седеф.

nadir ['neidiə] *n* 1. *астр.* надир; 2. *прен.* краен упадък; **the ~ of despair** дъното на отчаянието.

nail [neil] I. *n* 1. нокът; **to fight (oppose) s.th tooth and ~** боря се със зъби и нокти; 2. пирон, гвоздей; 3. твърд, остър израстък (*на човката на патица*); 4. *остар.* мярка за дължина = 1/16 от ярда, или 5,70 см; ● **to hit the (right) ~ on the head** улучвам, сполучвам, казвам нещо точно на място; II. *v* 1. кова, заковавам; забивам пирон (гвоздей) в; 2. подковавам; 3. приковавам (*внимание*); 4. затварям, задържам (*под арест*); 5. *sl уч.* хващам (*в лъжа и под.*), пипвам, излявам; ● **to ~ (a lie) to the counter** разобличавам лъжа; доказвам несъстоятелността на нещо;

nail down 1) заковавам (*капак, килим*); 2) определям, доказвам точно; 3) задължавам (*някого*) да изпълни обещанието си;

nail in заковавам, забивам (*в нещо*);

nail on приковавам, заковавам (to);

nail together сковавам, сглобявам (зачуквам) набързо;

nail up заковавам (*сандък, врата и пр.*).

nail-biting ['neil'baitiŋ] *adj* спорен; напрегнат, който те държи в неизвестност до последния момент.

nail-scissors ['neil,sizəz] *n pl* ножички за нокти.

naive [na:'i:v, neiv] *adj* 1. наивен, простодушен, лековерен, доверчив; 2. непресторен, простосърдечен; ◇ *adv* **naively**.

naivety [na:'i:vti, neivti] *n* непрестореност, простосърдечност, наивност, лековерие, наивитет.

naked ['neikid] *adj* 1. гол; **to strip ~** събличам (гол); 2. *зоол., бот.* гол, непокрит; без черупка, мъх и под. (*за семена, животни*); **with the ~ eye** с просто око; 3. *ел.* гол, непокрит, неизолиран; 4. неподправен; **the ~ facts** голите факти; 5. неподкрепен от допълнителен материал **a ~ report** отчет, неподкрепен от факти; 6. *юр.* с недоказана законова валидност; **a ~ contract** невалиден договор; 7. *поет.* беззащитен, незащитен; лишен от (as to).

nakedness ['neikidnis] *n* голота.

namby-pamby ['næmbi'pæmbi] I. *adj* сантиментален; повърхностен, блудкав, плосък, безвкусен; превзет; II. *n* сантименталности.

name [neim] I. *n* 1. име; **family ~** фамилно име; **under the ~ of** с псевдоним; 2. наименование, название, обозначение; 3. *език.* съществително име; **common ~** съществително нарицателно; 4. репутация, име; авторитет; **to have a ~ for** известен съм (славя се) с; 5. *pl* лоши думи, обидни имена; 6. име, величина; знаменитост; **of ~** много известен, с име, именит; 7. *лог.* термин, понятие; ● **a ~ to conjure with** важен (влиятелен) човек; II. *v* 1. именувам, назовавам, наименувам, слагам име, кръщавам; **to ~ after** кръщавам на; 2. наричам, назовавам по име; изброявам по имена; посочвам, цитирам за пример; (*и* **to ~ names**) 3. избирам, определям, посочвам; *амер.* назначавам; 4. определям (*цена и под.*); 5. извиквам името на (*заради някакво провинение*); III. *adj* известен, популярен; **a ~ brand** известна марка.

name-day ['neimdei] *n* имен ден.

nameless ['neimlis] *adj* 1. безименен; неизвестен, анонимен; 2. без бащино име (*за извънбрачно дете*); 3. неописуем, неизразим, ужасен.

namesake ['neim seik] *n* съименник, адаш.

nap [næp] I. *n* дрямка; **to have (take)**

a ~ дремвам; II. *v* (-pp-) дремвам.

nape [neip] *n* тил; задната част на врата (*и* **~ of the neck**).

naphtha ['næfθə] *n* 1. нефт; нафта; 2. *остар.* газ, петрол.

naphthalene ['næfθəli:n] *n* нафталин.

napkin ['næpkin] *n* 1. салфетка; (*и* **table ~**); **to lay up in a ~** *прен.* прибирам, не използвам; 2. пелена; 3. *шотл.* носна кърпа.

narcosis [na:'kouzis] *n* наркоза, упоение; наркотизам.

narcotic [na:'kotik] I. *adj* 1. наркотичен; 2. *прен.* скучен, приспивателен; II. *n* 1. наркотик; 2. *прен.* нещо, което действа приспивателно; 3. наркоман.

narcotism ['na:kotizəm] *n* 1. наркомания, наркотизъм; 2. наркоза; 3. ненормално желание за сън.

naris ['næris] *n* (*pl* -es [i:z]) ноздра, дихателен път.

narrate [nə'reit] *v* разказвам, излагам, описвам, повествувам.

narrater, narrator [næ'reitə] *n* разказвач.

narration [nə'reiʃən] *n* разказване, описване, излагане; разказ, описание, изложение, повествование.

narrative ['nærətiv] *n* 1. разказ; описание; 2. *шотл., юр.* описателната част в началото на документ; 3. *attr* описателен, разказвателен, повествователен; **~ literature** белетристика.

narrow ['nærou] I. *adj* 1. тесен; **~ gauge (railway)** теснолинейка; 2. едва, с мъка постигнат; **to have a ~ escape** едва се отървавам, избягвам с голям риск; 3. щателен, точен, подробен; строг; 4. ограничен; **~ mind (interests)** ограничен ум (интереси); 5. слабо активен; **~ market** слаб пазар; 6. *диал.* стиснат, скъпернически; II. *n* тесен канал; пролом; проход; *обикн. pl* **the N.s** Проливите (Дарданели); III. *v* 1. стеснявам (се); 2. ограничавам; **to ~ an argument down** ограничавам в (стеснявам до) една или няколко основни точки; 3. ограничавам; стеснявам кръгозора на; правя тесногръд; 4. притварям (се) (*за очи*).

narrow-minded ['nærou'maindid] *adj* тесногръд, ограничен.

nasal ['neizəl] I. *adj* 1. носов, назален; 2. гъгнив; II. *n език.* назал, носов (назален) звук.

nascency ['næsənsi] *n* зараждане, възникване.

nascent ['næsənt] *adj* зараждащ се, възникващ.

nastiness ['næstinis] *n* 1. мръсотия; 2. неприличие, безсрамие; неприличен израз (мисъл).

nasty ['næsti] *adj* 1. противен, неприятен; 2. лош, мръсен, неприятен (*за време*); **a ~ sea** бурно море; 3. неприличен, непристоен, мръсен; 4. злобен, зъл, лош; **a ~ temper** лош нрав; 5. опасен, тежък (*за удар, болест, състояние, положение и под.*); **he got himself into a ~ mess** той се забърка в опасна каша; • **a ~ one** *разг.* силен удар; хаплива забележка.

natatorial, natatory [neitə'tɔ:riəl, 'neitətəri] *adj рет.* плавателен, плаващ.

nation ['neiʃən] *n* 1. нация, народ; **the United N.s** Обединените народи; 2. *pl библ.* езичници, неевреи.

national ['næʃnəl] I. *adj* национален, народен, народностен; **~ anthem** национален химн; II. *n* поданик, гражданин (*на съответна държава*); **enemy ~s** граждании на неприятелска страна.

nationalism ['næʃənəlizəm] *n* национализъм.

nationalist ['næʃənəlist] *n* националист.

nationality [,næʃə'næliti] *n* 1. националност, народност; национална принадлежност; 2. национално единство; 3. нация, народ.

nationalization ['næʃənəlai'zeiʃən] *n* национализация.

nationalize ['næʃənəlaiz] *v* 1. национализирам; 2. разпространявам по цялата страна, правя общонароден; 3. обединявам в нация; 4. натурализирам.

native ['neitiv] I. *n* 1. местен жител; 2. туземец; 3. местно растение; II. *adj* 1. роден; **o.'s ~ place** родно място; 2. местен, нативен,

туземен; **~ customs** местни обичаи; 3. природен, вроден; присъщ; **~ beauty** естествена красота; 4. чист, самороден, нативен (*за метал и под.*)

nativity [nə'tiviti] *n* 1. рождение; произход; **of Irish ~** ирландец по рождение; 2. *изк.* "Рождество Христово" като сюжет; 3. хороскоп.

natter ['nætə] I. *v* 1. мърморя, оплаквам се; 2. бъбря, лафя; II. *n* клюкарстване; лаф.

natty ['næti] *adj* 1. *разг.* спретнат, стегнат, чист, гиздав; 2. бърз, ловък.

natural ['nætʃərəl] I. *adj* 1. естествен, природен, натурален; **~ selection** естествен подбор; **~ science** естествознание, естествени науки; 2. естествен, истински, верен; **most ~ representation of life** най-вярно представяне на живота; 3. вроден, присъщ; **~ talents (gifts)** вроден талант (дарба); 4. самороден; 5. непросветен, див; нецивилизован; 6. нормален; 7. извънбрачен; 8. *муз.* основен (*за тон*); **~ key** ключ C; II. *n* 1. идиот; 2. *муз.* основен тон; бекар; 3. *амер., разг.* надарен човек, талант; 4. *карти* печеливша комбинация при първо раздаване; **it's a ~** *прен.* чудо нещо; лесна работа.

naturalism ['nætʃrəlizəm] *n* натурализъм.

naturalization [,nætʃrəlai'zeiʃən] *n* 1. натурализация; 2. аклиматизиране, аклиматизация.

naturalize ['nætʃrəlaiz] *v* 1. натурализирам (*за чужденец*); 2. аклиматизирам (се) (*за растение, животно*); 3. *език.* въвеждам, усвоявам (*нови думи*); 4. занимавам се с естествознание; давам естествено обяснение (*на чудеса и пр.*).

nature ['neitʃə] *n* 1. природа, натура; **in the course of ~** по естествения път на нещата; **back to N.** назад към природата; 2. естество, същност, натура, характер; темперамент, нрав; **human ~** човешка природа; **against ~** про-

тивоестествен; 3. физически нужди, функции; организъм; **the ~ of the beast** същността (характера) на нещо; 4. *изк.* натура; **to draw from ~** рисувам от натура.

naturism ['neitʃərizəm] *n* нудизъм.

naturist ['neitʃərist] *n* нудист.

naughty ['nɔ:ti] *adj* 1. непослушен, немирен, невъзпитан, лош (*за дете*); 2. леко неприличен, непристоен, нереден.

nautical ['nɔ:tikəl] *adj* морски, мореплавателен.

naval ['neivəl] *adj* военноморски, флотски; **~ forces** военноморски сили.

navel [neivl] *n* 1. *анат.* пъп; 2. *прен.* център, средище; • **to gaze at (contemplate) o.'s ~** мисля само за себе си.

navel-gazing ['neivl'geiziŋ] *n* егоцентризъм.

navigability [,nævigə'biliti] *n* 1. плавателност (*на река*); годност (*на кораб*); 2. направляемост (*на балон и под.*).

navigable ['nævigəbl] *adj* 1. плавателен (*за река*); 2. годен за плаване (*за кораб*); **a ship in ~ condition** кораб, годен за плаване; 3. управляем, направляем (*за балон и пр.*).

navigate ['nævigeit] *v* 1. управлявам, карам, пилотирам (*кораб, самолет*); 2. плувам (*за или на кораб и под.*); пътувам по вода; летя; нося се по (*вода, въздух*); 3. провеждам, прокарвам (*мероприятие*); промъквам се през; **to ~ a bill through Parliament** прокарвам (пробутвам) законопроект в парламента; 4. преодолявам (*пречка, трудност*).

navigation [,nævi'geiʃən] *n* 1. корабоплаване, мореплаване, плаване, навигация; **inland ~** речно плаване; **aerial ~** въздухоплаване; 2. навигация, пътуване (минаване) на кораби; 3. навигация (*като наука*); 4. *остар., провинц.* канал, воден път.

navigational [,nævigeiʃənəl] *adj* мореплавателен, корабоплавателен, навигационен.

navigator ['nævigeitə:] *n* 1. море-

плавател; моряк; **2.** навигатор; кормчия, щурман.

navy [ˈneivi] *n* **1.** военен флот, военноморски сили; **2.** *истор.* флота; **3.** Министерство на военноморските сили.

nay [nei] I. *adv* **1.** не; **2.** даже, дори; нещо повече; **I am astounded, ~,** **disgusted** аз съм смаян, дори възмутен; II. *n* отрицателен отговор, отказ; глас против; **he will not take ~** не приема никакъв отказ.

nazi [ˈnɑ:tsi] I. *n* нацист, фашист; II. *adj* нацистки, фашистки.

nazify [ˈnɑ:tsifai] *v* фашизирам.

Nazism [ˈnɑ:tsizəm] *n* нацизъм, фашизъм.

neanderthal [niˈændə:tɑ:l, -θɔ:l] I. *n* **1.** (N) неандерталец; **2.** *прен.* груб, недодялан човек; II. *adj* **1.** (N) неандерталски; **2.** груб, недодялан.

near [niə] I. *adv* **1.** близко, наблизко, наблизо; **~ at hand** съвсем близо; под ръка; **it (the time) is ~ upon** 5 вече е почти 5 часа; **2.** *мор.* към вятъра, в посока на вятъра; **3.** *разг.* икономично, пестеливо; **4.** *провинц.* почти, насмалко; **he is not ~ as strong as you** той съвсем (далеч) не е тъй силен като теб; II. *prep* **1.** близко до, до; в съседство с; **2.** към (*за време*) **it is ~ 12 o'clock** към 12 часа е; **3.** на прага на, почти до; **~ death** на прага на смъртта; III. *adj* **1.** близък (*по място и време*); **to get a ~er view of s.th** разглеждам нещо по-отблизо; **on a ~ day** в един от близките дни; **2.** кратък, къс (*за път*); **3.** близък, интимен; **those ~ and dear to us** тези, които ни са близки и скъпи; **4.** който засяга някого отблизо; **that is a very ~ concern of mine** това е един въпрос, който ме засяга твърде много; **5.** почти точен, приблизителен; точен, буквален (*за превод*); голям (*за прилика*); **a ~ guess** почти правилна догадка; **6.** *амер. търг.* имитация (на); **~ silk** изкуствена коприна; **7.** който виси на косъм; **it was a ~ thing (escape, miss)** на косъм висеше, едва се отървах

ме, едва се размина; **8.** пестелив, стиснат; **9.** ляв (*амер.* десен) (*при каране*); **the ~ side** лявата (*амер.* дясната) страна (*на кон, път, кола*); IV. *v* приближавам се до, наближавам; **the work is ~ing completion** работата отива към края си.

nearly [ˈniəli] *adv* **1.** почти, току-речи, приблизително; едва не; **pretty ~ equal** почти (приблизително) равни; **2.** близко; интимно; тясно; **they are ~ related** те са близки роднини; те са тясно свързани.

nearness [ˈniənis] *n* **1.** близост (*по време, място*); съседство; **2.** близост (*на родство*); интимност; **~ of relationship** близко родство; **3.** точност (*на превод и пр.*); **4.** пестеливост, спестовност; стиснатост, скъперничество.

nearsighted [ˈniəˈsaitid] *adj* късоглед.

nearsightedness [ˈniəsaitidnis] *n* късогледство.

neat [ni:t] *adj* **1.** спретнат, чист, стегнат (*за облекло, фигура и пр.*); спретнат, подреден (*за стая, маса, вещи*); кокетен, гиздав (*за къща и пр.*); **to be ~ in o.'s person** винаги съм спретнат; **2.** елегантен, добре оформен, строен, изящен; **a ~ leg** хубав (добре оформен, строен) крак; **3.** хубав, красив, ясен, четлив, чист (*за почерк*); **4.** изискан, изящен, ясен, точен, стегнат (*за стил*); **5.** уместен, на място (*за отговор*); **6.** изкусен, ловък (*за удар, работник и пр.*); добре изпълнен (*извършен*) (*за работа*); **to make a job of it** свършвам нещо добре; ◇ *adv* neatly; **7.** неразводнен, неразреден, дюс (*за питие*).

neaten [ˈni:tn] *v* подреждам, нареждам, придавам спретнат вид на, разтребвам, внасям порядък.

neat-handed [ˈni:tˈhændid] *adj* сръчен, ловък, умел.

neatness [ˈni:tnis] *n* **1.** спретнатост, чистота; простота; добър вкус; кокетност, гиздавост; **2.** елегантност, стройност, изящество, изисканост; **3.** яснота, четливост; **4.**

изисканост; точност, яснота (*на стил*); **5.** уместност (*на отговор*); **6.** изкусност, ловкост; умение, сръчност, добро изпълнение.

nebulizer [ˈnebjulaizə] *n* пулверизатор, разпръсквач, разпрашител.

nebulosity [ˌnebjuˈlɔsiti] *n* **1.** *астр.* мъглявина, небулоза; **2.** мъглявост (*и прен.*).

necessary [ˈnesisəri] I. *adj* **1.** необходим, нужен (**to, for**); **it is ~ that he should come** необходимо е той да дойде, той трябва да дойде; **if ~** ако е необходимо; **2.** неизбежен; сигурен (*за резултат и пр.*); логичен (*за заключение*); II. *n* **1.** обикн. *pl* (жизнена) необходимост, нужда; предмет от първа необходимост; **the barest necessaries** само най-необходимото; **2.** *юр.* издръжка (*на малолетен, съпруга и пр.*); **3.** *sl* пари, пара; необходимото; **to do the ~** правя необходимото; плащам (давам) парата.

necessitous [niˈsesitəs] *adj* **1.** беден, нуждаещ се; **~ areas** бедни (мизерстващи) области; **2.** належащ, неизбежен, неминуем, неотменен, неотменим; **~ obligations** неотменими задължения.

necessity [niˈsesiti] *n* **1.** необходимост, потребност, нужда; принуда, принуждение; **by (from, out of) ~** по необходимост, по принуда; **2.** *често pl* нещо необходимо, потребност, предмет от първа необходимост, жизнена необходимост; **3.** нужда, бедност, нищета, мизерия; **to be in dire ~** в крайна нужда съм.

neck [nek] I. *n* **1.** врат, шия; **to be up to o.'s ~ in work** до гуша съм затънал в работа; ● **to breathe down s.o.'s ~** дишам във врата на някого, притеснявам някого; **2.** вратна извивка, деколте; **a low ~** голямо деколте; **3.** гърло, шия, отвор (*на бутилка*); **4.** гриф (*на цигулка и пр.*); **5.** *анат.* шийка (*на матката*); **6.** *геогр.* провлак; тесен пролив; **7.** *геол.* цилиндричен интрузив; **8.** *техн.* мундщук, наставка, наустник; наконечник, накрайник; **9.** *разг.* нахалство; **to**

have a ~ нахален съм; **II.** *v* **1.** *амер. sl* флиртувам; прегръщам, галя, милвам, целувам; **2.** *sl* пия, смуча (*алкохол*); **3.** *техн.* свивам, стеснявам, образувам шийка.

neck-line [ˈneklain] *n* деколте.

necktie [ˈnektai] *n* вратовръзка.

necromancer [ˈnekrə,mænsə] *n* магьосник, вълшебник, чародей; некромант, спиритист.

necromancy [ˈnekrə,mænsi] *n* **1.** магия; некромантия; **2.** *истор.* черна магия.

necropolis [neˈkrɔpəlis] *n* **1.** *археол.* некропол; **2.** гробища, град на мъртвите.

necropsy [neˈkrɔpsi] *n* аутопсия; дисекция.

necrose [nəˈkrous] *v мед.* **1.** причинявам некроза; **2.** страдам от некроза.

necrotic [neˈkrɔtik] *adj мед.* загнил, гангренясал.

necrotize [ˈnekrətaiz] *v мед.* загнивам, гангренясвам.

nectar [ˈnektə] *n* нектар (*и бот., прен.*).

nectiferous [nekˈtifərəs] *adj бот.* медоносен.

need [niːd] **I.** *n* **1.** нужда, потребност, необходимост; **to be(stand) in ~ of, to have ~ of** нуждая се от; **if ~(s) be, in case of ~** ако е нужно, ако стане нужда, в случай на нужда, ако трябва; **2.** нужда, липса; бедност, нищета; трудност, затруднение; беда; **in times of ~, in the hour of ~** в момент на затруднение, в беда; **II.** *v* **1.** нуждая се от, имам нужда от, трябва ми, нужен ми е, необходим ми е; **that ~s no saying** това се разбира от само себе си; **2.** *рядко* в нужда съм, бедствам; **3.** *безл.* нужно е, необходимо е, изисква се; **it ~s much skill for this work** тази работа изисква голямо умение.

needed [ˈniːdid] *adj* необходим, нужен; **a much ~ lesson** твърде необходим урок.

needful [ˈniːdful] *adj* **1.** необходим, потребен, нужен (**to, for**); **the one thing ~** единственото нещо, което е необходимо; **2.** *остар.* бе-

ден; изпълнен с нищета, сиромашки, мизерен; нещастен.

neediness [ˈniːdinid] *n* бедност, нищета, сиромашия, мизерия.

needle [ˈniːdle] **I.** *n* **1.** игла, игличка; игла, кука (*за плетене*); игла (*за грамофон, спринцовка и пр.*); **to look for a ~ in a bundle of hay (haystack)** *прен.* търся игла в купа сено; **2.** стрелка (*на компас*); **true as the ~ to the pole** надежден, верен; **3.** обелиск; **4.** *архит.* шпил; остра готическа кула; **5.** заострен, ъгловиден кристал; **6.** остра канара (*скала*); **7.** временна подпора (*на стена и пр.*); **8.** *sl* нерви, нервно състояние; **to have the ~** в лошо настроение съм, раздразнен съм, нервен съм; **II.** *v остар., рядко* **1.** шия, бода; **2.** пробивам си път през, провирам се през (**и to ~ o.'s way through**); **3.** *мед.* правя операция на катаракта; **4.** *sl* нервирам, дразня; подбуждам, подстрекавам; **5.** *амер. разг. прен.* поливам ядене с алкохол; **6.** подпирам временно (*стена и пр.*).

needless [ˈniːdlis] *adj* **1.** ненужен, непотребен; излишен, безсмислен; **(it is) ~ to say** няма нужда (излишно е) да се казва, разбира се; **2.** непредизвикан, безпричинен; ◇ *adv* **needlessly**.

needlework [ˈniːdlwək] *n* шев, бродерия; ръкоделие (*и като учебен предмет*).

needy [ˈniːdi] *adj* беден, бедстващ, в нужда; **to be in ~ circumstances** беден в нужда) съм.

ne'er-do-well, -weel [ˈnɛəduwel, wiːl] *n* нехранимайко, негодник, безделник.

negation [niˈgeiʃn] *n* отрицание; отричане.

negative [ˈnegətiv] **I.** *adj* **1.** негативен, отрицателен (*и ел., мат., физ.*); **a ~ sign** *мат.* отрицателен знак, минус; ◇ *adv* **negatively**; **2.** неположителен; който се проявява чрез липсата на положителни качества; **an entirely ~ character** напълно безличен характер; **3.** *фот.* негативен; **4.** (за твърдение) несъответстващ, противоречащ на предишно твърдение или

условие; **II.** *n* **1.** отрицание; отказ; право на вето; **to answer in the ~, to return ~** отговарям отрицателно, отказвам; **2.** *език.* отрицание, отрицателна частица; **3.** *мат.* отрицателна величина; **4.** *фот.* негатив; **5.** *ел.* отрицателна плака във волтова батерия; **III.** *v* **1.** отказвам (на), отхвърлям; не одобрявам; налагам вето на; **2.** отричам, опровергавам; **3.** неутрализирам (*въздействие*); преча на; правя безполезен.

negativity [ˌnegəˈtiviti] *n* негативност, негативно отношение.

negatory [ˈnegətəri] *adj* отрицателен.

neglect [niˈglekt] **I.** *v* **1.** пренебрегвам, занемарявам, изоставям, не обръщам внимание на, не се грижа за, нехая за; **2.** пропускам, забравям (**to** *c inf*); **II.** *n* **1.** пренебрегване; занемаряване; изоставяне; липса на грижи (внимание); небрежност, невнимание; немарливост; неизпълнение; **out of (from) ~** от небрежност; **2.** изоставеност, занемареност, запуснатост; **to die in total ~** умирам, изоставен от всички.

neglectful [niˈglektful] *adj* небрежен, невнимателен (**of** към); **to be ~ of o.'s family (duties)** изоставям (занемарявам) семейството (задълженията) си.

negligence [ˈneglidʒəns] *n* **1.** безгрижие, небрежност; безразличие, нехайство, равнодушие; неизпълнение (*на задължение*); **culpable ~** *юр.* престъпно нехайство; **2.** занемареност; безредие, безпорядък; **3.** пропуск, опущение.

negligent [ˈneglidʒənt] *adj* **1.** небрежен, невнимателен, нехаен; **~ in o.'s work (in dress)** небрежен в работата (облеклото) си; **2.** безгрижен, безразличен, спокоен; ◇ *adv* **negligently**.

negligible [ˈneglidʒibl] *adj* незначителен, маловажен.

negotiate [niˈgouʃieit] *v* **1.** уговарям, уреждам (*сделка и пр.*); договарям се, споразумявам се (**with**); **to ~ a loan** уреждам заем; **2.** водя преговори, преговарям (**with**)

(*особено за мир*); to ~ for peace водя мирни преговори; 3. разменям, обменям, получавам пари срещу (*чек, полица*); 4. успявам да преодолея, преодолявам, справям се с, превъзмогвам.

negotiation [ni‚gouʃi'eiʃn] *n* 1. уговаряне; уреждане, договаряне; the price is a matter for ~ цена по споразумение; 2. *pl* преговори (*за мир и пр.*); to be in ~s with в преговори съм с; 3. преодоляване.

Negro, negro ['ni:grou] I. *n* (*pl* -es) негър; II. *adj* негърски.

neighbour ['neibə] I. *n* 1. съсед, -ка; 2. предмет, съседен на друг; the house and its ~s къщата и тези около нея; 3. ближен; love thy ~ as thyself обичай ближния си както себе си; 4. *attr* съседски, съседен; II. *v* рядко гранича (upon c).

neighbourhood ['neibəhud] *n* 1. съседство; близост; околности; to live in the (immediate) ~ of живея (непосредствено) до; 2. махала, квартал; област, местност; район; 3. *остар.* (добро)съседски отношения.

neighbouring ['neibəriŋ] *adj* съседен, близък.

neighbourly ['neibəli] I. *adj* добросъседски; общителен, дружелюбен; to act in a ~ fashion постъпвам като добър съсед; постъпвам дружелюбно; II. *adv* рядко дружелюбно; като добри съседи.

nemesis ['nemisis] *n* (*pl* -ses [-si:z]) възмездие, наказание.

neolithic [‚ni:ɔ'liθik] *adj* неолитен.

neologism [ni:'ɔlədʒizəm] *n* 1. неологизъм; 2. (склонност към) употреба на неологизми; 3. *рел.* новаторство в религията.

neon ['ni:ɔn] I. *n* хим. неон; II. *adj* неонов, флуоресцентен.

neophyte ['ni:oufait] *n* 1. неофит, новопокръстен; 2. послушница, послушник; 3. новак.

neoteric [‚ni:ou'terik] I. *adj* нов, модерен, моден; наскоро открит (измислен); II. *n* модерен човек; човек, който приема новото.

neozoic [‚niɔ'zouik] *геол.* неозойски.

nephritic [ne'fraitik] *adj* бъбречен.

nerve [nə:v] I. *n* 1. нерв; *pl* нерви, нервна система; нервност, нервно състояние; истерия; a fit of ~s нервен припадък, нервност, раздразнение; to get on s.o.'s ~s действам на нервите на някого; лазя по нервите на някого; 2. хладнокръвие, самообладание; *разг.* нахалство, дързост; to lose o.'s ~ изгубвам смелостта си; 3. *остар.* сила, мъжество; to strain every ~ напрягам всички сили; 4. *бот., зоол.* жилка; 5. *pl архит.* нервюри; II. *v* давам сила (кураж) на; ободрявам, окуражавам; to ~ oneself to do s.th събирам кураж (сили) да направя нещо; решавам се да направя нещо.

nerveless ['nə:vlis] *adj* 1. слаб, отпуснат, безсилен, инертен, вял; 2. *анат.* без нерви; 3. *бот.* без жилки (*за лист*).

nerve-(w)racking ['nə:v‚rækiŋ] *adj* мъчителен, нервиращ.

nervosity [nə:'vɔsiti] *n* нервност; тревожност.

nervous ['nə:vəs] *adj* 1. *анат.* нервен, на нервите; the ~ system нервната система; 2. плах, неспокоен, загрижен; нервен, раздразнителен; със слаби нерви; to feel ~ боя се, неспокоен съм; ◇*adv* nervously; 3. силен, здрав, як, жилест, мускулест; 4. изразителен, енергичен, жив (*за стил*).

nescience ['nesiəns] *n* 1. незнание, неведение; 2. *филос.* агностицизъм.

nesh [neʃ] *adj* изнежен, деликатен, чувствителен.

nest [nest] I. *n* 1. гнездо; полог; място за снасяне на яйца (*на риби, насекоми и пр.*); to build a ~ правя (вия, свивам) гнездо; to fly the ~ *прен.* заживявам самостоятелно (*за деца*); 2. *прен.* уютно местенце, кътче; гнездо; 3. люпило; 4. свърталище; котило; a ~ of vipers *прен.* котило на усойници; 5. серия еднакви предмети, които влизат един в друг; a ~ of alleys лабиринт от улички; II. *v* 1. вия (свивам) гнездо; снасям яйца в гнездо; гнездя; 2. *рядко* слагам в гнездо; слагам (влиза-

ме) един в друг; boxes ~ing in each other кутии, които влизат една в друга; 3. търся гнезда; to go ~ing ходя да търся гнезда.

nestle ['nesl] *v* настанявам (се) удобно; сгушвам се, притискам (се) (close to, to, against).

net₁ [net] I. *n* 1. мрежа; рибарска мрежа, серкме; butterfly ~ мрежа за ловене на пеперуди; marketing ~ мрежа за пазар; 2. паяжина; 3. тюл; 4. *прен.* мрежа, капан, клопка; to walk (fall) into the ~ хващам се в капана; 5. *спорт.* топка, която попада в мрежата (*при игра на тенис*); II. *v* 1. хващам с (в) мрежа, ловя с мрежа; 2. *прен.* хващам в мрежата си, хващам си (*съпруг и пр.*); пипвам, докопвам (*печалба и пр.*); 3. хвърлям (слагам) мрежа в; to ~ a river хвърлям мрежа в река; 4. покривам (заграждам, преграждам) с мрежа; 5. правя (плета) мрежа (филе); 6. *спорт.* пращам топката в мрежата (*при игра на тенис*); отбелязвам гол (*във футбол*); III. *adj амер.* 1. мрежест; от мрежа; 2. хванат в мрежа.

net₂ [net] I. *adj* нетен, чист (*за тегло, приход и пр.*); ~ cash наличност; в брой; без отстъпка; II. *n амер.* нето; чиста печалба; окончателна цена; краен резултат; III. *v* получавам (изкарвам си, докарвам, давам) чиста печалба (доход).

net-shaped ['net‚ʃeipt] *adj* мрежест, мрежовиден.

nettle ['netl] I. *n* коприва; great (common) ~ обикновена коприва; to grasp the ~ действам решително (смело); II. *v* 1. жегвам, опарвам, обиждам; 2. *рядко* нажулвам с коприва.

network ['netwə:k] I. *n* 1. мрежа, филе (*и като ръкоделие*); 2. мрежа (*жп и пр.*); система; 3. *инф.* мрежа; local area ~ локална мрежа; II. *v* 1. изграждам връзки с хора или организации; 2. предавам по няколко телевизионни канала едновременно (*обикн. в* pass).

neural ['nju:rəl] *adj анат.* нервен;

мед. за нервите.

neuralgia [nju'rældʒiə] *n* невралгия.

neuralgic [nju:'rældʒic] *adj* неврал-
гичен.

neurasthenia [ˌnjuərəs'θi:niə] *n* нев-
растения.

neurasthenic [ˌnjuərəs'θi:nik] I. *adj*
неврастеничен; II. *n* неврастеник,
-чка.

neurological [ˌnjuərə'lɔdʒikəl] *adj*
нервологичен; на нервната сис-
тема.

neurology [njuə'rɔlədʒi] *n* невроло-
гия.

neurotic [nju(ə)'rɔtik] I. *adj* нервен;
който действа (влияе) на нервна-
та система, за нервите (*за лекар-
ство*); свръхчувствителен; II. *n*
1. нервен човек; неврастеник; 2.
остар. лекарство, което действа
(влияе) на нервната система.

neutral ['nju:trəl] I. *adj* 1. неутра-
лен (*и ел., хим.*); 2. *бот., зоол.*
полово неразвит; безполов; 3. не-
утрален, неопределен, среден (*за
цвят и пр.*); 4. редуцирана (*за
гласна*); II. *n* 1. неутрална дър-
жава; поданик на неутрална дър-
жава; 2. *авт.* свободна скорост.

neutrality [nju:'træliti] *n* неутрали-
тет, неутралност.

neutralize ['nju:trəlaiz] *v* 1. неутра-
лизирам (*и хим.*); 2. обявявам
(*територия*) за неутрална; 3. па-
рализирам, обезвредявам, уни-
щожавам, обезсилвам, неутрали-
зирам.

neutron ['nju:trɔn] *n* неутрон.

never ['nevə] *adv* 1. никога, нивга;
I ~ **go there** никога не ходя там;
he is ~ alone той никога не е сам;
2. *за усилване* ни, нито, нито до-
ри; I ~ **slept a wink that night** не
мигнах тая нощ; I ~ **touched it** не
съм го и пипнал дори; 3. има си
хас, да не би, и таз добра.

never-dying ['nevədaiiŋ] *adj* без-
смъртен (*за слава и пр.*); неугас-
ващ (*за пламък*).

never-ending ['nevəendiŋ] *adj* ве-
чен, безкраен, безконечен; **it's a
~ job** на тая работа краят й не се
вижда.

never-failing ['nevə'feiliŋ] *adj* си-
гурен (*за средство, лекарство и*

пр.); 2. неизчерпаем, непресъх-
ващ (*за източник*).

new [nju:] *adj* 1. нов; ~ **moon** нова
луна; новолуние; 2. нов, модерен,
моден, съвременен, последен; 3.
нов, друг; още един; **to lead a ~
life, to turn over a ~ leaf** започ-
вам друг (нов) живот; 4. непоз-
нат, нов; незапознат, непривик-
нал; отскорошен; ~ **from school**
току-що завършил училище; 5.
пресен (*за хляб, мляко, зеленчук*);
млад (*за вино*); неотлежал (*за си-
рене и пр.*).

new-born, newborn ['nju:'bɔ:n] *adj*
новороден.

new-fashioned [nju:'fæʃənd] *adj* мо-
ден.

new-found ['nju:'faund] *adj* ново-
открит, новоизнамерен.

newly ['nju:li] *adv* 1. наскоро, не-
отдавна; току-що; 2. наново, от-
ново; пак; **the gate has been ~
painted** вратата пак е боядисвана.

newness ['nju:nis] *n* новост.

news [nju:z] *n pl* (= *sing*) новина,
вест; новини, вести, известия; **a
sad piece of ~** тъжна новина; **stop-
press ~** новини от последната ми-
нута, последни новини.

news-agency ['nju:zeidʒənsi] *n* ин-
формационна агенция (бюро);
агенция по разпространение на
печата.

newscast ['nju:zka:st] *амер.* I. *n* ин-
формационен бюлетин; II. *v* пре-
давам информационен бюлетин
по радиото.

newsman ['nju:zmən] *n* (*pl* **-men**)
амер. 1. вестникар, вестникопро-
давец; 2. кореспондент, репор-
тер.

newspaper ['nju:speipə] *n* 1. вест-
ник; **to be on a ~** в (от) редакция-
та на вестник тел; 2. *attr* вест-
никарски, журналистически.

news-stall ['nju:z,stɔ:l] *n* вестникар-
ска будка.

newsvendor ['nju:z,vendə] *n* вестни-
кар, вестникопродавец.

news-writer ['nju:z,raitə] *n* журна-
лист, журналистка.

New Year ['nju:'jiə] *n* 1. нова годи-
на; **to see the ~ in** посрещам но-
вата година; 2. *attr* новогодишен.

next [nekst] I. *adj* 1. съседен, най-
близък; следващ, следен (*по вре-
ме и място*); **the ~ house (the
house ~)** but **one** къща до съсед-
ната, през една къща; ~ **year** до-
година; 2. втори, най-близък (*по
качество, големина и пр.*); **the ~
larger (smaller) size** един номер
по-голям (по-малък); 3. *юр.* най-
близък (*за родство и пр.*); ~
friend законен попечител (*който
защищава интересите на мало-
летен при процес*); II. *adv* 1. пос-
ле, след това; 2. следващият (дру-
гият) път; пак; **when I see him ~**
когато го видях пак (следващия
път); III. *prep* до, близо до, в съ-
седство с; **she sat ~ me** тя седеше
до мен; IV. *n* следващ, най-бли-
зък (*в елипт. изрази с изпуснато
съществително, което се под-
разбира*); **look forward to his ~**
очаквайте следващата му книга.

nibble ['nibəl] I. *v* 1. гриза, хапя; от-
хапвам си (захапвам) по малко;
хрупкам (*за овце*); кълва (*за ри-
ба*); **to ~ at an offer** привлича ме
предложение, но не мога да се ре-
ша; 2. *разг.* критикувам, заяждам
се (**at**); II. *n* 1. гризане, хапане;
хрупкане; кълване; отхапване по
малко; 2. хапка; малко количест-
во (*трева и пр.*); 3. *pl* бисквитки,
ядки и други дребни неща за по-
хапване.

nice [nais] *adj* 1. мил, добър, прия-
тен, приветлив, любезен; симпа-
тичен; **a man of ~ disposition** лю-
безен (мил) човек; 2. остър, тъ-
нък, чувствителен (*за слух и пр.*);
тънък, фин, изящен, изискан (*за
вкус*); внимателен, подробен; аку-
ратен, грижлив; 3. тънък, делика-
тен; който изисква умение, такт
и внимание; **that's a very ~ point**
това е деликатен (щекотлив) въп-
рос (въпрос, който изисква такт
и внимание); 4. придирчив, взис-
кателен; мъчен, капризен (*на ко-
гото трудно се угажда*); **to be
~ in o.'s clothes** обръщам голя-
мо внимание на облеклото си; 5.
хубав, добър; приятен; **a ~ din-
ner** хубав обед; 6. приличен, бла-
гоприличен; порядъчен; ~ **peo-**

ple порядъчни хора; **7.** *ирон.* хубав; **a ~ state of affairs** хубава работа.

nice-looking ['naislukiŋ] *adj* приятен, хубав, симпатичен.

nicely ['naisli] *adv* **1.** добре, хубаво; **she is doing ~** тя е добре; **2.** точно, внимателно, грижливо; съвсем добре; **that'll suit me ~** това ми хареса, точно това търся; **3.** мило, любезно; **he spoke very ~ about you** той се изказа много любезно за вас.

niceness ['naisnis] *n* **1.** придирчивост, прекалена взискателност; педантичност; **2.** изисканост, финес (*на вкус*); чувствителност, острота, точност (*на слух и пр.*); **3.** тънка разлика; дребна подробност; **4.** любезност, приветливост; приятност, приятен вкус.

nicety ['naisiti] *n* **1.** прецизност, точност; **2.** трудност, щекотливост, деликатност (*на въпрос*); **3.** придирчивост, педантичност; **4.** *обикн.* pl подробности, тънки разлики, тънкости; **5.** pl лакомства.

nickel [nikl] I. *n* **1.** никел; **2.** никелова монета; *амер.* монета от 5 цента; **~ and dime, ~-dime** *амер.* дребен и незначителен човек, *attr* нищо и никакъв; II. *v* никелирам.

nick-name ['nikneim] I. *n* прякор, прозвище; II. *v* давам, изваждам (на някого) прякор; наричам някого с прякора му (с галеното му име).

nicotian [ni'kouʃiən] *adj* тютюнев, никотинов.

nicotine [,nikə'ti:n] *n* никотин.

niggardly ['nigədli] I. *adj* **1.** стиснат, свидлив, стислив; **2.** мизерен, жалък (*за сума*); II. *adv* скъпернически, свидливо.

nigger ['nigə] *n* **1.** *презр.* негър, -ка, -че; **2.** тъмнокафява боя; **3.** *амер.* машина за вдигане на тежки товари и друга тежка работа; **4.** какавида на насекомо от рода *Tenthredo*; **5.** *attr* негърски; • **to work like a ~** работя като роб.

niggle [nigl] I. *v* **1.** критикувам, заяждам се, създавам дребни пречки; **2.** занимавам се (губя си времето) с дребни подробности, суе-

тя се; II. *n* дребен, незначителен проблем.

niggly ['nigli] *adj* незначителен, нищожен.

nigh [nai] *poet.* I. *adv* **1.** близо, наблизо; **to come (draw) ~** приближавам се, наближавам; **2.** почти; II. *prep* близо до; III. *adj* близък.

night [nait] *n* **1.** нощ; вечер; **all ~ (long)** (през) цялата нощ, цяла нощ; **a white ~** безсънна нощ; **2.** нощ, мрак, тъмнина; **under cover of ~** под прикритието на нощта; **3.** невежество, мрак; *прен.* мрачни (черни) дни; **4.** *театр.* представление; вечер; **the last ~s** последните представления; **5.** *attr* нощен; **~ shift** нощна смяна.

night-club ['naitklʌb] *n* нощен клуб; кабаре, бар.

nightly ['naitli] I. *adj* **1.** нощен; **2.** който става всяка вечер; **~ performances** представления всяка вечер; II. *adv* всяка нощ (вечер).

nightmarish ['naitmɛəriʃ] *adj* кошмарен.

nigrescence [nai'gresəns] *n* книж. **1.** почерняване, потъмняване; **2.** чернота (*на кожата*), черен цвят (*на кожа, очи и пр.*).

nil [nil] *n* нищо, нула; *спорт.* нулев резултат; **his influence is now ~** сега той няма никакво влияние.

nimble ['nimbl] *adj* жив, пъргав, чевръст, подвижен, жив (*за ум*); ◊ *adv* **nimbly.**

nimbus ['nimbəs] *n* (pl **-ses, -bi** [bai]) *рел.*, *астр.* **1.** ореол; **2.** дъждовен облак, нимбус.

niminy-piminy ['nimini'pimini] *adj* превзет; блудкав, сантиментален.

nip [nip] I. *v* (**-pp-**) **1.** щипя, защипвам, ощипвам, прещипвам, хапя, захапвам, ухапвам; **2.** продупчвам, пробивам (*с инструмент*); **3.** подрязвам, прерязвам (*издънки*); **4.** спирам развитието на, осакатявам, развалям; **to ~ in the bud** *прен.* убивам в зародиш; **5.** попарва, поразява (*за студ, слана и пр.*); хапе, щипе (*за вятър, студ*); **6.** помрачавам, охлаждам, развалям (*настроение и пр.*); **7.** *sl* грабвам, хващам, сграбчвам;

8. *sl* открадвам, задигам, завличам; **9.** *разг.* прескачам, отскачам, изтичвам, мръдвам (*обикн. с нар.* **up, down, across, along, around**);

nip along бързам;

nip in 1) пресичам пътя на някого, изпречвам се, препречвам се; **2)** отбивам се, свръщам; **3)** намесвам се неочаквано в разговор;

nip off 1) отщипвам; отхапвам; отрязвам; **2)** офейквам, изчезвам;

nip out *разг.* бързо изваждам; **2)** изтичвам;

nip up 1) вдигам бързо; **2)** качвам се бързо;

II. *n* **1.** щипане, ощипване, защипване, прещипване; ухапване, захапване; **to give s.o. a ~** ощипвам някого; **2.** отхапано парче; **3.** попарване (*от слана и пр.*), мраз; **4.** острота, саркастична забележка, сарказъм; **5.** остър вкус (дъх) на сирене; **6.** *техн.* стиска, стяга; стискане, стягане; **7.** *геол.* стръмен скалист бряг.

nippy ['nipi] *adj* **1.** остър, хаплив (*за вятър*); пикантен, пиперлия (*за вкус*); *n sl* сервитьорка, келнерка; **2.** бърз, пъргав, подвижен; **a ~ vehicle** автомобил с добро ускорение.

nirvana [niə'vænə] *n* нирвана (*и прен.*).

nit [nit] *n* **1.** гнида; **2.** *амер. sl* нула, нищожество (*за човек*).

no [nou] I. *adj* **1.** никой, никакъв; никак; (*или се превежда, но придава отрицателен смисъл на изречението*); **~ one man can do it** никой не би могъл да го направи сам; **2.** съвсем не; **it is ~ easy task** съвсем не е лесна работа; **3.** *с ger* не може да, не е възможно да; **there is ~ pleasing him** не може да му се угоди; • **~ doubt** без съмнение, несъмнено; II. *adv* не; **he is ~ more** той не е вече между живите; III. *n* (pl **noes** [nouz]) **1.** отрицание; **2.** отказ; **3.** глас против; **the ~es have it** гласовете против печелят.

nobility [nou'biliti] *n* **1.** благородство, великодушие; **2.** аристокрация, дворянство; висшата (титу-

лована) аристокрация (*в Англия*).
noble [noubl] I. *adj* 1. благороден (*за характер, ранг, метал и пр.*); знатен, аристократичен; **(of)** ~ **birth** (от) благородно потекло; 2. величествен, величав; 3. прекрасен, чудесен, внушителен; **to do things on a** ~ **scale** правя нещата със замах; 4. щедър, великодушен; • **the** ~ **art** бокс; II. *n* благородник, аристократ, дворянин, пер.
noble-minded [ˈnoublˈmaindid] *adj* благороден, великодушен.
nobleness [ˈnoublnis] *n* 1. благородство; 2. величавост, величественост; внушителност.
nobly [ˈnoubli] *adv* 1. благородно, великодушно; 2. величаво, величествено; 3. смело; ~ **born** от благородно потекло.
nobody [ˈnoubɔdi] I. *pron* никой; II. *n* нищожество, човек без значение; съвсем неизвестен човек.
nocturn(e) [ˈnɔktə:n] *n* 1. *муз.* ноктюрно; 2. *изк.* нощен пейзаж; 3. *църк.* нощна служба.
nocuous [ˈnɔkjuəs] *adj книж.* вреден; отровен.
nod [nɔd] I. *v* (-dd-) 1. кимам; поздравявам с кимване на глава; **to** ~ **o.'s head** кимвам с глава; 2. клюмам; дремя; **to** ~ **off** заспивам; 3. не внимавам, правя грешки (пропуски); **to be caught** ~**ding** хващат ме в грешка (пропуск); 4. люлея се, люшкам се, вея се, навеждам се, клоня на една страна; застрашавам да падна; II. *n* 1. кимване, поздрав с кимване; **to give (get) the** ~ давам (получавам) съгласие (одобрение, подкрепа); 2. клюмане; дрямка; **the land of N.** страната на съня.
nodal [noudl] *adj* централен, възлов.
nodulize [ˈnɔdjulaiz] *v* уедрявам, агломерирам, спичам.
nodus [ˈnoudəs] *n* (*pl* **nodi** [ˈnoudai]) 1. възел, чвор, чеп; 2. заплитане, усложнение, забъркано положение; *лит.* интрига.
noetic [nouˈetik] *adj* 1. интелектуален, духовен; 2. отвлечен, абстрактен; 3. логичен, разбираем.

noise [nɔiz] I. *n* 1. шум, глъч, глъчка, врява, дандания; **to make a** ~ вдигам шум (**about**; *и прен.*); 2. звук (*особ. силен или неприятен*); 3. *ел.* излъчване едновременно на няколко честоти или амплитуди; 4. *остар.* злословие, клюка, слух, мълва; **the** ~ **goes that** носи се слух, че; 5. *остар.* банда, група (*музиканти*); II. *v* 1. разгласявам, разпространявам (**abroad**); **it was** ~**ed abroad that** пусна се слух (разпространи се мълва, говори се), че; 2. *рядко* вдигам шум, шумя.
noiseless [ˈnɔizlis] *adj* 1. тих, безшумен; 2. беззвучен, безмълвен; ◇ *adv* **noiselessly**.
noisome [ˈnɔisəm] *adj* 1. вредителен, вреден, пакостен; нездрав, нездравословен; 2. зловонен; 3. отвратителен, противен, гаден.
nomad [ˈnoumæd] I. *n* номад; чергар, катунар; скитник; II. *adj* номадски, катунарски; скитнически.
nomadize [ˈnoumədaiz] *v* водя номадски живот, скитам.
nomenclature [nəˈmenklətʃə:] *n* 1. номенклатура; 2. терминология.
nominal [ˈnɔminəl] *adj* 1. номинален; само по име (на думи) е; а ~ **price (sum)** нищожна цена, сума; 2. именен, на (от, който се отнася до) имена, който се състои от имена; ~ **list** списък на имена; 3. на (от, който се отнася до) съществително; ~ **root** корен на съществително; 4. поименен (*за акции и пр.*); 5. нормален, без непредвидени отклонения; 6. измерен в цифрова, а не в покупателна стойност (*за заплата и пр.*); ~ **value** номинална стойност (*на банкноти и пр.*).
nominate [ˈnɔmineit] *v* 1. именувам, назовавам (по име), наричам; 2. назначавам (за); *рядко* определям (*дата и пр.*); 3. номинирам, предлагам кандидатурата на (*при избори, конкурси и под.*).
nonage [ˈnonidʒ] *n* непълнолетие; незрелост, неопитност.
nonalcoholic [ˈnɔnˈælkəhɔlik] *adj* безалкохолен.
non-altering [ˈnɔnˈɔ:ltəriŋ] *adj* не-

променлив, неизменен.
nonchalance [ˈnɔnʃələns] *n* равнодушие; безгрижие.
nonchalant [ˈnɔnʃələnt] *adj* равнодушен; безгрижен; ◇ *adv* **nonchalantly**.
non-compliance [ˈnɔnkəmˈplaiəns] *n* 1. неподчинение; 2. несъгласие; 3. неспазване, несъобразяване (**with**).
non-compos (mentis) [ˌnɔnˈkɔmpəs (mentis)] *adj юр.* невменяем.
non-conformist [ˈnɔnkənˈfɔ:mist] *n* 1. сектант, дисидент; 2. *attr* сектантски.
non-current [ˈnɔnˈkʌrənt] *adj* остарял, излязъл от производство.
non-drinker [ˈnɔndrinkə] *n* въздържател.
none [nʌn] I. *pron* никой, никои, нито (ни) един; никакъв, нищо; ~ **can tell** никой не може да каже; II. *adv* никак, ни най-малко, съвсем не; изобщо; ~ **the less** въпреки това, никак, не по-малко; **I slept** ~ *амер.* не спах изобщо.
non-effective [ˈnɔniˈfektiv] I. *adj* негоден; неефективен, непригоден; II. *n* човек, негоден за военна служба.
non-flammable [ˈnɔnˈflæməbəl] *adj* невъзпламеняем, незапалим.
non-moral [ˈnɔnˈmɔrəl] *adj* аморален, неморален, безсрамен.
no-nonsense [ˈnouˈnɔnsəns] *adj* сериозен (*за отношение, стил*).
non-partisan [ˈnɔnˈpa:tizən] I. *adj* 1. надпартиен; 2. безпристрастен; II. *n* безпартиен.
non-persistent [ˈnɔnpəˈsistənt] *adj* неустойчив, непостоянен, нетраен, нестабилен.
non-planar [ˈnɔnˈpleina:] *adj* пространствен, неравнинен, криволинеен.
nonplus [ˈnɔnpləs] *v* объркам, смущавам, затруднявам, поставям натясно, в затруднение.
non-rigid [ˈnɔnˈridʒid] *adj* податлив, еластичен.
non-saturated [ˈnɔnˈsætʃəreitid] *adj* ненаситен.
nonsense [ˈnɔnsəns] I. *n* 1. безсмислица, абсурд; нелепост, глупост; нонсенс; **to make** ~ безсмислен

съм; неразбираем съм; обезсмислям, лишавам от смисъл; 2. *attr* безсмислен; ~ **verses** безсмислена (хумористична) поезия; II. *int* дрън-дрън! глупости! ● **to stand no ~ (from)** не позволявам да се подиграват с мене; не търпя глупости; не се шегувам, не си поплювам, пипам здраво.

nonsensical [nɔnˈsensikəl] *adj* безсмислен, нелеп, глупав, безсъдържателен.

non-sequitur [ˈnɔnˈsekwitə] *n* нелогичен извод; алогизъм.

non-smoker [ˈnɔnˈsmoukə:] *n* непушач.

non-standard [ˈnɔnˈstændə:d] *adj* нестандартен, необичаен, различен.

nook [nu:k] *n* кът; ъгъл; **cosy ~** приятно кътче.

noon [nu:n] *n* 1. пладне; 2. кулминационна точка, връх, зенит, разцвет (*u* **high ~**).

noose [nu:z] I. *n* 1. клуп, примка; ласо; **to put o.'s neck into the ~** сам си слагам въжето; 2. връзка, хомот, ярем; II. *v* 1. улавям с ласо, впримчвам; 2. правя клуп на; 3. обесвам (*екзекутирам*).

nor [nɔ:] *cj* нито-нито; също така не; **I didn't see him, ~ did she** аз не го видях, не го видя и тя.

norm [nɔ:m] *n* 1. образец, правило, норма; предписание; **departures from the ~** отклонения от нормата; 2. *биол.* типичен строеж.

normal [ˈnɔ:məl] I. *adj* 1. нормален, правилен, обикновен, редовен, типичен; ◇ *adv* **normally;** 2. *мат.* перпендикулярен, отвесен; II. *n* 1. обикновено състояние; **return (get back to) ~** нормализирам се; 2. *мед.* нормална температура; 3. *мат.* нормала, перпендикулярна линия; 4. *физ.* средна стойност; 5. *хим.* нормален разтвор.

normalize [ˈnɔ:məlaiz] *v* нормализирам.

north [nɔ:θ] I. *n* 1. север; 2. северна област; **to the ~** на (към) север, в северна посока, северно; **to (on) the ~ of** на север (северно) от; 3. северен вятър; II. *adj* 1. северен,

на север; 2. обърнат (насочен) към север; ~ **aspect** северно изложение; 3. който иде откъм север; ~ **wind** северен вятър; III. *adv* северно, на (към) север, в северна посока; **to go ~** пътувам на север (в северна посока); ~ **of** на север (северно) от.

north-east [ˈnɔ:θˈi:st] I. *n* североизток; II. *adj* североизточен; III. *adv* към североизток.

north-polar [ˈnɔ:θˈpoulə] *adj* полярен, арктичен.

north-west [ˈnɔ:θˈwest] I. *n* северозапад; II. *adj* северозападен; III. *adv* към (на) северозапад, в северозападна посока.

nose [nouz] I. *n* 1. нос; **to cock o.'s ~** виря (навирвам) нос; гордея (възгордявам) се, придавам си важност; 2. обоняние, усет, нюх; проницателност, прозорливост; **to have a good ~ (for)** имам тънък усет, имам остър нюх (*u прен.*); душа, надушвам; нямам усет; 3. аромат, букет (*на чай и пр.*); 4. предна част (*на кораб, машина и пр.*); 5. отвор, отвърстие (*на духало и пр.*); струйник (*на маркуч*); шопка (*на чайник*); 6. *воен.* връх (*на куршум, торпила*); 7. *sl* шпионин, осведомител, доносник; ● **he is a ~ of wax with her** тя се е качила на главата му; II. *v* 1. мириша, душа, надушвам, подушвам (*u прен.*); 2. вра се, навирам се, пъхам си носа навсякъде; търся диря (**after, for**); 3. надушвам, подушвам, проследявам, откривам, разбирам, узнавам, досещам се, обяснявам си, отгатвам; 4. трия (търкам) носа си о; пъхам си носа в; 5. пробивам си път, напредвам, плувам (*за кораб*);

nose about (around) душа;
nose after (for) търся (*душейки*);
nose foreward придвижвам се напред бавно и внимателно (*за кораб, лодка и пр.*);
nose in 1) натрапвам се; 2) наклонен съм (*за пласт*);
nose out 1) надушвам, подушвам; 2) показвам се, издавам се (*за пласт*);

nose over *авиац.* капотирам;
nose up *авиац.* издигам самолет.
nosegay [ˈnouzgei] *n* китка, букет.
nostalgia [nɔsˈtældʒiə] *n* носталгия, тъга по родината.
nostalgic [nɔsˈtældʒik] *adj* носталгичен; ◇ *adv* **nostalgically.**
nostril [ˈnɔstril] *n* ноздра; **to stink in the ~s of** предизвиквам отвращение у.
not [nɔt] *adv* не (*в разговорния език – употребено със спомагателен или модален глагол – често* **n't** [nt]) **I believe (think) ~** не вярвам (да е така), не ми се вярва; ~ **at all** съвсем не, ни най-малко, няма защо.
notability [ˌnoutəˈbiliti] *n* 1. знаменитост; 2. *рядко* забележителност; 3. значение, значителност, значимост; **names of no historical ~** имена без историческо значение.
notable [ˈnoutəbl] I. *adj* 1. зебележителен; бележит, виден, изтъкнат; прочут, отличен, способен; ◇ *adv* **notably;** 2. къщовен (*за жена*); 3. *хим.* доловим, осезаем, видим, явен; II. *n* 1. първенец, видна личност, нотабил, знатен, богат, човек.
notarial [nouˈtɛəriəl] *adj* нотариален.
notarize [ˈnoutəraiz] *v* заверявам нотариално.
notary [ˈnoutəri] *n* нотариус (*u* ~ **public**); ~'**s office** нотариат.
notation [nouˈteiʃən] *n* 1. нотиране, означаване с условни знаци на определения, понятия и под.; 2. нотация, система от условни знаци; **arithmetical ~** аритметични знаци.
notch [nɔtʃ] I. *n* 1. рязка, вдлъбнатина, дълбей, бразда, черта, белег, неравност, нащърбеност; 2. зъб (*на колело*); 3. *рядко* точка (*при игра на крикет*); 4. *амер.* проход, пролом, дефиле, дервент, клисура; 5. *разг.* степен, равнище, ниво; **up to the (last) ~** на нужната висота; II. *v* 1. издълбавам, врязвам; правя рязка (*на рабош и под.*); 2. назъбвам; 3. бележа, отбелязвам (*u с* **up, down**); 4.

отбелязвам точки (*при игра на крикет*); **5.** закрепвам (*стъпала и пр.*).

notched [nɔtʃt] *adj* **1.** издълбан, нарязан, набразден, нащърбен; **2.** назъбен, зъбчат; **3.** нарязан (*за лист*).

note [nout] **I.** *n* **1.** бележка (*обикн. pl*); **ito make (take) a ~ of** вземам си бележка (от); вземам под внимание; **to take (keep) shorthand ~s (of)** водя стенографски бележки, стенографирам; **2.** забележка, обяснителна бележка, тълкуване, пояснение; **3.** писъмце, записчица, бележка, пусула; ногис; **4.** запис (на заповед), полица (*обикн. ~ of hand, promisory ~*); **5.** банкнота; **a five pound ~** банкнота от 5 лири; **6.** (дипломатическа) нота; **7.** *муз.* нота (*и ~ of music* (**musical ~**); звук, тон; **to write down in ~s** нотирам; **8.** *pl* поет. песен, мелодия, напев; **9.** клавиш; **10.** тон, нотка; **to change o.'s ~** променям тона, пея друга песен; **11.** отличителен знак (белег), характерна черта (особеност), признак; **12.** препинателен знак; **~ of exclamation (admiration), interrogation** удивителна, въпросителна; **13.** клеймо, петно; **a ~ of infamy** позорно петно; **14.** репутация, известност, реноме; **worthy of ~** достоен за внимание; **15.** внимание; **worthy of ~** достоен за внимание; **II.** *v* **1.** наблюдавам, забелязвам, долавям, схващам, констатирам, обръщам внимание на; **2.** отбелязвам (си), записвам (си); **3.** снабдявам с пояснителни бележки.

notebook [ˈnoutbuk] *n* **1.** бележник, тефтерче (*и* **pocket ~**); **2.** малък преносим компютър, компютър-бележник.

notecase [ˈnoutkeis] *n* портфейл.

noted [ˈnoutid] *adj* виден, бележит, знаменит, прочут, известен (**for**).

noteless [ˈnoutlis] *adj* **1.** незабележителен, незначителен; безличен; **2.** немузикален, нехармоничен.

nothing [ˈnɔθiŋ] **I.** *pron* нищо; **~ but (else than)** нищо друго, освен; чисто и просто; ● **to feel like ~**

on earth не знам какво ми е; изпитвам силно безпокойство; **II.** *n* **1.** нищожество, дреболия; **a mere ~** дребна работа; **2.** небитие; **3.** *мат.* нула; **III.** *adv* никак, съвсем не, ни най-малко; **~ less than** нищо друго освен; чисто и просто.

nothingness [ˈnɔθiŋnis] *n* **1.** нищо, небитие; **2.** нищожност, незначителност, маловажност, баналност; дреболия.

notice [ˈnoutis] **I.** *n* **1.** наблюдение; внимание; **to bring to somebody's ~** осведомявам, обръщам някому внимание върху; **2.** съобщение, известие, предупреждение; **without ~** без предупреждение; **to serve ~** съобщавам, официално, връчвам съобщение (**on**); **3.** надпис (*предупредителен и пр.*); **4.** обява, обявление, известие, антрефиле, бележка; преглед; **obituary ~** некролог, скръбна вест, жалейка; **5.** рецензия, отзив, критична бележка, преглед; **II.** *v* **1.** забелязвам, обръщам внимание (на); **to get oneself ~d** обръщам внимание, привличам вниманието на хората; **2.** отбелязвам, изтъквам, подчертавам, споменавам; **3.** съобщавам (известявам) предварително (на), предупреждавам; **4.** рецензирам, разглеждам, давам отзив за, правя преглед на; **5.** отнасям се внимателно (любезно, учтиво, снизходително) към, почитам, уважавам.

noticeale [ˈnoutisəbl] *adj* забележим, забележителен; осезателен; осезаем; видим, явен, очевиден.

notification [ˌnoutifiˈkeiʃən] *n* **1.** съобщение, известие, уведомяване, предупреждение, нотификация; **2.** обява, обявление.

notify [ˈnoutifai] *v* **1.** съобщавам, известявам (за), донасям (на), осведомявам, уведомление, уведомявам, нотифицирам (**of, that**); **2.** обнародвам, оповестявам, разгласявам, публикувам.

notion [ˈnouʃən] *n* **1.** понятие, представа, идея (**of**); **airy ~s** хрумвания, приумици; измислици; **2.** възглед, мнение, схващане, тео-

рия (**of**); **3.** намерение, желание; хрумване, прищявка; **a ~ to travel** желание за пътуване; **4.** знание, знания; познаване, познания; **a good ~ of English** солидни познания по английски; **5.** *амер.* дреболия, джунджурия, изобретение, приспособление, уред, прибор, апарат; *pl* галантерия, галантерийни стоки, дреболии; **~ department** галантериен отдел.

notional [ˈnouʃənəl] *adj* **1.** умозрителен, спекулативен; абстрактен, отвлечен; идеен; **~ content** идейно съдържание; **2.** въображаем; **3.** *език.* смислов; ◇ *adv* notionally.

notionalist [ˈnouʃənəlist] *n* **1.** мислител; **2.** теоретик.

notoriety [ˌnoutəˈraiəti] *n* **1.** известност, прословутост, именитост; гласност, публичност; **2.** човек (предмет), който се ползва с лоша слава.

notorious [ˌnouˈtɔːriəs] *adj* всеизвестен, общоизвестен; прословут; прочут, знаменит, именит, с име (**for**); **it is ~ that** известно е на всички, че; ◇ *adv* notoriously.

notwithstanding [ˌnɔtwiðˈstændiŋ] **I.** *prep* въпреки; **this ~** въпреки това; **II.** *adv* все пак, въпреки всичко; при все това; **III.** *cj* остар. макар че (и).

nought [nɔːt] *n* **1.** нищо; **to bring to ~** съсипвам, разорявам, опропастявам; свеждам до нула; **2.** нула (*и прен.*); **~s and crosses** кръстчета и нули (*детска игра*).

nourish [ˈnʌriʃ] *v* **1.** храня, поддържам; отхранвам; изхранвам, отглеждам, изглеждам; **2.** торя, наторявам; **3.** храня, подхранвам, тая в душата си, питая, лелея.

nourishing [ˈnʌriʃiŋ] *adj* хранителен, питателен.

nourishment [ˈnʌriʃmənt] *n* **1.** хранене; **2.** храна, прехрана, препитание.

nous [naus] *n* **1.** ум, разум, рассъдък, интелект; **2.** *разг.* пипе, акъл, здрав разум.

novel [ˈnɔvl] **I.** *adj* **1.** нов, нововъведен; **2.** оригинален, необикновен, странен, чудат; **II.** *n* **1.** роман; **2**

юр. новела.

novelize [′nɔvəlaiz] *v* романизирам.

novel-writer [′nɔvəl‚raitə] *n* романист.

November [nou′vembə] *n* **1.** ноември; **2.** *attr* ноемврийски.

now [nau] **I.** *adv* **1.** сега; ~ **is the time** сега му е времето; **2. just** ~ (*остар.* **even (but)** ~) ей сега, току-що, преди малко, тъкмо; **3.** (*частица за емоционално обагряне*) де, бе, в (пък), обаче, е и, хайде; ~, **don't be angry** не се сърди, де; **II.** *cj* сега когато, (тъй) като, понеже, щом (~ **that**); **III.** *n* този момент, настоящето; **from** ~ **on (onwards), as of now** отсега нататък.

nowadays [′nauədeiz] **I.** *adv* сега, в наши дни, днес, понастоящем; **II.** *n* нашето време; **children of** ~ днешните деца.

nowhere [′nouwɛə] *adv* никъде; **to be getting** ~ нямам никакъв напредък, тъпча на едно място.

noxious [′nɔkʃəs] *adj* **1.** вреден, вредителен, вредящ, пакостен, пагубен (**to**); **2.** нездравословен; **3.** отвратителен, противен, гаден.

nuclear [′nju:kliə] *adj* ядрен; ~ **energy** атомна енергия.

nucleate [′nju:klieit] **I.** *v* образувам ядро; [′nju:kliit] **II.** *adj* ядрен.

nucleus [′nju:kliəs] (*pl* **nuclei** [′nju:kliai]) **1.** ядро, клетка, костилка; **atomic** ~ атомно ядро; **2.** център, зародиш, наченки.

nude [nju:d] **I.** *adj* **1.** гол (*и прен.*); *прен.* плешив, необрасъл; **2.** *бот.* без листа; **3.** *зоол.* без косми, пера, люспи или пр.; **4.** *юр.* недействителен; **II.** *n* **1.** *изк.* голо тяло; **2.** *pl* прозрачни чорапи.

nudge [nʌdʒ] **I.** *v* **1.** бутам (бутвам) с лакът, сбутвам, смушквам; **2.** подтиквам, тласкам (**into** *c ger*); **3.** наближавам, клоня към; **II.** *n* **1.** бутване, сбутване, смушкване, бутане; **2.** подтикване, тласък.

nudism [′nu:dizəm] *n* нудизъм.

nudist [′nu:dist] *n* нудист.

nudity [′nu:diti] *n* **1.** голота; **2.** необлечено (непокрито) място на човешко тяло, голотия; **3.** изображение на голо тяло.

nugatory [′nju:gətəri] *adj* **1.** нищо-жен, незначителен, без стойност, маловажен; **2.** безполезен, напразен, неоснователен, безпредметен; **3.** недействителен; невалиден.

nuggety [′nʌgiti] *adj sl* тежък, голям; обемен.

nuisance [′nju:səns] *n* **1.** досада, неприятност; безобразие, скандал; **what a** ~! колко неприятно! какво безобразие! **2.** нарушение на обществения ред; нередност; **to abate a** ~ отстранявам нередност; **3.** досаден (неприятен) човек (нещо), напаст, душевадник; беля; **to make a** ~ **of oneself** (**oneself a** ~) (**to**) досаждам, додявам, дотягам; идвам до гуша (на); **4.** *техн.* щета, увреждане, вредно въздействие; смущение.

null [nʌl] *adj predic* **1.** недействителен, невалиден, незаконен, загубил законната си сила (*u* ~ **and void**); **2.** неизразителен, безличен; **3.** равен на нула, нулев, никакъв, несъществуващ.

nullification [‚nʌlifi′keiʃən] *n* **1.** анулиране, унищожаване; **2.** неутрализиране, обезсилване.

nullify [′nʌlifai] *v* **1.** анулирам, унищожавам; **2.** обезсилвам, неутрализирам.

nullity [′nʌliti] *n* **1.** недействителност, невалидност; ~ **suit** дело за признаване на нещо за недействително; **2.** недействителен закон, документ и пр.; **3.** небитие, несъществуване; **4.** нищожество, пълна нула.

numb [nʌm] **I.** *adj* **1.** вцепенен, оцепенял, вдървен, скован, вкочанен (**with**); **2.** *прен.* онемял, шокиран, неспособен да реагира; "гръмнат"; ~ **with fear** онемял от страх; **II.** *v* вцепенявам, вдървявам, сковавам, вкочанявам, вкочанясвам.

numbness [′nʌmnis] *n* **1.** вцепененост, скованост, вдървеност; **2.** шокираност, потресеност.

number [′nʌmbə] **I.** *n* **1.** брой, число, количество, сума, сбор; **to exceed in** ~ превъзхождам числено; **2.** *pl* численост, числено превъзходство (*u* **force of** ~**s**); **3.** *мат.*

цифра, число, сума, сбор; **science of** ~**s** аритметика; **4.** номер; (**No,** *pl* **Nos**); ~ **one** номер първи; **5.** брой (*на вестник*), книжка (*на списание*); **6.** *език.* число; **7.** *pl* аритметика; **8.** *pl* *муз.* ноти; **9.** *pl* стихотворен размер (стъпка); стихове; **10.** *predic разг.* екземпляр "един", чешит; **11.** номер, "парче" (за песен); **big** ~ *sl амер.* голяма клечка, важен човек; **II.** *v* **1.** броя, преброявам; **2.** броя, наброявам, съм по брой, възлизам на; **3.** номерирам; **4.** включвам, смятам, причислявам, отнасям (**among, in, with**); **5.** *воен.* преброяваме (разчитаме) се (*и с* **off**).

numberless [′nʌmbəlis] *adj* безброен, безчислен, неизброим.

numb-hand [′nʌmhænd] *n* тромав, несръчен, пипкав, непохватен човек.

numbness [′nʌmnis] *n* вцепененост, оцепенялост, вдървеност, скованост.

numeral [′nju:mərəl] **I.** *adj* числен; **II.** *n* **1.** цифра; **2.** *език.* числително.

numerate [′nju:məreit] **I.** *v* броя; изчислявам; изброявам; **II.** *adj* с добре развити математически способности.

numerator [′nju:məreitə] *n* **1.** номератор, пребройтел; **2.** *мат.* числител.

numerical [nju:′merikl] *adj* числен, цифрен; ~ **data** цифрени данни; ◇ *adv* **numerically**.

numerous [′nju:mərəs] *adj* **1.** голям, многочислен, многоброен; (*пред същ. в pl*) много; **a** ~ **hum** голям-но бръмчене; **2.** *остар.* натъпкан, набъскан; **a** ~ **country** гъсто населена страна; **3.** *остар.* стихотворен, ритмичен.

numismatic [‚nju:miz′mætik] *adj* нумизматичен.

numismatics [‚nju:miz′mætiks] *n pl* (= *sing*) нумизматика.

nummary, nummulary [′nʌməri, ′nʌmjuləri] *adj* паричен, монетен.

nun [nʌn] *n* **1.** монахиня, калугерка; **2.** *зоол.* блатен синигер.

nuncio [′nʌnʃiou] *n* нунций, папски посланик.

nuncupate ['nʌnkju:peit] v правя устно завещание.

nuncupative ['nʌŋkju:,peitiv] adj устен (за завещание).

nunnery ['nʌnəri] n женски манастир.

nuptial ['nʌpʃəl] I. adj брачен, сватбен; II. n pl сватба.

nurse [nə:s] I. n 1. дойка, кърмачка (обикн. wet-~); бавачка (и dry-~); at ~ под грижата на бавачка; to put (out) to ~ поверявам на бавачка; прен. предавам (имот) на доверено лице; 2. медицинска сестра (и sick-~), санитар, болногледач (и male-~); maternity ~ акушерка; 3. прен. люлка, развъдник; страна, отечество, родина; 4. дърво, посадено за закрила на млади издънки; 5. пчела работничка; II. v 1. кърмя, откърмям, отхранвам, отглеждам (дете); ~d in luxary пораснал в разкош; суча (за дете); 2. бавя, гледам, грижа се за, бавачка съм на (дете); 3. гледам, грижа се за (болен); she ~d him back to health той оздравя благодарение на нейните грижи; 4. лекувам (болест); to ~ a cold не излизам (за да излекувам настинка); 5. отглеждам (растение), усилвам (огън); 6. храня, подхранвам, тая в душата си, питая, лелея; подпомагам, спомагам (допринасям) за, насърчавам; 7. държа (на коленете, в скута си), прегръщам; държа, хванал съм (коляното, крака си), галя, милвам; 8. седя съвсем близо до, "ще падна в" (огън); 9. обръщам внимание на, гледам да не отчуждя от себе си, коткам; to ~ o.'s constituency опитвам се да спечеля на своя страна избирателите; 10. пестя, спестявам, икономисвам, стопанисвам; 11. групирам топки за карамбол

(при игра на билярд).

nurseling ['nə:sliŋ] n 1. кърмаче, бозайниче, сукалче; рожба; 2. прен. галено дете, любимец, любимка; 3. младо растение.

nursery ['nə:sri] n 1. детска стая; 2. ясли (и public ~); 3. разсадник (и прен.); прен. огнище; 4. развъдник, разплодник, инкубатор, люпилня; 5. рибник; 6. групирани топки (при игра на билярд).

nursery garden ['nə:sri'ga:dn] n разсадник.

nursery school ['nə:sri'sku:l] n детска градина.

nursing-bottle ['nə:siŋ'bɔtl] n биберон.

nursing technician ['nə:siŋ,tek'niʃən] n санитар в болница.

nurturance ['nə:tʃərəns] n храна, грижи, внимание и обич; отглеждане.

nurture ['nə:tʃə] I. n 1. (гл. и прен.) отглеждане, отхранване, родителски грижи; възпитаване, възпитание; 2. остар. хранене, храна; II. v храня, отхранвам, изхранвам, отглеждам, изглеждам; възпитавам.

nut [nʌt] n 1. орех, лешник, фъстък и пр.; a hard ~ to crack "костелив орех", не за всяка уста лъжица, трудна задача; a tough ~ човек с твърд характер (за човек, хулиган; 2. sl тиква, кратуна, глава; off o.'s ~ не с всичкия си, смахнат, дръпнат, побъркан, въртоглав; 3. амер. въртоглав (смахнат) човек; 4. sl конте, франт, баровец; 5. гайка, муфа; 6. pl ситни въглища (и kitchen-~s); • to be ~s to sl много се харесвам, доставям голямо удоволствие на;

nut up sl избухвам, изпадам в ярост.

nutate [nju:'teit] v 1. бот. увисвам; люлея се, клатушкам се; извивам

се; 2. събирам орехи.

nutation [nju:'teiʃən] n 1. нутация; 2. астр. колебание на земната ос; 3. бот. увисване; клатушкане; извиване (при растение).

nut-brown ['nʌtbraun] adj кестеняв, мургав.

nutcake ['nʌt,keik] n sl луд, смахнат, идиот.

nut doctor ['nʌt'dɔktə:] n sl психоаналитик.

nut-gall ['nʌtgɔ:l] n шикалка.

nuthouse ['nʌt,hauz] n sl лудница.

nutmeat ['nʌtmi:t] n ядка.

nutrasweet ['nju:trə'swi:t] n нутрасуит.

nutrition ['nju:triʃən] n 1. храна; 2. хранене.

nutritional [,nju:'triʃənəl] adj хранителен, питателен; ◇ adv nutritionally.

nutritionist [,nju:'triʃənist] n диетолог.

nutritive ['nju:tritiv] I. adj 1. хранителен, питателен; 2. който се отнася до храна; II. n хранително вещество, храна.

nuts-and-bolts ['nʌtsænd'boults] I. n практически, оперативни детайли; II. adj практически, оперативен.

nutter ['nʌtə:] n разг. луд, смахнат, откачалка.

nut-tree ['nʌttri:] n орех (дърво).

nuzzle ['nʌzl] v 1. душа; ровя с муцуната си в; търкам си носа (against), пъхам си носа (into); 2. гуша се, сгушвам се.

nylon ['nailən] n 1. найлон; 2. pl разг. найлонови чорапи; 3. attr найлонов.

nymph [nimf] n 1. нимфа (и прен.); 2. какавида.

nympholepsy ['nimfə,lepsi] n безумно желание, копнеж.

nymphomania [,nimfə'meiniə] n мед. нимфомания.

O, o [ou] *n* (*pl* **Os, O's** [ouz]) буква o; кръг (*u* a round o); нула.

oafish ['oufiʃ] *adj* 1. дебелашки, просташки; 2. слабоумен, малоумен, тъпоумен.

oak [ouk] *n* 1. дъб; 2. дъбово дърво; 3. дъбови листа; 4. *attr* дъбов; тъмнозелен.

oar [ɔ:] I. *n* 1. лопата (*за гребане*), гребло, весло; 2. (*c* good, bad, young *и пр.*) гребец; ● chained to the ~ принуден да върши тежка, еднообразна работа; to have an ~ in every man's boat пъхам си носа навсякъде, меся се в чужди работи; II. *v поет.* греба; карам (*лодка и под.*); to ~ o.'s arms (hands) движа ръцете си като при плуване.

oasis [ou'eisis] *n* (*pl* **oases** [ou'eisi:z]) оазис.

oat [out] 1. *pl* овес; wild ~s див овес; 2. *поет.* овчарска свирка; ● to be off o.'s ~s нямам апетит.

oath [ouθ, *pl* ouðz] *n* 1. клетва, заричане, оброк, обет; ~ of allegiance клетва за вярност; войнишка клетва; to make (take, swear) an ~, to take the ~ полагам клетва, заклевам се; to put on ~ заклевам; 2. псуване, псувня, ругатня, богохулство.

oath-breaker ['ouθ,breikə] *n* клетвопрестъпник, -ица, клетвонарушител, -ка.

oath-breaking ['ouθ,breikiŋ] *n* клетвонарушение.

obduracy ['obdjurəsi] *n* 1. закоравялост; 2. коравосърдечност, безсърдечие, жестокост; 3. упоритост, опърничавост, неотстъпчивост, упорство, твърдост.

obdurate ['obdjurit] *adj* 1. закоравял; 2. коравосърдечен, безсърдечен, жесток; 3. упорит, опърничав, опак, неотстъпчив, твърд.

obedience [ə'bi:diəns] *n* 1. подчинение, покорство, послушание, съобразяване (to); passive ~ формално подчинение; 2. авторитет.

obedient [ə'bi:djənt] *adj* покорен, послушен; смирен; ◇ *adv* **obediently**.

obeisance [ə'beisəns] *n* 1. поклон, реверанс; 2. почит, уважение, преклонение; to do (make, pay) ~ to изразявам почитта (уважението) си към; покланям се на.

obelisk ['obilisk] *n* 1. обелиск; 2. знак за отпратка, кръстче.

obelize ['obilaiz] *v* отбелязвам с кръстче.

obese [ou'bi:s] *adj* пълен, дебел; тлъст; охранен.

obesity [ou'bi:siti] *n* пълнота, дебелина, охраненост.

obey [o'bei] *v* подчинявам се, покорявам се (на); следвам, слушам.

obfuscate ['obfʌskeit] *v* 1. затъмнявам, помрачавам; размътвам (*и ум*); 2. обърквам, смущавам, поставям в недоумение; притеснявам.

obfuscation [,obfʌs'keiʃən] *n* 1. затъмняване, размътване, помрачаване; 2. объркване, смущение, смущаване; притесняване, притеснение.

obi ['oubi] *n афр.* магия; фетиш; ~ man магьосник.

obiter ['obitə] *adv* между другото.

obituary [o'bitjuəri] I. *n* 1. некролог, жалейка; 2. списък на умрели; II. *adj* погребален, траурен.

object I. ['obdʒekt] *n* 1. обект; предмет, вещ; (of, for); ~s of common use предмети от първа необходимост; 2. *филос.* обект, съществуващото вън и независимо от субекта; 3. обект, цел, умисъл, намерение; to be no ~ не съм цел; не съм пречка (спънка, препятствие); 4. *език.* допълнение; ~ clause допълнително изречение; 5. *разг.* човек (нещо) с жалък (смешен) вид; what an ~ you have made of yourself! погледни се само какъв си! II. [əb'dʒekt] *v* 1. възразявам, противопоставям се, протестирам (to, against, that); не одобрявам, не харесвам, не приемам, имам нещо против, не мога да приема (to *c ger*).

object-glass ['obdʒekt,gla:s] *n* обектив.

objection [əb'dʒekʃən] *n* възражение, неодобрение, нехаресване,

противопоставяне, протест (to, against); to take (make an) ~ to възразявам срещу, против съм, не одобрявам.

objective [əb'dʒektiv] I. *adj* 1. обективен, предметен, осезаем, конкретен, правдив, действителен; ◇ *adv* **objectively**; 2. *език.* който се отнася до допълнението; ~ case винителен (косвен) падеж; 3. прицелен; ~ point *воен.* обект; *прен.* (крайна) цел, обект; II. *n* 1. цел, обект (*и воен.*); 2. *език.* косвен (винителен, дателен) падеж; 3. обектив.

objectivism [əb'dʒektivizəm] *n* обективизъм.

objectivity [,obdʒek'tiviti] *n* обективност.

objectless ['obdʒektlis] *adj* безпредметен, безцелен.

objurgate ['obdʒə:geit] *v* коря, укорявам, упреквам; мърморя, гълча; карам се на, хокам, ругая.

objurgation [,obdʒə:'geiʃən] *n* укор, упрек, мърморене, хокане; ругатня.

objurgatory [,obdʒə:'geitəri] *adj* укорен, укорителен.

oblation [o'bleiʃən] *n* 1. жертвоприношение; 2. *рел.* жертва; нафора; 3. пожертвование, дар.

oblational [o'bleiʃənəl] *adj* жертвен.

obligate ['obligeit] *v* задължавам, вменявам в дълг.

obligation [,obli'geiʃən] *n* 1. задължение, ангажимент; law of ~ облигационно право; 2. принудителна сила (*на закон и пр.*); 3. морален дълг, задълженост; to lay (put) under an ~ задължавам, обвързвам; to repay an ~ отплащам се.

obligatory [o'bligətəri] *adj* 1. задължителен (on), облигаторен, облигатен; задължаващ; 2. обичаен, който става по навик.

oblige [ə'blaidʒ] *v* 1. задължавам, задължителен съм (on); принуждавам, заставям, изисквам от; 2. услужвам, правя услуга на (with; by *c ger*); 3. *разг.* допринасям (with); прислужвам, работя като прислужник; 4. *pass* задължен (признателен) съм; благодаря (to, for); I am much ~d (to you) мно-

го ви благодаря.

obliging [əˈblaidʒiŋ] *adj* услужлив; любезен, внимателен; ◇*adv* **obligingly.**

oblique [əˈbliːk] **I.** *adj* **1.** кос, полегат, наклонен; неперпендикулярен; различен от прав (*за ъгъл*); **2.** околен, обиколен, косвен, страничен, непряк; уклончив; скрит; прикрит, лукав, неискрен, непочтен; ~ **accusation** косвено обвинение; **3.** *език.* косвен; ~ **oration (narration, speech)** непряка реч; **4.** *бот.* с нееднакви страни, несиметричен (*за лист*); ◇ *adv* **obliquely;** **II.** *v* **1.** отклонявам се (*от правата линия*); **2.** *воен.* напредвам косо.

obliquity [əˈblikwiti] *n* **1.** полегатост, наклоненост; **2.** отклоняване от моралните норми; поквара, развала; ~ **of conduct** кривване от правия път.

obliterate [əˈblitəreit] *v* **1.** изтривам, изличавам, заличавам; зачертавам; **2.** премахвам, унищожавам, заличавам, задрасквам; облитерирам; **to** ~ **the past** слагам кръст на миналото, обръщам нова страница.

obliteration [ə,blitəˈreiʃən] *n* **1.** изтриване, излячаване, заличаване; зачертаване; **2.** премахване, унищожаване; облитерация.

oblivion [əˈbliviən] *n* **1.** забрава, забвение; **to be bombed (blasted) into** ~ напълно разрушен, сринат със земята; **2.** пренебрегване, незачитане; пренебрежение.

oblivious [əˈbliviəs] *adj* **1.** забравил (of); разсеян, заплеснат; ◇*adv* **obliviously; 2.** *поет.* който причинява забрава.

obliviousness [əbˈliviəsnis] *n* забрава, незнание.

oblong [ˈɔblɔŋ] **I.** *adj* **1.** продълговат, длъгнест, удължен; **2.** четириъгълен с нееднакви прилежащи страни; **II.** *n* продълговата фигура (предмет).

obloquy [ˈɔbləkwi] *n* **1.** злословие; хулене, хули, очерняне, окаляване, клеветене, оклеветяване, клевети; ругаене, ругатни; **2.** безчестие, позор.

obmutescence [,ɔbmjuːˈtesəns] *n* **1.** онемяване; **2.** онемялост, упорито мълчание.

obnoxious [əbˈnɔkʃəs] *adj* **1.** неприятен, противен; омразен (to); **2.** *рядко* изложен (to).

obscene [ɔbˈsiːn] *adj* **1.** сквернословен, скверен, неприличен, нецензурен; безнравствен; **2.** *остар.* мръсен, гаден, гнусен, противен, отвратителен.

obscenity [ɔbˈsiːniti] *n* сквернословие, нецензурност; мръсотия, гнусотия, гадост.

obscuraton [,ɔbskjuəˈreiʃən] *n* **1.** помрачаване, затъмняване; прикриване; замъгляване; **2.** *астр.* затъмнение.

obscure [əbˈskjuə] **I.** *adj* **1.** тъмен, затъмнен; мрачен; **2.** *прен.* неясен, objркан, неразбираем, таен; прикрит; **3.** неясен, неизвестен, озадачаващ; **4.** смътен, неопределен, мъглив (*за мотиви, чувства*); **5.** затънтен, уединен, закътан, забутан; маловажен, незначителен; **6.** скромен, незнатен, незабележим (*за потекло и пр.*); малко познат; малко известен; **II.** *v* **1.** затъмнявам; прикривам; **2.** *прен.* засенчвам, помрачавам; **III.** *n поет.* тъма, мрак.

obscurity [əbˈskjuəriti] *n* **1.** мрак, тъмнина; **2.** неяснота, неразбираемост, мъглявост; **3.** скромен живот; неизвестност; безличност.

obsecration [,ɔbsiˈkreiʃən] *n рел.* молитва; молба.

obsequial [ɔbˈsiːkwiəl] *adj* погребален.

obsequious [əbˈsiːkwiəs] *adj* раболепен, угоднически, сервилен; ◇*adv* **obsequiously.**

obsequiousness [əbˈsiːkwiəsnis] *n* раболепие; сервилност, подлизурство; блюдолизничество.

observable [əbˈzəːvəbəl] *adj* видим, забележим; явен.

observance [əbˈsəːvəns] *n* **1.** спазване, съблюдаване (*на закон, обичай и под.*); **2.** обред, ритуал, обичай (*обикн. религиозен*); **3.** *остар.* уважение, почитание, почит.

observant [əbˈzəːvənt] **I.** *adj* **1.** наб-

людателен; бдителен; **2.** който изпълнява, съблюдава (*закон, обичай и пр.*) (of); **II.** *n* обсервант, член на ортодоксалния клон на Францисканския орден.

observation [,ɔbzəˈveiʃən] *n* **1.** обсервация, наблюдение; **2.** наблюдателност; бдителност; **a man of no** ~ ненаблюдателен човек; **3.** наблюдение, опит от наблюдаване; **4.** забележка, изказване; *pl* наблюдения (*научни*); **5.** съблюдаване, спазване; **6.** *attr* наблюдателен, за наблюдение; ~ **post** наблюдателен пост.

observatory [əbˈzəːvətəri] *n* **1.** обсерватория; **2.** наблюдателен пункт.

observe [əbˈzəːv] *v* **1.** следя, наблюдавам; обсервирам (*звезди, явления и под.*); **2.** забелязвам; усещам, долавям; **3.** спазвам, съблюдавам; **to** ~ **the time** точен съм; **4.** казвам, отбелязвам.

observer [əbˈzəːvə] *n* **1.** наблюдател; **the observed of all** ~**s** център на внимание; **2.** човек, който спазва (*правила, обичаи и под.*).

obsess [əbˈses] *v* (*в pass c* by, with) завладявам; обсебвам; преследвам, овладявам; обземам, обхващам (*за мисли, чувства*).

obsession [əbˈseʃən] *n* мания; идея фикс.

obsessive [əbˈsesiv] **I.** *adj* вманиачен; ◇ *adv* **obsessively; II.** *n* маниак.

obsolescence [,ɔbsəˈlesns] *n* **1.** остарялост; отпадане, излизане от употреба; **2.** *биол.* атрофия.

obstacle [ˈɔbstəkəl] *n* пречка, спънка, препятствие (*и прен.*) (to).

obstetric(al) [ɔbˈstetrik(əl)] *adj* акушерски.

obstetrician [,ɔbstetˈriʃən] *n* акушерка.

obstinacy [ˈɔbstinəsi] *n* **1.** упорство, твърдоглавие, настойчивост, упоритост; инат; **2.** *мед.* упоритост (*на болест*).

obstinate [ˈɔbstinit] *adj* **1.** упорит, твърдоглав, инат; **2.** твърд, упорит, решен, решителен (*за борба, съпротива*); **3.** *мед.* упорит; ◇*adv* **obstinately.**

obstreperous [,ɔbˈstrepərəs] *adj* шу-

мен, буен, необуздан, неконтролируем.

obstruct [əb'strʌkt] v 1. запречвам, препречвам, преча на движението на; преграждам (*път*); задръствам, запушвам; 2. закривам, затулям (*светлина, гледка*); заглушавам (*звук*); 3. правя обструкция; 4. преча (на), препятствам; 5. *мед.* причинявам запек, запичам.

obstruction [əb'strʌkʃən] n 1. запречване, препречване, заграждане, преграждане; 2. препятствие, задръстване, запушване.

obstructionism [əb'strʌkʃənizəm] n обструкционизъм.

obstructive [əb'strʌktiv] I. adj обструкционен; който спъва, препречва, запречва, задръства, запушва; *мед.* обструктивен; II. n обструкционист.

obtain [əb'tein] v 1. получавам, добивам; спечелвам (*награда*); сдобивам се с; снабдявам се с; to ~ a commision *воен.* произведен съм в офицерско звание, получавам офицерски чин; 2. преобладавам, съществувам; the system now ~ing съществуващият днес строй (режим); 3. *остар.* постигам (*цел*).

obtrude [əb'tru:d] v натрапвам (се); бъркам се, меся се (on, upon); to ~ oneself on s.o. натрапвам се някому.

obtrusion [əb'tru:ʒən] n натрапване, налагане (on, upon).

obtrusive [əb'tru:siv] adj натрапчив, нахален, досаден; ◇ adv obtrusively.

obturate ['ɔbtjuəreit] v 1. запушвам, заприщвам, затварям; 2. уплътнявам; 3. *воен.* поставям обтуратор на огнестрелно оръжие.

obturator ['ɔbtjuəreitə] n 1. запушалка; уплътнител; 2. *воен., мед.* обтуратор; 3. *фот.* обтуратор, затвор.

obtuse [əb'tju:s] adj 1. тъп (*и мат., и прен.*); ~ pain тъпа болка; 2. тъп, недосетлив, тъпунгер, тъпанар.

obtuseness [əb'tju:snis] n тъпота; тъпотия.

obverse ['ɔbvə:s] I. adj 1. *прен.* обратен, противоположен; ◇ adv obversely; 2. лицев; обърнат с лице към наблюдателя; 3. *бот.* обратен, по-широк на върха, отколкото при основата (*за лист*); II. n 1. герб (*на монета*); 2. лицева, предна, горна, главна страна (*на предмет*); 3. обратна страна (*на въпрос*), противоположност.

obviate ['ɔbvieit] v премахвам, отстранявам, избягвам, заобикалям (*пречка, необходимост*).

obvious ['ɔbviəs] adj 1. явен; очевиден, очебиен; ясен; to miss the ~ не разбирам нещо, което е съвсем ясно; ◇ adv obviously; 2. крещящ, биещ на очи, впечатляващ, правещ впечатление (*за здание, облекло и пр.*); 3. *остар.* открит, незащитен.

occasion [ə'keiʒən] I. n 1. случай; удобен, подходящ случай, сгода; обстоятелство; момент, време; to choose o.'s ~ избирам сгодния случай, удобния момент; to rise to the ~ на висотата на положението съм; 2. повод, основание, причина; ~ for complaint основание за оплакване; 3. събитие; on state ~s в тържествени случаи; 4. *pl остар.* дела, занимание, работа; to go about o.'s lawful ~s гледам си работата; II. v 1. давам повод, ставам причина за; причинявам; 2. карам (*някого да направи нещо*).

occasional [ə'keiʒənəl] adj 1. случаен, нередовен; който става от време на време; рядък; ~ showers откъслечни превалявания; 2. за случая, специален, извънреден; an ~ poem стихотворение, написано по даден повод.

occasionally [ə'keiʒənəli] adv понякога, от време на време; при случай; случайно.

Occidental [,ɔksi'dentəl] adj западен, окцидентален.

occlude [ɔ'klu:d] v 1. преграждам, спирам (*лъчи*); запушвам, задръствам; 2. *хим.* адсорбирам; 3. прилягам (*за кътник*).

occlusion [ɔ'klu:ʒən] n 1. преграждане, запушване, задръстване;

2. *хим.* оклузия, адсорбиране на газ; 3. *мед.* затваряне (*на очите с клепачите*); оклузия, запушване на черво; зъбна захапка; 4. *език.* преграда, оклузия.

occlusive [ɔ'klu:siv] adj 1. преграден, оклузивен; който запушва, задръства; 2. *хим.* причиняващ оклузия.

occult [ɔ'kʌlt] I. adj 1. таен; повелителен, секретен; 2. скрит, прикрит; 3. свръхестествен, мистериозен, тайнствен; окултен; непознат; II. v *астр.* затъмнявам.

occultation [,ɔkʌl'teiʃən] n *астр.* затъмняване, затъмнение.

occultism [ɔ'kʌltizəm] n окултизъм.

occultist [ɔ'kʌltist] n окултист.

occultness [ɔ'kʌltnis] n прикритост; тайнственост; окултност, окултен характер (of).

occupant ['ɔkjupənt] n 1. обитател, -ка; 2. (временен) собственик; наемател; титуляр (*на пост, служба*); 3. *юр.* лице, което завладява безстопанствена вещ; 4. който се намира (вътре) в нещо; the ~ of the car пътниците в колата; 5. окупатор, окупант.

occupation [,ɔkju'peiʃən] n 1. временно ползване, обитаване; заемане; ~ road частен път; 2. период, срок за наемане, обитаване (*на къща*); 3. работа; 4. *воен.* окупация; ~ troops (army) окупатори, окупационни войски (армия); 5. занимание, занимавка; to give s.o. ~ давам (намирам) занимавка (*на някого*); 6. професия, занятие.

occupational [,ɔkju'peiʃənəl] adj професионален (*за болест*); ~ disease (hazard) (риск от) професионално заболяване; ◇ adv occupationally.

occupied ['ɔkjupaid] adj зает, *прен.* окупиран.

occupier ['ɔkjupaiə] n 1. обитател (*на къща*); 2. наемател; 3. окупатор, окупант.

occupy ['ɔkjupai] v 1. *воен.* окупирам, завземам; 2. във владение съм на, заемам; обитавам; живея в; 3. заемам (*служба, пост*); 4. заемам, изпълвам (*място, вре-*

ме, мисли) (with в); 5. *refl и в pass* занимавам се с, зает съм с, върша (with, in *c ger*).

occur [ə'kə:] *v* (-rr-) 1. срещам се, намирам се (*за минерали, видове, предмети*); 2. ставам, случвам се, настъпвам (*за събитие*); 3. идва ми наум; it ~red to me that... дойде ми наум, че...; 4. *геол.* залягам.

occurrence [ə'kʌrəns] *n* 1. явление; to be of frequent ~ често се случва; 2. случка, събитие; an everyday ~ най-обикновена случка, нещо съвсем обичайно; 3. *геол.* залягане; находище; местонаходище; разпространение.

ocean ['ouʃən] *n* 1. океан; 2. *прен., разг.* огромно пространство (количество, маса); 3. *attr* океански.

octahedron ['ɔktə'hi:drən] *n мат.* октаедър, осмостенник.

octane ['ɔktein] *n хим.* 1. октан; 2. *attr* октанов.

October [ɔk'toubə] *n* (*съкр.* Oct. *или* O.) октомври.

octopus ['ɔktəpəs] *n* 1. *зоол.* октопод *Octopous vulgaris*; 2. *прен.* влиятелна организация, мафия.

ocular ['ɔkjulə] I. *adj* очен, зрителен; ~ estimate (преценка) на око; II. *n* окуляр.

oculist ['ɔkjulist] *n* очен лекар, окулист.

odd [ɔd] I. *adj* 1. нечетен, тек; the ~ houses къщите с нечетни номера; 2. сам (без свой еш); непълен (*за комплект*); a few~ volumes няколко отделни тома (от многотомно издание); 3. добавъчен, в повече, който остава (свръх известна сума или количество); twenty ~ years двадесет и няколко години; 4. случаен, нередовен; какъв да е; ~ job случайна, временна работа; 5. свободен, незает; at ~ moments (times) през свободното си време; от време на време; 6. *търг.* нестандартен (*за размер*); 7. особен, странен, чудат; II. *n* 1. решаваща взятка (*при играта вист*); 2. хандикап, удар или ход, който дава предимство на по-слаб играч.

oddity ['ɔditi] *n* 1. странност, чу-

датост, чудноватост; 2. чудак, особняк, оригинал.

oddly ['ɔdli] *adv* странно, особено; неприлично; ~ enough... интересното е, че...

oddness ['ɔdnis] *n* странност, особеност, чудноватост.

odds [ɔdz] I. *n pl* 1. разлика, неравенство; неравнопоставеност; by long ~ значително, решително, несъмнено; 2. шанс; превъзходство; *спорт.* преимущество, хандикап; with heavy ~ against them срещу значително превъзхождащи сили; при изключително неблагоприятни условия; 3. скарване, кавга; несъгласие; at ~ with скаран с, в противоречие с, в дисхармония с; 4. (курс на) залагане; to give (lay) (the) ~ залагам по-малката сума; • ~ and ends остатъци (*от храна*); дреболии, боклуци, вехтории; II. *v sl* to ~ it поемам нашия (риска).

odds-on ['ɔdz,ɔn] *adj* голям, сериозен (*за шанс, вероятност*); the ~ favourite *спорт.* фаворит, играчът с най-големи шансове.

ode [oud] *n* ода.

odious ['oudjəs] *adj* омразен, ненавистен; противен, отвратителен, отблъскващ, гаден.

odium ['oudjəm] *n* ненавист, омраза; отвращение, гадост; зложелателство, злонамереност, антипатия; to bear the ~ of понасям позора (ненавистта) на.

odontic [ɔ'dɔntik] *adj* зъбен.

odontology [,ɔdɔn'tɔlədʒi] *n мед.* одонтология, стоматология.

odoriferous [,oudə'rifərəs] *adj* благоуханен, ароматен; миризлив, зловонен; *шег.* вонящ.

odorize ['oudəraiz] *v* ароматизирам, парфюмирам.

odorous ['oudərəs] *adj* 1. благоуханен, ароматен; 2. миризлив, зловонен.

odour ['oudə] *n* 1. миризма; благоухание, аромат; 2. *прен.* повей, лъх, полъх; • to be in good ~ добре гледан съм.

odourless ['oudəlis] *adj* без миризма.

oecology [i:'kɔlədʒi] *n биол.* еко-

логия.

oecumenic(al) [,i:kju'menik(əl)] *adj* 1. *рел.* вселенски; 2. всемирен; всеобщ.

oesophagus [i:'sɔfəgəs] *n* (*pl* -gi [dʒai]) *анат.* хранопровод.

of [ɔv, əv] *prep* 1. притежание; авторство; принадлежност: на; the capital ~ Bulgaria столицата на България; 2. посока; отдалечаване; разстояние: от; на; north ~ на север, северно от; 3. освобождаване; лишаване: от; to free (rid) ~ освобождавам (отървавам) от; 4. произход; източник; причина; деятел: от; на; по; ~ humble birth от скромно потекло; 5. вещество, материал, от който е направено нещо: от...; прилагателно на -ен; made ~ wood от дърво, дървен; 6. промяна в състоянието: от; 7. част от цяло; класификация; количество от нещо: от (*или без превод*); he, ~ all men не друг, а той; 8. качество; възраст; наименование: на; с (*или без превод*); a man ~ genius гений, гениален човек; 9. въвежда предложно допълнение: на; от; за; към; с; the levying ~ taxes събиране на данъци; 10. *време:* от; през; ~ recent years през последните години; ~ old от край време.

off [ɔ:f, ɔf] I. *adv* 1. отдалечаване, отдалеченост, разстояние и по време: от (от-), из (из-); на (на-); to keep s.o. ~ държа някого на разстояние; 2. махане, сваляне, пълно откъсване: без превод; от (от-); to take o.'s coat ~ свалям си палтото; 3. прекъсване на действието: без превод; от-; the deal is ~ развалихме (развалиха) сделката; 4. извършване на действие докрай: из (из-); до (до-); от (от-); to pay ~ изплащам (докрай); 5. намаляване на брой, количество: без превод; от-; week ~ една седмица отпуск; • to be well (badly) ~ добре (зле) съм материално; II. *prep* 1. сваляне, на дане: от; to fall ~ a tree падам от дърво; 2. отдалечаване, отдалеченост, на разстояние от: от

~ **shore** навътре в морето; **3.** *източник, обект: без превод*; **to live ~ the fat of the land** живея в охолство, водя безгрижен живот; **4.** незаетост; **to have time ~ (work)** имам свободно време; **5.** *не на нужната висота*: **badly ~ o.'s game** *спорт.* не във форма; **III.** *adj* **1.** отдалечен, свален; **you're ~ in your calculation** сбъркали сте в изчисленията; **2.** второстепенен; **an ~ issue** въпрос от второстепенно значение; **3.** изключен, не в действие, неработещ (*за мотор и пр.*); **4.** десен, външен; **the ~ side** външна, дясна, *амер.* лява страна; **5.** малко вероятен; **6.** незает, свободен; **an ~ day** свободен ден; лош ден, когато човек не е във форма; **7.** под обикновеното ниво, не на нужната висота; по-малък (*като брой, по количество*); **an ~ season** мъртъв сезон; **8.** *спорт.* насрещен (*при игра на крикет част от игрището срещу играча с хилката*); **9.** *мор.* от(към) морето; **IV.** *n амер.* несполука, неуспех; **I've had my ~s and ons** видял съм добри и лоши дни; **V.** *v разг.* отказвам се от (*споразумение, съглашение и под. с някого*); **2.** *мор.* поемам в открито море; **3.** *нар.* свалям дреха; **to ~ with o.'s coat** *нар.* свалям си палтото; **4.** **to ~ it** отивам си, тръгвам си; **VI.** *int* марш!

offal [ˈɔfl] *n* **1.** отпадъци; остатъци; смет; боклук; **2.** карантия, дреболии; **3.** *attr* долнокачествен (*за мляко, жито, дървен материал*).

off-balance [ˈɔf,bæləns] *adj* нестабилен; **to be caught (thrown, knocked) ~** хващат ме неподготвен; бивам изненадан; бивам изваден от равновесие.

off-beat [ˈɔfˌbiːt] *adj* нестандартен, нетрадиционен, необичаен.

off-brand [ˈɔfˌbrænd] *adj sl* ексцентричен; странен, чалнат, смахнат.

offcast [ˈɔːfkɑːst] **I.** *adj* отхвърлен, отречен; **II.** *n* отхвърлен предмет; отречен, дезавуиран човек.

off-centre, off-centred [ˈɔːfsentə(d)] *adj* **1.** *техн.* ексцентричен; извънцентров; **2.** нестандартен, нетрадиционен, ексцентричен.

off-colour [ˈɔfˌkʌlə:] *adj* **1.** нездрав, болнав, неразположен; **2.** *журн.* не на нужната висота, не достатъчно добър; **3.** нецензурен, неприличен (*за шега*).

offence [əˈfens] *n* **1.** нарушение (**against**); **2.** *юр.* престъпление; **capital ~** престъпление, наказуемо със смърт; **3.** обида; оскърбление; **to cause (give) ~ to s.o.** обиждам, засягам някого; **4.** *воен.* настъпление, нападение, атака.

offencive [əˈfensiv] **I.** *adj* **1.** противен, отвратителен, дразнещ, неприятен; зловонен; **2.** нахален, дързък, обиден; **to be ~ to** обиждам, наругавам; **3.** *воен.* нападателен; ◇ *adv* **offensively; II.** *n* офанзива; настъпление, нападение.

offend [əˈfend] *v* **1.** обиждам (се), засягам (се); **to be ~ed at (with, by) s.th. (with s.o.)** обиждам се от нещо (*на някого*); **2.** престъпвам, прекрачвам, нарушавам (*закон, добрите нрави и пр.*) (**against**); **3.** дразня (*слуха*); боде (*на очите*); противен съм, не се нравя на; накърнявам, в разрез съм с (*чувство*); **4.** *остар., библ.* съгрешавам, провинявам се; изпадам (въвеждам) в заблуда, в грях; греша.

offender [əˈfendə] *n* **1.** нарушител (*на закон*); виновник; *юр.* престъпник; **juvenile ~** малолетен престъпник; **old ~** рецидивист; **2.** (човек) който обижда.

offending [əˈfendiŋ] **I.** *adj* дразнещ, противен; причиняващ неприятности; **II.** *n* закононарушение.

offensiveness [əˈfensivnis] *n* **1.** противност; неприятност; **2.** нахалство, дързост.

offer [ˈɔfə] **I.** *v* **1.** принасям в жертва (*и c up*); *to ~ homage* отдавам почит; почитам; **2.** предлагам; **to ~ an opinion** изказвам мнение; **3.** опитвам се, понечвам; **4.** представлявам; представям (се); **if a good occasion ~s** ако се

представи добър случай; ако има сгоден случай; **5.** обявявам, давам (*за продан*); продавам; предлагам (*цена*); **II.** *n* **1.** предложение; **an ~ of marriage** предложение за женитба; **2.** *търг.* предложение, оферта; **3.** предлагане, подаване.

offering [ˈɔfəriŋ] *n* **1.** предлагане; **2.** жертвоприношение; жертва; **3.** дар, дарение.

off-grade [ˈɔfˌgreid] *adj* долнокачествен, нискокачествен.

off-guard [ˈɔfˌgɑːd] *adj* неподготвен, изненадан.

offhand [ˈɔːfˈhænd] **I.** *adj* **1.** импровизиран, без подготовка; **2.** безцеремонен; високомерен, хладен; пренебрежителен; **II.** *adv* **1.** веднага, импровизирано, без предварителна подготовка; от пръв поглед; на прима виста; **2.** безцеремонно, нахално, грубо, прекалено фамилиарно.

offhanded [ˈɔfˈhændid] *adj* безцеремонен, високомерен, хладен.

office [ˈɔfis] *n* **1.** услуга; помощ; **owing to (through, by) the good ~s of** с помощта на, благодарение на любезните грижи на; **2.** длъжност, служба, пост; чин; сан; **the ~ of bishop** епископски сан; **3.** задължение, дълг; **it is my ~ to ...** в задълженията ми влиза да...; **4.** кантора, канцелария; **5.** управление; бюро; клон; офис (*търговски и по ведомство*); **post ~** поща, пощенски клон; **6.** министерство; **Foreign O.** Министерство на външните работи; **7.** *рел.* обред, служба; **the last ~s** погребални ритуали; **8.** *pl* сервизни помещения; **9.** *pl* сведения; **to give s.o. the ~** предупреждавам някого.

officer [ˈɔfisə] **I.** *n* **1.** длъжностно лице, чиновник, служещ; **the great ~s of state** висши (държавни) чиновници; **2.** секретар, член на ръководство (*на дружество*); **3.** *воен.* офицер; **~ of the day** дежурен офицер; **4.** *мор.* член на ръководния персонал; **first ~** помощник-капитан (*на търговски кораб*); **II.** *v* **1.** попълвам с офи-

церски кадри; **2.** (*обикн. в pass*) командвам.

official [ə'fiʃəl] **I.** *adj* **1.** служебен, официален; ◇ *adv* **officially**; **2.** *фарм.* приет във фармакопеята; **II.** *n* служебно (длъжностно) лице, чиновник.

officiate [ə'fiʃieit] *v* **1.** изпълнявам задължения; служа; **2.** *рел.* служа, извършвам богослужение; **3.** *спорт.* съдийствам, "свиря".

officinal [ˌɔfi'sainəl] *adj* **1.** *фарм.* аптекарски, лекарствен; **2.** лекарствен, прилаган в медицината; **3.** *фарм., остар.* приет във фармакопеята.

officious [ə'fiʃəs] *adj* **1.** натраплив, натрапчив, досаден; който се меси в чужди дела; **2.** *полит.* официозен, неофициален; **3.** *остар.* услужлив; ◇ *adv* **officiously**.

off-lying ['ɔːfˌlaiiŋ] *adj* далечен, отдалечен.

off-putting ['ɔfˌputiŋ] *adj* неприятен, отблъскващ.

off-season ['ɔfˌsiːzən] **I.** *n* мъртъв сезон; **II.** *adv* през мъртвия сезон, извън сезона.

offset ['ɔːfset] **I.** *n* **1.** начало; **at the** ~ от началото; **2.** издънка (*и прен.*), вейка, гранка, филиз; положник; **3.** разклонение, дял (*на планина*); **4.** контраст, средство, за да изпъкне нещо; обезщетение, компенсация; недостатък, отрицателна страна; **5.** *архит.* вдлъбнатина (*на фасада на здание*); **6.** дъга, коляно (*на тръбопровод*); **7.** *полигр.* офсет; **II.** *v* **1.** компенсирам за, обезщетявам, уравновесявам; **2.** правя вдлъбнатина (*на стена*); поставям коляно (*на тръба*); децентрирам (*колело*); **3.** отпечатвам офсет; **4.** пускам филиз.

offspring ['ɔːfspriŋ] *n* **1.** потомък, дете; потомство, потомци, наследници, коляно, генерация, поколение, род, деца; **2.** *прен.* резултат, последица, следствие.

off-the-wall ['ɔfðəˌwɔl] *adj* **1.** странен, чудат, необикновен; **2.** налудничав, глупав (*за идея, план*).

often ['ɔftən, 'ɔfən] **I.** *adv* често; **more** ~ **than not** повечето, доста

често; **II.** *adj* остар. чест.

oil [ɔil] **I.** *n* **1.** масло (*обикн. течно*); **lubricating (machine)** ~ машинно масло; **Holy** ~ *рел.* миро; **2.** петрол, земно масло, нефт, светилен газ; **crude** ~ суров нефт; **3.** маслоподобно вещество; ~ **of vitriol** олеум, димяща сярна киселина; **4.** *обикн. pl* маслени бои; **5.** картина, нарисувана с маслени бои; **6.** *амер. sl* ласкателство; ● **to add** ~ **to the flames** наливам масло в огъня, раздухвам пожар; **II.** *v* **1.** намазвам, смазвам; **to** ~ **o.'s tongue** *прен.* лаская, угоднича, подмазвам се; **2.** импрегнирам, пропивам с масло, намаслявам; **3.** разтапям се (*за крави масло и под.*); **4.** *текст.* омекотявам с масло.

oiler ['ɔilə] *n* **1.** бидон; **2.** *техн.* масленица, масл100 альонка; **3.** *мор.* танкер; **4.** *sl* мазник, лицемер.

oily ['ɔili] *adj* **1.** мазен (*и прен.*); импрегниран с масло; **2.** *прен.* мазен, ласкателен.

ointment ['ɔintmənt] *n* **1.** мехлем, мазило, унгвент; **2.** втриване.

O.K. [ou'kei] **I.** *adj predic* добър, правилен; одобрява се (*пред параф на документ*); **II.** *n* одобрение; **III.** *int* дадено, бива, съгласен, окей; **IV.** *v* одобрявам, парафирам (*заповед, нареждане*).

old [ould] **I.** *adj* **1.** стар; възрастен; ~ **age** старост, старини; **in his** (**her**) ~**er days** на стари години; **2.** старчески, старешки; **3.** стар; древен; отдавнашен; ~ **wine** отлежало, старо вино; **as** ~ **as the hills** съществува, откакто свят светува, отколешен; **4.** стар, износен, изхабен; **5.** опитен; **to be an** ~ **hand** (**at it**) той има дългогодишен опит в тази област; той не е вчерашен; той е рецидивист; **6.** бивш, предишен; **an** ~ **boy** (**pupil**) бивш ученик (*на дадено училище*); **7.** (*с any*) кой да е, как да е; **you can dress any** ~ **how** облечи се както щеш, няма значение; **II.** *n* (*c the*) старите (хора); ~ **and young** старо и младо; ● **of** ~ някога в миналото, отдавна.

old-fashioned ['ould'fæʃənd] **I.** *adj*

старомоден; старинен; **II.** *n* вид коктейл.

old-time ['ouldtaim] *adj* старинен, старовремешен, старовремски, едновремешен.

old-world ['ould'wəːld] *adj* **1.** древен; **2.** старинен, някогашен, едновремешен, отколешен.

oligarch ['ɔligaːk] *n* олигарх.

oligarchy ['ɔligaːki] *n* олигархия (*и събират.*).

olive ['ɔliv] **I.** *n* **1.** маслина (*и дървото*); **2.** *обикн. pl* ястие от месни рулца, пълнени с маслини и др. подправки; ~ **oil** дървено масло, зехтин; **3.** овално копче; **4.** маслинен цвят; **II.** *adj* **1.** маслинен, маслинов; **2.** с маслинен цвят; **3.** мургав, с маслинен оттенък.

Olympiad [o'limpiæd] *n* олимпиада.

Olympic [o'limpik] *adj* олимпийски; **the** ~ **games** Олимпийски игри; олимпиада.

ombudsman ['ɔmbʌdzmən] *n* държавен инспектор; квестор.

omega ['oumigə] *n* **1.** омега, последната буква от гръцката азбука; **2.** *прен.* край, завършек, заключение.

omelet(te) ['ɔmlet] *n* омлет.

omen ['oumen] **I.** *n* поличба, предзнаменование, знамение, белег, знак; **of good** (**bad**) ~ който предвещава добро (вещае зло); **II.** *v* предвещавам, предсказвам, прорицавам.

ominous ['ɔminəs] *adj* зловещ, злокобен, заплашителен, застрашителен; ◇ *adv* **ominously**.

omission [o'miʃən] *n* **1.** пропуск; нещо изпуснато; **2.** изпускане, пропускане.

omit [o(u)'mit, ə'mit] *v* **1.** пропускам, забравям да (**to do**); **2.** изпускам.

omnibus ['ɔmnibəs] **I.** *n* **1.** (*и motor* ~, *обикн.* **bus**) автобус, омнибус (*и на хотел, учреждение и пр.*); ● **the man on the Clapham** ~ *разг.* обикновеният (средният) човек; **2.** еднотомник; антология; **II.** *adj* общ, всеобщ, всеобхватен; всестранен; ~ **bill** законопроект, който включва различни мерки.

omnifarious [ˌɔmniˈfɛəriəs] *adj* всевъзможен; разнообразен.

omnipotence [ɔmˈnipətəns] *n* всемогъщество.

omnipotent [ɔmˈnipətənt] **I.** *adj* всемогъщ; **II.** *n:* the **O.** Всевишният.

omnipresent [ˈɔmniˈprezənt] *adj* вездесъщ.

omnipurpose [ˈɔmniˌpəːpəs] *adj* универсален.

omnivorous [ɔmˈnivərəs] *adj* **1.** всеяден, омнифаг, омнивор; **2.** всеобхватен, всестранен (*за интерес*).

on [ɔn] **I.** *prep* **1.** *място, статично и динамично:* на, върху по, у; ~ **the table** на масата; **2.** *близост, посока:* на, до, при, край, върху; **a room that looks** ~ **(to) the street** стая, която гледа към улицата; **3.** *враждебна цел:* на, срещу, върху; **to serve a writ** ~ връчвам призовка на; **4.** *опиране, основаване, мерило:* на, по, от, при, в; *без превод;* ~ **the advice of** по съвета на; **5.** *участие; състояние; занимание; условие:* в, на, по, под, при, за; *без превод;* **to be** ~ **the committee** член съм на комитета; **6.** *начин: превежда се с наречие;* ~ **the spur of the moment** необмислено, без да му мисля; **7.** *относно:* за, върху, по; **to speak (talk, lecture)** ~ говоря по; **8.** *време:* в, на, през, при; *като, когато,* след като; ~ **Monday** в понеделник; ~ **his majority** при пълнолетието си; **9.** *въвежда допълнение:* на, за, върху, по, от, към, с; *на български непряко или пряко допълнение;* **to spend money** ~ харча пари за; **to depend** ~ завися от; **10.** *източник, посредством:* от, с; **cows live** ~ **grass** кравите се хранят с трева; **11.** *разг.* за сметка на; **a drink** ~ **the house** черпя за сметка на заведението; • **to be** ~ **it** *разг.* подготвен съм, в течение съм; **II.** *adv* **1.** *облечено, покрито, сложено:* **to put** ~ **o.'s coat** обличам си палтото; **2.** *напред:* **to move (go)** ~ придвижвам се; **3.** *продължително, трайно:* **and so** ~ и така нататък; **4.** *в действие; в процес:*

the play is now ~ пиесата се играе (сега); **5.** *в изрази за време:* **well** ~ **in the night** до късно през нощта; • **it's not** ~ това не е прието, не се прави така; **III.** *adj* **1.** *спорт.* (от)към игрището зад играча с хилката (*при игра на крикет*); преден, ляв (*за удар*); **2.** *sl* фирнал, на градус, подпийнал; **IV.** *n* **1.** действие, времетраене, процес; **2.** (страната на) игрището (от)към играча с хилката (*при игра на крикет*).

once [wʌns] **I.** *adv* **1.** веднъж (един път); еднократно; **not** ~ никога, нито веднъж; **2.** някога, веднъж, едно време; отдавна; ~ (**upon a time**) **there was** имало едно време; • **all at** ~ неочаквано, изведнъж; едновременно; **II.** *cj* щом (като), ако веднъж; ~ **you hesitate you are lost** (веднъж) поколебаеш ли се (ако, щом се поколебаеш), загубен си, свършено е с тебе; **III.** *n* един случай, един път; **for** (**this**) ~ само веднъж, по-не веднъж, по изключение; **IV.** *adj* остар. бивш; някогашен.

oncology [ɔnˈkɔlədʒi] *n* онкология.

oncoming [ˈɔnkʌmin] **I.** *adj* идващ, предстоящ; подрастващ; следващ; **II.** *n* идване, настъпване.

one [wʌn] **I.** *num adj* **1.** един; първи; **that's** ~ **way of doing it** това е един начин да го направиш; и така може да го направиш; • **to be (get)** ~ **up on s.o.** имам (печеля) преднина пред някого, в по-изгодна позиция съм; **2.** само един, единствен; ~ **and only** един единствен; **3.** един, единен; еднакъв, един и същ; **in** ~ **voice, as** ~ **man** като един, всички едновременно; **4.** един, някой; ~ **day** някой (един) ден; **5.** един (*за разлика от друг*); **II.** *n* **1.** числото 1 (едно), единица; **in the year** ~ много отдавна, по време оно; **2.** (*замества вече споменатото съществително;* означава отделен предмет или човек); **he's the** ~ **I mean** него имам предвид; **III.** *demonstr, indef pron* **1.** един, някой (си) (*и* **any~**, **some~**, **no~**); човек; **any** ~ **of us** кой да е от нас; **2.** *impers pron* чо-

век; ~ **cannot help doing it** човек не може да не го направи; **3.** *в poss case* си, свой; **to give** ~**'s opinion** давам си мнението.

oneness [ˈwʌnnis] *n* **1.** единство, цялост; **2.** единодушие, единомислие; **3.** изключителност; **4.** тържественост.

one-off [ˈwʌnɔf] **I.** *adj* единствен, уникален, неповторим; **II.** *n* нещо единствено (отделно).

onerous [ˈɔnərəs] *adj* **1.** тежък, обременителен, затруднителен; *юр.* обременителен.

oneself [wʌnˈself] *pron refl* **1.** се, си; **to hurt** ~ наранявам се; **2.** сам, за себе си; **to do s.th.** ~ сам върша нещо; **to come to** ~ идвам на себе си; възвръщам си здравия разум.

one-sided [ˈwʌnˈsaidid] *adj* **1.** с една страна; едностранен; ~ **contract** едностранен договор; **2.** наклонен, асиметричен; **3.** *прен.* едностранчив, неравен, несправедлив (*за договор*); пристрастен.

one-storied [ˈwʌnˈstɔːrid] *adj* едноетажен.

one-upmanship [ˈwʌnˈʌpmənʃip] *n* надменност, високомерие.

onfall [ˈɔnfɔːl] *n* нападение.

onflow [ˈɔnflou] *n* течение; *прен.* поток.

ongoing [ˈɔngouin] **I.** текущ, продължаващ известно време; **II.** *n* обикн. *pl* **1.** случки, събития; това, което става, неща; **2.** (лошо) поведение, държане.

onlooker [ˈɔnlukə] *n* зрител, случаен свидетел; **the** ~**s** присъстващите.

only [ˈounli] **I.** *adj* единствен; **II.** *adv* **1.** само; **2.** *за засилване:* **we arrived** ~ **just in time** пристигнахме едва-едва навреме, за малко не закъсняхме; **III.** *cj* само че, но, обаче.

onrush [ˈɔnrʌʃ] *n* атака, устрем; прилив, порой, силен поток, струя.

onset [ˈɔnset] *n* **1.** нападение, атака; **2.** начало.

onto, on to [ˈɔntu] *prep* на, върху, о (*за движение*); **to climb** ~ **the roof** качвам се на покрива.

onus [ˈounəs] *n* бреме, товар, те-

жест, задължение; ~ **probandi** *юр.* тежестта на доказването.

oomph [u:mf] *n* **1.** енергия, живост, хъс; **2.** *амер. sl* сексапил.

ooze₁ [u:z] **I.** *n* **1.** тиня, талог, утайка, труптина; **2.** дъбилно вещество; **3.** *амер.* мочур, тресавище, млака; **II.** *v* **1.** процеждам се, просмуквам се, тека капка по капка, сълзя, капя, окапвам се (**from, through**); **2.** изпускам, излъчвам (**with**); **the wound is oozing (with) blood** раната кърви, пуска кръв; **3.** *прен.* разчувам се; плъзвам (*за тайна, новина*) (**out**); **4.** *прен.* намалявам, изпарявам се (**away**).

ooze₂ *n* мъх.

opacity [o'pæsiti] *adj* **1.** непрозрачност; **2.** *прен.* тъпота, тъпоумие, тъпотия, слаба интелигентност; **3.** тъмнота, тъмнина, мрак; **4.** *прен.* неяснота, забърканост, бъркотия (*на мисъл, значение*).

opaque [ou'peik] **I.** *adj.* **1.** непрозрачен; непрогледен, непроницаем; матов, мътен, потъмнен; тъмен; неразбираем; **2.** тъп, глуповат, слабо интелигентен; **II.** *n* (**the** ~) мрак, тъмнина, тъмнота.

opaqueness [ou'peiknis] *n* **1.** непрозрачност, непроницаемост; **2.** тъмнота, мрак.

open ['oupən] **I.** *adj* **1.** отворен, открит, разтворен (**to**); ~ **account** открита (текуща) сметка; ~ **season** (открит) ловен сезон; **2.** открит, явен; общодостъпен, неограничен, свободен; обществен, публичен; (**the**) ~ **court** *юр.* открито съдебно заседание, при открити врата; **3.** открит, изложен; незащитен (*и с to*); склонен, податлив, непредубеден; ~ **to suggestions** готов, склонен да приемам чужди предложения; **4.** открит, неразрешен (*за въпрос*); вакантен; ~ **question** спорен, висящ, неразрешен въпрос; **5.** прям, открит, откровен; явен; **to be** ~ **with s.o.** откровен съм с някого, говоря откровено; **6.** разгънат, рехав, нестегнат; **in** ~ **order** *воен.* в разгънат строй; **7.** *език.* отворен (*за гласна, сричка*); фрикативен, проходен (*за съгласна*); • ~ **win-**

ter мека зима; **II.** *v* **1.** отварям (се); пробивам отвор, правя разрез; откривам (се) (*магазин, парламент и пр.*); *ел.* прекъсвам (*ток*); **the door won't** ~ вратата не може (не ще) да се отвори; **2.** разтварям; разкривам (се) (*за гледки, перспективи*); *мор.* разкри ми се пътят до, стигам до; **to** ~ **o.'s heart (mind)** то доверявам се някому, споделям чувствата (мислите) си с; **3.** започвам, откривам (*дебати, сметки*); **to** ~ **the budget** представям, внасям бюджета (*в парламента*); **4.** отварям се към (*за врата*) (*с into, on, to, out*); **5.** *воен.* разгръщам; **the soldiers** ~**ed their ranks** войниците се разгърнаха във верига; **open out 1)** разгръщам се (*и за гледка*); разширявам; **2)** развивам се; **3)** разтварям (се); **4)** отпускам се (*за човек*);

open up 1) разкривам (се); **2)** откривам, отварям, започвам; разработвам (*мина и пр.*); **3)** разтварям (се) (*рана*); **4)** правя достъпен; обръщам внимание на; **5)** *разг.* "отварям се", "откревам се", говоря свободно.

open-eyed ['oupn'aid] *adj* **1.** предпазлив, бдителен; който добре си отваря очите; печен; **he acted** ~ той знаеше много добре какво върши; **2.** изненадан.

open-handed ['oupən'hændid] *adj* **1.** радушен, сърдечен; **2.** щедър.

open-hearted ['oupn'ha:tid] *adj* **1.** открит, откровен; искрен; сърдечен; експанзивен; **2.** мекосърдечен, милостив, жалостив.

open-heartedness ['oupnha:tidnis] *n* откритост, откровеност; сърдечност; експанзивност.

opening ['oupəniŋ] *n* **1.** отвор; отвърстие; дупка; **2.** отваряне; откриване (*на изложба, парламент и пр.*); **3.** начало; **4.** удобен случай, благоприятна възможност; **5.** вакантно място (*служба*); **6.** горска поляна, сечище; **7.** тясно дефиле, планинска клисура; **8.** *юр.* предварително излагане на фактите по процес; **9.** канал; **10.** *спорт.* дебют (*в шахма-*

та); **11.** *attr* начален, пръв, встъпителен.

open-minded ['oupən'maindid] *adj* **1.** непредубеден, либерален, свободомислещ, толерантен, с широки възгледи, без предразсъдъци; **2.** възприемчив.

openness ['oupənnis] *n* откровеност, откритост, прямота.

opera ['ɔp(ə)rə] *n* опера; **soap** ~ (дълъг) телевизионен сериал (*обикн. с ниски художествени качества*), сапунена опера.

operate ['ɔp(ə)reit] *v* **1.** функционирам, действам, работя; оперирам; **2.** привеждам в движение; управлявам (*за машина*); **3.** оказвам влияние, действам, въздействам (**on, upon**); **to** ~ **on s.o.'s natural shyness** опитвам се да помогна на някого да преодолее вродената си стеснителност; **4.** *мед.* оперирам (**on**); **to** ~ **on an appendix** оперирам апендикс; **5.** *воен., фин.* провеждам (извършвам) операции; оперирам, действам; **to** ~ **for a rise (fall)** *фин.* спекулирам, за да повдигна (сваля) цените; **6.** *амер.* управлявам, завеждам (*отдел в учреждение*); експлоатирам (*железница и пр.*); **7.** влизам в сила.

operating ['ɔpəreitiŋ] *adj* **1.** операционен; **2.** *амер.* текущ; ~ **costs** текущи (експлоатационни) разходи; **3.** *техн.* работен; ~ **personnel (staff)** технически (обслужващ) персонал.

operation [,ɔpə'reiʃən] *n* **1.** действие, операция; работа; изпълнение; привеждане в действие; **to come (go) into** ~ започвам да действам; влизам в сила; "влизам в строя"; **2.** *мед.* операция; **to undergo an** ~ подлагам се на операция; **3.** процес; ход; **the** ~ **of old age** застаряване; **4.** *воен., фин* операция; кампания; **base of** ~ *воен.* оперативна база; **5.** *мат* действие; **6.** *амер.* разработка; експлоатация; **7.** управление; завеждане (*на предприятие и пр.*).

operational [,ɔupə'reiʃənəl] *adj* **1.** работен, експлоатационен, действащ; **2.** оперативен; ◇ *adv* **opera**

tionally.

operative ['ɔpərətiv] **I.** *adj* **1.** действен, действащ; действителен; **to become ~** влизам в сила (*за закон и пр.*); **2.** ефикасен, действен; ефектен; резултатен; **the ~ word (phrase)** най-съществената дума (израз) в текст или документ; **3.** *мед.* операционен; **4.** оперативен; **II.** *n* **1.** индустриален работник; **the ~ class** работническата класа; **2.** занаятчия; **3.** *амер.* детектив.

operator ['ɔpəreitə] *n* **1.** оператор, човек, който управлява (работи) на някаква машина; механик; кинооператор; телефонист, телефонистка; телеграфист; **2.** хирург, оператор; **3.** *фин.* борсов посредник (спекулант); **4.** *амер.* работодател; ръководител на предприятие; **5.** *рядко* шофьор; пилот; **6.** *разг.* "хитра лисица"; човек, който то знае как да се добере до целта си.

operetta [ɔpə'retə] *n* оперета.

operose ['ɔpərous] *adj остар.* **1.** трудолюбив, работлив; деен; **2.** изкаран (добит) с много труд; тежък, тягостен.

opiate I. ['oupiit] *n* опиат, наркотик, упойка; приспивателно, упоително, сънотворно (средство); *прен.* опиум; **II.** *adj остар., поет.* упоителен, приспивен, сънотворен; **III.** ['uopieit] *v рядко* **1.** приспивам, опивам; **2.** смесвам (размесвам) с опиум.

opine [o'pain] *v* изказвам мнение; мисля, смятам, считам; предполагам.

opinion [ə'piniən] *n* мнение, възглед, схващане, становище, разбиране; предположение; **in my ~** по мое мнение, по моему.

opinionated [ə'piniəneitid] *adj* **1.** прекалено самоуверен; **2.** упорит, настойчив; властен; своеволен.

opinion poll [ə'piniənpoul] *n* анкета.

opponent [ə'pounənt] **I.** *n* опонент, противник; **II.** *adj* противоположен, противен, враждебен, противостоящ.

opportune ['ɔpətju:n] *adj* своевременен, навременен, благоприя-

тен; подходящ, уместен.

opportunism [ɔpə'tju:nizəm] *n* опортюнизъм.

opportunist [ɔpə'tju:nist] **I.** *n* опортюнист; **II.** *adj* опортюнистичен.

opportunity [ɔpə'tju:niti] *n* сгода, удобен случай (момент); подходяща (благоприятна) възможност; **to avail oneself of the ~** използвам случая.

oppose [ə'pouz] *v* противопоставям (се) на, възпротивявам се на (срещу), опълчвам (се) против, опонирам на; заставам (поставям) срещу.

opposed [ə'pozd] *adj* **1.** противоположен, противен, против; **2.** враждебен; **~ landing** *воен., мор.* десант при съпротива от брега.

opposeless [ə'pouzlis] *adj поет.* непреодолим, непобедим.

opposer [ə'pouzə] *n* опонент, противник.

opposite ['ɔpəzit] **I.** *adj* противоположен, срещуположен, отсрещен, противопоставен, противостоящ, насрещен, противен, обратен; **~ poles** *ел.* противоположни (разноименни) полюси; **II.** *n* противоположност, антипод; **III.** *adv* насреща, срещу; отсреща; **the house ~** отсрещната къща; **IV.** *prep* срещу.

opposition [ɔpə'ziʃən] *n* **1.** съпротива, съпротивление; противопоставяне; противодействие; **2.** опозиция, противоположност, противоположно положение; противопоставяне; **~ of the thumb and the fingers** противоположно (насрещно) положение на палеца и пръстите; **3.** *полит.* опозиция; **the ~ benches** банките (скамейките) на опозицията (*в парламентарна зала*).

oppositionist [ɔpə'ziʃənist] *n* опозиционер.

oppress [ə'pres] *v* **1.** потискам, угнетявам, гнетя; **2.** *остар.* съкрушавам.

oppression [ə'preʃən] *n* **1.** потисничество, гнет, робство, иго; угнетяване, потискане; **2.** потиснатост, угнетеност, гнет, притеснение.

oppressive [ə'presiv] *adj* **1.** потискащ, гнетящ, притесняващ, тягостен, угнетителен, притеснителен; **~ weather** душно време; **2.** деспотичен; потиснически.

oppressor [ə'presə] *n* потисник, тиранин, деспот, угнетител.

opprobrious [ə'proubriəs] *adj* **1.** обиден, оскърбителен; **2.** позорен, срамен.

opprobrium [ə'proubriəm] *n* **1.** укори, хули, обиди, оскърбления, ругателства; **2.** позор, срам, безчестие.

oppugn [ɔ'pju:n] *v* **1.** противопоставям се на; против съм; **2.** възразявам срещу, оспорвам.

opt [ɔpt] *v* избирам, изказвам се (**for**).

opt in избирам (решавам) да съм част от нещо;

opt out избирам (решавам) да не съм част от нещо; отгеглям се.

optical ['ɔptikəl] *adj* оптически; зрителен; **~ illusion** оптическа измама.

optics ['ɔptiks] *n pl* (= *sing*) оптика.

optimism ['ɔptimizəm] *n* оптимизъм.

optimistic(al) [ɔpti'mistik(l)] *adj* оптимистичен; ◇*adv* **optimistically.**

option ['ɔpʃən] *n* **1.** избор, право (свобода) на избор, опция; **a soft ~** най-добрата алтернатива; **2.** *юр.* опция; оптация; **3.** *търг.* право на закупуване.

optional ['ɔpʃənəl] *adj* незадължителен, факултативен, изборен, по избор; **~ exercises** *спорт.* свободни упражнения.

opulence ['ɔpjuləns] *n* изобилие, богатство; разкош.

opulent ['ɔpjulənt] *adj* **1.** богат; **2.** изобилен, обилен; разкошен, пищен; **3.** цветист (*за стил*).

or [ɔ:] *cj* или; **either... ~** или..., или.

oracle ['ɔrəkl] *n* **1.** оракул, прорицател (*и прен.*); **2.** предсказание, пророчество; *прен.* мъдрост; истина.

oral ['ɔ:rəl] **I.** *adj* **1.** устен, на устата; орален; **2.** словесен, устен; **II.** *n* устен изпит.

orange ['ɔrindʒ] **I.** *n* **1.** портокал; **2.** портокалово дръвче; **3.** оранж,

портокалов цвят; **II.** *adj* **1.** оранжев, портокалов (*за цвят*); **2.** на (от) портокал, портокалов; **~ peel** портокалова кора.

orangeade [ˈɔrindʒˈeid] *n* оранжада.

oration [ɔˈreiʃən] *n* **1.** реч (тържествена); говор, слово; **2.** *език.* реч; **direct (indirect, oblique) ~** пряка (непряка) реч.

orator [ˈɔrətə] *n* оратор.

oratorical [ˌɔrəˈtɔrikəl] *adj* ораторски; реторически; красноречив.

oratory [ˈɔrətəri] *n* красноречие, реторика, ораторско искуство.

orb [ɔ:b] **I.** *n* **1.** кълбо, сфера, глобус; **2.** *поет.* небесно тяло; **3.** *поет.* око, очна ябълка; **4.** *радио.* орбита; кръг; **5.** обсег, обхват; район; **6.** *остар.* Земята; **II.** *v* **1.** правя (ставам) объл, заоблям (се); **2.** *поет.* обикалям, заобикалям, окръжавам; **3.** движа се в орбита, кръжа.

orbed [ɔ:bd] *adj* сферичен, кръгъл, закръглен; **full-~ moon** пълнолуние, пълна луна.

orbit [ɔ:bit] *n* **1.** *астр.* орбита; **2.** *анат.* орбита, очна кухина; **3.** кръг (сфера) на влияние; **II.** *v* **1.** извеждам в орбита; **2.** обикалям в орбита.

orchestra [ˈɔ:kistrə] *n* **1.** оркестър; **2.** място за оркестър (*в опера и пр.*) (*и ~* **pit**); **3.** партер (*и ~* **chairs, ~ stalls**).

orchestrate [ˈɔ:kistreit] *v* **1.** оркестрирам, аранжирам за оркестър; **2.** *прен.* дирижирам, ръководя.

ordain [ɔ:ˈdein] *v* **1.** ръкополагам, посвещавам в духовен сан; **2.** предопределям; **3.** нареждам, заповядвам, предписвам.

order [ˈɔ:də] **I.** *n* **1.** ред, редица; порядък; последователност; **~ of business, ~ of the day** дневен ред; **2.** изправност, ред, порядък; **to put s.th. in ~** оправям нещо; **3.** отличие, орден; **4.** орден (рицарски, религиозен); **5.** духовен сан; **to confer ~s on** ръкополагам, посвещавам в духовен сан; **6.** ранг, класа; съсловие; **of the first ~** първокласен, първоразреден; **7.** *воен.* строй; **8.** род, сорт, вид, порядък; **9.** *зоол., бот.* подклас;

разред; **10.** заповед, нареждане, предписание; **give ~s** разпореждам се, командвам; **11.** *архит.* ред, стил; **12.** поръчка; **made to ~** (направен) по поръчка; **13.** запис; ордер; **postal (money) ~** пощенски запис (превод); **14.** разрешение; пропуск; **15.** *мат.* степен; порядък; ред; **● in ~** *амер.* възможно, вероятно; **II.** *v* **1.** заповядвам на, нареждам на, заръчвам на, давам заповед на; **to ~ in (out)** заповядвам да влезе (излезе); **2.** поръчвам, правя поръчка за; **3.** предписвам, определям (*лекарство и под.*); **4.** поставям в ред, нареждам, редя, подреждам.

orderless [ˈɔ:dəlis] *adj* безреден, хаотичен.

orderliness [ˈɔ:dəlinis] *n* **1.** ред, порядък; системност, методичност; акуратност; **2.** дисциплина; подчинение на закона.

orderly [ˈɔ:dəli] **I.** *adj* **1.** системен, методичен; **2.** прибран, подреден, нареден, чист; **3.** дисциплиниран; акуратен, почтен, приличен, благонравен, порядъчен; **4.** дежурен; *воен.* дневален, (под)наряд; **II.** *n* **1.** *воен.* свръзка, ординарец; **2.** санитар (*и* **hospital (medical) ~**); **3.** войскови пощальон; куриер (*и* **post ~**).

ordinance [ˈɔ:dinəns] *n* **1.** указ, декрет, постановление; наредба; заповед; **traffic ~** правилник за движението; **2.** *рел.* обред, тайнство; **the (Sacred) O.** Тайната вечеря; **3.** *рядко* разпределение (на частите), разчленение.

ordinary [ˈɔ:dnəri] **I.** *adj* **1.** обикновен, обичаен; нормален; **2.** посредствен, ограничен; прост; **3.** доволен; **II.** *n* **1.** обикновено (средно) ниво; **out of the ~** необикновен, необичаен; **2.** *рел.* требник; **3.** лице на редовна служба (*в конкретно учреждение, на определено място и пр.*); *юр.* съдия; *рел.* епископ, архиепископ; свещеник; **4.** общо меню, табълдот; **5.** *остар.* гостилница, обща трапезария с определено меню; **6.** *херлад.* най-простите хералдич-

ни знаци; **7.** *мор.* резерв.

ore [ɔ:] *n* **1.** руда; **2.** *поет.* скъпоценен (благороден) метал.

organ [ˈɔ:gn] *n* **1.** *муз.* орган; **2.** *анат.* орган; **the vocal ~s** гласовият апарат; **3.** глас; **a strong manly ~** дълбок и звучен глас; **4.** печатно издание, орган.

organic [ɔ:ˈgænik] *adj* **1.** органичен, органически; вътрешно (органически) свързан; взаимнозависим; **2.** организиран; систематизиран; **3.** *биол., хим.* от органичен произход; **~ chemistry** органична химия; ◇ *adv* **organically** [ɔ:ˈgæniklj].

organism [ˈɔ:gənizəm] *n* организъм (*и прен.*).

organization [ˌɔ:gənaiˈzeiʃən] *n* **1.** организация; устройство; структура; строй; **~ chart** устав; **2.** организиране, учредяване, устройване; **3.** организъм; организация, структура, тяло; **charity ~** благотворително дружество; **4.** *амер.* партиен апарат.

organizational [ˈɔ:gənaiˈzeiʃənəl] *adj* организационен; организаторски.

organize [ˈɔ:gənaiz] *v* **1.** организирам, устройвам, учредявам, основавам; уреждам; структурирам; **2.** систематизирам; **3.** ставам органичен, превръщам (се) в жива тъкан; **~d matter** жива материя; **4.** поддавам се на организиране, подлежа на устройване.

orgasm [ˈɔ:gæzəm] *n* **1.** *физиол.* оргазъм; **2.** прекалена възбуда; краен предел (*на ярост и пр.*).

orgiastic [ˈɔ:dʒiˈæstik] *adj* див, необуздан.

orient I. [ˈɔ:riənt] *n* **1.** (**O.**) Изток, източните страни, Ориент; **2.** *поет.* ярък блясък; **II.** *adj* **1.** *поет.* източен; ориенталски; **2.** ярък, светъл, блестящ; сиян; искрящ; **3.** скъп, рядък, висококачествен (*обикн. за перли*).

oriental [ˌɔ:riˈentəl] **I.** *adj* **1.** източен; ориенталски; азиатски; **2.** чист, блестящ (*за перли*); **II.** *n* (**O.**) ориенталец, човек от Изтока (Ориента).

orientate [ˈɔ:rienteit] *v* **1.** ориентирам (се), насочвам (се); **2.** строя здание с фасада към изток; соча

(обръщам) (се) към изток.

orientation [,ɔ:rien'teiʃən] *n* ориентиране, ориентация, ориентировка; насочване.

origin ['ɔridʒin] *n* 1. произход, произхождение; ~ of species произход на видовете; 2. източник, начало; 3. род, потекло.

original [ə'ridʒinəl] I. *adj* 1. начален, първоначален, първичен, най-ранен, примитивен, първобитен; the ~ edition първото издание; 2. достоверен, автентичен, истински, оригинален; 3. самобитен, творчески, оригинален; 4. оригинален, неиздаден, в ръкопис (*за литературно произведение*); II. *n* 1. оригинал, първоизточник; 2. особняк, чудак, оригинал.

originality [ə'ridʒi'næliti] *n* 1. автентичност, истинност; достоверност; 2. оригиналност, самобитност.

originate [ə'ridʒineit] *v* 1. давам (слагам) начало на; пораждам; 2. водя началото си, произлизам, произхождам (*от нещо* – from, in; *от някого* – from, with).

origination [ə,ridʒi'neiʃən] *n* 1. начало, произход, произхождение; създаване, изнамиране (*на машина и пр.*); 2. пораждане.

originator [ə'ridʒineitə] *n* 1. автор; творец; създател; основоположник; изобретател; 2. инициатор, виновник.

ornament I. ['ɔ:nəmənt] *n* 1. украшение, орнамент; декорация, украса; 2. *pl рел.* богослужебни принадлежности; 3. нещо, което вдъхва почит и уважение; II. ['ɔ:nə'ment] *v* орнаментирам, украсявам, декорирам; разхубавявам.

orphan ['ɔ:fən] I. *n* сирак, сираче, сирота; II. *adj* сирашки, сиротски, сиротински; сиротен; III. *v* правя (оставям) сирак, осиротявам.

orthodox ['ɔ:θədɔks] *adj* 1. правоверен, ортодоксален; общоприет; 2. *рел.* православен.

orthop(a)edic [,ɔ:θou'pi:dik] *adj мед.* ортопедически, ортопедичен.

oscillate ['ɔsileit] *v* 1. клатя се, люлея се; 2. колебая се; трептя, вибрирам, осцилирам.

ostensible [ɔs'tensibəl] *adj* 1. привиден, мним, фиктивен; показателен; 2. очевиден, явен, видим; несъмнен, безспорен.

ostentatious [,ɔstən'teiʃəs] *adj* показен, външен, привиден; подчертан, крещящ; ◇ *adv* ostentatiously.

other ['ʌðə] I. *adj* друг; ~ from the boy I knew той е съвсем различен от момчето, което познавах; II. *pron* друг, някой друг; no ~ than някой друг освен; III. *adv* иначе, другояче; I could not do it ~ than не можах да го направя по друг начин, освен.

ourselves ['awə'selvz] *pron* 1. *refl* себе си, си; ние, нас; 2. (*за усилване на смисъла*) сами; we ~ (*остар.* ~) ние самите.

out [aut] I. *adv* 1. вън; навън; ~ at sea в (на) открито море; 2. излязъл навън, не на обичайното си място; he is ~ той е вън (излязъл), той не е вкъщи; 3. излязъл, появил се; the sun is ~ слънцето се е показало; 4. ненаред, изкривено; to be ~ in o.'s calculations сметките ми излизат криви; • ~ at elbows *прен.* западнал, беден, закъсал; II. *prep* 1. вън от, извън (~ of); ~ of doors навън, на открито; 2. от, по, вследствие на, поради (~ of); ~ of necessity по необходимост; 3. без (~ of); ~ of breath запъхтян, задъхан; III. *adj* 1. външен; краен; 2. *техн.* изключен, откачен, нескачен, невключен; IV. *n* 1. *полигр.* пропуск; 2. *амер.* недостатък; • from ~ to ~ от игла до конец, от край до край; V. *int* вън! VI. *v sl* изгонвам, изпъждам, изкарвам навън.

outbreak ['autbreik] *n* 1. избухване; изблик; ~ of hostilities начало на военните действия; 2. бунт, въстание; 3. *геол., мин.* излизане на повърхността, оголване.

outcast ['autkɑ:st] I. *n* 1. изгнаник, прокуденик, парий; 2. нещо захвърлено; подивяло растение; II. *adj* 1. прокуден, изгонен, изгнанически; бездомен; 2. негоден; изхвърлен.

outdo [aut'du:] *v* (**outdid** [aut'did], **outdone** [aut'dʌn]) надминавам, превъзхождам.

outer ['autə] I. *adj* 1. външен; 2. по-отдалечен (далечен); 3. *филос.* обективен; II. *n* 1. *воен.* външен кръг на мишена; 2. попадение във външния кръг (*на мишена*); 3. *спорт., разг.* нокаут.

outline ['autlain] I. *n* 1. очертание, контур, контури; профил; силует; скица; in ~ в общи черти; контурен (*за рисунка*); 2. схематично изложение, скица; II. *v* 1. (на)рисувам контурите (очертанията) на; очертавам; 2. изпъквам на фона на (*с pass*); 3. скицирам (*роман, рисунка*), нахвърлям (*проект, план*), описвам в общи черти, предавам в едри линии (щрихи).

outlive [aut'liv] *v* надживявам, живея по-дълго от.

outlook ['autluk] *n* 1. перспектива; изглед; възможност; 2. *рядко* наблюдателен пункт; наблюдателница; 3. възглед, мнение, становище, схващане; гледище; breadth of ~ широта (свобода) на възгледите.

outrageous [aut'reidʒəs] *adj* 1. жесток, свиреп; насилнически; 2. възмутителен, скандален; безобразен, безбожен; нечуван; ◇ *adv* outrageously.

outrival [aut'raivəl] *v* задминавам, превъзхождам, надминавам.

outside ['aut'said] I. *adv* 1. вън, навън; отвън; 2. на открито, на въздух; 3. *мор.* в (на) открито море; II. *prep* 1. вън от, извън; отвъд; 2. вън от; с изключение на (*и* ~ of, *особ. амер.*); 3. *амер., разг.* постигам, достигам, успявам; III. *adj* 1. външен; 2. краен, последен; 3. чужд, страничен, външен, приходящ; 4. максимален, най-добър; извънреден, изключителен; ~ prices максимални цени; IV. *n* 1. външност; външна част (повърхност); 2. краен предел, крайност.

outspread I. [aut'spred] *v* (**outspread**) *поет.* 1. разпростирам,

разстилам; разпервам; разгръщам; 2. разпространявам; II. *adj* разтворен, разперен, разкрилен; разстлан, разпрострян; III. ['autspred] *n* разпространение.

outstanding [aut'stændiŋ] *adj* 1. издаден, изпъкнал; *прен.* доминантен, изтъкнат, очебиещ; **a man of ~ personality (merit)** изключителна личност; 2. неизплатен, неуреден, останал (*за сметка*); 3. неизпълнен, висящ; спорен; 4. отделен; който стои настрана; 5. който се противопоставя (съпротивлява).

outstrip [aut'strip] *v* (-pp-) 1. изпреварвам, надминавам; вземам преднина пред, оставям зад себе си; 2. превъзхождам.

outward ['autwəd] I. *adj* 1. външен; повърхностен; ~ **form** външен вид; 2. видим; 3. насочен (отправен) навън; *мор.* от отвъдното пристанище; II. *n рядко* 1. външен вид, външност; *pl* външната (несъществената) страна (*на въпрос и пр.*); 2. околният свят, окръжаващата среда.

outwardness ['autwədnis] *n* 1. външност, външна форма; 2. обективност.

outwear [aut'wɛə] *v* (**outwore** [aut'wɔ:], **outworn** [aut'wɔ:n] 1. преживявам, надживявам, трая по-дълго от; 2. износвам, изтърквам; 3. отвиквам от (*привичка*).

outwit [aut'wit] *v* (-tt-) 1. надхитрям, надлъгвам, изигравам, измамвам; 2. водя (подмамвам) по невярна диря; заблуждавам; *разг.* изпращам за зелен хайвер.

outworn ['autwɔ:n] *adj* 1. изтъркан, износен, остарял; негоден; 2. изтощен, капнал, грохнал.

oval ['ouvəl] I. *adj* овален, елипсовиден; II. *n* овал.

ovation [ou'veiʃən] *n* овация.

oven ['ʌvn] *n* фурна, пещ.

over ['ouvə] I. *prep* 1. над, върху, на; ~ **my head** над главата ми; 2. по; на; из; **all ~ the town** по целия град; 3. през, през (цялото) време на, в течение на; ~ **the last three years** през последните три години; 4. оттатък, отвъд, през;

a bridge ~ a stream мост през река; 5. от (*ръба на нещо*); **to fall ~ a cliff** падам от скала; 6. над, повече от, свръх; **anything ~ forty** от четиридесет(те) нагоре; 7. по; ~ **the air (wireless)** по радиото; ● **to be all ~ s.o.** 1) престаравам се да любезнича с някого; 2) много се възхищавам от някого; II. *adv* 1. оттатък, отвъд, от другата страна; ~ **against** срещу, против; 2. *за падане, преливане*; пре-: **to fall ~** претъркулвам се; 3. от, оттатък; **ask him ~** покани го да дойде при нас; 4. *за предаване*: **to hand s.th. ~ to s.o.** връчвам някому нещо; 5. от край до край; от начало до край; навсякъде; **to search the town ~** претърсвам целия град; 6. (*със значение на край или завършек*): **the rain is ~** дъждът спря; 7. още веднъж, отново (*и* ~ **again**); ~ **and again** много пъти неведнъж, безброй пъти; 8. допълнително, отгоре; в остатък; **nine divided by four makes two and one ~** девет делено на четири, прави две и едно в остатък; 9. извънредно, необичайно, свръх, крайно; **much ~** прекалено (*твърде*) много; ● ~ **and above** освен това, в допълнение на, отгоре на това; на всичко отгоре; III. *adj* 1. горен, по-висок, по-висш; 2. външен; връхни; 3. допълнителен, извънреден; IV. *n амер.* 1. излишък; 2. *воен.* изстрел над мишената; V. *v рядко* прескачам, прехвърлям; преминавам.

overall I. ['ouvərɔ:l] *n* 1. престилка (*работническа, лекарска и пр.*); 2. *pl* комбинезон, работни дрехи, гащеризон; 3. *pl* високи непромокаеми гамаши (гети); II. *adj* 1. пълен, цял, общ; външен (*за размери*); ~ **dimensions** габаритни размери, габарит; 2. всеобщ; всеобемащ, всеобхватен; III. [ouvər'ɔ:l] *adv* 1. *остар.* навсякъде; 2. общо.

overarching ['ouvə'a:tʃiŋ] *adj* всеобхващащ; всеобщ.

overawe [,ouvər'ɔ:] *v* сплашвам, наплашвам, държа в страх; ~**d ad**-

miration благоговейно възхищение.

overbaking ['ouvə'beikiŋ] *n* прегряване.

overbalance [,ouvə'bæləns] I. *v* 1. губя (загубвам) равновесие и падам; (пре)обръщам (се), (пре)катурвам (се); 2. тежа повече от; 3. превишавам, надминавам, превъзхождам; 4. *refl* загубвам равновесие; II. *n* 1. превес; излишен товар, свръхтовар; 2. излишък.

overbear [,ouvə'bɛə] *v* (**overbore** [ouvə'bɔ:], **overborne** [ouvə'bɔ:n]) 1. побеждавам, надделявам над, надвивам, надмогвам; смазвам, потушавам, потъпквам; заглушавам; 2. *прен.* превъзхождам.

overbearing [ouvə'bɛəriŋ] *adj* надменен, арогантен; заповеднически, нетърпящ възражение.

overblown ['ouvə,bloun] *adj* пресилен, преувеличен.

overbold ['ouvə'bould] *adj* 1. прибързан, необмислен; 2. дързък.

overbridge ['ouvə'bridʒ] *n* надлез.

overbrim ['ouvə'brim] *v* (-mm-) препълвам (се), преливам; **a cup filled to ~ing** препълнена чаша.

overbuild ['ouvə'bild] *v* (**overbuilt**) застроявам.

overburden [ouvə'bə:dn] *v* претоварвам, обременявам.

overcast [ouvə'ka:st] I. *v* (**overcast**) 1. засенчвам, покривам, закривам, заоблачавам; 2. почиствам ръб; II. *adj* тъмен; заоблачен; *прен.* мрачен, тъжен.

overcharge I. [,ouvə'tʃa:dʒ] *v* 1. презареждам, претоварвам, препълвам; *прен.* претрупвам, претоварвам; 2. облагам с, искам много голяма цена, надземам; 3. преувеличавам; II. ['ouvətʃa:dʒ] *n* 1. презареждане, претоварване, претрупване, препълване; 2. много висока цена.

overcloud [,ouvə'klaud] *v* заоблачавам (се), покривам (се) с облаци; притъмнявам, потъмнявам; засенчвам (*и прен.*).

overcoat ['ouvəkout] *n* палто, връхна дреха; балтон.

overcome [,ouvə'kʌm] *v* (**overcame** [,ouvə'keim], **overcome** [,ouvə'kʌm])

1. преодолявам, превъзмогвам; побеждавам; 2. завладявам, овладявам; обхващам; ~ by завладея (обхванат; изтощен, измъчен) от, сломен от.

overcrossing [ˈouvəˈkrɔsiŋ] *n* надлез.

overdosage [ˈouvəˈdouzidʒ] *n* предозиране, свръхдозиране.

overdress [ˌouvəˈdres] *v* издокарвам се прекалено, контя се, кича се, труфя се; кипря се.

overdue [ˌouvəˈdju:] *adj* 1. закъснял; 2. просрочен.

overemphasize [ˈouvəˈemfəsaiz] *v* обръщам прекалено голямо внимание на, преувеличавам; **it cannot be ~d** това е от изключително важно значение.

over-estimate I. [ˌouvərˈestimeit] *v* 1. оценявам на много висока цена, слагам висока оценка; надценявам; 2. раздувам сметка; II. [ˈouvərˌestimit] *n* 1. прекалено висока оценка; 2. раздута сметка.

overestimation [ˈouvəˈestimeiʃən] *n* надценяване.

overexcite [ˌouvərˈiksait] *v* възбуждам, раздразвам прекалено силно, разярявам.

overexert [ˌouvərigˈzə:t] *v* пресилвам, преуморявам много.

overfeed [ˌouvəˈfi:d] I. *v* (**overfed** [ˌouvəˈfed]) 1. прехранвам; 2. преяждам, натъпквам се; II. *n* горно подаване (захранване)

overfill [ouvəˈfil] *v* препълвам.

overflow I. [ˌouvəˈflou] *v* 1. преливам; заливам (се); 2. препълвам; **to ~ with** преизпълнен съм с; II. [ˈouvəflou] *n* 1. преливане; разливане; разлив; наводнение; 2. излишък; 3. преливник.

overflowing [ˌouvəˈflouiŋ] *adj* препълнен, преизпълнен (**with**).

overfly [ˈouvəflai] *v* прелитам над.

overgild [ouvəˈgild] *v* (**overgilded** [ouvəˈgildid], **overgilt** [-ˈgilt]) позлатявам.

overglance [ouvəˈglɑ:ns] *v* преглеждам набързо, прехвърлям.

overgrow [ˌouvəˈgrou] *v* (**overgrown** [ˌouvəˈgroun]) 1. израствам много и бързо; **to ~ o.'s clothes** умаляват ми дрехите; 2. заглушавам

(за растение, бурен), обраствам.

overgrown [ˈouvəˈgroun] *adj* 1. избуял, израснал; 2. обрасъл, занемарен.

overhang I. [ˌouvəˈhæn] *v* (**overhung** [ˌouvəˈhʌn]) надвисвам (*и прен.*); нависвам; II. [ˈouvəhæn] *n* надвиснала част (*на нещо*).

overhead I. [ˈouvəhed] *adv* горе, отгоре, над главата; на по-горния етаж; ~ **in debt** потънал в дългове; II. 1. [ˈouvəhed] *adj* горен, надземен; ~ **railway** въздушна железница; 2. режийни (*за разноски*); III. *pl* режийни (разноски).

overhear [ˌouvəˈhiə] *v* (**overheard** [ˌouvəˈhə:d]) 1. дочувам, чувам, без да искам; подслушвам; 2. не чувам, пропускам, изпускам.

overheated [ˈouvəˌhi:tid] *adj* ядосан, бесен.

overindulgence [ˈouvərinˈdʌldʒəns] *n* 1. разглезване, глезене; глезотия; 2. преяждане, прекаляване (**in**).

overjoy [ˌouvəˈdʒɔi] *v* зарадвам, ощастливявам, радвам.

overjump [ˌouvəˈdʒʌmp] *v* надскачам, надхвърлям със скок.

overlabour [ˈouvəˈleibə] *v* 1. претоварвам (*с работа*); 2. впускам се в премного подробности.

overladen [ˌouvəˈleidn] *adj* претоварен; претрупан.

overlap I. [ˌouvəˈlæp] *v* (-**pp**-) 1. застъпвам се, покривам отчасти; 2. стърча, излизам навън; 3. съвпадам отчасти; II. [ˈouvəlæp] *n* 1. застъпване, покриване; 2. това, което стърчи навън.

overlay I. [ˌouvəˈlei] *v* (**overlaid** [ˌouvəˈleid]) 1. покривам; наслоявам; облицовам; 2. *полигр.* подлагам, цурихтвам; II. [ˈouvəlei] *n* 1. пласт; настилка, облицовка; 2. *полигр.* подложка; 3. прозрачен лист хартия със секретни сведения, който се поставя върху карта; 4. *шотл.* шалче, връзка.

overleap [ˌouvəˈli:p] *v* 1. прескачам; надскачам; 2. пропускам; • **to ~ oneself** надценявам възможностите си, изхвърлям се.

overling [ˈouvəliŋ] *n* високопоставено лице; шеф, началство; гла-

ватар.

overlive [ˌouvəˈliv] *v* преживявам, надживявам (*някого*).

overload I. [ˌouvəˈloud] *v* претоварвам; II. [ˈouvəloud] *n* свръхтовар (*и ел.*).

overlook [ˌouvəˈluk] *v* 1. гледам от високо (*място*); издигам се над; **a hill ~ing the sea** височина, която гледа към морето; 2. не забелязвам, недоглеждам, пропускам; прескачам незабелязано (*пасаж и пр.*); 3. игнорирам, подминавам, пренебрегвам, затварям си очите за; гледам през пръсти на; 4. гледам със снизхождение, извинявам, прощавам; 5. гледам, надзиравам; 6. *остар.* урочасвам.

overlord [ˈouvələ:d] I. *n* 1. *истор.* сюзерен; 2. повелител; II. *v рядко* доминирам, господствам, властвам.

overly [ˈouvəli] *adv шотл., амер., разг.* крайно, много, извънредно.

overmaster [ˌouvəˈmɑ:stə] *v* преодолявам, побеждавам, подчинявам, надвивам, завладявам; овладявам (*чувство и пр.*).

overmatch [ˌouvəəˈmætʃ] *v* надминавам, превъзхождам.

overmature [ˈouvəməˈtjuə] *adj* презрял.

over-measure [ˈouvəˌmeʒə] *n* излишък, горница.

overmuch [ˈouvəˈmʌtʃ] *adv* прекалено, излишно.

over-nice [ˈouvəˈnais] *adj* прекалено взискателен, придирчив.

overnight I. [ˈouvəˈnait] *adv* предишната нощ; през цялата нощ; **to stay ~** пренощувам, оставам за през нощта; II. [ˈouvəˌnait] *adj* нощен; станал през предишната нощ.

overpass [ˌouvəˈpɑ:s] I. *v* 1. пресичам, преминавам; 2. надминавам, превъзхождам; 3. преодолявам; 4. прекарвам, преживявам, преминавам; 5. пренебрегвам, отминавам, пропускам; II. *n* надлез.

overpast [ˌouvəˈpɑ:st] *adj* минал.

overpay [ˈouvəˈpei] *v* (**overpaid** [ˈouvəpeid]) плащам в повече, надплащам.

overpeopled [‚ouvə'pi:pld] *adj* пренаселен, свръхнаселен.

over-persuade ['ouvəpə'sweid] *v* принуждавам, склоням.

overplus ['ouvəplʌs] *n* излишък, горница.

overpoise ['ouvəpɔiz] I. *v* превишавам; II. *n* превишаване, натежаване.

overpopulation ['ouvəpɔpju'leiʃən] *n* пренаселеност, свръхнаселеност; свръхнаселение.

overpower [‚ouvə'pauə] *v* побеждавам, надвивам; подчинявам; завладявам; преодолявам; овладявам.

overpowering [‚ouvə'pauəriŋ] *adj* 1. непреодолим; съкрушителен; 2. със силно (доминиращо) присъствие, налагащ се (за човек).

overpraise [‚ouvə'preiz] *v* прехвалвам, превъзнасям, славословия.

overpressure ['ouvə'preʃə] *n* 1. свръхналягане; 2. умствено пренапрежение.

over-production ['ouvəprə'dʌkʃən] *adj* свръхпроизводство.

overproud ['ouvə'praud] *adj* високомерен, надменен, самомнителен; самолюбив.

overrate ['ouvə'reit] *v* надценявам; **an ~ed person (book)** прехвален човек (книга).

overreach I. [‚ouvə'ri:tʃ] *v* 1. надминавам, надхвърлям, прехвърлям; 2. *обикн. refl* протягам се с усилие; 3. надхитрям, мамя, измамвам; **to ~ oneself** падам в собствения си капан; 4. *остар.* завладявам, отнемам; 5. удрям предния си крак о задния (за кон); II. ['ouvəri:tʃ] *n* измама; хитрост; дяволия.

overreact ['ouvəri'ækt] *v* преигравам.

override [‚ouvə'raid] *v* (**overrode** [‚ouvə'roud], **overriden** [‚ouvə'ridn]) 1. *прен.* погазвам, не зачитам; 2. отхвърлям, отменям; натежавам над.

overriding ['ouvəraidiŋ] *adj* първостепенен, основен.

overripe ['ouvə'raip] *adj n* презрял, престоял (*и прен.*).

overrule [‚ouvə'ru:l] *v* 1. отхвърлям

(отменям) решение на по-долна инстанция; 2. преодолявам, вземам връх над.

overrun [‚ouvə'rʌn] I. *v* (**overran** [‚ouvə'ræn], **overrun**) 1. преливам, разливам се; заливам; 2. разпространявам се из (*за идея*); 3. изпълвам, гъмжа с (*обикн. за червеи, риба и под.*); 4. опустошавам; прегазвам (*страна*); 5. избуявам, заглушавам (*за растение*); 6. преминавам позволеното; надхвърлям; 7. *полигр.* пренасям думи (текст); 8. *остар.* отхвърлям; II. *n* преразход; превишаване на нормалното.

oversaturate ['ouvə‚sætʃəreit] *v* пренасищам.

oversea(s) ['ouvə'si:(z)] I. *adv* през море, зад море; II. *adj* презморски, задморски, отвъдморски; презокеански; от чужбина; чуждестранен; **~ trade** външна търговия.

oversee [‚ouvə'si:] *v* (**oversaw** [‚ouvə'sɔ:], **overssen** [‚ouvə'si:n]) 1. надзиравам, ръководя; 2. наблюдавам, разглеждам; 3. *остар.* преглеждам, инспектирам.

overseer [‚ouvə'siə] *n* надзирател.

oversensitive ['ouvə‚sensitiv] *adj* свръхчувствителен.

overset ['ouvə'set] *v* (**overset**) 1. катурвам, прекатурвам; обръщам, преобръщам; смъквам, събарям, свалям; 2. разстройвам (се) (*и псих.*); 3. *полигр.* набирам в повече (*текст*).

overshadow [‚ouvə'ʃædou] *v* 1. засенчвам, хвърлям сянка (*и прен.*), засеням; 2. помрачавам; 3. закрилям.

oversight ['ouvəsait] *n* 1. надзор, контрол; грижа; 2. пропуск, недоглеждане.

oversize(d) ['ouvə'saiz(d)] I. *adj* огромен, колосален, преголям, гигантски; II. *n* огромен предмет; необикновена големина.

overspread [‚ouvə'spred] *v* (**overspread**) 1. покривам; разпространям (се) по; 2. разпространявам; 3. разхвърлям.

overstate [‚ouvə'steit] *v* преувеличавам, пресилвам, надувам; зави-

шавам.

overstep [‚ouvə'step] *v* (**-pp-**) 1. прекрачвам; 2. *прен.* преминавам границата, допустимото; нарушавам, престъпвам.

overt [ou'və:t] *adj* открит, явен; публичен.

overtake [‚ouvə'teik] *v* (**overtook** [‚ouvə'tu:k], **overtaken** [‚ouvə'teikn]) 1. настигам, застигам; 2. задминавам, изпреварвам; надминавам; 3. идвам внезапно; връхлитам; завладявам, налягам, обхващам.

overthrow I. [‚ouvə'θrou] *v* (**overthrew** [‚ouvə'θru:], **overthrown** [‚ouvə'θroun]) 1. повалям, събарям, прекатурвам, преобръщам; 2. *прен.* побеждавам, свалям, събарям; 3. разрушавам; повреждам; II. ['ouvə'θrou] *n* 1. отхвърляне, обръщане, катурване; 2. поражение, провал, проваляне; гибел; 3. сваляне от власт.

overwhelming [‚ouvə'hwelmiŋ] *adj* 1. поразителен, изумителен; 2. непреодолим; ◇ *adv* **overwhelmingly**.

overwork I. [‚ouvə'wə:k] *v* 1. работя прекалено много; преуморявам (се), пресилвам (се), изтощавам (се) (*и refl*); 2. *прен.* използвам твърде често; 3. преработвам, минавам повторно, усъвършенствам; 4. отрупвам с детайли; II. ['ouvəwə:k] *n* 1. извънредна работа; 2. премного работа, преумора.

overwrought ['ouvə'rɔ:t] *adj* развълнуван, възбуден, раздразнен, неспокоен; напрегнат, изпънат; изопнат (*за нерви*).

own [oun] I. *adj* 1. (*след притежателно мест. или родителен падеж на същ.*) свой, собствен; 2. роден; **~ brothers (sisters)** родни братя (сестри); II. *n* собственост, притежание; **• to tell s.o. his ~** *остар.* казвам някому истината в очите; III. *v* 1. притежавам, имам, държа, владея; 2. признавам (се).

owner ['ounə] *n* собственик, притежател; владетел, стопанин.

oxygen ['ɔksidʒən] *n* хим. кислород.

ozone ['ouzoun] *n* хим. озон.

P, p [pi:] *n* (*pl* **Ps, p's** [pi:z]) буквата Р; • **to mind o.'s p's and q's** държа се прилично.

pace [peis] I. *n* 1. крачка, стъпка; 2. походка, вървеж; ход; алюр (*на кон*); 3. скорост, темп; **to go at a good ~** вървя бързо; 4. равен конски ход; 5. стъпало; площадка; 6. една стъпка (30 инча); II. *v* 1. вървя с равна крачка; крача; **to ~ the room** крача из стаята; 2. меря с крачки, стъпки (**out, off**); 3. вървя раван (*за кон*); 4. обучавам, упражнявам в някакъв ход (*за кон*); **to ~ a horse** тренирам кон в раван; 5. *спорт.* определям скорост, темп (*при състезания*).

pacific [pə'sifik] I. *adj* 1. миролюбив; примирителен; 2. тих, мирен, спокоен; 3. (Р.) тихоокеански; II. *n* **the P.** Тихият океан, Пасификът.

pacification ['pæsifi'keiʃən] *n* умиротворяване, успокояване; умиротворение, успокоение.

pacificatory [pə'sifikeitəri] *adj* умиротворителен, успокоителен; помирителен.

pacifism ['pæsifizəm] *n* пацифизъм.

pacifist ['pæsifist] *n* пацифист.

pacify ['pæsifai] *v* 1. успокоявам, умирявам; умиротворявам; 2. укротявам (*гняв, ярост*); 3. възстановявам мир и спокойствие (*в страна*).

pack [pæk] I. *n* 1. пакет, вързоп, бохча; бала, денк; теста, топ; багаж на амбулантен търговец; 2. войнишка раница, мешка, торба; 3. глутница; стадо; ято; глутница ловджийски кучета; *спорт.* нападатели (*в ръгбито*); **to be ahead of (leading) the ~** водач съм, водя (*в състезание*); 4. *презр.* банда, шайка; 5. *презр.* куп, камара, маса; 6. *карти* теста, колода; 7. козметична маска; 8. компрес; тампон; 9. *мин.* пълнеж; 10. *attr* опаковчен; 11. *attr* товарен; II. *v* 1. опаковам, свързвам; нареждам, стягам (*обикн.* **up**); **we are ~ed** багажът ни е опакован; 2. натъпквам (се), тъпча (се); 3. затва-

рям херметически; консервирам; 4. натрупвам се (*за лед и пр.*); събирам се на стадо, глутница; 5. товаря (*кон и пр.*); нося товар; *амер., разг.* нося (*снаряжение и пр.*); 6. обвивам; *мед.* обвивам с мокри компреси; 7. *sl спорт.* нанасям силен удар (*при бокс*); • **to ~ a punch** оказвам силно въздействие, имам мощен ефект;

pack in 1) приключвам, привършвам; 2): **~ them in** привличам голяма аудитория (*за филм*); 3) натъпквам (се), тъпча;

pack off отпращам, изпращам надалеч;

pack up 1) опаковам, стягам багаж; 2) *разг.* спирам работа (*за машина*); 3) *разг.* хвърлям топа, ритвам камбаната, гушвам букета, умирам;

packaging ['pækidʒiŋ] *n* опаковка, амбалаж.

packet ['pækit] I. *n* 1. пакет, вързоп, пратка; колет; 2. пачка, теста; 3. *sl* куп пари; 4. *sl воен.* снаряд, куршум; **to catch (stop) a ~** падам убит от куршум, снаряд; II. *v* опаковам, правя на пакет.

packing ['pækiŋ] *n* 1. опаковане, пакетиране; консервиране; 2. опаковка; материали за консервиране (херметическо затваряне и пр.); 3. *техн.* набивка, уплътнител; 4. *attr* опаковъчен.

packing-case ['pækiŋ,keis] *n* каса, касета, сандък.

packthread ['pækθred] *n* връв, канап.

pack train ['pæktrein] *n* амер. керван, обоз, върволица от животни, натоварени със стока.

pact [pækt] *n* пакт, договор; **~ of Peace** пакт за мир.

pad₁ [pæd] I. *n* 1. тампон; подплънка; **sanitary ~** дамска превръзка; 2. меко седло; 3. *спорт.* наколенник, наколенка, шингард; 4. възглавничка на лапа (*на котка и пр.*); 5. лапа (*на лисица, заек*); 6. блок, бележник (*и* **writing-~**); попивателна (*и* **blotting-~**); 7. лист на водна лилия; 8. *техн.* патронник, дръжка; 9. стартова площадка (*и* **launch ~**); 10. *разг.* жили-

ще, квартира; II. *v* 1. подпълвам с мека материя, ватирам; тампонирам; слагам подплънки на; *разг.* издувам, слагам много пълнеж (*и* **~out**); **~ded bills** раздути сметки; 3. разширявам (*реч, доклад и пр.*) като добавям допълнителен материал; (*и* **~out**).

pad₂ I. *n* 1. *sl* път; 2. шум от стъпки; 3. кон с лека стъпка; 4. разбойник; II. *v* 1. вървя пеш, влача се; **to ~ it** (**~ the hoof**) ходя пешком; 2. вървя с леки стъпки.

paddle₁ ['pædl] I. *n* 1. лопата, гребло (*за лодка*); **to ~ o.'s own canoe** сам си върша работата; 2. перка (*на витло на кораб, кит и пр.*); 3. крак, плавник (*на костенурка, тюлен, морж и под.*); 4. бъркалка; 5. бухалка (*за пране*); 6. *амер.* пръчка (*за бой*); II. *v* 1. карам лодка кану (русалка) (*с гребло*); 2. движа се с гребно колело (*за кораб*); 3. бъркам (*с бъркалка*); 4. *амер., разг.* бия, нашибвам, напердашвам; • **to ~ o.'s own canoe** самостоятелен съм.

paddle₂ I. *v* 1. газя, цапам, шляпам, шляпукам (*в плитка вода*); 2. барабаня (*с пръсти; on, about, in*); 3. щъпукам (*за дете*); II. *n* кища, рядка кал.

p(a)edophile ['pi:dəfail] *n* педофил.

p(a)edophilia ['pi:də'filiə] *n* педофилия.

pagan ['peigən] I. *n* 1. езичник; 2. безверник, неверник; евреин; мохамеданин; II. *adj* езически.

page ['peidʒ] I. *n* 1. страница; **in the ~s of** на страниците на; • **to turn the ~** *прен.* отварям нова страница; 2. *инф.* страница (*блок от памет с фиксиран размер*); II. *v* 1. номерирам страници; 2. разделям на страници.

pageantry ['pædʒəntri] *n* 1. блясък, пищност, величественост, грандиозност; 2. празна слава, безсъдържателност, пустота.

pager ['peidʒə] *n* пейджър.

paginate ['pædʒineit] *v* 1. номерирам страници; 2. разделям на страници.

pagoda [pə'goudə] *n* пагода.

paid-up ['peidʌp] *adj* ентусиазиран,

активен (*за член на организа-
ция*).
pain ['pein] I. *n* 1. болка, страдание;
severe ~ остра болка; **to stand the**
~ понасям болка; 2. *прен.* болка,
мъка, страдание, обида, оскър-
бление, огорчение; **growing ~s**
трудности и проблеми по пътя
към укрепването, заздравяването
(*на компания, отношения*); 3. *pl*
родилни мъки, болки; 4. *pl* уси-
лия, старание, усърдие, прилежа-
ние, труд; **no ~s, no gains** без
труд нищо не се постига; 5. нака-
зание; ~s **and penalties** *юр.* нака-
зания и глоби; • a ~ **in the neck**
(**ass, backside**) невъзможен човек,
"наказание"; II. *v* 1. причинявам
болка, страдание; засягам, обиж-
дам, оскърбявам; 2. боли.
pained [peind] *adj* засегнат, огор-
чен, наскърбен, обиден.
painful ['peinful] *adj* 1. болезнен,
мъчителен, неприятен; **a ~ prob-
lem** парлив въпрос, болен проб-
лем, гореща тема; 2. тежък, тру-
ден; 3. смущаващ, неудобен; ◇*adv*
painfully.
painless ['peinlis] *adj* 1. безболез-
нен; 2. лек, лесен, който не изис-
ква много усилия; ◇ *adv* **pain-
lessly.**
painstaking ['peinsteikiŋ] I. *adj* ста-
рателен, прилежен, трудолюбив,
усърден; ревностен; ◇ *adv* **pains-
takingly;** II. *n* старание, усърдие,
прилежание.
paint ['peint] I. *n* 1. боя; **dazzle** ~
мор. камуфлаж; 2. грим; II. *v* 1.
рисувам с бои; 2. боядисвам (*сте-
ни и пр.*); 3. рисувам, обрисувам,
описвам; **to ~ s.o. black** *прен.*
представям в черни краски, очер-
ням някого; 4. червя се, грими-
рам се, слагам грим; • **to ~ the
lily** опитвам се да доразкрася не-
що; занимавам се с празни ра-
боти.
painter ['peintə] *n* 1. художник, жи-
вописец; 2. бояджия (*и* **house-~**).
painting ['peintiŋ] *n* 1. живопис; ри-
суване; **genre** ~ жанрова живо-
пис; 2. картина (*с бои*); 3. боя-
джийство; 4. рисуване, боядисва-
не, оцветяване; **no oil** ~ *разг.* гроз-

новат, не особено привлекателен.
paintwork ['peint,wə:k] *n* боядисва-
не, оцветяване.
pair [peə] I. *n* 1. чифт; двойка; **in
~s** на чифтове, на (по)двойки; 2.
двойка (*съпрузи и пр.*); **the happy
~** младоженците; 3. партньори
(*на карти*); 4. еш; 5. стълби (*от
етаж до етаж и* ~ **of stairs**); **to
lodge on the three-~ front** живея
на третия етаж към улицата; 6.
смяна, бригада; 7.*attr* на чифт; II.
v 1. образувам двойка (-и), чифт
(-ове); 2. оженвам се, омъжвам се,
женя се; чифтосвам се (*и за жи-
вотни*); ~ **off** обединявам (на-
реждаме се) по двойки, *разг.* же-
ня се (**with**).
pair of scales ['peərəv'skeilz] *n* вез-
на, везни.
pal [pæl] *разг.* I. *n* 1. приятел, дру-
гар, авер; 2. съученик; II. *v* друга-
рувам, дружа с, имам се с (*обикн.*
to ~ up; with, to).
palace ['pælis] *n* 1. дворец, палат;
чертог; резиденция; палас; 2. *attr*
дворцов.
pal(a)eontology [,pæliən'tɔlədʒi] *n*
палеонтология.
pal(a)eozoic [,pæliə'zouik] *геол.* I.
adj палеозойски; II. *n* палеозой-
ската ера, палеозой.
palatable ['pælətəbl] *adj* 1. вкусен,
апетитен; 2. приятен (*и прен.*); 3.
приемлив, привлекателен.
palatal ['pælətəl] I. *adj* 1. небен, па-
латален; 2. *език.* палатален; II. *n
език.* палатален съгласен звук.
palatalize ['pælətəlaiz] *v език.* па-
латализирам.
palate ['pælit] *n* 1. небце; 2. вкус (*и
прен.*); **to suit o.'s ~** харесва ми,
допада ми, по вкуса ми е.
palatial [pə'leiʃəl] *adj* 1. дворцов;
2. великолепен, разкошен, богат,
пищен; 3. просторен.
palaver [pə'la:və] I. *n* 1. пазарльци,
дълги разговори; 2. бръщолеве-
не, празни приказки, бръътвеж,
бъбрене; 3. ласкателство, подмаз-
ване, подмилкване; II. *v* 1. бръ-
щолевя, дърдоря; 2. *рядко* лас-
кая, подмилквам се на.
pale₁ [peil] I. *adj* 1. блед(ен), пре-
бледнял, побледнял, пребелял; ~

as a ghost (ashes, death) смъртно
бледен; 2. светъл, белезникав; нея-
сен, слаб; ~ blue светлосин; II. *v*
1. бледнея, побледнявам, преб-
леднявам; her beauty ~s next to
yours хубостта ѝ бледнее пред
твоята; 2. белея, избелявам, из-
бледнявам; 3. правя да избелее.
pale₂ I. *n* 1. кол; 2. заградено мяс-
то; 3. граница, предел, рамка, ли-
мит, черта (*и прен.*); within (be-
yond, outside) the ~s в (извън)
границите (рамките) на прили-
чието; 4. *хералд.* широка верти-
кална линия на щит; II. *v* 1. ог-
раждам с колове; 2. заграждам,
обграждам, обхващам.
paleness ['peilnis] *n* 1. бледност,
бледост, бледнина; 2. неяснота,
мъглявост.
palette ['pælit] *n* 1. палитра; 2. па-
литра, тоновете, с които си слу-
жи един художник.
palingenesis [,pælin'dʒenesis] *n* 1.
прераждане; 2. възраждане; об-
новление; 3. *биол.* палингенезис,
палингенеза; 4. *рел.* преселение
на душите на мъртвите, метем-
психоза.
pall₁ [pɔ:l] I. *n* 1. *рел.* плащаница,
покров; 2. *прен.* закритие, пок-
рив, обвивка (*от мрак и пр.*); а
~ of smoke облак дим; 3. *рел.*
покривчица върху чашата с ви-
ното за причастие; II. *v* 1. пок-
ривам с плащаница, с покров; 2.
затъмнявам, притъмнявам.
pall₂ *v* омръзвам, втръсвам се
((**up)on**).
palliate ['pælieit] *v* 1. извинявам, на-
малявам, омаловажавам (*вина и
пр.*); 2. облекчавам, успокоявам,
уталожвам временно (*болка*).
palliation [pæli'eiʃən] *n* 1. извине-
ние, намаляване на вина, оневи-
няване, оправдаване; 2. времен-
но успокояване, облекчаване (*на
болка*).
palliative [pæli'eitiv] I. *adj* 1. успо-
коителен, палиативен; 2. извини-
телен, оневиняващ, оправдате-
лен; II. *n* 1. средство, което успо-
коява (уталожва); 2. оправдате-
лен, извинителен факт и пр.
pally ['pæli] *adj разг.* приятелски,

сърдечен, дружелюбен; to be ~ with s.o. близък съм с, имам се с някого.

palm₁ [pa:m] I. *n* 1. длан; 2. вътрешната страна на ръкавица; 3. *остар.* длан (*като мярка за дължина*); 4. лопата, перка (*на гребло и пр.*); • to grease (oil, tickle) s.o.'s ~ подкупвам някого; II. *v разг.* 1. докосвам с ръка (длан), ръкувам се; милвам; 2. крия в ръката си (*при карти, комар*); 3. to ~ s.th. off on (upon) s.o. хързулвам (пробутвам) нещо на някого.

palm₂ *n* 1. палма; 2. палмово клонче; отличие при победа; символ на мир; to bear (carry) the ~ получавам първа награда; 3. върбова клонка.

palmary ['pælməri] *adj книж.* 1. отличен, превъзходен; 2. заслужаващ първа награда, палмата на първенството, палмовото клонче; призьор, първенец.

hand-reading, palm-reading ['hænd,ri:diη, 'pa:m,ri:diη] *n* хиромантия, тълкуване на миналото и предсказване на бъдещето по линиите на дланта на ръката.

palpability [,pælpə'biliti] *n* 1. осезаемост; 2. очевидност, явност.

palpable ['pælpəbl] *adj* 1. осезаем; 2. очевиден, явен, ясен; ◇ *adv* **palpably** ['pælpəbli].

palpitate ['pælpiteit] *v* 1. пулсирам, бия, тупкам; 2. бия неравномерно, разтупквам се (*за сърце*); 3. трепкам, трептя, треперя (*от радост и пр.*).

palpitation [,pælpiteiʃən] *n* 1. пулсиране, биене, тупкане; 2. *мед.* палпитация, сърцебиене.

palsy ['pɔ:lsi] I. *n* паралич, парализа; паралично треперене; II. *v* парализирам, сковавам, попречвам, парирам.

palter ['pɔ:ltə] *v* 1. усуквам, извъртам, увъртам, хитрувам; to ~ with facts извъртам фактите; 2. споря, препирам се (with s.o. about); 3. пазаря се; 4. играя си с (with).

paltriness ['pɔ:ltrinis] *n* 1. дребнавост; 2. низост, подлост, безчестие.

paltry ['pɔ:ltri] *adj* 1. дребен, малък, нищожен, незначителен; 2. нищожен; презрян, низък.

paludal ['pælju:dl] *adj книж.* 1. мочурлив, блатист, блатен; 2. маларичен, маларичен.

paludism ['pa:lju:dizm] *n мед.* малария, блатна треска.

pamper ['pæmpə] *v* угаждам, глезя, разглезвам; ~ed menial *презр.* лакей.

pamphlet ['pæmflit] *n* памфлет; брошура; stabbed ~ броширана (подшита) брошура.

pamphleteer [,pæmfli'tiə] I. *n* 1. памфлетист; 2. автор на брошури; II. *v* пиша памфлети.

pan [pæn] I. *n* 1. тиган (*и frying* ~); тава, тавичка (*и oven* ~, baking ~); блюдо (*на везна*); cake ~ форма за торта; 2. черепна кухина (*и brain*~); 3. котловина; блато; 4. солни залежи (*и salt-*~); 5. *геол.* непропусклив пласт (*и hard-*~); 6. *техн.* вана за промиване златоносен пясък; чебър, корито; 7. *воен.* код за спешни съобщения; II. *v* (-nn-) 1. промивам златоносен пясък; отделям злато (*за пясък*); 2. готвя в тиган, пържа; 3. *амер., разг.* вземам, придобивам; 4. *разг.* критикувам, мъмря, кастря (*пиеса, концерт и под.*).

panacea [,pænə'siə] *n* панацея, универсално лекарство; пенкилер.

panache [pə'næʃ] *n* 1. хъс, замах, елегантност; 2. плюмаж; украса от пера върху шапка; 3. *прен.* докарване, контене; перче.

pander ['pændə] I. *v* 1. поощрявам, насърчавам, в услуга съм на (*за низки, подли, безчестни постъпки*); 2. своднича; II. *n* 1. сводник; 2. *прен.* помощник, оръдие.

panegyric [,pænə'dʒirik] *n* 1. *лит.* панегирик, похвално слово; 2. похвала, възхвала, славословие.

panegyrical [,pæni'dʒirikl] *adj* хвалебствен, панегирически, панегиричен.

panegyrize ['pænidʒiraiz] *v* пиша (произнасям) възхвала (на); възхвалявам, славословя.

panel [pænl] I. *n* 1. табла, панел(а), плот, квадрат, плочка, плоскост

(*на ламперия, врата и пр.*); кесон (*на таван*); 2. дъска за рисуване; рисунка; картина върху дъска; 3. пергаментов лист; регистър, списък; 4. списък на съдебни заседатели; 5. група консултанти (експерти); II. *v* 1. облицовам с ламперия; нареждам, облицовам на квадрати; 2. поставям в рамка; 3. вмъквам ивица или друг плат (*на дреха*); 4. избирам съдебни заседатели; 5. *шотл.* завеждам дело срещу.

panelling ['pænəliη] *n* ламперия; облицовка.

pang [pæη] *n* силна болка, спазъм; the ~s of death предсмъртна агония.

panhandler [,pæn'hændlə] *n* просяк.

panic ['pænik] I. *n* паника; объркване; внезапен, неудържим страх; to throw into a ~ хвърлям в паника; II. *adj* панически; предизвикващ паника; ~ press сензационна преса; III. *v* (-ck-) 1. изпадам в паника, паникьосвам се; 2. хвърлям в (изпълвам с) паника, паникьосвам.

panic-monger ['pænikmʌηgə] *n* паникьор, паникьорка.

panorama [pænə'ra:mə] *n* панорама.

panoramic [,pænə'ræmik] *adj* панорамен.

pant [pænt] I. *v* 1. дишам тежко, задъхвам се, пъхтя; to ~ for breath дишам с мъка, едва си поемам дъх; 2. тупти бързо, тупка, трепти, трепка (*за сърце*); 3. копнея, жадувам, въздишам (for, after по, за; to do s.th. да направя нещо); 4. изричам задъхано (*и с* out); II. *n* кратко конвулсивно издишване; задъхване; биене, туптене (*на сърце*).

panther ['pænθə] *n* пантера *Felis pardus*; *амер.* ягуар; пума (*и* American ~).

pantomime ['pæntəmaim] *театр.* I. *n* 1. пантомима; 2. феерия (*за деца*); 3. актьор в пантомима, мим, мимически актьор (*в класическата драма*); 4. фарс; преструвка; II. *v* играя в пантомима; изразявам с пантомима (с жест

и мимика).

pantomimic [pæntə'mimik] *adj* мимически, пантомимен, пантомимичен.

pantyhose ['pæntihouz] *n* чорапогащник.

paper ['peipə] I. *n* 1. хартия, книга; **letter-~** хартия за писма; **packing (wrapping, brown)** ~ опаковъчна хартия; 2. документ; **call-up ~s** *воен.* повиквателна; 3. *pl* документи за самоличност; пълномощия; **to send in o.'s ~s** подавам си оставката; 4. полица, ценни книжа; 5. книжни пари, банкноти (*u* ~ **money, currency**); 6. вестник; 7. изпитна тема, въпроси за изпит (*u* **examination ~**); ~ **work** писмен изпит; 8. доклад; теза, дисертация; студия; есе; 9. *sl театр.* гратис (*билет*); 10. книжен пакет, кесия; ~ **of needles** пакетче с игли за шев; 11. *attr* 1) книжен, хартиен; увит в книга; 2) фиктивен; ~ **promises** фалшиви, нереални обещания; II. *v* 1. покривам с хартия (*u* ~ **up**); слагам книжни тапети (на); 2. увивам в хартия; 3. *sl* пълня театъра с гратисчии; 4. изтърквам с шкурка.

paper-clamp ['peipəklæmp] *n* кламер.

paperwork ['peipəwə:k] *n* бумащина.

paprika ['pæprikə] *n* 1. червен пипер; 2. червена пиперка (чушка).

papyrus [pə'paiərəs] *n* (*pl* -**ri** [-rai]) папирус.

par [pa:] *n* 1. равенство; еднакво равнище, ниво; равна нога, равни възможности; **on a ~ with** равен с (на), изравнен с, на равна нога с; сравним с; 2. номинал, номинална стойност (*на ценни книжа*); 3. средно (нормално) състояние (степен); **below ~** слаб, посредствен, не на висота; 4. нормален сравнителен курс на две валути.

para ['pærə] *n* парашутист.

parable ['pærəbl] *n* 1. *лит.* парабола, притча, иносказание; 2. *остар.* реч, говор, слово, дума; **to take up o.'s ~** започвам да говоря, заговорвам.

parachute ['pærəʃu:t] I. *n* парашут;

attr парашутен; II. *v* скачам (спускам, хвърлям) с парашут.

parade [pə'reid] I. *n* 1. показ; перчене; парадиране; **to make a ~ of** парадирам, перча се с, големея се с; 2. парад, парадно шествие; преглед на войски; 3. *амер.* шествие, процесия; **fashion ~** модно ревю; II. *v* 1. парадирам, показвам се, перча се, големея се (с); 2. изваждам (нареждам, строявам) войски за преглед; нареждам се (строявам се, минавам) за преглед (*за войски*); марширувам; 3. движа се (разхождам се) важно; перча се; изкарвам (излагам) на показ.

paradigm ['pærədaim] *n* 1. парадигма; 2. образец, пример за подражание; **a ~ of virtue** образец за добродетел.

paradisaic(al) [,pærədi'seiik(l)] *adj* райски.

paradise ['pærədaiz] *n* 1. рай; **bird of ~** райска птица; 2. ориенталски парк, парадиз.

paradox ['pærədɔks] *n* парадокс.

paradoxical [,pærə'dɔksikl] *adj* парадоксален; ◇ *adv* **paradoxically** [pærə'dɔksikli].

paraffin ['pærəfin] I. *n* парафин; II. *v* покривам с парафин; потапям в парафин.

paragon ['pærəgən] I. *n* образец; II. *v* 1. *поет.* сравнявам (**with**); 2. *поет.* равен съм на, достоен съм да се сравня с; 3. *остар.* надминавам.

paragraph ['pærəgræf] I. *n* 1. параграф, абзац, алинея; **new ~** нов ред; 2. *полигр.* коректурен знак за нов ред; 3. *журн.* кратко съобщение (*без заглавие*), антрефиле; II. *v* 1. разделям на параграфи; 2. публикувам кратко съобщение във вестник за някого (нещо).

parallel ['pærəlel] I. *adj* 1. успореден, паралелен (**to**); 2. подобен, аналогичен, едновременен (**to**); II. *n* 1. успоредна линия; *геогр.* паралел; 2. *воен.* окоп, успореден на главното укрепление; 3. паралел, успоредица, аналогия, сходство; съответствие, сравнение; **to draw a ~ between** правя сравнение меж-

ду, сравнявам; 4. *полигр.* знак; III. *v* 1. намирам равен (съответен) на; 2. съответствам; съвпадам по време; 3. *рядко* сравнявам, правя сравнение (**with** между).

paralysis [pə'rælisis] *n* мед. парализа (*и прен.*), паралич; **creeping ~** прогресивна парализа; **infantile ~** детски паралич.

paralyse, paralyze ['pærəlaiz] *v* парализирам (*и прен.*).

paramount ['pærəmaunt] *adj* 1. върховен, висш; **lord (lady) ~** сюзерен, властелин; 2. първостепенен, най-важен.

paramountcy ['pærəmauntsi] *n* 1. сюзеренитет, сюзеренство; върховна власт; 2. първостепенна важност (значение).

paramour ['pærəmuə] *n* любовник, любовница.

paranoea, paranoia [,pærə'ni:ə, ,pærə'nɔiə] *n* мед. параноя.

paranoiac [,pærə'nɔiæk] I. *n* параноик; II. *adj* параноичен.

paranormal ['pærə'nɔ:məl] *adj* паранормален, свръхестествен.

parapet ['pærəpet] *n* 1. парапет, перила; **to put o.'s head above the ~** излагам се на риск; 2. *воен.* бруствер, насип.

paraphrase ['pærəfreiz] I. *n* преразказ, предаване със свои думи, парафраза; II. *v* преразказвам, предавам със свои думи, парафразирам.

paraphrastic [,pærə'fræstik] *adj* описателен.

parapsychology [,pærəsai'kɔlədʒi] *n* мед. парапсихология.

parasite ['pærəsait] *n* паразит (*и прен.*); **to be a ~ on** паразитирам върху; живея на гърба на.

parasitic(al) [,pærə'sitik(l)] *adj* паразитен; вреден, излишен.

parasitize ['pærəsitaiz] *v* паразитствам, паразитирам.

parcel ['pa:sl] I. *n* 1. пакет, колет; ~ **post** колетна служба; 2. пратка; партида; серия; поредица; 3. парцел, парче земя; 4. куп; тайфа, дружина, група; **a ~ of lies** куп лъжи; 5. *остар.* част, дял; **part and ~** неделима (съществена) част; II. *adv остар.* отчасти, час-

тично; ~ **gilt** позлатен само отчасти; **III.** *v* (-**ll**-) **1.** разделям, разпределям, раздавам (*обикн. с* **out**); **2.** пакетирам, увивам на пакети.

parch [pa:tʃ] *v* **1.** изсушавам, изгарям, прегарям; пресъхвам, изсъхвам; **to be ~ed with thirst** изгарям от жажда (*за вода*); **2.** изсъхвам; сгърчвам се от студ; **3.** поизпичам, запичам леко.

parched [ˈpa:tʃt] *adj* пресъхнал, изсушен; жаден.

parchment [ˈpa:tʃmənt] *n* **1.** пергамент; ~ **paper, immitation** ~ пергаментова хартия; **2.** документ (написан на пергамент).

pardon [ˈpa:dn] **I.** *n* **1.** прошка, извинение, пардон; **I beg your** ~ извинете, моля да ме извините; **2.** *юр.* помилване, амнистия; **general** ~ обща амнистия; **II.** *v* **1.** извинявам, прощавам; ~ **me for interrupting you** извинете, че ви прекъсвам; **2.** помилвам, амнистирам; опрощавам; **to** ~ **s.o.(ʼs sins)** опрощавам някого (някому греховете);

pare [peə] *v* **1.** режа, подрязвам (*нокти и пр.*); **2.** беля, обелвам (*плодове и пр.*); **3.** кастря, окастрям, подрязвам (*и с* **off, away, down**); **4.** намалявам, съкращавам (*разходи и пр.*) (*и с* **away, back, down**).

parent [ˈpeərənt] *n* **1.** родител; **2.** *pl* деди, предци, родители; **our first** ~ нашият праотец; **3.** родител, животински или растителен организъм, от който са произлезли други (*често attr*); **4.** причина, източник; ● ~ **company (establishment)** търговска централа (*без филиалите*).

parentage [ˈpeərəntidʒ] *n* произход, потекло; семейство, род; **of humble** ~ със скромен произход.

parish [ˈpæriʃ] *n* **1.** енория; **2.** община (*и* **civil** ~); **3.** *attr* енорийски; общински.

parishioner [pəˈriʃənə] *n* енориаш.

parity [ˈpæriti] *n* **1.** равенство; еднаквост, еднаква степен; равностойност, равнопоставеност, равноценност, паритет; **2.** прилика,

подобие; аналогия, паралелизъм, съответствие; **by** ~ **of reasoning** по аналогия; **3.** *инф.* четност; ~ **control** контрол по четност.

park [pa:k] **I.** *n* **1.** парк (*и ловен, автомобилен, артилерийски и под.*); **car** ~ гараж, място за паркиране; **2.** резерват (*за лов, риболов и пр.*); **3.** *воен.* местостоянка (*на автомобили, самолети и пр.*); **munition** ~ склад за боеприпаси; **II.** *v* **1.** ограждам, заграждам (*за или в резерват*); **2.** гарирам; паркирам; **3.** нареждам (прибирам) в артилерийски парк; **4.** *sl* настанявам, слагам, инсталирам; **to** ~ **oneself on s.o.** натрапвам се на някого, настанявам се у някого.

parking [ˈpa:kiŋ] *n* **1.** паркиране; гариране; спиране на моторни превозни средства; ~ **prohibited, no** ~ **(here)** паркирането забранено; **2.** паркинг, място за паркиране.

parkland [ˈpa:klənd] *n* парк, градина.

parky [ˈpa:ki] *adj разг.* студен, хаплив (*за време*).

parlance [ˈpa:ləns] *n* език, говор; **in common** ~ в говоримия език.

parley [ˈpa:li] **I.** *n* разискване, обсъждане; *воен.* преговори; **to hold a** ~ водя преговори; **II.** *v* **1.** разисквам, обсъждам; преговарям, водя преговори; **2.** *разг.* говоря (*обикн. на чужд език*).

parliament [ˈpa:ləmənt] *n* парламент; **in** ~ в парламента.

parliamentarian [ˌpa:ləmənˈteəriən] **I.** *adj* парламентарен; **II.** *n* парламентарист.

parlous [ˈpa:ləs] *остар., шег.* **I.** *adj* **1.** опасен, рискован; **2.** хитър, лукав, опасен; **3.** страшен, ужасен; изумителен, поразителен; **II.** *adv* много, извънредно; чудно, удивително, забележително, странно, невероятно.

parody [ˈpærədi] **I.** *n* пародия; **II.** *v* пародирам.

paronymous [pəˈrɔniməs] *adj език.* **1.** сроден, производен, паронимичен, паронимически, от същия корен; **2.** омонимен.

parquet [ˈpa:kit] **I.** *n* **1.** паркет (*и* ~ **floor**); **2.** *амер., театр.* предните редове на партера; **II.** *v* постилам с паркет, слагам паркет на.

parry [ˈpæri] **I.** *v* парирам, отблъсквам, отбивам, отклонявам (*удар, въпрос и пр.*); **II.** *n* париране, отбиване, отблъскване, (*обикн. спорт*).

parsimonious [ˌpa:siˈmouniəs] *adj* пестелив; свидлив, стиснат.

parsimony [ˈpa:siməni] *n* икономия, пестеливост; свидливост, стиснатост.

parsley [ˈpa:sli] *n* магданоз.

part [pa:t] **I.** *n* **1.** част, дял, сегмент, фрагмент; ~ **of speech** *език.* част на речта; **2.** част, член, орган (*на тялото*); (**privy**) ~s полови органи; **3.** дял, участие, намеса; работа, дълг; **to have a** ~ **in** имам дял в, участвам в; **4.** роля; **to double a** ~ дублирам роля; **5.** *муз.* партия; глас; щим; **to sing in** ~s пея на няколко гласа; **6.** страна (*в спор и пр.*); **on the one (the other)** ~ от една (от друга) страна; **7.** *pl* край, местност; **in our** ~s по нашите места; **8.** *pl остар.* способности; **a man of (good)** ~s способен (даровит) човек; ● **to take s.th. in good** ~ не се обиждам от нещо; приемам нещо благосклонно; **II.** *v* **1.** разделям (се), отделям (се); прекратявам, разтрогвам; **to** ~ **good friends** разделяме се като добри приятели; **2.** разтварям се; разкъсвам се, скъсвам се; **her lips** ~**ed in a smile** устните ѝ се разтвориха в усмивка; **3.** отклонявам се, разклонявам се (*за път и пр.*); **4.** *остар.* деля, разделям, разпределям; **5.** *остар.* отивам си, тръгвам си; **6.** *рядко* умирам;

part from разделям се с, напускам; **part with** отстъпвам, давам, отказвам се от; разделям се с; отделям се от;

III. *adv* отчасти, частично, наполовина.

partake [pa:ˈteik] *v* (**partook** [pa:ˈtuk]; **partaken** [pa:ˈteikn]) **1.** участвам (**in**); споделям (**with**); **2.** вземам (си); ям, хапвам, пия, пийвам,

опитвам (of); to ~ of a dish вземам си от (опитвам) ядене; 3. възползвам се (of) (*гостоприемство и пр.*); 4. нося белег, имам известни качества; напомням (of); **his manner ~s of insolence** в държането му има известна доза нахалство.

partaker [pa:'teikə] *n* участник.

partial ['pa:ʃl] *adj* 1. частичен, непълен, незавършен; половинчат; 2. пристрастен, несправедлив, предубеден; неравнодушен (**to** към); **to be ~ to** имам слабост (склонност) към, обичам, не съм равнодушен към; ◇ *adv* **partially**.

partiality [,pa:ʃi'æliti] *n* 1. пристрастие, несправедливо отношение, предубеденост; 2. склонност, слабост, любов, предпочитание (**to**, **for**); ~ **for sweets** слабост към сладкишите.

partible ['pa:tibl] *adj* делим, разделим.

participant [pa:'tisipənt] I. *n* участник, участничка; II. *adj* участващ.

participate [pa:'tisipeit] *v* 1. участвам, вземам участие; споделям (**in**); 2. съучастник съм (**in**); 3. *рядко* споделям, деля, разделям (**s.th. with s.o.** нещо с някого); 4. имам характер (белези, елементи), наподобявам (**of** на).

participation [pa:'tisipeiʃən] *n* участие; съучастничество, съучастие; споделяне (**in**).

participle ['pa:tisipl] *n* език. причастие.

particle ['pa:tikl] *n* 1. частица; капчица; трошица, трошичка; **not a ~ of truth** ни капка истина; 2. *език.* неизменяема частица; наставка, представка.

parti-coloured ['pa:ti,kʌləd] *adj* разноцветен, пъстър, шарен.

particular [pə'tikjulə] I. *adj* 1. личен, индивидуален; частен, отделен; специфичен; **in any ~ case** във всеки отделен случай; 2. особен, специален; **a ~ friend of mine** мой много добър приятел; 3. *остар.* подробен; 4. придирчив, претенциозен, взискателен капризен (**about**); **to be ~ in** (**as**

regards) **o.'s choice of friends** внимателно си избирам приятелите; II. *n* подробност; **to go into ~s** впускам се в (давам) подробности.

particularity [pə,tikju'læriti] *n* 1. подробност; пунктуалност, точност; 2. *книж.* придирчивост, претенциозност, взискателност.

parting ['pa:tiŋ] I. *n* 1. раздяла, разлъка, прощаване; тръгване, заминаване; **at ~** на прощаване; 2. разделяне; **the ~ of the ways** място, където пътищата се разделят, кръстопът (*и прен.*); 3. път (*на косата*); II. *adj* 1. прощален, последен; **a few ~ directions** няколко последни указания (напътствия); 2. който си отива; **the ~ day** преваляващ (гаснещият) ден.

partisan, partizan ['pa:tizæn] I. *n* 1. привърженик, съмишленик (of); 2. партизанин, партизанка; II. *adj* 1. фанатичен; предубеден, пристрастен; сектантски; 2. партизански.

partisanship [pa:ti'zænʃip] *n* пристрастие; фанатизъм; фанатична защита (поддържане); сектантство.

partition [pa:'tiʃən] I. *n* 1. деление, разделяне, разчленяване, разчленение; подялба; 2. дял, раздел; отделение, част, подразделение; 3. междинна (вътрешна) стена, преграда; II. *v* 1. деля, разделям, поделям; 2. преграждам (**c off**).

partitive ['pa:titiv] *adj* 1. разделителен; 2. *език.* частичен.

partner ['pa:tnə] I. *n* 1. съдружник, съдружничка, партньор; *юр.* контрагент; 2. участник, участничка; съучастник, съучастничка (**in**); 3. съпруг, съпруга, другар, другарка в живота (*и ~* **in life**); 4. партньор, партньорка (*в танц, игра и пр.*); кавалер, дама (*при танц, на маса и пр.*); II. *v* 1. сдружавам; 2. партньор съм на; кавалерствам на, кавалер (дама) съм на.

partnership ['pa:tnəʃip] *n* 1. участие; съучастие; 2. съдружничество, съдружие; партньорство; **industrial ~** съдружие на работниците в предприятие.

parturition [,pa:tjuə'riʃən] *n* раждане, родилни мъки (*и прен.*).

party ['pa:ti] *n* 1. партия; ~ **local**, ~ **unit** местна (низова) партийна организация; компания, група; **to get up a hunting ~** организирам компания за лов; 3. гости; прием; забава; **dancing ~** танцова забава; **to bring s.th. to the ~** допринасям, давам своя дял; 4. отред; команда; екип, бригада; **rescue ~** спасителна команда; 5. *юр.* страна (*в спор и пр.*); ~ **to a suit** страна в процеса; 6. съучастник, съучастничка (**to**); **to be (become) ~ to a crime** ставам съучастник в престъпление; 7. *грубо, шег.* тип, индивид, личност; **a cherry old ~** един стар веселяк.

pas [pa:] *n* 1. танцова стъпка, пас; танц; ~ **de deux** танц за двама; 2. първенство, предимство; **to have (give, take) the ~** имам (давам, придобивам) предимство.

Pasche [pa:sk] *n* рел. Пасха; Великден.

pass₁ [pa:s] I. *v* 1. минавам, преминавам; отминавам (**along, by, on, out** и пр.); минавам през; минавам покрай; разминавам се с, срещам; пресичам, прекосявам; **please allow me to ~** моля позволете да мина; 2. минавам, преминавам; превръщам се (**from — into**) (*и за един звук в друг*); 3. минавам, преминавам, изчезвам, отивам си; умирам (*и с* **away, hence, from us**); **this custom is ~ing** този обичай е на изчезване; 4. (пре)минавам, бивам подаден; (по)давам (*и спорт*); 5. минавам, вървя, валиден съм, имам стойност (цена); **this banknote will not ~** тази банкнота не върви (не е валидна); 6. минавам, считат ме, смятат ме; познат съм като (**as, for**); 7. минавам, бивам приет (одобрен) (*за предложение, законопроект и пр.*); одобрявам, приемам; разрешавам; минавам през (*митническа проверка*), бивам освободен; 8. минавам, издържавам (*изпит*); 9. минавам, бивам допуснат; мина-

вам незабелязан; **let that ~** да не говорим за това; **10.** става, случва се; **11.** произнасям (*присъда*); бивам произнесен (*за присъда*); изказвам (*мнение*); **the judgement ~ed for the plaintiff** присъдата бе в полза на тъжителя; **12.** минавам, задминавам; оставям зад себе си; надминавам, надвишавам; **to ~ the early stages** преминавам началния стадий; **13.** поставям, слагам; промушвам; **to ~ a rope around s.th.** слагам въже около нещо, връзвам (опасвам) нещо с въже; **14.** прекарвам, преминавам (*време*); **15.** прекарвам, минавам, потърквам леко (*ръка върху нещо*); плъзгам, хвърлям (*поглед върху нещо*); подхвърлям (*забележка*); **to ~ events in review** хвърлям поглед върху събитията, разглеждам събитията; **16.** *фин.* минавам (*по сметка*); **17.** *карти* пасувам, обявявам пас; **18.** прекарвам (*войски на парад*); **19.** пускам в обращение (*фалшиви пари и пр.*); **20.** давам (*обещание, клетва и пр.*); **21.** *мед.* уринирам (*и* **to ~ water**); изкарвам с урината; **22.** *амер.* не обявявам, не плащам (*дивиденти*); **23.** измамвам, изигравам (*на карти и пр.*); **24.** минавам, прецеждам, пасирам (*зеленчуци и пр. през сито*); **• to ~ the buck** *прен.* прехвърлям топката;

pass along преминавам; вървя нататък, не спирам;

pass away 1) умирам, издъхвам; 2) минавам, преминавам; изчезвам; 3) прекарвам, преминавам (*време*);

pass by 1) минавам, преминавам, отминавам; 2) пропускам, не забелязвам, не обръщам внимание на; игнорирам, пренебрегвам; **to ~ by in silence** отминавам с мълчание;

pass in 1) влизам; 2) пускам да влезе; 3) връчвам; 4) *амер., разг.* умирам (*и* **to ~ in o.'s checks**);

pass off 1) минавам, преминавам, намалявам, отслабвам (*за болка, интерес и пр.*); 2) протичам, минавам (*за случка и пр.*); 3) про-

бутвам, хързулвам (**s.th. off on s.o.** някому нещо); 4) *refl* представям се, искам да мина (**as, for** за);

pass on 1) продължавам пътя си, вървя си по пътя, не спирам; 2) преминавам (*на друга тема*) (**to**); 3) предавам (*от ръка на ръка, на друг, нататък*); 4) умирам; **• to ~ on the torch** *прен.* предавам традиция, знания и пр.;

pass out 1) излизам (*от зала и пр.*); 2) *уч.* завършвам учението си; 3) *разг.* умирам; 4) *разг.* припадам, губя съзнание; 5) подавам (**out of the window** през прозореца); 6) раздавам;

pass over 1) преминавам през, прекосявам (*река и пр.*); преодолявам (*трудности*); **a smile ~ed over her face** на лицето ѝ премина (пробягна, се мярна) усмивка; 2) не забелязвам, премълчавам, не споменавам, пропускам (*слабости, подробности и пр.*); 3) преминавам, стихвам (*за буря и пр.*); 4) отхвърлям, пренебрегвам (*кандидат*) (*обикн. в* passive); 5) умирам;

pass round 1) заобикалям (*място, пречка*); 2) минавам от човек на човек; подавам от човек на човек;

pass through 1) минавам през, прекосявам, пресичам; 2) преживявам (*изпитания и пр.*); 3) вдявам;

pass up *амер.* пропускам (*случай*); отказвам се от (*предложение*); изоставям (*надежда*);

II. *n* **1.** минаване, преминаване; взимане (*на изпит*); **2.** критично положение; **things have come to a pretty ~** нещата доста са се объркали, положението е критично; **3.** движение на ръцете на хипнотизатор; пас; **4.** пропуск, разрешение за минаване (*през митница, след полицейски час и пр.*); безплатен билет, гратис (*и* **free ~**); **5.** *спорт.* удар (*във фехтовката*); **to make a ~ at** нападам, *sl прен.* задявам, започвам флирт с, опитвам се да целуна и пр.; **6.** *спорт.* подавам пас (*на топката*); **7.** движение на матадора с

мантия в ръце, целящо да предизвика бика; **8.** *карти* отказване от ред да се играе, наддава и пр.; **• to come to ~** случва се.

pass₂ *n* **1.** дефиле, пролом, планинска теснина, проход; **2.** *воен.* подстъп; **to hold the ~** защищавам (поддържам) кауза; **3.** фарватер, плавателен канал (*обикн. в устието на река*); **4.** проход при шлюз, оставен специално, за да преминават риби (*и* **fish ~**); **5.** отвор, отверстие.

passable [ˈpɑːsəbl] *adj* **1.** сносен, поносим, търпим, удовлетворителен, задоволителен; ◇ *adv* **passably**; **2.** проходим; **3.** валиден (*за пари*).

passage [ˈpæsidʒ] *n* **1.** коридор, пасаж, галерия; **2.** пасаж, откъс; **3.** път, проход, достъп, вход; право за преминаване; **to force a ~** пробивам си път; **4.** преминаване, прекосяване; течение (*на времето*); такса за преминаване; **5.** пасаж, прелет (*на птици*); **birds of ~** прелетни птици; **6.** преминаване, преход (*от едно състояние в друго*); **7.** приемане, одобряване (*на законопроект*); **8.** *мед.* канал, тръба; **9.** произшествие, събитие, случка, епизод; **10.** *pl* разговор; разправия; **11.** *pl* любовни погледи, думи.

passenger [ˈpæsindʒə] *n* **1.** пътник, пътничка, пасажер, пасажерка; **2.** *attr* пътнически, пасажерски.

passing [ˈpɑːsiŋ] **I.** *adj* **1.** минаващ, преминаващ; **2.** нетраен, мимолетен, преходен; **a ~ whim** мимолетна прищявка; **3.** текущ; злободневен; **4.** случаен, бегъл (*за забележка, мисъл и пр.*); **II.** *n* **1.** минаване, преминаване (*и за време*); **in ~** между другото; **2.** изчезване, отмиране; **3.** смърт; **4.** взимане на изпит; **5.** произнасяне (*на присъда*); **6.** одобрение, приемане (*на закон и пр.*); **7.** *спорт.* подаване, пас (*на топка*); **8.** протичане, ход (*на събития*).

passion [ˈpæʃən] **I.** *n* **1.** страст, силно увлечение (**for**); **2.** (пристъп на) гняв, ярост; **to put s.o. into a ~** разгневявам (ядосвам) някого;

3. изблик (на чувства); **to burst into a ~ of tears** избухвам в сълзи; **4.** *муз.* пасион; **II.** *v поет.* изпитвам или изразявам страст.

passionate ['pæʃənit] *adj* **1.** страстен, горещ; **2.** силно влюбен; **3.** избухлив; ◊ *adv* **passionately.**

passionless ['pæʃənlis] *adj* безстрастен, безразличен, апатичен.

passivating ['pæsiveitiŋ] **I.** *n* пасивиране; **II.** *adj* пасивиращ.

passive ['pæsiv] **I.** *adj* **1.** пасивен, безучаствен, бездеен, безучастен; недеен, недеятелен, инертен; ◊ *adv* **passively; 2.** *език.* пасивен, страдателен (*залог*); **3.** безлихвен (*за заем*); **II.** *n език.* пасив, страдателен залог; **in the ~** в страдателен залог.

passiveness, passivity ['pæsivnis, pæ'siviti] *n* пасивност, безчувственост, безучастност, инертност, бездейност.

pass-key ['pa:s,ki:] *n* **1.** шперц; **2.** секретен ключ.

passport ['pa:spo:t] *n* **1.** паспорт; **2.** *прен.* лични качества (умения и под.), които осигуряват уважение, признание и пр.

password ['pa:swə:d] *n* **1.** парола; **2.** лозунг.

past [pa:st] **I.** *adj* минал (*и език.*); изминал, изтекъл; някогашен, отдавнашен; бил, бивш; **in ages ~ and gone** в минали времена; отдавна; **II.** *n* **1.** минало; **it is a thing of the ~** това принадлежи на миналото; **2.** *език.* минало време; **III.** *prep* **1.** (по)край; оттатък, отвъд; по-нататък от; **a little ~ the park** малко по-нататък от парка; **2.** след, по-късно от; **it is ~ 10 o'clock** минава 10 часа; **3.** повече от, над (*за възраст*); **4.** свръх, който надминава; негоден вече за; **~ all belief** абсолютно невъзможен; **IV.** *adv* покрай; **the years flew ~** годините летяха.

paste [peist] **I.** *n* **1.** тесто; **2.** паста, пастет; **3.** лепило; клей; кит; **II.** *v* **1.** залепвам; облепвам (*с хартия*); **to ~ up a notice** залепвам обява; **2.** нанасям паста; замазвам; **3.** *sl* (за)лепвам някому шамар; напердашвам.

pasteboard ['peistbɔ:d] *n* **1.** картон, мукава; **2.** *sl* визитна картичка; жп билет; карта за игра; **3.** *attr* картонен.

pasteurize ['pæstəraiz] *v* пастьоризирам.

pastime ['pa:staim] *n* забавление, развлечение, игра.

pastor ['pa:stə] *n* **1.** пастор, свещеник; духовен наставник; духовен пастир; **2.** *остар.* пастир, овчар.

pastoral ['pa:stərəl] **I.** *adj* **1.** овчарски, пастирски; идиличен, пасторален; **2.** пасторски; свещенически; духовен, свързан с духовните; **II.** *n* лит., муз. пасторал; *театр., худ.* пасторална сцена.

pastrami [pə'stra:mi] *n* пастърма.

pasturage ['pa:stʃəridʒ] *n* **1.** пасище; **2.** паша; **3.** овчарство, овчарлък; говедарство, пастирство.

pasture ['pa:stʃə] **I.** *n* **1.** паша; **2.** пасище; поляна, място за паша; ● **to move on to ~s vew (fresh ~s)** отварям нова страница; започвам нов живот; **II.** *v* **1.** паса (*говеда и под.*); паса, опасвам, изпасвам (*за домашни животни*); **2.** използвам (*земя*) за паша.

pat [pæt] **I.** *n* **1.** потупване; **to give a dog a ~** погалвам куче; **2.** лека милувка; **3.** бучка масло; **II.** *v* (-tt-) потупвам; приглаждам; **III.** *adv* **1.** (тъкмо) навреме; (тъкмо) на място; **2.** изведнъж, веднага, без бавене; **to know a lesson off ~** знам си урока като по вода; **IV.** *adj* подходящ, тъкмо на място; винаги готов; **a ~ answer** отговор тъкмо на място; отговор без колебание.

patch [pætʃ] **I.** *n* **1.** кръпка; **2.** парче, остатък, парченце, къс(че); **3.** петно; **4.** период, етап; **to be going through a bad ~** (пре)минавам през лош период; ● **to strike a bad ~** имам лош късмет, не ми върви; **II.** *v* **1.** кърпя, закърпвам, слагам кръпка на (*и с* **up**); **2.** оправям, уреждам; изглаждам (*спор и пр.*) (обикн. с **up**).

patchy ['pætʃi] *adj* **1.** неравен, нееднакъв; нехармоничен, разединен; разпокъсан; **2.** скърпен.

patency ['peitənsi] *n* очевидност,

явност.

patent ['peitənt] **I.** *adj* **1.** явен, очевиден; **~ and established crime** *юр.* доказано престъпление; ◊ *adv* **patently; 2.** патентован; **3.** *разг.* нов, оригинален, остроумен; **4.** отворен (*за врата и пр.*); отворен, открит, достъпен (*за път и пр.*); **5.** *бот.* отворен, разперен (*за лист и пр.*); **II.** *n* **1.** патент; монопол; диплом; **~ office** служба за издаване на патенти; **2.** знак, белег; **a ~ of gentility** белег на благородство; **3.** патентован предмет или изобретение; **4.** остроумно изобретение; **III.** *v* **1.** патентовам, изваждам (получавам) патент за; **2.** *рядко* давам патент на (за).

paternal [pə'tə:nəl] *adj* бащин, бащински; **~ government** патриархално управление.

paternalistic [pə'tə:nə,listik] *adj* покровителски, вмешателски.

paternity [pə'tə:niti] *n* **1.** бащинство; **~ suit** дело за бащинство; **2.** произход по баща; **the ~ of the child is unknown** детето е от неизвестен баща; **3.** *прен.* авторство, източник.

path [pa:θ] *n* **1.** пътека, пътечка (*и* **~way**); **blind ~** едва забележима пътека; **2.** писта; **3.** път (*и на небесно тяло*); **beaten ~** утъпкан път; **4.** поприще, поле на дейност, професия; линия на поведение, насока, курс; **5.** траектория; **6.** рутинна последователност от команди.

pathetic [pə'θetik] **I.** *adj* **1.** патетичен, развчствуан, прочувствен, трогателен, покъртителен, сърцераздирателен; **2.** емоционален; ◊ *adv* **pathetically; II.** *n pl* патос.

pathfinder ['pa:θfaində] *n* **1.** водач; изследовател, изследвач (*на непознати, непроучени, диви земи*); **2.** скаут.

pathless ['pa:θlis] *adj* **1.** без (добри) пътища, непроходим; **2.** неизследван, непроучен; непознат, див.

pathological [,pæθə'lɔdʒikl] *adj* *мед.* патологичен.

pathology [pə'θɔlədʒi] *n мед.* па-

тология.

pathos ['peiθɔs] *n* патос; голямо въодушевление.

patience ['peiʃəns] *n* **1.** търпение, търпеливост, толерантност; **to lose (o.'s) ~** загубвам търпение; **2.** издръжливост, упорство, упоритост, твърдост; **3.** пасианс.

patient ['peiʃənt] **I.** *adj* **1.** търпелив (with); **2.** издръжлив, твърд, упорит; **3.** усърден, прилежен, ревностен, грижлив, старателен; **4.** който търпи (понася, допуска), толерантен (of); **the facts are ~ of various interpretations** фактите могат да бъдат тълкувани по най-различни начини; ◇ *adv* patiently; **II.** *n* пациент, болен.

patisserie [pə'ti:səri] *n* **1.** сладкарница; **2.** сладкарски изделия.

patriarch ['peitria:k] *n* **1.** патриарх; родоначалник; **2.** човек на почтена възраст, патриарх; най-старият жив представител (of).

patriarchal [,peitri'a:kl] *dj* **1.** патриархален; **2.** патриаршески; **3.** почтен.

patriarchy ['peitria:ki] *n* **1.** патриархат; **2.** патриархално общество.

patrician [pə'triʃən] **I.** *n* **1.** патриций; **2.** благородник, аристократ; **II.** *adj* аристократичен, патрициански, благороден.

patrimonial [,pætri'mouniəl] *adj* наследствен, родов, патримониален.

patriot ['peitriət] *n* патриот, родолюбец.

patriotic [,pætri'ɔtik] *adj* патриотичен, патриотически, родолюбив.

patriotism ['pætriətizm] *n* патриотизъм, родолюбие.

patrol [pə'troul] **I.** *n* патрул; патрулиране, обиколка; наблюдаване; **II.** *v* патрулирам, обикалям.

patron ['peitrən] *n* **1.** покровител, защитник, закрилник, патрон; **2.** високопоставена личност, патрон; **3.** постоянен клиент (посетител); **4.** светец покровител, патрон (*u* ~ **saint**); **5.** *рел.* патрон, упълномощен да дава бенефиции.

patronage ['pætrənidʒ] *n* **1.** покровителство, патронаж, протекция,

закрила; подкрепа, подпомагане; **to take under o.'s ~** вземам под свое покровителство; **2.** *рел.* правото на патрон да дава бенефиции; патронаж; **3.** подкрепа (*от страна на клиенти, посетители*); **4.** покровителствен вид (*държане, отношение*).

patronize ['pætrənaiz] *v* **1.** покровителствам, закрилям; подкрепям, подпомагам; **2.** гледам отвисоко на, отнасям се снизходително към; **3.** клиент (постоянен посетител) съм на.

pattern ['pætən] **I.** *n* **1.** образец, пример; еталон, мостра; **to take ~ by** вземам за пример; следвам примера на, водя се по; **2.** модел (*u метал.*), шаблон, кройка, терк; **3.** шарка, рисунка, десен, мотив; **4.** стил, характер, образ; **5.** устройство, строеж, структура; **the ~ of events** ходът на събитията; **6.** насока, линия, тенденция, особеност; **7.** *attr* образцов, примерен; **II.** *v* рядко **1.** *refl* следвам примера на, подражавам на (on, upon); **2.** правя (*нещо*) по образеца на (after, on); **3.** украсявам с шарки; десенирам, изпъстрям.

patterning ['pætə:niŋ] *n* **1.** оформяне, моделиране (*на поведението*); имитиране; **2.** схема, десен, шарка.

patulous ['pætjuləs] *adj* **1.** отворен, открит; **2.** разпрострян, разперен, перест (*за клони*).

paucity ['pɔ:siti] *n* малобройност, оскъдност, недостатъчност.

pause [pɔ:z] **I.** *n* **1.** пауза, прекъсване, временно спиране, замлъкване; **2.** *муз.* фермата; ● **at (in) ~** в състояние на нерешителност; неподвижно, в бездействие; **II.** *v* правя пауза, бавя се, постоявам (малко), спирам се за малко (on); колебая се; **to ~ for breath** спирам, за да си поема дъх.

pave [peiv] *v* павирам, настилам, покривам; **a career ~d with good intentions** действия, изпълнени с добри намерения.

pavement ['peivmənt] *n* **1.** настилка, паваж; **2.** дюшеме; мозайка (*под*); **3.** тротоар, плочник; **4.** *амер.* па-

вирана улица; ● **on the ~** на улицата, без подслон.

pavilion [pə'viljən] **I.** *n* **1.** палатка, шатра; **2.** павилион; **II.** *v остар.* подслонявам, приютявам.

pawkiness ['pɔ:kinis] *n* дяволитост, ироничност, лукавост.

pawky ['pɔ:ki] *adj* хитър, лукав, дяволит, ироничен.

pawn₁ ['pɔ:n] *n* пионка (*u прен.*).

pawn₂ **I.** *n* залог; **in (at) ~** заложен; **II.** *v* залагам; *прен.* рискувам; **to ~ o.'s word** давам честна дума, обещавам.

pay [pei] **I.** *v* (paid [peid]) **1.** плащам, заплащам, давам (*цена*) (for); **to ~ the earth** плащам прекалено висока цена; изплащам (*дълг, данък u пр.*); уреждам, разчиствам (*сметка*); **2.** поемам разноските по; **3.** плащам на, възнаграждавам, обезщетявам, компенсирам; **4.** отплащам се, отблагодарявам се на; **5.** доходен съм, нося доход, докарвам печалби; **the business is just beginning to ~** предприятието тъкмо започва да носи печалба; **6.** обръщам (*внимание*); отдавам (*почит*); правя (*посещение, комплимент*) (to); **to ~ o.'s respects to** засвидетелствам почитта си към; **7.** *мор.* излизам от зоната на вятъра; ● **to ~ lip service** привидно се съгласявам с нещо;

pay away изплащам;

pay back връщам (*пари*); отплащам, отвръщам; отблагодарявам се; отмъщавам;

pay down плащам в брой;

pay for **1)** плащам (поемам) разноските за; **2)** плащам (бивам наказан) за; **to ~ dear(ly) for** плащам скъпо за, струва ми скъпо;

pay in(to) внасям, правя вноска; депозирам;

pay off **1)** разплащам се (с), изплащам си (дълга); разчиствам си сметките (с) (*u прен.*); **2)** отплащам, отмъщавам; **3)** *мор.* отклонявам се от пътя си; **4)** излизам сполучлив, доходоносен; **it was a risk but it paid off** беше рисковано, но си струваше;

pay out **1)** изплащам; **2)** отплащам

(отвръщам) на, наказвам; 3) *мор.* отпускам (*въже*);

pay up плащам (*вноска и пр.*); изплащам (*напълно*);

II. *n* 1. плащане, изплащане, заплащане; 2. заплата, надница, възнаграждение; **call ~** гарантирана минимална заплата; 3. компенсация, възмездяване, възмездие, отплата; 4. платец; **III.** *adj* 1. платен; монетен (*за автомат*); 2. *мин.* рентабилен, богат на полезни изкопаеми.

payable ['peiəbl] *adj* 1. платим, дължим; 2. *мин.* доходен, доходоносен, приходоносен, рентабилен; 3. *рядко* който може да бъде платен.

pay-desk ['peidesk] *n* каса, гише.

payer ['peiə] *n* платец.

paying ['peiiŋ] *adj* полезен, изгоден, печеливш, доходен, приходоносен, рентабилен.

paymaster ['peima:stə] *n* касиер, ковчежник.

payment ['peimənt] *n* 1. плащане, платеж, заплащане, изплащане; 2. платена сума, вноска; 3. възнаграждение, награда; възмездие, отплата, наказание.

pay-off ['peiˌɔf] *n* 1. отплата; 2. рушвет; 3. компенсация при съкращаване от работа; 4. равносметка; 5. развръзка.

pay-out ['peiˌaut] *n* изплащане.

pay-telephone ['peiˌteləfoun] *n* телефонна кабина.

pea [pi:] *n* 1. *pl* грах; 2. грахово зърно; **as like as two ~s** приличат си като две капки вода.

peace [pi:s] *n* 1. мир; **at ~ with** в мир с; **to make ~** сключвам мир; помирявам, сдобрявам (се); 2. спокойствие, тишина, мир; обществен ред (*u* **the ~, the public ~, the king's (queen's) ~**); **~ of mind** душевно спокойствие, душевен мир; 3. мир, покой; **~ to his ashes!** мир на праха му! 4. мирен договор; ● **to be sworn of the ~** назначен съм за мирови съдия.

peaceable ['pi:səbl] *adj* миролюбив, мирен; ◇ *adv* **peaceably** ['pi:səbli].

peaceful ['pi:sful] *adj* мирен, спокоен; ◇ *adv* **peacefully**.

peace-loving ['pi:sˌlʌviŋ] *n* миролюбив.

peace-making ['pi:sˌmeikiŋ] *n* умиротворяване, миротворство.

peach₁ [pi:tʃ] *n* 1. праскова; 2. прасковен цвят.

peach₂ *v sl* набеждавам, доноснича, наклеветявам, (**against, on, upon**).

peacock ['pi:kɔk] **I.** *n* паун; **to play the ~** държа се надменно, придавам си важност; **II.** *v* перча се, надувам се, позирам (*u* **to ~ it**).

peanut ['pi:nʌt] *n* 1. фъстък; 2. *pl* жълти стотинки, "трохи"; **~ politician** *амер.* продажен политик.

pearl [pə:l] **I.** *n* 1. бисер, маргарит, перла; **~s of wisdom** мъдрост, "бисер"; 2. капка, капчица, сълза, сълзица; 3. зрънце, трошица, песъчинка, частичка, частица; 4. нещо много ценно; 5. *полигр.* перла; 6. седефен цвят, перлено бяло, бледосивкав цвят със синкави оттенъци; 7. стъклена ампула; **II.** *v* 1. украсявам с бисери; 2. покривам с (образувам) бисерни капки; **~ed with dew** покрит с бисерна роса; 3. търся бисери; **III.** *adj* бисерен, перлен.

peasant ['pezənt] *n* 1. селянин, селяк; 2. *attr* селски.

peccancy ['pekənsi] *n* 1. грешка, греховност; 2. грях, прегрешение; 3. *мед.* болестно състояние.

peccant ['pekənt] *adj* 1. грешен, съгрешил, прегрешил, виновен; покварен; 2. погрешен, неправилен, не какъвто трябва; 3. *мед.* болен, болезнен; болестотворен.

peck [pek] **I.** *v* 1. кълва, клъввам (**at**); 2. *разг.* ям малко, едва се докосвам (**at**); 3. заяждам се (**at**); 4. копая, къртя, събарям с кирка (**up, down**); **II.** *n* 1. клъвване, белег от клъвване; 2. *sl* храна; **~ and perch** *шег.* храна и подслон; 3. *амер.* бърз коктейл.

peculiar [piˈkju:ljə] **I.** *adj* 1. който принадлежи (е свойствен, присъщ) изключително на (to); личен, собствен, частен; **my own property** моето лично имущество; 2. особен, своеобразен, специфичен, специален; 3. странен, чуден, чудат, чудноват, ексцент-

ричен; **II.** *n* 1. лична (частна) собственост; 2. изключително право, привилегия; 3. *полигр.* необичаен, рядко използван знак.

pecuniary [piˈkju:niəri] *adj* 1. паричен; 2. който се наказва с глоба.

pedagogic(al) [ˌpedəˈgɔdʒik(əl)] *adj* педагогически, педагогичен.

pedagogue ['pedəgɔg] *n* 1. учител, даскал, педагог; 2. педант.

pedagogy ['pedəgɔdʒi] *n* педагогика.

pedal [pedl] **I.** *n* 1. педал; 2. *муз.* издържана (басова) нота; 3. *attr* крачен; **II.** *v* 1. натискам педалите на; 2. карам (велосипед).

pedant ['pedənt] *n* педант.

pedantic [pəˈdæntik] *adj* педантичен.

pedantry ['pedəntri] *n* педантичност, педантизъм, педанство.

peddling ['pedliŋ] *adj* дребен, маловажен, незначителен, нищожен, празен.

pedestal ['pedistl] **I.** *n* пиедестал, основа, подножие, подставка, цокъл; **II.** *v* поставям, издигам на пиедестал.

pedestrian [piˈdestriən] **I.** *adj* 1. пешеходен; **~ precinct** пешеходна зона; зона, забранена за автомобили; 2. прозаичен, сив, ежедневен, делничен, сух, неинтересен, банален; **II.** *n* пешеходец.

pedicure ['pedikjuə] *n* 1. педикюр; 2. педикюрист.

pedigree ['pedigri:] *n* 1. родословие, генеалогия, родословно дърво; 2. произход, етимология; 3. *attr* породист, расов, чистокръвен (*за животно*).

pedlar ['pedlə] *n* амбулантен търговец.

pedlary ['pedləri] *n* 1. амбулантна търговия; 2. стока на амбулантен търговец.

peek [pi:k] **I.** *v* надничам, назъртам; поглеждам (**in, out**); **II.** *n* надничане, назъртане; поглед.

peel [pi:l] **I.** *v* 1. беля (се), обелвам, люпя (се), олюпвам (*u* **c off**); 2. *sl* събличам (се); **to keep o.'s eyes ~ed** държа си очите широко отворени; гледам с 4 очи; **II.** *n* кора, кожа, кожица, люспа, шлюпка; **candied ~** захаросани кори от

портокали.

peep₁ [pi:p] I. *v* 1. надничам, назър-там, поглеждам (**at, into**); гледам крадешком; 2. показвам се, явявам се, подавам се, провиждам се, пониквам (*и с* **out**); 3. проявявам се (*за качество*); II. *n* 1. надничане, назъртане, гледане крадешком; поглед; **to get a ~ of** зървам, съглеждам; 2. появяване; **~ of day (dawn, morning)** разсъмване, развиделяване.

peep₂ I. *v* цвъртя, цвърча, цвъркам; писукам, пискам; II. *n* цвъртене, цвъртеж, цвърчене, цвъркане; писък, писукане.

peer₁ [piə] I. *n* 1. равен; **you will not find his ~** няма да намериш друг като него; 2. пер, лорд; благородник; II. *v* 1. равнявам се, равен съм на (**with**); 2. правя (*някого*) пер.

peer₂ *v* 1. взирам се, вглеждам се; присвивам очи, примижвам; надничам, назъртам (**at, into**); 2. показвам се, подавам се, провиждам се.

peerless ['piəlis] *adj* безподобен, несравним, несравнен.

peevish ['pi:viʃ] *adj* раздразнителен, докачлив, избухлив, свадлив, заядлив; сърдит, недоволен; ◊ *adv* **peevishly**.

peevishness ['pi:viʃnis] *n* раздразнителност; свадливост; заядливост.

pelerine ['peləri:n] *n* пелерина.

pelletize ['pelitaiz] *v* гранулирам, пелетизирам.

pellucid [pi'lu:sid] *adj* 1. прозрачен, бистър, чист, ясен; 2. ясен, разбираем.

pelt₁ [pelt] *n* кожа.

pelt₂ I. *v* 1. хвърлям по, замервам с; пера, пердаша; обстрелвам (**at**); 2. бия, пера, валя като из ведро (*за дъжд и с* **down**); **~ing rain** пороен дъжд; 3. нахвърлям се върху, обсипвам с (*укори и пр.*); 4. *разг.* бягам, бързам; II. *n* замерване, биене, пердах, пердашене, обстрелване; (**at**) **full ~** в пълен ход, с голяма бързина, презглава.

pen₁ [pen] I. *n* 1. перо (*за писане*); писалка; 2. писане, стил; **he wields a skillful ~** той има изкусно пе-

ро; 3. писател, литератор, автор; II. *v* (**-nn-**) пиша, съчинявам, стихоплетствам.

pen₂ I. *n* 1. кошара, ограда; **pig ~** кочина; 2. *разг.* арест; участък; II. *v* 1. затварям, заключвам (*и с* **up, in**); 2. вкарвам, закарвам (*добитък*) в кошара.

penal ['pi:nəl] *adj юр.* 1. наказателен, пенален, углавен; **~ servitude** каторга; 2. наказуем.

penalty ['penəlti] *n* 1. наказание (*и прен.*), глоба; **on (under) ~ of** под страх от (*наказание*); 2. *спорт.* наказателен удар; дузпа (*и ~ kick*); **~ area (box)** наказателно поле.

pencil ['pensil] I. *n* 1. молив; **in ~** (написан) с молив; 2. четка (*на живописец*); 3. стил (*на живописец*); 4. сноп лъчи (*и ~ of light rays*); 5. *мат.* фигура, образувана от прави линии, които се срещат в една точка; 6. подобен на молив предмет; II. *v* (**-ll-**) 1. пиша, записвам, нахвърлям, рисувам, оцветявам (*с молив*); **~ in** вписвам (отбелязвам) уговорка, която трябва да бъде потвърдена по-късно; **~led eyebrows** изписани вежди; 2. слагам сенки; 3. записвам името на кон (*в книга за облози*).

pendant ['pendənt] *n* 1. висулка, медальон, обеца, пискюл; 2. *архит.* висящо украшение, пандантив; 3. полилей; 4. *мор.* вимпел; 5. другар, еш, съответствие, допълнение; 6. *език.* незавършено изречение.

pendency ['pendənsi] *n* неуреденост, неопределеност, неустановеност, висящо положение.

pending ['pendiŋ] I. *adj* 1. висящ, (още) нерешен (неуреден); предстоящ; **the suit is still ~** делото все още се гледа; 2. предстоящ; **~ meeting** предстояща среща; II. *prep* през време (в течение) на; до; в очакване на; **~ these negotiations** докато се водят тези преговори.

pendulate ['pendjuleit] *v* 1. люлея се като махало; 2. двоумя се, колебая се.

pendulum ['pendjuləm] *n* 1. махало; **to play ~** люлея се насам-натам, поклащам се, клатушкам се; 2. *прен.* несигурен човек, ветропоказател, фурнаджийска лопата.

penetrate ['penitreit] *v* 1. прониквам, навлизам, промъквам се в (на), преминавам, минавам през, достигам до, пронизвам; 2. навлизам, прониквам, промъквам се, достигам (**into, through, to**); 3. просмуквам се в, пропивам, попивам, напоявам; насищам, импрегнирам (**with**); 4. вълнувам, развълнувам, разчувствам, затрогвам, трогвам, потрисам, покъртвам; **~d with grief** обзет от дълбока скръб; потресен; 5. виждам през, пронизвам (*за поглед*); 6. прозирам, проумявам, вниквам в, разбирам, обяснявам си, откривам, разкривам, достигам до.

penicillin [,peni'silin] *фарм.* I. *n* пеницилин; II. *adj* пеницилинов.

peninsula [pi'ninsjulə] *n* полуостров; **the P.** Пиренейският полуостров.

penny-a-line ['peniə'lain] *adj* евтин, лошокачествен, недоброкачествен; повърхностен.

penny-pinching ['peni,pintʃiŋ] I. *n* свидливост; стиснатост; II. *adj* стиснат, скръндзав; който цепи стотинката.

pension₁ ['penʃən] I. *n* 1. пенсия; **retirement ~** пенсия за стаж; 2. възнаграждение (*на свещеник*); II. *v* отпускам пенсия на; **to ~ off** пенсионирам.

pension₂ ['pa:nsiɔn] *n* 1. *фр.* пансион, хотел-пансион; 2. наем за стая в пансион.

pensionary ['penʃənəri] I. *adj* пенсионен; II. *n* 1. пенсионер; 2. наемник; креатура.

pensioner ['penʃənə] *n* пенсионер (*и* **retired ~**).

pensive ['pensiv] *adj* замислен, тъжен; ◊ *adv* **pensively**.

penstock ['penstɔk] *n* 1. шлюз; 2. улей.

pentathlon [pen'tæθlɔn] *n спорт.* петобой.

penurious [pi'nju:riəs] *adj* 1. беден; 2. скъпернически, стиснат.

penury ['penjuri] *n* 1. (голяма) бедност, нищета, беднотия, сиромашия, немотия; 2. липса, недостиг, недоимък, оскъдица (of).

people ['pi:pl] I. *n* 1. народ, нация; 2. (*употр. като pl*) хора, люде, народ, население, жители, поданици; паство; свита; работници, слуги; семейство, близки (*обикн.* my, his ~ *и пр.*); society ~ хора от висшето общество; хайлайф; 3. (*употр. като pl*) обикновените хора, простият народ, простолюдието; 4. (**P.**) *амер.* държавата (*като страна в процес*); II. *v* 1. заселвам; 2. населявам, обитавам.

pepper ['pepə] I. *n* 1. пипер (*и прен.*); **black** ~ черен пипер; 2. пиперка, чушка; 3. грубо отнасяне, жестока критика, сарказъм; 4. раздразнителност, избухливост; 5. енергичност, темпераментност; II. *v* 1. посипвам с пипер; 2. посипвам (**with**); 3. застрелвам, обстрелвам; замервам; 4. обсипвам (**with**); нахоквам, наругавам, насолявам, направям на сол и пипер (пух и прах), напердашвам, наказвам жестоко.

pepper-and-salt ['pepərənd'sɔ:lt] *n* 1. пепит, меланж (*плат*); 2. *attr* от меланж; 3. *attr* прошарен (*за коси*).

pep pill ['pep'pil] *n* стимулант.

peppy ['pepi] *adj* жизнен, енергичен.

peptic ['peptik] I. *adj* храносмилателен; II. *n pl шег.* храносмилателни органи.

per [pə:] *prep* 1. по, с, чрез, посредством; ~ **rail** (**steamer**) с влак, с параход; 2. според, съгласно, съобразно (*обикн.* as ~); 3. на, в; **60 miles** ~ **hour** 60 мили в час.

perceivable [pə'si:vəbl] *adj* доловим, осезаем, осезателен, видим, ясен.

perceive [pə'si:v] *v* 1. възприемам; разбирам, схващам, долавям; 2. усещам, виждам, забелязвам.

percentage [pə'sentidʒ] *n* процент; размер, количество.

perceptibility [pə,septi'biliti] *n* доловимост, осезаемост.

perceptible [pə'septibl] *adj* доловим, осезаем, осезателен, видим, ясен; ◊ *adv* **perceptibly** [pə'septibli].

perception [pə'sepʃən] *n* 1. възприемане, усещане; разбиране, схващане, долавяне; 2. *филос., псих.* перцепция; 3. *юр.* събиране (*на наеми и пр.*).

perceptiveness [pə'septivnis] *n* възприемчивост, схватливост.

perceptivity [,pə:sep'tiviti] *n* възприемчивост, схватливост.

percipience [pə:'sipiəns] *n* възприятие; възприемане.

percolate ['pə:kəleit] *v* 1. процеждам се, просмуквам се, прониквам; 2. прецеждам (се), филтрирам (се); 3. разпространявам (се); **to allow a rumour to** ~ пускам (разпространявам) слух.

percolation ['pə:kə'leiʃən] *n* 1. прецеждане, проникване; 2. прецеждане, филтриране.

percolator ['pə:kəleitə] *n* филтър, цедка.

percussion [pə:'kʌʃən] *n* 1. сблъскване, удар, сътресение; ~ **instrument** *муз.* ударен инструмент; 2. *мед.* чукане, почукване, перкусия.

perdu(e) [pə:'dju:] *adj predic* скрит, спотаен, потулен, затулен; **to lie** ~ *остар.* устройвам засада; спотайвам се, гледам да остана незабелязан.

perdurable [pə:'djuərəbl] *adj рел.* вечен, траен.

peremptory [pə'remptəri] *adj* 1. безапелационен; който не допуска възражение; положителен; решителен; 2. властен, заповеднически, деспотичен; 3. *юр.* окончателен, безусловен; ~ **writ** призовка за безусловно явяване в съд; ◊ *adv* **peremptorily**.

perennial [pə'renjəl] I. *adj* 1. целогодишен, който трае през цялата година; 2. който не пресъхва през лятото (*за поток*); 3. вечен, постоянен; 4. *бот.* многогодишен; ◊ *adv* **perennially**; II. *n* многогодишно растение.

perfect ['pə:fikt] I. *adj* 1. перфектен, съвършен, завършен, цял; пълен; безусловен, абсолютен; отличен; безукорен; точен; ~ **circle** пълен

кръг; 2. опитен, умел, изкусен, подготвен, изпечен, обигран (**in**); 3. добре научен (*за урок*); **to get a lesson** ~ научавам урок добре; ● **practice makes** ~ съвършенството се постига с много практика; 4. *език.* перфектен; 5. хермафродитен (*за растение*); 6. *муз.* нито мажорен, нито миньорен; II. [pə'fekt] *v* 1. усъвършенствам; подобрявам; 2. завършвам, доизкарвам.

perfection [pə'fekʃən] *n* 1. съвършенство, завършеност; безукорност; 2. усъвършенстване; 3. най-високата точка, върхът (of); 4. *pl* ценни качества, предимства.

perfidious [pə'fidiəs] *adj* коварен, вероломен, предателски, изменнически, неверен.

perfidy ['pə:fidi] *n* коварство, вероломство, измама.

perforate ['pə:fəreit] *v* 1. пробивам, продупчвам, перфорирам; **a** ~**d ulcer** перфорирана язва; 2. прониквам (**into, through**).

perforation [,pə:fə'reiʃən] *n* 1. пробиване, продупчване, перфорация, перфориране; 2. отвор, дупка, отвърстие.

perforator ['pə:fəreitə] *n* свредел, бургия, перфоратор.

perform [pə'fɔ:m] *v* 1. изпълнявам, извършвам; 2. представям, играя, изпълнявам; свиря (**on**); **a play that** ~**s well** пиеса, удобна за изнасяне (представяне); 3. изпълнявам номера (*за дресирано животно*).

performance [pə'fɔ:məns] *n* 1. изпълнение, извършване; 2. действие, работа, проява, подвиг, постижение; **to be modest about o.'s** ~**s** не обичам да се хваля (с това, което съм извършил); 3. представление, забава, концерт, номер; пърформанс; **continuous** ~ кинопредставление без прекъсване; 4. *техн.* характеристика (на работа на машина), производителност, коефициент на полезно действие; 5. *attr* с високи характеристики, високофункционален.

performer [pə'fɔ:mə] *n* изпълнител, изпълнителка.

perfume I. ['pə:fju:m] *n* 1. благоухание, аромат, приятна миризма; 2. парфюм; II. [pə'fju:m] *v* парфюмирам, напарфюмирам, ароматизирам; изпълвам с благоухание.

perfumed ['pə:'fumt] *adj* ароматен.

perfumery [pə'fju:məri] *n* парфюмерия, парфюми.

perfunctory [pə'fʌŋktəri] *adj* повърхностен, чисто външен, формален; нехаен, небрежен, механичен; ◇ *adv* **perfunctorily**.

perfuse [pə'fju:z] *v* 1. опръсквам, поръсвам; 2. обливам, заливам.

pericope ['perikoup] *n* извадка, пасаж.

peril ['peril] I. *n* опасност, риск; **in ~ of (o.'s life)** изложен на (смъртна) опасност; II. *v* излагам на опасност.

perilous ['periləs] *adj* опасен, рискован; ◇ *adv* **perilously**.

period ['piəriəd] *n* 1. период (*и астр., геол.; мед.; мат.*); век, епоха, ера, цикъл; **the ~** днешният ден; съвременността; 2. *език.* период, пауза в края на период; 3. точка, *прен.* край, предел; **to put a ~ to** слагам край (кръст) на; 4. *pl* реторичен език; 5. *pl* менструация; 6. *attr* характерен за даден период; стилов.

periodical [,piəri'ɔdikl] I. *adj* периодичен; ◇ *adv* **periodically**; II. *n* периодично издание, списание; периодика.

peripet(e)ia ['peripə'taiə] *n* 1. *лит.* перипетия; 2. превратност на съдбата, внезапна промяна, усложнение.

peripheral [pə'rifərəl] *adj* периферен, периферичен; ◇ *adv* **peripherally**.

periphery [pə'rifəri] *n* 1. *мат.* периферия; 2. обкръжаващо пространство, покрайнини, околности.

periscope ['periskoup] *n* перископ.

perish ['periʃ] *v* 1. загивам, умирам (преждевременно) (**from**); **~ the thought** далеч съм от подобна мисъл; 2. (*обикн. pass*) премалявам, прималявам; **in ~ing cold** при ужасен, нетърпим студ; 3. развалям (се), загнивам; попар-

вам (*за слана*).

perishable ['periʃəbl] I. *adj* 1. нетраен, подлежащ на разваляне, загниване; 2. *прен.* краткотраен; II. *n pl* стоки, които подлежат на разваляне; бързоразвалящи се продукти.

perished ['periʃt] *adj* 1. изтощен, загинал; 2. развален, загнил, разяден (*за метал*); 3. премръзнал.

perjure ['pə:dʒə] *v refl* лъжесвидетелствам, нарушавам клетвата си.

perjured ['pə:dʒd] *adj* клетвопрестъпнически, вероломен.

perjurer ['pə:dʒərə] *n* клетвопрестъпник, лъжесвидетел.

perjury ['pə:dʒəri] *n* 1. лъжесвидетелстване, лъжесвидетелство; **to commit ~** лъжесвидетелствам; 2. вероломство.

perk [pə:k] I. *v* (*обикн. с* **up**) 1. вирвам глава; опервам се; накокошинвам се, напервам се, ококорвам се; 2. оживявам се, развеселявам се, ободрявам се; съвземам се, живвам, окопитвам се (*след болест*); 3. издокарвам (се) (*и refl*); 4. вирвам (*глава закачливо*); наострям (*уши, за куче*); II. *pl* служебни облаци.

perkiness ['pə:kinis] *n* 1. нахалство, наперености; 2. живост; закачливост, дяволитост.

perky ['pə:ki] *adj* 1. жив, весел, закачлив, игрив, дяволит; 2. наперен, нахален, нахакан.

permafrost ['pə:məfrɔst] *n* дълбоко замръзнала земя.

permanence ['pə:mənəns] *n* неизменност, непрекъснатост, установеност; дълготрайност.

permanent ['pə:mənənt] *adj* постоянен, неизменен; дълговременен, перманентен; непрекъснат; **~ repair** текущ ремонт; ◇ *adv* **permanently**.

permeate ['pə:mieit] *v* 1. просмуквам се, прониквам в, разпространявам се в, насищам (*и с* **among, into, through**); 2. *прен.* прониквам в, овладявам, обхващам, обземам.

permeation [,pə:mi'eiʃən] *n* просмукване, процеждане, инфилтрация.

permissible [pə'misibl] *adj* допустим, позволен, разрешен.

permission [pə'miʃən] *n* позволение, разрешение.

permit I. [pə'mit] *v* (-tt-) 1. позволявам, разрешавам; **to be ~ted to sit for an examination** допуснат съм до изпит; 2. допускам; давам възможност (*и с* **of**); **weather ~ting** при хубаво време; II. ['pə:mit] *n* 1. разрешение (*писмено*); митническо разрешение за внасяне/изнасяне на стоки; 2. пропуск (*документ*).

permute [pə:'mju:t] *v* размествам, променям реда на.

pernicious [pə:'niʃəs] *adj* вреден, гибелен, зловреден; **~ anaemia** злокачествена анемия.

pernickety [pə:'nikəti] *adj* 1. *разг.* придирчив, прекалено прецизен, претенциозен, дребнав; 2. деликатен, бавен; който изисква много внимание (*за работа*).

perpendicular [,pə:pən'dikjulə] I. *adj* 1. перпендикулярен (**to**); отвесен, вертикален; 2. много стръмен, почти отвесен (*за наклон, хълм*); 3. *sl* правостоящ; II. *n* 1. перпендикуляр; 2. отвес; 3. перпендикулярно, отвесно положение.

perpetrator [,pə:pə'treitə] *n* извършител, виновник (**of**).

perpetual [pə'petjuəl] *adj* 1. вечен; безкраен; постоянен; **~ motion** вечно движение, вечен двигател, перпетум мобиле; 2. доживотен, пожизнен; 3. *sl* безконечен, безкраен, непрекъснат (*за въпроси, разправии и пр.*); ◇ *adv* **perpetually**.

perpetuate [pə'petjueit] *v* увековечавам, обезсмъртявам, прославям; запазвам навеки; *refl* продължавам рода си.

perpetuation [pə'petjueiʃən] *n* прославяне, увековечаване, обезсмъртяване.

perpetuity [,pə:pi'tjuiti] *n* 1. вечност; **in ~** за вечни времена; 2. пожизнена рента.

perplex [pə'pleks] *v* 1. обърквам, смущавам; озадачавам; 2. *остар.* усложнявам, забърквам (*въпрос*);

утежнявам (*стил*).

perplexed [pə'plekst] *adj* **1.** озадачен, объркан, смутен; **2.** заплетен, сложен, труден, объркан (*за въпрос*).

perplexing [pə'pleksiŋ] *adj* смущаващ, объркващ; труден (*за автор*); сложен.

perplexity [pə'pleksiti] *n* **1.** недоумение, смущение; **2.** затруднение, дилема.

perquisition [,pəkwi'ziʃən] *n* юр. обиск, претърсване.

persecute ['pə:sikju:t] *v* **1.** преследвам, гоня; потискам (*обикн. за убеждения*); **2.** тормозя; **3.** дотягам, додявам, досаждам.

persecution [,pə:si'kju:ʃən] *n* **1.** преследване, гонение, гонене; to **suffer cruel ~s** подложен съм на жестоки гонения; **2.** *attr.* ~ **complex** (**mania**) мания за преследване.

perseverance [,pə:si'viərəns] *n* постоянство, упоритост; настойчивост.

perseverant [,pə:si'viərənt] *adj* рядко настойчив, упорит.

persevere [,pə:si'viə] *v* постоянствам, упорствам.

persist [pə'sist] *v* **1.** упорствам, настоявам; **to ~ in o.'s opinion** упорито държа на мнението си; **2.** оставам, задържам се, запазвам се; **the custom still ~s** обичаят още съществува.

persistence, -cy [pə'sistəns, -si] *n* **1.** упорство, упорстване; упоритост; неотстъпчивост, настойчивост; **2.** запазване, продължаване; **3.** постоянство, продължителност.

persistent [pə'sistənt] *adj* **1.** настойчив; упорит; неотстъпчив, твърд; ~ **thought** натрапчива мисъл; **2.** който продължава да съществува; непроменен; **3.** непроменлив, постоянен; повтарящ се (*за процеси, тенденции*); ◇ *adv* **persistently**; **4.** *бот.* неокапващ; **5.** *хим.* неразпадащ се.

person [pə:sn] *n* **1.** лице (*и език.*), човек; *пренебр.* тип, индивид, персона, субект; **without exception of ~s** безпристрастно, без оглед на личността; **2.** външен вид, външ-

ност; тяло; **to have a commanding ~** имам величествена осанка; **3.** личност; моето "Аз"; **4.** юр. личност; **natural ~** физическо лице; **5.** *лит.* персонаж, действащо лице; ● **in ~** персонално, лично.

persona [pə:'sounə] *n* (*pl* -**nae** [-ni:]) лице, персона; **in propria ~** лично, персонално.

personable ['pə:sənəbl] *adj* красив, хубав, представителен.

personal ['pə:snl] I. *adj* **1.** личен (*и език., юр.*); персонален; ~ **effects** юр. лични вещи, лична собственост; **2.** телесен, физически (*за красота*); личен; ~ **hygiene** лична хигиена; II. *n амер., обикн. pl* лично обявление.

personality [,pə:sə'næliti] *n* **1.** личност; индивидуалност; **to be lacking in ~** безличен съм, липсва ми всякаква индивидуалност; **2.** забележка с личен характер; **3.** (изтъкната) личност; ~ **cult** култ към личността; **4.** човек с характер; **5.** *обикн. pl* неприятни, пренебрежителни забележки; **6.** *юр., рядко* лична собственост.

personalization [,pə:sənəlai'zeiʃən] *n лит.* олицетворяване, олицетворение; персонификация, персонифициране.

personalize ['pə:sənəlaiz] *v* **1.** придавам личен характер на; персонализирам; **2.** персонифицирам, олицетворявам; **3.** изготвям по поръчка, съобразно индивидуалните изисквания на клиента.

personally ['pə:sənəli] *adv* **1.** лично, персонално; **2.** колкото до мене, лично аз.

personate ['pə:səneit] *v* **1.** *театр.* играя, изпълнявам ролята на; **2.** персонифицирам, олицетворявам, правя се на, преструвам се на, представям се за.

personation [,pə:sə'neiʃən] *n* **1.** *театр.* изпълнение (*на роля*); **2.** *юр.* присвояване на чуждо име; **3.** въплъщение (*на качество*).

personator ['pə:səneitə] *n* **1.** *театр.* изпълнител; **2.** самозванец, мошеник (който се представя за друг).

personification [pə:,sonifi'keiʃən] *n*

1. олицетворяване, олицетворение; персонификация; **2.** въплъщение.

personify [pə:'sonifai] *v* олицетворявам, въплъщавам; символизирам; персонифицирам.

personnel [pə:sə'nel] *n* **1.** персонал; личен състав, служители; **2.** *attr воен.:* ~ **target** жива цел (мишена).

perspective [pə'spektiv] I. *n* **1.** перспектива; **to see a matter in its true ~** виждам нещо в истинската му светлина; **2.** картина в перспектива; **3.** изглед (*и прен.*); II. *adj* перспективен.

perspex ['pə:speks] *n* плексиглас.

perspicacious [,pə:spi'keiʃəs] *adj* проницателен, прозорлив, предвидлив; остър.

perspicacity [,pə:spi'kæsiti] *n* **1.** проницателност, предвидливост, прозорливост; **2.** *остар.* добро зрение, остър поглед.

perspicuous [pə:'spikjuəs] *adj* **1.** ясен, прегледен, лесно разбираем; явен (*за доказателство*); **2.** с ясна мисъл (*за човек*).

perspiration [,pə:spi'reiʃən] *n* пот; потене, изпотяване; *мед.* перспирация; **to break into (a) ~** избива ме пот.

perspire [pə'spaiə] *v* потя се, избива ме пот.

persuade [pə'sweid] *v* убеждавам (**of, that**); увещавам; придумвам, склонявам (**to** *c inf*, **into** *c ger*); **to be thoroughly ~d that** дълбоко съм убеден, че.

persuasibility [pə,sweisi'biliti] *n* податливост.

persuasion [pə'sweiʒən] *n* **1.** убеждаване; **2.** убеждение; мнение; **3.** убедителност; **4.** секта, вероизповедание; **5.** *sl шег.* вид, сорт; пол; националност.

persuasive [pə'sweisiv] I. *adj* убедителен; ◇ *adv* **persuasively**; II. *n* довод; подбуда.

pertain [pə:'tein] *v* **1.** принадлежа, спадам, присъщ съм на (**to**); **2.** добавя; **3.** отнасям се (**to**), имам връзка с; **this does not ~ to my office** това не е в моята компетентност.

pertinaciousness, pertinacity [pə:ti'neifəsnis, ,pə:ti'næsiti] *n* упорство, упоритост.

pertinent ['pə:tinənt] I. *adj* 1. уместен; ◇ *adv* **pertinently**; 2. който се отнася до; II. *n обикн. pl, юр.* принадлежности.

pertness ['pə:tnis] *n* нахалство, устатост.

perturb [pə'tə:b] *v* 1. обезпокоявам, вълнувам, смущавам, тревожа; 2. внасям смут, причинявам безредици в.

perturbation [,pə:tə'beifən] *n* 1. смущаване, смущение, вълнение; 2. смут, суматоха, размирица; 3. *астр.* пертурбация, отклонение от орбитата (*на небесно тяло*).

perturbative [pə:'tə:bətiv] *adj* обезпокояващ, смущаващ, объркващ; вълнуващ.

perturbed [pə:'tə:bd] *adj* развълнуван, смутен, разтревожен; разбъркан, объркан, хаотичен, в безпорядък.

perusal [pə'ru:zl] *n* прочит, прочитане, преглед, преглеждане.

peruse [pə'ru:z, pi'ru:z, pe'ru:z] *v* 1. чета, прелиствам, преглеждам; 2. *остар.* внимателно разглеждам, взирам се.

pervade [pə:'veid] *v* 1. прониквам, разпространявам се из (*и прен.*), просмуквам се, пропивам; обхващам; **the feeling that ~s the book** чувството, с което е пропита книгата; 2. *разг.* нахълтвам в, пъпля по, наводнявам.

pervasion [pə:'veizən] *n* разпространение, проникване.

perverse [pə'və:s] *adj* 1. опак, опърничав, несговорчив, своенравен; вироглав; 2. перверзен, извратен; 3. превратен, погрешен; ◇ *adv* **perversely**).

perverseness [pə'və:snis] *n* 1. опърничавост, своенравност; вироглавство; 2. перверзност, извратеност; 3. превратност, погрешност.

perversion [pə'və:fən] *n* извращение; извратеност; перверзия.

perversive [pə'və:siv] *adj* покваряващ, нездрав, който действа разлагащо.

pervert I. [pə'və:t] *v* 1. изопачавам, представям превратно; извращавам; 2. погрешно прилагам, насочвам, използвам; 3. развращавам, поквярявам; II. ['pə:və:t] *n* 1. ренегат; вероотстъпник; 2. извратен човек (*обикн.* полово); дегенерат.

pervious ['pə:viəs] *adj* 1. проходим; пропускащ; промокаем; 2. *прен.* податлив; **heart ~ to love** *sl* любвеобвилно сърце.

pesky ['peski] *adj* диал. и амер. 1. досаден, отегчителен, белялия; 2. проклет, пуст.

pessimism ['pesimizm] *n* песимизъм, черногледство.

pessimist ['pesimist] *n* песимист.

pessimistic [,pesi'mistik] *adj* песимистичен, отчаян, мрачен, черноглед; ◇ *adv* **pessimistically** [pesi'mistikli:].

pester ['pestə] *v* 1. отегчавам, дотягам, вадя душата на, не оставям на мира; **to ~ s.o. with questions** обсипвам някого с въпроси; нападам (*за насекоми*).

pestiferous [pes'tifərəs] *adj* 1. заразен; зловонен; 2. вреден (*и прен.*); опасен; 3. *разг.* непоносим.

pestilent ['pestilənt] *adj* 1. смъртоносен; *остар.* заразен, пагубен; 2. *прен.* зловреден, гибелен, опасен (*за учение и пр.*); 3. *разг.* досаден, отегчителен.

pestilential [pesti'lenfəl] *adj* 1. заразен; чумав; 2. (зло)вреден, гибелен, морално застрашаващ; 3. *разг.* противен, крайно досаден.

pet₁ [pet] I. *n* 1. домашен любимец, домашно животно; 2. галеник, любимец, галено дете; чедо, рожба (*и като обръщение*); 3. *attr* любим, обичен; ~ **name** галено име; II. *v* (-tt-) 1. галя; милвам; 2. глезя; угаждам на; 3. *амер.*, *разг.* любя се, прегръщам.

pet₂ *n* лошо настроение, цупене; сръдня; раздразнение; **to be in a ~** цупя се, сърдя се.

petition [pi'tifən] I. *n* 1. молба; 2. петиция; 3. молитва; 4. *юр.* заявление; **to file o.'s ~** подавам молба; II. *v* 1. отправям петиция; 2. подавам молба (*пред съда*); 3.

отправям молитви, моля се; ходатайствам (**for**).

petrifaction [,petri'fækʃən] *n* 1. вкаменяване, петрофикация; вкаменено състояние; 2. *прен.* изумление; 3. вкаменелост.

petrify ['petrifai] *v* 1. вкаменявам (се); 2. *прен.* изумявам се, вкаменявам се, застивам, вцепенявам се (*от ужас, страх*), зашеметявам, слисвам.

petrol ['petrəl] *n* бензин; петрол; *остар.* газ; нефт.

petrolatum [petrə'leitəm] *n* 1. *амер.* вазелин; 2. *хим.* вазелиново масло, петролатум.

petroleum [pi'trouljəm] *n* 1. нефт; земно масло; петролеум; 2. газ, петрол; ~ **crude** суров (природен) нефт; 3. *attr* нефтен, петролен; ~ **cuts** *pl* петролни дестилати (фракции).

petrolic [pi'trɔlik] *adj* бензинов; петролен, от петрол.

petroliferous [,petrə'lifərəs] *adj геол.* петролен (*за залежи*).

petrous ['petrəs] *adj* 1. каменен, вкаменен, твърд като камък; 2. *анат.* слепоочен (*за част от слепоочната кост*).

pettifogger ['petifɔgə] *n* 1. безскрупулен адвокат; 2. педант.

pettiness ['petinis] *n* 1. дребнавост, незначителност, маловажност; 2. дребнавост.

petting ['petiŋ] *n* галене, милване, докосване.

pettish ['petif] *adj* обидчив, раздразнителен, кисел, вкиснат.

pettishness ['petifnis] *n* раздразнителност, обидчивост, лошо настроение.

petty ['peti] *adj* 1. дребен; незначителен, маловажен; ~ **cash** минимални приходи или разноски; дребни пари; 2. *юр.:* ~ **jury** редовни съдебни заседатели (*срв.* **grand jury**); 3. дребнав; 4. в малък мащаб; с малък ранг, с нисък чин; ~ **farmer (bourgeoisie)** дребен селски стопанин (дребна буржоазия).

petulance ['petjuləns] *n* сприхавост, раздразнителност, лошо настроение.

petulant ['petjulənt] *adj* кисел, в лошо настроение, сприхав, раздразнителен; капризен; ◇ *adv* **petulantly**.

pewter ['pju:tə] I. *n* 1. олово, сплав от калай и олово; 2. оловен съд, оловно канче (*с дръжка*); 3. *sl бокс* парична награда; II. *adj* оловен; III. *v* калайдисвам.

phantasm ['fæntæzm] *n* видение, привидение, илюзия, дух, призрак.

phantasmal [fæn'tæzməl] *adj* призрачен.

phantasy ['fæntəsi] *n* 1. фантазия; фантазиране; 2. илюзия; халюцинация; плод на въображението; 3. оригинална, чудновата идея, мисъл и пр.; 4. *муз.* фантазия.

phantom ['fæntəm] *n* 1. фантом, призрак, привидение; 2. илюзия; (оптическа) измама; заблуда; 3. *attr* привиден; 4. *attr* "рентгеново" (*за изображение*).

Pharaoh ['feərou] *n* фараон.

pharisaic(al) [,færi'seik(əl)] *adj* 1. фарисейски; 2. *прен.* лицемерен.

Pharisaism ['færise,izm] *n* 1. *истор.* фарисейство; 2. лицемерие.

Pharisee ['færisi:] *n* 1. *истор.* фарисей; 2. *прен.* лицемер.

pharmaceutic(al) [,fa:mə'sju:tik(əl)] I. *adj* фармацевтичен, аптекарски; II. *n pl* лекарства.

pharmaceutics [,fa:mə'sju:tiks] *n* фармация.

pharmacist ['fa:məsist] *n* 1. аптекар; 2. аптека (*u* ~'s).

pharmacy ['fa:məsi] *n* 1. фармация, аптекарство, фармацевтика; 2. аптека.

pharos ['feərɔs] *n поет.* фар, маяк (*и прен.*).

pharynx ['færiŋks] *n анат.* фаринкс, глътка, гърло.

phase [feiz] I. *n* 1. *астр.* фаза, аспект, четвърт (*на луната*); out of ~ в различни фази, несинхронно; 2. фаза, стадий, етап на развитие; период; 3. *ел.* фаза; 4. *геол.* фациес; 5. *физикохим.* съставна част на хетерогенна смес; II. *v* синхронизирам; to ~ down намалявам постепенно.

phasic ['feizik] *adj* фазов; стадиа-

лен, стадиен.

phellem ['feləm] *n* корк.

phenomenal [fi'nɔminəl] *adj* 1. *филос.* осезаем, външен, феноменален; 2. свойствен на природните явления; 3. *разг.* феноменален, изключителен, необикновен; ◇ *adv* **phenomenally**.

phenomenology [fi'nɔmi'nɔlədʒi] *n* феноменология.

phenomenon [fi'nɔminən] *n* (*pl* -ena [-inə]) 1. явление (*природно и пр.*); 2. *филос.* феномен, субективно явление; 3. *разг.* изключителен предмет, същество, извънредно надарен човек, гений.

philander [fi'lændə] *v* флиртувам, любезнича (*за мъж*).

philanthropic [filən'θrɔpik] *adj* филантропически, човеколюбив, благотворителен.

philanthropist [fi'lænθrəpist] *n* филантроп, човеколюбец.

philanthropy [[fi'lænθrəpi] *n* филантропия, човеколюбие, благотворителност.

philatelic [,filə'telik] *adj* филателен.

philatelist [fi'lætəlist] *n* филателист.

philately [fi'lætəli] *n* филателия, събиране на пощенски марки.

philharmonic [filha:'mɔnik] I. *adj* филхармоничен; II. *n* 1. филхармоничен концерт; 2. любител на музика, меломан.

philistinism ['filistinizm] *n* филистерство, еснафщина, простащина.

philological [filə'lɔdʒikl] *adj* филологически.

philologist [fi'lɔlədʒist] *n* филолог.

philology [fi'lɔlədʒi] *n* 1. филология; 2. *остар.* ученост, литературознание.

philosopher [fi'lɔsəfə] *n* философ.

philosophic(al) [,filə'sɔfik(l)] *adj* 1. философски; 2. спокоен, умерен; примирен; ◇ *adv* **philosophically** [filə'sɔfikli].

philosophize [fi'lɔsəfaiz] *v* 1. философствам; *пренебр.* мъдрувам; правя се на философ; 2. разглеждам от философска гледна точка.

philosophy [fi'lɔsəfi] *n* 1. философия (*и moral* ~); **design** ~ конструктивни особености, конструктивна концепция; 2. спокойствие

на духа, уравновесеност.

phlegmatic [fleg'mætik] *adj* флегматичен, муден, бавен, инертен.

phobia ['foubiə] *n* фобия, страхова невроза.

phone₁ [foun] *n* език. звук.

phone₂ I. *n разг.* телефон; **a call on (over) the** ~ повикване по телефона; II. *v* телефонирам.

phone book ['foun'buk] *n* телефонен указател.

phone-box ['foun,bɔks] *n* телефонна кабина.

phonetic [fə'netik] *adj* фонетичен; ◇ *adv* **phonetically** [fə'netikli].

phonetics [fə'netiks] *n pl* (= *sing*) фонетика.

phonic ['founik] *adj* 1. звуков, фонически; акустичен; 2. гласов.

phonics ['founiks] *n* акустика.

phosphoresce [,fɔsfə'res] *v* фосфоресцирам.

phosphorescence [,fɔsfə'resəns] *n* фосфоресценция.

phosphorescent [,fɔsfə'resənt] *adj* фосфоресциращ.

photocopy ['foutəkɔpi] I. *n* фотокопие; II. *v* снимам на фотокопирна машина.

photograph ['foutəgra:f] I. *n* снимка, фотография; **to take a** ~ **of s.o.** снимам някого; II. *v* фотографирам, снимам; **to** ~ **well** излизам добре на фотография; фотогеничен съм.

photographer [fə'tougrəfə] *n* фотограф.

photography [fə'tɔgrəfi] *n* фотография (*процес*); **colour** ~ цветна фотография.

photosensitive ['foutə'sensitiv] *adj* светлочувствителен.

photosynthesis ['foutə'sinθəsis] *n* фотосинтеза.

phrase [freiz] I. *n* фраза (*и муз.*), израз, обрат; **felicity of** ~ изящен език; • **to coin a** ~ колкото и банално да звучи; II. *v* 1. изразявам (с думи, изрази); редактирам; **this is how he** ~**d it** така се изрази той; 2. *муз.* фразирам.

phraseological [,freiziou'lɔdʒikl] *adj* фразеологически.

phraseology [,freizi'ɔlədʒi] *n* фразеология.

phrenetic [fri'netik] *adj* **1.** френетичен, буен, необуздан, прекалено възторжен, ентусиазиран; **2.** *мед.* френетичен, луд, маниакален.

physical ['fizikl] *adj* физически, материален; телесен; ~ **drills** (*sl* **jerks**) гимнастически упражнения; ◇ *adv* **physically.**

physicist ['fizisist] *n* физик.

physics ['fiziks] *n pl* (= *sing*) физика.

physiognomy [,fizi'onəmi] *n* **1.** физиономия, вид, лице; черти на лицето; **2.** *прен.* характерна особеност, отличителни черти; **3.** физиогномия, физиогномика.

physiological [,fizio'lodʒikl] *adj* физиологичен; ◇ *adv* **physiologically** [,fiziou'lodʒikli].

physiologist [,fizi'olədʒist] *n* физиолог.

physiology [,fizi'olədʒi] *n* физиология.

physiotherapisy [,fiziou'θerəpist] *n* физиотерапевт.

physiotherapy [,fiziou'θerəpi] *n* физиотерапия.

physique [fi'zi:k] *n* телосложение; фигура; външност; организъм; **to have a good (fine)** ~ добре съм сложен, имам хубава фигура.

pianissimo [pi:ə'nisimou] **I.** *adj муз.* много плавен; **II.** *adv* много плавно, пианисимо.

pianist ['piənist] *n* пианист.

piano₁ ['pjænou] *n муз.* пиано; **to play (on) the** ~ свиря на пиано.

piano₂ ['pja:nou] **I.** *adv муз.* тихо, пиано; **II.** *n* тих пасаж.

picaroon [pikə'ru:n] **I.** *n* **1.** мошеник, авантюрист; **2.** корсар; **3.** пиратски кораб; **II.** *v* живея като мошеник (пират).

pick₁ [pik] *n* търнокоп, кирка.

pick₂ **I.** *v* **1.** избирам, подбирам; **to** ~ **and choose** придирчив съм; **2.** бера (*цветя, плодове*); **3.** *прен.* търся повод за, предизвиквам; **to** ~ **a quarrel with** търся да се скарам с, предизвиквам кавга с; **4.** махам, изваждам; оскубвам (*кокошка и под.*); **to** ~ **a thread out of о.'s dress** махам конец от роклята си; **5.** къртя, разкъртвам, копая с кирка; издълбавам (*дупка*) с остър инструмент; **6.** чопля, раз

чоплям, чистя с остър инструмент; **7.** разкъсвам, разнищвам, разчепквам, влача (*вълна*); **to** ~ **to pieces (apart)** разнищвам напълно; *прен.* правя на пух и прах; **8.** отварям (*ключалка*) с шперц; **9.** кълва, клъввам (**at**), *прен.* ям неохотно, с малки залъци; играя с, дърпам; **10.** открадвам; **to** ~ **s.о.'s brains** използвам познанията, способностите на някого; **11.** *амер.* дърпам струни (*на китара и под.*);

pick off 1) откъсвам (*увехнало цвете от растение*); **2)** застрелвам един по един;

pick on избирам, спирам избора си върху;

pick out 1) избирам, изваждам, изчоплям, изчовърквам (с пръсти, с нокти); изкълвавам; **to** ~ **out the winners** *разг.* налучквам, правилно отгатвам победителите (*в състезание*); хващам (*самолет, за прожектор*); **2)** откривам или разпознавам (*някого*) в тълпа; **3)** разчитам, вниквам в смисъла на (*текст*); **4)** изсвирвам (*мелодия на пианото*) по слух, нота по нота; **5)** очертавам, ограждам с (*разноцветни*) контури (*при боядисване*);

pick over 1) обирам (*плодове и пр.*); **2)** преглеждам внимателно, почиствам, требя;

pick up 1) вземам; вдигам (*от пода*), повдигам; **to** ~ **oneself up** повдигам се, надигам се, ставам (*след падане*); **to** ~ **up a stitch** хващам (пусната) бримка (*при плетене*); **2)** минавам да взема (*някого*); вземам (*пътници за влак и пр.*); настигам, присъединявам се към; **3)** научавам, спечелвам, намирам, попадам на, бързо или случайно; отново намирам (*пътека*); **to** ~ **up a livelihood** с мъка изкарвам прехраната си, едва свързвам двата края; **4)** арестувам, залавям; **5)** хващам (*самолет, за прожектор*); **6)** *радио.* улавям; **7)** *разг.* заговарям, свалям, флиртувам с; **8)** възстановявам (сили), възстановявам се, съвземам се, подобрявам;

his business is ~**ing up again** пак му тръгна работата; **9)** разкопавам (*почва*) с търнокоп;

II. *n* **1.** кирка, търнокоп; пикел; **2.** удар с кирка или с остър инструмент; **3.** бране, беритба (*на плодове и пр.*); **4.** право на избор; **to have о.'s** ~ избирам си; **5.** избор; елит, "цвят", "каймак"; **the** ~ **of the bunch (the basket)** най-доброто, най-добрите, най-отбраните.

picket ['pikit] **I.** *n* **1.** (*u strike* ~) стачен пост; **2.** кол; **3.** жалон, веха; репер, нивелачна точка; **4.** *воен.* застава, дежурно поделение; малък отряд, преден пост; **II.** *v* (**-tt-**) **1.** поставям стачен пост; стоя на пост (*за стачник*); **2.** закрепвам с кол(ове), заграждам с колове; **3.** завързвам за кол; **4.** *воен.* разставям постове; *прен.* поставям тук-там.

picking ['pikin] *n* **1.** копаене; **2.** чистене (*на вълна, салата, плат*); **3.** *мин.* ръчно сортиране на руда; ~ **belt** транспортна лента за ръчно сортиране на руда; **4.** подбиране на думи; **5.** беритба, бране (*на плодове*); **6.** *pl* остатъци, отпадъци; *sl* малки печалби (*от дребни кражби*).

pickle [pikl] **I.** *n* **1.** саламура; **2.** *pl* туршия; **mixed** ~**s** смесена туршия (от различни зеленчуци); *прен.* разнородна компания, от кол и въже; смесени чувства; **3.** неприятно положение; **to be in a fine (nice, sad, sorry)** ~ загазил съм го, добре се наредих, заксах, в плачевно състояние съм; оцапан съм; **4.** палаво, немирно дете; **5.** *техн.* ец, киселина; разтвор за ецване (декапиране) **II.** *v* **1.** мариновам, поставям в саламура; насолявам, слагам туршия; **2.** *техн.* байцвам, разяждам, ецвам (*с киселина*); декапирам.

picnic ['piknik] **I.** *n* **1.** пикник; **2.** нещо лесно и приятно; **the climb was no** ~ изкачването съвсем не беше леко; **II.** *v* (**-ck-**) **1.** устройвам, участвам в пикник; **2.** живея без ред, как да е, без удобства.

pictorial [pik'tɔ:riəl] **I.** *adj* **1.** изоб

разителен, образен, живописен, пиктурален; с (в) картини, образен; **2.** пиктографен; **3.** илюстрован (*за описание и пр.*); **4.** образен, живописен, картинен (*за описание*); ◇ *adv* **pictorially**; **II.** *n* илюстровано списание.

picture [′piktʃə] **I.** *n* **1.** картина, рисунка; гравюра; снимка, фотография; **to draw (paint) a ~** рисувам картина; *прен.* обрисувам, описвам; **2.** портрет; **3.** изглед, пейзаж; **4.** образ, изображение; въплъщение; **to be (look) the ~ of despair** имам много отчаян вид; **5.** красив човек, предмет или гледка; **6.** представа; **7.** филм; *pl* (*и* **moving ~s**) кино, филми; **to be in ~s** киноартист съм; работя в киноиндустрията; **8.** ситуация, положение на нещата; **to get the ~ (clear)** разбирам как стоят нещата; ● **to be in the ~ for** имам шансове за; предстои ми; **II.** *v* **1.** рисувам, изобразявам; **2.** обрисувам, описвам (*с думи*); **3.** украсявам с картини; **4.** представям си (**to oneself**).

picturesque [piktʃə′resk] *adj* **1.** живописен; картинен; **2.** жив, образен, картинен (*за стил*); оригинален, интересен, ярък (*за личност и пр.*); ◇ *adv* **picturesquely**.

picturesqueness [‚piktʃə′resknis] *n* живописност; яркост, оригиналност.

picturize [′piktʃəraiz] *v* филмирам (*роман и пр.*).

piddling [′pidliŋ] *adj* дребен, незначителен, маловажен.

piece [pi:s] **I.** *n* **1.** парче; къс; отломка; **in one ~** цял, непокътнат; **2.** парцел; **3.** *метал.* детайл, машинна част; **4.** пример, образец, мостра; **5.** бройка, отделен предмет; *шег.* човек; **~ work** работа, заплащана на парче; **6.** *воен.* (*и* **~ of ordinance**) оръдие; *остар.* пушка; **7.** монета; **a five shilling ~** монета от пет шилинга; **8.** картина; (късо) литературно или музикално произведение; пиеса; **a sea ~** морски пейзаж; **9.** фигура (*при шах*), пул (*при табла*); **10.** буренце (*за вино*); **11.** топ (хар-

тия, тапети, плат), съдържащ определено количество; ● **all of a ~ (with)** еднакъв, лика-прилика; в пълно съответствие с; **II.** *v* **1.** съединявам, свързвам в едно цяло; съшивам (*дреха*); закърпвам; **2.** *текст.* навързвам, засуквам, пресуквам (*скъсана нишка*) при тъкане; **3.** *амер.*, *разг.* хапвам, похапвам между закуската и обеда, обеда и вечерята;

piece down *амер.* удължавам (*пола и пр.*);

piece on 1) снаждам, донаждам, наставям; прилепям; слепям; добавям; 2) свързвам се;

piece out допълвам, донаждам; прибавям парчета; удължавам (*дреха*);

piece together 1) съединявам, залепвам (*фрагменти и пр.*); 2) съгласувам, натъкмявам, нагласявам (*факти*);

piece up закърпвам (*дреха*); заздравявам, укрепвам (*приятелство*); **to ~ up a quarrel** сдобрявам се, помирявам се.

pied [paid] *adj* пъстър, разноцветен, шарен.

pierce [piəs] *v* **1.** пронизвам (*и прен.* – за болка и пр.*), промушвам, пробождам; продупчвам, набождам, пробучвам; **2.** прониквам (в) (*и прен.*), процепвам, пронизвам (*за светлина, звук, студ*); **to ~ into (through) the enemy's lines** пробивам неприятелските линии; **3.** прозирам, разгадавам, разбирам, проумявам; **4.** начевам, започвам (*бъчва вино*); **5.** никне (*за зъб*);

pierce out набождам (*за растение*); пробивам, правя отвор;

pierce through пронизвам, промушвам, пробивам (от край до край).

piercing [′piəsiŋ] *adj* **1.** остър, пронизителен, оглушителен; **2.** проницателен; ◇ *adv* **piercingly**.

piety [′paiəti] *n* **1.** благочестивост, набожност; **2.** уважение, пиетет, почтително отношение.

piffle [pifl] **I.** *n* глупости, празни приказки; **II.** *v разг.* говоря (занимавам се с) глупости; **to ~ away**

o.'s time губя си времето с глупости.

piffling [′pifliŋ] *adj* празен, глупав, незначителен.

pig [pig] **I.** *n* **1.** прасе, свиня; прасенце, свинче; **~ farm** свиневъдна ферма; **2.** *разг.* "свиня", "прасе"; егоист, мизерник; мръсен, лаком човек, мърльо; **3.** *sl* полицай; таен агент; провокатор; **4.** *авиац.* *sl* аеростат; **5.** контейнер за радиоактивни материали; **II.** *v* **1** опрасва се (*за свиня*); **2.** *разг.* тъпча се, набивам (*храна*) (*c* out).

pigeon [′pidʒin] **I.** *n* **1.** гълъб; **homing ~** пощенски гълъб; **2.** *прен.* новак; балама; ● **that's my ~** това е моята грижа; **II.** *v sl* измамвам, излъгвам.

piggish [′pigiʃ] *adj* **1.** мръсен, разхвърлян, неуреден; **2.** лаком; **3.** упорит, твърдоглав, инат; егоистичен.

piggishness [′pigiʃnis] *n* **1.** мръсотия, неуредност; **2.** твърдоглавие, упорство, инат; егоизъм.

pigheaded [′pig′hedid] *adj* твърдоглав, вироглав, своенравен.

pigheadedness [′pighedidnis] *n* вироглавство, твърдоглавие.

pigment [′pigmənt] **I.** *n* пигмент; **black ~** черен пигмент; сажди; **II.** *v* оцветявам, обагрям.

pigmentation [′pigmən′teiʃən] *n* пигментация.

pike [paik] **I.** *n* **1.** копие; пика; **2.** шип (*на бастун*); **3.** *диал.* вила; ● **to come down the ~** *амер.* случва се; появява се на бял свят; **II.** *v* убивам, промушвам с копие.

pile₁ [pail] **I.** *n* **1.** *строит.* пилот, пилон, стълб, стойка; **2.** кол; **II.** *v* забивам, набивам колове; заздравявам, укрепвам с колове.

pile₂ **I.** *n* **1.** куп, купчина, камара, грамада; **2.** (*и* **funeral ~**) (погребална) клада; **3.** *воен.* оръжейна пирамида; **4.** грамадно здание; група от сгради; **5.** *sl* пари, състояние; **to make o.'s ~** натрупвам състояние, пари; **6.** *ел.* батерия; **voltaic ~** волтова батерия, волтов стълб; ● **at the top (bottom) of the ~** на най-високите (ниските) нива в йерархията; **II.** *v* **1.** (*и*

c **up, on**) трупам, натрупвам (се); натрупвам се на камара, образувам камара; **to ~ on the coal** наблъсквам (печката) с въглища; **2.** *воен.* нареждам пушки на пирамида; **3.** натоварвам (*кола и пр.*) до горе; **4.** наблъсквам се в, натъпквам (*автомобил и пр.*), наизскачаме, наизлизаме (от, през) (*c* **in, into, out, on, off**).

pile₃ *n* **1.** косъм, пух, вълна; **2.** *текст.* мъх; **velvet with real silk ~** копринено кадифе.

pilgrim [ˈpilgrim] *n* **1.** пилигрим, поклонник; **2.** *прен.* пътник, пътешественик.

pilgrimage [ˈpilgrimidʒ] I. *n* **1.** пилигримство, поклоничество; посещение на свети места; **to go on a ~** отивам на поклонение; **2.** *прен.* дълго пътуване, странстване, пътешествие; **3.** *прен.* земният живот на човека; II. *v* отивам на поклонение.

pill [pil] I. *n* **1.** хапче, пилюла; таблетка; **a bitter ~** *прен.* горчив хап, неприятност, унижение; **2.** *sl* топка; топчица (*за гласуване*); **game of ~s** билярд; **3.** *sl* неприятна личност, индивид; **the ~** противозачатъчно хапче; II. *v* **1.** (*за вълнен пуловер*) завалвам се; **2.** *sl* гласувам против (*някого*) с черна топчица; **3.** *sl уч.* скъсвам, връщам (*ученик*).

pillage [ˈpilidʒ] I. *n* **1.** плячкосване, ограбване; **2.** *остар.* плячка; II. *v* ограбвам, разграбвам, плячкосвам; отдавам се на плячка и грабеж.

pillar [ˈpilə] I. *n* **1.** архит. колона, подпора, стълб; **to drive s.o. from ~ to post** разкарвам, разигравам някого; **2.** *прен.* стълб, опора; **a ~ of society** стълб на обществото, силна, влиятелна личност; **3.** *мин.* целик, предпазен стълб; **4.** *мор.* пилерс, стълб, колона; II. *v* украсявам (подпирам) с колони.

pillow [ˈpilou] I. *n* **1.** възглавница (*за спане*); **to take counsel of o.'s ~** отлагам решението си за другия ден; **2.** *техн.* лагер, подложка, буфер; вложка; II. *v* **1.** подпирам, облягам (*главата си*) на; **2.**

служа за възглавница; **3.** *рядко* облягам се, лежа (**on**).

pilot [ˈpaiələt] I. *n* **1.** лоцман; *остар.* кормчия, щурман; **2.** *авиац.* пилот, летец; **3.** *водач*; **4.** *техн.* направляваща цапфа; **5.** *техн.* прожектор, търсач; II. *v* **1.** направлявам, карам; **2.** водя; прекарвам, превеждам (*през трудности и пр.*); **3.** изпробвам, тествам; III. *adj* **1.** контролен; помощен, спомагателен, допълнителен; **2.** водещ, направляващ, пилотен; **a ~ dog** куче водач; **3.** опитен, експериментален.

pilotage [ˈpaiələtidʒ] *n* пилотаж; направляване.

pilot-biscuit, -bread [ˈpailətˈbiskit, -bred] *n* сухар.

pilotless [ˈpailətlis] *adj* безпилотен.

pimp [pimp] I. *n* сводник; II. *v* своднича.

pimping [ˈpimpiŋ] *adj* **1.** дребен; болнав, слабоват, хилав; **2.** незначителен; дребнав; **3.** своднически.

pin₁ [pin] I. *n* **1.** топлийка, карфица; **tie (breast, scarf,** *амер.* **stick) ~** игла за вратовръзка; **2.** *pl разг.* крака; **weak on o.'s ~s** едва се държи на краката си; **3.** *sl* кегла (*за игра*); **4.** *муз.* ключ за настройване (*на струнен инструмент*); **5.** *техн.* болт, клечка, шплинт, щифт, цапфа, чеп; пета; шийка на ос; шип на мъжка панта (*u* **hinge-~**); **joint (knuckle) ~** шарнирен болт; **6.** *мор.* щифт за закрепване на въже (кабел, верига); **7.** точилка (*u* **rolling ~**); **8.** пробой, пробойник; **9.** скоба на врата за окачване на катинар; **10.** *воен.* ударник (*на пушка*); • **to put in the ~s** отказвам се от лошите си навици (*особ.* пиянство); II. *v* (**-nn-**) **1.** забождам, закачвам, закрепвам с топлийка (**to, up, on**); **to ~ s.th. on s.o.** обвинявам, лепвам вината върху някого; **2.** заковавам, приковавам; **to ~ s.o. down to a promise** обвързвам някого с обещание; **3.** *рядко* подпирам, поддържам (*стена и пр.*); **4.** *амер. sl* задигам, открадвам, отмъквам.

pin₂ *v* (**-nn-**) затварям, запирам (*в кошара*); *прен.* вкарвам натясно.

pincers [ˈpinsəz] *n pl* **1.** клещи, щипци (*u* **a pair of ~**); **2.** *зоол.* щипци (*на рак и пр.*).

pinch [pintʃ] I. *v* **1.** щипя, ощипвам; **2.** притискам, стягам; **3.** стеснявам, притеснявам, ограничавам; **to ~ oneself** лишавам се от необходимото; *разг.* затягам колана; **4.** живея оскъдно, правя много икономии, пестя, стискам се, скъпя се; **5.** пускам в пълна бързина (*кон на състезание, яхта и пр.*); **6.** *геол.* изклинвам се, стеснявам се (*за жила, пласт*); **7.** вземам чрез изнудване; изнудвам; **8.** отчеквам, оронвам, изронвам (*млади пъпки или филизи по растения*); *u* **~ out (off**); **9.** *sl* открадвам, задигам, отмъквам, ограбвам; **10.** *sl* арестувам, "окошарвам", "слагам на топло"; II. *n* **1.** щипване, ощипване; **to give s.o. a ~** щипвам някого; **2.** стискане, свиване, стягане; **at a ~, in a ~** при крайна нужда, в краен случай; **3.** щипка, стиска (*сол и пр.*); "троха", малко количество; **to take s.th. with a ~ of salt** приемам нещо с резерви, с едно на ум; не го вземам като чиста монета; **4.** *геол.* изклинване, постепенно намаляване, изтъняване (*на пласт, жила и пр.*); **5.** лом, лост (*u* **~ bar**); **6.** *техн.* секач (*стоманен*); замба, пробойник; **7.** *sl* арест, "окошарване"; **8.** *амер. sl* внезапно нападение; **9.** *sl* кражба, задигане, отмъкване.

pinched [pintʃt] *adj* **1.** измъчен, измършавял, отслабнал, изпит (*за лице и пр.*); **~ features** изпито лице; **2.** в нужда, натясно; **in ~ circumstances** в бедствено (тежко) положение; на сухо; на зор; без пари.

pine₁ [pain] *n* **1.** бор, чам *Pinus*; **silver (Swiss) ~** сребърна ела; **2.** чамов дървен материал, чам.

pine₂ *v* **1.** чезна, тлея, гасна, вехна, крея, линея, съхна, топя се, гина (*u* **~away**); **to ~ with grief** топя се от мъка; **2.** скърбя, копнея, жадувам, милея, тъгувам (**for, af-**

ter); **to ~ for s.o. (s.th.)** въздишам по някого (нещо).

pinguid ['piŋwid] _adj_ **1.** блажен, мазен, тлъст, маслен; **2.** богат, плодороден.

pinnacle ['pinəkl] **I.** _n_ **1.** островърха куличка; кубе на покрив; шпиц; **2.** _прен._ остър планински връх (скала); **3.** _прен._ кулминационна точка, най-висша степен, кулминация; апогей; **the ~ of fame** върхът на славата; **II.** _v_ **1.** _прен._ възнасям, въздигам; поставям нависоко; **2.** украсявам с кулички (кубета); **3.** _рядко_ съм (представлявам) кулминационна точка на.

pioneer [,paiə'niə] **I.** _n_ **1.** пионер, първи заселник (изследовател); **2.** _прен._ инициатор, поддръжник; **3.** _воен._ сапьор; пионер; **4.** _attr_ **~ well** сондажен кладенец; **II.** _v_ **1.** проправям (прокарвам) път (за); **2.** водя, ръководя; **3.** пионер съм в, инициатор съм на.

pioneering [,paiə'niəriŋ] _adj_ иноваторски, инициаторски.

pious ['paiəs] **I.** _adj_ **1.** набожен, благочестив, религиозен; **2.** _остар._ почтителен; верен на синовния си дълг; **II.** _n_ **(the ~)** благочестивите, _ирон._ "светците".

pip [pip] _v_ **(-pp-)** _разг._ **1.** простреливам, ранявам; улучвам, уцелвам (цел); **2.** задушавам още в самото начало (в зародиш); слагам край на, прекратявам, пресичам; **3.** побеждавам, надвивам; надхитрям; осуетявам плановете на, правя да пропадне, провалям; скъсан съм (на изпит); **~ped at (to) the post** _sl_ победен на финала; **4.** _полит._ _sl_ гласувам против, провалям при избор.

pipage ['paipidʒ] _n_ **1.** тръбопровод; канализация; **2.** докарване (прекарване) на вода (газ, нефт) по тръбопровод.

pipe [paip] **I.** _n_ **1.** тръба, тръбопровод; **drain- (water-, down-) ~** водосточна тръба; **2.** _анат._ дихателна тръба (_и_ **wind-pipe**); **3.** лула (_и_ **tobacco-~**); **to smoke the ~ of peace with s.o.** помирявам се с някого; **4.** свирка, кавал; дудук; пищялка; **to dance after (to) s.o.'s**

~ подчинявам се на някого, вървя по гайдата на някого, играя по нечия свирка; **5.** _мор._ боцманска свирка; **6.** _pl_ гайда; **7.** пеене, чуруликане; писък, креслив (пронизителен) звук; писукане; **to set up o.'s ~** крещя, пищя, викам пронизително; **8.** _метал._ всмукване; • **to lay ~s** _амер._, _полит._ занимавам се с политически интриги; купувам гласове; **II.** _v_ **1.** прекарвам по тръби (тръбопровод); **2.** пищя, говоря (пея) с креслив (пронизителен) глас; **3.** свиря на свирка (гайда) и пр.; **4.** свистя (за вятър); пея, чуруликам; пиукам, писукам (за птичка); **5.** _sl_ плача, рева, "надувам гайдата" (обикн. **to ~ o.'s eyes**); **6.** поставям тръби на; правя канализация; отвеждам, каптирам (вода); **7.** _мор._ давам сигнал със свирка; **to ~ all hands to work** давам общ сигнал за започване на работа; **8.** _кул._ гарнирам (украсявам) с гладък шприц;

pipe away 1) _мор._ давам сигнал за отплаване; отплавам; **2)** свиря си (без да се спра, невъзмутимо);

pipe down 1) понижавам тон; смълчавам се; ставам по-малко самоуверен; **2)** _мор._ разпускам (със сигнал, свирка);

pipe up 1) _разг._ обаждам се; запявам; отварям си устата, продумвам; **2)** засвирвам, започвам да свиря; **3)** _мор._ извиквам, събирам (със сигнал, свирка).

pipe-line ['paiplain] **I.** _n_ тръбопровод, нефтопровод, петролопровод; **in the ~** в процес на производство; незавършен; **II.** _v_ прокарвам (вода, петрол) през тръбопровод.

pipette [pi'pet] _n_ пипетка; капкомер, гутатор (_и_ **pipet**).

piquancy ['pi:kənsi] _n_ пикантност; острота.

piquant ['pi:kənt] _adj_ пикантен; остър.

pique ['pi:k] **I.** _v_ **1.** засягам, накърнявам; бодвам, бодвам, убождам; **to be ~ed at a refusal** засягам се от нечий отказ; **2.** възбуждам, раздразвам (любопитство

_и пр._); подтиквам, провокирам; **3.** _авиац._ пикирам; **II.** _n_ засегнато честолюбие; **out of ~** напук, на инат.

piracy ['paiərəsi] _n_ **1.** пиратство, корсарство; **2.** нарушение на авторско право, плагиатство.

pirate ['paiərit] **I.** _n_ **1.** пират, морски разбойник; корсар; **2.** нарушител на авторско право; плагиат; **3.** _attr_ пиратски, в нарушение на авторските права; **II.** _v_ **1.** _рядко_ занимавам се с разбойничество, пиратствам; ограбвам; **2.** издавам без разрешение на автора, нарушавам авторско право.

piratic(al) [pai'rætik(l)] _adj_ пиратски, разбойнически; **~ edition** незаконно препечатано издание, пиратско издание.

pirouette [,piru'et] **I.** _n_ пирует; **II.** _v_ правя пирует.

Pisces ['pi:si:z] _n_ _pl_ **1.** _астр._ съзвездие (зодия) Риби; **2.** човек зодия Риби, Риба.

piss-take ['pis,teik] _n_ подигравка, задявка.

pistol ['pistl] **I.** _n_ пистолет, револвер; пищов; **to put a ~ to o.'s head** ~ тегля си куршума; **II.** _v_ стрелям (застрелвам) с пистолет (револвер).

piston ['pistən] _n_ **1.** _техн._ бутало; **valve ~** клапанно бутало; **2.** _attr_ бутален.

pit [pit] **I.** _n_ **1.** ров, яма, трап, дупка, вдлъбнатина; канал (в гараж); **drain ~** дренажна яма; **2.** шахта, рудник, мина; кариера; **~ mouth** устие (отвор) на шахта; **3.** вълча яма, капан (_и_ **pit(-)fall**); **to dig a ~ for s.o.** копая някому гроб; **4.** **(the ~)** ад, пъкъл, преизподня (_и_ **the ~ of hell, the bottomless ~**); **5.** _спорт._ бокс (при автомобилни състезания); **6.** покрита яма за съхраняване на плодове, картофи и др.; парник; **7.** вдлъбнатина, хлътналост; **in the ~ of the stomach** под лъжичката; **8.** белег (дупчица) от шарка (върху кожата); **9.** _техн._ всмукване, шупла (на отливка); **10.** _театр._ задната част на партер; резерва; **orchestra ~** място за ор-

кестъра; **11.** *амер.* отдел на стоковата борса; **wheat ~** зърнена борса; **12.** арена за бой на петли (*и* **cockpit**); • **the ~s!** ужас, много зле, много лош(о); **II.** *v* (**-tt-**) **1.** покривам (се) с дупчици; **~ted with smallpox** сипаничав; **3.** поставям (складирам) (*зеленчуци, плодове*) в яма (траншея), силозирам.

pitch₁ [pitʃ] **I.** *n* **1.** черна смола; катран, зифт; **mineral ~, Jew's ~** асфалт; **2.** борова смола; • **to touch ~** имам работа със съмнителен субект (с тъмна личност); участвам в съмнителна сделка; **II.** *v* покривам с катран (зифт); насмолявам, катраносвам, зифтосвам.

pitch₂ **I.** *v* **1.** хвърлям, мятам, запокитвам, запращам; *спорт.* подавам; **a well-~ed ball** добре отправена топка; **2.** занасям се, залитам; люшвам се; **3.** поставям, слагам; нареждам; *спорт.* изправям, забивам (*вратички за крикет и пр.*); **4.** *муз.* давам основен тон, настройвам; **~ the song in a lower key, please** моля те, започни песента по-ниско (на понисък тон); **5.** определям; придавам определена височина на; **a high-~ed voice** висок глас; глас с висок регистър; **6.** разпъвам (*палатка*), разполагам (*лагер*); установявам (се); **to ~ o.'s tent** *прен.* заселвам се, установявам се, свивам си дом; **7.** люлея се равномерно (*за автомобил, самолет*); *мор.* клатя се надлъжно (*за кораб*); **8.** павирам; покривам с калдъръм; асфалтирам; **9.** падам тежко, тупвам (**on, on to**); **10.** *остар.* (*с изключение на pp*) нареждам, прегрупирам (*войски на бойно поле*); **11.** разказвам (*приказка*); **to ~ it strong** *разг.* преувеличавам, надувам; "разтеглям локуми"; **12.** *карти* определям коз; **13.** *техн.* захващам (се), зацепвам (се) (**into**);

pitch for агитирам; пропагандирам; опитвам се да привлека (*клиенти, гласоподаватели*)

pitch in *разг.* 1) залавям се енер-

гично, залягам; запрятам си ръкавите, стягам се, 2) присъединявам се, включвам се;

pitch into *разг.* 1) нападам, хвърлям се срещу; 2) нахвърлям се върху, наругавам, правя на пух и прах; 3) ям лакомо, ям като вълк; изяждам голяма част от; 4) падам в (нещо) с главата напред;

pitch over прекатурвам се (*през глава*);

pitch upon 1) спирам избора си на, избирам; 2) попадам (натъквам се) случайно на;

II. *n* **1.** височина (*на тон, звук и пр.*); *остар.* пределна височина, на която се вдига сокол, преди да се спусне върху плячката си; **absolute ~** абсолютен слух; **2.** подаване, хвърляне; **3.** *спорт.* част от поле между вратичките (*в крикета*); терен; **to water the ~** *прен.* подготвям терена; подготвям духовете; пропагандирам, агитирам; **4.** степен, ниво, равнище; **the highest ~ of glory** апогей на славата; **5.** наклон; скат; полегатост, ъгъл на наклона; **6.** надлъжно клатене, люлеене; **the ship gave a ~** корабът си заби носа във вълната; **7.** постоянно (обикновено) място (*на амбулантен търговец, просяк и пр.*); **8.** *техн.* стъпка (*на винт*); диаметрален цолов модул; винтова линия; разстояние между зъбците на зъбно колело; *авиац.* стъпка на самолетно витло; **9.** *мин.* наклонен земен пласт; **10.** *рядко* сърцевина (*на дърво*); • **to queer the (s.o.'s) ~** *разг.* обърквам (осуетявам) плановете на някого.

pitched [pitʃt] *adj* наклонен, полегат.

pitcher [ˈpitʃə] *n* **1.** *спорт.* питчър, играч, който хвърля (подава) топката; **2.** продавач на открит щанд; **3.** паве; камък (*за паваж, калдъръм и пр.*); **4.** *рядко* кирка; копач; мотика.

piteous [ˈpitiəs] *adj* **1.** жалък, плачевен, клет, възбуждащ съжаление; **a ~ groan** сърцераздирателен стон; **2.** *остар.* състрадателен.

pith [piθ] **I.** *n* **1.** сърцевина (*на растение*); **2.** *прен.* същина, същност, ядро; **the ~ and marrow of** същината (същността) на; **3.** сила, енергия, жизненост; **4.** целенасоченост; **comments full of ~** конкретни, целенасочени забележки; **II.** *v* изваждам сърцевината на.

pitiful [ˈpitiful] *adj* състрадателен, жалостив, милозлив; милостив, милосърден; ◇ *adv* **pitifully**.

pitiless [ˈpitilis] *adj* безжалостен, безмилостен, безчувствен; безсърдечен, безчовечен; ◇ *adv* **pitilessly**.

pitter-patter [ˈpitəˈpætə] **I.** *n* тропане, хлопане, тракане, барабанене, трополене; **II.** *v* тропам, барабаня, тракам, трополя.

pituitous [piˈtjuːitəs] *adj* слизест, слузест, лигав.

pity [ˈpiti] **I.** *n* милост, жал, жалост, съжаление; състрадание; **to have (take) ~ on** съжалявам (някого), смилявам се над; **II.** *v* съжалявам; **he is to be pitied** той е за съжаление (оплакване).

pitying [ˈpitiiŋ] *adj* състрадателен, съжалителен; ◇ *adv* **pityingly**.

pivot [ˈpaivət] **I.** *n* **1.** ос; опорна точка на въртене; **2.** шарнир, шарнирен болт; пета; **3.** *прен.* център; **4.** *спорт.* основен играч, разпределител; **II.** *v* **1.** въртя се (**on**); **2.** поставям върху ос (център); **3.** поставям ос (център) на; **4.** *прен.* завися (**on or**).

pivotal [ˈpivətl] *adj* **1.** осов; **2.** *прен.* централен, основен, кардинален, главен.

pixy, pixie [ˈpiksi] *n* елф, фея.

pizza [ˈpiːtsə] *n* пица.

pizzazz [paiˈzæz] *n* енергичност, жизненост, хъс.

pizzeria [ˌpiːtsəˈriə] *n* пицария.

placability [ˌplækəˈbiliti] *n* добродушие, благодушие, незлобливост, кротост.

placable [ˈplækəbl] *adj* добродушен, благодушен, незлобив, кротък.

placard [ˈplækɑːd] **I.** *n* плакат, афиш; **II.** *v* афиширам; поставям плакати (афиши).

placate [plə'keit] v 1. умиротворявам; 2. сдобрявам, помирявам; 3. предразполагам в своя полза.

place ['pleis] I. n 1. място; out of ~ не на място; неуместен, неподходящ; неуместно; 2. дом, квартира, жилище; здание, сграда; имение; come to my ~ tonight елате довечера у нас; 3. селище; град; село; 4. площад; улица (*само в названия*); market-~ пазарен площад, пазар; 5. *разг.* пост, положение; 6. длъжност; служба; работа; out of ~ безработен, без работа; 7. пасаж, откъс, място (*в книга и пр.*); 8. *спорт.* едно от първите три места (*в състезание*); 9. *мат.* знак; 10. *мин.* забой; II. v 1. поставям, слагам, полагам, турям; помествам, намествам; to be awkwardly ~d намирам се в неприятно положение; 2. настанявам, назначавам, вреждам; намирам място на (за), намествам; I have ~d my play пиесата ми е приета, одобрена (*за поставяне*); 3. влагам, инвестирам; пласирам (in, on, upon); to ~ confidence in доверявам се на, гласувам доверие на; 4. определям местоположение (време, място) на; отнасям към определени обстоятелства; спомням си; 5. определям (отреждам) мястото на; *прен.* преценявам; 6. *спорт.* класирам; to be ~d класирам се на едно от първите места; • to ~ in commission (operation) предавам за експлоатация.

placement ['pleismənt] n 1. поставяне, слагане; 2. предназначение; назначение; 3. местоположение; 4. разположение; порядък, ред.

placenta [plə'sentə] n (pl -tas, -tae [-tiː]) 1. *анат.* плацента; 2. *бот.* семенник.

placid ['plæsid] adj спокоен, ведър, тих, мирен, кротък; ◇ adv placidly.

placidity [plæ'siditi] n спокойствие; ведрост.

plagiarize ['pleidʒiəraiz] v плагиатствам, преписвам; *прен.* крада.

plagiary ['pleidʒiəri] n рядко 1. плагиатство; 2. плагиат.

plague ['pleig] I. n 1. чума, мор, холера; 2. бич, напаст, наказание; that child is the ~ of my life това дете е истинска напаст; това дете ще ме умори; II. v 1. поразявам (заразявам) с (with); 2. тормозя, мъча, вадя душата на.

plaguesome ['pleigsəm] adj *разг.* неприятен, досаден, непоносим.

plain₁ [plein] I. adj 1. ясен, разбираем, понятен; явен; a massage in ~ language нешифровано съобщение; 2. прост, обикновен; ◇adv plaintly; 3. прям, откровен, искрен, открит; 4. пълен, абсолютен; ~ madness чиста лудост; 5. едноцветен, без шарки, дюс; неоцветен, безцветен; 6. грозен, неприветлив, некрасив, неугледен; II. adv ясно, разбрано; недвусмислено.

plain₂ n равнина; поле.

plaintive ['pleintiv] adj печален, жален, жаловит, тъжен; ◇adv plaintively.

plan [plæn] I. n 1. план; 2. схема, скица, чертеж, диаграма; 3. план, проект, замисъл, намерение; цел; 4. система; 5. разрез, сечение; II. v (-nn-) 1. планирам, проектирам, чертая (правя) план; ~ned parenthood семейно планиране; 2. скицирам, чертая; 3. предвиждам, проектирам, планирам, обмислям; имам предвид, имам намерение.

plane [plein] I. n 1. равнина, плоскост (*и прен.*); 2. *прен.* равнина, ниво; стадий; 3. естествена фасетка на кристал; 4. основен път (тунел) в мина; 5. матрица (*на запаметяващо устройство*); II. adj плосък, равен, равнинен; III. v 1. *амер.* планирам, рея се; 2. пътувам със самолет; 3. плъзвам се по повърхността на водата (*за лодка или хидроплан*).

planet ['plænit] n планета.

planetary ['plænitəri] adj 1. планетен; the ~ system Слънчевата система; 2. земен; 3. блуждаещ; странстващ.

planish ['plæniʃ] v 1. сплесквам, валцовам, изглаждам (*метал*); 2. излъсквам, полирам, шлифовам;

фот. гланцирам.

plant [plaːnt] I. n 1. растение; ~ life растителното царство, растителност; флора; 2. *остар.* сопа, тояга; 3. завод, фабрика, промишлено предприятие; 4. инсталация, съоръжения, агрегат; *прен.* средства; 5. *амер.* здания, сгради, помещения; 6. *sl* номер, трик, измама, нагласена работа; 7. *sl* подставено лице, копой; II. v 1. садя, посаждам, засаждам, насаждам; 2. поставям здраво; забивам; 3. нанасям (*удар*); 4. поселвам, заселвам; 5. *прен.* всаждам, внедрявам; 6. установявам; 7. *sl* скривам, прикривам, укривам; 8. *sl* пробутвам, нахлузвам, намамвам (*c* on).

plantation [plæn'teiʃən] n 1. плантация; 2. насаждение; 3. *истор.* колонизиране, колонизация, заселване, поселване; колония.

plash [plæʃ] I. v пляскам (се), плискам (се); II. n плискане, пляскане; плисък, плясък.

plaster ['plaːstə] I. n 1. мазилка, хоросан; ~ cast гипсова отливка; статуетка; 2. пластир, лàпа; mustard ~ хардал; 3. лейкопласт, мушамичка (*и* court ~); II. v 1. *строит.* мажа, измазвам с хоросан (мазилка), шпакловам; 2. намазвам, покривам, наплесквам; to ~ with praise лаская грубо; 3. слагам пластир (лейкопласт); 4. поставям гипс в (на) (*вино, за премахване на киселия вкус*); 5. *sl* напивам; 6. *воен.* обстрелвам, бомбардирам.

plastic ['plæstik] adj 1. пластичен; гъвкав; ~ clay глина за моделиране; 2. пластичен; пластически; ~ surgery *мед.* пластична хирургия; 3. от пластмаса; 4. триизмерен (*за движение, пространство, форма*); 5. *биол.* гъвкав, променлив; 6. *разг.* неестествен, изкуствен, фалшив.

plasticine ['plæstisiːn] n пластилин.

plasticity [plæs'tisiti] n пластичност; гъвкавост.

plastics ['plæstiks] n pl 1. пластмаса; 2. (the ~) пластика.

plate [pleit] I. n 1. пластинка, пло-

ча, плочка; лист; ~ **clutch** дисков амбреаж; 2. *полигр.* електротипна или стереотипна форма (плака); *прен.* вложка, илюстрация на отделна страница; 3. табела, табелка; 4. посребрен (позлатен) метал; 5. *събират.* сребро, сребърни (посребрени) сервизи (прибори); 6. чиния, блюдо; **on a ~** *прен.* наготово, даром; "на тепсия"; 7. илюстрация (*в книга и пр. на по-висококачествена хартия*); 8. порция, ядене, ястие; 9. *рел.* дискос; 10. *спорт.* купа (*награда*); *прен.* състезание (*за купа*); 11. *фот.* плака; стъкло; 12. изкуствена челюст; 13. *радио.* анод; 14. *строит.* хоризонтална греда; 15 *анат.*, *зоол.* броня; II. *v* 1. покривам с тънък пласт метал; галванизирам (*никелирам, посребрявам, позлатявам*); 2. обковавам, обшивам, бронирам; 3. сплесквам, изковавам на лист; 4. *полигр.* стереотипирам; 5. силно гланцирам (*за хартия*).

platform ['plætfɔ:m] *n* 1. платформа; естрада, трибуна; 2. перон; 3. *полит.* платформа; 4. издадена скала.

platinum ['plætinəm] *n* 1. платина; 2. *attr* платинен; ~ **blonde** платиненоруса жена.

Platonic [plə'tɔnik] I. *adj* 1. платоничен, платонически; 2. духовен, нематериален; 3. теоретичен; словесен; II. *n* 1. платоник; 2. *разг.* *pl* платонически разговори.

plausibility [,plɔ:zi'biliti] *n* правдоподобност, достоверност, истинност; благовидност.

plausible ['plɔ:zibl] *adj* 1. достоверен, правдоподобен, истинен; ◇ *adv* **plausibly** ['plɔ:zibli]; 2. внушаващ доверие, благовиден; приемлив.

play [plei] I. *v* 1. играя, играя си; *театр.* изпълнявам, играя (*роля*); давам представление; **I ~ed him for the championship** играх срещу него за шампионската титла; 2. играе, движи се свободно; има луфт (*за машинна част*); 3. свиря; изпълнявам; **to ~ the piano** свиря на пиано; 4. играя, треп-

вам, трепкам; 5. насочвам (се); отправям; обстрелвам; **to ~ a searchlight upon an object** насочвам прожектора към даден предмет; 6. владея, управлявам; 7. залагам (*при хазарт*); 8. пускам в действие (*водоскок*); • **to ~ double** лицемеря, играя двойна роля; **play along** *разг.* будалкам; разигравам;

play around (about) 1) флиртувам (**with**); 2) пилея си времето; размотавам се;

play at играя на;

play away проигравам;

play back пускам запис;

play down омаловажавам; принизявам значимостта на;

play in 1) *refl* разигравам се, свиквам с играта; 2) посрещам с музика;

play off 1) изсвирвам наред; 2) поставям в неизгодно положение; **to ~ off a person against another** противопоставям един човек на друг; правя така, че двама души да се скарат, скарвам двама души; 3) представям, пробутвам; прокарвам (**as**); 4) *спорт.* (*в турнири*) играя мачовете, определени с жребий;

play out 1) изигравам до края; 2) разраствам се, навлизам, преминавам (**in** в);

play up 1) обръщам прекалено голямо внимание на; преувеличавам; 2) дразня, "играя номер"; 3) *амер.* рекламирам; 4) *амер.* използвам, оползотворявам; **to ~ up to** докарвам се (подмазвам се на); 5) вземам дейно участие, участвам активно; правя всичко възможно; държа се здраво (храбро);

play upon (on) 1) свиря на; **to ~ on the flute** свиря на флейта; 2) действам на; играя си с, възползвам се от (*нечии чувства*); **to ~ upon words** играя си с (на) думи; говоря двусмислено;

II. *n* 1. игра; ~ **upon words** игра на думи, каламбур; 2. пиеса, представление; спектакъл; драма; **to damn a ~** провалям пиеса; 3. шега, забава; **in ~** на шега; 4. *техн.* игра, луфт, свободно движение;

толеранс; 5. поведение, отношение; **fair ~** почтеност, честност; 6. дейност, действие; **to come into ~** започвам да действам; 7. *прен.* простор, свобода; **to give free ~ to o.'s thoughts** давам пълна свобода (простор) на мислите си; • **to make great (big) ~ of** преувеличавам, пресилвам; преигравам.

play-act ['plei'ækt] *v* преструвам се, правя се.

player ['pleiə] *n* 1. играч; 2. актьор; музикант; **grand-stand ~** позьор; 3. комарджия, картоиграч.

playful ['pleiful] *adj* игрив, забавен, весел; духовит, увлекателен; закачлив, шеговит; **a ~ remark** шеговита забележка; ◇ *adv* **playfully**.

playground ['pleigraund] *n* игрище, спортна площадка; **nursery ~** детска площадка.

playing-field ['pleiiŋ,fi:ld] *n* игрище, спортна площадка.

playwright ['pleirait] *n* драматург.

plea [pli:] *n* 1. оправдание; предлог, претекст; довод; **on the ~ of** под предлог; 2. молба, жалба; петиция, тъжба; апел; **a ~ of mercy** молба за помилване; 3. *юр.* защитна реч, защита, пледоария; **to make a ~ against** възразявам срещу; 4. *истор.*, *юр.* процес, гражданско дело.

plead [pli:d] *v* (**pleaded**, *амер.* **pled** [pled]) 1. умолявам, моля, обръщам се с (отправям) молба, ходатайствам (пред **with**, за **for**); застъпвам се; 2. отговарям (отвръщам) на обвинение; обръщам се към съда; 3. защитавам в съда; пледирам; 4. позовавам се (*на нещо*); изтъквам (*като оправдание*); използвам като претекст.

pleader ['pli:də] *n* 1. защитник, адвокат; 2. просител, молител; ходатай, застъпник.

pleading ['pli:diŋ] I. *n* 1. защита; 2. застъпничество, ходатайство; II. *adj* умоляващ, умолителен; ◇ *adv* **pleadingly**.

pleasant ['plezənt] *adj* 1. приятен; 2. любезен; **a ~ man to deal with** човек с лек, приятен характер; човек, с когото лесно се живее; ◇ *adv*

pleasantly; 3. *остар.* шеговит, закачлив.

pleasantness [ˈplezəntnis] *n* любезност; веселост.

please [pliːz] I. *v* 1. харесвам се на, нравя се на; угаждам на; доставям удоволствие на; удовлетворявам; **he is hard to ~** трудно му се угажда; 2. *pass* доволен съм; **I shall be ~d to do it** с удоволствие ще го направя; 3. искам, позволявам; II. *int* моля.

pleasing [ˈpliːsiŋ] *adj* 1. приятен, доставящ удоволствие; 2. привлекателен, харесващ се, нравещ се (to); ◇ *adv* **pleasingly**.

pleasure [ˈpleʒə] I. *n* 1. удоволствие, наслада; развлечение, забава; **to take (a) ~ in s.th.** намирам удоволствие в нещо; 2. воля, желание; **at his ~** когато той пожелае; 3. *attr* увеселителен; **~ journey (trip)** пътешествие за удоволствие; II. *v остар.* 1. доставям удоволствие на; 2. намирам удоволствие (in); 3. *разг.* търся развлечения.

pleat [pliːt] I. *n* плисе; дипла, чупка, прегъвка; II. *v* плисирам, начупвам, дипля, надиплям.

plebiscite [ˈplebisait] *n* плебисцит, референдум.

pledge [pledʒ] I. *n* 1. залог; **to take out of ~** откупвам (освобождавам) от залог; 2. поръчителство; *истор.* заложник; 3. дар, подарък; 4. тост, наздравица; 5. гаранция, обет; обещание; вричане, заричане; **pie-crust ~** обещание, което не възнамерявам да изпълнявам; 6. човек, който се е съгласил да влезе в някакво общество, братство и пр., но още не е иницииран; 7. *полит.* публично обещание на водач на партия да се придържа към определена линия в политиката; II. *v* 1. залагам, давам в залог; 2. обвързвам с обещание; давам тържествен обет; **to ~ o.'s word (honour)** давам (честна) дума; 3. вдигам тост (пия) за здравето (*на някого*); 4. съгласявам се да вляза в някакво братство.

plenary [ˈpliːnəri] *adj* 1. пълен, не-

ограничен, цялостен; **~ powers** неограничени пълномощия; 2. пленарен (*за заседание и пр.*).

plenipotentiary [ˌplenipəˈtenʃəri] I. *adj* 1. пълномощен; 2. неограничен, абсолютен; **~ power** суверенна власт; II. *n* пълномощник, пълномощен министър, посланик.

plenitude [ˈplenitjuːd] *n* пълнота; цялост; изобилие, обилие; **in the ~ of o.'s power** в разцвета на силите си.

plenteous [ˈplentiəs] *adj поет.* 1. изобилен, обилен, богат; 2. плодороден, плодовит.

plentiful [ˈplentiful] *adj* обилен, изобилен; **as ~ as blackberries** в изобилие, на път и под път; ◇ *adv* **plentifully**.

plenty [ˈplenti] I. *n* 1. (из)обилие, обилност; **horn of ~** рог на изобилието; 2. множество; излишък; **~ of times** много (безброй) пъти; II. *adj амер., разг.* обилен, многоброен, многочислен; III. *adv разг.* 1. доволно, напълно; 2. много, извънредно.

plenum [ˈpliːnəm] I. *n* (*pl* **-s, -na** [-nə]) 1. пленум; 2. пълнота, запълненост; II. *adj техн.* нагнетателен (*за вентилация*).

pliability [ˌplaiəˈbiliti] *n* гъвкавост, еластичност, пластичност; разтегливост; ковкост.

pliable [ˈplaiəbl] *adj* 1. гъвкав, пластичен; ковък; 2. лесно поддаващ се на (попадащ под) влияние; отстъпчив; нагаждащ се, приспособяващ се (*често неодобр.*).

plication [ˌpliˈkeiʃən] *n* 1. бръчка, гънка; 2. *pl геол.* нагъване (*на пластовете*).

pliers [ˈplaiəz] *n pl* щипци, клещи; плоски клещи (*и* **a pair of ~**).

plodding [ˈplɒdiŋ] I. *adj* 1. тромав (*за походка*); 2. тежък, бавен, скучен, неблагодарен (*за работа*); 3. трудолюбив; издръжлив; II. *n* 1. тежка, тромава походка; 2. тежка работа, бъхтене.

plonk [plɒŋk] I. *v* тупвам (се), бухвам (се), пльосвам (се); II. *n* 1. евтино, нискокачествено вино; 2. бухване, тупване.

plop [plɒp] I. *n* цопване, цамбурване, плясване, шопване; II. *v* (**-pp-**) цопвам във вода, шопвам се, цамбурвам, плясвам; **to ~ down in an armchair** отпускам се в кресло; III. *adv* 1. внезапно; 2. с плясък; IV. *int* цоп! пляс! шоп!

plot [plɒt] I. *n* 1. парцел, участък, парче земя; **grass ~** тревна площ; 2. *амер.* план, чертеж, скица; графика, диаграма; 3. заговор, конспирация, съзаклятие, интрига; *прен.* план, намерение; 4. *лит.* фабула, сюжет; интрига; *разг.* работата става дебела; II. *v* (**-tt-**) 1. разпределям, разделям (*земя*); **to ~ out** парцелирам; 2. чертая, скицирам; **to ~ point by point** построявам крива по точки; 3. кроя планове, заговорнича, съзаклятнича; интригантствам; правя машинации; 4. изграждам сюжета (*на произведение*).

plotter [ˈplɒtə] *n* 1. заговорник, съзаклятник, конспиратор; 2. номограма за механично решаване на триъгълници; 3. планшет; 4. *инф.* плотер.

plough [plau] I. *n* 1. плуг, рало; **to follow the ~** земеделец съм; 2. снегорин (*и* **snow-~**); 3. орна земя; 4. *ел.* токоприемник; 5. *астр.* Голямата мечка (*съзвездие*); 6. *sl* проваляне на изпит; 7. (бялищен) струг; **• to put o.'s hand to the ~** залавям се на работа; II. *v* 1. ора, изоравам; обработвам; 2. поддавам се на обработване (орана); 3. бразда, набраздявам; 4. пробивам, проправям с труд (*и* **~ through**); **to ~ through an examination** с мъка си вземам изпита; 5. разсичам, поря (*вълни*); 6. *полигр.* подрязвам (*краища на книга при подвързване*); 7. *sl* късам, провалям (*на изпит*); **• to ~ a lonely furrow** следвам самотен избрания път;

plough back връщам (печалба) обратно в бизнеса, реинвестирам;

plough into 1) започвам (работа с ентусиазъм и настървение; 2) блъскам се в, забивам се в; 3) наривам (*пари в начинание*), инвестирам;

plough on постоянствам, упорствам, не се отказвам (*въпреки трудностите*);

plough through 1) трудно си пробивам път; **to ~ through a book** с мъка изчитам книга докрай; 2) газя, вършея, прегазвам.

pluck [plʌk] I. *n* 1. дръпване, щипване; скубане; 2. *разг.* смелост, храброст, кураж, мъжество, решителност, юначество; дързост; **rare-~ed, good-~ed** рядко храбър (смел); 3. карантия; 4. провал, пропадане, скъсване (*на изпит*); II. *v* 1. откъсвам, бера (*цветя*); 2. оскубвам, скубя (*и прен.*); тегля, изтеглям; дърпам, издърпвам; **to ~ the eyebrows** скубя си веждите; ● **a drowning man ~s at a straw** давещият се и за сламка се хваща; 3. оскубвам (*птица*); 4. докосвам, дърпам (*струни*); 5. *sl* късам (*на изпит*); 6. *разг.* измамвам, изигравам, "премятам";

pluck off откъсвам (*лист от растение*);

pluck out изскубвам (*коси, пера и пр.*);

pluck up изтръгвам, изкоренявам, изваждам с корена.

plug [plʌg] I. *n* 1. запушалка, тапа; чеп; 2. кран; **fire-hydrant ~** пожарен кран; 3. болт, щифт, палец, зъбец; чивия; 4. щекер, щепсел; контакт; ● **to pull the ~ on** осуетявам; прекратявам, попречвам на; 5. пломба (*на зъб*); 6. воден автомат с ръчка (*в тоалетна*); 7. *амер., sl* цилиндър (*шапка*) (*u ~ hat*); 8. *sl* (юмручен) удар; 9. *sl* книга, която не се търси; застояла стока; II. *v* (-gg-) 1. запушвам, затулвам (*често ~ up*); 2. пломбирам (*зъб*); 3. *разг.* постоянствам, упорствам (*в работа и пр.*); 4. (*често ~ away*); 4. *амер., разг.* популяризирам (*особ. за песен*); рекламирам настойчиво; 5. *sl* застрелвам, прострелвам; 6. *sl* удрям с юмрук; **to ~ s.o. (s.o.'s plans)** преча на (спъвам, възпрепятствам) работата на някого;

plug away упорствам, постоянствам;

plug in поставям щепсел;

plug into 1) влизам (*в компютърна система*), получавам достъп; 2) разбирам (*нечие мислене, идеи и пр.*); докосвам се до;

plug up затъквам, запушвам.

plumage ['plu:midʒ] *n* оперение, перушина, пера; **birds of ~** птици с красиви (шарени, пъстри) пера.

plumb [plʌm] I. *n* 1. отвес; 2. *мор.* лот; II. *adj* 1. вертикален, отвесен, перпендикулярен; прав, изправен; 2. *разг.* абсолютен, явен, неоспорим; **~ nonsense** чиста (абсолютна) глупост; III. *adv* 1. отвесно, перпендикулярно, вертикално; 2. точно, тъкмо; 3. *амер., sl* съвършено, окончателно, съвсем; **~ in the center** точно в средата; IV. *v* 1. поставям под отвес (вертикално, перпендикулярно); 2. измервам (*дълбочина* с лот; 3. *прен.* прониквам в, вниквам в, разбирам; 4. работя като водопроводчик; 5. прокарвам канализационна мрежа; ● **to ~ the depth of shame** потъвам от срам.

plump [plʌmp] I. *adj* закръглен, пълничък, въздебел; II. *v* 1. отглеждам, отхранвам (*u ~ up*); 2. затлъстявам, тлъстея, дебелея, надебелявам, пълнея, напълнявам (*u ~ out, ~ up*); 3. (*за корабни платна*) издувам се, изпълвам се (out).

plunder ['plʌndə] I. *v* грабя, разграбвам, плячкосвам (*особ. на война*); крада, обирам, ограбвам; II. *n* 1. грабеж, обир; 2. плячка; печалба; 3. *sl* полза, изгода.

plunderage ['plʌndəridʒ] *n* 1. грабеж, обир, кражба; 2. *мор., юр.* присвояване (кражба) на стока; 3. плячка, заграбена стока.

plunge ['plʌndʒ] I. *v* 1. гмуркам се; 2. потапям (се); потъвам; 3. хвърлям (се), мятам (се) (into); **to ~ into a difficulty** попадам в трудно положение; 4. въвличам (in, into); **to ~ a country into war** вкарвам държава във война; 5. хвърлям се напред (*за кон*); 6. спадам (понижавам се) внезапно (*за цени*); 7. *прен.* задълбавам, потъвам, задълбочавам се; 8. *разг.*

охарчвам се; играя (спекулирам) на едро; 9. *мор.* забивам нос във вълна (*за кораб*); 10. заравям; II. *n* 1. гмуркане, гмуркане; 2. потапяне, потъване; ● **to take the ~** правя решителна крачка; вземам окончателно решение.

plunger ['plʌndʒə] *n* 1. водолаз; 2. *разг.* комарджия; спекулант; 3. *sl остар.* кавалерист; 4. *техн.* бутало; камбана (*на клозет*); механична запушалка (*на вана*); 5. *техн.* щемпел преса; 6. игличка на вентил.

plural ['pluərəl] I. *adj* множествен; многочислен, многоброен; II. *n език.* 1. множествено число; 2. дума в множествено число.

pluralism ['pluərəlizm] *n* 1. съвместителство; 2. *филос.* плурализъм.

plurality [pluə'ræliti] *n* 1. множественост, многочисленост; 2. множество; 3. съвместителство (*и за свещеник с няколко бенефиции*); 4. мнозинство, болшинство, поголям брой; 5. *амер.* относително мнозинство на подадените гласове.

plus [plʌs] I. *n* 1. плюс, положителен знак; 2. допълнително количество; 3. положителна величина; 4. положително качество; *воен.* прехвърляне на целта (*при стрелба*); II. *adj* 1. добавъчен, допълнителен; 2. *мат., ел.* положителен; III. *prep* плюс.

ply₁ [plai] I. *n* 1. пласт, слой; кат; гънка (*на плат*); 2. дилка, нишка, жичка; 3. склонност, тенденция; **to take a ~** имам склонност; отклонявам се по; II. *v рядко* съвам, прегъвам; вкатявам.

ply₂ *v* (**plied, plying**) 1. движа, употребявам, работя усърдно с, въртя; **to ~ the bottle** пия много; 2. упражнявам, практикувам; 3. отрупвам, обсипвам (*с въпроси и пр.; with*); настойчиво каня, карам някого; **to ~ s.o. with wine** напивам някого с вино; 4. поддържам (*огън и пр.*); 5. бия, налагам (*кон и пр.*); 6. натяквам; 7. правя курсове (*за лодка, автомобил и пр.; between, from – to*); 8. чакам клиенти (пасажери) (*на*

пиаца) (обикн. for hire); 9. *мор.* лавирам.

pneumatic [nju:'mætik] I. *adj* 1. пневматичен; въздушен; пълен с въздух, надут (*за автомобилна гума*); ~ **drill** пневматична пробивна машина, канго; 2. *рел.* духовен; II. *n* 1. гума (*автомобилна и пр.*); кола с гуми; 2. пневматична машина.

poach [poutʃ] *v* 1. бракониерствам; промъквам се в; 2. привличам (отмъквам) служителите (клиентите) на конкуренцията; 3. нарушавам, престъпвам (*чужди права и пр.*); 4. *спорт.* вземам топка на партньора си (*в тениса*); 5. мушкам, бъркам (*с пръст, прьчка и пр.*; into); 6. меся (*глина*); 7. избелвам, обезцветявам (*хартиена маса*).

poacher ['poutʃə] *n* 1. бракониер; 2. *прен.* който си присвоява чужди права.

pocket ['pɔkit] I. *n* 1. джоб; *прен.* пари; **empty** ~s без пари (средства); ● **to be low in** (o.'s) ~ нямам пукната пара в джоба си; 2. торба, торбичка (*особ. като мярка за хмел, вълна и пр.*); кесия, кесийка; 3. джоб (*на билярдна маса*); 4. гънка (*на терен*), падина, долинка; 5. дупка, вдлъбнатина (*в камък със златна или др. руда*); 6. *мин.* залеж; буца, руда; издуване (*на пласт, жила*); 7. бункер; 8. *авиац.* въздушна яма; 9. *воен.* "чувал"; 10. *мед., биол.* торба; 11. *спорт.* блокиране на състезател (*при конни надбягвания*); 12. *attr* джобен; II. *v* слагам в джоба си; 2. присвоявам, "свивам", заделям си (*пари*); 3. заобикалям, заграждам, ограждам; 4. *амер.* задържам законопроект (*за президент, законодателно събрание*); 5. *прен.* задържам, съдържам; потискам, скривам; 6. преглъщам, понасям, изтърпявам (*обида и пр.*); 7. вкарвам топката (*при игра на билярд*).

pocket-book ['pɔkitbuk] *n* 1. бележник, тефтерче; 2. *амер.* портфейл; дамска чантичка; 3. книга с меки корици.

podium ['poudiəm] *n* 1. подиум; 2. *анат., зоол.* крак.

poem ['pouim] *n* поема; стихотворение.

poet ['pouit] *n* поет.

poetic(al) [pou'etik(əl)] *adj* 1. поетически; поетичен (*обикн.* -ic); 2. стихотворен (*обикн.* -ical); ◇ *adv* **poetically.**

poeticise [pou'etisaiz] *v* поетизирам, разкрасявам.

poignant ['poinənt] *adj* 1. покъртителен, трогателен; мъчителен, тежък, горчив; болезнен; ◇ *adv* **poignantly**; 2. остър (*за ум и пр.*); хаплив; язвителен, ядовит; ~ **interest** голям (неудържим) интерес; 3. *рядко* остър (*за миризма*); ~ **sauces** пикантни сосове.

point [pɔint] I. *n* 1. поанта, същност, същина на нещо; смисъл; остроумие, духовитост; **there's no** ~ **in doing that** няма смисъл да правиш това; 2. особеност, характерна (отличителна) черта (*особ. при класиране на расови животни*); **a sore** ~ болно място, болна тема; 3. място, пункт; позиция, положение; ~ **of view** място за наблюдение; *прен.* гледна точка; 4. определен момент (точка); **freezing- (boiling-)** ~ точка на замръзването (кипенето); 5. връх, остър връх, край, острие; **to have at the** ~ **of o.'s fingers** *прен.* владея перфектно, знам на пръсти; 6. точка (*и геом.*); 7. *спорт.* точка; **to make (score) a** ~ отбелязвам (спечелвам) точка, *прен.* удрям противника си (*при спор*); 8. *полигр.* пункт (*мярка*); 9. *pl амер., воен.* отличителни знаци; 10. изход (*в инсталационна система*); ● **at all** ~s във всяко едно отношение; напълно; по всяка точка; II. *v* 1. соча, насочвам, посочвам (at, to, upon); целя се, прецелвам се (at); 2. насочвам внимание (to, at); 3. насочвам, показвам, изтъквам (out); 4. остря, подострям, наострям, изострям; **to** ~ **a moral** служа за урок; 5. слагам точка; **to** ~ **a sentence** слагам препинателни зна-

ци на изречение; 6. *муз.* отбелязвам паузи (*с точки*); 7. отделяме цифри (*с точки*); 8. заемам положение при откриване на дивеч (*за куче*); 9. гледам към (*за сграда*); 10. *строит.* фугирам.

point-device ['pɔintdi'vais] I. *adj* точен, прецизен; безпогрешен; коректен; изваден като от кутийка (*за външност*), изискан, елегантен; II. *adv* точно, прецизно; елегантно, изискано.

pointed ['pɔintid] *adj* 1. изострен, остър, заострен; наострен; ~ **style** готически стил; 2. остър, рязък; 3. насочен срещу; 4. подчертан; решителен, недвусмислен; ◇ *adv* **pointedly.**

pointer ['pɔintə] *n* 1. указател, показател; 2. показалка (*прьчка*); 3. стрелка (*на механизъм*); 4. пойнтер (*куче*); 5. *разг.* намек, подмятане, подхвърляне.

pointful ['pɔintful] *adj* подходящ, уместен, сгоден.

poise [pɔiz] I. *n* 1. равновесие; уравновесеност; 2. спокойствие; сигурност, самоувереност; 3. поза, положение, начин (маниер) на държане (*на глава и пр.*); 4. топуз (*на часовник*); *техн.* тежест; противотежест, балансьор; II. *v* 1. уравновесявам (се), балансирам (се); стабилизирам (се); 2. държа, придържам в положение за хвърляне (*копие и пр.*); 3. държа по особен начин (*глава и пр.*); 4. задържам се на едно място във въздуха (*за птица*).

poison ['pɔizən] I. *n* отрова (*и прен.*); **rat-**~ отрова за мишки; II. *v* 1. отравям; **to** ~ **food** слагам отрова в храна; 2. отравям, покварявам; **to** ~ **s.o.'s mind against** надъхвам (настройвам) някого против; 3. инфектирам, възпалявам; 4. *физ.* и *хим.* унищожавам, намалявам дейност; III. *adj* отровен.

poke₁ [pouk] I. *v* 1. мушкам, мушвам, ръгам; пъхам (in, up, down *и пр.*); **to** ~ (o.'s nose) **into** (to - **and pry**) бъркам се в (чужди работи), меся се в, пъхам си носа, където не трябва; 2. търся опи-

пом, ровя (**about, for**); **3.** играя бавно и предпазливо (*крикет*); **4.** *sl* удрям; ● **to ~ fun at** присмивам се на;

poke about 1) любопитствам; мотая с, шляя се; 2) търся; тършувам, ровичкам;

poke out (of) стърча, подавам се;

poke through пробождам, пронизвам;

poke up *разг.* затварям (*в малко помещение*);

II. *n* **1.** мушване, ръгване; **2.** *амер. разг.* безделник, лентяй, хайлазин; муден, бавен човек.

poke₂ *n диал.* **1.** торба, чанта; **2.** *остар.* джоб; ● **to buy a pig in a ~** купувам нещо, без да съм го видял.

poker ['poukə] *n* покер.

poky ['pouki] *adj* **1.** тесен, сбутан; беден, жалък (*за стая и пр.*); **2.** незначителен, маловажен, дребен, мизерен; **3.** *амер.* туткав, пипкав, бавен, тромав; мързелив.

polar ['poulə] *adj* **1.** полярен; **~ lights** северно сияние; **2.** (дву)полюсен; **3.** диаметрално противоположен; противоположен, противодействащ; **4.** пътеводен.

polarize ['pouləraiz] *v* **1.** *физ.* поляризирам; **2.** *прен.* придавам особено (специално) значение (*на думи и пр.*).

pole₁ *n* **1.** прът; върлина; стълб; **2.** процеп, ок; **3.** *спорт.* върлина; **4.** *мор.* мачта (*особ. горния край*); ● **to move up the greasy ~** издигам се в йерархията, докопвам се до по-висок пост; **II.** *v* **1.** слагам пръти; **2.** карам (**off, away**), въртя с прът; **3.** карам лодка с прът; **4.** бъркам мед.

pole₂ *n* **1.** полюс; **Arctic (North) ~** Северният полюс; **Antarctic (South) ~** Южният полюс; **2.** една от две възможни крайности; **3.** притегателна точка; **4.** *attr* полюсен.

polemic [pɔ'lemik] **I.** *adj* полемичен; **II.** *n* **1.** полемика (*особ. pl*); **2.** полемист(ка).

police [pə'li:s] **I.** *n* **1.** полиция; **military ~** военна полиция; **2.** *амер. воен.* гарнизонна служба; **3.** *attr*

полицейски; **II.** *v* **1.** охранявам с полицаи; назначавам полицаи; **2.** *прен.* контролирам, управлявам, регулирам; **3.** *воен. амер.* чистя, поддържам чистота и ред.

policeman [pə'li:smən] *n* (*pl* **-men**) полицай.

police-station [pə'li:s‚steiʃən] *n* полицейски участък.

policy₁ ['pɔlisi] *n* **1.** политика; **peace ~ (the ~ of peace)** мирна политика; **2.** курс, линия на поведение; **3.** политичност, благоразумие, съобразителност, далновидност; хитрост; **4.** *шотл.* (*и pl*) парк, дворно място (*на имение и пр.*).

policy₂ *n* **1.** застрахователна полица; **2.** *амер.* хазартна игра (*чрез изтегляне на числа*).

polish ['pɔliʃ] **I.** *v* **1.** лъскам (се), излъсквам (се), лакирам, полирам; изглаждам (се), шлифовам (се) (**up**); изчиствам (**away, off, out**); **2.** *прен.* шлифовам (се); поправям, подобрявам (**up**); **~ed manners** изискани маниери; **II.** *n* **1.** излъскване, полиране, полировка; **dull ~** матиране; **2.** лъскавина, блясък; гланц; **3.** лак; лустро; политура; **4.** *прен.* изтънченост, изисканост, финес; лустро, шлифовка.

polishing ['pɔliʃiŋ] **I.** *n* **1.** гланциране; полиране; шлифоване; **2.** сатиниране; **II.** *adj* **1.** полировъчен; гланциращ; **2.** сатиниращ.

polite [pə'lait] *adj* **1.** учтив, вежлив, любезен; коректен, възпитан; **to do the ~** *разг.* мъча се да бъда учтив; **2.** изтънчен; културен; изискан, изящен (*за стил и пр.*); **~ letters (literature)** изящна литература, белетристика; ◇ *adv* **politely**.

politeness [pə'laitnis] *n* **1.** учтивост, вежливост; любезност; **2.** изтънченост, изисканост, възпитаност.

politic [pə'litik] *adj* **1.** политичен; ловък, хитър, обигран, изпечен, изкусен; **2.** умен, разумен; **3.** *рядко* политически; държавен.

political [pə'litikl] *adj* **1.** политически; **~ liberties (rights)** политически свободи (права); ◇ *adv* **politically**

[pə'litikli]; **2.** държавен; **~ science** държавно право.

politician [pɔli'tiʃən] *n* **1.** политик; **2.** политикан; **3.** *амер.* държавен служител; **4.** държавник.

politicize [pɔ'litisaiz] *v* **1.** разисквам (обсъждам) политически въпроси; **2.** занимавам се с политика.

politics ['pɔlitiks] *n pl* **1.** политика; **to be engaged in (to go into) ~** занимавам се с политика, посвещавам се на политическа кариера; **2.** политически убеждения; **3.** мотиви, цели, политика (*на частни и общи интереси*).

poll [poul] **I.** *n* **1.** проучване на общественото мнение (*по някой въпрос*) (*и* **opinion ~, straw ~**); **2.** гласуване; **to declare the ~** обявявам резултатите от гласуването; **3.** отбелязване на гласовете (*при гласуване*); брой на гласовете; броене на гласовете; **a heavy (poor, light) ~** голям (малък) процент на участие в избори; **4.** избирателен списък; списък; **5.** *обикн. pl* избирателен пункт; **6.** *остар.* глава; теме; **7.** широкият край на чук; **II.** *v* **1.** сондирам, допитвам се, проучвам (*общественото мнение*) (*обикн. в pass*); **2.** отбелязвам гласовете (*при гласуване*); **3.** гласувам (*и* ~ **o.'s vote**); **4.** получавам гласове; **he ~ed a large majority** бе избран с (получи) голямо болшинство; **5.** вписвам в (избирателен) списък или за облагане с данък; **6.** *остар.* стрижа ниско; режа, отрязвам, подкастрям (*корона на дърво, рога на добиче и пр.*).

pollen ['pɔlin] *n бот.* полен, тичинков прашец; **~ count** съдържание на полени във въздуха.

polling ['pouliŋ] *n* гласоподаване, гласуване.

pollutant [pə'lu:tənt] *n* замърсител.

pollute [pə'lu:t] *v* **1.** мърся, омърсявам, замърсявам, зацапвам, оцапвам; *прен.* скверня, осквернявам, безчестя, поругавам; петня, опетнявам.

pollutive [pə'lu:tiv] *adj* замърсяващ.

polybasic [‚pɔli'beizik] *adj хим.* многоосновен; многоатомен.

polychromatic [ˌpɔlikroˈmætik] *adj* многоцветен, полихроматичен.

polyclinic [ˈpɔliklinik] *n* клиника, болница (*за лечение на различни заболявания*).

polynomial [ˌpɔliˈnoumiəl] I. *adj* многочленен, полиномен; II. *n* полином, многочлен.

polysemantic [ˈpɔlisiˈmæntik] *adj* многозначен, полисемантичен.

polysemy [pɔˈlisimi] *n* многозначност, полисемия.

polytechnic [ˌpɔliteknik] I. *adj* политехнически; II. *n* политехникум, политехника.

polythene [ˈpɔliˈθiːn] *n* 1. полиетилен; 2. *attr* полиетиленов.

pomp [pɔmp] *n* великолепие, пищност, разкош.

pomposity [pɔmˈpɔsiti] *n* 1. надутост; 2. бомбастичност, надутост, превзетост, помпозност (*за език, стил*); 3. *остар.* пищност, великолепие, помпозност.

pompous [ˈpɔmpəs] *adj* 1. помпозен, важен, тежък, надут; 2. бомбастичен, надут (*за език, стил*); ◇ *adv* pompously; 3. *остар.* пищен, великолепен.

ponce [ˈpɔns] *n* 1. *sl* сутеньор; 2. конте.

ponder [ˈpɔndə] *v* обмислям; размислям, размишлявам (**on, upon**); потъвам в размисъл, умувам, мъдрувам, премислям (**over**).

ponderosity [ˌpɔndəˈrɔsiti] *n* 1. тежест, тежина; 2. тромавост, тежест, мудност (*на стил и пр.*).

ponderous [ˈpɔndərəs] *adj* 1. тежък, масивен, солиден; 2. *прен.* тежък, тромав, бавен, мъчноподвижен, муден; досаден, тягостен, скучен; ◇ *adv* ponderously.

poniard [ˈpɔnjəd] I. *n* кама, кинжал; II. *v* пробождам с кама.

pontiff [ˈpɔntif] *n* 1. първосвещеник; 2. епископ, архиерей; 3. понтифекс, римският папа (*и sovereign ~*); • **the ~s of science** влъхвите на науката.

pontificate [pɔnˈtifikit] I. *n* понтификат; II. *v* [pɔnˈtifikeit] 1. служа в епископски ритуал; 2. надувам се; държа се помпозно.

pooh-pooh [puːˈpuː] *v разг.* омало-важавам, недооценявам, пренебрегвам, отнасям се с пренебрежение към.

pool₁ [puːl] I. *n* 1. вир; локва, гьол; блато, мочурище; a ~ of blood локва кръв; 2. басейн (*и swimming-~*); 3. *мин.* дупка за поставяне на клин (*при копаене*); 4. нефтено находище (*и oil ~*); II. *v мин.* 1. правя дупка (*за клин*); 2. подкопавам залеж.

pool₂ I. *n* 1. залагания (*при комар*); съд за залаганията; the ~s футболна лотария; тото; 2. вид билярд за няколко души; 3. пул; 4. сдружаване на комарджии; 5. обща каса, общ фонд; buffer ~ *инф.* буферна памет; II. *v* 1. образувам пул, тръст; сдружавам се; to ~ interests сдружавам се, действам съвместно с; 2. обединявам в общ фонд.

poor [puə] I. *adj* 1. беден, безимотен; нуждаещ се; сиромах, бедняк; as ~ as a church-mouse беден като църковна мишка; 2. беден откъм (in); ~ in trees слабо залесен; 3. нискокачествен, недоброкачествен, лош; слаб, посредствен, незначителен, жалък; дребен, малък; to be ~ at mathematics не ме бива (слаб съм) по смятане; 4. беден, нещастен, окаян, злочест, клет, горък; ~ me! клетият (бедният, горкият) аз; II. *n* the ~ бедните, бедняците, беднотията, беднотата, сиромашия.

poorly [ˈpuəli] I. *adv* жалко; лошо, недобре; to think ~ of имам лошо мнение за; II. *adj predic* слаб, нездрав, болнав; to feel rather ~ morning не съм много добре, не се чувствам добре, неразположен съм.

poorness [ˈpuənis] *n* 1. бедност, беднотия, сиромашия; 2. незадоволителност, неудовлетворителност, недостатъчност, лошо качество, слабост, непълнота.

poor-spirited [ˈpuəˈspiritid] *adj* страхлив, малодушен, плашлив, боязлив.

pop [pɔp] I. *v* (-pp-) 1. пукам, пуквам, изпуквам, издавам пукот; 2. правя да пука; *разг.* гръмвам, стрелям; to ~ a cork out of a bottle изваждам тапа на бутилка така, че да изгърми; 3. пъхвам, слагам, мушвам бързо (in, into); to ~ on a hat мятам шапка на главата си; 4. *sl* залагам (*вещи*); 5. пукам (*царевица*); 6. *разг.* опулвам (*очи*) (*от изненада*); 7. *разг.* отбивам се набързо; • to ~ the question правя предложение за брак;

pop at стрелям по; обстрелвам;
pop in 1) отбивам се, наминавам, прескачам за малко; влизам неочаквано; 2) мушвам, пъхвам, навирам;
pop into мушвам, пъхвам, навирам, набутвам; идвам инцидентно, неочаквано;
pop out 1) изхвърквам, тръгвам бързо; 2) изгасвам, угасвам; 3) *разг.* хвърлям топа, умирам неочаквано;
pop off 1) изгърмявам; 2) изхвърквам бързо; 3) *разг.* умирам (*и off the hooks*); 4) *разг.* излизам; напускам (*стая, град*), "духвам";
pop up 1) никна, пониквам, набождам; 2) изскачам; мушвам, пъхам, навирам, завирам;
II. *n* 1. пукот; пукане; 2. *разг.* изстрел; to have a ~ at стрелвам по; *прен.* опитвам се да; 3. *sl* газирана напитка; 4. залагане; in ~ заложен (*за вещ*); III. *adv* 1. с пукот, с шум, шумно; 2. бързо; неочаквано, внезапно, изведнъж; • to go ~ умирам; пукам се, счупвам се; IV. *int* пук.

pope [poup] *n* 1. папа, глава на Римокатолическата църква (*и прен.*); 2. поп (*в Източноправославната църква*).

popple [ˈpɔpl] I. *v* 1. клокоча, кипя; 2. вълнувам се (*за вода*); II. *n* клокочене, кипене, вълнуване (*на вода*).

populace [ˈpɔpjuləs] *n* народът, масите.

popular [ˈpɔpjulə] *adj* 1. популярен; to be ~ with ползвам се с популярност между; 2. народен; ~ opinion обществено мнение; 3. общодостъпен, популярен; всеизвестен; in ~ language на обик-

новен език.

popularity [ˌpɔpju'læriti] *n* популярност.

popularize ['pɔpjuləraiz] *v* популяризирам.

populate ['pɔpjuleit] *v* 1. заселвам, поселвам; 2. населявам, обитавам.

population ['pɔpjuleiʃən] *n* 1. население; 2. *рядко* заселване, поселване.

porcelain ['pɔːslin] *n* 1. порцелан; изделия от порцелан; 2. *attr* порцеланов.

pore₁ [pɔː] *n* 1. пора; **to sweat from every** ~ вир-вода съм, мокър съм до кости; много съм развълнуван или уплашен; 2. шупла.

pore₂ *v* 1. обмислям, размишлявам, задълбавам се, задълбочавам се (**over, on, through, upon**); 2. *остар.* разглеждам, наблюдавам съсредоточено (**at, on, over**); **to** ~ **o.'s eyes out** преуморявам си очите от четене.

poriferous [pɔ'rifərəs] *adj* шуплест, порест.

pork [pɔːk] *n* 1. свинско месо; ~ **pie** пирог с месо; 2. *амер. sl* "държавна трапеза"; отпуснати фондове.

pornography [pɔ'nɔgrəfi] *n* порнография.

port [pɔːt] *n* 1. пристанище (*и град*); **close** ~ речно пристанище; 2. *прен.* пристанище, убежище; **to come safe to** ~ успявам, измъквам се (*от затруднение*).

portable ['pɔːtəbl] I. *adj* портативен; преносим; ~ **telephone** преносим телефон, мобифон; II. *n* лесно преносим предмет (*уред*).

portage ['pɔːtidʒ] *n* 1. превоз; транспорт; пренос; 2. навло, фрахт, такса за превоз.

portal ['pɔːtl] *n* 1. портал, главен вход; врата, двери; 2. свод; 3. *attr* портален.

portend [pɔ'tend] *v* предвещавам, предсказвам.

portent ['pɔːtənt] *n* 1. предзнаменование, предвещание, знамение, поличба, знак; ~**s of storm** предвестници на буря; 2. чудо.

portentous [pɔ'tentəs] *adj* 1. знаме-

нателен, злокобен, прокобен, зловещ; фатален; 2. необикновен; невъобразим, невиждан, неописуем, огромен, колосален; 3. самонадеян, надут, важен, арогантен; ◇ *adv* **portentously**.

portfire ['pɔːtfaiə] *n* запалка; фитил.

portion ['pɔːʃən] I. *n* 1. част, дял; пай; парче; къс; 2. порция; 3. зестра, прикя, чеиз; 4. участ, съдба, орис, "дял"; II. *v* 1. деля, разделям, поделям (**out**); 2. давам дял (наследство, зестра) (**with**).

portliness ['pɔːtlinis] *n* 1. пълнота; 2. представителност, внушителност.

portly ['pɔːtli] *adj* 1. пълен, едър; 2. представителен, внушителен, солиден.

portrait ['pɔːtrit] *n* 1. портрет (*и лит.*); ~ -**bust** бюст (*скулптурна фигура*); 2. *прен.* изображение; подобие.

portray [pɔː'trei] *v* 1. рисувам портрет; 2. описвам, обрисувам, рисувам; изобразявам; 3. представям герой (*на сцената*).

portrayal [pɔː'treiəl] *n* 1. рисуване, изобразяване; 2. описание, описване, обрисуване.

pose [pouz] I. *v* 1. поставям, нареждам, подреждам, нагласям (*за рисуване и пр.*); 2. позирам (*на художник*); 3. представям се за, преструвам се, правя се на, давам вид, че (**as**); 4. поставям (*въпрос*); предявявам (*иск*); II. *n* 1. поза; позиране; 2. преструвка, лъжа, поза.

poser ['pouzə] *n* 1. труден, заплетен въпрос, неразрешима задача; 2. позьор.

posh [pɔʃ] *sl* I. *adj* елегантен, шикозен; II. *n* дребни пари.

position [pə'ziʃən] I. *n* 1. положение, място; местоположение; **in** (**out of**) ~ на място (не на място); 2. позиция; 3. състояние, положение; **buried** ~ *икон.* слаба позиция; 4. пост, чин, длъжност; положение, ранг; **people of** ~ хора с положение, горните класи; 5. гледище, становище, теза, схващане, разбиране; **to take up the** ~ (**that**) заемам становището, че;

6. установен принцип; II. *v неолог.* 1. слагам (поставям) на място; 2. установявам положение (място) на.

positional [pə'ziʃənəl] *adj* позиционен.

positive ['pɔzitiv] I. *adj* 1. положителен, позитивен; ~ **sign** знак плюс; 2. категоричен; определен, подчертан, недвусмислен, несъмнение, неоспорим; абсолютен; дефинитивен; **a** ~ **character** подчертан характер; 3. положителен, уверен, сигурен; самоуверен; самонадеян, самомнителен; 4. *разг.* същински, стопроцентов, истински, неподправен, абсолютен; **a** ~ **fool** кръгъл идиот; ◇ *adv* **positively**; 5. растящ, възходящ, развиващ се, прогресивен; 6. *техн.* нагнетателен, с принудително движение; ~ **draught** изкуствена тяга; II. *n* 1. *език.* положителна степен; 2. *фот.* позитив.

positively ['pɔzitivli] *adv* 1. положително, без съмнение; несъмнено, безспорно, действително; 2. решително, категорично.

positivism [ˌpɔziti'vizəm] *n* позитивизъм, емпиризъм.

possess [pə'zes] *v* 1. притежавам, владея; имам, разполагам с, държа; **to** ~ **oneself of** завладявам, овладявам, придобивам; 2. въвеждам във владение; запознавам някого с нещо (**of**); съобщавам; 3. *pass* завладян (обхванат, погълнат) съм (*от чувство, идея и пр.*) (**by, with**); 4. *остар.* заграбвам; 5. *остар.* спечелвам, придобивам, сдобивам се.

possessed [pə'zest] *adj* налудничав, обладан от зъл дух (сила).

possession [pə'zeʃən] *n* 1. владение; владеене, притежаване; **in** ~ във владение; 2. *и pl* вещ; собственост, имущество; богатство, имане; 3. *рядко* лудост.

possessive [pə'zesiv] I. *adj* 1. собственически; ◇ *adv* **possessively**; 2. *език.* притежателен; II. *n език.* притежателна форма.

possessor [pə'zesə] *n* собственик, владетел, притежател, стопанин, владелец.

possibility [ˌpɔsi'biliti] *n* възможност.

possible ['pɔsibl] I. *adj* 1. възможен; а ~ **task** изпълнима задача; 2. *разг.* поносим, търпим, сносен; приемлив; а ~ **answer** приемлив отговор; II. 1. възможното; **to do o.'s** ~ правя всичко, което е по силите ми (което мога); 2. *n* човек, който е твърде вероятно да бъде избран за определен пост.

post₁ [poust] *n* стълб; дирек; подпора; **signal** ~ светофарен стълб.

post₂ I. *n* 1. пост, длъжност, чин, ранг, място; 2. *воен.* пост; позиция, укрепление; форт; **at** ~ на пост; 3. станция, пункт; 4. *амер. воен.* гарнизон; казармено помещение; II. *v* 1. поставям на пост; 2. назначавам; **to be ~ed** *воен.* получавам чин.

post₃ I. *n* 1. поща; пощенска кутия; **by** ~ по пощата; 2. куриер; пощальон; пощаджия; 3. формат хартия (ок. 50 x 30 см); 4. *attr* пощенски; II. *v* 1. пускам, изпращам писмо; 2. бързам; пътувам бързо; **to** ~ **off** тръгвам внезапно, риввам, скоквам; 3. *обикн. pp разг.* осведомявам, информирам.

post₄ *v* 1. разлепвам обяви, афиши (*u* ~ **up**); **to** ~ **a wall with notices** облепвам стена с обяви; 2. обявявам, съобщавам, известявам, оповестявам (*нещо за изчезнало*); 3. вписвам име в списък за публикуване; 4. изобличавам, разобличавам, разкривам, излагам, демаскирам.

post₅ *pref* след.

postal ['poustəl] I. *adj* пощенски; ~ **order** пощенски запис; II. *n амер. разг.* пощенска картичка.

post-boy ['poustbɔi] *n* пощальон, раздавач, пощаджия.

posting ['poustiŋ] *n* назначаване, назначение (*в отдалечен район*).

postman ['poustmən] *n* пощальон, раздавач.

postmeridian ['poustmə'ridiən] *adj* следобеден.

post-office ['poustɔfis] *n* 1. поща, пощенска станция; **General** ~ Централна поща; 2. **P.O.** Министерство на пощите.

postpone [poust'poun] *v* 1. отлагам, отсрочвам, давам отсрочка; забавям; 2. *остар.* подценявам, недооценявам, пренебрегвам.

postponement [poust'pounmənt] *n* отлагане, отсрочване, забавяне.

postscript ['poustskript] *n* постскриптум, послепис, добавка.

postulate I. ['pɔstjuleit] *v* 1. (*обикн. pp*) изисквам, искам; 2. постулирам, приемам, допускам; II. ['pɔstjulit] *n* 1. постулат, предположение; 2. предпоставка; 3. основен принцип, изходно положение, база.

posture ['pɔstʃə] I. *n* 1. стойка, поза (*и прен.*); 2. състояние, положение; **at the present** ~ (**of affairs**) при сегашното положение на нещата; II. *v* 1. нагласям, слагам в някакво положение; 2. заставам, заемам поза, положение; позирам; 3. преструвам се, правя се на (**as**).

posturing ['pɔstʃəriŋ] *n* позьорство, преструвки.

posturize ['pɔstʃəraiz] *v* позирам.

pot [pɔt] I. *n* 1. гърне; делва, кюп; 2. тенджера; **to boil** ~ *амер.* сготвям месо със зеленчуци; 3. буркан; кана, канче; кастрон; 4. саксия (*и* **flower-**~); 5. *разг.* цукало, нощно гърне (*и* **chamber-**~); 6. понор (*и* ~**-hole**); 7. *техн.* тигел, съд за топене на метали; пота (*и* **melting-**~); 8. *грубо* шкембе, тумбак; 9. стоманена каска; кръгла шапка; бомбе (*и* ~ **hat**); 10. *sl* спорт. купа; 11. *разг.* куп (сума) пари (*и* ~(**s**) **of money**); 12. мизи, залагания (*на покер*); 13. *sl* изстрел; **to take a** ~ **at s.th.** стрелям отблизо по нещо; 14. *sl* марихуана; ● **a watched** ~ **never boils** когато чакаш нещо да стане непременно, то не се получава; чаканите неща най-бавно стават; II. *v* (**-tt-**) 1. слагам в гърне (съд); 2. консервирам, запазвам; ~**ted meat** месна консерва; 3. задушавам (готвя) в тенджера; 4. садя (*цвете*) в саксия; 5. *разг.* побеждавам, вземам, спечелвам; 6. *sl* вкарвам в джоб (*при игра на*

билярд).

potation [pou'teiʃən] *n* 1. пиене; 2. (голяма) глътка; *pl* пиянство; **deep** ~**s** гуляй, пир.

potato [pə'teitou] *n* (*pl* **-oes** [-ouz]) картоф; ● **hot** ~ труден човек, тема и пр.

potch ['pɔtʃ] *v* избелвам, обезцветявам (*хартиена маса*).

potency ['poutənsi] *n* 1. сила, мощ; 2. власт, сила; авторитет; 3. действие, ефикасност (*за лекарство*); 4. потентност; 5. потенциал, капацитет, способност.

potent ['poutənt] *adj* 1. *поет.* могъщ, силен; 2. силен, убедителен; авторитетен, престижен; 3. силен, мощен, ефикасен, силно действащ (*за лекарство*); 4. полово потентен.

potentate ['poutənteit] *n* владетел, господар, потентат.

potential [pə'tenʃəl] I. *adj* 1. възможен; 2. потенциален, скрит; ◇*adv* **potentially**; 3. *остар.* могъщ, силен; II. *n* 1. възможност; 2. *език.* условно наклонение; 3. *физ.* потенциална енергия; 4. *ел.* потенциал, напрежение.

pother ['pɔðə] I. *n* 1. вълнение, безпокойство, смут; суматоха, суетня; 2. шум, врява, гюрултия, дандания; 3. задушаващ облак (*от прах, дим*), туман; II. *v* безпокоя (се), тревожа (се), притеснявам (се), вълнувам (се).

pot-house ['pɔthaus] *n* кръчма.

potty ['pɔti] *adj sl* 1. дребен, незначителен, посредствен (*и* ~ **little**); 2. лесен, лек, прост, елементарен; фасулски; 3. смахнат, отнесен, чалнат, пернат.

pouch ['pautʃ] I. *n* 1. торбичка, кесия; 2. *остар.* торбичка за патрони; 3. торбичка под око; 4. *зоол.* торба на кенгуру; торбичка на бузата на маймуна; 5. *бот.* семенна торбичка при някои растения; 6. пощенска чанта; 7. *шотл. джоб.*; II. *v* 1. слагам в торбичка; прибирам; *прен.* преглъщам; 2. давам бакшиш; 3. образувам (правя на, ставам на, вися като) торбичка; 4. поглъщам, гълтам (*за риба, птица*).

pound₁ [′paund] *n* **1.** фунт (*мярка за тежести* = 453,6 *г*); **2.** фунт; лира (= 20 шилинга); ~ **sterling** фунт стерлинг; ● **take care of the pence and the ~s will take care of themselves** капка по капка вир става.

pound₂ I. *v* **1.** стривам, счуквам, кълцам, чукам на ситно (*u* ~ **up**); **2.** удрям, бухам, блъскам, бия, налагам, пердаша (*u c юмруци*); **3.** *разг.* бомбардирам, обстрелвам непрекъснато (**at, on, away at**); **4.** *разг.* ходя (вървя, стъпвам, тичам) тежко и шумно (**about, along**); **5.** набивам (*нещо в главата на някого*), втълпявам (**into**); II. *n* силен трясък, тежък удар.

pounding [′paundiŋ] *n* **1.** повреда, сериозни щети; **2.** погром, тотално поражение.

pour [pɔ:] I. *v* **1.** лея (се), изливам (се), изтичам (се); **it is ~ing wet** (**~ing with rain**) вали като из ведро; **2.** наливам (*чай и пр.*; **out**); **3.** вливам се (*за река*; **into**); **4.** лея (се), изливам (се) (*за думи, звуци*; **out, forth**); **5.** излъчвам, изпускам (*светлина, топлина на*; **out, down, forth**); **6.** отрупвам, сипя (се), стичам се (**in**); ● **it never rains but it ~s** нещастието никога не идва само; II. *n* **1.** порой, пороен, проливен дъжд (*обикн.* **downpour**); **2.** *метал.* леяк; количеството разтопен метал, което се излива в калъп.

pout [′paut] I. *v* цупя се, муся се; II. *n* цупене, мусене; **to be in the ~s, to have the ~s** нацупен съм, намусен съм.

pouter [′pautə] *n* нацупен, намусен, недоволен човек; ~-**pigeon** гълъб с голяма гуша.

poverty [′pɔvəti] *n* бедност, мизерия, сиромашия; липса, отсъствие (**of**); ~ **of the soil in phosphates** липса на фосфати в почвата.

poverty-stricken [′pɔvətistrikn] *adj* беден, мизерен, сиромашки.

powder [′paudə] I. *n* **1.** прах (*u за лекарство*); **2.** барут (*u* **gun-~**); **3.** пудра (*u за перука*); **to wear** ~ *истор.* нося напудрена перука; **4.** пухкав сняг, снежен пух; II. *v* **1.**

поръсвам, наръсвам (**with**); **2.** напудрям, пудря; пудря се, напудрям се (*u* **to** ~ **o.′s face**); *истор.* нося напудрена перука; **3.** стривам (превръщам) на прах; **~ed sugar** пудра захар.

powdered [′paudə:d] *adj* прахообразен, праховиден; прахов.

power [′pauə] I. *n* **1.** способност; възможност, сила; **as far as it lies within my** ~ доколкото е във възможностите (по силите) ми, доколкото мога; **2.** сила, мощ, мощност; енергия; производителност (*на машина и пр.*); ~ **of muscle** физическа сила; **3.** механизация, употреба на машини; **4.** власт, могъщество; **to have** ~ **over** имам власт над; **5.** *полит.* сила; държава; **to exceed** (**go beyond**) **o.′s** ~**s** надхвърлям правата (пълномощията) си; **6.** *мат.* степен; **three to the fourth** ~ три на четвърта степен; **7.** електрическо захранване; **8.** много, сума, голям брой; **a** ~ **of help** голяма помощ; **9.** *остар.* армия, войска; **10.** *рел.* степен в йерархията на ангелите; II. *v* снабдявам с двигател (енергия).

powerful [′pauəful] I. *adj* **1.** мощен, силен; могъщ; ◇ *adv* **powerfully**; **2.** *sl* голям; **a** ~ **lot of people** сума народ; II. *adv sl* много, извънредно.

powerless [′pauəlis] *adj* **1.** безсилен; немощен, слаб; **2.** слаб, неефикасен (*за лекарство и пр.*).

power-shovel [′pauə‚ʃʌvl] *n* екскаватор.

poxy [′pɔksi] *adj* патетичен; несериозен; слаб, долнопробен.

practical [′præktikəl] *adj* **1.** практически; **2.** практичен; **3.** фактически; **with** ~ **unanimity** почти единодушно; ● **a** ~ **joke** груба шега, "номер".

practice [′præktis] *n* **1.** практика; приложение; **to put** (**carry**) **into** ~ прилагам (*на практика*); **2.** практика, упражнение; тренировка; **to be in** ~ добре съм подготвен, в добра форма съм; **3.** навик, привичка, обичай, практика; установен ред; *юр.* процедура; a

good (**bad**) ~ добър (лош) навик, добра (лоша) практика; **4.** (частна) практика, клиентела; **to have a large** ~ имам голяма клиентела (*за лекар, адвокат и пр.*); имам много пациенти (голяма частна практика); **5.** *обикн. pl* интриги, козни, хитрини, машинации; **discreditable ~s** тъмни дела; **6.** *attr* тренировъчен, за упражнение.

practise [′præktis] *v* **1.** прилагам (на практика), практикувам, изпълнявам; **2.** практикувам, упражнявам; занимавам се с (*професия и пр.*); **3.** имам навик, свикнал съм, привикнал съм, редовно върша нещо; **to** ~ **early rising** винаги ставам рано; **4.** упражнявам (се), тренирам (се).

practised [′præktist] *adj* опитен, вещ, изпечен, изкусен; умел, сръчен, ловък, похватен (**in**).

praecipe [′pri:sipi] *n юр.* призовка; съдебно нареждане.

pragmatic(al) [præg′mætik(l)] *adj* **1.** *филос.* (*обикн.* **pragmatic**) прагматичен; ◇ *adv* **pragmatically** [præg′matikli]; **2.** (*обикн.* **pragmatical**) догматичен; **3.** (*обикн.* **pragmatical**) който обича да се меси в чужди работи, натрапник; **4.** *остар.* (*обикн.* **pragmatic**) държавен.

praire [′prɛəri] *n* прерия.

praise [′preiz] I. *v* хваля, възхвалявам; превъзнасям, величая, възвеличавам, славословя; **to** ~ **up** *разг.* правя голяма реклама за; II. *n* похвала, възхвала, хвалба; **I have nothing but** ~ **for him** мога само да го похваля, за него мога да кажа само хубави неща.

praiseworthy [′preizwə:ði] *adj* похвален, достоен за похвала.

prance [pra:ns] *v* **1.** подскачам, изправям се на задните си крака (*u c* **along**); **2.** лудувам, разлудувам се (*u c* **about**); вървя наперено (важно), перча се, дуя се; **to** ~ **in** (**out**) влизам (излизам) като вихър; II. *n* скок, подскачане.

prank₁ [præŋk] *n* лудория, дяволия, шега; **to play ~s** *прен.* запъвам се, правя засечки (*за машина*).

prank₂ *v* **1.** крася, украсявам, ки-

ча; **a field ~ed with flowers** поле, осеяно с цветя; **2.** гиздя (се), кича (се), труфя (се), кипря (се) (*и с* **out, up**).

prate [preit] I. *v* бърборя, бъбря; дърдоря, дрънкам, плещя; раздрънквам, клюкарствам; II. *n* бърборене; бъбрене; брътвеж.

praxis ['præksis] *n* **1.** практика; приложение; **2.** обичай, традиция; установен ред; **3.** *език.* сборник от примери или упражнения.

pray [prei] *v* **1.** моля се; чета молитви; **2.** *рядко* моля, умолявам; ● **to ~ in aid** призовавам помощта на.

prayer₁ ['preə] *n* **1.** молитва; **~ for the dead** заупокойна молитва; **2.** молба, прошение; **at my ~** по моя молба.

prayer₂ *n* молител, -ка.

preach ['pri:tʃ] *v* проповядвам (*и прен.*), чета (произнасям) проповед; поучавам; **to ~ up** възхвалявам, величая.

precarious [pri'keəriəs] *adj* **1.** несигурен, съмнителен, зависещ от волята или прищявката на друг (*за доход, притежание и пр.*); **2.** несигурен, случаен; рискован, опасен, пълен с опасности; **3.** необоснован.

precariousness [pri'keəriəsnis] *n* **1.** несигурност; рискованост; **2.** необоснованост.

precaution [pri'kɔ:ʃən] *n* **1.** предпазливост, внимание; **2.** предпазна мярка; **as a measure of ~, by way of ~** като предпазна мярка.

precautionary [pri'kɔ:ʃənəri] *adj* предпазен, предохранителен.

precautious [pri'kɔ:əs] *adj* *рядко* предпазлив.

precede [pri'si:d] *v* **1.** предшествам, предхождам, вървя (идвам) преди (напред); **the calm that ~s the storm** затишие пред буря; **2.** стоя над, заемам по-високо положение от; имам предимство (преимущество) пред (над); **3.** *рядко* върша нещо преди нещо друго, подготвям.

precedence [pri(:)'si:dəns(i)] *n* **1.** предимство; преднина; **to have (take) the ~** превъзхождам; имам

предимство пред; предхождам; **2.** първенство; чин, ранг; старшинство.

precedent I. ['presidənt] *n* прецедент; II. [pri'si:dənt] *adj* *рядко* **1.** предишен, предшестващ, предходен; **2.** предварителен; **conditions ~** (необходими) предварителни условия.

precept ['pri:sept] *n* **1.** предписание, правило; поучение, наставление; заповед; **2.** *юр.* заповед за събиране на налози (такси); изпълнителен лист; нареждане за произвеждане на избори.

preceptive [pri:'septiv] *adj* **1.** наставнически, поучителен, назидателен, дидактичен; **2.** задължителен.

precinct ['pri:sinkt] *n* **1.** район; **shopping ~** търговски център; **2.** *pl* околности, район около сграда; **3.** *амер.* избирателен или полицейски район; **4.** ограничена област; **5.** граница, предел; **6.** оградено място около сграда (*особ. църква*).

preciosity [,presi'ɔsiti] *n* префиненост, превзетост, маниерност, неестественост.

precious ['preʃəs] I. *adj* **1.** скъпоценен, скъп, ценен; **my ~!** скъпа моя! **2.** префинен, превзет, маниерен, неестествен; **3.** *разг., ирон.* хубав, "знаменит"; **to make a ~ mess of s.th.** хубавичко обърквам нещо; II. *adv* *разг.* много, ужасно, страшно; съвсем; **it is ~ cold** страшно е студено.

preciousness ['preʃsnis] *n* **1.** ценност; висока стойност; **2.** префиненост, превзетост, маниерност, неестественост.

precipice ['presipis] *n* пропаст, бездна; урва; **to fall over a ~** падам в пропаст.

precipitate I. [pri'sipiteit] *v* **1.** хвърлям, захвърлям, запращам; събарям; **2.** ускорявам; **3.** *хим.* утайвам (се); **4.** *метеор.* кондензирам (пари); II. [pri'sipitət] *n* **1.** *хим.* утайка, преципитат; **2.** кондензирана влага (дъжд, роса и пр.); III. [pri'sipitət] *adj* **1.** бърз, стремителен, стремглав; **2.** прибързан, не-

обмислен; ◇ *adv* **precipitately.**

precipitation [pri'sipiteiʃən] *n* **1.** хвърляне, запращане; втурване презглава, хукване; **2.** необмисленост, прибързаност; прибързана (необмислена) постъпка; **3.** *хим.* утайване; утайка; преципитация; **4.** *метеор.* валеж; дъжд, сняг, роса и пр.

precipitous [pri'sipitəs] *adj* **1.** стръмен; отвесен; вертикален; **2.** прибързан, ненавременен, необмислен; **3.** бърз, неочакван; ◇ *adv* **precipitously.**

precise [pri'sais] *adj* **1.** точен; определен; **to arrive at the ~ moment** пристигам точно в определения момент; **2.** точен, изискан, педантичен, добросъвестен до дребнавост (*за човек, стил*); отмерен (*за жест и пр.*); коректен, издържан (*за поведение*).

precision [pri'siʒən] *n* точност, прецизност.

preclude [pri'klu:d] *v* **1.** изключвам (възможността за), предотвратявам, правя невъзможен; отстранявам (опасността от); **2.** възпрепятствам, попречвам, спирам, спъвам (**from** *с ger*); **it might ~ me from coming** това може да ми попречи да дойда.

preconception [,pri:kən'sepʃən] *n* предубеждение, предумисъл.

precook ['pri:'kuk] I. *v* бланширам, попарвам; II. *n* бланширане, попарване.

precursor [pri:'kə:sə] *n* предшественик, предтеча, предходник, родоначалник.

precursory [pri:'kə:səri] *adj* предварителен, встъпителен, уводен; предшестващ, предхождащ.

predacious [pri'deiʃəs] *adj* хищен, граблив; хищнически.

predecessor [,pri:di'sesə] *n* **1.** предшественик, -чка; **2.** прадядо; **3.** предишният.

predestinarian [pri:,desti'neəriən] I. *n* фаталист; II. *adj* фаталистичен.

predestinate I. [,pri:'destineit] *v* предопределям (*и рел.*); орисвам; II. [,pri:'destinət] *adj* предопределен.

predestination [,pri:'desineiʃən] *n* съдба, орисия, участ; предопре-

деление (*и рел.*), предестинация.

predial ['pri:diəl] **I.** *adj* **1.** поземлен; земеделски; недвижим; **2.** закрепостен, крепостен (*за селянин*); **II.** *n* роб; крепостник, крепостен.

predicant ['predikənt] **I.** *adj* проповеднически; проповядващ; **II.** *n* проповедник.

predicate I. ['predikeit] *v* **1.** твърдя, заявявам; **2.** предполагам; **3.** базирам се на (**on**); **II.** ['predikit] *n* **1.** *лог.* твърдение; **2.** *език.* сказуемо, предикат.

predication [,predi'keiʃən] *n* **1.** заявяване, твърдене; твърдение; **2.** *език.* предикация.

predict [pri'dikt] *v* предричам, предсказвам; пророкувам, вещая.

prediction [pri'dikʃən] *n* предсказване, предричане, предвещаване, пророкуване; предсказание, предвещание, пророчество.

predilection [,pri:di'lekʃn] *n* пристрастие, склонност; предпочитание (**for**); *юр.* предилекция, явно предпочитание.

predominance [pri'dɔminəns] *n* преобладание, надмощие, превес; превъзходство, преимущество.

predominant [pri'dɔminənt] *adj* преобладаващ, доминиращ; превъзхождащ; ◇*adv* **predominantly**.

predominate [pri'dɔmineit] *v* преобладавам; превъзхождам; господствам, доминирам (**over**); имам най-голямо значение.

pre-eminent [pri'eminənt] *adj* превъзходен, отличен; виден, бележит, именит.

pre-empt [pri'empt] *v* **1.** предотвратявам; обезсмислям; **2.** купувам преди други; **3.** завладявам (*земя*) преди други; присвоявам.

pre-emption [pri'empʃən] *n* **1.** предотвратяване; обезсилване; обезсмисляне; **2.** купуване (откупуване, завладяване) преди друг.

preface ['prefis] **I.** *n* предговор, предисловие, увод; правя уводни бележки към (*книга, реч и пр.*); **II.** *v* започвам (**by, with**); *рядко* пиша предговор; предшествам, предхождам.

prefatory ['prefətəri] *adj* уводен,

встъпителен.

prefect ['pri:fekt] *n* префект.

prefer [pri'fə:] *v* (**-rr-**) **1.** предпочитам (**to** *пред*); **I ~ that he should go** предпочитам той да отиде; **2.** повишавам (**to** *в чин*), назначавам; **3.** подавам (*молба, жалба*); повдигам (*обвинение*) (**against**); предявявам (*иск*); **4.** *юр.* давам предимство (*на кредитор*).

preference ['prefərəns] *n* **1.** предпочитание; нещо, което се предпочита; **2.** преимуществено право, привилегия; *полит., икон.* облагодетелстване на една страна с преференциални вносни мита.

preferential [,prefə'renʃəl] *adj* преференциален, който се ползва с предпочитание; привилегирован; ◇*adv* **preferentially**.

prefix I. ['pri:fiks] *n език.* представка, префикс; **II.** [pri:'fiks] *v* **1.** слагам (поставям, помествам) пред (*като увод*); **2.** слагам като представка (**to**).

pregnable ['pregnəbl] *adj* превземаем; уязвим.

pregnancy ['pregnənsi] *n* **1.** бременност; **2.** богатство, пълнота, съдържателност (*на ум, реч и пр.*); **~ test** тест за бременност.

pregnant ['pregnənt] *adj* **1.** бременна, трудна; **2.** *остар., поет.* плодороден, плодовит; **3.** богат, жив (*за въображение и пр.*); съдържателен; многозначителен (*за думи и пр.*); пълен, натежал (**with**); плодовит, резултатен.

preheat ['pri:'hi:t] *v* подгрявам, загрявам предварително.

prehension [pri'henʃən] *n* **1.** *зоол.* хващане, залавяне, закрепване; **2.** схващане.

prehistoric [,pri:hist'ɔrik] *adj* **1.** предисторически, предисторичен; **2.** *разг.* много стар, остарял, старомоден, допотопен.

preimage ['pri:'imidʒ] *n* първообраз, оригинал.

prejudice ['predʒudis] **I.** *n* **1.** предразсъдък; предразположение (**in favour of**); **2.** *юр.* вреда, загуба, щета, ущърб; **to the ~ of** във вреда на; **II.** *v* **1.** създавам предубеждение у, настройвам (**against**);

повлиявам (**in favour of**); **2.** увреждам, ощетявам; намалявам (*възможности и пр.*).

prejudicial [,predʒu'diʃəl] *adj* вреден, във вреда, в ущърб (**to**).

prelection [pri:'lekʃən] *n* лекция.

prelector [pri'lektə] *n* доцент, преподавател.

prelibation [,pri:lai'beiʃən] *n* рядко предвкусване, предусещане.

preliminary [pri'liminəri] **I.** *adj* подготвителен, предварителен, прелиминарен; встъпителен; **~ examination** приемен изпит; **II.** *n* **1.** *pl* приготовления; предварителни (подготвителни) мерки (разговори, преговори); **preliminaries to a conference** предварителни разговори преди конференция; **2.** увод, встъпление, въведение, подготовка; **by way of ~, as a ~** като подготовка; **3.** приемен изпит.

prelude ['prelju:d] **I.** *n* **1.** встъпление, увод, въведение интродукция, прелюдия; подготовка (**to**); **2.** *муз.* интродукция, прелюд; **II.** *v* **1.** въвеждам, подготвям; загатвам за; служа като встъпление към; **2.** започвам (**with**); **3.** свиря прелюдия.

premarital ['pri:'mæritəl] *adj* предбрачен.

premature ['pri:mətjuə] *adj* преждевременен, твърде ранен; ненавременен; прибързан, необмислен; ◇*adv* **prematurely**.

premeditated [pri:'mediteitid] *adj* предумишлен; обмислен, премерен, предварително обмислен (*за думи*); съзнателен, преднамерен, умишлен.

premier ['premiə] **I.** *adj* главно *sl* първи, главен; **II.** *n* министър-председател, премиер-министър, премиер; *амер.* министър на външните работи.

premiere ['premieə] **I.** *n фр.* **1.** премиера; **2.** актриса, която играе главната роля, примадона; **II.** *v* имам премиера, бивам излъчен (изпълнен) за първи път пред публика.

premise I. ['premis] (*и* **premiss**) *n* **1.** предпоставка; предварително

условие; 2. *юр. pl* встъпителна
част на документ; 3. *pl* помеще-
ние, къща, заведение (заедно с
двора); II. [pri'maiz] *v* 1. правя
предпоставка; приемам (че); 2.
въвеждам; започвам (**with**).
premised ['premist] *adj* базиран, ос-
нован (**on** на).
premium ['pri:miəm] I. *n* 1. награ-
да, възнаграждение, премия, бо-
нус; 2. допълнителен дивидент
(вноска, сума); 3. застраховател-
на премия (вноска); 4. такса за
обучение на чирак и пр.; 5. *фин.*
ажио, горница; ● **to put (place) a
~ on** насърчавам, поощрявам; II.
adj с високо качество и цена (*за
стока*).
premonition [,pri:mɔ'niʃən] *n* 1.
предупреждение; 2. предчувствие,
предусещане (**of** за).
premonitory [pri:'mɔnitəri] *adj* пре-
дупредителен; предварителен; ~
symptoms предварителни симп-
томи.
prentice ['prentis] I. *n* чирак; II. *adj*
1. чирашки, неопитен, неизпипан;
2. направен с учебна цел.
preoccupation [pri:ɔkjupeiʃən] *n* 1.
замисленост, умисленост; раз-
сеяност; 2. по-ранното заселва-
не (*на дадено място*).
preoccupiedly [pri:'ɔkjupaidli] *adv*
замислено, умислено; разсеяно.
preoccupy [pri:'ɔkjupai] *v* 1. зани-
мавам, поглъщам вниманието
(на); обсебвам; 2. заемам (завзе-
мам) по-рано от друг.
pre-ordain [,pri:ɔ:'dein] *v* 1. предоп-
ределям; 2. уреждам (нареждам)
предварително.
pre-packged ['pri:'pækidʒd] *adj*
опакован (*за готова храна*), про-
даван в разфасовки.
preparation [,prepə'reiʃən] *n* 1. под-
готовка, приготовления; **in ~** в
(като) подготовка; 2. подготов-
ка на уроци, занимание; 3. пре-
парат; 4. *муз.* подготовка за ди-
сонанс; 5. *хим.* получаване (*на
съединение*); 6. обогатяване.
preparatory [pri'pærətəri] *adj* под-
готвителен; уводен, встъпителен;
въвеждащ; ~ **school** начално учи-
лище.

prepare [pri'peə] *v* 1. готвя (се), при-
готвям (се), подготвям (се); **great
events are preparing** готвят се го-
леми събития; 2. *хим.* получавам
(*съединение*).
preparedness [pri'peədnis] *n* готов-
ност, подготвеност.
prepay [pri:'pei] *v* (**prepai** [pri:'peid])
предплащам, плащам в аванс,
авансирам.
prepayment [,pri:'peimənt] *n* пред-
плащане, предплата, аванс.
prepense [pri:'pens] *adj* рядко пре-
думишлен, преднамерен, умиш-
лен; **of malice ~** със зла умисъл.
preponderate [pri'pɔndəreit] *v* над-
вишавам, превишавам, надмина-
вам (*по брой, значение и пр.*);
превъзхождам; преобладавам.
preposition [,prepə'ziʃən] *n* език.
предлог.
prepossess [,pri:pə'zes] *v* 1. пред-
разполагам (**in favour of**); правя
благоприятно (добро) впечатле-
ние на (*обикн. pass*); създавам
предубеждение (**against**), правя
неблагоприятно (лошо) впечат-
ление на; 2. вдъхновявам (**with**);
3. изпъквам, поглъщам, завладя-
вам (*за мисъл и пр.*).
prepossessing [,pri:pə'zesiŋ] *adj*
привлекателен; предразполагащ;
симпатичен.
prepossession [,pri:pə'zeʃən] *n* 1. по-
раншно притежание; 2. предраз-
положение, склонност; 3. предубе-
ждение.
preposterous [pri'pɔstərəs] *adj* аб-
сурден, нелеп, безсмислен, глу-
пав; ◇ *adv* **preposterously**.
presage ['presidʒ] I. *n* предзнаме-
нование, предвестие, предсказа-
ние; предчувствие; II. *v* предсказ-
вам, предвещавам; предчувст-
вам, предусещам.
presbyteral [prez'bitərəl] *adj* свеще-
нически, презвитерски.
presbytery ['prezbit(ə)ri] *n* олтар,
светая светих.
preschool ['pri:sku:l] *adj* предучи-
лищен.
prescience ['presiəns] *n* предвижда-
не; далновидност, прозорливост.
prescind ['pri:sind] *v* книж. отде-
лям, откъсвам; откъсвам се (вни-

манието си), абстрахирам се, не
вземам предвид (под внимание).
prescission ['pri:siʒən] *n* книж. от-
деляне, откъсване; абстрахиране
(*от подробности и пр.*); *филос.*
отделяне, извличане (на същест-
веното от несъщественото).
prescribe [pri'skraib] *v* 1. пред-
писвам, определям; установявам
(*правила и пр.*); предвиждам (*на-
казание – за закон*); 2. предпис-
вам (*лекарство, режим и пр.*);
to ~ for s.o. лекувам някого (*за
лекар*); 3. *юр.* предявявам право
на давност (**to, for**).
prescript ['pri:skript] *n* нареждане,
правило, закон.
prescription [pri'skripʃən] *n* 1. *мед.*
рецепта, предписание, прескрип-
ция; (предписано) лекарство; 2.
нареждане, предписване, опреде-
ляне; установяване; 3. правило,
предписание; неписан закон; 4.
юр. право на давност (*и* positive
~); **negative ~** ограничение сро-
ка на давност.
presence ['prezəns] *n* 1. присъст-
вие; наличност, наличие; **in the
~ of** в присъствието на, при на-
личността на; 2. вид, държане;
осанка; **he has a ~** той има вну-
шително присъствие; 3. дух, не-
видима сила.
present₁ ['prezənt] I. *adj* 1. *predic*
присъстващ; който се намира (е
налице); **all those ~** всички при-
състващи; 2. настоящ, сегашен,
този, днешен; съвременен; сега
съществуващ; **the ~ volume** кни-
гата, за която говорим; 3. *език.*
сегашен; **the ~ tense (participle)**
сегашно време (причастие); 4.
остар. бърз; готов; **~ wit** бърз
ум; II. *n* 1. настояще; **at ~** по-
настоящем, сега, в момента; 2.
език. сегашно време, презенс;
● *юр.* **by these ~s** въз основа на
тези документи, с настоящето
(*писмо и пр.*).
present₂ ['prezənt] *n* подарък, дар.
present₃ [pri'zent] I. *v* 1. предста-
вям; 2. *refl* представям се, явя-
вам се (**for** за); 3. подавам (*заяв-
ление и пр.*); предявявам (*иска-
не*); поставям, предлагам, пред-

ставям (*за разглеждане*); to ~ a bill (cheque) представям чек (*за изплащане*); 4. представям, показвам, давам (*пиеса, актьор и пр.*); 5. представям, показвам; a good opportunity ~s itself представя ни се добър случай; 6. представлявам; предизвиквам, създавам; the situation ~s great difficulties положението предизвиква големи затруднения (съдържа големи трудности); 7. подарявам; 8. изказвам, поднасям; to ~ o.'s compliments (best regards) изказвам уважанието си; 9. насочвам (оръжие); to ~ arms *воен.* вземам за почест; 10. *мед.* (*за зародиш*) насочен съм към отвора на матката; II. *n воен.* at the ~ за почест.

presentable [pri′zentəbl] *adj* 1. приличен, презентабилен; 2. подходящ за представяне (*за пиеса*).

presentation [,prezen′teiʃən] *n* 1. представяне; явяване; 2. предявяване; 3. представяне (*на пиеса, характер в книга и пр.*); 4. подаряване; поднасяне; подарък, дар; 5. *псих.* представа.

present-day [′prezənt′dei] *adj* съвременен, днешен.

presentiant [pri′senʃiənt] *adj* предчувстващ, предусещащ (of).

presentiment [pri′zentimənt] *n* предчувствие, предусещане (of).

preservation [,prezə′veiʃən] *n* 1. запазване, опазване; 2. консервиране; in a good state of ~ добре запазен.

preservative [pri′zə:vətiv] I. *adj* запазващ, предпазващ, консервиращ; II. *n* консервант, средство за запазване (консервиране).

preserve [pri′zə:v] I. *v* 1. запазвам; закрилям, защитавам; пазя (*мълчание*); спазвам (*приличие*); пазя, тача (*традиции*); 2. пазя, съхранявам, събирам; 3. консервирам (се), правя сладко от плодове; 4. охранявам, пазя (*от бракониери*); отглеждам (*дивеч*); II. *n обикн. pl* 1. сладко, конфитюр; 2. резерват (*за дивеч, риба и пр.*); 3. частна собственост, лично имущество; to poach on s.o.'s ~ *прен.*

навлизам в чужда област; 4. защитни очила.

preserved [pri′zə:vd] *adj* запазен, в добро състояние; консервиран.

preserver [pri′zə:və] *n* 1. спасител; закрилник, пазител, защитник; 2. собственик на резерват.

preside [pri′zaid] *v* 1. председателствам (at, over); 2. контролирам, имам власт (предимство) (over); 3. *прен.* царя, преобладавам, доминирам; 4. *шег.* седя начело на масата; 5. свиря като солист (at the organ, piano на орган, пиано).

presidency [′prezidənsi] *n* председателство; президентство.

president [′prezidənt] *n* 1. председател (*на република, академия и пр., но не на събрание*); 2. президент; 3. ректор (*на университет*); 4. *амер.* директор, президент (*на банка, компания, фирма и пр.*).

presidentship [′prezidəntʃip] *n* председателство, президентство.

presidium [pri′zidiəm] *n* президиум.

press [pres] I. *v* 1. натискам, притискам; налягам; стискам, изстисквам, изцеждам, смачквам, пресовам; to ~ s.o. to o.'s heart притискам някого до сърцето си; 2. настоявам, притискам, оказвам натиск (s.o. to do s.th. някого да направи нещо); убеждавам, увещавам, предумвам; кандардисвам; to ~ for an answer настоявам за отговор; 3. настоявам (накарвам) да вземе (приеме); 4. наблягам на, настоявам на, подчертавам; to ~ an argument отстоявам довод упорито и последователно; 5. притискам (*противник*); to ~ an attack нападам енергично и упорито; 6. гладя, изглаждам (*дрехи*); 7. натискам (се), притискам (се), блъскам (се), бутам (се), тълпя се; 8. тежа (*за отговорност, задължение и пр.*); 9. належащ (наложителен) е, не търпи отлагане; карам да бърза; time ~es не ни оставя много време, времето ни е малко;

press ahead упорствам, не се отказвам;

press back 1) отблъсквам, изтик-

вам; 2) задържам, сдържам, потискам (*сълзи и пр.*);

press down 1) натискам; 2) наблъсквам, набутвам, натиквам;

press forward 1) бързам; 2) ускорявам; 3) блъскам (бутам) се напред;

press on 1) бързам; 2) ускорявам; 3) упорствам, постоянствам, не се отказвам;

press out 1) изстисквам, изцеждам; 2) изглаждам (*така че да изчезне гънка, плисе*);

press up блъскам се, бутам се;

II. *n* 1. натискане; стискане; притискане; 2. тълпа; блъсканица, бутаница; бъркотия, залисия; напрежение; in the thick of the ~ в най-напрегнатия момент; 3. преса; менгеме, стиска; 4. печатарска машина (*и printing ~*); 5. печатница (и издателство); 6. *прен.* печат; to go (come) to ~ бивам сложен под печат; 7. печат, преса; the ~ журналистите, репортерите; 8. отзиви в печата; the play received a good ~ постановката получи добри отзиви; 9. (вграден) шкаф с рафтове.

press conference [′pres′kɔnfərəns] *n* пресконференция.

press-gang [′pres,gæn] *v* 1. принуждавам (, насилствено) заставям; 2. насилствено събирам войници (моряци).

pressing [′presiŋ] I. *adj* 1. бърз, неотложен, незабавен, спешен; непосредствен, близък, пряк (*за опасност и пр.*); 2. настойчив; сърдечен (*за покана*); II. *n* 1. пресоване; 2. изделие, обработено на преса; щанцовано изделие.

pressure [′preʃə] I. *n* 1. налягане (*и анат., физ.*); 2. натиск (*и прен.*); напор, принуда; стрес; напрежение; to bring ~ to bear on s.o., to put ~ on s.o. упражнявам натиск върху някого, притискам някого; 3. тежест, затруднение; 4. *ел.* напрежение; II. *v разг.* упражнявам натиск върху, притискам.

pressure blower [′preʃə′blouə:] *n* компресор.

pressure tight [′preʃə′tait] *adj* херметичен, плътен (*при налягане*).

presswork ['preswə:k] *n* **1.** щамповане, пресоване; **2.** щамповани изделия; **3.** печатарски процес.

prestidigitation [ˌprestididʒi'teiʃən] *n* фокусничество, илюзионизъм; **a piece (act) of** ~ фокус.

prestidigitator [ˌpresti'didʒitetə] *n* фокусник, илюзионист.

prestige [pres'ti:ʒ] *n* **1.** престиж, добро име, влияние; **2.** *attr* престижен.

presume [pri'zju:m] *v* **1.** предполагам; приемам за дадено (доказано); **2.** осмелявам се, разрешавам си, позволявам си, дръзвам, твърде много си позволявам; злоупотребявам (**upon** *c*); **3.** много си въобразявам, имам високо мнение за себе си.

presuming [pri'zju:miŋ] *adj* нахален; самонадеян, арогантен, безочлив, нагъл.

presumption [pri'zʌmpʃən] *n* **1.** предполагане, приемане за дадено; **2.** предположение, презумпция; **3.** вероятност; **4.** самонадеяност; дързост, арогантност, нахалство, наглост.

presumptive [pri'zʌmptiv] *adj* предполагаем; вероятен; основан на предположения (догадки).

presumptuous [pri'zʌmptjuəs] *adj* нахален; самонадеян, арогантен, безочлив, нагъл.

presuppose [ˌpri:sə'pouz] *v* **1.** предполагам, приемам (за дадено); **2.** предполагам, изисквам (*като необходимо условие*).

presupposition [ˌpri:sʌpə'ziʃən] *n* предположение, презумпция.

pretence [pri'tens] *n* **1.** претенция; **to make no** ~ **to s.th.** нямам претенции за нещо, не претендирам за нещо; **2.** преструвка, преструване, неискреност; измама; **to make a** ~ **of affection** преструвам се, че обичам; **3.** претекст, предлог; **under (on) the** ~ **of consulting me** под предлог (уж), че се съветва с мен.

pretend [pri'tend] I. *v* **1.** претендирам, изявявам (предявявам) претенции (**to** за); **2.** преструвам се, правя се; **to** ~ **illness** преструвам се на болен, симулирам; **3.** пред-

ставям като причина (оправдание); **to** ~ **illness as a reason for absence** твърдя, че съм отсъствал по болест; II. *n разг.* игра на уж; преструвка.

pretended [pri'tendid] *adj* престорен, неискрен, лъжлив, фалшив.

pretender [pri'tendə] *n* **1.** претендент; ~ **to a lady's hand** кандидат за женитба; **2.** човек, който се преструва, преструван, -а, симулант.

pretension [pri'tenʃən] *n* **1.** претенция, право (**to** за); **a man of no** ~s човек без претенции; **2.** преструвка, преструване, лицемерие, притворство.

pretentious [pri'tenʃəs] *adj* претенциозен; превзет, надут.

pretentiousness [pri'tenʃəsnis] *n* претенциозност, превзетост.

preterhuman [ˌpri:tə'hjumən] *adj* свръхчовешки.

preternatural ['pri:tə'nætʃərəl] *adj* свръхестествен; ◇*adv* preternaturally.

pretext ['pri:tekst] I. *n* претекст, предлог, извинение; **under (on) the** ~ **of (that)** под предлог, че; II. *v* изтъквам като претекст, оправдавам се с.

prettiness ['pritinis] *n* хубост, привлекателност, чар.

pretty ['priti] I. *adj* **1.** хубав(ичък); **2.** *разг.* добър, ловък, сръчен; жив, пъргав (*за ум и пр.*); **a player who is very** ~ **with his feet** пъргав играч (футболист); **3.** галантен; женствен (*за мъж*); ~ **speeches** любезности, комплименти; **4.** *ирон.* хубав; **this is a** ~ **state of affairs** и таз хубава, хубава работа! **5.** *разг.* доста голям (много); **to make a** ~ **pot of money (penny)** спечелвам хубави пари; **6.** *остар.* храбър, смел; II. *adv разг.* доста, горе долу; твърде; ~ **good** доста добър; III. *n* **1.** *в обръщения* my ~ (**one**)! скъпа, мила! **2.** *разг.* украсен ръб (черта) на чаша; **3.** *разг.* дреболия, дрънкулка, красиво украшение; *pl* накити, хубави дрехи.

prevail [pri'veil] *v* **1.** вземам (имам) надмощие (връх); възтържеству-

вам, побеждавам; превъзмогвам, преодолявам (**against, over**); **2.** преобладавам; срещам се често; господствам, доминирам, царя.

prevalence ['prevələns] *n* преобладаване, доминиране; широко разпространение.

prevalent ['prevələnt] *adj* преобладаващ, доминиращ, широко разпространен; често срещан (употребяван); **measles are very** ~ **just now** сега има много шарка.

prevaricate [pri'værikeit] *v* извъртам; говоря (действам) уклончиво.

prevenient [pri'vi:niənt] *adj книж.* предварителен; предпазен, предохранителен, превантивен.

prevent [pri'vent] *v* **1.** предотвратявам; избягвам; предпазвам (**from** *c ger*); **2.** преча, спирам, спъвам, възпрепятствам; **there's nothing to** ~ **our doing so** нищо не ни пречи да направим това; **3.** *остар.* предхождам, предшествам; водя; **4.** *остар.* предварвам; предугаждам, предусещам (*желание и пр.*).

preventable, -ible [pri'ventəbəl] *adj* предотвратим, който може да се избегне.

prevention [pri'venʃən] *n* предотвратяване, предпазване, превенция; попречване, спиране, спъване, възпрепятстване; предпазна мярка (средство); **society for the** ~ **of cruelty to animals (children)** дружество за защита на животните (децата).

preventive [pri'ventiv] I. *adj* предпазен, предохранителен, превентивен; профилактичен; II. *n* **1.** предпазно средство (*и мед.*); **rust** ~ средство против ръждата; **2.** брегова охрана (*срещу контрабандисти*).

previous ['pri:viəs] *adj* **1.** по-раншен; предишен, предшестващ, предходен, предидущ, преден; **2.** *разг.* прибързан, ненавременен.

previse [pri:'vaiz] *v рядко* предвиждам, предусещам, предугаждам, предвещавам; предупреждавам.

prevision [pri:'viʒən] *n* предвиждане, предусещане, предчувствие;

предвидливост, прозорливост.

prey [prei] I. *n* плячка, жертва (*и прен.*); to be a ~ to жертва съм на; II. *v обикн. с* upon 1. ловя, гоня, хващам (плячка); 2. измамвам, изигравам, изългвам; 3. ограбвам, плячкосвам; 4. живея на гърба на, използвам; 5. потискам, измъчвам, тормозя, гнетя; s.th. is ~ing on his mind нещо го измъчва (тормози).

prezzie ['prezi] *n sl* подарък.

price [prais] I. *n* 1. цена, стойност; trade ~ фабрична цена; цена на едро; at any ~ на всяка цена; непременно; 2. *спорт.* съотношение, курс (*при обзалагане*); long (short) ~ голяма (малка) разлика в отношението; II. *v* 1. определям цена на, оценявам; 2. запитвам за цената на; 3. ценя; преценявам; to ~ high ценя високо.

priceless ['praislis] *adj* 1. безценен, неоценим; 2. *sl* много забавен, чудесен.

price-list ['prais‚list] *n* ценоразпис.

price tag ['prais‚tæg] *n* етикет (*с цена*).

pricing ['praisiŋ] *n* 1. ценообразуване; ~ policy ценова политика; 2. калкулация.

prick [prik] I. *n* 1. бодил, трън, шип; остен; острие; игла; to kick against the ~s *прен.* ритам срещу ръжен; 2. бодване, убождане; 3. угризение (*на съвестта*); • like a spare ~ at a wedding *sl* пето колело, ненужен (излишен) човек; II. *v* 1. бодвам, бода, убождам; пробивам; 2. мъча, измъчвам (*за болка и пр.*); my conscience ~s me гризе ме съвестта; 3. отмятам, отбелязвам (*в списък*); to ~ off names on a list проверявам (отмятам) имена по списък; 4. удрям центъра, маркирам центъра; 5. *остар.* пришпорвам (*кон*), препускам (*и* on, forward); 6. настръхвам (*за кожа*); изострям се, изпъвам се (*за нерви*); to ~ (up) o.'s ears наострям уши (*и прен.*); prick in разсаждам, пикирам; prick out 1) разсаждам, пикирам; 2) набелязвам (*модел и пр.*) с дупчици; 3) появявам се един по един

(тук-там) (*за звезди*); 4) отмятам, отбелязвам в списък;

prick up наострям (*уши*).

prickly ['prikli] *adj* 1. бодлив, тръннлив; 2. мъчен, чепат, с тежък характер (*за човек*); щекотлив, деликатен, "трънлив", "бодлив".

pride [praid] *n* 1. гордост; надменност, горделивост, високомерие; proper ~ законна гордост; чувство за собствено достойнство, самоуважение; 2. *прен.* разцвет, апогей, връхна точка, кулминация; in the ~ of years в разцвета на силите си; 3. стадо, глутница (*лъвове*).

prideful ['praidful] *adj провинц., поет.* горделив, надменен, високомерен, самомнителен.

priest [pri:st] I. *n* 1. свещеник, поп; жрец; 2. чук за убиване на хванати големи риби; II. *v главно pass* ръкополагам за свещеник, запопвам.

priestly ['pri:stli] *adj* свещенически; жречески.

prig [prig] I. *n* 1. самодоволен и ограничен човек; педант, формалист; позьор, -ка; "светец", "светица"; 2. *sl* крадец, джебчия; II. *v sl* крада, открадвам, задигам, отмъквам.

priggish ['prigiʃ] *adj* самодоволен; ограничен; педантичен, формалистичен, дребнав; позьорски; превзет, надут.

priggishness ['prigiʃnis] *n* самодоволство; педантичност, дребнавост; формализъм.

primacy ['praiməsi] *n* 1. първенство; превъзходство; 2. архиепископски сан.

prim(a)eval [prai'mi:vəl] *adj* първобитен; предисторически; прастар; вековен, девствен (*за гора*).

primal ['praiməl] *adj* основен, начален, първоначален; най-важен.

primary ['praiməri] I. *adj* 1. първоначален, първичен (*за скали и пр.*); основен (*за цвят, значение и пр.*); примитивен (*за инстинкт и пр.*); ~ school начално училище; 2. главен, най-важен, най-съществен, първостепенен; a matter of ~ importance въпрос от

първостепенно значение; II. *n* 1. нещо главно, основно, съществено, най-важно; 2. *астр.* планета (*не спътник*); 3. основен цвят; 4. *зоол.* махово перо; 5. *ел.* първична верига; 6. *геол.* палеозой.

primate ['praimit] *n* 1. архиепископ; 2. *зоол. pl* [prai'meti:z] примат.

prime [praim] I. *adj* 1. първоначален, основен; първичен; ~ cause първопричина; 2. основен, главен, най-важен, първостепенен; ~ mover първичен двигател; 3. първокачествен, отличен, прекрасен; to feel ~ чувствам се отлично; II. *n* 1. начало; най-ранен (най-хубав) период; разцвет; in the ~ of life, in o.'s ~ в разцвета на силите си; 2. *рел.* утренна; 3. *мат.* просто число; 4. *спорт.* първа позиция; 5. *муз.* основен тон; 6. *хим.* прост атом; 7. *полигр.* знакът (').

primitive ['primitiv] I. *adj* 1. предисторически, първобитен; 2. примитивен, първобитен, елементарен; прост, груб; остарял, старомоден; 3. основен (*за цвят, фигура и пр.*); 4. (най-)ранен, (най-)стар; 5. основна, непроизводна (*за дума*); II. *n* 1. художник (художествено произведение) от преди Ренесанса; примитивист; 2. примитивен човек; 3. непроизводна дума; 4. *мат.* примитивна функция, неопределен интеграл.

primitivism ['primitivizm] *n* примитивизъм.

primness ['primnis] *n* педантичност, дребнавост; прекалена моралност; превзетост; надута коректност, официалност.

primordial [prai'mɔ:diəl] *adj* най-ранен, най-стар; първоначален; пръв, основен.

primp [primp] *v амер.* 1. контя се; тъкмя се, глася се; 2. глася, подреждам (*стая за пред гости*).

prince [prins] *n* 1. принц, княз; господар (*за крал и пр.*); ~ of the blood член на кралското семейство; 2. *прен.* цар, най-голям (между ду).

princely ['prinsli] *adj* 1. великолепен, разкошен, богат; щедър; 2.

княжески, подобаващ на принц.

principal ['prinsipl] **I.** adj главен, основен; ~ **parts of the verb** основни форми на глагола; **II.** n **1.** шеф, ръководител; глава; директор (на фабрика и пр.); главна воюваща страна; **2.** директор на училище или колеж; ректор на университет; **3.** юр. автор (на престъпление); ~ **in the second degree** съучастник; **4.** фин. основен капитал; майка (основна сума на дълг без лихвите) главница; **5.** лице, което наема друг да извършва за него финансови и юридически операции; **6.** солист; актьор, който изпълнява главната роля; **7.** муз. принципал, основен, най-силен регистър на орган; **8.** строит. покривна ферма.

principle ['prinsipl] n **1.** първопричина; първоизточник; **2.** принцип; основно, ръководно начало; правило; закон, норма, постулат, аксиома; **first ~s of** основни закони (принципи) на; **3.** хим. елемент, който определя свойствата на съединение.

principled ['prinsipld] adj принципен, принципиален; **high-~** с високи принципи (морал).

print [print] **I.** n **1.** отпечатък, следа, белег; **2.** щампа, печат; **3.** шрифт; печатни букви; печат; **the book is in** ~ книгата излезе (от печат); **4.** главно амер. печат, преса, вестници и списания; **5.** гравюра; **6.** снимка; **7.** басма; **II.** v **1.** печатам, печатя, отпечатвам, напечатвам; **the book is now ~ing** книгата е под печат; **2.** щампoвам (плат и пр.); **~ed calico** басма; **3.** запечатвам (в паметта и пр.); **4.** отпечатвам се, излизам (за снимка, гравюра и пр.); **5.** копирам от негатив (и с off, out); **6.** пиша с печатни букви.

printer ['printə] n **1.** инф. принтер, печатащо устройство (към компютър, касов апарат и пр.); **laser** ~ лазерен принтер; **2.** печатар, типограф; собственик на печатница; **~'s error** печатна грешка; **3.** работник, който прави (ва-

ди) копия от снимки.

printing ['printiŋ] n **1.** (книго)печатане, типография; **2.** вадене на копия от снимки (негативи); **3.** щампoване.

printing-office ['printiŋˌɔfis] n печатница.

priority [prai'ɔriti] n приоритет, първенство, преимущество, предимство; старшинство; **to have ~ over** имам приоритет (предимство) пред.

prism [prizm] n призма.

prison ['prizn] **I.** n затвор; **to be in** ~ в затвора съм, затворник съм; **II.** v поет. затварям (в затвор); заключвам; притискам (в преградките си).

prisoner ['prizənə] n затворник, -ца; пленник, -ца; арестант, -ка; **state ~, ~ of state, ~ of conscience** политически затворник.

prissy [prisi] adj педантичен, превзет.

pristine ['pristi:n, pristain] adj първобитен, примитивен, древен; първичен.

pristinity [pris'tiniti] n първобитност, първичност.

privacy ['praivəsi, 'privəsi] n **1.** уединение, самота, усамотеност; интимност; **to disturb s.o.'s ~** обезпокоявам някого; **2.** тайна; **in the ~ of o.'s thoughts** в дълбочините на душата си.

private ['praivit] **I.** adj **1.** частен, личен; ~ **property** частна собственост; **2.** таен, скрит, поверителен, секретен, конфиденциален; интимен; **to keep s.th. ~** пазя нещо в тайна, крия нещо; ~ **conversation** интимен разговор; ◇ adv **privately**; **3.** за собствено (частно, лично) ползване; закрит (не обществен) (за път, представление, изложба и пр.); **4.** уединен, усамотен, изолиран, отделен (за място); **5.** остар. саможив; **II.** n **1.** редник; **2.** pl срамни части.

privation [prai'veiʃən] n лишение, нужда, оскъдица; недостиг; липса (of).

privatize ['praivətaiz] v приватизирам.

privatization ['praivətaiˈzeiʃən] n

приватизация.

privilege ['privilidʒ] **I.** n **1.** привилегия, изключително право; предимство, преимущество; **it was a ~ to hear him speak** истинско удоволствие беше да го чуе човек да говори; **2.** законно право на всеки човек в съвременна конституционна държава; **II.** v давам привилегия (на някого), привилегировам (някого); освобождавам (някого) от задължение.

privileged ['privilidʒd] adj привилегирован; ~ **communication** юр. поверителни сведения (разменени между адвокат и доверителка му, лекар и пациента му); лекарска тайна.

privily ['privili] adv тайно, скришно; поверително, доверително.

privity ['priviti] n **1.** осведоменост; знание (to); **with (without) the ~ of others** със (без) знанието на другите; **2.** юр. законни отношения (между наемател и наемодател, завещател и наследник и пр.); ~ **in law** законно задължение.

privy ['privi] **I.** adj **1.** посветен, осведомен, информиран (to в, за); **2.** таен, поверителен, секретен; интимен, скрит; **3.** частен, личен; **4.** юр. имащ личен интерес или участие в; **II.** n **1.** юр. лице, което е в законни отношения с друго лице; заинтересовано лице; **2.** разг. клозет, нужник.

prize₁ [praiz] **I.** n **1.** награда, премия; печалба (от лотария); **to carry (take, obtain win) a ~** спечелвам премия; **2.** нещо, за което заслужава да се бори човек, доходна служба, почести; печалба, неочаквано щастие; **the (great) ~s of life** всичко най-примамливо, което предлага животът, благата на живота; **3.** attr премиран; даден като награда; **4.** attr първокласен, висококачествен, отличен, превъзходен; a ~ **idiot** кръгъл идиот; **II.** v ценя много (високо).

prize₂ **I.** мор., воен. n трофей, плячка; **to become (the) ~ of** бивам завзет, завладян (заловен, пленен,

хванат) от, ставам плячка на; II. *v рядко* завладявам, залавям, пленявам.

prize-fighter ['praiz,faitə] *n* (професионален) боксьор.

prize-fighting ['praiz,faitiŋ] *n* бокс.

prize-ring ['praizriŋ] *n* ринг.

proactive [prou'æktiv] *adj* инициативен, иноваторски, водещ към промени (подобрения).

probability [,prɔbə'biliti] *n* вероятност; правдоподобност, достоверност, истинност; **in all ~** по всяка вероятност, вероятно.

probable ['prɔbəbl] I. *adj* 1. вероятен, предполагаем; **~ case** юр. достатъчно основание, за да се предположи вина у обвиняем; 2. правдоподобен; II. *n* човек, който по всяка вероятност ще бъде избран на определен пост.

probably ['prɔbəbli] *adv* навярно, вероятно.

probate ['proubeit] I. *n* 1. легализиране на завещание; 2. заверен препис от завещание; II. *v амер.* легализирам завещание.

probation [prə'beiʃən] *n* 1. стаж; **to be on ~** стажувам, карам стаж; 2. послушничество; изпитание; 3. условно освобождаване на престъпник; 4. проверка, изпробване, изпитание; **to admit on ~** приемам условно.

probationary [prə'beiʃənəri] *adj* 1. изпитателен; **~ sentence** условна присъда; 2. който е подложен на проверка (изпитание); **~ member** кандидат-член.

probationer [prə'beiʃənə] *n* 1. стажант, (-ка), кандидат-член (*u* **~ member**); 2. условно осъден престъпник; 3. послушник.

probe [proub] I. *n* 1. *мед.* сонда; 2. проучване, сондиране; 3. проба, мостра, образец; 4. осезател, детектор; **• radiation ~** детектор на лъчение; II. *v* сондирам (*u прен.*); проучвам, изучавам, разучавам, изследвам (**into**).

probing ['proubiŋ] I. *adj* изучаващ, изпитателен, сондиращ; II. *n* сондиране.

probity ['proubiti] *n* честност, неподкупност.

problem ['prɔbləm] *n* 1. проблем, въпрос, задача; **~ novel (play)** роман, драма със социална (и пр.) проблематика; 2. загадка.

problematic(al) [,prɔbli'mætik(l)] *adj* проблематичен, несигурен, съмнителен, малко вероятен, спорен, неуреден, нерешен.

proboscis [prə'bɔsis] *n* 1. хобот; 2. хоботче (*на насекомо*); 3. *шег.* нос.

procedural [prə'si:dʒərəl] *adj* процедурен.

procedure [prə'si:dʒə] *n* 1. процедура; 2. начин на действие, похват, способ, проява; **by dishonest ~s** по нечестен начин, с непочтени средства.

proceed [prə'si:d] *v* 1. вървя, отивам, отправям се, насочвам се, упътвам се, напредвам (**to**); пристъпвам, преминавам (**to**); изхождам (**from**); **he ~ed to give me a good scolding** и тогава той ме наруга здравата; 2. продължавам, карам (**in, with**); преминавам, прибягвам; идвам (**to**); **to ~ on o.'s journey** продължавам пътуването си; тръгвам отново на път; 3. извършвам се, осъществявам се, ставам, развивам се; **an exchange of views is ~ing** извършва се обмен на (обменят се) мнения; 4. идвам, произлизам, произхождам, произтичам, водя началото си, резултат (последица) съм (**from**); 5. постъпвам, действам; **to ~ against** юр. давам под съд, завеждам дело срещу; 6. получавам (по-висока) учена степен.

proceeding [prə'si:diŋ] *n* 1. постъпка, действие, проява, линия на поведение; **sharp ~s** нечестни машинации; 2. *pl* съдопроизводство, съдебна процедура (*u* **legal ~s**); **to institute legal ~s against** завеждам дело срещу, давам под съд; 3. *pl* работа (*на комисия и пр.*), разисквания, обсъждане, заседание; **official ~s** официални част; 4. *pl* протоколи; **~s at trials** протоколи на дела; 5. *pl* публикации, бюлетин (*на научно дружество*).

proceeds ['prousi:dz] *n pl* постъпления, приход, получена сума, доход.

process₁ ['prouses] I. *n* 1. процес, ход, вървеж, движение, развой, развитие, напредък; **in ~ of time** с течение на времето; 2. начин на действие, метод, прийом, похват, способ; 3. процес, съдебно дело; 4. призовка; предписание, писмена заповед, нареждане; **to serve a ~ on** връчвам призовка на; 5. израстък; издутина, буца, бучка; 6. *полигр.* фотомеханично репродуциране; II. *v* 1. възбуждам съдебно преследване срещу; 2. подлагам на процес; преработвам, консервирам; 3. *полигр.* възпроизвеждам; репродуцирам, клиширам; 4. *фот.* проявявам.

process₂ [prə'ses] *v разг.* шествам, участвам в процесия.

processability ['prousesə'biliti] *n* преработваемост, технологичност.

processing ['prousesiŋ] *n* обработка, преработка; технология.

procession [prə'seʃən] I. *n* 1. процесия, тържествено шествие; **a ~ of motor cars** върволица коли; 2. *разг.* неочаквано надбягване; 3. *attr зоол.* шественик; II. *v* 1. шествам, участвам в процесия, обикалям; 2. развеждам, водя някого.

processional [prə'seʃənəl] I. *adj* шествен; II. *n* 1. химн; 2. требник.

processionist [prə'seʃənist] *n* участник в процесия.

processor [prə'sesə] *n инф.* 1. процесор; 2. програма, която обработва някакви данни; **word ~** текстов редактор.

proclaim [prə'kleim] *v* 1. провъзгласявам, обявявам (за); **his manners ~ed him a military man** от поведението му се разбра, че е военен; 2. прокламирам, разгласявам, оповестявам, обявявам (публично), обнародвам; известявам, съобщавам (за); заявявам (**that**); 3. обявявам (*война, мир*); 4. съобщавам официално за възшествието на (*владетел*); 5. обявявам

извънредно положение в; **6.** забранявам (*събрание и пр.*); обявявам извън закона.

proclamation [ˌprɔkləˈmeiʃən] *n* **1.** (официално) обявяване, прокламиране, провъзгласяване, прокламация, разгласяване, оповестяване; **2.** възвание, призив, апел.

proclitic [prouˈklitik] **I.** *adj* език. едносрична, неударена (*за дума или частица*); **II.** *n* език. проклитика, неударена дума или частица, която се изговаря заедно със следващата дума.

proclivitous [prəˈklivitəs] *adj* книж. стръмен.

proclivity [prəˈkliviti] *n* склонност, тенденция (**to, towards**).

procrastinate [proˈkræstineit] *v* отлагам, протакам, бавя (се), мая се, помайвам се.

procrastination [proˌkræstineʃən] *n* отлагане, протакане, бавене, маене, помайване.

procrastinative [proˈkræstinətiv] *adj* отлагащ, отлагателен.

procreate [ˈproukrieit] *v* **1.** създавам потомство, раждам; **2.** пораждам, причинявам, създавам.

procreation [ˌproukriˈeiʃən] *n* създаване на потомство, раждане.

procreative [proukriˈeitiv] *adj* детероден.

procreator [ˈproukrieitə] *n* родител, създател.

procumbent [prouˈkʌmbənt] *adj* **1.** легнал, излегнат, проснат, прострян; **2.** бот. пълзящ.

procurance [prəˈkjuərəns] *n* доставяне, осигуряване.

procuration [ˌprɔkjuˈreiʃən] *n* **1.** вършене на нещо по пълномощие; **by** (**per**) ~ по пълномощие, чрез пълномощник; **2.** пълномощно; **3.** придобиване, получаване, причиняване; **4.** сводничество.

procurator [ˈprɔkjureitə] *n* **1.** истор. прокуратор; **2.** пълномощник довереник, агент, адвокат; **3.** **P. Fiscal** шотл. прокурор.

procuratory [ˈprɔkjuˌreitəri] *n* упълномощаване.

procure [prəˈkjuə] *v* **1.** придобивам, сдобивам се с, осигурявам си,

намирам, доставям, набавям; **2.** докарвам, причинявам, провеждам; **3.** своднича.

procurement [prəˈkjuəmənt] *n* **1.** придобиване, доставяне, набавяне, снабдяване; **2.** амер. купуване.

procurer [prəˈkjuərə] *n* **1.** сводник, сводница; **2.** доставчик.

procuress [prəˈkjuəris] *n* сводница.

prod [prɔd] **I.** *n* **1.** бод, остен; **2.** бодване, мушване, ръгване, ръчкане; **to give s.o. a** ~ сръгвам, смушвам, сръчквам; **II.** *v* **1.** бода, бодвам, муша, мушкам, ръгвам, ръчкам, ръгам; **2.** подбуждам, подтиквам, насъсквам; дразня, раздразвам.

prodigal [ˈprɔdigl] **I.** *adj* **1.** разточителен, разсипнически, прахоснически, разхитителен; ~ **son** блуден син; **2.** щедър, изобилен, богат (**of**); **II.** *n* прахосник, разсипник, развейпрах; блуден син.

prodigality [ˌprɔdiˈgæliti] *n* **1.** разхищение, разсипничество, прахосничество, разточителство; **2.** щедрост, изобилие.

prodigalize [ˈprɔdigəlaiz] *v* харча неразумно, пилея, пръскам, прахосвам, разхищавам.

prodigious [prəˈdidʒəs] *adj* **1.** удивителен, изумителен; **2.** огромен, грамаден; ◊ *adv* **prodigiously.**

prodigy [ˈprɔdidʒi] *n* феномен, чудо; **a** ~ **of learning** изумително начетен човек.

prodrome [ˈproudroum] *n* **1.** въведение, увод (**to**); **2.** мед. продром, признак, предшестващ началото на заболяване.

produce I. [prəˈdjuːs] *v* **1.** изваждам, показвам (*документ, билет и пр.*); представям (*документ, доказателства*); привеждам (*доводи*); довеждам (*свидетели*); **2.** изработвам, произвеждам, фабрикувам, правя; **to** ~ **on the line** произвеждам масово; **3.** раждам, давам; снасям (*яйца*); **to** ~ **young** раждам малки; **4.** поставям, изнасям, представям (*пиеса, програма*); режисирам; **5.** издавам, написвам, обнародвам, публикувам (*книга*); **6.** докарвам, причинявам, произвеждам, пораждам; създавам, давам; **7.** възпроизвеж-

дам; **8.** мат. продължавам (*линия*); **II.** [ˈprɔdjuːs] *n* добив, продукция, произведения, продукти.

producer [prəˈdjuːsə] *n* **1.** производител, -ка; ~**s cooperative** производителна кооперация; **2.** режисьор; **3.** продуцент; **4.** собственик на киностудио; **5.** газгенератор (*и* ~ **plant**).

producibility [prəˌdjuːsiˈbiliti] *n* производимост.

product [ˈprɔdʌkt] *n* **1.** продукт, изделие, произведение, фабрикат; **2.** резултат, следствие, последица, рожба, плод; **to be the** ~ **of** резултат съм на; **3.** мат. произведение.

production [prəˈdʌkʃən] *n* **1.** произвеждане, производство, продукция; **costs of** ~ производствени разходи; **2.** продукт, произведение, изделие, фабрикат; **3.** литературно (художествено) произведение; **4.** поставяне, изнасяне (*на пиеса*); постановка, представление; **5.** *attr* производствен; • **voice** ~ муз. поставяне на глас.

productive [prəˈdʌktiv] *adj* **1.** който произвежда (ражда, причинява, поражда); **to be** ~ **of** произвеждам, раждам, пораждам, причинявам; **2.** производителен, продуктивен; творчески; **3.** плодороден, плодоносен, изобилен; **4.** резултатен, плодовит; ◊ *adv* **productively.**

productiveness, productrivity [prəˈdʌktivnis, ˌprɔdʌkˈtiviti] *n* **1.** производителност, продуктивност; **2.** плодородие, изобилие; **3.** плодовитост.

proem [ˈprouem] *n* **1.** предисловие, увод, встъпление, предговор; **2.** начало, прелюдия.

profanation [ˌprɔfəˈneiʃən] *n* профанация, опошляване, оскверняване, опетняване.

profane [prəˈfein] **I.** *adj* **1.** светски, мирянски; **2.** непосветен; **3.** езически; **4.** нечестив, богохулен, неблагочестив, скверен; ~ **language** псувни, сквернословия, ругатни; **II.** *v* профанирам, осквернявам, опошлявам, опетнявам.

profanity [prəˈfæniti] *n* **1.** богохул-

ство; 2. сквернословие, псуване, псувни, хамалски език.

profess [prə'fes] *v* 1. заявявам (открито), твърдя, признавам; to ~ oneself quite content заявявам, че съм напълно доволен; 2. изповядвам (*вяра*); членувам в религиозна организация; 3. проповядвам, препоръчвам; 4. претендирам, изявявам претенции (на), твърдя; to ~ friendship for претендирам, че изпитвам приятелски чувства към; 5. преструвам се, правя се; 6. упражнявам, практикувам, занимавам се с (*занаят, изкуство*); 7. *разг.* уча, преподавам.

professed [prə'fest] *adj* 1. явен, известен, отявлен; 2. по професия (занаят); 3. привиден, мним, въобръжаем, неистински; a ~ friend лицемерен приятел.

professedly [prə'fesidli] *adv* 1. явно, открито, по собствено признание; 2. според както изглежда, привидно, уж, на думи.

profession [prə'feʃən] *n* 1. професия, занятие, занаят; by ~ по професия (занаят); 2. *събират.* хора от някаква професия; 3. (открито) заявяване, признание, изповед; in practice if not in ~ на дело, ако не на думи; 4. *pl* уверения (of); 5. вероизповедание; 6. покалугеряване, подстригване, замонашване, обет.

professional [prə'feʃənəl] I. *adj* професионален; ◇ *adv* **professionally**; II. *n* професионалист; специалист.

professional foul [prə'feʃənəl'faul] *n спорт.* фал.

professionalism [prə'feʃənəlizəm] *n* 1. професионализъм; 2. професионализиране, професионализация.

professionalize [prə'feʃənəlaiz] *v* професионализирам.

professor [prə'fesə] *n* 1. професор; 2. който изповядва (*религия*); 3. *sl* професионалист.

professorate [prə'fesərit] *n* 1. професура; 2. професори.

professorial [ˌprɔfe'sɔːriəl] *adj* професорски.

professorship [prə'fesəʃip] *n* професура, професорско място.

proffer [ˈprɔfə] I. *v* 1. предлагам; 2. *остар.* понечвам; II. *n* предложение.

proficiency [prə'fiʃənsi] *n* опитност, вещина, умение (in).

proficient [prə'fiʃənt] I. *adj* опитен, изкусен, вещ (in, at); to become ~ in typewriting научавам се да пиша добре на машина; II. *n* познавач, вещо лице, експерт, специалист.

profile [ˈproufail] I. *n* 1. профил; in ~ в профил; 2. очертание, контура; 3. профил, вертикален разрез (сечение); 4. *театр.* кулиса; ● to have a high ~ забележителен съм, привличам (обществото) внимание; II. *v* 1. рисувам (представям, изобразявам) в профил (разрез); 2. *журн.* правя биографична характеристика на, отразявам живота на; 3. *техн.* обработвам по контур (шаблон).

profit [ˈprɔfit] I. *n* 1. полза, облага, изгода; to my (etc.) ~ за своя (*и пр.*) полза; to turn to ~ извличам полза (облага) от, използвам; 2. (*обикн. pl*) печалба, доход; gross ~ брутен приход; clear (net) ~ чиста печалба; II. *v* 1. ползвам, принасям полза (на), от полза (полезен съм (за); what will it ~ (me)? каква полза от това (за мене)? 2. извличам полза, печеля, спечелвам, използвам (by, from); 3. възползвам се (by, from).

profitability [ˌprɔfitə'biliti] *n* рентабилност, доходност.

profitable [ˈprɔfitəbəl] *adj* 1. полезен, от полза, изгоден; 2. доходен, рентабилен, доходоносен; ◇ *adv* **profitably**.

profiteer [ˈprɔfitiə] I. *n* спекулант (*особ. във военно време*); II. *v* спекулирам.

profiteering [ˈprɔfi'tiəriŋ] *n* спекулантство, спекулации.

profitless [ˈprɔfitlis] *adj* нерентабилен, недоходоносен.

profit-making [ˈprɔfit'meikiŋ] *adj* просперираш, печеливш.

profligacy [ˈprɔfligəsi] *n* безпътство, разврат, разпуснатост, раз-

юзданост.

profligate [ˈprɔfligit] I. *adj* 1. безпътен, развратен, разпуснат, разюздан; 2. разточителен, разсипнически, прахоснически; II. *n* 1. развратник, блудник; 2. разточител, прахосник, разсипник.

profound [prə'faund] I. *adj* 1. дълбок; 2. дълбок, силен; ◇ *adv* **profoundly**; 3. проницателен, дълбок, проникновен, далновиден, прозорлив, мъдър; 4. неразбираем, тъмен, неясен, отвлечен; 5. дълбок, пълен, абсолютен, безусловен; ~ indifference пълно безразличие; II. *n* поет. глъбина, дълбина.

profundity [prə'fʌnditi] *n* 1. дълбочина; 2. дълбокомислено разсъждение; умна мисъл.

profuse [prə'fjuːs] *adj* 1. изобилен, богат; разкошен, пищен, великолепен; буен, избуял (*за растителност*); 2. щедър, разточителен (in, of); to be ~ of щедър съм на, пилея; 3. темпераментен, експанзивен; 4. краен, извънреден, изключителен, необикновен, прекален.

profusely [prə'fjuːzli] *adv* изобилно.

profusion [prə'fjuːʒən] *n* 1. (пре)изобилие, излишък; избуялост; пищност; 2. разточителност, щедрост; 3. темпераментност, експанзивност.

progenitive [prə'dʒenitiv] *adj* способен да дава поколение, възпроизводителен.

progenitor [prə'dʒenitə] *n* 1. прародител, родоначалник; 2. предшественик, първообраз, прототип.

progeniture [prə'dʒenitʃə] *n* (създаване на) потомство.

progeny [ˈprɔdʒini] *n* 1. потомство, рожби, чеда, деца, потомци; изчадия; 2. резултат, последица.

progesterone [prə'dʒestə,roun] *n* прогестерон (*женски полов хормон*).

prognosis [prɔg'nousis] *n* (*pl* -ses [=siːz]) прогноза.

prognostic [prəg'nɔstik] I. *adj* който е предвестник (предвещава, предсказва, предрича) (of); II. *n*

1. предзнаменование, знамение, поличба, знак, предвестник, -ница; **2.** предсказание, предричане, предсказване.
prognosticate [prəg'nɔstikeit] *v* предсказвам, предричам; вещая, предвещавам.
prognostication [prəg,nɔsti'keiʃən] *n* **1.** предсказване, предричане; **2.** поличба, знамение, предзнаменование.
prognosticator [prəg,nɔsti'keitə] *n* ясновидец, гадател.
program(me) ['prougræm] **I.** *n* план; програма; **system** ~ *инф.* системна програма; **II.** *v* съставям програма (план), планирам.
programmable [,prou'græməbəl] *adj* програмируем.
programmatic [,prougrə'mætik] *adj* програмен, следващ определена програма.
programming ['prougræmin] *n* **1.** *инф.* програмиране, писане на програма; **structured** ~ структурно програмиране; **2.** съставяне на телевизионна или радиопрограма.
programmer ['prou'græmə:] *n* **1.** програмист; **2.** програмиращо устройство.
programming ['prou'græmin] *n* програмиране; изготвяне на производствена програма; **off-line** ~ автономно (оф-лайн) програмиране.
progress I. ['prougres] *n* **1.** движение напред, напредване; **to continue o.'s** ~ продължавам да напредвам; **to report** ~ съобщавам за хода на работа; прекратявам дебатите; **2.** напредък, прогрес, развитие, подобрение, увеличение, успех; **to make** ~ напредвам, постигам успехи, прогресирам; **3.** *остар.* официално пътуване (обиколка); **II.** [prə'gres] *v* **1.** напредвам, вървя (напред); **the controversy still** ~**es** спорът се води още; **2.** напредвам, прогресирам, развивам се, подобрявам се, усъвършенствам се, постигам успех.
progression [prə'greʃən] *n* **1.** движение напред, напредване, прогресиране; **2.** *мат.* прогресия.

progressive [prə'gresiv] **I.** *adj* **1.** който върви напред; ~ **motion** движение напред; **2.** прогресивен; който се увеличава (усилва, нараства) постепенно, постоянно; непрекъснат; **3.** постепенен; **by** ~ **stages** постепенно; **4.** *език.* продължителен, несвършен; **II.** *n* **1.** напредничав човек; **2.** *език.* продължително време (форма).
progressively [prə'gresivli] *adv* постепенно, постоянно, прогресивно.
prohibit [prə'hibit] *v* **1.** забранявам, запрещавам; **2.** възпирам, преча, попречвам, спъвам, възпрепятствам (**from**).
prohibition [,prou(h)i'biʃən] *n* **1.** забрана, запрещение, възбрана; **2.** прохибиционизъм, забрана на продажбата на алкохол; **3.** *юр.* забрана от по-висша съдебна инстанция за разглеждане на дело, което е извън юрисдикцията на по-низша съдебна инстанция.
prohibitionist [,prou(h)i'biʃənist] *n* привърженик на сухия режим, прохибиционист.
prohibitive [prə'hibitiv] *adj* **1.** прохибитивен, забраняващ, възбранителен; **2.** който възпира (пречи, спъва, възпрепятства); много висок (*за цена*); ◇ *adv* **prohibitively.**
project I. [prə'dʒekt] *v* **1.** проектирам, планирам, съставям план (за), замислям; **2.** захвърлям, запращам, хвърлям; изхвърлям, изстрелвам (**into**); **3.** хвърлям (*сянка, светлина*); прожектирам; **4.** обективирам, давам обективен израз на, конкретизирам, представям, влагам (**into**); **to** ~ **oneself into** влагам идеите си (*и пр.*) в; пренасям се (*в миналото, бъдещето*); **5.** стърча, изпъквам, издавам се напред, надвисвам (**over**); **6.** (*за актьор и пр.*) влизам в контакт с публиката; **II.** ['prɔdʒekt] *n* **1.** проект, план, схема; **2.** обект; **housing (construction)** ~ строителен обект.
projectile [prə'dʒektail] **I.** *n* **1.** метателно оръжие; граната, снаряд; **2.** *физ.* падаща (бомбардираща) частица; **II.** *adj* метателен.

projecting [prə'dʒektin] *adj* щръкнал, изпъкнал, издаден.
projection [prə'dʒekʃən] *n* **1.** хвърляне, захвърляне, мятане, запращане; изхвърляне, изстрелване; **2.** проектиране; **3.** проекция; прожектиране; **4.** изпъкване; издатина, издаденост; част от нещо, което стърчи (изпъква, се издава напред); **5.** обективиране, конкретизиране, външен израз (образ); **6.** *псих.* несъзнателно приписване на друг човек собствените мисли, действия, чувства.
projectionist [prə'dʒekʃənist] *n* осветител, оператор на кинопрожектор.
projective [prə'dʒektiv] *adj* **1.** проекционен; **2.** който обективира (дава обективен израз).
projector [prə'dʒektə] *n* **1.** проекционен апарат, магически фенер; **2.** проектант; съставител на проекти (планове); **3.** *воен.* газохвъргачка.
prolepsis [prə'lepsis] *n* *ретор.* изпреварване, антиципация; употреба на прилагателно име, което загатва за бъдещето.
proletarian [,prouli'teəriən] **I.** *n* пролетарий; **II.** *adj* пролетарски.
proletariat(e) [,prouli'teəriət] *n* пролетариат.
proliferate [prə'lifəreit] *v* **1.** *биол.* размножавам се чрез пролиферация (пъпкуване); **2.** *бот.* развивам се чрез пролификация; **3.** разпространявам се (у).
proliferation [,prəlifə'reiʃən] *n* **1.** *биол.* пролиферация; пъпкуване; **2.** *бот.* пролификация, развитие на орган в друг орган, който е завършил своето развитие; **3.** разпространение.
prolific [prə'lifik] *adj* **1.** плодовит; **2.** плодороден; **3.** който изобилства (**in**), който ражда много (води към, има последица) (**of**); изобилен, обилен, богат; **4.** резултатен (*за играч*).
prolix ['prouliks] *adj* многословен, много дълъг; досаден, отегчителен.
prolixity [prou'liksiti] *n* **1.** многословие; **2.** отегчителност.

prologize ['prouledʒaiz] *v* пиша (ре-
цитирам) пролог.
prologue ['proulog] I. *n* пролог (to);
II. *v* въвеждам, снабдявам с про-
лог.
prolong [prə'lɔŋ] *v* продължавам;
удължавам; отсрочвам, пролон-
гирам.
prolongation [,proulɔŋ'geiʃən] *n* 1.
продължение; отсрочка; пролон-
гация; 2. *sl* панталони.
prolonged [prə'lɔŋd] *adj* дълъг,
продължителен.
prolusion [prə'ljuːʒən] *n книж.*
предварителен опит, прелюдия,
увод, въведение.
promenade [,prɔmi'naːd] I. *n* раз-
ходка, променада; to make a ~
правя разходка, разхождам се; II.
v разхождам (се) (по, из).
prominence ['prɔminəns] *n* 1. изда-
деност, издатина, изпъкналост;
2. възвишение, хълм; 3. очебий-
ност; забележителност, знамени-
тост, бележитост, именитост, из-
вестност, популярност; to win ~
ставам известен, издигам се.
prominent ['prɔminənt] *adj* 1. ви-
ден, бележит, забележителен, зна-
менит, именит, известен, популя-
рен, проминентен; ◇ *adv* promi-
nently; 2. очебиен, забележим; 3.
издаден, изпъкнал, издут.
promiscuity [,prɔmis'kjuːiti] *n* 1.
разнородност; 2. безразборност;
3. промискуитет.
promiscuous [prə'miskjuəs] *adj* 1.
разнороден; смесен; ~ crowd пъ-
стра тълпа; 2. безразборен, раз-
бъркан, хаотичен, без ред, общ;
3. *разг.* случаен.
promise ['prɔmis] I. *n* 1. обещание;
to give (make) a ~ давам дума,
обещавам; to keep (redeem) o.'s
~ изпълнявам обещанието си,
устоявам на думата си; 2. нещо
обещано; I claim your ~ дай ми
обещаното; 3. добри перспекти-
ви, благоприятни указания; to
give (show)~, to show (great) ~
обещавам много, давам (големи)
надежди у (of); II. *v* 1. обещавам,
давам дума; the ~d land (the land
of ~) обетованата земя; 2. пред-
сказвам, предричам, вещая; 3.

давам надежди, откривам пер-
спективи (за); to ~ well (fair) бу-
дя надежди, откривам добри
перспективи; в добро състояние
съм; • ~ you *разг.* уверявам те.
promo ['proumou] *n* рекламен ви-
деоклип.
promontory ['prɔməntəri] *n* 1. *геогр.*
нос; 2. *анат.* издаденост, изпък-
налост.
promote [prə'mout] *v* 1. спомагам,
съдействам, допринасям, спо-
собствам (за); поддържам, под-
крепям, подпомагам, насърча-
вам, поощрявам; 2. *търг.* рекла-
мирам (*продукт*); 3. повишавам,
произвеждам; to ~ (to, to the
rank of) captain произвеждам (в
чин) капитан; 4. основавам, ор-
ганизирам, финансирам (*пред-
приятие*); 5. пускам (*ученик*) да
мине в по-горен клас; to be ~d
to the top form минавам в най-
горния клас; 6. извеждам цари-
ца (в *шахмата*); 7. *спорт.* пра-
щам в по-горна дивизия (група).
promotion [prə'mouʃən] *n* 1. спо-
магане, съдействане; поддържа-
не, поддръжка; подкрепяне, под-
крепа, поощряване, поощрение;
2. повишаване, повишение, про-
извеждане, производство; to be on
~ очаквам (готвя се за) повише-
ние; правя поведение; 3. пускане
(*на ученик*) да мине в по-горен
клас; 4. бизнес реклама, промо-
ция (*на стока*) (*u* advertising ~).
promotional [prə'mouʃənəl] рекла-
мен; който (с който се) прави про-
моция на търговски продукт.
prompt₁ [prɔmpt] I. *adj* 1. бърз,
подвижен, пъргав, чевръст; to be
~ in action действам бързо; 2.
бърз, навременен, незабавен; for
~ cash в брой, кеш; ~ goods сто-
ка, която се доставя веднага; II.
adv точно, тъкмо; III. *n* срок за
изплащане на закупена стока.
prompt₂ [prɔmpt] *v* 1. подтиквам, подбуж-
дам, надумвам, подучвам, на-
съсквам; накарвам; 2. подсказ-
вам, внушавам, вдъхвам, пораж-
дам, давам повод (ставам при-
чина) за, причинявам; 3. подсказ-
вам (на); 4. суфлирам (на); II. *n*

1. напомняне, подсказване, суф-
лиране; 2. *инф.* знак или съобще-
ние, което показва, че компютъ-
ра е готов за приема команди.
prompter ['prɔmptə] *n* 1. който под-
тиква към действие; 2. суфльор.
prompting ['prɔmptiŋ] *adj* подбу-
да, подтик.
promptitude ['prɔmptitjuːd] *n* 1.
бързина, подвижност, пъргавост;
2. навременност, точност.
promptly ['prɔmptli] *adv* 1. извед-
нъж, бързо; 2. веднага, незабав-
но, тозчас, мигновено; 3. точно
навреме; в брой (*за плащане*).
promptness ['prɔmptnis] *n* експеди-
тивност, оперативност, бързина.
promulgate ['prɔməlgeit] *v* 1. обявя-
вам, оповестявам, разгласявам,
давам гласност на, публикувам,
обнародвам, съобщавам за, про-
възгласявам; 2. разпространя-
вам; 3. промулирам, обнародвам
държавен акт или закон.
promulgation [prɔməl'geiʃən] *n* 1.
обявяване, оповестяване, разгла-
сяване, даване гласност, публи-
куване, обнародване, провъзгла-
сяване; 2. разпространяване, раз-
пространение; 3. промулация,
право на държавен глава да об-
народва държавен акт, с което
той влиза в сила.
promulgator ['prɔməlgeitə] *n* раз-
гласител, оповестител.
prone [proun] *adj* 1. склонен, пред-
разположен (to); ~ to anger раз-
дразнителен, сприхав, избухлив;
2. (легнал) по очи, проснат, прос-
трян; 3. стръмен, отвесен, верти-
кален; наклонен, наведен, поле-
гат.
proneness ['prounnis] *n* склонност,
предразположение, наклонност,
тенденция (to).
prong [prɔŋ] I. *n* 1. бод; зъб, зъбец;
2. инструмент с бодове, вила, ви-
лица; 3. разклонение; издатина,
издаденост; 4. етап, част; II. *v* му-
ша, промушвам, бода, пробож-
дам; вдигам, обръщам (с вила).
pronominal [prə'nɔminəl] *adj език.*
местоименен, прономинален.
pronoun ['prounaun] *n* местоиме-
ние.

pronounce [prə'nauns] v 1. произнасям, изговарям, изричам, изказвам; 2. произнасям се, изказвам се (**on, for, in favour of, against**), казвам мнението си (**on**); обявявам (за); I cannot ~ him out of danger не мога да кажа, че той е вън от опасност.

pronounceable [prə'naunsəbl] adj произносим.

pronounced [prə'naunst] adj ясно изразен, явен, определен, очебиен, подчертан, решителен; отявлен, прононсиран.

pronouncement [prə'naunsmənt] n 1. обявяване, изказване, изричане; 2. мнение, оценка, преценка; присъда, решение.

pronto ['prɔntou] adv амер. sl бързо.

pronunciation [prə,nʌnsi'eʃən] n произношение, дикция.

proof [pru:f] I. n 1. доказателство; as (a) ~ of в (като) доказателство на; ~ positive решително доказателство; • the ~ of the pudding is in the eating пилците се броят наесен; 2. свидетелско показание; 3. демонстрация; 4. изпитване, изпитание, проба, изпробване, проверка, тест; to put to the ~ подлагам на изпитание, изпитвам, пробвам, изпробвам, тествам; 5. мат. проверка, контрол; 6. изпитателен полигон за огнестрелни оръжия (избухливи вещества); 7. полигр. коректура; шпалта (и printer's ~); page ~ коректура на страници; 8. пробен отпечатък от гравюра; 9. установен градус (на алкохол); 10. епруветка; 11. неравни краища на листове на книга (оставени като доказателство, че тя не е разрязана); 12. шотл. разглеждане на дело от съдия (а не от съдебни заседатели); II. adj 1. изпитан, непроницаем (against); непробиваем; fire-~ огнеупорен; earthquake ~ сеизмоустойчив; 2. твърд, непоколебим, издръжлив, устойчив, невъзприемчив, неподатлив (against); ~ against entreaties (bribes) неумолим (неподкупен); 3. използван при изпробване, проверка и под.; ~ gold

чисто злато, използвано като образец за сравнение; 4. с установен градус (за алкохол); III. v 1. правя непроницаем (непробиваем, непромокаем); 2. импрегнирам; 3. правя пробен отпечатък от гравюра.

proofing ['pru:fiŋ] n 1. импрегниране; 2. вещество, използвано при обработка на нещо, за да стане то непромокаемо (устойчиво); 3. изпитване, метод на изпитване.

proofread ['pru:fri:d] v коригирам, проверявам текст за грешки.

proof-reader ['pru:f,ri:də] n коректор; ~'s mark коректорски знак.

proof-reading ['pru:f,ri:diŋ] n коригиране.

proof-sheet ['pru:fʃi:t] n коректура, шпалта.

prop [prɔp] I. n 1. подпора, подпорка; подставка, подпорен зид, стълб; 2. опора, подкрепа, поддръжка, упование; 3. (обикн. pl) театрален реквизит (и stage ~s); II. v 1. подпирам, слагам подпори (up); 2. крепя, поддържам, подкрепям (up).

propaedeutic(al) [proupi:'dju:tik(l)] I. adj пропедевтичен, уводен, въвеждащ; II. n предварително изследване (проучване).

propaganda [,prɔpə'gændə] n 1. пропаганда; 2. attr пропаганден.

propagandist [,prɔpə'gændist] n пропагандист, -ка, пропагандатор, -ка.

propagandize [,prɔpə'gændaiz] v пропагандирам.

propagate ['prɔpəgeit] v 1. плодя се, множа се, размножавам (се), въдя (се), развъждам (се); 2. разпространявам (се); 3. предавам (топлина, трептене и пр.); предавам на следващото поколение.

propagation [,prɔpə'geiʃən] n 1. плодене, размножаване, развъждане; 2. разпространяване, пропатация; 3. предаване.

propagator [,prɔpə'geitə] n разпространител, -ка.

propel [prə'pel] v (-ll-) тласкам (бутам) напред, карам, движа; привеждам в движение, задвижвам; ~led by steam който се движи с

пара, парен.

propellant, propellent [prə'pelənt] I. adj двигателен, метателен; II. n 1. метателен експлозив; 2. реактивно (ракетно) гориво.

propeller [prə'pelə] n 1. витло (и screw ~); 2. перка (на самолет), пропелер; 3. двигател; задвижващ механизъм.

propelling [prə'peliŋ] adj двигателен.

propensity [prə'pensiti] n склонност, предразположение, тенденция (to, for c ger).

proper ['prɔpə] adj 1. свойствен, характерен, присъщ (to); 2. точен, правилен, същински, истински; architecture ~ архитектура в тесен смисъл на думата (в смисъл само на строителство); 3. подходящ, удобен, пригоден, съответен, подобаващ, уместен (for); all in its ~ time всичко на времето си; to think ~ смятам (считам, намирам за уместно (to); 4. благоприличен, благопристоен, благовъзпитан, строго морален; 5. остар. свой, собствен, личен (и own ~); 6. език. собствен; ~ name (noun) собствено име; 7. разг. голям, истински, същински; he was in a ~ rage той не беше на себе си от ярост; 8. остар. хубав; • they got beaten (good and) ~ sl натупаха ги здравата.

properly ['prɔpəli] adv 1. както трябва, както подобава, както му е редът; правилно; с (пълно) право; разг. хубаво, хубавичко; здравата, напълно; 2. прилично; 3. в тесен смисъл на думата; ~speaking същност, собствено.

propertied ['prɔpətid] adj имотен, заможен, богат.

property ['prɔpəti] n 1. имот, имущество, собственост, притежание, владение; стопанство, имение, имения; personal (real) ~ движим (недвижим) имот; 2. отличително качество, свойство; 3. (обикн. pl) театрални реквизити; 4. attr който се отнася до имот, имотен; • that's public ~ кой не знае (и децата знаят) това.

property-man ['prɔpəti,mæn] n

театр. реквизитор.

prophecy ['prɔfisi] *n* пророчество, прорицание, предсказание, предвещание.

prophesy ['prɔfisai] *v* пророкувам, предричам, предсказвам, вещая, предвещавам, профетизирам.

prophet ['prɔfit] *n* **1.** пророк; **2.** *прен.* представител, защитник, проповедник, изразител (**of**); **3.** предсказател, прорицател.

prophetic(al) [prə'fetik(əl)] *adj* пророчески; ~ **of** който вещае.

prophylactic [‚prɔfi'læktik] **I.** *adj* профилактичен, предпазен; **II.** *n* **1.** профилактично (предпазно) средство (мярка); **2.** кондом.

prophylaxis [‚prɔfi'læksis] *n* (*pl* **-xes** [-si:z]) профилактика, предпазна медицина.

propinquity [prə'piŋkwiti] *n* **1.** близост; **2.** родство; **3.** прилика, подобие, сходство.

propitiate [prə'piʃieit] *v* **1.** омилостивявам; **2.** предразполагам към себе си, спечелвам доверието на.

propitiation [prə'piʃieiʃən] *n* **1.** омилостивяване; **2.** изкупление; **3.** изкупителна жертва.

propitious [prə'piʃəs] *adj* **1.** благосклонен, благоприятен; **2.** благоприятен, подходящ (**to, for**).

proportion [prə'pɔ:ʃən] *n* **1.** пропорция, отношение, съотношение; **the** ~ **of births to the population** раждаемост, съотношението между ражданията и населението; **2.** пропорция, съразмерност на частите, хармония, симетрия; **in due** ~ в пълна хармония; **3.** *мат.* пропорция; **3:6 bears the same** ~ **as 6:12** 3 се отнася към 6 така, както 6 към 12; **4.** *мат.* просто тройно правило; **5.** *pl* размери; **of good** ~**s** доста голям, големичък; **6.** част, дял, процент; **II.** *v* **1.** съгласувам (**to**); **2.** разделям поравно.

proportional [prə'pɔ:ʃənəl] **I.** *adj* пропорционален; ⋄ *adv* **proportionally**; **II.** *n мат.* член от пропорция.

proportionality [prə‚pɔ:ʃə'næliti] *n* пропорционалност.

proportionate I. [prə'pɔ:ʃənit] *adj*

съразмерен, пропорционален (**to**); ⋄ *adv* **proportionately**; **II.** [prə'pɔ:ʃəneit] *v* съгласувам.

proportioner [prə'pɔ:ʃənə:] *n* дозиращо устройство, дозатор.

proportioning [prə'pɔ:ʃəniŋ] **I.** *n* дозиране; **II.** *adj* дозиращ.

proposal [prə'pousəl] *n* предложение (*и за брак*); план; ~ **of marriage** предложение за брак.

propose [prə'pouz] *v* **1.** предлагам; **to** ~ **to the health of** вдигам наздравица за, вдигам тост за, пия за; **2.** правя предложение за брак (**to**); **3.** възнамерявам, имам намерение (**to** *c inf, ger*); **he told us about his** ~**d trip** той ни каза за пътуването, което възнамерявал да предприеме.

proposition [‚prɔpə'ziʃən] **I.** *n* **1.** твърдение, изказване; **2.** *език.* изречение; **3.** *мат.* теорема; **4.** пропозиция, предложение, оферта; **5.** *разг.* работа, план, проект, задача, перспектива; **6.** *амер.* предприятие, работа, занаят; **paying** ~ доходно предприятие (работа, занаят); **7.** покана за сексуален контакт; **II.** *v* правя предложение (*сексуално или делова оферта*).

propound [prə'paund] *v* **1.** предлагам за разглеждане, поставям на разискване (**to**); **2.** излагам, излизам с (*теория и пр.*); **3.** *юр.* давам завещание да се легализира.

proprietorship [prə'praiətəʃip] *n* притежаване, собственост.

propriety [prə'praiəti] *n* **1.** коректност, уместност, правилност, естественост; **2.** приличие, благоприличие; **3.** *остар.* право на собственост; • **marriage of** ~ брак по сметка.

propulsion [prə'pʌlʃən] *n* **1.** тласкане (*бутане*) напред, каране, движене; **2.** движеща сила, подбуда, подтик, тласък, стимул, импулс; **3.** двигател; силова уредба.

propulsive [prə'pʌlsiv] *adj* двигателен, метателен, тласкащ, подбуждащ, подтикващ, стимулиращ, провокиращ.

prosaic [prou'zeiik] *adj* прозаичен, неинтересен, скучен; ⋄ *adv* **prosaically**.

proscribe [prə'skraib] *v* **1.** проскрибирам, обявявам извън законите; заточавам, пращам на заточение (в изгнание); **2.** отричам, отхвърлям; **3.** забранявам.

prose [prouz] **I.** *n* **1.** проза; **2.** прозаичност; **the** ~ **of existence** житейската проза, ежедневието; **3.** досадни приказки; **4.** *attr* прозаичен, в проза; **II.** *v* **1.** говоря (пиша) отегчително; **2.** обръщам (*нещо стихотворно*) в проза.

prosecute ['prɔsikju:t] *v* **1.** гоня, преследвам (*цел*); занимавам се с, упражнявам, практикувам, върша, карам, продължавам; **to** ~ **an enquiry** водя следствие, разследвам; **2.** преследвам, давам под съд, водя (завеждам) дело (срещу); **terspassers will be** ~**d** нарушителите се глобяват; **3.** действам като ищец.

prosecution [‚prɔsi'kju:ʃən] *n* **1.** гонене, преследване; упражняване, практикуване, вършене, извършване, продължаване; ~ **of war** водене на война; **2.** съдебно преследване, даване под съд, водене (завеждане) на дело; **director of public** ~**s** прокурор; **3.** ищец, ищци, обвинители (*като страна в съдебен процес*); **to appear for the** ~ явявам се от името на ищеца.

prosecutor ['prɔsikju:tə] *n* ищец; **public** ~ прокурор, обвинител.

prose-writer ['prouz‚raitə] *n* прозаик.

prosiness ['prouzinis] *n* прозаичност, досадност, отегчителност.

prosodial, prosodic [prə'soudiəl, prə'sɔdik] *adj* прозодичен.

prosody ['prɔsədi] *n* прозодия.

prosopopoeia ['prɔsoupə'pi:ə] *n* олицетворяване, олицетворение.

prospect I. ['prɔspekt] *n* **1.** изглед, гледка, пейзаж; **2.** *прен.* изгледи, перспективи; ~**s for the future** изгледи за бъдещето, перспективи; **3.** *мин.* неексплоатиран (новооткрит) участък; проба от руда (*от нов участък*); **4.** *амер.* предполагаем (вероятен, евентуален) клиент; **II.** [prə'spekt] *v мин.* **1.** проспектирам, търся, изследвам, проучвам, правя проучвания (**for**);

тръгвам да изследвам (проучвам, правя проучвания); **to ~ for gold** търся злато; 2. обещавам (*за мина*); 3. експлоатирам (*мина с надежда за добър добив*).

prospective [prə'spektiv] *adj* 1. бъдещ, предстоящ; очакван; предчувстван, предусещан, предвкусван; близък, вероятен; 2. далновиден, предвидлив, прозорлив; 3. без обратна сила (*за закон*).

prospectus [prəs'pektəs] *n* проспект, реклама, програма.

prosper ['prɔspə] *v* 1. просперирам, вървя добре, вирея, успявам, преуспявам, процъфтявам; 2. давам благоденствие на, подпомагам, поживявам.

prosperity [prɔs'periti] *n* просперитет, преуспяване, процъфтяване, добруване, благоденствие, благополучие, благосъстояние, сполука.

prosthesis ['prɔsθisis] *n* 1. *мед.* протеза, изкуствен орган; протезиране; 2. *език.* представка, префикс.

prostitute ['prɔstitju:t] I. *n* проститутка; II. *v* 1. тласкам към проституция; *refl* проституирам; 2. *прен.* проституирам с, върша търгашество с.

prostitution [ˌprɔstit'ju:ʃən] *n* 1. проституция; 2. проституиране.

prostrate I. ['prɔstreit] *adj* 1. проснат, прострян, легнал; **to fall ~** просвам се; 2. повален, победен, надвит; **to lay ~** свалям, събарям, повалям; свалям от власт, смъквам; 3. изтощен, изнурен, смазан, капнал, съсипан, в лошо състояние; II. [prə'streit] *v* 1. свалям, събарям, повалям; **to ~ oneself** лягам (*в праха*), пълзя, унижавам се (**at, before**); 2. подчинявам, унижавам; 3. изтощавам, съсипвам, смазвам, разнебитвам, отчайвам, потискам, угнетявам; **~d with fatigue** капнал от умора.

prostyle ['proustail] *n* преддверие.

prosy ['prouzi] *adj* прозаичен, досаден, отегчителен, неинтересен, сух, скучен.

protect [prə'tekt] *v* 1. пазя, запазвам, предпазвам, браня, отбранявам, вардя, завардвам, защи-

тавам, закрилям (**from, against**); 2. прокровителствам; 3. слагам предпазител (на) (*машина и пр.*); **~ed rifle** пушка с предпазител; 4. подсигурявам, осигурявам финансово (*полица, чек и пр.*).

protection [prə'tekʃən] *n* 1. пазене, запазване, предпазване, бранене, отбраняване, вардене, завардване, предварване, защищаване, защита, закриляне, закрила; 2. протекция, прокровителство, покровителство; **under the ~ of** под покровителството на; 3. пазител, -ка, защитник, -чка, бранител, -ка; предпазно средство; прикритие, заслон, подслон, сушина, навес, убежище; **a dog is a great ~ against burglars** кучетата пазят добре от крадци; 4. паспорт, пропуск.

protectionism [prə'tekʃənizm] *n* протекционизъм.

protectionist [prə'tekʃənist] *n* 1. протекционист; 2. *attr* протекционистки.

protective [prə'tektiv] *adj* защитен, предпазен, предпазителен, покровителствен, протекционен; **~ colouring** защитен цвят.

protector [prə'tektə] *n* 1. защитник, бранител, покровител, застъпник; протектор; 2. предпазител, протектор; **point-~** предпазител на молив; 3. протектор, стъпало, ходило (*на автомобилна гума*); 4. *истор.* регент.

protectorate [prə'tektərit] *n* протекторат.

protégé ['prɔteʒei] *n* протеже.

proteic ['prouti:ik] *adj* протеинов, белтъчен.

protein ['proutiin] *n* протеин, белтъчина.

protest I. [prə'test] *v* 1. протестирам (**against**); 2. заявявам тържествено; **to ~ o.'s innocence** твърдя, че съм невинен; 3. протестирам срещу, възразявам, не приемам; **to ~ a witness** възразявам против свидетел; 4. *остар.* уверявам; II. ['proutest] *n* 1. протест; възражение; **under ~** насила, против волята си; 2. протестиране на полица; 3. тържестве-

на декларация, изявление, изказване; 4. *attr* протестен.

protestation [ˌprɔtis'teiʃən] *n* 1. протест, възражение, протестация (**against**); 2. тържествена декларация, изявление, изказване.

protester [prə'testə:] *n* протестант, демонстрант.

protocol ['proutəkɔl] I. *n* 1. *полит.* протокол; преамбюл; 2. *инф.* протокол (*за мрежа, модем и пр.*); 3. *амер.* курс на лечение; II. *v полит.* протоколирам, записвам в протокол.

protoplast ['proutəplæst] *n* 1. първообраз, образец, оригинал; първият човек; 2. *биол.* протопласт.

prototype ['proutətaip] *n* прототип, първообраз.

protract [prə'trækt] *v* 1. протакам, провлачам, удължавам; продължавам; **to ~ o.'s visit (beyond measure)** продължавам визитата си (*прекомерно*); 2. чертая, начертавам, нанасям (на) (*карта, план*); 3. *зоол.* протягам, проточвам.

protracted [prə'træktid] *adj* проточен, провлачен, продължителен.

protrude [prə'tru:d] *v* 1. издавам (се), подавам (се), показвам (се); изплезвам (*език*); 2. изпъквам, издавам се напред, стърча.

protuberance [prə'tju:bərəns] *n* изпъкналост, издутина, издутост, подутина, подпухналост, оток.

proud [praud] *adj* 1. горд (**of**); горделив, високомерен, надменен, надут; **to be ~ of** за мен е чест да, горд съм да; ◇ *adv* **proudly**; 2. славен; внушителен, величествен, грандиозен, великолепен, забележителен, знаменит; 3. придошъл (*за река*); **~ sea** развълнувано море.

proud-stomached ['praud,stʌməkt] *adj* надменен, високомерен.

prove [pru:v] *v* 1. доказвам; 2. изпитвам, пробвам, изпробвам; 3. оказвам се, излизам (*и refl*); **his hopes ~d (to be) fallacious** надеждите му се оказаха напразни; 4. *мат.* проверявам; 5. *юр.* легализирам (*завещание*); 6. *воен.* проверявам личния състав; 7. вадя

пробен отпечатък (от); **prove out** потвърждавам, бивам потвърден.

provenance ['prɔvinəns] *n* 1. произход, потекло; 2. източник, ресурс.

proverb ['prɔvə:b] *n* 1. пословица; 2. *pl* игра на пословици; 3. *pl* P.s *библ*. Притчи Соломонови (*книга от Стария завет*).

proverbial [prə'və:biəl] *adj* пословичен, всеизвестен, провербиален.

provide [prə'vaid] *v* 1. грижа се, погрижвам се, имам грижата, осигурявам (*прехраната на*), издържам, обезпечавам (**for**); вземам (предпазни) мерки (**against**); to ~ **for the old age of** осигурявам старините на; 2. снабдявам, обзавеждам, екипирам (**with**), доставям, набавям; давам; **his father** ~**d him with a good education** баща му му даде добро образование; 3. предвиждам, уговарям, правя уговорка, поставям като (предварително) условие, постановявам (**that, for**); **it is not ~d by law** това не е установено със закон.

providence ['prɔvidəns] *n* 1. провидение; **special** ~ пръстът на провидението; 2. пестеливост; предпазливост; спестовност.

provident ['prɔvidənt] *adj* предвидлив, прозорлив; пестелив, спестовен; ~ **fund** взаимоспомагателна каса.

provider [prə'vaidə] *n* доставчик; **universal** ~ доставчик на различни видове стоки.

province ['prɔvins] *n* 1. област, провинция (*административна териториална единица*); 2. *pl* провинция (*цялата страна без столицата*); 3. епархия; 4. област, сфера, клон, отдел; компетентност, компетенция.

provincial [prə'vin∫əl] I. *adj* провинциален; местен; II. *n* 1. провинциалист, провинциалистка; 2. архиепископ.

provision [prə'viʒən] I. *n* 1. осигуряване, обезпечаване; снабдяване, доставяне, набавяне, даване; to

make ~ грижа се, погрижвам се, осигурявам (обезпечавам) бъдещето (**for**); 2. *pl* провизии, запаси; 3. предвиждане, уговорка, условие, постановление; 4. (предпазна) мярка (**for, against**); to make ~s предвиждам, постановявам; 5. *рел., истор.* назначаване на още неовакантено място; ● **to come within the ~s of the law** попадам под ударите на закона; II. *v* снабдявам с (доставям, набавям) храна, продоволствам.

provisional [prə'viʒənəl] *adj* временен, условен; ◇ *adv* **provisionally**.

proviso [prə'vaizou] *n* (*pl* -oes, os) условие, уговорка.

provocation [,prɔvə'kei∫ən] *n* 1. предизвикване, предизвикателство, провокация; подбуждане, насъскване, подстрекаване, провокиране; подстрекателство; 2. дразнене; **under** (**severe**) ~ (силно) раздразнен, в състояние на (силна) раздразнителност.

provoke [prə'vouk] *v* 1. възбуждам, подбуждам, подтиквам, насъсквам, подстрекавам (**to, to** *c inf*); 2. предизвиквам, раздразвам, дразня, сърдя, разсърдвам, ядосвам, провокирам; 3. предизвиквам, възбуждам, причинявам, пораждам.

provoking [prə'voukiŋ] *adj* 1. предизвикателен, заядлив; 2. досаден, отегчителен тягостен, непоносим.

prowess ['prauis] *n* доблест, мъжество, храброст, смелост, безстрашие, сърцатост; сила; успех.

prowl [praul] I. *v* дебна, търся плячка; *прен.* бродя, скитам се, блуждая, шаря, кръстосвам, обикалям, хойкам (из) (*и* ~ **about**); II. *n* дебнене (*и пр.*).

proximity [prɔ'ksimiti] *n* близост, съседство; ~ **of blood** кръвно родство.

proxy ['prɔksi] *n* 1. пълномощие, пълномощно, делегация; 2. заместник, пълномощник; to be (**stand**) ~ **for** представител съм на, упълномощен съм от; 3. *attr* чрез заместник (пълномощник).

prudence ['pru:dəns] *n* благоразу-

мие, разсъдливост, предпазливост.

prudent ['pru:dənt] *adj* благоразумен, предпазлив, разсъдлив; ◇ *adv* **prudently**.

prune [pru:n] *v* кастря, окастрям, режа, подрязвам (*и* ~**back/down**); to ~ **off** (**away**) окастрям, отрязвам, отсичам (*клони и пр.*); съкращавам, махам всичко излишно; to ~ **expences** съкращавам (ограничавам, окастрям) разходи.

pry₁ [prai] I. *v* 1. надничам, назъртам (**into**); любопитствам; 2. пъхам си носа (гагата), ровя се; II. *n* 1. надничане, озъртане, ровене; 2. любопитен човек (*и шег.* **Paul Pry**).

pry₂ I. *v* 1. къртя (отварям, разбивам) с лост; to ~ **open** отварям с взлом, разбивам; 2. изпичам с труд; to ~ **a secret** (**from**) изтръгвам тайна (от); II. *n* 1. лост; 2. средство.

pseudonym ['sju:dənim] *n* псевдоним.

psyche ['saiki] *n* душа, психика.

psychiater [sai'kaiətə] *n* психиатър.

psychiatric(al) [,saiki'ætrik(əl)] *adj* психиатричен.

psychiatry [sai'kaiətri] *n* психиатрия.

psychic ['saikik] I. *adj* душевен, психичен, психически; със способности на медиум; II. *n* 1. медиум, екстрасенс; 2. *pl* психология.

psycho ['saikou] *n разг.* психопат, смахнат.

psycho-analysis [,saikouə'nælisis] *n* психоанализа.

psychological [,saikə'lɔdʒikl] *adj* психологически; ~ **moment** психологически момент; ◇ *adv* **psychologically** ['saikə'lɔdʒikli].

psychologist [,sai'kɔlədʒist] *n* психолог.

psychology [,sai'kɔlədʒi] *n* психология.

psychopath ['saikotpæθ] *n* психопат.

psychosis [sai'kouzis] *n* психоза.

psychotherapist [,saikou'θerəpist] *n* психотерапевт.

psychotherapy [,saikou'θerəpi] *n*

психотерапия.

puberty ['pju:bəti] *n* пубертет, полово съзряване.

public ['pʌblik] **I.** *adj* **1.** публичен, обществен, общодостъпен, народен, национален, държавен; ~ **ownership** обществена собственост; **2.** публичен, открит, всеизвестен, прочут; **to make ~** правя обществено достояние, давам гласност на, разгласявам; • ~ **law** международно право; ◇ *adv* **publicly; II.** *n* **1.** публика, общество, общност; **the general (great, wide)** ~ широката публика, масата; **2.** *разг.* кръчма, пивница, гостилница, хан.

publication [,pʌbli'keiʃən] *n* **1.** оповестяване, разгласяване, даване гласност; **2.** публикуване, обнародване, издаване; **3.** публикация, издание.

publicity [pʌb'lisiti] *n* **1.** публичност, гласност; **to give ~ to** давам гласност на, разгласявам, оповестявам, правя обществено достояние; **2.** реклама, разгласа; ~ **agent** рекламен агент.

publicize ['pʌblisaiz] *v* рекламирам.

publish ['pʌbliʃ] *v* **1.** оповестявам, разгласявам, давам гласност на; **2.** известявам официално, обнародвам, обявявам, публикувам; правя съобщение за брак (*в църква*); **3.** обнародвам, публикувам, издавам; **4.** *амер.* пускам в обръщение.

publisher ['pʌbliʃə] *n* издател.

publishing ['pʌbliʃiŋ] *adj* издателски; ~ **house (firm)** издателство.

pucker ['pʌkə] **I.** *v* **1.** мръщя (се), намръщвам (се), муся (се), намусвам (се), вься (се), навъсвам (се), цупя (се), нацупвам (се); **2.** набирам (се), нагъвам, набръчквам, нагърчвам (**up**); **II.** *n* бръчка, гънка, набор.

pudding ['pudiŋ] *n* **1.** пудинг; **2.** суджук; **white** ~ лебервурст.

pudding-head ['pudiŋ,hed] *n* дървеняк, дръвник, глупак, тъпак, тъпанар.

puddle ['pʌdəl] **I.** *n* **1.** локва, бара, гьол; **2.** *разг.* каша, бата, неразбория, хаос; **3.** водоустойчива

настилка от глина и пясък; **II.** *v* **1.** бъркам, меся (*глина*); **2.** бъркам (*разтопено желязо*); **3.** покривам с пласт от глина и пясък; **4.** цапам, газя, въргалям се (*и с* **about**); **5.** *прен.* цапам се, плескам се, калям се; **6.** мътя, размътвам; калям, разкалвам.

pudency ['pju:dənsi] *n* срамежливост, свенливост, скромност.

pudicity [pju'disiti] *n* скромност, срамежливост, свян.

puff [pʌf] **I.** *v* **1.** духам; пухтя; **to ~ and blow (pant)** задъхвам се, запъхтявам се, дишам тежко; **2.** *разг.* накарвам (някого) да се запъхти; **3.** вея, развявам, разнасям, закарвам; **to ~ smoke into the face of** пускам дим в лицето на; **4.** пуша (**at**); изпускам кълбета дим (*и при пушене*); **5.** хваля прекалено много, превъзнасям, рекламирам; **6.** наддавам на търг с цел да повиша цените;

puff away 1) издухвам; 2) пуша, смуча (**at**);

puff out 1) издухвам (*бузи*); изпъчвам (*гърди*); 2) изпушвам (*дим*); 3) излизам на кълба (*за дим*); 4) духвам (*свещ*); 5) изговарям със задъхване; 6) надувам (*балон*); 7) бухвам (*за коса*);

puff up 1) издувам (*бузите си*); 2) надувам; **to ~ oneself up** надувам се, големея се, гордея се; 3) повишавам изкуствено (*цени*); 4) хваля прекалено много, превъзнасям, възвеличавам, рекламирам; **II.** *n* **1.** дъх, лъх, полъх, повей, полъхване, повяване; **out of** ~ *разг.* задъхан, запъхтян; **2.** кълбо, облаче (*пара, дим*); коса на букла; **3.** смукване (*при пушене*); **4.** буфан; **5.** пухче за грим (*и* **powder-**~); **6.** паста (*от хилядолистно тесто*); **7.** шумна реклама; **8.** *амер.* взрив, избухване, експлозия.

puffy ['pʌfi] *adj* **1.** подпухнал, подут, отекъл; **to be ~ under the eyes** имам торбички под очите си; **2.** пухкав, мек; **3.** внезапен, буен, стремителен (*за вятър*); **4.** който се задъхва (*страда от задух*); **5.** дебел; **6.** надут, бомбас-

тичен, важен.

pugnacity [pʌg'næsiti] *n* нападателност, войнственост, агресивност.

pull [pul] **I.** *v* **1.** дърпам, дръпвам, тегля; **to ~ a door open (shut)** отварям (затварям) врата; **2.** (*и* **out**) изтеглям, изваждам (*зъб*); вадя (*зъб*); издърпвам (*някого от стол, креват*); **3.** греба; **4.** движа се (*напред*); плавам (*за лодка*); **to ~ ashore** стигам до брега (*за лодка*); **5.** смуча (*лула*) (**at, on**); тегли, гори (*за лула*); **to ~ at a bottle** пия от шише; **6.** *спорт.* задържам (*кон, за да не спечели състезание*); **7.** късам, бера (*цветя, плодове*); откъсвам с корените (**up**); **8.** *амер.* разкъсвам, разпарям (*шев*); разтягам (*мускул*); **9.** притеглям, привличам; **10.** поддавам се на теглене, раздърпвам се, разтеглям се; **11.** *разг.* извършвам, правя; *sl* арестувам; пипвам, окошарвам; • **to ~ a wry face** правя гримаса, гримаснича; **12.** *полигр.* отпечатвам, правя отпечатък (*първоначално на ръчна преса*); • **devil** ~ **baker** ожесточена борба;

pull about (around) раздърпвам; блъскам насам-натам; отнасям се грубо с някого;

pull ahead *спорт.* откъсвам се, отивам напред (*при надбягване*);

pull apart 1) разкъсвам на парчета (*и прен.*); 2) разделям (се), разпадам (се); разцепвам (се) на две (*вследствие на теглене*); разчупвам на две, разполовявам;

pull at дръпвам; подръпвам; смуча (*лула*);

pull away 1) откъсвам; дръпвам настрани; 2) отдръпвам се, дистанцирам се (**from** от);

pull back 1) отдръпвам (*предмет*); изтеглям (*някого от опасно положение*); 2) отдръпвам се, оттеглям се, отстранявам се;

pull down 1) събарям, срутвам, разрушавам (*сграда*); *разг.* сварлям (*правителство*); понижавам, свалям, смъквам (*цени и пр.*); 2) унижавам, принизявам; 3) прихлупвам (*шапка*); 4) свалям (*платно на лодка*); дръпвам,

смъквам (*транспарант*); 5) изтощавам, омаломощавам (*за болест*); 6) обезсърчавам, обезкуражавам;

pull for *разг.* насърчавам, скандирам в подкрепа на;

pull off 1) свалям, събличам, събувам; откъсвам (се); 2) извършвам успешно, успявам с, сполучвам с; 3) тръгвам, потеглям; отдалечавам се (*от брега, за лодка*);

pull on 1) слагам (си), обличам, обувам; 2) продължавам да се движа, да греба; 3) *амер.* стрелям по, обстрелвам;

pull out 1) изтръгвам, изтеглям, издърпвам; вадя, изваждам; измъквам; 2) разтеглям, разточвам; 3) отдалечавам се, отплавам (*за лодка, гребци*); излизам от гарата, потеглям (*за влак*); 4) напускам, изоставям; оттеглям се;

pull over 1) обличам (*през глава*); 2) прихлупвам; 3) обръщам, събарям (*с теглене*); 4) спирам встрани от пътя, отбивам (*за кола*);

pull round 1) извъртавам, извивам; 2) оправям (се), излекувам (се), изправям (вдигам) на крака (*болен*); съживявам, ободрявам; съвземам се, свестявам се, възстановявам се;

pull through 1) издърпвам; 2) изваждам от затруднение; помагам (на някого) да преодолее (*затруднения, болест*); спасявам (*от болест*); съвземам се, оправям се;

pull together 1) притеглям, придърпвам (*едно нещо към друго*); 2) сработвам се; сътруднича;

pull up 1) издърпвам, изтеглям нагоре; вдигам, повдигам; 2) спирам (се); 3) *разг.* накарвам да млъкне, правя остра забележка, скастрям, смъмрям; 4) *спорт.* (*и* ~ **up to, with**) изравнявам се с, застигам, настигам;

II. *n* 1. дърпане, теглене; теглеща, движеща сила; **to keep a steady** ~ **on a горе** равномерно тегля въже; 2. гребане; разходка с лодка; 3. глътване, глътка; 4. смъркане, поемане на дим (*при пушене*); 5. (нечестно) дръпване на юздите (*за да не спечели кон*); 6.

привличане, притегляне (*напр. на Луната*); 7. трудно изкачване; 8. шнур или дръжка на звънец; 9. лост на помпа; 10. *полигр.* шпалта, пробен отпечатък, първа коректура; 11. *спорт.* топка, отпратена наляво (*при игра на крикет*); 12. *разг.* предимство, преимущество; влияние, протекция; 13. топка, дръжка на чекмедже, шкафче и пр.; 14. пукнатина в отливка; 15. сила на отхвърляне (*при взривяване*).

pulse [pʌls] I. *n* 1. пулс; **low (quick)** ~ нисък (ускорен) пулс; 2. импулс; тласък; отделен удар (*на сърцето*); 3. *муз., проз.* ритъм, ритмично движение; II. *v* пулсирам, бия (*за кръвта в артериите*); вибрирам.

pump [pʌmp] I. *n* 1. помпа; **foot-**~ крачна помпа; 2. *прен.* сърце; 3. помпане; 4. *грубо sl* надут, надменен глупак, въздухар, "въздух под налягане"; 5. *sl* сондаж, подпитване, осведомяване, информиране; ● **to prime the** ~ *журн.* стимулирам, подпомагам, насърчавам (*най-вече финансово*); II. *v* 1. помпам; помпя вода; 2. напомпвам (**up, into**); изсмуквам (*въздух, газ*); (**out**) *прен.* наливам, натъпквам; 3. *прен.* разпитвам подробно; подпитвам умело и целенасочено; изтръгвам сведения от; 4. изтощавам, карам (*някого*) да се задъхва.

punctuate [ˈpʌŋktjueit] *v* 1. слагам препинателни знаци; 2. *прен.* прекъсвам от време на време, придружавам.

punctuation [ˌpʌŋktjuˈeiʃən] *n* пунктуация, поставяне на препинателни знаци.

pungent [ˈpʌndʒənt] *adj* 1. остър, проницателен, силен; пикантен, силно подправен, лют; 2. остър, язвителен, хаплив, горчив, саркастичен.

punish [ˈpʌniʃ] *v* 1. наказвам; 2. *разг.* бъхтя, налагам (*и в бокса*); *прен.* изтощавам, вземам здравето на; форсирам (*мотор*); 3. *шег.* ям, нагъвам, тъпча, помитам.

punishment [ˈpʌniʃmənt] *n* 1. наказ-

ване; 2. наказание; **corporal (capital)** ~ телесно (смъртно) наказание.

purchase [ˈpəːtʃis] I. *v* 1. купувам, набавям; **purchasing power** покупателна способност; 2. *прен.* придобивам, спечелвам, сдобивам се, извоювам; 3. *техн., мор.* вдигам; II. *n* 1. покупка; придобивка; купуване; 2. годишен доход (*от земя*); наем; 3. хващане, улавяне; опора, опорна точка; **to take (get) a** ~ **on** хващам здраво, опирам се на; 4. *прен.* влияние, въздействие; средство за въздействие; 5. *техн., мор.* подемна сила; лост, скрипци, макара, чекрък.

pure [pjuə] *adj* 1. чист (*и прен.*), незамърсен; без примес; чистокръвен; 2. *прен.* неопетнен; непокварен, непорочен; девствен; 3. *разг.* същински, истински, чист; 4. често теоретична, не приложна (*за наука*); 5. *биол.* хомозиготен.

purge [ˈpəːdʒ] I. *v* 1. прочиствам (се) (*и прен.*), очиствам (**of, from**); 2. *мед.* очиствам, разслабвам, действам слабително на; 3. *юр.* изкупвам (*вина*), оправдавам се; II. *n* 1. прочистване, очистване, пречистване; пречистение (*на душата*); 2. *мед.* слабително (средство); пургатив; 3. чистка; премахване (*на нередности*).

purport [ˈpəːpət] I. *v* 1. претендирам, изглежда (да съм и пр.); 2. знача, означавам, говоря за, давам да се разбере; II. *n* 1. общ смисъл; 2. цел.

purpose [ˈpəːpəs] I. *n* 1. намерение, цел; **with honesty of** ~ с честни намерения; 2. воля; II. *v* възнамерявам, имам намерение; **to** ~ **doing (to do) s.th.** възнамерявам да направя нещо.

purposeful [ˈpəːpəsful] *adj* 1. целеустремен, целенасочен, решителен, упорит; 2. умишлен, съзнателен, преднамерен; 3. важен, съдържателен (*за разказ и пр.*); ◇ *adv* **purposefully**.

pursue [pəˈsjuː] *v* 1. преследвам, гоня (*някого, някаква цел*); 2. съпровождам, съпътствам; измъч-

вам непрекъснато; 3. следвам, водя (*политика*); прокарвам, изпълнявам, осъществявам, прилагам (*план и пр.*); 4. изпълнявам (*задължения*); упражнявам (*професия*); 5. *рядко* продължавам (*да говоря*); 6. *юр.* водя (*следствие*).

purvey [pə:'vei] *v* доставям, снабдявам с, осигурявам с (*особ. провизии*) (to, for); доставчик съм на (for).

push [puʃ] I. *v* 1. бутам (се), тикам, блъскам (се), тласкам; 2. разгръщам (*кампания, акция и под.*); лансирам (*мода, човек*); активизирам, раздвижвам, разширявам, развивам (*търговия, завоевания и под.*); насърчавам, подкрепям, покровителствам; рекламирам, гледам да пласирам, пускам на пазара (*стоки*); to ~ o.'s fortune (o.'s way) пробивам си път в живота; 3. предявявам, настоявам на (*искания, права, претенции*); 4. *разг.* пробутвам; 5. насилвам; притеснявам; преследвам, гоня (*длъжник*); pass на зор съм за (for); 6. напредвам (с усилие), с мъка си пробивам път;

push against напирам (*да отворя, да поваля насила*);

push along *разг.* тръгвам, омитам се, драсвам;

push around разкарвам, разигравам; командя, разпореждам се с;

push away отблъсквам; отстранявам;

push by избутвам настрана;

push down 1) събарям; 2) натиквам (into);

push for настоявам за; стремя се упорито към;

push forward 1) бутам, тикам, тласкам напред; 2) напредвам; придвижвам се;

push in 1) втиквам, натиквам; забучвам; 2) отправям се към брега (*за лодка*); 3) прережлам се (*на опашка*);

push on 1) форсирам, ускорявам (*работа*); подтиквам, насърчавам; 2) вървя, напредвам към (*дадено място*) (to, as far as); продължавам;

push out 1) изблъсквам, изтиквам, избутвам, изтласквам; изхвърлям; 2) пускам (*лодка*) във водата; отплувам; 3) покарвам, пускам (*корени, издънки, филизи*); показвам си рогата (*за охлюв*); 4) врязвам се, простирам се (*в морето, за вълнолом, нос*);

push over събарям;

push to притварям, затварям;

push up 1) приповдигам, бутвам нагоре; 2) помагам (*на някого*) да се изкачи, като го бутам;

II. *n* 1. тласък, удар; бутане; at (with) one ~ с един удар; 2. подръжка, протекция, покровителство; 3. *воен.* (масова) атака; 4. *техн.* натиск, налягане, напор, напрежение; 5. усилие, напрягане; 6. *разг.* енергия, предприемчивост, нахаканост; 7. критичен момент, обстоятелство; 8. *sl* банда (*крадци*); 9. копче, бутон (*на електрически звънец*).

put [put] I. *v* (put) (-tt-) 1. слагам (на, до), поставям, турям; оставям; 2. поставям, докарвам в дадено състояние; to ~ the matter right оправям работата; 3. *спорт.* хвърлям (*гюле*); 4. карам, накарвам; подлагам на (*изпитание, изтезания, унижения и пр.*); 5. преврръщам; превеждам (*на даден език*) (into); 6. поставям, излагам, представям (*въпрос*); задавам (*въпрос*); поставям (*резолюция*) на обсъждане; изразявам (се); 7. преценявам, оценявам; ценя повече от, считам за по-голям от (above, before); 8. пронизвам, прострелвам (*с куршум*), промушвам; 9. *спорт.* залагам (*пари на кон*); инвестирам (in, into); 10. *мор.* тръгвам, отплавам (in, out, for, back, to);

put about 1) обръщам, променям курса (*на кораб*); тръгвам в обратна посока; 2) разпространявам (*слух*); 3) *разг.* безпокоя, главоболя; 4) *диал. главно в pp* тревожа, разстройвам;

put across 1) превозвам (*с лодка*); 2) *амер. разг.* успявам (в начинание), провеждам (*мероприятие*); 3) успявам да изразя (опи-

ша); • you can't ~ that across me такива не ми минават;

put aside 1) слагам настрана; 2) забравям (*гнева си и пр.*);

put away 1) прибирам, слагам на мястото; раздигам (*маса*); разтребвам, оправям; 2) слагам настрана, скътвам, прибирам;

put back 1) връщам, слагам на място; 2) връщам назад, забавям;

put by 1) избягвам, отклонявам (*въпрос*); 2) скътвам, прибирам, запасявам се с;

put down 1) поставям, слагам, оставям, сварлям (*нещо някъде*); 2) потушавам (*въстание*); надвивам на (*опозиция*); 3) премахвам (*нередности*); 4) принизявам, унижавам, деградирам, лишавам от власт; 5) намалявам, понижавам (*цени*); 6) записвам; включвам (*в дадена акция*); 7) считам, смятам (*някого, някакъв*) (for, as); 8) приписвам (*нещо на някого*), отдавам (*нещо*) на (to); 9) плащам депозит; 10) убивам (*животно*) безболезнено; 11) съхранявам (*яйца*);

put forth 1) проявявам (*старание*), полагам (*усилия*); 2) пускам, покарвам, разлиствам се; 3) пускам в ход, в обращение; 4) предлагам; 5) издавам (*книга*); 6) *поет.* тръгвам, отплавам;

put in 1) вмъквам; вкарвам, пъхам; 2) назначавам; избирам; въвеждам (*в длъжност, във владение*); 3) представям (*документ*); предявявам (*иск, претенция*); 4) *разг.* прекарвам (*време в някакво занимание*); 5) отбивам се, спирам за малко; 6) кандидатствам (*за пост*), поставям кандидатурата си (*в избори*); 7) посаждам, засаждам (*дърво*); 8) *мор.* влизам в пристанище;

put off 1) отлагам, отменям; отсрочвам; 2) свалям (*дреха; маска и под.*); отблъсквам, отхвърлям (*съмнения, страх и под.*); 3) отървавам се, измъквам се от, отклонявам, залъгвам, будалкам (*с обещания, празни приказки*); 4) пробутвам, хързулвам (on); 5)

обърквам, смущавам; преча; разсейвам; 6) отклонявам; разубеждавам (**from**); отблъсвам; отщява ми се от (*c ger*); 7) тръгвам на път; *мор.* отплавам;

put on 1) обличам си, обувам, слагам си (*и прен.*); 2) слагам, поставям; 3) включвам (уред, осветление и пр.); 4) поставям (пиеса); 5) увеличавам, прибавям; 6) *спорт.* правя, отбелязвам точки; 7) *спорт.* залагам (*пари*); 8) подстрекавам, предумвам (*някого*) да (*c ger*);

put out 1) подавам (*ръка; глава през прозорец и пр.*); изваждам, излагам; 2) простирам (*пране*); 3) изхвърлям, изпъждам, прогонвам; 4) пускам, подкарвам; 5) загасвам; 6) *refl* насилвам се, давам си труд, правя усилие; 7) изкълчвам, измятам (*рамо и под.*); избождам (*очи*); 8) смущавам, объркам, обезсърчавам; обезкуражавам; затруднявам; 9) ядосвам, раздразвам; *pass* недоволен съм; 10) давам (*бебе на кърмачка*), пускам (*кон да пасе*); 11) заемам, давам на заем (*пари*) с лихва; 12) изработвам, произвеждам; *полигр.* отпечатвам, издавам (*книга*); 13) *мор.* отплавам (*за кораб*); 14) елеминирам (*противник*); побеждавам и отстранявам от по-нататъшно състезание;

put over 1) *амер.* отлагам, протакам, забавям; 2) *амер.* успявам да свърша нещо въпреки трудности или с хитрост;

put through 1) изпълнявам (*задача*), завършвам, изкарвам на добър край; 2) прокарвам, промушвам през; 3) подлагам на (*напр. свидетел на тежък разпит*); 4)

свързвам по телефона (**to** c);

put to слагам към; прикачвам към;

put together 1) съединявам, сглобявам, монтирам (*части на машина*); съшивам, ушивам (*рокля*); 2) *мат.* събирам; 3) набързо прибирам, нахвърлям (*вещи в чанта, сак и под.*); 4) сравнявам, съпоставям;

put up 1) вдигам; изправям; издигам (*сграда*); отварям (*чадър*); закачам, слагам (*картина, пердета*); поставям, залепвам (*обява*); 2) повишавам, увеличавам (*цена*); 3) приемам (*някого*) да нощува; подслонявам, предлагам гостоприемство; прибирам; отсядам, настанявам се (*в хотел*) (**at**); 4) отправям (*молба и пр.*); издигам (*лозунг*); 5) представям (*кандидат*); 6) оказвам (*съпротива*) *разг.* наглася-вам, уйдурдисвам (*афера, нечестна сделка*); измислям (*история*); 8) вдигам (*птица*) от скривалището й (*по време на лов*); 9) обявявам (*за продан*), разглася-вам (*годеж*); 10) давам, авансирам (*пари*); 11) представям (*пиеса*); 12) прибирам, връщам (*на място*); 13) правя на колет, опаковам, пакетирам; 14) консервирам (*храна*); *фарм.* приготвям (*лекарство по рецепта*);

put up to подшушвам; подучвам, подтиквам, подсторвам; правя, скроявам (*мръсен номер*);

put up with понасям, търпя, примирявам се, задоволявам се с, приемам (*дадено положение*);

put upon (*обикн. в pass*) налагам се, потискам;

II. *n спорт.* хвърляне на гюле, камък; III. *adj разг.* неподвижен.

put-off [ˈput‚ɔf] *n* 1. забавяне, закъснение; отлагане; 2. извинение, повод, претекст.

put-on [ˈput‚ɔn] 1. *n* закачка, шега, измама, майтап; 2. *attr* майтапчийски.

putrefaction [‚pjuːtriˈfækʃən] *n* гниене, гнилост, разложение; разложена материя.

putrefy [ˈpjuːtrifai] *v* гния, предизвиквам гниене; разлагам се.

puzzle [ˈpʌzl] I. *v* обърквам, озадачавам; (*в pass*) недоумявам, в недоумение съм, чудя се; II. *n* 1. загадка, мистерия, енигма; 2. главоблъсканица, пъзел, ребус; труден въпрос; **cross-word** ~ кръстословица; 3. недоумение.

pygmy [ˈpigmi] I. *n* 1. пигмей; 2. *прен.* джудже, дребен човек (или предмет); 3. *прен.* нищожество; II. *attr adj* пигмейски; съвсем дребен (*и зоол.*), незначителен.

pyjamas [piˈdʒaːməs] *n pl* пижама.

pyramid [ˈpirəmid] I. *n* 1. архит., мат. и прен.* пирамида; 2. нещо, подобно на пирамида; *спец.* плодно дърво, подкастрено във формата на пирамида; II. *v амер.* 1. натрупвам, построявам като на пирамида; 2. *фин.* закупувам, натрупвам (*акции*); 3. рискувам.

pyrotechnic(al) [‚paiərəˈteknik(əl)] *adj* 1. пиротехнически; 2. *прен.* блестящ.

pyrotechnics [‚paiərəˈtekniks] *n pl* (= *sg*) 1. пиротехника; 2. пускане на фойерверки, ракети; 3. *прен. обикн. неодобр.* блестящо (ефектно) ораторство (изпълнение).

pyrotechnist [‚paiərə(u)ˈteknist] *n* пиротехник.

python [ˈpaiθən] *n мит., зоол.* питон.

Q, q [kju:] *n* (*pl* **Qs, Q's** [kju:z]) седемнадесетата буква от английската азбука.

quack₁ [kwæk] **I.** *v* 1. крякам (*за птица*); 2. бърборя, бръщолевя, дрънкам глупости; **II.** *n* 1. вик, крякане на патица; 2. бръщвеж, празни приказки, дърдорене.

quack₂ **I.** *n* 1. врач, баяч, знахар; шарлатан(ин); 2. *attr* лъжлив, измамнически; **II.** *v* шарлатанствам; гледам да пробутам, рекламирам (*лекарства и пр.*) (**up.**).

quackery [ˈkwækəri] *n* шарлатанство, шарлатания.

quackish [ˈkwækiʃ] *adj* шарлатански, измамнически, мошенически.

quadrangle [ˈkwɔd,ræŋgl] *n* 1. четириъгълник; 2. четириъгълен вътрешен двор (*обикн.* на колеж).

quadrangular [kwɔdˈræŋgjulə] *adj* четириъгълен.

quadrant [ˈkwɔdrənt] *n* 1. *мат.* квадрант, сектор, една четвърт от окръжност; 2. квадрант, уред за измерване на височини и ъгли; 3. *техн.* зъбен сектор; лира (*на металорежеща машина*); 4. *ел.* единица мярка за самоиндукция, квадрант.

quadrate **I.** [ˈkwɔdrit] *adj* правоъгълен, квадратен, четиристранен; **II.** *n* 1. *мат.* квадрат; втора степен; правоъгълник; 2. предмет с квадратна, правоъгълна форма; 3. *зоол.* квадратна кост; **III.** [ˈkwɔdreit] *v* 1. правя квадратен; 2. съгласувам (се); съответствам (**to, with**).

quadratic [kwɔdˈrætik] **I.** *adj* 1. квадратен; ~ **equation** *мат.* квадратно уравнение, уравнение от втора степен; 2. *крист.* квадратичен; **II.** *n pl* дял от алгебрата, който изучава квадратните уравнения.

quadrature [ˈkwɔdrətʃə] *n мат.*, *астр.* квадратура; **the ~ of a circle** квадратурата на кръга.

quadripolar [ˈkwɔdripoulə:] *adj* четириполюсен.

quadrisect [ˈkwɔdri,sekt] *v* разделям на четири равни части.

quadrisyllabic [,kwɔdrisiˈlæbik] *adj* четирисричен.

quadrivalent [,kwɔdriˈveilənt] *adj* *хим.* четиривалентен.

quadruped [ˈkwɔdruped] *зоол.* **I.** *adj* четириног; **II.** *n* четириного.

quadruple [ˈkwɔdrupl] **I.** *adj* 1. учетворен, четворен, четири пъти по-голям (**of, to**); 2. състоящ се от четири части; ~ **pact** четиристранен пакт; **II.** *n* учетворено, четворно количество; **III.** *v* учетворявам (се), умножавам по четири.

quagmire [ˈkwægmaiə] *n* 1. блато, тресавище, мочур; 2. *прен.* батак, трудно положение.

quail [kweil] *v* 1. трепвам, свивам се от страх, плаша се, отдръпвам се (**before**); **his heart ~ed** сърцето му спря да бие от страх; **his eyes ~ed before her glance** той сведе очи пред нейния поглед; 2. *остар.* плаша.

quaint [kweint] *adj* 1. малко отживял, старомоден, с чара на нещо старинно; 2. странен, причудлив, чудноват, чудат; необикновен, невиждан; ◇ *adv* **quaintly.**

quake [kweik] **I.** *v* треса се; треперя (от **for, with**); **II.** *n* 1. трус, земетресение; 2. *мин.* скален удар, внезапно изхвърляне (*на скали*).

quaking [ˈkweikiŋ] *adj* треперещ, трепетлив.

quaky [ˈkweiki] *adj* разтреперан, треперещ.

qualification [,kwɔlifiˈkeiʃən] *n* 1. квалифициране, квалификация; ценз; пригодност; 2. *прен.* резерв; уговорка; ограничение; 3. определяне, окачествяване, оценяване, подбиране.

qualified [ˈkwɔlifaid] *adj* 1. компетентен, подготвен, пригоден, квалифициран, с необходимия ценз; *юр.* с право (на, да ...); 2. с уговорки, резерви; ~ **success** непълен (частичен) успех; 3. *шег.* с (груби) епитети.

qualifier [ˈkwɔlifaiə] *n* 1. *спорт.* квалификационен мач; 2. уговорка, *прен.* резерва; 3. *език.* определение.

qualify [ˈkwɔlifai] *v* 1. (*често refl*)

квалифицирам (се), подготвям (се) (**as, for**); добивам ценз, получавам определена квалификация, приет съм за, отговарям на изискванията; **to ~ as a lawyer** добивам право на адвокатска практика; 2. определям (*и език.*), квалифицирам, окачествявам; наричам (*някого някакъв*) (**as**); 3. намалявам, смекчавам; правя уговорки, поставям условия; разреждам (*алкохол*); 4. ограничaвам, правя уговорки; 5. печеля квалификация, получавам право за участие в състезание.

qualitative [ˈkwɔlitətiv] *adj* качествен, квалитативен; ◇ *adv* **qualitatively.**

quality [ˈkwɔliti] *n* 1. качество, квалитет (*и лог.*); (добро)качественост, качественост; 2. характерна (типична) черта; способност; тембър, оттенък, отсянка (*на багра, звук и пр.*); **in the ~ of** в качеството си на; 3. *остар.* благороден произход, висок сан, високопоставеност; **the ~** висшето общество, аристокрацията, благородниците.

qualm [kwa:m] *n* 1. прилошаване, гадене; пристъп на гадене; 2. безпокойство, опасение, пристъп на малодушие (скрупули, угризение); ~**s of conscience** угризения на съвестта.

qualmish [ˈkwa:miʃ] *adj рядко* 1. гнуслив; обхванат от пристъп на гадене; 2. неспокоен, обзет от опасения, угризения.

quandary [ˈkwɔndəri] *n* затруднение, недоумение.

quantifier [ˈkwɔntifaiə] *n* 1. *лог. език.* квантор, квантификатор; 2. *мат.* квантор.

quantitative [ˈkwɔntitətiv] *adj* квантитативен, количествен; ◇ *ad* **quantitatively.**

quantitative analysis [ˈkwɔntitətiv əˈnæləsis] *n хим.* количествен анализ.

quantity [ˈkwɔntiti] *n* 1. количество; **any ~ of** колкото щеш, много; 2. *често pl* голямо количество, изобилие, много; 3. *мат.* величина; **an unknown ~** неизвестно

прен. несигурен елемент, загадъчна личност; **4.** *език.* квантитет, дължина; знак за дължина.

quantum ['kwɔntəm] *n лат.* (*pl* **quanta** ['kwɔntə]) **1.** количество, сума; **2.** пай, дял, част; **3.** *физ.* квант; **~ theory** квантова теория.

quaquaversal [,kweikwə'vəːsl] *adj* **1.** *геол.* във всички посоки; **2.** куполовиден, куполообразен.

quarantine ['kwɔrəntiːn] **I.** *n* карантина; **to be in ~, to be ~d** под карантина съм; **II.** *v* поставям под карантина, карантинирам.

quarrel ['kwɔrəl] **I.** *n* кавга, караница, разправия, дандания, разпра (**with, between**); причина, повод за кавга; **I have no ~ with (against) him** от него не мога да се оплача; **II.** *v* (**-ll-**) **1.** карам се, разправям се (**with**); **2.** оплаквам се, възразявам срещу.

quarreller ['kwɔrələ] *n* кавгаджия.

quarrelsome ['kwɔrəlsəm] *adj* свадлив, сприхав, избухлив.

quarry ['kwɔri] **I.** *n* **1.** каменоломна, кариера; **2.** *прен.* източник, извор на; **II.** *v* **1.** вадя (*камъни, мрамор и под.*) от кариера; експлоатирам кариера; **2.** *прен.* издирвам, черпя, събирам (*сведения от документи и под.*) **3.** издълбавам.

quarter ['kwɔtə] **I.** *n* **1.** четвърт, четвъртина, четвъртина (**of**); **not a ~ as good as** далеч не толкова добър като; **2.** *кул.* плешка или бут; *pl* бут, задни части (*на животно, човек*); *истор.* разкъсани части на тялото на екзекутиран предател; **3.** задна част (*на превозно средство*); *мор.* задна част (*на кораб*); **on the ~** в отстъпление; **4.** задна част, странично парче на обувка (*от форта до бомбето*); **5.** четвърт час; **a ~ to (past) five** пет без (и) четвърт; **6.** *адм.* тримесечие, срок за плащане на данъци, наеми; наем за тримесечие; **7.** *уч.* срок; *рядко унив.* семестър; **8.** *астр.* фаза (*на Луната*); **9.** всяка от четирите посоки на света; посока на вятър; точка на компаса; **from all ~s** от всички страни, отвсякъде; **10.** квартал (*на град*); **11.** кръгове (*пол. и*

пр.), сфера, среда; отделно лице като източник (*на сведения, надежди*); **no help to be had from that ~** оттам (това място, този човек) не може да се очаква помощ; **12.** *pl* квартира, жилище; *воен.* квартира, казарма; **to take up o.'s ~s** настанявам се (*в квартира*); *воен.* квартирувам; **13.** *мор.* пост; **to beat to ~s** *мор.* заповядвам всеки (от екипажа) да заеме поста си; ● **to be given no ~** не получавам милост (прошка); **II.** *v* **1.** разделям на четири (*и заклано животно*); **2.** *воен.* разквартирувам (*войска*); квартирувам (**at**); *refl прен.* настанявам се (**on, with**); **3.** *мор.* определям пост (*на моряци*); **4.** претърсвам (*площ, място*) във всички посоки (*за ловджийски кучета*); **5.** *астр.* навлизам в нова фаза (*за Луната*).

quarterly ['kwɔːtəli] **I.** *adj* **1.** тримесечен; **2.** *хералд.* разделен на четвъртини; поставен върху щит (*за герб*); **II.** *adv* **1.** веднъж на тримесечие, на всеки три месеца; *хералд.* в една от четвъртинките; **III.** *n* тримесечно списание.

quartet(te) [kwɔː'tet] *n муз.* квартет; **string ~** струнен квартет.

quartz [kwɔːts] *n минер.* кварц, планински кристал.

quartzy ['kwɔːtsi] *adj* кварцов, съдържащ кварц.

quash [kwɔʃ] *v* **1.** *юр.* касирам, отменям (*присъда*); **2.** потушавам (*въстание*); *разг.* спирам (*кавга, разпра на събрание*).

quasi-conductor ['kwɑːziːkən'dʌktəː] *n* полупроводник.

quaver ['kweivə] **I.** *v* **1.** треперя (*за глас*), казвам с разтреперан, развълнуван глас; **2.** *муз.* тремолирам; **II.** *n* **1.** треперене на гласа; **2.** *муз.* тремоло; *pl* трели; **3.** *муз.* нота осминка.

quay [kiː] *n* кей; вълнолом.

queasiness ['kwiːzinis] *n* **1.** прилошаване, гадене, повдигане; **2.** *прен.* прекалена придирчивост или добросъвестност.

queasy ['kwiːzi] *adj* **1.** слаб (*за стомах*); **2.** неразположен; който лес-

но повръща, гнуслив (*за човек*); **3.** който причинява гадене (повдигане); **4.** *прен.* придирчив; прекалено добросъвестен, дребнав.

queeb [kwiːb] *n sl* проблем, главоболие.

queen [kwiːn] **I.** *n* **1.** кралица; **~ mother** кралица майка; **2.** *прен.* царица, любимка; **beauty ~** кралица на красотата, мис (*при конкурс*); **3.** *карти* дама; **~ of hearts** дама купа; **4.** царица (*в шаха*); **5.** пчела майка, царица; женска котка; **6.** *sl* хомосексуалист; **II.** *v* **1.** управлявам като кралица (**over**); **2.** *рядко* правя (някого) царица, кралица; **3.** произвеждам (пешка в) царица (*в шаха*).

queenlike, queenly ['kwiːnlaik, 'kwiːnli] *adj* царствен, кралски, подобаващ на, достоен за кралица.

queenliness ['kwiːnlinis] *n* царственост, величие, величественост.

queer [kwiə] **I.** *adj* **1.** ексцентричен, чудат, странен, особен; **2.** съмнителен; който буди подозрения, не съвсем почтен; **3.** неразположен, болнав; **4.** налудничав; **~ in the head** смахнат, чалнат, ударен; **5.** *sl* пиян; **6.** жадуващ (*за нещо*) (**for**); **7.** *sl* хомосексуален; **II.** *n sl* хомосексуалист; **III.** *v sl* развалям, провалям, разтурвам, спъвам; **to ~ s.o.'s pitch** подливам вода някому, подлагам някому динена кора.

quell [kwel] *v* **1.** потушавам, смазвам, потъпквам (*въстание, бунт и под.*); **2.** *книж.* потискам, обуздавам (*страстите си и под.*); уталожвам, успокоявам (*страх, опасения и под.*).

quench [kwentʃ] *v* **1.** гася, загасявам (*огън, светлина*); **2.** уталожвам; **3.** потискам (*желание*); убивам (*вяра и пр.*); **4.** *техн.* закалявам, охлаждам (*стомана*); течност (вана) за закаляване; **5.** *sl* накарвам (*някого*) да млъкне; прекъсвам някого; затварям някому устата.

quencher ['kwentʃə] *n* **1.** гасител; **2.** *разг.* питие, напитка.

querulousness ['kwer(j)uləsnis] *n* недоволство, раздразнителност.

quest [kwest] I. *n* 1. дирене, търсене (**for**); **in ~ of adventure** жаден за приключения; 2. *остар.* анкета; следствие; II. *v* 1. *лит.* търся (**for**); душа (*по дири, за куче*); 2. *рядко* търся, претърсвам.

question [ˈkwestʃən] I. *n* 1. въпрос, запитване; въпросително изречение; **to beg the ~** поставям въпроса (за); карам хората да се замислят; 2. проблем, работа; въпрос (поставен на разискване); **~s of the day** злободневни въпроси; 3. съмнение; възражение; **to call (bring) s.th. into ~** поставям под съмнение, оспорвам; 4. *истор.* изтезание за изтръгване на сведения, признания; **to put to the ~** изтезавам, за да изтръгна сведения, признания; II. *v* 1. задавам (*някому*) въпрос; разпитвам; питам; *уч.* изпитвам; 2. търся отговор (сведения) от (*книги и пр.*); гадая по (*звездите*); 3. изказвам съмнение в, съмнявам се; оспорвам.

questionable [ˈkwestʃənəbəl] *adj* съмнителен, несигурен; **to beg the ~** поставям въпроса (за); карам хората да се замислят; ◇*adv* **questionably.**

questioning [ˈkwestʃəniŋ] I. *adj* въпросителен (*за поглед*); ◇*adv* **questioningly;** II. *n* разпитване; разпит.

questionnaire [ˌkwestʃəˈneə] *n* въпросник, конспект.

quick [kwik] I. *adj* 1. бърз, пъргав; краткотраен, кратковременен; **to be ~ about (over) s.th.** правя нещо бързо; **the ~est way there** най-краткият път дотам; 2. схватлив, бърз; жив; остър (*за сетивата, ума*); **~ to understand** схватлив, интелигентен; 3. *остар.* жив; **the ~ and the dead** живите и мъртвите; II. *n* 1. живец, живо месо, чувствително място; **to cut (hurt, sting, touch, wound) s.o. to the ~** *прен.* дълбоко засягам някого; 2. *остар.* (= *pl*) живите; III. *adv* бързо; **please come ~** моля, ела бързо.

quicken [ˈkwikən] *v* 1. ускорявам (се), забързвам (се); 2. оживявам (се), съживявам (се); вдъхвам живот на; 3. раздвижвам, възбуждам, стимулирам; 4. *прен.* раз-

палвам, подклаждам, разгарям; раздухвам; 5. усещам движението на плода (*при бременност*); 6. промръдвам, започвам да се движа (*за плод в утробата на майката*).

quickfire [ˈkwikfaiə] *adj* светкавичен, скорострелен.

quicksilver [ˈkwiksilvə] I. *n* 1. *хим.* живак; **to have ~ in o.'s veins** много съм жив (подвижен); 2. *attr* бърз, непредсказуем; II. *v* амалгамирам, покривам с живачна амалгама.

quick-tempered [ˈkwikˌtempəd] *adj* избухлив, гневлив.

quiddity [ˈkwiditi] *n* същина, същност.

quiescence, -cy [kwaiˈesəns(i)] *n* покой; спокойствие; неподвижност; апатия; бездействие; латентност; летаргия.

quiet [ˈkwaiət] I. *adj* 1. спокоен, мирен; тих; кротък, смирен, хрисим, скромен; **a ~ dinner-party** неофициален (интимен) обед; 2. тих, безшумен, безгласен; **to keep ~** не шумя, не издавам звук, пазя тишина; нищо не казвам, мълча; II. *n* 1. спокойствие, покой, мир; 2. тишина; **on the ~** тайно, тихомълком, под секрет; III. *v* успокоявам (се); смекчавам; утихвам, замлъквам; **to ~ down** стихвам; IV. *int* тишина! тихо! без шум!

quill [kwil] I. *n* 1. ос, дръжка, ствол (*на перо*); голямо (махово, кормилно) перо (*на птица*) (*u* **~-feather**); 2. *остар.* паче перо (*за писане*); плектър; 3. бодил, игла (*на таралеж*); 4. тръбичка, цев; 5. *остар.* свирка, пищялка, цафара; 6. шпула, макара, масур; 7. *техн.* втулка; II. *v* 1. гофрирам, надиплям, набирам; 2. навивам, намотавам (*на масур, макара и пр.*).

quilt [kwilt] I. *n* 1. юрган; **crazy ~** юрган от разноцветни парчета; 2. покривка за легло, кувертюра; 3. ватенка, памуклийка; II. *v* 1. ватирам, подплъвам; **~ed jacket (coat)** памуклийка, ватенка; 2. *разг.* събирам, компилирам; 3. *sl*

набивам.

quince [kwins] *n* дюля.

quindecenial [ˌkwindiˈseniəl] I. *adj* петнадесетгодишен; II. *n* петнадесетгодишнина.

quinic [ˈkwinik] *adj* *хим.* хининов.

quinine [kwiˈniːn] *n* хинин.

quinquivalent [kwiŋˈkwivələnt] *adj* *хим.* петвалентен.

quinsy [ˈkwinzi] *n* *мед.* ангина.

quintuple [ˈkwintjuːpl] I. *adj* петорен, петкратен; II. *n* 1. петорно количество, петорен брой; 2. петица, петорка; III. *v* умножавам по пет, увеличавам (се) пет пъти.

quirk [kwəːk] *n* 1. нещо чудновато (странно); скимване, хрумване, каприз; 2. свиване, свръщане, поврат, остър завой; 3. увъртане, усукване; 4. дяволия, "номер"; 5. завъртулка, извивка (*при писане*); 6. *архит.* малък улей; 7. *муз.* бравурен пасаж.

quirkiness [ˈkwəːkinis] *n* чудатост, странност.

quirky [ˈkwəːki] *adj* 1. увъртян, усукан; чудноват; 2. със завъртулки.

quit [kwit] I. *v* 1. (**quitted**, *разг.* **quit**) оставям, напускам, зарязвам; прекъсвам; махам се, отивам си; **notice to ~** предупреждение за напускане (*на квартира*); 2. *амер.* преставам, спирам; **~ kidding!** стига майтап! 3. *остар.* погасявам, плащам; *refl* отплащам се; държа се; **~ you like men** дръжте се като мъже; II. *adj* свободен, отървал се; **~ of debts** без дългове.

quitclaim [ˈkwitkleim] *юр.* I. *n* отказ от право; прехвърляне на право; II. *v* отказвам се от право (*на собственост и пр.*).

quite [kwait] *adv* 1. (*със силно ударение*) напълно, съвсем, съвършено; **it is ~ the thing** 1) това е съвсем модерно; 2) така трябва; точно така; **~ the best** най-добър от всички; 2. *разг.* (*без ударение*) доста; цял; **~ a miracle** цяло чудо; **~ a number of people** доста много хора; **~ s.th.** нещо специално (забележително).

quits [kwits] *adj* квит; **I shall be ~ with him some day** ще си оправя

сметките с него някой ден; **to call it ~** 1) прекъсвам, спирам временно; 2) отказвам се.

quittance ['kwitəns] *n* 1. *остар.*, *поет.* освобождаване (*от дълг*, *дльжност, задължение*); 2. квитанция, разписка; 3. възмездие, отплата; реванш; **in ~ of** като отплата за.

quitter ['kwitə] *n разг.* 1. несигурен (непостоянен) човек; кръшкач; 2. малодушен човек.

quiver₁ ['kwivə] I. *v* треперя, треса се; трептя, потрепвам, потрепервам, вибрирам; II. *n* трепет, потрепване, трептене, вибрация.

quiver₂ *n* колчан, стрелница; **an arrow (shaft) left in o.'s ~** *прен.* нещо, оставено в запас; ● **a ~ full** (*u* **quiver-full**) *шег.* голямо семейство, многобройна челяд.

quixotic [kwik'sɔtik] *adj* донкихотски, смешно романтичен, фантазьорски.

quixotism, -try ['kwiksətizəm, -tri] *n* донкихотовщина.

quiz₁ [kwiz] I. *n* 1. *остар.* чудак, оригинал, чешит; 2. шега; насмешка, подигравка; 3. мистификация, фарс; 4. присмехулник, шегаджия; II. *v* (-zz-) 1. подигравам (се); 2. поглеждам насмешливо (критично, нахално); фиксирам; втренчвам се; вторачвам се.

quiz₂ *амер.* I. *n* препитване (*чрез кратки въпроси*); предварителен (проверочен) изпит; тест; състе-

зание, викторина; II. *v* (-zz-) препитвам (*ученик*), задавам въпроси, провеждам проверочен изпит (*устен*); **to ~ out** откривам чрез разпит.

quizmaster ['kwiz,ma:stə] *n* водещ на радио- или телевизионно състезание.

quiz show ['kwiz'ʃou] *n* радио- или телевизионно състезание.

quizzical ['kwizikl] *adj* 1. чудат, своеобразен, странен, екстравагантен; 2. насмешлив, подигравателен, присмехулен; шеговит, лукав; ◊ *adv* **quizzically**; 3. *амер.* скептичен, критично настроен.

quizzing-glass ['kwiziŋ,gla:s] *n остар.* 1. монокъл; 2. *рядко* лорнет.

quoad ['kwouæd] *лат. prep* относно, що се отнася (касае) до, по отношение на, колкото за; **~ hoc** до такава степен.

quod [kwɔd] *sl* I. *n* затвор, тюрма, пандиз, дранголник; II. *v* хвърлям в затвор, затварям, прибирам на "топло" (на "сянка").

quoin [kɔin] I. *n* 1. ъгъл на здание (постройка); 2. крайъгълен камък (*u* **~-stone**); 3. *техн., полигр.* клин; 4. *архит., рядко* ключ, връх (клиновиден камък) на свод; II. *v* подпирам; заклинвам (up).

quondam ['kwɔndæm] *adj лат.* бивш; предишен; **my ~ friends** едновременните ми приятели.

quorate ['kwɔ:reit] *adj* който има

кворум (*за заседание и пр.*).

quorum ['kwɔ:rəm] *n лат.* 1. кворум; 2. *истор., събир.* висши магистрати; **Justice of the ~** висш магистрат.

quota ['kwoutə] *n* дял, част, контингент, квота; норма; наряд.

quotable ['kwoutəbəl] *adj* 1. който заслужава (може) да бъде цитиран; 2. *фин.* който може да се котира.

quotation [kwou'teiʃən] *n* 1. цитиране; 2. цитат; 3. *търг.* котиране, курс; оферта; 4. *полигр.* сляп материал (*за попълване на празнини*).

quotation marks [kwou'teiʃən,ma:ks] *n pl* кавички.

quote [kwout] I. *v* 1. цитирам; позовавам се на; 2. поставям в кавички; 3. *търг.* определям пазарна цена на; давам оценка на; котирам се (at); оферирам, правя оферта; II. *n разг.* 1. цитат; 2. *pl* кавички.

quoth [kwouθ] *v остар.* казвам, продумвам.

quotidian [kwou'tidiən] I. *adj* 1. ежедневен, всекидневен; 2. банален, изтъркан, сив, скучен, обикновен; II. *n мед.* малария котидиана.

quotient ['kwouʃənt] *n* 1. *мат.* частно; 2. *рядко* коефициент.

quotum ['kwoutəm] *n* квота.

Q-value ['klu'vælju:] *n* енергия на ядрена реакция.

R, r [a:] *n* (*pl* **Rs, R's** [a:z]) буквата R.
rabbet ['ræbit] I. *n* 1. жлеб, длаб; дълбей; 2. *техн.* шпунтово съединение; 3. фалцовник; фалцхобел (*u* ~**-plane**); II. *v* 1. *техн.* изрязвам жлеб в; 2. шпунтирам, съединявам с нут и федер (**on, over**).
rabbinate ['ræbineit] *n* равинство, равинат.
rabbinic(al) [ræ'binik(əl)] *adj* равински.
rabbit ['ræbit] I. *n* 1. земеровен заек *Oryctolagus cuniculus*; 2. питомно зайче; 3. заешка кожа; заешка козина; 4. *прен.* страхливец, бъзльо; 5. *sl* аджамия; слаб играч; II. *v* (-tt-) ходя на лов за зайци (*u* to go ~ting); ● to ~ on (about s.th.) *разг.* плещя, дрънкам.
rabble [ræbəl] I. *n* тълпа; *презр.* простолюдие, сбирщина, паплач, сган; II. *v* обкръжавам, нападам (*като тълпа*).
rabble-rouser ['ræbəl'rauzə:] *n* размирник, подстрекател към размирици.
rabid ['ræbid] *adj* 1. бесен, побеснял (*и прен.*); 2. отнасящ се до беса; 3. *прен.* фанатичен, краен; ◇ *adv* **rabidly**.
rabidity [ræ'biditi] *n* 1. бяс, ярост, лудост; 2. фанатизъм, крайност.
rabies ['reibi:z] *n* бяс; *мед.* хидрофобия.
race₁ [reis] I. *n* 1. надпрепускване, надбягване, състезание; *прен.* съревнование, борба, конкуренция; ● **slow and steady wins the ~** който ходи полека, стига далеко; 2. (*често pl*) конни надбягвания; ~ **track, ~ ground** писта за надбягвания, хиподрум, колодрум; 3. ход, движение, курс; *прен.* жизнен път, кариера; **his ~ is nearly over** неговият жизнен път е към края си; 4. силно течение (*в море, река*); 5. изкуствено корито, канал; **mill ~** воденичен улей; 6. венец, улей (*на сачмен лагер*); 7. *авиац.* въздушна струя зад витлото; 8. *астр.* орбита; II. *v* 1. ти-

чам, карам (движа се) бързо, карам с пълна скорост, давам пълна газ, гоня, препускам; **to ~ a bill through** прокарвам законопроект набързо (по късата процедура); 2. надбягвам се (с), надпреварвам се, надпрепусквам се; състезавам се; 3. *техн.* боксувам, въртя се на празен ход; 4. залагам (*на надбягвания*); 5. (*за мисли*) летя; (*за сърце*) тупти от вълнение, уплаха.
race₂ *n* 1. раса; род; **the human ~** човешкият род, човечеството; 2. порода, вид; *прен.* класа; 3. коляно, род; **the ~ of David** Давидовото коляно; 4. специфичен вкус (аромат) (*на ястие, вино*); характерна особеност (*на стил, език*).
racecourse (*u* **race-course**) ['reiskɔ:s] *n* писта за надбягвания, хиподрум, колодрум.
raceme ['ræsi:m] *n* *бот.* грозд, гроздовидно съцветие.
racemic [ræ'si:mik] *adj* *хим.* гроздов.
racer ['reisə] *n* 1. бегач; състезател; състезателен автомобил, лодка и пр.; 2. *техн.* венец, кафез, улей (*на сачмен лагер*).
race walking ['reis,wɔ:kiŋ] *n спорт.* спортно ходене.
rachitic [ræ'kitik] *adj* *мед.* рахитичен.
rachitis [ræ'kaitis] *n* *мед.* рахит.
racial ['reiʃəl] *adj* расов, породист; ◇ *adv* **racially**.
racialism ['reiʃəlizəm] *n* расизъм.
racing ['reisiŋ] I. *n* надбягване; II. *adj* състезателен.
racism ['reisizəm] *n полит.* расизъм.
racist ['reisist] *n* I. расист; II. *adj* расово дискриминационен, расистки.
rack₁ [ræk] I. *n* 1. рамка, стойка; решетка; 2. хранилка, поилка, ясли; 3. приспособление на каруца за пренасяне на сено, ритли; 4. полица, лавица; поставка; багажник (*в жп вагон*); 5. *полигр.* регал; 6. *техн.* зъбна рейка, гребен, корона; ~ **wheel** зъбно колело; 7. картотека; 8. *истор.* диба (*прис-*

пособление за изтезаване чрез разпъване*); *прен.* измъчване; изтезаване, страдание, терзание, мъчение, тормоз; **on the ~** подложен на мъчение (изпитание); II. *v* 1. измъчвам, изтезавам, мъча; тормозя, терзая; изтощавам (*почва*); 2. разтягам, разпъвам; *прен.* напрягам, пресилвам; **to ~ o.'s brains (wits)** блъскам си главата, напрягам си ума (**about, with**); 3. поставям в ясли, на поставка и пр.; 4. придвижвам със зъбна рейка;
rack up събирам, обирам, прибирам (*печалби, точки и пр.*).
rack₂ *n* разорение, опустошение, разрушаване, разрушение, разруха; **to go to ~ and ruin** разрушавам се напълно.
racket₁ ['rækit] *n спорт.* 1. ракета; 2. снежна обувка, ракета за сняг; снегоходка; 3. *pl* вид тенис.
racket₂ I. *n* 1. шум, врява, гюрултия; веселба; **to kick up (make, raise) a ~** вдигам шум; 2. *sl* организирано мошеничество, особ. изнудване (*на търговци чрез заплаха от насилие*); рекет; II. *v* 1. вдигам врява (шум); 2. водя шумен (весел, разгулен) живот.
racketeer [ræki'tiə] I. *n* гангстер, мошеник, член на банда; рекетьор; II. *v* занимавам се с мошеничество (гангстерство), рекетирам.
racketeering [ræki'tiəriŋ] *n* мошеничество; изнудвачество; корупция, рушветчийство, подкупничество; контрабанда, рекет.
rackety ['rækiti] *adj* 1. шумен; 2 разгулен, разсипнически.
racy ['reisi] *adj* 1. жив, въодушевен (*за говор*) колоритен; 2. характерен, отличителен, особен, типичен; ~ **of the soil** *прен.* прост, на роден; 3. пикантен (*и прен.*).
radar ['reidə] *n ел.* радар.
radial ['reidiəl] *adj* 1. радиален, лъчист; звездообразен, звездовиден; ~ **engine** *авиац.* звездообразен двигател; 2. радиусен; 3 радиев, направен от радий.
radiance, -cy ['reidiəns(i)] *n* сияние лъчезарност; блясък.

radiant ['reidiənt] I. *adj* 1. излъчващ; лъчист; ~ **energy** лъчиста енергия; 2. *прен.* сияещ, лъчезарен; светнал; бляскав, блестящ; ◇ *adv* **radiantly**; II. *n* 1. *физ.* източник (точка) на излъчване (*на топлина, светлина, лъчение и пр.*); 2. *астр.* радиант, източник на метеоритен дъжд.

radiate ['reidieit] I. *v* 1. излъчвам (се), изпускам лъчи; to ~ **from** излизам радиално от; 2. *прен.* разпространявам, пръскам; II. *adj* 1. излъчващ, лъчист; 2. радиален, лъчеобразен.

radiation [reidi'eiʃən] *n* 1. излъчване, лъчение, лъчеизпускане; *прен.* разпространение, разпространяване, разпръскване; 2. *физ.* радиоактивно излъчване, радиация; ~ **sickness** лъчева болест.

radiative ['reidiətiv] *adj* излъчващ; излъчен.

radiator ['reidieitə] *n* 1. радиатор; 2. излъчвател.

radical ['rædikəl] I. *adj* 1. коренен, основен, радикален, съществен; ◇ *adv* **radically**; 2. *прен.* пълен, цялостен, изчерпателен; 3. (R.) *полит.* радикален; 4. *остар.*, *език.* коренен, не производен; 5. *бот.* коренен, от корена; 6. *мат.* коренен; отнасящ се до корена на едно число; II. *n* 1. (R.) *полит.* радикал; 2. екстремист, привърженик на крайни мерки; 3. *мат.* корен, знак на корен; 4. *хим.* радикал; 5. *остар.*, *език.* корен (*на дума*).

radicalism ['rædikəlizəm] *n полит.* радикализъм.

radicalize ['rædikəlaiz] *v* радикализирам.

radicate ['rædikeit] I. *v* пускам корени, вкоренявам се; II. *adj биол.* коренен.

radio ['reidiou] I. *n* 1. радио, радиоприемник; 2. радиограма; II. *adj* безжичен, радио-; ~ **beacon** радиофар; III. *v* предавам (съобщавам) по радиото.

radioactive ['reidiou,æktiv] *adj* радиоактивен.

radioactivity ['reidiouæk'tiviti] *n* радиоактивност.

radiogram ['reidiogræm] *n* 1. радиограма; 2. рентгенова снимка.

radiologist [reidi'ɔlədʒist] *n* 1. рентгенолог; 2. *физ.* радиолог.

radiostation ['reidiou'steiʃən] *n* радиостанция.

radius ['reidiəs] *n* (*pl* **radii** [-iai], **-ses**) 1. *мат.* радиус; 2. *прен.* граница, обхват, обсег, район, предел; **outside (within) the ~ of knowledge** извън (в) пределите на знанието; 3. *анат.* лъчева кост (*на ръката*); *прен.* спица (*на колело*); лимб (*на ъгломерен инструмент*).

radix ['reidiks] *n* (*pl* **radixes, radices** ['reidisi:z]) 1. *мат.* основа, основна единица (*на нумерична система, логаритми и пр.*); 2. *бот.*, *език.* корен; 3. *остар.*, *прен.* източник, първопричина.

raff [ræf] *n* измет, утайка на обществото (*обикн.* **riff-~**).

raffish ['ræfiʃ] *adj* разпуснат, разгулен; вулгарен.

raffle₁ ['ræfl] I. *n* предметна лотария; II. *v* 1. разигравам на лотария (*предмет*); 2. участвам в лотария (**for**).

raffle₂ *n* смет, боклук; парцалаци.

raft₁ [ra:ft] I. *n* 1. сал; 2. малка надуваема лодка; II. *v* 1. прекарвам (превозвам) със сал; 2. пътувам със сал.

raft₂ *n разг.* изобилие, голямо количество; множество, маса.

rag₁ [ræg] *n* 1. парцал, дрипа, вехтория; **he hasn't a ~ to his back** той съвсем е опаривял; 2. *pl* износена (окъсана) дреха; **glad ~s** *sl* празнично облекло; 3. *шег.* театрална завеса; носна кърпа; банкнота; знаме; вестник; 4. незначително количество; *прен.* следа; **not a ~ of** ни следа (капка, помен) от; 5. песен или музикална пиеса в стил рагтайм; 6. бялата вътрешна кожица на лимон, портокал или др. цитрусов плод; • **to lose o's ~** *sl* избухвам, изпадам в ярост.

rag₂ I. *n* веселие, веселба; лудория, лудуване; II. *v* (**-gg-**) 1. гълча; хокам, карам се на; 2. задявам, дразня, ядосвам; тормозя; 3. устрой-

вам (*някому*) лоша шега; вдигам на ура; лудувам.

rage [reidʒ] I. *n* 1. ярост; силен гняв; **to turn purple with ~** почервенявам от яд; 2. бушуване, беснеене, вилнеене (*на море, буря, пожар, епидемия*); **in the ~ of battle** в разгара на боя; 3. мания, мода, всеобщо увлечение; **it is (all) the ~ now** сега това е на мода; 4. *остар.* умопомрачение, лудост; II. *v* беснея, бушувам, вилнея.

ragged ['rægid] *adj* 1. парцалив, скъсан, одърпан, дрипав; ◇ *adv* **raggedly**; 2. космат, обрасъл; несресан, чорлав, разчорлен, рошав; 3. неравен, назъбен; нащърбен, грапав; 4. повърхностно (набързо) направен, недоизпипан; необработен, небрежен (*за стил*); запуснат, занемарен (*за градина и пр.*); 5. дрезгав, остър, неблагозвучен; 6. несинхронизиран; • **to run s.o. ~** *разг.* изтощавам някого, вземам му душата.

raggedy ['rægidi] *adj разг.* дрипав, парцалив.

raging ['reidʒiŋ] *adj* яростен; *прен.* много силен; ~ **toothache** адски зъбобол.

raid [reid] I. *n* 1. внезапно нападение; набег, налет, нахълтване, нахлуване; **air ~** въздушно нападение; 2. обир (*внезапен, особ. посред бял ден*); 3. *фин.* опит за рязко сваляне на цените на борсата; II. *v* 1. извършвам набег; нахлувам внезапно, връхлитам, нахълтвам (в); 2. обирам.

rail₁ [reil] I. *n* 1. перило, парапет, ограда, мантинела; *мор.* (*обикн. pl*) релинг, бордова ограда; 2. релса; *прен.* железен път, железница, жп линия; **to run off the ~s** излизам из релсите, дерайлирам (*и прен.*); 3. *pl търг.* *sl* жп акции; II. *v* 1. ограждам (разделям) с перила (**in, off**); 2. пътувам (превозвам, изпращам) с железница.

rail₂ *v* роптая, оплаквам се (**at, against**); 2. ругая (**at**).

railing ['reiliŋ] *n* 1. (*често pl*) перила; преграда, бариера; парапет, балюстрада; *мор.* релинг, бордо-

ва ограда; 2. релси, релсов материал.

railway ['reilwei] n 1. железен път, жп линия, железница; ~ **junction** жп възел, възлова гара; 2. *attr* железопътен; ~ **bed** платно (легло) на жп линия; 3. релсова линия (*на трамвай и пр.*).

rain [rein] I. n 1. дъжд, валеж; pl дъждовен период (*в тропиците*); **it is pouring with** ~, **the** ~ **comes down in torrents** вали проливен дъжд (като из ведро); 2. *прен.* потоци, реки (*от сълзи*), градушка, град (от удари); • **as right as** ~ напълно здрав, в отлична форма; 3. *attr* дъждовен, за дъжд; ~ **worm** дъждовен червей; II. *v* вали дъжд; *прен.* лея (се), сипя (се), изливам (се) (**upon**); **it has** ~**ed itself out** преваля, дъждът премина; • **it never** ~**s but it pours** нещастието никога не идва само.

rainbow ['reinbou] n 1. небесна дъга; ~ **hunt** *прен.* стремеж към недосегаемото (несъществуващото); 2. *прен.* богата гама (*от цветове*).

rainy ['reini] adj дъждовен, дъждовит, дъжделив; дъждоносен; **for a** ~ **day** *прен.* за черни дни.

raise [reiz] I. *v* 1. вдигам, надигам, повдигам, издигам; изправям; **to** ~ **o.'s voice** повишавам тона си, говоря по-високо; 2. построявам, издигам, въздигам (*паметник и пр.*); 3. възбуждам, будя (*смях и пр.*); пораждам, причинявам, предизвиквам, създавам; произвеждам (*напр.* пàра); 4. отглеждам, развъждам; 5. отглеждам, отхранвам; *амер.* възпитавам; **to** ~ **a family** създавам семейство; 6. съживявам, възкресявам; 7. повдигам (*въпрос*); *юр.* възбуждам (*дело, иск*); **to** ~ **an issue (question)** повдигам въпрос, поставям въпрос на обсъждане; 8. повишавам (*в чин*), произвеждам; покачвам (*цени и пр.*); 9. събирам, набирам (*данъци, войска*); *sl* намирам, "измислям"; **to** ~ **money** събирам пари, набирам нужните средства; 10. карам да бухне, да

втаса; слагам мая (бакпулвер) (*за тесто*); 11. отменям, премахвам (*забрана*); вдигам (*обсада, ембарго*); 12. надавам (*вик, крясък*); **to** ~ **a song** запявам; 13. *текст.* кардирам, разчесвам; 14. *рядко* извличам, добивам; 15. *мор.* съзирам (*суша, фар*); 16. изсветлявам, правя цвят по-светъл; 17. фалшифицирам (*чек, сметка, като подправям цифрите*); 18. установявам радиовръзка; • **to** ~ **hell (the devil), to** ~ **the roof** вдигам шум (врява), беснея; обръщам всичко с главата надолу; II. n 1. повишение, повишаване, увеличаване, увеличение; 2. повдигане, издигане; • **to make a** ~ *разг.* получавам пари (заем, ценна вещ).

raised [reizd] adj релефен, моделиран.

rake₁ [reik] I. n 1. гребло, грапа (*за сено*), търмък; 2. лопатка на крупие; 3. *разг.* клечка, скелет (*за слаб човек*); II. *v* 1. греба, загребвам; търмъча, събирам (*клечки и пр.*); **to** ~ **hay** пластя сено; 2. оглаждам; почиствам (**over**); 3. притъквам, стъквам (*огън*); *прен.* раздухвам, възобновявам (**up**); 4. търся старателно, ровя; издирвам (**in, through, among, over**); 5. събирам с усилие, струпвам с мъка (**up, together**); 6. *мор., воен.* обстрелвам продолно, фланкирам с огън; смитам, помитам; 7. обхващам с поглед;

rake away (off) събирам с гребло, търмъча;

rake down, rake in прибирам, събирам (*пари*);

rake up разбутвам, разчовърквам; *прен.* "изнамирам"; раздухвам.

rake₂ I. n женкар, разгулник, похотливец, развратник (*и остар.* rakehell); II. *v* рядко живея разпуснато (разгулно), безпътствам, развратнича.

raking ['reikin] I. adj *мор.* полегат, наклонен; *воен.* флангов; II. n количество материал, захванато от греблата (лопатките).

rakish₁ ['reikiʃ] adj разпуснат, развратен, похотлив.

rakish₂ adj 1. *мор.* стегнат, спретнат, бързоходен (*за кораб*); 2. моден, шик, екстравагантен; ◇ *adv* **rakishly.**

rally₁ ['ræli] I. n 1. *воен.* събиране (*за ново нападение*); сбор; 2. събрание, митинг; 3. сплотяване, обединяване; 4. подобрение, частично оздравяване, привдигане (*при болест*); 5. *търг.* оживление, покачване (*на цени*); 6. рали, автомобилен шампионат; II. *v* 1. събирам (се); сплотявам (се), обединявам (се) (**round**); 2. съживявам, възвръщам, възстановявам (*способност, дух*); 3. окопитвам се, привдигам се, оправям се; 4. *sl* лудувам, беснея.

rally₂ *v* остар. шегувам се с, поднасям, закачам, задявам, подигравам добродушно.

ram [ræm] I. n 1. *зоол.* овен, коч; 2. (**the R.**) *астр.* Овен (*съзвездие и зодиакален знак*); 3. стенобойна машина, стенолом, таран; 4. *мор.* клин на носа на кораб с таран; 5. *техн.* хидравлически таран; трамбовка; бутало на хидравлична преса; II. *v* (-**mm**-) 1. трамбовам, утъпквам (**down**); 2. удрям силно, блъскам, бия, бъхтя; 3. забивам, набивам, зачуквам (**in**); 4. тъпча, натъпквам; **to** ~ **o.'s hat on** нахлупвам си шапката.

RAM abbr (**Random Access Memory**) *инф.* оперативна памет.

ramble [ræmbəl] I. n разходка; екскурзия (*без определен маршрут*); II. *v* 1. разхождам се; скитам се, бродя; 2. говоря (приказвам, пиша) несвързано, скачам от мисъл на мисъл; 3. пълзя, вия се (*за растение*); лъкатуша, меандрирам (*за река*); криволича (*за пътека*).

rambling ['ræmblin] adj 1. празноскитащ, бродещ; 2. лъкатушещ, извиващ се; 3. разхвърлян, хаотичен, безразборен, безсистемен; построен безразборно (*за къща*); несвързан (*за говор, мисли*); 4. пълзящ, виещ се (*за растение*).

rambunctious [ræm'bʌŋkʃəs] adj *разг.* 1. шумен, буен; 2. опак, непокорен, неконтролируем.

ramify ['ræmifai] *v книж.* разклонявам (се); развивам (се) в мрежа от.

ramose, -ous ['ræmous, -əs] *adj бот.* 1. клонест, разклонен; 2. клонов; клоновиден.

ramp₁ [ræmp] I. *n* 1. скат, склон, наклон; наклонена плоскост; 2. рампа; 3. полегат (наклонен) път; 4. *разг.* прилив (изблик, пристъп) на ярост; буйстване; подвижна стълба на пътнически самолет; II. *v* 1. заставам (стоя) на задните си крака (*за животно*); мятам се, хвърлям се, скачам; 2. *шег.* бушувам; вилнея, буйствам, беснея; 3. избуявам; покривам (**over**); *рядко* пълзя, вия се (**over, on**) (*за растение*); 4. *архит.* издигам се, спускам се (*за стена с наклон*).

ramp₂ *sl* I. *n* изнудване, мошеничество; безбожни цени, кожодерство, обирачество; II. *v* изнудвам, измъквам (*пари*); "обирам".

rampage [ræm'peidʒ] *разг.* I. *n* вилнеене, буйство; "запенване"; силна възбуда; II. *v* буйствам, вилнея.

ramper ['ræmpə] *n sl* изнудвач, мошеник.

ramshackle ['ræmʃækəl] *adj* разнебитен, разклатен, порутен; нестабилен; паянтов.

ranch [ra:ntʃ] I. *n* 1. ранчо, скотовъдна ферма; 2. *амер.* селскостопанска ферма; II. *v* 1. ръководя (работя в) скотовъдна ферма; 2. отглеждам добитък (в ранчо).

ranching ['ræntʃiŋ] *n* фермерство, скотовъдство.

rancour, *амер.* **rancor** ['ræŋkə] *n* ненавист, омраза, злоба; злост.

randan [ræn'dæn] *n sl* гуляй, веселба.

randomness ['rændəmnis] *n* случайност, произволност.

randy ['rændi] *adj* буен, див; разгонен (*за добитък*); (сексуално) възбуден.

range [reindʒ] I. *n* 1. обсег, обхват; *муз.* регистър, диапазон; *прен.* гама; 2. област, сфера, кръг; район (радиус) на действие; **~ of vision** кръгозор, полезрение; 3. *воен.* далекобойност, обсег; разстояние; **within ~** на един изст-

рел; *прен.* под ръка; 4. стрелбище; полигон; 5. клас, разред; серия, поредица; асортимент; 6. редица, ред (*къщи и пр.*); верига (*планини*); *прен.* сбирка, колекция; 7. *техн.* створ, права линия; *рядко* направление; 8. пасбище; 9. ловен участък; 10. кухненска печка (*и* **kitchen-~**); II. *v* 1. строявам (се), построявам (се) в редица; 2. класифицирам, сортирам, подреждам, нареждам; 3. *поет.* бродя; преброждам; странствам (**over**); 4. *прен.* засягам, третирам, покривам (**over**); 5. паса (*добитък*); 6. *зоол., бот.* срещам се, съществувам, явявам се (**over**); 7. простирам се, лежа (**from – to**); 8. колебая се в известни предели, варирам (**within, between; from – to**); 9. прицелвам се, визирам; 10. съм на разстояние от, отстоя на; 11. *воен.* бия на, имам далекобойност (район на действие); 12. *полигр.* подравнявам, успоредявам.

rangy ['reindʒi] *adj* 1. строен; висок; дълъг, дългокрак; 2. *австр.* планински.

rank₁ [ræŋk] I. *n* 1. ред, редица; **to fall into ~** строявам се, заставам в редица; 2. чин, сан, ранг; звание; 3. класа, разред, категория; **~ and fashion** висше общество; хайлайфът; 4. стоянка за такси (*и* **taxi rank**); II. *v* 1. нареждам (се), построявам (се) в редица, строявам (се); 2. класифицирам; давам (заемам) място; **I — her abilities very high** високо ценя способностите ѝ; 3. *амер.* заемам по-високо положение (длъжност) от; имам по-висок чин от.

rank₂ *adj* 1. буен; богат, изобилен (*за растителност*); тлъст, плодороден (*за почва*); 2. смрадлив, вонящ; гранясал, гранлив, развален; *прен.* отвратителен, противен; 3. отявлен, явен, очевиден, очебиещ, флагрантен; същински; същи.

ranker ['ræŋkə] *n* 1. обикновен войник, редник; 2. офицер, издигнал се от обикновен войник; 3. *прен.* човек от народа, който се е из-

дигнал в обществото.

ranking ['ræŋkiŋ] I. *n* позиция (в класация); **the rankings** *спорт.* ранглиста; II. *adj амер.* главен, най-висшестоящ.

rankle [ræŋkəl] *v* 1. мъчи ме, измъчва ме; **the insult still ~d in his heart** той не можеше да забрави обидата; 2. *остар.* възпалявам се; гноясвам, гноя (*за рана*).

ransack ['rænsæk] *v* 1. претърсвам, претършувам; обискирам; преравям, преобръщам (**for**); **to ~ o.'s brains (memory)** опитвам се да си спомня; 2. обирам (*къща*).

ransom ['rænsəm] I. *n* 1. откуп; **to hold to (for) ~** искам откуп за; *прен.* упражнявам натиск, принуждавам; 2. освобождаване, откупване (*от плен*) срещу заплащане; 3. *рел.* изкупление; II. *v* 1. освобождавам срещу откуп; 2. *рел.* изкупвам (*грехове*); 3. плащам откуп.

ranter ['ræntə] *n* креслливец, креслльо; рецитатор, декламатор.

rap [ræp] I. *n* 1. удар, шибване (*обикн. с пръчка*); потупване; 2. почукване, похлопване; 3. *муз.* рап, стил в забавната музика; 4. *амер. sl* присъда, осъждане; • **to take the ~** опирам пешкира; II. *v* (**-pp-**) 1. потупвам, почуквам леко, потропвам, похлопвам (**at, on**); **to ~ s.o.'s knuckles, to ~ s.o. on (over) the knuckles** *разг., прен.* удрям някого през пръстите, наказвам; 2. изричам, изговарям рязко (отсечено) (**out**); 3. съобщавам чрез чукане (*обикн. с* **out**); 4. мъмря, гълча, "кастря"; *журн.* критикувам остро; 5. свиря, изпълнявам рап.

rapacious [rə'peiʃəs] *adj* 1. алчен, лаком; грабителски; 2. хищен (*за животни*); 3. ненаситен, неутолим.

rapacity [rə'pæsiti] *n* 1. грабливост, хищничество, хищност; 2. ненаситност; 3. алчност.

rape [reip] I. *n* 1. изнасилване; 2. отвличане, открадване; 2. опустошение, унищожение; II. *v* 1. изнасилвам, насилвам; 2. отвличам, открадвам.

rapid ['ræpid] I. *adj* 1. бърз; ~-fire, ~ firing скорострелен; светкавичен, бърз; ◇ *adv* **rapidly**; 2. кратък, краткотраен; 3. стръмен; II. *n* (*обикн. pl*) бързей (*на река*).

rapidity [rə'piditi] *n* бързина, скорост; ~ of fire *воен.* скорострелност.

rapier ['reipiə] *n* 1. рапира; 2. *attr прен.* остър, пронизващ (*поглед, удар*).

rapine ['ræpain] *n поет.* грабеж, обир, грабителство; плячкосване.

rapist ['reipist] *n* изнасилвач, похитител.

rapport [ræ'rɔ:] *n фр.* 1. връзка; отношение; 2. разбирателство, съгласие, хармония.

rapscallion [ræps'kæljən] *n* нехранимайко, негодяй, негодник, вагабонтин, мошеник.

rapt [ræpt] *adj* 1. погълнат, унесен, задълбочен, вглъбен, съсредоточен; 2. възхитен, увлечен; превъзнесен, изпаднал в екстаз; 3. пренесен, отнесен; ◇ *adv* **raptly**.

rapture ['ræptʃə] *n* 1. възторг, екстаз; прехласване; **to go into ~s over** изпадам във възторг (екстаз) от (пред); 2. *остар.* пренасяне, отнасяне.

rapturous ['ræptʃərəs] *adj* възторжен, ентусиазиран, възхитен, изпълнен с екстаз.

rare₁ [rɛə] I. *adj* 1. рядък; необичаен, необикновен; ◇ *adv* **rarely**; 2. рядък, разреден, негъст; разсеян, разпръснат; 3. превъзходен, изключителен; **to have a ~ time (fun)** много хубаво се забавлявам; II. *adv разг.* изключително, рядко, извънредно.

rare₂ *adj* недоопечен, недосварен.

rarefy ['rɛərifai] *v* 1. разреждам (се), разредявам (се); 2. пречиствам; префинвам.

rarity ['rɛəriti] *n* 1. рядкост; изключителност; необичайно събитие; 2. разреденост (*u* **rareness**).

rascal ['ra:skəl] I. *n* 1. мошеник, измамник, вагабонтин, негодник, нехранимайко; 2. *разг., шег.* пакостник; тип; чешит; **a merry ~** веселяк; II. *adj* безчестен, долен, долнопробен.

rascally ['ra:skəli] *adj* подъл, мерзък, долнопробен, безчестен.

rash₁ [ræʃ] *adj* прибързан, необмислен, невнимателен.

rash₂ *n* обрив, изрив; **nettle ~** коривна треска.

rasp [ra:sp] I. *v* 1. пиля, изпилявам; стържа, изстъргвам; остъргвам; изчегъртвам (**off, away**); 2. стържа, скрибуцам; 3. раздразвам, дразня; оскърбявам; 4. говоря с рязък и груб глас; ~ing **voice** креслив глас; II. *n* 1. *техн.* едра пила, рашпила; 2. стъргане, стържене; скрибуцане; 3. *прен.* раздразнение; 4. устройство за преработване на отпадъци.

rasping ['ra:spiŋ] *n техн.* (*обикн. pl*) стърготина, стружка, опилка.

raspy ['ra:spi, 'ræspi] *adj* 1. дрезгав, стържещ (*за глас*); 2. *sl* супер, бомба, екстра.

rat [ræt] I. *n* 1. плъх; **like a drowned ~** мокър до кости; 2. стачкоизменник, ренегат, предател; ● **~s!** глупости! хайде де! II. *v* (**-tt-**) 1. ловя (избивам, изтребвам) плъхове, дератизирам; 2. *разг.* изоставям (напускам, изменям) на другарите (партията) си в трудни моменти; *прен.* пребоядисвам се; **to ~ on an agreement** измъквам се, не изпълнявам договореност; 3. *sl* държа се малодушно, проявявам се като страхливец.

ratable ['reitəbəl] *adj* 1. облагаем; 2. изчислим; оценим; 3. *остар.* пропорционален.

rate₁ [reit] I. *n* 1. норма; размер, мярка; стандарт; тарифа; *икон.* ставка; степен; процент, част; ~ **of interest** лихвен процент; 2. стойност, цена; **to buy at a high ~** купувам скъпо; 3. скорост, ход, темп; **at a ~ of knots** *разг.* много бързо, светкавично; 4. разред, категория; сорт; класа; качество; **second-~** второкачествен, второразреден; посредствен; 5. общински налог, данък; такса; 6. дял, пай, част; ● **at this (that) ~** в такъв случай, при това положение, при тези (такива) условия; II. *v* 1. оценявам; изчислявам; *прен.* преценявам; ~d **speed** номинал-

на скорост; 2. считам, смятам за, причислявам към, категоризирам като, класирам; преценявам; 3. заслужавам, имам качества за; **this essay ~s a low grade** това есе заслужава ниска оценка; 4. имам авторитет, тежест; ползвам се с уважение (сред); ● **to ~ a chronometer** регулирам (сверявам) хронометър.

rate₂ *v* хокам, ругая, карам се на, гълча, порицавам.

ratification [rætifi'keiʃən] *n* ратифициране, ратификация; потвърждаване, потвърждение; утвърждаване.

ratify ['rætifai] *v* ратифицирам; утвърждавам, потвърждавам.

rating ['reitiŋ] *n* 1. класиране; градиране; 2. ранг, клас, категория; *мор.* чин, звание; *pl* екипаж; 3. *техн.* (номинална) мощност; 4. облагане; налог; 5. *амер.* бележка, оценка (*в училище*).

ratio ['reiʃou] *n* 1. *мат.* съотношение, пропорция; отношение; коефициент; **in inverse ~** обратно пропорционално; 2. *техн.* предавно отношение, предавателно число.

ration ['ræʃən] I. *n* дажба; *воен.* порцион; *pl* провизии, припаси, храна; **on short ~s** с намалени дажби; II. *v* 1. разпределям на дажби; поставям под режим на разпределение; 2. снабдявам с провизии (храна), продоволствам.

rational ['ræʃənəl] I. *adj* 1. разумен, здравомислещ, разсъдлив; благоразумен; целесъобразен; смислен; ◇ *adv* **rationally**; 2. рационален; получен въз основа на разсъждение; 3. *мат.* рационален; ~ **fraction** правилна дроб; 4. подходящ, уместен; II. *n* рационално (разумно) същество.

rationality [,ræʃə'næliti] *n* разумност, разум, рационалност.

rationalization [,ræʃənəlai'zeiʃən] *n* 1. рационализиране, рационализация, осмисляне, организиране върху по-рационална (ефикасна) основа; 2. *мат.* рационализиране, освобождаване от ирационал-

ни величини.

rationalize ['ræʃənəlaiz] *v* 1. правя разумен (смислен, рационален); осмислям; 2. разсъждавам разумно; давам рационално обяснение на; 3. организирам на рационална (ефикасна) основа, рационализирам; 4. *мат.* рационализирам, освобождавам от ирационалност.

rattle [rætəl] I. *v* 1. тракам, тропам, чукам, хлопам, трополя; трещя, гърмя; дрънча, дрънколя; 2. движа се с трясък; изтрополявам; 3. блъскам, лашкам (**about, over**); 4. бърборя, дърдоря, дрънкам (**on, away, along**); издърдорвам (*урок и пр.*; **out, through, away, over, off**); 5. правя (*нещо*) набързо (**through**); 6. хъркам (*в агония*); 7. *разг.* смущавам, безпокоя; уплашвам, стряскам; **don't get ~ed!** не се вълнувай! 8. раздвижвам (**up**); 9. преследвам отблизо, подгонвам; II. *n* 1. тропот, трясък, шум, грохот; 2. шум, тракане на гърмяща змия; 3. дрънкалка (*на дете*); звънец; 4. роговите пръстени на опашката на гърмяща змия; 5. бърборене, дърдорене; бърборко, дърдорко; 6. веселба, гуляй; гюрултия, глъчка; 7. хрип, долавящ се при аускултация; 8. *бот.* клопачка.

rattled ['rætəld] *adj* 1. нервен, неспокоен; 2. *sl* развълнуван, възбуден.

rattle trap ['rætltræp] I. *n* 1. таратайка, раздрънкана кола; 2. *pl* дрънкулки, овехтели украшения; 3. *sl* 4. дрънкало, бъбривец; II. *adj* вехт, износен; разтракан, радрънкан.

rattling ['rætliŋ] I. *adj* 1. тракащ, тропащ, трещящ; 2. *разг.* бърз, жив; силен; 3. *sl* прекрасен, чудесен, успешен, добър, екстра; **to have a ~ing time** прекарвам чудесно; II. *adv sl* чудесно, прекрасно; **a ~ing good speech** великолепна реч.

ravage ['rævidʒ] I. *v* 1. опустошавам, разорявам; грабя, ограбвам; плячкосвам, разграбвам; 2. развалям, повреждам, изхабявам (*за*

болест *и пр.*); II. *n* опустошение, разорение, разрушение.

rave [reiv] I. *v* 1. бълнувам, говоря несвързано; **to be ~ing mad** напълно съм полудял; 2. беснея, вилнея, бушувам (*за буря, море и пр.*); 3. *разг.* говоря екзалтирано, с ентусиазъм (**about, of**); 4. говоря с ярост; **to ~ about (of) o.'s misfortunes** ядосвам се на нещастията си; II. *n* 1. *рядко* вой, рев, шум (*на буря и пр.*); 2. *разг.* ентусиазирана критика (*на пиеса, филм*); превъзнасяне, възторгване; 3. блясък, светлина; 4. голям купон на открито с музика, танци и (често) наркотици.

ravel ['rævəl] I. *v* 1. разплитам (се), разнищвам (се) (*и* **out**); *прен.* изяснявам (се) (**out**); 2. обърквам (се), оплитам (се), заплитам (се), омотавам (се) (*и прен.*); II. *n* 1. усложнение, объркване, бъркотия, заплетен възел; 2. разплетена нишка.

raven [rævn] I. *v* 1. търся (дребна) плячка (**for, after**); 2. грабя, плячкосвам, опустошавам; разкъсвам; 3. ям, поглъщам лакомо; имам вълчи апетит; лакомя се; II. *n* 1. грабеж, опустошение; 2. плячка.

ravenous ['rævinəs] *adj* 1. лаком, ненаситен; ◇ *adv* **ravenously**; 2. грабителски; 3. гладен, изгладнял (*обикн. за хищно животно*); ~ **appetite** вълчи апетит.

ravin ['rævin] *n поет.* плячка; опустошение, грабеж, сеч, заколение.

ravine [rə'vi:n] *n* дефиле, пролом, клисура, боаз, дервент.

raving ['reiviŋ] I. *adj* 1. беснеещ, бурен; 2. бълнуващ, не на себе си; 3. бленуван, възхитителен, забележителен; II. *n* бълнуване, делириум.

ravishment ['ræviʃmənt] *n* 1. отвличане; грабеж; 2. *остар.* изнасилване; 3. възхищение, възторг, екстаз, захлас.

raw [rɔː] I. *adj* 1. суров, несварен, недосварен, неопечен; недопечен; 2. суров, необработен; не богат; ~ **sugar** нерафинирана захар; 3. груб, неизмайсторен, не-

доизкусурен; ~ **castings** *pl* непочистени отливки; 4. отворен, кървящ (*за рана*); ожулен, възпален; **to touch a ~ nerve** засягам по болното място, настъпвам по мазола; 5. неопитен, аджамия; ~ **recruit** новобранец; 6. груб, недялан, натуралистичен; 7. *sl* несправедлив, груб; **a ~ deal** несправедливост, лош късмет; 8. студен, влажен, пронизващ (*за време, вятър*); II. *n* 1. рана, ожулено място; • **in the** ~ 1) необработен; естествен; 2) гол; 2. нерафинирана захар; сурова кожа; III. *v* 1. *рядко* ожулвам, изранявам; 2. одирам (*кожа*).

raw boned ['rɔː'bound] *adj* мършав, кокалест, дръглив, постал, кожа и кости.

ray [rei] I. *n* 1. лъч (*и прен.*); 2. проблясък; 3. *поет.* светлина, сияние; 4. *бот.* листенце на цвят; клонче на сенникоцветно растение; 5. *зоол.* скат (*на перка на риба, морска звезда*); 6. *мат.* лъч; *рядко* радиус; II. *v* 1. излъчвам, сияя (**off, out, forth**); осветявам; 2. облъчвам (*и мед.*); 3. *разг.* правя рентгенова снимка.

raze [reiz] *v* 1. сривам, изравнявам със земята, срутвам до основи, събарям, рутя (**to**); 2. изличавам, изтривам (*обикн. прен.*); 3. *рядко* жуля, изстъргвам.

razor ['reizə] I. *n* бръснач; самобръсначка (*и* **safety-~**); II. *v* бръсна.

razz [ræz] *sl* I. *v* осмивам, подигравам, вземам на подбив; дразня; II. *n* 1. остра критика; 2. присмех; **to get the** ~ вземат ме на подбив.

razzia ['ræziə] *n араб.* 1. нашествие, нахлуване, нападение; 2. полицейска блокада, обиск.

razzle(-dazzle) ['ræzl(ˌdæzl)] *n sl* 1. суматоха, бъркотия, шашарма; 2. гуляй, пир; **to go on the** ~ гуляя, пирувам.

razzmatazz ['ræzmə'tæz] *n* пищност, показност, шумотевица.

reach₁ [riːtʃ] I. *v* 1. протягам (се), простирам (се) (*и с* **out, for**); 2.

стигам, достигам, пипвам, до-
косвам; **to ~ down o.'s hat** сва-
лям си шапката (*от закачалка
и пр.*); 3. подавам, давам, преда-
вам; **would you ~ me that book**
моля ви, подайте ми онази кни-
га; 4. пристигам, стигам; идвам
до (*и с* to); *прен.* стигам до; зас-
тигам, настигам; 5. простирам
се, продължавам; 6. възлизам (*за
брой, сума*) (to); 7. трогвам; пов-
лиявам;
reach after протягам, пресягам се
към, посягам към; *прен.* стремя
се към;
reach for протягам ръка за, пося-
гам към;
reach out (for) протягам ръка; пре-
сягам се за;
reach forward to стремя се към;
II. *n* 1. протягане, простиране; to
make a ~ for протягам ръка за;
2. достъпност, достижимост; бли-
зост; **out of ~** недостижим, из-
вън обсега на; 3. обсег, сфера; **it
is beyond (above) my ~** не е по
възможностите (силите, способ-
ностите) ми; 4. протежение; **a ~
of woodland** горска ивица; 5. част
от река между два завоя; учас-
тък на канал между два шлюза;
6. *мор.* галс; 7. въздействие, влия-
ние; 8. *pl* нива (в организация),
ешалони.
reach₂ [riːtʃ] *v* повдига ми се, пов-
ръща ми се, гади ми се.
reach-me-down ['riːtʃmidaun] I. *adj*
евтин, долнопробен; II. *n* ~s дре-
хи втора употреба.
react [riːˈækt] *v* 1. реагирам (to);
2. *хим.* предизвиквам реакция
(**upon**); 3. въздействам (**on, upon**);
повлиявам се, променям се; 4.
противодействам, противопос-
тавям се, оказвам съпротива,
противя се, опонирам, въставам
(**against**); 5. *воен.* контраатаку-
вам.
reacting [riːˈæktiŋ] I. *n* реагиране,
участие в реакция; II. *adj* 1. реа-
гиращ, реакционен; 2. противо-
действащ.
reaction [riːˈækʃən] *n* 1. реакция (*и
хим.*); реагиране; откликване; 2.
полит. реакция; 3. противодейс-

твие; 4. *рядко* регенерация; 5.
воен. контраатака.
reactionary [riːˈækʃənəri] *полит.* I.
adj реакционен; II. *n* реакционер.
reactor [riːˈæktə] *n* 1. *физ.* реактор;
2. *ел.* реактор, стабилизатор; дро-
сел; 3. *мед.* който реагира поло-
жително на външен дразнител; 4.
хим. реагент, реактив.
read [riːd] I. *v* (**read** [red]) 1. чета,
прочитам; **to ~ aloud (out, out
loud, off)** чета на глас; 2. чете се;
it ~s like a threat звучи като зап-
лаха; 3. гадая, разгадавам; тъл-
кувам, обяснявам (*и сънища*);
разчитам; **the law ~s both ways**
законът може да се тълкува и та-
ка, и така; 4. показвам, отчитам
(*за уред*); гласи (*за цитат, до-
кумент*); **to ~ untrue** показвам
неточно; 5. уча, изучавам; след-
вам; **to ~ for the law (for the bar)**
подготвям се (уча) за адвокат;
read into откривам, чета в;
read off прочитам бързо (гладко,
плавно) (*на глас*); *разг.* отчитам,
разчитам;
read on продължавам да чета;
read out чета на глас;
read over (through) прочитам, из-
читам;
read up изучавам специално; въз-
становявам знанията си (**on a
subject**);
II. *n* четене; **time for a long ~** вре-
ме за продължително четене; III.
[red] *adj*: **well ~** начетен.
readable ['riːdəbəl] *adj* 1. четлив,
ясен, разбираем; 2. увлекателен,
интересен, забавен (*за четиво*).
readdress ['riːəˈdres] *v* преадреси-
рам.
reader ['riːdə] *n* 1. читател; 2. чи-
танка; христоматия; 3. рецита-
тор; **to be a good ~ at sight** *муз.*
свиря добре на прима виста; 4.
рецензент на издателство (*и pub-
lisher's ~*); 5. доцент; 6. корек-
тор (*и printer's proof-~*); 7. из-
мервателен (отчитащ) уред; бро-
ячно устройство.
readiness ['redinis] *n* 1. готовност;
to have everything in ~ всичко
съм приготвил; 2. бързина, ле-
кота, леснина; сръчност; 3. раз-

положение, отзивчивост, охота.
reading ['riːdiŋ] I. *n* 1. четене; 2.
четиво; **a novel that makes a good
~** роман, който е интересен за че-
тене; 3. рецитал; рецитиране; 4.
начетеност, образованост; уче-
ност; **a man of wide (vast) ~** чо-
век с голяма ерудиция; 5. вари-
ант на текст; разночетене; 6. мне-
ние, тълкуване, обяснение, раз-
биране; **my ~ of the situation dif-
fers somewhat** моето мнение за
положението се различава в из-
вестна степен; 7. отчитане, пока-
зание (*на барометър, термоме-
тър и пр.*); 8. разглеждане (де-
бати върху, четене на) на закон-
опроект; II. *adj* ученолюбив; кой-
то чете много.
readjust [riəˈdʒʌst] *v* 1. пренареж-
дам, преустройвам, преправям,
изменям; пренастройвам; 2. при-
гаждам, приспособявам.
readjustment [riəˈdʒʌstmənt] *n* 1.
приспособяване, пригаждане, на-
гаждане; 2. преустройство, пре-
образуване, пренастройване; 3.
връщане в изходно положение.
readout ['riːdˌaut] *n инф.* 1. изход-
на информация; изход; 2. разпе-
чатка.
ready ['redi] I. *adj* 1. готов, при-
готвен; нагласен, натъкмен; **to be
~ with s.th.** готов съм (приго-
твил съм, завършил съм) нещо;
2. готов, подръчен, на разполо-
жение; **to lie ~ to (at) (o.'s) hand**
под ръка ми е; 3. наклонен, скло-
нен (to); съгласен, разположен,
отзивчив (to); **to give a ~ assent**
бързо се съгласявам; 4. бърз,
пъргав, подвижен (*и за ум*); чев-
ръст; **to be a ~ speaker** говоря
свободно и леко; II. *v* 1. приго-
твям; 2. *sl* плащам в брой (**up**).
ready-made ['rediˈmeid] *adj* 1. го-
тов (*за дреха*), конфекция; при-
готвен за бърза консумация; 3.
неоригинален, копиран, взет на-
готово (*за идея и пр.*), банален,
шаблонен.
reaffirm [ˌriːəˈfəːm] *v* потвържда-
вам.
real [riəl] I. *adj* 1. истински, дейст-
вителен, реален; **in ~ life** в жи-

вота; **2.** истински, същински, автентичен; ~ **silk (flowers)** естествена коприна (цветя); **3.** искрен, верен; **he is a ~ man** това е човек; **4.** *юр.* недвижим; **5.** *мат.* реален; **6.** (*за надница*) отчитам според покупателната си способност; ● **that is the ~ thing (the ~ Simon Pure)** това е първо качество; **II.** *n* (**the ~**) действителността, реалността.

realign [ˈriːəˈlain] *v* преустройвам.

realignment [ˈriːəˈlainmənt] *n* преустройство.

realism [ˈriəlizəm] *n* реализъм.

realist [ˈriəlist] *n* реалист.

realistic [riəˈlistik] *adj* реалистичен; ◇ *adv* **realistically** [riəˈlistikli].

reality [riˈæliti] *n* **1.** реалност, действителност; нещо действително; **2.** истинност; реализъм; **3.** същност, същина.

realizable [ˈriəlaizəbəl] *adj* **1.** осъществим; постижим, достижим, реализуем (*и за ценности*); изпълним; **2.** който може да бъде осъзнат (разбран).

realization [riəlaiˈzeiʃən] *n* **1.** осъзнаване, съзнаване; разбиране; **2.** осъществяване, реализиране (*и на ценности*); постигане, изпълнение.

realize [ˈriəlaiz] *v* **1.** съзнавам, осъзнавам; разбирам, схващам; долавям, усещам; **2.** реализирам, осъществявам, достигам, постигам; **3.** представям си; **4.** превръщам в пари, реализирам; **5.** печеля; получавам доход; нося печалба, доход.

reallocate [ˈriˈæləkeit] *v* преразпределям (*пари, средства*).

really [ˈriəli] *adv* **1.** действително, наистина, всъщност, фактически; **a ~ devout man** истински вярващ човек; **2.** нима! хайде де!

realm [relm] *n* **1.** област, сфера; **2.** царство, страна.

real-time [ˈriəlˌtaim] *adj* непосредствен, бърз, без забавяне.

reanimate [riˈænimeit] *v* **1.** съживявам, реанимирам; **2.** обновявам, подобрявам, въодушевявам.

reap [riːp] *v* жъна, пожънвам (*и прен.*); прибирам реколта.

reappear [ˈriːəˈpiə] *v* появявам се (показвам се) отново.

reappearance [ˈriːəˈpiərəns] *n* повторно появяване, завръщане.

reapply [ˈriːəˈplai] *v* употребявам, прилагам отново.

reappoint [ˈriːəˈpoint] *v* пренареждам; преназначавам; преподреждам.

reappraisal [ˈriːəˈpreizəl] *n* преоценка, преосмисляне.

reappraise [ˈriːəˈpreiz] *v* преосмислям, преоценявам.

rear₁ [riə] *v* **1.** вдигам (се), повдигам (се), издигам (се), извисявам (се); **to ~ a monument to** издигам паметник на; **2.** построявам; **3.** изправям се на задните си крака (*за кон*; **up**); **4.** отглеждам, отхранвам (*дете*); развъждам, отглеждам (*птици и пр.*); **5.** *прен.* нервирам се, ядосвам се (**up**).

rear₂ *n* **1.** гръб, тил; **to take (attack) in (the) ~** нападам в гръб; **2.** задна част; **at the ~ of the house** зад къщата; **3.** *разг.* задник; **4.** *sl* клозет; **5.** *attr* заден; **the ~ door** задна врата.

rear guard [ˈriəˌgaːd] *n* ариергард; ● **to fight (mount) a ~ action** полагам отчаяни усилия да предотвратя нещо.

rearise [ˈriəˈraiz] *v* надигам се, появявам се отново.

rearm [ˈriːˈaːm] *v* превъоръжавам (се).

rearmament [ˈriːˈaːməmənt] *n* превъоръжаване.

rearrange [ˈriːəˈreindʒ] *v* пренареждам; нареждам, както си беше, преподреждам.

rearward [ˈriəwəd] **I.** *adj* заден, тилов; **II.** *adv* назад, накрая **III.** *n* заден край, тил.

reason [ˈriːzən] **I.** *n* **1.** разум, разсъдък; здрав разум; **as ~ was** както повеляваше здравият разум; **in ~** разумно, приемливо; **2.** причина, довод, основание, аргумент; **to have good ~ to** имам основание да; имам основателни причини да ...; **II.** *v* **1.** разсъждавам, мисля, обмислям; заключавам, доказвам; аргументирам; **a ~ed statement** добре аргументирано

твърдение (изложение); **2.** обсъждам, разисквам (**over**); **3.** увещавам, убеждавам (**with**).

reasonable [ˈriːzənəbəl] *adj* **1.** логичен; (благо)разумен; ~ **choice** удачен, подходящ избор; **2.** приемлив; поносим, търпим, сносен; **a ~ excuse** приемливо извинение; **3.** умерен; **4.** солиден, доста голям (*за количество*); ◇ *adv* **reasonably**; **5.** *остар.* с разума си; способен да мисли.

reasoned [ˈriːzənd] *adj* **1.** обоснован, логичен; **2.** разумен.

reasoning [ˈriːzəniŋ] **I.** *n* **1.** разсъждаване; **2.** причини, аргументи, доводи; **II.** *adj* разсъдлив, мислещ; ~ **faculties** мисловни способности.

reasonless [ˈriːzənlis] *adj* **1.** неоснователен, безпричинен; **2.** неразумен; **3.** глупав, безразсъден.

reassert [ˈriːəˈsəːt] *v* **1.** заявявам отново; **2.** затвърждавам (се).

reassess [ˈriːəˈses] *v* преоценявам, преосмислям.

reassessment [ˈriːəˈsesmənt] *n* преоценка, преосмисляне.

reassurance [riəˈʃuərəns] *n* **1.** уверение, увещание; убеждаване, успокояване; **2.** увереност, успокоение; **3.** преосигуряване.

reassure [riəˈʃuə] *n* **1.** вдъхвам увереност (вяра), увещавам, успокоявам; уверявам отново; **2.** преосигурявам.

reassuring [ˈriːəˈʃuəriŋ] *adj* успокоителен, окуражителен; ◇ *adv* **reassuringly**.

reave [riːv] *v* (**reft** [reft]) *остар.* **1.** грабя, ограбвам, плячкосвам, разорявам; **2.** отвличам, похитявам (**away, from**).

reawaken [ˈriːəˈweikən] *v* подновявам, събуждам отново, запалвам повторно (*чувство, интерес и пр.*).

rebaptize [ˈriːbæpˈtaiz] *v* прекръщавам, прекръствам, преименувам.

rebate I. [ˈriːbeit] *n* намаляване, отбиване, отстъпка, рабат; **a ~ for prompt payment** отстъпка при плащане в брой; **II.** [riˈbeit] *v* **1.** намалявам, отбивам, правя отстъпка (*от цена*); **2.** изтъпявам,

изхабявам.

rebel [rebəl] I. *n* 1. бунтовник, бунтар, въстаник; 2. размирник, непокорник; 3. *attr* бунтовнически, въстанически; II. *v* 1. бунтувам се, въставам (**against**); 2. противопоставям се, опонирам, негодувам (*и с* **against**).

rebellion [ri'beljən] *n* 1. въстание, бунт, метеж, междуособица; **in ~** въстанал; 2. недоволство, съпротивление, опозиция, протест.

rebellious [ri'beljəs] *adj* 1. бунтовнически, бунтарски, въстанически; 2. непокорен, бунтарски, буен, недисциплиниран, размирен; 3. упорит, неподатлив, неподдаващ се (*на лечение – за болест и пр.*).

rebelliousness [ri'beliəsnis] *n* бунтарство, непокорство.

rebirth [ˈriː'bə:θ] *n* прераждане; възраждане, обновяване, възродяване.

rebound [ri'baund] I. *v* 1. отскачам, рикоширам (*за топка и пр.*); 2. *прен.* имам обратно действие; 3. възраждам се, съживявам се, обновявам се; II. *n* отскачане, рикошет, рикоширане; **to take a ball on the ~** хващам топка, след като то отскочи.

rebuff [ri'bʌf] I. *n* 1. неочакван отказ, срязване; 2. неочакван неуспех (провал); II. *v* отблъсквам, отхвърлям, отказвам, срязвам.

rebuild [ˈriː'bild] *v* (**rebuilt** [riː'bilt]) възстановявам, преправям, възобновявам.

rebuke [ri'bjuːk] I. *v* мъмря, смъмрям, гълча, сгълчавам, порицавам; II. *n* мъмрене, порицание, укор.

rebus [ˈriː'bəs] *n* ребус.

rebut [ri'bʌt] *v* (-tt-) 1. отхвърлям, опровергавам, отричам (*обвинение*); 2. *юр.* оборвам (*с доказателство*).

rebutment [ri'bʌtmənt] *n юр.* опровержение.

recalcitrance, **-cy** [ri'kælsitrəns, -si] *n* 1. непокорство; 2. непокорност.

recalcitrant [ri'kælsitrənt] I. *adj* 1. непослушен, неизпълнителен, непокорен; своеволен, недисципли-

ниран; 2. *техн.* неконтролируем; 3. *мед.* невъзприемчив (*към лекарство, лечение*); II. *n* непокорен човек; бунтар.

recalcitrate [ri'kælsitreit] *v рядко* упорствам, непокорен съм; съпротивлявам се, опонирам.

recalculation [ˌriː'kælkjuleiʃən] *n* пресмятане, обръщане (*от една измервателна единица в друга*).

recall [ri'kɔːl] I. *v* 1. припомням (си), спомням (си); 2. повиквам обратно; възвръщам, връщам; отзовавам (*дипломат и пр.*); 3. отменям, анулирам; **to ~ o.'s words** оттеглям си думите; 4. напомням; 5. изземвам некачествена продукция; 6. *поет.* обновявам, съживявам, възобновявам; II. *n* 1. припомняне, спомняне, напомняне; 2. връщане; **beyond (past) ~** невъзвратим; забравен; 3. отзоваване (*на дипломат и пр.*); **letters of ~** заповед за отзоваване; 4. отменяне, анулиране; 5. *воен.*, *амер.* сигнал за връщане; 6. (възможност за) смяна на държавен служител чрез вота на избирателите преди изтичане на мандата му; 7. *мор.* сигнален флаг (*за връщане на кораб*); 8. изземване на некачествена продукция обратно.

recant [ri'kænt] *v* отричам (се), отмятам се, отказвам се от; оттеглям (*изявление, декларация*); **to ~ o.'s vows** отричам се от изречени обещания.

recap [ˌriː'kæp] I. *v* (-pp-) *авт.* вулканизирам (*гума*); II. *n* вулканизирана автомобилна гума; регенерат.

recapitulate [ˌriː'kə'pitjuleit] *v* повтарям накратко; резюмирам; сумирам.

recapitulation [ˈriː'kəpitjuˌleiʃən] *n* повторение, кратък преглед, резюме; рекапитулация, сумиране.

recapture [ˌriː'kæpt'ʃə] I. *v* 1. хващам (улавям) отново, пленявам повторно, възвръщам си; II. *n* 1. възвръщане; 2. възвърнат пленник (плячка); 3. отново преживяно чувство; 4. данък върху печалбата.

recast [ˈriː'ka:st] I. *v* (**recast**) 1. изливам отново, придавам друга форма на; 2. поправям, преработвам (*книга, план и пр.*); 3. пренареждам; 4. преизчислявам; II. *n* 1. преработване, придаване на нова форма; преработена форма; 2. нов (подобрен) вид.

recce [ˈreki] *воен.* I. *v* обхождам, разузнавам, проверявам предварително; II. *n* обхождане, разузнаване.

recede₁ [ri'siːd] *v* 1. оттеглям се, отдалечавам се, отдръпвам се (*и за море*); **to ~ into the background** *прен.* губя влияние, важност; заемам по-нисък пост; ставам маловажен (*за въпрос, интерес и пр.*); 2. оттеглям се, измъквам се (**from**); 3. губя се, чезна, ставам неясен; избледнявам (*в паметта*); 4. клоня, наклоням се назад; **a ~ing forehead** полегато чело; 5. (с)падам (*и за цена*), намалява ми се цената.

recede₂ [ri'siːd] *v* възвръщам.

receipt [ri'siːt] I. *n* 1. разписка; квитанция; 2. *обикн. pl* постъпления, печалби, приходи; 3. получаване, приемане; **(up)on the ~ of** при получаването на; 4. кулинарна рецепта; II. *v* давам разписка за.

receive [ri'siːv] *v* 1. получавам; **to ~ sympathy from** намирам (срещам) съчувствие у; 2. приемам; **to be ~d into a party** приемат ме в партия; 3. приемам, давам прием; срещам, посрещам; 4. съдържам, побирам; 5. поемам, понасям, издържам; отстоявам, срещам, пресрещам (*удар и пр.*); 6. допускам, признавам, приемам, възприемам; 7. *рел.* причестявам се.

received [ri'siːvd] *adj* приет, общоприет, общопризнат; възприет.

receiver [ri'siːvə] *n* 1. приемник; радио- или тв приемник; телефонна слушалка; 2. *юр.* съдия-изпълнител; 3. получател; приемател; 4. *търг.* служител, който получава дължими суми; 5. укривател на крадени вещи; 6. резервоар; цистерна; 7. миксер (*на чугун*), смесител.

recension [ri'senʃən] *n* **1.** преработ-
ване, поправяне; поправка, пре-
работка (*на текст*); **2.** версия,
поправен текст.

recensionist [ri'senʃənist] *n* редак-
тор, рецензент.

recent ['ri:sənt] *adj* неотдавнашен,
скорошен, последен; нов, съвре-
менен.

recently ['ri:səntli] *adv* напоследък,
неотдавна, скоро, наскоро.

receptacle [ri'septəkəl] *n* **1.** съд;
вместилище, влагалище; **2.** кутия,
чекмедже; чанта, торба; **3.** *бот.*
чашка; **4.** *ел.* розетка на щепсел.

reception [ri'sepʃən] *n* **1.** приемане,
рецепция, възприемане, получа-
ване; **the ~ is good (poor)** *радио.*
добре (лошо) се чува; **2.** приема-
не, включване; **he was honoured
by ~ into the Academy** оказана му
беше честта да бъде приет в ака-
демията; **3.** прием; приемане, по-
срещане; **to hold a ~** давам при-
ем; **4.** възприемане; *рядко* приз-
наване; **5.** приемане (*на радио-
вълни*); прохождане.

receptive [ri'septiv] *adj* **1.** възпри-
емчив, схватлив; **2.** разположен,
отзивчив (*към идея, предложе-
ние и пр.*); **3.** *биол.* рецепторен.

receptiveness [ri'septivnis] *n* въз-
приемчивост, схватливост.

receptivity [risep'tiviti] *n* **1.** възпри-
емчивост, схватливост; **2.** *техн.*
поглъщателна способност; вмес-
тимост.

recess [ri'ses] I. *n* **1.** оттегляне, от-
дръпване (*и на вода*); прекъсва-
не на работа, занятия (*обикн. на
парламент*); **2.** *амер.* универ-
ситетска (ученическа) ваканция;
междучасие; **3.** глухо (уединено)
място; *pl* недра, пазви, лоно; **the
secret ~es of the heart** дълбини-
те на сърцето; **4.** малко заливче;
врязване в планинска верига; **5.**
ниша; **6.** *анат.* вдлъбнатина, ку-
хина, синус; **7.** улей, жлеб, вдлъб-
натина; кухина; II. *v* **1.** бивам вре-
менно прекратен (преустановен)
(*за процедура, дебати и пр.*); **2.**
правя дълбнатина, издълбавам;
3. правя ниша в; **4.** дръпвам, от-
теглям назад (*и за постройка*);

5. *амер.* правя почивка (*при за-
нятия*).

recessive [ri'sesiv] *adj* **1.** оттеглящ
се, отдръпващ се, отстъпващ; **2.**
биол. рецесивен, скрит.

recharge [ri:'tʃɑːdʒ] I. *v* **1.** воен. за-
реждам отново; **to ~ o.'s batter-
ies** *прен.* зареждам се с енергия,
отмарям след активна работа; **2.**
нападам отново; **3.** обвинявам от-
ново; II. *n* воен. количеството ба-
рут и пр. за едно пълнене.

recherche [rəʃeə'ʃei] *adj фр.* **1.** нео-
бикновен, рядък, екзотичен, не-
ординерен; **2.** фин, изящен, изис-
кан, елегантен.

recidivism [ri'sidivizəm] *n* рециди-
визъм.

recidivist [ri'sidivist] *n* рецидивист.

recipience, -cy [ri'sipiəns(i)] *n* **1.**
приемане, получаване; **2.** възпри-
емчивост.

recipient [ri'sipiənt] I. *adj* **1.** полу-
чаващ; **2.** възприемчив, схватлив;
II. *n* **1.** получател; **2.** приемник,
резервоар.

reciprocal [ri'siprəkəl] I. *adj* **1.** взаи-
мен; **2.** обратен, съответен, ре-
ципрочен; ◊ *adv* **reciprocally; 3.**
език. взаимен, реципрочен (*за
мест.*); **4.** мат. реципрочен, об-
ратен; ~ **motion** възвратно пос-
тъпателно движение; II. *n* мат.
реципрочна (обратна) стойност.

reciprocate [ri'siprəkeit] *v* **1.** отвръ-
щам, откликвам, отговарям (*на
чувства и пр.*); редувам се, раз-
меняме се; **2.** техн. движа (*се*
напред-назад; ~**ing engine** бута-
лен двигател; **3.** отплащам се, от-
благодарявам се (**with**).

reciprocity [risi'prɔsiti] *n* взаим-
ност, взаимодействие; ~ **in trade**
взаимни задължения в търговия-
та (*между две страни*).

recirculating [ˌri:sə'kjuleitiŋ] *adj* ре-
циркулиращ, оборотен.

recirculation [ˌri:'sə:kjuleiʃən] *n* ре-
циркулация, циркулация в затво-
рен цикъл.

recital [ri'saitl] *n* **1.** деклариране;
декламация, рецитация; **2.** реци-
тал, концерт; **3.** разказване; раз-
каз, история; **4.** юр. изложение на
факти (*в документ*).

recitation [ˌresi'teiʃən] *n* **1.** декла-
миране, рецитация, декламация;
2. разказване, излагане; разказ; ~
room аудитория.

recitative [ˌresitə'ti:v] I. *n* муз. ре-
читатив; II. *adj* муз. речитативен.

recite [ri'sait] *v* **1.** декламирам, ре-
цитирам; **2.** разказвам, разпра-
вям; разказвам урок (*в клас*); **3.**
изреждам, изброявам; **4.** юр. из-
дигам (представям, излагам) фак-
ти (*в документ*).

reciter [ri'saitə] *n* **1.** декламатор,
рецитатор; **2.** христоматия със
стихове за рецитиране.

reckless ['reklis] *adj* безразсъден,
неразумен, дързък; необмислен;
◊ *adv* **recklessly.**

reckon ['rekən] *v* **1.** смятам, прес-
мятам; изчислявам; **to ~ without
o.'s host** правя си сметката без
кръчмаря; **2.** броя, преброявам;
to ~ up преброявам, пресмятам;
3. смятам, приемам, считам за;
she ~s him among her best friends
тя го смята за един от най-доб-
рите си приятели; **4.** (*с* **that, for**
или obj. clause) *разг.* мисля, смя-
там, предполагам; **to ~ it is go-
ing to rain** мисля, че ще вали;

reckon on (upon) разчитам на,
уповавам се на; завися от;

reckon with 1) оправям (разчит-
вам) си сметките с; **2)** вземам под
внимание, вземам предвид; **he is
opponent to be ~ed with** той е се-
риозен противник.

reckoning ['rekəniŋ] *n* **1.** смятане,
пресмятане, изчисление; преб-
рояване; **to be out in (of) o.'s ~**
сгрешавам в преценката си, гре-
ша в пресмятанията си; **2.** смет-
ка (*в кръчма*); **to make no ~ of**
не включвам в сметка, не вземам
под внимание; **3.** уреждане на
сметки; изглаждане на различия;
прен. ден за разплата, Видовден.

reclaim [ˌri:'kleim] *v* **1.** изисквам,
получавам обратно; **2.** правя рек-
ламация; **3.** разработвам (*цели-
на, блатисто място*); **4.** попра-
вям, спасявам от порок (*прес-
тъпник, пияница*); **5.** извличам
(*ценен продукт от отпадък*);
рециклирам, регенерирам.

reclaiming [ˌriˈkleimiŋ] I. *n* 1. регенерация, регенериране; 2. оползотворяване, утилизация (*на отпадъци*); II. *adj* регенерационен; оползотворяващ.

reclamation [ˌrekləˈmeiʃən] *n* 1. възстановяване, връщане, получаване обратно (*територия и пр.*); 2. култивиране, обработване; мелиорация; пресушаване (*на блата*); 3. *прен.* поправяне, подобряване (*на поведение и пр.*); 4. рекламация.

recline [riˈklain] *v* 1. облягам (се), накланям (се), опирам (се), подпирам (се) (**on, upon, against**); 2. *прен.* облягам се, надявам се, осланям се, уповавам се, разчитам.

reclothe [ˈriːˈklouθ] *v* обличам (покривам) отново; преобличам.

recluse [riˈkluːs] I. *n* отшелник, саможив човек; монах, монахиня, отшелница; II. *adj* рядко 1. затворен, саможив; уединен, откъснат; 2. *остар.* недостъпен.

reclusion [riˈkluːʒən] *n* уединение, откъснатост; отшелничество, саможивост.

recognition [ˌrekəgˈniʃən] *v* 1. разпознаване, познаване; **beyond (out of all)** ~ неузнаваем, променен до неузнаваемост; 2. признаване; приемане; 3. изразено внимание (*за услуга, добра работа*); 4. поздрав.

recognizability [ˌrekəgnaizəˈbiliti] *n* познаваемост, узнаваемост.

recognizable [ˈrekəgnaizəbəl] *adj* узнаваем, разпознаваем; ◇ *adv* **recognizably** [ˌrekəgˈnaizəbli].

recognizance [riˈkɔgnizəns] *n* юр. 1. задължение (срещу гаранция); 2. (парична) гаранция.

recognize [ˈrekəgnaiz] *n* 1. познавам, разпознавам; 2. признавам, приемам; **to** ~ **a nation** признавам нация; 3. награждавам, възнаграждавам за.

recoil [riˈkɔil] I. *v* 1. отдръпвам се, отстъпвам; 2. отскачам, отхвръквам; ритам (*за оръжие*); 3. ужасявам се, отвращавам се (**from**); 4. *прен.* засягам този, който е причинил нещо (**upon**); II. *n* 1. отскачане; отдръпване; ритане (*на оръ-*

жие); 2. свиване, ужас, отвращение от нещо.

recollect [ˌrekəˈlekt] *v* 1. спомням си, припомням си; 2. събирам отново; 3. *refl* идвам на себе си, успокоявам се.

recollection [ˌrekəˈlekʃən] *n* 1. спомняне, припомняне; памет; **to the best of my** ~ доколкото си спомням; 2. *често pl* спомен, възпоменание.

recolor [ˈriːˈkʌlə] *v* пребоядисвам.

recommence [ˌriːkəˈmens] *v* започвам отново, отначало.

recommend [ˌrekəˈmend] *v* 1. давам препоръка; препоръчвам; представям (*за награда*); 2. поверявам; предавам на грижите на; 3. съветвам; 4. представям в добра светлина.

recommendable [ˌrekəˈmendəbəl] *adj* препоръчителен.

recommendation [ˌrekəmenˈdeiʃən] *n* 1. препоръчване, препоръка; **to speak in** ~ **of** препоръчвам; 2. лични качества, които изтъкват някого.

recompense [ˈrekəmpens] I. *v* отплащам, компенсирам, обезщетявам, възмездявам, възнаграждавам; II. *n* компенсация; обезщетение; възнаграждение, отплата.

recompose [ˈriːkəmˈpouz] *v* 1. преустройвам, реорганизирам; изменям, променям; 2. успокоявам (*обикн. refl*); оправям, изглаждам; 3. *полигр.* пренареждам.

reconcilable [ˈrekənsailəbəl] *adj* съвместим; помирим, примирим.

reconcile [ˈrekənsail] *v* 1. помирявам, сдобрявам (**with, to**); 2. примирявам, съгласувам; изглаждам; **to** ~ **oneself to** помирявам се, примирявам се (*с положение, съдба и пр.*).

reconcilement [ˈrekənˌsailmənt] *n* 1. помиряване, сдобряване; спогодба; 2. съгласуване.

reconciliatory [ˌrekənˈsiliətəri] *adj* помирителен.

recondite [riˈkɔndait] *adj* 1. таен, скрит; 2. неясен, отвлечен; 3. неразбираем.

recondition [ˈriːkənˈdiʃən] *v* ремонтирам, поправям; възстановя-

вам, възобновявам (*и прен. за сили, здраве*).

reconfirm [ˌriːkənˈfəːm] *v* потвърждавам.

reconnaissance [riˈkɔnisəns] *n* воен. 1. разузнаване; 2. разузнавателен отряд; 3. предварително изследване, проучване.

reconnoitre [ˌrekəˈnɔitə] *v* разузнавам; изследвам, издирвам, проучвам (*положение и пр.*).

reconquer [ˌriːˈkɔnkə] *v* завладявам отново, възвръщам си загубена територия.

reconsider [riːkənˈsidə] *v* преразглеждам, претеглям, преценявам отново.

reconsideration [ˌriːkənˌsidəˈreiʃən] *n* преразглеждане.

reconstitute [ˌriːˈkɔnstitjuːt] *v* 1. преустройвам, преобразувам; 2. накисвам (*сушени зарзавати*).

reconstitution [ˌriːˈkɔnstitjuʃən] *n* преустройство, реконструкция.

reconstruct [ˈriːkənsˈtrʌkt] *v* преустройвам, реконструирам; построявам отново, пресъздавам.

reconstruction [ˈriːkənsˈtrʌkʃən] *n* 1. преустройване, реконструкция; 2. възстановяване, повторно разиграване (*на престъпление*).

reconstructive [ˈriːkənˈstrʌktiv] *adj* възстановителен, реконструкционен.

record [ˈrekɔːd] I. *n* 1. запис; записване; 2. летопис; документ; извор; исторически паметник; ~**s of the past** летописи; 3. официален документ, писмен документ; отбелязване, регистриране; **a matter of** ~ зарегистриран факт; 4. данни, сведения; 5. протокол (*на заседание*); 6. характеристика; репутация; слава, име; минало; **to have (show) a good, clean (bad)** ~ ползвам се с добро (лошо) име, репутация; 7. грамофонна плоча; ~ **library** дискотека; 8. *юр.* документ за владение, крепостен акт; 9. *спорт.* рекорд; **to beat (break, cut) the** ~ счупвам рекорд; 10. *attr* рекорден; 11. спомен, сувенир; I. 1. записвам, отбелязвам, вписвам, регистрирам; водя бележки, протоколи-

рам; **the word is ~ed in** думата е засвидетелствана в; **2.** описвам, пиша, разказвам; **3.** правя запис, записвам (*за апарат*).

record-breaking [ˈrekəːdˈbreikiŋ] *adj* рекорден.

recorder [riˈkɔːdə] *n* **1.** магнетофон; звукозаписващ апарат; **2.** главен съдия (*на град*); **3.** самопишещ апарат; **4.** регистратор; протоколист; архивар; секретар, писар (*на съд*); **5.** пишещ телеграфен апарат; **6.** фототелеграфен приемник; **7.** *муз.* флажолет.

recording [riˈkɔːdiŋ] **I.** *adj* записващ (*за уред*); **II.** *n* записване; звукозапис, магнетофонен запис.

recount₁ [riˈkaunt] *v* разказвам, разправям, излагам, представям.

recount₂ [ˈriˈkaunt] **I.** *v* преброявам повторно (*гласове*); **II.** *n* повторно преброяване (*на гласове*).

recoup [riˈkuːp] *v* **1.** обезщетявам, компенсирам; **to ~ oneself** възстановявам си изгубеното; **2.** *юр.* удържам част от сума за дълг.

recover [riˈkʌvə] **I.** *v* **1.** възстановявам, възвръщам (си), получавам обратно (*и територия*); **to ~ s.o.** свестявам някого, помагам му да се съвземе; **to ~ consciousness** идвам на себе си; **2.** съвземам се, оздравявам, оправям се (**from**); успокоявам се; **3.** наваксвам, набавям; **4.** *юр.* получавам обезщетение (**from**); **5.** *спорт.* хващам шпага в отбранително положение (*във фехтовката*); **6.** *техн.* регенерирам, извличам; утилизирам (*отпадъци*); **II.** *n* хващане на сабя (шпага) в отбранително положение; връщане на гребло (*при гребане*) в първоначално положение.

recovery [riˈkʌvəri] *n* **1.** възстановяване, възвръщане, получаване обратно; **2.** възстановителен период; **3.** оздравяване, съвземане (**from**); **to make a quick ~** бързо се възстановявам, оздравявам; **4.** *юр.* получаване на обезщетение; придобиване на право по силата на съдебно решение; **5.** *техн.* използване (добиване) на материали от отпадъци; регенерация,

рециклиране.

recreancy [ˈrekriənsi] *n поет.* **1.** страхливост, боязливост, малодушие; **2.** предателство, изменничество; отстъпничество, нелоялност.

recreant [ˈrekriənt] *поет.* **I.** *adj* **1.** страхлив, малодушен; **2.** неверен, нелоялен; **3.** предателски, изменнически, подъл; **II.** *n* **1.** страхливец; **2.** отстъпник, предател, изменник, дезертьор.

recreate [ˈrekrieit] *v* **1.** развличам (**ce**; **oneself**); забавлявам (**ce**; **oneself**); **2.** освежавам (**ce**), ободрявам (**ce**) (*обикн. refl*).

re-create [ˈriːˈkrieit] *v* пресъздавам, претворявам; възпроизвеждам; репродуцирам.

recreation [ˌrekriˈeiʃən] *n* **1.** освежаване, ободряване; отмора, почивка; **2.** развлечение; забавление; игра; **3.** голямо междучасие.

re-creation [ˈriːkriˈeiʃən] *n* пресъздаване, претворяване, възпроизвеждане.

recreative [ˈrekrieitiv] *adj* **1.** освежителен, ободрителен; **2.** забавен, занимателен, развличащ.

recruit [riˈkruːt] **I.** *n* **1.** новобранец; **2.** нов член на партия, организация и пр. (*особ.* **a new ~**); **II.** *v* **1.** набирам, рекрутирам, вербувам (*войници, членове, привърженици*); **2.** подсилвам, засилвам (**ce**) с нови хора (*армия, партия и пр.*); увеличавам броя си; **3.** възстановявам (*запас и пр.*); възстановявам (*сили, здраве*), засилвам **ce**.

recruitment [riˈkruːtmənt] *n* **1.** набиране, рекрутиране, вербуване; **2.** възстановяване (*на сили, здраве*).

rectangle [ˈrektæŋgl] *n* правоъгълник.

rectangular [rekˈtæŋgjulə] *adj* правоъгълен.

rectification [ˌrektifiˈkeiʃən] *n* **1.** поправяне, изправяне, поправка, корекция; **2.** *хим.* пречистване, ректификация; **3.** *мат.* определяне на права линия за равна част от крива линия; **4.** *ел.* токоизправяне.

rectify [ˈrektifai] *v* **1.** поправям, изправям, коригирам (*и граница*); **to ~ abuses (complaints)** оправям нередности (удовлетворявам оплаквания); **2.** *хим.* пречиствам, ректифицирам, редестилирам; **3.** *ел.* изправям променлив ток; **4.** *техн.* сверявам, нагласям (*уред*); **5.** *мат.* определям дължината на крива.

rectitude [ˈrektitjuːd] *n* **1.** коректност, честност, висока нравственост; **2.** правилност, справедливост, правота.

recumbent [riˈkʌmbənt] *adj* **1.** легнал, лежащ; полегнал; облегнат; **2.** бездействен, отпуснат.

recuperate [riˈkjuːpəreit] *v* **1.** възстановявам (*сили, здраве, пари*), съвземам се, оправям се, оздравявам; **2.** *техн.* възобновявам, регенерирам.

recuperation [riˌkjuːpəˈreiʃən] *n* **1.** възстановяване (*на сили, пари*); оправяне, оздравяване; **2.** *техн.* възобновяване, регенерация; рекуперация.

recuperative [riˈkjuːpərətiv] *adj* **1.** възстановителен, укрепителен, укрепващ (*здраве*); **2.** *техн.* регенериращ; рекуперативен.

recuperator [riˈkjuːpəreitə] *n техн.* рекуператор.

recur [riˈkəː] **I.** *v* **1.** връщам се към (**to**), повтарям; **to ~ to memories** отдавам се на спомени; **2.** изниквам отново (*за въпрос*); случвам се пак; **~ring decimal** периодична десетична дроб; **~ring curve** затворена крива; **II.** *n мат.* периодична безкрайна десетична дроб.

recurrence [riˈkʌrəns] *n* **1.** повторение, повтаряне, рецидив (*и за болест*); **2.** *рядко* прибягване до; **to have ~ to** обръщам се за помощ към.

recurrent [riˈkʌrənt] *adj* **1.** *мед.* рекурентен, повратен, повтарящ се (периодично); **2.** *анат.* обратен (*за артерия, нерв и пр.*).

recurve [ˈriːˈkəːv] *v* извивам (**ce**) назад.

recycle [riːˈsaikəl] **I.** *n техн.* **1.** рециклиране; **2.** рециклиран про-

дукт; **II.** *v* рециклирам; използвам отново.

red [red] **I.** *adj* **1.** червен; **2.** румен, порруменял, заруменял, зачервен, почервенял; **to become ~ in the face** изчервявам се, пламвам, почервенявам; **3.** комунистически; съветски; болшевишки; **4.** революционен; анархистки; насилнически; • **to see ~** *разг.* обезумявам, причернява ми, не виждам нищо пред очите си от ярост; **II.** *n* **1.** червено, червен цвят; червена боя; **2.** *счет.*: **the ~** червено мастило за отбелязване на дефицит; *прен.* загуба, дефицит; **to be in (out of) the ~** в загуба (без загуба, дефицит) съм; на червено съм; **3.** (R.) комунист.

redact [ri'dækt] *v* редактирам.

redaction [ri'dækʃən] *n* **1.** редактиране, редакция; **2.** ново, преработено (редактирано) издание; редакция.

redactor [ri'dæktə] *n* редактор.

red-blooded ['red,blʌdid] *adj* амер. енергичен, деен, силен; пламенен, невъздържан, страстен.

red-carpet ['red'ka:pit] *adj* великолепен, разкошен, царски.

redden [redən] *v* **1.** боядисвам червен, почервявам; **2.** изчервявам се, почервенявам, пламвам.

rede [ri:d] **I.** *n* **1.** съвет; **2.** решение; намерение; **3.** съдба, орис, орисия, жизнен път, участ; **4.** разказ, история, поговорка; **5.** обяснение, тълкуване (*на сън и пр.*); **II.** *v* **1.** съветвам; **2.** обяснявам, тълкувам (*сън и пр.*).

redecorate [ri'dekəreit] *v* **1.** предекорирам, украсявам отново; **2.** пребоядисвам, боядисвам; поставям нови тапети.

redecoration [,ri'dekərei(ən] *n* обновяване, пребоядисване, освежаване (*на стая и пр.*).

redeem [ri'di:m] *v* **1.** откуп(у)вам (*заложена вещ и пр.*); изкупувам; **2.** възвръщам; спасявам, избавям (*страна, име и пр.*); **3.** поправям (*грешка и пр.*); **4.** компенсирам, балансирам; **5.** освобождавам, откупвам, пускам (*роб и пр.*); **6.** изпълнявам (*дълг, обеща-*

ние); **7.** *рел.* спасявам, освобождавам от грях, от вечно проклятие; **8.** осребрявам (*акции, бонове, облигации*).

redeemable [ri'di:məbəl] *adj* възстановим; **~ securities** погасяеми ценни книжа.

redeemer [ri'di:mə] *n* **1.** спасител, избавител; **2.** (R.) Спасителя, Христос.

redeeming [ri'di:miŋ] *n* компенсиращ, изкупващ (*вина, грешка, слабост*).

redemption [ri'dempʃən] *n* **1.** откуп; откуп(у)ване, изкупуване; **2.** спасение, изкупление (*на грях*); **beyond (past) ~** непоправим, окончателно изгубен; **3.** изпълняване, спазване (*на обещание*); **4.** спасяване, избавяне, пускане на свобода.

redemptive [ri'demptiv] *adj* **1.** откупващ; **2.** избавителен, спасителен; изкупителен.

redeployment [,ri:di'plɔimənt] *n* преназначаване, прехвърляне (*на друга длъжност*); пренасочване.

redesign ['ri:di'zain] *v* реконструирам, обновявам, подобрявам.

redevelop ['ri:di'veləp] *v* **1.** разработвам отново; **2.** *фот.* проявявам втори път.

redevelopment [,ri:di'veləpmənt] *n* преустрояване (*на квартал, зона и пр.*).

redintegrate [re'dintigreit] *v* книж. възстановявам (*цялост, единство*); установявам наново, подновявам, възобновявам.

redirect ['ri:direkt] *v* преадресирам (*писмо*).

redivide ['ri:di'vaid] *v* **1.** разделям отново; **2.** разделям по друг начин; разделям се на части.

red man ['red'mæn] *n* индианец, червенокож.

re-do ['ri:'du:] *v* (**re-did, re-done**) преправям, преработвам.

redolence ['redələns] *n* **1.** благоухание, аромат; мирис; благовоние; **2.** напомняне за (of).

redolent ['redələnt] *adj* **1.** *рядко* благоуханен, (благо)ухаещ; ароматен, ароматичен; **2.** миришещ, миризлив (of); **3.** напомнящ, при-

помнящ, спомнящ (of).

redouble [ri'dʌbəl] *v* **1.** удвоявам (се); засилвам се много; **2.** *карти* обявявам реконтра; **3.** повтарям (се); отеквам, проечавам, проехтявам, еча.

redoubtable [ri'dautəbəl] *adj* **1.** страшен, страховит, опасен; **2.** непобедим, непревземаем, неустоим; **3.** вдъхващ уважение, респектиращ.

redound [ri'daund] *v* **1.** спомагам, способствам, допринасям (to); **to ~ to s.o.'s discredit** действам за дискредитирането на някого; **2.** връщам се, изсипвам се върху (upon); **3.** *амер.* изниквам; започвам отново.

redraft [,ri:'dra:ft] *v* преработвам (*текст, план*).

redraw [,ri:'drɔ:] *v* **1.** преразпределям, преначертавам (*граници на страни*); **2.** преработвам, променям (*план и пр.*).

redress [ri'dres] **I.** *v* **1.** поправям, компенсирам; **to ~ a wrong** поправям неправда; **2.** възстановявам, нагласям; **to ~ the balance of** възстановявам равновесието на; **II.** *n* поправяне, коригиране, компенсиране; удовлетворение; обезщетение; компенсация.

reduce [ri'dju:s] *v* **1.** намалявам, понижавам; снижавам; ограничавам; **to ~ expenses** съкращавам разходи; **2.** понижавам, деградирам; **3.** накарвам да, докарвам (довеждам) до; принуждавам; **to ~ to terror** докарвам до ужас; **4.** довеждам до; разделям на съставни части; **to ~ a rule to practice** прилагам правило в практиката; **5.** превръщам (to); **to ~ to powder** стривам на прах; **6.** изтощавам, отслабвам; *разг.* пазя линия (диета); слабея; **old age ~s o.'s sight (hearing)** със старостта слухът (зрението) отслабва; **7.** *мат.* подвеждам под общ знаменател; съкращавам (*дроб, уравнение*); **8.** *мед.* намествам (*счупена кост*); **9.** *хим.* откислявам, редуцирам; **10.** *метал.* превръщам, разлагам; опростявам; валцувам; **11.** завладявам (*след на-*

падение), поемам контрола над.

reducer [ri'dju:sə] *n* **1.** *хим.* редуктор; **2.** *техн.* муфа, намалител; **3.** *фот.* разтвор, който редуцира; **4.** *техн.* вещества, които се употребяват в металургията за отделяне на метали от руда.

reduction [ri'dʌkʃən] *n* **1.** намаление, отстъпка; намаление (*на цени*); съкращение, редуциране; ~ **of arms (armaments)** съкращаване на въоръжените сили; **2.** докарване, свеждане до; подчиняване; **3.** понижаване; **4.** умалено копие (*на картина, снимка, карта*); **5.** *мед.* наместване (*на кост*), редукция; **6.** *хим.* редуциране, редукция, отнемане на кислород или прибавяне на водород; **7.** превеждане под общ знаменател; **8.** *метал.* преработка; **9.** валцоване, изтегляне, сплескване, пресоване; **10.** абсолютна деформация (*на метален блок*).

redundance, -cy [ri'dʌndəns(i)] *n* **1.** излишък, излишество; **2.** натруфеност, претрупаност, помпозност (*и на стил*); многословие; **3.** изобилие; **4.** съкращение, съкращаване на щата.

redundant [ri'dʌndənt] *adj* **1.** излишен; прекален; **2.** многословен, претрупан; **3.** обилен, изобилен; **4.** *техн.* дублиращ, авариен, резервен.

reduplicate [ri'dju:plikeit] *v* **1.** удвоявам; повтарям; **2.** *език.* удвоявам (се), редуплицирам (се); **3.** *бот.* с извити навън листа (цветове).

reduplication [ri,dju:pli'keiʃən] *n* **1.** удвояване; повторение, повтаряне; **2.** *език.* удвояване, редупликация.

redye [,ri'dai] *v* **1.** пребоядисвам, покривам наново с боя; **2.** поставям покривен лак.

re-echo [ri:'ekou] **I.** *n* ехо, отзвук; отклик, отглас; **II.** *v* отеквам; повтарям.

re-edify ['ri:'edifai] *v* **1.** *рядко* възстановявам, построявам отново; **2.** *прен.* възобновявам, възвръщам.

reef [ri:f] **I.** *n* **1.** риф, верига от под-

водни скали; **2.** *мин.* жила (пласт); **II.** *v* разработвам рудна жила.

reek [ri:k] **I.** *n* **1.** *шотл., книж.* пàра, изпарение, пушек; **2.** воня, смрад, зловоние, миазми; **II.** *v* **1.** изпускам пара (дим), пуша, димя; ~**ing chimneys** димящи комини; **2.** воня, смърдя (**of** на); **labourers** ~**ing from their toil** работници, които носят миризмата на своя труд; **3.** *прен.* цял съм изпълнен (пропит, изтъкан) (**with**); **a street** ~**ing with crime** улица, която е свърталище на престъпници.

reel₁ [ri:l] **I.** *n* макара, масур, ролка; *техн.* макара, бобина, шпула; мотовило; барабан; бурат; скрипец; *кино* част, ролка (*на филм*); *ел.* бобина, макара; • **off the** ~ без спиране (прекъсване), безспирно; **II.** *v* **1.** навивам на макара, намотавам; **2.** жужи, цвърчи (*за насекомо*).

reel₂ **I.** *v* **1.** залитам, политам; клатя се, клатушкам се; люлея се, олюлявам се, полюлявам се, залюлявам се; люшкам се, полюшквам се; **the state was** ~**ing to its foundations** държавата беше разтърсена из основи (беше готова да рухне); **2.** бях се, завъртам се; замаян съм; **my head** ~**s** върти ми се главата, вие ми се свят; **II.** *n* **1.** залитане, политане; люшкане, олюляване; **2.** *прен.* вихър, вихрушка.

reelect ['ri:i'lekt] *v* преизбирам.

reenter ['ri:'entə] *v* **1.** връщам се (в); влизам пак (в); **2.** *юр.* встъпвам отново във владение (*на имот и пр.*); **3.** отново постъпвам, връщам се (*на служба*); **4.** вписвам отново; **5.** нанасям нови цветове (*на щампа*); правя линии (*на гравюра*) по-дълбоки.

reestablish ['ri:is'tæbliʃ] *v* възстановявам.

re-examine [,ri:ig'zæmin] *v* преоценявам, преосмислям, преглеждам.

re-examination [,ri:ig'zæmineiʃən] *n* преоценка, преглед.

refer [ri'fə:] *v* (**-rr-**) **1.** отпращам, насочвам (**to** към); **2.** отнасям,

причислявам (**to** към); **3.** приписвам, отдавам, обяснявам (**to** на, с); **4.** отнасям (*въпрос за разглеждане и пр.*) (**to** в, към, до), обръщам се (към); **to** ~ **question to a tribunal** отнасям въпрос до съд; **5.** отнасям се; позовавам се (**to** към, с, на); **6.** споменавам; говоря; имам предвид; **7.** отнасям се, засягам (**to** до, за); **8.** соча, насочвам, привличам вниманието (**to** към); **9.** *refl* остар. апелирам, позовавам се (**to** към, на).

referee [,refə'ri:] **I.** *n* **1.** рефер, съдия; арбитър; **2.** препоръчител; **II.** *v* **1.** рефер съм, изпълнявам роля (длъжност) на рефер, реферирам; **2.** правя характеристика на; рецензирам.

reference ['refərəns] **I.** *n* **1.** отнасяне (*на въпрос за решение и пр.*); справяне; **2.** компетенция, компетентност; пълномощия; **3.** отдаване, приписване, обяснение (*на нещо с някаква причина*); **4.** справка; **index easy of** ~ указател, по който лесно се правят справки; **5.** отпратка, забележка (*в книга*); указание; ~ **mark** *полигр.* знак за отпратка; **6.** препоръка, референции, рекомендация; **7.** споменаване; **to make** ~ **to s.th.** споменавам нещо; **8.** отношение; връзка; **to have (по)** ~ **to** имам (нямам) връзка с; **9.** характеристика, референция, рецензия; **10.** еталон; **11.** библиография; използвани източници (*в книга*); **II.** *v* **1.** снабдявам (*текст*) с отпратки (забележки, указания); **2.** правя справка; **3.** позовавам се на.

referendum [,refə'rendəm] *n* референдум, допитване до народа.

referential [,refə'renʃl] *adj* за справка, справочен.

refigure ['ri:'figə] *v* пресмятам отново.

refill ['ri:'fil] **I.** *v* пълня (напълвам) (се) отново; ~**ing station** *авт.* бензиностанция; **II.** *n* пълнител, резерв (*за джобна батерия, за автоматична писалка с химикал и пр.*); резервни листове (*за тефтерче*).

refinance [,ri:'fainæns] *v* рефинан-

сирам.

refine [ri'fain] v **1.** пречиствам (се), рафинирам (се) (за метал, захар и пр.); облагородявам, повишавам качеството на; **2.** правя по-изтънчен (изискан); ставам по-изтънчен (изискан); придавам повече изящество (финес); усъвършенствам (**on, upon**); **3.** впускам се в тънкости, изпадам в подробности (**on, upon**).

refined [ri'faind] adj **1.** пречистен, рафиниран; облагороден; подобрен; **2.** изискан, изтънчен, фин.

refinement [ri'fainmənt] n **1.** пречистване, рафиниране; облагородяване; подобряване; **2.** усъвършенстване; **with all the latest ~s** с всички най-нови подобрения; **3.** изисканост, изтънченост, финес; рафинираност; **a man of ~** фин (изтънчен) човек; **4.** прекалени тънкости, прекалена сложност.

refinery [ri'fainəri] n рафинерия.

reflect [ri'flekt] v **1.** отразявам, рефлектирам (светлина, звук и пр., и прен.); **to be ~ed** отразявам се; **2.** прен. отразявам се (**on** върху); **this action ~s credit on him** това деяние му прави чест; **3.** мисля, размишлявам, разсъждавам (**on**); **just ~** помислете си само.

reflection [ri'flekʃən] n **1.** отразяване (на светлина и пр.); рефлексия, отражение, отразен образ; **2.** рефлексия, отзвук; **3.** физиол. рефлекс; **4.** рефлексия, размисъл, мисъл, размишление, разсъждение; **5.** забележка, коментарии; **6.** (обикн. pl) критика, порицание; **7.** прен. петно, сянка.

reflective [ri'flektiv] adj **1.** разсъдъчен; замислен; ◇ adv **reflectively**; **2.** отразяващ; **3.** отразен; **4.** език. рядко възвратен, рефлексивен; **5.** рядко рефлекторен.

reflector [ri'flektə] n **1.** рефлектор; **2.** отразител; **3.** огледален телескоп; **4.** рядко разсъдлив човек; човек, който обича да размишлява.

reflex ['ri:fleks] I. n **1.** отражение (и прен.); **2.** физиол. рефлекс; II. adj **1.** отразен; **2.** физиол. рефлек-

торен; **3.** непряк, косвен (за влияние и пр.); **4.** бот. обърнат (прегънат) назад (за лист, стъбло); **5.** интроспективен; **6.** език. рядко възвратен, рефлексивен; **7.** фот. огледален.

reflexive [ri'fleksiv] език. I. adj **1.** спонтанен, импулсивен; ◇ adv **reflexively**; **2.** възвратен, рефлексивен; II. n възвратен глагол (местоимение).

reflux ['ri:flʌks] I. n отлив, оттегляне, спадане; II. n флегма.

reforest ['ri:'fɔrist] v залесявам отново.

reform [ri'fɔ:m] I. v **1.** реформирам (се), преобразявам (се), обновявам (се); **2.** поправям (се) (за човек); II. n **1.** реформа, преобразуване; обновение; **2.** подобрение, поправяне, реформиране.

reformation [,refə'meiʃən] n **1.** реформация; преобразувания; обновление; (R.) истор. Реформация; **2.** поправяне (на човек).

reformative [ri'fɔ:mətiv] adj **1.** реформаторски; **2.** изправителен (за училище и пр.).

reformer [ri'fɔ:mə] n **1.** реформатор, преобразовател, обновител; **2.** истор. деец на Реформацията.

reformism [ri'fɔ:mizəm] n реформизъм.

refract [ri'frækt] v физ. **1.** пречупвам (светлина); **2.** измервам рефракция.

refractoriness [ri'fræktərinis] n **1.** непокорство, непослушание; непреклонност, инат; упорство, упоритост; **2.** мед. упоритост, трудност да се излекува; **3.** техн. огнеупорност; мъчнотопимост.

refractory [ri'fræktəri] adj **1.** непокорен, непослушен; упорит; неподатлив на дисциплина; **2.** мед. упорит, трудно излечим (за болест); **3.** техн. мъчнотопим; огнеупорен.

refrain₁ [ri'frein] n рефрен, напев, припев.

refrain₂ v въздържам (се), сдържам (се) (**from** c ger); остар. обуздавам.

refresh [ri'freʃ] v **1.** освежавам, опреснявам, ободрявам; подкре-

пям; **to ~ s.o.'s memory** припомням някому; **2.** разг., и refl хапвам, пийвам; **to ~ the inner man** подкрепям се, хапвам си, пийвам си; **3.** снабдявам (се) отново с провизии, попълвам си запасите (за кораб и пр.); подклаждам (огън с гориво).

refreshing [ri'freʃiŋ] adj **1.** освежителен, ободрителен; разхладителен; **2.** прен. свеж, приятен, стимулиращ; ◇ adv **refreshingly**.

refreshment [ri'freʃmənt] n **1.** освежаване, ободряване, опресняване; отпочиване, почивка; **2.** нещо за ядене или пиене; закуска; **3.** еластична деформация.

refrigerant [ri'fridʒərənt] I. adj разхлаждащ, разхладителен, охлаждащ; замразяващ; мед. антипиретичен; II. n **1.** вещество, което причинява охлаждане (замразяване); **2.** разхладително питие или лекарство; мед. антипиретик.

refrigerate [ri'fridʒəreit] v **1.** охлаждам (се), охлаждам (се); замразявам (се); **2.** съхраняване на студено.

refrigerative [ri'fridʒərətiv] adj разхладителен, охладителен; замразяващ.

refrigerator [ri'fridʒəreitə] n хладилник.

refuge ['refjudʒ] I. n **1.** подслон, убежище; **house of ~** приют за бездомници; **2.** прибежище; убежище, спасение; II. v остар. давам подслон (убежище) на, подслонявам (се), намирам подслон (убежище).

refugee [,refju'dʒi:] n бежанец, бежанка.

refulgence [ri'fʌldʒəns] n сияние, блясък; яркост.

refundment [ri'fʌndmənt] n връщане, плащане.

refurbish ['ri:'fə:biʃ] v подновявам, освежавам.

refurbishment ['ri:'fə:biʃmənt] n подновяване, освежаване.

refusal [ri'fju:zl] n **1.** отказ; **to take no ~** не приемам (никакъв) отказ; **2.** право на избор.

refuse₁ [ri'fju:z] v **1.** отказвам; от-

хвърлям; отблъсквам; **to ~ obedience** отказвам да се подчинявам; **2.** *карти* не следвам боя; **3.** не поемам боя (*за плат*).

refuse₂ ['refju:s] I. *n* отпадъци, останки, боклуци, остатъци; смет; II. *adj* отпадъчен.

regain [ri'gein] I. *v* **1.** (въз)връщам си; спечелвам отново (*любовта, доверието на някого*); **to ~ o.'s composure** възвръщам си самообладанието; **2.** връщам се в, стигам пак в (до), достигам пак до; II. *n* хигроскопична влага, остатъчна влага.

regal ['ri:gəl] *adj* **1.** царски, кралски; **2.** царствен, величествен, великолепен; ◇ *adv* **regally.**

regale [ri'geil] I. *v* **1.** (у)гощавам (**with**); **2.** възхищавам, доставям наслада, наслаждавам; **3.** *рядко* угощавам се; наслаждавам се (**on, upon**); II. *n* остар. **1.** угощение, пиршество; **2.** подбрано (хубаво) ядене; добър вкус.

regard [ri'ga:d] I. *v* **1.** считам, смятам, намирам; **as a matter as settled** считам въпрос за уреден; **2.** разглеждам (*въпрос*); **3.** гледам, наблюдавам; **4.** уважавам, зачитам; обръщам внимание на; **5.** засягам, отнасям се за (до), интересувам; II. *n* **1.** зачитане, внимание; грижа (**to, for**); **2.** уважение, почит; **out of ~ for** от уважение към; **3.** отношение, връзка; **in this ~** във връзка с това; **4.** *pl* поздрави, привети, почитания; **give my kind ~s to your mother** поздравете майка си; **5.** *остар.* поглед, взор.

regardful [ri'ga:dful] *adj остар.* внимателен, грижлив (**of** към, по отношение на).

regardless [ri'ga:dlis] I. *adj* невнимателен, небрежен; равнодушен (**of** към, по отношение на); **dressed (got up) ~** *sl* издокаран; II. *adv* независимо от (*цена, разходи и пр.*).

regenerate [ri'dʒenəreit] I. *v* **1.** *биол.* възстановявам (се), регенерирам; **2.** прераждам се; възраждам (се) духовно; **3.** съживявам, възраждам; обновявам, възстановявам;

II. *adj* прероден; духовно възроден; съживен, възстановен, обновен.

regeneration [ˌridʒenə'reiʃən] *n* **1.** *биол., техн.* регенерация, възстановяване, рекуперация; **2.** прераждане, духовно възраждане; **3.** обнова, съживяване; обновление, възстановяване.

regent ['ri:dʒənt] *n* регент.

regentship ['ri:dʒəntʃip] *n* регентство.

regime [rei'ʒi:m] *n* **1.** строй; режим; **to be put on a strict ~** поставен съм (определен ми е) строг режим; **2.** *мед.* режим, диета.

region ['ri:dʒən] *n* **1.** регион, област, край; страна; окръг; район; околия; **the ~s** провинцията; **2.** слой, пласт (*на атмосфера, море*); зона; сфера; пояс.

regional ['ri:dʒənəl] *adj* областен, местен; районен; ◇ *adv* **regionally.**

register ['redʒistə] I. *n* **1.** регистър, дневник; указател; опис; **2.** избирателен списък; **3.** *муз.* регистър; **4.** *техн.* регулатор, клапа, шибър; **5.** *техн.* брояч; отбелязано количество в измервателен уред; **cash ~** касов апарат; **6.** звукозаписно устройство, самопишещ уред; **7.** точно съответствие между части; **8.** *полигр.* точност на свързването; **9.** *шотл.* регистратор, архивар; пазител на държавните регистри; **10.** *шотл.* архив, регистър; **11.** *инф.* регистър; II. *v* **1.** записвам, вписвам, внасям; нанасям (*в списък, регистър*), регистрирам; **2.** изразявам (*с мимика*), маркирам; показвам, свидетелствам за; **3.** показвам, бележа, отчитам, маркирам, отбелязвам (*за уред*); **4.** подавам (изпращам) препоръчано (*пратка, писмо*); **5.** съответствувам точно един на друг, съвпадам един с друг, правя да съответства точно, напасвам; **6.** въздействам, правя впечатление, оставам в съзнанието.

registration [ˌredʒis'treiʃən] *n* **1.** вписване, регистриране, записване; подаване (изпращане) препоръчано; **2.** водене на списъци

(регистри), регистрация.

registry ['redʒistri] *n* **1.** регистратура; отдел за гражданско състояние (*в градски съвет*); **2.** подаване (изпращане) на препоръчано писмо (пратка); **3.** регистрация; нещо, вписано в регистър.

regress ['ri:gres] I. *n* **1.** връщане назад; влизане отново; **2.** регрес; упадък; II. *v* **1.** движа се обратно (назад); **2.** *астр.* движа се обратно (назад); **3.** *астр.* движа се от запад към изток; **4.** регресирам, вървя назад, изоставам.

regression [ri'greʃən] *n* **1.** регресия, връщане (движение) назад; **2.** морален упадък.

regret [ri'gret] I. *v* (-**tt-**) **1.** съжалявам за, скърбя за; **I ~ to say** за съжаление трябва да кажа; **2.** разкайвам се за; II. *n* **1.** съжаление, скръб; **to my (great) ~** за мое (голямо) съжаление; **2.** разкаяние, покаяние.

regroup ['ri:'gru:p] *v* прегрупирам.

regular ['regjulə] I. *adj* **1.** правилен (*и език., мат.*); симетричен; **2.** редовен; постоянен; регулярен; **to keep ~ hours** водя редовен живот; **3.** обичаен, приет; нормален; рутинен; **procedure that is not ~** неправилна процедура; **4.** редовен, напълно квалифициран (*за лекар и пр.*); **5.** *разг.* истински, същински, цял; **a ~ rascal** истински мошеник; **6.** *рел., истор.* монашески (*обр.* **secular**); **7.** кубичен (*за кристал*); II. *adv* грубо **1.** редовно, често, постоянно; **2.** истински, не на шега; III. *n* **1.** *рел., истор.* член на орден; **2.** редовен войник; офицер от редовната армия; *pl* редовна войска; **3.** *разг.* редовен клиент (посетител); **4.** *разг.* човек на редовна (щатна) работа.

regularize ['regjuləraiz] *v* **1.** регулирам; нормализирам; **2.** узаконявам (*брак и пр.*).

regulate ['regjuleit] *v* **1.** регулирам; сверявам (*часовник*); привеждам в порядък; слагам ред в; **2.** уреждам; приспособявам; направлявам.

regulation [ˌregju'leiʃən] *n* **1.** регу-

лиране; регулация; **2.** правило, наредба, предписание; *pl воен.* устав; **contrary to (against) the ~s** в разрез с правилата; **3.** *attr* предписан; установен; по установен образец; *воен.* (уни)формен.

regulator [ˈregjuleitə] *n* **1.** контрольор; **2.** *техн.* регулатор, уравнител, изравнител; **3.** който регулира (урегулира); **4.** хронометър.

rehabilitate [ˌriːhəˈbiliteit] *v* **1.** реабилитирам; **2.** възстановявам; ремонтирам; реконструирам.

rehabilitation [ˌriːhəbiliˈteiʃən] *n* **1.** реабилитиране, реабилитация; **2.** възстановяване на права, привилегии и пр.; **3.** възстановяване, ремонт; реконструкция, реконструиране; **4.** *мед.* рехабилитация; **5.** преквалифициране, трудоустрояване, превъзпитание.

rehandle [ˈriːˈhændl] *v* преработвам, преправям; занимавам се отново с.

rehearsal [riˈhəːsl] *n* **1.** репетиция; **dress ~** генерална репетиция; **2.** повтаряне, повторение; изреждане; подробен разказ.

rehearse [riˈhəːs] *v* **1.** репетирам; **2.** повтарям; изброявам; разказвам надълго и нашироко.

reign [rein] **I.** *v* **1.** царувам (**over**); **to ~ supreme** имам пълна власт; **2.** царя, господствам; преобладавам; **silence ~s** цари тишина; **II.** *n* **1.** царуване; **in (under) the ~ of** при царуването на; **2.** власт; силно влияние; • **the vegetable (animal) ~** растителното (животинското) царство (свят).

reimburse [ˈriːmˈbəːs] *v* **1.** възстановявам, връщам, компенсирам (*сума*); **2.** връщам, плащам (*някому*) похарчени от него пари; **to ~ s.o. for his expenses** плащам някому направени от него разходи.

reimport [ˌriːimˈpɔːt] **I.** *n* реимпорт; **II.** *v* реимпортирам, внасям отново нещо изнесено.

reincarnate [ˈriːinˈkaːneit] **I.** *v* превъплъщавам (се); прераждам се; **II.** *adj* превъплътен; прероден.

reinstate [ˌriːinˈsteit] *v* **1.** възстановявам предишни права, привилегии, положение и пр.; **to ~ pos-**

sessions възстановявам (връщам) имуществото; **2.** връщам, възстановявам (*закон, практика и пр.*).

reinsure [ˌriːinˈʃuə] *v* презастраховам.

reissue [ˈriːˈiʃju] **I.** *v* преиздавам (*книга*); пускам отново (*монети и пр.*); **II.** *n* ново (стереотипно) издание на книга.

reject [riˈdʒekt] **I.** *v* **1.** отхвърлям (*предложение, кандидат, законопроект, учение и пр.*); отказвам на (*кандидат*); **2.** (из)хвърлям, бракувам; **3.** отказвам да приема (*за организма*), повръщам; **II.** *n* нещо бракувано; отхвърлено; брак.

rejection [riˈdʒekʃən] *n* **1.** отхвърляне; отказване, отказ; **2.** бракуване.

rejig [ˌriːˈdʒig] *v* преобразувам, преправям, коренно променям.

rejoice [riˈdʒɔis] *v* радвам (се), веселя (се); ликувам.

rejoicing [riˈdʒɔisiŋ] *n* често *pl* радост, веселие; доволство; веселба, празнуване.

rejoinder [riˈdʒɔində] *n* **1.** отговор; възражение; **2.** *юр.* отговор на ответник.

rejuvenation [riˌdʒuːviˈneiʃən] *n* подмладяване; възстановяване, обновление, обновяване.

rejuvenesce [ridʒuːviˈnes] *v* подмладявам (се).

relate [riˈleit] *v* **1.** разказвам; **2.** отнасям, свързвам, обяснявам (**to** с, към); **3.** *обикн. pass* свързан съм, имам връзка; сроден съм, роднина съм (**to, with**); **to be distantly ~d** далечни роднини сме; **4.** отнасям се, засягам (**to** за); **5.** разбирам (някого) (**to**).

relation [riˈleiʃən] *n* **1.** разказ; изложение; *юр.* донесение; **2.** сродник, роднина, родственик; **3.** родство, роднинство; **4.** отношение, връзка; зависимост; **~ of forces** съотношение на силите.

relationship [riˈleiʃənʃip] *n* **1.** родство, роднинство; **2.** връзка, отношение, взаимоотношение; **3.** сродство.

relative [ˈrelətiv] **I.** *adj* **1.** относи-

телен, сравнителен; релативен; **~ humidity** относителна влажност; ◇ *adv* relatively; **2.** отнасящ се, свързан (**to**); **3.** *език.* относителен; **II.** *n* **1.** роднина, сродник, родственик; **2.** *език.* относително местоимение (наречие).

relax [riˈlæks] *v* **1.** отпускам, отхлабвам, разхлабвам; **2.** намалявам (*усилия, напрежение, дисциплина*); **3.** отпускам се; отпочивам си; отморявам (се), релаксирам; **a ~ed throat** възпалено гърло.

relay [riˈlei] **I.** *n* **1.** смяна (*на работници*); смяна (*коне*); **in (by) ~s** на смени; **2.** материали, определени за една смяна; **3.** *ел.* реле, превключвател; **4.** *радио.* препредаване; **5.** *спорт.* щафета (*и ~ race*); **II.** *v* **1.** сменям; осигурявам смяна; изпращам (получавам) на смени; **2.** *радио.* препредавам; **3.** контролирам с реле; **4.** предавам (сведения, информация).

release [riˈliːs] **I.** *v* **1.** пускам (на свобода), освобождавам; избавям (**from**) (*от затвор, обещание, страдания и пр.*) **2.** пускам, хвърлям (*стрела, бомба, газове и пр.*); **3.** *воен.* уволнявам, демобилизирам; **4.** отпускам, отславям; **5.** *юр.* опрощавам (*дълг*); отказвам се от (*права*); отстъпвам (*имот, права*); **6.** *кино* пускам, разрешавам (*филм да се прожектира по екраните*); **7.** обнародвам, публикувам; **II.** *n* **1.** пускане, хвърляне (*на бомба и пр.*); **2.** пускане на свобода, освобождение, избавление; **3.** *воен.* уволнение, демобилизация; **4.** отпускане, отслабване; **5.** *юр.* (документ за) освобождаване (*от затвор*), опрощение на дълг, за отказване от права, преотстъпване на права, имот и пр.; **6.** *техн.* спусък, прекъсвач, механизъм за откачане; **7.** *ел.* разединение; *тел.* отбой; **8.** *кино* позволение да се показва филм на екрана; пускане на екран; **9.** официално съобщение.

relegate [ˈreligeit] *v* **1.** пращам, из-

пращам; изхвърлям, захвърлям; свеждам, понижавам (to); 2. отнасям (изпращам) за разглеждане (*в друга инстанция*) (to); 3. *рядко* заточавам, изпращам на заточение.

relegation [͵reli'geiʃən] *n* 1. изхвърляне, захвърляне; свеждане; понижение; 2. отнасяне за разглеждане (*в друга инстанция*); прехвърляне (*на отговорност*); 3. *рядко, истор.* заточение, изгнание.

relent [ri'lent] *v* размеквам се; омилостивявам се, омеквам, ставам по-отстъпчив.

relentless [ri'lentlis] *adj* неумолим, безжалостен, неотстъпчив, безмилостен, непреклонен; ◊ *adv* **relentlessly**.

relevant ['relivənt] *adj* 1. уместен; съответен; свързан с даден въпрос (to); 2. актуален.

reliability [ri͵laiə'biliti] *n* сигурност, надеждност; благонадеждност; изправност, издръжливост (*на апарат и пр.*).

reliable [ri'laiəbl] *adj* сигурен, изпитан, надежден; благонадежден; здрав, издръжлив (*за кола и пр.*); на който може да се разчита; ◊ *adv* **reliably** [ri'laiəbli].

reliance [ri'laiəns] *n* 1. опора, надежда, упование; 2. доверие, упование.

relief₁ [ri'li:f] *n* 1. облекчение, успокоение (from); **to my great ~** за мое успокоение (радост); 2. помощ, подпомагане (*на бедни, на хора в опасност и пр.*); **outdoor ~** подпомагане на бедните по домовете им; 3. *воен.* подкрепления; **they hastened to the ~ of the town** те бързо отидоха да помогнат на града; 4. вдигане на обсада; 5. разнообразие; приятна промяна; **a comic scene follows by way of ~** следва за разнообразие комична сцена; 6. освобождаване (*от плащане на глоба и пр.*); отменяне (*на неправда*); 7. смяна, сменяне (*на пост*); 8. *истор.* феодален данък за право на наследяване на титла и владение; 9. *ел.* сваляне (снемане) на

напрежение; изключване.

relief₂ *n* 1. релеф; релефност; отчетливост, яснота; **high (low) ~** висок (нисък) релеф; 2. *геогр.* релеф, характер на местност.

relieve [ri'li:v] *v* 1. облекчавам (*страдание*); освобождавам (*от болка, товар и пр.*); разтоварвам (from, of); **to ~ o.'s feelings** давам воля на чувствата си; 2. подпомагам (бедни, бедстващи); 3. отменям, сменям (*някого в работа, на пост*); 4. уволнявам, освобождавам от длъжност; разжалвам, лишавам (*от ранг*); 5. вдигам обсада; 6. разнообразявам, внасям разнообразие, внасям контраст в.

relight ['ri:'lait] *v* запалвам (се) отново; подпалвам (се) отново, пак пламвам.

religion [ri'lidʒən] *n* 1. религия, вяра; набожност; **to get ~** ставам набожен; 2. монашество; **to enter ~** ставам монах, покалугерявам се; 3. *прен.* култ.

religiosity [ri͵lidʒi'ɔsiti] *n* религиозност, набожност.

religious [ri'lidʒəs] I. *adj* 1. религиозен, набожен, вярващ; 2. монашески; 3. благоговеен; строг, много добросъвестен; II. *n* монах, монахиня.

relinquish [ri'liŋkwiʃ] *v* 1. оставям, изоставям, напускам, отстъпвам, отказвам се от (*положение, територия, права, надежда, навик и пр.*); 2. отслабям, (от)пускам.

relish ['reliʃ] I. *n* 1. вкус; аромат, миризма (of); 2. подправка; мезе; сос; 3. удоволствие, наслада; привлекателност; 4. склонност; увлечение, охота, вкус (for); 5. стимул, подтик, подбуда (to); 6. следа, малко, нищожно количество; II. *v* 1. ям с удоволствие (апетит); 2. харесвам, привлича ме; наслаждавам се на; **to ~ doing s.th.** върша нещо с удоволствие; 3. имам вкус (аромат) (of на) (*за питие, храна и пр.*); 4. *рядко* (при)давам вкус (аромат, пикантност) на, правя приятен; 5. действам на вкуса (**well, badly**

добре, зле).

reluctance [ri'lʌktəns] *n* 1. нежелание, неохота; отвращение; 2. съпротива; съпротивление; **with ~** неохотно; 3. *ел.* магнитно съпротивление.

reluctant [ri'lʌktənt] *adj* 1. неохотен; **~ consent** неохотно (насила) дадено съгласие; ◊ *adv* **reluctantly**; 2. упорит; с който трудно се борави; неподатлив на лечение.

rely [ri'lai] *v* разчитам, облягам се, осланям се (on, upon на); уверен съм, сигурен съм (on, upon в); **this is not to be relied on** на това не може да се разчита.

remain [ri'mein] I. *v* 1. оставам; продължавам да съществувам; **nothing ~s for me but** нищо не ми остава освен; 2. оставам, стоя (*в дадено положение*), продължавам да; II. *n обикн. pl* 1. останки, остатъци, следи (of); 2. развалини; 3. тленни останки, прах; 4. посмъртно издадени произведения (*на писател*).

remainder [ri'meində] I. *n* 1. остатък (*и мат.*); останки, остатъци; остатък, ресто; останала част (*на живот и пр.*); останалите (*хора*); 2. непродадени екземпляри от книга; 3. *юр.* право на наследяване; II. *v* разпродавам (*останали екземпляри от книга*) с намалени цени.

remark [ri'ma:k] I. *v* 1. правя забележка, забелязвам; отбелязвам; коментирам (on, upon); **it may be ~ed that** може да се отбележи, че; 2. забелязвам; усещам; II. *n* 1. забележка; **to make (pass, let fall) a ~** забелязвам, правя забележка; 2. забелязване, внимание; **worthy of ~** достойно за внимание.

remarkable [ri'ma:kəbl] *adj* забележителен, удивителен; необикновен, изключителен, странен; чуден; очебиен (for); ◊ *adv* **remarkably**.

remediable [re'mi:diəbl] *adj* излечим; поправим.

remediless ['remidilis] *adj* 1. непоправим; неизлечим; 2. безпомощен.

remember [ri'membə] v 1. спомням си (за), припомням си; 2. помня, запомням; **I don't ~ doing (having done) that** не си спомням да съм правил това; 3. не забравям, т. е. подарявам (завещавам) някому нещо; давам някому бакшиш; **to ~ s.o. on his birthday** подарявам някому нещо за рождения ден; ● **he begs to be ~ed to you** той ви праща много здраве (ви поздравява).

rememberance [ri'membrəns] n 1. спомен, възпоминание; припомняне; **to have s.th. in ~** помня (спомням си за) нещо; 2. памет; **it has escaped my ~** забравил съм, изплъзнало се е от паметта ми; 3. (подарък за) спомен; сувенир; 4. pl поздрав, привет.

remind [ri'maind] v напомням (of за); **~ me to do it** напомни ми да го направя.

reminiscence [,remi'nisəns] n 1. спомен, възпоменание; реминисценция; 2. спомен (нещо, което напомня) (of); 3. pl лит. спомени, мемоари.

reminiscent [,remi'nisənt] adj 1. напомнящ, който напомня, припомнящ (of); **it is ~ of her earlier books** това напомня за по-ранните ѝ книги; 2. който си спомня; който обича да живее с миналото (да разказва за миналото).

remise [ri:'maiz] I. n 1. (пре)отстъпване, отказване (от право и пр.); 2. спорт. ремиз, повторен, предупредителен удар; II. v 1. (пре)отстъпвам, отказвам се от; 2. правя ремиз.

remiss [ri'mis] adj 1. нехаен, небрежен, неизпълнителен (in); 2. рядко вял, отпуснат.

remissable [ri'misibəl] adj 1. простим, простителен; 2. опростим, отменим (за наказание).

remission [ri'mi∫ən] n 1. прошка, опрощение, опрощаване; 2. отказване, преотстъпване (на права и пр.), опрощаване (на дълг); 3. отслабване, намаляване (на вълнение, криза и пр.); 4. мед. ремисия; намаляване на интензивността на заболяване.

remit [ri'mit] I. v 1. юр. връщам (дело) за разглеждане в по-нисша инстанция; отнасям (въпрос) за разрешение; 2. отлагам; 3. опрощавам, отменям, освобождавам от (наказание, такса и пр.), намалявам (наказание), опрощавам (грях); 4. намалявам, уталожвам, отслабвам; **to ~ o.'s anger** поуспокоявам гнева си; 5. (из)пращам; превеждам (сума); **kindly ~** търг. моля, изпратете (изплатете) сумата; II. n компетенция, област.

remix [,ri:'miks] I. n муз. ремикс; II. v правя ремикс.

remnant ['remnənt] n остатък, останка (и прен.); парче (плат от края на топ, останал непродаден и пр.); прен. следа.

remodel ['ri:'modəl] v преработвам, променям, прекроявам, префасонирам (прен.); реорганизирам и придавам нова форма.

remonstrance [ri'monstrəns] n протест, възражение, ремонстрация (against); **in ~** като възражение; като израз на протест.

remonstrant [ri'monstrənt] I. adj протестиращ, възразяващ; II. n участник в протест.

remonstrate [ri'monstreit] v протестирам, възразявам, правя възражение (against).

remonstrative [ri'monstrətiv] adj протестен; възразяващ, протестиращ.

remorse [ri'mo:s] n разкаяние, угризение на съвестта.

remorseful [ri'mo:sful] adj разкаян, изпълнен с разкаяние, каещ се; ◇ adv **remorsefully**.

remorseless [ri'mo:slis] adj 1. безмилостен, безжалостен, безпощаден; ◇ adv **remorselessly**; 2. неразкаян.

remorselessness [ri'mo:slisnis] n безмилостност, безжалостност, безпощадност.

remote [ri'mout] I. adj 1. далечен, отдалечен; усамотен, уединен; ~ **past (future)** далечно минало (бъдеще); 2. малък, слаб, смътен; малко вероятен; ~ **chance** малка вероятност; 3. техн. който действ-

ва от (на) разстояние; дистанционен; ~ **control** дистанционно управление; 4. сдържан, резервиран; II. v разпространявам, разширявам (обхвата на); ● ~ **damages** непреки щети, косвени загуби.

remotely [ri'moutli] adv 1. отдалечено, далеч; 2. малко, слабо; смътно.

remoteness [ri'moutnis] n 1. далечина, отдалеченост; усамотеност; 2. смътност; малка вероятност.

remount [ri:'maunt] v 1. качвам се отново (на кон); 2. изкачвам (се) отново (на планина и пр.); 3. монтирам отново; 4. отнасям се към, принадлежа на; стигам до, мога да бъда проследен до.

removable [ri'mu:vəbəl] adj 1. сменяем; подвижен; портативен; 2. отстраним (за зло); 3. сменяем (за длъжностно лице); който може да бъде уволнен.

removal [ri'mu:vəl] n 1. преместване, местене; пренасяне, изнасяне; 2. отстраняване, премахване (на зло и пр.); 3. уволняване, сменяне, уволнение; 4. разг. убиване, убийство, ликвидиране, очистване.

remove [ri'mu:v] I. v 1. прибирам; махам; премествам; изнасям; 2. събличам, свалям, махам; 3. вземам, прибирам; 4. избърсвам, изтривам, отстранявам, заличавам, почиствам, премахвам (петно и пр.); 5. отстранявам, премахвам (възражения и пр.), елиминирам; 6. сменям, уволнявам; изключвам, отстранявам (ученик и пр.); 7. мeстя се, премествам се (to); 8. refl отивам си; 9. убивам; II. n 1. прен. стъпка, крачка, (измината) разстояние; **the scene changed at each ~** гледката се мени постоянно (с всяка измината крачка); 2. степен (на родство); 3. преминаване в по-горен клас; 4. рядко преместване, пренасяне, изнасяне; отпътуване.

removed [ri'mu:vd] adj отдалечен, далечен; различен; който няма нищо общо (с).

remunerate [ri'mju:nəreit] *v* 1. заплащам, плащам; възнаграждавам; 2. отблагодарявам се, отплащам се (for); to ~ s.o. for his services възнаграждавам някого (плащам някому) за услугите му.

remuneration [ri,mju:nə'reiʃən] *n* 1. плащане, възнаграждение; 2. заплата, надница; 3. компенсация; отплата.

remunerative [ri'mju:nərətiv] *adj* доходен; изгоден; печеливш.

renaissance [rə'neisəns] *n* 1. възраждане; 2. *attr* възрожденски, ренесансов.

renal [ri:nəl] *adj* бъбречен, на бъбреците; ~ suppuration бъбречен абсцес, гной в бъбрека.

rename [ri:'neim] *v* преименувам, кръщавам с ново име.

renascence [ri'næsəns] *n* 1. възраждане; съживяване, оживяване; 2. (the R.) Ренесансът.

rend [rend] *v* (**rent**) *главно поет.* 1. скъсвам, разкъсвам, съдирам, раздирам (off, away, asunder, apart); to turn and ~ s.o. нападам (нахвърлям се на) някого неочаквано; 2. пронизвам, раздирам, цепя, деля; to ~ the air with cries пронизвам въздуха с викове; 3. откъсвам (се), отцепвам (се), разцепвам (се).

render ['rendə] I. *v* 1. отплащам се; отдавам (което трябва); to ~ good for evil отплащам се на злото с добро; 2. давам, представям (сметка, отчет и пр.); to ~ an account of давам отчет за; описвам, разказвам за; 3. *остар., книж.* предавам (крепост и пр.); 4. правя, оказвам (услуга и пр.); оказвам, давам (помощ); 5. правя, карам (да се чувства); to ~ s.o. speechless карам някого да онемее; 6. предавам, изразявам (характер и пр. в лит., изк.); предавам, интерпретирам, тълкувам; превеждам; изпълнявам (роля); this does not ~ the sense of the original това не предава (правилно) смисъла на оригинала; 7. топя, претопявам; извличам (мазнини); 8. мажа, измазвам (стена); 9. *мор.* отхлабвам, отпускам

(въже); 10. *мор.* движи се леко (гладко) (за въже); II. *n* 1. мазилка (на стена); 2. топена мас (масло); 3. *остар.* плащане; наем; ангария.

rendering ['rendəriŋ] *n* 1. отплащане, отплата; отдаване; изказване (на благодарност и пр.); 2. даване (на сметка); 3. предаване (на крепост); 4. превод; предаване, изразяване (в лит., изк.); тълкуване, интерпретиране, интерпретация; изпълнение (на роля); 5. топене (на мазнини); 6. измазване; мазилка (на стена); 7. *мор.* отпускане, разхлабване (на въже); 8. аксонометрична проекция; тримерна скица, перспективен чертеж.

rendezvous ['rondivu:] I. *n* 1. среща, рандеву, свиждане; 2. (уречено) място за свиждане, сборен пункт; 3. сборище, място на обичайни срещи; 4. *воен.* събиране на войски или кораби на уречено място; II. *v* срещам (се) на уречено място.

rendition [ren'diʃən] *n* 1. интерпретация; предаване, изразяване; превод; 2. *остар.* предаване на избягал престъпник на държавата, от която е избягал.

rendment ['rendmənt] *n* рандеман, добив.

renegade ['renigeid] I. *n* ренегат, отстъпник, изменник, дезертьор; II. *v* ставам ренегат.

renew [ri'nju:] *v* 1. възстановявам (здраве и пр.); 2. подмладявам; възраждам; обновявам; съживявам; 3. подновявам; започвам отново (пак); повтарям; to ~ o.'s efforts подновявам усилията си; 4. сменям с нов, набавям си нов, подновявам; to ~ the paint in a house пребоядисвам къща; 5. продължавам, подновявам (полица, договор, абонамент и пр.).

renewable [ri'nju:əbəl] *adj* възстановим, обновим, сменяем, заменим.

renewal [ri'nju:əl] *n* 1. възстановяване, обновяване, обновление; съживяване; възраждане; 2. подновяване, повтаряне; 3. подновява-

не, сменяне; 4. подновяване (на срок и пр.), продължаване.

renominate ['ri:'nɔmineit] *v* преизбирам, посочвам пак, номинирам отново.

renounce [ri'nauns] I. *v* 1. отказвам се от; отричам се от; 2. оттеглям, изоставям; to ~ the world отричам се (оттеглям се) от света; 3. отричам, не признавам (власт и пр.); отхвърлям, денонсирам (договор); 4. *юр.* отказвам да бъда изпълнител на завещание, попечител и пр.; 5. *карти* правя ренонс; II. *n* *карти* ренонс.

renovate ['renəveit] *n* 1. възстановявам, поправям; реставрирам, ремонтирам; 2. сменям с нов, подновявам; 3. обновявам; освежавам; съживявам, реновирам.

renovation [,renə'veiʃən] *n* 1. възстановяване, поправяне, поправка, реставрация; нещо поправено (сменено); 2. обновление; освежаване; съживяване, реновация.

renown [ri'naun] *n* слава, известност, признание.

renowned [ri'naund] *adj* прославен, известен, прочут (for).

rent₁ [rent] I. *adj* скъсан, разкъсан, съдран; II. *n* 1. дупка, скъсано (съдрано) място; 2. цепнатина, пукнатина (*и на земната кора*); 3. пролука (между облаци); процеп; 4. несъгласие, разрив; 5. *рел.* схизма, разкол.

rent₂ [rent] *n* наем; рента; аренда; for ~ *амер.* дава се под наем; II. *v* 1. вземам (давам, държа) под наем; вземам (искам) наем; 2. дава се под наем.

rental [rentl] I. *n* 1. наем; 2. наемане; 3. доход от наеми; II. *adj* наемен, свързан с наема.

renter ['rentə] *n* наемател, -ка; *кино* разпространител (*на филми*), дистрибутор.

renumber ['ri:'nʌmbə] *v* преномерирам, слагам нови номера (на).

reorder [ri'ɔrdər] *v* 1. поръчвам (изписвам) отново (*стоки*); 2. реорганизирам, преподреждам.

reorganize ['ri:'ɔ:gənaiz] *v* реорганизирам, преустроявам, преустройвам, преобразувам.

reorganization [ˌriːˈɔːgənaiˌzeiʃən] *n* реорганизация, преструктуриране.

repaint [riːˈpeint] I. *v* пребоядисвам; II. *n* 1. пребоядисване; 2. нещо пребоядисано.

repair₁ [riˈpɛə] I. *v* 1. поправям (*къща, дреха, път и пр.*); закърпвам, кърпя; ремонтирам; репарирам; 2. изправям, поправям (*зло, неправда и пр.*); компенсирам (*загуба*); 3. възстановявам (*сили и пр.*); 4. *мед.* зараствам, санирам; II. *n* 1. *често pl* поправка, ремонт; **to carry out ~s** правя (извършвам) ремонт, ремонтирам; 2. възстановяване (*на сили и пр.*); 3. състояние; **in (good) ~** в добро състояние, добре запазен; 4. запасна част.

repair₂ I. *v* 1. отивам, отправям се; оттеглям се; стичам се; навестявам (**to**); 2. прибягвам (**to s.o.** до някого) (*за помощ и пр.*); II. *n остар.* 1. прибягване; **to have ~ to** прибягвам до; 2. сборище; **a place of safe ~** сигурно убежище.

repairman [riˈpɛəmən] *n ел.* техник.

reparation [ˌrepəˈreiʃən] *n* 1. *рядко* поправка, ремонт; 2. *често pl* репарации; обезщетение; компенсация; **to make ~ for** компенсирам.

repartee [ˌrepɑːˈtiː] I. *n* 1. остроумен отговор; 2. остроумие; находчивост; II. *v рядко* отговарям остроумно.

repartition [ˈriːpɑːˈtiʃən] I. *n* преразделяне, ново разделяне; преразпределяне, преразпределение, редистрибуция, ново разпределение; II. *v* разделям наново; преразпределям.

repass [riːˈpɑːs, riˈpæs] *v* 1. подавам обратно, връщам; 2. подавам отново.

repatriate [ˌriːˈpætrieit] I. *v* репатрирам, връщам в родината; II. *n* репатриран човек, репатриант.

repatriation [ˌriːˌæptriˈeiʃən] *n* репатриране, връщане в родината.

repay [riːˈpei] *v* (**repaid** [riːˈpeid]) 1. връщам (*пари, услуга*), (из)плащам (*дълга си*); 2. отплащам се на, възнаграждавам (**for** за); 3. отмъщавам си.

repeal [riˈpiːl] I. *v* отменям, анулирам; II. *n* отменяне, анулиране.

repeat [riˈpiːt] I. *v* 1. повтарям; **to ~ oneself** повтарям се, разказвам (*пиша*) все едни и същи неща; 2. казвам наизуст, рецитирам, декламирам (*урок, стихове*); 3. издавам (*какво са ми казали*); 4. повтаря се (*за число*); 5. повтарям (*клас, семестър*); 6. причинявам оригване (*за храна*); 7. *амер.* гласувам незаконно няколко пъти; II. *n* 1. *разг.* повторение; бис; номер на бис; 2. *муз.* повторение; знак за повторение (*и ~ mark*); 3. десен, който се повтаря; 4. *търг.* повторна поръчка (*на същите стоки*); нова пратка (*от същите стоки*) (*и ~ order*); 5. *sl* репетиция.

repeated [riˈpiːtid] *adj* повторен, нееднократен, многократен; ◊ *adv* **repeatedly**.

repeating [riˈpiːtiŋ] I. *adj* повтарящ; II. *n* повторение, повтаряне.

repel [riˈpel] *v* 1. отблъсквам, отбивам (*неприятел, удар и пр.*); отхвърлям (*обвинение, молба и пр.*); отстранявам, разгонвам, отпъждам, пропъждам (*лоши мисли и пр.*); 2. отблъсквам, отвращавам, будя отвращение.

repelled [riˈpeld] *adj* отвратен.

repellent [riˈpelənt] I. *adj* отблъскващ, отвратителен, противен (**to**); II. *n* 1. репелент, препарат за отблъскване на насекоми; 2. импрегнатор.

repent₁ [riˈpent] *v* разкайвам се (за), съжалявам (за) (*и с* **of**); *остар. refl или impers* разкайвам се, покайвам се, кая се (**of**).

repent₂ [ˈriːpənt] *adj бот.* пълзящ, увивен, виещ се.

repentance [riˈpentəns] *n* разкаяние, покаяние; съжаление.

repeople [ˈriːˈpiːpl] *v* населявам (заселвам) отново.

repertory [ˈrepətəri] *n* 1. съкровищница (*прен.*); справочник; сборник; 2. репертоар.

repetition [ˌrepiˈtiʃən] *n* 1. повтаряне, повторение; 2. копие, имитация; **~ work** серийно (масово) производство; 3. научаване наизуст, наизустяване; нещо наизустено.

rephrase [ˌriːˈfreiz] *v* перифразирам.

repine [riˈpain] *v* роптая, недоволствам, оплаквам се, мърморя, мрънкам (**at, against**).

replace [riːˈpleis] *v* 1. поставям (слагам) пак (обратно) на мястото, връщам на мястото; **to ~ the receiver** слагам слушалка, затварям телефона; 2. възстановявам, връщам (*пари, откраднати вещи, някого на поста му и пр.*); 3. заменям, замествам; **impossible to ~** незаменим; 4. *воен.* резерв.

replay [ˈriːˈplei] I. *v* повтарям, преиграввам (*мач, изсвирено парче, сцена*); II. *n* преиграване; преигран мач; повторно пускане на запис.

replete [riˈpliːt] *adj* пълен, напълнен, изпълнен; наситен, преситен; натъпкан, претъпкан (**with**); **~ with food** сит, преял, претъпкан.

repletion [riˈpliːʃən] *n* насита, преситa; пресищане; **to eat (drink) to ~** ям (пия) до насита.

replica [ˈreplikə] *n* реплика, точно копие, репродукция.

replicate [ˈreplikeit] I. *v* 1. правя точно копие, репродукция (на, от); имитирам (копирам) точно; 2. прегъвам назад; 3. *биол.* деля се (*за клетка*); II. *adj бот.* прегънат (*за лист*); III. *n муз.* реплика.

reply [riˈplai] I. *v* 1. отговарям, отвръщам (**to**); **to ~ for** отговарям от името на; 2. *юр.* възразявам, правя възражение; II. *n* отговор; **in ~ to** в отговор на.

report [riˈpɔːt] I. *v* 1. съобщавам, давам сведения (за); докладвам; разказвам; описвам; 2. предавам, препредавам (*чужди думи*); 3. правя (пиша) репортаж (дописка) (за); 4. съобщавам, донасям, обаждам (*за престъпление*); оплаквам се от, правя оплакване; 5. представям се, явявам се (**to**); **to ~ to the police** явявам се в полицията, за да се регистрирам;

6. работя като репортер; репортер съм; **II.** *n* **1.** слух, мълва; **as ~ has it (goes)** както се говори; **2.** съобщение; доклад; отчет; отзив **(on)**; дописка, репортаж; *pl* известия; **weather ~** метеорологичен бюлетин; **3.** *воен.* рапорт; **4.** репутация, име, слава; **a man of good (evil) ~** човек с добро (лошо) име; **5.** гръм, изстрел; взрив, детонация.

reportage [ˌrepɔːˈtɑːʒ] *n* репортаж, дописка.

reporter [riˈpɔːtə] *n* **1.** докладчик; **2.** репортер.

repose [riˈpouz] **I.** *v* **1.** слагам, полагам (*глава, ръка и пр.*) **(on)**; **2.** *рядко* успокоявам; **3.** лежа, легнал съм; почивам; **4.** спирам се **(on)**; **5.** *прен.* почивам, основан (базиран) съм **(on)**; **6.** вярвам, уповавам се **(in)**; **to ~ trust in promises** вярвам на обещания; **II.** *n* **1.** отдих, почивка; покой, спокойствие; сън; **2.** спокойствие, самообладание, увереност.

reposeful [riˈpouzful] *adj* **1.** успокояващ; който вдъхва спокойствие; лъхащ покой; **2.** спокоен; несмущаван.

repository [riˈpɔzitəri] *n* **1.** хранилище, склад; съкровищница; **2.** *ретор.* гробница.

repot [ˈriːˈpɔt] *v* пресаждам (цвете).

reprehend [ˌrepriˈhend] *v* коря, укорявам, упреквам, осъждам, порицавам.

reprehension [ˌrepriˈhenʃən] *n* укор, порицание, неодобрение, осъждане.

represent [ˌrepriˈzent] *v* **1.** представям; **to ~ to oneself** представям си, въобразявам си; **2.** представям, изобразявам, изображение съм на; означавам, символизирам; **3.** опитвам се да обясня, настоявам, посочвам, изтъквам, излагам, описвам **(to)**; **he ~ed the folly of such a move** той изтъкна несъстоятелността на такъв ход **(to)**; **4.** представям **(as)**, изкарвам, твърдя **(to be, that)**; **to ~ oneself as** представям се за; **5.** представям, играя (ролята на); **6.** представям, представител съм на; за-

местквам, заместник съм на; **7.** отговарям (съответствам) на.

representation [ˌreprizenˈteiʃn] *n* **1.** представяне, изобразяване, репрезентация; изображение, образ; **2.** представление; **3.** посочване, изтъкване, излагане; **4.** избирателна система; **proportional ~** пропорционална избирателна система; **5.** представителство; **6.** *pl* постъпки.

representational [ˌreprizenˈteiʃənəl] *adj* изобразителен, неабстрактен, реалистичен.

repress [riˈpres] *v* **1.** сдържам, възпирам, ограничавам, усмирявам, обуздавам, заглушавам, сподавям; **to ~ o.'s tears** сдържам сълзите си; **2.** потъпквам, потушавам, смазвам; **3.** потискам, угнетявам, ограничавам свободата, репресирам.

represser [riˈpresə] *n* усмирител; тиран.

repression [riˈpreʃn] *n* **1.** сдържане, възпиране, обуздаване, ограничаване, усмиряване, сподавяне, заглушаване; **2.** потъпкване, потушаване, смазване; **3.** потискане, угнетяване, ограничаване на свободата, репресиране, репресия.

repressive [riˈpresiv] *adj* репресивен, потиснически; ограничителен; ◇ *adv* **repressively.**

reprieve [riˈpriːv] **I.** *v* **1.** юр. отменям (отлагам) изпълнението на; помилвам; **2.** давам отдих на; облекчавам временно; **II.** *n* **1.** юр. отменяне (замяна) на присъда; **2.** отдих, отмора, облекчение.

reprimand [ˈreprimɑːnd] **I.** *n* смъмряне, порицание; **II.** *v* смъмрям, порицавам.

reprint **I.** [riːˈprint] *v* препечатвам, преиздавам; **II.** [ˈriːprint] *n* **1.** ново издание (*на книга*); **2.** отделен отпечатък.

reprisal [riˈpraizəl] *n* отплата, репресивна мярка; *pl* репресалии; **to make ~(s)** прилагам репресивни мерки.

reproach [riˈprəutʃ] **I.** *v* упреквам, коря, укорявам, натяквам (на), порицавам, осъждам, обвинявам

(with); II. *n* **1.** упрек, укор, натякване, порицание, обвинение; **2.** срам, позор, позорно петно **(to); to be a ~ to** позор съм за.

reproachful [riˈprəutʃful] *adj* **1.** укорителен, укорен; ◇ *adv* **reproachfully; 2.** *остар.* оскърбителен, обиден; срамен, позорен, долен, низък, недостоен.

reprobate [ˈreprəbeit] **I.** *v* **1.** порицавам, осъждам, не одобрявам, коря, укорявам; **2.** *библ.* отхвърлям, изоставям; **II.** *adj* загубен, окаян, безпътен; неугледен; **III.** *n* загубен (окаян, безпътен, неугледен) човек, окаяник, негодник, подлец.

reprobation [ˌreprəˈbeiʃən] *n* порицание.

reproduce [ˌriːprəˈdjuːs] *v* **1.** възпроизвеждам; произвеждам отново, повтарям; *театр.* поставям повторно; **2.** препечатвам, репродуцирам; **3.** размножавам се, плодя се, развъждам се; **to ~ o.'s kind (oneself)** продължавам рода си; **4.** *зоол.* подновявам (*повреден орган*).

reproducible [ˌriːprəˈdjuːsibəl] *adj* възпроизводим, репродуктивен.

reproduction [ˌriːprəˈdʌkʃən] *n* **1.** възпроизвеждане, репродукция; **2.** размножаване, плодене, развъждане; **3.** възпроизводство; **4.** *зоол.* подновяване; **5.** репродукция; копие.

reproductive [ˌriːprəˈdʌktiv] *adj* **1.** възпроизводителен, репродуктивен; **~ organs** полови органи; **2.** плодовит.

reproof [riˈpruːf] *n* **1.** укор, упрек, мъмрене; **2.** смъмряне, порицание; **to speak in ~ of** осъждам, порицавам.

reprove [riˈpruːv] *v* коря, укорявам, упреквам, осъждам, порицавам, смъмрям, мъмря.

reproving [riˈpruːviŋ] *adj* ỳкорен; ◇ *adv* **reprovingly.**

reptant [ˈreptənt] *adj* биол. пълзящ.

reptile [ˈreptail] **I.** *n* влечуго (*и прен.*); *прен.* гад, гадина, блюдолизец, мазник, подмазвач; **II.** *adj* **1.** пълзящ; **2.** долен, низък, подъл, продажен.

republic [ri'pʌblik] *n* 1. република; 2. общество, сфера, свят (*на общи интереси*); **the ~ of letters** литературният свят.

republican [ri'pʌblikən] I. *adj* републикански; II. *n* републиканец.

republish [ri:'pʌbliʃ] *v* обнародвам отново, публикувам отново; преиздавам.

repudiate [ri'pju:dieit] *v* 1. отричам, отказвам се от, отказвам да призная (да допусна, да приема, да имам работа с), отказвам да се подчиня на (*власт*); не приемам, отхвърлям, осъждам; 2. отказвам да платя (*дълг*), отказвам да изпълня (*задължение*).

repudiation [ri,pju:di'eiʃən] *n* 1. отричане, отхвърляне, отритване, осъждане; 2. непризнаване (*на дълг*), неизпълнение (*на задължение*).

repugnance, -cy [ri'pʌgnəns(i)] *n* 1. отвращение, антипатия (**for, to, against**); 2. противоречие, несъвместимост, несъответствие (**between, to, of**).

repugnant [ri'pʌgnənt] *adj* 1. противен, неприятен, не по вкуса (**to**); 2. който противоречи (**to**), несъвместим (**with**); 3. *поет.* непокорен, упорит, непреклонен, твърд.

repulse [ri'pʌls] I. *v* 1. отблъсквам, отбивам; 2. оборвам, опровергавам; 3. изпълвам с антипатия, отвращавам; 4. отхвърлям, отблъсквам; "срязвам"; II. *n* 1. отблъскване, отбиване, отпор, поражение; 2. отказ, "срязване"; неуспех, провал, разочарование.

repurchase [,ri'pə:tʃəs] *v* откупувам; купувам обратно.

reputable ['repjutəbəl] *adj* почтен, достоен за уважение.

reputation [,repju'teiʃən] *n* репутация, реноме, име, известност, слава; **a person of ~** човек, който се ползва с добро име.

repute [ri'pju:t] I. *v* рядко мисля, смятам, считам; **he is ~d** (to be, *рядко* as) **the best doctor** той минава за най-добрия лекар; II. *n* репутация, реноме, име, известност, слава; **bad (ill) ~** лоша слава.

reputed [ri'pju:tid] *adj* 1. предполагаем, уж; ◇*adv* **reputedly**; 2. известен, знаменит, именит, прочут.

request [ri'kwest] I. *n* 1. молба, желание, искане; **at the ~ of** по молба (искане) на; 2. заявление, прошение, молба, заявка; 3. *търг.* търсене; 4. музикално желание; II. *v* 1. искам позволение, моля (**to**); 2. искам, моля за, моля да бъда удостоен с.

requiem ['rekwiem] *n* 1. реквием (*и муз.*); заупокойна служба или молитви, панихида (*и* **~ service**); 2. *прен.* погребална песен.

require [ri'kwaiə] *v* 1. изисквам, искам от, заповядвам на (**of**); моля, настоявам, задължавам (**to, that**); 2. нуждая се от, изисквам; **the matter ~s great care** работата изисква голямо внимание; 3. *рядко* трябва, нужно (необходимо) е, налага се; **as may be ~d** според случая.

requirement [ri'kwaiəmənt] *n* 1. изискване, условие; 2. потребност, нужда, необходимост.

requisition [,rekwizi'ʃən] I. *n* 1. официално искане, нареждане, предписание; 2. заявка, търсене; 3. *воен.* реквизиция; II. *v* 1. реквизирам, повиквам; 2. правя заявка (за).

requital [ri'kwaitl] *n* 1. възмездие, отплата, отмъщение, наказание; 2. награда, възнаграждение, компенсация, отплата.

requite [ri'kwait] *v* 1. отплащам, отвръщам (**for, with**); **to ~ s.o.'s love** отговарям (отвръщам) на някого със същите чувства; 2. възнаграждавам; 3. отмъщавам за; 4. отплащам се, отблагодарявам се, компенсирам; ● **to ~ like for like** плащам със същата монета.

re-run [,ri'rʌn] I. *v* 1. преповтарям, повтарям; 2. произвеждам повторно (*избори*); 3. поставям повторно (*представление*); II. *n* 1. повтаряне, повторно изживяване; 2. повторно произвеждане (*на избори*); 3. повторение (*на филм, предаване*).

rescind [ri'sind] *v* отменям, анулирам.

rescue ['reskju:] I. *v* 1. спасявам, избавям, отървавам, освобождавам (**from**); 2. *юр.* освобождавам незаконно; 3. *юр.* възвръщам си насилствено (*имущество*); II. *n* 1. спасяване, спасение, избавяне, отърваване, освобождаване; 2. *юр.* незаконно освобождаване; 3. *юр.* насилствено възвръщане на имущество; 4. *attr* спасителен.

rescuer ['reskjuə] *n* спасител, избавител.

research [ri'sə:tʃ] I. *n* 1. (обикн. *pl*) (научно) изследване, проучване; 2. търсене, дирене (**after, for**); 3. *attr* изследователски; II. *v* изследвам, проучвам.

resemblance [ri'zembləns] *n* прилика, подобие, сходство (**between, to**); **to bear (show) ~** приличам, подобен съм.

reservation [,resə'veiʃən] *n* 1. резерва, уговорка; **mental ~** мълчалива уговорка; **with some ~(s)** с известни резерви; 2. резервация, запазване, резервиране, ангажиране; 3. резервираност, въздържаност, сдържаност; 4. *юр.* запазване на някакво право; 5. резерват; бранище; 6. (обикн. *pl*) *амер.* предварително запазени места.

reserve [ri'zə:v] I. *n* 1. резерв, резерва, запас (**of**); 2. *фин.* резервен фонд (*и* **banker's ~**); **gold ~** златно покритие; 3. *воен.* резерв, запас; 4. *спорт.* резервен играч, резерва; 5. резерват, бранище (*и* **game ~**); 6. уговорка, предварително условие, ограничение; 7. условна награда; 8. сдържаност, резервираност, хладина, студенина; официалност; дистанцираност, необщителност; 9. премълчаване, скриване на истината; **attr** резервен, запасен; ● **~ price** минимална цена (*при търг*); II. *v* 1. запазвам, задържам; съхранявам, спестявам, скътам, спастрям; резервирам, ангажирам; 2. предназначавам, определям, отреждам (**for**); 3. *юр.* запазвам (*право на владеене, контрол*).

reservior ['resəvwa:] I. *n* 1. резервоар, басейн, водохранилище; 2.

запас, източник (of); **II.** *v* събирам в резервоар.

reside [ri'zaid] *v* **1.** живея, прекарвам, пребивавам (at, in); **2.** *хим.* утаявам се.

residence ['rezidəns] *n* **1.** прекарване, престой, пребиваване, живеене; **2.** местожителство; жилище; седалище, резиденция; местопребиваване; **3.** *хим.* утайка; остатък.

resident ['rezidənt] **I.** *adj* **1.** който живее (прекарва, пребивава) (*на дадено място*), местен; **2.** непрелетен (*за птица*); **3.** свойствен, присъщ; на който седалището е (in); **II.** *n* **1.** местен жител (*и* **local, native ~**); **2.** резидент, представител, пълномощник.

residuum [ri'zidjuəm] *n* (*pl* -**dua** [djuə]) **1.** остатък (*и мат.*); **2.** *хим.* утайка; вещество, останало след изгаряне или изпарение; **3.** мазут.

resign₁ [ri'zain] *v* **1.** предавам, оставям, предоставям (to); отказвам се от (*право и пр.*), снемам от себе си (*отговорност*); **2.** *refl* предавам се, оставям се, предоставям се, подчинявам се, покорявам се, примирявам се (to); **3.** подавам (излизам в) оставка.

resign₂ ['ri:'sain] *v* подписвам отново, преподписвам.

resignation [,rezig'neiʃən] *n* **1.** оставка; **to give (send in) o.'s ~** подавам си оставката; **2.** примирение със съдбата, смирение, покорство, търпение; резигнация.

resile [ri'zail] *v* **1.** отскачам; приемам отново първоначалната си форма; **2.** гъвкав (еластичен, жилав, як, издръжлив) съм.

resilience, -cy [ri'ziliəns(i)] *n* **1.** гъвкавост, еластичност, пъргавост, подвижност; **2.** жилавост, якост, издръжливост.

resilient [ri'ziliənt] *adj* **1.** гъвкав, еластичен; пъргав, подвижен (*за ум*); **2.** жилав, як, издръжлив.

resist [ri'zist] **I.** *v* **1.** съпротивлявам се, оказвам съпротива, противопоставям се, не се поддавам, устоявам, издържам (на), отблъсквам, отбивам, осуетявам; **2.** въз-

държам се от; **II.** *n* предпазен слой, емайл, глазура.

resistance [ri'zistəns] *n* **1.** съпротивление, съпротива, противодействие, противопоставяне, резистенция; устойчивост, издръжливост (to); **2.** *attr ел.* съпротивителен; **3.** *техн.* съпротивление; **4.** (**R.**) съпротива, съпротивително движение срещу окупационни войски.

resistant [ri'zistənt] *adj* съпротивителен; устойчив, издръжлив (to).

resolute ['rezəlju:t] *adj* решителен, решен, твърд, непоколебим, несломим, устойчив; ◇ *adv* **resolutely**.

resolution [,rezə'lju:ʃən] *n* **1.** решение, резолюция; **to make (take) a ~** вземам решение; **2.** решителност, твърдост, непоколебимост, несломимост, устойчивост; **a man of ~** твърд човек; **3.** разлагане на съставни части, анализ, превръщане (into); **4.** разглобяване, демонтиране; **5.** (раз)решение (*на задача*), разсейване (*на съмнение*) (of); **6.** *мед.* разнасяне (*на оток*); **7.** *проз.* заменяне на дълга сричка с две къси; **8.** *муз.* разрешение (*на дисонанс*); **9.** *физ.* дисперсия; **10.** чистота (*на образ, изображение*).

resolve [ri'zɔlv] **I.** *v* **1.** решавам, вземам решение (on); **2.** склонявам, накарвам, подбуждам, подтиквам (on, to *c inf*); **3.** разрешавам (*задача и пр.*), разсейвам, разпръсквам (*съмнение*), слагам край на (*застой и пр.*); **4.** разпадам се, разлагам (се), разтварям (се), анализирам, превръщам, декомпозирам, бивам превърнат, свеждам (се) (into); **5.** *мед.* разнасям се (*за оток*); **6.** *муз.* разрешавам (се) (*за дисонанс*); **II.** *n* **1.** решение; **2.** твърдост, решителност, непоколебимост, смелост, мъжество, кураж; **3.** резолюция, официално решение.

resonance ['rezənəns] *n* **1.** резонанс; **2.** *attr* резонансен.

resort [ri'zɔ:t] **I.** *v* **1.** обръщам се, прибягвам (to); **2.** посещавам, навестявам, спохождам; стичам се,

отивам (to); **II.** *n* **1.** прибежище, средство; прибягване; **court of last ~** последна инстанция; **2.** посещаване, посещение, посещаемост; **3.** курорт (*и* **health ~**); **mountain (seaside) ~** планински (морски) курорт; **4.** *attr* курортен.

resound [ri'zaund] *v* **1.** еча, ехтя, кънтя, тътна (**with**); **2.** отеквам (се); **3.** нося се, разнасям се, разпространявам се, произвеждам фурор; **4.** прославям.

resource [ri'sɔ:s] *n* **1.** *pl* средства, ресурси, възможности; **natural ~s** природни богатства; **2.** средство, начин, способ; похват, ход, хитрина; средство за прехрана; **3.** начин на прекарване на времето; **4.** находчивост, съобразителност, изобретателност, досетливост.

resourceful [ri'sɔ:sful] *adj* находчив, съобразителен, изобретателен, досетлив.

respect [ris'pekt] **I.** *n* **1.** почит, уважение, внимание, зачитане, страхопочитание, респект; **out of ~ to (for)** от уважение към; **2.** *pl* почит, почитание, почитания; **to pay o.'s ~s** поднасям почитанията си, засвидетелствам почитта си (to); **3.** отношение, аспект; **in all ~s** във всяко отношение; ● **~ of persons** пристрастие; раболепие; **II.** *v* **1.** почитам, уважавам, зачитам, тача; **to ~ o.'s word** държа на думата си; **2.** щадя, отнасям се с внимание към; **3.** отнасям се до (за).

respiratory ['respireitəri] *adj* дихателен, респираторен.

respire [ris'paiə] *v* **1.** дишам; вдишвам и издишам; **2.** поемам дъх, отдъхвам си, почивам си; **3.** ободрявам се, съвземам се, идвам на себе си, окопитвам се.

respite ['respit] **I.** *n* **1.** отдих, отмора, почивка; **a ~ from toil** почивка след тежък труд; **2.** отсрочка; временно спиране на изпълнението на присъда; **II.** *v* **1.** давам отдих (на); **2.** спирам изпълнението на присъда; давам отсрочка на; отлагам, забавям; **3.** *воен., остар.* не плащам, не изплащам

заплатата на.

respond [ris'pɔnd] *v* **1.** отговарям; **2.** отзовавам се, обаждам се, реагирам, отзивчив съм (**to**); **3.** *рядко* отговарям, съответствам, подходящ съм.

response [ris'pɔns] *n* **1.** отговор; ответ; **in ~ to** в отговор на; **2.** отглас, отзив, отклик, отзвук; **3.** *рел.* ектения; **4.** чувствителност (*на уред*).

responsibility [ris,pɔnsi'biliti] *n* **1.** отговорност; **on o.'s own ~** на своя отговорност; **2.** задължение, отговорност.

responsible [ris'pɔnsəbəl] *adj* **1.** отговорен (**to, for**); **2.** отговорен, разумен, (благо)надежден, сигурен, почтен, солиден, свестен; ◇ *adv* **responsibly** [ris'pɔnsibli]; **3.** свързан с отговорност.

rest₁ [rest] **I.** *n* **1.** покой, почивка, отдих, отмора; спокойствие, мир; **to give a ~** давам почивка (отдих); **2.** място за почивка; приют, подслон; **3.** опора, подложка, подставка, стойка, подпора, основа; **4.** *муз., проз.* пауза. **5.** цезура; **II.** *v* **1.** почивам (си), отпочивам (си), отдъхвам (си), отморявам се, лежа неподвижен, спокоен (мирен) съм; давам почивка (спокойствие, отдих) на, успокоявам (се); **2.** почивам, лежа, облягам се, опирам се; крепя се, основан съм (**on**); **a shadow ~ed on his face** върху лицето му падаше сянка; **3.** слагам, облягам (**on**); подпирам (**against**); **4.** спира се, попада, насочен (вперен) е (*за поглед*) (**on**); **5.** основавам, базирам (**on**); осланям се, разчитам, завися (**on**); възлагам надежди, надявам се, уповавам се (**in**); **6.** остава незасята (*за земя*); **7.** *юр.* спирам (доброволно) представянето на доказателства.

rest₂ **I.** *v* оставам; **to ~ satisfied** оставам доволен; **II.** *n* **1.** (**the ~**) остатък, останала част; останалите, другите (**of**); **2.** *фин.* резервен фонд.

restart [,ri:'sta:t] **I.** *v* подновявам, възобновявам; **II.** *n* възобновяване, ново начало.

restaurant ['restərɔn] *n* ресторант.

restitution [,resti'tju:ʃən] *n* **1.** възвръщане, възстановяване, реституция; **2.** компенсация, възмездие, обезщетение.

restoration [,restə'reiʃən] *n* **1.** връщане, възвръщане; **2.** възстановяване, възобновяване, подновяване, поправка; *pl* възстановителна работа; **3.** реставрация; **4.** *attr* възстановителен; реставрационен.

restore [ris'tɔ:] *v* **1.** връщам, възвръщам (*нещо взето*) (**to**); **2.** възстановявам, възобновявам, подновявам, реставрирам, реконструирам; **3.** възстановявам, връщам, възвръщам (*към първоначално състояние*); **to ~ to life** връщам към живот.

restorer [ris'tɔ:rə] *n* реставратор.

restrain [ris'trein] **I.** *v* **1.** въздържам, задържам, удържам, сдържам, възпирам, ограничавам, обуздавам, попречвам (**from** *c ger*); **2.** затварям, изолирам; **II.** *n* *техн.* **1.** свиване; ограничение; **2.** напрежение; **3.** препятствие; противодействие.

restraint [ris'treint] *n* **1.** въздържане, сдържане, възпиране, ограничаване, обуздаване; ограничение, "спирачка"; **to put a ~ on** обуздавам, усмирявам, укротявам; **2.** сдържаност, резервираност, самообладание, умереност; **3.** затваряне (*в затвор и пр.*).

restrict [ris'trikt] *v* ограничавам, стеснявам.

result [ri'zʌlt] **I.** *v* произлизам, произтичам, произхождам, резултат (последица) съм, следвам (**from**); **it ~ed in nothing** това не доведе до нищо; **II.** *n* резултат, последица, ефект, изход.

resume [ri'zju:m] *v* **1.** вземам (добивам, заемам, окупирам) отново, получавам обратно, възвръщам си; **to ~ (o.'s) spirits** връща ми се доброто настроение; **2.** започвам отново, подновявам, възобновявам, продължавам (след прекъсване); **to ~ a story** продължавам (прекъснат) разказ; **3.** резюмирам, правя резюме на,

обобщавам.

résumé ['rezju:mei] *n* **1.** резюме; автобиография.

resurrection [,rezə'rekʃən] *n* **1.** възкресение; **2.** възкресяване, съживяване, възобновяване.

resuscitate [ri'sʌsiteit] *v* **1.** възкресявам, съживявам, възвръщам към живот, възобновявам; **2.** оживявам, възкръсвам, съживявам се; възраждам се.

retain [ri'tein] *v* **1.** запазвам, задържам; спирам, възпирам; **to ~ th memory of** запазвам спомен з **2.** крепя, поддържам; **~ ing wa** подпорна стена; **3.** помня, запом ням; **4.** ангажирам, запазвам (*м са и пр.*), ангажирам предвар телно (*адвокат*); **~ing fee** пре варителен хонорар на адвокат

retard [ri'ta:d] **I.** *v* **1.** забавям; сп вам, преча (на), (въз)препятст вам; **2.** закъснявам (*за прилив* **II.** *n* изоставащ в развитието с бавноразвиващ се.

rethink [,ri'θiŋk] **I.** *v* преосмислям **II.** *n* преосмисляне.

retire [ri'taiə] **I.** *v* **1.** оттеглям с отдръпвам се, уединявам се, уса мотявам се; **to ~ into oneself** за варям се в себе си; **2.** отстъпва (**to, from**); давам заповед за от стъпление; **3.** оттеглям се, увол нявам се, напускам работа, и лизам в оставка (**from**); **to ~ on pension** пенсионирам се, излиза в пенсия; **4.** пенсионирам, увол нявам; **5.** *фин.* изтеглям от обра щение; отбой; **II.** *n* *воен.* заповед за от стъпление; отбой; **to sound the -** бия отбой.

retiring [ri'taiəriŋ] *adj* стеснителе скромен; сдържан, резервира необщителен, затворен, саможи ◇ *adv* **retiringly**.

retract [ri'trækt] *v* **1.** дръпвам (се назад, отдръпвам (се), приби рам, свивам (се), скъсявам; **2** вземам назад, оттеглям (*думи пр.*); **3.** отказвам (отричам, отмя там) се (от); отменям, анулира **4.** *авиац.* прибирам колесник.

retreat₁ [ri'tri:t] **I.** *v* **1.** отстъпва оттеглям се, оттърпвам се; **2** *спорт.* оттеглям (*шахматна фи*

гура); • ~ing chin (forehead) полегата брада (чело); **II.** *n* **1.** *воен.* (сигнал за) отстъпление, отбой, отдръпване, оттегляне; **to beat a ~** бия отбой (*и прен.*); **2.** *воен.* заря; **3.** уединение, усамотеност; **4.** убежище, подслон, свърталище, бърлога; приют, общежитие; **5.** *рел.* оттегляне за молитва.

retreat₂ [ˈriːˈtriːt] *мин.* **I.** *v* преработвам; **II.** *n* преработка.

retrench [riˈtrentʃ] *v* **1.** съкращавам, скъсявам, намалявам, ограничавам (*разходи и пр.*); окастрям, орязвам; махам, премахвам, отстранявам; **2.** правя икономии, стискам се.

retrenchment [riˈtrentʃmənt] *n* **1.** съкращаване, съкращение, скъсяване, намаляване, икономия; окастряне, орязване; премахване, махане, отстраняване; **2.** *воен.* резервен окоп, ретранжемент.

retribution [ˌretriˈbjuːʃən] *n* **1.** възмездие, отплата, отмщение; **2.** ретрибуция, компенсация.

retrieve [riˈtriːv] *v* **1.** възвръщам си, спечелвам отново; припомням си; **2.** поправям, възстановявам, подобрявам; **3.** спасявам, избавям, отървавам, измъквам (се) (**from**).

retrocede₁ [ˌretrəˈsiːd] *v* **1.** оттеглям се, отдръпвам се, отстъпвам; **2.** *мед.* избивам навътре.

retrocede₂ [ˌretroˈsiːd] *v* връщам (*територия*).

retrogression [ˌretroˈgreʃən] *n* регрес, упадък, ретроградност.

retrospect [ˈretrəspekt] *n* ретроспекция, преглед на миналото, връщане (поглед) назад в миналото; *рядко* поглед назад.

retrospective [ˌretrəˈspektiv] *adj* **1.** ретроспективен; обърнат назад (*за поглед*); който се намира зад някого; **2.** с обратна сила; ◊ *adv* **retrospectively**.

return [riˈtəːn] **I.** *n* **1.** връщане; **by ~** (**of post**) с обратна поща; **2.** повторно появяване (*на симптом*); **3.** връщане; отплата, възмездие, възнаграждение, компенсация; **in ~** срещу това; **4.** (*често pl*) печалба, постъпление,

добив, доход, рандеман; **5.** (*служебно*) съобщение, доклад, рапорт, отчет; **tax ~** данъчна декларация; **6.** *pl* статистически данни; **7.** изборен резултат; **8.** *архит.* чупка, извивка, ъгъл; **9.** вентилационна шахта; **10.** *attr* обратен; **II.** *v* **1.** връщам обратно (**to, into**); **to ~ a ball** връщам топка; **2.** отплащам, отвръщам, отговарям (на); **to ~ s.o.'s love (affection)** отговарям на чувствата на някого; **3.** връщам се (**to**); **to ~ to a subject** връщам се на тема; **4.** донасям, докарвам (*доход, печалба*); **5.** отговарям, връщам, възразявам; **6.** съобщавам официално, обявявам, декларирам; **7.** избирам (*за депутат*); **8.** отразявам (*звук*).

rev [rev] **I.** *n* оборот; **II.** *v* (**-vv-**) *авиац. sl* **1.** увеличавам броя на оборотите на мотор, ускорявам (*често с* **up**); пускам (*мотор*); **2.** въртя се, работя (*за мотор*); **3.** *разг.* подобрявам, преправям.

revamp [riːˈvæmp] **I.** *v* **1.** поправям, закърпвам; **2.** скърпвам, скалъпвам; **3.** преработвам; **II.** *n* преправяне, подобряване.

reveal [riˈviːl] *v* откривам, разбулвам; разкривам, разгласявам; издавам; показвам, проявявам.

revel [revl] **I.** *v* **1.** пирувам, гуляя, веселя се; **2.** предавам се, наслаждавам се, душа давам (**in**); **3.** изгулявам, профуквам, прогулявам, прахосвам (**away**); **II.** *n* (*често pl*) пир, гощавка, веселба, гуляй, веселие.

revelation [ˌreviˈleiʃən] *n* откриване, разбулване; разкриване; откровение.

revelatory [revəˈleitəri] *adj* информативен; показателен, разкриващ.

revenge [riˈvendʒ] **I.** *v* отмъщавам (си) за; **II.** *n* **1.** отмъщение, мъст; **in (as a) ~** за отмъщение; **2.** реванш; **to give a person his ~** давам възможност за реванш.

reverberate [riˈvəːbireit] *v* **1.** отразявам, отеквам, бивам отразен; **2.** еча, ехтя, кънтя, отеквам; **3.** въздействам (**on, upon**); **4.** *рядко*

отскачам.

reverberation [riˌvəːbiˈreiʃən] *n* **1.** отразяване; **2.** грьм, грьмотевица; ехтеж, ечене, кънтеж, ек, екот; ехо; **3.** отглас, отзвук.

reverberator [riˈvəːbəreitə] *n* рефлектор.

revere [riˈviə] *v* почитам, уважавам, тача; благоговея пред.

reverence [ˈrevərəns] *n* **1.** уважение, почит; благоговение; **2.** преподобие, преосвещенство; **3.** *остар.* реверанс.

reverend [ˈrevərənd] *adj* **1.** почтен; **2.** (**R.**) преподобен (*титла на свещеник*).

reverie [ˈrevəri] *n* **1.** замисленост, замечтаност, унесеност; бляново, блян, мечта, мечти; **lost in (a) ~** унесен (в мечти); **2.** *остар.* налудничава идея, заблуда.

reversal [riˈvəːsəl] *n* **1.** обръщане, извръщане, преобръщане, катурване, разместване; връщане (назад); промяна; променяне посоката на движение; **2.** *техн.* заден (обратен) ход; **3.** *юр.* отменяне, отмяна, анулиране; **4.** провал, загуба.

reverse [riˈvəːs] **I.** *adj* обратен, противоположен (**to**); опак, извърнат, преобърнат, обърнат, надолу с главата; реверсивен; **~ side** обратна страна; **II.** *v* **1.** обръщам (в обратна посока, наопаки, надолу), извръщам, преобръщам, размествам; променям; **~ oneself** *амер.* променям решението си; **2.** *техн.* давам заден ход (на); **3.** отменям, анулирам; **III.** *n* **1.** нещо противоположно, обратно; **quite (very much) the ~** тъкмо обратното; **2.** поражение, несполука, неуспех, провал; **3.** (пълна) промяна, обрат, превратност; **4.** обратна страна; **5.** *техн.* реверсия, промяна на движението на машина в обратна посока; механизъм за смяна на посоката; **to go into ~** давам заден ход; *прен.* отмятам се; • **in ~** наопаки.

reversion [riˈvəːʃən] *n* **1.** връщане; **2.** *биол.* атавизъм, връщане към първобитното състояние (*и* **~ to type**); **3.** осигуровка, застрахов-

ка (*сума*).

review [ri'vju:] I. *v* 1. преглеждам отново; 2. правя преглед на, преглеждам, припомням си, хвърлям поглед назад (връщам се мислено) към; 3. правя преглед (*на войски и пр.*); 4. рецензирам, правя рецензия на, разглеждам; пиша рецензии (критики); 5. *юр.* разглеждам отново, преразглеждам; 6. преговарям, правя преговор на; II. *n* 1. преглед; 2. хвърляне поглед назад, връщане към миналото; 3. *воен.* преглед; 4. рецензия, преглед, критика; ~ **copy** екземпляр, даден за рецензиране; 5. периодично списание; 6. *юр.* преразглеждане.

reviewer [ri'vju:ə] *n* рецензент, критик.

revile [ri'vail] *v* ругая, наругавам, хокам, нахоквам, скарвам се, навиквам.

revise [ri'vaiz] I. *v* ревизирам, преглеждам, проверявам, поправям; преработвам, подобрявам (*издание*); II. *n* 1. втора коректура; 2. *рядко* поправка.

revitalize [ri'vaitəlaiz] *v* съживявам, възраждам; възобновявам.

revive [ri'vaiv] *v* 1. идвам на себе си (в съзнание), свестявам се; 2. съживявам (се) (*и прен.*); възкресявам, връщам към живот (*и прен.*); възраждам (се); подновявам; възстановявам; събуждам интерес към; **to ~ a play** възобновявам поставянето на пиеса.

revolt [ri'voult] I. *v* 1. въставам, разбунтувам се, вдигам се (**against**); 2. преставам да се подчинявам (**from**); 3. преминавам (*на страната на*) (**to**); 4. отвращавам се, погнусявам се, възмущавам се, протестирам, (**at, against, from**); 5. отвращавам, погнусявам, възмущавам; II. *n* 1. въстание, бунт, метеж, бунтарство; 2. отвращение, погнуса.

revolting [ri'voultiŋ] *adj* отвратителен, противен, гаден, възмутителен, ужасен.

revolution [,revə'lu:ʃən] *n* 1. въртене; завъртане, оборот; 2. периодично връщане; **in the ~ of the**

seasons смяна на годишните времена; 3. пълна (коренна) промяна, основно преустройство, рязък прелом, преврат, революция.

revolutionary [,revə'lu:ʃənəri] I. *adj* 1. революционен; 2. *рядко* който се отнася до въртене; II. *n* революционер.

revolutionist [,revə'lu:ʃənist] *n* революционер.

rheumatism ['ru:mətizəm] *n* ревматизъм.

rhyme [raim] I. *n* 1. рима; дума, която се римува; **imperfect ~** непълна рима; 2. (*често pl*) римувано стихотворение; II. *v* 1. римувам, пиша (римувани) стихове; 2. римувам се; *прен.* хармонирам (**with**).

rhythm [riðm] *n* ритъм.

rhythmic(al) ['riðmik(əl)] *adj* ритмичен, отмерен; ◇ *adv* **rhythmically**.

rib [rib] I. *n* 1. ребро; **false (floating, short) ~** *анат.* плаващо ребро; 2. остър край, ръб; изпъкнала ивица на плат; 3. плетка английски ластик; 4. скоба; 5. *шег.* жена, съпруга; II. *v* 1. правя ръбове; 2. *техн.* усилвам, придавам твърдост (на); 3. *разг.* закачам, задявам.

ribbon ['ribən] *n* 1. лента; тясна ивица; 2. *pl* парцали, дрипи; 3. *разг.* юзди.

rich [ritʃ] I. *adj* 1. богат (**in**); 2. изобилен, плодороден; 3. хубав, великолепен, скъп, разкошен, пищен; 4. богат, обилен, тлъст, мазен, тучен, хранителен; ~ **milk** гъсто мляко; 5. мек, плътен (*за тон*); 6. гъст (*за бои*); 7. *разг.* (много) забавен; II. *n* (**the r.**) богатите, богаташите.

richness ['ritʃnis] *n* 1. богатство, състояние, имане; 2. изобилие, пищност, избуялост; 3. мазнина, тучност, хранителност.

riddle₁ ['ridəl] I. *n* загадка, гатанка; **to talk (speak) in ~s** говоря с недомлъвки; II. *v* 1. казвам под форма на гатанка, служа си с гатанки; 2. отгатвам (*гатанка*), разбулвам (*загадка*).

riddle₂ I. *n* решето; **to make a ~ of**

правя на решето; II. *v* 1. сея, пресявам; *прен.* проверявам; 2. правя на решето, надупчвам (*с куршуми*); 3. *прен.* съсипвам, оборвам.

ride [raid] I. *v* (**rode** [roud], **ridden** [ridən]) 1. яздя, яхам (**on**); 2. возя се (*на автобус, трамвай, влак, велосипед*); 3. обикалям, обхождам, пропътувам, кръстосвам, прекосявам (*местност*); изминавам (*разстояние на кон или с превозно средство*); 4. вървя, движа се (*за превозно средство*); возя, качвам (*на превозно средство*); 6. нося се, движа се, плувам (**on**); 7. на котва съм; 8. налягам, налегнал съм, газя, потискам, притеснявам, угнетявам, измъчвам, тормозя, не оставям на мира, вадя душата на; владея; 9. *разг.* подигравам се с, дразня, закачам; ● **to ~ high** имам голям успех;

ride at насочвам (се) към;

ride away заминавам, отдалечавам се (*за ездач*);

ride down настигам, оставям зад себе си, изпреварвам; стъпквам, прегазвам (*при яздене*);

ride on зависи от, свързан съм непосредствено с;

ride out излизам на езда; изкарвам благополучно (*буря – за кораб*); излизам от затруднено положение, измъквам се;

ride up пристигам, яздейки; изскачам (*за яка*);

II. *n* 1. езда; разходка (*на кон, велосипед и пр.*); **to go for (have) a ~** ходя на езда, правя разходка, разхождам се; 2. алея, път, просека (*през гора*).

ridiculous [ri'dikjuləs] *adj* смешен, нелеп, абсурден; ◇ *adv* **ridiculously**.

rift [rift] I. *n* пукнатина, цепнатина, процеп, хлътнатина (*в земята, в скала*); II. *v* разцепвам, процепвам, разкъсвам; напуквам (се).

right [rait] I. *adj* 1. *мат.* прав; **at ~ angles (to... with...)** под прав ъгъл (към, спрямо); 2. справедлив, честен, прав, почтен; **to do the ~**

thing държа се, действам почтено; **3.** верен, точен, правилен; прав; който се търси, се има предвид; **the ~ time** точно време; **4.** прав, на правилна позиция; **you are ~** имате право, прав сте; **5.** здрав; в добро, нормално състояние; **6.** лицев (*за страна на плат*), горен; **7.** десен (*обр. на left*); **8.** *полит.* десен, консервативен, реакционен; **II.** *n* **1.** право, справедливост; добро; **to be in the ~** имам право, прав съм; **2.** право, привилегия (to); *pl* права; **~ to vote** право на глас; **3.** *pl* изправност; **to put (set) s.th. to ~s** нареждам, **4.** *полит.* (**R.**) десница; **III.** *adv* **1.** право, направо; **go ~ on** вървете право напред; **2.** изцяло, докрай; чак; **to go ~ to the end** отивам чак до края; **3.** точно; право, чак; **~ at the top** чак на върха, най-горе, най-отгоре; **4.** правилно; справедливо, добре; **to put s.o. ~** оправям, излекувам някого; **5.** надясно; **6.** *остар.* много; **IV.** *v* **1.** изправям (се); оправям (*курс на лодка*); **2.** изправям, поправям (*грешка, неправда, нередност*); **3.** *refl* възстановявам равновесието си; *прен.* реабилитирам се; **4.** защитавам, застъпвам се за.

rigid ['ridʒid] *adj* **1.** твърд, неогъваем; **2.** скован, вкочанен, вдървен, ригиден; **3.** *прен.* суров; непреклонен; твърд, строг; безкомпромисен; ◇ *adv* **rigidly**.

rim [rim] **I.** *n* **1.** ръб, край; рамка (*на очила*); **2.** венец; бандаж; капла, джанта; **3.** *мор.* водна повърхност; **II.** *v* (-mm-) снабдявам с, поставям в рамка; слагам ръб на; обкръжавам, ограждам с ръб.

ring₁ [riŋ] **I.** *n* **1.** халка, пръстен; обръч (*за гимнастика*); *бот.* годишен пръстен; **wedding ~** венчален пръстен, халка; **2.** циркова арена, манеж; боксов ринг; **3.** *търг.* картел; *фин.* обединение на финансисти за съвместен контрол на пазара; *разг.* клика, банда; **4.** *амер.* състезание, съревнование, борба (*особ. полит.*); **to toss o.'s hat in the ~** публично

обявявам кандидатурата си; **5.** *хим.* ядро, пръстен, затворена верига (*на атоми*); ● **to make ~s (a)round s.o.** *разг.* правя някого на пух и прах; явно превъзхождам някого; **II.** *v* **1.** обкръжавам, заграждам в кръг; правя кръг около някого (**about, round, in**); **2.** слагам пръстен (халка) на; промушвам халка през носа на (*животно*); **3.** изрязвам кръг в кората на (*дърво*).

ring₂ **I.** *v* (**rang** [ræŋ], *рядко* **rung** [rʌŋ]; **rung**) **1.** звъня, бия (*за камбана, звънец*); бия (*камбана*); звъня, звънвам; **2.** звъня (*за монета*); удрям (*монета*), за да звънти; **3.** ехтя, еча, кънтя, прокънтявам (**with**); **the world rang with his praises** славата му се носеше из целия свят; **II.** *n* **1.** звън; звънтене, звънтеж; **2.** звук, звънливост (*на глас, на смях*); **3.** *прен.* впечатление; **4.** повикване по телефона.

riot ['raiət] **I.** *n* **1.** бунт; метеж; размирица; **2.** *остар.* пиянство, разюзданост; **3.** изблик (*на смях*); буен растеж; изобилие от ярки цветове, богатство от цветове; **II.** *v* **1.** бунтувам се; *разг.* вдигам врява; **2.** живея разюздано, отдавам се на пиянство, буйствам, развратнича; **3.** отдавам се изцяло, страстно на.

rise [raiz] **I.** *v* (**rose** [rouz]; **risen** [rizn]) **1.** издигам се, вдигам се; *прен.* издигам се; **2.** ставам, надигам се, изправям се; **to ~ to o.'s feet** ставам на крака; **3.** изгрява; **4.** закрива се (*за заседание и пр.*); **5.** възкръсвам; **6.** издигам се, нараствам, раста (*за глас, интерес, надежда и пр.*); вдигам се, покачвам се, повишавам се (*за температура, цени и пр.*); увеличавам се; повдигам се (*за дух и пр.*); кипва; вдига се, втасва (*за тесто и пр.*); **7.** извира (*за река*) (**at, in**); приижда; **8.** въставам, (раз)бунтувам се; **9.** възниквам, зараждам се, пораждам се; появявам се; **10.** подплашвам (*дивеч*), карам (*дивеч*) да излезе от скривалището си; **11.** забелязвам

(*кораб и пр.*) на хоризонта; **II.** *n* **1.** издигане; изкачване; възход; **2.** покачване, вдигане, увеличение; увеличаване, повишение, повишаване; нарастване; **3.** изкачване; нанагорнище; възвишение, хълм; **4.** изгряване, изгрев; появяване на хоризонта; **5.** произход, начало; **6.** извор на река.

risk [risk] **I.** *n* **1.** риск, опасност; **at the ~ of** с риск за (да); **2.** застрахован човек (имот); застрахователна сума; **II.** *v* рискувам; решавам се на; излагам се на риск (опасност); **to ~ s.o.'s anger** рискувам да ядосам някого.

rite [rait] *n* обред, ритуал, церемония, церемониал.

rival ['raivəl] **I.** *n* съперник, съперничка; конкурент, конкурентка; **II.** *adj* който съперничи (конкурира); **III.** *v* (-ll-) съпернича с; конкурирам; *рядко* съперници сме, съперничим си (**with** с).

rivel ['rivəl] *v остар.* сбръчквам (се), свивам (се), съсухрям (се).

river ['rivə] *n* река, поток (*и прен.*); *attr* речен.

road [roud] **I.** *n* **1.** път (*и прен.*), шосе; улица; платно на улица; **on the ~** на път; **2.** *мин.* галерия; **3.** *амер.* влак, жп линия; **II.** *v* проследявам по миризмата (*за куче*).

roar [rɔː] **I.** *v* **1.** рева; изревавам; викам; **2.** бучи (*за огън, море*); тътне; **3.** рева, викам, изревавам; извиквам; крещя; **to ~ out a song** пея гръмогласно; **4.** *вет.* хърка; **II.** *n* **1.** рев, изреваване; **2.** бучене; тътен, тътнеж; **3.** силен (гръмогласен) смях (вик).

roaring ['rɔːriŋ] **I.** *adj* **1.** шумен, гръмогласен; буен, бурен; **2.** оживен (*за търговия и пр.*); отличен; кипящ; **~ health** отлично здраве; **II.** *n* **1.** рев; бучене; тътен, тътнеж; **2.** *вет.* задух.

roast [roust] **I.** *v* **1.** пека (се), изпичам (се); грея се, препичам се; **to ~ oneself (before a fire)** препичам се на огън; **2.** *техн.* спичам, синтерувам, пържа (*руда*); калцинирам, изпичам; **3.** *разг.* подлагам на безмилостни подигравки (критика); **II.** *n* **1.** печено (ме-

со); **2.** парче месо за печене.

rob [rɔb] *v* (-vv-) **1.** ограбвам, грабя, обирам; отнемам; *рядко* крада; **2.** *мин.* експлоатирам хищнически.

robber ['rɔbə] *n* разбойник, грабител.

robe [roub] **I.** *n* **1.** обикн. *pl* мантия, одежда; **2.** *поет.* одеяние, одежда, мантия, покривка; **II.** *v* обличам (се) (*особ. официални дрехи, одежди*).

robot ['roubət] *n* робот, автомат; ~ **pilot** автопилот.

robotic [rou'bɔtik] *adj* **1.** автоматизиран, автоматичен; **2.** скован, отсечен (за движение).

rock₁ [rɔk] *n* **1.** скала, канара, камък; **built on (the)** ~ изграден на скала; **2.** *амер.* камък, камъче; **3.** опора, спасение; **4.** *sl* скъпоценен камък, диамант.

rock₂ I. *n* люлея (се), люшкам (се), клатя (се), клатушкам (се); разтърсвам (се), разклащам (се); **to** ~ **a baby to sleep** приспивам дете в люлка; **II.** *n* люлеене, залюляване, клатене и пр.

rocket ['rɔkit] **I.** *n* **1.** ракета; **2.** *attr* ракетен, реактивен; ~ **site** ракетна база (площадка); **II.** *v* **1.** обстрелвам с ракети; **2.** излитам право нагоре, стрелвам се нагоре; **3.** спускам се (стрелвам се) напред, политам като стрела; **4.** хвърлям се като стрела надолу.

rocky ['rɔki] *n* **1.** скалист, каменист; **2.** *прен.* твърд, упорит, неотстъпчив, неумолим, като скала, като камък; жесток, коравосърдечен.

rod [rɔd] *n* **1.** пръчка, прът; издънка; бой с пръчки; наказание; **2.** жезъл; **3.** въдичарски прът, въдица (*и* fishing-~); въдичар (*и* **rodman, rodster**); **4.** мярка за дължина (*около 5 м*); **5.** *анат.* пръчица (*на ретината*); **6.** *биол.* бацил, болестотворна бактерия; **7.** *техн.* лост; ос; стожер; бутален прът; теглич; валцдрат; сондажна щанга; **8.** *амер. sl* револвер; **9.** *sl* пенис, член, чеп, грездей.

rogue [roug] **I.** *n* **1.** мошеник, измамник; **2.** немирник, непослуш-

ник, пакостник; **3.** *остар.* скитник; **4.** самец, който живее отделно от стадото, единак; **II.** *adj* чужд, необичаен, извън познатото (стандартното); **III.** *v* **1.** плевя, чистя (*леха*) от плевели; **2.** *амер.* измамвам, мамя; мошеничa; живея мошенически.

roll [roul] **I.** *n* **1.** свитък; руло; топ (*плат и пр.*); **2.** списък, регистър; летопис, хроника; **3.** ек, екот, ехтене, тътен, тътнеж; **4.** възвишение, издатина; **5.** *амер. sl* пари, мангизи (*особ. пачка банкноти*); **II.** *v* **1.** търкалям (се), изтъркулвам (се), валям (се); **2.** въртя (се), навивам (се), завивам (се), увивам (се), свивам (се); запрятам (*ръкави и пр.*); **3.** клатя (се), клатушкам (се), люлея (се), люшкам (се); **4.** тече (*за река, време*); **5.** ечи, ехти, тътне, гърми; бие непрестанно (*за барабан*); носи се, разнася се (*за звук*); **6.** *амер.* напредвам;

roll along 1) карам (*по пътя – количка и пр.*); **2)** пътувам (*с кола и пр.*), придвижвам се, напредвам;

roll away 1) махам, отмествам, откарвам (*чрез търкаляне*); **2)** вдига га се, разсейва се, разпръсква се, разнася се (*за мъгла*); **3)** откарвам (*с количка и пр.*);

roll back 1) търкулвам (се) назад; **2)** обръщам (се) (*за очи*); **3)** *амер.* намалявам (*цени*) с общо нареждане;

roll by 1) минава, преминава, тече, изтъркулва се (*за време*); **2)** минавам с кола;

roll in 1) пристигам на тълпи (в голямо количество, брой), тълпя се, стичам се; **2)** сипя се (*за пари*);

roll on минава, тече, изтъркулва се (*за време*);

roll over обръщам (се), преобръщам (се); събарям (се);

roll up 1) завивам (се), увивам (се), свивам (се), навивам (се); запрятам; **2)** обграждам, обкръжавам (*неприятел*); **3)** трупам се, натрупвам се; **4)** *разг.* идвам, явявам се; **5)** *sl* умирам.

ROM (*abbr* = **read-only memory**) *инф.* постоянна памет.

room [ru:m, rum] **I.** *n* **1.** стая; **2.** *pl* квартира, апартамент; **3.** място, празно пространство; **4.** *прен.* повод, място, почва, възможност, причина; **5.** *остар.* пост, служба, длъжност; **II.** *v* живея, квартирувам (**at** у) (**with** с).

root [ru:t] **I.** *n* **1.** корен (*и анат., език., прен.*); **the** ~ **of the evil** коренът на злото; **2.** *мат.* корен; **3.** *муз.* основен тон (*на акорд*); **4.** *attr* основен; **II.** *v* **1.** вкоренявам (се); **2.** внедрявам; **3.** ровя, тършувам, ровичкам, бърникам.

rose [rouz] **I.** *n* **1.** роза; **2.** розов цвят; **3.** розетка; **II.** *attr* розов.

route [ru:t] *n* маршрут, курс, път на следване; **bus** ~ автобусна линия.

rove [rouv] **I.** *v* **1.** скитам се, странствам, бродя, блуждая, лутам се; **2.** преброждам, скитам се през; ~**ing life** скитнически живот; **II.** *n* скитане, бродене, блуждаене.

row₁ [rou] **I.** *n* **1.** ред, редица, поредица; **in a** ~ в една линия (редица); един след друг; **2.** *прен.* улица; **II.** *v* нареждам в редица (обикн. с **up**).

row₂ **I.** *v* греба, карам лодка (*с весла*); **to** ~ **a race** участвам в състезание по гребане; **II.** *n* **1.** гребане; **2.** удар (загребване) на веслото.

row over 1) превозвам; прекарвам (*с лодка*); **2)** побеждавам лесно (*при гребни състезания*); **II.** *n* **1.** гребане; **2.** удар (загребване) на веслото.

royal ['rɔiəl] *adj* кралски, царски; *прен.* царствен, величествен, великолепен, разкошен, чудесен "царски"; ◇ *adv* **royally.**

rubric ['ru:brik] **I.** *n* **1.** рубрика; заглавие; **2.** *минер.* червена желязна руда; **II.** *adj* червен, червеникав, отбелязан (белязан) с червено; **III.** *v* **1.** вмъквам литургическо правило в молитвена книга; **2.** маркирам с червено; **3.** поставям рубрика, отделям в рубрики.

ruck [rʌk] *n* **1.** тълпа, маса, простолюдие; **2.** смет, боклук, дребни остатъци; **3.** бой, схватка, *спорт* меле.

rule [ru:l] **I.** *v* **1.** управлявам; ръководя; властвам, господствам; **2.** постановявам, определям; **3.** линирам, разчертавам; **4.** преобладавам; общо взето съм, държа се; **II.** *n* **1.** власт, господство; управление, управляване, ръководене, ръководство; **2.** правило, норма, установен метод (начин); **3.** постановление; решение; **4.** *pl* устав; правилник; статут; **5.** линия, линеал.

run [rʌn] **I.** *v* (**ran** [ræn], **run**) **1.** бягам, тичам, търча; **2.** бързо се разпространявам; **3.** движа се, въртя се, вървя, работя (*за машина*); циркулирам; **4.** тека, лея се; протичам, разтопявам се; разливам се (*за бои и пр.*); **5.** простирам се, преминавам, минавам по, вървя по, водя, следвам по; **6.** изтичам, преминавам, отминавам; **7.** върви, котира се, струва средно; **8.** съм, ставам; **to ~ free** на свобода съм; **9.** карам да тича, пришпорвам; **10.** карам, движа, направлявам движението на; **11.** прокарвам, прекарвам; мушвам, тиквам, вкарвам; вдявам (*конец*) (**through, into**); **to ~ a comb through o.'s hair** прекарвам гребен през косата си, среsvам се; **12.** завеждам, ръководя, управлявам; експлоатирам; **to ~ a hotel** (**restaurant**) държа хотел (ресторант); **13.** откарвам (*с кола*); **14.** лея, изливам, пускам; **15.** гоня, подгонвам (*дивеч с кучета*); **16.** преминавам успешно; прекарвам (*контрабанда*); **to ~ a blockade** пробивам блокада; ● **to ~ counter** вървя срещу;

run about тичам нагоре-надолу; щурам се, суетя се;

run across натъквам се на, попадам на, срещам (се) случайно с;

run after бягам след; *прен.* ухажвам; преследвам;

run against сблъсквам се с, натъквам се на;

run around лутам се, суетя се;

run at нахвърлям се върху, нападам;

run away избягвам, побягвам; забягвам;

run away with 1) отвличам, похищавам, открадвам; **2)** грабвам (*награда*); **3)** лишавам от самообладание; **4)** приемам набързо (*идея, понятие*); **5)** водя до голям разход на (*сили, пари и пр.*);

run back връщам се тичешком; (*за автомобил*) карам на заден ход;

run by *амер.* споменавам (*нещо*), за да видя реакцията на слушателя си; подхвърлям;

run down 1) спирам (*за механизъм*); **2)** отивам в провинцията (*за лондончанин*); **3)** догонвам, застигам; **4)** натъквам се на, откривам, сблъсквам се с, намирам; **5)** одумвам, изказвам се презрително за; мъмря, критикувам; **6)** изтощавам, уморявам, изцеждам; **7)** притискам, ограничавам, свивам (*дейност, запаси, количество*); **8)** прегазвам (*с автомобил*);

run-in 1) *разг.* арестувам, затварям, запирам, "окошарвам", прибирам на "топло"; **2)** идвам за малко (набързо), правя кратко посещение, "хлътвам"; **3)** *разг.* намествам, натъкмявам; **4)** вкарвам, наливам (*течност*); **5)** *техн.* разработва се (*за двигател*);

run into 1) попадам в; достигам до; **2)** идвам (достигам) до; **3)** разливам се в; **4)** сблъсквам се с, натъквам се на;

run off 1) избягвам, изплъзвам се, офейквам; **2)** излизам, изтичам (*от релси и пр.*); **3)** отклонявам се от темата на разговора; **4)** изтичам; източвам, изтакам; **5)** пиша (декламирам, рецитирам) плавно (гладко);

run off with избягвам с, отмъквам, задигам, открадвам;

run on 1) говоря непрекъснато (безспир); **2)** връщам се постоянно на (*за мисли и пр.*); **3)** *полигр.* продължавам на същия ред, продължавам без нов параграф; **4)** *проз.* правя анжамбман (пресkey);

run out 1) изтичам (*и за време*); **2)** свършвам се, изчерпвам се,

изтощавам се; **3)** изтичам, пускам да се изтича (*за вода*); **4)** стърча навън (напред), издавам (се);

run out of привършвам, изчерпвам запасите си от;

run out on зарязвам, изоставям;

run over 1) преливам (*за течност*); препълнен съм; **2)** отскачам до, прибягвам до; **3)** прегазвам, смачквам; **4)** повтарям (преглеждам, преговарям) набързо;

run past споменавам, подхвърлям;

run through 1) пробождам, промушвам; **2)** зачерквам, зачертавам (*нещо написано*); **3)** преглеждам (минавам) набързо, хвърлям поглед на, прочитам бегло, прехвърлям отгоре-отгоре; **4)** справям се успешно с; **5)** пропилявам, прахосвам (*състояние*);

run to 1) тичам при (до); **2)** достигам, възлизам на (*за суми*); **3)** развивам се в, превръщам се на (в); **4)** склонен съм на (към); **5)** позволявам си, купувам;

run up 1) отскачам; **to ~ up to town** отивам в града; **2)** раста (нараствам) бързо; натрупвам (се) бързо; повишавам (се); покачвам (се); **3)** възлизам на (to); **4)** издигам (построявам) набързо; скалъпвам;

run upon 1) въртя се около, връщам се на (*за мисли*); **2)** срещам (*някого*) случайно (неочаквано), натъквам се на;

II. *n* **1.** бяг, пробег; бягане; тичане; **on the ~** в движение; **2.** пробег (*на локомотив, влак и пр.*); **3.** пътуване, пътешествие, екскурзия (*с автомобил*); **4.** ход, работа, действие; **5.** ход, развитие, посока, насока, направление, тенденция, курс; **6.** течение; продължителност; редица, линия, поредица, серия, последователност; ред; **7.** строполясване, сгромолясване, падане; **8.** търсене, наплив; **9.** наклон; направление; **10.** пасаж (*от риби*); *рядко* стадо; **11.** партида стоки.

ruthless [ˈruːθlis] *adj* безжалостен, безмилостен; ◇ *adv* **ruthlessly.**

S, s [es] *n* (*pl* Ss, S's ['esiz]) 1. буквата S; 2. който има формата на S.

sabotage ['sæbota:ʒ] I. *n* саботаж; диверсия; II. *v* саботирам, вредя.

saboteur [,sæbo'tə:] *n* саботьор, диверсант.

sabre ['seibə] I. *n* 1. сабя, шашка; ~ cut белег от саблен удар; 2. *pl* кавалеристи; кавалерия; II. *v* 1. посичам, съсичам; 2. въоръжавам със сабя.

sabulous ['sæbjuləs] *adj* песъчлив, песъклив, пясъчен, с песъчинки.

saccharin(e)₁ ['sækərin] *n* хим. захарин.

saccharine₂ ['sækərain] *adj* захарен, сладникав; a ~ smile сладникава усмивка.

sack₁ [sæk] I. *n* 1. торба, чувал; 2. широка свободна дреха; 3. анат., зоол. торбичка; ● to give a person the ~ уволнявам някого; II. *v* 1. слагам (нося, опаковам) в торби; 2. разг. уволнявам, натирвам, изгонвам, махам; 3. sl спорт. побеждавам, надвивам, набивам, бия.

sack₂ I. *v* 1. грабя, плячкосвам; 2. предавам на разграбване (*превзет град или победена страна*); II. *n* разграбване, грабеж, плячкосване; мародерство; to put to ~ разграбвам, оплячкосвам, ограбвам.

sackless ['sæklis] *adj* шотл. 1. невинен; безвреден; безобиден; 2. прост, глуповат; 3. бездеен, апатичен.

sacral ['seikrəl] *adj* 1. рел. сакрален; 2. анат. кръстен, който се отнася, принадлежи или е съседен на кръстната кост.

sacrament ['sækrəmənt] *n* 1. рел. тайнство, сакрамент; обикн. евхаристия, причастие; 2. клетва.

sacramental [,sækrə'mentl] I. *adj* 1. рел. тайнствен, сакраментален, свещен, светопричастен; 2. клетвен; II. *n* тайнодействия.

sacred ['seikrid] *adj* 1. свещен, свят; сакрален; 2. посветен (to); 3. свят, неприкосновен, ненарушим; сакраментален.

sacrifice ['sækrifais] I. *n* 1. жертвоприношение, жертва; 2. жертва; саможертва; to sell at a ~ продавам на загуба; II. *v* 1. жертвам, отказвам се от; 2. извършвам жертвоприношение; to ~ to idols принасям жертва на идоли; 3. продавам на загуба (под костуемата цена).

sacrilege ['sækrilidʒ] *n* светотатство, кощунство.

sacrosanct [,sækro'sæŋkt] *adj* свещен, неприкосновен.

sad [sæd] *adj* (-dd-) 1. натъжен, тъжен, опечален, унил; a ~ mistake досадна грешка; 2. разг., шег. непоправим; ужасен; отчаян; 3. тежък, клисав, тестяв (*за хляб*); 4. тъмен, мрачен (*за цвят*); ◊ *adv* sadly.

sadden ['sæd(ə)n] *v* натъжавам (се), нажалявам (се), опечалявам (се).

saddle [sædəl] I. *n* 1. седло; ~ horse ездитен кон; 2. гръб (*на животно*); 3. геогр. седловина; II. *v* 1. оседлавам, заседлавам; 2. натоварвам; прен. обременявам.

saddleback ['sædlbæk] I. *n* седловина; II. *adj* вдлъбнат, седловиден, седловат; III. *adv* на гръб; гърбом; по гръб.

sadism ['sædizəm] *n* садизъм.

sadistic [sə'distik] *adj* жесток, садистичен; ◊ *adv* sadistically [sə'distikəli].

sadness ['sædnis] *n* униние, печал, скръб.

safe₁ [seif] *adj* 1. невредим, здрав, читав; to see s.o. ~ home изпращам някого до вкъщи; 2. запазен, избавен, спасен; his honour is ~ честта му е спасена; 3. безопасен, сигурен; верен, надежден; a ~ bet сигурен облог; 4. на когото може да се разчита; прен. сигурен, стабилен.

safe₂ *n* сейф, огнеупорна каса.

safe-deposit ['seifdi,pozit] *n* трезор, хранилище.

safeguard ['seifga:d] I. *n* 1. гаранция; защита; охрана; предпазна мярка; 2. предпазител, предохранител; II. *v* гарантирам; предпазвам; охранявам, защитавам.

safety ['seifti] *n* безопасност, сигурност; запазеност, непокътнатост; for ~'s sake за по-голяма сигурност.

safety-razor ['seifti,reizə] *n* самобръсначка.

saga ['sa:gə] *n* 1. истор. сага, скандинавско или келтско сказание; 2. лит. сказание, предание, легенда; ~-novel семейна сага, хроника.

sagacious [sə'geiʃəs] *adj* 1. проницателен, далновиден, прозорлив, пресметлив; ◊ *adv* sagaciously; 2. умен (*за животно*).

sagacity [sə'gæsiti] *n* прозорливост, далновидност, проницателност.

sage [seidʒ] I. *adj* 1. далновиден, мъдър, умен; 2. всезнаещ, учен; сериозен, важен (*често ирон.*); ◊ *adv* sagely; II. *n* мъдрец.

sail [seil] I. *n* 1. корабно платно; in full ~ с всички платна; прен. под пълна пара; 2. платноход, гемия; събир. платноходи; 3. плаване; мореплаване; II. *v* 1. пътувам с (карам, управлявам) плавателен съд; 2. проплувам, пропътувам по вода; 3. отплавам, отплувам, отпътувам (*с плавателен съд*); 4. нося се, рея се, летя, плъзгам се плавно, плувам;

sail in прен. намесвам се; вземам решителни мерки;

sail into прен., разг. нахвърлям се срещу; нападам; наругавам;

sail through справям се с, изкарвам (*изпит*).

sailor ['seilə] *n* моряк, матрос; мореплавател.

saint [seint, *пред имена* snt, sint] (*съкр.* St., S., *pl* Sts., SS.) I. *n* светия, светец; calendar of ~s църковен календар; II. *adj* свят; рел. канонизиран; III. *v* рел. канонизирам, почитам като светия.

salacious [sə'leiʃəs] *adj* 1. похотлив, сладострастен, сластен; сластолюбив; 2. скверен, непристоен; пикантен; ◊ *adv* salaciously.

salad ['sæləd] *n* салата.

salary ['sæləri] I. *n* заплата; II. *v* плащам заплата на; salaried man чиновник, държавен служител.

sale [seil] *n* 1. продажба, продан;

cash ~ продажба в брой, кеш; **2.** търг, аукцион; **to put up for** ~ обявявам на търг; **3.** разпродажба с намалени цени в края на сезона (*и* **bargain** ~, **clearance** ~).

salience [ˈseiliəns] *n* **1.** забележителност, забележимост, очебийност; **2.** издаденост, издутина, изпъкналост.

salient [ˈseiliənt] **I.** *adj* **1.** изпъкващ, забележителен, очебиен; **2.** изпъкнал, издаден, стърчащ; **II.** *n* **1.** *геом.* изпъкнал ъгъл; **2.** издатина.

salon [səˈlɔn] *n* **1.** салон, приемна зала; **2.** салон за козметични, модни, фризьорски услуги (*също и a* **beauty** ~).

salt [sɔlt] **I.** *n* **1.** сол; **to rub** ~ **into wound** *прен.* сипвам сол в раната; **2.** *хим.* сол; съединение; **3.** *pl* слабително, очистително, пургатив; **4.** *прен.* остроумие, духовитост; **conversation full of** ~ не пикантен разговор; **II.** *adj* **1.** солен, посолен, осолен; **2.** солен, обитаващ (виреещ в) солена вода; **3.** *прен.* лют; остър; горчив; **to weep** ~ **tears** проливам горчиви сълзи; **4.** *прен.* остроумен; пикантен, "солен"; пиперлия; **5.** *sl* прекалено скъп, "солен"; **III.** *v* **1.** соля, посолявам, насолявам, осолявам; **2.** *прен.* подправям; **3.** *sl* спестявам, пестя (*обикн.* **down**, **away**); **4.** *sl търг.* преувеличавам, надувам.

saltation [sælˈteiʃən] *n* скачане, подскачане; скок, подскок.

salted [ˈsɔltid] *adj* **1.** солен, посолен, осолен, насолен; **2.** *прен.* издръжлив, трениран, изпечен, закален, кален, опитен; **3.** *вет.* имунизиран.

salute [səˈlju:t] **I.** *v* **1.** приветствам, поздравявам (се); **2.** *воен.* салютирам; отдавам чест; **3.** *остар.* целувам, разцелувам, поздравявам с целувка; **4.** *прен.* срещам, посрещам; **II.** *n* поздрав, салют; **to stand at (the)** ~ *воен.* отдавам чест.

salvation [sælˈveiʃən] *n* спасение, избавление; **S. Army** Армия на спасението (*религиозна благотворителна организация*).

salve [sælv] **I.** *n* **1.** мехлем; **2.** успокоително; **II.** *v* **1.** успокоявам (съвест); уталожвам; **2.** *остар.* намазвам с мехлем, церя, лекувам; **3.** *остар.* разрешавам, изглаждам (трудност); *прен.* закърпвам, замазвам; **4.** спасявам (*кораб, товар*) от потъване или пожар.

same [seim] *adj* **1.** същ, същи; еднакъв, идентичен; непроменен; **the very** ~ точно този, точно такъв; **2.** *юр., търг.* същия, горексазания, гореспоменатия; **3.** *рядко* еднообразен.

sample [ˈsa:mpl] **I.** *n* **1.** мостра, проба; **to take a** ~ вземам проба от; **2.** шаблон, образец, пример, модел; **3.** *attr* мострен, за мостра (проба); ~ **book** 1) албум с мостри; 2) екземпляр от книга, дадена като мостра; **II.** *v* **1.** пробвам, изпробвам; дегустирам (*вино*); **2.** вземам проби.

sanatorium [ˌsænəˈtɔ:riəm] *n* (*pl* -iums, -ia [-riə]) санаториум.

sanction [ˈsæŋkʃən] **I.** *n* **1.** санкция, наказание; **2.** разрешение, одобрение, потвърждение; упълномощаване; **3.** *истор.* декрет, нареждане; **II.** *v* **1.** одобрявам, разрешавам; **2.** санкционирам.

sanctity [ˈsæŋktiti] *n* святост, свещеност, нерушимост, неприкосновеност.

sanctuary [ˈsæŋktjuəri] *n* **1.** светилище, светиня; храм, олтар; **2.** убежище.

sand [sænd] **I.** *n* **1.** пясък; **built on** ~ *прен.* построен на пясък; **2.** *pl* пясъци; плаж; пустиня; **3.** пясъкът в пясъчен часовник; *прен.* време, часове; **the** ~**s are running out** времето изтича; **4.** песъчинка; **5.** *sl амер.* мъжество, твърдост; **6.** пясъчножълто; пясъчен цвят; ● **to throw** ~ **in the wheels** развалям работата, преча; **II.** *v* **1.** посипвам с пясък; смесвам с пясък; прибавям пясък; **2.** чистя (изтърквам) с пясък; **3.** обработвам (полирам) с шкурка (**down**).

sandwich [ˈsændwitʃ] **I.** *n* сандвич; **II.** *v* слагам по средата, намествам (поставям) помежду.

sane [sein] *adj* **1.** здравомислещ,

нормален; **2.** здрав, смислен.

sanguinary [ˈsæŋgwinəri] *adj* **1.** кървав; кръвопролитен; **2.** кръвожаден; **3.** варварски (*за закон и пр.*); ◊ *adv* **sanguinarily**.

sanguine [ˈsæŋgwin] *adj* **1.** сангвиничен, сангвинически; пълнокръвен, жизнерадостен, буен, витален; **2.** оптимистичен; **to feel (be)** ~ **about the future** вярвам в бъдещето; **3.** румен; кървавочервен; ◊ *adv* **sanguinely**.

sanitary [ˈsænitəri] **I.** *adj* санитарен, здравен; хигиенен; хигиеничен; ~ **laws** здравни закони; **II.** *n* обществена тоалетна.

sanity [ˈsæniti] *n* **1.** здрав разум, нормалност; **2.** уравновесеност, разсъдливост; трезвост.

sapid [ˈsæpid] *adj* **1.** вкусен, приятен, апетитен; ароматен; **2.** интересен; съдържателен; смислен; съществен.

sapidity [səˈpiditi] *n* **1.** вкус; аромат, приятност; **2.** съдържателност, смисъл.

sapient [ˈseipiənt] *adj* мъдър; ◊ *adv* **sapiently**.

saponaceous [ˌsæpoˈneiʃəs] *adj* **1.** сапунен, сапунест; **2.** *шег.* мазен.

sapphire [ˈsæfaiə] *n* **1.** *минер.* сапфир; **2.** *attr* сапфирен.

sappy [ˈsæpi] *adj* **1.** сочен; **2.** млад; жизнен, буен, витален, пълен с енергия; **3.** мек, слаб, безволев; глупав; **4.** висококачествен (*за стомана*).

sarcasm [ˈsa:kæzəm] *n* сарказъм.

sarcastic [sa:ˈkæstik] *adj* саркастичен, язвителен, подигравателен; ◊ *adv* **sarcastically**.

sardonic [sa:ˈdɔnik] *adj* сардоничен, сардонически; язвителен; ◊ *adv* **sardonically**.

satellite [ˈsætəlait] *n* **1.** *астр.* спътник, сателит (*и прен.*); **2.** *прен.* човек от антуража; епигон; **3.** *attr* сателитен, придружаващ; второстепенен, спомагателен.

satiate [ˈseiʃieit] **I.** *v* насищам, пресищам; **II.** *adj остар.* преситен.

satiation [ˌseiʃiˈeiʃən] *n* **1.** насищане; пресищане; **2.** наситеност; преситеност.

satin [ˈsætin] **I.** *n* **1.** сатен, атлаз; **2.**

гладкост, гланцираност; лъска-вина, лъскавост; 3. *attr* атлазен; сатиниран; гладък, лъскав; II. *v* лъскам, лъсвам; сатинирам.

satire ['sætaiə] *n* сатира.

satirical [sə'tirikəl] *adj* сатиричен, саркастичен; остър, язвителен.

satirist ['sætərist] *n* сатирик.

satisfaction [ˌsætis'fækʃən] *n* 1. за-доволство (at, with); 2. уреждане (*на дълг*) (of); обезщетение (for); 3. *рел.* изкупление; in ~ of като изкупление за.

satisfactory [ˌsætis'fæktəri] *adj* 1. за-доволителен, удовлетворителен, достатъчен; сносен, добър; ◇*adv* **satisfactorily**; 2. *рел.* изкупителен.

satisfy ['sætisfai] *v* 1. задоволявам, удовлетворявам; **to rest satisfied** спокоен съм; 2. утолявам (*глад, любопитство*); 3. изпълнявам, пазя, спазвам, съблюдавам; 4. из-плащам напълно дълг; обезще-тявам; компенсирам; посрещам (*задължение и пр.*); 5. убежда-вам, уверявам (**refl**); 6. успокоя-вам, уталожвам, разсейвам.

satisfying ['sætisfaiiŋ] *adj* сит, оби-лен, питателен; ◇*adv* **satisfyingly**.

saturate ['sætʃəreit] I. *v* 1. пропи-вам; просмуквам се в; напоявам, накисвам (**with**); **to be ~d** *разг.* мокър съм до кости; 2. *хим.* на-сищам; 3. *прен.* пропивам; **to ~ oneself in** задълбочавам се, изу-чавам подробно; 4. *воен.* съкру-шавам, смазвам (*със стрелба*); II. *adj* наситен (*за цвят*).

saturation [ˌsætʃə'reiʃən] *n* насища-не, наситеност.

Saturday ['sætədi] *n* събота.

saturnine ['sætə:nain] *adj* 1. мрачен, намръщен, навъсен; 2. *остар.*, *хим.* оловен.

sauce [sɔ:s] I. *n* 1. сос; 2. подправка; 3. *амер.* плодов кисел; 4. *амер.*, *диал.* зеленчуци с месо; 5. *разг.* наглост, дързост, нахалство; II. *v* 1. гарнирам със сос; правя пи-кантен (*и прен.*); 2. *разг.* отгова-рям нахално (грубо, грубо) на.

sauciness ['sɔ:sinis] *n* нахалство, дързост, безочливост, безочие.

saucy ['sɔ:si] *adj* 1. нахален, безоч-лив, дързък; 2. *sl* издокаран, еле-

гантен, шик; моден.

sauna ['sɔ:nə] *n* сауна.

saunter ['sɔ:ntə] I. *v* 1. разхождам се (*бавно, без цел*), шляя се; 2. разтакавам се; II. *n* бавна, флег-матична походка.

sausage ['sɔsidʒ] *n* 1. кренвирш, на-деница, суджук; луканка; 2. *sl* предмет с продълговата форма.

sautéed ['səuteid] *adj* пържен; ~ **potatoes** пържени картофи.

savage ['sævidʒ] I. *adj* 1. див, ди-вашки; 2. свиреп, жесток, безжа-лостен, варварски; 3. *разг.* ярос-тен, разярен; ◇*adv* **savagely**; II. *n* 1. дивак; 2. жесток, свиреп човек; III. *v* 1. подивявам някого; 2. мал-третирам; 3. хапя, бесня (*за кон*); 4. критикувам остро, нахвърлям се върху.

savanna(h) [sə'vænə] *n* савана, го-ла равнина; прерия.

save [seiv] I. *v* 1. спасявам, изба-вям; запазвам; **to ~ o.'s face** за-пазвам доброто си име (реноме); 2. икономисвам; отделям настрана (*и* ~ **up**); 3. не пропускам, не закъс-нявам за, хващам (*влак и пр.*); 4. *спорт.* отбивам нападение (*при футбол, крикет*); • **to ~ o.'s ba-con** *разг.* спасявам си кожата; II. *n спорт.* отбиване на нападение (*при футбол*); III. *prep*, *cj остар.*, *поет.* освен, с изключение на, без; ~ **and expect** като не се брои.

saver ['seivə] *n* 1. спасител, изба-вител; 2. спестител, спестовник, икономист.

saving ['seiviŋ] I. *adj* 1. спасителен; 2. пестелив, спестовен, икономи-чен; 3. стиснат, скръндзав; 4. съ-държащ уговорка; ~ **clause** (клау-за с) уговорка; II. *n* 1. спасяване, избавяне, избавление; 2. спестя-ване, пестене; *pl* спестявания; III. *prep*, *cj* с изключение (на), освен; ~ **your presence** извинявай за из-раза.

savour ['seivə] I. *n* 1. вкус; *библ.* наслада; 2. аромат, дъх, мирис; 3. *прен.* оттенък; следа; 4. *прен.* пикантност, интерес, стимул; II. *v* 1. вкусвам с наслада, удовол-ствие; вкусвам критично; 2. *прен.* имам оттенък; намирисвам на

(of); 3. *остар.* подправям, слагам подправка; 4. имам вкус, аромат.

savourless ['seivəlis] *adj* безвкусен, блудкав.

savoury ['seivəri] *adj* 1. вкусен, апе-титен; 2. пикантен; 3. *обикн.* с *отриц.* приятен, ароматен; чист; *прен.* почтен, добър (*за име и пр.*).

saw [sɔ:] I. *n* трион, бичкия, цир-куляр; II. *v* (*pp и* **sawn** [sɔ:n]) ре-жа (се), отрязвам с трион.

saxophone ['sæksəfoun] *n муз.* сак-софон.

saxophonist [sək'sɔfənist] *n* саксо-фонист.

say [sei] I. *v* (**said** [sed]) казвам (**to** на); **what he ~s goes** думата му е закон; каквото каже той, това ста-ва; **I wouldn't ~ no to a cup of cof-fee** не бих отказал едно кафе, бих изпил едно кафе;

say away казвам си, каквото има да казвам;

say out говоря откровено; заявя-вам открито, ясно;

say over повтарям; казвам на глас; II. *n* мнение, дума; **to have the ~** *амер.* имам последната дума.

saying ['seiiŋ] *n* поговорка.

scaffold ['skæfəld] I. *n* 1. ешафод; *прен.* смъртно наказание (*обикн.* *обезглавяване*); **to send to the ~** осъждам на смърт; 2. платфор-ма; 3. скеле (*на строеж*); **cradle** ~ висящо скеле; 4. *анат.* скелет; 5. *рядко* естрада; II. *v* правя ске-ле (*около строеж и пр.*).

scale₁ [skeil] I. *n* 1. люспа (*и зоол.*); (*рогова*) плочка; 2. обвивка на листна пъпка; люспа на зърно; 3. *техн.* котлен камък, накип; об-гар, горяло; 4. зъбен камък; II. *v* 1. люща (се) (*и за мазилка*); чис-тя люспи (off); 2. смалям, махам; 3. образувам накип, обгар, зъбен камък.

scale₂ I. *n* блюдо на везна; **to hold the ~s even** *прен.* съдя (решавам) безпристрастно; II. *v* тежа; *рядко* претеглям.

scale₃ I. *n* 1. скала, линия; 2. таб-лица; 3. йерархия, *прен.* стълби-ца; 4. мащаб; размер; **on a large (vast, grand)** ~ в голям мащаб (мащабно); 5. *остар.* стълба; *tо*

sink in the ~ *прен.* слизам на пониско стъпало; **6.** *муз.* гама; **7.** кониус на линия; линия, линеал; **8.** *мат.* система на изчисление (*и* ~ **of notation**); II. *v* **1.** изкачвам се, достигам; катеря се по; **2.** определям по таблица; свеждам към мащаб.

scalp [skælp] I. *n* **1.** скалп; **to take s.o.'s** ~ скалпирам някого (*и прен.*); **2.** теме; **3.** *прен.* трофей; **4.** *амер., разг.* дребна печалба, придобита набързо; II. *v* **1.** скалпирам (*и прен.*); **2.** *амер., разг.* търгувам на дребно.

scalpel ['skælpəl] *n* *мед.* скалпел, малък хирургически нож.

scamper ['skæmpə] I. *v* **1.** избягвам, офейквам; ~ **off (away)** хуквам презглава; **2.** скачам, подскачам, играя (**about**) (*обикн. за деца*); II. *n* бърз бяг; галопиране, галоп.

scan [skæn] I. *v* (**-nn-**) **1.** разглеждам, обследвам, проучвам, изучавам внимателно; **2.** прехвърлям, преглеждам повърхностно, бегло; **3.** *мед.* сканирам (се); **4.** изследвам пространство с радиолокатор; **5.** правя метрически анализ на; **6.** разгръщам (*образ в телевизията*); **7.** *инф.* сканирам; II. *n* **1.** зрително поле; **2.** разгръщане, сканиране (*на образ в телевизионен екран*); **3.** пълно завъртане на радиолокатор; **4.** сканиране, разгръщане (*на образ в телевизионен екран*).

scandal [skændl] *n* **1.** скандал; позор, резил; **2.** злословия, сплетни, интриги, интригантство; **3.** *юр.* клевета.

scandalize ['skændəlaiz] *v* скандализирам, шокирам, възмущавам.

scandalmonger ['skændl,mʌŋgə] *n* сплетник, клюкар, интригант.

scandalous ['skændələs] *adj* **1.** скандален, възмутителен, позорен; **2.** клеветнически; клюкарски; ◊ *adv* **scandalously.**

scanty ['skænti] *adj* оскъден, недостатъчен, ограничен; беден, слаб (*за реколта*); ◊ *adv* **scantily.**

scaphander [skə'fændə] *n* скафандър.

scar [ska:] I. *n* **1.** белег, ръбец, драскотина (*от рана*); **2.** *прен.* бръчка, следа (*от страдание*); **3.** петно, обида; **~s upon o.'s good name** петна върху доброто ми име; II. *v* **1.** правя, оставям белег, драскотина, рязка; **2.** зараствам с белег (*обикн.* ~ **over**).

scarce [skɛəs] *adj* **1.** недостатъчен, ограничен, оскъден; **2.** рядък, дефицитен (*за стока и пр.*).

scare [skɛə] I. *v* **1.** плаша (се), уплашвам (се), изплашвам (се); **2.** изгонвам, прогонвам като плаша (*и с* **away, off**); **3.** *амер., разг.* изнамирам, "измислям" (**up**); II. *n* **1.** уплаха, ужас, всеобщ страх; **2.** *attr* *журн.* сензационен; ~ **story** сензационен материал.

scarify ['skærifai] *v* **1.** разкъсвам; раздирам, съдирам; **2.** *мед.* разрязвам, скарифицирам; **3.** обработвам със скарификатор; скарифицирам; **4.** *прен.* разкритикувам; уязвявам; обиждам; оскърбявам.

scarlet ['ska:lit] I. *n* **1.** алено; **2.** червен плат; червени дрехи; **3.** червеният цвят като символ на грях; II. *adj* червен, ален; **to turn** ~ изчервявам се силно, пламвам.

scary ['skɛəri] *adj* *разг.* **1.** ужасен, страховит; **2.** плашлив, бъзлив, страхлив.

scathe [skeið] I. *n* *обикн. отриц., поет.* повреда; вреда; **to keep from** ~ опазвам здрав; II. *v* **1.** *остар., поет.* повреждам, развалям; **2.** нападам сурово.

scatter ['skætə] I. *v* **1.** пръскам (се), разпръсвам (се); **to** ~ **fragrance** разнасям аромат; **2.** пилея, раздавам щедро, с широка ръка; **3.** разгонвам; **4.** *прен.* осуетявам, разбивам; II. *n* разпръскване, разхвърляне, разсейване; **backward** ~ обратно разсейване.

scatter-brained ['skætəbreind] *adj* вятърничав, лекомислен; разсеян, нехаен.

scattered ['skætəd] *adj* **1.** разпилян, разхвърлян, разпръснат (*за предмети*); **2.** разсеян, разкъсан (*за облачност, валежи*).

scattering [skætəriŋ] I. *n* **1.** разхвърляне, разсейване, разпръскване; **acoustic** ~ разсейване на звука; **2.**

дисперсия; **3.** дифузия; II. *adj* разхвърлящ, разпръскващ, разсейващ.

scatty ['skæti] *adj* глупав, лекомислен.

scenario [si'na:riou] *n* сценарий.

scene [si:n] *n* **1.** сцена; действие; място на действие; **2.** гледка, пейзаж, картина; зрелище; **3.** сцена, картина (*от пиеса*); **4.** случка, епизод; **5.** сцена, скандал; **to make a** ~ правя сцена; **to shift, change the ~s** сменям декорите; **7.** *остар.* сцена (*на театър*); драматично изкуство; театър; **to steal the** ~ ставам център на вниманието; засенчвам всички останали.

scenery ['si:nəri] *n* **1.** пейзаж, природа; **2.** декори.

scenic ['si:nik] *adj* **1.** живописен; ~ **attractions** природни забележителности; **2.** сценичен, театрален; ◊ *adv* **scenically.**

scent [sent] I. *n* **1.** миризма, мирис, аромат, благоухание; **2.** парфюм; **3.** следа, диря (*по миризма*); подушване; **to be on the right** ~ на прав път съм; **4.** *прен.* нюх, усет, прозорливост; II. *v* **1.** слагам парфюм на; парфюмирам; пръскам с парфюм; **2.** изпълвам с благоухание; **3.** помирисвам, усещам; подушвам; **4.** *прен.* предусещам, предчувствам.

scented ['sentid] *adj* благоуханен, напарфюмиран, ароматен, ароматизиран.

sceptic ['skeptik] I. *adj* скептичен, скептически; II. *n* скептик.

scepticism ['skeptisizəm] *n* скептицизъм.

sceptre ['septə] *n* скиптър (*и прен.*); **to sway (wield) the** ~ царувам; управлявам.

schedule ['ʃedju:l, *амер.* 'skedju:l] I. *n* **1.** разписание; (**according**) **to** ~ по разписание; **2.** списък, каталог; **3.** таблица; II. *v* **1.** определям; **2.** правя списък (опис); инвентаризирам; включвам в списък (опис); каталогизирам.

schema ['ski:mə] *n* (*pl* **schemata** ['ski:mətə]) схема, скица; диаграма; план.

schematic [skiˈmætik] *adj* схематичен, схематически; *adv* **schematically**.

scheme [ski:m] I. *n* 1. план, проект; **to lay down a ~** изготвям проект; 2. схема, скица, диаграма, таблица; 3. система; метод, начин; **~ of life** възприет начин на живот; 4. интрига, сплетня; II. *v* 1. планирам (*и с* out); *прен.* замислям; 2. интригантствам, роя интриги, сплетнича.

schemer [ˈski:mə] *n* 1. интригант, сплетник; 2. фантазьор.

scherzo [ˈskзətsou] *n муз.* скерцо.

schism [ˈsizm] *n* разкол; схизма; разцепление (*и рел.*).

schismatic [sizˈmætik] I. *adj* схизматически, схизматичен, разколнически; II. *n* схизматик, разколник.

schnorkel [ʃnɔ:kl] *n* шнорхел.

scholar [ˈskɔlə] *n* 1. учен; **visiting scholar** гостуващ учен; 2. *остар.*, *нар.* ученик; 3. стипендиант.

scholarly [ˈskɔləli] *adj* 1. научен; академичен; **in ~ circles** в академичните среди; 2. начетен, ерудиран.

scholarship [ˈskɔləʃip] *n* 1. стипендия; 2. начетеност, ерудиция.

scholastic [skɔˈlæstik] I. *adj* 1. схоластичен; академичен, педантичен, сух, ограничен; ◇ *adv* **scholastically**; 2. училищен; образователен, учебен; учителски; 3. учен; научен; **~attainments (degree)** научни постижения (научна степен за хуманитарните науки); II. *n* 1. схоластик; 2. *остар.* преподавател по схоластика.

scholasticism [skɔˈlæstisizəm] *n* схоластика.

school₁ [sku:l] I. *n* 1. училище, школо; **day (evening, night) ~** дневно (вечерно) училище; **secondary ~** средно училище, гимназия; 2. институт; факултет; школа; **medical ~** медицински институт (факултет); 3. учебни занятия; 4. *pl* изпити (*обикн. за научна степен*); 5. *муз.* курс, школа; II. *v* уча, обучавам; обуздавам, дисциплинирам, дресирам.

school₂ I. *n* ято, стадо, пасаж (*от*

риба); II. *v* движа се на стада.

schoolbook [ˈsku:lbuk] *n* учебник.

schoolboy [ˈsku:lbɔi] *n* ученик.

schoolfellow [ˈsku:l,felou] *n* съученик.

schooling [ˈsku:liŋ] *n* 1. учене, възпитаване; школовка; 2. трениране, обяздване, дресиране (*на кон, ездач*).

science [ˈsaiəns] *n* 1. наука (*обикн. точна, естествена*); **applied ~** приложна наука; **pure ~** теоретична наука; 2. естествени науки; 3. вещина, умение, техника.

scientific [ˌsaiənˈtifik] *adj* 1. научен, точен; **~ method** научен метод; 2. природонаучен; **his studies are rather ~ than literary** проучванията му са по-скоро природонаучни, отколкото литературни; 3. изкусен, умел, вещ, опитен; ◇ *adv* **scientifically**.

scientist [ˈsaiəntist] *n* учен, естествоизпитател, естественик.

scintillate [ˈsintileit] *v* 1. святкам, искря; блещукам; сцинтилирам; излъчвам; 2. *прен.* блестя, блесвам.

scintillating [ˈsintileitiŋ] *adj* весел, оживен, забавен (*за разговор, хумор и пр.*).

scintillation [sintiˈleiʃən] *n* святкане, искрене; блещукане; сцинтилация.

scion [ˈsaiən] *n* 1. потомък; 2. издънка, филиз.

scission [ˈsiʒən] *n* 1. рязане, изрязване, разрязване; 2. разделяне, отделяне.

scissor [ˈsizə] *v* режа, подрязвам; разрязвам, срязвам (up, off); изрязвам, отрязвам (out).

sclerosis [skliˈrousis] *n мед.* склероза.

sclerotic [skliˈrɔtik] *adj* 1. *мед.* склеротичен, склерозен; 2. твърд, корав, втвърден.

scoff [skɔf] I. *n* 1. подигравка, насмешка; присмех; 2. посмешище; II. *v* 1. надсмивам се, присмивам се (at); осмивам; 2. *разг.* лапам, ям лакомо, нагъвам.

scoop [sku:p] I. *n* 1. черпак; гребло, лопатка, гребалка (*за захар, брашно и пр.*); 2. загребване; 3.

дупка, вдлъбнатина, издълбано място; падина; 4. *журн.* сензационна новина (*с която се изпреварват другите вестници*); 5. *техн.* диапазон (*на измервателен уред*); II. *v* 1. греба; загребвам, изгребвам, огребвам (up); 2. копая, изкопавам; издълбавам (out); 3. спечелвам (in); изигравам; 4. *журн.* добирам се до сензационна новина (*за вестник*).

scope [skoup] *n* 1. обсег, обхват; кръгозор, простор; 2. компетентност; **within (beyond) o.'s ~** в моя (извън моята) компетентност; не по силите ми; 3. *остар.* цел, намерение; 4. *мор.* дължина на кабел от кораба до котвата (*обикн.* **riding ~**).

scorch [skɔ:tʃ] I. *v* 1. обгарям (се), изгарям (се), опърлям (се), ощавям (се); 2. прегарям, свивам се (*от топлина, вятър*); 3. *прен.* унищожавам, смазвам; 4. *разг.* шофирам с неповолена скорост, ускорявам (*автомобил*); II. *n* 1. обгаряне, изгаряне; 2. изгорено място.

scorching [ˈskɔ:tʃiŋ] *adj* 1. горещ, изгарящ, парещ; палещ, зноен; 2. *прен.* унищожителен, жесток (*за критика, сарказъм и пр.*).

score [skɔ:] I. *n* 1. резултат; *спорт.* точки, голов резултат; **what is the ~ now?** какъв е резултатът? 2. сметка; **to run up a ~** задлъжнявам, правя дългове; 3. дълг; белег, драскотина; *прен.* бразда; 4. черта, линия; 5. *pl* множество, голям брой; **~s of times** много пъти, много често; 6. *муз.* партитура; ● **on that ~** по този въпрос; II. *v* 1. бележа (*успех, точки*); имам успех, печеля; **to ~ a point (an advantage)** имам преимущество, вземам връх; 2. водя сметка; *спорт.* отбелязвам точки, голове; 3. правя резки в, драскам, надрасквам; **a heart ~d by sorrow** *прен.* наранено от скръб сърце; 4. зачерквам, зачертавам (out, through); 5. *муз.* оркестрирам.

scorn [skɔ:n] I. *n* 1. презрение; **to heap (pour) ~ on, to laugh to ~** присмивам се, осмивам, подиг-

равам; **2.** присмех, насмешка; **3.** обект на презрение; **to become a ~ of (to)** ставам обект на презрение за; **II.** *v* **1.** презирам; **2.** *остар.* подигравам.

scornful ['skɔ:nful] *adj* презрителен, надменен, пренебрежителен; ◇ *adv* **scornfully.**

Scorpio ['skɔ:piou] *n астр.* съзвездие Скорпион.

scorpion ['skɔ:pjən] *n* скорпион.

scot [skɔt] *n истор.* налог, данък; **~ and lot** общински данък.

scot-free ['skɔt,fri:] *adj* **1.** невредим, здрав и читав; **2.** безнаказан; **to go (get off) ~** избягвам наказание; измъквам се невредим.

scour₁ ['skauə] **I.** *v* **1.** търкам, изтърквам, жуля, лъскам, излъсквам; очиствам, изчиствам (**away, off**); изстъргвам; **2.** чистя дрехи (*с химикал*); **3.** *мед.* прочиствам (**се**) (*черва*); **4.** умивам, измивам, отнасям, отмивам (*за река и пр.*); изкопавам (*дупка, канал – за вода*); **II.** *n* **1.** изтъркване, излъскване, изчистване; **2.** ерозивна дейност; **3.** корито, канал, русло, изровено място (*от течаща вода*); **4.** химикал за чистене на дрехи; **5.** (*и pl*) дизентерия по домашните животни.

scour₂ *v* **1.** бродя, преброждам, изброждам; **2.** претършувам, претърсвам, претръсквам; **3.** движа се бързо; профучавам, прехвръквам, стрелвам се.

scowl [skaul] **I.** *v* мръщя се, намръщвам се, чумеря се, въся се, свъсвам вежди, гледам навъсено (**at, on**); **to ~ down s.o.** накарвам някого да млъкне; **II.** *n* мръщене, намръщване.

scrabble ['skræbl] **I.** *v* **1.** драскам; дращя; **2.** ровя; рия; **II.** *n* **1.** драскане; **2.** ровене; риене; **3.** драсканица.

scrag [skræg] **I.** *n* **1.** мършав, изпосталял човек (животно); **2.** слабият край на врат на заклан овен; **3.** *sl* шия (*на човек*); **II.** *v* (**-gg-**) **1.** извивам шията на; беся, обесвам; душа, одушавам; **2.** *уч. sl* стискам някого за врата.

scraggy [skrægi] *adj* **1.** мършав, пос-

тал, изпосталял; **2.** неравен, щърбав, нащърбен.

scramble [skræmbl] **I.** *v* **1.** катеря се, лазя (*с мъка, тромаво, като бързам*); **2.** боричкам се, блъскам се, сбивам се (*за нещо; и прен.*) (**for**); **3.** справям се доколкото мога; **4.** събирам бързо (**up**); **5.** бързам, забърквам (**together**); **II.** *n* **1.** катерене; лазене; **2.** боричкане за пръснати неща, блъсканица, суматоха.

scrap₁ [skræp] **I.** *n* **1.** парче, парченце, късче; **2.** *pl* остатъци от храна; **3.** *събир.* стари железа; брак; шкарт; *техн.* скрап; **4.** откъс; изрезка (*от вестник и пр.*); **~s** колекция от вестникарски изрезки, събрани в папка, книга и под.; **a mere ~ of paper** нищожно обещание; невалиден документ; **II.** *v* (**-pp-**) изхвърлям на боклука; бракувам.

scrap₂ **I.** *n* сбиване, схватка, счепкване; кавга; **II.** *v* (**-pp-**) боричкам се, счепквам се, сбивам се (**with**).

scrape [skreip] **I.** *v* **1.** стържа, изтъргвам; цикля (**away, off, out, down**); **to ~ off the paint** остъргвам боята от стените; **2.** търкам, чистя, лъскам; **to ~ out** заличавам (*знак, подпис и пр.*); **3.** скърцам, стържа; **to ~ out a tune from a fiddle** изскрибуцвам нещо на цигулка; **4.** рия; изравям (*дупка*; **out**); **5.** ожулвам, одрасквам; **6.** едва минавам (*покрай нещо*), докосвам се (**against, along, by, through**); **to ~ through** спасявам си кожата; **7.** събирам, сбирам (**up, together**); *прен.* събирам (*пестя*) с мъка; броя всеки грош; **II.** *n* **1.** стъргане, стържене; **2.** белег, драскотина; **3.** скрибуцане, скърцане, стържене; **4.** *разг.* затруднение, неприятно положение; **5.** *остар.* търкане на крака (*при реверанс*), реверанс.

scrape-penny ['skreip,peni] *n sl* скъперник, скрънза, пинтия.

scrap-heap ['skræphi:p] *n* боклук, бунище (*и прен.*); **~ policy** отричане, отхвърляне на старото.

scraping ['skreipiŋ] *n* **1.** стъргане; **2.** нещо, което се маже; **a small**

~ of butter тънък пласт масло; **3.** *pl* остатъци; **the ~s of plates and dishes** остатъци храна; **4.** пестене; **screwing and ~** скъперничество.

scrappy ['skræpi] *adj* **1.** нееднороден; **2.** откъслечен, непоследователен, несвързан, накъсан; ◇ *adv* **scrappily.**

scratch [skrætʃ] **I.** *v* **1.** дращя (се), драскам (се); издирам; **to ~ the surface of** *прен.* плъзгам се по повърхността на; **2.** ровя, изравям (**out, up**); **3.** чеша (се); **~ my back and I will ~ yours** да си помагаме взаимно; халваджията за бозаджията; **4.** скърцам, дращя; **5.** *спорт.* декласирам от състезание; **6.** *амер.* зачертавам име в избирателна бюлетина; **scratch along** *sl* едва свързвам двата края; **scratch out** задрасквам, изтривам, изличавам; **scratch through 1)** зачерквам, заличавам, задрасквам; **2)** *sl* изкарвам; **scratch up** *прен.* събирам с мъка, измъквам; **II.** *n* **1.** драска, драскотина; **2.** драскулка; лош почерк; **~ of the pen** драсване на перото; **3.** дращене; **4.** скърцане, скрибуцане, дращене; **5.** *спорт.* стартова линия; **6.** *амер. sl* пари; ● **up to (the) ~** на ниво (висота); в добра форма; **III.** *adj* случаен, смесен, сборен, импровизиран; всякакъв; **~ dinner** импровизирана вечеря.

scrawl [skrɔ:l] **I.** *v* **1.** пиша лошо, бързо, нечетливо, неразбрано; **2.** драскам, надрасквам; **II.** *n* **1.** лош (нечетлив) почерк; **2.** лошо (неграмотно) написана бележка; **3.** драскулка.

scrawny ['skrɔ:ni] *adj амер.* мършав, слаб, дръглив.

scream [skri:m] **I.** *v* **1.** пискам, викам, крясъкам, надавам вик, пищя; извиквам (**out**); **to ~ with laughter** кискам се; **2.** свистя (*за машина, вятър*); **3.** крещя (*за цвят*); **II.** *n* **1.** вик, писък; **~s of laughter** кискане; **2.** свистене, остър шум; **3.** *sl* човек (нещо), кой-

то предизвиква смях (*и* a perfect
~); посмешище, скица;
scream down движа се бързо;
scream out извиквам, изпищявам;
scream through чувам се отдалеко (*за радио, телевизор и пр.*).
screaming ['skri:miŋ] *adj* 1. крещящ, викащ; 2. смешен, предизвикващ смях.
screen [skri:n] I. *n* 1. параван (*и прен.*), щит, преграда; 2. екран; the ~ големият екран, киното; 3. прикритие (*и воен.*), заслон; 4. *воен.*, *мор.* части (кораби), изпратени за прикритие; 5. голяма подвижна дъска (платно) (*на игрище за крикет*); 6. табло за обяви; 7. *техн.* решето; 8. *фот.* мрежест (растеров) филтър; растер; 9. *ел.* изолационен материал с повишени качества; ширм, екраниращ материал; II. *v* 1. преграждам, отделям; скривам; **to ~ off** разделям, преграждам; слагам завеса; 2. проучвам (*кандидати за служба и пр.*); 3. филмирам (се); правя сценарий по; 4. прожектирам; 5. покровителствам, пазя, предпазвам, скривам, прикривам (**from**).
screw [skru:] I. *n* 1. винт, болт, бурма (*и* **male** ~); гайка (*и* **female** ~); **there is a ~ loose somewhere** *прен.* нещо не е в ред; 2. *мор.* витло; *авиац.* витло, перка, пропелер; 3. завинтване; завъртване; 4. извъртване; отпращане настрана (*и за топка в тениса и пр.*); 5. свитъче, нещо свито; 6. натиск; **to put the ~ on, apply the ~ to, give another turn to the ~** оказвам давление; принуждавам; 7. кранта; 8. *амер. sl* придирчив, взискателен преподавател (*на изпит*); II. *v* 1. завинтвам (се); 2. извивам; завъртвам; 3. свивам, изкривявам; 4. стискам, притискам; изстисквам (**out**);
screw around *амер. sl* мотая се, разтакавам се;
screw down затварям с винт;
screw in завинтвам;
screw off 1) отвинтвам, развинтвам, развивам (*винт*); 2) *амер. sl* мотая се, разтакавам се;

screw on завинтвам;
screw out 1) отвинтвам; 2) измъквам, изтръгвам (*пари и пр.*);
screw up 1) завинтвам, затягам; заключвам, затварям; 2) *разг.* развалям, провалям, разнебитвам; 3) стягам, затягам дисциплина; 4) свивам (*устни*); смръщвам (*вежди, лице, чело*); 5) *разг.* вдигам (*цени, наеми*), докато станат безбожно високи; 6) *амер.* обърквам, съсипвам, провалям (се).
screwdriver ['skru:draivə] *n* отвертка; **torque ~** динамометрична отвертка.
screw-shaped ['skru:ʃeipt] *adj* винтообразен, спирален.
screwy ['skru:i] *adj* 1. усукан, навит; 2. *sl* смахнат; 3. стиснат, скръндза, циция; 4. *амер. sl* съмнителен, нечестен, подозрителен.
scribal ['skraibəl] *adj* писмен, писмовен; ~ **tradition** писмена традиция.
scribble [skribl] I. *v* 1. пиша бързо, надрасквам; 2. *рядко* драскам по, надрасквам; 3. *презр.* писателствам; съчинявам набързо и небрежно; II. *n* драсканица, драскулка; лош (нечетлив) почерк.
scribbler ['skriblə] *n* 1. драскач; 2. *презр.*, *разг.* писач, драскач.
scrimmage ['skrimidʒ] I. *n* 1. схватка, стълкновение, счепкване, сборичкване; 2. *спорт.* меле; II. *v* участвам в схватка.
script [skript] I. *n* 1. *юр.* ръкопис, оригинал; 2. ръкопис, сценарий на пиеса, филм (роля, телевизионно или радиопредаване); 3. *уч.* писмена работа (*при изпит*); II. *v* *амер.* написвам сценарий за (по).
scriptural ['skriptʃrəl] *adj* библейски.
scriptwriter ['skriptraitə] *n* сценарист.
scroll [skroul] I. *n* 1. свитък; свитък на стар ръкопис; 2. спирален орнамент, волута (*и архит.*); 3. завъртулка, извивка при писане (*особ. на подпис*); II. *v* 1. завивам (се), навивам (се); 2. украсявам с извивки.
scroop [skru:p] I. *v* скърцам, скрибуцам; II. *n* скрибуцане, скърцане.
scrounge [skraundʒ] *v sl* 1. отмък-

вам, задигам; 2. прося; изкрънквам, измолвам; муфтя.
scrubber ['skrʌbə] *n* 1. чистач, чистачка; 2. четка за търкане (*за дъски*); 3. *техн.* скрубер, газопромивач.
scruff [skrʌf] *n* тил, задна част на врата (шията); **to take by the ~ of the neck** хващам за врата.
scruffy ['skrʌfi] *adj* развлечен, размекнат, мърляв, запуснат; ◇ *adv* **scruffily**.
scrumptious, scrummy ['skrʌmpʃəs, 'skrʌmi] *adj sl* великолепен, превъзходен, отличен, екстра, супер.
scrunch [skrʌntʃ] I. *v* 1. схрусквам; хруща; 2. смачквам; II. *n* схрускване.
scruple [skru:pl] I. *n* 1. двоумене, колебание, съмнение, скрупули, угризения на съвестта; **to make no ~(s) of doing s.th.** правя нещо без колебание, не се двоумя; 2. малка частица, доза; дреболия; II. *v* имам скрупули, съмнения, колебая се (*обикн. с отриц.*).
scrupulous ['skru:pjuləs] *adj* 1. съвестен; добросъвестен, съзнателен (**about, in**); 2. щателен; грижлив, внимателен; коректен; ◇ *adv* **scrupulously**.
scud [skʌd] I. *v* (**-dd-**) 1. движа се бързо, нося се леко, хлъзгам се (*за кораб, облаци и пр.*); 2. *мор.* нося се по вятъра; II. *n* 1. бързо леко движение, носене, хлъзгане; стремителен бяг; 2. *геол.* тънък глинен пласт (жила).
scuff [skʌf] I. *v* 1. тътря си краката; влача се, тътря се; 2. протривам, одрасквам (*обикн. кожа*); II. *n* 1. тътрене; 2. изтриване, изхабяване, износване (*от плъзгане*).
scuffle [skʌfl] I. *v* 1. боричкам се, боря се; 2. движа се бързо; 3. разривам (*с гребло, мотика*); II. *n* 1. боричкане; схватка; 2. тътрене; 3. вид мотика.
sculptor ['skʌlptə] *n* скулптор.
sculptural ['skʌlptʃrəl] *adj* скулптурен, пластичен; подобен на скулптура; като изваян.
sculpture ['skʌlptʃə] I. *n* 1. скулптура; 2. статуя, скулптурна твор-

ба; 3. *геогр.* следи от ерозия; **II.** *v* **1.** вая, извайвам; украсявам със скулптура; скулптор съм, занимавам се със скулптура; **2.** *геол.* оформям, изменям (*за действието на ерозията*).

scunner ['skʌnə] *шотл.* **I.** *n* отвращение; **II.** *v* отвращавам се (**at, against**).

scurrility [skʌ'riliti] *n* циничност; цинизъм; цинична забележка.

scurrilous ['skʌriləs] *adj* **1.** циничен, мръсен, вулгарен, неприличен (*за език и пр.*); **2.** който има циничен (мръсен) език; който говори цинизми, цапнат в устата.

scurry ['skʌri] **I.** *v* **1.** бягам, припкам, препускам; **2.** върша нещо набързо, бързам; **to ~ through o.'s work** свършвам си работата набързо (надве-натри), претупвам си работата; **II.** *n* **1.** бягане, припкане, препускане; **2.** бързане; суетня; **3.** внезапен пороен дъжд; внезапна снежна вихрушка.

sea [si:] *n* **1.** море; океан; **on(by) land and ~** по суша и по море; **heavy (choppy) ~s** бурно, развълнувано море; **2.** вълна; **to ship a ~** бивам залян от вълна (*за кораб*); **3.** *прен.* море, океан; **4.** *attr* морски, крайморски, приморски.

seaboard ['si:bɔ:d] *n* крайбрежие; морски бряг, брегова линия.

sea-change ['si:ˌtʃeindʒ] *n* промяна, трансформация.

seal [si:l] **I.** *n* **1.** печат (*и прен.*); клеймо; пломба (*на багаж*); **2.** *техн.* уплътнение, уплътняващ/изолиращ слой; **3.** *техн.* затвор; воден хидравличен затвор; савак; **4.** *фот.* затвор, обтуратор; **5.** *мин.* преграда; **II.** *v* **1.** подпечатвам, слагам печат (клеймо) на; скрепявам с печат; пломбирам (*стоки и пр.*); **2.** затварям плътно (*очи, уста*); **it is a ~ed book to me** това е затворена книга за мен, не разбирам нищо от това; **3.** уплътнявам, затварям херметически; *техн.* запоявам; засмолявам; замазвам; изолирам; *фот.* обтурирам (*и с* **up**); **4.** решавам окончателно; одобрявам; **his fate is ~ed** съдбата му е решена.

sealed [si:ld] *adj* херметичен; запечатан, пломбиран.

seam [si:m] **I.** *n* **1.** шев (*и анат.*); **2.** следа, белег, драскотина (*от рана*); бръчка (*на лицето*); **II.** *v* **1.** съшивам, съединявам с шев; **2.** набраздявам, набръчквам.

seaman ['si:mən] *n* (*pl* **-men**) моряк, матрос.

sea-mark ['si:ˌmɑ:k] *n* фар, маяк, брегов знак.

seance ['seiɑ:ns] *n* **1.** заседание, събрание; **2.** спиритически сеанс.

sea-oak ['si:ˌouk] *n* водорасло.

seaplane ['si:plein] *n* хидроплан, хидросамолет.

sear [siə] **I.** *adj* увяхнал, изсъхнал, съсухрен; **the ~and yellow leaf** *поет.* старостта; **II.** *v* **1.** изсушавам, правя да повехне (*и прен.*); **2.** изгарям, попарвам, обгарям (*рана и пр.*); **3.** затъпявам, притъпявам.

search [sə:tʃ] **I.** *v* **1.** претърсвам; обискирам, правя обиск на; **2.** изследвам, разглеждам внимателно, взирам се в; **3.** *мед.* сондирам (*рана*); **4.** прониквам в (*за вятър, куршуми и под.*); **search after** търся, стремя се към; **search for** търся, диря; **search out** издирвам, намирам; **search through** претърсвам; **II.** *n* **1.** търсене, претърсване; обискиране; обиск; **2.** търсене, преследване, стремеж (**after, for**); издследване.

searcher ['sə:tʃə] *n* **1.** митнически чиновник, който преглежда багажа и претърсва пътниците; търсач, изследовател; **2.** *мед.* сонда.

searching ['sə:tʃiŋ] *adj* **1.** изпитателен, проницателен (*за поглед*); **2.** внимателен, щателен (*за преглед*); **3.** остър, пронизващ (*за вятър*); **4.** който прониква навсякъде (*за стрелба*); ◇ *adv* **searchingly**.

searchlight ['sə:tʃlait] *n* прожектор.

seashore ['si:ˌʃɔ:] *n* морски бряг; плаж.

season ['si:zən] **I.** *n* **1.** годишно време, сезон (*театр. и пр.*); **a dead (dull, off) ~** мъртъв сезон; **open ~** ловен сезон; **2.** подходящо вре-

ме (момент); **a word of ~** навреме казана дума; **3.** *остар.* известно време, период; **II.** *v* **1.** (за)калявам; аклиматизирам, привиквам (**to**); **a ~ed soldier** кален войник; **2.** подправям (*храна*); *прен.* подслаждам, придавам пикантност на, разнообразявам; **3.** оставям да отлежи (*вино и пр.*); оставям да изсъхне (*дървен материал*); отлежавам (*за вино*); изсъхвам (*за дървен материал*); **4.** *остар.* смекчавам.

seasonable ['si:zənəbl] *adj* **1.** подходящ за сезона; **2.** навременен, на място, уместен, подходящ.

seasonal ['si:zənəl] *adj* сезонен; който то става редовно по едно и също време; ◇ *adv* **seasonally**.

seasoned ['si:zənd] *adj* опитен, изпечен.

seasoning ['si:zəniŋ] *n* **1.** подправка; подправяне; **2.** каляване, аклиматизиране, привикване; **3.** отлежаване; изсъхване.

seat [si:t] **I.** *n* **1.** място (*за сядане; в парламент, комисия и пр.*); стол, скамейка, пейка; **to keep o.'s ~** ставам, оставам седнал; **2.** седалка, седалище (*на стол и пр.*); **3.** задник, седалище; **4.** дъно (*на панталон и пр.*); **5.** седалище, резиденция; имение; **6.** център, местонахождение, огнище (*на болест, култура и пр.*); място, където се развиват някакви действия; **7.** стойка на ездач; **8.** подложка, основа, подставка; **II.** *v* **1.** слагам да седне, намирам място (*на някого*) да седне; слагам на подставка, нагласям (*част от машина и пр.*); **please, be ~ed** моля, седнете; **2.** поставям (снабдявам с) места за сядане (*столове и пр.*) (*в здание*); **3.** побирам (*седнали*); **4.** поправям седалка, слагам нова седалка (*на стол и пр.*); слагам ново дъно (*на панталон и пр.*); **5.** *обикн. pass* населявам, обитавам, живея; намирам се.

secede [si'si:d] *v* отделям се, откъсвам се, отцепвам се (*от организация, държава и пр.*).

seclude [si'klu:d] *v* **1.** отделям, изо-

лирам; **2.** *refl* уединявам се, уса-
мотявам се.

secluded [si'klu:did] *adj* самотен,
усамотен, уединен.

seclusion [si'klu:ʒən] *n* изолиране;
изолация, уединение, усамоте-
ние.

second₁ ['sekənd] **I.** *adj* **1.** втори по
ред; вторичен; второстепенен, от
второ качество, който отстъпва
(*на някого по нещо*); **the ~ larg-
est** втори по големина; **2.** повто-
рен, втори, допълнителен, още
един; **~ helping** втора (още ед-
на) порция; **on ~ thought** след ка-
то размисля по-добре; **II.** *adv* на
второ място; второ; втори; **to
come ~ in s.o.'s affection** заемам
второ място в любовта на няко-
го; **III.** *n* **1.** втора награда; второ
място (*в състезания и пр.*); чо-
век (*кон и пр.*), който взема вто-
ра награда (второ място); **2.** по-
мощник, секундант; **3.** *муз.* се-
кунда; **4.** *pl търг.* второкачестве-
ни стоки; второкачествено браш-
но (хляб); **IV.** *v* **1.** подкрепям, по-
магам на; поддържам; **2.** секун-
дант съм на; **3.** [si'kɔnd] *воен.*
прехвърлям (офицер) от строева
служба в щаба.

second₂ *n* секунда; момент, миг;
~(s) hand секундна стрелка.

secondary ['sekəndəri] **I.** *adj* **1.** вто-
ростепенен; **2.** вторичен; **3.** *хим.*
двувалентен; **4.** мезозойски; **II.** *n*
1. заместник; делегат, представи-
тел; **2.** *зоол.* второстепенно ма-
хово перо; задно крило на насе-
комо; **3.** вторични (мезозойски)
пластове.

second-class ['sekənd'kla:s] *adj* вто-
рокачествен; **to travel (go) ~** пъ-
тувам (във) втора класа.

secrecy ['si:krəsi] *n* **1.** тайна; тайн-
ственост; **in absolute ~** в пълна
тайна, съвсем тайно; **2.** пазене на
тайна, секретност; **to rely on s.o.'s
~** разчитам, че някой може да па-
зи тайна.

secret ['si:krit] **I.** *adj* **1.** таен, секре-
тен; **2.** таен, скрит, прикрит; **~
parts** срамни части; **3.** таен, не-
законен; **4.** уединен, усамотен,
скрит; ◇ *adv* **secretly**; **II.** *n* **1.** тай-

на, секрет; **to be in the ~** посве-
тен съм в тайна; **2.** *физиол.* сек-
рет (*от жлеза*).

secretaire [ˌsekri'teə] *n* бюро, пи-
салище, писалищна маса.

secretarial [ˌsekri'teəriəl] *adj* секре-
тарски.

secretary ['sekritəri] *n* **1.** секретар;
2. министър, държавен секретар;
3. *полигр.* курсив.

secrete [si'kri:t] *v* **1.** *физиол.* отде-
лям; **2.** укривам.

secretion [si'kri:ʃən] *n* **1.** *физиол.*
отделяне, секреция; секрет; **2.** ук-
риване.

secretive [si'kri:tiv, 'si:krətiv] *adj* **1.**
скрит, потаен (*за човек*); ◇ *adv*
secretively; **2.** *физиол.* отделите-
лен.

sect [sekt] *n* секта.

sectarian [sek'teəriən] **I.** *adj* сектант-
ски; **II.** *n* сектант.

section ['sekʃən] **I.** *n* **1.** част, раздел;
подразделение; отдел; секция; **2.**
сечение, разрез; напречно сече-
ние, профил; **3.** нещо отрязано,
парче, отрязък; сегмент; **4.** раз-
деляне, разсичане; **5.** параграф (*в
закон и пр.*); *полигр.* знак § (*и ~
mark*); **6.** участък (*на път и пр.*);
7. *воен.* отделение; **II.** *v* **1.** разде-
лям (разрязвам) на части; **2.** под-
реждам по дялове; **3.** представям
в разрез.

sectional ['sekʃənl] *adj* **1.** групов; ло-
кален, местен; **2.** сглобяем, раз-
глобяем, секционен; **3.** представ-
ен (даден) в разрез.

sectionalize ['sekʃənəlaiz] *v* секцио-
нирам, разделям на участъци.

sector ['sektə] *n* **1.** *мат.* сектор; **2.**
воен. сектор, участък; **3.** астро-
номически уред за измерване на
ъгли.

secular ['sekjulə] **I.** *adj* **1.** светски,
секуларен, мирянски, мирски; не
религиозен; **the ~ arm** *истор.*
гражданска власт, която привеж-
да в изпълнение присъдите на
църковен съд; **2.** вековен; дълго-
траен, постоянен (не периоди-
чен); **~ tree** вековно дърво; **3.** кой-
то става веднъж на 100 години;
~ bird феникс; **II.** *n* **1.** свещеник
от бялото духовенство; неръко-

положен църковен служител; **2.**
мирянин.

secularism ['sekjulərizəm] *n* **1.** *рел.*
секуларизъм, учение, че Църк-
вата трябва да бъде отделена от
държавата; **2.** изключване на ре-
лигиозното обучение от учили-
щата; секуларизъм.

secularist ['sekjulərist] *n* **1.** привър-
женик на отделянето на Църква-
та от държавата; секуларист; **2.**
привърженик на светското обра-
зование; секуларист.

secularity [ˌsekju'læriti] *n* светски
характер; *pl* светски интереси.

secundum [si'kʌndəm] *prep* *лат.*
според, по, съобразно, в съгла-
сие с; **~ quid** според нещо; в ня-
кое отношение; с известно огра-
ничение.

secure [si'kjuə] **I.** *adj* **1.** сигурен, на-
дежден, безопасен, здрав, траен,
солиден; добре затворен; ◇ *adv*
securely; **2.** спокоен, уверен, си-
гурен; **to feel ~ about (as to) the
future** спокоен съм (не се тре-
вожа) за бъдещето; **3.** в безопас-
ност; запазен; гарантиран, заст-
рахован (**from, against**); **II.** *v* **1.** ук-
репвам, укрепвам (**against**); **2.**
осигурявам, обезпечавам, гаран-
тирам; **to ~ o.'s property to o.'s
son** завещавам имота си на сина
си; **3.** сдобивам се с, снабдявам
се с; достигам (*цел*); постигам
(*победа и пр.*); осигурявам си
(*поддръжка и пр.*); **4.** закрепям
(прикрепям) здраво; *мед.* завърз-
вам, превързвам (*кръвоносен
съд*); **5.** затварям (залостван, зак-
лючвам) здраво; **6.** арестувам;
отвеждам под стража; **III.** *n амер.*
отбой.

security [si'kjuəriti] *n* **1.** сигурност,
безопасност; спокойствие; **fas-
tening ~** надеждност за закрепе-
ване; **~ of service** безопасност
при експлоатация; **2.** увереност,
доверие; **3.** защита, охрана; **4.** га-
ранция, залог; **in ~ of** като гаран-
ция за; **on ~** със (срещу) залог;
гаранция, **5.** *pl* ценни книжа; **6.**
гарант, поръчител.

security risk *n* (*pl* **security risks**)
опасност, заплаха за сигурността.

sedan [si'dæn] *n* 1. седан, закрит автомобил, лимузина; 2. стол носилка, портшез (*u ~* chair).

sedate [si'deit] *adj* уравновесен, спокоен, улегнал; невъзмутим; ◇ *adv* sedately.

sedative ['sedətiv] I. *adj* успокоителен, седативен; II. *n фарм.* успокоително (приспивателно), седатив.

sedentary ['sedəntəri] I. *adj* 1. седнал (*за положение*); 2. неподвижен, заседнал (*за начин на живот*); 3. непрелетен, немиграционен (*за животни*); неподвижен; който не може да се движи; II. *n* 1. човек, който води заседнал живот; 2. непрелетна птица; животно, което не мигрира.

sederunt [se'diərənt] *n шотл.* сесия, заседание; събрание; разискване; разговор.

sediment ['sedimənt] *n* 1. *мед.,хим.* утайка, седимент; 2. *геол.* утаен земен пласт; седимент.

sedimentary [,sedi'mentəri] *adj* утаечен, седиментарен.

sedimentate [,sedimen'teit] *v* седиментирам, утаявам.

sedimentation [,sedimen'teiʃən] *n геол.* седиментация, образуване на седимент; утаяване, наслояване, наслояване; reservoir ~ затлачване на водохранилище.

sedition [si'diʃən] *n* 1. подмолна антидържавна дейност; 2. размирици, бунт.

seditious [si'diʃəs] *adj* 1. противодържавен; бунтарски; 2. обвинен в антидържавна дейност.

seduce [si'dju:s] *v* 1. отклонявам, съблазнявам (*от правия път*) (from); 2. съблазнявам, прелъстявам; 3. привличам, увличам, съблазнявам.

seducer [si'dju:sə] *n* съблазнител, прелъстител.

seduction [si'dʌkʃən] *n* 1. съблазняване, прелъстяване; 2. съблазън; изкушение; 3. привлекателност.

seductive [si'dʌktiv] *adj* 1. привлекателен, съблазнителен, изкусителен; 2. убедителен, привличащ, увличащ; ◇ *adv* seductively.

seductiveness [si'dʌktivnis] *n* 1. съб-

лазнителност, привлекателност; 2. убедителност; увлекателност.

sedulity [si'dju:liti] *n книж.* усърдие, прилежание.

sedulous ['sedjuləs] *adj книж.* прилежен, усърден; ◇ *adv* sedulously.

see₁ [si:] *v* (saw [sɔ:]; seen [si:n]) 1. виждам; **there is nothing to be ~n** нищо не се вижда; **to ~ the light** раждам се; възниквам; 2. гледам (*пиеса и пр.*); разглеждам (*град и пр.*); гледам на; 3. преглеждам, разглеждам (*болен, вестник, къща и пр.*); 4. виждам, срещам (се с); посещавам; приемам; **come and ~ us** елате у нас (ни) на гости; **he must ~ a doctor (his lawyer)** той трябва да се посъветва с лекар (с адвоката си); 5. погрижвам се; проверявам, виждам; внимавам, гледам; **~ that it is done on time** погрижи се да стане навреме; **~ and don't lose the train** *разг.* гледай да не изпуснеш влака; **to ~ for oneself** сам проверявам; 6. разбирам, виждам, схващам; научавам се (*от вестник и пр.*); **as far as I can ~** доколкото разбирам; **that remains to be ~n** това тепърва ще се види (разбере); 7. виждам, помислям, размислям; **I'll ~ what I can do** ще помисля (видя) какво мога да направя; **let me ~** чакай да видя (да помисля); 8. изпращам, придружавам; **to ~ s.o. home** изпращам някого до дома; **to ~ s.o. to the door** изпращам някого до вратата; 9. виждам, преживявам, изпитвам; **to ~ life** получавам жизнен опит; **he will never ~ fifty again** прехвърлил е петдесетте; 10. считам, смятам, намирам; **if you ~ fit (proper) to do it** ако считате за подходящо (редно) да го направите; 11. представям си; **I can't ~ myself doing such a thing** не мога да си представя да направя такова нещо; 12. приемам, съгласявам се, позволявам; **I do not ~ myself being made use of** не приемам (позволявам) да ме използват; • **to ~ the last of s.o.** отървавам се от някого; **this is a coat I ~ you in** това палто ще

ти прилича;
see about погрижвам се за; занимавам се с;
see after грижа се за; **to ~ after o.'s own interests** гледам собствените си интереси;
see in посрещам (*нова година, епоха и пр.*);
see into 1) гледам в (*бъдещето и пр.*); 2) разглеждам, проучвам; 3) вниквам в;
see off 1) изпращам (*на гарата, до вратата и пр.*); **to ~ s.o. off at the station** изпращам някого на гарата; 2) *разг.* изгонвам, пропъждам; 3) *разг.* изяждам (*лакомо*);
see out 1) придружавам (изпращам) някого до вратата; 2) стоя до края, издържам (*на представление и пр.*); 3) изкарвам нещо до (добър) край; 4) надживявам (*някого*); **to ~ the Old Year out** изпращам старата година;
see over разглеждам (*здание и пр.*);
see through 1) прозирам (*подбуди и пр.*); разбирам престъпките (машинациите) на; **I am beginning to ~ through it** започва да ми става ясно как стои всъщност работата; 2) помагам (*някому*) в затруднение; 3) издържам докрай; 4) извеждам докрай (на добър край);
see to грижа се (погрижвам се) за; занимавам се с.

see₂ *n* епархия; **the Holy S., the S. of Rome** Светият (папският) престол (двор).

seed [si:d] I. *n* 1. семе, зърно; *събир.* семе(на); сперма; зародиш; **to sow the good ~** разпространявам добро влияние; пръскам добри семена; разпространявам християнското учение; 2. потомство, деца, поколение; **to raise up ~** раждам деца, отглеждам потомство; II. *v* 1. давам семе; прецъфтявам; роня семена, падат ми семената; 2. очиствам (отделям) семената (*на растение*); 3.: **~ down** засявам; 4. отсявам, подбирам (*по-силните състезатели за финални срещи*).

seediness ['si:dinis] *n* 1. опърпа-

ност, оръфаност (*на дрехи*); западналост; **2.** неразположение; лошо (потиснато) настроение.

seeding-machine ['si:diŋmə'ʃi:n] *n* сеялка.

seed-plot ['si:d,plɔt] *n* разсадник (*и прен.*).

seeing ['si:iŋ] I. *n* **1.** зрение; **2.** виждане, гледане; ~ **is believing** не вярвай, преди да си видял; виж, та повярвай; II. *cj* тъй като, понеже (*и* ~ **that**); III. *prep* поради, като се има предвид; **he was unfit for the job** ~ **his youth and inexperience** той не беше подходящ за този пост поради младостта и неопитността си.

seek [si:k] *v* (**sought** [sɔ:t]) *книж.* **1.** търся, диря; опитвам се да открия; **the reason is not far to** ~ не е трудно да се открие причината; **politeness is much to** ~ **among them** у тях няма учтивост (вежливост); **2.** търся, стремя се към; искам; **to** ~ **advice** искам (търся) съвет; **3.** опитвам се, мъча се (*c inf*); **to** ~ **to kill s.o.** искам да убия някого;

seek after гоня, преследвам, търся; **much sought after** много търсен;

seek for търся;

seek out 1) намирам, откривам; 2) търся внимателно;

seek through претърсвам, обискирам.

seeker ['si:kə] *n* търсач; човек, който се мъчи да открие; **gold** ~ златотърсач; **pleasure** ~s хора, които търсят удоволствия.

seeking ['si:kiŋ] *n* търсене, дирене; преследване; стремление, стремеж (**for, after**); **the quarrel was not (was none) of my** ~ не бях аз причината за кавгата, аз не започнах кавгата.

seem [si:m] *v* изглеждам; **do as (it)** ~s **good to you** постъпи, както намираш за добре; **it** ~s **she isn't coming** тя като че ли няма да дойде; изглежда, че тя няма да дойде.

seeming ['si:miŋ] I. *adj* привиден; мним; II. *n* **1.** вид; **2.** привидното; **the** ~ **and the real** лъжата и

истината, привидното и действителното.

seemingly ['si:miŋli] *adv* привидно; на вид; както изглежда.

seemly ['si:mli] *adj* остар. **1.** приличен, пристоен; **2.** приятен на глед; хубав.

seep [si:p] *v* просмуквам се; стичам се; прониквам; капя.

seepage ['si:pidʒ] *n* филтрация, просмукване; стичане, изтичане; извор (*и* ~ **of water**); просмукваща се влага.

seer [siə] *n* **1.** пророк; ~ **of** ~s пророк на пророците; **2.** проницателен човек, който вижда (има силно въображение).

seethe [si:ð] *v* кипя (*и прен.*); **to** ~ **with anger** кипя от гняв; **the country was seething with discontent** в страната кипеше недоволство.

see-through ['si:θru:] *adj* прозрачен, прозиращ (*за плат, дрехи и пр.*).

segment I. ['segmənt] *n* **1.** част, откъс, дял; отсек, отрязък, сегмент; **grinding** ~ шлифовъчен сегмент; **2.** *мат.* сегмент; II. [seg'ment] *v* деля (се), разделям (се); сегментирам.

segmental [,seg'mentəl] *adj* сегментен.

segmentation [,segmen'teiʃən] *n* деление, разделяне, сегментация.

segregate I. ['segrigeit] *v* **1.** отделям (се), разделям (се), изолирам (се) (**from**); **2.** *техн.* зайгеровам, ликвирам; II. ['segrigit] *adj* отделен, изолиран, отлъчен.

segregation [,segri'geiʃən] *n* **1.** отделяне, разделяне, изолиране; **2.** отлъчване, изолация; **3.** *полит.* сегрегация; **4.** изолирана група.

segregative ['segrigeitiv] *adj* **1.** който способства за отделяне (изолиране); **2.** необщителен, затворен.

seigniorial [sei'njɔ:riəl] *adj* феодален, господарски; сеньориален.

seiner ['seinə] *n* рибарска лодка.

seismal, seismic ['saizməl, 'saizmik] *adj геол.* земетръсен, сеизмичен, сеизмически.

seismicity [,saiz'miciti] *n* сеизмичност.

seismogram ['saizmə'græm] *n* сеизмограма.

seismograph ['saizməgra:f] *n геол.* сеизмограф.

seismography [saiz'mɔgrəfi] *n* сеизмография.

seismology [saiz'mɔlədʒi] *n* сеизмология.

seismometry [saiz'mɔmitri] *n* сеизмометрия.

seize [si:z] *v* **1.** хващам, сграбчвам (*и* **to** ~ **hold of**); **to** ~ **by the hand** хващам за ръката; **2.** завземам, превземам, завладявам; присвоявам си (*идея и пр.*); конфискувам; **3.** *юр.* въвеждам във владение (*често pp*); **to stand (be)** ~**d of** във владение съм на, владея; осведомен съм относно; **4.** възползвам се от, използвам (*случай и пр.*); **5.** схващам, разбирам; **6.** обхващам, обземам (*главно pass*); **to be** ~**d with fear** обзет съм от страх, обзема ме страх; **7.** *мор.* прикрепвам здраво с въже.

seizin ['si:zin] *n юр.* встъпване във владение (*на земя*).

seizure ['si:ʒə] *n* **1.** конфискация; арестуване; конфискувани стоки (имот); **2.** завземане, превземане, завладяване; **3.** апоплектичен удар; припадък, пристъп, атака; **4.** *техн.* заяждане (*на лагер*).

seldom ['seldəm] *adv* рядко, понякога.

select [si'lekt] I. *v* избирам, подбирам; селекционирам; II. *adj* **1.** подбран, избран; селекциониран; **2.** селективен; взискателен, претенциозен, строг в избора си (**in**); **3.** достъпен само за избрани (хора); ~ **committee** парламентарна комисия.

selectance [si'lektəns] *n радио.* избирателност, избирателна способност.

selection [si'lekʃən] *n* **1.** избор; подбор; *биол.* подбор, отбор, селекция; **data** ~ организация на данни; **2.** сборник с избрани произведения; **3.** избрани екземпляри (модели и под.), колекция, сбирка; **4.** дешифране.

selective [si'lektiv] *adj* който избира (подбира); селективен; ~ **serv-**

ice *амер.* военна повинност; ◇*adv* **selectively**.

selectivity [ˌsilek'tiviti] *n* селективност, избирателност.

selenology [ˌseli'nɔlədʒi] *n астр.* селенология, дял от астрономията, който изучава Луната.

self [self] **I.** *n* (*pl* **selves** [selvz]) **1.** сам, собствената личност, собственото аз; **my own (my very)** ~ самият аз, лично аз; **o.'s better** ~ по-добрата страна на някого; **2.** същност, същина, есенция; **3.** цвете с един цвят; **II.** *adj* **1.** еднакъв, от същия цвят (материал и пр.); **velvet hat with** ~ **trimming** *търг.* кадифена шапка с гарнитура от същия материал; **2.** едноцветен (*за цвете и пр.*); **3.** чист, без примес (*за питие*).

self-abnegation ['selfæbni'geiʃən] *n* себеотрицание, саможертва, самопожертвувателност.

self-absorption ['selfəb'sɔ:pʃən] *n* самопоглъщане.

self-abuse ['selfə'bju:s] *n* онанизъм, самозадоволяване.

self-acting ['self'æktiŋ] *adj* автоматически, автоматично.

self-adhesive ['selfəd'hi:ziv] *adj* самозалепващ.

self-aligning ['selfə'lainiŋ] **I.** *n* самонагаждане, самоцентриране; **II.** *adj* самонагаждащ (се), самоцентроващ (се).

self-apparent ['selfə'pærənt] *adj* очевиден.

self-applause [selfə'plɔ:z] *n* възхищение от самия себе си, нарцисизъм, самолюбеност.

self-approving ['selfə'pru:viŋ] *adj* самодоволен, себевлюбен, себелюбив.

self-assurance ['selfə'ʃuərəns] *n* самоувереност.

self-centred ['self'sentəd] *adj* егоцентричен, крайно егоистичен.

self-collected ['selfkə'lektid] *adj* спокоен, хладнокръвен, уравновесен.

self-coloured ['self'kʌləd] *adj* **1.** едноцветен; **2.** с естествения си цвят.

self-command ['selfkə'ma:nd] *n* самообладание, умение да се владея, хладнокръвие.

self-conceit ['selfkən'si:t] *n* самомнение, надутост, себеизтъкване.

self-confidence ['self'kɔnfidəns] *n* самоувереност.

self-confident ['self'kɔnfidənt] *adj* самоуверен; ◇ *adv* **self-confidently**.

self-conscious ['self'kɔnʃəs] **1.** стеснителен; неловък; смутен; ◇ *adv* **self-consciously**; **2.** *филос.* с чувство за собствената личност; **3.** показен, изкуствен, маниерен (*за артистичен стил*).

self-contained ['selfkən'teind] *adj* **1.** самостоятелен (*за къща, апартамент*); с отделен вход; **2.** *техн.* независим, автономен, отделен, самостоятелен; който не се нуждае от спомагателни механизми или приспособления; *воен.* снабден с всичко необходимо; **3.** резервиран, въздържан; затворен, необщителен.

self-control ['selfkən'troul] *n* самообладание, самоконтрол.

self-criticism ['self'kritisizəm] *n* самокритика.

self-defence ['selfdi'fens] *n* самозащита; самоотбрана.

self-denial ['selfdi'naiəl] *n* себеотрицание, саможертва.

self-denying ['selfdi'naiiŋ] *adj* жертвоготовен.

self-dependence ['selfdi'pendəns] *n* самостоятелност.

self-destruction ['selfdi'strʌkʃən] *n* самоубийство.

self-devotion ['selfdi'vouʃən] *n* преданост; саможертва, самопожертвувателност; себеотрицание.

self-discipline ['self'disiplin] *n* самодисциплина.

self-display ['selfdis'plei] *n* парадиране, самохвалство, перчене.

self-distrust ['selfdis'trʌst] *n* неувереност, липса на самоувереност.

self-educated ['self'edjukeitid] *adj* самоук, самообразован.

self-effacing ['selfi'feisiŋ] *adj* неуверен, нерешителен, стеснителен.

self-esteem ['selfis'ti:m] *n* самоуважение; самомнение, самолюбие.

self-evident ['self'evidənt] *adj* очевиден (сам по себе си); ◇*adv* **self-evidently**.

self-existent ['selfig'zistənt] *adj* самостоятелен, независим; който води самостоятелно съществуване.

self-firer ['self'faiərə] *n* автоматично оръжие.

self-governing ['selfgʌvəniŋ] *adj* самоуправляващ се, саморегулиращ се; който се ползва от самоуправление; автономен.

self-government ['selfgʌvənmənt] *n* **1.** самоуправление; автономия; **2.** самоконтрол.

self-important ['selfim'pɔ:tənt] *adj* самомнителен; важен, надут.

self-interest ['self'intərest] *n* егоизъм, себелюбие; егоцентризъм.

self-interested ['self'intərestid] *adj* егоистичен, себелюбив; егоцентричен.

self-invited ['selfin'vaitid] *adj* неканен.

selfish ['selfiʃ] *adj* егоистичен, себелюбив; ◇ *adv* **selfishly**.

selfishness ['selfiʃnis] *n* егоизъм, себелюбие.

self-knowledge ['self'nɔlidʒ] *n* самопознание.

selfless ['selflis] *adj* себеотрицателен, самоотвержен, самопожертвувателен; безкористен; ◇ *adv* **selflessly**.

self-lighting ['self'laitiŋ] *adj* самозапалващ се, самовъзпламеняващ се.

self-love ['self'lʌv] *n* самолюбие, себелюбие, егоизъм.

self-mastery ['self'ma:stəri] *n* самообладание.

self-moving ['self'mu:viŋ] *adj* самоходен, самодвижещ се.

self-neglect ['selfni'glekt] *n* **1.** жертвоготовност, самоотвереност, себеотрицание, самопожертвувателност; **2.** нечистоплътност; занемареност.

self-opinionated ['selfo'pinjəneitid] *adj* **1.** своеволен; **2.** упорит, отстояващ упорито собственото си мнение.

self-portrait ['self'pɔ:trid] *n* автопортрет.

self-possessed ['selfpɔ'zest] *adj* спокоен, хладнокръвен; който запазва самообладание.

self-possession ['selfpə'zeʃən] *n* спокойствие, хладнокръвие, самообладание.

self-realization ['self,riəlai'zeiʃən] *n* развитие на собствените способности, личностна реализация.

self-regard ['selfri'ga:d] *n* егоизъм, себелюбие.

self-reliance ['selfri'laiəns] *n* увереност в себе си, самоувереност.

self-reliant ['selfri'laiənt] *adj* уверен в себе си; който се надява само на себе си.

self-renunciation ['self,rinʌnsieiʃən] *n* себеотрицание.

self-reproach ['selfri'prout∫] *n* угризение на съвестта, самообвинения.

self-respect ['selfri'spekt] *n* самоуважение, чувство за собствено достойнство.

self-restraint ['selfri'streint] *n* въздържание, сдържаност, въздържаност; самоконтрол, себеконтрол.

self-righteous ['self'rait∫əs] *adj* 1. самодоволен; 2. фарисейски, лицемерен.

self-righting ['self'raitiŋ] *adj* устойчив.

self-sacrifice ['self'sækrifais] *n* саможертва, себеотрицание, самоотверженост.

self-satisfaction ['selfsætis'fækʃən] *n* 1. самодоволство; 2. задоволяване на собствените (личните) нужди, страсти и под.

self-satisfied ['self'sætisfaid] *adj* самодоволен, важен, надут.

self-seeker ['self'si:kə] *n* самолюбец, егоист; кариерист.

self-seeking ['self'si:kiŋ] I. *adj* себичен; кариеристичен; II. *n* себичност; кариеризъм.

self-service ['self'sə:vis] *n* самообслужване; ~ shop магазин на самообслужване.

self-steering ['self'stiəriŋ] *n* автоматично управление.

self-styled ['self,staild] *adj* самозван, мним.

self-sufficiency ['selfsə'fiʃənsi] *n* 1. самостоятелност, независимост; автономност; 2. самозадоволяване; 3. самонадеяност, самомни-

self-sufficient ['selfsə'fiʃənt] *adj* 1. самостоятелен, независим; 2. самозадоволяващ се; 3. самонадеян, самомнителен.

self-sufficing ['selfsə'faisiŋ] *adj* самостоятелен; самозадоволяващ се.

self-suggestion ['selfsə'dʒestʃən] *n* самовнушение, автосугестия.

self-supply ['selfsə'plai] самоснабдяване, самозадоволяване.

self-sustained ['selfsəs'teind] *adj* автономен, независим, самостоятелен.

self-taught ['self'tɔ:t] *adj* 1. самоук; 2. придобит самостоятелно (за знания).

self-torture ['self'tɔ:t∫ə] *n* самоизмъчване.

self-travelling ['self'trævəliŋ] *adj* самоходен.

self-violence ['self'vaiələns] *n* самоубийство.

self-will ['self'wil] *n* 1. упорство, упоритост; 2. своеволие.

self-willed ['self'wild] *adj* упорит; своеволен.

sell [sel] I. *v* (sold [sould]) 1. продавам; this house is to ~ тази къща се продава; to ~ the pass (fort); to ~ s.o. short измамвам нечие доверие; предавам; 2. продава се, харчи се, върви; 3. *разг.* измамвам, изигравам, мятам (*обикн.* *pass*); sold again пак ме (те) метнаха; 4. *амер.* *sl* популяризирам; рекламирам; 5. *амер.* *sl* внушавам;

sell off разпродавам (*на ниски цени*), ликвидирам (*стоки*);

sell out 1) разпродавам (акции и пр.); 2) *истор.* оттеглям се от армията, като продавам офицерския си чин; 3) *разг.* продавам се (*на друг*) (to);

sell up разпродавам на търг; II. *n разг.* 1. разочарование; 2. измама, мента.

seller ['selə] *n* 1. продавач; ~'s market *фин.* оживено търсене; 2. нещо (*обикн.* *книга*), което се продава (добре, зле); best ~ книга, която много се търси (купува).

selling point ['seliŋ'pɔint] *n* ценно

качество; предимство; плюс.

seltzer (water) ['seltsə('wɔtə)] *n* 1. газирана минерална вода; 2. сода.

selvage ['selvidʒ] *n* 1. ивица, кенар, кант (*на плат*); 2. *мин.* залбанд, жилна обшивка.

semantics [si'mæntiks] *n* *pl* (= *sing*) семантика.

semaphore ['semafə:] I. *n* семафор; II. *v* сигнализирам със семафор.

semasiology [,si:meizi'ɔlədʒi] *n* език. семасиология; семантика.

sematic [si'mætik] *adj* биол. защитен, предпазен, сигнален (*за цвят*).

semblance ['sembləns] *n* образ, (външен) вид; подобие; to bear the ~ of an angel and the heart of a devil I с ангелско лице и дяволска душа; in the ~ of във вид на.

semen ['si:men] *n* сперма, семе.

semester [si'mestə] *n* семестър.

semi-automatic ['semiɔ:tə'mætik] *adj* полуавтоматичен.

semi-centennial ['semisen'tenjəl] I. *n* петдесетгодишнина; II. *adj* който става веднъж на петдесет години.

semicolon ['semikoulən] *n* точка и запетая.

semiconductor ['semikən'dʌktə] *n* физ. полупроводник.

semi-diameter ['semidai'æmətə] *n* радиус.

semi-final ['semi'fainl] I. *adj* полуфинален; II. *n* полуфинал.

semi-finalist ['semi'fainəlist] *n* полуфиналист.

semi-lunar ['semi'lu:nə] *adj* сърповиден; анат. полулунен.

seminal ['seminəl] *adj* 1. семенен; ~ fluid сперма; 2. зародишен, зачатъчен; 3. творчески, плодотворен.

seminar [,semi'na:] *n* семинар.

seminary ['seminəri] *n* 1. остар. училище; 2. духовна семинария; 3. прен. разсадник.

semination [semi'neiʃən] *n* осеменяване.

semi-precious ['semi'preʃəs] *adj* полускъпоценен (*за камъни*).

Semite ['si:mait] *n* семит.

Semitic [si'mitik] I. *adj* семитски; II. *n* семитски език.

semolina ['seməli:nə] *n* грис.

senate ['senit] *n* 1. сенат; 2. академичен съвет.

senator ['senətə] *n* сенатор; **S. of the College of Justice** шотл. съдия.

senatorial ['senə'tɔ:riəl] *adj* сенаторски, сенатски.

send₁ [send] *v* (**sent** [sent]) 1. пращам, изпращам; **to ~ word** съобщавам, уведомявам; **to ~ s.o. about his business (packing)** (отпращам) изгонвам някого; 2. запращам, хвърлям, мятам (*топка, куршум и пр.*); **the blow sent him sprawling** ударът го просна на земята; **to ~ flying** разпръсквам, разпилявам; 3. докарвам, накарвам; **to ~ s.o. mad (crazy, out of o.'s mind, off o.'s head)** подлудявам някого, докарвам някого до лудост; 4. *радио.* предавам;
send away 1) изгонвам, уволнявам; 2) изпращам, поръчвам отдалеч;
send back 1) връщам; 2) отразявам;
send down 1) изключвам (*от училище, колеж, университет и пр.*); връщам (*ученик*) вкъщи; 2) намалявам, карам да спадне;
send for повиквам, извиквам (*лекар и пр.*); пращам за (да ми донесат, доведат); **to ~ a taxi** пращам за (да ми повикат) такси;
send forth 1) изпускам, издавам; излъчвам; 2) изпращам;
send in подавам (*заявление, кандидатура, оставка*); представям (*предмет за изложба и пр.*); **to ~ o.'s name** съобщавам името си, за да бъда приет от някого;
send off 1) изпращам (*и на гарата и пр.*); 2) изгонвам (*играч от игрището*), отпращам;
send on 1) препращам (*писмо и пр.*); 2) предавам (*заповед и пр.*);
send out 1) изпращам; разпращам; 2) изпускам; излъчвам; 3) (из)давам, пускам (*клони и пр.*);
send round 1) предавам (подавам) от човек на човек; 2) изпращам някого да получи сведения, да вземе нещо и пр.;
send through предавам (*съобщение, телеграма и пр.*);
send up 1) изстрелвам (хвърлям)

нагоре; 2) изпращам, предавам нагоре; 3) *sl амер.* пращам в затвора; 4) покачвам, причинявам качване (*на цени и пр.*).

send₂ I. *n* тласък (*на вълна*); II. *v* нося се (тласкам се) от вълна на вълна; издигам се нагоре с вълната (*за кораб*).

sender ['sendə] *n* 1. подател (*на писмо и пр.*); този, който изпраща (*съобщение и пр.*); 2. регистър, вибратор; датчик; 3. морзов ключ, предавател.

senescence [se'nesəns] *n* остаряване, стареене; старост; старческа възраст (*и мед.*).

senescent [se'nesənt] *adj* стареещ, застаряващ.

senile ['si:nail] *adj* старчески; грохнал; изкуфял.

senior ['si:niə] I. *adj* по-стар; старши; II. *n* 1. по-стар, по-голям, старши; ученик от горните класове; *амер.* студент от горния курс; **to have respect for o.'s ~s** уважавам по-възрастните; 2. възрастен гражданин.

seniority [,si:ni'ɔriti] *n* 1. старшинство; 2. *амер.* трудов стаж.

sensation [sen'seiʃən] *n* 1. усещане, чувство; **a ~ of giddiness (heat, pain)** чувство на замайване, топлина, болка; 2. сензация; *attr* сензационен.

sensational [sen'seiʃənəl] *adj* 1. сензационен; 2. *рядко* свързан с усещанията, чувствен, сетивен; 3. *филос.* сенсуален, сетивен; ◇ *adv* **sensationally.**

sensationalism [sen'seiʃənəlizəm] *n* 1. *филос.* сенсуализъм; 2. любов към сензациите, търсене на сензационното.

sensationalist [sen'seiʃənəlist] *n* 1. *филос.* сенсуалист; 2. човек, който обича сензациите.

sense [sens] I. *n* 1. чувство; възприятие, усещане; усет; **a ~ of duty (humour, responsibility)** чувство на дълг (на отговорност, за хумор); 2. сетиво; **~ organs** сетивни органи; **sixth ~** "шесто чувство"; 3. *pl* ум; **to bring s.o. to his ~s** вкарвам ума в главата на някого, вразумявам го; **to come to o.'s**

~s идвам на себе си, вразумявам се; 4. (здрав) разум; **a man of ~** разумен човек; **to talk ~** говоря смислено; 5. значение, смисъл; **to make ~ of** разбирам, разумявам; **these words don't make ~** тези думи са неразбираеми (безсмислени); 6. (общо) настроение, отношение; **to take the ~ of a meeting** усещам настроението на събрание; II. *v* 1. усещам, чувствам; предчувствам; 2. *амер.* схващам, разбирам.

senseless ['senslis] *adj* 1. безчувствен, в безсъзнание; **to knock s.o. ~** зашеметявам някого; 2. глупав, неразумен; 3. безсмислен; ◇ *adv* **senselessly.**

sensibility [sensi'biliti] *n* 1. (способност за) усещане, усет; чувствителност; 2. прекалена (тънка) чувствителност (*и pl*), деликатност.

sensible ['sensibl] *adj* 1. видим, осезаем, забележим; **to be ~ of o.'s shortcomings** съзнавам слабостите си; 2. (благо)разумен; здравомислещ; 3. практичен, функционален (*за дрехи*); 4. в съзнание.

sensitive ['sensitiv] I. *adj* 1. чувствителен, сензитивен (**to** към); **~ market** неустойчив, нестабилен пазар; **~ paper (plate)** *фот.* светлочувствителна хартия (плака); 2. обидчив; който лесно се засяга (**about**); 3. точен, прецизен, чувствителен (*за уред*); 4. *рядко* сетивен; II. *n* чувствителен човек; човек, податлив на хипноза.

sensitivity [,sensi'tiviti] *n* чувствителност.

sensitizer ['sensitaizə] *n* сенсибилизатор; активатор.

sensitizing ['sensitaiziŋ] *n* сенсибилизация, активация.

sensor ['sensə] *n техн.* сензор, датчик, чувствително устройство.

sensual ['sensjuəl] *adj* 1. сетивен; 2. чувствен; плътски; сладострастен; полов; сексуален; 3. *филос.* сенсуален.

sensualism ['sensjuəlizəm] *n* 1. сладострастие; 2. *филос.* сенсуализъм.

sensuality ['sensju'æliti] *n* чувстве-
ност, сетивност, сладострастие.
sensuous ['sensjuəs] *adj* сетивен,
чувствен; ◇ *adv* **sensuously**.
sentence ['sentəns] I. *n* 1. присъда;
наказание; *юр.* сентенция, реше-
ние на съд, присъда; **to be under
~ of** осъден съм на; **a death ~**
смъртна присъда, смъртно нака-
зание; 2. *език.* изречение; II. *v*
осъждам (**to** на).
sententious [sen'tenʃəs] *adj* сентен-
циозен, нравоучителен; афорис-
тичен; надуто-банален; ◇ *adv* **sen-
tentiously**.
sentience ['senʃəns] *n псих.* чувст-
вителност, способност да се усе-
ща; съзнание.
sentient ['senʃənt] *adj псих.* чувст-
вителен; усещащ.
sentiment ['sentimənt] *n* 1. чувст-
во; 2. отношение, мнение; **those
are my ~s** така мисля аз; 3. сан-
тименталност.
sentimental [,senti'mentəl] *adj* сан-
тиментален, емоционален, раз-
нежен; ◇ *adv* **sentimentally**.
sentimentalism [senti'mentəlizəm]
n сантименталност, разнеженост,
чувствителност, умиление; санти-
ментализъм.
sentimentalize [,senti'mentəlaiz] *v*
1. ставам сантиментален (**over,
about**); **to ~ about the past** ста-
вам сантиментален, като си мис-
ля за миналото; 2. отнасям се
сантиментално, имам сантимен-
тално отношение към; 3. правя
прекалено сантиментален (*роля,
разказ и пр.*).
sentry ['sentri] *n* часови, часовой,
караул.
separability [,sepərə'biliti] *n* (от)де-
лимост.
separable ['sepərəbl] *adj* 1. (от)де-
лим; 2. разглобяем, съставен.
separate I. ['sep(ə)rit] *adj* отделен,
разделен, самостоятелен; обосо-
бен; **~ estate** собствено имущест-
во на съпруга; **to keep two things
~** не смесвам две неща; ◇ *adv*
separately; II. ['sepəreit] *v* 1. отде-
лям (се), деля (се), разделям (се)
(**from**); сортирам; **to ~ milk** отде-
лям каймака от млякото; **to ~ an**

egg отделям жълтъка от белтъ-
ка; 2. скъсвам се; 3. *амер.* демо-
билизирам; III. ['sep(ə)rit] *n* отде-
лен отпечатък (*от статия и пр.*).
separatee [,sepərə'ti:] *n амер.* демо-
билизиран.
separateness ['sepəritnis] *n* обосо-
беност, самостоятелност.
separation [,sepə'reiʃən] *n* 1. обо-
собяване, отделяне; изолиране;
сепарация; 2. раздяла (*и на съп-
рузи без развод*); 3. изолация; 4.
мин. обогатяване.
separationism [,sepə'reiʃənizəm] *n*
сепаратизъм.
separationist [,sepə'reiʃənist] *n* се-
паратист.
separative ['sepərətiv] *adj* сепара-
тивен.
September [sep'tembə] *n* 1. септем-
ври; 2. *attr* септемврийски.
septentrional [sep'tentriənəl] *adj* се-
верен.
septet(te) [sep'tet] *n муз.* септет.
septic ['septik] I. *adj* 1. *мед.* сеп-
тичен; **~ tank** септична яма; 2.
разг. ужасен, отвратителен; II. *n*
вещество или организъм, които
причиняват сепсис.
sepulchral [si'pəlkrəl] *adj* погреба-
лен, гробовен; гробен.
sepulchre ['sepəlkə] I. *n* гроб(ни-
ца); **the Holy S.** Божи гроб; II. *v*
погребвам.
sepulture ['sepəltʃə] *n* погребение;
погребване.
sequel ['si:kwəl] *n* 1. продължение;
2. последствие, резултат; **in the
~** впоследствие.
sequela [si'kwelə] *n* (*pl* -ae [-i:]) *мед.*
последствие, усложнение (*от бо-
лест*).
sequence ['si:kwəns] *n* 1. ред, реди-
ца, серия, поредица; редуване; 2.
последователност; 3. *муз.* секвен-
ция.
sequester [si'kwestə] *v* 1. *refl* отде-
лям се, уединявам се, усамотя-
вам се; 2. *юр.* поставям под за-
пор; налагам секвестър.
sequestered [si'kwestəd] *adj* уеди-
нен, усамотен, отдалечен.
sequestrate ['si:kwestreit] *v* секвес-
тирам; конфискувам; отчужда-
вам.

sequestration [,si:kwe'streiʃən] *n* 1.
секвестиране; конфискуване, кон-
фискация; отчуждаване; 2. *рядко*
уединяване, усамотяване; уедине-
ние, усамотение.
seraglio [se'ra:liou] *n* харем, сарай.
seraphic [se'ræfik] *adj* ангелски, бо-
жествен, възвишен, серафимски,
херувимски.
sere [siə] *adj* сух, изсъхнал, повех-
нал, извяхнал.
serenade [,seri'neid] I. *n* серенада;
II. *v* пея (свиря) серенада на.
serene [si'ri:n] I. *adj* 1. ясен, ведър,
безоблачен; 2. спокоен, тих (*за
море, живот и пр.*); ◇ *adv* se-
renely; **all ~** *sl* всичко е наред;
няма опасност; II. *n поет.* ясно
(безоблачно, ведро) небе, ведри-
на; тихо, спокойно море; III. *v
поет.* изяснявам, прояснявам;
успокоявам.
serenity [se'reniti] *n* 1. ведрост, без-
облачност, ведрина; 2. спокойст-
вие; мир; тишина.
sergeant ['sa:dʒənt] *n* 1. сержант;
~ major старшина; 2. старши по-
лицай.
serial ['siəriəl] I. *adj* 1. сериен; **~
number** сериен номер; 2. който
излиза на части; на няколко се-
рии (*за филм*); **~ story** роман на
части; II. *n* 1. роман, който из-
лиза на части; филм от няколко
серии; 2. *рядко* периодично из-
дание.
series ['siəri:z] *n* (*pl* ~) 1. низ; се-
рия, поредица, ред, редица (**of**);
in ~ поред, подред, последова-
телно едно след друго; 2. поре-
дица на периодично издание; 3.
геол. група, система; 4. *хим.* ред
от химични елементи с общи
свойства; 5. *мат.* прогресия; 6.
зоол. група; 7. *ел.* последовател-
но свързани елементи.
serious ['siəriəs] *adj* сериозен, ва-
жен; **are you ~**? сериозно ли го-
ворите? **and now let's be ~ a** сега
шегите настрана.
seriously ['siəriəsli] *adv* сериозно;
but ~ ..., talking ~... да говорим
сериозно, шегата настрана.
seriousness ['siəriəsnis] *n* сериоз-
ност; **in all ~** напълно сериозно.

sermon [ˈsəːmən] **I.** *n* **1.** проповед, слово, поучение; **to deliver a ~** казвам проповед, държа слово; **2.** *ирон.* "конско"; **II.** *v* чета нотации на.

sermonize [ˈsəːmənaiz] *v* проповядвам (на).

serous [ˈsiərəs] *adj* сериозен.

serpent [ˈsəːpənt] *n* **1.** *книж.* змия (*и прен.*), змей, дракон; **the old S.** дяволът; **2.** *прен.* лукав човек, лисица, велзевул; **3.** *муз.* серпант, серпент, старинен духов инструмент.

serpentine [ˈsəːpəntain] **I.** *adj* **1.** змийски, змиевиден; **2.** лъкатушен; серпентинен; който се извива, криволичи, меандрира, гърчи; **the ~ course of a river** криволичението на река; **3.** хитър, лукав; коварен, вероломен, предателски, несигурен; **II.** *n* **1.** *мин.* серпентина; **2.** фигура при пързаляне с кънки; **III.** *v* вия се, извивам се, лъкатуша, криволича.

serrate(d) [ˈsereit(id)] *adj* назъбен, нарязан.

serration [seˈreiʃən] *n* **1.** назъбеност, нарязаност; **2.** зъбец, зъбци.

serried [ˈserid] *adj* сгъстен, сбит, стегнат; **in ~ ranks** в стегнати редици.

serum [ˈsiərəm] *n* (*pl* **serums, sera** [ˈsiərə]) серум.

servant [ˈsəːvənt] *n* слуга, слугиня, прислужник, прислужница, служител, служителка; **civil (public) ~, ~ of the state** държавен служител (чиновник), длъжностно лице; **~ of God** Божи служител.

serve [səːv] **I.** *v* **1.** служа (на), слуга съм (на), заемам (изпълнявам) служба, работя, на работа съм (in, at); **to ~ in (with) the army, the navy** служа във войската, флота; **to ~ mass** отслужвам литургия; **2.** служа, ползвам, послужвам, ставам, бива ме, достатъчен съм (за), задоволявам; **to ~ a purpose** служа за определена цел, отговарям на определено предназначение; **an excuse that will not ~** извинение, което няма да мине; **3.** благоприятен съм, благоприятствам (на); **if occasion ~s**

ако моментът е благоприятен; **4.** прислужвам, сервирам, поднасям ядене; **to ~ at the table** прислужвам, сервирам, келнер съм; **dinner is ~d** обедът е готов; **5.** обслужвам, услужвам (на); **to ~ customers** обслужвам клиенти; **6.** карам, изкарвам, отбивам (*служба*), излежавам (*присъда, наказание*) (*и* **to ~ o.'s time, term, sentence**); **to ~ o.'s time** изкарвам мандат на длъжност; **7.** отнасям се (постъпвам) с; **he has ~d me shamefully** отнесе се много лошо с мен; **8.** връчвам (*призовка и пр.* on); **9.** *спорт.* сервирам, бия сервис; **10.** покривам (*за жребец*); ● **to ~ s.o. a trick** погаждам, скроявам, устройвам номер (на);

serve as служа като, за;

serve for служа за;

serve out раздавам, разпределям, поднасям, сервирам; отплащам, отмъщавам;

serve round разнасям (*храна*);

serve up поднасям, сервирам (to);

serve with връчвам; **to ~ with the same sauce** отплащам се със същата монета, връщам го тъпкано; **II.** *n спорт.* сервис.

service [ˈsəːvis] **I.** *n* **1.** служба, служене, работа; **military ~** военна служба; **public ~** държавна служба; **2.** служба, обслужване; **bus ~** рейс; **postal ~** пощенска служба; **the ~ in a restaurant** обслужване в ресторант; **3.** услуга; **in (at) the ~ of** в услуга на; **to offer o.'s ~s (to)** предлагам услугите си; **4.** заслуга; **a public ~** заслуга към обществото; **to have done great ~s to** имам големи заслуги към; **5.** *рел.* служба; **to go to ~** отивам на църква; **memorial ~** помен; **6.** сервиз; **7.** съдебно съобщение; **8.** *спорт.* сервис, подаване на топка; **9.** *attr* служебен, военен, войскови; **~ record** служебно досие; **~ uniform** служебна униформа; ● **to have seen ~** имам опит; похабен съм; **II.** *v* **1.** обслужвам; **2.** поддържам в добро състояние, поправям; **to ~ a radio-set** поправям радиоапарат; **to ~ a car** извършвам техническо обслужва-

не на автомобил.

serviceable [ˈsəːvisəbl] *adj* **1.** полезен, благоприятен, благотворен, изгоден; **2.** услужлив; **3.** траен, здрав, годен за експлоатация.

servicing [ˈsəːvisiŋ] *n* поддържане, техническо обслужване.

serviette [ˌsəːviˈet] *n* салфетка.

servile [ˈsəːvail] *adj* **1.** робски; **~ labour** робски труд; **2.** раболепен, робски, рабски, угоднически, сервилен.

servility [səːˈviliti] *n* сервилност, раболепие, угодничество.

serving [ˈsəːviŋ] *n* порция; **two ~s of apple-pie** две порции ябълков пай.

servitude [ˈsəːvitjud] *n* **1.** робство, робия, иго; **in ~ to** роб на, поробен от; **2.** *юр.* сервитут.

servocontrol [ˈsəːvɔkənˈtroul] *n* сервоуправление.

session [ˈseʃən] *n* **1.** заседание; **we had a long ~** заседавахме дълго; **2.** сесия; **3.** семестър (*в шотл. и амер. университети*).

sessional [ˈseʃənəl] *adj* заседателен, сесиен.

set₁ [set] **I.** *v* **1.** поставям, намествам, слагам, туpям, настанявам; **to be ~** разположен съм, уреден съм, настанен съм, намирам се; **2.** поставям, слагам, нагласявам, натъкмявам, курдисвам; **to ~ a trap** залагам капан; **3.** закрепвам, прикрепвам; поставям, монтирам (*скъпоценен камък и пр.*); **a ring ~ with rubies** пръстен, украсен с рубини; **4.** фиксирам, уговарям, назначавам, определям; **5.** сада, насаждам, посаждам; насаждам (*квачка върху яйца*); **to ~ a bed with tulips** насаждам леха с лалета; **6.** навеждам, обръщам, насочвам; **to ~ o.'s face towards the sun** обръщам се с лице към слънцето; **7.** осейвам, обсипвам (with); **a sky ~ with stars** небе, осеяно със звезди; **8.** намествам (*счупена кост, изкълчена става*); **9.** слагам (*име, подпис, печат*), удрям (*печат*); **10.** наточвам, точа, остря, наострям (*бръснач, пила*); **11.** привеждам в някакво състояние; **to ~ in mo-**

tion привеждам в движение, пускам (*машина*); **to ~ at ease** успокоявам, одобрявам; **12.** възлагам (*работа*), давам (*задача*) (*и с* to); **to ~ a paper** давам тема за изпит; **to ~ an example** давам пример; **13.** изразявам в; **to ~ to music** пиша музика към; **14.** съсирвам (се), втвърдявам (се), сгъстявам (се); **15.** *полигр.* набирам, нареждам; **16.** *мор., авиац.* ориентирам се, определям положението си, насочвам се (*по компас*); **17.** давам плод, завързвам; **18.** залязвам, захождам; **his star has (is) ~** звездата му залезе; **19.** движа се (в определена посока), насочвам се; **20.** заставам неподвижно, заставам, правя стойка, спирам се (*за куче*); **21.** заставам срещу партньорите си (*при танц – и* **to ~ to partners**); • **to ~ eyes on** виждам;

set about 1) почвам, заемам се, залавям се (за), захващам се (с), започвам, пристъпвам (към) (*със същ. или* ger); 2) карам някого да започне нещо; 3) разпространявам, разнасям; **to ~ a rumour about** разпространявам слух; 4) нападам, хвърлям се върху, започвам да се бия с; **they ~ about each other** те започнаха да се бият;

set against 1) поставям срещу, противопоставям (на); 2) опълчвам против;

set apart 1) слагам настрана, спестявам, запазвам, спастрям, скътвам; 2) отделям;

set ashore свалям (*от кораб*);

set aside 1) слагам настрана; 2) отхвърлям, отблъсквам, оставям без последствие; 3) предназначавам (**for a purpose** за дадена цел);

set at 1) нападам, нахвърлям се върху; 2) насъсквам (куче);

set back 1) забавям; попречвам (на), преча, спъвам, препятствам; 2) разполагам настрана от път, граница (*за къща и пр.*); 3) *разг.* струвам;

set by слагам настрана, запазвам, спестявам, скътвам, спастрям;

set down 1) слагам на земята, сто-

варвам; 2) свалям (*пътник*); 3) записвам, отбелязвам; 4) срязвам, скастрям; 5) смятам, считам, обявявам (**as**); 6) приписвам, отдавам (**to**);

set forth 1) заявявам, съобщавам; 2) излагам, тълкувам, обяснявам, разяснявам; 3) тръгвам (**for**); 4) украсявам;

set forward 1) излизам с, изказвам, давам (*предложение*); 2) тръгвам напред; 3) подпомагам, подкрепям, оказвам съдействие (на), спомагам, съдействам (за);

set in 1) започвам, настъпвам, настъпвам; **rains ~ in** започнаха дъждовете; 2) идвам, настъпвам (*за прилив*); 3) получавам разпространение, ставам моден; 4) вмъквам, пришивам;

set off 1) пускам, стрелям; възпламенявам; 2) тръгвам (**for**); 3) карам (*някого*) да (*с* ger); накарвам някого да се разприказва; **to ~ off into hysterics** докарвам до истерия; 4) подчертавам, правя по-привлекателен, придавам по-хубав вид, украсявам, "отварям"; 5) отделям (**from**); 6) компенсирам, уравновесявам;

set on 1) насъсквам, подбуждам, подтиквам, подстрекавам; 2) нападам;

set out 1) тръгвам, отправям се, излитам, изхождам (**from**); 2) излагам (*стока*), излагам на показ; слагам, нареждам; 3) излагам, тълкувам, обяснявам, разяснявам; 4) разграничавам, отделям; 5) украсявам; 6) залавям се; поставям си за цел; 7) разсаждам;

set over поставям над (*начело на*);

set to 1) запретвам се, захващам се, започвам (*обикн.* да се бия, да споря, да ям); 2) възлагам (някому), карам (*някого*) да (*с* ger); 3) започвам да ям; 4) започвам да се бия (*за двама души*);

set up 1) издигам, закрепвам; поставям, закачам (*обява и пр.*); 2) установявам, основавам, учредявам, създавам, въвеждам; 3) започвам (помагам някому да започне) бизнес, отварям (*магазин*); 4) снабдявам, обезпечавам,

запасявам, осигурявам (**in, with**); 5) надавам (*вик*); 6) предлагам за разискване, излагам, подлагам на обсъждане; излизам с (*теория*); 7) ободрявам, съживявам, възстановявам силите на; 8) развивам тяло, мускули; 9) сравнявам, съпоставям (*с* against); 10) *полигр.* набирам, нареждам;

set upon нападам;

II. *adj* **1.** определен, традиционен; установен, предписан, уговорен; уречен; **~ prices** твърди цени; **~ purpose** с цел (умисъл), преднамерено, умишлено; **2.** съставен предварително (*за реч*); **3.** неподвижен, мъртъв, безжизнен (*за усмивка, поглед*); **4.** твърд, непоколебим (*за мнение*); **5.** предразположен, готов, склонен (**to**); **III.** *n* **1.** положение, стойка, поза; **2.** очертание, устройство, строеж, образ; **3.** посока, направление (*на течение, вятър*); насока, тенденция, склонност; **4.** изкривяване, изместване, извивка, завой, наклон, полегатост; **5.** кройка, фасон; **6.** *поет.* залез-слънце; **at ~ of sun** по залез-слънце; заник; **7.** пръчка (фиданка) за посаждане; **8.** зелен плод; **9.** *мин.* дървени подпори в галерия; **10.** *полигр.* разстояние между набрани букви; **11.** яйца в гнездо; люпило; **12.** улягане, хлътване;

set₂ *n* **1.** комплект, набор, редица, серия; **~ of teeth** горните и долните зъби; изкуствени зъби; **2.** сбор, група, компания; кръг, клика, котерия, банда, шайка; **the jet ~** елитът на обществото; **3.** *мат.* множество; **4.** *театр.* декор (за *определена сцена*); *кино* снимачна площадка; **5.** апарат, прибор, уред; **a radio ~** радиоприемник.

set-back ['set,bæk] *n* спънка, пречка, (временен) неуспех; влошаване на положението; **to have a ~** претърпявам неуспех, удрям о камък.

set-down ['set,daun] *n* **1.** отпор, противодействие; **2.** скастряне, срязване, укор.

set-off ['set,ɔf] *n* **1.** украшение; **2.** контраст; **3.** компенсация, урав-

новесяване; **4.** противовес; **5.** *юр.* иск; **6.** *архит.* издатина.

set-out ['set'aut] *n* **1.** начало, започване; **at the first ~** от самото начало; **2.** изложба; витрина, представяне.

setter-on ['setə'ɔn] *n* подбудител, подстрекател.

setting ['setiŋ] *n* **1.** среда, обстановка, условия; **2.** *театр.* поставяне, постановка, мизансцен; художествено оформление; костюми, декори; **3.** рамка, обков (*на скъпоценен камък*); **4.** музика към текст, композиция; **5.** залязване, залез, заник (*на слънцето*); **6.** съсирване, втвърдяване, сгъстяване; **7.** инсталиране.

setting-out ['setiŋ,aut] *n* отбелязване, маркиране.

setting-up ['setiŋ'ʌp] *n* **1.** монтиране, монтаж; инсталиране; **2.** регулиране, настройване; **3.** втвърдяване.

settle [setl] *v* **1.** настанявам (се), натъкмявам (се), разполагам (се), нареждам (се); установявам се; налагам (on); *прен.* обземам, обхващам, завладявам (on); **the snow ~d on the branches** клоните бяха отрупани със сняг; **a torpor ~d on me** обзе ме апатия; **2.** улягам (се), слягам се; уталожвам (се), успокоявам (се), умирявам (се), укротявам (се); **things will soon ~ into shape** положението скоро ще се изясни; **3.** кацам (on); **4.** стоварвам (*отговорност и пр.*) (on); **5.** решавам, определям, уговарям, спазарявам, уславям, назначавам, наемам, ценя; **to ~ the day** определям дата; **that ~s the matter** това решава въпроса; **6.** решавам се, установявам се; **7.** заселвам (се), колонизирам; **8.** утаявам се, карам (*течност*) да се утаи; избистрям (се), падам на дъното (*за утайка*); **9.** улягам се, хлътвам; затъвам (*за кораб*); **10.** разправям се с, отървавам се от; разплащам се (с), начисто съм (с), уреждам сметките си (с), уреждам (се), изплащам (*дълг, полица – и с* up); **to ~ an old score** уреждам стара сметка; **11.** *юр.*

определям (*годишен доход*), завещавам (on); • **to ~ doubts** разсейвам съмнения;

settle back връщам се (*към нормалното*);

settle down **1)** настанявам се, уталожвам се, улягам; намествам се, свиквам; **2)** залавям се, пристъпвам (to); слягам се, утаявам се, улягам се; потъвам (*за кораб*);

settle in настанявам се добре, свиквам, привиквам (*с ново жилище*); помагам (*някому*) да се настани;

settle on (**upon**) спирам се на, избирам; уговарям (*план*);

settle up **1)** разплащам се, уреждам (*дългове, сметки*); **2)** приключвам (*бизнес и пр.*).

settled ['setld] *adj* **1.** определен, установен, устойчив, стабилен, издръжлив, постоянен; **2.** заселен, населен; **3.** вкоренен, закоренял, траен; **4.** улегнал, спокоен, уталожен, уравновесен.

settlement ['setlmənt] *n* **1.** селище, колония; *амер.* село; *истор.* заселване, колонизация, колонизиране; **2.** настаняване, нареждане, установяване; **~ in life** задомяване, свиване на семейно гнездо, стъкване на домашно огнище; **3.** уреждане, разрешаване, решаване, решение; **4.** уреждане на сметка, плащане, изплащане; **5.** утайка, утаяване, избистряне; **6.** улягане, хлътване; **7.** *юр.* прехвърляне (приписване) на имот; обезпечаване, осигуряване (*на съпруга и децата ѝ*); **8.** благотворителна институция (*в определен квартал*).

settler ['setlə] *n* **1.** заселник, колонизатор, колонист; **2.** *разг.* решаващ удар (довод), решително събитие; **3.** утаител, утаителен резервоар.

settling ['setliŋ] *n* **1.** отлагане, утаяване; **2.** улягане, свличане, хлътване; **3.** стабилизиране.

set-up ['set,ʌp] *n* **1.** устройство, организация; план, схема; структура, строеж; положение, състояние; **2.** (изправена) стойка.

seven [sevn] I. *пит* седем; II. *n* сед-

мица, седморка.

sever ['sevə] *v* **1.** отделям, разделям, разлъчвам; **2.** скъсвам (се), пресичам, прерязвам, отрязвам; **3.** преустановявам, прекъсвам; **to ~ an employment contract** прекъсвам трудов договор.

several ['sevrəl] I. *adj* **1.** няколко, неколцина; **~ people** няколко души; **2.** индивидуален, единичен, отделен; различен; **each ~ part** всяка отделна част; **3.** съответен; **all of us in our ~ stations** всеки на своето съответно място в обществото; II. *pron* неколцина, няколко, известно количество, малко; **~ of us** някои от нас.

severance ['sevərəns] *n* **1.** отделяне, разделяне, разлъчване, разлъка; **2.** скъсване, прекъсване, пресичане, прерязване; отрязване; **~ of diplomatic relations** прекъсване на дипломатически отношения.

severe [si'viə] *adj* **1.** строг, суров, твърд, корав, неотстъпчив, неумолим; жесток, безжалостен, безмилостен (**on, to, with**); лош (*за болест, време*), тежък (*за загуба*); силен, голям (*и за болка, студ, изпитание, безработица*); **~ competition** жестока (голяма) конкуренция; **2.** остър, язвителен, саркастичен.

severity [si'veriti] *n* строгост, суровост, неумолимост, жестокост.

sew [sou] *v* (**sewed** [soud]; **sewn** [soun], **sewed**) **1.** шия, ушивам; **to ~ a skirt** ушивам пола; **2.** отводнявам, изпускам вода;

sew down зашивам;

sew in зашивам; пришивам, закърпвам, съшивам, слагам (*кръпка, джоб, копче и под.*);

sew on зашивам (*копче и пр.*);

sew together съшивам, зашивам;

sew up **1)** зашивам (*нещо скъсано, рана и пр.*); **2)** *амер., разг.* приключвам; осигурявам си успех.

sewer₁ ['souə] *n* шивач, шивачка.

sewer₂ ['sjuə] I. *n* канал, клоака; II. *v* канализирам.

sewerage ['sjuəridʒ] *n* **1.** канализация; **2.** канали.

sex [seks] *n* **1.** пол; **the fair (second,**

gentle, softer, weaker) ~ нежният пол; the sterner ~ силният пол, мъжете; 2. полов нагон, желание, влечение, инстинкт и под. *разг.* to have ~ (with) правя любов с; 3. *attr* полов, сексуален; ~ appeal сексапил.

sexangular [ˌseksˈæŋɡjulə] *adj мат.* шестоъгълен, сексагонален.

sexless [ˈsekslis] *adj мед.* безполов.

sexton [ˈsekstən] *n* клисар; гробар.

sexual [ˈseksjuəl] *adj* полов, сексуален; ◇ *adv* sexually.

sexuality [ˌseksjuˈæliti] *n* сексуалност.

sexy [ˈseksi] *adj* сексуален, привлекателен, секси, сексапилен.

shabby [ˈʃæbi] *adj* 1. дрипав, окъсан, опърпан, парцалив, износен; изтъркан, протъркан, охлузен; 2. запуснат, занемарен, "смачкан"; бедняшки, сиромашки, мизерен, беден; ◇ *adv* shabbily; 3. *разг.* долен, низък, подъл, мръсен, безчестен; to do s.o. a ~ turn изигравам (скроявам) мръсен номер на някого; 4. дребен, нищожен, мижав, нищо и никакъв, келяв; 5. стиснат, скъпернически.

shack [ʃæk] *n амер.* колиба, хижа, барака.

shackle [ʃækl] I. *n* 1. *pl* белезници; окови, железа, букаи; *прен.* окови, ограничения, гнет, тирания, иго; 2. съединителна скоба; халка, брънка, звено; spring ~ ресорна скоба; 3. *ел.* изолатор; II. *v* 1. слагам белезници (на); оковавам; 2. преча (на), препятствам (на), спъвам.

shade [ʃeid] I. *n* 1. сянка, полумрак; light and ~ светлина и сенки; in the ~ на сянка; 2. сенчесто място; 3. отсянка, нюанс; people of all ~s of opinion хора с найразлични убеждения; 4. незначителна разлика, малко количество; a ~ better малко по-добре; 5. сянка, призрак, видение, привидение; the realm of the ~s царството на сенките; 6. нещо недействително; the shadow of a ~ нещо измамно, лъжовно (бледо, вяло); 7. параван, козирка за предпазване на очите от силна светли-

на; абажур; стъклен похлупак; 8. *опт.* защитно стъкло; бленда; 9. *pl амер.* слънчеви очила; II. *v* 1. предпазвам от светлина, затулям, засланям, засенчвам; to ~ o.'s eyes with o.'s hand засенчвам очите с ръка; 2. затъмнявам, помрачавам; 3. защриховам; тушрам; 4. нюансирам; преливам се, преминавам в друг цвят (into); изчезвам неусетно (away, off); 5. намалявам силата на, смекчавам, омекотявам.

shading [ˈʃeidiŋ] *n* 1. защриховане, туширане; pencil ~ щрих с молив; 2. засенчване; затъмняване; 3. оцветяване; 4. екраниране.

shadow [ˈʃædou] I. *n* 1. сянка; to cast a ~ (on) хвърлям сянка; 2. неразделен другар; спътник; детектив; "сянка"; 3. нещо недействително, подобие; сянка, призрак; he is a mere ~ of his former self от него не е останало нищо; 4. сянка, следа; there is not a ~ of doubt няма никакво съмнение; 5. закрила, защита, опека, покровителство; 6. леко платно (*на яхта*); 7. *attr* само набелязан, който не функционира още; ~ government, ~ cabinet правителство в сянка; II. *v* 1. *поет.* осенявам; помрачавам; 2. загатвам, подмятам, излагам неясно, намеквам; предвещавам, предвестник съм на; 3. дебна, ходя по петите на, следя.

shadowing [ˈʃædouiŋ] 1. засенчване, затъмняване; 2. екраниране.

shadowy [ˈʃædoui] *adj* 1. призрачен, недействителен; 2. неясен, смътен; 3. сенчест, тъмен; 4. мрачен.

shady [ˈʃeidi] *adj* 1. сенчест; 2. съмнителен, със съмнителна репутация, непочтен; долен, долнопробен; the ~ economy нелегалната икономика, съмнителния бизнес; 3. лош, долнокачествен.

shaggy [ʃægi] *adj* рунтав, космат, влакнест.

shake [ʃeik] I. *v* (shook [ʃuk], shaken [ʃeikn]) 1. клатя (се), поклащам, разклащам (се), треса (се), тръскам (се), разтърсвам, друсам (се), раздрусвам (се), разлюлявам (се), люлея (се), разтрепервам (се),

треперя; 2. потрисам, поразявам, вълнувам, развълнувам, разтревожвам, тревожа; he was much ~n by (with, at) the news той бе много разтревожен от новината; 3. обезверявам, разклащам, разколебавам; 4. треперя (*за глас, нота*); вземам трели; 5. *амер. разг.* ръкувам се; • to ~ a free (loose) leg живея разпуснато; shake down 1) бруля, обрулвам; стръсквам; 2) постилам (*слама и пр.*); 3) свиквам, навиквам, привиквам;

shake off отърсвам (се), избавям се, отървавам се от;

shake out 1) изтърсвам, изтръсквам; 2) изпразвам, опразвам (*съд - of*); 3) разгъвам;

shake up 1) разклащам, разлюлявам, раздрусвам, раздрусвам (*и прен.*); разбърквам, размесвам; изтупвам, оправям; *прен.* събуждам, раздвижвам, развълнувам; 2) *sl* наругавам, нахоквам; II. *n* 1. клатене, поклащане, разклащане, тръскане, разтърсване, друсане, раздрусване, люлеене, разлюляване, треперене, разтреперване; 2. сътресение, потрисане, тласък, потрес, вълнение, развълнуване, разтревожване, удар, шок; 3. шейк; a milk ~ млечен шейк; 4. пукнатина (*в дърво*); 5. трела; 6. *разг.* миг, момент; in a couple of ~s, in two ~s след малко, много скоро; • no great ~s не е кой знае какво, нищо особено.

shake-up [ˈʃeikˌʌp] *n* разклащане, разтръсване, раздрусване; *амер.* радикална промяна; административна реорганизация.

shaking [ˈʃeikiŋ] *n* 1. тръскане, вибриране; 2. пресяване, сортиране.

shaky [ˈʃeiki] *adj* 1. треперещ, разтреперан, треперлив; разклатен, разколебан, неустойчив, нестабилен, разнебитен, съсипан; слаб, немощен; 2. несигурен, съмнителен, ненадежден, колеблив; ◇ *adv* shakily; 3. напукан, нацепен (*за дърво*).

shallow [ˈʃælou] I. *adj* 1. плитък (*и прен.*); 2. повърхностен, празен,

незначителен; ◇ *adv* **shallowly;**
II. *n* плитчина, плитковина; III.
v **1.** ставам плитък; **2.** намалявам
дълбочината на.

sham [ʃæm] I. *v* (-mm-) преструвам
се, правя се на, симулирам; на-
подобявам; to ~ **illness (ill), sleep
(asleep), death (dead)** преструвам
се на болен, заспал, умрял; II. *n*
1. преструване, преструвка; из-
мама, шарлатанство, шарлата-
ния; подправка, фалшификация;
имитация; **2.** преструван, прест-
рувана; **3.** мошеник, мошеничка,
измамник, измамничка, шарла-
тан, шарлатанка; **4.** *остар.* пок-
ривка за легло, кувертюра; III.
adj **1.** престорен; **2.** подправен,
фалшив, неистински; ~ **doctor**
доктор шарлатан.

shambling [ˈʃæmblŋ] *adj* тромав
(*за вървеж*); **a ~ gait** провлече-
на, тромава походка.

shame [ʃeim] I. *n* **1.** срам, свян; сра-
мота, позор; **out of ~** от срам; **to
bring ~ on** посрамвам, опозоря-
вам; **2.** *разг.* безобразие; неприя-
тност; **what a ~!** колко жалко!
какво безобразие! II. *v* срамя, зас-
рамвам, посрамвам, опозорявам,
позоря; изнудвам някого за не-
що поради страх от опозоряване
(**into, out of doing**).

shamefaced [ˈʃeimfeist] *adj* **1.** стес-
нителен, свенлив, срамежлив;
2. *поет.* скромен; ◇ *adv* **shame-
facedly.**

shameful [ˈʃeimful] *adj* срамен, по-
зорен, неприличен, възмутите-
лен, скандален; ◇*adv* **shamefully.**

shamefulness [ˈʃeimfulnis] *n* срам,
позор, скандал.

shameless [ˈʃeimlis] *adj* безсрамен;
◇ *adv* **shamelessly.**

shamelessness [ˈʃeimlisnis] *n* без-
срамие.

shampoo [ʃæmˈpu:] *n* **1.** шампоан;
2. миене с шампоан.

shape [ʃeip] I. *n* **1.** форма, облик,
вид, образ, очертание; **in the ~
of** под (във) вид (форма) на; **2.**
състояние, кондиция, форма; **in
no ~ (or form)** под никаква фор-
ма; в никакъв случай, по ника-
къв начин; **3.** призрак, привиде-

ние; **4.** образец, модел, шаблон,
калъп; **hat ~** калъп за шапки; **5.**
извадено от формата си желе (*и
пр.*); **6.** *театр.* вата; II. *v* **1.** офор-
мям (се), моделирам, фасони-
рам, калъпя, профилирам, изка-
лъпвам, кроя, скроявам; **to ~ well**
обещавам, давам добри надеж-
ди; **2.** правя, създавам, построя-
вам, строя; **3.** приспособявам,
нагаждам, нагласявам, натъкмя-
вам **(to).**

shapeless [ˈʃeiplis] *adj* безформен.

shapeliness [ˈʃeiplinis] *n* стройност,
хармоничност.

shapely [ˈʃeipli] *adj* **1.** добре сло-
жен, строен (*и прен.*); **2.** хубав,
приятен на вид, грациозен, пра-
вилен.

share [ʃeə] I. *n* **1.** дял, част, пай,
участие; **lion's ~** лъвски пай; **to
take a ~ in** вземам участие в; *2.*
фин. акция; **preference (preferred)
~s** привилегировани акции; **de-
ferred ~s** обикновени акции; II. *v*
деля, разделям, споделям; участ-
вам, вземам участие (в); **to ~ a
room (with)** живея в една стая с;
to ~ the fate of споделям съдба-
та на; ● ~ **and alike** на равни на-
чала.

shareholder [ˈʃeəhouldə] *n* акцио-
нер.

shark [ʃa:k] I. *n* акула (*и прен.*);
прен. хищник, мошеник, измам-
ник, шарлатан; **land ~** спекулант
с недвижими имоти; II. *v* **1.** проя-
вявам се като хищник, мошеник,
мошеничка, мамя; **2.** поглъщам
жадно.

sharp [ʃa:p] I. *adj* **1.** остър, с остър
връх, заострен, подострен; **2.** от-
сечен, ясен, определен; ~ **outline**
ясно очертание; **3.** остър, рязък,
стръмен; ~ **turn** остър завой; **4.**
остър, парлив, резлив, тръпчив,
лют, стипчив, кисел; жесток, раз-
пален; ~ **frost** лют мраз; ~ **wine**
резливо вино; **5.** (природно) умен,
схватлив, интелигентен, буден;
остър, наблюдателен, проница-
телен; ~ **eyes (ears)** остър пог-
лед (слух); **as ~ as a needle** из-
ключително интелигентен; **6.** ос-
тър, троснат, сопнат, сърдит, яз-

вителен, ядосан, жлъчен, хаплив;
7. хитър, хитричък, изкусен; бе-
зогледен, безцеремонен, дързък,
безскрупулен, недобросъвестен,
непочтен, задкулисен, безчестен;
8. жив, бърз, енергичен, активен,
деен, стремителен; ~ **walk** бър-
за разходка; **9.** *муз.* (с) диез; мно-
го висок (*за детониране*); II. *n*
1. *муз.* диез; ~**s and flats** диези и
бемоли; **2.** тънка игла за шев; **3.**
sl мошеник, измамник; **4.** *амер.*
sl спец, познавач; III. *adv* **1.** точ-
но; **at six o'clock** ~ точно в шест
часа; **2.** под остър ъгъл; **to turn
~ round** завивам (рязко) извед-
нъж; **3.** *муз.* фалшиво, с много
висок тон; IV. *v* **1.** повишавам то-
на на (*нота*); **2.** мошеничa, ма-
мя, служа си с измама.

sharpen [ˈʃa:pən] *v* **1.** остря, наост-
рям, подострям, точа, наточвам;
2. изострям, усилвам, разлютя-
вам, ускорявам; отварям (*апе-
тит*).

sharpness [ˈʃa:pnis] *n* **1.** точност,
яскост; **2.** контрастност, рязкост
(*на образ*).

sharp practice [ˈʃa:pˈpræktis] *n* мо-
шеничество.

sharpshooter [ˈʃa:pˌʃu:tə] *n* снайпер;
изкусен стрелец.

shatter [ˈʃætə] *v* **1.** разбивам (се),
разтрошавам; раздробявам; **2.**
разбивам (*надежди*), разстрой-
вам, съсипвам (*здраве, нерви и
пр.*), подкопавам (*доверие*).

shave [ʃeiv] I. *v* **1.** бръсна (се), об-
ръсвам (се), избръсвам (се); **2.**
стържа, рендосвам; **3.** минавам
досами, докосвам се леко (до),
закачам леко, почти се докосвам
(до), почти закачам; II. *n* **1.** бръс-
нене; **to give s.o. a ~** бръсна (об-
ръсвам) някого; **2.** приближава-
не без докосване; идване много
близо до определено състояние;
**he had a close ~ of it, he missed it
by a close ~** той бе на косъм от
това нещо; **3.** стружка, стърготи-
на; **4.** *sl* трик, номер, мистифи-
кация, измама.

she [ʃi:] I. *pron, pers* тя; II. *n остар.*
жена; **the not impossible ~** бъде-
ща избраница.

sheaf [ʃiːf] I. *n* (*pl* **sheaves** [ʃiːvz]) 1. сноп; ~ **of light** сноп лъчи; 2. сноп, снопче, връзка, пачка (**of**); 3. *воен.* сноп от траектории; II. *v* връзвам на снопи.

shear [ʃiə] I. *v* (**sheared**, *остар.* **shore** [ʃɔː]; **shorn** [ʃɔːn], *рядко* **sheared**) 1. остригвам; 2. лишавам (**of**); скубя, оскубвам, смъквам кожата (снемам ризата от гърба, вземам всичко) на, одирам, ошушквам, обирам; 3. *поет.* сека; 4. махам мъх на (плат); 5. *техн.* отмествам, срязвам; II. *n* 1. *pl* ножици (*за стригане овце и пр.*; *и* **pair of** ~**s**); 2. *техн.* отместване, срязване; 3. *геол.* изкривяване (*на пласт*) вследствие напречен натиск; 4. *мин.* подкоп (*в забой*).

sheath [ʃiːθ] *n* 1. ножница; 2. обвивка, обшивка, калъф; 3. *радио.* анод (*на лампа*).

shed₁ [ʃed] I. *v* (**shed**) 1. меня, сменям (*кожа, козина, перушина*), падат (*капят, окапват*) ми (*зъби, коси*), падат ми (*рога*), роня (*листа*), хвърлям, събличам (*облекло*), изхлузвам (*кожа – за змия*); 2. лея, проливам, роня (*сълзи*), лея, проливам (*кръв*); 3. разпространявам, пръскам, излъчвам (*светлина*); **to** ~ (**a**) **light on** хвърлям светлина върху; 4. оставям, изоставям, махам се от, напускам, отървавам се от; II. *n* 1. било; 2. водо(раз)дел.

shed₂ *n* 1. барака; навес, сушина, заслон, сайвант; колиба, хижа; 2. гараж; депо; хангар; 3. *ел.* звънец (*на изолатор*).

sheen [ʃiːn] I. *n* 1. лъскавина, политура, гланц; 2. *поет.* блясък, сияние; II. *adj остар.* ярък, блестящ; бляскав, хубав.

sheeny [ʃiːni] *adj* лъскав; бляскав, блестящ, сияещ.

sheep [ʃiːp] *n* (*pl* ~) 1. овца; **wolf in** ~'**s clothing** вълк в овча кожа; 2. "овца" (плах, стеснителен, кротък, възглупав човек); 3. *pl* паство; 4. овча кожа.

sheepish [ʃiːpiʃ] *adj* 1. стеснителен, срамежлив; 2. глупавичък, възглупав, овчедушен; ◇ *adv* **sheepishly**.

sheer₁ [ʃiə] I. *adj* 1. чист, явен, очевиден; пълен, безусловен, единствен, абсолютен, цял, истински, същински; ~ **waste** чиста загуба; **by** ~ **force** само със сила; 2. отвесен, перпендикулярен, вертикален; **a** ~ **cliff** отвесна скала; 3. прозрачен, тънък, фин (*за плат*); II. *adv* отвесно, перпендикулярно, вертикално; направо, изцяло.

sheer₂ I. *v мор.* отклонявам се от курса си, отбивам се от пътя си; **to** ~ **off** *разг.* отивам си, махам се; II. *n* 1. отклонение от курса; 2. извивка, криволица.

sheet [ʃiːt] I. *n* 1. чаршаф; (**as**) **white as a** ~ блед като платно; 2. лист (*хартия, метал и пр.*); **iron** ~ лист ламарина; 3. *полигр.* кола; **in** ~**s** на коли; 4. вестник; 5. пространство, повърхност; ~ **of water** покрито с вода пространство, водна равнина (пласт); 6. ведомост, таблица; 7. *attr* на листа; ~ **iron** ламарина; • **a clean** ~ безукорна служба (минало), репутация без ни едно петно; II. *v* 1. покривам, обвивам (*с чаршаф и пр.*); 2. *кул.* точа, разточвам (*на листи*); 3. лея се на потоци (*за дъжд*); ~**ed rain** проливен дъжд, дъждовна завеса.

shelf [ʃelf] *n* (*pl* **shelves** [ʃelvz]) 1. лавица, полица, рафт; 2. издатина, ръб; 3. риф, подводна скала; подводен пясъчен насип; плитчина; **continental** ~ шелф.

shelfy [ʃelfi] *adj* каменист.

shell [ʃel] I. *n* 1. черупка, раковина, обвивка, шушулка, шлюпка, люспа, пашкул; **to go into** (**come out of**) **o.'s** ~ влизам в (излизам от) черупката си; 2. скелет (*на здание и пр.*); 3. *воен.* гилза; патрон; 4. гранатата, снаряд; 5. *поет.* лира; 6. скица, план; II. *v* 1. лющя, беля, чушкам; **as easy as** ~**ing peas** фасулска работа, просто като то фасул; 2. обстрелвам с артилерийски огън, бомбардирам; 3. покривам с черупка; 4. лющя се, роня се (*за материал, зърно и пр.*);

shell off лющя (олющвам) се, беля (обелвам) се;

shell out 1) *sl* "снасям", "изръсвам се" (*напр. за откуп, плащане*); 2) *sl* плащам; разпускам се; 3) *воен.* изкарвам неприятеля от позициите му (*чрез артилерийска стрелба*).

shelter [ʃeltə] I. *n* подслон, убежище, приют; заслон, закътано място, завет; укритие, скривалище, закритие; **to give** ~ **to** давам подслон (пазя сянка) на, приютявам; II. *v* подслонявам (се), давам (намирам) подслон, приютявам (се); закътвам, защищавам, предпазвам (**from**); **to** ~ (**oneself**) **from the wind** отивам на завет.

sheltered [ʃeltəd] *adj* защитен, закътан; ~ **place** закътано място, завет.

shemozzle [ʃiˈmɔzl] *n sl* кавга, сбиване, бъркотия, боричкане.

shenanigan [ʃiˈnænigən] *n амер.* хитрина, трик, "дяволия", подвеждащо действие, лъжлив ход.

shepherd [ʃepəd] I. *n* овчар, пастир; II. *v* 1. паса; грижа се за; водя; 2. изкарвам, подбирам, подкарвам, повеждам.

sheriff [ʃerif] *n* шериф.

shield [ʃiːld] I. *n* 1. щит; **the other side of the** ~ другата (обратната) страна на въпроса; 2. защита, опека, закрила, покровителство; защит ник, опекун, закрилник; 3. *техн.* екран; 4. *амер.* значка на полицай; 5. *хералд.* щит с герб; II. *v* 1. защитавам, браня, отбранявам, предпазвам, щадя, закрилям (**from**); 2. закривам, скривам, затулям.

shielded [ʃiːldid] *adj* предпазен, защитен, брониран, екраниран.

shift [ʃift] I. *v* 1. променям (се), меня (се), сменям, местя (се), премествам (се), прехвърлям, отмествам (се); обръщам, променям посоката си (*за вятър*); завъртам, обръщам (*кормило*); **to** ~ **one' lodging** премествам се (в нова квартира); **to** ~ **gears** *авт.* сменям скорости; 2. справям се, прибягвам до различни средства, карам криво-ляво, изхитрям се; **to** ~ **for oneself** оправям се сам; намирам изход от затруд-

нено положение;

shift about 1) местя се, премествам се; въртя се, обръщам се, меня се, променям се; 2) извъртам, усуквам, шикалкавя;

shift off прехвърлям, стоварвам върху другиго, отър@@@ се от, хързулвам;

shift round обръщам се, променям посоката си (*за вятър*);

II. *n* 1. промяна; превратност; 2. смяна (*работници*); работници от една смяна; to work in ~s работа на смени; 3. смяна, сменяне, промяна; ~ of the wind смяна в посоката на вятъра; 4. средство; хитрост, хитрина, извъртане, фокус, уловка, "въдица"; 5. *геол.* свличане, отсед, размес@@@ване.

shifting ['ʃiftiŋ] *adj* променлив; ~ sands подвижни дюни.

shiftless ['ʃiftlis] *adj* 1. некадърен; 2. безпомощен, мързелив, безотговорен.

shifty ['ʃifti] *adj* 1. променлив (*за вятър*); 2. сръчен, ловък, находчив, изобретателен; 3. хитър, измамен, измамлив, измамнически, лъжлив, несигурен.

shilly-shally ['ʃili‚ʃæli] I. *v* колебая се, двоумя се, нерешителен съм; II. *n* нерешителност, колебание, двоумение; III. *adj* нерешителен, колеблив.

shimmer ['ʃimə] I. *v* трептя, трепкам, блещукам (*за светлина*); II. *n* блещукане, проблясване, колеблива светлина.

shin [ʃin] I. *n* пищял; II. *v* (-nn-) 1. *разг.* катеря се, изкачвам се (up); 2. *амер. sl* вземам пари на заем от, заемам пари от.

shindy ['ʃindi] *n разг.* караница, кавга, врява, глъчка, гълчава, гюрултия, сбиване; to kick up a ~ вдигам врява.

shine₁ [ʃain] I. *v* (shone [ʃɔn]) 1. светя, блестя, сияя; лъщя (with); the sun shone forth слънцето се показа, огря; 2. блестя, отличавам се, изпъквам, правя впечатление; II. *n* 1. (слънчева, лунна) светлина, блясък; rain or ~ при какво@@@ и да е време; дъжд, не дъжд;

каквото и да става; 2. лъскавина, блясък; to take the ~ out of лишавам от блясък; затъмнявам, превъзхождам, слагам в джоба си, удрям о земята; 3. блясък, великолепие; 4. *sl* врява, сбиване; сензация; скандал; 5. *амер. sl* лудории; фокуси; ● to take a ~ to *амер. sl* привързвам се, симпатизирам на, харесвам.

shine₂ *v* лъскам, излъсквам (*u* up).

shining ['ʃainiŋ] *adj* блестящ, сияещ, бляскав.

shiny ['ʃaini] *adj* 1. лъскав; 2. излъскан, лъснал, изтъркан, износен, изтрит, протрит (with от).

ship [ʃip] I. *n* 1. кораб, (голям) плавателен съд, параход; merchant ~ търговски кораб; 2. *sl* (състезателна) лодка; 3. *амер.* самолет; 4. *attr* корабен; ● ~s that pass in the night кратки случайни срещи; II. *v* 1. (-pp-) натоварвам (качвам) на кораб; 2. изпращам (превозвам) по море; експедирам, транспортирам (стока, товар); 3. качвам (се) на кораб; 4. слагам вътре в лодка, прибирам (*весла*).

shipping-bill ['ʃipiŋbil] *n* товарителница, фактура.

shipwreck ['ʃiprek] I. *n* 1. корабокрушение; to suffer ~ претърпявам корабокрушение; 2. гибел, крушение, разрушение, разруха, съсипия, провал; to make ~ съсипан (опропастен) съм; 3. кораб, претърпял корабокрушение; II. *v* 1. претърпявам корабокрушение; 2. причинявам (ставам причина за) корабокрушение; 3. претърпявам неуспех; 4. смазвам, провалям, съсипвам, опропастявам.

shipyard ['ʃipja:d] *n* корабостроителница.

shirk [ʃə:k] I. *v* клинча (от), изклинчвам, манкирам; избягвам, бягам, изплъзвам се, гледам да се изплъзна (от); to ~ a decision избягвам да взема решение; II. *n разг.* манкьор.

shirt [ʃə:t] *n* 1. риза (*мъжка*); not to have a ~ on o.'s back *прен.* нямам риза на гърба си; 2. шемизетка, блуза; ● to put o.'s ~ on

залагам всичките си пари на.

shitty ['ʃiti] *adj sl* отвратителен, гаден, противен, мръсен.

shiver₁ ['ʃivə] I. *v* треперя, потрепервам, треса се, тръпна, потръпвам (with); треперя от студ, зъзна; II. *n* (*често pl*) тръпка, треперене, потрепване; a~ went down his back побиха го тръпки.

shiver₂ I. *n* (*обикн. pl*) треска, тресчица; to break into ~s разбивам се; II. *v* разбивам (се) на хиляди парчета.

shoal₁ [ʃoul] I. *adj* плитък, маловоден; II. *n* 1. плитчина, плитковина, подводен пясъчен насип; 2. (*обикн. pl*) скрита опасност (*пречка*); III. *v* 1. ставам по-плитък; 2. (*за кораб*) нагазвам в плитчина.

shoal₂ I. *n* 1. рибен пасаж, стадо риби; 2. маса, тълпа; II. *v* събират се на пасажи (*за риби*).

shock [ʃɔk] I. *n* 1. удар, блъсване; разтърсване, разклащане; electric ~ електрически удар; ~ absorber амортисьор; 2. удар, шок, стрес; сътресение, смущение; уплаха, уплашване, изплашване; to have (get) a ~ потресен съм; 3. *attr* ударен; ~ tactics *воен.* тактика на внезапни удари; II. *v* 1. потрисам, поразявам, ужасявам; 2. отвращавам, погнусявам; 3. възмущавам, шокирам, скандализирам; 4. *поет.* сблъсквам се.

shock-absorber ['ʃɔkəb‚sɔ:bə] *n* амортисьор; буфер.

shock-absorbing ['ʃɔkəb‚sɔ:biŋ] I. *n* амортизиране; II. *adj* амортизиращ.

shocking ['ʃɔkiŋ] I. *adj* потресен, възмутителен, скандален, ужасен, много лош; ◇*adv* shockingly; II. *adv разг.* много; ~ bad много лош.

shock-wave ['ʃɔk‚weiv] *n* ударна вълна.

shoe [ʃu:] I. *n* 1. обувка (*половинка*); пантоф; *амер.* цяла обувка; 2. подкова, петало; 3. накладка на спирачки на автомобил; ● to be in (fill) another person's ~s влизам в положението на някого; поставям се на мястото на друг; II. *v* (shod [ʃɔd]) 1. обувам;

2. подковавам.

shoe-maker ['ʃu:ˌmeikə] *n* обущар.

shoot [ʃu:t] **I.** *v* (**shot** [ʃɔt]) **1.** стрелям (**at**); застрелвам, прострелвам, улучвам, разстрелвам, бия, удрям (*дивеч*); гръмвам, изгърмявам, изстрелвам (*за огнестрелно оръжие*); **to ~ on sight** стрелям без предупреждение; **2.** хвърлям, мятам, запращам; **to ~ a glance at** мятам поглед на; **3.** стрелвам се, минавам (*бързо*), профучавам, прелитам, пролитам (*и с along, past*); **a flash shot across the sky** небето бе озарено от светкавица; **~ing star** падаща звезда; **4.** разпуквам се (*за пъпка*); напъпвам, пускам пъпки (*за растение*), пониквам, покарвам; раста; **5.** щрака ме, мушка ме, боли ме силно (*зъб и пр.*); **~ing pain** остра болка; **6.** стоварвам, разтоварвам, изсипвам, изтърсвам (*и смет от кола*); изхвърлям; пускам по улей; **7.** пускам, пръскам (*за слънчеви лъчи*); **8.** простирам, разстилам (*мрежа*); **9.** *спорт.* шутирам; **to ~ a goal** вкарвам гол; **10.** *разг.* фотографирам, снимам (*и филм*); • **to ~ square (straight)** *амер., разг.* действам почтено, водя честна игра;

shoot ahead излизам напред, вземам преднина;

shoot away 1) изгърмявам, изстрелвам (*бойни припаси*); 2) пушкам;

shoot down 1) свалям (*самолет*); 2) застрелвам, разстрелвам, помитам;

shoot forth напъпвам, разпъпвам се, пускам пъпки; разпуквам се;

shoot out 1) изскачам, показвам се ненадейно; изниквам; 2) издавам се, изпъквам; 3) изхвърлям, изтърсвам, изсипвам; 4) пускам (*издънки, клони*);

shoot through прострелвам;

shoot up 1) източвам се, измъквам се, пораствам много; 2) издигам се, никна, пониквам, вземам се, устремявам се нагоре (*за пламък и пр.*); покачвам се рязко (*за цена*); 3) *воен.* изразходвам (*при*

стрелба); 4) *амер.* тероризирам със стрелба; 5) пронизвам (*за болка*); 6) инжектирам венозно (*наркотик*);

II. *n* **1.** филиз, издънка, израстък, "мустаче", стрък, вейка; **2.** праг (*на река*); **3.** наклонена плоскост; улей; **4.** (ходене на) лов; група ловци, ловна дружина; ловен парк.

shooting ['ʃu:tiŋ] *n* **1.** стрелба; лов; право на лов; **to go ~** отивам на лов; **rabbit ~** лов на зайци; **2.** пускане на стрела; стрелба с лък; **3.** напъпване, разклоняване (*на дървета, растения*); **4.** *геол.* сеизмично проучване; **5.** фотографиране; **camera ~** снимане с камера; • **trouble ~** изясняване и отстраняване на дефекти.

shooting-gallery ['ʃu:tiŋˌgæləri] *n* стрелбище, тир.

shooting out [ʃu:tiŋˈaut] *n* **1.** разпръсване, разливане (*на светлина*); бликване (*на вода*); **2.** козирка (*на скала*); **3.** разцъфване, разлистване (*на дърво*).

shooting star ['ʃu:tiŋˈsta:] *n* метеор, падаща звезда.

shop [ʃɔp] **I.** *n* **1.** магазин, павилион, будка; **grocer's ~** бакалница; **2.** работилница, цех; ателие; отдел; **machine ~** механичен (машинен) отдел; **3.** *разг.* професия, работа, служба; **4.** *sl* учреждение; кантора, работно място; жилище, "заведение" (*в най-общ смисъл*); **5.** *sl* *театр.* театър; работа; **to be out of a ~** оставам без работа, без роля; • **all over the ~** навсякъде; в пълен безпорядък; **II.** *v* (**-pp-**) **1.** пазарувам, отивам на пазар (*по покупки*); **to ~ round** обикалям магазините за да купя нещо на сметка; **2.** *амер.* уволнявам.

shop-assistant ['ʃɔpəˌsistənt] *n* продавач, продавачка в магазин.

shopper ['ʃɔpə] *n* купувач; човек, който пазарува.

shopping ['ʃɔpiŋ] *n* пазаруване; **to go ~** отивам на пазар, пазарувам.

shop window ['ʃɔpˈwindou] *n* витрина; • **to put all o.'s goods in the ~** хваля се, гледам да правя впечатление с познанията си.

shore [ʃɔ:] *n* бряг (*на море, голямо езеро*); **to come on ~** слизам от кораб (лодка), дебаркирам.

short [ʃɔ:t] **I.** *adj* **1.** къс, кратък; **~ sight** късогледство; **2.** дребен, нисък; прекалено къс; **3.** краткотраен, кратък, къс; **to cut a long story ~** накратко казано, с две думи; **4.** сбит, стегнат, лаконичен (*за стил*); **5.** отсечен, рязък, груб; **to be ~ of speech** отсичам, отрязвам, говоря рязко, категорично; **6.** в по-малко; недостатъчен, оскъден; който не достига (**of**); непълен; **in ~ supply** в недостиг; **7.** ронлив, чуплив (*за метал, глина*); маслен, ронлив, сипкав (*за тесто*); **8.** силен, без примес, неразреден, чист (*за питие*); **II.** *adv* **1.** кратко; преждевременно; изведнъж, внезапно; **to stop (pull up) ~** спирам внезапно; **2.** (прекалено) късо; **3.** за малко, далеч от (*цел*), под (*очаквания*) (**of**); с изключение на (**of**); **~ of a miracle we are ruined** ако не стане чудо, сме загубени; **III.** *v* правя късо съединение; причинявам късо съединение в.

shortage ['ʃɔ:tidʒ] *n* **1.** липса, недоимък, недостиг; непълно тегло; криза; **2.** (касов) дефицит.

shortcoming ['ʃɔ:tˌkʌmiŋ] *n* **1.** *обикн. pl* недостатък, недъг, слабост; дефект, непълнота, незавършеност, несъвършенство, кусур; **2.** липса, недостиг (**in**).

shorten ['ʃɔ:tən] *v* **1.** скъсявам (се), намалявам (се); **2.** съкращавам (*текст и пр.*); **3.** *мор.* свивам (*платно*).

short-fall ['ʃɔ:tfɔ:l] *n фин.* дефицит.

shorthand ['ʃɔ:thænd] **I.** *n* стенография; **to take down a speech in ~** стенографирам реч; **II.** *adj* **1.** който владее стенография; **a ~ typist** машинописец стенограф; **2.** стенографиран.

shorthand writer ['ʃɔ:tˌhænd'raitə] *n* стенограф.

shortness ['ʃɔ:tnis] *n* **1.** стегнатост; късота; краткост; **~ of memory** слаба памет; **~ of breath** задъхване, задух, задушаване; **2.** крехкост, чупливост, ронливост, сип-

кавост, трошливост (*и на метали*).

short-notice ['ʃɔːt'noutis] *adj attr* фин. краткосрочен.

short order ['ʃɔːt'ɔːdə] *n* аламинут, бързо приготвено ястие (*в ресторант*).

short-sighted ['ʃɔːt'saitid] *adj* 1. късоглед (*и прен.*); 2. недалновиден, непрозорлив, непредвидлив; ◇*adv* **short-sightedly**.

short-sightedness ['ʃɔːt'saitidnis] *n* късогледство; недалновидност, непрозорливост.

short-spoken ['ʃɔːt'spoukən] *adj* 1. лаконичен; 2. рязък, безцеремонен.

short-tempered ['ʃɔː'tempəd] *adj* сприхав, избухлив, раздразнителен.

short-term ['ʃɔːttəːm] *adj attr* краткосрочен.

shot [ʃɔt] I. *n* 1. (*pl* ~, ~s) сачма; сачми (*обикн. с определение*); 2. *спорт.* гюлле; 3. изстрел; стрелба; *прен.* хаплива забележка; a **flying** ~ стрелба по движеща се цел; 4. *спорт.* шут (*във футбола*); **to have a ~ at the goal** шутирам; 5. разстояние (*на изстрел*), обсег на действие, далекобойност; 6. стрелец; **he is not much of a** ~ той е доста слаб стрелец; 7. инжекция; a ~ **in the arm** инжекция в ръката; 8. *кино* кадър; **close** ~ едър план; 9. *разг.* глътка, чашка (*ракия и под.*); 10. *мин.* експлозив, взрив, избухване на минен заряд; II. *v* 1. пълня (*огнестрелно оръжие*); 2. слагам тежест (*на въдица и пр.*); 3. троша, дробя (*метал*).

shoulder ['ʃouldə] I. *n* 1. рамо, плешка; ~-**high** до раменете; ~ **to** ~ рамо до рамо; с общи усилия; 2. *pl* рамена, гръб (*и прен.*); a **man with broad** ~s широкоплещест човек; *прен.* който може да се нагърби с работа и отговорност; 3. плешка (*на заклано животно*); ~ **of lamb** агнешка плешка; 4. издатина, изпъкналост; изпъкнала част (*на шише, тенисракета и пр.*); 5. разклонение, дял (*на планинска верига*); 6.

банкет (*на улица, шосе и под.*); 7. *техн.* борд, олкер, перваз, шия (*на шип, цапфа*); фланец; ръб; реборд, опорно удебеление, гребен (*на бандажа на жп колело, на ремъчна шайба*); 8. *полигр.* рамене, фасети; 9. закачалка за дрехи (*за в гардероб*); II. *v* 1. блъскам, избутвам с рамо; **to** ~ (**o.'s way**) **through a crowd** пробивам си път в тълпата (*с лакти*); 2. нарамвам, нося на гръб; натоварвам се; *прен.* нагърбвам се с (*задача*), поемам (*отговорност*).

shout [ʃaut] I. *v* 1. викам, извиквам, провиквам се; рева, крещя; говоря на висок глас (*и като на глух*); **to** ~ **at the top of o.'s voice** викам, колкото ми глас държи; 2. викам на някого (**at**); извиквам (някому) (**for**); **to** ~ **for the waiter** викам келнера; 3. извиквам, изкрясквам (*заповед, име и под.*);

shout down надвиквам, заглушавам (*оратор*);

shout out извиквам, провиквам се; извиквам (*име и пр.*); II. *n* 1. вик, провикване; възглас; ~s **of applause** бурни аплодисменти; 2. *sl* австр. черпня, почерпка; **it's my** ~ аз черпя (плащам);

shouting ['ʃautin] *n* викане; врява; викове;

shove [ʃʌv] I. *v* 1. бутам (се), избутвам (**off, over, into**); блъскам; тласкам; **to** ~ **by (past) s.o.** бутам се край някого; 2. *разг.* пъхам, мушкам, натиквам; 3. *прен.* хързулвам, стоварвам (**onto**);

shove along 1) бутам, тласкам напред; 2) мъкна се, влача се; 3) пробивам си път;

shove aside избутвам (настрана); отстранявам;

shove away отстранявам;

shove forward 1) бутам (тласкам) напред; 2) пробивам си път, блъскам се;

shove off 1) *мор.* отплувам с лодка, отделям се (откъсвам се) от брега; 2) *разг.* тръгвам, заминавам, "омитам се"; 3) *sl* свалям, събличам (*дреха*);

shove on 1) вървя нататък, продължавам си пътя; 2) *разг.* обличам, навличам (*дреха*), нахлузвам;

shove out избутвам, изтласквам; ● *sl* **to** ~ **out o.'s hand** подавам, протягам ръка;

shove up *sl* поставям (*обява и пр.*); II. *n разг.* тласък, бутане; **to give s.o. a** ~ **off** бутвам някого (*за да тръгне*).

shovel [ʃʌvəl] I. *n* 1. лопата; 2. *техн.* екскаватор (*и* **steam** ~, **power** ~); II. *v* 1. рина, копая; греба, загребвам; 2. насипвам, тъпча; **to** ~ **food into o.'s mouth** *разг.* тъпча храна в устата си;

shovel away изривам (*сняг и пр.*), рина дълго време;

shovel out рина, изхвърлям с лопата;

shovel up наривам.

show [ʃou] I. *v* (**showed** [ʃoud]; **shown** [ʃoun]) 1. показвам; **he daren't** ~ **his face** той не смее да се покаже; **a dress that** ~s **the figure** рокля, която подчертава фигурата; 2. разкривам, показвам; представям; давам (*филм*); **he was shown as a villain** той беше представен като злодей; **to have nothing to** ~ 3. показвам, проявявам (*качества*); **to** ~ **oneself (to be) a coward** проявявам се като страхливец; 4. доказвам, разкривам; **to** ~ **s.o. to be a rascal** разобличавам някого като мошеник; 5. въвеждам, завеждам (**into, to, up, round etc.**); 6. виждам се, забелязвам се, показвам се, подавам се, личи; **it** ~s **in your face** личи си по лицето ти, личи ти по лицето; 7. показвам, означавам; **to** ~ **amounts in red ink** означавам суми с червено мастило; ● **I'll** ~ **you!** ще те науча, ще ти дам да се разбереш!;

show down 1) завеждам (*някого*) долу; 2) разкривам си картите (*при игра на карти*);

show in въвеждам (*посетител*);

show off 1) перча се, парадирам (с); големея се; изтъквам (се); надувам (се); 2) излагам (*на видно място, на показ*); слагам на преден план; 3) правя да изпъкне, из-

ръквам; подчертавам;
show out изпращам (*до вратата*);
show round развеждам;
show through прозирам;
show up 1) поканвам (да се качи) горе; 2) изобличавам, разобличавам; 3) откроявам се; 4) излизам наяве (*за нещо нечестно*); 5) *спорт.* проявявам се, играя (добре, зле); 6) *разг.* мяркам се, вестявам се, идвам, явявам се;
II. *n* 1. показване; показ; излагане; **on ~** на показ, изложен; **to give the ~ away** издавам тайната (номера); 2. *attr* показен, образцов; **the ~ pupil of the class** светилото (гордостта) на класа; 3. изложба; 4. представление, спектакъл; зрелище, шествие, процесия; **a one-man ~** авторско предаване, шоу с един водещ; 5. вид, гледка, проява; **to make a poor ~** проявявам се (представям се) зле; изглеждам жалък; 6. следа, признак; вид; **some ~ of justice** известна справедливост, нещо справедливо; 7. *sl* работа, начинание; **a one-horse ~** лошо организирана работа; 8. парадиране, парад, парадност; реклама; **to be fond of ~** обичам да парадирам; 9. преструвка, престореност; привидност; **to make a ~ of being angry** преструвам се (правя се) на ядосан; **a ~ of generosity** престорена щедрост; ● **to get a fair ~** *амер.* възползвам се от предоставената възможност (удобния случай).
show-case ['ʃou'keis] *n* щанд, вътрешна витрина.
shower ['ʃauə] **I.** *n* 1. преваляване; **heavy ~** кратък проливен дъжд; 2. *прен.* дъжд, поток (*напр. от писма*); сноп (*от искри*); изобилие; **~ party** *амер.*, *разг.* прием (*обикн. у младоженци*), на който всеки гост носи подарък; **II.** *v* 1. лея (се), изливам (се); проливам; обсипвам (*и прен.*); отрупвам (*с подаръци*); оросявам, поливам; 2. взимам душ.
shower-bath ['ʃauəba:θ] *n* 1. душ; 2. *прен.* измокряне до кости.
showerproof ['ʃauə,pru:f] *adj* не-

промокаем.
showy ['ʃoui] *adj* претенциозен, параден, показен.
shrewd [ʃru:d] *adj* 1. умен, хитър, отракан, ловък, интелигентен; тънък; **~ fellow** хитрец; 2. проницателен, точен (*за прогноза*); ◇ *adv* **shrewdly**; 3. *остар.* остър, пронизващ, суров (*за студ*); силен, жесток (*за болка, удар*); 4. *остар.* зъл, лош, проклет, злобен.
shrewdness ['ʃru:dnis] *n* проницателност, хитрост.
shrewish ['ʃru:iʃ] *adj* свадлив, злонравен, злоезичен.
shriek [ʃri:k] **I.** *v* 1. пищя; **to ~ with horror (pain)** крещя от ужас (викам от болка); 2. казвам (*ругатни и пр.*) на висок глас; **II.** *n* писък, крясък.
shrift [ʃrift] *n остар.* изповядване; ● **to give short ~ to** набързо виждам сметката на; унищожавам, ликвидирам.
shrill [ʃril] **I.** *adj* 1. писклив, пронизителен, резлив, рязък, режещ; 2. *прен.*, *остар.* жалък, хленчещ, мрънкащ; **II.** *v* издавам писклив, креслив звук; *рядко* казвам, изговарям с писклив, пронизителен тон.
shrink₁ [ʃriŋk] **I.** *v* (**shrank** [ʃræŋk]; **shrunk** [ʃrʌŋk]) 1. смалявам се, свивам (се), намалявам (се); измятам се; стопявам (се) (*за доход и пр.*) (*и с* **away, up**); **summer has shrunk the streams** потоците са намалели от лятната жега; 2. отдръпвам се (**back, away, from**); измъквам се (**away**); 3. отбягвам (**from**); отбягвам да (**from** *с ger*), гледам да не; **I ~ from remembering that day** избягвам да мисля (спомням си с неохота) за този ден; **II.** *n* свиване; отдръпване.
shrink₂ *n разг.* психиатър.
shrinkage ['ʃriŋkidʒ] *n* смаляване; свиване; намаляване.
shrinking ['ʃriŋkiʒ] *adj* 1. смаляващ се, намаляващ (*напр. за капитал*); 2. плах, боязлив; стеснителен, срамежлив, свит, нерешителен.
shrinkingly ['ʃriŋkiŋli] *adv* плахо, боязливо, нерешително.

shrivel ['ʃrivl] *v* сбръчквам се; сгърчвам се; съсухрям (се) (**up**).
shrivelled ['ʃrivəld] *adj* сбръчкан, съсухрен, повяхнал.
shroud [ʃraud] **I.** *n* 1. саван, покров, плащаница; 2. *прен.* покривало, було, наметало; покривка (снежна); **wrapped in a ~ of mystery** забулен в тайна; 3. *техн.* кожух; скелет (*на сгради, кораб*); **II.** *v* 1. увивам в саван; 2. покривам; закривам; забулвам; обвивам; 3. *техн.* покривам с предпазен капак; 4. *остар.* подслонявам (се); закрилям.
shrouded ['ʃraudid] *adj* 1. забулен, покрит (**in**); **fields ~ in snow** полета под снежна покривка; заснежени полета; 2. *техн.* покрит с предпазен капак (*за части от машина*).
shrub [ʃrʌb] *n* храст, шубрак, храсталак.
shrunken ['ʃrʌŋkən] *adj* смален, свит, съсухрен; повяхнал, посърнал.
shuck [ʃʌk] **I.** *n* шушулка, чушка; *амер.* черупка; *прен.* глупост; **II.** *v амер.* беля, чушкам (*грах, синап и пр.*).
shudder ['ʃʌdə] **I.** *v* 1. потрепвам, изтръпвам (*от ужас*); побиват ме тръпки, трепвам, потрепервам (**at**); тръпна (*прен.*); **to ~ with cold (horror)** треперя от студ (изтръпвам от ужас); **to ~ to think (at the thought) of it** побиват ме тръпки само като си помисля за това; **II.** *n* трепване, потрепване.
shuffle ['ʃʌfl] **I.** *v* 1. влача си (*краката*), тътря се, мъкна се; **to ~ (along)** влача се; 2. разбъркам (*карти*); размесвам; **to ~ the cards** *прен.* разбърквам картите, променям линия на поведение (политика); 3. извъртам, усуквам, шикалкавя;
shuffle off 1) смъквам, отървавам се от, свалям; **to ~ off responsibility upon others** стоварвам отговорността на друг; 2) *разг.* умирам;
shuffle on навличам си (*дрехи*)
shuffle through претупвам, изкарвам през куп за грош;

II. *n* **1.** влачене, тътрене; **2.** разбъркване на карти; преразпределяне, разместване; **3.** усукване, извъртане, увъртане, шикалкавене.

shun [ʃʌn] *v* (-nn-) отбягвам, бягам от, избягвам.

shunt [ʃʌnt] **I.** *v* **1.** премествам; **2.** маневрирам; вкарвам в друга линия (в глуха линия); **3.** *ел.* шунтирам, отклонявам, съединявам в шунт; **4.** *прен.* слагам под миндера (в архивата); отклонявам (*разговор*) (onto *на*); прехвърлям (off, onto); **5.** *разг.* измъквам се; **II.** *n* жп маневра; стрелка; отклонение; разклонение.

shut [ʃʌt] *v* (shut [ʃʌt]) **1.** затварям (се); to ~ o.'s mind (heart) to отказвам да разбера, да възприема; **2.** прещипвам, заклещвам (*при затваряне*); to ~ o.'s finger (o.'s dress) in(to) the door прещипвам си пръста (закачам си роклята) на вратата; • to be ~ of a person *sl* отървавам се от някого;

shut away прогонвам (*и прен.*);
shut back затварям се (*за чекмедже и пр.*);
shut down 1) затварям (се), смъквам; 2) затварям, закривам (*фабрика и пр.*); прекратявам работа; 3) *амер. sl* побеждавам; • the night (fog) ~ down upon us нощта (мъглата) ни обгърна;
shut in 1) затварям, заключвам; 2) обграждам, заграждам, заобикалям;
shut off 1) изключвам, спирам (*ток, пара и пр.*); 2) изолирам (from *от*);
shut out не пускам, не допускам да влезе, не допускам, изключвам (*възможност*), закривам (*гледка*);
shut to затварям (се); хлопвам се;
shut up 1) затварям, заключвам (*за постоянно; на сигурно място*); заковавам, преграждам (*прозорец, врата*); 2) *разг.* заставям да млъкне, затварям устата на; млъквам.

shuttering [ʃʌtəriŋ] *n техн.* кофраж; sliding ~ пълзящ кофраж.

shuttle [ʃʌtl] *n* совалка (*и на шевна машина*); space ~ космическа совалка, космическа ракета за

многократни полети.

shuttle-train [ʃʌtltrein] *n* мотриса.

shy₁ [ʃai] *adj* **1.** плашлив; **2.** боязлив, плах, свенлив, стеснителен, срамежлив; свит, вързан; to be ~ of doing s.th. стеснявам се да направя нещо; ◇ *adv* shyly.

shy₂ [ʃai] *разг.* **I.** *v* хвърлям, мятам; замервам (at); **II.** *n* **1.** хвърляне (*на камък и пр.*); удар; to have a ~ at замервам; **2.** *разг.* опит; to have a ~ at doing s.th. опитвам се (помъчвам се) да направя нещо.

shyness [ʃainis] *n* плашливост; свенливост, стеснителност, боязливост, плахост.

Siamese [saiəˈmiːz] **I.** *adj* сиамски; ~ twins сиамски близнаци; ~ cat сиамска котка; **II.** *n* **1.** тайландец, тайландка; **2.** тайландски език.

sibilant [ˈsibilənt] *език.* **I.** *adj* шипящ, съскащ; сибилантен; **II.** *n* сибилант, шипящ (съскав) звук.

sibylline [ˈsibilain] *adj* пророчески, оракулски, сибилински.

sick [sik] **I.** *adj* **1.** болен, болнав (*англ. главно attr*); to be ~ of болен съм от; **2.** *predic разг.* повръщат; раздразнен, ядосан, разочарован; it makes me ~ противно ми е, лошо ми става, отвращава ме; **3.** отвратен; на когото е омръзнало; to be ~ (and tired) of hearing that до гуша ми е дошло (омръзнало ми е) да слушам това; **4.** тъжен, натъжен, тъгуващ (for); to be ~ for home тъгувам по родината; **5.** *мор.* който се нуждае от ремонт; **II.** *v разг.* повръщам (нещо) (*с up*).

sicken [sikn] *v* **1.** разболявам се, поболявам се; to be ~ing for проявявам признаци на, разболявам се от; **2.** повръща ми се, гади ми се; карам да повръща; *прен.* лошо ми става от; противно ми е; отвращавам (of); **3.** омръзва ми (of); отчайвам.

sickening [sikəniŋ] *adj* противен, гаден, отвратителен; ~ fear сковаващ страх.

sick-headache [sik'hedeik] *n* мигрен(а).

sickle [sikl] *n* **1.** сърп; **2.** the Sickle съзвездието Лъв.

sickle-shaped [ˈsikəlʃeipt] *adj* сърповиден.

sickliness [ˈsiklinis] *n* **1.** болестно състояние, лошо здраве, болнавост, хилавост; боледуване; болнав цвят, лош вид; **2.** гадене; **3.** противност (*на миризми и пр.*); *прен.* сладникавост.

sickly [ˈsikli] *adj* **1.** болнав, хилав; **2.** бледен; слаб (*за цвят, светлина и пр.*); **3.** нездравословен (*за климат*); **4.** гаден (*за миризма и пр.*); **5.** *прен.* сладникав.

sickness [ˈsiknis] *n* **1.** болест; боледуване; **2.** повръщане, гадене.

side [said] **I.** *n* **1.** страна (*и прен.*); right (wrong) ~ out на лице (опаки) (*за дреха*); the other ~ of the picture обратната страна на медала; **2.** стена (*на предмет, геом. фигура*); край; страна; склон; бряг; край, ръб (*на тротоар и пр.*); by the ~ of the road край пътя; on all ~s, from every ~ отвсякъде, от всички страни; **3.** отбор; страна; партия; тим; to take ~s вземам страна; to be on the right ~ поддържам управляващата партия; **4.** отдел (*на училище*), отделение (*на затвор*); **5.** *спорт.* удар в билярда; **6.** *sl* важничене, фукане; **7.** *attr* страничен; второстепенен, маловажен; кос (*за поглед*); • **no** ~ край на полувреме; **II.** *v* **1.** to ~ with вземам страната на, поддържам; **2.** *sl разг.* важнича, фукам се.

sideburns [ˈsaidbəːnz] *n pl амер.* бакенбарди.

side-effect [ˈsaidiˌfekt] *n* страничен ефект.

side-face [ˈsaidfeis] **I.** *n* профил; **II.** *adv* в профил, отстрани, странично.

side-kick [ˈsaidkik] *n sl амер.* **1.** близък приятел; другар; **2.** партньор; съюзник, съмишленик.

sidereal [saiˈdiəriəl] *adj* **1.** звезден; **2.** астрономичен, звезден (*за година, час и пр.*).

side-slip [ˈsaidslip] **I.** *n* **1.** (странично) плъзгане, хлъзгане; **2.** *авиац.* плъзгане на крило; **3.** издънка; **4.** извънбрачно дете; **II.** *v* **1.** плъзгам се, хлъзгам се встрани; **2.**

авиац. плъзгам се на крило.

side-view ['saidvju:] *n* профил; страничен изглед.

sidewalk ['saidwɔ:k] *n* тротоар.

siege [si:dʒ] *n* **1.** *воен.* обсада; **to raise a ~** вдигам обсада; **to press (push) a ~** затягам обсада; **2.** *остар.* трон; **3.** *остар.* ранг, положение; **4.** тезгях (*на работник*).

sieve [siv] I. *n* **1.** сито; *техн.* решето; **to pass through a ~** пресявам; **2.** *прен.* плямпало, дърдорко; човек, който не може да пази тайна; II. *v* пресявам.

sift [sift] *v* **1.** (*и ~ out*) пресявам, отсявам (*from*); **to ~ out pebbles from sand** пресявам пясък, за да отделя чакъла; **2.** ръся, сея; **3.** *разг., прен.* разчепквам; проучвам основно; **to ~ (out) the true from the false** отделям доброто от лошото, зърното от плявата; **4.** прониквам през (*за пясък и пр.*) (**through, into**); процеждам се, прониквам (*за светлина*).

sigh [sai] I. *v* **1.** въздишам, въздъхвам (**with, for** *от, с*); **to ~ with relief (for grief)** въздишам с облекчение (*от мъка*); **2.** стена (*за вятър*); **3.** копнея, тъгувам за (**for**); оплаквам (**for**) **4.** *рядко* казвам с въздишка (**out, forth**); II. *n* **1.** въздишка; **a ~ of relief** въздишка на облекчение; **2.** стон, стенание (*за вятъра*); **3.** *прен.* стон, вопъл, стенание.

sight [sait] I. *n* **1.** зрение; **to lose o.'s ~** ослепявам; загубвам зрението си; **2.** поглед, обсег на погледа; **to lose ~ of** изпускам от очи, изгубвам от погледа; *прен.* загубвам дирите на, нямам новини от; забравям, не вземам пред вид; **3.** гледна точка; виждане, преценка; **in my ~** според мен, по моему, в моите очи, по моя преценка; **4.** гледка; *pl* забележителности, природни красоти; **to make a ~ of oneself** ставам за посмешище; **5.** прицелно приспособление, мерник; визьор; **to set o.'s ~s on s.th.** поставям си за цел да направя нещо; **6.** *воен.* прицелване, насочване (*на пушка*); **line of ~** линия на прицелване; **7.** мерник (*и*

back-~), мушка (*и* **fore-~**), визьор; **8.** *разг.* извънредно много, безброй, куп; **a ~ of money** луди пари; II. *v* **1.** виждам, забелязвам, съзирам; **2.** наблюдавам (*звезда и пр.*); **3.** насочвам (*оръдие*); **4.** снабдявам (*пушка и под.*) с прицелни приспособления; **5.** прицелвам се в; нагласявам (*визьор*).

sighting ['saitiŋ] *n* **1.** наблюдение; **2.** прицелване, примерване, визиране.

sightless ['saitlis] *adj* **1.** сляп, лишен от зрение, незрящ; **2.** *поет.* невидим.

sightlessness ['saitlisnis] *n* слепота.

sightliness ['saitlinis] *n* хубост, грация.

sightly [saitli] *adj* хубав, с приятна външност, привлекателен.

sightseer ['saitsiə] *n* турист.

sightworthy ['saitwə:ði] *adj* забележителен; който си струва да се види.

sigil ['sidʒil] *n* печат.

sign [sain] I. *n* **1.** знак; признак, белег, черта, симптом (**of**); символ; следа, диря (*и на животно*); **~ manual** саморъчен подпис; **as a ~ of** в знак на; **2.** таен знак, условна дума, парола (*и воен.*); **3.** пътепоказател, фирма, надпис, табела; **road ~s** пътни знаци; **4.** знак, знамение, личба, предзнаменование, поличба; **a ~ of the times** символ на времето (епохата); II. *v* **1.** подписвам (се), слагам подписа си на; **to ~ o.'s fate** *прен.* подписвам смъртната си присъда; **2.** давам (правя) знак; **to ~ assent** правя утвърдителен знак;

sign away отказвам се от, преотстъпвам писмено;

sign on 1) наемам (*работници*); 2) постъпвам на работа, сключвам трудов договор; 3) разписвам се (*в в началото на работния ден*); 4) записвам се за (*екскурзия, пътуване и пр.*); 5) започвам програмата (*за радио- и телевизионни предавания*);

sign over прехвърлям, отказвам се от, преотстъпвам писмено, подарявам (*собственост и пр.*);

sign up 1) записвам се на/за (*курсове и под.*); 2) *амер.* записвам се във войската; 3) подписвам договор, поемам задължение.

signal ['signəl] I. *n* **1.** сигнал; сигнализация; *жп* семафор; **2.** *pl воен.* свързочни войски; **3.** знак, признак; II. *v* (**-ll-**) давам сигнал (на, за, с), сигнализирам, предупреждавам; III. *adj* изключителен, забележителен; **~ success (victory)** блестящ успех (победа).

signalize ['signəlaiz] *v* прославям, изтъквам; отпразнувам, отбелязвам (*събитие*).

signalling ['signəliŋ] *n* сигнализация, сигнализиране, подаване на сигнали; **wayside ~** пътна сигнализация.

signally ['signəli] *adv* изключително, забележително; **to fall ~** претърпявам пълен неуспех.

signature ['signətʃə] *n* **1.** подпис; подписване; **2.** *полигр.* сигнатура; **3.** *муз.* ключ; **4.** сигнал за начало (и край) на радио- и телевизионна програма.

signboard ['sainbɔ:d] *n* **1.** табела, фирма; надпис; **2.** табло за обяви.

signet ['signit] *n* печат; **the privy ~** личният кралски печат.

significance [sig'nifikəns] *n* **1.** значение; значимост, значителност; **look of deep ~** многозначителен поглед; **2.** значение, смисъл, важност, значимост; **his opinion is of no ~** неговото мнение е и без значение.

significant [sig'nifikənt] *adj* **1.** значителен, важен; **2.** знаменателен, паметен, забележителен; **3.** смислов, значим; изразяващ (**of**); ◇*adv* **significantly.**

signify ['signifai] *v* **1.** изразявам, давам да се разбере; **2.** показвам, означавам; **what does this word ~?** какво означава тази дума? **3.** имам значение, смисъл, значим съм.

signpost ['sainpoust] *n* пътепоказател.

silence ['sailəns] I. *n* мълчание; безмълвие; тишина; **dead (blank) ~** пълно мълчание; II. *v* смълчавам, карам да замлъкне, заста-

вям да мълчи; заглушавам (*и критика*).

silent ['sailənt] *adj* **1.** тих, мълчалив, безмълвен; ням (*за филм*); **he is ~ as the grave** той мълчи като гроб; **2.** мълчалив; неизказан, неизречен; **3.** безшумен, безгласен, беззвучен (*и за буква*), сдържан; ◇ *adv* **silently; 4.** замлъкнал; затихнал, смълчан, притихнал; ● **the ~ service** *разг.* подводният флот.

silhouette [,silu'et] I. *n* силует; очертание, профил, неясен образ, сянка (*особ. на светъл фон*); II. *v* **1.** (*обикн. pass*) откроявам се, очертавам се на (**against** на фона на); **2.** изобразявам като силует.

silk [silk] I. *n* коприна (*нишки и плат*); **artificial (rayon)** ~ изкуствена коприна; II. *adj* копринен.

silkiness ['silkinis] *n* **1.** мекота, лъскавина; **2.** *прен.* мазност.

silky ['silki] *adj* **1.** мек, лъскав, копринен, като коприна; **2.** *прен.* кадифен (*за глас*); мек; умилкващ се, подмазващ се; мазен; сладникав.

silly ['sili] I. *adj* **1.** глупав; **to go ~ over a woman** хлътвам (заплесвам се) по някоя жена; **2.** *разг.* зашеметен; **to knock s.o. ~** зашеметявам някого от бой; **3.** *остар.* невинен, прост, наивен; II. *n* глупак, наивник.

silt [silt] I. *n* тиня, утайка, нанос; II. *v* (*обикн. ~ up*) затлачвам (се), задръствам (се) с тиня.

silvan, sylvan ['silvən] *adj поет.* горски.

silver ['silvə] I. *n* **1.** сребро; **bar ~** сребро на кюлчета; **2.** *събир.* сребърни монети; **3.** кухненски прибори; **4.** *фот.* сребърно съединение; **5.** сребрист блясък (цвят); II. *v* **1.** посребрявам (*и прен.*); **2.** амалгамирам (*огледало*); **3.** *фот.* сенсибилизирам (очувствявам) (*фотоплака, филм*) със сребърна сол; III. *adj* **1.** сребърен (*и хим.*); **~ wedding** сребърна сватба; *прен.* второкласен (не златен); **2.** сребрист (*цвят*); ● **every cloud has a ~ lining** всяко зло за добро, всяко нещастие си има

добра страна.

silvern ['silvən] *adj поет.* сребърен; сребрист.

silver-tongued ['silvə'tʌŋgd] *adj* красноречив, сладкодумен; сладкогласен, меден.

similitude [si'militju:d] *n* подобие, сходство, прилика; образ.

simper ['simpə] *v* усмихвам се престорено, неискрено.

simperingly ['simpəriŋli] *adv* с превзета, престорена, неискрена усмивка; престорено усмихнато.

simple ['simpl] I. *adj* **1.** прост, лесен, елементарен; **as ~ as ABC (as shelling peas)** лесна работа, прост като фасул; **~ fraction** правилна дроб; **2.** скромен (*и за произход*), обикновен; семпъл; **3.** простосърдечен, искрен; прост, лековерен, простодушен, наивен; глуповат; **a ~ soul** добра душа, простосърдечен човек; **4.** несложен, опростен, елементарен, естествен; **the ~ life** опростен, естествен начин на живот; **5.** същински, истински, пълен, чист; II. *n остар.* лековито растение, билка; просто лекарство (*извлечено само от една билка*).

simple-hearted ['simpl'ha:tid] *adj* простосърдечен, естествен, откровен.

simplex ['simpliks] *adj, n* елементарен, прост, едносъставен, еднокомпонентен (*обикн. дума*), симплекс.

simplicity [sim'plisiti] *n* **1.** простота; **2.** наивност.

simplification [,simplifi'keiʃən] *n* опростяване, нещо опростено, симплификация.

simplify ['simplifai] *v* опростявам.

simulacrum [,simju'leikrəm] *n лат.* (*pl* **-cra** [-krə]) **1.** подобие, образ, изображение; **2.** смътна прилика; симулирано действие; измама, лъжливо подобие.

simulant ['simjulənt] *adj* наподобяващ, подражаващ; който имитира (**of**).

simulate ['simjuleit] *v* преструвам се, имитирам; правя се на, минавам за; симулирам; **to ~ illness** правя се (преструвам се) на болен.

simulation [simju'leiʃən] *n* симулиране, преструване, симулация.

simulator ['simjuleitə] *n* **1.** симулатор, моделиращо устройство; **2.** *изч.* симулираща програма.

simultaneity [,siməltei'ni:ti] *n* едновременност, симултантност.

simultaneous [,siməl'teiniəs, ,saiməl'teiniəs] *adj* едновременен, симултантен; ◇ *adv* **simultaneously.**

sin [sin] I. *n* **1.** грях; **to fall into ~** изпадам в грях; **deadly (mortal) ~** смъртен грях; **2.** провинение, простъпка, прегрешение; грехота; **a ~ against good manners** в разрез с благоприличието (добрите обноски); ● **like ~** *разг.* здравата, страшно, яростно, много силно; II. *v* (**-nn-**) греша, извършвам грях, съгрешавам, прегрешавам (*често с* **against**); **to ~ against propriety** нарушавам (не спазвам) благоприличието.

since [sins] I. *prep* от; **~ the war** от войната насам; **~ seeing you** откакто ви видях; II. *adv* оттогава; след това; преди; **I have not seen him ~** оттогава не съм го виждал; **many years ~, that was long ~** има много години оттогава; III. *cj* **1.** откакто, откато; **~ I have known him** откакто го познавам; **2.** щом (като), тъй като, понеже; **~ you wish it** щом (като) го желаете.

sincere [sin'siə] *adj* искрен, прям, откровен, чистосърдечен; ◇ *adv* **sincerely.**

sincerity [sin'seriti] *n* искреност, откровеност; прямота.

sine [sain] *n мат.* синус.

sine-shaped ['sainʃeipt] *adj* синусоиден.

sinew ['sinju:] *n* **1.** сухожилие; **2.** *pl* мускули; *прен.* сила, издръжливост; **3.** *pl прен.* движеща сила.

sinewiness ['sinjuinis] *n* жилавост, сила, издръжливост.

sinewless ['sinjulis] *adj* слаб, безсилен, отпуснат.

sinful ['sinful] *adj* грешен, греховен, престъпен; **the wastage was ~** разхищението беше престъпно.

sinfulness ['sinfulnis] *n* **1.** престъп-

ност (*на деяние*); **2.** греховност.

sing [siŋ] **I.** *v* (sang [sæŋ]; sung [sʌŋ]) **1.** пея; изпявам; **to ~ in** (**out of**) **tune** пея в тон (фалшиво); **his lyrics ~ themselves** стиховете му сами налагат мелодията; **2.** свиря, пея, бръмча (*за насекомо*); свиря, свистя (*за вятър, куршум*); шушна (*за чайник*); **3.** *поет.* пея, славя, възпявам (**of**); съчинявам стихове за; **her heart sang for joy** сърцето й ликуваше; **4.** придружавам с песни; **to ~ the old year out** (**the new year in**) изпращам старата (посрещам новата) година с песни; **5.** *sl амер.* признавам всичко, издавам и майчиното си мляко; **6.** буча (*за ушите*); **II.** *n* **1.** *разг.* спявка; **2.** свистене.

singer [ˈsiŋə] *n* **1.** певец, певица; **I am afraid I am not a ~** за съжаление не пея добре; нямам добър глас; **2.** поет.

singing [ˈsiŋiŋ] *n* пеене; **~ lesson** урок по пеене.

single [siŋl] **I.** *adj* **1.** единствен, един единствен, само един, единичен, единичък; (*с отрицание*) ни(то) един; **not a ~ man moved** никой не мръдна; **2.** единичен; с (за, по) един (човек); **~ bedroom** стая с едно легло; **~ ticket** еднопосочен билет; **3.** отделен (*напр. за части на машина*); **every ~ day** всеки божи ден; **4.** сам, самотен, самичък; неженен, неомъжена; **to remain ~** не се женя; **5.** искрен, праволинеен, честен, без егоизъм, чист; безпристрастен, справедлив; **a judge with a ~ eye** съдия, който отсъжда справедливо; **II.** *n* **1.** *спорт.* удар, при който то се отбелязва само една точка (*при игра на крикет*); игра поединично (*в тениса*); **2.** еднопосочен билет; **3.** сингъл (*грамофонна плоча*); **III.** *v* (**~ out**) избирам; изтъквам; набелязвам.

single-eyed [ˈsiŋlaid] *adj* **1.** едноок; **2.** искрен, честен; **3.** праволинеен; целенасочен.

single-handed [ˈsiŋlˈhændid] **I.** *adj* **1.** еднорък; **2.** сам, без чужда помощ; самостоятелен; **3.** пригоден само за една ръка (*напр. за*

трион); извършен с една ръка или от един човек; **II.** *adv* сам, без чужда помощ, самостоятелно.

single-hearted [ˈsiŋl,ha:tid] *adj* **1.** простодушен; **2.** предан, всеотдаен; целенасочен.

single-heartedness [ˈsiŋlˈha:tidnis] *n* **1.** простодушие; **2.** праволинейност, преданост.

singleness [ˈsiŋlnis] *n* **1.** искреност, прямота, честност; **2.** праволинейност, целенасоченост; **3.** безбрачие.

singly [ˈsiŋli] *adv* **1.** отделно, поотделно, един по един, поединично; **2.** сам, без жена (мъж); **3.** сам, самостоятелен, без чужда помощ.

sing-song [ˈsiŋsɔŋ] **I.** *n* **1.** монотонно, напевно четене (пеене); **2.** импровизиран концерт (с участието на публиката); **II.** *adj* монотонен, напевен; **III.** *v* говоря (пея) монотонно и напевно.

singular [ˈsiŋgjulə] **I.** *adj* **1.** *език.* единствено число; **2.** *юр.* отделен, поединичен; **all and ~** всички, взети заедно и поотделно; **3.** *лог.* индивидуален; **4.** необикновен, учудващ, странен; ексцентричен; **5.** извънреден, рядък, изключителен; **6.** рядко единствен по рода си; **II.** *n език.* единствено число; **in the ~** в единствено число.

singularity [,siŋgju'læriti] *n* странност, забележителност, необичайност; ексцентричност.

sinister [ˈsinistə] *adj* **1.** зловещ, злокобен; **2.** лош, зъл, злобен, проклет; **3.** застрашителен; страшен; **4.** *остар.* ляв, на лявата страна.

sink [siŋk] **I.** *v* (sank [sæŋk]; sunk [sʌŋk]) **1.** потъвам, затъвам (*и прен.*); **to ~ into oneself** затварям се в себе си; **2.** впивам се, забивам се, потъвам (*и прен.*), просмуквам се (*за вода*) (**in**); **to ~ in** *прен., разг.* прониквам в съзнанието; **3.** залязвам; скривам се (*за слънцето, луната*); **4.** спадам, хлътвам (*и за очи, бузи*); снишавам се, спускам се (*за земя, склон*); падам ниско (*за облаци и пр.*); **5.** спадам, намалявам (*за ниво на вода в река, езе-*

ро); **6.** смъквам се, отпускам се (*в кресло, на възглавници*) (**down, in, into, back, on to**); **to ~ into a chair** отпускам се на стола; **7.** спадам, снижавам се (*за глас*); обезценявам се, спадам (*напр. за ценни книжа и пр.*); намалявам (*за брой*); отслабвам, намалявам по сила, стихвам (*за буря, вятър*); отпадам, гасна; западам; изгубвам престиж; **the patient is ~ing rapidly** болният бързо отпада (си отива); **8.** потапям (*кораб*); **9.** забивам (*кол и пр.*); **to ~ o.'s teeth into** забивам зъби в, захапвам; **10.** изкопавам (*кладенец*), прокопавам, пробивам (*галерия*); **11.** скривам, заличавам, отстранявам, пренебрегвам (*самоличност, лични интереси и пр.*); **12.** оттеглям (*възражение*); отказвам се от (*мнението си и пр.*); **13.** амортизирам (*дълг*); **14.** влагам (*пари*) неприходоносно; пропилявам; **15.** изрязвам, гравирам (*щампа, щанца*); **16.** *амер.* (*обикн. в pass*) побеждавам, смазвам, ликвидирам; **II.** *n* **1.** кухненска мивка; **2.** помийна яма; клоака, замърсено място; **3.** *техн.* радиатор, охладител; **4.** *театр.* шахта (*за декори*); **5.** безоттточно езеро.

sinking [ˈsiŋkiŋ] *n* **1.** затъване; потъване; хлътване; пропадане; **2.** потопяване (*на кораб*); **3.** хлътване (*на почвата*); улягане (*на здание*); **4.** прилошаване, стягане; отпадане духом; прималяване (*от глад, страх*); отпадане на силите; **5.** спадане (*на гласа*); **6.** издълбаване, изкопаване (*на кладенец*); **7.** амортизиране, погасяване.

sinless [ˈsinlis] *adj* безгрешен; невинен.

sinuosity [,sinju'ɔsiti] *n* **1.** криволичене, лъкатушене; **2.** извивка, завой.

sinuous [ˈsinjuəs] *adj* **1.** лъкатушен, криволичещ, лъкатушещ; **2.** извиващ се, вълнообразен, змиеподобен; **3.** гъвкав, пъргав.

sinus [ˈsainəs] *n зоол., анат.* синус

sip [sip] **I.** *v* (**-pp-**) сърбам, сръбвам

to ~ (up) o.'s coffee сръбвам си кафето; **II.** *n* глътка.

siphon ['saifən] **I.** *n* сифон; ~-bottle сифон за газиране на течности; **II.** *v* източвам със сифон (out); източвам се.

siren ['saiərən] *n* **1.** *мит.* сирени (сирена); **2.** *прен.* прелъстителка; жена с прекрасен глас; **3.** сирена (*сигнална свирка*); **4.** *зоол.* сирена, земноводно животно от сем. *Sirenidae*; **5.** *attr* като (на) сирена; примамлив, мамещ.

sister ['sistə] **I.** *n* **1.** сестра (*и прен.*); full ~ родна сестра; **2.** сестра, калугерка; **3.** старша медицинска сестра; **4.** *attr* подобен, еднотипен, близък; сроден (*за език*); от същия вид; ~ ships кораби от същия тип, серия; **II.** *v* рядко държа се сестрински към.

sit [sit] *v* (sat [sæt]) **1.** седя, сядам; to ~ at home стоя си вкъщи, мързелувам, безделнича; to ~ loose to s.th. не проявявам интерес към, безразличен съм към; **2.** заседавам (*за парламент и пр.*); to ~ in judgement *прен.* съдя, критикувам; **3.** заемам пост, член съм на (*комитет и пр.*) (on); to ~ on the bench съдия съм; **4.** позирам (*на художник*) (to, for); **5.** кандидатствам (for); to ~ for an exam явявам се на изпит; **6.** мътя (*за птици*); **7.** намирам се, съм, стоя, лежа; her hair ~s close to her head тя носи косата си прилягдена (опъната); **8.** става, приляга, стои, седи (*за дреха*); the dress ~s well on her роклята й отива; **9.** *остар., поет.* подхожда, подобава, приляга; **10.** възсядам, яздя; to ~ a horse well седя здраво на седлото; **11.** слагам (някого) да седне; **12.** замествам (for).

sit about 1) стоя без да върша нищо, бездействам; 2) стоя наблизо;

sit back облягам се, отпускам се в кресло;

sit by гледам отстрани, без да се намесвам;

sit down 1) сядам; to ~ down to table, to a meal сядам на масата; 2) *воен.* установявам се на лагер;

to ~ down before a town *воен.* обсаждам град; 3) приключвам речта си (*за оратор*);

sit on, upon 1) член съм на (*комитет и пр.*); 2) проучвам, анкетирам случай (*като член на комитет, жури и пр.*); 3) *разг.* скастрям, срязвам, смъмрям; газя някого, слагам някого на мястото му; 4) продължавам да седя; не се сещам да си отида;

sit out 1) стоя, изтрайвам до края на (*пиеса и пр.*); изглеждам, изслушвам; 2) оставам след (другите); 3) изпускам, пропускам, не участвам в; 4) стоя навън, на открито;

sit under слушам, посещавам, следвам курс от лекции (*на определен професор*); от паството на (*определен свещеник*) съм; седя в неизгодна позиция – отдясно (*при игра на карти*);

sit up 1) седя изправен (*на стол*); 2) изправям се на задните си крака (*за куче*); 3) сядам (*в легло*); 4) стоя до късно, лягам си късно; 5) *разг.* стряскам се, сепвам се, стягам се, поразмърдвам се.

site [sait] **I.** *n* **1.** местоположение, място; **2.** място за строеж (лагеруване и пр.); обект; **II.** *v* разполагам, поставям.

sitting ['sitin] *n* **1.** седене; **2.** заседание; **3.** сеанс (*и при позиране на художник*); **4.** *рел.* трон; **5.** люпило.

situate ['sitʃueit] **I.** *v* поставям, разполагам, разставям; **II.** *adj остар.* разположен (*за къща*).

situation [ˌsitʃu'eiʃən] *n* **1.** разположение (*на град и пр.*); **2.** *прен.* ситуация, положение; to be equal to the ~ справям се с (овладявам) положението; **3.** служба, работа, длъжност.

size [saiz] **I.** *n* **1.** големина, размери; мярка; to be the ~ of голям съм, колкото; to cut down to ~ *прен.* свеждам до необходимите пропорции (степен на внимание); **2.** номер (*на дреха, обувки и пр.*); ръст (*на човек, животно*); формат (*на книга, фотоплака и пр.*); калибър (*на пушка, патрон и*

пр.); *полигр.* кегел; what ~ do you take, what is your ~? кой номер носите? **3.** *унив., истор.* порция; ● that's about the ~ of it *разг.* горе-долу това е положението; налучкали сте го; **II.** *v* **1.** класирам, сортирам; строявам по височина (*войници*); **2.** (~ up) вземам мерките на; *разг.* съставям си мнение за; *прен.* преценявам колко струва.

skate [skeit] **I.** *n* **1.** кънка; лятна кънка (*и* roller-~); **2.** *амер., театр.* подвижен декор (*на колела*); **II.** *v* карам кънки; пързалям се с кънки; ● to ~ over thin ice умело се справям с щекотлив въпрос (трудно положение).

skeleton ['skelitn] *n* **1.** скелет (*и прен.*); reduced (worn) to a ~ заприличал на скелет, станал кожа и кости; **2.** *техн.* скелет (*на сграда, кораб и пр.*; на опожарена сграда); **3.** *бот.* мрежа от жилките на лист; **4.** схема, скица, план.

sketch [sketʃ] **I.** *n* **1.** скица; rough ~ предварителна скица; **2.** план (*на съчинение и пр.*); **3.** *театр.* леко, често хумористично, едноактно представление; кратка пиеса; скеч; **4.** кратка информативна статия; **5.** кратка музикална композиция; **II.** *v* скицирам (*и прен.*); правя скица; рисувам пейзаж с водни бои;

sketch in набързо добавям, нахвърлям (*подробности на скица*);

sketch out набелязвам основните моменти на (*пиеса и пр.*); нахвърлям, набелязвам плана на (*изложение и пр.*).

sketchy ['sketʃi] *adj* бегъл, непълен, повърхностен.

skew-eyed ['skju:aid] *adj* кривоглед.

ski [ski:, *норв.* ʃi:] **I.** *n* (*pl* skis, ski) ска, ски; **II.** *v* карам ски.

skid [skid] **I.** *v* **1.** плъзгам се; буксувам, въртя се на място (*за кола и пр.*); **2.** *рядко* намалявам скоростта (*с помощта на спирачки*); **II.** *n* **1.** занасяне; буксуване (*на автомобил и пр.*); **2.** спирачка; (спирателна) обувка.

skiddy ['skidi] *adj* хлъзгав, плъзгав (*за път и пр.*).

skilful, *амер.* **skillful** [ˈskilful] *adj* сръчен, ловък, вещ; майсторски, изкусен; ◇ *adv* **skilfully**.

skilfulness [ˈskilfulnis] *n* сръчност, ловкост, вещина, майсторство.

skill [skil] *n* 1. умение, сръчност, ловкост (**in**); **want, lack of** ~ несръчност; 2. *амер.* занаят.

skilled [skild] *adj* 1. вещ, опитен, изкусен; 2. квалифициран.

skimpy [ˈskimpi] *adj* оскъден, недостатъчно голям; ◇ *adv* **skimpily**.

skin [skin] I. *n* 1. кожа (*на човек и на животно*); **to have a fair (silky)** ~ имам бяла и гладка кожа (кожа като кадифе); 2. *бот.* ципа, кожица; 3. кора, кожа (*на някои плодове*); 4. мях за вино; 5. кора, кожица, коричка (*на крем, мляко*); 6. външен пласт, слой; обшивка (*на кораб*); • **to jump out of o.'s** ~ извън кожата си (съм), вън от себе си (съм) (**for**); 7. *sl* кръндза; *шег.* човек; 8. *sl амер.* скръндза; II. *v* (-nn-) 1. одирам; смъквам кожата; 2. беля, обелвам (*плод*); 3. ожулвам си (*коляно и пр.*); 4. *sl* обирам, изигравам; 5. покривам се с коричка; образувам коричка (*и за рана*), зараствам (**over**); • **to keep o.'s eyes** ~**ned** *разг.* отварям си очите на четири.

skip [skip] I. *v* (-pp-) 1. скачам, подскачам (*често* **about**); **to** ~ **for joy** подскачам, скачам от радост; 2. скачам на въже; 3. прескачам, набързо отивам някъде (**over, across**); прескачам (*поток и пр.*) (**over**); 4. прескачам (*при четене*); изпускам (*при разказване*); **to read without** ~**ping** чета всичко (наред), не изпускам нищо; II. *n* скок; **hop,** ~ **and jump** *спорт.* троен скок.

skirt [skəːt] I. *n* 1. пола; 2. *sl* жена; 3. *обикн. pl* краище, край, ръб, периферия, покрайнини (*на гора и пр.*); 4. долна част на седло; 5. перваз (*край дюшеме*); II. *v* 1. движа се покрай (**along**); 2. заобикалям; 3. гранича с.

skit [skit] I. *n* сатира, скеч, пародия; II. *v* (-tt-) пародирам (*песен, артист*); **to** ~ **at s.o.** подигра-

вам някого.

skitter [ˈskitə] *v* 1. плъзгам се; движа се плавно; 2. летя ниско и леко докосвам повърхността на водата с криле (*за водна птица*); 3. движа въдицата ниско над водата; 4. *разг.* тичам бързо, препускам.

skittishness [ˈskitiʃnis] *n* 1. плашливост; 2. игривост, закачливост, кокетничене, глезене.

skittle [skitl] I. *n разг.* прахосвам, пилея (**away**); II. *n* 1. (*и* ~-**pin**) кегла; 2. *pl* (**game of**) ~**s** игра на кегли.

skulk [skʌlk] I. *v* 1. спотайвам се, крия се (*зад чужд гръб*); кръшкам, клинча; 2. движа се дебнешком, прокрадвам се, дебна; 3. измъквам се (**off**); II. *n* кръшкач (*и* **skulker**).

skull [skʌl] *n* череп.

sky [skai] I. *n* небе; **to laud (praise) to the skies** превъзнасям до небесата; II. *v* 1. *спорт.* изпращам топка нависоко (*с удар*); 2. окачвам (*картина*) високо на стена.

sky-blue [ˈskaiˈbluː] I. *adj* небесносин, лазурен (*и* **sky-coloured**); II. *n* небесносин цвят, лазур (*и* **sky-colour**).

sky-diving [ˈskaiˌdaiviŋ] *n* парашутизъм.

skyey [ˈskaii] *adj* небесен; небесносин.

sky-line [ˈskaiˌlain] *n* 1. хоризонт; линия на хоризонта; 2. очертание на фона на небето.

sky-rocket [ˈskaiˌrɔkit] *v* 1. устремявам се нагоре; 2. *амер.* издигам се стремително; израствам, покачвам се бързо, стремително (*за цени, производство и пр.*).

skyscraper [ˈskaiˌskreipə] *n* небостъргач.

slack [slæk] I. *adj* 1. отпуснат, мекушав; **to feel** ~ чувствам се разглобен; 2. нестегнат, хлабав, халтав (*за въже*) ~ **suit** свободно неофициално облекло; 3. хлабав, развинтен, отхлабен; незакрепен; 4. бавен, муден, отпуснат, вял, бездеен, неподвижен; 5. слаб; ~ **oven** умерена температура (*за печене*); 6. *език.* отворен (*за глас-*

на); 7. недопечен, клисав; II. *n* 1. провис (*на въже и пр.*); **to take up the** ~ обирам луфта (*и прен.*); наваксвам; 2. застой; бездействие; стагнация; затишие, мъртъв сезон (*в търговията и пр.*); III. *v* (*и* **slacken**) 1. отпускам (се), разхлабвам (се); протакам (се), забавям (се); 2. (*за вар и пр.*) угасявам, гася; 3. кръшкам, манкирам; хайлазувам, лентяйствам, безделнича;

slack about безделнича, хайлазувам, лентяйствам;

slack off намалявам усърдието си; поотпускам се;

slack up забавям, намалявам (*ход*).

slacken [ˈslækn] *v* отслабвам; отпускам; намалявам; утихвам; **the storm (battle)** ~**ed** бурята (битката) затихна.

slackness [ˈslæknis] *n* застой, бездействие.

slalom [ˈslɑːləm] *n спорт.* слалом.

slam [slæm] I. *v* (-mm-) 1. хлопвам (се), джасвам (се), тръшкам (се), блъскам при затваряне, затръшквам; **to** ~ **the brakes on** бия спирачки, натискам силно спирачката; 2. *sl* удрям, разбивам на пух и прах; II. *n* тръшкане, блъскане, хлопване, затръшкване; **the door closed with a** ~ вратата се затръшна.

slander [ˈslɑːndə] I. *n* клевета, злословие; *юр.* устна клевета; ~ **monger** клеветник, сплетник; клюкар; II. *v* клевета, злословя срещу (по адрес на); набеждавам, *прен.* черня, очерням; ~**ing tongue** лош (хаплив) език.

slanderous [ˈslɑːndərəs] *adj* клеветнически, злословен; клюкарски; сплетнически; неверен.

slang [slæŋ] I. *n* сленг, жаргон, арго; II. *v разг.* наругавам; III. *adj* вулгарен, жаргонен.

slant [slɑːnt] I. *n* 1. наклон, склон, уклон; 2. *амер., разг.* бърз поглед; 3. *sl амер.* гледна точка; склонност, тенденция; II. *v* 1. наклонявам, навеждам; 2. представям тенденциозно.

slap [slæp] I. *v* (-pp-) зашлевявам

плясвам, шляпвам; to ~ on the back потупвам по гърба, поздравявам; **II.** *n* **1.** плесница, шамар; **2.** слабо (леко) чукане (*напр. в двигател*); **III.** *adv разг.* пляс, тряс; извиднъж, неочаквано; право, точно; he ran ~ into her той се сблъска с нея.

slap-happy [′slæp′hæpi] *adj* безгрижен, весел.

slash [slæʃ] **I.** *v* **1.** разсичам, съсичам, сека; разцепвам, цепя; *прен.* бичувам, критикувам остро; **2.** правя разрез (*на дреха*); **3.** съкращавам, намалявам (*цени, данъци*); снижавам, понижавам; **4.** шибам, удрям (*с камшик*); плюща; **5.** втурвам се, изфучавам; **II.** *n* **1.** удар със сабя; **2.** разрез, цепнатина; рана; **3.** изсичане, отсичане; сеченак, сечище.

slashing [′slæʃiŋ] *adj* **1.** строг, рязък; яростен; ~ criticism безпощадна критика; **2.** смел, стремителен; **3.** *разг.* първокласен, чудесен, прекрасен.

slaughter [′slɔ:tə] **I.** *n* **1.** клане, сеч, кръвопролитие, избиване; *прен.* касапница; **2.** изколване, колене; **II.** *v* коля; избивам, унищожавам.

slaughterous [′slɔ:tərəs] *adj* кръвожаден, кръвопролитен.

slave [sleiv] **I.** *n* роб (*и прен.*), раб; неволник; ~-born роден в робство; **II.** *v* **1.** робувам; **2.** *поет.* заробвам, поробвам.

slavery [′sleivəri] *n* **1.** робство; *прен.* подчиненост; white ~ проституция; търговия с бели робини; **2.** *разг.* тежка работа; изнурителен, робски труд.

sleazy [′sli:zi] *adj* **1.** тънък, неплътен, рядък, рехав (*за плат*); **2.** *разг.* мърляв, долнопробен, мръсен, слаб; **3.** износен, захабен.

sled [sled] **I.** *n* шейна; **II.** *v* (-dd-) карам шейна.

sleek [sli:k] **I.** *adj* **1.** лъскав, гладък, приглаеден; ~ hair пригладена коса; **2.** мазен, подмазващ се; he is as ~ as a cat той е голям мазник; **II.** *v* гладя, приглаждам; изглаждам (неприятност).

sleep [sli:p] **I.** *n* **1.** спане, сън; to put to ~ приспивам, слагам да спи;

he was overcome with ~ сънят го надви; **2.** *прен.* смърт; the last ~, the ~ that knows no waking, the ~ of death (of the tomb) вечният сън; **II.** *v* (slept [slept]) **1.** спя, заспал съм; дремя; • let ~ing dogs lie не си търси белята; **2.** нощувам; **3.** *прен.* умрял съм;

sleep around *разг.* блудствам, прелюбодействам.

sleep away 1) проспивам; 2) спя непробудно.

sleep off изкарвам на сън; to ~ off a headache главоболието ми минава след спане.

sleepless [′sli:plis] *adj* безсънен; буден; ~ night бяла нощ.

sleep-walker [′sli:pˌwɔ:kə] *n* сомнамбул.

sleepy [′sli:pi] *adj* **1.** сънен, сънлив; *прен.* заспал (*за град и пр.*); **2.** *остар.* приспивен, приспивателен.

sleeve [sli:v] *n* ръкав; to roll up o.'s ~s запретвам (засуквам) ръкави; залавям се за работа; приготвям се за борба.

slender [′slendə] *adj* **1.** тънък, слаб; строен; **2.** крехък, нежен, деликатен; **3.** недостатъчен, оскъден (*за доход*); слаб (*за надежда*); неоснован, неоснователен (*за довод*).

slew [slu:] **I.** *n* обрат, завой; завиване, обръщане, обратно движение; **II.** *v* въртя (се); завивам, връщам (се), обръщам се (**round**).

slice [slais] **I.** *n* **1.** парче; резен, филия; част, дял; ~ of life реалистично представяне на ежедневието; **2.** размах, удар; **3.** *спорт.* лош (несполучлив) удар; **II.** *v* **1.** режа, нарязвам; разрязвам, отрязвам; **2.** разпределям (се), разделям (се) (*с* up); to ~ up well *sl* оставям голямо наследство; **3.** отрязвам, отсичам (*и* off); **4.** *спорт.* удрям неправилно (*по водата с гребло, топката и под.*).

slick [slik] *разг.* **I.** *adj* **1.** олизан, мазен; хлъзгав; **2.** ловък, бърз; **3.** хитър, изкусен, убедителен; **4.** *sl амер.* разкошен, царски, екстра; **II.** *adv* **1.** ловко; гладко, плавно; без засечки; **2.** право, направо; ~ in the middle точно по средата;

III. *v* **1.** гладя, изглаждам; оглаждам; подреждам; to ~ (oneself) up издокарвам се, нагласям се; **2.** омазвам, намазвам.

slide [slaid] **I.** *v* (slid [slid]; slid, slidden [slidn]) **1.** пързалям се; плъзгам (се), хлъзгам (се); to ~ over a delicate question заобикалям деликатен въпрос; **2.** *прен.* прегрешавам, подхлъзвам се; to let everything ~, to let things ~ оставям нещата на самотек, предоставям нещата на естествения им ход; изпуснал съм му края;

slide away 1) измъквам се; 2) роня се (*за пръст*); пропадам (*за почва*);

slide off събувам (*ботуши и пр.*);

slide out измъквам се, изчезвам;

slide to затварям се (*за врати*); **II.** *n* **1.** пързаляне; плъзгане; **2.** пързалка; **3.** плъзгач; **4.** жлеб, улей; **5.** наклонена плоскост; стръмнина; **6.** диапозитив (*и* lantern-~).

slight [slait] **I.** *adj* **1.** незначителен, почти никакъв, малък, лек, слаб; not the ~est doubt ни най-малкото съмнение; **2.** тънък, слаб; **3.** трошлив, ронлив, чуплив; крехък; ◇ *adv* **slightly**; **II.** *v* пренебрегвам, не зачитам, обиждам; **III.** *n* незачитане, обида, пренебрежение, пренебрегване.

slighting [′slaitiŋ] *adj* обиден, пренебрежителен; ◇ *adv* **slightingly**.

slim [slim] **I.** *adj* **1.** тънък, строен; **2.** слаб, нездрав; рехав, неплътен; **3.** оскъден, недостатъчен; **4.** *разг.* нежен, деликатен; дребен; **5.** *sl* хитър, лукав; **II.** *v* (-mm-) старая се да отслабна; пазя диета за отслабване.

slink [sliŋk] *v* (**slunk** [slʌŋk]) промъквам се, прокрадвам се (*обикн.* c past, off, away); дебна (about).

slip [slip] **I.** *v* (-pp-) **1.** хлъзгам (се), подхлъзвам се; **2.** правя неволна грешка, изтървавам се; **3.** пъхам, шмугвам (*в джоб*); промъквам (се); **4.** изплъзвам се от, измъквам се от; **5.** пускам; to ~ an arrow пускам стрела; **6.** не държа, развързвам се (*за възел*); **7.** *техн.* буксувам; **8.** (*за животни*) помятам;

slip along *sl* препускам;

slip away 1) изплъзвам се, измъквам се; 2) напускам, без да се сбогувам; "изчезвам", "измъквам се"; 3) летя, отлитам, минавам бързо (*за време, период*); 4) прибирам бързо;

slip by бяга, лети, хвърчи, изнизва, отлита (*за времето*);

slip down 1) падам, свличам се; 2) свалям, събличам (*панталон и пр.*);

slip in (into) 1) вмъквам се, намъквам се, влизам; 2) промъквам се, прокрадвам се, влизам незабелязано; 3) втиквам, мушвам, вмъквам; шмугвам;

slip off 1) свалям, събличам, изхлузвам, сваличам; 2) измъквам се;

slip on обличам, навличам, нахлузвам, мятам на гърба си;

slip out 1) изплъзвам се; *разг.* измъквам се, излизам тайно, "чупя се"; 2) разучава се (*за тайна*);

slip through промъквам се;

slip up *амер.* правя грешка, сгрешавам, сбърквам;
II. *n* 1. хлъзване, хлъзгане, подхлъзване; 2. неволна грешка, пропуск, гаф; изпускане, изтърваване; 3. парче, къс; ивица; *прен.* малко нещо; 4. издънка, фиданка; филиз; 5. детска престилка; комбинезон; *pl* плувки; 6. калъф (*за възглавница*); 7. *полигр.* коректурни отпечатъци; 8. *pl* театр. кулиси.

slippery ['slipəri] *adj* 1. хлъзгав, плъзгав; **the ~ path** *прен.* наклонена плоскост; 2. *прен.* неуловим, хитър; който се изплъзва (*u as ~ as an eel*); 3. *прен.* несигурен, ненадежден.

slit [slit] I. *n* разрез; цепка, цепнатина; II. *v* (slit) разрязвам, разцепвам, цепя; разсичам; врязвам се по дължина.

slog [slɔg] I. *n* силен удар; II. *v* (-gg-) 1. удрям, блъсквам, бъхтя (*c юмрук*); 2. *прен.* бъхтя (се) (**at, away at**); **to ~ along** бъхтя път.

slogan ['slougən] *n* лозунг, парола; девиз, мото.

slope [sloup] I. *n* полегатост, наклон; склон, скат; **ski(ing) ~** ски-

писта; II. *v* 1. наклонявам (се), накланям (се), навеждам (се) (*за склонове*); **to ~ forward (backward)** (*за почерк*) наклонен надясно (наляво); 2. *sl* избягвам, измъквам се, офейквам, "духвам" (*u ~ off, to do a ~*).

slot₁ [slɔt] I. *n* 1. прорез, пролука, разрез, цепнатина, цепка; 2. място, позиция, сегмент (*в йерархия, програма, работна схема*); 3. дълбей, жлеб; 4. ключалка; II. *v* (-tt-) прорязвам, дълбая жлеб.

slot₂ I. *n* диря, следа (*от дивеч*); II. *v* проследявам (вървя по) диря (*на дивеч*).

sloth [slouθ] *n* 1. леност, мързел, бездействие; мудност, бавност; 2. *зоол.* ленивец.

slothful ['slouθful] *adj* ленив, мързелив; муден, бавен, тежък; ◇ *adv* **slothfully**.

slouch [slautʃ] I. *v* 1. ходя (седя) отпуснато, прегърбвам се; мъкна се, тътря (се), влача се; 2. нахлупвам (*шапка*); II. *n* 1. сгърбеност, отпуснатост; 2. *sl* мърляч, некадърник.

slough [slau] *n* 1. блато, тресавище, мочурище; **the ~ of vice** блатото на порока; 2. безнадеждност, отчаяние (*u S. of Despond*).

sloughy ['slaui] *adj* блатист, мочурлив, тинест.

slovenly ['slʌvnli] *adj* небрежен, немарлив.

slovenry ['slʌvnri] *n* небрежност, немарливост, нехайство.

slow [slou] I. *adj* 1. муден, бавен, тромав, тежък; **~ digestion** *мед.* ленив стомах; **he is ~ to anger (wrath)** той не се ядосва лесно (не е сприхав); 2. който изостава (*за часовник*); 3. несъобразителен, с бавен ум; тъп (*u ~ of wit*); **he is frightfully ~** той много бавно съобразява; *разг.* трудно загрява; 4. отпуснат, заспал; муден, скучен, вял; **business is ~** търговията едва върви; 5. *амер.* назадничав; изостанал; II. *v* забавям (се), намалявам скоростта (*c down, up, off*); III. *adv* бавно; **to go ~ with o.'s provisions** пестя хранителни продукти.

sludge [slʌdʒ] *n* 1. киша, лапавица; 2. плаващ лед; 3. тиня, кал; 4. утайка, мътилка; 5. *мин.* глинест разтвор.

slugging ['slʌgin] *n* задръстване, запушване.

sluggish ['slʌgiʃ] *adj* 1. муден, вял, бавен; 2. мързелив, ленив, бездеен; **~ market** вяла търговия; 3. бавнореагиращ, слабочувствителен, инертен.

sluice [slu:s] I. *n* 1. шлюз, бент, яз; врата на док; 2. промиване, промивка; *разг.* душ; 3. *метал., техн.* улей за промиване на руда; II. *v* 1. отварям шлюз, отвеждам (*вода*) (*c off*); 2. промивам в улей (*руда*) (*c off*); 3. заливам, обливам; напоявам; 4. изтичам (*c out*).

slumberous ['slʌmbərəs] *adj* сънен, сънлив, задрямал, унесен.

slummock ['slʌmək] *v разг.* 1. гълтам, лапам, излапвам, плюскам; 2. движа се тромаво, влача се; 3. говоря несвързано.

slummy ['slʌmi] *adj* беден, бедняшки, западнал (*за квартал и пр.*).

slur [slə:] I. *v* (-rr-) 1. сливам, замазвам, не различавам; гълтам (*думи при говорене*); сливам (*букви, думи при писане*); отпечатвам неясно; 2. минавам отгоре отгоре; заличавам, заглаждам, замазвам; отминавам, премълчавам, пропускам (*разлика, несъответствие и под.* – *c over*); **to ~ over details** не обръщам голямо внимание на подробностите; 3. *остар.* опетнявам, опорочавам; 4. *муз.* изпълнявам легато, II. *n* 1. клевета, опетняване, очерняне; инсинуация; злостна критика, злобна забележка; обида; 2. сливане (*на звукове, думи и пр.*); 3. *муз.* легато; 4. *полигр.* неясно отпечатване, замацване, зацапване.

slushy ['slʌʃi] I. *adj* 1. кишав, лапавичен; кален; 2. *sl* сантиментален, лигав, сълзлив; II. *n sl мор.* корабен готвач.

sly [slai] *adj* 1. хитър, лукав, дяволит, потаен; 2. закачлив, шеговит, ироничен; ◇ *adv* **slyly**.

smack₁ [smæk] I. *n* вкус; миризма

мирис; примес; **II.** *v* имам вкус (миризма) **(of)**; имам примес **(of)**; **the film ~ed for school** филмът и напомни за училището.

smack₁ I. *n* **1.** мляскане, мляскане; **2.** шумна целувка; **3.** шляпане, зашлевяване, плесница; **I gave him a ~ in the face** зашлевих му (един) шамар; **4.** плющене, изплющяване (*на камшик*); **II.** *v* **1.** мляскам (*обикн.* **~ o.'s lips**); **~ing kiss** звучна целувка; **2.** плющя (*с бич, камшик*); **3.** пляскам; шляпвам; **III.** *adv* с плясък; *прен.* направо, директно; силно; **I parked ~ in front of the hotel** паркирах точно пред хотела.

smack₃ *n разг.* героин.

small [smɔːl] **I.** *adj* **1.** малък, дребен; неголям; незначителен; **he was rather ~ in stature** той беше доста нисък; **in a ~ way** скромно, в малък мащаб; **2.** слаб; **to think no ~ beer of** имам високо мнение за, възхищавам се от, ценя много; **3.** дребнав, тесногръд, ограничен; **it is very ~ of you** това е много дребнаво от ваша страна; **4.** малоброен; **5.** непродължителен, кратък; **● a ~ and early** тържество в интимен кръг; **II.** *n* **1.** най-тясна част; **2.** бельо, долни дрехи; **III.** *adv* на дребно, на дребни парчета; (пиша) с дребни букви, със ситен почерк.

small-sword [ˈsmɔːlsɔːd] *n* рапира, шпага.

small-time [ˈsmɔːlˌtaim] *adj* дребен, незначителен.

smarmy [ˈsmaːmi] *adj* мазен, ласкателен, угоднически.

smart [smaːt] **I.** *adj* **1.** спретнат, моден, елегантен, шик; изтупан, стегнат; **a ~ suit** елегантен костюм; ◇*adv* **smartly; 2.** интелигентен, умен; остроумен, находчив; изобретателен; хитър; **~ practice** безскрупулно държане; **3.** бърз, прецизен; пъргав, енергичен, чевръст, сръчен, ôправен, способен; **to make a ~ job of it** изпълнявам задачата си бързо и прецизно; **4.** смъдящ; остър, силен (*за удар, болка*); суров (*за наказание*); **~ box on the ear** здрава плесница;

5. доста голям, порядъчен; **a ~ few** *амер.* доста много; **II.** *n* **1.** смъдеж, смъдене; *поет.* остра болка; **2.** огорчение; **III.** *v* **1.** смъди ме, пари ми; боли ме, огорчен съм, страдам; **to ~ under an injustice** страдам от (нанесената ми) несправедливост; **2.** причинявам пареща болка, смъдвам.

smarten [smaːtn] *v* **1.** спретвам, устройвам, докарвам; **2.** *разг.* ускорявам.

smash [smæʃ] **I.** *v* **1.** смачквам, смазвам, сгазвам, унищожавам, съсипвам; **2.** счупвам, раздробявам; троша, разтрошвам, разбивам; **to ~ in** вмъквам се насила; **3.** сблъсквам се (**into**); **4.** банкрутирам, фалирам; **5.** *разг.* удрям с все сила; **~ing blow** съкрушителен удар; **6.** *sl* фалшифицирам (*пари*); **7.** *спорт.* забивам (*топка*); **8.** съкрушавам; **II.** *n* **1.** счупване, сблъскване; катастрофа; **a ~up** челен удар при катастрофа; **2.** тряск; **3.** фалит, банкрут; **4.** съкрушителен удар; **5.** *спорт.* забиване, смеш; **● a ~ hit** *прен.* голям удар; **III.** *adv* на пух и прах, на парчета, на сол.

smashing [ˈsmæʃiŋ] *adj разг.* страхотен, чудесен, превъзходен, първокласен; **I had a ~ time** прекарах чудесно.

smatterer [ˈsmætərə] *n* дилетант, любител, аматьор.

smear [smiə] **I.** *v* **1.** намазвам, замазвам; **to ~ the tin with butter** намазвам тавата с масло; **2.** изцапвам, оцапвам, зацапвам; замърсявам; опетнявам; **3.** *sl амер.* разгромявам, разбивам; задушавам, потъпквам; смазвам; **II.** *n* **1.** петно; цапване, мазка, мазане; **2.** оклеветяване, очерняне, опетняване; **3.** *мед.* натривка.

smeary [ˈsmiəri] *adj* мръсен, замазан, оцапан, нечист.

smell [smel] **I.** *n* **1.** миризма, мирис, аромат; **2.** обоняние; **II.** *v* (**smelt** *или* **smelled**) **1.** имам обоняние, имам нюх, усещам мирис; мириша, подушвам, помирисвам, душа (**с out, at**); **2.** издавам миризма, мириша; воня, смърдя;

● to ~ a rat подозирам, че нещо не е наред.

smelly [ˈsmeli] *adj* зловонен, миризлив, смраден.

smelt [smelt] **I.** *v* топя, стапям, стопявам (*руда*); **II.** *n* разтопен метал.

smile [smail] **I.** *n* усмивка; **to force a ~** опитвам насила да се усмихна; **to be all ~s** много съм щастлив; **II.** *v* усмихвам се.

smirch [sməːtʃ] **I.** *n* петно; **II.** *v* **1.** омърсявам, оцапвам, изцапвам; **2.** петня, опетнявам.

smite [smait] **I.** *v* (**smote** [smout], **smitten** [smitn]) **1.** удрям; поразявам; **his ~ conscience smote him** съвестта заговори в него; **2.** наказвам; **3.** откъсвам (отделям) с удар, отсичам (**off, out**); **4.** разбивам, унищожавам, разрушавам; повалям; убивам; **II.** *n разг.* **1.** силен удар, замахване за удар; **2.** опит.

smog [smɔg] *n* смог.

smoke [smouk] **I.** *n* **1.** дим, пушек; **~ abatement** (мерки за) намаляване на вредните газове в градската среда; **2.** пушене; **3.** *sl* цигара, папироса; пура; **4.** *рядко* пара, омара, изпарение; **5.** *амер.* уиски; **II.** *v* **1.** пуша (*тютюн*); **2.** димя; **3.** пуша, опушвам, одимявам, окадявам, кадя; задимявам; **~d fish** пушена риба; **4.** изпускам пара (*обикн. за коне*); **5.** *sl* почервенявам; изпускам пара, кипя; **6.** *разг.* подозирам, "подушвам"; откривам; разкривам; **7.** *остар., разг.* занасям, вземам на подбив.

smoke-helmet [ˈsmoukˌhelmit] *n* противогаз.

smokeless [ˈsmoukliss] *adj* бездимен; **~ powder** бездимен барут.

smoker [ˈsmoukə] *n* пушач; **~'s set** комплект за пушене.

smokestack [ˈsmoukstæk] *n* кюнец, бурия; комин.

smoky [ˈsmouki] *adj* **1.** димен; запушен, опушен, окаден; **2.** димящ; пушещ; приличен на дим; **3.** тъмносив.

smooth [smuːð] **I.** *adj* **1.** гладък, равен; **a sea as ~ as a millpond** море,

гладко като огледало; **2.** плавен; спокоен; **it's all ~ sailing** нещата вървят леко, без пречки; ◇ *adv* **smoothly; 3.** нетръпчив, нестипчив (*за вино*); **~ taste** мек, приятен вкус; **4.** ласкателен, хитър; **~ words and fair promises** преструвки; празни приказки; **5.** *амер.*, *разг.* прекрасен, отличен; **II.** *n* **1.** приглаждане; **2.** гладка повърхност; **III.** *v* (*u* **smoothe**) **1.** приглаждам (се), оглаждам (се); разглаждам (**out, over, down, away**); **to ~ the way (the path) for s.o.** отстранявам трудностите от пътя на някого; **2.** *техн.* лъскам, полирам, шлифовам; **3.** смекчавам; замазвам (**over**); успокоявам (се) (**down**).

smooth-tongued [ˈsmuːðˌtʌŋd] *adj* сладкодумен, красноречив; ласкателен; хитър.

smother [ˈsmʌðə] **I.** *v* **1.** задушавам (се), душа, одушавам; **2.** *прен.* потушавам, скривам, спотаявам, потулям; **3.** обгръщам; покривам гъсто; **a house ~ed with roses** къща, потънала (обвита) в рози; **4.** задъхвам се; **5.** зацапвам, омърсявам; **II.** *n* **1.** гъст облак дим (прах); **2.** *остар.* тлеещ огън.

smuggle [ˈsmʌgəl] *v* контрабандирам; промъквам; внасям тайно (**into**), изнасям тайно (**out of**); укривам, скривам (*u* ~ **away**).

smuggler [ˈsmʌglə] *n* **1.** контрабандист; **2.** кораб, който върши контрабанда.

snail [sneil] *n* **1.** охлюв; **2.** *амер.* плужек, гол охлюв; **3.** *техн.* спирала, шнек.

snake [sneik] **I.** *n* змия; **hooded ~** очиларка, кобра; **II.** *v разг.* пълзя като змия; криволича, извивам се.

snaky [ˈsneiki] *adj* **1.** змийски, змиеподобен, змиевиден; **2.** извиващ се, гъвкав; **3.** подъл, предателски; лукав, коварен.

snap [snæp] **I.** *v* (-**pp-**) **1.** щраквам; **2.** счупвам (се), скъсвам (се); отчупвам с трясък; **3.** *амер.* хвърлям леко във въздуха; **4.** грабвам (*с* **up**); **5.** *разг.* правя моментни снимки, щраквам; **6.** понечвам да

захапя (*с* **at**); *прен.* озъбвам се, отговарям грубо и отсечено; **7.** правя засечка (*за пушка*); **8.** светкам, искря (*за очи*); **9.** затварям (се), заключвам (се);

snap at 1) понечвам да захапя; *прен.* хващам се, залавям се за (*предложение и пр.*); **2)** зъбя се, отговарям грубо (троснато, отсечено);

snap back 1) отвръщам грубо (троснато), сопвам се (*с* **at**); **2)** връщам се внезапно в първоначалното си положение, отскачам назад;

snap down 1) затварям; **2)** изплювам (*за камшик*);

snap into it *sl амер.* размърдвам се;

snap off 1) откъсвам (се), откършвам (се), отчупвам (се); **2)** отхапвам; **3)** изгасям (*светлина*);

snap out казвам, изричам (нещо) грубо, троснато;

snap to заключвам (се), затварям (се), щраквам;

snap up 1) грабвам; **2)** клъввам (стръв – за риба); **3)** отрязвам, отсичам сърдито;

II. *n* **1.** тракване, щракване; **to speak with a ~** говоря със сух (режещ) тон; **2.** закопчалка, клипс; **3.** живот, енергия; **4.** (моментална) снимка; **5.** хапване; ядене набързо; **III.** *adj* **1.** неочакван, внезапен; **2.** *амер.* лесен.

snappish [ˈsnæpiʃ] *adj* **1.** раздразнителен, сприхав; **2.** разлютен, хаплив.

snappy [ˈsnæpi] *adj* жив, енергичен, пъргав.

snare [snɛə] **I.** *n* **1.** капан, примка, уловка, клопка; **these promises are a ~ and a delusion** тези обещания са вятър и мъгла; **2.** *pl* струни към дъното на барабан за получаване на тракащ звук; **II.** *v* впримчвам, улавям в капан.

snarl₁ [snaːl] **I.** *n* ръмжене; **II.** *v* ръмжа, зъбя се.

snarl₂ **I.** *v* обърквам, омотавам (се), оплитам (се); **II.** *n* **1.** заплетени (забъркани) нишки; **2.** *амер.* бъркотия.

snatch [snætʃ] **I.** *v* грабвам, откъсвам, отскубвам, изскубвам, изтръгвам (**off, away, from, down,**

up); **to ~ a kiss** открадвам целувка; **II.** *n* **1.** грабване, дръпване; **to make a ~ at** опитвам се да хвана, посягам към; **2.** нещо грабнато; сноп, откъс, парче; **to overhear ~s of conversation** дочувам откъслечен разговор; **3.** кратък промеждутък от време; **to work in (by) ~s** работя с прекъсвания; **4.** похапване, лека закуска; **5.** *attr* с грабване.

snazzy [ˈsnæzi] *adj sl* шик, готин, елегантно-привлекателен.

sneaking [ˈsniːkiŋ] *adj* **1.** подъл, подлизурски; **2.** скрит, необясним (*за чувства*).

sneer [sniə] **I.** *n* **1.** подигравателна усмивка; **2.** подигравка, насмешка; сарказъм; подмятане, намек, алюзия; **II.** *v* **1.** подигравам (се), подсмивам се, надсмивам се (**at**); **2.** мразя, презирам (**at**).

sneeze [sniːz] **I.** *v* кихам, изкихвам се; **II.** *n* кихане, кихавица.

snib [snib] **I.** *n* ключалка, мандало, резе на прозорец, врата и под.; **II.** *v* залоствам, заключвам.

snicker [ˈsnikə] **I.** *n* **1.** кикот, кикотене, хихикане, хилене; **2.** цвилене; **II.** *v* **1.** хиля се, кикотя се, подсмивам се; **2.** цвиля тихо.

snide [snaid] *sl* **I.** *adj* фалшив; **II.** *n* нещо фалшиво, имитация.

sniff [snif] **I.** *v* **1.** подсмърчам; **2.** душа, помирисвам; **3.** изказвам неодобрение, муся се (**at**); **II.** *n* **1.** подсмърчане; **2.** помирисване, душене; **to get a ~ of fresh air** поемам малко чист въздух; излизам да подишам малко чист въздух; **3.** изсумтяване (презрително);

sniff out надушвам, откривам, намирам.

sniffle [ˈsnifl] **I.** *v* душа, подсмърчам, смъркам; **II.** *n* смъркане, подсмърчане.

snippy [ˈsnipi] *adj* **1.** откъслечен; **2.** *sl* подигравателен, презрителен, надменен.

snore [snɔː] **I.** *v* хъркам; **II.** *n* хъркане.

snorkel [ˈsnɔːkəl] *n мор.* шнорхел

snout [snaut] *n* **1.** зурла; хобот, рило, муцуна; **2.** *шег.* нос; **3.** *техн.* наустник, дюза, наставка.

snow [snou] I. *n* 1. сняг, снеговалеж; **I hope we don't get ~ed in** надявам се, че снегът няма да ни затрупа; 2. *поет.* побелели коси; 3. *sl* кокаин; 4. белтъци, разбити на сняг; • **many ~s ago** преди доста години; II. *v* 1. вали сняг; 2. заснежавам; **to ~ under** *амер.* провалям (*обикн. при избори*); 3. *прен.* сипя се, валя; **to be ~ed under (with work)** затрупан с работа; 4. *амер.* лаская, говоря неискрено.

snowfall ['snoufɔːl] *n* снеговалеж.

snowy ['snoui] *adj* 1. снежен; 2. белоснежен, снежнобял.

snub₁ [snʌb] I. *n* презрително отношение; укор; подигравка; II. *v* (-bb-) 1. срязвам, поставям на място; отнасям се хладно към; **to ~ s.o. into silence** запушвам някому устата с неодобрението си; 2. *мор., техн.* спирам, спъвам.

snub₂ *adj* чип (*за нос*).

snuff ['snʌf] I. *n* 1. смъркане; 2. енфие; 3. *мед.* прах за смъркане; • **he is up to ~** *sl* той знае две и двеста, не е вчерашен; II. *v* 1. вдишвам през носа, смръквам (**up**, **at**); 2. помирисвам, подушвам (**at**).

snug [snʌg] I. *adj* 1. уютен; **to make oneself ~** разполагам се удобно; 2. прибран, спретнат; 3. плътно прилепващ; пасван; **~-fitting costume** костюм по тялото; 4. достатъчен, удобен; ◇ *adv* **snugly**; II. *v* (-gg-) 1. правя уютен, подреждам, устройвам, спретвам; 2. гуша се (*c* **up, together**).

snuggle ['snʌgl] *v* 1. притискам (се), гуша (се), сгушвам (се) (**up to**); 2. нареждам се уютно; 3. загръщам (се), свивам (се) (*c* **up, in, together**).

so [sou] I. *adv* 1. така, тъй, по такъв начин; **quite ~, just ~** точно така, съвършено вярно, именно; 2. така и, също (и) (*в положителни изречения*); **I like coffee, – So do I** обичам кафе, – и аз също; 3. толкова, дотолкова; **in ~ distant a place** толкова надалече; II. *cj* 1. и така, значи, следователно; та; **~ you are back again** значи ти се върна; 2. наистина; **we can go**

there, – ~ we can! можем да отидем, – наистина!; III. *pron* това; така; тъй; **he said ~, ~ he said** той така (това) каза.

soak [souk] I. *v* 1. накисвам, кисна, потапям, натапям, натопявам, намокрям, мокря, квася, наквасвам; 2. напоявам, пропивам, прониквам, попивам, поемам (*течност*), абсорбирам, всмуквам се; поглъщам, просмуквам се (**up, in, into**); **~ing wet** мокър до кости (*като мишка*), вир-вода; 3. *разг.* пиянствам; 4. *sl* залагам, давам като залог; 5. *sl амер.* набивам, натупвам, отупвам; 6. *sl прен.* измъквам, изцеждам (*пари, ресурси*); обирам, оскубвам; II. *n* 1. наквасване, намокряне, накисване; 2. *разг.* проливен дъжд, порой; 3. *sl* пиене, гуляй; 4. *sl* пияница; 5. *разг.* сантиментален сериал, сапунена опера.

soaky ['souki] *adj* влажен, накиснат, мокър.

soap [soup] I. *n* 1. сапун; **soft ~** течен сапун; 2. *прен.* ласкателство, докарване; • **no ~!** *амер., разг.* това (този номер) няма да мине!; II. *v* 1. сапунисвам (се); 2. *sl* лаская, угоднича.

soap-opera ['soup,ɔpərə] *n* сапунена опера, сантиментален телевизионен или радиосериал с битова тематика.

soapy ['soupi] *adj* 1. сапунен; пенест; 2. насапунен, сапунисан; 3. *прен.* мазен; който се докарва.

soar [sɔː] I. *v* 1. извисявам се, вия се, рея се; нося се в пространството; 2. *прен.* стремя се; **his ambitions ~ high** той хвърчи нависоко; 3. *авиац.* планирам, без да променям височината; II. *n* полет, летене; извисяване.

soaring ['sɔːriŋ] *adj* 1. стремителен; 2. възвишен, висок.

sob [sɔb] I. *v* (-bb-) ридая, хълцам, хлипам, плача; **to ~ o.'s heart out** плача сърцераздирателно; II. *n* ридание, сподавен плач, хълцане, хлипане.

sober ['soubə] I. *adj* 1. трезв, трезвен; **as ~ as a judge** абсолютно трезвен; 2. здрав, умерен; спокоен; ~ **fact** реален факт; 3. въздържан, сериозен; **in ~ earnest** съвсем сериозно; 4. тъмен, убит (*за цвят*); ◇ *adv* **soberly**; II. *v* отрезвявам, изтрезнявам (*и c* **up**); ставам сериозен (*c* **down**).

sobersided ['soubəsaidid] *adj* умерен, сериозен.

sobriquet ['soubrikei] *n* прякор; прозвище.

soccer ['sɔkə] *n* футбол.

sociability [souʃə'biliti] *n* общителност.

sociable ['souʃəbl] I. *adj* 1. общителен; дружески; 2. приятен, забавен, разговорчив; ◇ *adv* **sociably**; II. *n* 1. *амер.* вечеринка; 2. двуместен велосипед (кресло, кабриолет); тандем.

social ['souʃəl] I. *adj* 1. обществен, социален; ~ **security** социална застраховка; социално осигуряване; 2. общителен; 3. светски; ~ **evening** вечеринка; 4. *зоол.* венерически (*за болест*); • ~ **democrat** социалдемократ; II. *n* 1. *разг.* вечеринка; 2. събрание, събиране, сбирка.

socialism ['souʃəlizəm] *n* социализъм.

socialist ['souʃəlist] I. *adj* социалистически; II. *n* социалист.

sociality [souʃi'æliti] *n* 1. общественост, общност; 2. общителност; 3. обществен обичай; обществено действие; 4. *pl* светски задължения.

socialize ['souʃəlaiz] *v* 1. социализирам; правя общителен; 2. *разг.* общувам, контактувам.

society [sə'saiəti] *n* 1. общество; общественост; 2. дружество; 3. светско общество, хайлайф; ~ **news** светски новини (*във вестник*); 4. компания; **I enjoy the ~ of young people** обичам (приятно ми е) да съм в компания с млади хора; 5. *attr* светски.

sociological [,sousiə'lɔdʒikəl] *adj* социологичен; ◇ *adv* **sociologically**.

sociologist [,sousi'ɔlədʒist] *n* социолог.

sociology [,sousi'ɔlədʒi] *n* социология.

sock [sɔk] *sl* I. *v* удрям; хвърлям

(*камък*); **II.** *n* удар; **the airport is ~ed in** летището е затворено поради лоши атмосферни условия; **III.** *adv* със замах; право, точно.

socket ['sɔkit] *n* **1.** гнездо, вдлъбнатина; **2.** *техн., ел.* фасонка; **3.** *техн.* патронник; муфа.

socle [sɔkl] *n архит.* цокъл; подставка; пиедестал.

soda ['soudə] *n* **1.** сода, натриев (би)карбонат, хлебна сода (*и* **cooking ~, baking ~**); **2.** газирана напитка, сода (*и* **~-water**).

sodality [so'dæliti] *n* братство; общност.

sodden [sɔdn] **I.** *adj* **1.** измокрен, пропит, просмукан; **2.** преварен; клисав; **3.** затъпял от пиянство; **4.** подут, разпуснат; **II.** *v* накисвам, натопявам, намокрям; размеквам (се), разкисвам (се).

sodomite ['sɔdəmait] *n* педераст, хомосексуалист, содомит.

sodomy ['sɔdəmi] *n* педерастия, хомосексуализъм, содомия.

sofa ['soufə] *n* диван, канапе, софа, кушетка.

soft [sɔft] **I.** *adj* **1.** мек; гъвкав; **~ palate** *анат.* меко (задно) небце; **2.** нежен, деликатен; тих (*за глас*); лек (*за вятър*); **~ nothings** комплименти, нежности; **3.** снизходителен, милостив; **your teachers are too ~** твоите учители са прекалено снизходителни; **4.** слаб, женствен, изнежен; **5.** мек, неворовит (*за вода*); **6.** *разг.* слабоумен (*и* **~ in the head**); **to be ~ on** влюбен съм в, хлътнал съм по; **7.** *разг.* безалкохолен; **8.** ковък, гъвкав, пластичен; **9.** *език., непр.* палатален (*за* **g, c**); звучен (*за* **th**); спирантен; **10.** *фот.* неконтрастен (*за негатив*); ◇ *adv* **softly**; ● **to have a ~ place in o.'s heart, to have a ~ spot for s.o.** имам слабост към някого; **II.** *adv* леко; тихо.

soften [sɔfn] *v* омеквам, смекчавам (се), омекчавам; омекотявам (се); **to ~ up the enemy's defence** отслабвам вражеските позиции с обстрелване.

softener ['sɔfənə] *n* **1.** омекотител, омекчител (*на вода*); **2.** пласти-

фикатор; **3.** средство против котлен камък, антинакипин.

soft-headed ['sɔft,hedid] *adj* малоумен, глупав, улав.

soft hearted ['sɔft,ha:tid] *adj* отзивчив, мекосърдечен, добросърдечен.

soft-sawder ['sɔft,sɔ:də] *n* ласкателство, комплименти.

software ['sɔftweə] *n инф.* софтуер, програмно осигуряване.

soft-witted ['sɔft,witid] *adj* слабоумен.

soggy [sɔgi] *adj* **1.** влажен, мокър; наквасен, накиснат; пропит, просмукан; **2.** блатист; локвест, мочурлив; **3.** *амер., авиац.* трудно управляем.

soil₁ [sɔil] **I.** *n* **1.** почва, земя, пръст; **2.** тор; **II.** *v* торя, наторявам.

soil₂ **I.** *v* изцапвам (се), цапам (се), измърсявам (се), опетнявам (се); **II.** *n* петно, мръсно място, леке.

sojourn ['sɔdʒə:n] **I.** *v* живея, пребивавам временно някъде (**at, in, among**), с някого (**with**); **II.** *n* временно пребиваване някъде.

solace ['sɔləs] **I.** *n* утешение, утеха; успокоение; **to find ~ from grief in religion** намирам утеха в религията; **II.** *v* утешавам, успокоявам, развличам, разтушавам.

solar ['soulə] *adj астр.* слънчев, соларен.

solarium [so'lзəriəm] *n* солариум.

soldering-iron ['sɔldəriŋ,aiən] *n* поялник.

soldier ['souldʒə] **I.** *n* **1.** войник; военен; войн; пълководец; **to go (enlist) for a ~** отивам войник; **2.** пушена херинга; **II.** *v* **1.** служа войник; **2.** *sl* преструвам се, че работя; симулирам болест.

soldierly ['souldʒəli] *adj* **1.** храбър, решителен; **2.** стегнат, спретнат; мъжествен.

soldiership ['souldʒəʃip] *n* **1.** военно изкуство; **2.** военщина; войниклък.

soldiery ['souldʒəri] *n* **1.** войници, войска; **2.** войнство.

sole [soul] *adj* **1.** единствен; **2.** *юр.* сам, неженен; **3.** *остар.* сам; ● **~ weight** собствена тежест.

solemn ['sɔləm] *adj* **1.** тържествен;

2. тежък, сериозен (*за вид и пр.*); **to give a ~ warning** сериозно предупреждавам; **3.** официален, формален; **this is the ~ truth** това е самата истина (*като под клетва*); **4.** надут; **~ fool** глупак; ◇ *adv* **solemnly**.

solemnity [so'lemniti] *n* **1.** тържественост; сериозност, важност, тежест; **2.** честване, тържество; **3.** *юр.* формалност.

solemnization [,sɔləmnai'zeiʃən] *n* празнуване, честване, отпразнуване.

solemnize ['sɔləmnaiz] *v* **1.** отбелязвам, чествам тържествено (*и женитба*); **2.** извършвам официално; **3.** придавам тържественост, сериозност.

solenoid ['soulinoid] *n ел.* електромагнит, соленоид.

solicit [sə'lisit] *v* **1.** прося, моля, изпросвам, измолвам; **2.** настоявам, моля настоятелно, изисквам; увещавам, подтиквам; **events ~ his attention** събитията изискват неговото внимание; **3.** заговорвам непознати мъже; предлагам секс (*за проститутка*).

solicitous [sə'lisitəs] *adj* **1.** силно желаещ, пълен с желание (**to**); **2.** загрижен (**about, for**); **3.** грижлив, внимателен, точен; ◇ *adv* **solicitously**.

solicitude [sə'lisitju:d] *n* загриженост.

solid ['sɔlid] **I.** *adj* **1.** твърд; материален; **~ food** нетечни, твърди храни; **2.** плътен, изпълнен (*за стена и пр.*); цял; **3.** непрекъснат, цял, общ (*за редица и пр.*); **~ yellow line** непрекъсната жълта линия; **4.** чист (*за метал*); **~ gold** чисто злато; **5.** солиден, масивен; здрав, набит; **man of ~ frame (build)** едър мъж; **6.** *прен.* солиден, здрав, сигурен; основателен, убедителен; разумен; **~ advice** разумен съвет; **7.** заможен, богат, солиден; **8.** *прен.* единодушен, единен; **~ vote** пълно мнозинство при гласуване; ◇ *adv* **solidly**; **9.** *разг.* голям, силен, хубав (*за подсилване често с* **good**); **10.** *мат.* с три измерения, простран-

ствен, кубичен; ~ **angle** пространствен ъгъл; **11.** изписан слято (*за сложна дума*); **12.** *разг.* приятелски, благоприятен; **13.** *sl* екстра, прекрасен (*за ритъм, танцова музика*); **II.** *n* **1.** твърдо тяло, вещество; **2.** *мат.* триизмерна фигура; **III.** *adv* единодушно; *главно*: to vote ~ гласуваме единодушно.

solidarity [ˌsɔliˈdæriti] *n* солидарност, сплотеност; единомислие.

solidify [səˈlidifai] *v* **1.** втвърдявам (се); кристализирам; **2.** обединявам (се).

solitary [ˈsɔlitəri] **I.** *adj* **1.** самотен, сам; самичък; усамотен; **2.** отделен, уединен, откъснат, отстранен; **3.** единствен; **II.** *n* **1.** самотник; **2.** отшелник.

solitude [ˈsɔlitjuːd] *n* **1.** самота; уединение; **2.** уединено, откъснато място.

solubility [ˌsɔljuˈbiliti] *n* разтворимост.

soluble [ˈsɔljubl] *adj* **1.** разтворим; **2.** *рядко* разрешим.

solution [səˈljuːʃən] *n* **1.** разтваряне; разтвор; *мед.* солуция, воден разтвор на силно лекарство; **2.** разрешаване; разрешение (*на загадка, трудност и пр.*; of, for, to); *мат.* решение; отговор; **3.** *мед.* прекратяване на болест.

solve [sɔlv] *v* **1.** решавам (*и мат.*); разрешавам; **2.** *остар., рядко* развързвам.

solvent [ˈsɔlvənt] **I.** *adj* **1.** платежоспособен; **2.** *хим.* разтварящ; **3.** *прен.* смекчаващ; **II.** *n* разтворител.

somatic [səˈmætik] *adj* *биол.* телесен, соматичен.

sombre [ˈsɔmbə] *adj* **1.** тъмен, мрачен, навъсен (*и за небе*); убит (*за цвят*); a ~ **prospect** мрачна перспектива; **2.** меланхоличен, печален; ◇ *adv* **sombrely**.

some [sʌm] **I.** *pron* някой; малко (*за означаване на част от нещо или няколко на брой*); the cake is delicious, will you have ~? тортата е много вкусна, ще си вземеш ли малко?; **II.** *attr* **1.** някой; някакъв; I saw it in ~ book срещнах го в

някаква книга; **2.** за значителен брой, количество и пр.; **3.** около, приблизително (*с числителни или думи за размер*); ~ **150 miles south of London** около 150 мили на юг от Лондон; **4.** малко; I must **find** ~ **money** трябва да намеря малко пари; **5.** *sl* забележителен; не какъв да е; that was ~ **storm** ама че буря беше; **III.** *adv sl* до известна степен; малко; I like him ~ той ми харесва малко.

somebody [ˈsʌmbɔdi] **I.** *pron* някой; **II.** *n* важен човек; he thinks he is (a) ~ мисли се за нещо голямо.

something [ˈsʌmθiŋ] **I.** *n* нещо; ~ **else** още нещо; there is ~ **in what you say** има нещо вярно в това, което казваш; **II.** *adv* остар. до известна степен, немного.

sometime [ˈsʌmtaim] **I.** *adv* **1.** някога, по някое време; I'll do it ~ **or other** ще го направя някой ден; **2.** *остар.* някога, преди време; he **was** ~ **teacher** някога той беше учител; **II.** *adj* бивш; the ~ **President of the Board of Education** бившият министър на образованието.

somewhat [ˈsʌmwɔt] **I.** *adv* до известна степен, малко; the **news** ~ **surprised me** новината ме изненада донякъде (до известна степен); **II.** *n* известна степен; част от; he **was** ~ **of a connoisseur** той беше до известна степен познавач.

somewhere [ˈsʌmwɛə] *adv* някъде; ~ **else** някъде другаде, на друго място.

somite [ˈsoumait] *n* зоол. сегмент.

somnambulism [sɔmˈnæmbjulizəm] *n* сомнамбулизъм.

somnambulist [sɔmˈnæmbjulist] *n* сомнамбул.

somniferous [sɔmˈnifərəs] *adj* приспивателен.

somnolent [ˈsɔmnolənt] *adj* **1.** сънлив, сомнолентен, дремлив; **2.** приспивен, приспивателен (*за тон и пр.*).

son [sʌn] *n* **1.** син; ~ **and heir** най-възрастен син, наследник; The S. **(of God)** синът Божи, Бог-Син; **2.** *амер.* зет.

sonant [ˈsounənt] *език.* **I.** *adj* звучен, сонантен; **II.** *n* звучна съгласна; сонант, сонор.

sonar [ˈsouna:] *n* мор. сонар, устройство за подводна навигация и откриване на подводници; хидролокатор; хидроакустичен търсач.

sonata [səˈna:tə] *n* муз. соната.

song [sɔŋ] *n* **1.** песен; to do o.'s ~ **and dance** изпълнявам си номера; **2.** пеене; to burst (break) forth **into** ~ запявам; **3.** *поет.* поема, стихотворение; поезия.

songster [ˈsɔŋstə] *n* **1.** певец; **2.** пойна птичка; **3.** поет.

sonic [ˈsɔnik] *adj* звуков; със скоростта на звука; ~ **barrier** звукова бариера.

soniferous [səˈnifərəs] *adj* **1.** звучащ; **2.** звучен; звънък.

sonority [səˈnɔriti] *n* звучност, звънливост.

sonorous [səˈnɔ:rəs] *adj* **1.** звучен, резонантен (*за глас, инструмент*); **2.** мелодичен (*за стих*); реторичен, импозантен, високопарен (*за стил*).

sonsy [ˈsɔnsi] *adj* шотл. приятен, миловиден, миличък, закръглен (*за момиче*).

soon [su:n] *adv* **1.** скоро; I would as ~ **walk as ride** нямам нищо против това (предпочитам) да си ходя пеш; **2.** рано; the ~**er** the **better** колкото по-скоро, толкова по-добре; ~**er or later** рано или късно.

soot [sut] **I.** *n* сажди; **II.** *v* покривам (отбелязвам) със сажди.

soothe [su:ð] *v* **1.** утешавам, успокоявам; **2.** облекчавам, утешавам (*болка*); **3.** лаская.

soothing [ˈsu:ðiŋ] *adj* успокоителен, утешителен; ◇ *adv* **soothingly**.

soothsayer [ˈsu:θˌseiə] *n* гадател, врачка.

soothsaying [ˈsu:θˌseiiŋ] *n* предсказване.

sophism [ˈsɔfizəm] *n* софизъм (*и прен.*).

sophist [ˈsɔfist] *n* софист (*и прен.*).

sophisticate **I.** *v* [səˈfistikeit] **1.** използвам, служа си със софизми; извъртам; **2.** подправям, проме-

ням, без да съм упълномощен за това; изменям (*чужд текст*); 3. подправям, фалшифицирам (*вино и пр.*); 4. лишавам от наивност, правя изтънчен; усложнявам; предавам житейски опит; II. *n* [sə'fistikət] изтънчен човек (*и attr*).

sophisticated [sə'fistikeitid] *adj* 1. (прекалено) изискан, изтънчен; елегантен; 2. остроумен, тънък; 3. сложен; високотехничен; 4. лишен от наивност, светски, с житейски опит; 5. подправен, неистински.

sophistication [sofisti'keiʃən] *n* 1. (прекалена) изисканост, изтънченост; 2. сложност; 3. подправка; фалшификация; 4. софистика.

soporific [,sɔpə'rifik] I. *adj* приспивателен; II. *n* приспивателно.

soppy ['sɔpi] *adj* 1. мокър; подгизнал; дъждовен (*за време*); 2. *разг.* отпуснат, сантиментален; 3. глупав.

soprano [sə'pra:nou] *n* (*pl* -nos [-nouz], ni [-ni:]) *муз.* сопран, сопрано.

sorcerer ['sɔ:sərə] *n* магьосник, вълшебник, чародей.

sorcerous ['sɔ:sərəs] *adj* чародеен, магьоснически.

sorcery ['sɔ:səri] *n* магьосничество, магии, вълшебство.

sordid ['sɔ:did] *adj* 1. мръсен; 2. *прен.* мръсен, жалък, низък, подъл, долен; 3. користолюбив; ◇ *adv* **sordidly**.

sore [sɔ:] I. *adj* 1. болезнен, ранен, възпален; **I've got a ~ throat** боли ме гърлото; 2. огорчен, скръбен, наскърбен; обиден; **to feel ~ about** огорчен съм от; **~ point** неприятна тема; 3. краен, тежък; **in a ~ need** в крайна нужда; ● **a sight for ~ eyes** мила (приятна) гледка; II. *n* язва, възпалено място; **open ~** *прен.* обществена язва; III. *adv остар.*, *поет.* тежко, жестоко; **~ troubled** силно обезпокоен.

sorely ['sɔ:li] *adv* 1. дълбоко, тежко; 2. силно, много.

soreness ['sɔ:nis] *n* 1. чувствителност, болезненост; 2. раздразне-

ние, негодувание, възмущение; лошо чувство; 3. лоши отношения.

sorrow ['sɔrou] I. *n* 1. печал, скръб, болка, жал; **to feel ~ for** мъчно ми е за; 2. съжаление; покаяние; 3. скърбене; оплакване; жалене, жалейка; 4. нещастие; II. *v* тъгувам, скърбя (**at, over, for**); жаля (**after, for**).

sorrowful ['sɔrouful] *adj* 1. печален, скръбящ; натъжен, опечален; 2. тъжен, скръбен; печален; ◇ *adv* **sorrowfully**.

sorry ['sɔri] *adj* 1. съжаляващ, каещ се; **to feel ~ for** мъчно ми е за, съчувствам на; **I am ~ to say that** за съжаление; 2. жалък; лош, противен; **a ~ sight** жалка гледка; **a ~ excuse** неубедително извинение.

sort [sɔ:t] I. *n* 1. вид, качество, разред, разновидност, сорт, категория; **the latest ~ of music** последният музикален жанр; **he is not my ~** не ми е по вкуса, не е моят тип; 2. *рядко* начин, маниер; **that's your ~** това е твоят начин; ● **after (in) a ~, in some ~** до известна степен; II. *v* 1. сортирам, отделям, подреждам; разпределям (*и ~ over*); **(out) your cards** нареди си картите по цветове; 2. *остар.* подхождам, отивам, отговарям, съответствам (**with**); 3. *остар.* общувам.

sorting ['sɔ:tiŋ] *n* сортиране, класификация, разпределяне по качество (вид).

SOS ['es'ou'es] I. *n* международен сигнал за помощ, предаван от кораби в бедствено положение; SOS; II. *v* давам сигнал SOS.

soufflé ['su:flei, su:'flei] *n* суфле.

soul [soul] *n* 1. душа, дух; (**up**)**on my ~** кълна се! честна дума; **with all o.'s ~** с цялата си душа, с цялото си сърце; 2. човек, личност; **there is a good ~** хайде, бъди добър; **jolly old ~** веселяк; 3. въплъщение, олицетворение, образец; **he is the ~ of honour** той е самата чест.

soul-destroying ['souldistrɔiŋ] *adj* безинтересен, скучен, затъпяващ

(*за работа, задължение и пр.*).

soulful ['soulful] *adj* сантиментален; одухотворен; ◇ *adv* **soulfully**.

soulless ['soullis] *adj* бездушен.

sound₁ [saund] I. *n* 1. звук; шум; **within ~ of** на такова разстояние, че да се чува; **~s off** *театр.* задкулисни шумове (*и прен.*); 2. тон, смисъл; **I don't like the ~ of it** не ми харесва нещо тонът; **the rumours have a sinister ~** слуховете са доста зловещи; 3. *attr* звуков; ● **to turn (go) ~** обърквам се, провалям се, не успявам (*за планове и пр.*); II. *v* 1. звуча, шумя, издавам звук (шум); **to ~ true** звуча вярно, правдоподобно; 2. извличам звук, издавам звук с нещо; **to ~ the alarm** вдигам тревога, алармирам; 3. *прен.* имам смисъл, звуча, изглеждам; **the statement ~s improbable** твърдението изглежда невероятно; 4. разгласявам, публикувам, прославям; 5. *мед.* преслушвам; 6. *юр.* важа, знача; ● **~ out** сондирам мнение, опитвам се да разбера нечии чувства (мисли, мнение).

sound₂ I. *adj* 1. здрав (*за тяло, орган*); **of ~ body and mind** със здраво тяло и бистър ум; **~ teeth** здрави зъби; 2. здрав, нормален; 3. прав, стабилен, як (*и за сграда*); 4. добър, логичен, правилен; точен, здрав (*за довод и пр.*); солиден, разумен, сериозен; на когото може да се разчита; **~ advice (policy)** добър съвет (политика); 5. стабилен, платежоспособен, сигурен; **~ investment** сигурно вложение; 6. *юр.* законен, действителен; **~ title to land** законно право над земя; 7. *техн.* изправен (*за машина, механизъм*); II. *adv* здраво; **to sleep ~** спя добре, имам здрав сън.

sounding ['saundiŋ] *adj* 1. звучен, силен; 2. *прен.* гръмък, силен, мощен; празен.

sounding line ['saundiŋlain] *n* лот.

soundless₁ ['saundlis] *adj* беззвучен; ◇ *adv* **soundlessly**.

soundless₂ *adj поет.* 1. неизмерим; 2. неразбираем; тайнствен; неразгадаем.

soundproof ['saundpru:f] *adj* **1.** звуконепроницаем, звукоизолиран; **2.** звукоизолирам.

sound wave ['saund,weiv] *n* звукова вълна.

soup [su:p] *n* супа.

source [sɔ:s] *n* **1.** извор (*на река*); **2.** извор, източник; начало; ~ **material** документи, паметници и др. извори, които педоставят материали за изследвания; **3.** *поет.* поточе, ручей.

sour grapes ['sauəgreips] *n* завист, ревност.

souse₁ [saus] I. *n* **1.** саламура; маринатa; **2.** пача; **3.** наквасване, намокряне; **4.** *sl* пияница; II. *v* **1.** слагам в саламура; мариновам; **2.** измокрям, омокрям; **3.** хвърлям във вода; *refl* гмурвам се; **4.** напивам (се); III. *int* пляс, дум.

souse₂ [saus] I. *v* **1.** *авиац.* пикирам; **2.** *остар.* устремявам се нагоре (*за птица*); II. *n* **1.** *авиац.* пикиране; **2.** устремяване.

souteneur ['su:tənə:] *n* сутеньор, сводник.

south [sauθ] I. *n* юг (*обикн. с опред. член*); II. *adj* южен; **the S. Pole** южният полюс; III. *adv* на юг, южно от; IV. *v* **1.** отправям се на юг (*обикн. за кораб*); **2.** пресичам меридиан (*за луна*).

southeast ['sauθ'i:st] I. *n* югоизток; II. *adj* югоизточен; III. *adv* югоизточно.

southwest ['sauθ'west] I. *n* югозапад; II. *adj* югозападен; III. *adv* на (към) югозапад.

souvenir ['su:vəniə] *n* фр. сувенир, спомен.

sovereign ['sɔvrin] I. *n* **1.** суверен; **2.** суверенна (независима) държава; II. *adj* **1.** върховен, независим, суверенен; ~ **power** върховна власт; **2.** пълновластен, независим; **3.** висш, върховен; найвисш, най-голям; **4.** ефикасен, силен (*за лекарство*).

sovereignty ['sɔvrənti] *n* **1.** върховна власт; **2.** суверенитет; **3.** независима държава.

sow₁ [sou] *v* (**sowed**; **sown** [soun], **sowed**) **1.** сея, засявам; ~ **out** разсаждам; **2.** *само в pp* посипвам,

обсипвам.

sow₂ [sau] *n* **1.** свиня; **2.** *метал.* слитък; • **you cannot make a silk purse out of a ~'s ear** от всяко дърво свирка не става.

sower [souə] *n* **1.** сеяч; **2.** сеялка.

sowing ['souiŋ] *n* сеитба; посев.

soya ['sɔiə] *n* соя.

space [speis] I. *n* **1.** пространство; **infinite** ~ безкрайно пространство; **to vanish into** ~ изчезвам безследно; **2.** разстояние, място; **to make** ~ **for** правя място за; **3.** *полигр.* интервал; **4.** период, промеждутък от време; **within the** ~ **of** в продължение (разстояние, течение) на; **for a** ~ за кратко време; **5.** място (*във влак и пр.*); II. *v* **1.** оставям място между, поставям на интервали (*u* ~ **out**); **2.** *полигр.* разреждам, набирам с разредка.

spacecraft ['speis'kra:ft] *n* космически летателен апарат; **manned** ~ пилотиран космически летателен апарат.

spaceless ['speislis] *adj* **1.** *поет.* безкраен; **2.** безпространствен.

spaceman ['speismən] *n* (*pl* -**men**) космонавт, астронавт.

space rocket ['speis'rɔkit] *n* космически кораб, ракета.

spaceship ['speisʃip] *n* космически кораб.

space shuttle ['speis'ʃʌtəl] *n* космическа совалка.

spacesuit ['speis'sju:t] *n* скафандър.

spacious ['speiʃəs] *adj* **1.** просторен, обширен; **2.** широк (*за кръгозор и пр.*); ~ **mind** широк кръгозор.

spade [speid] I. *n* лизгар, бел, казма, права лопата; лопата; • **to call a** ~ **a** ~ наричам нещата с истинските им имена; казвам, хвърлям истината право в лицето; право, куме, (та) в очи; II. *v* прекопавам (*с лопата*).

spaghetti [spə'geti] *n* *um.* спагети.

spank [spæŋk] I. *v* **1.** плясвам, напляcквам, шляпам, шляпвам, нашляпвам, натупвам, бия с ръка (*по задните части*); **2.** насърчавам, насъсквам (*с пляскане на ръце*); II. *n* плясване, шляпване.

spanking ['spæŋkiŋ] I. *n* напляск-

ване; бой; II. *adj* **1.** бърз; **2.** *sl* отличен, превъзходен; **we had a** ~ **time** прекарахме отлично; **3.** силен; ~ **breeze** силен (попътен) вятър.

spanless ['spænlis] *adj* *poet.* неизмерим, необятен, необхватен.

spare [spɛə] I. *adj* **1.** свободен, незает, излишен, ненужен; ~ **time** свободно време; ~ **parts** резервни части; **2.** оскъден (*за диета*); **3.** сух, слаб (*за телосложение*); II. *v* **1.** щадя, пощадявам; ~ **my life** пощади ме; **if we are** ~**d** ако оживеем; **2.** жаля, щадя; пазя; **to** ~ **no expense** не жаля средствата; **not to** ~ **oneself** взискателен съм към себе си; не си щадя силите; **3.** икономисвам; пестя; **4.** отделям (*време, внимание*); **I have no time to** ~ **today** днес нямам никакво свободно време; **5.** *рядко* въздържам се от; • **go** ~; **to drive s.o.** ~ подлудявам някого, карам някого да побеснее; III. *n* *амер.* игра на кегли.

sparing ['spɛəriŋ] *adj* **1.** умерен, предпазлив; **2.** икономичен (**in**), пестелив (**of**); скъп (*на думи*; **of**); **3.** ограничен, оскъден; **4.** стиснат; **5.** снизходителен; милостив; ◇ *adv* **sparingly**.

spark [spa:k] I. *n* **1.** искра; **the vital** ~ животът; **2.** проблясък, проява (*на интелект и пр.*); **3.** *pl* *sl* *мор.* радист; • **as the** ~**s fly upward** естествено, неизбежно, сякаш по нечия повеля; II. *v* **1.** искря; **2.** давам електрическа искра; **3.** разпалвам, давам начало на.

sparkle ['spa:kl] I. *v* **1.** блещукам; **2.** искря, святкам (*за вино, очи и пр.*), блестя (*за интелект*); **3.** шумя, искря, кипя (*за шампанско*); II. *n* **1.** искрене, блясък, блестене; **2.** оживеност, живост.

sparkler ['spa:klə] *n* **1.** *sl* брилянт; **2.** бенгалски огън.

sparkling ['spa:kliŋ] *adj* **1.** искрящ; **2.** блестящ; **3.** газиран, искрящ (*за вино*); ~ **water** газирана вода.

sparring partner ['spa:riŋ'pa:tnə] *n* *спорт.* партньор при боксова тренировка, спарингпартньор.

sparrow ['spærou] *n* врабче.

sparsity [ˈspaːsiti] *n* рядкост; недостатъчност, оскъдица.

spasm [ˈspæzəm] *n* **1.** *мед.* спазъм, конвулсия, гърч; **2.** пристъп.

spasmodic [spæzˈmɔdik] *adj* **1.** *мед.* спазматичен, конвулсивен; **2.** на пристъпи; ◇ *adv* **spasmodically**.

spastic [ˈspæstik] I. *adj* **1.** *мед.* спастичен, спазматичен; **2.** *sl* схванат, непохватен, тромав; II. *n мед.* болен от церебрален паралич.

spatial [ˈspeiʃəl] *adj* пространствен.

spatiality [speiʃiˈæliti] *n* пространственост.

spatter [ˈspætə] I. *v* **1.** изпръсквам; **2.** пръскам, плискам (се); **3.** *прен.* черня, петня, клеветя; II. *n* плискане, пръскане, опръскване.

spawn [spɔːn] I. *v* **1.** хвърлям хайвера си, снасям яйца (*за риба, жаба и пр.*), размножавам се чрез хайвер; **2.** *презр.* размножавам се, плодя се; раждам; **3.** пораждам, предизвиквам; II. *n* **1.** хайвер; яйца; **2.** *презр.* семе, племе, потомство; **3.** *презр.* изчадие; **4.** *бот.* мицел.

speak [spiːk] *v* (**spoke** [spouk], *остар.* **spake** [speik]; **spoken** [ˈspoukən]) **1.** говоря, приказвам (**to, with**; *за нещо* **about, of**); казвам, думам; **to ~ the truth** говоря истината; **to ~ English** говоря английски; **2.** говоря, произнасям реч; изказвам се; **3.** *мор.* разменям сигнали с друг кораб; **4.** издавам звуци (*за музикален инструмент*); **5.** *остар.* означавам, соча, показвам; **that ~s his honesty** това говори за неговата честност;

speak at насочвам речта си към;
speak for говоря от името на; свидетелствам в полза на;
speak of споменавам, говоря за; **nothing to ~ of** нищо особено;
speak out говоря ясно, открито, без страх;
speak to 1) говоря на, обръщам се към; 2) засвидетелствам, потвърждавам; **to ~ to the point** говоря точно по въпроса;
speak up 1) говоря високо и ясно; 2) изказвам се; **to ~ up for** застъпвам се за.

speaker [ˈspiːkə] *n* **1.** говорител; **2.** радиоговорител, спикер; **3.** оратор; **poor ~** лош оратор; **4.** високоговорител.

speaking [ˈspiːkiŋ] I. *adj* **1.** говорещ, приказващ; **not to be on ~ terms with** не говоря (сърдит съм) с; **2.** изразителен, очевиден, очебиен; **~ likeness** поразителна прилика; жив портрет; II. *n* реч.

speaking-trumpet [ˈspiːkiŋˌtrʌmpit] *n* **1.** рупор; **2.** *остар.* тръба за слушане (*на глух човек*).

spear [spiə] I. *n* **1.** копие; **2.** *поет.* копиеносец; **3.** харпун; • **~ side** мъжка линия (*в родословие*); II. *v* **1.** пронизвам, промушвам (*с копие*); **2.** забивам харпун в; **3.** *бот.* пускам дълги филизи.

spearhead [ˈspiəhed] I. *n* **1.** острие (*на копие*); **2.** човек (авангард), който започва нападението; II. *v* оглавявам, водя.

spec [spek] *n разг.* спекулация; **did it on ~** направих го на риск.

special [ˈspeʃəl] I. *adj* **1.** специален, нарочен; **~-purpose** специализиран; със специално предназначение; **2.** особен, извънреден; **~ delivery** бърза поща; **~ edition** извънредно издание (*на вестник*); **3.** определен; II. *n* **1.** специално нещо (лице); **2.** извънредно издание (*на вестник*); **3.** специален влак.

specialist [ˈspeʃəlist] *n* специалист.

speciality [ˌspeʃiˈæliti] *n* **1.** особеност, характерна, отличителна черта; **2.** специалност; **to make a ~ of** специализирам се в; **3.** специалитет; **4.** *pl* подробности.

specialization [ˌspeʃəlaiˈzeiʃən] *n* **1.** специализация; ограничаване; **2.** спецификация.

specialize [ˈspeʃəlaiz] *v* **1.** специализирам (се) (**in**); **2.** приспособявам се; **3.** ограничавам; **4.** специфицирам, определям типичните, характерните особености на нещо.

specie [ˈspiːʃiː] *n* монети; **to pay in ~** 1) плащам в пари; 2) *остар.* плащам в натура.

species [ˈspiːʃiːz] *n* (*pl неизмен.*) **1.** *биол.* вид; **2.** род, порода, разновидност; **the (our) ~** човешкият род.

specific [spiˈsifik] I. *adj* **1.** специфичен, специфически, особен; **2.** характерен, свойствен, типичен; **3.** определен, точен; ограничен; **he has no ~ aim** той няма определена цел; **4.** *биол.* видов; **the generic and ~ names of plants** родовите и видовите названия на растенията; **5.** *мед.* специфичен; **~ remedy** специфично средство; ◇ *adv* **specifically**; II. *n* специфично средство (лекарство).

specification [ˌspesifiˈkeiʃən] *n* **1.** *обикн. pl* спецификация; технически условия; **environmental ~** техническа характеристика на условията на околната среда; **2.** подробности (*на договор и пр.*).

specificity [spesiˈfisiti] *n* специфичност.

specify [ˈspesifai] *v* **1.** определям точно, установявам; **2.** давам спецификация; **3.** придавам особен характер, вид.

specimen [ˈspesimin] *n* **1.** образец, мостра; специмен, екземпляр, експонат; **reference ~** контролен образец; **workable ~** действащ образец; **2.** *разг., ирон.* екземпляр, субект, тип.

speciosity [spiːʃiˈɔsiti] *n* **1.** благовидност; **2.** показност.

specious [ˈspiːʃəs] *adj* **1.** показен, благовиден, външен; **~ argument** примамлив довод; **2.** *остар.* хубав, привлекателен.

spectacle [ˈspektəkl] *n* **1.** зрелище, гледка; представяне, изложение, изложба; **deplorable ~** жалка картина; **2.** спектакъл, представление, постановка; **3.** *pl* очила (*и a pair of ~s*); **through rose-coloured ~s** през розови очила; **4.** цветни стъкла (*на семафор, светофар и под.*).

spectacular [spekˈtækjulə] *adj* **1.** ефектен, грандиозен, импозантен, огромен, грамаден; **2.** драматичен, вълнуващ; ◇ *adv* **spectacularly**.

spectral [ˈspektrəl] *adj* **1.** призрачен, подобен на видение; **2.** *физ.* спектрален.

spectre [ˈspektə] *n* видение, привидение, призрак, сянка, фантом.

spectroscopy [spek'trɔskəpi] *n физ.* спектроскопия.

spectrum ['spektrəm] *n (pl -tra [-trə])* спектър; ~ **analysis** спектрален анализ (*u* **spectral analysis**).

specular ['spekjulə] *adj* отразяващ; огледален; ~ **surface** отразяваща повърхност.

speculate ['spekjuleit] *v* **1.** размишлявам, отдавам се на размисъл, размислям (**on, upon, about**); обмислям; **2.** спекулирам.

speculation [spekju'leiʃən] *n* **1.** размишление; размишляване; **2.** хипотеза; предположение; теория; **3.** спекулация.

speculative ['spekjulətiv] *adj* **1.** умозрителен; **2.** спекулативен; рискован, несигурен; ◇ *adv* **speculatively.**

speculator ['spekjuleitə] *n* **1.** мислител; **2.** спекулант.

speculum ['spekjuləm] *n (pl -la [-lə])* **1.** огледало; **2.** рефлектор.

speech [spi:tʃ] *n* **1.** говор, реч; **2.** реч, слово; **to deliver (make) a** ~ произнасям реч; **3.** език; говор, диалект; сленг, жаргон; **part of** ~ част на речта; **English** ~ английски език; **4.** *театр.* реплика.

speechless ['spi:tʃlis] *adj* **1.** занемял, онемял, безмълвен; ~ **with indignation** занемял от възмущение; **2.** ням; **3.** *sl* мъртвопиян.

speech-maker ['spi:tʃˌmeikə] *n* оратор, говорител (*u* ирон.).

speed [spi:d] **I.** *n* **1.** бързина; скорост; **with all** ~ много бързо; **at full** ~ с пълна скорост (бързина); **2.** *техн.* брой на оборотите; **three-~ engine** трискоростен двигател; **3.** *остар.* щастие, успех; **to wish good** ~ **(to)** пожелавам добър успех (на); **II.** *v* (**sped** [sped]) **1.** *книж.* бързам, тичам; летя; **motors sped past** префучаваха автомобили; **2.** *остар.* изпращам (*гости*) запращам (*стрела*); **3.** (*past* **speeded**) установявам (регулирам) скоростта на (*машина*); ускорявам (*обикн.* ~ **up**) *авт.* карам с непозволена скорост.

speedily ['spi:dili] *adv* бързо, скоро, незабавно, веднага.

speedometer [spi:'dɔmitə] *n техн.*

спидометър; тахометър.

speed-up ['spi:dʌp] *n* **1.** увеличаване на скорост, ускорение; **2.** повишаване производителността на труда.

speedway ['spi:dwei] *n* **1.** писта (*за автомобилни състезания*); **2.** *амер.* път за бързо каране (шофиране); скоростно шосе.

speedy ['spi:di] *adj* **1.** бърз; спешен; **2.** незабавен; ◇ *adv* **speedily.**

spelaean [spi'li:ən] *adj* пещерен, спелеологически, спелеоложки, спелеологичен.

spelaeology [ˌspi:li'ɔlədʒi] *n геол.* спелеология, пещерно дело.

spell₁ [spel] *n* **1.** заклинание; **under a** ~ омагьосан; **2.** чар, очарование, обаяние.

spell₂ *v* (**spelt, spelled** [spelt]) **1.** изричам (пиша) дума буква по буква; буквувам; **learn to** ~ научи се да пишеш правилно; **2.** образувам дума (*за букви*); **3.** означавам, предвещавам; **it ~s danger** това предвещава опасност; ● **to** ~ **baker** *амер.* срещам (справям се с) трудности;

spell backward 1) пиша или изричам буквите на дума отзад напред (в обратен ред); 2) *прен.* изопачавам;

spell down побеждавам в състезание по правопис;

spell out 1) сричам, чета с мъка; 2) произнасям по букви; 3) *полигр.* изписва се изцяло;

spell over сричам.

spell₃ *n* (кратък) период; **to do a** ~ **of work** работя за малко; **II.** *v* рядко **1.** отменям, сменям; **2.** *амер.* давам отдих на; правя почивка.

spellbind ['spelbaind] *v* (**spellbound** ['spelbaund]) омагьосвам; очаровам, завладявам.

spellbinding ['spelˌbaindiŋ] *adj* увличащ, увлекателен, завладяващ, грабваш.

spellbound ['spelbaund] *adj* **1.** омагьосан, запленен, очарован; **2.** смаян, слисан.

spelling ['speliŋ] *n* правопис, орфография.

spelling-book ['speliŋˌbuk] *n* читан-

ка, буквар.

speluncar [spe'lʌŋkə] *adj* пещерен.

spend [spend] *v* (**spent** [spent]) **1.** харча, похарчвам; изхарчвам; **2.** изразходвам (*сили и пр.*); **3.** прекарвам; **to** ~ **the time** прекарвам времето; **4.** употребявам, изхабявам (*време, труд, думи и пр.*); **5.** отдавам, жертвам; **6.** изтощавам (*ц refl*); **the storm is spent** бурята утихна; **7.** *мор.* загубвам (*мачта и пр.*); **8.** хвърлям хайвера си (*за риба*).

spendthrift ['spendθrift] **I.** *n* разточител, прахосник, разсипник; **II.** *adj* разточителен, прахоснически.

spent [spent] *adj* **1.** изтощен, изнемощял, капнал, изцеден; **2.** прекаран; **3.** изчерпан.

sperm [spə:m] *n биол.* сперма.

spermatic [spə:'mætik] *adj биол.* семенен, семенно.

spermatozoid [ˌspə:mətɔˌzɔid] *n биол.* сперматозоид.

spheral ['sfiərəl] *adj* **1.** сферичен; **2.** симетричен, съвършен.

sphere [sfiə] **I.** *n* **1.** *мат.* сфера; **doctrine of the** ~ сферична геометрия и тригонометрия; **2.** кълбо; **3.** *астр.* небесно тяло; звезда, планета; земното кълбо, глобус; **4.** *поет.* небе, небосвод; **5.** *прен.* поле (сфера) на действие; компетенция; област; ~ **of influence** сфера на влияние; **6.** среда, кръг; **II.** *v* **1.** затварям в сфера; придавам сферична форма на; **2.** *поет.* въздигам в небесата, превъзнасям.

spherical ['sferikl] *adj* сферичен; сферически.

spheroid ['sfiərɔid] *n* сфероид.

spheroidal [sfiə'rɔidl] *adj* сфероидален.

sphinx [sfinks] *n* сфинкс.

sphygmus ['sfigməs] *n физиол.* пулс.

spice [spais] **I.** *n* **1.** билка, (ароматична) подправка; **събир.** подправки; **sugar and** ~ **and all that's nice** всички хубави неща на куп; **2.** *прен.* оттенък, следа; **3.** *поет.* аромат, приятен мирис; **4.** *прен.* нещо, което придава интерес, пикантност; вълнение, тръпка; **II.** *v* **1.** подправям, слагам подправка

(*на ядене*); **2.** *прен.* придавам пикантност.

spicy ['spaisi] *adj* **1.** ароматен, ароматичен; подправен; **2.** *прен.* пикантен, остър; неприличен; **3.** *sl* сприхав.

spider ['spaidə] *n* **1.** паяк; **2.** интригант; **3.** *техн.* звезда.

spiel [spi:l] *sl* **I.** *n* **1.** номер; **2.** реч, "урок", история, разказ; **II.** *v* **1.** "изпявам си урока", говоря, разказвам; **2.** навивам си, дърдоря.

spier ['spaiə] *n* шпионин.

spif(f)licate ['spifikeit] *v sl* **1.** унищожавам, съсипвам; **2.** обърквам, слисвам.

spiffy ['spifi] *adj sl* елегантен, издокаран, тип-топ.

spike [spaik] **I.** *n* **1.** шип, острие; клин; метален прът, кол (*на ограда*) **2.** *бот.* клас, класовиден съцветие; **II.** *v* **1.** слагам шипове на; **2.** пробождам, промушвам; *спорт.* наранявам (*друг играч*) с шиповете на обувките си.

spiky ['spaiki] *adj* **1.** заострен, изострен, като острие (шип); **2.** покрит с шипове; **3.** *прен.* обидчив, заядлив, свадлив, чепат.

spill [spil] **I.** *v* (spilt, spilled [spilt, spild]) **1.** разливам (се), разсипвам (се); проливам (*кръв*); **to ~ the beans** *sl* издавам тайна, раздрънквам; **2.** събирам, изтърсвам, хвърлям (*от кон, кола и пр.*); **3.** *sl* *амер.* изказвам, издрънквам; **come on, ~ it** хайде, казвай (не крий); ● **~ over** разпространявам се, разраствам се, преливам (*и прен.*); **II.** *n* *разг.* падане, изтърсване, тупване.

spin [spin] **I.** *v* (span [spæn], spun [spʌn]; spun) **1.** преда, изпридам; **to ~ a yarn** разказвам (*обикн. измислена*) история; **to ~ o.'s web** плета си мрежата (*за паяк*); **2.** въртя (се), завъртам (се); **to ~ a top** въртя пумпал; **my head is ~ning** върти ми се главата; **3.** изработвам на струг; **4.** *sl* скъсвам на изпит;

spin along носи се, лети (*за кола*)

spin around въртя се, обръщам се внезапно (рязко);

spin out 1) проточвам (*работа*);

разтеглям, удължавам (*разказ и пр.*); **2)** изчерпвам, изтощавам;

II. *n* **1.** предене; **2.** въртене, завъртване; **3.** кратка бърза разходка, раздвижване, разтъпкване; **to go for a ~ in the car** поразхождам се с кола; **to be in a (flat) ~** объркан съм, разстроен съм; смутен съм.

spinal ['spainl] *adj* спинален, гръбначен; **~ cord** гръбначен мозък; **~ column** гръбначен стълб.

spindle [spindl] **I.** *n* **1.** вретено; **2.** *техн.* вал, ос, шпиндел; **II.** *v* изтънявам се, източвам се, издължавам се.

spindly ['spindli] *adj* вретеновиден; тънък-дълъг, източен, издължен.

spineless ['spainlis] *adj* **1.** *зоол.* безгръбначен; **2.** *прен.* безхарактерен; безгръбначен; **3.** *бот.* без бодли.

spinner ['spinə] *n* **1.** предач, предачка; **2.** предачна машина; **3.** стругар, стругарка.

spinney ['spini] *n* храсталак, гъстак, гъсталак; горичка, горица.

spinose ['spainous] *adj* покрит с бодли (игли), бодлив, игличест.

spiny ['spaini] *adj* **1.** покрит (обрасъл) с игли (тръни); **2.** *прен.* щекотлив, мъчен, труден, парлив.

spiracle ['spaiərəkl] *n* **1.** *зоол.* дихателен отвор, стигма; **2.** *техн.* отдушник.

spiral ['spaiərəl] **I.** *adj* спирален, спираловиден; винтов, винтовиден; **~ nebula** спираловидна мъглявина; **II.** *n* **1.** спирала; **2.** спирална пружина; **3.** *зоол.* спираловидна черупка; **III.** *v* **1.** движа се спираловидно (по спирала); **2.** образувам спирала; **3.** повишавам се рязко (*за цени*); ● **prices started to ~ downwards** цените започнаха рязко да падат.

spirit ['spirit] **I.** *n* **1.** дух; духовно начало, душа; **in (the) ~** вътрешно; мислено; **2.** дух, привидение, призрак; **3.** дух, ум; **the Holy S.** Светия Дух; **4.** дух, смисъл, същност; **in the ~ of mutual understanding** в духа на взаимното разбирателство; **5.** *обикн. pl* дух, настроение, душевно състояние; **good (high) ~s** добро (повише-

но) настроение; **low ~s** лошо (потиснато настроение); **6.** характер; **a man of unbending ~s** непреклонен човек; **7.** дух, смелост, гордост, мъжество, храброст; виталност, въодушевление, живот, пламък; **a man of ~** смел (сърцат) човек; **with ~** енергично, пламенно; **8.** *обикн. pl* спирт, алкохол; **~s of camphor** камфоров спирт; **9.** разтвор, тинктура; **~s of salt** солна киселина; **~(s) of wine** чист спирт; **II.** **1.** отвличам тайно, отмъквам (*обикн. с away, off*); **2.** ободрявам; развеселявам (*обикн. с up*).

spirited ['spiritid] *adj* **1.** енергичен, жив, оживен; **2.** смел; буен (*за кон и пр.*).

spiritism ['spiritizəm] *n* **1.** спиритизъм; **2.** анимизъм.

spirit-lamp ['spiritlæmp] *n* спиртна лампа, спиртник.

spiritless ['spiritlis] *adj* **1.** бездушен, апатичен; вял; отпуснат; **2.** страхлив; ◇ *adv* spirtlessy.

spirit-rapping ['spirit,ræpiŋ] *n разг.* спиритически сеанс, викане на духове.

spiritual ['spiritjuəl] **I.** *adj* **1.** духовен; душевен; **2.** одухотворен; **a ~ mind** възвишен ум; **3.** духовен, спиритуален, църковен, свещенически; ◇ *adv* spiritually; **II.** *n* спиричуъл, негърска религиозна песен (*и Negro ~*).

spiritualism ['spiritjuəlizəm] *n* **1.** *филос.* спиритуализъм; идеализъм; **2.** спиритизъм.

spiritualist ['spiritjuəlist] *n* **1.** *филос.* спиритуалист; идеалист; **2.** спиритист.

spiritualistic [,spiritjuə'listik] *adj* **1.** *филос.* спиритуалистически; идеалистически; **2.** спиритически.

spiritualization [,spiritjuəlai'zeiʃən] *n* **1.** одухотворяване; **2.** възвисяване; **3.** *рядко* одушевяване; **4.** *рядко* даване преносно значение.

spiritualize ['spiritjuəlaiz] *v* **1.** одухотворявам; **2.** възвисявам; **3.** *рядко* одушевявам; **4.** *рядко* давам преносно значение.

spirometer [spaiə'rəmitə] *n* спирометър.

spirophore ['spaiərəfɔ:] *n мед.* респиратор, уред за изкуствено дишане.

spit₁ [spit] I. *n* 1. шиш; 2. дълга ивица земя, вдадена в морето; дълъг подводен бряг; II. *v* (-tt-) набождам на (пробождам с) шиш; набождам като на шиш.

spit₂ [spit] I. *v* (spat [spæt]) 1. плюя, храча; to ~ in s.o.'s face, to ~ at s.o. заплювам някого (в лицето); 2. съска, цвърти, цвърка, пращи (*за кипяща вода; нещо, което се пържи; свещ и пр.*); пращи, пуска искри (*за огън*); 3. пръска, ръми, роси; it's ~ ting (with rain) вали слабо, препръсква; • ~out изплювам; произнасям ядосано (злобно); II. *n* 1. плюене, храчене; 2. плюнка, храчка; 3. преваляване; • to be the ~ting image of, to be the ~ and image of *прен.* одрал съм кожата на; отрязал съм главата на.

spite [spait] I. *n* злоба, злост; from (out of, in) ~ от злоба; to have a ~ against имам зъб на; II. *v* вредя нарочно, правя напук на; обиждам; дразня, ядосвам; he did it only to ~ me направи го само да ме ядоса.

spiteful ['spaitful] *adj* злобен, злостен; ◇ *adv* spitefully.

spittle [spitl] *n* плюнка, храчка.

splanchnic ['splæŋknik] *adj анат.* коремен, чревен, спланхнален.

splash [splæʃ] I. *v* 1. пръскам, изпръсквам, опръсквам; 2. изплисквам, плискам; заливам; 3. цопвам (се); 4. шляпам, цапам, прецапвам; газя; 5. украсявам с разпръснати фигури; 6. *журн.* отпечатвам на видно място (*новина*); • ~ out (on) хвърлям много пари, изръсвам се (за); II. *n* 1. пръскане, изпръскване, напръскване; 2. (кално) петно, напръскано място; цветно петно; 3. плясък, плискане; 4. цопване, шляпване; 5. сензация; to make a ~ предизвиквам (правя) сензация; ставам център на вниманието; 6. *геол.* рудно натрупване.

splashy ['splæʃi] *adj* мокър, кален.

splay [splei] I. *v* скосявам, наклонявам (*стени на отвор*); изрязвам на верев; II. *adj* кос, наведен, веревен; разширен; III. *n* наведена (наклонена) повърхност; разширена амбразура.

spleen [spli:n] *n* 1. *анат.* далак, сплина; 2. злоба, лошо настроение; 3. меланхолия, сплин, тъга.

spleenful ['spli:nful] *adj* 1. злобен; 2. раздразнителен, заядлив; ◇*adv* spleenfully.

spleenless ['spli:nlis] *adj* незлобив, добродушен; ◇ *adv* spleenlessy.

splendent ['splendənt] *adj поет.* лъскав; светъл, блестящ.

splendid ['splendid] *adj* великолепен, разкошен; прекрасен; блестящ; сплендид; ◇*adv* splendidly.

splendour ['splendə] *n* великолепие, разкош; величие; блясък.

splenetic [spli'netik] *книж.* I. *adj* 1. далачен; 2. раздразнителен; язвителен, жлъчен; II. *n* язвителен (жлъчен, раздразнителен) човек.

splice [splais] I. *v* 1. *мор.* снаждам, наставям; сплитам (*въже*); 2. съединявам, сглавям, снаждам, наставям (*греди и пр.*); 3. *sl* оженвам, бракосъчетавам; • to ~ the main brace пия; давам (допълнителна) дажба питие; II. *n* 1. *мор.* снаждане; снадка, сплитка (*на въжета*); 2. присъединяване, снаждане, наставяне, славяне (*на греди и пр.*).

splinter ['splintə] I. *n* 1. парче, отломък; 2. треска; подпалка; 3. *геол.* скала, нарушена от пукнатини; II. *v* разцепвам (се), цепя (се), нацепвам (се); разбивам (се), натрошавам (се), разтрошавам (се).

split [split] I. *v* (split) 1. цепя (се), разцепвам (се) (*и прен.*); съдирам (се), раздирам (се); разделям (се); the government ~ on the question правителството не беше единодушно по този въпрос; to ~ o.'s vote (o.'s ticket) разделям гласовете между няколко кандидата; 2. *sl* доноснича;

split off отцепвам (се); разцепвам (се);

split on *sl* доноснича по адрес на, наклепвам някого;

split up разцепвам (се), разлагам (се); разбивам, разединявам; разделям (се) на части;

II. *n* 1. цепене, разцепване, разделяне; цепка, пукнатина, пукнато; съдрано (скъсано) място; 2. несъгласие, раздор, разкол; разцепление; 3. *pl спорт.* шпагат; 4. *ел.* разклонение.

splotch [splotʃ] I. *n* петно, леке; II. *v* оцапвам, изцапвам, изпоцапвам, изплесквам.

splotchy ['splotʃi] *adj* изплескан, наплескан, изпоцапан; на петна, лекьосан.

splurge [splə:dʒ] *sl* I. *n* самохвалство, перчене, самореклама; II. *v* 1. хваля се; изкарвам на показ; 2. харча пари с широка ръка, "разпускам се", "развързвам кесията", прахосвам, пръскам.

spoil [spoil] I. *n* 1. плячка (*често pl*); ~s of war военни трофеи; 2. печалба, изгода (*получена в резултат на конкуренция с друг*); 3. държавни служби и пр. привилегии, разпределени между поддръжниците на една партия; 4. изхвърлена пръст при изкопни работи; II. *v* (spoiled [spoild], spoilt [spoilt]) 1. развалям (се), повреждам (се); to ~ s.o.'s beauty for him смачквам нечия муцуна; 2. разглезвам, разгалвам; 3. *sl* пребивам, очитвам; размазвам, смазвам от бой; 4. *остар.* ограбвам (*неприятел*); • to be ~ing for a fight готов съм (търся повод за) бой.

spoilable ['spoiləbl] *adj* нетраен; който лесно се разваля (*за стоки*).

spoiler ['spoilə] *n* 1. грабител; 2. *авт.* спойлер.

spoke [spouk] I. *n* 1. спица (*на колело*); 2. прът за спиране на колело; a ~ in s.o.'s wheel пречка, спънка, спирачка, препятствие; to put a ~ in s.o.'s wheel слагам прът в колелото на някого, обърквам (спъвам) работата (плановете) на някого; 3. стъпало, дъска на подвижна стълба; 4. *мор.* ръчка на рба на щурвал; II. *v* 1. слагам спици на (*колело*); 2. запъвам (*колело*).

spoken [spoukn] *adj* устен; говорим; **~ language** устна реч, говорим език.

spokesman ['spouksmən] *n* (*pl* -**men**) представител, оратор, делегат; човек, който говори от името на някого.

spoliation [,spouli'eiʃən] *n* **1.** ограбване, грабеж (*обикн. на неутрален кораб по време на война*); **2.** *юр.* унищожаване или подправяне на документ (*за да не се използва като доказателство*); **3.** *рел.* незаконно присвояване на църковни данъци.

spoliator ['spoulieitə] *n* грабител.

spoliatory ['spouliətəri] *adj* грабителски.

spondaic [spɒn'deiik] *adj* проз. спондеически.

spondee ['spɒndi:] *n лит.* спондей.

spondyl(e) ['spɒndil] *n анат.* гръбначен прешлен, спондил.

sponge [spʌndʒ] **I.** *n* **1.** гъба, сюнгер (*и зоол.*); **to throw up (throw in, chuck up) the ~** признавам се за победен, вдигам ръце, предавам се (*при бокс и прен.*); **2.** *прен.* паразит, хрантутник; готован; **2.** изтриване (измиване) с гъба; **to have a ~ (down)** изтривам се с гъба; **II.** *v* **1.** мия (се), измивам (се), изтривам (се) с гъба; **2.** живея на чужд гръб, паразитирам, муфтя; **3.** бера (събирам);

sponge down измивам (изтривам) с гъба;

sponge on живея на гърба на;

sponge out 1) изтривам (заличавам) с гъба; **2)** изглаждам (*недоразумение и пр.*);

sponge up попивам с гъба.

spongebag ['spʌndʒ,bæg] *n* несесер за тоалетни принадлежности.

sponger ['spʌndʒə] *n* **1.** *прен.* паразит; хрантутник, готован, използвач; **2.** събирач на сюнгери.

spongy ['spʌndʒi] *adj* **1.** гъбест, порест; рохкав; **2.** влажен, блатист (*за почва*); **3.** шуплив (*за метал*).

sponsion ['spɒnʃən] *n* поръчителство, гарантиране; опекунство.

sponsor ['spɒnsə] **I.** *n* **1.** поръчител; настойник, опекун, попечител; **2.** организатор; **3.** *амер.* спонсор,

рекламодател; **II.** *v* **1.** спонсорирам, финансирам, подпомагам с пари; **2.** поръчител съм на.

sponsorship ['spɒnsəʃip] *n* **1.** спонсорство, финансиране; **2.** поръчителство; настойничество, опекунство, попечителство.

spontaneity [,spɒntə'ni:ti] *n* **1.** спонтанност; непринуденост, непосредственост; **2.** самопроизволност; доброволност.

spontaneous [spɒn'teiniəs] *adj* **1.** спонтанен; непосредствен, непринуден; **~ movement** порив; **2.** самопроизволен; доброволен; **~ combustion** самозапалване; ◇*adv* **spontaneously.**

spoof [spu:f] *разг.* **I.** *n* **1.** пародия; **2.** измама, мента; шега; **3.** *attr* измислен, лъжлив; **II.** *v* измамвам, майтапя се, будалкам се.

spook [spu:k] **I.** *n* дух, (при)видение, призрак; **II.** *v* изплашвам, плаша, стресвам.

spooky ['spu:ki] *adj* шег. **1.** призрачен; който напомня за призраци; **2.** в който витаят призраци.

spool [spu:l] **I.** *n* макара, шпула, масур; ролка, бобина; **II.** *v* навивам на макара и пр.

spooling ['spu:liŋ] *n* навиване, намотаване.

spool-type ['spu:ltaip] *adj* бобинен.

spoon₁ [spu:n] **I.** *n* **1.** лъжица; **tea ~** чаена лъжичка; **to be born with a silver ~ in o.'s mouth** роден съм с късмет, със сребърна лъжичка в устата; **2.** вид лопата за гребане; **3.** стик за голф; **II.** *v* **1.** греба (загребвам, черпя) с лъжица (**up, out of**); **2.** блъсквам (вдигам) с пръчка при крокет; **3.** ловя риба с примамка.

spoon₂ **I.** *n* **1.** глупак, простак; **2.** глупаво или сантиментално влюбен човек; **II.** *v* ухажвам, занасям се.

sporadic(al) [spə'rædik(l)] *adj* спорадичен, случаен; непостоянен; ◇*adv* **sporadically** [spə'rædikəli].

spore [spɔ:] *n бот.* спора.

sport [spɔ:t] **I.** *n* **1.** спорт; лов, риболов; атлетика; спортни игри; *pl* атлетически състезания; **2.** шега, развлечение; игра; **I only said it in ~** казах го само на шега; **to**

spoil the ~ развалям хубавото настроение; **3.** *биол.* игра на природата, случайна разновидност; **4.** *sl* добър човек, арабия; **he is a real ~** той е чудо човек; **II.** *v* **1.** играя, забавлявам се, развличам се; играя си, шегувам се (**with**); **2.** нося, кича се с; нося за показ; перча се; **3.** *биол.* отклонявам се от нормалния тип.

sporting ['spɔ:tiŋ] *adj* **1.** спортен; **a ~ man** любител на спорта, запалянко; спортист; маниак на тема конни състезания и пр.; **2.** спортсменски, честен, благороден; **it is very ~ of him** *разг.* това е много хубаво (честно) от негова страна; **3.** предприемчив; готов да поеме риск; **a ~ chance** рискована игра с известни изгледи за успех.

sportive ['spɔ:tiv] *adj* игрив, весел.

sports [spɔ:ts] *adj* спортен; **a ~ car** спортна кола.

sportsman ['spɔ:tsmən] *n* (*pl* -**men**) **1.** спортист; ловец; **2.** спортсмен, играч, който спазва правилата; честен, благороден противник.

sportsmanlike ['spɔ:tsmənlaik] *adj* спортсменски; честен; който е по правилата; благороден.

spot [spɒt] **I.** *n* **1.** петно (*и прен.*); петънце, леке, пръска; точка (*на плат*); **a reputation without ~ or stain** неопетнено (чисто) име; **2.** пъпка, пришка; **3.** място, местенце; частично, отчасти, до известна степен; **on the ~** на място/веднага; **act on the ~** действам веднага (незабавно); **4.** *разг.* малко, мъничко (*количество*) (*питие, храна, работа и пр.*); **a ~ of trouble (bother)** малка неприятност, малко недоразумение; **5.** *pl* леопард; • **key ~** възлова точка; **to be in a ~** намирам се в затруднено (неприятно, неудобно) положение; **II.** *v* (-**tt**-) **1.** изцапвам (се), лекьосвам (се), правя (ставам) на петна; опетнявам; **this material ~s easily** тази материя лесно се цапа; **2.** *разг.* забелязвам, съзирам; познавам, усещам, уцелвам (какъв е); **to ~ the winner** налучквам кой ще победи (*на*

конни състезания и пр.); **3.** воен. откривам неприятелски позиции (обикн. от въздуха); **4.** ръми, роси, прокапва.

spotless ['spotlis] adj **1.** безупречно чист; **2.** неопетнен; безупречен; ◇ adv **spotlessly.**

spotlit ['spotlit] adj осветен (за сцена, сграда и пр.).

spot-on ['spot,on] adj разг. верен, точен, прецизен, правилен.

spotty ['spoti] adj **1.** пъпчив; **2.** разг. неравен, неравномерен, нееднакъв (за работа и пр.).

spout [spaut] I. v **1.** струя, шуртя, бликам, лея се; изливам се; избълвам, бълвам; избликвам; изригвам (лава), изхвърлям (вода и пр.); **2.** разг. ораторствам; рецитирам, декламирам; **3.** sl залагам (в заложна къща); II. n **1.** чучур, шулнар; нос (шулец) на чайник и пр.; **2.** водосточна тръба, улук; **3.** силна струя, стълб, фонтан (от дим, вода и пр.).

sprain [sprein] I. v навяхвам; II. n навяхване.

sprat [spræt] n **1.** хамсия, килка, цаца (или друга под. дребна рибка); **to throw (to risk) a ~ to catch a herring (a mackerel, a whale)** жертвам нещо малко, за да спечеля много; **2.** шег. слабо дете, "чироз", "скумрия".

sprawl [spro:l] I. v **1.** просвам (се), изтягам (се), излежрям (се); **~ing shoots** пълзящи на всички страни клони (издънки); II. n **1.** отпусната поза, изтегнато положение; **2.** безредие, неразбория.

sprayer ['spreiə] n **1.** пръскачка; спрей; пулверизатор; **2.** дюза (на пръскачка).

spread [spred] I. v (**spread**) **1.** разстилам (се), настилам, застилам, постилам; **2.** мажа (се), намазвам (се), размазвам (се); **3.** разстилам (се), разгръщам (се); настилам; простирам, разпервам, разтварям, разгръщам (ръце, клони и пр.) (out); **to ~ a banner** развивам знаме; **4.** разпространявам (се), разнасям (слух, новина и под.); пренасям (болест и пр.); **to ~ s.o.'s fame** разнасям слава-

та на някого; **5.** разхвърлям, разпределям; **6.** refl разпростирам се (при говорене, писане); занимавам се с много неща едновременно; говоря (пиша) надълго и нашироко; проявявам щедро гостоприемство, организирам радушен прием; разпускам се; ● **to ~ it on thick** sl преувеличавам, изсилвам се; хваля без мярка; II. n **1.** разпространение; обхват, обсег; **a ~ of interests (ideas)** разнообразни интереси (идеи); **2.** протежение, пространство; **3.** размах (на крила); **4.** разг. пир, угощение, гуляй; **5.** пастет, паста, крем, масло за мазане върху хляб (**bread~**); **6.** търг. разлика между костюмата и пазарната цена; **7.** (също и **bed~**) покривка за легло; **8.** амер. ферма, ранчо.

spreader ['spredə] n **1.** разпространител (на идеи и пр.); **2.** техн. разширител; разделка, разпорка; разстилачка (при строеж на пътища); мазачка, мазачна машина, шпрединг машина; гуморазстилачка.

spreading ['sprediŋ] n **1.** разпространение; **2.** намазване, нанасяне (на лепило); разстилане; **3.** набъбване, увеличаване на обем.

spree [spri:] разг. I. n **1.** веселие, веселба, забава, забавление, купон; **to have a ~, to go on a ~** веселя се; **2.** угощение, гуляй; пиянство; ● **buying (shopping, spending) ~** пръскане на пари с лека ръка; обиколка по магазините (като то се пазарува, без да се мисли за пари); II. v **1.** веселя се, купонясвам, забавлявам се; **2.** гуляя; пиянствам.

sprig [sprig] I. n **1.** клонче, клонка, вейка, гранка; **2.** украса във форма на клончета; **3.** щифт, малък гвоздей без главичка; **4.** пренебр. потомък, издънка; млад човек; II. v (-gg-) украсявам с клончета, бродирам (рисувам) клончета на (върху, по).

sprightly ['spraitli] adj весел, игрив, жив, оживен.

spring [spriŋ] I. v (**sprang** [spræŋ], **sprung** [sprʌŋ]; **sprung**) **1.** скачам,

подскачам; отскачам; хвърлям се; **to ~ at (upon) s.o.** (на)хвърлям се на някого; **2.** бликам, бликвам, рукам, извирам; **3.** никна, пониквам, изниквам (често с up); **4.** и с up: възниквам, създавам се; появявам се; произхождам, излизам, произлизам; водя началото си (from); **to be sprung from the people** произхождам от народа; **to ~ into existence** раждам се, възниквам, появявам се (и с up); **5.** извивам се (за греда и пр.); **6.** (с)пуквам (се), разцепвам (се); **7.** вдигам дивеч; **8.** възпламенявам (се); избухвам, експлодирам; **9.** съобщавам внезапно; **to ~ a surprise on s.o.** изненадвам някого; **10.** карам да отскочи; отскачам (за пружина); **the door sprang to** вратата се захлопна; **to ~ s.o. fom prison** помагам на някого да избяга от затвора; **11.** слагам пружини на; снабдявам с пружини; слагам на пружина; **12.** архит. излиза, започва (за свод, арка – от колона); II. n **1.** скок; отскачане; подскачане; **2.** пролет; attr пролетен; **3.** пружина; ресор; **4.** еластичност; гъвкавост, живост (и прен.); **5.** извор; източник; **6.** подбуда, мотив; **7.** мор. пукнатина; **8.** архит. долен край (начало) на свод.

springboard ['spriŋbo:d] n трамплин.

springiness ['spriŋinis] n еластичност, пружиниране; пъргавост.

springlike ['spriŋlaik] adj пролетен.

springtime ['spriŋtaim] n пролет.

springy ['spriŋi] adj еластичен, гъвкав.

sprinkle ['spriŋkl] I. v пръскам, напръсквам; ръся, поръсвам; **a lawn ~d with daisies** поляна, изпъстрена с маргарити; II. n малко количество; **a ~ of rain** няколко капки дъжд; **a ~ of salt** щипка сол.

sprint [sprint] I. v пробягвам бързо късо разстояние; пробягвам с максимална скорост; спринтирам; II. n бързо бягане на късо разстояние, спринт.

sprinter ['sprintə] n спорт. спринтьор (бегач, плувец, колоездач и

пр. на къси разстояния).

sprite [sprait] *n* елф, малък дух.

sprout [spraut] I. *v* никна, изниквам; напъпвам; II. *n* издънка, филиз; **(Brussels)** ~s брюкселско зеле.

spruce [spru:s] I. *adj* спретнат; напет; II. *v* придавам спретнат вид на, издокарвам (се) (*обикн. с* **up).**

spry [sprai] *adj* жив, пъргав, бърз; **look** ~! по-живо, по-бързо!

spume [spju:m] I. *n* пяна; II. *v* пеня се.

spumescent [spju′mesənt] *adj* пенлив.

spunk [spʌŋk] *n* 1. прахан; 2. *разг.* кураж, смелост; 3. *разг.* раздразнителност; избухливост; ядовитост.

spur [spə:] I. *n* 1. шпора (*и бот.*); **to need the** ~ бавен съм; 2. подбуда, подтик, импулс; **on the** ~ **of the moment** импулсивно, изведнъж, без да мисля; 3. шип (*на крак на петел и пр.*); 4. издадена скала, издаден хребет; разклонение, дял (*на планина*); II. *v* (-rr-) 1. пришпорвам; **to** ~ **a willing horse** проявявам излишна настойчивост; 2. слагам шпори (на); 3. подтиквам, подбуждам, стимулирам (*често с* **on);** 4. *поет.* препусквам.

spurious [′spjuəriəs] *adj* 1. фалшив, подправен, лъжлив; ~ **reading** недостоверен вариант (*в ръкопис*); 2. *биол.* лъжлив.

spurn [spə:n] I. *v* 1. отритвам, изритвам; изпъждам; изгонвам; 2. отхвърлям с презрение, отблъсквам (*остар. с* **at);** 3. презирам; 4. *остар.* бутвам (отблъсквам) с крак; II. *n* ритник; отблъскване.

spurt [spə:t] I. *v* 1. правя усилия, давам силен ход (*при надбягвания и пр.*); 2. (из)бликвам силно; изхвърлям, лумвам (*пламъци и пр.*); II. *n* 1. внезапно усилие, напън; **to put a** ~ **on** напъвам се, напрягам се; 2. струя, фонтан; изблик; 3. порив на вятър.

sputum [′spju:təm] *n* (*pl* **-a** [-ə]) 1. *книж.* плюнка, слюнка; 2. *мед.,* *обикн. pl* храчки.

spy [spai] I. *n* шпионин; таен агент; **the** ~ **system** шпионаж; II. *v* 1.

виждам, забелязвам; съглеждам; съзирам, сапикасвам; 2. шпионирам, следя **(on, upon s.o.)**

spy-hole [′spaihoul] *n* шпионка (*на врата и пр.*) (*също и* **peephole).**

squabble [skwɔbl] I. *n* кавга, караница, разправия, пререкание; II. *v* карам се, джафкам се.

squad [skwɔd] *n* 1. *воен.* взвод; отделение; 2. група; бригада (*работници*); 3. *спорт.* екип, отбор, тим.

squadron [′skwɔdrən] I. *n* 1. ескадрон; *амер.* кавалерийска дивизия; 2. *мор.* ескадра; 3. *авиац.* ескадрила; 4. група хора, организирани за определена цел; бригада; II. *v* организирам в ескадрон (ескадра, ескадрила).

squalid [′skwɔlid] *adj* 1. мръсен, мизерен, бедняшки; 2. мръсен, долен; ◇ *adv* **squalidly.**

squall [skwɔ:l] I. *v* 1. рева, изревавам; пищя, изпищявам, запищявам; 2. пея грозно, рева; II. *n* 1. рев; писък; 2. шквал, внезапна буря (вихрушка); **black** ~ буря с тъмни облаци; **to look out for** ~**s** *прен.* (*за опасност, беди и пр.*) пазя се, внимавам.

squalor [′skwɔlə] *n* 1. мръсотия; мизерия, нищета; 2. низост, мизерия, мръсотия.

squama [′skweimə] *n* (*pl* **-ae** [i:]) *зоол.* люспа.

squander [′skwɔndə] *v* прахосвам, пилея, разпилявам, пропилявам.

square [skweə] I. *n* 1. квадрат; квадратно парче; 2. площад; 3. квартал, блок (*между пресечките на четири улици*); 4. *мат.* квадрат на число; **the** ~ **of three is nine** три на квадрат е равно на девет; 5. инструмент за начертаване на прави ъгли (*във форма на* L *или* T); **on the** ~ под прав ъгъл, не на верев; *прен.* честно, открито; II. *adj* 1. квадратен, четвъртит, правоъгълен; ~ **root** корен квадратен; 2. успореден; перпендикулярен **(with, to); the carpet is not** ~ **with the corner** килимът е постлан накриво; 3. честен, прям; недвусмислен, ясен; ~ **and fair** честно и открито; **a** ~ **deal** честна

сделка; 4. правилен, точен; уреден, изравнен; **to call (it)** ~ считам, че сме квит; 5. *остар.* старомоден, консервативен, скучен; • **a** ~ **peg in a round hole** не на мястото си; **to go back to** ~ **one** започвам отново (от нулата); III. *v* 1. правя квадратен (правоъгълен), придавам квадратна форма на; 2. оправям; балансирам (*сметки*); 3. поставям (съм) под прав ъгъл; изравнявам; 4. повдигам на квадрат; 5. подкупвам; 6. съответствам, съгласувам (се), отговарям, покривам се **(with);** 7. изравнявам се **(with)** (*за резултат при голф*); 8. претеглям, преценявам, сравнявам, съпоставям **(with);**

square off 1) заемам гард (*при бокс*); 2) приготвям се за нападение или отбрана; 3) прицелвам се; 4) разчертавам на квадрати;

square up 1) изравнявам, поставям под прав ъгъл; 2) уреждам си сметките **(with);** 3) заемам положение за борба.

squarely [′skweəli] *adv* 1. точно, направо, директно; 2. честно, открито.

square-toes [′skweə‚touz] *n* педант; формалист; пуританин; старомоден човек, традиционалист.

squash [skwɔʃ] I. *v* 1. мачкам, смачквам (се); скашквам (се); смазвам; правя на пулп; ставам на каша; 2. поставям на място, сразявам (*с отговор и пр.*); 3. потушавам, спирам, смазвам, ликвидирам (бунт, опозиция и пр.); 4. блъскам се, притискам се път с блъскане; • **to** ~ **together** стискам здраво (*за устни и пр.*); II. *n* 1. каша, пулп; 2. тълпа, блъсканица, навалица; 3. скуош, игра, подобна на тенис (*и* ~**-rackets).**

squat [skwɔt] I. *v* 1. клеча, клякам; слагам клекнал; 2. настанявам се незаконно на земя, в квартира и пр.; 3. *разг.* сядам, разполагам се, настанявам се; седя; II. *adj* тумбест, тантурест.

squawk [skwɔ:k] I. *v* крякам, кряскам, грача; изкрясквам; *прен. sl* протестирам; II. *n* грак, крясък.

squeak [skwi:k] I. *v* 1. писукам, изписуквам; скърцам (*за врата и пр.*); 2. *sl* издавам тайна, доноснича, издайнича; II. *n* писък, писукане; скърцане, скръцване; • **a narrow (close)** ~ разминаване на косъм (от опасност, несполука и под.).

squeaky ['skwi:ki] *adj* писклив; скърцащ.

squeal [skwi:l] I. *v* 1. пискам; квича; 2. оплаквам се, пискам, хленча, протестирам; 3. *sl* доносннича, издайнича; II. *n* писък, квичене.

squeamish ['skwi:miʃ] *adj* 1. гнуслив; 2. педантичен; придирчив; капризен; 3. обидчив.

squeeze [skwi:z] I. *v* 1. стискам, изстисквам; изцеждам; **to ~ sb.'s hand** стискам някому ръката; **to ~ dry** изстисквам докрай; 2. тъпча, натъпквам; 3. мачкам, притискам, смачквам; **to ~ o.'s way through a crowd** пробивам си път през тълпата; 4. измъквам, изтръгвам (*пари, признание*) (**from, out of**); *прен.* притискам; 5. снемам отпечатък (*на монета и пр. върху восък и под.*);

squeeze by промъквам се с мъка; **squeeze in** вмъквам се;

squeeze out 1) изтисквам; 2) измъквам се;

squeeze up постеснявам (се); сгъстявам (се) за да направя място; II. *n* 1. стискане, притискане; **to give s.o. a ~** притискам някого към себе си, прегръщам някого; 2. *разг.* блъскане, блъсканица, навалица; **there was a bit of a ~ in the lift** в асансьора имаше навалица; **a tight ~** трудно положение, затруднение; 3. изнудване; незаконна комисионна; 4. отпечатък (*от монета и пр.*).

squeezer ['skwi:zə] *n* 1. изнудвач; експлоататор, изедник; 2. машина (преса, уред) за изстискване на сок.

squelch [skweltʃ] I. *v* 1. унищожавам, смазвам, стъпквам; 2. жвакам, цапам, шляпам (*в кал и пр.*); 3. *прен.* срязвам; II. *n* 1. жвакане; 2. смазване, унищожаване; съ-

рушителен удар; 3. *радио.* интерферентно смущение (~ **filter**).

squiggle [skwigl] I. *v* въртя се, гърча се; II. *n* завъртулка.

squint [skwint] I. *n* 1. *мед.* кривогледство; **to have a slight ~** малко съм кривоглед; 2. изкривяване (*на антена*); ъгъл на отклонение; 3. *разг.* (бърз, бегъл) поглед; 4. *разг.* склонност, наклонност (**to, towards**); 5. малък отвор в стената на църква; II. *v* 1. кривоглед съм; 2. гледам накриво; поглеждам, хвърлям поглед (**at**); 3. мигам; премигвам, свивам (присвивам) очи; 4. *разг., прен.* клоня (**to, towards**); 5. *рядко* кривя; **to ~ the eyes** кривя очи; III. *adj рядко* кривоглед; IV. *adv* накриво; **your hat is ~** шапката ти е накриво.

squirm [skwə:m] I. *v* 1. гърча се, извивам се, въртя се като червей; 2. проявявам смущение или недоволство; не зная къде да се дяна от смущение; **to make sb. ~** измъквам някого; II. *n* 1. гърчене, въртене; 2. *мор.* заплетено място на въже.

squirrel ['skwirəl] *n* катерица.

squirt [skwə:t] I. *v* 1. струя, бликам; 2. пръскам, църкам; II. *n* 1. струя; 2. спринцовка; шприц; 3. *разг.*

squit [skwit] *n sl* дребен, мижав, незначителен човек; нищожество, мижитурка.

stab [stæb] I. *v* (**-bb-**) 1. промушвам, пронизвам, намушвам, (на)ръгвам; **to ~ in the back** промушвам в гърба; *прен.* нанасям предателски удар; злословя по адрес на някого; 2. намушвам, натиквам (*оръжие*) (**into**); 3. клеветя, нападам злостно; навреждам; **to ~ s.o.'s reputation** очерням някого; 4. тупа; промушва, прерязва, пробожда, реже (*за болка*); 5. начуквам (*стена*), за да може да държи мазилка; II. *n* 1. удар (*с остро оръжие*); **a ~ in the back** удар в гърба (*и прен.*), предателско нападение; клевета; 2. внезапна остра болка, бодеж; 3. опит.

stability [stə'biliti] *n* устойчивост;

постоянство; стабилност; стабилитет, твърдост, якост.

stabilization [ˌsteibilai'zeiʃən] *n* стабилизиране, стабилизация; укрепване, затвърдяване.

stabilize ['steibilaiz] *v* стабилизирам, правя устойчив; закрепвам, затвърдявам.

stabilizer ['steibilaizə] *n* 1. стабилизатор, стабилизиращо устройство; 2. *метал.* легиращ елемент; 3. антикоагулатор, стабилизиращо средство (*за колоиди*).

stable₁ [steibl] *adj* 1. устойчив, стабилен; твърд, здрав; траен, постоянен; ~ **equilibrium** устойчиво равновесие; 2. твърд, постоянен (*за човек*); **a ~ and steadfast friend** близък и верен приятел.

stable₂ *n* 1 конюшня, обор; **Augean ~s** *прен.* Авгиеви обори; II. *v* вкарвам (държа) в конюшня; живея в конюшня.

stack [stæk] I. *n* 1. копà; купà; 2. куп, купчина; 3. *разг.* куп, множество, камара, маса; **a ~ of work** много (куп) работа; II. *v* 1. слагам на куп; 2. *авиац.* нареждам (*самолети*) на различна височина.

staff [sta:f] I. *n* (*pl и* **staves** [steivz]) 1. тояга; 2. жезъл; 3. стълб, флагшок (*на знаме и пр.*) (*и* **flag**~); 4. *прен.* стълб, опора; основа; **the ~ of life** хляб; 5. *мор.* нивелирна рейка; 6. *воен.* щаб; **general ~** генерален щаб; 7. персонал; **editorial ~** редакционна колегия; 8. *муз.* (*pl* **staves**) петолиние; II. *v* намирам персонал за, осигурявам с персонал; **a well ~ed institution** учреждение с добър, достатъчен персонал.

stage [steidʒ] I. *n* 1. естрада, площадка, подиум; 2. сцена (*в театър*); 3. театър, драма, драматургия, драматическо изкуство; **to go on the ~** ставам актьор; **to put (bring) on the ~** поставям (*пиеса и пр.*); 4. поприще; простор (поле) за дейност; 5. стадий, етап, фаза, степен, период; ~ **by** ~ на етапи, постепенно, стъпка по стъпка; 6. спирка; разстояние между две спирки; **to travel by**

easy ~s пътувам с чести спирки; **7.** *остар.* дилижанс, пощенска кола; **8.** масичка на микроскоп; **9.** *геол.* пластове утаечни скали от една и съща формация; **10.** *ел.* стъпало; **to set the ~ for** подготвям почвата, създавам условия за; **II.** *v* **1.** поставям (*пиеса*); **2.** има сценични качества (*за пиеса*); **3.** организирам, подготвям, инсценирам; **4.** *остар.* пътувам с дилижанс.

stagecraft ['steidʒkra:ft] *n* драматургическо изкуство; театрознание.

stage direction ['steidʒdi,rekʃən] *n* ремарка, пояснение, авторска бележка (*в пиеса*).

stage effect ['steidʒi,fekt] *n* сценичен ефект.

stage-manage ['steidʒ,mænidʒ] *v разг.* организирам, скалъпвам, устройвам.

stage property ['steidʒ,prɔpəti] *n театр.* реквизит.

stage setting ['steidʒ,setiŋ] *n* мизансцен.

stagger ['stægə] **I.** *v* **1.** клатушкам се, залитам, олюлявам се; **to ~ to o.'s feet** ставам, олюлявайки се; **2.** зашеметявам, карам да се олюлее; **he was ~ed by the blow** ударът го зашемети; **3.** колебая се, разколебавам (се); **4.** изумявам, смайвам; **II.** *n* **1.** клатушкане, люшкане, олюляване; **2.** *pl* шемет, замайване на главата; **3.** *pl вет.* колер (*у конете*); въртоглавие (*у овцете*); **4.** *авиац.* отстъп на крилата; **5.** разположение в шахматен ред (в зигзаг).

staggered ['stægəd] *adj* **1.** изумен, слисан, изненадан; **2.** шахматен, разположен шахматно, зигзагообразен.

staggering ['stægəriŋ] *adj* **1.** олюляващ се, залитащ; **2.** зашеметяващ, замайващ; **3.** смайващ, изумителен; потресаващ; ◇ *adv* **staggeringly**.

staginess ['steidʒinis] *n неодобр.* театралност, позьорство.

stagnancy ['stægnənsi] *n* **1.** застоялост; **2.** инертност; апатия; бездействие.

stagnation [stæg'neiʃən] *n* **1.** застой; застоял от; **2.** инертност; бездействие.

stagy ['steidʒi] *adj* театрален, неестествен, позьорски.

staid [steid] *adj* сериозен, трезв, уравновесен, улегнал; положителен.

stain [stain] **I.** *v* **1.** цапам (се), изцапвам (се), ставам на петна, лекьосвам се; правя петна; **2.** боядисвам; оцветявам; хващам боя; **3.** петня, опетнявам, очерням; **4.** ръждясвам; **II.** *n* **1.** петно, леке; *прен.* петно; **2.** боя, багрилно вещество; цветна политура.

staning ['steiniŋ] *n* **1.** оцветяване, байцване; **2.** ръждясване, разяждане, корозия.

stainless ['steinlis] *adj* **1.** чист, без петна; **2.** неопетнен; • **~ steel** неръждаема стомана.

stair [steə] *n* **1.** стъпало (*на стълбище*); **2.** *обикн. pl* стълба, стълбище (*и* **a flight of ~s**); **below ~s** в долния етаж, в приземието, на партера; в слугинските помещения.

staircase ['steəkeis] *n* стълбище; **moving ~** ескалатор.

stake [steik] **I.** *n* **1.** кол; **to move (pull up) ~** напускам дадено място, изселвам се; **2.** залог, миза, ставка (*при игра на карти, бас и пр.*); **to lay the ~s** слагам (давам) залог; **3.** паричен интерес; дял от капитал в предприятие; капиталовложение; **to make a ~** натрупвам пари (състояние); **4.** принцип, основен въпрос (*около който то се спори или води борба*); **II.** *v* **1.** (при)вързвам за кол(че); **2.** промушвам (се), намушвам (се), набивам (се) на кол; **3.** поставям на карта, рискувам, залагам (**on**); **4.** снабдявам с пари, подкрепям финансово; **to ~ a claim to s.th.** предявявам права (претенции) за нещо.

stalagmite ['stæləgmait] *n минер.* сталагмит.

stale [steil] **I.** *adj* **1.** стар (*за хляб и пр.*); развален, вкиснал (*за храна*); спарен, запарен, нечист (*за въздух*); **2.** изтъркан, овехтял из-

губил свежестта си; **3.** изтъркан, банален, стар, остарял (*за виц, новина и пр.*); **II.** *v рядко* карам (правя) да остарее, изхабявам (се).

stall [stɔ:l] **I.** *n* **1.** (отделение, клетка в) обор, краварник; **2.** сергия, щанд; будка, барака, палатка (*на панаир*), дюкянче; **book ~** щанд за книги; **3.** *театр.* място в партера; **orchestra ~** място на първите редове; **4.** *рел.* трон в църква; **5.** сан на каноник; **6.** *мин.* забой; камера; работно пространство; **7.** кожен (гумен) предпазител за пръст; **8.** намаляване на скорост; спиране; **power ~** *авиац.* загуба на скорост при излитане или при набиране на височина; **II.** *v* **1.** прибирам, държа (*добиче*) в обор; **2.** поставям прегради в (*обор и пр.*); **3.** затъвам; загазвам, запъвам се; **the car was ~ed in the mud** колата затъна в калта; **4.** *авиац.* губя от скоростта си; **5.** спирам, заглъхвам, затихвам (*за двигател*); **6.** *амер., разг.* шикалкавя, усуквам, извъртам; преча на; **7.** отлагам, протакам, изчаквам удобен момент.

stallion ['stæljən] *n* жребец.

stalwart ['stɔ:lwət] **I.** *adj* **1.** здрав, як, строен, добре сложен; **2.** смел, безстрашен, юначен, мъжествен, решителен, непоколебим; **II.** *n* **1.** юначага, смелчак, юнак; **2.** предан член на партия; сигурен (верен, доверен) човек; **one of the old ~** ветеран.

stamen ['steimən] *n бот.* тичинка.

stamina ['stæminə] *n* жилавост, издръжливост, сила, енергия.

staminal ['stæminəl] *adj* тичинков.

stammer ['stæmə] **I.** *v* заеквам, пелтеча, запъвам се; **to ~ out** измънквам; промърморвам, смотолевям, сричам; **II.** *n* заекване, пелтечене, запъване.

stamp [stæmp] **I.** *v* **1.** тропам (*и с about*); тъпча (*с крака*), стъпквам (**on**); удрям земята с копито (*за кон*); **to ~ o.'s foot** тропвам с крак; **2.** щамповам, отпечатвам, удрям печат, подпечатвам, поставям щемпел на; сека (*монета*); **to ~ patterns on** отпечатвам фи-

гурки върху; 3. залепям (слагам) (пощенска) марка (на); 4. разбивам, пулверизирам (*руда и пр*.); *прен*. унищожавам, премахвам; **5.** (*обикн. refl*) запечатвам (се), врязвам (се) (*в паметта*) (on, in); 6. характеризирам, определям (as); his acts ~ the man постъпките характеризират човека; **stamp down** стъпквам, смачквам, сгазвам, утъпквам;

stamp off вървя шумно, крача (стъпвам) тежко;

stamp out 1) стъпквам, потушавам, угасявам; 2) смазвам, потъпквам, потушавам (*въстание, бунт и под*.); справям се с, овладявам (*болест и пр*.); • ~ed out щампован;

II. *n* 1. щемпел, клеймо, пломба, печат, етикетче (*на стока*); подпечатване; a rubber ~ гумен печат; 2. отпечатък; 3. марка; postage ~ пощенска марка; 4. отличителен знак (белег), "печат"; 5. род, вид, категория, манталитет, качество; of the old ~ от старата школа, консерватив; 6. тропот, тропане с крак; 7. *мин*. чукачка, чукална машина.

stamp collector ['stæmpkə'lektə] *n* марколюбител, филателист.

stampede [stæm'pi:d] **I.** *n* паническо бягство, паника; **II.** *v* 1. причинявам паническо бягство; 2. хуквам да бягам; 3. упражнявам натиск, притискам, подтиквам към (into).

stand [stænd] **I.** *v* (stood [stud]) **1.** стоя; стоя прав, стоя (държа се) на краката си; to ~ fast (firm) държа се здраво на краката си; не се клатя; *прен*. държа се, запазвам позициите си, не отстъпвам; не се отказвам (on); **2.** ставам (*обикн. с* up); to ~ erect стоя изправен; изправям се; 3. заставам, спирам се (*обикн. със* still); to ~ still стоя на едно място; не мърдам (*не остарявам*); 4. висок съм (*на ръст*); he ~s about six feet (tall) той е висок около шест фута; 5. оставам на мястото си, запазвам се, задържам се; the house still ~s къщата е още ця-

ла; 6. оставам в сила; в сила (валиден) съм (*и* to ~ good); our offer ~s предложението ни е още в сила; 7. издържам, понасям, търпя, изтърпявам, претърпявам, изтрайвам, устоявам (на), подложен съм (на); to ~ fire *воен*. издържам на огъня на неприятеля; *прен*. издържам на изпитание; he can't ~ jazz той не понася джаз; 8. съм, намирам се (*в дадено положение*); to ~ corrected признавам грешката си; 9. слагам, поставям, турям, изправям; to ~ s.o. in the corner изправям някого в ъгъла (*за наказание*); 10. разглежда ми се (*дело*); he's going to ~ trial on a murder charge ще го съдят за убийство; 11. *разг*. черпя с, почерпвам с, угощавам (*и с* to); let me ~ you a drink! нека те почерпя с едно питие!; 12. заемам стойка (*за ловно куче*); 13. кандидатирам се, кандидат съм; • to ~ a chance имам шансове (изгледи) за успех;

stand around (about) стоя, вися;

stand against противя (съпротивлявам) се;

stand aloof стоя настрана (по-далеч, на известно разстояние);

stand aside 1) дръпвам се настрана, отдръпвам се, отмествам се; отказвам се от нещо в полза на някого; 2) стоя безучастно, не вземам участие;

stand away отдръпвам (отмествам) се;

stand back дръпвам се назад;

stand by 1) стоя без да предприемам нещо, безучастен зрител съм; 2) заставам на страната на, защитавам, поддържам, подкрепям, помагам (на); 3) държа на, придържам се към, спазвам; to ~ by o.'s promise държа на думата си; 4) стоя наблизо, готов съм (да действам), нащрек съм;

stand down излизам (*от свидетелска ложа*); оттеглям се;

stand for 1) застъпвам се за, поддържам, подкрепям; 2) знача, означавам, символизирам; 3) кандидат съм, кандидатирам се (*за служба, депутатско място*); 4)

амер. sl търпя, понасям;

stand forward излизам на преден план;

stand high на почит съм (with);

stand in 1) струвам; 2) участвам в, помагам на; 3) *разг*. замествам някого (for); to ~ in need of имам нужда (нуждая се) от;

stand off 1) стоя на разстояние; отдръпвам, оттеглям (отмествам) се (from); 2) отстранявам от работа, уволнявам временно;

stand on 1) държа (настоявам) на, спазвам строго; 2) *мор*. държа (следвам) същия курс;

stand out 1) излизам напред (from); 2) изпъквам, издавам се напред; 3) държа се, не се предавам, не отстъпвам, противопоставям се (against); 4) стоя настрана, държа се на разстояние, спазвам дистанция; 5) оставам неизплатен; 6) стоя прав по време на представление;

stand over оставам нерешен, отложен съм;

stand to държа на, придържам се към, спазвам;

stand up 1) ставам (from), стоя прав (на крака); 2) звуча правдоподобно, убедително (*за разказ и пр*.);

stand upon настоявам на; защитавам, отстоявам;

II. *n* 1. стойка, стоеж (*воен., спорт*.); 2. спиране, преминаване в неподвижно състояние; 3. съпротива; 4. позиция, място, становище; 5. пиедестал, подставка, подпора, конзола; етажерка; закачалка (*и* hat-~); 6. сергия, щанд; 7. пиаца (*за файтони, таксита*); 8. естрада (*за оркестър*); 9. трибуна (*на хиподрум*); 10. посев; 11. стенд, уредба за изпитване.

standard ['stændəd] **I.** *n* 1. знаме; 2. мерило, критерий; стандарт, норма, мостра, образец; равнище, ниво; ~ of life (living) жизнено равнище; 3. еталон; good ~ златен еталон; 4. стълб, подпора, подставка, стойка; 5. права тръба (*водосточна, за газ*); 6. високостеблено растение (*обикн. роза или овощно дръвче*); 7. отде-

ление (*в начално училище*); **II.**
adj **1.** общоприет, установен, ти-
пов, стандартен, нормален, об-
разцов, класически; ~ **author** кла-
сик; **2.** изправен; ~ **rose** роза с
високо стъбло.
standard-bearer ['stændəd,beərə] *n*
знаменосец.
standardization ['stændədaiˈzeiʃən]
n стандартизация, уеднаквяване,
нормиране, типизиране.
standardize ['stændədaiz] *v* стан-
дартизирам, нормирам, уеднак-
вявам, типизирам.
stand-by ['stændbai] **I.** *n* **1.** опора;
помагало; **2.** негарантирано мяс-
то в самолет; **II.** *adj* запасен, ре-
зервен, помощен.
standee [stænˈdiː] *adj* правостоящ.
stand-in ['stændˈin] *n* **1.** благопри-
ятно положение; **2.** *кино* дубльор,
заместник.
standing ['stændiŋ] **I.** *adj* **1.** който
се отнася до стоене, стоящ, пра-
востоящ, изправен, прав; ~ **room**
място за правостоящи; **2.** постоя-
нен, установен, приет; ~ **commit-
tee** постоянен комитет (присъст-
вие); **II.** *n* **1.** (извоювано) поло-
жение, репутация, реноме, авто-
ритет, вещина, "класа"; **a person
of high** ~ високопоставено лице;
2. времетраене, продължител-
ност; **of long** ~ дългогодишен,
отдавнашен, от дълго време; **3.**
местоположение, местонахожде-
ние.
standpoint ['stændpɔint] *n* стано-
вище, гледище, позиция, гледна
точка.
standstill ['stændstil] *n* спиране,
застой; прекъсване, бездействие.
staphyle ['stæfili] *n анат.* сливица.
staple₁ [steipl] **I.** *n* **1.** скоба; **2.** дупка
в рамката на врата, в която вли-
за езичето на брава (*при заключ-
ване*); **II.** *v* слагам скоба (на).
staple₂ **I.** *n* **1.** основен (важен, гла-
вен) продукт (артикул); **the ~s of
that country** основните продук-
ти, които страна произвежда; **2.**
суров материал, суровина; **3.** ос-
новен елемент (предмет, тема);
it formed the ~ of conversation то-
ва беше главната тема за разго-

вор; **II.** *adj* главен, основен; ~ **di-
et** основна храна; **III.** *v* сортирам
(*вълна и пр.*) по качество.
star [staː] **I.** *n* **1.** звезда; **2.** звезда
(*емблема, орден, значка*); **S.~s
and Stripes** знамето на САЩ; **3.**
полигр. звездичка; **4.** бяло петно
на челото на животно; **5.** *прен.*
съдба, щастие, сполука; **to have
o.'s ~ in the ascendant** звездата
ми изгря, успявам, върви ми; **6.**
звезда, светило, знаменитост; ~
system поставяне на пиеса само
с един-двама известни артисти;
7. *attr* звезден; ~ **witness** главен
свидетел; • **the ~s** хороскоп (*във
вестник, списание*); **II.** *v* (**-rr-**) **1.**
осейвам (украсявам) със звезди;
2. отбелязвам със звездичка; **3.**
изпълнявам главни роли; звезда
съм; **to ~ it** играя главна роля.
starch [staːtʃ] **I.** *n* **1.** кòла; скорбя-
ла; нишесте; **2.** *прен.* скованост,
официалност; **3.** *attr* нишестен,
скован, официален; **II.** *v* колос-
вам.
stare [steə] **I.** *v* **1.** гледам втренче-
но (вторачено), вглеждам се, взи-
рам се, втренчвам се, вторачвам
се, заглеждам (се), зазяпвам се
(**at, upon**); пуля се, опулвам се,
блещя се, облещвам се, кокоря
се, ококорвам се; опулен (обле-
щен, ококорен) съм (*за очи*); **to
~ sb. up and down** измервам ня-
кого с поглед; **2.** *рядко* изпъквам,
бия на очи, явен (очевиден, оче-
биен, очеваден) съм; **II.** *n* втрен-
чен (вторачен) поглед, опулени
(облещени, ококорени) очи.
stark [staːk] **I.** *adj* **1.** вкочанен, из-
стинал (*за труп*); **2.** абсолютен,
пълен, чист; **3.** *поет.* силен, ре-
шителен, непоколебим, непрек-
лонен, твърд, упорит; **4.** гол; **II.**
adv напълно, изцяло; • ~ **mad**
луд за връзване.
starlight ['staː,lait] **I.** *n* звездна свет-
лина; **II.** *adj* звезден; ~ **night** звез-
дна нощ.
starry ['staːri] *adj* **1.** звезден; **2.** ярък,
сияещ като звездите; грейнал,
светнал (*за очи, поглед*).
start [staːt] **I.** *v* **1.** тръгвам, потег-
лям, поемам, упътвам се (**for**);

почвам, начевам (**on**); **to ~ on a
journey** тръгвам на път; **2.** пус-
кам, привеждам в движение (*ма-
шина*), запалвам (*мотор*), пус-
кам (*влак*); **3.** пускам в обраще-
ние, лансирам; слагам началото
на, създавам, основавам (*тър-
говско предприятие и пр.*); за-
палвам (*огън*), откривам (*под-
писка*); причинявам (*труднос-
ти, пожар и пр.*); повдигам (*въп-
рос, възражение*); **4.** карам, на-
карвам; **to ~ sb. thinking** карам
някого да се замисли; **5.** почвам,
започвам, залавям се за; **to ~
from scratch** почвам отначало
(от нищо); **6.** помагам някому да
почне работа; **7.** скачам; **to ~ to
o.'s feet** скачам на крака; **8.** треп-
вам, сепвам се, стряскам се; **to
~ from o.'s sleep** стряскам се на
сън; **9.** уплашвам се, изправям се
на задните си крака (*за кон*); **10.**
изплашвам, подплашвам (*ди-
веч*); **11.** пускам (*състезатели*);
12. изскачам; **his eyes ~ed from
their sockets** очите му изскочи-
ха; **13.** разхлабвам, охлабвам; из-
мятам се; **14.** *авиац.* излитам, из-
дигам се; **15.** *мор.* изливам (*спир-
тно питие*) от бъчва;
start away отдалечавам се;
start back 1) дръпвам се, стъпис-
вам се, отскачам назад; 2) тръг-
вам обратно;
start in 1) почвам, започвам; 2) ка-
рам се, заяждам се, натяквам,
опявам (**on**);
start off 1) почвам; 2) тръгвам (си),
отивам (си); 3) слагам началото
на, подтиквам към, подкрепям в
началото (*за начинание*); • **to ~
s.o. off on a fool's errand** пращам
някого за зелен хайвер;
start on отправям се, потеглям (за
превозно средство);
start out 1) потеглям, поемам (**for**);
2) *разг.* заемам се, залавям се;
поставям си за цел; *амер.* започ-
вам, почвам (*за кариера*); 3) по-
магам на някого в някакво начи-
нание; 4) появявам се, избивам
(*за пот*);
start over започвам отново, отна-
чало;

start up 1) скачам; 2) изниквам; възниквам, появявам се, пораждам се; 3) пускам, привеждам в действие (*машина*), запалвам (*мотор*); завъртам (*перка на самолет*); 4) възбуждам, предизвиквам, пораждам; **start with** почвам с; **to ~ with** преди всичко; първо (*при изреждане*); **II.** *n* 1. трепване, сепване, стряскане; **to wake with a ~** събуждам се внезапно; 2. тръгване, потегляне, начало, почване; **clean ~** почване от нулата; 3. *спорт.* старт; **false ~** неправилен старт (*при конно надбягване*); *прен.* несполучлив опит; 4. предимство; **to get the ~ of** изпреварвам, вземам преднина пред; 5. пускане, привеждане в движение (*на машина*), запалване (*на двигател*); 6. *авиац.* излитане; • **for a ~** преди всичко, първо за първо, като начало.

starter ['stɑ:tə] *n* 1. състезател, участник в състезание; кон, който взема участие в надбягване; 2. стартер, пусково устройство; 3. *разг.* апертив, ордьовър, предястие.

starting ['stɑ:tiŋ] **I.** *n* пускане в ход, пусков режим; **II.** *adj* пусков.

startle [stɑ:tl] *v* 1. сепвам, стряскам, изплашвам, уплашвам; разтревожвам; слисвам, поразявам, удивлявам, учудвам; 2. разтърсвам, потрисам; **to ~ a person out of his apathy** изваждам някого от състоянието на апатия.

startling ['stɑ:tliŋ] *adj* потресаващ, поразителен, изумителен; обезпокоителен, тревожен; ◇*adv* **startlingly.**

starvation [stɑ:'veiʃən] *n* 1. глад, гладуване; умиране от глад; **to die of ~** умирам от глад; 2. дефект вследствие на недостиг на материал (в покритие).

starve [stɑ:v] *v* 1. умирам от глад (*и прен.*); гладувам, търпя лишения; **to be starving** умирам, жадувам, копнея (**for**); *разг.* гладен съм; 2. уморявам от глад (*и* **to s.o. ~ to death**); държа гладен, лишавам; (**of**) 3. умъртвявам, убивам, атрофирам (*чувство и пр.*);

4. *остар.* умирам (премалявам) от студ; 5. спирам поради липса на гориво (*за двигател*).

starving ['stɑ:viŋ] *adj* гладен, изгладнял, гладуващ.

stash [stæʃ] *v sl* 1. събирам, спестявам, натрупвам, скривам (*и* **~ away**); 2. прекратявам.

state₁ [steit] **I.** *n* 1. състояние, положение, условия; **~ of health** здравословно състояние; **~ of mind** душевно състояние; 2. положение, пост, чин, сан, ранг; 3. великолепие, разкош, пищност, блясък, церемониалност, тържественост; **in (great) ~** много тържествено; 4. *остар.* трон (*и* **chair of ~**); балдахин над трон; **II.** *adj* официален, параден, тържествен; **~ ceremony (visit)** официално тържество (посещение); **III.** *v* 1. излагам, предлагам, изразявам, изказвам, казвам, изявявам, заявявам, представям, съобщавам, обявявам, формулирам; **to ~ o.'s view** излагам гледището си (**on**); 2. определям, посочвам, уговарям, уточнявам; **please, ~ your name and address** моля, посочете вашето име и адрес; 3. *мат.* формулирам, изразявам с условни знаци.

state₂ *n* 1. (S.) държава; **matters of S.** държавни дела; 2. щат; **the United States of America** Съединените (северноамерикански) американски щати; **II.** *adj* 1. държавен; **~ service** държавна служба; 2. (*в САЩ*) който се отнася до отделен щат (*за разлика от* **federal**).

stated ['steitid] *adj* определен, установен, уговорен; редовен; **at ~ intervals** на определени срокове.

stately ['steitli] *adj* величествен, величав, бляскав, блестящ, великолепен; тържествен, грандиозен; внушителен; достоен, достолепен.

statement ['steitmənt] *n* 1. излагане, изразяване, казване; изказване, твърдение, изявление, изложение; формулировка; **to make a ~** правя изявление; 2. свидетелско показание; 3. официален отчет,

бюлетин; 4. *изч.* оператор.

statesman ['steitsmən] *n* (*pl* **-men**) 1. държавник; *амер.* политик, политически деец; 2. *диал.* дребен земевладелец.

statesmanlike ['steitsmənlaik] *adj* държавнически.

static(al) ['stætik(əl)] *adj* статичен, неподвижен, в състояние на покой, стационарен.

station ['steiʃən] **I.** *n* 1. място, пост, позиция, положение, пункт; станция; **experiment ~** опитна станция; **police ~** полицейски участък; 2. железопътна станция, гара (*и* **railway ~**); **through ~** гара, на която не спират бързи влакове; 3. спирка (*автобусна и пр.*); 4. *австр.* овцевъдна ферма, пасище за овце; 5. военна база; военноморска база (*и* **naval ~**); 6. обществено положение, сан, звание, чин, професия, занаят, работа; **~ in life** обществено положение; 7. *бот., зоол.* естествена среда; ареал; 8. *attr* станционен; **II.** *v* 1. поставям (*на определено място*), настанявам; 2. *воен.* поставям на пост(ове), разставям, настанявам, разквартирувам; **to ~ a guard** поставям караул.

stationary ['steiʃnəri] **I.** *adj* 1. неподвижен, застанал на едно място, установен, постоянен; **~ population** постоянно население; 2. закрепен на едно място, непреносим; **~ engine** машина, закрепена на едно място; 3. инертен, неподвижен, в застой; който не се развива; **II.** *n pl* войски, установени на дадено място.

statistical [stə'tistikəl] *adj* статистичен, статистически; ◇ *adv* **statistically.**

statistician [,stætis'tiʃən] *n* статистик.

statistics [stə'tistiks] *n pl* (= *sing*) статистика; **~ of variables** статистика по количествени признаци.

statuary ['stætjuəri] **I.** *adj* скулптурен, ваятелски; **II.** *n* 1. скулптура, ваятелство; 2. скулптор, ваятел.

statue ['stætju:] *n* статуя.

stature ['stætʃə] *n* ръст, височина,

статура; **tall of ~** висок на ръст.
status [ˈsteitəs] *n* **1.** (обществено) положение, ранг, чин; **people of medium ~** средна ръка хора; **2.** *юр.* правно или фактическо положение; • **the ~ quo** статукво.
statute [ˈstætjuːt] *n* **1.** статут, закон, законодателен акт; **declaratory, general, public, private ~** декларативен, общ, публичен, частен статут; **2.** постановление, указ; **3.** *pl* устав, правилник; **4.** *библ.* Божествен закон.
staunch [stɔːntʃ] *adj* **1.** верен, твърд, предан, непоколебим, лоялен; **2.** здрав, устойчив; ◇ *adv* **staunchly**.
stay [stei] **I.** *v* **1.** стоя, оставам; **to ~ put** оставам на мястото си, не се мърдам от мястото си; оставам, както съм си; **2.** отсядам, настанявам се (**at**); престоявам, прекарвам, гостувам (**with**); **to be ~ing in** (**at**) **a hotel** отседнал съм в хотел; **3.** *книж.* спирам, възпирам, овладявам, задържам; **to ~ o.'s hand** въздържам се от нещо; **4.** *юр.* прекратявам, преустановявам, отлагам, прекъсвам; *остар.* спирам се, чакам, бавя се (*главно в* imper.); **6.** *спорт.* проявявам издръжливост;
stay away не отивам, не идвам, не се явявам;
stay behind оставам (*не замина- вам, не напускам*);
stay down 1) стоя долу, не се надигам; **2)** стачкувам (*в мина*);
stay in стоя (оставам) вкъщи, не излизам; оставам в училище след часовете като наказание;
stay on продължавам да стоя, не си отивам, не заминавам;
stay out 1) стоя отвън; стоя настрана (**of**); **2)** не се връщам у дома си; не се прибирам, отсъствам; **3)** оставам след (*други гости*); оставам до (*края на*);
stay over оставам (*някъде*);
stay up 1) стоя до късно, не си лягам; **2)** подпирам;
II. *n* **1.** престой, прекарване; пребиваване, спиране, отсядане; **to make a short** (**long**) **~** прекарвам се за кратко (дълго) време (**in**); **2.** спиране, възпиране, овладяване,

обуздаване, укротяване, ограничаване; **3.** ограничение, пречка, спирачка; **4.** *юр.* отлагане, прекратяване на съдопроизводство, отсрочка; **5.** издръжливост; **6.** опора, подкрепа; **7.** *pl* корсет (*и* **pair of ~s**).
stay-at-home [ˈsteiəthoum] *n* домосед, домошар, къщна птица.
staying power [ˈsteiiŋˌpauə] *n* издръжливост, жилавост, жизненост.
steadfast [ˈstedfaːst] *adj* постоянен, твърд, непоколебим, решителен, устойчив; траен; **~ gaze** втренчен поглед; ◇ *adv* **steadfastly**.
steading [ˈstediŋ] *n* ферма, чифлик.
steady [ˈstedi] **I.** *adj* **1.** отмерен, равномерен, еднакъв; постоянен, системен, планомерен, редовен; методичен, непрекъснат, непрестанен; неотклоним; **~ climate** (**wind**) постоянен климат (вятър); **~ movement** непрекъснато движение; **2.** здрав; устойчив, стабилен; **a ~ foundation** здрава основа; **3.** твърд, непоклатим, непоколебим; верен, сигурен; **~ hand** твърда (сигурна) ръка; *прен.* здрава ръка; **4.** спокоен, улегнал, уталожен, разсъдлив, трезв, сериозен, солиден, с добро поведение; **5.** трудолюбив, прилежен, усърден; ◇ *adv* **steadily**; **II.** *v* **1.** закрепвам (се), уравновесявам (се), преставам да се клатя (да треперя, да мигам – *за светлина*); стабилизирам се; **to ~ o.'s hand** ръката ми престава да трепери; **2.** успокоявам (се); уталожвам (се); **to ~ s.o.'s nerves** успокоявам нервите на някого; **3.** вразумявам (се), улягам, установявам се, уталожвам се (*и с* **down**); **4.** обуздавам, усмирявам, укротявам (*кон*); **5.** забавям (*темпо*); **III.** *n* амер., разг.* гадже.
steal [stiːl] **I.** *v* (**stole** [stoul]; **stolen** [ˈstoulən]) **1.** крада, открадвам (*и прен.*); **I have had my car stolen** откраднали са ми колата; **2.** придобивам тайно, чрез изненада (коварство); **to ~ a way into sb.'s heart** влизам под кожата на някого; **3.** движа се тихо, крадеш-

ком; прокрадвам се, промъквам се; **he stole into the room** той се промъкна в стаята; • **to ~ a ride** возя се (пътувам) без билет;
steal along движа се крадешком, прокрадвам се;
steal away 1) измъквам се; **2)** открадвам, отвличам, отмъквам;
steal back промъквам се обратно;
steal by промъквам се;
steal in вмъквам се; промъквам се;
steal out измъквам се незабелязано;
steal up приближавам се крадешком (**to**);
steal upon изненадвам;
II. *n* **1.** сполучлив удар (*при голф*); **2.** сполучлива, евтина покупка.
stealthy [ˈstelθi] *adj* таен, потаен, скришен, "откраднат", тих, безшумен; предпазлив, плах, боязлив; **~ glance** плах поглед; ◇ *adv* **stealthily**.
steam [stiːm] **I.** *n* **1.** пàра, омара, изпарение; *прен., разг.* енергия, сила; **under ~, with~ up** под пара; **2.** *sl* възторг, ентусиазъм; **3.** *attr* парен, паров; **II.** *v* **1.** пускам пара; издигам се във вид на пара; **2.** движа се с пара; пътувам, плувам; **the ship ~ed away** корабът се отдалечи; **3.** *разг.* работя енергично, напредвам много, "пердаша" (**ahead, away**); **4.** сготвям на пара; **5.** паря, запарвам, напарвам, попарвам; **6.** изпускам пара (*за животно*);
steam away изпарявам се;
steam over изпотявам се (*за прозорци, очила и пр.*).
steamer [ˈstiːmə] *n* **1.** параход; **2.** съд за готвене на пара.
steel [stiːl] **I.** *n* **1.** стомана, челик; (**as**) **true as ~** верен до смърт, напълно предан; **2.** острило; **3.** огниво (*и* **flint and ~**); **4.** *поет.* меч, шпага; **cold ~** хладно оръжие; **5.** *attr* стоманен, челичен, железен; **6.** *attr* твърд като стомана, коравосърдечен, жесток; **II.** *v* **1.** покривам със стомана, слагам железен накрайник на; **2.** калявам, закалявам (*и прен.*).
steely [ˈstiːli] *adj* **1.** стоманен, твърд като стомана; **2.** суров, безсърдечен, безжалостен, безмилостен,

твърд, непреклонен.

steep₁ [sti:p] I. *adj* 1. стръмен; ◇*adv* **steeply**; 2. прекален, прекомерен, върл, извънреден, краен; неразумен, непоносим; невероятен; "солен" (*за цена*); II. *adv* стръмно; III. *n* поет. стръмнина.

steep₂ I. *v* 1. топя, топвам, натопявам, потопявам, потапям; кисна, накисвам, мокря, намокрям; напоявам, импрегнирам, насищам (in); to be ~ed in тъна в, предавам се всецяло на; 2. мия в луга; II. *n* 1. топене, натопяване; киснене, накисване; 2. течност, в която се натопява (кисне, накисва) нещо.

steer [stiə] *v* 1. управлявам, карам, насочвам, направлявам (*кораб, шейна; велосипед*); 2. насочвам (се), упътвам се (*u* to – o.'s course), плувам (for); to ~ the conversation опитвам се незабелязано да променя темата на разговора.

steering-wheel ['stiəriŋwi:l] *n* щурвал, кормилно колело.

steersman ['stiəzmən] *n* кормчия, щурман.

stem₁ [stem] I. *n* 1. ствол; стъбло, стрък; 2. дръжка (*на плод, цвете, лист*); 3. столче (*на винена чаша*); 4. тръбица на лула; 5. ос (*на джобен часовник*); 6. *език.* корен на дума; ~ vowel коренна гласна; 7. род, племе, произход, потекло; II. *v* (-mm-) произлизам, произхождам, родом съм (from, out of).

stem₂ *v* (-mm-) 1. заприщвам, заграждам, спирам, възпирам, задържам; 2. движа се (напредвам) срещу (*течението*), съпротивлявам се на.

stench [stentʃ] *n* воня, смрад, зловоние.

stenographic [,stenə'græfik] *adj* стенографски.

stenography [sti'nɔgrəfi] *n* стенография.

step [step] I. *n* 1. стъпка; ~ by ~ стъпка по стъпка, постепенно, на етапи; 2. звук от стъпки; вървеж, походка; 3. следа (*от крак*); 4. стъпка (*при танц*); 5. стъпка, постъпка, мярка; a false ~ пог-

решна стъпка (ход); 6. стъпало (*u на стълба, кола*); праг, място, където може да се стъпи; 7. *pl* (подвижна) стълба (*u* pair of ~s); 8. степен (*при повишение*); 9. гнездо (*на стълб, мачта*); 10. *ел.* синхронизъм; II. *v* (-pp-) 1. стъпвам, ходя, вървя, крача; to ~ lightly стъпвам леко; 2. правя стъпки (*при танц*); 3. слагам (*мачта*) в гнездото й;

step across отбивам се (*при някого на гости*) (to);

step aside дръпвам се настрана, отмествам се; *прен.* отстъпвам, отклонявам се;

step away дръпвам се, отдръпвам се, отмествам се;

step back дръпвам се назад, отстъпвам, връщам се;

step down 1) *ел.* намалявам, понижавам (*напрежение с трансформатор*); 2) оттеглям се, напускам, признавам се за победен, отстъпвам от позициите си; 3) слизам (*от превозно средство*); 4) напускам свидетелска ложа;

step forward излизам напред, на преден план;

step high вдигам краката си високо (*за кон – при препускане*);

step in(to) 1) влизам, качвам се; нагазвам; to ~ into a boat качвам се на лодка; 2) намесвам се;

step on 1) настъпвам (*u* to ~ on the foot of); 2) качвам се (*u* to ~ on to);

step out 1) излизам (за малко); 2) вървя с едри крачки; тръгвам по-бързо, забързвам; 3) измервам с крачки; 4) *амер., разг.* веселя се; водя активен социален живот;

step outside излизам;

step up 1) приближавам се (to); 2) придвижвам напред; 3) увеличавам, ускорявам; *ел.* повишавам напрежение с трансформатор; 4) бивам повишен (*в службата*).

step-like ['step,laik] *adj* стъпалообразен, стъпаловиден.

stepmother ['step,mʌðə] *n* мащеха.

steppe [step] *n геогр.* степ.

stereotype ['steriətaip] I. *n* стереотип; II. *adj* стереотипен; III. *v* 1. стереотипирам; 2. печатам със

стереотип; 3. *прен.* оформям, придавам окончателна форма (на); шаблонизирам.

stereotyped ['steriətaipt] *adj* неизменен, стереотипен, шаблонен, изтъркан, банален, точно повторен.

sterile ['sterail] *adj* 1. *биол.* стерилен, безплоден; който не ражда, ялов; 2. безрезултатен; 3. стерилен, стерилизиран; обеззаразен; 4. сух, безсъдържателен, безиден, неинтересен.

sterility [ste'riliti] *n* безплодност, яловост, стерилност, безплодие, стерилитет.

sterilizator [,sterilai'zeitə] *n* стерилизатор.

sterilize ['sterilaiz] *v* 1. обеззаразявам, стерилизирам; 2. *мед.* изкуствено премахвам възможността за възпроизводство; стерилизирам.

sterling ['stə:liŋ] I. *adj* 1. пълноценен, истински, чист; of ~ gold от чисто злато; 2. солиден, стабилен, здрав, сигурен, надежден, верен; a ~ fellow човек, на когото може да се разчита; II. *n* фунт стерлинг, лира стерлинг.

stern₁ [stə:n] *adj* строг, суров, неприветлив, отблъскващ, корав, неумолим, неотстъпчив, непреклонен, твърд; ~ measures строги мерки; ◇*adv* sternly.

stern₂ *n* 1. *мор.* кърма; ~ on с кърмата напред; 2. задник, задна част; 3. опашка (*особ. на куче лисичар*); 4. *attr* заден.

stethoscope ['steθəskoup] *n* стетоскоп.

stew [stju:] I. *v* 1. задушавам (*ядене*); варя на тих огън; къкря; the tea is ~ed чаят е станал много силен; 2. *разг.* увирам, сварявам се (от горещина), топя се, много ми е горещо; 3. *sl* зубря; II. *n* 1. задушено, рагу, яхния; 2. *разг.* безпокойство, угриженост, вълнение, тревога; in a ~ неспокоен, като на тръни.

sthenic ['sθenik] *adj* енергичен, бурен, силен; ~ fever силна треска.

stick [stik] I. *v* (**stuck** [stʌk]) 1. бода, боцвам, забождам, набождам,

пробождам; нанизвам, пронизвам; мушкам, мушвам, наръгвам, ръгам, забивам, забучвам, натиквам, затъквам, натъквам, набивам; пъхам, напъхвам, вмъквам, вкарвам; to ~ **the spurs in** забивам шпори; **2.** коля, заколвам; **to ~ pigs** ходя на лов за диви свине (*на кон и с копие*); **3.** *разг.* бутвам, набутвам, тиквам, мушвам, слагам, поставям; **to~ in a few commas** слагам няколко запетаи; **4.** лепя (се), залепвам (се); прилепвам (се), прилепнал съм (то); лепкав съм; to ~ **a label on** залепвам етикет; **5.** забивам се (*за игла, стрела и под.*); набождам се (**in, into**); **6.** стоя, оставам, "кисна"; to ~ **in the mind** оставам в съзнанието; **7.** заставам, запирам; to ~ **in the mud** затъвам в калта; *прен.* изоставам от времето си; **8.** стърча, подавам (се), показвам (се); **9.** *разг.* търпя, изтърпявам, понасям; **10.** озадачавам, затруднявам, смущавам; **11.** подпирам (*растение*) с пръчка, забивам пръчка (*до растение, за да се увива около нея*); **12.** *полигр.* набирам; **13.** *sl* мамя, измамвам; **stick around** *sl* навъртам се, не напускам; стоя наблизо;

stick at 1) не се отказвам от, продължавам упорито с; 2) имам скрупули, колебая се;

stick by 1) поддържам, подкрепям, защитавам някого (*особено, когато е в затруднение*); 2) спазвам, придържам се към (*за принципи, обещание и пр.*).

stick down 1) залепвам; 2) *разг.* написвам, записвам; 3) *разг.* слагам, поставям;

stick in 1) лепя, залепям, лепвам; 2) вмъквам; пъхам; 3) стоя си у дома, не излизам;

stick on 1) *разг.* прибавям; 2) лепя се (на);

stick out 1) подавам (се), показвам (се), стърча, изпъквам; пъча, изпъчвам; 2) *разг.* издържам, изтърпявам, изтрайвам;

stick to 1) залепвам (се) за; 2) държа на, придържам се към, оставам верен на;

stick together 1) залепям; 2) поддържаме се;

stick up 1) залепям (*обява*); 2) подавам се, показвам се, стърча (*нагоре*); 3) карам нещо да щръкне; 4) *sl* озадачавам, забърквам, стъписвам, смайвам, сащисвам; 5) *sl* спирам, тероризирам с цел грабеж;

stick up for застъпвам се за, защитавам, браня;

stick up to опъвам се, противопоставям се, съпротивлявам се, противя се, не се подчинявам;

stick with оставам при, оставам верен на; **to be stuck with** не мога да се отърва от;

II. *n* **1.** пръчка; клонче, клечка, съчка; стрък, стръкче (**of**); прът, бастун; ~ **of chocolate** блокче шоколад; **2.** *полигр.* компас (*и composing-*~); **3.** *муз.* диригентска палка; **4.** *мор., шег.* мачта, прът; **5.** сух (скучен, скован) човек; **6.** бодване, пробождане, мушване, промушване, ръгане; ● **to live in the** ~ *разг.* живея в затънтено място (далеч от цивилизацията).

sticky ['stiki] *adj* **1.** лепкав, леплив, влажен; **2.** вискозен (*за мазилно вещество*); **3.** *разг.* неотстъпчив, педантичен; нелюбезен; **4.** *разг.* мъчителен, опасен, труден, деликатен (*за положение*).

stiff [stif] **I.** *adj* **1.** корав, твърд, нееластичен; плътен, гъст; остър (*за брада*); вдървен, вкочанен, схванат; колосан; **to make** ~ сковавам (*за лед*); **2.** който не се движи свободно (*заяжда, запъва, закучва се*); твърд (*за перо и пр.*); ~ **lock** ключалка, която заяжда; **3.** твърд, решителен, категоричен, непреклонен, непоколебим, неотстъпчив, упорит, инат, твърдоглав; ~ **denial** решителен отказ; твърдо "не"; **4.** скован, схванат, вдървен, принуден, неестествен, дървен; официален, резервиран, студен; високомерен, надменен, надут, важен; тежък, спънат (*за израз*); ъгълест, остър, ъгловат (*за почерк*); **5.** мъчен, тежък, труден; ~ **examination** труден изпит; **6.** режещ, силен (*за

вятър, питие*); **7.** ожесточен (*за сражение*); **to put up a ~ resistance** съпротивлявам се ожесточено; **8.** гъст, лепкав; ~ **dough** клисаво тесто; **9.** *sl* несправедлив; много висок, "безбожен" (*за цена*); ◇ *adv* **stiffly; II.** *n sl* **1.** книжни пари; **2.** *разг. амер.* труп.

stiffen ['stifn] *v* **1.** втвърдявам (се), вкоравявам (се), сгъстявам (се), придавам твърдост (на); ставам по-твърд; колосвам (*и* to ~ **with starch**); **2.** усилвам (се); укрепвам; **3.** настръхвам, наежвам се.

stiff-necked ['stif'nekt] *adj* упорит, твърдоглав, инат.

stiffness ['stifnis] *n* **1.** коравост, нееластичност; твърдост; **2.** съпротивление на деформация.

stifle [staifl] *v* **1.** потъквам, потушавам, смазвам (*въстание*); убивам, премахвам, ликвидирам; **2.** гася, угасям (*огън*); сподавям (*стон и пр.*), сдържам, спирам (*плач и пр.*); **3.** душа, задушавам (се), удушавам; **4.** потулвам, замазвам.

stifling ['staifliŋ] *adj* душен, задушлив, горещ, жарък.

stigma ['stigmə] *n* **1.** позор, петно; **to put a ~ on** опозорявам, лепвам петно на; **2.** *истор.* стигма, белег, печат, поставен с нажежено желязо; клеймо, дамга; **3.** *анат.* петно, пора (*pl* stigmata); **4.** *pl* (stigmata) *рел.* белези, подобни на раните на Иисус Христос; **5.** *зоол.* стигма.

stigmatize ['stigmətaiz] *v* петня, опетнявам, позоря, опозорявам, окалвам, дамгосвам, клеймя, заклеймявам (**as**).

still [stil] **I.** *adj* **1.** тих, спокоен, мирен, неподвижен, застоял; **to stand** ~ стоя неподвижно; **2.** безшумен, стихнал; ~ **hunt** *амер.* приближаване крадешком (*до дивеч*); *прен.* политически интриги; **3.** който не искри (не се пени) (*за вино*); негазиран; **II.** *n* **1.** *поет.* тишина, покой, безмълвие; (**in**) **the** ~ **of night** (сред)нощната тишина; **2.** (фотографска) снимка; *кино* кадър; **III.** *v* **1.** успокоявам, умирявам, утешавам, укротявам, уто-

лявам (*глад*); **2.** *рядко* успокоявам се, утихвам; **IV.** *adv* **1.** още, все още, както преди; **2.** все пак, въпреки това, от друга страна; **3.** още (*при сравняване*); ~ **more** още повече.

stimulant ['stimjulənt] **I.** *adj* стимулиращ, възбуждащ; **II.** *n* **1.** възбуждащо, стимулиращо средство; алкохолна напитка; стимулант, дразнител; **2.** *рядко* подбуда, подтик, стимул.

stimulate ['stimjuleit] *v* **1.** подбуждам, подтиквам, тласкам, насърчавам, стимулирам; дразня, възбуждам; **2.** поощрявам, насърчавам.

stimulation [,stimju'leiʃən] *n* **1.** подбуждане, подтикване, стимулация, стимулиране, възбуждане; **2.** поощрение, насърчение, насърчаване.

stimulus ['stimjuləs] *n* (*pl* -**li** [-lai]) **1.** подбуда, подтик, стимул, влияние, вътрешен тласък; **under the** ~ **of** под влиянието на; **2.** стимулатор, възбуждащо средство.

sting [stiŋ] **I.** *v* (**stung** [stʌŋ]) **1.** жиля, ожилвам (*за пчела, оса и под.*); парвам, опарвам (*за коприва*); причинявам (остра) болка; жуля, "щипя"; **2.** смъдвам, жегвам, уязвявам, обиждам, оскърбявам, засягам, огорчавам, наранявам; мъча, измъчвам; **it** ~**s me to the heart (to the quick)** това ме засяга дълбоко; **3.** смъди (*за част от тялото*); **my eyes were** ~**ing** очите ме смъдяха; **4.** *sl* "оскубвам", обирам (парите); **II.** *n* **1.** жило; **2.** ужилване, опарване (*от коприва*); **3.** (остра) болка, смъдване; ~**s of conscience** угризения на съвестта; **4.** язвителност, хапливост, жлъчност, жегване; **5.** сила.

stingy ['stindʒi] *adj* **1.** скъпернически, стиснат; **2.** оскъден, мизерен, беден.

stink [stiŋk] **I.** *v* (**stank** [stæŋk]; **stunk** [stʌŋk]) **1.** воня, смърдя (**of**); **2.** *sl* мириша, помирисвам, надушвам, познавам по миризмата; **II.** *n* **1.** воня, зловоние, смрад; **to create (make, raise) a** ~ *прен.* протестирам, изразявам публич-

но недоволството си, роптая; **2.** *pl sl уч.* химия.

stinking ['stiŋkiŋ] *adj* зловонен, вонящ, смърдящ, смрадлив; *прен. sl* ужасен, мръсен, отвратителен.

stint [stint] **I.** *v* **1.** скъпя, свиди ми се, не ми се дава; ограничавам; **2.** *остар.* преставам; **II.** *n* **1.** ограничаване, ограничение; **2.** уговорена работа; урок; **I've done my** ~ свърших си работата; **3.** мярка, дажба; **4.** промеждутък време, период, срок.

stintless ['stintlis] *adj* щедър, безрезервен, всеотдаен; ◇ *adv* **stintlessly.**

stipulate ['stipjuleit] *v* уговарям, поставям като условие, определям, уреждам; **at the time** ~**d** в уреченото време.

stipulation [,stipju'leiʃən] *n* **1.** уговаряне; **2.** стипулация, условие, споразумение, спогодба, клауза.

stir₁ [stə:] **I.** *v* (-**rr**-) **1.** раздвижвам (се), движа (се), помръдвам (се), мърдам (се), размърдвам (се), шавам, разшавам (се); **not to** ~ **an eyelid** не мърдам; **2.** бъркам, разбърквам, размесвам; размътвам, мътя; **3.** вълнувам, развълнувам, раздвижвам, възбуждам; покъртвам, трогвам; **to** ~ **sb.'s pulses** развълнувам някого; **4.** пораждам се, възниквам; **stir up** 1) разбърквам, размесвам, разклащам, разтърсвам, размътвам; 2) възбуждам, предизвиквам, пораждам, причинявам; раздухвам, подклаждам, подбуждам, подтиквам (**to**); **to** ~ **up curiosity** предизвиквам любопитство; 3) раздвижвам, съживявам, оживявам; ободрявам; **II.** *n* **1.** движение; **2.** бъркане, ръчкане; **to give the fire a** ~ разбърквам огъня; **3.** раздвижване; шетня, суетене; щуране; уплаха, объркване; вълнение, възбуда; сензация, шум; врява, дандания; **to create a** ~ предизвиквам сензация.

stir₂ *n sl* пандиз; дранголник.

stirrer-up ['stə:rər'ʌp] *n* виновник; причинител; подстрекател (**of**).

stirring ['stə:riŋ] **I.** *adj* **1.** зает, деен, активен, енергичен; **2.** вълну-

ващ, стимулиращ, ободрителен; **II.** *n* движение; разместване; бъркане, разбъркване, разклащане.

stitch [stitʃ] **I.** *n* **1.** бод; **long** ~ едър шев; **2.** бримка; **3.** плетка (*u* **knitting** ~); **4.** *мед.* бодеж, остра болка; **II.** *v* шия.

stock [stɔk] **I.** *n* **1.** *фин.* капитал на дружество, основен капитал (*u* **joint** ~); акции, държавен заем; *pl* **the** ~**s** държавни ценни книжа; **2.** запас, фонд, наличност (**of**); **basic word** ~ основен речников фонд; **3.** род, раса, семейство, порода, сорт, джинс, сой; **of good** ~ от добро семейство, от сой; **4.** дръжка; **5.** приклад, ложа на оръжие (пушка) (*u* **gun** ~); **6.** подпора, опора, подставка; *pl* греди, върху които почива кораб в строеж; скеле; *прен.* в подготвителна фаза; **7.** *рядко* ствол, стъбло, дънер, пън, коренище; **8.** суров материал; **9.** бульон (*u* **soup** ~); **10.** *биол.* колония, сложен организъм; **11.** парк (*от коли*); подвижен състав; **12.** *разг.* интерес; **to set** ~ **by** интересувам се от, ценя; **II.** *v* **1.** снабдявам, обзавеждам; **to** ~ **a pond with fish** зарибявам езеро; **2.** имам на склад, продавам; **3.** затревявам; **4.** слагам приклад (ложа) на пушка; **III.** *adj* **1.** (винаги) на разположение; наличен, на склад; **2.** постоянен изтъркан, неоригинален, банален, шаблонен; ~ **joke** банална шега.

stockholder ['stɔk,houldə] *n* акционер.

stock market ['stɔk,ma:kit] *n* фин. фондова борса; фондови сделки.

stock-out ['stɔkaut] *n* липса, недостиг.

stockpile ['stɔkpail] *n* запас, резерв(а).

stock raising ['stɔk,reiziŋ] **I.** *n* скотовъдство, животновъдство; **II.** *adj* скотовъдски, животновъдски.

stock-taking ['stɔk,teikiŋ] *n* **1.** инвентаризация; **2.** преглед на постигнатото; отчет.

stocky ['stɔki] *adj* набит, як, здрав.

stoic ['stouik] *филос.* **I.** *n* стоик; **II.** *adj* стоически (*u* **stoical**); ◇ *adv* **stoically** ['stouiəkəli].

stoicism ['stouisizəm] *n филос.* стоицизъм.

stoker ['stoukə] *n* огняр.

stolid ['stɔlid] *adj* 1. флегматичен, безстрастен, безжизнен, отпуснат; 2. тъп, безчувствен; 3. упорит; ◇ *adv* **stolidly**.

stolidity [stɔ'liditi] *n* 1. флегматичност, безстрастност, безжизненост, отпуснатост; 2. тъпота, безчувственост; 3. упоритост.

stomach ['stʌmək] I. *n* 1. стомах; *разг.* корем, търбух, шкембе; 2. апетит, охота, вкус, наклонност, склонност, желание (for); **to have no ~ for** нямам вкус (желание) за; 3. *остар.* смелост, кураж, сърцатост, мъжество, юнащина, юначество; II. *v* 1. ям с апетит, услажда ми се; 2. търпя, понасям, преглъщам, "смилам".

stone [stoun] I. *n* 1. камък; **precious ~** скъпоценен камък; 2. камък (*като материал и мед.*); каменна плоча; паве; 3. зърно град; 4. костилка, кокичка; 5. *pl остар.* тестикули; II. *v* 1. замервам (убивам, пребивам) с камъни; 2. зиждам, облицовам с камъни; слагам каменна настилка на; 3. чистя от костилки; III. *adj* каменен, от камък (*за сечива и пр.*).

stone-still ['stoun'stil] *adj* абсолютно неподвижен; като прикован на място; застинал, вкаменен.

stony [stouni] *adj* 1. каменист, каменлив; 2. *прен.* безучастен, безразличен; коравосърдечен; студен, змийски, втренчен, сразяващ (*за поглед*); ◇ *adv* **stonily**.

stony-hearted ['stouni,ha:tid] *adj* коравосърдечен, безмилостен.

stoop [stu:p] I. *v* 1. навеждам се; 2. изгърбвам се, ходя изгърбен; 3. унижавам се (дотам да, до степен да); прибягвам до низост, безчестие; благоволявам, проявявам снизхождение; 4. *остар.* спускам се стремглаво (*за сокол*); *прен.* връхлитам; II. *n* прегърбване, прегърбена стойка.

stooping ['stu:piŋ] *adj* прегърбен, изгърбен.

stop [stɔp] I. *v* (**-pp-**) 1. спирам (преставам) да (*c ger*); **to ~ talk-**

ing млъквам; 2. парирам (*удар*); спирам (се), прекратявам; 3. запушвам (се); преграждам; пломбирам (*зъб*); **to ~ a wound** превързвам рана; 4. удържам (*от заплатата*) (out of); задържам (*заплата*); 5. *муз.* натискам (*клавиш, струна, клапа*) (down); 6. *мор.* прикрепвам здраво (*c въже*); 7. отсядам; престоявам; пребивавам, оставам; 8. слагам препинателни знаци на;

stop by *разг.* наминавам, отбивам се;

stop in *разг.* оставам си у дома;

stop down *фот.* затварям (блендата);

stop off 1) изпълвам част от калъпа с пясък (*в леярството и стъкларството*); 2) *амер.* прекъсвам пътуването си, спирам;

stop out 1) запушвам, запълвам, изпушвам (*цепнатина и пр.*); 2) *изк.* покривам (заличавам) с предпазен слой (*гравюра*);

stop up запушвам; задръствам; II. *n* 1. спиране; край; **to put a ~ to** слагам край на; 2. (трамвайна и пр.) спирка; престой; пауза; 3. препинателен знак; точка (*на духов инструмент*); лад (*на струнен инструмент*); (копче на) регистър (*на орган*); 5. *мор.* въже за притягане, прикрепване; 6. *език.* преграда; преградна съгласна; 7. *фот., опт.* бленда, диафрагма.

stopgap ['stɔpgæp] *n* 1. *техн.* тапа, запушалка, пробка; 2. временен заместник, заместител; временна мярка, палиатив.

stoppage ['stɔpidʒ] *n* 1. спиране, преустановяване, прекратяване (*на работа, движение и пр.*); 2. удържане, удръжка (от заплата); 3. запушване, задръстване.

stopped-up ['stɔptʌp] *adj* запушен, задръстен, запълнен, натъпкан.

stopper ['stɔpə] I. *n* 1. тапа, запушалка; 2. *техн.* стопор, обтуратор; шибър, затвор; заключалка, запънка, спирачка; 3. *мор.* стопор; II. *v* 1. запушвам; 2. *мор.* задържам (*кабел*) със стопор.

storage ['stɔ:ridʒ] *n* 1. складиране; прибиране, съхранение; 2. склад; хранилище; 3. *ел.* зареждане (*на батерия*); 4. магазинаж.

store [stɔ:] I. *n* 1. запас (*и прен.*); изобилие; **to hold (keep) s.th. in ~** имам запас от нещо; 2. *pl* припаси; **marine ~s** стари корабни материали (за продан); 3. склад; магазия; 4. *pl* универсален магазин; 5. *амер.* магазин; *изч.* памет, запомнящо устройство (*на изчислителна машина*); ● **to set ~ by** отдавам значение на; ценя; II. *v* 1. пълня с; трупам, натрупвам; **to ~ o.'s mind with knowledge** натрупвам знания, запасявам се със знания; 2. (*често с* up) запасявам се с; 3. складирам, държа (оставям) на склад; прибирам (*реколта*); 4. побирам (*за склад и пр.*).

storey, story ['stɔ:ri] *n* етаж; ● **the upper ~** *sl* ум, акъл, мозък, глава.

stork [stɔ:k] *n* щъркел.

storm [stɔ:m] I. *n* 1. буря; **thunder~** гръмотевична буря; 2. *прен.* буря; ураган; град (*от куршуми и под.*); кипеж; изблик; **a ~ of applause** бурни ръкопляскания; 3. *воен.* пристъп; щурм; II. *v* 1. щурмувам, превземам с щурм; 2. бушувам, беснея, вилнея (за вятър и пр.); 3. *прен.* беснея, горещя се; крещя.

stormy ['stɔ:mi] *adj* 1. бурен (*и прен.*), яростен; 2. който предвещава буря.

story ['stɔ:ri] *n* 1. история; легенда; предание; слух; **a tall ~** невероятна история; 2. разказ; повест; приказка; **he can tell a good ~** той умее да разказва; 3. фабула, сюжет; **but that is another ~** за това обаче ще стане дума друг път; 4. анекдот, виц; 5. измишльотина, измислица, лъжа; 6. *журн.* вестникарска статия, материал за вестник.

storyteller ['stɔ:ri,telə] *n* 1. разказвач; автор на приказки разкази; 2. *разг.* лъжец, лъжльо.

stoup [stu:p] *n* 1. чаша; бокал; 2. *рел.* съд за светена вода.

stout [staut] *adj* 1. здрав, як; из-

дръжлив; траен; **2.** храбър, смел, юначен, решителен; **3.** пълен, дебел, корпулентен; ◇ *adv* **stoutly.**

stout-hearted ['stautha:tid] *adj* решителен, храбър, смел.

stout-heartedness ['stautha:tidnis] *n* смелост; храброст; кураж, решителност.

stove [stouv] **I.** *n* **1.** печка; (cooking) ~ готварска печка; **2.** *техн.* пещ; **3.** парник, топлик, оранжерия; **4.** мангал; **II.** *v* **1.** отглеждам (*растения*) в парник; **2.** дезинфекцирам, изварявам (*дрехи и пр.*).

stoving ['stouviŋ] *n* сушене; изпичане.

stow [stou] *v* **1.** прибирам, нареждам, подреждам, слагам на място (**away**); **2.** натоварвам (*кораб*); натъпквам с (**with**); **3.** *амер.* помествам; **4.** *мин.* запълвам (*разработено пространство*).

stowage ['stouidʒ] *n* **1.** складиране; разпределение, нареждане (*на стока*); натоварване (*на кораб*); **2.** склад; магазия; **3.** такса за товарене; магазинаж; **4.** *мин.* запълване (*на разработено пространство*).

straddle [strædl] **I.** *v* **1.** разкрачвам се; разтварям, разпервам (крака) (**out**); **2.** възсядам; to ~ **a horse** възсядам кон; **3.** въздържам се, колебая се, не вземам определено становище; **4.** *карти* удвоявам мизата; **II.** *n* **1.** разкрач; разкрачване; **2.** *полит.* колебливо двойствено поведение.

strafe [stra:f] **I.** *v sl* **1.** обстрелвам жестоко; **2.** повреждам; наказвам; **3.** ругая; **II.** *n* **1.** тежка артилерийска бомбардировка; канонада; **2.** наказание; ругатня.

straggly ['strægli] *adj* непретнат, разхвърлян, разбъркан, в безпорядък; растящ на посоки.

straight [streit] **I.** *adj* **1.** прав; в права посока; **the ~est way to** най-правият (късият) път до; **2.** изправен; **3.** прав, изравнен; оправен; **to put the room** ~ оправям стаята; **4.** прям, откровен, открит, недвусмислен; ~ **speaking** искреност; **5.** честен, почтен, лоялен; *амер., полит.* напълно предан на

партията си; **to be** ~ **with s.o.** действам (държа се) лоялно спрямо някого; **6.** прост, ясен; точен; ~ **whisky** (чаша) чисто уиски (без сода или вода); **7.** *sl* сериозен, надежден, достоверен; ~ **tip** сведения от достоверен източник; ● ~ **fight** *полит.* директна надпревара между двама съперници; **8.** драматичен (*за артист, пиеса и пр.*); **9.** *разг.* традиционен, консервативен, обикновен; **10.** *разг.* хетеросексуален; **II.** *n* **1.** изправност; **to be out of the** ~ не съм наред, нещо ми е криво, кофти ми е, не съм в добра форма; **2.** права част на път (река); права част от хиподрум преди финала (*при конни надбягвания*); **3.** кента (*покер*); **III.** *adv* **1.** право; направо; **to read a book** ~ **through** чета книга от кора до кора; **2.** изправено; **3.** незабавно, веднага; ~ **off** в момента, веднага, без колебание; **4.** непрекъснато, без прекъсване, нонстоп; **he worked for five days** ~ той работи пет дни нонстоп (без прекъсване).

straightaway ['streitəwei] **I.** *adj* праволинеен; **II.** *n* права отсечка, прав участък от писта или път; **III.** *adv* незабавно, веднага, тутакси.

straighten ['streitən] *v* изправям (се); оправям, привеждам в изправност; **to** ~ **oneself up** оправям се, оправям си външността.

straightforward ['streit'fɔ:wəd] *adj* **1.** прям; недвусмислен; честен; **2.** прост, ясен, чист; **3.** пряк, непосредствен; ◇ *adv* **straightforwardly.**

straightness ['streitnis] *n* **1.** праволинейност; **2.** почтеност, прямота, честност.

straight-out ['streit'aut] *adj разг.* **1.** прям; **2.** пълен, отявлен, стопроцентов.

straightway ['streitwei] *adj* прав, правопоточен.

strain₁ [strein] **I.** *v* **1.** опъвам (се); **2.** напрягам (сили), напъвам се, наострям (*уши*); **to** ~ **every nerve** напрягам всички сили, правя всичко възможно; **3.** пресилвам (*очите си и пр.*); **4.** навяхвам, изкълчвам, измятам; **5.** огъвам (се);

6. извращавам, изопачавам; насилвам (*закон*); изменям (в своя полза); **to** ~ **a point** правя изключение; **7.** притискам до себе си, прегръщам (**to oneself**); **8.** цедя, прецеждам (се), филтрирам (се); изцеждам, изстисквам; **9.** напрягам се, мъча се (да); **strain after** опитвам се да постигна;

strain at дърпам, тегля (*за вързано животно*); опъвам се (*и прен.*);

strain off прецеждам;

II. *n* **1.** напрежение (*и техн.*), обтягане, опъване; напън; **2.** голямо усилие, напъване; пресилване, преумора; напрежение; **mental** ~ умствена преумора; **3.** измятане, изкълчване, навяхване; **4.** *техн.* деформиране, деформация.

strain₂ *n* **1.** род, порода; жилка; **2.** тон (*на гласа, на реч*); тенденция, дух; **3.** *често pl* звуци; мелодия; **4.** *поет.* поезия, песен.

strained [streind] *adj* **1.** опнат, обтегнат (*и прен.*); **2.** навехнат, изкълчен, изметнат; **3.** изкуствен, неестествен, фалшив, принуден, форсиран; пресилен, преувеличен (*за стил и пр.*).

strainer ['streinə] *n* **1.** филтър, цедка, цедилка; решетка; **2.** обтегач, приспособление за натягане.

strait [streit] **I.** *adj остар.* **1.** тесен, ограничен; **2.** *остар.* строг, взискателен; **3.** *амер.* затруднен; **II.** *n* **1.** *геогр.* (*и pl*) пролив; **2.** *често pl* затруднение.

strait jacket ['streit,dʒækit] *n* усмирителна риза.

straitlaced ['streit,leist] *adj* строг, ограничен, тесногръд, пуритански; нетолерантен.

strand₁ [strænd] **I.** *n поет.* бряг; **II.** *v* изхвърлям на брега; засядам в пясъка.

strand₂ **I.** *n* **1.** нишка; телче, жичка; **2.** шнур, връв; **3.** кичур коси; наниз; **4.** *прен.* черта, елемент; **II.** *v* **1.** скъсвам нишка; **2.** усуквам (*нишки, въже*).

strange [streindʒ] *adj* **1.** непознат, неизвестен (**to**); чужд; чуждестранен; **a** ~ **man** непознат (човек); **2.** особен, странен, чудат, чуден,

необикновен; удивителен; 3. нов, неопитен, непривикнал, аджамия (to); **to be ~ to a job** още съм нов в работата; ◇ *adv* **strangely.**

stranger [ˈstreindʒə] *n* 1. странник, непознат (човек), чужд човек, чужденец; **to make a ~ of sb.** държа се хладно към; 2. чужденец, чужденка; 3. човек, непривикнал на, на когото е чуждо (*нещо*) (to); **I am a ~ to his ideas** неговите идеи са ми чужди.

strangle [ˈstræŋgl] *v* 1. удушвам, удушавам, давя (се); задушавам (се); 2. сподавям (*въздишка*).

strangled [ˈstræŋgəld] *adj* сподавен, сдържан (*за смях, глас, вик*).

strap [stræp] I. *n* 1. ремък, каишка), лента, ивица; 2. *техн.* подпорна планка; хомот; спирачна лента; 3. презрамка; II. *v* (**-pp-**) 1. връзвам, стягам с ремък; 2. бинтовам с лейкопласт (*рана*); 3. бия с ремък.

stratagem [ˈstrætidʒəm] *n* 1. уловка, хитрост, хитрина; 2. *воен.* стратегема, военна хитрост.

strategic(al) [strəˈtiːdʒik(l)] *adj* стратегически, стратегичен; ◇*adv* **strategically** [strəˈtiːdʒikəli].

strategist [ˈstrætidʒist] *n истор.*, *воен.* стратег.

strategy [ˈstrætədʒi] *n* стратегия.

stratified [ˈstrætifaid] *adj геол.* напластен, пластов, слоест.

stratify [ˈstrætifai] *v* напластявам (се), наслоявам (се), наслагвам (се).

stratosphere [ˈstreitousfiə] *n* стратосфера.

stratum [ˈstreitəm] *n* (*pl* **-ta** [tə]) 1. *геол.* пласт, слой; напластяване, формация; 2. обществен слой.

straw [strɔː] I. *n* 1. сламка; слама; **to catch at (cling to) a ~** хващам се за сламка; 2. сламена шапка; 3. дреболия; 4. *attr* сламен (*и прен.*); II. *v* остар. 1. покривам със слама; 2. натъпквам (*стол и пр.*) със слама; 3. разпръсвам.

strawberry [ˈstrɔːbəri] *n* ягода.

straw man [ˈstrɔːˌmæn] *n* (*pl* **men**) 1. чучело; плашило; 2. лъжесвидетел; нищожество, сламено чучело.

stray [strei] I. *v* 1. отдалечавам се, отделям се (**from**); заблуждавам се; изгубвам се; отклонявам се (**from**); 2. *прен.* отклонявам се от правия път; изпадам в грях; 3. *поет.* скитам, бродя; 4. блуждая; отвличам се, разсейвам се; отклонявам се от темата; 5. *ел.* разсейвам се; улавям странични сигнали; II. *n* 1. изгубено (заблудено) животно; 2. *pl юр.* имот, останал без наследници; 3. *радио.* атмосферно смущение; странични сигнали; *ел.* разсейване; III. *adj* 1. изгубен, заблуден, бездомен, безстопанствен; 2. случаен; отделен; разпръснат; разпилян (*за къщи, мисли и пр.*); **a ~bullet** заблуден куршум.

streak [striːk] I. *n* 1. резка, черта, линия; ивица; драскотина; **~ of lighting** светкавица; 2. *мин.* жила; 3. *прен.* жилка; елемент, черта; **he has a ~ of cruelty** има нещо жестоко у него; II. *v* 1. шаря, нашарвам с резки; 2. нашарвам се, ставам на резки; 3. *прен.* летя (като светкавица), препускам, изчезвам (**off**); 4. появявам се на обществено място съвсем гол.

stream [striːm] I. *n* 1. поток (*и прен.*); река; течение; струя; **up (down) ~** срещу (по) течението; 2. насока, направление, тенденция; ход (*на събития и пр.*); група по ниво на знания (*в училище*); II. *v* 1. тека, струя се, лея се; шуртя, бликам; **a wound ~ing blood** рана, от която блика кръв; 2. движа се в непрекъснат поток (*за коли, хора*); 3. развявам се; 4. разделям на нива (на групи според ниво на знания).

streamlined [ˈstriːmlaind] *adj* 1. аеродинамичен; 2. *амер.* добре организиран; рационален; резултатен; 3. *sl* приятно закръглена (*за жена*).

street [striːt] *n* 1. улица; **through ~** транзитна (главна) улица; **a one-way ~** еднопосочна улица; *прен.* нещо, което е изгодно само за едната страна; 2. *attr* уличен; за (из) улицата.

street credibility [ˈstriːt ˌkredibiliti] *n*

разг. представа, мнение, имидж.

street-urchin [ˈstriːtˌəːtʃin] *n* улично дете, безпризорно дете, уличник.

strength [streŋθ] *n* 1. сила, мощ, мощност; **on the ~ of** по силата на, на основание на; 2. трайност, здравина; якост; издръжливост; непристъпност; 3. *техн.* съпротивление; 4. численост, числен състав; *воен.* ефектив; **up to (below) ~** *воен.* в пълен (непълен) състав, по списък.

strengthen [ˈstreŋθən] *v* 1. засилвам (се); усилвам (се); заяквам (се); 2. укрепявам; закрепвам, укрепвам, подсилвам, заздравявам.

strengthening [ˈstreŋθniŋ] I. *adj* силен, засилващ (*за храна и пр.*), укрепващ; II. *n* укрепяване; усилване.

strenuous [ˈstrenjuəs] *adj* 1. напрегнат; ожесточен (*за борба и пр.*); изнурителен, усърден, упорит (*за труд и пр.*); 2. енергичен, изискващ усилия; ◇ *adv* **strenuously.**

strepor [ˈstrepə] *n* шум.

stress [stres] I. *n* 1. натиск; напрежение; давление; **under ~ of circumstances** по силата на обстоятелствата; 2. *език.* ударение; ударена сричка; 3. емфаза, изтъкване; значение, важност; **to lay (put) ~ on** подчертавам, наблягам; 4. *техн.* натоварване; усилие; 5. *психол.* стрес; II. *v* 1. наблягам; подчертавам; 2. чета (изричам) с ударение; 3. *техн.* подлагам на въздействието на натоварвания.

stretch [stretʃ] I. *v* 1. разтягам (се), разтеглям (се), разширявам (се); удължавам (се); разпъвам; 2. изпъвам, опъвам (*въже и пр.*); 3. протягам (*ръка*) (**out**); **to ~ out to reach s.th.** протягам ръка да стигна нещо; 4. *и refl* протягам се; 5. просвам, повалям (*с удар*) на земята; 6. постилам, просвам (*килим*); 7. извращавам (*закон*); превишавам (*права*), злоупотребявам с (*привилегия*); пресилвам (*истина*); разширявам (*значение на дума*); 8. простирам се, просвам се, стигам до (*за поле, пла*

нина и пр.); **9.** трая, продължавам се (за епоха и пр.); **10.** sl увисвам (на въжето); **II.** n **1.** протягане; разтягане; удължаване; разтег; разпереност (на самолетно крило); **2.** напрежение; напрегнато, нервно състояние; **3.** еластичност; **4.** пространство, повърхност, протежение; a ~ **of water** водно пространство; **5.** период, интервал, промеждутък време; **for a long ~ of time** дълго време; **6.** техн. валцуване; изтегляне; • **to run at full ~** бягам с всички сили.

stretched [stretʃt] adj удължен, разтеглен, разпнат, опънат.

stretchiness [ˈstretʃinis] n обтягане, опъване; опън; разтягане.

stretchy [ˈstretʃi] adj еластичен.

strew [struː] v (pp **strewed, strewn** [struːn]) разпръсвам; разхвърлям, застилам, обсипвам, осейвам; засипвам (с цветя, пясък и др.).

stricken [strikn] adj **1.** покосен (от болест и пр.); пострадал, поразен, постигнат от бедствие; **2.** изравнен, без връх (за мярка).

strict [strikt] adj **1.** строг, взискателен; **2.** точен; стриктен, определен; ~ **sense of a word** тесен смисъл на думата; ◇ adv **strictly**.

strictness [ˈstriktnis] n **1.** строгост, взискателност; **2.** точност.

stride [straid] **I.** v (**strode** [stroud]; **stridden** [ˈstridn]) **1.** крача, прекрачвам (**over, across**); **2.** обикалям (улици и пр.); **3.** рядко яхвам, възсядам; **II.** n **1.** (голяма) крачка; **2.** разкрач; **3.** обикн. pl напредък, прогрес, успех, качвам се на върха; **to make great ~s** имам (постигам) голям напредък.

strife [straif] n **1.** борба, спор, конфликт; раздор; **to be at ~ with** в конфликт съм с; **2.** остар. силен стремеж.

strike [straik] **I.** v (**struck** [strʌk]; **struck,** остар. **stricken** [strikn]) **1.** удрям (се) (и с **at, against**); блъскам; застрелвам; промушвам; **to ~ hands/a bargain** сключвам сделка, постигам споразумение; **2.** нападам, атакувам, нанасям удар; **3.** поемам, отправям

се, тръгвам по, хващам (път); **4.** натъквам се на; намирам случайно; попадам на; прен. спечелвам, придобивам; **to ~ gold** откривам злато; **5.** паля, запалвам (се); драсвам (кибрит), щраквам (запалка); **6.** удрям (клавиш, акорд); дръпвам (струна); **7.** сека (монети, медал); **8.** спускам, свивам (платно на лодка, знаме); **9.** поразявам, сразявам, повалям, удрям (внезапно, силно) (за болест); **to be struck dumb** онемявам от ужас; **10.** правя впечатление (някому), впечатлявам; **11.** бия, удрям (за часовник); удрям (часа); **his hour has struck** прен. часът му удари; **12.** правя (баланс); съставям (комитет); установявам (средно число); **13.** клъввам (за риба); засичам (с въдица); **14.** вкоренявам (калем); пускам (корени) (за растение); закрепвам се за скала (за мида); **15.** описвам (кръг); тегля (черта); **16.** прониквам през (за светлина); пронизвам (за студ); **17.** предавам се (за град, кораб);

strike at прицелвам се в, удрям, замервам; нападам;

strike back отвръщам на удара с удар;

strike down повалям (и за болест); събарям; повалям на земята с удар;

strike in 1) удрям, засягам, прониквам в (за болест); **2)** обаждам се, намесвам се (в разговор);

strike into 1) внезапно завивам, кривмам в; **2)** преминавам в (галоп – за кон); **3)** забивам (шпори);

strike off 1) отсичам (с меч, брадва и др.); **2)** задрасквам; зачертавам; заличавам; **3)** отпечатвам; **4)** завивам, кривмам (наляво и пр.); **5)** написвам, съставям набързо, скалъпвам (за стихотворение, доклад, статия и пр.);

strike out 1) замервам, замахвам; **2)** поемам към, заплувам към (за плувец); **3)** предприемам, започвам; **4)** раждам, произвеждам; **5)** изобретявам, измислям;

strike through задрасквам, зачерквам;

strike up 1) запявам, засвирвам; **2)** завързвам (приятелство, разговор); **3)** започвам да свиря (пея); **4)** техн. щанцовам; **5)** започвам; **II.** n **1.** стачка; **to go on a hunger ~** започвам гладна стачка; **2.** нападение (особ. от въздуха); **3.** мин. неочаквана богата находка; прен. удар, неочакван успех; **4.** техн. равнило; **5.** клъвване (на риба); **6.** геол., минер. посока, направление (на жила, пласт); **7.** спорт. удар.

striker [ˈstraikə] n **1.** стачник; **2.** ударен инструмент; ударник (на огнестрелно оръжие); език (на камбана); **3.** техн. механизъм за блокиране на диференциал; механизъм за превключване.

striking [ˈstraikiŋ] adj **1.** поразителен, забележителен; удивителен; ◇ adv **strikingly; 2.** ударен; **within ~ distance** съвсем наблизо.

string [striŋ] **I.** n **1.** канап, връв; връзка, шнур; **2.** тетива; **3.** струна (на цигулка и пр.; и прен.); **4.** кордаж (на тенисна ракета); **5.** ширит, лента; връзка; **6.** (тънко) сухожилие (на езика, очите); **7.** конец (на зелен фасул и пр.); **8.** наниз; прен. редица; върволица; **9.** разг. условие, ограничение; измама; **10.** спорт. коне, които са на един собственик; **II.** v (**strung** [strʌŋ]) **1.** привързвам, завързвам с канап; слагам струни на (цигулка, китара и пр.); **2.** настройвам (цигулка и под.); **3.** нанизвам (гердан, перли); **4.** прен. стягам се, напрягам (се) (**up**); **5.** точа се, ставам на конци (за лепило и пр.); **6.** амер., разг. измамвам; водя за носа;

string along разг. **1)** будалкам, лъжа; **2)** разг. вървя с, придружавам (**with**) (прен. предан съм на някого); **3)** сътруднича (**with**);

string out 1) нареждам, разполагам в дълга верига; движа се в колона, върволица; **2)** sl амер. привикнал съм към (употребявам) наркотици;

string together свързвам (думи и пр.);

string up 1) напрягам, възбуждам

(нерви, воля); 2) *sl* обесвам.

stringent [ˈstrindʒənt] *adj* 1. строг, задължителен, точен (*за правилник и пр.*); 2. убедителен, неоспорим (*за довод*); 3. *фин.* ограничен, притеснен (*за пазар, средства*); ◇ *adv* **stringently**.

strip₁ [strip] *v* (-pp-) 1. лишавам от; смъквам, свалям, отнемам; 2. събличам (се) гол; 3. *воен., мор.* демонтирам, разглобявам (**down**).

strip₂ I. *n* 1. ивица; лента; писта (*самолетна*); **metal ~** желязна шина; 2. екип (*на футболист*); **II.** *v* (-pp-) нарязвам на ивици.

strive [straiv] *v* (**strove** [strouv] **striven** [strivn]) 1. стремя се, старая се, полагам усилия, мъча се (да); 2. боря се (**with, against**).

stroke [strouk] **I.** *n* 1. удар (*и спорт., мед.*); замах, размах; **heat ~** топлинен удар; 2. загребване (*при плуване*), стил; **the (swimming) ~s** плувни стилове; 3. удар (*на часовник*); 4. похват, ход; *техн.* ход (*на бутало*); 5. щрих; мазване, драсване; 6. милване, погалване; **I gave the kitten a ~** погалих котенцето; **II.** *v* 1. гладя (*с ръка*); милвам, галя; 2. налагам такт (*при гребане*).

strong [strɔŋ] **I.** *adj* 1. силен (*и прен.*); 2. здрав, як; издръжлив; **~ hand** здрава ръка (*и прен.*); 3. убедителен, неоспорим, сериозен; 4. със силна миризма, зловонен; остър; **~cheese** пикантно сирене; 5. на брой; с определена численост; 6. твърд, убеден, предан, запален, ревностен; 7. *език.* силен (*за глагол, съществително*); 8. твърд, устойчив; нарастващ (*за цени*); 9. силен, неразреден; **~ drink** алкохолно питие; **II.** *adv* силно; здраво; решително.

strophe [ˈstroufi] *n* строфа.

stroppy [ˈstropi] *adj разг.* шумен, буен, необуздан.

structural [ˈstrʌktʃərəl] *adj* 1. структурен; 2. тектоничен; 3. строителен; ◇ *adv* **structurally**.

structure [ˈstrʌktʃə] **I.** *n* 1. структура; строеж; устройство; постройка (*на художествено произведение*); 2. здание, постройка,

съоръжение; **II.** *v* организирам, структурирам, подреждам.

strudel [struːdl] *n* щрудел.

struggle [strʌgl] **I.** *v* 1. боря се (**with, against**); 2. *прен.* преборвам се, мъча се (**with**); полагам усилия, старая се с всички сили;

struggle away освобождавам се, отскубвам се, бягам;

struggle into навличам (*дреха*); с мъка заемам (*положение*);

struggle up 1) едва (с големи усилия) изкачвам върха; 2) с големи усилия изкачвам (*склон и пр.*);

II. *n* 1. борба (*и прен.*) (**with; for**) бой; **hand-to-hand ~** ръкопашен бой; 2. усилие; напрежение.

stubborn [ˈstʌbən] *adj* 1. упорит, решителен, 2. инат; 3. труден за обработване, неподатлив; ◇ *adv* **stubbornly**.

stubbornness [ˈstʌbənnis] *n* упоритост; упорство, инат.

stuck-up [ˈstʌkˈʌp] *adj* надменен, горделив, високомерен, надут.

student [ˈstjuːdənt] *n* 1. студент(ка); **a medical ~** студент по медицина; 2. учен; човек на книгата; ученолюбив човек; 3. стипендиант (*в някои университети*).

studentship [ˈstjuːdəntʃip] *n* стипендия.

studied [ˈstʌdid] *adj* 1. преднамерен, подчертан, премислен, изкуствен; претенциозен, прекалено изискан (*за стил*); 2. *остар.* начетен.

studio [ˈstjuːdiou] *n* 1. ателие, студио (*на художник, фотограф*); 2. киностудио; телестудио, радиостудио.

studious [ˈstjuːdiəs] *adj* 1. прилежен, старателен, работлив; 2. нарочен, изричен, подчертан; 3. загрижен, внимателен, усърден (**of, to** *c inf*); ◇ *adv* **studiously**.

studiousness [ˈstjuːdiəsnis] *n* 1. прилежание, старателност, работливост; 2. подчертаност; 3. загриженост, внимание (**of**).

study [ˈstʌdi] **I.** *n* 1. учение; изучаване; изследване, проучване; *pl* следване; придобиване на знания; (*учебни*) занимания; наука; **check ~** контролни измервания;

2. есе; етюд; скица; очерк, ески... музикално упражнение; 3. григ... внимание; 4. работен кабине... *уч.* читалня; **II.** *v* 1. уча; изуч... вам, проучвам, изследвам; сле... вам (*за студент*); **to ~ for th... bar** следвам право; 2. разглеж... дам подробно (*карта и пр.*)... старая се, полагам грижи, готи... се за, грижа се за; 4. зачитам, п... читам; 5. наизустявам, запамет... вам (*роля*); 6. *остар.* размишл... вам; 7. разгадавам, изяснява... разчитам (**out**).

stuff [stʌf] **I.** *n* 1. материал, вещество; "работа", "нещо"; **green ~**... ленчуци; 2. боклуци; дребoли... сбирщина от предмети; непо... ребни вещи; 3. глупости; 4. мат... риал (*и прен.*); елементи, залож... би, характер; 5. материя, вълне... плат; 6. *техн.* уплътнителен ма... териал; **II.** *v* 1. тъпча (*и с ядене*)... натъпквам; **to ~ oneself** преяж... дам, тъпча се; 2. пълня (*кокош... ка и пр.*); 3. пломбирам (*зъб*); 4... пушвам (*дупка; ушите си*) (**up**)... **my nose is ~ed up** носът ми е за... пушен; 4. препарирам; 5. тъпч... със знания (*като подготовка з... изпит*); 6. *прен.* "подковавам... (**up**); 7. заблуждавам; подвеждам... мамя, мистифицирам; 8. *амер.*... импрегнирам (*в кожарството*)... 9. *амер. полит.* гласувам с фал... шиви бюлетини; пускам фалши... ви бюлетини в урната; **III.** *а...* вълнен.

stupendous [ˌstjuːˈpendəs] *adj* из... мителен, удивителен, поразите... лен, с огромна важност, смай... ващ; ◇ *adv* **stupendously**.

stupid [ˈstjuːpid] **I.** *adj* 1. глупа... тъп; 2. зашеметен, вцепенен, при... тъпен, замаян (*от сън и пр...* ◇ *adv* **stupidly**; **II.** *n* глупак.

style [stail] **I.** *n* 1. стил; маниер... **pointed ~** готически стил; 2. на... чин; **~ of living** начин на живо... 3. вид, тип; "стил"; направлени... школа; **that's not my ~** това не е... в моя стил; 4. мода; кройка, фа... сон; 5. направа, вид, модел; ... стил, летоброене; 7. титла, им... фирма; 8. държане (в общество...

то), маниери; изтънченост, изисканост; изящество, шик; in ~ с блясък, както трябва; шикозен; **9.** писец, перо; **10.** игла за гравиране; **11.** грамофонна игличка; *мед.* игла; II. *v* **1.** назовавам, наричам, титулувам; **2.** придавам стил на; **3.** правя си прическа; **4.** модернизирам; **5.** *текст.* десенирам (*тъкан*).

stylish ['staili∫] *adj* моден, стилен, елегантен; ◇ *adv* **stylishly.**

stylist ['stailist] *n* стилист, моделиер.

suasion ['swei3ən] *n* убеждаване, уговаряне, увещаване.

suave [swa:v] *adj* мек, приятен, приветлив, учтив, любезен, внимателен, вежлив, изискан, мазен; благ (*за вино*); ◇ *adv* **suavely.**

subconscious ['sʌb'kɔn∫əs] *adj* подсъзнателен; ◇ *adv* **subconciously.**

subconsciousness ['sʌb'kɔn∫əsnis] *n* подсъзнание.

subdue [səb'dju:] *v* **1.** покорявам; подчинявам; **2.** намалявам; снишавам, отслабвам.

subject ['sʌbdʒekt] I. *n* **1.** поданик; **2.** *език.* подлог; **3.** тема, предмет (*на разговор, книга, картина*); сюжет; a ~ **picture** битова картина; **4.** *уч.* предмет; дисциплина; **5.** обект, предмет (*на опит*); to be a ~ for ridicule ставам за присмех; **6.** пациент; **7.** *лог.* субект; II. *adj* **1.** подчинен, подвластен (to); **2.** подлежащ на (to); **3.** предразположен към (to); III. [səb'dʒekt] *v* **1.** подчинявам; покорявам; **2.** подлагам; излагам (*на присмех и под.*) (to); **3.** предлагам, представям, връчвам.

subjective [səbdʒektiv] *adj* **1.** субективен; **2.** *език.* подложен, свойствен на (отнасящ се до) подлога.

sublime [səb'laim] I. *adj* **1.** възвишен, издигнат; **2.** грандиозен, величествен; **3.** сюблимен, върховен; блажен; ◇ *adv* **sublimely;** **4.** *анат.* повърхностен; II. *v* **1.** въздигам, възвисявам; облагородявам; **2.** *хим.* сублимирам.

submarine ['sʌbməri:n] I. *adj* подводен; II. *n* подводница; подводно растение; III. *v* потапям, торпилирам (*с подводница*).

submission [səb'mi∫ən] *n* **1.** подчинение, покорност, послушание; смирение; **2.** подаване, представяне (*на документи и пр.*).

submissive [səb'misiv] *adj* покорен, смирен, послушен; ◇*adv* **submissively.**

submit [səb'mit] *v* **1.** предоставям, отстъпвам; **2.** представям, предявявам; предлагам; **3.** подчинявам се (*c* to); понасям, търпя.

subordinate I. [sə'bɔ:dənit] *adj* подчинен (to); второстепенен; нисш, вторичен; II. *n* подчинен; III. [sə'bɔ:dineit] *v* подчинявам; правя второстепенен (зависим), поставям в зависимо положение.

subscribe [səb'skraib] *v* **1.** подписвам (се) (to); **2.** взимам участие в подписка; **3.** абонирам се; **4.** присъединявам се (to), съгласявам се (to).

subscription [səbs'krip∫ən] *n* **1.** подписване, подпис; **2.** подписка; (доброволна) вноска; **3.** абонамент.

subsequent ['sʌbsikwənt] *adj* последващ, следващ; ~ to his death след смъртта му.

subserve [səb'sə:v] *v* подпомагам, съдействам на.

subservience [səb'sə:viəns] *n* **1.** раболепие, подлизурство, лакейничество; **2.** полезност; съдействие, помощ (*за някаква цел*).

subside [səb'said] *v* **1.** утихвам; преставам; the gale ~d бурята отмина; **2.** падам; спадам; утаявам се; улягам, слягам се (*за почва*); смъквам се; **3.** (*за човек*) променям се, превръщам се (into).

subsidiary [səb'sidiəri] I. *adj* **1.** допълнителен, спомагателен, помощен; **2.** субсидиран; II. *n* **1.** филиал; дъщерна фирма; **2.** помощник, помагач.

subsidize ['sʌbsidaiz] *v* субсидирам.

subsidy ['sʌbsidi] *n* субсидия, дотация.

subsist [səb'sist] *v* **1.** живея, съществувам, издържам се, препитавам се (*c* храна – on, *c* работа, занятия – by); **2.** *рядко* поддържам, издържам.

subsistence [səb'sistəns] *n* **1.** съществуване, препитание, прехрана; **2.** средства за съществуване (*u* means of ~).

substance ['sʌbstəns] *n* **1.** вещество, материя; **2.** *филос.* субстанция; **3.** същество, съдържание; същност, същина; in ~ по същество (същина); **4.** реалност, действителност, реална ценност (стойност); **5.** имущество, състояние, богатство; **6.** гъстота, твърдост, плътност.

substantial [səb'stæn∫əl] *adj* **1.** реален, веществен; **2.** съществен, важен; значителен; **3.** здрав, солиден; **4.** състоятелен; **5.** фактически, истински; **6.** питателен, хранителен.

substantive ['sʌbstəntiv] I. *adj* **1.** самостоятелен, независим; **2.** *език.* който се отнася до съществителното; **3.** реален, веществен; **4.** съществен, важен; **5.** изричен; **6.** самобитен, индивидуален; II. *n* *език.* съществително име; субстантив.

substitute ['sʌbstitju:t] I. *n* **1.** заместник; заместител, сурогат, ерзац (for); **3.** заместване; замяна; II. *v* заместям; заменявам, заменям; подставям.

subtle [sʌtəl] *adj* **1.** тънък, фин, нежен, неуловим; субтилен; ~ irony незабележима (тънка) ирония; **2.** (*за ум*) остър, тънък, проницателен; **3.** изтънчен, рафиниран; **4.** ловък, изкусен; **5.** коварен, хитър, лукав; **6.** *остар.* (*за газ и пр.*) рязък, тънък, проницателен; ◇ *adv* **subtly** [sʌtli].

subvention [səb'ven∫ən] *n* субсидия; помагане, помощ; дотация.

subversive [sʌb'və:siv] *adj* **1.** пагубен, гибелен, разрушителен; **2.** подривен, подмолен.

subvert [sʌb'və:t] *v* катурвам, събарям; поквварявам; разрушавам, унищожавам.

succeed [sək'si:d] *v* **1.** достигам (постигам) целта си, успявам, преуспявам, имам успех, удава ми се (in *c* ger); **2.** следвам, последвам, заемам мястото на; приемник съм на; наследявам.

successful [sək'sesful] *adj* **1.** сполуч-

лив, успешен; **to be** ~ имам успех, успявам; **2.** късметлия, преуспяващ; **I was not** ~ не ми провървя, не успях; ◇ *adv* **successfully**.

succumb [sə'kʌm] *v* **1.** поддавам се, не издържам, отстъпвам (пред – to); **to** ~ **to the temptation** поддавам се на изкушението; **2.** умирам (*от нещо* to), ставам жертва на.

succuss [sə'kʌs] *v* разтърсвам, треса.

such [sʌtʃ] **I.** *adj* такъв, подобен; ~ **a man** такъв човек; **II.** *pron* **1.** такъв; **the book isn't interesting as** ~ книгата, сама по себе си, не е интересна; **2.** *търг.* те.

suck [sʌk] **I.** *v* смуквам, всмуквам, суча; бозая; **the pump** ~**s** помпата засмуква въздух;

suck at всмуквам, смуча, "дръпвам" (*от лула и пр.*);

suck down 1) изпивам; всмуквам; 2) увличам към дъното (*за водовъртеж*); 3) свличам се, пропадам;

suck in 1) всмуквам, поемам, поглъщам; **to** ~ **in knowledge** поглъщам (попивам) знания; 2) поглъщам, помитам, завличам към дъното (*за водовъртеж и пр.*);

suck out изсмуквам; изпомпвам; **to** ~ **advantage out of** извличам полза (изгода) от;

suck up 1) всмуквам, поглъщам, поемам (*вода, течност, влага*); 2) изпивам;

II. *n* **1.** смукане, бозаене, кърмене; **2.** смукване, всмукване; **3.** малка глътка; **4.** *уч. sl* разочарование; неприятност; провал; **5.** *pl уч. sl* сладкиши, лакомства, бонбони; **6.** майчино мляко, кърма.

suckle [sʌkl] *v* **1.** кърмя, давам да бозае; **2.** суча.

sudden [sʌdən] *adj* внезапен, ненадеен, неочакван; прибързан; стремителен.

sue [sju:] *v* **1.** давам под съд, съдя; **2.** умолявам (to), моля, прося (for); **3.** *остар.* ухажвам.

suffer [sʌfə] *v* **1.** страдам, мъча се, измъчвам се; **2.** търпя; претърпявам, изпитвам, понасям; **3.** позволявам, толерирам, търпя.

suffice [sə'fais] *v* удовлетворявам, стигам, задоволявам; достатъчен съм.

sufficient [sə'fiʃənt] *adj* **1.** достатъчен, задоволителен; **2.** *остар.* умел, подходящ; ◇ *adv* **sufficiently**.

suffix ['sʌfiks] *език.* **I.** *n* наставка, суфикс; **II.** *v* прибавям (*суфикс*).

sufflaminate [sʌf'læmineit] *v* преча, спирам.

suffocate ['sʌfəkeit] *v* удушавам, задушавам (се); задъхвам се.

sugar ['ʃugə] **I.** *n* **1.** захар; **castor** ~ пудра захар; **2.** *хим.* захароза, захарид; **raw** ~ нерафинирана захар; **3.** *прен.* хвалба, ласкателство; **4.** *обръщение* захарче, мила, мили, миличко; **II.** *v* **1.** подслаждам; **2.** лаская.

sugary ['ʃugəri] *adj* **1.** захарен, сладък; сладникав; **2.** ласкателен; лицемерен, лъстив; ~ **smile** лицемерна усмивка.

suggest [sə'dʒest] *v* **1.** внушавам; подсказвам; навеждам на мисълта; намеквам; говоря за; **the look on his face** ~**ed pleasure** лицето му изразяваше удоволствие; **2.** предлагам, правя предложение; съветвам.

suggestion [sə'dʒestʃən] *n* **1.** внушение; сугестия; намек; подсказване; **with the merest** ~ **of a smile** с едва забележима усмивка; **2.** съвет, идея, внушение, предложение; **to make a** ~ изказвам мисъл; правя предложение.

suicidal [sjui'saidəl] *adj* **1.** самоубийствен; **2.** *прен.* гибелен, пагубен; убийствен; **3.** депресиран, потиснат.

suicide ['sjuisaid] **I.** *n* **1.** самоубийство; **to attempt** ~ правя опит за самоубийство; **2.** самоубиец, самоубийца; **II.** *v sl* самоубивам се.

suite [swi:t] *n* **1.** сбирка, комплект, сет; серия; гарнитура; група; **2.** анфилада (*от стаи*); апартамент; луксозна стая; апартамент в хотел; *остар.* покои (*u* ~ **of rooms**); **3.** свита, кортеж, ескорт; **4.** *муз.* сюита; **5.** *геол.* серия.

sulk [sʌlk] **I.** *v* сърдя се, муся се, мръщя се, цупя се; **II.** *n обикн. pl*

сърдене, лошо настроение, мръщене, цупене.

sullen ['sʌlən] **I.** *adj* **1.** мрачен, враждебен, навъсен, начумерен, намусен, нацупен; **2.** потискащ; зловещ; **3.** бавен, муден; ◇ *adv* **sullenly**; **II.** *n pl* (**the** ~**s**) лошо (мрачно) настроение.

sum [sʌm] **I.** *n* **1.** сбор; сума; количество; ~ **total** обща сума, общ сбор; **2.** същност; същност самата същност, квинтесенцията; **3.** *разг.* аритметическа задача; *pl* аритметика; **4.** *остар.* връх, връхна точка; **II.** *v* **1.** сумирам, събирам (*c* up); **2.** резюмирам, обобщавам (*c* up); **3.** преценявам (*c* up).

summary ['sʌməri] **I.** *adj* сбит, сумарен, кратък, съкратен; (*за съд*) бърз, със съкратена процедура; без отлагане; ~ **account** кратък отчет (доклад); ◇ *adv* **summarily**; **II.** *n* резюме, сводка, конспект, кратко изложение.

summer [sʌmə] **I.** *n* **1.** лято; **2.** *прен.* разцвет, период на бурен растеж; **3.** *поет.* година; **4.** *attr* летен; **II.** *v* **1.** летувам, прекарвам лятото; **2.** паса (*добитък*) лятно време, изкарвам на лятна паша (*за добитък*).

summery ['sʌməri] *adj* летен, подходящ за лятото.

summon ['sʌmən] *v* **1.** призовавам, извиквам, повиквам; **2.** събирам, свиквам; **to** ~ **up courage** събирам кураж.

sun [sʌn] **I.** *n* **1.** слънце; слънчева светлина; слънчеви лъчи; **in the** ~ на слънце, на припек; **2.** *поет.* година; **3.** светило; *астр.* звезда – центъра на системата; **4.** *поет.* изгрев (*или залез*); **II.** *v* (-nn-) излагам на слънце, подлагам на действието на слънчевите лъчи.

Sunday ['sʌndi] **I.** *n* неделя; **II.** *adj* неделен, празничен; ~ **school** неделно църковно училище.

sup [sʌp] **I.** *v* (-pp-) **1.** гълтам; **to** ~ **sorrow** преглъщам мъката си; **2.** сръбвам; **3.** вечерям; **II.** *n* глътка; **without bite or** ~ ни ял, ни пил

super ['sju:pə] *adj* **1.** от най-високо качество; отличен; превъзходен

extra ~ най-хубавото възможно;
2. (за мерки) квадратен.

supercilious [sjupə'siliəs] *adj* презрителен, високомерен, горделив, надменен; ◇ *adv* **superciliously.**

superfluous [sju:'pə:fluəs] *adj* 1. излишен, ненужен, безполезен; 2. предостатъчен; прекален; ◇ *adv* **superfluously.**

superintend [,sju:pərin'tend] *v* надзиравам, наглеждам; завеждам, управлявам, ръководя.

superintendent [,sju:pərin'tendənt] *n* 1. надзирател, надзорник; 2. управител, директор, ръководител, завеждащ.

superior [sju:'piəriə] I. *adj* 1. по-горен; по-висш, старши; 2. превъзхождащ, надминаващ (to); 3. самодоволен, високомерен; надменен, горделив; 4. недосегаем, недостижим (to); 5. горен; II. *n* 1. началник, шеф; старши; висшестоящ; 2. игумен, игуменка; управител, управителка.

superlative [sju:'pələtiv] I. *adj* превъзходен; най-висш; височайш; ◇ *adv* **superlatively;** II. *n език.* суперлатив, превъзходна степен, прилагателно (наречие) в превъзходна степен.

supersede [,sju:pə'si:d] *v* 1. замествам, измествам; заменявам; заемам мястото на; 2. преустановявам, отменям; суспендирам.

superstitious [,sju:pə'stiʃəs] *adj* суеверен; ◇ *adv* **superstitiously.**

supervene [,sju:pə'vi:n] *v* настъпвам; следвам, последвам (on), произтичам от.

supervise ['sju:pəvaiz] *v* надзиравам, наглеждам, наблюдавам, упражнявам надзор върху.

supple ['sʌpəl] I. *adj* 1. гъвкав, мек, еластичен; 2. ловък, нагаждащ се, хитър; ◇ *adv* **supply** ['sʌpli]; 3. податлив; отстъпчив; ~ **horse** добре обязден кон; II. *v* правя (ставам) гъвкав, еластичен; омеквам.

supplement I. ['sʌplimənt] *n* допълнение, приложение, притурка, добавка, прибавка; II. [sʌpli'ment] *v* притурям, добавям, допълвам.

supplementary [,sʌpli'mentəri] *adj*

допълнителен; допълващ, спомагателен (to).

supply [sə'plai] I. *v* 1. снабдявам, запасявам (with); 2. доставям, давам; удовлетворявам (нужди); 3. запълвам, замествам, попълвам; 4. *техн.* подавам, захранвам, подхранвам; II. *n* 1. снабдяване, продоволствие, продоволстване; 2. запас, резерва; 3. *pl* припаси, продоволствие (особ. за войската); 4. *търг.* предлагане; ~ **and demand** търсене и предлагане; 5. *техн.* захранване, подаване, приток; **battery power** ~ акумулаторно захранване.

support [sə'pɔ:t] I. *v* 1. поддържам, подкрепям, съдействам на; подпирам; 2. издържам, давам издръжка на; 3. търпя, понасям; 4. потвърждавам; 5. *театр.* играя (роля); II. *n* 1. поддръжка, подкрепа; 2. помощ, издръжка, средства за съществуване; човек, който то издържа, храни (семейство и пр.); 3. опора, подпорка, подставка; 4. *воен.* артилерийска поддръжка.

suppose [sə'pouz] *v* предполагам; допускам; мисля; представям си, въобразявам си.

supposition [,sʌpə'ziʃən] *n* предположение, хипотеза.

suppress [sə'pres] *v* 1. потъпквам, потушавам; 2. пресичам, сдържам, сподавям (стон); 3. спирам, забранявам (вестник); конфискувам, изземвам от печат (книга пр.); 4. скривам, потулям (информация и пр.).

supremacy [sju:'preməsi] *n* върховна власт, върховенство, владичество, първенство, превъзходство; **political** ~ политическо надмощие.

supreme [sju:pri:m] I. *adj* 1. върховен, най-висш; 2. краен, най-висок; най-голям; пределен; ◇ *adv* **supremely;** II. *n* зенит, апогей, връх.

sure [ʃuə] I. *adj* 1. сигурен; 2. верен, надежден, доверен; безопасен, безгрешен; 3. положителен; несъмнен; ~ **sign** очевиден (несъмнен, недвусмилен) знак; 4.

уверен, убеден; ~ **of** уверен в; убеден в; II. *adv* 1. сигурно, несъмнено; ~ **enough** наистина, действително; разбира се; 2. *разг.* наистина; **you** ~ **did it** ти наистина го направи.

surface ['sə:fis] I. *n* повърхност; външност; външкност; **to break** ~ *мор.* излизам на повърхността; II. *v* 1. изглаждам, изравнявам; рендосвам; 2. (за подводница) изплувам (излизам) на повърхността; III. *adj* външен, външкашен, повърхностен; ~ **politeness** престорена учтивост, показна любезност.

surge [sə:dʒ] I. *v* издигам се, надигам се, бушувам, нахлувам, вълнувам се; II. *n* 1. голяма вълна; 2. вълнение, вълни (и прен.); 3. *поет.* море; 4. подем, ръст, повишение; **a** ~ **of investment** ръст на инвестициите; 5. пристъп, изблик, устрем ~ **of anger** пристъп на гняв.

surmise [sə:'maiz] I. *n* предположение; догадка; подозрение; II. *v* предполагам, подозирам.

surmount [sə:'maunt] *v* 1. преодолявам, превъзмогвам; 2. прехвърлям, преминавам.

surpass [sə:'pa:s] *v* надвишавам, превишавам, надминавам, надхвърлям; превъзхождам.

surprise [sə:'praiz] I. *n* 1. изненадване; изненада, сюрприз; 2. удивление, почуда, слисване; 3. *attr* неочакван, ненадеен, внезапен; II. *v* 1. изненадвам, сюрпризирам; 2. удивлявам, учудвам; поразявам; 3. нападам (появявам се) изведнъж; налитам върху.

surrender [sə'rendə] I. *v* 1. предавам се, капитулирам; 2. отказвам се от, изоставям; 3. отстъпвам, отказвам се в полза на (to); 4. *refl* отстъпвам (от); отстъпване (на); II. *n* 1. предаване, капитулация; **unconditional** ~ безусловна (пълна) капитулация; 2. отказ (от); отстъпване (на).

surround [sə'raund] *v* обграждам, заобикалям, обкръжавам.

survey [sə'vei] I. *v* 1. преглеждам, инспектирам, оглеждам; 2. правя проучвания (изследвания), из-

следвам, проучвам; **II.** ['sə:vei] *n* **1.** преглед, изследване, инспекция; **subject** ~ тематичен обзор; **2.** топографски институт.

survive [sə'vaiv] *v* **1.** оцелявам, оставам жив, продължавам да съществувам; **2.** надживявам, преживявам; **3.** издържам, изтрайвам, изтърпявам; понасям; **4.** издържам се, препитавам се (с **on**).

susceptible [sə'septibl] *adj* **1.** впечатлителен, възприемчив; **2.** податлив, чувствителен (**към** – **to**); допускащ, позволяващ, поддаващ се (**на** – **to, of**); **3.** докачлив, обидчив; **4.** влюбчив.

suscitate ['sʌsiteit] *v* стимулирам.

suspect I. [səs'pekt] *v* **1.** подозирам, (у)съмнявам се в; **2.** мисля, допускам, предполагам; **II.** ['sʌspekt] *n* заподозряно лице, подозрителен човек; **III.** *adj* подозрителен, заподозрян.

suspense [səs'pens] *n* напрегнатост; напрежение; неизвестност, несигурност, безпокойство; тревожно очакване.

suspicion [səs'piʃən] *n* **1.** подозрение; съмнение; **on** ~ по подозрение; **2.** *разг.* едва забележим; съвсем слаб дъх; оттенък; привкус; **a** ~ **of irony** малка доза лека ирония.

suspicious [səs'piʃəs] *adj* **1.** подозрителен, съмнителен; **2.** подозрителен, мнителен; ◊ *adv* **suspiciously**.

sustain [səs'tein] *v* **1.** поддържам, подпирам, подкрепям; **2.** понасям, претърпявам; издържам, устоявам, изтърпявам, изтрайвам; **3.** поддържам; потвърждавам; **4.** установявам, доказвам.

swallow ['swɔlou] **I.** *v* **1.** гълтам, глътвам, преглъщам; **2.** поглъщам (*и прен.*) (*обикн.* с **up**); **3.** *прен.* преглъщам (*обида и пр.*); **4.** сдържам, сподавям (*за чувства, гняв и пр.*); **5.** вярвам лесно, приемам на доверие; **II.** *n* **1.** глътка; **2.** *анат.* гърло, глътка; **3.** *геол.* понор.

swan [swɔn] *n* **1.** лебед; **2.** съзвездието Лебед.

swap [swɔp] **I.** *v* разменям, заменям, правя размяна; **II.** *n* размяна, замяна, обмен.

sway [swei] *v* **1.** люшкам (се), люлея (се), олюлявам (се); **2.** завъртам се (*около вертикална ос*); **3.** *прен.* люшкам се, колебая се; **4.** влияя на, въздействам на; **5.** *поет.* владея, господствам над; управлявам; **II.** *n* **1.** люшкане, люлеене, люшкане, полюляване; **2.** *поет.* власт, владичество; влияние; управление; **to have (hold, bear)** ~ **over** господствам над, владея.

swear [swɛə] *v* (**swore** [swɔ:], *остар.* **sware** [swɛə]; **sworn** [swɔ:n]) **1.** ругая; псувам; **2.** кълна се, заклевам се; **to** ~ **an oath** полагам клетва; **3.** декларирам под клетва; **4.** заклевам (*някого*); **5.** фуча (*за котка*);

swear at ругая, хокам, псувам, проклинам (*някого*);

swear by 1) кълна се в, заклевам се в; **2)** вярвам сляпо в, кълна се в;

swear off обещавам (заклевам се, заричам се) да се откажа от;

swear to заявявам (*нещо*) под клетва, заклевам се, че нещо е така.

sweat [swet] **I.** *n* **1.** пот; изпотяване; запотяване; **2.** *разг.* тежък труд, черна работа, ангария; **II.** *v* **1.** потя се, изпотявам се, запотявам се; овлажнявам (*за повърхност и пр.*); отделям влага; карам да се изпоти; причинявам изпотяване; **2.** експлоатирам жестоко; **3.** трепя се, трудя се, бъхтя се, потя се.

sweep [swi:p] **I.** *v* (**swept** [swept]) **1.** мета, измитам, намитам, помитам (*и прен.*); чистя; прочиствам (*канал, дъно на река*); **2.** нося се; понасям се; преминавам бързо; профучавам (*с нар.* **past, along, down** *и пр.*); **3.** вървя тържествено, нося се (*с нареч.* **in, out, up** *и пр.*); **4.** (пре)минавам; разнасям се; заливам; обхващам; **5.** простирам се; извивам се; стигам до; **6.** нахвърлям се върху, преминавам през, връхлитам върху; опустошавам; отнасям; **7.** прокарвам бързо; докосвам леко (*с пръст и пр.*); **8.** прекосявам във всички

посоки; кръстосвам; претърсвам; разглеждам (*с телескоп и пр.*); хвърлям бърз поглед;

sweep along 1) движа се бързо, нося се (*за течение и пр.*); **2)** увличам (*публика и пр.*);

sweep aside дръпвам бързо, отстранявам бързо; отминавам;

sweep away 1) измитам (*сняг и пр.*); помитам, отнасям; **2)** унищожавам (бързо, изведнъж, напълно); **3)** изчезвам, загубвам се;

sweep back връщам се бързо (*и прен.*);

sweep by минавам бързо; минавам тържествено (важно);

sweep down 1) нося, влека (със себе си), влача (*за течение и пр.*); **2)** връхлетявам (**upon** върху); **3)** спускам се леко, вървя полегато (*за хълм и пр.*);

sweep in 1) прониквам (вътре) (*за вятър и пр.*); **2)** влизам тържествено (величествено);

sweep off *прен.* помитам, отнасям (*за буря, епидемия и пр.*);

sweep on напредвам постоянно (неудържимо); движа се бързо;

sweep out 1) измитам, помитам (*стая и пр.*); **2)** излизам от гарата (*за влак*);

sweep up 1) премитам, смитам, измитам; **2)** извивам и спирам (свършвам); **3)** издигам се нагоре, излитам вдигам се (*за птица, самолет и пр.*);

II. *n* **1.** метене, измитане, помитане; почистване; **2.** коминочистач (*и* **chimney**- ~); **3.** *sl* груб, невъзпитан, противен човек; мръсен тип; негодник; **4.** течение; непрестанно (неудържимо) движение; **5.** замах(ване), размах(ване), широко движение; обхват, обсе (*и на артилерия и пр.*); **6.** *прен* замах, размах; обхват; кръгозор **7.** крива, извивка; завой; **8.** прост ранство, протежение.

sweeping ['swi:piŋ] **I.** *adj* **1.** бърз стремителен, буен (*за поток* ? *пр.*); **2.** широк (*за равнина, жест и пр.*); **3.** *прен.* широк; с голям обхват; **II.** *n pl* смет; боклук; ~ **of society** измет на обществото

sweet [swi:t] **I.** *adj* **1.** сладък; **2.** пре

сен; свеж, чист (*за вода, въздух и пр.*); 3. ароматен, благоуханен; the air is ~ with lime въздухът ухае на липа; 4. сладък, мелодичен, благозвучен; 5. мил, приятен, любим, приветлив; благ, ласкав; сладък; to be ~ on s.o. влюбен съм в някого; ◇ *adv* sweetly; II. *n* 1. бонбон(че); 2. сладкиш; десерт; 3. *pl* сладости, удоволствия, наслади; наслаждения; 4. мил(а), любим(а), възлюбен(а); 5. *обикн. pl* аромати, ухания.

sweeten ['swi:tən] *v* 1. подслаждам (*и прен.*); 2. смекчавам; 3. изпълвам с благоухание; освежавам; 4. подобрявам (*почва*).

sweetness ['swi:tnis] *n* 1. сладост; 2. аромат, благоухание; 3. свежест, чистота, преснота; 4. благост, ласкавост, приветливост.

swell [swel] I. *v* (swelled [sweid]; swollen ['swoulən], swelled [sweld]) 1. издувам (се), надувам (се), подувам (се), отичам; набъбвам; 2. увеличавам (се), разраствам; (се), нараствам (*и за звук*); усилвам (*звук*); *прен.* надувам (*цифри и пр.*); 3. прииждам (*река*); 4. издигам се, надигам се (*за повърхност, вълна и пр.*); разливам се (*за очертания*); 5. надигам се (*за чувство*); to ~ with indignation едва сдържам негодуванието си; II. *n* 1. възвишение; 2. конте, франт; III. *adj разг.* 1. шикозен, контешки, елегантен; 2. отличен, превъзходен, чудесен, забележителен.

swelling ['sweliŋ] I. *n* 1. тумор;

подутина; подуване; 2. възвишение, могила; 3. изпъкнала (издута) част на нещо; изпъкване; 4. увеличаване на обема, разширяване; II. *adj* 1. издаден, издут; извит навън; изпъкнал; 2. *прен.* надут, високопарен.

swift [swift] I. *adj* 1. бърз; който минава бързо (*за време*); бързопреходен; 2. внезапен; незабавен; ◇ *adv* swiftly; II. *adv* бързо.

swill [swil] I. *v* 1. изплаквам, оплаквам (*често с* out); обливам; излизам (*с* away); 2. пия много, жадно; смуча; лоча, сръбвам; II. *n* 1. изплакване, оплакване; 2. помия; 3. лошо питие (*вино и пр.*); *прен.* помия.

swim [swim] I. *v* (swam [swæm]; swum [swʌm]) 1. плувам, плавам; преплувам; to ~ a shore плувам до брега; 2. плувам, нося се (*във въздуха, по повърхност и пр.*); 3. заставям, карам (*някого*) да плува; 4. състезавам се (*с някого*) по плуване; 5. замайва се, върти се; II. *n* 1. плуване; преплуване; плаване; 2. дълбок вир, в който има много риба; 3. световъртеж, шемет, замайване; 4. *рядко* плавателен мехур; 5. (the ~) течение (*на събития, обществен живот и др.*).

swimming ['swimiŋ] *n* плуване.

swindle [swindl] I. *v* изигравам, измамвам; II. *n* измама, лъжа, мошеничество.

swipe [swaip] I. *v* 1. удрям силно, цапардосвам; 2. *sl* открадвам, отмъквам, задигам; крада; II. *n* си-

лен удар; следа от удар.

swoop [swu:p] I. *v* 1. спускам се, връхлитам, устремявам се (*обикн.* down, on, upon); 2. *авиац.* пикирам (*с* down); 3. *разг.* сграбчвам, прибирам бързо, събирам, обирам (*обикн. с* up); II. *n* 1. спускане, връхлитане; 2. *авиац.* пикиране; устремяване надолу; 3. замах.

swop [swɔp] I. *v* разменям; правя размяна (замяна); II. *n* размяна, трампа, обмен.

sword [sɔ:d] *n* 1. меч; шпага, рапира, сабя; ~ in hand с меч в ръка; 2. *воен. sl* щик; 3. *прен.* война, военна сила, сила на оръжието.

syllable ['siləbl] I. *n* сричка; II. *v* 1. произнасям на срички; 2. *книж.* изричам, произнасям.

sympathize ['simpəθaiz] *v* 1. съчувствам; изразявам (изказвам) съчувствията си (with на); 2. съгласявам се (with); симпатизирам.

sympathy ['simpəθi] *n* 1. съчувствие, състрадание, отзивчивост (with, for); 2. симпатия (*и физиол.*); 3. разбирателство, съгласие, хармония; споделяне, разбиране (with).

system ['sistəm] *n* 1. система (*философска, политическа и пр.*); 2. метод; организация; ред, порядък; системност, методичност; 3. организъм, цяло; човешки организъм, тяло; 4. мрежа, система (*телефонна, жп и пр.*); *геол.* система, формация, група; 5. светът, вселената.

systematic [sisti'mætik] *adj* системен, систематичен, методичен; систематически.

T, t [tiː] *n* (*pl* **Ts, T's** [tiːz]) **1.** буквата t, двадесетата буква в английската азбука; **to a T** точно, буквално; както трябва, до съвършенство; **2.** нещо във форма на буквата T; **t-beam** T-образна греда.

tab [tæb] **I.** *n* **1.** закачалка (*на дреха*), петелка; петлица, ушенце, илик; **2.** *воен.* петлица; **red ~** *sl* щабен офицер; **3.** наушник; **4.** *амер.* метална халка за отваряне на консервна кутия; **5.** етикет, надпис (*за багаж и пр.*); **6.** *разг.* сметка; проверка; **to pick up the ~** плащам цялата сметка, поемам всички разходи; **7.** *разг.* табулатор; **8.** *авиац.* тример; **9.** *ел.* клема (*за запояване*); **II.** *v* (-**bb-**) *разг.* **1.** слагам етикет, надпис на; **2.** пришивам закачалка, петелка.

tabasco [təˈbæskou] *n* табаско; вид лютив сос за подправка на ястия.

tabes [ˈteibiːz] *n мед.* отслабване, изтощаване, изнемощяване; табес; **dorsal ~** табес дорзалис; увреждане на гръбначния мозък.

tabetic, tabic [təˈbetik, ˈtæbik] *adj, n мед.* табетик, болен от табес, табетичен.

tablature [ˈtæblətʃə] *n остар.* **1.** въображаем образ; представа; **2.** живо, образно, емоционално описание; **3.** *муз., истор.* табулатура, нотно писмо (*особ. за лютня*); **4.** стенна живопис, фреска.

table [ˈteibəl] **I.** *n* **1.** маса; **extension (draw, telescope) ~** разтегателна маса; **test ~** контролен (изпитвателен) стенд; **2.** трапеза; **to sit down to ~** сядам на масата (*за да се храня*); **the Lord's ~** олтар, храм, светая-светих; причастие, *нар.* комка; **3.** маса, подставка (*за инструмент и пр.*); **4.** дъсчица, дъска, плоча, плочица, плака; надпис на плоча и пр.; **the ten ~s, the two ~s, the ~s of the law** *библ.* скрижалите, десетте Божи заповеди; **5.** плоска повърхност, стена (*на кристал, строеж и пр.*); **6.** (*и* ~ **land**) плато, висока равнина; **7.** таблица, списък; разпи-

сание, табела; **multiplication ~s** таблици за умножение; **periodic ~ of elements** периодична таблица на елементите (*на Менделеев*); **8.** ролганг; • **to lay (a bill** *etc*) **on the ~** отлагам разискване, обсъждане (*на законопроект и пр.*); **II.** *v* **1.** слагам на маса; **2.** *англ.* поставям, предлагам за обсъждане; **3.** *амер.* отлагам (безкрайно) обсъждането на; **4.** правя надпис на плоча и пр.; съставям таблици, разписание и др.; записвам си; **5.** *карти* играя, слагам.

tableau [ˈtæblou] *n* (*pl* ~**x** [z]) **1.** жива картина (*и* ~ **vivant**, *pl* ~**x vivants**); **2.** *прен.* драматично положение, напрегната ситуация; **3.** живописна картина, ярко, впечатляващо изображение.

table-tennis [ˈteibəlˌtenis] *n спорт.* тенис на маса; ~ **ball** топка за тенис на маса.

tabloid [ˈtæbloid] **I.** *n* **1.** таблетка (*лекарство*); **2.** сензационен, булеварден вестник; таблоид; **II.** *adj* **1.** във форма на таблетки; **2.** *прен.* сбит, съкратен; лаконичен; компактен; • ~ **journalism** сензационна (булевардна, жълта) преса.

taboo [təˈbuː] **I.** *n* **1.** *рел.* табу; **2.** забрана, запрещение; **II.** *adj predic* **1.** свещен; който не бива да се докосва; **2.** забранен, запретен; **III.** *v* обявявам за табу; забранявам, запрещавам; отбягвам; бойкотирам, противопоставям се, саботирам.

tabouret [ˈtæbəret] *n* **1.** табуретка, столче; **2.** гергеф (*за бродерия*); **3.** игленик; **4.** барабанче.

tabular [ˈtæbjulə] *adj* **1.** с плоска форма или повърхност; плосък; **2.** на тънки пластове (слоеве); слоест; **3.** във (форма на) таблица (таблици); изложен (изразен) в таблица (таблици).

tabulate [ˈtæbjuleit] **I.** *v* **1.** нареждам (давам) в таблици (диаграми); **2.** придавам плоска повърхност (на); **II.** *adj* **1.** с широка плоска повърхност; **2.** на тънки пластове (слоеве).

tabulation [ˌtæbjuˈleiʃən] *n* **1.** табу-

лиране; нанасяне в таблица; съставяне на таблица; **2.** *pl* таблични данни.

tabulator [ˈtæbjuˌleitə] *n* **1.** човек, който прави таблици, диаграми и пр.; **2.** табулатор (*на клавиатура*); ~ **key** табулаторен клавиш; **3.** табулатор (*като изчислителна машина*); **decimal ~** десетичен табулатор.

tacit [ˈtæsit] *adj* мълчалив, безмълвен, безсловен, безгласен (*за отговор, съгласие и пр.*); подразбиращ, отгатващ се; ◇ *adv* tacitly.

taciturnity [ˌtæsiˈtəːniti] *n* мълчаливост, неразговорчивост, необщителност, саможивост.

tack₁ [tæk] **I.** *n* **1.** гвоздейче с широка главичка, кабарче; • **to come (get) down to brass ~s** говоря за (поглеждам, разглеждам) фактите, виждам нещата такива, каквито са; **2.** тропоска; бод; **3.** *мор.* халс (*въже*); ъгъл на платно; **4.** *прен.* курс (на действие), линия, политика, политическа линия; **5.** лепкавост, лепливост (*на боя и пр.*); **6.** *техн.* прихватка (*за временно прихващане на заваряеми части*); **II.** *v* **1.** закрепвам (закачам, заковавам; прикрепвам) с гвоздейчета (кабарчета); **2.** тропосвам; **to ~ in a lining** тропосвам подплатата на дреха; **3.** *мор.* променям курса на кораба спрямо вятър, лавирам (*и с* **about**); **4.** *прен.* променям курса (линията); **5.** прибавям, добавям (**to, on to** към, на); **6.** прихващам, закрепвам временно.

tack₂ *n* храна; **hard ~** *мор.* сухар.

tackiness [ˈtækinis] *n* лепкавост.

tackle [tækl] **I.** *n* **1.** принадлежности; такъми; инструменти; оборудване; **fishing ~** рибарски принадлежности; **2.** *мор.* такелаж; **II.** *v* **1.** закрепвам с корабни въжета; вдигам с полиспаст; **2.** нападам, счепквам се с; *спорт.* опитвам се да взема топката от; **3.** заемам се (енергично) с (за), захващам се; подхващам, нападам (*въпрос и пр.*); **to ~ s.o. over a matter** подемам (подхващам) въпрос пред някого; опитвам се, стремя се.

мъча се да убедя някого по даден въпрос.

tacky₁ ['tæki] *adj* лепкав.

tacky₂ *adj амер.* 1. посредствен, елементарен, ограничен; 2. мърляв, неугледен, безформен, *разг.* развлечен; евтин, долнокачествен; вулгарен.

tact [tækt] *n* 1. такт, тактичност, уместност, целесъобразност; **to use ~** тактичен съм, внимателен (умерен, предвидлив) съм, постъпвам тактично; 2. *муз.* акцентувано време; 3. *акуст.* такт, период.

tactful ['tæktful] *adj* умерен, тактичен, внимателен, предвидлив съм; ◇ *adv* **tactfully.**

tactic(s) ['tæktik(s)] *n* тактика, метод, подход; *прен.* политика.

tactical ['tæktikəl] *adj* тактически; ловък, разчетен; ◇ *adv* **tactically** ['tæktikli].

tactician [tæk'tiʃən] *n* тактик; *прен.* дипломат, *прен.* изкусен, ловък, умен.

tactile ['tæktail] *adj* 1. *физиол.* осезателен; 2. осеаем, осезателен, доловим, видим; материален; 3. приятен за пипане (*плат*).

tactility [tæk'tiliti] *n* осезаемост; осезателност, доловимост, видимост; материалност.

tactless ['tæktlis] *adj* нетактичен, неуместен; невнимателен; ◇ *adv* **tactlessly.**

tadpole ['tædpoul] *n зоол.* попова лъжичка.

taffeta ['tæfitə] *n* 1. тафта; 2. *attr* тафтен.

taffy ['tæfi] *n* ласкателство, похвала, комплимент; угодничество.

tag₁ [tæg] I. *n* 1. свободен, висящ край; 2. петелка отзад на обувка (*за по-лесно обуване*); 3. етикет, надпис (*на багаж и пр.*), вързан с връвчица; 4. *театр.* (морално) обобщение в края на драма; 5. изтъркана, банална фраза; клише; 6. рефрен, напев, припев (*на песен и пр.*); 7. заключение, извод; епилог; поука; 8. кратък цитат; 9. опашка, дръжка, издатък на изковка (*за хващане с клещи*); 10. *ел.* кабелен накрайник; 11. *pl*

отпадъци, остатъци; 12. шлака; • **electronic ~** електронно следящо устройство; II. *v* (-gg-) 1. слагам металически наконечник (*на вратовръзка*); слагам етикет (*на багаж*); 2. маркирам, отбелязвам; 3. съчинявам (слагам) рефрен на; 4. римувам (се); 5. прибавям, прикачам (**to, on to**); съединявам, сглобявам (**together**); 6. *разг.* преследвам, постоянно се влача подир (някого); проследявам; вървя по петите (**along**); **to ~ at s.o.'s heels** не се отделям от някого, вечно съм по петите на някого.

tag₂ I. *n* гоненица (*игра*); II. *v* (-gg-) хващам (пипвам, докосвам) при гоненица.

tag-tail ['tægteil] *n* 1. вид червей; 2. подлизурко, угодник, подмазвач.

taiga ['taigə] *n* тайга, труднопроходима гора в Северна Европа и Азия.

tail [teil] I. *n* 1. опашка, *прен.* върволица, един след друг; **close at s.o.'s ~** по петите на някого; 2. нещо подобно на опашка; опашка (*на комета, хвърчило, самолет и пр.*); край; завършек; крайчец; заден (заден) край; част (*на керемида и пр.*), която се подава под друга; **~ of hair** плитка, кичур (*коса*); 3. *разг.* свита, придружители на високопоставено лице; 4. *прен.* опашка; по-малко влиятелна част на партия и пр.); 5. шлейф (*на рокля*); 6. пеш, долен край на дреха (*и* coat-**~**); 7. *обикн. pl* обратната страна на монета, тура; 8. преследвач, шпионин, "опашка"; 9. *sl* задник; 10. *sl vulg* съвокупление, полов акт; II. *v* 1. слагам опашка на (*хвърчило и пр.*); 2. *разг.* следя, вървя по петите на; проследявам; 3. режа (отрязвам) опашката на (*агне и пр.*); 4. късам (режа) дръжките или крайчеца на (*плодове*); 5. вървя на края на (*процесия и пр.*);

tail after следя отблизо, вървя по петите на; неотлъчно следвам; мъкна се след;

tail away 1) изоставам назад; разпилявам се; 2) влача се, точа се (*за край на процесия и пр.*); 3) замирам, заглъхвам (*за глас и пр.*); постепенно изтънявам (намалявам); изчезвам в далечината; разсейвам се;

tail back образувам (дълга) автомобилна колона (*напр. при задръстване*);

tail in прикрепям (греда) в стена;

tail up 1) *авиац.* пикирам; гмурвам се (*за кит*); 2) един след друг, нареждам се на "опашка", правя "опашка".

tailback ['teil,bæk] *n* автомобилна колона.

tail-coat ['teil,kout] *n* фрак.

tailor ['teilə] I. *n* шивач; **the ~ makes the man** дрехите правят човека; II. *v* шия (дрехи); шивач съм.

tailpiece ['teilpi:s] *n* 1. гриф (*на цигулка и пр.*); 2. *полигр.* винетка на края на глава или книга.

tail wind ['teilwind] *n* попътен вятър, *прен.* щастлив живот.

taint [teint] I. *n* 1. петно, лекé, дамга (*нар.*); белег, знак (*и прен.*); позорно петно; позор; 2. зараза; порок, корупция, безнравственост, поквара; **free from moral ~** чист, непокварен; 3. следа (*от нещо лошо*); **with no ~ of bias** без следа от предубеденост; 4. *мед.* болест в латентен стадий; II. *v* 1. заразявам (*въздух, вода и прен.*); поквара(ва)м; опетнявам; 2. развалям се (*за продукти и пр.*).

taintless ['teintlis] *adj* 1. *прен.* неряден, безупречен, акуратен; чист; здрав; непорочен; 2. пресен (*за продукти и пр.*).

take [teik] I. *v* (**took** [tuk], **taken** ['teikn]) 1. вземам; *прен.* подпомагам, окуражавам; **to ~ in hand** залавям се (заемам се) за; стягам (*някого*); 2. водя, завеждам; **~ me to him** заведи ме при него; 3. хващам, залавям; **to ~ prisoner (captive)** пленявам, вземам в плен; 4. вземам (*и при игри*), превземам, завладявам (*и прен.*); **to ~** **by storm** превземам с щурм; 5. възползвам се от, използвам (*възможност и пр.*); **to ~ o.'s chance**

възползвам се; **6.** вземам, заемам (*дума, идея и пр.*) (**from** от); **7.** вземам; наемам, използвам (*жилище, кола, работна ръка и пр.*); **8.** вземам, заемам; ангажирам, запазвам (*място и пр.*); **9.** абониран съм за, получавам (купувам) редовно (*вестник и пр.*); **10.** вземам, използвам (*превозно средство*); **to ~ ship** качвам се на кораб; **11.** вземам, поемам, тръгвам по (*път и пр.*); **12.** прескачам, преодолявам (*препятствие и пр.*); **13.** вземам, получавам, спечелвам (*диплома, награда и пр.*); вземам, издържам (*изпит*); **14.** вземам, поемам (*храна, въздух и пр.*); ям, пия; **to ~ o.'s meals** храня се; **15.** вземам, приемам (*подарък, предложение и пр.*); **to ~ things as one finds them** приемам нещата такива, каквито са; **16.** предполагам, мисля, смятам, приемам; **I ~ it that** предполагам, че; **17.** разбирам, тълкувам; **to ~ s.th. in the wrong way** разбирам нещо неправилно; **18.** поемам (*отговорност, командване и пр.*); **to ~ the lead** заставам начело, водя; **19.** занасям (**to** на, в); водя, завеждам, отвеждам (**to** на, в); откарвам (*с кола и пр.*); **20.** вземам, отнемам (*време и пр.*); изисквам, трябва ми, нужно ми е; **he took (it took him) three years** нужни му бяха три години; **it took some finding** не беше лесно да се намери; **21.** измервам (*температура, височина и пр.*); **to ~ reading** отчитам данни (*напр. от скала*); отчитам (*данни на измервателен уред*); **22.** хващам, пипвам, разболявам се от; заразявам се; **23.** правя (*снимка*), снимам, фотографирам; изобразявам, рисувам; излизам (*добре, зле*) на снимка; **she doesn't ~ well** тя не излиза добре на снимки, не е фотогенична; **24.** обучавам, вземам (*клас*); следвам (*курс и пр.*); **25.** имам успех, харесвам се, налагам се; **26.** хваща (*за ваксина и пр.*); хваща се (*за присадка и пр.*); хваща, лови (*боя и пр.*); **to ~ root** вкоренява се; хваща ко-

рен; **27.** побира (*за кола и пр.*); **28.** издържа (*товар и пр.*); поддържа, крепи, подкрепя (*за греда и пр.*); **29.** пламва (*за огън*); **30.** нося (*номер обувки и пр.*); **31.** ловя, хващам; **to ~ fish** ловя риба; **32.** втвърдявам се (*за цимент, гипс и пр.*); прониквам, бондисвам (*за боя, оцветител*); ● **to ~ a leaf out of s.o.'s book** възприемам нечий метод и пр.;

take aback изненадвам; зашеметявам; поразявам, сразявам; *прен.* удивлявам;

take about развеждам, разхождам; разтрогвам брак;

take after приличам на, напомням, имам вид, метнал съм се на;

take against изпитвам неприязън към (*често без основание*);

take apart 1) разглобявам, демонтирам; 2) анализирам, критикувам;

take away 1) вземам, отнемам, лишавам (**from** от); 2) вземам, махам; изваждам; 3) купувам храна от ресторант за вкъщи; 4) отнасям, отвеждам, пренасям; отвявам; прибирам (*в болница, затвор и пр.*);

take back 1) връщам, завеждам (занасям) обратно; 2) вземам назад, обратно (*думите си*); 3) напомням, припомням (*за нещо от миналото*);

take down 1) снемам, смъквам, свалям (*от стена, рафт и др.*); 2) разрушавам (*стена и пр.*); демонтирам; разглобявам; 3) поглъщам, преглъщам (*с мъка*); 4) записвам, отбелязвам;

take for вземам за, мисля за (*и погрешно*);

take from намалявам от; отнемам, вземам, присвоявам; *мат.* изваждам от;

take in 1) въвеждам, вкарвам; приобщавам; 2) прибирам (*реколта и пр.*); снабдявам се (*със запаси за зимата и пр.*); 3) прибирам, подслонявам, давам подслон на, приютявам; 4) абониран съм за; редовно получавам; 5) стеснявам, скъсявам (*дреха*); свивам (*корабно платно*); 6) включвам, обхва-

щам; заемам; съдържам; 7) схващам, разбирам същността (*на довод, факт*); 8) измамвам, мятам, излъгвам; 9) разглеждам, наблюдавам, съзерцавам, посещавам (*забележителност*);

take off 1) отвеждам, извеждам; *refl* отивам си, махам се; 2) събличам, свалям, снемам, махам; 3) отрязвам, ампутирам; 4) изпивам, глътвам, гаврътвам; 5) имитирам, подражавам на, карикатуря; 6) излитам, откъсвам се от земята (*за самолет*); скачам, отскачам, подскачам (**from**); 7) отслабва, намалява (*за вятър*); 8) унищожавам, погубвам;

take on 1) поемам (*работа и пр.*); залавям се за, започвам (*работа*); 2) приемам (*някого като партньор при игра и пр.*); 3) вземам (*пътници – за влак и пр.*); 4) наемам (*работници*); 5) придобивам, приемам (*форма, цвят и пр.*); 6) *разг.* вълнувам се, разчувствам се; 7) *разг.* имам успех, ставам популярен; 8) важнича, големея се, виря си носа; 9) *воен.* откривам огън;

take out 1) извеждам; изнасям (*книги от библиотека и пр.*); изваждам (*и зъб*) (**of** от); 2) махам, изчиствам, изличавам (*петно*); премахвам, отстранявам (*болка и пр.*); 3) вадя, изкарвам, вземам (*патент, разрешително и пр.*); 4) каня, водя, съпровождам (*на театър, ресторант*);

take over 1) поемам, приемам (*служба, длъжност от друг*); *воен.* поемам (*командването*); 2) завеждам, закарвам, откарвам; пренасям, занасям, отнасям;

take to 1) започвам (*да се занимавам с*); поемам (*по*); отдавам се на; удрям го на; 2) привързвам се към; обиквам, харесвам, нрави ми се; придобивам навик; пристрастявам се (*към нещо*);

take up 1) вдигам, повдигам; 2) улавям, хващам (*изпусната артерия, бримка*); 3) поемам, попивам (*вода*); 4) заемам, ангажирам (*време, място, внимание и

пр.); 5) вземам (*пътници, за превозно средство*); 6) арестувам, задържам, затварям; 7) заемам се с (*за*); започвам да се занимавам; разглеждам, проучвам, запознавам се с (*въпрос*); 8) вземам под покровителството си; 9) прекъсвам, апострофирам (*говорител*); 10) връщам се към, подновявам, подемам (*прекъснат разказ и пр.*); 11) *търг.* изплащам; 12) приемам (*бас и пр.*); 13) обсъждам (*план и др.*); 14) изисквам обяснение или доказателства; 15) обирам хлабина;
II. *n* **1.** улов (*дивеч, риба и пр.*); **2.** *театр.* сбор, пари, получени от едно представление; **3.** *полигр.* текст, даден за набор на един словослагател; **4.** *кино* сцена, кадър (*за снимане*), дубъл; кинокадър.

take-off ['teik'ɔf] *n* **1.** карикатура, подражание; имитация, пародиране; **2.** *авиац.* излитане; откъсване от земята; **3.** място, от което се скача; трамплин; място, от което самолетът се отделя от земята; **4.** отклонение, отвеждане; извод.

taking ['teikiŋ] **I.** *adj* **1.** привлекателен, примамлив, съблазнителен, очарователен, приятен; **2.** заразителен, прилепчив (*за болест*); **II.** *n* **1.** *pl* вземания; печалби; **2.** арест, затваряне, задържане; **3.** превземане; **4.** *разг.* вълнение, безпокойство, тревога; **5.** *мин.* добив, изз546ване, доставка; добивен участък.

talc [tælk] **I.** *n* талк; **II.** *v* талкирам, посипвам с талк.

tale [teil] *n* **1.** приказка, разказ; ~ **of a tub** измислица; **2.** слух, клюка; сплетня, клевета; **3.** *остар., поет.* брой, число, количество.

talebearer ['teil,beərə] *n* издайник, доносник; сплетник, клеветник, клюкар.

talebearing ['teil,beəriŋ] *n* издайничество, доносничество, клеветничество, клюкарство.

talent ['tælənt] *n* дарба, талант, заложба, способност (**for**).

talented ['tæləntid] *adj* талантлив,

даровит, надарен, способен.
talentless ['tæləntllis] *adj* бездарен, неспособен, некадърен.
taleteller ['teiltelə] *n* разказвач, -ка, говорител, -ка.
talisman ['tælizmən] *n* талисман, муска, амулет.
talk [tɔːk] **I.** *v* **1.** говоря; разговарям (*се*); приказвам (**about, of** за; **with** с); **to ~ (cold) turkey** *разг.* говоря сериозно, казвам истината; **2.** говоря, сплетнича, клюкарствам; **3.** говоря (разказвам, приказвам) за; **4.** говоря, докато докарам някого до някакво състояние;

talk about говоря (приказвам) за; разисквам, обсъждам, обменям мисли; клюкарствам за;
talk away 1) прекарвам в говорене (приказки); *разг.* лафосвам; 2) говоря (приказвам) неспирно, меля, бърборя;
talk back отвръщам (дръзко); възразявам, оспорвам;
talk down надприказвам, наддумвам, накарвам да млъкне;
talk into уговарям, убеждавам, преговарям, договарям (се);
talk of говоря (приказвам) за; споменавам, намеквам за;
talk out 1) отлагам (*гласуване на законопроект и пр.*), като проточвам дебатите до края на заседанието; 2) разисквам, обсъждам подробно (докато стигна до споразумение); 3) изчерпвам темата на разговора, приключвам с разговора;
talk over 1) разисквам, обсъждам; 2) убеждавам, увещавам, придумвам, договарям се;
talk round говоря пространно, твърде подробно, приказвам надълго и нашироко, без да стигна до същността на въпроса;
talk to 1) говоря, приказвам, казвам на; поговорвам на, скарвам се на, нахоквам; мъмря, упреквам;
talk up 1) говоря ясно и високо, отчетливо, разбираемо; 2) правя реклама на (*книга и пр., като говоря за нея*), хваля, препоръчвам;

II. *n* **1.** разговор, беседа, диалог; **to have a ~ with s.o.** разговарям с някого, поприказвам с някого; **2.** (празни) думи; приказки; **3.** слухове, клюки; тема за разговор (за клюки); **it is the ~ of the town** целият град говори за това; **4.** *pl* преговори; **5.** лекция, беседа.
talkative ['tɔːkətiv] *adj* приказлив, бъбрив, словоохотлив, сладкодумен; общителен.
talking ['tɔːkiŋ] *adj* **1.** говорещ; който умее да говори; ~ **point** тема на разговор; **2.** изразителен, експресивен (*книж.*).
talking-to ['tɔːkiŋtu] *n* мъмрене, укор, упрек, "калай", *разг.* скастряне.
tallow ['tælou] **I.** *n* **1.** лой, сало; **2.** катран; **II.** *v* **1.** намазвам с лой; **2.** угоявам, охранвам; *разг.* тъпча с храна.
tally-sheet ['tælifiːt] *n* **1.** *фин.* бордеро; **2.** *амер.* списък на гласове.
Talmud ['tælmud, 'tælmʌd] *n евр., рел.* талмуд.
tame [teim] **I.** *adj* **1.** питомен, опитомен; обучен, дресиран; пасивен, кротък; **2.** скучен, безинтересен; еднообразен, монотонен; банален; **3.** културен, който се култивира (*за растение*); ◇ *adv*
tamely; II. *v* **1.** опитомявам, дресирам, обучавам; **2.** обуздавам, укротявам, усмирявам; смекчавам; **3.** култивирам; **4.** контролирам, подчинявам.
tamer ['teimə] *n* укротител, -ка; дресьор, -ка; усмирител, -ка (*често в съчет.* lion-~ укротител на лъвове).
tamp [tæmp] *v* трамбовам, набивам; натиквам.
tamper ['tæmpə] **I.** *v* (*обикн. с* **with**) **1.** меся се, пъхам се (бъркам се), навирам се; бърникам, пипам; **2.** подправям, фалшифицирам; **3.** опитвам се да подкупя (*свидетел и пр.*), тайно притискам, принуждавам; **II.** *n* **1.** тапа, пробка; **2.** трамбовка (съоръжение за трамбоване); **3.** чукало (*на хаван*); **4.** *ядр.* отражател, екран.
tampion ['tæmpiən] *n* втулка; запушалка, тапа.

tampon ['tæmpən] I. *n* тампон; II. *v* слагам тампон(и).

tang [tæŋ] I. *v* звъня, звънтя, дрънча, дрънкам; хлопам; II. *n* звън; дрънчене; хлопане.

tangent ['tændʒənt] I. *adj мат.* допирателен; II. *n мат.* допирателна; тангенс; **common ~** обща допирателна.

tangential [tæn'dʒenʃl] *adj* допирателен, насочен по допирателната към дадена крива, тангенциален.

tangibility [,tændʒi'biliti] *n* 1. осезаемост, доловимост, видимост, осезателност; 2. реалност, материалност.

tangible ['tændʒibəl] *adj* 1. осезаем, осезателен, доловим, видим; 2. *юр.* материален, веществен; 3. материален, реален, действителен.

tangle [tæŋgəl] I. *n* 1. объркано (заплетено) кълбо, възел; 2. бъркотия, неразбория; бърканица; заплетеност, забърканост; **to be ~d** (*u* to be **~s**) намирам се в заплетена ситуация; 3. драга (*за вадене на водорасли, за изследване на морското дъно и пр.*); 4. вид водорасло; 5. конфликт, спор; караница, крамола (*разг.*); **~** заплетена ситуация; сложно положение; II. *v* 1. забърквам (се), заплитам (се), обърквам (се), оплитам (се) (*и прен.*) (*и с* up) усложнявам; 2. *прен.* заплитам, оплитам, хващам (*някого*);

tangled ['tæŋgəld] *adj* труден, сложен, объркан; **~ with s.o.** влизам в конфликт с някого.

tango ['tæŋgou] I. *n* танго; II. *v* танцувам танго.

tank [tæŋk] I. *n* 1. цистерна, щерна, резервоар; 2. *воен.* танк; 3. *attr* танков; II. *v* (*обикн.* **~** up) пълня резервоара си (*за кораб и пр.*), съхранявам в резервоар; *sl* пийвам, наливам се, *прен.* пия.

tanker ['tæŋkə] *n* 1. танкер, кораб цистерна; 2. автомобил-цистерна.

tantalizing ['tæntə,laiziŋ] *adj*; мамещ, омагьосващ; ◇ *adv* **tantalizingly.**

tantalous ['tæntələs] *adj* танталов.

tantamount ['tæntəmaunt] *adj* рав-

носилен, равностоен, равнопоставен, равноценен, равен (to).

tap₁ [tæp] I. *n* 1. кран; **wine (beer) on ~** наливно вино (бира); 2. сорт, марка (*вино и пр.*); 3. *техн.* метчик, мечик, винторез; 4. *ел.* разклонение; клема; II. *v* (-**pp**-) 1. слагам кран (на); пробивам (*бъчва и пр.*); 2. правя пункция на, вадя (*течност*) чрез пункция; 3. *sl* заемам (измъквам, изпросвам, изкрънквам) пари (от); 4. правя нарез на дърво (*за вадене на сок*); правя винтов нарез; 5. добирам се до, достигам до, намирам, прониквам в; **to ~ a new country** *разг.* спечелвам пазар в нова страна; 6. *ел.* правя разклонение.

tap₂ I. *v* (-**pp**-) 1. почуквам; потропвам; потупвам; похлопвам; **to ~ on the shoulder** потупвам по рамото; 2. слагам капаче (*на ток и пр.*); II. *n* 1. леко почукване; потропване; потупване, похлопване; 2. капаче на ток, подметка и пр.; 3. *воен. pl* сигнал за гасене на лампите в казарма; сигнал за обед в столова; сигнал за прекратяване на огъня, отбой.

tap-dancer ['tæp,da:nsə] *n* танцьор.

tape [teip] I. *n* 1. лента, ширит, панделка; 2. *спорт.* лента на финал; **to breast the ~** стигам пръв на финала; 3. телеграфна лента; рулетка; мерна лента; (**adhesive ~**) лепенка; 4. магнетофонна лента; II. *v* 1. (*и* tape up) връзвам с лента; подшивам (облепвам) с лента (ширит); 2. подшивам, подлепвам с рулетка; 3. измервам с рулетка; 4. *воен.* карам да замлъкне; откривам (*неприятелска батарея*).

tape-recorder ['teipri'kɔ:də] *n* (*и* **tape deck**) магнетофон.

tapering ['teipəriŋ] *adj* шиловиден, изострен, заострен, конусовиден.

tapeworm ['teipwə:m] *n мед.* тения.

tapir ['teipiə] *n зоол.* тапир *Tapirus.*

tap-off ['tæp'ɔf] *n* разклонение, отклонение.

tar [ta:] I. *n* 1. катран, гъста, черна мазна течност, смола; 2. *разг.* моряк (*обикн.* **a jolly ~, an old ~**); II. *v* (-**rr**-) насмолявам, мажа (на-

мазвам) със смола (катран), катраносвам.

tardiness ['ta:dinis] *n* 1. бавност, мудност; 2. закъснение, забавяне; 3. разтакане, бавене.

tardy ['ta:di] *adj* 1. бавен, муден, ленив; 2. който (се) разтакава (отлага); 3. закъснял, забавил се.

target ['ta:git] I. *n* 1. цел, мишена, *нар.* нишан; прицел, обект (for); 2. план; запланиран резултат; **to be on ~** движа се според плана (предвижданията), напредвам успешно; 3. *истор.* щит, броня; 4. кръгъл железопитен сигнал, диск (*на стрелка*); 5. агнешки врат и преднина; 6. *техн.* шибър; 7. *геод.* визирна точка; 8. антикатод на рентгенова тръба; 9. *ел.* указател на действие; флагче (*в реле*); II. *v* 1. критикувам, нападам; 2. прицелвам се в, насочвам се към определена аудитория (*с цел реклама, пр.*).

tariff ['tærif] I. *n* 1. тарифа (*за мита, превоз и пр.*); **~ walls** митнически прегради; 2. разценка, ценоразпис, списък на стоки с цените им; **all-in ~** единна тарифа; **wages ~** тарифна система; II. *v* 1. включвам в (митническа) тарифа; 2. оценявам.

tarnish ['ta:niʃ] I. *v* 1. потъмнявам (*за лъскава повърхност*), губя (карам да изгуби) блясъка си; 2. петня, опетнявам, очерням; II. *n* 1. тъмен пласт върху метал и пр.; 2. *прен.* петно, срам, позор.

tarnished ['ta:niʃt] *adj* опетнен (*за репутация, име, пр.*).

tarry ['tæri] I. *v книж.* 1. бавя се, закъснявам; забавям (се); 2. стоя (at, in); 3. *рядко* чакам (for); очаквам, дочаквам; II. *n* 1. задръжка (пауза) в края на ход (*напр. на маса на шлифовъчна машина*); 2. шлифоване без напречно подаване.

tart [ta:t] *adj* 1. кисел; тръпчив; 2. хаплив, язвителен, рязък, раздразнителен, навъсен; ◇*adv* **tartly.**

Tartar ['ta:tə] I. *n* 1. татарин; 2. буен, див, невъздържан човек; човек с необуздан нрав; човек, който ни се води, ни се кара; фурия;

II. *adj* татарски; ~ **sauce** (*u* **cream of** ~) сос тартар.

Tartarean [ta:'teəriən] *adj* адски, пъклен.

Tartarus ['ta:tərəs] *n* ад, преизподня, ад, тартар.

tartness ['ta:tnis] *n* **1.** киселина; тръпчивост; кисел (тръпчив) вкус; **2.** хапливост, язвителност, рязкост, раздразнителност.

task [ta:sk] **I.** *n* **1.** работа, задача; урок, домашна работа; **2.** *амер.* норма (*на работник*); **II.** *v* **1.** (за)давам (някому) работа, възлагам работа; **2.** поставям на изпитание; **3.** изпробвам, проверявам; **4.** претоварвам, пресилвам, обременявам.

taste [teist] **I.** *v* **1.** опитвам (на вкус), вкусвам; *прен.* вкусвам, изпитвам, опитвам, преживявам; **2.** дегустатор съм; **3.** усещам вкус (на); имам вкус (на), докарвам (на); **it** ~**s bitter** има горчив вкус, горчи; **4.** вкусвам, ям, слагам в устата си; **5.** *остар.* наслаждавам се на, радвам се на; **II.** *n* **1.** вкус; **to leave a bad** ~ **in the mouth** оставям неприятен вкус в устата; *прен.* оставям неприятно впечатление; **2.** вкус; склонност; пристрастие; **a** ~ **for music etc.** склонност (любов) към музиката и пр.; **3.** проба, нещо за опитване; късче, хапка; **just a** ~ **of this cheese** само едно късче от това сирене; **4.** следа, отсянка, оттенък; **5.** маниер, вкус, стил, разбиране; **to dress in good** ~ обличам се с вкус.

tasteless ['teistlis] *adj* **1.** безвкусен, блудкав, неприятен; *прен.* безинтересен, незначителен; **2.** нетактичен, нелеп; **3.** *рядко* който е изгубил вкусовите си възприятия; ◊ *adv* **tastelessly.**

taster ['teistə] *n* **1.** дегустатор; **2.** *разг.* рецензент на издателство.

tasty ['teisti] *adj* **1.** вкусен; приятен; **2.** *вулг.* елегантен, привлекателен; с вкус.

tatter ['tætə] *n* **1.** обикн. *pl* дрипа, парцал; **his coat was (hanging) in** ~**s** палтото му беше цялото в дрипи, окъсано; **2.** дрипльо, голтак, бедняк, парцалан.

tattered ['tætəd] *adj* дрипав, парцалив; съдран, одрипавял.

tattle [tætl] **I.** *v* сплетнича, клюкарствам; бърборя, дрънкам; одумвам, пресъждам; **II.** *n* (*u* **tittle-tattle**) клюки, сплетни; бърборене, дрънкане.

tattler ['tætlə] *n* бърборко; дърдорко; сплетник, клюкар.

tattoo [tæ'tu:] **I.** *v* татуирам; **II.** *n* татуировка.

tatty ['tæti] *adj* мръсен, разхвърлян, занемарен.

taunt [tɔ:nt] **I.** *v* подигравам се на, присмивам се на, надсмивам се над (**with** за), *книж.* иронизирам; **II.** *n* **1.** презрителна насмешка, ирония, подигравка; язвителна забележка; **2.** предмет на насмешка (подигравка).

Taurus ['tɔ:rəs] *n* телец (*съзвездие и знак на Зодиака*).

taut [tɔ:t] *adj* **1.** опънат, изпънат; обтегнат; напрегнат; **2.** стегнат, спретнат; акуратен, в добро състояние.

tautology [tɔ:'tɔlədʒi] *n* тавтология, повторение.

tautological ['tɔ:tə,lɔdʒikəl] *adj* тавтологичен.

tavern ['tævən] *n* кръчма, бар, таверна, *нар.* механа.

tawdry ['tɔ:dri] **I.** *adj* безвкусен, евтин, незначителен, кичозен, крещящ (*за облекло*); **II.** *n* евтини безвкусици, безвкуси, кичозни украшения.

tawny ['tɔ:ni] *adj* светлокафяв, тъмножълт, червеникавокафяв.

tax [tæks] **I.** *v* **1.** облагам с данък; *юр.* определям разноските (по *процес и пр.*); **2.** подлагам на изпитание, изисквам много (от); преуморявам, пресилвам, претоварвам; **3.** искам, вземам (*цена*); **4.** обвинявам, осъждам; **to** ~ **with** обвинявам в, приписвам на; **II.** *n* **1.** данък; налог; **to lay (levy) a** ~ **on s.th.** облагам нещо с данък; **2.** товар, бреме; изпитание; **it is a great** ~ **on my strength** това е голям товар за мен.

taxable ['tæksəbəl] *adj* облагаем; податен, подлежащ на облагане.

tax relief ['tæksri,li:f] *n* данъчно облекчение.

tax return ['tæksri,tə:n] *n* данъчна декларация.

taxi ['tæksi] **I.** *n* такси (*u* ~ **cab**); **II.** *v* пътувам (отивам, пристигам) с такси.

taxi driver ['tæksidraivə] *n* шофьор на такси.

taximeter ['tæksi,mi:tə] *n* таксомер, таксиметър, таксиметров брояч.

taxi rank ['tæksi'ræŋk] *n англ.* пиаца за такси.

taxpayer ['tækspeiə] *n* данъкоплатец, поданик, гражданин, избирател.

tea [ti:] **I.** *n* **1.** чай; **2.** силен бульон, настойка, отвара; ● **it's not my cup of** ~ не е по моя вкус, не ми харесва; **II.** *v* **1.** пия чай; **2.** черпя с чай.

teach [ti:tʃ] *v* (**taught** [tɔ:t]) уча, предавам знанията си, обучавам, давам уроци; научавам; преподавам; **to** ~ **s.o. a lesson** давам някому (добър) урок.

teachability [,ti:tʃə'biliti] *n* податливост на обучение, схватливост, възприемчивост, интелигентност; достъпност.

teachable ['ti:tʃəbəl] *adj* **1.** схватлив, възприемчив, интелигентен, податлив на обучение, прилежен; **2.** който (лесно) се усвоява, достъпен (*за учебен предмет*).

teacher ['ti:tʃə] *n* учител, -ка, преподавател, -ка, педагог, педагожка; ~ **of history, history** ~ учител по история.

teaching ['ti:tʃiŋ] *n* **1.** учителство, учителска професия; **to take up** ~ ставам учител; **2.** учение, доктрина, теория, *книж.* догма (*u pl*).

tea gown ['ti:,gaun] *n* домашна роба, халат.

teahouse ['ti:,haus] *n* чайна (*в Япония и пр.*).

tea kettle ['ti:,ketl] *n* чайник.

team [ti:m] **I.** *n* **1.** впряг; **2.** тим, отбор, екип; екипаж (*на плавателен съд*); **3.** бригада, група (*работници, артел*); **research** ~ научно-изследователски колектив; **II.** *v* **1.** впрягам заедно; **2.** обединявам в бригада, група, отбор.

teamwork ['ti:mwə:k] *n* **1.** органи-

зирана съвместна работа; взаимопомощ, сътрудничество; взаимодействие; 2. работа на бригади; конвейерна работа.

tear₁ [teə] I. *v* (**tore** [tɔ:], **torn** [tɔ:n]) 1. късам (се), скъсвам (се), разкъсвам (се), раздирам (се), съдирам (се), откъсвам (се); **to ~ in half (in two)** скъсвам на две; 2. устремявам се, втурвам се, тичам, летя, нося се (*с разл. предлози и наречия* – **down, along, into, out of** *и пр.*); 3. *прен.* късам се, раздирам се; колебая се между (*за чувства, мисли и пр.*);

tear away откъсвам, отделям, отстранявам, отдалечавам;

tear down 1) скъсвам; смъквам рязко; 2) разрушавам, събарям (*постройка*); 3) опровергавам, оборвам (*последователно по точки*);

tear into s.o. нахвърлям се с критика върху някого;

tear off скъсвам, откъсвам, разкъсвам (*обвивка и пр.*);

tear out откъсвам, скъсвам, изтръгвам (*страница и пр.*);

tear up 1) разкъсвам, накъсвам; 2) изскубвам, изкоренявам, изтръгвам; 3) развалям, изваждам (*паваж и пр.*);

II. *n* 1. скъсано, съдрано (място), дупка; 2. *разг.* устрем; стремително движение, атака; 3. *разг.* вълнение; гняв; **I'm in such a ~** толкова съм ядосан (развълнуван); 4. *амер. sl* гуляй, веселба.

tear₂ [tiə] *n* 1. сълза; **with ~s in o.'s eyes** със сълзи на очи; 2. капка (*роса и пр.*); 3. конденз̀ат.

tearful [ˈtiəful] *adj* 1. разплакан; плачещ; 2. плачлив, сълзлив, готов да се разплаче; 3. тъжен, печален (*за новина и пр.*); ◇ *adv* **tearfully**.

tear-gas [ˈtiə.gæs] *n* сълзотворен газ.

tearing [ˈteəriŋ] I. *adj разг.* бесен, луд, неистов (*за бързина, гняв, буря и пр.*); II. *n* 1. скъсване, откъсване; 2. *мин.* хоризонтално преместване на скални частици при слягане на горнище.

tear-jerker [ˈtiədʒə:kə] *n разг.* сълзлив, сантиментален филм, книга,

музика и пр.; пошла мелодрама.

tearless [ˈtiəlis] *adj* без сълзи, сух (*за очи*); *прен.* безчувствен, безразличен, равнодушен.

tear-proof [ˈteəpru:f] *adj* издържлив, устойчив на късане.

tease [ti:z] I. *v* 1. чепкам, разчепквам, нищя, разнищвам; 2. кардирам; 3. дразня, закачам; дотягам, омръзвам, досаждам, безпокоя; II. *n* 1. човек, който обича да закача, дразни; 2. закачка; шега; **it was meant only for a ~** това беше само на шега.

teaser [ˈti:zə] *n* 1. закачлив, подигравателен, насмешлив човек, "драка"; 2. *разг.* трудна задача, главоблъсканица; 3. *текст.* изтръсквачка, дарак, дарачен вал.

teasing [ˈti:ziŋ] *adj* дразнещ, нервиращ, провокиращ, мъчителен; ◇ *adv* **teasingly**.

technical [ˈteknikəl] I. *adj* 1. технически; **~ hitch** техническа повреда; 2. *юр.* формален; ◇ *adv* **technically**; II. *n pl* специална терминология; техническа терминология.

technician [teˈkniʃən] *n* техник; човек, добре запознат с техниката на работата си (*в живописта, музиката и пр.*); специалист, спец, майстор, компетент.

technique [tekˈni:k] *n* изк. техника, технически похвати; метод, способ, начин; **fundamental ~** основна технология; **studio ~** студийна техника.

technological [ˈteknəˌlɔdʒikəl] *adj* технологичен; ◇ *adv* **technologically**.

technology [tekˈnɔlədʒi] *n* 1. техника, техническа и приложна наука; 2. технология; **chemical ~** химична технология.

techy, tetchy [ˈtetʃi] *adj* раздразнителен, обидчив, докачлив.

tectonic [tekˈtɔnik] I. *adj* 1. архитектурен, строителен; конструктивен; 2. *геол.* тектонски; II. *n* 1. *pl* (= *sg*) строителни науки и изкуства; 2. тектоника.

tedious [ˈti:diəs] *adj* скучен, досаден, тягостен, безинтересен; еднообразен, един и същ, моното-

нен, изморителен; ◇*adv* **tediously**.

tedium [ˈti:diəm] *n* скука, отегчение, досада; еднообразие, монотонност.

teem₁ [ti:m] *v* 1. гъмжа, бъкам, пъкам; изобилствам (**with**); **fish ~ in these waters** в тези води има много риба, тези води гъмжат от риба; 2. *остар.* плодороден съм, раждам, остар. плодя се.

teem₂ *v метал.* изливам, отливам (*кюлчета, слитъци*).

teen [ti:n] *n остар.* беда, нещастие; скръб, мъка, горест, отчаяние, страдание.

teeny [ˈti:ni] *adj* мъничък, дребничък, дребосъче, фъстъче (*разг.*) (*u ~-weeny*).

teetotalism [ti:ˈtoutəlizəm] *n* въздържание, трезвеност, самоограничение.

teetotaller [ti:ˈtoutələ] *n* въздържател, -ка, трезвеник.

tegument [ˈtegjumənt] *n* 1. покривка, обвивка; 2. *анат., бот.* тегумент.

tehee [ti:ˈhi:] I. *n* хихикане; кикотене, разкикотвам; II. *v* хихикам, кикотя се, *разг.* разкикотвам се.

telecamera [ˌteliˈkæmərə] *n* телекамера, телевизионна камера.

telecast [ˈteliˈka:st] *v* предавам по телевизията; излъчвам телевизионна програма.

telecasting [ˈteliˌka:stiŋ] *n* телевизионно предаване.

telecontrol [ˌtelikənˈtroul] *n* телеуправление, дистанционно управление.

telefilm [ˈtelifilm] *n* телевизионен филм.

telegram [ˈteligræm] *n* телеграма; **alphabetic ~** буквена телеграма.

telegraph [ˈteligra:f] I. *n* телеграф; **printing ~** печатащ телеграф; II. *v* 1. телеграфирам; изпращам телеграфически; извиквам телеграфически (**for**); 2. *рядко* сигнализирам; *прен.* давам знак, съобщавам със знаци.

telegrapher [tiˈlegrəfə] *n* телеграфист, -ка.

telegraphic [ˌteliˈgræfik] *adj* телеграфен, телеграфически; за телеграми.

teleobjective ['teliə'bʒektiv] *n* телеобектив.

telepathic ['teli'pæθik] *adj* телепатичен; ◇ *adv* **telepathically** ['teli'pæθikli].

telepathy [ti'lepəθi] *n* телепатия.

telephone ['telifoun] I. *n* телефон; ~ **set** телефонен апарат; **by** ~ по телефона; II. *v* телефонирам, съобщавам (предавам) по телефона, говоря, обаждам се по телефона.

telephonic [,teli'fɔnik] *adj* телефонен; предаден по телефона.

telephonist [te'lefənist] *n* телефонист, -ка.

telescope ['teliskoup] I. *n* телескоп, далекоглед; **astronomical** ~ астрономичен телескоп; II. *v* 1. свивам (се), сгъвам (се) (*като една част влиза в друга*); 2. сплесквам се, връхлитам, врязвам се един в друг (*за влакове и пр.*); 3. сбивам, стягам, съкращавам, намалявам (*текст, разказ и пр.*).

telescopic [,teli'skɔpik] *adj* 1. телескопен; 2. разтегателен.

televiewer ['telivjuə] *n* телевизионен зрител, телезрител.

television ['teli'viʒən] *n* 1. телевизия; **cable** ~ кабелна телевизия; **stereoscopic** ~ стереоскопична телевизия; 2. *attr* телевизионен.

televisor ['telivaizə] *n* рядко телевизор, телевизионен апарат.

televisual ['teli'viʒuəl] *adj* телевизионен.

telewriter ['teli,raitə] *n* телеграф.

telex, Telex ['teleks] I. *n* телекс; II. *v* предавам по телекса.

tell [tel] *v* (**told** [tould]) 1. разказвам, разправям (**s.o. s.th.** някому нещо; **about s.th.** за нещо); **this fact** ~**s its own story** (**tale**) този факт говори сам за себе си; **to** ~ **the world** *разг.* разгласявам, разказвам на всички (на целия свят); 2. казвам, говоря; **to** ~ **a lie** (**the truth**) казвам лъжа (истината); 3. казвам, указвам, показвам, обяснявам, посочвам; **a clock** ~**s the time** часовникът показва времето; **to** ~ **fortunes** гадая бъдещето; 4. казвам, нареждам, заповядвам (**s.o.** някому, на някого); **do as you**

are told прави каквото ти казват (заповядват); 5. казвам, съобщавам, издавам, разкривам, обаждам, издрънквам (*тайна и пр.*); докладвам; **that** ~**s a tale** това е важно, това значи нещо; 6. различавам, разпознавам (се); познавам; **to** ~ **one from the other** разпознавам (различавам) един от друг; **you can** ~ **him by his voice** можеш да го познаеш по гласа; 7. знам; **you never can** ~ човек никога не знае; 8. има значение, постига ефект; отразява се, личи (си); изпъквам, отличавам се, отделям се (*за глас, цвят и пр.*); **words that** ~ думи, които тежат (въздействат); 9. *за неща, действия:* говоря, свидетелствам (**for, against**); **it will** ~ **against you** това ще бъде в твоя вреда (ще ти навреди); 10. броя, преброявам (*гласове в парламента; в останалите случаи – остар.*);

tell apart различавам, правя разлика;

tell of 1) разказвам за, разправям, говоря за; 2) разобличавам, разкривам, изобличавам; обаждам;

tell off 1) *воен.* определям, избирам (*хора*) за дежурство или определена задача; 2) наругавам, нахоквам, поставям на мястото му; обиждам;

tell on 1) отразявам се (зле) на, изтощавам; 2) обаждам, клеветя, топя, донасям.

teller ['telə] *n* 1. разказвач, -ка; 2. преброител на гласове (*в парламента*); 3. касиер (*в банка*); 4. *техн.* брояч, указател.

telling ['teliŋ] *adj* 1. изразителен, действен, впечатляващ; многозначителен; подчертан; 2. силен (*за удар и пр.*); **a** ~ **argument** убедителен, "стабилен" аргумент.

telltale ['telteil] I. *n* 1. издайник, доносник; 2. клюкар, -ка; клеветник, клеветничка; сплетник; 3. доказателство, аргумент; нещо, което издава; улика; 4. *техн.* предупредително сигнално, контролно или регистриращо устройство; 5. *техн.* брояч; II. *adj* предателски, издайнически, доносни-

чески, клеветнически.

tellurian [te'ljuəriən] I. *adj* земен; II. *n* жител на Земята, земен жител, землянин.

temerarious [temə'reəriəs] *adj* книж. безразсъден, повърхностен; дързък; *разг.* вироглав, безразсъдно смел.

temerity [ti'meriti] *n* 1. безразсъдство, повърхностност, неблагоразумие; непредпазливост, безразсъдна смелост; 2. нахалство, дързост.

temper ['tempə] I. *v* 1. регулирам, темперирам, смекчавам, правя по-умерен (по-мек, по-слаб) (*чрез размесване с нещо друго*); 2. *муз.* темперирам; 3. *остар.* размесвам; смесвам; 4. калявам (*метал*); калявам се (*и прен.*), достигам до състояние на закаленост (*за метал*); 5. приготвям смес, омесвам (*глина и пр. с вода*), за да може да се обработва; ставам мек и гъвкав; 6. отстранявам отстатъчни напрежения; 7. навлажнявам (*кожи*); 8. дефектовам (*захарен сок*); II. *n* 1. нрав, характер, същност, природа; **a man of stubborn (fiery etc.)** ~ човек с упорит (буен и пр.) нрав, упорит (пламенен и пр.) човек; 2. настроение, състояние; **good (bad)** ~ добро (лошо) настроение; 3. сръдня, яд (*особ. за дете*); **a fit** ~ (**an outburst**) **of** ~ изблик на яд; 4. *метал.* закалка; съдържание на въглерод; 5. годност за обработване (*на глина и пр.*).

temperament ['tempərəmənt] *n* 1. нрав, характер, природа, темперамент; 2. *муз.* темперация.

temperamental [,tempərə'mentəl] *adj* 1. вроден, свойствен на определен темперамент; природен; 2. темпераментен, жизнерадостен; буен, сприхав; ◇*adv* **temperamentally**.

temperance ['tempərəns] *n* 1. мярка, задръжка, умереност, въздържаност; сдържаност; 2. въздържание, трезвеност.

temperate ['tempərit] *adj* умерен, сдържан, с мярка, въздържан (*за*

човек, възгледи и пр.); регулиран; умерен (*за климат*); ~ **zone** *геогр.* умерен пояс.

temperature ['temprət(ə] *n* температура; степен на нагряване; *разг.* повишена температура; **s.o.'s** ~ измервам температурата на някого; **peak** ~ максимална температура.

tempest ['tempist] **I.** *n* буря (*и прен.*); ~ **in a teapot** буря в чаша вода; **II.** *v рядко* 1. бушувам, вилнея; 2. причинявам (вдигам) буря (в).

tempestuous [tem'pestjuəs] *adj* бурен (*и прен.*), размирен; необуздан, поривист, бушуващ, вилнеещ, буен.

temple [templ] *n* храм, църква, катедрала; обител, светиня.

templet ['templit] *n техн.* 1. модел, образец, шаблон; клише (*прен.*); 2. подпорна греда на трегер; 3. плосък (двумерен) модел; 4. копир, копирна линия; 5. калибър; • **to** ~ по шаблон, по модел.

tempo ['tempou] *n муз.* темп, темпо (*и прен.*); ритъм, начин (*на живот и пр.*).

temporary ['tempərəri] **I.** *adj* временен, непостоянен; преходен; нетраен; **II.** *n* временен (сезонен) работник.

temporize ['tempəraiz] *v* 1. изчаквам, печеля време; отлагам, бавя; 2. нагаждам се, приспособявам се.

tempt [tempt] *v* 1. изкушавам, съблазнявам, блазня, привличам; мамя, примамвам; 2. *остар., библ.* поставям на изпитание; проверявам.

temptation [temp'teiʃən] *n* изкушение, съблазън, прелъстяване; **to throw (put)** ~ **in s.o.'s way** изкушавам някого.

tempter ['temptə] *n* изкусител; съблазнител, прелъстител; (**T.**) сатана, дявол.

tempting ['temptiɳ] *adj* съблазнителен, изкусителен, примамлив, привлекателен, блазнещ; ◇ *adv* **temptingly.**

ten [ten] **I.** *num* десет; **he is** ~ **times the man you are** той е десет пъти

по-свестен от тебе, той струва десет пъти повече от тебе; **II.** *n* 1. десеторка, десетица, десетка; 2. *разг.* десетдоларова банкнота.

tenacious [te'neiʃəs] *adj* 1. здрав, крепък, твърд; 2. лепкав; здраво слепен; 3. силен (*за памет*); 4. упорит, непокорен, неотстъпчив; който държи упорито, който не отстъпва (**of** на, от); **to be** ~ **of o.'s opinion (rights)** не отстъпвам от мнението си (държа на правата си); 5. вископен, изтегляем; 6. свързан (*за почва*); ◇ *adv* **tenaciously.**

tenacity [te'næsiti] *n* 1. твърдост; 2. лепкавост; 3. сила (*на паметта*); 4. упоритост, непокорство, неотстъпчивост; твърдост, решителност; 5. вископност, изтегляемост; 6. свързаност (*за почва*).

tenant ['tenənt] **I.** *n* 1. наемател, арендатор; квартирант; временен собственик; ~ **at will** безсрочен арендатор; 2. *прен.* обитател, жител; 3. *юр.* владелец (*на къща, земя*); собственик на недвижим имот; **II.** *v* наемам; живея (под наем) (в); държа под наем (*главно в pp*).

tenantless ['tenəntlis] *adj* наемен, незает, свободен, без наемател(и).

tenantry ['tenəntri] *n събир.* арендатори, наематели.

tend₁ [tend] *v* 1. *книж.* грижа се за, гледам; паса (*овце и пр.*); 2. обслужвам; **to** ~ **shop** *амер.* обслужвам купувачи; 3. *мор.* стоя готов да обслужвам (*въже при закотвяне и пр.*).

tend₂ *v* 1. клоня, симпатизирам, предпочитам, насочен съм (**to, towards** към); 2. клоня, имам склонност (тенденция), склонен съм (**to, towards**); **to** ~ **to the success of** допринасям за успеха на; 3. водя към (в) определено направление (*за път, курс*).

tendance ['tendəns] *n книж.* 1. грижа, загриженост; задължение; обслужване; наглеждане; 2. *остар.* свита, прислужници.

tendency ['tendənsi] **I.** *n* склонност, наклонност, стремеж, тенденция (**to**); **a** ~ **to corpulence** склонност

към напълняване; **II.** *adj* тенденциозен, преднамерен, предумишлен.

tender₁ ['tendə] **I.** *v* 1. предлагам, предоставям (*сума и пр.*); правя, давам, предлагам оферта; 2. изказвам, изразявам, поднасям (*благодарност, извинение и пр.*); 3. (по)давам (*оставка*); 4. *амер.* нанасям (*обида и пр.*); 5. *амер.* устройвам, давам (*обед и пр.*); 6. *амер.* присъждам, давам (*награда и пр.*); **II.** *n* 1. (официално) предложение; оферта; 2. сума (*внесена срещу дълг*); *юр.* законно платежно средство (*и* **legal** ~).

tender₂ *adj* 1. мек, крехък (*за месо и пр.*); 2. нежен, деликатен; крехък, чуплив, слаб; 3. нежен; чувствителен; емоционален; внимателен; болезнен; уязвим; **a** ~ **subject** деликатен (щекотлив) въпрос; 4. грижлив, внимателен (**of** към); **the law is** ~ **of their rights** законът пази грижливо правата им; 5. нежен, мек, не ярък (*тон, цвят*); 6. нежен, любящ; ~ **passion (sentiment)** любов, нежни чувства; ◇ *adv* **tenderly.**

tenderfoot ['tendəfut] *n разг.* новак, неопитен, дилетант; новозаселил се.

tender-hearted ['tendə,ha:tid] *adj* добър, милостив; с нежно сърце, мекосърдечен; отзивчив, благоразположен, състрадателен.

tenderness ['tendənis] *n* 1. деликатност, нежност, отзивчивост (**for**); 2. крехкост; слабост, деликатност; чупливост; 3. чувствителност, болезненост.

tendon ['tendən] *n анат.* сухожилие.

tendril ['tendril] *n бот.* ластар, филиз, мустаче.

tenebrous ['tenibrəs] *adj книж.* мрачен, тъмен, *прен.* навъсен, нацупен; сумрачен; сенчест.

tenement ['tenəmənt] *n* 1. жилище, апартамент, жилищен блок; жилищен дом (даван под аренда); 2. *юр.* недвижимо имущество; рента; 3. *поет.* жилище, обиталище, обител.

tenet ['tenit] *n* принцип; доктрина,

догма, учение, теория.

tenfold ['tenfould] I. *adj* десеторен; десеторатен; II. *adv* десеторно; десет пъти, десеторатно.

tennis ['tenis] *n* тенис; ~ **court** тенискорт.

tenor₁ ['tenə] *n* 1. ход; насока, направление, посока, течение, начин, ритъм (*на живот*); 2. смисъл, значение, съдържание; тенденция, насока, цел; *юр.* точно копие, дубликат; 3. *геол.* съдържание; ~ **in gold** съдържание на злато.

tenor₂ *n* тенор; партия на тенор; ~ **violin** виола.

tenpins ['tenpinz] *n pl* кегли.

tense₁ [tens] *n* език. време.

tense₂ *adj* 1. обтегнат, опънат, изпънат, изопнат; 2. изопнат; възбуден; напрегнат (*за нерви и пр.*); **a ~ moment** момент на напрежение; 3. *език.* затворен (*за гласен звук*).

tenseness ['tensnis] *n* 1. опънатост, обтегнатост, изпънатост, изопнатост; 2. напрегнатост, напрежение; възбуденост, възбудено състояние.

tensibility [,tensi'biliti] *n* разтегливост, еластичност, жилавост.

tensible ['tensibəl] *adj* разтеглив, еластичен, жилав.

tensile ['tensail] *adj* разтеглив, еластичен, жилав; ~ **strength** *физ.* издръжливост на опън.

tension ['tenʃən] *n* 1. обтягане, разтягане, опъване, изпъване; 2. изпънатост, изопнатост; 3. напрежение; напрегнатост, напрегнато състояние; изопнатост, възбуденост (*на нерви*); 4. *ел.* в съчет. напрежение; **high-(low-)~** високо (ниско) напрежение; *attr* с високо (ниско) напрежение.

tent₁ [tent] I. *n* палатка, шатра, *нар.* чадър; шатър; тента; ~ **fly** вход на палатка; II. *v* рядко 1. покривам с палатка (палатки); 2. живея на палатка.

tent₂ I. *n* тампон; II. *v* поставям тампон; разширявам с тампон.

tentacle ['tentəkəl] *n зоол.* пипало; *бот.* ластар, мустаче.

tentative ['tentətiv] I. *adj* 1. про-

бен, опитен, експериментален, за опит; **a ~ conclusion** заключение, което подлежи на изменение; 2. колеблив, нерешителен, плах; 3. *амер.* временен; II. *n* опит, проба, експеримент; теория, предложена за изпробване.

tenter ['tentə] *n* машинист.

tenuity [te'njuiti] *n* 1. разреденост (*на въздуха и пр.*); 2. тънкост (*на косъм, глас и пр.*); слабост (*на светлина*); 3. простота, елементарност (*на стил*); бедност, нужда, оскъдица.

tenuous ['tenjuəs] *adj* 1. слаб, тънък, малък, дребен; 2. разреден (*за въздух*); 3. прекалено тънък, незначителен (*за разлика и пр.*); ◇ *adv* **tenuously.**

tenure ['tenjə] *n* 1. владение; условия за ползване от владение; **communal ~** общо владение (използване); 2. (период на) заемане на служба и пр; срок на владеене; ~ **of office** заемане на пост (служба).

tepefy ['tepifai] *v* позатоплям (се), позагрявам (се), посгрявам (се).

tepid ['tepid] *adj* 1. топличък, възтопъл, хладък; 2. хладен, безразличен (*за чувства и пр.*).

teratoid ['terətɔid] *adj биол.* уродлив; патологичен.

tergiversate ['tə:dʒivəseit] *v* извъртам, изменям; "боядисвам се", отстъпвам, ставам предател.

tergiversation [,tə:dʒivə'seiʃən] *n* извъртане; ренегатство, отстъпничество.

term [tə:m] I. *n* 1. срок, период; ~ **of patent** срок на действие на патент; ~ **of priority** приоритетен срок; 2. платежен срок, ден за плащане (*обикн. на 3 месеца*); 3. семестър, срок; **during ~** през семестъра, през учебно време; 4. съдебна сесия; 5. *мат.* член; елемент; *лог.* член (*на силогизъм*); **absolute ~** постоянен (свободен) член; член на уравнение, който не съдържа неизвестна величина; 6. термин; *pl* изрази, език, фразеология; начин на изразяване; **in ~s of science** на научен език; **in ~s of figures** с езика на цифрите;

7. *остар.* край, граница; **to set (put) a ~ to** определям края на; 8. *мед.* менструация; 9. *pl* условия, клаузи (*на договор и пр.*); условия за плащане, цена; хонорар; **usual ~s** обикновени условия на експлоатация; **not on any ~s** на никаква цена, за нищо на света; 10. лични отношения; **to be on good (friendly) ~s with** в добри (приятелски) отношения съм с; II. *v* наричам, назовавам; определям като; изразявам.

terminable ['tə:minəbəl] *adj* 1. (с) ограничен, определен (срок); срочен; 2. който може да свърши.

terminal ['tə:minəl] I. *adj* 1. разположен накрая, краен; заключителен; терминален; пограничен; 2. платим на известен срок; периодичен; 3. семестриален; 4. *мед.* със смъртен изход (*за болест*); II. *n* 1. *архит.* украса на края на фигура; 2. последна гара (станция, пункт, спирка); 3. семестриален изпит, изпит в края на срок; 4. *ел.* клема; извод; изводен изолатор, входно съединение; входен изолатор.

terminate I. ['tə:mineit] *v* 1. свършвам, завършвам (**in**); слагам край; слагам (поставям) граница (предел) на; ограничавам; II. ['tə:minit] *adj* който има край, приключил, свършил; ограничен.

termination [,tə:mi'neiʃən] *n* 1. завършване, свършване; прекратяване; 2. завършек, край; крайна точка; предел; изход, резултат; 3. *език.* окончание.

terminative ['tə:minətiv] *adj* 1. краен, последен; 2. *език.* който различава начало и край на действието (*за глаголна форма*).

terminer ['tə:minə] *n юр.* решение.

terminology [,tə:mi'nɔlədʒi] *n* терминология; **engineering (technical) ~** техническа терминология.

terminus ['tə:minəs] *n* (*pl* -**ni** [-nai], -**ses** [-siz]) 1. крайна гара (пристанище, спирка); 2. *рядко* цел, крайна точка.

termite ['tə:mait] *n зоол.* термит *Isoptera.*

termless ['tə:mlis] *adj* безграничен,

безкраен; безсрочен; неограничен; независим.

terra ['terǝ] *n лат.* земя; ~ **incognita** непозната страна; неизследвана област; неизучен предмет (*на знанието и пр.*).

terrace ['terǝs] I. *n* 1. тераса (*и геол.*); 2. редица къщи (*особ. над склон*); II. *v* построявам (устройвам) във вид на тераси (*градина и пр.*); терасирам.

terra-cotta ['terǝ'kɔtǝ] I. *n изк.* теракота; II. *adj* теракотов.

terrain ['terein] *n* 1. местност, терен; територия; **rugged** ~ пресечена местност; 2. почва, терен; 3. *attr* земен; ~ **flying** *авиац.* ориентиране по земни обекти.

terraneous [te'reiniǝs] *adj* земен; *бот.* надземен.

terrene ['teri:n] I. *adj* земен, светски; II. *n топогр.* земната повърхност.

terrestrial [ti'restriǝl] I. *adj* земен; сухоземен, сухопътен; II. *n* жител на Земята (на земното кълбо).

terrible ['terǝbǝl] *adj* внушаващ ужас; ужасен, страшен, опасен, ужасяващ; ◇ *adv* **terribly.**

terrific [tǝ'rifik] *adj* ужасен, страшен; ужасяващ; *разг.* знаменит, страхотен; огромен, необичаен.

terrifically [tǝ'rifikǝli] *adv* 1. ужасно, опасно, ужасяващо, страшно; 2. *разг.* много, извънредно.

terrify ['terifai] *v* вселявам (всявам) ужас; ужасявам; сплашвам, стряскам, разтревожвам; **to be terrified of** ужасно ме е страх от.

terrigenous [te'ridʒinǝs] *adj* земен; роден от земята.

territorial [ˌteri'tɔːriǝl] I. *adj* 1. териториален; ~ **waters** териториални води; 2. поземлен; II. *n* войник от териториалната армия.

territory ['teritǝri] *n* 1. територия, област (*и прен.*), земя; 2. зависима област (територия); *амер.* територия, област, която няма още правата на щат или провинция.

terror ['terǝ] *n* 1. ужас, страх, опасност, безпокойство; **to go in** ~ **of s.o.** *разг.* умирам от страх от някого; 2. терор, гнет, насилие; 3. *разг.* напаст, беля (*за човек*); he's

a little (a holy) ~ той е цяла напаст (*за дете*); той има тежък (труден) характер; досаден човек е.

terrorism ['terǝrizǝm] *n* тероризъм, терор, гнет, насилие.

terrorist ['terǝrist] *n* терорист, -ка, насилник, -чка.

terrorize ['terǝraiz] *v* тероризирам, гнетя, насилвам.

terse [tǝːs] *adj* сбит, стегнат, лапидарен (*за стил*); немногословен, който се изразява сбито (стегнато); ◇ *adv* **tersely.**

terseness ['tǝːsnis] *n* сбитост, стегнатост, лапидарност (*на стил*).

tessellar ['tesilǝ] *adj* мозаичен.

tessellation [ˌtesǝ'leiʃǝn] *n* мозайка; мозаичен паваж.

test₁ [test] I. *n* 1. изпитание, затруднение; напрежение, проверка; изпит; класна (контролна) работа; тест; **to put to the** ~ подлагам на изпитание; **to pass (stand, bear) the** ~ издържам изпитанието; 2. проверка, проба; изследване; анализ; **endurance** ~ проверка на издръжливостта; **monitoring** ~ контролно изпитание; 3. мерило, мярка, критерий; 4. *хим.* реакция; реактив; 5. *метал.* купел; 6. *метал.* количество благороден метал, отделено за претегляне; II. *v* 1. подхвърлям (подлагам) на изпитание; изпитвам, проверявам; 2. *хим.* анализирам с реактив; подлагам на действието на реактив; 3. *метал.* купелувам.

test₂ *n зоол.* черупка, броня.

testament ['testǝmǝnt] *n* 1. *юр.* тестамент, завещание (*и* **last will and** ~); 2. *рел.* завет (*обикн.* **Новият** завет); **the New (the Old) T.** Новият (Стария, Вехтия) завет.

testator [te'steitǝ] *n* завещател, наследодател, дарител.

test-bed ['test,bed] *n* изпитателен стенд.

testicle ['testikǝl] *n анат.* тестикул, тестис.

testification [ˌtestifi'keiʃǝn] *n* 1. свидетелстване, потвърждаване, удостоверяване; 2. показание; даване на показания.

testify ['testifai] *v* 1. давам показания, свидетелствам; потвърждавам (to); **to** ~ **against** отричам; свидетелствам срещу; 2. заявявам, потвърждавам (тържествено или под клетва); 3. показвам, доказвам, свидетелствам (за).

testily ['testili] *adv* раздразнително, сприхаво, нервно, сопнато; сухо.

testimonial [ˌtesti'mouniǝl] I. *n* 1. атестат, документ, свидетелство; характеристика; 2. препоръка, препоръчително писмо; 3. приветствено слово (адрес) (*често придружено с подарък*); II. *adj* приветствен, благодарствен; ~ **dinner** тържествен обяд, банкет в чест на някого.

testimonialize [ˌtesti'mouniǝlaiz] *v* 1. давам (*някому*) атестат, удостоверение, документ (препоръчително писмо); 2. давам (*някому*) подарък за известни заслуги.

testimony ['testimǝni] *n* 1. (свидетелски) показания; **false** ~ лъжливи показания; 2. доказателство, данни; свидетелство, потвърждение; **the** ~ **of history** историческите данни; 3. *остар.* тържествен протест; 4. *библ.* (*и pl*) скрижали; Светото писание.

testiness ['testinis] *n* сприхавост, раздразнителност, нервност.

test pilot ['test,pailǝt] *n* летец изпитател.

test-tube ['test,tju:b] I. *n* 1. епруветка; 2. култура в опитна среда; II. *adj* роден в резултат на изкуствено оплождане; бебе в епруветка.

testy ['testi] *adj* сприхав, избухлив, раздразнителен, нервен.

tetanus ['tetǝnǝs] *n* тетанус; мускулни спазми като при тетанус.

tête-à-tête ['teitǝ:teit] *фр.* I. *adv* насаме, уединено, тет а тет (*фр.*) (*с някого*); II. *n* разговор насаме, интимен разговор; III. *adj* поверителен, интимен, частен, личен; ~ **conversation** разговор на четири очи.

tetragon ['tetrǝgɔn] *n мат.* четириъгълник; тетрагон.

tetralogy [te'trælǝdʒi] *n* тетралогия.

tetrastich ['tetrǝstik] *n* четиристишие, строфа.

text [tekst] *n* **1.** текст; **2.** цитат от Библията (*често като тема на проповед*); тема, лайтмотив, основна мисъл (*на реч, проповед*); **to stick to o.'s ~** не се отклонявам от темата.

text-book, textbook *n* ['tekstbuk] учебник, ръководство.

textile ['tekstail] **I.** *adj* текстилен; тъкачен; **II.** *n* тъкан; *обикн. pl* текстил(ни изделия).

textual ['tekstjuəl] *adj* **1.** текстов; на (в) текста; **~ criticism** текстология; **2.** текстуален, буквален, дословен.

textualism ['tekstjuəlizəm] *n* строго, дословно, буквално придържане към авторовия текст.

texture ['tekstʃə] *n* **1.** (качество на) тъкан; **coarse ~** груба тъкан; **2.** *биол.* (строеж на) тъкан; **3.** текстура, консистенция; *изк.* фактура, тъкан (*на произведение*), особености на художествения похват; строеж, структура, устройство, организация; **close ~** *петр.* дребнозърнеста структура.

than [ðæn, ðən] *cj* от(колкото) (*със сравн. ст.*); **he is taller ~ I am** той е по-висок от мен; **any person other ~ himself** всеки друг освен него.

thanatoid ['θænətɔid] *adj* рядко мъртвешки; смъртоносен, убийствен.

thank [θæŋk] **I.** *n* само в *pl* благодарност(и), признателност; съдействие; **to offer (express, амер. extend) o.'s ~s** изразявам благодарността си; **~s to** благодарение на; **II.** *v* благодаря; благодарен съм, признателен съм; **you have only yourself to ~** само на себе си трябва да благодариш, само ти си си виновен.

thankful ['θæŋkful] *adj* благодарен, признателен, задоволен; ◇ *adv* **thankfully.**

thankfulness ['θæŋkfulnis] *n* благодарност, признателност, задоволство, доволство.

thankless ['θæŋklis] *adj* **1.** неблагодарен, неблагодарен, непризнателен; **2.** неблагодарен (*за работа*); **~ job** неблагодарна работа.

that I. *pron dem* [ðæt] (*pl* **those** [ðouz]) този; онзи; **~'s ~to talk of this, ~ and the other** говоря за най-различни неща; **II.** *pron relat* [ðət] който, когото (*с ограничаващо значение; предлогът стои винаги на края на изречението*); **the man ~ we are speaking about** човекът, за когото говорим; **III.** *adv разг., шег.* толкова, така, тъй, до такава степен; **I can't walk ~ far** не мога да вървя толкова далеч; **IV.** *cj* **1.** че; **they say (~) he is better** казват, че бил по-добре; **2.** за да (*и* **so ~, in order ~**); та да; че да; **what have I done ~ he should treat me so** какво съм направил, та да се отнася така към мен; **3.** да (*във възкл. изреч. за желание, съжаление и пр.*); **oh, ~ I had never met him!** никога да не бях го срещал!

thaumaturge ['θɔ:mətə:dʒ] *n книж.* чудотворец, чародей, магьосник, чудотворец; вълшебник.

thaumaturgy ['θɔ:mətə:dʒi] *n книж.* магия, вълшебство, чародейство, чудо.

thaw [θɔ:] **I.** *v* **1.** топя (се), разтопявам (се); размразявам (се) (*и с* **out**); **2.** *разг.* затоплям се, позатоплям се, сгрявам се (*за човек*); **3.** отпускам се, ставам по-приветлив, по-сговорчив, по-дружелюбен; **II.** *n* топене; размразяване; затопляне (*и в отношенията*).

the [ðə *пред съгласна*; ði *пред гласна*; ði: *под ударение*] **I.** *article* **1.** *с определително значение* **~ man we spoke about** човекът, за когото говорихме; **2.** *с родово значение* **~ bat is a mammal** прилепът е бозайник; **3.** *с редни числ. и превъзх. ст.* **Edward ~ Seventh** Едуард Седми; **4.** *със собств. имена;* **~ Black Sea** Черно море; **5.** *с разпределително значение* **eight minutes (to) ~ mile** осем минути на миля; **6.** *със значение на показат. местоим.* **at ~ moment** в момента, в този момент, точно сега, ей сега; **7.** *с прил., употребени като същ.* **1)** *в ед. с отвлечено значение* **~ sublime**

възвишеното; **2)** *в ед. със значение на мн.* (*със събирателно значение*): **~ poor** бедните; **3)** *в мн.* **~ Reds** червените; **4)** *с прил., които означават народност, за да означи съответния език* **translated from ~ Czech** превод (преведено) от чешки; **8.** *с имена на някои болести:* **~ rheumatics** ревматизъм; **9.** *с ударение* известният, великият; най-добрият; най-подходящият, най-предпочитаният; **tea is ~ drink for a cold** чаят е най-доброто питие, когато човек има настинка; **10.** *във възклицания* какъв; **~ crowds!** какви тълпи; **II.** *adv със сравн. ст.:* **it will be ~ easier for you as you are younger** ще ти бъде (още) по-лесно, защото си по-млад.

theatre (*амер.* **theater**) ['θiətə] *n* **1.** театър, представление, спектакъл; **to go to the ~** ходя (отивам) на театър; **picture (movie) ~** кино; **2.** драматургия; драма; сценично изкуство; **this play is good ~** тази драма е сценична; **3.** амфитеатрална аудитория; **4.** операционна зала (*и* **operating ~**); **5.** *прен.* арена; поле на действие; **~ of war** арена на военни действия.

theatric [θiˈætrik] **I.** *adj рядко* пищен, ефектен; надут; **II.** (**~s**) *n pl* (= *sing*) **1.** сценично изкуство; **2.** сцени, преструвки, превземки, *прен.* комедии.

theatrical [θiˈætrikəl] **I.** *adj* **1.** театрален, сценичен; **2.** *пренебр.* театрален, неестествен; **3.** показен, демонстративен, надут; пищен; ◇ *adv* **theatrically** [θiˈætrikli]; **II.** *n* професионален актьор.

theatricality [θi,ætriˈkæliti] *n* **1.** *пренебр.* театралност, неестественост; мелодраматичност; **2.** надутост, демонстративност, показност; пищност.

theft [θeft] *n* кражба, обир, заграбване; *остар.* откраднати вещи.

their [ðeə] *pron poss* атрибутивна форма техен.

theirs [ðeəz] *pron poss самост.* форма техен; **friend of ~** един техен приятел.

theism ['θi:izm] *n рел.* теизъм.

them [ðem, ðəm, ðm] *pron pers* (*косвен падеж от* they) тях, ги.

thematic [θi'mætik] *adj* 1. тематичен, по теми; 2. *език.* тематичен, отнасящ се към основата; ◇ *adv* **thematically** [θi'mætikli].

theme [θi:m] *n* 1. тема, мотив, идея, основна мисъл; предмет (*и муз.*); ~ **song** *муз.* тема (*на филм, пиеса и пр.*); 2. *език.* основа; 3. *амер.* съчинение по зададена тема; 4. *радио.* позивни, отличителни сигнали.

themselves [ðəm'selvz] *pron* 1. *refl* се, себе си; **they enjoyed** ~ те се забавляваха; 2. *емфатично* самите те, точно те, те самите, те лично, сами.

then [ðen] I. *adv* 1. тогава, по това (онова) време; в този (онзи) случай; **there and** ~ в същия момент, веднага, на часа, в момента; на място; 2. после, тогава; след това; **what** ~? и после? II. *cj* 1. освен това, също, а и; **I havent't the time, and** ~ **it isn't my business** нямам време, а (пък и) не е моя работа; 2. значи; в такъв случай, тогава; **oh, all right** ~ е добре тогава (*неохотно*); III. *adj* тогавашен.

thenar ['θi:nə] *n анат.* длан.

theocracy [θi'ɔkrəsi] *n* теокрация.

theocrat ['θi:oukræt] *n* теократ.

theocratic [,θiou'krætik] *adj* теократичен.

theologian [,θi:ə'loudʒi(ə)n] *n* теолог, богослов.

theological [,θi:ə'lɔdʒikəl] *adj* теологически, богословски.

theology [θi'ɔlədʒi] *n* теология, богословие.

theorem ['θiərem] *n* теорема; **basic** ~ основна теорема; **Pythagorean** ~ теорема на Питагор.

theoretic(al) [,θiə'retik(əl)] *adj* теоретичен, теоретически; умозрителен, логичен, умозаключителен; ◇ **thematically** [θi'mætikli].

theoretician, theorist [θiərə'tiʃən, 'θiərist] *n* теоретик.

theorize ['θiəraiz] *v* теоретизирам, *разг.* философствам, мъдрувам, умувам.

theory ['θiəri] *n* 1. теория, учение,

наука; разбиране, схващане; **in** ~ на теория, теоретически; 2. *разг.* теория, мнение, предположение.

theosophic(al) [,θi:ə'sɔfik(əl)] *adj* теософски.

theosophist [θi'ɔsəfist] *n* теософ.

theosophy [θi'ɔsəfi] *n* теософия, *прен.* мистицизъм.

therapeutic(al) [,θerə'pju:tik(əl)] *adj* терапевтичен.

therapeutics [,θerə'pju:tiks] *n pl* (= *sing*) терапевтика, терапия, лечение без хирургическа намеса.

therapeutist [,θerə'pju:tist] *n* терапевт, лекар, специалист по вътрешни болести.

there [ðeə] *adv* I. 1. там, на онова място, по-настрани; ~ **and back** дотам и обратно; отиване и връщане; 2. (*с гл.*): ~ **is only one** има само един; 3. *с други глаголи не се превежда, а заема мястото на подлога:* ~ **comes a time when** идва време, когато; II. *int* ето (на) вземи! ~ **now!** ето ти на!

therefore ['ðeəfɔ:] *adv* следователно, затова, поради това, ето защо, по тази причина.

thermal ['θə:məl] *adj* термичен, топлинен; калоричен; термален, горещ, минерален (*за извор*); ~ **conductivity** топлопроводимост.

thermometer [θə'mɔmitə] *n* термометър, топломер.

thermo-nuclear ['θə:mou'nju:kliə] *adj* термоядрен; ~ **bomb** водородна бомба.

thermoplegia ['θə:mou'pli:dʒiə] *n мед.* слънчев (топлинен) удар.

thermos ['θə:mɔs] *n* термос (*и* ~ **flask**, ~ **bottle**, ~ **jug**).

thermostable ['θə:mou'steibəl] *adj* топлоустойчив; издръжлив на резки температурни промени.

thermostat ['θə:moustæt] *n* термостат.

thesaurus [θi:'sɔ:rəs] *n* (*pl* -**ri** [-rai]) 1. съкровищница, източник, хранилище; 2. речник; *остар.* лексикон, *прен.* думи, лексика; енциклопедия, справочник.

thesis ['θi:sis] *n* (*pl* **theses** ['θi:si:z]) 1. теория, становище, теза; тезис; положение; тема (*на съчинение, очерк*); 2. теза, дисертация; 3.

проз. неударена сричка в стъпка.

Thespian ['θespiən] I. *adj* драматичен, трагичен; II. *n* актьор, актриса (който играе драматични или трагични роли); трагик.

theurgist ['θi:ə:dʒist] *n мит.* магьосник, теург, вълшебник, чародейник, чудотворец.

theurgy ['θi:ə:dʒi] *n* 1. свръхестествена (божествена) сила, чудо; 2. магия, вълшебство.

thews [θju:z] *n pl* 1. мускули, мишци; 2. сила, енергия, дейност, интензивност (*и умствена*).

they [ðei] *pron pers* те; **so** ~ **say** така казват.

thick [θik] I. *adj* 1. дебел; черен (*за шрифт*); **an inch** ~ дебел един цол; 2. гъст, плътен, сбит, чест, рунтав; гъст, буен (*за коса*); **trees** ~ **with leaves** разлистени дървета; ~ **darkness** непрогледен мрак; 3. изобилен, голямо количество, неизчерпаемост; чест; (**as**) ~ **as blackberries** в изобилие, на път и под път, с лопата да ги ринеш; 4. мътен; кален; ~ **puddle** кална локва; 5. мъглив; облачен, мрачен; опушен; **the air is** ~ *прен.* атмосферата е натегната (нажежена); 6. пресипнал, хрипкав, прегракнал (*за глас*); 7. глупав, тъп; 8. близък, неразделен, интимен; (**as**) ~ **as thieves** неразделни другари; 9. *predic разг.* множко, прекалено, трудно поносим; **that is a bit (rather too)** ~ това е безобразие; това е вече прекалено; ◇ *adv* **thickly**; II. *n* 1. най-гъстата част; **in the** ~ **of the wood** сред (вдън) гората; **in the** ~ **of it** в самия разгар; 2. *уч. sl* тъпак, глупак, малоумник; III. *adv* 1. дебело; **to lay it on** ~ преувеличавам, прекалявам; лаская; правя комплименти; 2. гъсто, често, обилно, силно; **snow was falling** ~ снегът се сипеше гъсто (*на парцали*); 3. неясно; с преплитащ се език; с пресипнал глас; • ~ **and fast** много често, едно след друго.

thicken ['θikən] *v* 1. сгъстявам (се); тепам, валям (*платно*); 2. сгъстявам се, увеличавам се, уплътнявам се, раста; **the plot** ~**s** ин-

тригата се заплита, работата става дебела, сериозна, опасна.

thickener [ˈθikənə] *n* 1. сгъстител, втвърдител; 2. уплътнител.

thicket [ˈθikit] *n* 1. гъстак, гъсталак, храсталак, шубрак; 2. бъркотия, неразбория.

thick-headed [ˈθik‚hedid] *adj* тъп, тъпоглав, недодялан, простак.

thickness [ˈθiknis] *n* 1. дебелина, гъстота, плътност, сбитост; 2. пласт, ред, слой; 3. *геол.* мощност (*на пласт*).

thick-skinned [ˈθikˈskind] *adj* дебелокож (*и прен.*), безчувствен, недосетлив, *разг.* дебелашки.

thick-skulled [ˈθikˈskʌld] *adj* глупав, тъп, малоумен, *разг.* гламав, будала.

thick-walled [ˈθik‚wɔːld] *adj* дебелостенен.

thief [θiːf] *n* (*pl* thieves [ˈθiːvz]) крадец, обирач, апаш, *разг.* джебчия; there is honour among thieves гарван гарвану око не вади.

thieve [θiːv] *v* крада, открадвам; крадец (хайдук) съм; хайдутувам, присвоявам, ограбвам, обирам; задигам (*разг.*).

thievish [ˈθiːviʃ] *adj* крадлив, хайдушки, граблив, обирджийски.

thin [θin] I. *adj* 1. тънък, тъничък, слабичък, крехък; to wear ~ изтънявам, изтърквам се; ◇ *adv* thinly; 2. слаб, слабичък, мършав, мършавичък; (as) ~ as a lath (a rail, a thread-paper, a whipping post) слаб като вейка; 3. слаб, рядък, разводнен, воднист; 4. рядък; оредял (*за коса, гора*); оскъден (*за посев*); 5. разреден, ненаситен (*за въздух, газ*); 6. тънък, слаб (*за глас*); 7. малоброен, малочислен; незапълнен; 8. плитко скроен, "прозрачен", "шит с бели конци"; a ~ excuse слабо, неубедително извинение; 9. течен (*за крем, паста*); 10. лек (*за масло*); 11. светъл (*за сок, сироп*); ● ~-skinned *прен.* много чувствителен; II. *v* (-nn-) 1. тънея, изтънявам, слабея, отслабвам; 2. редея, оредявам, намалявам, опустявам; 3. намалявам (*броя на*); разредявам, разреждам, прореждам, раз-

мивам, разводнявам;

thin away спадам, съкращавам, намалявам; изтънявам, изострям (се);

thin down слабея, крея, линея, вехна, отслабвам;

thin out 1) редея, намалявам, чезна, оредявам; 2) разредявам, разреждам, прореждам, намалявам броя на.

thing [θiŋ] *n* 1. нещо, предмет, вещ; 2. *pl* вещи, принадлежности, багаж; дрехи, облекло; to pack up o.'s ~s стягам си багажа, *прен.* тръгвам си, отивам си; 3. *pl* сечива, инструменти; 4. *pl* прибори, съдове; tea~s чаен сервиз; 5. нещо, работа, постъпка, въпрос, явление, факт, случай, обстоятелство; as ~s are при сегашното положение на нещата; 6. нещо необходимо (важно, истинско, подходящо, подобаващо); мода; not to be (feel) at all the ~ не се чувствам никак добре; 7. същество, човек, създание; he is a mean ~ той е подлец; ● above all ~s преди всичко.

think [θiŋk] I. *v* (thought [θɔːt]) 1. разсъждавам, обмислям; мисля, на мнение съм; помислям; замислям се (over); to ~ better of променям си мнението за; he never stops to ~ той никога не се замисля; 2. мисля, смятам, считам, предполагам; we ~ (that) he will come предполагаме, че той ще дойде; 3. представям си, въобразявам си; мечтая; I can't ~ of anything better нищо по-добро не мога да измисля; 4. разбирам; I cannot ~ what he means не мога да разбера какво иска да каже той; 5. смятам, възнамерявам, кроя (to); 6. *разг.* спомням си, припомням си, мисля; I can't ~ of his name не мога да си спомня името му;

think about мисля за, възнамерявам, замислям, обмислям;

think of 1) мисля (помислям) за, намислям си, възнамерявам, замислям, имам намерение, имам предвид; 2) сещам се, досещам се, припомням си, спомням си;

think out 1) премислям; мисля докрай; обмислям напълно; 2) измислям, възнамерявам, намислям, *разг.* дошло ми е на ума, скроявам; 3) идвам до разрешението на;

think over обмислям, обсъждам, преценявам, съобразявам, разсъждавам;

think through размишлявам, премислям, анализирам задълбочено;

think up измислям, съчинявам, преувеличавам, надувам, лъжа; II. *n* размисъл.

thinkable [ˈθiŋkəbəl] *adj* мислим; осъществим, възможен, изпълним, реализуем.

thinker [ˈθiŋkə] *n* мислител, философ, мъдрец, учен.

thinking [ˈθiŋkiŋ] I. *adj* мислещ, разсъждаващ, обмислящ, разумен; II. *n* размишление, мислене, размисъл; мнение; that's my way of ~ така мисля аз; abstract ~ абстрактно мислене.

thinner [ˈθinə] *n* 1. разредител; 2. разтворител.

third-rater [ˈθəːdˈreitə] *n* малоценен, подъл, недостоен, презрян човек.

thirst [θəːst] I. *n* жажда, жадност; *прен.* копнеж, ненаситност (*и прен.* for, after); to slake (quench, satisfy) o.'s ~ утолявам жаждата си; II. *v* жаден съм, искам да пия; *обикн. прен.* жадувам, копнея (for, after).

thirsty [ˈθəːsti] *adj* 1. жаден, измъчван от жажда; който обича да пие; a ~ customer (fish) смукач, кьркач; 2. *разг.* който предизвиква жажда (кара на пиене); much talking is ~ work от много говорене гърлото на човек пресъхва; 3. изсъхнал, изгорял (*за земя*), сух (*за годишно време*); 4. *прен.* жаден, зажаднял, ненаситен, неутолим; ◇ *adv* thirstily.

this [ðis] *adj, pron demonstr* (*pl* these [ðiːz]) тоя, този (*за означаване на нещо, по-близко по отношение на място или време*); ~ day днешният ден, днес; (on) ~ side (of) преди, по-рано от.

thorax ['θɔ:ræks] *n* (*pl* **thoraces** [θɔ'reisi:z] *u* **thoraxes** ['θɔrəksiz]) *анат.* гръден кош; **contracted ~** *мед.* плосък гръден кош.

thorn [θɔ:n] *n* 1. шип, трън, бодил; **to be (sit) on ~s** седя като на тръни; 2. трън, трънка, драка; глог; **crown of ~s** трънлив венец.

thorny ['θɔ:ni] *adj* трънлив, бодлив; *прен.* труден, тежък; **~ path** трънлив път (*и прен.*).

thorough ['θʌrə] *adj* цял, пълен, съвършен, истински; коренен, основен, радикален, дълбок; щателен, грижлив, усърден, старателен, акуратен, задълбочен; **his work is seldom ~** работата му е рядко задълбочена.

thoroughbread ['θʌrəbred] I. *adj* 1. чистокръвен, расов, породист; 2. добре възпитан, безупречен, елегантен; II. *n* чистокръвен английски кон.

thoroughfare ['θʌrəfeə] *n* 1. проход, съобщителен път; право на преминаване; 2. оживена, "натоварена" улица, артерия; **principal ~** главна артерия.

thoroughgoing ['θʌrəgouiŋ] *adj* 1. който не се спира пред нищо, решителен, безкомпромисен; основен; радикален; 2. цял, пълен, съвършен, истински, същински, реален.

thoroughly ['θʌrəli] *adv* напълно, съвсем, съвършено, докрай; основно, коренно, радикално, от дъно; грижливо, усърдно, старателно, щателно, задълбочено.

thoroughness ['θʌrənis] *n* 1. пълнота, цялостност, завършеност; 2. грижливост, усърдност, старателност, щателност.

though [ðou] I. *cj* 1. макар че, макар и да, ако и да, при все че, въпреки че; 2. дори и да, макар и да (*и* **even ~**); **as ~** като че ли, като да; II. *adv разг.* все пак, въпреки това, независимо от това, обаче; **he did not come ~** той обаче не дойде.

thought [θɔ:t] *n* 1. мисъл, мислене; размисъл, размишление, обмисляне; **lost in ~** потънал в мислите си, замислен; 2. начин на мис-

лене, манталитет; **scientific ~** научен начин на мислене; 3. идея; **a happy ~** щастлива идея; 4. намерение, помисъл; **I had no ~ of offending him** не съм имал никакво намерение (не съм и помислял) да го обиждам; 5. (*обикн. pl*) мнение; **I will tell you my ~s of the matter** ще ти кажа какво мисля (какво е мнението ми) по въпроса; 6. грижа, внимание; **thank you for your kind ~ of me** благодаря ти за вниманието, което проявяваш към мен; 7. малко.

thoughtful ['θɔ:tful] *adj* 1. замислен, умислен, потънал в мисли; ◇*adv* **thoughtfully**; 2. дълбок, сериозен, съдържателен (*за книга, филм и др.*); многозначителен, дълбокомислен; 3. грижлив, внимателен, вежлив, учтив, деликатен, тактичен.

thoughtless ['θɔ:tlis] *adj* 1. нехаен, небрежен, безразсъден, неразумен; ◇*adv* **thoughtlessly**; 2. необмислен, глупав; 3. невнимателен, неучтив, нетактичен, неделикатен, груб, *разг.* недодялан.

thoughtlessness ['θɔ:tlisnis] *n* безразсъдство; небрежност.

thrall [θrɔ:l] I. *n* 1. роб (*of, to*); 2. *остар.* робство; **in ~** под робство, поробен; *поет.* пленен, очарован, омаян, възхитен; II. *adj остар.* поробен (*to*); III. *v остар.* поробвам, заробвам.

thrash [θræʃ] *v* 1. бия, бъхтя, удрям, тупам, шибам; 2. *разг.* бия, надминавам; надвивам, побеждавам (*при борба, състезание*); 3. (*обикн.* **thresh**) вършея, овършавам; **to ~ out** разглеждам, обсъждам, разисквам, изяснявам (*въпрос и пр.*); достигам (добирам се) до; 4. мятам се; **to ~ about in o.'s sleep** мятам се, хвърлям се на сън; ● **to ~ over old straw** преливам от пусто в празно.

thread [θred] I. *n* 1. конец, нишка (*и прен.*); **silk ~, ~ of silk** копринен конец; **the fatal ~, the ~ of life** нишката на живота; *прен.* лъч; 3. *техн.* нарез, резба; **female ~** вътрешна резба; **male ~** външна резба; 4. рудна жила; 5. *ел.*

отделна жица на проводник; 6. тънка струя; 7. *геол.* тънка прожилка; II. *v* 1. нанизвам, вдявам (*игла*); нанизвам (*мъниста и пр.*); **to ~ a needle** нанизвам игла; 2. провирам се, промъквам се (*през*); **to ~ o.'s way through** провирам се (проправям път) през (*тълпа и пр.*); 3. прошарвам (*коса*); 4. *техн.* правя нарез на; 5. вдявам, поставям конец (нишка) в шевна машина, тъкачен стан и др.; вплитам, преплитам.

threadbare ['θredbeə] *adj* 1. изтъркан, изтрит, износен, изхабен, овехтял; 2. с овехтели (износени) дрехи, бедно облечен; 3. *прен.* изтъркан, банален, стар, познат, шаблонен; неубедителен.

thread-like ['θredlaik] *adj* 1. нишкообразен, нишковиден; 2. влакнест.

threat [θret] *n* заплаха, опасност, беда (*to*); **~ of rain** признаци на дъжд; кани се да вали.

threaten ['θretn] *v* заплашвам, застрашавам (*with, to, c inf*); заплашвам (застрашавам) с; заканвам се; предвещавам, предсказвам, предричам; **the clouds ~ rain** облаците предвещават дъжд.

threatening ['θretəniŋ] *adj* заплашителен; ◇*adv* **threateningly**.

three-phase ['θri:feiz] *adj ел.* трифазен.

thresh [θreʃ] *v* вършея, овършавам; унищожавам (*прен.*).

threshing ['θreʃiŋ] *n* вършене, вършитба.

threshold ['θreʃould] *n* праг, вход; *прен.* преддверие, начало; *прен.* граница, предел; **on the ~ of** пред прага на, в началото на.

thrift [θrift] *n* пестеливост, спестовност, икономия, *разг.* стиснатост; **a ~ (~ institution)** *n амер.* спестовна банка, каса.

thriftless ['θriftlis] *adj* прахоснически, разсипнически, разточителен, *разг.* разпилян, с широки пръсти.

thrifty ['θrifti] *adj* 1. пестелив, *разг.* стиснат, пинтия спестовен, икономичен; 2. *амер.* цъфтящ, про-

цъфтяващ, просперираш.

thrill [θril] **I.** *v* 1. трепер, потръпвам, потрепервам, разтрепервам (се), развълнувам (се); вълнувам (се) силно; изпълвам с трепет, възбуждам, наелектризирам, накарвам някого да му се разтупка сърцето; ~ed with joy (terror) обзет, обхванат от радост, ужас; 2. трептя, трепера (*за глас*); 3. щипя (*прен*.), обиждам, нападам; 4. *остар*. пробивам, провъртам; 5. вибрирам, трептя, колебая се; **II.** *n* 1. трепет, трепервене, потрепервание, разтрепервване, тръпки, вълнение, възбуда; а ~ of joy радостни тръпки; 2. трептящ звук; вибрация, колебание; 3. *мед*. шум, долавян при преслушване; 4. *разг*. сензация, сензационна история; ~s and spills вълнуващо преживяване.

thriller [ˈθrilə] *n* 1. сензационен, приключенски; шумен, скандален; чудат (криминален, детективски) роман (драма, филм и пр.); трилър; 2. мелодрама.

thrilling [ˈθriliŋ] *adj* пронизваш, вълнуваш; завладяваш; сензационен, чудат; ◊ *adv* **thrillingly**.

thrive [θraiv] *v* (**throve** [θrouv], *рядко* ~d; **thriven** [ˈθrivn], ~d) 1. процъфтявам, просперирам, преуспявам; забогатявам; 2. вирея, раста (буйно), избуявам; заяквам, засилвам се.

thriving [ˈθraiviŋ] *adj* цъфтящ, процъфтяваш, оживен, забогатяваш.

throat [θrout] *n* 1. гърло, гръклян, гръцмул, глътка; гуша, шия, врат; to have a sore ~ боли ме гърлото; to jump down s.o.'s ~ прекъсвам, пресичам, възразявам, запушвам устата на; 2. тесен проход, тесен отвор, устие, гърло, ждрело; 3. *техн*. гърло, гърловина, уста.

throb [θrɔb] **I.** *v* (-bb-) 1. тупти, тупкам, тупам, бия, пулсирам; to ~ with vitality кипя от енергия, сила, живот; 2. трептя, трепера, вълнувам се (with); **II.** *n* 1. туптене, тупкане, тупане, биене, пулсиране, удар на сърцето; heart's ~s удари на сърцето; 2. трепет,

вълнение, възбуда; a ~ of joy радостно вълнение.

throe [θrou] **I.** *n* (*обикн. pl*) 1. силна болка, мъка; 2. агония, предсмъртна борба (*и* ~s of death); 3. родилни болки; 4. спазъм, конвулсия, гърч, гърчене; **II.** *v* в агония съм; агонизирам, бера душа, умирам.

thrombus [ˈθrɔmbəs] *n мед*. тромб.

throne [θroun] **I.** *n* 1. трон, престол; 2. царска (кралска) власт; 3. високо положение, чин, сан, звание, титла; **II.** *v поет*. качвам на трона; заемам високо положение; превъзнасям.

throng [θrɔŋ] *книж*. **I.** *n* тълпа, навалица, блъсканица; маса, множество; ~ of people тълпа, гъмжило, множество; **II.** *v* 1. тълпя се, стичам се, струпвам се; събирам се, натискам се; 2. пълня, напълвам, изпълвам, претъпквам; a ~ed street многолюдна, оживена улица; 3. *остар*. притискам, натискам, налягам.

throttle [ˈθrɔtəl] **I.** *n* 1. гърло, гръклян, гръцмул, глътка, хранопровод; 2. *техн*. дросел, регулатор (*и* ~-valve); at full ~ с пълна скорост, с пълна мощност; **II.** *v* 1. душа, удушвам; 2. *техн*. дроселирам; 3. изпускам пара (*за котел*); 4. намалявам оборотите (*на двигател*).

through [θru:] **I.** *prep* 1. през; по, из; to come, go ~ минавам през; (~) the length and bredh of надлъж и нашир из; 2. чрез, посредством, по пътя на, с помощта на, благодарение на, заради; to learn ~ a friend научавам от приятел; 3. поради, от; ~ lack of поради липса на; 4. през, в продължение на; в течение на; ~ life през целия си живот; 5. *амер*. включително, в това число; • he has been ~ it *разг*. той е видял и патил; **II.** *adv* 1. целият, цялата, цялото; I am wet ~ аз съм мокър целият; 2. отначало докрай; all ~ през цялото време; • to be ~ with свършвам с; **III.** *adj* пряк, директен, без смяна (прекачване); ~ carriage, train, ticket, service директен вагон, влак, билет, съобщение.

throw [θrou] **I.** *v* (**threw** [θru:]; **thrown** [θroun]) 1. хвърлям, подхвърлям, мятам, запращам; to ~ stones хвърлям камъни (at) *прен*. съдя хората; to ~ oneself into the arms of хвърлям се в прегръдките на; 2. напликвам, плисвам, изливам, поливам; to ~ cold water on поливам със студен душ, обезсърчавам; 3. църкам (*течност*); 4. изстрелвам (*снаряд*); 5. хвърлям (*ездач – за кон*); 6. повалям, събарям (*противника си – за борец*); 7. сменям (*кожата си – за змия*); 8. раждам (*за животно*); 9. точа, източвам (*коприна и пр*.); • to ~ the great cast правя решителна крачка;

throw about 1) разхвърлям, разбутвам, разбишквам, пръскам, разпръсквам, пилея, разпилявам; 2) пръскам, пилея, пропилявам, прахосвам, разхищавам, *разг*. широки са ми пръстите;

throw aside хвърлям настрана; отхвърлям, отстранявам, отблъсквам, избълсквам;

throw away 1) хвърлям, запокитвам, захвърлям, запращам; хвърлям нещо като непотребно; 2) харча напразно, пръскам, пилея, пропилявам, прахосвам, разхищавам, хабя, изхабявам, похабявам, жертвам, "хвърлям" (on); to ~ away o.'s life похабявам, пропилявам живота си; 3) отхвърлям, отклонявам; 4) пропускам, оставям да ми се изплъзне (*удобен случай*); не се възползвам;

throw back 1) мятам назад; отхвърлям, отразявам; 2) връщам назад, давам обратно; спирам, слагам край (забавям) развитието на; проявявам атавизъм;

throw down 1) хвърлям, захвърлям, тръшвам (on the ground на земята); 2) събарям, разрушавам; 3) утаявам; 4) *амер*. отхвърлям, отклонявам;

throw in 1) добавям, допълвам, вмъквам, казвам между другото; 2) прибавям, притурям; плащам над уговореното (*при сделки*) (*и*

to ~ into the bargain); 3) *техн.* отварям, пускам, включвам;

throw into хвърлям в; **to ~ oneself into** хвърлям се в, посвещавам се на;

throw off 1) отхвърлям, отбивам; 2) свалям, свличам, смъквам, махам, хвърлям, събличам; 3) отървавам се от, освобождавам се от, избавям се; преставам да имам работа с, напускам, изоставям; 4) излеквам се от, изцерявам се от; избавям се; 5) нахвърлям, написвам набързо, импровизирам; 6) отпечатвам, изкарвам; 7) почвам, поставям начало, в началото съм; 8) пускам кучетата (*за лов*);

throw on, upon 1) хвърлям върху, натоварвам; слагам (*товар*) върху; 2) намятам, навличам;

throw open 1) отварям, разтварям; 2) правя достъпен (възможен); отварям вратата за (*прен.*), давам възможност; приемам;

throw out 1) изхвърлям; изгонвам; уволнявам; хвърлям (*мрежа, въдица*); изпускам (*топлина, лъчи*); излъчвам (*светлина*); издавам (*миризма*), пускам (*корени*); 2) строя, построявам, пристроявам (*крило на сграда, вълнолом и под.*); 3) подхвърлям, подмятам, споменавам между другото; изричам мимоходом; 4) отхвърлям (*законопроект*); 5) смущавам, обърквам, карам (*някого*) да загуби връзката; 6) *техн.* прекъсвам, изключвам; 7) изкарвам от строя с пряк удар (*в крикета*);

throw over 1) намятам; 2) напускам, изоставям, зарязвам; 3) *техн.* включвам, изключвам; 4) отказвам се от, изоставям (*план, намерение*);

throw overboard хвърлям в морето (*от кораб*); *прен.* напускам, изоставям, отървавам се, избавям се от;

throw together 1) събирам на бърза ръка; компилирам; 2) събирам; "срещам" (*хора*); 3) комасирам, уедрявам;

throw up 1) хвърлям; подхвърлям,

изхвърлям, бълвам (*за море* up on); 2) вдигам (*ръце*), отказвам се; 3) издигам (набързо), построявам; 4) отварям (*прозорец*); 5) грубо бълвам, повръщам, драйфам (*и* to ~ up food); 6) отказвам се от; 7) излъчвам; 8) *амер.* натяквам, опявам (to);

II. *n* **1.** хвърляне, мятане, запращане; хвърляне на зар, на рибарска мрежа; **2.** хвърлей (*обикн.* **stone's** ~); **3.** поваляне, събаряне (*при борба*); **4.** наклон (*на мост, траектория*); **5.** *техн.* ход на бутало (*мотовилка*), ексцентричност, размах, амплитуда; **6.** грънчарско колело; **7.** *мин. геол.* разсед.

throw down ['θrou,daun] *n амер.* поражение, несполука, неуспех; разгром.

throw-outs ['θrəu,auts] *n* отпадъци, остатъци, брак.

thrust [θrʌst] **I.** *v* (**thrust**) забивам, муша, мушвам, пъхам, пъхвам, тикам, тиквам, тласкам, бутам, бутвам, ръгам, ръгвам, вкарвам, ввирам, завирам; ● **to be ~ from o.'s right** бивам лишен от правата си, обезправен съм;

thrust aside отблъсквам, избутвам, отхвърлям, оттласквам;

thrust at хвърлям се върху, скачам върху, нападам; прегръщам (**with a dagger, etc.**);

thrust forth 1) изпъждам, изхвърлям, изгонвам (**out of**); 2) покарвам (*издънки*);

thrust forward изтиквам напред; мушкам се напред;

thrust in(to) пъхам, втиквам, ввирам, завирам, забивам; забождам;

thrust on 1) намятам; 2) натрапвам, налагам, подтиквам на;

thrust out 1) изтиквам, изхвърлям, изгонвам; изселвам; 2) простирам, протягам (*ръка*);

thrust through пронизвам, пробождам, пробивам;

thrust upon натрапвам, налагам, подтиквам, подстрекавам;

II. *n* **1.** тласък, тикане, блъскане, бутане; **2.** нападение; удар; въоръжено нападение, атака; **3.** страничен натиск, разпъващо нато-

варване (*на свод и пр.*); осево натоварване; **4.** *геол.* разсед; **5.** *мин.* усилие на подаване (*на работен инструмент в сондаж*); **6.** *техн.* тяга; теглителна сила (*на витло*); **7.** основна идея, замисъл (*напр. на забележка*); **8.** целенасочена забележка.

thumb [θʌm] **I.** *n* палец; **to be all ~s** несръчен, вързан съм, непохватен съм; **to twiddle o.'s ~s** не върша нищо, клатя си краката; **II.** *v* **1.** прелиствам, разгръщам (*и* ~ through); разглеждам; боравя несръчно (с), изпълнявам небрежно, свиря небрежно (на); изцапвам; **2.** *амер., разг.* спирам автомобил чрез вдигане на палеца си, стопирам; **to ~ a lift (ride)** пътувам на автостоп.

thumb-index ['θʌm,indeks] *n* азбучник, азбучен указател.

thump [θʌmp] **I.** *n* удар, бухане, бухване, думкане; падане, тупване; **II.** *int* бух! туп! ~-~ туп-туп (*за биенето на сърцето*); **III.** *v* удрям, блъскам, бухам, бухвам, думкам, думвам (**at, on**); **to ~ o.'s chest** бия се по гърдите, хваля се.

thunder ['θʌndə] **I.** *n* гръм, гръмотевица, трясък; мълния; гръм, грохот, гърмеж, бумтеж, бумтене, бучене; шум; ~(**s) of applause** гръм, буря от аплодисменти, бурни ръкопляскания; **II.** *v* **1.** гърмя, изгърмявам, тряскам, трещя, изтрещявам, бумтя, буча, избучавам, удрям, думкам; **it is ~ing** гърми; **2.** заплашвам, заканвам се, сипя, отправям (*клетви и пр.*), сипя огън и жупел (**against**); **3.** говоря гръмогласно, викам.

thunder-clap ['θʌndə,klæp] *n* гръм; *прен.* неочаквано събитие; ужасна новина.

thundering ['θʌndəriŋ] **I.** *adj* **1.** гръмлив, силен, гръмовит, оглушителен; **2.** *разг.* грамаден, забележителен; ужасен; чудесен; **II.** *adv разг.* необикновено, ужасно, страшно, чудовищно.

thunder-storm ['θʌndə,stɔːm] *n* гръмотевична буря.

thundery ['θʌndəri] *adj* буреносен; който предвещава буря.

Thursday ['θə:zdi] *n* четвъртък.

thus [δʌs] *adv* така (*амер. и ~* **and so, as ~**); **~ and ~** така и така, и без това.

thwack [θwæk] I. *v* бия, набивам, налагам, тупам, натупвам; II. *n* бой, налагане, тупаница; удар.

thwart [θwɔ:t] I. *v* преча, попречвам (на), осуетявам, развалям, разстройвам; *остар.* пресичам; II. *adj* напречен; кос, наклонен; III. *n* седалка за гребец.

thyroid ['θairɔid] I. *adj* анат. щитовиден; **~ cartilage** щитовиден хрущял; II. *n* щитовидна жлеза.

tiara [ti'a:rə] *n* тиара; диадема, накит за глава във вид на венец или дъга.

tibia ['tibiə] *n* (*pl* **tibiae** ['tibii], **tibias**) *анат.* пищял.

tic [tik] *n* мед. нервно свиване на мускул, тик; **convulsive ~** мед. мимичен тик.

tick₁ [tik] I. *v* 1. цъкам, тиктакам (*за часовник*); 2. поставям знак отстрани на, отбелязвам (**off**); отмятам; 3. *разг.* оплаквам се; 4. *разг.* функционирам, карам; **tick off** 1) отмятам; 2) *sl* хокам, нахоквам, ругая, наругавам, газя, сгазвам; **tick over** работя на малки обороти, работя на празен ход; *авт.* движа се с изключен двигател, по инерция; II. *n* 1. цъкане, тиктакане; биене, туптене (*на сърце*); **to a ~** точно, на часа, на минутата; **half a ~**! момент; 2. знак, белег, отметка ("V").

tick₂ I. *n sl* вересия, кредит, на изплащане; **on ~** на вересия; II. *v* купувам на вересия (почек); продавам на вересия; отпускам кредит.

ticker ['tikə] *n* 1. махало; 2. *разг.* часовник; 3. телеграфен апарат; 4. *шег.* сърце; 5. *авт.* помпа за подаване на гориво (*в карбуратора*); 6. *радио.* бобина в анодна верига за обратна връзка.

ticket ['tikit] I. *n* 1. билет (to); **return ~** билет за отиване и връщане; **~ of admittance** входен билет; 2.: (**price**) **~** етикет, надпис,

картонче, бележка (*с означение на цена*); 3. обява, обявление; 4. квитанция, свидетелство, удостоверение; **pawn ~** квитанция от заложна къща; 5. *амер.* списък от кандидати на някоя партия при избори; **mixed** (**split**) **~** бюлетина с имена на кандидати от различни партии; 6. платформа (програма) на политическа партия; 7. *attr* билетен; **~ window** *амер.* гише (за билети); **● the ~** *разг.* това, което трябва; II. *v* 1. слагам етикет (картонче с цена) на; 2. *амер.* снабдявам с билети.

ticket-collector ['tikitkə,lektə] *n* кондуктор (*само във влак*).

tickle [tikəl] I. *v* 1. гъделичкам; гъдел ме е; сърби ме; **to ~ the palm of** *разг.* подкупвам; 2. *прен.* гъделичкам, угаждам, доставям удоволствие (на), забавлявам, развличам, "веселя"; *амер.* радвам (се), зарадвам (се); **to ~ the ear(s)** приятен съм за слуха; *прен.* лаская, подлъгвам, прилъгвам, примамвам, подмамвам; 3. ловя (*риба*) с ръце (**for**); II. *n* гъдел, гъделичкане, погъделичкване.

tidbit ['tidbit] *n* 1. вкусно парченце; мръвка; лакомство; 2. пикантна новина.

tide [taid] I. *n* прилив и отлив; **to go with the ~** нося се по течението (*и прен.*); 2. *остар.* време, период; годишно време, сезон (*остар. освен в съчет.* **Christmas-tide** Коледните празници; **noon-tide** времето около обед и пр.); 3. *прен.* поток, порой, течение, ход, вървеж, насока, направление, тенденция; **the ~ of battle** ходът, развоят на сражението; 4. *мед., физиол.* периодично изменение (*повишение, понижение*) на някакъв параметър; **● to work double ~s** работя усилено, денонощно; II. *v* 1. *рядко* нося се по течението, влизам в (излизам от) пристанище с помощта на прилива (отлива); **to ~ over** преодолявам временно; 2. *остар.* ставам, случвам се.

tidiness ['taidinis] *n* спретнатост, стегнатост, прибраност, акурат-

ност, уредност.

tidy ['taidi] I. *adj* 1. спретнат, стегнат, прибран, уреден, грижлив, акуратен; приличен, порядъчен; подреден, сресан (*за коса*); *◇ adv* **tidily**; 2. *разг.* значителен, важен, значим; **a ~ fortune** (**sum**) добро състояние (кръгла сума); 3. *разг.* доста добре (*със здравето*); II. *n* 1. покривчица, салфетка (*за облегало на стол, маса*); 2. съд за отпадъци и всякакви дреболии (нещица) (*на тоалетната маса*) (*и* **hair~**); кош за отпадъци (*и* **street~**); III. *v* разтребвам, оправям, подреждам (*и с* **up**); **to ~ up a mess** оправям каша.

tie [tai] I. *v* 1. вържа, връзвам; свързвам; привързвам (**to**); превързвам; **to ~ a knot** (**a string in a knot**) връзвам възел (връв на възел); **fit to be ~d** *жарг.* много ядосан, бесен, луд за връзване; 2. съединявам (*греди и пр.*); 3. връзвам, обвързвам, спъвам, преча (на), ограничавам; **~d to** (**for**) **time** ограничен по отношение на време; 4. *спорт.* завършвам наравно или едновременно; изравнявам се; *полит.* получавам равни гласове (**with**); **tie down** ограничавам, обвързвам, подчинявам (**to**); **tie in** 1) присъединявам, сближавам; 2) свързвам се с (**with**); **tie up** 1) връзвам; завързвам; превързвам; 2) ограничавам свободата на действие, преча; ограничавам чрез условия унаследяването на имот; 3) обединявам се (**with**), свързвам се, присъединявам се, сближавам се (**to**); II. *n* 1. връзка, верига, скоба, греда; 2. връзка, *pl* връзки; **~s of blood** (**friendship**) кръвни (приятелски) връзки; 3. задължение, бреме, товар; 4. (врато)връзка; 5. *амер.* траверса; 6. *муз.* легато; 7. *спорт.* равен резултат; мач срещу победители от предшестващи състезания; **to play off a ~** повтарям мач; 8. тяга; 9. *мин.* надлъжна разпънка; 10. напречник; 11. *амер.* траверса.

tier [tiə] I. *n* 1. ред, редица; поре-

дица; *театр.* ранг; **2.** намотка; *pl* въже, навито на кръгове; **3.** ниво, разряд, степен (*в рамките на организация, система и пр.*); **II.** *v* нареждам на редици (*и* **up**).

tie-up ['tai̯ˌʌp] *n* **1.** задръжка, спиране, застой, мъртва точка; **2.** *амер.* стачка, протест, локаут.

tige [ti:ʒ] *n* **1.** *архит.* колона; **2.** *бот.* стъбло.

tiger ['taigə] *n* **1.** тигър; **American ~** ягуар; **2.** грубиян, хулиган; **3.** лакей; прислужник; **4.** *разг.* противник, който може да се окаже много силен.

tight [tait] **I.** *adj* **1.** стегнат, опънат, опнат, изопнат, обтегнат; сбит, плътен, компактен, натъпкан; **~ knot** здрав възел; **to keep a ~ rein on** държа здраво, стягам юздите на; **2.** плътно прилепнал, тесен (*за дрехи, обувки*); **a collar ~ round the throat** яка, която стяга; **3.** стегнат, спретнат, подреден; акуратен; **4.** непроницаем, непромокаем; **air-~** херметически затворен; **5.** мъчен, труден, тежък; **~ corner (place)** *разг.* неудобно (трудно, опасно) положение, затруднение; **6.** оскъден, недостатъчен, "къс"; **7.** *sl* пиян; **~ as a drum** мъртвопиян; **8.** *разг.* стиснат, свидлив, скръндза, пинтия; **II.** *n pl* трико.

tighten ['taitn] *v* стягам (се), опвам (се), опъвам (се); **to ~ up a screw** стягам винт; **to ~ the pursestrings** намалявам разходите си, правя икономии.

tight-fisted ['tait'fistid] *adj* стиснат, свидлив, скъперник.

tightness ['taitnis] *n* стегнатост, сбитост; драматичност, напрегнатост; **~ in the air** напрегната, драматична атмосфера, напрежение.

tilde [tild, 'tildə, 'tildei̯] *n* тилда.

tile [tail] **I.** *n* **1.** керемида; *прен.* покрив, стряха, къща; **he has a ~ loose** едната му дъска хлопа; **2.** (керамична) плочка, кахла; **3.** огнеупорна тухла; **4.** *разг.* цилиндър (шапка); **II.** *v* **1.** покривам с керемиди; облицовам с плочки; **2.** налагам мълчание на.

till [til] **I.** *prep* до; **~ now** досега, до този момент; до това време; **II.** *cj* догдето, докато.

tilt₁ [tilt] **I.** *n* **1.** наклон, навеждане, движение в наклонено положение; **to be on a (the) ~** наклонен съм; **2.** плувка на въдица; **3.** тежък механичен чук (*и* **~ hammer**); боен чук; **4.** спор, сблъсък, кавга, свада, караница; **II.** *v* **1.** навеждам (се), накланям (се), накривявам, килвам (**up**); **2.** катурвам (се), прекатурвам (се), преобръщам (се) (**over**); **3.** *геол.* изкривявам (се) (**up**); **4.** кова, изковавам, чукам, бия.

tilt₂ [tilt] **I.** *n* чергило, гюрук, навес (*над каруца, лодка и др.*); **II.** *v* слагам чергило на, покривам.

timber ['timbə] **I.** *n* **1.** дървен материал; **~ yard** склад за дървен материал; **2.** дървета, гора; **3.** греда, мертек; **4.** ограда, заграждение; **5.** *разг.* кибритена клечка; **6.** лично качество, достойнство; **a man of the right ~** човек с ценни качества; **II.** *v* **1.** правя (строя) от дърво; **2.** облицовам с дърво.

timber-headed ['timbə,hedid] *adj sl* глупав, тъп, прост, елементарен.

timbre [tæmbr] *n* муз. тембър, оттенък, тон, нюанс.

timbrel ['timbrəl] *n* муз. дайре.

time [taim] **I.** *n* **1.** време; час, (удобен) момент; **summer ~** (**light-saving ~**) лятно часово време (*с изместване на часовника 1 час напред*); **Eastern European T.** (*abbr* **EET**) източноевропейско време, часови пояс; **correct ~** точно време; **~ presses** няма време за губене, работата не търпи отлагане; **2.** период; **in my ~** по мое време, когато бях млад; **3.** време, срок; **it is high ~** крайно време е (**for**; **to** *c inf*); **she is far on in her ~** тя е в напреднала бременност; **4.** (*често pl*) епоха, период; време, времена; **modern ~s** съвременна епоха; **in ancient ~s** в древни времена; **5.** път, случай; **the ~ before last** предпоследният път; **many a ~** много пъти, често; **6.** *муз.* темп; такт; **to keep ~** спазвам такт; **out of ~** неритмичен,

не в такт (**with**); **7.** работно време; **to work (to be on) full ~** работя на пълен работен ден; ● **to work against ~** работя с ускорени темпове, мъча се да свърша навреме; **II.** *v* **1.** избирам подходящ момент за, върша (нещо), когато трябва; съобразявам с времето; **a well ~d remark (blow)** забележка (удар) точно в подходящ момент; **2.** определям време (срок) за; **to ~ the minute** пресмятам (разчитам) до минута; **3.** отбелязвам (записвам, установявам) времето на (*надбягване и пр.*); **4.** *рядко* тактувам; **5.** регулирам, урегулирвам; **6.** синхронизирам.

timed [taimd] *adj* **1.** синхронен; **2.** изчислен по време; **3.** хронометриран.

timeless ['taimlis] *adj* **1.** *поет.* безсмъртен, безкраен, вечен; **2.** *остар.* ненавременен, преждевременен; **3.** вън от времето; който не се отнася до определено време.

timelessness ['taimlisnis] *n* вечност; безвремие.

timely ['taimli] *adj* навременен, своевременен, в подходящия момент.

time-out ['taim,aut] *n* прекъсване, кратка почивка; пауза; таймаут.

time-server ['taim,sə:və] *n* опортюнист, приспособенец, нагаждач, ренегат.

time-serving ['taim,sə:viŋ] **I.** *n* опортюнизъм; приспособяване; нагаждане, ренегатство; **II.** *adj* опортюнистичен; който се приспособява ("минава между капките"); който се нагажда.

timetable ['taimteibəl] *n* програма, план, система; разписание; график.

time zone ['taim'zoun] *n* часови пояс.

timid ['timid] *adj* плах, боязлив, плашлив, наплашен, изплашен; свенлив, срамлив, стеснителен; **~** *adv* **timidly**.

timidity [ti'miditi] *n* страх, плахост, боязливост, плашливост, свенливост, срамливост, стеснител-

ност, смущение.

tin [tin] I. *n* 1. калай; 2. ламарина, бяло тенеке; 3. тенекия, тенекиена кутия; консервна кутия (*амер.*); 4. *sl* пари, богатство; 5. *attr* калаен, тенекиен; 6. *attr* незначителен, "тенекиен", афиф; II. *v* 1. калайдисвам; 2. консервирам, запазвам за по-дълго време.

tinctorial [tiŋkˈtɔːriəl] *adj* багрилен, *прен.* цветен, шарен.

tincture [ˈtiŋktʃə] I. *n* 1. отсянка, оттенък, примес, нюанс (*и прен.*); *pl* херал̀д. цветове, окраски; ~ of red червеникава отсянка; 2. лека миризма, дъх, лъх; признак, белег; капка, капчица, малко (of), привкус; 3. *фарм.* тинктура, настойка; ~ of iodine йодна тинктура; II. *v* 1. багря, обагрям, оцветявам; 2. придавам миризма, вкус на; 3. напоявам, поливам, навлажнявам.

tin foil [ˈtin,fɔil] *n* станиол; варак.

tinge [tindʒ] I. *v* багря, обагрям, оцветявам (леко) (*и прен.*), придавам оттенък; II. *n* 1. отсянка, оттенък, нюанс; тон; тинта; 2. дъх, лъх, привкус.

tinker [ˈtiŋkə] I. *n* 1. калайджия; 2. *прен.* лош работник, измамник (*прен.*), некадърник, кърпач; 3. *рядко* играене, бърникане, скърпване; • to have a ~ at опитвам се да поправя; II. *v* 1. калайдисвам; занимавам се с калайджийство; 2. поправям на бърза ръка, как да е, отгоре-отгоре, скърпвам (up); играя си, бърникам, човъркам, мъча се да поправя (at).

tinkle [tiŋkəl] I. *v* дрънкам, дрънча, звъня, звънтя; II. *n* дрънкане, дрънчене, звън (на звънче или метални предмети), звънтене, звънтеж.

tinkler [ˈtiŋklə] *n* звънче.

tinsel [ˈtinsəl] I. *n* сърма, позлатени или посребрени медни жички; лъжлив, изкуствен, фалшив блясък; тъкан с лъскава нишка; II. *adj* крещящ, "очевиден", безвкусен, евтин, лъжлив, фалшив; III. *v* (-ll-) украсявам със сърма; придавам лъжлив блясък.

tint [tint] I. *n* 1. цвят, боя, багра,

тинта; отсянка, нюанс, тон; блед, светъл, ненаситен тон; 2. окраска, преобладаващ тон; 3. успоредни линии (*на гравюра*); II. *v* оцветявам, обагрям; ~ed glasses тъмни очила.

tiny [ˈtaini] *adj* мъничък, много малък, миниатюрен.

tip₁ [tip] I. *n* 1. (тънък) край, крайче, крайчец; връх; to walk on the ~s of o.'s toes вървя на пръсти, тихо (*прен.*); 2. железен край, конечник, шип (*на чадър и пр.*); 3. четка, употребявана при варакосване; II. *v* (-pp-) 1. слагам край (шип) на; 2. съставям края на нещо; 3. отрязвам върха (*на храст, дърво*), стрижа, остригвам (*коса*).

tip₂ I. *v* (-pp-) 1. наклонявам (се), наклоням (се), килвам, климвам; to ~ o.'s hat over o.'s eyes нахлупвам си шапката; 2. докосвам се (допирам се) леко до, бутвам; удрям леко; 3. обръщам, катурвам, изтърсвам, изсипвам, хвърлям;

tip off изливам (*от съд*);

tip out изтърсвам, изсипвам (се), *разг.* падам, сядам;

tip over (up) обръщам (се), преобръщам (се), катурвам (се), прекатурвам (се);

II. *n* 1. навеждане, наклоняване, леко докосване (тласък, удар), бутване; 3. място, където се изхвърля смет; сметище, бунище.

tip₃ I. *n* 1. бакшиш, пари за почерпване; 2. съвет, сведения, получени по частен път; to miss o.'s ~ не постигам целта си; нямам успех; II. *v* (-pp-) 1. давам бакшиш (пари за почерпване) на; 2. *sl* хвърлям, подхвърлям, давам (на); to ~ the wink давам знак, намигвам, смигвам, подшушвам (на); 3. осведомявам тайно, подшушвам (на) (about); давам частна информация; to ~ off предупреждавам.

tip-lorry [ˈtip,lɔri] *n* самосвал.

tipped [tipt] *adj* заострен.

tippet [ˈtipit] *n* 1. намятало, пелерина, плащ, наметка, ешарф; 2. *рел.* раменник.

tiptoe [ˈtiptou] I. *adv* на пръсти (*и*

on ~); to be on ~ with curiosity умирам (изгарям) от любопитство; II. *v* ходя (отивам, идвам) на пръсти (to), излизам на пръсти, тихо (out of); прокрадвам се.

tiptop [ˈtipˈtɔp] I. *n* връх, най-висока точка; предел, граница; II. *adj* разг. превъзходен, първостепенен, първокласен, първокачествен; III. *adv* екстра, превъзходно, тип-топ, първокласно.

tirade [tiˈreid] *n* тирада, декламация, рецитация.

tire₁ [ˈtaiə] I. *n* 1. шина, бандаж; 2. гума (*велосипедна, автомобилна – и* pneumatic ~); bicycle, car (motor) ~ велосипедна, автомобилна гума; II. *v* слагам гума (гуми) (на колело).

tire₂ I. *остар. n* украшение за глава; облекло, премяна; II. *v* украсявам; обличам, променям; издокарвам.

tire₃ *v* 1. уморявам (се), изморявам; to run, dance, talk oneself ~d уморявам се от тичане, танцуване, говорене; 2. омръзва ми, дотяга ми, става ми скучно, опротивява ми; доскучава ми; досажда ми (of) (*обикн. pass*); he soon ~s of reading четенето скоро му омръзва.

tireless [ˈtaiəlis] *adj* неуморим, работлив, усърден, неизтощен; ◇*adv* tirelessly.

tiresome [ˈtaiəsəm] *adj* 1. уморителен; 2. досаден, отегчителен, скучен; 3. неприятен, противен.

tiring [ˈtaiəriŋ] *adj* уморителен, изморителен, изтощителен, убийствен.

titanic [taiˈtænik] *adj* 1. титаничен, колосален, исполински, великански; титанически; 2. *хим.* титанов.

titillate [ˈtitileit] *v* гъделичкам, *прен.* блазня, лаская, дразня, възбуждам (*приятно*).

titillation [ˌtitiˈleiʃən] *n* гъделичкане, *прен.* блазнене, ласкаене.

title [ˈtaitəl] I. *n* 1. заглавие, наслов; надпис, субтитри (*на филм*); 2. титла, звание; 3. право, претенция (to); *юр.* право на собственост; 4. чистота на злато (*изра-*

зена в карати); **II.** *v* давам заглавие, поставям надпис; присвоявам звание (титла).

titled ['taitld] *adj* титулуван, с титла.

title-page ['taitlpeidʒ] *n* заглавна, титулна страница.

titter ['titə] **I.** *v* хихикам, кискам се; **II.** *n* хихикане, кискане.

tittle-tattle ['titəl,tætəl] **I.** *n* клюки, клевети, празни приказки; сплетни, слухове; **II.** *v* клюкарствам, сплетнича, клюкарствам.

titubation [,tiju'beiʃən] *n* мед. неспокойство, нервност, възбуда, постоянно местене.

titular ['titjulə] **I.** *adj* номинален, поименен, личен; **II.** *n* човек, който то носи номинална титла (звание).

to (*под ударение* [tu:], *без ударение* [tu] *пред гласна,* [tə] *пред съгласна*) **I.** *prep* **1.** *за движение, посока* в; до; на; към; за; при; **a tendency ~** тенденция, в посока към; **~ arms!** на оръжие! **2.** *за място* до, на; **shoulder ~ shoulder** рамо до рамо, един до друг; **3.** *със значение на дателен падеж* на; **to give (send, lend, etc) ~** давам (изпращам, давам на заем и пр.) на; **4.** *за изразяване на лично отношение* на, към, за; **kind (cruel etc) ~** любезен (жесток и пр.) към (с); **5.** *за граница, предел* до, на; **~ a large (great) extent** до голяма степен; **6.** *за начин* по; **made ~ order (measure)** направен по поръчка (мярка); **7.** *за резултат за* **~ my surprise (joy, disappointment, etc)** за моя изненада (радост, разочарование); **8.** спрямо, към, пред, в сравнение с; **to prefer s.th. ~ s.th. else** предпочитам едно нещо пред друго; **9.** *за цел* на, за; в чест на; **~ this end** за тази цел; **10.** *за прибавяне* към, на; **to add ~** прибавям към; **11.** *за притежание* на, за; **exception ~ a rule** изключение на правило; **12.** с акомпанимент на, с, по; **to dance ~ a tune** танцувам под такта на мелодия; **13.** *за време* до; **ten minutes ~ six** шест без десет; **II.** *частица пред инф.* да; за да; за; **good ~ eat** добър за ядене.

toad-eater ['toud,i:tə] *n* ласкател, подлизурко, блюдолизец, лакей, подмазвач, угодник.

toad-eating ['toud,i:tiŋ] **I.** *n* ласкателство, подлизурство, блюдолизничество, лакейство, подмазвачество, раболепие, угодничество; **II.** *adj* ласкателен, подлизурски, лакейски, раболепен, угоднически, блюдолизнически, подмазвачески.

toady ['toudi] *v* лаская, блюдолизнича, подлизурствам, лакейнича, подмазвам се, подлизурствам, раболепнича, угоднича.

toast [toust] **I.** *v* **1.** припичам (се); **to ~ oneself before the fire** припичам се на огъня; **2.** пия (вдигам, предлагам) наздравица (тост) за; **3.** суша се, грея се (*до огъня*); **II.** *n* **1.** препечен хляб; **on ~** сервиран върху препечен хляб; **2.** наздравица, тост; **to give (propse) a ~** вдигам наздравица; **3.** лице, събитие и пр., за което се вдига наздравица.

toasted ['toustid] *adj sl* друсан, дрогиран.

tobacco [tə'bækou] *n* (*pl* -s) тютюн (*и растението*); *attr* тютюнев; за тютюн; **~-box** табакера.

tobacco-pipe [tə'bækou,paip] *n* лула.

to-be [tə'bi:] **I.** *adj* бъдещ, предстоящ, идещ; **II.** *n* бъдеще.

tocology [tə'kolədʒi] *n* акушерство.

today, to-day [tə'dei] **I.** *adv* **1.** днес, сега, *разг.* днеска; **a week ago ~** преди една седмица; **2.** в наши дни; **II.** *n* **1.** днес, днешният ден; **2.** днешно време, съвременността; **actors of ~** съвременни актьори.

to-do [tə'du:] *n* шум, суетня, паника, суматоха; история.

tog [tog] **I.** *v* (-gg-) обличам се, докарвам се, гиздя се, труфя се (*и с* **up, out**); **II.** *n* **1.** *обикн. pl* дрехи; **2.** *физ.* единица за светлинно съпротивление.

together [tə'geðə] *adv* **1.** заедно, съвместно; **~ with** заедно с; едновременно с; както и; **2.** един към друг, един до друг; един с друг, ръка за ръка (*разг.*); **to compare ~** сравнявам един с друг; **3.**

наред, подред, без прекъсване (*за време*); **4.** едновременно.

togetherness [tu'geðənəs] *n* близост; интимност; единство.

toil₁ [toil] **I.** *v книж.* **1.** трудя се, мъча се, трепя се (**at**); **to ~ and moil** трудя се, трепя се, блъскам се; **2.** вървя с мъка, влача се, промъквам се; **to ~ up** изкачвам се с мъка; **II.** *n* труд, мъка, трепене, блъскане; тежка работа.

toil₂ *n* **1.** *pl прен.* клопка, капан, мрежа; засада, примамка, уловка; **2.** *остар.* мрежа.

toilet ['toilit] *n* **1.** тоалет, (дамско) облекло; **2.** обличане, грижи за облеклото, тоалет; **3.** тоалетна маса с огледало (*и* **~-table**); **4.** клозет; тоалетна; *амер.* баня; **5.** *attr* тоалетен; **~ soap** тоалетен сапун.

toilet-paper ['toilit,peipə] *n* тоалетна хартия.

toilful, toilsome ['toilful,'toilsəm] *adj книж.* тежък, мъчен, труден, уморителен, изнурителен, убийствен.

toil-worn ['toil,wo:n] *adj* отруден, облъскан, изтощен, изнемощял от труд.

token [toukn] *n* **1.** знак, символ; признак, белег; опознавателен знак; **to give ~s of itelligence** проявявам признаци на интелигентност; **2.** (нещо дадено за) спомен, подарък; **3.** жетон; **4.** *жп* жезъл (*при електрожезълна система на връзка по еднолинеен жп път*); **5.** *attr* символичен; само за форма; **~ resistance (strike)** съпротива само колкото да се каже.

tolerable ['tolərəbəl] *adj* **1.** търпим, поносим; **2.** доста добър, удовлетворителен, сносен, приемлив; доста голям; **3.** *разг.* доста здрав (добре със здравето); чувстващ се много добре.

tolerance ['tolərəns] *n* **1.** толерантност, търпимост, либералност, човечност, доброта; **2.** толеранс; допуск; **3.** *мед.* поносимост, устойчивост (*към болест, лекарствени препарати*); **4.** *мед.* допустима доза.

tolerant ['tɔlərənt] *adj* **1.** толерантен, либерален, човечен, добър; който търпи (толерира), търпелив (of); ◇ *adv* **tolerantly; 2.** *мед.* който понася (*дадено лекарство и пр.*).

tolerate ['tɔləreit] *v* **1.** търпя, понасям (*и мед.*); **2.** търпя, допускам, разрешавам, позволявам, приемам.

toleration [,tɔlə'reiʃən] *n* **1.** търпене, понасяне; **2.** допускане, разрешаване, приемане; **3.** толерантност, либералност, човечност, доброта, търпимост.

toll₁ [toul] **I.** *v* звъня (удрям, бия) равномерно; **to ~ in** събирам (приканвам) (*богомолци*) на църква; **II.** *n* камбанен звън; погребален звън.

toll₂ *n* **1.** такса, данък; такса за междуградски телефонен разговор; право за събиране на такса (данък); *прен.* дан; **2.** жертви; *воен.* загуби; **road ~** *журн.* жертви от автомобилни злополуки; **the earthquake took a heavy ~** земетресението взе много жертви.

tomato [tə'ma:tou] *n* (*pl* -es) домат; *attr* доматен.

tomb [tu:m] **I.** *n* **1.** гроб; смърт, гибел, край (*прен.*); **2.** надгробен паметник (*камък*); **II.** *v* погребвам, полагам в гроба.

tombola ['tɔmboulə] *n* томбола.

tomfool ['tɔm'fu:l] **I.** *n* **1.** глупак, глупец, идиот, малоумник, тъпак; **2.** палячо, клоун; шут; **II.** *v* върша глупости (безсмислици, бъсотии, идиотщини); **III.** *adj* глупав, идиотски, малоумен, тъп.

tomfoolery ['tɔm'fu:ləri] *n* глупости, безсмислици, идиотщини; палячовщини; глупава, тъпа шега.

tomorrow, to-morrow [tə'mɔrou] **I.** *adv* утре; **~ never comes** утре може да значи никога; **II.** *n* утрешният ден, утре; **~ morning** утре сутринта.

ton [tʌn] *n* **1.** тон (*мярка*); **2.** *разг.* маса; много, сума; **~s of people** сума (маса) народ; **3.** *жарг.* сто лири; сто мили в час; **~-up boys** мотористи, които карат много бързо; **4.** *разг.* век; **5.** *разг.* сто-

процентно изпълнение; *спорт.* пълен сбор точки.

tonal ['tounəl] *adj* тонален.

tonality [tə'næliti] *n* **1.** *муз.* тоналност; **2.** *изк.* цветна гама.

tone [toun] **I.** *n* **1.** тон, музикален звук; **deep (thin) ~** нисък (висок) тон; **heart ~s** *мед.* сърдечни тонове; **2.** тон, глас; **in an angry (loving) ~** с ядосан (любовен) глас; **3.** тон, дух, атмосфера, обстановка; **a good healthy ~** добър, здрав дух; **4.** *език.* интонация; височина на гласа при произнасяне на сричка; тонично (музикално) ударение; **5.** *изк.* тон, багра, нюанс, цвят, отсенка; **6.** *мед.* тонус; **muscle ~** мускулен тонус; **7.** елегантност, стил; характер; **II.** *v* **1.** акордирам, настройвам; придавам необходимия цвят (тон) на; **2.** хармонирам (**with**); **3.** *фот.* придавам (*на снимка*) даден цвят;

tone down 1) смекчавам тоновете на; **2)** *прен.* смекчавам (се);

tone in, **with** хармонирам с; правя да хармонира с;

tone up 1) правя по-ярък, подсилвам тоновете; ставам по-ярък; **2)** *прен.* подсилвам; **3)** поправям се, оправям се (*след болест*), повишавам тонуса си.

toneless ['tounlis] *adj* **1.** беззвучен; глух, без резонанс; **2.** *прен.* безцветен; неизразителен, сив, безинтересен; бездушен; ◇ *adv* **tonelessly.**

tongs [tɔnz] *pl* маша; *разг.* дилаф; щипци, щипка; клещи; **sugar ~** щипци (щипка) за захар.

tongue [tʌŋ] **I.** *n* **1.** език; **2.** език, реч; **mother ~** майчин (матерен, роден) език; **3.** (нещо с форма на) език; езиче (*на инструмент и пр.*); **~s of flame** огнени езици; **4.** *геогр.* нос; тесен провлак; коса; **5.** *техн.* зъб, федер; шип, цапфа; **6.** процеп; теглич; **7.** *ел.* котва; **8.** *жп* език на стрелка; **II.** *v* свиря стакато (*на флейта*), свиря с езика си.

tongue-twister ['tʌŋ,twistə] *n* скороговорка; труднопроизносима дума или израз.

tonic ['tɔnik] **I.** *adj* **1.** *език.* тони-

чески, тоничен; **2.** *муз.* тонически, основен; **3.** *мед.* свързан със свиване на мускулите; **4.** *мед.* тоничен, за усилване; подсилващо средство; **5.** ободряващ, тонизиращ, ободрителен; **II.** *n* **1.** *език.* сричка с най-високо тоническо ударение; **2.** *муз.* основен тон, тоника; **3.** *мед.* средство (лекарство) за усилване; **4.** нещо, което ободрява, тонизира, "съживява"; **5.** (**~ water**) безалкохолно питие; тоник; **6.** (**hair ~**, **skin ~** *etc.*) тонизиращ лосион, балсам (*за коса, кожа и пр.*).

tonicity [tə'nisiti] *n* **1.** *мед.* тонус; **2.** музикален тон.

tonnage ['tʌnidʒ] *n* **1.** тонаж; товаровместимост; **2.** пристанищна такса за кораб (*според тонажа му*).

tonometer [tə'nɔmitə] *n* **1.** камертон; тонометър; **2.** *мед.* апарат за измерване на (кръвно, вътрешноочно) налягане; **3.** *техн.* уред за измерване на парно налягане.

tonsil [tɔnsəl] *n* *анат.* сливица, тонзила; **to have o.'s ~s out** вадя си (оперирам си) сливиците.

tonsure ['tɔnʃə] **I.** *n* тонзура; **II.** *v* остригвам част от косата (*на католически духовник*), правя тонзура (на).

tonus ['tounəs] *n* *мед.* тонус.

too [tu:] *adv* **1.** също и; освен това; и то; **did he come ~?** и той ли дойде? **2.** прекалено, прекомерно; твърде (много), извънредно много; **~ hard a task** прекалено трудна задача.

tool [tu:l] **I.** *n* **1.** инструмент, сечиво; **2.** *техн.* нож; струг; **3.** *прен.* оръдие; играчка; маша; **to make a ~ of s.o.** правя някого свое оръдие; **4.** *техн.* работна машина, металообработваща машина; **5.** приспособление; **6.** *sl* оръжие, пушка, пистолет; **II.** *v* **1.** одялвам (*камък*); обработвам (*метал с нож*); украсявам (*кожена и др. подвързия*); **2.** *разг.* закарвам с кола; карам кола; возя се с кола (*обикн. бавно*) (*и с* **along**); **3.** настройвам машина; монтирам инструмент на металообработваща

машина.

toot [tu:t] I. *v* изсвирвам (*със сире-на, клаксон, рог и пр.*); тръбя, да-вам сигнал; II. *n* изсвирване (*на сирена, рог и пр.*).

tooth [tu:θ] I. *n* (*pl* teeth [ti:θ]) 1. зъб; **to have a ~ out** вадят ми (ва-дя си) зъб; **armed to the teeth** въ-оръжен до зъби; 2. *техн.* зъб, зъ-бец; палец; II. *v* 1. назъбвам, пра-вя зъбци на (*колело и пр.*); 2. за-качам се, скачам се, зацепвам се (*за зъбци*); *разг.* отнасям се с пълно презрение към някого.

toothache [′tu:θeik] *n* зъбобол.

toothless [′tu:θlis] *adj* беззъб.

tooth-paste [′tu:θˌpeist] *n* паста за зъби.

toothsome [′tu:θsəm] *adj* вкусен, приятен на вкус.

top₁ [tɔp] I. *n* 1. връх (*и прен.*); (най-)горна част; горен край; гор-ница (*на чорап, обувка*); повърх-ност; **at the ~ of the tree (ladder)** *прен.* на върха, сред първите (*в професия и пр.*); 2. *прен.* връх; висша степен; първо място; най-високо положение; първенец; **to the ~ of o.'s bent** до насита; **to feel on ~ of o.'s form** в отлична форма съм; 3. капак (*на тендже-ра и пр.*); запушалка, тапа (*на бу-тилка и пр.*); покрив (*на кола, минна галерия и пр.*); 4. горни-ще (*на дреха*); 5. каймак на мля-ко; 6. *мор.* марс; топ (*връх на ко-рабна мачта*); 7. надземна част (*стъбло, листа*) на коренопло́д-но растение; 8. кичур (*на върха на нещо*); 9. *pl* двете най-големи карти от дадена боя (*при игра на карти*); 10. *хим.* най-летлива част на съединение; 11. *авт.* най-го-ляма предавка; 12. горна част на страница; ● **to be (the) ~s** *sl* уни-кален, прекрасен съм; II. *adj* 1. (най-)горен; връхен; **~ boy** пър-венец на клас; 2. най-голям, най-висок; **~ rung** най-голям успех, най-високо положение; ● **~ se-cret** строго секретно; III. *v* (-pp-) 1. слагам връх (капак) на; пок-ривам върха на; **to ~ a cake with icing** слагам глазура на торта; 2. отрязвам върха на (*дърво и пр.*);

3. стигам (издигам се) до върха на; 4. по-висок съм от, издигам се над, надминавам; 5. *прен.* над-минавам, надвишавам; превиша-вам; **to ~ o.'s part** изиграмам ро-лята си съвършено, прекрасно; 6. стоя най-горе (начело) на; пръв съм в (*списък и пр.*); превъзхож-дам; 7. превалям (*хълм и пр.*);

top off завършвам, приключвам; слагам последните подробности (*на нещо*).

top up допълвам догоре, доливам, досипвам.

top₂ *n* пумпал; **old ~** *sl* другар, стар приятел.

top-hole [′tɔpˌhoul] *adj sl* първокла-сен, превъзходен, чудесен, прек-расен.

topic [′tɔpik] *n* тема, въпрос, пред-мет, цел на обсъждане.

topical [′tɔpikəl] *adj* 1. актуален, зло-бодневен, животрептящ; 2. мес-тен, локален (*и мед.*).

top-level [′tɔpˌlevəl] *adj* полит. на най-високо равнище; **negotiations at ~** преговори на висше ниво.

top-liner [′tɔpˈlainə] *n* амер. попу-лярен актьор (актриса), звезда.

top-lofty [′tɔpˌlɔfti] *adj* амер., разг. надменен, надут, горделив, висо-комерен.

topmost [′tɔpmoust] *adj* най-горен, най-висок; най-важен.

top-notch [′tɔpˌnɔtʃ] *adj sl* първо-класен, превъзходен, прекрасен, чудесен.

topograph [tə′pɔgrəf] *n* макет, план на местност; топографско описа-ние.

topographer [tə′pɔgrəfə] *n* топо-граф.

topographic(al) [ˌtɔpə′græfik(əl)] *adj* топографски.

topography [tə′pɔgrəfi] *n* 1. топог-рафия; 2. снимка на местност.

topping [′tɔpiŋ] I. *adj* 1. по-висок от; надвишаващ; 2. *разг.* чуде-сен, превъзходен, великолепен; 3. *амер.* високомерен; II. *n* 1. връх, горна част; 2. отрязана (отделе-на) горна част (горен край); вър-шина (*на дърво*); 3. отделяне чрез дестилация на бензин и леки неф-тени дестилати; 4. *текст.* пов-

торно багрене.

topsecret [′tɔpˈsi:krit] *adj* строго поверителен, секретен.

topsyturvy [′tɔpsiˈtə:vi] I. *adj, adv* с главата надолу, в пълен безпоря-дък, наопаки; II. *n* бъркотия, без-порядък, хаос, суетня, смут, не-разбория; III. *v* разбърквам, об-ръщам с главата надолу, създа-вам безпорядък.

topsyturvydom [ˌtɔpsiˈtə:vidəm] *n* бъркотия, хаос, суетня, смут, не-разбория.

torch [tɔ:tʃ] I. *n* 1. факел, факла (*и прен.*); пламък, светлина, искра; **to hand (pass) on the ~** предавам традицията; 2. *техн.* поялна лампа; горелка, бренер; газокис-лороден резач; 3. електрическо фенерче (*и electric ~*); II. *v* осве-тявам с факел.

toreador, torero [′tɔriədɔ:, tɔ′reərou] *n* тореадор, бикоборец, тореро, матадор.

toreutic [tɔ′rju:tik] *книж.* I. *adj* ко-ван, гравиран (*за метал*); II. *n pl* ковано желязо и пр.

torfaceous [tɔ:′feiʃəs] *adj бот.* бла-тен.

torment I. [′tɔ:ment] *n* 1. мъка, мъ-чение; изтезание, малтретиране; **to be in ~** мъча се, страдам; 2. причина за (източник на) мъка; II. [tɔ:′ment] *v* 1. мъча, измъчвам; причинявам болка; изтезавам; **~ed with suspense** напрежение; 2. досаждам на; дразня.

tormentor [tɔ:′mentə] *n* 1. мъчи-тел, -ка, угнетител, -ка, инквизи-тор, -ка; 2. вид колесна брана.

tormina [′tɔ:minə] *n pl мед.* колики.

tornado [tɔ:′neidou] *n* (*pl* -oes [ouz]) торнадо, смерч (*и прен.*).

torpedo [tɔ:′pi:dou] I. *n* 1. торпе-до, торпила; 2. експлозивен пат-рон; *амер., жп* сигнална петар-да; 3. *зоол.* електрически скат; II. *v* 1. торпилирам; 2. унищожавам, разбивам; **to ~ a project** прова-лям проект.

torpedoing [tɔ:′pidouiŋ] *n* торпили-ране.

torpid [′tɔ:pid] *adj* 1. вцепенен, вка-менен, неподвижен; безчувствен; *зоол.* в състояние на летаргия; 2.

бездеен, вял, апатичен, безстрастен, бездушен, безразличен.

torpidity, torpidness [tɔ:'piditi, 'tɔ:pidnis] *n* **1.** вцепененост, вкамененост, неподвижност; безчувственост; **2.** апатия, апатичност, безстрастие, бездушие, безразличие, вялост, тъпота.

torpor ['tɔ:pə] *n* **1.** вцепененост, неподвижност; **2.** тъпота, затъпялост; апатия, безразличие.

Torps [tɔ:ps] *n мор. sl* офицер, който то командва пускане на торпили.

torque [tɔ:k] *n* **1.** *истор.* металическа огърлица на древните тевтонци, гали и пр.; **2.** *физ.* усукващ момент; въртящ момент; **3.** *зоол.* пръстен в различен цвят около шията; **4.** *текст.* сук, усукване.

torquechipper ['tɔ:k,tʃipə] *n* стружкочупещ елемент, стружкочупещ канал (*на режещ инструмент*).

torquemeter ['tɔ:k,mi:tə] *n* торзиометър.

torquing ['tɔ:kiŋ] *n* затягане (*напр. на гайка*) с ключ с регулируем момент.

torrefaction [,tɔri'fækʃən] *n книж.* **1.** изсушаване; изсъхване; **2.** изпичане на тухли.

torrefy ['tɔrifai] *v книж.* **1.** изсушавам, пресушавам; **2.** изпичам тухли.

torrent ['tɔrənt] *n* порой, стремителен (буен) поток (*и прен.*); *pl* проливен дъжд, порой; **the rain falls in ~s** вали като из ведро.

torrential [tɔ'renʃəl] *adj* пороен; буен, стремителен; проливен, обилен.

torrid ['tɔrid] *adj* жарък, зноен; горещ, изсушен от слънцето; **~ zone** тропическа зона.

torse [tɔ:s] *n хералд.* гирлянда, украшения, венци, цветя.

torsion ['tɔ:ʃən] *n* **1.** усукване, извиване, извъртане (*на издънка, за да се спре растежа; на отрязана артерия, за да се спре кръвта*); *физ.* усукване; **2.** усукана (спираловидна) форма; **~ balance** торзионни везни.

torso ['tɔ:sou] *n* (*pl* -os) **1.** туловище, *книж.* телеса; **2.** *изк.* торс(о);

3. незавършена, недоизкусурена (*разг.*) работа.

tort [tɔ:t] *n юр.* правонарушение, което дава право за предявяване на иск; деликт.

tortile ['tɔ:tail] *adj бот.* извит, завит, увит.

tortious ['tɔ:tʃəs] *adj юр.* правонарушителен, престъпен.

tortoise ['tɔ:təs] *n* (сухоземна) костенурка.

tortuosity [,tɔ:tju'ɔsiti] *n* **1.** извиненост, извитост, усуканост; лъкатушност, лъкатушка; **2.** неискреност, фалшивост, лицемерие; заплетеност.

tortuous ['tɔ:tjuəs] *adj* **1.** изкривен, извит, усукан; лъкатушен, криволичещ; **2.** неискрен, фалшив, лицемерен, непрям; усукан; заплетен.

torture ['tɔ:tʃə] I. *n* мъка, мъчение, изтезание; агония; **to put to the ~** изтезавам, подлагам на мъчение; II. *v* **1.** мъча, измъчвам, изтезавам; **2.** изкълчвам, изопачавам.

torturer ['tɔ:tʃərə] *n* мъчител, -ка, инквизитор, -ка, палач.

torturing ['tɔ:tʃəriŋ] *adj* мъчителен, инквизиторски.

toss [tɔs] I. *v* **1.** хвърлям (се), подхвърлям, мятам (се); хвърлям (*ездача*) (*за кон*); блъскам (се) (*за вълни*); повдигам (*мятам*) с рогата си (*за бик*); **2.** мятам, отмятам, вирвам (*глава*); **3.** подхвърлям (*монета*); **to ~ for it, to ~ up** хвърлям ези-тура; **4.** люлея се, олюлявам се, клатушкам се (*за пера, знаме и пр.*); рея се; вдигам се и се спускам (*за плавателен съд*); нося се (*по вълните*); **5.** разклащам (*руда в съд*), за да се отделят по-едрите от по-дребните части, промивам;

toss aside (away) (от)мятам (настрана); отхвърлям;

toss off 1) гаврътвам; изпивам наведнъж; **2)** свършвам (написвам) набързо;

toss up хвърлям ези-тура; тегля жребий;

II. *n* **1.** мятане, (под)хвърляне; хвърляне на кон; **to take a ~** би-

вам хвърлен от кон; **2.** хвърляне ези-тура; **to win the ~** спечелвам при ези-тура; **3.** вирване, навирване (*на главата*), големея се, надувам се.

tot₁ [tɔt] *n* **1.** малко дете, детенце; **2.** малко количество, глътка, капка.

tot₂ I. *n* сбор; числа, които се събират; II. *v* (-tt-) (*обикн. с* up) събирам; пресмятам, изчислявам; възлизам (to).

total [toutəl] I. *adj* **1.** цял (*за сума и пр.*); **2.** пълен, абсолютен; съвкупен, сумарен; цялостен; целокупен; **~ eclipse** *астр.* пълно затъмнение; **3.** тотален (*за война и пр.*); ◇ *adv* **totally**; II. *n* сбор; обща сума, цяло, сума; **grand ~** общ сбор; III. *v* **1.** събирам; изчислявам; **2.** възлизам; равнявам се на, наброявам; **to ~** (up to) възлизам на.

totalitarian [,toutæli'teəriən] *adj* тоталитарен, диктаторски.

totalitarianism ['toutæli,teərinizəm] *n* тоталитаризъм.

totality [tou'tæliti] *n* цяла сума (количество, брой); цялост, целокупност; *астр.* времето на пълно затъмнение.

totalizator, totalizer ['toutəlai,zeitə, 'toutəlaizə] *n* тотализатор (*апарат*); сумиращо устройство.

totalize ['toutəlaiz] *v* събирам, определям (изчислявам) общата сума (сбор); съединявам, събирам в едно.

tote [tout] *разг.* I. *v* **1.** мъкна, влача, нося; вдигам; **2.** *амер.* нося (*оръжие*); II. *n* товар, тежест, багаж.

totter₁ ['tɔtə] *v* **1.** залитам, клатушкам се, олюлявам се, вървя несигурно; **to ~ to o.'s feet** едва се изправям на краката си; **2.** клатя се, несигурен съм, като че ли ще падна (*за сграда и пр.*); **3.** *прен.* руша се, загивам; **the empire is ~ing to its fall** империята се руши (загива), върви към своя крах.

totter₂ *n жарг.* вехтошар, клошар.

tottery ['tɔtəri] *adj* залитащ, олюляващ се; несигурен, заплашващ да падне.

touch [tʌtʃ] I. *v* **1.** докосвам (се до),

допирам (се) до; долепен съм (до); в съприкосновение съм (с); пипам; докосвам леко (*клавиши*), дръпвам леко (*струни*); to ~ land *мор.* стигам до земя (суша); слизам на сушата; **I wouldn't ~ him with a barge-pole (a pair of tongs)** не искам да имам нищо общо (вземане-даване) с него, не искам да контактувам; **2.** слагам в устата си, вкусвам, хапвам, ям, пия (*обикн. отрицателно*); **I haven't ~ed food all day** нищо не съм ял/яла в устата си (не съм ял) цял ден; **3.** стигам до, допирам се до, granича с; **to ~ bottom** стигам (стъпвам на) дъното (*при плуване и пр.*); *прен.* стигам до най-ниското ниво; изпадам много ниско (*морално*); **4.** меря се с, сравнявам се с; **no one can ~ him in** никой не може да се мери с него (той няма равен на себе си) в; **5.** засягам, интересувам, свързан съм с, имам общо с; имам ефект (оказвам въздействие) върху, действам; **this question ~es you nearly** този въпрос ви засяга отблизо; **he just ~ed (on) this question** той само засегна (спомена) този въпрос; **6.** трогвам, (раз)вълнувам; засягам, накърнявам (*честолюбие и пр.*); **to ~ to the quick** засягам дълбоко, жегвам; **7.** попарвам (*за слана и пр.*); повреждам малко; **8.** *главно pp* леко оцветявам; размесвам; придавам оттенък; **religion ~ed with superstition** вяра, размесена със суеверие; **9.** *sl* измъквам пари (назаем или безвъзмездно) (*от някого*); **he ~ed me for a pound** той ми изкрънка една лира; **10.** получавам, вземам, печеля (*надница и пр.*); **11.** изпитвам (*сплав*) с пробен камък; слагам печат на изпитана сплав; **12.** пипам, присвоявам си (*чужди пари и пр.*); **13.** (*само в pp*) луднал, мръднал е; **the guy is ~ed** този е нещо мръднал, полудял е, откачил; **14.** *геом.* допирам се, допирателен съм; **15.** *мед.* палпирам, изследвам мануално; **touch at** *мор.* спирам в (*приста-

нище и пр.*); **touch down** *спорт.* постигам тъчдаун, докосвам топката в мъртвото поле; докосвам (*в амер. футбол и ръгби*); **touch off** 1) нахвърлям набързо, скицирам; 2) налучквам, докарвам (*прилика*); 3) изстрелвам; карам да избухне (*снаряд и пр.*); **touch on (upon)** 1) засягам накратко (*въпрос*); споменавам бегло; 2) гранича с (*дързост и др.*); **touch up** 1) слагам последните щрихи на (*картина и пр.*); освежавам цветовете на; поправям, правя поправки (подобрения); оживявам (*разказ*); довършвам си тоалета, докарвам се; 2) удрям (*кон*) с камшик, шибвам, подкарвам; **to ~ up a horse with o.'s spurs** пришпорвам кон; **II.** *n* 1. осезание, пипане; усещане от пипане; **rough to the ~** груб на пипане; **the cold ~ of the iron** студеният допир на желязото; **2.** докосване, допиране; допир, контакт (*и прен.*); общуване, връзка; **at a ~** при най-малко (леко) докосване; **to be out of ~ with** не съм в течение на, не следя, не се интересувам; **3.** *прен.* (лек) натиск; **4.** лек пристъп, атака (*на болест и пр.*); леко вълнение; **a ~ of the sun** лек слънчев удар (слънчасване), леко замайване от слънцето; **5.** малко, мъничко (количество от нещо); *прен.* следа, оттенък, отсенка, нюанс, примес; нотка; **a ~ of salt** малко сол; **a ~ of nature** проява на човешко чувство; **6.** щрих; **to put the finishing ~es** to слагам последните щрихи на, *прен.* довършвам, доизкусурявам; **7.** *прен.* ръка (на майстор и пр.*); маниер, стил; прийом; **to write with a light ~** пиша леко, имам лек стил; **8.** *муз.* туше, удар; **9.** *спорт.* тъч; **to kick into ~** изкарвам в тъч; **10.** гоненица (*игра*); **11.** *мед.* туширане, палпиране; **12.** магнетизиране; **13.** *sl* нещо, което струва (за което се взема) дадена цена; измъкване (*на пари*); измъквани пари; **14.** гриф (*на кожа*); ● **to have a**

near ~ едва отървавам кожата. **touchable** ['tʌtʃəbəl] *adj* който може (бива) да се докосне; материален, осезаем. **touch-and-go** ['tʌtʃən(d)'gou] **I.** *adj* **1.** несигурен, рискован; опасен; **2.** *амер.* бърз, прибързан; направен набързо, *разг.* как да е; **II.** *n* **1.** несигурна (рискована, опасна) работа; **it was ~ with him** той беше на косъм от смъртта, животът му висеше на косъм; **2.** *амер.* прибързана (набързо, как да е извършена) работа. **touch-down** ['tʌtʃdaun] *n* *спорт.* тъчдаун, докосване на топката в мъртвото поле (*в амер. футбол и ръгби*); гол, точка; *авиац.* кацане, приземяване. **touched** [tʌtʃt] *adj* **1.** развчувстван, развълнуван; **2.** смахнат, не с всичкия си; ● ~ **in the wind** задъхан; текнефес (*за кон*). **touchiness** ['tʌtʃinis] *n* докачливост, обидчивост, оскърбителност. **touching** ['tʌtʃiŋ] **I.** *adj* трогателен, вълнуващ; ◇ *adv* **touchingly**; **II.** *prep* остар. относно. **touch-line** ['tʌtʃ.lain] *n* *спорт.* тъч-линия, странична линия. **touchy** ['tʌtʃi] *adj* обидчив, докачлив; раздразнителен; много чувствителен; лесно възпламеняващ се; **to be ~ on the point of honour** много държа на честта, достойнството си. **touchy-feely** ['tʌtʃi,fi:li] *adj* сладникав, сантиментален. **tough** [tʌf] **I.** *adj* **1.** жилав, як, гъвкав, здрав; (**as**) ~ **as leather** жилав като подметка (*за месо и др.*); **2.** жилав, як, здрав, издръжлив (*за човек*); **a ~ guy** корав мъж; **3.** упорит; мъчен, труден, тежък; **a ~ nut to crack** *прен.* костелив орех (*и за работа*); **4.** *амер. sl* груб, буен; бандитски, престъпен, апашки; закоравял, непоправим; **a ~ criminal** закоравял престъпник; **5.** вискозен, пластичен; **6.** трудно обработваем; **II.** *n* *sl* *амер.* бандит, гангстер, главорез; опасен хулиган. **toughen** ['tʌfn] *v* **1.** тренирам, калявам (се), упражнявам се; **2.**

придавам вискозност (пластичност, ковкост).

toughish ['tʌfiʃ] *adj* жилавичък, гъвкавичък, пъргавичък, якичък, доста жилав.

tough-minded ['tʌf,maindid] *adj* прагматичен (*за човек*).

toughness ['tʌfnis] *n* 1. жилавост, гъвкавост, пъргавина; 2. якост, здравина, издръжливост; 3. упоритост; трудност; 4. *амер.* грубост; престъпност; 5. вискозност, пластичност, ковкост, разтегливост.

toupee ['tu:pei] *n* 1. *рядко* перчем; 2. малка перука за темето; изкуствено руло.

tour [tuə] I. *n* 1. обиколка, тур; турне; пътешествие; екскурзия; разходка; ~ (**a)round the world** околосветско пътешествие; **to make the ~ of a country** обикалям (обхождам, пропътувам) страна; 2. *воен.* караулна обиколка; караул; 3. оборот; цикъл, кръг, серия; 4. смяна (*в завод, фабрика и др.*); II. *v* обикалям, обхождам; правя обиколка из; на турне съм (в); пътувам, пътешествам; гастролирам; **the play hasn't been ~ed** тази пиеса не е представяна на турне.

touring ['tuəriŋ] I. *adj* туристически, екскурзионен; II. *n* туризъм.

tourist ['tuərist] I. *n* турист, туристка; ~ **agency** бюро за туризъм; II. *adj* туристически, отнасящ се до туризма, свързан с туризма; ~ **class** туристическа (втора) класа (*на самолет, кораб и пр.*).

tournament ['tuənəmənt] *n* турнир (*и истор.*); спортни състезания; **tennis (chess) ~** турнир по тенис (шах).

tour operator ['tuə,ɔpə'reitə] *n* туроператор (*фирма за туристически услуги*).

tousle [tauzəl] *v* 1. раздърпвам, разбърквам; 2. разрошвам, разчорлям.

tout [taut] I. *v* 1. предлагам, натрапвам (*стоки и пр.*); хваля, рекламирам; *полит., пренебр.* агитирам; проагитирам; **to ~ for customers** гоня (търся) клиенти; 2. *sl* слухтя, подслушвам, *разг.*

надавам ухо, мъча се да получа тайни сведения (*особ. за конни състезания*) (*и с* **round**); 3. *остар.* шпионирам; II. *n* 1. човек, който натрапва стоки; човек, който приканва посетители в ресторант, хотел и пр.; 2. *пренебр.* агитатор.

tow [tou] I. *v* влача, тегля (*кораб, кола, човек*) след себе си; влача, тегля (*кораб*) с въжета от брега; влача (*мрежа*) по вода; II. *n* 1. влачене, теглене; буксиране; **to take in ~** вземам на буксир, връзвам и влача със себе си; **to have s.o. in ~** влача някого със себе си; имам грижата за някого, държа някого под свое покровителство (ръководство); имам някого на свое разположение, някой винаги върви подире ми (*особ. за обожатели*); 2. кораб, взет на буксир, шлеп; 3. влекачно въже.

towage ['touidʒ] *n* 1. влачене, теглене; буксиране; 2. такса за влачене на кораб.

toward ['touəd] *adj остар.* 1. близък, предстоящ, скорошен; 2. послушен; 3. способен, схватлив; 4. благоприятен, удобен; 5. *predic* който се извършва (става).

toward(s) [tə'wɔ:d(z), tɔ:d(z)] *prep* 1. към, в посока (направление) на; 2. към, по отношение на; 3. към, около (*за време*); 4. за; **to save ~ a new car** пестя за нова кола.

towardly ['touədli] *adj остар.* благосклонен, отзивчив, състрадателен, добре разположен.

towboat ['toubout] *n* кораб влекач, буксир.

towel ['tauəl] I. *n* кърпа, пешкир, хавлия; **face~** кърпа за лице; **sanitary ~** дамска превръзка; II. *v* (-ll-) 1. избърсвам, изтривам с кърпа; 2. *sl* пердаша, налагам, бия.

tower₁ ['tauə] I. *n* 1. кула; ~ (**block**) висока (административна) сграда; **a ~ of strength** сигурна опора; 2. *техн.* пилон; мачта; 3. крепост, укрепление, твърдина, цитадела; *прен.* защита, опора; 4. *геод.* триангулачна пирамида; 5. *мин.* шахтова кула; II. *v* издигам

се, извишавам се (**above** над) (*и прен.*).

tower₂ ['touə] *n* влекач (*и човек*).

towering ['tauəriŋ] *adj* 1. много висок, който се извишава; **a ~ height** шеметна височина; ~ **ambition** *книж.* безгранична амбиция; 2. яростен, неудържим, ужасен, страшен, неистов (*за гняв и пр.*).

town [taun] *n* 1. град, сити; градче; **a man about ~** светски човек; човек, който си поживява; **the talk of the ~** клюката (на деня), онова, за което се говори наймного; 2. Лондон (*и* **T.**); **to live in ~** *брит.* живея в Лондон; **out of ~** в провинцията; 3. *шотл., диал.* селска къща със стопански постройки; 4. търговска част на град (*за Лондон*); 5. *attr* градски; ~ **water** вода от градски водопровод; ● **to go to ~** *амер.* забавлявам се, отивам на гуляй; работя (действам) бързо и енергично; имам голям успех; преуспявам.

town council ['taun'kaunsl] *n* градски (общински) съвет.

town-councillor ['taun'kaunsilə] *n* градски (общински) съветник.

town-dweller ['taun,dwelə] *n* гражданин, жител; избирател, данъкоплатец.

town hall ['taun'hɔ:l] *n* сграда на градски съвет, кметство.

town house ['taun'haus] *n* къща в града; градска къща.

townscape ['taunskeip] *n* 1. градски пейзаж; 2. общ изглед на град(ове).

townsfolk ['taunzfouk] *n събир.* граждани, жители; избиратели, данъкоплатци.

townsman ['taunzmən] *n* (*pl* -**men**) 1. жител; избирател, данъкоплатец; гражданин; 2. съгражданин (*и* **fellow-~**).

townswoman ['taunzwumən] *n* 1. жителка; избирателка; гражданка; 2. съгражданка (*и* **fellow-~**).

tow-row ['taurau] *n разг.* шум, гюрултия, хаос, суматоха, бъркотия.

toxic(al) ['tɔksik(əl)] I. *adj* токсичен; отровен; *шег.* ужасен; II. *n*

отрова, отровно вещество.

toxicant ['tɔksikənt] **I.** *adj* който причинява отравяне; **II.** *n* лекарство и пр., което причинява отравяне.

toxicity [tɔ'ksisiti] *n* мед. токсичност, отровност; **acute** ~ кратковременен, остър токсичен ефект; **chronic** ~ продължителен токсичен ефект; хронична токсичност.

toxicology [ˌtɔksi'kɔlədʒi] *n* токсикология, наука за отровите и отравянията; **ecological** ~ екологична токсикология.

toxin ['tɔksin] *n* токсин, отрова; **animal** ~ зоотоксин; **bacterial** ~ бактериален токсин.

toy [tɔi] **I.** *n* 1. играчка (*и прен.*); **to make a** ~ **of** играя си с, забавлявам се с; 2. детски; играчка; малък, мъничък, миниатюрен; ~ **car** кола играчка; количка; ~ **theatre** куклен театър; **II.** *v* 1. играя си, забавлявам се (**with**) (*и прен.*); 2. въртя в ръката си; 3. флиртувам.

toyshop ['tɔiʃɔp] *n* магазин за играчки.

trace [treis **I.** *v* 1. чертая, начертавам, очертавам, набелязвам, маркирам, нахвърлям (план), трасирам (*и с* out); 2. копирам, прекопирвам, превеждам, калкирам (*и с* over); 3. пиша (*бавно, внимателно*); 4. проследявам; **he has been** ~d **to London** бил е проследен до Лондон; 5. откривам, издирвам, намирам; **to** ~ **a crime to s.o.** откривам, че някой е автор на някое престъпление; 6. различавам, установявам, виждам (*особ. следи*); 7. вървя по; **II.** *n* 1. следа (*и прен.*), диря; **without a** ~ безследно; **to keep** ~ **of** следя, не изпускам от очи; 2. незначително количество, малко; 3. черта, линия.

traceless ['treislis] *adj* без следи; който не оставя следа (следи).

tracery ['treisəri] *n* 1. фигура; рисунка; 2. архит. ажурна украса (*на прозорци и пр.*).

trachea [trə'ki:ə] *n* мед. трахея.

tracing ['treisiŋ] *n* 1. очертаване, чертане, начертаване; набелязва-

не, маркиране; 2. копиране, прекопирване, преваждане; прекопиран чертеж и пр.; ~-**paper** копирна хартия, паус, восъчна хартия; 3. проследяване; 4. запис (*на регистриращ прибор*); фонограма.

track [træk] **I.** *n* 1. следа, диря; стъпка, отпечатък; **on the** ~ **of** по следите на; **to follow in s.o.'s** ~ вървя по стъпките на (*и прен.*); 2. път (*и прен.*); пътека; **to be on the right** ~ на прав път съм; **on the inside** ~ *амер.* в изгодно положение; 3. *жп* релси, железопътна линия; **to leave (fly) the** ~ дерайлирам, излизам от релсите; *прен.* излизам от установения път; 4. *спорт.* писта, трек; лека атлетика; **on the inside** ~ *прен.* в изгодно положение; 5. *техн.* директриса; водач, водило, направляващо приспособление; 6. гъсеница (*на трактор и пр.*); 7. *авиац.* път, трасе на полет, полет, маршрут; 8. *attr* пистов; ~ **and field events** лека атлетика; състезания по лека атлетика; **II.** *v* 1. следя, проследявам; 2. вървя (по); *sl* пътувам; 3. утъпквам (*обикн. с* pp); 4. *рядко* оставям следи (дири) (*често с* up); **he** ~ed **dirt over the floor** той остави мръсни следи по пода; 5. (*за колело*) движа се точно в диря на предното колело; 6. (*за кола, вагон*) има дадена ширина между колелата; 7. слагам релси на, снабдявам с релси (*обикн. в съчет.:* **to double-**~ слагам двойна линия по); 8. тегля с въже от брега (*кораб*).

track down откривам, намирам, проследявам и хващам (*дивеч, престъпник и пр.*);

track up оставям следи навсякъде по.

track-athletics ['trækəθ'letiks] *n pl амер. спорт.* бягане.

tracked [trækt] *adj* гъсеничен (*напр. за трактор*).

trackless ['træklis] *adj* 1. без пътища, непроходим, непреброден; 2. безрелсов; ~ **trolley (line)** тролейбусна линия; 3. който не оставя следи (дири).

trackway ['trækwei] *n* утъпкана,

позната пътека, отдавна известен път, път с коловози.

tract₁ [trækt] *n* 1. (широко, открито) пространство, място; шир (*водна, небесна*); 2. (непрекъснат) период, време; 3. *анат.* система (*от органи*); тракт; **digestive** ~ храносмилателна система; стомашно-чревен тракт.

tract₂ *n* брошура, памфлет (*особ. с поучително съдържание*).

tractability [ˌtræktə'biliti] *n* 1. послушание, покорство; хрисимост; сговорчивост; 2. качество да се поддава лесно на обработка; ковкост.

tractable ['træktəbəl] *adj* 1. послушен, покорен; хрисим; сговорчив; 2. лесно обработваем; ковък; податлив на възпитание.

tractate ['trækteit] *n* трактат.

tractile ['træktail] *adj* простиращ се, разстилащ се (*на дължина*).

traction ['trækʃən] *n* 1. теглене, влачене; опъване, изпъване; изтегляне; *техн.* теглене, теглителна движеща сила; 2. тракция; 3. тяга; 4. *амер.* градски транспорт.

traction-engine ['trækʃənˌendʒin] *n* влекач, трактор.

tractor ['træktə] *n* 1. трактор, влекач; ~-**driver** тракторист; 2. *изч.* листоподаващо устройство на принтер.

trade [treid] **I.** *n* 1. занаят; занятие, професия; **to follow (carry on, ply) a** ~ упражнявам занаят; 2. търговия; търговия на дребно; **home (foreign)** ~ вътрешна (външна) търговия; 3. *събир.* бранш, търговци, занаятчии, предприемачи (*от даден отрасъл*); 4. *събир.* търговци на спиртни напитки; производители на спиртни напитки; пивовари; 5. *мор. sl* подводниците (*като дял на военния флот*); 6. купувачи, клиентела; 7. сделка, гешефт; договор, пазарлък (*разг.*); покупка; продажба; обмен; **to do a roaring** ~ **in** *разг.* продавам като топъл хляб; 8. *attr* търговски; 9. *attr* профсъюзен; **II.** *v* 1. търгувам (**in** s.th. с нещо; **with** s.o. с някого); 2. *неодобр.* извличам лични облаги; използвам,

злоупотребявам (**on, upon, in** c); **3.** разменям, заменям, обменям (**for** за, c); **4.** купувам, пазаря (**at** от, в).

trade-mark ['treid,ma:k] I. *n* фабрична марка, запазена марка; **active** ~ действаща търговска марка; **registered** ~ регистрирана търговска марка; II. *v* поставям фабрична марка (на); регистрирам фабрична марка.

trade name ['treid'neim] *n* **1.** фабрично (търговско) название (*на стока*); **2.** име на търговска фирма.

trade-off ['treid,ɔf] *n* **1.** съгласуване, координиране, обвързване; **2.** вземане на компромисни решения.

trade price ['treid'prais] *n* фабрична цена, цена на едро.

trader ['treidə] *n* **1.** търговец (*особ.* на едро); **2.** търговски кораб; **3.** борсов посредник; спекулант.

trade secret ['treid'si:krit] *n* търговска (фирмена) тайна.

tradesman ['treidzmən] *n* (*pl* -men) **1.** търговец (*особ.* на дребно); **2.** занаятчия.

tradespeople ['treidzpi:pəl] *n* събир. търговци; търговско съсловие.

trade(s) union ['treid(z)'ju:niən] *n* професионален съюз, трейдюнион.

trade-unionism ['treid'ju:niənizm] *n* трейдюнионизъм, профсъюзно движение.

trade-wind ['treid,wind] *n геогр.* пасат.

tradition [trə'diʃən] *n* **1.** традиция; стар обичай, ритуал, навик; **by** ~ по традиция; **2.** предание; **3.** *юр.* прехвърляне.

traditional [trə'diʃənəl] *adj* **1.** традиционен, привичен, ритуален; основан на обичай; предаван от поколение на поколение; **2.** основан на предания; **3.** старомоден, остарял; ◇ *adv* **traditionally**.

traduce [trə'dju:s] *v* клеветя, петня, оклеветявам, опетнявам, срамя, опозорявам, сплетнича, злословя за.

traducer [trə'dju:sə] *n* клеветник, злословник, сплетник.

traffic ['træfik] I. *n* **1.** (улично) движение; превозни средства; транспорт, съобщения; трафик; количество превозени пътници за определен период; **2.** търговия, размяна, търговски обмен; незаконна търговия; **3.** *attr* за (по) движението (транспорта); ~ **light(s) (signal)** светофар; ~ **jam** улично задръстване; ~ **sign** пътен знак; II. *v* (-ck-) **1.** търгувам (**in s.th.** с нещо); върша (*особ.* незаконна) търговия; *прен.* търгувам c; to ~ **away** o.'s **honour** продавам си честта; **2.** имам вземане-даване; общувам.

traffic-cop ['træfik,kɔp] *n амер.* пътен полицай.

trafficker ['træfikə] *n* трафикант; **drug** ~ наркотрафикант.

trafficway ['træfik,wei] *n* пътно платно.

tragedian [trə'dʒi:diən] *n* **1.** автор на трагедии; **2.** трагик, трагически актьор.

tragedy ['trædʒidi] *n* **1.** трагедия; **2.** *attr* отнасящ се до трагедията.

tragic, *рядко* **tragical** ['trædʒik(əl)] *adj* **1.** трагичен, трагически, трагедиен; **2.** *разг.* прискръбен, печален; ужасен, катастрофален; ◇ *adv* **tragically** ['trædʒikli].

tragicalness ['trædʒikəlnis] *n* трагичност.

tragicomedy ['trædʒi'kɔmidi] *n* трагикомедия.

tragicomic ['trædʒi'kɔmik] *adj* трагикомичен.

trail [treil] I. *v* **1.** влача (се) по земята (*за дреха и пр.*); влача (се), мъкна (се) (**after s.o.** след някого); влача се (*за растение*); стеля се; to ~ o.'s **coat** *прен.* предизвиквам, държа се предизвикателно, търся си белята; **2.** следя, проследявам (*дивеч и пр.*); **3.** правя пътека (*в трева, като газя в нея*); прокарвам си път; II. *n* **1.** следа, диря; **on the** ~ **of** по следите на; **2.** път, пътека; to **blaze a** ~ маркирам (проправям) път (*и прен.*); **3.** *воен.* хоризонтално положение на пушката; **4.** *воен.* рило (*на лафет*); **5.** *авиац.* линейно изоставане на бомба (*спрямо са-*

молета); **6.** *мат.* верига в граф.

trail-blazer ['treil'bleizə] *n* човек, който проправя път (*и прен.*), пионер, новатор.

trailer ['treilə] *n* **1.** ремарке, каравана, прицеп; **automobile** ~ автомобилно ремарке; **tractor** ~ тракторно ремарке; **2.** човек, който върви по следите на някого (нещо), следовник; **3.** *изч.* тилов запис.

train [trein] I. *v* **1.** възпитавам, приучвам на добри навици (дисциплина), дисциплинирам; тренирам (се); упражнявам, подготвям (се); to be ~ed at ... възпитаник съм на ... (*училище и пр.*); to ~ to (for) business подготвям за търговец; **2.** дресирам (*куче и пр.*); обиждвам, уча (*кон*); **3.** *воен.* насочвам (*оръжие*) (**on, upon**); **4.** насочвам, направлявам растежа на растение в дадена посока (**up, along, against, over**); **5.** *остар.* примамвам (**away, from**); **6.** *разг.* пътувам c влак (*u* to ~ **it**); **7.** *рядко* тегля, влача; II. *n* **1.** свита, тълпа; **2.** процесия, кортеж, шествие; керван; конвой; **funeral** ~ погребална процесия; **3.** шлейф (*на рокля*); опашка (*на паун и пр.*); **4.** *воен.* обоз; **5.** (по)редица (*от мисли, събития*); to **follow the** ~ **of** s.o.'s **thought** следя хода на мисълта на някого; **6.** влак; влакова композиция; **express** ~ експресен влак; **a** ~ **journey** пътуване c влак; **7.** *остар.* положение, състояние, ред; **8.** следа; поредица; последствие; **in the** ~ в резултат, вследствие; **9.** *техн.* валцова машина, валцмашина; **10.** *техн.* зъбна предавка; **11.** линия от барут (гориен материал), която води до мина и пр; **12.** лостова система, лостов механизъм; **13.** *изч.* кортеж (*подреден набор от елементи*).

trained [treind] *adj* **1.** обучен; възпитан; школуван; дисциплиниран; трениран; подготвен; квалифициран; диплииран; **a** ~ **nurse** дипломирана медицинска сестра; **2.** дресиран; обязден, укротен; **3.** (*за растение*) насочен да

расте по стена и пр.

trainer ['treinə] *n* **1.** инструктор; треньор; дресьор; **2.** *истор.* опълченец; **3.** *воен.* хоризонтален мерач; **4.** тренажор, стимулатор; **5.** *pl* гуменки (*и* sneakers *амер.*)

training ['treiniŋ] **I.** *n* обучение; възпитание; тренировка; подготовка, квалификация; **in-service ~** обучение на работното място; **safety ~** обучение по техника на безопасността; **II.** *adj* тренировъчен, учебен.

training-machine ['treiniŋmə,ʃi:n] *n* учебен самолет, тренажор.

trait [trei, treit] *n* **1.** (характерна) черта, белег, специфичност; особеност; **personality ~** индивидуална черта, индивидуална особеност; **2.** *рядко* елемент, следа; **a ~ of humour** елемент на хумор.

traitor ['treitə] *n* изменник, дезертьор, предател; (to); **to turn ~** ставам предател.

traitorous ['treitərəs] *adj* изменнически, предателски, дезертьорски; вероломен; провинен в предателство.

trajectory [trə'dʒektəri] *n* траектория; **ascending ~** възходяща траектория; **orbit(al) ~** орбитална траектория.

tram [træm] **I.** *n* **1.** трамвай; трамвайна линия (*и* ~-line); **2.** *мин.* вагонетка; **II.** *v* (-mm-) **1.** пътувам, возя се, отивам с трамвай (*и* to ~ it); **2.** *мин.* извозвам с вагонетки.

tram-car ['træm,ka:] *n* трамвайна мотриса; трамвай.

tram-line ['træm,lain] *n* трамвайна линия; трамвай.

tramontane [træ'mɔntein] **I.** *adj* **1.** задалпийски; който лежи на север от Алпите; **2.** чуждостранен, иностранен, чуждоземен, варварски; **II.** *n* чужденец, чуждоземец.

tramp [træmp] **I.** *v* **1.** стъпвам (крача) тежко, тромаво; тропам; **2.** ходя пеш, бъхтя път; скитам, бродя (по); преброждам; **to ~ it** ходя (вървя, отивам) пеш; **II.** *n* **1.** скитник, бродяга; **2.** трудно (уморително) пътуване пеш; **to be on**

the **~** скитник, скиталец съм; **3.** (шум от) тежки стъпки, тропот; **4.** *амер.* проститутка, лека жена, уличница; **5.** примес.

trample ['træmpəl] **I.** *v* тъпча, газя, сгазвам, стъпквам, смачквам с крака; погазвам; стъпвам тежко, размазвам; потъпквам; **to ~ on s.th.** сгазвам, смазвам нещо; **II.** *n* тъпчене, сгазване, стъпкване, газене; погазване, потъпкване; (шум от) тежки стъпки, тропот, тропане.

trampolin(e) ['træmpəli:n] *n* мрежа за акробатични номера в цирк, батут.

trance [tra:ns] *n* **1.** *мед.* транс; **2.** (състояние на) екстаз, въодушевление; **induced ~** *мед.* състояние на хипноза.

tranche [tra:nʃ] *n* икон. **1.** транш; **2.** дял, част (*от общия брой акции*).

tranquil ['træŋkwil] *adj* спокоен, уравновесен, кротък, тих.

tranquillity [træn'kwiliti] *n* спокойствие, тишина, мир.

tranquillization [,træŋkwilai'zeiʃən] *n* успокоение, утешение, мир.

tranquillize ['træŋkwilaiz] *v* успокоявам (се), утешавам (се), утихвам.

transact [trænz'ækt] *v* **1.** правя, върша (*търговия и пр.*); сключвам (*сделка*); **2.** *рядко* правя (върша) търговия, сключвам сделка; водя преговори, преговарям.

transaction [trænz'ækʃən] *n* **1.** сделка, гешефт; договор, *разг.* пазарлък; **2.** *pl* протоколи; трудове; доклади за трудове (*на научно дружество*); **3.** *юр.* компромисно решение на спор.

transboard [træns'bɔ:d] *v* трансбордирам (се); прехвърлям (се) от едно превозно средство на друго.

transatlantic [,trænzət'læntik] *adj* трансатлантически; американски.

transcend [træn'send] *v* превишавам, превъзхождам, надминавам; престъпвам границите, пределите.

transcendence, -cy [træn'sendəns(i)] *n* **1.** превъзходство, преимущество; **2.** *филос.* трансцендентност.

transcendent [træn'sendənt] **I.** *adj* превъзходен, съвършен; върховен; **II.** *n* нещо съвършено.

transcendental [,trænsen'dentəl] *adj* **1.** *филос., мат.* трансцендентален; **2.** *разг.* неясен, абстрактен (*за стил и пр.*).

transcribe [træns'kraib] *v* **1.** преписвам; написвам; **2.** *език.* транскрибирам; **3.** *муз.* аранжирам; **4.** разшифровам, възпроизвеждам (*стенограма*); **5.** *радио.* правя запис (*за предаване*); излъчвам по радио такъв запис.

transcript ['trænskript] *n* дубликат, копие; академична справка.

transcription [træns'kripʃən] *n* **1.** преписване; копие, препис; запис; **2.** *език., муз.* транскрипция.

transduce [træns'dju:s] *v* преобразувам.

transducer [træns'dju:sə] *n* преобразувател, датчик, приемник, трансдуктор; **active ~** активен преобразувател; **monitoring ~** контролен преобразувател.

transect [træn'sekt] *v* пресичам; разсичам, разделям; правя напречен разрез.

transfer I. [træns'fə:] *v* (-rr-) **1.** премествам (from ... to); премествам се; **2.** сменям влак (параход и пр.), прекачвам се, прехвърлям се; **3.** прехвърлям (*имот и пр.*); превеждам (*сума и пр.*); **4.** *прен.* прехвърлям, пренасям (*чувства и пр. от един човек на друг*); **5.** превеждам, прекопирвам (*чертеж и пр.*); **II.** ['trænsfə] *n* **1.** преместване; **~ fee** *спорт.* трансферна сума; **2.** прехвърляне (*на имот и пр.*); документ за прехвърляне; пренос (*на сума*); **3.** прекопирана рисунка и пр.; копие; рисунка (чертеж и пр.) за прекопиране; картинка за прекопиране; **~ ink** типографско мастило; **4.** сменяне на влак и пр.; прекачване; място, където се сменя влак и пр.; **5.** войник, преместен от един полк в друг; **6.** *мат* пренос; **7.** *изч.* преход; **8.** пре отстъпване (*напр. права върх патент*); **data ~** предаване на информация; **bank ~** превод по

банков път.

ransference ['trænsfərəns] *n* **1.** прехвърляне; **2.** пренасяне; преместване, местене.

ransfiguration [ˌtrænsfigjuˈreiʃən] *n* **1.** метаморфоза, преобразяване, видоизменение; **2.** (Т.) *рел.* Преображение.

ransfigure [trænsˈfigə] *v обикн. pass* преобразявам, променям, видоизменям.

ransfix [trænsˈfiks] *v* **1.** пробождам, промушвам, пронизвам, продупчвам; **2.** приковавам, заковавам; *прен.* заковавам на място.

ransform [trænsˈfɔ:m] *v* **1.** преобразувам, превръщам; метаморфозирам; правя неузнаваем; променям, видоизменям; **2.** *ел.* трансформирам.

ransformation [ˌtrænsfəˈmeiʃən] *n* **1.** преобразуване, променяне, видоизменяне, превръщане; **2.** *ел.* трансформиране; **3.** *търг., шег.* (дамска) перука, фалшива коса, тупе.

ransformer [trænsˈfɔ:mə] *n* **1.** преобразувател; **2.** *ел.* трансформатор.

ransfuse [ˌtrænsˈfju:z] *v* **1.** преливам; правя преливане (*на кръв*); **2.** пропивам, пронизвам, прониквам (нахлувам) в; **3.** *прен.* предавам, заразявам с; **to ~ o.'s enthusiasm into an audience** заразявам слушателите с ентусиазма си.

ransfusion [trænsˈfju:ʒən] *n* трансфузия, преливане (*на кръв*); **arterial ~** артериално кръвопреливане.

ransgress [trænzˈgres] *v* **1.** престъпвам, нарушавам; **2.** *остар.* съгрешавам, греша; **3.** преминавам отвъд, преминавам границата (*на търпението, приличието и др.*); **to ~ o.'s competence** превишавам функциите (правата) си.

ransgression [trænzˈgreʃən] *n* **1.** престъпване, нарушение, простъпка; **2.** *остар.* грях, прегрешение; **3.** *геол.* трансгресия.

ransgressor [trænzˈgresə] *n* **1.** правонарушител; **2.** грешник.

ransience, -cy ['trænziəns(i)] *n* мимолетност, преходност, времен-

ност, краткотрайност.

transient ['trænziənt] **I.** *adj* **1.** преходен, временен; краткотраен; **2.** неустойчив; **~ agent** неустойчиво отровно вещество; **3.** *амер., разг.* случаен, временен; проходящ; **II.** *n* **1.** *амер., разг.* проходящ пътник (*в хотел*), временен обитател; **2.** *мед.* сърдечен тон; **3.** *техн.* неустановено състояние, преходен процес.

transistor [trænˈzistə] *n техн.* транзистор.

transistorized [trænˈzistəˌraizd] *adj* транзисторен.

transit ['trænzit] **I.** *n* **1.** преминаване, пресичане; **2.** *търг.* превоз; **damage in ~** аварии по време на пътуването; **3.** *attr* транзитен; преходен; кратковременен, краткотраен; **~ point** *физ.* точка на преминаване в друго агрегатно състояние; **II.** *v* преминавам.

transit-bill ['trænzitˌbil] *n* пътен лист; митнически пропуск.

transition [trænˈsiʒən, trænˈziʃən] *n* преход, промяна; преходен период; *техн.* фазов преход, превръщане; **~ curve** *мат.* преходна крива.

transitional [trænˈsiʒənəl] *adj* краткотраен, преходен; промеждутъчен, междинен.

transitive ['trænsitiv] *adj език.* преходен, краткотраен, временен, транзитивен.

translate [trɑ:nsˈleit] *v* **1.** превеждам (*от един език на друг*: **from ... into** or **... на**); **this ~s badly** това мъчно се превежда; **2.** обяснявам, тълкувам; **kindly ~** *разг.* какво искаш да кажеш с това, моля ти се? **3.** преобразявам, трансформирам, превръщам (**into**); осъществявам, реализирам; **4.** премествам; *рел.* прибирам в рая; **5.** *sl* кърпя, преправям от старо; обновявам.

translation [trɑ:nsˈleiʃən] *n* **1.** превод, превеждане и пр.; **computer-aided (computer-assisted) ~ (CAT)** превод с помощта на компютър; **direct ~** пряк превод; **2.** *ел.* препредаване, транслация; **3.** преместване; постъпателно дви-

жение; **4.** огъване, поддаване; **5.** преизчисление от една мерна единица в друга.

translator [trɑ:nsˈleitə] *n* **1.** преводач (*обикн. писмен*); **2.** *радио.* транслатор, (пре)предавател; **3.** *изч.* устройство за преобразяване на информация; **4.** *изч.* програма, която превежда информация от един език на друг; **5.** преобразувател.

translocation [trænsloˈkeiʃən] *n* преместване, разместване, разбъркване.

transmarine [ˌtrænzməˈri:n] *adj* задморски, презморски.

transmigrant [trænzˈmaigrənt] *n* преселник, емигрант, бежанец.

transmigrate ['trænzmaigreit] *v* преселвам (се), емигрирам.

transmigration [ˌtrænzmaiˈgreiʃən] *n* преселение, преселване, емигриране; превъплътяване.

transmission [ˌtrænzˈmiʃən] *n* **1.** предаване; **2.** *ел.* радиопредаване; **3.** *техн.* трансмисия, предавателна (скоростна) кутия, предаване; **picture ~** телевизия; **4.** пропускливост (*на лъчи*); **5.** *мед.* предаване, трансмисия (*на болест*); **aerial ~** *мед.* предаване по въздушно-капков път.

transmit [trænzˈmit] *v* (-tt-) **1.** предавам; препращам; отправям; **2.** предавам по наследство.

transmontane [trænzˈmontein] *adj* презпланински, задпланински.

transmutation [ˌtrænzmjuːˈteiʃən] *n* превръщане, преправяне; **the ~s of fortune** превратностите на съдбата.

transmute [trænzˈmjuːt] *v* променям, видоизменям, превръщам.

transparency [trænsˈpeərənsi] *n* **1.** прозрачност; **2.** транспарант (*рисунка*).

transparent [trænsˈpeərənt] *adj* **1.** прозрачен; прозираш, просветваш; **~ deception** явна измама; *разг.* измама, съшита с бели конци; **2.** ясен, понятен, очевиден, ясен; **3.** откровен, открит; ◇ *adv* **transparently.**

transpire [trænsˈpaiə] *v* **1.** излъчвам, изхвърлям, отделям; **2.** изпаря-

вам се, изпотявам се; отделям се; избивам във вид на капки пот; просмуквам се, процеждам се; 3. оказвам се, бивам узнат, ставам достояние; 4. *непр.* случва се, става.

transplant [træns'pla:nt] I. *v* 1. пресаждам, разсаждам; 2. преселвам, емигрирам, разселвам; 3. *мед.* правя трансплантация, присаждам (*тъкани и органи*); II. *n* 1. *мед.* трансплантация; 2. присаждане.

transplantation ['trænsplən,teiʃən] *n* *мед.* (*операция за*) трансплантация.

transport I. ['trænspɔ:t] *n* 1. транспорт, пренасяне, превоз; **waterborne** ~ воден транспорт; **air** ~ въздушен транспорт; **land (surface)** ~ сухопътен транспорт; 2. транспортен кораб (*и* ~-**vessel**); транспортно (превозно) средство (самолет и др.); 3. увлечение, ексцес, изстъпление; възторг, порив, възхищение, импулс; **she was in** ~**s (of joy)** тя бе на седмото небе (извън себе си) от радост; тя не можеше да си намери място (не знаеше къде да се дене) от радост; 4. *истор.* заточеник, каторжник; 5. *техн.* предаване, пренасяне; **momentum** ~ пренос на импулс; 6. *attr* транспортен; II. [træns'pɔ:t] *v* 1. пренасям, превозвам, транспортирам, прекарвам; 2. увличам, унасям; *обикн.* *pass* изпадам в състояние на възторг (опиянение, ужас и пр.); **I am** ~**ed with joy** не мога да си намеря място от радост; 3. *истор.* изпращам (отвъд океана) на каторга, заточвам.

transportability [træns'pɔ:tə,biliti] *n* преносимост, транспортируемост.

transportation [,trænspɔ:'teiʃən] *n* 1. превоз, транспорт, транспортиране; 2. превозно средство; превозни средства; 3. *амер.* стойност на превозването; 4. билет (*трамваен, жп и пр.*).

transporter [træns'pɔ:tə] *n* транспортьор; конвейер.

transpose [træns'pouz] *v* 1. размест-

вам, премествам, разбърквам; 2. *мат.* прехвърлям (*в другата част на уравнението с обратен знак*); 3. *муз.* транспонирам; **to** ~ **patent claims** размествам патентни претенции.

transposition [,trænspo'ziʃən] *n* 1. разместване, преместване, разбъркване; 2. *муз.* транспониране; 3. *мат.* транспозиция.

trans-ship [træns'ʃip] *v* (-**pp**-) *мор.,* *жп* 1. претоварвам, *прен.* пресилвам, пренапрягам (се); 2. прекачвам се, прехвърлям се, трансбордирам.

trans-shipment [træns'ʃipmənt] *n* *мор.,* *жп* 1. претоварване, *прен.* пресилване, пренапрягане; 2. прекачване, прехвърляне.

trans-sonic ['trænz'sonik] *adj* свръхзвуков.

transude [træn'sju:d] *v* просмуквам се; изпарявам се.

transvasue [trænz'vælju:] *v* преоценявам.

transversal [trænz'və:səl] I. *adj* напречен, кос; ~ **line** напречна линия, пресечка; II. *n* напречна греда и пр.

trap [træp] I. *n* 1. капан, примамка, клопка, примка, уловка; **to set (lay) a** ~ **(for)** зареждам капан; **to walk (straight) into the** ~ попадам право в капана; 2. *техн.* сифон (*на мивка*); 3. *рядко* филтър; 4. *sl* полицай, детектив, ченге; 5. *sl* уста; 6. *амер.* ударните инструменти в оркестъра; 7. *изч.* автоматичен преход; ● **to be up to** ~ хитър съм, не съм вчерашен; II. *v* (-**pp**-) 1. хващам в капан (*и прен.*); вприемчвам; поставям капани за (в); подмамвам; **to** ~ **s.o. into an admission** изтръгвам самопризнание от някого чрез уловки; 2. поставям сифон на, снабдявам със сифон (*и* **to** ~ **a drain**); 3. спирам, препречвам пътя на (*течност*); 4. *техн.* улавям, поглъщам.

trapeze [trə'pi:z] *n* *спорт.* трапец.

trapper ['træpə] *n* трапер; ловец, който поставя капани.

trappy ['træpi] *adj* *разг.* предателски, изменнически, опасен.

trapse [treips] *v* 1. мъкна се, влача се; ходя без работа, шляя се, мотая се; 2. влача по земята.

trash [træʃ] I. *n* 1. смет, боклук, ос[танки]; 2. *разг.* безвкусица, глу[пост], нескопосна работа; слаба литературна творба, халтура; т[о] **talk a lot of** ~ дрънкам глупости; 3. *събир.* (*за хора*) изметът на об[ще]ството; II. *v* кастря, окастрям (*дърво*).

trashy ['træʃi] *adj* боклучен, нену[ж]жен, безплоден, безполезен.

trauma ['trɔ:mə] *n* *мед.* травма, на[раняване].

traumatic [trɔ:'mætik] *adj* *мед.* трав[ма]матичен.

traumatize ['trɔ:mə,taiz] *v* *мед.* 1. причинявам травма; 2. ранявам[?]

travel ['trævəl] I. *n* 1. *рядко* пътуване, странстване, път; 2. *pl* пътешествия; пътепис, описание на пътешествия (пътувания); 3. *техн.* придвижване, ход (*на бутало*); 4. *геол.* миграция, преместване; II. *v* (-**ll**-, *амер.* -**l**-) 1. пътувам, пътешествам; **these goods** ~ **well** тези стоки понасят (не се повреждат при) транспорт; 2. пропътувам, обхождам, обикалям (*и с* **over**) извървявам; вървя по; 3. пътувам като търговски пътник (*за няко[го] –* **for,** *по продажба на нещо –* **in**); 4. движа се, местя се; разпространявам се; 5. ровя (*из па[ме]метта си*); минавам (*от предмет на предмет*) (*за поглед*) плъзгам се, рея се; **to** ~ **out o**[?]**the record** *прен.* отклонявам с[е] от темата.

traveller ['trævlə] 1. пътник, пътешественик; ~**'s cheque** пътничес[ки] акредитив; 2. *техн.* шейна, бе[?] гунка, лойфер; 3. *техн.* мостов[?] кран; 4. *текст.* бегач.

travelling ['trævəliŋ] I. *n* пътуване пътешествие; II. *attr* 1. пътешест[ву]ващ; ~ **salesman** търговски път[ник]; 2. подвижен; ~ **speed** ско[?] рост на движение (пътуване); 3[?] пътнически; ~-**dress** костюм за пътуване.

traverse ['trævə:s] I. *adj* напречен[?] кос; II. *n* 1. *строит.* напречник[?] траверса, напречна греда; 2. ба[?]

риера, преграда, препятствие; **3.** *воен.* хоризонтално насочване; **4.** *юр.* отрицание, опровержение, отказ; възражение; **5.** преход (*по отвесен скат*); **6.** чупка, остър завой; **7.** самоход; **8.** *геол.* напречна жила; **III.** *v* **1.** преминавам, прекосявам, пресичам; пропътувам; **2.** *прен.* разглеждам, обсъждам, коментирам; **3.** *юр.* опровергавам, отхвърлям, опонирам, противопоставям се; възразявам; **4.** поставям напреки.

travesty ['trævisti] **I.** *n* пародия, имитация, подражание; карикатура (*и прен.*); **II.** *v* правя пародия от; изопачавам, пародирам; подражавам.

tray [trei] *n* **1.** поднос, табла; **2.** корито; **developing ~** *фот.* вана за проявяване; **3.** тава, плитка кутия; **4.** рафт (*на сушилня*).

treacherous ['tretʃərəs] *adj* **1.** предателски, изменнически; коварен, вероломен; **2.** *прен.* несигурен, слаб; ненадежден; опасен, съмнителен.

treachery ['tretʃəri] *n* предателство, изменничество; измамничество, подлост; вероломство; **there is some ~ afoot** тук се крои нещо тъмно.

treacly ['tri:kli] *adj* **1.** гъст, лепкав; **2.** *прен.* сладникав; мазен; хитър, раболепен.

tread [tred] **I.** *v* (**trod** [trɔd]; **trodden** ['trɔdn]); **1.** тъпча, мачкам; *прен.* угнетявам, тероризирам; настъпвам; стъпвам; **2.** *остар.* накувцам; **3.** чифтосвам се с, съвкупявам се с (*за птици*); ● **to ~ lightly** тактичен съм, действам (подхождам) внимателно;

tread down потъпквам, потискам, потушавам, стъпквам, смазвам;

tread in затъпквам (нещо в земята); натиквам с тъпчене, газене; мачкане;

tred on настъпвам; стъпвам върху; о **~ on the gas**, **to ~ on it** натискам педала, давам газ (*и прен.*); **II.** *n* **1.** походка, стъпка, вървеж, ход; *прен.* развитие, напредък; **of feet** шум от стъпки; **2.** стъпало, стъпенка; (*и* **~-board**); **3.** *техн.*

наплат (шина) на колело; **4.** ширина на хода; коловоз; релси; **5.** *остар.* чифтосване, съвкупяване (*у птици*); **6.** долната част на подметката на обувка; **7.** триеща повърхнина, повърхнина на търкаляне.

treadle ['tredl] **I.** *n техн.* педал (*на автомобил, шевна машина*); **II.** *v* управлявам (карам) с педал.

treason ['tri:zən] *n* измяна, предателство, продажничество, шпионство; **high ~** държавна измяна.

treasonable ['tri:zənəbəl] *adj* изменнически, предателски, продажнически, шпионски.

treasure ['treʒə] **I.** *n* **1.** съкровище, богатство; имане; **buried ~** скрито имане; **2.** *прен.* ценност, ценна вещ, находка, "перла"; **II.** *v* **1.** трупам, скътвам, прибирам (**up**); **2.** запазвам, съхранявам (**up**); **3.** високо ценя, лелея, милея за.

treat [tri:t] **I.** *v* **1.** отнасям се към, държа се с (към), третирам; преговарям, обсъждам; **to ~ s.o. white** *амер.* отнасям се с някого честно и справедливо; **2.** подлагам на действието (на **with**); обработвам, третирам; действам с; **3.** разглеждам, разработвам, третирам, изяснявам; занимавам се с; **4.** лекувам, церя (**for** от); **5.** угощавам, нагостявам; черпя; **6.** договарям, преговарям, водя преговори (**with**); разисквам относно (върху), засягам (**of**); **to ~ for peace** преговарям за мир; **7.** *мин.* обогатявам; **II.** *n* **1.** угощение, почерпка, черпня; **2.** наслада, удоволствие; **a ~ in store** предвкусвано (очаквано) удоволствие; **3.** *уч.* пикник, екскурзия.

treatable ['tri:təbəl] *adj* лечим (*за заболяване*).

treatise ['tri:tiz] *n* трактат, дисертация; монография; научен труд; курс (лекции, учебник).

treatment ['tri:tmənt] *n* **1.** третиране, обноска, държание; **2.** разработка, начин на разглеждане; **3.** обработка, манипулация; **4.** лечение; **patients under ~** болни на лечение; **5.** *мин.* обогатяване.

treaty ['tri:ti] *n* **1.** договор; **~ port**

открито пристанище; **2.** *остар.* преговори; **to be in ~ for** водя преговори за; **3.** *attr* договорен, основаващ се на договор.

treble ['trebəl] **I.** *adj* **1.** троен, утроен; **~ figure** тризначно число; **2.** *муз.* дискантов, сопранов; **~ clef** ключ сол; **II.** *n* **1.** тройно количество; **2.** *муз.* дискант, сопран; **shrill ~** остър (креслив) глас; **III.** *v* **1.** утроявам (се); **2.** пея сопран, дисканто; **IV.** *adv* тройно, три пъти повече (по-малко).

tree [tri:] **I.** *n* **1.** дърво; **Christmas ~** коледна елха; **to grow on ~s** *прен.* расте по дърветата (*за нещо, което се намира лесно и в изобилие*); **2.** родословие, потекло, произход, *книж.* генеалогия (*и* **family ~**); родословно дърво; **3.** *техн.* вал, ос (*и* **axle-~**); **4.** *рядко* стойка, подпора; калъп за обуща (*и* **boot-~**); **5.** *sl, остар.* бесилка; кръст (*и* **Tyburn ~**, **gallows-~**); **6.** дендрит (*дървовидноразклонена кристална форма*); **7.** *мат.* йерархична структура, граф; **II.** *v* **1.** подгонвам (заставям да се качи) на дърво; покачвам се на дърво; *прен.* имам надмощие; поставям в безизходно положение; **2.** опъвам на калъп.

treeless ['tri:lis] *adj* гол, незалесен, без растителност, незасят (*за земеделски участък*).

tremble ['trembəl] **I.** *v* треперя, треса се; вибрирам; трептя, развявам се (*за знаме*); **to ~ in the balance** вися на косъм, в критично положение (в беда) съм; **to ~ with fear** треперя от страх; **II.** *n* **1.** трепет, треперене, тресене; **all in (on, of) a ~** *разг.* треперейки, с трепет, силно развълнуван; **2.** *pl мед.*, *вет.* нервна треска.

trembler ['tremblə] *n техн.* вибратор, прекъсвач.

trembling ['trembliŋ] **I.** *adj* трепереш, вибриращ; **II.** *n* трепет; трептене, страх; **in fear and ~** цял в трепет (в тревога, в напрежение); трепетно.

tremendous [tri'mendəs] *adj* огромен; страхотен, ужасен, страшен, потресаващ.

tremor ['tremə] I. *n* 1. тремор, треперене, потреперване; сътресение, трепет, тласък; 2. трус, (леко) земетресение (*u* earth-~); 3. *мед.* тремор; II. *v* треперя (*за глас*); вибрирам (*за машина*).

trench [trentʃ] I. *n* 1. окоп, укрепление; to mount the ~es, to be on ~ duty влизам (отивам) в окопите; 2. ров, канавка, канал, траншея, яма, бразда; exploratory ~ *геол.* проучвателна траншея; 3. *остар.* просека; II. *v* 1. копая окопи в, окопавам; изкопавам; to ~ around (about) окопавам (се); 2. риголвам; 3. прорязвам (*с бразда и пр.*); 4. посягам (upon); 5. гранича (upon); his answer ~ed (up)on insolence отговорът му граничеше с дързост (нахалство).

trenchant ['trentʃənt] *adj* 1. *поет.* остър, режещ; 2. *прен.* рязък, язвителен, хаплив, заядлив; остър; 3. ясен, определен, отчетлив.

trench-coat ['trentʃˌkout] *n* (офицерска) мушама; тренчкот.

trend [trend] I. *n* 1. тенденция, цел, склонност, насока; направление; уклон; 2. ход (*на крива*); 3. *геол.* посока, направление (*на пластове*); II. *v* 1. клоня, вземам направление; имам тенденция; 2. отклонявам се в някаква посока (направление) (to, towards).

trendy ['trendi] (*обикн. презр.*) I. *adj* моден; II. *n* конте, франт.

trepan [tri'pæn] I. *v* 1. залъгвам; 2. излъгвам, изигравам, измамвам; II. *n* капан, уловка, примамка; трик.

trepidation [ˌtrepi'deiʃən] *n* трепет; треперене; безпокойство, тревога, суматоха, уплаха.

trespass ['trespəs] I. *n* 1. *юр.* правонарушение, нарушение на граница или владение; посегателство; 2. злоупотреба (on); 3. *рел.* съгрешение, прегрешение, грях; II. *v* 1. нарушавам границите (on, upon); 2. извършвам простъпка, правонарушение; 3. злоупотребявам с (on, upon); 4. престъпвам (against); 5. *рел.* прегрешавам; съгрешавам.

trial ['traiəl] *n* 1. изпитание, опит,

проба; to put on ~ изпробвам; подлагам на сериозно изпитание; 2. *спорт.* опит; 3. *прен.* несгода, притеснение, неволя; изпитание; that child is a great ~ to his parents това дете е цяло наказание за родителите си; 4. *юр.* процес, съдебно дирене; съд; state ~ съд на държавни престъпници; 5. *attr* пробен, изпитателен; ~ period изпитателен срок.

triangle ['traiæŋgəl] *n* 1. триъгълник; 2. триъгълник за чертане; equilateral ~ *мат.* равностранен триъгълник.

triangular [trai'æŋgjulə] *adj* триъгълен.

tribal ['traibəl] *adj* племенен, родов, етнически, расов.

tribe [traib] *n* 1. племе, народ; фамилия, род; коляно; клан; *истор.* триба; 2. *биол.* (родов) вид; подразделение; 3. *разг.* компания, тайфа.

tribulation [ˌtribju'leiʃən] *n* горест, изпитание, мъка, страдание, нещастие, скръб.

tribunal [trai'bju:nəl] *n* 1. съд, съдилище, трибунал; 2. *рел.* изповедня.

tribune₁ ['tribju:n] *n истор.* трибун, оратор; вожд.

tribune₂ *n* 1. трибуна, естрада; катедра; 2. владишки трон.

tribute ['tribju:t] *n* 1. данък, налог, трибут; дан; дължимо; to lay under ~ облагам с данък; 2. подвластност, подчинение; 3. *прен.* лепта.

trice [trais] *n* миг, момент, мигновение; in a ~ мигновено, веднага; в миг.

triceps ['traiseps] *n анат.* триглав мускул, трицепс (*u* ~ muscle).

trick [trik] I. *n* 1. хитрост, измама, подлост, низост; лъжа; 2. фокус, трик; 3. шега, подигравка, *разг.* майтап; ~s of the fortune превратностите на съдбата; 4. особеност, индивидуалност, характерност, специфичност, привичка, маниер; 5. цака, леснотия; a couple of kind words did the ~ няколко любезни думи свършиха работа; II. *v* 1. измамвам, изиг-

равам, излъгвам; подвеждам; to ~ the truth out of s.o. с хитрост научавам от някого истината; 2. *разг.* гиздя, украсявам (out, up).

trickery ['trikəri] *n* измама, мошеничество, кражба; хитрост.

trickster ['trikstə] *n* 1. мошеник, изнудвач, крадец; измамник (*u* coufidence ~); 2. фокусник.

tricksy ['triksi] *adj* 1. шеговит; игрив; 2. ловък, изкусен; 3. капризен; 4. *рядко* променен, наконтен, натруфен, накичен.

tricolour ['triiˈkələ] I. *n* трибагреник; трикольор; II. *adj* трицветен, трибагрен (*u* tricolor).

tricot ['trikou] *n* трико (*материя*); трикотажно изделие.

tried [traid] *adj* изпитан, верен, проверен, надежден, сигурен.

trifle ['traifəl] I. *n* дреболия, незначителност, дребна работа; it's no ~ това не е шега работа; II. *v* 1. прахосвам, губя (с); държа се лекомислено, повърхностно; to ~ away o.'s time (energy, money) пропилявам (губя) си времето (силите, парите); 2. играя си, отнасям се несериозно, шегувам се; флиртувам (with) 3. дърпам, въртя, пипам (*предмет*).

trifling ['traiflin] *adj* незначителен, нищожен, маловажен, дребен.

trig₁ [trig] *диал.* I. *n* спирачка; спънка; II. (-gg-) спъвам, спирам, подпирам, запирам, задържам (*колело и пр.*).

trig₂ *разг.* I. *adj* 1. спретнат, докаран, елегантен; променен; *разг.* изтупан; 2. здрав, силен, крепък; II. *v* (-gg-) 1. подреждам, спретвам, накичвам, украсявам (с up, out); 2. *рядко* натъпквам, напълвам.

trigger ['trigə] *n* 1. спусък (*на пушка и пр.*); to pull the ~ дърпам спусъка, спускам ударника; *прен.* поставям (пускам) в движение; 2. *техн.* пусково устройство; 3. *мин.* детонатор.

trim [trim] I. *adj* подреден, уреден, спретнат; кокетен; (*за човек*) издокаран, елегантен, изискан; a ~ figure елегантна фигура; II. *v* (-mm-) 1. подреждам, нареждам;

2. подрязвам, подкастрям; подстригвам; **to have o.'s hair ~med** подстригвам се; **3.** одялвам (дъска); **4.** почиствам, секна (*фитил*); **5.** украсявам, декорирам, гарнирам; **to ~ s.o.'s jacket** *прен.* набивам някого; **6.** *мор.* разпределям правилно товара на кораб, уравновесявам; нареждам платната; *прен., полит.* лавирам; приспособявам се, балансирам между две противоположни партии; **7.** *разг.* "нареждам", "скастрям"; измамвам; **8.** притъпявам, заоблям (*остър ръб*); **9.** облицовам, тапицирам; **10.** настройвам, нагласявам; **11.** уравновесявам, балансирам; **12.** *текст.* гарнирам, обточвам; **III.** *n* **1.** подреденост, порядък; изправност; готовност; **in flying ~** *авиац.* готов за излитане (старт); **2.** облекло, вид; **in sorry ~** в жалък вид.

trip [trip] I. *n* **1.** екскурзия, късо пътешествие, пътуване; рейс, обиколка; **honeymoon ~** сватбено пътешествие; **2.** спъване, препъване, подлагане на крак; **3.** бърза лека походка; **4.** улов; **II.** *v* (**-pp-**) **1.** стъпвам леко и бързо; подтичвам; **2.** *остар.* обикалям, пътувам; **3.** препъвам (се); спъвам, подлагам крак на (**up**); **to ~ over s.th.** препъвам се в нещо; **4.** сбърквам, прегрешавам; **5.** уличавам, хващам в лъжа; обърквам; **to ~ up a witness** уличавам свидетел в противоречиви показания (противоречие).

triple [tripl] I. *adj* троен, трикратен, утроен; **~ jump** *спорт.* троен скок; **II.** *v* утроявам (се), ставам (правя) троен.

tripping [ʹtripiŋ] *adj* **1.** бързоходен, бързоног, бързокрак; **~ step** лека походка; **2.** *техн.* изключващ.

trite [trait] *adj* изтъркан, банален, обикновен.

triumph [ʹtraiəmf] I. *n* триумф, тържество, възтържествуване, победа; **II.** *v* тържествувам, възтържествувам, побеждавам (**over**), празнувам победа, ликувам.

triumphal [traiʹʌmfəl] *adj* триумфален, победоносен; **~ arch** триум-

фална арка.

trivial [ʹtriviəl] *adj* **1.** незначителен, нищожен, дребен; **2.** обикновен, банален; **3.** дребнав, тривиален; ограничен (*човек*).

triviality [triviʹæliti] *n* **1.** тривиалност, незначителност; **2.** баналност; простащина, *книж.* тривиалност.

troop [tru:p] I. *n* **1.** трупа; компания, тълпа, множество; група хора; отряд; **2.** стадо; **3.** *воен. pl* войска; отряд; **~s** набирам войска; **4.** *воен.* кавалерийски взвод; батарея; *амер.* ескадрон; **II.** *v* **1.** събирам се, трупам се, тълпя се; **2.** минавам в строй.

tropic [ʹtropik] I. *adj* тропически; **II.** *n* тропик; **the ~s** тропиците.

trouble [trʌbəl] I. *n* **1.** безпокойство; вълнение; неприятност, тревога, грижа, затруднение, беля; **to be a ~** създавам грижи (**to**); **2.** усилие, старание, грижа; **he takes a great deal of ~** той много се старае, той не се жали труда; **3.** беда, скръб, нещастие; **4.** *полит.* безредици; вълнения; **5.** *мед.* болест, смущение; **6.** *техн.* повреда, авария, неизправност; **II.** *v* **1.** безпокоя (се), обезпокоявам, тревожа; затруднявам; **2.** причинявам физическа болка; **my leg ~s me** кракът ме наболява.

troublesome [ʹtrʌblsəm] *adj* **1.** неприятен, тревожен, застрашителен, обезпокоителен; **2.** труден; **3.** заядлив; закачлив; **4.** немирен, палав; недисциплиниран.

true [tru:] I. *adj* **1.** верен, правилен; **quite ~!** ~ **enough!** точно така! правилно! **2.** истински, истинен; действителен; **3.** предан, лоялен, верен (**to**); **4.** верен, точен, законен, действителен; **~ copy** заверено копие; **5.** *муз.* верен; точно настроен; **6.** *техн.* точно поставен (прилегнал, центриран); **~ to gauge** с точни размери, отговарящ на изискванията; ● **~ as I stand here!** това е самата истина! ◊ *adv* **truly;** **II.** *v* *техн.* поставям правилно; регулирам.

true-born [ʹtru:bɔ:n] *adj* истински, действителен; чистокръвен.

trunk [trʌŋk] *n* **1.** стъбло, пън, дънер; **2.** туловище, тяло, труп; **3.** голям куфар, пътнически сандък; **4.** хобот (*на слон*); **5.** вентилационна шахта; **6.** *анат.* главна артерия; **7.** телефонна (телеграфна, железопътна) главна линия; магистрала; **8.** вентилационна тръба; **9.** *архит.* тяло на колона (*между основата и капитела*); **10.** *sl* нос; **11.** *sl* глупак, тъпак, тъпанар; **12.** багажник (*в автомобил*); **13.** трубопровод; **14.** *изч.* информационен канал; **15.** *attr* главен, магистрален.

trust [trʌst] I. *n* **1.** доверие, вяра; доверчивост; **to have (put, repose) ~ in** доверявам се на, имам доверие в; **2.** надежда, упование, уверност; **3.** *търг.* кредит; **to supply goods on ~** отпускам стока на кредит; **4.** завет, дълг; отговорност, задължение; **to desert o.'s ~** изневерявам на дълга си; **5.** попечителство (*на имущество*); опека; пари, поставени под попечителство (*u ~* **fund**); **~ territory** територия под опека; **6.** *остар.* съхранение; управляване (*на имущество*); **7.** *икон.* тръст; обединение; **II.** *v* **1.** доверявам се (на), вярвам (на), поверявам (на); **2.** поверявам, давам, доверявам; **3.** надявам се (на), уповавам се (на, в); **4.** отпускам кредит.

trusteeship [trʌʹsti:ʃip] *n* опека, попечителство.

trustful [ʹtrʌstful] *adj* доверчив, лековерен, наивен; ◊ *adv* **trustfully.**

trustiness [ʹtrʌstinis] *n* **1.** лоялност, вярност; **2.** надеждност, сигурност.

truth [tru:θ] *n* (*pl* **~s** [ðz]) **1.** истина, реалност, точност; **the home (bitter)~** горчивата истина; **2.** правдивост, истинност; **3.** действителност; **4.** точност; съответствие; ● **~ will out** истината не може да се скрие.

try [trai] I. *v* **1.** изпитвам, опитвам, пробвам; **to ~ o.'s hand at** (*c ger*) опитвам се да; **2.** измъчвам; поставям на изпитание; **3.** опитвам се, старая се, мъча се; **4.** *юр.* съдя, разследвам, преследвам съ-

дебно, давам под съд; 5. стопявам (*сало*), пречиствам (отделям) чрез топене;

try back връщам се на предишното място (*за кучета, загубили дирята*); *прен.* забелязвам грешката си и започвам отначало;

try for търся; домогвам се, *разг.* драпам;

try on пробвам, меря, премервам (*дреха*);

try out 1) пречиствам, претопявам; 2) изпробвам;

try up *техн.* пасвам, нагаждам; **II.** *n* опит, *книж.* експеримент; проба; опитване.

trying [′traiiŋ] *adj* мъчителен, трудно поносим, тежък; дразнещ; ~ **to the health** вреден за здравето.

tube [tju:b] **I.** *n* 1. тръба, цев; туба; 2. тунел, подземна железница, метро (*u* ~**-railway**); 3. *анат.* пет, провод; туба; 4. *авт.* вътрешна гума; **II.** *v* 1. затварям в тръба; 2. придавам тръбовидна форма на; 3. *разг.* возя се в метро.

tug [tʌg] **I.** *n* 1. дръпване, дърпане; напрягане, усилие; 2. буксир; 3. влекач; 4. буксирно въже; **II.** *v* 1. дърпам, тегля, влача (*с всички сили*); 2. полагам големи усилия; стремя се, боря се.

tuition [tju:′iʃən] *n* 1. обучение, подготовка, тренировка; 2. такса за обучение, учебна такса; 3. *остар.* опека, попечителство.

tumo(u)r [′tju:mə] *n* тумор; оток, подутина; **benign** ~ доброкачествен тумор.

tune [tju:n] **I.** *n* 1. мелодия, песен; мотив; 2. *муз.* строй; настройка; 3. съгласие, хармония, унисон; 4. настроение, разположение; 5. тон, звук; **II.** *v* 1. настройвам, акордирам; 2. нагласям, приспособявам; 3. хармонирам, съгласувам (**with**); привеждам в съответствие с.

tunnel [′tʌnəl] **I.** *n* 1. тунел; 2. *мин.* галерия; 3. фуния; 4. димоход, комин; тръба; **II.** *v* пробивам (прокарвам) тунел.

turn [tə:n] **I.** *v* 1. въртя (се); обръщам (се); отвръщам (*поглед и пр.*); **to** ~ **the leaves of a book** пре-

листвам страници; 2. обръщам дреха; 3. извивам се; 4. завивам; 5. достигам (*възраст, момент и пр.*); 6. отправям (се), насочвам (се) (*поглед и пр.*); обръщам се към; 7. превръщам (се); 8. променям (се), изменям (се); ставам (*като спомагателен глагол*); **luck has** ~**ed** щастието ми изневери; 9. вкисвам, развалям се (*за храна*); 10. струговам, обработвам на струг; 11. заглаждам, закръглям; придавам красива форма (*на предмет*); изразявам добре, хубаво (*фраза, епиграма и пр.*); • **to** ~ **the day against** изменям съотношението на силите;

turn about обръщам се кръгом;

turn against настройвам (се) срещу (против); заставам (въставам) срещу;

turn aside отклонявам (се);

turn away 1) отвръщам се, не искам да погледна; не одобрявам (**from**); 2) изгонвам, уволнявам;

turn back връщам (се); обръщам (се) назад;

turn in 1) отбивам се; 2) сгъвам (се) навътре; 3) *разг.* лягам си; 4) предавам (*на държавата изети неща*);

turn off 1) изгасвам, угасвам, изключвам (*осветление*); 2) затварям (*кран, радио и пр.*); 3) освобождавам, уволнявам; 4) завивам в друга посока, отклонявам се (*за пет*); криввам; 5) отвличам вниманието; 6) *sl* обесвам (*престъпник*); 7) *sl* оженвам;

turn on 1) включвам; 2) запалвам (*лампа и пр.*); 3) отварям, пускам (*кран, радио*); 4) завися от; 5) нападам, нахвърлям се върху;

turn out 1) изгонвам, изпъждам; уволнявам; 2) насочвам (се) навън; 3) загасвам (*отопление, осветление*);

turn over 1) преобръщам (се), прекатурвам (се); 2) обръщам; 3) обмислям, разсъждавам; премислям; 4) предавам; прехвърлям (**to**); 5) *търг.* правя оборот;

turn round обръщам се; завъртам (се); *прен.* променям възгледите си;

turn up 1) вдигам (се) нагоре, изправям (се); обръщам; запретвам; 2) изваждам, показвам, излагам; 3) появявам се, пристигам; оказвам се случайно; 4) *разг.* карам да повръща;

II. *n* 1. въртене; оборот; 2. обръщане; 3. завой, извивка, чупка (*на улица, река и пр.*); намотка, навивка; 4. връщане назад, обрат; промяна, изменение; *прен.* обратна точка; 5. услуга, помощ, съдействие; **to do s.o. a good (bad, ill)** ~ правя на някого добра (лоша) услуга; 6. насока, направление; 7. ред, смяна; 8. наклонност, склонност, тенденция; способност, умение; 9. стил, маниер, характер; форма, строеж (*на фраза*); **he has a peculiar** ~ **of mind** особен е; 10. разходка; обиколка; **to take (go for) a** ~ разхождам се (*отивам на разходка*); 11. поореден номер в програма; **short** ~**s** песни, рецитации и пр., номера; 12. цел; особена нужда; 13. *разг.* удар, разтърсване, нервно сътресение; пристъп, шок, припадък; 14. *полигр.* обърната буква (*като знак за временно липсваща буква*); 15. *pl* мензис, менструация.

turning-point [′tə:niŋpɔint] *n* обрат; криза, повратна точка; преломен момент.

twinkle [twiŋkəl] **I.** *v* 1. блещукам, трепкам (*за звезда, светлина и пр.*); 2. светвам (*от радост, удоволствие*) (**at**); 3. ситня; **II.** *n* 1. блещукане, светкане; мъждукане; мигане; 2. светване; светлинка, огънче (*в очите*); 3. миг.

type [taip] **I.** *n* 1. тип, вид; *биол.* вид; род, клас, група; **blood** ~ кръвна група; 2. типичен представител, образец, модел; прототип; пример; символ; 3. *рядко* знак, отпечатък; образ, изображение (*върху монета, медал*); **II.** *v* 1. *рядко* типичен съм, стандартизирам, уеднаквявам; символизирам; 2. *мед.* определям (*кръвна група и пр.*).

U, u [ju:] I. *n* (*pl* **Us, U's** [ju:z]) буквата U; II. *adj* U-образен, подковообразен.

uberous ['ju:bərəs] *adj* рядко изобилен; плодороден.

ubiety [ju:'baiti] *n* филос. местоположение, положение, местонахождение.

ubiquitous [ju'bikwitəs] *adj* 1. книж. вездесъщ; 2. който е навсякъде, повсеместен.

ubiquity [ju'bikwiti] *n* вездесъщност; повсеместност.

U-bomb ['ju,bɔm] *n* воен. атомна бомба.

udometer [ju:'dɔmitə] *n* дъждомер.

UFO ['ju:'ef'ou'ju:'fəu] *abbr* (Unidentified Flying Object) НЛО, особ. летяща чиния.

ufology [ju'fɔlədʒi] *n* уфология, наука за изследване на НЛО.

uglify ['ʌglifai] *v* загрозявам, развалям, обезобразявам, правя уродлив.

ugliness ['ʌglinis] *n* грозота, уродство, некрасива външност.

ugly ['ʌgli] *adj* 1. грозен, уродлив, неприятен, противен; 2. отвратителен, гнусен; безобразен; 3. опасен, застрашителен; заплашителен; ~ **wound** опасна (лоша) рана; 4. който причинява неудобство или притеснение; ~ **weather** лошо време; ~ **customer** разг. неприятен, труден или опасен човек.

ulcer ['ʌlsə] *n* язва; прен. язва, зло, поквара, развала.

ulcerous ['ʌlsərəs] *adj* 1. язвен, подлютен; гноясал, гноен; възпален; ~ **wound** възпалена рана; 2. покваряващ.

uliginose, uliginous [ju:'lidʒinous, -əs] *adj* 1. блатист, мочурлив; 2. бот. блатен.

ulterior [ʌl'tiəriə] *adj* 1. оттатъшен; отдалечен; 2. по-късен; скрит, неизразен; ~ **purpose** скрита (задна) цел.

ultima ratio ['ʌltiməreiʃou] *n* последен (решаващ) аргумент.

ultimate ['ʌltimit] I. *adj* 1. най-последен, най-краен; най-далечен; 2.

окончателен; решителен, последен, краен; 3. основен, първичен, елементарен (за принцип и пр.); ~ **particle** физ. елементарна частица; 4. пределен, максимален; II. *n* 1. последен резултат; 2. основен принцип; решаващ факт.

ultimately ['ʌltimətli] *adv* 1. в края на краищата, накрая, в крайна сметка; 2. в основата си.

ultimatum [,ʌlti'meitəm] *n* ултиматум.

ultra ['ʌltrə] I. *adj* краен (за мярка, възгледи и пр.); II. *n* екстремист; човек с крайни възгледи.

ultrahigh ['ʌltrəhai] *adj* свръхвисок.

ultraism ['ʌltrəizm] *n* поддържане на крайни политически възгледи.

ultraist ['ʌltrəist] *n* поддръжник на крайни политически възгледи.

ultramarine₁ [,ʌltrəmə'ri:n] *adj* задморски, презморски.

ultramarine₂ *n* ултрамарин.

ultramodern [,ʌltrə'mɔdən] *adj* свръхсъвременен, ултрамодерен.

ulrtarays ['ʌltrə,reiz] *n* космични лъчи, космично излъчване.

ultrared [,ʌltrəred] *adj* инфрачервен.

ultrasensitive [,ʌltrə'sensitiv] *adj* свръхчувствителен.

ultra-short ['ʌltrə'ʃɔ:t] *adj* ултракъс; ~ **wares** ултракъси вълни.

ultrasonic [,ʌltrə'sɔnik] *adj* свръхзвуков.

ultrasonics [,ʌltrə'sɔniks] 1. ултразвук; 2. ултразвукова техника; 3. ултраакустика.

ululation [,julju'leiʃən] *n* книж. виене, вой; бухане; оплакване.

umbilical [ʌm'bilikəl] *adj* 1. пъпен; ~ **cord** пъпна връв; 2. с форма на пъп; централен; 3. рядко произхождащ от женска линия.

umbilicus [ʌm'bilikəs] *n* пъп.

umbrage ['ʌmbridʒ] *n* 1. поет. сянка; отражение; 2. обида; **to give (take)** ~ обиждам (се); докачвам (се).

umbrageous [ʌm'breidʒəs] *adj* 1. поет. сенчест; 2. рядко обидчив, докачлив, подозрителен.

umbrella [ʌm'brelə] I. *n* 1. чадър; 2. тяло на медуза; II. *adj* 1. чадъ-

рест; 2. широк, всеобхватен.

umbriferous [ʌm'brifərəs] *adj* засенчващ, сенчест.

umpire ['ʌmpaiə] I. *n* посредник, арбитър; спорт. съдия, рефер; II. *v* 1. посреднича; изпълнявам арбитърска служба (**for**); 2. спорт. реферирам.

umpteen ['ʌmpti:n] *n* sl 1. много; безброй; 2. няколко.

unabashed ['ʌnə'bæʃt] *adj* 1. безсрамен, безочлив; безсъвестен; 2. невъзмутим, хладнокръвен.

unabated ['ʌnə'beitid] *adj* нестихващ, неотслабващ, с неотслабваща сила; неукротим.

unabbreviated ['ʌnə'bri:vieitid] *adj* несъкъсен, несъкратен, с цяла дължина, пълен.

unabiding ['ʌnə'baidiŋ] *adj* преходен, краткотраен, непостоянен, нетраен.

unable [ʌn'eibəl] *adj* 1. неспособен; 2. поет. слаб, немощен, безсилен.

unabolished ['ʌnə'bɔliʃt] *adj* неотменен, в сила, действащ.

unabridged ['ʌnə'bridʒd] *adj* цял, цялостен, несъкратен, пълен.

unaccented ['ʌnæk'sentid] *adj* език. неударен.

unacceptability ['ʌnəks'eptə'biliti] *n* неприемливост.

unacceptable ['ʌnæk'septəbəl] *adj* неприемлив; нежелан, нежелателен.

unaccomodating ['ʌnə'kɔmədeitiŋ] *adj* непримирителен, несговорчив, неуслужлив, неотстъпчив.

unaccomplished ['ʌnə'kɔmpliʃt] *adj* 1. незавършен, недовършен; непълен, не в окончателен вид; 2. некултурен; нешлифован, недодялан, без външен блясък.

unaccountable ['ʌnə'kauntəbəl] *adj* 1. необясним, неизяснен, странен; 2. безотговорен; ◇ *adv* **unaccountably** ['ʌnə'kauntəbli].

unaccustomed ['ʌnə'kʌstəmd] *adj* 1. необикновен, непривичен, необичаен; 2. ненавикнал, непривикнал (**to**).

unachievable ['ʌnətʃi:vəbəl] *adj* непостижим, недосегаем, непосилен.

unacknowledged [ˈʌnəˈknɔlidʒd] *adj*
1. непризнат, неприет; 2. неотвърнат, неприет (*за поздрав*); 3. оставен без отговор (*за писмо и пр.*); 4. непризнат (*за вина и пр.*).

unacquainted [ˈʌnəˈkweintid] *adj* незапознат, неосведомен, незнаещ.

unactivated [ʌnˈæktiveitid] *adj* неактивиран.

unadapted [ˈʌnəˈdæptid] *adj* 1. неприспособен; 2. неподходящ (for).

unaddicted [ˈʌnəˈdiktid] *adj* непривикнал, неотдаден (to).

unaddressed [ˈʌnəˈdrest] *adj* неадресиран.

unadorned [ˈʌnəˈdɔːnd] *adj* неукрасен; обикновен, прост.

unadulterated [ˈʌnəˈdʌltəreitid] *adj* неподправен, нефалшифициран, оригинален; истински, чист.

unadvised [ˈʌnəˈdvaizd] *adj* неблагоразумен, неразумен; безразсъден, необмислен, невнимателен.

unaffable [ʌnˈæfəbəl] *adj* неприветлив, нелюбезен; строг, сдържан.

unaffected *adj* 1. [ˌʌnəˈfektid] непресторен, непосредствен, прям, искрен; обикновен; 2. [ˈʌnəˈfektid] непроменен, еднакъв; незасегнат (by), недокоснат.

unafraid [ʌnəˈfreid] *adj* смел, безстрашен.

unalarmed [ˈʌnəˈlɑːmd] *adj* спокоен, несмущаван.

unallowable [ˈʌnəˈlauəbəl] *adj* недопустим, непозволим.

unallowed [ˈʌnəˈlaud] *adj* забранен, непозволен, неразрешен.

unalterable [ʌnˈɔːtərəbəl] *adj* неизменим; установен, постоянен, устойчив; ~decision твърдо (окончателно) решение; ◇*adv* unalterably [ˌʌnˈɔːltərəbli].

unaltered [ʌˈnɔːltəd, ʌˈnɔːltəd] *adj* непроменен.

unamazed [ˈʌnəˈmeizd] *adj* неудивен, непоразен.

unambiguity [ˈʌnæmbiˈgjuiti] *n* еднозначност.

unambiguous [ˈʌnəmˈbigjuəs] *adj* 1. недвусмислен, ясен; 2. език. еднозначен; ◇*adv* unambiguously.

unambitious [ˈʌnəmˈbiʃəs] *adj* неамбициозен; непретенциозен, скромен.

unamenable [ˈʌnəˈmiːnəbəl] *adj* неподатлив, неотстъпчив; непослушен.

unamiable [ˌʌnˈeimiəbəl] *adj* нелюбезен, неприветлив, недружелюбен, неприязнен.

unamusing [ˈʌnəˈmjuːziŋ] *adj* неинтересен, безинтересен; скучен.

unanimated [ʌnˈænimeitid] *adj* неоживен, бездушен, равнодушен.

unanimity [ˌjunəˈnimiti] *n* единодушие.

unanimous [juˈnæniməs] *adj* единодушен, единогласие; ◇*adv* unanimously.

unanticipated [ˈʌnənˈtisipeitid] *adj* неочакван.

unappealing [ˈʌnəˈpiːliŋ] *adj* непривлекателен.

unappeasable [ˈʌnəˈpiːzəbəl] *adj* 1. неутолим; 2. непримирим, неутолим, неукротим.

unappeased [ˈʌnəˈpiːzd] *adj* неудовлетворен, непримирен, незадоволен.

unapprehensible [ˈʌnˌæpriˈhensibəl] *adj* неразбираем.

unapproachable [ˌʌnəˈproutʃəbəl] *adj* 1. недостъпен, непристъпен; непостижим; 2. студен, неприветлив; 3. несравним, който няма равен, безподобен.

unappropriated [ˈʌnəˈprouprieitid] *adj* 1. неизползван (*за пари*); непредназначен; 2. незает, свободен, незавладян.

unapproving [ˈʌnəˈpruːviŋ] *adj* неодобрителен, осъдителен.

unapt [ʌnˈæpt] *adj* 1. бавен, тежък, муден; неспособен, непъргав, неумел (at); 2. неподходящ.

unarguable [ʌˈnaːgjuəbəl] *adj* безспорен, неоспорим; ◇*adv* unarguably [ʌˈnaːgjuəbli].

unarm [ʌnˈaːm] *v* 1. обезоръжавам; 2. слагам оръжие, предавам се (*и прен.*); разоръжавам (се).

unarrayed [ˈʌnəˈreid] *adj* 1. нестроен, разбъркан; 2. неукрасен, ненагизден.

unartful [ʌnˈaːtful] *adj* 1. простодушен; искрен, непресторен, естествен; 2. неумел, неспособен.

unashamed [ˈʌnəˈʃeimd] *adj* безсрамен, безочлив, дебелоок, безсъ-

unashamedly [ˈʌnəˈʃeimidli].

unaspiring [ˈʌnəsˈpaiəriŋ] *adj* нечестолюбив, неамбициозен; скромен, непретенциозен.

unassailable [ˌʌnəˈseiləbəl] *adj* 1. непристъпен; 2. неопровержим.

unassertive [ˈʌnəˈsəːtiv] *adj* скромен; срамежлив; несамоуверен.

unassisted [ˈʌnəˈsistid] *adj* без чужда помощ, сам.

unassured [ˈʌnəˈʃuəd] *adj* 1. неуверен; съмнителен, ненадежден; 2. необезпечен; незастрахован, неосигурен.

unattainable [ˈʌnəˈteinəbəl] *adj* недостижим, далечен, недосегаем.

unattended [ˈʌnəˈtendid] *adj* 1. несъпроводен, непридружен, без ескорт, сам; 2. оставен без грижи (внимание); 3. непривързан (*за рана*); 4. без обслужващ персонал, необслужван; автоматичен.

unattentive [ˈʌnəˈtentiv] *adj* невнимателен.

unattractive [ˈʌnəˈtræktiv] *adj* неугледен, непривлекателен, грозен, противен.

unauthentic [ˈʌnɔːˈθentik] *adj* неавтентичен; неистински, фалшив.

unauthorized [ˈʌnˈɔːθəraizd] *adj* 1. неупълномощен; 2. неразрешен; забранен.

unavailing [ˈʌnəˈveiliŋ] *adj* 1. нерезултатен, неефикасен; безплоден; 2. безполезен.

unavoidable [ˌʌnəˈvoidəbəl] *adj* 1. неизбежен; неминуем; 2. юр. който не може да се анулира; неотменяем; ◇ *adv* unavoidably [ˌʌnəˈvoidəbli].

unavowed [ˈʌnəˈvaud] *adj* непризнат.

unawares [ˌʌnəˈwɛəz] *adv* 1. неочаквано, ненадейно; внезапно; **to be taken ~** изненадват ме; 2. без да искам, непредумишлено.

unbacked [ʌnˈbækt] *adj* 1. неподкрепен, без поддръжници; необоснован, неаргументиран; 2. необязден (*за кон*); 3. за когото няма залагания (*за кон*).

unbaked [ʌnˈbeikt] *adj* неопечен; *прен.* незрял, зелен.

unbalance [ʌnˈbæləns] I. *v* дезорга-

низирам, разбърквам, обърквам; смущавам; изваждам от равновесие; **II.** *n* неуравновесеност, разбалансиране, несиметричност.

unbank [ʌn'bæŋk] *v* **1.** разгарям (огън); **2.** премахвам, сривам брегове (*за река*).

unbar [ʌn'ba:] *v* отключвам, отварям; *прен.* освобождавам.

unbare [ʌn'bɛə] *v* разголвам, разкривам, оголвам.

unbearable [ʌn'bɛərəbəl] *adj* непоносим; ◇ *adv* **unbearably.**

unbeatable [ʌn'bi:təbəl] *adj* чудесен, превъзходен, прекрасен; ~ **food** превъзходна храна.

unbeaten [ʌn'bi:tn] *adj* **1.** неутъпкан; **2.** неизследван; **3.** непобеден; **4.** ненадминат, непостижим.

unbecoming [ˌʌnbi'kʌmiŋ] *adj* **1.** неподходящ, неотговарящ, несъобразен, неподобаващ; **2.** неприличен, непристоен; **3.** неотиващ, неподхождащ (*за дреха*).

unbegun [ˌʌnbi'gʌn] *adj* незапочнат, неначенат; безначален, извечен.

unbelief ['ʌnbili:f] *n* безверие, скептицизъм, неверие.

unbelievable [ˌʌnbi'li:vəbəl] *adj* невероятен; ◇ *adv* **unbelievably.**

unbeliever ['ʌnbi,li:və] *n* неверник, скептик.

unbelieving [ˌʌnbi'li:viŋ] *adj* недоверчив, скептичен, който не вярва лесно.

unbelt ['ʌn'belt] *v* свалям, разпускам (*пояс и пр.*).

unbend [ˌʌn'bend] *v* (**unbent** [ˌʌn'bent]) **1.** оправям (се), изправям (се); **2.** разпускам (се), отпускам (се); **to** ~ (**oneself**) **in company** отпускам се в компания; **3.** *мор.* развързвам, разпускам.

unbending ['ʌn'bendiŋ] *adj* **1.** опънат, неподатлив на прегъване; **2.** упорит, твърд, строг, непреклонен; **3.** [ˌʌn'bendiŋ] свободен, безгрижен.

unbeseeming ['ʌnbi'si:miŋ] *adj* неподхождащ, неподобаващ.

unbias(s)ed ['ʌn'baiəst] *adj* безпристрастен, непредубеден.

unbind ['ʌn'baind] *v* (**unbound** ['ʌn'baund]) **1.** развързвам, раз-

пускам; пускам на свобода; **2.** свалям подвързия (*на книга*), превръзка (*от рана и др.*).

unblamable ['ʌn'bleiməbəl] *adj* невинен, безукорен, безупречен.

unblemished ['ʌn'blemiʃt] *adj* чист, неопетнен; непорочен.

unblenched ['ʌn'blentʃt] *adj* безстрашен, непоколебим.

unblessed, unblest ['ʌn'blest] *adj* **1.** неблагословен; **2.** проклет; **3.** нещастен, злополучен.

unblinking ['ʌn'bliŋkiŋ] *adj* **1.** нереагиращ; **2.** непоколебим, безстрашен; ◇ *adv* **unblinkingly.**

unblock ['ʌn'blɔk] *v* отпушвам.

unblocking ['ʌn'blɔkiŋ] *n* деблокиране, разблокиране; освобождаване, възстановяване (*на блокиращо устройство*).

unbodied ['ʌn'bɔdid] *adj* безплътен; духовен.

unbolt ['ʌn'boult] *v* **1.** отварям, отключвам; **2.** развинтвам, отвинтвам, изваждам болтове.

unbonded ['ʌn'bɔndid] *adj* несвързан, незалепен.

unbooked ['ʌn'bukt] *adj* **1.** неангажиран, свободен; **2.** незаписан, незарегистриран; **3.** неук, неграмотен.

unboot ['ʌn'bu:t] *v* събувам (се), свалям (си) обущата.

unborn ['ʌn'bɔ:n] *adj* **1.** нероден; **2.** бъдещ.

unbosom [ˌʌn'buzəm] *v* **1.** поверявам, доверявам се, споделям; изливам (*чувства*); **2.** разкривам; **to** ~ **oneself to** разкривам сърцето си на, изливам душата си.

unbounded [ʌn'baundid] *adj* безкраен, неограничен, безграничен, безпределен.

unbrace [ʌn'breis] *v* разхлабвам, отпускам, разпускам.

unbraid [ʌn'breid] *v* разплитам, разпускам (*коса и пр.*).

unbreakable [ˌʌn'breikəbəl] *adj* нечуплив, неразрушим.

unbroken [ʌn'broukn] *adj* **1.** цял, несчупен; **2.** несломен; устойчив; **3.** непрекъснат; продължителен; **4.** необязден, неоседлан; **5.** неразработен, некултивиран; ~ **soil** целина; **6.** удържан, устоян (*за*

обещание и пр.); **7.** ненадминат (*за рекорд*).

unbuckle [ʌn'bʌkl] *v* откопчавам, откачам.

unbutton [ʌn'bʌtn] *v* разкопчавам, откопчавам.

uncanny [ʌn'kæni] *adj* тайнствен; неестествен, необичаен, странен, свръхестествен; обезпокоителен.

uncared-for [ʌn'kɛədfo:] *adj* изоставен, захвърлен; пренебрегнат.

uncaring [ˌʌn'kɛəriŋ] *adj* безчувствен, безсърдечен.

uncaused [ʌn'kɔ:zd] *adj* **1.** безпричинен; **2.** съществуващ без начало, извечен.

unceasing [ʌn'si:siŋ] *adj* непрекъснат, безстрастен; ◇ *adv* **unceasingly.**

unceremonius [ʌn,seri'mouniəs] *adj* **1.** неофициален, естествен; **2.** нелюбезен, неучтив, безцеремонен; ◇ *adv* **unceremoniously.**

uncertain [ʌn'sə:tn] *adj* **1.** несигурен, неуверен, съмнителен; **2.** неустановен, нестабилен, непостоянен, капризен; **3.** неопределен; изменчив, ненадежден.

uncertainty [ʌn'sə:tənti] *n* **1.** нерешителност, несигурност, неувереност; **2.** съмнителност; **3.** непостоянство, неопределеност; променчивост (*на настроение и пр.*).

unchanging [ˌʌn'tʃeindʒiŋ] *adj* постоянен, неизменен.

unchangeable [ʌn'tʃeindʒəbəl] *adj* непроменим, неизменим, постоянен.

uncharacteristic ['ʌŋ,kærəktə'ristik] *adj* нехарактерен, несвойствен, необичаен; ◇ *adv* **uncharacteristically** ['ʌŋ,kærəktə'ristikəli].

uncharitable [ʌn'tʃæritəbəl] *adj* несъстрадателен; строг, суров, неумолим, жесток; ◇ *adv* **uncharitably** [ʌn'tʃæritəbli].

uncivilized [ʌn'sivilaizd] *adj* нецивилизован, див, некултурен, варварски.

unclassified ['ʌŋ'klæsifaid] *adj* **1.** некласифициран, несистематизиран, неподреден; **2.** незасекретен.

uncle [ʌŋkl] *n* **1.** чичо, вуйчо, свако; **2.** *sl* собственик на заложна

къща; • **Welsh** ~ далечен роднина.

unclear [ʌŋˈkliə] *adj* неясен, неразбираем.

unclosed [ʌŋˈklouzd] *adj* **1.** открит, отворен, разтворен; **2.** незавършен, недовършен, неприключен.

unclothe [ʌŋˈklouð] *v* разсъбличам.

unclothed [ʌŋˈklouðd] *adj* разсъблечен, гол.

unclouded [ʌŋˈklaudid] *adj* безоблачен; *прен.* непомрачен; ~ **happiness** безоблачно щастие.

unco [ˈʌŋkou] *шотл.* **I.** *adj* странен, чуден, особен; **II.** *adv* много, необикновено.

uncoil [ʌŋˈkɔil] *v* развивам (се), размотавам (се).

uncomfortable [ˌʌŋˈkʌmfətəbəl] *adj* **1.** неудобен, дискомфортен; **2.** неловък; **he felt** ~ той се почувства неловко; ◇ *adv* **uncomfortably** [ˌʌŋˈkʌmfətəbli].

uncommon [ʌŋˈkɔmn] **I.** *adj* забележителен, необикновен, изключителен; рядък; особен; **II.** *adv разг.* необикновено, изключително.

uncomplaining [ˈʌŋkəmˈpleiniŋ] *adj* търпелив, безропотен; ◇ *adv* **uncomplainingly**.

unconditional [ˈʌŋkənˈdiʃənəl] *adj* безусловен; категоричен; ◇ *adv* **unconditionally**.

unconnected [ˈʌŋkəˈnektid] *adj* **1.** несвързан, разделен, отделен (**with**); **2.** неродонински; несвързан, нямащ връзки с; **3.** несвързан, непоследователен.

unconscious [ʌŋˈkɔnʃəs] *adj* **1.** несъзнаващ; **2.** в безсъзнание; **3.** несъзнателен, неволен; **the** ~ подсъзнание; подсъзнателното; **4.** неодушевен; ◇*adv* **unconsciously.**

unconsciousness [ʌŋˈkɔnʃəsnis] *n* безсъзнание.

unconstitutional [ˈʌŋˌkɔnstiˈtjuʃənl] *adj* противоконституционен, неконституционен.

unconstrained [ˈʌŋkənˈstreind] *adj* **1.** непринудителен, доброволен; **2.** свободен, естествен, непринуден.

uncontented [ˈʌŋkənˈtentid] *adj* недоволен, неудовлетворен.

unconvincing [ˈʌŋkənˈvinsiŋ] *adj* не-

убедителен; ◇*adv* **unconvincingly.**

uncooked [ʌŋˈkukt] *adj* суров, несготвен (*за храна*).

uncork [ʌŋˈkɔːk] *v* **1.** отпушвам; **2.** *разг.* давам воля на (*чувства*).

uncountable [ˌʌŋˈkauntəbəl] *adj* безчислен, неизброим, несметен, безчетен.

uncover [ʌŋˈkʌvə] *v* **1.** откривам, отвивам, разкривам; разголвам; намирам (*за археологически находки*); **2.** разкривам (*сърцето си и пр.*); **3.** оставям без закрила, без прикритие (*воен.*); **4.** свалям шапка (*за поздрав*).

uncrown [ʌŋˈkraun] *v* детронирам, свалям от престола; *прен.* развенчавам.

unction [ˈʌŋkʃən] *n* **1.** *рел.* помазване; **2.** *рел.* масло, миро, елей; **3.** набожност; екзалтация, афектация; **4.** мазност, неискреност, лицемерие; **5.** наслада, удоволствие.

uncultured [ˈʌŋˈkʌltʃəd] *adj* некултурен, необразован, невъзпитан.

undeceive [ʌndiˈsiːv] *v* изваждам от заблуждение, отварям очите (*за нещо*).

undefined [ʌndiˈfaind] *adj* неопределен; недефиниран.

undemanding [ˈʌndiˈmɑːndiŋ] *adj* **1.** лесен, лек (*за работа*); **2.** непретенциозен, без големи изисквания.

undemocratic [ˈʌnˌdeməˈkrætik] *adj* недемократичен, антидемократичен.

undemonstrative [ˈʌndiˈmɔnstrətiv] *adj* резервиран, сдържан.

under [ˈʌndə] **I.** *prep* **1.** под, отдолу под; ~ **the earth (ground)** под земята; **2.** в подножието на; **3.** при, в процеса на; **he died** ~ **operation** умря при операция; **4.** при, в; съгласно, в съответствие с; ~ **the circumstances (conditions)** при тези обстоятелства (условия); **5.** при, през времето на, под управлението (властта на); **6.** под, към (*дадена рубрика*); **7.** под, по-ниско, по-малко, за по-малко от; **II.** *adv* **1.** долу; надолу; **2.** държа в безсъзнание (*за лекарство, упойка и пр.*); **III.**

adj **1.** долен; по-нисък; ~ **jaw** долна челюст; **2.** подчинен, низш.

underage [ˈʌndəridʒ] *n* недостиг, липса.

under-age [ˈʌndəˈreidʒ] *adj* малолетен, непълнолетен.

undercover [ˌʌndəˈkʌvə] *adj* таен, потаен; работещ под прикритие, секретен; ~ **agent** таен агент.

undercut I. [ˈʌndəˌkʌt] *v* (**undercut**) **1.** подрязвам, подкопавам; **2.** подбивам (*цена*); конкурирам; **II.** *n* **1.** подрязано (подкопано) място; **2.** филе, рибица (*месо*); **3.** удар, насочен отгоре нагоре (*в бокса*).

undergraduate [ˌʌndəˈgrædjuit] **I.** *n* студент; **II.** *attr* студентски.

underground I. [ˈʌndəˈgraund] *adv* **1.** под земята; **2.** подмолно, тайно; **II.** [ˈʌndəgraund] *adj* **1.** подземен, подпочвен; **2.** подмолен, таен, нелегален, задкулисен; **III.** (**the** ~) **1.** метро, подземна железница; **2.** нелегално движение, нелегална организация; **3.** авангард (*в изкуството*).

underived [ˌʌndəˈraivd] *adj* **1.** абсолютен, независим; **2.** с неизследван произход.

underlying [ˌʌndəˈlaiiŋ] *adj* **1.** разположен отдолу; **2.** основен, фундаментален, съществен; ~ **theme** основна тема.

underpin [ˌʌndəˈpin] *v* (**-nn-**) **1.** подпирам, укрепявам (*стена, бряг и пр.*); **2.** подкрепям, поддържам.

underpraise [ˌʌndəˈpreiz] *v* подценявам, не хваля достатъчно.

underprop [ˌʌndəˈprɔp] *v* поддържам, подкрепям (**to** ~ **a reputation**).

underrate [ˈʌndəˈreit] *v* подценявам, недооценявам; отчитам занижени показания (*за прибор*).

underscore [ˌʌndəˈskɔː] *v* подчертавам.

undersea [ˈʌndəˈsiː] *adj* подводен; ~ **currents** подводни течения.

undersign [ˌʌndəˈsain] *v* подписвам (се), слагам подпис.

undersized [ˈʌndəˈsaizd] *adj* маломерен, дребен, недорасъл.

undersong [ˈʌndəˌsɔŋ] *n* **1.** припев, рефрен; съпровождаща мелодия; **2.** *прен.* скрит смисъл.

understand [ˌʌndə'stænd] v (**understood** [ˌʌndə'stud]) **1.** разбирам; **2.** подразбирам, предполагам, досещам се; **3.** научавам, чувам; to give to ~ давам да се разбере; казвам.

understandable [ˌʌndə'stændəbəl] adj разбираем, понятен.

understanding [ˌʌndə'stændiŋ] **I.** n **1.** разбиране, схващане; **2.** разум; схватливост; интелигентност; **3.** разбирателство; споразумение; on the ~ that при условие, че; **4.** pl шег. крака; **II.** adj съчувствен, отзивчив, с разбиране, разбран, разумен.

understudy ['ʌndəˌstʌdi] **I.** n дубльор; **II.** v дублирам, изпълнявам дубльорска роля (for).

undertake ['ʌndəˌteik] v (**undertaken** [ˌʌndə'teikən]; **undertook** [ˌʌndə'tuk]) **1.** заемам се (с); натоварвам се (с); задължавам се, поемам задължение; **2.** предприемам; **3.** захващам (подемам) спор (борба); **4.** разг. собственик съм на погребално бюро, занимавам се с подготовка на погребения; **5.** амер. осмелявам се.

undervalue ['ʌndə'vælju:] v подценявам; оценявам по-ниско от истинската стойност, недооценявам.

underwater ['ʌndə'wɔtə] adj, adv подводен.

undeserved ['ʌndi'zə:vd] adj незаслужен.

undesirable ['ʌndizaiərəbəl] **I.** adj нежелателен; неподходящ; **II.** n **1.** нежелан човек; **2.** тип, тъмна личност.

undestroyable ['ʌndis'trɔiəbəl] adj неразрушим, нерушим.

undetermined [ˌʌndi'tə:mind] adj **1.** нерешен, неопределен; **2.** нерешителен, колеблив.

undeveloped ['ʌndi'veləpt] adj **1.** неразвит; незрял, недоразвит; **2.** необработен, неразработен; незастроен (за земя); **3.** фот. непроявен.

undiluted ['ʌnˌdai'lu:tid] adj **1.** истински, чист, неподправен; **2.** неразреден (за питие).

undimmed ['ʌn'dimd] adj ясен, не-

затъмнен, запазен, бистър (за ум и пр.).

undisciplined ['ʌn'disiplind] adj недисциплиниран, необучен.

undiscomfited ['ʌndis'kʌmfitid] adj невъзмутим; необезкуражен.

undisposed ['ʌndis'pouzd] adj **1.** ненаклонен, несклонен (to c inf); **2.** (обикн. ~ of) непродаден (за стока и пр.); неразпределен (за имущество); ~ **stock**, **stock** ~ **of** непродадени стоки; **3.** остар. неразположен.

undistinguished ['ʌndis'tiŋgwiʃt] adj **1.** незабелязан; **2.** който не се различава (разграничава, отделя); незабележим, неоткрояващ се; **3.** посредствен, обикновен.

undivided ['ʌndi'vaidid] adj **1.** неделен, цял; единен; ~ **opinion** единодушно мнение; **2.** неразделен (**from**).

undo [ʌn'du:] v (**undid** [ʌn'did]; **undone** [ʌn'dʌn]) **1.** развалям, отменям; разглобявам (машина, автомобил и под.); **2.** разкопчавам; развързвам; отварям (пакет); **3.** остар. погубвам.

undoing [ʌn'du:iŋ] n **1.** разваляне; отменяне; поправяне; анулиране; **2.** разкопчаване; развързване; отваряне; **3.** погубване; унищожение; загиване, гибел; причина на загиване.

undomesticated ['ʌndə'mestikeitid] adj **1.** неопитомен, див (за животно); **2.** непривързан към семейството, неподходящ за семеен живот.

undone [ʌn'dʌn] adj **1.** разкопчан; развързан; отворен; to come ~ разкопчавам се, развързвам се, отварям се; **2.** погубен, изгубен, загинал; **3.** несвършен, недовършен, незавършен, ненаправен.

undoubted [ʌn'dautid] adj несъмнен; безспорен.

undress **I.** ['ʌn'dres] v събличам (се); **II.** ['ʌnˌdres] n домашно облекло, неглиже; воен. делнична (непарадна) униформа; **III.** adj всекидневен, неофициален, деличен (за облекло).

undressed [ʌn'drest] adj **1.** необлечен, (раз)съблечен; **2.** необрабо-

тен (за кожа и пр.); **3.** непревързан (за рана); **4.** несресан, нефризиран (за коса); **5.** ненареден (за витрина и пр.); **6.** необогатен (за руда).

undue ['ʌn'dju:] adj **1.** прекален, прекомерен; **2.** неподходящ; несвоевременен, ненавременен; неприличен; нереден; **3.** неоправдан; ~ **optimism** неоправдан оптимизъм; **4.** незаконен; ~ **influence** незаконно въздействие; **5.** още неизтекъл, непресрочен (за полица и пр.).

undulate ['ʌndjuleit] **I.** v **1.** вълнувам се (за вода, нива и пр.); люшкам се, люлея се; **2.** хълмист е (за местност, терен); **II.** adj вълнист; с вълнообразен ръб.

undulation [ˌʌndju'leiʃən] n **1.** вълнение, вълнообразно движение; люшкане, люлеене; **2.** вълнообразна повърхност; вдлъбнатина, издутина (на терен); неравност по повърхнина; **3.** физ. pl трептения.

undying [ʌn'daiiŋ] adj безсмъртен, вечен; ~ **hatred** нестихваща омраза.

unearthly [ʌn'ə:θli] adj **1.** свръхестествен, тайнствен; неземен; **2.** страшен, страховит; призрачен; странен, абсурден, нечовешки; ~ **pallor** мъртвешка бледост.

uneasiness [ʌn'i:zinis] n **1.** неудобство; неловкост; **2.** смущение, стеснение; **3.** неспокойствие; тревога, вълнение, безпокойство.

uneducated ['ʌn'edjukeitid] adj необразован, неук; неграмотен.

unelastic [ˌʌni'læstik] adj нееластичен, твърд, корав.

unemotional ['ʌni'məuʃənəl] adj неемоционален, безчувствен; ◇ adv **unemotionally**.

unemployed ['ʌnim'plɔid] **I.** adj **1.** незает, неангажиран, свободен; неизползван; **2.** безработен; **II.** n (the ~) pl безработните.

unemployment ['ʌnim'plɔimənt] n безработица.

unenclosed [ˌʌnin'klouzd] adj открит, незатворен.

unending [ʌn'endiŋ] adj безкраен, нескончаем.

unendurable [ʌnin'djuərəbəl] adj непоносим, нетърпим.

unenlivened [ʌnin'laivənd] adj еднообразен; неукрасен; неоживен (by).

unentangled [ʌnin'tæŋgld] adj свободен, необвързан (with).

unenterprising [ʌn'entəpraiziŋ] adj непредприемчив, без инициатива, неинициативен.

unequal [ʌn'i:kwəl] I. adj 1. неравен, нееднакъв (по големина, качество, тегло и пр.); зле подбран; различен; 2. неравен, нередовен, неправилен, аритмичен (за пулс и пр.); 3. неравен, зле съчетан; 4. неподходящ, негоден, не на нужната висота (to); несъответстващ, неадекватен; ◇ adv unequally; II. n неравен.

unequipped [ʌni'kwipt] adj неподготвен, неприспособен, неекипиран, без необходимите съоръжения и приспособления.

unequivocal [ʌni'kwivəkəl] adj 1. недвусмислен, ясен; определен; 2. категоричен, абсолютен, неограничен, безусловен; ◇ adv unequivocally.

unerring [ʌn'ə:riŋ] adj безпогрешен, непогрешим; to fire with ~ aim стрелям безпогрешно.

unethical [ʌ'neθikəl] adj неетичен, неморален.

unexceptionable [ʌnik'sepʃənəbəl] adj безупречен, отличен, безукорен; срещу който нищо не може да се каже, превъзходен, забележителен, съвършен.

unexpendable [ʌniks'pendəbəl] adj 1. абсолютно необходим; незаменим; 2. неизчерпаем.

unexplored [ʌniks'plɔ:d] adj неизследван, неизучен, непроучен.

unfair [ʌn'feə] adj 1. несправедлив; пристрастен; 2. нечестен; неправилен; нелоялен; ◇ adv unfairly.

unfaithfulness [ʌn'feiθfulnis] n 1. невярност; нелоялност; изневяра; вероломство; 2. неточност (на превод и пр.).

unfasten [ʌn'fa:sn] v развързвам, разкопчавам, освобождавам; отхлабям; to ~ o.'s hold отпускам.

unfathomable [ʌn'fæðəməbəl] adj 1.

неизмерим, безкраен, бездънен; 2. необясним; неразгадаем; непроницаем (за лице и пр.).

unfeeling [ʌn'fi:liŋ] adj 1. безчувствен; 2. безсърдечен, коравосърдечен.

unfinished [ʌn'finiʃt] adj 1. недовършен, незавършен; 2. груб, недообработен, нешлифован.

unfirmented [ʌn'fə:mentid] adj безграничен, безпределен.

unfit I. [ʌn'fit] adj негоден; неподходящ (for); ~ to eat, ~ for food негоден за ядене; II. [ʌn'fit] v (-tt-) правя негоден (for).

unforced [ʌn'fɔ:st] adj непринуден, свободен; доброволен.

unfruitful [ʌn'fru:tful] adj 1. неплодороден; 2. неплодотворен, безрезултатен, напразен.

ungainliness [ʌn'geinlinis] n тромавост, несръчност, непохватност.

ungainly [ʌn'geinli] adj тромав, несръчен, непохватен.

unglue [ʌn'glu:] v разлепвам.

ungodly [ʌn'gɒdli] adj 1. ненабожен; който не зачита бога; безверен, безбожен (и прен.); невярващ; 2. нетърпим, ужасен, възмутителен; нелеп.

ungovernable [ʌn'gʌvənəbəl] adj необуздан; невъздържан, непокорен, неукротим.

ungraded [ʌn'greidid] adj 1. нестандартен; 2. с по-ниско качество.

ungrateful [ʌn'greitful] adj неблагодарен (и за работа); непризнателен; ◇ adv ungratefully.

ungrudging [ʌn'grʌdʒiŋ] adj щедър, с широко сърце; (из)обилен.

unguarded [ʌn'ga:did] adj 1. непредпазлив, необмислен; невнимателен; 2. незащитен; без предпазител (за механизъм); ◇ adv unguardedly.

ungulate [ʌnɡjuleit] зоол. I. adj копитен; II. n копитно животно.

unhappiness [ʌn'hæpinis] n 1. мъка, грижа; нещастие, злочестина; 2. неудачност, несполучливост.

unhappy [ʌn'hæpi] adj 1. нещастен, злочест; 2. неудачен, несполучлив, неподходящ, неуместен; злополучен.

unhealthy [ʌn'helθi] adj 1. болен; нездрав, болезнен (и прен.); 2. нездравословен, нехигиеничен, вреден за здравето; 3. sl опасен.

unhelpful [ʌn'helpful] adj 1. неотзивчив, неуслужлив; 2. който не помага, не допринася нищо.

unhitch [ʌn'hitʃ] v откачам, откопчавам.

unholy [ʌn'houli] adj 1. неосветен; 2. дяволски, сатанински; нечист, нечестив, порочен; 3. безбожен, безверен; 4. разг. отвратителен, ужасен, страшен.

unhygienic [ʌn,hai'dʒi:nik] adj нехигиеничен, мръсен.

unicellular [,ju:ni'seljulə] adj едноклетъчен.

unideal [ʌnai'diəl] adj 1. материалистически, реалистичен; 2. скучен, прозаичен.

unification [,ju:nifi'keiʃən] n обединяване, обединение; унификация.

uniform ['ju:nifɔ:m] I. adj 1. еднакъв, един и същ; еднообразен; униформен; 2. постоянен, непроменлив; 3. еднороден; II. n униформа, униформено облекло; out of ~ без униформа, цивилен; III. v обличам в униформа; уеднаквявам.

unify ['ju:nifai] v 1. обединявам; 2. унифицирам, уеднаквявам.

unilateral ['ju:nilætərəl] adj едностранен.

unimpassioned [,ʌnim'pæʃənd] adj спокоен, отмерен; безстрастен.

unimpeachability [,ʌnimpi:tʃə'biliti] n 1. безупречност; 2. несъмненост.

unimpressed [,ʌnim'prest] adj безучастен, безразличен, неубеден.

union ['ju:niən] I. n 1. съюз (и брачен); обединение; 2. професионален съюз, трейдюнион; closed ~ профсъюз с ограничен брой членове; 3. обединение на няколко енории за прилагане закон за подпомагане на бедните; приют за бедни; 4. техн. сглобка, връзка; муфа; съединение; нипел; II. adj профсъюзен.

unison ['ju:nisən] n 1. муз. унисон; 2. съгласие, хармония; in ~ with в съгласие с.

unit ['ju:nit] *n* **1.** единица; цяло; **2.** единица мярка; мерна единица; **3. воен.** част, поделение; подразделение; **4. техн.** елемент; възел; блок; секция, участък, отсек; агрегат; уредба.

unite [ju:'nait] *v* **1.** съединявам (се), свързвам (се); свързвам (се) в брак; **2.** обединявам (се).

united [ju:'naitid] *adj* съединен, обединен; единен; свързан; съвместен, (за)дружен; **U. Nation** Организация на обединените нации.

unity ['ju:niti] *n* **1.** единство; **2.** съгласие, хармония; дружба, сплотеност; **3. мат.** единица; **4. юр.** съвместно владение, съсобственост.

universal [,ju:ni'və:səl] **I.** *adj* **1.** световен, всемирен; всеобщ; универсален; **2.** (все)общо; широкоразпространен; общоприет; ◇ *adv* **universally; II.** *n* **1. лог.** общо изказване; **2. филос.** обща идея; общ термин.

universe ['ju:nivə:s] *n* **1.** мир, вселена, космос; **2.** човечеството; населението на Земята.

university [,ju:ni'və:siti] *n* университет; *attr* университетски, висш; **to be a ~ man** имам висше образование.

unjoin [ʌn'join] *v* отделям, разделям, разединявам.

unjoint [ʌn'dʒoint] *v* разглобявам.

unjust [,ʌn'dʒʌst] *adj* несправедлив; ◇ *adv* **unjustly.**

unlawful [,ʌn'lɔ:ful] *adj* незаконен, противозаконен; забранен, запретен; извънбрачен.

unleaded [ʌn'ledid] *adj* безоловен.

unlearned ['ʌn'lə:nid] *adj* **1.** неук, необразован, неграмотен; **2.** ненаучен; незаучен.

unlettered ['ʌn'letəd] *adj* неграмотен, необразован, илитерат; неначетен.

unlikely [ʌn'laikli] **I.** *adj* **1.** невероятен, малко вероятен; неправдоподобен; **~ sight** невероятна гледка; **2.** от който малко може да се очаква нещо; необещаващ; **II.** *adv* едва ли.

unlink [ʌn'liŋk] *v* откачам; разединявам.

unlock [ʌn'lɔk] *v* отключвам, отварям.

unloose(n) [ʌn'lu:s(n)] *v* отпущам, разхлабвам.

unlovely ['ʌn'lʌvli] *adj* неприятен, грозен, непривлекателен, противен.

unlucky [ʌn'lʌki] *adj* **1.** нещастен, без късмет; неудачен; **to be ~** нямам късмет; **2.** нещастен; който носи нещастие; **it is ~** това носи нещастие; **3.** ненавременен.

unmake [ʌn'meik] *v* (**unmade** [ʌn'meid]) **1.** развалям, унищожавам (нещо направено); анулирам, отменям; погубвам; **2.** преправям; **3.** разжалвам, понижавам (в чин, звание).

unmask [,ʌn'ma:sk] *v* свалям (някому) маската, свалям си маската (и прен.); разобличавам.

unmerited [ʌn'meritid] *adj* незаслужен.

unmethodical [,ʌnmi'θɔdikl] *adj* неметодичен; безсистемен, объркан.

unmistakable ['ʌnmis'teikəbəl] *adj* несъмнен, ясен, очевиден; ясно забележим; ◇ *adv* **unmistakably** ['ʌnmis'teikəbli]

unmixed ['ʌn'mikst] *adj* чист, непримесен, без примес.

unmoral [ʌn'mɔ:rəl] *adj* аморален, безнравствен.

unmoved ['ʌn'mu:vd] *adj* **1.** непреклонен; равнодушен; **to be ~ by** не се трогвам от; **2.** непокътнат, непобутнат, непреместен, неподвижен.

unnail [ʌn'neil] *v* отковавам, разковавам.

unnamed ['ʌnneimd] *adj* **1.** безимен, анонимен; **2.** неспоменат.

unnatural [ʌn'nætʃərəl] *adj* **1.** неестествен, престорен; странен, необичаен; **2.** противоестествен, чудовищен; ◇ *adv* **unnaturally.**

unnavigable [ʌn'nævigəbəl] *adj* неплавателен.

unnerve [ʌn'nə:v] *v* изплашвам; смущавам; обезкуражавам.

unnerving [ʌn'nə:viŋ] *adj* стряскащ, смущаващ, обезкуражаващ; ◇ *adv* **unnervingly.**

unnumbered ['ʌn'nʌmbəd] *adj* **1.**

непреброен; **2.** неномериран; **3.** безброен, безчислен, несметен.

unoccupied ['ʌn'ɔkjupaid] *adj* **1.** свободен, празен, незает (за жилище, място и пр.); неокупиран; необитаем, пуст; **2.** свободен, незает (за човек, време и пр.).

unofficial ['ʌnə'fiʃəl] *adj* неофициален; ◇ *adv* **unofficially.**

unoriginal [,ʌnə'ridʒinl] *adj* неоригинален, заимстван; банален, изтъркан.

unpack ['ʌn'pæk] *v* **1.** разопаковам, изваждам (от куфар и пр.); **2.** разшифровам; **3.** облекчавам.

unperishing [ʌn'periʃiŋ] *adj* вечен; безсмъртен; незагиващ.

unpick ['ʌn'pik] *v* разпарям.

unpitying [ʌn'pitiiŋ] *adj* безмилостен, безжалостен, коравосърдечен, жесток.

unplumbed [ʌn'plʌmd] *adj* **1.** неизмерен, бездънен; **2.** недостатъчно изследван.

unpreventable ['ʌnpri'ventəbəl] *adj* неизбежен, непредотвратим.

unprincipled [ʌn'prinsipld] *adj* без принципи, безпринципен, безскрупулен; безнравствен.

unprivileged [ʌn'privilidʒd] *adj* непривилегирован.

unprobed [ʌn'proubd] *adj* неизследван.

unproductive ['ʌnprə'dʌktiv] *adj* непродуктивен; безрезултатен, неплодотворен.

unprofessional ['ʌnprə'feʃənəl] *adj* **1.** без професия; **2.** непрофесионален; не на специалист; **3.** несъответстващ на етиката на дадена професия.

unprofitable [ʌn'prɔfitəbəl] *adj* недоходен; неизгоден; нерентабилен; безполезен.

unprogressive ['ʌnprəg'resiv] *adj* непрогресивен, реакционен.

unprompted [ʌn'prɔmptid] *adj* спонтанен; неподсказан от друг, невнушаван.

unprotected ['ʌnprə'tektid] *adj* **1.** незащитен; беззащитен; **2.** открит, неукрепен (за град и пр.); **3.** незащитен с вносни мита.

unprovable [ʌn'pru:vəbəl] *adj* недоказуем.

unprovided [ˌʌnprə'vaidid] *adj* лишен, неосигурен (**with**); неподготвен; необезпечен.

unpublished [ˌʌn'pʌbliʃt] *adj* непубликуван, неиздаден; необнародван; който не е направен общо достояние.

unpunctual [ˌʌn'pʌŋktʃuəl] *adj* неточен.

unpunctuality [ˌʌnˌpʌŋktʃu'æliti] *n* неточност.

unputdownable [ˌʌnˌput'daunəbəl] *adj* много интересен, увлекателен (*за книга, четиво*).

unpuzzle [ˌʌn'pʌzl] *v* разгадавам, разрешавам, отгатвам.

unqualified [ˌʌn'kwɔlifaid] *adj* 1. неквалифициран; неправомощен; некомпетентен; негоден, неподходящ (**for something, to do something**); 2. абсолютен, безусловен, неограничен, решителен, пълен; изричен.

unquantifiable [ˌʌn'kwɔntifaiəbəl] *adj* неизчислим, неизмерим.

unquestionable [ˌʌn'kwestʃənəbəl] *adj* несъмнен, неоспорим, сигурен.

unquiet [ʌn'kwaiət] I. *adj* неспокоен, развълнуван, безпокоен; II. *n* безпокойство.

unquotable [ʌn'kwoutəbəl] *adj* нецензурен; който не може да се цитира.

unravel [ʌn'rævl] *v* 1. разнищвам, разплитам; оправям (*объркани конци и пр.*); 2. разгадавам; обуславям; разкривам.

unreal [ʌn'riəl] *adj* недействителен; нереален; въображаем; призрачен; лъжлив.

unrealized [ʌn'riəlaizd] *adj* 1. несъществен, нереализиран; неизпълнен; 2. неосъзнат; неоценен.

unreason [ʌn'riːzn] I. *n* глупост, безумие; неразумност; абсурдност; II. *v* карам (някого) да загуби разсъдъка си.

unrecognized [ʌn'rekəgnaizd] *adj* неразпознат, непризнат.

unrecompensed [ʌn'rekəmpenst] *adj* неотплатен, невъзмезден, некомпенсиран; без награда (отплата).

unreconcilable [ʌn'rekənsailəbəl]

adj непримирим.

unrefined [ˌʌnri'faind] *adj* 1. нерафиниран, непречистен; 2. недодялан, груб, просташки.

unregistered [ˌʌn'redʒistəd] *adj* нерегистриран.

unrehearsed [ˌʌnri'həːst] *adj* неподготвен; непредумишлен; непредвиден, неочакван; спонтанен.

unrelenting [ˌʌnri'lentiŋ] *adj* 1. неумолим, непримирим; ожесточен; жесток; безмилостен; 2. неспирен, безспирен, неотслабващ.

unremarkable [ˌʌnri'maːkəbəl] *adj* незабележителен, обикновен.

unremunerative [ˌʌnri'mjuːnərətiv] *adj* недоходен, неизгоден, нерентабилен.

unrepresentative [ˌʌnrepri'zentətiv] *adj* нетипичен, нехарактерен (**of**); ~ **sample** лоша мостра.

unrequited [ˌʌnri'kwaitid] *adj* 1. несподелен, който не е взаимен; ~ **love** несподелена любов; 2. неотплатен, невъзнаграден; 3. неотмъстен.

unreserve [ˌʌnri'zəːv] *n* 1. невъздържаност; несдържаност; 2. откровеност.

unreserved [ˌʌnri'zəːvd] *adj* 1. невъздържан; 2. прям, открит, откровен; 3. пълен, решителен, безусловен (*за подкрепа и пр.*); 4. неангажиран предварително, свободен (*за място и пр.*).

unresolved [ˌʌnri'zɔlvd] *adj* 1. нерешителен; 2. несигурен; който още се колебае; 3. неразрешен; неразгадан; 4. неанализиран; неразделен на съставните му части.

unresponsive [ˌʌnris'pɔnsiv] *adj* неотзивчив, студен, нереагиращ.

unrest [ʌn'rest] *n* 1. неспокойствие, безпокойство; вълнение; 2. смут, вълнения, безпорядък; **political** ~ политически вълнения.

unresting [ʌn'restiŋ] *adj* неуморен, неуморим.

unrestricted [ˌʌnris'triktid] *adj* неограничен, свободен.

unrewarded [ˌʌnri'wɔːdid] *adj* неуспял, неуспешен, безуспешен.

unriddle [ʌn'ridl] *v* разгадавам, отгатвам, решавам, обяснявам.

unrifled [ʌn'raifld] *adj* неограбен,

неоплячкосан.

unripe [ʌn'raip] *adj* неузрял, зелен; *прен.* незрял, недозрял; непригоден (**for**).

unroll [ʌn'roul] *v* развивам (се), разгръщам (се).

unromantic [ˌʌnrou'mæntik] *adj* неромантичен, прозаичен.

unroof [ʌn'ruːf] *v* свалям покрива (на).

unroot [ʌn'ruːt] *v* изкоренявам, изскубвам, изтръгвам с корена.

unruffled [ʌn'rʌfld] *adj* невъзмутим; спокоен, гладък (*за море и пр.*); приглаген (*за коса*).

unruly [ʌn'ruːli] *adj* непокорен, непослушен, буен.

unsafe [ʌn'seif] *adj* несигурен, опасен, ненадежден.

unsaid [ʌn'sed] *adj* неизречен, неизказан; **to leave something** ~ не казвам нищо.

unsatisfactory [ˌʌnˌsætis'fæktəri] *adj* незадоволителен, неудовлетворителен.

unschooled [ʌn'skuːld] *adj* 1. необучен; неопитен (**in**); 2. неук; 3. спонтанен, вроден, естествен (*за чувство*).

unscientific [ˌʌnˌsaiən'tifik] *adj* ненаучен; противонаучен, антинаучен.

unscrupulous [ʌn'skrʌpjuləs] *adj* безскрупулен; безпринципен, безсъвестен; който не подбира средства.

unseal [ʌn'siːl] *v* разпечатвам; отварям; **to** ~ **the future** разкривам бъдещето.

unseeing [ʌn'siːiŋ] *adj* 1. който не вижда; сляп; **to look at s.o. with** ~ **eyes** гледам някого, без да го виждам; 2. ненаблюдателен; 3. доверчив, лековерен, неподозиращ; ◇ *adv* **unseeingly**.

unseemly [ʌn'siːmli] *adj* 1. неприличен, непристоен; неподобаващ; 2. неподходящ за случая.

unset [ʌn'set] I. *v* (**unset**) 1. демонтирам; 2. *мед.* счупвам (*лошо зараснала или гипсирана кост*); II. *adj* 1. немонтиран; 2. *мед.* ненаместен (*за кост*); 3. невтвърден (*за цимент и пр.*).

unsettle [ʌn'setəl] *v* 1. размествам,

разбърквам; нарушавам порядъка; 2. разстройвам, обърквам; to ~ s.o.'s reason помрачавам разума на някого.

unsettled ['ʌn'setəld] *adj* 1. нестабилен, несигурен; променлив; неустановен; 2. неразрешен, неуреден (*за въпрос*); неуреден, неплатен (*за сметка*); 3. без определено местожителство; 4. ненаселен; неколонизиран (*за страна*); 5. *хим.* неизбистрен.

unsettling ['ʌn'setliŋ] *adj* обезпокоителен.

unsew ['ʌn'sou] *v* (-sewed [-soud]; -sewn [-soun]) разшивам.

unshadowed ['ʌn'ʃædoud] *adj* непомрачен, безоблачен, ясен.

unshakable [ʌn'ʃeikəbəl] *adj* непоклатим, непоколебим; ◇ *adv* unshakably [ʌn'ʃeikəbli].

unshapely ['ʌn'ʃeipli] *adj* безформен, обезформен; некрасив.

unshared [ʌn'ʃɛəd] *adj* неразпределен, неразделен.

unshatterable [ʌn'ʃætərəbəl] нечуплив, нетрошлив (*за стъкло*).

unshrinking [ʌn'ʃriŋkiŋ] *adj* неустрашим, смел, твърд, непоколебим, решителен.

unsightly [ʌn'saitli] *adj* грозен, противен, отвратителен, непривлекателен, неугледен.

unskilful ['ʌn'skilful] *adj* несръчен, неумел, непохватен.

unskilled ['ʌn'skild] *adj* неквалифициран; необучен; неопитен; ~ labour общи работници, неквалифицирана работна ръка.

unsleeping ['ʌn'sli:piŋ] *adj* буден, бдителен, който не спи.

unsociable ['ʌn'souʃəbəl] *adj* необщителен, саможив, сдържан.

unsocial ['ʌn'souʃəl] *adj* антисоциален, антиобществен.

unsoiled ['ʌn'sɔild] *adj* незамърсен, чист.

unsolicited ['ʌnsə'lisitid] *adj* доброволен; спонтанен.

unsophisticated ['ʌnsə'fistikeitid] *adj* 1. простодушен; безизкуствен; наивен; 2. чист, неподправен, непримесен, нефалшифициран.

unsound ['ʌn'saund] *adj* 1. нездрав, болен; болезнен; of ~ mind не-

нормален; душевноболен; 2. дефектен, недоброкачествен; нездрав, развален, (за)гнил (*за плод и пр.*); 3. погрешен; неоснован (*за довод и пр.*); 4. ненадежден; несигурен, рискован (*за план и пр.*).

unsparing [ʌn'spɛəriŋ] *adj* 1. безмилостен, безпощаден; 2. щедър, разточителен (of, in); to be ~ of o.'s health (strength) не си щадя здравето (силите).

unspiritual ['ʌn'spirit[uəl] *adj* светски; материалистичен.

unspoken ['ʌn'spoukn] *adj* неизказан, неизречен, неизразен; мълчалив (*за съгласие и пр.*).

unsteady ['ʌn'stedi] I. *adj* 1. неустойчив, несигурен; to be ~ on o.'s feet не стоя (не се държа) здраво на краката си, клатушкам се; 2. непостоянен, променлив (*за барометър и пр.*); 3. разпътен, безпътен; ◇*adv* unsteadily; II. *v амер.* правя неустойчив.

unstressed ['ʌn'strest] *adj език.* неударен, без ударение; неподчертан.

unsubdued ['ʌnsəb'dju:d] *adj* непокорен; невъздържан.

unsubstantial ['ʌnsəb'stænʃəl] *adj* 1. несъществен; 2. невеществен; нематериален; нетелесен; без тегло (маса); 3. призрачен, празен; нереален; 4. лек, непитателен, нехранителен (*за ядене*).

unsubstantiated ['ʌnsəb'stænʃieitid] *adj* непотвърден; неподкрепен; недоказан.

unsuccess ['ʌnsək'ses] *n* неуспех.

unsuccessful ['ʌnsək'sesful] *adj* неуспешен; безуспешен; неуспял, пропаднал (*за кандидат и пр.*); the ~ party страната, която е изгубила делото; ◇ *adv* unsuccessfully.

unsusceptible ['ʌnsə'septibəl] *adj* неподатлив, невъзприемчив (to).

unswear ['ʌn'swɛə] *v* отказвам се (отричам се) от клетва (от това, в което съм се заклел).

unswerving [ʌn'swə:viŋ] *adj* 1. непоколебим, твърд; без отклонение; 2. верен (*човек, дружба*).

unsymmetrical ['ʌnsi'metrikl] *adj* несиметричен, несъизмерен.

unsympathetic ['ʌn‚simpə'θetik] *adj* 1. несъчувствен, безразличен, студен, равнодушен; 2. антипатичен, несимпатичен, неприятен.

unsystematic ['ʌn‚sisti'mætik] *adj* несистемен, безсистемен; несистематичен.

untactful ['ʌn'tæktful] *adj* нетактичен.

untamed ['ʌn'teimd] *adj* 1. див, неопитомен; 2. неукротим, буен, необуздан.

untangle ['ʌn'tæŋgl] *v* оправям, разплитам (*нещо объркано*); освобождавам.

untasted ['ʌn'teistid] *adj* 1. невкусен, неизпитан; 2. недокоснат; to leave o.'s food ~ не се докосвам до яденето си.

untaught ['ʌn'tɔ:t] *adj* 1. неук, необразован; необучен, невеж; 2. природен, естествен, вроден.

untaxed ['ʌn'tækst] *adj* необложен с данък (данъци); необмитяем.

untenantable ['ʌn'tenəntəbəl] *adj* негоден за живеене, необитаем.

untenanted ['ʌn'tenəntid] *adj* свободен, празен, незает (*за жилище и пр.*).

untended ['ʌn'tendid] *adj* изоставен, занемарен.

untested ['ʌn'testid] *adj* неизпитан, неизпробван, неизследван.

unthankful ['ʌn'θæŋkful] *adj* неблагодарен, непризнателен.

unthinkable [ʌn'θiŋkəbəl] *adj* немислим; невъобразим; *разг.* невъзможен, неправдоподобен, невероятен.

unthinking ['ʌn'θiŋkiŋ] *adj* лекомислен; прибързан; in an ~ moment в момент на лекомислие, без да му мисля много; ◇*adv* unthinkingly.

unthrone ['ʌn'θroun] *v* свалям от престола, детронирам.

untidiness [ʌn'taidinis] *n* несретнатост; разбърканост, безредие, безпорядък.

untidy [ʌn'taidi] *adj* несретнат; разбъркан, в безпорядък, в безредие; небрежен.

untie ['ʌn'tai] *v* развързвам, отвързвам; освобождавам.

untied [ʌn'taid] *adj* развързан.

until [ʌn'til] I. *prep* до; II. *cj* докато.

untilled ['ʌn'tild] *adj* необработен, неразоран.

untimeliness [ʌn'taimlinis] *n* 1. ненавременност; несвоевременност; преждевременност; 2. неуместност.

untinged ['ʌn'tindʒd] *adj* 1. неоцветен; 2. непредубеден.

untiring [ʌn'taiəriŋ] *adj* неуморен, неуморим; ◇ *adv* **untiringly**.

untitled ['ʌn'taitld] *adj* 1. нетитулован, без титла; 2. без заглавие.

untold ['ʌn'tould] *adj* 1. неразказан; 2. несметен, безчетен.

untouched [ʌn'tʌtʃt] *adj* непроменен, непокътнат, недокоснат, незасегнат.

untoward [ʌn'touəd] *adj* 1. неблагоприятен, нещастен, неудачен; 2. несръчен; 3. *остар.* непокорен, своенравен, опак.

untrained ['ʌn'treind] *adj* 1. неопитен; 2. недресиран; нетрениран; 3. необучен, неподготвен (*за войник*).

untranslatable ['ʌntra:nsleitəbəl] *adj* непреводим.

untraversed ['ʌn'trævəst] *adj* 1. непрекосен, непреминат; непреброден; 2. неопроверган; неоспорен.

untreated [ˌʌn'tri:tid] *adj* 1. необработен, суров; 2. необогатен; 3. нелекуван.

untroubled ['ʌn'trʌbld] *adj* спокоен.

untrue ['ʌn'tru:] *adj* 1. неверен (to); 2. лъжлив, фалшив, неверен, неправилен, неточен; несъответстващ; отклоняващ се от образеца; ~ **to type** *биол.* без характерните расови белези; несъответстващ на образеца.

untrustworthy ['ʌn'trʌstwə:ði] *adj* 1. ненадежден, несигурен, на който то не може да се разчита; 2. недостоверен.

untruth ['ʌn'tru:θ] *n* 1. лъжливост, фалшивост; 2. лъжа, неистина.

untuck ['ʌn'tʌk] *v* 1. смъквам, спускам, разгъвам; 2. разпарям, отпускам (*набор, плисе*).

untuneful ['ʌn'tju:nful] *adj* немелодичен; дисхармоничен.

untutored ['ʌn'tju:təd] *adj* 1. необучен, неопитен (in); 2. груб, невъз-

питан; 3. наивен, простодушен.

untwist ['ʌn'twist] *v* разплитам (се), разсуквам (се); изправям.

untypical ['ʌn'tipikl] *adj* нетипичен.

unusable [ʌn'ju:zəbəl] *adj* неизползваем, негоден за ползване.

unusual [ʌn'ju:ʒəl] *adj* необикновен, необичаен, странен, рядък; забележителен; ◇ *adv* **unusually**.

unutterable [ʌn'ʌtərəbəl] *adj* 1. неизразим, неизказан, неописуем; ~ **fool** *разг.* невъзможен глупак; 2. непроизносим; ◇ *adv* **unutterably** [ʌn'ʌtərəbli].

unvalued [ʌn'vælju:d] *adj* неоценен, неоценим.

unvaried [ʌn'vɛərid] *adj* 1. еднообразен, монотонен, скучен; 2. постоянен, неизменен.

unvarnished [ˌʌn'va:niʃt] *adj* 1. нелакиран; 2. *прен.* нелустросан, неукрасен; ~ **truth** гола истина.

unvarying [ʌn'vɛəriŋ] *adj* постоянен, неизменен.

unventilated ['ʌn'ventileitid] *adj* 1. непроветрен, задушен; без вентилация; 2. още неразискан.

unventuresome ['ʌn'ventʃəsəm] *adj* непредприемчив, нерешителен.

unverified ['ʌn'verifaid] *adj* непроверен, недоказан.

unviable ['ʌn'vaiəbəl] *adj* нежизнеспособен.

unviciated [ʌn'viʃieitid] *adj* чист, непокварен.

unviolated ['ʌn'vaiəleitid] *adj* ненакърнен; непокътнат; неосквернен.

unvocal ['ʌn'voukl] *adj* 1. въздържан, мълчалив; 2. немелодичен.

unvoiced ['ʌn'voist] *adj* 1. неизразен; непроизнесен; 2. *език.* беззвучен.

unwanted ['ʌn'wontid] *adj* нежелан; излишен; ненужен, нежелателен.

unwarned ['ʌn'wo:nd] *adj* непредубеден.

unwarpt ['ʌn'wo:pt] *adj* 1. неизметнат, неизкривен; 2. непредубеден, обективен.

unwarrantable [ʌn'worəntəbəl] *adj* неоправдан; непростим; недопустим.

unwarranted *adj* 1. ['ʌn'worəntid] негарантиран, без гаранция; 2.

[ʌn'worəntid] неоправдан; непозволен, незаконен.

unwary [ʌn'wɛəri] *adj* непредпазлив, невнимателен, необмислен, прибързан, извършен презглава; ◇ *adv* **unwarily**.

unwashed [ʌn'woʃt] *adj* 1. немит, непран, нечист, мръсен; 2. не на брега на (*море или река*) (by).

unwater [ʌn'wo:tə] *v* отводнявам, изчерпвам (изпомпвам) вода.

unwavering [ʌn'weivəriŋ] *adj* твърд, непоколебим, нетрепващ.

unwearied [ʌn'wiərid] *adj* неуморен; неуморим, настойчив.

unwed(ded) ['ʌn'wed(id)] *adj* невенчан; неженен.

unwelcome [ʌn'welkəm] *adj* нежелан, неприятен; нежелателен.

unwell [ʌn'wel] *adj* неразположен, болен, нездрав.

unwholesome [ʌn'houlsəm] *adj* 1. нездравословен, нехигиеничен; 2. болнав; 3. вреден, нездрав (*за влияние и пр.*).

unwieldly [ʌn'wi:ldli] *adj* неудобен, тежък, мъчен за носене (*за предмет*); 2. тежък, тромав (*за човек*).

unwilling ['ʌn'wiliŋ] *adj* несклонен, неохотен; неблагоразположен.

unwisdom ['ʌn'wizdəm] *n* глупост, неблагоразумие.

unwise [ʌn'waiz] *adj* глупав, неблагоразумен, неразумен; ◇ *adv* **unwisely**.

unwished (for) [ʌn'wiʃt,fɔ:] *adj* нежелан.

unwitting [ʌn'witiŋ] *adj* 1. неволен, несъзнателен, непреднамерен; неумишлен, случаен; ◇ *adv* **unwittingly**; 2. който не знае (не съзнава, не усеща) (of).

unwomanly [ʌn'wumənli] *adj* неженствен; недостоен за жена.

unwonted ['ʌn'wountid] *adj* 1. необичаен, непривичен, необикновен, рядък; 2. несвикнал, непривикнал (to).

unwooded ['ʌn'wudid] *adj* незалесен, гол.

unworkable ['ʌn'wə:kəbəl] *adj* 1. неприложим; негоден за работа; неподдаващ се на обработка; 2. мъчен за управляване; 3. който

не може да се експлоатира (*за мина и пр.*).

unworkmanlike [ʌn'wə:kmənlaik] *adj* неумел, несръчен, любителски, нескопосен (*за работа*).

unworldly [ʌn'wə:ldli] *adj* **1.** несветски, чужд на света; безкористен; безпомощен; духовен; **2.** не от този свят; неземен, божествен (*за красота и пр.*); **3.** наивен.

unwrap [ʌn'ræp] *v* (**-pp-**) развивам, разгръщам, отварям (*пакет и пр.*).

unwritten ['ʌn'ritn] *adj* неписан; незаписан.

unyielding [ʌn'ji:ldiŋ] *adj* **1.** непоклатим, неподвижен; неподатлив; който не се поддава (не мърда); **2.** неотстъпчив, упорит, непоколебим, твърд; **3.** устойчив, труднодеформируем.

unzip [ʌn'zip] *v* (**-pp-**) **1.** отварям, разкопчавам цип (*на дреха*); **2.** пречупвам, преодолявам (*съпротива*); **3.** разрешавам задача; завършвам (*нещо*) успешно.

up [ʌp] **I.** *adv* **1.** нагоре, горе; погоре; **all the way ~** до горе; **to come ~ in the world** *прен.* издигам се; **2.** вдигнат; станал, на крака; не в леглото; **her hair was ~ in a bun** косата й беше вдигната на кок; **to stay ~ late** не си лягам (стоя) до късно; **3.** покачен, повишен, увеличен (*за температура, цени и пр.*); **his blood (bad temper) was ~** той кипна (избухна), беше кипнал; **4.** свършен, минал; приключил; **time is ~** времето свърши (изтече); **it's all ~ with him** свършено е с него; **5.** докрай; **to drink ~** изпивам си чашата (докрай); **the house was burned ~** къщата изгоря напълно; **6.** подготвен (**in**); **to be (well) ~ in (on)** s. th. добре съм подготвен (информиран); разбирам от; **7.** наблизо, до, при; **to follow** s.o. **~** следвам някого отблизо; **he came ~ (to me)** той се приближи (към мен); ● **to be ~ and about; to be ~ and around** изправям се на крака (*след боледуване*); **II.** *prep* **1.** (горе) на; (нагоре) по; в посока към; срещу, против; **~ the river** нагоре по течението

на реката; **~ the wind** срещу вятъра; **2.** към вътрешността (*на страната*); **to travel ~ (the) country** пътувам към вътрешността на страната; **III.** *adj* **1.** нанагорен; който се изкачва; **on the ~ grade** нанагорен, изкачващ се; **2.** който отива към по-голям център (столица) или на север (*особ. за влак*); **the ~ train** влакът за Лондон (за столицата); **3.** пенлив, газиран (*за напитка*); **IV.** *v* (**-pp-**) *нар., шег.* ставам; скачам; вдигам, повишавам (*цена*).

up-and-coming ['ʌpənd'cʌmiŋ] *adj* перспективен, с изгледи за успех; обещаващ.

upbear [ʌp'bɛə] *v* (**upbore** [ʌp'bo:]; **upborne** [ʌp'bo:n]) *поет.* издигам; поддържам.

upbeat ['ʌpbi:t] **I.** *n* **1.** *муз.* слабо време; **2.** *прен.* подем, възход; **II.** *adj* **1.** насочен нагоре, издигащ се; **2.** *прен.* оптимистичен, обещаващ, весел.

upbraid [ʌp'breid] *v* укорявам, гълча, карам се (**with, for**).

upbringing ['ʌp,briŋiŋ] *n* възпитание.

upbuild [ʌp'bild] *v* изграждам, построявам.

upburst ['ʌpbə:st] *n* експлозия, избухване.

upcoming ['ʌp'kʌmiŋ] *adj* предстоящ; бъдещ; многообещаващ (*човек*).

update ['ʌpdeit] **I.** *v* осъвременявам; модернизирам; актуализирам, обновявам; **II.** *n* **1.** модернизация; **2.** нов факт; **3.** последна новина.

updating ['ʌpdeitiŋ] *n* актуализиране, обновяване, модернизиране.

up-end [ʌp'end] *v* **1.** изправям; **2.** *разг.* изправям се, ставам.

upgrade ['ʌpgreid] **I.** *n* нанагорнище; наклон; *жп* рампа; **II.** *v* повишавам (*цени*); повишавам (*в длъжност*); **III.** *adv* нанагоре.

upgrowth ['ʌpgrouθ] *n* **1.** растеж; развитие; **2.** израстък.

upheave [ʌp'hi:v] *v* вдигам (се) с мъка; размествам; **~d beds** *геол.* разместени пластове.

uphold [ʌp'hould] *v* (**upheld** [ʌp'held])

1. поддържам, подкрепям, крепя; **2.** поощрявам, подкрепям, помагам; защитавам; **3.** съгласявам се с, одобрявам, поддържам; **4.** потвърждавам (*решение и пр.*).

upholder [ʌp'houldə] *n* привърженик, поддръжник.

upholster [ʌp'houlstə] *v* **1.** тапицирам; **2.** снабдявам с мебели, килими, пердета и пр.

upholstery [ʌp'holstəri] *n* **1.** тапицерия, тапицерство; тапицеровка; **2.** тапицирани мебели, килими и пердета; **3.** плат за тапициране.

upkeep ['ʌpki:p] *n* **1.** поддържане (в изправност); ремонт; обслужване (включително и ремонт); **2.** разходи за поддържане (ремонт).

upland ['ʌplænd] **I.** *n* височина, възвишение; хълмиста (планинска) местност; *pl* планинска част (*на дадена страна*); **II.** *adj* планински.

uplift I. [ʌp'lift] *v* **1.** издигам, вдигам, повдигам (*настроение*); **2.** *прен.* възвишавам; **II.** ['ʌplift] *n* **1.** издигане, повдигане, вдигане; **2.** *геол.* разместване на пластовете, възсед; **3.** *амер.* облагородяващо влияние; вдъхновение; **4.** *амер.* съживяване, раздвижване; духовен подем; **5.** *амер.* сутиен.

upon [ə'pɔn] *prep* на, върху; **~ the floor** на пода.

upper ['ʌpə] **I.** *adj* горен; по-висш; **to get the ~ hand of** постигам надмощие над, вземам връх над, побеждавам; **II.** *n* **1.** горница (*на обувки*); **to be down on o.'s ~s** *разг.* закъсал съм; притиснат съм от обстоятелствата; **2.** *pl* гетри, гамаши (*от плат*); **3.** *амер.* горно легло (*във вана*); **4.** горен зъб.

upper class ['ʌpə'kla:s] **I.** *n* аристокрация, висше общество; **II.** *adj* аристократичен.

uppermost ['ʌpəmoust] **I.** *adj* **1.** найгорен; най-висш; **2.** преобладаващ; главен; **II.** *adv* **1.** отгоре, найгоре; **2.** преди всичко.

uppish ['ʌpiʃ] *adj* дързък, нахален; надут, надменен.

uppishness ['ʌpiʃənis] *n* нахалство, дързост; надутост, надменност; наглост.

upright I. [ˈʌprait] *adj* 1. прав, изправен, вертикален, отвесен; 2. честен, почтен; II. *n* отвесна подпора, колона; III. [ˈʌrˈrait] *adv* изправено, вертикално, отвесно, право.

uprightness [ˈʌpraitnis] *n* честност, почтеност, откровеност.

uprising [ʌpˈraiziŋ] *n* 1. въстание; 2. ставане (*от легло*).

uproar [ˈʌprɔ:] *n* 1. врява, шум и бъркотия; 2. вълнение, безпорядък.

uproarious [ʌpˈrɔ:riəs] *adj* шумен, буен, гръмогласен; весел; ◇ *adv* **uproariously**.

uproot [ʌpˈru:t] *v* 1. изкоренявам (*и прен.*); 2. *прен.* изтръгвам, отделям насила, откъсвам (*от родина и пр.*).

uprooting [ˈʌpru:tiŋ] *n* изкореняване.

upset [ʌpˈset] I. *v* (**upset**) 1. (пре)обръщам (се), прекатурвам (се); 2. свалям (*правителство*); 3. обърквам, разстройвам, нарушавам (*планове и пр.*); 4. изваждам от душевно равновесие; разстройвам, разтревожвам; нарушавам храносмилането; II. *n* 1. обръщане; 2. вълнение, смущение; 3. кавга, недоразумение, спречкване; 4. разстройство (*стомашно*); 5. внезапно нарушаване показанията на уред; III. *adj* 1. преобърнат, прекатурен; 2. разтревожен, развълнуван; разстроен (*и за стомах*).

upshot [ˈʌpʃɔt] *n* (краен) резултат; заключение, развръзка.

upside-down [ˈʌpsaidˈdaun] *adv* наопаки, в безпорядък; *прен.* с главата надолу.

upstanding [ʌpˈstændiŋ] *adj* 1. изправен, прав; стоящ; 2. строен, добре сложен; 3. щръкнал, настръхнал (*за коса*); 4. честен, откровен, прям, почтен.

upstick [ˈʌpstik] *n амер.* подем.

upstream [ˈʌpstri:m] I. *adv* нагоре по течението; срещу течението; II. *adj* който се движи (плава) нагоре по течението; който е разположен нагоре по течението.

upsurge [ˈʌpsə:dʒ] I. *n* подем; ръст,

повишение; II. *v* надигам се, повишавам се.

upsweep I. [ˈʌpswi:p] *n* 1. възвишение, стръмен склон; 2. сресана назад коса; 3. подем, раздвижване; II. [ˈʌpˈswi:p] *v* издигам (се) нагоре; сресвам косата си назад и нагоре.

upswing [ˈʌpswiŋ] *n* възстановяване, възвръщане, съвземане.

up-to-date [ˈʌptəˈdeit] *adj* 1. модерен, най-нов; съвременен; съобразен със съвременните изисквания; 2. съдържащ последните сведения.

upturn [ʌpˈtə:n] I. *v* 1. (пре)обръщам (*почва и пр.*); 2. издигам (*очи и пр.*); II. *n* 1. преобръщане (*и прен.*); прелом; 2. покачване; нарастване (*на цени*); подобрение (*на условия*).

upwards [ˈʌpwədz] *adv* нагоре; ~ of повече от, над.

uranium [juəˈreiniəm] *хим.* I. *n* уран; II. *adj* уранов.

urban [ˈə:bn] *adj* градски.

urbane [ə:ˈbein] *adj* изискан, изтънчен, вежлив, с изискани маниери; ◇ *adv* **urbanely**.

urbanity [ə:ˈbæniti] *n* изтънченост, вежливост, учтивост, любезност.

urbanization [ˌə:bənaiˈzeiʃən] *n* превръщане в град; урбанизация.

urge [ə:dʒ] I. *v* 1. подтиквам, карам (*често с* on); 2. настоявам пред, подтиквам, убеждавам, подстрекавам; увещавам; 3. настоявам за, обръщам внимание на; изтъквам, наблягам на; II. *n амер.* импулс; тласък, подтик.

urgency [ˈə:dʒənsi] *n* 1. неотложност; 2. натиск, тежест; неотложна нужда; 3. настойчивост, настоятелност.

urgent [ˈə:dʒənt] *adj* 1. неотложен, бърз, срочен, спешен; крайно необходим; 2. настоятелен, настойчив, упорит; ◇ *adv* **urgently**.

urger [ˈə:dʒə] *n* подстрекател, -ка (*и* ~ on).

urn [ə:n] I. *n* 1. урна; 2. самовар, кафеварка; II. *v рядко* слагам (запазвам) в урна.

us [ʌs, əs] *pron pers* нас, ни, нам, на нас.

use I. [ju:s] *n* 1. употреба, употребление, (из)ползуване; **to fall out of** ~ излиза от употреба; 2. възможност за използуване (да си служа), право да използувам; 3. нужда; 4. полза, смисъл; **it is no** ~ **arguing with you** безсмислено е да споря с теб; 5. привичка, навик, практика; 6. *рел.* ритуал на дадена църква; 7. *юр.* доход от имот; II. [ju:z] *v* 1. употребявам, използувам (**as, for** за); служа си с, послужвам си с, услужвам си с; възползувам се от; 2. отнасям се към, третирам (*някого*); 3. изразходвам (*и с* up), изчерпвам; използувам докрай; **to feel** ~**d up** чувствам се съвсем изтощен; 4. *само past* [ju:st] *изразява обичайно действие или навик* (**to** *с inf*); **my mother** ~**d to tell me** майка ми често ми казваше.

useful [ˈju:sful] *adj* 1. полезен, от полза (**to, for**), ефективен; ~ **effect** *техн.* полезно действие; 2. *sl* добър, способен, сръчен, похватен; ◇ *adv* **usefully**.

usual [ˈju:ʒuəl] *adj* обикновен, обичаен; ◇ *adv* **usually**.

usurp [ju:ˈzə:p] *v* 1. узурпирам, заграбвам, присвоявам (си), похищавам; 2. *рядко* погазвам (**on, upon**).

utensil [ju:ˈtensl] *n* съд, прибор; принадлежност; **kitchen** ~**s** кухненски прибори.

Utopia [ju:ˈtoupiə] *n* утопия.

Utopian [ju:ˈtoupiən] I. *adj* утопичен; II. *n* утопист.

utter₁ [ˈʌtə] *v* 1. издавам (*звук*), изпускам (*въздишка*); 2. изказвам, изразявам, изричам, продумвам, проговарям, произнасям; 3. пускам (*в обращение*), емитирам.

utter₂ *adj* 1. пълен, абсолютен, безусловен, съвършен, решителен, категоричен, краен; 2. странен, чудноват.

utterance [ˈʌtərəns] *n* 1. изказване, изразяване, изричане; 2. изговор, начин на изговаряне, членуване, дикция, произношение; дар слово; **defective** ~ лош изговор; 3. изказване, слово, реч; *pl* думи, изказвания.

V, v [vi:] (*pl* Vs, V's [vi:z]) I. *n* 1. буквата v; 2. нещо с формата на буквата v; II. *adj* техн. като буквата v по форма; конусообразен, конусовиден.

vacancy ['veikənsi] *n* 1. пустота, пустош, пущинак, ненаселеност, необитаемост, безлюдност; празно пространство (място), празнота, липса, недостиг, празнина, непълнота, пропуск; 2. свободно, незаето, вакантно място; **to fill a ~** заемам вакантно място; 3. безучастие, равнодушие, безразличие, индеференция, апатия, апатичност; разсеяност, завеяност; 4. тъпота, неинтелигентност, глупост, гламавост, скудоумие, невъзприемчивост; 5. бездействие, безделие, пасивност, инертност, леност, лентяйство, мързел; 6. амер. помещение, което се дава под наем; свободна стая в хотел, мотел.

vacant ['veikənt] *adj* 1. празен, пуст, незает, ненаселен, безлюден, необитаем, свободен, вакантен; **~ hours** свободни часове; **to leave a place ~** овакантявам място; 2. празен, незает с нищо, глупав, празноглав, лекомислен, вятърничав, несериозен, повърхностен, тъп, тъпак, тъпанар, тъпоумен, безсмислен, апатичен, индеферентен, равнодушен; разсеян, блуждаещ, безучастен, празен (за поглед); 3. празен, бездеен, неработещ.

vacate [və'keit] *v* 1. напускам, оставям, изоставям, зарязвам, опразвам, изпразвам, освобождавам, овакантявам; 2. анулирам, унищожавам, ликвидирам, премахвам.

vacation [və'keiʃən] I. *n* 1. напускане, оставяне, изоставяне, зарязване, опразване, освобождаване, овакантяване, изпразване; 2. (училищна, съдебна) ваканция; **the long (summer) ~** лятната ваканция; 3. амер. отпуска; **~ pay** платена отпуска; II. *v* вземам (излизам в) отпуска.

vaccinate ['væksineit] *v* ваксинирам.

vaccination [,væksi'neiʃən] *n* ваксинация.

vaccine ['væksi:n] *n* ваксина.

vacillate ['væsileit] *v* люлея се, залюлявам се, клатя се, поклащам се (главно за стрелка), двоумя се, колебая се, не се решавам, не предприемам нищо.

vacillation [,væsi'leiʃən] *n* клатушкане, люлеене, люшкане, кандилкане, колебание; нерешителност, непостоянство, променливост.

vacillatory ['væsilətəri] *adj* колеблив, нерешителен, непредприемчив.

vacuity [væ'kjuiti] *n* 1. остар. пустота, пустош, празно пространство, безлюдност, ненаселеност, необитаемост, празнота; 2. пустота, празноглавие, безсмислие, липса на мисъл, безсъдържателност.

vacuous ['vækjuəs] *adj* 1. остар. празен, пуст, незает, ненаселен, безлюден, необитаем; 2. празен, празноглав, глупав, невъзприемчив, несхватлив, недосетлив, тъп, тъпоумен, тъпак, индеферентен, пасивен, неинтелигентен, безсъдържателен, безсмислен, безучастен (за поглед); **a ~ life** празен живот.

vacuum ['vækjuəm] I. *n* (*pl* **vacua** [-kjuə], **-ums**) 1. вакуум, празно пространство; 2. безвъздушно пространство, вакуум; 3. прен. тъпота, пустота; неинтелигентност, глупост, гламавост; II. *attr* вакуумен, безвъздушен; II. *v* почиствам (чистя, обирам) с прахосмукачка.

vacuum-cleaner ['vækjuəm,kli:nə] *n* прахосмукачка.

vacuum-flask ['vækjuəm,fla:sk] *n* термос.

vade-mecum ['veidi'mi:kəm] *n* (джобен) справочник, наръчник; пътеводител, указател.

vagabond ['vægəbɔnd] I. *adj* скитнически, чергарски, номадски; **~ life** скитническият живот; II. *n* 1. скитник, скиталец, бродяга; 2. вагабонтин, безделник, измамник, непрокопсаник, хаймана, нехра-

нимайко, мързеливец; III. *v* скитам (се), бродя; лутам се, блуждая, развявам се, скиторя, скитосвам, хойкам, миткам, шляя се, размотавам се.

vagabondize ['vægəbɔndaiz] *v* водя скитнически (чергарски) живот.

vagarious [və'gɛəriəs] *adj* капризен, непостоянен, променлив, колеблив.

vagary [və'gɛəri] *n* каприз, прищявка, приумица, случайно хрумване; **the vagaries of fashion** капризите на модата.

vagina [və'dʒainə] *n* (*pl* **-nae** [-ni:]) анат. влагалище, вагина.

vagrant ['veigrənt] I. *adj* 1. пътуващ, странстващ; скитнически, чергарски; **a ~ musician** пътуващ музикант; 2. блуждаещ, скитащ се, лутащ се, необуздан, буен, неукротим, несдържан, капризен, чудат, странен, особен, ексцентричен, своеобразен; **indulging in ~ speculations** отдаден на безцелни размишления; 3. бот. пълзящ; II. *n* скитник, чергар, вагабонтин, безделник, измамник, шарлатанин.

vague [veig] *adj* неопределен, неясен, неустановен, смътен, съмнителен, двузначен, двусмислен, несигурен; **~ hopes** неопределени надежди.

vain [vein] *adj* 1. празен, пуст, безсмислен, безсъдържателен, абсурден; лъжлив, лъжовен, неверен, недостоверен; **~ show** външен блясък; 2. напразен, безуспешен, безпредметен, неоснователен; безплоден, ялов, безполезен, безрезултатен; ненужен, излишен; **~ efforts** напразни усилия; 3. суетен, горд, самомнителен, горделив, високомерен, надменен, надут.

valiance, valour ['væliəns, 'velə] *n* храброст, безстрашие, неустрашимост, смелост, доблест, юначност, мъжество.

valiant ['væliənt] *adj* книж. 1. храбър, безстрашен, неустрашим, героичен, дързък, дръзновен, юначен, юначага, смел, смелчага, куражлия, сърцат, доблестен, мъ-

жествен; **2.** почтен, честен, нравствен.

valid ['vælid] *adj* **1.** валиден, действителен; който има законна сила; ~ **for three months** валиден за три месеца; **2.** обоснован, аргументиран, тежък, сериозен (*за довод, възражение и пр.*).

validate ['vælideit] *v* **1.** ратифицирам, утвърждавам; **2.** обявявам (*избори*) за действителни.

validity [və'liditi] *n* **1.** валидност, законност; **2.** обоснованост, мотивация, аргумент.

valley ['væli] *n* **1.** долина; **2.** *архит.* улама, водоотвеждаща ламарина (*на покрив*).

valour ['vælə] *n* храброст, доблест, мъжество, юначество.

valuable ['væljuəbəl] **I.** *adj* ценен, скъпоценен, безценен, скъп; **II.** *n* (*pl*) ценности, скъпи неща, скъпоценности, бижу.

valuate ['væljueit] *v* оценявам, остойностявам.

valuation [,vælju'eiʃən] *n* оценка.

value ['vælju:] **I.** *n* **1.** ценност, цена, полза, облага, изгода, интерес, келепир; **to learn the ~ of** разбирам колко е ценен; **2.** стойност; **exchange (exchangeable)** ~ разменна стойност; номинална стойност; **3.** равностойност, еквивалент, равноценност; **4.** значение (*за знак*); *език.* звукова стойност на буква; **5.** *мат.* величина; **6.** *муз.* продължителност (*на нота*); **7.** *изк.* съотношение между светлосянката в различните части на една картина; **out of** ~ твърде светъл (тъмен); **8.** *биол.* дял, категория; **II.** *v* **1.** ценя, оценявам, остойностявам, пресмятам, изчислявам; **2.** ценя (високо), имам високо мнение за; **to ~ oneself on s.th.** гордея се с нещо.

valuta [və'lu:tə] *n* обменен курс.

van₁ [væn] *n* авангард (*и прен.*); **in the ~ of** в авангарда (предните редици) на.

van₂ I. *n* **1.** фургон (*и* **luggage-~, guard's ~**); **2.** (покрита) кола за пренасяне, фургон (*и* **removal ~**); **delivery ~** кола за разнасяне на стока; **3.** кола за превозване на

затворници (*и* **prison ~, felon's ~**); **II.** *v* (**-nn-**) карам (возя, превозвам, пренасям с, транспортирам с) кола.

vandalism ['vændəlizm] *n* вандализъм, варварщина, нецивилизованост, примитивност.

vanilla [və'nilə] **I.** *n* ванилия; **II.** *adj* **1.** ванилов; **2.** безцветен, банален, обикновен, травиален, изтъркан.

vanish ['væniʃ] *v* **1.** изчезвам (изведнъж), загубвам се, скривам се, изпарявам се от погледа; **to ~ from sight** скривам се от погледа; **2.** *мат.* приближавам се до нула, клоня към нула.

vanity ['væniti] *n* **1.** суета, суетност, пустота; външен блясък; ~ **fair** панаир на суетата, висшето общество; **2.** самомнение, славолюбие, тщеславие, пустословие.

vanquish ['væŋkwiʃ] *v* **1.** побеждавам, надделявам, превъзхождам, превишавам, надминавам, надвивам; обормам; **2.** преодолявам, превъзмогвам, преодолявам, надвивам, надделявам, надмогвам.

vanquisher ['væŋkwiʃə] *n* победител, първенец.

vapidity [və'piditi] *n* **1.** блудкавост, изветрялост; **2.** баналност, безсъдържателност, вялост, тривиалност.

vapour ['veipə] **I.** *n* **1.** пàра; **water ~** водна пàра; **2.** мъгла, изпарения; **3.** нещо недействително, нереално, химера, неосъществима мечта, непостижим блян, илюзия, напразна надежда, фантазия, въображение; **4.** *остар.* самохвалство; **5.** *мед.* лечебно средство, което се приема чрез вдишване; **6.** *pl остар.* истерия, сплин, ипохондрия; **7.** *attr* парен; **II.** *v* **1.** *рядко* изпарявам се; **2.** говоря врели-некипели, говоря глупости; **3.** хваля се, изтъквам се, препоръчвам се, фукам се, перча се, надувам се, големея се.

variability [,veəriə'biliti] *n* променливост, непостоянство, изменчивост; вариране.

variance ['veəriəns] *n* **1.** вариране, промяна, непостоянство; **2.** несъгласие, неразбирателство, не-

доразумение; несъгласие, разногласие; спор, препирня, полемика, диспут, пререкание, караница, гълчава, разпра, разправия; **to set at** ~ скарвам, предизвиквам конфликт между; **3.** *юр.* несъответствие; **4.** *биол.* отклонение от даден тип.

variant ['veəriənt] **I.** *adj* **1.** различен, разнообразен, диференциален, разновиден, разнороден; **2.** разни, различни, разнообразни, разновидни, разнородни; ~ **results** различни резултати; **3.** променлив, изменчив; **II.** *n* вариант, варианта.

variation [,veəri'eiʃən] *n* **1.** изменение, видоизменение, промяна, колебание, вариране; ~**s of temperature** промени в температурата; **2.** отклонение (*и биол. – от даден тип*); отклонение от магнитната стрелка; **3.** разновидност; разлика; вариант; **4.** *език.* склонение, спрежение; **5.** *мат., муз.* вариация.

varied ['veərid] *adj* **1.** различен; **2.** разнообразен; ~ **diet, life** разнообразна храна, живот; **3.** разноцветен.

variegate ['veərigeit] *v* разнообразявам; пъстря, шаря.

variety [və'raiəti] *n* **1.** разнообразие, разновидност, многостранност; **for the sake of** ~ за разнообразие; **2.** ред, редица, низ, множество; **for a ~ of reasons** по най-различни причини; **3.** разновидност, вид, вариетет (*и биол.*); **varieties of plants** растения, различни по вид; **4.** *attr* вариететен; ~ **artist** вариететен артист.

varnish ['va:niʃ] **I.** *n* **1.** лак; **2.** глеч; **3.** лъскавина; лустро, шлифовка; **4.** замазване, прикриване, укриване, премълчаване, премълчаване, завоалиране; **II.** *v* **1.** лакирам (*и* ~ **over**); **2.** лъскам, излъсквам, лустросвам; **3.** *прен.* замазвам, прикривам, укривам, премълчавам, потулвам, завоалирам, украсявам, разкрасявам.

vary ['veəri] *v* **1.** меня, променям, изменям, видоизменям; разнообразявам; **to ~ one's diet** разно-

образявам храната си; **2.** *муз.* въвеждам вариации; **3.** варирам, меня се, изменям се, променям се, видоизменям се; **4.** различавам се, отличавам се, разграничавам се, диференцирам се; отклонявам се (**from**); **opinions ~ on this point** по този въпрос има различни мнения.

varying ['veəriŋ] *adj* **1.** променлив, изменям; вариращ, отклоняващ се; **2.** различен, разнообразен, разен, разновидов, разнороден, нееднакъв; **~ views** различни гледища.

vase [va:z] *n* ваза; **~ of flowers** ваза с цветя.

vaseline ['væsili:n] *n* вазелин.

vast [va:st] **I.** *adj* **1.** обширен, просторен, пространен, грамаден, огромен, много голям, исполински, колосален; **~ plain** обширна равнина; **2.** широк, обширен, пълен, подробен, цялостен, изчерпателен, всестранен; **3.** *разг.* голям; **II.** *n поет.* шир, простор.

vatic ['vætik] *adj* пророчески, предсказващ, предвещаващ.

vaticination [və,tisi'neiʃən] *n книж.* пророчество, предсказание, предвещаване, предричане.

vault₁ [vɔ:lt] **I.** *n* **1.** свод; **the ~ of heaven** небесният свод; **2.** изба, маза, мазе, склад; **wine~** винарска изба; **3.** (подземна) гробница; **family ~** семейна гробница; **4.** крипта; **5.** *анат.* свод; **6.** хранилище, сейф; **cash in ~** касова наличност; **7.** хранилище на филми; **8.** пещера; **II.** *v* строя във вид на свод; издигам свод над, засводявам (*и* **~ over**).

vault₂ **I.** *v* **1.** скачам, рипам (**over, upon**); **to ~ into the saddle** мятам се на седлото; **2.** прескачам (*особ. като се опирам на нещо*); **to ~ over a fence** прескачам плет; **II.** *n* скок.

vaunt [vɔ:nt] **I.** *v книж.* **1.** хваля се (**of**); хваля се с; **to ~ of one's success** хваля се с успеха си; **2.** хваля, превъзнасям; **II.** *n* хвалба, самохвалство, самоизтъкване.

vector ['vektə] **I.** *n* **1.** *мат.* вектор; **~ equation** векториално уравне-

ние; **2.** *мед.* носител, разпространител, вирусоносител (*на зараза*); **II.** *v* **1.** направлявам, насочвам (*самолет, ракета*); **2.** *прен.* насочвам към определена точка, по определен начин.

veer [viə] **I.** *v* **1.** променям посоката си, възвивам, обръщам се (*за вятър*); **2.** *прен.* променям си мнението, идва ми друг ум (*и с* **round**); **3.** *мор.* отпускам (*въже – и с* **away, out**); **4.** *мор.* обръщам (*кораб*); **II.** *n* промяна на посоката, обръщане.

vegetable ['vedʒitəbəl] **I.** *adj* **1.** растителен; **~ diet** растителна храна; **2.** зеленчуков; **~ garden** зеленчукова градина; **3.** *прен.* скучен, неинтересен, вял; **II.** *n* **1.** зеленчук, зарзават; **to live on ~s** храня се само със зеленчуци, вегетарианец съм; **2.** скучен човек; вегетиращ човек.

vegetarian [,vedʒi'teəriən] **I.** *n* вегетарианец; **II.** *adj* вегетариански.

vegetate ['vedʒiteit] *v* **1.** раста, вирея, ставам, никна; **2.** *прен.* вегетирам, живуркам.

vegetation [,vedʒi'teiʃən] *n* **1.** растителност; флора, зеленина; **2.** растеж, прорастване, покълване, кълнене, проникване, вегетация; **~ period** вегетативен период; **3.** вегетиране, живуркане; бездуховност; **4.** тумор.

vehemence ['vi:məns] *n* страст, жар, сила, плам, увлечение.

vehement ['vi:mənt] *adj* **1.** силен, мощен, здрав, крепък, як, буен, бурен, стихиен, яростен, гневен, бесен, стремителен, поривист; **2.** силен, мощен, енергичен, деен; **~ desire** страстно желание.

vehicular [vi'hikjulə] *adj* **1.** превозен, транспортен; **2.** *амер.* автомобилен; **~ transport** автомобилен превоз; автомобили, коли.

veil [veil] **I.** *n* **1.** було, воал, воалетка; фередже, яшмак; покривало, покров, саван; **she wore a ~ in front of her face** тя беше с воал; **2.** завеса, перде, драперия; **to draw a (the) ~ over** премълчавам, потулвам, прикривам, скривам, завоалирам; **3.** предлог, претекст,

прикритие, було, маска; **under the ~ of** под булото на; **4.** *анат.* ципеста обвивка; було; **5.** (лека) дрезгавина, пресипналост, прегракналост; **II.** *v* **1.** забулвам (се), обвивам с було (воал); обвивам, обгръщам; **2.** скривам, прикривам, забулвам, маскирам; **~ed resentment** прикрито лошо чувство.

vein [vein] **I.** *n* **1.** вена; *разг.* жила, кръвоносен съд; жилка; **2.** жилка (*на лист, на крило на насекомо*); **3.** *мин.* жила; **4.** жила, ивица (*в дървесина, камък*); **5.** *прен.* наклонност, жилка, склонност, влечение, стремеж, тенденция, клонене; **in the same ~** в същия дух, по подобен начин; **6.** настроение, разположение, душевно състояние; **to be in the ~** разположен съм (**for**); **II.** *v* покривам с жили (жилки).

velocity [vi'lositi] *n* **1.** скорост, бързина; **the ~ of sound** скоростта на звука; **2.** *радио.* честота.

velvet ['velvit] **I.** *n* **1.** кадифе; **2.** *sl* полза, облага, изгода, интерес, печалба, файда, келепир, кяр; **to be on ~** процъфтявам, преуспявам; има изгледи да спечеля; **II.** *adj* кадифен, мек (като кадифе); **an iron hand in a ~ glove** желязна ръка в кадифена ръкавица.

venerable ['venərəbəl] *adj* **1.** многоуважаем, почтен, уважаван; **2.** древен, (много) стар, вековен; **~ ruins** вековни развалини; **3.** *рел.* преподобен; блажен.

venerate ['venəreit] *v* почитам, уважавам, благоговея пред, зачитам, тача.

veneration [,venə'reiʃən] *n* благоговение, почит, уважение.

venereal [ve'niəriəl] *adj* **1.** полов; **2.** венеричен, венерически; **~ diseases** венерически болести.

vengeance ['vendʒəns] *n* отмъщение, мъст; **to take (inflict) ~ on (upon)** отмъщавам си на.

venomous ['venəməs] *adj* **1.** отровен; **~ snake** отровна змия; **2.** озлобен, жлъчен, злобен, зъл.

venter ['ventə] *n* **1.** *анат.* корем; **2.** *анат.* изпъкнала (вдлъбната)

част (*на мускул, кост*); 3. *юр.* утроба, майка; **by one** ~ едноутробен.

ventilation [ˌventiˈleiʃən] *n* 1. проветряване, вентилация; 2. *прен.* разискване, разглеждане, дебатиране, разясняване, разяснение, дискутиране, обсъждане.

verb [vəːb] *n* глагол; ~ **neuter** непреходен глагол.

verbal [ˈvəːbəl] I. *adj* 1. словесен, езиков; ~ **accuracy** точен език; 2. буквален, дословен; ~ **translation** буквален превод; 3. глаголен, отглаголен; ~ **noun** отглаголно съществително; 4. устен, словесен, вербален; ~ **note** вербална нота; II. *n* 1. отглаголно производно; 2. *език.* дума в глаголна употреба; 3. *sl* изтръгнато устно признание (при арест); III. *v sl* принуждавам някого да признае вина (*при арестуване*).

verge [vəːdʒ] I. *n* 1. край, предел; 2. *прен.* край, граница; **on the** ~ **of** пред прага на, пред; 3. тревна ивица (*около леха*); трева (*край път*); 4. *архит.* връх на заострен покрив, стълб, колона; 5. *рел.* жезъл; II. *v* клоня, приближавам се, отивам; гранича (**on**); **the sun is verging towards the horizon** слънцето клони към хоризонта.

verify [ˈverifai] *v* 1. проверявам; 2. потвърждавам, санкционирам, утвърждавам; 3. осъществявам, изпълнявам (*обещание*); 4. *юр.* давам показания под клетва; удостоверявам (*истинността на нещо*); подкрепям (*с доказателство*).

verity [ˈveriti] *n книж.* 1. истина, истинност; 2. действителност, факт.

versatile [ˈvəːsətail] *adj* 1. многостранен, гъвкав, жилав, подвижен, пъргав, жив, игрив, бърз, лек; ~ **mind** гъвкав ум; 2. променлив, колеблив, изменчив, непостоянен, несигурен, капризен; 3. *бот.*, *зоол.* подвижен.

verse [vəːs] I. *n* 1. стих; стихотворна форма, стихосложение; стихове, поезия; 2. строфа; 3. стих от Библията; 4. кратко изречение като част от литургия; 5. *attr* стихотворен, в стихове; ~ **epic** епос в стихове; II. *v* 1. изразявам в стихотворна форма (в стихове); 2. пиша стихове.

version [ˈvəːʃən] *n* 1. версия, редакция, (лично) изложение; (форма на) текст; 2. вариант; 3. превод.

vertebrate [ˈvəːtibrit] I. *adj* гръбначен, вертебрален; II. *n* гръбначно животно.

vertical [ˈvəːtikəl] I. *adj* 1. вертикален, отвесен; ~ **plane** вертикална плоскост; 2. *анат.* който се отнася до върха на черепа; 3. зенитен; II. *n* отвес.

very [ˈveri] I. *adv* 1. много (*c adv, adj*); ~ **tall** много висок; 2. *средство за усилване*: 1) *при превъзходна степен*; **it is the** ~ **best thing you can do** това е най-хубавото нещо, което можеш да направиш; 2) *при тържественост или противоположност*; **the** ~ **same** точно същият; 3) *при принадлежност*; **you may keep it for your** ~ **own** можеш да го задържиш за себе си; II. *adj* 1. същ, същински, истински, реален, цял, пълен, съвършен; 2. самият, точно той; **the** ~ **man I want** тъкмо човекът, който ми трябва.

vessel [ˈvesəl] *n* 1. съд, съдина, съсъд; 2. плавателен съд, кораб; 3. *анат.* съд, канал; **blood** ~ кръвоносен съд.

vested [ˈvestid] *adj* 1. облечен; 2. законен, неотемен; ~ **rights** неотемни права.

vestige [ˈvestidʒ] *n* следа, диря, отпечатък, знак, признак, белег, нишан; *прен.* частица, капка, капчица; **not a** ~ **of evidence** никакви доказателства (улики).

veteran [ˈvetərən] *n* 1. ветеран, стар воин; 2. *attr* стар, опитен, врял и кипял; ~ **service** дългогодишна служба.

veterinary [ˈvetərinəri] I. *adj* ветеринарен; ~ **surgeon** ветеринарен лекар; II. *n* ветеринар, ветеринарен лекар.

veto [ˈviːtou] I. *n* (*pl* -oes) вето; право на вето; забрана, запрещение; **right of** ~ право на вето; II. *v* налагам вето на, забранявам.

vex [veks] *v* 1. дразня, раздразвам, нервирам, сърдя, гневя, ядосвам, разсърдвам, "тровя", лютя се, кося се, пеня се; **to be** ~**ed** сърдит съм, яд ме е (**at, with**); 2. *поет.* безпокоя, тревожа, развълнувам, вълнувам; 3. *остар.* опечалявам, оскърбявам, наскърбявам, огорчавам, натъжавам, нажалявам, обиждам, засягам, докачам, уязвявам, жегвам, жилвам, бодвам.

vexation [vekˈseiʃən] *n* 1. дразнене, раздразване, сърдене, разсърдване, гневене, ядосване; раздразненост, огорчение, яд, гняв; 2. неприятност, отвращение, гадост.

vexatious [vekˈseiʃəs] *adj* 1. отегчителен, досаден, омръзващ, дотягащ, обезпокоителен; мъчителен, болезнен; 2. който създава неприятности, свързан с неприятности, отвратителен, неприятен, гаден, противен, гнусен; ~ **child** палаво дете.

vibrate [vaiˈbreit] *v* 1. вибрирам, трептя, трепкам, треперя; треса се, тупкам, туптя, бия, пулсирам (**with**); 2. люлея се (*за махало и прен.*); колебая се насам-натам; 3. клатя, люлея, клатушкам, движа, задвижвам; вървя.

vibration [vaiˈbreiʃən] *n* 1. вибрация, трептене, треперене; тупане, туптене; 2. люлеене; 3. флуиди, еманация (*при спиритуализма*); 4. неясно впечатление, предположение, догадка.

vice [vais] *n* 1. порок; **he has no redeeming** ~ той е прекален светец; 2. недостатък, дефект, кусур, слабост; 3. лош нрав, недостатък (*на кон*); 4. *рядко* болезнено състояние, болест, недъг.

vicious [ˈviʃəs] *adj* 1. порочен; лош; ~ **circle** омагьосан кръг; 2. погрешен, неправилен, неверен, дефектен, сбъркан, лош; 3. зъл, злобен, озлобен, лош, проклет, гневен, разгневен, ядосан, ожесточен, яростен, бесен; 4. с лош нрав (*за кон*).

victim [ˈviktim] *n* жертва; **to fall (a)** ~ **to, to become the** ~ **of** ставам жертва на.

victimize [ˈviktimaiz] *v* 1. мъча, из-

мъчвам; **2.** мамя, измамвам, лъжа, излъгвам; изигравам, надхитрявам, изхитрявам, "премятам", "прецаквам"; **3.** преследвам, гоня, уволнявам (*по политически причини*).

victor ['viktə] *n* **1.** победител; **2.** *attr* победоносен.

victorious [vik'tɔ:riəs] *adj* побèден, победоносен; който е победил, победител; **~ army** армия победителка.

victory ['viktəri] *n* победа; **to gain** (**have, obtain, win**) **a** (**the**) **~** спечелвам победа (**over**).

video ['vidiou] *амер.* I. *n* **1.** телевизия; **2.** видео; II. *adj* отнасящ се до изображения на телевизионен екран или компютърен монитор.

view [vju:] I. *n* **1.** гледка, изглед, вид; облик, панорама, пейзаж, картина; илюстрована картичка; **~ of the sea** гледка към морето; **2.** гледане, зрително поле, кръгозор; **at one ~** с един поглед; **3.** представа, идея; **to form a clear ~ of the situation** съставям си ясна представа за положението; **4.** възглед, мнение, схващане, гледище (**on**); **point of ~** гледна точка, гледище; **5.** намерение, помисъл, замисъл, кроеж, план; **with the ~ of, with a ~** to с оглед на; **6.** преглед, разглеждане; **to have a ~ of** правя преглед на, преглеждам, разглеждам; **7.** *юр.* оглед; II. *v* **1.** гледам, разглеждам; съзерцавам; **to ~ a spectacle** гледам зрелище; **2.** гледам на, имам дадено отношение към; разглеждам; **he ~s the matter in a different light** той гледа на работата иначе (по друг начин); **3.** *юр.* правя оглед на; **4.** *разг.* гледам телевизия.

vigilance ['vidʒiləns] *n* **1.** бдителност, вигилност; **2.** *мед.* безсъние, вигилия.

vigorous ['vigərəs] *adj* **1.** силен, мощен, могъщ, енергичен; деен, деятелен, дееспособен, активен, предприемчив; **2.** як, здрав, крепък; **3.** буен, избуял, стихиен, бурен.

villain ['vilən] *n* **1.** подлец, негодник, негодяй, злодей, престъп-

ник; **2.** *шег.* мискин; **3.** *остар.* селяк, селяндур.

villainous ['vilənəs] *adj* **1.** долен, низък, подъл, безчестен; злодейски; **2.** *разг.* гаден, гнусен, противен, отвратителен, невъзможен, непоносим, съмнителен тип.

vindicate ['vindikeit] *v* **1.** защитавам, браня, отстоявам; застъпвам се за, поддържам, подкрепям; **2.** оправдавам, доказвам, установявам истинността на; **3.** отмъщавам за, разплащам се за.

vine [vain] *n* **1.** лоза (*и* grape-**~**); **2.** пълзящо растение.

violate ['vaiəleit] *v* **1.** нарушавам, престъпвам; **to ~ s.o. 's privacy** натрапвам се на някого; **2.** осквернявам, опетнявам, опошлявам; **3.** нарушавам, смущавам, безпокоя, преча; **4.** насилвам, изнасилвам.

violation [ˌvaiə'leiʃən] *n* **1.** нарушаване, нарушение, престъпване; **2.** оскверняване, опетняване, опошляване, профаниране, профанация; кощунство; **3.** смущаване; **4.** насилване, изнасилване.

violator ['vaiəleitə] *n* **1.** нарушител, престъпник; **2.** осквернител, профанатор.

violent ['vaiələnt] *adj* **1.** силен, много голям, буен, стихиен, бесен, яростен, ожесточен; **~ efforts** отчаяни усилия; **2.** сприхав, раздразнителен, избухлив, кибритлия, лют, серт, нервен, нервозен; **to be in a ~ temper** разярен съм; **3.** страстен, жарък, пламен; **4.** насилствен, принудителен; **5.** ярък, ослепителен.

viper ['vaipə] *n* **1.** пепелянка, усойница; **2.** *прен.* змия.

virgin ['və:dʒin] I. *n* девица, мома, девойка, девственица; II. *adj* **1.** момински; **2.** девствен, момински, девически; **3.** девствен, целомъдрен, неопетнен, непокътнат, чист, нов, още неупотребен; **~ soil** девствена земя, целина (*и прен.*); **4.** самороден, чист (*за метал*); **5.** *биол.* партеногеничен.

virtue ['və:tju:] *n* **1.** добродетел; **to follow ~** водя порядъчен живот; **2.** целомъдрие; **3.** достойнство,

добро качество; **it has the ~ of being unbreakable** хубавото му е, че не се чупи; **4.** сила, ефикасност; **5.** свойство; **healing ~s** лечебни свойства.

virulent ['virulənt] *adj* **1.** отровен, болестотворен, вирулентен; силен (*за отрова*); злокачествен, твърде опасен (*за болест*); **2.** злобен, злостен, злъчен.

virus ['vaiərəs] *n* **1.** вирус (*и инф.*); **2.** *прен.* зараза, отрова; **3.** *прен.* злоба, злост, злъчност.

visa ['vi:zə] I. *n* виза; II. *v* визирам, поставям виза върху паспорт.

visible ['vizibəl] *adj* **1.** видим; който се вижда; **2.** явен, очевиден, безспорен, несъмнен.

vision ['viʒən] I. *n* **1.** зрение; **field of ~** зрително поле; **2.** видение, визия; привидение, призрак, привидение, фантом, сянка; **3.** проникновение, проницателност, въображение, прозорливост, предвидливост, далновидност, фантазия, поглед, взор; **man of ~** проницателен (прозорлив, далновиден) човек; **4.** (*рядка*) гледка; II. *v* представям си, въобразявам си.

visionary ['viʒənəri] I. *adj* **1.** призрачен, въображаем, фантастичен; **2.** склонен към халюцинации; **3.** мечтателен, непрактичен, фантазьорски; II. *n* **1.** визионер, ясновидец, екстрасенс; **2.** мечтател, фантазьор.

visit ['vizit] I. *v* **1.** посещавам, навестявам, спохождам, ходя (отивам) на гости (у); гостувам (**at**, **with**); **to ~ at a hotel** отсядам в хотел; **2.** инспектирам, ревизирам, проверявам; **3.** сполитам, постигам, нападам; *библ.* наказвам, отмъщавам за (**on**; **with**); II. *n* **1.** посещение, визита; **to be on a ~** гостувам, на гости съм (**at**); **2.** официално посещение, официална визита.

visitation [ˌvizi'teiʃən] *n* **1.** официално посещение, обиколка; **2.** *разг.* дълго посещение (гостуване); **3.** *мор.* визитация, проверка на подозрителен кораб в открито море; **right of ~** правото на визитация; **4.** *зоол.* необикновено пре-

селение на животни.

visitor ['vizitə] *n* 1. посетител, гост; пансионер; ~'s **book** книга за посетители; 2. инспектор, ревизор.

visual ['viʒuəl] I. *adj* зрителен, оптически; ~ **aids** нагледни пособия; II. *n pl амер.* 1. филм, снимка, видеолента и пр.; 2. филм за прожектиране.

vital [vaitəl] *adj* 1. жизнен; ~ **power** жизнена енергия; 2. жизнен, насъщен, съществен (to); **a question of** ~ **importance** въпрос от първостепенно значение; 3. жив (*за стил*); 4. гибелен, фатален, съдбоносен; ~ **error** фатална грешка.

vitiate ['viʃieit] *v* 1. развалям, повреждам, заразявам, покварявам, деморализирам, опорочавам; 2. *юр.* унищожавам, правя недействителен, невалиден (*договор и пр.*).

vivid ['vivid] *adj* 1. ярък; жив; 2. ясен, светъл; 3. блестящ, бляскав, ослепителен.

vivify ['vivifai] *v* оживявам, вливам живот в.

vocabulary [və'kæbjuləri] *n* 1. речник; словно богатство; лексика; 2. вокабулатор, кратък речник към учебник или христоматия.

vocal [voukəl] I. *adj* 1. гласов, гласен, вокален; ~ **organs** говорни органи; 2. звучен, еклив, звънлив, гласовит, надарен с глас; **to become** ~ изказвам се; 3. *език.* гласен, вокален; II. *n* гласен звук, гласна, вокал.

vocalist ['voukəlist] *n* певец, певица, вокалист, -ка.

vocalize ['voukəlaiz] *v* 1. издавам звукове; 2. вокализирам, превръщам (*съгласна*) в гласна; 3. *шег.* говоря, пея, викам, тананикам.

vocation [və'keiʃən] *n* 1. призвание, склонност, влечение (for); 2. занаят, поминък, професия.

vocational [və'keiʃənəl] *adj* професионален; ~ **training** професионално обучение.

vogue [voug] *n* 1. мода; **to be the** ~ на мода съм; 2. популярност, широка известност (разпространение).

voice [vɔis] I. *n* 1. глас; **a good sing-**ing ~ хубав глас; 2. глас, израз, мнение; **to give** ~ **to** давам израз на, изразявам, проявявам; 3. *език.* звучност; 4. *език.* залог; II. *v* 1. изразявам (с думи), давам израз (ставам тълкувател) на; 2. регулирам тона на, акордирам, настройвам; 3. *език.* произнасям звучно.

void [vɔid] I. *adj* 1. празен; свободен, незает, вакантен; **to fall** ~ освобождавам (овакантявам) се; 2. лишен, свободен от (of); 3. *юр.* недействителен, невалиден (*и* **null and** ~); 4. *остар.* безполезен, безрезултатен, безплоден, ялов, празен; II. *n* празно пространство; празнота; **to disappear into the** ~ изчезвам безследно, изпарявам се; III. *v* 1. изпразвам (*черво, пикочен мехур*), отделям (*урина*); повръщам; 2. *остар.* оставям, напускам; 3. *юр.* правя недействителен (невалиден), анулирам; 4. изпразвам помещение (of).

volcano [vɔl'keinou] *n* (*pl* -oes) вулкан.

volume ['vɔlju:m] *n* 1. волюм, том, книга; 2. *истор.* свитък; 3. (*обикн. pl*) маса, количество (of); ~s **of smoke** кълба дим; 4. обем, волюм; 5. вместимост, капацитет; 6. размер; 7. сила (*на звук*); **voice of great (little)** ~ глас с голяма (малка) звучност; 8. *attr* обемен, на обема.

voluntary ['vɔləntəri] *adj* 1. доброволен; доброволчески; 2. поддържан чрез волни пожертвования (дарения); 3. съзнателен, обмислен, преднамерен, умишлен; 4. *физиол.* волеви (*за движение и пр.*); 5. *юр.* доброволен, безвъзмезден.

volunteer [,vɔlən'tiə] I. *n* доброволец; *attr* доброволчески; II. *v* 1. предлагам (*помощта, услугите си*), предлагам услугите си, заемам се (наемам се, нагърбвам се) доброволно (**for, to** *c inf*); отзовавам се; обаждам се; 2. постъпвам (*в армията*) като доброволец.

vote [vout] I. *n* 1. глас, гласуване, гласоподаване, вот; **to cast a** ~ гласувам, давам гласа си; 2. право на гласуване; 3. (брой на) гласове; 4. вот; решение; ~ **of confidence (nonconfidence)** вот на доверие (недоверие); 5. избирателна бюлетина; 6. *прен.* гласоподавател, избирател; II. *v* 1. гласувам (**for, adainst**); **to** ~ **straight** *амер.* гласувам за всичките кандидати на своята партия; 2. признавам (обявявам, смятам, считам) за; 3. *разг.* предлагам, внасям предложение (**that**); 4. решавам; определям, постановлявам, отсъждам.

voting ['voutin] *n* гласуване, гласоподаване; ~ **card** гласуване по мандати.

vouch [vaut]] *v* 1. поддържам, потвърждавам; 2. свидетелствам, отговарям (**for**); гарантирам, поръчителствам (**for**); **to** ~ **for the truth** гарантирам за истинността на.

voucher ['vaut]ə] *n* 1. поръчител, гарант; 2. разписка, квитанция; оправдателен документ; бордеро.

vouchsafe [vaut]'seif] *v* 1. удостоявам (с); благоволявам, благосклонен съм, благоразположен съм (към); 2. благоволявам да разреша (**to** *c inf*).

vow [vau] I. *n* обет, оброк, тържествено обещание, клетва; **to take a** ~ давам обет, заклевам се, заричам се; II. *v* 1. обещавам тържествено, обричам се, заклевам се, заричам се; **to** ~ **vengeance** заклевам се да си отмъстя; 2. посвещавам, обричам, наричам; *остар.* давам обет (оброк); 4. *остар.* заявявам, декларирам.

voyage ['vɔidʒ] I. *n* пътешествие, пътуване (*особ. по вода*), плаване (*и sea* ~); II. *v* плавам, пътувам по море.

vulgar ['vʌlgə] I. *adj* 1. прост, просташки, плебейски, долен, вулгарен, груб; 2. народен, роден (*за език*); 3. широко разпространен, общ (*за заблуда*); 4. *мат.* прост (*за дроб*); II. *n остар.* простият (за народ), простолюдието.

vulturous ['vʌlt]ərəs] *adj* хищен, граблив.

W, w [ˈdʌblju:] *n* (*pl* Ws, W's [ˈdʌblju:z]) буквата w, дубълве.

wadding [ˈwɔdiŋ] *n* 1. вата; кече; набивка; уплътнителен материал; 2. подплънка.

waddle [wɔdəl] I. *v* поклащам се, клатя се като гъска (*при ходене*); II. *n* поклащане (*при ходене*).

wade [weid] I. *v* 1. газя, нагазвам (into); прегазвам; **to ~ through a difficulty** преодолявам, справям се с трудност; 2. нахвърлям се, нападам, залавям се (енергично), намесвам се (into); 3. нахвърлям се, нападам, критикувам остро (into); II. *n* газене.

wafer [ˈweifə] I. *n* 1. вафла; 2. лепенка; 3. цветно кръгче, което се залепя на документ вместо печат; 4. (полупроводникова) пластинка; 5. *рел.* нафора; II. *v* залепям с лепенка.

wafer-thin [ˈweifəˌθin] *adj* 1. тънък; 2. незначителен (*за разлика; мнозинство*).

waft [wa:ft; wɔft] I. *v* нося, разнасям (*за вятър, вълни*); II. *n* 1. махане на крило; 2. полъх(ване); довеян от от вятъра звук (мириз-ма); 3. минутно усещане, мимолетно чувство.

wag₁ [wæg] I. *v* (-gg-) махам, клатя (се), поклащам (се), въртя (*опашка*); **beards (chins, jaws, tongues) are ~ging** носят се слухове; II. *n* махане, клатене, въртене (*на опашка*).

wag₂ I. *n* 1. шегаджия, шегобиец, веселяк; 2. *рядко* негодник; II. *v sl* бягам от училище (off).

wage [weidʒ] I. *n* 1. (*обикн. pl*) надница, заплата; **nominal (real) ~s** номинална (реална) надница; 2. *остар. обикн. pl* възнаграждение, отплата, възмездие; 3. *attr* наемен; **~ labour** наемен труд; II. *v* водя, повеждам (*борба, война*).

wager [ˈweidʒə] I. *v* обзалагам се; II. *n* бас, обзалагане, облог; миза.

waggery [ˈwægəri] *n* 1. шеговитост, шегаджийство; 2. насмешка, шега (*обикн.* **piece of ~**).

waggish [ˈwægiʃ] *adj* закачлив, ше-говит; забавен.

waggle [ˈwægəl] I. *v разг.* махам, клатя (се), поклащам (се), клатушкам (се); II. *n* махане, клатене, клатушкане, залитане.

waggly [ˈwægli] *adj* нестабилен, неустойчив; лъкатушен.

wagon [ˈwægən] *n* 1. каруца, товарна кола, фургон; 2. (открит) товарен вагон; 3. *мин.* вагонетка; 4. *амер. мор. sl* кораб; 5. *амер. авиац. sl* самолет.

wail [weil] I. *n* 1. ридание, стенание, стон, вопъл, вой; 2. нареждане, оплакване (over); 3. вой, стон (*на вятъра*); II. *v* 1. ридая, вия, стена; 2. нареждам, оплаквам (over).

waist [weist] *n* 1. кръст, талия; **down (up) to the ~, ~-high (deep)** до кръста; 2. по-тясната средна част (*на цигулка и пр.*); стеснение; шийка; гърловина.

wait [weit] I. *v* 1. чакам, почаквам (for); очаквам; **to ~ and see** чакам да видя какво ще стане, изчаквам; 2. готов съм, в очакване съм (for на); **a meal was ~ing for us** яденето беше готово; 3. прислужвам (при хранене), сервирам (*и ~ at table*) (on);

wait about вися, стърча, чакам;

wait (up)on 1) прислужвам, сервирам, обслужвам; 2) *амер. разг.* изчаквам (*нещо*) преди да взема решение; 3) *остар.* посещавам, представям се на, поднасям по-читанията си на; 4) последица (резултат) съм от; 5) *остар.* дебна, издебвам, вардя, извардвам, причаквам; 6) *остар.* придружавам, съпровождам; 7) *спорт.* оставам нарочно назад от;

wait up 1) стоя до късно (*чакайки някой да се прибере*); 2) чакам някой да ме догони; забавям ход; II. *n* 1. чакане, очакване; **to lie in ~ for** дебна, вардя, причаквам, правя засада на; 2. *pl* коледари.

waiter [ˈweitə] *n* 1. келнер, сервитьор; 2. поднос, табла.

wake [weik] I. *v* (woke [wouk], waked [weikt], waked, woken [woukn]) 1. будя (се), събуждам (се), пробуждам (се), разбуждам (*и с* up); to

~ up to a fact осъзнавам (проумявам) някакъв факт; 2. будя, събуждам, разбуждам, възбуждам; съживявам, раздвижвам, развълнувам; 3. нарушавам спокойствието (тишината) на, смущавам, огласям; 4. възкресявам (*и прен.*); II. *n* 1. храмов празник; 2. погребална процесия; бдение над мъртвец; софра (*след погребение*).

wakeful [ˈweikful] *adj* 1. буден; 2. безсънен; 3. бдителен.

wakefulness [ˈweikfulnis] *n* безсъние.

wale [weil] I. *n* 1. белег, следа (*от удар*); 2. изпъкнала ивица (*на плат*); II. *v* оставям белези (следи) на.

walk [wɔ:k] I. *v* 1. ходя, вървя; ходя (вървя, отивам) пеш; ходя по (из), обикалям, кръстосвам, обхождам; разхождам се (*и с* about); **to ~ tall** ходя с гордо вдигната глава; 2. карам, вървя с обикновен ход (*за пешеходец*); 3. преминавам, пропътувам; 4. развеждам, водя (over); водя, развеждам (over); карам го да върви ходом, 5. *разг.* отивам си, махвам се;

walk about ходя, разхождам се;

walk away 1) отивам си; бягам (*от проблем*) (from); 2) отвеждам, от-карвам;

to walk away with 1) *разг.* задигам, открадвам, отнасям, отмъквам; 2) задминавам, изпреварвам, побеждавам лесно;

walk in on влизам неочаквано при; заварвам в неловко положение;

walk into 1) влизам в; оплитам се в, заплитам се в; 2) *sl* нахвърлям се върху; лапам, нагъвам, оплесквам; 3) получавам лесно, без проблем (*работа*);

walk off отивам си, измъквам се;

walk out излизам; "вземам си шапката и си отивам", напускам залата (и пр.); стачкувам;

walk over 1) прекрачвам; 2) задминавам (изпреварвам), побеждавам лесно;

walk up приближавам се (to); II. *n* 1. ход, ходене, вървеж, вървене; **it is a good (three-mile) ~ to there** дотам има доста път (три

мили); **2.** обикновен ход; **3.** ход, походка; **4.** разходка; **to go for a ~** излизам на разходка; **5.** любимо, обично място за разходка; (обиколка на) район; **6.** пътека, алея; **7.** оградено място, пасбище (обикн. **sheep ~**).

walker ['wɔ:kə] *n* **1.** пешеходец; човек, който се разхожда; **2.** паяк, датска проходилка.

wall [wɔ:l] **I.** *n* стена, зид, дувар; **~ of partition** прен. разделителна черта, пропаст; **~s have ears** стените има уши; **II.** *v* ограждам със стена (*u* **~ in, round**); **to ~ up** зазиждам; вграждам.

wallop ['wɔləp] *sl* **I.** *v* **1.** бия, удрям, бъхтам, тупам, пера, пердаша, налагам; **2.** остар. клокоча, вра, кипя; **3.** остар. бързам, препускам (*u* **~ along**); **II.** *n sl* силен удар.

wall painting ['wɔ:l,peintiŋ] *n* стенопис, фреска.

walnut ['wɔ:lnʌt] *n* **1.** орех; **2.** орехово дърво; **3.** *attr* орехов.

waltz [wɔ:ls] **I.** *n* валс; **II.** *v* **1.** валсирам, танцувам, играя валс; **2.** скачам (от радост и пр.; *u c* **in, out, round**); **3.** карам някого да валсира, въртя го; **4.** амер. пренасям, превозвам; **5.** разг. върша с лекота, справям се със замах (*u* **~ it**).

wan [wɔn] **I.** *adj* **1.** блед; изнурен, изпит; **2.** блед, мъждив; **II.** *v поет.* натъжавам (се); помръквам; побледнявам.

wander ['wɔndə] *v* **1.** скитам (се), бродя, странствам (*u c* **about**); **2.** загубвам се, заблуждавам се, отклонявам се; блуждая; **to ~ in o.'s mind** не съм с ума си; **3.** рея се, блуждая (за мисли, поглед); **4.** бълнувам; говоря несвързано; не съм на себе си.

wane [wein] **I.** *v* намалявам, спадам; чезна; бледнея; **II.** *n* намаляване, спадане; чезнене.

wangle [wæŋɡəl] *v sl* **1.** изпросвам, издействам, измъквам; **2.** нареждам, уреждам; **3.** фалшифицирам, подправям.

want [wɔnt] **I.** *v* **1.** искам, желая; **he ~ed his power recognized** искаше властта му да бъде призната;

---

2. нуждая се от, липсва ми, лишен съм от, нямам; **to ~ for nothing** нищо не ми липсва, от нищо не съм лишен; **3.** изисквам; търся; издирвам; **4.** липсвам, недостигам; **II.** *n* **1.** липса, недостиг; **2.** нужда, лишение; бедност; **to fall into ~, to come to ~** изпадам (в нужда, бедност); **3.** нужда, потребност; недостиг; **to be in ~ of** имам нужда от.

wanton ['wɔntən] **I.** *adj* **1.** безпричинен; безсмислен; ◇ *adv* **wantonly; 2.** разпуснат, разпътен, разгулен, покварен, развратен; **3.** буен, игрив, необуздан; **4.** пъргав, подвижен; **5.** буен (за растителност); **II.** *v* **1.** раста буйно; **2.** държа се необуздано; **3.** играя (**with**); **4.** пропилявам, харча, прахосвам (**away, with**); **III.** *n* разпуснат (безнравствен, покварен) човек (за жена) развратница.

war [wɔ:] **I.** *n* **1.** война; **to make (wage, levy) ~ on** водя война с, воювам против (с); **to have been in the ~s** прен. пострадал съм, имам окаян вид; **2.** борба; **~ to the knife** разг. ожесточена (свирепа) борба; **~ of words** словесен двубой; **3.** *attr* военен; **W. office** англ. военно министерство; **II.** *v* (**-rr-**) обикн. прен. воювам, бия се, сражавам се (**with, against**).

warden ['wɔ:dən] *n* **1.** началник, директор, управител; губернатор; ректор; **2.** надзирател; **3.** църковен настоятел, епитроп; **4.** надзирател, стража; **5.** портиер, пазач, вратар; обслужващо лице.

ware [wɛə] *n* **1.** изделия; **silver ~** изделия от сребро; **2.** *pl* стока; **soft ~** текстилни изделия, текстил.

warm [wɔ:m] **I.** *adj* **1.** топъл; **2.** стоплен, затоплен; **~ contest** разгорещен спор, ожесточена схватка; **3.** прен. (за прием и пр.) сърдечен, топъл; **~ heart** добро (отзивчиво) сърце; **4.** прен. разгорещен; **5.** пресен, свеж (за следа); **6.** разг. неудобен поради опасност; **7.** активен, деен; усърден; **8.** възбуден, встрастен; **9.** чувствен, еротичен; **10.** разг. заможен, охолен, богат, паралия; **II.** *v* стоп-

---

лям (се), затоплям (се) (**up**); грея, загрявам; **my heart ~s to him** съчувствам му; **III.** *n* **1.** стопляне, затопляне; **2.** топлота; топлина.

warm-hearted ['wɔ:m'hɑ:tid] *adj* отзивчив, добър; добросърдечен, с отворено сърце.

war-minded ['wɔ:'maindid] *adj* агресивен, войнствен.

warn [wɔ:n] *v* **1.** предупреждавам; **2.** предизвестявам; уведомявам; **3.** сплашвам, заплашвам (**against**).

warning ['wɔ:niŋ] **I.** *n* **1.** предупреждение; **2.** признак, знак, поличба; **II.** *adj* предупредителен.

warpage ['wɔ:pidʒ] *n* изкривяване, измятане, деформиране.

warrant ['wɔrənt] **I.** *v* **1.** давам основание за, оправдавам; **2.** гарантирам, поръчителствам; удостоверявам; уверявам, потвърждавам; **I'll ~ (you)** уверен съм; **3.** упълномощавам, узаконявам; **II.** *n* **1.** съдебно постановление, заповед, писание; постановление; повеля; **2.** основание; **3.** гаранция, поръчителство, препоръка, свидетелство; **travelling ~** воен. пътен лист; **4.** пълномощие, правоимение; **~ of attorney** юр. мандат; **5.** воен. заповед за производство в офицерски чин.

warrantable ['wɔrəntəbəl] *adj* законен, допустим.

warranter ['wɔrəntə] *n* поръчител, гарант.

warranty ['wɔrənti] *n* **1.** поръчителство, гаранция; **product ~** гаранция за качеството на продукт; **2.** основание, право (**for**); **3.** упълномощаване.

warring ['wɔ:riŋ] *adj* противоречив, несъпоставим, непримирим; **~ interests** взаимноизключващи се интереси.

warrior ['wɔriə] *n* воин, боец, войник; **feather-bed ~** тилов герой.

wartime ['wɔ:,taim] **I.** *n* военно време; **in ~** по (през) време на война; **II.** *adj* военновременен.

wary [wɛəri] *adj* **1.** внимателен, предпазлив; предпазлив, предпазлив, предпазлив, предпазлив, предпазлив, предпазлив; предпазлив; **2.** хитър, ловък.

wash [wɔʃ] I. *v* 1. мия (се), измивам (се); къпя (се); to ~ o.'s hands измивам си ръцете (*и прен.* of); 2. пера, изпирам; to ~ o.'s dirty linen in public изнасям кирливите си ризи на показ; 3. (*за вълни*) блъскам се, плискам се (*и* to ~ upon); to ~ ashore нося (влека) към брега; 4. завладявам, заливам (*за чувство*) (*c* over, through); 5. покривам с тънък слой, боядисвам, намазвам; 6. промивам, плакна; плискам се, плакна се; 7. отмивам, отнасям с течението; 8. издържам на пране; *прен.* издържам критика; her excuses didn't ~ оправданията й не минаха, оправданията й не бяха приети; **wash away** отмивам; to ~ o.'s sins *рел.* пречиствам се от греховете си; **wash down** 1) измивам; 2) измивам, отмивам, отнасям; 3) покарвам (*залък*) (with); **wash off** отмивам, измивам; отпирам (се); **wash out** 1) измивам (се), изпирам (се), *прен.* изтривам (изличавам) нещо от съзнанието си; зарязвам; 2) подмивам (*брегове*); размеквам (*път*); 3) провалям, възпрепятствам (*за дъжд някакво събитие*); **wash over** подминавам, минавам покрай (без да засегна); **wash up** 1) мия (измивам) съдове; 2) изхвърлям на брега (*обикн. в passive*); 3) *sl* приключвам, привършвам, свършвам; II. *n* 1. миене, измиване; 2. пране; to hang out the ~ окачвам (простирам) прането; 3. плискане; разбиване, плясък (*на вълни*); прибой; 4. килватер, диря (*на кораб*); *авиац.* раздвиженият въздух след самолет; 5. помия (*и прен.*); 6. бърборене, празни приказки; 7. тънък и равен слой боя, слой метал; 8. лосион, тоалетна вода; 9. залята от вода местност; локва; 10. нанос, чакъл, пясък; 11. златоносен пясък; 12. *амер.* старо корито на река.
wash drawing [ˈwɔʃˌdrɔːɪŋ] *n* 1. акварел; 2. рисунка с размит туш.

washing powder [ˈwɔʃɪŋˈpaudə:] *n* прах за пране.
washout [ˈwɔʃˌaut] *n* 1. размиване, отмиване, размекване, ерозия; 2. *sl* провал, неуспех; разруха; безполезна вещ.
waspish [ˈwɔspiʃ] *adj* зъл; язвителен.
wassail [ˈwæsəl] I. *n* 1. гощавка, пир, гуляй; 2. наздравица; 3. питие; II. *v* 1. пия (вдигам) наздравица; 2. пирувам, гуляя.
wastage [ˈweistidʒ] *n* 1. загуба; фира; брак; 2. (брой на) отпадналите студенти; студенти, незавършили пълния курс на обучение.
waste [weist] I. *v* 1. прахосвам, разсипвам, изхарчвам, пилея (*енергия, пари*); хабя, губя (*време*); разрушавам; to ~ o.'s breath говоря на тоя, дето духа; 2. опустошавам, увреждам, повреждам; изхабявам; разорявам; 3. чезна, линея, вехна, крея, съхна (*и* ~ away); to ~ away to skin and bone *разг.* ставам само кожа и кости, ставам на скелет (мумия); II. *n* 1. хабене, изхабяване, губене, разсипване, прахосване; а ~ of space безполезен човек (предмет); 2. остатъци, останки; отпадъци, обрезки; брак; смет, боклук; обработена вода и пр.; 3. пустиня, пустош; 4. загуба, ущърб; 5. *юр.* разорение; увреждане на имуществото; 6. *мин.* нерудоносна скала, ганга, ялова скала; стерил; III. *adj* 1. непотребен, бракуван, негоден, безполезен, ненужен; 2. пустинен, необработен, запуснат; незалесен, опустошен, разоран; пуст, изоставен; to lay ~ опустошавам; 3. излишен, ненужен, напразен; 4. *техн.* отработен; 5. негоден, бракуван; захвърлен.
wasted [ˈweistid] *adj* 1. безполезен, напразен; прахосан; 2. изтощен (*от болест*), залинял.
wasteful [ˈweistful] *adj* 1. разточителен, прахоснически; екстравагантен; 2. разорителен; ◇ *adv* wastefully.
wasty [ˈweisti] *adj* непотребен, изхабен, захвърлен.
watch₁ [wɔtʃ] I. *v* 1. наблюдавам,

следя, пазя; ~ it! *sl* внимавай, отваряй си очите (на четири); 2. бдя над; бодърствам, нащрек съм; to ~ o.'s time чакам (дебна) удобен момент; 3. очаквам, дебна (for); a ~ed pot never boils когато чакаш, времето ти се струва безкрайно; II. *n* 1. наблюдение; бдителност; to be on the ~ for 1) внимавам за, отварям си очите (на четири) за; 2) дебна, чакам из засада; 2. бодърстване; бдение; 3. *остар.* страж, стража, пост, караул; патрул; пазач, часовой; 4. *мор.* вахта.
watch for очаквам, дебна; изчаквам;
watch out внимавам, отварям си очите (на четири), нащрек съм (for);
watch over охранявам, пазя, наглеждам.
watch₂ *n* часовник (*джобен или ръчен*).
watcher [ˈwɔtʃə] *n* 1. наблюдател; 2. пазач; 3. *амер.* застъпник на кандидат при избори.
watchful [ˈwɔtʃful] *adj* бдителен; наблюдателен; внимателен.
watchman [ˈwɔtʃmən] *n* (*pl* -men) 1. нощен пазач; 2. караул, стража.
watchword [ˈwɔtʃwəːd] *n* 1. парола; 2. *прен.* лозунг, призив, вик, повик.
water [ˈwɔːtə] I. *n* 1. вода; • bubbly ~ *шег.* шампанско; 2. води; езеро; море, река; blue ~ открито море; 3. водоем; резервоар; 4. воден разтвор; слюнка; пот; пикоч; 5. бистрота, прозрачност; diamond of the first ~ най-чист диамант; 6. блясък на коприна; 7. *фин.* акции, издадени без увеличение на основния капитал; II. *v* 1. оросявам, мокря, навлажнявам, намокрям; 2. поливам, наводнявам, напоявам, поя; ходя (водя) на водопой, пия вода; 3. разреждам, разтварям във вода; to ~ down the details смекчавам подробностите; 4. *фин.* номинално увеличавам капитала на; 5. уринирам; текат ми, потичат ми лигите; насълзявам се; отделям вода; it made his mouth ~ поте-

коха му лигите; **6.** *мор.* (*за кораб и пр.*) набирам вода.

water-absorbing ['wɔtəəb,zɔ:biŋ] *adj* хигроскопичен, водопоглъщащ.

watercolour ['wɔ:tə,kʌlə] *n* **1.** акварел (*рисунка и боя*); **2.** *attr* акварелен.

water cure ['wɔ:təkjuə] *n* водолечение, хидротерапия.

water drinker ['wɔ:tə,driŋkə] *n* въздържател; трезвеник.

waterless ['wɔ:təlis] *adj* безводен.

water main ['wɔ:təmein] *n* водопровод, водопроводна магистрала.

watermelon ['wɔ:tə,melən] *n* диня, любеница.

water plane ['wɔ:təplein] *n* хидроплан.

water power ['wɔ:tə,pauə] *n* хидроенергия, водна сила; ~ **plant** водноелектрическа станция, ВЕЦ.

waterproof ['wɔ:təpru:f] **I.** *adj* водонепропусклив, непромокаем (*за вода*), импрегниран; **II.** *n* мушама, непромокаема материя, тренчкот; **III.** *v* правя непромокаем, импрегнирам.

waterside ['wɔ:təsaid] **I.** *n* бряг, крайбрежие; **II.** *adj* крайбрежен.

waterspout ['wɔ:təspaut] *n* **1.** водосточна тръба, капчук; **2.** воден циклон, смерч.

watertight ['wɔ:tətait] *adj* **1.** водонепропусклив; непромокаем; **2.** който се затваря херметически; **3.** *прен.* неопроверким.

wave [weiv] **I.** *n* **1.** вълнà; **tidal ~** приливна вълна; **2.** *поет.*, *pl* море, океан; **3.** *прен.* вълнà, изблик; **a ~ of panic** пристъп на паника; **4.** извивка, неравност, вълнообразна линия; **5.** лимба, вълнà (*на коса*); ондулация; **electric (permanent) ~** къдрене на апарат; **6.** махане, ръкомахане; **II.** *v* **1.** размахвам (се), развявам (се); **2.** правя вълнообразен, правя на вълни; **3.** махам с ръка, ръкомахам; **4.** моарирам (*коприна*); **5.** (*за коса*) къдря (се), вия (се), чупя (се); ставам на вълни; **6.** (*за нива*) вълнувам се, люлея се.

waved [weivd] *adj* вълнист, на вълни; (*за коса*) къдрав, завит.

waver ['weivə] *v* **1.** колебая се, двоумя се, проявявам неувереност; разколебавам се; **2.** (*за пламък*) трептя.

wavy ['weivi] *adj* **1.** вълнообразен, на вълни, вълнист; **2.** къдрав; **3.** развяващ се, олюляващ се.

wax₁ [wæks] **I.** *n* **1.** восък; **sealing ~** червен восък; **2.** ушна кал; **3.** *attr* восъчен; **II.** *v* **1.** покривам (запечатвам) с восък; **2.** *sl* скривам доказателства.

wax₂ *v* остар. **1.** порастам, раста, увеличавам се (*особ. за луната*), нараствам; **2.** ставам; **to ~ fat** пълнея, затлъстявам.

wax₃ *n sl* гняв, ярост; пристъп на ярост, гняв; **to get into a ~** вбесявам се, изпадам в ярост.

way [wei] *n* **1.** начин, способ, метод, маниер; **(there are) no two ~s about it** няма две мнения по този въпрос; **the Way** християнската религия; **2.** път, пътека; шосе, място за преминаване; **~ out** изход; *прен.* изход от положението; **the Milky W.** *астр.* Млечният път; **3.** направление, курс, посока; **every which ~** по всички направления, в разни посоки; **to look the other ~** правя се, че нищо не виждам; отвръщам, извръщам поглед; **4.** разстояние; **we go ~ back, we go back a long ~** отдавна сме заедно, връзката ни е от дълго време; **his name goes a long ~** той има голямо влияние, думата му тежи; вслушват се в мнението му; **5.** *разг.* състояние, положение; начин на живот; **in a big ~** силно, с ентусиазъм, решително; **to get that ~** *разг.* попадам в лошо положение, изпадам в неприятност; **6.** ход, движение, инерция; **to get under ~** (*за кораб*) отплувам, заминавам, тръгвам на път; *прен.* започвам, пускам в ход, осъществявам; ● **to have a ~ with** имам, намирам подход към; **No ~!** абсурд! невъзможно!

wayfarer ['wei,fεərə] *n* пътник, пешеходец.

wayfaring ['wei,fεəriŋ] *adj* странстващ, пътуващ.

waymark [wei'ma:k] *n* пътеуказател; ориентировъчен белег (знак) на път.

way-out ['wei,aut] *adj разг.* нетрадиционен, странен, екстравагантен.

wayside ['weisaid] **I.** *adj* попътен, крайпътен; **II.** *n* страна на пътя; канавка; банкет.

wayward ['weiwəd] *adj* разглезен, капризен, егоистичен, своенравен; опак; непостоянен, вятърничав.

waywardness ['weiwə:dnis] *n* своенравие; непостоянство; вятърничавост.

WC *abbr* (**water closet**) тоалетна.

we [wi:, wi] *pron pers* ние.

weak [wi:k] *adj* **1.** слаб; нетраен; чуплив; **the ~er sex** жените; **2.** мек; **3.** слабоволен, слабохарактерен; нерешителен; лесно нараним; **weak mind (head)** глупав, малоумен; **4.** *търг.* с понижени цени; **5.** неубедителен; недостатъчен (*за аргумент*); **6.** *език.* неударен; **7.** разреден, воднист.

weaken ['wi:kən] *v* **1.** отслабвам; отслабям; **2.** разреждам; **3.** поддавам се, отстъпвам.

weakling ['wi:kliŋ] **I.** *n* **1.** слабак, слаб (хилав) човек; **2.** мекотело, безхарактерен човек; страхливец; **II.** *adj* слаб, хилав.

weakness ['wi:knis] *n* **1.** слабост; нездраво (неустойчиво) състояние; неубедителност; неувереност; **2.** слабост, наклонност, склонност; влечение (**for**).

weak-spirited ['wi:k,spiritid] *adj* слабохарактерен, безволев.

weal [wi:l] *n книж.* благосъстояние, благо, добро, благоденствие; **for the public (common) ~** за общото благо.

wealth [welθ] *n* **1.** богатство; състояние; благосъстояние; имущество; **to come to ~, to achieve ~** забогатявам; **2.** изобилие; **a ~ of expertise** богат опит; **3.** *събират.* богаташи.

wealthy ['welθi] *adj* богат, състоятелен, охолен, имотен, заможен; изобилен.

weapon ['wepən] *n* **1.** оръжие; **2.** (у

животни) защитни средства; 3. *прен.* средство.

weaponless ['wepənlis] *adj* невъоръжен, без оръжие.

weaponry ['wepənri] *n* въоръжение.

wear [wɛə] I. *v* (**wore** [wɔ:], **worn** [wɔ:n]) 1. нося, облечен съм с; **she ~s her dress well** изглежда добре в тази рокля; 2. носи се, износва се (*за плат*); **to ~ well** трая, не се износвам; (*за човек*) не ми личат годините; 3. хабя (се), изхабявам (се), изтърквам (се), износвам (се); **my patience is ~ing thin** търпението ми се изчерпва; 4. промивам, отмивам, ерозирам; **the water has worn a channel** водата си е пробила път; 5. изхабявам, изтощавам, уморявам; 6. трая, имам трайност; **the day ~s towarrds its close** денят клони към заник; 7. уморен съм, изтощен съм;

wear away 1) изтривам (се); заличавам (се); 2) влача се, тека бавно (*за време*); 3) губя сили, линея;

wear down 1) износвам, скъсвам от носене; изтривам (се); 2) преодолявам (*съпротива с настойчивост*); сломявам (противник);

wear off 1) доизносвам (дреха); 2) изтривам се, заличавам се; 3) *прен.* смекчавам се;

wear on тека бавно, влача се (*за време*);

wear out 1) износвам (се); 2) *прен.* изтощавам, изчерпвам докрай (*търпение и пр.*); 3) състарявам (се); 4) изморявам;

wear through 1) износвам (*до скъсване*); 2) издържам докрай;

II. *n* 1. носене; **this is now in general ~** това сега се носи от всички, това сега много се носи; 2. износване, изхабяване, изтъркване; **the worse for ~** износен; изхабен; състарен; 3. *търг.* дреха, облекло; **working ~** работни дрехи; 4. материя, плат; 5. трайност, издръжливост; ● **~ and tear of life** житейски несгоди (трудности, изпитания).

weariness ['wiərinis] *n* 1. умора; 2. скука, досада; 3. изтощение, из-

тощеност.

wearing ['wɛəriŋ] *adj* изморителен, изтощителен, изнурителен.

weary ['wiəri] I. *adj* 1. изморен, изтощен; **I'm ~ of** it стига ми до гуша; 2. уморителен; отегчителен, досаден; 3. отегчен; ◇ *adv* **wearily;** II. *v* 1. уморявам (се), досаждам, отегчавам (се), дотяга ми (of); 2. *шотл.* копнея, стремя се, тъгувам (for за *или* to c inf да).

weather ['weðə] I. *n* време (*като атмосферни условия*); **April (broken) ~** *прен.* честа смяна на настроенията; **in all ~s** независимо от времето, при всички атмосферни условия; II. *v* 1. излагам на атмосферните влияния; сушà, проветрявам; 2. руша се, меня се, потъмнявам (*при атмосферни условия*); 3. променям, потъмнявам (*за атмосферни влияния*); 4. издържам (*буря*); надживявам (*нещастие*); 5. *мор.* минавам, заобикалям (*при насрещен вятър*); III. *adj* мор. обърнат към вятъра; ● **to keep o.'s ~-eye open** отварям си очите (на четири), нащрек съм.

weathercock ['weðəkɔk] *n* 1. ветропоказател; 2. *прен.* неустановен (непостоянен) човек; "слънчоглед", приспособенец; **like a ~ in the wind** накъдето повее вятърът.

weatherman ['weðəmən] *n* (*pl* -**men**) метеоролог.

weather service ['weðə,sə:vis] *n* метеорологична служба.

weather-stained ['weðə,steind] *adj* обезцветен, избелял, излинял; очукан от времето.

weave [wi:v] I. *v* (**wove** [wouv], **woven** [wouvn]) 1. тъка, изтъкавам; 2. вплитам, плета, преплитам; 3. *прен.* измислям, съчинявам; 4. вия се, вървя (движа се) зигзагообразно; криволича; ● **get ~ing!** *sl* започвай! давай! залавяй се! II. *n* тъкан, начин на тъкане; сплитка.

weaver ['wi:və] *n* тъкач, тъкачка; **~ of rhymes** стихоплетец.

web [web] I. *n* 1. паяжина (*и* spider's ~); 2. тъкан; 3. мрежа, клопка; 4. *прен.* сплетня, измислица; 5. плавателна ципа (*на живот-*

но); 6. ветрило (*на перо*); 7. *техн.* свързваща част; диск (*на колело*); шийка (*на релса*); лист (*на трион*); 8. преграда; II. *v* (-**bb-**) 1. плета паяжина, мрежа; 2. вплитам в мрежа (*и прен.*).

wed [wed] *v* (-**dd-**) *pp* (*рядко* **wed**) 1. женя (се), омъжвам (се), венчавам (се); встъпвам в брак; 2. *прен.* съчетавам, съединявам (**to**); 3. привързвам се, прикрепям се за постоянно; обединявам.

wedded ['wedid] *adj* 1. съпружески; **my ~ wife** законната ми съпруга; 2. предан (**to**).

wedding ['wediŋ] *n* 1. сватба, венчавка; бракосъчетание; 2. *остар.* годеж, обручение; 3. *attr* сватбен; **~ ring** брачна, венчална халка.

wedding trip/tour ['wediŋtrip] *n* сватбено пътешествие.

wedge [wedʒ] I. *n* 1. клин; **to force (drive) a ~** вбивам, забивам клин; 2. нещо клиновидно; дебел резен; ● **to drive a ~ between** всявам раздор между, скарвам, отчуждавам; II. *v* 1. разцепвам (избивам) с клин (**apart**); 2. закрепвам (затягам) с клин, заклинвам, заклещвам се; 3. придавам клиновидна форма на; 4. набивам, начуквам; **to ~ off** разбутвам, разблъсквам.

wedge-like ['wedʒ,laik] *adj* клинообразен, клиновиден.

wedlock ['wedlɔk] *n* съпружество, брак; **born in (out of) ~** законороден (незаконороден, извънбрачен).

Wednesday ['wenzdi] *n* сряда.

weed [wi:d] I. *n* 1. бурен, плевел; **to grow like a ~** раста много бързо; 2. мършав човек; 3. кранта; II. *v* чистя бурени, плевя; **to ~ out** изкоренявам; отстранявам, изчиствам, прочиствам; пробирам.

weeds [wi:dz] *n pl* (**widow's**) ~) траур, траурно облекло.

week [wi:k] *n* 1. седмица, неделя; **day of the ~** ден от седмицата (понеделник, вторник и пр.); 2. *разг.* седмица (*без почивните дни*); **~-long** (с продължителност) цяла седмица.

weekday ['wi:kdei] *n* 1. делник; 2. *attr* делничен.

weekly ['wi:kli] I. *adj* седмичен; II. *adv* седмично; III. *n* седмичник (*за вестник, списание*).

ween [wi:n] *v поет.* 1. мисля, смятам, предполагам; 2. очаквам, надявам се.

weeny ['wi:ni] *adj* малък, миниатюрен.

weep [wi:p] I. *v* (**wept** [wept]) 1. *книж.* плача; ридая; оплаквам (**for, over**); **she wept for joy** (**with pain**) тя плака от радост (болка); 2. покривам се с капки (силна влага); сълзя; капя, прокапвам; II. *n* плач, плакане, рев.

weepage ['wi:pidʒ] *n* просмукване, изтичане.

weepie ['wi:pi] *n разг.* сълзлив, сантиментален филм (роман и под.).

weigh [wei] I. *v* 1. тегля, претеглям, меря, премервам; 2. тежа; 3. имам значение, тежа; 4. премислям, мисля, обмислям, преценявам; 5. *остар.* смятам; 6. *спорт.* претеглям (*играч преди състезание – при бокс, борба*); • **to ~ anchor** *мор.* вдигам котва, потеглям;

weigh down 1) натежавам, натегвам (**with**); 2) притискам, смъквам надолу; потискам, гнетя, обременявам, натоварвам;

weigh in 1) *спорт.* тегля се, меря се преди състезание; 2) допринасям, подпомагам, съгруднича; влияя (**on** на);

weigh in with превеждам решаващ, силен (*аргумент и пр.*); подкрепям;

weigh out 1) премервам, размервам; 2) *спорт.* тегля (претеглям) се след състезание; 3) *sl* умирам, отивам си;

weigh up претеглям (*прен.*), съставям си мнение за; виждам колко струва (*някой*);

weigh upon тежа на (*и прен.*); **weigh with** влияя на;

II. *n* 1. претегляне, измерване; 2. вдигане на котва, отплуване.

weight [weit] I. *n* 1. тегло; тежест; **to put on ~** наддавам (*на тегло*); **to throw o.'s ~ behind** подкрепям, силно подпомагам, активно съдействам за; • **to pull o.'s ~** давам своя дял, трудя се

равностойно; 2. тежест, тежък предмет (*за притискане*); 3. начин на теглене; 4. мярка за тежест; 5. *прен.* бреме, тежест, товар; (*u* **dead ~**); 6. значение, важност, тежест; **to lay ~ on** (**to give ~ to**) придавам значение на; II. *v* 1. товаря, натоварвам, претоварвам, натежавам, правя по-тежък; 2. обременявам (**with**); прехвърлям товара (**upon**); 3. *текст.* апретирам; 4. оценявам; градирам (подреждам) по важност.

weighted ['weitid] *adj* предубеден; пристрастен; с предразсъдъци.

weighting ['weitiŋ] *n* 1. стойност; оценка; 2. надбавки, компенсации към заплатата.

weightless ['weitlis] *adj* безтегловен.

weightlessness ['weitlisnis] *n* безтегловност.

weight-lifter ['weit,liftə] *n спорт.* щангист.

weightlifting ['weit,liftiŋ] *n* вдигане на тежести.

weighty ['weiti] *adj* 1. тежък; 2. обременяващ; 3. убедителен; внимателно (добре) обмислен; авторитетен; влиятелен; 4. важен, тежък, сериозен (*за проблем и пр.*).

weir [wiə] *n* 1. бент, яз; 2. преливник.

weird [wiəd] I. *adj* 1. съдбоносен, фатален; 2. свръхестествен, неземен; 3. *разг.* необикновен, странен, особен; старомоден; ◇ *adv* **weirdly**; II. *n шотл.* съдба.

weirdness ['wiə:dnis] *n* неестественост; свръхестественост; странност.

welcome ['welkʌm] I. *int* добре дошъл; II. *v* посрещам (*с удоволствие*), приветствам; III. *n* добър прием (посрещане); **to wear out** (**to outstay**) **o.'s ~** злоупотребявам с гостоприемството на някого; IV. *adj* 1. приет добре (*с удоволствие*), желан; **to make s.o. ~** посрещам някого добре; 2. *predic* на когото се разрешава, има свободен достъп на (**to** до); **you are ~** моля, няма защо (в отговор на благодарност).

welcoming ['welkʌmiŋ] *adj* привет-

лив, сърдечен; приятен.

weld [weld] I. *v* 1. заварявам (се), оксиженирам; 2. *прен.* свързвам, сплотявам, обединявам; II. *n* заварка, спойка; заварчен шев.

welfare ['welfɛə] *n* 1. благополучие, благоденствие; благосъстояние, богатство; **~ work** мероприятия за подобряване условията на живот на бедните, инвалидите и пр.; 2. *амер.* социални помощи (*за безработни*).

welkin ['welkin] *n поет.* небе, небеса, висини, небосвод.

well[1] [wel] I. *adv* 1. добре; задоволително; правилно; **to stand ~ with** в добри отношения съм с, близък съм с; **to go ~ together** подхождаме си с; 2. напълно, съвсем; **it is ~ worth a visit** напълно си заслужава да се посети (види); 3. доста, **~ on** (**advanced**) **in years** в напреднала възраст, не много млад; **~ into the night** до късно през (нощта); 4. вероятно, възможно; **it may ~ be that** напълно е възможно и е възможно; • **that's just as ~** добре, че стана така; **you might as ~** защо не; II. *adj predic* 1. здрав; **to be** (**look, feel**) **~** изглеждам (чувствам се) добре; **all's ~** всичко е наред; 2. задоволителен, добър; 3. желателен, препоръчителен; 4. успешен, благополучен; III. *n* добро; **I wish him ~** желая му доброто; IV. *int* 1. (*като уводна частица без особено значение*) е, е добре; **~, here we are at last** е, ето ни най-после; 2. (*за промяна на темата*) **~, let's press on** както и да е, да продължаваме; 3. (*за учудване*) (*и* **~, ~!**) и таз хубава! бре! леле! ами! нима? 4. (*за подкана към отговор*): **~? what is it?** да! какво има?

well[2] *n* 1. кладенец; дълбока яма; 2. сондаж; 3. асансьорна шахта; стълбищна клетка; 4. колба (*на термометър*); II. *v* 1. бликам, излизам на повърхността (*за течност*); **tears ~ed in her eyes** очите и се напълниха със сълзи; 2. надигам се, заливам (*за чувство*).

well-advised ['weləd'vaizd] *adj* (благо)разумен, мъдър; **you would be**

~ to ще бъде благоразумно от ваша страна да.

well-balanced ['wel'bælənst] *adj* **1.** уравновесен, трезвен, здравомислещ, нормален; **2.** добре балансиран (*напр. диета*).

well-being ['welbiiŋ] *n* **1.** благополучие, благосъстояние; **2.** добро състояние (*физическо*), здраве.

well-beloved ['welbi'lʌvd] *adj* много обичан, скъп, любим.

well-bred ['wel'bred] *adj* **1.** благовъзпитан; възпитан; **2.** от добро семейство; **3.** чистокръвен (*за куче, кон и под.*).

well-conditioned ['welkən'diʃənd] *adj* **1.** здрав; **2.** с добро държание.

well-directed ['weldi'rektid] *adj* точен; отлично, правилно насочен (*за удар*).

well-disposed ['weldis'pouzd] *adj* благоразположен, благосклонен **(to, towards)**.

well-doer ['wel'duə] *n* благодетел; добродетелен човек.

well-dressed ['wel,drest] *adj* добре облечен, елегантен.

well-earned ['wel'əːnd] *adj* заслужен (*напълно*).

well-established ['welis,tæbliʃt] *adj* установен; дългогодишен.

well-favoured ['wel'feivəd] *adj* хубав, красив.

well-fed ['wel'fed] *adj* пълен; охранен; закръглен.

well-founded ['wel'faundid] *adj* основателен, обоснован.

well-handled ['wel'hændəld] *adj* **1.** ръководен умело, ефикасно, тактично; **well-handled political campaign** добре водена политическа кампания; **2.** доста употребяван; **sale of well-handled goods** продажба на употребявани стоки.

wellhead ['wel,hed] *n* извор, източник.

well-heeled ['wel'hiːld] *adj* богат, заможен.

well-informed ['welin'fɔːmd] *adj* **1.** добре осведомен; **2.** добре запознат, с големи знания, начетен.

well-judged ['wel'dʒʌdʒd] *adj* навременен; уместен; тактичен; добре извършен.

well-kept ['wel,kept] *adj* **1.** добре

поддържан, в изправност, в добра поддръжка; **2.** дълбока, добре пазена (*за тайна*).

well-knit ['wel'nit] *adj* **1.** строен; добре сложен; **2.** добре построен (*за мисъл, разказ и пр.*).

well-known ['wel'noun] *adj* известен **(to)**.

well-looking ['wel'lukiŋ] *adj* хубав, приятен, привлекателен.

well-mannered ['wel'mænəːd] *adj* учтив, възпитан.

well-off ['wel'ɔf] *adj* **1.** състоятелен, заможен; **2.** в добро положение; **to be ~ for** имам много (от).

well-read ['wel'red] *adj* начетен, образован; **~in** с големи знания в (*известна област*).

well-regulated ['wel'regjuleitid] *adj* методичен, дисциплиниран; нареден (*за домакинство*); тих, порядъчен (*за поведение*).

wellroom ['welrum] *n* бюфет.

well-set(-up) ['wel'set(ʌp)] *adj* добре сложен; мускулест; як.

well-thought-of ['wel'θɔːt'əv] *adj* високоуважаван, ценен, почитан.

well-timed ['wel'taimd] *adj* своевременен, добре подбран, уместен.

well-to-do ['weltə'duː] *adj* състоятелен, заможен; **the ~** богатите.

well-tried ['wel'traid] *adj* изпитан.

well-wisher ['wel'wiʃə] *n* доброжелател.

well-worn ['wel'wɔːn] *adj* **1.** изтъркан, износен; **2.** *прен.* изтъркан, банален.

welter ['weltə] I. *v* **1.** валям се, въргалям се; **to ~ in gore** лежа в кръви; **2.** бутам се, блъскам се (*и за вълни*); II. *n* блъскане, блъсканица, бутаница, бъркотия.

west [west] I. *n* **1.** запад; **2.** западната част на света (на страна, област, град) (*обикн.* **W.**); **the W.** Западът (*Зап. Европа или (амер.) западната част на Съединените щати между Мисисипи и Тихия океан*); **3.** *attr* западен; **~ country** западната част на страна; II. *adv* на запад, западно от; **to look (face)** ~ с изглед на запад; **to the ~ of** на запад от.

westerly ['westəli] I. *adj* западен (*за вятър, посока и пр.*); II. *adv* на

запад.

wet [wet] I. *adj* **1.** мокър; влажен; намокрен; **~ through (to the skin)** мокър до кости; **~ behind the ears** млад, "зелен", неопитен; **2.** дъждовен, дъждлив (*за ден, време и пр.*); **3.** мокър, пресен (*за боя, мастило и под.*); **4.** *sl* в който то не е забранен алкохол; **5.** *разг.* отпуснат; в който няма живец (енергия); жалък; страхлив; II. *n* **1.** течност; влага, влажност, мокрота; **2.** дъжд, дъждовен сезон, време; **3.** *sl* напитка; **4.** *sl* противовъздържател; **5.** *sl* глупав, тъп човек; **6.** *разг.* умерен консерватор; III. *v* (**-tt-**) мокря, намокрям, омокрям; **to ~ o.'s whistle** намокрям си гърлото, пия.

wetness ['wetnis] *n* мокрота, влажност.

whack ['wæk] I. *v* **1.** *разг.* удрям, фрасвам, тупвам; **2.** *sl* деля (се) на части (*и с* **up**);

whack off 1) отсичам с удар; **2)** мастурбирам;

II. *n* **1.** удар, шляпване (*обикн. с пръчка*); **2.** *sl* пай, дял; доза; **3.** *sl* опит; **to take a ~ at a job** опитвам работа; **4.** *sl* (добро) състояние; **out of ~** в дисбаланс, разстроен; повреден.

whack-a-doo ['wækə,duː] *adj sl* луд, чалнат, на който му хлопа дъската.

whacking ['wækiŋ] I. *n* *разг.* пердах, бой (*обикн. с пръчка*); II. *adj* *sl* много голям, огромен; III. *adv* много, изключително (*голям и под.*).

whale ['weil] I. *n* кит; • **he is a regular ~ for work** той е много работлив, той работи за двама; II. *v* **1.** ходя на лов за китове; **2.** *разг.* бия, троша, удрям, напердашвам; (*u to* **~ the shit/piss/tar out of s.o.**); шибам (*с камшик*).

whamdoodle ['wæmduːdəl] *n* дреболийки, джунджурии, дрънкулки.

whang [wæŋ] *разг.* I. *v* думкам, удрям шумно; избумтявам; II. *n* удар, думкане; III. *int* бух! тряс! фрас!

whap [wæp] *n sl* бия, бъхтя, пердаша; удрям, фрасвам.

wharf₁ [wɔ:f] **I.** *n* (*pl* **-fs**, **-ves** [vz]) скеля, пристан, кей; **II.** *v* товаря, разтоварвам стока на кей.

wharf₂ *v* закотвям, хвърлям котва в пристан, кей.

what [wɔt] **I.** *pron* **1.** *inter* какво, що; какъв; ~ **is it**? какво е това? какво има? **is that beautiful or ~**? не е ли красиво това? това наистина е красиво; **2.** *rel* и *cj* това, което; какъвто; ~ **she does possess is the ability to** това, което тя наистина притежава, е способността да; **come ~ may** да става, каквото ще; ● **I know (tell you) ~** знам какво трябва; имам добра идея; **to give s.o. ~ for** давам някому да разбере; **II.** *adj* **1.** *inter* какъв, кой; ~ **time is it**? колко е часът? ~ **trade is he**? той с какво се занимава? **2.** *rel* какъвто; **3.** *exclam* ~ **great news!** чудесна новина! **4.** *emph* колко, какъв (голям, интересен); **III.** *adv* какво, каква степен; доколко; ~ **does it matter**? какво значение има това!

whatever [wɔt'evə] **I.** *pron* **1.** *cj* каквото и; ~ **happens** каквото и да се случи; **2.** *inter* какво (*емфатично*) ~ **can you mean**? какво, по дяволите (за Бога) искаш да кажеш? **II.** *adj* **1.** какъвто и; ~ **excuses he makes, don't believe him** каквито и извинения да даде, не му вярвай; **2.** *след същ. в отриц. и въпрос. изречение* никакъв; някакъв; **nothing ~** абсолютно нищо.

what-not ['wɔtnɔt] *n* **1.** етажерка; **2.** *разг.* всякакви неща, какви ли не неща.

wheat ['wi:t] *n* пшеница, жито; **grain of ~** пшенично зърно.

wheaten [wi:tn] *adj* **1.** пшеничен, житен; **2.** жълт, рус.

wheedle ['wi:dəl] *v* **1.** придумвам, примамвам чрез ласкателство; измамвам; **2.** измъквам, завличам, издрънквам (**out of, from**).

wheel [wi:l] *n* **1.** колело; **cog ~** (**spur ~**) зъбно колело; **2.** велосипед; **3.** щурвал, кормило; волан; **to take the ~** хващам кормилото, *прен.* поемам ръководството; **4.** чекрък; **5.** грънчарско колело;

6. въртене, кръгообразно движение; **7.** *техн.* шлифовъчен кръг; ● **the ~s of life** жизнените процеси; **the ~s of State, government** държавният апарат; **II.** *v* **1.** карам (движа) кола, количка; изкарвам (**out**); **2.** карам, прекарвам (*стоки, товари*); поставям колело на; **3.** карам с голяма скорост; **4.** обръщам (се), извъртам (се) (*и* ~ **round**); **right (left) ~!** дясното (лявото) рамо напред! **5.** карам велосипед; карам, возя се в кола; **6.** *прен.* променям си мнението (**about, around**); **7.** *техн.* шлифовам с шлифовъчен кръг; ● ~ **and deal** заговорнича, правя машинации.

wheel track ['wi:l,træk] *n* коловоз; *pl* следи от колела.

wheeze [wi:z] **I.** *v* дишам трудно, хъхря, хриптя; ~**out** казвам, изричам с хриптене (свирене на гърдите); **II.** *n* **1.** хъхрене, хриптене; **2.** *sl* реплика или шега, вмъкната от артист; шега; **3.** хитрина.

wheezy ['wi:zi] *adj* хъхрещ, хриптящ, свистящ, свирещ (*за гърди*).

whelked [welkt] *adj* изприщен.

whelm [welm] *v* *поет.* изливам; поглъщам; потапям (*и прен.*).

when [wen] **I.** *adv* **1.** *inter* кога; ~ **did you leave**? кога тръгнахте? **I don't know ~ I can go** не знам кога (ще) мога да отида; **2.** *rel* **1**) когато; **the day ~** денят, в който; **2**) и тогава; **he stayed till late ~ he had to go** стоя до късно и тогава каза, че трябва да си ходи; **II.** *cj* **1.** когато; след като; **come ~ you like** ела, когато искаш; ~ **I had done** когато (след като) свърших; **2.** тогава (*времето*), когато; **I remember ~ I met Gill** помня времето, когато срещнах Джил; **3.** *в елипт. обрати* в същото време; докогато; **he looked in ~ passing** той погледна, минавайки; ~ **at school** когато съм (бях) на училище; **III.** *n рядко* време, дата; **have you fixed the where and ~**? уговорихте ли (уточнихте ли) къде и кога (времето и мястото)?

whence [wens] *книж.* **I.** *adv inter* от-

къде? (**from**) ~ **did you come**? откъде дойде?; **II.** *cj* поради което, отдето, откъдето; **we looked back ~ we had climbed** погледнахме надолу, откъдето се бяхме изкачили.

whenever [wen'evə] *adv* **1.** когато и да; всеки път, когато; **2.** (*емфатично*) кога най-после.

where [wɛə] **I.** *adv* **1.** *inter* къде? где? откъде? ~ **is the way out**? къде се излиза? **tell me ~ he is**? кажи ми къде е той; **2.** *rel pron* където, в който (*за място*); **the government is at a stage ~** ... правителството е на етап, в който ...; **II.** *cj* **1.** където, дето; **I knew ~ he had gone** зная къде беше отишъл; **2.** там (мястото), където; **this is ~ I met her** ето тук я срещнах; **I like ~ you live** харесвам мястото, където живеете; **3.** и там; **he accompanied us to the gate, ~ he left us** той ни придружи до вратата и там ни напусна; **4.** докато, за разлика от, а (*за контраст*); **sometimes a teacher will be listened to, ~ a parent might not** понякога децата слушат учителите за неща, за които може би не слушат родителите си; **III.** *n* място (*на събитие*); **the ~ and the when** мястото и датата на.

whet [wet] **I.** *v* (**-tt-**) **1.** точа, наточвам, остря, наострям; **2.** изострям, възбуждам (*апетит, любопитство и пр.*); **II.** *n* **1.** наточване, наостряне; **2.** аперитив.

whether ['weðə] **I.** *cj* **1.** дали (или не); **to be in doubt (uncertain, anxious)** ~ не съм сигурен (загрижен съм) дали; **2.** независимо дали, така или иначе; ~ **or no (not)** и в единия, и в другия случай; така или иначе; **II.** *pron остар.* кой от двамата.

which [witʃ] **I.** *pron* **1.** *inter* кой? (*от няколко*); ~ **are the ones you really like**? кои точно харесваш?; ~ **of you can answer**? кой от вас ще отговори? **2.** *rel само за неща — остар. и за лица*; който; **the room ~ he currently occupies** стаята, която обитава (в която живее) понастоящем; **II.** *adj* **1.**

inter кой? (*от няколко*); ~ **man do you most admire?** на кой мъж се възхищаваш най-много?; **2.** *rel* който; **look** ~ **way you will** гледай, в която посока искаш.

whichever [wit∫'evə] *pron* който (и да) (*от няколко*); ~ **speaks first** който пръв проговори.

whiff [wif] I. *n* 1. лъх, полъх; 2. дъх; **a** ~ **of good cigar** миризма на хубава пура; **a** ~ **of hypocrisy** нотка на лицемерие; 3. всмукване; струйка; 4. *разг.* малка пура; 5. *прен.* клюка; оплюване; II. *v* 1. подухвам; 2. пуша, изпускам кълба дим; 3. изпускам слаба миризма.

whiffle [wifəl] *v* 1. повявам, полъхвам; свистя, фуча; 2. раздвижвам, разнасям, разпръсвам; отнасям (*за вятър*); 3. трепкам, затрепервам (*за пламък, листа*); 4. *прен.* лутам се, блуждая, говоря уклончиво; 5. свиря, свистя (*за гърди*).

while ['wail] I. *cj* 1. докато, през времето, когато; ~ **reading I fell asleep** заспал съм, докато четях; ~ **he was here** (~ **here**) докато той беше тук; 2. докато; а; макар и (че); ~ **good, he was scarcely excellent** макар и добър, той едва ли беше превъзходен; II. *n* (кратко) време; момент; **all the** ~ през цялото време; **once in a** ~ от време на време, рядко; III. *v* прекарвам неусетно, убивам (*време*) (*обикн.* ~ **away**).

whim [wim] *n* 1. прищявка, каприз, приумица; **passing** ~ моментен каприз; **to take a** ~ **into o.'s head** влиза ми муха в главата; 2. хрумване; 3. *мин.* вид макара за качване на въглища (*движена от кон*).

whimper ['wimpə] I. *v* хленча, цивря; скимтя; II. *n* хленчене, хленч; циврене; скимтене.

whimsical ['wimzikəl] *adj* 1. капризен, своенравен, непостоянен; 2. своеобразен, фантастичен, причудлив; ексцентричен.

whimsicality [,wimsi'kæliti] *n* 1. каприз(ност), своенравие, непостоянство; 2. своеобразие, фантастичност, причудливост.

whimwham ['wimwæm] *n остар.* 1. приумица, хрумване; прищявка, каприз; 2. играчка.

whinberry ['winbəri] *n* боровинка.

whine [wain] I. *v* 1. вия; стена; 2. хленча; 3. скимтя, вайкам се; 4. превземам се; II. *n* 1. вой; стенание; 2. хленчене, хленч; 3. превзет носов говор.

whinge ['windʒ] *разг.* I. *v* оплаквам се, вайкам се; II. *n* тюхкане, вайкане, хленчене.

whinny ['wini] I. *v* цвиля, изцвилвам (*леко, радостно*); II. *n* изцвилване (*леко, радостно*).

whip [wip] I. *n* 1. камшик, бич; **to crack the** ~ строг съм, държа изкъсо (*подчинените си*); **a fair crack of the** ~ шанс, възможност за изява; 2. кочияш; 3. тел за разбиване на яйца; 4. *техн.* рудан; лебедка; • **a** ~ **round** събиране на помощи (*за пострадали*); II. *v* (-**pp**-) 1. шибам, бия (*с камшик*), бичувам; бия (*с пръчка*); 2. разбивам (*яйца и пр.*); 3. префучавам; 4. *sl* бия, побеждавам; 5. обшивам, подшивам; почиствам (*шев*); 6. навивам, омотавам (*с канап, връв*); 7. *мор.* плющя (*за платна*); 8. *техн.* повдигам с лебедка;

whip away 1) избягвам; 2) прогонвам; 3) грабвам, дръпвам;

whip in 1) (*при лов*) събирам (*кучетата*); 2) събирам, свиквам набързо;

whip into хвърлям в (*някакво емоционално състояние*);

whip off 1) смъквам, махам; събличам; 2) отнасям, откарвам; отвеждам бързо; избягвам; 3) (*при лов*) пъдя (*кучетата*); 4) откарвам с камшик; 5) гаврътвам, обръщам бързо (*питие*); 6) *sl* мастурбирам;

whip on 1) подгонвам; 2) *прен.* пришпорвам;

whip out 1) измъквам, изваждам, грабвам изведнъж (*нож и пр.*); 2) изтръгвам с бой (**out of s.o.** от някого); 3) избягвам (бързо); 4) изричам, казвам (рязко);

whip together 1) съединявам (*като обшивам ръбовете*); 2) съби-

рам набързо, натъкмявам;

whip up 1) подкарвам кон; 2) грабвам; 3) събирам; 4) раздвижвам, събуждам (чувство); 5) вдигам (*прах*), правя (*вълни*); 6) *разг.* забърквам набързо (*ядене*), скалъпвам надве-натри.

whipping ['wipiη] *n* 1. бичуване, бой; 2. бой, поражение, падане (*при състезание*); 3. подшиване; 4. радиално биене (*на въртящ се детайл*).

whipping top ['wipiηtɔp] *n* пумпал.

whippy ['wipi] *adj* тънък и гъвкав.

whipster ['wipstə] *n презр.* нищожество.

whirl [wə:l] I. *v* 1. въртя (се) (*силно*); завъртявам (се); **my brain** ~**s** вие ми се свят; 2. върти се, тълпя се (*за мисли*); 3. движа се бързо; бивам отнесен, изчезвам (**away**); **to** ~ **past** префучавам (край); **to** ~ **a stone at** замервам с камък; II. *n* 1. въртене, вихрушка; 2. *прен.* вихър; **in the** ~ **of modern life** във вихъра на модерния живот; 3. *прен.* обърканост, хаос; 4. *sl* опит, изпробване.

whirler ['wə:lə:] *n* центрофуга.

whirligig ['wə:ligig] *n* 1. пумпал; 2. въртележка; 3. *прен.* водовъртеж; **the** ~ **of time** превратностите на съдбата.

whirling ['wə:liη] I. *n* вихрово турбулентно движение; II. *adj* вихров.

whirlpool ['wə:lpu:l] *n* водовъртеж, въртоп; вихър (*и прен.*).

whirlwind ['wə:lwind] *n* 1. вихрушка; вихър; 2. суматоха; оживление; вихър; 3. *attr* оживен, трескав; много бърз; шеметен.

whirlybird ['wə:libə:d] *n sl* хеликоптер.

whirr [wə:] I. *v* 1. бръмча (*и за машина*); 2. движа (се) с бръмчене; II. *n* бръмчене.

whisk [wisk] I. *n* 1. малка метличка (*и от пера за прах*); 2. тел за разбиване на яйца; 3. бързо движение; размахване; махване; II. *v* 1. бръсвам (*трохи, прах и пр.*); 2. пъдя (гоня) мухи (**away, off**); 3. откарвам, отнасям бързо (**off**); грабвам; **to** ~ **past** префучавам,

отминавам бързо; **4.** размахвам; **to ~ its tail** замахва с опашка; **5.** мушвам се (**into**); **6.** разбивам (*яйца, крем*).

whisker ['wiskə] *n* обикн. *pl* **1.** мустаци (*на котка, тигър*); **2.** бакенбарди; *остар.* мустаци.

whiskered ['wiskəd] *adj* **1.** с бакенбарди; **2.** мустакат (*за котка и пр.*).

whisky₁ ['wiski] *n* уиски.

whisky₂ *n* двуколка.

whisper ['wispə] **I.** *v* **1.** шепна, пошепвам, нашепвам, пришепвам, шушна; **2.** поверявам (*тайна*); **3.** подшушвам, пускам слух, шушукам; **it is ~ed that** говори се, че; носи се слух, че; **4.** шумоля (*за листа*), ромоля; **II.** *n* **1.** шепот, шушнене; **in a~, in ~s** шепнешком; **2.** тайна; **3.** шушукане; слух; мълва.

whisperer ['wispərə] *n* **1.** човек, който пуска слухове; сплетник; **2.** доносник.

whist [wist] *n* вист (*игра на карти*).

whistle [wisəl] **I.** *n* **1.** свирене, свиркане; подсвиркване; изсвиркване; **to pay for o.'s ~** плащам скъпо за прищявка, каприз; **2.** свирка; **steam ~** свирка на парна машина; ● **as clean as a ~** съвсем чист, чист като нов; невинен; **to blow the ~ on** разобличавам, разкривам; **3.** *sl* гърло; **to wet o.'s ~** намокрям си гърлото, пия; **II.** *v* **1.** свиря (*с уста*), свирвам, свиркам, подсвирквам, изсвирвам; **to ~ a dog back** свирвам на куче да се върне; **2.** свиря, пищя (*за куршум*); **3.** *sl* доноснича; ● **to ~ down the wind** оставям, зарязвам, пускам; **to ~ in the wind** ритам срещу ръжена; правя безполезни опити да спра (променя) нещата.

whistle-blower ['wisəl'bləuə:] *n* разобличител.

whistle-blowing ['wisəl'bləuiŋ] *n* разобличаване, разкритие (*на нечестни сделки и пр.*).

whit [wit] *n* частица; **I don't care a ~** пет пари не давам, не ме интересува.

white [wait] **I.** *adj* **1.** бял; **~ frost** скреж; **~ coffee** кафе със сметана; **2.** блед(ен), побледнял, прибелял (*от страх*); **~as a sheet (as ashes, as aghost)** смъртно бледен; **3.** светъл; прозрачен (*за въздух, вода*); **4.** *прен. разг.* честен, чист, невинен; свестен; благороден; **~ lie** невинна лъжа; **II.** *n* **1.** бял цвят; белота; бяла боя; **2.** бял човек; **3.** бяло облекло; бял плат; **4.** белтък; **5.** бялото на окото; **6.** бяло вино; **7.** обикн. *pl* празно място; **8.** централният кръг на мишена; **9.** бялата топка (*в билярда*); *pl* белите фигури, пулове (*при игра на шах, табла*); **10.** *pl* бяло течение; **III.** *v* **1.** *остар.* боядисвам бял; **2.** *полигр.* оставям празно място.

whiteant ['waitænt] *n* зоол. термит.

white bear ['waitbɛə] *n* полярна мечка.

whitebeard ['waitbiəd] *n* старец с бяла брада; старец.

white cell ['waitsel] *n* мед. левкоцит, бяла кръвна клетка.

white-collar ['wait,kolə] *adj* **1.** чиновнически; **~ worker** служител, чиновник; **~ job** работа в кантора, учреждение, служба; **2.** извършен от вътрешен човек (*за престъпление*).

White Continent ['wait'kontinənt] *n* Антарктика.

white goods ['wait'gudz] *n pl* бяла техника (*перални, хладилници и пр.*).

white-headed ['wait'hedid] *adj* **1.** беловлас; **2.** светъл, рус; **3.** *разг.* щастлив, късметлия; ● **~boy** любимец.

white-knuckler ['wait'nʌklə:] *n sl* страх, паника.

white-livered ['wait,livəd] *adj* страхлив, бъзлив.

whiten [waitn] *v* **1.** побелявам; победнявам; **2.** избелвам.

whitener ['waitənə] *n* избелващо вещество.

whiteness ['waitnis] *n* **1.** белота; **2.** бледност; **3.** чистота; **4.** бяло вещество.

whitening ['waitniŋ] *n* **1.** белене, избелване; **2.** тебешир, креда; калциев карбонат, вар.

white nurse ['wait'nə:s] *n sl* морфин.

white spirit ['wait'spirit] *n* разредител.

whitethorn ['waitθɔ:n] *n* глог.

whitewash ['waitwɔʃ] **I.** *n* **1.** бадана, варов разтвор; **2.** *разг.* замазване; реабилитация; потулване, скриване на истината; **3.** *спорт.* поражение; без точка; **II.** *v* **1.** варосвам; баданосвам; **2.** *прен.* замазвам; реабилитирам; потулвам; **3.** *спорт.* бия с нулев резултат.

whither ['wiðə] *остар.* **I.** *adv* къде, накъде; **II.** *cj* където, накъдето; **III.** *n* местоназначение.

whitish ['waitiʃ] *adj* белезникав, възбял.

whittle [witl] **I.** *v* **1.** дялам, издялвам, дялкам; **2.** *прен.* намалявам (**away, down**); **to ~ down** омаловажавам; **II.** *n* диал. нож.

whity, whitey ['waiti] *adj* белезникав.

whiz(z) [wiz] **I.** *v* **1.** фуча, свистя; жужа; **2.** суша с центрофуга; **II.** *n* **1.** фучене, свистене; жужене; **2.** амер. *sl* ловка сделка, далавера; **3.** *разг.* факир, спец; **4.** *sl* стимулант.

whizzer ['wizə] *n* **1.** центрофуга; **2.** *sl* мятане, запокитване.

whizzkid ['wizkid] *n разг.* блестящ, надарен млад човек, дете-чудо; факир.

who [hu:] *pron* (*косв. n.* **whom** [hu:m], *род. n.* **whose** [hu:z]) **1.** *inter* кой? **~ do you work for?** за кого работиш? **2.** *rel* който; **the one ~ said this** човекът (този), който го е казал.

whodunnit [hu:'dʌnit] *n sl* криминален роман, криминале.

whole [houl] **I.** *adj* **1.** цял; **the ~ lot** всички; **three ~ years** цели три години; **2.** цял, непокътнат, здрав, запазен; невредим; **to get off with a ~ skin** измъквам се невредим; **3.** необезмаслен (*за мляко*); с триците (*за брашно*); **4.** едноръвен, роден (*за брат, сестра*); **5.** *остар.* здрав; ● **~ effect** полезно действие; **II.** *adv разг.* съвсем, напълно (*емфатично*); **a ~**

new way съвсем нов начин; **III.** *n* **1.** (едно) цяло; **on (upon) the ~** общо взето; **as a ~** изцяло; **2.** всичко; **the ~ of it** всичкото; **3.** сума, сбор.

whole-colo(u)red [ˈhoulkʌləd] *adj* едноцветен, дюс.

wholefood [ˈhoulfuːd] *n* натурална (естествена) храна; продукт, който не е подлаган на преработка (без консерванти).

whole-footed [ˈhoulfutid] *adj* пълен, безрезервен.

wholegrain [ˈhoulgrein] **I.** *adj* пълнозърнест (*съдържащ цели несмляни зърна*) (*за хляб*); **II.** *n pl* цели несмляни зърна.

wholehearted [ˈhoul,haːtid] *adj* направен от все сърце, искрен; предан; цялостен; ◇ *adv* **wholeheartedly**.

wholeness [ˈhoulnis] *n* цялост, пълнота.

wholesale [ˈhoulseil] **I.** *n* **1.** продажба на едро; **to sell ~** продавам на едро; **2.** *attr* на едро, крупен, в голям мащаб, едромащабен; **~ prices** цени на едро; **II.** *adv* на едро, в голям размер.

wholesaler [ˈhoulseilə] *n* търговец на едро.

wholesaling [ˈhoulseiliŋ] *n* продаване (купуване) на едро..

wholesome [ˈhoulsəm] *adj* **1.** здрав, здравословен; благотворен, полезен за здравето; **2.** морален; благоприличен, с добро (морално) поведение.

whole-souled [ˈhoulsould] *adj* сърдечен, от все сърце.

wholly [ˈhouli] *adv* изцяло, напълно, съвсем; **I am ~ yours** аз съм напълно Ваш.

whom [hum] *pron* **1.** *inter* кого? **~ did you expect?** ти кого очаквашe? **to ~ did you send it?** на кого го изпрати? **2.** *rel* когото; **the women for ~ work provided an escape from family life** жените, за които работата беше бягство от семейството; **3.** *cj* този, когото; **they are free to appoint ~ they like** свободни са да назначат, когото искат.

whomp [wɔmp] **I.** *n* *амер. разг.* си-

лен удар; плесница, шамар; **II.** *v* **1.** удрям силно, бухвам, трясвам; **2.** набивам, напердашвам; **3.** побеждавам, сразявам.

whoop [huːp] **I.** *n* **1.** вик, крясък; **~s of joy** весели крясъци (възгласи); **not worth a ~** *разг.* не важи, не струва; **2.** вик, който придружава кашлица при коклюш; **II.** *v* викам, кряскам, крещя.

whoosh [(h)wuːʃ] **I.** *v* **1.** свистя, профучавам; **2.** тътря шумно; **II.** *int* фшъ..т! зу..п! хоп! (*за илюстрация на бързината на нещо*); **III.** *n* свистене, фучене.

whop [wɔp] *sl* **I.** *v* **1.** бия, натупвам; бъхтя; **2.** побеждавам (*в състезание*); **3.** хвърлям, запращам, запокитвам, захвърлям, мятам; **II.** *n* сблъскване, сблъсък, удар.

whopping [ˈwɔpiŋ] **I.** *n* **1.** бой, бъхтане, тупане; **2.** бой, победа; **II.** *adj sl* много голям, огромен.

whore [hɔː] **I.** *n* **1.** *остар.* блудница; **2.** *грубо* проститутка, курва; **II.** *v* **1.** блудствам, развратнича, ходя по курви; **2.** развратявам (*жена*).

whoredom [ˈhɔːdəm] *n* *рядко* **1.** блудство, проституиране; **2.** *библ.* идолопоклонство.

whorehouse [ˈhɔːˈhauz] *n разг.* бардак, публичен дом.

whoreson [ˈhɔːsʌn] **I.** *n* незаконен син, копеле; **II.** *adj* **1.** незаконороден; **2.** пуст, проклет, шибан, скапан.

whorish [ˈhɔːriʃ] *adj остар.* похотлив, порочен, развратен.

whortleberry [ˈwəːtl,beri] *n* боровинка; боровинков храст.

whose [ˈhuːz] *pron* **1.** *inter* чий? чия? на кого? (*за притежание*); **~ is this?** чие е това? **~ daughter is she?** на кого е дъщеря? **2.** *rel* чийто, чиято и пр. **the driver ~ car was blocking the street** шофьорът, чиято кола беше задръстила улицата; **3.** *cj* чий, чия и пр.; на кого **it doesn't matter ~ it is** няма значение на кого (чие) е.

whosever [huːzˈevə] *cj* който (когото) и да е.

why [wai] **I.** *adv* **1.** *inter* защо? по каква причина? **~ are you late?**

защо закъсня; **~not?** защо не? **but ~?** но защо? **2.** *cj* защо; **I wonder ~ they don't want us** чудя се защо не ни искат; **II.** *pron rel* **this is the reason ~ I left early** тази е причината да тръгна (ето защо тръгнах) рано; **III.** *int* (*за изразяване на удивление, колебание, нерешителност, нетърпение, протест, възражение и пр.*) **~, of course** но, разбира се.

wick [wik] *n* **1.** фитил; ● **to get on s.o.'s ~** лазя (играя) по нервите на някого; **2.** *мед.* марлен дренаж.

wicked [ˈwikid] *adj* **1.** грешен, порочен; **2.** лош, зъл, лих, злонамерен; **3.** *разг. диал.* проклет, лош; неприятен; **4.** *шег.* лукав, дяволит; кокетен, палав, закачлив; **5.** *sl* първокласен, супер; опитен.

wickedly [ˈwikidli] *adv* дяволито; кокетно; палаво.

wickedness [ˈwikidnis] *n* порочност; злонамереност; злоба.

wickered [ˈwikəd] *adj* плетен (*за мебел*).

wickiup [ˈwikiˈʌp] *n* **1.** индианска колиба от пръти и суха трева; **2.** хижа, заслон.

wide [waid] **I.** *adj* **1.** широк (*и прен.*); **3 feet ~** широк 3 фута; ● **publicity (support)** широка публичност (подкрепа); **2.** обширен, просторен, голям; **the ~ world** широкият свят; **of ~ fame** широко известен; **3.** не в целта; **~ ball** топка извън чертата (*в крикета*); **reply ~ of the mark** отговор не на въпроса (неверен отговор) **~ of the truth** неверен, лъжлив, далеч от истината; ● **to give a ~ berth to** избягвам, отбягвам; **II.** *adv* **1.** широко; **2.** нашироко; навсякъде; **far and ~** надлъж и нашир, надлъж и нашироко; **3.** напълно, съвсем; **to be ~ awake** съвсем съм буден, без да мигна; **4.** далеч; **~ apart** на големи разстояния; **III.** *n* **1.** *поет.* широта; **the ~** широкият (големият) свят; **2.** (*в крикета*) топка извън чертата.

wide awake [ˈwaidəˈweik] **I.** *adj* **1.** напълно буден; **2.** хитър; буден,

бдителен, нащрек; **II.** *n* вид широкопола шапка.

wide-eyed ['waidaid] *adj* **1.** с широко отворени (*от изненада и пр.*) очи, опулен, ококорен; **2.** наивен, невинен.

widely ['waidli] *adv* широко, нашироко.

wide-mouthed ['waid'mouðd] *adj* **1.** с широка уста, отвор, устие; **2.** зяпнал (*от учудване*).

widen [waidən] *v* разширявам (се), ставам по-широк.

wide-open ['waid,oupn] *adj* **1.** широко отворен; **2.** уязвим; **to leave (lay) oneself ~** ставам уязвим, беззащитен; **3.** *амер.* в който цари беззаконие (*град, щат и пр.*); **4.** без фаворит, в който има много претенденти с равни шансове (*за състезание, конкурс*); • **to blow (burst, split) s.th. ~** 1) преобръщам; променям из основи; 2) разкривам, изваждам наяве.

wide-range ['waid,reindʒ] *adj* широкообхватен, с голям диапазон.

wide-spectrum ['waidspectrəm] *adj* широкоспектърен (*за антибиотик и пр.*).

widespread ['waid'spred] *adj* широко разпространен, ширещ се.

widow ['widou] **I.** *n* вдовица; **grass ~** сламена вдовица; **cruse ~** неизчерпаем припас; **II.** *v* овдовявам (*и в pass*).

widower ['widouə] *n* вдовец.

widowhood ['widouhud] *n* вдовство.

width [widθ] *n* **1.** ширина, широчина; **in ~** по (на) ширина; **2.** широта; **3.** *минер.* мощност (*на жила, пласт*).

wield [wi:ld] *v книж.* **1.** владея; **to ~ the sceptre** царувам; **to ~ power** упражнявам власт; **2.** владея добре, служа си добре с (*оръжие, инструмент*); **to ~ the pen** пиша, писател съм; **3.** *остар.* направлявам.

wiener ['vi:nə] *n амер.* кренвирш.

wife [waif] *n* (*pl* **wives** [waivz]) **1.** съпруга, жена; **to have a ~** женен съм; **2.** *остар.* жена; **old ~** старица; бабичка.

wig₁ [wig] *n* перука.

wig₂ *v* (**-gg-**) смъмрям, скарвам се

на, порицавам.

wight₁ [wait] *n шег., остар.* човек, създание, твар.

wight₂ *adj шотл., диал.* **1.** силен; храбър, смел; **2.** бърз, чевръст, пъргав.

wigwam ['wigwæm] *n* **1.** вигвам, индианска колиба; **2.** *амер. полит. sl* набързо направен, импровизиран щаб на политическа партия и пр.

wild [waild] **I.** *adj* **1.** див (*за животно, растение и пр.*); **2.** див, пуст, необитаем; **3.** буен, бесен, необуздан (*за вятър, кон, гняв и пр.*); недисциплиниран, необуздан, луд (*за човек*); **to run ~** раста без контрол (на свобода) (*за деца и пр.*); вилнея, развилнявам се; **4.** бурен, неспокоен (*за времена, море и пр.*); **5.** бурен, френетичен (*за овации*); **6.** разрошен, разбъркан (*за коса*); **~ disorder** страшен безпорядък; **7.** луд, безумен, обезумял; **~ with joy** полудял от радост; **to be ~ to do s.th.** умирам от желание да направя нещо; **8.** необмислен, прибързан, налудничав; фантазьорски; (направен, даден) наслуки (*за догадка, изстрел и пр.*); **~ horses won't draw it out of me** никакви мъчения няма да го изтръгнат от мен (*за тайна и пр.*); **II.** *adv* наслуки, напосоки; **III.** *n* **1.** пустош, пущиняк, пустиня; дива, ненаселена местност; **2.** дива страна (*често pl*).

wild boar ['waild'bɔ:] *n* глиган, дива свиня.

wildcat ['waild'kæt] *n* **1.** дива котка; **2.** *attr* необмислен, налудничав (*за план и пр.*); *амер.* който се движи не по разписание (*за влак*); **a ~ strike** внезапна (несъгласувана с профсъюз) стачка.

wilderness ['wildənis] *n* **1.** пустиня; пустош; **a voice (crying) in the ~** *библ.* глас (който вика) в пустиня; **to be (wandering) in the ~** *разг.* не съм вече на власт (*за партия*); слязъл от сцената; **2.** пущинак; занемарена част на градина; **3.** множество; (огромна) маса (*вода и пр.*); **a ~ of roofs** без-

крайно море от покриви.

wildfowl ['waildfaul] *n* пернат дивеч.

wild goose ['waild'gu:z] *n* (*pl* **-geese** [-'gi:z]) дива гъска; **a ~ chase** безнадеждна работа; търсене на нещо несъществуващо.

wildlife ['waildlaif] *n* дивият свят, дивата природа.

wildly ['waildli] *adv* **1.** лудо, необуздано; бурно; **2.** необмислено, на слуки; **3.** страшно, изключително, невероятно.

wildness ['waildnis] *n* **1.** пустош; дива (необработваема) земя; **2.** лудост; необузданост недисциплинираност; **3.** безумие, лудост.

wile [wail] **I.** *n* обикн. *pl* хитрина, хитрост, уловка; **II.** *v* заблуждавам, отклонявам от правия път; прелъстявам; **to ~ away the time** прекарвам си (приятно) времето (*вм.* **to while away the time**).

wilful ['wilful] *adj* **1.** упорит, своенравен, своеволен, опърничав; **2.** преднамерен, (пред)умишлен; ◊ *adv* **wilfully.**

wilfulness ['wilfulnis] *n* своенравие, опърничавост.

wiliness ['wailinis] *n* хитрина, лукавство.

will₁ [wil] **I.** *n* **1.** воля; твърдост (сила) на волята; **2.** воля, желание; твърдо намерение; **where there's a ~ there's a way** да искаш, значи да можеш; който има желание, намира и начин; **the ~ to victory** воля за победа; **3.** отношение към другите; **good ~** доброжелателство, добронамереност, добро(желателско) отношение; **ill ~** зложелателство, задни мисли; **4.** завещание (*и* **last ~ and testament**); **II.** *v* **1.** *библ.* пожелавам, повелявам; **2.** заставям (чрез мислите си), внушавам на; **to ~ oneself to fall asleep** заставям се да заспя; **3.** завещавам.

will₂ *v modal* (*съкр.* **'ll**; *отр. съкр.* **won't** [wount]; 2 *л. остар.* **wilt**, *past* **would** [wud], *съкр.* **'d**); **1.** щ (*за изразяване на бъдеще време*) **I ~ attend the meeting** ще присъствам на заседанието; **2.** *въ* всички лица искам, бих искал; **d**

as you ~ постъпете, както желаете; *остар.* никак да не бях идвал! **3.** *особ.* в *1 л. ед. и мн. изразява обещание, твърдо решение, намерение*; I ~ **not forget** няма да (обещавам да не) забравя; **4.** (*предположение*) трябва, сигурно ще; **this** ~ **be my wife** това сигурно е съпругата ми; **5.** *с ударение изразява настроение, упоритост*; he ~ **have his little joke** той обича да се шегува.

willies ['wilis] *n pl sl* изнервеност, безпокойство; **to give s.o. (to get) the** ~ изнервям (се), изплашвам (се).

willing ['wiliŋ] *adj* **1.** склонен, наклонен, готов; който желае; **2.** охотен, (даден) от все сърце; готов да помогне (да се подчинява, да изпълнява); ◇ *adv* **willingly.**

willingness ['wiliŋnis] *n* готовност, желание, охота.

willow ['wilou] I. *n* **1.** върба; **weeping** ~ плачеща върба; **2.** хилка за крикет; **3.** *текст.* барабанен маган (*и* **-ing machine**); II. *v* почиствам влакна с маган.

willowy ['wiloui] *adj* **1.** обрасъл с върби; **2.** тънък, грациозен, гъвкав, строен като фиданка.

willpower ['wilpauə] *n* воля, сила на волята.

wilt [wilt] *v* спаружвам се, клюмвам, вехна, увяхвам, спихвам се; карам да увехне (да клюмне).

wily ['waili] *adj* хитър, лукав.

wimble ['wimbəl] *n* дрелка; свредло за дърво; сведрел.

wimp [wimp] *n sl* мекушавец, меко тело, безволев човек.

wimpish ['wimpiʃ] *adj sl* мекушав; безхарактерен; нерешителен.

win [win] I. *v* (**won** [wʌn]) **1.** спечелвам, печеля; покорявам (*сърце и пр.*); **to** ~ **the day (the field)** удържам победа, излизам победител; **to** ~ **the spurs** постигам нещо важно; получавам признание; **2.** побеждавам, излизам победител, удържам победа; (*и* **to** ~ **a victory**); **to** ~ **hands down (in a canter)** побеждавам с вързани ръце, побеждавам без усилия; **3.** достигам, добирам се до (*бряг, връх*

и пр.); **to** ~ **home** добирам се до вкъщи; достигам до целта; **to** ~ **o.'s way** успявам в живота, пробивам си път в живота; **4.** добивам, получавам (*руда и пр.*); **5.** убеждавам, скланям;

win away откъсвам, разделям; карам да изостави (забрави);

win back спечелвам си обратно (отново);

win out постигам победа, печеля;

win over (round) спечелвам (на своя страна); **to** ~ **over to a cause** спечелвам (някого) за кауза;

win through преодолявам трудностите; добирам се до (достигам) целта си; пробивам си път; II. *n* победа (*в игра и пр.*).

wince [wins] I. *v* трепвам, потрепвам (*от болка, при стряскане и пр.*); II. *n* трепване, потрепване.

wind₁ [wind] I. *n* **1.** вятър; **the** ~ **rises (falls)** вятърът се усилва (стихва); **2.** *pl* четирите посоки на света, четирите точки на компаса; **from (to) the four** ~**s** от (на) всички посоки (страни); **3.** въздушна струя; **4.** миризма (донесена от вятъра); **to get** ~ **of** подушвам (*и прен.*); **5.** мълва, слух; **to take (get)** ~ разчува се; **6.** *мед.* газове; **to bring up** ~ оригвам се; **7.** дъх; дишане; **to get (recover) o.'s** ~ поемам си дъх, отдъхвам си; **to be in good** ~, **to have plenty of** ~ дишането ми е правилно, не се задъхвам, имам въздух; **8.** празни приказки, празнословие; **9.** лъжичка, (под) ребрата; **10.** духови инструменти; **brass** ~ медни инструменти; ● **to blow in the** ~ разисква се, обсъжда се, премисля се (*без да е взето решение*); **to raise the** ~ намирам пари; II. *v* [wind] **1.** подушвам, надушвам; **2.** карам да се задъха; изкарвам въздуха (*за удар*); **to be** ~**ed by running** задъхан съм от тичане; **3.** давам възможност да си отдъхне (почине); **4.** [waind] (**winded** ['waindid], **wound** [waund]) давам (*сигнал*) с рог и пр.; надувам, изсвирвам с (*рог и пр.*).

wind₂ [waind] I. *v* (**wound** [waund]) **1.** вия се, извивам се; лъкатуша,

вървя на зигзаг, криволича; **2.** навивам (се), увивам (се), обвивам; намотавам; **to** ~ **o.'s arms round s.o., to** ~ **s.o. in s.o.'s arms** обвивам ръце около някого, обгръщам някого с ръце; **to** ~ **round o.'s little finger** *прен.* въртя (*някого*) на пръста си; **3.** навивам (*часовник и пр.*); **4.** издигам (*с въртене*); **to** ~ **a bucket (of water) from a well** вадя кофа (вода) от кладенец; **5.** въртя, завъртам; **to** ~ **the ship** завъртам кораба в обратна посока; **6. to** ~ **o.'s way, to** ~ **oneself** промъквам се предпазливо;

wind back пренавивам (*лента*), връщам;

wind down 1) смъквам (*стъкло на автомобил*); **2)** отдъхвам си; релаксирам; отмарям; **3)** намалявам постепенно (*бизнес*), стеснявам (*дейност*);

wind off развивам (се), размотавам (се);

wind up 1) навивам, намотавам; вдигам (*прозорец на автомобил*); **2)** навивам (*часовник и пр.*); **3)** събирам сили; **4)** развълнувам; възбуждам; дразня; **wound up to a high pitch of excitement** силно възбуден; **5)** сприщвам, завършвам (*реч, дебати, програма и пр.*); ликвидирам; разрешавам (*въпрос*); **6)** *разг.* баламосвам, будалкам;

II. *n* **1.** въртене; завъртане; **2.** извивка, завой; намотка; **3.** *техн.* изкривяване, измятане (*на дъска*).

windage ['windidʒ] *n* **1.** дериация; отклонение (*на снаряд и под.*) поради вятър; **2.** съпротивление на въздуха; **3.** *техн.* хлабавина, луфт; **4.** надводната част на кораба.

windbag ['windbæg] *n* бърборко; празнодумец.

windblown ['wind'bloun] *adj* **1.** тласкан (шибан, брулен) от вятъра; **2.** развян от вятъра (*за коса и пр.*).

windfall ['windfɔ:l] *n* **1.** неочаквано щастие, късмет, кьораво; неочаквано наследство; **2.** свален от вятъра плод; **3.** повалено от буря дърво.

windiness ['windinis] *n* 1. ветровитост; 2. празнословие, склонност към празнословието.

winding ['waindiŋ] I. *adj* извит, извиващ, лъкатушен, криволичещ; спирален; вит; II. *n* 1. извиване, лъкатушене; 2. извивка; завой; 3. навиване; увиване; 4. *ел.* намотка, навивка.

windingly ['waindiŋli] *adv* с много извивки (завои, лъкатушки).

winding sheet ['waindiŋ,ʃi:t] *n* саван, покров.

winding-up ['waindiŋ'ʌp] *n* 1. ликвидиране, ликвидация; 2. навиване, курдисване (*на механизъм*).

wind instrument ['wind,instrumənt] *n* духов музикален инструмент.

windless ['windlis] *adj* безветрен, тих, спокоен.

windlestraw ['windl,strɔ:] *n* сламка, суха тревичка.

windmill ['windmil] *n* 1. вятърна мелница; **to fight (tilt at)** ~s боря се с вятърни мелници, донкихотствам; 2. пръчка с прикрепена към нея перка (*детска играчка*).

window ['windou] *n* 1. прозорец; **blank (blind, false)** ~ зазидан прозорец; **to look in at the** ~ гледам (вътре) през прозореца, • **to go (fly) out of the** ~ изчезвам, изпарявам се; 2. витрина; **to have all o.'s goods in the** ~ повърхностен съм, всичко у мен е само за показ; 3. прозрачно квадратче на плик (*за да се вижда адресът, написан вътре на писмото*).

windpipe ['windpaip] *n* гръклян, дихателна тръба.

wind spout ['windspaut] *n* вихрушка, смерч.

wind stick ['windstik] *n* авиац. sl витло.

windsurfer ['wind'sə:fə:] 1. уиндсърф, дъска за уиндсърф; 2. сърфист.

windsurfing ['windsə:fiŋ] *n* уиндсърфинг.

wind-swept ['wind,swept] *adj* открит за вятъра, изложен на вятър, брулен от вятъра (*за място*).

windup ['waind'ʌp] *n разг.* 1. край, ликвидиране; 2. майтап, бъзикня.

windward ['windwəd] I. *adj* разположен към вятъра, наветрен; II. *n* наветрена страна; място, откъдето вее вятърът.

windy ['windi] *adj* 1. ветровит; 2. празнословен, празен, многословен; 3. *sl* изплашен, бъзлив.

wine ['wain] I. *n* 1. вино; **Adam's** ~ вода; **new** ~ **in old bottles** *прен.* ново вино в стари мехове; 2. винен цвят, цвят бордо; 3. *унив.* малък студентски гуляй; II. *v* пия вино; черпя с вино.

winebibber ['wainbibə] *n* пияница, къркач, къркалан.

winebibbing ['wainbibiŋ] *n* пиянство.

wine cellar ['wain,selə] *n* винарска изба; изба, където се съхранява вино.

wing [wiŋ] I. *n* 1. крило (*и на самолет, сграда и пр.*); *бот.* крилце (*на семе, цвят и пр.*); **to be on the** ~ летя, в полет съм; на път съм да тръгна; пътешествам; **on the** ~**s of the wind** с бързината на вятъра, много бързо; 2. *воен.* фланг; *спорт.* крило; 3. *авиац.* ято; 4. *pl* кулиси; 5. *pl* нашивки на летец; II. *v* 1. слагам крила на (*стрела*); давам крила на, окрилям; 2. изпращам, застрелвам (**at**); 3. летя (през, из, в); **to** ~ (**o.'s way**) **through the air** летя във въздуха; 4. (на)ранявам в крилото (*ръката*), прострелвам крилото (*ръката*) на.

winged [wiŋd] *adj* крилат; пернат; *в съчет.* -крил, с ... крила; **swift** ~ бързокрил; бързоног.

winger ['wiŋə:] *n спорт.* straничен нападател.

wing-footed ['wiŋ'futid] *adj поет.* бърз, крилат, бързоног.

wingless ['wiŋlis] *adj* безкрил.

wink [wiŋk] I. *v* 1. мигам, примигвам; намигвам, намигам, смигвам (**at**); **like** ~**ing** много бързо, мигновено, докато човек успее да мигне; **to** ~ **assent** намигвам в знак на съгласие; 2. мигам, трептя (*за звезда*); 3. **to** ~ **at** зажмурям си очите за; правя се, че не виждам; II. *n* мигане; смигване, намигване; • **I haven't slept a** ~,

I didn't get a ~ **of sleep** не съм мигнал; **forty** ~**s** кратка дрямка, подрямване.

winner ['winə] *n* 1. победител (*особ. за кон*); 2. хит, успех.

winning ['winiŋ] *adj* 1. печеливш; този, който печели (*състезание и пр.*); **to play a** ~ **game** играя без риск; 2. решаващ (*за удар и пр.*); 3. привлекателен, очарователен, пленителен.

winnings ['winiŋz] *n pl* печалба (*особ. от комар, лотария и пр.*).

winnow ['winou] *v* 1. вея, отвявам (*жито и пр.*) (**away, out, from**); 2. *прен.* пресявам, отделям (*ценното*), подбирам; проветрявам; **to** ~ **away (out) the chaff from the grain** *прен.* разглеждам внимателно (*доказателства и пр.*); *прен.* разграничавам важното от маловажното; 3. *поет.* пляскам, махам (като) с криле; 4. *поет.* вея, развявам (*коса, за вятъра и пр.*).

wino ['wainou] *n sl* алкохолик, пияница.

winsome ['winsəm] *adj книж.* привлекателен, обаятелен, очарователен, напет, мил.

winter ['wintə] I. *n* 1. зима; *attr* зимен; 2. *поет.* година; **a man of forty** ~**s** *шег.* четиридесетгодишен човек; II. *v* зимувам, презимувам; прекарвам зимата.

winter sport ['wintə,spɔ:t] *n* зимен спорт.

wintriness ['wintrinis] *n* 1. студ, мразовитост; 2. студенина, хладина, неприветливост, резервираност.

wintry ['wintri] *adj* 1. зимен; студен мразовит; 2. *прен.* студен, хладен, неприветлив; леден, смразяващ (*за поглед, усмивка и пр.*).

winy ['waini] *adj* винен (*и за цвят вкус и пр.*); ~ **nose** пиянски нос

wipe [waip] I. *v* бърша, обърсвам избърсвам, трия, изтривам; **to** ~ **dry** избърсвам (до сухо); • **to** ~ **the smile off s.o.'s face** смразяван усмивката на нечие лице; **to** ~ **person's eye** *sl* фрасвам някого около; смачквам някому фасона

wipe away избърсвам, обърсвам изтривам (*сълзи и пр.*);

wipe off 1) избърсвам, изтривам; 2) ликвидирам (*дълг и пр.*);

wipe out 1) избърсвам, изтривам, заличавам (*петно и пр.*); 2) ликвидирам (*дълг и пр.*); 3) унищожавам (напълно), ликвидирам, изкоренявам (*прен.*);

wipe up избърсвам, изтривам; II. *n* 1. избърсване, изтриване; **give the chair a** ~ (по)избърши стола; 2. *sl* удар; подигравка; 3. *sl* носна кърпа.

wire [waiə] I. *n* 1. жица, тел; **barbed** ~ бодлива тел; **to pull the** ~ **s** дърпам конците на кукли (*в куклен театър*); *прен.* дърпам конците, ръководя скрито (*особ. политически*); 2. *разг.* телеграма; **by** ~ телеграфически, с телеграма; **to get o.'s** ~ **s crossed** *прен.* ставам жертва на недоразумение; II. *v* 1. свързвам (съединявам) с жица (тел); заяквам, завързвам, закрепям с тел; нанизвам на тел; 2. хващам, ловя (*птици и пр.*) с примка от тънка жица; 3. слагам (прокарвам) електрическа инсталация на (*къща и пр.*); 4. воен. заграждам с тел; 5. телеграфирам; **he was** ~**ed for** извикаха го с телеграма.

wired [ˈwaiəd] *adj* 1. *разг.* напрегнат, нервен, на тръни; 2. снабден с тел; армиран с тел (*напр. за стъкло*).

wireless [ˈwaiəlis] I. *adj* безжичен; радио; ~ **set** радиоапарат; II. *n* 1. радио; **on (over) the** ~ по радиото; 2. съобщение по радиото или безжичния телеграф; III. *v* съобщавам (изпращам съобщение) по радиото, изпращам радиограма.

wiriness [ˈwaiərinis] *n* жилавост.

wisdom [ˈwizdəm] *n* 1. мъдрост; благоразумие; 2. мъдрости, сентенции.

wisdom tooth [ˈwizdəmtuːθ] *n* (*pl* -teeth) мъдрец (*зъб*); **to cut o.'s wisdom teeth** *прен.* поумнявам, идва ми акълът.

wise₁ [waiz] I. *adj* 1. мъдър, умен; (благо)разумен; ~ **after the event** след дъжд качулка; ◇ *adv* **wisely**; 2. знаещ, осведомен; **to be** ~ **to**

зная за; в течение съм на; съзнавам; • ~ **man** мъдрец; магьосник; маг, влъхва; II. *v разг.* **to** ~ **up** осъзнавам, разбирам.

wise₂ I. *n остар.* начин; **in no** ~ по никакъв начин, никак; 2. *в съчет.* 1) по отношение на, относно; **it was a much better day weather** ~ денят беше много подобър, що се отнася до времето; 2) като, подобно на.

wise-ass [ˈwaizæs] *sl грубо* I. *adj* самоуверен, нахален, дързък; II. *n* умник, всезнайко.

wisecrack [ˈwaizkræk] I. *n* остроумна забележка; II. *v* остроумнича.

wisecracking [ˈwaizˌkrækiŋ] *adj* духовит, остроумен, който обича да пуска лафове.

wish [wiʃ] I. *v* искам, желая (*и с for*); пожелавам; **to** ~ **for happiness** искам (желая, стремя се към) щастие; **to** ~ **s.o. well (ill)** желая някому добро (зло); II. *n* желание, искане; пожелание (**for**; *с inf*); **by s.o.'s** ~ по нечие желание; **you shall have your** ~ ще имаш това, което желаеш.

wistful [ˈwistful] *adj* тъжен, горестен; изпълнен с копнеж; замислен; ◇ *adv* **wishfully**.

wistfulness [ˈwistfulnis] *n* замисленост; копнеж.

wit₁ [wit] *v остар.* (**I wot** [wɔt], **thou wottest** [wɔt(ə)st], **he wot; wist** [wist]) зная; **to** ~ т. е., а именно.

wit₂ *n* 1. ум, разум (*и pl*); **to gather (collect) o.'s** ~ **s** вземам се в ръце, стягам се; събземам се; **to exercise o.'s** ~ мисля, съобразявам; 2. остроумие; духовитост; 3. остроумен (духовит) човек.

witch [witʃ] I. *n* 1. магьосница, вещица; вълшебница; 2. очарователна жена, чародейка; 3. вещица, грозна старица; II. *v* омагьосвам.

witchcraft [ˈwitʃkraːft] *n* магия; магьосничество, вълшебство.

witching [ˈwitʃiŋ] *adj* омагьосващ; очарователен, пленителен.

with [wið] *prep* 1. с(ъс); ~ **his hands in his pockets** с ръце в джобовете; 2. (едновременно) с, по; 3. при, у; **it is different** ~ **us** при нас е

различно; 4. към; **to be angry (cross)** ~ **s.o.** ядосан съм (сърдит съм) на някого; 5. от (*за причина*); **to be dying** ~ **hunger** умирам от глад; 6. между, сред; **to be popular** ~ популярен съм сред; 7. над; пред; **he has no influence** ~ **us** той няма влияние над (сред) нас; 8. въпреки, при; ~ **all his intelligence** въпреки интелигентността си, при всичката си интелигентност; • **to blazes** ~ **him!** да върви по дяволите!

withdraw [wiðˈdrɔː] *v* (**withdrew** [wiðˈdruː]; **withdrawn** [wiðˈdrɔːn]) 1. оттеглям (се), отдръпвам (се); изтеглям (се); дръпвам (се); отстъпвам (*с from*); 2. вземам (*думи*) назад; оттеглям се; отказвам се (*от обещание*); 3. вземам, прибирам (*дете от училище, напр. за да го изпратя в друго*); 4. изтеглям, изземвам (*от обращение*); 5. отнемам (*привилегия и пр.*); отменям (*заповед*); **to** ~ **o.'s friendship** не съм вече приятелски настроен, не съм вече приятел; 6. изоставям, отказвам се от, изтеглям (*дело*).

withdrawal [wiðˈdrɔːəl] *n* 1. оттегляне; изтегляне; отдръпване; 2. изземване от обръщение; 3. отнемане (*на права и пр.*); отменяне (*на заповед*); 4. изоставяне, отказване (**from** от, на); 5. отстъпление (*и прен.*); 6. затваряне (в себе си) усамотяване; изолиране от околните.

wither [ˈwiðə] *v* 1. вехна, увяхвам, повяхвам; съхна, изсъхвам; суша, изсушавам; 2. отслабвам, умирам; карам да отслабне (*за чувства и пр.*); 3. попарвам (*за слана и прен.*); 4. сразявам, смразявам, унищожавам (*с поглед и пр.*); 5. чезна, крея, вехна, линея (*и* ~ **away**); 6. губя значението си; губя свежестта си; карам да изгуби свежестта си, отнемам свежестта на.

withhold [wiðˈhould] *v* (**withheld** [wiðˈheld]) 1. не давам, отказвам (да дам) (*помощ, съгласие и пр.*); 2. въздържам, одържам; попречвам (**s.o. from doing s.th.** някого

да направи нещо).

within [wið'in] I. *prep* 1. (вътре) в; ~ **doors** вкъщи; 2. (вътре) в, за по-малко от (*за време*); 3. в (рамките на); в предела на, в обсега на; **to keep ~ the budget** не излизам извън рамките на бюджета; II. *adv* 1. вътре; вкъщи; **from ~** отвътре; 2. вътрешно, душевно.

without [wi'ðaut] I. *prep* 1. без; (*c ger*) без да; ~ **seeing** без да виждам (видя); 2. извън, вън от; II. *adv* навън, вън, отвън; **from ~** отвън; III. *cj остар., нар.* без да.

witless ['witlis] *adj* 1. глупав, тъп, тъпоумен; 2. малоумен, недомаслен.

witness ['witnis] I. *n* 1. свидетел, -ка, очевидец, очевидка; 2. (свидетелски) показания; **to give ~ on behalf of** давам показания за, в полза на; 3. доказателство, свидетелство (of, to); **in ~ of** като доказателство за; II. *v* 1. присъствам на, свидетел съм на, виждам (с очите си); 2. показвам, доказвам; свидетелствам за; 3. давам показания (**against** против, срещу; **to** за, относно); потвърждавам верността на (*документ, подпис*); подписвам се като свидетел; 4. *остар.* потвърждавам, свидетелствам (**that** че).

witticism ['witisizm] *n* остроумие, духовитост, остроумна (духовита) забележка.

wittingly ['witiŋli] *adv* съзнателно, нарочно.

witty ['witi] *adj* остроумен, духовит; ◇ *adv* **wittily**.

wizardry ['wizədri] *n* 1. магия; 2. чар, очарование.

wizen(ed) [wizn(d)] *adj* съсухрен, изсъхнал; сбръчкан.

wobble [wɔbəl] I. *v* 1. клатя се, клатушкам се, поклащам се; треперя, вибрирам (*за глас*); 2. колебая се, непостоянен съм; II. *n* 1. клатене, клатушкане, поклащане; треперене, вибрация; 2. колебание; непостоянство.

wobbly ['wɔbli] *adj* 1. разклатен; треперещ; **my legs are ~** краката ми се клатят; 2. непостоянен; ту така, ту така; 3. залитащ, неста-

билен (*за бизнес*).

woebegone ['woubigɔn] *adj* тъжен, мрачен, нещастен, злощастен.

wolf [wulf] I. *n* (*pl* wolves [wulvz]) 1. вълк; **a ~ in sheep's clothing** вълк в овча кожа; 2. алчен човек; 3. *муз.* дисхармония (получена при нетемпериран инструмент); II. *v* лапам, гълтам лакомо, поглъщам, нагъвам (*и c* down).

woman ['wumən] I. *n* (*pl* women ['wimin]) 1. жена; **single ~** неомъжена жена, мома; 2. *остар.* придворна дама; 3. "баба", мекушавец (*за мъж*); 4. женственост; *attr* 1) на жената, на жените, женски; ~ **suffrage** избирателни права на жените; 2) *в съчет. за образуване на ж. р. на различните професии*; ~ **doctor** лекарка; II. *v рядко* правя малодушен; трогвам до сълзи.

womanhood ['wumənhud] *n* 1. женственост; 2. *събират.* жените, женският пол.

wonder ['wʌndə] I. *n* 1. чудо; **to do (work) ~s** правя чудеса; 2. учудване, чудене; **to stare in ~** гледам учудено; 3. *attr* който прави чудеса; II. *v* 1. чудя се, учудвам се (at); чудно ми е (that че); **can it be ~ ed at?** има ли нещо чудно (за чудене)? 2. чудя се, питам се, интересувам се.

wonderful ['wʌndəful] *adj* 1. удивителен, забележителен; 2. *разг.* чудесен, великолепен; ◇ *adv* **wonderfully**.

wonderment ['wʌndəmənt] *n* учудване, удивление, слисване, почуда.

wonder-struck ['wʌndə,strʌk] *adj* смаян, слисан, удивен, изумен.

wonder-worker ['wʌndə,wə:kə] *n* чудотворец.

wonky ['wɔŋki] *adj sl* 1. разклатен; несигурен; 2. слаб, болнав; 3. ненадежден, непостоянен; който извърта.

wont [wount] *книж.* I. *n* навик, обичай; **it was her ~ to** имаше навик да, беше свикнала да; II. *adj pred* свикнал, навикнал; **he was ~ to** свикнал беше да.

wonted [wountid] *adj* обикновен,

обичаен.

woo [wu:] *v книж.* 1. ухажвам, обикалям; 2. *прен.* домогвам се до (*славата и пр.*); примамвам; придумвам, увещавам; **to ~ the muses** занимавам се с изкуство (*поезия и пр.*); 3. мъча се да убедя, уговарям.

wood [wud] *n* 1. гора; **to be unable to see the ~ for the trees** губя се в подробности, а не виждам цялото (най-важното); 2. дърво (*материал*); дървесина; дървен материал; 3. *attr* горски; дървен.

woodcut ['wudkʌt] *n* гравюра на дърво.

wood cutter ['wudkʌtə] *n* 1. дървар, секач; 2. художник, който прави гравюри на дърво.

wooded ['wudid] *adj* горист, залесен.

wooden ['wudən] *adj* 1. дървен, от дърво; дъсчен; ~ **head** тъпак; 2. *прен.* вдървен, замръзнал (*за усмивка и пр.*); 3. *прен.* дървен, тромав, скован (*за държание*); 4. неотстъпчив, трудноприспособим (*за характер*).

wooden-head(ed) ['wudən'hed(id)] *adj* тъп, глупав.

woodless ['wudlis] *adj* незалесен, гол; без гори.

wood nymph ['wud'nimf] *n* 1. горска нимфа, самодива; дриада; 2. вид пеперуда; 3. вид колибри.

wooing ['wu:iŋ] *n* ухажване.

wool [wul] *n* 1. вълна; руно; 2. вълнена прежда; вълнен плат, вълнено трико; вълнени дрехи, вълнено; 3. ситно къдрава коса (*като у негър*); 4. *sl* коса; 5. *attr* вълнен; на вълна; ~ **merchant** търговец на вълна; ● **much cry and little ~** много шум за нищо.

wool fat ['wul,fæt] *n* ланолин.

wool-gathering ['wul'gæðəriŋ] I. *n* разсеяност, заплеснатост; II. *adj* разсеян, заплеснат, отнесен; **his mind is always ~** умът му е винаги някъде другаде.

wooziness ['wu:zinis] *n разг.* обърканост, замаяност.

woozy ['wu:zi] *adj разг.* 1. замаян, объркан; 2. *sl* пиян, с размътена глава.

word [wə:d] I. *n* 1. дума, слово; ~ **for** ~ дума по дума; *attr* дословен, буквален (*за превод и пр.*); **not to mince** o.'s **~s** говоря направо (без заобикалки), не си поплювам; ~ **of honour** честна дума; 2. *често pl* разговор; спор; **may I have a ~ with you**? мога ли да поговоря с вас? 3. дума, обещание; 4. заповед, нареждане; **say the** ~ само кажи (нареди) (и ще го направя); **from the ~ go** от начало до край; 5. вест, съобщение, известие; **to send** ~ **to** s.o. съобщавам някому, уведомявам някого; **to pass the** ~ предавам съобщение (информация); 6. парола; 7. девиз, лозунг; 8. *рел.* **the W.** Светото писание; християнското учение; II. *v* изразявам (с думи), формулирам, казвам.
wordbook ['wə:dbuk] *n* речник.
word formation ['wə:dfɔ‚meiʃən] *n* словообразуване.
wordiness ['wə:dinis] *n* многословие, празнословие, празнодумство, многоглаголство.
work [wə:k] I. *v* (**worked** *остар.* **wrought** [rɔ:t]) 1. работя; занимавам се (**on, at** върху, над, с); **to** ~ **against time** старая се да свърша работа в определен срок; 2. работя, функционирам, действам; върви, движа се (*за механизъм и пр.*); 3. (въз)действам, подействвам; постигам (давам) резултат, успявам (*за средство, план и пр.*); 4. изработвам; ушивам, избродирам (**in** c; *за материала*); 5. движа се, проправям си (*обикн. с наречия*); **we** ~**ed** (**our way**) **south through the forest** ние си проправяхме път на юг през гората; 6. ферментирам, кипя; 7. движа (се), свивам (се), гърча (се); 8. карам да работи; **to** ~ **oneself to death, to** ~ o.'s **fingers to the bone** съсипвам се (изтрепвам се) от работа; 9. управлявам, карам (*машина и пр.*); 10. експлоатирам (*мина*); обработвам (*земя*); върша определена работа (*в даден район; напр. агитация*); 11. решавам (*задача*); смятам; 12. меся, омесвам; мачкам; 13. пре-

работвам (**into**); 14. донасям, докарвам, причинявам, създавам; **to** ~ s.o.'s **ruin** докарвам някого до разорение, съсипвам някого; 15. правя, върша (*чудеса и пр.*); *остар.* правя (*впечатление*); 16. получавам срещу работа; **to** ~ o.'s **way through college** работя, за да се издържам сам в университета; 17. *refl* сам се докарвам до някакво състояние;
work away работя усилено (непрестанно);
work down 1) смъквам се (свличам се) постепенно (*напр. за чорапи*); 2) изработвам;
work in 1) вмъквам (*пасаж и пр.*); вписвам (се); 2) прибавям, смесвам (*продукти*); 3) комбинирам се, съгласувам се, съвпадам; 4) прониква (*за прах и пр.*);
work off 1) отърввам се от (*стоки и пр.*); изразходвам (*излишна енергия и пр.*); 2) пробутвам (s.th. **on** s.o. някому нещо); 3) отработвам (*дълг*), изплащам с труд; 4) изкарвам си (*яда и пр.*); (**on**); 5) развива се, откача се (*за болт, кука и пр.*);
work on 1) базирам се на, основавам се на (*данни и пр.*); 2) въздействам върху, влияя на; 3) продължавам да работя;
work out 1) изчислявам (**at** на); излиза, възлиза (*за сума, задача*) (**at** на); 2) изчерпвам, източвам (*мина, човек, тема и пр.*); 3) постигам с мъка; 4) разработвам (*идея, проект*); 5) излизам (измъквам се) постепенно (*напр. за игла и пр.*); 6) упражнявам се, тренирам;
work round 1) изменям посоката си, обръщам се (*за вятър*); променям (отношението си); 2) заобикалям (*хъм и пр.*);
work up 1) *прен.* изграждам, създавам си (*клиентела, име и пр.*); издигам се; 2) напредвам (**to** към); изкачвам се, покачвам се (*за скорост и пр.*); 3) обработвам (*суров материал*); меся, омесвам (*тесто и пр.*); 4) *фот.* ретуширам; 5) разработвам (*драматично положение, статия и пр.*); 6)

вълнувам; подстрекавам, подбуждам;
II. *n* 1. работа; труд; **to be at** ~ работя, на работа съм; 2. работа, ръкоделие; бродерия; плетиво; 3. работа, съчинение, произведение; творба; творение; творчество; **a** ~ **of art** произведение на изкуството; 4. дело; деяние (*и библ.*); **good** ~**s** добри дела; 5. *физ.* работа; 6. ефект, въздействие; **the drug has done its** ~ лекарството подейства; 7. *pl* строежи; **public** ~**s** обществени сгради; 8. *pl воен.* укрепления; 9. *pl* механизъм (*на часовник и пр.*); съоръжения, инсталация; 10. *pl* (*често = sing*) фабрика, завод; 11. *разг.*, *шег.* вътрешни органи; вътрешности; стомах; 12. *остар.* мина; 13. (*в съчет.*) изделие; **silver** ~ сребърни изделия; 14. *остар.* изработка; • **to gum up the** ~**s** обърквам цялата работа.
worker ['wə:kə] *n* работник; **film** ~ кинодеец; ~-**bee** *зоол.* пчела работник.
working ['wə:kiŋ] I. *adj* 1. работещ, работен, работнически; който се отнася до работа; ~ **capacity** трудоспособност; 2. с който може да се работи; за временно ползване, временен, практичен; II. *n* 1. работа; действие, функциониране; начин на действие; 2. движение (*на влаковете*); 3. управляване (*на машина, кораб*); 4. експлоатация (*на мина, кариера*); обработване, изработване, обработка; разработка; коване (*на метал*); обработване; 5. (част от) мина, кариера; 6. движение, ферментация.
workless ['wə:klis] *adj* безработен.
world [wə:ld] I. *n* 1. свят, мир; **the** ~ **around** околният свят; 2. обществото, хората; **the great** ~ висшето общество; 3. свят, "царство"; общество, среда; **the mineral, plant, animal** ~ неживата материя, растителният, животинският свят; 4. грамадно количество (число), крайно много, сума, много висока степен (**of**); 5. *за усилване*: **what in the** ~? какво,

по дяволите? **6.** *attr* всесветски, световен; **~ affairs** световни работи; • **on top of the ~** на седмото небе от щастие; **II.** *adj* световен.

worldly ['wə:ldli] *adj* светски, от тоя свят, земен; **~ goods** земни блага.

worship ['wə:ʃip] **I.** *v* **1.** почитам, уважавам, тача, вдигам в култ, прекланям се пред, обожествявам, боготворя, обожавам; **2.** моля се (*в храм*); **II.** *n* **1.** преклонение, поклонение, култ, почит, тачене, уважение, обожествяване, боготворене, обожаване; **2.** богослужение, литургия; **3.** *остар.* достойнство, чест, ценни качества; почит, уважение.

wrapping ['ræpiŋ] *n* амбалаж, обвивка, опаковка.

wretched ['retʃid] *adj* **1.** нещастен, окаян, злочест; ◇ *adv* **wretchedly**; **2.** жалък, нищожен, презрян; **3.** (много) лош, долнокачествен, нищо и никакъв; мизерен, отвратителен, беден; **4.** *разг.* страшен, ужасен, "пуст".

wring [riŋ] **I.** *v* (**wrung** [rʌŋ]) **1.** стискам (*силно, с чувство*); **2.** извивам, изкривявам, изкълчвам, навяхвам; **3.** изтръгвам (**from, out of**); **to ~ credit** измъквам (изкопчвам) кредит; **4.** стягам (*за обувка*); **5.** мъча, измъчвам, разкъсвам, късам; **a soul wrung with agony** изтерзана душа; **6.** изкривявам, изопачавам, преиначавам, извращавам; **7.** изстисквам (*мокри дрехи*) (**out**); **II.** *n* стискане, стисване, извиване, изкривяване; изстискване.

write [rait] *v* (**wrote** [rout], *остар.* **writ** [rit]; **written** [ritn], *остар.* **writ**) пиша (**about, of**) написвам, изписвам; **to ~ for the papers** пиша във вестниците, професионален журналист съм;

write about пиша за;

write back отговарям (*писмено*);

write down 1) записвам (си), отбелязвам (си); **2)** отзовавам се пренебрежително (неодобрително) за (*в печата*); **3)** *прен.* считам (*и с as*);

write for изписвам, поръчвам си;

write in 1) вписвам; **2)** пиша (*до редакцията на вестник и пр.*) (**about**);

write off 1) написвам бързо, лесно; **2)** пиша, пращам (*писмо*); **3)** махам от сметката, отписвам, *прен.* считам за ликвидиран;

write out преписвам; написвам (*от начало до край*);

write together пиша слято;

write up 1) написвам (*на стена*); **2)** пиша за, описвам подробно; **3)** хваля, възхвалявам, превъзнасям, правя реклама на (*в печата*); **4)** дописвам, ажур съм.

writer ['raitə] *n* **1.** писател, автор; **the present ~** пишещият тия редове; **2.** писар; секретар.

writhe [raið] **I.** *v* **1.** гърча се, свивам се, извивам се (*като змия*); **2.** кърша, вия, извивам, чупя (*тялото си*); **3.** *прен.* страдам, мъча се, измъчвам се; **to ~ under (at) an insult** измъчвам се от нанесена обида; **II.** *n* гърч.

writing ['raitiŋ] *n* **1.** писане; **in ~** писмено; **2.** почерк (*и* **hand~**); **3.** съчинение, произведение, статия, бележка; **4.** документ; **5.** стил; **6.** *attr* писателски; **~ career** кариера на писател, писателска дейност.

writing table ['raitiŋteibəl] *n* бюро, писалище.

written [ritn] *adj* писмен; **~ answer (authority, agreement)** писмен отговор (разрешение, споразумение).

wrong [rɔŋ] **I.** *adj* **1.** погрешен; не който трябва, друг, неподходящ; **on the ~ track** на крив (погрешен) път; **to get on the ~ side of s.o.** навличам си нечия враждебност (неблагоразположение); **2.** неправилен, погрешен, неверен,

крив, неправ; **my watch is ~** часовникът ми не е верен; **3.** нереден, осъдителен, неморален, лош; **there is nothing ~ about it** в това няма нищо нередно; **4.** не в ред, в лошо състояние; **there is s.th. ~ somewhere** нещо не е наред, нещо куца; **II.** *adv* неправилно, невярно, погрешно, криво, накриво, не накъдето трябва; **to do a sum ~** пресмятам погрешно; **III.** *n* **1.** неправда, беззаконие; зло; **two ~s don't make a right** злото не се поправя със зло; **2.** несправедливост, злина, обида, оскърбление; **to do s.o. a ~** постъпвам несправедливо с (нанасям обида на, онеправдавам) някого; **IV.** *v* **1.** онеправдавам, постъпвам несправедливо (към), пакостя, напакостявам (на), вредя (на), увреждам; **2.** несправедлив съм към, съдя погрешно, имам погрешно мнение за, приписвам погрешно лоши подбуди на.

wrongdoer ['rɔŋ'du:ə] *n* **1.** грешник; **2.** злосторник, престъпник, злодей.

wrongdoing ['rɔŋ'du:iŋ] *n* **1.** грях; **2.** злосторничество, престъпление, закононарушение.

wrongful ['rɔŋful] *adj* неверен, погрешен, несправедлив, незаконен, неоправдан; ◇ *adv* **wrongfully**.

wrongheaded ['rɔŋ'hedid] *adj* опак, неразбран, опърничав, своенравен, упорит, твърдоглав.

wrongly ['rɔŋli] *adv* неправилно, погрешно, невярно, криво; **I must have heard ~** трябва да не съм чул добре.

wroth [rɔ:θ] *adj книж.* гневен, сърдит; *прен.* бурен.

wrought-up ['rɔ:t'ʌp] *adj* нервен, ядосан, възбуден, развълнуван, раздразнен.

wry [rai] *adj* **1.** крив, изкривен, извит; **to make a ~ face (mouth)** правя кисела физиономия (гримаса); **2.** ироничен; ◇ *adv* **wryly**.

X, x [eks] *n* (*pl* **Xs, X's**) **1.** буквата х; **2.** *мат.* хикс; *прен.* тайно влияние (фактор), фактор (влияние) с неизчислими последици; **3.** *амер.*, *разг.* банкнота от десет долара.

xanthic ['zænθik] *adj* *книж.* жълтеникав; възжълт; ~ **flowers** цветя, за които е типичен жълтият цвят.

xanthin ['zænθin] *n* *хим.* ксантин, органическо багрилно вещество.

xanthous ['zænθəs] *adj* *антроп.* жълт, от жълтата (монголоидната) раса.

x-axis ['eks,æksis] *n* *мат.* абсциса, хоризонтална координата.

X chromosome ['eks,krəməzoum] *n* Х хромозома.

xebec ['zi:bik] *n* *истор.* тримачтов кораб.

xenomania [,zeno'meiniə] *n* чуждопоклонство, ксеномания.

xenomorphic [,zi:nɔ'mɔ:fik] *adj* *геол.* ксеноморфен.

xenophobia [,zinə'foubiə] *n* ксенофобия.

xenophobic [,zinə'foubik] *adj* ксенофобски.

xerocopy ['ziərou'kɔpi] *n* ксерокопие.

xerography [ziə'rɔgrəfi] *n* ксерография.

xerophilous [zi'rofiləs] *adj* *бот.* който вирее при горещ, сух климат, ксерофит.

xerosis [zi'rousis] *n* *мед.* ксероза.

xerox ['ziəroks] **I.** *n* ксерокс; **II.** *v* правя копие на ксерокс, ксерокопирам.

xiphoid ['zifoid] *adj* *анат.* мечовиден.

X-irradiated ['eksi'rædieitid] *adj* облъчен с рентгенови лъчи.

X-ray ['eks'rei] **I.** *n* **1.** (*обикн. pl*) рентгенови лъчи; **fluorescent (secondary)** ~**s** вторични рентгенови лъчи; **2.** рентгенова снимка; **3.** *attr* рентгенов; ~ **apparatus** рентгенов апарат; **II.** *v* преглеждам на рентген; **to be ~ed, have (undergo) an ~ examination** преглеждам се на рентген.

X-raying ['eks,reiiŋ] *n* **1.** рентгенов анализ; **2.** облъчване с рентгенови лъчи.

X-rayogram ['eksreiou,græm] *n* рентгенограма.

xylem ['zailəm] *n* *бот.* ксилема, проводяща дървесна тъкан в дървета, растения.

xylogen ['zailou,dʒen] *n* лигнин.

xylograph ['zailəgræf] *n* **1.** гравюра на дърво; **2.** шарка, която наподобява грапавината на дървото.

xylographer [zai'logrəfə] *n* резбар, дърворезбар, ксилограф.

xylography [zai'logrəfi] *n* гравиране на дърво, ксилография.

xyloid ['zailoid] *adj* дървен, дървесен.

xylonite ['zailənait] *n* *рядко* целулоид.

xylophone ['zailəfoun] *n* ксилофон.

xyster ['zistə] *n* *мед.* распатор.

Y

Y, y [wai] *n* (*pl* Ys, Y's [waiz]) буквата у, игрек.

yacht [jot] I. *n* яхта; II. *v* разхождам се (надбягвам се) с яхта.

yacht club ['jot'klʌb] *n* яхтклуб.

yachting ['jotiŋ] *n* разходка (състезание) с яхти, ветроходство.

yachtsman ['jotsmən] *n* (*pl* -men) яхтсмен.

yackety-yak ['jækiti,jæk] *sl* I. *v* бръщолевя, бъбря; II. *n* бърборене, брътвеж.

yak [jæk] *n зоол.* як *Poehagus grunniens.*

Yale [jeil] *adj*: ~ **key, lock** секретен ключ, брава.

yammer ['jæmə] *v* мърморя, оплаквам се, жалвам се.

yank [jæŋk] I. *v sl* дърпам, дръпвам; издърпвам, изваждам, изтръгвам (**off, out**); II. *n* 1. дръпване; 2. *sl* янки, американец.

yap [jæp] I. *n* 1. джавкане; 2. *разг.* дрънкане, дърдорене, плещене; дрън-дрън, празни приказки; II. *v* (-**pp**-) 1. джавкам; 2. дрънкам, дърдоря, плещя.

yapp [jæp] *n* мека кожена подвързия.

yappy ['jæpi] *adj sl* бъбрив, приказлив.

yard₁ [ja:d] *n* 1. ярд (= *3 фута = 91,4 см*); • (**to go**) **the whole nine ~s** *амер.* (отивам) до края, (стигам) твърде далеч; 2. *мор.* рейка; 3. *sl* сто долара, стотачка.

yard₂ I. *n* 1. двор; 2. склад, склад за дървен материал (*и* **timber** ~); **coal** ~ склад за въглища; 3. *жп* парк; разпределителна станция (*и* **railway-**~); II. *v* закарвам (*добитък*) в кошара (ограда).

yardage ['ja:didʒ] *n* дължина в ярдове; площ в квадратни ярдове; обем в кубични ярдове.

yard-bird ['ja:dbə:d] *n* 1. *амер., воен.* новобранец; 2. *sl* докер.

yarding ['ja:diŋ] *n* 1. складиране, съхраняване в склад; 2. извозване (*на дървен материал от сечище*) с ледедка; 3. *жп* обработка на товари.

yard-measure ['ja:dmeзə] *n* аршин,

метър (*за мерене*).

yard sale ['ja:d,seil] *n амер.* битак.

yarn [ja:n] I. *n* 1. прежда; **cabled** ~ многократно пресукана прежда; 2. *разг.* приказка, история, разказ, анекдот; **to spin a** ~ разказвам приказка (история); разказвам неврели-некипели, измислям (си); II. *v* разказвам приказки (истории); дърдоря, дрънкам, говоря (приказвам) глупости.

yarrow ['jærou] *n бот.* бял равнец *Achillea millefolium.*

yashmak ['jæʃmæk] *n* яшмак, фереджe.

yataghan ['jætəgən] *n* ятаган.

yaw [jo:] *мор., авиац.* I. *v* отклонявам се от курса си; II. *n* отклонение (*от курс*).

yawl [jo:l] *рядко* I. *v* вия, рева; II. *n* вой, рев.

yawn [jo:n] I. *v* 1. прозявам се; 2. зея, зинал съм; 3. казвам с прозявка; II. *n* 1. прозявка; 2. *техн.* хлабина, междина; цепнатина; неплътно прилягане; 3. *sl* нещо досадно (отегчително); пълна скука.

yawp ['jo:p] *sl v* 1. бъбря, плещя; 2. викам, крещя.

Y-axis ['wai,æksis] *n мат.* ордината.

Y chromosome ['wai,krəməzoum] *n* игрек хромозома.

yclept [i'klept] *adj остар.,* шег. наречен.

Y-direction ['waidai'rek[ən] *n* посока (направление) по ординатата.

yeah [je] *int амер. разг.* да.

yean [ji:n] *v остар.* ягня се; раждам (агне).

yeanling ['ji:nliŋ] *n* агне, агънце, козле.

year [jə:, jiə] *n* 1. година; **asronomical, solar, leap, common, calendar** ~ астрономическа, слънчева, високосна, невисокосна, календарна година; ~ **in** ~ **out** през цялата година, непрекъснато, целогодишно; 2. годишнина (*на периодично издание*); • **a** ~ **and a day** цяла година.

year-book ['jiəbuk] *n* годишник.

year-long ['jiəloŋ] *adj* който трае (продължава) цяла година.

yearly ['jiəli] I. *adv* ежегодно, всяка година, веднъж в годината; II.

adj годишен, ежегоден; **a** ~ **arrangement** споразумение за една година.

yearn [jə:n] *v* 1. копнея, тъгувам (**for, after**); **my heart ~s towards you** мъчно ми е за тебе, съчувствам ти; 2. горя от желание, жадувам, много ми се иска (**to** *c inf*); жадувам, стремя се (**to, towards**).

yearning ['jə:niŋ] I. *n* копнеж, силно желание, жажда; II. *adj* пълен с копнеж, закопнял.

year-round ['jiə,raund] *adj* целогодишен.

yeast [ji:st] I. *n* мая; дрожди; подкваса; II. *v* култивирам дрожди; подквасвам.

yeasty ['ji:sti] *adj* 1. пенлив; пенест, запенен; ~ **waves** запенени вълни; 2. който кипи (ферментира), в кипеж; ~ **conscience** неспокойна съвест; 3. повърхностен, многословен, празен.

yell [jel] I. *v* викам, извиквам, провиквам се, рева, изревавам, крещя, изкрещявам, кряскам; **to** ~ **with laughter** заливам се от смях; II. *n* 1. вик, рев, крясък; 2. *амер.* хоров вик (*установен в даден университет и скандиран при мачове и пр.*) (*и* **college** ~).

yellow ['jelou] I. *adj* 1. жълт; ~ **fever** (*sl* ~ **Jack**) жълта треска; 2. *разг.* страхлив, долен, низък, подъл, безхарактерен; 3. *остар.* завистлив, ревнив; подозрителен; II. *n* 1. жълт цвят (боя); 2. вид перуда; 3. *pl остар.* жълтеница; *прен.* ревност; III. *v* 1. жълтея, пожълтявам; **paper ~ed with age** пожълтяла хартия; 2. карам (*нещо*) да пожълтее.

yellow amber ['jelou,æmbə] *n* кехлибар.

yellowy ['jeloui] *adj* жълтеникав, възжълт.

yelp [jelp] I. *v* 1. скимтя; 2. *амер.* говоря високо, викам, крещя, пищя, пискам; II. *n* скимтене; **to give a** ~ изскимтявам.

yen [jen] *амер. sl* I. *n* жажда, копнеж; II. *v* (-**nn**-) жадувам, копнея.

yen pok ['jenpɔk] *n* сл опиум.

yes [jes] I. *adv* да; II. *n* (*pl* **yeses**) да; **confine yourself to** ~ **and no** (~**es**

and noes) отговаряй само с "да" или "не".

yessir ['jesə] *v sl* блюдолизнича, угоднича.

yesterday ['jestədei] **I.** *adv* вчера; ~ **morning, afternoon** вчера сутринта, следобед; **II.** *n* вчерашният ден; **all (the whole of)** ~ вчера целият ден.

yet [jet] **I.** *adv* **1.** още, все още; **there is** ~ **time** има още време; **2.** вече; **3.** още (*за усилване*); ~ **once more,** ~ **again** още веднъж; **4.** досега, когато и да е; **5.** някога, някой ден; все още не е (*c inf*); **6.** все пак, въпреки това; **and** ~ и все пак; **II.** *cj* но, обаче, все пак, въпреки това.

yew [ju:] *n бот.* тис (*u* ~ **tree**) *Taxus baccata.*

yield [ji:ld] **I.** *v* **1.** отстъпвам (to); **to** ~ **to none in** не отстъпвам пред никого по; **2.** предавам (се); отстъпвам, отказвам се от (to); **to** ~ **precedence** давам преднина на; **3.** произвеждам, раждам, давам, нося, донасям; **the tax** ~ **s a handsome revenue** данъкът носи хубав доход; **4.** поддавам се, извивам се, огъвам се, не устоявам, не издържам; **the door** ~ **ed to a strong push** вратата се отвори с едно силно бутване; **5.** *амер.* давам път (*за превозно средство*); **II.** *n* **1.** реколта, урожай, берекет; **a good** ~ **of wheat** добра житна реколта; **2.** добив, производство, продукция; рандеман, печалба, приход; **high** ~ **s** високи добиви; **3.** *техн.* полезна работа; дебит (*на кладенец*); **4.** хлътване, огъване.

yielding ['ji:ldiŋ] **I.** *adj* **1.** мек, гъвкав; пластичен, еластичен; **2.** отстъпчив, податлив; **II.** *n* добив, произведена продукция.

yoga ['jougə] *n* йога.

yog(h)urt ['jougə:t] *n* кисело мляко.

yok [jɔk] *n sl* смешка, шега.

yoke [jouk] **I.** *n* **1.** иго, ярем, хомот; **to put to the** ~ впрягам, запря-гам; **2.** чифт (*волове и пр.*); **3.** *прен.* иго, ярем, хомот, бреме, тежест, товар, гнет, власт, владичество, робство; **to shake off the** ~ отхвърлям (освобождавам се от) игото; **4.** *прен.* връзки; ~ **of love** любовни връзки; **5.** кобилица; **6.** платка; **7.** *техн.* скоба; гривна; сепаратор (*на търкаляш лагер*); *ел.* ярем, външен магнитопровод; **II.** *v* **1.** слагам хомот на шията на; впрягам, запрягам; **2.** свързвам, съединявам, съчетавам, комбинирам (to, with); **3.** отиваме (подхождаме) си; **4.** пo-робвам.

yoke fellow ['joukfelou] *n разг.* другар, -ка, съпруг, -а.

yokel [joukəl] *n* селяндур.

yolk [jouk] *n* жлътък.

yomping ['jɔmpiŋ] *n sl* ходене, разхождане; трамбоване.

yonder ['jɔndə] *adv* ей там; • **into the wide (wild) blue** ~ в далечни (непознати) земи.

yonks [jɔŋks] *n разг.* дълъг период от време; **he has been here for** ~ **s** тук е от незапомнени времена (от сума ти време).

yore [jɔ:] *n остар.* минало (*само в* **of** ~ някога; едно време, някогашен).

you [ju:, ju] *pron pers* **1.** ти, вие; на тебе, ти, на вас; тебе, те, вас, ви; **all of** ~, *разг.* ~ **all** всички вие; **if I were** ~ ако бях на твое място; **2.** човек, кой да е, всеки; ~ **never can tell** човек никога не знае (не е сигурен).

young [jʌŋ] **I.** *adj* млад, малък, нов, скорошен, неотдавнашен; **II.** *n* (*употр. като pl*) малки, деца; **an animal and its** ~ животно и малките му.

young-looking [jʌŋ'lukiŋ] *adj* младолик.

youngster ['jʌŋstə] *n* момче, младок, младеж, юноша.

your [jɔ:] *pron poss attr* **1.** твой, ваш; ~ **father and mine,** ~ **and my father (fathers)** твоят баща и мо-

ят; **2.** твой, на човек (*общо, по принцип*); **the pill will bring** ~ **temperature down** хапчето сваля температурата; **3.** *разг.* тоя, известен, прехвален; **this is** ~ **fox-hunting, is it?** това е прехваленият лов на лисици, нали?

yours [jo:z, juəz] *pron poss* (*без съществително*) твой, ваш; **a friend of** ~ един твой приятел; **you and** ~ ти и твоите близки (имуществото ти).

yourself [jo'self, ˌjuə'self] *pron refl* (*pl* **yourselves** [juə'selvz]) **1.** себе си, сам; **you will hurt** ~ ще се удариш; **how's** ~? *sl* как си? как я караш? **2.** *за усилване* сам, **you** ~ **said so, you said so** ~ ти сам каза това; **by** ~ сам, самичък, самотен; без чужда помощ, по свой почин; • **be** ~ *разг.* бъди мъж, не се отпускай, стегни се, успокой се, овладей се; **you don't act like (don't seem)** ~ обикновено ти не постъпваш така.

youth [ju:θ] *n* **1.** младост, младини; **in the prime of** ~ в разцвета на младостта; **she is not in the first blush of** ~ не е първа младост; **from** ~ **upwards** още от ранна възраст; **2.** (*pl* ~ **s**) книж. младеж, млад човек, юноша; момък; **3.** младеж (*младо поколение*); **the** ~ **of the country (nation)** младежта; **4.** *attr* младежки; ~ **club** младежки клуб.

youthful ['ju:θful] *adj* **1.** млад, младежки; ~ **mistakes** грешките на младостта; **a** ~ **crowd** тълпа от младежи; **2.** младолик.

youthfulness ['ju:θfulnis] *n* младост, младежки вид, младоликост.

yowl [jaul] *разг.* **I.** *v* вия, пищя, викам; **II.** *n* вой.

Y-shaped ['waiʃeipt] *adj* разклонен, вилкообразен.

yucca ['jəkə] *n бот.* юка *Уисса.*

yule [ju:l] *n* Коледа.

yummy ['jʌmi] *adj разг.* вкусно, сладко.

Z, z [zed, *амер.* zi:] *n* (*pl* **Zs, Z's** [zedz, *амер.* zi:z]) буквата z; *мат.* зет.

zany ['zeini] I. *adj* смешник, глупак; II. *n истор.* шут, лала.

zap [zæp] *разг.* I. *v* 1. убивам, премахвам; унищожавам, отстранявам; 2. превключвам, щраквам (канали с дистанционното управление); II. *n* живост, енергия, ентусиазъм; хъс; III. *int* хоп! (*извед-нъж*); бум! фрас! (*звук от удар*).

zazzle ['zæzəl] *n амер. sl* страст, похот, желание.

zeal [zi:l] *n* ревност, усърдие, старание, стремеж, жар, увлечение, устрем (**for**); ~ **for liberty** стремеж към свобода.

zealous ['zi:ləs] *adj* ревностен, разпален, усърден, пламенен; ◇ *adv* **zealously**.

zebra ['zi:brə] *n* 1. зебра *Equus zebra*; 2. *attr* на черти; ~ **crossing** пешеходна пътека.

zenith ['zeniθ] *n* зенит (*и прен.*); *прен.* кулминационна точка, кулминация, апогей, връх, разцвет; **at the ~ of o.'s powers** в разцвета на силите си.

zenithal ['zeniθəl] *adj* зенитен.

zephyr ['zefə] *n* 1. (**Z**) западен вятър; 2. зефир, ветрец; 3. зефир, вид тънка памучна материя.

Zeppelin ['zepəlin] *n* цепелин.

zero ['ziərou] *n* (*pl* -**oes**) 1. нула, нищо; 2. нула (*на термометър и пр.*) (*обикн.* = -12°C); **to drop below** ~ падам под нулата; 3. *attr* нулев.

zero-decrement ['ziərou,dekrimənt] *adj* незатихващ.

zero-emission ['ziəroui,miʃən] *adj* бездимен; безотпадъчен.

zest [zest] *n* 1. пикантност, вкус; 2. интерес, увлечение, охота, жар, ищах.

zigzag ['zigzæg] I. *n* зигзаг, криволица; зигзаговиден път; зигзаговидни окопи; II. *adj* зигзаговиден, криволичещ; III. *adv* зигзаговидно, на зигзаг; IV. *v* (-**gg**-) движа се зигзаговидно (на зигзаг).

zilch [ziltʃ] *pron разг.* нищо, нула.

zillionaire ['ziliənɛə] *n sl* богаташ.

zinc [ziŋk] I. *n* 1. цинк; **flowers of** ~ бял цинков окис; 2. *attr* цинков; II. *v* покривам с цинк, поцинковам.

zinc-coated ['ziŋk,koutid] *adj* поцинкован.

zincify ['ziŋkifai] *v* поцинковам, нанасям цинково покритие.

zincograph ['ziŋkogra:f] *n* 1. цинкографско клише; 2. отпечатък от него.

zing [ziŋ] *n разг.* хъс, енергия, живец.

zingaro ['ziŋgərou] *n* циганин.

zingy ['ziŋgi] *adj sl* жизнен, енергичен, пълен с хъс.

Zionism ['zaiənizm] *n* ционизъм.

Zionist ['zaiənist] I. *n* ционист; II. *adj* ционистки.

zip [zip] I. *n* 1. цип (*и* ~ **fastener**); 2. *разг.* енергия, темперамент; 3. свистене (*на куршум и пр.*); звук от скъсване на плат; II. *v* (-**pp**-) 1. закопчавам с цип (**up**), ~ **it up!** *sl* затваряй си устата! млъквай! 2. свистя (*за куршум и пр.*).

zipalid ['zipəlid] *n sl* тъпунгер, тиквеник.

zip code ['zip'koud] *n амер.* пощенски код.

zipgun ['zipgʌn] *n sl* пищов, патлак.

zipper ['zipə:] *n* 1. *амер.* цип; 2. *sl* силен удар, мятане.

zippy ['zipi] *adj разг.* 1. жив, енергичен; 2. бърз, светкавичен.

zircon ['zə:kon] *n мин.* циркон.

zit [zit] *n разг.* пъпка; черна точка (*по лицето*).

zither(n) ['ziθə(n)] *n* цитра.

zizz [ziz] *n sl* дрямка.

zod [zod] *n sl* ексцентрик, откачалка.

zodiac ['zoudiək] *n* 1. зодиак; **sign of the** ~ зодия; 2. *рядко* път, обиколка.

zodiacal [zo'daiəkl] *adj* зодиакален.

zombi, zombie ['zombi] *n* 1. зомби, съживен чрез магия мъртвец; 2. *sl* тъпак, дървеняк.

zonal [zounl] *adj* зонален; областен; поясен.

zonate ['zouneit] *v* зонирам, разделям на зони.

zonation [,zou'neiʃən] *n* разделяне по зони, зониране.

zone [zoun] I. *n* 1. *остар., поет.* пояс; 2. зона, пояс; област; **frigid, temperate, torrid** ~ студен, умерен, горещ пояс; II. *v* 1. опасвам, заграждам, ограждам, обкръжавам, заобикалям; 2. разделям на зони.

zoned ['zound] *adj* 1. зониран, райониран; 2. *sl* скапан, съсипан, изнемощял (*от умора*).

zonker ['zoŋkə:] *n sl* наркоман.

Zoo [zu:] *n разг.* зоологическа градина.

zoolite ['zouəlait] *n палеонт.* вкаменено животно, зоолит.

zoological [,zouə'lodʒikl] *n* зоологически; зоологичен; ~ **garden(s)** зоологическа градина.

zoologist [zou'ələdʒist] *n* зоолог.

zoology [zou'olədʒi] *n* зоология.

zoom [zu:m] I. *n* 1. обектив с променливо фокусно разстояние; 2. "свещ", фигура от висшия пилотаж; II. *v* 1. *разг.* профучавам; преминавам бързо; стрелвам се; 2. *инф., фот.* увеличавам; 3. вдигам се, качвам се, увеличавам се рязко (*и* ~ **up**) (*за цени*); 4. *авиац. sl* правя "свещ";

zoom in приближавам се до обекта, увеличавам изображението (*за камера*).

zoom off *разг.* духвам, изчезвам, изпарявам се.

zoomorphism [zouə'mo:fizm] *n* зооморфизъм.

zoophyte ['zouəfait] *n биол.* зоофит.

zoosperm ['zouəspə:m] *n* сперматозоид.

zootechnics [,zouə'tekniks] *n* зоотехника.

zoster ['zostə] *n мед.* херпес, зостер.

zowie ['zouwi] *n sl* дух, енергия, живец, хъс.

zucchini [zu'kini] *n* тиквичка.

zygote [zai'gout] *n* зигота.

zymology [zai'molədʒi] *n* цимология, наука за ферментацията.

zymolysis [zai'moulisis] *n* действие на ензимите.

zymotic [zai'moutik] *adj* който се отнася до ферментация; ~ **disease** инфекциозна болест.

БЪЛГАРСКО-
АНГЛИЙСКИ
РЕЧНИК

СЪКРАЩЕНИЯ

БЪЛГАРСКИ

авиац.	авиация	*журн.*	журналистика
австр.	австралийски израз (дума)	*застр.*	застрахователно дело
авт.	автомобилен термин	*знач.*	значение (дума/форма)
амер.	американски израз (дума)	*зоол.*	зоология
анат.	анатомия	*и пр.*	и прочие
англ.	дума от английски произход	*изк.*	изкуство
антроп.	антропология	*изреч.*	изречение
археол.	археология	*икон.*	икономика
архит.	архитектура	*инф.*	информатика
астр.	астрономия	*ирон.*	иронична употреба
астрол.	астрология	*истор.*	история
банк.	банков термин	*канц.*	канцеларизъм
безл. гл.	безличен глагол	*карти*	карти
библ.	библейски термин	*киб.*	кибернетика
биол.	биология	*кино.*	кинотермин
биохим.	биохимия	*книж.*	книжовна употреба
бокс.	боксов термин	*кожар.*	кожарство и кожухарство
борс.	борсов термин	*конкр.*	конкретно
бот.	ботаника	*комп.*	компютърен термин
бройно числ.	бройно числително име	*косм.*	космонавтика
бъд. вр.	бъдеще време	*кул.*	кулинария
в.	век	*л.*	лице
вет.	ветеринарна медицина	*лат.*	латински израз (дума)
вкл.	включително	*лит.*	литература
вин. пад.	винителен падеж	*лично мест.*	лично местоимение
вм.	вместо	*лов.*	ловен термин
воен.	военен термин	*лог.*	логика
вулг.	вулгарно	*м.*	мъжки род
възвр. гл.	възвратен глагол	*марк.*	маркетинг
въпр. мест.	въпросително местоимение	*мат.*	математика
въпр. нареч.	въпросително наречие	*мед.*	медицина
г.	година	*междум.*	междуметие
геогр.	география	*мест.*	местоимение
геод.	геодезия	*метал.*	металургия
геол.	геология	*метеор.*	метеорология
геом.	геометрия	*мин.*	минно дело
гл.	глагол	*мин. вр.*	минало време
грубо	грубо	*минер.*	минералогия
дат. пад.	дателен падеж	*мин. несв. деят.*	минало несвършено деятелно
дет.	детска дума	*прич.*	причастие
диал.	диалектна дума	*мин. св. деят.*	минало свършено деятелно
дипл.	дипломация	*прич.*	причастие
ед.	единствено число	*мин. страд. прич.*	минало страдателно причастие
език.	езикознание	*мит.*	митология
екол.	екология	*мн.*	множествено число
ел.	електротехника	*мор.*	морски термин
етногр.	етнография	*муз.*	музика
етнол.	етнология	*напр.*	например
жарг.	жаргонна употреба	*нар.*	народна употреба
жп	железопътен термин	*нареч.*	наречие
ж.	женски род	*науч.*	научен термин

неизм.	неизменяема част на речта	*сег. деят. прич.*	сегашно деятелно причастие
неодобр.	неодобрително	*сег. страд. прич.*	сегашно страдателно причастие
неопр.	неопределително	*собств.*	съществително собствено име
мест.	местоимение	*спорт.*	спортен термин
непрех. гл.	непреходен глагол	*сел.-ст.*	селско стопанство
обикн.	обикновено	*ср.*	среден род
обобщ.	обобщително (местоимение)	*сравн.*	сравнителна (степен)
обръщ.	обръщение	*стат.*	статистика
опт.	оптика	*строит.*	строителен термин
остар.	остаряла (дума/форма)	*счет.*	счетоводство
относ. мест.	относително местоимение	*събир.*	събирателно съществително
отриц.	отрицателно	*съкр.*	съкратено
парлам.	парламентарен израз	*съчет.*	съчетание
палеонт.	палеонтология	*същ.*	съществително
повелит. накл.	повелително наклонение	*съюз*	съюз
подигр.	подигравателно	*тв*	телевизионен термин
поет.	поетична дума	*театр.*	театрален термин
полигр.	полиграфия	*текст.*	текстилна промишленост
полит.	политика	*тел.*	телефон, телеграф
полож.	положително	*техн.*	техника, технически термин
превъзх. ст.	превъзходна степен	*тур.*	турцизъм
предик.	предикативна употреба	*търг.*	търговски термин
предл.	предлог	*умал.*	умалителна форма
предст.	представка	*уч.*	училищен термин
презр.	презрително	*фарм.*	фармацевтика
прен.	преносно	*физ.*	физика
пренебр.	пренебрежително	*физиол.*	физиология
прех. гл.	преходен глагол	*филос.*	философия
прил.	прилагателно име	*фин.*	финанси
прит. мест.	притежателно местоимение	*фон.*	фонетика
прич.	причастие	*фото.*	фотографски термин
проз.	прозодия	*фр.*	френски израз (дума)
псих.	психология	*хералд.*	хералдика
радио.	радиотехника	*хим.*	химия
разг.	разговорно	*хир.*	хирургия
редно числ.	редно числително име	*църк.*	църковен термин
рекл.	реклама	*част.*	частица
рел.	религия	*числ.*	числително име
рядко	рядко	*шах.*	шахматен термин
само ед.	само единствено число	*шег.*	шеговита употреба
само мн.	само множествено число	*шотл.*	думата има шотландски произход
сег. вр.	сегашно време	*юр.*	юридически термин

АНГЛИЙСКИ

attr.	attributive	*o.'s*	one's
comp.	comparative	*pl.*	plural
	degree	*sg.*	singular
f.	feminine	*sl.*	slang
ger.	gerund	*s.o.*	someone
inf.	infinitive	*s.o.'s*	someone's
m.	masculine	*s.th.*	something
o.s.	oneself	*super.*	superlative

a₁ 1. the letter a; **2.** first; вход A (*на жилищен блок, на кооперация*) first entrance (of a block of flats with several entrances).

a₂ *съюз* 1. (*съпоставяне*) and; whereas; while; едни се раждат, ~ други умират some are born while others die; **2.** (*противопоставяне – но, ала*) but, yet; rather; видях го вчера, ~ не днес I saw him yesterday, not today; **3.** (*в началото на въпр. изреч.*) and; **4.** (*незабавна последователност –* а-а) the moment, no sooner ... than; directly; ~ вземе пари, ~ ги изхарчи no sooner does she lay her hands on some cash than she spends it; ~ заплаче, ~ се засмее one moment he's crying, the next he's laughing; ● ~ именно namely; to be more precise; ~ оттам/оттук следва, че hence it follows that; ~ пък то, ~ то (*за засилване*) and, but, while; какво мислех, ~ то какво излезе I imagined one thing but it turned out different; the result is a far cry from what I had imagined; не живеем, за да ядем, ~ ядем, за да живеем we don't live to eat, rather we eat in order to live.

a₃ *междум.* **1.** (*изненада, учудване*) ah! oh! ha! a? ah! why! ~, значи ти хареса oh, so you liked it, do you? don't mean to say you liked it, do you?; **2.** (*неудоволствие*) без съответно *междум.*; изпуснал влака ... ама работа, ~! so he missed the train... what a damned nuisance! **3.** (*досещане*) oh; ~, сега ми дойде на ум! oh, I've just thought of it; **4.** (*неодобрение, произнесено с удължение*) ~~~~ now; ~~, така не може! now, this sort of thing can't go on/won't do; **5.** (*при неуверен въпрос*) eh; well; хареса ти, ~? so, you liked it, eh/did you?

a₄ *част.* **1.** (*подкана – хайде, ха*) let's; just; well; ~ върви де! come on, go ahead! ~ да идем на кино let's go to the pictures; ~ удари ме, ако смееш just you hit me, if you dare; **2.** (*за потвърждаване*) oh; **3.** (*за усилване, удвоено* а) my; certainly; you bet; **4.** (*за действие, което почти настъпва*) just, about to, on the point of; *и без превод;* разперила криле, ~~ да

хвръкне with wings spread out, about to fly off.

аб|а́ *ж., -й остар.* **1.** frieze, homespun, coarse woollen cloth; **2.** (*дреха*) cloak, mantle.

абаджѝ|я *м., -и* **1.** weaver of/dealer in frieze; **2.** tailor.

абажу́р *м., -и, (два)* абажу́ра lampshade, shade; без ~ unshaded.

аба́зия *ж., само ед. мед.* abasia.

аба́к *м., само ед. архит.* abacus (*pl.* abaci, abacuses).

абано́с *м., само ед. бот.* ebony; *поет.* ebon; зелен ~ green heart (*Ocotea rodiaei*).

аба́т *м., -и църкв.* abbot.

абатѝс|а *ж., -и църкв.* abbess.

аба́тств|о *ср., -а* (*здание*) abbey; (*звание, сан*) abbacy; Уестминстърското ~о Westminster Abbey.

абда́л *м., -и грубо* fool, simpleton; *амер. sl.* gunsel.

абдика́ция *ж., само ед.* abdication.

абдикѝрам *гл.* abdicate.

абду́ктор *м., -и, (два)* абду́ктора *анат., техн.* abductor.

абду́кция *ж., само ед. мед.* abduction.

абера́ция *ж., само ед. биол., астр., физ.* aberration.

абза́ц и а́бзац *м., -и, (два)* абза́ца и а́бзаца *полигр.* paragraph, indentation.

абисѝн|ец *м., -ци* Abyssinian.

Абисѝния *ж. собств.* Abyssinia.

абисѝнк|а *ж., -и* Abyssinian (woman).

абитуриѐнт *м., -и;* **абитуриѐнтк|а** *ж., -и* school leaver, senior, last year boy/girl.

абитуриѐнтск|и *и прил., -а, -о, -и* graduation (*attr.*), commencement (*attr.*); ~и бал secondary-school students' farewell ball.

аблатѝв *м., само ед. език.* ablative.

а́блаут *м., само ед. език.* а́blaut.

абла́ция *ж., само ед. мед., геол., техн.* ablation.

абно́рмен *прил. мед.* abnormal.

аболиционѝз|ъм (-мът) *м., само ед. истор.* abolitionism.

аболиционѝст *м., -и истор.* abolitionist.

абонамѐнт *м., само ед.* subscription (за to).

абонамѐнт|ен *прил., -на, -но, -ни* subscription (*attr.*), subscriptive; ~на

ка́рта season-ticket.

абона́т *м., -и* subscriber (to).

абонѝрам *гл.* subscribe; ~ някого (за) subscribe s.o. (to), take out a subscription to (s.th.) for/in favour of s.o.; || ~ се subscribe, take out a subscription (to); ~ се за (*вестник и пр.*) subscribe to, take in.

абордѐж *м., само ед. мор.* boarding.

аборигѐни *мн. и* **аборигѐн** *м.* aborigines (*pl.*), aboriginal natives, aboriginals.

або́рт *м., -и, (два)* або́рта (*естествен, спонтанен*) miscarriage, (spontaneous) abortion, abort, misbirth; (*нарочно предизвикан, незаконен*) (procured) abortion, "illegal operation"; foeticide, feticide; (*при животни*) slipping, slinking, casting (of young); заплашваш ~ threatened abortion; започваш/начеваш ~ incipient abortion; изкуствен ~ induced abortion; криминален ~ criminal abortion; предизвиквам ~ procure an abortion, bring on a miscarriage.

абортѝрам *гл.* abort, miscarry, suffer/have a miscarriage.

абразѝв *м. и* **абразѝви** *мн. техн.* abrader.

абразѝв|ен *прил., -на, -но, -ни* abrasive; ~ен инструмент grinder.

абра́зия *ж., само ед. геол., мед.* abrasion.

абревиату́р|а *ж., -и език.* abbreviation.

абса́нс *м., само ед. мед.* absentia (epileptica).

абсѐнт *м., само ед.* absinth(e); отравяне с ~ absinthism.

абсолвѐнт *м., -и;* **абсолвѐнтк|а** *ж., -и* final/graduating student.

абсолю́т|ен *прил., -на, -но, -ни* absolute; (*за власт*) autarchic(al); (*съвършен*) perfect; essential; (*неограничен*) unconditional; (*пълен*) utter, implicit, out-and-out; blank; презрит. deep-dyed; ~ен слух absolute pitch; ~ен шампион *спорт.* an overall cup winner, an all-round champion; ~на монархия *истор.* absolute monarchy; ~на нула *физ.* absolute zero; ~ният дух *филос.* the oversoul; ~но подчинение implicit obedience.

абсолютѝз|ъм (-мът) *м., само ед.* absolutism.

абсолютно *нареч.* absolutely; down to the ground; ~ **никаква причина/полза** no earthly reason/use; ~ **нищо** absolutely nothing, nothing whatever; ~ **сигурно е** it's a dead certainty/cert; **той няма ~ никакъв шанс за успех** he hasn't an earthly chance/a ghost of a chance; *sl.* he hasn't an earthly.

абсорбент *м., само ед.* absorbent; *мед.* absorbefacient.

абсорбирам *гл.* absorb.

абсорбция *ж., само ед.* absorption.

абстиненция *ж., само ед. мед.* abstinence; **(ефект от) наркотична** ~ cold turkey.

абстинент *м., -и* abstentionist.

абстракт|ен *прил., -на, -но, -ни* abstract; *филос. (за разум, интелект)* noetic; ~**на (нереална) преценка за собственото умение** notional value of o.'s own skills.

абстрактно *нареч.* abstractly; ~ **погледнато** in the abstract, abstractly.

абстракционизъм (-мът) *м., само ед. филос.* abstractionism.

абстракци|я *ж., -и обикн. ед.* abstraction.

абстрахирам *гл.* abstract; || ~ **се** disregard, set aside, not take into account/ consideration (**от** -).

• **абсурд** *м., -и, (два)* **абсурда** absurdity; nonsense; **свеждам до** ~ reduce to absurdity.

абсурд|ен *прил., -на, -но, -ни* absurd; farcical; *разг.* monstrous, ludicrous; preposterous; cockeyed; *амер. sl.* cockamamie.

абсурдност *ж., само ед.* absurdness, absurdity; ineptitude; preposterousness; unreason, nonsense; farcicality, farcicalness; **показвам** ~**та на** stultify.

абсцес *м., -и, (два)* **абсцеса** *мед.* abscess; ~ **на белия дроб** abscess of the lung; ~ **на черния дроб** abscess of the liver/hepatic abscess; **зъбен/алвеоларен** ~ dental/alveolar abscess.

абсцис|а *ж., -и мат.* abscissa (*pl.* abscissas, abscissae); x-axis (*pl.* x-axes).

абулия *ж., само ед. мед.* aboulia, abulia.

авал *м., само ед. фин.* aval.

авангард *м., само ед. воен.* avant-garde; advanced-guard; *мор.* van; *прен.* vanguard; cutting edge.

авангардизъм (-мът) *м., само ед.*

avantgardism.

авангардист *м., -и* avant-gardist; avantist.

аванпост *м., -ове, (два)* **аванпоста** *воен.* outpost.

аванс *м., -и, (два)* **аванса** 1. advance (payment made before due), imprest; **плащам в** ~ advance payment, payment on account; 2. *спорт.* handicap, lead; 3. *авт.* backfire; • **давам някому** ~**и** make advances/overtures to s.o.

авансирам *гл.* 1. *(предплащам)* advance, pay beforehand; ~ **някого по/ срещу сметка** pay s.o. on account; 2. *(напредвам в служба и пр.)* advance; get on o.'s work.

авансов *прил.* advance; ~**о плащане** advance payment.

авансцен|а *ж., -и* proscenium, forestage.

аванта *ж., само ед. разг.* scrounging, sponging, **търся** ~ be on the scrounge; *sl.* free-load.

авантаджи|я *м., -и разг.* scrounger, sponger, panhandler, cadger; *sl.* free-loader.

авантаж *м., само ед.* 1. advantage; 2. *спорт.* handicap.

авантюр|а *ж., -и* 1. *(приключение)* adventure; 2. *(рискована постъпка)* venture; • **любовна** ~**а** intrigue, (love) affair, fling.

авантюризъм (-мът) *м., само ед.* 1. (spirit of) adventure; 2. *полит.* brinkmanship.

авантюрист *м., -и* adventurer; venturer; gentleman/chevalier of fortune/of industry; swashbuckler.

авантюристк|а *ж., -и* adventuress, vamp.

авар *м., -и обикн. мн. истор.* Avar.

авари|ен *прил., -йна, -йно, -йни авт., жп* break-down (*attr.*); *мор.* average (*attr.*); ~**ен изход** emergency exit; ~**ен инструмент** emergency tool; ~**ен монтьор** trouble man; break-down mechanic; ~**ен протокол** average report; ~**йна кола/команда/служба** break-down lorry/gang/service; ~**йна лента** *(на магистрала)* hard shoulder; ~**йни разходи** average costs/expenses; ~**йно положение** emergency.

авари|я *ж., -и* 1. *мор.* wreck; *авиац.* crash; *техн. (повреда)* failure; damage; trouble; **предпазващ от** ~**я**

trouble-saving; **претърпявам** ~**я** meet with/suffer an accident; *(при повреда)* be damaged, break-down; **производствена** ~**я** industrial accident; 2. *юр., мор.* average; **обща** ~**я** general average; **частна** ~**я** particular average.

аварск|и *прил., -а, -о, -и истор.* Avarian.

авгиев *прил.* Augean; • ~**и обори** the Augean stables, the stables of Augeas.

август *м., само ед.* August.

августейш|и *прил., -а, -о, -и (и и като същ.)* august.

августовск|и *прил., -а, -о, -и* August (*attr.*).

авджи|я *м., -и разг.* hunter.

авиатор *м., -и* airman, pilot, flyer, aviator; *разг.* bird man.

авиаторк|а *ж., -и* airwoman.

авиацион|ен *прил., -на, -но, -ни* air (*attr.*), aeronautical; ~**на база** air-base; ~**на школа** flying school; ~**ни заводи** aircraft factory/works.

авиация *ж., само ед.* aviation, aeronautics; *(летателни апарати)* aircraft; **бомбардировъчна** ~ bombing aircraft, *амер.* bombardment aviation; **гражданска** ~ civil aviation/aeronautics; **изтребителна** ~ fighting aircraft, *амер.* pursuit aviation; **разузнавателна** ~ reconnaissance aircraft, *амер.* reconnaissance aviation; **свръхскоростна** ~ supersonic aviation; **селскостопанска** ~ agricultural aviation; **щурмова** ~ (low-flying) attack aircraft, *амер.* attack aviation.

авизо *ср., само ед.* 1. *търг.* aviso, notification, advisement; advice; *фин.* letter of advice; **кредитно** ~ credit note; **протестно** ~ notice of protest; 2. *мор.* aviso; advice boat, dispatch boat.

авиобомб|а *ж., -и* airbomb.

авиодиспечер *м., -и* air-traffic controller.

авиомодел *м., -и, (два)* **авиомодела** aeromodel.

авиомоделизъм (-мът) *м., само ед.* aircraft modelling; **клуб по** ~**м** aeromodelling club.

авитаминоза *ж., само ед. мед.* avitaminosis, deficiency disease; vitamin deficiency; ~ *(недостиг на витамин)* B_1 beriberi; ~ *(недостиг на витамин)* C scorbutus; *(хронична)* ~ *(недостиг на витамин* PP) pellagra.

авлѝга *ж., само ед. зоол.* oriole, golden oriole, yellowhammer (*Oriolus oriolus*).

авоàри *само мн.* bank account, holding; ~ в чужбина foreign assets; блокирани ~ frozen assets; ● това са всичките ми ~ that's all I have.

авокàдо *ср., само ед. бот.* avocado/ alligator pear, avocado.

аврòра *ж., само ед. поет.* aurora, day-spring, day-break.

австралѝ|ец *м., -йци* Australian; *разг.* Aussie.

австралѝйк|а *ж., -и* Australian (woman/girl).

австралийск|и *прил., -а, -о, -и* Australian; ~и израз/дума Australianism.

Австрàлия *ж. собств.* Australia; в ~ *шег.* down under.

австрѝ|ец *м., -йци* Austrian.

австрѝйк|а *ж., -и* Austrian (woman/girl).

австрѝйск|и *прил., -а, -о, -и* Austrian.

Àвстрия *ж. собств.* Austria.

автентѝч|ен *прил., -на, -но, -ни* authentic, genuine; original; veritable.

автентѝчност *ж., само ед.* authenticity; genuineness; съмнявам се в ~та на картината I suspect the authenticity of the picture.

àвтобàз|а *ж., -и* motor-service station, motor depot.

àвтобиографѝч|ен *прил., -на, -но, -ни* autobiographic(al).

автобиогрàфи|я *ж., -и* autobiography, curriculum vitae, *съкр.* C.V., resume.

àвтоблокирòвк|а *ж., -и жп* automatic block system.

автобỳс *м., -и, (два) автобỳса* omnibus, bus, motor bus/coach, (*открит*) motor charabanc; (*луксозен*) motor saloon coach; (*двуетажен*) double-decker.

автобỳс|ен *прил., -на, -но, -ни* omnibus, bus (*attr.*); ~на линия bus route/service; ~на спирка bus stop.

àвтоваксѝн|а *ж., -и мед.* autovaccine.

àвтовлàк *м., -ове, (два) àвтовлàка* articulated lorry, road train.

àвтогàр|а *ж., -и* bus station, coach station.

автогèн|ен *прил., -на, -но, -ни техн.* autogenous.

àвтогенерàтор *м., -и, (два) àвтоге-* неràтора self-oscillator.

àвтогòл *м., -ове, (два) àвтогòла* *спорт.* own goal; вкарвам си ~ score an own goal; *прен.* shoot o.s. in the foot.

автогрàф *м., -и, (два) автогрàфа* autograph.

àвтозавòд *м., -и, (два) àвтозавòда* motor works, *амер.* automobile plant.

автокефàл|ен *прил., -на, -но, -ни църк.* autocephalous; independent, self-governing.

àвтокѝн|о *ср., -à* drive-in movie.

автоклàв *м., -и, (два) автоклàва техн.* autoclave; pressure cooker, pressure boiler; *мед.* sterilizer.

автоколòн|а *ж., -и* motor transport column; *амер.* motorcade.

àвтокрàн *м., -ове, (два) àвтокрàна* autocrane, lorry-mounted crane, truck-crane.

автокрàт *м., -и* autocrat.

автокрàция *ж., само ед.* autocracy.

автолѝза *ж., само ед. мед.* autolysis.

àвтолитогрàфия *ж., само ед. изк.* drawn-on-plate lithography.

àвтомагазѝн *м., -и, (два) àвтомагазѝна* drive-in store.

àвтомагистрàл|а *ж., -и авт.* freeway, highway, motorway.

автомàт *м., -и, (два) автомàта* **1.** (*машина*) vending machine, automatic machine/device; банков ~ automated teller machine, *съкр.* ATM; билетен ~ automatic ticket machine, passimeter; монетен ~ (penny-in-the) slot-machine; coin (operated) machine; паричен ~ cash dispenser; телефонен ~ automatic telephone, public telephone; **2.** *воен.* submachine gun; Tommy gun; **3.** *прен.* (*за човека*) automaton (*pl.* automata, automatons); robot.

автоматизàция *ж., само ед. техн., псих.* automation, automatization, robotization.

автоматизѝрам *гл.* automate, render/make automatic; ‖ ~ се be/become automized/automated.

автоматизѝран *прил.* automated, robotic; ~а система за котировките на фондовата борса Stock Exchange Automated Quotations System.

автомàтика *ж., само ед.* automation, automatics.

автоматѝч|ен *прил., -на, -но, -ни; автоматѝческ|и прил., -а, -о, -и* **1.** automatic, self-acting; ~на междупланетна станция automatic interplanetary station; ~на писалка fountain pen; ~на система за телефонна връзка voice network; ~на телефонна централа automatic telephone exchange; ~но обработване на данни automatic data processing; ~но оръжие magazine rifle/gun; **2.** *прен.* mechanical.

автомàтчи|к *м., -ци воен.* submachine-gunner, automatic rifleman; tommy-gunner.

автомобѝл *м., -и, (два) автомобѝла* (motor) car, motor, *амер.* automobile; (*лимузина*) limousine, saloon car; (*луксозен, купе*) sedan car; (*със сгъваем покрив*) convertible; (*оборудван за кръводаряване*) bloodmobile; ~ за техническа помощ wrecking car (*амер.*); ~ с висока проходимост cross-country car; ~ с голяма товароподемност heavy lorry/truck; ~ тип "комби" estate car; ~ цистерна за течни горива petrol/oil-tank/car; брониран ~ armoured car; возя се с/на ~ motor, ride in a car; голям ~ *амер.* station wagon; карам ~ drive a car; малолитражен ~ *амер.* compact; открит ~ roadster, convertible (car); състезателен ~ racer, racing car.

автомобѝл|ен *прил., -на, -но, -ни* motor (*attr.*), automobile (*attr.*); ~ен завод motor works, *амер.* an automobile plant; ~ен превоз mechanical motor transport; ~на гума automobile tire/tyre; ~но състезание motor race.

автомобилѝз|ъм (-мът) *м., само ед.* motoring.

автомобилѝст *м., -и; автомобилѝстк|а ж., -и* motorist.

автомобилострòене *ср., само ед.* automotive/motor industry, car manufacture.

автомонтьòр *м., -и* automechanic; (*който работи в гараж*) garage mechanic.

автонòм|ен *прил., -на, -но, -ни* autonomous, self-governing; independent.

автонòмия *ж., само ед.* autonomy; self-government; independence.

автопàрк *м., -ове, (два) автопàрка* car/truck fleet.

автопилòт *м., само ед. авиац.* automatic pilot, autopilot; automatic flight

control equipment; flight-log.

автопортрѐт *м.*, -и, (два) автопортрѐта self-portrait.

автопроизшѐстви|е *ср.*, -я automobile/car accident.

а̀втор *м.*, -и **1.** author; originator; (*на муз. творба*) composer; (*творец*) maker; **2.** (*обикн. на престъпления и пр.*) perpetrator.

авторемо̀нт|ен *прил.*, -на, -но, -ни motor-car/automobile repair (*attr.*).

авторефера̀т *м.*, -и, (два) авторефера̀та author's summary of o.'s dissertation.

авторита̀р|ен *прил.*, -на, -но, -ни authoritarian, dictatorial; overbearing, self-assertive.

авторитѐт *м.*, *само ед.* **1.** authority, prestige; **2.** (*познавач*) authority (no on).

авторитѐт|ен *прил.*, -на, -но, -ни authoritative; competent; weighty; ex cathedra; ~но мнение competent opinion.

а̀торк|а *ж.*, -и authoress.

а̀торск|и *прил.*, -а, -о, -и author's, of an author; ~и екземпляр presentation copy; ~и колектив authors; ~о право copyright, (*при филмиране*) film rights; всички ~и права запазени all rights reserved; нарушение на ~ото право piracy.

а̀торство *ср.*, *само ед.* authorship.

а̀втосало̀н *м.*, -и, (два) а̀втосало̀на show-room.

а̀втоспира̀чк|а *ж.*, -и automatic/self-acting brake.

а̀втосто̀п *м.*, *само ед.* hitch-hiking; пътувам на ~ hitch-hike, *разг.* thumb a lift/a ride, thumb it.

а̀втостра̀д|а *ж.*, -и motor road, motorway, motoring highway, *амер.* super-highway.

автосугѐстия *ж.*, *само ед.* *мед.* auto-suggestion.

а̀втотенекеджѝ|я *м.*, -и panel beater.

автотоксѝн *м.*, -и, (два) автотоксѝна autotoxin.

а̀втотранспо̀рт *м.*, *само ед.* mechanical/motor transport.

а̀втотрансформа̀тор *м.*, -и, (два) а̀втотрансформа̀тора autotransformer; compensator.

автохто̀н|ен *прил.*, -на, -но, -ни *биол.*, *антроп.* autochthonous; autochtho-nic, aboriginal, indigenous.

аг|а̀ *м.*, -й *истор.* aga; master; patron.

агѐнт *м.*, -и/*м.*, -и, (два) агѐнта (*и хим.*, *биол.*) agent, (*в калкулация*) *амер.* factor in; ~ по недвижими имоти estate agent; борсов ~ stockbroker; застраховател ~ insurance broker; таен ~ secret service man; *sl.* nark; (*цивилен полицай*) plainclothes-man; утаяващ ~ precipitating agent; хладилен ~ refrigerant, cooling medium.

агѐнци|я *ж.*, -и agency, office; bureau; ~я за запознанства marriage bureau; ~я за защита на околната среда Environmental Protection Agency; информационна ~я press-agency; пътническа ~я travel/tourist agency; телеграфна ~я news/telegraph agency.

агита̀тор *м.*, -и; агита̀торк|а *ж.*, -и propagandist; (*неодобр. полит.*) agitator, firebrand; (*при избори*) campaigner, canvasser.

агита̀ция *ж.*, *само ед.* propaganda, propagandist; campaigning; canvassing; agitation; *разг.* pep talk; предизборна ~ election campaign.

агитѝрам *гл.* canvass; agitate, carry on a campaign, whip up support (за for); (*предизборно*) electioneer; *разг.* pitch for; ~ някого persuade s.o., bring s.o. over/round (to an opinion, a cause).

агитк|а *ж.*, -и **1.** propaganda text/play; **2.** *събир.* propaganda group (*и спорт.*).

агломера̀т *м.*, -и, (два) агломера̀та *геол.* agglomerate; sinter (*и прен.*).

агломера̀ция *ж.*, *само ед.* *геол.*, *метал.* nodulizing, agglomeration (*и прен.*).

аглутина̀ция *ж.*, *само ед.* *език.*, *мед.* agglutination.

а̀гне *ср.*, -та lamb; ● кротък като ~ as meek as a lamb; не може и вълкът сит, и ~то цяло you cannot eat your cake and have it, you cannot make an omelette without breaking eggs, you cannot have it both ways/pay Peter without robbing Paul.

а̀гнешк|и *прил.*, -а, -о, -и lamb's; ~а кожа lambskin; ~и котлети lamb chops; ~о месо lamb; ~о печено roast lamb.

агностицѝз|ъм (-мът) *м.*, *само ед.* *филос.* agnosticism; nescience.

а̀гня се *възвр. гл.*, *мин. св. деят.* *прич.* а̀гнил се lamb, yean.

агонизѝрам *гл.* agonize; be dying, be at the point of death.

аго̀ния *ж.*, *само ед.* agony; death throes, agony of death (*и прен.*).

агорафо̀бия *ж.*, *само ед.* *мед.* agora-phobia.

агра̀р|ен *прил.*, -на, -но, -ни agrarian, land (*attr.*); ~ен закон land-act; ~на реформа land reform.

агрега̀т *м.*, -и, (два) агрега̀та *техн.*, *геол.* unit; ~и plants, sets, units.

агрега̀т|ен *прил.*, -на, -но, -ни aggregate (*attr.*); ~на машина *техн.* multipurpose, combined machine; ~но състояние physical condition.

агрега̀ция *ж.*, *само ед.* aggregation, clustering; agglomeration, aggregate.

агресѝв|ен *прил.*, -на, -но, -ни aggressive; assertive, militant; combative.

агресѝвност *ж.*, *само ед.* aggressiveness; combativeness.

агрѐсия *ж.*, *само ед.* aggression.

агрѐсор *м.*, -и aggressor.

а̀гробиоло̀гия *ж.*, *само ед.* agrobiology.

агроно̀м *м.*, -и; агроно̀мк|а *ж.*, -и agronomist, (scientific) agriculturist, rural economist.

агроло̀гия *ж.*, *само ед.* agrology.

а̀грометеороло̀гия *ж.*, *само ед.* agricultural meteorology.

а̀громѐт|ър *м.*, -ри, (два) а̀громѐтъра *геод.* agrometer.

агроно̀мия *ж.*, *само ед.* agronomy, agriculture.

агротехнѝ|к *м.*, -ци agricultural technician, agrotechnician; agriculturist.

агротѐхника *ж.*, *само ед.* agricultural technics, agrotechnics, scientific farming.

а̀грофѝзика *ж.*, *само ед.* agrophysics, agricultural physics.

а̀грохѝмия *ж.*, *само ед.* agrochemistry, agricultural chemistry.

а̀гънц|е *ср.*, -а lambkin, yeanling; *прен.* darling.

ад *м.*, -ове, (два) а̀да hell, inferno, perdition, the lowest world, the bottomless pit, the underworld (*и прен.*); *мит.*, *лит.* Hades; Gehenna.

ада̀жио *ср.*, *само ед.*/*нареч.* *муз.* adagio.

ада̀мов *прил.* Adam's; ● ~а ябълка *анат.* Adam's apple; от Адамово

време/от време оно since times immemorial.

адаптация ж., само ед. adaptation; adaption.

адаптер м., -и, (два) адаптера ел. adapter, adaptor.

адаптирам (се) (възвр.) гл. adapt.

адаш м., -и разг. namesake.

адвентиз|ъм (-мът) м., само ед. рел. Adventism.

адвентист м., -и; **адвентистк|а** ж., -и рел. Adventist.

адвокат м., -и 1. юр. lawyer, attorney-at-law; counsel; (който пледира) pleader, (в Англия) barrister(-at-law); (който подготвя дела) solicitor; ~ите на двете страни counsel; служебен ~ official solicitor; ставам ~ go into the legal profession, go to the bar, be called/admitted to the bar; 2. прен. (защитник, застъпник) advocate.

адвокатск|и прил., -а, -о, -и lawyer's; legal; ~а колегия Bar.

адвокатура ж., само ед. bar.

адекват|ен прил., -на, -но, -ни adequate.

адекватно нареч. adequately.

аденом м., -и, (два) аденома мед. adenoma.

адепт м., -и adherent, follower; disciple.

аджамия и **аджемия** 1. прил. неизм. untaught, unskilled; 2. същ. (в ед. неизм., аджамии/аджемии мн.) greenhorn, ignoramus, raw hand, greenhorn, noodle, muff, fledg(e)ling; rabbit; sl. mug.

адитивност ж., само ед. мат. Additivity.

административ|ен прил., -на, -но, -ни administrative; executory; ~ен апарат administrative services/structure; по ~ен ред through administrative channels.

администратор м., -и administrator; business manager; (в хотел) амер. reception clerk; receptionist.

администрация ж., само ед. administration; management, direction, (на страна) governing; лоша ~ mismanagement, maladministration.

администрирам гл. administer, manage, direct; (сделки и пр.) conduct, (страна) govern.

адмирал м., -и 1. мор. воен. admiral, flag-officer; вице~ vice-admiral; кон-тра~ rear-admiral; 2. зоол. (пеперуда) red admiral (Vanessa atlanta).

адмиралтейство ср., само ед. мор., воен. admiralty.

адмираци|я ж., -и обикн. мн. admiration.

адмирирам гл. admire.

адреналин м., само ед. биохим., фарм. adrenalin(e), амер. epinephrine; стимулиран от ~ adrenergic.

адрес м., -и, (два) адреса address (и слово); ~ на управление registered office; ~ говоря по ~ на (злословя) speak ill of s.o.; по ~ на някого about/concerning s.o.; aimed at s.o.; сбъркали сте ~а разг. you have come to the wrong shop.

адресант м., -и sender.

адресат м., -и addressee; в случай, че не се предаде на ~а if undelivered, in case of non-delivery.

адрес|ен прил., -на, -но, -ни address (attr.); ~на карта a registration card/form; ~на служба a police register office.

адресирам гл. address, direct.

адриатическ|и прил., -а, -о, -и Adriatic; Адриатическо море the Adriatic (Sea).

адсорбирам гл. хим. adsorb.

адсорбция ж., само ед. мед., хим. adsorption.

адхезия ж., само ед. физ. хим. adhesion.

адютант м., -и воен. adjutant, aide-de-camp (pl. aide-de camp); амер. aid.

аерация ж., само ед. техн. aeration.

аерирам гл. aerate.

аероб м., -и, (два) аероба биол. aerobe.

аеробика ж., само ед. aerobics.

аерогар|а ж., -и airport.

аеродинамика ж., само ед. физ. aerodynamics; свръхзвукова ~ supersonics.

аеродинамич|ен прил., -на, -но, -ни streamline, streamlined; aerodynamic(al); техн. (за автомобилна рама) inswept; ~на линия streamline;

~но съпротивление air drag.

аеродрум м., само ед. airfield, aerodrome, flying field.

аерозол м., само ед. хим. aerosol; ~ (аерозолна опаковка) търг. spray.

аероклуб м., -ове, (два) аероклуба flying club.

аеролит м., -и, (два) аеролита астр. aerolite, aerolith.

аерология ж., само ед. aerology.

аерометрия ж., само ед. aerometry.

аеромеханика ж., само ед. aeromechanics.

аеронавигация ж., само ед. air navigation.

аеронавт м., -и aeronaut, balloonist, pilot (of a balloon).

аеронавтика ж., само ед. aeronautics, aerial navigation.

аероплан м., -и, (два) аероплана (aero)plane, амер. (air)plane, aircraft (и мн.).

аероснимк|а ж., -и aerophotograph; aerial survey/mapping.

аеростат м., -и, (два) аеростата aerostat, balloon, free balloon, kite balloon.

аеростатика ж., само ед. aerostatics.

аерофизика ж., само ед. aerophysics.

аерофобия ж., само ед. мед. aerophobia.

аерофотография ж., само ед. air photography.

ажиотаж м., само ед. икон. (и прен.) agiotage, stock exchange.

ажур₁ м., -и, (два) ажура 1. open-work, hemstitch; 2. изк. fretwork.

ажур₂ нареч. up-to-date, in order.

аз лично мест., 1 л., ед. I; ~ съм разг. it is me; моето ~ my ego; не съм ~ шег. the cat did it; ~ sl. this child.

азалия ж., само ед. бот. azalea (Azalea/Rododendron obtusum).

азбест м., само ед. хим. asbestos.

азбук|а ж., -и alphabet, ABC; ~а за глухонеми manual alphabet; finger alphabet/language; ~а за слепи (Брайлова азбука) string alphabet, Braille.

азбуч|ен прил., -на, -но, -ни alphabetic(al); ~на истина прен. an elementary truth, copy-book maxim; по ~ен ред in alphabetical order, by the alphabet, alphabetically.

азбучни|к м., -ци, (два) азбучника alphabetical index/indication; thumb index.

Азербайджàн *м. собств.* Azerbaijan.

азербайджàн|ец *м.,* -ци Azerbaijani; *съкр.* Azeri.

азербайджàнк|а *ж.,* -и Azerbaijanian (woman).

азербайджàнск|и *прил.,* -а, -о, -и Azerbaijani.

азиàт|ец *м.,* -ци; **азиàтк|а** *ж.,* -и Asian, Asiatic.

àзимут *м., само ед. астр., воен.* azimuth.

Àзия *ж. собств.* Asia.

Азòвско морè *ср. собств.* the Sea of Azov.

азòйск|и *прил.,* -а, -о, -и *геол.* azoic.

Азòрски òстрови *мн. собств.* the Azores.

азòт *м., само ед. хим.* nitrogen.

азòт|ен *прил.,* -на, -но, -ни *хим.* nitric; nitrogenous; **~ен двуокис** peroxide of nitrogen; **~ен окис** nitric oxide; **~ни торове** nitrogen/nitrate fertilizers; **~но-торов завод** a nitrogen/chemical/artificial fertilizer plant/works.

ай *междум.* oh! oh dear! dear my; ~ **да се не види!** damn it! blast!

айкѝдо *ср., само ед.* aikido.

айрàн и **айрàн** *м., само ед.* buttermilk.

àйсберг *м.,* -и, (два) **àйсберга** iceberg.

академѝ|к *м.,* -ци academician.

академѝч|ен *прил.,* -на, -но, -ни (*и за стил*) academic, scholarly; **~ен сèнат** senate.

академѝ|я *ж.,* -и academy; **военна ~я** military academy; **военноморска ~я** naval college/academy; **генералщабна ~я** staff college; *амер.* command and staff college; **духовна ~я** theological college/academy.

акажỳ *ср., само ед. бот.* acajou (*Anacardium occidentale*), mahogany.

àкам *гл.* make caca.

акапèл|ен *прил.,* -на, -но, -ни *муз.* acappella.

акàци|я *ж.,* -и *бот.* acacia; **бяла ~я** common locust (*Robinia pseudoacacia*).

аквалàнг *м.,* -и, (два) **аквалàнга** aqualung, scuba *съкр.* (self-contained underwater breathing apparatus).

аквалангѝст *м.,* -и aqualunger.

аквамарѝн *м., само ед. минер.* aquamarine.

акванàвт *м.,* -и aquanaut.

акварèл *м.,* -и, (два) **акварèла** 1. *само ед.* (*бои*) water colour; 2. (*картина*) water-colour, aquarelle.

акварелѝст *м.,* -и; **акварелѝсткǀа** *ж.,* -и water-colour painter, water-colourist, aquarellist.

аквàриум *м.,* -и, (два) **аквàриума** aquarium (*pl.* aquariums, aquaria); (*домашен*) ~ fish-globe.

акватòри|я *ж.,* -и aquatory.

акведỳкт *м.,* -и, (два) **акведỳкта** aqueduct, conduit.

акламàци|я *ж.,* -и *обикн. мн.* acclamation, cheering; **посрещам с ~и** meet with loud applause; **приет с ~и** (*при избори, гласуване*) carried by/with acclamation.

акламѝрам *гл.* acclaim, applaud, cheer.

аклиматизàция *ж., само ед.* acclimatization; acclimation.

аклиматизѝрам *гл.* acclimatize; || ~ **се** get/become acclimatized, acclimatize o.s.; (*за растение*) naturalize.

акнè *ср., само ед. мед.* acne.

акò съюз 1. (*за условие*) if, in case, provided; ~ **беше дошъл** if he had come, had he come; ~ **е до...** as for...; ~ **ли** and /while/ if, if, on the other hand; ~ **направиш това** if you do that, by so doing; ~ **не** (*обаче*) but failing that; ~ **не бяха тези деца** but for these children; ~ **ще е, да е** as well be hanged for a sheep, as for a lamb; go the whole hog; 2. (*за отстъпване*) ~ **и, ~ и да** (al)though; even if; none the less that.

акомодàция *ж., само ед.* accommodation.

акомпанимèнт *м., само ед.* accompaniment (**на** on); **без** ~ unaccompanied; **импровизиран** ~ vamp; **с** ~ **на** to the accompaniment of.

акомпанѝрам *гл.* accompany s.o. (**на** on).

акòрд₁ *м.,* -и, (два) **акòрда** *муз.* chord; **заключителен** ~ finale.

акòрд₂ *м., само ед.* piecework, jobbery; **работа на** ~ jobbery, contract work, work on contract; piece-work; **работя на** ~ job; do job work/ piece work.

акордеòн *м.,* -и, (два) **акордеòна** *муз.* accordion; *разг.* squeeze-box.

акордеонѝст *м.,* -и; **акордеонѝсткǀа** *ж.,* -и accordionist.

акордѝрам *гл. муз.* tune.

акостѝрам *гл. мор.* 1. *прех.* berth, lay (a boat) alongside a quay, wharf); lay

aboard; land, moor; 2. *непрех.* draw/ come alongside a quay.

акредитѝв *м.,* -и, (два) **акредитѝва** *фин.* letter of credit.

акредитàция *ж., само ед.* accreditation.

акредитѝрам *гл.* 1. *фин.* accredit; 2. *дипл.* accredit (to); authorize (as a delegate).

акрѝл|ен *прил.,* -на, -но, -ни acrylic.

акробàт *м.,* -и; **акробàткǀа** *ж.,* -и acrobat; (*гимнастик*) tumbler; (*на въже*) tight-rope walker; rope-dancer.

акробàтика *ж., само ед.* acrobatics, tumbling; **въздушна** ~ aerobatics.

акронѝм *м.,* -и, (два) **акронѝма** *език.* acronym.

акрòпол *м., само ед. архит., истор.* acropolis.

акростѝх *м.,* -ове, (два) **акростѝха** *лит.* acrostic.

акселбàнти *само мн.* aiguillettes, aiglets, aglets, shoulder-knots.

акселерàтор *м.,* -и, (два) **акселерàтора** accelerator.

аксесоàр *м.,* -и, (два) **аксесоàра** *обикн. мн.* accessories; *амер.* furnishings; *театр.* properties.

аксиàл|ен *прил.,* -на, -но, -ни axial.

аксиòм|а *ж.,* -и axiom.

аксонометрия *ж., само ед. геом.* axonometry.

акт *м.,* -ове, (два) **àкта** 1. (*действие, постъпка*) act; 2. *юр.* deed, act; statement; specialty; certificate; instrument; ~ **за гражданско състояние** certificate of birth (marriage, death); ~ **за женитба** marriage certificate; ~ **за попечителство** deed of trust; ~ **за раждане** birth certificate, birth-entry, (*регистър*) a record of birth; ~ **на държавната власт** act of state; **нотариален** ~ notarial/title deed; **обвинителен** ~ (bill of) indictment; **смъртен** ~ death certificate; **съставям ~ на някого** draw up a statement (of the case) against s.o.; 3. *театр.* act; 4. *изк.* (*голо тяло*) nude (figure).

актѝв *м., само ед.* и **актѝви** *само мн. фин.* 1. assets; credit side; ~ **и пасив** assets and liabilities; **дълготрайни ~и** fixed assets; **управление на ~ите** assets management; 2. *полит.* the most active members (of a party, etc.); functionaries, officials, executives; 3.

прен. achievements, credit; **това трябва да се отчете като негов ~** he must be credited for it; **трупам ~ (от)** capitalize on/upon; *разг.* dine out on; *sl.* cash in on.

актѝв|ен *прил.*, **-на, -но, -ни** active; energetic; *полит.* militant.

активизѝрам *гл.* activate, rouse, stir (up); brisk up; energize; push on; *разг.* give a fillip to, fillip; || **~ се** bestir o.s., press on with s.th.

активѝст *м.*, **-и; активѝстк|а** *ж.*, **-и** *полит.* active member (of an organization etc.); militant.

актѝвно *нареч.* actively; **~ зает** gainfully employed.

актѝвност *ж.*, *само ед.* activity; (*на вулкан*) eruptiveness.

актѝни|я *ж.*, **-и** *зоол.* (*морска роза*) sea-anemone, actinia (*Actinaria*).

актрѝс|а *ж.*, **-и** actress; **~а на малки роли** utility actress; **комедийна ~а** comedienne; **трагедийна ~а** tragedienne.

актуа́л|ен *прил.*, **-на, -но, -ни** topical, current, of the day; immediate and topical; pressing; *sl.* tony; **~ен въпрос** live question, question of present interest, problem of the present day.

актуализѝрам *гл.* **1.** update; **2.** render topical, attribute topical significance to; **3.** implement.

актуа́лност *ж.*, *само ед.* actuality; topicality; **~ на решения** topical solutions.

актьо́р *м.*, **-и** actor, player; **~ на малки роли** utility actor/man; **~ съм** tread the boards, be on the stage; **комедиен ~** comedian; **ставам ~** go on the stage; **трагедиен ~** tragedian.

актьо́рск|и *прил.*, **-а, -о, -и** actor's, histrionic, dramatic; **~о майсторство** acting.

аку́л|а *ж.*, **-и** *зоол.* shark (*Selachiiformes*) (*и прен.*).

акумула́тор *м.*, **-и, (два) акумула́тора** accumulator; battery; **оловен ~** lead acid battery.

акумула́ция *ж.*, *само ед.* accumulation.

акумулѝрам *гл.* accumulate.

акупункту́ра *ж.*, *само ед. мед.* acupuncture.

акура́т|ен *прил.*, **-на, -но, -ни** accurate, precise, dependable, correct; punctual.

акура́тност *ж.*, *само ед.* accuracy, accurateness, dependability, efficiency; punctuality; exactness, exactitude.

аку́стика *ж.*, *само ед. муз.* acoustics (*sg.* and *pl.*).

акустѝч|ен *прил.*, **-на, -но, -ни; акустѝческ|и** *прил.*, **-а, -о, -и** acoustic(al).

аку́т|ен *прил.*, **-на, -но, -ни** acute, sharp.

акушѐр-гинеколо́г *м.*, **-зи** obstetrician, man-midwife.

акушѐрк|а *ж.*, **-и** midwife, obstetrician; maternity nurse.

акушѝрам *гл.* deliver (a woman) of a child, assist in childbirth.

акцѐнт *м.*, **-и, (два) акцѐнта 1.** *само ед.* accent; **2.** *език.* (*ударение*) accent, stress, emphasis (*и прен.*).

акцептѝрам *гл. търг.* accept, endorse (a cheque), honour (a bill).

акцѐптор *м.*, **-и, (два) акцѐптора** *фин., физ.* acceptor.

акцесо́р|ен *прил.*, **-на, -но, -ни** appurtenant.

акцѝз *м.*, **-и, (два) акцѝза** *фин.* excise, excise duty; **закон за ~ите** The Excise Duties Act; **налагам ~ на** excise.

акционѐр *м.*, **-и; акционѐрк|а** *ж.*, **-и** shareholder, stockholder.

акционѐр|ен *прил.*, **-на, -но, -ни** joint-stock (*attr.*); **~ен капитал** joint-stock (capital), share capital; **~но дружество** joint-stock company; public company, *съкр.* plc; **~но дружество с ограничена отговорност** public limited company, *съкр.* plc.

а̀кци|я₁ *ж.*, **-и** campaign, crusade; *амер.* drive, action.

а̀кци|я₂ *ж.* *и фин.* share, stock; **~ите се покачват** shares go up/rocket; **~ите спадат** shares go down/register a fall; **котиране на ~ите** share/stock quotation; **много се покачиха ~ите му** *прен.* they certainly boosted him up; **спекулации с ~и** stock jobbing, playing the market.

акъ́л *м.*, **-и, (два) акъ́ла** *разг.* mind, brains; (common) sense; *разг.* grey matter; (*съвет*) advice; **вземам ~а на някого** knock s. o. dead; take s. o.'s breath away; **изкарвам някому ~а** frighten the life/wits out of s.o., scare the shit out of s.o.; **опичай си ~а** mind your p's and q's; **раздавам ~** be free

with o.'s advice; **сече ми ~ът** have a good head on o.'s shoulders; **те са на един ~** they are of a mind.

акъллѝ|я *прил.*, **-и** (*и като същ.*) clever, *разг.* brainy, smart.

а̀к|ър *м.*, **-ри, (два) а̀къра и а̀кра** acre.

ала̀ *съюз* but; yet.

ала̀ съюз but; yet.

алаба́стър *м.*, *само ед. минер.* alabaster.

алаба̀ш *м.*, *само ед. бот.* (*червена сладка гулия*) kohlrabi; French turnip, swede, colerape (*Brassica napobrassica*).

алабро̀с *м.*, *само ед.* French crop, (short) hair brushed back.

аламину́т *м.*, **-и, (два) аламину́та** (*и като нареч.*) a la minute; *амер.* short order (in a restaurant).

ала̀рма *ж.*, *само ед.* alarm; commotion, stir.

алармѝрам *гл.* alarm; (*лагер*) rouse.

алба̀н|ец *м.*, **-ци** Albanian.

Алба̀ния *ж. собств.* Albania.

алба̀нк|а *ж.*, **-и** Albanian (woman/girl).

алба̀нск|и *прил.*, **-а, -о, -и** Albanian.

албатро̀с *м.*, **-и, (два) албатро̀са** *зоол.* albatross.

албиго̀йци *мн. и* **албиго̀ец** *м. истор., рел.* Albigenses.

албинѝз|ъм (**-мът**) *м.*, *само ед. мед.* albinism, albinoism.

албу̀м *м.*, **-и, (два) албу̀ма** album.

албумѝн *м.*, *само ед. и* **албумѝни** *само мн. биохим.* albumen.

алвео̀л|а *ж.*, **-и** обикн. мн. анат. alveolus (*pl.* alveoli).

а̀лгебра *ж.*, *само ед.* algebra.

алгебрѝч|ен *прил.*, **-на, -но, -ни** algebraic.

алгоритмѝч|ен *прил.*, **-на, -но, -ни** algorithmic; **~ен език** algorithmic language.

алгорѝт|ъм *м.*, **-ми, (два) алгорѝтъма** algorithm.

алдехѝд *м.*, **-и, (два) алдехѝда** обикн. мн. хим. aldehyde.

алеба̀рд|а *ж.*, **-и** истор. halberd; partisan.

алего̀рич|ен *прил.*, **-на, -но, -ни** allegoric(al).

алего̀ри|я *ж.*, **-и** allegory.

алѐгро *нареч./ср.*, *само ед. муз.* allegro.

а̀лен *прил. разг.* scarlet, vermilion, carnation.

аленѐя се *възвр. гл.*, *мин. св. деят.*

прич. аленял се be/show/look scarlet.

алѐргия ж., *само ед. мед.* allergy; (*към лекарство*) intolerance; **имам ~ към** be allergic to.

алѐ|я ж., -и alley, walk, drive, avenue; lane, path; **велосипедна ~я** cycleway.

Алжир м. *собств.* Algeria; (*градът*) Algiers.

алжир|ец м., -ци Algerian.

алжирк|а ж., -и Algerian (woman/girl).

алжирск|и *прил.*, -а, -о, -и Algerian.

алианс м., *само ед.* association, society, alliance, coalition.

алиби и **алиби** ср., *само ед. юр.* alibi; **установявам ~** establish/produce an alibi.

алигатор м., -и, (два) **алигатора** *зоол.* alligator.

алиенация ж., *само ед. юр., мед.* alienation.

алинѐ|я ж., -и paragraph.

алитерация ж., *само ед. лит.* alliteration, staverhyme.

алкал|ен *прил.*, -на, -но, -ни alkaline; **силно ~ен разтвор** (*за пране, чистене*) lye; **слабо ~ен** alkalescent.

алкализирам (се) (*възвр.*) *гл. хим.* alkalify.

алкалойд м., -и, (два) **алкалойда** *хим.* alkaloid.

алков м., *само ед. архит.* alcove.

алкохол м., *само ед.* **1.** *хим.* alcohol; **2.** (*спиртни напитки*) spirits (*pl.*), alcoholic drinks; liquor.

алкохол|ен *прил.*, -на, -но, -ни alcoholic, spiritous, spirituous; **~на проба** breathalyser specimen; **~ни напитки** spirits; strong drinks, alcoholic drinks.

алкохолизирам *гл. хим.* alcoholize; **|| ~ се** become a dipsomaniac/an alcoholic/a habitual drunkard, take to drinking.

алкохолиз|ъм (-мът) м., *само ед. мед.* alcoholism, crapulence, crapulosity, dipsomania.

алкохоли|к м., -ци alcoholic, dipsomaniac; confirmed drunkard, *разг.* toper; *sl.* tosspot.

Аллах м. *неизм. рел.* Allah.

алма матер ж. *неизм.* alma mater.

алманах м., -и, -си, (два) **алманаха** *лит.* almanac.

ало *междум.* hullo, *амер.* hello.

алогичност ж., *само ед.* illogicality, illogicalness.

алое ср., *само ед. бот.* (*растението столетник*) aloe.

алопатия ж., *само ед. мед.* allopathy.

алопеция ж., *само ед. мед.* alopecia.

алотропия ж., *само ед. хим.* allotropy.

алпака₁ ж., *само ед. зоол.* alpaca (*Anchenia pacos*).

алпака₂ ж., *само ед. хим.* (*сплав*) German/nickel silver, albata.

Алпи мн. *собств.* the Alps.

алпийск|и *прил.*, -а, -о, -и **1.** Alpine; **2.** (*високопланински*) alpine.

алпинеум м., *само ед.* rockery, rock-garden.

алпиниз|ъм (-мът) м., *само ед.* mountaineering, alpinism, rock-climbing.

алпинист м., -и mountaineer, alpinist; mountain/Alpine/rock climber.

алт м., -ове/-и, (два) **алта** *муз.* alto.

алтернатива ж., *само ед.* alternative; option.

алтернатив|ен *прил.*, -на, -но, -ни alternative (*attr.*); **~ен инвестиционен пазар** *фин.* Alternative Investment Market; **~на присъда** alternative verdict.

алтруиз|ъм (-мът) м., *само ед.* altruism, selflessness, unselfishness.

алтруист м., -и altruist.

алуви|й (-ят) м., *само ед. геол.* alluvium.

алуминиев *прил.* aluminium (*attr.*); *амер.* aluminum; **~ окис** alumina; **~и съдове** aluminium hollow-ware; **с ~а обивка** aljack.

алумини|й (-ят) м., *само ед. хим.* aluminium, *амер.* aluminium

алфа ж., *само ед.* (*и прен.*) alpha; **~излъчване** alpha radiation; **● ~(та) и омега(та)** the alpha and the omega.

алхимия ж., *само ед.* alchemy.

алч|ен *прил.*, -на, -но, -ни covetous; greedy (of, for), grasping, avaricious, acquisitive; avid (of, for); esurient; money-grabbing; **~ен за пари** money-grubber, wolf; **~ен за печалби** eager for gain; **~ен поглед** an eager glance.

алчност ж., *само ед.* covetousness, avidity, cupidity, greed, greediness, esurience, esuriency; money-grubbing, graspingness.

алюзия ж., *само ед. лит.* allusion.

ама *част.* (*за усилване*) what (a) ...; **~**

че време! terrible weather we're having, fine weather for ducks, isn't it some weather (we're having); **~ (че) го рече** what a silly thing to say, that's good one, a fine way to put it; **~ (че) я свърши** a fine mess you've made of it.

ама *съюз разг.* but.

амазонк|а₁ ж., *и обикн. мн. мит.* Amazon.

Амазонка₂ ж. *собств.* (*река*) the Amazon.

амалгама ж., *само ед.* amalgam; (*за огледала*) tain, foil.

аман *междум. разг.* **1.** (*досада*) bother, the deuce/devil, blast it, damn it; **~ от вас** I'm sick and tired of you, the deuce take you, what a nuisance you are; **2.** (*молба за милост*) for goodness'/heaven's/God's sake.

амарант м., *само ед. бот.* amaranth.

амарилис м., *само ед. бот.* amaryllis.

аматьор м., -и amateur; smatterer; *спорт.* gentleman.

амбалаж м., *само ед.* wrapping, wrappage, packing; emu-bob, emu-parade.

амбицио́з|ен *прил.*, -на, -но, -ни ambitious, high-flying; competitive; go-ahead, go-getting; **~ен човек** high-flyer, go-getter.

амбивалентност ж., *само ед.* ambivalence, ambivalency.

амбицирам *гл.* put (s.o.) on his mettle, urge on; **|| ~ се** be on o.'s mettle, be eager (to do s.th.), be fired with ambition (to *c inf.*) make it o.'s ambition (to *c inf.*); turn/become obstinate.

амбици|я ж., -и **1.** ambition; **2.** (*опърничавост*) obstinacy; contrariness.

амбразур|а ж., -и **1.** *архит.* embrasure, window-recess; **2.** *воен.* embrasure, crenel, loop-hole; *мор.* gun-part.

амбреаж м., -и, (два) **амбреажа** *авт.* connecting/control gear, coupling, clutch; **дисков ~** (single-)plate clutch; **натискам ~а** let in/step on the clutch; **спирален ~** coil clutch.

амброзия ж., *само ед.* ambrosia.

амбулант|ен *прил.*, -на, -но, -ни: **~ен търговец** peddler, pedlar; hawker; street-vendor; costermonger; packman, bagman; Cheap Jack; curb/kerb merchant; huckster; gutterman; **~на търговия** peddling, pedlary.

амбулатор|ен *прил.*, -на, -но, -ни *мед.* ambulatory; **~но болен** an out-

patient; a walking case.

амбулатòри|я ж., -и dispensary; (*в болница*) outpatients' department, clinic (of a hospital); (*в учреждение*) surgery.

амвòн м., -и, (два) **амвòна** *църк.* pulpit; ambo (*pl.* ambos, ambones).

амѐб|а ж., -и *зоол.* amoeba (*pl.* amoebas, amoebae); *амер.* ameba.

амелиоратѝв|ен прил., -на, -но, -ни ameliorative.

Амѐрика ж. *собств.* America, Uncle Sam; • открил ~ the Dutch have taken Holland!

американ м., *само ед. текст.* unbleached calico, grey cloth.

американ|ец м., -ци American, Yankee, Yank.

американѝстика ж., *само ед.* American studies.

американк|а ж., -и American (woman/girl).

аметѝст м., *само ед. минер.* amethyst.

амѝ *част./съюз* but; (*във въпр. изреч.*) and, why; (*неохотен отговор*) well; (*потвърждение*) why, of course; (*отрицание*) no fear, not I/me; (*изненада*) you don't say! (good) Lord! really! ~ ако ...? what if ...? (*ирония*) ~ любов! it was a love-match, indeed! *вулг.* love-match, my eye! ~ сега? (and) now what? ~ ти? what about you? ~ ще дойде he won't come, not he.

амѝн *междум. църк.* amen.

амѝногрỳп|а ж., -и *хим.* aminogroup.

амѝнокиселин|à ж., -й *хим.* amino acid.

амнѐзия ж., *само ед. мед.* amnesia.

амнистѝрам гл. amnesty, pardon.

амнѝстия ж., *само ед. юр.* amnesty; pardon; free pardon; **обща ~** general pardon, act of grace.

амòк м., *само ед. мед.* amok, amuck.

амòниев прил. хим. ammonium (*attr.*); ~а селитра ammonium nitrate.

амòни|й (-ят) м., *само ед. хим.* ammonium.

амоняк м., *само ед. хим.* ammonia.

аморàлност ж., *само ед.* amorality, immorality, sleaziness.

амортизàтор м., -и, (два) **амортизàтора** *техн.* shock-absorber; shock-eliminator; damper; *ел.* damper, damping grid.

амортизациòн|ен прил., -на, -но,

-ни: ~ен фонд a sinking fund; ~ни отчисления allowances for depreciation.

амортизàция ж., *само ед.* 1. *фин.* amortization, redemption, paying-off, liquidation (of a debt); (amount written off for) depreciation; *техн.* wear and tear; (*на материални активи*) obsolescence; 2. *техн.* damping.

амортизѝрам гл. 1. *фин.* amortize, extinguish, redeem, pay off, sink (a debt); allow for depreciation of (a plant); 2. *техн.* absorb, deaden, cushion (a shock).

амортисьòр м., -и, (два) **амортисьòра** *техн.* air-cushion, cushion, dashpot/bumper, shock-absorber, antibouncer, damper; counterbuff; (*за врата*) door-shock.

амòрфност ж., *само ед.* amorphism, amorphousness; formlessness.

àмпер м., -и, (два) **àмпера** *физ.* ampere.

àмпермèт|ър м., -ри, (два) **àмпермèтъра** *техн.* ammeter, amperemeter.

ампѝр м., *само ед. изк.* Empire (style).

амплитỳда ж., *само ед.* amplitude; *физ.* (*на люлеене*) swing; ~ на изменения amplitude of fluctuation; ~ на колебания amplitude of oscillations; ~ на носеща честота carrier amplitude.

амплоà ср., *само ед. театр.* special line; актьор с широко ~ a versatile actor.

ампỳл|а ж., -и ampulla (*pl.* ampullas, ampullae), ampoule, *амер.* ampule, glass tube.

ампутàция ж., *само ед. мед.* amputation.

ампутѝрам гл. *мед.* amputate.

амулèт м., -и, (два) **амулèта** amulet; talisman; fetish; charm; (*африкански*) grigri, greegree.

амунѝци|я ж., -и *воен.* accoutrements; *разг.* ammo; (*ремъци*) harness; horse-trappings.

Амỳр м. *собств. мит.* Cupid.

амфетамѝн м., -и *фарм.* amphetamine.

амфѝби|я ж., -и 1. *зоол., бот.* amphibian; 2. *авиац.* amphibian plane; *воен.* (*танк*) amphibian.

амфибòл м., -и *минер.* amphibole.

амфибрàхи|й (-ят) м., -и, (два) амфибрàхия *лит.* amphibrach.

амфитеатрàл|ен прил., -на, -но, -ни amphitheatrical; arranged in tiers.

амфитеàт|ър м., -ри, (два) **амфитеàтъра** amphitheatre.

àмфор|а ж., -и amphora.

анабаптѝст м., -и *обикн. мн. истор., рел.* Anabaptists.

анабиòза ж., *само ед. биол.* anabiosis.

анаболѝз|ъм (-мът) м., *само ед. биол.* anabolism.

анагрàм|а ж., -и *лит.* anagram.

Анадòл м. *собств.* Anatolia.

анадòл|ец м., -ци; **анадòлк|а** ж., -и Anatolian.

анадòлск|и прил., -а, -о, -и Anatolian (*attr.*).

анаерòб м., -и, (два) **анаерòба** *биол.* anaerobe.

анакòнд|а ж., -и *зоол.* anaconda.

аналгетѝ|к м., -ци, (два) **аналгетѝка** *фарм.* analgetics, analgesics.

анàл|ен прил., -на, -но, -ни *анат.* anal.

аналептѝ|к м., -ци, (два) **аналептѝка** *обикн. мн. фарм.* analeptics.

анàли *само мн. истор.* annals.

анàлиз м., -и, (два) **анàлиза** analysis (*pl.* analyses); (*дял от математиката*) analysis; *хим.* break-down; ~ на кръвта/урината blood/water test; ~ на относителни показатели ratio analysis; критичен ~ dissection; математически ~ calculus; правя ~ assay; психологичен ~ character study.

анализàтор м., -и, (два) **анализàтора** *техн.* analyser; ~ на схеми network analyser.

анализѝрам гл. analyse, analyze; (*подробно*) dissect.

аналитѝ|к м., -ци analyst.

аналитѝч|ен прил., -на, -но, -ни analytic(al); ~на химия analytical chemistry; ~ни везни assay-balance.

аналò|г м., -зи, (два) **аналòга** analog(ue); цифров ~г digital analogue.

аналогѝч|ен прил., -на, -но, -ни analogous (на to), analogic(al).

аналòги|я ж., -и analogy (с to, with); parity; по ~я by analogy, by parity of reasoning; по ~я на/с on the analogy of, by analogy with.

аналòгово-цифров прил. analogue-to-digital.

аналòи|й (-ят) м., -и, (два) **аналòя** *църк.* lectern.

анамнѐза ж., *само ед. мед.* case

history, medical history, anamnesis.

ананàс _м._, -и, (два) **ананàса** _бот._ pine-apple.

анапèст _м._, _само ед._ _лит._ anapest, anapaest.

анархѝз|ъм (-мът) _м._, _само ед._ anarchism.

анархѝст _м._, -и; **анархѝстк|а** _ж._, -и anarchist.

анàрхия _ж._, _само ед._ anarchy, lawlessness.

анасòн _м._, _само ед._ _бот._ anise (_Pimpinella ànisum_).

анàтема и **анатèма** _ж._, _само ед._ **1.** _рел._ anathema; **2.** (_проклятие_) anathema.

анатòм _м._, -и (_лекар, учен_) anatomist.

анатомѝч|ен _прил._, -на, -но, -ни anatomic(al).

анатòмия _ж._, _само ед._ anatomy.

анахронѝз|ъм (-мът) _м._, _само ед._ anachronism.

ангажимèнт _м._, -и, (два) **ангажимèнта** contract, engagement, commitment; agreement; obligation; **поемам ~** undertake (_да то_ _с inf._), enter into a contract/an engagement, commit o.s. (to _с inf._).

ангажѝрам _гл._ **1.** (_работници и пр._) engage, take on, hire; (_адвокат_) retain; **2.** (_запазвам предварително_) book, reserve, engage (seats, rooms, a cab, etc.); || **~ се** promise, undertake, agree o.s. (to), take upon o.s., commit o.s. (to _с inf._).

ангарѝя _ж._, _само ед._ **1.** _истор._ corvée, statute labour, task work; **2.** (_тежка работа_) drudgery, _разг._ sweat; fag.

àнгел _м._, -и _рел._ angel (_и прен._); **невинен като ~** innocent as the babe unborn; ● **слаб ми е ~ът** fall in love easily, be a lady's man.

àнгелск|и _прил._, -а, -о, -и angelic.

ангѝна₁ _ж._, _само ед._ _мед._ quinsy, tonsillitis, angina; **~ пекторис** angina pectoris.

ангѝна₂ _ж._, _само ед._ _текст._ ticking, tick, down-proof calico.

англѝйск|и _прил._, -а, -о, -и English; **Английската банка** Bank of England; **~и език** English, the English language; ● **~а болест** (_рахит_) rickets (_sg._ and _pl._), rachitis; **~а сол** Epson salts, bitter salt.

англикàнск|и _прил._, -а, -о, -и Angli-

can; **Англиканската църква** the Anglican Church, the Church of England.

англицѝз|ъм (-мът) _м._, _само ед._ Anglicism, Englishism; English idiom.

англичàнин _м._, **англичàни** Englishman; **англичàните** (_събир._) the English; _австр._ _sl._ pom(my).

англичàнк|а _ж._, -и English woman/girl.

Àнглия _ж._ _собств._ England, Anglia.

англофѝл _м._, -и Anglophil(e).

англофòб _м._, -и Anglophobe.

англофòн _м._, -и Anglophone.

Ангòла _ж._ _собств._ Angola.

ангòлск|и _прил._, -а, -о, -и Angolan.

ангòрск|и _прил._, -а, -о, -и Angora (_attr._); **~а вълна** Angora wool, mohair; **~а котка** Persian, an angora cat; **~и заек** Angora rabbit.

ангрò _нареч._ wholesale; in bulk; **купувам на ~** buy wholesale; ● **говоря на ~** talk big, exaggerate.

андàнте _нареч._ _муз._ andante.

андрогèн _м._, -и _обикн._ _мн._ _биохим._ androgen.

андрòйд _м._, -и android.

аневрѝзм|а _ж._, -и _мед._ aneurism.

анекдòт _м._, -и, (два) **анекдòта** anecdote, joke.

анексѝрам _гл._ annex; (_като оставям на предишния владетел титлата и някои права_) mediatize.

анèксия _ж._, _само ед._ annexation.

анемѝч|ен _прил._, -на, -но, -ни anaemic; exsanguine, exsanguinous.

анèмия _ж._, _само ед._ anaemia.

анемòна _ж._, _само ед._ _бот._ anemone.

анестезиолò|г _м._, -зи anaesthetist, _амер._ anesthesiologist.

анестезиолòгия _ж._, _само ед._ _мед._ an(a)esthesiology.

анестезѝрам _гл._ anaesthetize.

анестèзия _ж._, _само ед._ _мед._ anaesthesia.

анестетѝ|к _м._, -ци, (два) **анестетѝка** _обикн._ _мн._ _фарм._ an(a)esthetics.

анилѝн _м._, _само ед._ _хим._ anilin(e).

анималѝз|ъм (-мът) _м._, _само ед._ animalism.

анималѝст _м._, -и animalist.

анимàтор _м._, -и _кино._ animator, (_в субтитри на филм_) animated by.

анимациòн|ен _прил._, -на, -но, -ни: **~ен филм** cartoon (film).

анимàция _ж._, _само ед._ _кино._ anima-

tion; (_филм_) cartoon; (_в субтитри на филм_) animated by.

анимѝз|ъм (-мът) _м._, _само ед._ animism.

аниòн _м._, -и, (два) **аниòна** _физ._ anion.

àнкерпласт _м._, _само ед._ adhesive tape.

анкèт|а _ж._, -и inquiry (за into), investigation (of, into); survey; poll.

анкетѝрам _гл._ inquire (into an affair), hold an inquiry into investigate, make an investigation; poll (_usu._ pass), survey.

анклàв _м._, -и, (два) **анклàва** enclave.

анòд _м._, _само ед._ _физ._ anode, positive pole; **пръчков ~** bar anode.

аномàли|я _ж._, -и anomalism, anomaly, irregularity, abnormality.

анонѝм _м._, -и, (два) **анонѝма** _лит._ anonym.

анонѝм|ен _прил._, -на, -но, -ни anonymous; unnamed, nameless, cryptonymous; **~но дружество** joint-stock company, limited (liability) company.

анонѝмност _ж._, _само ед._ anonymity.

анòнс _м._, -и, (два) **анòнса** announcement; _карти_ bid.

анонсѝрам _гл._ announce.

àнора|к _м._, -ци, (два) **àнорака** anorak, cagoule.

анорèксия _ж._, _само ед._ _мед._ anorexia.

àнормàл|ен _прил._, -на, -но, -ни **1.** abnormal; unnatural; freak (_attr._); **2.** _мед._ insane, deranged.

анотàция _ж._, _само ед._ annotation; (_на корицата на книга_) (flap) blurb.

анотѝрам _гл._ annotate.

ансàмблов _прил._ ensemble (_attr._); **~а музика** part songs, ensemble music.

ансàмб|ъл _м._, -ли, (два) **ансàмбъла** **1.** ensemble; total effect; **2.** (_група, колектив_) company, troupe, group, ensemble; **~ъл за народни песни и танци** folk song and dance company, ensemble for folk songs and dances; **3.** (_облекло_) suit.

антагонѝз|ъм (-мът) _м._, _само ед._ antagonism.

антагонистѝч|ен _прил._, -на, -но, -ни antagonistic; hostile.

антàнт|а _ж._, -и _истор._ the Entente; **Малката ~а** the Little Entente.

Антàрктика _ж._ _собств._ the Antarctic.

антèн|а _ж._, -и **1.** _техн._ aerial, antenna; **вградена ~а** built-in antenna; **приемаща ~а** receiving antenna; **са-**

монастройваща се ~a adaptive antenna; **свръхвисокочестотна** ~a microwave antenna; **плоска** ~a plane antenna; **2.** (*мустаче, пипалце*) *зоол.* antenna (*pl.* antennae), feeler.

àнтибактериàл|ен *прил.*, -на, -но, -ни antibactereal.

антибиоти|к *м.*, -ци, (два) **антибиотѝка** antibiotic (*pl.* antibiotics).

антивоèн|ен *прил.*, -на, -но, -ни anti-military.

антигèн *м.*, -и, (два) **антигèна** *биохим.* antigens.

àнтидемократѝч|ен *прил.*, -на, -но, -ни anti-democratic.

àнтидепресàнт *м.*, -и, (два) **àнтидепресàнта** *фарм.* antidepressant.

антидòт *м.*, -и, (два) **антидòта** *мед.* antidotes.

àнтиимпериалѝз|ъм (-мът) *м.*, само ед. полит. anti-imperialism.

антѝк|а *ж.*, -и **1.** antique, curio, museum piece; *pl.* virtu, articles of virtu; antiquities; **2.** *прен.*, *разг.* trickster, sly dog, shrewd fellow.

антиквàр (-ят) *м.*, -и **1.** antique dealer; **2.** (*любител на старинни предмети*) antiquarian, antiquary.

антиквàр|ен *прил.*, -на, -но, -ни antiquarian; ~**ен магазин** antique-shop, curiosity shop; ~**на книжарница** second-hand bookshop.

àнтиклерикалѝз|ъм (-мът) *м.*, само ед. anticlericalism.

антиклинàл *м.*, -и, (два) **антиклинàла** и **антиклинàл|а** *ж.*, -и *геол.* anticline.

àнтикоагулàнт *м.*, -и, (два) **àнтикоагулàнта** *фарм.* anticoagulants.

àнтиконституциòн|ен *прил.*, -на, -но, -ни anti-constitutional.

антилòп|а *ж.*, -и *зоол.* antelope; южноамериканска ~a klipspringer.

Антѝлски òстрови *мн. собств.* the West Indies; the Antilles.

àнтимикотѝч|ен *прил.*, -на, -но, -ни antimycotic.

àнтимикрòб|ен *прил.*, -на, -но, -ни antimicrobial.

àнтимилитарѝст *м.*, -и anti-militarist.

антимòн *м.*, само ед. хим. antimony.

àнтимонархѝст *м.*, -и antimonarchist.

àнтиобщèствен *прил.* anti-social.

антипàп|а *м.*, -и *истор.* Antipope.

антипàти|я *ж.*, -и antipathy, odium; distaste (for).

àнтипиретѝ|к *м.*, -ци, (два) **àнтипиретѝка** *фарм.* antipyretics; febrifuges.

антипòд *м.*, -и, (два) **антипòда 1.** antipode (*pl.* antipodes) (на of, to); (*хора*) *pl.* antipodes; **2.** *прен.* antipode, opposite (of).

àнтирасѝз|ъм (-мът) *м.*, само ед. antiracism.

антисемитѝз|ъм (-мът) *м.*, само ед. anti-Semitism.

антисèптика *ж.*, само ед. мед. **1.** (*обеззаразяване и обеззаразяващи средства*) antiseptics; **2.** (*дезинфекция*) antisepsis.

антисоциàл|ен *прил.*, -на, -но, -ни antisocial, unsocial.

антистатѝч|ен *прил.*, -на, -но, -ни antistatic.

антисъветѝз|ъм (-мът) *м.*, само ед. antisovietism.

антитèз|а *ж.*, -и *филос.*, *лит.* antithesis (*pl.* antitheses).

антителà само мн. биохим. antibodies.

àнтитерористѝч|ен *прил.*, -на, -но, -ни antiterrorist.

антифашѝз|ъм (-мът) *м.*, само ед. anti-fascism.

антифашѝст *м.*, -и anti-fascist.

антифòни само мн. ear muffs, ear-protector.

антифрѝз *м.*, само ед. antifreeze.

антихрѝст *м.*, -и **1.** само ед. рел. Antichrist; **2.** (*атеист, неверник*) Antichrist, irreligionist, atheist.

àнтициклòн *м.*, -и, (два) **àнтициклòна** *метеор.* anticyclone.

античàстиц|а *ж.*, -и физ. antiparticle.

антѝч|ен *прил.*, -на, -но, -ни classical, ancient, antique, old.

Антѝчност (-та) *ж.*, само ед. истор. antiquity.

антолòги|я *ж.*, -и anthology; collectanea.

антонѝм *м.*, -и, (два) **антонѝма** език. antonym.

антрàкс *м.*, само ед. мед. anthrax; wool-sorters' disease; carbuncle.

антрàкт *м.*, -и, (два) **антрàкта 1.** interval; *амер.* intermission; **2.** *муз.* entr'acte.

антрацѝт *м.*, само ед. минер. anthracite (coal), stone/hard-coal.

антрè *ср.*, -та (*в дом*) vestibule, (entrance-)hall; (*в хотел*) lobby.

антрефилè *ср.*, -та лит. notice, paragraph, *разг.* par.

антропогенèза *ж.*, само ед. биол. anthropogeny.

антропогèн|ен *прил.*, -на, -но, -ни anthropogenic.

антрополò|г *м.*, -зи anthropologist.

антрополòгия *ж.*, само ед. anthropology.

антропоморфѝз|ъм (-мът) *м.*, само ед. **1.** anthropomorphism; **2.** рел. theanthropism.

антурàж *м.*, само ед. entourage, attendance; set, circle (of friends); **човек от** ~a на някого s.o.'s satellite.

анулѝрам *гл.* юр. annul, disannul, invalidate; defeat; render null and void; (*закон*) abate, abrogate, repeal, rescind, nullify, negate; (*постановление*) recall; (*присъда*) make/render void, quash, recall; (*договор, чек*) cancel; ~ **дълг** cancel a debt; ~ **пълномощно** nullify a power of attorney.

анулѝране *ср.*, само ед. annulment, disannulment, invalidation, cancellation; nullification; rescission; юр. abatement, voidance, avoidance, defeasance, abrogation.

àнус *м.*, -и, (два) **àнуса** анат. anus, fundament.

анфàс *м.*, само ед. full face; **в** ~ full face; **снимка в** ~ full-face photograph.

анхидрѝд *м.*, -и, (два) **анхидрѝда** хим. anhydride.

анхидрѝт *м.*, само ед. минер. anhydrite; хим. anhydride.

àнцу|г *м.*, -зи, (два) **àнцуга** спорт. training/sweat suit, tracksuit.

àншлус *м.*, само ед. воен., полит. union, Anschluss, annexation.

аншоà *ж.*, само ед. зоол. anchovy (*Engraulis encrasicholus*).

анюитèт *м.*, само ед. икон. annuity.

аòрист *м.*, -и, (два) **аòриста** език. амер. aorist.

аòрт|а *ж.*, -и анат. aorta.

апандисѝт *м.*, само ед. мед. appendicitis; **опѝрам се от** ~ be operated on for appendicitis, have o.'s appendix removed; мед. undergo appendectomy.

апарàт *м.*, -и, (два) **апарàта 1.** техн. apparatus (*pl.* apparatuses), mechanism, appliance, instrument, machine,

device; (*радио, телевизия*) set; **2.** *анат.* apparatus, organs, system; **3.** (*устройство, организация*) machinery, machine; (*научен*) materials, critical apparatus.

апаратур|а *ж.*, **-и** apparatuses, appliances, installations; equipment.

апартамѐнт *м.*, **-и**, (**два**) **апартамѐнта** flat, rooms; *амер.* apartment; (*в хотел*) suite.

апартѐйд *м.*, *само ед.* *полит.*, *истор.* apartheid.

апатия *ж.*, *само ед.* apathy, impassivity, torpidity, torpidness, lethargy, torpor, languor; indifference, listlessness.

апаш *м.*, **-и** *разг.* apache, thief, pickpocket.

апѐл *м.*, *само ед.* appeal; clarion call; **отправям ~ към някого** appeal to s.o., call upon s.o.'s help/services.

апелатѝв|ен *прил.*, **-на**, **-но**, **-ни** *юр.* appellate; **~ен съд** court of appeal; **~ен съдия** judge of appeal; **подавам ~на жалба** appeal (до with).

апелàци|я *ж.*, **-и** *юр.* **1.** (*обжалване*) appeal at law; **2.** *остар.* (*съд*) court of appeal.

апелѝрам *гл.* **1.** appeal (**към** to); **2.** *юр.* (*обжалвам присъда*) appeal (against a sentence), lodge an appeal; *амер.* appeal a case.

апендикс *м.*, **-и**, (**два**) **апѐндикса 1.** *анат.* appendix (*pl.* appendixes, appendices); **възпаление на ~а** appendicitis; **2.** *техн.* neck.

аперитѝв *м.*, *само ед.* **1.** appetizer, aperitif, *разг.* whet; **2.** (*заведение*) bar; *амер.* saloon, bar.

апетѝт *м.*, *само ед.* appetite (*и прен.*); **възбуждам ~а** make the mouth water; **bring water to s.o.'s mouth; whet/excite o.'s appetite; нямам ~** have no appetite; **be a poor eater; be off o.'s oats/***sl.*** o.'s peck.

апетѝт|ен *прил.*, **-на**, **-но**, **-ни** appetizing, palatable; *разг.* moreish, savoury.

апли|к *м.*, **-ци**, (**два**) **аплѝка** (electric) bracket, electric wall-fitting, bracket lamps.

апликàци|я *ж.*, **-и 1.** *мед.*, *фин.* application; decoupage; **2.** (*на дрехи*) applique, appliquéd ornament/trimming.

аплодѝрам *гл.* applaud, clap (s.o., s.th.); give a standing ovation (to s.o.); *разг.* give (s.o.) a big hand; **~ бурно**

lift/raise the roof.

аплодисмѐнти *само мн.* applause (*sg.*), clapping; *прен.* éclat; **бурни ~** loud applause; **гръм от ~** round of applause/cheers; **получавам/предизвиквам бурни ~** *разг.* bring the house down.

апломб *м.*, *само ед.* self-possession, assurance, coolness, aplomb; **говоря с ~** pontificate, pontify.

апогѐ|й *м.*, (**-ят**) *само ед.* **1.** *астр.* apogee; **2.** *прен.* apogee; acme, culmination, summit, the high-water mark; *разг.* apex, climax, zenith.

апозѝци|я *ж.*, **-и** *език.* apposition.

Апокалѝпсис *м.*, *само ед.* *библ.* apocalypse, revelation (*и прен.*).

апокалиптѝч|ен *прил.*, **-на**, **-но**, **-ни**; **апокалиптѝческ|и** *прил.*, **-а**, **-о**, **-и** apocalyptic(al).

апокрѝф *м.*, **-и**, (**два**) **апокрѝфа** *лит.*, **цъ́рк.** (*и прен.*) apocrypha (*pl.*).

àполитѝч|ен *прил.*, **-на**, **-но**, **-ни** apolitical, unpolitical.

апологѐтика *ж.*, *само ед.* (*и рел.*) apologetics.

Аполòн *м.* *собств.* *мит.* Apollo.

апоплѐксия *ж.*, *само ед.* *мед.* apoplexy.

апостериòри *нареч.* a posteriori.

апòстол *м.*, **-и 1.** *библ.* apostle (*и прен.*); **дванадесетте ~и** the twelve disciples; **2.** *библ.* (*книга* "Деяния на светите Апостоли") Book/Acts of the Apostles.

апострòф *м.*, **-и**, (**два**) **апострòфа** *език.*, *лит.* apostrophe.

апострофѝрам *гл.* apostrophize; heckle, interrupt; (*грубо*) barrack.

апотѐм|а *ж.*, **-и** *геом.* apothem.

апотеòз *м.*, *само ед.* apotheosis.

апретýра *ж.*, *само ед.* *текст.* dressing, finish, sizing; **водна ~** water-based finish.

апрѝл *м.*, *само ед.* April; **пъ́рви ~** (*Ден на шегата*) all Fools' Day, April Fools' Day.

апрѝлск|и *прил.*, **-а**, **-о**, **-и** April (*attr.*); **~а лъжа** April fool, April fool's errand.

априòри *нареч.* a priori.

апроксимàция *ж.*, *само ед.* *мат.* approximation.

апропò *нареч.* apropos, by the way, by the by(e).

апроприàция *ж.*, *само ед.* appropriation.

апсѝд|а и абсѝд|а *ж.*, **-и** архит. apse; conch; *астр.* apsis (*pl.* apsides).

аптѐк|а *ж.*, **-и** chemist's, pharmacy, *амер.* drugstore.

аптекàр (-ят) *м.*, **-и**; **аптекàрк|а** *ж.*, **-и** (*дипломиран*) chemist; pharmacist, dispensing chemist; *амер.* druggist.

аптѐчк|а *ж.*, **-и** (*домашна*) medicine chest/cabinet; first-aid kit; dressing-bag.

ар *м.*, **-ове**, (**два**) **àра** ar(e) (100 square metres, 119.6 square yards or 0.0247 acres, about 4 poles).

арабѐск *а ж.*, **-и** *изк.*, *муз.* arabesque.

арàбин *м.*, **арàби** *антроп.* Arab, Arabian.

арабѝстика *ж.*, *само ед.* Arab studies.

арàбск|и *прил.*, **-а**, **-о**, **-и** Arabian; (*за език, числителни*) Arabic; **~и кон** barb; **Обединените ~и емирства** (**ОАЕ**) the United Arab Emirates, *съкр.* UAE.

аранжѝрам *гл.* lay out, arrange; (*за оркестър*) orchestrate; harmonize.

аранжирòвк|а *ж.*, **-и** *муз.* arrangement; transcription.

аранжòр *м.*, **-и** window-dresser.

арбалѐт *м.*, **-и**, (**два**) **арбалѐта** *истор.* cross-bow.

арбитрàж *м.*, *само ед.* **1.** *юр.* arbitration; *фин.* arbitrage; **предавам въпроса на ~** refer the question to arbitration; **2.** *юр.* (*съд от арбитри*) court of arbitration.

арбѝт|ър *м.*, **-ри** arbiter, arbitrator, moderator, trier; *спорт.*, *юр.* umpire.

аргò *ср.*, *само ед.* *език.* cant, argot, slang.

аргòн *м.*, *само ед.* *хим.* argon.

аргонàвт *м.*, **-и 1.** *мит.* Argonaut; **2.** *зоол.* argonaut, paper nautilus.

аргумѐнт *м.*, **-и**, (**два**) **аргумѐнта** argument; **необорим ~** clinch; **представям ~ за** give reasons for.

аргументѝрам се *взвр.* *гл.* argue, adduce/advance/ put forward arguments, back (s.th.) with arguments.

ареàл *м.*, **-и**, (**два**) **ареàла** area.

арѐн|а *ж.*, **-и 1.** (*в цирк*) arena (*pl.* arenas, arenae); ring; **2.** *прен.* arena, field, scene; **~а на действие** field/ sphere of action; **международната ~а** the international scene.

арѐнда *ж.*, *само ед.* lease; (*наем*) rent;

остар. copyhold; **вземам под ~** (take on) lease; rent; **давам под ~** grant on lease, rent; *юр.* demise.

арендàтор *м.*, **-и** leaseholder, lessee, tenant farmer; *остар.* copy holder.

арèст *м.*, *само ед.* **1.** arrest, custody, detention, apprehension; *воен.* the cells; **домашен ~** house arrest; **под ~** under arrest/restraints; **2.** (*затвор, сграда*) lock-up, prison.

арестàнт *м.*, **-и**; **арестàнтк|а** *ж.*, **-и** prisoner.

арестỳвам *гл.* arrest, put under arrest, take/give (s.o.) into custody, take up, take in charge, apprehend, detain; *разг.* grab; clap a writ on s.o.'s back, nick, collar; clap s.o. by the heels; *sl.* lag, nab.

Аржентѝна *ж. собств.* Argentina, the Argentine.

аржентѝн|ец *м.*, **-ци**; **аржентѝнк|а** *ж.*, **-и** Argentinean.

аржентѝнск|и *прил.*, **-а, -о, -и** Argentine, Argentinean.

ариàнство *ср.*, *само ед. рел., истор.* Arianism.

ариергàрд *м.*, *само ед. воен.* rearguard.

аристокràт *м.*, **-и** aristocrat, nobleman.

аристокràтк|а *ж.*, **-и** gentlewoman, lady of quality.

аристокràция *ж.*, *само ед.* aristocracy; nobility; peerage; *разг.* the top drawer; **поземлена ~** plantocracy; *разг.* upper crust.

аритмèтика *ж.*, *само ед.* arithmetic; numbers; ● **той е силен по ~** he is good at sums.

аритметѝч|ен *прил.*, **-на, -но, -ни**; **аритметѝческ|и** *прил.*, **-а, -о, -и** arithmetical; **~ни знаци** arithmetical notation; **по ~ен път** arithmetically.

арѝтмия *ж.*, *само ед. мед.* arrhythmia.

àри|я *ж.*, **-и** *муз.* aria; air.

àрк|а *ж.*, **-и** *архит.* arch.

аркàд|а *ж.*, **-и** *архит.* arcade.

Àрктика *ж. собств.* the Arctic.

армàд|а *ж.*, **-и** *истор.* armada.

арматỳра *ж.*, *само ед.* **1.** *техн.* fixture, fitment; reinforcement (of concrete work), accessories, fitting; **2.** *ел.* **~ на кондензатор** condenser coating; **осветителна ~** lighting fittings/fixtures; **3.** (*прибор*) armature; appliance; **4.** *муз.* key signature.

армèев *прил.* sauerkraut; **~а чорба** sauerkraut brine/juice.

армèйск|и *прил.*, **-а, -о, -и** army (*attr.*); **~а пехота** troops of the line; **~и генерал** general of the armies; **~и корпус** army-corps.

армèн|ец *м.*, **-ци**; **армèнк|а** *ж.*, **-и** Armenian.

Армèния *ж. собств.* Armenia.

армèнск|и *прил.*, **-а, -о, -и** Armenian.

армѝрам *гл.* (*бетон*) reinforce; (*кабел*) coat; (*бронирам*) armour.

àрми|я *ж.*, **-и** army, armed forces; **действаща ~я** army in the field; *амер.* field forces; **редовна ~я** regular/standing army; **фиктивна ~я** (*при учения и маневри*) skeleton army; **2.** *прен.* (*множество*) army, host, crowd, mass.

арнаỳт и **арнаỳт|ин** *м.*, **-и 1.** *остар.* arnaout, arnaut; Albanian; **2.** *прен.* stubborn/obstinate/hot-tempered person.

арогàнт|ен *прил.*, **-на, -но, -ни** arrogant, overbearing, overweening, haughty; cavalier(ly), supercilious; insolent; presumptuous, cocksure, cocky.

арогàнтност *ж.*, *само ед.* arrogance, haughtiness, superciliousness, insolence; presumptuousness; cocksureness, presumptuousness; effrontery.

аромàт *м.*, *само ед.* aroma, fragrance; scent; flavour; savour; **без ~** unscented.

аромàт|ен *прил.*, **-на, -но, -ни**; **ароматѝч|ен** *прил.*, **-на, -но, -ни** aromatic, fragrant, sweet-scented; spicy; flavorous, flavourful, flavoursome; (*за чай*) nosy; **~ни съединения** *хим.* aromatic compounds.

ароматизàтор *м.*, **-и**, (*два*) **ароматизàтора** aromaizer.

ароматизѝране *ср.*, *само ед.* aromatization.

аромотерàпия *ж.*, *само ед.* aromatherapy.

арпаджѝк *м.*, *само ед.* seed onions; pickling onions (*Allium cepa*).

арпèджио *ср.*, *само ед. муз.* arpeggio.

арсèн *м.*, *само ед. хим.* arsenium, arsenic.

арсенàл *м.*, *само ед.* **1.** arsenal, armoury; (*морски*) dockyard; **2.** *прен.* panoply; (*на поет или писател*) stock-in-trade.

арсèник *м.*, *само ед. хим.* arsenic; white arsenic, arsenic trioxide.

артезиàнск|и *прил.*, **-а, -о, -и**: **~и кладенец** artesian well.

артèл *м.*, *само ед.* artel.

артèлна *ж.*, *само ед. воен.* foodstore.

артèлчи|к *м.*, **-ци 1.** *воен.* mess-sergeant, provisioner; **2.** member of artel.

артериàл|ен *прил.*, **-на, -но, -ни** arterial; **~на кръв** *анат.* excurrent blood.

артèриосклерòза *ж.*, *само ед. мед.* arteriosclerosis.

артèри|я *ж.*, **-и 1.** *анат.* artery; **сънна ~я** carotid (artery); **2.** *прен.* (*улица*) thoroughfare; main line of communications; **главна ~я** principal/main thoroughfare.

артефàкт *м.*, **-и**, (*два*) **артефàкта 1.** *мед.* artefact, artifact; **2.** *археол.* artifact.

артѝкул *м.*, **-и**, (*два*) **артѝкула** article, object, commodity.

артикулàция *ж.*, *само ед. език.* articulation.

артикулѝрам *гл. език.* articulate.

артилерѝйск|и *прил.*, **-а, -о, -и** artillery (*attr.*); **~и огън** artillery file; gun fire; **~и снаряд** cannon shell; **~о оръдие** a piece of ordnance, gun.

артилерѝст *м.*, **-и** artilleryman, gunner, cannoneer.

артилèрия *ж.*, *само ед. воен.* (*и прен.*) artillery; **конна ~** horse-drawn artillery; **противотанкова ~** anti-tank artillery, armour-piercing artillery; **тежка/лека ~** heavy/light artillery.

артѝсвам, **артѝсам** *гл.* **1.** (*в повече съм*) be left over, be in excess; **2.** *разг.* (*изоставам*) be left behind; remain/stay behind.

артѝст *м.*, **-и 1.** actor; *ост.* player; *разг., шег.* mummer; (*в нощно заведение*) entertainer; **оперен ~** opera singer; **2.** *прен.* (*майстор*) past master, expert, artist(e).

артистѝч|ен *прил.*, **-на, -но, -ни** artistic.

артѝстк|а *ж.*, **-и 1.** actress; **2.** *прен.* artiste, expert.

артишòк *м.*, *само ед. бот.* (*гулия*) artichoke (*Helianthus tuberosus*).

артрѝт *м.*, *само ед. мед.* arthritis.

артрòза *ж.*, *само ед. мед.* arthrosis.

àрф|а *ж.*, **-и** *муз.* harp; **свиря на ~а** strike/play the harp; touch the strings.

архайз|ъм (**-мът**) *м.*, **-ми**, (*два*) **ар-**

хаѝзъма 1. *език.* archaism, archaic word/expression; **2.** archaism, remnant from the past.

архайч|ен *прил.,* -на, -но, -ни **1.** archaic, ancient; **2.** (*остарял*) obsolete; antiquated; old-fashioned.

арха̀нгел *м.,* -и *рел.* archangel.

археоло̀|г *м.,* -зи archeologist.

археоло̀гия *ж., само ед.* archeology.

архети̇п и **архити̇п** *м., само ед.* archetype.

архи̇в *м., само ед.* (*помещение и документи*) archives; (*документи*) (public) records; registers; annals; ~ **с данни** *инф.* data file; **държавен ~** the (public) record office.

архи̇ва *ж., само ед.* **1.** records, official records, archives; (*кино*) (films) library; *юр.* (*документи за собственост и пр.*) monuments; **2.** (*помещение, служба*) record office; ● **минавам в ~та** *прен.* be shelved; **предавам/пращам в ~та** superannuate, put on the shelf.

архи̇в|ен *прил.,* -на, -но, -ни archival; **~ен екземпляр** file copy; **~ни материали** archivalia.

архидя̀кон *м.,* -и *църк.* archdeacon.

архиепи̇скоп *м.,* -и *църк.* archbishop, metropolitan bishop.

архиерѐ|й (-ят) *м.,* -и archpresbyter, prelate, bishop.

архимандри̇т *м.,* -и *църк.* archimandrite.

архипела̀|г *м.,* -зи, (два) **архипела̀га** *геогр.* archipelago.

архитѐкт *м.,* -и architect; master-builder.

архитекто̀ника *ж., само ед.* architectonics.

архитекту̀ра *ж., само ед.* architecture; **~ на изчислителна машина** computer architecture; **вътрешна ~** interior architecture.

архитекту̀р|ен *прил.,* -на, -но, -ни architectural, tectonic; **~ен паметник** architectural monument; **~ен проект** design; **в ~но отношение** architecturally.

арши̇н *м., само ед.* archine (28 inches or 68.75 cm); **меря с ~** measure by a yardstick; ● **с какъвто ~ мериш, със същия ще ти отмерят** measure for measure, you get what you ask for.

ас *м.,* -ове, (два) **а̀са** и **ас|о̀** *ср.,* -а̀

карти, спорт. (*и прен.*) ace; **~(о) купа** ace of hearts.

асамблѐ|я *ж.,* -и assembly; **Генералната ~я** (*на ООН*) General Assembly, *съкр.* GA.

асансьо̀р *м.,* -и, (два) **асансьо̀ра** lift; *амер.* elevator; **кухненски ~** *амер.* dumb waiter.

асепти̇ч|ен *прил.,* -на, -но, -ни aseptic.

асигни̇рам *гл. юр.* assign, attorn.

асиметри̇ч|ен *прил.,* -на, -но, -ни asymmetric(al); dissymmetric(al).

асимила̀тор *м.,* -и assimilator.

асимила̀ция *ж., само ед.* assimilation.

асимили̇рам *гл.* **1.** assimilate; **2.** *прен.* (*усвоявам*) assimilate; **той почака да асимилират факта** he let that fact sink in.

асимпто̀т|а *ж.,* -и *геом.* asymptote.

а̀синхро̀н|ен *прил.,* -на, -но, -ни asynchronous; **~ен електродвигател** induction motor.

асистѐнт *м.,* -и; **асистѐнтк|а** *ж.,* -и assistant, aid; (*университетски преподавател*) assistant; *амер.* assistant professor.

асисти̇рам *гл.* assist; be an assistant; assist.

аскѐр *м.,* -и **1.** *само ед.* army; **2.** (*войник*) soldier, private.

аскѐт *м.,* -и ascetic, hermit, eremite.

аскети̇з|ъм (-мът) *м., само ед.* asceticism; eremitic(al).

асм|а̀ *ж.,* -и̇ trellis vine; vine-arbour.

асортимѐнт *м., само ед.* assortment, range; compendium.

асоциати̇вност *ж., само ед.* associativity.

асоциа̀ци|я *ж.,* -и **1.** association; **по ~я** by asso-ciation/analogy; *филос.* continuity; **2.** (*сдружение*) association; **Европейска ~я за свободна търговия** European Free Trade Association.

асоции̇рам *гл.* associate (с with).

аспѐкт *м.,* -и, (два) **аспѐкта** aspect; facet.

аспѐржи *само мн. бот.* asparagus (*Asparagus*).

аспи̇д|а *ж.,* -и *зоол.* asp; viper.

аспира̀нт *м.,* -и; **аспира̀нтк|а** *ж.,* -и post-graduate student/worker.

аспиранту̀р|а *ж.,* -и post-graduate course/work, research studentship/ fellowship.

аспира̀ция *ж., само ед.* **1.** (*стремеж*) aspiration; striving; **2.** *език.* aspiration.

аспири̇рам *гл.* aspire (за to, after), strive (for).

а̀спр|а *ж.,* -и *истор.* asper.

астати̇чност *ж., само ед.* astaticism.

астѐния *ж., само ед. мед.* asthenia.

астеро̀йд *м.,* -и, (два) **астеро̀йда 1.** *астр.* asteroid; **2.** *зоол.* (*морска звезда*) starfish (*Asteroidea*).

астигмати̇з|ъм (-мът) *м., само ед. мед.* astigmatism.

а̀стма *ж., само ед. мед.* asthma.

а̀стра *ж., само ед. бот.* (*димитровче; богородичка*) aster (China aster; Aster perenial).

астрага̀н *м., само ед.* astrakhan.

астра̀л|ен *прил.,* -на, -но, -ни **1.** astral; starry; **2.** (*за светлина*) mystic, mysterious.

астроло̀|г *м.,* -зи astrologer, astrologist.

астроло̀гия *ж., само ед.* astrology.

а̀странавига̀ция *ж., само ед.* astro-navigation, astronomical/celestial navigation, star-navigation.

астрона̀вт *м.,* -и astronaut.

астрона̀втика *ж., само ед.* astronautics.

астроно̀м *м.,* -и astronomer.

астрономи̇ч|ен *прил.,* -на, -но, -ни; **астрономи̇ческ|и** *прил.,* -а, -о, -и astronomic(al).

астроно̀мия *ж., само ед.* astronomy.

а̀строфи̇зика *ж., само ед.* astrophysics, physical astronomy.

асфа̀лт *м., само ед.* asphalt, mineral pitch; *sl.* blacktop; **~ за пътни настилки** paving asphalt.

асфалти̇рам *гл.* asphalt; cover/lay/impregnate with asphalt, bituminize.

асфи̇ксия *ж., само ед. мед.* asphyxia.

ат *м.,* -ове, (два) **а̀та 1.** (*кон*) courser; **2.** (*жребец*) stallion.

атави̇з|ъм (-мът) *м., само ед. биол.* atavism; **проява на ~ъм** throwback.

ата̀к|а *ж.,* -и **1.** *воен.* attack, onrush, drive; onset; (*яростна*) onslaught; (*за пехота*) assault, (*за кавалерия*) charge; **хвърлям се в ~а** advance/rush to the attack; **2.** *прен.* (*обвинение*) attack, sharp criticism; **3.** *мед.* attack, onslaught; (*пристъп*) fit, seizure; **сърдечна ~а** heart attack.

атама̀н *м.,* -и ataman, hetman, Cossack

chief; chieftain.

аташè *м.*, -та attaché; ~ по печата press attaché; военен ~ military attaché.

атейз|ъм (-мът) *м., само ед.* atheism.

атеѝст *м.*, -и; **атейстк|а** *ж.*, -и atheist.

ателиѐ *ср.*, -та **1.** (*модно и пр.*) (work) shop, work room; atelier; *амер.* parlour; **2.** (*на художник и пр.*) studio.

атентàт *м.*, -и, (два) атентàта attempt on s.o.'s life; outrage; assault; *полит.* assassination; **бомбен** ~ bomb attempt.

атентàтор *м.*, -и; **атентàторк|а** *ж.*, -и assailant; (*убиец*) assassin.

àтеросклерòза *ж., само ед. мед.* atherosclerosis.

атестàт *м.*, -и, (два) атестàта **1.** (*свидетелство*) certificate; diploma; **2.** (*атестация*) testimonial, character, references.

атестàци|я *ж.*, -и testimonial, character, references.

атестѝрам *гл.* give (s.o.) a testimonial/ a character.

Атѝна *ж. собств.* **1.** *геогр.* Athens; **2.** *мит.* Athene, Pallas Athene.

атлàз *м., само ед. текст.* satin.

атлантѝческ|и *прил.*, -а, -о, -и: **Атлантически океан** the Atlantic (Ocean).

атлàс *м.*, -и, (два) атлàса (*и анат.*) atlas.

атлèт *м.*, -и athlete; полов ~ *разг.* stud, randy.

атлетѝз|ъм (-мът) *м., само ед.* athleticism.

атлèтика *ж., само ед. спорт.* athletics (*pl.*), field-sports; лека ~ track-and-field athletics; тежка ~ heavy athletics.

атлèтк|а *ж.*, -и woman athlete.

атмосфèра *ж., само ед.* atmosphere (*и прен.*); *рекл.* atmospherics; ~та на града the feeling of the city.

атмосфèр|ен *прил.*, -на, -но, -ни atmospheric, meteoric.

атòл *м.*, -и, (два) атòла *геогр.* atoll, coral island.

àтом *м.*, -и, (два) àтома atom.

àтом|ен *прил.*, -на, -но, -ни atomic, atom (*attr.*); atomical, nuclear; ~ен заряд atomic warhead; ~ен реактор fission reactor; ~на бомба atom/atomic bomb, A-bomb; fission bomb; ~на война atomic warfare; ~на физика nuclear physics; ~на централа nuclear power station; ~но ядро atomic nucleus.

атонàлност *ж., само ед. муз.* atonality.

атонѝчност *ж., само ед. мед., език.* atonicity.

атрàкци|я *ж.*, -и attraction; *разг.* crowd-puller.

атрибỳт *м.*, -и, (два) атрибỳта attribute.

атрибутѝв|ен *прил.*, -на, -но, -ни *филос., език.* attributive.

атрибỳция *ж., само ед.* attribution.

атропѝн *м., само ед. фарм.* atropine.

атрофѝрам (се) (*възвр.*) *гл.* atrophy.

атрòфия *ж., само ед.* atrophy; emaciation.

ау *междум.* (*учудване*) oh!

аудиèнция *ж., само ед.* audience; давам ~ на give/grant an audience to.

àудио-визуàл|ен *прил.*, -на, -но, -ни: ~ни средства audiovisuals.

аудитòри|я *ж.*, -и **1.** (*помещение*) (lecture-) hall, auditorium; **2.** *само ед.* (*слушатели*) audience.

аукциòн *м.*, -и, (два) аукциòна auction.

àул|а *ж.*, -и (ceremonial) hall.

àура *ж., само ед.* aura.

àуспу|х *м.*, -си, (два) àуспуха *авт., техн.* exhaust(-pipe).

àут *м., само ед.* (*и като нареч. разг.*) *спорт.* out, outside.

àутодафè *ср.*, -та *истор.* (*и прен.*) auto-da-fé.

аутопсѝрам *гл.* perform an autopsy (of), make/perform a post-mortem (examination) (of/on).

аутòпсия *ж., само ед. мед.* post-mortem, autopsy, necropsy, necroscopy.

афàзия *ж., само ед. мед.* aphasia.

Афганистàн *м. собств.* Afghanistan.

афганистàн|ец *м.*, -ци Afghan.

афганистàнк|а *ж.*, -и Afghan (woman/girl).

афèкт *м., само ед.* **1.** *псих.* affect; **2.** strong emotion; uncontrolled/extreme excitement; uncontrolled anger; fit of passion; **в състояние на** ~ under stress of emotion.

афектѝрам *гл.* **1.** affect, arouse strong emotion, stir up; **2.** (~ се) be roused, be stirred up, become over-excited, be exasperated, have an outburst (of anger, passion); **той лесно се афектира** he's quick-/hot-tempered.

афèр|а *ж.*, -и affair, scandal, case, job,

jobbery; тъмна ~a shady deal.

àфикс *м.*, -и, (два) àфикса *език.* affix.

афинитèт *м., само ед.* affinity.

афѝш *м.*, -и, (два) афѝша placard, poster, bill; разлепяне на ~и bill-posting, billsticking.

афишѝрам *гл.* advertise, post (up), stick (up), placard, poster; make public.

афорѝз|ъм (-мът) *м.*, -ми, (два) афорѝзма aphorism, dictum (*pl.* dicta), maxim, gnome.

Àфрика *ж. собств.* Africa.

африкàн|ец *м.*, -ци African.

африкàнк|а *ж.*, -и African (woman/ girl).

африкàнск|и *прил.*, -а, -о, -и African.

афродизиàк *м., само ед.* aphrodisiac.

àфт|а *ж.*, -и *мед. pl.* aphthae.

ах *междум.* **1.** (*радост, съжаление*) oh! ~, че е хубаво тук! (oh!) how lovely it is here! **2.** (*учудване*) oh! ~, какво е това? oh! what's this? whatever is this? **3.** (*закана*) oh! ah! ~ ти, негоднико! you scoundrel you!

ахà₁ *междум.* **1.** (*досещане*) so, is that so; ~, такава ли била работата! so, that's how matters stand! **2.** (*закана*) ah, aha.

ахà₂ *част.* (*за потвърждение*) yes, that's right; ~/да, така е! yes, so it is, that's right!

ахàт *м., само ед. минер.* agate, jet.

ахилèсов *прил.* Achillean; ~а пета Achilles' heel, heel of Achilles, *прен.* the joint in s.o.'s armour; ~о сухожилие *мед.* Achilles tendon, heel tendon.

àхкам *гл.* exclaim (with surprise), gasp.

ахмà|к *м.*, -ци *разг.* grubo simpleton, fool; fathead; *разг.* gander; *sl.* trunk, juggins; *амер. sl.* gunsel.

ахроматѝз|ъм (-мът) *м., само ед.* achromatism, achromaticity.

ацетàт *м.*, -и, (два) ацетàта *хим.* acetate.

ацетѝл *м., само ед. хим.* acetyl.

ацетилèн *м., само ед. хим.* acetylene.

ацетòн *м., само ед. хим.* acetone.

ашладѝсвам, ашладѝсам *гл. разг.* graft, engraft, bud.

ашламà *ж., само ед.* **1.** graft; **2.** fruit of a grafted tree.

ашурè *ср., само ед. кул.* frumenty.

аѝзм *м.* *ср.*, -а holy spring; locality around a holy spring.

аятолà|х *м.*, -си *рел.* ayatollah.

ба *част. разг.* (*обратен смисъл на изказана вече реплика*) nothing of the king! that's what you think! of course not! certainly not!

бàб|а *ж.*, **-и 1.** grandmother, grandma, granny; gran; **2.** (*стара жена и прен.*) old woman, goody, granny; **3.** (*тъща*) mother-in-law (o.'s wife's mother); **4.** (*народна акушерка*) midwife, wise woman; **5.** (*врачка*) wise woman, sorceress, witch; **6.** (*презр. за мъж*) woman, weakling, milksop, molly-coddle, *sl.* molly, old maid; **7.** *техн.* monkey; ● **Баба Марта** the month of March; **Баба Меца** Mother Bear; **едно си ~а знае, едно си бае** be always harping on the same string; same old stuff; the same old story; the same thing all over again; **много ~и хилаво дете** too many cooks spoil the broth; **разправяй ги на ~а ми (си)** tell that to the Jew; **сляпа ~а** (*игра*) blind man's buff; **така и ~а знае** anyone/any fool can do that, that's nothing.

бабàйт *м.*, **-и** *разг.* husky, macho; *мор. sl.* bucko.

бàбешк|и *прил.*, **-а, -о, -и** old womanish, old woman's; ● **~и лек** quack remedy/medicine; **~и приказки** rigmarole, rambling talk; **~о смятане** mental arithmetic.

бàбин *прил.* **1.** granny's, grandma's, grandmother's; old woman's; **2.** (*обръщение*) **~ата, ~ото** my dear, my pet; ● **~ден** Midwives' Day (January 21); **~и деветини** old wives' tales, rigmaroles, stuff and nonsense.

бàбини *само мн. разг.* my grandmother's family/home; **у ~** at granny's (place).

бàбичк|а *ж.*, **-и** (little) old woman, old wife; **стара ~а** *разг.* a dear old thing.

бабỳвам *гл.* **1.** *остар.* act as midwife, assist in childbirth, practice midwifery; **2.** (*бая, врачувам*) *разг.* soothsay; practice sorcery; mumble incantations.

бабуѝн *м.*, *само ед. зоол.* baboon (*Papio cynocephalus*).

бабỳн|а *ж.*, **-и** (*на път*) road-hump.

бавàр|ец *м.*, **-ци** Bavarian.

Бавàрия *ж. собств.* Bavaria.

бавàрк|а *ж.*, **-и** Bavarian (woman/girl).

бавàрск|и *прил.*, **-а, -о, -и** Bavarian.

бавàчк|а *ж.*, **-и** (dry) nurse, nanny, nannie; (*приходяща за вечер*) baby-sitter; (*гувернантка*) governess.

бàв|ен *прил.*, **-на, -но, -ни** slow; tardy; phlegmatic; god-awful; gruesome; slow-moving; (*за движение, говор*) deliberate; easy; (*по темперамент*) leaden, languid, slothful, lethargic, sullen; unapt; sluggish; (*за ум, мисъл*) slow, slow-witted, thick, stagnant, sluggish; (*за река, пулс*) sluggish; (*за животно*) tardigrade; **~ен ход** slow/leisurely pace; **~на смърт** lingering death.

бàвнодействащ *сег. деят. прич.* slow-acting.

бàвноразвиваш се *сег. деят. прич.* mentally retarded, handicapped.

бàви₁ *гл.*, *мин. св. деят. прич.* **бàвил 1.** (*отлагам, протакам*) delay, retard; protract; **~ плащане** delay payment; **2.** (*задържам, преча*) hold up; detain; make (s.o.) late, keep (s.o.); ǁ **~ се 1.** be late/slow; be detained; be slow/long (in doing s.th.); linger, idle, loiter; dawdle; *книж.* tarry, dally (over s.th.); **не се бави!** don't be long! hurry up! *sl.* make it snappy! snap to it! **2.** (*оставам, престоявам*) stay, stop (in a place).

бàви₂ *гл.*, *мин. св. деят. прич.* **бàвил** (*дете*) keep amused, take care of, look after, tend; (*бебе*) dry-nurse.

багàж *м.*, **-и,** (*два*) **багàжа** luggage, *амер.* baggage; **пътувам с малко ~** travel light; **стягам си ~а** pack up o.'s things; ● **умствен ~** mental furniture.

багàжни|к *м.*, **-ци,** (*два*) **багàжника** (*в жп вагон*) (luggage-) rack, luggage-grid; (*на колело и пр.*) luggage-carrier; (*на автомобил*) boot, *амер.* trunk; (*върху покрива на кола*) roof rack.

багателà *ж.*, *само ед. муз.* bagatelle.

Багдàд *м. собств.* Bag(h)dad.

бàгер *м.*, **-и,** (*два*) **бàгера** *техн.* excavator, steam navvy/shovel/digger; grab; earth-mover.

бàгр|а *ж.*, **-и 1.** (*цвят*) tint, hue, shade (of colour); **2.** (*боя*) dye, paint.

багренѝц|а *ж.*, **-и** *истор.* purple robe (of state), royal mantle.

багрѝл|ен *прил.*, **-на, -но, -ни** tinctorial; **~но вещество** stain, colouring matter/substance, dye; dyestuff.

багрѝл|о *ср.*, **-à** dye; dyestuff, paint colorant.

бàгря *гл.*, *мин. св. деят. прич.* **бàгрил** dye, colour, stain (*обикн.* red).

баданàрк|а *ж.*, **-и** whitewash/distempering brush.

баданòсвам, баданòсам *гл.* whitewash, lime-wash, calcimine.

бадевà *нареч. диал.* gratis; dirt-cheap for a song; **работя ~** work for nothing for a song.

бадèм *м.*, **-и,** (*два*) **бадèма 1.** *бот.* (*дърво*) almond-tree (*Amygdalus com munis*); **2.** (*плод*) almond.

баджà|к *м.*, **-ци,** (*два*) **баджàк** *жарг.* thigh.

баджанà|к *м.*, **-ци** brother-in-law.

бàз|а *ж.*, **-и** basis (*pl.* bases); (*конкретно*) base; foundation; groundwork; ~ **за сравнение** reference level, benchmark; **военноморска ~а** naval base; **информационна ~а** data base; **материално-техническа ~а** necessar equipment; **на ~ата на** on the ground of; **ремонтна ~а** a repair depot; servic station.

базàл|ен *прил.*, **-на, -но, -ни** *мед.* ba sal.

базàлт *м.*, *само ед. минер.* basalt.

базàр *м.*, **-и,** (*два*) **базàра** bazaar.

базèдов *прил.:* **~а болест** *мед* (exophthalmic) goitre, Grave's disease hyperthyroidism.

базилик|а *ж.*, **-и** *истор.*, *архит* basilica.

базѝрам *гл.* ground, found (**на** or upon); ǁ **~ се** base o.s. (on); be based founded/grounded (on, upon); take o. stand on, work on.

бàзис *м.*, *само ед.* basis.

бàзис|ен *прил.*, **-на, -но, -ни** basic base (*attr.*).

базỳк|а *ж.*, **-и** *воен.* bazooka.

бàйр *м.*, **-и,** (*два*) **бàйра** *разг.* hillock; mound, rising ground; ● **не м трябва на ~ лозе** it's a white elephan I'm not looking for trouble, I mean t steer clear of this/to keep out of this.

бàй *м. неизм. разг.* elder brother; (*з по-възрастен човек*) uncle, old ma gaffer; goodman; ● **Зайо Байо** Br Rabbit.

бàйгàньовщина *ж.*, *само ед. неодоб* coarseness, vulgarity.

байонèт *м.*, **-и,** (*два*) **байонèта** *истор*

воен. bayonet.

ба̀йпас *м.*, -и, (два) ба̀йпаса *мед.*, *техн.* bypass.

байра̀|к *м.*, -ци, (два) байра̀ка banner; standard; flag.

байракта̀р (-ят) *м.*, -и; байракта̀р-к|а *ж.*, -и *остар.* standard bearer; *прен.* leader, head.

байт *м.*, -ове, (два) ба̀йта *инф.* byte.

байц *м.*, *само ед.* *хим.*, *техн.* stain, ground coat (of paint), mordant.

ба̀йцвам *гл.* stain; *текст.* treat with mordant; *техн.* etch, dip, pickle.

бак *м.*, *само ед.* *мор.* forecastle.

ба̀к|а *ж.*, -и 1. vat, pail; 2. *воен.* food-container.

бакала̀в|ър *м.*, -ри 1. bachelor (of Arts, Law, Sciences); 2. (*във Франция и др.*) secon-dary school graduate.

бака̀лин *м.*, бака̀ли grocer; (*доставчик на кораби*) chandler.

бакалѝ|я *ж.*, -и groceries.

бакара̀ *ж.*, *само ед.* *карти* baccara(t).

ба̀кборд *м.*, *само ед.* *мор.* port, larboard.

бакелѝт *м.*, *само ед.* *хим.* bakelite.

бакенба̀рд *м.*, -и, (два) бакенба̀рда *обикн. мн.* whiskers, side-whiskers; **с ~и** whiskered.

бакѝи *само мн.* *разг.* arrears; debts overdue, bad debts.

бакла̀ *ж.*, *само ед.* *бот.* broad beans (*Vicia faba*).

баклав|а̀ *ж.*, -и́ *кул.* baklava.

ба̀кпулвер *м.*, *само ед.* *кул.* baking powder.

бактериолѝза *ж.*, *само ед.* *биохим.* bacteriolysis.

бактериоло̀|г *м.*, -зи bacteriologist.

бактериоло̀гия *ж.*, *само ед.* bacteriology.

бактѐри|я *ж.*, -и *биол.* bacterium (*pl.* bacteria).

бактѝсвам, **бактѝсам** *гл.* *диал.* be sick (to death) of, be sick and tired (**от** of *c ger.*).

Ба̀кхус *м.* *собств.* *мит.* Bacchus.

бакшѝш *м.*, -и, (два) бакшѝша *разг.* tip, baksheesh, backsheesh; *книж.* gratuity; **давам някому ~** tip s.o., give s.o. a trifle.

ба̀л *м.*, -ове, (два) ба̀ла ball; **с маски** fancy-dress/masked ball, masquerade.

ба̀л *м.*, -ове, (два) ба̀ла (*сборна оцен-*

ка) examination marks, schedule of assessing examination marks, rating; grades.

ба̀л *м.*, -ове, (два) ба̀ла (*на вятър*) wind force, headwind force (Beaufort; on the Beaufort scale).

ба̀л|а *ж.*, -и bale, pack.

бала̀д|а *ж.*, -и 1. *лит.* ballad; 2. *муз.* ballade.

балала̀йк|а *ж.*, -и *муз.* balalaika.

ба̀лам|а *м. и ж.*, -и *разг.* fool, simpleton; an easy/a soft touch; *разг.* easy game/mark/meat; *sl.* mug, muggins.

баламо̀свам, **баламо̀сам** *гл.* *разг.* fool, make a fool of (s.o.), pull the wool over s.o.'s eyes, bamboozle, gammon; lead s.o. up the garden path; pull s.o.'s leg.

бала̀нс *м.*, -и, (два) бала̀нса 1. *само ед.* *търг.* balance, financial statement; **активен/пасивен** ~ active/passive balance; **платежен** ~ balance of payment; **търговски** ~ balance of trade; **съставям/правя** ~ strike a balance, make the balance (of); 2. *само ед.* (*равновесие*) balance; 3. (*в часовников механизъм*) fly; **без** ~ unba-lanced.

балансѝрам *гл.* balance; counterbalance, counterpoise; equipoise; equiponderate; cancel out; (*стабилизирам*) equalize.

балансѝран *мин. страд. прич.* balanced; *и като прил.* ~ бюджет икон. balanced budget; ~ **растеж** икон. balanced growth; ~ **търговски обмен** икон. balanced trade.

бала̀ст *м.*, *само ед.* 1. ballast; *жп* metal; 2. *прен.* deadwood; (*в реч, съчинение*) padding.

бала̀стра *ж.*, *само ед.* *строит.* ballast; coarse aggregate; rubble.

бала̀тум *м.*, *само ед.* linoleum.

балдахѝн *м.*, -и, (два) балдахѝна canopy; *архит.* ciborium; (*на легло*) tester.

балдъ̀з|а *ж.*, -и sister-in-law (o.'s wife's sister).

ба̀л|ен *прил.*, -на, -но, -ни ball (*attr.*); ~**на зала** ballroom.

балерѝн|а *ж.*, -и ballet-dancer, ballerina; (*в нощен клуб*) *разг.* go-go.

балѐт *м.*, -и, (два) балѐта 1. ballet; 2. (*събир.: изпълнители*) ballet, corps de ballet.

балетѝст *м.*, -и; балетѝстк|а *ж.*, -и

ballet-dancer.

балѐтмайстор *м.*, -и ballet-master; choreographer.

балѝрам *гл.* bale, pack in bales.

балѝстика *ж.*, *само ед.* *воен.* ballistics.

балистѝч|ен *прил.*, -на, -но, -ни ballistic; ~**на ракета** *воен.* ballistic missile.

балка̀н *м.*, -и, (два) балка̀на 1. mountain; 2. *само ед.* *геогр.* the Balkan Range/Mountains; 3. *само мн.*, *обикн.* членувано the Balkan states, the Balkans.

балканджѝ|я *м.*, -и; балканджѝйк|а *ж.*, -и mountaineer; mountain-dweller.

балка̀нск|и *прил.*, -а, -о, -и 1. mountain (*attr.*); 2. Balkan (*attr.*); Балканският полуостров *геогр.* the Balkan peninsula.

балко̀н *м.*, -и, (два) балко̀на 1. balcony; ~ **с цветя** window garden; 2. *театр.* circle; пъ̀рви/вто̀ри ~ dress/upper circle; трѐти ~ gallery.

балнеоло̀гия *ж.*, *само ед.* balneology.

ба̀лнеосанато̀риум *м.*, -и, (два) ба̀л-неосанато̀риума hydropathic/balneo-therapy sanatorium/establishment.

бало̀н *м.*, -и, (два) бало̀на balloon; **надувам** ~ (*за шофьор*) take a Breathalyzer test; **пробен** ~ pilot/trial balloon, balloon d'essay; **управляем** ~ dirigible balloon; (*за шофьор*) breath taste bag, Breathalyzer; *разг.* drunkometer.

бало̀нче *ср.*, -та toy balloon.

балотѝрам *гл.* ballot, vote (**за** for).

балса̀м *м.*, -и, (два) балса̀ма balsam, balm (*и прен.*); ~ **за коса** hair conditioner.

балсамѝн *м.*, *само ед.* *бот.* Balsamine.

балсамѝрам *гл.* embalm; mummify.

балтѝйск|и *прил.*, -а, -о, -и Baltic; Балтийско море *геогр.* the Baltic (Sea).

балтѝ|я *ж.*, -и *диал.* axe.

балто̀н *м.*, -и, (два) балто̀на overcoat, topcoat, greatcoat.

балюстра̀д|а *ж.*, -и *архит.* balustrade, dwarf partition; (*на стълбище*) banisters.

бамбу̀к *м.*, *само ед.* *бот.* bamboo (*Bambusa vulgaris*).

ба̀мя *ж.*, *само ед.* *бот.* okra, *амер.* gumbo (*Hibiscus esculentus*).

бан *м.*, -ове *истор.* (*управител*) ban.

банàл|ен *прил.*, -на, -но, -ни banal, commonplace, hackneyed, stereotyped; trite, vapid; ordinary, platitudinous; run-of-the-mill; copy-book (*attr.*); common or garden; *амер.* cornball, corny; (*за довод, спор*) threadbare; (*за разговор*) vapid, humdrum; *амер. sl.* bromidic, bald; (*за отговор*) pat, stock; **~ен разговор** small talk; **~ни изрази** outworn quotations, trite phrases; **ставаш ~ен** you repeat yourself, you're getting tiresome.

банàлност *ж.*, -и banality, triteness, commonplaceness; commonplace; platitude, truism; vapidity, vapidness; nothingness; **~и** wish-wash; *разг.* old (hoary) chestnut.

банàн *м.*, -и, (два) банàна *бот.* (*дърво и плод*) banana; **връзка ~и** a hand of bananas.

Бангладèш *м. собств.* Bangladesh.

бангладèшк|и *прил.*, -а, -о, -и Bangladeshi.

бàнд|а *ж.*, -и 1. (*шайка*) gang, band; *англ. sl.* firm; *презр.* pack; 2. *муз.* brass band.

бандàж *м.*, -и, (два) бандàжа 1. (*превръзка*) bandage; (*за херния*) truss; 2. *техн.* tire.

бандажѝрам *гл.* bandage.

бандерòл *м.*, -и, (два) бандерòла 1. excise label/band; 2. (*пощенски*) wrapper.

бàнджо *ср.*, *само ед. муз.* banjo.

бандѝт *м.*, -и bandit (*pl.* bandits, banditti); brigand; highwayman; swashbuckler; hold-up man; gangster, badman, *sl.* tough; **уличен ~** *амер. sl.* gang-banger.

бандитѝз|ъм (-мът) *м., само ед.* banditry, banditism.

бандỳр|а *ж.*, -и *муз.* bandore, pandora, pandore.

банèл|а *ж.*, -и whalebone; (*на корсет, яка, колан и пр.*) busk.

бàниц|а *ж.*, -и *и кул.* (cheese, meat, pumpkin, etc.) pasty/pastry; ● **парче от ~ата** *прен.* a slice of the cake.

бàничк|а *ж.*, -и cheese patty.

бàнк|а₁ *ж.*, -и 1. *фин.* bank, *амер.* banking house; **~а за дългосрочно кредитиране** long-term credit bank; **~а за развитие** development bank; **~а на Федералния резерв** Federal Reserve Bank; **внасям пари в ~а** deposit money at/in/with a bank; 2. (*при хазартни игри*) bank; kitty; **държа ~ата** keep the bank; **разорявам ~ата** break/bust the bank; 3. *мед.* bank.

бàнк|а₂ *ж.*, -и (*в парламент, университет и под.*) bench.

банкèр *м.*, -и *и* banker; money-agent.

банкèт₁ *м.*, -и, (два) банкèта banquet, public dinner.

банкèт₂ *м.*, -и, (два) банкèта (*на шосе, жп участък*) lay-by.

банкнòт|а *ж.*, -и bank-note, *амер.* bill; **петдоларова ~а** five-dollar bill, fiver; *sl.* five-spot; **развалям ~а** change a bank-note/a bill.

банкнòт|ен *прил.*, -на, -но, -ни bank-note (*attr.*); **~но обращение** paper money/currency, bank-note currency/circulation.

бàнков *прил.* bank (*attr.*); **~ клон** banking branch office; **~ лихвен процент** *фин.* bank rate; **~а разплащателна система** bank settlement system; **~о дело** banking, bank(ing) capital; **вътрешна ~а система** domestic banking system.

Банкòк *м. собств.* Bangkok.

банкомàт *м.*, -и, (два) банкомàта cash-dispenser, automated teller machine, *съкр.* ATM, cash point, teller, *разг.* hole-in-the-wall.

банкрỳт *м.*, -и, (два) банкрỳта 1. bankruptcy, insolvency; **тръпя ~** go bankrupt; 2. *прен.* bankruptcy, failure; **претърпявам ~** fail, be a failure; suffer fiasco.

банкрутѝрам *гл.* bankrupt, go bankrupt, become bankrupt/insolvent; *разг.* bust; *прен.* fail.

бàнск|и *прил.*, -а, -о, -и bath (*attr.*), bathing (*attr.*); **~и гащета** bathing trunks/drawers; **~и костюм** bathing/swimming suit/costume; *разг.* cossie; **~и халат** bathing wrap/gown.

бантỳ *ср. неизм. антроп.* Bantu (*pl.* Bantu, Bantus).

бàнци|г *м.*, -зи *и* -ги, (два) бàнцига *техн.* band-/ribbon-/belt-saw.

бàн|я *ж.*, -и 1. (*къпане*) bath; **правя (минерални) ~и** take a water-cure, undergo hydrotherapeutic treatment; **правя слънчеви ~и** sunbathe; **турска/гореща ~я** sweating-bath; 2. (*помещение*) bath; (*обществена, градска*) public baths; (*домашна*) bath-room;

минерални ~и (*курорт*) spa; ● **водна ~я** *хим.* water-bath; *кул.* bain-marie; **кървава ~я** *прен.* carnage, bloodshed, slaughter, butchery.

баобàб *м.*, -и, (два) баобàба *бот.* baobab.

баптѝст *м.*, -и *рел.* Baptist.

бар₁ *м.*, -ове, (два) бàра 1. (*в ресторант*) bar, refreshment room; 2. (*нощно заведение*) night-club; 3. (*шкафче*) cellaret, liquor cabinet.

бар₂ *м.*, -ове, (два) бàра *физ.* bar.

бàр|а *ж.*, -и 1. steamlet, brooklet; 2. puddle, pool, plash.

барабàн *м.*, -и, (два) барабàна 1. drum; (*голям тъпан*) tambour; (*тимпан*) kettledrum; **бия ~** drum, beat a drum; *прен.* bang/beat the big drum, cry from the housetop(s); **удар/звук на ~ drum-beat;** 2. *техн.* cylinder, drum, roll; **шлифовъчен ~** grinding cylinder.

барабàня *гл.*, *мин. св. деят. прич.* барабанѝл drum (по on, at); (*за дъжд*) patter; (*с пръсти, неволно*) beat the devil's tattoo.

барабàр *нареч. разг.* together, along with; in common; ● **~ Петко с мъжете** he won't be left out of anything.

барàж *м.*, -и, (два) барàжа 1. barrage, dam, weir; **~ от дървени греди** timber dam; **водоотводен ~** diversion dam; 2. *воен.* barrage, curtain; 3. *прен.* barrage.

барàк|а *ж.*, -и shed, outhouse, shanty, hut; (*за дърва*) wood-house, woodshed; (*на панаир*) stall.

баракỳда *ж.*, *само ед. зоол.* (*морска щука*) barracuda (*род Shyraena*).

бàрам *гл. разг.* 1. touch; 2. pet, fondle; 3. meddle with.

барбадòск|и *прил.*, -а, -о, -и Barbadian.

барбекю *ср.*, -та barbecue.

барбỳн *м.*, *само ед. зоол.* red mullet surmullet (*Mullus barbatus*).

барбỳт *м.*, *само ед.* craps, crap shoot-ing; **играя на ~** shoot craps.

бард *м.*, -ове *истор., поет.* bard.

бàрдàм|а *ж.*, -и night-club girl/hostess

бардà|к *м.*, -ци, (два) бардàка (*долнопробен хотел, общежитие*) *разг.* doss-house; *амер.* flop-house; *амер. sl.* flea-bag; (*публичен дом*) brothel *sl.* cathouse, barrelhouse, call house chicken ranch.

бардý|к *м.*, -ци, (два) бардỳка; бар-
дỳче *ср.*, -та earthen jar/pitcher.
барèл *м.*, -и, (два) барèла (*мярка за
вместимост*) barrel.
бàре и бàрем *нареч.* at least, if only.
барелèф *м.*, -и, (два) барелèфа *изк.*
bas-relief, basso relievo, low relief.
барèт|а *ж.*, -и beret; ~а с пискюл
tammy; зелена ~а Green Beret.
бàрж|а *ж.*, -и *мор.* barge.
бариèр|а *ж.*, -и 1. barrier (*и прен.*),
bar; traverse; (*на жп прелез*) level
crossing/lifting gate; път с ~а (*за съ-
биране на такси*) pike; 2. *спорт.*
(*препятствие*) hurdle.
бàри|й (-ят) *м.*, *само ед.* *хим.* barium.
барикàд|а *ж.*, -и barricade.
барикадѝрам *гл.* barricade; || ~ се
barricade o.s.
барѝрам *гл.* *фин.* (*чек*) cross.
баритòн *м.*, -и, (два) баритòна *муз.*
baritone, barytone.
баркарòла *ж.*, *само ед.* *муз.* barca-
rol(le).
баркàс *м.*, -и, (два) баркàса *мор.*
launch.
бàрман *м.*, -и barman; *sl.* *амер.* soda
jerk.
бàрманк|а *ж.*, -и barmaid.
бàров|ец *м.*, -ци *жарг.* *sl.* nut.
барогрàф *м.*, -и, (два) барогрàфа ba-
rograph, recording barometer.
барòк *м.*, *само ед.* *архит.* baroque;
църква в стил ~ baroque church.
барокàмер|а *ж.*, -и depression box,
pressure chamber.
баромèт|ър *м.*, -ри, (два) баромèтъ-
ра barometer, (weather-)glass.
барòн *м.*, -и baron.
баронèс|а *ж.*, -и baroness.
баронèт *м.*, -и (*англ. дворянска тит-
ла*) baronet.
бàрорелè *ср.*, -та baroswitch.
бароскòп *м.*, -и, (два) бароскòпа
open-end manometer.
бàротрàвм|а *ж.*, -и *мед.* barotrauma.
бàртер *м.*, *само ед.* barter, compensa-
tion trading, counter purchase; coun-
tertrade.
барỳт *м.*, *само ед.* gunpowder; ● ми-
рише на ~ it looks like war; той е ~
(*избухлив човек*) *разг.* he's a mus-
tard-pot; язък за ~а a pity to have
wasted o.'s powder; it's been so much
wasted effort in vain.

бàрхет *м.*, *само ед.* *текст.* flannelette.
бас₁ *м.*, -ове/-и, (два) бàса *муз.* bass;
(*глас*) basso; (*струнен инструмент*)
double-bass; (*духов*) bass-tuba; ~-ба-
ритон bass-baritone.
бас₂ *м.*, -ове, (два) бàса bet, wager;
държа (*хващам се на*) ~ bet, lay/
make/hold a bet, lay a wager; bet o.'s
boots/hat/life; ловя се на ~ 1 долар
I bet you a dollar.
басèйн *м.*, -и, (два) басèйна 1. *спорт.*
reservoir; pool; детски ~ wading pool;
закрит ~ indoor pool; открит ~ out-
door pool; плавателен ~ swimming
pool; 2. *геогр.* basin; (*на река*) drai-
nage (basin), catchment-basin/-area;
водосборен ~ tributary basin; 3. *геол.*,
техн. basin, field; каменовъглен ~
coalfield, coal basin; утаителен ~ still-
ing pool.
басѝрам се *възвр. гл.* bet, wager, lay/
hold a bet, lay a wager; *sl.* go bail.
басѝст *м.*, -и 1. (*певец*) bass, basso;
2. (*инструменталист*) double-bass
(player).
бàскетбол *м.*, *само ед.* *спорт.* bas-
ketball.
баскетболѝст *м.*, -и; баскетболѝст-
к|а *ж.*, -и basketball player, basket-
baller.
басмà *ж.*, *само ед.* *текст.* cotton
print, gingham, printed calico, print;
● не цепя ~ make no bones (about, to),
not mince o.'s words.
баснопѝс|ец *м.*, -ци fabulist, fabler,
writer of fables.
баснослòв|ен *прил.*, -на, -но, -ни 1.
(*легендарен*) fabulous, legendary; 2.
incredible; ~ни цени fabulous/exorbi-
tant prices.
бàсн|я *ж.*, -и *лит.* fable.
бàсов *прил.* bass (*attr.*); ~ ключ *муз.*
bass clef, F-clef.
бàст|а *ж.*, -и; бàстичк|а *ж.*, -и tuck.
бастиòн *м.*, -и, (два) бастиòна 1. *воен.*
bastion; 2. *прен.* stronghold.
бастѝсвам, бастѝсам *гл.* 1. fall upon,
assault; 2. *прен.* outshine, outdo, beat
hollow.
бастỳн *м.*, -и, (два) бастỳна cane,
walking stick.
батàк *м.*, -ци, (два) батàка 1. (*тре-
савище*) quagmire, slough; 2. (*несъ-
бираеми дългове*) bad debts; 3. *прен.*
mess, shady business.

батàл|ен *прил.*, -на, -но, -ни battle
(*attr.*); ~на живопис battle-piece/-
painting.
баталѝст *м.*, -и *изк.* battle-piece
painter, painter of battle-pieces.
батальòн *м.*, -и, (два) батальòна
воен. battalion; (*учебен*) depot.
батарè|я *ж.*, -и battery; зенит-
на ~я anti-aircraft battery.
батàт *м.*, -и, (два) батàта *бот.* (*сла-
дък картоф*) batata (*Ipomoea bata-
tas*).
батèри|я *ж.*, -и battery; (*на кран за
течности*) blender, mixing tap; аку-
мулаторна ~я storage battery; галва-
нична ~я primary/voltaic battery; елек-
трическа ~я electric/flashlight battery;
изтощена ~ run-down battery; кон-
дензаторна ~я bank of condensers; ре-
зервна ~я stand-by battery.
батискàф *м.*, -и, (два) батискàфа
мор. bathyscaphe.
батѝста *ж.*, *само ед.* *текст.* batiste,
cambric, lawn.
батисфèр|а *ж.*, -и *мор.* bathysphere.
батолѝт *м.*, *само ед.* *геол.* batholith,
batholite.
батỳд *м.*, -и, (два) батỳда trampoline.
баỳча *гл.*, *мин. св. деят. прич.* баỳ-
чил bark.
бахàмск|и *прил.*, -а, -о, -и Bahamian.
бахàр *м.*, *само ед. бот.*, *кул.* allspice,
pimento (*Eugenia pimenta*).
бахчà *ж.*, -и *разг.* 1. (*зеленчукова
градина*) market-/kitchen-garden; 2.
(*овощна градина*) orchard.
бацѝл *м.*, -и, (два) бацѝла bacillus (*pl.*
bacilli); ● български ~ Bacillus Bul-
garicus, Lactobacillus Bulgaricus.
бацѝлоносѝтел (-ят) *м.*, -и; бацѝло-
носителк|а *ж.*, -и germ-carrier.
бàчкам *гл. жарг.* work hard; toil; grub
(on/along).
бачкàтор *м.*, -и *жарг.* hard worker,
slogger, wage slave, grub, grubber.
баш₁ *прил.*, *неизм. диал.* 1. first, chief,
principal, head; 2. real, genuine.
баш₂ *нареч. разг.* just so, quite; preci-
sely, exactly.
башибозỳ|к *м.*, -ци *истор.* bashi-ba-
zouk.
башкà *нареч.* different, apart, separate;
● всеки си е ~ луд everyone has a way
of his own, every man has his foible.
бащ|à *м.*, -й 1. father; *уч. sl.* pater,

governor; **биологически** ~а genitor; **втори** ~а stepfather; **какъвто ~ата такъв и синът** like father like son; **от ~а на син** from generation to generation; **по** ~а (*за омъжена жена*) née, maiden name; **2.** *прен.* (*създател*) father, originator; (*родоначалник*) patriarch; originator; initiator; • **иска ~а си и майка си** he's grossly overcharging, his prices are exorbitant; his conditions are utterly unacceptable; **ти ~а, ти майка** you're my only hope, I beg of you!

бащин *прил.* (о.'s) father's, paternal; • ~ **дом** paternal roof; ~ **край** native land; ~**о огнище** home; **по ~а линия** on о.'s/on the father's side, *остар.* on the spear side.

бащинск|и₁ *прил.*, -а, -о, -и fatherly, paternal.

бащински₂ *нареч.* fatherly, paternally.

бащинство *ср.*, *само ед.* fatherhood, parenthood, paternity; **приписвам/установявам** ~ *юр.* filiate, affiliate (to).

бая *гл.* **1.** charm, mumble incantations, cast a spell; mumble, mutter; **2.** nag; **цял ден само ми бае** it's nag, nag all day long; • **бай бабо, да не ме срещне мечка** touch wood; ~ **си под носа** murmur, mutter to о.s., mumble, grumble; **каквото баба знае, това си бае** the same thing all over again; be always harping on the same string.

бая *нареч./прил.*, *неизм. разг.* quite a lot; rather.

баялдисвам, баялдисам *гл. диал.* faint, swoon.

бдени|е *ср.*, -я **1.** vigil, watch; wakefulness; **2.** *църк.* (*нощно*) vigil; vigils; **3.** (*над мъртвец*) (lyke) wake.

бдител|ен *прил.*, -на, -но, -ни vigilant, watchful; on о.'s guard; wakeful; wide-awake; alert; unsleeping; open-eyed; **не съм ~ен** be off о.'s guard.

бдителност *ж.*, *само ед.* vigilance, watchfulness; alertness; **намалявам ~та си** lower/drop о.'s guard, let о.'s guard down; **проявявам** ~ be vigilant.

бдя *гл.* **1.** (*не спя*) keep/stay/be awake; **2.** (*стоя нащрек*) watch (**над** over s.o.) keep an eye (on s.o.), keep watch; be on the alert; ~ **за нещо** take care of, see to it that; **3.** (*над мъртвец*) wake.

бе *част. разг.* **1.** (*обръщение*) dear; old chap/fellow, old boy; I say; ~, **зна-**

еш ли? I say, do you know? (*изненада*) ти ли си, ~? is that you? (*за подсилване*) хайде ~, **момчета!** come on, boys! get going, boys! (*изненадано*) браво ~! well done! good for you!; **2.** (*увещание*) do; **ела** ~! do come! *грубо* мълчи ~! do shut up! (*по-грубо*) shut up, will you?

бебе *ср.*, -та baby; infant; *поет.* babe.

бебегледачк|а *ж.*, -и (*постоянна*) baby-minder, (*временна*) baby-sitter.

бебенц|е *ср.*, -а little baby.

бебешк|и *прил.*, -а, -о, -и baby (*attr.*); *пренебр.* babyish, babylike; ~**и дрехи** baby clothes.

бегач *м.*, -и *спорт.* runner, *амер.* track man; (*за кон*) racer; (*колело*) racing cycle/bicycle, racer; ~ **на дълги разстояния** a long-distance runner; ~ **на къси разстояния** sprinter.

беглец *м.*, -и **и бегълци** runaway, fugitive; escapee; (*дезертьор*) deserter; (*от затвора*) prison-breaker.

бегло *нареч.* cursorily; (*между другото*) *фр.* en passant; **запознавам се** ~ **с материала** glance over/take a look at/go hastily over the material; **познавам някого** ~ know s.o. slightly; have a bowing/nodding acquaintance with s.o.

бегом *нареч.* running, at a run; *воен.* double-quick; **движа се** ~ *воен.* double; double time march.

бегония *ж.*, *само ед. бот.* begonia, elephant's ear (*Begonia*).

бег|ъл *прил.*, -ла, -ло, -ли cursory; fugitive; (*знания, впечатления*) rough, vague, sketchy, superficial; (*забележка, мисъл и пр.*) passing; ~**ъл поглед** passing/cursory glance; **хвърлям ~ъл поглед на** *разг.* dip into, give (s.th.) the once-over.

бед|а *ж.*, -и misfortune, calamity; distress; (*затруднение*) trouble; *поет.* шег. woe; **в ~а** in times of need, in the hour of need, *разг.* in hot water, in deep waters; up against the wall; *sl.* in a pickle/jam; **избавям** (*някого*) **от ~а** *разг.* get (s.o.) off the hook; **изпадам в ~а** get into trouble/into a mess, fall on evil days, fall into misfortune; have о.'s back to the wall; come to grief; **това не е голяма ~а** that's nothing much to complain about, that's not so bad/ serious.

бед|ен *прил.*, -на, -но, -ни **1.** (*без*

средства) poor, needy; penniless, moneyless; *книж.* necessitous, penurious; *sl.* flat as a pancake; (*крайно беден*) destitute; ~**ен съм** be in Queer Street, feel the pinch; **2.** (*бедняшки*) mean, mean-looking, slummy; **3.** (*откъм съдържание*) meagre, scanty; (*земя, почва*) poor, jejune, unfertile, sterile; (*за руда*) lean; ~**ен откъм** deficient in; (*растителност*) scanty, poor; (*реколта*) poor, light; ~**ен духом** poor in spirit; (*за фантазия*) poor, meagre; **4.** *като същ.* обикн. членувано (*нещастен*) poor, wretched; ~**ният аз!** poor me! woe is me!; **5.** ~**ните** *само мн. събир.* the lower income brackets, the underprivileged.

беднея *гл.*, *мин. св. деят. прич.* беднял grow/become poor; be reduced to poverty.

бедно *нареч.* poorly, miserably; badly; **живея** ~ live in poverty, lead a poor/ miserable life/existence.

бедност *ж.*, *само ед.*; **беднотà** *ж.*, *само ед.* poverty, poorness; need, neediness, necessity; *sl.* Queer Street; (*голяма*) penury; narrow means/circumstances; *прен.* jejuneness; (*за стил*) tenuity.

беднотѝя *ж.*, *само ед.* **1.** poverty; (*крайна*) destitution; **2.** *събир.* the poor, the needy.

бедня|к *м.*, -ци pauper; poor man/ fellow; tatterdemalion.

беднячк|а *ж.*, -и poor girl/woman.

бедняшк|и *прил.*, -а, -о, -и poor, mean; mean-looking; (*за къща*) squalid; ~**а къщичка** hovel; ~**и квартал** slum.

бедрен *прил.* thigh (*attr.*); *анат.* femoral, crural, coxal; ~ **блок** *мед* bundle branch block; ~ **мускул** *анат* glutaeus, gluteus; ~ **пояс** pelvic girdle; ~**а артерия** femoral artery; ~**а кост** thigh bone, *анат.* femur.

бедр|о *ср.*, -à *анат.* thigh; (*ханш*) hip *анат.* coax.

бедствам *гл.* live in poverty/in priva tion/in want, *разг.* feel the pinch.

бедствен *прил.* calamitous, disastrous ~**о положение** distress, sorry plight emergency; disastrous situation; **нами рам се в ~о положение** be destitute be in distress; be in pinched circum stances.

бѐдстви|е *ср.*, **-я** calamity, disaster; scourge; adversity; **стихийно ~e** natural calamity; act of God.

бедуѝн *м.*, **-и**; **бедуйнк|а** *ж.*, **-и** bedouin.

бедуѝнск|и *прил.*, **-а**, **-о**, **-и** bedouin (*attr.*).

бежан|ѐц *м.*, **-ци**; **бежанк|а** *ж.*, **-и** refugee; **приемане на ~ци** admission of refugees.

бежанск|и *прил.*, **-а**, **-о**, **-и** refugee (*attr.*), refugee's, refugees'; **~и лагер** refugee camp.

бежешката и бежешком *нареч.* running, at a run; *sl.* on the lam.

бѐжов *прил.* beige, fawn; fallow.

без *предл.* **1.** (*липса*) without; less; free of; with ... missing; **~ задължения** free of debt; **~ пари съм** be without money, have no money; be moneyless/penniless, be hard pressed for money; **~ ред** pell mell; in a disorderly fashion; **~ съмнение** no/beyond doubt, doubtless; **каквото с него такова и ~ него** it doesn't make much difference either way; **пия кафе ~ захар** not take sugar in o.'s coffee; **това е ~ пари** that is free of charge, (*много евтино*) that's dirt cheap; **2.** *мат.* minus; **3.** (*недостиг*) to, of; **три килограма ~ сто грама** a hundred grams short of three kilograms; **часът е три ~ пет** it is five to/ *амер.* of three; **4.** *съюз:* **~ да** without (*с ger.*), (*след отрицат. или въпросит. изречения*) but that; **~ дори да** never so much as (*с ger.*); without so much as (*с ger.*); **не минава ден, ~ да вали** not a day but what/that it rains; **• ~ време** prematurely; unexpectedly, out of season; **~ друго** surely, certainly; **~ малко** nearly, all but, almost, just narrowly missed (*с ger.*); **~ мене** (*не ме включвайте*) count me out! include me out! **и ~ това** anyway, as it is.

безаварѝ|ен *прил.*, **-йна**, **-йно**, **-йни** flawless; without breakdown or accident; **-йна работа** trouble-free/faultless operation.

безазо̀т|ен *прил.*, **-на**, **-но**, **-ни** *хим.* nitrogen-free.

безалкохо̀л|ен *прил.*, **-на**, **-но**, **-ни** non-alcoholic; **-на напитка** soft drink.

безапелацио̀н|ен *прил.*, **-на**, **-но**, **-ни** unappealable; (*за присъда*) barring the right of appeal; (*за условия*) allow-ing of no appeal; (*за тон*) peremptory, categorical; **~ен отказ** flat refusal/ rejection.

безбо̀ж|ен *прил.*, **-на**, **-но**, **-ни 1.** godless, ungodly, unholy, impious; atheistic; **2.** outrageous, shameless; wicked, cruel; (*за експлоатация*) ruthless; (*за клевета*) base, shameless; (*за цени*) outrageous, exorbitant, prohibitive, stiff.

безбо̀жни|к *м.*, **-ци** unbeliever, atheist; *разг.* nothingarian.

безболѐзнен *прил.* painless.

безбра̀ч|ен *прил.*, **-на**, **-но**, **-ни** unmarried, single, celibate.

безбра̀чие *ср.*, *само ед.* celibacy.

безбрѐж|ен *прил.*, **-на**, **-но**, **-ни** *поет.* boundless, limitless, borderless; infinite, unconfined.

безбро̀д|ен *прил.*, **-на**, **-но**, **-ни 1.** fordless, having no ford; **2.** (*безкраен*) boundless, limitless.

безбро̀|ен *прил.*, **-йна**, **-йно**, **-йни** countless, innumerable; numberless.

безбро̀й *нареч.* countless, any number of, without number; out of count, in great numbers; millions of, a world of.

безбу̀р|ен *прил.*, **-на**, **-но**, **-ни** quiet, calm; **~ живот** peaceful/quiet life.

безвенѐч|ен *прил.*, **-на**, **-но**, **-ни** *бот.* apetalous.

безвѐрие *ср.*, *само ед.* unbelief, scepticism.

безвѐрни|к *м.*, **-ци**; **безвѐрниц|а** *ж.*, **-и** unbeliever, godless person; infidel.

безвѐтрие *ср.*, *само ед.* windlessness, calm, calm weather; **зона на ~** (*около екватора*) *геогр.* doldrums; **пълно ~** dead calm.

безвку̀с|ен *прил.*, **-на**, **-но**, **-ни 1.** (*за храна*) tasteless, unsavoury, insipid, flat, savourless, flavourless, insipid, bland; (*блудкав*) vapid; **2.** *прен.* tasteless, in bad taste, dull, watery; (*кичозен*) flashy, tawdry, meretricious; tinsel; tacky; (*за приказки, писания*) vapid, namby-pamby.

безвку̀сие *ср.*, *само ед.*; **безвку̀сица** *ж.*, *само ед.* lack of taste, bad/poor taste (piece of) tastelessness, *разг.* trash; vapidity, vapidness, insipidity; meretriciousness, tawdriness.

безвла̀ст|ен *прил.*, **-на**, **-но**, **-ни 1.** powerless; lacking authority; **2.** (*без собственик, без владетел*) owner-less; *юр.* in abeyance.

безвла̀стие *ср.*, *само ед.* anarchy, lawlessness.

безво̀д|ен *прил.*, **-на**, **-но**, **-ни 1.** waterless, arid, dry, unwatered; **2.** *хим.* anhydrous.

безво̀дие *ср.*, *само ед.* aridity, lack/ scarcity of water; dryness, drought.

безво̀лев *прил.* weak-willed, irresolute; limp, lacking firmness; flabby; *разг.* gutless; (*отстъпчив*) pliable, pliant, compliant, meek, yielding, malleable.

безврѐд|ен *прил.*, **-на**, **-но**, **-ни** harmless, innocuous, inoffensive; **~ен за околната среда** environment-friendly.

безврѐмие *ср.*, *само ед.* timelessness.

безвъзвра̀т|ен *прил.*, **-на**, **-но**, **-ни** irretrie-vable; (*за загуба*) irreparable; (*за решение*) irrevocable, irreversible.

безвъзвра̀тно *нареч.* for good; irrevocably, irretrievably, irreparably; beyond/ past recall, beyond retrieve.

безвъздỳш|ен *прил.*, **-на**, **-но**, **-ни** airless; **~но пространство (вакуум)** *физ.* vacuum (*pl.* vacuums, vacua).

безвъзмѐзд|ен *прил.*, **-на**, **-но**, **-ни** gratuitous, free, unpaid; **~на помощ** gratuitous help; **~но разпореждане с имущество** *юр.* voluntary settlement; **~но финансиране** non-recourse finance.

безвъзмѐздно *нареч.* gratis, free of charge; for nothing; gratuitously; without compensation.

безглаго̀л|ен *прил.*, **-на**, **-но**, **-ни** verbless.

безгла̀с|ен *прил.*, **-на**, **-но**, **-ни** voiceless (*и фон.*); speechless; mute, silent; **• той е -на буква** he is a dead/mute letter, he is a figure-head/a cipher.

безгра̀мот|ен *прил.*, **-на**, **-но**, **-ни** illiterate.

безгранѝч|ен *прил.*, **-на**, **-но**, **-ни** boundless, infinite, unlimited; measureless; confineless; unbounded; immense; *прен.* vast; **~на амбиция** *книж.* boundless/towering ambition; **~на власт** unlimited power.

безгрѐш|ен *прил.*, **-на**, **-но**, **-ни** sinless, blameless, innocent, free from sin; (*без грешки*) faultless, error-free.

безгриж|ен *прил.*, **-на**, **-но**, **-ни** carefree, untroubled; debon(n)air; easygoing; happy-golucky, laid-back, lighthearted; worriless, nonchalant; fancy-

free; ~ни времена halcyon days.

безгрѝжие *ср., само ед.* freedom from care, unconcern, carefree state of mind; jauntiness; irresponsibility, nonchalance; debon(n)airness; easiness; ~то на детските години the care-free years of childhood.

безгръбнàч|ен *прил.*, -на, -но, -ни 1. *зоол.* invertebrate; 2. *прен.* spineless; invertebrate; weak-willed; gutless; 3. *като същ. само мн. зоол.* invertebrates, invertebrata.

бездàр|ен *прил.*, -на, -но, -ни untalented, ungifted, giftless, talentless, inept, wretched.

бездàрни|к *м.*, -ци; **бездàрниц|а** *ж.*, -и mediocrity, blunderhead, nincompoop.

бездàрност *ж., само ед.* want of talent; mediocrity.

бездè|ен *прил.*, -йна, -йно, -йни inactive, passive; inert, idle; lethargical.

бездèйствам *гл.* remain idle/inactive, undertake nothing; be inert/inactive; lie by; stagnate; drift, hang about/around; let the grass grow under o.'s feet.

бездèйствие *ср., само ед.* inaction, inactivity, inertness; indolence; slackness; stagnation, stagnancy, lethargy; vacancy; в ~ idle, at/in pause; стоя в ~ (за кораб) lie up.

бездèлие *ср., само ед.* idleness; indolence; droning; vacancy; прекарвам живота си в ~ idle/drone away o.'s life.

бездèлни|к *м.*, -ци idler, loafer, slacker, indolent/idle fellow; fiddler, fiddle-faddler, vagabond; fribble; fribbler; playboy; marooner; do-nothing; ne'er-do-well, good-for-nothing; *разг.* deadbeat; *sl.* mike; (лентяй) lazybones; lay-about; twiddler.

бездèлнича *гл.*, *мин. св.* деят прич. бездèлничил loaf, idle (about); do nothing, idle/fritter/fiddle away o.'s time; fribble, twiddle, maroon; *разг.* footle around; *sl.* muck/mooch about, mike.

бездèт|ен *прил.*, -на, -но, -ни childless.

бездѝм|ен *прил.*, -на, -но, -ни smokeless; fume-free; fumeless.

бездихàн|ен *прил.*, -на, -но, -ни stiff and stark.

бèздн|а *ж.*, -и abyss, chasm, gulf; precipice; *поет.* abysm; *библ.* bottomless

pit; unfathomable depth(s), abysmal space; морската ~а the unfathomed deep.

бездòм|ен *прил.*, -на, -но, -ни homeless; unhoused; outcast; ~ни деца waifs and strays.

бездòмни|к *м.*, -ци waif, homeless man; (скитник) vagrant, loafer, tramp.

бездỳш|ен *прил.*, -на, -но, -ни 1. (безжизнен, бездиханен, отпуснат) lifeless, unanimated; languid, toneless, torpid, lethargic, listless, spiritless; apathetic; *поет.* breathless; 2. (безсърдечен) heartless, soulless, hard-hearted, merciless, pitiless; devoid of feeling, callous.

бездъ̀н|ен *прил.*, -на, -но, -ни 1. bottomless, unplumbed; *поет.* drainless; 2. *прен.* fathomless, unfatho-mable.

безжàлост|ен *прил.*, -на, -но, -ни merciless, pitiless (към towards), unmerciful, ruthless, remorseless; heartless, cruel, steely; ferocious; as hard as nails.

безжѝзнен *прил.* lifeless; dead; *разг.* dead as a doornail/a dodo; *прен.* apathetic, lethargic, inanimate; (отпуснат) languid, limp; (за очи) dull, set, lack-lustre; ~ поглед glassy/glassy-eyed stare; (за поглед, изражение) blank; dull-eyed; (за глас) flat, colourless; (за усмивка) set, fixed.

безжѝч|ен *прил.*, -на, -но, -ни wireless; ~ен телеграф wireless, wireless telegraphy.

беззавèт|ен *прил.*, -на, -но, -ни devoted, selfless.

беззакòн|ен *прил.*, -на, -но, -ни lawless; illegal.

беззакòни|е *ср.*, -я lawlessness, unlawful/arbitrary act; wrong.

беззàхар|ен *прил.*, -на, -но, -ни sugarless.

беззащѝт|ен *прил.*, -на, -но, -ни defenceless, unprotected.

беззвèзд|ен *прил.*, -на, -но, -ни starless.

беззвỳч|ен *прил.*, -на, -но, -ни voiceless, soundless, noiseless; toneless; *език.* voiceless, unvoiced, breathed, mute; ~на съгласна *език.* voiceless/breathed consonant; mute.

беззъ̀б *прил.* 1. toothless; edentulous; gummy; *разг.* fangless; 2. *зоол.* edentate, edentulous, edentulate.

безидè|ен *прил.*, -йна, -йно, -йни lacking in ideas, sterile; unprincipled; apolitical; ~йно изкуство art for art's sake.

безизрàз|ен *прил.*, -на, -но, -ни expressionless; ~ен глас flat voice; ~но лице straight/poker/unmeaning/dead-pan face; a face that lacks expression.

безизхòд|ен *прил.*, -на, -но, -ни hopeless, desperate, inextricable; ~но положение dead-end, dead-lock; impasse; *разг.* fix; hole; no go.

безизхòдица и **безизхòдност** *ж.*, *само ед.* impasse, dead-lock, cul-de-sac; stalemate; в ~ at bay; в ~ съм be at o.'s wits' end, be like a rat in a hole; be in a cleft stick.

безѝмен *прил.*; **безѝмен|ен** *прил.*, -на, -но, -ни nameless, unnamed, anonymous; (незнаен) unknown; ~ен пръст ringfinger, fourth finger.

безимòт|ен *прил.*, -на, -но, -ни landless, poor.

безинтерèс|ен *прил.*, -на, -но, -ни uninteresting, dull; flat; dead-and-alive; (за приказки, разговори) tame; (за разказ) jejune, *разг.* milk and water; run-of-the-mill; (за представление, пейзаж) featureless, colo(u)rless.

безѝр *м., само ед.* linseed/boiled oil.

безистèн *м.*, -и, (два) безистèна baza(a)r, roofed market; arcade; shopping mall.

безкàсов *прил. фин.* non-cash; ~о плащане non-cash payment/settlement; indirect payment.

безквàс|ен *прил.*, -на, -но, -ни unleavened.

безклàсов *прил.* classless.

безкомпромѝс|ен *прил.*, -на, -но, -ни uncompromising; thoroughgoing; unyielding; intransigent; *разг.* flatfooted; ~ен човек *разг.* whole-hogger; ~на политика policy of no compromise, hard-edged policy.

безконèч|ен *прил.*, -на, -но, -ни never-ending, endless, infinite; eternal; (за разправии) perpetual.

безконтàкт|ен *прил.*, -на, -но, -ни *техн.* contactless.

безконтрòл|ен *прил.*, -на, -но, -ни uncontrolled; out of control; ~ни действия irresponsible acts/conduct.

безкорѝст|ен *прил.*, -на, -но, -ни disinterested, selfless, unselfish; (за по

мощ) gratuitous; unworldly.

безкра́|ен *прил.*, -йна, -йно, -йни endless, ceaseless, interminable, infinite, boundless, unbounded; (*вечен*) unending, perpetual; never-ending; everlasting; **~ен ред** *мат.* infinite series; **~йно пространство** infinite space.

безкра́|й₁ (-ят) *м., само ед. поет.* infinity; *прен.* space.

безкра́й₂ *нареч.* endlessly, infinitely, without end.

безкръ́в|ен *прил.*, -на, -но, -ни **1.** (*за война и пр.*) bloodless; **2.** (*малокръвен*) an(a)emic; pale; exsanguine, exsanguinous; **3.** *прен.* unvigorous, vapid, lifeless.

безли́к *прил.* lacking individuality, featureless.

безли́хвен *прил.* free of interest, interest-free, passive; **~ заем** loan bearing no interest.

безли́ч|ен *прил.*, -на, -но, -ни impersonal (*и език.*); without/lacking individuality; nondescript; faceless; featureless; **~ен съм** be lacking in personality; **~ен човек** *разг.* lay figure.

безлу́н|ен *прил.*, -на, -но, -ни moonless.

безлю́д|ен *прил.*, -на, -но, -ни (*за улица*) deserted, empty; desert, uninhabited; desolate.

безма́слен *прил.* without butter; fatless; **~а бисквита** *кул.* water-biscuit.

безме́р|ен *прил.*, -на, -но, -ни boundless, measureless; infinite, immeasurable.

безме́с|ен *прил.*, -на, -но, -ни meatless, vegetarian; *мор.* banian/banyan day.

безмете́ж|ен *прил.*, -на, -но, -ни (*за живот и пр.*) quiet, calm, uneventful; easeful; humdrum, monotonous; **~но време** halcyon days.

безми́лост|ен *прил.*, -на, -но, -ни merciless, unmerciful, pitiless, remorseless, ruthless; unpitying, unrelenting, steely, *разг.* cutthroat; **~ен съм** have no pity (**към** on).

безми́т|ен *прил.*, -на, -но, -ни duty-free; **~ен внос** free imports; **свободна ~на зона** duty-free zone.

безмо́зъч|ен *прил.*, -на, -но, -ни brainless, *разг.* gormless, gaumless.

безмото́р|ен *прил.*, -на, -но, -ни engineless; **~ен полет** glide; (*със загасен*

двигател) volplane; **~ен самолет** glider.

безмъ́лв|ен *прил.*, -на, -но, -ни speechless, silent, tacit; dumb; dumbstruck, dumbstricken; noiseless; mute; as still as the grave/as death; *поет.* stilly.

безнаде́жд|ен *прил.*, -на, -но, -ни hopeless, past/beyond all hope; forlorn of hope (*предик.*); **~на работа** hopeless affair, washing a blackamoor white; wild goose chase.

безнака́зано *нареч.* unpunished; with impunity; scot-free.

безнра́вствен *прил.* immoral; unmoral, dissolute; profligate, lax, licentious; **~а постъпка** immoral act.

безоби́д|ен *прил.*, -на, -но, -ни guileless, inoffensive, harmless; unoffending, unobjectionable; (*за лъжа*) white; (*невинен*) innocent; **~на шега** innocent/harmless joke.

безо́блач|ен *прил.*, -на, -но, -ни cloudless, unclouded, serene; *прен.* unclouded, serene; clear.

безобра́з|ен *прил.*, -на, -но, -ни **1.** (*грозен*) repulsive, hideous; **2.** (*лош*) awful, dreadful, outrageous, monstrous; frightful; scandalous, disgraceful, graceless.

безобра́зи|е *ср.*, -я scandal, outrage; disgrace; gracelessness; nuisance; (*какво*) **~е!** what a shame/nuisance! **това е ~е** it's a (jolly) shame, that is a bit/rather too thick.

безогле́д|ен *прил.*, -на, -но, -ни unscrupulous, indiscriminate, ruthless, reckless.

безоло́в|ен *прил.*, -на, -но, -ни non-leaded, unleaded.

безопа́с|ен *прил.*, -на, -но, -ни **1.** secure, safe; (*за уред*) foolproof; **2.** (*безвреден*) harmless, innocuous; **3.** *техн.* safety (*attr.*); **~на игла** safety pin.

безопа́сност *ж., само ед.* safety, safeness, security; **~ на труда** work safety; **техника на ~та** safety rules, safe procedure.

безотгово́р|ен *прил.*, -на, -но, -ни **1.** irresponsible; unaccountable, unreliable, untrustworthy; unconscionable; flighty, flippant; **2.** not responsible (for); **~ен съм** be irresponsible, play fast and loose.

безотгово́рност *ж., само ед.* irrespon-

sibility, unreliability; flightiness, flippancy.

безотка́зно *нареч.* flawlessly.

безотчёт|ен *прил.*, -на, -но, -ни uncontrolled; not accounted for, not subject to accounting.

безо́чие *ср., само ед.* insolence, impudence; shamelessness, effrontery; gracelessness; *sl.* mouth; *разг.* brass, brassy cheek.

безпа́мет|ен *прил.*, -на, -но, -ни **1.** (*за злоба*) senseless; **2.** (*безумен*) insane, mad; **3.** forgotten, lost to memory.

безпари́ч|ен *прил.*, -на, -но, -ни moneyless, penniless; poor; *разг.* skint, broke, busted, out of pocket; *sl.* flat as a pancake, in a tight corner, strapped (for cash).

безпарти́|ен *прил.*, -йна, -йно, -йни non-party; non-party member.

безперспекти́в|ен *прил.*, -на, -но, -ни futureless.

безпило́т|ен *прил.*, -на, -но, -ни pilotless; unmanned.

безпла́т|ен *прил.*, -на, -но, -ни free (of charge); cost-free; gratuitous; giveaway; *sl.* freebie; **~ен билет** free/complimentary ticket.

безпло́д|ен *прил.*, -на, -но, -ни **1.** fruitless; sterile, barren; (*за дърво*) fruitless, sterile; (*за жена*) barren; (*за овца*) sterile; barrens; **~на земя** sterile/barren land; barrens; **2.** *прен.* (*напразен*) vain, futile, unavailing; (*за усилие и пр.*) of no effect, to no avail; **~ни опити** abortive attempts.

безплъ́т|ен *прил.*, -на, -но, -ни immaterial, unsubstantial, incorporeal; unbodied, disembodied; ethereal; unearthly.

безпогре́ш|ен *прил.*, -на, -но, -ни faultless; unerring, infallible; impeccable, perfect; **~ен е** he never puts a foot wrong.

безподо́б|ен *прил.*, -на, -но, -ни matchless, unmatched, peerless, incomparable; unparalleled; unique; non-pareil; **той е ~ен глупак** he's an utter fool.

безпокоя́ *гл., мин. св. деят. прич.* **безпокои́л 1.** trouble, bother; disturb; discomfort, discommode, discompose; worry; make s.o. feel nervous; **ако това не ви безпокои** if you don't mind; if it doesn't inconvenience you; **2.** (*дразня,*

задявам) bother, molest, badger, pester; *разг.* devil; ~ **с въпроси** pester/devil s.o. with questions; || ~ **се** worry (**за** about), be anxious/uneasy (about), get nervous; **не се безпокойте!** never mind! don't trouble/bother/worry!

безполѐз|ен *прил.*, **-на**, **-но**, **-ни** useless, unprofitable; (*за усилия*) vain, unavailing, futile; fruitless; (*ненужен*) trashy, superfluous; otiose, nugatory; *sl.* duff.

безпо̀лов *прил.* sexless, nonsexual; *биол.* asexual; *бот.* neuter; *зоол.* neutral; **~о размножаване** parthenogenesis, asexual reproduction.

безпо̀мощ|ен *прил.*, **-на**, **-но**, **-ни** helpless, feeble; defenceless; forlorn; forsaken; (*безсилен*) powerless; feckless.

безпоро̀ч|ен *прил.*, **-на**, **-но**, **-ни** pure, spotless, immaculate, viceless.

безпоря̀дък *м.*, *само ед.* disorder, confusion; untidiness, disarrangement, disarray; muddle; misrule; disorganization; litter; *амер.* *разг.* mess; topsy-turvy; **в** ~ untidy; perturbed; **в пълен** ~ topsy-turvy.

безпо̀чвен *прил.* groundless, ungrounded, unfounded; (*необоснован*) unsubstantiated.

безпоща̀д|ен *прил.*, **-на**, **-но**, **-ни** merciless, ruthless, relentless, remorseless, unmerciful; unsparing; **~а борба** skin game.

безпра̀в|ен *прил.*, **-на**, **-но**, **-ни** without rights, deprived of rights; rightless; *полит.* disenfranchised; **~но положение** disenfranchisement.

безпредмѐт|ен *прил.*, **-на**, **-но**, **-ни** pointless, to no purpose, objectless, purposeless, useless, senseless, no use.

безпрекосло̀в|ен *прил.*, **-на**, **-но**, **-ни** absolute, implicit; unquestioning, questionless; to the letter; **~но подчинение** implicit obe-dience.

безпрепя̀тствено *нареч.* without hindrance, freely; unimpeded.

безпрецедѐнт|ен *прил.*, **-на**, **-но**, **-ни** unprecedented, without precedent.

безпризо̀р|ен *прил.*, **-на**, **-но**, **-ни** (*бездомен*) homeless; stray, ownerless; (*изоставен*) neglected; **~ни деца** waifs and strays.

безпрѝнцип|ен *прил.*, **-на**, **-но**, **-ни** unprincipled; unscrupulous; **~ен чо-**

век man of no principles, *разг.* unscrupulous/loose fish.

безпристра̀ст|ен *прил.*, **-на**, **-но**, **-ни** unprejudiced, impartial, unbiased, objective, fair-minded; dispassionate; nonpartial; judicial; detached, even-handed; equitable; **~ен коментар** fair comment; **~ен свидетел** disinterested witness.

безпричѝн|ен *прил.*, **-на**, **-но**, **-ни** causeless, reasonless, uncaused; groundless, motiveless; needless; (*необоснован*) unmotivated; (*за постъпка, лъжа*) gratuitous; (*безсмислен – за обида, пакост*) wanton.

безпроблѐм|ен *прил.*, **-на**, **-но**, **-ни** trouble-free.

безпъ̀т|ен *прил.*, **-на**, **-но**, **-ни** licentious, profligate, dissolute, wanton; dissipated; lax, unsteady; **~ен човек** reprobate.

безрабо̀т|ен *прил.*, **-на**, **-но**, **-ни 1.** unemployed; out of work; jobless, without a job, workless; unwaged; **2.** *като същ.*: **частично ~ен съм** be on short time; *само мн.* **събир.** the unemployed.

безрабо̀тица *ж.*, *само ед.* unemployment; (*и период*) *амер.* lay off; **принудителна** ~ involuntary unemployment; **скрита** ~ disguised unemployment.

безра̀дост|ен *прил.*, **-на**, **-но**, **-ни** joyless, cheerless, mirthless, grim, dismal.

безразбо̀р|ен *прил.*, **-на**, **-но**, **-ни** indiscriminate, undiscriminated, undiscriminating; promiscuous; rambling; **~но четене** desultory/excursive reading.

безразлѝч|ен *прил.*, **-на**, **-но**, **-ни** indiffe-rent (**към** to); nonchalant; mindless; unimpressed, lukewarm; languid, torpid; (*пасивен*) supine, stony.

безразсъ̀д|ен *прил.*, **-на**, **-но**, **-ни** reckless, rash; (*за смелост*) foolhardy; desperate, thoughtless; unreasonable, unreasoning, unadvised; dare-devil; devil-may-care; **~на смелост** temerity; foolhardiness.

безрѐдие *ср.*, *само ед.* disorder, untidiness; confusion, pell-mell, disarrangement, disarray; pandemonium; misrule, tumult; *разг.* carfuffle; (*бунт*) riot.

безрѐдици *само мн.* troublemaking,

riots, rioting; **граждански** ~ civil commotion; **улични** ~ street rows.

безрезѐрв|ен *прил.*, **-на**, **-но**, **-ни** unreserved, wholehearted; stintless.

безрезулта̀т|ен *прил.*, **-на**, **-но**, **-ни** ineffective, of no effect, futile, unsuccessful; unproductive, unfruitful, fruitless, sterile; **~ен мач** goalless match.

безрѐлсов *прил.* railless; non-rail; trackless.

безро̀потно *нареч.* uncomplainingly, without a murmur; like a lamb.

безсѝл|ен *прил.*, **-на**, **-но**, **-ни** (*слаб*) weak, feeble, effete, impotent; feckless; (*безвластен*) powerless; (*безпомощен*) helpless; *прен.* emasculate; **той е ~ен да му помогне** it is not in his power to help him.

безсистѐм|ен *прил.*, **-на**, **-но**, **-ни** unsystematic, systemless; unmethodical; (*несвързан*) desultory, discursive.

безскру̀пул|ен *прил.*, **-на**, **-но**, **-ни** unscrupulous; unprincipled, unconscientious, unconscionable, conscienceless, bare-faced; **~ен адвокат** pettifogger; **~ен политик** *амер.* shyster.

безсла̀в|ен *прил.*, **-на**, **-но**, **-ни** inglorious; ignominious; infamous.

безслѐд|ен *прил.*, **-на**, **-но**, **-ни** leaving no trace; trackless, traceless.

безсловѐс|ен *прил.*, **-на**, **-но**, **-ни** dumb, speechless.

безсмѝслен *прил.* **1.** (*за думи*) meaningless, unmeaning, devoid of sense, pointless; **2.** (*за постъпка*) senseless, needless, useless, nonsensical, mindless, aimless; preposterous; *разг.* (it's) no go; **3.** (*глупав*) foolish, silly, futile, fatuous; ~ **поглед** vacant look.

безсмѝслиц|а *ж.*, ~ nonsense; crap, trash; falderal; flapdoodle.

безсмъ̀рт|ен *прил.*, **-на**, **-но**, **-ни** immortal, deathless, undying, unperishing; everlasting, eternal; (*за слава и пр.*) never-dying; **~на слава** undying/unfading glory.

безсо̀л|ен *прил.*, **-на**, **-но**, **-ни 1.** saltless; (*за хляб и пр.*) salt-free; (*безвкусен – за ядене*) with too little salt, unsavoury; **2.** *прен.* (*неинтересен*) insipid, vapid.

безспѝр и **безспѝрно** *нареч.* constantly, continually, unceasingly, ceaselessly; without cease; everlastingly; without end, unendingly.

безспйр|ен *прил.,* -на, -но, -ни incessant, continuous, continual, unceasing, ceaseless, everlasting; constant; nonstop; endless.

безспор|ен *прил.,* -на, -но, -ни indisputable, unarguable, undisputed, undeniable, undoubted; (*за истина*) irrefutable; ~ен факт a matter of fact.

безсрам|ен *прил.,* -на, -но, -ни shameless, unashamed; impudent, brazen(-faced), unabashed; graceless.

безсрамни|к *м.,* -ци shameless man/fellow.

безсрамниц|а *ж.,* -и shameless woman/girl.

безсроч|ен *прил.,* -на, -но, -ни termless; (*за отпуск*) unlimited; (*за заем*) permanent; ~ен влог demand deposit.

безстойност|ен *прил.,* -на, -но, -ни valueless.

безстопанствен *прил.* ownerless, unowned; (*изоставен*) deserted, abandoned, forsaken, derelict; (*за куче и пр.*) stray; *юр.* (*за земи*) abeyant; ~а вещ waif; derelict.

безстраш|ен *прил.,* -на, -но, -ни reckless, fearless, intrepid, undaunted; dauntless, bold; stalwart, thoroughbred, mettled; devoid of fear.

безсъвест|ен *прил.,* -на, -но, -ни unscrupulous, shameless, unprincipled; conscienceless.

безсъдържател|ен *прил.,* -на, -но, -ни empty (of matter), without substance; unmeaning; meagre; sterile; vain, vacuous; (*безинтересен*) dull, vapid, jejune, *разг.* milk and water; frothy.

безсъзнание *ср., само ед.* unconsciousness; в ~ съм be unconscious; изпадам в ~ lose consciousness, faint, lapse into unconsciousness, swoon.

безсъмнено *нареч.* doubtless, no doubt; certainly; presumably.

безсън|ен *прил.,* -на, -но, -ни sleepless, wakeful, slumberless; ~ни нощи sleepless/watchful/white nights.

безсъние *ср., само ед.* sleeplessness; insomnia; *мед.* vigilance.

безсърдеч|ен *прил.,* -на, -но, -ни heartless, hard-hearted; cold-hearted, cold-blooded; unfeeling; obdurate; cruel, callous; (*безмилостен*) merciless, ruthless, uncaring.

безтеглов|ен *прил.,* -на, -но, -ни weightless; imponderable.

безтегловност *ж., само ед.* weightlessness; imponderability, null/zero gravity.

безукор|ен *прил.,* -на, -но, -ни irreproachable, immaculate, unblamable, blameless; unexceptionable, perfect; unimpeachable; (*за поведение*) impeccable, flawless; spotless.

безум|ен *прил.,* -на, -но, -ни 1. mad, insane, crazy; demented; ~ен човек madman, lunatic; 2. (*безразсъден*) wild, reckless, mad.

безуми|е *ср.,* -я и **безумств|о** *ср.,* -а madness, unreason; insanity; folly; lunacy; frenzy; recklessness; distraction; обичам някого до ~е love s.o. to distraction; чисто ~е sheer madness.

безупреч|ен *прил.,* -на, -но, -ни irreproachable, faultless, immaculate; unexceptionable, unimpeachable, beyond reproach; flawless; taintless; free from blame; perfect; not a hair out of place.

безуслов|ен *прил.,* -на, -но, -ни unconditional, unconditioned; absolute; unreserved; perfect; flat; *юр.* peremptory; ~ен рефлекс *физиол.* unconditioned reflex; ~на капитулация *воен.* unconditional surrender.

безуспеш|ен *прил.,* -на, -но, -ни unsuccessful; unavailing; fruitless; abortive; futile.

безутеш|ен *прил.,* -на, -но, -ни inconsolable, disconsolate; comfortless, desolate.

безучаст|ен *прил.,* -на, -но, -ни impassive, indifferent (към to), unimpressed, unconcerned; standing aloof.

безформен *прил.* formless, shapeless, unshapely, out of shape, amorphous, structureless.

безхарактер|ен *прил.,* -на, -но, -ни weak-willed, spineless, of wavering/weak character; fibreless; *разг.* gutless, sissified; lacking individuality, faceless; *прен.* molluscous; ~ен човек pushover.

безцарствие *ср., само ед.* absence of sovereign power/authority; anarchy.

безцвет|ен *прил.,* -на, -но, -ни 1. colourless, achromatic; (*с неопределен цвят*) watery, washed out, faded; (*за лице*) pale, wan; (*за очи*) dull, lustreless; 2. *прен.* colourless; toneless; mousy; *разг.* milk and water; flat, insipid.

безцел|ен *прил.,* -на, -но, -ни aimless, purposeless, objectless, pointless; direc-

tionless; to no purpose; useless; futile; idle.

безцен|ен *прил.,* -на, -но, -ни 1. (*с висока цена*) priceless, invaluable; (*скъпоценен – за камъни*) precious; (*който няма равен*) peerless, matchless; *прен.* (*неоценим*) inestimable; ~ен камък precious stone, gem; 2. (*малоценен*) valueless, worthless.

безценица *ж., само ед.:* на ~ *разг.* dirt cheap, for a mere song, at a knockout price.

безцеремон|ен *прил.,* -на, -но, -ни unceremonious, offhand, high-handed; abrupt.

безчест|ен *прил.,* -на, -но, -ни dishonourable; dishonest; ignominious, infamous; vile; villainous; mean, meanspirited.

безчестя *гл., мин. св. деят. прич.* безчестил dishonour, disgrace, bring dishonour on, bring ruin on s.o.'s reputation; defame; besmirch.

безчет *нареч.* countless, without number, out of count.

безчинствам *гл.* commit outrages, behave scandalously/outrageously.

безчислен *прил.* countless, innumerable, uncountable, uncounted, numberless, myriad; ~о множество countless numbers.

безчовеч|ен *прил.,* -на, -но, -ни inhuman, fierce; brutal, cruel.

безчовечие *ср., само ед.* и **безчовечност** *ж., само ед.* inhumanity, brutality; cruelty.

безчувствен *прил.* 1. (*в безсъзнание*) unconscious; (*нечувствителен*) insensitive (към to), indifferent (to); unfeeling, torpid; uncaring, unmoved; impervious (to); unsusceptible (to); clotheared; thick-skinned; 2. (*безсърдечен*) emotionless; heartless, callous, pitiless, merciless, uncaring; ~ човек a man without feelings.

безшев|ен *прил.,* -на, -но, -ни seamless; weldless; joint-free.

безшум|ен *прил.,* -на, -но, -ни 1. noiseless; 2. (*тих, спокоен*) silent, quiet; 3. (*за стъпки*) stealthy.

безядрен *прил.* denuclearized; nuclear-free; non-nuclear.

бей (беят) *м.,* -ове bey; • живея като ~ live in luxury/on easy street/off the fat of the land.

бейзбол *м., само ед. спорт.* baseball.

бек *м.,* -ове *спорт.* full-back.

бекас *м.,* -и, (два) бекаса *зоол.* snipe (*Limosa melanura*); long bill.

бекон *м., само ед. кул.* bacon.

бекхенд *м., само ед. спорт.* backhand.

бекярин *м.,* бекяри *разг.* bachelor, unmarried man; celibate.

бел₁ *м.,* -ове, (два) бела (*права лопата*) spade.

бел₂ *м.,* -ове, (два) бела *физ.* bel.

беладона *ж., само ед. бот.* belladonna, deadly nightshade, dwale (*Atropa belladona*).

белач *м.,* -и husker.

белачк|а *ж.,* -и **1.** (woman) husker; **2.** (woman) clothbleacher; **3.** (*машина*) peeler.

белги|ец *м.,* -йци Belgian.

белгийк|а *ж.,* -и Belgian (woman/girl).

белгийск|и *прил.,* -а, -о, -и Belgian.

Белгия *ж. собств.* Belgium.

беле|г *м.,* -зи, (два) белега **1.** (*следа от рана*) scar, mark, seam; (*от удар с камшик*) stripe, weal; (*по кожата от рождение*) birth-mark; *мед.* naevus; (*от клъвване*) peck; (*изрязан по ръб, плоскост*) notch; ~г **за центриране** adjustment notch; (*от шарка*) pock mark; (*от горене с желязо*) brand; (*от петно*) sully; (*слаба следа*) tincture; (*от нещо вече не съществуващо*) vestige; **2.** (*знак за разпознаване*) mark, sign; **външни** ~**зи** exteriors, externals; **отличителен** ~**г** distinguishing feature/mark, insignia; **особени** ~**зи** special peculiarities (of a person); **3.** *прен.* (*признак*) sign; token; mark denotation.

белѐжа *гл., мин. св. деят. прич.* белязал **1.** mark, make a sign/mark on, put a mark on; notch; (*означавам*) note, point out, indicate; designate; **2.** (*записвам, отбелязвам*) mark, register; write; (*за автоматичен уред*) show, register; *спорт.* (*записвам точки при игра*) mark, score; clock up; **3.** *прен.* (*показвам, отбелязвам*) mark, show, register; ~ **напредък** advance; ~ **нов етап** mark a new stage/ *амер.* milestone.

белѐжк|а *ж.,* -и **1.** note; message; ~**а в полето** (*на книга*) side-note; **касова** ~**а** cash-slip check, bill; **паметна** ~**а** aide-memoire, memorandum; **слу-**жебна ~**а** certificate; **2.** *обикн. мн.* notes; sketch; **биографични** ~**и** a biographical sketch; **водя си** ~**и** take notes; **3.** (*оценка за успех*) mark; grade; **пиша висока** ~**а** give a high mark; • **вземам си** ~**а** take note (**от** of); take warning (by); bear/have/keep in mind; **правя** ~**а** (**на**) admonish.

белѐжни|к *м.,* -ци, (два) белѐжника notebook; diary; (writing-)pad, jotter; agenda; **електронен** ~**к** electronic organizer; **ученически** ~**к** school report, report card.

белезникав *прил.* whitish, off white, whity, whitey; albescent.

белезници *само мн.* handcuffs, manacles, shackles; *амер. sl.* nippers; **поставям** ~ cuff.

белене₁ *ср., само ед.* (*избелване*) whitening; bleaching.

белене₂ *ср., само ед.* (*обелване*) peeling; husking.

белетрист *м.,* -и fiction writer; fictionist, fictioneer; short-story writer, novelist.

белетристика *ж., само ед.* fiction, belles-lettres.

белея *гл., мин. св. деят. прич.* белял (*за коси*) turn/become/grow grey/white; || ~ **се** gleam/show/stand out white.

белина *ж., само ед.* (*разтвор*) bleach, bleaching solution, blanching-liquor.

белканто *ср., само ед. муз.* bel canto.

белобрад *прил.* white-bearded, grey-bearded; ~ **старец** greybeard.

белов|а *ж.,* -и fair/clean copy; original; ~**а хартия** writing paper (for typing etc.).

беловлас *прил.* white-haired/-headed, hoary-headed.

белогварде|ец *ец м.,* -йци *истор.* whiteguard.

белоглав *прил.* **1.** white-headed; **2.** *зоол.* (*за орел*) naked-headed.

белодроб|ен *прил.,* -на, -но, -ни pulmonary; ~**на туберкулоза** *мед.* tuberculosis of the lungs, pulmonary consumption, phthisis.

белокож 1. *прил.* fair-/white-skinned; **2.** *като същ.* white (man).

белокос *прил.* white-haired.

белолик *прил.* fair of complexion.

беломор|ец *м.,* -ци **1.** inhabitant of the Aegean region; **2.** *само ед.* (*за вятър*) south wind; (*южняк*) souther.

белорусин *м.,* белоруси Byelorussian.

белоруск|и *прил.,* -а, -о, -и Byelorussian.

белосвам, белосам *гл.* **1.** (*мажа с вар*) whitewash, lime-wash; **2.** (*слагам белило*) whiten; || ~ **се** paint o.'s face, use make up, use powder.

белоснеж|ен *прил.,* -на, -но, -ни snow-white, lily-white.

белот *м., само ед. карти* belote.

белтъ|к *м.,* -ци, (два) белтъка **1.** (*на яйце*) white (of egg); glair; ~**ци на сняг** *кул.* beat up egg whites stiff; **2.** *биол., хим.* albumen, protein.

белтъчини *само мн.* proteins; **без** ~ protein-free.

бельо *ср., само ед.* **1.** (*долно облекло*) body linen, underwear, underclothes; (*дамско*) *разг.* undies; *търг.* (*фино дамско*) lingerie; **2.** (*чаршафи и пр.*) household linen; ~ (*за пране*) washing; **чисто** ~ clean/fresh linen.

беля₁ *гл., мин. св. деят. прич.* бѐлил (*избелвам*) bleach, whiten; grass.

беля₂ *гл., мин. св. деят. прич.* бѐлил (*кора на дърво*) bark, rind; (*плод*) peel, pare, skin; (*царевица*) husk; (*грах и под.*) shell; hull; (*картофи*) peel; (*яйце*) shell; (*орехи, бадеми чрез попарване*) blanch; || ~ **се** (*за кожа*) peel (off); (*за кора, кожа*) exfoliate; (*за боя*) shell off.

бел|я *ж.,* -и nuisance, mischief; bother, trouble; difficulty; ~**ята е там, че** the worst of it is that, the trouble is that; **за** ~**я** by mischance; as ill luck would have it; **не си търси** ~**ята** let sleeping dogs lie; **постоянно правя** ~**и** be always getting into mischief.

бемол *м.,* -и, (два) бемола *муз.* flat; ~**ла** ~ A-flat.

бенгал|ец *м.,* -ци; **бенгалк|а** *ж.,* -и Bengali.

Бенгалия *ж. собств.* Bengal.

бенгалск|и *прил.,* -а, -о, -и Bengali, Bengal (*attr.*); ~ **и език** Bengali; **огън** Bengal light; fireworks; sparkler.

Бенелюкс *м. собств.* Benelux.

бенефис *м.,* -и, (два) бенефиса *театр.* benefit, benefit performance.

бенефициент *м.,* -и *фин.* beneficiary, payee; **права на** ~ beneficial interest.

бензил *м., само ед. хим.* benzil.

бензин *м., само ед.* petrol, *амер.* gasolene, motor spirit, benzin(e); *амер.*

gas; (*за чистене*) benzine.

бензѝнов *прил.* petrol (*attr.*); petrolic; *амер.* gasolene, gas (*attr.*); benzine (*attr.*); ~**а колонка** petrol pump.

бензиновоз *м.*, -и, (два) **бензиновоза** petrol tanker, *амер.* gasoline tanker.

бензиностанци|я *ж.*, -и petrol station, *амер.* gas-station, oil-station, filling station; tanking place.

бѐнк|а *ж.*, -и mole, wart; beauty-spot; birth-mark; (*изкуствена*) patch; *мед.* naevus, nevus; mother's mark.

бент *м.*, -ове, (два) **бѐнта** dam, weir; flash; (*вир*) pool, pond; **защѝтен** ~ dike, dyke; dynamic(al), energetic.

берà *гл.*, *мин. св. деят. прич.* **брал 1.** (*цветя, плодове*) pick, gather; **2.** (*гноя*) fester, gather (to a head), suppuate; **3.** (*вземам върху себе си*): ~ **срам** be ashamed, flush for shame; ~ **студ** shiver, shake with cold; ● ~ **душа** be on o.'s death-bed, be in o.'s death throes, be in the throes of death.

берàч *м.*, -и picker; gatherer.

бергамòт *м.*, *само ед. бот.* bergamot (*Citrus bergamia*).

берекѐт *м.*, *само ед. разг.* rich/good harvest; rich crop; fertility; bonanza.

бѐри-бѐри *неизм. мед.* beriberi.

берѝл *м.*, *само ед. минер.* Beryl.

берѝли|й (-ят) *м.*, *само ед. хим.* beryllium; *минер.* glucinium, glucinum.

берѝтба *ж.*, *само ед.* **1.** harvest, harvesting; gathering; (*на плодове и пр.*) pick, picking; (*на лен*) pulling; (*на грозде*) vintage; **2.** (*сезон*) harvest time/season.

берсьòза *ж.*, *само ед. муз.* berceuse; lullaby, cradle-song.

бесѐд|а *ж.*, -и talk; discourse; lecture; (*в разговорен стил*) caesura; **изнасям** ~**а** give a talk, read a lecture.

бесѐдвам *гл.* talk, chat (**с** with), have a talk/chat (with), converse (with); discourse; commune (with).

бесѐдк|а *ж.*, -и summer-house, alcove, pavilion; (*украсена с растения*) arbour; bower.

бѐсен *прил.*, **бя̀сна, бя̀сно, бѐсни 1.** mad, rabid; **2.** *прен.* raging, frenzied, furious; wild, hopping mad, hot under the collar; fit to be tied; (*за бързина, гняв, буря и пр.*) tearing; (*за бързина*) reckless, breakneck.

бесѝлк|а *ж.*, -и; **бесѝл|о** *ср.*, -à

gallows (tree); gibbet; drop.

беснѐя *гл.*, *мин. св. деят. прич.* **беснял 1.** be/run mad, go mad; **2.** rage, rave, be enraged, get/fly into a passion/ rage; fume (about/over/at); foam at the mouth; storm; be in high dudgeon; breathe fire; charge like a bull at a (five-barred) gate; **3.** (*за деца*) romp about.

бесỳвам *гл.* **1.** (*за мъжко животно*) rut; (*за женско животно*) be in a heat; **2.** (*за деца*) romp about.

бѐся *гл.*, *мин. св. деят. прич.* **бесѝл** hang; ● **той коли, той беси тук** *разг.* he's the boss/the big noise here; he has the whip hand, he is in the driving seat; *sl.* he runs the show here, *амер.* he's the biggest frog in the pond.

бетòн *м.*, *само ед. строит.* concrete; **армиран** ~ reinforced concrete, ferro-concrete; ● ~ **сме** (*добре сме*) we're all fixed up, we're golden; ~ **съм** I'm tops (**в** in).

бетонѝрам *гл. строит.* concrete; lay/ cover/face/line with concrete.

бетонобъркàчк|а *ж.*, -и *строит.* concrete mixer; (*за настилки*) paver.

бешамѐл *м.*, *само ед. кул.* (*сос*) béchamel sauce.

би *част.* would; ~ **ли ми казал?** would you mind telling me? **да не** ~ by any chance; **кой** ~ **могъл да направи това?** who could do that?

биатлòн *м.*, *само ед. спорт.* biathlon.

биберòн *м.*, -и, (два) **биберòна** (*шише*) feeding-bottle; nursing-bottle; feeder; (*залъгалка*) (baby's) comforter, soother, dummy; *амер.* pacifier; (*на шишето*) nipple.

библѐйск|и *прил.*, -а, -о, -и biblical.

библиогрàф *м.*, -и bibliographer.

библиогрàфи|я *ж.*, -и bibliography, references.

библиотѐк|а *ж.*, -и **1.** library; (*заемна*) a lending library; (*за справки*) a reference library; (*научна*) a research library; **2.** (*шкаф*) bookcase; (*полица*) bookshelf.

библиотекàр (-ят) *м.*, -и; **библиотекàрк|а** *ж.*, -и librarian.

Бѝблия *ж.*, *само ед.* the Bible, the Holy Bible; the Holy/Sacred Writ; the Scriptures; the Book; (*отделен екземпляр*) bible.

бѝва *гл.*, *мин. св. деят. прич.* **бѝвало 1.** (*може, възможно е, позволе-*

но е) can, may, must (*c inf.*), should (*c inf.*); (*с отрицание*) should, ought to, must; ~ **ли така?** (*укор*) you oughtn't to/shouldn't behave like that; **така не** ~ you mustn't do that, that won't do, that's not the way/not right; no more of that; (*съгласие*) all right; O.K.; agreed; **2.** *в съчет.* **с ме, те, го, я, ни, ви, ги:** ~ **го** (*за нещо*) it's quite good, it's not to be sniffed/sneezed at, (it's) swell! (*за човек*) he's worth his salt, he's a smart one, he is a peach/prince! (*годен е*) ~ **ме** be good/efficient (**в** at); be up to the mark, *разг.* have class; ~ **си го** (*за човек*) he knows a trick or two, he's up to every trick, he's a smart fellow; **не го** ~ *разг.* he's no use, (*болен е*) he's off colour, he feels seedy/ rotten; (*за нещо, ужасно е*) *амер.* it stinks; **не ме** ~ **за нищо** be fit for nothing, be awkward with o.'s hands; *амер.* I'm a bonehead for this job; **хлябът** ~ **ли го?** is the bread any good? ● **то** ~, ~, **ама...** (*възмущение*) really, that's the limit; that's a bit (too) much.

бивà *к м.*, -ци, (два) **бивàка** bivouac.

бивалѐнт|ен *прил.*, -на, -но, -ни bivalent.

бѝвам *гл.* be; **2.** (*случвам се, ставам*) happen, occur, take place, be held.

бѝвни|к *м.*, -ци, (два) **бѝвника** и **бѝв|ен** *м.*, -ни, (два) **бѝвена** *зоол.* tusk.

бѝвол *м.*, -и, (два) **бѝвола** *зоол.* buffalo; water buffalo.

бивш 1. *прил.*, -а, -о/-е, -и former, ex-, late, one-time; quondam; ~ **министър** ex-minister; **2.** *като същ. разг.* ex, ex-wife/husband.

бидѐ *ср.*, -та bidet.

бидѐйки *нареч.* being.

бидòн *м.*, -и, (два) **бидòна** can(ister); drum, oiler; ~ **за бензин** petrol-can.

биенàле *ср.*, -та *изк.* biennale.

бѝене *ср.*, *само ед.* beating; throbbing; (*на барабан*) rataplan, (*непрекъснато*) roll; (*на камбани*) knell(ing), toll-(ing); (*при струг*) play; (*на сърцето*) pant, throbbing of the heart, heartbeat; (*на неопънат ремък*) flapping.

бижỳ *ср.*, -та jewel, piece of jewellery; gem; (*евтино*) trinket; *събир.* jewellery, *амер.* jewelry.

бижутѐр *м.*, -и jeweller, *амер.* jeweler.

бижутѐрия *ж., само ед.* jewellery, *амер.* jewelry; *(евтина)* costume jewellery.

бѝзнес *м., само ед.* **1.** *търг.* business; **дребен семеен ~** cottage industry; **2.** profiteering.

бизòн *м.,* -и, (два) бизòна *зоол.* bison; *амер.* buffalo *(Bisonus).*

бик *м.,* -ове, (два) бѝка *зоол.* bull; **~ за разплод** a bull of service; **борба с ~ове** bull-fight; *книж.* tauromachy; ● **хващам ~а за рогата** take the bull by the horns, beard the lion in his den; cut the knot; grasp the nettle.

бѝкарбонàт *м., само ед.* *хим.* bicarbonate; **натриев ~** sodium bicarbonate.

бикобòр|ец *м.,* -ци bull-fighter, toreador, torero.

бил *мин. св. деят. прич. от гл.* съм been; ● **~о е време** in bygone days, in days of old/yore; **~о що (каквото) ~о** let bygones be bygones; forgive and forget.

билабиàл|ен *прил.,* -на, -но, -ни *език.* bilabial.

билатерàл|ен *прил.,* -на, -но, -ни *език.* bilateral.

бѝле *ср.,* -та simple, herb; **омайно ~** *поет.* charming herbs; **старо ~ бот.** belladonna, deadly nightshade, dwale *(Atropa belladonna).*

билѐт *м.,* -и, (два) билѐта **1.** *(за влак, театър и пр.)* ticket; *(половин)* half-fare ticket; *(с намаление)* cheap ticket; *(входен)* ticket of admittance; *(в една посока)* single ticket; *(за отиване и връщане)* return (ticket), *амер.* round trip ticket; *(обиколен)* tourist/excursion ticket; *(със смяна)* transfer ticket; *(директен)* through ticket; *(перонен)* platform ticket; **~ за увеселителен влак** excursion ticket; *(за параход)* passage; *(лотариен)* lottery ticket; **~и, моля!** *(кондукторът казва)* fares, please, *(контролата казва)* tickets, please! **возя се/пътувам без ~** steal a ride; **всички ~и са продадени** all seats are sold/are booked up; *театр.* the house is sold out; *(гардеробен)* cloak-room ticket/check; **плащам си ~а** pay o.'s fare, *(за параход)* pay o.'s passage; **пътник без ~** *мор.* stowaway; **пътувам с половин ~** travel half-fare; **2.** *(удостоверение)* card; licence; **входен ~** *(карта)* admission

card; **ловен ~** game shooting licence, licence to shoot; *(за риболов)* licence to fish.

билиòн *м.,* -и, (два) билиòна *(хиляда милиона)* milliard; *амер.* billion; *(милион милиона)* billion.

билирубѝн *м.,* -и, (два) билирубѝна *мед.* bilirubin.

бѝлк|а *ж.,* -и (medicinal) herb, *остар.* simple.

билколечѐние *ср., само ед* *мед.* phytotherapy.

бѝл|о *ср.,* -à **1.** *геогр.* ridge; divide, watershed; crest; chine; **2.** *(на покрив)* ridge; *(на стена и пр.)* coping.

било-билò *съюз* either ... or.

билю|к *м.,* -ци, (два) билюка *разг.* galore; plenty of.

билярд *м., само ед.* billiards; pool.

бѝметàл|ен *прил.,* -на, -но, -ни bimetallic.

бѝнокулàр|ен и бѝнокулàр|ен *прил.,* -на, -но, -ни *мед.* binocular.

бинòк|ъл *м.,* -ли, (два) бинòкъла binoculars; *(военен)* field-glasses; *(за театър)* opera-glasses.

бинòм *м.,* -и, (два) бинòма *мат.* binomial.

бинт *м.,* -ове, (два) бѝнта bandage; swathe; **навит ~** roller.

бинтòвам *гл.* bandage.

биогенѐзис *м., само ед.* biogenesis.

биогрàф *м.,* -и biographer.

биографѝч|ен *прил.,* -на, -но, -ни; **биографѝческ|и** *прил.,* -а, -о, -и biographic(al); **~ен очерк** biographical sketch.

биогрàфи|я *ж.,* -и biography.

биоелектрòника *ж., само ед.* bioelectronics.

биоенергѐтика *ж., само ед.* bioenergetics.

биоинженѐрство *ср., само ед.* biological engineering.

биолò|г *м.,* -зи biologist; naturalist.

биологѝч|ен *прил.,* -на, -но, -ни; **биологѝческ|и** *прил.,* -а, -о, -и biological; **~ен институт** institute of biology, biological institute.

биолòгия *ж., само ед.* biology.

биòника *ж., само ед.* bionics, bioelectronics.

биоплàзма *ж., само ед.* bioplasm.

биополимѐр *м.,* -и, (два) биополимѐра biopolymer.

биòпсия *ж., само ед.* *мед.* biopsy.

биорѝт|ъм *м.,* -ми, (два) биорѝтъма *мед.* biorhythm.

биосфѐра *ж., само ед.* biosphere.

биотехнолòги|я *ж.,* -и biotechnology, bioengineering.

биотѝп *м.,* -ове, (два) биотѝпа *биол.* biotype.

биотòк *м.,* -ове, (два) биотòка обикн. мн. *физиол.* biostream.

биофѝзика *ж., само ед.* biophysics.

биохѝмия *ж., само ед.* biochemistry.

биоценòз|а *ж.,* -и *биол.* biocoenosis, *амер.* biocenosis.

биплàн *м.,* -и, (два) биплàна *авиац.* biplane; double-decker.

биполяр|ен *прил.,* -на, -но, -ни bipolar.

бѝр|а *ж.,* -и beer, ale, malt liquor; *(светла, внос от Европа)* lager (beer); *(светла английска)* pale ale/beer; **наливна ~а** draught beer; **чаша ~а** mug of beer.

бирàри|я *ж.,* -и beer-house/-shop/-garden; alehouse.

Бѝрма *ж. собств.* Burma(h).

бирмàн|ец *м.,* -ци Burmese.

бирмàнк|а *ж.,* -и Burmese (woman/girl).

бирмàнск|и *прил.,* -а, -о, -и Burmese.

бѝрни|к *м.,* -ци tax-collector/-gatherer.

бис *м.,* -ове, (два) бѝса *(и като междум.)* encore, curtain call; **викам/из-карвам на ~** encore, call for an encore.

бисексуàл|ен *прил.,* -на, -но, -ни *(и като същ.)* bisexual; *sl.* ambidextrous; **~ен човек** *sl.* switch-hitter.

бисектрѝс|а *ж.,* -и *геом.* bisectrix, bisector, mean line.

бѝсер *м.,* -и, (два) бѝсера pearl; **ловец на ~и** pearl-diver/-fisher; ● **~ (грешка)** *разг.* howler, *амер.* boner; **хвърлям ~и на свиня** cast pearls before swine.

бѝсер|ен *прил.,* -на, -но, -ни **1.** pearl *(attr.);* **~на мида** pearl oyster; **2.** *(като бисер)* pearly; **покрит с ~на роса** pearled with dew.

бисквѝт|а *ж.,* -и *кул.* biscuit; *амер.* cracker.

бисмỳт *м., само ед.* *хим.* bismuth.

бистр|ò *ср.,* -à bistro.

бѝстря *гл., мин. св. деят. прич.* бѝстрил clarify *(и прен.);* ● **~ политиката** *разг.* talk/discuss politics.

бѝст|ър *прил.,* -ра, -ро, -ри *(за вода)*

clear, limpid; pellucid; (*за стъкло*) transparent; (*за мисъл, слово и пр.*) lucid, clearheaded; crystal clear, as clear as crystal; ~ър ум lucid/clear/ unclouded reasoning.

бит₁ *м., само ед.* mode/manner/way of life, way/style of living; conditions of life; living standards; **картини от селския** ~ scenes of country life; **народен** ~ customs of the people, popular customs.

бит₂ *м.,* -ове, (два) бѝта *инф.* bit.

бит₃ *мин. страд. прич. (и като прил.)* beaten; ~ (**победен**) **враг** the enemy is defeated; ~о масло churned butter.

бита̀|к *м.,* -ци, (два) бита̀ка (*за вехтории*) flea market; (*където стоките се излагат върху капака на колите*) car-boot sale.

битиѐ *ср., само ед.* being; existence; life; *библ.* **книга "Битие"** Genesis; ● ~то определя съзнанието *филос.* being determines consciousness; **житие-~** *нар.* life, way of life.

бѝтк|а *ж.,* -и battle, fight; engagement; *книж.* fray.

бѝтов *прил.* of life (*за стил*) folk-style; daily, everyday; ~а дра̀ма drama of everyday life; ~и нужди domestic purposes; ~и условия conditions of life, living standards; ~и услуги public services/utilities.

бѝтона̀лност *ж., само ед. муз.* bitonality.

биту̀м *м., само ед.* и биту̀ми *само мн. минер.* bitumen, bituminous compounds.

бифока̀л|ен *прил.,* -на, -но, -ни *опт.* bifocal; ~ни очила bifocals.

бифтѐ|к *м.,* -ци, (два) бифтѐка *кул.* beefsteak.

бихевиорѝз|ъм (-мът) *м., само ед. псих.* behaviourism, *амер.* behaviorism.

бѝцепс *м.,* -и, (два) бѝцепса *анат.* biceps.

бич *м.,* -ове, (два) бѝча whip, lash, cat-o'-nine-tails; *книж.* scourge (*и прен.*); *прен.* curse.

бѝча *гл., мин. св. деят. прич.* бѝчил (*трупи*) saw, thrash.

бичу̀вам *гл.* scourge, castigate, lash, flagellate; flog; *прен.* castigate, inveigh (against).

бишко̀т|а *ж.,* -и *кул.* lady fingers.

бѝя *гл., мин. св. деят. прич.* бѝл 1. (*нанасям удари*) beat, thrash; whop; (*с камшик*) flog, whip, welt; lash; *амер. разг.* whale; (*животно с камшик, за да върви*) lash on; (*с нещо плоско*) thwack, whack, *амер. разг.* paddle; (*с пръчка*) thrash, whip, flog, cane, birch, cudgel; (*с юмруци*) pummel; (*удрям*) hit, strike; 2. (*убивам на лов*) shoot, kill; 3. (*стрелям, обстрелвам*) fire (по at, on); (*за артилерия*) shell; ~ в целта hit the mark; 4. (*удрям*) beat, ring; (*непрех.; за камбана*) ring, toll, peal; (*за звънец*) ring; (*за часовник*) strike; ~ камбана ring/toll a bell, (*шумно*) jangle/peal a bell; 5. (*за пулс, сърце*) beat, throb, pulsate; (*силно – за сърце*) leap; 6. (*удрям продължително*) beat; (*масло*) churn; (*яйца*) whisk, beat up, whip; (*кова, чукам*) forge, hammer; (*за дъжд*) beat, drive (по against); 7. *прен.* (*побеждавам*) beat (s.o.), win (against s.o.), *разг.* lick (s.o.); ~ **рекорда** beat the record; cap the climax/ the globe; 8. (*клоня към, изглеждам, соча*) (*за цвят*) нещо бие на синьо s.th. has a bluish tint; **разбирам накъде биеш** I see what you're driving at; I understand your drift; I take the hint; 9. (*блести*) shine; 10. (*разоблича̀вам*) denounce, hit out at, wage war on; 11. (*правя впечатление*) hit in the eye; leap to the eye, catch/strike the eye; ● ~ **отбой** (*и прен.*) beat a retreat; ~ **път** tramp, trudge, plod along, beat/ pad the hoof; footslog; ~ **тревога** give/raise/sound the alarm, raise an alarm; **един бие тъпана, друг обира парсата** one beats the bush, and another catches the bird; || ~ **се** 1. fight, have a fight; combat; ~ **се до последна капка кръв** fight to a/the finish; ~ **се на дуел** fight a duel; 2. (*блъскам се*) beat (against); ● ~ **се в главата/ума** repent, *разг.* I could kick myself (задето for *с ger.*); ~ **се в гърдите** *прен.* thump o.'s breast/chest; boast; take merit to o.'s.; blow o.'s own trumpet/horn, *разг.* talk big.

бла̀г *прил.* 1. (*добър*) gentle, kind, kindly; gracious; good-/kind-hearted, good-natured; good-humoured, good-tempered; sweet-tempered, dove-like, dovish; (*за характер*) sweet, sweet-tempered;

(*за лице*) kind, gentle, sweet; (*за усмивка*) sweet; (*за дума*) kind; 2. (*за климат*) mild; (*за вино*) sweet; ● ~а ракия mulled brandy (drunk by the relatives on the day after the wedding); **со кротце и со** ~о some can be led who won't be ridden.

бла̀г|о *ср.,* -а̀ *обикн. мн.* 1. good, welfare, prosperity; ~а goods; ~ата на живота the good things of life; life's bounties; земни ~а worldly good, earthly possessions/blessings; 2. (*богатство*) wealth; обществени ~а social benefits; разпределение на ~ата distribution of goods.

благовѐр|ен *прил.,* -на, -но, -ни 1. *рел.* pious, good and faithful; 2. *като същ. прен.:* моят ~ен (*съпруг*) my lord and master, *разг.* the old man; моята ~на (*съпруга*) my missus; my better half, *разг.* the old woman.

Благовѐщѐние *ср. неизм.* и Бла̀говец *м. неизм. църк.* the Annunciation; Lady-Day.

благовѝд|ен *прил.,* -на, -но, -ни 1. (*за външност*) seemly, pleasant, nicelooking; 2. *прен.* (*за отказ*) plausible, specious; ~ен предлог specious pretext; ~на цел ostensible purpose.

благоволѐние *ср., само ед.* goodwill, benevolence, indulgence; гледам с ~ на regard with favour.

благоволя̀вам, благоволя̀ *гл.* deign, condescend, vouchsafe; **благоволѐте да ...** please, have the kindness to (*с inf.*); be so kind as to (*с inf.*).

благово̀ние *ср., само ед.* и благово̀ния *само мн.* fragrance, scent, aroma.

благовъзпѝтан *прил.* well-mannered, well-bred, correct; polite; courteous.

благоговѐ|ен *прил.,* -йна, -йно, -йни reve-rential, reverent, venerational.

благоговѐя *гл., мин. св. деят. прич.* благоговѐял stand in awe (пред of); hold in reverence; feel reverence (for), revere (пред -); venerate; adore (пред -).

благода̀р|ен *прил.,* -на, -но, -ни 1. (*признателен, доволен*) thankful, grateful; ~ен съм някому за be much obliged/be grateful to s.o. for (*с ger.*); 2. (*благоприятен, резултатен*) gratifying, rewarding.

благодарѐние *ср., само ед.:* ~ на thanks to; owing to, due to, (by/through) courtesy of, by virtue of.

благода̀рност *ж., само ед.* gratitude, thankfulness; appreciation; **дължа някому ~** owe a debt of gratitude to s.o.; **изказвам някому ~** express o.'s gratitude to s.o.; offer/express/extend o.'s thanks to s.o.; *(тържествено)* render thanks.

благодаря̀ *гл., мин. св. деят. прич.* **благодарѝл** thank *(за for)*; **~ на Бога** thank God/Goodness, thanks be to God; heaven be praised; *разг.* I thank my stars; **~ с лек поклон** bow o.'s acknowledgement to s.o.; thank you! *(интимно) разг.* thanks; *sl.* ta; **много ~** many thanks; thanks ever so much.

благода̀т *ж., само ед.* blessing, boon.

благодѐнствам *гл.* prosper; flourish, be prosperous; thrive; *разг.* live in clover.

благодѐтел (-ят) *м.,* **-и** benefactor; well-doer.

благодѐтелк|а *ж.,* **-и** benefactress.

благодѐйни|е *ср.,* **-я** benefaction; beneficence; good deed.

благоду̀шие *ср., само ед.* kindliness, good nature, benignity.

благозву̀чие *ср., само ед.* harmony; melodiousness; euphony; euphoniousness; consonance.

благонадѐждност *ж., само ед.* reliability; trustworthiness.

благонамѐрен *прил.* well-meaning, well-intentioned.

благонра̀в|ен *прил.,* **-на, -но, -ни** good-natured, kindly; sweet-tempered; orderly.

благопожела̀ни|е *ср.,* **-я** good wish; best wishes.

благополу̀ч|ен *прил.,* **-на, -но, -ни** successful, satisfactory; **~ен край (хепиенд)** happy end.

благополу̀чие *ср., само ед.* prosperity; well-being; welfare.

благоприлѝчие *ср., само ед.* propriety, decency, decorum, decorousness; seemliness; modesty; good manners; **както изисква ~то** with due decorum; **спазвам ~** keep within the bounds of decorum/of good breeding; **това е в разрез с ~то** this is a sin against good manners.

благоприя̀т|ен *прил.,* **-на, -но, -ни** *(за отговор и пр.)* favourable, auspicious; friendly; *(за момент)* propitious, opportune, auspicious; *(за вя-*

тър) propitious, favourable, fair; friendly; **~ен случай** opportunity; **при ~но време** wind and weather permitting.

благоприя̀тствам *гл.* favour, be favourable **(на** to), be conducive (to); **~ за** facilitate.

благоразположѐние *ср., само ед.* favour; goodwill; benignancy; kindness; friendliness.

благоразу̀мие *ср., само ед.* prudence, wisdom; discrimination; circumspection; good sense; *разг.* gumption; **имах ~то да** I was prudent enough to; **имах ~то да не** I knew better than to.

благоразу̀мно *нареч.* prudently, sensibly; **ще бъде ~ от ваша страна да ...** you would be well-advised to ...

благоро̀д|ен *прил.,* **-на, -но, -ни** *(с аристократичен произход)* noble, gentle; **2.** *(за вид, нрав, думи и пр.)* lofty, high-minded, noble, exalted; magnanimous; **~на лъжа** white lie, pious fraud; great-hearted; **3.** *(за метали)* white; precious; **• ~ен газ** rare gas; **~ен елен** royal stag.

благоро̀дие *ср. неизм. (в обръщ.):* **Ваше ~** your lordship, your ladyship.

благоро̀дни|к *м.,* **-ци** nobleman, noble; *(в Англия)* peer; **~ците** *събир.* the nobility, the peerage; gentility.

благоро̀дниц|а *ж.,* **-и** noblewoman; *(в Англия)* peeress.

благоскло̀н|ен *прил.,* **-на, -но, -ни** favourable, benevolent, gracious; kindly disposed **(към** to); friendly, propitious; **с ~ното разрешение на** *(високопоставената особа)* by/through the courtesy of.

благосла̀вям, благословя̀ *гл.* bless, pronounce a blessing (on s.o.), give o.'s blessing (to s.o.); call down blessings (on s.o.).

благословѝ|я *ж.,* **-и** blessing; benediction; **давам ~ята си** give o.'s blessing **(на** to); *прен.* give o.'s consent/approval.

благосъстоя̀ние *ср., само ед.* prosperity, well-being.

благотво̀р|ен *прил.,* **-на, -но, -ни** beneficial; salutary; wholesome; favourable.

благотворѝтел|ен *прил.,* **-на, -но, -ни** charity *(attr.)*; charitable.

благотворѝтелност *ж., само ед.*

charity, alms(-giving).

благотво̀рно *нареч.* beneficially.

благоустро̀ивам, благоустро̀я *гл.* develop, urbanize; plan (a town) and improve its sanitation.

благоустро̀йство *ср., само ед.* public utilities; development/planning/organization of public services; urbanization.

благоуха̀ни|е *ср.,* **-я** fragrance, aroma; sweetness; odoriferousness.

благоуха̀я *гл.* be fragrant; smell sweet.

благочестѝв *прил.* pious, devout.

бла̀ж|ен *прил.,* **-на, -но, -ни 1.** containing fat, meat, eggs or dairy produce; meat *(attr.)*; **~но ястие** meat dish; **2.** *(мазен, маслен)* greasy, fat, rich; **3.** *(за боя)* oil *(attr.)*; **картина с ~ни (маслени) бои** oil-painting.

блажѐн *прил.* **1.** blessed, blissful, beatific; sublime; **~ човек** lucky person; **2.** *църк.* venerable; **• ~и са верующите** blessed innocence.

блажѐнствам *гл.* be blissfully happy, live in a state of bliss.

блажѐнство *ср., само ед.* **1.** bliss, felicity, happiness; beatitude; nirvana; glory; **на върха на ~то** in perfect bliss, in the seventh heaven; **2.** *църк. (титулуване)* **Негово Блаженство** His Beatitude.

бла̀зня *гл., мин. св. деят. прич.* **бла̀знил** allure, attract, entice, appeal to; tempt; || **~ се** be tempted **(от** by).

бламѝрам *гл. (и прен.)* pass censure on (the government); lose credit; lose s.o.'s confidence *(възвр.)*.

бла̀нк|а *ж.,* **-и** form; *(отпечатана фирмена)* letter-head; *(за кодиране)* code sheet; **попълвам ~а** fill in a form.

бла̀нков *прил.* blank *(attr.)*, in blank; **~ билет** group ticket; **~ чек** *фин.* blank cheque, cheque signed in blank.

бланшѝрам *гл.* blanch, precook.

бласту̀л|а *ж.,* **-и** *биол.* blastula, blastosphere.

бла̀т|ен *прил.,* **-на, -но, -ни** marsh *(attr.)*; *бот.* torfaceous; **~ен газ** marsh gas; methane; **~на птица** wading bird.

блатѝст *прил.* boggy, marshy, sloughy, swampy, quaggy; fenny; **~а местност** marshland; fenland, fen.

бла̀т|о *ср.,* **-а** marsh(-land); swamp, morass *(и прен.)*; bog, fen; slough *(и прен.)*, mire; muskeg; **пресушавам ~а** drain swamps/marshlands.

блед и блèд|ен *прил.*, -на, -но, -ни **1.** (*за лице*) pale, white, pallid, ashen, wan; mealy; *рядко* lurid; (*за човек*) dough-faced, whey-faced; (*за небе, цвят*) pale, light; watery; ~(ен) като платно (as) pale as a sheet/ghost/as ashes; **2.** *прен.* colourless; insipid; **3.** *фот.* (*за негатив*) thin.

бледнèя *гл.*, *мин. св. деят. прич.* **бледнял 1.** become/grow/turn pale; lose colour; (*за хора*) blanch; **2.** (*чезна – за светлина*) grow dim/pale; fade; wane; **3.** *прен.* (*изглеждам незначителен*) pale (**пред** before, beside); **карам да бледнее** efface, eclipse; put into the dark; outshine.

блèдожълт *прил.* pale yellow.

блèдозелèн *прил.* pale green; chartreuse.

бледолùк *прил.* (*мъртвешки*) pale, pale-faced; (*болезнено*) wan.

блèдомòрав *прил.* mauve.

блèдосùн *прил.* pale/light blue.

блèене *ср.*, *само ед.* bleating.

блèйзер *м.*, -и, (*два*) блèйзера blazer.

блèнд|а *ж.*, -и **1.** *фот.* diaphragm; (*при опт. уреди*) blind, diaphragm; (f-)stop; **2.** *мин.* sphalerite, (zinc)-blende; **3.** (*миньорска лампа*) bull's eye.

бленỳвам *гл.* dream (**за** of), yearn (for), stargaze; gasp (for, after).

блестя *гл.* **1.** shine (*и прен.*); flash, blaze; (*като нагорещен метал*) glow; (*с трептяща светлина*) coruscate; (*за бижу, море, очи*) sparkle, glitter; (*за роса, сняг и пр.*) glisten; (*ослепително*) glare; (*с променливи отблясъци*) shimmer; (*за прен.*) shine; make a brilliant display of; (*за човек*) excel (**като** as); ~ **повече от** outshine; ● **не всичко, което блести, е злато** all that glitters is not gold.

блестящо *нареч.* brilliantly; **работите вървят** ~ things are going on excellently; **тя се справи** ~ she did marvellously well, she did a wonderful job of it.

блешỳкам *прил.* twinkle, glimmer, shimmer, flicker; scintillate, coruscate.

блèя *гл.*, *мин. св. деят. прич.* блял bleat; baa.

блùжа *гл.*, *мин. св. деят. прич.* блùзал lick (*и прен.*).

блùж|ен 1. *прил.*, -на, -но, -ни near, neighbouring; **2.** *като същ.* fellow-

man; neighbour.

близалц|è *ср.*, -à *бот.* stigma.

блùзвам, близна *гл.* lick, have a lick; **не** ~ **алкохол** not touch alcohol.

близкоùзточ|ен *прил.*, -на, -но, -ни Near East (*attr.*), of the Near East.

близнà|к м., -ци; **близнàчк|а ж.**, -и **1.** twin; ~ци twins; two at a birth; **брат/сестра ~к** twin brother/sister; **сиамски ~ци** Siamese twins; **2.** *астрол.* (*зодия*) Близнаци Gemini.

блùзо и блùзко *нареч.* **1.** (*за място*) near, near by, close to; (*за предмет*) near, within reach; (*за предмет, събитие*) at hand; ~ **до** near (to), in the vicinity of; ~ **е** it is within walking distance; **2.** (*за време, приблизително*) nearly, almost, about; hard upon; ● ~ **до ума е** it stands to reason.

блùзост *ж.*, *само ед.* **1.** (*за място, разстояние*) nearness, closeness, proximity, proximateness, propinquity; **2.** (*за време*) nearness; *книж.* propinquity; **3.** *прен.* (*за приятелски отношения*) intimacy; togetherness; (*за родство*) propinquity, proximity of blood.

блùз|ък *прил.*, -ка, -ко, -ки **1.** (*за място*) near, neighbouring; (*за съсед*) close, next door; *воен.*, *фот.* at short/close range; **Близкият изток** the Near East; **на** ~ко **разстояние** at a short distance; **2.** (*за време – минало*) recent; (*предстоящ*) near, forthcoming, coming; future; near/close at hand; (*за буря*) approaching, impending; (*за опасност*) imminent; impending; **3.** *прен.* (*за отношения*) close, near; (*за приятел*) close, fast, intimate, bosom (*attr.*); (*сроден*) connate, connatural; congeneric; ~ък **по характер** akin; **много** ~ък **приятел** chum; **най-**~ък **роднина, най-**~ки **роднини** next of kin; **4.** *като същ.* relation, relative; (*приятел*) friend; ~ки **и роднини** near and dear; **най-**~ки**те му** his immediate family.

блùкам и блùквам, блùкна *гл.* (*за вода*) gush (forth); well (up, out, forth); spout (up, out), jet; squirt; flow (out); (*за кръв*) spurt, well, gush (out); **кръв, от която блика** кръв wound streaming blood; (*за сълзи*) well, start, gush; ● **идеите бликаха от него** he was in full flow.

блиндàж м., -и, (*два*) блиндàжа *воен.* blindage; shelter.

блиндùрам *гл.* *воен.* armour, blind.

блок м., -ове, (*два*) блòка **1.** (*голям недялан камък*) block, boulder; **леден** ~ a block of ice, an (ice-)floe, (*плуващ*) drift ice, (*в река*) broken ice; (*стомана*) ingot; **2.** (*жилищна сграда*) residential block, block of flats, *амер.* apartment house; (*висока жилищна сграда*) tower-block; (*квартал*) block; **3.** (*за рисуване*) drawing block; (*за писане*) (wri-ting-) pad; **4.** *полит.* bloc; **5.** *инф.*: **автономен** ~ off-line unit; ~ **данни** data block; ~**схема на програма** programme flow chart; **страничен** ~ page frame; **6.** *техн.*: **захранващ** ~ power unit/pack.

блокàд|а ж., -и blockade.

блокùрам *гл.* **1.** *воен.* blockade; subject to a blockade; **2.** *фин.* freeze; **3.** *техн.* lock; (*за двигател*) seize up.

блокирòвка ж., *само ед.* blocking; *жп* block system; *техн.* interlock.

блòксхèм|а ж., -и block diagram; *инф.* block scheme; flow chart, flow sheet; *ел.* schematic diagram.

блòкче ср., -та (*играчка*) building block; (*парче от нещо*) cake.

блондùн м., -и blond/fair/fair-haired man.

блондùнк|а ж., -и blonde/fair/fair-haired woman.

блỳд|ен *прил.*, -на, -но, -ни **1.** lecherous, profligate, debauched, dissolute, licentious, rakish; **2.** erring; ● ~**ният син** *библ.* the prodigal son (*и прен.*).

блỳдкав *прил.* **1.** (*за ястие*) insipid, tasteless; unsavoury; bland, savourless; wishy-washy; **2.** *прен.* insipid, uninteresting, dull; *разг.* milk-and-water; mawkish; namby-pamby; niminy-piminy.

блỳдниц|а ж., -и lewd/dissolute/licentious woman; fornicatress; *остар.* whore.

блỳдствам *гл.* fornicate, molest.

блуждàя *гл.*, *мин. св. деят. прич.* блуждàел roam, rove, wander, stray.

блỳз|а ж., -и blouse; (*за жокей*) jacket.

блус м., -ове, (*два*) блуса *муз.* blues.

блъсвам, блъсна и блъскам *гл.* push, shove; jostle; (*силно и грубо*) push, knock; strike; thump; (*насам натам*) pull about; (*удрям*) dash (**о** against);

(за вятър, вълни) buffet, toss; (повалям) knock down; (по врата) pound, bang; ‖ ~ (блъскам) се (удрям се в) hit (o against); dash; (за кола и пр.) crash (o against; в into); jar (upon, against); drive (o against); stumble (в against, into s.o.), barge (into s.o.); (с лакти) elbow; (в тълпа) jostle; (за вълни) wash (и wash upon), welter; (трясвам се, за врата) slam, bang; не се блъскайте! don't push! • блъскам главата/ума/ангелите си beat/ busy/cudgel/rack o.'s brains (about, with); be at o.'s wit's end, be in a quandary; блъскам се (работя усилено) hammer/slave away, toil and moil; grub (on/along).

блъф м., -ове, (два) блъфа bluff.
блъфирам гл. bluff, fake out.
блюдо|о ср., -а 1. (съд) dish, pan; амер. platter; 2. (ястие) dish; course; 3. (на везни) pan, scale.
блюдолиз|ец м., -ци пренебр. toady, sycophant; flunkey; lickspittle, toadeater; reptile, truckler, crawler.
блюдолизнича гл., мин. св. деят. прич. блюдолизничил fawn (пред upon); toady, cringe, creep, truckle.
блюстител (-ят) м., -и книж. keeper, observer (of the law).
блян м., -ове, (два) бляна dream; daydreaming; reverie; the end of the rainbow.
блясвам, блесна гл. 1. flash, flare; gleam, (изведнъж) flare up; 2. прен. flash.
бляскав прил. 1. flashy, flared; gleamy; effulgent (и прен.); (за камък) sparkling, glittering; (за очи) shining, sparkling, bright; 2. прен. brilliant; striking, splendid; glamorous.
блясъ|к м., -ци, (два) блясъка 1. brilliance, brilliancy; coruscation; lustre, radiance; luminosity, refulgence; lucency, lucence; polish; (на камък, метал) glitter, brightness; (гланц) gloss, glossiness; (на диамант) shimmer, fire (in a diamond); (на цвят) richness, brilliance; (на слънцето) brilliance, brightness; 2. прен. (великолепие) brilliance, magnificence, glamour, sumptuousness; éclat; (пищност) pageantry; външен ~к flash; flashiness; veneer; vain show, vanity.
боа ж., само ед. 1. зоол. boa (Con-

strictor constrictor); 2. прен. (тясна, дълга скъпа кожа, копринен шарф или пера за намятане около врата) boa, necklet.
боаз м., -и, (два) боаза диал. defile, gorge.
боб м., само ед. бот. (kidney) bean.
бобин|а ж., -и 1. ел. coil; дроселна ~a retardation coil; индукционна ~a spark coil; 2. текст. bobbin, spool, reel; hasp.
боботя гл., мин. св. деят. прич. боботил rumble, drone, roll; roar.
бобсле|й (-ят) м., само ед. спорт. bobsleigh.
боб|ър м., -ри, (два) бобъра зоол. beaver, рядко castor (Castor fiber).
бог м., -ове, (два) бога 1. (Бог) God; the Lord; Ancient of Days; (в политеистичните религии) god, deity; (идеал, кумир) god, idol; 2. (възклицание, обръщение); (неувереност) ако даде ~, ако е рекъл ~ God willing; Deo volente; ~ да е на помощ на ... heaven help ...; (благословия, благопожелание, клетва) ~ да те поживи God bless you; (клетва) ~ да те убие (God) damn you; ~ знае God knows; (страх, болка) Боже! Боже мой! Божичко! good Lord! good Gracious! goodness! dear me! oh, dear! goodness gracious! great/good God! (почуда, изненада) Боже мой! bless my soul/life! разг. амер. Holy Mackerel! (опасения) Боже опази! пази Боже! (God) save the mark! (увещание, уверяване) за ~а in God's/heaven's name, in the name of God, for God's/ goodness' sake, for mercy's sake! разг. for the love of Mike! предавам ~у дух give up the ghost; yield up the ghost/ soul/spirit; (задоволство, благодарност) слава ~у, благодаря на ~а, спойлай ти Боже thank God/goodness/ heavens; • ~ дал, ~ взел God has given, God has taken away; ~ забавя, ала не забравя the mills of God grind slowly (but they grind exceedingly small); ~ ми е свидетел I call heaven to witness; ~ съм на ... прен. разг. be a wizard at ...
богат прил. 1. rich, wealthy, opulent; affluent; (състоятелен) well-to-do, well-off; moneyed; 2. (изобилен) ~ с rich/abundant/abounding in; (за дар)

handsome, valuable; (за земя, почва) rich, mellow, fertile, lush; (за къща) luxurious; (за обед и пр.) copious, hearty, книж. sumptuous; (за растителност) rich, luxuriant, lush, exuberant; (за фантазия) vivid, exuberant, luxuriant; (за стил) luxuriant, copious; (за език) rich; (за реколта) rich, copious, abundant; разг. bonanza, bumper; 3. (разкошен) rich, splendid; 4. като същ. rich/wealthy man; събир. ~ите the rich, the well-to-do, the leisured classes.
богаташ м., -и; **богатяшк|а** ж., -и rich/wealthy/moneyed man/woman; man/woman of wealth; разг. moneybag; nabob; неодобр. nob, toff; sl. fat cat.
богатея гл., мин. св. деят. прич. богатял grow/become rich; make money, make a fortune.
богатств|о ср., -а 1. wealth, riches, opulence, affluence; means; разг. money-bags; презр. pelf; (състояние) fortune; 2. (за богатия, wealth, profusion; 3. (природни ценности): природни ~а natural resources.
богин|я ж., -и goddess (и прен.).
богобоязлив прил. God-fearing, God-abiding.
богоизбран прил. chosen of God; one of the elect; като същ. събир. ~ите God's elect, the elect.
богомилство ср., само ед. истор. Bogomil movement.
богомол|ец м., -ци worshipper; churchgoer; ~ците the congregation.
богоотстъпничество ср., само ед. apostasy.
Богородица ж., неизм. рел. the Virgin Mary, Mother of God, Our Lady; • Голяма/Малка ~ Virgin Mary's Day; правя се на ~ разг. pose as Miss Innocence.
богослов м., -и theologian.
богословие ср., само ед. theology, divinity.
богослужени|е ср., -я рел. public worship, divine service; (в Православната църква) liturgy.
богослужител (-ят) м., -и priest; clergyman.
боготворя гл., мин. св. деят. прич. боготворил deify, apotheosize, (hero-)worship; прен. adore.

богоугод|ен *прил.*, **-на**, **-но**, **-ни** pleasing to God, pious.

богохулствам *гл.* blaspheme.

бод *м.*, **-ове**, (два) **бода** 1. (*при шев, плетиво*) stitch; ~ **зад игла** back stitch; 2. (*връх на остър предмет*) point, prick; 3. *техн.* baud.

бода *гл.*, *мин. св. деят. прич.* **бол**; **бодвам**, **бодна** *гл.* 1. *непрех.* prick; (*за плат, тъкан*) feel rough; (*за растения*) prick, prickle; 2. *прех.* (*с остен*) goad; (*кон с шпори*) spur; (*за бик – с рога*) butt; gore; 3. (*при шев*) stitch; 4. (*набождам*) stick (into), pin; 5. *безл.* + *лично мест. във вин. пад.* (**ме, те, го, я, ни, ви, ги**): **боде ме** have/feel a shooting/stabbing pain; 6. *прен.* vex, annoy; || ~ **се** prick o.s.; ● **бода в очите** *прен.* leap to the eye.

бодеж *м.*, **-и**, (два) **бодежа** shooting pain; stitch (in the side), stab.

бодигард *м.*, **-ове** bodyguard, minder; *разг.* heavy; (*в заведение*) bouncer.

бодил *м.*, **бодли/бодили**, (два) **бодила** prickle, spine; thorn; thistle; **магарешки** ~ *бот.* thistle (*Garduus*).

бод|ър *прил.*, **-ра**, **-ро**, **-ри** (*жизнен*), lively; fresh, alert; buoyant, jaunty; spry; cheerful, jolly; (*енергичен*) brisk, sprightly, fresh, energetic, up and doing, nimble; **~ър дух** high spirits.

бодърствам *зл.* be awake, keep awake, sit up (late); be on the watch; watch.

боев|й *прил.*, **-а**, **-о**, **-й** 1. (*готов, годен за борба*) fighting, militant; 2. *прен.* (*първостепенен*) urgent, pressing.

бо|ен *прил.*, **-йна**, **-йно**, **-йни** 1. (*свързан с война, бой*) fighting; battle (*attr.*); **~ен вик** war-cry; **~ен другар** comrade-in-arms; **~ен самолет** war-plane, military aircraft; (*за кораб*) cleared for action; **~йна задача** *воен., авиац.* mission; **~йни действия** military operations; hostilities; **в ~йна готовност** on a war footing; on war establishment; in fighting trim; ready for action; 2. *прен.* (*годен, готов за борба*) militant.

боеприпаси *само мн.* *воен.* ammunition, munitions, war supplies.

боеспособност *ж.*, *само ед.* fighting efficiency/capacity; combatant value.

бо|ец *м.*, **-йци** 1. soldier; *само мн.* men; *поет.* warrior; 2. *прен.* (*борец за някаква идея*) fighter, champion.

божествен *прил.* 1. divine; godlike;

heavenly; Olympian; ~**а служба** divine service; 2. *прен.* exquisite, heavenly.

божеств|о *ср.*, **-а** divinity, deity; (*кумир*) idol.

бож|и *прил.*, **-а**, **-о/-е**, **-и** и **божи|й** *прил.*, **-я**, **-е**, **-и** и **бож|й** *прил.*, **-а**, **-о/-è**, **-й** God's, of God; (*божествен*) divine, heavenly; ● **божа кравица/кравичка** *зоол.* lady-bird, lady-bug, golden knop (*Coccinella septempunctata*); *прен.* (*за човек*) goody-goody; harmless individual; **божа работа** *разг.* s.th. beyond our ken/beyond human understanding/done by the finger of God; **Божи гроб** *рел.* the Holy Sepulchre, the Holy Land; **Божи храм** *църк.* the House of God; **Божата майка** *рел.* the Mother of God, the Virgin Mary; **Син Божи** *рел.* Christ the Lord, Jesus Christ, the son of God.

божур *м.*, **-и**, (два) **божура** *бот.* peony (*Paeonia*).

боза *ж.*, *само ед.* boza, millet-ale.

бозайни|к *м.*, **-ци**, (два) **бозайника** (*животно, дете*) suckling; *зоол.* mammal; **-ци събир.** mammalia, mammals.

бозая *гл.*, *мин. св. деят. прич.* **бозал** suck.

боздуган *м.*, **-и**, (два) **боздугана** mace, club.

бой₁ (**боят**) *м.*, **боеве**, (два) **боя** 1. (*биене*) beating, thrashing, drubbing, whopping; (*с камшик*) whipping, flogging; *разг.* leathering, *амер.* knock-about; (*с юмруци*) setto; fight; *разг.* punch-up; (*с пръчка*) caning; (*напляскване*) spanking; 2. (*битка*) battle, fight; combat; action; engagement; ruck; (*борба*) struggle; **в разгара на боя** in the thick of the fight; **въздушен** ~ *воен.* aerial combat; **ръкопашен** ~ assault; hand-to-hand fighting, close engagement, mêlée; ● **закален в** ~ battle-seasoned; **спуквам** (*някого*) **от** ~ *разг.* knock the living daylight out of (s.o.), give (s.o.) a thrashing he/she won't know what day of the week it is; **търся си боя** go about with/carry/have/wear a chip on o.'s shoulder; **ям** ~ get a thra-shing/drubbing/warming.

бой₂ (**боят**) *м.*, **боеве**, (два) **боя** (*ръст*) height, stature; **човешки** ~ the height of man, man-high.

бойко *нареч.* militantly; with spirit.

бойкотирам *гл.* boycott, *амер. разг.* freeze out; ~ **избори** sit out elections.

бойлер *м.*, **-и**, (два) **бойлера** *ел.* boiler; water-heater; hot-water cistern.

бойниц|а *ж.*, **-и** *истор.* loop-hole; embrasure.

боклу|к *м.*, **-ци**, (два) **боклука** rubbish, garbage, refuse; *амер. sl.* grunge; (*от стая*) sweepings; litter, dust; (*остатъци, вехтории*) waste; stuff; off-scourings; odd-come-shorts; *амер.* junk-heap; *прен.* tripe; (*нещо без стойност*) *разг.* crap, trash; dross; *sl.* crud; duffer; grot; **~ци** *sl.* junk; **за ~ка** fit for the waste-paper basket.

боклуча *гл.*, *мин. св. деят. прич.* **боклучил** soil, litter, defile.

бокс₁ *м.*, *само ед.* 1. *спорт.* boxing; (*професия*) pugilism; 2. (*хладно оръжие*) knuckle-duster, brass knuckles; *sl.* maulers.

бокс₂ *м.* *неизм.* (*вид кожа*) box calf, calfskin.

бокс₃ *м.*, **-ове**, (два) **бокса** *строит.* kit-chenette.

боксер *м.*, *само ед.* *зоол.* (*порода кучета*) boxer.

боксирам *гл.* box, spar (at); || ~ **се** box (с with); *sl.* mill.

бокейт *м.*, *само ед.* *минер.* bauxite.

боксьор *м.*, **-и** *спорт.* boxer, boxfighter.

боледувам *гл.* be ill (**от** with), suffer (from); be ailing; ~ **от** be down with.

болезнен *прил.* 1. (*за вид*) sickly, ailing, unhealthy; unsound; *мед.* algetic, peccant; ~ **вик** mournful cry; wail; 2. (*причинявам болка*) painful, sore; (*причинен от болка*) of pain; *прен.* morbid; (*за рана*) sore; (*за удар*) painful; (*мъчителен*) excruciating; 3. (*чувствителен към болка*) sensitive; tender; delicate; 4. *прен.* (*прекален, за любопитство и пр.*) morbid, tortuous.

болезненост *ж.*, *само ед.* sickliness; painfulness; soreness; morbidness; *мед.* peccancy.

бол|ен *прил.*, **-на**, **-но**, **-ни** 1. sick, ill; ailing; unsound; poorly, unwell; *мед.* peccant; (*за отделни органи и пр.*) diseased; bad; sore; (*за растения*) diseased; (*за зъб*) bad; (*за ръка, за очи*) sore; (*за сърце*) diseased, bad; **~ен въпрос** painful problem, sore spot/

point; ~ен съм be ill, be taken ill (от with), suffer (from); be down (with); **2.** *прен.* morbid; (*за въображение*) morbid, distempered; (*за амбиция*) morbid; **3.** *като същ.* sick man/woman; patient; invalid; *мед. разг.* case; ~ните *събир.* the sick, sick persons; patients in hospital; **тежко ~ен** (*човек*) serious case.

болеро̀ *ср., само ед. муз.* bolero.

бо̀лест *ж.*, **-и** illness, disease, sickness, malady; disorder, complaint, ailment; trouble; **детски ~и** children's complaints/ailments/troubles; infantile diseases; **захарна ~** diabetes; **морска ~** seasickness; **отсъствам по ~** be absent on medical certificate.

болѝ (**ме, те, го, я, ни, ви, ги**) *гл.* **1.** *безл.* hurt, be sore; it hurts; **~ ме** it is painful; have pains, be in pain; **~ ме глава/гърло/зъб/корем** have a head-ache/a sore throat/a too-thache/stoma-chache, have a pain in the stomach; **какво го ~?** what ails him?; **2.** *прен.* be sad/sorry (about s.o.); grieve for s.o.; **още го ~ за нещо** he's still smarting over/under s.th.

боливѝ|ец *м.*, **-йци** Bolivian.

боливѝйк|а *ж.*, **-и** Bolivian (woman).

боливѝйск|и *прил.*, **-а, -о, -и** Bolivian.

Болѝвия *ж. собств.* Bolivia.

болѝд *м.*, **-и,** (**два**) **болѝда** *астр.* bo-lide, fire-ball.

бо̀лк|а *ж.*, **-и 1.** pain; ache; (*обикн. pl.*) throe; (*внезапна, рязка, и от глад*) pang; (*бодеж*) stitch; (*внезап-на, остра*) sharp/acute/shooting pain; twinge; stab; **родилни ~и** pangs/throes/pains of childbirth; **тъпа ~а** dull pain; **2.** *прен.* sorrow, grief, woe; affliction; complaint; suffering; grievance; **каква ви е ~ата?** what is the trouble? what's the matter with you? what's your griev-ance? **причинявам ~а** inflict pain/suf-fering; hurt; pain; **с ~а на душата** sore at heart, with a heavy/sore heart.

болкоуспокоя̀ващ *сег. деят. прич.* (*и като прил.*) analgesic; **~о средст-во** pain-killer; **~и лекарства** anody-nes, analgetics, analgesics.

болна̀в *прил.* ailing, sickly, poorly; frail; indisposed; languid; valetudinarian; (*за дете*) delicate; *разг.* wonky, under the weather; **имам ~ вид** look seedy/ghast-ly; be green/yellow about the gills.

бо̀лниц|а *ж.*, **-и** hospital; (*училищна*) infirmary; (*подвижна*) field hospital; (*клиника*) clinic; (*военна*) military hos-pital; (*за заразноболни, особ. прока-жени*) lazaret(te); (*за неизлечимо болни*) hospice; **изписвам от ~а** dis-charge from a hospital; **лежа в ~а** be in hospital.

бо̀лнич|ен *прил.*, **-на, -но, -ни** hospi-tal (*attr.*); **~ен лист** patient's chart, *разг.* sick note; **~но отделение** hos-pital ward.

болногледа̀ч *м.*, **-и** hospital attendant, male nurse; care-giver, carer, *амер.* caretaker.

болногледа̀чк|а *ж.*, **-и** (sick-)nurse, female hospital attendant; care-giver, carer, *амер.* caretaker.

болт *м.*, **-ове,** (**два**) **бо̀лта** *техн.* bolt, stud; (*щифт, цапфа*) pin; male screw; **анкерен ~** staybolt, rag nail; **затягам с ~** bolt; **шарнирен ~** hinged bolt.

болшинство̀ *ср., само ед.* majority; **~то от хората** most (of the) people; **пълно ~** (*при гласуване*) solid vote.

боля̀рин *м.*, **боля̀ри** *истор.* boyar.

боля̀рк|а *ж.*, **-и** *истор.* noblewoman.

бо̀мб|а *ж.*, **-и 1.** bomb; **~а със закъс-нител** time bomb, delayed-action bomb; **поставям ~а** (*в кола и пр.*) booby-trap; **2.** *прен.* (*сензация*) bomb-shell; **3.** *прен.* (*нещо много хубаво*) ~! that's smashing!

бомбардѝрам *гл.* **1.** (*с артилерия*) bombard; shell; crump; (*от въздуха*) bomb; **2.** *прен.* bombard.

бомбардиро̀вач *м.*, **-и,** (**два**) **бомбар-диро̀вача** *авиац., воен.* bomber.

бомбардиро̀вк|а *ж.*, **-и** bombing; (*артилерийска*) shell-fire; (*морска*) (naval) bombardment; (*въздушна*) air-raid, airstrike.

бомбастѝчно *нареч.* bombastically; declamatorily; grandiloquently; **изра-зявам се ~** *разг.* ladle it out.

бомбѐ *ср.*, **-та 1.** (*шапка*) bowler hat; *амер. sl.* kelly; **2.** (*на обувки*) toe-cap.

бон *м.*, **-ове,** (**два**) **бо̀на 1.** *банк.* bond; **2.** *разг.* (*хилядарка*) a thousand dol-lar (bill), grand.

бонбо̀н *м.*, **-и,** (**два**) **бонбо̀на 1.** sweet, bonbon, *книж.* sweetmeat, confetti; *амер.* candy; **2.** *прен. разг.* (*за мо-миче*) peach; darling; honey, cracker; *sl.* cutey, cutie.

бонѐ *ср.*, **-та** bonnet; lace cap.

бонифика̀ция *ж., само ед.* **1.** *търг.* allowance; grant; cut; **2.** *спорт.* grant.

бонса̀й и бонза̀й *м., само ед.* bonsai.

бо̀нус *м., само ед.* bonus; *фр.* douceur.

бор₁ *м.*, **-ове,** (**два**) **бо̀ра** *бот.* pine, pine-tree (*Pinus*).

бор₂ *м., само ед. хим.* boron.

бора̀вя *гл.*, **мин. св. деят. прич. бо-ра̀вил 1.** (*занимавам се*) deal (**с** with); handle (**с** -); **2.** (*служа си с*) use, work, handle; operate.

бора̀кс *м., само ед. хим.* borax.

бора̀т *м.*, **-и,** (**два**) **бора̀та** *хим.* borate.

борба̀ *ж., само ед.* **1.** fight, (*класова*) struggle; contest; (*изборна*) campaign; **~ с престъпността** crime control; **чест-на ~** fair play; **2.** *прен.* combating (of), drive (against); **~ за** struggle/fight for; struggle to (**с** *inf.*); **3.** *спорт.* wrestling; wrestling bout; **~ класически стил** Graeco-Roman style; **~ свободен стил** all-in-wrestling, free-style wrestling.

бо̀рбен *прил.* militant; fighting; resi-lient; tough; *разг.* feisty; game, gamey; gamy; **~ човек** militant.

борд *м.*, **-ове,** (**два**) **бо̀рда 1.** *мор.*, *авиац.* (*палуба*) deck side, board; **качвам се на ~а на кораб** board a ship, go aboard a ship; **на ~а на кора-ба/самолета** on board the ship/the plane; **2.** (*съвещателно тяло*) board; **● всички на ~а** all aboard (*и прен.*).

бордѐ|й (**-ят**) *м.*, **-и,** (**два**) **бордѐя** *пренебр.* hovel, shanty, hut; (*в земя-та*) dug-out.

бордеро̀|о *ср.*, **-а́** *банк.* **1.** statement of account, (detailed) bank statement; pay(ing)-in slip; tally-sheet; (*за валу-та*) foreign exchange note; **2.** list of securities forwarded; list/inventory of documents.

бордю̀р *м.*, **-и,** (**два**) **бордю̀ра 1.** (*на тротоар*) curb/kerb stone; (*от жив плет*) border; (*ръб*) rim; **2.** (*на плат*) list.

бор|ѐц *м.*, **-ци́ 1.** fighter (for); *прен.* champion (of); **2.** *спорт.* wrestler, pu-gilist; boxer; **3.** *прен. разг.* (*великден-ско яйце*) hard Easter egg, "winner".

борѝчкам се *възвр. гл.* scuffle, scrap; scramble, spar.

бо̀рмашѝн|а *ж.*, **-и** *техн.* drill; down-right; drilling/boring machine; **проби-вам дупки с ~а** bore holes with a drill.

боровѝнка *ж., само ед. бот. (и храст)* whortleberry, bilberry, blueberry, whinberry (*Vaccinium myrtillus*), *амер.* blueberry.

бòрс|а *ж.*, -и exchange, market; **играя на ~ата** speculate on the exchange, play the market, play the stock-market; **стокова ~а** commodity exchange; **трудова ~а** labour/employment exchange; **фондова ~а** stock exchange, security market.

борсу̀|к *м.*, -ци *прен. грубо (за човек)* wet rag.

борч *м.*, -ове, (два) бòрча *разг.* debt.

бòрческ|и *прил.*, -а, -о, -и fighting, militant; combative; struggling; **~и дух** fighting spirit; fight.

борш *м.*, -ове, (два) бòрша *кул.* borshch.

бòря се *възвр. гл., мин. св. деят. прич.* бòрил се fight; *спорт.* wrestle; *прен.* fight, combat (**против** -); *(за неравна борба)* struggle (**с** with); contend (**с, срещу** against); strive (*с inf.*), strive (with, against); fight; struggle (**за** for); crusade against; *прен.* grapple (with); stand for; *(в средновековен турнир)* tilt; **~ с всички сили** go all-out; **в душата му се бореха различни чувства** he was a prey to conflicting emotions.

бос₁ *прил. (и като същ.)* 1. barefoot(ed); bare-legged; **на ~ крак** barefoot; 2. *(за неподковано животно)* unshod; 3. *прен.* ignorant, unprepared, uninformed (of, in); **~ съм в областта на** be a rank outsider in, not know a thing/the last thing about; • **ходя гол и ~** be poverty-stricken, be dead or (the) heel(s); have not a rag to o.'s back.

бос₂ *м.*, -ове *жарг.* boss, main man, cock of the walk; *sl.* top/big dog; **~овете** the big guns; **големият ~** Mr Big.

босѝлек *м., само ед. бот.* (sweet) basil (*Ocimum*).

Бòсна *ж. собств.* Bosnia.

бостàн *м.*, -и, (два) бостàна *сел.-ст.* vegetable/market garden; *(с пъпеши и дини)* melon field.

ботанѝ|к *м.*, -ци botanist.

ботàника *ж., само ед.* botany.

ботѝнк|а *ж.*, -и *обикн. мн.* bootee, lady's (half-)boot, ankle-boot.

ботулѝзъм (-мът) *м., само ед. мед.* botulism.

ботỳш *м.*, -и, (два) ботỳша (high) boot; *(над коляното)* jack-boot, top-boot; **високи ~и** *(до коляното)* Wellingtons; *(непромокаеми рибарски)* waders; **обут в ~и** booted.

бохѐм *м.*, -и Bohemian.

бòцкам и бòцвам, бòцна *гл.* prick lightly, pierce slightly; ‖ **~ се** *(с наркотик) sl.* bang up, jack up, crank up; mainline.

бòцман *м.*, -и *мор.* boatswain; junior officer.

бо|я̀ *ж.*, -и *(за боядисване, рисуване)* paint; *(за коса, прежда и пр.)* dye; *(за обуща)* shoe-cream, boot-polish, blacking; *(за печки)* blacking, lead, black-lead; **алкидна ~я** alkyd paint; **блажна ~я** oil-base paint; **водни (акварелни) ~и** water-colours; **латексова ~я** latex paint; **маслени ~и** oil-paint(s); oils.

бой се *възвр. гл.* 1. *(от)* be afraid of, fear, dread (*с inf. или ger.*); **не бой се!** don't worry! don't you fear! never fear! 2. *(безпокоя се)* be afraid/anxious; feel nervous; worry; have cold feet.

бояджѝйство *ср., само ед.* dyeing trade; *(на сгради)* house-painting, (house) decoration.

бояджѝ|я *м.*, -и 1. dyer; 2. *(на къща)* house-painter; 3. *(търговец на бои)* colourman; 4. *прен.* turncoat.

боядѝсвам, боядѝсам *гл.* 1. *(оцветявам)* colour; 2. *(с четка)* paint; *(с тънък слой)* wash; **~ миглите си** paint/black o.'s lashes; *(стъкло)* stain; **~ с шарки** *(наподобявайки фладер на дърво/мрамор)* engrain; *(плат)* dye; ‖ **~ се** make up (o.'s face), use make-up; 3. *прен.* turn o.'s coat.

боядѝсване *ср., само ед. (оцветяване)* colouring; *(с четка)* painting; *(за текстил)* dyeing; *(чрез потапяне)* dip-dyeing; *(чрез пръскане)* spray-painting.

боязлѝв *прил.* timid, timorous, fearful; shy; faint-hearted; milk-livered, mousy; *(предпазлив)* gingerly.

боя̀зън *ж., само ед.* fear; dread.

брàв|а *ж.*, -и lock; **секретна ~а** combination (lock).

брàво *междум.* bravo! well done! good for you! good man! that's the spirit! **~ на теб!** *разг.* bully for you!

брадà *ж., само ед.* 1. *(челюст)* chin;

2. *(косми)* beard; **без ~** beardless, clean-shaven; *(и бот.)* unbearded; *зоол. (на птица)* caruncle; *бот.* tassel; **пускам ~** grow a beard; **хващам/дърпам за ~та** beard.

брàдв|а *ж.*, -и axe, *амер.* ax.

брадя̀свам, брадя̀сам *гл.* go unshaved; let o.'s beard grow; grow a beard.

бразд|à *ж.*, -и̂ 1. furrow; *прен.* groove; 2. *(дълбока бръчка на лицето)* wrinkle, line, furrow; 3. *прен.* track, trace; **прокарвам ~а** blaze a trail.

браздя̀ *гл., мин. св. деят. прич.* браздѝл furrow; *(за кораб)* plough.

бразѝл|ец *м.*, -ци Brazilian.

Бразѝлия *ж. собств.* Brazil.

бразѝлк|а *ж.*, -и Brazilian (woman/girl).

бразѝлск|и *прил.*, -а, -о, -и Brazilian.

брак₁ *м.*, -ове, (два) брàка marriage, matrimony; *юр.; книж.* wedlock; match; **~ по любов** love-match; **~ по сметка** marriage of propriety; **встъпвам в ~ с някого** marry/wed s.o.; **законен ~** wedlock; **сключвам граждански ~** be married before the registrar; **разрешение за ~** a marriage licence; **разтрогвам ~** dissolve a marriage.

брак₂ *м., само ед. техн.* waste, refuse, write-off; *(в книгопечатането)* waste, spoilage; *(метали)* scrap, scrapping; *(бракувани изделия)* rejects, waster.

браконѝерствам *гл.* poach.

бракоразвòд|ен *прил.*, -на, -но, -ни *юр.* divorce (*attr.*); **~но дело** a divorce suit/case, divorce proceedings.

бракосъчетàни|е *ср.*, -я *(церемонията)* marriage ceremony, marriage, wedding; *книж.* nuptials; **извършвам ~е** *(за свещеник)* officiate at a wedding; *прен.* tie the marriage/nuptial knot.

бракỳвам *гл.* scrap; discard, reject; condemn (as defective); *(кораб, самолет)* decommission.

брамѝн *м.*, -и *рел.* Brahman, Brahmin.

бран *м., само ед. остар., поет.* war, warfare; battle, fight.

брàн|а *ж.*, -и *сел.-ст.* harrow, drag; clod-breaker/-crusher.

брàн|е *ср., само ед.* picking, gathering.

бранѝтел (-ят) *м.*, -и defender, protector; vindicator; champion.

бранш *м.*, -ове, (два) брàнша икон.

line (of business); métier; branch; field; (*търговци, занаятчии*) *събир*. trade.

бра̀ня (се) (*възвр*.) *гл*., *мин. св. деят. прич*. бра̀нил (се) defend, guard, protect (o.s.) (*и прен*.); vindicate.

брат *м*., -я **1.** brother; ~ко (*обръщ*.) brother; ро̀ден ~ full/whole brother; **2.** (*монах*) brother (*pl*. brethren); **3.** (*другар*): ~ по оръжие brother-in-arms; **4.** (*приятелско обръщ*.) old chap/fellow/man; *амер. разг*. bud; ● хванали са го ~ята *ирон*. he's off his chump.

брата̀н|ец *м*., -ци nephew (o.'s brother's son).

братовчѐд *м*., -и; **братовчѐдк|а** *ж*., -и cousin.

братоубѝ|ец *м*., -йци; **братоубѝйц|а** *ж*., -и fratricide.

братоубѝйство *ср*., *само ед*. fratricide.

бра̀тск|и[1] *прил*., -а, -о, -и brotherly, fraternal; *рел*. confraternal; ~а страна a sister nation; ~и чувства fraternalism; ● ~а могила a common grave.

бра̀тски[2] *нареч*. fraternally, like brothers; *прен*. affectionately; heartily.

бра̀тство *ср*., *само ед*. **1.** fraternity, brotherhood; fellowship; **2.** *рел*. confraternity; household.

брахицефа̀лия *ж*., *само ед*. *мед*. brachycephalism, brachycephaly.

бра̀ч|ен *прил*., -на, -но, -ни matrimonial, conjugal, marital, nuptial, connubial; marriage (*attr*.); ~ен договор marriage settlement; ~на церемония wedding (ceremony); ~но свидетелство certificate of marriage.

брашнѐн *прил*. flour (*attr*.); of flour; (*за храна*) farinaceous, mealy; (*набрашнен*) floury; ● ~ чувал *прен. разг*. there's no end to it; it goes on and on.

брашно̀ *ср*., *само ед*. flour; (*едро, не пшенично*) meal; оризово ~ ground rice; царевично ~ maize meal *амер*. corn meal; ● два остри камъка ~ не мелят agree like cat and dog/like harp and harrow; на трицата скъп, на ~то евтин penny wise and pound foolish; strain at a gnat and swallow a camel.

бра̀шпил *м*., *само ед*. *мор*. windlass.

бре *част. междум. разг*. (*изненада*) why! by jingo! gee (whizz)! *sl*. lummy! whew! ти ли си, ~! so it's you! well! to be sure! (*присмех*) well now! well! well! look! *амер*. (*и изненада*) what do you

know! (*облекчение, уплаха*) whew! (*досада*) тю ~! darn it! (*гняв*) къде се дянахте, ~! where in the world have you been (all this time)!

брегов|й *прил*., -а̀, -о̀, -и̇ (*за море*) coastal, coast (*attr*.), (*за река*) riverside (*attr*.), (*за езеро*) lakeside (*attr*.); ~а артилерия *воен*. coast artillery, shore batteries; ~а ивица coast-line; ~а охрана coast-guard.

брез|а̀ *ж*., -и̇ *бот*. birch (*Betula*); бя̀ла ~а a paperbirch, silver birch.

брезѐнт *м*., *само ед. текст*. tarpaulin, canvas, tentage; groundsheet, ground cloth.

брѐме *ср*., *само ед*. burden, load, (dead) weight; encumbrance, cumbrance; *прен*. tie; onus; drag; ~то на живота the afflictions of life; излишно ~ *разг*. deadwood.

брѐмен|ен *прил*., -на, -но, -ни (*и като същ*.) pregnant; *мед*. gravid; ~на жена pregnant woman, woman with child, expectant mother; ~на съм be pregnant, be in the family way, carry a baby, be expecting, *шег*. have a bun in the oven, be in the club; ~на (*за жена*) в осмия месец woman eight months gone; ~на (*за животно*) with young; heavy with young.

брѐменност *ж*., *само ед*. pregnancy; *мед*. gravidity, gravidness; f(o)etation; тя е в напреднала ~ she is far on in her time.

брѐнди *ср*., *само ед*. brandy.

брето̀н *м*., -и, (*два*) брето̀на bang, fringe.

брига̀д|а *ж*., -и **1.** *воен. остар*. brigade; смесена ~а brigade of all arms; **2.** (*от работници*) gang; team; party; аварийна ~а emergency team, gang; младежка ~а youth brigade; монтажна ~а fitting-up gang; ремонтна ~а repair/maintenance crew; строителна ~а construction team.

брига̀д|ен *прил*., -на, -но, -ни **1.** brigade (*attr*.); ~ен генерал brigadier-general; ~ен командир *воен*. brigadier; **2.** team (*attr*.); ~ен ръководител team-leader; brigade-leader.

бригадѝр *м*. (*ръководител*) team leader, foreman, supervisor, superintendent; ganger; (*участник в бригада*) member of a brigade.

бригантѝн|а *ж*., -и *мор*. brigantine.

бридж *м*., *само ед. карти* bridge.

бриз *м*., *само ед*. breeze.

бриза̀нт|ен *прил*., -на, -но, -ни *воен*. (*за снаряд*) fragmentation (*attr*.).

брикѐт *м*. и **брикѐти** *само мн*. briquette; coal-cake; compressed slack (*pl*.); compressed blocks of patent fuel (*pl*.).

брилянт *м*., -и, (*два*) брилянта **1.** diamond; изкуствен ~ (piece of) paste, imitation diamond; **2.** (*плат*) artificial silk (for lining).

брилянти̇н *м*., *само ед*. hair-cream, brilliantine; fixature.

брѝмк|а *ж*., -и stitch; (*на чорап*) ladder, run; ловя ~а (*на плетиво*) take up a stitch; пускам ~а (*при плетиво*) drop a stitch.

брита̀н|ец *м*., -ци Briton, Britisher; ~ците the British.

британи̇стика *ж*., *само ед*. British studies.

брита̀нск|и *прил*., -а, -о, -и British; Британска енциклопедия Encyclopaedia Britannica; Британският музей the British Museum.

брѝфинг *м*., -и, (*два*) бри̇финга briefing.

брич *м*., -ове, (*два*) бри̇ча riding-breeches; (*дълги, тесни под коленете*) jodhpurs; (*кожени*) leathers, buckskins.

брод *м*., -ове, (*два*) бро̀да ford; минавам в/по ~ ford (a river), cross (a river) by a ford.

бродѐри|я *ж*., -и embroidery; piece of embroidery, embroidery work, embroidering; needle-work, fancy-work; (*с вълна*) wool-work.

броди̇рам *гл*. embroider.

бро̀дя *гл*., *мин. св. деят. прич*. бро̀дил rove, roam, ramble, wander; (*преброждам*) tramp; *поет*. stray; (*за призрак*) walk, hover about; stalk.

бродя̇г|а *м*., -и tramp, vagrant, roamer, wanderer; *амер*. hobo.

бро̀|ен *прил*., -йна, -йно, -йни: ~йно числително *език*. cardinal numeral.

броени̇ц|а *ж*., -и rosary, chaplet; beads, bead-roll.

брожѐни|е *ср*., -я unrest, discontent, malcontent; restiveness; сред народа имаше ~е discontent was rife among the people.

броѝм *прил. език*. countable; ~и съ-

ществителни countables.
бро|й (-ят) *м.*, **-еве, (два) броя 1.** *само ед. (число)* number; ~й зрители спорт. gate; малко на ~й few (in number); на ~й in number; общ ~й total number/count; **2.** *(на вестник)* copy; *(за периодично издание)* issue number; copy; • *(пари)* в ~й ready/ hard/net cash; плащам в ~й pay in cash, pay cash; cash; *разг.* pay on the nail.
бройк|а *ж.*, **-и** copy; item; piece.
бройлер *м.*, **-и, (два) бройлера** *сел.- ст.* broiler.
брокат *м.*, *само ед. текст.* brocade; gold cloth; индийски ~ kincob.
брокер *м.*, **-и** broker.
броколи *неизм. бот.* broccoli (*Brassica oleracea italica*).
бром *м.*, *само ед. хим.* bromine.
бронебо|ен *прил.*, **-йна, -йно, -йни** *воен.* armour-piercing.
броненос|ец *м.*, **-ци, (два) броненосеца** *мор.*, *воен.* battleship; armour-clad; *остар.* iron-clad;
броненос|ец₂ *м.*, **-ци, (два) броненосеца** *зоол.* armadillo (*Dasypodidae*).
бронетранспортьор *м.*, **-и, (два) бронетранспортьора** *воен.* armoured carrier.
бронз *м.*, *само ед. хим.* bronze.
бронзирам *гл.* bronze.
бронзов *прил.* **1.** bronze *(attr.)*; ~а ера, ~ век Bronze Age; **2.** *(за цвят)* bronze; *(за кожа)* sunburnt, tanned, bronzed.
бронирам *гл. воен.* armour.
брониран *прил. воен. (за влак, кола)* armoured; ironclad; *(покрит със стомана)* steel-plated, steel-clad; ~а жилетка bullet-proof vest, flak jacket.
бронх *м.*, **-и** *обикн. мн. анат.* bronchi, bronchia; bronchial tubes.
бронхиал|ен *прил.*, **-на, -но, -ни** bronchial; ~на астма *мед.* bronchial asthma.
бронхит *м.*, *само ед. мед.* bronchitis.
бронхопневмония *ж.*, *само ед. мед.* bronchopneumonia.
бронхоспаз|ъм *м.*, **-ми, (два) бронхоспазъма** *мед.* bronchospasm.
брон|я *ж.*, **-и 1.** *истор.* armour, mail, cuirass, cors(e)let; *(от пластинки)* cataphract; **2.** *воен.* armour (-plate), armour-plating; *(за гърдите)* breast-plate; **3.** *(на кола)* bumper; *амер.* fender; **4.** *прен.* defence.

брошк|а *ж.*, **-и** brooch, pin.
брошур|а *ж.*, **-и** pamphlet, tract; brochure; booklet; leaflet; *(изпратена по пощата)* mailshot.
броя *гл.*, *мин. св. деят. прич.* бройл **1.** count; ~ до три count three, count up to three; **2.** *(смятам, считам)* consider, reckon; ако не броим *(като то изключим)* not counting; **3.** *разг.* *(плащам)* pay down; **4.** *(набоявам, имам)* have, there is (are), number; || ~ се *(себе си)* include/count o.s.; *(смятам ме)* be considered/reckoned/regarded; • ~ някому зал(ъ)ците begrudge s.o. the food he eats.
брояч *м.*, **-и, (два) брояча** *техн.* counter register; *(на адреси)* инф. location counter; *(на грешки)* error counter; *(на обороти)* revolution counter; *(на импулси)* pulse counter, scaler; indication, register.
бруля *гл.*, *мин. св. деят. прич.* брулил **1.** *(плодове)* shake/knock down; ~ орехи thrash a walnut-tree; **2.** *(бия, шибам – вятър)* lash; buffet; вятърът ги брулеше по лицата the wind was blowing in their faces.
брутал|ен *прил.*, **-на, -но, -ни** brutal; *(жесток)* cruel.
бруталност *ж.*, *само ед.* brutality; *(жестокост)* cruelty.
брут|ен *прил.*, **-на, -но, -ни** gross; ~ен вътрешен продукт gross domestic product, *съкр.* GDP; ~на заплата nominal salary.
бруто *нареч.* gross.
бръквам, бръкна *гл.* reach (в in), thrust/put/stick/stuff o.'s hand into s.th.; || ~ се *прен. разг.* cough up.
бръмбар *м.*, **-и, (два) бръмбара** *зоол.* beetle, bug; ~ рогач stag beetle (*Lucanus cervus*); колорадски ~ potato beetle (*Leptinotarsa decemlineata*); майски ~ (cock)chafer (*Melolontha melolontha*); • избий този ~ от главата та си get rid of that silly notion, get that silly notion out of your head; имам ~и в главата have bees in o.'s bonnet; have nothing between o.'s ears.
бръмвам, бръмна *гл.* begin to buzz/ hum; start buzzing/humming.
бръмча *гл.* **1.** *(за насекомо)* buzz, hum, drone, boom; *(за самолет)* drone; *(за автомобил)* purr, whirr; *(за уши)* ring.

брънк|а *ж.*, **-и 1.** *(халка, звено)* ring; link, loop; **2.** *прен.* link.
бръсвам, бръсна *гл. разг. (трохи, прах)* whisk.
бръскам *гл.* **1.** sweep; give (a room etc.) a superficial sweep; **2.** *(шибам)* lash; **3.** *(първам)* flick, flip, fillip.
бръсна *гл.* **1.** shave; ~ някого give s.o. a shave; **2.** *(за вятър)* tinge; || ~ се shave; have a shave; *(при бръснар)* be shaved, have/get a shave; • кой го бръсне? *прен.* who cares/minds what he says? не ~ никого snap o.'s fingers at the world.
бръснар (-ят) *м.*, **-и** barber.
бръснач *м.*, **-и, (два) бръснача** razor; *(самобръсначка)* safety razor.
бръснещ *прил. (наточен)* keen; *(за вятър)* sharp; ~ полет *авиац.* hedge-hopping; very low flight; tree-top level flight.
бръчк|а *ж.*, **-и 1.** *(на лицето)* wrinkle; *(дълбока)* furrow; line; ~и около очите crow's feet; **2.** *(гънки на плат, дрехи)* crease, pucker; cockle.
бръчкам *гл.* wrinkle, crease.
бръшлян *м.*, *само ед. бот.* ivy (*Hedera helix*).
бръщолевя *гл.*, *мин. св. деят. прич.* бръщолевил twaddle, talk twaddle; blabber; gabble, jabber; chatter idly; palaver, prate, blather, talk through one's hat, let off hot air, witter (on); *(за деме)* prattle; *амер.* throw the bull; *австр. sl.* ear-bash.
Брюксел *м. собств.* Brussels.
брюкселск|и *прил.-а, -о, -и* Brussels *(attr.)*; ~а дантела needle lace; ~о зеле (Brussels) sprouts.
брюнет *м.*, **-и** dark-haired man.
брюнетк|а *ж.*, **-и** brunette.
бряг (брегът) *м.*, **брегове, (два) бряга** *(морски)* coast, shore, sea-shore; *(морски, речен и пр.)* waterside; *поет.* strand; *(естествено стръмен или укрепен, на река)* levee; *(на река)* (river-)bank, riverside; *(на езеро)* shore, side (of a lake); *(на дол, ров)* side; *(на канал)* bank.
бряст *м.*, **-ове, (два) бряста** *бот.* elm, elm-tree (*Ulmus*).
буб|а *ж.*, **-и 1.** *зоол.* silkworm; **2.** little bug; **3.** *дет.* bugbear; bogy.
бубарство *ср.*, *само ед.* sericulture; silkworm-breeding.

буболѐчк|а *ж.*, **-и 1.** insect; beetle; *амер.* bug; **2.** *прен.* (*кротък човечец*) meek/inoffensive/harmless person.

бубо̀тя *гл.*, *мин. св. деят. прич.* **бубо̀тил** (*за огън*) roar; (*за гръмотевица*; *говоря с басов глас*) rumble.

Бу̀да *м. собств. рел.* Buddha.

будал|а̀ *м. и ж.*, **-и** *разг.* fool, simpleton, ass, booby, dolt, dupe, chump; ninny, puppethead; fathead; *разг.* easy game/mark/meat; nincompoop; *разг.* fall guy; gander; *sl.* juggins; *амер. sl.* gunsel; **правя се на ~а** play the fool.

буда̀лкам (се) (*възвр.*) *гл.* tease.

бу̀д|ен *прил.*, **-на, -но, -ни 1.** (*незаспал*) awake; (*безсънен*) waking, sleepless; **цяла нощ стоях ~ен** I sat up all night; **2.** (*бдителен*) watchful, vigilant; *обикн. прен.* unsleeping; alert, keen; **3.** (*жив, бодър*) lively, cheerful, sparky; **4.** (*умен*) intelligent, alert, bright, smart, sharp-witted, wide-awake; (*за ум и пр.*) keen, active; alert; **~но дете** child as bright as a button; **5.** (*с обществено съзнание*) public-spirited.

будѝз|ъм (**-мът**) *м., само ед. рел.* Buddhism.

будѝлни|к *м.*, **-ци, (два) будѝлника** alarm clock.

бу̀дк|а *ж.*, **-и 1.** (*караулна*) sentry-box; **2.** (*за вестници и пр.*) newsstand, news-stall, kiosk, news-paper kiosk; (*на панаир и пр.*) booth; (*телефонна*) telephone-box; *амер.* booth; public-call box.

бу̀дя *гл.*, *мин. св. деят. прич.* **бу̀дил 1.** wake (s.o.) (up), awaken (s.o.); **2.** (*възбуждам, пораждам*) arouse (to); **~ надежди** raise hopes; (*интереси*) excite; (*спомени*) evoke; || **~ се** wake (up), awake.

бу̀|ен *прил.* **-йна, -йно, -йни 1.** (*силен, могъщ*) (*за огън*) blazing, brisk; bright; (*за води*) turbulent; (*за река*) swiftflowing; torrential; (*за поток и пр.*) impetuous, sweeping; (*за вятър*) violent, high, buffeting; wanton; (*за смях*) uproarious, loud; (*за къдрици*) unruly, flowing; *поет.* wanton (tresses); **2.** (*необуздан*) ungovernable, unmanageable, unruly, unbridled, uncontrollable, unchecked; wanton; heady; (*буйстващ*) rampant; obstreperous; rowdy; raging; (*невъздържан*) hot/quick-tempered; hot-blooded, passio-

nate; (*за детски игри и пр.*) knock-about; (*за кон*) (high-)spirited, fiery, wild, full of mettle; (*за кръв*) wild, hot; (*за младост*) wild; (*за страсти*) turbulent, fiery, wild; (*за ръкопляскания*) frenetic; **~ен ум** esprit; **3.** (*сочен, за растителност*) lush, luxuriant, rank, exuberant, wanton.

бу̀з|а *ж.*, **-и** cheek.

бу̀йно *нареч.* wildly, impetuously, turbulently; sweepingly; uncontrollably; wantonly; luxuriantly.

бу̀йствам *гл.* be delirious, be raving mad; rave.

бук *м.*, **-ове, (два) бу̀ка и бу̀к|а** *ж.*, **-и** *бот.* beech, beech-tree (*Fagus*).

бу̀кв|а *ж.*, **-и 1.** letter; character; (*на пишеща машина*) key; **главна ~а** capital/upper case letter; **малка ~а** small/lower case letter; **2.** *полигр.* type (*и pl.*), letter; **~и** *полигр.* (*буквен материал*) lettering, (*печатарски*) metal; • **~а по ~а** word for word, letter for letter.

буквал|ен *прил.*, **-на, -но, -ни** (*за превод*) literal, verbal, metaphrastic.

буква̀р *м.*, **-и, (два) буква̀ра** primer; ABC book.

букѐт *м.*, **-и, (два) букѐта 1.** (*от цветя*) bouquet; bunch of flowers; nosegay, posy; **2.** (*за вино*) bouquet; (*за тютюн*) aroma.

бу̀кл|а *ж.*, **-и** curl, ringlet, lock; tress.

буклѐ *ср., само ед. текст.* boucle.

бу̀кмейкър *м.*, **-и** bookmaker; *разг.* bookie; (*на конни състезания*) ring-man, turf accountant.

бу̀кс|а *ж.*, **-и** *техн.* **1.** *жп* axle-/grease-box; terminal clam(p)/bush; **2.** *ел.* jack.

буксѝр *м., само ед.* **1.** *мор.* tug, tug-boat, towboat; **2.** (*въже*) tow(ing)-line, tow(ing)-rope.

буксу̀вам *гл. авт.* slip, bite.

бу̀л|а и ву̀л|а *ж.*, **-и** *истор.* (*папско послание*) bull.

булдо̀|г *м.* **-зи, (два) булдо̀га** *зоол.* bulldog.

булдо̀зер *м.*, **-и, (два) булдо̀зера** *авт.* bulldozer; dozer, earth-mover; (*с обръщащ се кош*) tiltdozer.

булева̀рд *м.*, **-и, (два) булева̀рда** avenue, boulevard.

бу̀лк|а *ж.*, **-и 1.** bride; **2.** young married woman; **3.** (*омъжена жена*) wife.

бу̀л|о *ср.*, **-а̀ 1.** (bridal) veil; **2.** *анат.* caul, mesentery, omentum; **3.** *прен.* (*прикритие*) veil; **под ~ото на** under the veil/cloak of.

бульо̀н *м.*, **-и, (два) бульо̀на** *кул.* (*от месо*) bouillon, clear-/meat-soup; ox-tail soup; (*силен говежди*) beef-tea, meat-stock; (*от зеленчуци*) vegetable soup/stock; (*на кубче*) stock cube.

бум₁ *междум.* (*гърмеж*) bang! (*биене на камбана*) ding-dong.

бум₂ *м., само ед.* boom.

бума̀г|а *ж.*, **-и** *и обикн. мн. разг.*, *пренебр.* papers.

бумера̀нг *м.*, **-и, (два) бумера̀нга** boome-rang.

бумтя̀ *гл.* **1.** roar, rumble; **2.** (*за огън*) roar, blaze.

бу̀нгало *ср.*, **-а** bungalow.

бунѝщ|е *ср.*, **-а** dunghill; rubbish-/garbage-heap; tip; laystall; dumping ground (*и прен.*); scrap-heap.

бу̀нкер *м.*, **-и, (два) бу̀нкера 1.** *воен.* pillbox; (*бетонен*) blockhouse; **2.** *мор.* (*помещение за въглища*) bunker, coal bin; **3.** *техн.* hopper; **4.** *за течно гориво* fuelling vessel, ore bin.

бунт *м.*, **-ове, (два) бу̀нта** revolt, rebellion, insurrection, riot; rising, uprising; (*във войската*) mutiny; **вдигам ~** revolt (**срещу** against), rise in revolt/rebellion (against).

бунта̀р (**-ят**) *м.*, **-и** rebel, malcontent.

бунто̀вни|к *м.*, **-ци** rebel, rioter, insurrectionist, insurgent; *воен.* mutineer.

бунту̀вам *гл.* instigate a revolt, rouse/stir up (the people) to revolt, incite to rebellion; || **~ се** revolt, rebel; rise against; *воен.* mutiny; *разг.* kick against.

бургѝ|я *ж.*, **-и** *техн.* drill; bit; gimlet; borer, perforator; (*по-голяма*) auger.

бу̀ре *ср.*, **-та** **бу̀ренц|е** *ср.*, **-а** cask, keg, firkin.

буревѐстни|к *м.*, **-ци, (два) буревѐстника** *зоол.* (stormy) petrel, storm-bird/-finch, thunderbird, fulmar; Mother Carey's chicken, (*голям*) Mother Carey's goose.

бу̀р|ен *прил.*, **-на, -но, -ни 1.** stormy, tempestuous, rugged; (*за море*) rough, heavy; wild, nasty, confused; (*за нощ*) wild; **2.** (*неудържим*) wild, impetuous, tumultuous, violent; (*за развитие*) rapid, impetuous; (*за страсти*) wild; (*за възторг*) tremendous, im-

mense; **3.** *прен.* (*напрегнат, тревожен*) stormy; (*за живот, кариера*) agitated, stormy, storm-tossed; (*за времена, минало*) turbulent.

бу̀рен₂ *м.*, -**и**, (два) бу̀рена *разг.* weed(s).

буренос|ен *прил.*, -**на**, -**но**, -**ни** storm (*attr.*); tempest (*attr.*); rain (*attr.*).

буренясвам, буренясам *гл.* run to waste, become/grow weedy; be overgrown with weeds.

буржоа̀зия *ж.*, *само ед.* bourgeoisie.

бурка̀н *м.*, -**и**, (два) бурка̀на jar; (*за сладко, конфитюр*) jam-jar.

бурм|а̀ *ж.*, -**и** *разг.* screw.

бу̀рно *нареч.* violently, amain; in full force.

бурсу̀|к *м.*, -**ци**, (два) бурсу̀ка *зоол.* badger; (*за човек*) wet rag.

бу̀р|я *ж.*, -**и** (thunder-)storm, rainstorm; (*силна буря*) tempest; (*морска*) gale, squall; **изви се ~я** a storm arose; **снежна ~я** snowstorm, blizzard; • **~я от аплодисменти** storm of applause; loud cheering/applause.

бут *м.*, -**ове**, (два) бу̀та **1.** (*на заклано животно*) leg; round, quarter; **2.** *разг., грубо* (*бедро*) thigh.

бута̀л|о *ср.*, -**а̀ 1.** *техн.* piston; charger; (*на помпа*) plunger; sucker; **2.** *остар.* (*за биене на мляко*) churn-staff, churn-dash(er).

бу̀там *гл.* **1.** (*тласкам*) push, shove, thrust; give a push (to); **~ навън** thrust out, shove out; **2.** (*пипам*) touch; nudge; jog; || **~ се** (*в тълпа*) push o.'s way (through); thrust o.s./o.'s way through the crowd, thrust through the crowd; (*с лакти*) elbow o.'s way (through the crowd).

бута̀н *м.*, *само ед.* *хим.* butane.

бутафо̀рия *ж.*, *само ед.* *театр.* properties, props; *прен.* sham, dummy.

бу̀твам, бу̀тна *гл.* **1.** push, shove; touch; tip; **2.** *разг.* (*незабелязано мушвам бакшиш, подкуп*) slip, stick, thrust, shove; **3.** (*забутвам*) stick; misplace.

бутилѝрам *гл.* pour into bottles, bottle (off).

бутѝлк|а *ж.*, -**и** bottle; (*със сгъстен въздух*) air-bottle; (*за вино*) winebottle; (*за еднократна употреба*) throw-away bottle; (*газова*) gas tank/cylinder; **мляко в ~а** bottled milk;

наливам в **~а** bottle.

буто̀н *м.*, -**и**, (два) буто̀на (*на звънец*) push-button, bell-push, call-button; (*на лампа*) switch; push button; **авариен ~** emergency button; **~ за редактиране** *инф.* edit-facility button; **натиснат ~** actuated button.

бутониѐр|а *ж.*, -**и** buttonhole; boutonnière.

бу̀фер *м.*, -**и**, (два) бу̀фера *техн.*, *жп* buffer; shock-absorber; cushion, counterbuff; (*хидравличен*) dashpot.

бух *междум.* (*при падане*) plump! flop! (*при удар*) bang; **~ на земята!** down he (etc.) went! down he fell with a thump!

бу̀хал *м.*, -**и**, (два) бу̀хала *зоол.* owl (*Strix*); eagle owl (*Bubo bubo*).

буха̀лк|а *ж.*, -**и 1.** (*за пране*) washerwoman's beetle/dolly, paddle; battledore; **2.** *спорт.* bat; (*в художествената гимнастика*) (Indian) club; **3.** *прен.* *воен.* hand grenade.

бу̀хам₁ *гл.* **1.** (*удрям с дърво*) beat; (*пране*) beetle; dolly; hit hard; **2.** *разг.* (*работя усилено*) grind (away)/peg (away) at s.th.; plod (away); **3.** (*вървя*) trudge, tramp.

бу̀хам₂ *гл.* (*за бухал*) screech, hoot; **2.** *разг.* (*кашлям сухо*) hack, bark.

бу̀хвам₁, **бу̀хна** *гл.* **1.** hit hard, beat, thump; **2.** *разг.* (*падам*) fall (down); || **~ се 1.** rush, burst, dash (**в** into, in); **2.** (*блъскам се*) crash (**в** into); come/bounce against.

бу̀хвам₂, **бу̀хна** *гл.* (*раста буйно*) shoot up; expand; (*за тесто*) rise; (*за пламък*) flare up, blaze up.

бу̀ц|а *ж.*, -**и 1.** (*пръст, въглища*) lump, clod; (*пръст*) mass of earth; (*малка, от въглища*) knob; junk; (*сирене*) hunk, lump, chunk; (*сметана*) *разг.* dollop; (*руда*) nodule; **~а сняг** a ball of snow; **на ~и** cloddy; **2.** (*подутина*) bump, swelling, protruberance; (*нараствам*) *анат.* tuber; • **в гърлото ми засяда ~а** (*при вълнение*) *разг.* feel a lump in o.'s throat.

буча̀ *гл.* rumble, roar; (*за вятър и пр.*) roar; (*за машина*) drone; (*за водопад*) thunder, boom, roar; (*за гръм и подземно*) rumble; • **ушите ми бучат** my ears ring; **главата ми бучи** my head is buzzing.

бу̀чк|а *ж.*, -**и 1.** small lump; **~а мас-**

ло a pat/knob of butter; **захар на ~и** lump sugar; **2.** *мед.* nodule.

бушо̀н *м.*, -**и**, (два) бушо̀на *ел.* (safety-)fuse.

бушу̀вам *гл.* rage, (*за море, вятър и пр.*) rave; (*за вълни и пр.*) surge.

бъ̀бре|к *м.*, -**ци**, (два) бъ̀брека *анат.* kidney; **възпаление на ~ците** *мед.* nephritis.

бъбрѝв|ец *м.*, -**ци**; бъбрѝвк|а *ж.*, -**и** chatterbox, chatterer, babbler; clucker, *разг.* gabber, gasbag; (*обикн. жена*) flibbertigibbet.

бъ̀бря *гл.*, *мин. св. деят. прич.* бъ̀брил chatter; prattle, clutter; confabulate; *амер.* schmooze, natter, chinwag; (*за незначителни неща*) *разг.* waffle, shoot the breeze; gasbag; (*обикн. за деца – неразбрано*) babble; (*бързо и неразбрано*) jabber; (*клюкарствам*) tattle, gossip.

бъ̀дещ *прил.* future (*attr.*), coming; to come; to be; *език.* **~е време** the future (tense); **~и времена** times to come, future times.

бъ̀деще *ср.*, *само ед.* future; **~то** the time to come, the future; **той няма никакво ~** he has no future/prospects.

бъ̀звам, бъ̀зна *гл.* *разг.* incite, stir up.

бъзѝкам *гл.* **1.** pull (s.o.'s) leg; tease; **2.** (*опитвам се да поправя или променя*) tamper (with), interfere (with), fiddle (with).

бъзлѝв|ец *м.*, -**ци**; бъзльо̀ *м.*, -**вци** *разг.* coward, milksop, sissy, cowardly/poor-spirited fellow; capon; *разг.* muff, sook.

бъ̀кам *гл.* *разг.* **1.** boil noisily; **2.** (*гъмжа*) swarm (**от** with), teem (with), be rife (with).

бъ̀кел *м.*, -**и**, (два) бъ̀кела *остар.* *разг.* small keg; • **~ не разбирам (от)** I haven't the faintest idea (of); it's all (double) Dutch to me; I don't know a thing/the last thing (about); I don't know (a) B from a battledore/from a bull's foot; *амер.* from a broomstick/from a buffalo foot.

бъ̀клиц|а *ж.*, -**и** (wooden) wine vessel.

бълбу̀кам *гл.* (*за вода*) babble, murmur, gurgle, purl.

бъ̀лвам *гл.* **1.** vomit; regurgitate; bring up/throw up food; disgorge; spew; **2.** (*за вулкан*) belch forth, throw up; **3.** (*произвеждам*) bang out, crank out,

turn out, churn out; • ~ змии и гущери/огън и жупел shower abuses (against), call down fire and brimstone (on s.o.).

българин *м.*, българи Bulgarian.

българистика *ж.*, *само ед.* Bulgarian studies (as a branch of Slavonic studies).

България *ж. собств.* Bulgaria; Република ~ the Republic of Bulgaria.

българк|а *ж.*, -и Bulgarian (woman/girl).

българск|и 1. *прил.*, -а, -о, -и Bulgarian; ~и език Bulgarian, the Bulgarian language; 2. *като същ.* Bulgarian, the Bulgarian language.

бълникам (се) *(възвр.) гл.* shake (liquid) in a vessel.

бълнувам *гл.* 1. talk in o.'s sleep; be delirious; wander; 2. *прен.* go into ecstasies (за over), rave (за, по about).

бълх|а *ж.*, -и 1. *зоол.* flea; 2. *зоол.* *(вредител по растенията)* jumping-louse *(Psylla)*; • ~а го ухапала *прен.* it's a mere fleabite; it's nothing to him.

бърборко *м.*, -вци *разг.* blab(ber), windbag; chatterbox, chatterer, tattler, twaddler; *разг.* gabber, gasbag.

бърборя *гл.*, *мин. св. деят. прич.* бърборил 1. jabber, gibber, prattle; talk away; 2. chatter, *разг.* gab.

бърбън *м.*, *само ед.* bourbon.

бърз *прил.* 1. *(за движение)* fast, swift, quick, rapid; sweeping; fleet; light; heeled; unleisu-rely; *(пъргав)* nippy, natty; *(сръчен)* quick; ~ влак express (train), fast/through train; ~ ход quick/brisk/lively pace, *(много)* spanking pace; ~а работа rush work; ~о движение *(на опашка; с парцал за прах)* whisk; *(за кон)* fast, fleet; *(за кола)* sporty; *(за отговор)* prompt; *(за поглед)* swift, quick; ~о приключване *(на преговори)* speedy conclusion (of negotiations); *(за пулс)* fast, quick; много ~ double quick; писмо с ~а поща express letter, *амер.* special delivery; хапнахме на ~а ръка we had a quick lunch; 2. *(спешен, неотложен)* pressing, urgent, speedy; ~а помощ first/emergency aid; няма ~а работа there's no (special) hurry; • ~ата работа, срам за майстора haste makes waste.

бързам *гл.* *(ходя)* hurry (on, along), hasten (forward), make haste; walk/run/ride/drive fast; *книж.* speed; *разг.* nip

along; pelt; hot-foot it; бързай! hurry up! make haste! be quick (about it)! make it snappy! ~ за вкъщи hurry home; ~ с нещо *(някаква работа)* be in a hurry to finish s.th.; не ~ be in no hurry; не ~ *(да направя нещо)* take o.'s time (over s.th.); • който бърза, бавно стига the more haste/hurry, the less speed.

бързе|й (-ят) *м.*, -и, *(два)* бързея (stretch of river with) swift current.

бързина *ж.*, *само ед.* 1. speed; swiftness; quickness, fastness; rapidity, rapidness, fleetness; *техн.* rate (of going); *(експедитивност)* promptness, expedition, dispatch; *физ.* velocity; ~ на достъп access speed/rate; с голяма ~ at great/full speed; fullpelt; 2. *(бързане)* hurry, haste, celerity; от ~, в ~та си in o.'s hurry/haste.

бързо *нареч.* quickly, fast; rapidly, swiftly, hurriedly; speedily; promptly; *(енергично)* like the clappers; ~! jump to it! ~~ very quickly; hurriedly; *амер., sl.* pronto; вървя ~ walk fast, be a fast walker; go at a good pace, go/*амер.* hit the pace; move at a cracking pace, make the best of o's way; действам ~ be quick/swift/prompt to action; act without delay, take action without delay; много ~ in no time; at the double, double quick; by leaps and bounds; like winking; *амер.* at a fast clip; по~! *разг.* step on it! sharp's the word! той смята ~ и точно he is quick and accurate in figures.

бързовар *м.*, -и, *(два)* бързовара immersion heater.

бързодействащ *прил.* quick-action *(attr.)*; quick/fast-acting; fast-response; *(за уред)* quick-operating.

бързопис *м.*, *само ед.* shorthand, stenography.

бързоподвиж|ен *прил.*, -на, -но, -ни swift-/fast-moving.

бързоход|ен *прил.*, -на, -но, -ни fast, fast-moving, tripping; ~на лодка speedboat; ~на машина high-speed machine.

бъркалк|а *ж.*, -и 1. *(голяма лъжица)* ladle; mixing spoon; 2. *(в машина)* stirrer, paddle, mixer; *техн.* agitator.

бъркам₁ *гл.* *(мушкам ръка)* thrust o.'s hand (into s.th.); *(ровя, бърникам)*

rummage in (s.th.), meddle with (s.th.), mess (s.th.) about; *разг.* monkey with (s.th.), tamper *(обикн. с with)*; • ~ в меда *прен.* tap the barrel; || ~ се *разг.* *(плащам)* cough up; foot the bill, fork (s.th.) out.

бъркам₂ *гл.* 1. *(разбъркам, размесвам)* stir, mix; 2. *(объркам, разстройвам, преча)* mess up; ~ плановете на някого upset s.o.'s plans; || ~ се interfere, meddle *(на with)*, *разг.* put in o.'s oa; dub (out)r; не се бъркай в чужди работи/дето не ти е работа mind your own business; keep your breath to cool your porridge; не се ~ в keep out of, steer clear of, leave/let alone.

бъркам₃ *гл.* *(греша)* get (s.th.) wrong; mix up; ~ в отговорите get o.'s answers wrong; *(смесвам)* take (s.o.) for, mix (s.o.) with.

бъркотия *ж.*, *само ед.* и бъркотии *само мн.* confusion *(и воен.)*, jumble, jumbled state (of things); disarrangement, disarray; topsy-turvydom; muddle, tangle, tumble; mingle-mangle; pell-mell; chaos; hotch-potch; gallimaufry; *амер.* hodge-podge; *разг.* dog's dinner/breakfast; *само мн.* *(безредици)* turmoil, uproar, *разг.* rumpus; *(от идеи, учения, полит. течения и пр.)* welter; *разг.* mix-up, mess, maze, mayhem, foul-up; *прен.* patchwork.

бърлог|а *ж.*, -и lair, den.

бърн|а *ж.*, -и *обикн. мн.* lip.

бърникам *гл.* rummage, fumble, meddle (with), tamper *(обикн. с with)*, tinker (with); *(играя на)* monkey (with), play about (with); fiddle (with); mess s.th. about; някой ми е бърникал книгите s.o. has been at my books.

бърсалк|а *ж.*, -и kitchen towel; dishcloth; duster; ~а за прах feather-broom/-duster/-brush; *(бърсалка)* чистачка на автомобил wiper.

бърча *гл.*, *мин. св. деят. прич.* бърчил *(чело)* wrinkle, pucker; *(за вятър – водна повърхност)* ruffle, ripple, fret; ~ чело knit o.'s brows; || ~ се ripple.

бърша *гл.*, *мин. св. деят. прич.* бърсал wipe; rub; *(лице, очи, глава)* mop; ~ прах dust; || ~ се wipe o.s.

бътерфла|й (-ят) *м.*, *само ед. спорт.*

butterfly.

бъхтя *гл., мин. св. деят. прич.* бъхтал и бъхтил beat, whop; drub; flail; *sl.* crump; *разг.* lather (*и кон*); ~ път trudge/toil/slog along; plod, trudge; footslog; || ~ се labour, toil away; plod, slog; grub (on/along).

бъчв|а *ж., -и* 1. cask, tun, barrel; (*голяма*) butt; дъно на ~а barrel head; той мирише на ~а he's a drunkard; 2. *прен. разг.* грубо (*дебел човек*) butterball.

бюджѐт *м., -и, (два)* бюджѐта *фин.* budget; внасям ~а в парламента introduce/open the budget; врѐменен ~ *фин.* interim budget; гласувам ~а pass the budget; изпълнявам ~а implement the budget; проекто-~ draft budget.

бюджѐт|ен *прил., -на, -но, -ни* budgetary; ~ен отдел Bureau of Budget; ~на година a financial/fiscal year; ~на комисия *парлам.* committee of ways and means; ~ни кредити estimates, appropriations.

бюджѐтопроѐкт *м., -и, (два)* бюджѐтопроѐкта *фин.* estimates (*pl.*)

бюлетѝн *м., -и, (два)* бюлетѝна bulletin, report; (*по радиото*) newsbulletin, *амер.* newscast; statement; ~ за врѐмето *метеор.* weather-forecast; информационен ~ news bulletin, newsletter.

бюлетѝн|а *ж., -и* (*избирателна*) voting-paper, ballot-paper.

бюрѐк *м., неизм. кул.* cheese pasty.

бюр|о̀ *ср., -а̀* 1. (*писалище*) (writing-)desk, writing-table, bureau; 2. (*кантора*) office; (*отделна служба в учреждение*) office, department, bureau; ~о "Жалби" complaints office; ~о за женитби matrimonial agency; ~о за обмяна на валута exchange office; ~о "Справки" information bureau/desk; inquiry office; 3. (*ръководство*) executive board/committee, *амер.* governing body.

бюрократ *м., -и неодобр.* bureaucrat; *разг.* red-tapist.

бюрократизѝрам *гл.* bureaucratize, bureaucratise.

бюрократѝз|ъм (-мът) *м., само ед. неодобр.* bureaucracy; officialdom;

legalism; *разг.* red tape, bumbledom.

бюрокра̀ция *ж., само ед.* bureaucracy; red tape.

бюст *м., -ове, (два)* бю̀ста 1. *изк.* bust; 2. (*женска гръд*) bosom; bust; без ~ flatchested; с голям ~ deep bosomed.

бюфѐт *м., -и, (два)* бюфѐта 1. (*мебел*) sideboard; кухненски ~ (kitchen-)cupboard, dresser; 2. (*помещение, лавка*) buffet, refreshment bar; (*на прием и пр.*) buffet, refreshment table; (*на гара*) refreshment room; (*в театър*) crush bar.

бяг (бегъ̀т) *м., само ед.* running; rush; flight; удрям на ~ turn tail, take to flight, *разг.* take to o.'s heels, show a clean pair of heels.

бягам *гл.* 1. (*тичам*) run; course; *sl.* pelt; (*подгонен*) run away, fly; take to flight; *книж.* flee; ~ презглава run/flee for o.'s life; (*за часовник*) be fast, gain; ~ с всички сили run at full stretch; часовникът ми бяга с две минути на ден my watch gains two minutes a day; 2. (*страня, избягвам*) avoid, shun; (*от страх*) *разг.* funk; ~ от късмета си miss o.'s chance; ~ от лекции cut lectures; (*от отговорност*) shirk; flinch (from); (*от училище*) shirk school, play truant, *амер.* play hooky; 3. (*напускам родно място*) leave/desert (o.'s home, country); leave (към for); ~ от страната flee the country.

бягане *ср., само ед.* 1. running; 2. *спорт.* race; *амер.* track athletics; (*на къси разстояния*) dash; ~ на дълги разстояния long-distance race/run; ~ на къси разстояния sprint; ~ на място stationary running; ~ с препятствия (хърдели) hurdle race, hurdles, steeple-chase; маратонско ~ Marathon race; 100 м гладко ~ a hundred metres dash; 3. (*от работа, училище*) truancy.

бягств|о *ср., -а* flight; (*от затвор*) escape; jailbreaking, breakaway; defection; *воен.* rout; (*своеволно напускане*) desertion; ~о от действителността *лит.* escape, escapism; паническо ~о stampede; спасявам се с ~о run away, flee, escape.

бял *прил., -а, -о,* бѐли 1. white; (*за цвят на кожата*) fair; (*за хляб, вино*) white; бели петна (*карта*) blank spaces; ~ дроб *кул.* (*карантия*) lights; ~а бреза *бот.* silver birch; ~а мечка *зоол.* white/Polar bear (*Ursus maritimus*); ~а Рада *бот.* mayweed (*Anthemis cotula*); ~а риба *зоол.* (Danubian) pikeperch (*Stizostedion lucioperca*); ~а робиня white slave; Бялата гвардия *истор.* the White Guard; whiteguard; ~о месо *кул.* (*на птица*) breast; ~о поле *полигр.* margin; ~о течение *мед.* leucorrh(o)ea; мръсно~ off-white; нажежен до ~о candescent; 2. *прен.:* бели кахъри small/trifling worries; бели нощи Polar nights; бели пари за черни дни a nest egg; a penny for a rainy day; бели стихове *лит.* blank/free verse; изкарвам на ~ свят bring to light, unearth; publish; не виждам ~ ден have no rest/peace; по белия свят in the wide world; посред ~ ден in broad daylight, in the blaze of day; съшит с бели конци *разг.* too obvious, transparent; (*за извинение*) flimsy; 3. *като същ. обикн. членувано* (бѐлия(т), бя̀лата, бя̀лото, бѐлите) white; един ~ (*за човек*) a white man; ~ото на окото the white of the eye; белите the whites, the white population; (*в индианския език*) pale-faces.

бя̀лвам се, бя̀лна се *възвр. гл.* show/appear/gleam white.

бя̀лк|а *ж., -и зоол.* weasel; marten (*Martes*); сибирска ~а (хермелин) stoat, ermine (*Mustela erminea*).

бяс₁ (бесъ̀т) *м., само ед.* 1. *мед.* hydrophobia; (*у животно*) rabies; 2. *прен.* rage, fury, rabidity; ● за какъв ~ ти е? what the hell do you want it for? изпадам в ~ fly into a rage/passion.

бяс₂ (бесъ̀т) *м., бесовѐ, (два)* бя̀са *мит.* (зъл дух, демон, дявол) fury, devil.

бясно *нареч. прен.* violently, in full force, at full speed; карам (*кола*) ~ drive at breakneck speed, drive like hell, drive like fury; яздя ~ ride like fury; *книж.* ride amain.

в, във *предл.* **1.** *(място, сфера на действие)* in, on; at; *(в рамките на)* within; *(за малки селища)* at; ~ зрителното поле within sight; **във въздуха** in the air; **2.** *(движение)* to, into, in, at; **влизам ~ стаята** go into the room, enter the room; **пристигам ~ София/~ хотела** arrive in Sofia/at the hotel; **3.** *(време, времетраене)* in, on, at; during, in the course of; ~ **бъдеще** in the future; ~ **10 часа** at ten o'clock; ~ **сряда** on Wednesday; ~ **това време** at that time, *(междувременно)* meanwhile; **4.** *(състояние)* in; on; ~ **безсъзнание съм** be in a (dead) faint, be unconscious; ~ **движение** in motion; on the move; ~ **покой** in repose, at rest; motionless; **5.** *(начин, вид)* in; into; on; ~ **галоп** at a canter/gallop; ~ **множествено число** in the plural; **вървя ~ крак** keep in step; **плащам ~ брой** pay (in) cash; **6.** *(цел)* in, on; ~ **заключение** in conclusion; ~ **знак на уважение** as a token of respect; ~ **името на** in the name of; ● ~ **действителност** in reality, in fact, in point of fact; ~ **случай че** if, in case; actually; **във всеки случай** at any rate.

Вавилòн *м. собств. истор.* Babylon.

вавилòнск|и *прил.*, **-а**, **-о**, **-и** Babylonian; ● **Вавилонска кула** *библ.* Tower of Babel; ~**о стълпотворение** *библ.* babel.

вагабòнтин *м.*, **вагабòнти** scoundrel, villain, rascal; swindler, sharper, scamp.

вагѝн|а *ж.*, **-и** *анат.* vagina.

вагинàл|ен *прил.*, **-на**, **-но**, **-ни** *мед.* vaginal.

вагòн *м.*, **-и**, **(два) вагòна** **1.** *(пътнически)* carriage, coach, *амер.* car; ~ **за непушачи** non-smoker; ~ **за пушачи** smoker; ~**ресторант** dining/restaurant/luncheon car, *разг.* diner; **спален** ~ sleeping-car, sleeper, wagon-lit; **товарен** ~ (covered) goods wagon, truck, *амер.* box/freight-car, *(открит)* open goodswagon, truck; **2.** *(стоки)* truckload.

вагонèтк|а *ж.*, **-и** tip-truck/-waggon; trolley, bootless; *(за багаж, на гара)* (porter's) luggage trolley; *жп* lorry; *мин.* *(за въглища)* wa(g)gon, hutch.

вàд|а *ж.*, **-и** *(водеднична)* mill-race/-stream; *(за напояване)* ditch, channel; *(планинска)* rill, brook; *(улична)* gutter, runnel, kennel.

вадичк|а *ж.*, **-и** brooklet, streamlet.

вàдя *гл.*, *мин. св. деят. прич.* **вàдил 1.** *(изваждам)* take/pull out; *(зъб)* pull out, extract; *(картофи)* lift; *(трън)* pick out; ~ **кофа от кладенец** draw/wind a bucket from a well, wind water from a well; ~ **си зъб** have a tooth (drawn) out, have a tooth extracted; **2.** *прен.* *(получавам – документи, паспорт)* get, obtain, procure, take out; get issued; *(билет)* buy, get; ~ **си хляба** make/earn o.'s bread and butter, make o.'s living; **3.** *(измислям, напр. прякор)* invent; ● ~ **кестените от огъня вместо някого** pull the (burning) chestnuts out of the for s.o.; be s.o.'s cat's paw; **вадят си очите** *разг.* they're at loggerheads; they lead a cat-and-dog life.

важà *гл.*, *мин. св. деят. прич.* **важѝл** *(за закон, наредба и пр.)* be in force, hold good; *(за карта, документ)* be valid; *(имам значение)* be of importance; weigh, pull (за with); *(отнасям се до)* apply to, concern; **билетът важи и за връщане** this is a return ticket; **не важи** *разг.* be out of the picture, not be in the picture, be no good.

вàж|ен *прил.*, **-на**, **-но**, **-ни 1.** important, of importance, momentous; crucial; key *(attr.)*; grave; *(значителен)* weighty, substantial, material; ~**ен свидетел** material witness; ~**на личност** person of importance/consequence; ~**но събитие** milestone; **2.** *(горд, надут)* self-important, pompous; consequential; *разг.* bumptious; ~**на клечка** swell, bigwig, big noise; *амер.* big one/cheese/fish/number/bug/*sl.* dog; ~**на особа** *ирон.* panjandrum; **най-~ните моменти на** the highlights of.

вàжнича *гл.*, *мин. св. деят. прич.* **вàжничил** give o.s. airs, put on airs, be bumptious; *разг.* put it on, mount/ride the high horse; put on frills; have too much side; boss it; lord it; throw o.'s weight about; **стига си важничил!** come off your high horse!

вàжно *нареч.* *(надменно)* with an air of importance, importantly; **не е ~ как**во мисли/какво ще каже той he doesn't matter.

вàжност *ж.*, *само ед.* **1.** importance, significance; consequence; graveness; stress; *юр.* materiality; *книж.* gravitas; **събитие от първостепенна ~** an event of the first importance, an all-important event; **това е от най-голяма ~** it is of the first/of paramount importance; **2.** *(на поведение)* bumptiousness; **придавам си ~** put on airs, give o.s. airs, put on a consequential air; *разг.* play the peacock/the boss, cock o.'s nose.

вàз|а *ж.*, **-и** vase; ~**а с цветя** vase/bowl of flowers.

вазелѝн *м.*, *само ед.* Vaseline; mineral jelly; *амер.* petrolatum.

вазоконстрѝкция *ж.*, *само ед.* *(съдосвиване)* *мед.* vasoconstriction.

вàзомотòр|ен *прил.*, **-на**, **-но**, **-ни** *(съдодвигателен)* *мед.* vasomotor, vasomotorial, vasomotoric, vasomotory.

вàзотòмия *ж.*, *само ед.* *мед.* vasotomy.

вàйкам се *възвр.* *гл.* bewail o.'s lot; wail (за over); moan, whine, snivel.

вакàнт|ен *прил.*, **-на**, **-но**, **-ни** vacant; *(без обитатели)* void; ~**но място** opening.

ваканциòн|ен *прил.*, **-на**, **-но**, **-ни** vacation *(attr.)*, holiday *(attr.)*; *(за парламент, съд и пр.)* recessional.

ваканци|я *ж.*, **-и 1.** holidays, vacation; *разг.* vac; *(парламентарна, съдебна; амер. училищна, университетска)* recess; **лятна ~я** long/summer vacation; **2.** *(вакантна служба)* vacancy.

вàкса *ж.*, *само ед.* shoe-cream/-polish; bla-cking.

вàксам *гл.* shine/polish/black shoes.

ваксѝн|а *ж.*, **-и** vaccine; *мед.* lymph; БЦЖ ~**а** BCG; **вариолна** ~**а** lymph/virus/smallpox/Jennerian vaccine.

ваксинѝрам *гл.* vaccinate, inoculate; || ~ **се** get vaccinated.

вàкуум *м.*, *само ед.* *физ.*, *техн.* vacuum *(pl.* vacuums, vacua); *техн.* underpressure; **създавам ~ в** evacuate.

вàкуум|ен *прил.*, **-на**, **-но**, **-ни** vacuum *(attr.)*; suction *(attr.)*; ~**на помпа** vacuum pump.

вакуумѝрам *гл.* deaerate.

вàкууммѐт|ър *м.*, **-ри**, (два) **вàкуум-мѐтъра** vacuum gauge, suction gauge, botchiness.

вакханàлия *ж.*, *само ед.* **1.** *истор.* Bacchanalia; **2.** (*оргия*) bacchanalia, orgy.

вакхàнк|а *ж.*, *-и истор.* (*и прен.*) maenad, Bacchante.

вàк|ъл *прил.*, **-ла**, **-ло**, **-ли** (*за животно*) splotch-faced, with black splotches round the eyes; (*за човек*) dark(-haired), dark-eyed.

вал *м.*, **-ове**, (два) **вàла 1.** (*насип*) bank; **2.** *воен.* rampart; **временен ~ воен.** fieldwork; **3.** *геол.* swell; **4.** *техн.* shaft; axle-tree, *амер.* levee; **колянов ~** crankshaft; **разпределителен ~** countershaft.

вàлдхорн|а *ж.*, *-и муз.* horn, wald-horn, French horn; bugle.

валѐ *ср.*, **-та** *карти* knave, jack.

валѐж *м.*, **-и**, (два) **валѐжа** (*за дъжд*) rainfall (*и pl.*); (*за сняг*) snowfall; (*за град*) hailstorm; (*всякакъв*) precipitation; **среден годишен ~** average annual rainfall.

валѐнтност и валѐнция *ж.*, *само ед.* *хим.* valency, valence; **остатъчна ~** residual valency.

валериàн *м.*, *само ед.* **1.** *бот.* common valerian; **2.** *фарм.* (tincture of) valerian; all heal.

валѝ *безл. гл.* **1.**: **ако не ~** if the rain keeps off; **~ дъжд/град/сняг** it rains, it hails, it snows; **~ като из ведро/ръкав** it is pouring with rain, it is raining in buckets, it's bucketing down, the rain comes down in sheets/showers, the rain falls in torrents; it's raining cats and dogs/ducks and drakes, *амер.* it rains pitchforks; **~, не ~** (*каквото и да е времето*) rain or shine; **май ще ~** it looks like rain, it threatens rain; **2.** *прен.* (*трупа се*) hail (on s.o.); **поздравленията валят като град** greetings are showering/hailing on us.

валѝд|ен *прил.*, **-на**, **-но**, **-ни** valid; effectual; (*за монети*) passable; (*за билет и пр.*) good, available.

валѝдност *ж.*, *само ед.* validity; effectuality, effectualness; currency; (*за жп и театрален билет*) availability; **оспорвам ~та** contest the validity.

валѝрам *гл.* roll.

валѝ|я *м.*, *-и истор.* vali.

валм|о̀ *ср.*, **-à** wad; (*от прах*) flue; *бот.* floccule, flocculus, floc. flock; (*навито на вретено*) cop; (*от дим и пр.*) wreath (of); **на ~** flocky; *бот.* floccose; **правя/ставам на ~** wad.

вàло|г *м.*, **-зи**, (два) **вàлога** *геогр.* hollow.

валоризàция *ж.*, *само ед.* *фин.* valorization; (*на цени*) stabilization; (*на чек*) valuing.

валоризѝрам *гл.* *фин.* valorize, stabilize.

валпỳргиев *прил.*: **~а нощ** Walpurgis Night, witches sabbath.

валс *м.*, **-ове**, (два) **вàлса** *муз.* waltz.

валсѝрам *гл.* waltz.

валỳт|а *ж.*, *-и фин.* currency; **единна ~а** single currency; **чужда ~а** foreign exchange/currency.

валỳт|ен *прил.*, **-на**, **-но**, **-ни** currency (*attr.*); monetary; **~ен борд** currency board; **~ен курс** rate of exchange.

валц *м.*, **-ове**, (два) **вàлца** *техн.* cylinder; roller.

вàлцмашѝн|а *ж.*, *-и техн.* rolling-mill.

валцỳвам *гл.* *техн.* roll, mill; **~ на тънки листове** laminate;

вàлчест *прил.* round, ball-shaped; knobby.

вàля|к *м.*, **-ци**, (два) **вàляка** *техн.* (*машина за павиране*) steam-roller (*и прен.*); cylinder; roll; (*на пишеща машина*) platen roller; (*четков*) roller brush; **набивам с ~к** steam-roller.

вàлям *гл.* **1.** (*търкалям*) roll (along, about); **~ в брашно** roll in flour, flour; **2.** (*тепам сукно*) mill, full, felt; **3.** (*замърсявам*) soil, dirty, make filthy; || **~ се** roll; welter, wallow; roll/turn over and over; **~ се в калта** wallow in the mud.

вампѝр *м.*, **-и**, (два) **вампѝра** vampire, ghoul.

вампирỳсвам, вампирясам *гл.* become/turn vampire.

вàн|а *ж.*, *-и* (*корито*) tub, bath-tub; wash-tub; (*къпането*) bath; **соли за ~а** bath salts; (*за промиване на златоносен пясък*) техн. pan; *фот.* (*за проявяване*) developing tray, tank.

ванàди|й (*-ят*) *м.*, *само ед.* *хим.* vanadium.

вандалѝз|ъм (*-мът*) *м.*, *само ед.* vandalism.

вандàлствам *гл.* vandalize.

ванилѝн *м.*, *само ед.* *хим.* vanillin.

ванѝлия *ж.*, *само ед.* **1.** *бот.* vanilla (*Vanilla planifolia*); **2.** *кул.* (*подправка*) vanilla powder.

вапоризàтор *м.*, **-и**, (два) **вапоризàтора** vaporizer (*и мед.*).

вапоризàция *ж.*, *само ед.* vaporization.

вàпсвам, вàпсам *гл.* paint, colour; (*плат*) dye.

вар *ж.*, *само ед.* *строит.* lime; whitening; **гасена ~** slaked/slacked/hydrated lime; **хлорна ~** bleaching powder.

варàк *м.*, *само ед.* foil; gilding, gilt; gold-foil/-leaf.

варàнт *м.*, *само ед.* *фин.* warrant; guarantee, security.

вàрварин *м.*, **вàрвари** barbarian (*и прен.*).

вàрварск|и *прил.*, **-а**, **-о**, **-и** (*за племе и пр.*) barbaric; (*характерен за варварите*) barbarian; (*груб*) uncouth; feral, ferine; gothic; (*жесток*) barbarous, cruel, inhuman.

вàрдя (се) (*взвр.*) *гл.*, *мин. св. деят.* *прич.* **вàрдил** (*се*) guard, keep, protect, stand guard (over); (*причаквам*) watch out for s.o.

варѐл *м.*, **-и**, (два) **варѐла** (*за газ и пр.*) petrol tank, oil-/fuel-tank.

вàр|ен *прил.*, **-на**, **-но**, **-ни** lime (*attr.*), limy, calcareous; **~ен разтвор** *фарм.* lime-water; **~но мляко** *строит.* lime-wash, white-wash.

варѐн *прил.* boiled, stewed; **~о говеждо** boiled beef.

вариàнт *м.*, **-и**, (два) **вариàнта** variant; version; **~ на проект** alternate design.

вариàци|я *ж.*, *-и* **1.** *муз.* variation; **тема с ~и** theme and variations; **2.** (*вариант*) variant.

варѝв|о *ср.*, **-à** *кул.* legumen, pulse.

вариетѐ *ср.*, **-та** music-hall; variety show.

вариетѐт|ен *прил.*, **-на**, **-но**, **-ни** show (*attr.*); **~на артистка** show-girl; *разг.* go-go.

вариклѐчко *м.*, **-вци** miser, skinflint; *амер.* tightwad.

вариола *ж.*, *само ед.* *мед.* smallpox, Variola.

вариомѐт|ър *м.*, **-ри**, (два) **вариомѐтъра** variometer.

варѝрам *гл.* vary, change; (*колебая се в известни граници*) range (within, between; from-to); fluctuate.

варѝстор *м., само ед. ел.* varistor.

варицѐла *ж., само ед. мед.* chicken-pox, Varicella.

варо̀вик *м., само ед. минер.* limestone.

варовѝт *прил.* (*за вода*) chalky, limy, calcareous, calciferous; (*за почва*) limy, chalky; **~a вода** limewater.

варо̀свам, варо̀сам *гл.* whitewash.

вартоломѐев *прил.*: **~a нощ** *истор.* St. Bartholomew's Eve; holocaust.

варя̀ *гл., мин. св. деят. прич.* **варѝл** boil; stew; (*до омекване*) boil soft; (*наполовина*) parboil; (*на слаб огън*) simmer; coddle; (*кафе, мармалад, сапун*) make; (*каша, боб*) cook; (*ракия*) still, distil; || **~ се** boil, (къкря) simmer; ● **вари го, печи го** ~ whatever you do with it, turn it whichever way you like, whichever way you look at it.

вас *вин. пад. на личното мест.* **вие** you; **по** ~ in your parts, in your part of the country; **у** ~ at your place/home.

васа̀л *м.,* **-и 1.** *истор.* vassal (*и прен.*), feudatory, liegeman; **2.** *прен.* retainer, depen-dent, servant.

васа̀л|ен *прил.,* **-на, -но, -ни** feudatory; **~на държава** tributary; **~на зависимост** vasselage; dependency.

василѝск *м., само ед. мит.* basilisk.

васкула̀р|ен *прил.,* **-на, -но, -ни** *анат.* vascular.

ват *м.,* **-ове, (два) ва̀та** *ел.* watt.

ва̀та *ж., само ед.* **1.** wadding; (*за дрехи*) batting; (*минерална*) rock-wool; (*стъклена*) glass-wool, cinder wool; (*хигроскопична*) absorbent cotton; **2.** *мед.* cotton wool.

ва̀тенк|а *ж.,* **-и** quilted jacket/coat.

ва̀терлѝния *ж., само ед. мор.* water-line, level-line.

ватѝрам *гл.* wad, pad.

ва̀тман *м.,* **-и** (tram-)driver, motorman, *амер.* carman.

ватмѐт|ър *м.,* **-ри, (два) ватмѐтъра** *ел.* wattmeter.

ва̀учер *м.,* **-и, (два) ва̀учера** voucher.

ва̀фл|а *ж.,* **-и** (*кората*) wafer; (*сладкиш от слепени с крем и под. кори*) waffle; **~a със сладолед** cornet.

ва̀хта *ж., само ед. воен., мор.* watch; look-out.

ваш *прит. мест.* **1.** your; (*без същ.*) yours, of yours; **Ваше превъзходителство** Your Excellency; **за ~е здраве** (to) your health; **тази книга е ~а** this book is yours; **2.** (*в края на писмо*) Yours; (*при търговски писма*) Yours truly; (*между роднини, близки приятели*) Yours affectionately; **3. като същ. само мн.:** **~ите** your family/parents/people/folks; yours; ● **по ~ему** in your opinion; in your way; as you see fit.

вая̀ *гл.* sculpture; (*камък, кост, метал*) chisel; (*от дърво*) carve; (*глина*) model.

ва̀йтел (-ят) *м.,* **-и** sculptor.

вбеся̀вам, вбеся̀ *гл.* enrage, madden, exasperate, infuriate; incense, rile; lash/put s.o. into a wax; || **~ се** be furious, get enraged, get mad, *разг.* get hopping mad, go off the deep end; put s.o.'s back up, raise s.o.'s. hackles, make s.o.'s hackles rise.

вбѝвам (се), вбѝя (се) (*възвр.*) *гл.* wedge in; **~ в главата на** ram into s.o., hammer into s.o.

вглѐждам се, вглѐдам се *възвр. гл.* stare, gaze, peer (**в** at), fix o.'s eyes (on), look steadily/hard/intently (at); **но ако се вгледаме, ще видим, че ...** but closer scrutiny reveals that ...

вглъбя̀вам се, вглъбя̀ се *възвр. гл.* be/become deeply absorbed/engrossed (in).

вгнездя̀вам, вгнездя̀ *гл.* embed, bury; wedge in; implant; || **~ се** *прен.* ingraft, be embedded, be buried, be implanted, take root; **една мисъл се бе вгнездила в него** he was obsessed by an idea.

вгорча̀вам, вгорча̀ *гл.* make bitter; give a bitter taste to; *прен.* embitter; || **~ се** turn/become bitter, (*за масло*) become/turn rancid.

вгражда̀м, вградя̀ *гл.* build in; brick/wall in; wall up; embed; (*човек*) immure.

вграня̀вам се, вграня̀ се *възвр. гл.* turn/become rancid.

вгъвам, вгъна *гл.* bend in/inward); || **~ се** bend.

вда̀вам се, вдам се *възвр. гл.* (*за бряг, нос и пр. в море*) jut out, cut (**в** into); (*за стена*) batter.

вдатин|а̀ *ж.,* **-и** hollow; groove; (*в пръст, земя*) furrow; (*в скала*) cove

(*и архит.*); (*в стена*) recess; *анат.* fosse, fossa (*pl.* fossae), recess; *архит.* (*на фасада, здание*) offset.

вдетиня̀вам се, вдетиня̀ се *възвр. гл.* dote, fall into o.'s dotage, be in o.'s second childhood; behave childishly.

вдѝгам, вдѝгна *гл.* **1.** lift, raise; **~ глава** lift (up) o.'s head, look up; (*знаме*) raise, hoist, run up; (*вежди*) arch (o.'s eyebrows); (*очи, гласа си*) raise, elevate; (*котва*) raise, weigh; fish; (*за кран*) lift, take; (*с крик*) jack (up); (*керемиди, плочи от покрив*) rip off; (*дивеч*) jump; (*очи, ръце*) lift, raise; **~ прах** raise (the) dust, kick up the dust/a cloud of dust; **~ чаша** raise o.'s glass (**за някого** to s.o.), drink s.o.'s health; **~ яката си** turn up o.'s collar; **2.** (*премествам*) move; (*от земята*) pick up; (*забрана, карантина*) lift; (*заседание*) close; (*лагер*) strike/break up; (*обсада*) raise; **3.** (*разтребвам*) put away; **~ масата** clear the table; **4.** (*изправям*) make (s.o.) get/stand up, set (s.o.) on his feet; (*събуждам*) (a)wake, awaken, rouse s.o. from his sleep; **~ болен** (*излекувам*) raise up a patient, set a patient on his feet; (*изграждам – стена*) raise; (*къща*) build; **5.** (*покачвам цена*) raise, put up; **6.** (*подбуждам към борба*) rouse, raise; **~ бунт/въстание срещу** rise in revolt/rebellion against; revolt; excite a rebellion against, raise the standard of revolt; ● **~ вой** kick up a row; **~ врява/шум** make a noise/a fuss (**за** about); kick up a racket/din/*sl.* create; *прен.* (*правя поразии*) *разг.* break china; riot; **~ глава** (*разбунтувам се*) turn o.'s head high; mount on o.'s high horse, give o.s. airs; **~ рамене** shrug o.'s shoulders; **~ ръка на** raise o.'s hand against; **~ сватба** begin/hold wedding festivities; **~ си чуковете/парцалите** clear out (of a place), pack up bag and baggage, decamp; **~ температура** run a temperature.

вдѝгам се, вдѝгна се *възвр. гл.* **1.** rise; (*за връх – извисявам се*) tower; soar; (*за птица*) soar; (*за мъгла*) lift; (*за води на река*) rise; (*за прилив*) rise, flow; (*за тесто, температура*) rise; (*за завеса*) rise, go up; (*ставам, изправям се*) rise, get up, stand up; gather o.s. up; (*от болест*) recover,

get well; (*от сън*) rise, get up; *книж.* arise; **3.** (*заминавам*) leave; **вдигнах се, та при I** up and went to; **4.** (*разбунтувам се*) rise, revolt; **5.** (*пристъпвам към действие*) get together; join in; join (to a man).

вдѝгане *ср., само ед.* lifting, raising.

вдѝшвам, вдѝшам *гл.* inhale, breathe in; *мед.* inhale; ~ **дълбоко** draw/take a deep/long breath.

вдѝшван│е *ср.*, **-ия** inhalation, breathing, inspiration.

вдлъбвам, вдлъбна *гл.* make concave.

вдлъбнатин│а *ж.*, **-и** hollow; groove; (*в пръст, земя*) furrow; (*в скала*) cove (*и архит.*); (*в стена*) recess; *анат.* fosse, fossa (*pl.* fossae), fovea, recess.

вдов│ец *м.*, **-цѝ** widower; ● **сламен ~ец** grass widower.

вдовѝц│а *ж.*, **-и** widow; ● **сламена ~а** grass widow.

вдовствам *гл.* (*за мъж*) be a widower; (*за жена*) be a widow.

вдрѝгиден *нареч.* the day after tomorrow.

вдухвам, вдухна *гл.* insufflate (*и мед.*); breathe (s.th.) into.

вдълбавам, вдълбая *гл.* dig into; carve into.

вдълбочавам се, вдълбоча се *възвр. гл.* be/become deeply absorbed (**в** in); be/become engrossed (in).

вдън *предл.* deep in; ● ~ **земя** deep (down) in the earth.

вдървявам се, вдървя се *възвр. гл.* be numb, become stiff/numb/benumbed with cold; (*ставам неподвижен*) grow stiff.

вдъхвам, вдъхна *гл.* **1.** draw a breath, breathe (in), inspire; ~ **дълбоко** take a deep breath; **2.** *прен.* (*внушавам*) inspire (**у някого** s.o. with; in, into s.o.); ~ **вяра** fill/inspire with hope, elate; **той не ми вдъхва доверие** I don't trust him.

вдъхновение *ср., само ед.* inspiration; (*на поет, пророк*) afflatus; **без** ~ uninspired.

вдъхновявам, вдъхновя *гл.* inspire; ‖ ~ **се** be/feel inspired; ~ **се от** get o.'s inspiration from.

вдявам, вдяна *гл.* thread (a needle).

вегетариан│ец *м.*, **-ци**; **вегетарианк│а** *ж.*, **-и** vegetarian.

вегетариански *прил.*, **-а, -о, -и** vegetarian (*attr.*).

вегетатив│ен *прил.*, **-на, -но, -ни** vegetative; ~**на нервна система** *физиол.* autonomic nervous system.

вегетацион│ен *прил.*, **-на, -но, -ни** *бот.* vegetation (*attr.*); ~**ен период** a period of vegetation.

вегетѝрам *гл.* vegetate (*и прен.*).

веднага *нареч.* immediately; directly; at once; right away, straight away, right off; outright; forthright; forthwith; instantly, on the instant; *разг.* first thing; (*ей сега*) in a minute; *разг.* in (half) a jiff, in less than no time; (*още сега*) this very minute; *sl.* like a shot (out of hell); *амер.* right off the bat; ~ **след** immediately after, the first thing after; **дойдох** ~ **щом го чух** I came the (very) minute I heard him.

веднъж *нареч.* **1.** (*един път*) once; ~ **дваж** once or twice; ~ **завинаги** once (and) for all; **нито** ~ not once, not a single time; **само** ~ (*по изключение*) for once; once and no more; **2.** (*някога*) once; (*в даден случай*) on one occasion; **3.** (*само, стига да*) if only; ~ **да мине този изпит** if only this exam were over; I wish this exam were over! (*щом мине*) once this exam over; **4.** (*щом е, щом като*) once; ~ **направено** once it's done.

ведно *нареч. остар.* together (**с** with).

ведомост *ж.*, **-и** list, register; ~**за заплати** pay-roll/-sheet, a pay-roll ledger; wages-sheet.

ведомствен *прил.* departmental.

ведомств│о *ср.*, **-а** departement, administration; office; **под** ~**ото на** under the authority of, within the jurisdiction of; **разделям на** ~**а** departmentalize.

ведрина **и ведрост** *ж.*, *само ед.* **1.** (*за времето*) bright/clear/cloudless sky; bright/clear weather; **2.** (*прохлада, свежест*) freshness, coolness; **3.** *прен.* cheer, cheerfulness; serenity; **по лицата на всички се четеше особена** ~ they all looked very bright and cheerful; their faces were beaming; **4.** (*гимнастика в училище сутрин*) morning gym.

ведр│о *ср.*, **-а** (wooden) pail, bucket, tub; ● **вали** (**като**) **из** ~**о** it is pouring with rain, it is raining in buckets, it's bucketing down, the rain comes down

in sheets/showers; the rain falls in torrents; it's raining cats and dogs/ ducks and drakes, *амер.* it rains pitchforks.

вед│ър *прил.*, **-ра, -ро, -ри 1.** (*за небе*) clear, bright, cloudless, serene; *поет.* azure; **2.** (*прохладен*) (*за вятър*) cool, fresh; **3.** *прен.* (*за поглед*) cheerful, serene.

веж│да *ж.*, **-и обикн. мн.** eyebrow; **вдигам** ~**и** arch o.'s eyebrows; **сбърчвам/свивам** ~**и** scowl, frown (at); (*гледам крадешком*) cast sidelong glances (at); ● **вместо да изпиша** ~**и, изваждам очи** make sad work of it.

вежлѝв *прил.* polite, civil, courteous; thoughtful; (*изтънчен, светски*) urbane; (*в разговор*) civil-spoken; fairspoken.

веза *гл.* embroider; do fancy sewing.

везба *ж.*, *само ед.* embroidery; piece of embroidery; embroidery work, embroidering.

вездесъщ *сег. деят. прич.* omnipresent; *ирон.* ubiquitous.

везѝр *м.*, **-и** *истор.* vizier; **велик** ~ grand vizier.

везн│а *ж.*, **-й 1.** (pair of) scales; balance (*sg.*); **автоматични** ~**и** automatic weighter; **накланям** ~**ите** *прен.* tip/turn the balance; **2.** *астрол.* **Везни** (*зодия*) Libra.

вейк│а *ж.*, **-и** twig, (small) branch; offset; ● **слаб като** ~**а** as lean as a rake.

век *м.*, **-овѐ**, (**два**) **вѐка 1.** century; **2.** (*епоха*) age; ● **бронзовият/златният** ~ the Bronze/the Golden Age; **во** ~**и** ~**ов** for ever and ever; world without end; **средните** ~**ове** the Middle Ages.

веков│ен *прил.*, **-на, -но, -ни** age-old, century-old, centuries-old; time-honoured; (*за враг*) ancient, age-long.

вектор *м.*, **-и**, (**два**) **вѐктора** *мат.* vector.

векувам *гл.* **1.** live for ages; **2.** *прен.* stay (somewhere) for ages.

веларен *прил.*, **-на, -но, -ни език** velar; uvular.

Велзевул *м.*, *само ед.* *мит.* Beelzebub, Satan, the Devil.

велѝк *прил.* great; (*за народно събрание*) grand; ~**а сила** world power; **Великата отечествена война** *истор.* the Great Patriotic War; **Велики пости** *църкв.* Lent; **Великите сили**

истор., полит. the Great Powers; the first-rate powers.

великан *м.*, -и giant (*и прен.*); ~ човекоядец ogre.

великанск|и *прил.*, -а, -о, -и gigantic; giantish; giant (*attr.*), giant-like, giantly; enormous.

Велѝкден *м. собств. църк.* Easter; Pasche; • всеки ден не е ~ every day is not Sunday; Christmas comes but once a year.

велѝкденче *ср., само ед. бот.* veronica, speedwell, sudarium (*Veronica*).

Великобритания *ж. собств.* Great Britain.

великобългарск|и *прил.*, -а, -о, -и pan-Bulgarian (*attr.*); chauvinistic.

великодушие *ср., само ед.* magnanimity, generosity, big-heartedness, great-heartedness.

великолеп|ен *прил.*, -на, -но, -ни magnificent, splendid, superb, fine, grand, lordly, princely; glorification; gorgeous, majestic, brilliant; fabulous, fantastic; (*отличен*) wonderful, excellent.

великолепие *ср., само ед.* magnificence, superbness, splendour; brilliance; gorgeous, glorious, lordliness; princeliness, pomp; éclat.

великомъчени|к *м.*, -ци; **великомъчениц|а** *ж.*, -и *църк.* martyr.

величав *прил.* grand, lordly, imposing, stately.

величайш|и *прил.*, -а, -о, -и greatest, supreme; ~а чест signal honour.

величая *гл., мин. св. деят. прич.* величал glorify, exalt, extol, sing praises to; emblazon.

величествен *прил.* impressive, majestic, imposing, grand, grandiose, august, sublime; glorious, regal; (*за фигура, външност*) statuesque; (*за важна особа*) Olympian; (*за връх и пр.*) awesome; (*за здание и пр.*) stately.

величественост *ж., само ед.* majesty; grandeur, grandness, grandiosity; stateliness; (*на шествие и пр.*) pageantry.

величеств|о *ср.*, -а majesty; **Негово/Нейно** ~о His/Her Majesty.

величи|е *ср.*, -я grandeur, greatness, majesty; eminence; stateliness; lordliness; **мания за** ~е megalomania.

величин|а *ж.*, -й 1. *мат.* quantity; безкрайно малка ~а infinitesimal

(quantity; **неизвестна** ~а unknown quantity; **постоянна** ~а constant; 2. *астр.* magnitude; 3. (*големина*) size; (*за статуя, портрет*) **в естествена** ~а (in) life-size, (*за статуя и*) as large as life; 4. (*мащаб*) caliber, stature; • той е политик от съмнителна ~а he's a politician of sorts.

велмож|а *м.*, -и *истор.* noble, lord (*и прен.*).

велосипед *м.*, -и, (*два*) велосипеда bicycle, cycle, *разг.* bike; (*обикновен*) roadster; ~ **на три колела** tricycle, *разг.* trike; ~ **тандем** tandem (cycle).

велосипедист *м.*, -и; **велосипедистк|а** *ж.*, -и (bi)cyclist.

велпапе *ср., само ед.* corrugated cardboard/pasteboard.

велур *м., само ед.* 1. *текст.* velveteen; panne; (*за шапки*) velours; 2. (*шведска кожа*) suede, buckskin.

вен|а *ж.*, -и *анат.* vein; **прерязвам** ~ите си slash o.'s wrist; **разширени** ~и varicose veins.

вендета *ж., само ед.* vendetta; deadly feud.

вендуз|а и **вентуз|а** *ж.*, -и *мед.* cup, cupping-glass.

Венера *ж. собств. мит., астр.* Venus.

венерическ|и *прил.*, -а, -о, -и *мед.* venereal; ~ **и болести** *мед.* venereal diseases, *съкр.* V. D.

вен|ец₁ *м.*, -ци, (*два*) венеца 1. (*от цветя*) wreath, garland; *книж.* chaplet; **вия** ~ец weave into a garland; **лавров** ~ец bays; crown/wreath of laurels; 2. (*ореол*) halo, nimbus, aureole; (*знак на слава*) crown; 3. *църк.* (*за венчаване*) crown; 4. (*сплитка от лук и пр.*) string; 5. *бот.* corolla; 6. *техн.* ratchet ring; crown.

вен|ец₂ *м.*, -ци, (*два*) венеца *анат.* gum, gingiva; **възпаление на** ~ците gingivitis.

Венецуела *ж. собств.* Venezuela.

венеч|ен *прил.*, -на, -но, -ни 1. *фон.* alveolar; 2. *бот.* coronate; 3. *анат.* gingival.

вензел *м.*, -и, (*два*) вензела monogram.

веноз|ен *прил.*, -на, -но, -ни (*за кръв*) venous; (*за инжекция*) intravenous.

вентил *м.*, -и, (*два*) вентила *техн.* valve; **възвратен/спирален/шибърен**

~ return/stop/slide valve.

вентилатор *м.*, -и, (*два*) вентилатора fan, ventilator; (*на тунел*) blowhole; **винтов** ~ helical blower; **настолен** ~ desk/aerial fan.

вентилацион|ен *прил.*, -на, -но, -ни ventilation (*attr.*); ~**на шахта** *мин.* upcast, ventilating shaft.

вентилация *ж., само ед.* ventilation.

вентилирам *гл.* ventilate; fan.

вентрилоквиз|ъм (-мът) *м., само ед.* ventriloquism.

вентрилоквист *м.*, -и ventriloquist.

венчавам, **венчая** *гл.* (*извършвам обреда*) marry, wed, perform the marriage ceremony; (*кумувам*) stand sponsor (to); || ~ **се** marry s.o., be/get married (to s.o.).

венчаван|е *ср.*, -ия и **венчавк|а** *ж.*, -и wedding, marriage ceremony, *книж.* nuptials.

венчал|ен *прил.*, -на, -но, -ни (*за пръстен, рокля*) wedding (*attr.*), (*за пръстен и*) nuptial; (*за обреди*) nuptial; ~**ен обред** wedding service.

венче *ср.*, -та *бот.* corolla, whorl; *поет.* co-ronal.

венчелистче *ср.*, -та *бот.* petal.

венчил|о *ср.*, -а wedding, marriage; married life; **първо/второ** ~о first/second marriage.

веранд|а *ж.*, -и veranda(h); *амер.* porch; (*около къща*) piazza.

вербал|ен *прил.*, -на, -но, -ни verbal; ~**на нота** *дипл.* a verbal note.

вербализация *ж., само ед.* verbalization, verbification.

вербувам *гл.* recruit; enrol; *прен.* win over.

верев *м., само ед.*; • **на** ~ on the bias/cross.

верен *прил.*, **вярна**, **вярно**, **верни** 1. (*истински, правилен*) true, correct, right; (*за муз. инструмент*) true; (*за часовник*) right; (*за описание*) true to life; (*за отговор*) exact, correct; **най-вярно представяне на живота** the most natural representation of life; 2. (*предан*) true, devoted, faithful, loyal (*и за съюзник*); (*за поддръжник, защитник и*) staunch, stalwart; (*за съпруг, съпруга*) true; ~ **приятел** true/devoted/sworn/trusted friend; 3. (*заслужаващ доверие*) reliable, trustworthy; (*за ин-*

стинкт) unerring; • ~ до гроб true blue; ~ на думата си true to o.'s word, as good as o.'s word.

вересѝ|я ж., -и credit; • купувам на ~я разг. buy on the slate, buy on tick, tick; на ~я on credit.

верѝг|а ж., -и 1. chain; (за теглене) tow(ing)-line; 2. само мн. (окови) chains, fetters, shackles; оковавам във ~и fetter, enchain, bind with chains/fetters; put into chains; 3. (низ, редица от свързани неща) chain; ~а от магазини multiple; (планинска) mountain chain, range of mountains; (от събития) catena (pl. catenae); 4. техн. linkwork; затворена електрическа/магнитна ~а ел. loop; 5. воен. line.

верѝж|ен прил., -на, -но, -ни chain (attr.); catenulate; catenarian; ~на реакция хим. chain reaction; ~но производство flow-production, moving-band production.

верѝжк|а ж., -и (gold) chain(let), necklace; ~а за часовник watch-chain.

верѝз|ъм (-мът) м., само ед. изк. verism, verismo.

верификация ж., само ед. verification.

вермут м., само ед. vermouth.

верноподаничество ср., само ед. loyalty, fidelity.

вероизповедани|е ср., -я creed, faith, church; religion; (секта) denomination, persuasion; свобода на ~ето freedom of religion.

веролом|ен прил., -на, -но, -ни treacherous, traitorous, perfidious, deceitful; faithless; perjured, perjurious; (за болест) insidious; (за приятел) false-/double-hearted.

вероотстъпничество ср., само ед. apostasy; извършвам ~ commit apostasy, apostatize, turn apostate/renegade.

веротърпимост ж., само ед. tolerance, broad-mindedness; latitudinarianism.

вероучение ср., само ед. religious doctrine, creed; (учебен предмет) religion, religious instruction.

вероят|ен прил., -на, -но, -ни probable, likely; contingent; разг. on the cards; amer. in the cards; ~ен наследник юр. expectant air; ~ен риск фин. speculative risk.

вероятност ж., -и chance, probability;

likelihood; има ~ ... it seems probable that ..., chances are (that) ...; по всяка ~ in all probability, most probably/likely; very likely; ten to one; as like as not; теория на ~ите мат. calculus of probability.

версайск|и прил., -а, -о, -и Versailles (attr.); Версайският договор истор. the Treaty of Versailles.

версификация ж., само ед. лит. versification.

верси|я ж., -и 1. version, account; 2. юр. case, story; ~я на защитата defence story/case; ~я на обвинението prosecution case.

верск|и прил., -а, -о, -и religious.

верст|а ж., -и verst (3500 feet).

вертеп м., -и, (два) вертепа house of ill fame, brothel, bawdy house; (бърлога) pandemonium; sl. kip; амер. sl. joint, honky-tonk; (на разбойници) den, haunt.

вертикал|ен прил., -на, -но, -ни vertical; (изправен) upright; (отвесен) perpendicular; ~на плоскост vertical plane; ~но излитане vertical take-off.

вертолет м., -и, (два) вертолѐта helicopter, autogyro; разг. chopper.

верую ср., само ед. църк. credo, creed (и прен.); doctrine.

весел прил. 1. gay, cheerful, jolly; sl. raughty (и за вид), merry, jovial, cheery; mirthful, sparkish; gleeful; (шеговит) jocular; (закачлив) perky, jaunty, frolicsome, frolicky, книж. jocose; (жизнерадостен, безгрижен) mercurial; (празничен) convivial; (буен, галантен) sparkish; (шумен) hilarious; (за песен) merry, lively; (за комедия, разказ) amusing, gay; (за стая, цвят) bright, cheerful; ~а компания merryma-kers; ~о прекарване (пожелание) have a good time; 2. (свеж, за растение) fresh, green.

веселб|а ж., -и revelry, merry-making, rollick, frolic; (с пиене) spree; (шумна) high jinks; sl. jamboree.

весели|е ср., -я 1. gaiety, fun, merriment, rejoicing(s); 2. revelry, merry-making, frolic; spree.

веселя гл., мин. св. деят. прич. веселил cheer, make (s.o.) merry, amuse, entertain; || ~ се enjoy o.s., have a good/gay/jolly time, have fun, make merry; rollick; disport o.s.; tittup; boogie; sl.

paint the town red; hit the high spots; ~ се цяла нощ make a night of it.

весел|я|к м., -ци jolly fellow, jolly old soul, merry rascal, blade, roisterer; gay/jolly dog.

весл|о ср., -а̀ мор. oar; (по-малко, за една ръка) scull; (за русалка) paddle.

вест ж., -и (a piece of) news; само мн. news; книж. tidings; word; (съобщение) announcement, notice; разчу се ~та, че word went around that; • ни ~, ни кост he has vanished without a trace; скръбна ~ (некролог) obituary notice.

вестал|а ж., -и истор. vestal, vestal virgin.

вестгот м., -и обикн. мн. истор. Visigoth.

вестибулар|ен прил., -на, -но, -ни анат. vestibular, vestibulate; ~ен апарат анат. vestibularis.

вестибюл м., -и, (два) вестибюла entrance-hall, vestibule, hall, hallway, lobby.

вестни|к м., -ци, (два) вѐстника 1. newspaper; разг. paper; journal; (ежедневник) daily (paper); (седмичник) weekly; Държавен ~ state/official gazette; 2. поет. herald.

вестникар (-ят) м., -и 1. (журналист) journalist, newspaperman, pressman, presswoman; reporter; 2. (продавач) news-man (-woman), newspaper-man (-woman), news-agent; news-boy.

вестово|й (-ят) м., -и остар. orderly (man), batman.

вестявам се, вестя се възвр. гл. appear (briefly), put in an appearance, show up, turn up.

вѐтв|а ж., -и остар. branch, twig.

ветеран м., -и veteran; ex-serviceman; разг. vet, old campaigner; (опитен човек) old hand, разг., прен. old war-horse, one of the old brigade/of the old stalwart; воен. sl. old sweat.

ветеринар м., -и и разг. veterinary surgeon; жарг. vet.

ветеринар|ен прил., -на, -но, -ни veterina-rian, veterinary (attr.); ~ен институт institute of veterinary medicine; ~ен лекар veterinary surgeon, veterinarian, vet.

вѐто ср., само ед. юр. veto; налагам ~ на veto (s.th.), put a veto (on s.th.); пра-

во на ~ right of veto.

ветрѐц *м., само ед.* soft/gentle/light breeze, zephyr; (*от сушата към морето*) land breeze.

ветрѐя *гл., мин. св. деят. прич.* **ветрял 1.** (*знаме*) flutter, wave; **2.** (*проветрявам дрехи*) air; **3.** (*изветрявам*) evaporate, go flat; || ~ **се** flutter, wave.

ветрѝлни|к *м.,* -**ци,** (два) **ветрѝлника** *разг.* draughty room/house; cave of the winds; rookery.

ветрѝл|о *ср.,* -**à 1.** fan; **вея си с ~о** fan o.s.; (*на перо*) web; **2.** *мор.* sail.

ветрилообра́з|ен *прил.,* -**на,** -**но,** -**ни** fanshaped, flabellate, flabelliform.

ветровѝт *прил.* windy; draughty, *амер.* drafty.

ветропоказа́тел (-**ят**) *м.,* -**и,** (два) **вѐтропоказа́теля** (weather-)vane, weather-cock; wind-cone, wind-sock; drogue.

ветрохо́д *м.,* -**и,** (два) **ветрохо́да** sailing-boat/-craft.

ветрохо́дство *ср., само ед. спорт.* yachting; sailing.

вѐхна *гл.* **1.** (*за растение*) fade, wilt (*и прен.*), wither (*и прен.*); droop (*и прен.*); **2.** *прен.* (*за човек*) languish, pine (away).

вехт *прил.* **1.** (*за облекло и пр.*) old, shabby, worn (out), *разг.* seedy; (*за къща*) shabby; **Вехтият** (**Ветхият/Ста́рият**) **завет** *библ.* the Old Testament; **2.** *поет.* of yore, of olden times.

вехтѐя *гл., мин. св. деят. прич.* **вехтял** grow old/shabby; look shabby, look worn out.

вехторѝ|я *ж.,* -**и** frippery, rubbish, second-hand goods; bric-a-brac; *sl.* junk.

вехтоша́р (-**ят**) *м.,* -**и** second-hand dealer, old-clothes man; wardrobe/junk dealer; *sl.* totter.

вѐче *нареч.* **1.** already; (*при въпрос*) yet; **влакът ~ е пристигнал** the train has already arrived, the train is already in; **мина ли ~ болката?** has the pain passed away yet? **2.** (*с отрицание*) ~ **не** no longer, not any more; (never) again; **3.** (*за период от време*) already, by now; **ето ~ 3 години откакто** for three years now (*с perfect tense*); **това е ~ отдавна забравено** it has long since been forgotten; **4.** (*промяна на условия*) now; **вятърът още духа**-

ше, но ~ **по-слабо** the wind was still blowing, but with less force now/but it was no longer so strong; **няма ~** there is no more, it's all gone; • **крайно време е ~ да** it is high time to; **най-~** mostly; predominantly.

вѐч|ен *прил.,* -**на,** -**но,** -**ни** eternal; everlasting, perpetual, unending; unperishing; deathless; (*непрекъснат*) ceaseless, incessant, endless, never-ending; (*за движение*) perpetual; (*за оплаквания и пр.*) continual, unceasing; (*за младост и пр.*) perennial; (*за тревоги и пр.*) never-ending; (*за съмнения*) chronic; (*за красота*) imperishable, timeless; (*за тревога, усмивка, изражение на лицето*) ever-present; ~**на слава** eternal glory; **за/на ~ни времена** in perpetuity, for ever; • ~**ен сън** sleep of death; ~**ни мъки** *рел.* eternal torment, spiritual death; **Вечният град** the Eternal City, Rome.

вѐчер *ж.,* -**и 1.** evening; *поет.* eve; eventide; **добър ~** good evening; **тази ~** this evening, tonight; **утре ~** tomorrow evening; **2.** *прен.* concert; reading; night; **литературно-музикална ~** concert with rea-dings; **3.** *като нареч.* in the evening, *разг.* evenings; • **Бъдни ~** Christmas Eve.

вечѐр|ен *прил.,* -**на,** -**но,** -**ни** evening (*attr.*); (*за животно, което е активно през нощта*) vesperian, vespertine; ~**на рокля** evening dress; ~**но време** in the evening; *разг.* evenings.

вечерѝнк|а *ж.,* -**и** dance, dancing-party, social evening.

Вечѐрница *ж., само ед. разг.* evening star, Venus, vesper, Hesperus.

вечѐр|я *ж.,* -**и 1.** dinner, supper; **да-вам ~я на** give a dinner party, entertain for dinner; **2.** (*време за вечеря*) dinner time, supper time; • **Тайната ~я** *рел.* the Last Supper, (*у протестантите*) Communion, the Lord's Supper.

вечѐрям *гл.* dine, have dinner; have supper, sup.

вѐчно *нареч.* eternally, always; everlastingly; for ever.

вѐчнозелен *прил.* evergreen.

вѐчност *ж., само ед.* eternity, eternalness; perpetuity; everlastingness; (*безсмъртие*) immortality; deathlessness; **цяла ~** years and years.

вещ₁ *ж.,* -**и** thing; object; ~**и** things,

belon-gings; gear; **крадени ~и** stolen goods; *sl.* gear; **лични ~и** personal belongings/effects.

вещ₂ *прил.* experienced, clever; skilled; competent; proficient (**в** in, at); ~ **съм в нещо** be an old hand at s.th., *разг.* be a whale at/on/for s.th.; • ~**о лице** pundit; *юр.* expert.

веща́я *гл., мин. св. деят. прич.* **веща́л** prophesy, augur, (fore)bode; presage; portend; **това не веща́е добро** it bodes no good.

вѐщ|ен *прил.,* -**на,** -**но,** -**ни** *юр.* real; ~**на тежест** real burden.

вѐщер *м.,* -**и** wizard.

вещѐствен *прил.* material; corporeal; physical; substantial; *юр.* tangible; ~**и доказателства** exhibits, material evidence.

вещество́ *ср.,* -**à** matter, substance; material, stuff; **белтъчни ~а** albuminous substances; proteins; **взривни ~а** explosives.

вещина́ *ж., само ед.* experience; skill, skilfulness; mastery; proficiency; virtuosity; know-how, expertness, expertise.

вѐщиц|а *ж.,* -**и** witch, sorceress; beldam(e); *прен.* old hag, crone; gorgon; • **лов на ~и** *прен. полит.* witch-hunt.

вѐя *гл., мин. св. деят. прич.* **вял** и **вея́л 1.** (*за вятър*) blow; **фъртуната вее снежни преспи** the gale drifts the fields with snow; **2.** (*коса*) let o.'s hair flow down o.'s back; **3.** (*при вършитба*) winnow; || ~ **се** (*за знаме*) flutter, flap, wave; (*за пера на вятъра*) nod.

вживя́вам се, вживѐя се *възвр. гл.* enter into, live over, feel o.s. into; ~ **в роля** live a part, enter into o.'s part.

взаѝм|ен *прил.,* -**на,** -**но,** -**ни** mutual, reciprocal; ~**ни симпатии** fellow feeling; **с ~ни отстъпки** by mutual concession.

взаѝмност *ж., само ед.* mutuality, reciprocation, reciprocity.

взаимовръ́зка *ж., само ед.* interdependence, reciprocity; **правна ~** legislative reciprocity.

взаимодѐйствие *ср., само ед.* interaction, reciprocal action; coactivity.

взаимозавѝсимост *ж., само ед.* interdependen-dence, mutuality, reciprocity.

взаимозаменя́ем *прил.* replaceable.

взаимозастрахова́тел|ен *прил.,* -**на,** -**но,** -**ни** mutual insurance (*attr.*); ~**но**

дружество mutual indemnity association.

взаимоизключващ *прил.* mutually exclusive.

взаимоотношени|е *ср.*, **-я** *обикн. мн.* interrelation; mutual relations; relationship; (*между хора, страни*) relations; изграждане на добри ~я fence-mending.

взаимопомощ *ж.*, *само ед.* mutual aid/assistance; договор за ~ *юр.*, *дипл.* treaty of mutual assistance.

взаимопроникване *ср.*, *само ед.* interpenetration, mutual penetration.

взаимоспомагател|ен *прил.*, **-на**, **-но**, **-ни** mutual aid (*attr.*); ~на каса mutual aid fund, mutual insurance fund; loan society; friendly society; mutual benefit society; *амер.* credit union.

взвод *м.*, **-ове**, (два) **взвода** *воен.* platoon; (*в англ. артилерия, инженерните и свързочните части*) section; (*в англ. кавалерия и бронетанковите части*) troop.

взвод|ен *прил.*, **-на**, **-но**, **-ни** platoon (*attr.*), section (*attr.*), troop (*attr.*).

вземам, взема *гл.* **1.** take; (*от маса, под и пр.*) take from/from under; take up; pick up; ~ със себе си take (s.o./s.th.) along with one; **2.** (*получавам*) get; (*власт* seize power; (*при продажба*) take, charge; **3.** (*учебен материал и пр.*) have, do; (*за учител*) cover; **4.** (*купувам*) buy, get; **5.** (*отнемам*) take (back); rob (някому нещо s.o. of s.th.); (*завладявам*) воен. take, capture; **6.** (*женя се за*) marry, take to wife; **7.** (*започвам*) begin, start (*c ger.*, *inf.*) take to (*c ger.*); (*при неочаквано действие*) взема, че/та ... suddenly ...; да не вземеш да ме лъжеш don't go lying to me, don't go telling me lies; я вземи да се научиш уроците you'd better do your lessons; ● Бог дал, Бог взел God takes what he has bestowed/given; ~ жертви take a (heavy) toll; claim victims; ~ за пример take pattern by; ~ изпит take/pass an examination; ~ мерки *прен.* take steps; ~ на заем borrow; ~ някого на мушка have it in for s.o.; bear/have a grudge against s.o.; ~ някому здравето be the death of s.o.; *прен.* give s.o. no end of trouble; ~ присърце take to heart; ~ решение arrive at/take/make

a decision; ~ си (*при ядене*) help o.s. (от то), have (от -); partake of; ~ си думите назад swallow/ retract o.'s words; ~ си сбогом take leave of s.o.; ~ страна take sides; ~ участие take part, participate, assist (в in); вземи единия, та удари другия it is six of one and half a dozen of the other; there's nothing/not much to choose between them; взех си белята с тази работа it/this gave me no end of trouble; да имаш да вземаш! I'm not taking any! nothing doing! *амер.* nix on that! the back of my hand to you! за какъв ме вземате? what do you take me for?

вземан|е *ср.*, **-ия** *юр.*, *фин.* claim; ~е на проба sampling; ~ия receipts, takings; accounts receivable.

вземане-даване *ср.* *неизм.* dealing, business; intercourse; *разг.* truck; имам ~ с be mixed up with.

взиждам, взидам *гл.* build in, brick in, wall in.

взирам се, взра се *възвр. гл.* peer (into), look steadily/intently, fix o.'s eyes on.

взискател|ен *прил.*, **-на**, **-но**, **-ни** exacting, demanding, hard to please, exigent; over nice; particular; finical; strict; ~ен съм към себе си not spare o.s.; ~ен учител (severe) task master.

взлом *м.*, *само ед.*: влизам в къща с ~ break into a house; кражба чрез ~ housebreaking, burglary.

взор *м.*, *само ед.* gaze.

взрив *м.*, **-ове**, (два) **взрива 1.** (*експлозия*) explosion, detonation, blast; силен ~ violent detonation; **2.** (*експлозив*) explosive.

взрив|ен *прил.*, **-на**, **-но**, **-ни** explosive; ~ни работи *мин.* shot-firing.

взривоопасност *ж.*, *само ед.* explosion hazard.

взривявам, взривя *гл.* detonate, blow up, (*скала*) blast.

ви *крат. ф-ма на личното мест.* вие **1.** (to) you; виждам ~ I see you; **2.** (Ви) your; брат ~ your brother.

виадукт *м.*, **-и**, (два) **виадукта** viaduct.

вибрато *нареч.* *муз.* vibrato.

вибратор *м.*, **-и**, (два) **вибратора** *физ.* vibrator; *техн.*, *радио.* oscillator; (*прекъсвач*) trembler; (*на антена*) dipole.

вибрафон *м.*, **-и**, (два) **вибрафона** *муз.* vibraphone, *sl.* vibes.

вибраци|я *ж.*, **-и** vibration; wobble (*и на колело*); (*при внезапен удар*) jar; без ~и vibrationless.

вибрирам *гл.* vibrate; quiver; oscillate; *техн.* jar; (*за машина*) tremor; (*за глас*) wobble.

вибробетон *м.*, *само ед.* vibrated concrete.

виброграф *м.*, **-и**, (два) **вибрографа** vibrograph.

вибромет|ър *м.*, **-ри**, (два) **виброметъра** vibrometer.

вивариум *м.*, **-и**, (два) **вивариума** vivarium.

виваче *нареч.* *муз.* vivace.

вивисекция *ж.*, *само ед.* vivisection; правя ~ vivisect.

вигвам *м.*, **-и**, (два) **вигвама** wigwam.

вид₁ *м.*, **-ове**, (два) **вида** (*външност*) appearance, air, aspect, look; description; (*форма*) mode; в жалък ~ in sorry trim; в завършен ~ ready; давам ~, че pretend to (*c inf.*), make/behave as if; имам ~ на look like, appear, give the impression of; на ~ outwardly, apparently, in semblance; ... -looking; ● при ~а на at the sight of.

вид₂ *м.*, **-ове**, (два) **вида 1.** (*род*) sort, kind; ~ стока a line of goods; един ~ so to say, sort of; something like; **2.** *биол.* species; "Произходът на ~ове-те" "The Origin of Species"; **3.** *език.* aspect; **4.** *лит.* form, genre.

виделее се *безл.* *възвр. гл.* it dawns, it begins to grow light.

вид|ен *прил.*, **-на**, **-но**, **-ни** eminent, outstanding, notable, noted, prominent, distinguished, of distinction/note; top-ranking; ~но е it is clear/obvious; слагам нещо на ~но място display s.th. prominently, put s.th. in a conspicuous position, place s.th. in view/in plain sight.

видени|е *ср.*, **-я** (*въображаем образ*) vision, phantasm; (*призрак*) apparition, phantom, spectre, phantasm.

видеовръзк|а *ж.*, **-и** video communication; пряка ~а video conferencing.

видеодисплей|й (**-ят**) *м.*, **-и**, (два) **видеодисплея** *техн.* videodisplay, visual display unit.

видеозапис *м.*, **-и**, (два) **видеозаписа** video tape, (video) recording; правя ~ videotape.

вѝдеоигр|а̀ ж., -ѝ video game.

вѝдеока̀мер|а ж., -и camcorder; (ръчна, преносима) palmcorder.

вѝдеокасѐт|а ж., -и video cassette.

вѝдеомагнетофо̀н м., -и, (два) вѝдеомагнетофо̀на videotape recorder.

вѝдеосигна̀л м., -и, (два) вѝдеосигна̀ла videosignal.

вѝдеотелефо̀н м., -и, (два) вѝдеотелефо̀на videophone, picture-phone.

вѝдеофѝлм м., -и, (два) вѝдеофѝлма video, разг. vid.

вѝдим сег. страд. прич. visible, discernible; outward, apparent; (очевиден) evident; apparent; ~ с просто око visible to the naked/unaided eye.

вѝдимост ж., само ед. visibility, visibleness; поле на ~та a field of vision.

видиотя̀вам, видиотя̀ гл. idiotize, make an idiot of; || ~ се become idiot.

видоизменѐни|е ср., -я обикн. мн. alteration; modification; mutation; metamorphosis.

видоизмѐням, видоизменя̀ гл. change, alter, modify; mutate, vary; transmute; metamorphose; || ~ се change, alter, be modified; differentiate; take a different shape.

вѝдр|а ж., -и зоол. otter (Lutra lutra) (и кожата).

вѝе лично мест., 2 л., мн. you; всички ~ all of you; разг. you all.

виѐлиц|а ж., -и blizzard, snowstorm.

вѝене ср., само ед. howling, howl, wail(ing).

Виетна̀м м. собств. Vietnam.

виетна̀м|ец м., -ци Vietnamese.

виетна̀мк|а ж., -и Vietnamese (woman).

виетна̀мск|и прил., -а, -о, -и Vietnamese.

вѝещ се сег. деят. прич. (за път, растение) rambling.

вѝждам, видя̀ гл. 1. see; разг. clap eyes on; аз ще видя кой е (при позвъняване или почукване) I'll answer the door; ~ добре have good eyes/sight; ~ земя мор. make land; дай да го видя let me see it, show it to me; не ~ добре have weak eyes, have bad sight; 2. прен. (схващам, преценявам) see, realize, understand; доколкото ~ as far as I can see; чакай да видя (да помисля) let me see; ще видим that remains to be seen, that is to be seen, (ще поча-

каме) wait and see; 3. прен. (получавам) have; 4. (навестявам) see, go and see; 5. (изпитвам) see, experience; видял съм добри и лоши дни I've seen good days and bad; I've had my offs and ons/my ups and downs; ~ зор have a hard time, be hard pressed; have (no end of) trouble (with); 6. (погрижвам се за) look after, take care of, see to, see about; ще видя каква е работата I'll check upon the matter, I'll see to that; 7. виж повелит. накл. – (учудване) ~ ти! indeed! well! you don't say so! bless my stars/my soul! – какво now look; (контраст): ~, ако ти кажат now if they tell you; (внимавай): mind, take care; ~ да не сбъркаш mind you don't go wrong; || ~ се 1. се м. 1.; 2. be seen, be visible; can be seen; видях се принуден да I found myself obliged to; тепърва ще се види it is/it remains to be seen; 3. (срещам се с) meet; ● види се apparently; it seems that; видях от теб (и направих същото) I followed your example, I copied you; I saw what you did and followed suit; виж по-горе/по-долу (препратка в книга) vide supra/infra, see above/below; вижда му се краят I can see daylight; ~ се в чудо be in a fix/pickle, be in/get into hot water, be at o.'s wits' end; да видя, не вярвам! that will be the day! и какво да видиш! lo and behold! който накъдето види in all directions; ще му видя сметката разг. I'll fix him; I'll settle his hash; ще тръгна, където ми видят очите I'll go wherever my feet lead me.

вѝждане ср., само ед. (разбиране) outlook, viewpoint; vision; нощно ~ noctovision.

виз|а ж., -и visa; входна/изходна/многократна/транзитна ~а entry/exit/multiple/transit visa; издавам ~а issue a visa.

византѝ|ец м., -йци; византѝйк|а ж., -и истор. Byzantine.

византѝйск|и прил., -а, -о, -и Byzantine (attr.).

Византѝя ж. собств. Byzantium.

визѝрам₁ гл. (паспорт) endorse, stamp, visé, visa; (чек) certify; (парафирам документ) countersign.

визѝрам₂ гл. 1. опт. collimate; 2. (посочвам) allude to, hint at; refer to; не

~ никого I don't have anyone in mind in particular.

визѝрам₃ гл. (при рисуване) gauge.

визѝт|а ж., -и visit, call; делова ~а business visit; правя ~а (на някого) pay/make a call (on. s.o.); pay a visit (to s.o.); приятелска ~а social/unofficial visit.

визита̀ци|я ж., -и (в болница) doctor's round; professional call (of a physician).

визѝт|ен прил., -на, -но, -ни: ~на картичка visiting card, business card; амер. calling card.

визо̀н м., само ед. зоол. vison (Putorius lutreola); американски ~ American mink (Putoria vison); (кожа) mink.

визуа̀л|ен прил., -на, -но, -ни visual; ~ен контакт eye contact.

визуализѝрам гл. visualize.

визьо̀р м., -и, (два) визьо̀ра (на нивелир) vane; фот. view-finder; (на микроскоп) object-finder; опт. finder.

вик м., -ове, (два) вѝка cry, shout, yell; боен ~ war-cry; надавам ~ raise/give a cry, cry out; (зов) call.

вѝкам гл. 1. cry (out), call (out), shout; (възбудено, от радост) whoop; ~ колкото ми глас държи/ до Бога shout/cry at the top of o.'s voice; ~ от болка cry out/scream/yell with pain; (говоря високо) speak loudly, shout; 2. (повиквам) call, send for; (дух) evoke, conjure up; (призовавам в съд и пр.) summon; ~ лекар send for/call a doctor, call in medical assistance; 3. say; (наричам) call; викат ме Иван I am Ivan, they call me Ivan, my name is Ivan; дето се вика as they say; so to speak; as the saying goes; 4. (карам се) scold (s.o.); ~ някого по телефона ring s.o., give s.o. a ring.

вика̀ри|й (-ят) м., -и църк. vicar, parson.

вѝкинг м., -и истор. Viking.

вико̀нт м., -и viscount.

виконтѐс|а ж., -и viscountess.

виктория̀нск|и прил., -а, -о, -и Victorian (attr.).

викторѝн|а ж., -и quiz.

вѝл|а₁ ж., -и (уред) pitchfork; (за сено) hayfork; ● на ~и и могили in mess.

вѝл|а₂ ж., -и villa, country/summe[r] house; (планинска/в швейцарск[и]

стил) chalet.

вил│а₃ *ж.*, **-и** *мит.* wood-nymph, elf, fairy.

вилаѐт *м.*, **-и**, (два) **вилаѐта** *истор.* vilayet (province of the Ottoman empire).

вил│ен *прил.*, **-на**, **-но**, **-ни** exurban; **~на зона** an area zoned for summerhouses, exurb.

вѝлиц│а *ж.*, **-и** fork.

вѝлк│а *ж.*, **-и** *техн.* fork; (**на велосипед**) front fork; (**на телефон**) rest, cradle, handset rest.

вилнѐя *гл.*, *мин. св. деят. прич.* **вилня̀л** (**за човек**) rage, bluster, rave, storm, fume; *разг.* rampage, be on the rampage; (**лудувам**) romp (about); (**раста без контрол**) run wild; (**за войски, власт и пр.**) commit outrages/excesses; (**за разбойническа банда и пр.**) be rampant, run riot; (**за болест и пр.**) stalk; **чумата вилнееше из страната** the plague was stalking up and down the land; (**за буря**) rage, roar; bluster.

вѝме *ср.*, **-та** udder; dug.

вѝмпел *м.*, **-и**, (два) **вѝмпела** streamer; *мор.* pendant, pennant; *авиац.* message bag; streamer.

вина̀ *ж.*, *само ед.* guilt, guiltiness; fault, blame; *юр.* culpa; **~та е моя** the blame is mine, the blame lies with me, it is my fault; **не е по негова ~** it is through no fault of his; **отричам всякаква ~** plead not guilty, plead innocent; **признавам ~та си** *юр.* plead guilty; **стоварвам/хвърлям ~та върху някого** put/lay/cast the blame on s.o. (за for), lay the fault at s.o.'s door, blame s.th. on s.o., put s.o. in the wrong.

вѝнаги *нареч.* always; *поет.* ever; **~, когато** whenever, every time; **както ~** as always/ever/usual.

вина̀рск│и *прил.*, **-а**, **-о**, **-и** wine (*attr.*); wine-growing; viniferous; **~а изба** wine-cellar; (**магазин**) wine-vault; (**където се прави вино**) winery.

вѝнен *прил.* **1.** wine (*attr.*); vinous; vinic; (*по цвят, вкус, миризма*) winy; **~ оцет** wine vinegar; **~ цвят** wine-red; **~а чаша** wine-glass.

вѝнербайс *м.*, *само ед. строит.* white lead.

винѐтк│а *ж.*, **-и** vignette; (*в края на глава от книга или на книга*) tail-

piece, flower; text illustration.

винѝл *м.*, *само ед. хим.* vinyl.

винѝтел│ен *прил.*, **-на**, **-но**, **-ни** *език.* accusative; **~ен падеж** (the) accusative (case); objective case.

вѝнкел *м.*, **-и**, (два) **вѝнкела 1.** *техн.* set square; leg; elbow; **2.** *разг.* (**винкелово желязо**) shaped iron/steel; V-shaped steel.

вѝн│о *ср.*, **-а̀** wine; **греяно ~о** mulled wine; **наливно ~о** broached wine; **отлежало ~о** old/matured wine.

винова̀т *прил.* guilty; **~!** sorry! I apologize! I beg your pardon!

вино̀в│ен *прил.*, **-на**, **-но**, **-ни** blameful, guilty (**за** of); culpable; **~ен съм** be to blame (**за** for); the fault lies with me, the blame is mine; it is my fault; **съдът го призна за ~ен** he was found guilty, the court brought in a verdict of guilty against him; **ти си ~ен** the blame lies at your door; the fault lies with you; **• ~на усмивка** guilty/apologetic smile.

вино̀вни│к *м.*, **-ци**; **вино̀вниц│а** *ж.*, **-и** culprit; perpetrator (**за** of); delinquent; originator; author; **~к за тържеството** a person fêted; **той е ~кът** it's his doing; he is the cause of it, he is at the bottom of it.

винопроизводѝтел (**-ят**) *м.*, **-и** wine-grower.

винопроизво̀дство *ср.*, *само ед.* wine-growing/-production.

виночѐрп│ец *м.*, **-ци** *истор.* cup-bearer.

винт₁ *м.*, **-ове**, (два) **вѝнта** *техн.* screw; male screw; helix; **безконечен ~** hob; **завивам ~** drive a screw.

винт₂ *м.*, **-ове**, (два) **вѝнта** *спорт.* twist.

вѝнтов *прил.* screw (*attr.*); *техн.* helical; **~ болт** screw-bolt.

винто̀вк│а *ж.*, **-и** *воен. остар.* rifle.

винтя̀г│а *ж.*, **-и** windproof jacket, *амер.* windbreaker.

виня̀ *гл.*, *мин. св. деят. прич.* **винѝл** blame, find fault with.

вио̀л│а *ж.*, **-и** *муз.* viola; *истор.* viol.

виолѐтк│а *ж.*, **-и** *бот.* violet (*Viola*).

вио̀лѐтов *прил.* purple, violet.

виолѝст *м.*, **-и** *муз.* violist.

виолончелѝст *м.*, **-и**; **виолончелѝстк│а** *ж.*, **-и** violoncellist, 'cellist, 'cello-player.

виолончѐло *ср.*, *само ед. муз.* violoncello, 'cello; **свиря на ~** play the 'cello.

вѝпуск *м.*, **-и**, (два) **вѝпуска** (*училищен*) (batch of) graduates; alumni (*pl.*); **~ът от 1970 г.** the alumni/graduates of 1970.

вѝпускни│к *м.*, **-ци** graduate, *амер.* alumnus (*pl.* alumni).

вѝпускничк│а *ж.*, **-и** graduate, *амер.* alumna (*pl.* alumnae).

вир *м.*, **-ове**, (два) **вѝра** pool; (*воденичен*) mill-pond; **• ~вода** drenched through, soaking/dripping/wringing wet.

вѝрвам, **вѝрна** *гл.* raise, erect; **~ глава** toss o.'s head; (*за важнича*) turn up/hold up/cock o.'s nose; give o.s. airs, be bumptious; get/have a swelled head, *разг.* put it on, be uppish.

вирѐя *гл.*, *мин. св. деят. прич.* **вирѐел 1.** (*за растение*) grow, thrive; flourish; **2.** *прен.* thrive, prosper.

вѝрнат *прил.* (*за нос*) snub, turned up, up-tilted; **с ~ нос** snub-nosed; (*за опашка и пр.*) erect.

вирогла̀в *прил.* headstrong, self-willed, pigheaded, wayward, refractory, opinionated, intractable, perverse; devil-may-care.

вирогла̀в│ец *м.*, **-ци** headstrong fellow.

виртуа̀л│ен *прил.*, **-на**, **-но**, **-ни** *инф.* virtual.

виртуо̀з *м.*, **-и** virtuoso.

виртуо̀зност *ж.*, *само ед.* virtuosity.

вирулѐнт│ен *прил.*, **-на**, **-но**, **-ни** virulent.

вирулѐнтност *ж.*, *само ед.* virulence.

вѝрус *м.*, **-и**, (два) **вѝруса 1.** *биол.* virus; **2.** *инф.* bug.

вѝрус│ен *прил.*, **-на**, **-но**, **-ни** virus (*attr.*), viral.

вирусоло̀гия *ж.*, *само ед.* virology.

вѝсвам, **вѝсна** *гл.* hang, dangle.

висѐне *ср.*, *само ед.* hanging, dangling.

висѝлк│а *ж.*, **-и** *спорт.* horizontal bar; (*за спасителни лодки*) davit.

висѝн│а *ж.*, **-и** vault of heaven; height; firmament.

виско̀за *ж.*, *само ед.* **1.** *техн.* viscose; **2.** *текст.* rayon.

вискозимѐтрия *ж.*, *само ед.* viscosimetry, viscometry.

вискозимѐт│ър *м.*, **-ри**, (два) **вискозимѐтъра** viscosimeter, viscometer, fluidmeter.

вискозитѐт *м.*, *само ед.* viscosity.

висо̀к *прил.* **1.** high; (*за човек*) tall; (*за планина и пр.*) high, *поет.* lofty,

towering; (*издигнат, построен високо, за път, железница*) elevated; (*за чело*) high; (*за яка*) stand-up; ~а **местност** highlands; ~а **топка** (*при тенис*) lob; **по-~ съм от някого с една глава** be taller than s.o. by a head, top s.o. by a head; **2.** (*за глас, тон*) high, high-pitched; (*за говор, смях*) loud; (*за нота*) high; **на ~ глас** in a loud voice; **3.** (*значителен, голям – за добиви, температура, напрежение, цени*) high; (*ценен, виден, важен*) high, eminent, distinguished, elevated; (*за призвание, цел*) noble, lofty; (*възвишен, за стил*) elevated, lofty, noble; *неодобр.* pompous; (*за цена и пр.*) unreasonable; (*от най-високо качество*) super, superfine; **произведение с ~и качества** an excellent work, a work of great/sterling merit; ● ~а **пещ** *техн.* blast furnace; **Високата порта** *истор.* the Sublime Porte; **имам ~о мнение за** think highly of; hold/have a high opinion of; **съвещание на най-~о равнище** summit conference, top-level conference.

високо *нареч.* **1.** (*за място*) high; **скачам 20 см по-~ от летвата** jump 20 cm clear of the bar; **2.** (*за глас, говор*) loud, aloud, loudly; **моля, говорете по-~** (speak) louder, please; speak up, please; **3.** *прен.* highly, extremely; **ценя някого** esteem s.o. highly; ● **гледам от ~ на някого** look down on s.o.

високоблагородие *ср., само ед.* *обикн. като обръщ.*: **Ваше Високоблагородие** Your Excellency.

високоговорител (-ят) *м.*, -и, (два) **високоговорителя** loudspeaker; amplifier; ~ **за високи честоти** tweeter.

високоефективен *прил.*, -на, -но, -ни highly effective, highly efficient; high-performance (*attr.*).

висококачествен *прил.* high-grade (*attr.*), high-quality (*attr.*), of high quality; extra-fine; (*за плат и*) superior; ~**и стоки** *разг.* firsts.

висококвалифициран *прил.* highly qualified, well-trained.

високомер|ен *прил.*, -на, -но, -ни haughty, arrogant, overproud, superior, overbearing, overweening, domineering, lofty; conceited; *ирон.* Olympian; blown up with pride; *разг.* snooty, toffee-nosed, big-headed, stand-offish, high

and mighty; *амер.* top-lofty, topping; *шотл.* dorty.

високомер|ие *ср., само ед.* haughtiness, arrogance, big-headedness; lordliness, loftiness, snootiness, sniffiness.

високообразован *прил.* highly educated, of great erudition.

високопар|ен *прил.*, -на, -но, -ни stilted, pompous, stiff, bombastic, flatulent, grandiloquent, high-flown, high-sounding; fustian; ~**ен стил** stilted/flatulent/inflated/flowery style.

високопланинск|и *прил.*, -а, -о, -и alpine, high-mountain.

високополимер *м.*, -и, (два) **високополимера** *хим.* polyplast.

високопоставен *прил.* high-standing; high-ranking; high-powered; exalted; *амер. разг.* topflight; ~**о лице** person of high standing, dignitary, very important person, *съкр.* VIP; *разг.* overling; (*за военен*) *разг.* brass hat.

високопревъзходителство *ср., само ед.* Excellency.

високопреосвещенство *ср., само ед.* *църк. обикн. като обръщ.* Eminence; Grace; (*за архиепископ*) Most Reverend; **Ваше/Негово Високопреосвещенство** Your/His Grace.

високопродуктив|ен *прил.*, -на, -но, -ни high-productive.

високопроизводител|ен *прил.*, -на, -но, -ни *техн.* heavy duty (*attr.*).

високос|ен *прил.*, -на, -но, -ни: ~**на година** a leap year.

високоуважаван *прил.* highly esteemed, most honourable.

високофункционал|ен *прил.*, -на, -но, -ни (*за кола, компютър и пр.*) high-performance (*attr.*), high-powered.

високочестот|ен *прил.*, -на, -но, -ни high-frequency (*attr.*).

високочувствител|ен *прил.*, -на, -но, -ни *фот.* fast.

висот|а ж.*, -и height; **на ~ата на положението съм rise/be equal to the occasion; **на** (*нужната*) ~**а съм** be up to the mark, be equal to a task, measure up; *разг.* be up to a job, come up to scratch, be up to snuff; **не съм на нужната** ~**а** miss the mark.

висотомет|ър *м.*, -ри, (два) **висотометъра** orometer.

височайш|и *прил.*, -а, -о, -и royal, imperial.

височеств|о *ср.*, -а *обикн. като обръщ.*: **Ваше/Негово/Нейно Височество** Your/His/Her (Royal) Highness.

височин|а ж.*, -и **1. height; (*ръст и пр.*) sta-ture; *геогр.*, *мат.* altitude; eminence, hill, elevation; ~**а на летене** *авиац.* flying height; flight level; ~**а на пад** *техн.* fall; **на** ~**а** in height; at/to a height (of); **надморска** ~**а** altitude, elevation above sea level; **ние сме на еднаква** ~**а** we are of the same height; **шеметна** ~**а** towering height; **2.** *муз.* pitch.

височ|ък *прил.*, -ка, -ко, -ки rather high/tall.

вист *м., само ед.* (*игра на карти*) whist.

висулк|а ж.*, -и **1. (*украшение*) pendant, pendent; drop; (*на полилей*) lustre; drop; **2.** (*ледена*) icicle.

висш *прил.* high; supreme; extreme; paramount; (*за съдия, общество*) high; (*за математика, животни*) higher; (*за образование*) higher; (*за длъжност, чин, съд*) superior; ~ **служител** high/high-ranking/senior official; ~**е благо** supreme good; ~**е учебно заведение (ВУЗ)** institution of higher education, university; **хора от** ~**ето общество** society people; ● **във/до** ~**а степен** in the highest degree; eminently.

висшестоящ *прил.* ranking, senior, supreme; ~ **съд** supreme court.

висшист *м.*, -и; **висшистк|а ж.**, -и university/college graduate.

вися *гл.* **1.** hang, be suspended; dangle; float; ~, **без да опирам земята** hang clear of the ground; ~ **над** hang over, overhang; **2.** (*безделнича*) lounge about, hang about; stand about; (*чакам*) cool o.'s heels; ● ~ **във въздуха** be in the air; ~ **на косъм** hang by/on a thread; tremble in the balance; ~ **на опашка** wait/stand in a queue.

висящ *сег. деят. прич.* hanging, pendant; *бот.* decurrent; (*за клон и*) pendulous; *прен.* pending; (*неуредеи, спорен*) out-standing, pendent, in th[e] balance; (*за лампа*) hanging, pendan[t] и *като прил.*: ~ **мост** suspensio[n] bridge; ● ~ **въпрос** open/unsettle[d] pending question; ~**о положение** (*не известност*) *разг.* cliffhanger; **оста[вям]** ~ suspend, lie over.

вит *мин. страд. прич.* winding, spira[l]

(*за вежди*) arched; *и като прил.*: ~а колона *архит.* twisted column; ~а стълба *архит.* caracol.

витàл|ен *прил.*, -на, -но, -ни vital.

витàлност *ж.*, *само ед.* vitality.

витамѝн *м.*, -и, (два) **витамѝна** *биохим.* vitamin(e).

витамѝн|ен *прил.*, -на, -но, -ни vitamin (*attr.*), vitaminic; ~на недостатъчност hypovitaminosis.

витаминизѝрам *гл.* vitaminize.

витàя *гл.*, *мин. св. деят. прич.* витàел haunt; (*за мисли*) wander; ~ над hover above; • ~ в облаците be up in the clouds, go wool-gathering; easeful; humdrum, monotonous.

витилѝго *ср.*, *само ед.* (*кожна болест*) *мед.* vitiligo, *разг.* veal-skin.

витл|ò *ср.*, -à 1. *техн.* (*на кораб*) screw, propeller, screw propeller; (*на самолет*) airscrew, propeller; (*на вертолет*) безредукторно въздушно ~о direct-driven airscrew; спирачно въздушно ~о reversible airscrew; (*на тирбушон и пр.*) worm; 2. (*бурма*) screw.

витлообрàз|ен *прил.*, -на, -но, -ни helical, spiral.

виторòг *прил.* having twisted horns.

витрàж *м.*, -и, (два) **витрàжа** *изк.* stained glass.

витрѝн|а *ж.*, -и (*на магазин*) shop window, shop-front, window display; (*на шкаф*) show case, glass-case; гледам по ~ите go window-shopping.

вѝхрен *прил.* swift (as the wind); wind; *физ.* vortical.

вѝхров *прил.* swirly; ~и токове *ел.* eddy currents.

вихрогòн *м.*, -и, (два) **вихрогòна** *поет.* swift/spirited horse/steed.

вихрỳшк|а *ж.*, -и whirlwind, gust of wind; dust devil; storm, flaw; vortex; (*малка*) eddy; *метеор.* wind-spout.

вѝх|ър *м.*, -ри, (два) **вѝхъра** whirlwind, storm wind, hurricane; *прен.* vortex (*pl.* vortexes, vortices); във ~ъра на танца in the full swing of the dance; във ~ъра си in full swing/flow; като ~ър like the wind.

виц *м.*, -ове, (два) **вѝца** anecdote, funny story, joke, gag, rib-tickler; разказвам ~ crack a joke, pull a fast one.

вѝцеадмирàл *м.*, -и vice-admiral.

вѝцегубернàтор *м.*, -и vice-governor.

вѝцеканцлер *м.*, -и vice-chancellor.

вѝцекòнсул *м.*, -и vice-consul.

вѝцекрал (-ят) *м.*, -è vice-king, viceroy.

вѝцепрезидèнт *м.*, -и vice-president.

вишеглàсие *ср.*, *само ед. остар.* majority (of votes), *амер.* plurality.

вѝшн|а *ж.*, -и *бот.* morello (cherry); morello-tree.

вѝшневочервèн *прил.*: ~ цвят cerise.

вишнòвка *ж.*, *само ед.* (morello) cherry-brandy.

вѝя₁ *гл.*, *мин. св. деят. прич.* вил (*метал, дърво*) curve, bend; (*въже*) twist, wind, twine; (*прежда на кълбо*) wind; ~ гнездо make/build a nest, *зоол.* nidificate; ~ венец wreathe/plait/weave a garland; || ~ се wind (*и за хоро*) sway, bend; (*за лоза и пр.*) coil, creep; entwine, intwine; (*за къдрица*) curl; (*за дим, пàри*) curl, wind, wreathe; (*за път, река*) wind; (*за път и пр.*) weave; meander (*обикн. за река*); (*за червей, змия*) wriggle, twist o.s., writhe; (*за самолет*) circle; (*за орел*) hover, wheel; • вие ми се свят feel dizzy/giddy, o.'s head swims/reels, o.'s brain/head whirls.

вѝя₂ *гл.*, *мин. св. деят. прич.* вил (*за вълк, куче*) wail, howl; whine; (*за куче, котка*) yowl, yawl; (*за човек*) wail.

вкаменèлост *ж.*, -и *геол.* fossil, petrifaction; съдържащ ~и zoic; fossiliferous; (*растителна*) phytolith; (*птича*) ornitolith.

вкаменèн *мин. страд. прич.* (*и като прил.*) petrified, fossilized; fossil (*attr.*); (*твърд като камък*) petrous; *прен.* spell-bound, torpid; ~о дърво wood-agate.

вкаменявам, вкаменя *гл.* petrify (*и прен.*); *прен.* paralyse, confound (with fear etc.); || ~ се petrify, become petrified, turn into stone; fossilize; *прен.* be spell-bound.

вкàрвам, вкàрам *гл.* 1. (*вмъквам*) push in, drive in, shove in, get in; ~ в push/drive/get into; ~ информация в компютър feed information into a computer; ~ кола в гараж run a car into a garage; 2. (*заставям да влезе*) force s.o. in, bring/drag s.o. in; ~ в грях lead astray; ~ някого в беля get s.o. into trouble, put s.o. into a fix; get s.o. into hot water; ~ някого в пътя bring s.o. into line, reduce s.o. to discipline;

make a man of s.o.

вкѝсвам, вкѝсна *гл.* sour, make/turn (s.th.) sour; || ~ се (*за храна*) spoil; sour; turn sour; (*ставам раздразнителен*) *разг.* cut up rough.

вкѝснал *мин. св. деят. прич.* stale.

вкѝснат *мин. страд. прич.* (*и като прил.*) sour, fermented; spoiled; *прен.* sour, soured, grouchy, grumpy, peevish, crabby, surly.

вклèщвам (се), вклèщя (се) (*възвр.*) *гл.* wedge in, hem in.

вклèйвам се, вклèй се *възвр. гл.* (*за смазка*) turn gluey/sticky, clog; (*за машина*) get clogged.

вклинявам (се), вклиня (се) (*възвр.*) *гл.* wedge (in).

вклю̀чвам, вклю̀ча *гл.* 1. (*присъединявам — хора*) include, (*в списък и пр.*) enlist, count in; без да се включва — exclusive of ...; 2. (*обхващам*) embrace, include, comprise; encompass, comprehend; embody; cover, take in; (*в категория*) subsume; 3. *техн.* turn/switch on; plug in; (*с щракване*) flick/flip on; (*при радиопредаване*) join; ~ на втора скорост *авт.* change/shift/go into se-cond gear; 4. *прен.* tumble to, tune in; *sl.* catch on; || ~ се join (в in), take part (in), participate (in); ~ се от самото начало (*в начинание*) get in on the ground floor.

вклю̀чван|е *ср.*, -ия inclusion, inserting; (*обхващане*) comprehension, comprehensiveness; comprisal; embodiment; *ел.* switching on, engagement, engaging; ~е на данни в каталог *комп.* data logging; дистанционно ~е remote switching; последователно ~е series connection.

вклю̀чвател (-ят) *м.*, -и, (два) **вклю̀чвателя** *ел.* contact-maker, switch; circuit-closer.

вклю̀чително *нареч.* including, inclusive; от първи до пети ~ from the first to the fifth inclusive.

вковàвам, вковà *гл.* 1. (*набивам*) drive, hammer (a nail) (в into); nail (s.th.) in/into; (*заковавам едно в друго*) nail/fasten together; 2. *прен.* ~ очи/поглед fix o.'s eyes/gaze (в on); 3. *прен.* (*вцепенявам*) benumb, transfix (with fear, terror etc.); || ~ се be/stand transfixed (with fear etc.).

вкокалявам се, вкокаля се *възвр. гл.*

become ossified; become hard/stiff (as bone); stiffen.

вкопавам, вкопая *гл.* dig in/into.

вкопчвам, вкопча *гл.* grip (**в** at), hold fast (to), clutch (at); || **~ се 1.** (*в схватка*) close with s.o., grapple with s.o.; cling/stick to s.o.; **2.** *спорт.* clench, clinch; (*при борба*) come to grips.

вкоравявам, вкоравя *гл.* harden, stiffen, make stiff/rigid; || **~ се** stiffen, firm, grow/become stiff/hard/rigid; (*за хляб*) become stale.

вкоренявам, вкореня *гл.* root; *прен.* inculcate, implant; || **~ се** take/strike root.

вкореняване *ср., само ед.* rooting, taking roots.

вкостенявам, вкостеня *гл.* ossify; become stiff/hard (as bone); stiffen.

вкостеняване *ср., само ед.* ossification, osteogenesis.

вкочанясвам, вкочанясам *гл.* benumb; || **~ се** freeze, grow numb, become stiff with cold; be chilled to the bone.

вкупом *нареч.* all together, en masse, en bloc.

вкус *м.*, -ове, (два) вкуса taste (*и прен.*), palate (*и прен.*); (*усещане*) gustation; (*за храна*) taste, flavour, savour; *прен.* liking; **без ~/с лош ~** *прен.* in bad/poor taste; **всеки си има свой ~** (*разни хора, разни ~ове*) every man to his taste; opinions differ; one man's meat is another's poison; there is no accounting for tastes; **изискан ~** classic taste; **не е по моя ~** *прен.* it's not my cup of tea, it isn't at all my ticket; **обличам се с ~** dress in good style/snappily; **с ~** *прен.* in good taste; **той е човек по мой ~** he's just the man for me.

вкусвам, вкуся *гл.* taste, try; (*ям*) have a bite; touch; **не ~ месо** never touch meat; *прен.* (*изпитвам*) taste (**от** of), have a taste (of), enjoy.

вкус|ен *прил.*, -на, -но, -ни (*за храна*) tasty, palatable, savoury, toothsome; dainty; (*ароматен*) flavorous, flavoursome, flavourful; *разг.* luscious, yummy; **много ~ен** delicious.

вкусов *прил.* (*за усещания*) gustatory, gustative; **хранително~а промишленост** food and tobacco industries.

вкъщи *нареч.* at home; **отивам си ~** go home.

влага *ж., само ед.* dampness, humidity, moisture; (*влажност*) wet; (*на стена и пр.*) sweat; (*повърхностна*) surface moisture content; **отделям ~** sweat; ● **това ще ти държи ~** this will keep you going, you'll have s.th. to remember.

влагалищ|е *ср.*, -а **1.** store house, depot, freight house; (*на пристанище*) warehouse; **2.** *анат.* vagina (*pl.* vaginae, vaginas), vulva.

влагалищ|ен *прил.*, -на, -но, -ни **1.** of a depot/a storehouse; **2.** *анат.* vaginal.

влагам, вложа *гл.* **1.** put in/into; (*пари в банка*) deposit; (*в индустрия и пр.*) invest; (*пари неприходоносно*) sink; **2.** *прен.*: **~ различно/ново съдържание в нещо** give/impart a new meaning/content to s.th.; **~ труда си** put in work; **не ~ нищо** put in nothing of o.'s own, put no heart in o.'s work.

влагомер *м.*, -и, (два) влагомера moisture meter, hygrometer.

влагонепропускливост *ж., само ед.* damp proofness, moisture imperviousness.

влагопропускливост *ж., само ед.* moisture permeability.

влагоустойчивост *ж., само ед.* moisture resistance.

владел|ец *м.*, -ци possessor, owner, proprietor, holder, keeper; **законен ~ец** legal possessor.

владелческ|и *прил.*, -а, -о, -и possessory, owner's, possessor's; **~и права** right of possession, ownership right.

владени|е *ср.*, -я holding; (*притежание*) possession, proprietorship, ownership; (*недвижим имот, имение*) estate, possession; *юр.* demesne; **акт за ~е** writ of possession; **безусловно ~е** *юр.* fee simple; **встъпвам във ~е (на)** take/assume possession (of); **~е без право на прехвърляне** *юр.* mortmain; *разг.* dead hand; **колониални ~я** colonial possessions.

владетел (-ят) *м.*, -и ruler; owner, possessor; *юр.* tenant; **~ите на Англия** the kings and queens of England.

владетелск|и *прил.*, -а, -о, -и ruler's, possessor's, owner's.

владея *гл., мин. св. деят. прич.* **владеел 1.** rule (over), govern, control,

dominate; have a grip on o.s.; have the use of; (*притежавам*) possess, own; (*обладавам*) reign, prevail; **~ положението** hold the situation in hand, have/keep the situation well in hand, have the upper hand; **~ сърцата/умовете** reign over the hearts/the minds; **2.** (*зная*) master, be master of (a trade, a skill), have a good grasp of/a thorough command of, be skilful at; **~ език** have (a) command of a language; **~ основно** have at o.'s fingers' ends; (*оръжие, инструмент*) wield; || **~ се** control o.s.; have command over o.s; be master of o.s.; govern o.'s temper; ● **~ топката** *спорт.* tackle/control the ball.

владй|ка (-ката) *м.*, -ци bishop; ● **имам вуйчо ~ка** have friends in high places/at court, be well backed; have backstairs influence; know the right people.

влаж|ен *прил.*, -на, -но, -ни damp, dank; (*за въздух*) moist, humid; (*за климат*) humid, damp; (*за очи*) *прен.* liquid, melting, tender; (*насълзени*) moist with tears.

влажност *ж., само ед.* dampness, moisture, humidity; (*овлажняване*) humectation.

влак *м.*, -ове, (два) влака train; **бърз ~** fast/an express train; **кога пристига ~ът в ...?** when is the train due at ...? **товарен ~** goods trains, *амер.* freight train; **увеселителен ~** excursion/holiday train.

влакнест *прил.* **1.** thread-like, thready, woolly; *книж.* fibrillate(d), fibrillose (*и подобен на влакна*); filamentary, filamentous; filamented; (*за плат*) nappy; (*за структура*) bacillar; **~ строеж** fibrousness; **2.** (*подобен на влакна*) fibre-like, fibriform; **~и облаци** cirrus; fleecy clouds; **3.** *анат., бот.* barbate, fibrous; comate; **~а тъкан** *анат.* fibrous tissue.

влакн|о *ср.*, -а fibre, filament; staple, hair; **вискозно ~о** viscose rayon/fibre.

влакнода|ен *прил.*, -йна, -йно, -йни: **~йни растения** *бот., сел.-ст.* fibrous/fibre crops.

власинк|а *ж.*, -и обикн. мн. (*на плод, листо, глухарче и под.*) *бот.* pappus.

власт *ж., само ед.* и **власти** само мн. **1.** power, authority; (*силно влияние*)

hold, sway; **имам ~ над** have power over, have (s.o.) in o.'s power; have s.o. on toast; have a grip on; **не е в моя ~** it is not in my power, it is not within my competence/sphere, it does not rest with me; **2.** *(политическа)* power, rule, government, authority; *(господство)* domination; **вземам ~та, идвам на ~** assume power, come into office/(in)to power, take office; **законодателната ~** the legislature; **изпълнителната ~** the executive, executive authority; **съдебната ~** the judiciary/ judicial power; the bench; **3.** *(форма на управление)* power, system of government, regime; **4.** *само мн.* *(длъжностни лица)* authorities; **имиграционни ~и** immigration authorities; **общински ~и** municipal authorities.

власт∣вам *гл.* rule, exercise/wield power.

властелин *м.,* **-и** ruler.

власт∣ен *прил.,* **-на, -но, -ни 1.** *(годен да упражнява някаква власт)* competent; **2.** *(заповеднически)* authoritative, peremptory, imperious, commanding, domineering, dictatorial; overbearing, overmastering; masterful; opinionated.

власти∣к *м.,* **-ци** ruler, lord.

властолюбие *ср., само ед.* love of power, craving for power.

вла∣х *м.,* **-си** Wallach, Wallachian; Romanian; **• ~сите се давят на края на Дунав** there's many a slip 'twixt the cup and the lip.

влача *гл., мин. св. деят. прич.* **влачил 1.** *(тегля)* drag, pull, trail, draw, *(с усилие)* haul, tug (s.th. along); lug about/along; *(мрежа)* trawl; *(шлеп – за влекач)* tow, have in tow; **~ краката си** shuffle/scuff o.'s feet, shuffle with o.'s feet, shuffle along, walk with a shuffle; **2.** *(за река)* carry (s.th.) along; *(нещо към брега, за вълна)* wash ashore; **3.** *разг.* *(мъкна някого някъде)* take/trail (s.o.) about; *всеки ден ми влачат гости* they keep bringing guests; **4.** *разг.* *(протакам, отлагам)* let (a matter) drag on; **5.** *(разчепквам)* card, comb, pick; **‖ ~ се 1.** *(за влечуго)* crawl, creep; *(за човек)* creep, crawl, trail, drag along, straggle; *(за рокля и пр. по земята, из калта)* draggle, trail (on the ground); *(за мъгла)* creep (along); *(за човек –*

изоставам) lag/trail behind, draggle (at the heels of); **~ се на опашката** be at the tail-end; **2.** *(едва вървя, мъкна се)* trudge, tail/trail/lollop along; drag o.s. along; **3.** *прен. (за време)* drag (on); wear away, wear on; **4.** *разг.* *(мъкна се подир някого)* tag behind; dangle/trail along after s.o.; go about *(с някого* with s.o.); *(увлякъл съм се по)* run after (s.o.); **~ се по петите на някого** tag at s.o.'s heels; *(ходя постоянно някъде)* haunt, frequent; hang about; *той все се влачи по кръчмите* he's a public house loafer/*амер.* a bar lounger; **5.** *(за гъста течност)* string; **~ след себе си** *(свързан съм с)* entail; cause; *едно нещастие влече след себе си друго* (o.'s) misfortunes never come singly.

влашк∣и *прил.,* **-а, -о, -и 1.** Wallachian; **2.** Romanian, Rumanian.

Влашко *ср. собств.* **1.** Wallachia; **2.** Romania, Rumania.

вледенен *прил.* frozen, benumbed with cold.

вледенявам, вледеня *гл.* freeze, convert/turn into ice; **‖ ~ се** become frozen, freeze.

влек *м.,* **-ове, (два) влека** *спорт.* tow-lift.

влекач *м.,* **-и, (два) влекача** *(кораб)* tugboat, tug; towboat; *(трактор)* tractor, tractor(-)engine; *(на пътна помощ)* tow-truck; *(човек)* tower.

влечение *ср., само ед.* inclination, bent, vocation *(към* for); attraction *(към* to); *(полово)* libido; **имам ~ към нещо** be/feel drawn to s.th.

влечуг∣о *ср.,* **-и** *зоол.* reptile.

вливам, влея *гл.* infuse, pour into; *прен. (внасям)* infuse, instil(l); fill (with); **~ живот в** infuse life into; **‖ ~ се 1.** *(за река)* flow, empty, run (в into), mouth (into); disgorge (itself, its waters) (into); find it's way (to); *(за кола в улично движение)* cut into the traffic; **2.** *прен. (включвам се)* join.

влизам, вляза *гл.* **1.** enter, go in (в into); walk in (в into); *(прониквам – за светлина)* get in, penetrate; *влакът влезе в района на гарата* the train entered the station/steamed into the station; **влез!** come in! **• в стая го** into a room, enter a room; **~ тържест-**

вено sweep in; **2.** *(минавам през)* go through; **3.** *(вмествам се)* go, get (в into); fit (in); *(за багаж в куфар)* go (в into); *прен. (в програма, цена)* be included (в in); *(за число – съдържа се в)* go into; **4.** *(ставам член)* join (в -), become/be a member (в of); *(учебно заведение)* enter (в -); *(в кариера)* take up, embrace (a career); **~ в армията** join the army; **~ в университета** enter the university; **5.** *(в компютърна система)* log in; **• ~ в бой/ сражение** engage in battle; **~ във владение на** take possession of; **~ във връзка с някого** get in touch with s.o., contact s.o.; **~ в грях** commit a sin; **в действие** go/come into operation; **~ в историята** go down in history; **~ в положението на някого** sympathize with s.o.; **~ в пътя/в правия път** mend o.'s ways; **~ в сила** operate, take effect, become valid; **от едното ухо влиза, от другото излиза** it goes in through one ear and out through the other, in at one ear out at the other.

влизане *ср., само ед.* entering; **~то е забранено** no admittance!

влитам, влетя *гл.* rush, dash in (в into).

влияни∣е *ср.,* **-я** influence *(над* with, over); ascendency (over); *разг.* clout; **имам ~е** have influence/a hold *(над някого* over s.o.); be influential, carry weight; **нямам ~е** *(над)* *разг.* cut no ice (with); **под ~ето на** under the influence/stimulus of; **упражнявам ~е над някого** exert/exercise an influence on/upon/over s.o., influence s.o.; bring influence to bear on s.o., exercise an ascen-dancy over s.o.

влияя *гл., мин. св. деят. прич.* **влиял** influence, have/exert influence *(на,* върху on); **~ на** influence, sway, weigh with, work on.

влог *м.,* **-ове, (два) влога** *банк.* bank deposit; **банков ~** consignment; **безсрочен ~** current account, *амер.* demand/sight deposit; **краткосрочен ~** deposit at short notice.

влогов *прил.* bank(ing) *(attr.)*; deposit *(attr.)*; **~а книжка** savings-bank book, passbook; **~а сметка** bank(ing)/deposit account.

вложител (-ят) *м.,* **-и; вложителк∣а** *ж.,* **-и** depositor; investor.

влошавам, влоша *гл.* make worse,

worsen, aggravate; || ~ **се** deteriorate; grow/become/get worse; worsen; get worse and worse; change for the worse; (*за здраве*) decline, decay; (*за отношения между страни*) suffer a (marked) set-back; **работите се влошават от ден на ден** things are getting worse and worse, things are going from bad to worse.

влошàване *ср., само ед.* aggravation; deterioration; (*на положение, на болен и пр.*) change for the worse; (*на характеристики*) performance depriciation.

влудя̀вам, влудя̀ *гл.* drive mad/crazy; make mad/wild; distract, drive to distraction.

влъхв|а (-ата) *м., -и обикн. мн.* 1. sage, wise man; *прен.* pontiff; (*магьосник*) magician; 2. *прен.* crook, swindler; ● **Влъхвите** *рел.* the Magi.

влю̀бвам се, влю̀бя се *възвр. гл.* fall in love (**в** with); lose o.'s heart (to); *разг.* go mad (after), fall for; be crazy/mad (about s.o.).

влю̀бен *мин. страд. прич. (и като прил.)* in love (**в** with); *книж.* enamoured (**в** of); (*за поглед*) amorous, tender; ~ **поглед** ogle; ~ **съм** be in love, be taken/infatuated/*шег.* smitten; be sweet (on s.o.); *като същ.* **двама ~и** two lovers, a pair of lovers.

влюбчѝв *прил.* of an amorous disposition, amorous, susceptible.

вманиачàвам, вманиачà *гл.* make a maniac of s.o.; || ~ **се** become a maniac, have a mania (**за нещо** for s.th./for doing s.th.); be/become obsessed (with); be mad (on s.th.), *разг.* have a bee in o.'s bonnet (about s.th.).

вманиачèн *прил.* crazy, maniacal; cacoethic; faddish; eccentric; obsessive; *разг.* off the hooks, cranky; ~ **на тема ...** *sl.* hung up on ...

вменя̀вам, вменя̀ *гл.* impute s.th. to s.o., incriminate s.th. to s.o.; ~ **някому** impose upon s.o. the duty of (*с ger.*); obligate s.o./call upon s.o. (to *с inf.*); ~ **нещо във вина на някого** charge s.o. with s.th., impute a fault upon.

вменя̀ем *прил.* responsible; of sound mind, sane; *юр.* compos mentis.

вменя̀емост *ж., само ед. юр.* responsibility; (*на деяние*) imputability; sa-

nity, mental capacity; **период на ~** (*при душевноболен*) *мед.* lucid interval; **презумпция за ~** *юр.* presumption of sanity.

вмèствам, вмèстя *гл.* put, get, fit (**в** into); (*пасаж в статия*) insert; (*побирам в помещение*) accommodate, (*в салон и пр.*) seat; || ~ **се** fit in; **в тази стая могат да се вместят петима души** there is room for five (people) in this room.

вместѝмост *ж., само ед.* capacity; (storage/volumetric) capacity.

вмèсто *предл.* instead of (*с ger.*), in lieu of, in (o.'s) stead, in (the) place of; ~ **мен** in my stead; ~ **това** instead.

вмèтнат *мин. страд. прич. (и като прил.)* 1. inserted; 2. (*за изречение в текст*) intercalated, interpolated (*и език.*); *език.* appositional, parenthetical; ~**а гласна** parasitic/epenthetic vowel.

вмешàтелство *ср., само ед.* interference (**в** in); ~ **на човека** human interventon.

вмирѝсан *мин. страд. прич. (и като прил.)* reeking, stinking; frowsy, frowsty; (*за масло и пр.*) rancid, rank; (*за яйце*) bad, rotten; (*за месо*) tainted.

вмирѝсвам се, вмирѝша се *възвр. гл.* go bad, begin to smell bad; (*на ракия, тютюн*) reek (**на** of); ● **рибата се вмирисва от главата** corruption begins at the top.

вмъ̀квам, вмъ̀кна *гл.* put in (**в** into); (*чужди думи и пр. в реч*) intersperse (with); (*пасаж в статия*) insert, work in, interpolate; (*дума, забележка като обяснение*) parenthesize; (*в пасаж*) work (**в** into); || ~ **се** (*незабелязано*) steal/sneak/creep in(to); (*промъквам*) wedge o.s. in, squeeze in (**в** into); (*в дупка*) wriggle o.s./o.'s way (into a hole); *прен.* make o.'s way (in); ease o.'s way (in).

вмъ̀кнат *мин. страд. прич. (и като прил.)* parenthetic(al); inserted, interpolated; *език.* epenthetic; **тази случка не е ~а много сполучливо** this incident does not work in very well.

вмя̀там, вмèтна *гл.* insert.

внàсям, внесà *гл.* 1. bring/carry in; (*от чужбина*) import; 2. (*въвеждам*) introduce; ~ **поправки** make/introduce corrections, amend, (*в закон*) make/

insert/introduce amendments; 3. (*предложение, резолюция*) put forward, table, present; ~ **законопроект за разглеждане** introduce/present a bill; 4. *прен.* (*създавам, причинявам*) introduce, create, spread; ~ **разнообразие** lend/give variety (**в** to), create variety; ~ **смут** perturb; 5. (*пари*) pay in; (*в банка*) deposit (with a bank).

внедря̀вам, внедря̀ *гл.* introduce, incorporate, adopt, master; inculcate (**в** on); implant in s.o.'s mind.

внезàп|ен *прил., -на, -но, -ни* 1. sudden, unexpected; jerky; swift; ~**ен порив на ярост** sudden heat of passion; ~**на спирачка** an alarm stop; (*за завой*) abrupt, sudden; (*за импулс*) quick; 2. *воен.* (*за нападение*) surprise (*attr.*).

внѝквам, внѝкна *гл.* (*във въпрос*) go deep in (a problem), enter into (a problem), get/become acquainted with (a problem); (*в душа*) probe deeply into; ~ **в нечии мисли** penetrate s.o.'s mind; (*в характера*) enter (**в** into); ~ **в същността на работата** get to the heart/the crux of the matter.

внимàвам *гл.* 1. (*слушам с внимание*) pay attention, attend; **внимавай в картинката!** now just watch (what'll happen)! **не** ~ (*допускам грешки*) nod; 2. (*действам предпазливо*) be careful, mind, take care; (*предпазлив съм*) keep o.'s eyes open, keep one's ear to the ground; be/stand on o.'s guard; watch o.'s step (*и прен. – как ще действам*); **внимавай (къде стъпваш)!** mind your step! look out! ~ **какво говоря** keep a watch on o.'s tongue; be careful what one says (**пред някого** in front of s.o.); mind o.'s P's and Q's; **трябва много да внимаваш** you can't be too careful.

внимàние *ср., само ед.* 1. attention; care; **вземам под ~** take into consideration; note; allow for; ~**!** watch your step! **в центъра на ~то съм** *журн.* be on the front burner; **не вземам нещо под ~** leave s.th. out of account; discount s.th.; **не обръщам ~ на** be unmindful of; neglect; (*пренебрегвам*) be heedless of; (*напр.* doctor's orders); **обръщам ~ на** pay attention to, take heed/notice/note of; **оставям без ~** (*молба и пр.*) shelve; **привличам ~** attract notice/observation; **това заслу-**

жава ~ that deserves attention/consideration; **2.** (*зачитане*) attention, consideration; thought; (*грижа за*) mindfulness; **отнасям се с ~ към някого** be thoughtful/considerate to/towards s.o.; **3.** (*предпазливост*) caution, cautiousness, discretion, wariness.

внима́тел|ен *прил.*, **-на, -но, -ни** attentive; (*за поглед*) searching; (*предпазлив*) cautious, careful; gingerly; discreet; guarded; (*старателен*) careful, thorough; **~ен наблюдател** close observer; (*учтив*) thoughtful, obliging, considerate (към of), attentive (към to), gentle (to); kind (to); regardful (**по отношение на** of).

внос *м.*, *само ед.* **1.** *търг.* import; *събир.* imports; **забранени за ~ стоки** prohibited imports; **2.** (*вноска*) payment; fee, due; **годишен/членски ~** subscription/membership dues, subs (за to).

вноси́тел **(-ят)** *м.*, **-и; вноси́телк|а** *ж.*, **-и** (*на стоки*) importer; (*на предложение*) mover; *фин.* (*който внася суми*) depositor.

внòск|а *ж.*, **-и** (*плащане*) payment; (*падежно плащане*) instalment; **авансова ~а** advance instalment; **начална ~а** down payment; **плащам на ~и** pay in instalments.

вну|к *м.*, **-ци** grandson, grandchild; *само мн.* grandchildren; (*потомци*) descendants.

внỳчк|а *ж.*, **-и** granddaughter, grandchild.

внуша́вам, внуша́ *гл.* **1.** suggest; **~ мисъл** suggest an idea; **~ страх/уважение** inspire/strike with awe, strike fear (у into); **2.** (*убеждавам, втълпявам*) persuade, bring home (**някому нещо** s.th. to s.o.); **~ си нещо** take it/s.th. into o.'s head, *амер.* get it/s.th. into o.'s head.

внуше́ние *ср.*, *само ед.* suggestion; **който се поддава на ~** suggestible.

внуши́тел|ен *прил.*, **-на, -но, -ни** imposing, impressive, striking; dazzling; formidable; (*силен*) forceful; grandiose; *разг.* thumping, whopping, whacking; stately; portly; august; (*за жена*) matronly; (*за представление*) show-stopping.

воа́л *м.*, **-и,** (**два**) **воа́ла 1.** veil; (*материя за воали*) veiling; **2.** (*пред пог-* леда) mist; *фот.* haze, fog.

воайòр *м.*, **-и** voyeur.

воалèтк|а *ж.*, **-и** small hat veil.

воглаве́ *нареч.*: **~ с** headed by.

вода́ *ж.*, *само ед.* **1.** water; *шег.* Adam's ale; **борова ~** boric solution/water; **~ за пиене** drinking water, tap water; **газирана ~** soda water; **морска ~** sea-water; **светена ~** holy water; **течаща ~** running water; **тиха ~** still water; **2.** (*водно пространство*) waters; expanse of water; **~ и суша** land and water, flood and field; ● **~ газя, жаден ходя** lack amidst plenty; **върви ми като по ~** it is plain sailing; be in smooth water; get on like a house on fire, everything goes like one o'clock; go like a dream; **зная по ~** have at o.'s finger-tips; **кръвта ~ не става** blood is thicker than water; **много ~ изтече от тогава** much water flowed/ran under the bridge since then; **пия ~ от извора** have s.th. from sure source, *разг.* have it straight from the horse's mouth; **тихите води са най-дълбоки** still waters run deep.

вода́ч *м.*, **-и; вода́чк|а** *ж.*, **-и 1.** guide; pathfinder; **2.** (*вожд*) leader; (*на банда*) ringleader; **3.** (*на превозно средство*) driver, chauffeur; (*на машина*) machine-minder; (*фаворит*) frontrunner.

вода́чество *ср.*, *само ед.* leadership; captaincy.

воде́вил *м.*, **-и,** (**два**) **воде́вила** vaudeville.

вòд|ен *прил.*, **-на, -но, -ни 1.** water (*attr.*); *науч.* aquatic; **~ен дух** *мит.* merman (*ж.* mermaid); **~ен знак** (*на хартия*) watermark; **~ен път** waterway; **~ен спорт** aquatic sports, aquatics; **~на баня** *кул.* water-bath, bain-marie; **~на лилия** *бот.* water-lily, nenuphar (*Nymphaea alba*); **~на нимфа** (*русалка*) *мит.* nix(ie); **~на стихия** flood; **~на топка** *спорт.* water polo; **~но колело** water-wheel; *спорт.* pedal floats, pedalo; **~но конче** *зоол.* dragonfly (*Libellula depressa*); **~но стъкло** *хим.* water glass; **с ~но охлаждане** *техн.* water-cooled; **2.** *хим.* aqueous; **~ен разтвор** an aqueous solution; **3.** watery, washy.

вòден₁ *мин. страд. прич.* lead (от by); **~ от най-добри намерения** actuated by the best intentions.

воденѝц|а₁ *ж.*, **-и** water-mill; gristmill; (*прибор за мелене*) mill, handmill; *амер.* grinder; ● **дрънкам като празна ~а** chatter like a magpie.

воденѝц|а₂ *ж.*, **-и** (*у птица*) gizzard.

воденича́р **(-ят)** *м.*, **-и** miller.

воденѝч|ен *прил.*, **-на, -но, -ни** mill (*attr.*); **~ен камък** millstone.

вòдещ *сег. деят. прич.* (*като прил. и същ.*) (*първостепенен*) key, leading, central, prime; (*за колело, част*) *техн.* leading; (*на предаване по радиото, телевизията*) anchor man, presenter, host; **~ лихвен процент** key interest rate.

води́тел **(-ят)** *м.*, **-и 1.** (*водач*) leader; **2.** guide; **3.** driver, chauffeur.

воднѝст *прил.* watery, (wishy-)washy; runny.

вòдноелектри́ческ|и *прил.*, **-а, -о, -и** hydroelectric, water-power (*attr.*); **~а централа** (**ВЕЦ**) hydroelectric power station.

водовъртѐж *м.*, **-и,** (**два**) **водовъртѐжа** whirlpool, vertiginous current, (*в река, малък*) eddy; *прен.* vortex, maelstrom; **обратен ~** antivortex.

вододѐл *м.*, **-и,** (**два**) **вододѐла** watershed/parting, divide.

водоѐм *м.*, **-и,** (**два**) **водоѐма** reservoir, water tank/basin, cistern.

водоизмерва́тел|ен *прил.*, **-на, -но, -ни** gauging.

водоизмести́мост *ж.*, *само ед.* displacement; **~ при пълен товар** load displacement, displacement loaded.

водоизпуска́тел **(-ят)** *м.*, **-и,** (**два**) **вòдоизпуска́теля** water outlet, flood gate.

водола́з *м.*, **-и** (underwater) diver, frogman.

водола́з|ен *прил.*, **-на, -но, -ни** diving, diver's; **~ен костюм** diving suit/dress.

Водолѐ|й **(-ят)** *м.*, *само ед. астр.* Aquarius, Water-carrier.

водолечѐние *ср.*, *само ед.* water-cure, hydrotherapy, hydrotherapeutics.

водомѐр *м.*, **-и,** (**два**) **водомѐра** water-meter/gauge; water flow-meter.

водонапòр|ен *прил.*, **-на, -но, -ни** water pressure (*attr.*).

водонепроница́ем *прил.* watertight, water-proof, water impervious.

водонòс|ен *прил.*, **-на, -но, -ни** *геол.*

aquiferous, water-bearing; ~ен пласт aquifer.

водоотвѐждане *ср., само ед.* drainage.

водоотда̀ване *ср., само ед.* water loss.

водопа̀д *м.*, -и, (два) водопа̀да waterfall, (голям) cataract, falls; (на стъпала, малък) cascade; **Ниагарският** ~ the Niagara Falls.

водопоглъ̀щане *ср., само ед.* water absorption.

водопо|й (-ят) *м.*, -и, (два) водопо̀я watering-place, drinking pool.

водопрово̀д *м.*, -и, (два) водопрово̀да water-main, water-conduit.

водопрово̀д|ен *прил.*, -на, -но, -ни: ~на инсталация plumbing; ~на мрежа water-main, water-supply network/system.

водопроводчи|к *м.*, -ци plumber.

водопропусклѝвост *ж., само ед.* water permeability, leaking.

водораздѐл *м.*, -и, (два) водораздѐла watershed, divide.

во̀доразтворѝм *прил.* water-soluble.

водора̀сл|о *ср.*, -и *обикн. мн.* duckweed; (морски) seaweed, algae.

водоро̀д *м., само ед.* хим. hydrogen.

водоро̀д|ен *прил.*, -на, -но, -ни hydrogen (attr.), hydrogenous; ~на бомба *воен.* a hydrogen-bomb, an H-bomb.

водосбо̀р|ен *прил.*, -на, -но, -ни: ~на зона/площ catchment area/basin.

водоско̀|к *м.*, -ци, (два) водоско̀ка fountain; (малък водопад) cascade.

водоснабдя̀вам, водоснабдя̀ *гл.* lay on water-supply; supply water (to a town, etc.); have water-supply laid on.

водоснабдя̀ване *ср., само ед.* water-supply.

водосто̀|к *м.*, -ци, (два) водосто̀ка drain(-pipe); (под шосе) culvert.

водосто̀ч|ен *прил.*, -на, -но, -ни drain (attr.); ~ен улей gutter.

водоусто̀йчив *прил.* water-proof, hydrostable.

водохва̀щане *ср., само ед.* water intake.

водохранѝлищ|е *ср.*, -а (storage) reservoir, water storage basin; ~е с комплексно предназначение multipurpose reservoir.

во̀дя *гл., мин. св. деят. прич.* во̀дил **1.** lead, conduct; ~ за носа *прен.* lead by the nose; (за път и пр.) lead (към to, on to); (за врата, коридор и пр.)

open (към into, on to); не ~ на никъде *и прен.* lead nowhere; (допринасям за) be conductive to, conduce to, count toward; **2.** (завеждам) take; (довеждам) bring; ~ на разходка take out for a walk; **3.** (предвождам) lead; take the lead; be/stand in the lead; ~ списъка на кандидатите (при избори) lead the list; **4.** (ръководя) guide, direct; (обучение) conduct; ~ предаване (по радио, телевизия) present a programme; **5.** (борба, война) wage, carry on, conduct; ~ война с wage war on; **6.** (дневник, бележник, протокол, сметки) keep; ~ бележки по време на лекция take (down) notes of/at a lecture; **7.** (разговор, преговори) carry on, hold; ~ спор carry on a dispute; **8.** (дело) sue (at law), bring/conduct a lawsuit (срещу against); ~ разследване make an investigation; **9.** (политика) carry on, pursue; ~ умерена/твърда политика steer a middle/a steady course; **10.** (живот) lead, live; ~ редовен живот lead a regular life; keep regular hours; **11.** (женен съм за) be married to; || ~ се **1.:** ~ се по go by, take pattern by; (следвам) follow; ~ се по някого follow s.o.'s lead; **2.:** ~ се като figure as; **3.:** ~ се (състоя се – за занимания) be held; води се следствие an inquiry is in progress; (при състезания) lead, take (up) the running; ~ с един гол *спорт.* be one goal up; во̀дят се (за преговори и пр.) go on, proceed; делото още се води the suit is still pending; • ни се води, ни се кара be kittle-cattle; be a difficult/an intractable person to deal with.

военача̀лни|к *м.*, -ци commander, captain, chief, military leader.

воѐн|ен *прил.*, -на, -но, -ни **1.** (свързан с война) war(time), of war; warlike, military, martial, belligerent; munition(s); ~ен завод munition(s) factory/works; ~ен музей war museum; ~ен съд court martial; ~на заплаха threat of war; ~на намеса armed intervention; ~но време time of war, wartime; ~но положение martial law; ~ни действия military operations, hostilities; ~ни почести military honours; **2.** (армейски, свързан с военнослужещи) military, army, service, forces, air-

force, naval; ~ен бунт mutiny, an army uprising; ~ен устав military regulatuions ~на база military base; (военноморска) naval base; ~на музика field music, military band; ~на повинност/служба national service; ~на тайна military secret; ~на техника и снаряжение munitions of war; ~но обучение military drill/training; **3.** *като същ. обикн. членувано* ~ният, *м.*; ~ните, *мн.* military man, *амер.* soldier, service-man; ~ните the military.

военноврѐмен|ен *прил.*, -на, -но, -ни war-time (attr.).

военновъзду̀ш|ен *прил.*, -на, -но, -ни air-force (attr.); ~ни сили air force(s), flying corps.

военноинвалѝд *м.*, -и disabled soldier/ex-service man, war invalid.

военномо̀рск|и *прил.*, -а, -о, -и naval; ~а база a naval station; ~и флот navy.

военноплѐнни|к *м.*, -ци prisoner of war, *съкр.* POW.

военнослу̀жещ (-ият) *м.*, -и military man; *амер.* serviceman, member of the armed forces.

вожд *м.*, -ове leader, chieftain.

во̀зене *ср., само ед.* (на кола и пр.) ride, drive.

возѝл|о *ср.*, -а̀ vehicle.

во̀зя *гл., мин. св. деят. прич.* во̀зил **1.** (превозвам) convey, transport, carry, (с каруца) cart, (с платформа, камион) truck, (със самолет) fly; **2.** (с автомобил) drive, take for a drive; колата вози гладко the car rides smoothly; || ~ се ride, drive, go for/have a ride/drive, take rides (с in); ~ се на велосипед cycle, go cycling, ride a bicycle; • не се ~ на неговата кола I don't follow his lead.

во̀ин и войн *м.*, -и warrior, soldier.

во|й (-ят) *м.*, -еве, (два) во̀я cry, yell, howl, howling (и на животно); wail(ing), whine; (протестен) clamour; ~й на сирена the wail of a siren; **надавам** ~й set up a howl/wail/yell; clamour.

войво̀д|а (-ата) *м.*, -и voivode, leader, chieftain.

войво̀дство *ср., само ед.* leadership.

войн|а̀ *ж.*, -и war; (воюване) warfare; ~а на нерви war of nerves; **гражданска** ~а civil war; **избухване на** ~а outbreak of war; **обявявам** ~а на де-

clare war on; **освободителна** ~а war of liberation; **отечествена** ~а Patriotic War; **Първата световна** ~а *истор.* the First World War; *амер.* World War I; **студена** ~а cold war; **химическа** ~а chemical warfare.

войни́|к *м.*, -ци soldier, (enlisted) man; (*играчка*) tin/toy soldier; **вземат ме** ~к enlist, join up, be conscripted, be called up; *амер.* be drafted; ~ци soldiers, troops, men.

войни́шк|и *прил.*, -а, -о, -и soldier's; (*достоен за войник, смел, решителен*) soldierly, soldier-like; ~а клетва soldier's oath; ~и дълг military duty.

войнолюби́в *прил.* warlike; warmongering.

войнстващ *прил.* militant.

войнствен *прил.* warlike, martial, bellicose; combative; ~о **настроение** aggressive/belligerent mood.

войнство *ср.*, *само ед.* army, host, soldiery.

войск|а́ *ж.*, -и́ army; **бронетанкови** ~и armoured troops; ~и troops, forces; **инженерни** ~и engineers, sappers; **редовна** ~а regular/standing army; **сухопътни** ~и land forces.

войсков|и́ *прил.*, -а́, -о́, -и́ army, troop (*attr.*); ~а част army/military unit.

вока́л *м.*, -и, (два) вока́ла *език.* vowel (sound).

вока́л|ен *прил.*, -на, -но, -ни *муз.* vocal, vocalic; *език.* vowel (*attr.*).

вокализи́рам *гл.* vocalize.

вока́лист *м.*, -и; **вока́листк|а** *ж.*, -и vocalist.

вокати́в|ен *прил.*, -на, -но, -ни *език.* vocative.

вол *м.*, -ове/-о́ве, (два) во́ла ох; ● **работя като** ~ work like a horse/navvy/Trojan, sweat o.'s guts; **търся под** ~а **теле** split hairs, find a quarrel in a straw, go to a goat for wool.

вола́н₁ *м.*, -и, (два) вола́на (*на дреха*) flounce; furbelow.

вола́н₂ *м.*, -и, (два) вола́на *техн.* (*на кола*) (steering-)wheel.

воле́ *ср.*, -та **1.** *спорт.* from volley; **бия от** ~ shoot from volley; **2.** *прен.* easily, hands down; **спечелихме от** ~ it was a walkover, we won hands down.

волев|и́ *прил.*, -а́, -о́, -и́ и **во́лев** *прил.* **1.** volitional, of the will; (*за движение*) voluntary; **2.** (*за човек*) strong-willed, resolute, determined.

волеизявле́ние *ср.*, *само ед.* *юр.* declaration of intention.

воле́йбол *м.*, *само ед.* volley-ball.

волейболи́ст *м.*, -и; **волейболи́стк|а** *ж.*, -и volley-ball player, volley-baller.

вол|ен *прил.*, -на, -но, -ни **1.** free, independent, unrestricted; footloose, fancy-free; ~на птичка fancy tree; ~на **програма** *спорт.* (*кънки*) free skating performance, optional exercises; **2.** (*извършен съзнателно, доброволен*) conscious, voluntary; ~ни пожертвования voluntary/free contributions.

волноду́м|ец *м.*, -ци free-thinker.

волнонае́м|ен *прил.*, -на, -но, -ни uncertificated.

во́лност *ж.*, -и liberty, freedom; **позволявам си** ~и take liberties/freedoms, make free (**с** with).

во́лск|и *прил.*, -а, -о, -и ох (*attr.*); ~а **кола** oxcart; ~о **търпение** *прен.* the patience of Job/of an ox.

волт *м.*, -ове, (два) во́лта volt.

волта́ж *м.*, *само ед.* voltage.

во́лтампер *м.*, -и, (два) во́лтампера volt-ampere, current voltage.

волтме́т|ър *м.*, -ри, (два) волтме́търа voltmeter.

волунтари́з|ъм (-мът) *м.*, *само ед.* voluntarism.

во́лфрам *м.*, *само ед.* *хим.* tungsten; *мин.* wolfram.

во́лю-нево́лю *нареч.* willy-nilly.

во́ля *ж.*, *само ед.* **1.** will; force of character/mind; **желязна** ~ iron will; will of adamant; **по своя** ~ of o.'s (own) free will; **против** ~та **си** against o.'s will; **под протест; с усилия на** ~та by (an) effort of will; **2.** (*решителност, твърдост*) determination, resolution, resolve; *разг.* guts; **3.** (*свобода*): **давам** ~ **на** (*чувства, страсти и пр.*) let loose, give (a) loose to, give vent to, give full swing to, indulge; **давам** ~ **на въображението си** give (free) rein to o.'s fancy; **на** ~ at large; **4.** (*желание*) ~ **за победа** a will to victory; **последна** ~ last will and testament; **при добра** ~ if the will is there; **твоя/ваша** ~ just as you please/will.

воне́щица *ж.*, *само ед.* *зоол.* (*насекомо*) stinkbug.

воня́₁ *ж.*, *само ед.* stench, stink, pong.

воня́₂ *гл.* stink (**на** of), reek (**на** of);

---

fetidity; *книж.* fetor.

воп|ъл *м.*, -ли, (два) во́пъла wail, lamentation.

во́съ|к *м.*, -ци, (два) во́съка wax (*и хим.*); **бледен като** ~к (as) pale sa wax; **пчелен** ~к beeswax.

во́съч|ен *прил.*, -на, -но, -ни wax (*attr.*); ceraceous; *прен.* waxen, waxy; ~ен **лист** (wax) stencil; ~на **хартия** waxed paper.

вот *м.*, -ове, (два) во́та vote; ~ **на доверие/недоверие** *парлам.* vote of confidence/of nonconfidence.

воще́ница *ж.*, *само ед.* wax taper.

вою́вам *гл.* **1.** be at war (**с** with), make/wage war (**с** on, against); **2.** *прен.* fight (**за** for); ~ **срещу** (*предразсъдъци и пр.*) fight/militate against.

впе́рвам, впе́ря *гл.* fix; ~ **поглед/очи** fix o.'s gaze (**в** on), gaze, stare (at).

впечатле́ни|е *ср.*, -я impression; **имам** ~е, **че** be under the impression that, it seems to me that; **правя** ~е make/create an impression (**на** on); **strike; разменям** ~я compare notes.

впечатли́тел|ен *прил.*, -на, -но, -ни impressionable, impressive, susceptible, sensitive.

впи́вам, впи́я *гл.*: ~ **зъби** sink/plunge/dig/get o.s.'s teeth (**в** into); (*за змия*) strike its fangs (**в** into); ~ **корени** dig/strike o.'s roots (**в** into); ~ **нокти** dig/get o.'s nails/(*за животно*) o.'s claws (**в** into); ~ **поглед** fix o.'s gaze (**в** on), gaze (**в** at), fix (s.th., s.o.) with o.'s eyes; || ~ **се** cling, stick (tightly) (**в** to); (*за пиявица*) bite (**в** into); (*за очи*) fix on; (*за дреха*) fit tight (**в** at, round); (*за презрамка*) cut into the flesh.

впи́свам, впи́ша *гл.* **1.** enter (**в** in); ~ **име в списък** enter a name on a list; (*в избирателен списък*) register; (*в конституция*) write (**в** into); (*в счетоводна книга*) post; ~ **в сметката** charge on the bill; (*в документ*) **2.** (*вмъквам, прибавям*) insert, add; **3.** *мат.* inscribe.

впи́сван|е *ср.*, -ия entering, entry; recording, registration, enrollment, endorsement, inscription; ~е **на присъдите** *юр.* entering judgement.

впит *мин. страд. прич.* (*и като прил.*) (*за поглед*) fixed; (*за дреха*) close, tight-fitting, figure-hugging; (*около ханша*) hip-hugging.

вплѝтам, вплетà *гл.* 1. weave (в into); 2. (*увивам, преплитам*) entwine; 3. (*замесвам*) involve, implicate, entangle (в in), enmesh.

впослѐдствие *нареч.* later (on), subsequently, consequently, in the sequel.

впрегàт|ен *прил.*, -на, -но, -ни draught (*attr.*); ~ен добитък draught animals; ~ен кон cart-horse.

впрѝмчвам, впрѝмча *гл.* ensnare, enmesh, entrammel, entrap.

вирòчем 1. *съюз* but, however; 2. *нареч.* (*между другото*) incidentally, by the way; (*при това*) besides, moreover; 3. (*фактически*) actually, in fact, as a matter of fact.

впрѝсквам, впрѝскам *гл.* inject, give an injection of.

впрѝскван|е *ср.*, -ия injection.

вприг *м.*, -ове, (два) вирàга team (of horses, oxen).

впрягам, впрѐгна *гл.* 1. harness (в to), put in/to harness; gear up; ~ в работа *прен.* put/set to work, rope in on a job; ~ кон put a horse to (the cart); 2. (*за водна енергия*) harness; || ~ се *прен.* get steamed up, get/work o.s. up into a lather, get into a tizzy.

впỳскам се, впỳсна се *възвр. гл.* 1. (*втурвам се*) dart, dash, make a dash, rush (forward, on), make a dash/a rush (към towards, for); ~ да гоня dart/dash after, dash off in pursuit of; 2. *прен.* embark (в on); ~ в (*заемам се за*) undertake; ~ в приключение embark on an adventure.

враб|ѐц *м.*, -цѝ, (два) врабèца (cock-)sparrow.

врабчѐ *ср.*, -та sparrow; *sl.* spadger.

враг *м.*, -овѐ и вразѝ 1. enemy; *поет.* foe; спечелвам/създавам си ~ове make o.s. enemies; 2. (*противник*) opponent; той е ~ на пушенето he is against smoking.

враждà *ж.*, *само ед.* enmity, hostility; (*неприязън*) animosity; (*между семейства и пр.*) feud; кръвна ~ deadly/death/blood feud.

враждѐб|ен *прил.*, -на, -но, -ни hostile, inimical (спрямо to); forbidding; ~ни действия hostilities.

враждѐбност *ж.*, *само ед.* enmity, hostility; (*неприязън*) animosity, animus, bad blood; акт на ~ act of hostility.

враждỳвам *гл.* be at enmity (с with).

врàжеск|и *прил.*, -а, -о, -и enemy (*attr.*), enemy's, hostile; ~и сили enemy forces.

вразумявам, вразумѝ *гл.* bring (s.o.) to reason/to his senses, put sense into s.o.; нищо не може да го вразуми he won't listen to reason; || ~ се come to o.'s senses, become reasonable, see reason/sense; learn better.

вран *прил.* raven black.

врàн|а *ж.*, -и crow; (*полска*) rook; (*сива*) Royston crow; черна ~а gorcrow.

врàствам се, врастà се *възвр. гл.* grow (в into).

врат *м.*, -овѐ, (два) врàта neck; (*говеждо месо*) crop; с дебел ~, с ~ като на бик bullnecked; • вися на ~а на lie on the hands of; depend on s.o. for o.'s living; не ~, ами шия it's six of one and half a dozen of the other; there's not a pin to choose between them; стъпвам на ~а на някого break s.o. in, make s.o. eat out of o.'s hand; широко ми е около ~а live/be in clover, be well-off.

врат|à *ж.*, -ѝ 1. door; (*вратня*) gate; (*голяма, на затвор, игрище, гробище и пр.*) gates; влизам през ~ата enter at/by the door; ~а към *прен.* gateway to; външна/пътна ~а street door; въртяща се ~а revolving door; затварям ~ата под носа на shut the door against/on s.o., shut the door in s.o.'s face; на ~ата at the door; посочвам някому ~ата turn s.o. out, show s.o. the door; при закрити ~и behind closed doors; *юр.* in camera; 2. *спорт.* goal.

вратàр (-ят) *м.*, -и 1. (*портиер*) doorkeeper, porter, janitor; 2. *спорт.* goalkeeper; *разг.* goalie.

врàт|ен *прил.*, -на, -но, -ни neck (*attr.*); *анат.* jugular, cervical.

вратоврѝзк|а *ж.*, -и necktie.

врàчк|а *ж.*, -и 1. fortune-teller; 2. wise-woman; healer; medicine-woman.

врачỳвам *гл.* tell fortunes.

вред *нареч.* everywhere.

вред|à *ж.*, -ѝ harm, damage, hurt, injury; disservice; ~ата от the harm/damage caused/done by; причинявам ~а на do s.o. harm, do harm to, inflict/cause damage on; harm; *юр.* damnify.

врѐд|ен *прил.*, -на, -но, -ни harmful,

injurious, noxious, detrimental, damaging, deleterious, hurtful, noisome, pernicious (за to); (*за животни, насекоми*) harmful, noxious; ~ен за здравето bad for the health, injurious to health, unwholesome, unhealthy; ~ен за обществото injurious to the public.

вредѝтел (-ят) *м.*, -и, (два) вредѝтеля 1. saboteur, wrecker; 2. *зоол.* pest.

вредя *гл.*, *мин. св. деят. прич.* вредѝл harm (на някого, на нещо s.o., s.th.); injure, hurt (на някого s.o.), damage (на нещо s.th.); ~ на здравето be bad for the health.

врѐждам, вредя *гл.* help (s.o.) get (s.th.); get (s.o.) settled; || ~ се get a chance (to); manage (to get); човек, който винаги се врежда go-getter.

врѐли-некипѐли *само мн.* (stuff and) nonsense; *разг.* flannel; bullshit; baloney; mumbo-jumbo, flummery; gammon, ubble-gubble.

врѐме₁ *ср.*, *само ед.* и временà *само мн.* 1. time; ако ~то позволи if time permits; без ~ before o.'s time; unseasonably; ~ за достъп *комп.* access time; ~ за лягане bed time; ~ ми е o.'s time has come (и за смърт) (да to), be old enough to; всичко с ~то си all in good time; в същото ~ at the same time; в това ~ meanwhile; годишно ~ time of the year, season; губя си ~то waste (o.'s) time; едно ~ at one time, in the old days; западноевропейско ~ Greenwich mean time; когато му дойде ~то in due course/time, in its due season, when the right time comes; крайно ~ е it is high time; на първо ~ for a start; нощно ~ at night; от ~ на ~ from time to time, between times, occasionally, on and off, (every) once in a while; every now and again/then; every so often; от колко ~? how long? since when? по всяко ~ at any time, at all times; през ~ на during, in; през цялото ~ all the time, from first to last; работно ~ office hours, work time; свободно ~ leisure, spare time; free time; 2. *език.* tense; 3. (*епоха, времена*) time(s), days; в днешно ~ nowadays; во ~ оно in days gone by, long (long) ago; *поет.* in olden times; in days yore; имало едно ~ once upon a time; през ~то на in the day(s)/

time of, in the lifetime of; **4.** *муз.* beat, measure; **силно ~** *муз.* strong beat; **слабо ~** *муз.* weak beat.

вре́ме₂ *ср., само ед.* (*състояние на атмосферата*) weather; **ако позволи ~то, при хубаво ~** weather permitting; **~то е облачно** it is cloudy, the sky is overcast; **неустойчиво/променливо ~** broken weather.

вре́мен|ен *прил.*, **-на**, **-но**, **-ни** temporary; provisional; interim; (*импровизиран*) makeshift; (*краткотраен*) transient, transitory; **~ен интерес** passing interest; **~ен комитет** interim committee; **~ен работник** odd man/hand; **~ен характер** temporality; **~ен съюзник** ally of the minute/moment; **~на мярка** temporary measure; **~но правителство** interim/provisional/transitional/caretaker government; **~но споразумение** provisional agreement, working arrangement.

времетра́ене *ср., само ед.* continuation, continuance, duration.

вретѐн|о *ср.*, **-а** spindle; *техн.* axle, pivot, mandrel, shaft.

вреща́ *гл.* (*за коза*) bleat; (*за дете*) squeal, shriek, bawl.

ври́чам се, врека́ се *възвр. гл.* promise, make a promise, pledge o.'s word/honour.

вродѐн *прил.* innate, connate, inborn, native, bred in the bone; (*присъщ*) natural (**на** to), ingrained, inherent (**на** in); (*за болест, недостатък*) congenital; **~а дарба** natural talent; **~а скромност** native/inherent modesty.

Вр́ъбница *ж. собств. църк.* Palm Sunday.

връв *ж.*, **върви** string, twine; (*дебела*) packthread; (*на въдица*) line.

връ́звам, вържа *гл.* **1.** tie (**за** to); bind; (*на възел*) knot; **~ възел** tie a knot; **~ здраво** bind fast; (*вратовръзка*) tie; (*връзки на обувки, вързоп, коса*) do up; **~ нещо с връв** tie things together with string; (*кон*) tie up; (*кораб*) moor; (*коса*) tie up; (*куче*) tie/chain up; (*куче на каишка*) leash, put on the leash; (*рана*) bind (up); **~ пакет** tie up a parcel; **~ ръцете някому** *прен.* give s.o. a baby; **2.** (*на страници*) *полигр.* make up; **3.** (*ограничавам*) tie down, restrict; **4.** (*за плод*) knit, set; || **~ се** be tied-up to, let o.s. in for; (*съ-*

четава се) fit in with, go with, tie in with; **• ~ кусур на** find fault with; **~ някого** *прен. разг.* let s.o. down; (*да ме чака*) keep s.o. waiting (in vain); **не се връзва** *разг.* it doesn't add up/tie in.

връзк|а *ж.*, **-и 1.** tie; **~и за обувки** shoe-laces, boot-laces; **2.** (*вратовръзка*) (neck-)tie; **3.** (*еднакви предмети, свързани заедно*) bunch, string; **~а ключове** a bunch of keys; **4.** *анат.* ligament, copula; **5.** *хим.* linkage; bond; **6.** *прен.* bond, tie, link, connection, relation, contact; **без ~а** neither here nor there; **влизам във ~а с** get in touch with, establish/take up contact with; **жп ~а** railway connection; **~и с обществеността** public relations; **използвам ~ите си** pull strings, do some string-pulling; **любовна ~а** liaison; (love-)affair; *разг.* fling; **родствени ~и** ties of relationship, kinship ties; **скъсвам всички ~и с** cut all ties/links with; **телефонна ~а** telephone communication/contact, telephone-line; **това няма никаква ~а с въпроса** this is irrelevant to the subject, this has no bearing on the subject, that is beside the point; **установявам ~и** establish contact, enter into relations (**с** with); **7.** *техн.* (*свързване*) tie, coupling; **8.** *воен.* intercommunication, signals, liaison; **• ~** (*за човек*) contact man; **без ~а с** without reference to.

връ́нкам *гл.* annoy, worry, hammer (at), din s.th. into s.o.'s ears; nag (at); pester s.o. for s.th./to do s.th., plague, badger; **~ постоянно** keep on at.

връ́стни|к *м.*, **-ци; връ́стни́ц|а** *ж.*, **-и** coeval; **те са ~ци** they are the same age; **той е мой ~к** he is (of) my age.

връ́твам, вр́ътна *гл.* turn; || **~ се** turn round; **• вр́ътва ми се чивията** go out of o.'s mind, go off o.'s head/nut, become unhinged.

връх (върхът) *м.*, **върховѐ,** (**два**) **вр́ъ-ха 1.** (*на дърво, покрив, кула, хълм, планина и пр.*) top; (*на планина*) peak, summit; (*на кубе и прен.*) pinnacle; (*заострен край*) point; (*на език, пръст*) tip; *архит.* (*шпиц*) spire; (*по-тънък*) flèche; **~ на обувка** toe-cap; **2.** *прен.* height, summit, climax, acme, zenith, crest, consummation; the high-water mark; **върхът** *sl.*

that beats the band, *неодобр.* that takes the biscuit; **на върха на кариерата си** at the zenith of o.'s career; **на върха на щастието си** *амер.* on the top of the world; **3.** *мат.* apex, vertex; **~ на триъгълник** apex of a triangle; **4.** *анат.* apex (*pl.* -es, apices); **• вземам ~ над** get/gain the upper hand over, get the better of, prevail over; **върховете** (*управляващите*) the leaders, the top people.

връ́х|ен *прил.*, **-на, -но, -ни** top (*attr.*); **~на дреха** overcoat, topcoat; **~на точка** culminating/highest point, peak, acme, apex, pinnacle, zenith, (*на слава*) height.

връхлетя́вам, връхлетя́ *гл.* **1.** pounce on, swoop/bear down on, fall/rush on, fly on; (*за буря, ураган*) hit, overtake; **връхлетя ни буря** we were caught (up) in a storm; (*за вълни*) break over; **2.** (*попадам, натъквам се на*) run into, fall on; **3.** (*сполитам – за нещастие и пр.*) befall, overtake.

връ́цвам се, вр́ъцна се *възвр. гл. разг.* turn on o.'s heel.

вр́ъцкам се *възвр. гл. разг.* swagger, strut.

вр́ъчвам, вр́ъча *гл.* hand, hand in, deliver (**на** to); **~ акредитивните си писма** *дипл.* present o.'s credentials; **~ оставката си** hand in o.'s resignation; **~ призовка на** serve a summons/a subpoena on.

вр́ъчване *ср., само ед.* handing, presentation, delivery, service.

вр́ъщам, вр́ъна *гл.* **1.** (*нещо*) return, give/bring/take/send back, restore; (*някого*) send back; (*храна – за стомах*) reject; **~** (*нещо купено*) take back; **~ към живот** restore/bring back to life; bring to life again; **~ заем** repay a loan; **~ книга** return a book; **~ на работа** reinstate s.o. in his job/post, restore s.o. to his old job; **~ нещо на мястото му** put back/return/restore s.th. to its place; (*нещо взето, намерено, откраднато*) restore; (*пари*) pay back, refund, reimburse; **~ някому със същото** pay s.o. back in his own coin, *амер. разг.* even up on s.o.; **~ поздрав** return a greeting; **~ посещение** repay a visit, pay a return visit; **~ свободата на** restore s.o. to liberty; **2.** (*накарвам някого да се върне*) make

s.o. come back; (*отказвам да приема стока, да взема ученик*) refuse; (*купувач, посетител, просяк*) turn away; ~ (*страна*) няколко десетилетия назад throw/push/thrust several decades back; ~ тъпкано give it (s.o.) back hot and strong; get o.'s own back with a vengeance; || ~ **се** go back, come back, return, be/turn back (**при** to); (*към предишното състояние, тема*) revert (to); (*към предишно лошо състояние*) relapse (into); **връща се доброто ми настроение** regain o.'s spirits, recover o.'s good humour; ~ **се в съзнание** regain consciousness; ~ **се към старите си навици** relapse into o.'s old habits; ~ **се отново и отново** (*към тема*) harp on, ring the changes on; ~ **се с впечатления** (*от някъде*) bring back impressions; • **той замина, за да не се върне вече** he went away never to return; **ще ти се върне** it'll come home to you.

връщан|е *ср.*, -**ия** return; (*в изходно положение*) reset(ting); (*на територия*) retrocession, retrocedence, recession; (*обратен път*) return journey; (*по море*) homeward voyage; (*на пари, дълг*) refund, reimbursement; (*на законния владетел*) restitution; ~**е вкъщи** return (home), homecoming; ~**е към миналото и пр.** hark-back; ~**е на един знак** *комп.* backspace; ~**е на имот** (*на дарителя или на наследниците му*) *юр.* reversion; **на** ~**е** on o.'s return, on the way back; **няма** ~**е** there is no turning/going back.

вря *гл.* **1.** boil; rise in bubbles; bubble; *прен.* be in a state of ferment; ~ **и кипя** *прен.* boil with anger; **2.** (*ферментирам*) ferment.

врява *ж.*, *само ед.* uproar, din, racket, hubbub; hullabaloo; row, outcry, kick up, rumpus; clamour; **вдигам** ~ kick up a row/racket.

врязвам, врежа *гл.* incise, engrave, cut (**в** into); *полигр.* (*правя, абзац*) indent; || ~ **се** cut (**в** into); (*вдавам се*) run/jut out (**в** into); ~ **се в паметта** engrave itself on the memory, sink into the memory, be stamped on the memory.

врякам *гл.* **1.** (*за дете*) squeal, bawl, squall; **2.** (*за жаба*) croak.

врял *прил.*, -**а**, -**о**, **врели** boiling (hot),

steaming; • ~ **и кипял** worldly-wise, knowing, veteran; *разг.* know how many beans make five; **поливам с** ~**а вода** *прен.* cast a chill over.

врясвам, врясна *гл.* **1.** squeal, bawl, squall; **2.** (*за коза*) bleat.

всаждам, всадя *гл.* implant.

все *нареч.* **1.** (*винаги, през всичкото време, непрекъснато, постоянно*) always, all the time, continually, constantly; ~ **вали** it is raining all the time, it keeps on raining; ~ **забравям** I keep forgetting; ~ **така** as before, much the same; **2.** (*навярно, вероятно*) surely; ~ **някой ще го е видял** s.o. must have seen him; surely s.o. saw him; **3.** (*само, изключително*) nothing but; ~ **гора** nothing but woodland, woodland all around; **4.** (*със сравн. ст.*): ~ **повече и повече** more and more, increasingly; **работата става** ~ **по-трудна** the work is getting more and more/increasingly difficult; **5.** all, whole; **от** ~ **сърце** with all o.'s heart; **с** ~ **сила** with all o.'s might, with might and main; for all one is worth; as hard as one can; • ~ **едно** it's all the same, it makes little difference; ~ **ми е едно** I don't mind, it's all one to me; *разг.* I couldn't care less; ~ **още** still; ~ **пак** but yet, still, for all that, all the same, nevertheless.

всебългарск|и *прил.*, -**а**, -**о**, -**и** all-Bulgarian.

всевиш|ен *прил.*, -**на**, -**но**, -**ни** Most High, Lord God, Almighty God.

всевъзмож|ен *прил.*, -**на**, -**но**, -**ни** all sorts/kinds of, of every sort and kind, every description of, a variety of; **по** ~**ни начини** in a variety of ways.

всезнайко *м.*, -**вци** know-all; smart Alec(k); clever Dick; clever-clever; *разг.* big head; clever dick; *амер.* wise guy.

всеизвест|ен *прил.*, -**на**, -**но**, -**ни** notorious, generally known, widely known; ~**ен факт** well-known fact, fact open to all.

всеки *обобщ. мест.*, **всяка**, **всяко**, **всинца** **1.** (*и като прил.*) each, every; ~ **ден** every day; daily; day by day; ~, **който** whoever; ~ **от** each of; ~ **път, когато** whenever; **във** ~ **случай** anyhow, anyway, at any rate, in any case, at all events; **за** ~ **случай** (just) in case; **на всяка стъпка** at every step/turn;

2. *като същ. само ед.* everyone, everybody; ~ **за себе си** everyone for himself, each for o.s., each man for himself; ~ **на свой ред** each in his turn; ~ **с вкуса си** every man to his taste.

всекиднев|ен *прил.*, -**на**, -**но**, -**ни** daily, day-to-day; everyday, routine (*attr.*); workaday; ~**на** (*стая*) living-room; day-room; ~**на работа** routine work; ~**ни грижи** day-to-day concerns; ~**ни дрехи** everyday clothes, second-best clothes.

всекиднèвие *ср.*, *само ед.* daily grind/round, routine.

всекиднèвни|к *м.*, -**ци**, (**два**) **всекиднèвника** daily (paper).

вселèна *ж.*, *само ед.* universe, cosmos, world.

вселèнск|и *прил.*, -**а**, -**о**, -**и** (*за събор, патриарх*) (o)ecumenical, universal.

вселявам (се), вселя (се) (*възвр.*) *гл.* inspire, instill, implant; ~ **паника** sow panic; ~ **страх** implant fear.

всемир|ен *прил.*, -**на**, -**но**, -**ни** world, world-wide, universal.

всемогъщ *прил.* all-powerful, omnipotent, almighty.

всенарод|ен *прил.*, -**на**, -**но**, -**ни** national, nation-wide; ~**но гласуване** plebiscite; ~**но допитване** referendum.

всеобхват|ен *прил.*, -**на**, -**но**, -**ни** comprehensive, sweeping, all-embracing, overall; all-inclusive, wide-ranging, full-scale; sweeping, blanket; *разг.* catch-all.

всеобщ *прил.* universal, general, common; global; ~**а история** general/world history.

всеослушàние *ср.*, *само ед.*: **на** ~ in everyone's hearing, publicly.

всеотдà|ен *прил.*, -**йна**, -**йно**, -**ни** dedicated, selfless, stintless, devoted, committed, whole-hearted, single-minded.

всепризнàт *прил.* generally/universally recognized/acknowledged/accepted.

всерỳск|и *прил.*, -**а**, -**о**, -**и** of all Russia.

всесил|ен *прил.*, -**на**, -**но**, -**ни** all-powerful, omnipotent, almighty.

всестрàн|ен *прил.*, -**на**, -**но**, -**ни** all-round; universal, comprehensive, all-embracing; all-inclusive, sweeping, wide-ranging; ~**ни услуги** multiservice bureau; ~**но развит** versatile, harmoniously developed.

всесъюз|ен *прил.*, -на, -но, -ни All-Union.

всецяло *нареч.* entirely, completely, wholly; body and soul.

всеяд|ен *прил.*, -на, -но, -ни omnivorous; ~ни животни omnivora.

всички *обобщ. мест. само мн.* everyone, all, everyboy; ~ до един/без изключение one and all, one and sundry; every mother's son, every man Jack of them; ~ ние we all, all of us; с всичка сила/сили with all o.'s strength/might, with o.'s entire strength/power(s), with o.'s full force, to the utmost of o.'s power, as far as one can, for all one is worth.

всичко *ср., обобщ. мест. като същ.* everything; all; бих дал ~, за да зная I would give anything to know; ~ живо everybody, every living thing, everything that has life; ~ на ~ altogether, all told, (all) in all; ~ най-хубаво all the best; ~ необходимо all that is needed, all the necessaries/requisites; ~ с времето си all in its proper time; момче/момиче за ~ dogsbody; отгоре на ~ on top of it all, to top it all; преди ~ in the first place, above all (things), first and foremost.

вследствие (на) *предл.* as a result/in consequence of, owing to, on account of; ~ на това consequently, hence.

вслушвам се, вслушам се *възвр. гл.* listen closely/attentively (в to); *прен.* listen, pay attention (в to), give ear to, heed (в -); ~ в съвета на listen to the counsel of, take the advice of.

всмукàтел (-ят) *м.*, -и, (два) всмукàтеля *техн.* suction inlet.

всмýквам, всмýкна *гл.* suck/draw in; *(влага – за растение)* drink in; *(за прахосмукачка)* take up by suction; *(попивам)* absorb, suck up.

всмýкван|е *ср.*, -ия suction, indraught; *(на горивна смес)* induction.

всред *предл.* amid, amidst, among, in the midst/middle of; ~ гората in the depth(s)/middle of the forest; ~хора́та among the people.

встрани *нареч.* aside, to one/the side.

встъпвам, встъпя *гл.* step in, enter; *(в дело като трета страна)* intervene; *(на престол)* ascend; ~ в брак marry; be/get married, enter into matrimony; ~ в длъжност take up/enter on o.'s duties, assume/take office.

встъпване *ср., само ед.* entry.

встъпител|ен *прил.*, -на, -но, -ни opening, inaugural; exordial; preludial; ~на лекция inaugural lecture.

встъплèни|е *ср.*, -я *(в реч, доклад)* exordium; *муз.* prelude; *(на инструмент)* entry.

всъдехòд *м.*, -и, (два) всъдехòда *техн.* cross-country vehicle.

всъщност *нареч.* actually, in actuality, in reality, in fact, as a matter of fact, in point of fact; come to that; as it is.

всявам, всея *гл.* fill with, arouse in; ~ паника create a panic; ~ страх daunt.

всякак *нареч.* in every way; by all means.

всякак|ъв *обобщ. мест.*, -ва, -во, -ви of all kinds/sorts; various; по ~ъв начин in every way, by all means.

всякога *нареч.* always; ~, когато whenever, any time.

всякъде *нареч.* everywhere.

всячески *нареч.* by any means, by all possible means.

вталявам, валя *гл.* take in at the waist.

втàсвам, втàсам *гл.* **1.** *(за тесто)* rise; **2.** *(узрявам)* ripen; ● втасахме я now we are in for it/in a nice fix, here's a pretty kettle of fish; now we've done it, that's torn it.

втвърдѝтел (-ят) *м.*, -и, (два) втвърдѝтеля hardener, hardening agent, solidifier.

втвърдявам, втвърдя *гл.* harden, indurate; || ~ се harden, set; *(за течност)* solidify, set, become solid, congeal, fix; *стр.* fasten.

втелявам се *възвр. гл. жарг.* play the innocent, play possum.

втечнявам се, втечня се *възвр. гл.* liquefy, fluidify; *(за газове)* хим. condense.

втйквам, втйкна *гл.* push, shove, drive, stick (в into); *(затъквам)* stick.

вторачвам се, втора́ча се *възвр. гл.* stare, fix o.'s eyes/gaze (on), gaze, fasten o.'s eyes on, look hard/intently (at).

втòр|и *редно числ.*, -а, -о, -и second; *мат.* half; Александър Втори *истор.* Alexander the Second; *(за баща, майка)* adoptive; ~а класа second class; *авиац.* economy; ~а природа second nature; ~а цигулка second-fiddle; ~и баща stepfather, foster-father; ~и но-

мер number two; ~ след next to (по in); ~о качество second grade/quality; *прил.* second-rate; Второ пришествие *рел.* doomsday, second advent/coming; на ~а степен *мат.* square; на ~и март on the second of March; от ~а ръка at second hand, vicariously; *прил.* secondhand.

вторѝч|ен *прил.*, -на, -но, -ни secondary; epiphenomenal; ~ен продукт by-product; epiphenomenon; ~ни суровини scraps.

вторни|к *м.*, -ци, (два) вторника Tuesday; във ~к on Tuesday.

второкà чествен *прил.* second-grade, second-quality; *(по-лош)* inferior, second-rate, of inferior quality, second-best.

второклàсни|к *м.*, -ци; второклàсниц|а *ж.*, -и second-year boy/girl.

второкýрсни|к *м.*, -ци; второкýрсниц|а *ж.*, -и second-year student.

второразрèд|ен *прил.*, -на, -но, -ни second-grade, second-quality; *(по-лош)* inferior, second-rate, of inferior quality, second-best.

второстèпен|ен *прил.*, -на, -но, -ни secondary, of secondary importance, minor; ~ен въпрос subsidiary question, minor issue; ~на роля minor/supporting part, subordinate role.

втрèнчвам, втрèнча *гл.*: ~ поглед в fasten o.'s eyes on; || ~ се stare, gaze, peer, look hard/intently/fixedly (в at); fix o.'s eyes (в on), fix (s.o.) with o.'s eyes.

втрещявам се, втрещя се *възвр. гл.* be dumbfouned (от at); grow dumb (от with).

втрѝса ме (те, го, я, ни, ви, ги) *безл. гл.* be/feel feverish; have fever.

втрѝсвам се, втрѝсна се *възвр. гл.* cloy, surfeit, become insipid, pall (на on), become a bore (на to); втрѝсва ми (ти, му, ѝ, ни, ви, им) get sick (and tired), get sick to death (от of), get fed up (with).

втýлк|а *ж.*, -и *техн.* bush, bushing, sleeve, insertion; collar; plug, stopper.

втýрвам се, втýрна се *възвр. гл.* rush (forward, on) (към to, towards; в into, върху at); make a rush (към to, towards); dash, make a dash (към for), dart, make a dart (върху at); burst (в into); ~ в стая rush/dash/burst into a

room; ~ навъ̀н rush/dash out.

втъка̀вам, втъка̀ *гл.* weave (в into).

втъ̀квам, втъ̀кна *гл.* stick (в into).

втълпя̀вам, втълпя̀ *гл.* inculcate (на on, in, on/into s.o.'s mind); engrain, ingrain; drive a lesson home; impress (на on); rub in; hammer/grind s.th. into one/o.'s mind; || ~ си get it into o.'s head (че that).

ву̀ду *ср., само ед.* voodoo.

ву̀йн|а *ж.,* -и aunt.

ву̀йчо *м.,* -вци uncle; у ~ви at (my) uncle's; • имам ~ владѝка have friends in high places/at court, be pushed up, be well backed; have backstairs influence; know the right people.

ву̀лв|а *ж.,* -и *анат.* vulva.

вулга̀р|ен *прил.,* -на, -но, -ни vulgar, low, low-minded, low-down; gross, rowdy; ~ни манѝери low manners, slangy; (за облекло) tarty.

вулгаризѝрам *гл.* vulgarize.

вулга̀рност *ж., само ед.* vulgarity; grossness.

вулка̀н *м.,* -и, (два) вулка̀на *геол.* volcano (*pl.* -oes); дѐйстващ/спя̀щ/уга̀снал ~ active/dormant/extinct volcano.

вулканиза̀тор *м.,* -и, (два) вулканиза̀тора *техн.* vulcanizer.

вулканиза̀ция *ж., само ед.* vulcanization; (на каучук) cure.

вулканизѝрам *гл.* vulcanize, cure.

вулканѝч|ен *прил.,* -на, -но, -ни; вулканѝческ|и *прил.,* -а, -о, -и volcanic; ~на пепел volcanic ash.

ву̀ндеркинд *м.,* -и infant prodigy.

вход *м.,* -ове, (два) вхо̀да 1. (врата) entrance, way in; гла̀вен ~ main entrance; отдѐлен ~ private entrance; 2. (влизане) admission, admittance, entry; ~ът забра̀нен no admittance/entrance; (уведомѝтелен на̀дпис, че нѐщо е предназна̀чено са̀мо за ча̀стно по̀лзване) private; ~ свобо̀ден admission free; 3. (та̀кса за влѝзане) price/charge for admission, admission/entrance fee; gate money; 4. (на залѝв, мѝна, приста̀нище) mouth; 5. *инф.* input; антѐнен ~ antenna input.

вхо̀д|ен *прил.,* -на, -но, -ни entrance (*attr.*), admission (*attr.*); ~ен билѐт entrance/entry ticket; ~на вѝза entrance/entry visa.

входя̀щ *прил.* incoming; ingoing; *техн.* male; ~ но̀мер incoming number.

вцепеня̀вам се, вцепеня̀ се *възвр. гл.* go numb, grow stiff/rigid/torpid, stiffen, torpefy, become paralyzed (от with).

вчѐра *нареч.* yesterday; ~ сутринта̀ yesterday morning.

вчѐраш|ен *прил.,* -на, -но, -ни (и като същ.) yesterday's; ~ният ден yesterday; • не съ̀м ~ен I wasn't born yesterday; I know better than that; I know a thing or two.

вчѐсвам, вчѐша *гл.* comb/dress/do s.o.'s hair; || ~ се do o.'s hair.

вчовѐчвам, вчовѐча *гл.* humanize, make human, civilize, make a decent person/a man of; || ~ се become human/humanized/civilized; mend o.'s ways.

вшѝвам, вшѝя *гл.* sew in.

въведѐние *ср., само ед.* introduction (в to); (към реч) exordium; (в нача̀лото на радио/тв програ̀ма) lead-in; Въведѐние Богоро̀дично *църк.* Presentation of the Blessed Virgin.

въвѐждам, въведа̀ *гл.* lead in, bring in, show in; *прен.* usher in, initiate; (да̀нни) enter; ~ в общѐството introduce into society; ~ в ста̀я lead/bring/show/usher into a room; ~ във владѐние put in possession; ~ го̀сти (като съобща̀вам имена̀та им) announce guests; ~ при (високопоста̀вено лѝце) usher into the presence of; ~ ред establish order.

въвѐждане *ср., само ед.* 1. introduction, implementation, installation, adoption; ~ на едѝнна валу̀та adoption of a single currency; 2. *комп.* entry, input, load; ~ на да̀нни data input, insertion of data.

въвѝрам, въвра̀ *гл.* thrust, stick, poke, shove (в into); ~ си но̀са poke o.'s nose (в into); || ~ се squeeze o.s. (в into); *прен.* snoop around; intrude o.s.

въвлѝчам, въвлека̀ *гл.* draw (в into); drag (в into), embroil (в into); (замѐсвам) involve (в in), implicate (в into); ~ във война̀ drag into a war.

въглеводоро̀д *м.,* -и, (два) въглеводоро̀да *хим.* hydrocarbon.

въгледобѝв *м., само ед.* coal production/output.

въглекопа̀ч *м.,* -и (coal-)miner, collier; coalman.

въ̀глен *м.,* -и, (два) въ̀глена 1. coal,

ember; ~ за рисува̀не drawing charcoal, stick of charcoal; жив ~ live coal; 2. *мед.* carbon; актѝвен ~ activated carbon; 3. *бот.* black rust.

въглеро̀д *м., само ед. хим.* carbon.

въглеро̀д|ен *прил.,* -на, -но, -ни carbon (*attr.*), carbonic; ~ен о̀кис *хим.* carbon oxide.

въглехидра̀т *м.,* -и обикн. мн. carbohydrate.

въ̀глища само мн. геол. coal, coals; антрацѝтни ~ anthracite coal; дървѐни ~ charcoal; ка̀менни ~ coal; ка̀фяви ~ brown/bituminous coal, lignite.

въдворя̀вам, въдворя̀ *гл.:* ~ мир bring peace (в to); ~ ред establish order, (в страна̀) establish law and order.

въдворя̀ване *ср., само ед.* return.

въ̀диц|а *ж.,* -и fishing rod; (само ку̀кичката) (fish-) hook; ло̀вя рѝба с ~а angle; • хва̀щам/ула̀вям се на/заха̀пвам/ла̀пвам ~ата take/swallow the bait, rise to the bait; *прен.* fall for it, fall into a trap; (влю̀бвам се) be caught/landed.

въдича̀р (-я̀т) *м.,* -и angler.

въ̀дя *гл., мин. св. деят. прич.* въ̀дил breed, raise, rear; || ~ се breed, propagate, (за паразѝти) infest.

въжделѐни|е *ср.,* -я обикн. мн. aspiration, striving, longing.

въжѐ *ср.,* -та 1. rope, line, cord; (дѐбело) cable; (кора̀бно, обикн. мета̀лно) hawser; *мор.* lanyard; ~ за простѝране clothes-line; ~ за ска̀чане skipping-rope; дъ̀рпане на ~ спорт. tug-of-war; кора̀бни ~та cordage; 2. *прен.* gallows, halter, hempen collar; ока̀чвам няко̀му ~то string s.o. up; увѝсвам на/нама̀звам ~то hang, swing; • нѐрви ка̀то ~ cord nerves, *прен.* the patience of Job.

въжеигра̀ч *м.,* -и tightrope-dancer, tightrope-walker, rope-dancer; *книж.* funambulist; *прен.* double-dealer, twister.

въ̀жен *прил.* rope (*attr.*); ~а лѝния rope-way; ~а стъ̀лба rope-ladder.

въз *предл.* 1. (на, отго̀ре на) on, upon, over; 2. (обѐкт на дѐйствие) on, upon; 3. (отго̀ре, срѐщу) on, at; 4. (обхва̀щане на да̀ден размѐр) from; to; at; • ~ основа̀ на on the basis of.

възбра̀на *ж., само ед.* 1. *юр.* interdict, foreclosure; нала̀гам ~ impose a re-

straint/injunction; **2.** (*ембарго*) embargo; **вдигам** ~ take off an embargo.

възбу́да *ж., само ед.* excitement, agitation, ebullience, ebulliency; thrill; *разг.* kick, buzz, flap, *sl.* heat.

възбуди́тел (-**ят**) *м.*, -**и** stimulus (*pl.* -li), stimulant; exciter, inducer; *техн.* exciter.

възбу́ждам, възбу́дя *гл.* **1.** excite, stimulate, exalt, rouse, stir, electrify; *разг.* give s.o. a buzz, give s.o. a kick; (*предизвиквам*) provoke, arouse, stir up, give rise (to); raise; kindle, enkindle, stir; (*насъсквам, настройвам*) incite, instigate (**срещу** against); ~ **апетита** stimulate/whet the appetite; give an edge to s.o.'s appetite; **2.** *юр.* institute; ~ **съдебно преследване** institute proceedings, bring a suit/an action (**срещу** against); || ~ **се** get excited, get worked up.

възва́ни|е *ср.*, -**я** appeal, proclamation.

възваря́вам, възваря́ *гл.* bring to the boil, boil.

възвелича́вам, възвелича́я *гл.* exalt, extol, magnify, glorify, emblazon.

възвестя́вам, възвестя́ *гл.* herald, proclaim.

възви́вам, възви́я *гл.* turn; swing round, wheel (sharply) round, face about.

възви́рам, възвра́ *гл.* come to the boil, boil up; *прен.* feel terribly hot.

възви́шавам, възвиша́ *гл.* uplift, elevate, exalt; || ~ **се** tower (**над** above, over), rise (high) (**над** above).

възвише́ни|е *ср.*, -**я** eminence, height, upland, rising ground, elevation.

възви́шеност *ж., само ед.* elevation, sublimity, nobility, loftiness, (*на характер*) nobility, eminence.

възвра́т|ен *прил.*, -**на**, -**но**, -**ни** reflexive; ~**ен глагол** *език.* reflexive verb; ~**ен вентил** *техн.* return valve.

възвръща́емост *ж., само ед.* *икон.* redeemability, returns; **намаляваща** ~ diminishing returns.

възвръ́щам, възвъ́рна *гл.* return, give back; (*на служба и пр.*) reinstate; ~ **към живот** restore to life; || ~ **си** recover, regain, retrieve; (*нещо отнето и прен.*) recapture; ~ **си насилствено** (*имущество*) *юр.* rescue.

възглавни́|ца *ж.*, -**и** pillow (*и техн.*); (*за кушетка*) cushion; **възду́шна** ~**а**

air bag; **електрическа** ~**а** electric pad.

възгла́вничк|а *ж.*, -**и** (*на животинска лапа*) pad (*и техн.*).

възглавя́вам, възглавя́ *гл.* head, be at the head of; spearhead; ~ **защитата** *юр.* lead for the defence; || ~ **се** (**от**) be headed by.

въ́зглас *м.*, -**и**, (**два**) въ́згласа cry, exclamation.

въ́зглед *м.*, -**и**, (**два**) въ́згледа view, point of view, outlook; (*схващане*) conception; (*мнение*) opinion; **човек с широки** ~**и** broad-/large-minded person.

възголя́м *прил.* largish.

възгордя́вам се, възгордѐя се *възвр. гл.* grow/become proud/haughty, get conceited, *разг.* get too big for o.'s shoes, ride/mount the high horse.

въздѐйствам *гл.* act upon, influence, affect; stimulate, induce; **не може да му се въздейства** he is not to be swayed/influenced.

въздѐйстви|е *ср.*, -**я 1.** influence, effect, impact, repercussion; effectiveness; **оказвам** ~**е** have an effect/effects, make o.'s impact (**върху** on); **под** ~**ето на** under the influence/impact of; **2.** *техн.* action, effect; attack; **коригиращо** ~**е** corrective action.

въздѝгам, въздѝгна *гл.* **1.** (*издигам*) put up, raise, erect (*паметник и пр.*); **2.** (*превъзнасям*) praise, exalt, extol; erect; enthrone; ● ~ **в кумир** make an idol of, worship.

въздѝшам и въздъ́хвам, въздъ́хна *гл.* sigh; fetch a sigh; ~ (**въздъхвам**) **дълбоко** heave a deep sigh; sigh a long sigh.

въздѝшк|а *ж.*, -**и** sigh; ~**а на облекчение** sigh of relief.

въ́здух *м., само ед.* air; **чист** ~ fresh/unpolluted air; **във** ~**а** up in the air, in mid air; *прен.* in the air; **на** ~ in the open air, out of doors.

въздухонепроница́емост *ж., само ед.* airtightness.

въздухонепропускли́в *прил.* air-repellent, impermeable to air.

въздухообмѐн *м., само ед.* air exchange, air renewal, interchange of air.

въздухоплаване *ср., само ед.* aeronautics, aerial navigation, aviation.

възду́ш|ен *прил.*, -**на**, -**но**, -**ни 1.** air (*attr.*), aerial; *техн.* pneumatic; ~**ен**

коридор air route; ~**на поща** air mail; ~**на тревога** *воен.* air-raid alarm; ~**на яма** air pocket; ~**но пространство** air space; **2.** (*лек, безплътен*) airy, light; ethereal; ~**на материя** gossamer; ● **изпращам** ~**на целувка** blow a kiss, kiss o.'s hand to.

възду́шнодеса́нт|ен *прил.*, -**на**, -**но**, -**ни** *воен., авиац.* air-borne.

въздъ́лъг *прил.* longish, on the long side.

въздъ́ржам, въздъ́ржа *гл.* restrain, hold back, check; curb, repress; || ~ **се** abstain, refrain (**от** from); forbear (**от** from *c ger.*/to *c inf.*), desist (**от** from *c ger.*); ~ **се да взема решение** suspend o.'s judgement; ~ **се от гласуване** abstain from voting; ~ **се от коментар** withhold comment; forbear from comment/to comment.

въздържа́ние *ср., само ед.* abstention (**от** from); (*обикн. полово*) continence; forbearance (**от** from/of s.th., from *c ger., c inf.*); temperance; self-restraint; **пълно** ~ (*по отношение на пиене*) teetotalism.

въздържа́тел (-**ят**) *м.*, -**и**; **въздържа́телк|а** *ж.*, -**и** abstainer, nondrinker; ~ **съм** *разг.* be on the waggon.

въздъ́хвам, въздъ́хна *гл.* sigh, heave a sigh.

въз|ел₁ *м.*, -**ли**, (**два**) въ́зела **1.** knot; **връзвам на** ~**ел** tie in a knot; (*място, където се кръстосват пътища и пр.*) junction, centre; **железопътен** ~**ел** railway junction; **3.** *анат.* knot; **нервен** ~**ел** *биол.* ganglion; **4.** *бот.* node; **5.** (*връзоп*) bundle; **6.** (*на тъкан*) burl; **7.** *техн.* meeting; *ел.* assembly; ● (*нещо заплетено*) tangle; **Гордиев** ~**ел** Gordian knot; **санитарен** ~**ел** toilet and bathroom.

въз|ел₂ *м.*, -**ли**, (**два**) въ́зела *мор.* (*мярка*) knot (*1852 м*).

възжъ́лт *прил.* yellowish.

въззелѐн *прил.* greenish.

възземам се, възземам се *възвр. гл.* rise, soar.

възкача́вам, възкача́ *гл.* mount; ~ **на престола** enthrone, put on the throne; || ~ **се** climb (up); ~ **се на престола** mount/ascend the throne, come to the throne.

възки́сел *прил.* sourish, subacid.

възкли́квам, възкли́кна *гл.* ejacu-

late, cry out.

възклицавам *гл.* exclaim; ejaculate.

възклицани|е *ср.*, -я exclamation; ejaculation.

възкресение *ср.*, *само ед.* **1.** resurrection; **2.** *църк.* **Възкресение Господне** (*Великден*) Easter.

възкресявам, възкреся *гл.* resurrect, raise from the dead, bring back to life, restore to life (*и прен.*); *прен.* revive, resuscitate, put new life into; ~ **надежда** revive hope; ~ **спомени** reminisce, evoke memories.

възкръсвам, възкръсна *гл.* rise (from the dead); resurge; *прен.* come to life again, revive; ~ **в паметта на** come back to/recur to s.o.'s memory.

възкъс *прил.* shortish, rather short, on the short side.

възлагам, възложа *гл.:* commission; depute; ~ **задача на** assign a task to, assign (s.o.) a task, entrust (s.o.) with a task, give/delegate a task to, task (s.o.); ~ **надежди на** repose hope in, lay/set/pin o.'s hopes on, centre o.'s hopes in.

възлагане *ср.*, *само ед.* assignation; ~ **на поръчки** award of contracts.

възлест *прил.* nodulose, nodulous, nodular; snagged; (*за ръка*) gnarled, gnarly.

възлизам, възлязa *гл.* **1.** amount (на to), come/run up (на to), add up (на to); figure out (на at), work out (на at); ~ **на** (*за хора*) number; **2.** (*изкачвам се*) climb (up), mount.

възлов *прил.* fundamental, basic, crucial, primary, main, key, principle; nodal; ~**а позиция** *воен.* key point.

възложител (-ят) *м.*, -и contracting authority.

възлюбвам, възлюбя *гл.* fall in love (with), come to love.

възлюбен *мин. страд. прич.* **1.** (-ият) *като същ.* sweetheart, true love, darling, beloved; **2.** *като прил.* dear, dearly (be)loved.

възмал|ък *прил.*, -ка, -ко, -ки smallish.

възмезди|е *ср.*, -я retribution, punishment, retaliation, *книж.* nemesis; *прен.* payment; poetic justice, redress; *разг.* comeuppance, comeback.

възмездявам, възмездя *гл.* recompense, redress, offset.

възмогвам се, възмогна се *възвр. гл.*

rise in the world, become rich; (*укрепвам*) improve.

възмож|ен *прил.*, -на, -но, -ни **1.** possible; (*вероятен*) likely; **2.** (*осъществим, приложим*) feasible, practicable; ● **клауза за ~ен отказ** escape clause.

възможно *нареч.* very liekly, possibly, probably, apparently; must; **ако ти е** ~ if it is possible for you (да то *c inf.*); ~ **е** it is possible, it may be, possibly; rain is possible today; **доколкото е** ~ as far as possible; **как е** ~! is that possible; well, I never.

възможност *ж.*, -и **1.** possibility; (*удобен случай*) chance, opportunity; **давам някому** ~ enable s.o. (да то *c inf.*); **използвам всяка** ~ explore every avenue, leave no avenue unexplored; **имам** ~ have the chance; be able, be in a position (да то *c inf.*); have an/the opportunity (да of); **при първа** ~ at o.'s earliest convenience, at the first chance/opportunity; **2.** *pl.* (*средства*) means, resources; **живея според ~ите си** live within o.'s means; **3.** *pl.* (*скрити сили*) potentialities; **развивам всичките си** ~**и** develop all o.'s potentialities.

възмущавам, възмутя *гл.* rouse s.o.'s indignation, outrage; fill with indignation, make indignant; || ~ **се** be indignant/outraged (от at, with s.o.); be filled with indignation; resent (от -).

възмущение *ср.*, *само ед.* indignation; resentment, outrage (от at); **за мое голямо** ~ to my disgust; **c** ~ inignantly.

възмъжавам, възмъжея *гл.* grow up, grow into a man/to manhood, attain to/arrive at/reach man's estate; develop.

възнаграждавам, възнаградя *гл.* reward (за for); recompense, requite (за for); (*парично*) remunerate, pay; ~ **добре** reward well, *разг.* make it worth o.'s while; ~ **труда на** recompense s.o.'s labour.

възнаграждение *ср.*, *само ед.* reward, recompense, repayment; (*заплата, надница*) remuneration; *книж.* emolument; (*на лекар, адвокат*) fee; **допълнително** ~ bonus; **парично** ~ money reward.

възнак *нареч.* on o.'s back, supine.

възнамерявам *гл.* intend (*c ger.*, то *c inf.*), have the intention (of *c ger.*); contemplate (*c ger.*); propose (to *c inf.*),

plan, mean (to *c inf.*); design; *разг.* reckon.

възнегодувам *гл.* give vent to o.'s indignation; be indignant.

възниквам, възникна *гл.* spring up (от from), arise (от out of); come into being, originate, (*за легенда, традиция и*) grow up.

възникване *ср.*, *само ед.* origin, rise, beginning, formation, genesis; ~**то цивилизацията** the origin(s) of civilization.

възобновявам, възобновя *гл.* renew, renovate; (*традиция, пиеса и пр.*) revive; (*продължавам след прекъсване*) resume, begin again; (*връзки*) renew; ~ **дипломатически отношения с** resume diplomatic relations with.

възобновяване *ср.*, *само ед.* renewal, renovation, revival, resumption.

възпаление *ср.*, *само ед.* inflammation; ~ **на сливиците** *мед.* tonsillitis.

възпалявам се, възпаля се *възвр. гл.* become inflamed.

възпирам, възпра *гл.* hold back, bring to a standstill, restrain, hinder, check, repress, withhold, deter (from); ~ **някого да извърши нещо** prevent/stop s.o. doing s.th.; || ~ **се** refrain (from *c ger.*); desist (from *c ger.*).

възпитавам, възпитам *гл.* **1.** bring up, educate; (*обучавам*) train; **2.** (*приучвам*) accustom, habituate (на то, да to *c ger.*); ~ **на труд** habituate to work.

възпитание *ср.*, *само ед.* upbringing, education; (*добро държание*) good breeding/upbringing; **той няма никакво** ~ he has no manners; **физическо** ~ physical education, *съкр.* P. E.

възпитани|к *м.*, -ци alumnus (*pl.* alumni), graduate; ~**к съм на ...** (*училище и пр.*) be trained at ...

възпитател (-ят) *м.*, -и educator; tutor, (*в пансион*) supervisor; (*учител*) teacher.

възпитателк|а *ж.*, -и educator, tutoress; (*учителка*) teacher; ~**а в детска градина** kindergarten/nursery-school teacher.

възпламенявам, възпламеня *гл.* set ablaze; *техн.* ignite; *прен.* inflame, kindle, enkindle, rouse, stir (up); || ~ **се** catch/take fire; *техн.* ignite; *прен.* fire up, be fired with a passion (for).

възпламеняване *ср.*, *само ед. техн.*

combustion, ignition, inflàmmation.

възпо̀лзвам се *възвр. гл.* make use (**от**
of), avail o.s. (of), take advantage (of),
profit (by); *разг.* cash in on (s.th.); ~
от предложение avail o.s. of an offer,
embrace an offer.

възпомина̀ни|е *ср.*, -**я** commemora-
tion.

възпомина̀тел|ен *прил.*, -**на**, -**но**, -**ни**
memorial, commemorational, comme-
morative.

възпра̀вям, възпра̀вя *гл.* stand (s.th.)
upright/on end; || ~ **се** (*за планина и
пр.*) tower, rise.

възпрепя̀тствам *гл.* prevent, hinder,
hobble, impede (from *с ger.*); *разг.*
choke off, trammel, hamper, gum up.

възприѐмам, възприѐма *гл.* **1.** per-
ceive, take in, apprehend; ~ **чрез обо-
нянието** perceive by smell; **2.** (*усвоя-
вам*) learn, acquire (knowledge of); ~
бързо/бавно be quick/slow in the up-
take; be quick/slow of apprehension; **3.**
(*приемам, споделям*) adopt; ~ **гле-
дище** take a point of view.

възприѐмане *ср., само ед.* perception;
reception; adoption.

възприя̀ти|е *ср.*, -**я** perception; **слу-
хово** ~**е** aural perception.

възпроизвѐждам, възпроизведа̀ *гл.*
reproduce, (*пресъздавам*) re-create;
(*събитие*) render; (*разказ*) retell; ~
в паметта си recall, recollect, call to
mind; (*стенографски записки*) tran-
scribe; ~ **сцена** re-enact a scene.

възпроизвѐждане *ср., само ед.* repro-
duction, re-creation, reenactment; (*на
звукозапис*) playback.

възпроизво̀дство *ср., само ед.* repro-
duction.

възпротивя̀вам се, възпротивя̀ се
възвр. гл. be against, oppose; be op-
posed, object (**на** to), set o.'s face
(against).

възпя̀вам, възпѐя *гл.* praise (in song),
sing (the praise of), glorify, extol.

възра̀двам се *възвр. гл.* rejoice (in, at,
that); be pleased/delighted.

възра̀ждам, възродя̀ *гл.* regenerate,
revitalize, breathe new life into; || ~ **се**
revive, be regenerated.

възра̀ждане *ср., само ед.* regeneration,
rebirth, revival, revitalization, resur-
gence; (*културно*) renaissance; (*епо-
хата на*) **Възраждането** *истор.* the

Renaissance; **национално** ~ national
revival.

възражѐни|е *ср.*, -**я** objection, re-
joinder, remonstrance; contravention;
книж. expostulation; (*рязък отго-
вор*) retort, rebuttal; *юр.* reply, caveat,
demur; demurrer; *търг.* exception; **без
~я!** no arguing! **~ето не се приема** *юр.*
objection overruled; **~ето се приема**
юр. objection sustained; **не търпя ни-
какви ~я** brook no contradiction, lay
down the law; **нямам ~я** no objections.

възразя̀вам, възразя̀ *гл.* retort, rejoin,
answer back; object (**на** to); raise/make
objections (**на** to); contravene (*на -*);
controvert; *книж.* expostulate; *юр.*
reply; ~ **срещу** take exception to.

въз̀раст *ж.*, -**и** age; **в напреднала ~**
advanced in years; **детска** ~ childhood;
зряла ~ maturity; **на каква** ~ **сте?**
how old are you? **преклонна** ~ old age.

въз̀раст|ен *прил.*, -**на**, -**но**, -**ни** eld-
erly, middle-aged; *като същ.* adult,
grown-up.

възрожден|ец *м.*, -**ци** writer of the
Bulgarian national revival (*и прен.*).

възропта̀вам, възропта̀я *гл.* (begin
to) murmur (**срещу** against), rumble
(**срещу** at), express o.'s indignation (at).

възсолѐн *прил.* rather salty.

възстано̀вим *сег. страд. прич.* re-
gainable, retrievable; (*който може да
се поправи*) repairable; (*който мо-
же да бъде получен обратно*) re-
claimable; (*за сума*) refundable; reim-
bursable; (*за вещ*) replaceable; re-
deemable.

възстановѝтел|ен *прил.*, -**на**, -**но**,
-**ни** restoration, restorative, reconstruc-
tion, rehabilitation (*attr.*); **~на работа**
restoration work, restorations.

възстановя̀вам, възстановя̀ *гл.* re-
store, rehabilitate, re-establish; (*зда-
ние, основно*) rebuild, reconstruct;
(*пари*) refund, reimburse; ~ **загубите
си** recoup o.'s losses; ~ **здравето си/
силите си** regain/recruit o.'s health/o.'s
strength; ~ **някого на старата му
длъжност** reinstate s.o. in his former
office; ~ **отношения** resume/re-estab-
lish relations; ~ **щети** repair damages,
make amends; || ~ **се** recuperate, re-
cover, regain o.'s health, convalesce,
rally; *биол.* regenerate.

възстановя̀ване *ср., само ед.* resto-

ration, reconstruction, rehabilitation,
re-establishment; recovery; retrieval;
(*на здание*) rebuilding; (*на права и
пр.*) reinstatement; (*след боледуване*)
convalescence, recuperation, recovery;
(*на пари*) refund, reimbursement; ~ **на
дипломатически отношения** *дипл.*
re-establishment of diplomatic relations
(**с** with); ~ **на информация** informa-
tion retrieval.

възся̀дам, възсѐдна *гл.* mount, get on,
get astride on, straddle.

въз̀торг *м., само ед.* enthusiasm (**от**
for), rapture, exaltedness, exaltation,
exhilaration, elation, transport (over),
elan; flow of spirits; (*голяма радост,
възхищение*) delight; **във** ~ **съм от**
be in raptures over, be delighted/enrap-
tured with, be enthusiastic about/over;
be elated/entranced by; **изпадам във**
~ be transported.

въз̀торжен *прил.* enthusiastic, enrap-
tured, entranced, rapturous, rhapso-
dic(al), in transports; (*с очи, светнали
от възторг*) starry-eyed; ~ **прием**
rousing welcome.

възтържествувам *гл.* triumph (**над**
over).

възхва̀ла *ж., само ед.* praise; extol-
ment; eulogy, encomium, panegyric;
glorification.

възхваля̀вам, възхваля̀ *гл.* extol,
praise (highly), eulogize, glorify, pay
tribute to; speak in praise of, speak
highly of, sing (s.o.'s) praises, sing
praises to; preach up; (*в печата*) write
up; *sl.* crack up.

възхища̀вам, възхитя̀ *гл.* delight,
enrapture, ravish, fill with admiration;
|| ~ **се** admire, be lost in admiration of,
stand in admiration before, have a
glowing admiration for; be struck with
admiration of, be delighted with, be in
raptures over, be enraptured by/with.

възхищѐние *ср., само ед.* admiration
(**от** for), delight (with); **изпитвам** ~ be
filled with admiration (**от** for).

възхо̀д *м., само ед.* upsurge; (*напре-
дък*) progress, advance, upward trend,
forward march; **във** ~ **съм** make head-
way.

възходя̀щ *прил.* ascending, rising; **~а
интонация** *език.* ascending/rising in-
tonation; **~а скорост** *техн.* high gear.

възцаря̀вам, възцаря̀ *гл.* enthrone;

|| ~ **се** come to/ascend the throne; *прен.* (*наставам, настъпвам*) be established; **възцари се тишина** silence reigned.

възчервен *прил.* reddish.

възчер|ен *прил.*, -**на**, -**но**, -**ни** blackish.

вълк|м., -**ци**, (**два**) **вълка** *зоол.* wolf (*pl.* wolves); **глутница** ~**ци** a pack of wolves; ● ~**к в овча кожа** wolf in sheep's clothing; ~**кът козината си мени, нрава** – he the wolf may lose his teeth but never his nature; what is bred in the bone will come out in the flesh; can the leopard change his spots; **говорим за** ~**ка, а той в кошарата** talk of the devil and the devil is sure to appear; **и** ~**кът сит, и агнето цяло** you cannot make an omelette without breaking the eggs, you cannot have your cake and eat it; **морски** ~**к** *разг.* old salt; **човек за човека е** ~**к** man is a wolf to man.

вълна *ж.*, *само ед.* wool; **камилска** ~ camel's hair.

вълн|а *ж.*, -**и 1.** wave; **голяма** ~**а** large/heavy wave/sea, surge, billow; **малка** ~**а** ripple, ruffle; **приливна** ~ a tidal wave; **2.** *физ.* wave; **взривна** ~**а** blast; **дължина на** ~**ата** wave-length; **къси/средни/дълги** ~**и** short/medium/long waves; ● ~**а на недоволство** groundswell of discontent; **на** ~**и** (*за коса*) wavy; (*за море*) watered; **нося се по** ~**ите** (*за кораб и пр.*) drift on the waves, roll adrift.

вълнен *прил.* woollen, wool (*attr.*); ~ **плат** woollen cloth/stuff.

вълнени|е *ср.*, -**я 1.** choppiness, rough water(s), motion; (*при пътуване по море*) a rough sea; **мъртво** ~ groundswell; **2.** *прен.* agitation, emotion, excitement; (*радостно*) thrill; (*нервно*) fluster; (*нервност*) nervousness; (*възбуда*) commotion; **едва се сдържам от** ~**е** be (all) in a flutter; **3.** (*размирици*) disturbance, unrest, trouble, commotion, tumult, turmoil; **работнически** ~**я** industrial unrest.

вълнов *прил.* electromagnetic; ~ **обхват** *физ.* waveband.

вълнолом *м.*, -**и**, (**два**) **вълнолома** breakwater, mole, pier, jetty; groyne; *амер.* groin.

вълнообраз|ен *прил.*, -**на**, -**но**, -**ни** wavy; *техн.* corrugated; ~**на линия**

undulating/wavy line, wave.

вълнувам *гл.* **1.** (*водна повърхност*) ruffle, roughen, agitate; **2.** *прен.* excite, move, (*силно*) agitate, work up; (*безпокоя*) upset, worry, disturb; (*тревожа*) alarm; || ~ **се 1.** undulate, (*за море и пр.*) be rough, run high, rise in waves; (*за нива, тълпа*) surge; ~ **се леко** ripple; **2.** *прен.* be agitated/excited/moved; work o.s. up; (*безпокоя се*) be upset/worried/disturbed; be anxious/nervous; (*за народ*) be in ferment; **не се** ~ take it easy; keep o.'s hair on.

вълнуващ *прил.* stirring, exciting, gripping, thrilling, electrifying, enthralling, nail-biting, rousing, stimulating; (*трогателен*) moving, touching; (*възбуждащ*) *разг.* spine-tingling.

вълч|и *прил.*, -**а**, -**о**, -**и** wolf's; (*хищен, стръвен*) wolfish; ● ~**а кожа** wolfskin; ~**и апетит** wolfish/voracious/ravenous appetite.

вълшеб|ен *прил.*, -**на**, -**но**, -**ни 1.** magic (*само attr.*), magical, fairy (*attr.*), miraculous; ~**ен замък** enchanted castle; ~**на пръчка** magic wand; **2.** *прен.* alluring, mesmerising, spellbinding, magnetic, magical, enchanting, bewitching.

вълшебни|к м., -**ци** magician, wizard, sorcerer.

вълшебниц|а *ж.*, -**и** enchantress, sorceress, witch.

вълшебств|о *ср.*, -**а 1.** magic, witchcraft, sorcery; **2.** (*обаяние*) magic, charm, enchantment, magnetism.

вън *нареч.* outside; ~**!** out! get out (of here)! ~ **от** out of, outside, without; ~ **от къщи** out; ~ **от обсега** beyond the scope of; ~ **от опасност** out of danger; above water; ~ **от подозрение** above/beyond suspicion.

външ|ен *прил.*, -**на**, -**но**, -**ни 1.** outside, outer, outward, exterior, external; (*страничен*) extraneous; (*повърхностен*) superficial, surface (*attr.*); (*привиден, само за очи*) ostentatious; (*неприсъщ*) extrinsic; (*приходящ – за лекар, лектор и пр.*) extern; ~**ен блясък** (mere) surface polish, gloss; ~**ен вид** (outward) appearance; ~**ен джоб** breast pocket, (*пришит*) patch pocket; ~**ен ъгъл** *мат.* exterior angle; ~**на прилика** formal resemblance; ~**ни**

белези outward signs, externals; ~**но оформление** (*на книга*) cover design; **2.** (*чужд*) foreign; ~**ни работи/отношения** foreign affairs/relations.

външно *нареч.* outwardly, externally; (*уж, привидно*) ostensibly; ~ (*за лекарство*) endermic, for outward/external application, for external use; (*за пред хората*) for form's sake, as a matter of form.

външнополитическ|и *прил.*, -**а**, -**о**, -**и** of foreign policy, foreign-political.

външност *ж.*, *само ед.* appearance, exterior, looks; ~**та често лъже** appearances are deceptive; **приятна** ~ pleasing appearance.

въображение *ср.*, *само ед.* imagination, fancy; **давам воля на** ~**то си** let o.'s fancy roam; give rein to o.'s imagination; **лишен от** ~ unimaginative.

въобразявам си, въобразя си *възвр. гл.* imagine, fancy, take/get it into o.'s head.

въобще *нареч.* **1.** in general, generally; **2.** (*винаги*) always, as a rule; **3.** (*общо взето*) as a whole, by and large, all in all; altogether; **4.** (*в отриц. и впр. изреч.*) at all.

въодушевен *прил.* enthusiastic, eager; elated, exalted.

въодушевление *ср.*, *само ед.* enthusiasm, ardour, fervour, passion, rapturousness, élan; elatedness, spiritedness.

въодушевявам, въодушевя *гл.* fill with enthusiasm, inspire, exhilarate; elate; *разг.* enthuse; || ~ **се** be filled with enthusiasm, be inspired, show enthusiasm, warm up; *разг.* enthuse.

въоръжавам, въоръжа *гл.* arm, (*войска*) equip; || ~ **се** arm o.s. (*и прен.*); prepare for war; ~ **се с търпение** arm o.s. with patience, take patience.

въоръжение *ср.*, *само ед.* armaments, arms; **надпревара във** ~**то** arms/armaments race.

въплъщавам, въплътя *гл.* embody, incarnate; encarnalize; (*идея*) express; (*осъществявам*) realize, bring into being, give a material form to, materialize; || ~ **се** become embodied/incarnated (**в** in); materialize; (*за идея*) be expressed.

въплъщение *ср.*, *само ед.* incarnation, embodiment; (*олицетворение*) personification; epitome.

въпреки *предл.* in spite of, despite, notwithstanding; (*напук на*) in defiance/violation of, regardless of, in the teeth of; ~ **това/всичко** for all that, in spite of all, despite all; yet; nevertheless; ~ **че** although, though.

въпро̀с *м.*, -и, (два) въпро̀са 1. (*запитване*) question, query; **задавам някому** ~ ask s.o. a question, ask a question of s.o., put a question to s.o.; 2. (*тема, проблем*) question, problem; issue; (*обстоятелство*) point, matter; **ако е** ~ **за** ... so far as ... goes; **важен** ~ matter of importance; ~ **на време** matter/question of time; ~ **на чест** point of honour; ~**ът е, че** the thing/point is that; **ето къде е** ~**ът** that is the question; **за какво става** ~? what is it all about? what are you talking about? **Източният** ~ *истор.* the Eastern question; **не става** ~ **за това** that is beside the mark/the point; **поставям** ~ pose a problem; **става** ~ **за** the case in point/the matter in hand/the affair in question; **спорен** ~ controversial/moot/vexed question; pending question, disputed point, question at issue, point of difference; (*който се разисква*) an issue at stake, *юр.* case under dispute/at issue/in question.

въпро̀с|ен *прил.*, -на, -но, -ни in question; ~**ното лице** the person in question, the person concerned.

въпросѝтел|ен *прил.*, -на, -но, -ни 1. *език.* interrogative; erotetic; ~**ен знак/** ~**на** question-mark, interrogation mark/point; ~**но изречение** question; 2. (*за поглед, тон*) inquiring, questioning.

въпро̀сни|к *м.*, -ци, (два) въпро̀сника questionnaire; question paper/form.

върба̀ *ж.*, *само ед. бот.* willow; (*ракита*) osier.

върба̀|к и върбала̀|к *м.*, -ци, (два) върба̀ка/върбала̀ка willow-grove, copse of willows; osier-bed.

вървѐж *м.*, *само ед.* 1. walk, gait; step, pace; **с бавен** ~ at a slow pace; 2. *прен.* course, march, progress; (*на часовник и пр.*) functioning; ~**ът на събитията** the course/march of events.

върволѝца *ж.*, *само ед.* file, string, train; ~ **коли** a string/a train of cars.

вървя̀ *гл.* 1. (*ходя*) go; (*пеша, обикновен ход*) walk (**по** on, along); **все** ~ **и** ~ walk on and on; ~ **напред** go for-

ward; ~ **след** follow; *прен.* follow the lead of; ~ **пеша** go on foot; *разг.* leg it, foot it; ~ **по реда си** (*за събитие*) follow o.'s course; 2. (*движа се, работя*) go, work, function, operate, run; (*за кола и пр.*) roll along; (*за превозно средство*) go, travel, run; (*в превозно средство*) go; drive; journey (along); **влаковете вървят по релси** trains run on rails; **часовникът върви добре/отлично** the watch keeps good/excellent time; 3. (*напредвам, развивам се*) go, progress, work; ~ **гладко/нормално** (*за работа*) go smoothly; **без** **хитрина/хитрост** without a hitch, go on as usual; ~ **добре** go well, make good progress; (*за преговори и пр.*) go on well; ~ **към** (*предстои ми*) be in line for; **как върви работата?** how's business? (*как сте*) how are you? how's everything? **не** **върви** (it's) no go; **разговорът не върви** the conversation is flagging; 4. (*струвам, харча се*) cost, sell (**по** at); **как върви книгата?** how is the book selling? **парите вървят много бързо** money goes like anything/like water; 5. (*минавам* – *за път и пр.*) go, run, lead, pass, lie; 6. (*отивам, подхождам на*) go well with, match, suit; 7. (*намирам се в обращение*) be in circulation; **тая банкнота не върви** this banknote will not pass; ● **всичко** **върви като по вода** everything is going on swimmingly; **трябва да си** ~ I must be off/be going; **върви ми be** lucky; play a winning game; (*за дадено време*) be in luck; *разг.* be on a roll; *амер.* play big luck, hit a winning streak; **не ми върви** have no luck, be out of luck, strike a bad patch; play a losing game; *амер.* play hard luck.

върга̀лям се *възвр. гл.* wallow, roll about (**в** in).

върза̀н *мин. страд. прич.* (*и като прил.*) 1. tied, bound; ~**о куче** tied up dog; 2. *прен.* shy, awkward, clumsy; gawky; feckless; ~ **за полата на майка си** tied/pinned to his mother's apron strings; **с** ~**и ръце** high and dry.

вързо̀п *м.*, -и, (два) вързо̀па bundle, package.

върко̀ла|к *м.*, -ци ghoul.

върл *прил.* 1. cruel, fierce, violent; (*за враг*) bitter; (*страстен, краен*) die-hard, out-and-out; 2. (*стръмен*) steep,

sheer; ● ~**а ракия** potent brandy.

върлѝн|а *ж.*, -и pole, staff; (*за човек*) hop-pole.

върлу̀вам *гл.* (*за болест*) rage, be rife; (*за човек*) rage, be rampant, run wild (**сред**, among); ~ **из** infest.

въртѐж *м.*, -и, (два) въртѐжа 1. turning/spinning round, whirling; rotation; *прен.* whirl; 2. (*бодеж*) shooting pain.

въртелѐж|ка *ж.*, -и 1. merry-go-round, roundabout; carousel; whirligig; (*и детска играчка*) teetotum; 2. (*на трамвай и пр.*) roundabout.

въртелѝв *прил.* swirling, swirly, rotary; gyral; ~**о движение** rotary motion.

въртѐне *ср.*, *само ед.* turning/spinning round, rotation, revolution, gyration.

върто̀п *м.*, -и, (два) върто̀па 1. whirlpool; backset; 2. *прен.* den, abode.

въртя̀ *гл.* 1. turn, revolve; (*бързо*) spin, whirl; ~ **в ръцете си** twiddle, fiddle/fumble with, finger; (*сламки и пр.* – *за вятър*) whirl about; (*брадва, чук и пр.*) swing, wield; (*бастун*) twirl; (*за път*) twist and turn; (*печатарска машина и пр.*) operate; ~ **опашка** (*за куче*) wag its tail, (*за кон, крава*) swish its tail; (*бързо, ядосано*) lash its tail; ~ **очи** roll o.'s eyes, (*флиртувам*) make eyes at; 2. (*зает съм с, грижа се за*) ~ **любов с** carry on with; ~ **търговия** do business, run a trade, deal (**с** *за стока* in, *за човек, фирма и пр.* with); ~ **някого на пръста си** twist s.o. round o.'s little finger; ~ **и суча** shilly-shally, beat about the bush; || ~ **се** 1. turn, go round (*и за вятърна мелница, грамофонна плоча*); rotate; (*бързо*) spin; (*с бръмчене*) whir; (*не стоя спокойно*) fidget; (*за очи*) roll about; (*за въпрос, разговор, разказ*) turn, centre (**около** on); (*около ос*) spiral, rotate; gyrate; ~ **се в леглото** turn (over) in bed; toss and tumble in bed; move in o.s. sleep; ~ **се около** (*човек, място*) hang/hover about; (*ухажвам*) dangle round/about; **Земята се върти около Слънцето** the earth goes round the sun; 2. (*в известни среди*) move (**в** in); ● **върти ми се** **на езика** it's on the tip of my tongue; **върти ми се в главата** (*за мисъл*) be contemplating (**с** *ger.*), be flirting with the idea of; (*за мелодия и пр.*) I have (a tune) on the brain, (a tune)

keeps running in my head.

въ̀рхàр *м.*, -и, (два) **въ̀рхàра** tree-top; *pl.* a last crop of fruits/vegetables.

въ̀рхов *прил.* peak; summital; culminant; **~а мощност** *ел.* peak supply; **~и часове** (*за улично движение*) rush/peak hours; (*за консумация на ел. енергия и пр.*) peak hours.

въ̀рхов|ен *прил.*, -на, -но, -ни **1.** supreme, transcendent, crowning; **~ен жрец** high priest; **~ен комисар** high commissioner; **~ен съд** supreme/high court; **~на власт** supreme/sovereign power/sovereignty; **~на глупост** transcendent folly; **~но командване** high command; **~но удоволствие** sovereign pleasure; **2.** (*превъзходен*) superior, superb, matchless, *жарг.* tiptop, capital, crackerjack, cracking; *sl.* crucial.

въ̀рхòвенство *ср.*, *само ед.* supremacy; chiefdom.

въ̀рху *предл.* **1.** (*на, отгоре на*) on, upon, over; **един ~ друг** one on top of the other; **разливам вода ~ масата** spill water over the table; **2.** (*обект на действие*) on, upon; **работа ~** work on/at; **3.** (*отгоре, срещу*) on, at; **хвърлям се ~** run/fall on, rush at, hurl o.s. at; (*за куче*) fly at, go for, leap at the throat of; **4.** (*обхващане на даден размер*) from; to; at; **правя удръжки ~ заплата** deduct from a salary; **5.** *мат.* **десет ~ петнадесет** ten divided by fifteen.

въ̀рхушк|а *ж.*, -и upper/top crust, ruling top/crust.

въ̀рша *гл.*, *мин. св. деят. прич.* въ̀ршил do, perform; commit; **~ глупости** act foolishly, play the fool; **~ нещо сам** do s.th. o.s.; draw on o.'s own resources; **~ престъпление** commit/perpetrate a crime; **~ работата си** do o.'s work/job, work at o.'s job, go ahead.

въ̀ршèя *гл.*, *мин. св. деят. прич.* въ̀ршàл thresh, flail.

въ̀ршѝтба *ж.*, *само ед.* threshing.

въ̀ставам, въ̀стана *гл.* **1.** rise, revolt, rebel; take up arms, rise in arms/in rebellion (**против** against); **2.** *прен.* revolt (**против** against), oppose, be opposed (to).

въ̀стани|е *ср.*, -я rising, uprising, revolt, rebellion, insurrection.

въ̀станик *м.*, -ци; **въ̀стàничк|а** *ж.*, -и rebel, insurgent, insurrectionist.

въ̀ся се *възвр. гл.*, *мин. св. деят. прич.* въ̀сил се scowl, frown.

въ̀си се *безл. възвр. гл.* (*за времето*) the sky is lowering/darkening.

въ̀тре *предл.* in, inside, within; (*на закрито*) indoors; **~ в, ~ в границите на** within; ● **~** (*в затвора*) *разг.* behind bars, inside, *sl.* in the cooler (*загазил*) in the soup; **~ съм** (*загазил съм*) be in for it.

въ̀треш|ен *прил.*, -на, -но, -ни **1.** inside, inner, interior, internal; (*в рамките на организация*) in-house; **~ен двор** inner court(yard); **~ен джоб** inside/interior pocket; **~ен номер** (*на телефон*) extension number; **~ен ред** regulations, rules; **~ен ъгъл** *мат.* an interior angle; **~ни болести** *мед.* internal diseases; **~но горене** *техн.* internal combustion; **жлези с ~на секреция** *анат.* endocrines, ductless glands; **за ~на употреба** (*на лекарство*) for internal use; **2.** *прен.* inner, inward; (*присъщ*) inherent, intrinsic; **~ен глас** inner conscience; **~ен монолог** interior monologue; **~но спокойствие** peace of mind; **~но съдържание** inner content/nature; **3.** (*в пределите на страната*) home (*attr.*), domestic, internal; **~ен пазар** home market; ● **~ен** (*човек*) insider.

въ̀трешнопартѝ|ен *прил.*, -йна, -йно, -йни within the party.

въ̀трешнополитѝческ|и *прил.*, -а, -о, -и internal political.

въ̀трешност *ж.*, *само ед.* **1.** interior, inside; **във ~та на страната** in the interior; **2.** *само мн. анат.* internal organs; (*черва*) entrails, bowels, intestines, viscera.

въ̀шк|а *ж.*, -и louse (*pl.* lice); **листна ~а** greenfly, plant louse, leaf insect.

въ̀шлясвам, въ̀шлясам *гл.* grow lousy, become infested with lice.

вял *прил.* (*апатичен*) apathetic, lethargic, torpid, listless; half-hearted, spiritless; (*безжизнен*) lifeless; (*инертен*) inert; (*муден*) sluggish; (*отпуснат*) flaccid, flabby; languid, limp, lackadaisical; (*за куче при лов*) out of blood; (*за търговия*) flat.

вя̀ра *ж.*, *само ед.* **1.** faith, belief; (*доверие*) confidence, trust; **имам (пълна) ~ в** have (complete) faith/confidence in; **твойта ~!** *sl.* damn you!; **2.**

(*религия*) faith; religion; **християнска ~** the Christian faith.

вя̀рвам *гл.* **1.** believe (**в** in), have faith (**в** in), trust (**в** -); be a believer (in); *разг.* swallow, buy; **ако щеш вярвай** believe it or not; **вярвай ми** I give you my word for it, (you may) take my word for it, take it from me; **~ на** (*думите и пр. на някого*) give credit/credence to; credit; **~ сляпо на** pin o.'s faith on; **не ~!** I don't buy that! Come off it! Don't give me that! **2.** (*религиозен съм*) believe (in God); **не ~** not be religious, not be a believer.

вя̀рван|е *ср.*, -ия belief; (*поверие*) popular belief; **не е за ~е** it passes belief; it's hardly likely.

вя̀рно *нареч.* **1.** right, correctly; **~!** true, indeed; that's right/so; just so; **пея ~** sing in tune; **стрелям ~** shoot straight; **напълно ~** quite right/true, absolutely; **2.** (*предано*) faithfully, truly, loyally.

вя̀рност (верността̀) *ж.*, *само ед.* **1.** faithfulness, loyalty, fidelity, staunchness; **клетва за ~** oath of allegiance; **съпружеска ~** fidelity; **2.** (*истинност*) truth; (*на документ*) genuineness; authenticity; (*на твърдение*) truthfulness; **3.** (*точност*) accuracy, precision, correctness, exactness; (*на превод*) fidelity.

вя̀тър *м.*, ветровѐ, (два) **вя̀търа** wind; **~ът се засилва** the wind is rising; **~ът стихна** the wind has dropped/fallen; **насрещен ~** contrary wind, headwind; **попътен ~** fair/tail wind; **силен ~** strong/fresh wind, gale; *мор.* high wind; **слаб/лек ~** (gentle) breeze; ● **~ го вее** he is a feather-head/a flyaway/*амер.* he is a light weight, you can't take him seriously; he plays the giddy goat; **~** (**работа**), **~ и мъгла** bunkum, moonshine, (tommy) rot, all my eye (and Betty Martin); **на ~а** (*напразно*) in vain, to no purpose; *разг.* down the drain; **обръщам се накъдето духа ~ът** trim o.'s sails to the wind; bend with the wind; be a weather cock; know on which side o.'s bread is buttered; **червен ~** *мед.* St. Antony's fire, erysipelas.

вя̀търничав *прил.* flighty, harebrained, chuckle-headed, feather-brained, feather-headed; empty-headed; thoughtless, unthinking, giddy, frivolous, flippant; flyaway; *разг.* flip, dizzy.

габардѝн *м., само ед.* *текст.* gabardine.

габарѝт *м.,* -и, (два) габарѝта 1. (overall) dimensions/measurements; **допустим** ~ (*луфт*) *техн.* safe-clearance; *жп* gauge clearance; 2. *само мн.* *авт.* rear lamps/lights; dimmers.

габров|ец *м.,* -ци 1. inhabitant of the town of Gabrovo; 2. *прен.* skinflint, miser.

габър *м., само ед.* *бот.* hornbeam, yoke-elm.

гавр|а *ж.,* -и mockery, gibe, jeer, profanation; ~а с паметта на insult to the memory of, a profanation of the memory of; ~а с човешкото достойнство insult to/violation of human dignity.

гаврош *м.,* -и/-овци street urchin/Arab, guttersnipe.

гаврътвам, гаврътна *гл.* toss off/down; ~ чаша down a drink.

гавря се *възвр. гл., мин. св. деят. прич.* **гаврил се** mock (с at), jeer (с at); ~ с mock, deride, insult.

гаг|а *ж.,* -и 1. hook; 2. beak, bill; *sl.* snoot; ● пъхам си ~ата meddle (в in).

гад *м.,* -ове; гад *ж., само ед.* vermin; *прен.* reptile, loathsome creature; *разг.* skunk, rotter, pest, stinker, stinkpot.

гадаене *ср., само ед.* 1. guessing, guesswork; divination; 2. (*предсказване*) fortune-telling, soothsaying; ~ на ръка chiromancy, palmistry.

гадател (-ят) *м.,* -и 1. augur; diviner; 2. (*гледач*) fortune-teller, foreteller, soothsayer, crystal-gazer.

гадателк|а *ж.,* -и (*гледачка*) fortune-teller, foreteller; soothsayer; ~а на ръка *разг.* mitt-reader.

гадая *гл., мин. св. деят. прич.* гадал 1. divine, soothsay, tell fortunes, predict the future; ~ сънища interpret dreams; 2. (*налучквам*) guess (at), make do with guesses; surmise (по from), conjecture (за on).

гад|ен *прил.,* -на, -но, -ни nasty, disgusting, revolting, repulsive, loathsome, vile, nauseating, noisome, odious; creepy; *sl.* lousy, stinking, snotty; grotty; gross-out; ~на постъпка vile act.

гадене *ср., само ед.* nausea, queasiness.

гаджe *ср.,* -та girl, girl friend; boy, boy friend; *жарг.* steady, date, squeeze.

гади ми (ти, му, ѝ, ни, ви, им) се *безл. възвр. гл.* feel sick, feel like vomiting, retch, be overcome with nausea.

гадин|а *ж.,* -и 1. animal, brute, *разг.* stinker, rotter, pest; 2. *прен.* (*гадняр*) *sl.* bugger, son of a bitch, bastard, crumb, cunt.

гадняр *м.,* -и *разг.* a nasty piece of work, stinker, *sl.* bugger, turd, cunt, sleazeball, stinkpot, tosser, dickhead; fart, fink; *амер. sl.* gross-out.

гадост *ж.,* -и vile act, vileness, snottiness, sordidness.

гаеч|ен *прил.,* -на, -но, -ни: ~ен ключ *техн.* monkey-wrench.

газ₁ *м.,* -ове, (два) газа gas; блатен ~ marsh gas; боен ~ воен. (poison) gas; ~ за битови нужди domestic gas; ~ове *мед.* flatus, wind; инертен ~ *хим.* noble gas; природен ~ natural gas.

газ₂ *ж., само ед.* (*за горене*) petroleum, oil, paraffin; *амер.* kerosene; ● давам ~ *разг.* press down/step on the accelerator; put o.'s foot down; *амер.* step on the gas.

газ₃ *ж., само ед.* *текст.* gauze, gossamer; копринена ~ tiffany.

газгенератор *м.,* -и, (два) газгенератора gas-generator, gas-producer, producer gas.

газел|а *ж.,* -и *зоол.* gazelle.

газѝрам *гл.* aerate, carbonate.

газѝран *мин. страд. прич.* (*и като прил.*) fizzy; (*който пуска мехурчета*) effervescent; ~а вода aerated water, soda-water; ~о питие *разг.* mineral.

газификация *ж., само ед.* gasification; gas supply.

газифицѝрам *гл.* gasify, install gas supply.

газов *прил.* gas (*attr.*); автомобилна ~а уредба Liquid Petroleum Gas system, *съкр.* L. P. G.; ~а бутилка gas cylinder; ~а печка gas-cooker; gas oven, gas range.

газометрѝч|ен *прил.,* -на, -но, -ни gasometric; ~ен анализ gasometry.

газометрия *ж., само ед.* gasometry.

газонепропусклѝв *прил.* gasproof, gastight, impermeable to gas.

газообмен *м., само ед.* interchange of gases.

газообраз|ен *прил.,* -на, -но, -ни gaseous, gasiform; fluid, fluidal; ~но състояние fluidity, fluidness, gaseousness.

газообразуване *ср., само ед.* generation of gas.

газоотделяне *ср., само ед.* gas emission, gassing.

газопровод *м.,* -и, (два) газопровода gas-main, gas pipe, gas conductor.

газопропусклѝвост *ж., само ед.* gas permeability.

газоснабдяване *ср., само ед.* gas supply.

газьол *м., само ед.* gas/diesel oil.

газя *гл., мин. св. деят. прич.* газил (*вода, кал, сняг и пр.*) wade (в in); ~ кал flounder/tramp in mud; 2. (*тъпча*) walk on, tread on, trample on, tramp on; (*утъпквам – трева, посеви, цветя*) trample down; не гази тревата! keep off the grass!; 3. (*мърмря, порицавам*) ride rough-shod over, *sl.* tick off, have on the mat/carpet, carpet.

гайд|а *ж.,* -и bagpipe; ● играя по ~ата на dance to the beat of s.o.'s drum; надувам ~ата set up a howl, pipe o.'s eyes, turn on the waterworks.

гайдар (-ят) *м.,* -и bagpiper, bagpipe player.

гайк|а *ж.,* -и *техн.* nut; (*на ремък, копче*) loop; ~а с шайба collar nut; цилиндрична ~а round/circular nut.

гайле *ср.,* -та *разг.* concern (за about, for, over), anxiety, worry, bother.

гайтан *м.,* -и, (два) гайтана woollen braid(ing), cord, lace; обшит с ~ braided; ● ~вежди well-shaped eyebrows.

гал *м.,* -и обикн. мн. истор. Gaul.

гала- *предст.* gala; full-dress (*attr.*); ~представление gala night/performance.

галактик|а *ж.,* -и *астр.* galaxy; звездна ~а galaxy of stars.

галант|ен *прил.,* -на, -но, -ни gallant, attentive (to women); polite, civil, courtly, sparkish; gentlemanly, gentleman-like; ~ен мъж ladies' man.

галантерия *ж., само ед.* haberdashery, fancy goods, notions.

галантност *ж., само ед.* gallantry, gallantness; gentlemanliness; politeness, attentiveness.

галванизѝрам *гл.* galvanize, electroplate, plate.

галванѝз|ъм (-мът) *м., само ед.* *физ.* galvanism.

галванич|ен *прил.,* -на, -но, -ни gal-

vanic; ~ен ток galvanic/direct current;
~на батерия galvanic/voltaic battery/
pile; ~но покритие electrodeposit.
галваномѐт|ър *м.*, -ри, (два) **галва-
номѐтъра** galvanometer; *разг.* galvo.
галванотерапия *ж.*, *само ед. мед.*
galvanotherapy.
галванотехни|к *м.*, -ци plater.
галванотѐхника *ж.*, *само ед.* galva-
notechnics.
га̀лен *мин. страд. прич.* 1. pet, favou-
rite, cherished, beloved; *като прил.*
~о дете pet; ~о име pet/intimate name;
2. (*разглезен*) spoilt, petted.
га̀лени|к *м.*, -ци; **га̀лениц|а** *ж.*, -и
pet, darling; • ~к на съдбата a minion
of fortune.
га̀лено *нареч.* caressingly, endearingly;
(*глезено*) affectedly.
галѐр|а *ж.*, *и мор.*, *истор.* galley.
галѐри|я *ж.*, -и gallery (*и мин.,*
театр.); (*театр. разг.*) the gods;
мин. course; gangway; (*подземен ход*)
underground passage; (*хоризонтал-
на*) adit; (*пасаж*) passageway; (*в
църква*) loft; **вентилационна ~я** re-
turn gallery; *мин.* monkey gangway; ~и
на репортерите (*в парламент*) press
gallery; **картинна ~я** picture gallery.
галѐта *ж. неизм. кул.* bread-crumbs;
овалвам в ~ crumb.
га̀ли|й (-ят) *м.*, *само ед. хим.* gallium.
гало̀н₁ *м.*, -и, (два) **гало̀на** (*мярка за
вместимост*) gallon.
гало̀н₂ *м.*, -и, (два) **гало̀на** galloon;
златен/сребърен ~ gold/silver lace.
гало̀п *м.*, *само ед.* gallop; **в ~** at a gal-
lop; **карам в ~** go/ride at a gallop, ride
full gallop, gallop.
галопѝрам *гл.* gallop (long, away), go/
ride at a gallop.
гало̀ш *м.*, -и, (два) **гало̀ша** galosh, go-
losh, overshoe; • **тъп като ~** dull as
ditch-water.
га̀лск|и *прил.*, -а, -о, -и *истор.* Gallic.
галфо̀н *м.*, -и dolt, mutton-head, blun-
derhead.
гальо̀в|ен *прил.*, -на, -но, -ни caress-
ing, endearing, affectionate; fondling;
~ни **думи** endearments, terms of en-
dearment.
га̀ля *гл.*, *мин. св. деят. прич.* **га̀лил**
1. caress, fondle, pet, make much of;
(*гладя*) stroke; *прен.* please, soothe;
~ **слуха** soothe/please the ear; 2. (*раз-*

глезвам) spoil; cosset; pet; || ~ **се** (*за
куче*) fawn (на on), rub (в against); (*за
човек*) behave lovingly/affectionately,
cuddle against s.o.
га̀ма- *предст.* gamma-; ~**лъчи** gam-
ma rays; gamma radiation.
га̀м|а *ж.*, -и *муз.*, *изк.* scale; *прен.*
gamut; **в мажорна/минорна ~а** in a
major/minor key; ~**а на цветовете**
изк. colour scheme; **свиря ~и** play/
practise scales.
гамбѝт *м.*, -и, (два) **гамбѝта** *шах.*
gambit.
гамѐн и **га̀мен** *м.*, -и 1. street boy,
(street) urchin, guttersnipe, gutter-
child, little hooligan, ragamuffin, ga-
min; (*дете, над което се упражня-
ва надзор*) street Arab, whelp; trou-
blemaker; 2. (*невъзпитан човек*) hoo-
ligan; lout, blackguard.
гамѐнск|и и **га̀менск|и** *прил.*, -а, -о,
-и hooligan (*attr.*), loutish, black-
guardly; guttersnipish.
Га̀на *ж. собств.* Ghana.
гана̀|ец *м.*, -йци; **гана̀йк|а** *ж.*, -и
Ghanaian.
гана̀йск|и *прил.*, -а, -о, -и Ghanaian,
Ghana (*attr.*).
Ганг *м. собств.* (the) Ganges.
гангрѐна *ж.*, *само ед.* gangrene, mor-
tification, necrosis (*и мед.*).
гангренясвам, **гангреня̀сам** *гл.* gan-
grene, mortify, necrotize, become gan-
grened/cankerous.
га̀нгстер *м.*, -и gangster; *амер.* mob-
ster; *амер. sl.* gunsel.
га̀нгстерск|и *прил.*, -а, -о, -и gang-
ster (*attr.*); (*за филм*) *разг.* cops-and-
robbers.
га̀р|а *ж.*, -и (railway) station; **влизам
в ~ата** (*за влак*) pull in; ~**а, на която
не спират бързи влакове** through
station; **крайна ~а** terminal station;
terminus; **малка ~а** waystation; **на
~ата** at the station.
гара̀ж *м.*, -и, (два) **гара̀жа** garage; **под-
земен ~** underground garage.
гара̀нт *м.*, -и guarantor, guarantee, war-
rantor, warranter, surety; underwriter;
voucher; recognizor; *икон.* bailee; (*за
приемането на някого за член на
дружество и пр.*) sponsor; (*при наз-
начаване*) referee; **ставам ~ на** go
guarantee/stand surety for; (*за неот-
клонение*) *юр.* go bail for.

гарантѝрам *гл.* 1. guarantee, warrant,
vouch, underwrite (за for); *юр.* go/stand
bail (за for), bail s.o. out; (*права, безо-
пасността, териториалната ця-
лост и пр. на държава*) safeguard;
2. (*отговарям за*) answer for, engage
for, vouch for, pledge o.s.; ~ **за изпъл-
нението на договора** guarantee (for)
the execution of the contract; ~ **за ис-
тинността на** vouch for the truth of;
~, **че** answer for it that, engage that;
не мога да ~ *разг.* I wouldn't put
money on it.
гарантѝране *ср.*, *само ед. фин.* back
up; ~ **на влогове** deposit guarantee.
гаранцио̀н|ен *прил.*, -на, -но, -ни
guarantee (*attr.*); ~**ен срок** guarantee
(period); ~**на ипотека** caution mort-
gage.
гаранци|я *ж.*, -и guarantee, guaranty,
warrant(y) (*и прен.*); security, pledge;
gage; *юр.* bail; *търг.* surety; (*пред-
пазна мярка*) safeguard; **внасям ~я**
търг. pay a deposit; **не давам ~я за**
give no guarantee for; **под ~я** *юр.* on
bail; **пускам под ~я** let out/release on
bail; accept/allow/take bail, admit/hold/
let to bail; **с ~я** on security.
га̀рван *м.*, -и, (два) **га̀рвана** *зоол.*
raven; • ~ ~**у око не вади** there is
honour among thieves; dog does not eat
dog.
га̀рг|а *ж.*, -и *зоол.* (carrion) crow (*Cor-
vus corone*); grackle (*Corvus monedu-
la*); rook (*Corvus frugilegus*); • **ако ще
е ~а, да е рошава** in for a penny, in
for a pound; go the whole hog; as well
be hanged for a sheep as for a lamb;
~**и** *прен.* (*за букви*) chicken-scratch;
зяпам ~ите gape, stand gaping, stare
open-mouthed.
гарга̀ра *ж.*, *само ед.* gargle, throat-
wash; **правя ~** gargle.
гардеро̀б *м.*, -и, (два) **гардеро̀ба**
wardrobe (*и дрехи*); (*в театър и пр.*)
cloakroom; (*на гара*) left-luggage of-
fice; *амер.* check-room; *мор.* locker.
гардеробиѐр *м.*, -и; **гардеробиѐрк|а**
ж., -и cloakroom attendant; *театр.*
wardrobe keeper.
гарѝрам *гл.* (put into a) garage; park;
put away.
гарнизо̀н *м.*, -и, (два) **гарнизо̀на**
воен. garrison.
гарнѝрам *гл.* (*рокля, шапка и пр.*)

trim; *(ядене)* garnish, dress.

гарниран *мин. страд. прич. (и като прил.)* gallimaufry; ~a пита pizza.

гарнитур | а *ж.,* -и *(за рокля, шапка и пр.)* trimming, decoration; facing; *(за ядене)* garnish, dressing, trimmings, fixings, accompaniments; *(зеленчуци)* vegetables; *(мебели)* suite of furniture; ~а за спалня bedroom suite; с ~а от garnished with; уплътнителна ~а *техн.* cylinder gasket; block filler.

гарсониер | а *ж.,* -и one-room flat/apartment; bachelor's flat.

гасна *гл.* **1.** *(за огън)* go/die out; *(за светлина)* fade, fail; **денят гасне** day is dying; the parting day; **слънцето гасне на запад** the sun is sinking in the west; **2.** *(губя сили, отпадам)* sink, weaken, fade away, decline; ebb; **той гасне** he is sinking; **3.** *(за двигател)* stall.

гастарбайтер *м.,* -и *икон.* guest worker, migrant worker.

гастрит *м., само ед. мед.* gastritis.

гастроентерология *ж., само ед. мед.* gastroenterology; gastrology.

гастрол *м.,* -и, *(два)* **гастрола** guest-performance, star-performance.

гастролирам *гл.* tour, be on a tour; be a guest artist, make a concert tour; *(за диригент)* guest-conduct.

гастроном *м.,* -и, *(два)* **гастронома** **1.** gastronome, gastronomer, gourmet, epicure; *разг.* foodie; **2.** *(магазин)* (high-class) grocery store; *амер.* delicatessen (store).

гастрономич | ен *прил.,* -на, -но, -ни gastronomical.

гастроскопия *ж., само ед. мед.* gastroscopy.

гася *гл., мин. св. деят. прич.* **гасил** **1.** *(огън)* put out, extinguish; *(с тъпчене)* tread out; *(цигара)* stub out; *(свещ, кибрит и пр.)* blow out; *(електричество)* turn/switch off; **2.** *(вар)* slake; **3.** *прен. (жажда)* quench, slake; **4.** *прен. (прах)* settle.

гатанк | а *ж.,* -и riddle; conundrum.

гатер *м.,* -и, *(два)* **гатера** *техн.* sawmill; gang saw.

гаубиц | а *ж.,* -и *воен.* howitzer.

гаф *м.,* -ове, *(два)* **гафа** blunder, break, gaffe; *фр.* faux pas; *разг.* foul-up, cock-up; clanger, boob, balls-up, slip-up; *(в изпълнение) разг.* fluff; **правя ~** put

---

o.'s foot in it, drop a brick/clanger; cock up; make a blunder/a bad break, *амер.* drop the ball.

гащеризон *м.,* -и, *(два)* **гащеризона** camiknicks, camiknickers; *(на работник)* overalls; *(детски)* rompers, romper-suit; *(бебешки)* crawlers.

гащета *само мн. (спортни)* shorts; *(бански)* (bathing) trunks/drawers.

гащи *само мн.* (pair of) drawers, pants; *(женски)* panties, knickers; *(панталони)* (pair of) trousers; *амер. разг.* pants; • **по бели ~** *прен.* with o.'s pants down; **треперят ми ~те** shake/shiver in o.'s boots.

гвардеец | ец *м.,* -йци *воен.* guardsman; *разг.* guardee.

гвардейск | и *прил.,* -а, -о, -и Guard *(attr.),* of the Guards; ~и офицер/полк Guards officer/regiment.

гварди | я *ж.,* -и *воен.* Guards; кралска пехотна (гренадирска) ~я Grenadier Guard; • **старата ~я** the old guard.

гвине | ец *м.,* -йци; **гвинейк** | а *ж.,* -и Guinean.

гвинейск | и *прил.,* -а, -о, -и Guinean. **Гвинея** *ж. собств.* Guinea.

гвозде | й (-ят) *м.,* -и, *(два)* **гвоздея** **1.** nail, *(с голяма глава)* dog-spike, stud, *(малък, с голяма глава)* tack; ~й с широка глава stub nail; **забивам ~й** drive in a nail; **зачуквам с ~и** nail (на to); **2.** *прен. (най-вълнуващата и пр. част)* high spot/point.

гевре | к *м.,* -ци, *(два)* **геврека** *кул.* pretzel, sesame ring.

гейзер *м.,* -и, *(два)* **гейзера** *геол.* geyser.

гейм *м.,* -ове, *(два)* **гейма** *спорт.* game, set, leg.

гейш | а *ж.,* -и geisha.

гел *м., само ед.* gel; **превръщам в ~** gel, gelate.

геми | я *ж.,* -и *мор.* (small) sailing boat/ship/vessel, smack; • **като че ли ~ите ми са потънали** like a dying duck; **той е тежка ~я** he is a slowcoach/slowpoke.

ген *м.,* -и, *(два)* **гена** *биол.* gene.

генеалогия *ж., само ед.* genealogy, pedigree.

генезис *м., само ед.* genesis, origin.

генерал *м.,* -и *воен.* general; **армейски ~** general of the army; ~лейтенант lieutenant-general; ~майор major-

---

general; ~полковник colonel-general.

генерал-губернатор *м.,* -и *полит.* governor-general.

генерал | ен *прил.,* -на, -но, -ни general; ~ен консул *дипл.* consul general; ~ен секретар *полит.* secretary-general; ~ен щаб *воен.* General Staff; ~на репетиция *театр.* dress rehearsal.

генералщаб | ен *прил.,* -на, -но, -ни staff *(attr.);* ~ен офицер staff-officer.

генератор *м.,* -и, *(два)* **генератора** *техн.* generator; високочестотен ~ radio-frequency alternator; ~ за променлив ток alternator.

генераци | я *ж.,* -и generation.

генерирам *гл.* generate, produce; oscillate.

генериране *ср., само ед.* generation.

генетика *ж., само ед.* genetics.

генетич | ен *прил.,* -на, -но, -ни genetic.

гениал | ен *прил.,* -на, -но, -ни of genius, great; ~ен пълководец military genius; ~ен ум genius; ~на идея great idea.

гениалност *ж., само ед.* genius.

гени | й (-ят) *м.,* -и genius; • зъл ~й an evil genius.

генитал | ен *прил.,* -на, -но, -ни *анат.* genital, genitalic.

гениталии *само мн. анат.* genitals, genitalia.

генотип *м.,* -и, *(два)* **генотипа** *биол.* genotype.

геноцид *м., само ед.* genocide.

геоботанйческ | и *прил.,* -а, -о, -и geobotanical.

географ *м.,* -и geographer; *(учител)* geography teacher.

география *ж., само ед.* geography; икономическа ~ statistical/economic geography; физическа ~ physical geography.

географск | и *прил.,* -а, -о, -и geographic(al); ~а дължина longitude; ~а карта (geographical) map; ~а ширина latitude; ~о положение geographical position, location.

геодезич | ен *прил.,* -на, -но, -ни geodetic(al), geodesic, surveying; ~но измерване geodetic surveying.

геодезия *ж., само ед.* geodesy, surveying.

геодинамика *ж., само ед.* geodynamics.

геоло́|г *м.*, **-зи** geologist.

геоло́гия *ж.*, *само ед.* geology; *остар.* geognosy.

геоло́жк|и *прил.*, **-а, -о, -и** geological; *остар.* geognostic; **~а сонда** prospecting drill; **правя ~о проучване** (*на район*) geologize.

геомагнети́з|ъм (**-мът**) *м.*, *само ед.* geomagnetism, earth/terrestrial magnetism.

геомагни́т|ен *прил.*, **-на, -но, -ни** geomagnetic.

геометри́ч|ен *прил.*, **-на, -но, -ни** geometric(al); **~а прогресия/пропорция** geometrical progression/proportion.

геоме́трия *ж.*, *само ед.* geometry; **аналити́чна ~** analytic geometry; **дескрипти́вна ~** descriptive geometry.

гео́морфоло́гия *ж.*, *само ед.* geomorphology, geomorphogeny.

гео́синклина́л|а *ж.*, **-и** geosyncline.

гео́систе́м|а *ж.*, **-и** geosystem.

гео́сфе́р|а *ж.*, **-и** geosphere.

гео́текто́ника *ж.*, *само ед.* geotectonics, structural geology.

гео́терми́ч|ен *прил.*, **-на, -но, -ни** geothermal.

гео́фи́зика *ж.*, *само ед.* geophysics.

гео́хи́мия *ж.*, *само ед.* geochemistry.

гео́хроноло́гия *ж.*, *само ед.* geochronology, geological dating.

геоцентри́ч|ен *прил.*, **-на, -но, -ни** geocentric.

гепа́рд *м.*, **-и, (два) гепа́рда** *зоол.* cheetah (*Acinonyx jubatus*).

герб *м.*, **-ове, (два) ге́рба** coat of arms; coat armour; crest; armorial bearings; **държавен ~** state coat of arms, national/state emblem.

герге́ф *м.*, **-и, (два) герге́фа** (embroidery-)frame, tambour.

герги́н|а *ж.*, **-и** *бот.* dahlia.

Гергьо́вден *м. неизм. църкв.* St. George's Day.

герда́н *м.*, **-и, (два) герда́на** necklace; (*на животно*) collar; (*на пуяк*) dewlap.

герма́н|ец *м.*, **-ци** German; *sl.* Fritz, Otto, kraut.

герма́ни|й (**-ят**) *м.*, *само ед.* хим. germanium.

германи́стика *ж.*, *само ед.* Germanic studies.

Герма́ния *ж. собств.* Germany.

герма́нк|а *ж.*, **-и** German woman.

герма́нск|и *прил.*, **-а, -о, -и** German; *истор., език.* Germanic; Teutonic; **~ите езици** *език.* the Germanic languages.

геройз|ъм (**-мът**) *м.*, *само ед.* heroism; gallantry; (*героична проява*) act of heroism.

геройн|я *ж.*, **-и** heroine; (*в лит. произведение*) (woman/female) character.

геро́йч|ен *прил.*, **-на, -но, -ни** heroic.

геро́|й (**-ят**) *м.*, **-и** hero; *лит.* character, (*главен*) protagonist; ● **~й на деня** man of the day, hero of the hour; **man in the public eye.**

геро́йство *ср.*, *само ед.* heroism; act of he-roism, exploit.

геронтоло́гия *ж.*, *само ед.* мед. gerontology.

геру́ндиум и **геру́нди|й** (**-ят**) *м.*, *само ед.* език. gerund.

ге́т|о *ср.*, **-а** ghetto.

гешефта́р (**-ят**) *м.*, **-и** *неодобр.* speculator, jobber, grafter.

гешефта́рство *ср.*, *само ед.* неодобр. jobbery, graft.

ги́бел *ж.*, *само ед.* destruction, ruin, doom; overthrow, perdition, extinction; (*пропадане на държава и пр.*) fall, downfall, collapse; **водя към ~** lead to destruction/ruin; **срещам ~та си** meet o.'s doom.

ги́бел|ен *прил.*, **-на, -но, -ни** disastrous, destructive, ruinous, fatal, pernicious (**за** to); **~ни последици** disastrous results, fatal consequences.

гига́нт *м.*, **-и** giant; **човек ~** a giant of a man.

гиганти́з|ъм (**-мът**) *м.*, *само ед.* мед. giantism, gigantism.

гига́нтск|и *прил.*, **-а, -о, -и** gigantic; (*много голям*) giant (*attr.*); giant-sized; oversize(d); **в ~и мащаб** on a gigantic scale; **~а статуя** giant statue; **~и слалом** спорт. giant slalom.

ги́д *м.*, **-ове** guide.

ги́здав *прил.* bonny, pretty, comely, good-looking; *разг.* natty.

ги́здя *гл.*, *мин. св. деят. прич.* ги́здил trick out, adorn; doll up, caparison; **|| ~ се** adorn o.s., deck/trick o.s. out, toff o.s. up; doll o.s. up.

ги́лз|а *ж.*, **-и** cartridge-case; **~а на изстрелян патрон** fired cartridge; *техн.* bush, muff, ferrule.

гилоти́н|а *ж.*, **-и** guillotine.

гилотини́рам *гл.* guillotine.

гимназиа́л|ен *прил.*, **-на, -но, -ни** secondary-school, high-school (*attr.*); **~но образование** secondary education.

гимнази́ст *м.*, **-и** secondary-school boy, grammar-school boy; *амер.* high-school boy, highschool student.

гимназистк|а *ж.*, **-и** secondary-school girl; *амер.* high-school girl, high-school student.

гимна́зи|я *ж.*, **-и** secondary school; (*класическа*) grammar school; *амер.* high school.

гимнасти́|к *м.*, **-ци; гимнасти́чк|а** *ж.*, **-и** gymnast.

гимна́стика *ж.*, *само ед.* gymnastics; *разг.* gym; (*телесно упражнение*) physical exercise, daily dozen; **атлети́ческа ~** body building; **земна ~** спорт. standing exercises; **лечебна ~** remedial gym.

гимнасти́ческ|и *прил.*, **-а, -о, -и** gymnastic; **~и салон** gymnasium; gym hall, recreation hall; *разг.* gym; **~и упражнения** gymnastic exercises, physical drill, *sl.* jerks.

ги́на *гл.* perish; fall away.

гинеколо́|г *м.*, **-зи; гинеколо́жк|а** *ж.*, **-и** мед. gynaecologist; **акушер-~г** obstetrician.

гинекологи́ч|ен *прил.*, **-на, -но, -ни** gynaecological.

гинеколо́гия *ж.*, *само ед.* мед. gynaecology.

гипс *м.*, *само ед.* plaster (of Paris), (*за ваене*) gesso; *минер.* gypsum; **в ~** мед. in plaster.

гипси́рам *гл.* plaster; мед. set in plaster.

гипси́ран *мин. страд. прич.* in plaster; (*пиян*) *разг.* plastered.

ги́псов *прил.* **1.** plaster (*attr.*); **~а мазилка** строит. stucco; **~а отливка** plaster cast; **2.** минер. gypseous.

ги́р|а *ж.*, *обикн. мн.* спорт. dumbbells.

гирля́нд|а *ж.*, **-и** garland, festoon; **украсявам с ~и** festoon, adorn with festoons, deck with garlands.

гише́ *ср.*, **-та** (*на гара*) booking-office; *амер.* ticket-office/-window; (*в банка*) teller's desk, counter; *театр.* booking-/box-office; **на ~то** (*за чиновник*

behind the desk.

глав|а *ж.*, **-и́** 1. head; *sl.* bonce; **боли ме ~а** have a headache; **не мога да си вдигна ~ата от работа** have o.'s hands full, be up to the ears in work; **с вдигната/наведена ~а** head up/down; 2. (*ум*) mind, brains; **той е умна ~а** he has a good head on his shoulders; his head is screwed on the right way; 3. (*отделен човек, животно*) head; **двадесет ~и добитък** twenty head of cattle; **на ~а** a piece, per head, per capita; 4. (*вожд*) head; **~а на семейството** head of a family; wage-earner; **държавен ~а** head of state; 5. (*разширена част на зеленчук и пр.*) head; **~а лук** an onion; **~а на карфица** pinhead; **~а чесън** a bulb of garlic; 6. (*на книга и пр.*) chapter; 7. (*на машина, уред*) head-stock; 8. (*на магнетофон*) head; • **блъскам си ~ата** beat/busy o.'s brains (about, with); **горе ~ата** cheer up! keep your chin up! **дебела ~а** thick skull; (*упорит човек*) pig-headed fellow; **едно за ~ата, друго за краката** pell-mell, helter-skelter; all at sixes and sevens; **излизам на ~а с оره** with, get the better of, hold o.'s own against; **качвам се на ~ата на някого** wind s.o. round o.'s (little) finger; get out of hand; **луда ~а** hothead, mad-cap, blockhead; (*за момиче*) fizgig; **лукова ~а** *прен.* nobody, nonentity; **махай се от ~ата ми** off with you; hop it; **на своя ~а** on o.'s own account/responsibility, on o.'s own head, off o.'s own bat; **надигам ~а** rear o.'s head, take the bit in/between o.'s teeth, kick over the traces, become restive; **не можеш да излезеш на ~а с него** there is no reasoning with him; **от ~а до пети** from head/crown to foot, from top to toe, to o.'s finger ends; cap-a-pie; **от много ~а не боли** store is no sore; **слагам ~ата си в торбата** take o.'s life in o.'s hands; **търкам сол на ~ата на** give s.o.'s head a washing; give s.o. a dressing down; haul/call s.o. over the coals; **тя се е качила на ~ата** my she's got him right under her thumb; **хващам се за ~ата** be flabbergasted, be at o.'s wits end, be struck dumb.

главата́р (-ят) *м.*, **-и** chieftain, chief; (*на банда*) ringleader.

глав|ен *прил.*, **-на, -но, -ни** 1. chief, main, principal, primary, major, head (*attr.*); *техн.* middle; **~ен водопровод/газопровод/електропровод** main; **~ен герой** chief/principal character, protagonist; **~ен готвач** chef, head cook; **~ен директор** director-general; **~ен корен** *бот.* tap-root; **~ен лекар** head physician, *воен.* chief medical officer; **~ен предмет** main subject; *амер.* major/(*на разговор и пр.*) staple topic of conversation; **~ен прокурор** chief public prosecutor; **~ен път** highway; **~ен удар** *воен.* main attack/blow; **~на буква** capital (letter); *разг.* cap; **~на улица** main street, (*в по-малък град*) high street; **~ни градове** main cities, principle towns; **~ни** (*най-важни*) **подробности** high-lights; **~но управление** central board/administration, head office; 2. **като същ.: ~ното** the chief/main/essential thing; **~ният** *жарг.* the boss, the one who runs the show.

главичк|а *ж.*, **-и** little head; *анат., бот.* capitulum.

главниц|а *ж.*, **-и** *фин.* capital, principal.

гла́вно *нареч.* chiefly, mainly, in the main, principally, mostly, largely.

главнокома́ндващ (-ият) *м.*, **-и** *воен.* commander-in-chief, General-in-chief.

главн|я *ж.*, **-й** 1. (fire-)brand; 2. *само ед. бот.* dust-brand, smut, cockle, bunt.

главобо́ли|е *ср.*, **-я** headache; *мед.* cephalagia, encephalagia; **имам си големи ~я с** I have a lot of trouble with; **ужасно ~е** splitting headache; *прен.* trouble, worries, cares.

главогръд *м.*, *само ед. зоол.* cephalothorax.

главозама́йвам, главозама́я *гл.* turn s.o.'s head; || **~ се** become over confident; get too big for o.'s shoes; get a swelled head; get conceited; **~ се от успехите си** be intoxicated with success.

главозама́йване *ср.*, *само ед.* 1. giddiness, dizziness; 2. *прен.* (self-)complacence/complacency, conceit, swelled head, intoxication with/giddiness from success, overconfidence.

главозама́йващ *сег. деят. прич.* dizzy, soaraway; *като прил.* **~ успех** intoxicating success.

главоло́м|ен *прил.*, **-на, -но, -ни** breakneck, headlong; **~ен успех** resounding/huge/tremendous success; *театр.* big/great hit; **с ~на бързина** at breakneck speed.

главоло́мно *нареч.* headlong; **падам ~** (*за цени и пр.*) go into a free fall, do a free fall.

главоно́г *м.*, **-и** *зоол.* cephalopod; *pl.* cephalopodan.

главоре́з *м.*, **-и** cut-throat, thug, ruffian; bravo; butcher.

главя́вам (се), главя́ (се) (*възвр.*) *гл. разг.* hire, engage, take on.

глаго́л *м.*, **-и, (два) глаго́ла** *език.* verb; **главен ~** main/principle verb.

глаго́л|ен *прил.*, **-на, -но, -ни** verbal, verb (*attr.*); **~ни времена** *език.* tenses.

глад *м.*, *само ед.* 1. hunger; (*гладуване*) starvation; **ненаситен ~** *мед.* bulimia; **умирам от ~** die of hunger, starve to death; *прен.* be famished; 2. (*масов*) famine; **умирам от ~** die of famine; 3. (*липса, недостиг*) shortage, scarcity, famine, dearth; **духовен ~** intellectual famine.

глада́ч₁ *м.*, **-и**; **гладáчк|а** *ж.*, **-и** ironer.

глада́ч₂ *м.*, **-и, (два) глада́ча** *техн., строит.* jointer.

глад|ен *прил.*, **-на, -но, -ни** 1. hungry, starving; (*не много*) *разг.* peckish; **~ен като вълк** hungry as a hunter/as a wolf, ravenous; **~на година** a year of famine/scarcity; *библ.* a lean year; **обявявам ~на стачка** go on a hunger strike; 2. (*алчен, ненаситен*) hungry (**за** for), avid (**за** of, for), greedy (**за** of, for), eager (**за** for); • **~на кокошка просо сънува** wishful thinking; **~на мечка хоро не играе** hungry bellies have no ears; no penny, no paternoster; no pay, no play.

гла́дене *ср.*, *само ед.* ironing, pressing; **дъска за ~** ironing-board.

гладиа́тор *м.*, **-и** *истор.* gladiator.

гладио́ла *ж.*, *само ед. бот.* gladiolus (*pl.* gladioli), sword-lily (*Gladiolus*).

гла́дко *нареч.* smoothly (*и прен.*); (*без никаква спънка*) without a hitch.

гла́дкост *ж.*, *само ед.* smoothness; (*на език, стил*) fluency.

гладу́вам *гл.* starve, go hungry, go without food.

гла́д|ък *прил.*, **-ка, -ко, -ки** smooth

(и за език); (за коса, кожа и) sleek; (за стил, превод) fluent; ~ка плетка garter-stitch; ~ка повъхност smooth surface; ~ък стил easy style.

гла̀дя гл., мин. св. деят. прич. гла̀дил 1. (с ютия) iron, press; 2. (коса, брада) stroke; (перата си – за птица) preen; 3. (галя) caress, stroke; 4. (заточвам с брус) hone; (зоточвам на ремък) strop; ● ~мажа wheedle, (лаская) soft-soap.

глазѝрам гл. glaze, enamel, vitrify; (сладкарско изделие) ice.

глазу̀р|а ж., -и glaze, enamel, varnish; (на сладкарско изделие) icing, frosting; с ~а glacé.

гланц м., само ед. gloss, lustre, polish, burnish; glossiness; полигр. finish; (глазура на грънчарско изделие) glaze; ~ за устни lip gloss.

гланцѝрам гл. gloss, polish, burnish; (керамика, тъкан) lustre, glaze; фот. planish.

гланцѝран мин. страд. прич. lustrous, glazed; като прил. силно ~а хартия coated paper.

гла̀рус м., -и, (два) гла̀руса зоол. herring-gull (Larus argentatus).

глас м., -ове, (два) гла̀са 1. voice; в един ~ with one voice, unanimously; викам колкото ми ~ държи shout at the top of o.'s voice, shout lustily; на висок/нисък ~ in a loud/low voice; на/с ~ loudly, aloud; 2. (мелодия) tune; пея на нов ~ sing to a new tune; 3. муз. (партия) part; пеем на няколко ~а sing in parts; 4. полит. vote; без право на ~ non-voting; ~ове "за" и "против" парлам. ayes and noes; имам право на ~ have the right to vote; ● ~ в пустиня voice crying in the wilderness; ~ът на народа the voice of the people, the popular voice/cry; public opinion, vox populi; ~ът на разума the voice of reason.

гла̀с|ен прил., -на, -но, -ни 1. vocal; vowel (attr.); ~ен звук език. vowel (sound); ~ни струни анат. vocal cords; ~но четене reading aloud; 2. (открит, публичен) open, public; ~но изказване public statement/declaration.

гла̀сн|а ж., -и език. vowel.

гла̀сно нареч. 1. aloud; 2. openly, publicly.

гла̀сност ж., само ед. publicity; давам ~ на give publicity to, make known/public, voice, publicize, advertise.

гла̀сов прил. vocal; имам ~и данни have the makings of a good singer.

гласовѝт прил. loud-voiced, vociferous; (с хубав глас) with a beautiful/good voice.

гласоподава̀тел (-ят) м., -и voter, elector; разг. the grass roots; ~ите the electorate.

гласоподава̀телк|а ж., -и (woman-)voter, electress.

гласу̀вам гл. vote (за for, против against), cast o.'s vote; (законопроект, резолюция) carry, pass, vote; ~ доверие/недоверие pass a vote of confidence/nonconfidence; ~ закон pass a bill/law; ~ с бюлетина ballot; ~ с вдигане на ръка vote by (a) show of hands.

гласу̀ване ср., само ед. voting; (при избори) poll(ing); избирам чрез ~ vote in; избирам чрез тайно ~ ballot for; поставям на ~ put to the vote; право на ~ franchise, suffrage, (right to) vote, voting rights; чрез ~ by ballot.

глася̀ гл., мин. св. деят. прич. гласѝл 1. prepare, get/make ready; ~ му изненада I have a surprise in store for him; 2. (планирам, възнамерявам) contemplate, intend; 3. (китя, гиздя) doll up; 4. (муз. инструмент) tune; 5. само в 3 л. run, read; законът гласи, както следва the law reads as follows; || ~ се prepare, get/make ready (за, for); (китя се, гиздя се) doll/dress o.s. up; ~ се за път get ready for a journey; ~ се да be about to (с inf.).

гла̀уберов прил.: ~а сол хим. Glauber's salt.

глауко̀ма ж., само ед. мед. glaucoma.

глациоло̀гия ж., само ед. glaciology.

глѐдам гл. 1. look (at), watch; ~ в (очи, огледало, пропаст и пр.) look into; (само като зрител) look on; ~ нагоре/надолу/настрана look upwards/downwards/side-wards; ~ насам-натам (при търсене на нещо) cast o.'s eyes about, look about; (представление, филм) see; ~ телевизия look at/watch television; разг. view; ~ (обърнат съм към – за сграда, прозорец и пр.) face, look out (on), look on (to), give on/upon, overlook; къщата гледа на изток the house faces east;

стаята гледа към площада the room looks on to/gives onto the square; 3. (грижа се за) look after, take care of, watch, tend, attend, mind, nurse; ~ болен nurse/tend/attend a sick person, nurse s.o. in sickness; (за лекар) attend/treat a patient; (деца look after/take care of children; ~ добитък (отглеждам) keep/raise cattle; (пазя) look after/tend/watch cattle; ~ домакинството/къщата на manage s.o.'s household; keep house for s.o.; разг. do for s.o.; ~ живота си live well, enjoy life; ~ здравето си take care of/attend to o.'s health; ~ интереса си consult o.'s interest; ~ кефа си take it easy, enjoy life; ~ работата attend to/get on with/go ahead with o.'s business, attend to o.'s work; stick to o.'s business/job; 4. (уповавам се) look (на to), rely (on); всички на мене гледат they all rely on me; 5. (опитвам се, правя всичко, полагам усилия) try, attempt (да с inf.), see to it that; ~ да минава времето beguile the time; ~ да направя нещо try to do s.th.; ~ да не take care/be careful not to; know better that to (с inf.); 6. (гадая, врачувам): ~ на карти/на кафе tell fortunes/s.o.'s fortune by cards/by the coffee-grounds; ~ на ръка read s.o.'s hand; 7. (смятам за, имам отношение към) regard, consider; аз ~ на него като на много опасен човек I look upon him as/I regard him as/I consider him to be a very dangerous man; ~ на някого като на look upon s.o. as; ~ с уважение/страхопочитание/ужас на regard with respect/awe/horror; как гледаш на това? what do you think of it? how does it strike you? 8. (дело) try, hear; гледа се делото ми (за обвиняем) stand o.'s trial; || ~ се 1. (в огледало) look at o.s.; 2. (грижа се за себе си) look after o.s.; ● гледай си работата don't worry, have no fear, (не се бъркай) mind your own business; ~, без да виждам stare with unseeing eyes, stare at nothing/into space; ~ къде стъпвам watch o.'s steps; ~ през пръсти на be negligent of, be careless about; ~ с четири очи (внимавам) keep o.'s eyes open/skinned, (горя от нетърпение) burn with impatience (да to), (очак-

вам с нетърпение) look forward to (*c ger.*); зная да ~ use o.'s eyes; я гледай, гледай ти well, well! tut-tut! can you beat it! what do you know! well, I never! I'll be damned!

глèдане *ср., само ед.* looking; view (of); (*на болни, ранени и пр.*) care (of); ~ на болни sick nursing; ~ на дело *юр.* (trial) hearing; ~ на карти cartomancy.

глèдач *м.,* -и fortune-teller; keeper.

глèдачк|а *ж.,* -и 1. fortune-teller; 2. (*за дете*) nanny; (*на бебе*) baby-sitter; 3. (*на животни*) cow-girl.

глèдищ|е *ср.,* -а point of view, viewpoint, standpoint, view, approach; concept, idea.

глèдк|а *ж.,* -и 1. (*изглед*) view, scenery; prospect, panorama; vista; грозна ~a eyesore; хубава/великолепна ~a fine/beautiful/glorious, splendid view, *разг.* stunner (към of); 2. (*зрелище*) spectacle, sight, scene; жалка ~a sorry sight; печална ~a pathetic/mournful sight.

глèзен₁ *м.,* -и, (*два*) глèзена *анат.* ankle, tarsus, (*на кон*) pastern, fetlock (joint); (*на друго четириного животно*) knuckle; до ~ите (*при затъване*) ankle deep, (*за рокля*) ankle-length.

глèзен₂ *мин. страд. прич.* spoilt, pampered.

глèзл|а *ж.,* -и spoilt/affected girl/woman; mollycoddle.

глèзльо *м.,* -вци spoilt/pampered boy/man; mollycoddle; namby-pamby, slobberer; Miss Nancy.

глезотѝ|я *ж.,* -и conceit, affectation; *pl.* airs and graces.

глèзя *гл., мин. св. деят. прич.* глèзил spoil, overindulge; pamper, mollycoddle, cosher, cosset, cocker (up); featherbed; ‖ ~ се be affected, indulge o.s.; (*за дете*) behave badly.

глèтчер *м.,* -и, (*два*) глèтчера *геол.* glacier.

глеч *ж., само ед.* glaze, varnish; (*на зъб*) enamel.

глигàн *м.,* -и, (*два*) глигàна *зоол.* wild boar.

гликòза *ж., само ед. хим.* glucose, dextrose, grape-sugar.

глѝна *ж., само ед. минер.* clay; бяла ~ (*за порцелан*) kaolin.

глѝнен *прил.* clay (*attr.*), of clay, earth-

en; ~и съдове earthenware, pottery, crockery.

глѝнест *прил.* clay (*attr.*), clayey, clayish, loamy, mellow; clay-bearing, argillaceous, argilliferous.

глист *м.,* -и, (*два*) глѝста *зоол.* (intestinal) worm, helminth; детски ~и thread worms, ascarides.

глицерѝн *м., само ед. хим.* glycerin(e), glycerol.

глоб|а *ж.,* -и fine, penalty, mulct; (*за неизпълнено задължение*) forfeit; налагам ~a impose/levy a fine (на on); плащам ~a pay a fine.

глобàл|ен *прил.* -на, -но, -ни global; lump (*attr.*); ~но решение *икон.* omnibus resolution.

глобулѝн *м., само ед. биохим.* globulin.

глòбус *м.,* -и, (*два*) глòбуса 1. (geographical) globe; 2. (*абажур*) globular lampshade, globe.

глобявам, глобя *гл.* fine, mulct; impose a fine (някого on s.o.); ~ за превишена скорост give s.o. a speeding ticket.

глог *м., само ед. бот.* hawthorn.

глòжд|я *гл., мин. св. деят. прич.* глòждил pick, (*за куче и прен.*) gnaw (at); ~ кокал gnaw (at) a bone; *прен.* rankle; мисълта го глождеше the thought rankled, the thought was preying on his mind.

глòзгам *гл.* pick, gnaw (at); *прен.* rankle.

глỳпав *прил.* foolish, stupid, silly; mindless, witless, lumpish, soppy, soft-headed; *разг.* dunderheaded; (*за изражение на лицето, усмивка и пр.*) inane; (*за постъпка*) foolish, silly; (*нелеп*) absurd, nonsensical, incongruous; (*скучен*) stupid, dull, insipid; ~ вид a foolish appearance; ~а забележка silly/an inane remark; ~а постъпка foolish action; *разг.* foolish/silly thing (to do); изпадам в ~о положение make an ass of o.s.; много ~ imbecilic; tomfool (*attr.*); не бъди толкова ~ don't be so foolish; правя се на ~ play the fool, *sl.* lie doggo.

глупà|к *м.,* -ци fool; foolish/stupid fellow, simpleton, booby, num(b)skull, ninny, nincompoop, spoon, tomfool, coot; *разг.* dunce, dunderhead; goof; *sl.* bonehead, mutton-head; dumb-bell;

~к с ~к такъв! you silly fool! това е за ~ците *разг.* that's (strictly) for the birds.

глỳпост *ж.,* -и 1. folly, foolishness, stupidity, silliness; *разг.* dunderheadedness; goofiness; *sl.* numbskullery; (*глупава постъпка*) foolish/silly thing; piece of stupidity; goof; (*безсмислица*) nonsense, absurdity, inanity; fandangle; *амер.* baloney; *разг.* guff, hogwash, tripe, mumbo-jumbo; извършвам ~та a commit the folly of (*c ger.*); наивен до ~ naive to the point of imbecility; той има ~та да he was so foolish as to; чиста ~ sheer nonsense; tommyrot; 2. *само мн.* nonsense, stuff and nonsense, balderdash, rubbish, tosh, trash; *разг.* tomfoolery, twaddle, drivel, pap, balls, bullshit, codswallop; flapdoodle; fudge; ~и! nonsense! rubbish! *разг.* bosh! rot! tosh! говоря ~и talk nonsense (за about); talk a lot of trash, talk through o.'s hat; *разг.* talk through the back of o.'s head; fudge; пълни ~и clotted nonsense; *sl.* a load of old cobblers; стига си дрънкал ~и! cut the cackle! харча си парите за ~и fritter away o.'s money.

глỳпчо *м.,* -вци silly (young thing), silly thing, (little) fool; chump; charlie; *разг.* gubbins.

глутèн *м., само ед.* gluten.

глỳтниц|а *ж.,* -и pack; ~а вълци pack of wolves.

глух *прил.* 1. deaf (*и прен.*); cloth-eared; ~ като пън deaf as a post/stone/adder; не съм ~! you needn't shout (at me)! правя се на ~ pretend to be deaf; 2. (*за глас*) hollow, toneless, muffled; (*за звук*) hollow, dull, indistinct, muffled; ~ шепот stifled whisper; 3. (*неясен*) suppressed; unexpressed; ~о недоволство suppressed/inarticulate discontent; an undercurrent of dissatisfaction/discontent; 4. (*неотзивчив*) deaf, impervious (за to); оставам ~ be deaf, turn a deaf ear (за to); 5. (*затънтен*) remote, out-of-the-way; (*неоживен*) deserted, empty; ~о място remote/out-of-the-way place; • в ~a доба in the/at dead of night; ~a линия sidetrack, (railway) siding.

глухàр *м.,* -и, (*два*) глухàра *зоол.* wood-grouse capercailzie, cock of the wood.

глухàрче *ср.*, -та *бот.* dandelion (*Taraxacum*).

глухонЯм *прил.*, -а, -о, **глухонèми** deaf-and-dumb; *като същ.* deafmute; • азбука на глухонемите finger alphabet, deaf-and-dumb alphabet.

глъбин|à *ж.*, -и depth.

глъ́твам, глъ́тна *гл.* swallow, gulp (down); *прен. (държава и пр.)* swallow up; ~ вода swallow a mouthful of water; ~ си езика lose o.'s tongue, be dumbfounded.

глъ́тк|а *ж.*, -и **1.** mouthful, gulp, draught, sip; *(голяма)* swig; *(малка)* sip; ~а алкохол a toothful of liquor; ~а вода a sip of water; изпивам на една ~а swallow in/at one gulp; **2.** *анат.* gullet.

глъ́хна *гл.* die away; *(за местност)* be steeped in quiet/in silence; be silent.

глъч *ж.*, *само ед.*; **глъ́чк|а** *ж.*, -и hubbub, uproar, babel, din, clatter (of tongues), cackle; confused sound/murmur of voices, tumult; hum of people talking; *(викане)* clamour, outcry; *(караница)* brawl; *(шум)* noise.

глюкòза *ж.*, *само ед. хим.* glucose.

гмỳрвам се, гмỳрна се *възвр. гл.* dive, plunge (в into); ~ надълбоко dive deep, *(за кит и пр.)* sound.

гмỳрван|е *ср.*, -ия diving.

гмур|èц *м.*, -ци, (два) гмурèца *зоол.* loon, great crested grebe, razor-bill; малък ~ец dabchick, didapper, ducker (*Podiceps minor*).

гмуркàч *м.*, -и *спорт.* diver; *(без водолазен костюм)* skin-diver.

гнайс *м.*, *само ед. минер.* gneiss.

гнèв|ен *прил.*, -на, -но, -ни angry, wrathful, irate, incensed, furious, enraged, wroth; ~ен вик shout of anger.

гневЯ се *възвр. гл.*, *мин. св. деят. прич.* **гневил се** get angry, lose o.'s temper, fly into a passion/a temper, flare up; fume (about/over/at).

гнезд|ò *ср.*, -à **1.** nest; вия си ~о build (a nest), make a nest, nest; ~о на катерица drey, dray; ~о на оси wasps' nest; орлово ~о, ~о на хищна птица aerie, aery, eyrie, eyry; **2.** *(дом)* home, nest; свивам си ~о build a home/nest; set up a home, set up house; **3.** *(свърталище)* haunt, den, lair; разбойническо ~о den of thieves; **4.** *воен.* nest; ~о на съпротива centre of resistance;

5. *техн.* socket; бетонно ~о concrete cradle; *ел.* jack; клапанно ~о valve seat; **6.** *(картофи и пр.)* cluster; **7.** *(словно гнездо на думи с общ произход)* group, family; ~о в речник *език.* dictionary paragraph; • ~о на зараза nidus, a hotbed of infection; ~о на скъпоценен камък mount.

гнèздя *гл.*, *мин. св. деят. прич.* гнèздил nest, make/build o.'s nest; *науч.* nidificate; || ~ се (в) *(за зараза)* haunt, infest; *прен.* lie at the root of.

гнет *м.*, *само ед.* oppression, tyranny, *(иго)* yoke.

гнетя́ *гл.*, *мин. св. деят. прич.* гнетѝл oppress, crush (down), weigh down; *(душевно)* depress; prey on s.o.'s mind, press heavily on s.o.'s spirits, hang heavily on s.o.; lie heavy on s.o.'s chest/heart/conscience; гнети ме мисълта, че be oppressed by the thought that.

гнѝд|а *ж.*, -и nit.

гнил *прил.* rotten, decayed, putrid; *(за плод)* bad; *(за дърво, зеленчук, под и пр.)* rotting; *(за дърво)* rotted, tindery; *прен.* rotten, corrupt.

гнѝлост|ен *прил.*, -на, -но, -ни putrefactive, putrefacient.

гнѝя *гл.*, *мин. св. деят. прич.* гнил rot, decay, putrefy, become putrid, corrupt, fester; *(за кости)* moulder; *прен.* rot; ~ в затвора rot/languish in prison.

гно|èн *прил.*, -йна, -йно, -йни pussy, purulent, suppurate, suppurative, festering.

гной *ж.*, *само ед.* pus, matter.

гносеология *ж.*, *само ед. филос.* epistemology.

гностицѝз|ъм (-мът) *м.*, *само ед. филос.* gnosticism.

гнойсвам, гнойсам *гл.* suppurate, fester, discharge pus/matter, gather.

гнус *ж.*, *само ед.*; • ~ ме е loathe (да to *c inf.*), have a loathing (да for *c ger.*); have/feel an aversion (да for *c ger.*).

гнỳс|ен *прил.*, -на, -но, -ни loathsome, repulsive, disgusting, revolting, sickening, nauseous, nauseating, verminous; *(долен)* base, vile, abject, despicable, loathsome, heinous; ~на клевета scurrilous libel; vile calumny; ~на лъжа foul/damnable lie.

гнуслѝв *прил.* squeamish.

гнусЯ се *възвр. гл.*, *мин. св. деят. прич.* **гнусѝл се** loathe, have/feel a

loathing (от for), have/feel an aversion (от for), to be sickened (by); hold in abomination, abhor, abominate, loathe and detest.

гняв (гневът) *м.*, *само ед.* anger (от at); wrath; rage, fury, ire, choler; passion; извън себе си съм от ~ be beside o.s. with rage; изливам гнева си върху vent o.'s anger on; навличам си гнева на incur s.o.'s wrath.

гоблèн *м.*, -и, (два) гоблèна Gobelin (tapestry), tapestry.

говедàр (-ят) *м.*, -и herdsman, cowherd, cowboy.

говèд|о *ср.*, -а **1.** animal, brute; ox, bull, buffalo, cow, calf; ~а cattle (*и прен.*), livestock; ~а за месо beef-cattle; **2.** *прен. (простак)* boor, bumpkin, lout, churl, oaf; *(глупак)* blockhead, dunderhead; imbecile, dullard; *англ. sl.* git.

говедовъд *м.*, -и cattle-breeder, stockbreeder.

говèжд|и *прил.*, -а, -о, -и beef (*attr.*), bovine; ~и обор cattle-shed; ~и пазар cattle-market; ~о месо *кул.* beef.

гòвор *м.*, *само ед.* **1.** speech; несвързан ~ ramblings; *псих.* glossolalia; **2.** *(глъч)* (sound of) talking/voices; **3.** *(начин на говорене)* manner of speaking; speech, accent; *(на отделно лице)* език. idiolect; **4.** *(наречие)* dialect, vernacular.

гòвор|ен *прил.*, -на, -но, -ни: ~ен апарат *анат.* organs of speech; ~ни особености *мед.* peculiarities of speech.

говòрене *ср.*, *само ед.* speaking, talking; *мед.* бързо ~ tachyphasia.

говорѝтел (-ят) *м.*, -и **1.** speaker, announcer; **2.** *(представител на група)* spokesman, mouthpiece; **3.** *(в радиото, телевизията)* newsreader.

говòря *гл.*, *мин. св. деят. прич.* говòрил **1.** speak, talk (за about, of; с to, with); *(коментирам)* descant (on, upon); внимавам какво ~ keep a watch on o.'s tongue; говори по-високо speak up! говори по-ясно speak out! говори се there is (some) talk (за about, of); ~ едно, а върша друго play fast and loose; not practise what one preaches; ~, за да печеля време talk against time; stall; ~ и за трима *sl.* talk the dozen; ~ насаме have a quiet word; ~ несвързано ramble, meander; ~ от името на speak for; ~ по телефона

speak on the telephone, (*в даден момент*) be on the telephone/line; ~ **пред** (*публика, събрание*) address; ~ **против някого зад гърба му** backbite; ~ **свободно** (*какво мисля*) speak out/up; ~ **свободно езика** be fluent in a language; ~ **със заобикалки** beat about the bush; **да не говорим за** to say nothing of, let alone; **детето не говори още** the child hasn't learnt to speak yet, the child does not talk yet; **какво говориш!** what are you talking about! **не бива/смея да** ~ my mouth is closed; **не си говорим** we are not on speaking terms; 2. (*свидетелствам*) speak, argue (**за** for), be evidence (of); ~ **в полза на/против** tell/argue for/against; ~ **добре за** speak/argue well for; ~ **против** (*за факти, показания*) tell/militate against; **това говори само за себе си** this speaks for itself; **това не ми говори нищо** it conveys nothing to me; it doesn't ring a bell.

годѐж *м.*, -и, (два) **годѐжа** engagement, betrothal (**с** to).

годѐж|ен *прил.*, -на, -но, -ни engagement (*attr.*); ~**ен пръстен** engagement ring.

гòд|ен *прил.*, -на, -но, -ни fit, fitted, good (**за** for; **да** to **с** *inf.*), suitable (**за** for); (*як, здрав*) ablebodied; ~**ен за** (*в състояние да се справи с – за човек*) fitted/suited for, up to (predic.); (*за работа*) employable; ~**ен за военна служба** fit for duty/service, medically fit; ~**ен за експлоатация** (*за мина*) workable; ~**ен за живеене** fit for living in, liveable, livable; habitable, inhabitable; ~**ен за пиене** fit for drinking/to drink, drinkable, potable; ~**ен за повторна употреба** reusable; **не се чувствам** ~**ен за това** I don't feel up to it; **той не е** ~**ен за нищо** he is good for nothing, he's a ne'er-do-well.

годенѝ|к *м.*, -ци fiancé, betrothed.

годенѝц|а *ж.*, -и fiancée, betrothed.

годенѝци *само мн.* engaged couple.

годѝн|а *ж.*, -и 1. year, twelvemonth; **високосна** ~а leap-year; **за една** ~а for one year; **за** (*в течение на*) **една** ~а in (the course of) a year; **календарна** ~а calendar/legal/civil year; **от** ~и for years (on end); for many long years; **преди** ~и years ago; **през изтеклата** ~а during the past year; **през 1921** ~а in the year 1921, in 1921; **усилни** ~и hard times; 2. (*възраст*) age; **аз съм на тридесет** ~и I am thirty (years old); I am thirty years of age; **в най-хубавите** ~и **на живота си** in the prime of o.'s life; **млади/стари** ~и young/old age; **много сериозен за** ~**ите си** serious beyond his age; **на колко сте** ~и? how old are you? **по** ~и (*за класиране и пр.*) according to age; **студентски** ~и student days; **човек на** ~и a man of years; ● **за много** ~и many happy returns (of the day).

годѝш|ен *прил.*, -на, -но, -ни yearly, annual; a year's, of a year; ~**ен акт** graduating ceremonies; speech-day; *амер.* commencement day; ~**ен кръг** *бот.* annual/growth ring; ~**ен процент** annual percentage rate; ~**на данъчна декларация** annual return; ~**на рента** annuity; ~**но време** season.

годѝшни|к *м.*, -ци, (два) **годѝшника** year-book, annual.

годишнин|а *ж.*, -и anniversary; (*на периодично издание*) year; ~а **от рождението на** anniversary of s.o.'s birthday, s.o.'s birthday anniversary.

гòдност *ж.*, *само ед.* fitness, suitability; **срок на** ~ sell-by date.

гòзб|а *ж.*, -и dish.

гол₁ *прил.* naked, nude (*и бот., зоол.*); *разг.* in o.'s birthday suit; in the buff, in a state of nature; (*за части на тялото и прен.*) bare; (*съблечен*) stripped, in the nude; (*непокрит*) uncovered; (*неоседлан*) bare-backed; (*незалесен*) unwooded; (*оголен*) denuded, denudate; bald; (*без пера*) callow, unfledged; (*без никакви прибавки*) plain; (*плешив*) bald; ~ **охлюв** slug; ~а **праскова** nectarine; ~**ата истина** the plain/naked/stark/unvarnished truth; ~**и думи** naked words; ~**и обещания** hollow promises; ~**и факти** bare/naked/dry/cold/stark/uncoloured/crude facts; **рисувам** ~**о тяло** draw/paint from the nude; **с** ~**и ръце** with o.'s bare hands; ● ~**голенишък** stark naked, with not a stitch on, without a stitch of clothing; *амер.* buck naked; ~ **и бос** destitute, poverty-stricken, down and out; ~ **като пушка/тояга** (as) poor as a church mouse/as Job;

на ~**о** next (to) the skin/to o.'s body.

гол₂ *м.*, -ове, (два) **гòла** *спорт.* goal; **вкарвам/отбелязвам** ~ score a goal; **изравнителен** ~ equalizer; **победен** ~ winner.

голѐм|ец *м.*, -ци important person, great person(age); notable; grandee; heavy/big hitter, big cheese; *разг.* mandarin, bigwig, big shot/pot; *съкр.* VIP.; *амер. sl.* mugwump; *sl.* higher-up; big dog; **местен** ~ец the biggest frog in the pond.

големин|à *ж.*, -и size, magnitude, extent; **вторият по** ~а **град** the second largest city; **портрет в естествена** ~а life-size portrait; **с** ~**ата на яйце** the size of an egg.

голлѝни|я *ж.*, -и *спорт.* goal-line.

голмàйстор *м.*, -и *спорт.* scorer, leading goal-scorer.

голобрàд *прил.* beardless.

гòлов *прил.* *спорт.* goal (*attr.*); ~ **резултат** score; ~**о положение** *спорт.* scoring opportunity.

гологàн *м.*, *само ед.* copper coin; ● **черен** ~ **не се губи** come back/turn up like a bad penny; the devil looks after his own; always turns up.

голосѐмен|ен *прил.*, -на, -но, -ни *бот.* gymnospermous; ~**но растение** gymnosperm.

голослòв|ен *прил.*, -на, -но, -ни unfounded, groundless, baseless, unsubstantiated.

голотà *ж.*, *само ед.* nakedness, nudity; (*на планина и пр.*) bareness.

голотѝя *ж.*, *само ед.* 1. nakedness; 2. (*крайна бедност*) penury, destitution; 3. (*бедните*) the poor, the poverty-stricken, the poor and needy.

голф *м.*, *само ед.* 1. *спорт.* golf; 2. (*панталони*) plus fours.

голя̀м *прил.*, -а, -о, голѐми big, large; (*пораснал, възрастен*) grown, old; (*важен, значителен – за държавник, учен, писател и пр.*) great; (*поважен*) major; (*за нос, очи, дърво, куче и пр.*) big, large; (*за дъжд, сняг, дълг, лихва, безработица, мнозинство, разноски, поправки и пр.*) heavy; (*за студ, наводнение, болка, изпитание, усилие и пр.*) severe; (*за ваканция, крачка, разстояние и пр.*) long; (*за цифра, скорост, похвала и пр.*) high; (*възторжен, пла-*

менен) keen, great; (едър) walloping; разг. jumbo; в по-~ата си част for the most part, mainly, chiefly; големи надежди great/sanguine hopes; големи приказки big/tall talk; (възрастните) the grown-ups; големият свят the great/wide world; ~ късметлия е he is not half lucky; ~ човек (възрастен) grown-up, adult; (големец) important person, big cheese; ~а част от a good/large part of; за моя ~а изненада to my great surprise, much to my surprise; най-~ата страст на о.'s ruling passion; ● ~ залък лапни, ~а дума не казвай don't be too sure.

гонг м., -ове, (два) гонга gong.
гондол|а ж., -и gondola; ~а на балон nacelle; (в магазин) gondola.
гондолиѐр м., -и gondolier.
гоненe ср., само ед. pursuit; (преследване) persecution; (по полит. причини) victimization; witch-hunt.
гонѐни|е ср., -я persecution; victimization.
гонениц|а ж., -и tag; играя на ~а play tag.
гонк|а ж., -и (с хайка, засада) battue.
гонорѐя ж., само ед. мед. gonorrhoea.
гончe ср., -та зоол. (куче) beagle; (за лов на елени) tufter.
гоня гл., мин. св. деят. прич. гонил 1. chase, give chase to, pursue, be in pursuit of, run/be after; (гледам да настигна) hurry to catch up with; (дивеч - за куче) course; гоним се chase each other/one another; ~ по петите be upon s.o.'s heels, pursue closely; 2. (преследвам) persecute, hound; (по политически причини) victimize; (имам зъб на) be down on, have a down on; ~ до дупка run to earth; прен. get о.'s knife into, hound to death; 3. (стремя се към) seek/strain after, strive for, be out for; ~ слава/богатство seek/hunt after glory, fame/fortune; ~ цел aim at a goal, pursue a goal; ● ~ вятъра/Михаля be on a fool's errand, go on a wild-goose chase, beat the air, chase a will-o'-the-wisp, plough the sands, lash the waves; ~ седемдесетте be getting on for/be nearing/be hard on seventy; гонят се (за ветрове) dance; (за животни в разгонен период) rut.

гор|а ж., -и wood; (по-голяма) forest; ~и woodland; forestry; ~и за сечене timber; през ~и и планини through forests and over mountains; Управление на ~ите forest administration; ● от ~ата хванат straight off the trees; Света ~а църк. Mount Athos; хващам ~ата take to the woods/hills, go to the greenwood.
горд прил. proud; (за отказ, сдържаност и пр.) dignified; (за планина, държане) lofty, majestic; (надменен) haughty, arrogant, stiff-necked; ~ вид an air of pride, a lordly/haughty air, a dignified appearance.
горделѝв прил. haughty, arrogant, supercilious, overbearing, overweening; lordly; ~а походка stalk.
гордѐя (се) (възвр.) гл., мин. св. деят. прич. гордял (се) be proud (с of), take (a) pride (с in), feel pride (с at, in), pride/pique o.s. (с on); glory (с in); (държа се гордо) show pride; carry о.'s head high; не е нещо, с което да се гордее човек it's nothing to be proud of.
гордост ж., само ед. pride; разг. a feather in s.o.'s/o.'s cap; (надменност) haughtiness, книж. hubris.
горѐ нареч. up, (up) above; (на горния етаж) upstairs; (на небето, на по-горен етаж) overhead; ~ главата! cheer up! courage! ~-долу more or less, about, roughly, pretty nearly, after a manner, at a guess; (умерено) fairly, moderately; ~ ръцете! hands up! (парите или живота) stand and deliver!
гор|ен прил., -на, -но, -ни upper, higher, top (attr.); (за класи) upper, higher; Горната камара (в Англия) парлам. the House of Lords; ~но/долно фа муз. top/low F.
горѐне ср., само ед. combustion, burning; дърва за ~ wood for fuel.
горест ж., само ед. sorrow, distress, anguish, grief, dole, dolefulness.
горѐщ прил. 1. hot; (душен) stifling; ~ пояс геогр. torrid zone; ~а вълна heat wave; ~и извори thermal springs; когато стане ~о прен. разг. when it comes to the pinch; 2. прен. ardent, fervent, fervid; (за любов) ardent, passionate; (за желание) ardent, burning; (за спор) heated; ~а кръв hot/fer-

vent blood; ~а молитва fervent prayer; ~а точка на Балканите полит. Balkan flash point.
горещин|а ж., -й heat, heat wave; разг. scorcher, swelter; (през) летните ~и (in) the summer heats; умирам от ~а I'm simply roasting; I am stifling in this heat.
горѐщо нареч. ardently, fervently; passionately; (препоръчително) heartily, warmly.
горещя се възвр. гл., мин. св. деят. прич. горещил се become/get excited, talk with feeling; не се горещи разг. keep your hair on.
горѝв|ен прил., -на, -но, -ни combustible; fuel (attr.).
горѝв|о ср., -а fuel, firing; оставам без ~о (за двигател) run dry; (за ракети) propellant; твърдо ~о solid fuel; течно ~о liquid fuel, fuel oil.
горѝл|а ж., -и 1. зоол. gorilla; 2. прен. thug, goon.
горѝст прил. wooded, woody; forested; groovy; ~а местност woodland.
горкό нареч. bitterly; ~ ми! woe is me! ~ му! woe betide him! тежко и ~ на God help, God take pity on.
горнѝц|а ж., -и 1. остар. surplus, overplus, over-measure; 2. (на обувка) upper; 3. bower.
горолом|ен прил., -на, -но, -ни (за вятър и пр.) strong, powerful.
гороцвѐт м., само ед. бот. pheasant's eye, summer adonis (Adonis).
горск|и прил., -а, -о, -и 1. прил. wood (attr.), woodland (attr.), forest (attr.); forestal, foresteal; поет. sylvan; 2. като същ. обикн. членувано forest-guard, ranger; game-keeper; (в резерват) game warden.
горчà гл. taste bitter, have a bitter taste; горчи ми в устата have a bitter taste in o.'s mouth.
горчѝв прил. bitter (и прен.); (за масло) rancid; (мъчителен) galling; (за ирония) bi-ting; ~ опит galling/hard/harsh experience; ~ хап (и прен.) bitter pill; ~а истина harsh truth, (the) bitter truth; ● изпивам до дъно ~ата чаша drain/drink the cup of sorrow, bitterness to the dregs.
горчивин|а ж., само ед. bitterness (и прен.).
горчѝво нареч. bitterly; ~ се лъжеш

ако мислиш you are sadly mistaken if you think.

горчѝца *ж., само ед.* mustard.

гор|ъ̀к *прил.,* -ка, -ко, -ки **1.** (*горчив*) bitter (*и прен.*); **2.** *прен.* wretched, miserable, poor.

горя̀₁ *гл. непрех.* burn, be on fire; be ablaze/alight; (*буйно – за огън, пожар*) roar, deflagrate; (*без пламък, от огън*) glow; (*от срам, негодувание и пр.*) tingle; glow; (*имам треска*) burn, be feverish; (*за лице, бузи*) flush; be flushed; (*за очи*) burn/be fiery; (*за рана*) rankle; (*за уши*) burn red; tingle; ~ **от желание да** burn with desire to, be dying/bursting to, be all agog to; **къщата гори** the house is on fire; • ~ **в работата си** put o.'s heart into o.'s work.

горя̀₂ *гл., мин. св. деят. прич.* **горѝл 1.** *прех.* burn (down); (*топливо*) burn; (*електричество*) use; ~ **вар/въглища** burn lime/charcoal; **2.** *прен.* (*измъчвам, тревожа*) consume; **гори ме страст** be consumed with passion.

Госпо̀д *м. неизм. църк.* God, the Lord; ~ **да те убие!** damnation take you! ~ **да ти е на помощ** God help you; ~ **здраве да ти дава/да те поживи!** God bless you! ~**и! боже** ~**и!** good God/ Lord! good Heavens! dear me! bless me! goodness gracious! **един** ~ **знае** goodness/heaven only knows; • **де тоя** ~ no such luck; **дървен** ~ birch; **тук е друг** ~ this is much better.

господа̀р (-ят) *м.,* -и **1.** master; ~ **на положението** master of the situation; *разг.* the cock of the loft/roost/walk, top dog; ~ **съм на себе си/на съдбата си, сам съм си** ~ be o.'s own master; ~ **съм на себе си** (*владея се*) be master of o.s., have o.'s feelings/passion under control; **2.** (*собственик*) owner, proprietor; **3.** (*работодател*) employer; *разг.* boss, paymaster; **4.** (*владетел*) ruler, sovereign.

господа̀рк|а *ж.,* -и **1.** mistress; lady; ~**а на къщата** mistress of the house; **2.** (*собственица*) owner, proprietress; **3.** (*работодателка*) employer, mistress.

господа̀рск|и₁ *прил.,* -а, -о, -и lordly, seigniorial; (*властен*) masterful; ~**а къща** (*в имение*) manor-house.

господа̀рски₂ *нареч.:* **по** ~**и** in a lord-

---

ly manner.

госпо̀д|ен *прил.,* -на/-ня, -но/-не, -ни the Lord's; **в лето** ~**не** in the year of Grace/of our Lord.

господѝн *м.,* **господа̀** gentleman; (*пред собств. име*) Mr, (*пред френско, немско, италианско собств. име*) Monsieur, Herr, Signor; (*при обръщ. без името*) sir; **Господа** Gentlemen, (*като адрес и обръщ. в търг. писмо*) Messrs, Sirs; **уважаеми** ~ ... dear Mr. ...; **уважаеми** ~**е** Dear Sir.

госпо̀дствам *гл.* dominate (**над** over), rule (**над** over), be in power, wield power; have/hold/bear sway (**над** over), rule supreme; (*преобладавам*) prevail (**над** over), predominate (**над** over); (*за връх и пр.*) dominate.

госпо̀дстващ *прил.* prevailing, dominant, dominating, dominative; reigning, ruling; ~**а църква** Established church.

госпо̀дство *ср., само ед.* domination, dominance, rule, sway, hold, control, dominion; (*първенство*) supremacy.

госпож|а̀ *ж.,* -и lady, (*пред име*) Mrs, (*пред френско, немско и италианско собств. име*) Madame, Frau, Signora; (*при лично обръщ.*) Madame; ~**о** madam, ma'am; **моята** ~**а** *разг.* my missus; **уважаема** ~**о** dear madam.

госпо̀жиц|а *ж.,* -и young lady, (*пред собств. име*) Miss, (*пред френско, немско, италианско собств. име*) Mademoiselle, Fräulein, Signorina; (*при лично обръщ. без име*) young lady, *пренебр.* miss; (*женствен младеж*) cissy, sissy; (*педераст*) pansy.

гост *м.,* -и guest, visitor; **висок** ~ honoured/high guest; **неочакван** ~ dropper-in; **почетен** ~ guest of honour; **стая за** ~**и** (*за спане*) visitor's/spare room.

гостѝлниц|а *ж.,* -и eating-house, (cheap) restaurant, inn; *разг.* eatery.

гостилнича̀р (-ят) *м.,* -и restaurant-keeper, inn-keeper, land-lord.

го̀сти|я *ж.,* -и drawing-room, parlour.

гостоприѐм|ен *прил.,* -на, -но, -ни hospitable; ~**ен съм** keep open door/house.

гостоприѐмство *ср., само ед.* hospitality; **злоупотребявам с** ~**то на някого** outstay/wear out o.'s welcome; **оказвам** ~ **на някого** show hospitality to s.o., show s.o. hospitality, play

---

host to s.o., entertain s.o.

госту̀вам *гл.* **1.** stay (**у** with), visit (**у** at s.o.'s house), be on a visit (**у** to); ~ **у приятели** stay with friends; **2.** (*гастролирам*) tour, be on a tour, be a guest artist.

гот *м.,* -и *обикн. мн. истор.* Goth.

готва̀рск|и *прил.,* -а, -о, -и culinary, cookery; kitchen (*attr.*); ~**а книга** cookery book; ~**а печка** cooker, cooking-stove, range.

готва̀рство *ср., само ед.* cookery.

готва̀ч *м.,* -и cook; **главен** ~ chef.

го̀твен *мин. страд. прич.* cooked; *като прил.* ~**о ядене** made dish; (*не печено и пр.*) stew.

го̀твя *гл., мин. св. деят. прич.* **го̀твил 1.** prepare, get/make ready (**за** for); ~ **изненада** have a surprise in store (for); **2.** (*храна*) cook; do the cooking; ~ **на силен огън/на електричество/ с олио** cook over a hot fire/by electricity/in vegetable oil; ~ **си сам** do o.'s own cooking; **зная да** ~ know how to cook; || ~ **се** prepare (o.s.) (**за** for), make ready (**за** for); (*каня се*) be about (**да** to *c inf.*); ~ **се да скоча** (*за звяр*) crouch to spring; ~ **се за път** make ready for a journey; • **какво се готви?** what is afoot?

го̀тика *ж., само ед.* архит., изк. Gothic (style); **късна** ~ florid/tertiary Gothic.

го̀тин *прил.* cool, cute; *разг.* dishy; *sl.* def, *sl.* snazzy.

готѝческ|и *прил.,* -а, -о, -и Gothic.

гото̀в *прил.* **1.** ready (**за** for), (*подготвен*) prepared (**за** for); ~ **за бой** (*и прен.*) fighting fit; with o.'s hackles up; ~ **за път** ready for a journey, ready to start; ~ **продукт** finished product; ~**и дрехи** ready-made/store clothes; **той е** ~ **на всичко** he'll go to great/all/any lengths; **2.** (*съгласен, склонен*) willing, ready, prepared (**да** to); *разг.* game; ~ **съм да опитам** *разг.* I am game to try; ~**и пари** cash, ready money, *sl.* the ready.

гото̀вност *ж., само ед.* readiness, willingness; **в бойна** ~ ready for action, in fighting trim; **той с** ~ **споделя познанията си** he shares his knowledge freely.

гото̀во *нареч.* ready! here it is! I'm through! *жп* away!

гофрѝрам *гл.* crimp, corrugate, goffer.

гощàвам, гостя̀ *гл.* feast (c on); regale (c with); entertain (at/to dinner), dine, treat; ~ **цàрски** entertain royally; || ~ **ce** treat o.s. (c to), feast (c on).

гощàвк|а *ж.*, -**и** feast, banquet.

грàбвам, грàбна *гл.* snatch (up), grab, grasp (at); seize, whip up (*и нож, револвер*); snap up (*и за звяр*); (*отнемам насилствено*) snatch away; (*отнасям – за болест, смърт*) carry off; (*шапка – за вятър*) snatch off, take; (*награда и пр.*) *разг.* snaffle; ~ **нечие внимание** grab/grip s.o.'s attention; ~ **оръжие** take up arms, fly/rush to arms; || ~ **ce** up and go; • **идеята ме грабна** I was fetched by the idea; **работата го грабна** he became engrossed in his work.

грабèж *м.*, -**и**, (два) **грабèжа** 1. robbery, pillage, plunder, despoilment, despoliation; rapine; **въоръжен** ~ *разг.* hold-up, stick-up; **извършвам** ~ commit a robbery; 2. (*нещо заграбено*) plunder, loot.

грабѝтел (-**ят**) *м.*, -**и**; **грабѝтелк|а** *ж.*, -**и** robber, pillager, plunderer, despoliator, sacker; (*кожодер*) flayer, shark; grabber.

грабѝтелск|и *прил.*, -**а**, -**о**, -**и** rapacious, predatory; plunderous; *прен.* extortionate.

граблѝв *прил.* predatory, rapacious (*и за човек*); ~**и животни** predatory animals, beasts of prey; ~**и птици** birds of prey, rapacious birds.

грàбя *гл.*, *мин. св. деят. прич.* **грàбил** rob, plunder, pillage, sack.

гравимèтрия *ж.*, *само ед.* gravimetry.

гравѝрам *гл.* engrave; (*с киселина*) etch; (*с пунктир*) stipple; (*на дърво, мед*) cut, engrave (on, upon, in).

гравѝране *ср.*, *само ед.* engraving, etching, embossing; ~ **върху дърво** xylography.

гравитацио̀н|ен *прил.*, -**на**, -**но**, -**ни** gravitational, gravity (*attr.*); gravitative.

гравитàция *ж.*, *само ед.* gravitation, G-force.

гравитѝрам *гл.* gravitate (към to).

гравьо̀р *м.*, -**и** engraver, etcher.

гравю̀р|а *ж.*, -**и** engraving, print; (*офорт*) etching; ~**а върху дърво** woodcut, xylograph; ~**а върху скъпоценен камък/метал** intaglio.

град₁ *м.*, -**овè**, (два) **грàда** town, (*важен административен и пр. център*) city; ~ **Ню Йорк** the city of New York, New York City; ~**овè и села** cities, towns and villages; ~**ът, целият** ~ (*жителите му*) the town, the whole town; **отивам в** ~**а** (*от село*) go up to town, (*от покрайнините към центъра*) go down town; **столичен** ~ capital (city); • **Вечният** ~, **Рим** the Eternal City, Rome; **Свещеният** ~ (**Мека, Йерусалим и пр.**) the Holy City.

град₂ *м.*, *само ед.* hail; (*градушка*) hailstorm; **вали/бие** ~ it hails; **ударите се сипеха като** ~ the blows fell thick and fast.

градàция *ж.*, *само ед.* gradation.

градèж *м.*, -**и**, (два) **градèжа** construction, building.

градѝв|ен *прил.*, -**на**, -**но**, -**ни** constructive; *строит.* building; **на критика** constructive/positive criticism.

градѝн|а *ж.*, -**и** garden; **ботаническа** ~**а** botanical gardens; **зоологическа** ~**а** zoological gardens, zoo; **овощна** ~ orchard; • **тия камъни се хвърлят в моята** ~**а** that is aimed at me, that is a dig at me; **хвърлям камъни в** ~**ата** make a dig at s.o.

градинàр (-**ят**) *м.*, -**и** gardener, horticulturist; (*бахчаванджия*) market-gardener.

градинàрск|и *прил.*, -**а**, -**о**, -**и** garden(ing) (*attr.*); ~**а супа** vegetable soup.

градинàрство *ср.*, *само ед.* gardening, horticulture; market-gardening.

градѝнск|и *прил.*, -**а**, -**о**, -**и** garden (*attr.*); (*облагороден*) cultivated; ~**и цветя** garden/cultivated flowers; ~**и чай** *бот.* sage.

градѝрам *гл.* grade, gradate.

градоначàлни|к *м.*, -**ци** chief of police; (*кмет*) mayor.

градоно̀с|ен *прил.*, -**на**, -**но**, -**ни:** ~**ен облак** hailcloud.

градоустро̀йствен *прил.* town-planning, urbanistic; ~ **план** town plan.

грàдск|и *прил.*, -**а**, -**о**, -**и** town (*attr.*), city (*attr.*); ~**а градина** public gardens; ~**а телефонна мрежа** local exchange; ~**а част** town area; ~**и жители** townspeople, townsfolk; ~**о население** urban population.

градуѝрам *гл. техн.* calibrate, divide, graduate.

грàдус *м.*, -**и**, (два) **грàдуса** degree; **5** ~**а под/над нулата** 5 degrees below/above zero; **ъгъл от 90** ~**а** an angle of 90 degrees; • **на** ~ slightly tipsy, half seas over.

граду̀шк|а *ж.*, -**и** hail, hailstorm.

градя̀ *гл.*, *мин. св. деят. прич.* **градѝл** 1. build, construct; *прен.* build (up); 2. (*ограждам*) fence, build a fence (around); • ~ **надежди** build hopes (върху on); ~ **върху пясък** build upon sand.

гражданѝн *м.*, **грàждани** 1. citizen; (*жител на дадена страна*) national; ~ **на държава** member of a state; **почетен** ~ **на** honorary citizen of, freeman of; 2. (*градски жител*) townsman, city dweller; *презр.* townee, townie; **граждани** townspeople, townsfolk.

грàжданк|а *ж.*, -**и** 1. citizen; 2. (*градска жителка*) townswoman; ~**и** townswomen.

граждàнск|и *прил.*, -**а**, -**о**, -**и** (*присъщ, подобаващ на гражданин*) civil, civic; (*не военен*) civilian; ~**и брак** civil marriage; ~**и свободи** civil liberties; ~**о право** civil law.

граждàнство *ср.*, *само ед.* 1. townspeople, population of a town; citizenry; 2. (*поданство*) citizenship; **без** ~ stateless; **получавам** ~ acquire citizenship; • **добивам право на** ~ *прен.* win recognition.

грàйфер *м.*, -**и**, (два) **грàйфера** *техн.* grab, gripper, gripping device.

грàквам, грàкна *гл.* give a croak; • ~ **върху** raise a hue and cry against, fly at, storm at, rail at/against.

грам *м.*, -**ове**, (два) **грàма** 1. gramme gram; ~**атом** gramme atom; ~**молекула** gramme molecule; mol(e); 2. (*за теглилка*) weight; • **нито** ~ not a whit; not in the least.

грамà|д|а *ж.*, -**и** heap, mass, pile (*и голямо здание*); ~**а от камъни** cairn ~**а човек** mountain of a man.

грамà|д|ен *прил.*, -**на**, -**но**, -**ни** huge enormous, vast, immense, tremendous gargantuan; (*за трудности*) formida ble; (*за човек*) huge (of body); *разг* lumping, thumping, thundering, whoop ing, hulking; ~**ен предмет/човек** *s* whacker; ~**ен успех** enormous succes

грамàж *м.*, *само ед.* weight (*i* grammes); grammage; *текст.* bar

weight; **удрям някого в ~a** give s.o. short measure.

грамàтик|а *ж.*, **-и** grammar; (*учебник*) grammar(-book).

граматѝческ|и *прил.*, **-а**, **-о**, **-и** grammatical; **~а грешка** grammar mistake, mistake in grammar, fault of grammar, solecism; **правя ~и разбор на** parse.

грамот|à *ж.*, **-й** deed, charter; **почетна ~a** (honorary) diploma.

грамòт|ен *прил.*, **-на**, **-но**, **-ни** literate; (*граматически правилен*) grammatical; (*осведомен*) well-informed, knowledgeable.

грамофòн *м.*, **-и**, (**два**) **грамофòна** gramophone, record-player; **~ автомат** juke-box; *амер.* phonograph; (*без усилвател*) turntable.

грамофòнче *ср.*, *само ед. бот.* convolvulus, morning glory (*Convolvulus tricolora*).

гранàт *м.*, *само ед. минер.* garnet; carbuncle.

гранàт|а *ж.*, **-и** *воен.* shell; **противотанкова ~a** anti-tank grenade; **ръчна ~a** hand grenade.

гранатомèт *м.*, **-и**, (**два**) **гранатомèта** *воен.* grenade gun/discharger/launcher.

грандàм|а *ж.*, **-и** grand dame.

грандиòз|ен *прил.*, **-на**, **-но**, **-ни** grand, imposing, stately, impressive, majestic, spectacular, grandiose, stupendous.

грандомàния *ж.*, *само ед.* megalomania.

гранѝв *прил.* rancid, rank.

гранѝт *м.*, *само ед. минер.* granite.

гранѝт|ен *прил.*, **-на**, **-но**, **-ни** granite (*attr.*); granitic, granite-like; *прен.* solid, firm.

гранѝц|а *ж.*, **-и** 1. border, borderline, boundary, frontier; **държавна ~a** border, frontier; **естествена ~a** natural frontier; **заминавам зад ~a** go abroad; **минавам/прекосявам ~ата** cross the border/frontier; **морска ~a** seafrontage; **не признавам ~i** recognize no frontiers; 2. (*предел*) limit (*и мат.*), bound, verge; dividing line; **в ~ите на възможното** not beyond the realm of possibility; **в ~ите на закона** within the confines of the law; **всичко си има ~a** there is a limit to everything/to all thigs; **горна ~a** ceiling, upper limit; **долна ~a** lower limit; **на ~та на лу-**

достта **съм** be on the verge of madness; **не зная ~и** know no bounds; **това минава всяка ~a** that is too much, it's carrying it too far, it's the limit; *разг.* that's a bit thick.

гранѝча *гл.*, *мин. св. деят. прич.* **гранѝчил** 1. border (**c** on), be bounded (**c** by), be contiguous (**c** to), border, touch (**c -**); **~ на изток** (*и пр.*) **c** be bordered/bounded on the east (etc.) by; **~ с река** abut on a river; 2. *прен.* border, verge (**c** on); **това граничи с безумие** it borders/verges on insanity, it is next door to madness.

граничàр (**-ят**) *м.*, **-и** border/frontier guard.

граничàрск|и *прил.*, **-а**, **-о**, **-и** frontier guard (*attr.*); **~о куче** military dog.

гранѝч|ен *прил.*, **-на**, **-но**, **-ни** border, boundary, frontier (*attr.*); **~ен пост** a frontier post; **~на област** border (area); **~ни войски** border troops; • **~ен случай** borderline case.

гранỳл|а *ж.*, **-и** granule, pellet, bead.

гранулàция *ж.*, *само ед. мед.* granulation.

гранулѝрам *гл.* granulate, pelletize.

гранулòм *м.*, *само ед. мед.* granuloma.

гранѝсал *мин. св. деят. прич.* rancid; *като прил.* **~о масло** rancid/strong butter.

гранѝсвам, **гранѝсам** *гл.* turn/go rancid.

грàп|а *ж.*, **-и** *сел.-ст.* harrow.

грàпав *прил.* rough, rugged; uneven (*и прен. за език, стил*); *бот.* squarrose.

грàпавост *ж.*, *само ед.* roughness, ruggedness, unevenness.

грàпя *гл.*, *мин. св. деят. прич.* **грàпил** harrow, drag.

грàтис 1. *нареч.* free (of charge), gratis; 2. *като същ. само мн.* free ticket/ pass, complimentary ticket, *sl.* paper; • **минавам ~** get away with it.

грàтис|ен *прил.*, **-на**, **-но**, **-ни**: **~ен период** *застр.* grace period, days of grace.

грàтисчи|я *м.*, **-и** faredodger; *разг. амер.* deadhead.

граф *м.*, **-ове** earl; (*в континентална Европа*) count.

граф|à *ж.*, **-й** (ruled) column.

графèм|а *ж.*, **-и** *език.* grapheme.

грàфик|а *м.*, **-ци**, (**два**) **грàфика** 1. chart, graph, diagram; 2. (*план, разписание*) (work-)schedule; (*за влак*)

timetable; **~к за техническо обслужване** service chart; **по ~к** according to schedule.

графѝ|к *м.*, **-ци** (*художник*) graphic/ black-and-white artist; etcher, engraver.

грàфик|а *ж.*, **-и** 1. graphics, black and white drawing, engraving, etching, woodcut; 2. printing; 3. *мат.* curve, graph; **компютърна ~a** computer graphics.

графѝн|я *ж.*, **-и** countess.

графѝт *м.*, *само ед. минер.* graphite; (*черното на молив*) (black) lead, plumbago.

графѝт|ен *прил.*, **-на**, **-но**, **-ни** lead (*attr.*), graphitic; plumbaginous.

графѝти *само мн. жарг.* graffiti.

графѝч|ен *прил.*, **-на**, **-но**, **-ни** graphic; **~на рисунка** drawing; **~но решение** graphic(al) calculation.

графѝческ|и₁ *прил.*, **-а**, **-о**, **-и** 1. graphic; 2. printing (*attr.*).

графѝчески₂ *нареч.* graphically.

графолòгия *ж.*, *само ед.* graphology.

графомàния *ж.*, *само ед. неодобр.* graphomania.

грàфств|о *ср.*, **-а** 1. county; *остар.* shire; 2. (*ранг, титла*) earldom; (*извън Англия*) rank/title of count.

грах *м.*, *само ед. бот.* peas (*Pisum sativum*); **лющен ~** split peas.

грàхов *прил.* pea (*attr.*); **~о зърно** pea.

грациòз|ен *прил.*, **-на**, **-но**, **-ни** graceful, elegant; gazelle-like; (*като котка*) feline.

грациòзност *ж.*, *само ед.* grace, gracefulness.

грàци|я *ж.*, **-и** 1. grace, gracefulness, elegance; 2. *мит.* Grace; • **Трите ~и** the Graces.

грàча *гл.*, *мин. св. деят. прич.* **грàчил** croak; (*за врана*) caw; (*издавам звук като грак*) squawk.

гребà *гл.* 1. (*лодка*) (*с едно гребло*) row, pull (at the oars); (*с две гребла или заедно с друг гребец*) scull; (*с гребло за кану*) paddle; **~ бързо** row a fast stroke; **~ назад** pull back; 2. (*черпя, загребвам*) dip up/out, scoop up; **~ вода от лодка** bail/bale out a boat; **~ с лъжица** spoon out/up, (*с голяма лъжица, черпак*) ladle out; **~ с шепи** scoop up with/in o.'s hands; 3. (*ровя, копая – с лопата*) shovel; (*с гребло*) rake.

грѐбане *ср., само ед.* rowing.

грѐбвам, грѐбна *гл.* dip up/out, scoop up.

грѐб|ен₁ *прил.*, -на, -но, -ни rowing (*attr.*); ~на лодка rowboat.

грѐбен₂ *м.*, -и, (два) грѐбена 1. (hair-)comb; (*чесало*) curry-comb; (*за разчесване на лен*) hackle; 2. (*на птица*) comb, crest; (*възрастък у птици*) caruncle; алвеоларен ~ *анат.* alveolar arch; ~ на петел cock's comb; 3. (*на вълнà*) crest; (*на планина*) ridge.

гребеновѝд|ен *прил.*, -на, -но, -ни comb-shaped; *зоол.* ctenoid.

греб|ѐц *м.*, -цѝ oarsman, rower; (*с две гребла или в тандем с друг гребец*) sculler; *разг.* puller.

гребл|ò *ср.*, -à 1. oar, (*едно от чифт*) scull; (*на кану*) paddle; (*двойно*) double paddle; лодка с две ~а pair-oar; 2. (*сечиво*) rake; ~о за сняг (flat wooden) snow shovel.

гред|à *ж.*, -ѝ 1. beam, joist; (*метална, прекосяваща*) girder; ~а на кораб keel; напречна ~а cross-beam, tie-beam, collar beam, binder, transom; носеща ~а girder; 2. *спорт.* (*гимнастика*) beam.

гредорѐд *м., само ед.* *строит.* trimmer joists.

грѐйвам, грѐйна *гл.* (*за слънцето*) come out, shine forth; (*за очи*) beam, light up.

грѐйк|а *ж.*, -и hot-water bottle, warmer; електрическа ~а electric (warming) pad.

грѐйнал *мин. св. деят. прич.* (*за слънцето и прен.*) beaming; (*за очи, поглед*) starry.

грѐйпфрут *м.*, -и, (два) грѐйпфрута *бот.* grapefruit (*Citrus paradisi*).

Гренлàндия *ж. собств.* Greenland.

гренлàндск|и *прил.*, -а, -о, -и Greenland (*attr.*).

грес *ж., само ед.* grease.

гресѝрам *гл.* grease, lubricate.

грехò|вен *прил.*, -на, -но, -ни sinful, wicked.

грехопадѐние *ср., само ед.* fall (of man), original sin.

грехотà *ж., само ед.*: ~ е it's wrong; ~ е да it is a sin to; (*жалко е*) it's a pity; ~ и срамота е it's a sin and a shame; it's a wicked shame.

грешà *гл., мин. св. деят. прич.* грешѝл 1. (*извършвам грях*) sin, commit a sin, transgress; 2. (*не съм прав*) be mistaken, make a mistake, be wrong, be in the wrong, be at fault, err (*спрямо, по отношение на* towards, in the direction of); ~ дето be wrong to; ~ дето не do/be wrong in not, make a mistake in not (*с ger.*); човешко е да се греши to err is human.

грѐш|ен *прил.*, -на, -но, -ни 1. sinful, wicked; на този ~ен свят in this sinful world; 2. (*погрешен*) wrong; erroneous.

грѐш|а *ж.*, -и mistake, error, blunder, fault; *sl.* boob; глупава ~а foolish mistake; *разг.* howler, goof; ~и на младостта errors of youth; груба ~а gross blunder; *разг.* howler, bloomer; допускам/правя ~а make a mistake, make/commit an error; *амер.* slip up; *sl.* boob, goof; за да не стане някоя ~а to prevent mistakes; правописна ~а a spelling mistake; стават ~и mistakes will happen; съдебна ~а miscarriage of justice; *юр.* error; ● ако има ~а, има и прошка to err is human, to forgive divine; ~а (*погрешен телефонен номер*) wrong number.

грѐшни|к *м.*, -ци; грѐшниц|а *ж.*, -и sinner.

грѐя *гл., мин. св. деят. прич.* грял 1. give warmth/heat; 2. (*светя, блестя*) shine; слънцето ме грее the sun shines on me; 3. *прен.* beam, shine; 4. (*топля*) warm, heat; ~ ръцете си на огъня warm o.'s hands at the fire; ~ се на огъня/на слънцето warm o.s. at the fire/in the sun; ● не ме грее much good it does me; that doesn't help me any; I am none the better for it.

грѝв|а *ж.*, -и mane; без ~а maneless; развята ~а flowing mane.

грѝвест *прил.* long-maned; ruffed.

грѝвн|а *ж.*, -и 1. bracelet; bangle; 2. *техн.* ring, racket; 3. *спорт.* pommel.

григориàнск|и *прил.*, -а, -о, -и Gregorian; ~и календар Gregorian calendar; ~о пеене Gregorian chant.

грѝж|а *ж.*, -и care (*за* of, for), concern (*за* about, for, over); mindfulness (*за* of); (*безпокойство, тревога*) anxiety, worry, trouble, bother, fuss; cumbrance; главна ~а preoccupation, prime concern; ~и за здравето health care; имам ~и have troubles; имам други ~и *разг.* have other fish to fry; не ме е ~а I don't care; нямай ~а за това make your mind easy about that; нямам никакви ~и be free from all care; създавам ~и be a trouble (на to); съсипан от ~и careworn; ти му бери ~ата that's your look-out; това е моя ~а that's my concern; това е най-малката ми ~а that's the least of my worries.

грѝжа се *възвр. гл., мин. св. деят. прич.* грѝжил се 1. take care (за of); ~ за look after; tend; take thought for; attend/minister to s.o.'s needs; care for; ~ за (*дете, болен, ранен*) nurse; ~ за интересите си look after/take care of number one, provide for o.'s interests; ~ за утрешния ден take thought for the morrow; ~ сам за себе си look (out)/fend for o.s., be left to o.s.; не се грижа за здравето си be careless of o.'s health; 2. (*безпокоя се, тревожа се*) be anxious/uneasy/worried, worry, bother (за about); не се грижи за това don't worry/trouble/bother about that.

грижлѝв *прил.* careful, solicitous, considerate, attentive, thoughtful (към to); mindful (*по отношение на задължения и пр.* of); (*старателен, усърден*) painstaking, industrious.

грижлѝво *нареч.* carefully; ~ пазена тайна carefully/closely guarded secret.

грижòв|ен *прил.*, -на, -но, -ни 1. (*грижлив*) careful, solicitous, considerate, attentive; 2. (*угрижен*) worried.

гризà *гл.* 1. gnaw (at) (*и прен.*), (*отхапвам по малко*) nibble (at); (*за червей*) eat into; ~ си ноктите gnaw bite o.'s nails; ~ сухар nibble (at) a rusk 2. (*измъчвам*) fester, rankle, eat; гри зе ме съвестта feel remorse, be smit ten with remorse, my conscience prick me, be conscience-smitten/-stricken.

гризàч *м.*, -и, (два) гризàча *зоол.* ro dent.

грѝзвам, грѝзна *гл.* have a nibble (at

грѝзли *ср. неизм. зоол.* grizzly bea (*Ursus horribilis*).

грѝзу *м. неизм. мин.* fire-damp, daun choke-damp, pit-gas.

грим *м., само ед.* make-up; paints; а тьорски ~ grease-paint; ~ за клепн mascara.

грима́с|а ж., -и grimace; *sl.* mug; пра́вя ~а make a grimace/a wry mouth/a face, pull a face.

грими́рам *гл.* make up; ‖ ~ **се** make (o.s.) up; do up o.'s face; paint o.'s face, make up o.'s face.

гримьо́р м., -и maker-up, make-up man.

гримьо́рн|а ж., -и dressing-room.

Гри́нуич м. *собств.* Greenwich.

грип м., *само ед.* grippe, influenza; *разг.* flu(e).

грис м., *само ед.* semolina.

гриф м., -ове, (два) гри́фа (*на китара и пр.*) neck, fingerboard; (*върху документ*): разреши́телен ~ visa.

грифо́н м., -и, (два) грифо́на *архит.*, *мит.* griffon.

гроб м., -ове, (два) гро́ба grave; tomb; **ве́рен до ~** true till/unto death; **вка́рвам в ~** carry off; **мълча́ като ~** be silent as the grave; **на ~а на** by (the side of) s.o.'s grave, at the grave (side) of; **обръ́щам се в ~а (си)** turn/spin in o.'s grave; **с еди́ния крак съм в ~а** have one foot in the grave; be on the brink/edge/verge/of the grave; be at death's door; ● **на чужд ~ не пла́чи** don't bother about other people's worries.

гроба́р (-ят) м., -и gravedigger.

гро́б|ен *прил.*, -на, -но, -ни: ~а моги́ла burial mound; ~на тишина́/мълча́ние dead/deathlike/deathly silence, the silence of the grave/of death.

гро́бища *само мн.* cemetery, graveyard, burial ground; *sl.* bone yard; silent city; (*към църква*) churchyard.

гро́бниц|а ж., -и tomb, sepulchre; *архит.*, *поет.* fane; **подземна ~а** vault; **семейна ~а** family vault.

гробо́в|ен *прил.*, -на, -но, -ни funereal; ~ен глас sombre voice.

грог м., *само ед.* grog.

гро́ги *прил. неизм. жарг.* groggy.

грозд м., -ове, (два) гро́зда bunch, cluster; (*чепка грозде*) bunch of grapes, grape cluster; **с плод ~** *бот.* symphoricarpous.

гро́зде *ср.*, *само ед.* grapes; **десертно ~** table/dessert grapes; **сухо ~** (*стафиди*) raisins, (dried) currants, sultanas; **червено френско ~** red currant (*Ribes rubrum*); **черно френско ~** (*касис*) black currant (*Ribes nigrum*);

● ~то е ки́село the grapes are sour, sour grapes.

гроздобе́р м., *само ед.* vintage (time), grape-gathering, grape/vine/wine harvest.

гроздобера́ч м., -и; **гроздобера́чк|а** ж., -и grape-picker/-gatherer, vine-harvester, vintager.

гро́здов *прил.* grape (*attr.*); ~а за́хар grape-sugar; ~а раки́я grape-brandy.

гроздови́д|ен *прил.*, -на, -но, -ни aciniform, cluster-like; grape-like; grapey; *анат.* staphyline.

гро́здолече́ние *ср.*, *само ед. мед.* ampelotherapy.

грозен *прил.*, -на, -но, -ни ugly, ill-favoured, unsightly, hideous; *разг.* gross; (*за постъпка*) improper, unseemly; (*за престъпление*) villainous, heinous, abominable, atrocious; gross; ~ен град/~но зда́ние/ли́це ugly town/building/face; ~на посту́пка vile act, foul deed; ● ~ен като дя́вол ugly as sin; *sl.* fit to stop the clock; ~но па́те ugly duckling; **Ива́н Гро́зни** *истор.* Ivan the Terrible.

гро́зно *нареч.* terribly, horribly.

грозота́ ж., *само ед.* ugliness (*и прен.*), unsightliness plainness (of features).

грозоти́|я ж., -и **1.** (*грозота*) ugliness; **2.** (*за човек*) ugly man/woman; eyesore; *sl.* doggie; face-ache.

грозя́ *гл.*, *мин. св. деят. прич.* грозѝл **1.** (*загрозявам*) make ugly, uglify; disfigure, be a blot on; **2.** (*застрашавам*) threaten, menace; грози го голяма опа́сност he is in grave danger.

громя́ *гл.*, *мин. св. деят. прич.* громѝл rout, put to rout; defeat.

грос *прил. неизм.* gross; **кино**. (*крупен план*) close-up.

гро́смайстор м., -и grand (chess-)master.

гроте́ск|а ж., -и grotesque; (*за човек*) gargoyle.

гроте́сков *прил.* grotesque (*attr.*).

гро́хвам, гро́хна *гл.* **1.** (*не издържам, падам*) drop, collapse; *разг.* crack up; **2.** (*от старост*) grow weak/feeble/decrepit, break down; be failing.

гро́хнал *прил.* broken down (with age, in health), worn out, clapped-out, decrepit, tottery; (*за кон*) gone at the knees.

гро́хот м., *само ед.* rumble, roar.

грош м., -ове, (два) гро́ша penny, stiver; **зала́гам после́дния си ~ на** bet o.'s bottom dollar on; ● **през куп за ~** slap-dash, any old how/way.

груб *прил.* (*за повърхност*) rough, coarse; (*недоизработен, примитивен*) crude; (*неучтив*) rude, uncivil, uncourteous, unmannerly; gross; earthy; currish; *разг.* roughnecked, gruff, crabby, crabbed; (*неприличен*) coarse; (*вулгарен*) vulgar, low, gross, broad; (*явен, очебиен – и за лъжа, ласкателство, несправедливост, преувеличение*) gross, heavy-handed; (*материалистичен*) earthy; (*за глас*) harsh, rough, gruff; (*за език*) coarse, rude, gross; (*прям*) blunt; ~ (*много кратък*) **отго́вор** curt/gruff reply; ~ **чо́век** rough man, (*неделикатен*) coarse-fibred/-grained man; ~а **гре́шка** flagrant/gross error, gross/glaring blunder, bad mistake; *разг.* howler; ~а **действи́телност** brute/rugged/grim reality; ~а **наме́са** crude/gross interference; ~а **си́ла** brute strength/force; ~а **сме́тка** rough estimate; **позволя́вам си ~и ше́ги с** play rough jokes on; ~и **черти́** (*на лице*) hard/heavy features; ● **в ~и черти́** in broad outline.

грубия́н м., -и churl, lout, trog, rude/ill-mannered fellow, rough customer; *разг.* oil roughneck, twerp, *амер.* punk, *амер. sl.* goop.

грубия́нство *ср.*, *само ед.* bullying, hectoring.

гру́бо *нареч.* roughly, rudely; grossly; gruffly; (*неучтиво*) uncivilly, uncourteously, currishly; **постъ́пвам/отна́сям се ~ с** be rough to/with, treat/handle roughly, treat rough, deal roughly with; *разг.* give s.o. the works.

гру́бост ж., -и rudeness, coarseness, roughness, uncouthness; grossness; gruffness; rude conduct; earthiness; currishness; *амер.* toughness; (*недоизработеност*) crudeness, crudity, ruggedness; *само* ~и rudeness.

гру́дк|а ж., -и tuber; corm.

грузи́н|ец м., -ци Georgian.

грузи́нк|а ж., -и Georgian (woman).

грузи́нск|и *прил.*, -а, -о, -и Georgian.

грунд м., *само ед.* primer, first/ground coat (of paint); couch; precoat(ing); underseal.

грундирам *гл.* prime, precoat.

груп|а *ж.,* -и group, (*само от хора*) party, company, batch; (*консултанти, експерти*) panel; (*банки и пр.*) bracket; *бот., зоол.* order; *геол., зоол.* series; **бойна ~а** *воен.* cell; **~а дървета** clump/cluster of trees; **~а затворници** batch of prisoners; **~а организирани хора** body; **~а острови** cluster of islands; **кръвна ~а** blood group/type.

групирам *гл.* group (together); form/arrange in groups, unite, bunch together, band; (*класифицирам*) classify; ‖ ~ **се** group (together), form a group, gather; (*обединявам се*) unite, rally (*около* around).

групировк|а *ж.,* -и group, grouping, alignment; *воен.* group, force; (*в картина*) composition.

групов *прил.* group (*attr.*); ~ **майстор/отговорник** foreman; ~ **началник/ръководител** squad leader; **~и занимания** group study.

групово *нареч.* in a group.

грухтя *гл.* grunt.

гръб (гърбът) *м.,* гърбове, (два) гърба back; *воен.* rear; **говоря зад гърба** на talk behind s.o.'s back; **~на книга** back of a book, spine; **да ти видя гърба!** beat it! scram! **живея на чужд ~** sponge, live on the toil of others; **извинете, че съм с ~ към вас** excuse my back; **изпитвам на гърба си** learn to o.'s cost; **на гърба** on the/o.'s back, (*на чуш*) pickaback; **на гърба на** *прен.* on the shoulders of; **нанасям удар в гърба** *прен.* stab in the back; **нападам в ~** take/attack in the rear; **не падам на гърба си** always fall (like a cat) on o.'s feet; stick to o.'s guns; not take things lying down; **обръщам ~ на някого** turn o.'s back on s.o.; give s.o. the cold-shoulder, cold-shoulder s.o.; send s.o. to Coventry; **пазя гърба си** watch o.'s back, cover o.'s back; **превивам ~** bend o.'s neck (**пред** to).

гръб|ен *прил.,* -на, -но, -ни *зоол.* dorsal, tergal; **~ен кроул** *спорт.* back crawl.

гръбна|к *м.,* -ци, (два) гръбнака *анат.* spine, backbone; (*опора*) mainstay; **без ~к** spineless (*и прен.*); **със здрав ~к** *прен.* staunch.

гръбнач|ен *прил.,* -на, -но, -ни spinal, vertebral; craniate.

гръд *ж.,* *само ед.* breast, bosom; (*гърда*) breast.

гръд|ен *прил.,* -на, -но, -ни breast, chest (*attr.*); *науч.* pectoral, thoracic; *анат.* mammary; **~ен глас** chestvoice, deep voice; **~ен кош** chest, *анат.* thorax; **~ен мускул** pectoral muscle; **~ен чай** medicinal herb-tea; **~на болест** pulmonary disease, lung disease; **~на обиколка** chest measurement.

гръднобол|ен *прил.,* -на, -но, -ни consumptive (*и същ.*); tubercular; *мед.* pulmonic patient, *разг.* TB patient.

грък *м.,* гърци Greek.

гръклян *м.,* -и, (два) гръкляна wind pipe; **прерязвам някому ~а** cut s.o.'s throat.

гръм *м.,* -ове, (два) гръма thunder; (*мълния*) lightning, thunderbolt; (*гръмотевичен удар*) thunder-clap; (*изстрел, детонация*) report; (*силен шум*) loud noise, crash; (*на оръдия*) roar; **върху къщата падна ~** the house was struck by lightning; **и мълнии** thunder and lightning; **ударен от ~** struck by lightning, thunder-struck; ● **и мълнии!** fire and brimstone! **~ от аплодисменти** a storm/thunder of applause; **~ от ясно небе** a bolt from the blue; **с ~ и трясък** with a bang.

гръмвам, гръмна *гл.* (*с огнестрелно оръжие*) fire (off o.'s gun), shoot, discharge; **без да гръмне пушка** without firing a shot; **той гръмна с пушката си** he fired; he fired/discharged/shot his gun, he let off his gun; (*за оръжие*) go off; (*за оркестър*) strike up, blare forth/out; (*за песен*) resound; ● **гръмна ми главата** my head was about ready to burst; **ще гръмне селото** the news will spread like wildfire in the village.

гръмко *нареч.* loudly; **смея се ~** roar with laughter.

гръмоглас|ен *прил.,* -на, -но, -ни loud(-voiced), loud-mouthed, deep-mouthed, full-throated; resounding, vociferant, ringing, strident, stridulous, uproarious.

гръмогласно *нареч.* uproariously, with a voice of thunder; **смея се ~** roar/shout with laughter; cachinnate.

гръмоотвод *м.,* -и, (два) гръмоотвода lightning-conductor; lightning dis-

charger, lightning protector; lightning-rod.

гръмотевиц|а *ж.,* -и thunder(-clap), clap/peal/roll of thunder.

гръмотевич|ен *прил.,* -на, -но, -ни thunder (*attr.*); **~ен трясък** a crash of thunder; **~на буря** electric storm.

гръм|ък *прил.,* -ка, -ко, -ки loud; (*за реч*) high-sounding, high-flown, bombastic, high-falutin; **~ка слава** great/resounding fame; **~ка фраза** bombastic phrase; **~ко име** famous/resounding/far-famed name.

гръндж *м.* *неизм.* (*за стил*) grunge.

грънци *само мн.* earthenware, pottery, pots; crockery; ● **на кола ~ и една тояга стига** it never troubles the wolf how many the sheep be.

грънчар (-ят) *м.,* -и potter.

грънчарск|и *прил.,* -а, -о, -и potter's; fictile; **~а работилница** pottery, potter's workshop; **~и изделия** earthenware; **~о колело** aotter's wheel.

грънчарство *ср.,* *само ед.* pottery(-making); clay modelling.

гръцк|и *прил.,* -а, -о, -и Greek; (*за архит. стил, нос, профил, прическа*) Grecian; **~и език** Greek, the Greek language.

грях (грехът) *м.,* грехове, (два) гряха sin, wrongdoing, trespass, transgression; (*грешка*) error, fault; ~ **да ти е на душата** shame on you; ~ **не ~, излъгах ги** it was the wrong thing to do but I lied to them; **младежки грехове** errors/indiscretions of youth, wild oats; **признат ~ не е ~** a fault confessed is half redressed; **смъртен ~** deadly/mortal sin.

губернатор *м.,* -и 1. governor; 2. *прен.* autocrat.

губерни|я *ж.,* -и *истор.* (large) province.

губя *гл.,* *мин. св. деят. прич.* губил lose; (*листата си – за дърво*) shed; **без да ~** (*никакво*) **време** without (any) loss of time; there and then; ~ **влиянието си** lose (o.'s) influence; ~ **интерес към** lose interest in; ~ **си времето** waste o.'s time, fritter the time away; fribble; (*в чакане и пр.*) kick o.'s heels; ~ **сила** (*за закон*) lose its force/validity; ~ **съзнание** lose consciousness, faint, swoon; *разг.* pass out; ~ **топката** *спорт.* lose the ball; ~ **тър-**

пение lose patience; не ~ време waste no time, go ahead; не ~ нищо от това, че lose nothing by (c ger.), be never the worse for (c ger.); || ~ се get lost, lose o.'s way, stray, wander away; (изчезвам) disappear; (за звук) fade; ~ се в далечината fade into the distance; къде се губиш? where have you been all this time? where in the world have you been?

гуверна̀нтк|а ж., -и governess.

гугу̀кам гл. coo; (за дете) gurgle; crow; ~ си bill and coo.

гугу̀тк|а ж., -и turtle-dove.

гу̀з|ен прил., -на, -но, -ни guilty, shame-faced; ~на съвест guilty conscience; изглеждам ~ен look like the cat who swallowed the canary/got the cream; ● ~ен, негонен бяга a guilty conscience is a self-accuser; a guilty mind is never at ease; разг. if the cap fits wear it.

гу̀кам гл. coo; (за дете) gurgle, crow; гукаме си bill and coo.

гула̀ш м., само ед. кул. goulash.

гулѝ|я ж., -и бот. 1. colerape, kohlrabi (Brassica napobrassica); 2. (земна ябълка) Jerusalem artichoke.

гуля̀|й (-ят) м., -и, (два) гуля̀я feast, spree, revelry, sl. binge, blow-out; jamboree; randan; drinking-bout/-party, carousal; изкарахме един хубав ~й we had a rare old spree; отивам на ~й амер. go to town.

гуля̀йджи|я м., -и reveller, roisterer, feaster, convivial drunkard; free-liver, man about town, dissipated man; разг. gay dog, raver.

гуля̀я гл., мин. св. деят. прич. гуля̀ел feast; roister; go on a bat/batter/spree, be on the binge/spree; ~ цяла нощ feast the night away, sl. paint the town red.

гу̀м|а ж., -и (за изтриване) (piece of) rubber, eraser; (велосипедна, автомобилна, външна) tyre, tire, cover; вътрешна ~а inner tube; пука ми се ~а have a puncture; резервна ~а spare tyre; спада ми ~а have a flat tyre.

гу̀мен прил. rubber (attr.); ~а възглавница air-cushion; ~а лодка rubber dinghy; ~а палка rubber truncheon; обувки с ~и подметки rubbersoled shoes, gumshoes.

гу̀менки само мн. plimsolls, tennis-/gym-shoes.

гумѝрам гл. rubberize, cover with rubber; gum.

гу̀мичк|а ж., -и (за триене) (India) rubber, eraser.

гу̀пи само мн. зоол. (декоративна риба) guppy (Lebistes reticulatus).

гурбѐт м., само ед. нар.: ● отивам на ~ go abroad to make a living.

гурбетчѝ|я м., -и man working (for his living) abroad.

гу̀рел м., -и, (два) гу̀рела rheum, dried mucus/matter; gum.

гурѐлѝв прил. rheumy-eyed, bleareyed, (за очи) rheumy, bleary.

гу̀сл|а ж., -и муз. rebec(k).

гусла̀р (-ят) м., -и rebec-player.

гу̀ш|а ж., -и 1. neck, (гърло) throat; двойна ~а double chin; дошло ми е до ~а be fed up (to the back teeth/to death) (от with), be sick (and tired) (от of); have had o.'s fill (of); затънал съм до ~а в дългове/работа be up to o.'s neck in debt/work, up to o.'s eyes in; хващаме се за ~ите fly at each other's throats; go/be at it hammer and tongs; разг. come to close quarters; 2. (на птица) crop, gizzard; 3. мед. goitre, bronchocele, struma; появява ми се ~а develop a goitre.

гу̀швам, гу̀шна гл. cuddle, snuggle (до to); hug; fondle; амер. cosy s.o. up; || ~ се cuddle, huddle, nestle (together); smooch; snuggle; (любовно) neck.

гу̀щер м., -и, (два) гу̀щера зоол. lizard; ● бълвам змии и ~и shower abuses (against), call down fire and brimstone (on s.o.).

гъ̀б|а ж., -и 1. mushroom (и от атомна бомба); науч. fungus (pl. fungi); никнат като ~и they spring like mushrooms, they mushroom; отровна ~а toadstool, poisonous mushroom; супа от ~и mushroom soup; (сюнгер) sponge; изтривам (заличавам) с ~а sponge out; мия/трия с ~а sponge.

гъба̀р (-ят) м., -и (събирач на гъби) mushroom-gatherer; (който отглежда гъби) mushroom-grower; (продавач на гъби) mushroom-vendor.

гъба̀рни|к м., -ци, (два) гъба̀рника mushroom cellar/house.

гъ̀бен прил. mushroom (attr.).

гъбѐст прил. spongy, fungous, spongiform.

гъбѝчки само мн. биол. mould, mildew, parasitic fungi.

гъбя̀свам, гъбя̀сам гл. become/grow mouldy.

гъ̀вкав прил. flexible, bendable, supple, pliable, pliant; lithe, lissom; elastic; (на когото се влияе) pliable; (отстъпчив) yielding, compliant, (приспособим) adaptable, elastic; (съобразителен) resourceful; ~ ум quick/alert/versatile/resilient mind; ~о тяло flexible/supple body.

гъ̀вкавост ж., само ед. flexibility, suppleness, pliability, pliancy, resilience; snakiness; разг. flex; (на движения) litheness.

гъ̀гна гл. snuffle, speak/talk through o.'s nose.

гъгнѝв прил. snuffling, nasal; амер. разг. adenoidy; ~ говор snaffle.

гъгрѝца ж., само ед. (насекомо) frit fly, weevil.

гъ̀дел м., само ед. tickle; ~ ме е be ticklish; ● зная къде му е ~ът I know where to tickle him.

гъделичкам гл. tickle (и прен.); прен. titillate; ~ слуха tickle the ear(s).

гъделѝчкащ сег. деят. прич. (за усещане) tingly; titillating.

гъдула̀р (-ят) м., -и rebec-player.

гъду̀лк|а ж., -и муз. rebec(k).

гъз м., -ове, (два) гъза ass; ~ глава затрива eat o.s. sick; eat o.s. out of house and home.

гък междум.: не казвам ни ~ keep mum, not breathe a word; never open o.'s mouth; не смея ~ да кажа not be able to call o.'s soul/o.'s own; ни ~! (мълчание) mum! (ни дума никому) mum's the word!

гъ̀лтам гл. 1. swallow; (бързо) bolt; (бързо или лакомо) gulp down; (залък) get down, swallow; (лекарство) take (through the mouth); ~ въздух take in air, gulp air into o.'s lungs; ~ думите на drink in s.o.'s words, hang on s.o.'s lips; 2. (изразходвам) swallow up, consume.

гълча̀ гл. 1. scold, chide; rebuke, reprove, reprimand, upbraid; разг. tell off, bawl (s.o.) out, give (s.o.) a piece of o.'s mind, haul/rake (s.o.) over the coals, throw the book (at s.o.); 2. (говоря високо) talk loudly; jabber, gabble; (карам се) brawl, go at it hammer and tongs.

гълчàва *ж., само ед.* hubbub, uproar, babel, brawl.

гълъб *м.,* -и, (два) гълъба *зоол.* pigeon, dove; *шотл.* doo; **див** ~ (*гривяк*) wood-pigeon, cushat; **пощенски** ~ carrier-pigeon, homing pigeon, homer.

гълъбàрни|к *м.,* -ци, (два) гълъбàрника dove-cot(e), pigeon-loft, pigeonhouse; pigeonry; columbarium; (*жилище*) garret; *прен.* rookery.

гълъбùц|а *ж.,* -и dove, female pigeon.

гълъбов *прил.* dove (*attr.*); dove-coloured; ~о яйце dove's egg.

гълъбче *ср.,* -та (*и обръщ.*) ducky, darling, love.

гъмжà *гл.* swarm (от with), teem (от with), be rife (от with), abound (от in); (*от паразити, зверове, разбойници*) be infested (with); (*от паразити*) crawl (with); ~ **от грешки** swarm/teem/be rife with mistakes, bristle with errors; **улицата гъмжи от хора** the street is thronged/seething with people.

гъмза *ж., само ед.* 1. sort of black grapes; 2. gumza wine.

гънк|а *ж.,* -и 1. fold, corrugation, crinkle; flexure; (*на плат*) pleat, plait; cockle; pucker; (*мозъчна*) convolution; *геогр.* (*падина*) fold, undulation; ~а **на земната кора** fold of the earth; **правя** ~и (*за дреха*) pucker; 2. (*бръчка*) wrinkle; crease; ruckle; ● ~ите **на сърцето** the recesses of the heart.

гърбав *прил.* hunchbacked, humpbacked, crookbacked; (*прегърбен*) round-shouldered, stooping, bent; gibbous; ~ **нос** aquiline/hooked nose; ~ **съм** be a hunchback.

гърбиц|а *ж.,* -и 1. hump, hunch, humped back; (*на път*) road-hump; 2. *техн.* mill-cog, lobe; cam.

гърбом *нареч.* with o.'s back (към to).

гърбỳшко *м.,* -вци hunchback.

гърбя се *възвр. гл., мин. св. деят. прич.* гърбил се bend, stoop; (*за котка*) arch o.'s back.

гърд|à *ж.,* -ѝ breast.

гърди *само мн.* chest; *мед.* thorax; (*бюст*) breast, bosom (*и поет.*); **бия се по** ~**те** *прен.* thump o.'s chest; **едни** ~ **напред** head and shoulders above; **изпъчвам** ~ throw out o.'s chest; **кръстосвам ръце на** ~**те си** fold o.'s arms over o.'s chest; **притискам някого до** ~**те си** press s.o. to o.'s breast/bosom.

гъркùн|я *ж.,* -и Greek woman.

гърлен *прил.* guttural, throaty; gruff; *анат.* faucal; gular; *език.* guttural, velar, back.

гърло *ср., само ед. и* гърлà *само мн.* throat, throttle; gullet; *sl.* whistle; *анат.* larynx, fauces; (*на бутилка*) mouth, neck; *техн.* orifice; (*на пещ*) maw; **боли ме** ~**то** have a sore throat; **дера си** ~**то** bawl, cry loudly, shout lustily, shout at the top of o.'s voice; **думите заседнаха в** ~**то** ми the words stuck in my throat; **имам да храня пет гърла** I have five mouths to feed; **отива в кривото** ~ (*за храна*) go the wrong way; **хващам за** ~**то** take/seize by the throat; ● **ненаситно** ~ gluttony.

гърмèж *м.,* -и, (два) гърмèжа (*от огнестрелно оръжие*) (loud) report, shot, discharge; (*детонация*) detonation; (*трясък*) din, roar.

гърмя *гл.* 1. (*стрелям*) shoot, fire (по at); ~ **с пушка/оръдие/пистолет** fire a rifle/a gun/a pistol; 2. (*издавам гръм; и прен.*) thunder; (*еча, ехтя*) peal; (*за тръба, оркестър и пр.*) blare; (*за глас*) thunder, boom; (*за кола*) lumber; (*за радио*) blare, be on at full blast; (*за слава и пр.*) resound, reverberate; ‖ **гърми се** *безл. възвр.* it thunders, it is thundering.

гърмящ *сег. деят. прич., като прил.:* ~ **газ** *хим.* detonating gas, (*гризу*) firedamp; ~а **змия** *зоол.* rattlesnake.

гърнè *ср.,* -та (earthenware) pot, jar; **нощно** ~ chamber-pot; ● **на всяко** ~ **мерудия** have a finger in every pie; **меддлесome** person; **търкулнало се** ~**то, та си намерило похлупака** birds of a feather flock together.

гърци *само мн.* Greeks.

Гърция *ж. собств.* Greece; **стара/съвременна** ~ ancient/modern Greece.

гърч *м.,* -ове, (два) гърча cramp, spasm, convulsion; **имам** ~**ове** be seized with convulsions.

гърча *гл., мин. св. деят. прич.* гърчил contort, distort; ‖ ~ **се** writhe (about), twist convulsively, squirm, wriggle; ~ **се като червей** squirm, twist about like a worm; ~ **се от болки** writhe with/in pain.

гъсèниц|а *ж.,* -и 1. *зоол.* caterpillar; 2. (*на танк*) track.

гъсèнич|ен *прил.,* -на, -но, -ни cat-erpillar (*attr.*); ~**на верига** caterpillar(-chain); *техн.* crawler.

гъск|а *ж.,* -и goose (*pl.* geese) (*и прен.*).

гъсò|к *м.,* -ци, (два) гъсòка gander.

гъст *прил.* thick, dense; (*за вино*) full-bodied, heavy, robust; treacly; ~ **дим** dense smoke; ~а **гора** dense/thick forest; ~а **коса** thick hair; a shock of hair; ~а **мъгла** dense/heavy fog; ~а **течност** viscous/thick liquid; ~а **тълпа** thick crowd; ~и **вежди** thick/bushy/shaggy eyebrows; ~и (*непроходими*) **гори** a tangle of woods; ~и **облаци** heavy/dense/thick clouds.

гъстà|к *м.,* -ци, (два) гъстàка; гъсталà|к *м.,* -ци, (два) гъсталàка (close-grown) thicket, brush-wood, undergrowth, scrub, bush(es).

гъсто *нареч.* thickly, densely; **населен** ~ densely/heavily populated, crowded, populous.

гъстотà *ж., само ед.* 1. density, thickness, denseness; (*на тъкан*) compactness; ~ **на населението** density of population, population density; **степен на** ~ consistence, consistency; 2. *физ.* specific gravity.

гътвам, гътна *гл.* upset, overturn; ‖ ~ **се** 1. tumble down; 2. (*умирам*) drop down dead.

гъш|и *прил.,* -а, -о/-е, -и goose (*attr.*); ~а **мас** goose-fat; ~е **перо** goose-quill.

гьòзум *м., само ед.* mint.

гьол *м.,* -ове, (два) гьòла pool; puddle; *шотл. диал.* dub.

гьон *м., само ед.* sole-leather, thick leather.

гьòтере *нареч. диал.* slapdash, in a slapdash manner, any old how.

гювèч *м.,* -и, (два) гювèча *кул.* 1. (*съд*) earthenware dish/pan; 2. (*ядене*) hotchpotch, hotpot, stew, casserole; **постен** ~ vegetable hotchpotch.

гюдерùя *ж., само ед.* chamois.

гюл *м.,* -ове, (два) гюла *остар.* rose.

гюлè *ср.,* -та 1. *воен.* cannon-ball, round shot; 2. *спорт.* shot; **хвърляне на** ~ putting the shot.

гюрỳ|к *м.,* -ци, (два) гюрỳка *авт.* tilt, (folding, extensible) hood.

гюрулти|я *ж.,* -и *разг.* uproar, din, hubbub; row, rumpus, ruckus, ruction; **вдигам** ~я kick up a din/racket, make the dust/feathers fly.

гяỳрин *м.,* гяỳри giaour.

да₁ *част.* (*за потвърждение или съгласие*) yes; ~ **или не** yes or no; и ~ **и не** yea and nay; (*влез*) come in; (*при обаждане по телефона*) hello, yes.

да₂ *част.* **1.** (*подкана*) let (*с inf. без* to); ~ **вървим** let's go; **2.** (*заповед, закана*) *без превод:* **гледай ~ не закъснееш** mind you're not late; ~ **става каквото ще** come what may; **3.** (*нереално условие; пожелание*) if, if only, may; ~ **бях аз на твое място** if I were you; ~ **можех да го видя** I wish/ if only I could see him; **4.** (*съмнение*) *без превод:* ~ **не би** ~ for fear (that), lest; in case; **не ще** ~ **е той** it won't be him; **не дойдох** ~ **те видя** I came to see you; **8.** (*в съчет. със съюз и предл.*): **без** ~ without (*с ger.*); **дори и** ~ **е късно, ще отида** even though it is late, I shall go; late as it is, I shall go; **макар и** ~, **ако и** ~, **дори и** ~ though, even though, although; **преди** ~ before (*с ger.*).

давам, дам *гл.* **1.** give (**някому нещо** s.o. s.th., s.th. to s.o.); (*подавам*) hand, pass; (*за обща цел*) contribute; (*сервирам*) help (**някому нещо** s.o. to s.th.); (*храна на животно*) feed (**на** to); (*награда, почести, звание*) award (**на** to), confer (on), bestow (on); (*подарявам*) give, present (s.o. with s.th.); (*връчвам*) give, hand, deliver; (*мома за женене*) give in marriage; ~ **знак с ръка** motion with o.'s hand; ~ **израз на** give expression/utterance to; ~ **назаем** lend; ~ **обещание** make a promise, hold out a promise (**на** to), promise; ~ **съгласието си** give o.'s consent/assent; **имам да** ~ **някому** be in debt to s.o., be in s.o.'s debt, owe s.o. money, owe money to s.o.; **не** ~ (*помощ, съгласие*) withhold; **2.** (*отпускам; позволявам, разрешавам*) let (*с inf. без* to), allow (*с inf.*); (*амнистия, пенсия, виза, стипендия;* не-

зависимост, концесии и пр.*) grant; **дава ми се време** be allowed time; ~ **някому достъп до** give s.o. access to; ~ **свобода на някого** allow s.o. freedom, give freedom to s.o.; **3.** (*доставям, снабдявам*) furnish, supply, provide; (*излъчвам*) give out, emit; ~ **данни** supply data; **слънцето дава топлина и светлина** the sun emits heat and light; **4.** (*раждам, произвеждам; нося*) yield, bear, produce; ~ **дивиденти** yield dividents; ~ **мляко** give/yield milk; **5.** (*плащам*) pay; **6.** (*продавам*) sell, charge; **колко го давате? what do you charge for it? **7.** (*построявам — концерт и пр.*) give; (*представям — пиеса и пр.*) show, play, put on; ~ **обед/вечеря на** give a lunch/dinner for, entertain to lunch/dinner; **тази вечер дават Хамлет** they're playing/showing/giving Hamlet tonight, Hamlet is on tonight; **8.** (*установявам; поставям*) fix, set; ~ **задача** set a task; ~ **срок** set a time-limit; **9.** (*равнявам се на*) make, add up to; ● **давай!** go ahead! come on! ● **давай!** shoot! shoot on it! **давай!** (*по-бързо*) step on it! **давай!** (*говори*) shoot! fire away! ● **възможност на** enable (s.o.), give (s.o.) an opportunity (**да** *с inf.*); ~ **живота си** lay down o.'s life; ~ **клетва** take/make/swear an oath; ~ **някому да разбере** ~ **да се разбере** 1) make it clear to s.o. (that); 2) (*сгълчавам*) tell s.o. off; give s.o. hot/strong, give s.o. hell, give s.o. what for; ~ (**си**) **вид** pretend, make believe; ~ **парите си** (*харча за каквото да е*) part with o.'s money; **не** **си** ~ **много труд** take it easy.

давност *ж., само ед.* (*legal*) prescription; **загубвам** ~ become void by prescription; **право на** ~ *юр.* (*positive*) prescription; **с изтекла** ~ (*за дълг*) statute-barred.

давя *гл., мин. св. деят. прич.* **давил** **1.** drown; **2.** (*душа*) strangle, throttle, stifle, suffocate, choke; || ~ **се 1.** drown; (*задушавам се*) choke, suffocate (**от** with); ~ **се от кашлица** choke/suffocate with coughing, my cough is choking/suffocating me; **2.** (*за кучета*) fight; ● **който се дави и за сламка се хваща** a drowning man will catch/clutch/grasp at a straw.

даден *мин. страд. прич.* (*и като*

прил.) given, particular, fixed, certain, specific; (*за библиотечна книга*) given out; **в ~ня случай** in the case in hand, in the present instance/case; **~а величина** *мат.* given quantity; ● **вземам за ~о** take for granted, beg the question; **~о!** all right! agreed! sure! O.K.! that's a deal!

даденост *ж., само ед.* fact, datum.

дажб|а *ж.,* **-и** ration.

даже *част. и съюз* even; ~ **ако** even if/though; ~ **до 10 пъти** as many as ten times.

дайрè *ср.,* **-та** tambourine; timbrel.

дàкел *м.,* **-и,** (*два*) **дàкела** *зоол.* dachshound.

дактилоскопùч|ен *прил.,* **-на,** **-но,** **-ни** dactyloscopic; **~ен отпечатък** finger-print/-mark.

дактилоскòпия *ж., само ед.* dactyloscopy.

далавèра *ж., само ед. и* **далавèри** *само мн. разг.* piece of graft, jobbery, shady affair/deal, fraud, swindle; *разг.* jiggery-pokery, scam, racket, fiddle; **гледам винаги да съм на** ~ be always on the make; **занимавам се с далавери** be on the fiddle.

дала|к *м.,* **-ци,** (*два*) **далàка** *анат.* spleen; milt; **възпаление на ~а** *мед.* splenitis.

далекобò|ен *прил.,* **-йно,** **-йна,** **-йни** long-range (*attr.*); **~йно оръдие** high-powered gun.

далекобòйност *ж., само ед.* range.

далекоглèд₁ *прил.* long-/far-sighted; *мед.* hypermetropic.

далекоглèд₂ *м.,* **-и,** (*два*) **далекоглèда** telescope; (*бинокъл*) (opera-)glasses; *воен.* field glasses.

далекоглèдство *ср., само ед.* long-sight, long-sightedness, far-sightedness; *мед.* hypermetropia.

далекойзтòч|ен *прил.,* **-на,** **-но,** **-ни** Far-Eastern.

далекомèр *м.,* **-и,** (*два*) **далекомèра** telemeter; distance gauge; *воен.* rangefinder.

далекопровòд *м.,* **-и,** (*два*) **далекопровòда** transmission line; (*електрически*) power-line/-cable/-conduit, power transmission line.

далекосъобщèни|е *ср.,* **-я** *обикн. мн.* telecommunication.

далèч, далèче и далèко *нареч.* far,

far away/off, a long way off; *прен.* far removed/remote (**от** from); **гледам да съм по-~ от някого** keep out of s. o's way; **~ не** far from it; **~ от очите, ~ от сърцето** out of sight, out of mind; **~ от целта** off the mark; *прен.* wide of/beside the mark; **~ съм от мисълта, че** I'm far from saying that; **много съм ~ от истината** be far removed from the truth; **не е ~** it's quite near, it's only a short way off; • **който върви полека, ~ стига** more haste less speed.

далѐч|ен *прил.*, -на, -но, -ни distant, far away/off, remote, off-lying; far-flung; (*по време*) distant, remote; **в ~но бъдеще** in the far/distant future; **~ен братовчед** remote cousin; **~на цел** long-term aim/objective; **Далечният изток** *геогр.* the Far East; **~но плаване** high-seas/foreign navigation, a long voyage; **~но родство** distant relationship; **най-~ните части на света** the utmost parts of the world.

далечина *ж., само ед.* distance; **~ на извозване** *техн.* lead; **~ на изстрела** *воен.* jet.

дали *част. и съюз* whether, if; I wonder; **~ да му кажа?** I wonder if I should tell him.

дàли|я *ж.*, -и *бот.* (*цветето гергина*) dahlia.

далматѝн|ец *м.*, -ци, (два) **далматѝнеца** *зоол.* Dalmatian.

далновѝд|ен *прил.*, -на, -но, -ни far-sighted, far-seeing, foresighted; clear-eyed, clear-sighted; forethoughtful; **~ен човек** man of vision.

далновѝдност *ж., само ед.* foresight, foresightedness; forethought, fore-thoughtfulness; far-sightedness; vision; clear-sightedness.

далтонѝз|ъм (-мът) *м., само ед. мед.* colour-blindness, daltonism, daltonic vision, dichromic vision.

далтонѝст *м.*, -и *мед.* colour-blind.

дàм|а₁ *ж.*, -и lady; *шах.* queen; (*партньорка при танц*) partner; (*карта*) queen; **важна ~а** *разг.* dowager.

дàма₂ *ж., само ед.* (*игра*) draughts; (*детска*) hopscotch.

дамаджàн|а *ж.*, -и (wicker-covered) demijohn; (*за киселини*) carboy.

дамгòсвам, дамгòсам *гл. разг.* **1.** stain; **2.** brand (*и прен.*).

дàмск|и *прил.*, -а, -о, -и lady's, ladies';

~и чорапи stockings.

Дàния *ж. собств.* Denmark.

дàнни *само мн.* **1.** data, facts; information, evidence, record, background, readings; **археологически ~** archeological findings; **биографични ~** biographical evidence/record; **входни ~** input data; **изходни ~** output data; **масив от ~** data array; **непроверени ~** raw data; **по ~, с които разполагаме** according to the data at our disposal; **2.** (*заложби*) makings, (essential) qualities; **той има ~ за добър архитект** he has the makings of a good architect.

данò *част. и съюз* let's wish; may; if only; I hope; **~!** I hope so; **~ да излезе така** let's hope it is true; **~ да не закъснее** if only he comes on time; I hope he won't be late; **~ да не излезе така** I wish/let's hope it may not prove so.

дàнсинг *м.*, -и, (два) **дàнсинга** dance/dancing floor; dancing-hall; *амер.* saloon.

дантѐл|а *ж.*, -и lace; *архит.* tracery; **брюкселска ~а** point-lace.

дантѐлен *прил.* lace (*attr.*).

дàнъ|к *м.*, -ци, (два) **дàнъка** tax, duty; (*общински*) rate; **~к върху оборота** turnover tax; **~к върху общия доход** income tax; **~к "Добавена стойност"** value added tax, *съкр.* VAT; **~к "Печалба"** corporation tax; **избягване на ~ци** (*в рамките на закона*) tax avoidance; **налагам ~к** impose/levy/assess a tax (**на** on); **необложен с ~к** untaxed; **облагам с ~к** lay under taxation; **пряк/косвен ~к** direct/indirect tax; **тежки ~ци** heavy taxation; **укриване на ~ци** tax evasion.

данъкоплàт|ец *м.*, -ци tax payer; *пренебр.* townee, townie.

данъч|ен *прил.*, -на, -но, -ни **1.** tax (*attr.*); **~ен агент** taxation-agent; (*бирник*) tax-collector; **~ен инспектор** tax inspector, inspector of taxes; **~на декларация** income statement; tax form/return; **~на оценка** tax assessment; **~на политика** policy of taxation, fiscal policy; **~ни облекчения** tax relief, tax concession; **~но задължено лице** tax-able person; **2.** **като същ. обикн. членувано** person exempt from military service by paying a tax; (*бирник*) tax-collector.

дар *м.*, -ове/-и, (два) **дàра 1.** (*пода-*

рък) gift, present; (*дарение*) donation, donative; *юр.* grant; **~ от автора** presentation copy; • **~ божи** gift of God; **2.** (*дарба*) gift, talent, aptitude; **имам ~ слово** be a fluent speaker, have a ready flow of language, have a glib tongue, be glib of the tongue; **словесен ~, ~ слово** power of words/speech; *разг.* ("*чене*") the gift of the gab.

дàрб|а *ж.*, -и gift, talent; **имам ~а за езици** be a good linguist; **музикална ~а** talent for music; **човек с много ~и** man of many talents, versatile man.

дарѐни|е *ср.*, -я donation, endowment, bequest; *юр.* grant; **правя ~е на** endow.

дарѝтел (-ят) *м.*, -и; **дарѝтелк|а** *ж.*, -и donor, donator, contributor, giver, presenter; *юр.* grantor.

даровàни|е *ср.*, -я **1.** gift, talent; endowment; **2.** talented person.

даровѝт *прил.* gifted, talented.

дàром *нареч.* **1.** free of charge, gratis; for nothing; **получавам ~** have for nothing; **2.** (*напразно, залудо*) all for nothing, in vain.

дарявам, дарà *гл.* (*подарявам*) make a present of (**на** to), present s.o. with; (*за булка*) give presents; (*имот*) make over; (*правя дарение*) donate; endow (with), bestow (on); **~ някому живота/свободата** grant s.o. his life/his liberty.

дàт|а *ж.*, -и date; **без ~а** undated; **~а на влизане в сила** effective/attachment date; **~а на падежа** date of issue/maturity; **~а на производство** year of manufacture; **с вчерашна ~а** dated the day before; **с ~а ...** bearing date ..., under (the) date of ..., dated ...

дàтел|ен *прил.*, -на, -но, -ни *език* dative; **в ~ен падеж** in the dative (case).

датѝрам *гл.* **1.** date; **2.** (*водя началото си*) date, be dated (**от** from), go date back (**от** to); **~ от много отдавна** go back quite a long way; **~ още от** date as far back as.

дàтск|и *прил.*, -а, -о, -и Danish; **~ език** Danish, the Danish language.

дàтчанин *м.*, -и; **дàтчанк|а** *ж.*, -и Dane.

дàтчи|к *м.*, -ци, (два) **дàтчика** gauge, pick-up.

дафѝна *ж., само ед. бот.* (*лаврово дърво*) laurel, bay-tree.

дафи́нов прил. laurel, bay (attr.); ~и листа laurel-/bay-leaves.

два, две и **два́ма** (за лица) бройно числ. two; два пъти twice; двама по двама two by two; два-три a couple (of), two or three; две по две прави четири twice two is four; и двамата/двете both; от две части (за костюм) two-piece; по двама/две наведнъж two at a time; скъсвам на две tear in half; ● двама се карат, третият печели two dogs strive for a bone, and a third runs away with it; имам само две ръце have one pair of hands; като две и две четири as simple as ABC; с две думи казано in a few words, in a word, in short; човек знае и две, и двеста cut o.'s coat according to o.'s cloth.

два́десет (два́йсет) бройно числ. twenty; a score; ~ и четири часов diurnal, 24-hour (attr.); нямам още ~ години be still in o.'s teens; току-що съм навършил ~ години be just out of o.'s teens; ● ново двайсет one more twist of the knife, that's a new one.

два́десетгоди́ш|ен (два́йсетгоди́ш|ен) прил., -на, -но, -ни 1. (който трае/става през двадесет години) vicennial; 2. twenty years old; attr. twenty-year old.

два́десетгоди́шнин|а (два́йсетгоди́шнин|а) ж., -и twentieth anniversary.

два́десет|и (два́йсет|и) редно числ., -а, -о, -и twentieth.

два́десети́ч|ен (два́йсети́ч|ен) прил., -на, -но, -ни duodecimal.

ва́ж нареч. twice.

вана́десет (дванайсет) бройно числ. twelve; ● в ~ия час at the eleventh hour.

вана́десетгоди́ш|ен (дванайсетгоди́ш|ен) прил., -на, -но, -ни duodecennial.

вана́десетопръ́стни|к (дванайсетопръ́стни|к) м., -ци, (два) двана́десетопръ́стника анат. duodenum; възпаление на ~ка duodenitis.

вана́десетостѐнни|к (дванайсетостѐнни|к) м., -ци, (два) двана́десетостѐнника мат. dodecahedron.

вана́десетоъ́гълни|к (дванайсетоъ́гълни|к) м., -ци, (два) двана́десетоъ́гълника dodecagon.

двѐгоди́ш|ен прил., -на, -но, -ни (на две години) two years old; attr. two-year old; (който трае/става през две години) biennial; ~но растение biennial (plant).

двѐгоди́шнин|а ж., -и second anniversary.

двѐста бройно числ. two hundred.

двига́тел (-ят) м., -и, (два) двига́теля 1. motor, engine; ~ с вътрешно горене internal-combustion engine; изключен ~ dead engine; с работещ/неизключен ~ with the engine running; четиритактов ~ four-stroke/cycle engine; 2. прен. motive power/force; master mind.

двига́тел|ен прил., -на, -но, -ни motive; propelling; ~ен нерв анат. motor nerve; ~на сила motive power/force (и прен.); техн. motivity.

движа гл., мин. св. деят. прич. дви́жил 1. move; stir; (привеждам в движение) run, work, set in motion; (мелница – за вода, юзина – за електричество и пр.) turn; (местя) move, shift; 2. прен. actuate, motivate, animate; (влияя на) sway; движен съм от be actuated by; 3. ел. propagate; || ~ се 1. move (по along, всред among, из about); (много бързо) sl. go like a house on fire, go like a bat out of hell, go like a shot out of hell, zoom; ~ се (правя разходки) take exercise; ~ се в … среди move in … circles; ~ се назад move back(ward); regress; ~ се по земята/по вода (за самолет) taxi; (за кораб, облаци и пр.) scud; ~ се покрай move along, skirt along; ~ се свободно (без да бъда ограничаван) move about freely; 2. (пътувам) travel, get about; (скитам) knock about; ~ се бързо (с кола и пр.) bowl along; ~ се с най-голяма бързина race at full speed; те се движеха много бързо they moved at a smacking pace; 3. (за превозно средство) travel, move; (циркулирам) run; ~ се бързо rush, race, bowl along; ~ се с електричество be moved by/run on electricity; ~ се с пара/платна/гребане be propelled by steam/sails/rowing; 4. (вариравам – за цени и пр.) range (от … до from … to), vary; fluctuate (between … and); ● движеща сила a driving force, mainspring; разг. momentum; движещи

сили forces at work; той движи тази работа he is in charge for/is in charge of this matter.

движѐни|е ср., -я 1. motion (и на планета), movement; (внезапно; рязко) jerk; (ходене насам-натам) coming and going; ~е назад backward/regressive motion; ~е напред forward/progressive motion; непрекъснато ~е мат. flux; 2. (телесно) movement, motion; ~е с ръка gesture; правя ~е make a movement/motion/gesture; 3. (разходки) exercise; постоянно съм в ~е keep on the move; той е винаги в ~е he is always on the move/go/run; 4. (на машина, мотор) working, functioning, operation, motion; моторът е в ~е the motor is running; привеждам в ~е set/put in motion; 5. (на хора, превозни средства) movement, traffic; автомобилно/въздушно/железопътно/трамвайно ~е road/aircraft/rail/tramway traffic; в ~е in motion, under way, (за самолет и пр.) on the fly; не спирайте ~ето don't block the traffic; правила за ~ето rule of the road; traffic code, highway code; улично ~е street traffic; 6. (шетня, блъсканица) bustle; 7. прен. movement; всенародно ~е national/nationwide movement; националноосвободително ~е movement for national liberation, national liberation movement; 8. (улица, където хората се разхождат) promenade, main street; ● в ~е съм be on the move; в постоянно ~е (променя се) in a state of flux; ~е на капитали/идеи flow of capital/ideas; ~е на населението population shift.

дви́жим сег. страд. прич. 1. movable; ~о имущество юр. personal/movable property; лично ~о имущество юр. goods and chattels; 2. (подбуден) actuated, prompted, impelled (от by).

дво́|ен прил., -йна, -йно, -йни double; техн. duplex; бот. twin, geminate; астр. binary; (за конец) two-ply; в ~ен размер double the amount; ~йно допълнение език. dual object; ~йно поданство dual nationality; ~йно счетоводство book-keeping by double entry; играя ~йна игра double-cross; с ~йна сила with redoubled force.

двоето́чи|е ср., -я език. colon.

двойч|ен *прил.*, -на, -но, -ни *инф.* binary.

двойк|а *ж.*, -и **1.** *(число)* two; **2.** *(за хора)* couple, pair; **игра на ~и** *спорт.* doubles game; **съпружеска ~а** married couple; **състезание по ~и** *спорт.* pairs event; **те са хубава ~а** they make a fine couple/a pretty pair; **3.** *(птици)* brace; **4.** *(оценка)* poor (mark); **той получи ~а по ...** he has a "poor" for ...; **5.** *(при зарове/карти)* two, deuce; **~а каро/спатия** a two of diamonds/clubs; • **~а прежда** two-ply yarn.

двойкаджи|я *м.*, -и; **двойкаджийк|а** *ж.*, -и poor student.

двойни|к *м.*, -ци **1.** double; wraith; *(приличащ на друг)* counterpart, duplicate, a look-alike; **2.** *(ренде)* double-iron plane.

двойно *нареч.* double, doubly, twice as; **~ повече** twice as much/many; **~ по-малко** half as much; **~ по-скъп** twice as expensive, double the sum; **за това трябва ~ повече време** it takes double the time; **отплащам се ~ и тройно** na repay (s.o.) amply.

двойнодишащ *прил.*: *зоол.* **~и риби** dipnoi.

двойствен *прил.* **1.** dual, twofold, double; double-natured; **~о число** *език.* dual (number); **2.** *(двуличен)* double-faced, hypocritical.

двойственост *ж.*, *само ед.* duplicity; double-dealing; doubleness; *език.* duality.

двор *м.*, -ове/-и/-ища, (два) **двора** yard, courtyard; *(на болница, фабрика, посолство, затвор и пр.)* grounds; *(на университет, колеж)* *амер.* campus; *(обкръжението на монарх)* court; **на ~а** in the yard; **стопански ~** farmyard; **черковен ~** precincts of a church.

двор|ен *прил.*, -на, -но, -ни: **~но куче** watchdog; **~но място** yard, site.

двор|ец *м.*, -ци, (два) **двореца** court, palace; **в ~еца** at court; **~ец на културата** Palace of Culture; **къща като ~ец** a palatial house.

дворцов *прил.* palace *(attr.)*; **~ преврат** palace coup; **~ церемониал** court ceremonial; **~и интриги** court/palace intrigues.

дворянин *м.*, **дворяни** gentleman, nobleman, noble, courtier.

дворянск|и *прил.*, -а, -о, -и nobleman's, noble's; belonging to the gentry; genteel; aristocratic; courtly.

дворянство *ср.*, *само ед.* *истор.* landed aristocracy, nobility, nobles.

двоумение *ср.*, *само ед.* hesitation, wavering, vacillation; indecision.

двоумя се *възвр. гл.*, *мин. св. деят. прич.* **двоумил се** hesitate, be in two minds *(за about)*; jib *(за at)*; dither.

двойк *прил.* double, twofold.

двойко *нареч.* in two ways.

двуа́том *прил.*, -на, -но, -ни *хим.* diatomic.

двубо́|й *(-ят)* *м.*, -и, (два) **двубо́я** duel; **словесен ~й** a piece of swordplay.

двубра́чие *ср.*, *само ед.* bigamy.

двувале́нт|ен *прил.*, -на, -но, -ни *хим.* divalent, bivalent.

двувла́стие *ср.*, *само ед.* diarchy.

дву|връх *прил.*, -върха, -върхо, -върхи twin-peaked; *(за клапа)* *анат.* mitral.

двугла́в *прил.* two-headed, twin-headed; bicephalous; dicephalous; **~ орел** two-/double-headed eagle; double-eagle.

двугла́с|ен *прил.*, -на, -но, -ни **1.** *език.* diphthongal; **~ен звук** diphthong; **2.** *муз.* for/in two voices, in two parts, two-part *(attr.)*.

двугоди́ш|ен *прил.*, -на, -но, -ни *бот.* biennial.

дву|гръб *прил.*, -гърба, -гърбо, -гърби: **~гърба камила** *зоол.* two-humped camel, Bactrian camel *(Camelus bactrianus ofmesticus)*.

двудел|ен *прил.*, -на, -но, -ни: **~на форма** *муз.* binary form.

двудне́в|ен *прил.*, -на, -но, -ни two-day *(attr.)*, two-days'.

двудо́м|ен *прил.*, -на, -но, -ни *бот.* dioecious.

двуезич|ен *прил.*, -на, -но, -ни bilingual; diglottic; **~ен речник** bilingual/two-way dictionary.

двуета́ж|ен *прил.*, -на, -но, -ни two-storey *(attr.)*, two-storied; **~ен трамвай/автобус** double-decker.

двузна́ч|ен *прил.*, -на, -но, -ни *(двусмислен)* ambiguous, equivocal; **~но число** *мат.* a two-digit number.

двуизмер|ен *прил.*, -на, -но, -ни two-dimensional.

двука́мер|ен *прил.*, -на, -но, -ни bicameral, two-chamber *(attr.)*; *бот.* dithecous.

двукопи́т|ен *прил.*, -на, -но, -ни cloven-hoofed/-footed.

двукра́к *прил.* two-legged; *зоол.* dipodous, biped; **~о животно** biped.

двукра́т|ен *прил.*, -на, -но, -ни double, twofold; *(повторен)* reiterated; **~ен** *(европейски и пр.)* **шампион** twice (European, etc.) champion.

двукрил *прил.*; **двукрил|ен** *прил.*, -на, -но, -ни **1.** *зоол.*, *бот.* dipterous, dipteral; **~и** diptera; **2.** two-winged; **~а врата** two-leaved/folding door(s); **~ен гардероб** two-winged wardrobe.

двулич|ен *прил.*, -на, -но, -ни double-/two-faced; double hearted, double-hearted; double-tongued; hypocritical, dissembling; duplicitous; **~ен човек** double-dealer.

двулични|к *м.*, -ци double-dealer, hypocrite; dissembler.

двуме́р|ен *прил.*, -на, -но, -ни two-dimensional.

двуме́сеч|ен *прил.*, -на, -но, -ни two-month *(attr.)*; *(за възраст)* two-month-old; **в ~ен срок** in two months' time; *(за издание)* bimonthly.

двуме́ст|ен *прил.*, -на, -но, -ни two-seated; **~ен каяк** *спорт.* tandem kayak; **~на кола** two-seater; **~но кану** *спорт.* tandem canoe.

двуме́тров *прил.* two-meter-long.

двумото́р|ен *прил.*, -на, -но, -ни twin-engined.

двуно́г *прил.* two-legged, biped *(и като то същ.)*.

двуо́кис *м.*, *само ед.* *хим.* dioxide **въглероден ~** carbon dioxide.

двуо́сев и **двуо́сов** *прил.* biaxial.

двуосно́в|ен *прил.*, -на, -но, -ни *хим.* diabasic, dibasic.

двупа́луб|ен *прил.*, -на, -но, -ни double-decked, twin-deck; **~ен кораб** double-/two-decker.

двупло́щ|ен *прил.*, -на, -но, -ни: **~ен самолет** biplane.

двупо́лов *прил.* bisexual, epicene; *бот.* synoecious; *бот.*, *зоол.* monoecious.

двупо́люс|ен *прил.*, -на, -но, -ни bipolar, two-pole, dipolar; double-pole.

двупосо́ч|ен *прил.*, -на, -но, -ни two-way *(attr.)*; *ел.* duplex; **~на улица** two-way street.

двуразде́л|ен прил., -на, -но, -ни бот. bipartite, bifid.

двура́мен|ен прил., -на, -но, -ни double-arm; ~на стълба double staircase.

двуре́д|ен прил., -на, -но, -ни double-breasted; бот. distichous.

двуро́г прил. two-horned, bicorn; (за луна) crescent(-shaped); (за вила и пр.) two-pronged.

двусе́дмич|ен прил., -на, -но, -ни two-week (attr.), of two weeks; (за възраст) two-week-old; (за издание) fortnightly, biweekly.

двусемеде́л|ен прил., -на, -но, -ни бот. dicotyledonous; ~но растение dicotyledon.

двусе́мен|ен прил., -на, -но, -ни бот. dispermous; dicotyledonous.

двусме́н|ен прил., -на, -но, -ни two-shift (attr.).

двусми́слен прил. ambiguous, equivocal; double-barrelled; (неясен) oracular, dark, vague; (за похвала и пр.) backhanded.

двусми́слено нареч.: говоря ~о equivocate.

двусри́ч|ен прил., -на, -но, -ни disyllabic, two-syllabled.

двуста́|ен прил., -йна, -йно, -йни two-room(-ed).

двусте́н|ен прил., -на, -но, -ни мат. dihedral.

двусте́пен|ен прил., -на, -но, -ни two-stage (attr.).

двусти́ши|е ср., -я couplet, distich.

двустра́н|ен прил., -на, -но, -ни bilateral, bipartite (и език.); (с две страни) two-sided; юр. synallagmatic; (за покрив) ridged; ~ен гаечен ключ техн. double-ender.

двута́ктов прил. 1. муз. in double measure; 2. техн. two-cycle/-stroke.

двуутро́б|ен прил., -на, -но, -ни зоол. marsupial.

двуфа́з|ен прил., -на, -но, -ни two-phase (attr.), diphase, diphasic.

двуцве́т|ен прил., -на, -но, -ни bicoloured, two-colour (attr.), dichromatic; dichromic; (за кристал) dichroic.

двуце́вк|а ж., -и double-barrelled gun.

двуцили́ндров прил. two-cylinder (attr.); ~ двигател two-cylinder engine, duplex engine.

двуча́сов прил. two/twin-hour (attr.), two hours'.

двучле́н м., -и, (два) двучле́на мат. binomial.

двучле́н|ен прил., -на, -но, -ни (за комисия и пр.) two-man; ~но семейство family of two.

двуя́йч|ен прил., -на, -но, -ни: ~ен близнак fraternal twin.

де₁ нареч. съюз разг. where; ~ да бе́ше така if only it were so; ~ да бях там I wish I were there; ~ да можех would that I could, I wish I could.

де₂ част. 1. (за подканване, насърчаване): кажи ~ come on, tell me; хайде ~ come along/on! 2. (за изразяване на досада, недоволство): ~ бой ~! you're asking for trouble! не се сърди ~ now, don't be angry; побързай ~! hurry up now! стига ~! stop it (now)! enough of that! 3. (за изразяване на недоверие): хайде ~! well, really! well, now! not really! pooh, pooh! well, I'm blowed! you don't say!

дебаркацио́н|ен прил., -на, -но, -ни landing, debarkation (attr.); ~ен отряд воен. a landing party.

дебарки́рам гл. disembark, debark, land.

деба́ти само мн. debate, discussion; предлагам да се прекратят ~те move the closure.

дебе́л прил. 1. thick; (за материя) thick, close-woven, heavy; (от материя, която държи топло) warm; ~ сняг deep snow; ~а сянка thick/dense/ deep shade; ~о черво large intestine; покрит с ~ слой прах thickly covered/ coated with dust, with a thick coat of dust; 2. (за човек) fat, stout; podgy; fleshy, fleshly; ~и бузи fat/fleshy cheeks; ~и устни thick/fleshy lips; доста ~ of ample girth; много ~ corpulent, obese; 3. (за глас) deep; (дрезгав) thick; ● ~а глава pigheaded/headstrong fellow; mule; ~а лъжа thundering lie; разг. bouncer, whopper; ~а мара (тлъстига) бот. sedum, stonecrop (Sedum); обръщам ~ия край show the strong hand, shake the big stick, cut up rough; работата става ~а things are getting hot.

дебела́|к м., -ци 1. boor, churl, lubber, lout, oaf; 2. fat/portly fellow, podge.

дебела́н м., -овци fat/portly fellow, podge, lump, разг. fat-chops; (за дете) fatty, roly-poly.

дебела́н|а ж., -и stout/fat woman; fatty.

дебела́шк|и прил., -а, -о, -и coarse, low, gross, boorish, churlish, loutish, oafish.

дебеле́ц м., само ед. бот. houseleek (Sempervivum).

дебеле́я гл., мин. св. деят. прич. дебеля́л grow stout, get fat, put on weight/flesh; (затлъстявам) become corpulent/obese.

дебелина́ ж., само ед. thickness; (пълнота) stoutness, fatness, corpulence, obesity; (на жица, метален лист и пр.) gauge; ~на пласта мин. lift.

дебе́ло нареч. thickly; облечен ~ warmly dressed/clothed; подчертан ~ heavily scored; writ large.

дебелогла́в прил. pigheaded, obstinate, stubborn, mulish.

дебелоко́ж прил. thick-skinned; зоол. pachydermatous; ~ човек tough cookie; ~о животно pachyderm.

дебелоко́р прил. thick-rinded/-peeled.

дебелоо́чие ср., само ед. impudence, insolence, effrontery, barefacedness; shamelessness, unashamedness, brass, cheek.

дебелосте́н|ен прил., -на, -но, -ни thick-wall(ed), thick-section.

дебелостъ́блен прил. thick-stemmed.

дебил м., -и мед. moron (и грубо).

дебилно́ст ж., само ед. мед. debility, mental debility.

де́бит м., само ед. банк. debit(-side).

деби́т м., само ед. discharge, delivery, capacity; (на вода и пр.) capacity; техн. output, flow, flow rate; ~ на въздуха rate of air delivery; ~ на помпа displacement, pump flow.

деби́т|ен прил., -на, -но, -ни debit (attr.).

де́битор м., -и фин. (длъжник) debtor.

деблоки́ране ср., само ед. unblocking.

де́бна гл. 1. stalk (и за смъртта), lie in wait (for), keep/lie close; be on the look-out (for), watch (for); be/go on the prowl; (за съдбата, нещастие и пр.) shadow; ~ плячка prowl after/for a prey; ~ удобен момент watch o.'s time/opportunity; 2. (наблюдавам) watch, keep (a) close watch (on).

дебнешко́м и **дебнешка́та** нареч. stealthily, by stealth, surreptitiously;

вървя ~ stalk.

дѐбри *само мн.* jungle, thicket, maze, labyrinth; **планински** ~ mountain recesses/crannies/nooks.

дебют *м.*, -и, (два) **дебюта** debut, first appearance; *шах.* opening.

дебютант *м.*, -и **debutant**.

дебютантк|а *ж.*, -и debutante, deb.

дебютирам *гл.* make o.'s debut/o.'s first appearance.

дѐв|а *ж.*, -и *астр.*, *астрол.* Virgo; • **Дева Мария** *църк.* Virgin Mary, Our Lady.

девалваци|я *ж.*, -и devaluation, depreciation, debasement.

девалвирам *гл.* devaluate, depreciate, debase.

дѐвер *м.*, -и brother-in-law.

девесил *м.*, *само ед.* *бот.* cow parsnip/cow parsley, hogweed (*Heracleum sphondilium*), keck; (*оман*) elecampane.

дѐвет *бройно числ.* nine; • **докарвам от** ~ **кладенеца вода** quote chapter and verse (in support of); move heaven and earth; **през** ~ **села – в десето** at the world's end; at the back of beyond.

дѐветгодиш|ен *прил.*, -на, -но, -ни **1.** nine-year-old (*attr.*), nine years old; **2.** (*който трае девет години*) nine-year (*attr.*).

деветдесет *бройно числ.* ninety; ~ **на сто** ten to one.

деветдесетгодиш|ен *прил.*, -на, -но, -ни ninety-year-old (*attr.*), ninety years old, nonagenarian.

деветдесет|и *редно числ.*, -а, -о, -и ninetieth; **в** ~**ата минута** *спорт.* at the eleventh hour (*и прен.*).

девѐт|и *редно числ.*, -а, -о, -и ninth; ~**а** *мат.* (one) ninth.

деветима *бройно числ.* (*за приблизителен брой*) nine (men), ennead.

деветини *само мн.* *църк.* commemorative service (on the ninth day of s.o.'s death); • **бабини** ~ old wives' tale(s).

деветнадесет (**деветнайсет**) *бройно числ.* nineteen.

деветнадесет|и (**деветнайсет|и**) *редно числ.*, -а, -о, -и nineteenth.

деветор|ен *прил.*, -на, -но, -ни ninefold.

деветоъгълни|к *м.*, -ци, (два) деветоъгълника nonagon.

дѐветстотин *бройно числ.* nine hundred.

девиз *м.*, -и, (два) **девиза** motto; device.

девиз|ен *прил.*, -на, -но, -ни *фин.* currency (*attr.*).

девизи *само мн.* *фин.* **1.** foreign currency; **2.** bills payable in foreign currency.

девиц|а *ж.*, -и virgin; young girl; *поет.* maiden; *sl.* cherry.

девическ|и *прил.*, -а, -о, -и girls', for (young) girls.

девойк|а *ж.*, -и girl, lass.

дѐвствен *прил.* virgin, virginal; ~ **пояс** chastity belt; ~ **сняг** untrodden snow; ~**а гора/почва** virgin forest/soil.

дѐвственик|а *ж.*, -и virgin.

дѐвственост *ж.*, *само ед.* virginity.

дегазация *ж.*, *само ед.* decontamination, gas-cleaning, degasification.

дегазирам *гл.* decontaminate; degasify, degas.

дегенерат *м.*, -и degenerate (*и прен.*).

дегенераци|я *ж.*, -и degeneration; **мастна** ~**я** *мед.* fatty degeneration.

дегизирам *гл.* disguise; || ~ **се** disguise o.s. (**като** as).

деградаци|я *ж.*, -и degradation; (*понижаване*) demotion, reduction in rank.

деградирам *гл.* degrade; downgrade, demote, reduce in rank.

дегустатор *м.*, -и taster.

дегустирам *гл.* taste, sample.

деди *само мн.* ancestors, forefathers, forebears.

дедуктив|ен *прил.*, -на, -но, -ни inferential, deductive.

дедукци|я *ж.*, -и deduction; **по** ~**я** by inference.

дѐ|ен *прил.*, -йна, -йно, -йни active; energetic, vigorous, up and doing; on o.'s toes; *амер.* red-blooded; ~**ен живот** busy/active life; **оставам** ~**ен до дълбока старост** live to a green old age.

деепричасти|е *ср.*, -я *език.* verbal adverb.

дееспособ|ен *прил.*, -на, -но, -ни able(-bo-died), active, efficient.

дееспособност *ж.*, *само ед.* ability, efficiency, capacity.

дее|ц *м.*, дейци worker, figure; **административен** ~ administrator; **обществен/политически/културен/спортен** ~ public/political/cultural/

sporting figure.

дежур|ен *прил.*, -на, -но, -ни on duty (*predic.*); (*на изпит*) invigilator; ~**ен лекар** doctor on duty; ~**ен магазин** shop with extended business hours.

дежурств|о *ср.*, -а duty; ~**о на пост** point duty; **нощно** ~ night duty/ watch; **поемам** ~**о** go on duty.

дежуря *гл.*, *мин. св. деят. прич.* **дежурил** be on duty; ~ **на изпит** invigilate for an exam.

дезактивация *ж.*, *само ед.* deactivation.

дезактивирам *гл.* deactivate.

дезертирам *гл.* desert (from the army, to the enemy); defect; ~ **от поста си** desert o.'s post.

дезертьор *м.*, -и (army) deserter, defector.

дезинтеграция *ж.*, *само ед.* desintegration.

дезинтегрирам *гл.* *техн.* disintegrate

дезинтересирам се *възвр. гл.* cease to be interested (**от** in), no longer take any interest (**от** in), wash o.'s hands (of)

дезинтоксикация *ж.*, *само ед.* мед disintoxication.

дезинфекцион|ен *прил.*, -на, -но, -ни disinfection (*attr.*), disinfecting; fumigatory; ~**но средство** disinfectant.

дезинфекцирам *гл.* disinfect; (*чрез опушване*) fumigate, (*стая*) smoke out; (*чрез изваряване*) stove.

дезинформация *ж.*, *само ед.* misin formation.

дезодорант *м.*, -и, (два) **дезодоран та** deodorant; **ролков** ~ roll-on.

дезодорирам *гл.* deodorize.

дезорганизаци|я *ж.*, -и disorganiza tion.

дезорганизирам *гл.* disorganize; un balance; throw out of gear.

дезориентация *ж.*, *само ед.* disori entation.

дезориентирам *гл.* disorientate; per plex, confuse.

деиндустриализация *ж.*, *само ед* deindustrialization.

дѐйно *нареч.* actively; vigorously, en ergetically.

дѐйност *ж.*, -и **1.** (*човешка*) activity activities, work; **обществена** ~ public social work/activities; **писателска** ~ writing career/life; **стопанска** ~ ecc nomic activity; **2.** (*на комисия и пр*

proceedings; **3.** (*на орган, природна сила*) activity, action; **вулканична/сеизмична** ~ volcanic/seismic action; **сърдечна** ~ action/functioning of the heart.

дейонизàция *ж., само ед. хим.* deionization.

дейонизѝрам *гл. хим.* deionize.

дèйствам *гл.* **1.** act, be active, operate; be at work; (*вземам мерки*) take action (**срещу** against), *воен.* be in action, operate; ~ **безотговорно** play fast and loose; ~ **бързо/енергично** be prompt in action; take prompt/drastic action; ~ **на своя глава** go o.'s own way; ~ **прибързано** catch/take the ball before the bound; ~ **против** operate in opposition to, (*накърнявам*) do violence to; ~ **решително** take decisive action, grasp the nettle; ~ **според убежденията си** act out o.'s beliefs; **започвам да** ~ take action, (*за влияние и пр.*) come into play; **накарвам някого да действа** rouse s.o. to action; **2.** (*за механизъм, орган*) work, function; (*за машина и*) run; **3.** (*оказвам въздействие, влияя*) have/take effect, work (**на** on); ~ **благотворно** have a good/favourable effect; ~ **зле** have a bad effect; **никакви съвети не му действат** he is not to be prevailed upon; **това ми действа на нервите** this gets on my nerves; **4.** (*за закон и пр.*) be in force, be active/valid; **5.** (*вземам всички необходими мерки*) take all due measures, do everything possible; **6.** (*обработвам*) treat (**с** with).

дèйстващ *сег. деят. прич.* active, operative; *като прил.* ~ **вулкан** active volcano; ~ **закон** operative law, law in force; ~**и лица** dramatic personae.

дèйствен *прил.* efficient, efficacious, operative, effective; dynamic force; (*за принцип*) working; ~ **документ** vesting deed; ~**а сила** dynamic force, dynamics.

дèйстви|е *ср.,* -**я 1.** action, operation; **в** ~**е** in action; **влизам в** ~**е** come into operation; **военни/бойни** ~**я** hostilities, (military) operations; **начин на** ~**е** working; **пускам в** ~**е** set/put into operation; bring/call into play; **свобода на** ~**е** freedom of action; **2.** (*на механизъм*) operation, work; **3.** (*въз-*

действие, влияние) effect, influence; (*на лекарство*) effect, efficacy; **топлинно** ~**е** *физ.* calorific effect; **4.** (*постъпка*) act, action, deed; **5.** *лит., театр.* (*част от пиеса*) act; (*това, което става*) action; ~**ето се развива в** ... the scene is laid/the action takes place in ...; **6.** *мат.* operation, process; • **четирите аритметични** ~**я** the four rules of arithmetic.

действѝтел|ен *прил.,* -**на,** -**но,** -**ни 1.** real, actual; factual; effectual, effective; (*истински*) true, genuine, veritable; ~**ен факт** actual fact; ~**ен член** full member; ~**на случка** true story, story of real life, actual/real-life incident/occurrence; ~**на стойност** intrinsic value; **2.** *език.* active; ~**ен залог** active voice; **3.** *юр.* valid, in force; ~**на бюлетина** a valid voting-paper.

действѝтелно *нареч.* really, actually, effectually, truly, indeed, sure enough.

действѝтелност *ж., само ед.* reality, realities, life; factuality, factualness; scene; **бягам от** ~**та** avoid reality; **в** ~ in reality/fact/effect, effectually, in real life; **не бягам от** ~**та** face realities; **превръщам** ... **в** ~ convert/translate ... into reality, realize; **сурова** ~ harsh realities.

декàд|а *ж.,* -**и** ten days; (*празник*) tenday festival.

декàн *м.,* -**и** dean; *амер.* head; **заместник**~ subdean, vice-dean.

деканàт *м.,* -**и,** (**два**) деканàта dean's office.

дèкар *м.,* -**и,** (**два**) дèкара decare.

Декàртов *прил. мат.* Cartesian.

декатрòн *м., само ед. физ.* decade-counting tube.

декèмври *м. неизм.* December; **на втори** ~ on the 2nd of December; **през** ~ in December.

декемврѝйск|и *прил.,* -**а,** -**о,** -**и** December (*attr.*).

декламàци|я *ж.,* -**и** declamation; recital, recitation; *амер.* elocution; *прен.* tirade, harangue.

декламѝрам *гл.* recite; *амер.* elocute; *прен.* declaim, mouth.

декларатѝв|ен *прил.,* -**на,** -**но,** -**ни** declarative, declaratory.

декларатòр *м.,* -**и** declarer, declarant; *амер.* elocutionist.

декларàци|я *ж.,* -**и** declaration; (*до-*

кумент) written statement/declaration; **данъчна** ~**я** income-tax form/return; **митническа** ~**я** bill of entry; **писмена/клетвена** ~**я** affidavit.

декларѝрам *гл.* declare; come out with a declaration (of).

деклинàция *ж., само ед. астр., физ., език.* declination; **звездна** ~ *астр.* stellar declination.

декòдер *м.,* -**и,** (**два**) декòдера decoder.

декодѝрам *гл.* decode, decrypt.

деколтè *ср.,* -**та** (low) neck, neckline, neck opening; **обло** ~ (*на пуловер*) crew-neck; **с** ~ (*за рокля*) low-necked; low-cut, décolleté.

декомпресѝрам *гл.* decompress.

декомпрèсия *ж., само ед.* decompression; depressurization.

декòр *м.,* -**и,** (**два**) декòра sets, setscene; *театр.* (theatrical) scenery; **сменям** ~**ите** shift the scene; **смяна на** ~**ите** a change of scene/scenery.

декоратѝв|ен *прил.,* -**на,** -**но,** -**ни** decorative; (*за украшение*) ornamental; ~**а мазилка** pargeting; ~**о дърво/растение** ornamental tree/plant.

декорàтор *м.,* -**и** scene-painter, scenic artist; (*на къщи*) interior decorator; (*на витрини*) (window-)dresser; ornamentalist.

декорàци|я *ж.,* -**и** decoration, ornamentation; (*медал*) medal, decoration.

декорѝрам *гл.* decorate, adorn, embellish; (*с орден*) decorate, award a decoration (to).

декрèт *м.,* -**и,** (**два**) декрèта decree, edict; ordinance, fiat; **папски** ~ papal bull; **със силата на** ~ decretive.

делб|а *ж.,* -**и** юр. partition; (*разпределение*) distribution, division, sharing; (*на наследство*) division; (*на недвижим имот*) partition.

дèлв|а *ж.,* -**и** (earthen) jar.

делегàт *м.,* -**и;** **делегàтк|а** *ж.,* -**и** delegate (**на** to).

делегàци|я *ж.,* -**и** delegation, deputation; **по** ~**я** *юр.* by proxy; vicariously.

делегѝрам *гл.* delegate, send as a delegate, depute; (*власт*) devolve; ~ **някому власт** delegate power to s.o.; ~ **правата си на някого** authorize s.o.

делегѝране *ср., само ед.* devolution, delegation; deputation.

делèни|е *ср.,* -**я** division (*и мат.*); ~**е**

на две division into two, dichotomy; **~е на клетки** *биол.* fission, cleavage, cell-division; **знак за ~е** *мат.* a division sign/mark; **нанасям ~е** *техн.* graduate, subdivide, divide; **размножаване чрез ~е** *биол.* fissiparousness.

деликàт|ен *прил.*, -на, -но, -ни delicate; (*внимателен към другите*) considerate, thoughtful; (*крехък, слаб*) frail, fragile; (*изтънчен, фин*) fine, fine-drawn, exquisite; **~ен въпрос** ticklish/delicate question; tender subject; nice subject; nice point; **~но положение/тема** tricky situation/theme; *разг.* hot potato; **прекалено ~ен** (*в изразите си*) mealy-mouthed.

деликатèс *м.*, -и, (два) деликатèса delicacy, dainty, titbit.

деликàтност *ж.*, *само ед.* delicacy (of feeling), tact; ticklishness; frailness, frailty, fragileness, fragility; **нямам никаква ~** have no (sense of) delicacy.

делѝм|о и дèлим|о *ср.*, -и *мат.* divident.

делѝриум *м.*, *само ед.* *мед.* delirium.

дèлител и делѝтел (-ят) *м.*, -и, (два) дèлителя и делѝтеля divisor; factor; measure; *техн.* divider.

дèлни|к *м.*, -ци, (два) дèлника workday; *рел.* feria; **не зная ни ~к, ни празник** always have o.'s hands full, never rest.

дèлни|чен *прил.*, -на, -но, -ни workday (*attr.*); *рел.* ferial; (*еднообразен*) workaday, dull, drab, humdrum.

дèл|о *ср.*, -à 1. (*работа, действие, постъпка*) work, deed, act, affair; (*дейност, която поглъща целия живот на човека*) life-work; (*постижение*) achievement; (*проява*) performance; **велико ~о** a great deed, feat, exploit; **~о на човешка ръка** *археол.* artifact; **~о съм на** be a/the work of; **на ~о** virtually; in effect, de facto; **показвам на ~о** prove by deeds; 2. (*кауза*) cause; **боря се за ~ото** fight in the cause of; **за право ~о** in a good/the right cause; 3. *юр.* case, lawsuit, suit/action (at law); **водя ~о** (*за адвокат*) conduct a suit; **водя ~о против** be at law with; **възлагам ~о на адвокат** brief a lawyer; **гледам ~о** try a case; **завеждам ~о** go to law; **привличам по ~о** garnish; 4. (*област от познанието, от професия, занаят, из-*

куство и пр.) science; **аптечно ~о** pharmacy; **военно ~о** military science; **държавни ~а** state affairs/matters/concerns; 5. *канц.* file; **лично ~о** personal file, personal records; **слагам към ~о** file (away).

делов|й *прил.*, -à, -ò, -ѝ 1. business (*attr.*); **~и кръгове** business circles; **~и подход** businesslike approach; **~и човек** man of affairs/action; efficient man; 2. (*деен*) active, energetic, businesslike.

деловѝт *прил.* businesslike, efficient.

делово *нареч.* in a businesslike way/manner; energetically; **говоря ~** talk business.

деловодѝтел (-ят) *м.*, -и clerk, secretary.

деловòдство *ср.*, *само ед.* records.

делт|а *ж.*, *и геогр.* delta.

дèлтаплан *м.*, -и, (два) дèлтаплàна *спорт.* hang-glider.

делфѝн *м.*, -и, (два) делфѝна 1. *зоол.* dolphin; 2. *спорт.* dolphin stroke.

деля *гл.*, *мин. св. деят. прич.* делѝл 1. divide; split (up); **~ на две/три/няколко части** divide into two/three/several parts; **~ наполовина** divide in half, halve; **~ по равно** share/divide equally; **share and share alike**; 2. *мат.* divide; **~ девет на три** divide nine by three; 3. (*споделям*) share (c with); **~ радости и скърби с** share o.'s joys and sorrows with; 4. (*разпределям, поделям*) distribute; partition; **делим по равно** go shares/halves; **~ наследен недвижим имот** partition an inherited real property; 5. (*разделям, служа за граница*) divide, separate; **от него ме деля едно поколение** I am one generation removed from him; || **~ се** 1. separate (от from); leave; part (from); part company (от with); **~ се на листове** laminate; **ние никога не се делим в критични моменти** we always stick/stand together in critical moments; 2. (*обособявам се*) set up on o.'s own; 3. (*стоя на разстояние*) stand off; (*стоя настрана*) stand out; (*страня*) keep/stand/hold aloof; 4. *мат.* be divisible (на by); contain; **девет се дели на три** nine is divisible by three; **десет не се дели на три** ten will not divide into three/cannot be divided by three; **трийсет се дели на пет** thirty contains

five; **● делим се** (*за наследници*) divide up; **~ залъка си с** share o.'s last penny with; **~ мегдан** compete (**c** with).

делянка *ж.*, *само ед.* *бот.* valerian, allheal.

демагò|г *м.*, -зи *неодобр.* demagogue; sloganeer.

демагòгия *ж.*, *само ед.* demagogy; sloganeering; demagoguery, demagoguism.

демаркацио̀н|ен *прил.*, -на, -но, -ни demarcation (*attr.*); dividing; delimitative; **● ~на линия** *воен., полит.* line of demarcation, dividing line.

демаскѝрам *гл.* unmask, expose.

дематериализàция *ж.*, *само ед.* dematerialization.

дематериализѝрам *гл.* dematerialize.

демèнция *ж.*, *само ед.* *мед.* dementia; **ранна ~** precocious dementia.

демилитаризàция *ж.*, *само ед.* demilitarization.

демилитаризѝрам *гл.* demilitarize.

деминерализàция *ж.*, *само ед.* *хим.* demineralization, desalting.

деминерализѝрам *гл.* demineralize.

демобилизàци|я *ж.*, -и *воен.* demobilization; *разг.* demob.

демобилизѝрам *гл.* demobilize; *разг.* demob; || **~ се** get demobbed; *прен.* relax (o.'s vigilance); slacken.

демогрàфия *ж.*, *само ед.* demography; demographics.

демогрàфск|и *прил.*, -а, -о, -и demographic; **~а статистика** vital statistics; **~и бум** population explosion.

демокрàт *м.*, -и democrat.

демократизàци|я *ж.*, -и democratization.

демократизѝрам *гл.* democratize.

демократѝз|ъм (-мът) *м.*, *само ед.* democratism.

демократѝч|ен *прил.*, -на, -но, -ни democratic.

демокрàци|я *ж.*, -и democracy; **народна ~я** people's democracy.

дèмон *м.*, -и, (два) дèмона demon; fiend.

демонѝз|ъм (-мът) *м.*, *само ед.* demonism, devil-worship.

демонѝч|ен *прил.*, -на, -но, -ни demoniacal, demonic, fiendish, diabolical.

демонстрàнт *м.*, -и demonstrator.

демонстратѝв|ен *прил.*, -на, -но, -ни demonstrative; (*подчертан*) pointed;

ostentatious; ~но държание demonstrative behaviour; arrogance.

демонстратѝвно *нареч.* pointedly, demonstratively, ostentatiously; **напускам** ~ leave as a sign of protest.

демонстрàци|я *ж.*, -и **1.** demonstration; demo; ~и direct action; **2.** (*излагане на показ, демонстриране*) show, display; **въздушна ~я** air-display; ~я **на сила** show of power/force.

демонстрѝрам *гл.* **1.** demonstrate; **2.** (*излагам на показ, афиширам*) air, display (publicly); show off; ~ **силата си** show off o.'s strength; put on a show of strength; ~ **чувствата си** make a display of o.'s feelings.

демонтѝрам *гл.* dismantle, disarticulate; disassemble, take to pieces, take apart; dismount, demount; (*елемент*) detach.

деморализàция *ж.*, *само ед.* demoralization; *воен.* rot, loss of morale; **настъпва** ~ a rot sets in.

деморализѝрам *гл.* demoralize; ~ **войската** undermine the morale of the army.

ден (-ят) *м.*, дни, (два) дѐна и дни **1.** day; **всеки** ~ every day; day in, day out; **въпрос на дни** a matter of days; **до** ~ **днешен** to this (very) day, even to this day, up to/until this day/the present day; **живея** (от) ~ **за** ~ live from hand to mouth; live for the day; **на** ~ a/per day; **на другия** ~ on the next/following day; **не минава** ~ **без** not a day goes by without; **неприсъствен** ~ holiday; **някой** ~ some day, some time or other; **оня** ~ the day before yesterday; **от** ~ **на** ~ day by day, day after day, from day to day; day in, day out; **по цели дни** for days (on end); **почивен** ~ rest-day, a day of rest; **през** ~ every other day; **през целия** ~ all day long, the whole day through; **рожден** ~ birthday; **2.** (*време*) day, days; **в наши дни** in our/these days, nowadays; **през дните на** in the days of; **3.** *само мн.* (*живот*) days; • **всеки** ~ **не е Велик**~ Christmas comes but once a year; we don't kill a pig every day; ~**ят се познава от сутрина** a good night is never a bad day that hath a good night; good blood tells; **не съм видял бял** ~ I have had a hard life; **посред бял** ~ in broad daylight; **ясно като бял** ~ as

clear as day-(light).

денационализàция *ж.*, *само ед.* denationalization.

денационализѝрам *гл.* denationalize.

дѐнем *нареч.* by day, during the day, in the day-time; ~ **и нощем** day and night, night and day; ~ **или нощем** by day or night.

деноминàция *ж.*, *само ед.* denomination.

деноминѝрам *гл.* denominate.

денонòщ|ен *прил.*, -на, -но, -ни twenty-four-hour (*attr.*), round-the-clock; *астр.* diurnal; *прен.* ceaseless, unceasing, uninterrupted.

денонòщи|е *ср.*, -я day, one day and night, twenty-four hours, twenty-four-hour period.

денонòщно *нареч.* night and day; round-the-clock; *прен.* incessantly, unceasingly, without stopping; non-stop; **работя** ~ work double tides.

депигментàция *ж.*, *само ед.* *мед.* depigmentation.

депилатòр и **депилàтор** *м.*, *само ед.* *мед.* depilator; hair-remover.

депилàция *ж.*, *само ед.* *мед.* depilation.

депилѝрам *гл.* depilate.

деп|ò *ср.*, -à depot; (*склад*) warehouse; **вагонно** ~о carhouse; **железопътно** ~о engine-shed; **трамвайно** ~о tram-(way) depot, tram shed, *амер.* streetcar yard.

депозѝрам *гл.* deposit, lodge; ~ **в банка** deposit/lodge with a bank; ~ **заявление** hand in an application.

депозѝране *ср.*, *само ед.* deposition, deposit; (*на жалба, пари*) *юр.* lodgement.

депòзит *м.*, -и, (два) депòзита deposit (за on); (*запас*) stock; (*капаро*) down payment; **вземам** ~ charge a deposit (за for); **оставям** ~ leave as a deposit; **срочен** ~ fixed/time deposit.

депозитàр *м.*, *само ед.* *банк.* depository; *юр.* bailee.

депòзит|ен *прил.*, -на, -но, -ни depository; ~**на сметка** deposit account.

деполитизѝрам *гл.* depoliticize.

деполяризàция *ж.*, *само ед.* depolarization.

деполяризѝрам *гл.* *физ.* depolarize.

депопулàция *ж.*, *само ед.* depopulation.

депортѝрам *гл.* deport, expel.

депортѝране *ср.*, *само ед.* deportation.

депресàнт *м.*, -и, (два) депресàнта *фарм.* depressant, tranquilizer, barbiturate; *sl.* down, downer.

депресѝв|ен *прил.*, -на, -но, -ни *мед.* depressive.

депресѝрам *гл.* depress, oppress; *разг.* get (s.o.) down.

депрѐси|я *ж.*, -и depression (*и мед.*), low spirits, the blues; *метеор.* col.

депутàт *м.*, -и deputy; (*в Англия*) Member of parliament; (*в САЩ*) Congressman; ~ **съм** sit in the parliament.

депутàтск|и *прил.*, -а, -о, -и deputy's; ~**и имунитет** *парлам.* parliamentary immunity.

дерà *гл.*, *мин. св. деят. прич.* драл **1.** skin, flay; (*кит, тюлен*) flense, flinch, flinch; *прен.* (*одирам*) fleece; **2.** (*късам*) tear, rend, rip; **3.** (*дращкам*) scratch; **4.** (*критикувам*) haul/call over the coals; carpet; || ~ **се 1)** (*дера си гърлото*) bawl (and squall); yell, scream, shout at the top of o.'s lungs, vociferate; **2)** (*измъчва ме кашлица*) whoop, hack; • **дере ме гърлото** have a bad cough.

дерайлѝрам *гл.* **1.** run/get off the rails, leave the rails, be derailed, jump the metals/*амер.* the tracks; **2.** *прен.* take the wrong path/turning, go to the bad.

дерѐ *ср.*, -та gully, gulch, ravine.

дерзàя *гл.*, *мин. св. деят. прич.* дерзàл strive boldly (after); **дерзай!** courage! never say die!

деривàт *м.*, -и, (два) деривàта *хим.*, *език.* derivative; (*страничен продукт*) by-product; (*телефонен*) extension.

деривàция *ж.*, *само ед.* derivation, headrace; *воен.* windage.

дермàл|ен *прил.*, -на, -но, -ни *анат.* dermal.

дерматѝт *м.*, *само ед.* *мед.* dermatitis.

дерматолò|г *м.*, -зи dermatologist.

дерматолòгия *ж.*, *само ед.* dermatology.

десàнт *м.*, -и, (два) десàнта *воен.* landing.

десàнт|ен *прил.*, -на, -но, -ни landing (*attr.*); ~**ни войски** landing troops.

дѐсен *прил.*, дясна, дясно, дѐсни **1.** right, right-hand; dextral; **дясна ръка** as

right hand; *прен.* a right-hand man; **дясна страна** a right(-hand) side; **2.** *полит.* right-wing (*attr.*), rightist; **~ уклон** right-wing deviation; **3.** *като същ. полит.* right-winger.

десѐн *м.,* **-и, (два) десѐна** design, pattern; **~ на плат** textile design; **с ~ на цветя** flowered.

десѐрт *м.,* **-и, (два) десѐрта** sweet (course); *(плодове)* dessert.

десѐрт|ен *прил.,* **-на, -но, -ни** dessert (*attr.*); **~ни плодове** dessert/eating fruit; **~но вино** sweet wine; **~но грозде** dessert/table grapes.

дѐсет *бройно числ.* ten.

десетгодѝш|ен *прил.,* **-на, -но, -ни** ten-year, of ten years; *(който се повтаря през 10 г.)* decennial; *(за възраст)* ten-year-old.

десетгодѝшнин|а *ж.,* **-и** tenth anniversary.

десетднѐв|ен *прил.,* **-на, -но, -ни** ten-day (*attr.*), of ten days.

десѐт|и *редно числ.,* **-а, -о, -и** tenth; **~а** *мат.* a tenth (part).

десетилѐти|е *ср.,* **-я** decade; **от ~я** for decades past.

десетѝна *бройно числ.* (*за приблизителен брой*) about/some ten; half a score.

десетѝч|ен *прил.,* **-на, -но, -ни** *мат.* decimal; denary; **~на дроб/точка/мерна система** decimal fraction/point/system; **~но число** decimal number.

десѐтк|а *ж.,* **-и** ten; **~и** dozens (of), scores (of); **улучвам (в) ~ата** hit the bull's eye, score a bull's eye.

десетобо|й (-ят) *м.,* **-и, (два) десетобоя** *спорт.* decathlon.

десетоклас|ен *прил.,* **-на, -но, -ни** having ten grades (of a school).

десетокрàк *прил. зоол.* decapod.

десетокрàт|ен *прил.,* **-на, -но, -ни** tenfold.

десетокрàтно *нареч.* tenfold, ten times as much/many.

десетолѐвк|а *ж.,* **-и** ten lev note.

десетòр|ен *прил.,* **-на, -но, -ни** tenfold; decuple.

десетостѐн *м.,* **-и, (два) десетостѐна** *геом.* decahedron.

десетоъгълни|к *м.,* **-ци, (два) десетоъгълника** *геом.* decagon.

дескриптѝв|ен *прил.,* **-на, -но, -ни** descriptive.

деснѝц|а *ж.,* **-и 1.** right-hand; **2.** *полит.* the Right; *(група)* right wing, right-wing group.

деспòт *м.,* **-и** despot.

деспотѝз|ъм (-мът) *м., само ед.* despotism.

деспотѝч|ен *прил.,* **-на, -но, -ни** despotic, masterful, tyrannous; *(за нрав, държане)* domineering.

дестабилизѝрам *гл.* destabilize.

дестабилизѝране *ср., само ед.* destabilization.

дестилàт *м.,* **-и, (два) дестилàта** distillate.

дестилàтор *м.,* **-и, (два) дестилàтора** *хим.* still, distiller; *мор.* fresh-water condenser.

дестилациòн|ен *прил.,* **-на, -но, -ни** distillation (*attr.*), distilling, distillatory.

дестилàция *ж., само ед.* distillation; **многократна ~** *(с рециркулация)* cohobation.

дестилѝрам *гл.* distil.

дестинàци|я *ж.,* **-и** *мор., авиац.* destination.

детàйл *м.,* **-и, (два) детàйла** detail; *(машинна част)* piece, part; *техн.* job; *(подробен чертеж)* detailed drawing.

детàйл|ен *прил.,* **-на, -но, -ни** detailed, elaborate.

детайлѝрам *гл.* work out in detail, work out the details of.

детàйлно *нареч.* in detail.

детѐ *ср.,* **децà** child (*pl.* children) (*и прен.*); *разг.* kid, kiddie, nipper; **без деца** childless, with no family; **голямо ~** big child, *прен.* baby, grown-up child; **дори и едно ~ би го направило** a mere child could do it; **няма ни ~, ни коте** have no children, be carefree; **още като ~** even when a mere child, barely out of childhood; **постъпвам като ~** behave just like a child, act as if one were a child.

детегледàч *м.,* **-и; детегледàчк|а** *ж.,* **-и** baby-sitter, (child-)carer, childminder, care-giver, *амер.* caretaker.

детектѝв *м.,* **-и** detective; *амер.* sleuth; **частен ~** private detective/eye.

детектѝвск|и *прил.,* **-а, -о, -и** detective (*attr.*); **~и роман** *лит.* detective story/novel.

детѐктор *м.,* **-и, (два) детѐктора 1.** *техн.* detector, spark indicator; **2.**

радио. crystal set/receiver.

детелѝн|а *ж.,* **-и** *бот.* clover, trefoil; **четирилистна ~а** four-leaved clover; *(на път)* interchange, cloverleaf; *(в ядрената физика)* spallation.

детерминàнт|а *ж.,* **-и** *мат.* determinant.

детерминѝз|ъм (-мът) *м., само ед.* *филос.* determinism, necessitarianism, doctrine of necessity.

детерòд|ен *прил.,* **-на, -но, -ни** generative, genital; procreative; **~ни органи** *анат.* genitals.

детѝнск|и *прил.,* **-а, -о, -и 1.** child's; **2.** *(несериозен)* childish, childish-minded, infantile; futile; **~а любов** calf-love; **~а работа** chil-dish nonsense; **~и приказки** childish talk; **с ~и акъл** with the sense of a child; with no more sense than a child.

детѝнство *ср., само ед.* childhood; **от ~** from childhood (days), from infancy; **от ~** from the cradle; **приятели/спомени от ~** childhood friends/memories.

детѝнщин|а *ж.,* **-и** childishness; futility, futileness; *(постъпка)* childish prank.

дѐто *нареч. и съюз разг.* **1.** where; **~ и да е** anywhere; **2.** *(който)* who, that; **3.** *(затова, че)* for (*с ger.*); **наказаха ги, ~ закъсняха** they were punished for coming late; ● **~ най-малко можеш да очакваш** in most unlikely places; **~ седна и ~ стана** everywhere; **~ трябва** in the right place, in the proper quarter; **само ~ се тревожехме** we worried in vain.

детонàтор *м.,* **-и, (два) детонàтора** detonator, fulminator, detonating fuse, exploder; **капсул-~** blaster cap.

детонàци|я *ж.,* **-и** detonation.

детонѝрам *гл.* detonate.

дѐтск|и *прил.,* **-а, -о, -и 1.** *(за глас, игрище, литература, театър, болница, болнично отделение и пр.)* children's'; **~а болест** infantile disorder, children's disease; **~а възраст** childhood; **~а градина** nursery school, kindergarten; **~а играчка** plaything, toy; *прен.* child's play, doddle, pushover, breeze; **~а количка** perambulator, *разг.* pram; **~а престъпност** juvenile delinquency; **~а стая** nursery, *(на гара)* mother-and-child room; **~а учителка** kindergarten mistress; **~а хра-**

на baby food; **~и паралич** infantile paralysis; **2.** (*свързан с детинството – за обкръжение, психология, впечатления, преживявания и пр.*) childhood (*attr.*); **~и години** childhood years; **~и спомени** childhood memories, memories/reminiscences of childhood.

дѐтство *ср., само ед.* childhood, early life.

де фа̀кто *нареч.* de facto, in effect; practically, virtually.

дефѐкт *м.,* **-и, (два) дефѐкта** defect, blemish, fault, flaw, shortcoming, malformation; **без ~** trouble-free; **~ в говора** speech impediment; **техничес-ки ~** technical defect, bug.

дефѐкт | ен *прил.,* **-на, -но, -ни** defective, imperfect, flawed, faulty; **~ен екземпляр на книга** imperfect/spoiled copy; **~ен механизъм** faulty mechanism.

дефилѐ *ср.,* **-та** defile, gorge, pass.

дефилѝрам *гл.* march by/past, march in procession.

дефинѝрам *гл.* define, classify, name.

дефинѝци | я *ж.,* **-и** definition; **давам ~я на** give a definition of, define.

дефицѝт *м.,* **-и 1.** deficit; loss; shortfall; **касов ~** shortage; **покривам ~** make good/meet a deficit; **2.** *търг.* deficiency (in, of), shortage (of).

дефицѝт | ен *прил.,* **-на, -но, -ни 1.** scarce, hard to come by, short; **~на стойност** scarcity value; **~на стока** scarce commodity; **~ни стоки/материали** goods/materials in short supply; **2.** (*за бюджет*) with/showing a deficit, adverse; **у нас инженерите са ~ен кадър** we are short of engineers.

дефлацио̀н | ен *прил.,* **-на, -но, -ни** *икон.* deflationary.

дефла̀ция *ж., само ед. икон. фин.* deflation.

дефлора̀ция *ж., само ед.* defloration, deflowering.

дефлорѝрам *гл.* deflower.

деформа̀ци | я *ж.,* **-и** deformation, malformation, distortion; *техн.* crippling.

деформѝрам *гл.* deform, distort, change the shape of; **|| ~ се** become deformed; lose shape.

децентрализа̀ция *ж., само ед.* decentralization, hive-off.

децентрализѝрам *гл.* decentralize,

hive-off.

децентрѝрам *гл. авт.* (*колело*) offset.

децибѐл *м.,* **-и, (два) децибѐла** decibel.

децигра̀м *м.,* **-и, (два) децигра̀ма** decigram(me).

децилѝт | ър *м.,* **-ри, (два) децилѝтъ-ра** decilitre.

децимѐт | ър *м.,* **-ри, (два) децимѐтъ-ра** decimetre.

дешифрѝрам *гл.* decipher, decode; decrypt; **~ стенографски записки** extend shorthand; *прен.* make out.

дешифрѝране *ср., само ед.* decoding, deciphering.

де ю̀ре *нареч.* de jure.

дейни | е *ср.,* **-я** deed, act; **"Деяния на Светите апостоли"** *библ.* the Acts (of the Apostles); **наказуемо ~е** *юр.* indictable offence; **престъпно ~е** *юр.* criminal act.

дѐятел (-ят) *м.,* **-и** worker, figure, functionary.

дѐятел | ен *прил.,* **-на, -но, -ни** active; energetic, on o.'s toes.

джаз *м., само ед. муз.* jazz; (*оркес-тър*) jazz band; **танцувам ~** jazz.

джа̀зов *прил.* jazz; **~ оркестър** jazz-band; **~а музика** jazz music.

джамѝ | я *ж.,* **-и** *рел.* mosque.

джа̀нк | а *ж.,* **-и** wild plum, (*червена*) damson.

джант | а *ж.,* **-и** *авт.* wheel rim.

джа̀панки *само мн.* flip-flops; *амер.* thongs.

джа̀ул *м.,* **-и, (два) джа̀ула** *физ.* joule.

джебчѝ | я *м.,* **-и** pickpocket, *sl.* nudger.

джѐзве *ср.,* **-та** Turkish coffee-pot.

джѐнтълмен *м.,* **-и** gentleman (*pl.* gentlemen)

джѐнтълменск | и *прил.,* **-а, -о, -и** gentlemanly, gentlemanlike; **~о споразумение** gentleman's agreement.

джѝбри *само мн.* marc, rape.

джин₁ *м., само ед.* gin.

джин₂ *м.,* **-ове, (два) джѝна** (*дух*) genie, genius (*pl.* geniuses, genii)

джинджифѝл *м., само ед. бот.* ginger; **индийски ~** black ginger; **ямайс-ки ~** white ginger.

джѝнси *само мн.* jeans (*pl.*)

джѝнсов *прил.:* **~ плат** jean, (blue) denim.

джип *м.,* **-ове, (два) джѝпа** jeep.

джѝр | о *ср.,* **-а̀** *фин.* **1.** endorsement;

бланково ~о blank endorsement; **2.** (*оборот*) turnover.

джиро̀свам, джиро̀сам *гл. фин.* endorse, back; *прен.* foist, palm off, father (**на** on).

джоб *м.,* **-ове, (два) джо̀ба** pocket; *мед.* cavity; **плащам от ~а си** pay out of o.'s pocket; **пълня ~а си** *прен.* fill o.'s private pocket; **това не е според ~а ми** I can't afford it, it's beyond my means; **● слагам в ~а си** (*обсебвам*) pocket; (*превъзхождам*) be way and above, be head and shoulders above; carry before one, knock (s.th./s.o.) into a cocked hat.

джо̀б | ен *прил.,* **-на, -но, -ни** pocket (*attr.*); **~ен формат** pocket-size; **~ен фотоапарат** baby camera.

джо̀джен *м., само ед. бот.* mint; **див ~** pennyroyal.

джола̀н *м.,* **-и, (два) джола̀на** *кул.* knuckle, shin; **говежди ~** shin of beef, gravy beef; **телешки ~** knuckle of veal.

джу̀дже *ср.,* **-та** dwarf; (*много дребен човек*) midget, manikin, mannikin; *прен.* pigmy.

джу̀до *ср., само ед. спорт.* judo.

джунгл | а *ж.,* **-и** jungle; **● законът на ~ата** fist law.

дзън *междум.* ting (a-ling).

диабѐт *м., само ед. мед.* diabetes.

диабетѝ | к *м.,* **-ци** *мед.* diabetic.

диагно̀з | а *ж.,* **-и** diagnosis; **давам ~а** diagnose, diagnosticate, determine the nature of a disease.

диагно̀стика *ж., само ед.* diagnostics; **~ на неизправности** *техн.* fault/malfunction diagno-stics.

диагностѝрам *гл.* diagnose, diagnosticate.

диагностѝч | ен *прил.,* **-на, -но, -ни** diagnostic.

диагона̀л *м.,* **-и, (два) диагона̀ла** diagonal; **по ~** diagonally; cornerwise, cornerways).

диагона̀л | ен *прил.,* **-на, -но, -ни** diagonal; diagonally placed, cater-cornered, kitty-cornered.

диагра̀м | а *ж.,* **-и** diagram, chart, graph; **кръгова ~а** a pie chart; **лентова ~а** a bar chart.

диадѐм | а *ж.,* **-и** diadem, coronet, tiara.

диалѐкт *м.,* **-и, (два) диалѐкта** *език.* dialect.

диалѐкт|ен *прил.*, -на, -но, -ни *език.* dialectal.

диалектѝческ|и *прил.*, -а, -о, -и dialectic, dialectical; ~и материализъм *филос.* dialectical materialism.

диалектолò|г *м.*, -зи dialectologist; dialectician.

диалектолòгия *ж.*, *само ед.* *език.* dialectology.

диа̀лиза *ж.*, *само ед.* *мед.* dialysis; апарат за ~ dialyser; подлагам на ~ dialyse.

диалò|г *м.*, -зи, (два) диалòга dialogue; (*драматично произведение с две действащи лица*) dialogue.

диалогизѝрам *гл.* dialogize.

диалогѝч|ен *прил.*, -на, -но, -ни dialogic.

диалòгов *прил.*: ~ режим conversational mode.

диама̀нт *м.*, -и, (два) диама̀нта 1. diamond; нешлифован ~ rough diamond, brait; обработен ~ wrought diamond; шлифован ~ cut diamond; 2. *полигр.* (4 1/2 пункта) diamond; (3 1/2 пункта) brilliant.

диама̀нт|ен *прил.*, -на, -но, -ни diamond (*attr.*); diamantine.

диаметра̀л|ен *прил.*, -на, -но, -ни diametrical; diametral.

диаметра̀лно *нареч.* diametrically; diametrally; ~ противоположен antipodal; ~ противоположни in diametrical opposition, diametrically opposed.

диамѐт|ър *м.*, -ри, (два) диамѐтъра diameter.

диапазòн *м.*, *само ед.* range, scope, gamut, compass, spectrum; ~ на цените price range.

диапозитѝв *м.*, -и, (два) диапозитѝва (lantern-)slide; transparency, diapositive.

диапозитѝв|ен *прил.*, -на, -но, -ни: ~ен прожекционен апарат slide-projection camera, diaprojection lantern.

диарѝ|я *ж.*, -и *мед.* diarrhoea, *амер.* diarrhea, *sl.* the trots; силна ~я *разг.* collywobbles.

диаспòра *ж.*, *само ед.* Diaspora, dispersion of Jews.

диафѝлм *м.*, -и, (два) диафѝлма film strips, slide film.

диафра̀гм|а *ж.*, -и 1. *анат.* diaphragm, midriff; 2. *език.* stop.

див *прил.* 1. wild; (*неопитомен*) feral; ~ заек hare; ~ звяр wild beast; ~ край wild country; ~а природа wild nature; ~а свиня (wild) boar; ~и животни beasts of the field; 2. (*първобитен, некултурен*) savage, wild; primitive, uncivilized; 3. (*буен, необуздан*) wild, uncontrolled, unrestrained, unruly, intractable, ungovernable; ~ петел *прен.* wildcat; ~ човек Tartar; 4. (*необщителен*) unsociable, shy.

дива̀|к *м.*, -ци savage; (*невъзпитан човек*) boor, ill-bred fellow, churl.

дива̀н *м.*, -и, (два) дива̀на couch, sofa, ottoman, divan; разтегателен ~ sofabed; ● стоя ~ чапраз stand demurely; dance attendance on.

дива̀нѐ *ср.*, -та *разг.* silly fool.

дива̀чк|а *ж.*, -и 1. savage; 2. (*неприсадена овошка*) wilding.

дива̀шк|и *прил.*, -а, -о, -и savage.

дива̀щин|а *ж.*, -и savagery; barbarism.

дѝв|ен *прил.*, -на, -но, -ни wonderful, marvellous, glorious, fascinating, wondrous; ~но хубав wondrous beautiful, ravishing.

диверса̀нт *м.*, -и saboteur, wrecker, diversionist.

диверсиòн|ен *прил.*, -на, -но, -ни wrecking; ~ен акт act of sabotage/of diversion; ~но нападение (an attack for the purpose of) diversion.

диверси|я *ж.*, -и 1. *воен.* diversion; правя ~я create a diversion; evade the issue; 2. (*саботаж*) sabotage, act of sabotage.

дѝвеч *м.*, *само ед.* game; местност, богата с ~ good game country, country abounding in game; разрешен за лов ~ fair game; убивам много ~ make a bag.

дивѐя *гл.*, *мин. св. деят. прич.* дивя̀л 1. live in retirement/isolation/solitude; live like a savage; rusticate; 2. (*лудувам*) romp (about), frolic; caper, cut capers, cavort.

дивидѐнт *м.*, -и dividend; получавам ~и draw dividends; трупам ~и (от) capitalize (on/upon); *журн.* have a field day; *разг.* dine out (on); *sl.* cash in (on).

дивизиòн|ен *прил.*, -на, -но, -ни *воен.* divisional.

дивизи|я *ж.*, -и *воен.* division.

дивя̀ се *възвр. гл.*, *мин. прич.* дивя̀л се wonder (на at), marvel (at), be

amazed (at).

дѝг|а *ж.*, -и dike, dyke, embankment, *амер.* levee; отбивна ~а closure dam.

дигита̀л|ен *прил.*, -на, -но, -ни digital.

дида̀ктика *ж.*, *само ед.* didactics.

дидактѝч|ен *прил.*, -на, -но, -ни didactic; gnomic(al).

диѐз *м.*, -и, (два) диѐза *муз.* sharp; ~и и бемоли sharps and flats; до ~ C-sharp.

диелектрѝ|к *м.*, -ци, (два) диелектрѝка *ел.* dielectric, non-conductor; electret.

диелектрѝч|ен *прил.*, -на, -но, -ни dielectric; ~на константа *физ.* permittivity.

диѐт|а *ж.*, -и diet, regimen; на ~а съм be on (a) diet; пазя ~а follow a diet; подлагам на ~а put on a diet.

диетѝч|ен *прил.*, -на, -но, -ни dietetic, dietary.

дизайн *м.*, *само ед.* design.

дизайнер *м.*, -и designer; (*в модата*) designer; (*за обзавеждане*) interior decorator/designer; ~ графѝк graphic designer.

дѝзел *м.*, *само ед.* diesel.

дѝзелов *прил.*: автобус с ~ двигател diesel-operated bus; ~о гориво diesel oil.

дизентерѝй|ен *прил.*, -йна, -йно, -йни *мед.* dysenteric.

дизентѐрия *ж.*, *само ед.* *мед.* dysentery, English/bilious/summer cholera.

дѝй *междум.* gee! gee up! hup!

дикта̀т *м.*, *само ед.* *полит.* dictates; политика на ~ a policy of dictation.

диктàтор *м.*, -и dictator; военен ~ stratocrat.

диктату̀р|а *ж.*, -и *полит.* dictatorship.

дикто̀вк|а *ж.*, -и dictation; (*упражнение*) dictation exercise; пиша/записвам под ~ата на write/take down to s.o.'s dictation; под ~ата на *прен.* at s.o.'s bidding/prompting.

дѝктор *м.*, -и announcer; narrator, commentator.

дѝкторск|и *прил.*, -а, -о, -и: ~и текст commentary.

диктофòн *м.*, -и, (два) диктофòна dictaphone, dictating machine.

диктувам *гл.* dictate (на to); (*заповядвам*) command, order; (*налагам,*

изисквам) dictate, impose, demand; ~ **модата** set the fashion; ~ **условия** lay down/dictate conditions/terms.

ди́кция *ж., само ед.* diction, enunciation, delivery, elocution.

диле́м|а *ж.,* -и dilemma; **изправен съм пред** ~а be faced with a dilemma, be in a dilemma, be in a cleft stick; be on the horns of a dilemma.

дилета́нт *м.,* -и amateur; *неодобр.* dilettante, dabbler; smatterer.

ди́лър *м.,* -и *фин.* dealer; **оторизиран** ~ licensed dealer.

дим *м., само ед.* smoke, fume; **изпускам** ~ give out smoke; **оставям след себе си следа от** ~ (*за локомотив и др.*) leave a trail of smoke behind; **пускам** ~ (*при пушене*) blow/puff smoke, puff; • ~ **да ме няма** show a clean pair of heels; take to o.'s heels; cut o.'s stick; ~ **да те няма** sharp's the word, be off, off with you; **изчезвам като** ~ vanish into thin air.

ди́м|ен *прил.,* -на, -но, -ни smoke (*attr.*); **~ен канал** uptake; **~на завеса** smoke-screen (*и прен.*).

димоотво́д *м.,* -и, (два) димоотво́да chimney.

димя́ *гл.* smoke, fume.

динами́з|ъм (-мът) *м., само ед.* dynamism; dynamic force.

дина́мика *ж., само ед.* dynamics; (*в пиеса*) movement; ~ **на твърдите тела** *физ.* dynamics of solids; ~ **на флуидите** *физ.* fluid dynamics.

динами́т *м., само ед.* dynamite.

динами́ч|ен *прил.,* -на, -но, -ни dynamic(al); *прен.* full of action/tension; (*за живот*) eventful; (*за човек*) dynamic, energetic, active, storming, swinging.

динами́чност *ж., само ед.* dynamism; (*на живот*) eventfulness.

дина́м|о *ср.,* -а *техн.* dynamo.

династи́ч|ен *прил.,* -на, -но, -ни dynastic.

дина́сти|я *ж.,* -и dynasty.

динозав|ър *м.,* -ри, (два) динозавъра *палеонт.* dinosaur.

ди́н|я *ж., и бот.* watermelon; • **две ~и под една мишница не се носят** you cannot spin and reel at the same time.

дио́д *м.,* -и, (два) дио́да *радио.* diode.

дио́пт|ър *м.,* -ри, (два) дио́птъра

dioptre, *амер.* diopter.

дипл|а *ж.,* -и fold; falbala; **богати ~и** cascade.

дипло́м|а *ж.,* -и diploma; (*средношколска*) school-leaving certificate; **~а по архитектура/медицина и пр.** diploma in architecture/medicine etc.; **признаване на ~и** recognition of diplomas.

диплома́нт *м.,* -и graduate; *разг.* grad.

диплома́т *м.,* -и diplomat, diplomatist.

диплома́тич|ен *прил.,* -на, -но, -ни diplomatic, politic.

диплома́тическ|и *прил.,* -а, -о, -и diplomatic; **~о тяло** diplomatic corps/ body; **по ~и път** through diplomatic channels.

дипломати́чно *нареч.* diplomatically; **действам** ~ use tact.

дипло́мация *ж., само ед.* diplomacy.

дипло́м|ен *прил.,* -на, -но, -ни: **~ен проект** graduation work; **~на работа** diploma/graduation paper.

дипломи́рам *гл.* award/grant a diploma (to), confer a degree (on); || ~ **се** take a diploma, graduate, take o.'s degree.

дипломи́ран *мин. страд. прич.* diplomaed, graduate; trained; certificated; *като прил.* **~а медицинска сестра** trained nurse.

дипл|я́|а *ж.,* -и folder, fold-out.

дире́кт|ен *прил.,* -на, -но, -ни direct; (*прям*) downright, forthright, outright, outspoken, straightforward; foursquare; *разг.* flatfooted; full-frontal; **~ен влак/вагон/билет** through train/carriage/ticket; **~ен достъп** (*до файл*) *инф.* random access.

дире́ктор *м.,* -и director, manager; managing director; (*на учреждение*) head, chief; (*на училище*) headmaster, principal; (*на затвор*) governor; **банков** ~ bank director/manager; **външен** ~ non-executive director; **главен** ~ director general, general executive; **изпълнителен** ~ executive director; **помощник/заместник-**~ sub-manager, assistant/acting/deputy manager.

дире́кторк|а *ж.,* -и directress; (*на училище*) headmistress, (lady) principal.

дире́кторск|и *прил.,* -а, -о, -и directorial, managerial.

дирекцио́н|ен *прил.,* -на, -но, -ни: **~ен съвет** board council, board of

directors.

дире́кци|я *ж.,* -и board (of) directors, management, administration; directorate; **Генерална ~я** Directorate General; (*канцелария*) director's/ manager's office; (*отдел в министерство*) department, office.

ди́рен|е *ср.,* -ия search, quest; **съдебно ~е** *юр.* hearing of a case; pervious.

дириге́нт *м.,* -и *муз.* (orchestra) conductor; *амер.* leader; ~ **на духова музика** bandmaster; ~ **на хор** choir-master.

дириге́нтск|и *прил.,* -а, -о, -и *муз.* conductor's; **~а палка** a conductor's baton.

дириге́нтство *ср., само ед.* conductorship; **под ~то на** conducted by ...; **with ..** conducting.

дирижи́рам *гл. муз.* govern, direct, control, orchestrate, conduct.

ди́р|я₁ *ж.,* -и 1. trace, track, trail; (*от човек*) footprint, footmark, footstep; (*от животно*) track, trail, scent; (*от колело*) (wheel-)track; (*от кораб*) track, wake; **водна ~я** backwash; **вървя по ~ите на** follow in the tracks of; follow close behind, track (s.o.); **~я на диво животно** spoor; **загубвам ~ите на lose** tracks/the trail; *прен.* lose sight/ track of; **отклонявам някого от ~ите си** put s.o. off o.'s tracks, (*за животно*) put off the scent; **по ~ите съм на** be on the track of; **полицията е по ~ите му** the police are on to him/are on his tracks; **скривам ~ите си** cover o.'s traces, cover up o.'s tracks; throw (s.o.) off the scent/track; 2. (*белег, знак*) sign, mark, vestige, trace; **ни ~я** not a vestige (от of).

ди́ря₂ *гл., мин. св. деят. прич.* ди́рил *разг.* (*по съдебен ред*) claim; look for, search for, seek.

дисбала́нс *м., само ед.* disbalance, unbalance.

дисе́кци|я *ж.,* -и dissection.

дисертацио́н|ен *прил.,* -на, -но, -ни dissertational; **~ен труд** thesis, dissertation (paper).

дисерта́ци|я *ж.,* -и dissertation.

дисиде́нт *м.,* -и dissident, dissenter; dissentient.

дисиде́нтск|и *прил.,* -а, -о, -и dissentient.

диск *м.,* -ове, (два) ди́ска *техн.* disk,

disc, plate; (*на грамофон*) turn-table; **спорт**. discus; **флопи~** *инф*. floppy disk; **хвърляне на** ~ *спорт*. discus-throwing.

дисквалификàция *ж.*, *само ед*. disqualification.

дисквалифицѝрам *гл*. disqualify.

дискèт|а *ж.*, **-и** *комп*. diskette.

дѝсков *прил*.: disk, disc (*attr*.); ~ **трион** *техн*. buzz-saw; ~**а херния** *мед*. discal hernia, slip disc; ~**о запаметяващо устройство** *инф*. disc file.

дисководещ *м.*, **-и** disc-jockey, **съкр**. DJ.

дискомфòрт *м.*, *само ед*. discomfort; uncomfortableness.

дискòнто *ср. неизм. фин*. discount.

дискòнтов *прил. фин*. discount (*attr*.).

дѝскос *м.*, **-и**, (два) дѝскоса *църк*. collection plate, collecting-plate.

дискотèк|а *ж.*, **-и** 1. record library; 2. discotheque.

дискредитѝрам *гл*. discredit, bring discredit on, bring into discredit/disrepute; || ~ **ce** fall into discredit.

дискрèт|ен *прил.*, **-на, -но, -ни** discreet.

дискрèтност *ж.*, *само ед*. discretion.

дискриминацион|ен *прил.*, **-на, -но, -ни** discriminatory; ~**на политика** policy of discrimination.

дискриминàци|я *ж.*, **-и** discrimination, discriminatory practices/restrictions; (*на възрастни хора при наемане на работа*) ageism; **расова ~я** *полит*. racial discrimination; colour bar; *амер*. jim-crowism, (*в Южна Африка*) apartheid.

дискусион|ен *прил.*, **-на, -но, -ни** debatable, arguable, argumentative; ~**ен въпрос** controversial question, moot point; ~**ен клуб** debating society.

дискуси|я *ж.*, **-и** discussion, debate, controversy.

дискутѝрам *гл*. discuss, debate; **въпрос, който се дискутира масово** question that has given rise to much controversy.

дислокаци|я *ж.*, **-и** 1. *мед*. dislocation; 2. *геол*. dislocation, displacement, shifting leap; disturbance; 3. *воен*. distribution, stationing (of troops).

диспансèр *м.*, **-и**, (два) диспансèра *мед*. dispensary, clinic.

диспансеризàция *ж.*, *само ед*. pro-phylactic system.

диспансеризѝрам *гл*. put (s.o.) down for regular medical check-up.

диспèрсия *ж.*, *само ед*. dispersion (*и мед*.); *икон*. variance.

диспèчер *м.*, **-и** controller, dispatcher.

диспèчерск|и *прил.*, **-а, -о, -и** control (*attr*.), controller's; ~**а станция** dispatch station.

дисплè|й (-ят) *м.*, **-и**, (два) дисплèя display.

диспропòрци|я *ж.*, **-и** disproportion, want of proportion; imbalance.

диспỳт *м.*, **-и**, (два) диспỳта debate, dispute; **водя ~** debate.

дистанцион|ен *прил.*, **-на, -но, -ни** remote; distance (*attr*.); distance-type; ~**ни методи** remote sensing methods; ~**но управление** push-button/remote control, distance control.

дистанцѝрам се *възвр. гл*. disaffiliate, disassociate (with).

дистàнци|я *ж.*, **-и** distance.

дистрибỳтор *м.*, **-и** distributor.

дистрибуци|я *ж.*, **-и** distribution; **право на ~я** disributoship.

дисхармòни|я *ж.*, **-и** disharmony, discordance; **нотка на ~я** a rift in the lute.

дисциплѝн|а *ж.*, **-и** 1. discipline; **въвеждам** a enforce discipline; **липса на ~а** indiscipline; **сурова ~а** *воен. разг*. spit and polish discipline; **трудова ~а** labour discipline; 2. branch of knowledge/science, subject; 3. *спорт*. event, branch.

дисциплинàр|ен *прил.*, **-на, -но, -ни** (*за наказание, рота*) disciplinary; ~**ен съд** *воен*. summary court-martial.

дисциплинàрно *нареч.*: **наказвам ~** discipline; **уволнявам ~** dismiss for breach of discipline.

дисциплинѝрам *гл*. discipline; bring under control, regiment; break in.

дисциплинѝран *мин. страд. прич*. disciplined, orderly; well-regulated; *като прил*. ~ **гражданин** law-abiding citizen; ~ **ум** tidy/orderly disposition.

диференциàл *м.*, **-и**, (два) диференциàла 1. *мат*. differential; 2. *техн*. differential gear; *авт*. equalizing/differential gear.

диференциàл|ен *прил.*, **-на, -но, -ни** fluxional; ~**на митническа тарифа** differential duties; ~**но смятане** *мат*. differential calculus, fluxions; ~**но** уравнение *мат*. differential equation.

диференциàци|я *ж.*, **-и** differentiation; *мат*. fluxion.

диференцѝрам *гл*. differentiate.

диференцѝране *ср.*, *само ед. мат*. differentiation; ~ **на сложна функция** *мат*. indirect differentiation.

дифтòнг *м.*, **-и**, (два) дифтòнга *език*. diphthong.

дифỳзи|я *ж.*, **-и** *хим*. diffusion.

дифỳзност *ж.*, *само ед. физ*. diffuseness; **коефициент на ~** diffusivity.

дихàни|е *ср.*, **-я** breath; **изпускам последно ~е** gasp out o.'s life.

дихàтел|ен *прил.*, **-на, -но, -ни** respiratory, breathing (*attr*.); ~**ен апарат** exhauster; ~**на тръба** windpipe; ~**ни органи** *анат*. respiratory organs.

дѝшам *гл*. breathe (*и прен*.); ~ **дълбоко** draw a deep/long breath; ~ **правилно** have a good/long wind, be in good wind, have plenty of wind; ~ **тежко** breathe hard/heavily, pant, (*пухтя*) puff and blow; **тук не може да се диша** one can scarcely breathe here.

дѝшан|е *ср.*, **-ия** breathing, respiration, wind; **изкуствено ~е** artificial respiration; **спокойно/леко ~e** soft breathing; **тежко ~e** laboured breathing, panting.

длан *ж.*, **-и** palm (of the hand), flat of the hand; *анат*. thenar; **вижда се като на ~** be plainly/clearly visible, be plain to see; **държа на ~та си** hold on the flat of o.'s (open) hand.

длет|ò *ср.*, **-à** chisel, engraver; (*грабьорско*) burin; *археол*. palstave; **каменарско ~о** tooler; drove (chisel).

длъж|ен *прил.*, **-на, -но, -ни** 1. indebted, in debt; 2. obliged, bound; ~**ен съм да** I must, I have to, I have got to, it is my duty to, I am under an obligation to; • **не оставам ~ен** hit back, (be able to) give as good as one gets, answer pat/smartly; get o.'s own back; **оставам ~ен на** remain in s.o.'s debt.

длъжнѝ|к *м.*, **-ци**; **длъжнѝц|а** *ж.*, **-и** debtor; **укриваш се ~к** absconding debtor.

длъжност *ж.*, **-и** office, post, (official) position, appointment, function, duties; **встъпвам в ~** take up o.'s duties/post, enter on o.'s duties; assume/take office, come into office; **изпълняваш ~та** acting; **назначавам на ~** appoint to an

office/a post; **освобождавам от** ~ discharge from office, dismiss; **отговорна** ~ major post.

длъжност|ен *прил*., -на, -но, -ни: **действам в качеството си на** ~но **лице** act in o.'s official capacity; ~но **лице** official, functionary.

дневал|ен *прил*., -на, -но, -ни *и като* **същ.**: (soldier) on (barrack-room) duty.

днѐв|ен *прил*., -на, -но, -ни **1.** day (*attr*.); diurnal; ~на **светлина** daylight, light of day; ~но **представление** matinée; **2.** (*който се отнася до един ден*) daily; ~на **дажба** daily ration; ~на **норма** norm of work, working norm; • **включвам в** ~ния **ред** put on the agenda; ~ен **ред** order of the day, (*на събрание*) agenda.

дневна *ж*., *само ед*. (*стая*) living-room, day-room.

дневни *само мн*. (*пари*) travelling allowance/expenses.

дневни|к *м*., -ци, (два) **дневника** diary; *мор*. log-book; *търг*. ledger, journal, register; (*на полет*) flight book; **водя** ~к keep a diary; **входящ/изходящ** ~к register of incoming/outgoing mail, *търг*. incoming/outgoing journal; **училищен** ~к register.

днѐвно *нареч*. daily, a/per day.

днес *нареч*. **1.** today; ~ **след обяд** this afternoon; **от** ~ **нататък** from this day forward; **стига за** ~ that's all for today; let's call it a day; **2.** (*през времето, в което живеем*) today, at present, now, nowadays, these days; ~ **го има**, **утре го няма** here today, gone tomorrow; **от** ~ **нататък** from now on; henceforth.

днѐш|ен и **днѐскаш|ен** *прил*., -на, -но, -ни today's; (*съвременен*) of today; **в** ~но **време** nowadays; **до ден** ~ен to/until this day; down to the present day; **преди десет години на** ~ния **ден** ten years ago today/this day.

до₁ *предл*. **1.** (*за близост*) by, by the side of, beside, near, close to, next to; **един** ~ **друг** one beside the other, side by side; **седя** ~ sit next to/beside/by; **той живее** ~ **нас** he lives next door to us; **2.** (*за предел, посока, степен*) to, up to, down to, as far as; ~ **глезените/колене** ankle-/knee-deep; ~ **гърдите/раменета** breast-/shoulder-high; ~ **един** to the last man; **засмян** ~ **уши**

smiling broadly; **идвам** ~ **заключение** come to/arrive at a conclusion; **от** ... ~ ... from ... to .../till; **3.** (*за време*) till, until, up to; *поет*. еге; ~ **края** till the end; ~ **последната минута** to the very last; ~ **сутринта/вечерта** till morning/evening; **4.** (*по-малко от*) under, not over; **деца** ~ **шест години** children under six; **с тегло** ~ **пет кила** weighing not over five kilos; **5.** (*приблизително*) about, some, somewhere about; **там имаше** ~ **двадесет души** there were about/some twenty people there; **6.** (*не повече от*) up to, as much/many as; ~ **три пъти** up to/as many as three times; about, to; **7.** (*относно*) **колкото се отнася** ~ **мене** as far as I am concerned, as for me; **това не се отнася** ~ **тебе** this does not refer/apply to you; • **бия** ~ **посиняване** beat black and blue; ~ **безкрайност** ad infinitum, to infinity; ~ **втръсване** to satiety/nausea; **докарвам** ~ **лудост** drive crazy; **не ми е** ~ **смях** I am/feel in no mood for laughing; I am in no laughing mood; **не ми е** ~ **това** I've got something else to think about.

до₂ *ср*., *само ед*. *муз*. C; ~ **диез** C-sharp; ~ **мажор** C-major.

добавк|а *ж*., ~и addition, supplement; (*към документ*) rider; (*към тегло*) makeweight; (*към ядене*) side-dish; **семейни** ~и family allowance.

добавъч|ен *прил*., -на, -но, -ни additional, supplementary, complementary; (*за възнаграждение, заплата*) extra; ~ен **налог** surtax; ~ен **труд** *икон*. surplus labour; ~ни **разноски** overhead expenses.

добавям, добавя *гл*. add (към to); (*прибавям на края*) subjoin, append; ~ **към** (*допълвам*) supplement.

добив *м*., -и, (два) **добива** production, (*на метали и минерали*) extraction; (*на метал – от руда*) recovery; (*реколта*) crop, yield; **високи** ~и *сел.-ст.* high yields.

добивам, добия *гл*. **1.** (*богатство, признание, сведения, свобода и пр.*) obtain, get; (*придобивам, спечелвам, извличам*) get, gain, win, acquire, derive; (*по индустриален начин*) obtain; (*произвеждам*) produce; (*извличам от земята*) extract, mine; (*метал – от руда*) recover; ~ **вид**

на take on the appearance of; ~ **власт** rise to power; ~ **власт над** obtain a hold over; ~ **влияние** acquire influence, obtain/gain an ascendency (**над** over); ~ **въглища** mine coal; ~ **значение** acquire a meaning; ~ **представа** get an idea/notion (**за** about); **2.** (*раждам*) be delivered (of), bear, give birth (to).

добив|ен *прил*., -на, -но, -ни extractive.

добирам се, добера се възвр. гл. get, attain (**до** to), make o.'s way, win through (to), reach, arrive (at), gain; manage to get; finally get; get hold of; *прен*. get at; arrive at; ~ **до** *разг*. bag (s.th.), rustle (s.th.) up, *sl*. get o.'s hooks on; ~ **до брега** gain/win the shore, struggle ashore; ~ **до властта** climb to power; ~ **до истината** get at/arrive at/disentangle the truth, sift out/find the truth; ~ **до целта** win home.

добитъ|к *м*., -ци, (два) **добитъка 1.** *сел.-ст*. cattle, livestock; **дребен** ~к small farm animals; **дребен и едър** ~к flocks and herds; **дребен рогат** ~к sheep and goats; **едър рогат** ~к cattle; **2.** *презр*. (*за човек*) brute; (*за хора*) human cattle.

добиче *ср*., -та animal, beast, brute; **товарно** ~ beast of burden.

доблест *ж*., *само ед*. valour, courage, gallantness, gallantry, prowess; **имам** ~та **да** have the (good) grace to.

доблест|ен *прил*., -на, -но, -ни valiant, gallant, valorous, heroic; (*прен*.) outspoken.

доближавам, доближа *гл*. (*място*) approach, near, get near (**до** ~); (*премествам по-близо*) bring/draw near(er) (**до** to); || ~ **се 1.** approach, come/draw near(er), come close(r), come up to; (*до определено ниво, състояние и пр*.) nudge (**до** ~); **2.** (*наподобявам*) approach, resemble, approximate (**до** ~); be akin (to).

добрѐ *нареч*. well; ~ **възпитан** well-brought up; ~ **го наредих** I've fixed him all right; ~ **де** all right, agreed; have it your (own) way; ~ **дошъл** welcome; (*за болен*) well, in a good way, comfortable; ~ **съм** (*по отношение на здравето си*) be/keep well, be/keep in good health; ~ (*в добри отношения*) **съм с** stand well with, be on good terms

with; ~ (тогава) (нямам нищо против) well and good; very well; (в добро състояние) in good shape; (материално) well off; ~, че се видяхме it's lucky we met; ~, че се сетих that reminds me; ~, че стана така it's all to the good, that's just as well; как си? благодаря, ~ съм how are you? (I'm) (very) well, thank you; I'm fine, thank you; прен. I'm getting on well/nicely; най-~ best; (съгласен съм, прието) (all) right, very well, good, righto, okay, OK; по-~ better; прави каквото намериш за ~ do as you think fit/best, do as you please; прекарвам ~ have a good time, enjoy o.s.; работите не вървят ~ things are going wrong/are not going well.

добрин|а́ ж., -и́ 1. (доброта) kindness, goodness, good nature, kindheartedness; benevolence; от ~а from good nature; с всичката си ~а in the goodness of o.'s heart; 2. (добро дело, услуга) kindness, kind action, service, good turn; имайте ~ата да be so kind/good as to, have the goodness to, be good enough to; правя някому ~а do s.o. a kindness/a good turn.

добро́ ср., само ед. 1. good; виждам ~ от някого be given kind treatment by s.o., be shown kindness by s.o.; да е на ~ good luck; за ~ или за зло for good or for evil, for good or bad/ill; различавам ~то от злото know right from wrong; с ~ kindly, gently, in a gentle way/manner; amicably, by persuasion; с ~ или със зло by fair means or foul; 2. (щастие, добруване) happiness, welfare; книж. weal; за ~то на всички for the common good; за ~то на децата ти for the well-being/welfare of your children; • ~то само се хвали good wine needs no bush; запомнете ме с ~ remember me/think of me with kindness.

добровол|ен прил., -на, -но, -ни voluntary; gratuitous; ~ен труд volunteer labour.

добровол|ец м., -ци воен. volunteer; постъпвам като ~ец volunteer, join up.

доброволно нареч. voluntarily, of o.'s own free will.

добродетел ж., -и virtue; граждански ~и civic virtues.

добродетел|ен прил., -на, -но, -ни

virtuous: righteous.

добродуш|ен прил., -на, -но, -ни good-natured, kindly, good-humoured, good-hearted, good-tempered, kindhearted.

доброжелател|ен прил., -на, -но, -ни well-meaning, benevolent; friendly.

доброкачествен прил. good-quality (attr.), of good/high quality; мед. (за тумор) benign, non-malignant.

добронаме́рен прил. well-intentioned, well-meaning.

добросъ́вест|ен прил., -на, -но, -ни conscientious, scrupulous (в about, over); eárnest; ~ен до педантичност meticulous.

добросъвестно нареч. conscientiously; (честно) in good faith; earnestly; фин. bona fide.

добросъ́рде́ч|ен прил., -на, -но, -ни kind-(-hearted), good(-natured), good-hearted, good-tempered, soft-hearted, genial, ingenuous.

добросъ́се́дск|и прил., -а, -о, -и neighbourly; ~и отношения good neighbourly/good-neighbour/friendly relations; good neighbourliness/neighbourship.

доброта́ ж., само ед. goodness, kindness.

доб|ъ́р прил., -ра́, -ро́, -ри́ 1. (благ, състрадателен, нравствен) good; comp. better, super. best; good-natured, kind(-hearted); ~ро сърце a kind/warm heart; kindness of heart; ~ър съм с някого be good/kind to s.o.; имам ~ри чувства към be kindly disposed towards, feel kindly towards; с ~ри намерения нареч. in good faith; прил. well-meaning; той е ~ро момче he is a good boy/a nice chap/a good sort/a decent fellow; 2. (любезен) kind, good; бъди така ~ър да be so kind as to (с inf.); с ~ри обноски polite, well-mannered; 3. (с необходимите качества) good/high quality (attr.); (задоволителен) fair; (благотворен) good, salutary; (способен) good (в at), clever, capable, able, efficient, competent; в ~ри и лоши дни in good days and bad; в ~ро състояние (за човек) well, doing well/nicely, (добре поддържан) well-kept, (за машина) in good repair, in working order; ~ро материално положение easy circumstances; ~ър апе-

тит a good/hearty appetite; ~ър край happy end(ing); 4. (ученическа бележка) good, B; много ~ър very good, B+; • в най-~рия случай at best, at the very most; ~рите (във филм и пр.) същ. the goodies; ~ро утро good morning; ~ър вечер good evening; ~ър ден (официално) good day, (преди обед) good morning, (след обед) good afternoon; и таз ~ра! well, I never! you don't say! a pretty business! goodness! (на) ~ър път a good/pleasant journey to you, bon voyage.

дове́ден мин. страд. прич. (и като прил.): ~ брат stepbrother, halfbrother; ~ син stepson; ~а дъщеря stepdaughter; ~а сестра stepsister, half-sister; ~о дете stepchild.

дове́ждам, доведа́ гл. bring (along, home), fetch; ~ докрай carry through; bring to an end/to a conclusion; follow out/through; ~ до отчаяние drive to despair; prostrate; ~ със себе си bring along, bring with one; прен. bring about, lead (до to); (до дадено състояние) reduce, drive (до to); не ~ до нищо (свършвам с неуспех) founder; това не доведе до нищо it resulted in nothing.

дове́рен прил. confidential, trusted; trusty, trustworthy, reliable; ~ приятел trusted/trusty friend; ~о лице confidential man, man of confidence, confidant; confessor; фин. fiduciary.

дове́рени|к м., -ци; дове́рениц|а ж., -и agent; (на адвокат) client; юр. fiduciary; фин. bailee; (доверено лице) confessor, confidant; ж. confidante.

дове́рие ср., само ед. confidence, trust, faith (в in); имам ~ в, отнасям се с ~ към put/place trust in; have confidence/faith in, rely on, put o.'s faith in, trust; който заслужава ~ trustworthy, reliable, dependable; който не заслужава ~ untrustworthy, unreliable; нямам ~ в have no confidence/put no trust in; distrust, be mistrustful of.

довери́тел (-ят) м., -и; довери́телк|а ж., -и юр. client; фин. bailor.

довери́тел|ен прил., -на, -но, -ни confidential.

дове́рчив прил. trustful, trusting, confiding, unsuspecting; (лековерен) credulous, gullible.

дове́рчивост ж., само ед. trustfulness;

credulity, credulousness, gullibility; confidingness.

доверявам, доверя *гл.* confide, entrust (на to); ~ тайна на confide a secret to; || ~ се на trust to, put/place o.'s trust in; ~ се на някого confide in s.o.; take s.o. into o.'s confidence; ~ се на паметта си trust to o.'s memory.

довечера *нареч.* this evening, tonight.

довиждам *гл.*: не ~ be unable to see clearly, have a poor/failing eyesight.

довиждане *неизм.* good-bye; *разг.* bye-bye, so long, see you (later); *дет.* tata.

довличам, довлека *гл.* drag up/in; (*хора*) bring along; || ~ се 1. drag o.s., totter (до to); 2. (*натрапвам се*) descend (on).

довод *м.*, -и, (два) довода argument, reason (в полза на for; против against); ~и "за" и "против" pros and cons; привеждам ~и advance/adduce reasons/arguments; съкрушителен ~ knock-down argument.

довоен | ен *прил.*, -на, -но, -ни pre-war.

доволен | ен *прил.*, -на, -но, -ни pleased (от with за лице, at за обстоятелство); contented, satisfied, gratified (with); *разг.* gruntled; ~ен от съдбата си happy/satisfied with o.'s lot; много ~ен *разг.* tickled pink, pleased as punch, over the moon; оставам ~ен rest satisfied/contented.

довчера *нареч.* until yesterday.

довършвам, довърша *гл.* 1. finish (off), end, conclude, complete; bring to a close/an end; follow out/through; give a final touch to, put the final touches to; 2. (*изяждам*) finish up; 3. (*изразходвам*) use up, finish; 4. (*причинявам смъртта на*) finish off; (*доубивам*) finish off, dispatch, give the coup de grace (*ранено животно*) finish off, put out of its pain, put down.

довявам, довея *гл.* blow (in); вятърът го е довял blown in/wafted on the wind.

дог *м.*, *само ед.* зоол. (*куче*) mastiff, Great Dane.

догадка | а *ж.*, -и conjecture, surmise, guess; ~и guesswork, speculation; правя ~и make guesses, conjecture, speculate (за about).

догарям, догоря *гл.* burn low, burn out; die.

доглеждам, догледам *гл.* see/sit out, see the rest; оставя да бъде догледан sit on.

догм | а *ж.*, -и dogma, tenet, doctrine.

догматиз | ъм (-мът) *м.*, *само ед.* dogmatism; ecclesiolatry.

догматич | ен *прил.*, -на, -но, -ни dogmatic.

догнусява ме (те, го, я, ни, ви, ги), **догнусее ме** (те, го, я, ни, ви, ги) *безл. гл.* sicken, be nauseated, be/feel sick, feel disgust/nausea (от at), (*като гледам* at the sight of).

договарям, договоря *гл.* negotiate; || ~ се come to an agreement/understanding, contract; (*с взаимни отстъпки*) meet (s.o.) halfway; (*преговарям*) negotiate (с with); да се договорим така: ... let's settle to ...

договаряне *ср.*, *само ед.* negotiation, negotiating, contracting, bargaining; граници на ~ bargaining range; ~ на труда effort bargain.

договор *м.*, -и, (два) договора agreement, contract; (*между държави*) treaty, pact, convention, covenant; брачен ~ marriage contract; ~ за наем lease; ~ за ненападение non-aggression pact; ~ за неразпространение на ядреното оръжие nuclear non-proliferation treaty; задължен съм по ~ be under contract (да to с *inf.*); мирен ~ peace treaty; обвързвам (се) с ~ bind (o.s.) by contract; развалям ~ contract out; сключвам ~ conclude an agreement/a treaty, enter into a contract (с with); сключвам трудов ~ sign on.

договор | ен *прил.*, -на, -но, -ни contractual; covenantal; влизам в ~ни отношения enter into contract; ~ен срок contractual date; ~на цена exercise price; ~ни задължения treaty obligations; ~ни условия terms of an agreement/a contract/a treaty.

договореност *ж.*, -и arrangement, bargain, understanding.

догодина *нареч.* next year; in the new year; within the coming year; ~ по това време (by) this time next year; по ~ the year after next.

догонвам, догоня *гл.* overtake, catch/come up with; gain on; (*настигам при преследване*) run/hunt down; ~ кораб/състезател make up on a ship/a competitor.

дограма *ж.*, *само ед.* woodwork, joinery (work).

додето *нареч.* till, until; while; as long as; (*за място*) as far as; ~ не before; ~ очи стигат as far as the eye can reach; ~ съм жив as long as I live.

додрямва ми (ти, му, й, ни, ви, им) **се, додреме ми** (ти, му, й, ни, ви, им) **се** *безл. възвр. гл.* feel drowsy/sleepy.

до | ен *прил.*, -йна, -йно, -йни milch; ~йна крава milch cow, dairy cow; *жарг. икон.* cash cow, gravy job, fat work, milker.

доене *ср.*, *само ед.* milking; машинно ~ mechanical milking.

дожалява ми (ти, му, й, ни, ви, им), **дожалее ми** (ти, му, й, ни, ви, им) *безл. гл.* be/feel sorry (за for); ~ за pity.

доживот | ен *прил.*, -на, -но, -ни lifelong, for life, life (*attr.*), perpetual; ~ен затвор imprisonment for life, life imprisonment; ~но изгнание life-long banishment.

доживявам, доживея *гл.* live, live to see; ~ до дълбока старост live to a ripe old age; до какво доживях! what have I come to!

доз | а *ж.*, -и dose; *разг.* fix (*и за наркотик*); (*течно лекарство*) draught; *прен.* amount, portion, share; (*за грамофон*) cartridge; в това има известна ~а истина there is some truth in it; много голяма/силна ~а overdose; на ~и in doses.

дозатор *м.*, -и, (два) дозатора proportioning/measuring device, proportioner, proportion batcher, batch feeder.

дозиметрич | ен *прил.*, -на, -но, -ни dosimetric, radiation-measuring/monitoring, health-monitoring.

дозирам *гл.* dose, fix/prescribe the dose of.

дозиране *ср.*, *само ед.* dosage, measuring, proportioning; ~ на съставки (*на бетон*) cumulative batching.

дознани | е *ср.*, -я *юр.* preliminary investigation; (*в случай на внезапна смърт*) inquest; водя ~е hold an inquest (за on).

доиграва, доиграя *гл.* спорт. play off.

доизживяване *ср.*, *само ед.*: оставен на ~ left standing while still habitable.

доизлежа̀вам, доизлежа̀ *гл.*: ~ присъда̀та си finish serving o.'s time, serve the rest of o.'s sentence.

доизно̀свам, доизно̀ся *гл.* wear out.

доизпѝвам, доизпѝя *гл.* drink up.

доизя̀ждам, доизя̀м *гл.* finish up, eat up.

до̀йлк|а *ж.*, -и milker, milking machine.

до̀исква ми (ти, му, й, ни, ви, им) се, до̀иска ми (ти, му, й, ни, ви, им) се *безл. възвр. гл.* feel like (*със същ. или ger.*).

доисторѝческ|и *прил.*, -а, -о, -и prehistoric.

до̀йк|а *ж.*, -и wet-nurse.

док₁ *м.*, -ове, (два) до̀ка dock; влизам/вкарвам в ~ dock; плаващ ~ floating dock; сух ~ dry/graving dock; graving dock.

док₂ *м.*, *само ед. текст.* (*плат*) duck, dungaree; denim.

дока̀зан *мин. страд. прич.* proved, proven (*и юр.*); *като прил.* ~ **факт** proven fact; ~о **престъпление** patent and established crime.

доказа̀телствен *прил.* evidential, evidentiary, demonstrative, probative; ~ **материал** evidentiary material.

доказа̀телств|о *ср.*, -а proof; evidence; demonstration (*и мат.*); **в ~о на това** as proof/in earnest of this; **веще́ствено ~о** material/real evidence; **~о за о̀бич** sign/token/testimony of love; **ко̀свени ~а** circumstantial evidence; **ли́псват ~а** proof is wanting.

дока̀звам, дока̀жа *гл.* prove; demonstrate; give a proof; ~ **истинността на/ ~ напълно** demonstrate the truth of; substantiate; ~ **нечия вина** prove/establish s.o.'s guilt; ~, **че съм ...** prove o.s. to be ...; ~, **че съм прав** make out o.'s case.

дока̀зване *ср.*, *само ед.* proof, proving, substantiation; ~ **на вина** proof of guilt, substantiation.

доказу̀емост *ж.*, *само ед.* provability, demonstrability, demonstrableness.

дока̀рвам, дока̀рам *гл.* **1.** (*карам, водя до известно място или по-наблизо, довеждам, донасям*) drive, bring (up); (*вода чрез водопровод*) bring down (**от** from); ~ **добитъка от па̀ша** drive the cattle home from pasture; ~ **дъжд/сняг** bring rain/snow; ~

свидетел produce a witness; **2.** (*довеждам до дадено състояние*) bring, reduce; **виж докъде и докара́хме** see what we've come to; ~ **до лу̀дост** drive mad, drive to distraction; ~ **до просешка тояга** reduce to beggary, beggar; ~ **на власт** bring in(to) power, put in(to) power, bring in; **3.** (*доставям, донасям, внасям*) furnish, supply; import; bring in; ~ **до̀бри пари** (*за нещо, определено за продажба*) fetch a good sum; ~ **печа̀лба** pay; **4.** (*причинявам*) cause, give, bring (on), bring about; ~ **боле́ст** bring on/cause a disease; ~ **някому бе́ля на глава́та** get s.o. into trouble; **5.** (*изработвам добре*) do a good job of; (*ядене*) do to a turn; (*наподобявам*) hit off; **до̀бре го е дока̀рал** he certainly did a good job of it; ~ **цвѐта** get the right colour; **6.** (*правя да изглежда по-представителен*) *разг.* lick into shape; || ~ **се 1.** make o.s. smart, get o.s. up, dress up; *разг.* toff o.s., tog o.s. (up, out); **2.** (*представям се за друг*) make/play up (**на** to); curry favour (**на** with), make o.s. agreeable (to); be over polite; (*превземам се*) put on airs/frills; ● ~ **някому ума в глава́та** bring s.o. to his senses.

докато̀ *съюз* **1.** (*за време*) while, as long as; (*до даден момент*) until, till; (*преди да*) before, until; ~ **има възмо̀жност** while the going is good; ~ **не** unless (and until); ~ **още не е къ̀сно** before it is too late; **2.** (*за противопоставяне*) whereas, while.

дока̀чам, дока̀ча *гл.* **1.** (*стигам, докосвам*) reach, touch; (*докопвам*) get hold of; **2.** (*обиждам*) offend, hurt/ wound s.o.'s feelings; give offence; || ~ **се** take offence/umbrage (**от** at).

докачлѝв *прил.* touchy, techy, easily offended, huffy, easy to take offence; thin-skinned; ~ **хара̀ктер** hair-trigger temper.

до̀кер *м.*, -и docker, docksman, longshoreman.

докла̀д *м.*, -и, (два) докла̀да (*служебен*) (official) report; (*сказка*) lecture, talk, address; (*писмен*) paper; изна́сям ~ speak, give a lecture/talk, lecture; read/present a paper (**за, върху** on); address the meeting; **отче́тен ~** report.

докла̀двам *гл.* report; make a report

(**за, върху** on; **на** to); ~ **за изпълне́ние на ми́сия** be debriefed; ~ **как върви работите** report progress.

докла̀д|ен *прил.* -на, -но, -ни: ~**на** запи́ска report, memorandum, memo.

докла̀дчи|к *м.*, -ци speaker, lecturer.

докога̀ *нареч. и съюз* till when, until what time, (for) how long, how much longer.

докога̀то *нареч. и съюз* as long as, until.

до̀колко *нареч. и съюз* how far, to what extent, how much.

до̀колкото *нареч.* as far as; in so far as; ~ **е възмо̀жно** as far as possible; ~ **е изве́стно** so/as far as is known; ~ **зависи от ме́не/ми е възмо̀жно** as far as in me lies; ~ **си спо̀мням** as far as I remember, to the best of my memory.

доко̀пвам, доко̀пам *гл.* get hold of, get o.'s hands on, get o.'s hold on; net, scoop, pick up; *разг.* nab, bag, rustle (s.th.) up; *sl.* get o.'s hooks on; ~ **печа̀лба** net a profit; || ~ **се до** claw o.'s way to.

доко̀свам (се), доко̀сна (се) (*възвр.*) *гл.* touch (**до** -); ~ **с крак под маса́та** play footsie with; ~ **се ле́ко до** touch lightly, brush against, shave; **едва̀ се** ~ **до** (*ям малко от*) peck at.

доко̀сван|е *ср.*, -ия touch; **при найма́лко ~е** at a touch.

докра̀й *нареч.* to the (very) end/last; all the way through; through; up to the last/hilt; **бо̀ря се** ~ fight (it out) to a/ the bitter end; **изпо̀лзвам** ~ exploit to the full; **изя́ждам/изпи́вам** ~ eat/drink up; **оти́вам** ~ go the whole way/hog.

до̀ктор *м.*, -и doctor; ~ **по медицина/ право/филосо̀фия** doctor of medicine/law/philosophy, *съкр.* PhD; (*ле́кар*) doctor, *съкр.* Dr., physician, medical man; ● **ко̀нски** ~ vet; **оти́вам на** ~ see a doctor.

доктора̀т *м.*, -и, (два) доктора̀та doctorate, doctor's degree (**по** in).

до̀торк|а *ж.*, -и (woman-)doctor.

до̀торск|и *прил.*, -а, -о, -и doctor's; ~**а диcepта́ция** doctor's/doctoral/doctorate thesis.

доктри́н|а *ж.*, -и doctrine; *разг.* doxy.

докумѐнт *м.*, -и, (два) докумѐнта document, *юр.* deed, instrument; ~ **за самоли́чност** passbook; ~**и** (*книжа*)

papers; **исторически** ~и historical documents/records.

документа̀л|ен *прил.*, **-на**, **-но**, **-ни** documentary; (*доказателствен*) documental.

документа̀ци|я *ж.*, **-и** documentation; (*сбор от документи*) documents, information; **нормативна** ~я standard specifications; **техническа** ~я production/service forms and records; **тръжна** ~я tender documents.

документѝрам *гл.* document, prove/support/substantiate by documents, furnish documentary evidence of; || ~ **се** document o.s., gather documentary evidence.

докъдѐ *нареч.* и *съюз* how far; (*на степен*) to what extent, how far; ~ **стигнахме?** where did we leave off? ● ~ **сме стигнали!** that things should have come to this!

докъдѐто *нареч.* as far as.

дол *м.*, **-ове**, (два) до̀ла ravine, gorge, gully, coomb, combe; **горист** ~ dingle; **планински** ~ glen; ● **от един** ~ **дренки** much of a muchness; of the same kidney/meal; all of a piece; birds of a feather; tarred with the same brush.

дола̀вям, **доло̀вя** *гл.* catch; perceive, apprehend, become aware of, sense, detect; (*различавам*) make out; (*разбирам*) understand, grasp, comprehend; ~ **нотка на** catch a note of; ~ **смисъл** grasp/get the meaning; || ~ **се** become appatent, be discernible; come through; **в гласа му се долавяше тъга** there was/one could feel a strain/a touch/an undertone of sadness in his voice.

дола̀гам, **доло̀жа** *гл.* report (**за** on, **на** to).

дола̀п *м.*, **-и**, (два) дола̀па **1.** *диал.* cupboard; ~ **в стена** built-in cupboard/closet; **2.** *остар.* (*градинарско колело*) water-wheel; **3.** *остар.* (*за печене на кафе*) coffee-roaster.

до̀лар *м.*, **-и**, (два) до̀лара *фин.* dollar.

до̀л|ен *прил.*, **-на**, **-но**, **-ни 1.** lower, under, bottom (*attr.*); ~ **зъб** lower tooth; **Долна ка̀мара** *парлам.* lower chamber, (*в Англия*) the House of Commons, (*в САЩ*) the House of Representatives; **на** ~**ния етаж** on the floor below, below stairs; **най-**~**ен** lowest, lowermost, nethermost, undermost; **по-**

~**ен** lower; **2.** (*за дрехи*): ~**на риза** undershirt; ~**ни га̀щи** drawers, (under)pants; ~**ни дрехи** underwear, underclothes, underclothing, undergarments, (body) linen; **по** ~**ни гащи** *прен.* with o.'s pants down; **3.** (*долнокачествен*) bad, poor, inferior; *sl.* grotty; **4.** (*низък, подъл*) mean, mean-spirited, base, base-minded, ignoble, vile, villainous, despicable, contemptible; execrable; *разг.* low-down, crummy; ~**ен човек** ignoble man; ~**на лъжа** cowardly lie; ~**ни намерения** base designs; ● **на** ~**ния свят** here on earth; (*в подземния свят*) in the underground world.

долѐпвам, **долѐпя** и **долѐпям** *гл.* **1.** bring close to, put/push against, put/push close to; **2.** finish glueing/pasting; || ~ **се** adjoin, be conti-guous to; stick to, press against; **двете къщи са долѐпени** the two houses adjoin; **долѐпих се до стената** I stuck to the wall, I pressed against the wall.

долѝвам, **долѐя** *гл.* fill up, top up; add, pour some more.

долѝн|а и **долѝн|а** *ж.*, **-й/-и** valley, *поет.* vale; ~**ата на река Струма** the Struma valley; **Розовата** ~**а** the Rose Valley.

долѝн|ен *прил.*, **-на**, **-но**, **-ни** valley (*attr.*); valley-like.

долѝтам, **долетя̀** *гл.* **1.** come flying, fly (**от** from, **до** up to); **2.** rush, burst; come rushing in/up; **3.** (*за звук*) be wafted, come floating, come to o.'s ears.

до̀лни|ца *ж.*, **-и** lower/under part.

до̀лнищ|е *ср.*, **-а 1.** lower/under part; (*за чорап*) foot; (*на обувка*) sole; **2.** *мин.* pavement.

долнока̀чествен *прил.* **1.** low-grade, of poor/inferior quality, *sl.* rotten; **2.** *прен.* second-rate; crappy, *sl.* crummy, crumby; *sl.* grotty.

долнопро̀б|ен *прил.*, **-на**, **-но**, **-ни 1.** (*долнокачествен*) poor, inferior, low-grade, off-grade; tenth-rate; **2.** (*за метал*) impure, base; **3.** *прен.* low-down, low-life, crappy, sleazy; (*безчестен*) vile, mean, base; despicable; (*за кръчма, хотел*) *разг.* crummy, tacky, grotty; ~**на лъжа** base/infamous lie; **най-**~**ен** of the deepest/blackest dye; (*за кръчма, хотел*) low-class, disreputable.

доловѝм *сег. страд. прич.* (*и като*

прил.) perceptible, distinguishable, noticeable, visible, appreciable; discernible; (*за звук*) audible; *хим.* notable; **едва** ~**а усмивка** scarcely perceptible/almost imperceptible smile, ghost of a smile.

до̀лу и **до̀ле** *нареч.* **1.** (*за място*) below; down below; ~ **на улицата** in the street below; **по-**~ further down; below, (*вкъщи*) downstairs; (*за посока*) down; **слизам** ~ descend, come/get down; (*по стълбище*) come/get downstairs; **2.** (*порицание*) down with! **горе-**~ more or less, (*нито добре, нито зле*) so-so; ~ **войната!** down with war! **от горе до** ~ from top to bottom, from head to foot; **шапки** ~! hats off!

долуподпѝсан *прил.* undersigned, underwritten; *като същ. търг.* the subscriber.

долчин|а̀ и **долчинк|а̀** *ж.*, **-и** hollow, dell, dingle; **планинска** ~**а** glen.

долю̀тя̀ва ми (**ти, му, й, ни, ви, им**), **долю̀тѝ ми** (**ти, му, й, ни, ви, им**) и **долю̀тѐе ми** (**ти, му, й, ни, ви, им**) *безл. гл.* be hot/peppery/pungent/biting; **здравата ми долю̀тя** it set my mouth burning.

дом *м.*, **-овѐ**, (два) до̀ма **1.** (*жилище*) residential building, home, house; **втори** ~ *разг.* a home from home; **завръщане у** ~**а** homecoming; **у** ~**а си** at home, under o.'s vine and fig tree; **чувствай се като у** ~**а си** make yourself at home; **2.** (*семейство*) family; **3.** (*покъщнина*) house; **събирам** ~ **и къща** set up house; **4.** (*роден кът*) home, native place; **5.** (*обществено заведение*) home, house, centre; **Белият** ~ the White House; ~ **на културата** cultural centre, house of culture; **публичен** ~ brothel; **родилен/майчин** ~ maternity home.

домакѝн *м.*, **-и 1.** master of the house, householder; **2.** (*собственик*) proprietor, owner; **3.** (*къщовник*) housekeeper, manager; **добър/лош** ~ good/poor housekeeper/manager; **4.** (*който приема гости*) host; **изпълнявам задълженията на** ~ do the honours (of the house); **изпълнявам ролята на** ~ play host (to); **5.** (*в учреждение*) steward; manager; (*в колеж и пр.*) manciple; **6.** *спорт.* host, hosting side; ~ **съм на мач** host a match; **7.** (*на ко-*

раб) purser; • ~ **на предаване** diseur, diseuse, emcee, host.

домакѝнск|и *прил.*, -а, -о, -и household (*attr.*); ~**а работа** housekeeping; household chores; ~**и уреди** household appliances.

домакѝнств|о *ср.*, -а **1.** (*дом*) household, family; establishment; **2.** (*домашна работа*) housekeeping, housewifery; **3.** (*в учреждение и предприятие*) stewardship, management; • **водя** ~**о** keep house; **гледам** ~**ото на някого** keep house for s.o., *разг.* do for s.o.

домакѝн|я *ж.*, -и **1.** mistress, lady (of the house); matron; **2.** (*собственица*) proprietress; **3.** (*която гледа къщата*) housewife, housekeeper, housemaker; **добра/лоша** ~**я** good/poor housekeeper; **4.** (*която приема гости*) hostess; **изпълнявам задълженията на** ~**я** do the honours (of the house); **изпълнявам ролята на** ~**я** play hostess (to); **5.** (*в учреждение*) stewardess, manageress.

домат *м.*, -и, (*два*) **домата** *бот.* tomato; **син** ~ (*патладжан*) *диал.* aubergine, egg-plant.

доматен *прил.* tomato (*attr.*); ~ **сок** tomato juice; ~**о пюре** tomato pulp; tomato purée/ketchup.

домаш|ен *прил.*, -на, -но, -ни **1.** domestic, home (*attr.*), house (*attr.*); ~**ен адрес** home address; ~**ен отпуск** regular leave; *воен.* furlough; ~**ен телефон** home (telephone) number; **2.** (*предназначен за дома*) house (*attr.*); ~**ни дрехи** house clothes; **3.** (*нефабричен*) home-made; home-cooked; home-baked; ~**на индустрия** home-craft; **4.** (*отгледан у дома*) domestic; home-bred; home-grown; ~**ни животни** domestic animals; ~**ни птици** poultry; **5.** (*семеен, частен*) domestic, family (*attr.*), home (*attr.*), private; ~**ен лекар** family doctor, o.'s medical adviser; **6.** (*уютен*) home-like, homey; **в** ~**на обстановка** with o.'s family, at home; ~**на атмосфера** domesticity; **7.** *като същ. ср., само ед.* homework, task; • ~**на помощница/прислужница** maid, housemaid, domestic (servant/help); ~**но (упражнение)** homework, task.

дòмен|ен *прил.*, -на, -но, -ни: ~**на**

пещ *метал.* blast-furnace.

домилява ми (ти, му, ѝ, ни, ви, им), **домилее ми** (ти, му, ѝ, ни, ви, им) *безл. гл.* miss; ~ **за дома** get/feel homesick; ~ **за него** I miss him; (*съжалявам го*) I feel sorry for him.

доминант|ен *прил.*, -на, -но, -ни dominant; dominating; outstanding; ~**ен белег** dominant; ~**ни расови белези** *антроп.* outstanding features of a race.

Доминѝка *ж. собств.* Dominican Republic.

доминикан|ец *м.*, -ци *църк.* Dominican; Black Friar; (*член на Доминиканския орден*) Jacobin.

доминикàнк|а *ж.*, -и *църк.* Dominican.

доминикàнск|и *прил.*, -а, -о, -и *църк.* Dominican.

доминиòн *м.*, -и, (*два*) **доминиòна** *полит.* dominion.

доминѝрам *гл.* **1.** (*преобладавам*) predominate (**над** over), prevail (over), be uppermost; (*превъзхождам*) domineer; **2.** (*възвишавам се над*) dominate, domineer, tower.

доминѝращ *сег. деят. прич.* dominant; dominating, dominative; prevalent; leading, overriding.

дòмино *ср.*, *само ед.* **1.** (*карнавална пелерина*) domino; **2.** (*игра*) dominoes.

домов|ѝ *прил.*, -à, -ò, -ѝ house (*attr.*); ~**а книга** house-register.

домògвам се, домògна се *възвр. гл.* aspire (**до** to, да с *inf.*), strive (**до** after, for; да с *inf.*), covet (**до** -), woo (**до** -); look up to; aim at (с *ger. или същ.*), try (**for**); struggle (**до** for, да с *inf.*), work one's way (**до** to); (*опитвам се да привлека*) *разг.* sniff (a)round.

домоуправѝтел (-ят) *м.*, -и **1.** house manager and passport registrar; *амер.* janitor; **2.** (*управител на голям дом*) steward.

домъквам, домъкна *гл.* (*предмет*) drag, lug, haul, tug; (*някого*) bring along; || ~ **се 1.** drag o.s.; toddle along; **2.** (*идвам като нежелан гост*) obtrude, intrude; come along; come uninvited.

домързява ме (те, го, я, ни, ви, ги), **домързи ме** (те, го, я, ни, ви, ги) *безл. гл.* feel too lazy (да то с *inf.*), not feel like (с *ger.*), not feel up to work.

домчнява ми (ти, му, ѝ, ни, ви,

им), **домчнèе ми** (ти, му, ѝ, ни, ви, им) *безл. гл.* feel sad/unhappy; ~ **за** miss; **домчняло ми е за дома** I feel homesick; **домчняло ми е за него** I miss him.

донàборни|к *м.*, -ци young man who has not done his military service yet.

донàсям, донесà *гл.* **1.** bring (along); (*отивам да донеса*) fetch; (*за вятър*) carry, waft; (*за река*) carry, drift; **2.** *прен.* (*причинявам*) bring about/forth; bring in its wake; (*печалба*) bring in; **3.** *прен.* (*докладвам*) report (**за** about, on); ~ **на полицията за някого** report someone to the police; (*доноснича*) inform (**за** against), denounce; *разг.* grass (on).

донаỳч|ен *прил.*, -на, -но, -ни prescientific.

донесèни|е *ср.*, -я **1.** report, *юр.* delation; (*писмено*) dispatch; **2.** (*донос*) denunciation (**срещу** against), report to the authorities.

донѝкъде и донѝйде/донѝгде *нареч.* nowhere.

дòнос *м.*, -и, (*два*) **дòноса 1.** denunciation, delation, report to the authorities (**срещу** against); **2.** (*клеветничество*) slander, calumny; **правя** ~ inform (**за** against), make a malicious report (against).

донòсвам, донòся *гл.* **1.** (*дете*) carry a baby full term; **2.** (*дрехи*) wear out.

донòсни|к *м.*, -ци; **донòсниц|а** *ж.*, -и informer, talebearer, *sl.* nose, snout, squeaker, squealer; snitch, squealer; fink, cheese-eater, cheese-bun; ~**к в училище** sneak; *разг.* stool pigeon, slanderer, calumniator.

донòснича *гл.*, *мин. св. деят. прич.* **доносничил** inform (**за** against), tell tales, make a malicious report (against); slander, calumniate; *разг.* sneak, squeal, squeak, whistle, peach (against, on, upon), finger; grass (on); fink (on).

донякога *нареч.* up to a certain time/moment; for some time.

донякъде *нареч.* (*за разстояние*) a certain distance/place; a little way; (*за време*) up to a certain time/moment; for some time; a little while; (*за степен*) somewhat; up to a point, in some measure, to a certain extent/degree; **аз** ~ **очаквах такова нещо** I kind of expected it; ~ **бях склонен да**

I was half-inclined to.

доосвобожде́нск|и *прил.*, **-а**, **-о**, **-и** pre-liberation (*attr.*); from before the liberation.

допа́дам, допа́дна *гл.* suit, appeal, be to the liking of; (**допа́да ми** (**ти, му, й, ни, ви, им**), **допа́дне ми** (**ти, му, й, ни, ви, им**) *безл.*) like, have a taste for (s.th.), find (s.th.) to o.'s taste/mind; take to s.th. like duck to water; *амер.* cotton to; **допа́даме си** we get on very well together, we like each other, we are well suited to each other; **допадна́ха си** they took to each other, they clicked; **не ми допада особено тази идея** *разг.* I'm not very sweet on the idea.

допа́рва ми (**ти, му, й, ни, ви, им**), **допа́ри ми** (**ти, му, й, ни, ви, им**) *безл. гл.* feel the heat.

допеча́тк|а *ж.*, **-и** *полигр.* second printing/impression.

допи́вам, допия́ *гл.* drink up, finish (o.'s drink); finish drinking; **да отидем до кръчмата да си допием** let's go to the pub to finish our drinking; **допива ми се** feel like a drink, feel like drinking.

до́пир *м.*, *само ед.* contact, touch; contiguity; *мат.* osculation; **влизам в ~ с** come into contact with, get in touch with, contact (s.o.); **имам ~ с** be in contact with, be/keep in touch with.

допи́рам, допря́ *гл.* touch; (**ръка, чело**) lay, rest (**на** on); || **~ се** touch, come into contact (with); (*до стена*) lean against; brush; *мат.* osculate; ● **до тебе допряхме** you are our last resort; **ножът допря до кокала** things have come to a pass.

допира́тел|ен *прил.*, **-на**, **-но**, **-ни** *мат.* tangent, tangential, osculant, osculatory; **~на** (**права**) tangent; **~на точка** point of contact, tangential point, point of tangency.

до́пир|ен *прил.*, **-на**, **-но**, **-ни** of contact, contact (*attr.*); **~на точка** point of contact, common ground; (*на две науки и пр.*) interface; **с него няма-ме никакви ~ни точки** we have nothing in common with him.

допи́свам, допи́ша *гл.* finish writing/typing.

до́писк|а *ж.*, **-и** (*късо съобщение*) dispatch, (newspaper) report; (*ста-*

тия) article; (*репортаж*) correspondence.

до́писни|к *м.*, **-ци; до́писниц|а** *ж.*, **-и** correspondent, reporter; contributor.

допи́твам се, допи́там се *възвр. гл.* ask (s.o.'s) advice, turn (to s.o.) for advice; ask, consult (s.o.); **~ до лекар** see/consult a doctor; **~ до народа** consult the people in a plebiscite/referendum.

допи́тван|е *ср.*, **-ия** consultation; *стат.* canvass; **~е до народа** plebiscite, referendum.

допла́вам и доплу́вам *гл.* swim (**до** to, as far as); reach (a place) (by swimming); **едва доплувах до I** just managed to swim to; (*за параход*) manage to reach; (*за предмет*) float (to), drift (to).

допла́ква ми (**ти, му, й, ни, ви, им**) **се, допла́че ми** (**ти, му, й, ни, ви, им**) **се** *безл. възвр. гл.* feel like crying/weeping.

допла́щам, доплатя́ *гл.* **1.** pay in addition; pay/make the difference, pay the rest/remainder, pay the extra/the excess; (*за билет*) pay excess fare, pay the excess (on o.'s ticket); (*за писмо*) pay excess postage; (*за багаж*) pay for excess luggage; **трябва да доплатите 20 долара** you must pay an extra 20 dollars; **2.** (*напълно*) pay in full; pay up.

доплаща́н|е *ср.*, **-ия** additional payment; additional charge; (*за билет*) excess fare; (*за писмо*) excess postage; **марка за ~е** postage due stamp; (*за багаж*) charge for excess luggage

допото́п|ен *прил.*, **-на**, **-но**, **-ни** antediluvian; *прен.* antediluvian, antiquated.

допреди́ *нареч.* until, up till, up to, before; **~ два часа** until two hours ago; **~ революцията** before the revolution, up till/to the revolution.

доприна́сям, допринеса́ *гл.* contribute (**за** to), make (for), tend (to), conduce (to), help, be instrumental (to s.th.; in doing s.th.); be conductive to, count toward; **~ за вземане на решение/изготвяне на план и пр.** weigh in on a decision/plan etc; **~ за успеха на** contribute/tend to the success of.

до́пуск *м.*, **-и**, (**два**) **до́пуска** *техн.* (*толеранс*) limit; (*за габарит, луфт*

и пр.) safe clearance; **гранични ~и** limit tolerance.

допу́скам, допу́щам, допу́сна *гл.* **1.** (*позволявам, търпя*) allow, permit, let; stand, have, tolerate; countenance; (*само в отрицание*) brook; **защо допускаш да ти се подиграват?** why do you let them make fun of you? **не допуска никакви шеги** he won't/doesn't allow any joking, he won't stand/have any joking; **не ~ exclude**, preclude; **2.** (*предполагам, мисля*) (be ready to) suppose, think, imagine; presume, assume; **да допуснем, че това е така** let us presume/assume it is so, supposing it is so, granted it is so, put the case that it is so; **мога да допусна, че I** can well believe/imagine that; **3.** (*давам достъп*) admit (**в** to), allow (in, into); **не ме допуснаха да вляза I** was not allowed in; **4.** (*давам възможност, разрешавам*) admit (**да** to), allow, pass; **~ до изпит** admit (s.o.) to an examination; let s.o. sit for an examination; **~ до състезание** allow (s.o.) to enter a competition; ● **~ грешки/слабости** make mistakes/slips, allow mistakes to slip in.

допусти́м *сег. страд. прич.* admissible, permissible; warrantable; allowable; *като прил.* **-а норма** permitted level; (*при замърсяване на околна-та среда*) safe norm; *като същ. ср.*, *само ед. обикн. членувано*: **неговото държане надминава границите на ~ото** his behaviour is impossible; **това надминава границите на ~ото** this is beyond all bounds, this is inadmissible; ● **~о е** it is possible.

допу́шва ми (**ти, му, й, ни, ви, им**) **се, допу́ши ми** (**ти, му, й, ни, ви, им**) **се** *безл. възвр. гл.* feel like smoking, feel like having a smoke.

допъ́лвам, допъ́лням, допъ́лня *гл.* add (to), supplement; complement; eke out; (*чаша и др.*) top up; (*книга, речник*) expand; (*казвам в допълнение*) add; **~ с факти** give substance (to); add flesh, flesh out; **някои от изводите му трябва да се допълнят** some of his conclusions need filling out; || **~ се** complement one another, be the complement of one another, be complementary to one another.

допълзя́вам, допълзя́ *гл.* crawl, creep

(up to); reach by crawling/creeping.

допълнѐни|е *ср.*, **-я** complement, supplement; addition; (**към документ**) rider, addendum; *юр.* (**към завещание**) codicil; **в ~е на** in addition to; besides; (**приложение**) supplement; *език.* object; **пряко/косвено ~е** a direct/an indirect object.

допълнѝтел|ен *прил.*, **-на, -но, -ни** 1. additional, complementary, supplementary; extra; (**спомагателен**) subsidiary; (**нов**) fresh; **~на работа** extra/additional work; (**която е продължение на друга**) follow-up work; **~на емисия** scrip issue; **~на такса** (**за пътуване**) excess fare; **~ни доходи** extra/additional income; **иска ли някой ~но?** does anyone want a second helping? (any) seconds?; 2. *език.* object (*attr.*); (**за дума, израз**) expletive.

допълнѝтелно *нареч.* in addition, additionally, extra; **за отопление и осветление се заплаща ~** fire and light are extras; **ще ви съобщим ~** we shall let you know later.

доразкàзвам, доразкàжа *гл.* finish (telling etc.); **ще ви доразкажа приказката утре** I'll tell you the rest of the story tomorrow, I'll finish the story tomorrow.

дорàствам, дорастà *гл.* grow up; ● **още не е дорасъл за** he is not yet up to, he is not yet fit for.

дореволюциòн|ен *прил.*, **-на, -но, -ни** pre-revolutionary.

дòрест *прил.* bay, chestnut, sorrel, roan.

дорѝ *част.* even; **~ да** even if/though; **~ да е така** even so, even if that is so, given that it is so; **~ не ме поглежда** he never so much as looks at me; **той ~ предложи ...** he even went so far as to suggest ...

досàда *ж.*, *само ед.* boredom, tedium, tiresomeness, weariness, dul(l)ness; ennui; (**раздразнение**) vexation, annoyance; (**нещо досадно**) *разг.* drag, a pain in the neck/ass; *sl.* dullsville; *амер. sl.* dweeb; **изпитвам ~** be bored.

досàд|ен *прил.*, **-на, -но, -ни; досадлѝв** *прил.* (**скучен**) boring, tedious, tiresome, monotonous, wearisome; long-winded, stodgy; (**неприятен**) vexing, vexatious, annoying, irksome, niggling; *амер., sl.* gross-out; **~на грешка** regrettable mistake; (**за кой-**

то трябва да се съжалява) regrettable; **~на работа!** what a bore! what a nuisance! **~но чувство** annoying feeling; (**натрапчив**) importunate; officious; obtrusive; *разг.* pestilent, pestilential; **колко ~но!** how tiresome!

досàдни|к *м.*, **-ци** bore, nuisance, pesterer, stodge.

досàждам, досадя *гл.* (**отегчавам**) bore, weary, tire (s.o.); (**безпокоя**) importune, molest, pester, bother; annoy, vex, torment; **дано не съм ви досадил** I hope I have not bored you; I hope I haven't made a bore of myself; **престани да ми досаждаш!** get off my back.

досвидява ми (**ти, му, й, ни, ви, им**) (**се**), **досвидее ми** (**ти, му, й, ни, ви, им**) (**се**) *безл.* (**възвр.**) *гл.* 1. be unwilling to give, grudge, stint; **давам, без да ми досвидее** give without grudging/stint; 2. (**дожалява ми**) feel sorry/pity (**за** for).

дòсег *м.*, *само ед.* contact, touch.

досегà *нареч.* so far, till/until now, up to now, yet, as yet, hitherto; *канц.* up to date; *поет.* ere this, ere now; **най-големият екземпляр, намерен ~** the largest specimen found yet/found to date; **никога ~** never yet.

досегàем *сег. страд. прич.* attainable, accessible.

досегàш|ен *прил.*, **-на, -но, -ни** former, past; (**досега прeвailing/existing**) prevailing/existing; **при ~ните условия** under the conditions prevailing hitherto.

досетлѝв *прил.* quick/sharp-witted; quick in the uptake, sharp, wide awake, keen, alert; resourceful.

досèщам се, досètя се *възвр. гл.* guess, conjecture; form a pretty good idea; *разг.* tumble to; (**спомням си**) remember; **досетих се, че** it flashed upon me that, it flashed across my mind that; **досещате ли се какво искам да кажа?** do you understand what I mean? do you get me?

досиè *ср.*, **-та** dossier, record, file; **безупречно ~** clean slate; **служебно ~** record of service, service record.

досѝпвам, досѝпя *гл.* pour more, add; (**докрай**) pour out; (**допълвам**) fill up, top up; (**ядене**) give/serve more.

доскòро *нареч.* until recently, until a little while ago, until very/quite recently.

доскòрош|ен *прил.*, **-на, -но, -ни** recent.

доскучàва ми (**ти, му, й, ни, ви, им**), **доскучèе ми** (**ти, му, й, ни, ви, им**) *безл. гл.* get/feel bored; begin to feel bored.

дослòвно *нареч.* verbatim, word for word, chapter and verse; (**за превод**) literally.

досмешàва ме (**те, го, я, ни, ви, ги**), **досмешèе ме** (**те, го, я, ни, ви, ги**) *безл. гл.* feel like laughing; laugh to o.s., laugh in/up o.'s sleeve, laugh in o.'s beard; chuckle/laugh inwardly.

доспèхи *само мн. истор.* armour; panoply; **в пълни ~** in full armour (*и прен.*).

доспѝва ми (**ти, му, й, ни, ви, им**) **се, доспѝ ми** (**ти, му, й, ни, ви, им**) **се** *безл. възвр. гл.* be/feel sleepy, be growing sleepy, feel drowsy; **много ми се доспа** I'm dying with sleep, I'm ready to drop with sleep.

доспѝвам си, доспя си *възвр. гл.* have o.'s sleep out, get enough sleep; *лит.* sleep o.'s sleep out; **не си доспивам** not get enough sleep; rob o.s. of sleep.

досрамява ме (**те, го, я, ни, ви, ги**), **досрамèе ме** (**те, го, я, ни, ви, ги**) *безл. гл.* feel ashamed/shy.

досрèд *нареч.* until the middle of; **~ зима** until midwinter; **пяха ~ нощ** they sang until the middle of the night, they sang well into the night.

дòста *нареч.* fairly, tolerably, passably, rather, somewhat, quite; very; *разг.* pretty, jolly; greatly; (**с гл. и прич.**) quite a lot, a good deal, considerably, very much; (**при някои прил. и нареч. с наставката** -ish); **~ голям** rather/quite/fairly large/big; fair-sized; largish, biggish; **~ далеч** quite a way off, quite far, a good way off; **~ добре** pretty/quite well; **~ късно** rather/somewhat late; latish; **~ малко** (**за количество**) not much, (**за брой**) not many, few; **~ много** (**за количество**) quite a lot (of), (**за брой**) a good many, quite a number of, not a few, quite a few, a good few; **минаха ~ дни от** (**за миналото**) it was a long time after, (**за настоящето**) it's been a long time since.

достàвк|а *ж.*, **-и** supply; (**на стоки**) delivery, shipment; **бъдеща ~а** *търг.*

амер. forward delivery; ~и на оръжие arms shipment.

достàвчи|к *м.*, -ци supplier, deliverer; (*на провизии*) purveyor; caterer; victualler; държавен ~к contractor to the government.

достàвям, достàвя *гл.* supply, furnish, provide (s.o. with); procure, get (for s.o.); ~ си provide o.s. with; (*докарвам някъде*) deliver; (*по въздуха*) fly in; който може да бъде доставен (*намира се на пазара*) procurable, available; ● ~ удоволствие give pleasure (на to).

достàтъч|ен *прил.*, -на, -но, -ни sufficient, adequate, enough; имаме ~но количество провизии we have a sufficiency of provisions, we have an adequate supply of provisions.

достàтъчно *нареч.* enough, sufficiently; (*като възклицание*) ~! enough! that's enough! ~ по този въпрос leave it at that! това бе ~, за да no more was required to, that sufficed to.

достѝгам, достѝгна *гл.* 1. reach (до to), gain, win; ~ до брега gain/win the shore; достигнахме до върха we reached/made the peak; (*за звук, размер и др.*) get to; до ухото ми достигат звукове sounds reach my ear; (*до даденото ниво*) measure up; не достига до международното ниво it does not measure up to the international standard; (*прониквам*) penetrate; не мога да го достигна I can't catch up with him; 2. (*в отриц. изреч. – недостатъчен*) be short (of); не ми достигат две години за пенсия I am two years short of getting my pension; не ми достига сили за да (*не съм годен*) I am not up to, I am not equal to (*със същ./с ger.*), (*нямам смелост*) I can't bring myself to (*с inf.*), I can't face the task of (*с ger.*); 3. *прен.* (*успех, цел и др.*) attain, achieve; ~ връхната си точка reach the limit(s); ~ целта си achieve/gain/attain/reach o.'s object/end; не ~ до fail to achieve; 4. (*доживявам*) reach; ~ до дълбоки старини live to a ripe old age.

достиженѝ|е *ср.*, -я achievement, attainment.

достижѝм *сег. страд. прич.* achievable, attainable, reachable; compassable; (*след същ.*) within the bounds of

possibility; (*достъпен*) accessible; *разг.* come-at-able.

достовèр|ен *прил.*, -на, -но, -ни reliable, authentic, authoritative; credible; original; trustworthy; от ~ен източник on good authority, from a reliable/faithful source.

достовèрност *ж.*, *само ед.* authenticity, reliability; trustworthiness; credibility; faithfulness.

достò|ен *прил.*, -йна, -йно, -йни 1. (*който заслужава*) worthy (за of), deserving (of); ~ен за внимание noteworthy, deserving attention, worthy of notice; ~ен съм за нещо be worthy/deserving of s.th., deserve s.th., merit s.th.; 2. (*заслужен*) well-deserved, merited; (*справедлив*) just; condign; ~йно наказание condign/just punishment; ● ~ен противник/съперник enemy/foe worthy of o.'s steel.

достòйно *нареч.* with dignity; in a fitting manner, fittingly, befittingly; представям ~ do credit (to).

достòйнств|о *ср.*, -а 1. worth, worthiness; dignity; virtue; това е под моето ~о this is beneath my dignity; чувство за ~о self-respect/-esteem; 2. (*положително качество*) merit; художествените ~а на the artistic merits/qualities of; ● оценявам по ~о judge s.o./s.th. on his/its merits.

достолèн|ен *прил.*, -на, -но, -ни stately.

достоѝние *ср.*, *само ед.* possession(s), property, fortune; правя обществено ~ make public, give to the public/world; ставам ~ become generally known, transpire.

дòстъп *м.*, *само ед.* approach; access, admission; имам свободен ~ до have free access to; have the run of; с ограничен ~ (*за организация и пр.*) exclusive.

достъп|ен *прил.*, -на, -но, -ни 1. accessible, approachable, easy of access/approach; come-at-able, get-at-able; (*проходим*) negotiable; ~ен само за избрани хора select; ~ен само за пешеходци suitable only for walkers; open only for pedestrians; (*за заведение и пр.*) open, accessible (за to); 2. (*за човек*) approachable, accessible, affable, sociable; 3. (*подходящ за всички*) available; (*съответстващ

за възможностите и силите*) within the capacity (на of), within reach (of); (*за цени*) reasonable, accessible, popular; цена ~на за моя джоб price within the means of my pocket; 4. (*лек за разбиране*) simple; intelligible, easy to understand; ~ен за потребителя user-friendly; (*за стил*) plain, straightforward; излагам в ~на форма express in a simple way, put in a simple form; ● правя (*изкуство и пр.*) ~но за народа bring (art etc.) closer to the people.

достъпност *ж.*, *само ед.* 1. accessibility; *разг.* (*за местност*) negotiability; 2. (*простота*) simplicity; 3. (*за човек*) approachability.

дотàм *нареч.* 1. (*за място*) up to there; (*на такова разстояние*) this far; ~, където to where; 2. (*дотолкова, до такава степен*) as all that; up to the point; to the extent, to such an extent; ~ ли е стигнала работата? have things come to that? ~ стигнахме, че we've got to the point where, we've reached the point where.

дотàци|я *ж.*, -и subsidy; grant-in-aid; на ~и subsidized, grant-aided.

дотогàва *нареч.* till/until/by then, till/by that time.

дотòлкова и дотòлкоз *нареч.* so (much), to such a degree/an extent; so much/far as; as much/far as; ~, че to the extent that; so much so that; ~, доколкото in so far as, as/so far as, inasmuch as.

дотỳк *нареч.* to here, up to here, so/thus far; (*за време*) up to now, so far; ~ ~ добре! so far so good.

дотягам, дотягна *гл.* become a burden (на to); bore, annoy, weary, tire (s.o.); bother, pester, persecute (s.o.); дотяга ми be/get sick and tired of, be weary of, be fed up with, be bored with (*с ger.*).

дòход *м.*, -и income; earnings; gainings; (*на държавата*) revenue; (*печалба*) profit, gains; returns; yield; (*хонорари*) emoluments; годишен ~ yearly/annual income; данък "Общ ~" income tax; ~ на глава от населението per capita income; национален ~ national income; нося ~ pay, be profitable.

дòход|ен *прил.*, -на, -но, -ни profit-

able, profit-yielding, lucrative, paying; (*за труд и пр.*) remunerative; (*за фирма, мина*) payable; (*за мина и*) workable; ~ен отрасъл на икономиката profitable branch of the economy.

доходоно̀с|ен *прил.*, -на, -но, -ни profitable, lucrative; gainful; (*с добра възвращаемост*) cost-effective.

доцѐнт *м.*, -и reader; *амер.* associate professor.

доча̀квам, доча̀кам *гл.* 1. wait for (s.o. to come), wait (till s.o. comes); 2. (*доживявам*) live to see; live long enough (да to *с inf.*).

до̀чен *прил.* duck (*attr.*), dungaree (*attr.*); ~и панталони ducks, dungarees.

дочу̀вам, дочу̀я *гл.* 1. (*чувам отдалече*) catch, hear; не ~ I can't hear well; 2. (*чувам без да искам*) overhear; ~ откъслечен разговор overhear snatches of conversation; 3. *прен.* (*узнавам*) hear, learn, hear s.th. said, hear tell/say of, be told; дочух за тази работа I heard tell of the matter, I heard about it, I was told about it.

дочу̀ване *неизм.* so long.

дой *гл.*, *мин. св. деят. прич.* до̀ил 1. milk; 2. (*кърмя*) suckle, give suck to, nurse; 3. *прен.* exploit; *разг.* suck dry, pluck.

доядя̀ва ме (те, го, я, ни, ви, ги), доядѐе ме (те, го, я, ни, ви, ги) *безл. гл.* get angry (на with, at).

дойжда ми (ти, му, й, ни, ви, им) се, дойдѐ ми (ти, му, й, ни, ви, им) се *безл. възвр. гл.* feel hungry, feel like eating/having (s.th.).

дойждам, дойм *гл.* eat up, finish (up); finish eating; || ~ си eat enough; не си ~ not have enough to eat, go hungry.

дойч *м.*, -и milkman, milker.

дойчк|а *ж.*, -и 1. milkmaid, milker; 2. (*машина*) milking machine.

драг *прил.* dear (*и при обръщ.*); beloved; ~и (мой) *разг.* my dear, old chap; на ~о сърце willingly, with pleasure; gladly.

дра̀го *нареч.* gladly, with pleasure; давам мило и ~ за give o.'s eyetooth/ right arm for; ~ ми е I am very pleased.

дражѐ *ср.*, -та drop, comfit; *фарм.* pill, tablet; lozenge.

дра̀знене *ср.*, *само ед.* irritation (*и мед.*); *физиол.* stimulation; vexation; excitement.

дразнѝмост *ж.*, *само ед.* irritability, irritableness.

дразнѝтел (-ят) *м.*, -и irritant, irritating factor; stimulant; *прен.* red rag.

дра̀зня *гл.*, *мин. св. деят. прич.* дра̀знил irritate, chafe, excite; *физиол.* stimulate, excite; irritate; *прен.* irritate, chafe, annoy, vex, stroke/rub the wrong way; exasperate; *разг.* peeve, needle, rile, bug; gall; get (s.o.'s) goat; rattle, freak (s.o. out); *sl.* cheese (s.o.) off, drive (s.o.) nuts, get in o.'s hair, get under s.o.'s skin, miff, nark; get s.o.'s goat; (*умишлено*) tease, *разг.* needle; ~ любопитството arouse (s.o.'s) curiosity; ~ окото/погледа shock/offend the eye, be an eye sore; ~ слуха/ухото jar on/ grate upon/offend the ear; || ~ се be angry/irritated/irritable.

дра̀кон *м.*, -и, (два) дра̀кона *мит.* dragon; *астр.* (*съзвездие*) Draco; *астрол.* огнен ~ firedrake, fire dragon.

дра̀конов *прил.* draconic; draconian; ~о дърво *бот.* Dracaena (*Dracaena*).

дра̀коновск|и *прил.*, -а, -о, -и draconian, draconic, ruthless, cruel; вземам ~и мерки take draconic measures.

дра̀м|а *ж.*, -и 1. drama, dramatic work; *събир.* stage, drama; 2. *прен.* drama, tragedy; не прави ~а от това don't make a song and dance about it; семейна ~а family drama/tragedy.

драматиза̀ци|я *ж.*, -и (*действие*) dramatization; (*резултат*) dramatic version.

драматѝзирам *гл.* dramatize, melodramatize, adapt for the stage/screen; *прен.* make dramatic.

драматѝз|ъм (-мът) *м.*, *само ед.* 1. dramatic effect/tension, dramatism; dramatic qualities; dramatic nature; suspense, excitement; 2. (*напрежение*) drama; 3. (*пресилени чувства*) dramatics, theatricality.

драматѝч|ен *прил.*, -на, -но, -ни dramatic, drama (*attr.*); spectacular; ~на случка dramatic incident, incident full of drama; ~но изкуство *лит.* stage craft, drama, dramatics.

драматѝческ|и *прил.*, -а, -о, -и dramatic; ~о произведение dramatic work, play.

драмату̀р|г *м.*, -зи 1. (*автор*) dramatist, dramatic author, play-writer, play-wright; dramaturge, dramaturgist; 2.

(към театър) repertory director; literary manager.

драмату̀ргия *ж.*, *само ед.* dramaturgy; theatre; dramatics; (*теорията*) theory of the drama.

дра̀пам *гл. разг.* scratch; *прен.* scramble, scrabble (за for, after); go/try for, be after; gun for; move heaven and earth to (да *с inf.*); || ~ се scratch o.s.

дра̀свам, дра̀сна *гл.* 1. (make a) scratch; strike; ~ кибрит strike a match; 2. (*написвам набързо*) scribble, scrawl, jot down; дracни ми един ред drop me a line; 3. (*хуквам*) bolt, dart off, scoot off, scamper off, beat it, scram, take to o.'s heels, push along; *sl.* flap the heels.

дра̀скам *гл.* 1. scratch; (*с нокти*) claw, scrabble; 2. (*пиша по стена*) scribble; 3. (*пиша лошо*) scrawl, scribble, scratch; 4. ~ си doodle; ● ще има да драска he'll be begging for it when it's too late.

драскотѝн|а *ж.*, -и scratch, scrape; graze; scar; (*рязка*) streak.

драску̀лк|а *ж.*, -и scrawl, doodle; (*завръзнкулка*) quirk, flourish.

драстѝч|ен *прил.*,-на, -но, -ни drastic; ~ни намаления swingeing cuts/ cutbacks.

дра̀ща *гл.*, *мин. св. деят. прич.* дра̀щил 1. scratch; (*с нокти*) claw, crab; 2. (*за перо, молив* – скърца) scratch; 3. (*драскам безцелно*) doodle; 4. (*за глас* – дрезгав е) be hoarse; дращи ми в гърлото I have an irritation in my throat; || ~ се scratch o.s.

дрѐб|ен *прил.*, -на, -но, -ни 1. (*ситен, неголям*) small, fine (*и за дъжд*); (*за почерк*) small, cramp(ed), crabbed; ~ни пари (small) change, petty cash; 2. (*малък на ръст, възраст*) small; (*на ръст*) small-sized, slight; *разг.* tiddly; (*недорасъл*) undersized; dwarfish; (*невръстен*) infant, young; 3. *прен.* (*незначителен*) small, insignificant, trifling, trivial; fiddling, finical, peddling, paltry; (*за политик, лидер*) tinpot; (*за подробности*) niggling, finical; (*за загуба*) trivial; (*за сметки, разноски*) petty; ~на кражба petty larceny, pilferage; ~на работа! never mind! това е ~на работа за него! (*лека*) it's mere child's play for him! 4. *икон.* (*за производство и пр.*) small.

petty; ~ен търговец retailer, small shopkeeper, small-ware dealer; ~на буржоазия petty bourgeoisie, lower middle class; **5.** (дребнав) ~на душа a mean soul; • ~на риба прен. small fry; ~на шарка мед. German measles.

дребнав прил. petty-/small-minded, petty, small, mean, peddling, fussy; finicky, finicking, finical; hair-splitting.

дребнавост ж., само ед. и **дребнавости** само мн. petty-/small-mindedness, pettiness, littleness, meanness, fussiness; finicality, finicalness; hair-splitting.

дребно нареч.: на ~: крада на ~ pilfer; лъжа на ~ fib; нарязан на ~ cut in small pieces, chopped finely, fine-cut; цена на ~ retail price.

дребнобуржоаз|ен прил., -на, -но, -ни **1.** petty bourgeois (attr.), lower middle-class (attr.); **2.** прен. Philistine, common, unrefined, vulgar.

дребнозърнест прил. small-/close-/fine-grain(ed) (attr.), finely-granular; fine.

дребномащаб|ен прил., -на, -но, -ни small-scale (attr.).

дреболи|я ж., -и **1.** (a mere) trifle, trifling/small matter; fluff; fiddle-faddle; nothingness, non-essential; само мн. trifles, frippery, trivia; залавям се за ~и fuss over trifles; fiddle-faddle; find fault with small things, (при спор и пр.) quibble, cavil; (дребно неудобство) flea-bite; **2.** (предмет) trifle; trinket, knick-knack, gewgaw; mite, tittle; ~и odds and ends; oddments, minutiae; bits and bobs; шег. sundries; **3.** само мн. (вътрешности) offal; (на агне) pluck, inwards; (на прасе) haslets; (на пиле) giblets.

дребос|ък к м., -ци; **дребосъче** ср., -та (за дете) mite, tit, a dot of a child; (за човек) little chap/fellow, tiny creature, little wisp of a man/woman, midget, minikin, tiddler; diminutive; прен. shrimp, midge; събир. small fry; подигр. runt.

древ|ен прил., -на, -но, -ни ancient; (за изкуство и пр.) antique; (стар, старинен) aged, very old, venerable.

древност ж., само ед. antiquity; в ~та in antiquity; в дълбоката ~ in the remote past; най-дълбока ~ hoary antiquity.

дрезгав прил. (за глас, звук) hoarse, cracked, croaking, croaky, throaty; husky; raspy; thick; harsh, rough, gravelly; gravel-voiced; grating; гласът ми е малко ~ have a frog in o.'s throat; става ~ crack; (за светлина) dim, dusky.

дрѐмвам, дрѐмна гл. take/have a nap, have a snooze/a shut-eye/a snatch of sleep, close the eyes/eyelids.

дрѐмя гл., мин. св. деят. прич. дрямал **1.** drowse, doze, nod, nap, snooze, slumber; close the eyes/eyelids; **2.** прен. slumber, sleep, be inactive/passive, drowse away o.'s time; (не съм бдителен) be asleep, be off o.'s guard; не ~ be on the alert, be wide awake, have o.'s wits about one.

дренаж м., -и, (два) дренажа техн. draining, drainage; (под земята) underdrainage, underdrain; (тръби) drainage; мед. drainage (tube); drain; правя ~ на абсцес мед. drain an abscess.

дрѐнки само мн. cornel-cherries; • от един дол ~ cast in the same mould, all of a piece, much of a muchness.

дресирам гл. **1.** (животни) train, tame; (кон) break in; **2.** (за човек) train.

дресьор м., -и animal-trainer.

дрѐх|а ж., -и рад. **1.** article of clothing; лит. garment; разг. tog; (палто) (top)coat, overcoat, jacket; в цивилни ~и in plain clothes, амер. разг. in civies; връхна/горна ~а top/outer garment, само мн. clothes, street clothes, top/outer garments; готови ~и ready-made clothes; долни ~и underclothes, underwear, body linen, разг. (женски) undies; ~и clothes, clothing; разг. togs, toggery; (обикн. младежки) gear; ~ите правят човека the tailor makes the man, fine feathers make fine birds.

дриблирам гл. спорт. dribble.

дрип|а ж., -и rag, tatter; • налягай си ~ите lie low, keep quiet/mum; be more modest, take in sail.

дрипав прил. ragged, tattered, in rags/tatters; shabby, mean.

дрипльо м., -вци tatterdemalion, ragamuffin; shabby/ragged fellow.

дроб₁ м., -ове, (два) дроба анат. (бял) lung; възпаление на белите ~ове inflammation of the lungs; въз-

паление на черния ~ hepatitis; заболяване на черния ~ liver disease/complaint; със слаби ~ове weaklunged; черен ~ liver.

дроб₂ ж., -и мат. fraction, broken number; неправилна ~ improper fraction; правилна ~ proper/simple/rational fraction; проста ~ vulgar/common fraction; сложна ~ compound/complex fraction.

дроб|ен прил., -на, -но, -ни мат. fractional; ~на черта line; ~но число fractional number, fraction; под/над ~ната черта above/below the line.

дробя гл., мин. св. деят. прич. дробил **1.** break/cut into small pieces/bits; (хляб) crumble; ~ попара make pap; **2.** техн. crush, shatter, shred; || ~ се crumble; • каквато си дробил, това ще сърбаш as you brew so you must drink, you must drink as you have brewed, you reap what you have sown, as a man makes his bed so he must lie in it.

дропс м., само ед. lozenge; ~ за кашлица cough drop, cough lozenge.

друг прил. **1.** (онзи, не този и пр.) (an)other, some other, somebody/someone else, something else; само мн. other(s); всеки ~ any one/everybody else; и единият, и ~ият both; either; или единият, или ~ият either (the one or the other); either one; нещо ~о? what else? anything else? what else? anything more?; **2.** (различен) different, new; ~а версия another/different version, (на текст) variant reading; по-~ на цвят/качество и пр. somewhat different in colour/quality etc.; **3.** (противоположен, обратен) other, opposite; reverse; на ~ата страна на листа on the other/reverse side of the page/leaf; overleaf; **4.** (следващ, иден) next, following; (следващ – за човек) (the) next, next other, another; само мн. the others, the rest; да влезе ~! let another one come in; (следващият по ред) let the next one come in; ~! next! ~ата седмица next week, the coming week; • без ~о anyway; (most) certainly; един зад ~ in single/Indian file; one behind the other, (за повече от двама) one behind another; и др. etc.; между/покрай ~ото among other things; incidentally, (между впрочем)

by the way, *разг.* by the by(e).

дру̀гаде *нареч.* elsewhere, somewhere else; any place else; **всякъде** ~ anywhere else; **никъде** ~ nowhere else.

друга̀р (-ят) *м.*, -и **1.** companion, comrade; friend, fellow; compeer; (*по работа и пр.*) associate, colleague, mate, fellow-worker; (*от училище*) schoolfellow; class-mate; ~ **от детинство** childhood friend, friend of o.'s childhood; ~ **по нещастие/съдба** fellow-sufferer; **стари ~и** old chums, pals, *разг.* cronies; *амер.* buddies; **2.** (*член на социалистически колектив*; *и като обръщ.*) comrade; (*с име*) Comrade; **3.** (*съпруг*) husband; mate (*и за животно*); (*един от чифт*) mate; **без** ~ unmated, mateless, without a mate.

друга̀рк|а *ж.*, -и comrade; wife, mate.

друга̀рск|и *прил.*, -а, -о, -и **1.** comradely, friendly; **~а среща** reunion/get-together of friends/fellow-workers/students/citizens etc.; **2.** (*за атмосфера, настроение*) convivial.

дру̀гиден *нареч.* the day after tomorrow; **утре**-~ in a day or two; one of these days.

друговѐр|ец *м.*, -ци **1.** person of different faith/religion; **2.** (*неверник*) infidel.

дружа̀ *гл.*, *мин. св. деят. прич.* **дружѝл** be friends (**с** with), be on friendly/ intimate terms (with); be intimate (with); consociate; *разг.* chum; (*общувам*) mix (with people).

дру̀жба *ж.*, *само ед.* **1.** friendship; fellowship; *книж.* amity; **имам ~ с** be friends with; **2.** (*общество на съграждани, съселяни*) society of fellow-citizens/villagers; **3.** *полит.* (*организационна единица на Българския земеделски народен съюз*) local party group (of the Bulgarian Agrarian Union).

дружелю̀б|ен *прил.*, -на, -но, -ни amicable, friendly; neighbourly; companionable.

дру̀ж|ен *прил.*, -на, -но, -ни (*единен, съгласен*) united, harmonious; **~ен смях** general laughter; **~и усилия** joint/concerted/united efforts, allied endeavours; (*в който участват всички*) general; **~но семейство** united family; (*съгласуван, за усилия и пр.*)

joint, concerted, united, combined.

дру̀жеск|и₁ *прил.*, -а, -о, -и amicable, friendly; **~а услуга** good turn.

дру̀жески₂ *нареч.* amicably, in a friendly way/manner.

дру̀жествен *прил.* of a society/association/company etc.; society (*attr.*), association (*attr.*), company (*attr.*) etc.

дру̀жеств|о *ср.*, -а **1.** association, society; (*общество*) fellowship; **~о за защита на животните** society for the prevention of cruelty to animals; **спортно** ~о sports/sporting society; **2.** *търг.* company, firm, partnership, society; *амер.* corporation; **акционерно** ~о joint-stock company; *амер.* corporation; **~о с ограничена отговорност** limited liability company, *съкр.* Ltd; **застрахователно** ~о insurance company.

дружѝн|а *ж.*, -и **1.** *воен.* battalion; **2.** (*чета*) band; **3.** (*компания*) company, party, set, crowd; *sl.* outfit; ● **сговорна ~а планина повдига** union is strength, unity makes strength.

дружѝн|ен *прил.*, -на, -но, -ни of a battalion.

дру̀жно *нареч.* in union, with one accord, (all) together; hand in hand.

друс *междум.* bumpety-bump; bump.

дру̀сам *гл.* **1.** (*клон и пр.*) shake (up); (*нещо, за да падне*) shake down; **2.** (*за кола и пр.*) bump (along), jerk, jolt, jig; (*леко*) jog (along), joggle; **който** друса bumpy, jerky, jolting; **3.** (*дете*) dandle, jump a child on o.'s knee; || ~ **се 1.** shake; bump along, jog along, jolt, jig, jumble along; (*леко*) jog (along), joggle; **2.** (*употребявам наркотици*) *sl.* bang up, jack up, do up, shoot up.

дру̀сан *мин. страд. прич.* *жарг.* stoned, toasted, doped-up, *sl.* spacey.

дръвнѝ|к *м.*, -ци, (*два*) **дръвнѝка 1.** (*за сечене на дърва*) chopping log; **2.** (*за складиране на дърва*) woodshed; **3.** *прен.* (*глупак*) bumpkin, thickhead, blockhead, dunderhead, loggerhead, chump, numskull, lubber, jolterhead, clod, *sl.* clodhopper, clodpole, clodpoll; jobbernowl; *амер.* bonehead, lunkhead, dimwit, lummox.

дръвчѐ *ср.*, -та sapling; young/small tree; **овощни ~та** young fruit trees.

дръглѝв *прил.* scraggy, bony, lean; worn-out; ~ **кон** jade, hack.

дръ̀жк|а *ж.*, -и **1.** handle, (hand) grip; (*на инструмент, лъжица и*) shank; (*на врата*) (door-)handle, (*кръгла*) (door-)knob; (*на нож, кама*) haft, hilt; (*на револвер*) butt; (*на брадва*) helve; *техн.* pad; tommy; lever; ~**а на тиган** panhandle; **канче с ~а** mug with a handle; **2.** *бот.* (*на плод, цвете, лист*) stem, (*на плод*) stalk; (*на цвете*) footstalk, shank; (*на лист*) leafstalk, footstalk, petiole; (*на гъба, папрат*) stipe, stalk.

дръ̀звам, дръ̀зна *гл.* dare, venture; take the liberty; make bold, make so bold as (to *с inf.*); **той дръзна да ми каже, че** he dared tell me that, he had the impudence to tell me that.

дръ̀зко *нареч.* **1.** (*смело*) boldly, daringly; gamely; **2.** (*нахало*) boldly, impudently, insolently, defiantly.

дръзновѐние *ср.*, *само ед.* daring, boldness, audacity, fearlessness.

дрън *междум.* **1.** bang! (*за нещо звънливо*) clink, clang, clank; (*струни*) twang; (*прен.*: ● ~~ (*ярина*) blah blah; yap-yap, flimflam, bunkum, clothed nonsense; fiddlesticks, jiggery-pokery, tosh.

дрѐнвам, дрѐнна *гл.* **1.** ring (out), clink; clank; (*струна*) twang; **дръ̀нни ми по телефона** give me a ring, ring me up, *амер.* give me a buzz; **2.** (*удрям*) bang; **дрѐннах си главата** I banged my head (**на** against, on).

дръ̀нкалк|а *ж.*, -и rattle.

дрѐнка̀л|о *ср.*, -а **1.** rattle; **2.** (*бърборко*) rattletrap, chatterbox, chatterer, blabbermouth, blab(ber), babbler, gabbler; windbag, gasbag, rattle, driveller; gossip.

дрѐнкам и дрѐнча̀ *гл.* **1.** ring, bang; (*дрънкалка*) rattle; (*за тежки метални предмети*) rattle, clank, jangle; (*звънливо*) clang; (*за леки металически предмети*) jingle; (*за звънче и пр.*) tinkle; (*за стъкло, чаши, монети*) clink, chink; ~ **оръжие** *прен.* rattle the sabre; ~ **със звънец** ring a bell; **2.** (*на пиано, китара*) thrum, strum; *разг.* bang out; (*струни*) plunk; **3.** (*дърдоря, плещя*) chatter, rattle/rabbit on, prattle, jabber, gabble; jaw, babble, yap, run on, wag o.'s tongue; *амер. sl.* chin; ~ **врели-некипели** talk nonsense; **стига си дрън**

кал! shut up! cork it! put a sock in it! **той много дрънка** (*издайничи*) he is leaky, he can't hold his tongue; || ~ **се** squabble, wrangle.

дрънкулк|а *ж.*, -и 1. (*дрънкалка*) rattle; 2. (*украшение*) trinket, knick-knack; falderal, fandangle; gaud; gewgaw; *прен.* trifle; ~**и събир.** trumpery, knick-knackery, costume jewellery.

дръпвам, дръпна *гл.* pull, tug, draw out/up, give a pull/tug (at); (*рязко*) jerk off/out, twitch off/out, yank, give a yank; (*бързо*) sweep aside; (*силно*) wrench, give a wrench (at); ~ **нещо от ръцете на някого** snatch s.th. out of s.o.'s hands; ~ **някого настрана** draw s.o. aside; ~ **от цигарата си** take a drag on o.'s cigarette; (*отмествам*) pull back/aside; move away/aside; draw away; (*с теглене*) push aside; (*транспаранти*) pull down; ~ **си ръката** withdraw o.'s hand; ~ **спирачката** pull up the brake; ~ **струна** strike, (*леко*) touch; || ~ **се** start back, jerk; (*назад*) draw/stand back; (*встрани*) draw/stand aside; (*бързо*) start aside; **дръпнете се от пътя** make way, get out of the way; **кръвта се дръпна от лицето й** the blood fled back from her face; (*оттеглям се*) withdraw; ● ~ **му една реч** make (quite) a speech; ~ **му по една** (*чаша алкохол*) have a quick one/ drink, throw one down the hatch; **дръпнах му един бой** I gave it him, I gave him a good hiding/drubbing; **дръпнах му един сън** I had a good long sleep.

дръпнат *мин. страд. прич.* (*и като прил.*) (*смахнат*) daft, dotty, crazy, cracked off o.'s head/nut, nutty, nuts; (*своенравен*) wilful, wayward, contrary, unmanageable, capricious.

дръпнато *нареч.* 1. (*остро*) bluntly, brusquely, sharply, pertly; 2. capriciously; whimsically.

дрязг|а *ж.*, -и *обикн. мн.* differences, clashes; *разг.* squabbles.

дрямка *ж.*, *само ед.* nap, doze, drowse, short sleep, *разг.* snooze, forty winks; **наляга ме** ~ feel drowsily/dozy.

дрян *м.*, -ове, (два) **дряна** *бот.* cornel-tree (*Cornus mas*).

дрянка *ж.*, **дренки** cornel-cherry.

дуализ|ъм (-мът) *м.*, *само ед.* dualism; **религиозен** ~**ъм** ditheism.

дуалистич|ен *прил.*, -на, -но, -ни; ду-

алистическ|и *прил.*, -а, -о, -и dualistic.

дублет *м.*, -и, (два) **дублета** *език.* doublet.

дубликат *м.*, -и, (два) **дубликата** duplicate (document), replica, counterpart, copy.

дублирам *гл.* 1. (*при игра*) double; 2. (*върша същата работа*) duplicate; 3. *театр.* understudy; deputize (for); (*в киното*) stand in for; ~ **роля** double a part; 4. (*филм*) dub, double; **филмът е дублиран на български** the film is dubbed in Bulgarian; (*преснимам*) retake.

дубльор *м.*, -и; **дубльорк|а** *ж.*, -и *театр.* understudy; (*в киното*) stand-in (man/woman).

дуб|ъл *м.*, -ли, (два) **дубъла** *кино.* retake; *карти* doubleton.

дуел *м.*, -и, (два) **дуела** duel, affair of honour; **викам някого на** ~/**обявявам** ~ **на някого** challenge s.o. to a duel, call s.o. out.

дуелирам се *възвр. гл.* fight a duel, duel (**с** with), meet (**с** -).

дует *м.*, -и, (два) **дуета** *муз.* duet.

дузин|а *ж.*, -и dozen.

дузп|а *ж.*, -и *спорт.* penalty kick/shot; **бия** ~**а** take a penalty kick/shot.

дул|о *ср.*, -а muzzle, nozzle, mouth; gunpoint; **под** ~**ото на пистолета** at gun point.

дум *междум.* bang! thud! thump!

дум|а *ж.*, -и 1. word; **в пълния смисъл на** ~**ата** in the true sense of the word; ~**а не продума** he didn't say a word, not a word did he say; ~**а по** ~**а** verbatim, (*за превод*) word for word; **играя на** ~**и** play upon words, pun; 2. (*онова, което казвам, разказвам, изразявам и пр.*) word, account; **блага** ~**а** kind/good word; **взе ми** ~**ата от устата** he took the words out of my mouth; **лоши/тежки** ~**и** hard/black words; **меря си** ~**ите** weigh o.'s words, (*сдържам се*) bridle o.'s tongue; **ни** ~**а!** not a word; **с други** ~**и** in other words; **съгласявам се/поддържам само на** ~**и** pay/give lip service (to); **той не каза ни** ~**а** (*не възрази*) he took it lying down; 3. (*при разговор*) word, talk, conversation; **ако стане** ~**а за мен** if any reference is made to me; **да си дойда на** ~**ата** to come back/to

---

return to the subject, let me get back to the point; let me come back to what I was saying; **от** ~**а на** ~**а** one thing led to another; from one word to another; in the course of the conversation; 4. (*обещание*) word, promise, pledge; **давам** ~**а** promise; **давам** ~**а** (*за женитба*) pledge o.'s word to; **давам честна** ~**а** pledge o.'s word/honour; give/pledge/plight o.'s faith; 5. (*мисъл, мнение, препоръка*) word, say, opinion, verdict; **вземам назад** ~**ите си** I take back my words, I take back what I said; ~**ата му се чува** his word carries weight; **това ли е последната ви** ~**а?** is that final? 6. (*право на изказване*): **вземам** ~**ата** take the floor; **давам** ~**ата някому** give s.o. the floor, call upon s.o. (to speak); **отнемам** ~**ата** rule out of order, withdraw permission to speak, call to order; ● **голяма** ~**а не казвай** don't be too sure; **да не кажа голяма** ~**а** if I'm not making too bold; if it's not hallooing before I'm out of the woods; ~**а да не става**, ~**а да няма** I won't hear of it; it's out of the question; nothing doing! no fear! no such thing! not on your life! **казана** ~**а, хвърлен камък** a word spoken is past recalling; it's a promise.

Дунав *м. собств.* the Danube.

дунавск|и *прил.*, -а, -о, -и Danubian; (the) Danube (*attr.*), of the Danube; **Дунавска равнина** *геогр.* the Danube Plain.

дунапрен *м.*, *само ед.* foam rubber, plastic foam; **подплатен с** ~ foam(rubber) backed.

дупе *ср.*, -та *разг.* behind, *разг.* bottom; *амер., разг.* fanny; ● ~ **и гащи съм** (**с**) be hand in glove (with); **ставам с** ~**то напред** get out of the bed on the wrong side.

дупк|а *ж.*, -и 1. hole; **изкопавам** ~**а** dig a hole/pit; **пробивам/правя** ~**а** (make a) hole, cut/bore a hole; perforate, punch; (*яма*) hole, pit; (*в път*) (pot-)hole; **пътят е целия в** ~**и** the road is full of pot-holes; (*от граната*) shell-hole; (*от куршум*) bullet-hole; (*за чеп*) knot-hole; (*на ключ*) keyhole; (*за монети в автомат*) slot; (*от която изтича нещо*) hole, leak; (*от перфоратор, кондукторски клещи и пр.*) perforation; (*за

връзка на обувка) eyelet; **2.** (*падина*) hollow; **3.** (*кухина*) hollow, cavity; (*в зъб*) cavity; **4.** (*пролука*) gap; (*отвърстие*) opening; ~**и за запълване** gaps to be filled/stopped; **5.** (*на флейта и пр.*) (finger-)hole, ventage; **6.** (*шупла*) pore, hole; (*в отливка*) knot, hole; **7.** (*леговище*) hole, den, lair, (*на заек, лисица*) burrow; изкопавам ~а (*за заек и пр.*) burrow (a hole); меча ~а den/lair of a bear; **8.** (*скъсано място*) hole, tear; палтото има ~а на лактите the coat is out at elbows; **9.** (*малко бедно жилище*) hovel, den; (*за кино или театър*) англ., разг. fleapit; **10.** (*затвор*) den, clink, jug, pen; ● вкарвам някого в миша ~а corner s.o., put s.o. in a tight spot; до ~а to the max; миша ~а прен. mouse-hole; последната/седмата/деветата ~а на кавала a mere nobody; a second fiddle.

дупча гл., мин. св. деят. прич. дупчил (make a) hole, cut/bore a hole; (*с перфоратор и пр.*) perforate, punch (a hole); (*с нещо остро*) prick, pierce (a hole); ~ ушите си (*за обици*) have o.'s ears pierced.

дупчиц|а ж., -и tiny hole/cavity; (*на лицето от шарка*) pock-mark; бот. ostiole.

дупя се възвр. гл., мин. св. деят. прич. дупил се stick o.'s bottom out.

дух м., -ове, (два) духа **1.** филос. spirit, mind; (*нравствена сила, смелост*) spirit, morale, mettle, tone; губя/запазвам присъствие на ~а loose/keep o.'s head/o.'s presence of mind; повдигам ~а raise (the) morale; силен ~ strong mind, unbending spirit; **2.** (*психическо състояние, настроение*) spirit, spirits, frame of mind; mood; ~ на недоволство a spirit of discontent; ~овете са възбудени everyone is excited; с търговски ~ commercially minded; **3.** (*същност, насока*) spirit; в ~а на in the spirit of; в този ~ on these lines; **4.** (*памет на покойник*) spirit; викане на ~ове spirit-rapping; ~ът му витае сред нас his spirit is still with us; **5.** (*въображаемо, свръхестествено същество*) spirit, ghost, phantom, phantasm, spectre; викам ~ raise a spirit; зъл ~ evil spirit; ● предавам богу give up the ghost, breathe

o.'s last, pass away; Светият Дух рел. the Holy Ghost, (*празник*) църк. Whitsuntide.

духам гл. **1.** (*с уста*) blow, breathe; (*с духало*) blow, fan; ~ на ръцете си blow/breathe on o.'s fingers; ~ се разпали blow on the fire to make it blaze; **2.** (*за вятъра*) blow; духа, не духа, ще изляза да се разходя blow high, blow low, I'll go out for a walk; **3.** (*има течение*): духа ми I feel a/the draught; ● за тоя що духа all for nothing; парен каша духа the burnt child dreads the fire; once burnt/bitten, twice shy.

духвам, духна гл. **1.** (*за вятър*) blow, puff; духна вятър a wind came up, (*поривисто*) there was a gust of wind; **2.** (*угасявам с духане*) blow out, puff out; **3.** разг. (*побягвам*) make off, scoot, bunk, scram, take to o.'s heels, show a clean pair of heels; разг. cut away, cut loose; sl. mizzle, vamoose; (*изчезвам*) take French leave; амер., разг. fly the coop; англ., разг. do a flit; ● да го духнеш – ще падне he's as thin as a lath/as a shadow/as a wafer; ~ някому под опашката kick s.o. out, fire s.o., sack s.o.

духов прил. муз.: ~ инструмент a wind instrument; ~и инструменти wind; (*дървена група*) wood (wind); (*медна група*) brass; ~ оркестър, ~а музика brass band.

духов|ен прил., -на, -но, -ни **1.** spiritual, unworldly, of the mind, mental, intellectual, noetic, unfleshly, otherworldly; ~на бедност spiritual poverty, meanness; ~на връзка spiritual relationship; community of feeling; ~на сила spiritual power; ~на храна mental/intellectual food; nurture of the mind; **2.** църк. ecclesiastic(al), clerical; ~ен глава head of the church; ~но лице clergyman, cleric, ecclesiastic, a man of God/of the cloth; приемам ~ен сан take (holy) orders.

духовенств|о ср., -а църк. clergy, priesthood, ministry; бяло ~о secular clergy; черно ~о regular clergy; monks, friars.

духовит прил. **1.** (*остроумен*) witty, nimblewitted; ~ отговор repartee, witty retort, come back; **2.** (*весел, забавен*) facetious; funny; amusing; ~ събесед-

ник amusing companion.

духовни|к м., -ци cleric, ecclesiastic, clergyman, man of God/of the cloth.

духовност ж., само ед. spirituality, spiritualness.

духом нареч. in spirit, spiritually, mentally; не падам ~ (*след беда*) keep o.'s head/chin up; make the best of it; низшите ~ the poor in spirit; падам ~ despond, lose heart, lose o.'s presence of mind, become dejected/downhearted.

душ м., -ове, (два) душа **1.** shower(-bath); мед. douche; ~ове (*помещение*) shower room(s); **2.** (*къпане под водна струя*) shower; правя/вземам ~ take a shower; ● поляха го със студен ~ they threw cold water on his enthusiasm.

душа гл., мин. св. деят. прич. душил sniff, scent; (*за куче, кон – гали се*) muzzle.

душа₁ гл., мин. св. деят. прич. душил **1.** choke, stifle, strangle; **2.** (*причинявам тежко дишане*) choke, suffocate, smother; be suffocated; гняв го души he chokes/suffocates with anger; кашлицата го души his cough is choking him; **3.** прен. (*потискам*) oppress; мизерията го души he lives in wretched poverty.

душ|а₂ ж., -и **1.** (*вътрешен живот*) soul, heart; олеква ми на ~ата feel a weight off o.'s mind, feel relieved; тежи ми на ~ата be sick at heart, be heartsick; **2.** (*вътрешни качества на човек*) heart, feelings, spirit, mind; благородна ~а noble soul/heart; дребни ~и mean souls, mean/low creatures; злобна ~а evil soul; по ~а by nature, at heart; deep down; тя е/има добра ~а she is a kind/decent soul, (*простосърдечна е*) she is a simple soul; **3.** (*дъх, дихание*) breath; breathing; **4.** рел. soul, spirit; **5.** (*вдъхновител*) soul, life, moving spirit; master mind; той беше ~ата на предприятието he was the moving spirit/the life and soul of the enterprise, амер. he was the live wire of the concern; **6.** (*човек*) person, soul, people; бяха десетина ~и there were about ten people; жива ~а няма there's not a soul about; ● вадя/изкарвам ~ата някому bother/harass, nag/plague/worry the life out of s.o., torment s.o.; pester s.o., chiv(v)y s.o.

run s.o. into the ground; влагам ~ата си в put o.'s heart and soul in; всичко, което ти ~а поиска everything you could possibly want, all that your heart desires; давам ~а за be mad/crazy about; revel in, wallow in; изгоря ми ~ата за/по my heart aches after, my heart is yearning/longing for; кривя си ~ата act/speak against o.'s conscience; мъртви ~и dead souls.

душѐв|ен прил., -на, -но, -ни spiritual, mental, of the soul/mind; ~на борба inner struggle; mental conflict; ~на мъка torment, mental sufferings; ~но болен mentally ill, mental case/patient, lunatic, insane; ~но състояние state of mind; mentation.

душѐвност ж., само ед. spirit, spiritual make-up; mentality.

дъ̀ш|ен прил., -на, -но, -ни (за заведение и пр.) close, stuffy, fuggy; frowsy, frowsty; (за време) close, sultry, oppressive; ~на атмосфера fug; разг. frowst; ~но ми е I can hardly breathe.

дъб м., -ове, (два) дъба 1. бот. oak (-tree) (Quercus); зелен ~ evergreen oak, holm oak, holy oak (Quercus ilex); корков ~ cork-tree, cork oak (Quercus suber); 2. (дървесината) oak; тъмен/опушен ~ fumed oak.

дъбене ср., само ед. tanning, tannage.

дъбил|ен прил., -на, -но, -ни хим. tanning, tannic; gallic; ~ен екстракт, ~на течност tanning liquors, tan-ooze/-pickle.

дъбов прил. oak (attr.), of oak, поет. oaken; ~а гора oak forest/wood/-grove, grove of oak-trees; ~о листо oak-leaf.

дъбра̀в|а ж., -и wood, forest.

дъбя гл., мин. св. деят. прич. дъбил tan, dip.

дъвк|а ж., -и chewing gum, mastic; разг. stick-jaw.

дъвка̀тел|ен прил., -на, -но, -ни masticatory, chewing; ~ни зъби анат. masticatory teeth.

дъвча гл., мин. св. деят. прич. дъвкал 1. chew, munch, лит. шег. masticate; (за кон, крава, и) champ; 2. прен. (мънкам) mumble.

дъг|а ж., -и 1. (небесна) rainbow; 2. (на бъчва) stave; clapboard; (на тръбопровод) offset; 3. мат. arc; геом. catenary.

дъгов прил. ел. arc (attr.); ~а заварка

техн. arc welding.

дъговѝд|ен прил., -на, -но, -ни; дъгообра̀з|ен прил., -на, -но, -ни arched, arch-shaped; embowed; cambered.

дъжд м., -овѐ 1. rain; вали ~ it is raining, it rains; ~ и буря rain-storm; ~, не ~ rain or shine; проливен/пороен ~ torrential/pouring rain, downpour, cloudburst, cataract; 2. прен. (поток от нещо) shower, rain, (от куршуми и) flight; ~ от искри a shower of sparks; метеоритен ~ meteor shower; • от ~ на вятър once in a blue moon, at long intervals; след ~ качулка wise after the event, lock the stable door after the horse has been stolen, a day too late for the fair.

дъждобра̀н м., -и, (два) дъждобра̀на 1. (чадър) umbrella; 2. (дреха) raincoat, waterproof, plastic mac; 3. (за глава) plastic rain hat.

дъждо̀в|ен прил., -на, -но, -ни 1. (за време) rainy, showery, drizzly, wet; ~но лято rainy/wet summer; 2. (свързан с дъжд) rain (attr.), pluvial; ~ен облак raincloud, nimbus; ~ен червей зоол. rain worm, earthworm (Lumbricus terrestris); ~на вода rain water; ~на капка raindrop.

дъждо̀вни|к м., -ци, (два) дъждо̀вника зоол. (гущер) salamander (Salamandra salamandra).

дъждоно̀с|ен прил., -на, -но, -ни: ~ен облак метеор. raincloud, rainy cloud; ~ен вятър метеор. wet/rainy wind.

дълба̀я гл., мин. св. деят. прич. дълба̀л 1. (копая) dig (out), hollow (out), scoop; ~ в недрата на земята dig in the bowels of the earth; тук водата дълбае земята the water hollows out the ground here; 2. (с ножче, длето) cut, carve, engrave, chisel, gouge; || ~ се delve (в into), probe (into), go deep (into).

дълбин|а̀ ж., -ѝ 1. (дълбочина) depth; gulf; в ~ите на морето deep in the sea; 2. (недра) womb, bosom; в ~ите на душата deep down in o.'s heart, deep down inside, in o.'s heart of hearts, in o.'s innermost self.

дълбо̀к прил. 1. deep; (за чувство, настроение) heart-felt; ~ един метър one metre deep, one metre in depth; ~и очи deep-set eyes; ~о по-

рязване a deep/nasty cut; 2. прен. (който прониква дълбоко) penetrating, penetrative; ~ поглед a penetrating glance; прен. deep insight (into); (за познание) deep; (за чувство, настроение) deep, profound, great, deep-seated/-rooted; ~а скръб/печал deep sorrow/grief; ~о възмущение strong/great indignation; ~о презрение profound contempt; ~о убеждение deep-seated/profound conviction; (за мъдрост, смисъл) profound, very great; (за ум) penetrating; (за книга) thoughtful, pregnant with meaning; (за причина) deep lying; underlying, ultimate; (за тайна) dead; (за невежество) complete, utter, profound; (за сън) deep, sound, profound; (за тишина) profound; (за тъмнина) dense; (за въздишка) deep(-drawn), heavy; (за глас) deep, bass; (за поклон) deep, low; • в ~ата провинция in the depth of the country, deep in the country, at the back of beyond; до ~а старост to a ripe old age; ~а древност high/hoary antiquity, remote past; ~а резерва an emergency stock.

дълбо̀ко нареч. deeply, profoundly; въздишам ~ heave a deep sigh, sigh from o.'s boots; ~ в сърцето си/в душата си in o.'s heart of hearts; спя ~ be a deep sleeper, sleep soundly; be sound/fast asleep.

дълбоково̀д|ен прил., -на, -но, -ни off-shore (attr.); deep-water/-sea (attr.), deep-sea; зоол. demersal.

дълбокомѝслено нареч. thoughtfully, with a thoughtful air; significantly; ирон. with a wise air, looking (very) wise, sagely.

дълбочин|а̀ ж., -ѝ 1. depth; ~а на замръзване frost penetration; на три метра ~а at a depth of three metres; 2. (за хоризонтално разстояние) depth; в ~а in depth; 3. (на глас, тон) depth; 4. прен. (на мисъл и пр.) profundity; (на ум, книга) depth; (на чувства, преживявания) depth, intensity; ~а на ума depth of mind; ~а на чувствата depth/intensity of feeling; deep/intense feelings.

дълбочѝн|ен прил., -на, -но, -ни bathyal.

дълг м., -ове, (два) дълга 1. (паричен) debt; влизам в ~ове run/get into

debt; **държавен** ~ *икон.* national debt; **изплащам** ~ pay off a debt; **нямам ~ове** have no debts, (*изплатил съм се*) be out of debt, be quit of debts; **погасяване на** ~ *юр.* acquittal; **потънал съм до гуша в ~ове** be heavily/deep/ deeply in debt, be debt-laden, be head over ears/up to the eyes in debt; **2.** (*задължение*) duty; **изпълнявам ~а си do o.'s duty/bit; смятам/считам за свой** ~ **да** I consider it my duty to; I shall make it my duty/a point of duty to.

дълго *нареч.* a long time, long; ~ **преди това на** ~ **и широко** at great/full length; **не след** ~ before long.

дълговрѐмен|ен *прил.*, **-на, -но, -ни** prolonged, lasting; *воен.* (*за съоръжения*) permanent.

дългогодѝш|ен *прил.*, **-на, -но, -ни** long, of long standing, of many years, of many years' duration, long-lived; **~ен опит** great experience.

дългоко̀с *прил.* long-haired.

дългокра̀к *прил.* long-legged, leggy, rangy.

дълголѐтие *ср.*, *само ед.* long life, longevity.

дългометра̀ж|ен *прил.*, **-на, -но, -ни: ~ен филм** full-length film.

дългоочѐакван *прил.* long-awaited/ -expected, longed/-looked-for.

дългосро̀ч|ен *прил.*, **-на, -но, -ни** long-term (*attr.*), long; (*за полица и пр.*) long-dated; **в ~ен план** in the long run; **~ен кредит** long-term credit.

дългограѝ|ен *прил.*, **-йна, -йно, -йни** lasting, durable, long-lasting; long, of long duration/continuance; time-proof; enduring; (*за слава*) lasting, long-lived.

дължа̀ *гл.* **1.** owe; *непрех.* be indebted; ~ **ти** (**пари**) **за бензина** I owe you for the petrol; **дължиш ми десет долара** you owe me ten dollars; **2.** *прен.* owe, be due (**на** to), be obliged to; **дължиш ми обяснение** you owe me an explanation; **3.** (*трябва*) must (*с inf.*); ~ **да отбележа** I must point out; **дължи се на** be due to.

дължим *сег. страд. прич.* (*и като прил.*) **1.** due; **~а сума** amount due; **~о плащане** payment in due course; **2.** (*заслужен*, *подобаваш*) (well) deserved, merited; due, fit, appropriate.

дължин|à *ж.*, **-й 1.** length; **~а на вълната** *физ.* wave length; **~а на ок-**

ръжност *геом.* circumference; **~а на проводник** *ел.* run; *геогр.* longitude; **по/на ~а** lenghtwise, in length, longways, longwise; **три метра на ~а** three metres in length, three metres long; **2.** (*за време*) length (*и фон.*, *муз.*); **~а на деня** daylight, number of daylight hours.

дъл|ъг *прил.*, **-га, -го, -ги 1.** long; **бегач на ~ги разстояния** *спорт.* long-distance runner; **~га рокля** evening dress, ankle-length dress; **~ги гащи** long-johns; *амер.* drawers; **~ги чорапи** stockings, (*мъжки*) knee-length socks; **~ъг скок** *спорт.* long jump; **предстои ни ~ъг път** we have a long way to go; **2.** (*за човек*) tall, lanky; *амер.* spindly; **3.** (*за времетраене*) long; sustained, prolonged; **~га реч** long/lengthy speech; **~га сричка** *фон.* long syllable; **~ъг звук, ~га гласна** *фон.* long vowel; **от ~ги години** for many years; (*проточен*) longspun, long-drawn (out); **това е ~га работа** it is a long job, this work will take a long time; ● **имам ~ъг език** *прен.* have a sharp/ready/glib tongue; **тя стана ~га и широка** things are getting involved.

дъ̀н|ен *прил.*, **-на, -но, -ни** *зоол.* demersal.

дъ̀нер *м.*, **-и,** (**два**) **дъ̀нера 1.** trunk, stem, bole; **2.** (*пън*) stump; (*който се е забил в дъното на река*) snag.

дъ̀нки *само мн.* jeans (*pl.*).

дъ̀нков *прил.* *текст.*: ~ **плат** (blue) denim, jean.

дъ̀н|о *ср.*, **-à 1.** bottom, (*на река, море и*) bed, (*на море и*) floor; **изпивам чаша до ~о** drain o.'s glass, empty o.'s glass (to the dregs), drink a cup to the lees/dregs; **изпращам на ~ото на морето** send to the bottom (of the sea), sink; **на ~ото** at the bottom; **с ~ото нагоре** upside down; **2.** *прен.* (*дълбина*) bottom; **от ~ото на душата** from the bottom/ground of o.'s heart; **3.** (*най-отдалечената част на стая, сцена*) far end; **в ~ото на** at the far end of; **в ~ото на душата си** in one's heart of hearts; **4.** (*седалище на панталони и пр.*) seat; **с широко/голямо ~о** full-/wide-bottomed; ● **до ~о** to the end; **на ~ото на** *прен.* at the bottom/back of.

дърва̀ *само мн.* (*като отсечен материал*) wood, firewood; **сурови** ~ green firewood; **сухи** ~ dry firewood.

дърва̀р (-ят) *м.*, **-и** woodcutter, woodman, axeman, *амер.* axman; *амер.* lumberman, lumberjack.

дъ̀рвен *прил.* **1.** wooden, (made) of wood, wood (*attr.*); (*изграден от дървен материал*) timber(ed); ~ **материал** timber, lumber, wood, (*чамов*) pine; ~ **мост** plank bridge; **~а лъжица** wooden spoon; **~и въглища** charcoal, wood-coal; **~и духови инструменти** wood-wind, reeds, reed instruments; **2.** *прен.* wooden; **~а походка** stiff stride, awkward gait; ● ~ **господ** thrashing, hiding, the big stick; ~ **философ** wiseacre, big head; **~а глава** blockhead, wooden head; **~о масло** olive oil.

дървенѝц|а *ж.*, **-и** *зоол.* bug, *амер.* bed-bug.

дървѐс|ен *прил.*, **-на, -но, -ни** wood (*attr.*); *бот.* ligneous; **~на кора** tree bark, cortex; **~на пепел** wood ash; **~ни стърготини** shaving, sawdust; **плоча от ~ни частици** flakeboard.

дървѐсина *ж.*, *само ед.* **1.** wood; **мека** ~ softwood; **новообразувана** ~ *бот.* alburnum; (*за хартия*) wood-fibre, wood-pulp; *текст.* wood-fibre, staple fibre, artificial wool; rayon.

дървесѝн|ен *прил.*, **-на, -но, -ни 1.** wood (*attr.*), ligneous; **~на каша** wood-pulp; **2.** *текст.* made of artificial wool; made of rayon.

дърво̀ *ср.*, **дървѐта или дърва̀ 1.** tree; **горски дървета** forest-trees; **иглолистно** ~ conifer, a coniferous tree; **плодно** ~ fruit-tree; **по дърветата** in the trees; **широколистно** ~ a broad-leaved/deciduous tree; **2.** (*отсечено стъбло*) trunk, log, piece of timber; **събират.** timber; **дялани дървета за греди** timber/trunks hewn for beams; **3.** (*отсечен клон*) stick, branch; **4.** (*за горене*) log, piece of wood; **5.** (*само ед. – материал*) wood, timber; **гравюра на** ~ wood-cut; **облицован с** ~ panelled, wainscoted, lined with wooden panelling, (*отвън*) timbered, shingled; **от** ~ wooden; **подобен на** ~ woody; **6.** *прен.* (*за човек*) clod, lump, wooden-head; blockhead; ● ~ **и камък се пукат от студ** it is ringing/bitter cold; **като взема едно** ~ just you wait; **колед-**

. но ~ Christmas tree; **родословно** ~ family tree; **търся под** ~ **и камък** look for s.th. high and low; look under log, leaf and nettle; leave no stone unturned.

дървовѝд|ен *прил.*, **-на, -но, -ни** tree-like; dendriform; dendroid.

дърводѐл|ец *м.*, **-ци** woodworker; (*дограмаджия*) carpenter; (*столар, мебелист*) joiner, cabinet-maker.

дърводѐлск|и *прил.*, **-а, -о, -и** carpenter's, of a carpenter; ~**а работилница** carpenter's shop; ~**и струг** woodturning lathe; ~**и трион** whip-saw.

дърводобѝв *м.*, *само ед.* logging, lumbering; wood/timber industry.

дърводобѝв|ен *прил.*, **-на, -но, -ни** timber (*attr.*); ~**ен район** timber region; ~**на индустрия** wood/timber industry.

дървообработване *ср.*, *само ед.* woodworking.

дървопреработване *ср.*, *само ед.* wood-processing.

дърворезб|а̀ *ж.*, **-и** wood-carving, fretwork.

дърворезба̀р (-ят) *м.*, **-и** wood-carver.

дървоя̀д *м.*, *само ед.* зоол. woodworm; carpenter ant.

дърдо̀ря *гл.*, *мин. св. деят. прич.* **дърдо̀рил** jabber, gibber, twaddle, gabble, palaver, wag o.'s tongue; *разг.* yap; bang on (about); *амер.* throw the bull; *разг.* gab, gasbag.

държа̀ *гл.* **1.** hold, keep/have hold of; (*не изпускам*) retain hold of; **дръж здраво!** hold tight! ~ **някого за ръка** hold s.o. by the hand; ~ **те!** I've got you, I am holding you! **2.** (*хващам*) take/get hold of; **дръж!** (*на куче*) at him! (*при подаване*) here you are! take this! (*при хвърляне*) catch! **дръжте го!** go for him! **дръжте крадеца!** stop thief! hold! catch! stop (thief)!; **3.** (*крепя*) support, carry/bear the weight; **гредата държи целия покрив** the beam carries the weight of/supports the whole roof; **4.** (*пазя, съхранявам*) keep; ~ **в неведение** keep in the dark; ~ **нещо в тайна** keep s.th. secret; ~ **някого в плен** hold/keep s.o. prisoner; **5.** (*владея, имам власт над*) hold, occupy; ~ **някого в ръцете си** *прен.* have s.o. in the palm of o.s hand; **той държи цялата власт в ръцете си** he has the whole power in his hands; **6.** (*разпореждам се – в жилище и пр.*)

keep, occupy, have; ~ **магазин** keep/run a shop; **7.** (*наемам работници и пр.*) employ; keep; maintain; **8.** (*движа се в дадена посока*) keep; **дръж вдясно!** keep to the right! ~ **посока на запад** steer west; **9.** (*настоявам*) insist (**на** on *с ger.*), hold firmly (to), make it a point (to *с inf.*); be keen (on *с ger.*); be anxious (to *с inf.*); ~ **да ви кажа** I must tell you; ~ **да отида** I insist on going, I am bent/keen on going; ~ **на становището си** stick to o.'s guns; **10.** (*ценя*) value, prize, set great store (**на** by), think highly (of) (*обичам*) be fond of, care about, have a fondness for; **много** ~ **на някого** think highly of s.o.; **той не държи на** he does not care about; ● **бас** ~! I'll bet my boot/hat; you bet your life; **дръж си езика/устата!** *sl.* shut up! hold/stop your jaw! keep your trap shut! ~ **изпит** sit for/go in for/take an examination; ~ **на думата си** be true to/respect/keep o.'s word; ~ **някого отговорен** hold s.o. responsible; ~ **сметка на някого** call s.o. to account, keep tabs on s.o., hold s.o. responsible; **държи ми влага** it keeps me going; I have s.th. to remember; || ~ **се 1.** hold (**за** onto), cling (to); **дръж се здраво!** hold (on) tight! ~ **се здраво** hold firm to s.th., cling to s.th.; **2.** (*крепя се*) be supported/carried (by); **копчето се държи само на един конец** the button is hanging by a thread; **3.** *прен.* (*имам сили*) be active/fit/in good trim; ~ **се здраво на краката си** keep o.'s legs; stand firm/fast; **едва се** ~ hang on by o.'s fingertips/fingernails; **4.** (*съпротивлявам се*) be firm, stand/hold/keep/maintain o.'s ground; (*финансово и пр.*) keep o.'s head above water; stand fast/firm, resist, hold o.'s own; **5.** (*имам обноски*) behave, deport o.s., demean o.s.; **дръж се прилично!** be good! don't let yourself down! (*за деца*) behave yourself! **дръж се сериозно!** stop fooling! ~ **се грубо** be rude (to); ~ **се на положение** stand on o.'s dignity; ~ **се приятелски/недружелюбно** be friendly/unfriendly (**с** to); ● **дръж се!** hold on! (*не се отчайвай*) chin up! never say die! keep smiling! (*не отстъпвай!*) don't give in! stick to your guns!

държа̀в|а *ж.*, **-и** state, body politic;

(*страна*) country, nation.

държа̀в|ен *прил.*, **-на, -но, -ни** state (*attr.*), of state; public; state-owned, state run; (*национален*) national; ~**ен апарат**, ~**на машина** state apparatus/machine, government machinery, machinery of government/of the law, wheels of state; ~**ен преврат** coup d'état; ~**ен служител/чиновник** civil servant, state official; ~**на граница** frontier; ~**на собственост** state property, property of the state; ~**на тайна** state secret, official secret; ~**но право** public law; **на** ~**ни разноски** at state expense; grant-maintained.

държа̀вни|к *м.*, **-ци** statesman; **недостоен за** ~**к** unstatesmanlike.

държа̀вническ|и *прил.*, **-а, -о, -и** statesmanlike, of state; ~**а мъдрост** political wisdom; ~**о изкуство** statesmanship, statecraft.

държа̀внически *нареч.* in a statesmanlike way; **мисля/държа се** ~ uphold the interests of the state.

държавноправ|ен *прил.*, **-на, -но, -ни** public law (*attr.*).

държа̀вност *ж.*, *само ед.* полит. system of state/government, state system/organization.

държа̀не и държа̀ние *ср.*, *само ед.* behaviour; bearing, conduct, demeanour, deportment, carriage, manners; **какво скандално** ~! such carryings-on! **лошо** ~ misbehaviour; **надменно** ~ airy manner; **с добро** ~ well-behaved.

държа̀тел (-ят) *м.*, **-и, (два) държа̀теля** техн. carrier, holder, support.

дързост *ж.*, **-и 1.** (*смелост*) audacity, boldness, daring; gameness; **2.** (*нахалство*) impudence, insolence, impertinence, presumption, effrontery, defiance, offensiveness; *разг.* nerve, uppishness; **имам** ~**та да** have the nerve to; make so free as to; *разг.* have the brass neck to.

дързък *прил.*, **дръзка, дръзко, дръзки 1.** (*смел*) audacious, bold, daring, hardy, fearless, venturesome; **2.** (*нахален*) insolent, impudent, impertinent, presumptuous, overbold, arrogant; flippant; *разг.* flip, nervy, cocky, cocksy, uppish; **много** ~ as bold as brass; **с** ~ **вид** with an insolent air.

дърпам *гл.* pull, tug, draw (**за** by); pull (at); (*нещо тежко*) haul, lug; (*влача*)

drag; (*отмествам*) pull back/aside, move, draw away; ~ някого за ръкава pull/tug at s.o.'s sleeve; дърпат го навсякъде he is in great demand; || ~ се 1. draw back/aside, pull back; recoil, start; (*за кон*) shy (at), (*назад, настрана*) jib; 2. *прен., разг.* set o.s. against, demur; champ the bit; stand aloof, not hear of; ~ се от отговорност flinch from o.'s duty; ● ~ конците *прен.* pull the wires; push buttons.

дърт *прил. разг.* old, aged; senile, decrepit, doddering; ~а вещица an old hag; ~ата *грубо* the old woman; ~ите *грубо* the old'uns, the old folk; ~о магаре! you old bastard!

дърта|к *м.*, -ци *грубо* dotard, doting old man, driveller, imbecile, old bat; изкуфял ~к silly old bastard.

дъск|а *ж.*, -и 1. board, (*по-дебела*) plank; ~а за гладене ironing-board; ~а за хляб bread-board; ~а за чертане drawing-board; черна ~а blackboard; шахматна ~а chess-board; 2. *само мн.* (*под*) (wooden) floor; спя на голи ~и sleep on the bare floor; ● хлопа му ~ата he has a screw/tile/cog loose.

дъскорезниц|а *ж.*, -и saw-mill, lumber-mill.

дъчен *прил.* wooden, board (*attr.*), plank (*attr.*); ~а ограда fence, *амер.* board fence.

дъсчиц|а *ж.*, -и slip of wood, slat; (*с името на растение и пр.*) tally.

дъх *м., само ед.* 1. breath, wind; до последния си ~ to the last gasp; затаявам ~ hold/bate/catch o.'s breath; на един ~ all in a breath, all in the same breath, without stopping for breath, at one go, (*при изпиване на чаша и пр.*) at a gulp/swallow; поемам си ~ get/draw/recover/catch o.'s second wind; 2. (*миризма*) smell, sniff; (*приятен*) savour; (*на цветя*) scent; (*от уста*) breath; (*слаб*) whiff, tinge, tang, tincture, suspicion; (*лъх*) breath; месото има ~ the meat smells bad/is off; слаб ~ на ванилия faint tincture of/just a suspicion of vanilla.

дъхав *прил.* fragrant, aromatic, sweet(-smelling/-scented).

дъхам *гл.* 1. breathe; (*издишам*) exhale, breathe out; 2. (*издавам миризма*) smell, give out a smell/odour/scent,

have an odour/scent, whiff.

дъщер|ен *прил.*, -на, -но, -ни daughterly, daughter-like; filial; subsidiary, divisional, branch; (*за предприятие*) associated; ~но предприятие *икон.* subsidiary, subsidiary corporation/company; ~но чувство daughterliness; filialness, filial affection.

дъщер|я *ж.*, -и daughter; доведена/заварена ~я step-daughter.

дюз|а *ж.*, -и atomizer; *техн.* (fuel injection) nozzle; orifice; ~а за впръскване на гориво *авт.* fuel-injection nozzle; ~а на горелка burner nozzle; изпускателна ~а discharge/exhaust nozzle.

дюкян *м.*, -и, (два) дюкяна 1. shop, store; 2. (*работилница*) (work)-shop; 3. (*копчелък*) fly; ~ът ти е разкопчан your fly is undone.

дюл|я *ж.*, -и 1. *бот.* (*дървото*) quince(-tree) (*Cydonia oblonga*); 2. (*плодът*) quince; сладко от ~и quince jam.

дюн|а *ж.*, -и dune; пясъчна ~а a sand dune.

дюше|к *м.*, -ци, (два) дюшека mattress; гумен ~к air-mattress, inflatable mattress, air bed, Lilo.

дявам, дяна *гл. разг.* put, place; find room for; || ~ се: не зная къде да се дяна be at o.'s wits' end, be in a quandary.

дявол *м.*, -и, (два) дявола 1. devil, deuce, Old Nick/Harry; върви/иди по ~ите! go to hell/to the devil! за какъв ~ ми е? what the hell do I want it for? мъча се като грешен ~ have the devil/a hell of a time; отивам по ~ите go to the dogs/to blazes; *шег.* bite the dust; по ~ите! ~ да го вземе! (oh) hell! damn (it)! darn (it)! the/to hell with it! confound it all! by jingo! o, bother it! botheration! 2. *прен.* (*хитрец*) devil, rogue, mischievous fellow; sly dog, dodger; wag, witcracker, joker; (*за жена*) *шег.* minx; голям ~ се пише he thinks he's very clever; голям е ~ (*пакостник*) he is full of mischief.

дяволи́т *прил.* (*за дете*) mischievous, monkish; (*хитър*) mischievous, roguish, pawky, sly; (*закачлив*) playful, frolicsome, impish; (*жив*) perky, jaunty; (*за поглед, усмивка*) arch, impish.

дяволи|я *ж.*, -и 1. (*шега*) prank, frolic, monkey-trick; dido; (*лудория*)

(piece of) mischief, devilry; mischievousness; 2. (*нещо необяснимо*) wonder, marvel, trick, quirk.

дяволск|и *прил.*, -а, -о, -и devilish; diabolical, satanic; wicked, fiendish, *амер.* tarnal; *прен.* (*ужасен*) beastly, confounded, terrible; ~а дузина long/baker's dozen; ~а работа beastly thing; ~и студено е it's flipping cold.

дядо *м.*, -вци 1. grandfather, grandpa, grandpapa, granddad; 2. (*старец*) old man; ~ Петър Old Peter; 3. (*тъст*) father-in-law; ● ~ владика His Grace the Bishop; (*като обръщ.*) Your Grace; ~ Господ Our Lord; ~ Коледа Father Christmas, Santa Claus; ~ Мраз Jack Frost; ~ поп the (reverend) Father, the Reverend; (*като обръщ.*) Father.

дял (делъ́т) *м.*, -ове, (два) дяла 1. share, part, quota, allotment, portion, partition, contingent; (*от капитал в предприятие*) stake; давам своя ~ contribute o.'s. part/quota; ~ на собственика proprietor's stake; (*част от наука*) branch; на ~ове *бот.* partite; 2. (*делба*) partition; distribution; 3. (*участие*) share, participation; *разг.* a finger in the pie, a slice/piece of the action; давам своя ~ (*за общото дело*) do o.'s. bit, pull o.'s weight, *разг.* keep o.'s end up; имам голям ~ в play a prominent part in, be very active in; нямам ~ в тая работа have no hand in the business; 4. (*превал*) *геогр.* ridge; divide, water-shed; 5. (*тираж на лотария*) drawing; 6. (*съдба*) lot, fate.

дялам *гл.* carve, cut; (*с ножче*) whittle (at); ~ пръчка whittle at a stick; (*с длето*) chisel; (*с каменарско длето*) drove; (*с тесла*) adz(e); (*камък*) hew, cut; дялан камък ashlar; ● имам трески за дялане be no angel, be far from faultless.

дялкам *гл.* whittle, cut.

дялов *прил.*: ~ капитал share capital, joint-stock (capital).

дясно *ср. неизм.* right, right-hand side; в ~ на to the right of; на ~ (*за положение*) on the right(-hand) side; на ~ от to the right of; не поглеждам нито на ляво, нито на ~ look neither right nor left, look straight ahead; от ~ from the right(-hand side).

е₁ *гл.* (*3 л., ед. от* **съм**) is; **това ~** that's how it is.

е₂ *част.* **1.** (*там*) over there; **ей го ~!** there he/ it is, over there! **2.** (*въпрос*) well (then)? and then? so? **~, и после? ~, та какво?** well, what of that? so what? and then?; **3.** (*негодувание*) well now! really! **4.** (*хайде, подкана*) well; **~ де!** come on! **5.** (*слаба закана*) now then!

ебони́т *м., само ед.* ebonite, vulcanite.

Ева *ж. собств. библ.* Eve.

евакуа́ция *ж., само ед.* evacuation.

евакуи́рам *гл.* evacuate; ‖ **~ се** be evacuated, remove.

ева́л(л)а *междум.* **1.** thanks; **2.** (*браво*) good for you/him; ● **правя някому ~** play up to s.o.

ева́нгели|е *ср., -я* **1.** Gospel; gospel-book; **Свето́то ~е** the Gospel; **2.** *прен.* gospel; **3.** (*мъмрене, наставление*) jobation, talking to; ● **чета́ конско ~е на някого** read the Riot Act to s.o.; give s.o. a good talking-to, haul/call over the coals.

евангели́ст₁ *м., -и* (*автор на евангелие*) Evangelist; (*който чете/проповядва евангелието*) gospeller.

евангели́ст₂ *м., -и*; **евангели́стк|а** *ж., -и рел.* evangelical.

евге́ника *ж., само ед.* eugenics.

евдемони́з|ъм (-мът) *м., само ед. филос.* eudemonism.

евентуа́л|ен *прил., -на, -но, -ни* eventual, contingent; possible; **~ен купува́ч** would-be purchaser.

евентуа́лно *нареч.* possibly, in case; **бихте ли могли ~ да ...** could you possibly ...

е́вин *прил.:* **в ~о облекло** in o.'s. birthday suit; **~ плаж** nudist beach for women.

евкали́пт *м., -и,* (*два*) **евкали́пта** *бот.* eucalyptus, fever-tree, bluegum, gumtree (*Eucaliptus*); (*материал*) gumwood.

Евкли́дов *прил.:* **~а геоме́трия** Euclidean geometry.

евну́|х *м., -си истор.* eunuch.

евнухои́дѝз|ъм (-мът) *м., само ед. мед.* eunuchoidism, eunuchism.

еволве́нт|а *ж., -и* involute (curve).

еволюи́рам *гл.* evolve, develop.

еволюцио́н|ен *прил., -на, -но, -ни*

---

evolutionary; evolutional; **~но уче́ние** doctrine of evolution.

еволю́ция *ж., само ед.* evolution.

еврази́|ец *м., -йци;* **еврази́йк|а** *ж., -и* Eurasian.

еврази́йск|и *прил., -а, -о, -и* Eurasian.

Евра́зия *ж. собств.* Eurasia.

евре́ин *м., евре́и* Jew; Israelite, Hebrew.

евре́йк|а *ж., -и* Jewess, Jewish woman/ girl.

евре́йск|и *прил., -а, -о, -и* Jewish, Judaic(al); **~а рели́гия;** Judaism; **ста́ро~и** Hebraic, Hebrew.

е́врика *междум.* eureka.

еври́стика *ж., само ед.* heuristic(s).

евритмия *ж., само ед. мед.* eurhythmia.

евроа́кци|я *ж., -и* euroequity.

евровалу́та *ж., само ед.* eurocurrency.

евродо́лари *само мн.* eurodollar.

еврока́рт|а *ж., -и* eurocard.

еврообли́гаци|я *ж., -и* eurobond.

Евро́па *ж. собств.* Europe.

европаза́р *м., само ед.* Euromarket.

европе́|ец *м., -йци;* **европе́йк|а** *ж., -и* European.

европеи́д|ен *прил., -на, -но, -ни* Caucasoid.

европе́йск|и *прил., -а, -о, -и* European.

европо́лиц|а *ж., -и* euronote.

еврочѐк *м., -ове,* (*два*) **еврочѐка** euro-cheque.

Евста́хиев *прил.:* **~а тръба́** *анат.* Eustachian tube.

евтана́зия *ж., само ед. мед.* euthanasia, mercy killing.

евтин *прил.* **1.** cheap, inexpensive, unexpensive; (*който си струва парите*) worth the money; (*почти без пари*) giveaway; **много ~** dirt/dog cheap, cheap as dirt; **2.** (*долнокачествен*) cheap, poor; *разг.* catchpenny, twopenny, tacky; penny-a-line, (*показен*) trumpery, tinsel (*attr.*), meretricious, flashy, gimcracky, gimcrack, gimmicky, showy; **~и номера́** gimmickry; **3.** *прен.* cheap; **~ на обеща́ния** his promises are worth nothing; ● **на брашно́то ~, на трици́те скъп** penny wise and pound foolish; strain at a gnat and swallow a camel.

евти́ния *ж., само ед. разг.* cheapness; low prices; **голя́ма ~** life is very cheap.

евфеми́з|ъм (-мът) *м., -ми,* (*два*) ев-

феми́зъма *език.* euphemism; code word; mealiness.

евфо́ни|я *ж., -и език.* euphony.

евхари́стия *ж., само ед. църк.* the Lord's Table, the Communion table.

Еге́йско мо́ре *ср. собств.* the Aegean (Sea), the Archipelago.

е́геров *прил. текст.* jaeger.

еги́да *ж., само ед.* aegis, auspices; ● **под ~та на ...** under the aegis/auspices of ...

Еги́пет *м. собств.* Egypt.

еги́петск|и *прил., -а, -о, -и* Egyptian; *sl.* gippy.

египтоло́|г *м., -зи* Egyptologist.

египтоло́гия *ж., само ед.* Egyptology.

египтя́нин *м., египтя́ни* Egyptian; *sl.* gippy.

египтя́нк|а *ж., -и* Egyptian (woman, girl); *sl.* gippy.

егои́з|ъм (-мът) *м., само ед.* selfishness, egoism, egotism.

егои́ст *м., -и;* **егои́стк|а** *ж., -и* egoist, selfish person, dog-in-the-manger.

егоисти́чно *нареч.* selfishly.

еготи́з|ъм (-мът) *м., само ед.* egotism.

егоцентри́з|ъм (-мът) *м., само ед.* navel-gazing.

егоцентри́ч|ен *прил., -на, -но, -ни* egocentric, self-centred.

едва́, едва́м *нареч.* **1.** (*с усилие*) with great difficulty; **~ изка́рвам прехра́ната си** pick up a scanty livelihood; **~ се отърва́х от него́** I had a hard time getting rid of him; **2.** (*слабо, почти не; за малко да не*) hardly, barely, scarcely, only just, just about; **~ долови́ма усми́вка** scarcely perceptible/ almost imperceptible smile, a flicker of a smile; **~~~** only just, by/with the skin of o.'s. teeth, by a finger's nail; **~ не се разпла́ках** I came near to crying; **~ се спаси́хме** it was a narrow escape/ squeak; **3.** (*чак*) only, not until; **~ кога́то** only when (*с инверсия*); **~ сега́** only now (*с инверсия*); **~ тога́ва** only then (*с инверсия*); **4.** (*веднага-щом, току-що*) just, only just, scarcely (*с перфектно време*); (*с инверсия, когато е в нача́лото на изрече́нието*); **~ бе вля́зъл в ста́ята, кога́то ...** hardly/scarcely had he entered the room when ..., no sooner had he entered the room when ...; **~що присти́гнах** I've only just arrived; ● **~ на де́сет годи́ни** barely ten years old.

едва̀ ли *нареч.* hardly, scarcely, it is hardly likely/probable, it is unlikely; ~ **е казвал такова нещо** he can scarcely have said that; ~ **не** almost, all but; little short of; ~ **ще дойде** he is not likely to come, it is hardly likely/probable that he will/should come.

ѐделвайс *м.,* -и, (два) **ѐделвайса** *бот.* edelweiss (*Leontopodium alpinum*).

Едѐм *м., собств. библ.* Eden; *прен.* paradise.

ѐди-как (си) *неопр. нареч.* in such and such a way/manner.

ѐди-как|ъв (си) *неопр. мест.,* -ва̀ (си), -во̀ (си), -вѝ (си) such and such.

ѐди-кога̀ (си) *неопр. нареч.* a such and such a time.

ѐди-ко|й (си) *неопр. мест.* -я̀ (си), -ѐ (си), -ѝ (си) so and so; **едно момче на име Петър ~й (си)** a boy named Peter Something/so-and-so.

ѐди-ко̀лко (си) *неопр. мест.* so and so much/many.

едѝкт *м.,* -и, (два) **едѝкта** edict, decree.

едѝн *числ.,* **една̀, едно̀, еднѝ** 1. *бройно числ.* one; ~**два,** ~**двама** one or two; ~**единствен** a single, only one; ~ **по** ~ one at a time, one by one, one after another; ~ **път** once; 2. *като същ.* (*отделен човек, нещо*) one, one thing; *мн.* some; **дойде ~ и почна да ми разправя** a man came to me and began telling me; **нито ~** nobody, no one; 3. *неопр. мест.* a, an, a certain; *мн.* some; 4. *прил.* (*еднакъв, същ*) the same; **ние сме на едни години** we are of the same age; 5. *прил.* (*единствен, сам*) only, alone; ~ **Господ знае** God only knows; ● **все ми е едно** it's all the same to me, I don't mind; ~ **вид** (*тъй да се каже*) so to say; ~ **през друг** helter-skelter, pell mell; **едно** (*на първо място*) firstly, first; **едно време** once upon a time; **и ти си ~** you're a pretty sort of fellow, you're a fine fellow/one; **от едното влиза, от другото излиза** in at one ear and out at the other, it glances off him like water off a duck's back.

едина̀десет (едина̀йсет) *бройно числ.* eleven.

едина̀десеттодѝш|ен (едина̀йсеттодѝш|ен) *прил.,* -на, -но, -ни eleven-year (*attr.*); of eleven years (*след същ.*); (*за възраст*) eleven-year-old (*attr.*).

едина̀десет|и (едина̀йсет|и) *редно числ.* -а, -о, -и eleventh.

едина̀десетоъ̀гълни|к (едина̀йсетоъ̀гълни|к) *м.,* -ци, (два) **едина̀десетоъ̀гълника** hendecagon, undecagon.

едина̀десетча̀сов (едина̀йсетча̀сов) *прил.* eleven-hours-long, lasting eleven hours.

едина̀|к *м.,* -ци 1. (*самотник*) solitary/lonely man, lone man/creature; *амер.* loner; 2. (*за вълк*) lone wolf.

едѝн|ен *прил.,* -на, -но, -ни 1. (*общ, еднакъв за всички*) uniform; (*за цени*) unified; 2. (*обединен*) united; ~**ен фронт** united front; 3. (*единодушен*) unanimous, united; 4. (*неделим, цялостен*) united; unified; undivided, integrated, aggregate.

единѐние *ср., само ед.* unity.

единѝц|а *ж.,* -и 1. (*цифрата I*) one; 2. *мат.* unit, unity; ~**а мярка** unit of measurement, measure, module; **равно на ~а** is unity; 3. (*определена величина*) unit; ~**а за информация** *инф.* information bit; 4. (*особена част*) unit; **лексикална/граматична ~а** *език.* lexical/grammatical item; 5. *само мн.* (*отделни личности*) individuals; only a few; isolated cases; 6. (*бележка*) bad (mark); (*реалност*) entity.

единѝч|ен *прил.,* -на, -но, -ни 1. single; *физиол.* azygous; 2. (*смятан отделно*) for/of one; ~**на цена 500 лв.** price 500 levs each; 3. (*единствен*) single; (*отделен, рядък*) separate, individual, a few, odd; ~**на стрелба** individual fire; **това не е ~ен случай** this case is no exception.

едѝнност *ж., само ед.* unity.

единобо̀рство *ср., само ед.* single combat.

единовла̀стие *ср., само ед.* autocratic rule, monocracy.

единодѐйствие *ср., само ед.* unity of action.

единоду̀шие *ср., само ед.* unanimity, accord, harmony, consensus, oneness; consentience; coalescence of councils.

единомѝслие *ср., само ед.* unanimity, accord, harmony; consentience; coalescence of councils.

единонача̀лие *ср., само ед.* one-man management, undivided authority; single commander principle.

единосъ̀щие *ср., само ед. рел.* consubstantiality.

едѝнствен *прил.* only, one, unique; **един~** one and only; ~ **по рода си** unique; in a class by itself; ~**а надежда** sole hope, one and only hope; ~**о число** *език.* singular.

едѝнствено *нареч.* only, solely.

едѝнство *ср., само ед.* (*единомислие, съгласие*) unanimity, accord, harmony, agreement, oneness; (*задружност*) unity, union; (*единство*) unity, entity, oneness; (*съгласуваност*) unity; (*на стил и пр.*) uniformity; ~ **на чувства и мисли** harmony/identity of thoughts and feelings; **национално ~** national unity.

Едѝпов *прил. псих.* oedipal, oedipean.

едѝ-що (си) *неопр. мест.* such and such a thing.

еднаквост *ж., само ед.* identity, sameness, parity, uniformity, uniformness.

еднак|ъв *прил.,* -ва, -во, -ви the same, equal, identical, alike; **в ~ва степен** equally, to the same level/degree; **всички са ~ви!** they are all alike!

еднѝч|ък *прил.,* -ка, -ко, -ки one and only.

едноа̀кт|ен *прил.,* -на, -но, -ни one-act (*attr.*).

едноа̀том|ен *прил.,* -на, -но, -ни (*за молекула*) *хим.* monatomic.

еднобо̀жие *ср., само ед. рел.* monotheism.

еднобра̀ч|ен *прил.,* -на, -но, -ни *биол.* monogamous.

еднобра̀чие *ср., само ед. биол.* monogamy.

еднобу̀квен *прил. език.* uniliteral.

едновалѐнт|ен *прил.,* -на, -но, -ни *хим.* univalent, monatomic, monovalent; *хим.* ~**ен елемент** monad.

едновариа̀нт|ен *прил.,* -на, -но, -ни univariant.

едновѐр|ец *м.,* -ци; **едновѐрк|а** *ж.* -и co-religionist.

едноврѐмен|ен *прил.,* -на, -но, -ни simultaneous, concurrent, concomitant, coincident, contemporaneous.

едноврѐменност *ж., само ед.* simultaneousness, contemporaneousness, contemporaneity, concurrence, concomitance.

едноврѐмеш|ен *прил.,* -на, -но, -ни old-fashioned/-world/-time, gone by

obsolete, antiquated, of old, *поет.* of olden times.

едно|връх *прил.*, -върха, -върхо, -върхи one-/single-peaked.

едноглас|ен *прил.*, -на, -но, -ни **1.** (*еднозвучен*) one-part (*attr.*), monophonic, homophonic, unisonous; **2.** (*сговорен, единодушен*) unanimous.

едногласие *ср., само ед.* unison, monophony.

едногодиш|ен *прил.*, -на, -но, -ни **1.** one-year (*attr.*), of one year (*след същ.*); **2.** (*за възраст*) one-year-old, of one (*след същ.*); (*за животно*) yearling; ~но животно yearling; **3.** (*за растение*) annual; ~но растение annual.

едно|гръб *прил.*, -гърба, -гърбо, -гърби: ~гърба камила *зоол.* one-humped/Arabian camel, dromedary (*Camelus dromedarius*).

едноднѐв|ен *прил.*, -на, -но, -ни **1.** one-day (*attr.*), one-day-long, lasting for one day; *зоол., бот.* ephemeral, diurnal; **2.** (*който се отнася до един ден*) daily; ~на дажба daily ration.

едноднѐвк|а *ж.*, -и **1.** *зоол.* may-fly, day-fly, ephemera (*Ephemera vulgata*); **2.** (*нещо съвсем краткотрайно*) ephemeral, short-lived thing.

еднодо̀м|ен *прил.*, -на, -но, -ни *бот.* monoecious.

еднодръвк|а *ж.*, -и (*лодка*) dug-out.

еднозич|ен *прил.*, -на, -но, -ни unilingual, monolingual.

едноженство *ср., само ед.* monogamy.

ножич|ен *прил.*, -на, -но, -ни *ел.* single-line (*attr.*).

еднозвуч|ен *прил.*, -на, -но, -ни monotonic, homophonic, unisonant, monotonous.

еднозна̀ч|ен *прил.*, -на, -но, -ни **1.** synonymous; **2.** (*категоричен*) explicit, definite, definitive; unambiguous; **3.** *мат.* simple, single-valued; ~но число digit, simple quantity.

еднозна̀чност *ж., само ед.* **1.** synonymity; **2.** (*категоричност*) explicitness, definiteness, definitiveness.

ноизмер|ен *прил.*, -на, -но, -ни one-dimensional.

ноймен|ен *прил.*, -на, -но, -ни of the same name (*след същ.*); homonymous; eponymous; по/из ~ния роман на X after/from X's novel of the same

name, after the eponymous novel of X.

еднокалибрен *прил.* of the same calibre.

еднокамер|ен *прил.*, -на, -но, -ни *полит.* unicameral, one-house (*attr.*).

едноклѐтъч|ен *прил.*, -на, -но, -ни *биол.* unicellular; *бот.* one-celled.

еднокомпонент|ен *прил.*, -на, -но, -ни one-component.

еднокопит|ен *прил.*, -на, -но, -ни *зоол.* solid-hoofed, solidungulate; ~ни животни equine species.

еднокораб|ен *прил.*, -на, -но, -ни single-bay (*attr.*), single-span (*attr.*); ~на църква *архит.* basilica.

еднокорпус|ен *прил.*, -на, -но, -ни *мор.* single-hull (*attr.*); *техн.* (*за агрегат*) one-body (*attr.*).

еднократ|ен *прил.*, -на, -но, -ни **1.** single; ~но възнаграждение remuneration in a single payment; стока за ~на употреба *икон.* counsumer disposable, consumer expendable; **2.** *език.* (*за вид*) terminative.

еднократно *нареч.* a single time, only once.

еднокръв|ен *прил.*, -на, -но, -ни consanguine, consanguineous, whole, related by blood; ~ни братя *юр.* brothers through father.

еднолинѐ|ен *прил.*, -йна, -йно, -йни one-track.

еднолист|ен *прил.*, -на, -но, -ни *бот.* monopetalous, unifoliate.

еднолич|ен *прил.*, -на, -но, -ни one-man (*attr.*); ~ен търговец sole trader/proprietor; ~на власт monocracy.

едномачтов *прил. мор.* single-masted.

едномѐр|ен *прил.*, -на, -но, -ни one-dimensional.

едномѐсеч|ен *прил.*, -на, -но, -ни **1.** (*който трае един месец*) one-month (*attr.*), of one month (*след същ.*); в ~ен срок within a month; **2.** (*който се отнася до един месец*) monthly.

едномѐст|ен *прил.*, -на, -но, -ни single-seater (*attr.*); one-man-(*attr.*); ~ен самолет/автомобил single-seater.

едномѐтров *прил.* one-metre (*attr.*), of one metre (*след същ.*), one metre long (high etc.).

едноминут|ен *прил.*, -на, -но, -ни one-minute (*attr.*), of one minute (*след същ.*), one minute long; почитам не-чия памет с ~но мълчание honour

s.o.'s. memory by observing one/a minute of silence.

едномолекул|ен *прил.*, -на, -но, -ни monomolecular.

едномотор|ен *прил.*, -на, -но, -ни single-engined.

еднообраз|ен *прил.*, -на, -но, -ни **1.** uniform, monotonous; *разг.* jog-trot (*attr.*), unvaried, undiversified, unrelieved, eventless; unenlivened; ~ното ежедневие the daily grind/routine; **2.** (*скучен*) monotonous, unvaried, dull, dully repetitive; drab.

еднообразие *ср., само ед.*; **еднообразност** *ж., само ед.* uniformity, monotony, drabness; dul(l)ness; *разг.* jog-trot, dead level.

еднообхват|ен *прил.*, -на, -но, -ни (*за уред*) single-range (*attr.*).

едноо̀к *прил.* one-eyed; (*рядко*) monocular.

едноо̀кис *м.*, -и, (*два*) едноо̀киса *хим.* monoxide.

едноо̀с|ен *прил.*, -на, -но, -ни monoaxial, uniaxial, single-axle (*attr.*).

едноосно̀в|ен *прил.*, -на, -но, -ни *хим.* monobasic; (*за киселина*) monohydric.

еднопалуб|ен *прил.*, -на, -но, -ни single-deck (*attr.*).

едноплощ|ен *прил.*, -на, -но, -ни: ~ен самолет *авиац.* monoplane.

еднопо̀лов *прил. биол.* unisexual.

еднопо̀люс|ен *прил.*, -на, -но, -ни *физ., ел., геогр.* unipolar; single-pole (*attr.*).

еднопосо̀ч|ен *прил.*, -на, -но, -ни one-way (*attr.*); *физ.* unidirectional; *техн.* single-acting; ~на улица one-way street.

еднопото̀ч|ен *прил.*, -на, -но, -ни uniflow (*attr.*), single-flow (*attr.*).

еднораздря̀д|ен *прил.*, -на, -но, -ни *инф.* single-digit (*attr.*).

еднорамен *прил.*, -на, -но, -ни one-arm.

едноредѐ|ен *прил.*, -на, -но, -ни single-row (*attr.*); (*за палто и пр.*) single-breasted; *бот.* monostichous.

еднорелсов *прил.* single-rail (*attr.*).

еднорог₁ *м., само ед. мит.* unicorn.

еднорог₂ *прил. зоол.* one-horned (*attr.*).

еднород|ен *прил.*, -на, -но, -ни **1.** homogeneous; *геол.* massive; **2.** (*сходен*) similar, uniform, of the same kind (*след*

същ.); ~ни части на изречението *език.* similar/homogeneous parts of a sentence.

еднор̀одност *ж., само ед.* **1.** homogeneousness, homogeneity; **2.** (*сходство*) similarity, uniformity.

еднор̀ък *прил.* one-armed, one-handed.

едносемедѐл|ен *прил.*, -на, -но, -ни *бот.* monocotyledonous.

еднос̀емен|ен *прил.*, -на, -но, -ни *бот.* monospermous.

еднос̀ери|ен *прил.*, -йна, -йно, -йни uniserial.

едносло̀|ен *прил.*, -йна, -йно, -йни one-layer (*attr.*).

едносрич|ен *прил.*, -на, -но, -ни monosyllabic; ~на дума *език.* monosyllable.

едност̀а|ен *прил.*, -йна, -йно, -йни one-room (*attr.*); ~ен апартамент one-bedroom flat/apartment.

едност̀ебл̀ен *прил. бот.* monoaxial.

едност̀епен|ен *прил.*, -на, -но, -ни single-stage (*attr.*).

едностр̀ан|ен *прил.*, -на, -но, ни **1.** one-sided; unilateral; ex parte; **2.** (*който се върши само от една страна*) unilateral; ~ен акт *юр.* deed poll; ~ен договор *юр.* unilateral contract.

едностр̀анчив *прил.* **1.** (*който клони само към една страна*) partial, biased; unbalanced; **2.** (*нехармоничен, ограничен*) one-sided; narrow-minded; ~ ум one-track mind.

едностр̀ун|ен *прил.*, -на, -но, -ни single-/one-stringed.

едностъп̀ал|ен *прил.*, -на, -но, -ни single-stage (*attr.*).

еднот̀актов *прил. техн., авт.* single-cycle (*attr.*).

еднот̀омни|к *м.*, -ци, (два) еднотомника one-volume book; (*който съдържа различни произведения*) omnibus (book/volume).

едноутр̀об|ен *прил.*, -на, -но, -ни uterine, by one venter (*след същ.*); ~ен брат *юр.* brother uterine.

еднофаз|ен *прил.*, -на, -но, -ни *ел.* monophase, one-/single-phase (*attr.*).

едноцв̀ет|ен *прил.*, -на, -но, -ни **1.** one-colour (*attr.*), unicoloured, plain, (*за светлина*) monochromatic; ~ен печат, ~на рисунка/илюстрация *полигр., изк.* monochrome; **2.** *бот.* monanthous.

едноц̀евк|а *ж.*, -и single-barrel.

едноцил̀индров *прил.* one-cylinder (*attr.*), monocylindrical.

едноч̀асов *прил.* one-hour (*attr.*), an hour long, lasting an hour, continuing for an hour (*след същ.*); horary.

едночест̀от|ен *прил.*, -на, -но, -ни monofrequent; single-frequency (*attr.*).

едночл̀ен *м.*, -и, (два) едночлена *мат.* monomial.

едночл̀ен|ен *прил.*, -на, -но, -ни of one; ~но семейство a family of one.

еднойдр̀ен *прил. физ.* uninuclear.

едр̀ея *гл., мин. св. деят. прич.* едр̀ял grow big(ger), grow in size, grow up; grow/get stout.

едро *нареч.* **1.**: пиша ~ write a large hand; **2.** (*за търговия*) wholesale; търговец на ~ wholesale dealer, wholesaler; ● говоря на ~ talk big.

едроз̀ърнест *прил.* coarse-grained, large-grain; coarse-granular; *геол.* coarse-aggregated.

едром̀ащаб|ен *прил.*, -на, -но, -ни large-scale.

едромл̀ян *прил.*, -а, -о, едромл̀ени regular.

едрот̀ъкан *прил.* heavy, coarse.

ед|ър *прил.*, -ра, -ро, -ри **1.** (*обратно на "ситен"*) (*за пясък*) coarse; (*за брашно*) regular, (*за плетка*) heavy; (*за капки дъжд*) large, heavy; (*за шев*) long; (*за шрифт*) *полигр.* heavy-faced; (*за букви*) large; **2.** (*обратно на "дребен"*) big, large; (*за човек*) big, heavy, heavily built, stout, burly, massy; (*за глава, лице*) massive; (*за черти*) massive; (*за гора*) heavy-timbered; ~ър план *кино.* close-up; **3.** (*голям, крупен*) large-scale (*attr.*), big; ~ра буржоазия upper middle class, bourgeoisie; ● ~ра шарка *мед.* small pox, variola; ~ри пари large notes; *амер.* big bills.

ежа се *възвр. гл., мин. св. деят. прич.* ежил се **1.** bristle up; **2.** (*за човек*) bristle up, get o.'s. back up; snarl (на at); недей се ежи keep your hair on.

ежб|а *ж.*, -и strife, squabbles; contention; discord; intrigues.

ежег̀од|ен *прил.*, -на, -но, -ни annual, yearly.

еждн̀ев|ен *прил.*, -на, -но, -ни daily; day-to-day; (*обикновен*) everyday (*attr.*), workaday; *поет., астр.* diurnal.

ежедн̀евие *ср., само ед.* daily round/grind, trivial round.

ежедн̀евни|к *м.*, -ци (два) ежедн̀евника daily (paper).

ежем̀есеч|ен *прил.*, -на, -но, -ни monthly, month by month; ~ен отчет monthly report; *фин.* monthly statement of account.

ежем̀есечни|к *м.*, -ци, (два) ежем̀есечника monthly (magazine).

ежемин̀ут|ен *прил.*, -на, -но, -ни minute-by-minute, minutely, occurring every minute; (*непрекъснат*) constant, perpetual; incessant.

ежес̀едмич|ен *прил.*, -на, -но, -ни weekly, hebdomadal.

ежес̀едмични|к *м.*, -ци (два) ежес̀едмичника weekly (magazine).

ежеч̀ас|ен *прил.*, -на, -но, -ни hourly; (*непрекъснат*) constant, continual, incessant.

езд̀а *ж., само ед.* riding; (*на велосипед*) cycling; (*ездаческо изкуство*) equitation, horsemanship.

езд̀ач *м.*, -и rider, horseman, equestrian.

езд̀ач|а *ж.*, -и rider, horsewoman, equestrienne.

̀езер|о *ср.*, -̀а lake, water; (*в Шотландия*) loch; (*изкуствено, градинско*) pond.

̀езерц|е *ср.*, -̀а small lake, lakelet, pond.

езѝ *ср., само ед.* head (of a coin); ~ тура head(s) or tail(s).

ез̀и|к *м.*, -ци, (два) ез̀ика **1.** tongue; *анат.* glossa; обложен ~к coated/furred tongue; **2.** *техн.* tongue; pawl; catch; застопоряващ ~к (*палец*) dog catch; (*на обувка*) tongue; (*на камбана*) clapper, tongue (of a bell), jinglet; **3.** (*реч*) speech; (*на даден народ*) language, tongue; *пренебр.* lingo; ~к на глухонемите finger/sign language; м̀атерен ~к mother tongue; **4.** *инф.*: ~к за управление на задания job control language; **5.** (*изразни средства*) language; (*стил*) style; (*идиом*) idiom, parlance; (*на документ*) wording; (*жаргон*) jargon, cant, lingo; вестникарски ~к journalese, newspaperese; на ~ка на математиката/науката in terms of mathematics/science; ● глътвам си ~ка be struck dumb, be scared to death, be dumbfounded; злите ~ци разправят, че gossip has it that; изплезихме ~ци, докато се ка

чим до върха we were done up/dog tired/dead beat by the time we reached the top; **каквото му е на ума, това му е ~ка** he wears his heart on his sleeve; **не можахме да намерим общ ~к** we talked at cross purposes; **чеша си ~ка** wag o.'s tongue, chew the fat, chinwag, shoot the breeze; **що за ~к!** that's no way to talk!

езѝков *прил.* language (*attr.*); linguistic, lingual; verbal; stylistic; **~и бележки** comments on the language; **~о богатство** wealth of a language; **с ~и средства** by verbal means.

езиковѐд *м.*, -и; **езиковѐдк|а** *ж.*, -и linguist.

езикознание *ср.*, *само ед.* linguistics, linguistic science, philology.

езиче *ср.*, -та 1. *анат.* small/little tongue; 2. (*спусък на оръжие*) trigger; (*на звънец*) jinglet; (*на брава*) catch; 3. *техн.* gag, lug, pawl.

езически *прил.*, -а, -о, -и pagan (*attr.*), heathen (*attr.*).

езични|к *м.*, -ци; **езичниц|а** *ж.*, -и pagan, heathen.

езоповск|и *прил.*, -а, -о, -и Aesopian, Aesopic.

езотерич|ен *прил.*, -на, -но, -ни esoteric.

ей *част.* 1. (*ето*) there/here is; **~ го!** there/here he is! **~ го там** over there; 2. (*при повикване*) hey! **~ ти там!** you there! 3. (*емфатично*): **~ сега** just/right now; in a minute/moment/jiffy; 4. *междум.* oh, ah; why; I say; **~ богу!** upon my word, really.

Ейре *ср. собств.* Eire.

ек *м.*, -ове, (два) **ѐка** 1. (*ехо*) echo; 2. (*отглас*) echo, response; 3. (*звук на камбани*) peal; (*на оръдия*) throb, roar, thunder.

екарисаж *м.*, -и, (два) **екарисажа** 1. incinerator, incinerating furnace; 2. (*изгаряне*) incineration, incinerating.

Еквадор *м. собств.* Ecuador.

еквам, ѐкна *гл.* ring (with), resound; (*за камбани*) peal; (*за топ*) roar, thunder.

екватор *м.*, *само ед. геогр.* equator; *мор.* the Line; **на ~а** at the equator.

екваториал|ен *прил.*, -на, -но, -ни *геогр.* equatorial.

еквивалент *м.*, *само ед.* equivalent (на of).

еквивалѐнтност *ж.*, *само ед.* equivalence, equivalency.

еквилибрѝст *м.*, -и equilibrist, rope-walker/-dancer, balancer; *книж.* funambulist.

еквилибрѝстика *ж.*, *само ед.* rope-dancing/-walking; *прен. одобр.* high wire act; *ирон.* balancing act.

екдемич|ен *прил.*, -на, -но, -ни ecdemic.

екзалтация *ж.*, *само ед.* exaltation, exultancy, raptures.

екзалтѝрам *гл.* excite, rouse; || **~ се** become excited, work o.s. up, go into raptures.

екзаминатор *м.*, -и *книж.* examiner.

ѐкзар|х *м.*, -си *църк.* exarch.

екзархи|я *ж.*, -и *църк.* exarchate, exarchy.

екзекутѝв|ен *прил.*, -на, -но, -ни executive; working; **~ен план** working plan.

екзекутѝрам *гл.* 1. execute, put to death/execution; (*на ел. стол*) electrocute; 2. (*изпълнявам*) *юр.* execute, fulfil; enforce.

екзекутѝран *мин. страд. прич.* executed, beheaded, capitally punished.

екзекутор *м.*, -и 1. executioner, hangman; 2. (*изпълнител на съдебни решения*) executor.

екзекуци|я *ж.*, -и 1. execution, carrying out the death sentence; (*на ел. стол*) electrocution; *юр.* final process; 2. *прен.* enforc. enforc. of a judgement.

екзѐм|а *ж.*, -и *мед.* eczema, tetter.

екземпляр *м.*, -и, (два) **екземпляра** 1. (*на книга, гравюра*) copy; **в два ~а** in duplicate; **втори ~** (*на ръкопис*) duplicate, (*на пишеща машина*) carbon copy; (*неправ.*) **~** advance copy; 2. (*отделен представител*) specimen, representative; 3. (*за човек*) specimen, queer fish, rum character; *sl.* gink.

екзистенциализ|ъм (-мът) *м.*, *само ед. филос.* existentialism.

екзистѐнц-мѝнимум *м.*, *само ед.* living wage, subsistence level.

екзогѐн|ен *прил.*, -на, -но, -ни *геол.* exogenetic; *биол.* exogenous.

екзокрѝн|ен *прил.*, -на, -но, -ни *мед.* exocrine.

екзосфѐра *ж.*, *само ед. геогр.* exosphere.

екзотермич|ен *прил.*, -на, -но, -ни

exothermal, exothermic, thermopositive.

екзотика *ж.*, *само ед.* exotic character; picturesqueness, local colour.

екзотич|ен *прил.*, -на, -но, -ни; **екзотическ|и** *прил.*, -а, -о, -и exotic; **~ни предмети** exotica.

екип₁ *м.*, -и, (два) **екипа** (*екипировка*) equipment, outfit, kit; **водолазен ~** diving-dress/-suit.

екип₂ *м.*, -и, (два) **екипа** (*тим*) team, group, party; **спортен ~** team.

екипаж *м.*, -и, (два) **екипажа** 1. *остар.* (*каляска*) equipage, carriage, coach; 2. (*личен състав*) crew; **~ на кораб** crew, ship's company.

екипѝрам *гл.* equip, fit out, turn out, kit up, accoutre; || **~ се** fit o.s. out.

екипировк|а *ж.*, -и equipment, outfit, kit, *амер.* lay-out.

еклектѝз|ъм (-мът) *м.*, *само ед.*; **еклѐктика** *ж.*, *само ед. филос.* eclecticism.

Еклесиаст *м. собств. библ.* ecclesiast.

еклѝптика *ж.*, *само ед. астр.* ecliptic.

екология *ж.*, *само ед.* ecology, eco, bionomics.

екосистѐм|а *ж.*, -и ecosystem.

екран *м.*, -и, (два) **екрана** 1. screen, back-cloth; *техн.* shield; 2. *прен.* (*киноизкуство*) the screen.

екранизѝрам *гл.* film, make a screen version (of).

екранѝране *ср.*, *само ед.* shielding, screening.

екрю *прил. неизм.* beige, ecru.

екс₁ *предст.* ex-, former.

екс₂ *нареч.*: **пия на ~** drain o.'s glass; drink at a draught.

екселбанти *само мн.* aiguillettes, aiglets, aglets.

екскаватор *м.*, -и, (два) **екскаватора** *техн.* power/steam shovel, digger, digging machine; excavator; navvy.

екскавация *ж.*, *само ед. техн.* excavation.

екскременти *само мн. физиол.* excrement(s), f(a)eces, dejecta.

екскурзиянт *м.*, -и; **екскурзиянтк|а** *ж.*, -и excursionist, tourist, tripper; (*пеша*) hiker; *амер. и* marooner.

екскурзион|ен *прил.*, -на, -но, -ни excursion (*attr.*), touristic, touring; **~но летуване** excursion, holiday tour.

екску̀рзи|я ж., -и excursion, tour, trip; (пеша) walking tour, hike, ramble; jaunt, outing; **отивам на ~я** be on/ make an excursion, go for a ramble/on a jaunt/on a hike, go for/on an outing.

екскурзово̀д м., -и; **екскурзово̀дк|а** ж., -и (tourist) guide.

експанзѝв|ен прил., -на, -но, -ни effusive, exuberant, expansive; unrestrained, open-hearted.

експанзионистѝч|ен прил., -на, -но, -ни expansionistic, expansionist (attr.), expansion (attr.), of expansion; **~на политика** policy of expansion, expansionism.

експатрѝрам гл. expatriate; banish, exile.

експедѝрам гл. 1. (стоки) dispatch, despatch, forward, send off, expedite; (по пощата) post off, mail; (с кораб) ship; 2. (човек) expedite, pack away/off; get rid of.

експедитѝв|ен прил., -на, -но, -ни efficient, energetic, expeditious.

експедѝтор м., -и forwarding/shipping agent, forwarder, dispatcher, consignor; текст. maker-up.

експедицио̀н|ен прил., -на, -но, -ни 1. expeditionary; 2. (който се отнася до изпращане) dispatch (attr.).

експедѝци|я ж., -и 1. (на стоки) dispatch(ing), despatch, forwarding; (по море) shipping, shipment; 2. (отдел експедиция) dispatch office; dispatches; (в поща) office of dispatch; 3. (пътуване с някаква цел) expedition; 4. (група хора) expedition, corps, party, team; разг. outfit.

експекта̀ция ж., само ед. мед. expectation.

експеримѐнт м., -и, (два) експеримѐнта experiment, test, pilot scheme.

експеримента̀тор м., -и experimenter.

експериментѝрам гл. experiment (on, with), experimentalize.

експѐрт м., -и expert, specialist (по in); master(-hand); (познавач) connoisseur (in); (съветник) consultant; (в съда) an expert witness; шег. high priest/(за жена) priestess (of).

експѐрт|ен прил., -на, -но, -ни expert (attr.); **~на комисия** commission of experts; **~на помощ** expert assistance.

експертѝз|а ж., -и 1. (изследване) investigation, examination; appraisal by experts/specialists; expertise, expert report/appraisal; **медицинска ~а** medical specialists' report; 2. (комисия) (commission of) experts; 3. (заключение) experts' report, expert opinion.

експлоата̀тор м., -и exploiter; разг. sweater, slave-driver, squeezer.

експлоата̀ци|я ж., -и 1. (на човек) exploitation, exploiting; (жестока) sweating; 2. (на машина, железница и пр.) operation exploitation; running; груба ~я rough handling; (на мина, кариера) exploiting, working; техн. service use; **пускам в ~я** put into operation; commission (an enterprise).

експлоатѝрам гл. 1. exploit; (жестоко) sweat; 2. (машини, железница и пр.) operate; (мина, кариера) work; (природни богатства) exploit; техн. maintain.

експлодѝрам гл. 1. explode, blow up, burst up; detonate; 2. прен. explode, fly out/off, burst, boil over.

експлозѝв м., -и, (два) експлозѝва explosive; (в строит. инженерство) blasting agent; ~и demolitions.

експло̀зи|я ж., -и explosion, upburst; (взрив) blast; книж. fulmination.

експозѐ ср., - ... a statement, report, memorandum; account.

експозѝци|я ж., -и 1. лит., муз. exposition; 2. (показ) display, lay-out; 3. фот. exposure.

експона̀т м., -и, (два) експона̀та exhibit, exponent.

експоненциа̀л|ен прил., -на, -но, -ни мат. exponential.

експонѝрам гл. 1. exhibit, show, display; 2. фот. expose.

експо̀рт м., само ед. export; exportation.

експортѝрам гл. export.

експрѐс м., -и, (два) експрѐса жп express (train).

експресѝвност ж., само ед. expression, expressiveness.

експресионѝз|ъм (-мът) м., само ед. изк. expressionism.

експресионѝст м., -и; **експресионѝстк|а** ж., -и expressionist.

експроприѝрам гл. expropriate, dispossess (s.o. of s.th.).

експулсѝрам гл. expel from the country, order to leave the country.

екста̀з м., само ед. ecstasy, rapture;

entrancement; псих., мед. trance; изпадам в ~ be enraptured/entranced (by s.th.); изпаднал в ~ rapt.

екстензѝвност ж., само ед. extensiveness.

екстѐнзия ж., само ед. мед. traction, extension.

екстерио̀р м., само ед. exterior, external appearance.

екстериториа̀лност ж., само ед. юр. exterritoriality, extra-territoriality.

екстерна̀нт м., -и уч. external student.

екстерна̀т м., -и уч. department of external students; correspondence courses.

екстернѝрам гл. 1. banish, exile, expatriate, expel from the country; 2. (от дадено населено място) expel/ban from a town.

ѐкстра₁ прил. неизм. extra-special, de luxe, first class, fabulous, fab; top (attr.), top-quality (attr.), superfine, superexcellent; разг. top-hole, tops, topping, corking (good), clinking (good), real jam, nobby, амер. slick.

ѐкстра₂ нареч. toppingly, rattling; ~ съм I feel great, амер. разг. I feel like a million dollars.

ѐкстр|а₃ ж., -и extra; без ~и no/without frills.

екстравага̀нтност ж., само ед. extravagance; eccentricity.

екстрадѝрам гл. юр. extradite.

екстрадѝция ж., само ед. юр. extradition; **договор за** ~ extradition treaty.

екстра̀кт м., -и, (два) екстра̀кта extract.

екстра̀ктор м., -и, (два) екстра̀ктора extraction apparatus/unit, extractor.

екстра̀кция ж., само ед. хим., техн., мед. extraction.

екстраполѝрам гл. extrapolate.

екстрахѝрам гл. техн. extract; lixiviate.

екстрѐм|ен прил., -на, -но, -ни extreme.

екстремѝз|ъм (-мът) м., само ед. extremism.

екстремѝст м., -и extremist; разг. wild man.

ѐкстрен прил. 1. (спешен) urgent; ~а телеграма life-and-death telegram; 2. (извънреден) special; ~ случай emergency.

ѐкстри само мн. extras.

екструдѝрам гл. extrude.

екстрỳзия *ж., само ед.* extrusion, extrusion moulding.

ексхибиционѝз|ъм (-мът) *м., само ед. мед.* exhibitionism, indecent exposure.

ексхибиционѝст *м.,* **-и** exhibitionist, flasher.

ексхумàция *ж., само ед. мед.* exhumation.

ексцентрѝ|к *м.,* **-ци 1.** *техн.* cam, eccentric; **2.** *(човек)* crank, crotchety fellow.

ексцентрѝч|ен *прил.,* **-на, -но, -ни 1.** *геом.* eccentric; *техн.* cam *(attr.),* off-centre(d); **~ен вал** cam-shaft; **2.** *(за човек)* eccentric, queer, odd, cranky, crotchety, lunatic; viewy; *разг.* batty, wacky, zany, funny peculiar, off the wall; *sl.* far-out.

ексцентрѝчност *ж., само ед.* eccentricity, oddness, oddity, strangeness.

ексцѐси|я *ж.,* **-и** excess; transport; *(нарушение на порядки)* outrage.

ел|à₁ *ж.,* **-и** *бот.* fir-tree; silver fir, pine spruce *(Abies alba).*

елà₂, елàте *гл. (повел. от идвам)* come; **~ вътре!** come in! **~ на себе си!** pull yourself together! wake up and smell the coffee!

Елàда *ж. собств.* Hellas.

еластѝчност *ж., само ед.* **1.** elasticity, resilience; springiness; stretchiness; stretch; distensibility; *(за метал)* ductility, ductileness; **2.** *прен.* flexibility; fluidity.

ѐлд|а *ж.,* **-и** *бот.* buckwheat *(Fagopyrum esculentum).*

ѐле, хѐле *част.* **1.** *(особено, най-вече)* especially, particularly; **2.** *(най-сетне)* at last, at long last.

елевàтор *м.,* **-и, (два) елевàтора** *техн.* elevator; hoist.

елегàнт|ен *прил.,* **-на, -но, -ни** elegant, smart, stylish, snappy; dapper; dressy; *разг.* posh, swell, swish, flash; chipper; *sl.* nobby, knobby, *амер.* spiffy; *(за движение)* graceful; *(слаб)* gracile, gracefully thin.

елегàнтност *ж., само ед.* elegance, smartness, stylishness, *sl.* snazziness, *амер., sl.* spiffiness, grace, gracefulness.

елѐги|я *ж.,* **-и** *лит.* elegy, lament; *муз.* elegy; **автор на ~и** elegist.

елѐ|й (-ят) *м., само ед. църк.* unction, chrism; **помазвам се с ~й** anoint.

елѐ|к *м.,* **-ци, (два) елѐка** (sleeveless) jacket; bodice.

електризѝрам *гл.* **1.** *физ.* electrify, electrize; **2.** *мед.* treat (s.o.) with electricity, give (s.o.) electrical treatment.

електрификациòн|ен *прил.,* **-на, -но, -ни** electrification *(attr.);* **~на мрежа,** **~ен пръстен** *(за цялата страна)* grid, grid system.

електрификàция *ж., само ед.* electrification.

електрифицѝрам *гл.* *(жп линия и пр.)* electrify; *(селище)* supply with electricity; *(жилище)* wire.

електрѝческ|и *прил.,* **-а, -о, -и** electric(al); *(за жп транспортна линия и пр.)* telpher; *(задвижван с електричество)* electrically-actuated, electrically-powered; **~а верига** (electric) circuit; **~а китара** steel guitar; **~а мрежа** electric mains, mains supply; **~а схема** wiring diagram; **~и контакт** point, wall-plug; **~и ток** electric current, electricity; **~о фенерче** flashlight.

електрѝчество *ср., само ед.* **1.** electricity; **2.** *(осветление)* electric light.

ѐлектроакỳстика *ж., само ед. физ.* electroacoustics.

ѐлектроапаратỳр|а *ж.,* **-и** electric(al) equipment.

електрòд *м.,* **-и, (два) електрòда** *физ.* electrode; **отрицателен ~** cathode; **положителен ~** anode.

електродвигàтел (-ят) *м.,* **-и, (два) ѐлектродвигàтеля** *техн.* electric motor/drive, electromotor.

електродвѝжещ *прил. техн.* electromotive.

ѐлектродинàмика *ж., само ед. физ.* electrodynamics; **квантова ~** quantum electrodynamics.

електродòбив *м.,* **-и** power production/output.

ѐлектродомакѝнск|и *прил.,* **-а, -о, -и: ~и уреди** household appliances.

ѐлектроенергѐтика *ж., само ед.* power industry, electric power engineering.

електроенѐргия *ж., само ед.* electric power.

ѐлектроенцефалогрàм|а *ж.,* **-и** electroencephalogram.

ѐлектроенцефалогрàфия *ж., само ед. мед.* electroencephalography.

електрожѐн *м.,* **-и, (два) електро-** жѐна **1.** electric welding; **2.** *(апарат)* electric welding machine.

ѐлектрозавàрка *ж., само ед.;* **ѐлектрозаваряване** *ср., само ед.* electric welding.

ѐлектрозахрàнване *ср., само ед.* (electric) power supply, powering.

ѐлектроинженѐр *м.,* **-и** electrical engineer.

ѐлектроинсталàци|я *ж.,* **-и** (electric) wiring, electric fittings/installation.

електрокàр *м.,* **-и, (два) електрокàра** electric truck, battery-driven/-operated truck.

ѐлектрокардиогрàм|а *ж.,* **-и** *мед.* electric cardiogram, electrocardiogram, *съкр.* ECG.

ѐлектрокардиогрàф *м.,* **-и, (два) ѐлектрокардиогрàфа** electrocardiograph.

електролѝза *ж., само ед. хим., физ.* electrolysis.

електролѝт *м., само ед. хим., физ.* electrolyte.

ѐлектролокомотѝв *м.,* **-и, (два) ѐлектролокомотѝва** electric locomotive.

ѐлектролуминесцѐнция *ж., само ед.* electroluminescence.

ѐлектромагнетѝз|ъм (-мът) *м., само ед. физ.* electromagnetism.

електромагнѝт *м.,* **-и, (два) ѐлектромагнѝта** *физ.* electromagnet.

ѐлектромагнѝт|ен *прил.,* **-на, -но, -ни** *физ.* electromagnetic.

ѐлектроматериàли *само мн.* electric fittings.

електромѐр *м.,* **-и, (два) ѐлектромѐра** *ел.* electrometer, energymeter; watthour meter, electric/current meter.

ѐлектромехàника *ж., само ед.* electromechanics.

електромобѝл *м.,* **-и, (два) ѐлектромобѝла** electric car.

ѐлектромонтàжни|к *м.,* **-ци** construction electrician.

електромонтьòр *м.,* **-и** electrician, electric fitter.

електромотòр *м.,* **-и, (два) ѐлектромотòра** *техн.* electric motor, electromotor.

електрòн *м.,* **-и, (два) електрòна** *физ.* electron; **свързани ~и** bound electrons.

ѐлектронагревàтел (-ят) *м.,* **-и, (два) ѐлектронагревàтеля** electric/immersion heater.

електрон|ен *прил.*, -на, -но, -ни *физ.* thermionic; electronic; ~ен микроскоп electronic microscope.

електроника *ж.*, *само ед.* electronics; electronic engineering.

електронноизчислител|ен *прил.*, -на, -но, -ни: ~ен център computer centre; ~на машина (ЕИМ) computer; ~на техника computer technique.

електронно-лъчев *прил.*: ~а тръба *техн.* cathode-ray tube.

електрооборудване *ср.*, *само ед.* electrical equipment; electrics.

електропровод *м.*, -и, (два) електропровода distribution line; grid; main; electric transmission network; conduit, duct; power cable/line; (electric) wiring.

електропроводимост *ж.*, *само ед.* *физ.* electric(al) conductivity, conductiveness, permittance.

електропроводни|к *м.*, -ци, (два) електропроводника *ел.* transition line.

електропромишленост *ж.*, *само ед.* electrical industry.

електроснабдяване *ср.*, *само ед.* power/electricity supply.

електростатика *ж.*, *само ед.* *физ.* electrostatics.

електротабл|о *ср.*, -а *ел.* fuseboard.

електротелфер *м.*, -и, (два) електротелфера *техн.* electric hoist.

електротерапия *ж.*, *само ед.* *мед.* electrotherapy, electrotherapeutics, electrical treatment, electropathy.

електротехни|к *м.*, -ци electrician, electrical fitter; electrotechnician.

електротехника *ж.*, *само ед.* electrical engineering; силнотокова ~ heavy-current engineering.

електроуред *м.*, -и, (два) електроуреда electric(al) appliance.

електрофореза *ж.*, *само ед.* electrophoresis; cataphoresis.

електрофотолуминесценция *ж.*, *само ед.* electrophotoluminescence.

електрохимия *ж.*, *само ед.* electrochemistry.

електроцентрал|а *ж.*, -и (electric) power station, power-plant, electricity works; водна ~а hydroelectric power-plant/-station.

елемент *м.*, -и, (два) елемента 1. *хим.*, *физ.* element; 2. (*съставна*

част) element, component, member, unit; свързващ ~ linking member, tie element; съставни ~и ingredients; composite parts; 3. *прен.* element, strain; хумористични ~и flashes of humour; 4. (*индивид*) character, person; престъпни ~и criminals; съмнителен ~ suspicious character; *само мн.* (*представители на дадена среда*) elements, section; 5. (*отделен съд за добиване на галванически ток*) element; батерия от три ~а battery of three elements; 6. *ел.* cell; чувствителен ~ sensing element, sensor.

елементар|ен *прил.*, -на, -но, -ни elementary, rudimentary; (*не сложен*) foolproof; ~на физика elementary physics; rudiments/outlines of physics; ~на частица fundamental particle; ~ни познания rudiments, elementary/ rudimentary knowledge (по of).

елен *м.*, -и, (два) елена *зоол.* deer *и pl.*; (*след петата година*) stag, hart; (*до една година*) fawn; благороден ~ red deer (*Cervis elaphus*); северен ~ reindeer (*Rangifer tarandus*).

елерон *м.*, -и, (два) елерона *авиац.* aileron.

Елзас *м. собств.* Alsace.

елзас|ец *м.*, -ци; елзаск|а *ж.*, -и Alsatian.

елзаск|и *прил.*, -а, -о, -и Alsatian.

елизия *ж.*, *само ед.* *език.* elision.

еликсир *м.*, *само ед.* 1. elixir; любовен ~ philtre, philter; 2. (*хубаво питие*) nectar.

елиминирам *гл.* eliminate, exclude, rule out; (*опозиция, слух и пр.*) *разг.* squelch.

елиминиране *ср.*, *само ед.* elimination.

елин *м.*, -и *истор.* Hellene.

елинизирам *гл.* *истор.* Hellenize.

елинск|и *прил.*, -а, -о, -и *истор.* Hellenic.

елипс|а *ж.*, -и 1. *мат.* ellipse; 2. *език.* ellipsis.

елипсовид|ен *прил.*, -на, -но, -ни elliptic(al), oval.

елипсойд *м.*, -и, (два) елипсойда *геом.* ellipsoid.

елиптич|ен *прил.*, -на, -но, -ни *език.* elliptic(al).

елиптичност *ж.*, *само ед.* ellipticity.

елисейск|и *прил.*, -а, -о, -и Elysian; ● ~ите полета *мит.* the Elysian fields.

елит *м.*, *само ед.* élite (на of), flower/ pick (of); the choice/select part (of); the smart set; *амер.* top-drawer (*attr.*).

елит|ен *прил.*, -на, -но, -ни élite (*attr.*); of the élite; *разг.* crack; ~ни войски *воен.* corps d'élite.

елмаз *м.*, -и, (два) елмаза 1. diamond; 2. *техн.* (*за рязане на стъкло*) glass cutter, glazier's diamond, diamond point.

елуви|й (-ят) *м.*, *само ед.* *геол.* eluvium.

елф *м.*, -и *мит.* elf, sprite.

елх|а *ж.*, -и *бот.* alder(tree) (*Alnus glutinosa/incana*); коледна ~а Christmas tree.

елш|а *ж.*, -и *бот.* alder(tree).

емайл *м.*, *само ед.* enamel (*и анат.*); enamelling; (*глеч*) glaze.

емайлирам *гл.* enamel; (*гледжосвам*) glaze.

емайллак *м.*, *само ед.* enamel (paint).

еманация *ж.*, *само ед.* *физ.*, *мед.* emanation (*и прен.*).

еманципация *ж.*, *само ед.* emancipation.

еманципирам *гл.* emancipate; || ~ се become emancipated.

ембарго *ср.*, *само ед.* embargo; налагам ~ на lay an embargo on, embargo.

емблем|а *ж.*, -и emblem, ensign; device; *хералд.* cognizance.

емболия *ж.*, *само ед.* *мед.* embolism.

ембриология *ж.*, *само ед.* embryology.

ембрион *м.*, -и, (два) ембриона *биол.*, *мед.* embryo; (*в майчината утроба*) f(o)etus.

ембрионал|ен *прил.*, -на, -но, -ни embryonic; embryonal, embryo (*attr.*); germinal; f(o)etal.

емвам, емна *гл.* 1. (*грабвам*) grab; 2. (*нападам*) ~ някого go for s.o., come down upon s.o., run s.o. down.

емигрант *м.*, -и; емигрантк|а *ж.*, -и emigrant, émigré, (*за жена*) émigrée; политически ~ émigré (political) exile; refugee; (*беглец*) defector.

емиграция *ж.*, *само ед.* 1. emigration; намирам се в ~ live in exile; 2. (*емигранти*) emigration, emigrants, émigrés; 3. (*свръхнаселение*) over-spill.

емигрирам *гл.* emigrate, migrate.

емир *м.*, -и emir.

емиса̀р (-ят) *м.*, -и emissary.

емисио̀н|ен *прил.*, -на, -но, -ни of issue, issuing; ~на банка bank of issue, issuing house.

емѝси|я *ж.*, -и **1.** (*на пари*) issue, issuing, emission; (*на капитал*) flotation; (*на заем*) floating; **2.** (*радио-предаване*) wireless transmission, broadcast; broadcasting program(me).

емѝтер *м.*, -и, (два) емѝтера emitter.

емоциона̀л|ен *прил.*, -на, -но, -ни **1.** emotional, emotive, pathetic, affective; **2.** (*вълнуващ*) full of emotion, moving, touching, affecting, *амер. разг.* soupy.

емо̀ци|я *ж.*, -и emotion.

емпирѝз|ъм (-мът) *м.*, *само ед. филос.* empirism.

емпириокритицѝз|ъм (-мът) *м.*, *само ед. филос.* empirio-criticism.

ему̀ *ср.*, *само ед. зоол.* emu (*Dromaeus noval Hollandiae*).

емулгѝрам *гл. хим.*, *физ.* emulsify, emultionize.

ему̀лси|я *ж.*, -и *хим.*, *физ.* emulsion; водна ~я aqueous emulsion.

емфа̀за *ж.*, *само ед. лит.*, *език.* emphasis.

емфизѐма *ж.*, *само ед. мед.* emphysema.

ендѐмия *ж.*, *само ед. мед.* endemia.

ендогѐн|ен *прил.*, -на, -но, -ни *биол.* endogenetic, endogenous.

ендодѐрма *ж.*, *само ед. биол.* endoderm.

ендока̀рд *м.*, *само ед. анат.* endocardium.

ендокардѝт *м.*, *само ед. мед.* endocarditis.

ендокрѝн|ен *прил.*, -на, -но, -ни *физиол.* endocrine, endocrinic, endocrinous.

ендокриноло̀гия *ж.*, *само ед. мед.* endocrinology.

ендомо̀рф|ен *прил.*, -на, -но, -ни *геол.* endomorphic.

ендоско̀пия *ж.*, *само ед. мед.* endoscopy.

енергетѝ|к *м.*, -ци power engineer.

енергѐтика *ж.*, *само ед.* energetics, power engineering/industry.

енергѝ|ен *прил.*, -йна, -йно, -йни: ~йна мрежа power line.

енергѝч|ен *прил.*, -на, -но, -ни energetic; spirited vigorous; full-blooded; active; dashing; swinging; *амер.* agg-ressive, red-blooded; *разг.* zippy; go-ahead; (*за протест*) strong; (*за стил*) nervous; ~ен човек energetic person, live wire.

енѐргия *ж.*, *само ед.* **1.** *техн.* energy, power; акумулирана ~ stored energy; изразходвана ~ energy consumed; производство на ~ power production; светлинна ~ luminous energy; топлинна ~ thermal energy; **2.** (*дейна сила у човека*) energy, vigour, push, verve; *разг.* vim, zip, pep, get-up-and-go; ginger; *амер.* jazz; с цялата си ~ hammer and tongs; **3.** (*жизненост*) energy, vigour, stamina.

енергообмѐн *м.*, *само ед.* energy exchange.

енергоснабдя̀ване *ср.*, *само ед.* power supply.

ензѝм *м.*, -и биохим. enzym(e).

енѝгм|а *ж.*, -и enigma.

енигматѝч|ен *прил.*, -на, -но, -ни enigmatic; puzzling, inexplicable.

енича̀р(ин) *м.*, енича̀ри *истор.* janissary, janizary.

енклѝтик|а *ж.*, -и *език.* enclitic.

енориа̀ш *м.*, -и *църк.* parishioner.

еноркѝйск|и *прил.*, -а, -о, -и *църк.* parish (*attr.*), parochial; ~и свещеник a parish priest.

ентерѝт *м.*, *само ед. мед.* enteritis.

ентероколѝт *м.*, *само ед. мед.* enterocolitis.

ентомоло̀|г *м.*, -зи entomologist.

ентомоло̀гия *ж.*, *само ед.* entomology.

ентро̀пия *ж.*, *само ед.* entropy.

ентусиазѝрам *гл.* fire (s.o.) with enthusiasm, rouse/move (s.o.) to enthusiasm, enrapture; || ~ се enthuse (over, about), become/wax enthusiastic (over).

ентусиа̀з|ъм (-мът) *м.*, *само ед.* enthusiasm; zeal; *разг.* pzazz; élan.

ентусиа̀ст *м.*, -и; ентусиа̀стк|а *ж.*, -и enthusiast; *разг.* eager beaver; (*в някакъв спорт*) *разг.* jock.

енфиѐ *ср.*, *само ед. остар.* snuff.

енцефалѝт *м.*, *само ед. мед.* encephalitis.

енцефалогра̀фия *ж.*, *само ед. мед.* encephalography.

енциклопѐдич|ен *прил.*, -на, -но, -ни; енциклопедѝческ|и *прил.*, -а, -о, -и encyclop(a)edic.

енциклопѐди|я *ж.*, -и encyclop(a)e-dia; *език.* thesaurus; • жива ~я (*за човек*) storehouse, a walking/living dictionary/library/encyclop(a)edia; depository of learning.

ѐньовче *ср.*, -та *бот.* lady's bedstraw (*Galium verum*); goosegrass (*Galium aparine*).

еоцѐн *м.*, *само ед. геол.* Eocene.

епа̀рхи|я *ж.*, -и *църк.* eparchy, diocese, bishopric, see.

епентѐза *ж.*, *само ед. език.* epenthesis.

епентетѝч|ен *прил.*, -на, -но, -ни *език.* epenthetic, intrusive, parasitic.

епигенѐза *ж.*, *само ед.* биол., геол., *мед.* epigenesis.

епиго̀н *м.*, -и imitator, copier.

епигра̀м|а *ж.*, -и *лит.* epigram; автор на ~и epigrammatist.

епигра̀ф *м.*, -и, (два) епигра̀фа epigraph.

епигра̀фика *ж.*, *само ед.*; епигра̀фия *ж.*, *само ед.* epigraphy.

епидемѝч|ен *прил.*, -на, -но, -ни; епидемѝческ|и *прил.*, -а, -о, -и epidemic(al); *вет.* epizootic.

епидѐми|я *ж.*, -и epidemic; outbreak (of an epidemic), outcrop, pestilence; *вет.* (*по животните*) epizootic.

епидѐрма *ж.*, *само ед. биол.* epiderm(is).

епидѐрмис *м.*, *само ед. биол.* epidermis, cuticle.

епизо̀д *м.*, -и, (два) епизо̀да episode; (*в пиеса, книга и пр.*) underaction; (*случай*) episode, incident.

епизодѝч|ен *прил.*, -на, -но, -ни episodic(al), of episodes, incidental.

епѝ|к *м.*, -ци epic poet.

ѐпика *ж.*, *само ед. лит.* epic poem.

епикрѝз|а *ж.*, -и *мед.* epicrisis.

епикурѐйство *ср.*, *само ед.* epicureanism, epicurism.

епила̀ция *ж.*, *само ед.* epilation.

епилѐпсия *ж.*, *само ед. мед.* epilepsy, falling sickness/evil.

епилептѝ|к *м.*, -ци; епилептѝчк|а *ж.*, -и epileptic.

епило̀|г *м.*, -зи, (два) епило̀га *лит.* epilogue; автор на ~г epilogist.

епѝскоп *м.*, -и *църк.* bishop.

епископѝ|я *ж.*, -и *църк.* episcopate, bishopric.

епистемоло̀гия *ж.*, *само ед.* epistemology.

еписто̀ла̀р|ен *прил.*, -на, -но, -ни

лит. epistolary.

епитàфи|я *ж.*, -и epitaph; **автор на ~я** epitaphist.

епѝтел *м.*, *само ед. биол.* epithelium.

епѝтел|ен *прил.*, -на, -но, -ни epithelial.

епитèт *м.*, -и, (два) епитèта 1. *лит.* epithet; 2. (*хула*) term of abuse; *разг.* name.

епифѝз|а *ж.*, -и *анат.* epiphysis.

епицèнт|ър *м.* -рове, (два) епицèнтъра *геол.* epicentre, epicentrum, quake centre; *амер.* epicenter; (*на ядрен взрив*) ground zero.

епѝч|ен *прил.*, -на, -но, -ни; **епѝческ|и** *прил.*, -а, -о, -и 1. epic(al); 2. (*величав*) majestic.

епоксѝд *м.*, *само ед. хим.* epoxide.

еполèти *само мн. воен.* epaulet(te).

епонѝм *м.*, -и *истор., език.* eponym.

епопè|я *ж.*, -и *лит.* epic, epos, epopee (*и прен.*).

èпос *м.*, -и, (два) èпоса *лит.* epic, epos.

епòх|а *ж.*, -и 1. epoch, age, time(s), period; 2. (*за събитие, постижение*) epoch, landmark.

епохàл|ен *прил.*, -на, -но, -ни epoch-making, epochal; **от ~но значение съм** be a landmark.

епрувèтк|а *ж.*, -и *хим., физ.* test-tube/-glass.

èр|а *ж.*, -и era, epoch, period; **от нашата ~а** A. D.; **преди нашата ~а** B. C.

ергèн *м.*, -и 1. bachelor, unmarried/single man; 2. (*момък*) young man, youth, lad.

ергонòмия *ж.*, *само ед.* ergonomics, biotechnology; *амер.* human engineering.

ерèкция *ж.*, *само ед. физиол.* erection.

èрес *ж.*, -и *рел.* heresy; misbelief.

еретѝ|к *м.*, -ци; **еретѝчк|а** *ж.*, -и heretic; *остар.* miscreant.

ерзàц *м. неизм.* ersatz; substitute (*attr.*); artificial.

еритроцѝт *м.*, -и *биол.* erythrocyte.

ерихòнск|и и **йерихòнск|и** *прил.*, -а, -о, -и resounding, resonant; trumpet-tongued.

èркер *м.*, -и, (два) èркера bay(-window); bow-window; oriel; jetty.

ерогèн|ен *прил.*, -на, -но, -ни erogenous, erogenic; erotogenic.

ерòзия *ж.*, *само ед. геол.* erosion, denudation, weathering.

ерòтика *ж.*, *само ед.* erotic; eroticism; (*материал*) erotica.

ерудѝция *ж.*, *само ед.* erudition, eruditeness, learning; **с ~** learnedly.

ерỳпция *ж.*, *само ед.* eruption.

èрцхерцòг *м.*, *само ед. истор.* archduke.

есè *ср.*, -та *лит.* essay.

есеѝст *м.*, -и essayist.

èсен *ж.*, -и autumn, *амер.* fall; **• ~та на живота** the sunset of life.

èсен|ен *прил.*, -на, -но, -ни autumnal, autumn (*attr.*), *амер.* fall (*attr.*).

есèнци|я *ж.*, -и essence (*и прен.*), flavouring; *прен.* the bare bones; brass tacks.

èсер *м.*, -и *истор.* Socialist revolutionary, *съкр.* S. R.

есèсов|ец *м.*, -ци Black Shirt, SS-man.

есèтр|а *ж.*, -и *зоол.* sturgeon (*Acipenseridae*).

ескàдр|а *ж.*, -и *воен., мор.* squadron.

ескадрѝл|а *ж.*, -и *воен.* (air/flying) squadron; escadrille.

ескалàтор *м.*, -и, (два) ескалàтора escalator, moving staircase/stairway.

ескалѝрам *гл.* escalate.

ескѝз *м.*, -и, (два) ескѝза *изк., лит.* sketch; draft, preliminary version; (*в скулптурата*) model.

ескимòс *м.*, -и 1. Eskimo (*pl.* Eskimo, Eskimos), Esquimau (*pl.* Esquimaus, Esquimau) 2. (*дреха*) snow-suit.

ескòрт *м.*, *само ед.* 1. escort; convoy; 2. (*свита*) escort, suite, retinue.

ескортѝрам *гл.* escort; convoy.

еснàф *м.*, -и 1. *само ед. истор.* guild, craft(-guild), livery company; 2. (*член на еснаф*) craftsman, tradesman, guildsman, liveryman, member of the lower middle class; 3. *прен.* philistine; *разг.* low-brow, commonplace/narrow-minded person; *събир.* grass roots.

еснàфщина *ж.*, *само ед.* philistinism, narrow-mindedness.

есперàнто *ср.*, *само ед.* Esperanto.

еспрèсо *ср. неизм.* (*кафе*) espresso.

естакàд|а *ж.*, -и *строит.* trestle; overhead road; ramp; scaffold bridge.

естèствен *прил.* 1. (*природен*) natural; **~а среда** *биол., зоол.* habitat; 2. (*самороден, неподправен*) natural; real; true to life; **в ~а величина/големина**

as large/big as life, full-/life-size(d); **~ тор** manure; **умирам от ~а смърт** die a natural death; 3. *прен.* (*непринуден*) natural, unaffected; unceremonious; **~о държание** natural manner.

естèствени|к *м.*, -ци natural scientist, naturalist.

естèствено *нареч.* 1. naturally; 2. (*разбира се*) naturally, of course; admittedly; *разг.* natch.

естествò *ср.*, *само ед.* nature, character; substance.

естествознàние *ср.*, *само ед.* natural science; natural history.

естествоизпитàтел (-ят) *м.*, -и natural scientist.

естèт *м.*, -и aesthete.

естетѝз|ъм (-мът) *м.*, *само ед.* aestheticism.

естèтика *ж.*, *само ед.* 1. aesthetics; 2. *разг.* (*красота*) aesthetic/artistic beauty; 3. *разг.* (*вкус*) aesthetic/artistic taste.

естетѝч|ен *прил.*, -на, -но, -ни; **естетѝческ|и** *прил.*, -а, -о, -и 1. aesthetic; 2. (*красив*) aesthetically beautiful; tasteful.

естòн|ец *м.*, -ци; **естòнк|а** *ж.*, -и Estonian.

Естòния *ж. собств.* Estonia.

естòнск|и *прил.*, -а, -о, -и Estonian; **~и език** Estonian, the Estonian language.

естрагòн *м.*, *само ед. бот.* tarragon (*Artemisia dracunculus*).

естрàд|а *ж.*, -и 1. platform; bandstand; stage; 2. (*вид изкуство*) variety.

естрàд|ен *прил.*, -на, -но, -ни variety (*attr.*), music-hall (*attr.*), vaudeville (*attr.*); (*за песни*) popular; **~ен концерт**, **~на програма** variety show; floor show; **~на музика** pop music.

естрогèн|ен *прил.*, -на, -но, -ни *мед.* estrogenic.

етàж *м.*, -и, (два) етàжа 1. floor, storey; **къща на три ~а** three storey(ed) house, house of three storeys; **приземен ~** ground floor; 2. (*редица от нещо*) tier, layer; **на ~и** in tiers; 3. *мин.* level.

етажèрк|а *ж.*, -и shelf, stand; (set of) shelves; (*за книги*) bookshelf, bookstand.

еталòн *м.*, -и, (два) еталòна standard (of weights, measures); reference; sample.

еталонизѝране *ср.*, *само ед.* standar-

dization, standardizing.

етамѝн *м., само ед. текст.* coarse muslin; cheese-cloth; (*за бродиране*) canvas.

етàн *м., само ед. хим.* ethane; dimethyl.

етанòл *м., само ед. хим.* ethanol, ehyl alcohol.

етàп *м., -и, (два)* **етàпа 1.** (*място за спиране*) stage; **2.** *спорт.* lap, leg; **3.** *прен.* (*степен в развитие*) stage; **в началния си ~** in its initial stage; **на ~и** by stages; **4.** (*от пътуване, обикн. по въздуха*) leg.

етàп|ен *прил., -на, -но, -ни:* **по ~ен ред** under escort.

етатизѝрам *гл.* nationalize.

етатѝз|ъм (-мът) *м., само ед.* state management/control.

èтер *м., само ед.* **1.** *физ.* ether; **2.** *хим.* ether; **употявам с ~** etherize.

èтер|ен *прил., -на, -но, -ни* **1.** *физ.* etheric; **2.** *хим.* ethereal; **~ни масла** essential/ethereal/volatile oils.

етернѝт *м., само ед. строит.* asbestos cement.

èтика *ж., само ед.* ethics, moral philosophy; morals, morality; **професионална ~** etiquette.

етикèт₁ *м., -и, (два)* **етикèта** label; **слагам ~** (*на багаж*) tag, tab, label; (*на стока*) stamp; (*със цената на артикул на витрина*) show card.

етикèт₂ *м., само ед.* etiquette, formality, ceremony; **дворцов** ~ court ceremonial/etiquette; **държа на ~а** stand on ceremony, be particular about etiquette.

етикèция *ж., само ед.* etiquette, formality, ceremony.

етѝл *м., само ед. хим.* ethyl.

етилацетàт *м., само ед. хим.* ethylacetat.

етилèн *м., само ед. хим.* ethylene.

етѝлов *прил. хим.* ethyl (*attr.*), ethylic; **~ алкохол** ethyl alcohol.

етимолòг *м., -зи* etymologist.

етимолòгия *ж., само ед. език.* etymology, derivation; **народна ~** folk-etymology; **определям ~та на** etymologize.

Етиòпия *ж. собств.* Ethiopia.

етиòпск|и *прил., -а, -о, -и* Ethiopian, Ethiopic.

етиòп|ец *м., -ци;* **етиòпк|а** *ж., -и*

Ethiopian.

етѝч|ен *прил., -на, -но, -ни;* **етѝческ|и** *прил., -а, -о, -и* ethic(al).

етнѝческ|и *прил., -а, -о, -и* ethnic(al).

етногрàф *м., -и* ethnographer.

етногрàфия *ж., само ед.* ethnography.

èто *част.* **1.** (*при посочване; емфатично*) here is/are; there; this; that; **~ защо** that's why; **~ ме** here I am; **2.** (*при нещо неочаквано*): **~ каква била работата** (so) that's what it was; so that's where the shoe pinches.

етрỳск *м., -и обикн. мн. истор.* Etruscan, Etrurian.

етъ̀рв|а *ж., -и* sister-in-law.

етю̀д *м., -и, (два)* **етю̀да 1.** (*студия, изследване*) study, paper; essay; **2.** *изк.* study.

еуфòрия *ж., само ед.* euphoria.

ефедрѝн *м., само ед. фарм.* ephedrine.

ефèкт *м., -и, (два)* **ефèкта 1.** effect, impression, impact; **произведе добър ~** it had a good effect; **2.** *само мн.* effects; **звукови/светлинни/сценични ~и** sound/lighting/stage effects; **специални ~и** *кино.* special effects; *разг.* FX; **3.** (*резултат, въздействие*) effect, result, work; **давам обратен ~** give the opposite result.

ефèкт|ен *прил., -на, -но, -ни* **1.** (*който прави впечатление*) effective, striking, spectacular, impressive, telling; eye-catching; picturesque; punchy, incisive; (*който разчита на външен ефект*) showy, viewy, meretricious; *рекл.* impactive; **2.** (*резултатен*) effective, operative, efficient.

ефектѝв|ен *прил., -на, -но, -ни* effective, efficient, operative.

ефектѝвност *ж., само ед. икон.* effectiveness, effectivity.

ефемерѝди *само мн.* **1.** *астр.* ephemeris; **2.** *зоол.* ephemera.

ефервесцèнт|ен *прил., -на, -но, -ни* *фарм.* effervescent, effervescing.

ефикàс|ен *прил., -на, -но, -ни* efficacious, effective, effectual.

ефимèр|ен *прил., -на, -но, -ни* ephemeral, short-lived, transient.

ефимèрност *ж., само ед.* ephemerality.

ефѝр *м., само ед.* ether, sky, heavens; (the) blue.

ефѝр|ен *прил., -на, -но, -ни* **1.** ethereal, airy, aerial, empyreal, celestial,

heavenly; **~но време** airtime; **2.** (*за материя*) sheer, filmy, gossamer (*attr.*), gossamery; gauzy; floaty; **~на нощница** flimsy nightgown.

ефрèйтор *м., -и воен.* corporal.

ех *междум.* (*възторг*) oh! **~ да можех да живея като тебе!** oh, if only I could live like you! (*примирение*) well; **~ и ти!** you are a one! you're a fine person, you are! (*тъга*) ah! ah me! oh dear! alas; (*копнеж*) oh! **~, що да правя!** well, what can I do! (*досада*) oh, dear!

ехè *междум.* oho, aha, why, hey; **~, още колко работа има** gosh, there's so much work left to do.

ехѝд|ен *прил., -на, -но, -ни* malicious, spiteful, venomous, viperous, cattish, catty; **~ен смях** malicious/spiteful laughter.

ехѝдн|а *ж., -и* **1.** *зоол.* echidna spiny anteater (*Echidna eculeata*); **2.** *прен.* viper.

èхо *ср., само ед.* echo; echoing.

ехогрàфия *ж., само ед. мед.* echography.

ехолòт *м., -и, (два)* **ехолòта** *мор.* fathometer, echo sounder; *амер.* depth sounder.

ехтèж *м., -и, (два)* **ехтèжа; ехтèне** *ср., само ед.* ringing, echo, peal; (*тътен*) rumble, roar.

ехтя̀ *гл.* resound, echo, ring, peal, reverberate; (*тътне*) rumble, roar.

èцвам *гл. изк.* bite.

ечемѝк *м., само ед.* **1.** *бот.* barley; (*лющен*) pear barley; **2.** (*на око*) *мед.* sty(e); **~ на окото** stye in the eye.

ечемѝч|ен *прил., -на, -но, -ни* barley (*attr.*); **~но зърно** barleycorn.

еш *м., -ове, (два)* **èша** *нар.* one of a pair, fellow, mate, match, counterpart, pendant, companion; **• ~т му няма** (*за човек*) there's not the like of him, (*за нещо*) that's hard to beat.

ешàрп *м., -и, (два)* **ешàрпа** scarf.

ешафòд *м., -и, (два)* **ешафòда** *истор.* scaffold.

ешелòн *м., -и, (два)* **ешелòна 1.** *воен.* echelon; *авиац.* flight level; **висшите ~и на властта** the corridors of power, *разг.* top brass; **2.** *жп* (*влак*) troop train; **3.** (*отделна група хора при превоз*) batch.

еякулàция *ж., само ед. физиол.* ejaculation.

жа́б|а *ж.*, *-и зоол.* frog; **грозен като ~а** ugly as sin; **дървесна ~а** tree-frog/toad; ● **всяка ~а да си знае гьола** one should know o.'s place, every cobbler (must stick) to his last.

жа́бк|а *ж.*, *-и техн.* clamp; (*и на кънки*) cramp; chaplet; pawl; pin; *ел.* clip.

жаб|о́ *ср.*, *-а́* jabot, gorget.

жабо́|к *м.*, *-ци*, (*два*) **жабо́ка** *зоол.* (big) male frog/toad.

жабуня́|к *м.*, *-ци*, (*два*) **жабуня́ка**; **жабурня́к|** к *м.*, *-ци*, (*два*) **жабурня́ка 1.** duck-weed, green scum, pond scum, frogspit(tle); slime; **2.** (*застояла вода*) puddle.

жабу́ркам *гл.* (*за вода*) gurgle, bubble; ‖ **~ се** rinse o.'s mouth; gargle.

жабя́свам, жабя́сам *гл. разг.* be parched with thirst, be dying for a drink.

жа́д|ен *прил.*, *-на*, *-но*, *-ни* **1.** thirsty, dry, *книж.* athirst; *шотл.* droughty; **2.** *прен.* thirsting, *книж.* athirst, hungry, craving, yearning, eager, ardent (за for); (*за очи*) eager, yearning (за for); **~ен за приключения** in quest of adventure; **3.** *прен.* (*алчен*) grasping; greedy, avid, avaricious (за for); covetous (за for).

жаду́вам *гл.* **1.** be thirsty; **2.** *прен.* thirst (за for, after), yearn (for, after, towards), crave (for, after), hunger (for), have a craving (for), be starving (for), pant (for, after); gasp (for, after); desiderate.

жа́жда *ж.*, *само ед.* **1.** thirst; **изпитвам ~** be thirsty; **2.** (*стремеж*) thirst, hunger, lust; **~ за власт** lust for power; **3.** (*алчност*) greed (for, of), avarice (for), cupidity (for); **~ за пари** greed for money, greed of gain, cupidity.

жак *м.*, *-ове*, (*два*) **жа́ка** *ел.* jack.

жака́рдов *прил. текст.* jacquard (*attr.*); **~а тъкан** jacquard, figured fabric.

жаке́т *м.*, *-и*, (*два*) **жаке́та** jacket; (*мъжка официална дреха*) tail/morning coat.

жал *ж. неизм.* **1.** (*състрадание*) pity, compassion, sympathy; **2.** (*тъга*) sorrow, grief, regret; (feeling of) sadness; **да ти стане ~ за него** it makes your heart bleed for him.

жа́лб|а *ж.*, *-и* **1.** (*мъка*) sorrow, grief;

lament, lamentation, woe, heartache; **2.** (*оплакване*) grievance, complaint; *юр.* complaint, litigation; **писмена ~а** letter of complaint; **подавам ~а** lodge/make a complaint; **разглеждам ~а** consider a complaint.

жа́лвам се *възвр. гл.* complain (to s.o., about s.th.).

жале́йк|а *ж.*, *-и* **1.** (*некролог*) obituary (notice); **2.** (*траурна лента*) mourning band, crape band.

жа́л|ен *прил.*, *-на*, *-но*, *-ни* (*за разказ, песен*) sad, doleful, mournful; grievous; (*за вид*) sad, sad-looking, woebegone, pitiful, woeful, sorrowful, mournful, grief-stricken; (*за гледка*) piteous, pitiful, woeful, sorrowful, mournful; (*за поглед*) sad, doleful, mournful; (*за глас*) sad, plaintive, mournful, dolorous.

жале́я *гл.*, *мин. св. деят. прич.* жа́лял **1.** grieve (за over, about), mourn, lament (s.o., for/over s.o.), sorrow (for, after); **2.** (*в траур съм*): **~ някого** be in mourning for s.o., mourn s.o.; **3.** stint, grudge.

жа́лко *нареч.*: **~!** it's a pity! what a pity! too bad! I'm sorry; **много ~** too bad.

жа́лно *нареч.* sorrowfully, mournfully, pitifully, plaintively; grievously; **гледам ~** have a sad look in o.'s eyes, look sad/sorrowful.

жало́н *м.*, *-и*, (*два*) **жало́на 1.** (*земемерски*) range-pole, surveying rod; (*знак*) picket; **2.** *прен.* landmark, milestone.

жалони́рам *гл. геод.* trace.

жа́лост *ж.*, *само ед.* **1.** (*тъга, жал*) sorrow, grief, regret; (feeling of) sadness; **2.** (*състрадание*) pity, compassion, sympathy, ruth; **имай ~ поне към децата** take pity on the children if on no one else; ● **за ~** unfortunately.

жалости́в *прил.* **1.** compassionate, soft-hearted, kind-hearted, tender-hearted; (*състрадателен*) compassionate, sympathetic, ruthful, pitiful (към to); **2.** sad, sorrowful, woeful.

жалузи́ *само мн.* jalousie (*фр.*), louver, louver-board, Venetian blind, shutter blind.

жа́л|ък *прил.*, *-ка*, *-ко*, *-ки* **1.** (*окаян*) pitiful, pitiable, wretched, miserable; piteous, lamentable, deplorable, *книж.* sorry; (*за изражение на лицето*)

pathetic; **в ~ко състояние** in a sorry/bad plight, in a pitiful condition, *разг.* in a sorry/nice/fine/sad pickle, in a pretty mess; **2.** (*презрян*) contemptible, despicable, abject, mean, wretched, miserable; **толкова си ~ък!** you are so low/contemptible!

жа́ля *гл.*, *мин. св. деят. прич.* жа́лил **1.** (*изпитвам жалост*) pity, be/feel sorry (for), sorrow (for), regret; **2.** (*съчувствам*) pity; feel/have pity (for); commiserate (with); **3.** (*щадя*) spare; **не ~ средства** not stint (o.s.); **4.** mourn (s.o.), be in mourning (for).

жамборе́ *ср.*, *-та* **1.** (*скаутски сбор*) jamboree; **2.** *разг.* party, jamboree.

жанда́рм *м.*, *-и* policeman, *разг.* cop; *фр.* gendarme.

жандармери́ст *м.*, *-и* gendarmerie.

жандарме́рия *ж.*, *само ед.* military police force, gendarmerie, gendarmery.

жанр *м.*, *-ове*, (*два*) **жа́нра** genre, style, manner, kind.

жар *ж. и м.*, *само ед.* **1.** (glowing) embers, live coals; *поет.* gleeds; **печено на ~** roasted on fire, char-grilled, broiled; **2.** (*жега*) (sweltering) heat, swelter; **3.** *прен.* (*страст, увлечение*) passion, ardour, fervour, fieriness, mettle; spirit, zeal, zest, vehemence, elan; *разг.* dash.

жара́ва *ж.*, *само ед.* (glowing) embers, live coals.

жарго́н *м.*, *само ед.* jargon; (*свръхмодерен термин*) buzz word, *шег.* lingo; slang, cant.

жарго́н|ен *прил.*, *-на*, *-но*, *-ни* jargon, slang, cant (*attr.*).

жарсе́ *ср.*, *само ед.* jersey, stockinet; **копринено ~** silk stockinet.

жартие́р *м.*, *-и*; **жартие́р|а** *ж.*, *-и* garter; suspender; ● **Орденът на ~ата** Order of the Garter.

жа́р|ък *прил.*, *-ка*, *-ко*, *-ки* **1.** hot, burning, ardent, torrid; (*за слънце*) scorching, flaming, broiling; (*за ден*) sweltering, sultry; **2.** *прен.* ardent, fiery, hot, passionate.

жа́ря *гл.*, *мин. св. деят. прич.* жа́рил **1.** (*за слънце*) scorch, burn; **2.** (*за коприва*) sting.

жасми́н *м.*, *само ед. бот.* jasmine (*Jasminum oficinale*).

жва́кам *гл.* **1.** (*дъвча*) munch, chew; (*като без зъби*) mumble; **2.** (*газя в кал*) squelch.

ждрел|о *ср.*, -а gorge, couloir, *диал.* clough.

жѐга *ж.*, *само ед.* (sweltering/scorching/oppressive) heat, swelter; torridity, torridness; умирам от ~ broil.

жѐгвам, жѐгна *гл.* 1. burn; 2. (*с остен и пр.*) prod; 3. *прен.* nettle, touch (s.o.) to the quick/raw, cut/sling (s.o.) to the quick; flick (s.o.) on the raw; stick pins into; тези думи го жегнаха this remark went home/cut him to the quick.

жѐж|ък *прил.*, -ка, -ко, -ки burning hot, scorching; (*за ден, време*) sweltering, sultry.

жѐз|ъл *м.*, -ли, (два) жѐзъла sceptre, (*към – на монарх, главнокомандващ и пр.*) war-der; (*на кмет, ректор и пр.*) mace; (*на архиепископ*) crossstaff; (*на владика*) crozier, crosier.

желаещ *сег. деят. прич.*: всички ~и могат да се запишат all/everyone can sign up (for it).

желàн *мин. страд. прич.* (*и като прил.*) desired, wished for, longed for; (*силно*) coveted; (*за гост*) welcome; (*за ден, час*) long awaited.

желàни|е *ср.*, -я desire, wish (за for); (*молба*) request, wish; (*готовност*) willingness; (*стремеж*) desideration; ~е за живот will to live; концерт по ~е request programme; (*по радиото*) listeners' choice; по ~е by request; по ~е (*не е задължително*) at will; работя с ~е be keen on o.'s work; силно ~е longing (за for), yearning (for), anxiety (for), avarice; *разг.* itch(ing) (for).

желатѝн *м.*, *само ед.* gelatin(e).

желатинѝрам *гл.* jellify.

желàя *гл.* wish (for), desire (to с *inf.*), care (for; to с *inf.*); (*силно*) long (for), crave (for); бих желал да I should like to; ~ ви всичко най-хубаво! (I wish you) all the best! I wish you good luck! good luck (to you)! какво желаете? what can I do for you?, can I help you? както желаете just as you like, as you please; не бих желал I'd rather not.

желѐ *ср.*, *само ед.* jelly, mould.

железà *само мн.* 1. (*късове*) (pieces of) iron; (*изделия*) ironware, hardware; 2. *остар.* (*окови*) irons; окован в ~ in iron/chains, fettered.

железарѝя *ж.*, *само ед.* ironmongery, ironware, *амер.* hardware.

железàрск|и *прил.*, -а, -о, -и smith's; ironware (*attr.*), hardware (*attr.*); ~а работилница smithy, smithery, forge, blacksmith's shop, *амер.* smith('s) shop.

желѐзен *прил.*, желязна, желязно, желѐзни 1. iron (*attr.*), made of iron; steel (*attr.*), made of steel; (*за кораб и пр.*) iron-built; железни изделия, железни части ironworks; 2. (*който съдържа желязо*) iron (*attr.*); ferreous; *хим.* ferrous; (*за соли*) chalybeate; ferrugin(e)ous; (*за почва*) ferriferous; ~ сулфат (*зелен камък*) ferrous sulphate, sulphate of iron, copperas, green vitriol; желязна руда iron-ore; 3. (*метален, металически*) metal (*attr.*); metallic; ~ звън ring(ing) of metal, metallic ring; 4. *прен.* iron (*attr.*), of iron; steel, of steel; желязна хватка grip of steel; имам железни нерви have iron nerves, have nerves of steel; управлявам с желязна ръка rule with an iron fist/with a rod of iron; • ~ път railway, *амер.* railroad; track; rails; a permanent way; ~ (*дълбок*) резерв iron/ emergency ration; желязно алиби cast-iron alibi.

желѐзниц|а *ж.*, -и railway, *амер.* railroad; подземна ~а (*метро*) underground, (*в Лондон*) tube, (*в САЩ*) subway; теснолинейна ~а narrow-gauge line.

железничàр (-ят) *м.*, -и railwayman, railman, *амер.* railroader; railway official/clerk/worker.

железобетòн *м.*, *само ед.* reinforced concrete, ferro-concrete.

железодобѝв|ен *прил.*, -на, -но, -ни: ~на индустрия metallurgy; smelting, iron-production; iron-foundry.

железопът|ен *прил.*, -на, -но, -ни railway (*attr.*), *амер.* railroad (*attr.*); ~ен възел railway junction; ~на линия railway line; track; rails; permanent way.

желѝрам *гл.* jelly, gelatinize, jell; || ~ се jelly, jell.

желязо *ср.*, *само ед.* хим. iron; *събир.* iron(work); (*пръчка*) an iron bar; ковано ~ wrought iron, hammered ironwork; toreutics; лято ~ cast iron; обшит с ~ iron-clad; профилно ~ iron sections; старо ~ scrap iron; • ~то се кове, докато е горещо strike while the iron is hot, make hay while the

sun shines.

жен|à *ж.*, -й 1. woman; lady; *презр. и остар.* female; ~ите *събир.* womankind, womanhood; (*женените*) matronage; (*от собственото семейство*) womanfolk, womankind; лека ~а woman of easy virtue, fast/light lady, *амер. sl.* broad; неомъжена ~а spinster, unmarried/single woman, *шег.* unappropriated blessing; *юр.* feme sole; омъжена ~а married woman, matron; *юр.* feme covert; 2. (*съпруга*) wife; *шег.* Missis, Missus; *книж., юр.* spouse; вземам за ~а take (s.o.) to wife, marry (s.o.); 3. (*прислужница*) charwoman, home help.

жѐнен *мин. страд. прич.* married; ~ съм be married, have a wife.

женитб|а *ж.*, -и marriage; match; предложение за ~а a proposal, an offer of marriage.

жених *м.*, -и 1. (*кандидат за женитба*) suitor, wooer; 2. (*младоженец*) bridegroom.

женкàр (-ят) *м.*, -и rake, lady-killer, woman-/skirt-chaser, ladies' man, womanizer, wolf; *разг.* loose fish.

женомрàз|ец *м.*, -ци woman-hater, misogynist, sexist.

жѐнск|и *прил.*, -а, -о, -и 1. (*пол*) female; she-; hen-; ~ият пол the female sex, womanhood; 2. (*присъщ на жена*) woman (*attr.*), woman's, feminine, female; (*за положителни качества*) womanly; *неодобр.* womanish; ~а му работа! ~и ум! what can you expect of a woman! ~а същност femaleness, feminineness, femininity; ~и глас/характер female/feminine voice/character; 3. (*от, за жена*) woman (*attr.*), woman's, feminine; *пренебр.* petticoat (*attr.*); ~о движение women's/feminist movement; това е ~а работа that's woman's work; 4. като същ. жѐнск|а *ж.*, -и 1) *разг. вулг.* (*жена*) female, *амер.* dame; 2) (*женско животно*) female, she-, mate; (*за елен, антилопа, заек*) doe; • ~а рима *лит.* feminine rhyme; ~и род *език.* feminine gender.

жѐнски₂ *нареч.*: по ~ like a woman; събираме се по ~ have a hen-party.

жѐнствен *прил.* womanly, feminine, lady-like; *неодобр.* womanish; (*за мъж*) effeminate; woman-like; sissi-

fied; pansy (*attr.*); ~ мъж *разг.* pansy, (Miss) Nancy, molly.

жѐнственост *ж., само ед.* womanliness, womanhood, femininity, femineity; femaleness; effeminateness, effeminacy; **лишена от** ~ unsexed.

жѐня *гл., мин. св. деят. прич.* **жѐнил** marry, wed, give in marriage; unite/ join in marriage; || ~ **се** marry (*за* -), get married (to), take (s.o.) to wife, *книж.* wed (*за* -); *юр.* contract a marriage, enter the conjugal/matrimonial state; *разг.* go down the aisle.

жѐрав *м., -и, (два)* **жѐрава** *зоол.* crane (*Gruidae*).

жѐртв|а *ж., -и* 1. (*жертвоприношение*) sacrifice, victim, offering, oblation; **изкупителна** ~**а** a scapegoat, stooge; **2.** (*пострадало лице*) victim; *мн.* casualties, toll; (*плячка*) prey, quarry; (*който лесно се подвежда и т. н.*) easy/soft mark, *разг. амер.* easy meat; fall guy; *sl.* sucker, mug, gull; (*потърпевш*) sufferer; **аз съм** ~**ата** *шег.* I am the victim; ~**а съм на** be a prey to, be a victim of; **имаше много** ~**и** many lives were lost, there was a great loss of life, there were many casualties; **ставам** ~**а на** (*умирам*) die/fall a victim to, (*пострадвам*) fall a prey/victim to, (*на навик, чувства*) sacrifice; **3.** (*понасяне на лишения*) sacrifice.

жѐртвам *гл.* **1.** sacrifice, devote, offer up, give an offering, immolate; **2.** *прен.* sacrifice, offer up; give up; devote; spend; || ~**се** sacrifice o.s.; immolate o.s.

жѐртвени|к *м., -ци, (два)* **жѐртвеника** (sacrificial) altar.

жертвоготовност *ж., само ед.* selflessness.

жертвоприношѐни|е *ср., -я* offering, sacrifice, oblation.

жест *м., -ове, (два)* **жѐста** 1. gesture; **правя** ~ make a gesture; **2.** *прен.* gesture.

жестикулѝрам *гл.* gesticulate, gesture, make gestures; (*силно*) saw the air; fling o.'s arms about.

жестòк *прил.* 1. cruel (**към** to); (*груб*) brutal; (*зъл*) merciless, mean; (*неумолим*) obdurate, implacable, inexorable, relentless; (*за деяние*) atrocious, monstrous, outrageous; ~**а съдба** cruel/ hard fate; ~**о сърце** heart of stone/flint/ steel; **2.** (*силен, яростен*) fierce, vio-

lent; ~ **студ** severe frost; ~**а критика** severe/keen criticism; ~**а несправедливост** gross injustice; ~**ата истина** the brutal truth; ~**о разочарование** bitter/cruel disappointment.

жестокост *ж., -и* 1. cruelty, atrocity, atrociousness, brutality; inhumanity; **2.** (*деяние*) cruelty, savage/ferocious/ cruel act, piece/act of cruelty, atrocity, outrage; **3.** (*суровост*) severity.

жестокосърдѐч|ен *прил., -на, -но,* -**ни** hard-hearted, merciless, unmerciful, cruel, flinty.

жетòн *м., -и, (два)* **жетòна** counter, jet(t)on, token, fish; chip.

жив 1. *прил.* (*който живее*) live, living, alive (*предик.*); **докато съм** ~ in my lifetime, as long as I live; ~ **и здрав** alive and well, alive and kicking; safe and sound; hale and hearty; ~**и мощи** a walking corpse; **ни** ~, **ни** умрял more dead than alive, on o.'s last legs; **няма** ~**а душа** there is not a (living) soul about; **откакто съм** ~ within my remembrance, in all my born days; **човек се учи докато е** ~ we live and learn; **2.** *като същ.* (*жив човек*) **всичко** ~**о** one and all, the whole creation, everything that has life, all that breathes; young and old; everyone; men, women and children; **3.** (*жизнен*) lively, brisk, vivacious, mercurial, perky, frisky, jaunty, sprightly; *разг.* corky, zippy, *амер.* jazzy; (*за игра*) fast, brisk; (*за спор, разговор*) animated, lively; (*за очи*) bright, sparkling; (*за лице*) animated, mobile; (*за изражение*) animated; (*за ум*) keen, quick; (*събуден*) wide awake, full of life; ~ **темперамент** lively disposition; **4.** (*ярък, силен*) vivid; lively; intense; (*за стил*) vital, nervous; **показвам** ~ **интерес** show lively/keen interest; **5.** (*същински, истински*) real; ~ **дявол** the devil himself; ~ **а мъка** back-breaking job; ● ~ **да си!** God bless you! ~ **език** a modern/living language; ~ **плет** hedge; ~**а вода** life-giving water; ~**а рана** lacerated/open wound; ~**а цел** *воен.* personal target; ~**и цветя** real/natural/ fresh flowers; **по** ~**о по здраво** safely, (*пожелание*) good luck! **ти да си** ~! never mind so long as you're all right.

живàк *м., само ед.* 1. quicksilver; *хим.* mercury; **2.** *прен.* (*за дете*) like quick-

silver, lively, all over the place.

жѝввам, жѝвна *гл.* perk up.

живѐене *ср., само ед.* life, living; **начин на** ~ a style of living; a way of life.

живѐц *м., само ед. разг.* 1. (*пулс*) pulse; **2.** *прен.* pith and marrow, core (of o.'s being); **3.** (*кожичка*) cuticle.

живѐя *гл., мин. св. деят. прич.* **живѐл** 1. live (*и прен.*); be alive; ~ **втори живот** it was a narrow escape/a close squeak; **не му се живее** he is tired of life; **2.** (*пребивавам*) live (**в** in), reside (in, at); (*временно*) be living, be staying; ~ **под наем** be a tenant, rent o.'s home; **3.** (*съществувам по даден начин*) live; ~ **както намеря за добре** live as I think fit; ~ **на широко/на широка нога** live at a high rate, live in a grand style; ~ **от ден за ден** live precariously; ~ **от подаяния** live on charity/alms; ~ **от труда си** live by o.'s work/by working, live on o.'s own earning, keep o.s.; ~ **самотно** lead a solitary existence/life; ~ **с някого** (*споразумявам се*) get along with s.o.; (*имам полови връзки с*) live with s.o.; ~ **със спомени** live in the past, live with o.'s illusions; live in a fool's paradise; **с него не може да се живее** he makes life intolerable; he is hard to get on with.

живѝтел|ен *прил., -на, -но, -ни** lifegiving; refreshing, invigorating.

живо *нареч.* 1. (*оживено*) briskly; animatedly, spiritedly, vigorously, energetically; *разг.* (*бързо*) quickly; *муз.* presto, (*и шумно*) strepitoso; **по**~! look alive! look sharp! *разг.* sharp's the word! put some snap into it! get a move on!; **2.** (*силно, остро*) keenly, strongly; greatly; ~ **се интересуваме от** we are greatly interested in; **3.** (*ярко*) vividly; ● ~**здраво?** how are you? how's life? **предавам на** ~ (*по радиото, телевизията*) broadcast live.

живовляк *м., само ед. бот.* plantain (*Plantago major*).

живопѝс *ж., само ед.* 1. (art of) painting; **монументална** ~ monumenatal painting; **стенна** ~ mural painting, murals; **2.** *събир.* (*картини*) painting(s), pictures.

живопѝс|ен *прил., -на, -но, -ни** 1. (*отнасящ се до живопис*) artistic; pictorial; **2.** (*китен*) picturesque.

живопѝс|ец *м., -ци* painter, artist.

живора̀ждащ *прил. зоол.* viviparous.

жѝвородѐн *прил.* born alive, liveborn.

жѝвост *ж., само ед.* **1.** (*подвижност*) vivacity, vivaciousness, animation, sprightliness; friskiness; alacrity; perkiness, pepper, *sl.* pep, *амер.* jazz; **2.** (*жизненост*) vitality; **3.** (*изразителност, яркост*) intensity; (*на цвят, картина*) vividness.

живо̀т *м., само ед.* **1.** life; the vital spark; **борба на ~ и смърт** a life-and-death struggle, a war/fight to the death/ to the knife, a mortal combat; **връщам към ~** restore to life; **давам ~ на** give life/birth to; **между ~а и смъртта** between life and death, within an inch of death; **2.** (*жизненост*) life, vitality, energy; **изпълнен с ~** full of life/*амер.* pep, brimming over with life/vitality; **3.** (*период*) life, lifetime; **до ~ till o.'s death, as long as one lives; **през целия си ~** in all o.'s born days, in all o.'s life/days; **4.** (*биография*) life; **5.** *прен.* (*съществуване*) life, existence; the world; **това е ~ът** such is life; **това ~ ли е?** it's a dog's life; **6.** (*начин на живеене*) life, living; **водя безпътен ~** live a dissipated life, fling o.'s cap over the mill; **~ът не е само удоволствия** life is not a bed of roses, life is not roses all the way; **започвам нов ~** start a new life, turn over a new leaf; **удрям го на ~** go on the burst, burn the candle at both ends, go the pace, live it up; **7.** (*икономически условия*) cost of living; **икономическият ~ на страната** the country's economic life; **8.** (*действителност*) life, real life, reality; **9.** (*сговор*) agreement, harmony; **няма ~ с тях** they are hard to get on with; ● **гледам си ~а** take good care of o.s.; **~ът му висеше на косъм** it was touch-and-go with him.

животво̀р|ен *прил.,* -на, -но, -ни life-giving; invigorating.

животѝнк|а *ж.,* -и little animal/creature; living thing.

животѝнск|и *прил.,* -а, -о, -и **1.** animal (*attr.*); **~а клетка** *биол.* zooblast; **2.** (*присъщ на животно*) animal (*attr.*); *прен.* bestial, brutal; earthy; **~и страх** instinctive terror, blind fear.

живо̀тн|о *ср.,* -и **1.** animal, beast, brute; (*низше*) creature; **безгръбначно ~о** invertebrate; **диво ~о** wild animal, (wild)

beast; **сухоземно/водно ~о** land/water animal; **четириного ~о** quadruped; **2.** (*добиче*) animal; *мн.* (*стока*) livestock, beasts; **домашни ~и** domestic animals.

животновъ̀д *м.,* -и; **животновъ̀дк|а** *ж.,* -и stock-breeder/-raiser/-farmer, cattle-breeder, stockman, *амер.* cattleman.

животновъ̀дство *ср., само ед.* stockbreeding/-farming, cattle-breeding/-rearing, breeding/rearing of stock, animal husbandry; **~ и растениевъдство** thremmatology.

живо̀тозастрахова̀тел|ен *прил.,* -на, -но, -ни life-insurance (*attr.*).

живо̀тозастраша̀ващ *прил.* life-threatening.

животоописа̀ни|е *ср.,* -я; **животопѝс** *ж., само ед.* biography, life.

животоутвържда̀ващ *прил.* life-asserting.

животрепта̀щ *прил.* vital; topical.

живу̀щ и живѐещ *прил.* resident, residing (**на** at); domiciled (in).

жѝга *ж., само ед. муз.* gigue.

жигльо̀р *м.,* -и, (два) **жигльо̀ра** *авт., техн.* throttle, jet.

жѝгол|о *ср.,* -а gigolo.

жиго̀свам, жиго̀сам *гл.* **1.** brand; **2.** *прен.* stigmatize, cast/fasten a stigma upon.

жѝзнен *прил.* **1.** life (*attr.*), vital; *разг.* feisty; **~а сила** life-force, vitality; **2.** (*житейски*) life (*attr.*), of life (*след същ.*); **~ опит** worldly knowledge, experience of life; **~ стандарт** living standard, standard of living/life; **3.** (*насъщен*) vital; **~о пространство** living space; elbow-room; Lebensraum; **4.** (*пълен с живот, сили*) vital, energetic, vigorous, vibrant, lusty, full-blooded; elastic; dashing, full of life; *разг.* full of beans, peppy, rip-roaring; gingery; **~ човек** bright spark, live wire.

жѝзненост *ж., само ед.* vitality, energy, vibrancy, vigour; sprightliness; full-bloodedness, elasticity; *разг.* pep, sparkle; red-bloodedness; ginger.

жизнера̀дост *ж., само ед.* buoyancy, cheerfulness, ebullience, ebulliency, exuberance, jauntiness; animal spirits; flow of spirits; ability to enjoy life.

жизнера̀дост|ен *прил.,* -на, -но, -ни bright, cheerful, exuberant, cheery,

jovial, chirpy; frolicsome, frolicky; buoyant; mercurial; optimistic, *разг.* chipper, breezy, perky; **~ен характер** sunny disposition; **~ен човек** swinger.

жизнеспосо̀б|ен *прил.,* -на, -но, -ни **1.** *биол.* viable; **2.** *прен.* elastic; (*за народ*) hardy, sturdy.

жизнеутвържда̀ващ *прил.* life-asserting.

жѝл|а *ж.,* -и **1.** (*сухожилие*) tendon, sinew; ligament; **2.** (*кръвоносен съд*) vein; **3.** *бот.* nerve, rib, vein; **4.** (*пласт в камък, дърво*) vein; **5.** (*пласт, руда*) *мин., геол.* vein, rib, lead, ledge, seam, streak, thread; **златна ~а** reef (of gold).

жѝлав *прил.* **1.** elastic, resilient; (*гъвкав*) supple, flexible, pliant, lithe; (*за глина*) ductile, plastic; **2.** (*за месо*) tough; stringy; **3.** (*за човек*) wiry, tough, (*за народ и*) hardy, sturdy.

жѝлвам, жѝлна *гл.* **1.** (*за пчела, коприва*) sting; **2.** (*удрям с пръчка и др.*) cut, lash, sting.

жилѐтк|а *ж.,* -и **1.** waistcoat, *амер.* vest; **2.** (*плетена дреха*) cardigan.

жѝлищ|е *ср.,* -а home, house, lodging; *книж.* abode; (*апартамент*) flat, *амер.* apartment; (*резиденция*) residence, domicile; (*общо*) dwelling(-place), habitation; **промяна на ~ето** change of abode; **работнически ~а** a workmen's dwellings; (*стари, порутени*) tenements; ● **вечно ~е** eternal home, final resting place.

жѝлищ|ен *прил.,* -на, -но, -ни residential, housing (*attr.*); habitational; **~ен блок** block of flats, *амер.* apartment house; **~ен квартал** residential district/quarter/section; **~на площ** living-/floor-space, floorage; **~но строителство** housing construction, house building.

жѝлк|а *ж.,* -и **1.** vein; **2.** *бот.* nerve, nervure, fibre; (*на лист*) vein, rib; **без ~и** nerveless; **с ~а** nervate, nerved; **3.** (*слаб вкус на вино и пр.*) tang, taste, flavour; **4.** (*наклонност, дарба*) vein, strain, streak, bent, flair; **5.** (*род, произход*) strain; **той има гръцка ~а** he has a strain of Greek blood in him.

жѝл|о *ср.,* -а̀ **1.** sting (*и прен.*); **с ~о** stinging (*и прен.*); **без ~о** stingless (*и прен.*); **2.** (*на коприва*) nettle-sting; **3.** (*на цирей*) core; **4.** *воен.* (*на пуш-*

ка, *оръдие*) striker, firing pin; nipple; 5. *ел.* core.

жѝля *гл., мин. св. деят. прич.* жѝ-лил 1. sting; 2. *прен.* sting, bite, hurt.

жирѐф *м.*, -и, (два) жирѐфа; жи-рѐф|а *ж.*, -и *зоол.* giraffe.

жироскоп *м.*, -и, (два) жироскопа gyro-scope, gyro.

житѐйск|и *прил.*, -а, -о, -и worldly, life (*attr.*), of life; ~и опит worldly knowledge, experience of life; ~и път a path/road of life.

жѝтел (-ят) *м.*, -и; жѝтелк|а *ж.*, -и inhabitant, resident; denizen; ~ на Зе-мята inhabitant of the earth, terrestrial; планински ~ mountaineer.

жѝтелство *ср., само ед.* (place of) re-sidence, domicile, residentship, inhabi-tancy; right of residence, residence per-mit; постоянно ~ permanent residence.

жѝт|ен *прил.*, -на, -но, -ни; жѝтен *прил.* wheat (*attr.*), corn (*attr.*); cereal; (*добит от жито*) wheaten; ~ен клас ear/head of wheat, wheat ear; ~ни растения cereal plants, cereals, corn.

житиѐ *ср.*, -та и житѝя *лит.* 1. (*на светец*) (saint's) life, passional; hagio-logy, hagiography; автор на житѝя *истор.* hagiographer, hagiographist, hagiologist; 2. (*животопис*) life, bio-graphy.

житѝ|ен *прил.*, -йна, -йно, -йни of a saint's life; hagiographic(al); hagiolo-gical.

жѝтниц|а *ж.*, -и 1. granary; 2. (*хам-бар*) barn, granary.

жѝто *ср., само ед. и* житѐ *само мн.* 1. (*растението*) wheat, corn; 2. (*зър-ното*) wheat, corn, grain; 3. *само мн.* (*житни посеви*) corn-field; 4. (*ко-ливо*) boiled wheat (as offering on All Souls' Day).

жѝц|а *ж.*, -и 1. (*метална*) wire; ~а с ток *разг.* live wire; 2. (*нишка*) thread.

жѝч|ен *прил.*, -на, -но, -ни wire (*attr.*); filamentary; ~на инсталация wiring.

жѝчк|а *ж.*, -и *ел.* film, filament; (*влак-но*) fibre.

жлеб *м.*, -ове, (два) жлѐба *техн.* groove, channel, riffle; (*нарез на дър-во*) grain; (*на железен предмет*) fuller; (*на шлюзна врата*) coulisse; (*на глава на винт*) fillister; (*право-ъгълен изрез при сглобяване*) rabbet; (*полукръгъл*) gouge; (*декоративен*

– *на колона*) архит. flute; (*междин-но пространство*) fillet.

жлез|а *ж.*, -и *анат.* gland; ~и с вът-решна секреция ductless/endocrine glands; млѐчна ~а lacteal/mammary gland, mamma (*pl.* mammae); щито-вѝдна ~а thyroid gland.

жлѐтвам се, жлѐтна се *възвр. гл.* gleam yellow.

жлъч *ж., само ед. прен.* 1. *анат.* bile; 2. *прен.* venom, gall, bile virus, asperity, spleen, bitterness, acrimony; sting.

жлъч|ен *прил.*, -на, -но, -ни 1. *анат.* biliary, bilious, gall (*attr.*); ~ен мехур gall-bladder; gall-duct; 2. *прен.* (*за чо-век*) rancorous, venomous, bitter, ac-rimonious, acrid; splenetic; (*за думи, забележка*) caustic, stinging, cutting, biting, bitter, corrosive, mordant; ~ен нрав envenomed temper.

жлъчк|а *ж.*, -и *анат.* (мехур) gall(-bladder); (*сок*) bile; (*на животни и*) gall; страдам/болен съм от ~а be bilious.

жмѝчка *ж., само ед. разг.* hide-and-seek, hy-spy.

жокѐ|й (-ят) *м.*, -и jockey.

жонглѝрам *гл.* juggle (с with).

жонгльор *м.*, -и juggler.

жоржѐт *м., само ед. текст.* georgette, silk crêpe.

жребѐц *м.*, -цѝ, (два) жребѐца *зоол.* stallion; *поет.* steed; (*за разплод*) stud-horse.

жребѝ|й (-ят) *м., само ед.* 1. (*съдба*) fate, lot, destiny; 2. lot; ~ят е хвърлен the die is cast; 3. *фин.* ballot; *спорт.* draw.

жребчѐ *ср.*, -та colt, foal.

жрѐбя се *възвр. гл., мин. св. деят. прич.* жрѐбил се foal.

жрец *м.*, -и priest; велик ~ high priest.

жрѝц|а *ж.*, -и priestess.

жужà *гл.* buzz, whiz, hum, boom, drone, murmur, purr, whir(r).

жѝлвам, жѝлна *гл.* cut, lash, sting; graze; prick.

жѝля *гл., мин. св. деят. прич.* жѝ-лил 1. (*претривам*) chafe; 2. (*тър-кам – под и др.*) scrub; (*съдове*) scour; 3. (*бия*) beat, lash, sting; (*за вя-тър*) lash; 4. (*закачам леко*) graze; 5. (*жиля*) sting, prick.

жумà *гл.* keep o.'s eyes closed; (*при жмѝчка*) be it/he.

жѝпел *м., само ед. остар.:* ● огън и ~ fire and brimstone.

жѝри *ср.*, -та jury; selection committee; panel; (*за художествена изложба*) hanging-committee; (*от специалис-ти по музика*) adjudicators.

журнàл *м.*, -и, (два) журнàла (fa-shion-)magazine; journal, periodical.

журналѝст *м.*, -и journalist, press-man, *амер.* newspaperman, newsman; ~ на свободна практика freelancer; спор-тен ~ sports writer.

журналѝстика *ж., само ед.* journa-lism; *ирон.* hackery, hackwork.

журналѝсткｌа *ж.*, -и journalist; press-woman, newspaper-woman.

жълт *прил.* 1. yellow; (*като цвета на жито*) лимонено~ lemon yellow; 2. (*бледен, с болезнен цвят*) sallow; (*с нездрав цвят на лицето*) tallow-faced; ● ~а преса yellow/gutter press; ~ата раса the yellow race; ~и стотинки chicken feed.

жълтенѝкав *прил.* yellowish, yellowy; xanthic; flavescent; (*за цвят на лице*) sallow.

жълтенѝкавокафяв *прил.* tan; ~ цвят tan.

жълтенѝца *ж., само ед. мед.* jaun-dice, icterus.

жълтѐя *гл., мин. св. деят. прич.* жъл-тял go/turn yellow; || ~ се show/appear yellow, gleam yellow.

жълто-зелѐн *прил.* yellow-green, sul-phurous; ~ цвят sulphur.

жълто-червѐн *прил.* yellow-red, ful-vous.

жълтурчѐ *ср.*, -та *бот.* the lesser ce-landine, pilewort (*Ranunculus ficaria*).

жълтъ|к *м.*, -ци, (два) жълтъка yolk (of egg), vitellus.

жълъд *м.*, -и, (два) жълъда acorn; буков ~ beech mast, beechnut; ~и (*като храна за свине*) pannage, mast.

жъна *гл.* 1. reap, harvest; (*със сърп*) reap, cut with a sickle; 2. *прен.* reap; ~ лаври win/gain/reap laurels; каквото посееш, това ще жънеш we reap as we sow.

жѐтва *ж., само ед.* 1. harvest; 2. (*вре-мето*) harvest-time; 3. (*реколта*) har-vest, crop; богàта ~ rich harvest, good crop.

жѐтвар (-ят) *м.*, -и; жѐтваркｌа *ж.*, -и harvester, reaper.

за *предл.* **1.** (*полза*) for; ~ кого е това? who is that for?; **2.** (*посока, цел*) to, for; заминавам ~ Англия I am leaving for England; **3.** (*време-траене, определен период, момент*) in, for, till; ~ колко време ще стигнем? how long will it take us to get there? ~ последните пет години during the last five years; **4.** (*време-траене като цел на действието*) for; взехме храна ~ два дни we took enough food for two days; **5.** (*предназначение на предмет*) обикн. *без предл.* for; вода ~ пиене drinking water; това е ~ тебе this is for you; **6.** (*цел на действието*) to (*c inf.*), to, for; време е ~ вечеря it's time to have dinner, it's time for dinner; ~ тази цел to this end, for the/this purpose; **7.** (*въвежда предложно допълнение*) of, about, for, to, *без предл.*; жал ми е ~ нещо/някого be sorry for s.th./s.o.; женя се ~ някого marry s.o.; напомням ~ remind of; тревожа се ~ децата be worried about the children; **8.** (*въвежда сказуемо определение*) *без предл.*; for; ~ глупак ли ме мислиш? do you take me for a fool? **9.** (*това, за което хващам нещо*) by, on, to; тя водеше детето си ~ ръка she led the child by the hand; **10.** (*причина*) for; съдят го ~ убийство he is being tried for murder; **11.** (*цена, размяна*) for; марки ~ един долар a dollar's worth of stamps; **12.** (*за кой път се върши нещо*) for; той го направи ~ първи път he did it for the first time; **13.** (*от гледище на*) to, in; това е важно/интересно/полезно ~ нас it is of importance/interest/use to us; **14.** (*за уречена област/сфера на дейност*) for, of; отговарям ~ be responsible for; be in charge of; • ~ да to, in order to (*c inf.*); ~ да не lest; so as not to; ~ съжаление to my/our regret; it is to be regretted (that); ~ щастие luckily, fortunately, happily; ~ изпуснах влака ~ две минути I missed the train by two minutes; що ~ what kind of.

заангажѝрам *гл.* **1.** (*заемам, отнемам*) engage, take (up); тази работа ми заангажира много време this job took up a lot of my time; **2.** (*запаз-*) вам стая, място) engage, book, reserve; **3.** (*задължавам*) engage; secure the services of (s.o.); ~ някого с някаква работа engage s.o. to do s.th.; **4.** (*замесвам*) involve (c in s.th., with s.o.); || ~ се engage o.s., promise, undertake, agree, pledge o.s., take upon o.s., commit o.s. (to *c inf.*).

забав|а *ж.*, **-и 1.** (*развлечение*) amusement, diversion, distraction, pastime, merry-making, fun; **2.** (*организирано увеселение*) entertainment, party, social (evening); давам/организирам ~a give an entertainment/a party; **3.** (*представление*) performance, party.

забавачк|а *ж.*, **-и**; забавачниц|а *ж.*, **-и** *разг.* nursery-/infant-school.

забав|ен₁ *прил.*, **-на, -но, -ни 1.** amusing, entertaining, enjoyable, diverting; (*за книга*) readable; ~на музика light/popular music; ~но четиво light/easy reading; **2.** (*весел*) funny, jocular, humorous, funny (ha-ha); droll, jolly; ~но ми е I find it fun, I enjoy it; колко ~но! what fun!

забав|ен₂ *мин. страд. прич.* delayed, decelerated, retarded, slowed down, inhibited; *като прил.* със ~движения кино. slow-motion projection.

забавител (-ят) *м.*, **-и, (два)** забавителя **1.** *техн.* retarder, delayer; **2.** *хим.* inhibitor, retarding agent; **3.** *физ.* moderator.

забавлѐни|е *ср.*, **-я** amusement, regalement, diversion, pastime, merry-making, fun.

забавлявам *гл.* **1.** (*залъгвам деца*) amuse, keep amused; **2.** (*развличам*) entertain, amuse, divert, tickle; той ги забавляваше с разкази за младините си he regaled them with stories of his youth; || ~ се amuse/enjoy o.s., have a good time, have fun, make merry; disport o.s.; (*c нещо*) play about with; *разг.* skylark; много се ~ have the time of o.'s life, have great fun, have a whale of a time.

забавям, забавя *гл.* **1.** delay, retard, hold up, slow up; hamper, impede; дъждът ни забави we were delayed by the rain; (*плащане*) defer, lag, *разг.* fall behind with; (*фалит и пр.*) stave off; (*задържам някого*) detain; make/keep (s.o.) late; (*отговор, вземане на*

решение и пр.) delay, hold off; be slow (to *c inf.*, in *c ger.*, with s.th.); **2.** (*намалявам хода на*) slow down, slacken (o.'s pace); *физ.* moderate; *техн.* decelerate; забавете хода! *мор.* ease the engines! (*темп*) steady; *муз.* slow, broaden; *разг.* soft-pedal; || ~ се **1.** be/come late, tarry; (*за влак, кораб*) be overdue/late; **2.** (*задържам се*) be delayed, be kept, hang fire.

забавяне *ср.*, *само ед.* delay, lag, lagging; retardation; deceleration; (*на кораб*) demurrage, lag; принудително ~ induced delay, put-off.

забатачвам, забатача *гл.* **1.** (*завличам с пари*) do, bilk; ~ се до гуша в дългове be plunged in debt; **2.** (*забърквам някаква работа*) mull, bungle, make a mull/bungle of; embog; || ~ се get involved/entangled (в in).

забвѐние *ср.*, *само ед. поет.* oblivion; потъвам в ~ fall/sink into oblivion.

забѐжк|а *ж.*, **-и** deviation.

забѐлвам, забеля *гл.* **1.** begin to peel/skin; **2.** (*кожица*) skin, scrape off/graze (skin from).

забележим *сег. страд. прич.* visible, noticeable, perceptible, discernible; observable; едва ~ scarcely perceptible/noticeable.

забележѝтел|ен *прил.*, **-на, -но, -ни 1.** remarkable (c for, by); notable, noteworthy, sightworthy, worthy of notice/remark; **2.** (*изключителен, удивителен*) spectacular, extraordinary, memorable; *разг.* striking, thundering, unique; **3.** (*бележит*) prominent, distinguished, outstanding, noted.

забележѝтелност *ж.*, **-и 1.** landmark; ~и sights, glories; ~ите на града the sights of the town; **2.** (*за човек*) celebrity; remarkability.

забелѐжк|а *ж.*, **-и 1.** (*към закон*) rider; (*към текст и пр.*) note; ~a в полето на страница a marginal note; **2.** (*устна*) remark, observation; правя ~a make/offer/pass a remark, let fall a remark; **3.** (*упрек*) reproof, reprimand, rebuke, censure; постоянни ~ nagging; правя някому ~a reprove s.o., tell s.o. off, (*на събрание*) call s.o. to order; **4.** (*за поведение на ученик*) reprimand, order-/conduct-remark.

забелязвам, забележа *гл.* **1.** (*поста-*

вям белег) mark; **2.** (*долавям, виждам*) notice, perceive, make out, be/become conscious/aware of, spot; catch sight of, detect, spy; espy; *амер. разг.* get/be wise to; *воен. мор.* spot; **бързо ~ грешките на другите** be quick at spying the faults of others; **не ~** fail to notice, miss, overlook; **3.** (*обръщам внимание*) observe, note; **забележете добре!** note! nota bene!; **4.** (*правя забележка*) remark, observe, notice, note; **позволявам си да забележа** (*да кажа една дума*) venture/hazard a remark; || **~ се** be seen/noticeable, become noticeable; **~ си** note (down), take note, jot down.

забѝвам, забѝя *гл.* **1.** (*започвам да бия*) begin to beat/toll/flog/whip/lash/thrash/hit/strike; **2.** (*втъквам с биене*) drive (in), knock (in), hammer (in); (*кол*) fix, plant, stick; (*пирон*) drive (in), hammer; **~ до край** knock/drive home; **3.** (*намушквам*) stick, jab; (*вилица, игла, стрела и пр.*) stick (**в** in, into); (*нож*) stab, plunge, stick (**в** into); **~ нокти** dig/drive in o.'s nails; **~ някому нож в гърба** stab s.o. in the back (*и прен.*); (*куршум*) plant, lodge; **4.** (*топка*) *спорт.* smash, stab; **5.** *прен.:* **~ глава/нос в книгата** pore over a book, be immersed in a book; || **~ се** (*за трън, игла*) run into; **игла/трън ми се заби в пръста** I ran a needle/a thorn into my finger; (*за куршум*) bed o.s. in, lodge in; (*за стрела*) fix.

забѝване *ср., само ед.* hammering, driving (in); (*на пирон*) nailing.

забѝрам, заберà *гл.* (*гноясвам*) fester, gather (to a head), suppurate; **забра ми пръст** I have a gathered finger.

заблажàвам, заблажà *гл.* break o.'s fast; **~ си** have a good/substantial meal; have a treat.

заблазявам, заблазя *гл.* envy.

заблеѝвам се, заблеѐя се *възвр. гл. прен.* go wool-gathering; moon (about), mouch.

заблуд|à *ж., -и;* **заблуждѐни|е** *ср., -я* error, delusion; fallacy; errancy; aberration, mistaken/misguided opinion, false belief, misbelief; (*измама*) *разг.* eyewash, window-dressing; (*визуална*) phantom; **акция за ~а на противника** diversionary operation; **в ~а съм** la-

bour/be under a misapprehension/a delusion; be in error, be mistaken; **въвеждам някого в ~а** mislead s.o., delude s.o., lead s.o. into error; **изваждам някого от ~а** undeceive s.o., disabuse s.o.; *амер. разг.* put s.o. wise (to).

заблудѐн *прил.* astray; misguided, deluded, misled, led astray; mistaken, in error; **~ куршум** a random bullet.

заблуждàвам, заблудя *гл.* mislead, delude, deceive, lead astray, misguide, outwit, wile, trick, hoodwink, pull the wool over s.o.'s eyes; *разг.* lead s.o. up the garden path; put off the scent; || **~ се 1.** (*изгубвам пътя*) lose o.'s way, get lost, be off on the wrong track; *книж.* stray, go astray; **2.** (*греша*) be wrong, be mistaken, be in error, err; be under a delusion.

забогатявам, забогатѐя *гл.* grow rich, enrich o.s., acquire/achieve wealth, come to wealth, make money, better o.'s circumstances; *разг.* be coining it/money; **~ бързо** *амер.* strike oil.

забогатяване *ср., само ед.* enrichment, enriching; **незаконно ~** profiteering.

забòждам, забодà *гл.* **1.** stick, fix, run, drive (in); **2.** (*намушквам*) stick, stab, jab; **3.** (*закрепвам*) stick (in, on); (*с карфица*) pin (to, on); **~ цвете на палтото си** pin a flower to o.'s coat; (*на стената*) pin up.

забò|й (-*ят*) *м., -и,* (*два*) забòя *мин.* (coal-)cutter, face-worker, heading.

заболеваемост *ж., само ед. мед.* morbidity/sick rate.

заболява ме (те, го, я, ни, ви, ги), **заболѝ ме** (те, го, я, ни, ви, ги) *безл. гл.* **1.** begin to feel pain, begin to hurt; **~ глава/гърло** have a headache/a sore throat; **2.** *прен.* hurt; **много ме заболя** it hurt me very much.

заболявам, заболѐя *гл.* fall ill, come down, be taken ill (**от** with); be on the sick list; **~ от грип** catch/get the flu.

заболяван|е *ср., -ия* illness, sickness, disease, disorder, complaint, ailment, trouble; failure in health, breakdown in o.'s health; **душевно/сърдечно/нервно/стомашно ~е** mental/heart/nervous/stomach trouble; **инфекциозно ~е** infectious disease; **професионално ~е** occupational/industrial illness, occupation(al) disease; *само мн.* cases (**от** of); **няма отбелязани ~ия от ...** no cases

of ... are on record/have been recorded.

заборчлявам, заборчлѐя *гл. разг.* get/run into debt; **~ до ушите/гуша** be immersed in debt, be head over ears in debt, be up to the eyes in debt.

забрàва *ж., само ед.* forgetfulness, oblivion; *мит.* Lethe; **реката на ~та** the Lethean waters/springs/stream.

забравàн *м., -овци;* **забравàн|а** *ж., -и* forgetful/absent-minded person, forgetter; *разг.* chuckle-head, scatter-brain.

забрàвям, забрàвя *гл.* **1.** forget; **да не забравяме** we mustn't forget; **забрави го!** forget it! get that/him out of your head! **забравих** (*не ми дойде наум*) I never thought of it, it slipped out of my mind; **~ миналото** let bygones be bygones; **не ~** bear/keep in mind; **не мога да го забравя** I can't get over it; **2.** (*оставям нещо някъде*) forget, leave (behind); **3.** (*пренебрегвам*) (*срам, приличие*) lose; (*дълга си*) neglect; **~ всяко благоразумие** cast caution/prudence to the wind; || **~ се 1.** forget o.s.; **не се забравяй** don't forget yourself! come off your perch!; **2.** (*не се владея*) lose o.'s self-control, have no command over o.'s.; **3.** *безл.* be forgotten, go/pass out of mind; **хубавите неща лесно се забравят** (*като поговорка*) eaten bread is soon forgotten.

забрàдк|а *ж., -и* kerchief, headcloth.

забрàждам (се), забрадя (се) (*възвр.*) *гл.* cover o.'s head with a kerchief, put/tie on a kerchief.

забрàн|а *ж., -и* prohibition, interdiction, ban, veto, taboo, interdict; (*на риболов*) defence; **~ за внос** ban on import; **~а за износ** export ban; **налагам ~а върху** prohibit, ban, veto, taboo, put/set/place a veto on, impose interdiction on, lay under an interdict.

забранѐн *мин. страд. прич.* (*и като прил.*) forbidden, prohibited, banned, not allowed; **вход ~** no entrance/admittance; **~ият плод** *прен.* the forbidden fruit; **паркирането е ~о** no parking; **списък на ~и стоки** (*в митница*) prohibited articles list.

забранявам, забраня *гл.* forbid, prohibit, put a ban on, put under a ban; *книж.* interdict, *юр.* enjoin (from *c ger.*); (*вестник, книга*) suppress;

(*пиеса, партия*) ban; (*внос*) prohibit; (*не разрешавам*) юр. disallow; ~ **някому да направи нещо** forbid s.o. to do s.th.; prohibit/interdict s.o. from doing s.th.; put o.'s foot down.

забременявам, забременèя гл. become pregnant, conceive, get in the family way; be with child (**от by**); **тя не може да забременее** she cannot conceive.

забременяване ср., *само ед.* conception; **средство против** ~ фарм. contraceptive.

забръмчавам, забръмчà гл. begin to buzz/hum.

забулвам, забуля гл. **1.** veil, cover with a veil; **2.** (*прикривам*) veil, wrap, enshroud, shroud; **забулен в мъгла** wrapped/enshrouded in mist; **3.** прен. obscure; shroud; wrap; **престъпление забулено в тайна** crime shrouded in mystery.

забумтявам, забумтя гл. begin to roar/boom/rumble/blaze.

забутан мин. страд. прич. **1.** (*за селище и пр.*) out-of-the-way (*attr.*), outlying, remote, distant, isolated; **2.** прен. obscure.

забутвам, забутам гл. tuck away, mislay, misplace; **къде си забутал писалката?** what have you done with the pen? || ~ **се 1.** bury o.s.; **забута се в храстите** he blundered away into the bushes; **2.** (*за неща*) get lost/mislaid.

забучавам, забуча гл. begin to roar/rumble/thunder/drone.

забучвам, забуча гл. **1.** (*втъквам*) stick, fix, plant; **2.** (*глава*) impale.

забързвам, забързам гл. hurry (up); quicken/double o.'s step, разг. step on it, hasten o.'s pace; разг. get cracking.

забъркан мин. страд. прич. **1.** (*объркан*) confused, mixed (up); at a loss; perplexed; lost in astonishment, thunder-struck; muddled, baffled; **2.** (*неясен*) confused, obscure, in a muddle, mazy; (*за стил*) obscure, confused, muddy; **като прил.** ~о **положение** muddle, (*в сюжет и пр.*) nodus.

забърквам, забъркам гл. **1.** (*смесвам*) mix, stir; **2.** (*объркам*) confuse, muddle (up), mix up, mull, bungle, embroil; разг. muff, амер. sl. ball up; (*смайвам*) confuse, baffle, perplex, mystify; (*при броене*) put out of count;

3. (*създавам*) cook up, hash up, hammer out; confect; ~ (**някаква**) **каша** muddle (things) up, make a hash/mess/muddle (of things, of s.th.); **4.** (*замесвам в нещо*) involve, get (s.o.) involved, implicate/mix up (s.o.) (**в** in); embroil (into); **5.** (*започвам да тършувам*) begin to search/rummage; **той забърка в джобовете си** he dug into/searched his pockets; || ~ **се 1.** (*обърквам се*) get mixed up/muddled up/confused, flounder; **2.** (*замесвам се*) get involved/entangled (**в** in); ~ **се в каша** get into a muddle.

забърсвам, забърша гл. wipe clean; (*нещо мокро*) mop; (*прах*) dust.

забягвам, забягна гл. **1.** run away, escape, flee; ~ **зад границата** flee the country, defect; **2.** (*приставам*) elope (**с** with).

завален прил. broken; **на** ~ **английски** in broken English.

завалявам, заваля гл. begin to rain/snow/hail; **заваляха запитвания от цял свят** enquiries flooded in from all over the world; **пак заваля** it's raining again, the rain is on again.

завалям, заваля гл. **1.** (*повалям*) knock down, throw down; **2.** (*говоря завалено*) speak with a foreign accent; || ~ **се** reel, stagger, totter.

заварвам, заваря гл. find (s.o. doing s.th.); **добре заварил!** well met! glad to find you well! ~ **някого у дома/вкъщи** find s.o. in; **2.** (*изненадвам*) surprise, catch unawares; **дъждът ни завари на улицата** we were caught in the rain in the street; **3.** (*приемам деца от предишен брак*) acquire (step-children).

завардвам, завардя гл. **1.** (*път, проход*) keep, watch, guard; **2.** (*човек*) lie in ambush (for s.o.), ambush (s.o.); **3.** (*запазвам*) keep, reserve; **4.** (*предпазвам*) protect.

заварен мин. страд. прич., *като прил.* ~ **син** step-son; ~**а дъщеря** step-daughter; ~**о положение** status quo, the established state of affairs.

заварен мин. страд. прич. техн. welded; *като прил.* ~**а конструкция** welded unit.

заварк|а ж., -**и** техн. **1.** (*място на заваряване*) weld; **2.** (*заваряване*) welding; (*с оксижен*) oxygen welding.

заваряваме, заваря гл. техн. weld; (*с поялник*) solder.

заваряване ср., *само ед.* техн. welding; (*с поялник*) soldering; (*при пластмаси*) HF moulding.

заведèн мин. страд. прич. **1.** taken; **2.** entered, filed; **такъв ред е** ~ such a practice has been established, this is the established practice.

заведèни|е ср., -**я 1.** place of (public) resort; **увеселително** ~**е** place of amusement/entertainment; **2.** (*предприятие*) establishment, enterprise; **питейно** ~**е** public house, restaurant; **3.** (*учреждение*) institution, establishment; **висше учебно** ~**е** higher educational institution, institution of higher education; **учебно** ~**е** school.

завèждам, заведà гл. **1.** (*водя някого някъде*) take (s.o.) somewhere, lead, take along; **2.** (*ръководя*) manage, head, run, superintend, be in charge (of); ~ **катедра по** ... hold the chair/professorship of ..., be the head of the ... department; **3.** (*записвам в специална книга*) enter, make an entry, file; ~ **писмо** enter in the incoming register; **4.** (*счет. книги*) търг. keep; **5.** юр.: ~ **бракоразводно дело** sue for divorce; ~ **дело срещу някого** institute/initiate proceedings against s.o., sue s.o. (at law); enter an action against s.o.; bring a (law) suit against s.o.

завèждащ сег. деят. прич., *като същ.* **завèждащ** (-**ият**) м., -**и** manager, director, head, chief, superintendent; ~ **отделение** head of a department, (*в болница*) chief doctor of a department.

завербувам гл. recruit, enlist; (*насилствено*) press into service.

заверк|а ж., -**и** certification, authentication, legalization, attestation; (*приподписване*) countersign; ~**а на копие** юр. exemplification.

заверявам, заверя гл. (*документ*) certify, authenticate, амер. notarize; legalize; (*подпис*) attest; (*чек, разрешително*) endorse, indorse; (*приподписвам*) countersign.

завèс|а ж., -**и 1.** театр. curtain; **вдигам/свалям** ~**ата** raise/drop the curtain; **2.** (*на прозорец*) (window-)curtain; (*на врата, стена*) hangings; (*на олтар*) frontal; **дръпвам** ~**ите** (*на прозорец*) (*затварям*) draw the cur-

tains, (*отварям*) draw aside the curtains, uncurtain (a window); **3.** *прен.* curtain; veil; screen; **димна ~а** *воен.* smoke-screen/-cloud; **повдигам ~ата** (*разкривам тайна и пр.*) lift the curtain/veil, uncurtain; • **желязната ~а** *полит.* the iron curtain.

завет *м., само ед.* **1.** lee; shelter; sheltered place; **на ~** in/under the lee; under shelter; **2.:** *прен.* **живея на ~** live/lead a sheltered life.

завет *м., -и, (два)* **завета** testament, legacy, bequest; (*наставление*) precept; message; • **Стария/Новият ~** *библ.* the Old/New Testament.

завет|ен *прил., -на, -но, -ни* cherished, sacred; **имам ~на мечта** cherish a dream.

завещавам, завещая *гл.* **1.** bequeath, leave (by will/testament), will; (*недвижим имот*) demise, devise (s.th. to s.o.); **2.** (*оставям завет*) teach, bequeath.

завещани|е *ср., -я* **1.** will, testament, last will and testament; **оставям ~е** leave a will; **2.** *юр.* devise; **устно ~е** nuncupation.

завещател (-ят) *м., -и* testator, legator, deviser, devisor.

завеян *прил.* **1.** (*смахнат*) crazy, crackbrained, *разг.* cracked, *sl.* nuts; off o.'s chump/beam/rocker; not all there; **2.** (*разсеян, заблеян*) moony; scatter-/hare-brained scatty; *амер. sl.* windy.

завземам, завзема *гл.* **1.** (*за войска*) seize, capture, occupy, take, take possession of; **2.** (*заграбвам*) take, seize, occupy.

завземане *ср., само ед.* capture, seizure, occupation.

завивам, завия *гл.* **1.** turn (off); (*внезапно*) strike into, traverse, take a turn; **~ зад ъгъла** turn a/the corner; **2.** (*за път, река*) bend, twist; **3.** (*увивам*) cover, wrap (up), tuck in; (*пакет*) do up, wrap (up); **4.** (*бурма*) screw (in); **5.** (*навивам*) wind, curl, (*пояс*) girdle; || **~ се** cover o.s., wrap o.s. up; tuck o.s.; • **завива ми се свят** feel dizzy/giddy, my head swims/reels.

завивк|а *ж., -и* blanket, wrap, covering, coverlet.

завид|ен *прил., -на, -но, -ни* **1.** enviable; **2.** (*забележителен*) notable, noteworthy; prominent, eminent; **той**

има ~но положение he is in a high position.

завиждам, завидя *гл.* envy, be/feel envious/jealous (**някому** of s.o.); look through green glasses; **~ на успеха му** I envy (him) his success.

завинаги *нареч.* for ever, for good (and all), *разг.* **за пук**, *поет.* for aye, for ever and aye; **веднъж ~** once (and) for all.

завинтвам, завинтя *гл.* screw up/on/down.

завирам₁, завра *гл.* thrust, poke, stick, stuff, shove, squeeze, ram, tuck (**в** into, in); **~ носа си навсякъде/в чужди работи** poke/stick (o.'s nose) into everything/into other people's business/affairs; **не знам къде съм ги заврял** I forget where I stowed them away; || **~ се 1.** get/creep in; crowd together; **заврели се пет души в една малка стая** five people live squeezed/crammed together in a tiny room; **2.** intrude o.s., thrust o.s. (upon); poke (o.'s nose) into.

завирам₂, завря *гл.* come to the boil, be on the boil, boil up.

завиране *ср., само ед.* boiling; ebullition; **точка на ~** boiling point; *хим.* reflux.

завирявам, завиря *гл.* (*язовир*) build up water behind a dam.

зависим *сег. страд. прич.* dependent (**от** on), contingent (on); (*за владетел*) tributary (*attr.*); **като прил. ~а държава** dependency.

зависимост *ж., само ед.* dependence, dependency; subjection, subordination; **в ~ от** depending on, according to.

завист *ж., само ед.* envy; sour grapes; *разг.* the green-eyed monster; **пукам се от ~** *разг.* be green-eyed with envy.

завистлив *прил.* envious, jealous; covetous; *разг.* green-eyed.

завистни|к *м., -ци*; **завистниц|а** *ж., -и* envious man/woman; dog in the manger.

завися *гл., мин. св. деят. прич.* **зависил** depend, be dependent (**от** on); **зависи от вас** да it rests/lies with you to, *разг.* it is up to you to.

завит *мин. страд. прич.* **1.** covered, wrapped (up); tucked in; **2.** *зоол., бот.* convolute, *бот.* tortile.

завихряне *ср., само ед.* vortex, eddy, turbulence.

завишавам, завиша *гл.* (*стойността на актив*) write up; (*сметка*) pad.

завишаване *ср., само ед.* write-up, padding.

завладявам, завладея *гл.* **1.** (*страна*) conquer, take possession of; (*град, крепост*) seize, capture; **2.** *прен.* fascinate, entrance, obsess; (*за пиеса, разказ*) grip, enthral(l); (*за чувство*) take possession of, sweep over, grip, overwhelm, overcome; **~ силно** sweep (s.o.) off his etc. feet; (*вниманието*) compel, engage, arrest, grip; (*за ужас*) overtake; **3.** (*подчинявам на себе си*) take possession (of), captivate (s.o.).

завладяване *ср., само ед.* conquest; capture, seizure; (*на безстопанствен имот*) occupancy, occupation; **неправомерно ~** *юр.* adverse occupation.

завличам, завлека *гл.* **1.** (*човек*) drag away/off, carry off; **2.** (*за река, вода и пр.*) sweep/wash (s.o./s.th.) away; **3.** (*нива*) harrow; **4.** *разг.* (*пари*) do/bilk/cheat s.o. (out of his money); rip s.o. off; || **~ се** drag o.s. (somewhere).

завод *м., -и, (два)* **завода** works, mill, factory; *амер.* plant; **военен ~** munition(s) factory; **дървообработваш ~** timber mill.

заводск|и *прил., -а, -о, -и** factory (*attr.*), mill (*attr.*) works (*attr.*), *амер.* plant (*attr.*).

завоевани|е *ср., -я* **1.** conquest; **2.** *прен.* achievement, acquisition, gain.

завоевател (-ят) *м., -и* conqueror.

заво|й (-ят) *м., -и, (два)* **завоя** **1.** turn, bend, curve; wind up, winding; (*на река, път*) elbow; **~и** (*на река*) meanders; **много остър ~й** hair-pin bend; **правя ~й** make/take a turn/sweep, (*за река, път*) turn, bend, curve, wind, elbow; **2.** *прен.* turn; change, turning-point; landmark; **пълен ~й в политиката** complete change of front/policy.

завоювам *гл.* **1.** conquer; **2.** *прен.* conquer; (*спечелвам*) win, gain; (*успехи*) score; **~ свободата си** win/gain o.'s freedom.

завоюване *ср., само ед.* conquest; (*на колонии*) seizure; **~ на пазар** *икон.* market penetration.

завръзк|а *ж., -и* *лит.* inception of the action; *прен.* commencement.

заврънквам, заврънкам *гл.* **1.** nag, pester; **2.** (*бръмча*) whir, drone.

завърнку̀лк|а *ж., -и разг.* **1.** (*при писане, в подпис*) flourish, quirk, twiddle, squiggle, curlicue; **2.** (*предмет*) contraption, gadget.

завръ̀щам, завъ̀рна *гл.* **1.** turn to one side; (*завивам по улица и пр.*) turn down; **2.** (*връщам добиче*) drive back; || **~ се 1.** return, come/go back; **когато се завърнах у дома** when I returned home, on my return home; **2.** (*обръщам се*) turn.

завръ̀щане *ср., само ед.* return; (*у дома*) home-coming; (*на сцената*) comeback.

завря̀н *мин. страд. прич., като прил.* ~ зет man who lives in the house of his parents-in-law.

завтѝчвам се, завтека̀ се и **завтѝчам се** *възвр. гл.* run up (**към** to); hurry; dash (at).

завча̀с *нареч.* **1.** (*след кратко време*) in a short time, in no time; quickly; **2.** (*след малко*) before long, in a short/little while.

за̀вчера *нареч.* the day before yesterday.

завъ̀ждам, завъ̀дя *гл.* **1.** (*животни*) breed, keep, raise; start keeping/breeding; **2.** (*растения*) cultivate, raise; start cultivating; || **~ се** propagate; **завъдиха се мишки в града** mice have infested the town.

завързà|к *м.,* **-ци** scrub, pygmy, pigmy, dwarf, runt; (*за дете*) tot.

завъ̀рзан *мин. страд. прич.* (*и като прил.*) **1.** tied, bound, lashed (together); **2.** (*заплетен*) intricate, complicated, knotty, convoluted, tangled; **~а работа** a catchy bit of work; **3.** *разг.* (*много хубав*) killing, stunning, ripping, smashing.

завъ̀рзвам, завъ̀ржа *гл.* **1.** bind, tie (together), lash together/down, make fast; *мор.* frap; (*пакет*) do up, tie up; (*човек*) bind; **~ възел** tie/make a knot; **~ лодка** (*за брега и пр.*) moor; **2.** (*започвам*) begin, start, (*разговори, преговори*) open, enter into, start; **~ приятелство с някого** form/strike up/contract a friendship with s.o., make friends with s.o., *разг.* pal up with s.o.; **3.** (*образувам плод*) set, knit; (*семе*) go to seed; || **~ се 1.** tie/lash o.s. (**за** to); **2.** (*започва*) begin, start; (*за дружба, познанство*) spring up.

завъ̀ртам, завъртя̀ *гл.* **1.** turn; (*коле-* *ло и пр.*) wind (up), twirl, whirl, spin (round); (*ключ на лампа, радио*) switch on; (*кормило*) turn, shift; (*обръщам на страна*) turn aside/away, (*обратно*) turn back/round; **~ кораба в обратна посока** wind the ship; **~ пумпал** spin a top; **2.** *разг.* (*организирам*) set up; run; || **~ се 1.** turn (round) swing round; swivel; (*за платно*) *мор.* jib; **няма къде да се завъртиш** there is no room to swing a cat; **2.** (*спирам се, задържам се*) stop, stay, remain; **не се ~ на едно място** be always on the go, be a rolling stone; be foot-loose; ● **~ някому главата** *прен.* turn s.o.'s head, make s.o. lose his head; (*за успех, слава и пр.*) go to s.o.'s head; **не мога лев да завъртя** I can't put by/lay by/save up any money.

завъртулк|а *ж.,* **-и** flourish, quirk, twirl, twiddle, squiggle, curlicue; doodle.

завъ̀ршвам, завъ̀рша *гл.* **1.** *прех.* (*работа*) end, finish off, complete, terminate, wind up; **~ вечерта с един танц** round off the evening with a dance; (*слагам последните подробности*) put the finishing touches (to), top off, perfect; (*радиопредаване*) close down; (*реч*) wind up, conclude, end; (*писмо*) bring to a close, close; conclude; (*гимназия*) finish; (*университет*) graduate (at, *амер.* from); **~ какво сте завършил?** what did you study? what did you graduate in/*амер.* major in?; **2.** *непрех.* end, wind up, come to an end, draw to a close; **~ с** eventuate in; end in.

завъ̀ршване *ср., само ед.* completion, termination; conclusion.

завъ̀рше|к *м.,* **-ци; завъ̀ршъ|к** *м.,* **-ци** end; eventuation.

завъ̀ршен *мин. страд. прич.* (*и като прил.*) **1.** completed, complete; **2.** (*окончателен*) final, definite; **3.** (*изискан, съвършен*) accomplished, consummate; finished; **~ вид** finished state.

завя̀вам, завѐя *гл.* **1.** (*за вятър*) begin to blow, start blowing; **2.** (*отвявам*) blow off; ● **кой знае къде го е завял вятърът** goodness knows what has become of him.

завя̀хвам, завѐхна *гл.* **1.** (*за цветя*) wilt, wither, droop; **2.** (*за рана*) scab (over); heal; **3.** *прен.* wither.

зага̀дк|а *ж.,* **-и** riddle, puzzle; crux; (*също и прен.*) enigma, mystery; **говоря със ~и** talk/speak in riddles.

зага̀дъч|ен *прил.,* **-на, -но, -ни** enigmatic, mysterious, puzzling; (*за изражение, усмивка*) inscrutable, unfathomable; (*за думи*) mysterious, cryptic, oracular; **при ~ни обстоятелства** in unexplained circumstances.

зага̀дъчност *ж., само ед.* mysteriousness, elusiveness.

зага̀звам, зага̀зя *гл.* **1.** begin to wade/flounder; **2.** (*закъсвам*) get into trouble/into a pretty mess/into a fix/into hot water; get/catch it hot, go/run aground, let oneself in for, come to the end of o.'s rope, buckle up; **загазил съм** be in trouble/a fix/a jam/a mess/in hot water/in deep waters/in the suds/up the creek/in a hole/in a tight corner/in a fine pickle/in the soup/up a gum tree; feel the draught.

зага̀р *м., само ед.* tan, suntan, sunburn.

зага̀рям, загоря̀ *гл.* **1.** (*за ядене*) burn (to the pan); (*за мляко*) catch; **млякото загоря** the milk has caught; **2.** (*за посеви, ниви*) be scorched/parched; **3.** (*за лице*) be tanned/sunburned/sunburnt/weather-beaten; **4.** (*за рана*) scab (over); heal; **5.** (*жадувам*) thirst (for) (*и прен.*); ● **тя е загоритенджера** she has no notion of time.

зага̀свам, зага̀сна *гл.* **1.** (*за огън*) die down/out, go out; (*не напълно*) burn low; **2.** (*за светлина*) fade, grow dim; ● **загасваща слава** dwindling reputation.

загася̀вам, загася̀ *гл.* **1.** (*огън*) extinguish, put out; *книж.* quench; (*свещ*) blow out; **2.** (*ел. лампа*) put out, switch off, turn out; (*радио*) turn/switch off; **~ двигател** cut off the engine, switch off the engine/ignition; *амер.* turn off the motor.

зага̀твам, зага̀тна *гл.* **1.** (*намеквам*) hint (**за** at), drop a hint (at); **2.** (*споменавам*) allude, make an allusion (to), mention, touch (upon).

зага̀тван|е *ср.,* **-ия** hint, allusion, oblique reference.

загдѐто и **задѐто** *нареч. и съюз* for (*с ger.*), because.

загѝвам, загѝна *гл.* **1.** perish, die; be/get killed; (*при катастрофа и*) die/be killed in an accident; **много хора**

загинаха a great many lives were lost, there was a great loss of life; **2.** *прен.* totter, be near ruin; go to rack and ruin; go to the dogs; ~ **от работа** break o.'s back with work, work o.s. to a frazzle.

загѝнал *мин. св. деят. прич., като същ.* perished; dead, killed; fallen; **брой на ~ите** casualty figures/rate, number of casualties, death toll.

заглàв|ен *прил.*, **-на**, **-но**, **-ни** title *(attr.)*; **~на страница** title-page.

заглàви|е *ср.*, **-я** title, heading; *(на вестник)* headline; *(наслов)* caption; **~е на корица** cover title; **със ~е** entitled.

заглàден *мин.страд.прич.* **1.** smooth, smoothed out; **2.** *(с охранен вид)* sleek; *(за лице)* plump; *(за човек)* plump, well-fed.

заглàждам, заглàдя *гл.* **1.** *(правя гладък)* *(бельо и пр.)* iron, press; *(коса)* slick; *(нещо неравно)* smooth(e) (out/ over/down); make smooth; **2.** *(сечиво)* sharpen, whet, hone; *(с ремък)* strop; **3.** *прен.* *(уреждам недоразумение)* smooth out, settle; *(замазвам)* cover up; || **~ се** become smooth; • **~ косъма** fill out, plump out, put on weight/flesh.

заглèждам, заглèдам *гл.* **1.** begin to look (at), start looking (at); **2.** *(гледам втренчено)* peer, stare, look hard/ steadily (at); fix/rivet o.'s eyes (on), *разг.* give the eye; **той заглежда всички жени** he gives all women the eye; *(гледам изпитателно)* give (s.o.) a searching look; scan s.o.'s face; || **~ се** *(зазяпвам се)* gaze, stare (**по** at).

заглушàвам, заглушà *гл.* **1.** deafen; **2.** *(звук)* deaden, muffle, dull, smother, obstruct; *(с по-силен звук)* drown, kill; **~ с викове** cry down; **3.** *(за плевели и пр.)* choke, overgrow, overrun; **4.** *прен.* *(негодувание, критика и пр.)* stifle; **5.** *техн.* *(шум)* muffle; *(радиопредавам)* jam.

заглушàване *ср., само ед.* muffling, silencing; *радио.* interception, *(на предаване)* jamming, jam.

заглушѝтел (**-ят**) *м.*, **-и**, **(два) заглушѝтеля** *техн.* noise-killer, muffle(r); silencer; damper; deadener; baffle(r).

заглъхвам, заглъхна *гл.* **1.** *(губя слух)* go/grow/become deaf; **заглъхнаха ми ушите от тряска на машините** the roar of the machines has deafened me; *(при настинка)* my ears are stopped up; *(на височина)* I feel the pressure in my ears, I feel my ears popping; **2.** *(за звук)* die away/down, fade away, trail away/off; *(за глас)* trail away; be hushed, sound hollow; *(за мотор)* stall; **гласът й заглъхна до шепот** her voice sank to a whisper; **3.** *(за слава)* fade, wane, be on the wane; • **заглъхнало село** sleepy/slow little village.

загнèздвам, загнèздя *гл.* tuck, insert; embed, wedge, drive, force (**в** into); entrench; || **~ се** plant o.s.; **1.** establish o.s. firmly, settle, creep into; **2.** *(натиквам се)* wedge (in, into), embed/ lodge o.s. (in, into), be/become firmly fixed/rooted; **куршумът се бе загнездил в костта** the bullet was embedded/ had stuck in the bone; **3.** *(за чувство и пр.)* grip, obsess; embed o.s., implant o.s.; **съмнението се бе загнездило в душата му** doubt was implanted in his mind, doubt had implanted itself in his mind.

загнѝвам, загнѝя *гл.* **1.** decay, rot, perish; *мед.* necrotize; **2.** *прен.* decay, rot.

загнѝване *ср., само ед.* rottenness.

загнойвам, загной *гл.* fester, discharge matter, suppurate.

заговàрям, заговòря *гл.* **1.** begin speaking/to speak; **2.** *(заприказвам някого)* address (s.o.), accost (s.o.), engage (s.o.) in conversation, start a conversation (with s.o.); *разг.* chat (s.o.) up; **3.** *прен.* *(за чувства)* awake/stir in s.o.; **съвестта му заговори** his conscience began to stir, he was smitten with remorse; **4.** *(правя заговор)* plot, conspire; || **~ се** start/get chatting/talking; forget o.s. in chatting/talking; forget the time in conversation.

зàговор *м.*, **-и**, **(два) зàговора** conspiracy, plot; *(за икон. натиск)* collusion; **осуетявам ~** counterplot.

заговòрни|к *м.*, **-ци** plotter, conspirator, conspirer.

заговòрнича *гл., мин.св.деят.прич.* **заговòрничил** conspire, plot (**срещу** against).

заговявам, заговèя *гл.* **1.** celebrate Shrovetide; feast on the eve of a fast; **2.** *(започвам пост)* begin o.'s fast, begin fasting; **3.** *(застоявам се)* stay too long, overstay o.'s time/welcome.

загòлвам, загòля *гл.* bare, uncover, strip.

загорял *мин. св. деят. прич.* **1.** burnt; **мирише на ~о** there is a smell of burning; **2.** *(от слънцето)* sunburned, tanned, bronzed; *(от вятъра)* weather-beaten; **3.** *(жадуващ за)* thirsting (for); **4.** *(за рана)* scabbed over, healed.

заготòвк|а *ж.*, **-и** *техн., метал.* billet.

загрàбвам, загрàбя *гл.* **1.** grab, grasp, seize, take hold (of); **2.** *(власт, територия)* seize; *(власт, трон)* usurp.

заграждам, заградя *гл.* **1.** *(поставям ограда)* fence in (**с** with); **~ с жив плет** hedge in; **2.** *(опасвам)* encompass, environ, flank, hem in, enclose; *(за ъгъл и пр.)* *геом.* contain; **3.** *(обкръжавам)* surround; encompass; *(за тълпа)* mob (s.o.) in; *(войска)* surround, encircle, hem in; • **~ някому пътя** bar/ block s.o.'s way.

загрèбвам, загребà *гл.* **1.** start rowing, begin to row; **2.** *(гребвам)* scoop up, make a scoop.

загрѝжвам се, загрѝжа се *възвр. гл.* worry, be anxious/troubled/concerned (**за** about).

загрѝженост *ж., само ед.* **1.** concern, concernedness, anxiety, solicitude; **2.** *(безпокойство)* nervousness, uneasiness, restlessness.

загрозявам, загрозя *гл.* make s.o./s.th. look ugly, disfigure, deform, mar/spoil the beauty/look of, *(пейзаж и)* be a blot on, be an eyesore; *разг.* uglify.

загрубявам, загрубея *гл.* **1.** coarsen, become/grow coarse; roughen; **2.** *(за човек)* become coarse/crude/rugged/ uncouth; **работата загрубя** the gloves are off.

загрубял *прил.*, **-а**, **-о**, **загрубèли** coarse, rough; *(за лице)* weather-beaten; *(за глас)* harsh, gruff.

загръщам, загърна *гл.* **1.** tuck (s.o.) in, wrap; enshroud; **~ с шал** wrap/tuck a shawl about/around s.o., muffle s.o.; **2.** *(пакет и пр.)* wrap/ do s.th. (up); || **~ се** tuck o.s. up in bed; wrap/muffle oneself up, wrap up; *(слагам си дреха, шал и пр.)* put on a coat/shawl etc.

загрявам, загрея *гл.* **1.** heat (up), warm (up); take the chill off; *(мотор и пр.)* warm up; *спорт.* warm up; **~ вино** *(с подправки)* mull; **2.** *разг.* *(разбирам)* catch on, twig, tune in,

tumble to; click; *разг.* cotton on; **бавно ~** be slow of wits/in the uptake; || **~ се** warm up, get warm; become/get/ grow hot; (*за двигател, радио и пр.*) warm up; *спорт.* warm up.

загряване *ср., само ед.* heating, warm-up.

загуб|а *ж.,* -и **1.** loss, waste, wastage; (*обратното на печалба*) loss; (*щети*) damage; ~а **на данни** *инф.* data overrun; ~а **на памет** loss of memory, *мед.* amnesia; **приключвам без ~а** break even; **2.** (*убити или ранени*) casualties, losses; (*смърт*) loss, death, (*при съболезнования*) bereavement; **след ~ата на жена си** after the loss/ death of his wife.

загубвам, загубя *гл.* lose; (*пропилявам*) waste; (*временно*) mislay; misplace; **~ връзка с** lose track of; cease to keep in touch with; **~ всякаква надежда** lose/surrender hope; **~ и ума, и дума** lose o.'s head, o.'s heart grows faint within one; be frightened out of o.'s senses/wits; be stricken all of a heap, get into a flap; **~ от** *спорт.* lose to; **~ сила** (*за наредба, закон и пр.*) become invalid, lose (its) force; || **~ се 1.** lose o.'s way, lose o.s., get lost, go astray; **2.** (*изчезвам*) disappear, be lost; mingle, merge; (*за звук и пр.*) fade; **~ се в тълпата** mingle in the crowd.

загубен *мин. страд. прич.* (*и като прил.*) **1.** lost; mislaid; misplaced; **бюро за ~и вещи** lost property office, The Lost and Found; **2.** *прен.* lost; (*глупав*) slow, dumb, wanting, (*непоправимо глупав, безнадежден*) past praying for, past remedy, hopeless; **~ съм!** I'm done (for)! I'm through! I'm finished! **~а работа** hopeless case, no go; **той е ~ човек** he's (a) no good, he's a hopeless case.

загъвам, загъна *гл.* wrap (up), do up.

загърбвам, загърбя *гл.* turn o.'s back (to); *прен.* cast aside; disregard; **тя загърби скрупулите си** she flung away her scruples.

загърмявам, загърмя *гл.* begin to thunder/roar/rumble/boom/blare.

зад *предл.* behind, at the back/rear of; *мор.* astern of; (*отвън*) beyond, on the other side of, *поет.* on yonder side of; **в редица един ~ друг** in line one after

the other; **~ граница** abroad.

задавам, задам *гл.* **1.** begin to give, start giving; **2.** (*възлагам работа и пр.*) give, set, assign (a task); **3.** (*въпрос и пр.*) ask, put; **~** (**някому**) **въпрос** ask s.o. a question, ask a question of s.o., put a question to s.o.; **4.** (*причинявам*) be a source of, cause; || **~ се** appear, come into view; come along; **задава се буря** a storm is gathering/ brewing.

задавям, задавя *гл.* **1.** choke, (*за дим*) stifle, suffocate; **2.** (*мотор, посеви*) choke up; || **~ се 1.** choke (**от** with; **с** on); **дано се задавиш!** I hope you choke on it!; **2.** (*за двигател, посеви*) choke (up).

задани|е *ср.,* -я task, assignment; *инф.* job.

задач|а *ж.,* -и **1.** *мат.* sum, (mathematical) problem; **не ми излиза ~ата** (*по математика*) the problem will not work out, I can't solve the problem, (*по смятане*) I can't get this sum right, this sum won't come out; **решавам ~а** work on a problem, (*намирам отговора*) solve a problem; **2.** task, assignment, job, mission, *разг.* proposition; (*цел*) aim, goal; *воен.* tack, mission; **боева ~а** tactical task, *амер.* combat mission; **цели и ~** и aims and purposes.

задвижвам, задвижа *гл.* operate, set/ put in motion; set (s.th.) going; actuate; **~ нещата** put the show on the road.

задвижване *ср., само ед.* drive, driving; **с механично ~** power-actuated.

задгранич|ен *прил.,* -на, -но, -ни foreign, overseas; **~ен паспорт** passport; **~ен печат** foreign press.

задгроб|ен *прил.,* -на, -но, -ни beyond the grave; after death; ● **~ен живот** after life.

задействам *гл.* operate; set/put into motion; set (s.th.) going.

задействам се *възвр. гл.* start, set/put in motion.

заделям, заделя *гл.* **1.** allot, allocate (to); earmark (for); commit; **2.** put/set aside; **~ от залъка си** pinch and scrape (in order to).

заделяне *ср., само ед.* *икон.* allocation, allotment, earmark.

зад|ен *прил.,* -на, -но, -ни back; tail (*attr.*), *мор.* stern (*attr.*); (*за крак, колело*) hind; (*за военни части, реди-*

ци, *за части на машина, колело*) rear; (*за части на тялото*) posterior; **влизам през ~ната врата** (*и прен.*) enter by the back door; **давам ~ен ход** move backwards, (*за кола*) back (a car), shift into reverse, go into reverse, (*за самолет*) reverse the engine, (*за воден съд*) go astern; **~ен двор** back yard; **~ен джоб** (*на панталони*) hip-pocket; **~ни части** (*на животно*) hind quarters, rump, (*на човек*) posterior(s), behind, *разг.* bottom; *амер., разг.* fanny; **на ~ен план** in the background; ● **без ~ни мисли** without ulterior motive, undesigning.

задето *нареч. и съюз* *разг.* for (*с ger.*), because, since.

задигам, задигна *гл.* (*открадвам*) steal, lift, filch, finger, walk away/off with, grab; *амер.* maverick; *sl.* pinch, nip, swipe, scrounge, snitch, mooch, bone, prig, bag.

задимен *мин. страд. прич.* smoky, filled with smoke.

задимявам, задимя *гл.* **1.** start smoking/to smoke; **2.** (*изпълвам с дим*) fill with smoke, make smoky.

задирам, задера *гл.* **1.** begin to skin/ flay; begin to tear/rip/rend; **2.** *техн.* block, jam.

задирям, задиря *гл.* banter, tease; **2.** (*момиче*) woo, court, make advances (to); *разг.* make a pass at.

задкулис|ен *прил.,* -на, -но, -ни **1.** backstage, off-stage, coulisse (*attr.*); **2.** *прен.* backstair(s), underhand, backdoor, behind-the-scene (*attr.*); behind-the-curtain; **~ни машинации** underhand dealings.

задлъжнявам, задлъжнея *гл.* run/get into debt, run up/incur debts; **~ до гуша** be over head and ears in debt.

задлъжнялост *ж., само ед.* indebtedness; *фин.* exposure; *икон.* gearing; *амер.* leverage.

задминавам, задмина *гл.* **1.** pass, overtake, get ahead of, outdistance, gain on/upon, overhaul, (*при ходене*) outwalk; *спорт.* lap; **2.** *прен.* surpass, outdo, outrival, outstrip.

задморск|и *прил.,* -а, -о, -и oversea(s), transmarine, ultramarine (*attr.*).

задни|к *м.,* -ци, (два) задника; **задниц|а** *ж.,* -и behind, posterior, fundament, stern; *разг.* bottom, buttocks,

bum; *sl.* arse, tail; *амер.* ass; *sl.* duff; (*за животно*) hind quarters, rump, (*на кон и*) croup(e); (*на дреха*) back; (*на кола и пр.*) hind part, back end; • размърдвам си ~ка get/pull o.'s finger out.

задни́шкòм и задни́шкàта *нареч.* backward(s); движа се ~ back (out), move/go backwards.

задноези́ч|ен *прил.*, -на, -но, -ни *език.* velar, back.

задоволèност *ж.*, *само ед.* content, contentment, contentedness.

задоволи́тел|ен *прил.*, -на, -но, -ни satisfactory, satisfying; (*за успех, бележки*) satisfactory; (*достатъчен*) sufficient, adequate; (*сносен*) passable.

задовòлство *ср.*, *само ед.* satisfaction; contentedness.

задоволя́вам, задоволя́ *гл.* 1. (*правя доволен*) satisfy, content, give satisfaction (to), make do (with s.th.); ни́що не го задоволя́ва he is hard to please; 2. (*удовлетворявам*) gratify; ~ глада си satisfy/appease/assuage o.'s hunger/appetite; (*нужда*) meet, satisfy; ~ ну́ждите на ня́кого meet/satisfy the need of s.o.; attend/minister to s.o.'s needs, supply the needs of; 3. (*желание, молба*) meet, grant, fulfil; ~ мòлба comply with a request; 4. (*любопитство, каприз*) gratify, satisfy; 5. (*съответствам на*) meet, answer, satisfy; ~ нечии изисквания answer s.o.'s demands, come up to s.o.'s standards/requirements; || ~ се content o.s., be content/satisfied (c with); ~ се с make do with.

задокеàнск|и *прил.*, -а, -о, -и transoceanic, transatlantic.

задомя́вам, задомя́ *гл.* marry (o.'s children), marry off; || ~ се get married; marry and settle down, settle down to married life.

задòч|ен *прил.*, -на, -но, -ни: ~на присъ́да *юр.* judgement by default; ~но обуче́ние *уч.* extramural studies, correspondence courses, tuition by correspondence.

задòчни|к *м.*, -ци; задòчничк|а *ж.*, -и extra-mural/external/correspondent/ correspondence student.

задра́сквам, задра́скам *гл.* 1. (*започвам да драскам*) begin/start scratching/to scratch; (*да пиша*) begin scribbl-

ing; 2. (*зачертавам*) cross out, strike out/off/through, black out, delete; expunge.

задру́ж|ен *прил.*, -на, -но, -ни 1. (*единен*) harmonious; united; unanimous; ~но семейство united family; 2. (*общ*) joint, conjoint, collective; със ~ни уси́лия with joint efforts; 3. (*съгласуван, едновременен*) simultaneous, concerted.

задру́свам, задру́сам *гл.* begin to shake/bump/jerk/jolt/jig; (*дете*) begin to dandle.

задръжк|а *ж.*, -и 1. hindrance, obstacle, impediment; 2. (*морална*) *псих.* inhibition; • без ~и *разг.* like a kid in a candy store.

задрънквам, задрънкам *гл.* 1. begin to ring/jingle/jangle/rattle/clank/clang/ tinkle; 2. *разг. прен.* pester.

задръ́ствам, задръ́стя *гл.* 1. (*тръба, канал и пр.*) block (up), choke (up), obstruct, clog, jam; (*с нещо лепкаво*) gum, *разг.* gunge; 2. (*място*) encumber (с with); (*за хора, коли*) throng, crowd, jam, congest, block; clutter; gridlock; || ~ се 1. (*за тръба и пр.*) get choked up; 2. (*за улично движение*) get into a tangle, get jammed/congested; 3. *техн.* become engorged; *мед.* congest, engorge.

задръ́стван|е *ср.*, -ия blocking, clogging, jam; *техн.* engorgement; *фин.* backlog; ~е на уличното движение traffic jam/tangle, jamming, lock, hold-up, (traffic) congestion, gridlock.

задря́мвам, задрèмя *гл.* doze (off), drop off (to sleep), nod off; snooze; grow/become drowsy/sleepy.

зàдух *м.*, *само ед.*; зàдуха *ж.*, *само ед.* 1. (*жега*) heat, oppressive/sweltering heat; suffocation; sultry/close weather; такъв ~ беше it was so sultry; 2. (*нечист въздух*) close/foul air; 3. *мед.* asthma, constriction, shortness of breath; dyspn(o)ea.

задухвам, задухам *гл.* begin to blow; • задуха друг вятър the tide has turned; the set-up has changed.

задушàвам, задушà *гл.* 1. stifle, choke, suffocate, smother; 2. (*стискам гърлото*) strangle, choke; (*запушвам носа*) smother, stifle; (*удушавам*) suffocate, strangle, throttle, choke the life out of (s.o.); (*с газ*) as-

phyxiate; 3. (*огън*) stifle, clamp down; 4. (*за бурени*) choke, suffocate; 5. (*ядене*) stew; casserole; 6. *прен.* (*чувства и пр.*) stifle, smother, suppress; || ~ се choke, suffocate, stifle, feel like choking, feel stifled; ~ се от вълнèние *прен.* feel rather choky.

задушàване *ср.*, *само ед.* strangulation, suffocation, asphyxiation.

задушвам, задуша *гл.* begin to sniff/ scent.

задушèв|ен *прил.*, -на, -но, -ни intimate, sincere, hearty, cordial; cosy; ~ен разговор heart-to-heart talk.

задушèвност *ж.*, *само ед.* heartiness, cordiality, sincerity; cosiness.

задỳш|ен *прил.*, -на, -но, -ни close, stuffy, muggy, fusty; тук е ~но it is stifling here.

задушèн *мин. страд. прич.* (*и като прил.*) 1. strangled, throttled, choked; (*с газ*) asphyxiated; 2. (*за месо*) stewed; ~о *само ед. като същ.* stewed meat, stew; телешко ~о stewed veal; 3. *шах.* smothered.

задушли́в *прил. хим.* suffocant, asphyxial.

задълбàвам, задълбàя *гл.* 1. begin to dig/scoot/carve/cut/chisel; 2. *прен.* go deep (в into), plunge (into), delve (into), probe (into).

задълбочàвам, задълбочà *гл.* 1. *непрех.* go deep(er); задълбочен в мислите си immersed/engrossed/lost/ wrapped in thought; 2. *прех.* (*познания*) extend; (*противоречия*) intensify; || ~ се go deep, delve, plunge (в into); *прен.* go deep (into s.th.); go into great detail; (*в мисли, съзерцание, книга*) be/become absorbed/engrossed/ wrapped (in); (*над книга, проблем и под.*) pore (over/on/upon); (*в учение и пр.*) steep o.s. (in); ~ се в себе си be/become wrapped up in oneself, be lost to the world.

задълбочèн *мин. страд. прич.* profound, thorough; exhaustive; *като прил.* ~о изследване careful study extensive research.

задължàвам, задължà *гл.* 1. (*заставям*) charge, make; ~ ня́кого да изпълни обещанието си make s.o. keep his promise, nail s.o. down; 2. (*налагам известно задължение*) oblige, bind; put/lay (s.o.) under an obligation

enjoin; *юр., амер.* obligate; **подписът ти те задължава** your signature binds you; || ~ **се** pledge/bind/engage o.s., undertake.

задължѐн *мин. страд. прич.* obliged, bound; *юр.* obligated; **много съм му** ~ I am enormously in his debt.

задължѐни|е *ср.,* -**я 1.** duty; obligation, engagement; commitment; (*срещу гаранция*) *юр.* recognizance; (*нещо да бъде доказано*) onus; **върша нещо по** ~**е** do s.th. as part of o.'s duty; do s.th. from a sense of duty; **2.** (*парично*) liability; debt; *фин.* charge; ~**е по договор** *юр.* privity of contract; **3.** *мн.* duties, work; obligations; **семейни** ~**я** family duties, hostages to fortune.

задължител|ен *прил.,* -**на,** -**но,** -**ни** compulsory, obligatory, *амер.* mandatory, statutory; ~**на военна служба** conscription; (*за разпоредба, решение*) binding (**за** on); **това правило е** ~**но** this rule is binding/*разг.* a must.

задънен *мин. страд. прич.* (*и като прил.*): ~**а улица 1**) blind alley, dead-end street, cul-de-sac, impasse; no thoroughfare, no through road; **2**) *прен.* dead-end, impasse, cul-de-sac, stalemate, standstill; gridlock; **намирам се/стигам до** ~**а улица** be at a dead-end/standstill; (*за преговори*) be at a deadlock, be at a gridlock.

задържам, задържа *гл.* **1.** hold back, detain, keep; delay; ~ **вниманието на** hold the attention of; **2.** (*възпирам*) hold/keep (s.o.) back, prevent (s.o.) from (*c ger.*); **3.** (*спирам*) check, stop, hold up, stall; (*порой и пр.*) stem; (*кон*) rein in; (*преча на развитие*) hamper, check, retain, impede; ~ **неприятел** contain/check the enemy, keep back the enemy; **4.** (*арестувам*) arrest, detain, take into custody, apprehend; *разг.* nail; ~ **под стража** arrest, detain; **5.** (*държа, пазя*) keep, retain; **който задържа** (*влага и пр.*) retentive of; **6.** (*подпирам*) hold, catch; **задържах го да не падне** I held him in his fall; **7.** (*не давам*) (*документи*) withhold; (*заплата*) stop, withhold; **8.** (*удържам – сума*) keep back, deduct; **9.** (*не връщам*) retain; **задръжте рестото** never mind the remainder, keep the remainder/change; **10.** (*сдържам*) check, restrain, suppress, repress; keep

back; enchain; || ~ **се 1.** stay (in a place); **децата не се задържат в къщи** the children are hardly ever at home; **2.** (*хващам се за нещо*) get hold (of); **не успявам да се задържа** miss o.'s hold; **3.** *безл.* (*за сняг, време*) hold; (*за хубаво време*) stay good/fine; **пиесата се задържа** the play had a long run; • **на лондонската борса лирата се задържа** the pound continued firm on the London Stock Exchange.

задържане *ср., само ед.* **1.** arrest, detention, detainment, retainment; **2.** *мед.* (*на урина*) retention, difficulty in passing urine; **3.** (*на валутен курс*) *фин.* pegging.

задърпвам, задърпам *гл.* (begin to) pull/haul/tug.

задъхвам, задъхам *гл.* choke, suffocate; || ~ **се** pant, gasp (for breath), get out of breath, lose o.'s wind.

задъхване *ср., само ед.* panting, breathlessness, shortness of breath.

задявам, задяна *гл.* **1.** (*на гръб*) shoulder (a burden); **2.** (*закачам; и* ~ **се**) banter, chaff, tease, molest; gird, keep on (at s.o.).

задявк|а *ж.,* -**и** banter, chaff, tease, gird, raillery.

заедно *нареч.* together, in conjunction (with); (*едновременно*) along (with); **всички** ~ in a body.

зае|ек *м.,* -**йци,** (**два**) **заека 1.** (*питомен*) rabbit; (*див*) hare; wild rabbit; **2.** *разг.* (*новобранец*) raw recruit, rookie; (*първокурсник*) fresher, freshman; • **Зайо Байо** Br'er Rabbit.

заеквам, заекна *гл.* stammer, stutter.

заем *м.,* -**и,** (**два**) **заема** loan; **вземам** ~ borrow (**от** of, from); **давам** ~ lend, *амер.* loan.

заемам, заема *гл.* **1.** (*вземам в заем*) borrow; ~ **книга** (*от библиотека*) get out a book; **2.** (*давам в заем*) lend; **3.** (*изпълвам*) take up, occupy, fill; (*пространство*) cover; take up; (*време*) take up, fill; **4.** (*стая, място*) take, engage; (*мястото си*) take; **5.** (*положение, длъжност*) fill, hold, occupy; ~ **второ място** be second, take second place; **6.** (*държа*) *воен.* hold; **7.** (*завземам*) *воен.* carry, take possession of; capture; ~ **отбранителна позиция** *воен.* hold a defensive posi-

tion/line; *прен.* hold a defensive position; || ~ **се** (**с**) take up, undertake; busy o.s. (with); ~ **се да start** (*c ger. или inf.*), set about (*c ger*), undertake to (*c inf.*); take it upon o.s. to (*c inf.*); ~ **се за работа** knuckle down to work.

заѐмк|а *ж.,* -**и** *език.* loan(-word), borrowing.

заемодѐтел (-**ят**) *м.,* -**и** lender, creditor.

заѐт *мин. страд. прич.* **1.** (*за ръце*) full; (*за човек*) busy (**с** with), occupied (with, in); (*за съзнание*) preoccupied (with); **много съм** ~ be very busy, be very highly-scheduled, have o.'s hands full, be very much taken up, not have a minute one can call o.'s own, be on the trot, *амер.* be on the jump, (*за адвокат*) have plenty of briefs; **2.** (*за място*) taken, occupied; (*запазен*) reserved, booked; **3.** (*за телефон*) busy; **4.** (*за книги в библиотека*) checked out, in circulation.

заѐтост *ж., само ед.* **1.** work load; **2.** (*претовареност*) pressure of work; **въпреки голямата си** ~ although he is very busy; **3.** (*на работна ръка*) employment; **коефициент на трудова** ~ *икон.* activity rate.

заехтявам, заехтя *гл.* begin to resound/reverberate/echo.

заешк|и *прил.,* -**а,** -**о,** -**и** hare (*attr.*), rabbit (*attr.*), *зоол.* leporine; • ~**о сърце** faint-heartedness.

зажаднявам, зажаднѐя *гл.* **1.** be thirsty; **2.** *прен.* yearn (**за** for), be dying (for); thirst (for); crave (- for).

заженвам₁, заженя *гл.* start reaping/to reap.

заженвам₂, заженя *гл.* (*синове и пр.*) set about marrying; || ~ **се 1.** think of marrying, decide to marry; **2.** (*започвам сватба*) hold a wedding (feast).

заживявам, заживѐя *гл.* live.

зажумявам, зажумя *гл.* close o.'s eyes.

зажъна *гл.* begin/start reaping.

заздравявам₁, заздравя *гл.* **1.** (*заяквам*) reinforce, strengthen; (*стена, ограда*) brace; *воен.* fortify; consolidate; (*позиция, град*) embattle; **2.** *прен.* reinforce, strengthen, consolidate; ~ **позициите си** *разг.* strengthen o.'s hand.

заздравявам₂, заздравѐя *гл.* (*за рана*) heal.

заземявам, заземя *гл. ел.* earth, connect with the ground; *амер.* ground.

зазиждам, зазидам *гл.* **1.** wall in (*и човек*); (*плоча в стена*) build in; **2.** (*прозорец, врата*) block up, wall up, fill in, build in.

зазимява се, зазимй се *безл. възвр. гл.* winter is setting in.

зазимявам, зазимя *гл.* (*машини, животни и пр.*) put away for the winter.

зазорява се, зазорй се *безл. възвр. гл.* the day dawns/breaks, it dawns.

зазубрям, зазубря *гл.* cram up, swat up, sap; learn by heart, con, learn parrot-fashion/mechanically.

зазяпвам се, зазяпам се *възвр. гл.* stare (**по** at, upon), gape (at).

заигравам, заиграя *гл.* start dancing/ playing; (*за пръсти на кавал*) fly up and down; (*за сопи*) blows begin to rain; (*за сърце*) thump; (*за мускул и пр.*) twitch; (*за усмивка*) flicker, flutter; || ~ **се** (*за дете*) be deep in o.'s play, get wrapped up in o.'s play.

займствам *гл.* borrow; ~ **от** borrow from, draw on.

заинатявам се, заинатя се *възвр. гл.* turn obstinate/stubborn/ pig-headed (**за** about).

заинтересованост *ж., само ед.* (personal) interest; (*пристрастие*) partiality.

заинтересувам *гл.* interest (s.o.) (**в** in), get (s.o.) interested (in), arouse/excite s.o.'s interest (in); catch s.o.'s interest, draw s.o.'s attention (to); || ~ **се** take an interest (in), interest o.s. (in), become/ get interested (in), be intrigued (by).

заинтригувам *гл.* intrigue (s.o.), arouse/excite (s.o.'s) curiosity/interest.

зайк|а *ж., -и* doe-hare/-rabbit.

зайчар (-ят) *м., -и* **1.** (*куче*) harrier; **2.** (*ловец*) hare-hunter; **3.** (*който отглежда зайци*) rabbit-farmer.

зайчарни|к *м., -ци,* (*два*) зайчарника rabbit-farm; rabbitry.

закален *мин. страд. прич.* **1.** hardened; (*за стомана*) tempered; **повърхностно** ~ face-hardened; **2.** (*издръжлив*) hardy, inured; steeled, seasoned, well-tried; as hard as nails; ~ **в бой** battle-seasoned, steeled in battles.

закалка *ж., само ед.* **1.** *метал.* hardening, tempering, temper; **2.** (*физичес-*

ка) fitness, endurance, toughness.

закалявам, закаля *гл.* **1.** *метал.* temper, harden, case-harden, draw, toughen (up); **2.** *прен.* make hardy, inure; temper, steel; case-harden.

закан|а *ж., -и* threat, menace.

заканвам се, заканя се *възвр. гл.* **1.** threaten (**някому** s.o.); utter a threat; ~ **се с пръст** wag o.'s finger (**на** at); **2.** (*възнамерявам*) intend, mean.

закапвам, закапя *гл.* begin to drop/ dribble/trickle/fall.

закарвам, закарам *гл.* **1.** take (over), convey (**до** to); (*пеша*) march (off), take s.o. (to); (*с кола*) take (s.o.), drive (s.o.) (to), give (s.o.) a lift/drive/run (to); (*с каруца*) cart; (*добитък*) drive, (*в обора*) stall; **2.** (*започвам песен*) strike up.

закачалк|а *ж., -и* (*стенна*) hat and coat rack; (*стояща*) coat-/hat-/hallstand; (*hat-*)peg, coat-peg/-hook; (*на дреха*) tab, loop; (*за кърпи в баня и пр.*) towel-horse, towel rail; (*гардеробна*) hanger, shoulder.

закачам, закача *гл.* **1.** (*окачвам*) hang (up), suspend (**на** on); (*по-здраво, за постоянно*) fix (to); (*обявление и пр.*) pin/put/stick up; (*прикачвам*) hook, hitch, attach (**за** to, onto); **2.** (*засягам при движение*) catch (**на**, **в** on); (*задявам и ще закачи на гвоздея* (*скъса се*) the nail caught her dress, her dress got caught on the nail, she caught her dress on the nail; (*засягам леко*) graze, brush (against/by/ past); **3.** (*шегувам се*) banter, tease, chaff, jest (with); *амер. разг.* josh; (*дразня, безпокоя*) taunt; pester, bother, molest; (*задявам момиче и пр.*) take liberties (with), be over familiar (with); make passes (at); **днес не ме закачайте за нищо** don't bother me about anything today; || ~ **се 1.** get caught (**на** on); **2.** (*задявам се*) banter, joke, tease, jest (with); **той много обича да се закача** he's a great tease; **●** ~ **малко от** have/see/get a part/share of.

закачк|а *ж., -и* **1.** joke, jest, tease, piece of banter/chaff; **2.** (*закачлив човек*) tease; **3.** (*отношения*) relations, (*с жена*) affair.

закачлив *прил.* playful, teasing, impish, skittish, mischievous, perky; gamesome; *разг.* larky; *книж.* jesting.

закашлям се, закашля се *възвр. гл.* have a fit of coughing.

заквасвам, заквася *гл.* sour; make into yoghurt; curdle.

закваска *ж., само ед. нар.* ferment; (*квас*) leaven (*и прен.*); *прен.* strain, stock.

заквичавам, заквичя *гл.* begin to squeak/squeal.

закикотвам се, закикотя се *възвр. гл.* begin to giggle/titter; giggle, titter, snicker, snigger.

закипявам, закипя *гл.* **1.** begin to boil, begin/start boiling; **2.** *прен.* be in full swing.

закичвам, закича *гл.* decorate, ornament.

заклащам, заклатя *гл.* (begin to) rock/shake/sway/roll.

заклевам, заклъна *гл.* **1.** (*свидетел, член*) swear in, administer the oath to (s.o.), put (s.o.) on oath; (*служебно*) attest; ~ **някого да пази тайна** swear s.o. to secrecy; **2.** (*умолявам*) conjure, beseech, entreat; || ~ **се** swear (**в** by), take an oath (**в** on), vow; ~ **се във вярност някому** swear/vow fidelity to s.o.

заклеймявам, заклеймя *гл.* **1.** brand, stigmatize; **2.** *прен.* stigmatize, anathematize; cast/fasten a stigma upon; (*осъждам*) condemn, denounce; criminate; dispraise.

заклет *мин. страд. прич.* sworn, dyed-in-the-wool; *като прил.* ~ **враг** sworn enemy; dire foe.

заклещвам, заклещя *гл.* wedge (up); pawl; || ~ **се 1.** stick, get/become stuck; **2.** (*за части на машина*) jam, get jammed.

заклинам *гл.* conjure; charm, bewitch.

заклинани|е *ср., -я* charm, spell; conjuration; exorcism, incantation; abracadabra.

заклинател (-ят) *м., -и* conjurer, conjuror, exorcist.

заклинвам, заклиня *гл.* key; quoin (up); wedge.

заклюмвам, заклюмам *гл.* begin to nod.

заключавам, заключа *гл.* **1.** (*правя извод*) conclude, infer, deduce, educe (**от** from); come to the conclusion (**че** that); **от вашите думи** ~, **че** from what you say I conclude/gather that; **2.** (*реч*) conclude, close, wind up; || ~ **се** be (**в**

in), lie (in), consist (in).

заключалк|а *ж.*, **-и** lock; latch.

заключвам, заключа *гл.* (*врата*) lock; (*стая*) lock up; (*човек*) lock up; (*нещо в чекмедже и пр.*) lock away; здраво заключен locked fast; || ~ **се** lock o.s.; lock; be locked; **вратата не се заключва** the door won't lock.

заключени|е *ср.*, **-я** conclusion, deduction, inference; upshot; corollary; **в ~е** in conclusion, in fine.

заключител|ен *прил.*, **-на**, **-но**, **-ни** final, concluding, closing.

заковавам, закова *гл.* **1.** nail (on) (на то); (*в нещо*) nail in; (*пирон*) drive (in); (*дъска*) nail; (*затварям чрез заковаване*) nail up; (*капак и пр.*) nail down; **2.** (*спирам кола*) brake to a standstill; **3.** (*поглед*) rivet (on); || ~ **се** (*спирам внезапно*) stop short/dead.

заколвам, заколя *гл.* (*едър добитък*) slaughter, kill; (*свиня, овца*) stick; (*човек*) slit/cut s.o.'s throat, jugulate; (*много хора*) butcher, massacre, slaughter; **ще го заколя!** I'll kill him!

заколение *ср.*, *само ед.* slaughter.

закон *м.*, **-и**, (*два*) **закона** law; statute, act (of Parliament, *амер.* of Congress); measure; ~ **за защита на държавата** defence of the state act; **по силата на** ~**a** by virtue of the law; **прокарвам** ~ pass a bill, enact a law; **думата й е** ~ **за него** her word is law with him; ~ **божи** religion, bible classes; *рел.* Divine Law.

закон|ен *прил.*, **-на**, **-но**, **-ни 1.** (*разрешен, поставен от закона*) lawful, legitimate; rightful; (*юридически*) legal; ~**ен брак** lawful wedlock; ~**ен наследник** rightful heir, next of kin, *мн.* heirs-at-law; **2.** (*справедлив, обоснован*) legitimate, natural, rightful, warrantable; ~**но искане** legitimate demand; rightful claim.

законност *ж.*, *само ед.* **1.** lawfulness, legality; legitimacy, rightfulness; validity; **2.** (*обществена дейност в съответствие със закона*) legality, rule of law.

законодател (**-ят**) *м.*, **-и** legislator, lawmaker; *истор.* lawgiver.

законодателствам *гл.* legislate.

законодателство *ср.*, *само ед.* legislation; **данъчно** ~ tax legislation.

закономер|ен *прил.*, **-на**, **-но**, **-ни**

law-governed; (*естествен*) regular, natural, normal, determined by natural laws, in accordance with natural laws.

закономерност *ж.*, *само ед.* regularity, conformity with a law; objective laws.

закононарушени|е *ср.*, **-я** legal offence, infraction/infringement/violation of the law; offence, wrong-doing.

закононарушител (**-ят**) *м.*, **-и** offender, law-breaker.

законопроект *м.*, **-и**, (*два*) законопроекта bill; **внасям** ~ bill in.

законосъобраз|ен *прил.*, **-на**, **-но**, **-ни** lawful, legal.

закопавам, закопая *гл.* **1.** dig in; (*съкровище, мъртвец*) bury; hide in the ground; **2.** *прен. разг.* ruin, *sl.* do in; той ще ме закопае he'll be the death of me; **3.** (*започвам да копая*) begin to dig; || ~ **се** ruin o.s.

закопнявам, закопнея *гл.* begin to long/yearn.

закопчавам, закопчея, закопчая *гл.* button (up), do up; (*колан*) clasp, buckle; (*автомобил със скоба*) clamp; || ~ **се** button o.'s coat/suit/fly; fasten (up) o.'s buttons; **роклята се закопчава отзад** the dress buttons at the back.

закопчалк|а *ж.*, **-и** (на книга, капак) hasp; (*на чанта*) clasp; (*на портмоне и пр.*) (snap-)fastener, toggle.

закоравявам, закоравея *гл.* **1.** harden, become hard(ened); **2.** *прен.* harden, grow callous.

закоравялост *ж.*, *само ед.* **1.** hardness, stiffness; **2.** *прен.* callousness.

закостенявам, закостенея *гл.* **1.** ossify, become ossified, harden; **2.** *прен.* (*за ум, човек*) sink/settle into a rut.

закостенялост *ж.*, *само ед.* routine.

закотвям, закотвя *гл.* (cast) anchor, moor; **закотвен балон** kite balloon.

закотвяне *ср.*, *само ед.* anchorage, anchoring, mooring.

закрачвам, закрача *гл.* begin to stride; walk with vigorous strides.

закрепвам₁, закрепна *гл.* become/ grow stronger, grow more robust, gain in health; gain strength; || ~ **се** *прен.* stabilize, steady; (*за власт*) gain a firm foothold.

закрепвам₂, закрепя *гл.* **1.** fix; set firmly; firm up; embed; fasten; prop up;

(*със скоба*) clamp; **2.** *прен.* consolidate, fortify, strengthen, stabilize.

закрепване *ср.*, *само ед.* anchoring, attaching, fastening, fixing, gripping.

закрепостявам, закрепостя *гл.* bind to the soil; *прен.* enslave; || ~ **се** entrench o.s.

закрепявам, закрепя *гл.* **1.** fix; make firm/stable; firm, set firmly; embed (**в** in); (*прикачам*) fasten; (*подпирам*) prop (up); **2.** *прен.* consolidate, fortify, strengthen, stabilize; || ~ **се** (*за власт*) be firmly established; (*за човек*) establish o.s. firmly, gain a footing; (*за време*) set in.

закрещявам, закрещя *гл.* begin screaming/shouting/yelling.

закривам, закрия *гл.* **1.** cover, screen, hide; (*гледка*) block, shut out, obstruct, intercept; (*светлината*) shut out, obstruct; ~ **лицето си с ръце** bury o.'s face in o.'s hands; **2.** (*засланям*) cover, shelter, protect; **3.** (*прикривам*) conceal, cover up; **4.** (*прекратявам*) close (down), discontinue; (*заседание*) close; (*изложба, предприятие*) close down; (*бизнес и*) fold; ~ **дебатите** break off/wind up the debates; || ~ **се** *воен.* take cover; • **слънцето се закри** the sun has gone down.

закриване *ср.*, *само ед.* (*на предприятие*) shutdown.

закривявам, закривя *гл.* **1.** (*почвам да куцам*) begin to limp; **2.** (*извивам*) bend, curve; **3.** *непрех.* turn.

закрила *ж.*, *само ед.* protection; **под** ~**та на** under the protection/wing of.

закрилни|к *м.*, **-ци** protector, defender.

закрилям, закриля *гл.* protect; shield, guard, defend (**от** against, from); take (s.o.) under o.'s wing; (*запазвам*) shelter, guard, cover (*и воен.*).

закрит *мин. страд. прич.* (*и като прил.*) **1.** covered; **на** ~**о** under cover; **2.** (*за заседание и пр.*) closed; **при** ~**и врата** behind closed doors, *юр.* in camera; **3.** (*прекратен: за изложба и под.*) closed down; (*за служба и пр.*) abolished.

закрити|е *ср.*, **-я** shelter, cover, protection; *воен.* dug out.

закръглен *мин. страд. прич.* (*и като прил.*) **1.** (*за фигура*) plump, well-covered, well-fed, curvaceous, curvy,

rotund, tubby; (*за лице*) full; **2.** (*за сума*) round.

закръглям, закръгля и **закръгля́** *гл.* **1.** make round, round off; **2.** (*цени и прен.*) round (off), (*сума*) make up; || ~ **се 1.** grow round; **2.** (*напълнявам*) fill out, plump out, put on weight/ flesh.

закупувам, закупвам, закупя́ *гл.* buy a stock of; (*изкупувам*) buy up.

закусва́лн|я *ж.*, -**и** snack/refreshment bar; grill(-room), lunch room, quick lunch room; eating-house, lunch shop; *разг.* eatery.

заку́свам, заку́ся *гл.* (*сутрин*) breakfast; have/eat o.'s breakfast, take breakfast; (*в друго време*) have a snack; ~ **на крак** have a snack.

заку́ск|а *ж.*, -**и** (*сутрин*) breakfast; (*към пет часа*) tea; (*в друго време*) snack; light meal; (*малко ядене*) snack; ~**и** (*на прием или за продажба*) refreshments; **студени** ~**и** cold dish, cold cuts.

заку́цвам, заку́цам *гл.* begin to limp, start limping.

заку́чвам се, заку́ча се *възвр. гл.* get stuck, come to a standstill, jib; *техн.* jam; • **работите се закучиха** things have come to a standstill; things are in a mess.

закънтя́вам, закънтя́ *гл.* resound, ring out, echo.

закъ́рмям, закъ́рмя *гл.* **1.** (*дете*) give the breast (to), begin breast-feeding; **2.** *прен.* (*възпитавам*) rear, bring up, educate.

закърня́вам, закърне́я *гл.* be/become stunted; remain undeveloped/rudimentary.

закъ́рпвам, закъ́рпя *гл.* **1.** mend; (*дреха*) patch up, piece; (*замрежвам*) darn; (*обувки*) mend, cobble; (*дупката в стената*) plaster up; **2.** *прен.* patch up; **3.** *прен.* (*измъквам пари*) touch (s.o.); • **закърпихме я някак си** we managed somehow.

закъ́ршвам, закъ́рша *гл.* begin to break/snap/pluck/(*ръце*) wring.

закъса́л *мин. св. деят. прич.*: ~ **съм** be in trouble/a fix/a jam/a mess/in hot water/in deep waters/in the suds/in a hole/in a tight corner/in a fine pickle/ in the soup, be down on o.'s luck; (*материално, за пари*) be hard up/on

the rocks/(stony) broke/on o.'s beam end/down on o.'s uppers/under bare poles/on o.'s bones, be in low/deep waters; be out at elbows; be pushed for money; *журн.* be cash-starved/cash-strapped.

закъ́свам, закъ́сам *гл.* **1.** begin to tear/rend/rip; **2.** get into trouble, get stuck; get into a fix.

закъсне́ни|е *ср.*, -**я** delay; **без** ~**е** without delay; (*за влак*) up to schedule; **идвам със** ~**е** be late.

закъсни́тел (-**ят**) *м.*, -**и**, (*два*) **закъсни́теля** *техн.* timer; (*на бомба*) timing device.

закъсня́вам, закъсне́я *гл.* **1.** be late; *книж.* be tardy; (*за влак*) be overdue; (*за часовник*) be slow; **не** ~ be on time, be punctual; (*да отвърна и под.*) be quick (to *c inf.*), not be backward (in *c ger.*); (*с плащане*) fall behind; **2.** (*изоставам*) be/fall behind, (*някъде*) stay late, loiter; (*лягам си късно*) stay up late; keep late hours.

закъ́твам, закъ́там *гл.* tuck/put away; ensconce; (*в зеленина и пр.*) *поет.* embower.

зал|а *ж.*, -**и** hall; (*в театър*) auditorium, house; (*в летище, гара и пр.*) *обикн. амер.* concourse; **в** ~**а** *спорт.* indoor (*attr.*); **концертна** ~**а** concert hall; **съдебна** ~**а** court-room.

зала́вям, зало́вя *гл.* **1.** catch, take hold of, seize; (*пленник*) take, capture; (*престъпник*) catch, grab; *sl.* nib, nab, collar; (*писмо*) intercept; discover; ~ **някого в лъжа** catch s.o. (out) in lie; **2.** (*започвам, захващам*) start, take up; ~ **търговия** start a business, set up in business; || ~ **се 1.** clutch (за at), grip (за -), cling (to), catch hold of; **2.** (*започвам*) set to/about (*c ger.*), get down to (*c ger.*), begin to (*c inf.*); turn to s.th.; (*с ентусиазъм*) fling o.s. (into s.th.); ~ **се здраво за работа** sit down to o.'s plough, put o.'s hand to the work, put o.'s shoulder to the wheel, *разг.* put one's hand to the plough; **3.** (*заяждам се с*) (try to) pick a quarrel with s.o.; • **не се залавяй с него!** steer clear of him!

зала́вяне *ср.*, *само ед.* capture, arrest, apprehension.

зала́гам, зало́жа *гл.* **1.** (*капан, мрежа*) set; **2.** (*давам в залог*) pawn,

pledge, put in pawn; ~ **ценни книжа** lodge stock as security; **3.** (*обзалагам*) bet; (*при хазартна игра*) put down o.'s stake, lay down; ~ **всичко** bet o.'s bottom dollar; **4.** (*разчитам*) *прен.* stake (on); set great store (by).

зала́йвам, зала́я *гл.* begin to bark.

заледе́н *мин. страд. прич.* frozen, iced; (*за езеро, река*) frozen/iced over; (*за прозорец*) frosted over.

заледя́вам, заледя́ *гл.* freeze/ice/frost (*s.th.*) over, glaciate; || ~ **се** be iced/frozen over, be covered with ice, glaciate.

залежа́вам се, залежа́ *се възвр. гл.* **1.** be bedridden; lie sick for a long time; **2.** (*за стока и пр.*) not sell, become unsalable; (*за хранителни продукти*) stale goods.

зале́жи *само мн. геол., мин.* deposits, mine, field; ledge, pocket, bed; **златни** ~ gold-diggings.

за́лез *м.*, -**и**, (*два*) **за́леза 1.** setting; sunset, sundown; **на** ~ **слънце** at sunset; **2.** *прен.* wane, decline, decay; come-down; **славата му е на** ~ his fame is waning; • ~**ът на боговете** the twilight of the gods.

зале́пвам, зале́пям, залепя́ *гл.* stick (on), stick in, paste (on), glue (to/on); ~ **марка** stick a stamp on, stamp; || ~ **се 1.** stick, adhere; *книж.* cleave (to); **пликът не може да се залепи** the envelope will not stick; **2.** *прен.* stick (to). cling (to); attach o.s. (to); *разг.* latch on; ~ **се за някого** cling to s.o., *разг.* freeze/fasten on to s.o.; • ~ **някому плесница** slap s.o.'s face, slap s.o. in the face; **костюмът му залепна** (*беше му съвсем по мярка*) the suit fit him like a glove.

зале́пване *ср.*, *само ед.* sticking, pasting, glueing.

залеся́вам, залеся́ *гл.* afforest; put under timber.

за́лив *м.*, -**и**, (*два*) **за́лива** *геогр.* (*отворен*) bay; (*затворен*) gulf; (*малък*) inlet, cove, creek.

зали́вам, залѐя *гл.* **1.** (*поливам*) pour on; ~ **някого с вода** splash s.o. with water; (*за вълна, порой, прилив и пр.*) overflow, flow/sweep over, overrun, overwhelm, *поет.* whelm; (*наводнявам*) flood, swamp, deluge, inundate; (*наводнявам изкуствено*) flood, submerge; **вълна заля плажа** a comber

broke on the beach, a breaker swept over the beach; 2. *прен.* (*за светлина*) suffuse, perfuse, flash; (*за хора*) crowd/ sweep over; flood (into a place); (*със стоки*) flood, glut; **залян от лунна светлина** moonlit; • ~ **се от смях** be convulsed with laughter, split o.'s sides with laughter, roar/shout with laughter, laugh uproriously.

заливк|**а** *ж.*, -**и** *строит.* (*с вар, цимент*) grouting; *кул.* topping.

заливам, залижа *гл.* 1. begin to lick; 2. (*коса*) sleek, smooth, slick.

залинявам, залинея *гл.* languish, fall into a decline; (*от болест*) pine.

залисвам, залисам *гл.* 1. divert/draw off/distract s.o.'s attention; 2. (*бавя дете*) keep a child amused; || ~ **се** pass away o.'s time (*с ger.*).

залитам, залитна *гл.* 1. reel (about), stagger, (give a) lurch, falter, totter, be tottery, dodder; be unsteady on o.'s legs; 2. *прен.* (*правя забежка*) wobble, waver, vacillate; 3. (*задирям*) be sweet (по on s.o.).

залитане *ср., само ед.* stagger, reel, lurch, swag.

заличавам₁, заличá *гл.* begin to show, become visible/apparent; (*компания от листата на фондовата борса*) delist.

заличавам₂, заличá *гл.* 1. erase, obliterate, delete; blot out, rub out, efface; deface; expunge; wear away/off; ~ **от лицето на земята** erase from the face of the earth, wipe out; (*зачертавам*) cross out, strike off/out, (*с боя*) paint out; (*име от списък*) strike off the list; ~ **следите си** cover up o.'s tracks; 2. *прен.* (*минало*) obliterate, wipe out; (*срам, обида*) wipe out; ~ **от паметта си** obliterate from o.'s memory.

заличаване *ср., само ед.* cancellation, obliteration, striking off.

заловен *мин. страд. прич.* arrested, apprehended.

зало|**г₁** *м.*, -**зи**, (*два*) **залóга** 1. pledge, pawn, earnest; *юр.* lien; (*от недвижими имоти*) mortgage; (*в пари или ценни книжа*) security, guarantee, deposit, gage; (*при хазарт, бас и пр.*) stake, kitty; **давам нещо в** ~**г** put s.th. in pledge, give s.th. as (a) security; 2. *прен.* pledge, guarantee, warrant; ~**г за успех** guarantee of success.

зало|**г₂** *м.*, -**зи**, (*два*) **залóга** *език.* voice; **деятелен/страдателен** ~**г** active/passive voice.

залóжб|**а** *ж.*, -**и** *обикн. мн.* talent, gift, endowment; makings; **човек със** ~**и** talented/gifted/clever man.

залóжни|**к** *м.*, -**ци**; **залóжниц**|**а** *ж.*, -**и** hostage.

залóствам, залóстя *гл.* bar; (*с резе и под.*) bolt, pawl; || ~ **се** 1. stick, be caught/wedged; jam; block up; 2. *разг.* (*за човек*) dig o.s. (в in), entrench o.s. (in).

залп *м.*, -**ове**, (*два*) **залпа** volley; *воен.* fusillade; (*морски*) broadside, salvo; (*салют*) salvo.

залутвам се *възвр. гл.* wander, roam; get lost, lose o.'s way.

залгалк|**а** *ж.*, -**и** 1. (*играчка*) toy, plaything, pastime; (*проста, евтина вещ*) bauble, trinket; 2. (*развлечение*) pastime, hobby; 3. *прен.* bluff, eyewash, clap-trap; 4. (*биберон*) dummy, (baby-)comforter; *амер.* pacifier.

залгвам, залгжа *гл.* 1. (*започвам да лгжа*) begin to tell lies; 2. (*забавлявам*) divert, distract; (*деца*) amuse, keep amused; 3. (*мамя*) fool, cajole, fob (s.o.) off (с with); *разг.* gammon; *книж.* beguile; ~ **някого с обещания/ празни приказки** pay s.o. in empty words; delude/beguile s.o. with promises, fob/put s.o. off with empty promises; 4. (*отклонявам вниманието*) distract, divert; ~ **стомаха/глада си** stay o.'s stomach/hunger, beguile o.'s hunger (с with); || ~ **се** 1. kid o.s.; 2. (*забавлявам се с нещо*) amuse o.s., kill o.'s time, beguile the time (doing s.th.).

залг|**к** *м.*, -**ци** **и залци**, (*два*) **залка** bite, bit, mouthful; *книж.* morsel; **цял ден не съм сложил** ~**к в уста** I haven't touched a morsel all day, I haven't had a bite all day; • **вземам някому** ~**ка от устата** take the bread out of s.o.'s mouth; **голям** ~**к лапни**, **голяма дума не казвай** we never know what the future holds in store for us; don't be so sure.

залюбвам, залюбя *гл.* fall in love (with s.o.), come to love (s.o.).

залюлявам, залюлея *гл.* begin to swing/to rock, set swinging/rocking; rock, shake, (*леко*) jiggle, joggle; || ~ **се** swing; rock; (*олюлявам се*) reel.

залютява ми (**ти, му, й, ни, ви, им**), **залюти ми** (**ти, му, й, ни, ви, им**) *безл. гл.:* ~ **ми** set o.'s mouth burning/ on fire.

залюшквам, залюшкам *гл.* rock; (*леко*) jiggle, joggle.

залягам, залегна *гл.* 1. lie down/low; *воен.* take position; *геол.* occur; 2. *прен.* (*за принципи и пр.*) underlie; 3. *прен.* (*старая се*) apply o.s. (to), work with a will (on), exert oneself (in); *разг.* dig in.

залязвам, залязя *гл.* 1. set, go down; (*за звезда*) descend, be in the descendent; 2. *прен.* (*за слава и пр.*) wane, fade (into obscurity), be on the wane; (*за знаменитост*) sink into oblivion.

замазвам, замажа *гл.* 1. (*започвам да мажа*) begin to spread/plaster/ daub (with paint); 2. (*попълвам чрез мазане*) plaster up, paint over; (*с маджун*) putty; (*зацапвам*) daub over, (be)smear, soil; 4. *прен.* (*потулвам*) gloss/slur over, put a gloss on, glaze over, varnish, veneer, blanch; *разг.* whitewash; ~ **недоразумение/ конфликт и пр.** *разг.* paper over the cracks; ~ **някому очите** throw dust in s.o.'s eyes; pull wool over s.o.'s eyes.

замазка *ж., само ед. строит.* putty, cement; **циментова** ~ paste cement.

замайвам, замая *гл.* 1. (*зашеметявам*) make dizzy/giddy, make o.'s head spin, stun, daze; **замайва ми се главата** I feel/am dizzy, my head swims, everything swims before my eyes; 2. (*слисвам*) stupefy, daze, stun; mystify, baffle.

замайване *ср., само ед.* dizziness, giddiness, daze; vertigo.

замаскирам *гл.* disguise, mask; (*прикривам*) conceal, hide; *воен.* camouflage, mask.

замáх *м., само ед.* 1. stroke, blow, swing; **с един** ~ with one blow, at a blow/stroke, (*наведнъж*) at one scoop, at one (fell) swoop; 2. *прен.* verve, vigour, dash, panache, flair; go, buoyancy, breadth (of vision); **върша нещо със** ~ carry things off with a flourish/ with verve/with vigour/with a dash.

замáхам *гл.* begin to wave (o.'s hand)/ flourish/brandish/wag (o.'s tail).

замáхвам, замáхна *гл.* 1. (*с криле*) flap o.'s wings; 2. (*за да ударя*) make

as if to strike; aim a blow (**по** at), lift up/raise o.'s hand; (*силно*) swipe at, wipe at, lash at; **3.** (*започвам да махам с ръка*) (begin to) wave, beckon; • кучето замаха с опашка the dog whisked its tail.

замàцвам, замàцам *гл.* soil, smear, stain, besmear, smudge; deface.

замàян *мин. страд. прич.* dizzy, giddy, rocky, dazed, stunned, mazy; lightheaded, stupefied; groggy; *разг.* muzzy; in a flat spin; *sl.* woozy, trippy, punchdrunk.

замб|à *ж.*, **-ѝ** *техн.* puncher; stipplegraver; piercer; driftpin.

замèням, заменя *гл.* **1.** substitute (for), change (for), replace (by, with); supersede; **2.** (*замествам*) replace, take the place (of); (*за вещи*) serve as, replace; do duty as; **3.** (*разменям*) change, exchange (for); commute; swap; **4.** (*присъда*) commute (**с** into).

замèрвам, замèрям, замèря *гл.* throw (**по** at), hurl (at), fling (at), (take a) shy (at), pelt.

замèсвам, замèся *гл.* **1.** (*тесто и пр.*) knead; **2.** (*намесвам*) implicate (**в** in), involve (in), (*въвличам*) ensnare, entrap; || ~ **се** be implicated (**в** in). become implicated (in), get involved (in).

замèствам, замèстя *гл.* **1.** replace (**с** by), substitute (for); be a substitute for, take the place of; supersede; **2.** (*заемам мястото на*) replace, take/fill/ supply the place of; (*временно*) cover (for); (*длъжностно лице*) act (as, for), substitute (for), deputize (for), fill in for, stand/sit in for; (*пост*) relieve.

замèстване *ср., само ед.* replacement, substitution; supersession, subrogation.

заместѝмост *ж., само ед.* substitutability.

заместѝтел (-ят) *м.*, **-и** substitute; substituent; surrogate; (*импровизиран*) makeshift.

замèстни|к *м.*, **-ци; замèстничк|а** *ж.*, **-и** substitute, proxy; *разг.* fill-in, stand-in; (*служебно*) deputy, vice-, (*временно изпълняващ длъжност*) acting, alternate; ~**к-декан** vice-dean; ~**к-министър** deputy/vice-minister, (*в Англия, САЩ*) undersecretary.

замечтàвам се, замечтàя се *възвр. гл.* fall into/be lost in a reverie.

замечтàн *мин. страд. прич.* dreamy,

wistful, moony; languorous.

замѝгам *гл.* begin to blink, (*за светлина*) begin to twinkle.

замижàвам, замижà *гл.* close o.'s eyes; (*свивам очи*) screw up/narrow o.'s eyes.

заминàвам, замѝна *гл.* **1.** leave (**за** for), start (for), depart (for), go (to); go away; ~ **за чужбина** go abroad; **2.** (*отминавам*) pass (by).

заминàван|е *ср.*, **-ия** departure.

замѝрам, замрà *гл.* (*за звук*) die down/away, fade; (*за сърце*) sink, stop beating; (*за работа*) stand still; (*западам*) decline; (*за разговор*) freeze up, come to a standstill, drop to nothing, (begin to) flag.

замирѝсвам, замирѝша *гл.* smell (stale); be smelly/whiffy.

замѝслен *мин. страд. прич.* (*и като прил.*) **1.** thoughtful, pensive, lost in thought, wistful, preoccupied; reflective; **2.** (*обмислен*) planned, designed, conceived, considered.

замѝслям, замѝсля *гл.* plan, contemplate; plot, design; contrive; hatch; || ~ **се** **1.** (*над нещо*) ponder (over), brood (over), think (of), muse (upon, on, over); put o.'s mind to s.th., bethink oneself; ~ **се сериозно** think seriously (**да** to **с** *inf.*, of **с** *ger.*), seriously consider (**с** *ger.*); **2.** (*изпадам в замисленост*) become thoughtful, grow pensive, plunge into a reverie, be deep in thought, muse, get lost in thought; **3.** (*колебая се*) hesitate.

замѝс|ъл *м.*, **-ли**, (**два**) **зàмисъла** **1.** (*намерение*) plan, intention, scheme, design; **2.** (*основна идея*) idea, conception; по ~**ъл на** inspired by.

замлъквам, замлъкна *гл.* become/fall silent, stop/cease speaking/singing, lapse/ fall/subside into silence; hold o.'s peace.

замогвам се, замогна се *възвр. гл.* repair/mend o.'s fortune/finances, better o.'s position.

заможен *прил.*, **-на**, **-но**, **-ни** well-todo, well-off, in easy circumstances; *амер.* forehanded; ~**ен човек** well-todo-man, a man of means.

замолвам, замоля *гл.* beg, implore, entreat beseech; ask.

заморявам, заморя *гл.* tire, weary; || ~ **се** get/grow tired.

замотàвам, замотàя *гл.* **1.** wind, twine; **2.** (*забърквам*) tangle, confuse, mix

up, muddle up; ~ **главата на някого** addle s.o.'s head; || ~ **се** get mixed/muddled up.

замразявам, замразя *гл.* **1.** freeze, ice, chill, refrigerate; дълбоко ~ (put s.th. in) deep freeze; **2.** *прен.* (*надници*) freeze; (*авоари и пр.*) freeze, lock up, keep idle; ~ **средства** keep funds idle.

замрèжвам, замрèжа *гл.* **1.** (*покривам с мрежа*) net, cover with a net; **2.** (*кърпя*) darn, mend; (*репризирам*) fine-darn, (*цепнат плат*) fine-draw; **3.** *прен.* veil, dim; || ~ **се** dim, become dim/hazy.

замръзвам, замръзна *гл.* **1.** freeze, congeal (**от** with); (*по повърхността*) freeze over; **2.** (*умирам от студ*) freeze to death, die of chill; (*за растения*) be frost-bitten, be nipped by the cold; **3.** (*вкочанясвам се от студ*) become numb/stiff with cold; **4.** *прен.* (*вцепенявам се*) freeze, be petrified, become paralysed (**от** with); кръвта ми замръзна от ужас my blood curdled with horror, I was paralysed with horror; **5.** *прен.* (*спирам*) stop dead, freeze to o.'s place; • лицето му замръзна his face froze/stiffened.

замръзване *ср., само ед.* freezing; точка на ~ freezing point.

замръквам, замръкна *гл.* be overtaken by the night, be benighted/belated.

замъглèн *прил.* **1.** dim, foggy, misty, filmy, vapoury; *фот.* foggy; out of focus; **2.** *прен.* dim, dull, blurred; (*за поглед*) blear, dull; (*за идея и пр.*) obscure, vague.

замъглявам, замъгля *гл.* **1.** cloud, dim, fog; **2.** (*затъмнявам*) obscure, dim, film over; (*повърхност*) dull; (*очи*) blear; || ~ **се 1.** grow dim/cloudy/ foggy/misty; огледалото се замъгли от парата steam clouded the mirror; **2.** *прен.* grow dim/obscure/blurred; очите й се замъглиха от сълзи her eyes grew dim with tears.

замъждукам *гл.* begin to glimmer/ flicker.

замъ|к *м.*, **-ци**, (**два**) **зàмъка** castle; palace.

замъквам, замъкна *гл.* **1.** begin to drag/pull; **2.** (*отмъквам*) drag/pull away/off, carry (до to); **3.** *прен.* steal,

pilfer, filch, *sl.* pinch; || ~ **ce** drag o.s. (до to), trudge along (to).

замлъчавам, замлъчà *гл.* **1.** become/ fall silent; stop/cease speaking; lapse into silence; hold o.'s peace; **2.** *(премълчавам)* pass over in silence; keep silent (about), say nothing (about).

замърсявам, замърсѝ *гл.* soil, (make) dirty; make foul; foul up; defile; *(със зараза)* contaminate, pollute, infect; *(въздух, вода)* pollute; ~ въздух *(с миризма, нечистотии)* make the air foul; || ~ **ce** get/become dirty, become soiled; become polluted; *(за вода, понеже не изтича)* stagnate.

замърсяване *ср., само ед.* *(смесване)* contamination; *мед., екол.* infection; pollution; defilement; ~ **на околната среда** environment pollution, pollution of the environment.

замътвам, замътя *гл.* **1.** *(за кокошки)* begin to brood; **2.** *(размътвам)* make turbid/dim; **3.** *прен.* muddle (up), mess (up).

замъчвам, замъча *гл.* begin to torture; be tortured (by)/tormented (by).

замяна *ж.,* **замèни** exchange; *(в натура)* barter; *(заменяне)* replacement, substitution, commutation, swap; **в** ~ as a compensation, in return, *фин.* per contra; *(компенсация)* compensation.

замятам, замèтна *гл.* **1.** begin to throw/hurt/cast/fling/pelt; **2.** *(покривам)* cover up, wrap up; **3.** *(накуцвам)* limp a little; || ~ **ce 1.** begin to toss about; **2.** *(завивам се)* wrap o.s. up (in a garment).

занапрèд *нареч.* from now on, in (the) future, henceforth.

занàсям, занесà *гл.* carry, take (**в**, **на** to); **2.** *прен.* *(подигравам)* pull s.o.'s leg, kid s.o.; || ~ **ce 1.** *(залитам)* reel, stagger, be unsteady on o.'s legs; **2.** *(за кола)* skid, slide; **3.** *(унасям се)* be lost/deep (in); gush (over); **4.** *(шегувам се)* joke, kid; **стига си се занасял!** stop fooling (around)! *sl.* stop bullshitting me! ● ~ **ce по някого** be sweet on s.o., have a crush on s.o.

занаят *м.,* **-и, (два) заняйта** craft, handicraft, trade; *(професия)* occupation, profession, vocation; walk of/in life; **художествени** ~**и** arts and crafts.

занаятчѝ|я *м.,* **-и** artisan, craftsman,

handicraftsman, tradesman.

занемарявам, занемарй *гл.* neglect, be neglectful (of), be negligent (of, in); *разг.* let (it) slide; *(изоставям)* abandon; || ~ **ce** be negligent (of o.'s appearance); let o.s. go.

занемявам, занемèя *гл.* grow dumb, be struck dumb; be speechless.

занизвам, занѝжа *гл.* begin to string/ thread; ● **занизаха се тежки дни** days of hardship followed one after the other.

зàни|к *м.,* **-ци, (два) зàника 1.** *поет.* sunset, sundown; **2.** *прен.* decline, decay, wane.

занимàвам, занимàя *гл.* **1.** occupy, interest; **въпросът, който ни занимава** the question that interests/concerns us, the point at issue, the matter in hand; **2.** *(обучавам)* teach, instruct, tutor; **3.** *(забавлявам)* entertain, attend to, mind; ~ **децата** keep the children amused; || ~ **ce 1.** *(заемам се)* see to, attend, take care of; *(проучвам въпрос и пр.)* take up, go/look into, study, examine; **преставам да се** ~ *(с проблем и пр.)* give up; relegate to the past; **2.** *(работя)* be engaged (in), be concerned (with), have to do (with); *(върша нещо)* be occupied/busy with, be at, do; *(посвещавам се)* devote oneself (to), take up, engage in; *(с увеличение)* indulge in, go in for; ~ **се с глупости** waste o.'s time; **3.** *(уча)* study; *(преподавам)* teach, coach, give lessons (to); **остави го да се занимава** let him get on with his lessons/work.

занимàни|е *ср.,* **-я** occupation, job; pursuit; study; *(което поглъща някого)* preoccupation; **всекидневни** ~**я** daily pursuits.

занимàтел|ен *прил.,* **-на, -но, -ни** entertaining, diverting, interesting.

занитвам, занитя *гл. техн.* rivet, (fasten with a) dowel, clench, clinch.

занулѝван|е *ср.,* **-ия** *ел.* neutral earthing.

занятѝ|е *ср.,* **-я 1.** occupation, profession, trade, line; *(в учреждение и пр.)* work; **по** ~**е** by profession; **2.** *само мн.* *(учебни)* studies, lessons, classes.

заобикàлк|а *ж.,* **-и** *обикн. мн.* **1.** *(за път)* detour; **2.** *прен.* circumlocution; circumambulation; beating about the bush; circuitous mode of approach; prevarication; ● **без** ~**и** roundly, point

blank; **говоря със** ~**и** talk in a roundabout manner, beat about the bush, circumambulate, prevaricate.

заобикàлям, заобиколй *гл.* **1.** *(минавам около)* round, go round, skirt, detour; *(за пътека и)* wind round, *(около хълм и пр.)* work round; *(обкръжавам)* surround, encircle, encompass, environ; circumambulate; *(с широк пояс)* zone; *воен.* encircle, hem in; outflank; **те заобиколиха госта** they gathered round the visitor; **2.** *(избягвам)* evade, steer/keep clear of; *(закон)* get round, evade, elude, circumvent; break; *(въпрос, проблем)* pass over, get round, disregard, sidestep; ~ **деликатен въпрос** slide over a delicate question; **3.** *(обхождам)* make the round of; *(за лекар и пр.)* make o.'s round, go the round; || ~ **ce** surround o.s. with.

заобикàляне *ср., само ед.* *(на път и пр.)* detour.

заобикàлящ *сег. деят. прич.* surrounding; circumambient; *като прил.* ~**а среда** surroundings; environment; *като същ.* ~**ите го** (the people of) his circle, his acquaintances, his crowd, the people he keeps company with; circumambience.

заобикòл|ен *прил.,* **-на, -но, -ни** roundabout; indirect; circuitous; circumambulatory; circumventive; devious.

заобѝчам *гл.* come to love/like, conceive a liking for.

заоблачàва се, заоблачѝ се *безл. възвр. гл.* get/become cloudy/overcast, cloud (up/over).

заòбленост *ж., само ед.* roundedness.

заòблям, заòбля *гл.* round off, make round.

заорàвам, заорà *гл.* **1.** begin/start ploughing; **2.** run/dig into; **3.** *прен.* fall headlong.

заòстрям, заòстря *гл.* **1.** begin to sharpen, whet; **2.** *(остря)* point; sharpen, whet; **3.** *прен.* intensify, enhance, sharpen; aggravate; ~ **вниманието си** direct o.'s attention (to); || ~ **ce** narrow to a point, become pointed, taper.

заòстряне *ср., само ед.* pointing, sharpening.

заòхквам, заòхкам *гл.* begin to moan/ groan.

запад *м., само ед.* **1.** *(посока)* west; **на ~** in the west; **2. Западът** *(Западна Европа)* the West; • **Дивият ~** *(в Америка)* the Wild West.

западам, западна *гл.* **1.** begin/start falling/dropping; **2.** *прен.* decline, decay, be on the decline, be in/fall into eclipse, fall/sink into decay, fail, break up, fall away, go to wreck, totter; be fraying at/around the edges, get frayed at/around the edges *(обеднявам)* grow/become poor.

западане *ср., само ед.* decline, decay, downfall; *книж.* declension.

запад|ен *прил.,* **-на, -но, -ни** west, western; *(за вятър, местоположение)* west, westerly; *(за посока)* westward; *(за култура и пр.)* occidental; West European; **Западна Европа** Western Europe, the West.

западня|к *м.,* **-ци; западнячк|а** *ж.,* **-и** westerner.

запазвам, запазя *гл.* **1.** *(задържам, съхранявам)* keep, preserve, retain, save; *(продукти)* preserve; *(място, легло и пр.)* reserve, book; *(ред и пр.)* maintain; *(тайна)* keep; *(работа, пост и пр.)* hold down; **~ за спомен** keep as a souvenir; **2.** *(закрилям)* guard *(от* from, against*)*, protect (from); defend, shield (against); **~ мира** safeguard peace; || **~ се** keep; remain; *(за човек)* be (well) preserved.

запазване *ср., само ед.* reservation, preservation, retention, maintenace.

запалвам, запаля *гл.* **1.** kindle, light; *(кибритена клечка)* strike; *(ел. лампа, ел. уред, радио)* turn/switch on; *(мотор)* start (up), ignite; *(цигара, свещ, газова лампа)* light; *(подпалвам)* set (s.th.) on fire, set fire to (s.th.), ignite; **~ огън** light/make a fire; **мога ли да запаля** *(от вашата цигара)?* will you give me a light? *(ще ми разрешите ли да пуша?)* may I smoke? would you mind if I smoke?; **2.** *прен.* kindle, enkindle, enflame; **~ някого** stir s.o.'s enthusiasm; || **~ се 1.** take/catch fire, ignite; **~ се** *(в знак на протест)* set fire to o.s.; **2.** *прен.* take/catch fire; **~ се по** become enthusiastic about, go mad about, *sl.* get nuts on.

запалване *ср., само ед.* combustion, firing, ignition, kindling; *(на двигател)* engine starting.

запалител|ен *прил.,* **-на, -но, -ни** inflammable, flammable, combustible, ignitable.

запалк|а *ж.,* **-и 1.** *(cigarette)* lighter; gas lighter; *(с кремък)* strike-a-light; **2.** *(на бомба)* fuse; *(на снаряд)* squib, bush; **~а на удар** *воен.* percussion fuse.

запалянко *м.,* **-вци** fan.

запаметявам, запаметя *гл.* **1.** retain, remember; fix (facts) in o.'s mind; **2.** *(уча наизуст)* learn by heart, memorize.

запарвам, запаря *гл.* **1.** steam; **~ чай** make/brew tea; **2.** *(фураж)* steep, scald; || **~ се 1.** *(сгорещявам се)* be stewed; **2.** *(гния)* (begin to) rot, go bad.

запарк|а *ж.,* **-и** infusion.

запас *м.,* **-и, (два) запаса 1.** reserve, stock, supply, store, fund, *(от стоки и)* stockpile *(от* of*)*; *(от оръжие)* stockpile; **в ~** in store/reserve; **~ от думи** stock of words, vocabulary; **2.** *(при шев)* double seam; hem; **3.** *воен.* reserve (troops), reserves; **отивам ~** *разг.* be called up.

запасвам, запаша *гл.* gird (up), belt, girdle, tuck in (one's shirt); || **~ се** gird o.s., belt o.s., girdle o.s.

запасявам, запася *гл.* stock (с with), store (with), lay in (s.th.), stockpile (s.th.); || **~ се** lay in a stock/store/supply (с of), build up reserves (of), provide o.s. (with), hoard, stock up; • **~ се с търпение** have patience, be patient.

запек *м., само ед.* *мед.* constipation.

запенвам се, запеня се *възвр. гл.* **1.** foam; *(за сапун)* lather; *(за вълна и пр.)* froth; **2.** *прен.* fume, froth up, foam with rage, get/fly into a rage.

запета|я *ж.,* **-и; запетайк|а** *ж.,* **-и** *език.* comma; **точка и ~я** semicolon.

запечатвам, запечатам и запечатя *гл.* **1.** *(затварям с печат)* seal; **2.** *(писмо)* seal (up), close; **3.** *прен.* imprint, impress, stamp, engrave; embed; || **~ се: ~ се в паметта на** be stamped/engraved on o.'s memory, stand engraved in s.o.'s memory, sink into the memory/mind of.

запивам, запия *гл.* begin to drink; || **~ се** (go on the) bust, booze, guzzle, tope; go/be on a drinking spree; go on the randan.

запилявам, запилея *гл.* mislay, misplace; || **~ се** disappear, vanish; be lost;

make o.s. scarce.

запирам₁, запера *гл.* begin to wash.

запирам₂, запра *гл.* **1.** *(спирам)* stop, block; **2.** *(задържам)* arrest, detain; shut up, lock in, pen (in, up).

запис *м.,* **-и, (два) записа 1.** *(пощенски)* money/postal order; **2.** *фин. (полица)* note of hand, bill (of exchange); **3.** *(звуков)* record, recording.

записвам, запиша *гл.* **1.** write/put/take/note down; record, make a record of, commit to paper/writing, put in writing; *(набързо)* jot down; *(в дневник и пр.)* enter; *(в протокол)* put down, register; minute; *(водя записки)* make/take notes; *(в списък)* inscribe; put down s.o.'s name (for); *(в училище, курсове и пр.)* enrol(l) (in); **~ условно** *(студент)* *амер.* condition; **3.** *инф.* dump; *(на магнетофонна лента)* record; **4.** *(започвам да пиша)* begin to write; || **~ се** put o.s. down (for), put o.'s name down (for), enrol(l) for; *(за студент)* be matriculated; enrol(l); *(в състезание)* enter for; **~ се в курс** join a course, *(от лекции)* enrol for a course of lectures; **~ се за преглед** *(при лекар)* make an appointment at the doctor's.

записване *ср., само ед.* recording; entering; registration.

записк|а *ж.,* **-и 1.** note, memorandum; **2.** *само мн. (от лекции)* (lecture) notes; *(мемоари)* memoirs.

запитвам, запитам *гл.* ask, question; inquire *(за* about*)*; *(в служба)* make an inquiry, make inquiries; *(в парламента)* interpellate, *(в Англия)* question, interrogate.

запитван|е *ср.,* **-ия** inquiry; *(въпрос)* question, interrogation; *(всенародно)* poll; *(в парламент)* interpellation.

запичам, запека *гл.* **1.** *(пека леко)* brown; **2.** *(причинявам запек)* *мед.* constipate, cause constipation, obstruct, bind; || **~ се 1.** get brown; **2.** *мед.* become constipated, have constipation; • **работата се запича** things have come to a deadlock; things are getting serious/pretty hot/thicker, the going is getting rough.

запищявам, запищя *гл.* start screaming/yelling, set up a scream/yell.

заплаквам, заплача *гл.* begin to cry/weep, start crying/weeping, burst into

tears, burst out crying.

запланувам *гл.* plan.

заплат|а *ж.*, **-и** salary, pay; *(работническа)* wages; **годишна ~а** pay per annum.

заплах|а *ж.*, **-и** threat (**от** of, **за** to); *(опасност)* menace; *(предизвикателство)* challenge; **отправям ~и** threaten, menace, bluster out threats.

заплашвам, заплаша *гл.* threaten, menace, intimidate (**с** with); bluster out/utter/make threats; *(шумно)* thunder (out) threats; *(предупреждавам)* warn against.

заплащам, заплатя *гл.* **1.** pay (**за** for); *sl.* cough up; *(сметка и пр.)* pay up; **~ в брой** pay in cash/in ready money; **2.** *прен.* pay the penalty; *sl.* stump up; **~ с живота си** pay with o.'s life.

заплащане *ср.*, *само ед.* pay, payment, remuneration; **~ на ден** day-rate payment; **срещу ~** against payment.

заплес *м.*, **-и** *пренебр.* gaper, idler; chuckle-head, flitter-/scatter-brain.

заплесвам се, заплесна се *възвр. гл.* **1.** *(зяпам)* gape, stand staring; **2.** *(шляя се)* loaf/knock about; **3.** *(замислям се)* go wool-gathering; **4.** *(влюбвам се)* be mad (on, about), be soft (on).

заплетен *мин. страд. прич.* tangled, convoluted; *(сложен)* intricate, complicated, involved, knotty; mazy; *(за стил)* involved, tortuous; *като прил.* **~а история** intricate story.

заплйскам *гл.* **1.** begin to pour down/to rain heavily; come down in torrents; **2.** begin to splash.

заплитам, заплетя *гл.* **1.** *(започвам да плета)* start/begin knitting; *(коса и пр.)* plait, braid; *(вплитам)* interlace, intertwine; **2.** *(обърквам)* entangle; *прен.* entangle, embroil; bungle, *sl.* mull; **~ някого в нещо** involve/mix up/implicate s.o. in s.th.; || **~ се** *(обърквам се)* be/become confused, tie o.s. in knots, *амер.* be nowhere; *(забъркам се в нещо)* get entangled/inveigled/embroiled, get/become involved/mixed up/implicated/tangled up; *(за интрига)* thicken; **заплита ми се езикът** speak thickly, mumble.

заплувам *гл.* begin to swim, start swimming.

заплювам, заплюя *гл.* spit (at, upon); **~ някого в лицето** spit in s.o.'s face;

spit at s.o.; || **~ се** *(при игра)* be in free.

заплющява, заплющи *гл.* *(за дъжд)* begin to lash/pelt/beat; *(за камшик)* (begin to) crack; *(за знаме и пр.)* (begin to) flap.

заповед *ж.*, **-и** **1.** command, order, bidding; *(на официалните власти)* ordinance; *(печатно разпореждане)* printed order; **~ за арест** writ/warrant of arrest, capias; **издавам ~** *воен.* issue an order; **със ~ на** by order of; • **Десетте божи ~и** *библ.* the Ten Commandments, the Decalogue.

заповед|ен *прил.*, **-на, -но, -ни 1.** *език.* imperative; **2.** imperative, peremptory, commanding; overbearing, imperious, domineering.

заповядвам, заповядам *гл.* **1.** command, order, bid, give orders; give word; **не е той, който ще ми заповядва** I do not take (my) orders from him; **2.** *(направлявам)* direct, instruct; • **заповядай! заповядайте!** *(вземете си)* help yourself, have some, *(ето! – при подаване)* here you are, *(влезте)* (won't you) come in, please, *(седнете)* (won't you) sit down, please; *(чувствайте се като у дома си)* be my guest! **какво ще заповядате?** what will you have? *(какво да направя)* what are your orders?

заподозирам, заподозра *гл.* (begin to) suspect; **заподозрян в юр.** suspected of.

запознавам, запознàя *гл.* **1.** *(представям)* introduce (**с** to); **да ви запозная с** let me introduce you to; **2.** *(правя нещо известно)* acquaint (**с** with), make acquainted (with), familiarize (with); || **~ се 1.** *(с някого)* be introduced (**с** to), make s.o.'s acquaintance, make the acquaintance (of s.o.), become/get acquainted (with), meet s.o., get to know s.o.; *разг.* pick up with s.o.; **приятно ми е да се запознаем** I am glad to meet you; **2.** *(получавам сведения за нещо)* acquaint o.s. (**с** with), make o.s. familiar (with), get to know; **~ се отблизо с** take a first-hand look at, scrutinize, examine closely/carefully.

запознанств|о *ср.*, **-а** acquaintance; *(запознаване)* introduction.

запо|й (-ят) *м.*, **-и, (два)** запоя drinking-spree; pub crawl; *разг.* bender, piss-up, booze-up.

запомням, запомня *гл.* remember,

bear/have/keep in mind; memorize, commit to memory.

запор *м.*, **-и, (два)** запора *юр.* distraint; distress, distrainment; execution; arrestment; *амер.* extent.

запотявам се, запотя се *възвр. гл.* sweat, perspire.

започва, започна *безл. гл.* begin, start, come on; begin (with), start (with), open (with); be/get underway, be on; *(за год. време, епоха, прилив)* set in, come on; *(за сезон, училище)* open; **започна да духа** a wind arose, the wind came on to blow; || **~ се** begin, start.

започвам, започна *гл.* begin, start, commence (**да** *с ger.*, **to** *с inf.*; **с** with, by *с ger.*); *sl.* fire away, kick off; lead/start off (**да** by *с ger.*, **с** with); *(с цвят при карти)* lead; **~ нов живот** make a fresh start; turn over a new leaf.

запойвам₁, запоя *гл.* **1.** *(животно)* begin/start watering; **2.** *прен.* rear, bring up, educate.

запойвам₂, запоя *гл.* *техн.* solder, weld.

запрашвам, запраша *гл.* *прен. разг.* dash off/away, make off, leg it, bulge off (**към** to).

запращам, запратя *гл.* **1.** begin/start sending; **2.** *(хвърлям)* hurl, fling, shy, pitch, dash (**по** at); *разг.* chuck.

запращявам, запращи *гл.* begin to crack/crackle.

запрятам, запретна *гл.* roll/turn/tuck up; || **~ се: ~ се на работа, ~ ръкави** *прен.* get down to work, settle down to business, put o.'s shoulder to the wheel, brace o.s. up (to do s.th.), buckle down to a task, put o.'s hand to the work, gird up o.'s loins, pitch in.

запречвам, запреча *гл.* bar, block, obstruct.

запрещени|е *ср.*, **-я** prohibition; interdiction.

заприказвам, заприкажа *гл.* **1.** begin/start talking; **2.** *(заговарям)*: **~ някого** accost s.o., strike up/open a conversation with s.o., fall/enter into conversation with s.o., engage s.o. in conversation; make s.o. talk; chat (s.o.) up; *(жена, за да я свалям)* *разг.* shoot a girl a line; || **~ се** forget o.s. in talking/chatting; get talking (with s.o.).

заприличвам, заприличам *гл.* **1.** *(започвам да приличам)* begin to re-

semble/to look like; **2.** (*имам вид на*) look, seem, appear.

запрѝпквам (се), запрѝпкам (се) (*възвр.*) *гл.* trot off, scurry off (**към** to).

запрѝщвам, запрѝщя *гл.* (*движение*) block/close up; obstruct; (*вода*) dam (up), stem.

запрѝщван|е *ср.*, -**ия** *прен.* bottleneck.

запролетя̀ва се, запролетѝ се *безл. възвр. гл.* spring is coming/setting in.

запротестѝрам *гл.* begin/start protesting.

запрѐжка *ж.*, *само ед. кул.* thickening; brown sauce.

запрѣ̀сквам, запрѣ̀скам *гл.* begin to sprinkle; (*за дъжд*) begin to drizzle/mizzle/spot/spatter; be spotting/spattering with rain.

запря̀гам, запрѐгна *гл.* harness; (*волове*) yoke.

запу̀снат *прил.* abandoned, forsaken; disused, derelict; (*необитаван*) deserted, desolate, derelict; (*порутен*) tumble-down, run down; (*занемарен*) neglected, desolate; shabby; rusty; tatty; (*градина и пр.*) neglected, ragged; (*за земя*) waste; (*за външен вид на човек*) unkempt, slovenly, scruffy; (*в окаяно положение*) forlorn.

запустя̀вам, запустѐя *гл.* become desolate.

запуша̀лк|а *ж.*, -**и** stopper, stopple, stopgap; plug; obstructor; *техн.* flap; (*за уши*) ear-plug; (*тапа*) cork; (*дървена*) spill; (*на бъчва*) bung, peg.

запу̀швам₁, запу̀ша *гл.* **1.** (*започвам да пуша*) begin to smoke; **2.** (*запалвам цигара, лула*) light a cigarette/o.'s pipe; **3.** (*изпълвам с пушек*) fill with smoke, make smoky.

запу̀швам₂, запу̀ша *гл.* stop (up), plug (up); (*с тапа*) cork; (*задръствам*) obstruct, block (up), choke (up), bung up (*и за нос*); ~ **дупка/отвор** stop/plug up an opening/a gap; ~ **устата на гаг,** *прен.* muzzle, gag, floor, silence, stop s.o.'s mouth, jump down s.o.'s throat; || ~ **се** get clogged/choked up, get plugged up.

запу̀шване *ср.*, *само ед.* clogging, plugging; choking; *мед.* occlusion.

запъ̀вам, запъ̀на *гл.* (*пушка*) cock; || ~ **се 1.** (*заеквам*) stutter, stammer; falter; **2.** (*не вървя*) stick, get stuck;

---

hitch, catch; *техн.* jam, become blocked; (*за машина*) stall; ● **той се е запънал (като рак на бързей)** nobody can budge him, he has dug in his heels.

запъ̀лвам, запъ̀лня *гл.* fill (up, in) (**с** with); (*трап и пр.*) fill in; ~ **времето си** fill in/up o.'s time.

запъ̀ржвам, запъ̀ржа *гл.* **1.** begin/start frying; **2.** brown, fry.

запъ̀ртъ|к *м.*, -**ци**, (*два*) запъ̀ртъка **1.** addle egg; **2.** *прен. пренебр.* (*дребосък*) mite, tit; midget; shrimp, midge.

запъ̀твам се, запъ̀тя се *възвр. гл.* start, set out (**за** for); make (for), be off (to); turn o.'s step (to, towards); **закъде си се запътил?** where are you off to?

запъ̀хтявам, запъ̀хтя *гл.* begin/start puffing; || ~ **се** be/get out of breath, pant, puff (and blow), breathe hard/heavily.

запъ̀шквам, запъ̀шкам *гл.* begin/start groan/moan.

запя̀вам, запѐя *гл.* begin to sing, start singing, break/burst into (a) song, strike up a tune; ● **ще запее друга песен** he'll change his tune, he'll sing to another tune, he'll begin to sing another tune.

зар *м.*, -**ове**, (*два*) за̀ра die (*pl.* dice).

зарабо̀твам, зарабо̀тя *гл.* **1.** begin to work, start working; (*за машина*) start; **2.** (*изкарвам*) make, earn; || ~ **се** be/get absorbed in o.'s work.

заравня̀вам, заравня̀ *гл.* level (away); even (out, up, down); smooth (out).

зара̀вям, заро̀вя *гл.* **1.** bury; **2.** (*растение*) earth up, mould up; dig in; **3.** (*погребвам*) bury, inter; **4.** (*започвам да ровя*) begin to dig; || ~ **се 1.** bury o.s. (in), burrow (in); ~ **се в земята** (*за животни*) mine; **2.** *прен.* sink; burrow o.'s head in.

зара̀двам *гл.* please, delight; cheer (up), make glad, gladden; fill with joy, give joy, rejoice, overjoy; **новината ме зарадва** the news delighted me, the news filled me with joy; || ~ **се** be pleased/delighted/glad; rejoice (at, over).

зарадѝ *предл.* **1.** for the sake of, for the love of, for s.o.'s sake; (*поради*) because of, on account of, on s.o.'s account; **2.** (*вместо*) instead of.

зара̀ждам се, зародѝ се *възвр. гл.* be born, originate, engender; come into

---

existence/being; *прен.* arise; emerge; **у него се зароди мисълта** he conceived the idea.

зара̀ждане *ср.*, *само ед.* origin; formation; genesis; generation; nascency; growth; emergence.

зара̀з|а *ж.*, -**и** *мед.*, *вет.* infection; (*чрез допир*) contagion, contamination; *прен.* contamination, virus, taint.

зара̀з|ен *прил.*, -**на**, -**но**, -**ни** infectious, contagious; pestiferous, pestilential; ~**на болест** infectious/contagious/catching/communicable disease.

заразѝтел|ен *прил.*, -**на**, -**но**, -**ни 1.** infectious, contagious, catching; miasmatic; **2.** *прен.* infectious; ~**ен смях** infectious laughter; **3.** *театр.* charismatic.

заразя̀вам, заразя̀ *гл.* **1.** infect (s.o. with); (*с отровни вещества*) contaminate (s.th. with), poison, pollute; **2.** *прен.* infect; (*покварвам*) corrupt, taint; ~ **със смеха си** infect with o.'s laughter; || ~ **се 1.** catch, be infected (**от** with), take/get the infection (from s.o.); ~ **се от грип** catch the flu(e); **2.** *прен.* be infected (**от** with, by).

за̀ран *ж.*, -**и** *разг.* (in the) morning; **рано ~та** early in the morning.

зара̀ствам, зара̀сна и **зараста̀** *гл.* (*за рана*) heal (over, up), close, skin over, knit together.

зарева̀вам, зарева̀ *гл.* begin/start crying/howling/roaring, set up a howl.

зарево̀ *ср.*, *само ед.* glow.

зарегистрѝрам *гл.* **1.** register, enter (in a register); **2.** (*отбелязвам, постигам*) score; || ~ **се 1.** register (o.s.) (**в** with); **2.** (*сключвам брак*) get married (at a registry office); register o.'s marriage.

зарѐждам₁, заредя̀ *гл.* (*оръжие, фотоапарат и пр.*) load; (*батерия*) (re-)charge; (*стан*) set up; (*с гориво*) refuel; feed; (*догоре*) fill up; (*магазин, склад*) supply, replenish, stock.

зарѐждам₂, заредя̀ *гл.* **1.** (*започвам да редя*) begin/start arranging/stacking/laying; **2.** (*изреждам*) begin/start enumerating; || ~ **се** come in succession, come one after the other; **зарѐдиха се празници** there was a succession of holidays.

зарѐждане *ср.*, *само ед.* loading; charging; setting up.

зарѐя се *възвр. гл.* wander off (to); disappear, vanish; be lost.

зарзава̀т *м., само ед. разг.* vegetables, greens; veggies, vegies.

за̀рзал|а *ж., -и* **1.** *бот. (дърво)* apricot tree (*Prunus armeniaca*); **2.** *(плодът)* apricot.

зарибя̀вам, зарибя̀ *гл.* breed/multiply fish artificially (in).

зарѝвам, зарѝна, зария̀ *гл. (яма, дупка)* fill (up); *(погребвам)* bury; *(растение)* earth up, mould up; dig in.

зарида̀вам, зарида̀я *гл.* burst into tears.

зарѝчам, зарека̀ *гл.* conjure, implore, entreat, beseech (s.o. to do s.th./to give s.th. up); || ~ **ce** vow, promise, declare, pledge o.s., pledge o.'s word; **не се зарѝчай** never is a long word/day.

заро̀бвам, заро̀бя *гл.* enslave, reduce to slavery/bondage; enthral(l); subject; || ~ **ce** become a slave (**на** of).

заро̀диш *м., -и, (два)* **заро̀диша** embryo, nucleus (*pl.* nuclei); *мед., биол.* f(o)etus; *бот.* germ; **в** ~ in embryo, in germ; **убивам още в** ~ nip in the bud.

заро̀нвам, заро̀ня *гл.* begin/start shedding (tears, leaves).

зарося̀ва, заросѝ *безл. гл.* begin to drizzle/mizzle; it is spotting with rain.

зарумѐнявам, зарумѐня *гл.* turn/grow crimson; *(от смущение)* blush; *(от здраве)* gain colour.

заръмя̀ва, заръмѝ *безл. гл.* begin to drizzle/mizzle; it is spattering/spotting with rain.

заръ̀чвам, заръ̀чам *гл.* order, tell, ask.

зар|я̀ *ж., -ѝ* **1.** ray, beam; **утринна ~я** daybreak, dawn, sunrise; **2.** *воен.:* **вечерна ~я** retreat.

заря̀д *м., -и, (два)* **заря̀да** **1.** *ел.* charge; **2.** *воен., мин. (от избухливо вещество)* charge, load; *(на снаряд)* filler; *(на взрив)* blast; *(с гориво)* feed; **атомен ~** *(в бомба)* atomic warhead; **3.** *прен.* fund, store; **емоционален ~** emotional intensity, emotionality.

заря̀звам₁, заря̀жа *гл.* chuck (up), drop, leave, abandon, desert; *разг.* jack; *(някого и)* walk out on (s.o.), *разг.* dump, ditch; *(нещо и)* give up; put s.th. on ice; ~ **работата си** chuck o.'s job; *(изоставям любим/любима)* jilt.

заря̀звам₂, заря̀жа *гл.* **1.** notch; **2.** *(започвам да режа)* begin/start cutting/

clipping/chopping/slicing.

заса̀д|а *ж., -и* **1.** ambush, ambuscade; **правя/устройвам ~а (на)** make/lay an ambush (for), lay wait (for), ambush (s.o.), ambuscade (s.o.), waylay (s.o.); **2.** *(при футбол, хокей)* off-side; **отбелязвам/свиря ~а на някого** call s.o. off-side.

заса̀ждам, засадя̀ *гл.* plant, enroot.

засвидѐтелствам *гл.* **1.** bear witness (to), testify (to); **2.** *(установявам)* certify, attest; evidence, establish; **документите засвидетелстват факта, че** the documents certify/attest the fact that; **3.** *(изразявам)* manifest, mark; ~ **своята почит към** present/pay o.'s respects/compliments to.

засвѝрвам, засвиря̀ *гл.* begin to play (on an instrument), strike a tune; *(с уста)* begin/start whistling.

засвя̀тквам, засвя̀ткам *гл.* (begin to) sparkle/flash; || ~ **ce** there are flashes of lightning, there is lightning; it is lightening.

засега̀ *нареч.* for the time being, for the present, for now.

засѐгнат *мин. страд. прич.* **1.** *(докоснат)* touched, grazed, damaged; **2.** *(поразен)* affected, hit; **3.** *(споменат)* touched upon, referred to, treated; **4.** *(обиден)* hurt, offended, miffed, piqued, touched to the quick, stung (to the heart), aggrieved; bitter; *като прил.* **~а страна** injured party.

заседа̀вам *гл.* sit, be in session/conference.

заседа̀ни|е *ср., -я* conference, meeting; *(на съд, парламент, конгрес и пр.)* session, sitting.

заседа̀тел (-ят) *м., -и* assessor; **съдебен** ~ juryman, juror, associated judge.

засѐднал *мин. св. деят. прич. (и като прил.* **1.** *(за начин на живот)* sedentary; **2.** *(за кораб)* aground, stranded; **3.** *(заклещен)* stuck, jammed.

заседя̀вам се, заседя̀ се *възвр. гл.* stay/remain long (in one place); become a fixture, overstay o.'s welcome/time.

засекретя̀вам, засекретя̀ *гл.* classify, make confidential.

засѐлвам, засѐля *гл.* settle, people, populate; *(в чужда страна)* colonize; || ~ **ce** settle, take up o.'s residence; make a place o.'s home.

засѐлни|к *м., -ци;* **засѐлниц|а** *ж.,*

-и settler; colonist.

засѐнчвам, засѐнча *гл.* **1.** overshadow, shade, throw/cast a shade (on); ~ **очите си** shade o.'s eyes; **2.** *(затъмнявам)* shade, darken, dim; **3.** *прен. (помрачавам)* overshadow, overcloud, dim; *(нечия слава)* efface, eclipse; throw/put (s.o.) into the dark, cut s.o. out of all feather; shade, outshine, out-top (s.o.).

засѐчк|а *ж., -и* **1.** *воен. (за оръжие)* misfire; *техн.* jamming, inaction; **правя ~а** *(за оръжие)* hang/miss fire, misfire; jam, *амер.* lay down (on s.o.); **2.** *прен.* hitch, snag, sticking point; *(в изпълнение) разг.* fluff; glitch; **без ~а** without a hitch; **правя ~а** hang fire.

засѝлвам, засѝля *гл.* **1.** strengthen, reinforce, consolidate; *(болка, глад, жажда)* intensify, increase; *(страдания, жажда)* aggravate; *(звук, тон)* amplify, *(звук)* increase the volume; *(връзки и пр.)* promote, further; *(правя по-интензивен) разг.* crank up; *(интерес)* quicken; *(храна)* increase; ~ **отбраната** strengthen o.'s defences; **2.** *(ускорявам)* speed up, quicken, accelerate; **3.** *(заставям някого да направи нещо или да отиде)* make, force, put/pin down; || ~ **ce 1.** become stronger, gain strength; intensify; *(за звук)* grow louder, swell; *(за вятър, буря)* increase in violence, mount; *(за дъжд)* begin to rain harder; *(за напрежение)* grow, mount; *(за чувства и пр.)* deepen, grow more intense; *(за отпор)* grow stronger; **2.** *(здравословно)* pick up, recover, grow strong, gather strength, gain (in) strength; **3.** *(спускам се)* make a dash (**към** to, towards).

засѝпвам, засѝпя *гл.* **1.** *(яма и пр.)* backfill, fill up, cover in; **2.** *(затрупвам)* bury (under); **3.** *(отрупвам)* cover (**с** with); *прен.* shower (**някого с нещо** s.th. on s.o.).

засѝчам, засека̀ *гл.* **1.** *(почвам да сека)* begin to cut/fell/hew; **2.** *(самолет и пр.)* intersect; locate; **3.** *спорт.* time; clock; **4.** *(правя засечка) техн.* jam, *амер.* lay down (on s.o.); *(за оръжие)* miss fire, hang fire, misfire; **5.** *прен. (хващам)* corner, bring to bay; catch out; **6.** *(захабявам пране)* spoil; || ~ **ce 1.** *(подсичам се)* get sore; *(за пране)* get spoiled; **3.** *(срещаме се*

случайно) happen to meet, run into each other.

засищам, засития *гл.* sate, satiate; **~ пазара** *икон.* glut the market.

засиявам, засияя *гл.* begin to glow, become radiant (**от** with).

заскрежавам, заскрежа *гл.* cover/coat with (hoar-)frost, rime.

засланява, заслани *безл. гл.* frost, injure/nip with frost.

заслонявам, заслоня *гл.* shelter, cover, bring under shelter; (*затулям*) shade, screen; || **~ се** take shelter.

заслепление *ср., само ед.*; **заслепеност** *ж., само ед.* blindness; (*заблуда*) delusion; (*от любов и пр.*) infatuation.

заслепявам, заслепя *гл.* blind, dazzle (*и прен.*).

заслон *м., -и, (два)* **заслона 1.** *прен.* shelter, protection, cover, refuge; **2.** (*постройка, която дава заслон*) shelter; (*в двор*) penthouse; (*колиба*) hut, cabin.

заслонявам, заслоня *гл.* shelter, cover, bring under shelter.

заслуг|а *ж., -и* desert; merit; service; **за ~а към** for service(s) rendered to; **~и в областта на науката** services to science; **приписвам си ~и** take (great) merit to o.s. (**за нещо** for s.th.)

заслужавам, заслужа *гл.* deserve, merit, rate; be worthy (of); (*получавам като награда*) earn; **заслужава да се види** it is worth seeing; **заслужава си го!** (*нещо лошо*) it serves him right! (*нещо добро*) he richly/thoroughly deserves it!

заслужен *мин. страд. прич.* well-deserved, well-earned, merited; (*справедлив*) deserved, (*за наказание и*) condign.

заслужил *мин. св. деят. прич.* (*като то звание*) Honoured; (*за оттеглил се професор*) emeritus.

заслушвам се, заслушам се *възвр. гл.* listen, lend an/o.'s ear (**в** to).

засмивам, засмея *гл.* make s.o. laugh, amuse, entertain; || **~ се** (begin to) laugh; smile (**на** at).

засмуквам, засмуча *гл.* suck.

засмъдявам, засмъдя *гл.* begin to smart.

засмян *мин. страд. прич.* smiling.

заснежен *мин. страд. прич.* snow-

bound; covered with snow; (*заснежен*) snow-capped.

засолявам, засоля *гл.* salt; **~ си с нещо** have s.th. salty/savoury.

заспал *мин. св. деят. прич.* (*и като прил.*) **1.** asleep, sleeping; **~ като заклан/пън** dead-asleep; **2.** *прен.* asleep; (*муден, вял*) drowsy, lumpish, sluggish; (*възглупав*) dull, dead, slow; (*скучен*) dull, dead-alive; (*за град и пр.*) sleepy; (**неговата е**) **~а работа** he is only going through the motions.

заспивам, заспя *гл.* go/get to sleep, fall/drop asleep; drop off; (*веднага щом си легна*) go off; **~ прав** fall asleep on o.'s feet.

засрамвам, засрамя *гл.* make ashamed; put to shame; discountenance; (*посрамвам*) bring shame on; || **~ се** be ashamed (**за, от** of); **засрами се!** shame on you! aren't you ashamed.

застав|а *ж., -и* *воен.* piquet, point, *амер.* support.

заставам, застана *гл.* **1.** stand, take o.'s stand; *sl.* park oneself; (*спирам се*) stop, halt; **~ мирно** *воен.* stand at attention; **~ начело** head, lead; place o.s. at the head (**на** of); **2.** (*започвам да ставам*) stand up, begin to rise.

заставк|а *ж., -и* *тв* cue.

заставям, заставя *гл.* force, constrain, compel (**да** **то** *с inf.*), coerce, make (**да** **то** *с inf.*, into *с ger.*), make (**да** *с inf.* **без** to); **~ някого да замлъкне** silence s.o., coerce s.o. into silence; || **~ се** force o.s., will o.s. (**да** **то** *с inf.*); **~ се да заспя** will o.s. to fall asleep.

застарявам, застарея *гл.* get on (in years), advance in age/years.

застенвам, застена *гл.* begin/start groaning/moaning.

застивам, застина *гл.* **1.** get/grow cold/cool; **2.** *прен.* freeze (**от** with); **кръвта ми застина от страх** my blood curdled/ran cold with fear.

застигам, застигна *гл.* overtake, catch, catch up (with); gain on/upon; **застигна ни буря** a storm overtook/caught us, we were overtaken/caught by a storm.

застилам, застеля *гл.* **1.** (*маса, легло и пр.*) cover; **2.** (*павирам*) pave.

застилк|а *ж., -и* covering; (*на под*) flooring.

засто|й (-ят) *м., -и, (два)* **застоя**

standstill, stagnation, stagnancy; low-tide, tie-up, stand-off; deep-freeze; deadlock; (*в търговията*) depression, dullness; **в ~й съм** be at a standstill/at a deadlock, be stagnant, (*за живот*) stagnate; **пълен ~й** deadlock.

застопоряване *ср., само ед.* stopping, locking.

застоявам се, застоя се *възвр. гл.* **1.** stay/remain long (in one place), become a fixture, overstay o.'s welcome/time; **2.** (*задържам се*) settle, become established; (*за вода*) stagnate.

застрахова́м *гл.* **1.** insure (**срещу** against); take out an insurance in s.o.'s name; (*издавам застраховка*) insure, (*за параход, товар, риск*) underwrite; **~ дома си срещу пожар** insure s.o.'s house against fire; **2.** *прен.* insure (against); || **~ се 1.** insure o.'s life; **2.** *прен.* insure o.s. (against), hedge o.'s bets; (*бивам крайно предпазлив*) keep on the safe side, play safe.

застраховател (-ят) *м., -и* insurer, underwriter, indemnifier.

застраховател|ен *прил.*, **-на, -но, -ни** insurance (*attr.*); **~но дружество** insurance company.

застраховк|а *ж., -и* insurance; (*парите*) insurance money; **~а за живот** life insurance.

застрашавам, застраша *гл.* threaten, menace; (*поставям в опасност*) endanger, imperil; put in jeopardy; jeopardize; (*за криза*) be imminent; **~ мира** threaten war, carry the threat of war.

застрашен *мин. страд. прич.* in danger (*с ger.*), endangered; in jeopardy; at stake; **~ от изчезване** (*за вид*) threatened with extinction; endangered.

застрашител|ен *прил.*, **-на, -но, -ни** threatening, menacing; (*опасен*) dangerous, perilous; (*който причинява безпокойство*) alarming, ominous.

застрелвам, застрелям *гл.* **1.** shoot (dead), gun (s.o.) down; *разг.* put a bullet through (s.o.); **2.** (*започвам да стрелям*) start/begin shooting; || **~ се** shoot o.s.

застройвам, застроя *гл.* (*ядене*) bind (**с** with); **~ супа** settle soup, blend/stir an egg into the soup, thicken.

застройк|а *ж., -и* (egg-based) thickener.

застроявам, застроя *гл.* **1.** build (up),

erect buildings (on a site), overbuild; **2.** (*започвам да строя*) begin to build. **застройване** *ср.*, *само ед.* building-up, development.

застудя́ва се, застуди́ се *безл. възвр. гл.* grow/get cold, freshen.

застудя́ван\|е *ср.*, **-ия** cold spell, spell of cold weather, cold snap.

застъ́пвам, застъ́пя *гл.* **1.** (*настъпвам*) step/tread on; **2.** (*покривам отчасти*) lap (over). overlap; **3.:** ~ **на пост**, ~ **карау́л** mount guard; **4.** (*замествам*) represent; **5.** (*гледище и пр.*) defend, maintain; (*прокарвам идея и пр.*) advance, develop, propound; || ~ **се 1.** lap (over), overlap; **2.** (*за някого*) intercede (**пред** with, **за** for), speak up (for), put up a plea (for); (*защищавам*) defend, stand/stick up (for), make a (firm) stand (for), vindicate, take s.o.'s part, take part with s.o.

застъ́пни\|к *м.*, **-ци 1.** intercessor, pleader, defender; (*покровител*) patron; **2.** (*защитник, привърженик*) champion, partisan; advocate; (*на теория, идея*) espouser; **3.** (*при избори*) observer, *амер.* watcher.

засу́квам, засу́ча *гл.* **1.** (*мустак*) twist, twirl, turn up; entwist; (*прежда*) spin, twist; **2.** (*ръкави, крачоли*) turn up, tuck up, roll up; **3.** (*почвам да суча*) begin to suck.

засу́швам, засуши́ *гл.* dry up.

засъ́рбява ме (**те, го, я, ни, ви, ги**), **засъ́рби ме** (**те, го, я, ни, ви, ги**) *безл. гл.* (begin to) itch.

засъ́хвам, засъ́хна *гл.* dry up; (*за кръв*) congeal.

зася́вам, засе́я *гл.* **1.** sow, crop; **2.** (*започвам да пресявам*) begin/ start sifting; **3.** (*правя засявка*) *мед.* grow a culture.

зася́гам, засе́гна *гл.* **1.** (*леко докосвам*) touch, brush against; graze; (*нерв*) touch, damage; (*удрям*) hit; **куршумът засегна костта** the bullet touched the bone; **2.** (*поразявам*) affect; hit hard; **страната бе дълбоко засегната от кризата** the country was hit hard by the crisis; **3.** (*отнасям се до*) concern, affect, touch; **това не ме засяга** this doesn't concern me; this has nothing to do with me; *разг.* it is not my funeral; **4.** (*споменавам*) touch on/ upon, refer to, broach (a subject); (*раз-*

глеждам, обхващам) range (over), treat; **гледах да не засегна този въпрос** I kept off the subject; **5.** (*обиждам*) offend, hurt, wound, pique; ~ **нечие самолюбие** offend/wound s.o.'s self-esteem, wound s.o.'s vanity; || ~ **се** be offended/hurt (**от** at), take offence (at). be piqued (at), take (s.th.) ill/amiss; take exception (to); **той лесно се засяга** he is very touchy, he takes offence very easily, he is easily affected; ● ~ **нечии интереси** infringe on/injure s.o.'s interests; ~ **някого на болното място** touch s.o. on the raw, touch s.o. on a raw/tender spot.

зася́дам, засе́дна *гл.* **1.** (*стоя дълго*) stay/remain long (in one place), overstay o.'s welcome/time, become a fixture; **2.** (*за кораб*) be/get stranded, run aground, take (the) ground; (*за куршум*) lodge; (*в кал*) stick, get/ become/be stuck; (*в гърлото*) stick; **3.** (*залязвам*) set, go down.

затананѝквам, затананѝкам *гл.* begin/start humming.

зата́пвам, зата́пя *гл.* cork.

зата́йвам, зата́я *гл.* conceal, keep to o.s., keep secret; (*лошо чувство*) harbour; ~ **дъх** hold o.'s breath; || ~ **се** lie low, lurk.

затварачк\|а *ж.*, **-и** closing/shutting device, sealer.

затва́рям, затво́ря *гл.* **1.** shut, close; (*добре*) shut up; ~ **очи** close o.'s eyes, (*плътно*) seal o.'s eyes; **2.** (*някого*) shut up/in, coop up/in, confine; (*в затвор*) imprison, commit to prison; mew up; *разг.* sent (s.o.) down; *амер. sl.* can; (*животни*) pen up/in; impound; (*в капсула*) encapsulate; (*в сандък*) encase; **3.** (*улица*) close; (*блокирам*) block, bar; ~ **граница** close a border, seal off a frontier; **4.** (*магазин, заведение*) shut (up), close; (*предприятие, учреждение*) close down, fold; **5.** (*кран*) turn off, shut off; (*електричество*) turn off, switch off; shut off; (*радио, ел. ключ и пр.*) switch off, turn off; (*телефон*) ring off, hang up; ~ **телефона на някого** hang up on s.o.; || ~ **се 1.** (*за врата и пр.*) close, be shut; swing shut; (*за чекмедже*) shut back; **2.** (*за рана*) heal (up, over), close (up); **3.** (*за човек*) shut o.s. up (in); **4.**

(*усамотявам се*) retire; ~ **се в себе си** retire/withdraw/sink into o.s.; ● ~ **пари** buy s.th. not needed at the moment; ~ **си очите** turn a blind eye to; ~ **устата си**, ~ **устата на някого** *прен.* silence s.o.; snub s.o., take s.o. down a peg or two.

затво́р₁ *м.*, **-и**, (**два**) **затво́ра 1.** prison, jail, gaol, *амер.* penitentiary; *разг.* the nick; *sl.* stir; clink; *амер. sl.* can; (*временен*) lock-up, *разг.* bull pen; **това ще те вкара в ~а** that will land you in prison; you'll end up on the wrong side of the law; **2.** (*наказание*) imprisonment; penal servitude; **доживотен ~** life imprisonment, penal servitude for life.

затво́р₂ *м.*, **-и**, (**два**) **затво́ра** (*оръдие*) breech-block; (*на пушка*) bolt, breech-block/-bolt; (*на фотоапарат*) shutter, obturator, seal.

затво́рен *мин. страд. прич.* (*и като прил.*) **1.** closed, shut; **2.** (*за човек*) pent (up, in); cooped up; (*в клетка*) encaged; (*в капсула*) encapsulated; **държа някого** ~ keep s.o. locked up; keep s.o. indoors; **3.** (*за магазин и пр.*) closed; **4.** (*за път*) closed; **пътят е ~** no thoroughfare; **5.** (*за залив, пристанище – заобиколен от суша*) landlocked; **6.** *фон.* close, tense; **7.** *прен.* (*за човек*) close, reticent, uncommunicative, retiring, *разг.* but-toned-up; ~ **човек** *разг.* oyster, *амер.* bad mixer.

затво́рни\|к *м.*, **-ци; затво́рничк\|а** *ж.*, **-и** prisoner; *разг.* jailbird; *англ.* gaolbird.

затвърдя́вам, затвърдя́ *гл.* **1.** harden, become hard, be hardened; (*за стави и пр.*) stiffen, become/grow stiff; **2.** (*заздравявам*) strengthen, consolidate, make firm; stabilize; (*знания*) assimilate; make s.o. assimilate, help s.o. to assimilate; repeat; || ~ **се 1.** (*втвърдявам се*) solidify, become solid, (*become*) firm; (*за хляб*) become stale; **2.** (*установявам се*) establish o.s.; (*за власт и пр.*) become stable, come to stay.

затвържда́ване *ср.*, *само ед.* reassertion.

зати́квам, зати́кна *гл.* **1.** stop up, plug; **2.** (*втиквам*) push/drive in/into; thrust; **3.** (*започвам да тикам*) start

pushing, begin to push.

затйрвам, затйрям, затйря *гл.* **1.** (*подгонвам*) give chase to, run after; **2.** (*прогонвам*) drive (away), send away; chase away; || ~ **се** rush, dash, fly (**подир** at, towards, after).

затйскам, затйсна *гл.* **1.** press (down), cover; **2.** (*притискам*) squeeze; jam; **3.** (*люто и пр.*) smother.

затйхвам, затйхна *гл.* **1.** grow/become quiet, quieten down, be hushed; (*за шум*) die away, fade (away); *радио.* fade; **градът опустя и затихна** the town became deserted and quiet; **2.** (*преставам*) die down, calm down, abate, subside, fall; **бурята затихна** the storm abated.

затйчам, затекà *гл.* (*започва да тече*) start running; **2.** (*подува се*) swell; (*гнòясва*) fester, discharge matter.

затйчвам се, затйчам се, затекà се *възвр. гл.* **1.** (*втурвам се*) rush, dash (**към** to); **2.** (*започвам да тичам*) begin to run, break into a run.

затйшие *ср., само ед.* (*безветрие*) calm (*и прен.*); (*временно*) lull (*и прен.*); (*тишина*) hush (*и прен.*); ~ **пред буря** a calm/hush before the storm, a calm that precedes the storm.

затлàчвам, затлàча *гл.* **1.** (*покривам с тиня, кал*) cover with silt/slime/mire/mud; **2.** (*запушвам*) choke, clog, block; (*с тиня*) silt up; || ~ **се** become choked/blocked with slime/mire/mud/silt, silt up.

затлъстявам, затлъстèя *гл.* grow/become fat/flabby/stout/obese/corpulent.

затлъстяване *ср., само ед. мед.* obesity.

затлявам, затлèя *гл.* begin to smoulder.

затовà *нареч. и съюз* therefore, that is why, for that reason, on that account, because of that; ~ **пък** in return, in compensation, to make up for it; on the other hand.

затòплям, затòпля *гл.* warm (up), heat (up); || ~ **се** get warm.

затòплян|е *ср., -ия* (*на времето*) break, thaw; warm spell; **настъпва ~е** (a spell of) warm weather has set in, the cold snap/spell is over/has broken.

затормòзвам, затормòзя *гл.* (*задържам развитие*) slow down, check, hold up; hamper; **2.** *псих.* inhibit.

заточàвам, заточà *гл.* exile, banish, send into exile (**в** to); deport.

заточвам, заточà *гл.* begin to sharpen/whet/grind/strop; || ~ **се** file/drag (along), follow one after the other.

заточèние *ср., само ед.* exile, banishment; **доживотно** ~ exile for life.

заточени|к *м.,* -**ци; заточениц|а** *ж.,* -**и** exile; deportee.

затрàквам, затрàкам *гл.* begin to rattle/clatter/clang/clack.

затревявам, затревя *гл.* grass, lay down in grass.

затрепèрвам, затрепèря *гл.* begin to tremble/shake/shudder/shiver/quiver/waver.

затрептявам, затрептя *гл.* begin to quiver/flicker/waver.

затрещявам, затрещя *гл.* begin/start thundering/crashing/rattling.

затрùвам, затрùя *гл.* **1.** (*погубвам*) do in/for, destroy; **2.** (*заличавам*) wipe out, obliterate; ~ **от лицето на земята** (*град и пр.*) raze to the ground; **3.** (*загубвам*) mislay, misplace, lose; **4.** (*започвам да трия*) begin/start rubbing/scrubbing; || ~ **се** get lost, disappear; ● **гърло глава затрива** eat o.s out of house and home.

затрùсам, затресà *гл.* begin to shake/shiver/shudder.

затрòгвам, затрòгна *гл.* touch, move; touch/strike the right chord; touch the heart.

затрòпвам, затрòпам *гл.* begin to knock.

затруднèни|е *ср.,* -**я** difficulty, trouble; perplexity, embarrassment; (*пречка*) difficulty, impediment, hindrance; **в ~е съм** be in a difficult position, be in difficulties or be in straitened/embarrassed circumstances *разг.* be in a tight squeeze/spot/corner, be in the soup, be in a fix, be in a pinch, come to the rub.

затрудня́вам, затрудня́ *гл.* **1.** make/render difficult, impede, hamper; (*с някаква тежест*) cumber, lumber, encumber (**с** with); ~ **финансово** embarrass; **2.** (*обърквам*) perplex, embarrass; put/drive/reduce to a nonplus, overwhelm; **3.** (*създавам трудности*) bother, trouble; **ако това не ви затруднява** if it's not too much trouble; || ~ **се** find it difficult, be hard put to it; ~ **се да дам отговор** find it difficult

to give an answer, be stuck/hard up/at a loss for an answer.

затрỳпвам, затрỳпам *гл.* **1.** cover up, bury under/beneath; (*яма*) fill up; **2.** (*отрупвам*) pile, heap (**с** with); ~ **с въпроси** ply with questions, shower/hail questions on, overwhelm with questions; **3.** (*започвам да трупам*) begin/start piling up.

затръбявам, затръбя *гл.* blow the trumpet.

затрỳшвам, затрỳшна *гл.* bang, slam.

затрỳшкам се, затрỳшкам се *възвр. гл.* writhe; moan and wail, bemoan o.s.

затря́сквам, затря́скам *гл.* begin to thunder/crash/bang.

затỳлвам, затỳлям, затỳля *гл.* **1.** (*закривам*) cover, screen, hide; (*гледка*) obstruct, block, shut out; (*светлина*) obstruct, shut out; ~ **лицето си с ръце** bury o.'s face in o.'s hands; **2.** (*запушвам*) stop up, cork up.

затỳпквам, затỳпкам *гл.* begin/start beating/throbbing.

затỳрвам, затỳрям, затỳря *гл.* mislay, misplace.

затъвам, затъ́на *гл.* sink; ~ **в дългове** be over head and ears/up to the ears/up to he eyebrows in debt, entangle o.s. in debt.

затъжàвам се, затъжà се *възвр. гл.* begin to miss; (*за дом, родина и пр.*) become home-sick (for).

затъкàвам, затъкà *гл.* **1.** begin to weave; **2.** (*втъкавам*) weave (**в** into).

затъ́квам, затъ́кна *гл.* **1.** (*забождам*) stick (**в** in, **на** on); (*с карфица*) pin (**то**, on); **2.** (*запушвам*) shut up; stop up.

затъмнèни|е *ср.,* -**я** **1.** *астр.* eclipse, occultation; **лунно ~е** lunar eclipse, eclipse of the moon; **слънчево ~е** solar eclipse; **2.** *воен.* (*при въздушно нападение*) black out; **3.** *мед.:* ~**е на белите дробове** shadows on o.'s lungs.

затъмня́вам, затъмня́ *гл.* **1.** darken, obscure; eclipse; (*стая и пр.*) dim out; (*сцена*) *театр.* black out; (*светлина*) shade; dim; (*прозорци и пр.*) shade, screen, darken; **2.** (*при въздушно нападение*) blackout; **3.** *астр.* eclipse, occult; **4.** (*небето и пр.*) cover, darken, overshadow; **5.** *прен.* eclipse, put in the shade; dim, outshine, outrival, out-top.

затънтен *прил.* obscure, poky, isolated, godforsaken, desolate; (*далечен*) godforsaken, out-of-the-way, outlying, remote; ~**о място** *пренебр.* backwater.

затъпквам, затъпча *гл.* 1. trample over, ram down/in, beat in; 2. (*дупка*) fill in, stop up.

затъпявам, затъпя *гл.* 1. dull, blunt, take off the edge; 2. *прен.* deaden, fuddle, stupefy, make stupid/dull/sottish; 3. *непрех.* get/grow stupid/dull/sottish.

затърсвам, затърся *гл.* begin/start searching/looking for.

затътрям, затътря *гл.* drag, lug, haul, tug; || ~ **се** drag o.s.

затюхквам се, затюхкам се *възвр. гл.* begin/start fretting.

затягам, затегна *гл.* 1. tighten (up), make/bind fast; (*част на машина, за да не се движи*) jam; (*колело и пр.*) lock; (*със скоби и пр.*) clamp; 2. (*поправям*) repair, touch up, vamp up, fix, doctor; 3. (*забавям, протакам*) delay, drag out; 4. (*заякчавам*) tighten; (*редици*) close up; ~ **дисциплината** tighten the discipline; || ~ **се** 1. be delayed, drag out, draw in length; 2. (*за положение*) grow tense; deteriorate, grow worse; • ~ **колана** tighten o.'s belt (*и прен.*); batten down the hatches.

заупоко|ен *прил.*, -йна, -йно, -йни *църк.*: ~**йна молитва** requiescat; prayer for the dead.

заучавам, заучвам, зауча *гл.* 1. learn; memorize; commit to memory; *разг.* mug up; ~ **наизуст** learn by heart; 2. (*започвам да уча*) begin to study.

заучен *мин. страд. прич., като прил.*: ~ **отговор** pat answer.

заушки *само мн. мед.* mumps; parotitis.

зафучавам, зафуча *гл.* begin/start whizzing/roaring/blustering/(*за вятър*) soughing.

захабявам, захабя *гл.* 1. (*изтъпявам*) dull, blunt, take the edge off, spoil; 2. (*изцапвам*) soil, spoil; 3. (*не изпирам добре*) not wash well; || ~ **се** 1. (*за нож и пр.*) get blunt/dull, lose its edge; 2. (*за пране*) not be washed well/clean, be spoiled with bad laundering.

захапвам, захапя *гл.* bite (in, into), sink o.'s teeth into.

захапк|а *ж., -и анат., вет.* bite.

захар *ж., само ед.; захари само мн.* sugar; **горена** ~ caramel, burnt sugar; **black-jack; плодова** ~ fructose, fruit-sugar; **рафинирана** ~ refined sugar; **със** ~ **ли пиете кафето/чая?** do you take any sugar with your coffee/tea?

захар|ен *прил.*, -на, -но, -ни sugar (*attr.*); sugary; *хим.* saccharine, saccharic; ~**на болест** *мед.* diabetes; ~**на тръстика** *бот.* sugar-cane.

захарниц|а *ж.*, -и sugar-bowl/-basin; (*за ръсене*) castor, caster.

захаросвам, захаросам *гл.* 1. candy, sugar; (*покривам със захар*) sugarcoat; 2. (*за сладко, сироп*) candy, crystallize; || ~ **се** go sugary.

захват *м.*, -и, (*два*) захвата *техн.* clamp, grapple, capture, hitch.

захващам, захвана *гл.* 1. (*започвам*) begin, start, commence (*да* то *с inf. или с ger.*), take up; **захвана да вали** it began to rain, it started raining; it set in to rain, it came on to rain; 2. (*заемам място*) take up, occupy, fill; 3. (*завардвам*) keep, guard, watch; 4. (*скачвам, съединявам*) join, connect; link together; couple; (*пришивам*) sew up; stitch; 5. (*хващам*) catch; 6. (*обхващам*) embed; 7. *прен.* (*нахвърлям се на някого*) attack, turn on, fling out; pound/set on; fly out; snatch (at), jump (at); **като ме захвана** he turned on me (and gave me what's what); || ~ **се** 1. hold fast, grasp, clutch (**за** at); 2. (*предприемам, започвам*) set to/about (*с ger.*), get (down) to (s.th., *с ger.*); take up; undertake; engage in; 3. (*нападам*) attack, jump (at), (*заяждам се с*) pick a quarrel with; (*задявам*) banter, chaff, tease; nag (at), pester; **не се захващай с него** leave him alone; (*опасен е*) steer clear of him.

захващане *ср., само ед. техн.* clamp, hold(ing device), grapple, clip, catch; gripper, capture.

захвърлям, захвърля *гл.* (*започвам да хвърлям*) begin/start throwing/flinging/hurling; (*запращам*) throw/fling/hurl away/off; (*изоставям*) leave off, discard; chuck; *разг.* ditch, junk; 3. *прен.* desert, abandon, forsake; throw overboard; give out; *разг.* chuck up, jack up; 4. (*потулвам*) mislay, misplace.

захвърчавам, захвърча *гл.* 1. (*започ-*

вам да хвърча) begin/start flying; **захвърчаха снежинки** snowflakes began floating around; 2. (*политам*) soar; fly away; flutter away.

захилвам се, захиля се *възвр. гл.* grin.

захитрувам *гл.* be sly; start playing tricks; start using craft/cunning.

захитрявам, захитрея *гл.* become perceptive, begin to take notice of things, become aware of the world, wise up.

захладнявам, захладнея *гл.* get/become/turn cool, cool; (**времето**) захладня it is getting cool; the temperature has dropped.

захлаждам, захладя *гл.* cool, chill; || ~ **се** get/become cool.

захлаждан|е *ср.*, -ия *метеор.* lowering of the temperature.

захлас *м. неизм.* 1. (*унес*) stupor, unconsciousness, daze, dreaminess; reverie, ecstasy, trance; 2. (*възторг*) rapture; **изпадам в** ~ **от** be in/go into raptures over, be enraptured with, be enthusiastic over/about; drool over/at.

захласвам, захласна *гл.* 1. (*смайвам*) stupefy; amaze; 2. (*увличам*) enrapture, carry away; || ~ **се** be enraptured/entranced/carried away (**по** by); be deep in; go into ecstasies (before), be in ecstasies (over); gape (after).

захлопвам₁, захлопам *гл.* bang (**по, на** on), knock (on).

захлопвам₂, захлопна *гл.* slam, bang.

захлупа|к *м.*, -ци, (*два*) захлупака lid, cover.

захлупвам, захлупя *гл.* 1. (*покривам*) cover up, put a lid on; 2. (*обръщам*) turn upside down; 3. (*поставям под*) put/place under; 4. *прен.* throw into/put in the shade, outdo, outtop; || ~ **се** lie/fall prone, lie face downwards; lie prostrate.

захранвам, захраня *гл.* 1. (*животно*) feed (**с** with); 2. (*бебе*) begin feeding an infant artificially (**с** with); put a baby on the bottle; 3. *техн.* supply, feed.

захранване *ср., само ед.* 1. (*на бебе*) bottle-feeding; 2. *техн.* supply; (*с гориво*) feed; 3. *ел.* power supply; **последователно** ~ series feed.

захриптявам, захриптя *гл.* begin to wheeze; give out hoarse/raucous sounds.

захъркsvam, захъркам *гл.* begin/start snoring.

зацапвам, зацапам *гл.* 1. soil, stain,

mess; smudge; besmear; (*нещо писано*) blur, smudge; **2.** (*започвам да цапам с боя и пр.*) daub; || ~ **се** become dirty/soiled; mess o.s. up; (*при писане*) blur, smudge.

зацаруvaм *гл.* begin o.'s reign; come to/ascend the throne.

зацарява, зацари *безл. гл. прен.* set in; be established; prevail.

зацелувам *гл.* begin to kiss; cover with kisses; kiss and kiss again.

зацепвам, зацепям, зацепя *гл.* **1.** begin to chop; **2.** (*отцепвам*) chop off, cut off; split; **3.** *техн.* mesh, enmesh, engage, clutch, catch, cog, hitch; **4.** *жарг.* dash off; make for; strike through; || ~ **се 1.** split, part asunder; **2.** *техн.* mesh, enmesh, engage, clutch; • **зацепих!** (*разбрах*) the penny (has) dropped.

зацепване *ср., само ед. техн.* mesh(ing), gearing, catching, coupling, hitch; engagement; falling-in.

зациментирам *гл.* cement.

зацъквам *гл.* begin to tick; (*с език*) begin to click o.'s tongue/to tut-tut.

зачаквам, зачакам *гл.* wait.

зачатие *ср., само ед.* conception (*и рел*).

зачатъ|к *м.*, **-ци, (два)** зачатъка **1.** *биол.* (*зародиш*) embryo, germ; (*на органи и пр.*) rudiment; **2.** *прен.* (*начало*) embryo, germ, rudiments; beginning, inception, origin.

зачевам, зачена *гл.* conceive, beget.

зачеквам, зачекна *гл.* touch on/upon, refer to, mention; broach (a subject);.

зачервявам, зачервя *гл.* (*месо, хляб*) brown; || ~ **се** redden, turn red; blush, flush; glow.

зачерквам, зачеркна *гл.* cross out, dash out, strike out, delete; blot, obliterate; expunge; *амер.* redline; *полигр.* kill; (*за цензура*) black out, proscribe; (*анулирам чрез задраскване*) cancel, strike off; ~ **някого от списъка** strike s.o. off the roll/list.

зачерням, зачерня *гл.* **1.** blacken, make black; **2.** *прен.* bring misery/disaster/desolation to; ~ **някого** break s.o.'s life; || ~ **се 1.** bring disaster upon o.s.; plunge o.s. in distress; ruin o.'s life; **2.** (*покалугерявам се*) become a monk; (*за жена*) become a nun, take the veil.

зачертавам, зачертая *гл.* **1.** cross/

strike out, delete; **2.** (*почвам да чертая*) begin/start drawing.

зачесвам, зачеша *гл.* **1.** begin to comb; (*вълна*) begin to card; **2.** (*вчесвам*) comb o.'s hair.

зачестявам, зачестя *гл.* become more frequent; come thick upon, multiply; **ударите зачестиха** the strokes multiplied, (*за сърце*) the heartbeats became more frequent, the pulse quickened.

зачислявам, зачисля *гл.* include, enter, put on the list (*за* for); (*на работа*) take s.o. on; ~ **на щат** take s.o. on the staff; *воен.* enrol(l), enlist, take s.o. on the strength.

зачитам₁, зачета *гл.* begin to read, start reading; || ~ **се** become engrossed in reading/in a book/paper etc., sit over a book.

зачитам₂, зачета *гл.* **1.** (*уважавам*) respect, honour, esteem, have respect for, regard with respect, hold in veneration; pay regard to; **не го ~ за нищо** I have no respect for him; **2.** (*признавам*) recognize, take into consideration; accept, pass; declare valid; (*желание и пр.*) comply with, grant; ~ **правата на другите** respect the rights of others, consider the rights of others.

зачовърквам, зачовъркам *гл.* begin to poke/probe/scratch; (*прави ми се нещо*) feel an itch (to do s.th.).

зачоплям, зачопля *гл.* begin to poke/probe/scratch.

зачудвам, зачудя *гл.* surprise; amaze, astonish; || ~ **се** wonder (**на** at), be surprised/amazed/astonished (at).

зачуквам, зачукам *гл.* **1.** (*заковавам*) nail up, hammer/nail together; **2.** (*гвоздей и пр.*) drive/hammer in, knock home; (*кол и пр.*) hammer/drive/ram in; **3.** (*започвам да чукам*) begin to knock; **4.** (*чукам усилено*) knock/hammer like anything/mad, hammer/knock away.

зашарвам, зашаря *гл.* (*за поглед*) wander.

зашеметявам, зашеметя *гл.* stun, daze, overwhelm; petrify, stupefy; dizzy; (*за алкохол*) make dizzy/giddy; (*за удар*) stun, daze, stagger, (*при бокс*) make groggy; || ~ **се** be/become dizzy/giddy; spin.

зашивам, зашия *гл.* (*нещо скъсано*) sew up, stitch up; (*рана*) sew up, put

stitches in; (*пари и пр. в нещо*) sew in; ~ **копче** sew on a button, put a button on.

зашлевявам, зашлевя *гл.* slap in the face, box/clip s.o.'s ear, box on the ear(s); *sl.* plug s.o. one in the ear-hole.

зашумвам, зашумям, зашумя *гл.* cover up with branches.

зашумолявам, зашумоля *гл.* begin to rustle/ripple/murmur.

зашумявам, зашумя *гл.* become noisy/loud; (*за гора, листа*) start rustling, begin to rustle.

зашуртявам, зашуртя *гл.* (begin to) gush/spout/pour out.

защипвам, защипя *гл.* pinch, squeeze; (*с щипки*) clip.

защит|а *ж.*, **-и 1.** protection, defence (**против** against); (*срещу хули, обвинения и пр.*) vindication; (*на инвестициите*) *фин.* hedging; (*гаранция*) safeguard (**срещу** against, **на** for); **под ~ата на** *юр.* under the protection of; **средство за ~а** s.th. to defend/protect o.s. with, a means of defence, *воен.* a defensive weapon; **2.** *юр., воен., спорт.* defence; **играя в ~а** (*за играч*) *спорт.* be a (full) back; **свидетели на ~ата** *юр.* witnesses for the defence; **3.** (*прикритие*) cover, shelter.

защитавам и защицавам, защитя *гл.* **1.** (*браня*) defend (**срещу** from, against); (*закрилям*) protect (from, against); *амер.* forfend; (*от хули и*) vindicate; (*застъпвам се за*) defend, stand up for, (*с думи*) speak in support of, plead s.o.'s cause; (*поддържам*) support, uphold, maintain; ~ **правото си** stand upon o.'s rights; assert o.s.; **2.** *юр.* plead for, defend the accused, be counsel for the defence; || ~ **се** defend o.s.; protect o.s.; ~ **се отчаяно** put up a stubborn resistance, make a last ditch stand; • **дисертация** defend a thesis/dissertation.

защит|ен *прил.*, **-на, -но, -ни** protective; (*отбранителен*) defensive; **~ен механизъм** safeguard mechanism; **~ен цвят** *зоол.* protective colouring; *воен.* (*за дрехи и пр.*) drab colour, khaki; (*на танк, оръдие и пр.*) camouflage paint, (*на воен. кораб*) dazzle paint.

защитни|к *м.*, **-ци; защитниц|а** *ж.*, **-и 1.** defender, vindicator, pleader;

protector, patron, *ж.* patroness; **2.** (*на идея и пр.*) advocate, proponent, champion, backer, espouser, supporter (**на** of), sympathizer (**на** with); **3.** *юр.* counsel for the defence, defence-lawyer; **обществен** ~к public defender; (*просител*) interpleader; **4.** *спорт.* back; **краен** ~к full back.

защо́ *нареч. и съюз* why; *поет.* wherefor; (*с каква цел*) what for; (*как така*) why/how is it that; how come? **ето** ~ that is why; ~ **не?** why not? **но** ~? but why? **няма** ~ (*в отговор на благодаря*) you are welcome, don't mention it, *разг.* never mind.

защо́то *нареч. и съюз* because, for, as.

защрихо́вам *гл.* hatch (a drawing), line, shade; hachure.

зая́вк|а *ж.*, **-и** application (за for) request (for); (*поръчка*) order (for); **правя** ~а (*пред някого*) place an order/request (with s.o.); (*за материали*) requisition.

заявле́ни|е *ср.*, **-я** application; *юр.* petition; **недвусмислено** ~е explicit statement; **подаване на** ~я filing applications.

заявя́вам, заявя́ *гл.* declare, announce, state; (*под клетва, тържествено*) testify.

зая́длив|ец *м.*, **-ци** carper, fault-finder, nagger, haggler.

зая́ждам, зая́м *гл.* **1.** (*преследвам някого*) harass, harry, hunt down, run down, hound; knock (s.o.) about; **2.** *техн.* jam; catch, hitch; (*за лагер*) seize; (*за брава*) stick; **3.** (*започвам да ям*) begin to eat; || ~ **се** (**с**) nag (at), peck (at), carp (at), find fault (with), *разг.* nibble (at, about); dicker (about s.th.), haggle (over s.th.); be gunning (for s.o.), have it in (for s.o.).

зая́квам, зая́кна *гл.* **1.** grow/become/ get strong/stronger, gain (in) strength; pick up; thrive; toughen; **2.** (*пораствам*) grow up.

заякча́вам, заякча́ *гл.* **1.** strengthen, reinforce, tighten up; (*с тел*) wire; **2.** (*положение, позиции и пр.*) consolidate; (*връзки*) strengthen, intensify, further.

зва́ни|е *ср.*, **-я 1.** rank; *мор.* rating; (*почетно*) title; *разг.* a handle to o.'s name; **научно** ~е academic rank; **почетно** ~е honorary title, title of honour;

2. (*съсловие*) rank, station.

зва́тел|ен *прил.*, **-на, -но, -ни** *език.* vocative; ~**на форма** vocative form.

звезд|а́ *ж.*, **-и 1.** star; *астр.* sun; **виждам** ~и посред бял ден see stars; ~**а вечерница** evening star; **2.** (*емблема, орден, значка*) star; (*на пагон*) pip; **петоъ́гълна** ~а fivepointed star; **3.** *прен.* (*съдба*) star(s); **роден под щастлива** ~а born under a lucky star; **4.** *прен.* (*актьор*) star; *амер.* top-liner; "~**ите**" *журн.* glitterati; *театр.* stardom; **филмова** ~а a film-star; • **свалям** ~**ите** promise golden mountains, promise the moon.

звезд|ен *прил.*, **-на, -но, -ни** star (*attr.*); starry; *поет.* sideral; *астр.* stellar; (*пълен със звезди*) stelliferous; astral; ~**ен дъжд** star-shower.

звен|о́ *ср.*, **-а́ 1.** link; **2.** (*група*) team, group, section; (*пионерско*) group, unit, section.

звероукроти́тел (**-ят**) *м.*, **-и; звероукроти́телк|а** *ж.*, **-и** tamer.

зве́рск|и *прил.*, **-а, -о, -и 1.** animal (*attr.*); (*свойствен на звяр*) brutish; **2.** *прен.* bestial, brutal, monstrous, atrocious, outrageous, ferocious; ~**и поглед** ferocious/baleful look; **3.** (*много силен*) monstrous, wild; ~**и апетит** ravenous appetite.

зве́ря се *възвр. гл.*, **мин. св. деят. прич.** звя́рил се gape (на at); gawk, *sl.* gaup, gawp.

зву|к *м.*, **-ци и -кове**, (**два**) **зву́ка 1.** sound; **издавам** ~к give out a sound, (*за муз. инструмент*) speak; **2.** *език.* sound; **гласен** ~к vowel (sound); **съгласен** ~к consonant; • **ни** ~**к, ни глас** not a sound.

зву́ков *прил.* sound (*attr.*); *физ. и* acoustic; ~ **запис** (*на филм*) soundtrack; ~**а вълна** *физ.* sound-wave.

звуковъзпроизве́ждане *ср.*, *само ед.* sound reproduction.

звукозаглуши́тел (**-ят**) *м.*, **-и**, (**два**) **звукозаглуши́теля** silencer, muffler, deadener, deafener, sound damping device.

звукоза́пис *м.*, *само ед.* sound-recording.

звукоизоли́рам *гл.* deaden, deafen, make sound-proof.

звукоопера́тор *м.*, **-и** sound-producer, sound-technician, audio control engi-

neer; *кино.* (*в надпис*) sound (track) by.

звукоподража́ни|е *ср.*, **-я** onomatopoeia; echoism.

звуча́ *гл.* **1.** ring, sound; **отговорът още звучеше в ушите му** the reply tingled in his ears; **2.** (*разнасям се*) be heard; (*кънтя*) resound, ring, echo; **звучеше песен** a song was heard; **3.** *прен.* ring, sound; ~ **правдиво** ring true.

звуч|ен *прил.*, **-на, -но, -ни** melodious, resonant, sonorous, canorous; (*за глас и пр.*) rich, deep-toned, full-toned, rotund, orotund; (*с чист тон*) cleartoned; (*отчетлив*) clear, ringing; (*звънлив*) resonant, (*за муз. инструмент*) fine-toned; ~**ен смях** clear-ringing laugh.

звън *м.*, *само ед.* ring(ing), peal; (*на дребни монети*) jingle, jingling, clink, clinking; (*на голяма камбана, наковалня и пр.*) clang, dong; bong; (*черковен*) chime; (*погребален*) toll(ing) knell; (*на шпори, чаши*) jingle, jingling, clink(ing), tinkle, tinkling.

звъ́нвам, звъ́нна *гл.* (*за звънец*) ring; (*по телефона*) ring (s.o.) up, call (s.o.), up, give (s.o.) a ring.

звън|е́ц *м.*, **-ци́**, (**два**) **звъне́ца 1.** bell; (*на външна врата*) door-bell; (*на телефон*) ringer; **електрически** ~**ец** electric bell, buzzer; **2.** (*звуков сигнал*) bell, ring (of a bell); **3.** (*предмет с форма на звънец*) bell; **водолазен** ~**ец** diving-bell.

звъни́ка *ж.*, *само ед.* *бот.* St. John's wort; tutsan (*Hypericum perforatum*).

звънли́в *прил.* ringing, clear, clear-ringing; (*за глас, тон, песен и пр.*) silvery, resonant, sonorous, resounding, bubbling; (*за чаши*) clinking.

звънтя́ *гл.* jangle, jingle, tang, tinkle; (*за шпори, чаши*) jingle, clink, chink, tinkle; (*за голям метален предмет*) clank, clang.

звъня́ *гл.* **1.** ring; (*за камбана и пр.*) toll; dong, clang; **2.** (*на входната врата*) ring the bell; **звъни се** s.o. is ringing the bell, there is a ring at the door.

звяр *м.*, **зверове́**, (**два**) **звя́ра 1.** wild animal/beast; **хищни зверове** beasts of prey; **2.** (*животно изобщо*) beast, animal; **3.** *прен.* brute, beast.

зда́ни|е *ср.*, **-я** building, structure; edifice; **голямо/грамадно** ~**е** pile.

здрав *прил.* **1.** healthy, robust; *(цял, непострадал)* undamaged; *(запазен)* hale; *(не болен)* well; *(за нерви)* steady, tough; *(за сърце)* sound, strong; *(за дробове)* good; *(за зъби)* sound, good; strong, fine; *(за храносмилане)* unimpaired; *(душевно)* sane; ~ **съм** be healthy, be in (good) health; **не съм** ~ be in poor/bad health, be out of health; **2.** *(силен, як)* strong, robust, stalwart, lusty, tough, vigorous; *(жилест)* sinewy, nervous; ~ **като бик/вол** as strong as a horse; **3.** *(за вид)* robust; *(за цвят на лицето)* ruddy, healthy; **имам ~ вид** look healthy; be rosy about the gills; **4.** *(здравословен – за климат)* healthy, wholesome, salubrious; *(за храна)* wholesome, healthful; **5.** *(за вещ)* strong, stout, heavy-duty; *(солиден)* solid, firm, substantial; *(цял)* whole; *(в изправност)* in good repair/condition, *(за машина и пр.)* in good (working) order, heavy-duty; *(за кораб)* seaworthy; *(за плат и пр.)* lasting, stout, good/hard wearing; *(за обувки)* strong; *(за чорапи – без дупки)* good; *(за стока)* free from breakage; *(за плодове, зеленчуци)* good, unimpaired; **6.** *прен.* sound; good; *(стабилен)* stable; *(за валута)* hard; *(за вкус)* judicious; *(за критика, възгледи)* sound; *(за атмосфера)* healthy; ~ **разум** common sense; **на ~а основа** on a sound basis; ● **бъди** ~ *(при сбогуване)* good speed, good luck; **да си жив и** ~ God bless you; ~ **сън** sound sleep.

здраве *ср., само ед.* health; **взимам нечие** ~ break s.o.'s health, take the life out of s.o., *(от бой)* beat s.o. up; beat the life out of s.o., *(от работа)* work s.o. to death; **за твое** ~! (to) your health! ~ **да е!** never mind! don't worry! it is nothing to worry about! things could be worse! **имаш много** ~ *ирон.* you are mistaken! you are wide of the mark! you have the wrong sow by the ear! this won't hold water! says you! *(ще ти приседне)* no, you won't; **как сте със** ~**то?** how are you? how are you keeping? **по-хубаво от това** ~ **му кажи!** **от това по-добре** ~! things couldn't be better; what better than that; this is hard to beat; this will take some/a lot of beating; **радвам се на добро** ~ be

strong in health, be in good health, enjoy radiant/splendid health.

здравей *мн., -те разг.* hullo! hello! howdy! *амер.* hi! *книж.* hail!

здрав|ен *прил., -на, -но, -ни* health *(attr.)*; ~**на осигуровка** health insurance; ~**ни закони** sanitary laws.

здравеня|к *м., -ци*; **здравенячк|а** *ж., -и* strong/healthy/robust fellow, husky, *разг.* strapper, tough customer, tough cookie.

здравеопазване *ср., само ед.* protection of health; (public) health care; (public) health services; hygiene; sanitation.

здравец *м., само ед. бот.* crane's bill, wild geranium; dove's foot *(Geranium)*.

здрависвам се, здрависам се *възвр. гл.* shake hands (with); greet one another.

здраво *нареч.* soundly, sound; well; tight; fast; **дръж се** ~ hold tight/fast.

здрасти *неизм. разг.* hallo, hullo, hi.

здрач *м., само ед.* dusk, twilight, owllight, crepuscule; nightfall; *поет.* evenfall, gloaming.

здрачава се, здрачи се *безл. възвр. гл.* it is growing dusky/dark, twilight/dusk is falling.

зеблò *ср., само ед.* sackcloth, sacking, burlap, gunny, bagging.

зèбр|а *ж., -и зоол.* zebra *(Equus zebra)*.

зèгерк|а *ж., -и техн.* circlip.

зèле *ср., само ед. бот.* cabbage.

зелèн *прил.* **1.** green; *поет.* verdant, verdurous; *бот.* virescent, viridescent; *(покрит със зелени листа)* green, verdant; ~**и насаждения** trees and shrubs; **2.** *(неузрял)* green, unripe; sour; *(пресен)* fresh; ~ **лук** spring onions; **3.** *прен. (неопитен)* green, raw; callow; unbaked; **млад и** ~ in the prime of o.'s youth; **4.** *като същ. ср. прен. (долари)* greenback; ● **гроздето е** ~ *прен.* the grapes are sour! sour grapes! *(давам)* ~**а улица** (give) the green light/the go-ahead; **изпращам за** ~ **хайвер** send s.o. on a wild-goose chase/on a fool's errand.

зеленèя се *възвр. гл., мин. св. деят. прич.* **зеленял се** appear/show green.

зеленинà *ж., само ед.* greenery; green; verdure; vegetation; *поет.* verdancy; *бот.* viridity; **градината е потънала в** ~ the garden is all green/is verdant.

зеленчу̀|к *м., -ци, (два)* зеленчу̀ка vegetables, greens, green stuff, kitchen stuff; **пресни** ~**ци** green vegetables.

зеленчу̀копроизво̀дство *ср., само ед.* vegetable-growing; market-gardening.

зеленя̀свам, зеленя̀сам *гл. метал.* *(за мед)* be covered with verdigris; *(за вода)* be covered with slime; *(с мъх)* be covered with moss; *(с мухъл)* be covered with mould.

земевладѐл|ец *м., -ци* landowner, landholder, landed proprietor; **едър** ~**ец** big landowner, substantial landlord.

земедѐл|ец *м., -ци* **1.** farmer, tiller, cultivator; **2.** *полит.* agrarian, member of the Bulgarian Agrarian Union.

земедѐлие *ср., само ед.* (field) farming, agriculture; *(като наука)* geoponics; **занимавам се със** ~ be a farmer.

земемѐрство *ср., само ед.* land-survey(ing); land-measuring; geodesy.

зè м|ен *прил., -на, -но, -ни* **1.** earth *(attr.)*, of the earth, terrestrial, tellural, tellurian; *(който расте на Земята)* terraneous; ~**ен червей** earth-worm, *(за стръв)* lobworm; ~**но кълбо** the (terrestrial) globe; ~**но привличане** *физ.* gravity; **2.** *(който се отнася до живота на земята)* earthly, terrestrial, sublunary, subastral, tellural, tellurian; *прен. (недуховен)* earthly, worldly, material, mundane, earthbound, earth-born, earthly-minded; *(суетен)* earthly; *(смъртен)* earthborn; ~**ни блага** worldly goods, earthly blessings, loaves and fishes.

земетресèни|е *ср., -я* earthquake.

земетрỳс|ен *прил., -на, -но, -ни* seismic, earthquake *(attr.)*.

зèмлищ|е *ср., -а* land (belonging to one village), territory.

земля̀|к *м., -ци* (fellow) countryman; brother.

землянк|а *ж., -и* dug-out.

земноводн|ен *прил., -на, -но, -ни зоол.* amphibian, amphibious; *(който може да живее във водата и на сушата)* fluvioterrestrial; *(състоящ се от пръст и вода)* terraqueous.

зем|я̀ *ж., -ѝ* **1.** Земята the Earth; **2.** *само ед. (планетата)* the Earth; **2.** *(този свят)* (the) earth, (the) world, (the) globe; **на** ~**ята** on (this) earth, in this world, under the sun; here on earth,

here below; **3.** (*суша*) land, earth, mainland; **4.** (*страна*) land, country; **на българска ~я** on Bulgarian soil; **5.** (*имот*) land; **държавни ~и** public land; **6.** (*почва*) soil, earth, mould; **необработваема ~я** bad land; **7.** (*повърхност*) earth, ground; **повалям на ~ята** knock down; **8.** *ел.* earth, ground; **свързвам със ~ята** ground; ● **"~я-въздух" (ракети)** *воен.* surface-to-air, ground-to-air; **удрям някого о ~ята** beat s.o. hollow.

зени́т *м., само ед.* **1.** *астр.* zenith, vertex, meridian; **в ~а си** in its/the zenith; **2.** *прен.* zenith, meridian; the high-water mark; **той е в ~а на славата си** he is at the zenith/meridian/height of his fame, he is in the heyday of his fame.

зени́т|ен *прил.*, **-на, -но, -ни 1.** *астр.* zenith (*attr.*), zenithal, vertical, meridian; **2.** *воен.* anti-air craft (*attr.*).

зени́ц|а *ж.*, **-и** *анат.* pupil; ● **пазя като ~ата на окото си** keep/guard as the apple of o.'s eye.

зенкеру́вам *гл.* *техн.* countersink.

зе́стра *ж., само ед.* dowry, (marriage) portion, dot; **без ~** portionless; (*заделени неща*) *разг.* bottom drawer.

зет (-ят) *м.*, **-ьове** son-in-law; brother-in-law.

зефи́р *м., само ед.* **1.** zephyr, breeze; *поет.* gale; **2.** *текст.* (*плат*) zephyr.

зехти́н *м., само ед.* olive/sweet/salad oil.

зе́я *гл.* gape; be wide open.

зи́гзаг *м.*, **-и** и **зи́гзази**, (два) **зи́гзага** zigzag; **движа се на ~** zigzag, move in zigzags; (*за път*) run zigzag.

зиго́т|а *ж.*, **-и** и *биол.* zygote.

зид *м.*, **-ове**, (два) **зи́да** *строит.* wall.

зи́дам *гл.* build, put up, construct (of brick/stone); mason, lay bricks.

зида́р (-ят) *м.*, **-и** brick-layer/-setter, mason, stone-mason.

зим|а *ж.*, **-и** winter, wintertime, *поет.* wintertide; **през ~ата** in (the) winter, during the winter.

зи́м|ен *прил.*, **-на, -но, -ни** winter (*attr.*); (*мразовит*) wintry, winterly.

зи́мни|к и **зимни́|к** *м.*, **-ци**, (два) **зи́мника** и **зимни́ка** cellar, basement.

зи́мнина и **зимнина́** *ж., само ед.* winter supplies.

зимо́рничав *прил.* chilly, sensitive to cold.

зиму́вам *гл.* winter, pass/spend the winter; (*за животно*) hibernate; ● **знам къде зимуват раците** know what o'clock it is; know the time of day; know a thing or two; know on which side o.'s bread is buttered; understand trap, know how many beans make five.

зи́нвам, зи́на *гл.* gape; open o.'s mouth; (*прозявам се*) yawn.

злата́р (-ят) *м.*, **-и** goldsmith; (*който работи със сребро*) silversmith; (*бижутер*) jeweller.

злат|ен *прил.*, **-на, -но, -ни** gold; (*позлатен или като злато*) golden; **~на мина** gold mine (*и прен.*); *прен. амер.* bonanza; ● **~на сватба** golden wedding; **~на среда** the golden mean, the happy medium; **~ни ръце** hands of gold, clever fingers; **Златният век** *истор.* the golden age; **Златното руно** *мит.* The Golden Fleece.

зла́тк|а *ж.*, **-и** *зоол.* marten (*Martes martes*).

зла́то *ср., само ед.* gold; **самородно ~** a nugget of gold; native gold; **черно ~** (*въглища*) black diamonds.

златоно́с|ен *прил.*, **-на, -но, -ни** auriferous, gold-bearing.

златотъ́рсач *м.*, **-и** gold-digger, prospector.

зле *нареч.* badly, bad, ill; in a bad way, in bad/poor shape; (*здравословно*) poorly, in poor shape; (*материално*) badly off, on low water; **~ възпитан** ill-mannered, badly behaved; **не би било ~ да** there is no harm in (*с ger.*), it would be all right to (*с inf.*); **свършвам ~** come to a bad end; ● **нека му е ~ lucky dog; хич не му е ~** *разг.* he's on to a good thing.

злепоста́вям, злепоста́вя *гл.* discredit, compromise; (*клеветя*) calumniate; || **~ се** become/be discredited (**пред някого** with s.o.); go/be under a cloud.

злин|а́ *ж.*, **-и́ 1.** evil; wrong(-doing); **2.** (*нещастие*) misfortune; **по-малката от двете ~и** the lesser of two evils; **3.** wickedness.

зло *ср., само ед.* evil; (*вреда*) wrong, harm, mischief; (*беда*) misfortune; **желая някому ~** wish s.o. evil/ill, bear s.o. ill-will/malice; ● **всяко ~ за добро** a blessing in disguise; every cloud has a silver lining; there are gains for

all our losses; it's an ill wind that blows nobody good; **да спи ~ под камък** let sleeping dogs lie.

зло́ба *ж., само ед.* malice, spite, spitefulness, malevolence; viperousness; venom, gall, spleen; evil-mindedness; devilry; grudge; **изливам ~та си върху** vent o.'s gall on.

зло́б|ен *прил.*, **-на, -но, -ни** malicious, spiteful, spleenful, spleenish, malevolent; venomous; vicious, viperish, viperous; wicked, squint-eyed; *амер.* tarnal; envenomed; evil, evil-minded; **~на забележка** vicious/nasty/biting/mordant remark.

злободне́в|ен *прил.*, **-на, -но, -ни** topical, actual, burning; **~ен въпрос** problem of the day/hour; front-burner issue.

злове́щ *прил.* sinister, ominous, ill-boding; (*за вид*) sinister; (*страховит*) creepy; **~ смях** grim laughter.

зловиждам ми (ти, му, ѝ, ни, ви, им) се, зловиди ми (ти, му, ѝ, ни, ви, им) се *безл. възвр. гл.* take (s.th.) ill; begrudge (s.o. s.th.).

зловони|е *ср.*, **-я** stench, stink, stinkingness, reek, malodorousness, smelliness, fetidity, fetidness; effluvium; *книж.* fetor; *амер. sl.* funk; *разг.* pong.

зловре́д|ен *прил.*, **-на, -но, -ни** harmful, noxious, pernicious, woeful, baneful, unhealthy, injurious; pestilential.

злоде́|й (-ят) *м.*, **-и** villain, evil-doer, miscreant; fiend; (*престъпник*) criminal.

злодея́ни|е *ср.*, **-я** villainy; malefaction; (*престъпление*) crime; *юр.* felony.

злоези́ч|ен *прил.*, **-на, -но, -ни** slanderous, calumnious, backbiting.

зложела́тел (-ят) *м.*, **-и**; **зложела́телк|а** *ж.*, **-и** ill-wisher.

зложела́телств|о *ср.*, **-а** malevolence, ill-will; malice; odium; grudge.

злока́чествен *прил.* *мед.* malignant; **~ тумор** malignant tumour.

злоко́бност *ж., само ед.* ominousness, ill-boding, portentousness, creepiness.

злонаме́реност *ж., само ед.* evil purpose, malice, evil-mindedness; *юр.* malice prepense; **подсъдна ~** malice in law.

злонрав|ен *прил.*, **-на, -но, -ни** ill-natured/-tempered; evil-minded; vile-tempered; of a vile temper/nature/disposition; shrewish.

злопа̀мет|ен *прил.*, -на, -но, -ни rancorous, resentful; *(отмъстителен)* revengeful.

злополу̀к|а *ж.*, -и accident; mishap, misadventure; disaster; **автомобилна** ~а road accident, car crash.

злополу̀ч|ен *прил.*, -на, -но, -ни **1.** ill-fated, ill-starred; inauspicious; unlucky; **2.** *(неуспешен)* unsuccessful, unfortunate; disastrous.

злора̀дствам *гл.* gloat, crow (над over).

злосло̀вя *гл.*, *мин. св. деят. прич.* злосло̀вил: ~ срещу slander, calumniate, vilify, traduce, backbite, slur, defame, malign; speak ill/evil of.

злост *ж.*, *само ед.* malice, malevolence, rancour, spitefulness, ill will; *(ярост)* fury.

злостòрни|к *м.*, -ци; злостòрниц|а *ж.*, -и evil-doer, *м.* malefactor, *ж.* malefactress.

злостòрнича *гл.*, *мин. св. деят. прич.* злостòрничил do mischief.

злоупотрѐб|а *ж.*, -и abuse, defalcation, misuse; *(с власт)* misfeasance; malfeasance, misuse of power, abuse/misuse of power; *(с доверие)* breach of trust; *разг.* graft; *(на пари)* misappropriation; **върша финансови ~и** *разг.* cook the books; **~а с доверие** *юр.* breach of trust/faith/confidence.

злоупотребявам, злоупотребя́ *гл.* abuse, misuse; make improper use of; take advantage of; *(средства)* misappropriate; defalcate; *(с времето, добрината на някого)* encroach on; **~ с гостоприемството на някого** trespass on s.o.'s hospitality; *(гостувам твърде дълго)* outstay its welcome.

злочѐсти|е *ср.*, -я; злочестин|а̀ *ж.*, -й misery; misfortune, disaster; distress, adversity.

злъч *ж.*, *само ед. разг.* venom; spite, malice, gall, spleen.

злъ̀чк|а *ж.*, -и *анат. (мехур)* gall(-bladder); *(сок)* bile.

змѐ|й (-ят) *м.*, -йове, (два) змѐя **1.** *мит.* dragon; **2.** *прен. (хвърчило)* kite.

змиеукротѝтел (-ят) *м.*, -и snake-charmer.

змийск|и *прил.*, -а, -о, -и snake *(attr.)*, of a snake; ophidian.

змиòрк|а *ж.*, -и *зоол.* eel (*Anguilla anguilla*); *(едра морска)* conger(-eel).

змия̀ *ж.*, змѝи *зоол.* snake; serpent;

---

ophidian; **ухапване от ~** snake bite; **● крия ~ в пазвата си** have/keep/warm a snake in o.'s bosom.

зна̀|ен *прил.*, -йна, -йно, -йни familiar, (well-)known.

зна|к *м.*, -ци, (два) зна̀ка **1.** sign; mark; ensign; *хим.* symbol; *инф.*, *техн.* character; **воден ~к** watermark; **въпросителен ~к** interrogation point, question mark, note/mark of interrogation; **~к за равенство** sign of equality; **отличителни ~к** *воен.* insignia; **паричен ~к** banknote; **2.** *(израз, признак)* token, mark, expression, sign; **в ~к на приятелство** as a mark of friendship, in token of friendship; **3.** *(движение с ръка и пр.)* sign; gesture, motion; signal; cue; **по даден ~к** at a signal; **4.** *(знамение)* omen; forerunner; *(показател)* amep. bellwether; **5.** *(следа)* trace, sign; **6.** *мат.* digit, cipher; **● под ~ка на дружбата** under the sign/badge/banner of friendship; in the spirit of friendship.

зна̀ме *ср.*, -на̀ flag, banner, standard; ensign; *(малко)* streamer; *воен.* colours; **вдигам ~** raise/hoist a flag; *мор.* make the colours; **(в знак на траур)** lower/fly the flags/colours half-mast; half-mast the colours; **държавно ~** national flag; **(в Англия и)** the Union Jack; **(в САЩ и)** the Stars and Stripes, the Star-Spangled Banner.

знаменàтел (-ят) *м.*, -и, (два) знаменàтеля *мат.* denominator; **общ ~** common denominator.

знаменàтел|ен *прил.*, -на, -но, -ни portentous, significant, indicative; *(забележителен)* remarkable.

знамѐни|е *ср.*, -я omen, sign; portent, forerunner; foreboding.

знаменѝт *прил.* **1.** famous, celebrated, eminent, prominent, illustrious, renowned, distinguished; glorious; **2.** *разг.* fine, grand, swell; **~о беше** it was glorious fun.

знаменòс|ец *м.*, -ци colour/standard-bearer, ensign.

знаменỳвам *гл.* signify, mark.

зна̀ни|е *ср.*, -я **1.** knowledge; *(мн.: познания)* erudition, learning; **с големи ~я** no well-read in; *(опит)* know-how; **2.** *(наука)* science; **● това бе извършено с мое ~е** this was done with my approval/consent.

зна̀т|ен *прил.*, -на, -но, -ни **1.** eminent, illustrious, distinguished; **2.** *(от голям род)* high-born, noble; gentle.

знаха̀р (-ят) *м.*, -и medicine-man, medicaster, quack (doctor).

зна̀ча *гл.*, *мин. св. деят. прич.* зна̀чил **1.** mean, signify; designate; stand for; **какво значи всичко това?** what is the meaning of all that?; **2.** be significant/important; matter; **това нищо не значи** this is of no account/significance/importance, this does not matter; **● значи** *безл.* s.o. then.

значѐни|е *ср.*, -я **1.** *(смисъл)* meaning, sense; **буквално ~е** a literal meaning/sense; **преносно ~е** a figurative/metaphorical/transferred meaning; **2.** *(важност, значимост)* significance, importance; **всяка минута е от ~е** every minute counts; **няма ~е, без ~е** it makes no difference, it does not matter, it's of no importance, it is of no consequence; it counts for nothing, it makes no odds; *(като отговор)* that's all right; never mind; **парите нямат ~е** money is no consideration; **3.** *мат.* quantity, value.

значѝм *сег. страд. прич.* significant, important; of significance/importance.

значѝтел|ен *прил.*, -на, -но, -ни considerable; appreciable; sizable; *(важен)* significant, important, substantial; **в ~на степен** to a considerable extent/degree.

значк|а̀ *ж.*, -й badge.

зна̀я *гл.*, *мин. св. деят. прич.* зна̀ял **1.** know; *(съзнавам)* be aware of, realize; **ако искаш да знаеш** if you ask me; **доколкото ~** as far as I know, to the best of my knowledge, *книж.* for aught I know; **един бог знае** dear/God/goodness knows; **не знаех това** that's news to me; **откъде да ~?** how can I tell? how should I know?; **2.** *(мога, умея)* can, be able; know; **3.** *(познавам)* be acquainted/familiar with, know; *разг.* know the ropes; **4.** *(помня)* remember, recollect; **● знаех си аз** I knew it (would be so); **какво знаете вие** *(лесно ви е)* you have an easy time of it; **не ща/искам да ~, не ща и да ~** I have no regard (for); **той си знае все своето** you can't change him; he's always harping on the same string.

зно|й (-ят) *м., само ед.* swelter, intense heat; sultriness.

зоб *ж., само ед.* grain, corn/oats/grain provender; feed.

зобам и зобвам, зобна *гл.* peck (at).

зобя *гл., мин. св. деят. прич.* зобил feed, fodder.

зов *м., само ед.* call; appeal; **боен ~** call to arms.

зова *гл., мин. св. деят. прич.* зовал 1. call; 2. *(повиквам)* call, summon; 3. *(назовавам)* name, call by name.

зограф *м.*, -и *църк.* icon-painter.

зографисвам, зографисам *гл. църк.* paint, decorate.

зодиак *м., само ед. астрол.* zodiac.

зоди|я *ж.*, -и 1. constellation, sign; *прен.* fate, destiny; 2. *разг.* crank.

зон|а *ж.*, -и 1. zone; *(област)* region, area; **~а за свободна търговия** free trade area; 2. *карти*: **в ~а съм** be vulnerable.

зонал|ен *прил.*, -на, -но, -ни zonal; regional.

зоогеография *ж., само ед.* zoogeography.

зоолог *м.*, -зи zoologist.

зооморфиз|ъм (-мът) *м., само ед.* zoomorphism.

зоотехника *ж., само ед.* zootechnics.

зор *м., само ед. разг.* 1. *(усилие)* effort; **видях доста ~**, докато го направя it was a tough job, I had a hard time doing it; **давам някому ~** run s.o. into the ground; **на ~ съм** be hard pressed; be up against it; 2. *(принуда)* constraint, compulsion, force; 3. *(нужда)* need, necessity; **много съм на ~ за пари** be hard pressed for cash; ● **за ~ заман** for a rainy day; **значи това му бил ~ът** so that's where the shoe pinches.

зор|а *ж.*, -и dawn, daybreak, break/crack of day; first light; **в ранни ~и** at daybreak/dawn, at break of day.

зорко *нареч.* vigilantly; watchfully; with a vigilant eye.

зорница *ж., само ед.* morning star; daystar; *астр.* Venus.

зреене *ср., само ед.* ripening; *(отлежаване)* maturing.

зрелищ|е *ср.*, -а spectacle, show, sight; ● **хляб и ~а** bread and circuses, panem et circenses.

зрелост *ж., само ед.* 1. ripeness; **техническа ~** *(на плод и пр.)* commercial

ripeness; 2. *(за човек)* maturity; coming of age; **полова ~** puberty, age of consent.

зрелост|ен *прил.*, -на, -но, -ни: **~ен изпит** school-leaving examination, matriculation.

зрелостни|к *м.*, -ци; **зрелостничк|а** *ж.*, -и secondary-school graduate, school-leaver.

зрение *ср., само ед.* (eye) sight; (faculty of) vision; **имам добро ~** have good eyes; **периферно ~** peripheral vision.

зрея *гл., мин. св. деят. прич.* зрял 1. ripen, grow ripe; 2. mature.

зрител (-ят) *м.*, -и; **зрителк|а** *ж.*, -и spectator; onlooker; *(на телевизия, в музей)* viewer; *само мн.* audience, audiences; *(в театър)* house.

зрител|ен *прил.*, -на, -но, -ни visual; visional; optic(al); ocular.

зрънц|е *ср.*, -а granule, grain; **~е истина** a germ/grain of truth.

зрял *прил.*, -а, -о, зрели 1. ripe; 2. mature; **в ~а възраст** at a mature age; of mature years.

зрялост и зрелост *ж., само ед.* ripeness; *(за човек)* maturity.

зрящ *сег. деят. прич. (и като същ. обикн. членувано)* seeing, sighted.

зубря *гл., мин. св. деят. прич.* зубрил *жарг.* grind, cram, sap, swot.

зуб|ър *м.*, -ри, (два) зубъра *зоол.* aurochs.

зулум *м.*, -и, (два) зулума outrage, violence; *(щета)* harm, damage.

зумер *м.*, -и, (два) зумера *техн.* buzzer, hummer.

зурл|а *ж.*, -и snout, muzzle.

зурн|а *ж.*, -й; **зурл|а** *ж.*, -й *муз.* zourla (kind of clarinet); ● **със ~и и тъпани** with drums beating.

зъб *м.*, -и, (два) зъба 1. tooth *(pl.* teeth); *(на слон, глиган)* tusk; *(на змия или хищник)* fang; **вадя си ~** *(при зъболекар)* have a tooth extracted/out; **казвам нещо през ~и** say s.th. between o.'s teeth; **кътен ~** molar; **паста/прах за ~и** tooth-paste/-powder; **скърцам със ~и** gnash o.'s teeth; **стискам ~и** clench o.'s teeth; 2. *(зъбец)* cog, tooth; *(на вила, вилица)* prong; tine; *(на дарак)* tooth; ● **знам ти и кътните ~и** I can read you like a book; **имам ~ на някого** have an edge on s.o., have a spite against s.o., have/bear a grudge against

s.o., have a down on s.o., have a rod in pickle for s.o.; **око за око, ~ за ~** tit for tat; **точа си ~ите** lick o.'s chops.

зъб|ен *прил.*, -на, -но, -ни 1. tooth *(attr.)*, dental; 2. *техн. (зъбчат)* cogged, toothed; indented; jagged; **~но колело** gear, cogged wheel, cogwheel; 3. *език.* dental.

зъбер *м.*, -и, (два) зъбера 1. *геогр.* peak, pinnacle; crag; 2. *архит.* crenel(le), pinnacle.

зъб|ец *м.*, -ци, (два) зъбеца tooth *(pl.* teeth); *(на зъбно колело)* cog; *(ексцентрик)* cam; *(на вила, вилица)* prong.

зъбобол *м., само ед.* tooth-ache; *мед.* odontalgia.

зъболекар (-ят) *м.*, -и; **зъболекар-к|а** *ж.*, -и dentist.

зъболечение *ср., само ед.* dental treatment.

зъбя се *възвр. гл., мин. св. деят. прич.* зъбил се show/bare o.'s teeth (на to), snarl (at); *прен.* snap (at).

зъзна *гл.* shiver/shake/tremble with cold.

зъл *прил.*, зла, зло, зли evil, wicked, vicious, malicious, black-hearted, evilminded; fiendish; waspish; **зла умисъл** *юр.* malice prepense; ● **на зла круша ~ ~ прът** a rough customer needs rough handling; tit for tat.

зълв|а *ж.*, -и sister-in-law (o.'s husband's sister).

зървам, зърна *гл.* catch a glimpse of, get a peep of, spot, sight; *разг.* take/have a gander; *sl.* cop a sight (of).

зърнен *прил.* grain *(attr.)*, corn *(attr.)*; frumentatious; **~и храни** cereals, grain.

зърнест *прил.* grainy.

зърн|о *ср.*, -а 1. grain; **~о за посев** seed-corn; 2. *(житни храни)* grain, cereals, corn; 3. *(на броеница и пр.)* bead; 4. *(на гърда)* nipple, teat.

зърнопроизводител (-ят) *м.*, -и grain-producer.

зюмбюл *м.*, -и, (два) зюмбюла *бот.* hyacinth.

зян *м., само ед.* waste; ● **става ~** be wasted; **ставам ~** *(за човек)* throw o.s. away.

зяпам *гл.* gape (at); *(гледам втренчено)* gaze, stare (at); ● **~ някого в устата** hang on s.o.'s lips.

зяпвам, зяпна *гл.* open o.'s mouth; gape (at).

И

и₁ *съюз* 1. and; ~ подобни and the like; ~ тъй нататък and so on; 2. (*също*) also, too; likewise; as well; ~ аз ще бъда там I shall be there, too; I shall also be there; ~ двамата both; ~ тримата all three; 3. (*дори*) even; не съм го ~ видял I haven't even seen him; 4. (*именно*) just, exactly, precisely; така си ~ мислех just what I thought; I thought as much; 5.: ~ ..., ~ both ... and; не... and; 6. *мат.* plus; две ~ две правят четири two plus two make(s) four; ● ~ без това as it is; even then; ~ все пак and yet; ~ така now, so.

и₂ *междум.* 1. so! oh! ~ че кола! (oh.) what a car! 2. (*упрек, досада*) come on! ~, стига! now, stop it!

й 1. (*дат. пад. от* тя) her; казах ~ I told her; 2. *прит. мест.* her; приятелят ~ her friend.

йв|а₁ *ж.*, -и *бот.* (basket) osier (*Salix viminalis*); (*пръчка*) withy, withe.

йва₂ *ж.*, *само ед. текст.* fillet, list, selvage.

йвиц|а *ж.*, -и stripe, strip, band; galloon; (*неправилна*) streak; *архит.* fillet; (*от друг плат*) panel; ~а земя a strip of land; на ~и striped.

иврит *м.*, *само ед.* Hebrew.

игл|а *ж.*, -й needle; spine; *зоол.* spine, quill; *бот.* thorn, prickle, spine, spike; (*на бор*) needle, spine; (*като украшение*) pin; (*за гравиране*) point; *воен.* (*на ударник*) nipple; безопасна ~а safety pin; бод зад ~а backstitch; ~а на спринцовка hypodermic needle; суха ~а *изк.* dry needle; ● от ~а до конец from beginning to end; търся ~а в купа сено look for a needle in a haystack.

игленй|к *м.*, -ци, (два) игленйка; игленйц|а *ж.*, -и 1. pincushion; 2. needlecase.

иглйка *ж.*, *само ед. бот.* primrose, (*дива*) cowslip.

иглокож *прил. зоол.* echinoid; echinate, echinated; ~и *като същ.* echinodermata.

иглолйст|ен *прил.*, -на, -но, -ни *бот.* coniferous; ~ен дървен материал softwood.

йглотерàпия *ж.*, *само ед. мед.* acupuncture.

игнорùрам *гл.* ignore, disregard, (give the) cold-shoulder; take no notice (of); overlook, shut o.'s eyes (to), turn a blind eye (to), pay no attention (to).

йго *ср.*, *само ед.* yoke; (*робство и*) thraldom, servitude, slavery; под ~то under the yoke.

игр|à *ж.*, -й 1. (*на деца; начин на играене в спорта*) play; (*според определени правила*) game; време за ~а playtime; лекоатлетически ~и track-and-field events; олимпийски ~и Olympic Games; хазартни ~и games of chance/hazard, gambling games; 2. (*актьорство*) acting, performance; 3. dance; народни ~и folk dances; 4. *само ед. техн.* (*луфт*) play; clearance; ● ~а на думи pun, a play upon words, quibble, paronomasia; ~а на нерви a war of nerves; ~а на природата a freak of nature; ~ата свърши the game is up; нечиста/нечестна ~а foul play.

игрàл|ен *прил.*, -на, -но, -ни 1. playing, play (*attr.*); ~ен филм (feature) film; 2. gambling; ~ен дом gambling-/gaming-house; casino; *амер.* pool room.

игрàч *м.*, -и player, (*на хоро и пр.*) dancer; баскетболен/волейболен ~ basketballer/volleyballer; ~ на хазартни игри gambler; той е добър/лош ~ на карти he plays a good/poor game of cards.

игрàчк|а *ж.*, -и toy, plaything; ~а на съдбата a ball of fortune; ~а съм на be the sport of; (*оръдие съм на*) be the tool of; магазин за ~и toyshop; това не е ~а it is no trifling matter.

игрàя *гл.*, *мин. св. деят. прич.* игрàл 1. play; (*на* at); be at play; ~ добре (*за спортист*) play a good game, play well; be on o.'s game; ~ на войници play at soldiers; ~ според правилата play the game; 2. (*танцувам*) dance; 3. *театр.* act, play, perform; enact; ~ главната роля star (в in), play the leading/star part; пиесата продължава да се играе the play is still on/running; 4. карти play; (*комар*) gamble; ~ пики *карти* lead spades; ~ със зарове play at/with dice; ~ честно/нечестно play fair/foul; 5. *техн.* play, be loose; 6. (*за очи*) rove; 7. (*за мускул*) twitch; окото ми играе have a twitch in the eye; 8. (*за кон*) prance;

● ~ на борсата play the stock-market, job; ~ по гайдата/свирката на някого dance to s.o.'s tune/pipe; ~ си с нечии чувства dally with s.o.'s affections; сърцето ми играе my heart is in a flutter.

игрек *м.*, *само ед.* the letter y.

игрùв *прил.* 1. playful, tricksy; coltish; gamesome; (*пъргав*) lively, frisky, sportive, sprightly; 2. (*весел*) gay, frolicsome, frolicky.

игрùщ|е *ср.*, -а playground; (*затревено*) field; recreation ground; баскетболно ~е basketball pitch/court; ~е за голф golf-course, golf-links; футболно ~е football field/ground; *амер. разг.* gridiron.

игрослòвие *ср.*, *само ед.*; **игрослòвиц|а** *ж.*, -и pun, play (up)on words.

игỳмен *м.*, -и *църк.* abbot, Father Superior.

игỳменк|а *ж.*, -и *църк.* abbess, Mother/Lady Superior.

йда *гл.*, *мин. св. деят. прич.* йдел go; иди си! go away! ще си ~ I'll go, I'm going; ● иди го спри just try to stop him; you'll have a hard time stopping him; иди-дойди so-so, tolerably well.

йдвам, дòйда *гл.* 1. come; approach, draw near, turn up; (*пристигам*) arrive; ~ на власт come to power, take over; ~ някому на гости come to see s.o.; (*за по-дълго*) come to stay with s.o.; иде ми наум it comes to my mind, it occurs/comes to me; 2. (*следвам*) follow, come after; || ~ си come back, return; ● ~ на себе си come round, come to o.'s senses, recover/regain consciousness, come to; (*окопитвам се*) collect o.'s faculties, pull o.s. together; smooth o.'s ruffled feathers; иде ми да feel like (*c ger.*).

идеàл *м.*, -и, (два) идеàла ideal; (*цел*) goal, object; ~ за красота paragon of beauty.

идеàл|ен *прил.*, -на, -но, -ни 1. ideal; (*съвършен*) perfect; 2. (*нематериален*) notional; fictional; ● ~на част (*от имот*) share; организация с ~на цел non-profit organization.

идеализùрам *гл.* idealize.

идеè|ен *прил.*, -йна, -йно, -йни 1. ideological; ideologically sound; ~йна литература elevated/lofty literature; 2. provisional, preliminary, draft (*attr.*);

~ен проект a preliminary design, a first draft.

йд|ен *прил.*, -на, -но, -ни coming, forthcoming, following, next; в ~ните години in the years to come; ~ния петък/вторник Friday/Tuesday week.

идентификация *ж.*, *само ед.* identification.

идентифицирам *гл.* identify.

идентич|ен *прил.*, -на, -но, -ни identical.

идентичност *ж.*, *само ед.* identity.

идеоло́|г *м.*, -зи ideologist.

идеологич|ен *прил.*, -на, -но, -ни; идеологическ|и *прил.*, -а, -о, -и ideological.

идеоло́гия *ж.*, *само ед.* ideology.

идѐ|я *ж.*, -и idea; (*мисъл*) thought; *амер.* brainstorm, brainwave, wheeze; (*схващане*) view; concept; (*понятие*) notion; ~я фикс fixed idea, obsession; *мед.* monomania; ~ята не му хареса he didn't have much relish for the idea; кой даде ~ята за това? who suggested this? човек с ~и man of ideas.

идили|я *ж.*, -и idyll.

идиом *м.*, -и, (два) идио́ма *език.* idiom.

идиоматич|ен *прил.*, -на, -но, -ни idiomatic; ~ен израз *език.* idiom, an idiomatic expression.

идио́т *м.*, -и; идио́тк|а *ж.*, -и 1. idiot; (*слабоумен*) imbecile; 2. *разг.* (tom)-fool, dolt, dunce, cuckoo, simpleton, ninny, moron, half-wit, mutt, nitwit, nutcake, blockhead, jerk, clot, clunk, driveller; *sl.* dumb-head, dumb-bell; невероятен ~ thundering idiot.

идио́тск|и *прил.*, -а, -о, -и idiotic, inane, half-witted, *sl.* gormless, ditzbrained; ~а работа a piece of idiocy; ~и план hare-brained scheme.

йдиш *м.*, *само ед.* Yiddish.

идол *м.*, -и, (два) йдола idol (*и прен.*), role model.

идолопокло́нни|к *м.*, -ци idolater, worshipper of idols.

из *предл.* 1. out of; from; 2. (*през, в*) in, on, through, over; пътувам ~ цялата страна travel all over the country; tour the entire country; 3. (*по*) along; ~ улицата along the street; ● ~ ден в ден day in day out, day after day, from day to day, every day.

изб|а *ж.*, -и 1. cellar, basement; 2.

(*бордей*) hovel, hole; 3. (*винарска*) wine-cellar, vault.

избавлѐние *ср.*, *само ед.* salvation, rescue; deliverance, riddance.

избавям, изба̀вя *гл.* save, rescue (от from); (*от грях*) redeem; (*освобождавам*) deliver; free (from); extricate (from); (*отървавам*) rid (of); || ~ се save o.s.; get rid (of); get free (from); cut loose; *разг.* shake off; (*избягвам*) escape, get off safely; едва се ~ от опасност have a narrow escape/shave/squeak, escape by the skin of o.'s teeth.

избѐлвам, избѐля *гл.* 1. bleach; 2. peel; 3. *метал.* refine, chill.

избелявам, избелѐя *гл.* fade, become faded, lose colour.

избеля̀л *мин. св. деят. прич.* faded, discoloured; (*безцветен*) achromatic.

избивам, изби́я *гл.* 1. (*убивам*) kill off, slaughter, massacre; exterminate; избиват се за тази книга there is a great rush on that book 2. (*изваждам с удар*) knock/drive/hammer out; (*зъб*) knock out, smash; вратарят изби топката (*при футбол*) the goal-keeper cleared the ball; не мога да избия това от главата си I can't get this out of my head; 3. (*излиза, показва се*) come up; (*за цирей и пр.*) come to a head; ~ навътре *мед.* retrocede; изби ме пот I broke out into a sweat; 4.: ~ на/в turn into; по кожата ми избиха пъпки my skin erupted in pimples; смехът й изби в плач her laughter turned into tears; 5.: избива го на лудост he has fits of madness; избива ме на плач feel like crying; ● избиват ми балансите fly off the handle; blow a fuse; *sl.* flip (o.'s top/wig/lid); blow a gasket; go ape; клин клин избива one nail drives out another, like cures like, fight fire with fire, one fire drives out another's burning.

избира̀ем *сег. страд. прич.* (*и като прил.*) eligible; elective; electable.

избѝрам, избера̀ *гл.* choose; (*най-хубавото*) select, pick out; (*за някаква цел*) single out; (*придирчиво*) pick and choose; (*чрез гласуване*) elect; изберете си take your choice; ~ номер (*по телефона*) dial a number; ~ по вкуса си suit o.s.; тя много избира she is too choosy.

избирател (-ят) *м.*, -и elector; (*гла-

соподавател*) voter; *събир.* the electorate.

избирател|ен *прил.*, -на, -но, -ни selective, elective; electoral; (*изборен*) election (*attr.*); selective; всеобщо ~но право universal suffrage; ~ен пункт/бюро/секция polling station; *амер.* voting precinct.

избѝстрям, избѝстря *гл.* clarify, make clear; (*филтрирам*) filter; || ~ се clarify, become/grow clear; (*за небе*) clear, brighten; (*оформям се*) take form/shape; ● идеите му се избистриха his ideas have matured.

избледнявам, избледнѐя *гл.* 1. grow/become/turn pale, blanch; 2. (*избелявам*) fade, lose colour, become faded.

йзбли|к *м.*, -ци, (два) йзблика outburst, burst, gush, gust, effusion; (*на насилие и пр.*) flare-up; (*на яд, енергия*) fit; ebullition; ~к на гняв a fit of temper/fury/anger; a flash of anger; *разг.* fireworks.

избликвам, избликна *гл.* gush (out, forth), spout/spurt out, spring/burst forth; *прен.* burst forth.

избль́сквам, избль́скам *гл.* 1. push/drive out/away/aside, shoulder (s.o.) aside; (*с лакти*) jostle/elbow out; 2. (*започвам да блъскам*) beat, knock loudly, bang.

избо̀ждам, избода̀ *гл.* 1. prick all over; 2. (*очи*) prick out, gouge out; ● ще ти избоде очите (*а не можеш да го видиш*) it is staring you right in the face.

йзбор *м.*, -и, (два) йзбора 1. choice; (*алтернативна възможност*) option, alternative; по ~ at o.'s choice; голям ~ large selection, wide choice; нямам друг ~ have no option; 2. (*чрез гласуване*) ballot; *мн.* elections; в деня на ~ите on election day; ~ за народни представители parliamentary elections; общи ~и general elections.

йзбор|ен *прил.*, -на, -но, -ни election (*attr.*), electoral; (*подлежащ на избор*) elective; водя ~на борба canvass, campaign, electioneer; ~на длъжност elective office; ~ни резултати outcome of an election; election returns.

избра̀ни|к *м.*, -ци; избра̀ниц|а *ж.*, -и 1. (*представител*) representative, deputy; народен ~к people's representative; 2. (*любим, любима*) sweetheart; (*годеник*) fiancé; (*годеница*

fiancée, bride elect, bride; **3.** (*надарен човек*) elect, gifted/talented person; **~к на съдбата** star-crossed (person).

изброявам, изброя *гл.* enumerate, list; (*отброявам*) count up/off; **~ подробности** go into particulars, particularize.

избръсвам, избръсна *гл.* shave, give a shave (to); finish shaving; || **~ се** shave, have a shave; finish shaving.

избутвам, избутам *гл.* **1.** shove, push out/away/aside; edge out; **~ някого** *разг.* shoulder s.o. aside; **~ с лакти** elbow out; **2.** (*масло*) churn; finish churning; **3.** *разг.* fish out, dig out, produce; get hold of, unearth; ● **избутах изпита** I scraped through the examination.

избухвам₁, избухна *гл.* **1.** burst, go off, explode; detonate; fulminate; *прен.* (*за човек*) fly/get into a temper/ passion; blaze/flare up; flame (up), let fly, let o.s. go; lose (o.s.) head/temper; *разг.* fly off the handle, fly/go into a tantrum, blow a fuse/o.'s top, blow over, blow up (at s.o.), flip, hit the roof, get hot under the collar; (*за кавга*) flare up; **~ в плач** break into tears; **~ в смях** burst into laughter, burst out laughing; **2.** (*за пламък*) blaze up, flare up; (*за пожар, война, епидемия*) break/burst out; **къщата избухна в пламъци** the house burst into flames.

избухвам₂, избухам *гл.* beat out; finish beating.

избухлив *прил.* **1.** explosive; **2.** *прен.* irascible, quick-/hot-/short-tempered; peevish, peppery; *прен.sl.* ratty; *амер.* easy on the trigger; **~ човек** *разг.* spitfire.

избуявам, избуя *гл.* shoot up, grow rank/luxuriant.

избързвам, избързам *гл.* **1.** (*ускорявам*) speed up, hasten up, accelerate; **2.** hurry forward, put on pace; (*изпреварвам*) outdistance; (*за часовник*) be/run fast, gain; **3.** be rash/hasty; *разг.* jump the gun; **не трябва да се избързва с този въпрос** we must not rush/ press this matter.

избърсвам, избърша *гл.* **1.** wipe (clean/dry), dry; (*с кърпа*) mop up; (*нещо много мокро*) sop up; (*под, борд*) swab; (*с гъба*) sponge (up); **~ праха от стола** dust the chair; **~ ръцете си** wipe o.'s hands (clean); **~ че-**

лото си mop o.'s brow; **2.** (*черна дъска и пр.*) erase; wipe clean; (*изличавам*) rub out, erase; || **~ се** wipe o.'s face/hands, etc.

избягвам₁, избягам *гл.* run/get/break away, escape, flee, fly; take (to) flight; make off; get loose; *разг.* cut away, beat it; *полит., воен.* defect (to the enemy); **~ от затвора** escape from prison, break out of prison, break jail; **~ с някого** (*приставам*) elope with s.o.; **той няма да ми избяга** I've got him safe.

избягвам₂, избягна *гл.* **1.** avoid, obviate; shun, avoid, keep away from; give a wide berth to; (*нападение, преследване, наказание*) evade; (*осуетявам*) avert, prevent; (*да правя нещо*) avoid, eschew (*с ger.*), fight shy of (*с ger.*), refrain, abstain (from *с ger.*); (*от задължение, отговорност*) shirk; **за да се избягнат недоразумения** in order to preclude/avoid any misunderstanding; **~ глоба** escape a fine; **~ удар** dodge a blow; **2.** (*въздържам се от*) refrain, abstain (*от* from *с ger.*); eschew (*с ger.*), try not to (*с inf.*); **~ месо** abstain from (eating) meat.

извадк|а *ж.*, **-и** excerpt, extract, sample; passage (*цитат*) quotation; **представителна ~а** cross section.

изваждам, извадя *гл.* **1.** take/bring out; produce; (*издърпвам*) extract, pull out; (*измъквам*) draw/pull out; fish out; (*махвам*) remove, take away; (*с остър инструмент*) gouge (out); (*лук, картофи*) raise, lift; (*револвер*) draw (out); (*вода от кладенец и пр.*) draw, pump, (*от състав*) remove, expel; (*при състезание*) eliminate; (*от списък*) cancel, strike out; (*от ел. контакт*) unplug; (*изпускам*) cut out; **~ от водата** fish/draw out; **~ петно** take out/remove a spot; **~ с корените** root up, uproot; **2.** (*от квартира*) evict, eject; *разг.* kick/turn out; (*от владение*) oust; **3.** (*удостоверение и пр.*) obtain, get, take out, procure, get issued; **4.** *мат.* subtract, deduct; **~ 0 от 50** take 0 from 50; **5.** (*добивам*) extract, obtain; **6.** (*печеля*) make, earn; ● **~ душата на някого** bother/harass/ nag/plague/worry the life out of s.o., torment s.o.; pester s.o.; **~ копие** copy, trace over; **~ на бял свят** bring to light; ferret (s.th.) out; **~ някого от калта**

save s.o. from the gutter; **~ от строя** put out of action, disable, eliminate, knock out.

извайвам, извая *гл.* mould, sculpture; (*с длето*) chisel out, carve.

извара *ж., само ед.* curds, pot/cottage cheese.

изварявам, изваря *гл.* boil, decoct; *мед.* sterilize.

изведнъж *нареч.* **1.** (all) at once; all of a sudden, suddenly, slap-bang; **свършвам/завършвам ~** come to an abrupt end; **2.** (*заедно, едновременно*) at the same time, simultaneously, all together.

извеждам, изведа *гл.* **1.** take/bring out; lead away/off; **2.** (*за път, води*) lead; take; **3.** *лог., мат.* deduce; draw; (*формула*) derive; **~ уравнение** work out an equation; **4.** *прен.* bring (на to); **не ~ на добър край** bring to a bad end; **5.** *канц.* enter in the outgoing register; ● **~ от заблуда** undeceive.

извеждане *ср., само ед. мат.* derivation; **~ в орбита** *косм.* placement in orbit; **~ на данни** *инф.* data output.

изверг *м.*, **-и** monster.

извест|ен *прил.*, **-на, -но, -ни 1.** (well-)-known, familiar; *мат.* known; **доколкото ми е ~но** for all/aught I know, to the best of my knowledge, as far as I know; **~ен съм като честен човек** have a name/character for honesty; **както е ~но** as we know, as is well-known; **правя ~ен** *разг.* put on the map; **2.** (*прочут*) well-known, celebrated, renowned, famous (**с** for); eminent; (*прословут*) notorious (**с** for); **~ен лъжец** notorious liar; **световно ~ен** world-famous, of world renown; **3.** (*някой*) certain; some; **от ~но време** recently, of late, lately; **преди ~но време** some time ago.

извести|е *ср.*, **-я 1.** (*вест*) news (*sg.*), word, *поет.* tidings; (*съобщение*) notice, message; information; (*уведомление*) notification; advice; **не съм имал ~е от него** I have not heard from him, I have had no word from him; **последното ~е, което получихме от него** the last we heard from him; **2.** (*полигр. издание*) bulletin, proceedings; *рядко* gazette, journal.

известност *ж., само ед.* popularity; (*репутация, слава*) reputation, renown, fame; (*лоша*) notoriety.

извест|явам, известя *гл.* notify, inform, advise (**за** of); tell (s.o.), let (s.o.) know; report (to s.o.); apprise (of); (*разгласявам*) announce, give notice of.

изветрявам, изветрея *гл.* **1.** evaporate, vaporize, volatilize; **2.** (*за вещество*) lose its fragrance/smell/taste; (*за вино, бира*) turn flat, become vapid; **3.** *прен.* (*за човек*) become/grow doltish/senile/foolish, dote; **4.** *геол.* (*за скали*) weather, (a)eolate, decay, disintegrate, erode.

изветряване *ср., само ед.* **1.** evaporation; volatilization; **2.** *геол.* erosion, weathering, detrition, aeolation; ~ **на минерал** blooming; ~ **на скали** rock decay.

извивам, извия *гл.* **1.** *прех.* bend, twist, turn; wring; (*глава*) turn; *анат.* flex; ~ **някому врата** wring s.o.'s neck; (*изкълчвам*) sprain, get/put out of joint, dislocate; **2.** (*пране*) wring out; **3.** *непрех.* turn, bend; swerve; curve, twist; (*лъкатуша*) meander, wind; **извийте надясно** (take) a turn to the right; **4.** (*за глас*) sing melodiously, warble; modulate; ‖ ~ **се 1.** curve, turn, bend; (*лъкатуша*) meander, wind; (*гърча се*) writhe (**от** with); wriggle; (*за змия*) coil; (*за червей*) wriggle; (*за да избягна удар*) swerve; **2.** (*за птица*) circle, hover; (*издигам се*) rise, soar; **3.** (*за буря, вятър*) rise, come on/up; ● **хайде да извием едно хоро** let's play a round/chain dance, let's join hands in a round/chain dance.

извивк|а *ж.*, **-и 1.** bend, twist; curvature; flexure; (*завой*) curve, bend, turn(ing); (*на спирала*) whorl; (*усукване във въже и пр.*) kink; (*на ходилото*) arch; **вратна ~а** neck-line, neck-opening; **2.** *муз.* glide, turn, twill.

извиквам, извикам *гл.* **1.** cry/call out, shout, give/utter a cry; **2.** (*повиквам*) call in, send for; (*да се яви*) summon; ~ **лекар** send for a doctor, call (in) a doctor; ~ **някого по телефона** give s.o. a ring, ring s.o. up, get/call s.o. on the phone, phone s.o.; ~ **спомени** bring back/evoke memories.

извинени|е *ср.*, **-я 1.** excuse, apology; pardon; **като/за ~е** by way of an apology; **моля за ~е** I beg your pardon, I (must) apologize, excuse me, I am sorry; **2.** (*обяснение*) apology, explanation;

3. (*оправдание*) justification; excuse; (*частично*) excruciation; (*повод*) pretext; **4.** (*освобождаване от задължение*) excuse (**от, за** from).

извинител|ен *прил.*, **-на, -но, -ни** apologetic; venial; excusatory; **~на бележка** excuse.

извинявам, извиня *гл.* excuse; (*прощавам*) pardon, forgive; palliate; (*оправдавам*) justify; (*освобождавам*) excuse (**от** from); **извинете, че съм с гръб към вас** excuse my back; ~ **се!** извинете! excuse me! (I'm) sorry! pardon me! I beg your pardon!; ‖ ~ **се** apologize, beg/ask pardon; offer an apology (**пред** to); make excuses; **с това той иска да се извини** he is doing that by way of an apology; **той се извини с това, че ...** he excused himself on the ground that ..., he pleaded that ...; ● **да извинявате!** nothing of the kind, nothing doing!

извирам, извря *гл.* **1.** (*за вода*) spring; (*за извор*) issue; (*изобилно*) gush out/forth; (*за река*) rise, take its source (**от** in, from); **парите му като че ли извират** he seems to be rolling in money; **2.** (*изпарявам се*) boil away, evaporate; **3.** *прен.* swarm, teem (with).

извисявам, извися *гл.* raise (high), raise up, build up; lift up; ~ **очи/поглед** lift up o.'s eyes; ~ **се над** tower above, dominate over.

извлечение *ср., само ед.* extract, excerpt; abstract, epitome, digest; **банково ~** bank statement; ~ **от сметка** excerpt from an account, statement of account; ~ **от съдебен протокол** abstract of record.

извличам, извлека *гл.* **1.** pull/drag out/up; haul/lug/tug out/up; (*изпод развалина*) recover; ~ **от водата** fish/draw/drag out; **2.** (*от книга*) extract, excerpt; **3.** (*добивам*) obtain, extract, derive (**от** from); *хим., техн.* educe; **4.** *прен.* derive, deduce; draw; educe; ~ **наслада** derive pleasure; ~ **полза** profit, benefit (from); derive benefit, gain; ~ **поука** learn a lesson (**от** from); **5.** *мат.* extract, find; *инф.* retrieve.

извод *м.*, **-и, (два) извода 1.** conclusion, inference, deduction; **стигам до ~** reach a conclusion, arrive at a conclusion; conclude; **правя прибързани ~и** jump at conclusions; **2.** *ел.* ter-

minal; lead; **означаване на ~и** terminal marking; **решетъчен ~** grid connection.

извозвам, извозя *гл.* **1.** transport; haul; (*с платформа, камион*) truck (away); (*с каруца*) cart (away); (*изхвърлям*) dispose of; **2.** *разг.* dupe, take in, do, take s.o. for a ride.

извор *м.*, **-и, (два) извора** spring; (*източник*) source; *поет.* fount; (*източник на изобилие*) mine; ~ **на познания** fountain/source of knowledge; **минерален ~** mineral spring; (*в курорт*) spa; ● **нека да пием вода направо от ~а** why ask the Bishop when the Pope is around.

извоювам (си) (*възвр.*) *гл.* gain, win; obtain, earn; ~ **си добро име** establish a good reputation; ~ **си положение** make o.'s way, make a position for o.s.; ~ **слава** earn fame.

извратен *мин. страд. прич.* (*и като прил.*) perverted, perverse, depraved; (*изопачен*) distorted; (*погрешно разбран*) misrepresented, misconstrued; (*неестествен*) unnatural, abnormal.

извращавам, извратя *гл.* **1.** pervert, misconstrue, distort, twist; **2.** (*поквирям*) pervert, deprave, corrupt.

извращени|е *ср.*, **-я 1.** perversion; **2.** (*изопачение*) distortion, perversion; misrepresentation.

извръщам, извърна *гл.* **1.** turn away/aside; ~ **нагоре** turn up; ~ **назад** turn round/back; (*очи, лице*) avert; **2.** (*преиначавам*) distort; ‖ ~ **се** turn round/aside/away.

извъждам, извъдя *гл.* breed, raise, rear; ‖ ~ **се 1.** crop up, come up, pop up, come out of nowhere; **2.** (*оказвам се*) turn out, prove to be; develop into; **той се извъди голям философ** *разг.* he set up for/he set himself up as a great philosopher.

извън *предл.* **1.** out of, outside; **2.** (*свръх*) beyond; ~ **всяко подозрение** above (all) suspicion; **работя ~ работното време** work overtime; **това е ~ моите възможности/сили** this is beyond me, *разг.* it beats me; **3.** (*независимо от*) besides; regardless of, irrespective of, independent of; other than; ~ **всякакви правила** regardless of any rules, without regard for any rules; ● ~ **скорост** *техн.* out of gear;

човек ~ закона outlaw.

извънбра̀ч|ен *прил.*, **-на, -но, -ни 1.** (*за дете*) born out of wedlock; illegitimate; natural; **2.** (*за отношения*) extramarital; adulterous; **~на връзка** extramarital relations; criminal conversation; liaison.

извънгабари̇т|ен *прил.*, **-на, -но, -ни: ~ен товар** oversized load.

извънгра̀дск|и *прил.*, **-а, -о, -и** out-of-town, rural, country (*attr.*).

извънзѐм|ен *прил.*, **-на, -но, -ни** (*и като същ.*) extraterrestrial, alien.

извънкла̀с|ен *прил.*, **-на, -но, -ни** extracurricular, out-of-class; **~но четене** home reading.

извънма̀точ|ен *прил.*, **-на, -но, -ни** *мед.* extrauterine; **~на бременност** tubal/ectopic pregnancy.

извънрѐд|ен *прил.*, **-на, -но, -ни 1.** extraordinary; special; (*при особени обстоятелства*) emergency (*attr.*); **~ен посланик/пратеник и пълномощен министър** ambassador/envoy extraordinary and minister plenipotentiary; **~но положение** state of emergency; **2.** (*допълнителен*) additional, extra; supernumerary; **~ен труд** extra hours/work, overtime (work); **3.** (*изключителен, необикновен*) exceptional, extraordinary, special; (*краен*) extreme, utter.

извървя̀вам, извървя̀ *гл.* walk, make; || **~ се** file, go (past); disperse.

извъ̀рвям, извъ̀рвя *гл.* unstring, unthread; || **~ се** come unstrung.

извъ̀ртам, извъртя̀ *гл.* **1.** twist; (*изопачавам*) distort; misinterpret, misrepresent; **~ фактите** palter with facts; **2.** (*шикалкавя*) quibble, equivocate, prevaricate, tergiversate, shuffle; *разг.* pussyfoot.

извъ̀ртан|е *ср.*, **-ия** quibble, quibbling, tergiversation, equivocation, prevarication, subterfuge, shuffle, shuffling; *шег.* circumbendibus.

извъ̀ршвам, извъ̀рша *гл.* (*свършвам докрай*) accomplish, finish, complete; (*правя*) do; (*чудеса, подвизи и пр.*) work, perform, accomplish; (*нещо лошо*) perpetrate, commit; **~ грешка** make a mistake; **~ плащане** effect a payment; **~ услуги** provide a service.

извъ̀ршител (**-ят**) *м.*, **-и; извъ̀ршителк|а** *ж.*, **-и** performer, doer, author;

(*на нещо лошо*) perpetrator; **~ на сексуално престъпление** sex offender.

извя̀хвам, извя̀хна *гл.* fade, wither; droop.

изга̀рям₁, изгоря̀ *гл. непрех.* **1.** burn out/away; (*догарям*) burn low/down; (*умирам при пожар*) burn to death; (*от срам и пр.*) burn (with); **~ на кладата** perish on the stake (*и прен.*); **~ от жажда** be parched with thirst; **~ от любопитство** be on tiptoe with curiosity; **крушката изгоря** the bulb has fused/has burnt out; **2.** (*от слънцето*) get a sunburn, be sunburnt; (*почернявам*) get a tan, become/get brown/tanned, get/become sunburnt; brown; **3.** (*увяхвам*) be parched/scorched, wither; **4.** (*при игра: отпадам*) drop/be out; **5.** (*пострадавам*) burn o.'s fingers; be ruined; be done for; (*изгубвам*) be out of pocket, be in (**с** for); **изгорял съм за него** *ирон.* much I care (about him).

изга̀рям₂, изгоря̀ *гл. прех.* **1.** burn up/down/out/away, burn to ashes, incinerate; commit to flames; (*изразходвам гориво*) burn/use up; (*овъглявам*) burn, char; (*посеви*) burn, parch, scorch; (*за слана*) blight, scorch; (*обгарям*) scorch, singe; (*изпарвам с вода*) scald; *мед.* cauterize; sear; **~ мъртвец** cremate a dead person; **~ на клада** burn on the stake; **много ток сме изгорили този месец** we have a big electricity bill this month; **2.** (*очаровам*) captivate, charm, enchant.

изга̀ряне *ср.*, *само ед.* burning, scorching, scalding, singing, charring; incineration; *мед.* cauterization; (*рана*) burn; *техн.*, *физ.* combustion; (*от слънце*) sunburn.

изга̀свам, изга̀сна *гл.* **1.** go out; be extinguished; die; **2.** pass out; expire, die away.

изгася̀вам, изгася̀ *гл.* **1.** put out, extinguish; (*свещ*) blow out; **изгасете светлината** turn/switch off the light; **2.** (*вар*) slake.

изгла̀ждам, изгла̀дя *гл.* **1.** make level/flat/even/smooth; level, plane; smooth; (*с чукане*) hammer out; (*изълсквам*) finish; polish; **2.** *прен.* (*стил*) polish up, smooth out; **3.** (*уреждам, оправям*) smooth over/away; patch up; settle; **~ взаимоотношения** mend the

fences; **~ разногласия** accommodate differences; **4.** (*с ютия*) iron (out), press, smooth out.

и̇зглед *м.*, **-и, (два) и̇згледа 1.** view; landscape; **далечен ~** vista; **~ от птичи полет** a bird's eye view; **2.** (*външен вид*) appearance, look, aspect; **3.** (*картичка*) picture postcard; **4.** *техн.* elevation, view; **~ в разрез** sectional view; **страничен ~** side elevation; **5.** *обикн. мн.* (*перспективи*) prospects; **~и за бъдещето** prospects for the future; **~и за времето** weather forecast; **той няма ~и да успее** he is not likely to succeed; he stands no chance of success; ● **къщата е с ~ на запад** the house faces/looks west; **прозорецът има ~ към морето** the window looks out on the sea.

изглѐждам₁ *гл.* **1.** look; appear, seem; **~ като него** I resemble him, I look like him; **~ отлично** *разг.* look a treat; **как изглеждаше?** (*на вид*) what did he look like? **нещата са по-сложни, отколкото изглеждат** there's more to it than meets the eye; **2.** *безл.* it appears/seems/looks; **изглежда, че ще дойде** it seems he will come; **както изглежда** presumably, to all appearances, in all probability; **така изглежда** it seems so, it looks like it; so it seems/appears.

изглѐждам₂, изглѐдам *гл.* **1.** examine (closely), scrutinize; look over, survey; give s.o. a look; **~ от главата до петите** examine/survey from top to toe, measure (s.o.) with o.'s eyes, look/eye (s.o.) up and down; **2.** (*отглеждам*) bring up, rear; ● **изгледаха ми се очите за тебе** I've been waiting and waiting for you.

изгна̀ние *ср.*, *само ед.* exile; (*прокуда*) banishment; **пращам в ~** exile, banish, expatriate, send/drive into exile.

изгна̀ни|к *м.*, **-ци; изгна̀ниц|а** *ж.*, **-и** exile; outcast; (*човек, обявен извън закона*) outlaw.

изгни̇вам, изгни̇я *гл.* decay, rot (away); putrefy; (*разлагам се*) decompose; ● **ще изгние в затвора** he'll rot in prison.

изгова̀рям, изгово̀ря *гл.* pronounce, utter, say; *физиол.* articulate; (*ясно*) enunciate; (*изричам*) voice.

изго̀да *ж.*, *само ед.* benefit, interest; (*преимущество*) advantage; (*полза*)

use, avail; (*печалба*) gain, profit; **извличам ~ от** obtain/derive benefit from, gain/benefit from.

изго̀д|ен *прил.*, **-на, -но, -ни** advantageous; (*доходен*) profitable; lucrative; remunerative; paying; gainful; (*за нечестни дела*) cosy; (*благоприятен*) favourable; **взаимно ~ен** mutually beneficial/advantageous; **~ни условия** soft terms.

изго̀нвам, изго̀ня *гл.* chase/drive away/out; (*изпъждам*) expel (from), turn out (of), oust; turn/throw s.o. out bag and baggage; *разг.* kick out (of); (*от събрание*) order (from), *разг.* chuck out, bounce (from); (*отпращам*) send away/off/packing/flying, send about his business; (*футболист*) give s.o. marching orders; (*адвокат от съдебната зала*) *амер.* forejudge; **~ от жилище/квартира** evict; **~ от къщи** turn out of the house; **~ от страна** exile, expatriate, extradite, banish (from the country); **~ученик от класната стая** order a boy out of the classroom.

изгоря̀л *прил.*, **-а, -о, изгорѐли** burned, burnt; scorched; (*от слънцето*) sunburnt; (*почернял*) brown, tanned, bronzed; **мирише ми на ~о** I (can) smell something burning.

изго̀твям, изго̀твя *гл.* make; prepare; (*план*) work out, draw up.

изгра̀ждам, изградя̀ *гл.* **1.** build, erect, construct; set up; **~ основите на** build/lay the foundations of; **предложение, изградено на** an assumption based on; **2.** *прен.* build up, form; **~ теория** work out/formulate a theory.

изгра̀ждане *ср.*, *само ед.* building, constructing, setting up; construction, erection.

изгрѐбвам, изгреба̀ *гл.* scrape up; (*с черпак*) scoop up; (*с лъжица*) ladle out; (*с гребло*) rake up/out/away; (*вода от лодка*) bail/bale out.

ѝзгрев *м.*, **-и, (два) ѝзгрева 1.** sunrise; (*утро*) dawn; crack of day; **~ на Луната** moonrise; **2.** (*изток*) east.

изгрѝзвам, изгриза̀ *гл.* **1.** finish gnawing/nibbling; gnaw clean; gnaw away/off; **2.** (*прегризвам*) gnaw through, nibble through; gnaw a hole/holes in; (*унищожавам с гризане*) gnaw (to shreds); **ноктите му бяха съвсем из-**

гризани his nails were bitten to the quick.

изгря̀вам, изгрѐя *гл.* rise; come up; appear; • **слънцето изгрява от/на изток** the sun rises in the east.

изгу̀бвам, изгу̀бя *гл.* lose; (*забутвам някъде*) misplace, mislay; (*пропилявам*) waste, fritter away; **~ кураж/смелост** lose courage/heart; despond; **~ навик** get out of a habit; **~ право** forfeit a right; **~ пътя** lose o.'s way, go astray; **~ сила** (*за закон и пр.*) become invalid, lose (its) validity/force; **~ ума и дума** be panic-stricken; be flabbergasted; *разг.* get into a flap; freak out; **не ~ от очи** keep in sight; not lose track of; || **~ се** be/get lost; go astray, lose o.'s way; lose o.s.; (*изчезвам*) disappear, be lost to sight; **автобусът се изгуби от погледа ни** the bus drove out of sight; **къде се изгуби цяла година?** where have you been this year?

изгъ̀лтвам, изгъ̀лтам *гл.* swallow up/down; (*лакомо*) gobble/gulp/wolf down; bolt; *прен.* devour.

изгъ̀рбвам се, изгъ̀рбя се *възвр. гл.* bend o.'s back, bend down, stoop; crouch; (*за котка и пр.*) arch o.'s back; (*ставам гърбав*) become hunch-backed/humpbacked/humped.

изгърмя̀вам, изгърмя̀ *гл.* **1.** непрех. go off, explode; *разг.* go bang; (*прогърмявам*) thunder, bang off; **изгърмя пушка** a gunshot was heard; **2.** *прех.* fire off; discharge; **~ си патроните** *прен.* shoot o.'s bolt; • **изгърмях с една хилядарка** I've been let in for a thousand, I'm a thousand levs out of pocket.

изда̀вам, изда̀м *гл.* **1.** (*звук*) give out, emit, produce; (*миризма, топлина, светлина*) emit, give out/off, send forth/out; (*вик*) utter, give; **2.** (*върша предателство*) betray, give away; (*изказвам тайна*) reveal, betray, disclose, let out, divulge, give away, tell, blab; *разг.* spill the beans, let the cat out of the bag; give the game away; *sl.* blow the gaff; (*на полицията*) *разг.* squeal (on s.o.), grass (on), finger; **3.** (*показвам, доказателство съм за*) betray, reveal, show, speak of; **4.** (*книги и пр.*) publish, print; issue; **5.** (*закон*) publish; (*декрет, наредба, удостоверение, пари и пр.*) issue; (*кви-*

танция, паспорт, разписка) give; (*присъда*) pass (**срещу** on); **6.** (*изпъчвам*) stick out, thrust forward/out; || **~ се 1.** (*тайната си*) betray o.s., give o.s. away, let out o.'s secret; **2.** (*показвам се напред*) stick/jut out, project, protrude.

изда̀ване *ср.*, *само ед.* **1.** (*на книги*) publication, publishing; **2.** (*на миризма*) emission; **3.** (*изпъкване напред*) protrusion; **4.** (*на тайна*) disclosure; talebearing; giveaway; (*предателство*) betrayal; **~ на виза** issue of a visa; **~ на лицензи** granting of licenses; **~ на съдебно решение** exit of a writ.

изда̀йнича *гл.*, *мин. св. деят. прич.* **изда̀йничил** tell secrets/ tales.

изда̀йническ|и *прил.*, **-а, -о, -и** treacherous, traitorous; telltale (*attr.*); **-а миризма** telltale smell.

издалѐко и **издалѐче** *нареч.* **1.** from afar/far, from a distance; **2.** *прен.* in a roundabout way.

изда̀ни|е *ср.*, **-я** publication, edition, issue.

изда̀тел (-ят) *м.*, **-и** publisher.

изда̀телск|и *прил.*, **-а, -о, -и** publisher's, of a publisher; publishing (*attr.*); **~и договор** publication contract; **~о каре** colophon.

изда̀телств|о *ср.*, **-а** publishing house/ company; publisher(s).

издатин|а *ж.*, **-и; изда̀ть|к** *м.*, **-ци**, (*два*) **изда̀тъка** projection, bulge, protrusion, protuberance, jut; ledge; (*нос на бряг*) promontory, cape; (*подутина*) swelling.

издѐбвам, издѐбна *гл.* take by surprise, take/catch unawares, catch (in the act), surprise; (*дивеч*) stalk; **~ удобния момент** choose an opportune moment, seize the moment.

издева̀телствам *гл.* commit outrages (**над** over, against).

издева̀телств|о *ср.*, **-а** outrage; violence.

издѐйствам *гл.* secure, procure; (*получавам*) obtain, get.

издѐли|е *ср.*, **-я** article; product; **занаятчийски ~я** handicraft articles/ wares; **захарни ~я** confectionery; sweets; **~е за еднократна употреба** single-use product; **промишлено ~е** industrial product; **ръчни ~я** handmade articles, handwork, handiwork.

издѝгам, издѝгна *гл.* **1.** raise; (*повдигам, качвам*) lift (up); take/carry/draw/pull up; (*с механизъм*) hoist; (*изправям*) raise, set up; (*извишавам*) lift; ~ **глас на протест** lift up/raise a voice of protest; ~ **кандидатурата на някого** nominate s.o., put forward s.o.'s candidature, put s.o. up (**за** for); **2.** (*изграждам*) build, erect, construct, raise; (*паметник*) erect, put up, raise (**на** to); **3.** (*подпомагам*) raise, give a lift, help up; ~ **някого в живота** help s.o. (rise) in life, promote s.o.'s advance in life, give s.o. a lift in the world; || ~ **се 1.** rise (*и прен.*), ascend; go/come up; (*израствам в йерархията*) climb up the ladder; (*прославям се*) rise to eminence; ~ **се в очите на хората** rise in the esteem of the people; ~ **се на повърхността** rise to the surface; **2.** (*извишавам се*) rise (**над** above, over), tower (above), overtop (**над** -); ~ **се на 6000 метра** rise to an altitude of 6000 metres.

издѝрам, издерà *гл.* **1.** scratch/claw all over; **ще ти издера очите** I'll scratch your eyes out; **2.** (*късам*) tear (to pieces), rend; || ~ **се** scratch o.s., get scratched (all over).

издѝрвам, издиря *гл.* **1.** find, discover; search; trace; (*проследявам*) track out/down; (*след дълго търсене*) ferret out; dig out; **2.** (*проучвам*) investigate (into); inquire (into); explore.

издѝрван|е *ср.,* **-ия 1.** discovery; tracing down; **-е на факти** fact-finding; **2.** investigation, inquiry; exploration; (*търсене*) search; **извършвам ~е** inquire (into), carry out an investigation (into).

издихани|е *ср.,* **-я** breath; expiration; exhalation; **до последно ~е** to the last (breath); (*при неуспех*) to the bitter end.

издѝшам *гл.* **1.** (*за автомобилна гума и пр.*) let out air; be punctured; **2.** *прен.* be below the mark, be below par, *разг.* be no great shakes; **тук нещо издиша** there's something wrong here; **3.** (*на края на силите си съм*) be at the last gasp, be at the end of o.'s tether, falter.

издѝшвам, издѝшам *гл.* exhale, breathe out, expire.

издѝшван|е *ср.,* **-ия** breathing out,

exhalation, expiration.

издокàрвам, издокàрам *гл.* dress up, doll up, rig out/up, deck out; *амер. sl.* gussy up; || ~ **се** dress up/out, doll up, get o.s. up, put on o.'s Sunday best; **много се** ~ overdress.

издойвам, издой *гл.* milk; (*привършвам доенето*) finish milking; *прен.* fleece, skin (s.o.).

издрàсквам, издрàскам *гл.* **1.** (*повсеместно*) scratch/claw all over, cover with scratches; **2.** (*одрасквам*) scratch, claw; || ~ **се** get scratched (all over); (*много*) get badly scratched.

издребнявам, издребнѐя *гл.* become petty, split hairs, stickle.

издрѦжк|а *ж.,* **-и** maintenance, cost(s); support; upkeep, keep; means of livelihood, sustenance; *юр.* (*на съпруга след развод*) alimony; (*на бивш небрачен партньор*) palimony; (*на дете*) support money; (*на студент и пр.*) allowance; **завеждам дело за ~а** sue for alimony; **тя е на своя ~а** she earns/makes her own living.

издрѦжлѝв *прил.* (*за човек*) tenacious; tough; hardy, resilient; enduring, tireless, fatigueless; robust; (*за кола*) reliable; ~ **цвят** fast colour; **много съм ~** have great powers of endurance.

издрѦжлѝвост *ж.,* *само ед.* tenacity, endurance; hardness; stamina; resilience; grit, staying power; (*устойчивост*) resistance (to).

издувам, издуя *гл.* inflate, blow up, swell; bulge (out); || ~ **се** be inflated; bulge (out), swell out; (*отичам*) swell up; *мор.* (*за платна*) fill out; • **издува ме смях** I feel like laughing, I can hardly restrain my laughter.

издутин|à *ж.,* **-й** swelling, bump; bulge, protuberance; *биол.* gibbosity.

издухвам, издухам *гл.* blow away/off/out; (*отнасям*) sweep away; ~ **носа си** blow o.'s nose.

издушвам и издушàвам, издушà *гл.* strangle, smother (many, all); **ще се издушим в тази стая** we're going to suffocate in this room.

издълбàвам, издълбàя *гл.* excavate, hollow out; (*изсичам*) hew out; (*отвътре*) hollow out; (*с пръсти и пр.*) gouge (out); (*малка резка*) notch; **водата е издълбала част от основите** the water has washed away part of the

supports; ~ **с длето** chisel out, cut out, carve; (*гравирам*) engrave.

издължавàм, издължà *гл.* pay back/off, clear off, redeem; liquidate; || ~ **се** pay for o.'s debt(s); liquidate debts/o.'s obligations; ~ **се за услуга** return a favour.

издѦнвам, издѦня *гл.* knock out the bottom of; (*пробивам*) break; pierce; **това ще издъни пода** this will break through the floor; **ударът издъни кораба** the bottom of the ship gave way under the impact; || ~ **се** give way at the bottom, come off at the bottom.

издѦнк|а *ж.,* **-и 1.** offshoot, sprout, shoot; **2.** *бот.* (*при братене*) tiller; (*от кореновата система*) sucker; **3.** *прен.* offspring; scion.

издѦржам, издѦржà *гл.* **1.** (*понасям*) stand (up to), endure, bear; (*не отстъпвам, устоявам на*) sustain, withstand, stand, bear, endure; bear up, hold out (**на** against); *разг.* tough out; (*съпротивлявам се*) withstand, resist; (*в отриц. изречения, не устоявам*) give in/way, yield, succumb (**на** to); break down; (*не се счупвам*) bear; (*не падам*) stand; ~ **на болка** bear up against pain; **не ~ на изкушение** give way to temptation, yield/succumb to temptation; **не издържах** *sl.* I couldn't hack it; **тя не издържа и се разплака** she broke down and cried; **2.** (*поддържам*) maintain, support; provide for; ~ **децата си в университет** see o.'s children through university; **3.** (*изпит*) pass, take; || ~ **се** earn/make o.'s own living, be self-supporting, fend for o.s., provide for o.s.; **сам се ~ в университета** work o.'s way through university; • **не издържа критика** this is beneath criticism.

издѦржàн *мин. страд. прич.* (*и като прил.*) satisfactory, up to standard/requirement, up to the mark; (*за довод*) well sustained, sound; **художествено** ~ of great/high artistic merit.

издѦрпвам, издѦрпам *гл.* (*навън*) pull/draw out; (*настрана*) pull away/aside; (*нагоре*) pull/heave/haul up.

издѦхвам, издѦхна *гл.* breathe o.'s last, gasp out o.'s life, pass away, expire, die.

издѦвам, издяна *гл.* unthread (a needle).

издя́лвам, издя́лам *гл.* (*с нож*) whittle down; (*отстранявам чрез дялане*) whittle off/away; (*грубо*) hack down/away; (*греда*) smooth/square by hewing, rough-hew; ~ **с длето** chisel (out), carve (**от** out of).

изживя́вам, изживе́я *гл.* 1. (*преживявам*) live through, go/be through, undergo; (*изпитвам*) experience; (*изстрадвам*) suffer, endure; 2. (*преживявам*) live through, survive, outlive, live; **той е изживял живота си** he has had his day; the best part of his life is over; 3. (*превъзмогвам*) overcome; **всички тези неща ще се изживеят** all these things will pass/will be forgotten; **неща, които не са изживени от миналото** survivals from the past.

изжълтя́вам, изжълте́я *гл.* grow/become/turn yellow.

иззад *нареч.* from behind.

иззе́мвам, иззе́ма *гл.* 1. take away, confiscate, seize; (*в полза на обществото*) expropriate; distrain; commandeer; ~ **от обращение** withdraw from circulation; ~ **пълномощията на** disaccredit; (*вземам всичко*) take (all).

иззи́двам и **иззи́ждам, иззи́дам** *гл.* 1. build; 2. finish building.

изигра́вам, изигра́я *гл.* 1. play; act; (*завършвам*) play to the end, finish (playing/acting); ~ **ролята си със съвършенство** top o.'s part; **това е изиграло ролята си** it has had its day, it has served its purpose; 2. (*измамвам*) cheat, take in, dupe, fool, bamboozle, play a trick on, pull a fast one (on s.o.); *разг.* finagle; *sl.* cod; wipe s.o.'s eye; (*надхитрявам*) outwit; ~ **лош/мръсен номер на някого** play a dirty trick on s.o.; **изиграват ме при покупка** buy the rabbit.

изи́скан *прил.* 1. (*изтънчен*) refined, elegant, exquisite, distinguished, urbane; courtly; cultivated; (*прекомерно*) fastidious; (*издържан*) excellent; (*с добър вкус*) in good/excellent taste, tasteful, snappy; ~**и маниери** polished/refined manners; 2. (*поискан*) demanded, requested, required, asked for.

изи́сквам, изи́сквам *гл.* 1. demand, exact, require; insist on (*с ger.*); (*налагам*) enjoin; (*плащане и пр.*) *фин.* call; ~ **много от подчинените си** be very exacting toward o.'s subordinates;

2. *безл.* (*потребно е*) require, call for; **както изисква вежливостта** consistent with politeness; **това изисква време** that takes time.

изи́скван|е *ср.*, -**ия** 1. requirement; 2. (*искане*) demand, request; 3. (*предписание, правило*) regulation, rule; 4. *само мн.* requirements; (*нужди*) needs; **хигиенни ~ия** sanitary requirements.

изка́звам, изка́жа *гл.* 1. express, say, voice; ~ **мнение** express an opinion; ~ **предположение** suggest; ~ **съболезнования** present o.'s condolences; 2. (*тайна*) betray, give away; (*издавам*) reveal, disclose, let out; (*някого*) betray, give away, tell on, inform against, let the cat out of the bag *sl.* give the show away; ~ **и майчиното си мляко** he'll cough up his mother's milk; || ~ **се** speak, state/express o.'s opinion/views; *книж.* opine; (*на събрание*) speak, make a statement; (*без покана*) *разг.* sound off; (*вземам становище*) declare, pronounce (**за** for, **против** against); ~ **се открито** speak freely/openly; **не може да се изкаже с думи** it baffles expression, words cannot express it.

изка́зван|е *ср.*, -**ия** 1. statement, pronouncement; (*на конгрес и пр.*) speech, contribution; **публично ~е** (public) utterance; 2. (*изразяване*) expression.

изка́лвам, изка́лям *гл.* muddy, dirty, soil; bemire; || ~ **се** get dirty/muddy.

изка́пвам, изка́пя *гл.* 1. bespatter; 2. *прен.* (*отпадам*) drop (with fatigue); drop out; 3. (*за плодове, листа*) drop, fall off; (*за коса*) fall out.

изка́рвам, изка́рам *гл.* 1. (*извеждам*) take/bring/carry out; (*издърпвам*) pull out; (*изгонвам*) drive/turn out; (*от квартира*) evict, eject, move out, *разг.* kick out; ~ **добитък на паша** lead cattle to pasture; ~ **от строя** put out of action/service; 2. (*печеля*) earn, make; get; ~ **хляба/прехраната си** make a living, make o.'s living; **от това се изкарват добри пари** it is a nice/good earner; 3. (*завършвам*) finish, complete; be through with; get (s.th.) over; ~ **военна служба** serve o.'s time/term in the army, do/finish o.'s military service; ~ **докрай** bring to a close/to an end; 4. (*изготвям, правя*) turn out, produce, make; (*подгот-*

вям – специалисти и пр.) turn out; 5. (*представям като*) make out (to be); ~ **някого крив** lay the blame on s.o., put s.o. in the wrong; ~ **черното бяло** talk black into white; 6. (*прекарвам време*) spend, stay; 7. (*болест*) have; pull through, get over; (*трае*) last out, do; (*за човек – живее*) live through, last; **децата изкараха скарлатина** the children had scarlet fever; 8. (*пораствам*) shoot forth, sprout; grow; 9. (*билет, документ*) get, obtain, procure, take out; ● ~ **душата на някого** bother/harass/nag/plague/worry the life out of s.o., torment s.o.; pester s.o.; ~ **из търпение** exasperate; ~ **на бял свят** bring to light.

изка́тервам се, изка́теря се *възвр.* *гл.* clamber up; climb up; (*с мъка*) toil/labour/work up, scramble up.

изка́чвам, изка́ча *гл.* 1. bring/take/carry/haul up; 2. (*височина, стълба*) go up, climb up; ascend; || ~ **се** climb, go up, ascend; (*по стена и пр., със стълба*) scale; (*за повърхност*) slope upwards, ascend; ~ **се на върха** climb the peak, go up the peak.

изка́шлям *гл.* cough out/up; *мед.* expectorate; || ~ **се** clear o.'s throat, cough.

изкипя́вам, изкипя́ *гл.* 1. boil over; 2. allow to boil over.

изки́свам, изки́сна *гл.* soak, steep.

изклю́чвам, изклю́ча *гл.* 1. (*отстранявам*) expel (**от** from); turn out (of); (*временно*) suspend; (*адвокат от колегия*) disbar; (*от права и пр.*) debar (s.o. from s.th.); (*лишавам от членство*) dismember; ~ **от състезание** disqualify; **като изключим всичко това** barring all this; 2. (*не допущам*) exclude, eliminate, shut out (**от** from); except; (*нещо да е станало*) rule out; (*от обмисляне, разискване и пр.*) bar; (*предотвратявам, правя невъзможно*) preclude; bar; foreclose; forbid; **за да изключим всички съмнения** (so as) to preclude all doubt; **не ~ възможността ...** I do not rule out the possibility ...; 3. *техн., ел.* switch/turn off; disengage; (*чрез кран*) shut/turn off; (*с щракване*) flick/flip off; ~ **мотора** shut off/stop the engine; ~ **телефона си** disconnect o.'s telephone; ● **взаимно изключващи се** mutually incompatible.

изключѐни|е *ср.*, -я exception; всички, с ~е на един all but one; ~е от правилото exception to the rule; по/ като ~е as an exception, for once.
изклю̀чено *нареч.* impossible; (it is) out of the question; (this is) ruled out; *разг.* no way; не е ~ да it is possible/ conceivable that, it may well be that.
изключѝтел|ен *прил.*, -на, -но, -ни 1. exceptional; (*необикновен*) unusual; extraordinary; (*превъзходен*) superb; (*на личност* outstanding personality; ~но внимание exquisite care; 2. (*единствен*) exclusive; sole; ~ен представител exclusive agent; ~но право exclusive right; monopoly (over).
изкова̀вам, изкова̀ *гл.* 1. forge, hammer out; *прен.* mould, shape, form; 2. *прен.* (*измислям*) invent, fabricate.
изко̀н|ен *прил.*, -на, -но, -ни 1. (*много стар*) (age-)old, ancient; (*за враг*) old; (*за желание*) long cherished; 2. (*първоначален*) original.
ѝзкоп *м.*, -и, (два) ѝзкопа excavation; diggings; (*канавка, ров*) ditch; (*около замък*) moat; (*при укрепление*) fosse; (*за основи на къща*) foundations.
изкопа̀вам, изкопа̀я *гл.* excavate, dig up/out; (*съкровище, находка*) delve up/out; (*прекопавам*) dig up, (*с мотика*) hoe, (*с лопата*) spade, (*с кирка*) pick; (*руда и пр.*) mine; (*намирам чрез копаене*) dig up, unearth; (*мъртвец*) exhume, disinter, disentomb.
изкопа̀еми *само мн.* ores and minerals (*също:* полезни ~); mineral resources/wealth; горивни полезни ~ anthracites; изкопаемо гориво fossil fuel; нерудни ~ nonmetallic minerals.
изко̀пчвам, изко̀пча *гл.* wring out; elicit, draw out, wrench out; extract, prize out; (*с тормоз*) extort (от from); (*с подпитване*) worm out; || ~ се extricate/disengage o.s.; slip away, wrench o.s. free; ~ се от някого *разг.* give s.o. the slip.
изкореня̀вам, изкореня̀ *гл.* uproot, eradicate, root up/out; grub up; extirpate; *прен.* extirpate, eradicate, cut off root and branch; exterminate; *книж.* deracinate; ~ злото banish evil; ~ пороци eradicate vice; ~ престъпността extirpate crime.

изко̀рмям и изко̀рмвам, изко̀рмя *гл.* draw, disembowel, eviscerate; (*риба*) gut.
изко̀со *нареч.* aslant, askance, askant; obliquely; гледам ~ look askance at; look from under o.'s eyebrows.
изкрещя̀вам, изкрещя̀ *гл.* scream (out), shriek; utter a shriek; (*заплашително*) thunder (на at).
изкривя̀вам, изкривя̀ *гл.* 1. bend, curve, crook; (*накланям*) tilt, tip (on one side); (*слагам, режа накриво*) put/cut askew; (*изкорубвам*) warp; (*деформирам*) deform; 2. (*изопачавам*) distort, twist, misrepresent; || ~ се 1. bend, warp; become bent/warped; 2. (*накланям се*) incline, lean, list; (*за параход*) heel, list; (*поддавам*) sag; ● ~ се от смях double up with laughter.
изкривя̀ване *ср.*, *само ед.* 1. bending, tilting; warping; bend, curve, curvature; warp; twist; 2. (*изопачаване*) distortion, misrepresentation.
изкря̀ква, изкря̀кам *гл.* (*за жаба*) croak; (*за гарга*) caw, squawk; (*за гъска*) gabble, gaggle; (*за патица*) quack; (*карам се*) scold, shout, yell.
изку̀пвам, изку̀пя *гл.* 1. (*купувам обратно*) buy back; 2. *прен.* (*грешка*) expiate, atone (for); (*компенсирам*) compensate, outweigh, offset, redeem, make amends (for).
изкупва̀ч *м.*, -и purchaser, buyer.
ѝзкуп|ен *прил.*, -на, -но, -ни purchase (*attr.*); delivery (*attr.*); ~на цена purchase price.
изкупѝтел|ен *прил.*, -на, -но, -ни redeeming, redemptive, purgative, expiatory, atoning; ~на жертва sin offering; *прен.* scapegoat, whipping-boy; *разг.* fall guy.
изкуплѐние *ср.*, *само ед.* redemption; expiation, atonement.
изкупу̀вам, изку̀пя *гл.* buy up.
ѝзкус|ен *прил.*, -на, -но, -ни skilful (at s.th., in doing s.th.), clever (at s.th., at doing s.th.); skilled (in s.th., in doing s.th.), expert (at s.th., in s.th., in doing s.th.); adroit, light-fingered, dexterous, versed (in).
изкусѝтел (-ят) *м.*, -и tempter; (*прелъстител*) seducer.
изкусѝтел|ен *прил.*, -на, -но, -ни tempting, alluring, enticing; seductive.

изкусѝтелк|а *ж.*, -и temptress; vamp.
изку̀ствен *прил.* 1. artificial; (*за бижу*) imitation, paste (*attr.*); (*за зъби, коса*) false, artificial; ~ тор chemical fertilizer; ~а кожа artificial/imitation leather, leatherette; ~о хранене artificial feeding, (*на бебе*) bottle-feeding; 2. (*неестествен, принуден*) artificial, unnatural, affected; studied; forced, constrained.
изку̀ств|о *ср.*, -а 1. art; бойни ~а martial arts; изобразителни/изящни ~а the (fine) arts; pictorial/imitative/plastic arts; произведение на ~ото a work of art; 2. (*умение*) skill, mastery, proficiency; с голямо ~о very skilfully; ● от любов към ~ото for the fun/love of it; по всички правила на ~ото according to the rules.
изкуствовѐд *м.*, -и art critic; art expert/specialist; student of art.
изкуствозна̀ние *ср.*, *само ед.* study/ science of art, art criticism.
изкуша̀вам, изкуша̀ *гл.* tempt, allure; (*прелъстявам*) seduce; ~ някого throw/put temptation in s.o.'s way; || ~ се be tempted.
изкушѐни|е *ср.*, -я temptation; въвеждам в ~е lead into temptation; поддавам се на ~е yield to temptation.
изкъ̀лчвам, изкъ̀лча *гл.* 1. dislocate, put out (of joint), disjoint, luxate; (*навяхвам*) sprain; 2. *прен.* distort, twist, pervert.
изкъ̀пвам, изкъ̀пя *гл.* (*дете, болен*) bath(e), give a bath (to); (*животно*) wash, give a wash (to); дъждът здравата ме изкъпа I got drenched/soaked in the rain; || ~ се have/take a bath, bathe; (*в река, море*) bathe.
изкъ̀рпвам, изкъ̀рпя *гл.* patch up, mend up; ~, без да личи fine-draw; ~ чорапи darn stockings/socks.
изкъ̀ртвам, изкъ̀ртя *гл.* 1. (*откъртвам*) dislodge, pick loose, tear up/out; (*зъб*) knock out; 2. (*насилствено отварям*) break open, pry open; prize open, force, burst in; 3. (*правя дупка*) knock a hole (в in).
изкъ̀со *нареч.*: държа ~ keep a firm hand (on s.o.).
изла̀гам, изло̀жа *гл.* 1. exhibit, expose, place on show; hang; (*стока и пр.*) exhibit, expose, lay out, (*картина и пр.*) display, show, set out; (*теория*

enounce, enunciate; ~ **на видно място** give prominence/pride of place to; **2.** (*на опасност и пр.*) expose (**на** to), (*на присмех и пр.*) hold up to; (*на критика, нападки*) lay open to; ~ **живота си на опасност** risk o.'s life; **3.** (*изразявам*) express, present, set forth, state; (*подробно*) set out; (*обяснявам подробно*) set forth, explain, expound; ~ **мислите си** express/present/ formulate o.'s ideas; ~ **факти** state/ relate/ adduce facts; to state/argue o.'s case; **4.** (*компрометирам*) discredit; expose; bring into discredit; **не се излагай!** behave yourself! || ~ **се 1.** expose o.s., be exposed; ~ **се на опасност** run a risk; **2.** (*изразявам се*) express o.s.; **3.** (*компрометирам се*) discredit o.s.; make a fool/an ass/an exhibition of o.s.; **не се** ~ (*представям се добре*) live up to o.'s reputation.

йзлаз *м.*, *само ед.* outlet; (*изход*) exit; ~ **на море** outlet on the sea, sea outlet; **страна без** ~ **на море** land-locked country.

излàпвам, излàпам *гл.* gobble up, swallow; devour; *разг.* polish off, bolt down, wolf (down).

излежàвам, излежà *гл.* (*присъда*) serve/do time; || ~ **се** lie/loll/stay/remain in bed; rise late; have a lie-in; (*мързелувам*) loll, lounge, idle.

излекỳвам *гл.* cure (*и прен.*), heal (**от** of); restore to health; ~ **някого от лош навик** break s.o. of a bad habit; || ~ **се** be cured (**от** of); get well, recover, be restored to health.

йзлет *м.*, **-и**, (**два**) **йзлета** picnic; outing; (*екскурзия*) hike, excursion, jaunt.

излетявам, излетй *гл.* **1.** fly off/away; (*за самолет*) take off; **2.** *прен.* rush off/out, dash out, dart away/off; **3.** *хим.* evaporate, volatilize.

изливам, излѐя *гл.* **1.** pour out; empty; ~ **в мивката** throw s.th. down the drain; ~ **вода върху** throw water on; **2.** (*метал и пр.*) cast; (*правя отливка*) mould, found; **3.** *прен.* vent, unleash, give vent (to); ~ **мъката си** unburden o.'s heart, unbosom o.s. (**пред** to); ~ **яда си** give vent to o.'s anger; || ~ **се** pour out, run out, flow, stream; **дъждът се изля като из ведро** the rain lashed down in torrents, it was pouring cats and dogs; ● **гневът му се**

изля върху животното his fury descended on the animal.

излѝзам, излязà *гл.* **1.** come out; go out (**от** of, **през** at); come/be out; step/ walk out; *театр.* exit, make o.'s exit; ~ **в открито море** put out to sea; ~ **на въздух** go out for a breath of (fresh) air, take an airing; ~ **начело** come to the fore, take the lead; **не** ~ **от къщи** stay in; **2.** (*извежда, за улици*) lead (into, onto); (*за врата*) open on (to)/ into; give on; **3.** (*напускам*) leave; **4.** (*отпадам*) drop out (**от** of); ~ **от строя** fall out of line; *прен.* drop out, be no use; **5.** (*появявам се*) appear, come out; (*от скрито място*) emerge (**от** from), come out (of); (*за драма, изрив и пр.*) come out; (*за книга*) appear, be published, come/be out; (*за плодове и пр.*) be out, appear on the market; (*за вятър, буря*) rise; ~ **на повърхността** emerge/rise/come to the surface, (*за подводница, водолаз*) surface; *геол.*, *мин.* outcrop; ~ **на сцена/в роля/пред съда** appear on the stage/in a part/before the court; **от тези обуща ми излизат пришки** these shoes raise blisters; **6.** (*изказвам се*) come out with; ~ **в подкрепа на** come out/speak/write in defence of; **7.** (*произхождам*) come (**от** from); ~ **от добро семейство** come of/from a good family; **клюката излезе от нея** this piece of gossip originated with her; **8.** (*за сбор, задача*) work/come out; (*в отриц. изречения*) be out, be wrong; **не ми излизат сметките** be out in o.'s calculations/reckoning; **9.** (*струва, възлиза на*) cost, amount to, come out (at); **колко излезе сметката?** what was he bill?; **10.** (*достигам размери*) run up to, make; **11.** (*протичам, минавам*) come off, be; **опитът излезе (сполучлив)** the experiment came off; **12.** (*получава се в резултат*) come, make, be; **излезе сполучливо/добре** it turned/panned out well; **от него нищо няма да излезе** he'll never amount to anything; **от него ще излезе добър лекар** he will make/be a good doctor; **13.** (*оказвам се*) prove (to be), turn out (to be); *безл.* it follows/appears/seems; **14.** (*за закон*) be issued; **15.** (*за срок*) be/fall due; (*за дело*) come on; (*за тираж*) be drawn;

(*за изпит*) have; **излизат ми два изпита** I have two exams; **16.** (*за тайна и пр.*) ooze out; ● **душата ми излезе** I had a hard time, I had the hell of a time; ~ **с предложение** make a proposal, come forward with a proposal; **не може да ми излезе от ума/главата** I can't get it out of my head.

излѝш|ен *прил.*, **-на, -но, -ни** superfluous, supernumerary, redundant; surplus (*attr.*); (*ненужен*) unnecessary, needless; expendable; unwanted; unwarranted; excrescent; (*безполезен*) useless; ~**ен труд** useless effort; ~**но тегло** overweight; **чувствах се** ~**ен** I felt I was not wanted; I felt I was one too many/the odd man out.

излѝшъ|к *м.*, **-ци**, (**два**) **излѝшъка** surplus; excess; *инф.* redundancy; surplusage; **бюджетен** ~**к** budget surplus; ~**к от запаси/стоки** overstock; **имам в** ~**к** have/possess in excess; *разг.* have enough and to spare.

излияни|е *ср.*, **-я** effusion, outpouring; ● **любовни** ~**я** declarations/demonstrations of love.

изло̀жб|а *ж.*, **-и** exhibition; show; ~**а на цветя** flower show.

изложѐни|е *ср.*, **-я 1.** presentation, statement, exposé; enunciation, enouncement; (*отчет*) account, report; (*на мисли*) exposition; (*обяснение*) explanation; setting forth; **кратко** ~ brief presentation, summary, précis; **2.** (*като документ*) report, memorandum; **3.** (*изложба*) exhibition; show; (*панаир*) fair; **4.** (*изглед*) exposure, aspect; **къща с южно** ~**е** a house facing south, a house with southerly exposure, a house exposed to the south; **5.** *муз.* exposition.

изложѝтел (**-ят**) *м.*, **-и** exhibitor.

излỳжвам, излужа *гл.* *хим.*, *техн.* lixiviate; leach.

излъ̀гвам, излъжа *гл.* **1.** lie (to), tell a lie (to); (*измамвам*) fool, dupe, deceive, take in, gull, swindle, jockey, cheat; **излъгаха ме с 10 долара** they cheated/tricked me out of 10 dollars; ~ **при мерене** give light weight; **2.** (*подмамвам, примамвам*) lure, allure; (*съблазнявам*) seduce; || ~ **се** be deceived/mistaken, make a mistake, be wrong; (*в очакване*) be disappointed; **излъгах се да** I was foolish to; ~ **се в**

някого be deceived/disappointed in s.o.

излѣсквам, излѣскам *гл.* polish, shine (*и обувки*); (*паркет*) polish; *техн.* smooth; give a shine/polish (to); put a fine finish on; || ~ **се 1.** get/become shiny (with wear); **2.** *прен.* dress up.

излѫчвам, излѫча *гл.* **1.** radiate, emanate, emit; effuse; exhale; *хим.* eliminate; ~ **предаване** *радио.* broadcast a transmission; ~ **светлина** radiate light, luminesce; **къщата излѫчва уют** the house has a homely/cosy feel about it; **2.** (*отделям*) detach, detail; (*отличавам*) distinguish, nominate; ~ **комисия** set up a committee, appoint a commission/committee; || ~ **се** radiate, emanate; *хим.* eliminate.

излѫчван|е *ср.*, -**ия 1.** radiating, emanation, emission; *хим.* elimination; *радио.* broadcast; **2.** detachment.

излюпвам, излюпя *гл.* hatch; incubate; || ~ **се** hatch; be hatched/incubated.

излягам се, излегна се *възвр. гл.* lie down; recline; loll, lounge.

измазвам, измажа *гл.* **1.** plaster (up), grout; fill up/finish with grout/plaster; **2.** (*с блажна боя*) paint, coat (with paint); (*баданосвам*) whitewash; **3.** (*свършвам боя и пр.*) use up, finish.

измайсторявам, измайсторя *гл.* make, devise, contrive; ~ **набързо** cobble together.

измам|а *ж.*, -**и 1.** fraud, deceit, deception; defraudation; defraudment; circumvention; swindle, dupery; foul play, guile; double-dealing, suck-in, take-in, rip-off; *разг.* spoof; swiz(z); confidence trick; cozenage; *разг.* flimflam; funny business; (*финансова*) scam, racket; (*в училище*) cheating; **получавам нещо с ~а** obtain s.th. on/by/under false pretences; **явна ~а** a transparent deception; **2.** (*самоизмамване*) delusion, illusion, deception; **оптическа ~а** optical illusion.

измамвам, измамя *гл.* **1.** deceive, take in; (*с користна цел*) cheat, defraud, swindle, take in, dupe, fool; cozen; double-cross; *разг.* do (down); hoodwink; take s.o. for a ride; flimflam; fox; *sl.* gyp; sell s.o. a pup; (*с пари*) *разг.* rip off, diddle, fleece, take to the cleaners; (*надхитрям*) outwit; ~ **някого и му**

вземам нещо trick s.o. out of s.th.; **2.** (*изменям на, изневерявам на*) be unfaithful/unloyal to; be false to; betray; ~ **нечие доверие** betray s.o.'s trust; **измамих приятеля си** I have been false to my friend; **3.** (*примамвам, съблазнявам*) seduce; || ~ **се 1.** be wrong, be deceived/mistaken, make a mistake; **2.** be disappointed.

измам|ен *прил.*, -**на**, -**но**, -**ни**; **измамлив** *прил.* **1.** deceitful, full of deceit; fraudulent; guileful; (*заблуждаващ*) deceptive, delusive, misleading; fallacious; **2.** (*нереален*) illusory, illusive.

измамни|к *м.*, -**ци**; **измамниц|а** *ж.*, -**и** cheat, fraud, swindler, charlatan, deceiver, confidence trickster, confidence man, *разг.* con man; cozener; double-crosser, double-dealer, con(-man), shark; *sl.* gyp; rip-off artist; (*на карти*) rook; (*който се представя за друг*) impostor; (*прелъстител*) seducer.

измачквам, измачкам *гл.* **1.** crease, rumple up, crumple (up); (*набръчквам*) wrinkle; ~ **тревята** trample down the grass; ~ **цветята** crush the flowers; **2.** (*глина и пр.*) knead, work up; **3.** (*изстисквам*) press; || ~ **се** crease, rumple; become creased.

измежду *предл.* from among, out of.

изменени|е *ср.*, -**я** change, alteration; (*частично*) modification; *биол.* mutation; (*отклонение от дадено състояние*) variation; (*поправка*) correction; **внасям ~я** make alterations/changes; **заводът производител си запазва правото на ~я** alteration rights reserved; ~**е на гласа** modulation of the voice.

изменни|к *м.*, -**ци** traitor; renegade; double-crosser; (*на кауза*) apostate.

изменяем *прил.* changeable, variable, alterable, modifiable, mutable.

изменям, изменя *гл.* **1.** change, alter; (*частично*) modify, vary; *физ.* (*тон, честота*) modulate; ~ **закон** amend a law/a bill; ~ **текст** modify a text; **2.** (*нарушавам верността си*) be unfaithful/unloyal/false (to); betray; ~ **на думата си** fail to keep o.'s promise/word; break o.'s word; **щастието му измени** his luck/fortune betrayed him; || ~ **се** change; vary; undergo change(s); **нещата се измениха** things have changed; the tide has turned.

измервам, измеря *гл.* measure, take the dimensions of; (*с инструмент*) gauge; (*земя*) survey; (*грубо*) size up; (*на тежест*) weigh; (*на дълбочина*) sound, plumb, fathom (*и прен.*); (*температура, кръвно налягане*) measure; ~ **с крачки** step (out); ~ **с очи** measure with o.'s eyes; eye from head to foot, eye all over; ~ **температурата** (*на човек*) take (s.o.'s) temperature; *физ.* measure temperature measurements, measure the temperature.

измерван|е *ср.*, -**ия** measuring, gauging, sizing up, weighing, sounding, fathoming; taking.

измервател (-ят) *м.*, -**и**, (**два**) **измервателя** *ел.* gauge, meter.

измервател|ен *прил.*, -**на**, -**но**, -**ни** measurement (*attr.*), measuring, metrical.

измерени|е *ср.*, -**я** *мат.* dimension; **с две/три ~я** two-/three-dimensional.

измествам, изместя *гл.* **1.** shift, move, remove; dislodge; **2.** (*отстранявам и заемам мястото на*) oust, take the place of, displace; (*с хитрост*) supplant; ~ **на заден план** push/throw into the background; **3.** *геол., техн.* displace, dislocate; || ~ **се 1.** move away/aside; ~ **се от квартирата си** move (from o.'s lodgings); **2.** *мед.* be/become dislocated; **ръката му се е изместила** his arm has come out of joint; • ~ **въпроса** evade the issue, sidestep the issue/the question.

измет *м.*, *само ед. разг.* sweepings, rubbish, refuse, garbage, dirt.

измивам, измия *гл.* wash; (*отмивам*) wash away; *геол.* denude; ~ **пода с четка** scrub the floor; ~ **ръцете си** (*и прен.*) wash o.'s hands (of); || ~ **се** wash, have a wash, wash o.s.

изминавам, измина *гл.* **1.** (*разстояние*) go, traverse, cover, travel; ~ **5 километра в час** make 5 km an hour; **2.** (*за време*) elapse, pass, go by; (*неусетно*) slip by, pass lightly.

измирам, измра *гл.* perish, die, die out/off; become extinct.

измислен *мин. страд. прич.* (*и като прил.*) **1.** invented, fabricated, contrived, concocted; mythical; made up; ~**а история** tall/made-up/fabricated story, invented story, fabrication; tale of a tub; ~**о име** alias; ~**о обвинение**

юр. trumped-up charge, frame-up; **2.** *(въобразяваем)* imaginary, fictitious; fairy-tale; fancied; **имената и събитията са ~и** the people and events are fictitious.

измѝслиц|а *ж.,* **-и** invention, fabrication, fiction, myth, make-believe; fable, fib, lie; *разг.* bull; *(преувеличение)* tall-story, cock-and-bull story; fairy tale.

измѝслям, измѝсля *гл.* **1.** think out/ up, invent; contrive; work out; figure out; **2.** *(съчинявам)* concoct, invent, fabricate, excogitate, make up, cook up, frame up; **~ извинения** cook up excuses; **3.** *(сещам се)* think of.

измѝтам, изметà *гл.* sweep; brush away; *(изхвърлям)* sweep away/off/ out; || **~ се** *разг.* be off, clear out **(от** of); brush off, scram, beat it, hop it.

измòкрям, измòкря *гл.* wet; *(напълно)* drench, soak; || **~ се** get wet; get/be drenched/soaked; **~ се до кости** dripping/sopping wet, wet through, drenched/wet to the skin, wet as a drowned rat/as a rag.

изморѝтел|ен *прил.,* **-на, -но, -ни** tiring, fatiguing, wearisome; *(тежък)* heavy, trying, gruel(l)ing.

изморявам, изморя *гл.* **1.** tire (out) fatigue, weary; *(изтощавам)* wear out; **2.** *(убивам, унищожавам)* kill (off), destroy, exterminate, annihilate; || **~ се** get tired, tire o.s. out.

измръзвам, измръзна *гл.* **1.** *(умирам)* die from cold, be frozen to death; *(обикн. за растения)* be destroyed by frost, be nipped; *(повреждам се)* be damaged by frost; *(замръзвам)* freeze; **2.** *(студено ми е)* freeze, be frozen.

измръзнал *мин. св. деят. прич. (и като прил.)* **1.** damaged by frost; frozen; frostbitten; *(за пъпки)* nipped; **2.** *(намръзнал)* frozen; *(вкочанясал)* benumbed, stiff with cold; *(за ръце)* chilblained.

измъквам, измъкна *гл.* **1.** pull/drag/ draw out *(с търсене)* fish out, produce; *(изкопчвам)* wring/prize/wrench out; *(дръпвам)* snatch out; *(от вода-та)* fish/draw out; *(от скривалище)* ferret out; **~** *(от някого от беда/неприятности* help s.o. out of trouble; let/ get s.o. off the hook; **2.** *разг. (задигам, открадвам)* pinch, steal; **~ не-**

що от джоба на някого pick s.o.'s pocket; **3.** *(пари чрез увещаване и пр.)* get/wring/wheedle **(нещо от някого** s.th. out of s.o.); *(с измама)* jockey (s.o. out of s.th.); *разг.* finagle; *(чрез заплахи)* extort (s.th. from s.o.); **~ всичките пари на някого** bleed s.o. white; **~ тайна от някого** worm/get/ squeeze/extort a secret out of s.o.; || **~ се** get out **(от** of), get away, make off; *(с трудност)* squeeze out (of); edge away/out (of); *(тайно, незабелязано)* sneak/slip/steal away/out/off, get clean away; edge out; *(отървавам се)* wriggle out (от of), get out (of), ease o.s. out (of); *(от спор)* back out; *(изхлузвам се)* slip off; **~ се без да платя** levant; **~ се, без да се сбогувам** take French leave; **~ се невредим** get off with a whole skin; escape unscathed.

измършавявам, измършавèя *гл.* grow/become emaciated; lose flesh.

измѐтвам, измѐтя *гл.* **1.** hatch (out); *(с инкубатор)* incubate; **2.** *прен.* invent, concoct cook up, produce; || **~ се** hatch (out), be hatched.

измѐчвам, измѐча *гл.* torment, torture, excruciate, (put on the) rack; *(с лъжливи надежди)* tantalize; *(безпокоя, тормозя)* vex, annoy, worry, bother, pester; *(систематично)* harass, harry, plague; fester, rankle; **измъчваха го съмнения** doubts gnawed at the back of his mind; || **~ се** suffer, be tortured/tormented **(от** with, by); torment o.s.; eat o.'s heart out; *(тревожа се)* distress o.s., worry (about); fret (about, over); *(живея мъчително)* have a hard/bad/terrible time; **~ се от завист** be stung with envy.

измяна *ж.,* **измени** treachery, treason, traitorship; *(невярност)* unfaithfulness, disloyalty, breach of faith; faithlessness; falseness; *(на кауза)* betrayal, apostasy; **~ на отечеството/родина-та, държавна ~** high treason; **съпружеска ~** adultery, infidelity; **участие в ~** treason felony.

измятам се, измѐтна се *възвр. гл.* **1.** warp, become warped, cast; **2.** go back on o.'s word, break o.'s promise, flip-flop; *(непрекъснато)* chop and change.

изнасѝлвам, изнасѝля *гл.* **1.** rape, ravish; violate; **2.** *(принуждавам)*

coerce, force, constrain **(да** into **с** *ger.,* to do s.th.); **• ~ фактите** strain the point.

изнасѝлване *ср., само ед.* raping, ravishing, violating; rape; *(принуждаване)* coercion; **групово ~** *юр.* gang rape, *sl.* gangbang, gangshag; **опит за ~** *юр.* attempted rape.

изнàсям, изнесà *гл.* **1.** take/carry/ move/bring out; *(нагоре)* take/carry up; **2.** export; **3.** *(съобщавам)* reveal, disclose, make public/known; *(публикувам)* publish; release; **4.** *(лекция, доклад)* deliver, read; make; hold; **5.** *(нося, понасям)* bear, shoulder, carry; **6.** *театр. (представление)* give; *(роля)* act, play; || **~ се** move out (of o.'s lodgings); move; **• това ми изнася** *жарг.* that suits me, that is to my advantage, that is in my interest.

изневерявам, изневеря *гл.* betray **(на** -), be disloyal/false **(на** to); play (s.o.) false; step out on s.o.; *(в брака)* be unfaithful/false (to); **~ на принципите си** be untrue to o.'s principles; break faith with o.'s principles; **паметта му изневерява** his memory fails him; **щастието му изневери** his luck gave out, his luck/fortune betrayed him.

изневидèлица *нареч.* out of the blue, out of nowhere; **идвам ~** drop from the clouds.

изневяра *ж.,* **изневери** unfaithfulness, faithlessness, disloyalty; *(предателство)* betrayal; **брачна ~** *юр.* infidelity, unfaithfulness; **~ на паметта** *мед.* lapse of memory.

изнèжвам, изнèжа *гл.* coddle; || **~ се** become delicate/soft.

изнемòгвам, изнемòгна *гл.* **1.** be exhausted/spent; be at o.'s last gasp; be at the end of o.'s resources; collapse, fail, break down; *(не се съпротивлявам вече)* succumb (to); **~ от умора** be dead-/dog-tired; **~ под тежестта на** break down under the weight of; **2.** *(материално)* be at the end of o.'s resources; *(бедствам)* be destitute, be in dire need.

изнемощявам, изнемощèя *гл.* grow weak, become exhausted; be spent with fatigue; droop, flag, decline.

изненàд|а *ж.,* **-и** surprise; *(неприятна)* *разг.* bombshell; jolt; **готвя му ~а** I have a treat in store for him; **за моя**

голяма ~а to my great surprise; **с ~а научих** I was surprised to learn/hear.

изненадвам, изненадам *гл.* surprise, give (s.o.) a surprise; *разг.* give (s.o.) a jolt; (*явявам се неочаквано*) surprise, take by surprise, spring a surprise (on), take aback/unawares; **~ някого неподготвен** catch s.o. napping; *разг.* catch s.o. flatfooted (*неприятно*) spring a mine on s.o.; || **~ се** be surprised; be taken aback/unawares, be taken by surprise; **не бих се изненадал, ако** I shouldn't be surprised if.

изнервям, изнервя *гл.* make nervous/irritable; flutter, fluster; **това ме изнервя** it gives me the fidgets; || **~ се** become nervous/irritable, get the jitters.

изнизвам, изнижа *гл.* unstring, unthread; **~ конец от игла** unthread a needle; || **~ се 1.** get/come unstrung; **2.** *прен.* (*за време*) go by, pass, elapse; **3.** (*измъквам се*) sneak/slip/steal away; edge out; flit, fly the coop; (*във върволица*) file out.

изниквам, изникна *гл.* **1.** sprout, shoot forth, grow; (*покълвам*) germinate; **на бебето му изникват зъби** the child is teething, the child is cutting his teeth; **2.** (*появявам се*) crop up, pop up, spring up, arise; (*неочаквано*) drop from the clouds; **забравеното име изведнъж изникна в паметта ми** the name I had forgotten clicked back in my mind.

изнищвам, изнищя *гл.* pick, unravel; || **~ се** unravel, become unravelled.

износ *м., само ед.* export, exportation; **сделка по ~а** export transaction/deal.

износвам, износя *гл.* wear out; (*в резултат на вибрации, за метал*) fatigue.

износ|ен *прил.*, **-на, -но, -ни** export (*attr.*); of export; **~но разрешение** export licence.

износител (-ят) *м.*, **-и** exporter; export merchant; **страна ~ка** exporting country.

изнудвам, изнудя *гл.* blackmail (s.o.).

изнудване *ср., само ед.* blackmail, extortion, racket, racketeering.

изнудвач *м.*, **-и; изнудвачк|а** *ж.*, **-и** blackmailer, extortioner, extortionist; *sl.* ramper, *разг.* squeezer.

изнурителен *прил.*, **-на, -но, -ни** fatiguing, exhausting, wearisome, gruel-

ling, punishing, toilsome, taxing; enervating, enervative; effortful.

изнурявам, изнуря *гл.* fatigue, weary, tire out; enervate; (*изтощавам*) exhaust, wear out; (*с работа*) overwork, overdrive.

изобил|ен *прил.*, **-на, -но, -ни** abundant, plentiful, copious, profuse, prolific, unstinted; (*за реколта*) bounteous; (*за растителност*) exuberant, lush.

изобилие *ср., само ед.* abundance, plenty, profusion, richness; exuberance; plenteousness, plentifulness; copiousness; *поет.* foison; (*на пари и пр.*) *разг.* flushness; **в ~** in abundance, in (great) quantities, (**от** of); • **рогът на ~то** the cornucopia, the horn of plenty.

изобилствам *гл.* abound, be rich/abundant (**с** in); teem (with), overflow (with); (*пълен съм с*) be full (of), teem (with); **страната ни изобилства с минерални извори** our country is rich in mineral springs.

изобличавам, изобличà *гл.* expose, unmask, show up; tear down the mask of, show the true face of, lay bare; denounce, unveil; **~ някого в лъжа** give s.o. the lie, expose s.o. as a liar.

изобличител|ен *прил.*, **-на, -но, -ни** exposing, unmasking; accusatory; denunciative, denunciatory; (*порицаващ*) condemning, condemnatory.

изображени|е *ср.*, **-я** image, picture; figure, effigy; portrait; (*изобразяване*) representation, portrayal; depiction; **огледално ~е** mirror image; *опт.* **мнимо ~е** virtual image.

изобразител|ен *прил.*, **-на, -но, -ни** pictorial, plastic, representational; depictive; imitative; **~ни изкуства** imitative/fine arts; pictorial and plastic arts, figurative arts.

изобразявам, изобразя *гл.* portray, depict, picture; feature; (*представлявам*) represent; paint, be representative of.

изобретател (-ят) *м.*, **-и** inventor; excogitator.

изобретател|ен *прил.*, **-на, -но, -ни** inventive, creative, excogitative; innovative; (*находчив*) resourceful, ingenious; imaginative; cunning.

изобретени|е *ср.*, **-я** invention; excogitation; **патентовано ~е** invention cov-

ered by patent.

изобретявам, изобретя *гл.* invent; contrive, devise; excogitate; (*проектирам*) design.

изобщо *нареч.* **1.** in general, generally; **говоря ~** speak in general terms; **2.** (*винаги*) always, as a rule; **той ~ не говори** he never speaks; **3.** (*общо взето*) on the whole, by and large, all in all, generally speaking; altogether; **най-добрият** (*след изреждане на качества*) altogether the best; **4.** (*при отриц., въпр. и условни изречения*) at all; **ако ~** if ever; **има ли ~ някаква надежда?** is there any chance whatever? is there any hope at all?

изолатор *м.*, **-и, (два) изолатора 1.** insulator; (*физ.* non-conductor; **2.** (*изолаторна чашка*) bell-shaped insulator; **3.** (*в болница, затвор*) isolation ward.

изолацион|ен *прил.*, **-на, -но, -ни 1.** *техн.* insulation (*attr.*), insulating; dielectric; (*отделящ*) isolation (*attr.*), (*и мед.*); isolating; **2.** *полит.* isolation (*attr.*); isolationist (*attr.*).

изолациониз|ъм (-мът) *м., само ед.* *полит.* isolationist policy, policy of isolation.

изолация *ж., само ед.* **1.** isolation; *ел.* insulation; **топлинна ~** heat/thermal insulation, lagging; **2.** *мед.* isolation, quarantine.

изолирам *гл.* **1.** isolate, separate, segregate, cut off; detach; **2.** *техн.* insulate; (*парен котел и пр.*) lag; **3.** *мед.* isolate, place in quarantine, keep under quarantine; **~ душевноболен** intern an insane.

изопачавам, изопачà *гл.* distort, misrepresent, pervert, twist; **~ закона** twist the law; **~ факти** distort facts; (*погрешно тълкувам*) misinterpret, misconstrue.

изопвам, изопна *гл.* stretch; (*обтягам*) strain; stretch tight; **~ лък** draw/bend a bow; **~ шията си** crane o.'s neck, stretch (out) o.'s neck; || **~ се** stretch o.s. out.

изоравам, изора *гл.* plough/plow (up); (*привършвам*) finish ploughing.

изоставам, изостана *гл.* **1.** lag/fall/be drop behind; be slow; be in arrear(s) (*в състезание*) be adrift (**от** of); **~ с години** lag years behind; **изостана**

съм с кореспонденцията си be in arrear(s) with o.'s correspondence; **много ~** be far behind; **не ~** keep pace **(от** with), stay the pace; **2.** *(за часовник)* lose; be/run slow.

изоставям, изостави *гл.* abandon, leave, forsake, desert; *(занемарявам)* neglect; *(отказвам се от)* leave off *(с ger.)*; relinquish; *библ.* reprobate; **~ всякаква надежда** abandon/resign/ relinquish all hope; **~ някого в критичен момент** *(в беда)* leave s.o. in the lurch, fail s.o.; **|| ~ се** neglect o.'s appearance; let o.s. slide/go; *(в умствено отношение)* let o.s. run to seed; allow o.'s knowledge to rust.

изострен *мин. страд. прич. (и като прил.)* **1.** sharpened, sharp, spiky; *(островръх)* pointed, tapering; **~ апетит** a keen/whetted appetite; **2.** *(за сетива)* keen, acute; **3.** *(напрегнатост)* strained, intense, intensified; (all) on edge; *(влошен)* aggravated; **~и отношения** strained/aggravated/deteriorated relations; **~о внимание** keen/undivided attention.

изострям, изостря *гл.* **1.** sharpen, whet *(и прен.)*, give/set/put an edge to; *(правя островръх)* bring to a point, taper off; **2.** *(усилвам)* intensify; *(създавам напрежение)* strain, escalate; *(влошавам)* aggravate; accentuate; exacerbate; **~ нервите на някого** set s.o.'s nerves on edge; **~ противоречия** intensify/aggravate contradictions; **|| ~ се 1.** taper off, become pointed; **2.** *прен.* become aggravated/strained/tense; *(за криза)* come to a head.

изотоп *м.*, **-и,** (два) **изотопа** *физ., хим.* isotope; **таблица на ~ите** nuclide chart.

изпадам, изпадна и **изпадвам, изпадам** *гл.* **1.** fall, drop, slip **(от** out of); *(за листа и пр.)* fall; *(за коса, зъби)* fall, come out; **2.** *(озовавам се в някакво положение)* fall, get **(в** into), lapse, sink; **~ в ужас** be struck with horror, be horrified/terrified; **~ във възторг** be delighted/enraptured **(от** with), go into raptures (over); **3.** *(осиромашавам)* be ruined/impoverished, fall on evil days, fall on hard times; be on the rocks; **4.** *(западам)* decay, degrade, deteriorate; **5.** *(унижавам се)* sink; **дотам е изпаднал** he has sunk

so low **(че** that, as to **с** *inf.*); **никога няма да изпадне дотам, че** he would never descend to *(с inf.)*; **6.** *(изнемощявам)* grow weak/decrepit **(от** with).

изпарени|е *ср.*, **-я** fume, vapour; *(действие)* evaporation, volatilization, fuming.

изпарявам, изпаря *гл.* evaporate, vaporize; **|| ~ се 1.** evaporate, vaporize, volatilize, turn into vapour; *(за вода)* steam away; **2.** *разг.* vanish, melt/vanish into thin air; *(махам се)* beat it, decamp, bunk, hop it, whip off, make o.s. scarce.

изпащам си, изпатя си *възвр. гл.* come to grief; suffer; pay dear; have a time of it **(от** with); get it in the neck; *разг.* cop it; **много си изпатих от него** I had much to endure at his hands.

изпепелявам, изпепеля *гл.* **1.** burn/ reduce to ashes; **~ гора** reduce a forest to ashes; **2.** *прен.* leave prostrate.

изпечен *мин. страд. прич. (и като прил.)* **1.** (well) baked, (well) roasted; **добре ~** well-done; done to a turn; *(за тухли)* **~ до пълно обезводняване** dead-burned; **2.** *(здрав, як)* robust, strong, hardy; **3.** *(опитен)* experienced, seasoned, well-trained (in); **• ~ лъжец** arch-liar, a past master in deceit; **~ майстор** experienced/expert craftsman.

изпивам, изпия *гл.* **1.** drink (up); *(бързо)* knock back; **~ с някого бутилка вино** join s.o. in a bottle of wine; **~ чашата до дъно** drain the glass; **2.** *(изтощавам)* emaciate; **• кукувица му е изпила ума** he is cuckoo/daft.

изпикавам се, изпикая се *възвр. гл.* pee, take a leak, piss.

изпилявам, изпиля *гл. (отстранявам)* file down/off/away; *(пиля)* file down; *(прерязвам)* file through.

изпипан *мин. страд. прич. (и като прил.)* nifty, slick; **~а работа** masterly/thorough job/piece of work; fine piece of workmanship.

изпипвам, изпипам *гл.* make a good/ thorough job of; fine-tune; *(завършвам)* give the final/finishing touches to.

изпирам, изпера *гл.* wash; *(завършвам пране)* finish washing; *(петно)* wash out; **|| ~ се** wash o.'s clothes/linen; **този плат се изпира лесно** this cloth washes well; *(за петно)* wash out.

изписвам, изпиша *гл.* **1.** write out (in full); *(покривам с писане)* fill/cover with writing; *(изразходвам при писане)* use up (paper, etc.); **изписано е на лицето му** it's written all over his face; **2.** *(изрисувам)* draw; paint; **~ веждите си** pencil o.'s eyebrows; **3.** *(поръчвам писмено)* order, write for, send an order for; **4.** discharge; **~ от болница** discharge from hospital; **|| ~ се** *(за писател)* run dry; **• вместо то да изпиша вежди, извадих очи** make sad work of it.

изпит *м.*, **-и,** (два) **изпита** examination, *разг.* exam (по in); *(проверка)* test; *(устен)* *амер.* quiz; *прен.* *(изпитание)* test; **държа ~** sit for/go in for an examination; **зрелостен ~** school-leaving examination; **поправителен ~** supplementary examination, resit, *амер.* make-up (examination).

изпитани|е *ср.*, **-я** trial *(и прен.)*, probation; test; penance; *(тежко)* hardship, ordeal; **поставям на ~е** put to the test/proof; test, try; **срок на ~е** trial period; **типово ~е** model test.

изпитател (-ят) *м.*, **-и** tester; **пилот ~** test pilot.

изпитател|ен *прил.*, **-на, -но, -ни 1.** *(за поглед)* inquisitive, searching, probing; *(за срок)* probationary; **~ен срок** period of probation; **2.** research *(attr.)*; **3.** testing, trial.

изпитвам, изпитам *гл.* **1.** examine, call on; test; give an examination to; **2.** *(изпробвам)* test, try (out); **3.** *(чувствам)* experience, feel; **~ жажда/глад** be thirsty/hungry; **~ срам** be ashamed; **~ страх от нещо** be afraid of.

изпит|ен *прил.*, **-на, -но, -ни** examination *(attr.)*, examinational; test *(attr.)*; **~на комисия** examination board/committee, (board of) examiners; **писмена ~на работа** examination paper.

изпичам, изпека *гл.* **1.** *(хляб)* bake; *(месо, кафе)* roast; *(филии хляб)* toast; *(тухли)* fire, bake; *(керамични изделия)* anneal; **2.** *прен.* perfect (s.th.); master (s.th.); **той е изпекъл занаята** he's become a master in his trade; **|| ~ се 1.** *(на слънце)* become tanned/sunburnt; get a nice tan; **2.** *прен.* master; become an expert/a (past) master (in).

изпищявам, изпищя *гл.* scream (out);

give/let out a scream/squeal.

изпла̀вам и изплу̀вам *гл.* **1.** emerge, come to the surface; **2.** swim (**на брега** to the shore); reach, gain (the shore); **3.** (*от дадено положение*) emerge (**от** from), get out (of); • ~ **като зехтин над вода** come off unscathed; come out on top.

изпла̀квам₁, **изпла̀кна** *гл.* rinse (out); swill (out); • ~ **очите си** (*наслаждавам се*) feast o.'s eyes (**с** on).

изпла̀квам₂, **изпла̀ча** *гл.* give a sob; cry; begin crying; burst out crying; || ~ **се** air o.'s grievances (**от** against), complain (of); • ~ **мъката си** pour o.'s heart out (**пред** to); ~ **очите си** cry o.'s eyes out, cry o.'s eyes blind.

изпла̀швам, **изпла̀ша** *гл.* frighten, scare, alarm, give (s.o.) a fright; *разг.* spook; put (s.o.) into funk; || ~ **се** be frightened/scared/alarmed (**от** at), take fright/alarm, be seized with fear/alarm; *разг.* get the wind up; **тя страшно се изплаши** she was scared/frightened out of her wits, she was scared to death.

изпла̀щам, **изплатя̀** *гл.* rau; (*изцяло*) pay off/up, pay in full; disburse; ~ **дълг** pay off/repay/liquidate a debt; ~ **заем** refund a loan; ~ **на части/вноски** pay by/in instalments; • ~ **греховете си** atone for o.'s sins, expiate o.'s sins.

изпла̀щане *ср., само ед.* paying (off/up), payment (in full); reimbursement; disbursement; **купувам мебели на** ~ buy furniture on the instalment plan/system; **на** ~ in/by instalments, on deferred payments, on hire purchase (*съкр.* on H. P.).

изплѐзвам, **изплѐзя** *гл.* stick/put out; ~ **език** (*за куче*) hang out its tongue; (*от умора*) be dead beat/dog tired; || ~ **се** stick o.'s tongue out (at s.o.).

изплѝсквам, **изплѝскам** *гл.* splash; spill out.

изплѝтам, **изплетà** *гл.* knit; (*паяжина*) spin; (*мрежа*) net; (*въже*) twist; (*венец*) weave, twine; (*кошница*) weave; • ~ **кошницата си** feather o.'s nest.

изплъ̀звам се, **изплъ̀зна се** *възвр. гл.* **1.** slip out (**от** of); **думите неволно се изплъзнаха от устата ми** the words escaped my lips; **оставям нещо да ми се изплъзне** let s.th. slip through o.'s fingers; **2.** (*изклинчвам*)

shirk, dodge; evade; ~ **от задължението си** shirk o.'s duty/obligation; wriggle out of an engagement.

изплю̀вам, **изплю̀я** *гл.* spill out; expectorate; • ~ **камъчето** spill the beans.

изплю̀щявам, **изплющя̀** *гл.* snap, crack.

ѝзповед *ж.*, **-и** confession; **изслушвам нечия** ~ receive s.o.'s confession.

изповѐдани|е *ср.*, **-я** (religious) denomination; creed, confession; (*религия*) religion; **свобода на ~ята** religious liberty.

изповѐдни|к *м.*, **-ци** *църк.* (father) confessor.

изповя̀двам, **изповя̀дам** *гл.* **1.** confess, avow, own (up); **2.** (*изслушвам изповедта на*) confess (s.o.), hear the confession of; **3.** (*открито признавам и поддържам*) profess, follow, hold (a creed); be a follower of/a believer in; ~ **православна вяра** profess the Eastern Orthodox faith; **4.**: ~ **продажба** *юр.* perform the formalities relating to a sale; sell by contract certified at the notary's office; || ~ **се** make a confession of o.'s sins, confess (o.'s sins); go to confession; (*признавам си всичко*) own up, make a clean breast of it.

изпо̀д *нареч.* from under, from beneath.

изпо̀лзвам *гл.* use, make use of; employ; (*оползотворявам*) utilize, put/turn to use, turn to (good) account; (*възползвам се от*) take advantage of; **добре** ~ **обстоятелствата/възможностите** play o.'s cards well; ~ **не по предназначение** misuse, use improperly; ~ **някого** sponge on s.o., milk; **ще бъде жалко, ако не се използва** it would be a pity if it went to waste.

изпо̀лзване *ср., само ед.* using; utilization, use; employment; ~ **на детски труд** employment of children; **повторно** ~ reutilization.

изпо̀лзвач *м.*, **-и**; **изпо̀лзвачк|а** *ж.*, **-и** sponger, parasite; freeloader.

изпо̀лица *ж., само ед.* sharecrop system, metayage; **давам на** ~ lease on a sharecrop basis; **работя на** ~ sharecrop, be a sharecropper.

изпо̀мпвам, **изпо̀мпя** *гл.* pump out; ~ **кладенец** pump a well dry.

изпо̀ртвам, **изпо̀ртя** *гл.* bungle, mud-

dle, make a mess/hash of, make a bad job of, make sad work of; ~ **топката** *спорт.* fumble the ball; **ти ще изпортиш живота си** *sl.* you will louse up your life.

изпотя̀вам, **изпотя̀** *гл.* sweat; make (s.o.) sweat/perspire (*и прен.*) || ~ **се** sweat, perspire; break into perspiration; (*за стъкло*) sweat; be blurred/steamed/dimmed.

изпотя̀ване *ср., само ед.* sweating, perspiring, perspiration; *мед.* diaphoresis; **средство за** ~ *мед.* diaphoretic.

изпра̀в|ен *прил.*, **-на**, **-но**, **-ни 1.** in good working order; trouble-free; in good shape/repair; in gear; (*за превозно средство*) roadworthy; **2.** (*точен, прецизен*) accurate; correct; (*за платец*) regular, reliable.

изпра̀вител|ен *прил.*, **-на**, **-но**, **-ни 1.** correctional; reformatory; ~**ен дом** reformatory; *юр.* penitentiary; house of correction; **2.** *ел.* rectifier (*attr.*); ~**на лампа** rectifier valve; detecting/detector valve.

изпра̀вност *ж., само ед.* good working order; good condition/shape/repair; serviceability; (*на превозно средство*) roadworthiness.

изпра̀вям, **изпра̀вя** *гл.* **1.** (*поставям вертикално*) set up straight, set/stand upright; stand (срещу, **на** against, on); ~ **пред съд** bring before the court, put on trial, bring to court/trial; **2.** (*нещо криво*) straighten (out), make/put/set straight; (*кост, навехнато*) set; (*за къдрици*) uncurl; **3.** (*поправям*) correct, make good; rectify; put right redress; (*отстранявам повреда*) repair; (*в морално отношение*) reform; **4.** *ел.* rectify; *радио.* detect; || ~ **се** stand/get up, rise; (*след сядане и пр.*) straighten up, sit up straight; ~ **се на крака** rise to o.'s feet, stand up; (*след болест*) get back on o.'s feet; (*за кон*) rear; **косата ми се изправи 1)** my hair stood on end; I was horrified; **2)** my hair uncurled, my hair went out of curl; **помагам някому да се изправи** help s.o. up.

изпражнѐни|е *ср.*, **-я** *обикн. мн.* excrements, faeces, faecal matter; dejecta, egesta; (*на животни*) dung.

изпра̀звам, **изпра̀зня** *гл.* **1.** empty; disgorge; exhaust; (*течност*) drain

(*чаша – изпивам*) empty, toss off; (*пи-кочен мехур и пр.*) evacuate; (*тръ-ба и пр.*) blow out; (*квартира*) va-cate; **2.** (*огнестрелно оръжие*) dis-charge, empty; (*изваждам патрони-те на*) unload.

изпра̀щам, изпра̀тя *гл.* **1.** send (off), forward, dispatch (**в, на** to); ~ **писмо** send a letter (by post); mail/post a let-ter; ~ **стока** forward goods, (*с кораб*) ship goods; **2.** (*придружавам, изпро-вождам*) accompany, go with; escort; (*при заминаване*) see off; ~ **гостите до вратата** see/show o.'s guests out/to the door; **тя го изпрати с очи** she fol-lowed him with her eyes; **3.** (*отпра-щам, изгонвам*) send off; **изпрати го да си гледа работата** send him about his business, send him packing; ● ~ **на оня свят** send to kingdom-come, dis-patch; ~ **някого за зелен хайвер** send s.o. on a wild goose chase.

изпраща̀ч *м.*, **-и; изпраща̀чк|а** *ж.*, **-и 1.** (*на гара и пр.*) one who has come to see s.o. off; **2.** (*подател*) sender; (*на стока*) forwarder, consignor; (*по море*) shipper.

изпраща̀вам, изпращя̀ *гл.* crack, crackle (suddenly), snap.

изпрева̀рвам, изпрева̀ря *гл.* **1.** leave behind, outstrip, outdistance, be/get ahead of; get the start of; give the dust to; (*с бягане*) outrun; *спорт.* lap; (*с ходене*) outwalk, outpace; (*кораб*) outsail; *авт.* overtake; (*пристигам преди някой друг*) get (somewhere) before s.o./ahead of s.o.; **2.** (*действие, случка*) anticipate, forestall; go ahead of, get the start of; steal a march on; ● **който изпревари, той ще натова-ри** first come, first served; the early bird catches the worm.

изпрѐчвам, изпрѐча *гл.* put in s.o.'s way, place/put in front (of); set, plant; || ~ **се** stand/plant o.s. in s.o.'s way, block/obstruct s.o.'s way; (*за гледка – неочаквано*) burst on s.o.'s sight/view; offer o.s. to o.'s view; **да не си пос-мял вече да се изпречиш на пътя ми** don't you dare cross my path again.

изпрѝщвам се, изпрѝщя се *възвр. гл.* **1.** blister; **дланите ми се изпри-щиха** my palms/hands are all (in) blis-ters, my hands are blistered; **2.** *разг.* (*притеснявам се*) get all hot and

bothered (**от** with).

изпрѝщван|е *ср.*, **-ия** blistering, pus-tulation; (*на устната*) fever sore; (*об-рив*) efflorescence, eruption.

изпро̀бвам *гл.* (*машина и пр.*) try, test, put (s.th.) through its paces; give (s.th.) a trial/dummy run; (*дреха*) try on; (*за шивач*) fit (**на** on); (*благоро-ден метал*) assay.

изпро̀свам, изпрося *гл.* beg (**от** of), obtain/get by entreaties/prayers; *разг.* scrounge, cadge; wangle; ~ **нещо от някого** wheedle s.th. out of/from s.o.; *разг.* bum s.th. off s.o.

изпръ̀сквам, изпръ̀сквам *гл.* besprin-kle, sprinkle, spray; spatter, bespatter; splash.

изпръ̀хвам, изпръ̀хна *гл.* (*за зе-мя*) become dry/crumbly; dry up; (*за дрехи*) dry; (*за кожа*) get/become chapped/scurfy/rough; (*за хляб*) dry up, crumble, become crumbly.

изпу̀квам, изпу̀кам *гл.* **1.** crack, give a crack; (*с пушка*) fire a shot; (*за пуш-ка*) crack, go off; **2.** (*умирам*) pop/go off the hooks; kick the bucket, turn up o.'s toes; hop the twig, slip o.'s cable; **изпукахме от горещина** we perished with heat; **3.** (*изяждам*) gobble up, wolf (down); **каквото изчукам, из-пукам** live from hand to mouth; lead a hand-to-mouth existence.

изпу̀скам и изпу̀щам, изпу̀сна *гл.* **1.** (*оставям да падне*) drop, let fall/ slip; lose hold of; **2.** (*оставям да по-бегне, изтървавам*) let escape; let run/flee/fly/slip; (*влак и пр.*) miss; ~ **удобния момент** miss the right mo-ment; **не** ~ **случай** catch at any/every opportunity; **3.** (*пропускам*) omit, leave/cut out; miss (out), drop, skip; *език.* elide; (*не споменавам*) leave unmentioned; ~ **бримка при плете-не** drop a stitch; **механизмът изпус-ка** the mechanism is out of gear; **4.** (*из-давам, отделям*) give out/forth; emit; eject; discharge; (*пара, въздух*) exhale; (*капя*) leak, ooze; ~ **въздишка** let out/ heave a sigh; ~ **въздуха на** deflate; ~ **пара** let off steam; || ~ **се** blab/blunder out; let the cat out of the bag; (*правя гаф*) drop a brick, put o.'s foot in it; ● ~ **дете** (*разглезвам го*) spoil a child; ~ **от поглед** lose sight of; forget.

изпуска̀тел|ен *прил.*, **-на, -но, -ни**

discharge (*attr.*), drain (*attr.*).

изпу̀швам, изпу̀ша *гл.* **1.** smoke; fin-ish smoking; **да изпушим по една** *разг.* let's have a smoke; **2.** (*затул-вам, запушвам*) stop (*пукнатини и пр.*) fill up; block up; (*с кълчища*) caulk, calk.

изпъ̀вам, изпъ̀на *гл.* stretch, draw; tauten; (*с дърпане*) pull; (*изопвам*) strain; ~ **врат** stretch/crane o.'s neck, crane forward; ~ **мускулите си** stretch/ strain o.'s muscles; || ~ **се** stretch (o.s.).

изпъ̀ждам, изпъ̀дя *гл.* chase/drive away; turn out, kick out; send away, send packing; (*от жилище*) *юр.* evict.

изпъ̀квам, изпъ̀кна *гл.* **1.** protrude, project, bulge/stand/swell/jut/knob out; **2.** *прен.* be notable/remarkable/con-spicuous/outstanding/prominent (**с** for), stand out (for, by), be distin-guished (by); excel (at); **карам да из-пъкне** bring to the foreground; **3.** (*явя-вам се*) emerge, spring (up); loom.

изпъ̀кнал *мин. св. деят. прич.* (*и като прил.*) protruding, protuberant, bulging (out); cambered; projecting; jutting out; salient, bumped; *опт.* con-vex; (*за чело*) domed.

изпъ̀лвам, изпъ̀лня *гл.* **1.** fill (up, out) (**с** with); **2.** (*запушвам, затъквам*) stop/block/fill up; plug; **3.** (*възраст*) complete, be; || ~ **се** fill.

изпълзявам, изпълзя̀ *гл.* **1.** crawl out (*из* of, *изпод* from under); **2.** (*дости-гам с пълзене*) crawl (up) (**до** to), creep (up) (to).

изпълнѐни|е *ср.*, **-я 1.** execution, im-plementation, fulfilment, carrying out; performance; (*осъществяване*) reali-zation, accomplishment; effectuation; **в** ~**е на** (*спогодба, нареждане, на-мерение*) in pursuance of; **привеж-дам в** ~**е** carry out, put/carry into ef-fect, implement; effectuate; (*присъда*) execute, carry out; **2.** *муз.* performance; *театр.* performance, acting, render-ing; (*на картина и пр.*) execution; *юр.* execution.

изпълнѝтел (**-ят**) *м.*, **-и; изпълнѝ-телк|а** *ж.*, **-и 1.** executer (*и юр.*); **съ-дия** ~ bailiff; executive magistrate; **2.** (*артист*) performer; (*музикант*) ex-ecutant (*актьор*) actor, player; (*пе-вец*) singer; ~**и на ролите** (*в пиеса*) the cast of the play.

изпълнйтел|ен *прил.*, -на, -но, -ни **1.** executive; executory; ~ен директор executive director, general executive, inside director, managing director; ~ната власт the executive power, the executive; **2.** (*добросъвестен*) willing, thorough, assiduous, conscientious, painstaking, *книж.* duteous; diligent; (*точен*) meticulous, punctual.

изпълнйтелск|и *прил.*, -а, -о, -и of a performer; performer's; (*на изпълнител на завещание*) executorial; ~о изкуство the art of performance.

изпълнявам, изпълня *гл.* **1.** execute, carry out, fulfil, implement, realize; perform, do; (*спазвам*) observe, obey, abide by, comply with; (*привеждам в изпълнение*) effectuate, enact; ~ желанията на някого carry out/meet/fulfil s.o.'s wishes; ~ обещание/дадена дума keep/honour o.'s promise/word, be as good as o.'s word; ~ рецепта (*за аптекар*) *фарм.* make up a prescription; ~ службата/функциите на function as, exercise the functions of, fulfil the duties of; (*за предмет*) serve as; **2.** *театр.*, *муз.* perform; (*само театр.*) act, play, show; (*пея*) sing; (*свиря*) play, perform; (*роля*) render, interpret; (*танци*) do; || ~ се come true, be realized.

изпържвам, изпържа *гл.* fry; brown; finish frying; *техн.* roast.

изпъстрям, изпъстря *гл.* variegate, mottle, dapple; intersperse, spot; fleck(er); freak; (*обсипвам*) stud; (*разнообразявам с редки думи и пр.*) diversify, (inter)lard.

изпъчвам, изпъча *гл.* thrust forward, thrust/stick/throw out; (*пъча се*) strut.

изпявам, изпея *гл.* **1.** sing; sing to the end; **2.** *прен.* (*на полицията*) *разг.* squeal; snitch (on), grass (on); ● ~ урока си rattle off o.'s lesson; песента му е изпята he is done for/played out, he is finished, he has had his day, his tale is told, he's a goner.

изработвам, изработя *гл.* **1.** make, produce, manufacture; (*съставям*) work out, draw up, elaborate; contrive, *sl.* dope out; (*извършвам*) do, perform; изработил съм своята част I've done my share of the work; **2.** (*плащам чрез работене*) work out; **3.** (*развивам, създавам, култивирам*)

develop, form, cultivate; ~ резистентност build up a resistance; ~ си мнение form an opinion; **4.** (*спечелвам*) earn, make; ● добре изработен гол *спорт.* a well engineered goal.

изработк|а *ж.*, -и (*машинна*) production, manufacture, make; elaboration; (*ръчна*) make; workmanship.

изравнйтел|ен *прил.*, -на, -но, -ни equalizing; adjusting; compensative, compensatory.

изравнявам и изравням, изравня *гл.* **1.** level (away); make level/flat/even; surface; (*изглаждам*) smooth, even (out); (*редица*) align; *воен.* dress; (*везни*) balance; (*редове, ръбове*) even (out), make even; (*две повърхности*) make (s.th.) flush (with); ~ път level a road; ~ със земята raze to the ground; **2.** (*правя еднакви*) make uniform/equal; equalize; ~ хода си regulate o.'s pace; **3.** compensate; balance; ~ сметките balance the accounts; ~ цените equalize prices; **4.** *геод.* adjust; **5.** *спорт.* equalize; (*при футбол*) send in an equalizer; || ~ ce catch up, draw level (c with); fall in line (with); (*за кораби*) come alongside (of); изравнихме се с фара we drew level with the lighthouse.

изравнйван|е *ср.*, -ия leveling, smoothing/leveling (out), aligning, balancing; alignment; equalization; ~е на салда икон. settlement of the balances; (*допълване*) compensation; *геод.* adjustment; *инф.*, *полигр.* (*на символи вляво или вдясно*) justification.

изравям, изровя *гл.* (*изкопавам*) dig out/up; unearth, excavate; drag up; *прен.* dredge up; (*съкровище, старина*) delve up/out; (*труп*) exhume, disinter; unbury, dig up; disentomb; (*случайно*) come/run across, unearth; **2.** (*рия, ровя*) burrow; root (up); grub (up/out); **3.** (*за река*) wash away; (*за порой*) hollow out, gully, furrow, cut up; (*подривам*) undermine.

Израел *м.* собств. Israel.

израел|ец *м.*, -ци; **израелк|а** *ж.*, -и Israeli.

израелск|и *прил.*, -а, -о, -и Israeli.

израждам, изродя *гл.* мед. deliver (a baby).

израждам се, изродя се *възвр. гл.* degenerate, degrade; (*влошавам се*)

deteriorate.

изражéни|е *ср.*, -я expression, air; mien.

йзраз *м.*, -и, (*два*) израза **1.** expression, air; mien; **2.** (*думи*) expression, phrase; turn/figure of speech; установен ~ set phrase; **3.** (*признак, знак*) mark, token; sign; в ~ на приятелство as a token of friendship; **4.** (*изразяване*) utterance, voicing, expression; давам ~ на възмущението си express/voice o.'s indignation, give utterance/expression to o.'s indignation; **5.** *мат.* expression; ~ от няколко члена expression of several terms.

йзраз|ен *прил.*, -на, -но, -ни **1.** expressive, expressional; vivid, figurative; **2.**: ~ни средства means of expression.

изразйтел (-ят) *м.*, -и; **изразйтелк|а** *ж.*, -и (*на официално мнение*) spokesman; (*на мисли, чувства*) interpreter, *ж.* interpretress; mouthpiece; exponent; ставам ~ на общото мнение express/voice the general opinion; become spokesman for all.

изразйтел|ен *прил.*, -на, -но, -ни expressive; (*жив*) vivid, graphic; (*образен*) figurative; (*подсказващ нюанси и пр.*) suggestive; ~ни черти mobile/expressive features.

изразходвам, изразходя *гл.* spend, expend (за on); (*средства и*) lay out; *разг.* eat up; (*енергия*) use up; (*докрай*) use up; exhaust; (*за машина*) use up, consume; ~ напразно waste, spend in vain.

изразявам, изразя *гл.* **1.** express, voice, give expression/voice/utterance to; ~ с думи put into words; couch in words; ~ с жестове express in gestures; ~ становището си make s.o.'s attitude known; нямам думи да изразя words fail me to express; **2.** (*за лице, фигура, жест и пр.*) show, betoken, manifest, betray, reveal; || ~ се express o.s.; (*проявявам се*) find expression (in); become apparent/manifest, show/manifest o.s.; лошо се изразих that isn't what I meant, I put it in badly; не знам как да се изразя I don't know how to put it (into words).

изразяване *ср.*, само ед. expressing, voicing, putting into words, uttering; expression; (*изказване*) utterance; (*в литературата, изкуството*) ren-

dering, rendition; **начин на** ~ manner of expression; (*формулировка*) wording.

израилтя̀нин *м.*, **израилтя̀ни; израилтя̀нк|а** *ж.*, **-и** Israelite.

изра̀ствам, изра̀сна и израста̀ *гл.* **1.** grow (up); (*бързо*) shoot up; (*за град, завод и пр.*) spring up; ~ **в разкош** be cradled in luxury; **2.** *прен.* rise; develop, mature, make progress; ~ **в очите на приятелите си** rise in the estimation of o.'s friends; **3.** (*поникнвам*) sprout.

изра̀стък|к *м.*, **-ци, (два) изра̀стъка 1.** growth, process; (*болезнен*) growth, excrescence; tumour; (*на животно*) tentacle, antenna (*pl.* antennae); (*обикн. на главата*) wen; *бот.* knot; **2.** (*издънка*) shoot, sprout; scion; **пускам ~ци** sprout, shoot out; (*мустаче*) tendril.

изрѐждам, изредя̀ *гл.* **1.** enumerate, list; tell in detail; **2.** (*гости при черпене*) treat everyone in turn; || ~ **се** take turns (**да** in *г ger.*); **всички се изредиха да го видят** one and all/everybody went to see him.

изрѐзк|а *ж.*, **-и** clipping, cutting; ~**и кино.** cut-outs; **отпадъчни** ~**и** scrap.

изречѐни|е *ср.*, **-я** *език.* sentence; (*част от сложно изречение*) clause; **главно** ~**е** principal/main clause; **подчинено** ~**е** subordinate clause; **просто** ~**е** simple sentence; **съставяне/построяване на** ~**е** sentence formation.

изрѝвам, изрѝна *гл.* shovel out; *прен.* throw/kick/chuck out; turn out (neck and crop); || ~ **се 1.** break/come out in a rash; **2.** *разг.* (*махам се*) get out, take o.s. off.

изрѝгвам, изрѝгна *гл.* erupt, eject; spew; belch forth/out; (*за вулкан*) erupt; *прен.* belch forth/out, break out.

изрѝгван|е *ср.*, **-ия** eruption, ejection; **слънчево** ~**е** sunburst, solar flare *прен.* outbust, outbreak.

изрѝтвам, изрѝтна *гл.* kick out; **бивам изритан** get/be given the push; **изритан съм от работа** *разг.* out on o.'s ears.

изрѝчам, изрека̀ *гл.* pronounce, utter, say, speak; ~ **грубо/троснато** snap out; ~ **през зъби** grind out.

изрѝч|ен *прил.*, **-на, -но, -ни** explicit, specific, express; (*ясен*) plain, clear; (*недвусмислен*) unambiguous; ~**на**

покана special invitation.

йзрод *м.*, **-и, (два) йзрода** monster, freak (of nature), abortion; degenerate, gargoyle; *sl.* mother-fucker, *sl.* tosser.

изро̀нвам, изроня̀ *гл.* **1.** shell; shed; **2.** *техн.* (*за зъбци и пр.*) break.

изрусявам₁, изрусѐя *гл. непрех.* become blond, turn yellow/golden.

изрусявам₂, изрусѝ *гл.* bleach; (*коса*) peroxide; **изрусена блондинка** peroxide blond.

изръмжа̀вам, изръмжа̀ *гл.* growl out, snarl out.

изръ̀свам, изръ̀ся *гл.* spray; || ~ **се** *разг.* spend/pay a fortune; **съвсем съм се изръсил** be penniless, be on the rocks, be broke, be out of pocket.

изря̀д|ен *прил.*, **-на, -но, -ни 1.** (*отличен*) excellent, perfect; immaculate; spotless; taintless; flawless; faultless, impeccable; **2.** (*за човек*) punctual, meticulous, accurate, punctilious.

изря̀звам, изря̀жа *гл.* **1.** cut off/away/ out; *хир.* excise, exscind, exsect, extirpate, exenterate; ~ **яйчник** perform ovariotomy; **2.** (*подрязвам*) clip off, lop off; (*дрвьче, лоза*) prune, trim, pare; ~ **ноктите си** cut/pare o.'s nails; **3.** (*гравирам*) (*фигура*) cut out; (*надпис*) carve, cut, engrave; **4.** *разг.* (*скъсвам на изпит*) plough.

изсвѝрвам, изсвѝря *гл.* play (to the end); whistle (out) (*за куршум*) whistle, whiz (past); **изсвири рог** a horn was heard; **корабът изсвири** the ship gave a toot/hoot.

изсѐквам, изсѐкна *гл.* blow; || ~ **се** blow o.'s nose.

изсѐлвам, изсѐля *гл.* move (от from); (*за наказание*) intern; (*от страната*) deport, exile, banish, expatriate; || ~ **се** move (**в** to); migrate (to); (*от страната*) emigrate (**от** from).

изсѐлван|е *ср.*, **-ия** expatriation, deportation, banish, ouster.

изсѐлник|к *м.*, **-ци; изсѐлниц|а** *ж.*, **-и** emigrant; exile; (*преселник, който влиза в дадена страна*) immigrant.

изсѝлвам се, изсѝля се *взвр. гл.* **1.** make a dash (towards; to); **2.** *прен.* overreach/overshoot o.s.; bite off more than one can chew; take too much upon o.s.; put o.s. forward; overdo it.

изсѝпвам, изсѝпя *гл.* **1.** tip; (*изливам*) pour out; (*отливам*) decant;

(*изпразвам*) empty; **2.** (*разсипвам, разпилявам*) spill; **3.** (*стоварвам с изсипване*) dump; || ~ **се 1.** come down, pour; **изсипа се голям/силен дъжд** there was a heavy rain/a downpour; **2.** (*разсипвам се*) spill; **3.** *мед.* (*изкилвам се*) get a hernia/rupture, become ruptured; **4.** (*падам*) tumble down; **5.** (*посещавам неочаквано*) drop in, land, descend; • ~ **блага върху** pour (down) blessings on.

изсѝпване *ср.*, **само ед.** *мед.* (*херния*) hernia, rupture.

изсѝчам, изсека̀ *гл.* **1.** (*цели дървета*) fell, cut down; ~ **горите** clear the forests; **2.** (*клонки*) cut/lop/prune off; (*част от нещо*) cut/hew out; **3.** (*изработвам със сечене*) cut out, hew, chip; (*с длето*) chisel out; engrave; **изсечен в скала** hewn into/out of the rock.

изска̀чам, изско̀ча *гл.* **1.** jump/leap/ spring out (**от** of); dash/rush/dart out; (*за яка*) ride up; **връзката му е изскочила** his tie has come out; **очите му изскочиха** his eyes started from their sockets; his eyes popped out of his head; **2.** (*изпадам от мястото си*) come off, drop, fall; **3.** (*явявам се неочаквано*) (*за човек*) turn up, pop up; (*за нещо*) turn up, crop up; • **изскочи ми умът** I was startled/scared out of my wits; I was scared to death.

изску̀бвам, изску̀бна и изску̀бя *гл.* (*изкоренявам*) uproot, root up/out, pull/pluck out, pull up/tear out by the roots; (*изтръгвам*) snatch, wrench away, wrest; || ~ **се** get away; wrench o.s free, break loose.

изскъ̀рцвам, изскъ̀рцам *гл.* creak, squeak.

изслѐдвам *гл.* investigate; examine; study; (*научно и пр.*) investigate; be engaged in research on; make a study of; *геогр.* explore; (*със сонда*) probe, sound; (*за минерални богатства*) prospect; (*въпрос*) inquire, go into, probe into; look into; ~ **щателно/внимателно** scrutinize, examine closely; *разг.* give s.o. a complete going-over.

изслѐдван|е *ср.*, **-ия** examination, study; (*научно*) research (work), investigation; (*съчинение*) paper; *геогр.* exploration; (*анализ*) analysis; ~**е на кръвта** *мед.* blood test/analysis/count;

основно ~e *мед.* general check-up.

изследвач *м.*, -и и **изследовател** (-ят) *м.*, -и 1. *геогр.* explorer; 2. (*научен работник*) research worker.

изследователск|и *прил.*, -а, -о, -и research (*attr.*); explorative, exploratory; **научно-~и институт** research institute.

изслушвам, изслушам *гл.* listen to (all s.o. has to say), lend an ear to; hear (out), give a hearing (to); ~ **с голямо внимание** follow closely; **отказвам да изслушам някого** refuse s.o. a hearing, dismiss s.o. without a hearing.

изсмивам се, изсмея се *възвр. гл.* laugh out/loud; (*силно*) burst into laughter; ~ (**в очите**) **на** laugh at.

изсмуквам, изсмуча *гл.* 1. suck out, suck dry; (*изпивам*) drink up; drain (off); 2. *прен.* (*експлоатирам*) sweat, bleed (white); drain (the resources of); 3. *прен.* (*изтощавам*) exhaust, sap; ~ **жизнените сокове на** sap the vitality of; • ~ **из пръстите си** invent, fabricate, make up, concoct.

изстивам, изстина *гл.* 1. get/grow/ become cool/cold; cool (down); chill; 2. (*простудявам се*) catch (a) cold; take/catch a chill; • ~ **към** lose interest in, become indifferent (to); **ще ти изстине мястото** you'll get the sack.

изстисквам, изстискам *гл.* squeeze out, press out; ~ **дрехи** wring (out) clothes; • **изстискан лимон** squeezed/ sucked orange.

изстрадвам, изстрадам *гл.* suffer; (*понасям*) endure, undergo, bear; **много съм изстрадал** I have been through hell.

изстрел *м.*, -и, (**два**) **изстрела** shot; (*звукът*) report; **пушечен** ~ gunshot.

изстрелвам, изстрелям *гл.* 1. fire, shoot; discharge; ~ **ракета** fire a rocket, blast off/launch a rocket; ~ **сателит в орбита** launch a satellite into orbit; 2. (*боеприпаси*) fire/shoot away; use up, exhaust (o.'s ammunition).

изстудявам, изстудя *гл.* 1. cool, chill; 2. *прен.* (*възторг и пр.*) damp; || ~ **се** cool off/down, chill.

изстъплени|е *ср.*, -я 1. (*безчинство*) outrage, excess; **извършвам ~я** commit outrages (*срещу on*), riot (against); 2. (*екзалтация, безумство*) frenzy; delirium, madness.

изтъргвам, изтържа *гл.* scrape off/ away/out; scrape clean; (*изглаждам*) scrape/file smooth; (*ряпа и пр.*) grate.

изсушавам, изсуша *гл.* 1. dry (up); *хим.* dehydrate; (*обезводнявам*) desiccate, exsiccate; (*въздуха*) dehumidify; (*растения*) wither (up); (*почва – за слънцето*) parch, bake hard; (*пресушавам*) drain; (*дървен материал*) season, dry; (*цвете за хербарий*) press; (*консервирам*) desiccate, dry; **изсушен от слънце** sun-dried, sun-cured; 2. *прен.* (*за болест*) emaciate; || ~ **се** dry (up); wither; be seasoned/ cured.

изсъсквам, изсъскам *гл.* hiss, give a hiss; *прен.* say s.th. between o.'s teeth.

изсъхвам, изсъхна *гл.* 1. dry (up), become dry; (*за растения*) wither; 2. *прен.* pine/waste away; • **да му изсъхнат ръцете** may his hands wither.

изтеглям, изтегля *гл.* 1. draw out; (*издърпвам*) pull out, drag out; (*билет – и на изпит, карта при игра*) draw; (*пари*) draw (out), (*чек*) cash; (*въздух*) exhaust, draw off, pump out; ~ (*лодка и пр.*) **на брега** draw out, beach; 2. (*оттеглям*) withdraw, take back; ~ **войските** draw off/withdraw the troops; ~ **от обращение** withdraw from circulation, take out of circulation; call in; (*книга*) withdraw from publication, suppress; 3. (*удължавам*) stretch, draw out, extend; elongate; 4. (*изстрадвам*) suffer, fare badly, go through hardship/difficulties, endure hardship(s); **много изтеглих с тази операция** I had a bad time with this operation; || ~ **се** 1. withdraw; 2. (*израствам тънък и висок*) grow tall and thin; • ~ **празно** draw a blank; ~ **пълно** draw a winner.

изтезавам *гл.* torture, put to torture, rack; || ~ **се** torment o.s., suffer torments/torture.

изтезани|е *ср.*, -я torture, torment; (*страдание*) suffering, agony, anguish.

изтиквам, изтикам *гл.* 1. push out, shove/thrust/force/jostle/hustle out; edge (s.o.) out; thrust out (of o.'s way); ~ **с лакти** elbow out; 2. (*изгонвам*) turn/drive out; (*измествам*) supplant, oust; ~ **неприятеля от позициите му** dislodge the enemy from his positions.

изтичам, изтека *гл.* 1. flow/run out, escape, leak out, filter out, get out (*и за информация*); **изтекоха й очите от плач** she has cried her eyes out; **изтича ми кръвта** bleed to death; 2. (*за река*) rise, take its source (**от** in, from), (*от езеро*) issue (from); 3. (*за срок*) elapse, expire, run out; **времето изтече** time is up; **отпуската ми изтече** my holidays are over, my holidays have come to an end; || ~ **се** (**в** into), drain/flow off/away.

изтичане *ср.*, *само ед.* flowing, draining; elapsing, expiring; outflow; effluence; efflux; (*теч*) leakage, seepage, escape; (*за срок*) expiration, expiry; ~ **на газ** gas leak; ~ **на информация** leak of information, leakage; ~ **на капитали** *икон.* capital flight.

изтичвам, изтичам *гл.* slip across, nip over, dash, rush, run over/round/across/ along (**до** to); (*излиза тичешком*) run/dash/rush out, come out running; ~ **до някого** run up to s.o.

изтласквам, изтласкам *гл.* push/ thrust/jostle out (aside); eject; force out; (*прогонвам*) drive out.

изтласквач *м.*, -и, (**два**) **изтласквача** *техн.* pusher, ejector.

изтлявам, изтлея *гл.* 1. (*за огън*) smoulder away, die down; 2. *прен.* (*слабея*) pine away, waste away, languish; 3. (*гния*) rot away, decay.

изток *м.*, *само ед.* 1. *геогр.* east; 2. (*Ориентът*) the East, the Orient; **Близкият** ~ the Near East; **Далечният** ~ the Far East; **къщата гледа на** ~ the house faces east; **на** ~ (*за местоположение*) in the east; (*за граница че*) on the east, (*за движение*) to the east, eastward.

източвам, източа *гл.* (*шия*) crane.

източвам, източа *гл.* 1. (*всичката вода от*) draw (out); drain; (*бойлер и пр.*) run off; (*вода, за да се охлади*) let run; 2. (*нишка*) draw out, (*коприна*) wind; (*баница*) roll out; || ~ **се** 1. file one after another, file off/away; 2. (*порастивам много*) shoot up.

източ|ен *прил.*, -на, -но, -ни eastern, east; (*насочен на изток*) eastward, eastwardly; (*от изток*) easterly; (*за обичаи, култура и пр.*) oriental, eastern; ~**ен вятър** easterly/east wind; Източната църква *рел.* the Eastern

Church; **Източният въпрос** *истор.* the Eastern Question.

източни|к *м.*, -ци, (два) **източника** source; (*произход*) origin; **добре осведомен** ~**к** well informed sources/quarters; ~**к на захранване** *ел.* power supply; **от достоверен** ~**к** from a reliable source; on good authority.

източноправослав|ен *прил.*, -на, -но, -ни Eastern Orthodox.

изтощавам, изтощя *гл.* exhaust; wear/tire out; frazzle; enervate; (*изчерпвам*) deplete, drain; (*почва*) overcrop, impoverish, exhaust, emaciate; (*за болест*) waste; **това ще ме изтощи финансово** this will ruin me, this will be a great drain on my finances, this will drain my resources; || ~ **се** be exhausted, be worn out; (*отслабвам*) become emaciated/weak; (*батерия*) be discharged/depleted, go dead.

изтощение *ср.*, *само ед.*; **изтощеност** *ж.*, *само ед.* exhaustion; emaciation; effeteness; *мед.* symptosis; **война на пълно** ~ war of attrition; **нервно/умствено** ~ brain-fag.

изтощител|ен *прил.*, -на, -но, -ни exhausting, emaciating, wasting; exacting; fatiguing, tiring; gruelling; (*за война*) crippling; (*изчерпваш*) depletory, depletive.

изтрайвам, изтрая *гл.* 1. last, hold out; survive; **ще изтрае ли болният до утре?** will the patient live until tomorrow? **ще изтраем до напролет** we'll pull through until next spring; 2. *разг.* tough out; face out; (*понасям*) stand, bear, endure; sustain; suffer; stick s.th. out; ~ **на болки** endure pain.

изтраквам, изтракам *гл.* rattle, clatter; (*веднъж*) rap; (*за кола*) rattle past.

изтребвам, изтребя *гл.* exterminate, extirpate, destroy, annihilate, kill off.

изтребител (-ят) *м.*, -и 1. destroyer, annihilator; exterminator; 2. *авиац.* chaser, fighter (plane); pursuit-plane; 3. (*ловец на норми*) икон., *жарг.* ratebuster; high-flier.

изтребител|ен *прил.*, -на, -но, -ни 1. destructive, destroying, exterminating, exterminatory, extirpative; annihilating; 2. *авиац.* fighting.

изтрезнявам, изтрезнея *гл.* become sober, sober (down) (*и прен.*); *прен. и*

come to o.'s senses.

изтрепвам, изтрепя *гл.* 1. exterminate, destroy; 2. (*уморявам*) wear/tire out; || ~ **се** wear o.s. out (**да** to **с** *inf.*); **изтрепах се, докато го намеря** I had all the trouble in the world finding him.

изтрещявам, изтрещя *гл.* crash; fulminate; (*за оръжие*) thunder, roar.

изтривалк|а *ж.*, -и (door)mat; (*за черна дъска*) duster.

изтривам, изтрия *гл.* 1. (*изличавам*) erase, delete, efface, obliterate, expunge; rub/blot out; (*механично*) rub out/off; (*изчиствам, излъсквам*) scrub, scour; ~ **петно прен.** wipe out a spot; 2. (*избърсвам*) wipe (off); (*изсушавам*) dry, wipe dry; (*изчиствам*) wipe clean; (*кал и пр.*) rub off, rub/wipe out; ~ **потта от лицето си** mop up the sweat from o.'s face; 3. (*дрехи*) wear out/threadbare; (*изхабявам*) wear away, abrade.

изтръгвам, изтръгна *гл.* wrest, wring, wrench, force (**от** out of); (*със заплаха*) extort; *амер. разг.* gouge; (*издърпвам*) pull out, extract; draw; (*изкоренявам*) книж. deracinate; ~ **признание** wring/wrest/extort a confession; ~ **с корен** tear up by the root, uproot, unroot; || ~ **се** wrest/tear o.s. away, break away/free/loose; **въздишка се изтръгна от гърдите му** a groan escaped his lips, he heaved a sigh.

изтръпвам, изтръпна *гл.* 1. tingle, have pins and needles; **кракът ми е изтръпнал** my leg has gone dead/asleep; **ръката ми е изтръпнала от студ** my arm/hand is numb with cold; 2. (*от вълнение*) thrill (**от** with); (*от уплаха*) shudder (with); ~ **пред мисълта** I shudder at the thought.

изтръсквам, изтръскам *гл.* shake off/out; (*от прах*) dust off.

изтупвам, изтупам *гл.* beat (out); ~ **дрехи** beat the dust out of clothes; || ~ **се** *разг.* sleek up, dress up (to the nines), doll o.s. up, deck o.s. out.

изтъкавам, изтъка *гл.* weave; finish weaving; ● ~ **си платното, ритам ти кросното** kick down the ladder by which one rose.

изтъквам, изтъкна *гл.* 1. point out, emphasize, stress, underline; 2. (*изкарвам на видно място*) bring forward, bring to the fore; || ~ **се** assert

o.s., blow o.'s own trumpet.

изтъкнат *прил.* eminent, prominent, distinguished, outstanding, notable; foremost.

изтълкувам *гл.* interpret; **невярно/погрешно/неправилно** ~ misinterpret, misconstrue.

изтънчен *мин. страд. прич.* (*и като прил.*) refined, fine, cultivated; courtly; (*префинен*) dainty; (*за вкус*) discriminating; (*за усещане*) subtle, exquisite; ~ **мошеник** arch-rogue; ~ **човек** a man of fine fibre; ~**а жестокост** refined cruelty; exquisite torture.

изтънявам₁, изтъня *гл.* make thin/thinner; (*чрез дялане*) whittle down; *техн.* diminish; (*чрез изчукване*) hammer out; || ~ **се** grow/become thin/thinner, thin out; elongate; (*ставам заострен*) taper (off).

изтънявам₂, изтънея *гл.* become/get thin; become/get slim; (*отслабвам*) lose flesh, waste away; (*за предмет*) wear thin; ● **съвсем съм изтънял** be broke, be on the rocks.

изтъпявам₁, изтъпя *гл.* blunt, dull, make dull/blunt; take the edge off (s.th.); || ~ **се** become/get dull/blunt.

изтъпявам₂, изтъпея *гл.* (*оглупявам*) grow/become stupid/dull.

изтърбушвам, изтърбуша *гл.* 1. disembowel, eviscerate; (*за готвене*) draw, pull; 2. *прен.* turn inside out.

изтървавам, изтърва *гл.* 1. (*изпускам*) drop, let fall/slip, lose hold of; 2. (*пропускам*) miss; (*изгубвам*) lose; (*не забелязвам*) overlook; (*умишлено*) skip; 3. (*дете, разглезвам*) spoil, let a child get out of hand; 4. (*оставям да умре*) let (s.o.) die; 5. (*казвам, без да помисля*) blurt out; || ~ **се** blunder out, make a slip of the tongue; let the cat out of the bag; ● **властта съвсем е изтървала юздите** the authorities have lost control of the situation; the situation is out of hand.

изтъркалям *гл.* (*търкулвам*) roll out; || ~ **се** (*претъркулвам се*) roll over; (*падам*) roll down; ~ **се в калта** wallow in the mud; **не усетихме кога се изтърколи този месец** we hardly noticed how this month slipped by.

изтъркан *мин. страд. прич.* (*и като прил.*) 1. scrubbed (clean); rubbed, scoured, polished, burnished; 2. (*из-*

трит, износен) worn (out); *(за дрехи)* threadbare, shabby, seedy; *(от ходене)* footworn; **3.** *прен.* trite, stale, hackneyed, well-worn; copy-book *(attr.)*; *амер.* cornball, corny; ~**а история** an old/hoary chestnut; ~**а фраза** tag.

изтъ̀рквам, изтъ̀ркам *гл.* **1.** scrub (clean), scour, rub out/off/clean; *(излъсквам)* polish, burnish; *(заличавам с търкане)* rub out, erase; **2.** *(дрехи)* wear out; || ~ **се 1.** *(износвам се)* wear out; become threadbare/shabby; **този плат не се изтърква лесно** this cloth will wear (well); *(за надпис и пр.)* wear away/off; *(за мъх на плат)* rub away/off; **2.** *(ставам банален)* become trite/hackneyed/stale.

изтъркол̀явам, изтъркол̀я и **изтърку̀лвам, изтърку̀лна** *гл.* roll out/down/over.

изтърп̀явам, изтърп̀я *гл.* stand, endure, bear, suffer; *(понасям)* put up with; ~ **докрай** sweat it out; ~ **наказание** *(затвор)* serve a term of imprisonment.

изтърса̀| к *м.,* -**ци** the shake of the bag; the baby of the family.

изтъ̀рсвам, изтъ̀рся *гл.* **1.** *(дрехи и пр.)* shake out; *(килим)* shake; ~ **пепелта от цигарата/лулата си** knock the ash off o.'s cigarette/out of o.'s pipe; **2.** *(изсипвам)* *(течност, зърно)* pour out, empty; *(смет, въглища и пр.)* dump, tip, shoot, deposit, tilt (down); *(ездач – за кон)* shed, spill; *(пътници от кола)* set down, drop; **3.** *(изгубвам)* drop; **4.** *(казвам нещо неуместно)* blurt out, blabber/blab out; || ~ **се 1.** brush/dust o.'s clothes, shake the dust off o.'s clothes; **2.** *(падам)* tumble down, have a spill/fall, be spilled *(от from)*; **3.** *(посещавам неочаквано)* drop in, land, descend (on); drop from the clouds.

изтя̀гам, изтѐгна *гл.* stretch, draw out; || ~ **се** stretch o.s.; *(лежа опънат)* lie stretched, sprawl; *(излежавам се)* lounge, loll.

изумѐн *мин. страд. прич. (и като прил.)* **1.** astounded, amazed, staggered, bewildered, stunned, confounded; *(от възторг)* lost in admiration; wonderstruck; *(обезумял)* demented *(от with)*.

изумѝтел|ен *прил.,* -**на,** -**но,** -**ни** amazing, astounding, stupendous, overwhelming, marvellous, breath-taking, stunning, staggering, startling, prodigious; ~**но невежество** monumental ignorance.

изумлѐние *ср., само ед.* amazement, stupefaction, stupor.

изумру̀д *м.,* -**и, (два) изумру̀да** emerald.

изум̀явам₁, изумѐя *гл.* fall into dotage, become a dotard; *(от пиене)* become besotted.

изум̀явам₂, изумя̀ *гл.* **1.** amaze, astound; consternate, stupefy, stun, strike dumb, stagger, overwhelm; **2.** *(забравям)* forget.

изуча̀вам, изу̀ча *гл.* study; *(проучвам)* make a study of, study; *(научно)* carry out research (on); *(изследвам)* investigate, examine, inquire into; *(запознавам се с)* familiarize o.s. with, explore.

изу̀чвам, изу̀ча *гл.* **1.** *(усвоявам)* learn; master; **2.** *(обучавам)* train; *(давам образование на)* educate, give an education to; ~ **занаят** bring up to a trade; **3.** *(проучвам, изследвам)* investigate, look into, probe into; || ~ **се** become proficient **(в, на,** in, at).

изхаб̀явам, изхаб̀я *гл.* **1.** blunt, dull, make blunt/dull; **2.** *(повреждам, похабявам)* waste, spoil; ruin; *(в резултат на вибрации, за метал)* fatigue; **3.** *(изразходвам)* use up; || ~ **се 1.** become dull/blunt; **2.** *(за човек)* be worn out; wear o.s. out.

изхаб̀яване *ср., само ед.* wearing out; *техн.* wear and tear; *(в резултат на вибрации, за метал)* fatigue; *икон. (морално)* obsolescence; wear.

изха̀рчвам, изха̀рча *гл.* *(похарчвам)* spend, expend, lay out **(за** on); **2.** *(изразходвам)* consume, use up; **3.** *(продавам всичко)* sell out.

изхвръ̀квам, изхвръ̀кна *гл.* **1.** fly out/off/away; *(за колело)* fly off; *(за самолет: излита)* take off; ~ **към небето** rocket into the sky; **2.** *(изтичвам)* dash/rush/dart out; **3.** *прен. разг. (изгонват ме, уволняват ме)* be fired/sacked, be given the sack, be thrown out; ● ~ **като тапа** dash out; **изхвръкна ми от главата** I clean forgot about it.

изхвъ̀рлям, изхвъ̀рля *гл.* **1.** throw/cast out/away; *(смет)* dump, shoot, deposit, tilt down; *(пръст – за къртица)* cast up; ~ **на брега** *(за вълни, море)* cast/wash ashore; **2.** *(отделям) (за вулкан)* throw up, eject; *(за организъм)* void; *физиол.* excrete; egest; eject; *хим., физ.* emit, eject, eliminate; ~ **дим** *(за комин)* emit smoke; *(камък – за бъбрек)* expel; **3.** *(изпъждам)* throw (out); force out; exclude; *(уволнявам)* sack, fire, throw s.o. out of his job; *(от организация)* eject; *(от събрание)* throw/chuck out; *(наемател – по съдебен ред)* evict; ~ **на улицата** *прен.* throw into the street/on the streets; **4.** *(отстранявам, премахвам)(пасаж от книга)* suppress, expunge, expurgate, *sl.* caviare; *(учебен предмет)* abolish, eliminate, suspend the teaching of; ~ **от употреба** discard; || ~ **се** overreach/overshoot/overleap o.s.; **не се изхвърляй!** draw it mild!

изхвърча̀вам, изхвърча̀ *гл.* **1.** fly out/off/away; **2.** *прен. разг. (изгонват ме, уволняват ме)* be fired/sacked, be given the sack, be thrown out.

изхитр̀явам, изхитр̀я *гл.* outwit, overreach, circumvent; || ~ **се** make (a) shift, be smart enough **(да** to *с inf.).*

изхлу̀звам, изхлу̀зя *гл.* pull off; slip off; || ~ **се** slip **(от** out of); *(за пръстен и пр.)* slip off; *(за човек)* steal away, slip away/off.

и̇зход *м.,* -**и, (два) и̇зхода 1.** exit *(и на зала),* way out, outlet, egress; means of exit/egress; *(обикн. за вода)* outflow; *мин. (на шахта)* outset; **авариен** ~ emergency exit/door; **резервен** ~ escapeway; **2.** *(резултат, последица, край)* issue, outcome; **намирам** ~ **от положение** find a way out of a situation, find an alternative; break a deadlock; *(при безизходица)* break a deadlock; **3.** *библ.* Exodus.

и̇зход|ен *прил.,* -**на,** -**но,** -**ни 1.** *(начален)* starting, initial; ~**ен пункт,** ~**а точка** point of departure, starting point; **2.** outlet *(attr.),* output *(attr.),* exit *(attr.); зоол.* excurrent.

изходя̀щ *сег. деят. прич. (и като прил.)* **1.** outgoing; ~ **номер** *канц.* outgoing number; **2.** starting, initial; outlet *(attr.).*

изхождам, изходя *гл.* **1.** go/walk all over; travel all over; **2.** (*извървявам*) walk, cover, do; **3.** (*произхождам*) originate, stem, come (**от** from); (*имам за основа*) be based (**от** on); ~ **от предположението, че** we proceed from the assumption that; || ~ **се** have a bowel movement.

изхранвам, изхраня *гл.* feed; (*семейство*) maintain, support, provide for; (*отглеждам*) bring up, raise, rear; || ~ **се** make a living, provide for o.s.

изхрачвам (се), изхрача (се) (*възвр.*) *гл.* expectorate, spit out.

изхрущявам, изхрущя *гл.* crunch.

изцапвам, изцапам *гл.* soil, dirty, make filthy/dirty; foul; grime; (*с нещо мазно*) besmear, smear; (*с вино, мастило, кръв и пр.*) stain, spot; (*с боя*) get paint on; (*с пръсти – страница на книга*) thumb; || ~ **се** get dirty, make o.s. dirty, dirty o.s.

изцеждам, изцедя *гл.* **1.** squeeze/press out; (*дрехи*) wring out; **2.** (*източвам*) drain; ~ **до капка** drain to the last drop; **3.** (*прецеждам*) strain; || ~ **се** drain off/away.

изцеление *ср., само ед.* healing, curing; (*възстановяване*) recovery.

изцерявам, изцеря *гл.* cure, heal (**от** of); || ~ **се** be cured (of); (*възстановявам се*) recover (from).

изцъклям, изцъкля *гл.*: ~ **очи** stare with glassy eyes; *прен.* (*умирам*) die; || ~ **се** become glassy/glazed/dull/fixed.

изцяло *нареч.* entirely, fully, totally, completely, wholly; in its entirety; from first to last; to a fraction; *разг.* to a frazzle; (*не отчасти – при препечатване*) in whole/full; **поддържам нещо** ~ give full support to s.th.

изчади|е *ср., -я* spawn; monster, freak of nature; ● ~**е на ада** fiend, limb of the devil, limb of Satan.

изчаквам, изчакам *гл.* await, wait for; temporize, wait and see, bide o.'s time; hold o.'s fire, hang fire; ~ **удобния момент** wait o.'s chance, wait for an opportunity, bide o.'s time.

изчезвам, изчезна *гл.* disappear, vanish; *поет.* evanish; evaporate; (*избягвам*) *разг.* make o.s. scarce, do a bunk, bugger off, buzz off, cop out, vamoose, do a runner; (*постепенно*) fade (away); (*за раса, език и пр.*) become extinct,

die out; (*за обичай*) fall into decay; **изчезвай!** get out of here! out you go! off with you! come out of that!

изчервявам се, изчервя се *възвр. гл.* blush, flush, turn red, flame, colour up (**от** with).

изчерпател|ен *прил.*, **-на, -но, -ни** comprehensive, exhaustive, thorough; circumstantial.

изчерпвам, изчерпам и **изчерпя** *гл.* **1.** exhaust, deplete, drain, finish; *разг.* eat up; (*изразходвам*) spend; ~ **запасите си от** run out of; ~ **търпението на някого** exhaust/wear out/try s.o.'s patience; **2.** (*течност*) scoop out, dip out; (*от лодка, с кофа*) bale out; (*изпомпвам*) pump out; (*изпразвам*) pump dry, empty; || ~ **се 1.** be exhausted/drained/finished/spent; give out; (*за книга*) be out of print; (*за писател*) run dry, dry up, write o.s. out; **търпението ми се изчерпва** my patience is wearing thin, I am losing patience; **2.** run low; (*окончателно*) run dry, give out.

изчетквам, изчеткам *гл.* **1.** brush; (*отстранявам с четкане*) brush off/away; **2.** *разг.* (*лаская*) play up to, butter (s.o.) up; || ~ **се** brush o.s., brush o.'s clothes.

изчислени|е *ср., -я* calculation; computation; *разг.* number-crunching; (*смятане*) reckoning; (*разчет, сметка*) estimate, account.

изчислител (-ят) *м.*, **-и, (два)** изчислителя calculator, computer; *воен.* plotter.

изчислител|ен *прил.*, **-на, -но, -ни** *техн.* computing, computerizing; calculative; ~**на техника** computing machinery.

изчислявам, изчисля *гл.* calculate, compute; reckon, figure; *разг.* work out; (*определям броя на*) estimate, put/number (at); **загубите се изчисляват на един милион** losses are put at one million; || ~ **се** be estimated (**на** at), amount (to), come up (to).

изчиствам, изчистя *гл.* **1.** clean; (*стая, басейн и пр.*) clean out; (*с четкане, бърсане*) clean down; (*разчиствам*) clear; (*петно*) clean, take out; **2.** (*изтребвам*) destroy, finish off, kill; **3.** (*изкормвам*) disembowel; (*птица*) draw; **4.** *спорт.* kick/punch

clear; || ~ **се 1.** clean o.s.; **2.** (*за небето*) clear up.

изчитам, изчета *гл.* read (all, to the end), read through; finish reading; (*прочитам гласно*) read out.

изчуквам, изчукам *гл.* **1.** forge out, hammer out, beat out; **2.** (*почуквам*) knock (on, at); **3.** (*изкарвам, печеля*) make, earn; ● **какво то изчукам – изпукам** live from hand to mouth; lead a hand-to-mouth existence.

изшумолявам, изшумоля *гл.* rustle, murmur, ripple.

изщраквам, изщракам *гл.* **1.** (*за пушка*) crack; **2.** *фот.* (*филм*) use up.

изяв|а *ж.*, **-и** expression, manifestation; appearance; (*като учен и пр.*) contribution.

изявител|ен *прил.*, **-на, -но, -ни** *език.* declarative; indicative; ~**но наклонение** indicative mood.

изявлени|е *ср.*, **-я** statement, declaration; (*в печата, по радио и пр.*) announcement; (*за пресата*) press release.

изявявам, изявя *гл.* express, voice, make known; (*декларирам*) state, declare; (*желание*) intimate, express, manifest; || ~ **се** show/manifest/express o.s.; come into o.'s own; (*показвам на какво съм способен*) show o.'s paces.

изяждам и **изядам, изям** *гл.* **1.** eat (up); (*за звяр*) devour; (*за молци и пр.*) eat, consume; (*за ръжда*) eat away; (*за киселина*) corrode, eat away; **2.** (*прахосвам*) dissipate, squander; (*имот*) run through, fling away; **3.** (*букви при говор, писане*) drop, clip; **4.** (*изтормозвам*) badger, pester to death; (*унищожавам*) destroy, be s.o.'s undoing, be the end of s.o.; || ~ **се** fret o.s. (to death); ~ **се от злоба/завист/амбиция** be eaten up/be consumed with spite/envy/ambition; **щях да се изям (от яд)** I could have kicked myself; ● ~ **главата на** be the death/destruction of, prove/be the undoing of; ~ **плесница** get/receive a slap in the face (*и прен.*).

изяснявам, изясня *гл.* clear up, clarify, make clear; (*обяснявам*) explain; (*осветлявам*) elucidate, throw light upon; (*въпрос*) highlight; || ~ **се 1.** (*за време*) clear up, brighten up; **2.** (*давам разяснения*) make o.s. clear.

изящ|ен *прил.*, -на, -но, -ни exquisite, elegant; delicate; dainty; (*изтънчен*) refined; (*грациозен*) graceful; ~ни изкуства fine arts.

икон|а *ж.*, -и *църк.*, *изк.* icon, sacred image.

иконоборство *ср.*, *само ед.* *истор.* iconoclasm.

иконография *ж.*, *само ед.* icon-painting, iconography.

иконом *м.*, -и 1. steward; treasurer; 2. *църк.* (*на манастир*) manciple, cellarer.

икономика *ж.*, *само ед.* 1. (*наука*) economics; 2. (*стопанство*) economy; (*строй*) economic structure/system.

икономисвам, икономисам *гл.* use/spend sparingly, save, economize; be sparing/frugal; be economical (with); (*спестявам*) save, put aside; (*плат при шев*) skimp; • ~ истината withhold the truth; *шег.* be economical with the truth.

икономист *м.*, -и economist.

икономич|ен *прил.*, -на, -но, -ни economical; (*за живот*) frugal; (*за ядене, квартира*) economical, cheap; (*пестелив*) thrifty, frugal, provident.

икономическ|и *прил.*, -а, -о, -и economic.

иконом|и|я *ж.*, -и 1. economy; economization; saving; за ~я на време to save time; правя ~и save; practise economy; 2. (*наука*) economy, economics; политическа ~я political economy.

икономк|а *ж.*, -и housekeeper.

иконопис *ж.*, *само ед.* icon-painting, iconography.

иконостас *м.*, -и, (два) иконостаса *църк.* (*в църква*) iconostasis, chancelscreen; (*домашен*) icon-stand.

или *съюз* or; ~ единия, ~ другия either one or the other; any one the two; no matter who; ~~ either – or; ~~! neck or nothing; ~ пък ... or else ...; така ~ иначе one way or another; whatever the case may be.

или|к|а, -ци, (два) илика buttonhole.

илюзионист *м.*, -и illusionist; conjurer, conjuror.

илюзи|я *ж.*, -и illusion; *разг.* a rope of sand; (*самоизмама*) delusion, self-deceit/deception/delusion; не си правя никакви ~и have/cherish/entertain no illusions; разбивам ~ите на *разг.*

knock the props under; pull the rug from under; puncture s.o.'s balloon.

илюзор|ен *прил.*, -на, -но, -ни illusory, illusionary; fairy-tale; fancied, fanciful; fantastic(al); (*мамещ, лъжлив*) illusive; delusive, delusory.

илюминатор *м.*, -и, (два) илюмината-тора porthole; hatchway; палубен ~ *мор.* deck-light.

илюминаци|я *ж.*, -и *обикн. мн.* illumination.

илюминирам *гл.* illuminate; adorn with lights.

илюстратив|ен *прил.*, -на, -но, -ни illustrative; ~ен материал illustrations.

илюстраци|я *ж.*, -и illustration; (*снимка*) photo; figure; като ~я by way of illustration/example/exemplification.

илюстрирам *гл.* illustrate; ~ с примери give examples, exemplify.

има *безл. гл.* 1. there is; *pl.* there are; ~ защо, ~ за какво there are good reasons for it; with good reason; there is every reason; какво ~? what's up? what's the matter? (*за новини*) what's the news? 2. (*за бъдеще време с да*) shall, will (*с inf.*); ~ много да чакаш you'll have to wait long; there's plenty of time before you.

имам *гл.* 1. (*притежавам*) have, have got; possess, own; имате ли телевизор? – да/не have you got a T.V. set? – yes, we have (got one)/no, we haven't (got one); 2. (*страдам от*) have; 3. (*при определяне размери, възраст, време*) be, (*приблизително*) must be (about); 4. (*смятам някого за някакъв*) hold, regard, consider, look upon; ~ го за верен човек I hold him to be loyal, I regard him as trustworthy, I trust him; 5. (*със същ.*) have, be; имайте добрината да be so good/kind as to (*с inf.*); ~ вид на (*с прил.*) look, seem, look like; ~ вина be guilty, be to blame; ~ за цел my purpose is (да то *с inf.*); ~ намерение intend; ~ право be entitled to; || ~ се 1. consider/regard o.s.; ти се има за много (*нещо*) she thinks very highly of herself, *разг.* she thinks she's the cat's whiskers; 2.: ~ се с някого be friendly/pally with s.o., be on friendly terms with; • да имаш да вземаш I'm not taking any! nothing doing! no way! кол-

кото глас ~ at the top of o.'s voice/lungs.

имане *ср.*, -та 1. treasure; riches, richness; 2. (*имущество*) property, possessions; бащино ~ patrimony.

иманяр (-ят) *м.*, -и treasure-hunter.

име *ср.*, -на 1. name; (*название*) appellation; в ~то на закона in the name of the law; галено ~ pet name; на ~ Петър called Peter, Peter by name; собствено ~ proper/Christian/given/first name; forename; фамилно ~ surname, family name, last name; 2. (*известност*) reputation, name; излиза ми ~ have/get a bad reputation/name; създавам си добро ~ make a good name for o.s.; win/make o.s. a name; 3. noun, substantive.

имен *прил.*, *мн.* -ни: ~ ден name-day.

имен|ен *прил.*, -на, -но, -ни name (*attr.*); nominal.

имени|е *ср.*, -я estate; domain.

именит *мин. страд. прич.* (*и като прил.*) eminent, distinguished, celebrated, renowned, notable, illustrious; famous; ~ човек celebrity, man of mark.

именни|к₁ *м.*, -ци, (два) именника enrolment form.

именни|к₂ *м.*, -ци; именниц|а *ж.*, -и person celebrating his/her name-day.

именно *нареч.* 1. namely, viz.; that is to say, *остар.* to wit; (*тоест*) that is, *съкр.* i.e.; a ~ namely; 2. (*тъкмо*) just, precisely, exactly, quite/just so; ~! exactly! that's it! that's the idea! ~ сега now especially, at this very moment.

именувам *гл.* name, call; term; || ~ се have/bear the name of, be called.

имигрант *м.*, -и immigrant, incomer.

имиграцион|ен *прил.*, -на, -но, -ни immigration (*attr.*); ~ни разпоредби immigration rules.

имиграция *ж.*, *само ед.* immigration; нелегална ~ unauthorized immigration.

имитатор *м.*, -и; имитаторк|а *ж.*, -и imitator, mimic; copyist; *инф.* simulator; ~ на полет flight simulator.

имитаци|я *ж.*, -и 1. imitation; counterfeit; simulation; fake; *разг.* rip-off, cod; ~я на кожа leatherette, artificial leather; ~я на скъпоценни камъни paste; 2. *само ед.* (*имитиране, подражаване*) imitation, mimicry.

имитирам *гл.* imitate; feign; (*подиг-*

равателно) mimic, take off; *разг.* send (s.o.) up; (*подражавам*) copy, imitate.

имо̀т *м.*, -и, (два) имо̀та possessions, property, estate; **бащин** ~ patrimony; **недвижим** ~ real estate/property, realty.

имо̀т|ен *прил.*, -на, -но, -ни **1.** property (*attr.*); **~ен ценз** property qualifications; **~но състояние** property status; **2.** (*състоятелен*) propertied, wealthy, rich, well-to-do, well off.

императѝв *м.*, -и, (два) императѝва **1.** *филос.* imperative; **категорически** ~ categorical imperative; **2.** *само ед.* *език.* imperative, the imperative mood.

императѝв|ен *прил.*, -на, -но, -ни **1.** imperative, peremptory; (*задължителен*) obligatory, binding, compulsory; **2.** *език.* imperative.

импера̀тор *м.*, -и *истор.* emperor.

импера̀торск|и *прил.*, -а, -о, -и emperor's; imperial; **~и дворец** imperial palace; **Негово ~о величество** His Imperial Majesty.

империалѝз|ъм (-мът) *м.*, *само ед.* imperialism.

империалѝст *м.*, -и imperialist.

импѐри|я *ж.*, -и empire (*и прен.*); **~ята загѝва** the empire is tottering to its fall.

импѐрск|и *прил.*, -а, -о, -и imperial.

имплантàци|я *ж.*, -и *мед.* implantation; engraftment, engraftation.

импоза̀нт|ен *прил.*, -на, -но, -ни imposing, impressive, grand, grandiose; spectacular; (*за външност*) stately, dignified, impressive.

импонѝрам *гл.* impress (на -); command respect.

импо̀рт *м.*, *само ед.* *икон.* import.

импотѐнт|ен *прил.*, -на, -но, -ни impotent.

импотѐнтност *ж.*, *само ед.* *мед.* impotence (*и прен.*).

импрегна̀ция *ж.*, *само ед.* impregnation; (*в кондензатор*) твърда ~ jelly impregnation; ~ **против влага** moisture-proofing.

импрегнѝрам *гл.* impregnate (с with); (*пропивам*) permeate; (с масло) oil.

импреса̀ри|о *м.*, -и impresario; (*на пътуващи музиканти*) roadie.

импресионѝз|ъм (-мът) *м.*, *само ед.* *изк.* impressionism.

импровиза̀тор *м.*, -и improvisor.

импровиза̀ци|я *ж.*, -и improvisation.

импровизѝрам *гл.* improvise; extemporize; (*за музикант*) *разг.* jam.

импу̀лс *м.*, -и, (два) импу̀лса impulse; (*подбуда*) stimulus, incentive, incitement, urge, fillip, drive.

импу̀лс|ен *прил.*, -на, -но, -ни impulse (*attr.*); pulsed; **~ен модулатор** *техн.* pulser.

импулсѝв|ен *прил.*, -на, -но, -ни impulsive, impetuous; reflexive; acting on the spur of the moment, quick on the trigger; hot-headed; **~ен човек** *разг.* hot-head; **~на реакция** gut reaction.

импулсѝрам *гл.* give an impulse/impetus/stimulus/fillip to; stimulate; fillip.

имунизацио̀н|ен *прил.*, -на, -но, -ни vaccinal.

имуниза̀ци|я *ж.*, -и immunization.

имунизѝрам *гл.* immunize, render immune (against).

имунитѐт *м.*, *само ед.* immunity (from, against); **лишаване от** ~ withdrawal of immunity; **ползвам се с** ~ enjoy immunity/be immune from.

иму̀ществен *прил.* property (*attr.*); ~ ценз property qualifications; **~и отношения** property relations.

иму̀ществ|о *ср.*, -а property, possessions; (*обикн. недвижимо*) estate; **движимо ~o** movable property, movables, goods and chattels; **недвижимо ~o** real estate/property, realty, immovable property.

ѝнак|ъв *показ. мест.*, -ва, -во, -ви different, other.

ина̀т *м.*, *само ед.* *разг.* **1.** obstinacy, stubbornness, wilfulness, pigheadedness, mulishness, cussedness; **2.** *като прил.неизм.* obstinate, stubborn, mulish, pig-headed, self-willed, wilful, refractory, obdurate, cussed, stiff-necked; ~ **като магаре** as stubborn as a mule.

инатя̀ се *възвр. гл.*, *мин. св. деят. прич.* инатѝл се be obstinate/stubborn/obdurate/self-willed/pig-headed/mulish, show obstinacy.

ѝначе *нареч.* **1.** otherwise, in a different manner/way, differently; **не мога** ~ I can't act differently; I can't help it; **така или** ~ one way or another, in any/either case, in either event, anyhow, at any rate; **2.** (*в противен случай*) otherwise, or else.

инвалѝд *м.*, -и invalid; disabled person; (*сакат човек*) cripple; *разг.* shut-in; ~ **от войната, военен** ~ a disabled soldier.

инвалѝдност *ж.*, *само ед.* disability, disablement, invalidity.

инвента̀р *м.*, *само ед.* **1.** stock; amount available; **2.** (*инвентарен списък*) inventory.

инвентариза̀ци|я *ж.*, -и inventory, stock-taking; **правя ~я** make an inventory; (*определям наличност*) take stock (of).

инвентаризѝрам *гл.* draw up/take an inventory of; take stock of.

инвѐрси|я *ж.*, -и inversion.

инвѐртор *м.*, -и, (два) инвѐртора *ел.* inverter.

инвестѝрам *гл.* invest, put money into.

инвѐститор *м.*, -и investor.

инвестѝторск|и *прил.*, -а, -о, -и investor's; **~и контрол** investor's, control/supervision, bank supervision, supervision by the investing/crediting bank.

инвестицио̀н|ен *прил.*, -на, -но, -ни investment(s) (*attr.*); **~ен посредник** investment broker/intermediary; **колективен ~ен фонд** collective investment fund.

инвестѝци|я *ж.*, -и investment; **Закон за чуждите ~и** *юр.* Foreign Investment Act; **оздравителна ~я** recovery finance.

ѝндекс *м.*, -и, (два) ѝндекса **1.** *мат.* index (*pl.* indices); (*горен*) exponent; (*долен*) subscript; **2.** (*списък на цени, наименования и пр.*) index (*pl.* indexes); list, table; **3.** *икон.* index-number; **ценови** ~ price index.

индекса̀ци|я *ж.*, -и *икон.* indexation, index-linking.

индиа̀н|ец *м.*, -ци American/Red Indian; redskin.

индиа̀нк|а *ж.*, -и Red Indian woman/girl; (*женена*) squaw.

индиа̀нск|и *прил.*, -а, -о, -и Red/American Indian (*attr.*), Red/American Indian's.

индивѝд *м.*, -и, (два) индивѝда individual; person; *биол.* specimen.

индивидуа̀л|ен *прил.*, -на, -но, -ни individual; (*личен*) personal.

индивидуализѝрам *гл.* individualize; specialize.

индивидуалѝз|ъм (-мът) *м.*, *само*

ед. individualism, personalism.

индивидуалйст *м., -и* individualist.

индивидуа̀лност *ж., само ед.* individuality; **лишен от** ~ faceless.

индйг|о *ср., -а* **1.** (*хартия*) carbon paper; **2.** *бот.* indigo plant, indigo; **3.** (*боя*) indigo.

инди|ец *м., -йци;* **индййк|а** *ж., -и* Indian.

йнди|й (-ят) *м., само ед. хим.* indium.

индийск|и *прил., -а, -о, -и* Indian; ~**о орехче** *бот.* nutmeg.

индика̀тор *м., -и,* (*два*) **индика̀тора** indicator; (*показател*) pointer; *физ.* tracer; **знаков** ~ character display.

индика̀ци|я *ж., -и мед.* indication; **цифрова** ~**я** digital display/presentation; **ясна** ~**я** clear display.

индирѐкт|ен *прил., -на, -но, -ни* indirect; **с** ~**но охлаждане** *техн.* water cooled.

индиферѐнт|ен *прил., -на, -но, -ни* indifferent.

Йндия *ж. собств.* India; • **тъмна** ~ *прен.* a blind spot, a closed book.

индоевропейск|и *прил., -а, -о, -и* Indo-European.

Индокита̀й *м. собств.* Indo-China.

индришѐ *ср., -та бот.* geranium, stork's-bill (*Erodium*).

индуктйв|ен *прил., -на, -но, -ни* inductive.

инду̀ктирам *гл.* induce.

инду̀ктор *м., -и,* (*два*) **инду̀ктора** inductor.

индукцио̀н|ен *прил., -на, -но, -ни* induction (*attr.*); faradic, faradaic.

инду̀кци|я *ж., -и* induction (*и физ.*); *ел.* inductance.

инду̀с *м., -и* Hindu, Hindoo.

инду̀ск|а *ж., -и* Hindu woman/girl.

инду̀ск|и *прил., -а, -о, -и* Hindu, Hindoo; Indian.

индустриа̀л|ен *прил., -на, -но, -ни* industrial.

индустриа̀л|ец *м., -ци* factory-owner; industrialist.

индустриализа̀ция *ж., само ед.* industrialization.

индустриализйрам *гл.* **1.** industrialize; develop the industry of; **2.** introduce industrial methods in; || ~ **се** become industrialized; build up/develop o.'s industry.

инду̀стри|я *ж., -и* industry; **военна**

~**я** war industry.

индуцйрам *гл.* induce.

инѐрт|ен *прил., -на, -но, -ни* inert (*и хим.*); (*неенергичен*) inactive, inert, sluggish, slow; listless; ~**ен човек** stick-in-the-mud; ~**на маса** dead weight.

инѐрция *ж., само ед. физ.* inertia; momentum; **карам по** ~ coast; *прен.* drift along; **по** ~ under o.'s own momentum; (*по навик*) by force of habit; mechanically, automatically; *разг.* on the fly.

инжектйрам *гл.* inject (*и техн.*).

инжектйране *ср., само ед. мед.* injecting, injection; (*на наркотик*) skin-pop.

инжѐкци|я *ж., -и мед.* injection; *разг.* shot; jab; **мускулна** ~**я** intramuscular injection; **подкожна** ~**я** subcutaneous/hypodermic injection; **правя** ~**я на някого** give s.o. an injection.

инженѐр *м., -и* engineer; **електро**~ electrical engineer; ~ **конструктор** designer; builder; ~ **по техническото обслужване** maintenance engineer; ~ **химик** chemical technologist/engineer; **машинен** ~ mechanical engineer.

инженѐр|ен *прил., -на, -но, -ни* engineering (*attr.*); ~**ен** воен. the Engineers; *амер.* the engineer corps.

инженѐрство *ср., само ед.* engineering; **генно** ~ genetic engineering.

иницuàл *м., -и,* (*два*) **иницuàла** initial.

иницuатйв|а *ж., -и* initiative; (*предприемчивост*) enterprise.

иницuатйв|ен *прил., -на, -но, -ни* enterprising; entrepreneurial.

иницuàтор *м., -и* initiator, originator.

инкаса̀тор *м., -и* (debt) collector, receiver.

инкасйрам *гл.* collect, encash, receive.

инка̀со *ср. неизм. банк.* collection, receipt, encashment.

инквизйтор *м., -и* inquisitor, torturer; collector (*и прен.*).

инквизйци|я *ж., -и* inquisition; *прен.* torture; *истор.* the Inquisition, the Holy Office.

инко̀гнито *нареч.* incognito, *разг.* incog.

инкорпорйрам *гл.* incorporate, include, graft, engrave.

инкруста̀ци|я *ж., -и* inlaid work, inlay, incrustation, encrustment, incrustment.

инкрустйрам *гл.* inlay, encrust, incrust.

инкуба̀тор *м., -и,* (*два*) **инкуба̀тора** incubator; hatcher.

инкубацио̀н|ен *прил., -на, -но, -ни* incubation (*attr.*); ~**ен период** incubation (period), period of incubation, (*на болест*) latent/latency period.

инкуба̀ция *ж., само ед.* incubation; (*излюпване*) hatching.

ино̀|к *м., -ци* monk.

инокйн|я *ж., -и* nun.

инсинуа̀ци|я *ж., -и* insinuation; slur.

инсинуйрам *гл.* insinuate.

инспектйрам *гл.* inspect, supervise, survey.

инспѐктор *м., -и* inspector, inspecting officer, surveyor; **данъчен** ~ fiscal agent; **застрахователен** ~ insurance commissioner; ~ **по труда** factory/labour inspector.

инспектора̀т *м., -и,* (*два*) **инспектора̀та** inspectorate; body of inspectors.

инспекцио̀н|ен *прил., -на, -но, -ни* inspection (*attr.*); inspective.

инспѐкци|я *ж., -и* **1.** inspection; official examination; **отивам по** ~**я** go on an inspection tour; **правя** ~**я на** inspect; **2.** (*учреждение*) inspectorate; ~**я на труда** labour inspectorate; **училищна** ~**я** school board.

инспира̀ци|я *ж., -и мед.* inspiration; (*подстрекателство*) instigation, incitement.

инспирйрам *гл.* inspire; (*подстрекавам*) instigate, incite.

инстала̀ци|я *ж., -и* installation, fitting; (*мрежа*) network; (*съоръжение*) equipment, fixtures; **водна** ~**я** piping; **електрическа** ~**я** (*на къща*) electrical wiring/installation; **климатична** ~**я** all-conditioning.

инсталйрам *гл.* install; fit (with); (*електричество, газ*) lay on; ~ **електричество в къща** fit a house with electricity, lay on electricity in a house; || ~ **се** install/plant o.s.; settle.

инста̀нци|я *ж., -и* instance; **най-висша/последна** ~**я** the highest instance; **отнасям въпроса до по-горна** ~**я** refer the matter to a higher authority; **съд от първа** ~**я** court of the first instance; lower court.

инстйнкт *м., -и,* (*два*) **инстйнкта** instinct; **действам по** ~ act on instinct; *разг.* follow one's nose; **долните** ~**и у**

човека man's lower instincts, *разг.* the old Adam; ~ **за самосъхранение** instinct of self-preservation.

инстинктѝв|ен *прил.*, -на, -но, -ни instinctive; ~**на реакция** gut reaction.

институ́т *м.*, -и, (два) **институ́та 1.** (*учреждение*) establishment, institution; **2.** (*научно заведение*) institute; **висш медицински** ~ higher institute of medicine; school of medicine, medical school; **висш механоелектрически** ~ higher institute of mechanical and electrical engineering; *амер.* (higher) school of technology.

институционàл|ен *прил.*, -на, -но, -ни; **институциòн|ен** *прил.*, -на, -но, -ни institutional; **единна** ~**на рамка** single institutional framework.

институ́ци|я *ж.*, -и institution; establishment; **договаряща се** ~**я** contracting authority.

инструктàж *м.*, -и, (два) **инструктàжа** instructions *pl.*; briefing.

инструктѝрам *гл.* instruct, advise, brief.

инстру́ктор *м.*, -и instructor, briefer.

инстру́кци|я *ж.*, -и instructions *pl.*; briefing aid; (*упътвания*) directions *pl.*; **в съответствие с** ~**ите** in conformity with the instructions; ~**я за работа с машина** service manual for a machine.

инструмèнт *м.*, -и, (два) **инструмèнта 1.** (*уред*) tool, implement, instrument, device; **дърворежещи/дървообработващи** ~**и** wood-working tools; **сандъче за** ~**и** tool-box; **снабден с** ~**и** instrumented; **2.** *прен.* (*средство, оръдие*) tool, means, medium, instrument; **3.** *муз.* instrument; **духови** ~**и** wind instruments, (the) wind; **дървени духови** ~**и** (the) woodwind; **свиря на** ~ play an instrument; **струнни** ~**и** stringed instruments, *събир.* (the) strings; **4.** *юр.* instrument.

инструментàл|ен *прил.*, -на, -но, -ни **1.** *техн.* instrument (*attr.*); tool (*attr.*); ~**на стомана** tool steel, steel used in tool-making; **2.** *муз.* instrumental; instrument (*attr.*); ~**на музика** instrumental music.

инструменталѝст *м.*, -и *муз.* instrumentalist.

инструментѝрам *гл.* instrument, arrange for instruments.

инсулѝн *м.*, *само ед. фарм.* insulin, alantin.

инсу́лт *м.*, -и, (два) **инсу́лта** *мед.* insultus; мозъчен ~ apoplexy.

инсценѝрам *гл.* **1.** (*поставям на сцена*) stage, put on the stage; **2.** *прен.* engineer, stage, frame (up); ~**престъпление** stage a crime.

инсценирòвк|а *ж.*, -и **1.** staging; **2.** *прен.* engineering, frame-up, stitch-up; *англ. разг.* fit-up.

интегрàл *м.*, -и, (два) **интегрàла** *мат.* integral; **неопределен** ~ antiderivative.

интегрàл|ен *прил.*, -на, -но, -ни **1.** integral; (*неделим*) inseparable; (*съществен*) essential, intrinsic; ~**на част** integral/composite part; **2.** *мат.* integral; ~**на схема** integrated circuit, *съкр.* I. C.; ~**но уравнение** *мат.* integral equation.

интегрàция *ж.*, *само ед.* integration.

интегрѝрам *гл.* integrate (*и мат.*); || ~ **се** become integrated (с with).

интелèкт *м.*, *само ед.* intellect; (*ум*) mind; brains *pl.*; **изкуствен** ~ artificial intelligence.

интелектуàл|ен *прил.*, -на, -но, -ни intellectual; ~**но занимание** intellectual occupation; brain work.

интелектуàл|ец *м.*, -ци; **интелектуàлк|а** *ж.*, -и intellectual; brainworker; *разг.* egghead; *пренебр. ж.* bluestocking.

интелигèнт *м.*, -и intellectual; brainworker; *разг.* egghead.

интелигèнт|ен *прил.*, -на, -но, -ни **1.** intelligent, clever, bright, educated; **2.** (*образован*) cultured, educated.

интелигèнтност *ж.*, *само ед.* **1.** intelligence; brightness, cleverness; **2.** (*образованост*) culture; education.

интелигèнция *ж.*, *само ед.* intellectuals *pl.*, brain-workers *pl.*, brainpower, intelligentsia.

интендàнт *м.*, -и *воен.* supply officer, quartermaster.

интендàнтств|о *ср.*, -а *воен.* commissariat.

интензѝв|ен *прил.*, -на, -но, -ни **1.** intensive; ~**но земеделие** intensive agriculture; high farming; **2.** (*усилен, напрегнат*) intensive, strenuous.

интензѝвност *ж.*, *само ед.*; **интензитèт** *м.*, *само ед.* intensity; ~ **на ва-**

лежи rainfall intensity; ~ **на движението** traffic density.

интензификàция *ж.*, *само ед.* intensification; ~ **на труда** speed-up.

интензифицѝрам *гл.* intensify.

интервàл *м.*, -и, (два) **интервàла** interval (*и муз.*); space; gap; **на кратки** ~**и** in close succession; **на редовни** ~**и** at regular intervals; regularly spaced; **с/на** ~**и (от)** at intervals (of).

интервèнци|я *ж.*, -и intervention.

интервю́ *ср.*, -та interview.

интервю́ирам *гл.* interview, get an interview from.

интерèс *м.*, -и, (два) **интерèса** interest; **гледам си** ~**а** look after/take care of o.'s own interest; *разг.* take care of number one; **не проявявам** ~ **към** sit loose to s.th.; **проявявам** ~ **към нещо** show interest in/for s.th., take an interest in s.th..

интерèс|ен *прил.*, -на, -но, -ни interesting; fascinating; (*за външност*) attractive; (*странен*) strange, queer; funny; (*като новина*) newsworthy; ~**но!** (how) funny! how odd! that's odd/ strange! **това е** ~**но за нас** this is of interest to us; we are interested in this.

интересу́вам *гл.* interest; engage/stir the interest of; **какво те интересува всичко това?** what is all that to you? **това не ни интересува** this is of no interest to us, we are not interested in this, this does not interest us; || ~ **се 1.** take/show interest (in), take an interest (in), **живо се** ~ **от** take a keen interest in; **2.** (*питам*) inquire, ask (за about).

интериòр *м.*, -и, (два) **интериòра** *архит.* interior.

интернàт *м.*, -и, (два) **интернàта** boarding-school; (*към училище*) boarding-house.

интернационàл|ен *прил.*, -на, -но, -ни international.

интернационалѝз|ъм (-мът) *м.*, *само ед.* internationalism.

интернационалистѝческ|и *прил.*, -а, -о, -и internationalist (*attr.*).

Ѝнтернет *м.*, *само ед.* Internet; ~ **доставчик** Internet Provider.

ѝнтернет кафè *ср.*, -та cybercafe.

интернѝрам *гл.* intern.

интернѝран *мин. страд. прич.* **1.** *като прил.* interned; **2.** *като същ.*

internee.

интернйст *м., -и мед.* specialist in internal diseases.

интерпретàци|я *ж., -и* interpretation, rendition.

интерпретùрам *гл.* interpret, give an interpretation to.

интерфèйс *м., само ед. инф.* interface.

интùм|ен *прил., -на, -но, -ни* intimate; *(близък)* close; *(личен)* personal, private; **в ~ни отношения съм с някого** be on intimate terms with s.o.; **в строго ~ен кръг** in strict privacy; **~ен приятел** close/bosom friend; **~на вечеря** quiet supper; dinner in a restricted circle; **~на обстановка** friendly/cosy atmosphere.

интùмнича *гл., мин. св. деят. прич.* **интùмничил** be intimate, fraternize, be hail-fellow-well-met, hobnob (with); *(прекомерно)* be over familiar, take liberties (with).

интоксикàция *ж., само ед.* poisoning.

интонàци|я *ж., -и* intonation.

интрùг|а *ж., -и* **1.** intrigue; machination; *(заговор)* plot, scheme, plotting; **задкулисни ~и** chicanery; underhand machinations; **2.** *лит.* plot; story; **3.**: **любовна ~a** intrigue, love affair, entanglement, amour.

интригàнт *м., -и* intriguer; plotter, schemer; intrig(u)ant; spider; designer.

интригàнтствам *гл.* intrigue, plot, scheme, stir up trouble; collogue.

интригувам *гл.* **1.** intrigue; rouse the interest/curiosity of; **2.** intrigue, plot, scheme.

интродỳкци|я *ж., -и муз.* introduction.

интрузùв|ен *прил., -на, -но, -ни геол.* intrusive.

интрỳзия *ж., само ед. геол.* intrusion.

интубàция *ж., само ед. мед.* intubation.

интубùрам *гл. мед.* intubate.

интуитùв|ен *прил., -на, -но, -ни* intuitive.

интуùция *ж., само ед.* intuition; **имам ~ за нещо** have an intuition of s.th.; feel s.th. in o.'s bones; **по ~** by intuition, intuitively.

инфантùл|ен *прил., -на, -но, -ни* infantile; *(детински)* childish.

инфàркт *м., -и, (два) инфàркта мед.*

infarct, infarction, heart attack; **~ на миокарда** myocardial infarction; acute coronary insufficiency.

инфектùрам *гл.* infect.

инфекциоз|ен *прил., -на, -но, -ни* infectious; **~но отделение** isolation ward.

инфèкци|я *ж., -и* infection.

инфинитùв *м., -и, (два) инфинитùва език.* infinitive; **в ~** in the infinitive.

инфинитùв|ен *прил., -на, -но, -ни език.* infinitival; infinitive *(attr.)*.

инфлàция *ж., само ед.* inflation; **скрита ~** hidden/latent inflation.

информатùв|ен *прил., -на, -но, -ни* informative; information *(attr.)*.

информàтика *ж., само ед.* informatics.

информàтор *м., -и* official at an/the information desk; information clerk; *(за пресата)* mole; *(на полицията)* informer, grass, squealer, *sl.* canary, nose, snout, snitch; fink; *(анонимен)* deep throat.

информациòн|ен *прил., -на, -но, -ни* information *(attr.)*, news *(attr.)*; **~ен бюлетин** news bulletin; **~на агенция** news agency; **~но бюро** information bureau/desk.

информàци|я *ж., -и* **1.** information; *разг.* gen; *(единична)* piece of information; news item; *(новини)* news *sg.*; *(подшушната) разг.* dope, tip, lowdown; **достоверна ~я** reliable information; **непотвърдена ~я** unverified information; **разполагам с вътрешна ~я** *разг.* have the inside track; **2.** *(надпис на гише)* information desk; inquiries; **3.** *инф., техн.* data.

информùрам *гл.* inform, send/give information to; *разг.* fill (s.o.) in (on s.th.); gen (s.o.) up (on); *sl.* put s.o. in the know; *(запознавам)* acquaint (за with); *(уведомявам)* notify, advise (of); brief (s.o. on s.th.).

инфразвỳ|к *м., -ци, (два) инфразвỳка физ.* infrasound.

инфразвỳков *прил.* infrasonic, subsonic, infraacoustic, subacoustic.

инфраструктỳра *ж., само ед.* infrastructure.

инфрачервèн *прил. физ.* infra-red, ultrared.

инфỳзи|я *ж., -и мед.* infusion; **венозна ~я** (intravenous) drip, drip-feed.

инхалàтор *м., -и, (два) инхалàтора* inhaler.

инхалàци|я *ж., -и мед.* inhalation.

инцидèнт *м., -и, (два) инцидèнта* incident; **гранични ~и** border clashes/incidents.

инцидèнт|ен *прил., -на, -но, -ни* accidental, casual, chance *(attr.)*.

инч *м., -ове, (два) йнча* inch.

ипотèк|а *ж., -и* mortgage, hypothec, encumbrance; **изплащам ~a** pay off/redeem a mortgage; **~a върху недвижим имот** mortgage of real estate; **погасявам ~a** clear a mortgage; **просрочена ~a** defaulted mortgage.

ипотекùрам *гл.* mortgage, raise a mortgage on.

ипотèч|ен *прил., -на, -но, -ни* mortgage *(attr.)*; **~ен заем** loan on mortgage; **~ен срок** mortgage term; **~но задължение** hypothecary debt.

иприт *м., само ед. хим., воен.* mustard gas.

Ирàк *м. собств.* Iraq.

ирàкск|и *прил., -а, -о, -и* Iraqi.

Ирàн *м. собств.* Iran.

ирàн|ец *м., -ци; ирàнк|а* *ж., -и* Iranian.

ирàнск|и *прил., -а, -о, -и* Iranian.

ирационàл|ен *прил., -на, -но, -ни* irrational; **~но число** *мат.* irrational (number), surd.

иригàтор *м., -и, (два) иригàтора мед.* irrigator; *(за клизма)* enema.

иригàция *ж., само ед.* irrigation.

ирùди|й (-ят) *м., само ед. хим.* iridium.

йрис *м., -и, (два) йриса* **1.** *анат.* iris; **2.** *бот.* iris, flag.

ирланд|ец *м., -ци* Irishman; *разг.* Pat, Paddy; *sl.* green nigger, narrowback; *презр.* Teague; **~ците** the Irish.

Ирлàндия *ж. собств.* Ireland; *поет.* the Emerald Isle, Erin.

ирлàндк|а *ж., -и* Irishwoman.

ирлàндск|и *прил., -а, -о, -и* Irish; **~и език** Irish, the Irish language; **~о кафе** Irish/Gaelic coffee.

иронизùрам *гл.* ridicule, deride, laugh at, mock, jeer at, scoff at; speak ironically of; *разг.* put down, send up.

иронѝч|ен *прил., -на, -но, -ни; иронùческ|и** *прил., -а, -о, -и* ironic(al); *разг.* tongue-in-cheek; *(подигравателен)* derisive, mocking, taunting.

ирѐния *ж., само ед.* irony; (по някаква) ~ **на съдбата** (by an) irony of fate; **тънка** ~ subtle irony.

иск *м., -ове, (два)* **йска** *юр.* claim; (*съдопроизводство*) action; suit; **граждански** ~ civil claim/action; **имуществен** ~ real action; **обратен/насрещен** ~ counter-claim; cross action; **предявявам** ~ (**срещу**) set up/put in a claim (against); lodge a claim (against); (*завеждам дело*) institute proceedings (against), bring an action (against); bring/file a suit against.

йскам *гл.* **1.** want; wish, desire; (*изисквам*) require, demand; call/ask for; **без да** ~ against my will; (*несъзнателно*) involuntarily, unintentionally, inadvertently, unwittingly, accidentally; without meaning to; ~ **извинение/прошка от някого** beg s.o.'s pardon; ~ **невъзможното** cry for the moon; **искате ли чаша чай?** would you like a cup of tea? would you care for a cup of tea? **както искаш** as you like/wish/please/will; it's up to you; **много бих искал да знам** I'm very curious/anxious to know; **права както вото си** ~ do as one pleases; **2.** (*определям цената на*) charge, ask (за for); **кажи каква цена искаш** name your price; **какво ще ми искате за това?** what will you charge me for it?; **3.** (*за жена*) ask for s.o.'s hand; want to marry (s.o.); **4.** *безл.* (*нужно е, потребно е*) take, require; **5.: иска ми се** want, should like (*с inf.*), feel like (*с ger.*); **хем ми се иска, хем не ми стиска** I'd like to, but I daren't; || **иска се** be required (to *с inf.*); **иска ти се!** nothing doing! no way! **искат се** they want to marry; ● **иска ли питане** it goes without saying; ~ **да кажа** I mean.

йскан|е *ср., -ия* **1.** demand; request; (*официално*) requisition; ~**ия** requests, demands; requirements; **по ~е на** at the request of; **ask** (за for), demand, claim; **2.** *фин.* call; ~**е за доставка** call off.

йсков *прил. юр.* of a claim; of a suit/action; ~**а молба** statement/bill of claim; ~**а страна** moving party.

искр|а́ *ж., -й* spark; sparkle; **запалителна** ~**а** ignition spark; ~**а надежда** glimmer of hope; ~**и изскочиха от**

очите ми I saw stars.

йскрен *прил.* (*за човек*) sincere, frank, candid, unaffected, honest; (*откровен*) outspoken, straightforward; (*верен*) true, devoted; (*за чувство*) sincere, genuine, real, unaffected, heartfelt; deep-felt; (*за отношения*) sincere.

искря́ *гл.* sparkle; glitter, flash, coruscate, scintillate; (*проблясвам*) flash; (*за вино*) effervesce, sparkle; (*за очи*) sparkle, flash, glisten.

исла́нд|ец *м., -ци;* **исла́ндк|а** *ж., -и* Icelander.

Исла́ндия *ж. собств.* Iceland.

исла́ндск|и *прил., -а, -о, -и* Icelandic; ~**и език** Icelandic, the Icelandic language.

ислям *м., само ед. рел.* Islam.

исля́мск|и *прил., -а, -о, -и* Islamic.

йсо *ср., само ед.* bass chant; **държа** ~ chant; ● **държа** ~ **на някого** support s.o.; speak in support of s.o.

испа́н|ец *м., -ци* Spaniard.

Испа́ния *ж. собств.* Spain.

испа́нк|а *ж., -и* Spanish woman, Spaniard.

испа́нск|и *прил., -а, -о, -и* Spanish; ~**а болест** *мед.* Spanish grippe; ~**а муха** *зоол.* Spanish fly; ~**и език** Spanish, the Spanish language.

исполи́н *м., -и* giant, colossus.

исполи́нск|и *прил., -а, -о, -и* gigantic, gigantean, colossal; giant (*attr.*), giant-like.

истери́|к *м., -ци* hysterical person/man.

истери́ч|ен *прил., -на, -но, -ни* hysteric(al); ~**ен припадък** hysterics.

истѐри|я *ж., -и мед.* hysteria; hysterics; **военна** ~**я** war scare; **изпадам в** ~**я** fall/go into hysterics, have a fit of hysterics, get/become hysterical.

йстин|а *ж., -и* truth; ● **азбучна** ~**а** elementary truth; **голата** ~**а** the naked truth; **горчива** ~**а** home truth; ~**а,** ~**а ви казвам** *библ.* verily, verily I say unto you; ~**ата, цялата** ~**а и само** ~**ата** *юр.* the truth, the whole truth, and nothing but the truth; **това е самата** ~**а** is the solemn truth.

йстинск|и *прил., -а, -о, -и* (*за приятел*) true, real; (*за случка*) true; (*нефалшив*) real, genuine, authentic, veritable; (*какъвто трябва да бъде*) real, genuine, full-blown; **в** ~**ия смисъл на думата** in the true/proper sense

of the word; ~**и диамант** genuine diamond; **наричам нещата с** ~**ите им имена** call a spade a spade; **това е** ~**а мистерия** this is a real mystery, this is a mystery, if ever there was one, this is nothing short of a mystery.

истори́з|ъм (-мът) *м., само ед.* historical approach.

исто́ри́|к *м., -ци* **1.** historian; (*летописец*) annalist, chronicler; **2.** (*учител по история*) history teacher/master, teacher of history; **3.** (*студент*) history student.

историогра́ф *м., -и* historiographer, historian.

историогра́фия *ж., само ед.* historiography.

истори́ческ|и *прил., -а, -о, -и* historical; (*важен*) historic; ~**а дата** (*важна*) great day/date; day/date to be remembered; a red-letter day; ~**о място** historic site; **от** ~**о значение** of historic importance.

исто́ри|я *ж., -и* **1.** history; **естествена** ~**я** natural history/science; **творя** ~**я** make history; **това събитие ще остане в** ~**ята** this event will make history; **2.** (*разказ*) story, tale, narrative; **подвеждаща** ~**я** *амер. разг.* a snow job; **сълзлива** ~**я** sob story; **3.** (*случка*) affair, business; **случи му се забавна** ~**я** a funny thing happened to him; ● (**това е**) **вечната** ~! the same old story! there we are at it again! **тук** ~**ята мълчи** nothing is said/known of this; there is no mention of this.

истука́н *м., -и, (два)* **истука́на** *истор.* idol; figure; ● **стоя като** ~ stand like a graven image.

италиа́н|ец *м., -ци* Italian; *sl.* spaghetti boy/bender, ginzo.

италиа́нк|а *ж., -и* Italian woman/girl.

италиа́нск|и *прил., -а, -о, -и* Italian; ~**и език** Italian, the Italian language.

Ита́лия *ж. собств.* Italy.

йтри́|й (-ят) *м., само ед. хим.* yttrium.

ихтио́л *м., само ед. фарм.* ichthyol.

ихтиоло́гия *ж., само ед.* ichthyology.

ишиа́с *м., само ед. мед.* sciatica.

ишлемѐ *ср., само ед.* (work done) with materials supplied by the client/customer.

ищ|ѐц *м., -ци́ юр.* claimant; plaintiff, suitor; demandant; complainant; petitioner.

Й

йезуѝт *м.*, -и Jesuit.
йезуѝтск|и *прил.*, -а, -о, -и Jesuitical (*и прен.*); ~и орден *църк.* Society of Jesus.
йезуѝтство *ср.*, *само ед.* 1. Jesuitism; Jesuitry; 2. *събир.* the Jesuits.
йерàр|х *м.*, -си hierarch.
Йѐмен *м. собств.* Yemen.
йерархѝч|ен *прил.*, -на, -но, -ни; йерархѝческ|и *прил.*, -а, -о, -и hierarchical; ~ен принцип scalar principle.
йерàрхия *ж.*, *само ед.* hierarchy; *само воен.* chain of command; на най-нискиte/високите нива на ~та at the bottom/top of the heap.
йѐре|й (-ят) *м.*, -и *църк.* priest.
йерѐйск|и *прил.*, -а, -о, -и *църк.* priestly; of a priest, of priests.
йерихòнск|и *прил.*, -а, -о, -и *библ.* of Jericho; • ~а тръба stentorian voice.
йероглѝф *м.*, -и, (два) йероглѝфа hieroglyph.
йероглѝф|ен *прил.*, -на, -но, -ни hieroglyphic.
Йехòва *м. собств. библ.* Jehovah.
йеюнàл|ен *прил.*, -на, -но, -ни *мед.* jejunal.
йеюностòмия *ж.*, *само ед. мед.* jejunostomy.

йеюнум *м.*, *само ед. анат.* jejunum.
йòга *м.*, *само ед.* yogi.
йогѝстк|и *прил.*, -а, -о, -и yogi (*attr.*), of the yogi.
йод *м.*, *само ед. хим.* iodine; *фарм.* tincture of iodine.
йòд|ен *прил.*, -на, -но, -ни iodous.
йодѝд *м.*, *само ед. хим.* iodide.
йодѝз|ъм (-мът) *м.*, *само ед. мед.* iodism.
йодѝрам *гл.* iodize, trial with iodine, add iodine to.
йодѝран *мин. страд. прич.* iodine-treated; (*за сол*) with iodine added.
йодѝране *ср.*, *само ед.* treatment with iodine; iodization, iodination.
йòдов *прил.* iodine (*attr.*); ~а тинктура *фарм.* tincture of iodine.
йодоводорòд *м.*, *само ед. хим.* hydrogen iodide.
йодомѐтрия *ж.*, *само ед.* iodometry.
йодофòрм *м.*, *само ед.* iodoform.
йок *част. диал.* 1. there isn't/aren't any; 2. no; nothing doing.
йон *м.*, -и, (два) йòна *хим.* ion.
йòн|ен *прил.*, -на, -но, -ни ionic.
йонизàтор *м.*, -и, (два) йонизàтора ionizer.
йонизациòн|ен *прил.*, -на, -но, -ни ionization (*attr.*).
йонизàция *ж.*, *само ед.* ionization; ~ в газове electromerism.

йонизѝрам *гл.* ionize.
йòни|й (-ят) *м.*, *само ед. хим.* ionium.
йонѝйск|и и йонѝческ|и *прил.*, -а, -о, -и Ionian; Ionic.
йономѐт|ър *м.*, -ри, (два) йономѐтъра ionometer.
йонообмѐн|ен *прил.*, -на, -но, -ни ion-exchange (*attr.*).
йонообмѐнни|к *м.*, -ци, (два) йонообмѐнника ion-exchanger.
йоносфѐра *ж.*, *само ед.* ionosphere.
йонотерàпия *ж.*, *само ед. мед.* ionotherapy.
йонотрòп|ен *прил.*, -на, -но, -ни ionotropic.
йонофѝл|ен *прил.*, -на, -но, -ни ionophilic.
йонофòн *м.*, *само ед.* ionophone.
йон(т)офорѐза *ж.*, *само ед. мед.* iontophoresis.
йордàн|ец *м.*, -ци Jordanian.
Йордàния *ж. собств.* Jordan.
Йордàновден *м. неизм. църк.* St. Jordan's Day, Epiphany (January 6).
йордàнск|и *прил.*, -а, -о, -и Jordanian.
йот *м.*, *само ед. език.* consonantal [j].
йòта *ж.*, *само ед. език.* iota; jot; • ни на ~ not a/one jot, not a whit.
йотàция *ж.*, *само ед. език.* pronunciation of [j] before a vowel.
йотỳвам *гл. език.* pronounce the sound [j] before a vowel.

каба́ *прил. неизм. диал.* soft, weak, flabby; (*за плат*) flimsy; ~ **лук** onions grown from onion seed.

кабаре́ *ср.*, -**та** night-club; cabaret.

кабаре́т|**ен** *прил.*, -**на**, -**но**, -**ни** night-club (*attr.*); ~**на артистка** night-club artiste.

ка́бел *м.*, -**и**, (**два**) **ка́бела** cable; *ел.* flex; **въздушен** ~ overhead/overground cable; **главен/магистрален** ~ main cable; **захранващ** ~ feeder cable; **supply** cable.

ка́бел|**ен** *прил.*, -**на**, -**но**, -**ни** cable (*attr.*).

каби́н|**а** *ж.*, -**и** cabin; booth; box; compartment; **пилотска** ~**а** cockpit; **проб-на** ~**а** cubicle; **телефонна** ~**а** telephone booth/box; call box; **шофьор-ска** ~**а** a driver's cabin, chauffeur's box.

кабине́т *м.*, -**и**, (**два**) **кабине́та** 1. (*работен*) study; 2. (*за консултации*) consulting office; (*по физика, химия и пр.*) laboratory; **зъболекарски** ~ dental surgery; (*по ръчна работа*) work-room; **лекарски** ~ consulting room, (*и хирургически*) surgery; 3. *полит.* cabinet; government; council of ministers; ~ "**в сянка**" shadow cabinet; **реконструкция на** ~**а** cabinet reshuffle.

кабине́т|**ен** *прил.*, -**на**, -**но**, -**ни** 1. study (*attr.*); laboratory (*attr.*); ~**ни занимания** (private) study; 2. *прен.* closet (*attr.*), armchair (*attr.*); unpractical; ~**ен учен** armchair/closet scientist; ~**на наука** book-learning; 3. *полит.* cabinet (*attr.*); ~**на криза** cabinet crisis; ~**на промяна/реконструкция** cabinet reshuffle.

кабота́ж *м.*, *само ед. мор.* coasting, coastnavigation, cabotage.

кабота́ж|**ен** *прил.*, -**на**, -**но**, -**ни** *мор.* coastwise; cabotage (*attr.*); ~**ен кораб** coasting vessel, coaster.

кабриоле́т *м.*, -**и**, (**два**) **кабриоле́та** cab, cabriolet; convertible.

ка́бър *м.*, -**и**, (**два**) **ка́бъра**; **ка́бърче** *ср.*, -**та** 1. (*за хартия и пр.*) (thumb)tack, drawing pin; 2. (*на обувка*) hobnail, clout-nail.

кава́л *м.*, -**и**, (**два**) **кава́ла** *муз.* kaval, shepherd's pipe, wooden flute.

кавале́р *м.*, -**и** 1. *истор.* cavalier; knight; 2. (*член на орден*) knight, companion, member (of an order); (*носител, получател*) bearer; ~ **на Орде-на на жартиерата** a Knight of the Garter; 3. (*на дама*) escort; (*галан-тен мъж*) cavalier, gallant, lady's man; (*при танц*) partner; (*почтен мъж*) gentleman, man of honour.

кавалери́ст *м.*, -**и** cavalryman; trooper.

кавалери́|**я** *ж.*, -**и** *воен.* cavalry, mounted troops, the horse; **лека** ~**я** light cavalry/horse; **тежка** ~**я** weight-cavalry.

кавале́рск|**и** *прил.*, -**а**, -**о**, -**и** gentlemanly, gentlemanlike, chivalry, chivalrous; gallant; honourable.

кавг|**а́** *ж.*, -**й** quarrel; dispute; bickering, row; *разг.* dust-up; (*дрязга*) squabble; **шумна** ~**а** wrangle, brawl, shindy.

кавгаджи́|**я** *м.*, -**и** quarrelsome/cantankerous person, quarreller, wrangler, brawler, ruffler.

кави́чки *само мн. език.* quotation marks; inverted commas, *разг.* quotes; **в** ~ *прен.* so-called, would-be; self-styled; **поставям в** ~ put in quotes.

Кавка́з *м. собств.* the Caucasus.

кавка́з|**ец** *м.*, -**ци**; **кавка́зк**|**а** *ж.*, -**и** Caucasian.

кавка́зк|**и** *прил.*, -**а**, -**о**, -**и** Caucasian.

када́нс *м.*, *само ед.* cadence; rhythm.

кадастра́л|**ен** *прил.*, -**на**, -**но**, -**ни** cadastral; ~**ен план** cadastral map; ~**на скица** cadastral survey.

када́ст|**ър** *м.*, -**ри**, (**два**) **када́стъра** cadastre; **поземлен** ~**ър** land register/records.

каде́т *м.*, -**и** *воен.* cadet.

каде́тск|**и** *прил.*, -**а**, -**о**, -**и** cadet (*attr.*); ~**и корпус** *воен.* military school/academy.

кадилни́ц|**а** *ж.*, -**и** *църк.* censer; thurible.

кадифе́ *ср.*, *само ед. текст.* velvet; (*памучно*) velveteen; **коприненo** ~ silk velvet; **рипсено** ~ corduroy.

кадифе́н *прил.* velvet (*attr.*); (*като ка-дифе*) velvety, creamy, cream-like.

ка́дми|**й** (-**ят**) *м.*, *само ед. хим.* cadmium.

кадри́л *м.*, *само ед.* 1. *муз.* quadrille, square dance; 2. *прен.* (*разместване*) reshuffle, shunting round.

ка́дров и кадро́в|**и** *прил.*, -**а́**, -**о́**, -**и**

1. cadres (*attr.*), personnel (*attr.*); ~**a политика** personnel policy; 2. *воен.* regular, on regular duty/service.

кад|**ър₁** *м.*, -**ри**, (**два**) **ка́дъра** 1. cadre; personnel, staff; **военен** ~**ър** military personnel; **отдел "Кадри"** Personnel Department; 2. (*специалист*) specialist; **квалифицирани** ~**ри** skilled workers, trained specialists.

кад|**ър₂** *м.*, -**ри**, (**два**) **ка́дъра** *кино.* 1. sequence; 2. (*киноснимка*) flash, frame; still; **близък** ~**ър** close-up; **ретроспективен** ~**ър** flash-back.

ка́дър|**ен** *прил.*, -**на**, -**но**, -**ни** capable, able; gifted; (*който умее*) good (at); skilled, neat-handed, fine-fingered; (*годен*) fit (**за** for), capable (of).

кадя́ *гл.*, *мин. св. деят. прич.* **кади́л** 1. (*с тамян*) incense, cense; thurify; burn incense; ~ **някому тамян** *прен.* fawn/cringe upon s.o., burn incense before s.o., flatter s.o.; 2. (*опушвам*) smoke, blacken; (*бъчва и пр.*) fumigate.

каза́|**к** *м.*, -**ци** Cossack.

каза́н *м.*, -**и**, (**два**) **каза́на** 1. (*голям котел*) cauldron; (*медник*) copper; 2. *техн.* boiler; vat, tank; ~ **за варене на ракия, дестилационен** ~ still, distiller; • **на** ~ **съм** *разг.* be foddered.

каза́нче *ср.*, -**та** 1. little copper; 2. *техн.* vessel, container; **клозетно** ~ flushing cistern.

каза́рм|**а** *ж.*, -**и** 1. *воен.* barrack (*обикн. pl.*); cantonment; 2. *прен.* barn; barrack(s).

ка́звам, ка́жа *гл.* 1. say (**на** to), tell (**на** -); (*съобщавам на*) tell; **иначе ка-зано** in other words; **казано накрат-ко, казано с две думи** in short, in brief, to be brief, to make a long story short; **нищо не** ~ keep quiet; not utter a word; 2. (*нареждам, заповядвам*) tell, bid; 3. (*разказвам; декламирам*) tell, relate, narrate, recite; ~ **наизуст** say by heart; ~ **на мъката** pour o.'s heart out; 4. (*съобщавам име, тел. номер и пр.*) give; ~ **си мнението** give o.'s opinion (**за** of); 5. (*наричам, именувам*) call, name; **как му казвате във вашия край?** what do you call this/what's this called in your parts?; || ~ **си** tell o.s., say to o.s., think; || ~ **се** 1. (*наричам се*) be called; **как се каз-вате?** what's your name? **как се каз-**

ва това цвете? what's this flower called?; **2.** *безл.* **ка̀зва се:** ако може така да се каже if you/one can put it like this; if that's the word; **така да се каже** so to say/speak; as it were; **трудно е да се каже** it is hard to say, there is no saying; ● **кажи-речи** almost, nearly, well-nigh, approximately; **казана дума, хвърлен камък** a word spoken is past recalling; be as good as o.'s word; ~ **добра дума за някого** put in a (good) word for s.o.

казеѝн *м., само ед. биохим.* casein.

казинѐ|о *ср.,* -а̀ **1.** (open-air) restaurant; **2.** (*игрален дом*) gambling house, casino.

ка̀зус *м.,* -и, (два) ка̀зуса *юр.* casus; case; **обучение чрез** ~и case study.

каѝш *м.,* -и, (два) каѝша (*колан*) belt; (*ремък*) strap; (*камшик*) thong; (*бръснарски*) strop; **точа бръснач** ~а strop a razor; ● **опъвам/тегля** ~а *разг.* sweat, drudge, bear the brunt (of).

каѝшк|а *ж.,* -и strap; ~**а за ръка/китка** wristlet; **куче, водено на** ~а dog on a lead.

кайма̀ *ж., само ед.* minced meat, mince, forcemeat; *амер.* ground meat.

кайма̀к *м., само ед.* **1.** cream; **бит** ~ whipped cream; **обирам** ~**а на млякото** skim the milk; **2.** *прен.* pick, cream; the pick/best of the bunch/basket; **обирам** ~**а** eat the ginger.

кайсѝ|я *ж.,* -и *бот.* **1.** (*плод*) apricot; **2.** (*дърво*) apricot-tree.

как *въпр. нареч., съюз, част.* **1.** how; (*за начин*) how, in what way/manner; ~ **сте**? how are you? how is life? ~ **та̀ка**? how come? how is that?; **2.** (*за наименование*) what; ~ **е на френски "куче"**? what is the French for "dog"? ~ **се казвате**? what is your name?; **3.** (*какво*) what; **вие** ~ **смятате/мислите**? what is your opinion? what do you think?; **4.** (*изненада, възмущение*) what; ~ **може да си такъв късметлия/глупак**! how lucky/stupid can you get! ~, **това е невъзможно**! what, that is impossible!; **5.** (*както*) as; **прави както знаеш** do as you like; **6.** (*колко много, до каква степен*) how; ● **биха ги и още** ~ they licked them and not half; **и още** ~! *sl.* not half! ~ **не**! you're telling me! *sl.* says you, like fun; (*потвърждение*) of

---

course! I should think so! you bet! indeed!

ка̀к|а *ж.,* -и **1.** elder sister; sis; **2.** (*за по-възрастна жена*) aunt.

какави̇д|а *ж.,* -и *зоол.* pupa (*pl.* pupae), chrysalis (*pl.* chrysalises, chrysalides), nymph.

кака̀о *ср., само ед. бот.* cocoa; ~ **на зърна** cocoa-beans, cacao.

какво̀ *въпр. мест.* **1.** what; **за** ~ **ти е**? what do you need it for? ~ **да се прави** what is to be done, what is one to do; (*безпомощност*) it can't be helped; **не е кой знай** ~ *sl.* it's not much cop; **2.** (*защо*) why; **че** ~ **има да се чуди**? why should he be surprised?

какво̀то *относ. мест.* **1.** what, whatever; ~ **и да става** no matter what happens, come what may; blow hot, blow cold; sink or swim; ~ **повикало, такова се отзовало** tit for tat; diamond cut diamond; ~ **с нея, такова и без нея** she doesn't make much difference, she might as well not be there; **2.** *като съюз* as; the way; ~ **са я захванали** the way they're doing things/they're carrying on.

какофони̇ч|ен *прил.,* -на, -но, -ни cacophonous.

какофо̀ни|я *ж.,* -и cacophony.

ка̀кто *относ. нареч. и съюз* **1.** as; ~ **и да е 1**) (*по някакъв начин*) anyway, anyhow; no matter how; somehow or other; **2**) (*дори да е така*) be that as it may; **3**) (*както се случи*) anyhow, anyway; **4**) (*не възразявам*) it would be all right, it wouldn't matter/be so bad; ~ **следва** as follows; ~ **я караш** at this rate; the way you are carrying on; **кой** ~ **може** as best one can; **2.:** ~ **и as well as;** ~ **ти, така и аз** you, as well as I; both you and I; **3.** (*така, както; колкото*) as; ~ **съм гладен/уморен** hungry/tired as I am.

ка̀ктус *м.,* -и, (два) ка̀ктуса *бот.* cactus.

как|ъ̀в *въпр. мест.,* -ва̀, -во̀, -вѝ what, what kind/sort of; ~**ви ли не неща** all sorts of things, what-not, what have you; ~**ъв човек е той**? what sort of a man is he? what is he like? **кой** ~**ъв е**? who is who?

как|ъ̀вто *относ. мест.,* -ва̀то, -во̀то, -ви̇то such as, as; whatever, what; ~**ъвто бащата, такъв и синът** like

---

father, like son; ~**ъвто и да е** whatever, any sort of, no matter what, some ... or other, any old; **по** ~**ъвто и да е начин** by any means, in some way or another, somehow or other; (*без да подбирам средствата*) by fair means or foul; **такъв, ~ъвто** such as.

кал *ж., само ед.* **1.** mud, dirt, mire; (*тиня*) silt, slurry; (*утайка*) dregs, sediment; (*на вино*) lees; **гъста** ~ thick mud; **рядка** ~ slush; **2.** *прен.* mud, slime, degradation, infamy; **затъвам в** ~**та** sink into degradation, go to the bad/the dogs; **хвърлям** ~ **по някого** *прен.* fling/sling/throw mud on s.o.; ● **правя** ~ **на някого** *разг.* do s.o. dirt, *sl.* do the dirty on s.o.; **ушна** ~ *анат.* ear wax, cerumen.

кала̀|й (-ят) *м., само ед.* tin; ● **тегля някому един хубав** ~й give s.o. a good dressing down, haul/call s.o. over the coals.

калайджи̇|я *м.,* -и tinsmith, tinker, tinner, whitesmith, tinman, tin-plater; ● **въртя се като** ~я jump like a parched pea; have the fidgets, be fidgety.

калайдисвам, калайди̇сам *гл.* **1.** tin, tinplate; **2.** *прен.* carpet, haul over the coals, give a good dressing-down/the rough side of o.'s tongue/a good talking to, *sl.* wig.

каламбу̀р *м.,* -и, (два) каламбу̀ра pun, play on words, *книж.* paronomasia; **казвам** ~ perpetrate a pun.

калвини̇з|ъм (-мът) *м., само ед. рел.* Calvinism.

калдъ̀рм *м.,* -и, (два) калдъ̀рма cobblestone pavement/road; cobbles.

калейдоско̀п *м.,* -и, (два) калейдоско̀па kaleidoscope (*и прен.*).

калѐм *м.,* -и, (два) калѐма *остар.* **1.** (*за писане върху плоча*) slatepencil; **2.** (*шпула*) spool, reel, bobbin; **3.** (*присадка*) graft, cutting; ● **не го лови** ~**ът** he is not up to par; **тегля** ~ **на нещо** put an end to s.th., (*зачерквам*) strike s.th. out.

ка̀л|ен *прил.,* -на, -но, -ни **1.** muddy, dirty, miry, mud-bespattered; (*за време*) sloppy; ~**на кола** car spattered with mud; **2.** mud (*attr.*); ~**на баня** mud-bath; **3.** *прен.* dirty, mean, low.

калѐн *мин. страд. прич.* **1.** tempered, hardened, chilled; **2.** *прен.* hardy, robust, seasoned, inured; steeled; ~**и в**

бой battle-tried, war-hardened.

календа̀р *м.*, -и, (два) календа̀ра calendar; almanac; ~ бележник diary; engagement book; църковен ~ calendar of saints.

календа̀р|ен *прил.*, -на, -но, -ни calendar (*attr.*); ~на година legal/calendar/civil year.

калибрѝрам и калибро̀вам *гл.* calibrate, gauge, graduate; (*прокат*) size, groove.

калѝб|ър *м.*, -ри, (два) калѝбъра 1. *воен.* calibre, bore; 2. size; *техн.* gauge; (*на прокат*) pass, groove; контролен ~ър reference/master/test gauge; регулируем ~ър stop gauge; • от голям ~ър *прен.* high-class.

калигра̀фия *ж., само ед.* calligraphy, penmanship.

ка̀ли|й (-ят) *м., само ед. хим.* potassium.

калѝнк|а *ж.*, -и 1. *зоол.* lady-bird; 2. *бот.* (*див мак*) wild poppy; 3. *бот.* pomegranate.

ка̀лк|а *ж.*, -и *език.* loan translation.

калка̀н₁ *м.*, -и, (два) калка̀на *зоол.* turbot.

калка̀н₂ *м.*, -и, (два) калка̀на *архит.* blind/blank/dead wall, end-wall; (*брандмауер*) *строит., истор.* party wall.

калкула̀тор *м.*, -и, (два) калкула̀тора calculator; електронен ~ electronic calculator.

калкула̀ци|я *ж.*, -и calculation; (*предварителна*) estimate; ~я на цена pricing.

калкулѝрам *гл.* calculate, price.

ка̀лни|к *м.*, -ци, (два) ка̀лника *авт. амер.* wing, fender; (*на файтон*) splashboard.

калорифер *м.*, -и, (два) калорифера air-heater.

калорѝч|ен *прил.*, -на, -но, -ни calorific, caloric, rich in calories; (*за храна*) high-calorie (*attr.*), nutritious, nourishing.

калорѝчност *ж., само ед.* caloricity.

кало̀ри|я *ж.*, -и calorie; голяма/техническа ~я kilogram/large/greater calorie, *съкр.* kcal.; малка ~я gram/small/minor calorie.

калпаза̀нин *м.*, калпаза̀ни; калпаза̀нк|а *ж.*, -и *разг.* bad hat/lot/egg, good-for-nothing fellow/woman; rascal, scamp, rotter.

калпа̀|к *м.*, -ци, (два) калпа̀ка fur cap; cossack hat.

калу̀гер *м.*, -и monk, friar; cloisterer.

калу̀герк|а *ж.*, -и nun; ставам ~а become a nun, take the veil.

ка̀лф|а *м.*, -и journeyman, apprentice.

ка̀лци|й (-ят) *м., само ед. хим.* calcium.

калцѝрам *гл.* calcify; ‖ ~ се calcify, become calcified.

калъ̀п *м.*, -и, (два) калъ̀па 1. (*форма за изливане*) cast, mould, castingform, *амер.* mold; изливам в ~ cast; правя ~ на нещо take a cast of s.th.; 2. (*за обуща*) last; (*пружинка*) shoe-/boot-tree; поставям обувките си на ~ put o.'s shoes on the last; last o.'s shoes; (*за разтегляне*) have o.'s shoes stretched; 3. (*шаблон, модел*) pattern, model; по ~а на after the pattern of; • ~ сапун a cake/bar of soap.

калъ̀ф *м.*, -и, (два) калъ̀фа 1. case; (*за възглавница*) pillow-case/slip; (*за мебели и пр.*) loose cover, dust-cover/-sheet, slip (cover); долен ~ (*на дюшек, възглавница*) tick; ~ за чайник tea cosy; 2. (*на нож, сабя*) sheath, case, scabbard; (*на револвер*) holster; (*за инструменти, цигулка и пр.*) case; 3. (*на грамофонна плоча*) sleeve.

калѝвам, калѝ *гл.* temper, chill; *прен.* harden, steel, toughen; (*приучвам, привиквам*) habituate, inure (на to); ~ волята си steel/strengthen o.'s will; ‖ ~ се become tempered/hardened/steeled; harden, toughen; (*физически*) harden, become hardy.

ка̀лям *гл.* dirty, cover with mud, bespatter, muddy; *прен.* sully, soil; ‖ ~ се get dirty/muddy/bespattered; • взаимно се калят they go in for mutual mudslinging.

каля̀ск|а *ж.*, -и coach, carriage; (*четириместна*) barouche.

кам|а̀ *ж.*, -ѝ dagger; poniard; knife.

ка̀мар|а *ж.*, -и *търг.* chamber; (*парламент*) parliament, national assembly; Камара на лордовете House of Lords; *разг.* the Lords; Камара на общините House of Commons; *разг.* the Commons; търговска ~а chamber of commerce.

кама̀р|а *ж.*, -и heap, pile; stack; *прен.* mass, lots of, heaps of.

камба̀н|а *ж.*, -и bell; бия ~а ring/toll

a bell; водолазна ~а diving-bell.

камбанарѝ|я *ж.*, -и belfry, bell tower, church tower.

камба̀н|ен *прил.*, -на, -но, -ни bell (*attr.*); of a bell; ~ен звън chime.

ка̀мбри|й (-ят) *м., само ед. геол.* the Cambrian.

ка̀мгар|ен *прил.*, -на, -но, -ни *текст.* worsted.

камѐли|я *ж.*, -и *бот.* camellia.

ка̀мен|ен *прил.*, -на, -но, -ни stone (*attr.*); rock (*attr.*); (*твърд като камък*) petrous; ~ен блок ashlar; ~на кариера (stone) quarry; stone-pit; ~на сол rock salt; ~ни въглища *минер.* coal; carbo-lapideus, carbonite; • ~ен век *истор.* Stone Age; ~но сърце a heart of stone/flint.

каменовъ̀глен *прил.* coal (*attr.*); carboniferous; ~ басейн, ~и залежи coalbed/field/basin.

каменоло̀мн|я *ж.*, -и quarry, stone-pit.

ка̀мер|а *ж.*, -и 1. chamber; cell; вулканизационна ~а airbag; екологична ~а environmental cabinet; сушилна ~а desiccator/drying cabinet; 2. *фот.* camera; кино~а cine-camera; скрита ~а candid camera; фоторепродукционна ~а process camera; 3. *анат.* chamber, ventricle.

ка̀мер|ен *прил.*, -на, -но, -ни 1. camera (*attr.*), of a camera; 2. *муз.* chamber (*attr.*); ~ен състав/оркестър chamber ensemble/orchestra; • ~ен певец concert performer; ~на опера opera di camera, opera for a small auditorium.

камериѐр *м.*, -и valet, attendant.

камериѐрк|а *ж.*, -и chambermaid (*и в хотел*); lady's maid.

камерто̀н *м.*, -и, (два) камерто̀на *муз.* tuning fork, pitchfork, tonometer; (*свирка*) pitch-pipe.

камизо̀л|а *ж.*, -и camisole.

камѝл|а *ж.*, -и *зоол.* camel; двугърба ~а Bactrian camel (*Camelus bactrianus of mesticus*); едногърба ~а dromedary, Arabian camel (*Camelus dromedarius*); • я ~ата, я камиларят there's many a slip twixt the cup and the lip.

камила̀р (-ят) *м.*, -и camel driver, cameleer.

камѝлск|и *прил.*, -а, -о, -и camel (*attr.*), of a camel, of camels; ~а вълна camel's hair; ~а птица *зоол.* ostrichy.

камѝн|а ж., -и fireplace; chimney-piece, mantle-piece; (*кахлена печка*) tile-stove; **край ~ата** at/by the fireside.

камио̀н м., -и, (два) **камио̀на** (motor-)lorry; *амер.* (motor)truck; **един ~ въглища** a lorry-load of coal, *амер.* a truck-load of coal.

кампанѝйност ж., *само ед.* work by fits and starts; sporadic work; (*безпла-новост*) planlessness.

кампа̀ни|я ж., -и campaign; drive; crusade; **започвам ~я** start/launch a campaign/drive; **изборна ~я** election campaign, electioneering, canvassing.

камуфла̀ж м., *само ед. воен.* camouflage; *мор.* dazzle.

камуфла̀ж|ен *прил.*, -на, -но, -ни *воен.* camouflage (*attr.*).

ка̀мфор м., *само ед. хим.* camphor.

ка̀мфоров *прил.* camphor (*attr.*), camphoric; camphorated; **~ спирт** camphorated spirit; **~о масло** camphorated/camphor oil.

камшѝ|к м., -ци, (два) **камшѝка** whip; (*за езда*) crop; (*ремък*) lash; **бия с ~к** whip, lash, flagellate; **удар с ~к** lash.

ка̀мъ|к м., -ни, (два) **ка̀мъка** stone, *амер.* rock; (*скала*) rock; **воденичен ~к** millstone; **граничен ~к** (*знак*) landmark; **надгробен ~к** tombstone, gravestone; **скъпоценен ~к** gem, a precious stone; ● **адски ~** caustic silver, lunar caustic; **валчест ~к темел не хваща** a rolling stone gathers no moss; **зъбен ~к** tartar, scale; **казана дума, хвърлен ~к** a word spoken is past recalling; it's a promise; **търся под дърво и ~к** look for s.th. high and low; look under log, leaf and nettle; leave no stone unturned.

камъш м., *само ед.* (*тръстика, папур*) reed, cane, rush, bulrush.

ка̀н|а ж., -и (*съд*) pitcher, jug, (*голяма*) ewer; flagon.

кана̀бис м., *само ед.* cannabis; **цигара с ~** *разг.* spliff.

канава̀ ж., *само ед.* canvas; *прен.* framework, outline, groundwork; (*на роман*) design.

кана̀вк|а ж., -и ditch, runnel; (*край тротоар*) gutter.

Кана̀да ж. *собств.* Canada.

кана̀д|ец м., -ци; **кана̀дк|а** ж., -и Canadian.

кана̀дск|и *прил.*, -а, -о, -и Canadian; Canada (*attr.*); **~и балсам, ~а смола** Canada balsam.

кана̀л м., -и, (два) **кана̀ла 1.** (*изкуствен*) canal; (*естествен*) channel; (*в сграда*) drain; (*градски*) drain, sewer; **вентилационен ~** fandrift; **напоителен/оросителен ~** irrigation canal; **отточен ~** escape canal; **2.** *анат.* duct, canal; **жлъчен ~** bile-duct; **пикочен ~** urethra; **3.** *техн.* groove, channel; **роторен ~** *ел.* rotor groove/channel; **телевизионен ~** T.V. channel; (*за преглед на кола*) inspection/service pit; **4.** *прен.* channel; **научавам** (*нещо*) **по неофициални ~и** hear (s.th.) on/through the grapevine; **служебен ~ за връзка** engineering channel.

кана̀л|ен *прил.*, -на, -но, -ни canal (*attr.*), of a canal, of canals; channel (*attr.*); **~на мрежа/система** network/system of canals; (*канализация*) sewerage (system); **~ни води** sewage; ● **по ~ен ред** through official/proper channels, officially, in due order.

канализацио̀н|ен *прил.*, -на, -но, -ни sewer (*attr.*), sewerage (*attr.*); **~на система** sewerage; drainage.

канализа̀ция ж., *само ед.* **1.** sewerage; drainage; system of sewers/drains; (*на река*) canalization; **прокарване на ~** providing of drains/sewers; **2.** *прен.* canalization.

канализѝрам *гл.* **1.** (*река*) canalize; **2.** (*населено място*) provide with sewerage/drainage; **3.** *прен.* canalize; funnel; **~ пари/средства** channel/funnel money/resources.

кана̀п м., -и, (два) **кана̀па** pack-thread, cord, string, twine.

канапѐ *ср.*, -та **1.** sofa; (*което става на легло*) sofa-bed; settee; **2.** *кул.* canapé.

канар|а̀ ж., -ѝ crag; rock; (*отвесна*) cliff.

кана̀рче *ср.*, -та *зоол.* canary(-bird).

кандида̀т м., -и; **кандида̀тк|а** ж., -и candidate; contender; (*определен/предложен за кандидат в избори*) nominee, contestant; (*за работа*) candidate, applicant; **~ за женитба** suitor, wooer; **~ на науките** (*хуманитарни*) master of arts, съкр. M. A.; (*точни*) master of Science, съкр. M. Sc.; **~студент** candidate student.

кандидатѝрам *гл.* nominate; || **~ ce** run, stand, put up, be a candidate (**за** for); **~ ce за президент** run for president.

кандида̀тск|и *прил.*, -а, -о, -и candidate (*attr.*); **~a дисертация** thesis/dissertation for a candidate's/master's degree; **~и изпити** entrance examinations; **~и стаж** term of probation.

кандида̀тствам *гл.* apply (**за** for).

кандидату̀р|а ж., -и candidature; (*за участие в избори*) nomination; **издигам ~ата на някого** nominate s.o. for election; put up s.o. (**за** to); **оттеглям ~ата си** withdraw o.'s candidature.

кандѝлкам *гл.* rock, move to and fro; || **~ ce 1.** rock, reel, roll; **2.** idle, moon/lounge about.

кандѝл|о *ср.*, -а̀ *църк.* float light; icon-lamp, church-lamp; (*на гроб*) grave-lamp.

кандърдѝсвам, кандърдѝсам *гл.* *диал.* bring round; persuade; exhort; **~ някого да направи нещо** talk s.o. into doing s.th.; || **~ ce** come round, agree.

канѐла ж., *само ед. кул.* cinnamon.

канѐлк|а ж., -и spigot, vent-peg, cock, valve; (*на чешма*) tap, *амер.* faucet.

каниба̀л м., -и cannibal; man-eater; *книж.* anthropophagus (*pl.* anthropophagi).

канибалѝз|ъм (-мът) м., *само ед.* cannibalism; anthropophagy.

кано̀н м., -и, (два) **кано̀на 1.** *църк.* canon; *прен.* (*правило, закон*) law, rule; **2.** *муз.* canon.

канона̀д|а ж., -и *воен.* cannonade.

канонизѝрам *гл. църк.* canonize.

канонѝч|ен *прил.*, -на, -но, -ни; **канонѝческ|и** *прил.*, -а, -о, -и *рел.* canonical; **~о право** canon law.

кант м., -ове, (два) **ка̀нта** (*ръб*) edge; *архит.* frieze; (*на дреха*) piping, edging; (*на плат*) list, selvage.

канта̀р м., -и, (два) **канта̀ра** balance, scales; (*пружинен*) spring balance; (*за големи тежести*) weighing machine, (*за коли и пр.*) weighbridge; **~ с пружина** spring-balance.

кантарио̀н м., *само ед. бот.* (*червен*) centaury (*Erythraea centaurium*); **жълт ~** St. John's wort; tutsan (*Hypericum perforatum*).

кантат|а ж., -и муз. cantata.

кантон м., -и, (два) кантона 1. (на шосе) roadman's lodge/hut; (на жп линия) linesman's lodge; 2. ел. transformer tower/box, substation; 3. (в Швейцария) canton.

кантонер м., -и (по пътищата) roadman, (по жп линия) linesman, permanent-way man; trackman амер.; watchman.

кантор|а ж., -и office, bureau; експедиторска ~а forwarding agency.

кану ср., -та canoe.

кану-кай|к м., -ци, (два) кану-кайка спорт. Canoe Kayak.

канцелари|я ж., -и office, bureau; дипл. chancellery, амер. chancery; църковна ~я vestry.

канцеларск|и прил., -а, -о, -и 1. office (attr.), bureau (attr.); ~а работа office/desk work; ~и материали stationery, writing materials; 2. прен. formal, dry, bureaucratic; desk-bound; • ~и плъх ink-slinger, quill-driver.

канцероген|ен прил., -на, -но, -ни мед. cancerogenic; carcinogenic; ~но вещество carcinogen.

канцлер м., -и chancellor.

канцлерск|и прил., -а, -о, -и chancellor's, of a chancellor.

канцонет|а ж., -и муз. canzonet.

канче ср., -та mug, pannikin; (тенекиено) canakin; войнишко ~ mess-tin.

каньон м., -и, (два) каньона геогр. canyon.

каня гл., мин. св. деят. прич. канил 1. invite, ask (на to); (официално) request the pleasure of (s.o.'s) company (на at); 2. (подканвам) urge ask repeatedly; канят го да стане министър he is offered the post of minister; || ~ се 1. plan, intend, be about to; все се ~ да отида I've been meaning to go; кани се да вали it looks like rain; 2. threaten; • канят ли те – яж, гонят ли те – беж behave according to your welcome; don't miss your chance.

каолин м., само ед. kaolin, china clay.

кап|а ж., -и разг. hat; fur-cap.

капа|к м., -ци, (два) капака 1. lid, cover; top; (на външен джоб) flap; (в под, таван) trap-door; ~ци на прозорци shutters; 2. (външна дъска при рязане на трупи) slab; 3. техн., авт. bonnet, амер. hood; 4. (вид ке-

ремида) ridge-tile; 5. (отзад на карасерия на камион) tailpiece; • като ~к на всичко to top/cap it all; sl. to put the tin lid on it (all).

капан м., -и, (два) капана snare, trap; pitfall; (с тежест, която пада върху жертвата) deadfall, downfall; gin; прен. deathtrap; ~ за мишки mousetrap; попадам/падам направо в ~а (и прен.) walk straight into the trap; • стар вълк в ~ не влиза old birds are not (to be) caught with chaff.

капандур|а ж., -и dormer(-window), garret window; (на покрива) skylight, fan-light.

капарирам гл. pay/give earnest (money) for; deposit.

капарирано нареч. deposit paid, sold.

капаро ср., само ед. earnest (money); deposit; down payment; давам ~ bind the bargain; pay/give earnest; put down.

капацитет м., -и 1. (производителност) capacity, output, (на машина) load; (вместимост) capacity, volume; (мощност) (horse-)power; ел. capacitance; номинален ~ rated power/capacity; работа с пълен ~ work to capacity, (за фабрика и пр.) work at full blast, (за машина) work (at) full load; 2. (авторитет) authority; expert (в, по on); разг. pundit.

капачк|а ж., -и; капаче ср., -та 1. cap, top; cover; lid; винтова ~ a screw cap; ~а на ток heeltap; 2. анат. knee-cap, patella, scutum; 3. бот. operculum (pl. opercula).

капвам, капна гл. 1. (падам) drop, fall, (на капки) drip, dribble; (изливам на капки) drip (out); от месеци не е капнал дъжд there hasn't been a drop of rain for months; 2. прен. (изтощавам се) get/be exhausted/dead beat/done up (от with); drop (with fatigue); frazzle; капнал съм за сън be dying for sleep.

капел|а₁ ж., -и hat.

капел|а₂ ж., -и 1. църк. chapel; 2. муз. choir; хорова ~а a cappella choir.

капиляр м., -и, (два) капиляра анат., физ. capillary tube vessel, capillary.

капиляр|ен прил., -на, -но, -ни capillary (attr.).

капитал м., -и, (два) капитала 1. capital; funds; (главница) principal; банков ~ banking capital; дялов ~

joint stock (capital); оборотен ~ working capital; circulating/floating capital; основен ~ fixed capital, capital stock/fund; fixed/capital assets; 2. (имущество) capital, funds, property; (актив) equity; прираст на ~ capital gain; рисков ~ venture capital; свободен ~ idle money; 3. събир. the capitalists, big business; 4. прен. (ценно качество) capital merit, asset, credit; • не правя ~ от not set great store by; правя голям ~ от make great play with.

капитал|ен прил., -на, -но, -ни 1. capital (attr.); ~ни вложения capital investments; 2. (значителен, голям) major, capital; ~ен въпрос/проблем major/cardinal problem/issue; ~ен ремонт major repairs, general overhaul; ~но строителство large-scale building/construction.

капитализирам гл. capitalize.

капитализ|ъм (-мът) м., само ед. capitalism; монополистичен ~ъм monopoly capitalism.

капиталист м., -и capitalist; едър ~ big businessman.

капиталистическ|и прил., -а, -о, -и capitalist (attr.); ~и строй capitalist system, capitalism.

капиталов прил. capital; ~и активи capital assets; ~и блага capital goods; ~о съотношение debt/equity ratio.

капиталовложени|е ср., -я capital investment.

капиталооборот м., -и, (два) капиталооборота икон. capital turn.

капитан м., -и 1. воен., мор. captain; ~ втори ранг commander; ~ първи ранг captain; ~ трети ранг lieutenant-commander; (на пътнически кораб) captain; (на товарен кораб) master, shipmaster; skipper; помощник-~ mate; 2. спорт. captain; leader.

капитанск|и прил., -а, -о, -и captain's; shipmaster's; ~и мостик a captain's/shipmaster's bridge.

капител м., -и, (два) капитела архит. capital, chapiter, (column) head, drum of column; ~ с листни орнаменти foliated capital; разширен ~ flared head.

капитулация ж., само ед. 1. surrender; capitulation; безусловна ~ unconditional surrender; 2. само мн. истор. capitulations.

капитулирам гл. surrender, capitulate

(пред то); (*поддавам се, отстъпвам*) give in, give way, yield (to), cave in, throw up the sponge.

капѝ|я *ж.*, -и **1.** gate; door; **2.** sheath, scabbard; **3.** *бот.* (a variety of) long fleshy pepper; • **той е голяма ~я** he is a fine fellow/chap.

ка̀пк|а *ж.*, -и **1.** drop; driblet; **до последна ~а кръв** to the last drop of blood, to the bitter end; **~а в морето** a drop in the ocean/bucket, a pill to cure an earthquake; **~а по ~а** drop by drop, dropwise; by/in driblets; *прен.* bit by bit; **2.** (*петно*) spot, blob, speck; (*като шарка*) spot, dot; **на ~и** spotted, dotted; **покривка е цялата в ~и** the tablecloth is all (covered with) spots; **3.** (*малко*) a spot/drop of; *прен.* a bit/jot/whit of; **ни ~а съмнение** not a shadow of doubt; **нямам нито ~а срам** be not in the least ashamed, be not the least bit ashamed, be brazen; • **~а по ~а вир става** little streams make great rivers; a saved penny makes them many; every little makes a mickle; little strokes fell great oaks; little and often fill the purse; take care of the pence and the pounds will take care of themselves; **минавам между ~ите** pass unnoticed, get away with it; **приличат си като две ~и вода** they are as like as two peas; there's not a pin to choose between them.

капкомѐр *м.*, -и, (два) **капкомѐра** *техн.* dropper, dropping tube; dripcock; dosimeter; *мед.* dropper.

ка̀пнал *мин. св. деят. прич. (и като прил.)* **1.** (*паднал*) fallen, dropped; **2.** *прен.* dog-/dead-tired, all in; washed out; dead beat, done up, exhausted, half-dead.

капрѝз *м.*, -и, (два) **капрѝза** whim; caprice; vagary; freak; crotchet; passing fancy; fad; **~ите на модата** the vagaries of fashion.

капрѝз|ен *прил.*, -на, -но, -ни whimsical, freakish; faddy, faddish; capricious; wayward, crotchety; fanciful; (*придирчив*) fastidious, particular; (*непостоянен*) vagarious.

капрѝзнича *гл., мин. св. деят. прич.* **капрѝзничил** be whimsical/freakish/capricious/fastidious; (*недоволствам*) grouch, grouse, gripe; (*за дете*) be naughty; (*хленча*) *разг.* grizzle.

ка̀псул|а *ж.*, -и **1.** capsule; **спускаема ~а** *ксм.* recovery capsule; **катапултируема ~а** ejection capsule; **херметична ~а** *косм.* containment capsule; **2.** *мед.* (*за лекарство, стрито на прах*) capsule, wafer; **3.** *бот.* spore-case, theca (*pl.* thecae).

капсулѝрам *гл.* capsulate, encapsulate, put/enclose in capsules.

капта̀ж *м.*, -и, (два) **капта̀жа 1.** head, reservoir, catchment; damming; (*район*) catchment area; **2.** catchment, capping, captation.

каптѝрам *гл.* impound, catch (water), lead off, pipe.

капчу̀|к *м.*, -ци, (два) **капчу̀ка 1.** spout, beak; (*тръба*) rain/water pipe; **2.** (*капеща вода*) drops.

ка̀пя *гл., мин. св. деят. прич.* **ка̀пал 1.** drip, dribble; (*стичам се на капки*) trickle; **2.** (*пропускам течност*) leak, seep; **3.** (*за листа*) fall; (*за коса*) fall out; (*за плодове*) drop (to the ground); **4.** (*за дъжд*) spot; **започва да капе** it's spotting with rain, it's setting in to rain; • **ако не тече, капе** there's enough to keep the pot boiling.

карабѝн|а *ж.*, -и *воен.* carbine, carabine.

карава̀н|а *ж.*, -и caravan; large flat vessel.

каракача̀нин *м.*, **каракача̀ни; каракача̀нк|а** *ж.*, -и Karakachan (nomad mountain shepherd of Romanian origin).

ка̀рам *гл.* **1.** (*кола*) drive; (*велосипед*) ride (on); (*лодка с гребла*) row; (*платноходка*) sail; (*самолет*) fly; (*кораб*) navigate; (*яздя*) ride; (*добитък и пр.*) drive; (*количка*) push; (*вода*) take (на то); **~ кънки** skate; **~ наляво/надясно** keep to the left/right; **~ на паша** turn out to pasture; **~ ски** ski; **2.** (*за двигателна сила*) drive, set in motion; operate; **3.** (*возя, превозвам*) transport, drive, carry, take; **~ с камион** truck; **~ с каруца** cart; **4.** (*подтиквам, подбуждам*) urge (on forward); drive; induce, prompt; (*убеждавам*) induce, persuade, get; (*принуждавам*) make (с *inf.*, **без** to) compel, force; **какво те кара да мислиш така?** what makes you think so? **~ рат ме да отида с тях на екскурзия** they're trying to get me to go on an ex-

cursion with them; **5.** (*трая*) last; **тези дрехи ще карат с години** these clothes will last/wear for years; **6.** (*постъпвам*) carry on, behave; (*живея*) get along, manage; (*задоволявам се*) manage (**с** with); **как я карате?** how are you getting on/along? how goes the world with you? how is the world treating/using you? **~ едва-едва** hardly scrape a living, pick up a scanty livelihood, barely make both ends meet; **~ както си зная** go/take o.'s own way; **7.** (*години*) be getting on for, be reaching the age of; **8.** (*продължавам*) go on, keep on; **карай в същия дух!** that's the spirit! keep it up! **карай нататък!** go on! carry on! fire ahead! (*при четене*) read on!; **9.** (*уча, следвам*) attend; **10.** (*болест*) have; be down with; **~ леко/тежко** have a light/severe case of ...; • **~ през просото** run riot, behave anyhow, not give a damn; **ни се води, ни се кара** be kittle-cattle; be a difficult/an intractable person to deal with.

карамѐл *м.*, -и, (два) **карамѐла** *кул.* caramel; burnt sugar; **крем ~** caramel custard.

карамелизѝрам *гл.* caramelize, turn into caramel; burn (sugar).

ка̀рам се *възвр. гл.* scold; jangle; (*враждувам, споря*) quarrel; **~ с някого** have a row with s.o., quarrel with s.o., fight (with) s.o., have words with s.o.; • **двама се карат, третият печели** when two people quarrel it is the third one that wins.

карамфѝл *м.*, -и, (два) **карамфѝла 1.** *бот.* pink; (*градински*) carnation; **кичест ~** double carnation; **2.** (*подправка*) clove.

карантѝна *ж.*, *само ед.* quarantine; **под ~ съм** be in/under quarantine; **поставям под ~** put under/place in quarantine.

карантѝн|ен *прил.*, -на, -но, -ни quarantine (*attr.*); **~но свидетелство** (*на кораб*) health bill, quarantine certificate.

карантѝя *ж.*, *само ед.* pluck, edible offal; harslets, haslets, variety-meat(s); **птича ~** giblets.

кара̀т *м.*, -и, (два) **кара̀та** carat.

кара̀те *ср.*, *само ед.* *спорт.* karate.

карау̀л *м.*, -и, (два) **карау̀ла** guard;

(*часовой*) sentry; sentinel; **постъпвам/ застъпвам ~** mount guard; **почетен ~ guard** of honour; **сменям ~** relieve a guard.

караỳл|ен *прил.*, **-на, -но, -ни** guard, sentry, sentinel (*attr.*), of the guard; **~но помещение** guard-room/house.

карбонизàция *ж.*, *само ед.* carbonizing, carbonization; coalification.

карбонизѝрам *гл. хим.* carbonize, carbonify.

карбурàтор *м.*, **-и, (два) карбурàтора** *техн.* carburettor; *амер.* carburetor; **~ с жигльор** atomizing carburettor; **~ с поплавък** float carburettor.

кардàн *м.*, **-и, (два) кардàна** *техн.* universal/Hooke's/fork joint, cardan, universal/Hooke's coupling.

кардàнов *прил.* **и кардàн|ен** *прил.*, **-на, -но, -ни** cardan (*attr.*), universal; **~о съединение** universal/Hooke's/fork joint, cardan.

кардинàл *м.*, **-и** *църк.* cardinal.

кардинàл|ен *прил.*, **-на, -но, -ни** cardinal, fundamental, principal, basic.

кардинàлск|и *прил.*, **-а, -о, -и** cardinal's, of a cardinal, of cardinals.

кардиогрàм|а *ж.*, **-и** *мед.* cardiogram.

кардиолỏ|г *м.*, **-зи** cardiologist.

кардѝрам *гл.* card, comb; (*плат*) fluff, tease, teasel; finish (a cloth) with nap.

карè *ср.*, **-та 1.** (*нещо квадратно*) square; (*фигура върху плат*) check; (*мильо*) table-centre; **издателско ~** printer's imprint; **плат на ~та текст.** chequered/checked cloth; **2.** *карти* four of a kind; (*четирима партньори*) foursome; **3.** (*месо*) fillet, loin; **4.** *техн.* centre-cross; cross-piece; joint; **5.** *воен.* square.

карèт|а *ж.*, **-и** carriage; (*отворена*) victoria.

кариèра₁ *ж.*, *само ед.* (*поприще*) career; **правя ~** make o.'s way up, climb up the ladder, carve out a career for o.s., make a career for o.s.; make/win o.'s way in the world; **той е дипломат от ~та** he is in the diplomatic service, he is a diplomat; *разг.* he is a career man.

кариèр|а₂ *ж.*, **-и: каменна ~а** a stonepit, quarry; **пясъчна ~а** a sand-pit.

кариерѝз|ъм (**-мът**) *м.*, *само ед.* social climbing, time-serving; self-seeking; (*службогонство*) place/job hunting.

кариерѝст *м.*, **-и** social climber, pusher, time-server, careerist, self-server; place/ job hunter, placeman; *разг.* go-getter.

кàриес *м.*, **-и, (два) кàриеса** *мед.* caries.

карикатỳр|а *ж.*, **-и** caricature, take off; (*обикн. полит.*) cartoon; **каква си ~а!** you are a perfect sight/fright!

карикатурѝст *м.*, **-и** caricaturist; cartoonist.

карикатỳря *гл.*, *мин. св. деят. прич.* **карикатỳрил** make a caricature of, caricature; present in a grotesque manner; (*подигравам*) ridicule.

карѝран *мин. страд. прич.* (*и като прил.*) chequered, checked; (*за хартия*) squared.

кàрма *ж.*, *само ед.* *рел.* karma.

карнавàл *м.*, **-и, (два) карнавàла** carnival; (*маскарад*) masquerade, fancy(-dress) ball.

карнавàл|ен *прил.*, **-на, -но, -ни** carnival (*attr.*); **~но шествие** pageant, carnival procession.

карнàче *ср.*, **-та** *кул.* grilled sausage.

каросèри|я *ж.*, **-и** body, carriage.

карст *м.*, *само ед.* *геол.* karst.

кàрстов *прил.* *геол.* karst (*attr.*); **~а вода** cavernwater.

кàрт|а *ж.*, **-и 1.** card; **абонаментна ~а** season ticket; **лична ~а** identity/ identification card; **членска ~а** membership card; **2.** *геогр.* map; chart; **автомобилна ~а, ~а на пътищата** motoring map, road map; **правя ~а на местността** map the locality; survey the locality; **синоптична ~а** synoptic weather chart; **3.** (*за игра*) card, playing card; **гледам някому на ~а** tell s.o.'s fortune by cards; **залагам/поставям всичко на ~а** stake/risk everything.

картèл *м.*, **-и, (два) картèла** *икон.* cartel, kartell.

картèч|ен *прил.*, **-на, -но, -ни** *воен.* machine-gun (*attr.*); **~на лента** (*с патрони*) cartridge belt.

картèчниц|а *ж.*, **-и** *воен.* machinegun; *sl.* coffee-grinder; **лека ~а** submachine gun; **тежка ~а** (heavy) machine-gun; **• говоря като ~а** talk nineteen to the dozen.

картѝн|а *ж.*, **-и 1.** picture; (*рисунка*) drawing; (*с бои*) painting; canvas; panel; (*илюстрация*) illustration, pic-

ture; *прен.* pattern; **жива ~а** tableau vivant; **~а с маслени бои** oil-painting; **2.** *театр.* scene; **3.** (*гледка*) scene, sight; **• кръвна ~а** *мед.* blood count.

картѝн|ен *прил.*, **-на, -но, -ни** picture (*attr.*); pictorial; (*живописен*) picturesque; (*изразителен*) vivid, lifelike, graphic.

картѝчк|а *ж.*, **-и** card; **визитна ~а** visiting-card; business card; **пощенска ~а** card, post/postal card.

картоигрàч *м.*, **-и** card-player; (*комарджия*) gambler; card shark; (*мошеник*) card-sharper.

картòн *м.*, **-и, (два) картòна 1.** pasteboard, cardboard; (*за подлепване на снимка и пр.*) mount; **дебел ~** tarboard; **2.: болничен ~** patient's file; **• показвам жълт/червен ~** *спорт.* show the yellow/red card.

картòнен *прил.* cardboard (*attr.*), pasteboard (*attr.*), of cardboard/pasteboard; **• ~а кула** a house of cards.

картотèк|а *ж.*, **-и** card-index; card file; (*в кутия*) filing case/cabinet; index-case/-box.

картотекѝрам *гл.* index, card-index, enter into the card-index.

картòф *м.*, **-и, (два) картòфа** (*грудка*) potato; (*растение*) potato plant; **пържени ~и** chips.

картòфен *прил.* potato (*attr.*); **~о пюре** mashed potatoes.

карỳц|а *ж.*, **-и** cart; (*платформа*) truck, dray; (*закрита*) wag(g)on, van; **превозвам с ~а** cart.

карфиòл *м.*, *само ед. бот.* cauliflower; broccoli.

карфѝц|а *ж.*, **-и 1.** pin; забождам/закрепвам с ~а pin; **2.** (*брошка*) brooch.

кàрцер *м.*, **-и, (два) кàрцера** lock up room, lock up; solitary confinement; *воен.* detention barracks; *разг.* cooler, *sl.* glasshouse, *амер.* sweatbox.

карциногèн|ен *прил.*, **-на, -но, -ни** *мед.* carcinogen, carcinogenic.

карцинòм *м.*, **-и, (два) карцинòма** *мед.* carcinoma.

кàс|а *ж.*, **-и 1.** (*в банка, магазин и пр.*) pay-desk, cash-desk, cash-box; (*чекмедже*) till; (*за билети*) ticket-office; booking office; (*в кино, театър*) box-office, ticket office; (*стая в учреждение*) pay room/office; (*автомат: в магазин и пр.*) cash register;

огнеупорна ~a safe, strong-box; **2.** (*парична наличност*) cash; float; cash float; (*при игра*) bank; **3.** (*спестовна и пр.*) fund; bank; **взаимоосигурителна** ~a mutual insurance fund; **спестовна** ~a savings bank/fund; **4.** (*сандък*) box, crate, case; **формовъчна** ~a casting box; **5.** *полигр.* case; **6.** (*на прозорец, врата*) frame, case; **7.:** **електронна** ~a electronic casing.

касàе се *безл. възвр. гл., мин. св. деят. прич.* **касàело се** it concerns, it refers, it pertains (to); it has to do (with); it has a bearing (on); **що се касае до мен** for my part, as far as I am concerned, as for me.

касàпин *м.,* **касàпи 1.** butcher; **2.** *прен.* cutthroat, butcher, slaughterer.

касàпниц|a *ж., -и* **1.** butcher's (shop); **2.** *прен.* butchery, slaughter, massacre, carnage, shambles.

касацион|ен *прил., -на, -но, -ни юр.* cassation (*attr.*); ~**ен съд** court of cassation, supreme court of appeal; ~**на жалба** appeal to the court of cassation.

касètк|a *ж., -и* **1.** cassette; small box/ safe; (*за пари*) cash-box; casket; (*в банка*) safe-deposit-box; **2.** *фот.* plateholder, cassette, dark-slide; **3.** (*за магнетофон*) cassette.

касетофòн *м., -и, (два)* касетофòна cassette tape recorder.

касиèр *м., -и;* **касиèрк|а** *ж., -и* cashier; (*в банка*) teller, booking-clerk; (*в учреждение*) paymaster, disbursing official; (*военен*) paymaster; (*в университет и пр.*) bursar; (*на дружество*) treasurer; (*продавач на билети*) booking clerk.

касѝрам *гл. юр.* **1.** (*отменям, анулирам*) annul, cancel, rescind; abate; **2.** appeal to the court of cassation.

кàсис *м., само ед. бот.* black currant; (*плод*) black currants.

кàсичк|а *ж., -и* money-box; piggy-bank.

кàск|а *ж., -и* helmet.

каскàд|а *ж., -и* cascade; (*каскадьорски номер*) stunt.

каскадьòр *м., -и* stunt man.

каскèт *м., -и, (два)* каскèта (cloth) cap.

кàсов *прил.* cash (*attr.*); ~ **филм** blockbuster; ~**а бележка** check, voucher, sale's slip; receipt.

кàст|a *ж., -и* caste.

кастанèти *само мн. муз.* castanets.

кàстинг *м., -и, (два)* кàстинга casting.

кастрѝрам *гл.* castrate, emasculate; (*само животни*) geld, neuter; (*котка, куче и*) doctor.

кàстря *гл., мин. св. деят. прич.* кàстрил **1.** (*дърво*) trim, prune, coppice, lop; **2.** *прен.* carpet, rate, jaw, give (s.o.) a dressing-down.

катаболѝз|ъм (-**мът**) *м., само ед. биол.* catabolism, destructive metabolism.

катаклѝз|ъм (-**мът**) *м., само ед.* cataclysm.

катàлиза *ж., само ед. хим.* catalysis.

катализàтор *м., -и, (два)* катализàтора *хим.* catalyst, catalyser; (*ускорител*) accelerator.

каталò|г *м., -зи, (два)* каталòга catalogue, list; *амер.* catalog; **рекламен** ~**г** advertising/illustrated catalogue.

каталòж|ен *прил., -на, -но, -ни* catalogue (*attr.*), *амер.* catalog (*attr.*).

каталясвам, каталясам *гл. разг.* get/ be dog-tired, get/be tired to death, be all in; flake out, peg out, be dropping (от with).

катамарàн *м., -и, (два)* катамарàна *мор., авиац.* catamaran.

катапỳлт *м., само ед. воен., истор.* catapult; *авиац.* ejection seat.

катапултѝрам *гл.* catapult; *авиац.* eject.

катàр *м., само ед. мед.* catarrh.

катарàм|a *ж., -и* buckle; clasp.

катастрòф|a *ж., -и* **1.** accident; crash, collision, *разг.* smash-up; **верижна** ~**a** pile-up; **жп** ~**a** railroad accident/crash; **2.** (*бедствие, нещастие*) disaster, calamity, catastrophe, great misfortune; (*неуспех*) utter failure; **3.** *лит.* (*в трагедия*) catastrophe.

катастрофàл|ен *прил., -на, -но, -ни* disastrous, catastrophic(al), calamitous.

катастрофѝрам *гл.* **1.** crash, have an accident, be involved in an accident; (*загивам*) die in an accident; **2.** *прен.* suffer fiasco/failure.

катафàлк|a *ж., -и* hearse; mourning-coach; (*отворена*) catafalque.

категоризѝрам *гл.* classify; categorize, give (s.th.) a rating.

категорѝч|ен *прил., -на, -но, -ни* categorical, unconditional, explicit, definite; emphatic; definitive, decided;

(*твърдо установен*) cut and dried; ~**ен отказ** flat/square refusal; point-blank refusal; **той е** ~**ен по въпроса** he is explicit on the point.

категòри|я *ж., -и* **1.** category; class; division; bracket; group; **поставям в по-долна/по-горна** ~**я** grade down to a lower/up to a higher type; **спада към** ~**ята на** fall under the definition of; **2.** (*качество*) grade, quality, class; **3.** *спорт.* class; (*за борец*) weight; (*категории боксьори*): ~**я перо** featherweight; **тежка** ~**я** heavyweight; (*категории при вдигане на тежести*): **лека** ~**я** lightweight; **средна** ~**я** lightheavyweight; **тежка** ~**я** heavyweight.

катèдр|a *ж., -и* **1.** desk; **2.** (*част от факултет*) department, chair (по of); **завеждащ** ~**a** in charge of a chair/department; **3.** *църк.* chair, episcopacy.

катедрàл|a *ж., -и* cathedral.

кàтер *м., -и, (два)* кàтера *мор.* (mo-tor-)launch, cutter; *воен.* cutter; **спасителен** ~ rescue boat, motor lifeboat.

кàтериц|a *ж., -и;* **кàтеричк|a** *ж., -и зоол.* squirrel; *дет. амер.* bun, bunny.

катèря се *възвр. гл., мин. св. деят. прич.* **катèрил се** climb (по up или без предлог); (с мъка) clamber, scramble (по up); (по дърво, въже) shin up, scale.

катèт *м., -и, (два)* катèта *геом.* cathetus, side, leg.

катèт|ър *м., -ри, (два)* катèтъра *мед.* catheter; drain; **поставям** ~**ър на** catheterize.

катехѝзис *м., само ед. рел.* catechism.

катинàр *м., -и, (два)* катинàра padlock, clasp-lock.

катиòн *м., -и, (два)* катиòна *хим., физ.* cation.

катò [1] *предл.* **1.** (*подобен на*) like; (*при сравнение*) like, as; (*след прил.*) as … as; **бледен** ~ **платно** as pale as a ghost, as white as a sheet; **2.** (*в качеството си на*) as; ~ **правило** as a rule; **3.** (*при изреждане*) such as; **в такива страни** ~ **България** in such countries as Bulgaria; • **Г** ~ **Габрово** G for Gabrovo.

катò [2] *съюз* **1.** (*докато, по време на*) as, while; *или pr. р.;* ~**пресичате улицата** (while) crossing the street; **2.** (ко-

гато) when; (*когато и да е*) when-(ever); ~ **го видя, си спомням** when-(ever) I see him, I remember; **3.** (*след като*) after, on *c ger. или само pr. p.*; ~ **каза това, той си отиде** (after) saying that, he went away; having said that, he went away; **щом** ~ as soon as; **4.** (*причина: и тъй* ~, **щом** ~) as, since, because; since, if; **5.** (*начин*) by *c ger. или само pr. p.*; **той вървеше,** ~ **се подпираше на ръката на сина си** he walked leaning on his son's arm; • ~ **е така** this being so, since/as this is so; ~ **на шега** as if in jest.

катод *м.*, -**и,** (**два**) **катода** *ел., физ.* cathode.

католи|к *м.*, -**ци; католичк|а** *ж.*, -**и** (Roman) Catholic; • **по-голям** ~**к от папата** more Catholic than the Pope, more royalist than the King.

католициз|ъм (-**мът**) *м., само ед.* Catholicism; *пренебр.* papistry, popery.

католическ|и *прил.*, -**а, -о, -и** (Roman) Catholic; *пренебр.* Romanish, Romish.

каторга *ж., само ед.* **1.** (*затвор*) convict prison; **2.** (*наказание*) penal servitude, hard labour.

каторж|ен *прил.*, -**на, -но, -ни** of penal servitude; of convicts; ~**на работа,** ~**ен труд** forced/hard labour, penal servitude.

катран *м., само ед.* tar; **мажа с** ~ tar.

катранен *прил.* tar (*attr.*); tarry; piceous; ~ **сапун** (coal-)tar soap.

катър *м.*, -**и,** (**два**) **катъра** mule, hinny.

каубо|й (-**ят**) *м.*, -**и** cow-boy.

каубойск|и *прил.*, -**а, -о, -и** cow-boy's; (*за филм, роман*) western; (*за филм*) *пренебр.* horse opera.

кауз|а *ж.*, -**и** cause; (*идея*) ideas; (*интерес*) cause; **боря се за своята** ~**а** fight for o.'s ideas; **загубена** ~**а** lost cause.

каузал|ен *прил.*, -**на, -но, -ни** causal.

каустик *м. неизм.:* **сода** ~ caustic soda.

каучук *м., само ед.* caoutchouc, rubber; **синтетичен** ~ synthetic rubber, collastic; **суров** ~ raw rubber.

каучуков *прил.* rubber (*attr.*); (*еластичен*) elastic; ~**о дърво** rubber plant tree.

кафе *ср., само ед.* **1.** coffee; **варя** ~ make coffee; **гледам някому на** ~ tell s.o.'s fortune by the coffee-grounds; **2.**

(*кафене, кафе-сладкарница*) café; coffee-house; *разг.* Caff.

кафеварк|а *ж.*, -**и** coffee-maker.

кафез *м.*, -**и,** (**два**) **кафеза 1.** cage; (*за домашни птици*) coop; (*за зайци и пр.*) hutch; **2.** (*за зеленчуци*) crate.

кафен *прил.* **1.** coffee (*attr.*); **2.** (*цвят*) coffee-coloured, brown.

кафене *ср.*, -**та** café, coffee-house, coffee shop.

кафени|к *м.*, -**ци; кафениче** *ср.*, -**та** coffee-pot.

кафяв *прил.* brown.

кац|а *ж.*, -**и** cask, (wooden) barrel; (*голяма*) vat; tun; **слагам в** ~**а** barrel.

кацам *гл.* **1.** (*за птица*) alight; (*на нещо високо*) perch; sit; **2.** (*за самолет*) land; (*за ракета*) touch down; (*в океана*) splash down.

качвам, кача *гл.* **1.** (*занасям нагоре*) carry/take/bring up (**на** to); (*издигам, покачвам*) lift (up), put (up) (**на** to); (*нещо тежко*) heave; (*на кон*) mount; (*на кораб*) embark; (*на самолет*) emplane, enplane; (*на влак*) entrain; ~ **някого на престола** enthrone s.o., put s.o. on the throne; **2.** (*повишавам, покачвам*) raise; || ~**се 1.** go/come up (**в, до** to); (*по стълбище*) go/come upstairs; (*на дърво*) climb; (*на стол*) get/climb onto; (*на планина*) climb, mount, ascend; (*в кола*) get on/into, board; (*на кораб*) go on board, board; embark (**на** on, in); (*на самолет*) board; emplane, enplane; (*на влак*) entrain; **2.** (*на кон*) mount; (*на престол*) ascend, mount; **качвай се!** all aboard! **помагам някому да се качи** help s.o. up; **2.** (*за терен*) slope up, ascend; **3.** (*за цена, производство, температура*) rise, go up; (*за кръв*) rise, mount; (*за кръвно налягане*) rise; • ~ **се на главата на някого** twist s.o. round o.'s little finger, get out of hand.

качествен *прил.* **1.** qualitative (*и език.*); ~ **анализ** *хим.* qualitative analysis; ~ **контрол** quality assurance check; **2.** (*с високи качества*) quality (*attr.*), high-grade, of good/high quality; first-class.

качеств|о *ср.*, -**а 1.** (*свойство*) quality; virtue; *само мн.* (*данни*) qualities, makings; **3.** (*на стока и пр.*) quality; grade; (*сорт, вид*) brand; **екс-**

плоатационни ~**а** performance; **първо** ~**о** first/top grade/quality/rate; • **в** ~**ото си на** in o.'s capacity of.

качулк|а *ж.*, -**и** hood, cowl; (*на птица*) crest; tuft; **след дъжд** ~**а** a day after the fair, a day too late for the fair.

каш|а *ж.*, -**и 1.** mess; (*за ядене*) gruel, mess; (*за бебе*) pap; (*за животни*) mash; (*нещо смачкано*) squash; (*от гипс и пр.*) paste; (*от дървесина и пр.*) pulp; **овесена** ~**а** porridge; (*житна, с мляко*) frumenty; **ставам на** ~**а** squash, go squash; **2.** (*пращина*) mark; **3.** *прен.* mess, hash, jumble, hotchpotch; dog's breakfast/dinner; **забърквам** ~**а** make a mess/hash/muddle of s.th.; get into a mess; • **парен** ~**а духа** the burnt child dreads the fire; once burnt/bitten, twice shy; the scalded dog fears cold water.

кашалот *м.*, -**и,** (**два**) **кашалота** *зоол.* cachalot, sperm-whale.

кашкавал *м., само ед. кул.* yellow cheese.

кашлица *ж., само ед.* cough, *мед.* tussis; **магарешка** ~ whooping-cough.

кашлям *гл.* cough; (*имам кашлица*) have a cough; (*сухо*) hack.

кашон *м.*, -**и,** (**два**) **кашона** cardboard box.

кашу *ср. неизм.* cachou.

кают|а *ж.*, -**и** *мор., авиац.* berth; cabin; room.

кая|к *м.*, -**ци,** (**два**) **каяка** kayak.

кая се *възвр. гл.* repent (**за** of), regret, rue (**за** -); be sorry (for).

квадрат *м.*, -**и,** (**два**) **квадрата 1.** *мат.* square; **най-малък** ~ least-square; **повдигам на** ~ square, raise to the second power; **2.** (*шарка на плат и пр.*) check; **плат на** ~**и** checked/checkered/chequered material.

квадрат|ен *прил.*, -**на, -но, -ни** square (*attr.*); quadratic; ~**ен корен** *мат.* square root; **придавам на нещо** ~**о, правя нещо** ~**о** square s.th.

квадратура *ж., само ед. мат.* quadrature; (*на помещение*) square surface; floorage; (*във футове*) footage.

квазичастиц|а *ж.*, -**и** *физ.* quasi-particle.

квакам *гл.* croak.

квалификацион|ен *прил.*, -**на, -но, -ни** qualification (*attr.*), qualificatory; ~**ни състезания** qualification tourna-

ment; heat.

квалификàци|я *ж.*, -**и 1.** qualification(s); skill; training; **повишавам ~ята си** improve/extend o.'s qualification(s); **2.** (*преценяване*) appraisement, estimation (of price, quality); **3.** *спорт.* qualifier, heat.

квалифицѝрам *гл.* **1.** qualify; **2.** (*обучавам*) train; ~ **престъпление** *юр.* determine the nature of a crime; || ~ **се** qualify (**като** as, for), get training/qualification (in); become qualified/trained/skilled.

квалифицѝран *мин. страд. прич.* (*и като прил.*) **1.** skilled, trained; competent; ~ **работник** a skilled worker; **2.** *юр.* qualified; ~**а юридическа помощ** competent legal assistance.

квант *м.*, -**и**, (два) **квàнта** *физ.* quantum (*pl.* quanta).

квàнтов *прил. физ.* quantum (*attr.*); ~**а теория/механика** quantum theory/mechanics.

квартàл *м.*, -**и**, (два) **квартàла** quarter, section; (*административно деление*) district, ward; (*блок*) block; **жилищен** ~ residential district.

квартàл|ен *прил.*, -**на**, -**но**, -**ни** district (*attr.*), local.

квартèт *м.*, -**и**, (два) **квартèта** *муз.* quartet(te); **струнен** ~ string quartet(te).

квартѝр|а *ж.*, -**и** lodging(s), accommodations, rooms, apartment; flat; *разг.* digs; *воен.* billets, quarters; **къде си на** ~**а?** where are your lodgings?; • **Главна** ~**а** (General) Headquarters.

квартирàнт *м.*, -**и**; **квартирàнтк|а** *ж.*, -**и** lodger, tenant, *амер.* roomer.

кварц *м.*, *само ед.* *минер.* quartz.

квàся *гл.*, *мин. св. деят. прич.* **квàсил** leaven; ~ **мляко** make yoghurt, make sour milk.

квàчк|а *ж.*, -**и 1.** brood-hen; brooder; **2.** *астр.* Pleiades.

квèстор *м.*, -**и 1.** *истор.* quaestor, *амер.* quaestor; **2.** teller; **3.** (*в университет*) questor; (*на изпит*) invigilator; **4.** requisitor; **държавен** ~ (*разследващ финансови институции*) ombudsman.

квинтèт *м.*, -**и**, (два) **квинтèта** *муз.* quintet(te).

квит *нареч.* *разг.* quits; square, even; **сега сме** ~ now we are quits.

квитàнци|я *ж.*, -**и** receipt, *съкр.* rcpt;

(*оправдателен документ*) voucher; **издавам** ~**я** write out a receipt; • **отрязвам някому** ~**ята** send s.o. packing, send s.o. to the right-about; give s.o. their cards; send s.o. to Coventry, tell s.o. where to get off.

квòрум *м.*, *само ед.* quorum; **имам** ~ have/reach the quorum.

квòт|а *ж.*, -**и** quota, quotum.

кебàпче *ср.*, -**та** *кул.* kebapché, grilled (oblong) rissole.

кèгли *само мн.* skittles, pins; **игра на** ~ ninepins, skittles.

кèд|ър *м.*, -**ри**, (два) **кèдъра** *бот.* cedar; **химàлайски** ~**ър** deodar.

ке|й (-**ят**) *м.*, -**йове**, (два) **кèя** quay; pier; (*за товарене*) wharf; (*малък*) jetty; (*крайбрежен булевард*) riverfront, embankment.

кейк *м.*, -**ове**, (два) **кèйка** *кул.* cake.

кèймбриджск|и *прил.*, -**а**, -**о**, -**и** Cambridge (*attr.*), Cantabrigian, Cantab.

кèкав *прил.* weak(ly), feeble; feeblebodied; sickly, dicky.

кекли|к|а, -**и**, (два) **кеклѝка** *зоол.* quail; rock partridge.

келепѝр *м.*, *само ед.* *разг.* piece of luck, windfall; (*нещо, купено на безценица*) bargain; **ударих голям** ~ it's a real bargain; I got it dirt cheap/for a mere song/for the asking; I had great luck; I struck it rich.

келèш *м.*, -**и 1.** conceited puppy; squirt; upstart; (*за дете*) brat; **2.** scabby/mangy fellow.

кèлнер *м.*, -**и** waiter.

келт *м.*, -**и** *обикн. мн.* *истор.* Celt, Kelt.

кèнгуру *ср.*, -**та** *зоол.* kangaroo; wallaby.

кентàв|ър *м.*, -**ри** *мит.* centaur.

кèпе *ср.*, -**та** cap, skullcap, beret; **войнишко** ~ forage cap.

керàмика *ж.*, *само ед.* ceramics; pottery.

керамѝч|ен *прил.*, -**на**, -**но**, -**ни** ceramic; ~**ни изделия** ceramic articles, ceramics; pottery.

кервàн *м.*, -**и**, (два) **кервàна** caravan; convoy; train; ~ **от камили** camelry.

керемѝд|а *ж.*, -**и** tile, roof-tile; **покрит с** ~ **и** tiled.

керосѝн *м.*, *само ед.* *хим.* kerosene, paraffin oil; *амер.* coal oil.

кесѝ|я *ж.*, -**и 1.** (*за пари*) purse; **2.** (*за тютюн*) tobacco-pouch; **3.** paper-

bag; • **развързвам си** ~**ята** loosen o.'s purse-strings; *разг.* lash out.

кèстен *м.*, -**и**, (два) **кèстена** *бот.* chestnut; (*дърво*) chestnut-tree; **див** ~ horse-chestnut; • **вадя** ~**ите от огъня за някого** pull the (burning) chestnuts out of the fire for s.o.; be s.o.'s cat's paw.

кестеняв *прил.* chestnut (*attr.*), (*за коси*) auburn; brown; (*за очи*) brown; **светло**~ light auburn/brown.

кеф *м.*, *само ед.* *разг.* ease, pleasure; enjoyment; gusto; **гледай си** ~**а!** don't worry! take it easy! **днес съм на** ~ I am in a good humour today; ~ **ми е 1.** feel like (**да** *с ger.*); **2.** it does my heart good (**да** to *с inf.*); **нямам** ~, **не съм на** ~ be out of sorts; feel rum.

кефàл *м.*, -**и**, (два) **кефàла** *зоол.* grey mullet (*Mugil cephalus*); (*речен*) chub.

кèфва ми (**ти, му, й, ни, ви, им**), **кèфне ми** (**ти, му, й, ни, ви, им**) *безл. гл.* feel like; take it into o.'s head.

кèфя се *възвр. гл.*, *мин. св. деят. прич.* **кèфил се** enjoy o.s., have a ball, whoop it up, get o.'s rocks off, hit the high spots.

кехлибàр *м.*, *само ед.* amber.

кечè *ср.*, -**та** felt(ing).

кибернèтика *ж.*, *само ед.* cybernetics.

киберпространство *ср.*, *само ед.* cyberspace.

кибрѝт *м.*, -**и**, (два) **кибрѝта** (*кутия*) box of matches.

кибрѝтен *прил.* match (*attr.*); ~**а клечка** (safety-)match.

кикòтя се *възвр. гл.*, *мин. св. деят. прич.* **кикòтил се** *разг.* giggle, itter, snicker, snigger, tchuckle; chortle.

кил *м.*, -**ове**, (два) **кѝла** *мор.* keel; *авиац.* fin, vertical stabilizer.

кѝлвам, **кѝлна** *гл.* tilt, tip, cant; incline; *мор.* list; ~ **си капата/шапката** cock o.'s hat. *прен.* not care a dime/a brass farthing; || ~ **се** tilt; flop; incline; *мор.* list, take a list; (*силно*) take a heavy list.

килèр *м.*, -**и**, (два) **килèра** (*за провизии*) larder; (*за дрехи*) closet; (*за прибори, чинии*) pantry; (*за непотребни вещи*) lumber room; *разг.* glory hole.

килѝм *м.*, -**и**, (два) **килѝма** carpet; rug; (*тип персийски*) pile carpet; rug; • **бомбен** ~ *воен.* blanket bombing.

килѝмче *ср.*, -**та** rug; mat; **вълшеб-**

ното/летящото ~ the magic carpet.

килй|я ж., -и cell; **арестантска ~я** lock-up.

кил|о ср., -à kilo, kilogram(me).

киловат м., -и, (два) **киловата** ел. kilowatt; съкр. KW; KVA.

килограм м., -и, (два) **килограма** kilogram; разг. kilo; **продавам на ~** sell by the kilogram/kilo.

километраж м., -и, (два) **километража 1.** само ед. (изминато разстояние) mileage; (в км) kilometres travelled/covered; distance in kilometres; **2.** (уред) mileage-meter, mileometer, milometer.

километрич|ен прил., -на, -но, -ни; **километрйческ|и** прил., -а, -о, -и **1.** kilometre (attr.), kilometric(al); ~**ен камък** kilometre stone; milestone; **2.** прен. as long as the day and night, longwinded; ~**ни речи** longwinded speeches.

километ|ър м., -ри, (два) **километъра** kilometre, амер. kilometer; **вървяхме с ~ри** we walked for miles and miles.

ким м., само ед. бот. caraway (Carum varvi); (семена) caraway seeds.

кимам и **кимвам, кимна** гл. nod; ~ **в знак на съгласие/одобрение** nod assent/approval.

кимион м., само ед. бот. cu(m)min (Cuminum cyminum).

кимон|о ср., -à kimono.

кинематика ж., само ед. физ. cinematics.

кинематограф|ен прил., -на, -но, -ни; **кинематографйческ|и** прил., -а, -о, -и **1.** cinematographic, cinema (attr.); **2.** прен. fleeting.

кинематография ж., само ед. cinematography; the cinema; the cinema industry.

кинескоп м., -и, (два) **кинескопа** ел. kinescope, cathode-ray tube; picture tube.

кинетика ж., само ед. физ. kinetics.

кинжал м., -и, (два) **кинжала** dagger; poniard; **пробождам с ~** stab, poniard.

кин|о ср., -à **1.** cinema, (motion) picture, film; разг. movie; **отивам на ~о** go to the cinema/pictures/movies; **2.** cinema (theatre), movie house, (motion) picture theatre; **авто~о** drive-in movie; ● **отивам на ~о** прен., разг.

---

go down the drain; (пропадам) go by the wayside.

киноапарат м., -и, (два) **киноапарата 1.** (снимачен) camera; **2.** (прожекционен) projector, cine-projector.

киноартист м., -и film actor.

киноекран м., -и, (два) **киноекрана** cinema screen.

кинооператор м., -и **1.** (който снима) camera man; **2.** (в кино) cinema operator, projectionist.

кинопреглед м., -и, (два) **кинопрегледа** newsreel; trailer.

кинопрожекци|я ж., -и film show.

киносалон м., -и, (два) **киносалона** cinema hall.

киностуди|о ср., -à film studio.

кинотеат|ър м., -ри, (два) **кинотеатъра** cinema (theatre), picture palace; амер. movie house; (motion) picture theatre.

киноцент|ър м., -ри, (два) **киноцентъра** film centre.

кипарис м., -и, (два) **кипариса** бот. cypress.

кипвам, кипна гл. **1.** boil up, come to the boil, bubble up; (изкипявам) boil over; **2.** прен. (ядосвам се) flare up, blow up; fly into a rage; go off the deep end, boil over, froth up; blow o.'s top; blow a fuse; fire up; cut up rough; лесно ~ be quick-/short-tempered; **3.** прен. (за чувство) well up; surge up; ● **кипва ми келят/кръвта** that got my goat, flow into a rage.

кипеж м., само ед. **1.** прен. ferment, excitement, agitation; ebullience, ebulliency; (пламенност, устрем) ardour, impetus, momentum; **2.** effervescence; boiling; seething.

кипря гл., мин. св. деят. прич. **киприл** spruce up, разг. titivate; || ~ **се** (за жена) walk/tread gracefully/lithely; (за мъж) swagger, strut.

Кипър м. собств. геогр. Cyprus.

кипър|ец м., -ци; **кипърк|а** ж., -и Cypriote.

кипърск|и прил., -а, -о, -и Cyprian; Cyprus (attr.).

кипя гл. **1.** (за течности) boil/seethe/bubble over/up; (прекипявам) boil over; **2.** прен. boil, seethe, burst, bubble over/up (от with); ferment; (за работа и пр.) be in full swing; **кипи ми** I can hardly contain myself/my anger;

~ **от енергия** throb with vitality; **3.** (пеня се) foam, froth, effervesce, bubble; (за вино) ferment.

кирилица ж., само ед. език. Cyrillic alphabet.

кирк|а ж., -и pick, hack, pickaxe; mattock, pick-mattock.

кирлив прил. filthy, dirty, grimy; grubby; ● **изкарвам ~ите ризи на някого** show s.o. up; cry stinking fish.

кирпич м., -и, (два) **кирпича** adobe, sun-dried brick.

кисел прил. **1.** sour, acid; tart; хим. acid; ~**о зеле** sauerkraut; ~**о мляко** yoghurt; **2.** прен. (намусен) sour, disgruntled; crabby, crusty; crabbed; sulky; sullen, morose; humpy; glum; grumpy, grumpish; разг. like a bear with a sore head; (за лице) long, wry; ~ **като оцет** sour as vinegar/as a crab; **правя ~а физиономия** pull/make a long/wry face.

киселея гл., мин. св. деят. прич. **киселял** taste sour, be a little sour, have a sour taste.

киселин|à ж., -й **1.** хим. acid; **неутрализиране на ~а** deacidification; **2.** sourness, acidity; ~**и в стомаха** heartburn, acid dyspepsia, brash.

киселин|ен прил., -на, -но, -ни хим. acid (attr.).

кйскам се възвр. гл. giggle, snicker, snigger, chuckle, titter, chortle.

кислород м., само ед. хим. oxygen; **обогатявам с ~** oxygenate, oxygenize.

кислород|ен прил., -на, -но, -ни oxygen (attr.); oxygenous.

кисна гл. **1.** прех. (топя, натопявам) steep; soak; (лен, коноп) dike, dyke; (хляб) sop; (насищам) saturate; **2.** непрех. (стоя накиснат) soak, be steeped; be saturated; **3.** прен. hang, loaf (в, из about); ~ **вкъщи** stick/mope at home.

кйст|а ж., -и мед. cyst.

кит₁ м., -ове, (два) **кита** зоол. whale; **лов на ~ове** whale-fishing, whaling.

кит₂ м., само ед. техн. putty, paste, mastic.

кита|ец м., -йци Chinese; sl. Chink(y); chow; ~**йците** the Chinese.

Китай м. собств. China.

китайк|а ж., -и Chinese woman/girl.

китайск|и прил., -а, -о, -и Chinese; **Великата ~а стена** the Great Chinese Wall; ~**и език** Chinese; the Chinese

language; ● всичко това е (като) ~и за мен all that is Greek to me; it's double Dutch to me.

китàр|а ж., -и муз. guitar.

кит|ен прил., -на, -но, -ни 1. (хубав, гиздав) lovely, pretty, attractive; ~но село a pretty/an attractive village; 2. (кичест, клонест) tufty; branchy; 3. (нагизден) in all o.'s finery, all decked out; 4. (пъстър) gay, colourful; 5. (за черджке) fleecy; tufted.

китк|а₁ ж., -и 1. bunch, nosegay, posy; (от дървета) grove, clump, cluster, tuft; (от зеленчук) bunch; 2. муз. potpourri; medley.

китк|а₂ ж., -и wrist; анат. carpus.

китолов|ен прил., -на, -но, -ни whaling, whale (attr.); ~ен кораб whaler, whaleship, whale-boat.

кифл|а ж., -и bun, roll; (полукръгла) crescent.

кихам и кихвам, кихна гл. 1. sneeze; 2. прен.(плащам) cough up, fork out.

кича гл., мин. св. деят. прич. кичил adorn, decorate, ornament, deck (out), bedeck, trim; (разкрасявам) embellish, beautify; || ~ се 1. adorn o.s., deck o.s. out; dress up; 2. прен. plume o.s. (с on).

кичур м., -и, (два) кичура tuft, cluster, bunch; бот. fascicle; (коса) lock, tuft, forelock, tress; на ~и fascicular, fasciculate.

киша ж., само ед. 1. slush, slosh, sludge; снежна ~ snow-broth; 2. (кишаво време) drizzly/rainy weather.

клавесин м., -и, (два) клавесина муз. harpsichord; cembalo.

клавиатур|а ж., -и keyboard.

клавир м., само ед. муз. clavier, piano.

клавир|ен прил., -на, -но, -ни муз. piano (attr.); for (the) piano; keyboard (attr.); ~но трио piano trio.

клавиш м., -и, (два) клавиша муз., техн. key; ~ за интервал (на пишеща машина) spacebar.

клад|а ж., -и 1. истор. (за изгаряне на мъртвец) (funeral-)pile, pyre; (за смъртно наказание) stake; умирам на ~ата perish on the stake; 2. bonfire; balefire.

клада̀ гл., мин. св. деят. прич. клал 1. make (up), build (a fire); (запалвам) kindle; 2. stack.

клàден|ец м., -ци, (два) клàденеца

1. well, draw-well; (шахта) shaft, pit; дренажен ~ец drain well; 2. (извор) spring, well, fountain; ● от девет ~еца вода нося use all possible arguments; leave no stone unturned.

клàксон м., -и, (два) клàксона (motor-)horn; hooter; klaxon.

клàмер м., -и, (два) клàмера (paper-)clamp; clip; (paper) fastener.

клан м., -ове, (два) клàна clan.

кланè ср., -та 1. butchering, slaughtering; животни/добитък за ~ slaughter animals; 2. (избиване) massacre, carnage, slaughter, butchery.

клàням се възвр. гл. 1. bow, make a bow, bend (o.'s head) (на to, before); 2.(почитам) pay homage (to); 3. (рабоlennича) stoop (to).

клàп|а ж., -и техн., анат. valve; техн. и flap; кино. clapper-board; (отдушник) vent; муз. stop, vent; (на духов инструмент) finger-hole; (на орган) key-valve, pallet; въздушна ~а air-valve, vent; изпускателна ~а exhaust valve.

клàпан м., -и, (два) клàпана 1. техн. valve; изпускателен ~ snifting-valve; 2. авиац. flap.

клас₁ м., -ове, (два) клàса бот. ear; spike; житен ~ an ear of wheat, wheatear; с пълен ~ full-eared.

клас₂ м., -ове, (два) клàса 1. (в училище) class, form; амер. grade; водя ~ по take a class in; работа в ~ classwork; test; 2. (класна стая) classroom, schoolroom; 3. (категория, разред) class; category; ~ на точност grade of fit; class of precision; (качество) grade; sort.

клас₃ м., -ове, (два) клàса (при класиране на щат) advance of seniority, years of service.

клàс|а ж., -и и 1. class; враждуващи ~и antagonistic/opposing classes; 2. (в превозно средство) class; пътувам (в) първа ~а travel first class; 3. (степен) class, category, quality; standing; адвокат от висока ~а outstanding lawyer, lawyer of high standing.

клàс|ен прил., -на, -но, -ни 1. class (attr.); classroom (attr.); ~на стая classroom, schoolroom; 2. (стилен) swanky, ritzy.

класѝ|к м., -ци 1. (общопризнат писател, творец) classic; (старогръц-

ки, римски писател) classical writer/ author; classic; (учен) classical scholar; (студент) classical student; 2. (привърженик на класицизма) classicist.

клàсика ж., само ед. classical art/music/literature, etc.

класѝрам гл. 1. class, grade; 2. (в архива, картотека и пр.) file; || ~ се be classed, come (out), finish; place; be; rank, rate; той не успя да се класира he dropped/remained out of the classification.

класѝране ср., само ед. 1. classifying, classification; ranking, rating; 2. filing; 3. спорт. position; временно ~ temporary standings; крайно ~ a final position; final placing/standings; (за сезона) an end-of-season position.

класификацион|ен прил., -на, -но, -ни classificational, classificatory, classification (attr.).

класификаци|я ж., -и classification; categorization; (по размер) sizing, sorting; grading.

класифицѝрам гл. classify, class; label; categorize.

класицѝз|ъм (-мът) м., само ед. classicism.

класѝческ|и прил., -а, -о, -и classic(al); ~а гимназия secondary school for classical education; ~о изпълнение classical interpretation/workmanship/work.

клàсов прил. class (attr.); ~ подход class attitude/approach; ~о съзнание class-consciousness.

класьòр м., -и, (два) класьòра 1. (папка) file(-case); 2. (разпределител) distributor; classifier.

клатушкам (се) възвр. гл. 1. shake; rock, roll, sway; dodder; 2. прен. waver, vacillate, sway, wobble; falter.

клàтя гл., мин. св. деят. прич. клàтил 1. shake; rock, roll; sway; ~ глава 1) (одобрително) nod approvingly; nod o.'s approval; 2) (неодобрително) shake o.'s head; ~ крака dangle o.'s legs, прен. kick o.'s heels, twiddle o.'s thumbs; 2. (опашка) wag, waggle; || ~ се 1. shake; rock, roll; sway; (при ходене) reel, stagger; roll, waddle; wabble; wobble; totter; toddle; 2. (за зъб) be loose; 3. (за маса, стол и пр.) be unsteady/unstable; (за закотвен кораб) ride hard; 4. (за нещо прове-

сено) dangle; **5.** (*не съм стабилен*) shake, totter; ● **за тоя, дето клати горàта** all for nothing.

клàуз|а *ж.*, **-и** *юр.* clause, provision; stipulation; covenant; *мн.* terms; **специална ~а** special/exceptive clause.

клаустрофòбия *ж.*, *само ед. мед.* claustrophobia; **човек, страдащ от ~** claustrophobe.

клевет|à *ж.*, **-ѝ** calumny, slander; (*писмена*) libel; *книж.* aspersion; (*хула*) defamation, vilification, detraction, denigration; obloquy.

клевèтни|к *м.*, **-ци**; **клевèтниц|а** *ж.*, **-и** slanderer; traducer, calumniator; vilifier; defamer, backbiter; libeller; *разг.* mudslinger.

клеветя̀ *гл.*, *мин. св. деят. прич.* **клеветѝл 1.** slander, calumniate; asperse, traduce; (*писмено*) libel; backbite; (*хуля*) vilify, defame, smear, blacken, malign, denigrate; *разг.* bad-mouth, slag off, *sl.* dish the dirt (about, on); **2.** (*издавам*) tell/report on.

кле|й (-ят) *м.*, *само ед.* gum, mucilage; *разг.* gunge; (*лепило*) glue; lime.

клейм|ò *ср.*, **-à 1.** (*на писмо*) postmark, mark, stamp; (*печат*) seal, stamp; hallmark; **2.** (*за и от жигосване*) brand; (*на животно и пр.*) earmark; ● **позорно ~о** stigma.

клеймя̀ *гл.*, *мин. св. деят. прич.* **клеймѝл** stigmatize, brand.

клèм|а *ж.*, **-и** *ел.* terminal; cleat; (*за контактен проводник*) **стягаща ~а** clamping ear, pressure connector; **съединителна ~а** double connector.

клепàч *м.*, **-и, (два) клепàча** *анат.* **1.** eyelid; **възпаление на ~ите** *мед.* blepharitis; **2.** (*мигла, клепка*) eyelash.

клèпвам, клèпна *гл.* **1.** droop; hang down; flop; (*за уши и*) lop; **2.** (*мигам*) blink; wink; **3.** (*за клепало*) sound, beat.

клептомàн *м.*, **-и**; **клептомàнк|а** *ж.*, **-и** cleptomaniac, kleptomaniac.

клептомàния *ж.*, *само ед.* cleptomania, kleptomania.

клерикàл|ен *прил.*, **-на, -но, -ни** clerical, ecclesiastical.

клерикалѝз|ъм (-мът) *м.*, *само ед.* clericalism; ecclesiasticism.

клètв|а *ж.*, **-и 1.** oath; vow; (*при встъпване в длъжност*) swearing-in; **давам ~а** take/swear an oath; **~а за вярност** an oath of allegiance; на-

---

рушàвам **~ата си** break o.'s oath, *юр.* commit perjury; **2.** curse, malediction.

клètвен *прил.* on/under oath; oath (*attr.*); **~а декларация** sworn statement, affidavit, declaration on oath.

клètк|а *ж.*, **-и 1.** *биол.* cell; **2.** cage; **затварям в ~а** cage; **3.** *техн.* **гаражна ~а** garage bay; **4.** *прен.* nucleus (*pl.* nuclei).

клètни|к *м.*, **-ци**; **клètниц|а** *ж.*, **-и** wretched/miserable/poor fellow; poor thing/wretch.

клètъч|ен *прил.*, **-на, -но, -ни** *биол.* cell (*attr.*), cellated, cellular.

клечà *гл.* squat (on o.'s haunches/hams).

клèчк|а *ж.*, **-и** (*от клонка*) twig, stick; (*треска*) splinter, chip, sliver; (*издялана*) pin; peg; **~а за зъби** toothpick; **слаб като ~а** as thin as a lath; as lean as a rake; ● **важна/голяма ~а** *sl.* big wig/shot/fish; high-up, big cheese, big gun, big noise; face, *амер.* big bug.

клèщи и клещѝ *само мн.* (a pair of) pliers, tongs, (a pair of) pincers, pinchers; (*малки*) nippers; (*зъболекарски*) extractor; (*на рак*) pincers, claws, nippers, chela (*pl.* chelae); *прен. воен.* pincer movement; **ковàшки ~** tongs, pair of tongs; **улавям/хващам в ~** encircle by a pincer movement; *прен.* bring to bay; drive into a tight corner.

клеѝсвам, клеѝсам *гл.* congeal, gelatinize; gum, *разг.* gunge.

клиèнт *м.*, **-и**; **клиèнтк|а** *ж.*, **-и** (*на адвокат и пр.*) client; (*на магазин, търговец*) customer; (*на такси*) fare; **редовен ~** patron.

клѝзм|а *ж.*, **-и** *мед.* enema, clyster; lavement.

клѝк|а *ж.*, **-и** clique; faction, set; ginger group; *полит.* camarilla; (*шайка*) gang, ring.

клѝмакс и климактèриум *м.*, *само ед. мед.* climacteric; menopause; change of life.

клѝмат *м.*, *само ед.* climate; **свиквам с ~а** become acclimatized.

климатѝ|к *м.*, **-ци, (два) климатѝка** air conditioner.

климатѝч|ен *прил.*, **-на, -но, -ни** climatic; **~ен курорт** health resort.

клин₁ *м.*, **-ове, (два) клѝна 1.** wedge; *техн.* key, cotter; cleat; **коничен ~** tapered cotter; **2.** (*от плат*) gore, gusset; **3.** *воен.* spearhead; ● **~ ~ избива**

---

one nail drives out another, like cures like, fight fire with fire, one fire drives out another's burning; (*чашка алкохол след пиянство*) take a hair of the dog that bit you; **ни в ~, ни в ръкав** without rhyme or reason; neither here nor there; without reference to anything.

клин₂ *м.*, **-ове, (два) клѝна** (*спортен панталон*) skiing trousers; (*дамски*) leggings.

клѝник|а *ж.*, **-и** clinic; (*болница*) hospital.

клинѝч|ен *прил.*, **-на, -но, -ни**; **клинѝческ|и** *прил.*, **-а, -о, -и** clinical; (*болничен*) hospital; **~на смърт** clinical death.

клиновѝд|ен и клинообрàз|ен *прил.*, **-на, -но, -ни 1.** wedge-shaped, V-shaped; *анат.* sphenoid; **2.** *истор., бот.* cuneal, cuneate, cuneiform; **клинообразно писмо** *истор.* cuneiform (writing).

клѝнча *гл.*, *мин. св. деят. прич.* **клѝнчил** (*от работа*) shirk, dodge (от -); duck out of; (*от отговорност, задължение*) duck; cop out; (*отбягвам да отговоря*) hedge, quibble; **~ от задължение** shirk a duty.

клипс *м.*, **-ове, (два) клѝпса** clasp; snap; clip; (*брошка*) brooch.

клир *м.*, *само ед. църк.* **1.** събир. clergy, clergymen; **2.** place for the psalm-reader (in an Orthodox church).

клѝрингов *прил.* *фин.* clearing (*attr.*); **~а операция** clearing transaction.

клисỳр|а *ж.*, **-и** gorge; ravine, canyon.

клише *ср.*, *ед.* **1.** *полигр.* stereotype block/plate, cut, engraving; **2.** *прен.* cliché; bromide, platitude, truism, stereotype; **изтъркани ~та** hackneyed formulas.

клоàк|а *ж.*, **-и 1.** *зоол.* cloaca; **2.** sewer, cesspool, cesspit, sump; cloaca; **3.** *прен.* cesspool.

клозèт *м.*, **-и, (два) клозèта** water closet, lavatory, *разг.* lav, *съкр.* W.C.; loo; (*flushing*) toilet; *диал.* dunnakin, dunny; (*в казарма*) latrine, privy; **обществен ~** public convenience, public lavatory; **отивам в ~а** go to the toilet/ lavatory/*разг.* John, *разг.* go to spend a penny/to see o.'s aunt; *sl.* go to inspect the plumbing, pay a visit.

клокòтя и клокòча *гл.*, *мин. св.*

деят. прич. клоко̀тил и клоко̀чил (*при врене*) bubble; gurgle.

клон *м.*, -ове и -и, (два) кло̀на 1. branch; (*голям*) bough, arm; сухи/из-съхнали ~и deadwood; 2. *прен.* branch, field, domain; (*отдел, поде-ление*) branch, section; department; (*филиал*) branch office; (*представи-телство*) agency; ● режа ~а, на кой-то седя saw off the bough on which one is sitting.

клони̂нг *м.*, -и cloning.

клони̂рам *гл.* clone.

кло̀нк|а *ж.*, -и; кло̀нче *ср.*, -та twig, spray, sprig.

клоня̀ *гл.*, *мин. св. деят. прич.* кло-ни̂л 1. incline, lean; слъ̀нцето клони към залез the sun is going down; 2. (*имам предпочитания*) incline, lean (to, toward) gravitate, tend, come (to, towards); ~ към залез *прен.* decline; 3. (*предстоя*) be about (to).

кло̀пк|а *ж.*, -и trap, snare, ruse, pit-fall (*и прен.*); (*при която върху плячката пада тежест*) deadfall, downfall; попадам в ~а walk/fall into a trap, fall into a snare.

кло̀ун *м.*, -и clown; (*шут*) joker, jester, fool; *прен.* buffoon.

клоуна̀да *ж.*, *само ед.* slapstick.

кло̀унск|и *прил.*, -а, -о, -и clown's, of a clown, of clowns; ~а шапка a fool's cap.

клоша̀р (-ят) *м.*, -и *sl.* totter.

клуб *м.*, -ове, (два) клу̀ба club; (*по-мещение*) club(-house).

клу̀б|ен *прил.*, -на, -но, -ни club (*attr.*), of a club.

клуп *м.*, -ове, (два) клу̀па noose, loop; running knot, slip knot; *мор.* grummet.

клъ̀ввам, клъ̀вна *гл.* 1. peck at; 2. (*за змия*) bite; 3. *прен.* sting, snap at, take down; rise to the bait.

клъ̀цвам, клъ̀цна *гл.* 1. clip, snip; 2. (*за змия и прен.*) bite; sting, snap at.

кльо̀пам *гл. жарг.* eat.

кльо̀щав *прил. неодобр.* skinny, scrag-gy, skin-bound.

клю̀к|а *ж.*, -и gossip, a piece of gossip; (*зложелателна*) scandal; chit-chat, (tittle-)tattle; *sl.* dirt; давам материал за ~и set tongues/chins wagging; ~ата на деня the talk of the town.

клюка̀р (-ят) *м.*, -и; клюка̀рк|а *ж.*, -и gossip, gossiper, gossip-monger; tat-

tler, talebearer, scandal-monger, flib-bertigibbet; peddlar of gossip; whistle-blower; (*който си пъха носа в чуж-ди работи*) nosey parker.

клюка̀рствам *гл.* gossip, talk gossip/scandal, tell tales, (tittle-)tattle; bad-mouth, chew the fat.

клю̀мам и клю̀мвам, клю̀мна *гл.* 1. (*унивам*) droop, hang o.'s head; 2. (*за растения*) droop, wilt, flag; 3. (*ки-мам*) nod; 4. (*дремя*) doze, drowse; nod, drop (off).

клю̀мнал *мин. св. деят. прич.* (*и ка-то прил.*) drooping; flagging; floppy; (*за човек*) dejected; crestfallen; (*за растение*) nutant.

клюн *м.*, -ове, (два) клю̀на beak; (*тъ-нък, плосък*) bill.

клюнови̂д|ен *прил.*, -на, -но, -ни *бот., мед.* coracoid.

ключ *м.*, -ове, (два) клю̀ча 1. key; гае-чен ~ wrench, spanner; контактен ~ *авиац.* ignition key; секретен ~ latch-key; френски ~ adjustable/shifting spanner; monkey-wrench; 2. *ел.* switch; (*прекъсвач*) circuit-breaker; главен ~ master switch; 3. *строит.* (*на свод*) key, keystone; 4. *муз.* clef, key; (*на муз. инструмент*) peg; ~ сол the treble clef; 5. (*за лодка*) thole, thole-pin; 6. *прен.* key, clue (to); (*за карта и*) legend; ~ към загадката clue to the riddle; ~ на шифър key to a code; 7. *уч.* (*за преписване*) *sl.* cab.

ключа̀лк|а *ж.*, -и 1. lock, latch; сек-ретна ~а combination/safety/trick lock; latch-lock; 2. (*дупка за ключ*) keyhole.

ключа̀р (-ят) *м.*, -и 1. (*майстор*) locksmith; 2. (*вратар*) (door-)keeper; (*в затвор*) turnkey.

клю̀чиц|а *ж.*, -и *анат.* collar-bone, clavicle.

кля̀кам, кля̀кна *гл.* 1. squat, crouch; *амер.* hunker down; 2. (*капитули-рам*) knuckle down, give in, cave in, climb down; 3. (*изнемощявам*) crock up, flag, droop.

кмет *м.*, -ове mayor; (*в Холандия, Гер-мания, Австрия*) burgomaster; ~ на Лондон Lord Mayor of London.

кмети̂ц|а *ж.*, -и 1. mayor's wife, may-oress; 2. mayoress, mayor.

кмѐтств|о *ср.*, -а 1. (*сграда*) city-hall, town-hall; municipality; (*управата*) city/town council; 2. (*длъжност*)

mayoralty, mayorship.

кни̂г|а *ж.*, -и 1. book; (*регистър и*) register; касова ~а cash-book; ~а за посетители visitors'-book; 2. (*хар-тия*) paper; 3. (*писмо*) letter; на ~а on paper; theoretically; ● говоря като по ~а speak fluently.

книговѐз|ец *м.*, -ци bookbinder.

книговѐзниц|а *ж.*, -и bindery, book-binder's shop.

книгоиздател (-ят) *м.*, -и (book-)pub-lisher.

книгоиздателств|о *ср.*, -а a publishing house; publishers.

книгообмѐн *м.*, *само ед.* book ex-change; exchange of publications.

книгопеча̀тане *ср.*, *само ед.* typo-graphy; (book-)printing.

книгохрани̂лищ|е *ср.*, -а 1. book de-pository; 2. library.

книжа̀ *само мн.* documents, papers; *юр.* instruments, deeds; лични ~ per-sonal/identification documents/papers; (*счетоводни и др. книги*) books; цен-ни ~ securities.

книжа̀р (-ят) *м.*, -и (*продавач на кни-ги*) bookseller; (*на канцеларски и др. материали*) stationer.

книжа̀рниц|а *ж.*, -и (*за литерату-ра*) bookshop; *амер.* bookstore; (*за канцеларски и др. материали*) sta-tioner's (shop).

кни̂ж|ен *прил.*, -на, -но, -ни 1. (*хар-тиен*) paper (*attr.*); ~ни пари paper money, banknotes; *разг.* folding money; 2. (*отнасящ се до книги*) book (*attr.*), of books; ~ен фонд book-stock/hold-ings; 3. *прен.* book (*attr.*), bookish; ~ен израз/стил bookish expression/style; ~ни знания book-knowledge/learn-ing; ● ~ен червей book worm.

кни̂жк|а *ж.*, -и 1. booklet; (*спестов-на и пр.*) book; card; трудова ~а record of service; work-book; учени-ческа ~а school report; чекова ~а chequebook, *амер.* checkbook; шо-фьорска ~а driving licence; 2. (*брой от списание*) issue, copy, number; 3. (*умал. от книга*) piece of paper, slip; цигарена ~а a cigarette-paper.

книжни̂на *ж.*, *само ед.* literature, let-ters.

книжо̀в|ен *прил.*, -на, -но, -ни 1. lit-erary, of literature; ~ен паметник MS book; ~но наследство literary herit-

age; **2.** (начетен) learned, erudite; ~**ен човек** man of learning, learned man.

кнѝжо̀вни|к *м.*, -**ци** (учен) bookman; (писател) man of letters, writer.

кнѝжо̀вност *ж.*, само ед. **1.** literature, letters; **2.** (качество на човек) learning, scholarship, erudition; booklearning.

княгѝн|я *ж.*, -**и** princess; royal princess; **велика** ~**я** истор. grand duchess.

кня̀жеств|о *ср.*, -**а** principality.

княз *м.*, -**е** prince; royal prince; **велик** ~ истор. grand duke.

коагула̀нт *м.*, само ед. хим. coagulant, coagulating agent, coagulator.

коагула̀ция *ж.*, само ед. хим. coagulation.

коагулѝрам *гл.* хим. coagulate, curdle.

коаксиа̀л|ен *прил.*, -**на**, -**но**, -**ни** геом., техн. coaxial; concentric; ~**ен кабел** coax.

коа̀л|а *ж.*, -**и** зоол. koala, native bear (*Phascolarctus cinereus*).

коалѝрам се възвр. гл. enter into a coalition (with), make/form a coalition (with).

коалицио̀н|ен *прил.*, -**на**, -**но**, -**ни** coalition (*attr.*).

коалѝци|я *ж.*, -**и** coalition; **встъпвам в** ~**я** enter into a coalition.

коафьо̀р *м.*, -**и**; **коафьо̀рк|а** *ж.*, -**и** hairdresser; coiffeur.

коафю̀р|а *ж.*, -**и** coiffure, hairstyle, hair-do.

коба̀лт *м.*, само ед. хим. cobalt.

коба̀лтов *прил.* cobaltic; cobaltous; ~**о синьо** cobalt blue; ~**о стъкло** smalt.

кобѝл|а *ж.*, -**и 1.** mare; **2.** пренебр. (за жена) jade; camelopard; • **ожребили му се** ~**ите** he's beaming with joy.

кобѝлиц|а *ж.*, -**и 1.** остар. yoke; cowl staff; **2.** техн. rocker, rocking/rocker arm/shaft; (на везна) balance-beam, scale-beam, rocking arm; crossbeam.

ко̀бр|а *ж.*, -**и** зоол. cobra (*Naja naja*).

кобу̀р *м.*, -**и**, (два) кобу̀ра holster.

кова̀ *гл.* **1.** (и прен.) forge, hammer; ~ **в горещо състояние** forge hot; **2.** (заковавам) nail down; (забивам) hammer, nail (in, down); **3.** (подковавам) shoe; || ~ **ce** be malleable/ductile; forge well; • **желязото се кове, докато е**

горещо strike while the iron is hot.

кова̀лѐнт|ен *прил.*, -**на**, -**но**, -**ни** covalent.

кова̀лѐнтност *ж.*, само ед. covalency.

кова̀н мин. страд. прич. (и като прил.) forged, hammered, beaten; wrought; ~**о желязо** wrought iron; (обкован с гвоздеи) studded.

кова̀р|ен *прил.*, -**на**, -**но**, -**ни** insidious, perfidious; crafty; deceitful, full of deceit; guileful; (предателски) treacherous, traitorous; ~**ен въпрос** a catch question; ~**на болест** an insidious disease.

кова̀рств|о *ср.*, -**а 1.** insidiousness, perfidy, perfidiousness; guilefulness; (предателство) treachery, treacherousness; **2.** (интрига) cabal, intrigue.

кова̀ч *м.*, -**и** (black)smith; forger; (налбантин) farrier; • **всеки е** ~ **на собственото си бъдеще** everyone is the architect of his own future.

кова̀чниц|а *ж.*, -**и** smithy, forge; farriery.

кова̀шк|и *прил.*, -**а**, -**о**, -**и** blacksmith's, of a blacksmith; farrier's; forge (*attr.*); ~**и чук** sledge/forging hammer.

ко̀вкост *ж.*, само ед. malleability, forgeability, forging quality, ductility, ductileness.

ковчѐ|г *м.*, -**зи**, (два) ковчѐга **1.** coffin; *sl.* six-foot bungalow, pine overcoat; **2.** (сандък) chest, box; trunk; (за пари) coffer; case; (самите пари) treasury, coffers, chest; • **Ноевият** ~**г** библ. Noah's Ark.

ковчѐже *ср.*, -**та** casket.

ковчѐжни|к *м.*, -**ци** истор., воен. paymaster; (касиер) treasurer.

ко̀в|ък *прил.*, -**ка**, -**ко**, -**ки** malleable, forgeable, ductile.

ковльо̀р *м.*, -**и**, (два) ковльо̀ра wall rug; piece of embroidery (nailed on a wall).

кога̀ въпр. нареч. **1.** when; **като** ~ **да се усмихнеш?** it's quite a change to see you smile; **2.** ~ ... ~ (my-my) sometimes ... sometimes, now ... now; either ... or; • **за** ~? (късно и вече) it's too late in the day; ~ **още е излязъл** he left long ago; **няма** ~ there's no time/no time left/no time for it.

кога̀то относ. нареч. **1.** when; (многократно) whenever; (докато) while, as; ~ **желаете**, ~ **ви е угодно** at your convenience; ~ **му дойде времето** in

---

due course; 2. като съюз (тъй като) since, as; now that.

код *м.*, -**ове**, (два) ко̀да code, key, cypher; **буквен** ~ letter/literal code; **морзов** ~ dot-and-dash code; **цифров** ~ digital/numerical code; **щрихов** ~ (върху стоки) bar code.

кодеѝн *м.*, само ед. хим. codeine.

ко̀декс *м.*, -**и**, (два) ко̀декса code; **граждански** ~ civil code; ~ **на труда, трудов** ~ labour code; **наказателен** ~ penal/criminal code.

кодѝрам *гл.* code, encode, codify, encipher, encrypt.

кодѝране *ср.*, само ед. coding; (с оглед компютърна обработка) encoding; **автоматично** ~ automation coding; **буквено-цифрово** ~ alphanumeric coding.

кодѝращ сег. деят. прич., като прил.: ~**о устройство** encoder, encipherer.

кодифика̀ция *ж.*, само ед. codification.

кодифицѝрам *гл.* codify.

коензѝм *м.*, само ед. биол. coenzyme, coferment.

коефициѐнт *м.*, -**и**, (два) коефициѐнта мат., физ. coefficient, factor, ratio; ~ **на безопасност/сигурност** safety factor, coefficient/margin of safety; ~ **на вероятност** probability factor; ~ **на интелигентност** intelligence quotient, съкр. IQ; ~ **на полезно действие** техн. efficiency.

ко̀ж|а *ж.*, -**и 1.** (на човек) skin; cutis; derm; (тен) complexion; **присадена** ~**а** skin graft; **със светла** ~**а** fairskinned/complexioned; **2.** (на животно) hide; (одрана) skin, hide, pelt; (с козина) fur, pelt, (груба) fell; (необработена) (raw) hide, (raw) skin; (обработена) leather; (като дреха) fur; (за прозорци) chamois leather; (на печено прасе) crackling; (на сланина) rind; ~**а за подвързия** morocco, (цепенак) skiver; **съблечена** ~**а** зоол. slough; **3.** (на плод) skin, peel, rind; • **влизам някому под** ~**ата** worm o.s. into s.o.'s favour/confidence; lead s.o. by the nose; **едва отървавам** ~**ата** have a near touch; **одрал е** ~**ата на** he is the very spit and image of, he is the spitting image of; (за син – на баща си) he is a chip of the old block.

кожàр (-ят) *м.*, -и **1.** currier; leather-worker; fell-monger; **2.** (*търговец*) leather-merchant.

кожàрск|и *прил.*, -а, -о, -и leather (*attr.*); tanning, leather-dressing (*attr.*); ~а промишленост leather industry; ~а работилница tannery.

кож|ен₁ *прил.*, -на, -но, -ни (*отнасящ се до кожа*) skin (*attr.*); cutaneous, dermic, dermal; ~ен обрив skin eruption; лекар по ~ни болести skin specialist, dermatologist.

кòжен₂ *прил.* **1.** (*от щавена кожа*) leather (*attr.*), leathern; ~а папка leather-bound folder; ~и панталони leathers; **2.** (*от кожа с космите*) fur (*attr.*); ~а яка tippet.

кòжиц|а и кòжичк|а *ж.*, -и pellicle; (*около нокът*) cuticle; (*ципа*) membrane; (*слой*) film; ~а на плод peel, rind; препечена ~а на прасенце crackling.

кожодèр *м.*, -и extortioner, extortionist, blood-sucker, shark, sweater, flayer, skinflint.

кожỳ|х *м.*, -си, (два) кожỳха **1.** fur-coat; **2.** (*кожа на животно*) fur, pelt, coat; **3.** *техн.* jacket, mantle, hood, cowl, cowling, cover, sheathing; casing, encasing, case; housing; shell; защитен/предпазен ~х *техн.* hood, shield; ~х на двигател *авт.* engine cowling/casing.

кожухàр (-ят) *м.*, -и **1.** fur-dresser; **2.** (*търговец*) furrier.

кожухàрск|и *прил.*, -а, -о, -и furrier's, of a furrier; fur-dresser's, of a fur-dresser, fur (*attr.*).

кожỳхче *ср.*, -та sheep-skin jacket.

коз *м.*, -ове, (два) кòза trump (*и прен.*); *прен.* trump-card; държа всички ~ове have all the trumps in o.'s hand; hold trumps; разкривам/откривам ~овете си show o.'s trumps/cards (*и прен.*); скрити ~ове an ace/card up o.'s sleeve.

коз|à *ж.*, -и **1.** *зоол.* (she-/nanny-)goat; дива ~а wild goat; **2.** *спорт.* (vaulting-)horse, buck; ● всяка ~а за свой крак let every tub stand/sit on its own bottom; every man for himself (and the devil take the hindmost); той е от стара ~а яре you can't fool him; he knows his business/a thing or two; he's a knowing blade/an old hand.

козàр (-ят) *м.*, -и goatherd.

коз|èл *м.*, -ли, (два) козèла (he-/billy-)goat.

кòз|и *прил.*, -я, -е, -и goat (*attr.*); caprine; goat's, of a goat, of goats; ~я брада goat's beard; goatee; *бот.* goat's beard (*Tragopogon pratensis*); ~я пастърма lean goat's meat salted and dried; ● на сто вълка ~и крак make two bites of a cherry; scanty share.

кòзина *ж.*, *само ед.* **1.** goat's hair; **2.** (*на други животни*) coat, fur, pelt; ● вълкът ~та си мени, но нрава си не he the wolf may lose his teeth but never his nature; what is bred in the bone will come out in the flesh; can the leopard change his spots.

козирк|à *ж.*, -и peak, vizor; (*за слънце*) eyeshade; (*на стадион*) roof, grandstand.

козирог *м.*, *само ед.* *астр.*, *астрол.* Capricorn; Тропик на Козирога tropic of Capricorn.

козирỳвам *гл.* *воен.* salute.

козлè *ср.*, -та kid.

козметѝ|к *м.*, -ци beautician, cosmetician.

козмèтика *ж.*, *само ед.* cosmetics.

козметѝч|ен *прил.*, -на, -но, -ни cosmetic; ~ен салон beauty parlour; ~ни средства cosmetics.

козунà|к *м.*, -ци, (два) козунàка *кул.* Easter cake.

кой *въпр. мест.*, коя, коè, кой (*за лица*) who; (*за предмети и животни*) what; (*пред същ.*) what; (*при избор*) which; (*всеки*) за ~ път ти казвам if I've told you once, I've told you a hundred times; има ~ да свърши тая работа there's a man for that job; ~ знае, може да е дошъл for all I know, he may have arrived; ● ~ каквото ще да казва no matter what they say; ще видим ~ кого we'll see who'll laugh last/who'll get the upper hand.

кòйк|а *ж.*, -и *мор.* cot, bunk.

койòт *м.*, -и, (два) койòта *зоол.* coyote, prairie-wolf (*Canis latrans*).

кòйто *относ. мест.*, която, което, които (*за лица*) who, that; (*като допълнение*) who(m), that; (*или не се превежда*) (*също:* ~ и да) whoever, whosoever; anyone, anybody; (*за предмети и животни*) which, that; (*със що:* ~ и да) whichever, whatever, what-

soever; (*измежду няколко*) whichever; градът, към ~ те отиват the town they are going to; след което той каза whereupon he said; този, ~ he who, the one that; whoever.

кок *м.*, -ове, (два) кòка knot, coil, bun; правя косата си на ~ put up o.'s hair in a bun.

кокайн *м.*, *само ед.* *хим.* cocaine; *разг.* coke, nose candy, crack; упоявам с ~ cocainize.

кокайнов *прил.* cocaine (*attr.*).

кòка-кòл|а *ж.*, -и coca-cola; *амер. разг.* coke.

кокал *м.*, -и, (два) кòкала **1.** bone; с едър ~ large-boned; **2.** *прен.* plum, fat job; тлъст ~ lucrative job; pork barrel; ● глозгам ~ите на някого nag at s.o; когато ножът опре до ~ *разг.* when the chips are down, when it comes to the crunch, when the crunch comes, when/if the push comes to shove.

кòкалест *прил.* bony; gaunt; rawboned; (*за ръце*) gnarled, gnarly; (*за добитък*) hidebound.

кòкалче *ср.*, -та little bone; (*на глезен*) anklebone; (*на пръст*) knuckle; (*ашик*) knucklebone.

кокèт|ен *прил.*, -на, -но, -ни trim, neat, dapper, spruce; (*за село*) neat.

кокèтк|а *ж.*, -и coquette, flirt; minx; soubrette.

кокèтнича *гл.*, *мин. св. деят. прич.* кокèтничил coquet; flirt; *sl.* give (s.o.) the glad eye.

кокѝли *само мн.* stilts; ходя на ~ walk on stilts.

кокѝче *ср.*, -та *бот.* snowdrop.

кокѝчк|а *ж.*, -и **1.** pit, stone; **2.** *прен.* crab.

кòклюш *м.*, *само ед.* *мед.* (w)hooping cough.

кокòн|а *ж.*, -и *разг. пренебр.* **1.** grand lady, dame; **2.** (*за мъж*) molly-coddle, sissy, pansy.

кокòсов *прил.* coco (*attr.*), coconut (*attr.*); ~ орех coconut; ~а палма coconut palm, coco-tree, coconut tree; ~о масло coconut oil/butter.

кокошàрни|к *м.*, -ци, (два) кокошàрника hen-coop, hen-house.

кокошàрск|и *прил.*, -а, -о, -и **1.** poulterer's, poultry-breeder's; **2.** pilferer's, of a pilferer.

кокòш|и *прил.*, -а, -о, -и hen's; chicken

(*attr.*) chick (*attr.*); gallinaceous; **~и ембрион** chick embryo; **~о яйце** hen's egg; ● **~а слепота** moon-blindness, night-blindness, day-sight, nyctalopia; **~и трън** *мед.* wart; **той има ~и ум** he has the brains of a canary.

кокошк│а *ж.*, **-и** hen; fowl; *зоол.* gallinacean; (*ярка*) pullet; **дива ~а** hazelhen/-grouse; ● **лягам с ~ите** go to bed with the sun; **мокър като ~а, като мокра ~а** dripping wet; as wet as a drowned rat; (*жалък*) drooping.

кокошкàр (-ят) *м.*, **-и 1.** (*крадец*) chicken-thief; pilferer; petty thief; **2.** (*страхливец*) coward, chicken-hearted person.

кокошкàрск│и *прил.*, **-а, -о, -и** pilferer's, of a pilferer.

кокс *м.*, *само ед.* coke; **металургичен ~** furnace coke; **нефтен ~** refinery coke.

коксѝрам *гл.* coke.

кòксов *прил.* coke (*attr.*); (*за коксуване*) coking; **~ завод** cokery; **~а пещ** coke oven.

коктѐйл *м.*, **-и, (два) коктѐйла** cocktail; cocktail-party.

кол *м.*, **-ове и -òве, (два) кòла** stake, post; spike; picket; **набивам някого на ~** impale s.o.; ● **събрани от ~ и въже** ragtag/tag-rag and bobtail; rabble, riffraff.

кòл│а₁ *ж.*, **-и** *и полигр.* (printer's) sheet, quire; **авторска ~а** 12-page typescript; **на ~и** in sheets/quires; **печатна ~а** signature, quire.

кòла₂ *ж.*, *само ед.* (*скорбяла*) starch.

кòла₃ *ж.*, *само ед. бот.* cola (*Cola acuminata*)

кол│à *ж.*, **-й 1.** (*каруца*) cart, wag(g)on; **~а за смет, боклукчийска ~а** dust cart; dump-cart; *амер.* garbage collection truck; **пощенска ~а** *истор.* coach; **2.** (*товар на една каруца*) cartload; **~а сено** a cartload of hay; **3.** (*автомобил*) (motor-) car, automobile; (*лимузина*) sedan, saloon car; **~а с пет врати** hatchback; **лека ~а** car; **товарна ~а** lorry; *амер.* truck; ● **обръщам ~ата** *прен.* turn/swing/veer round; tack; **трамвайна ~а** tramcar, *амер.* street-car.

колаборационѝст *м.*, **-и** collaborationist; quisling.

колаборàция *ж.*, *само ед.* collaboration.

колагèн *м.*, *само ед. физиол., хим.* collagen.

колагèн│ен *прил.*, **-на, -но, -ни** collagenic, collagenous.

колàж *м.*, **-и, (два) колàжа** *изк.* collage.

колàн *м.*, **-и, (два) колàна 1.** belt; girdle; (*на пола, панталон*) waistband; (*предпазен*) seat-belt; **затягам ~а** *прен.* pull o.'s belt tight; **стягам си ~а** tighten o.'s belt; **2.** (*на седло*) (saddle-)girth, belly-band.

кòлапс *м.*, *само ед. мед.* collapse.

колàстра *ж.*, *само ед. биол.* colostrum; foremilk; (*на крава*) beestings.

кòлб│а *ж.*, **-и** flask; (*реторта*) retort, bulb; **измерителна ~а** a graduated/measuring flask.

колбàс *м.*, **-и, (два) колбàса** *кул.* sausage; cold cuts; **отравяне с ~и** *мед.* botulism.

колебàни│е *ср.*, **-я 1.** (*нерешителност*) hesitation, vacillation, wavering; faltering; dubiety; **без ~e** unhesitatingly, without hesitation; resolutely, outright, oscillation; without demur; **2.** (*променливост*) variation, fluctuation; (*обхват*) range; **~е на температурата** fluctuation of the temperature, temperature variation/fluctuation; **3.** *физ.* oscillation; (*трептене*) vibration; **~е на махало** oscillation/swing of a pendulum.

колебàя се *възвр. гл.*, *мин. св. деят. прич.* **колебàл се 1.** (*проявявам нерешителност*) hesitate; waver; vacillate; be in two minds; be irresolute/undecided; falter; **започваме да се колебаем** we are beginning to have second thoughts; **не се колебая** be resolute; know o.'s mind; *разг.* make no bones about it; **2.** (*за различни величини*) fluctuate, vary, change; **курсът се колебае** the rate of exchange is fluctuating/unsteady/floating; **3.** *физ.* oscillate, vibrate; swing; **стрелката се колебае** the pointer is vacillating.

колеблѝв *прил.* **1.** (*нерешителен*) hesitant, tentative, wavering; vacillating; faltering; double-minded; halting; **2.** (*за различни величини*) fluctuating, varying, changing; **3.** *физ.* oscillatory, oscillating; vibratory, vibrative.

колеблѝвост *ж.*, *само ед.* **1.** (*нерешителност*) hesitation, hesitancy; wavering; vacillation;

double-mindedness; haltingness; **2.** (*изменение в известни граници*) fluctuation; variation.

колèг│а *м.*, **-и; колèжк│а** *ж.*, **-и** colleague; *разг.* mate; (*състудент*) fellow-student; (*заемащ същата длъжност в друга фирма*) *разг.* opposite number.

колегиàл│ен *прил.*, **-на, -но, -ни 1.** (*другарски*) comradely; **2.** (*общ*) collective, joint.

колегиàлност *ж.*, *само ед.* fellow-feeling, fellowship, solidarity; comradeship; camaraderie; **от ~** out of solidarity.

колèгиум *м.*, **-и, (два) колèгиума** board; collegium (*и муз.*).

колèги│я *ж.*, **-и 1.** body; association; college; **избирателна ~я** constituency; **2.** (*персонал*) staff; **адвокатска ~я** college of barristers; the bar; **редакционна ~я** editorial staff, editors.

Кòледа *ж.*, *само ед.* Christmas, *съкр.* Xmas; **~ наближава** Christmas is almost upon us; **на ~** on Christmas; **по ~** at Christmastide.

коледàр (-ят) *м.*, **-и** carol-singer; **~и** waits.

коледàрск│и *прил.*, **-а, -о, -и** Christmas (*attr.*); **~и песни** Christmas carols.

кòлед│ен *прил.*, **-на, -но, -ни** Christmas (*attr.*); **~ни празници** Christmas holidays; Christmastide; (the) festive season; **~о дърво** Christmas-tree.

коледỳвам *гл.* sing Christmas carols, go carolling.

колèж *м.*, **-и, (два) колèжа** college.

колежàнин *м.*, **колежàни** college boy.

колежàнск│и *прил.*, **-а, -о, -и** college (*attr.*); collegiate, collegial.

колèжка *ж.*, **~а** colleague.

колектѝв *м.*, **-и, (два) колектѝва** team, group, body, collective (body), panel; staff; **преводачески ~** panel of translators; **снимачен ~** film unit; **сплотен ~** united group/team.

колектѝв│ен *прил.*, **-на, -но, -ни** collective; (*обединен, общ*) joint, united; **~ен трудов договор** collective labour agreement; **~на отговорност** joint responsibility, *юр.* joint liability; **~ни усилия** joint/united efforts.

колективизàция *ж.*, *само ед.* collectivization; **~ на частните стопанства** pooling of private farms into big collective farms.

колективизѝрам _гл._ collectivize; _(зе-меделски стопанства)_ pool/organize into big collective farms/units.

колективѝз|ъм (-мът) _м., само ед._ collectivism; team spirit, _фр._ esprit de corps.

колѐктор _м., -и, (два)_ **колѐктора** _техн._ collector; receptacle; _(на котел)_ collecting drum; _ел._ commutator, collector; _(канал)_ sewer; **главен ~** trunk sewer; **~ на отработени газове** exhaust collector.

колекционѐр _м., -и_ collector; **~ на пощенски марки** stamp-collector; philatelist.

колекционѐрск|и _прил., -а, -о, -и_ collector's, of a collector, of collectors; _(с колекционерна стойност)_ collectable; **~а рядкост** collector's item.

колекционѝрам _гл._ collect, make a collection of.

колѐкци|я _ж., -и_ collection (от of); **от ~ята на** _лат._ ex libris.

колелѐ|о _ср., -а/-ѐта_ **1.** wheel; **без ~а** wheelless; **виенско ~о** _(в увеселителен парк)_ Ferris/high wheel; **воденично ~о** mill-wheel; **водно ~о** pedalo, water wheel; **2.** _(окръжност)_ circle, ring; **правя ~а** _(с дим от цигара)_ blow rings/wreaths (of smoke); **3.** _(велосипед)_ bicycle, _разг._ bike; **карам/ яздя ~о** ride a bicycle, cycle; _(детско с три колела)_ tricycle; **4.** _(обръч, за детска игра)_ hoop; ● **връщам ~ото на историята** turn/put/set back the clock; **слагам прът в ~ото на някого** put a spoke in s.o.'s wheel.

колѐнен _прил._, **колянна, колянно, колѐнни** knee _(attr.)_, of the knee(s); _анат._ genicular; **~ рефлекс** knee-jerk.

коленѝча _гл., мин. св. деят. прич._ **коленѝчил** kneel, go down on o.'s knees, _(почтително)_ genuflect, _шег._ go down on o.'s marrow bones (**пред** to); **накарвам някого да коленичи** bring/force s.o. to his knees.

коленопреклòн|ен _прил., -на, -но, -ни_ submissive, humble, meek.

колесàр _м., -и, (два)_ **колесàра**; **колесàрк|а** _ж., -и_ **1.** cart; front/back wheel of a cart; **2.** _(ос)_ axle(-tree), wheel carrier.

колеснѝ|к _м., -ци, (два)_ **колеснѝка** cart; front/back wheel of a cart; _авиац._ _(на самолет)_ landing gear; приби-

ращ се **~к** retractable undercarriage.

колеснѝц|а _ж., -и_ **1.** chariot; погребална **~а** _истор._ hearse; **2.** cart; front/back wheel of a cart.

колѐт _м., -и, (два)_ **колѐта** parcel; package; **изпращам като ~** send by parcel post.

колѐт|ен _прил., -на, -но, -ни** parcel _(attr.)_; **~на служба/експедиция** _(в поща)_ parcel post, _(на гара)_ parcels office.

колѝб|а _ж., -и_ hut, cabin; shanty; _амер._ shack; _(бедняшка)_ hovel, shack; _(за ловци)_ shooting lodge; _(за куче)_ kennel; _(за зайци)_ hitch; **~и** hamlet; ● **разтури къща, направи ~а** they/he etc. won't let well alone.

колѝбри _само мн. зоол._ humming bird, trochilus, colibri _(Trochilus)_.

колиѐ _ср., -та_ necklace, pendant.

кòлик|а _ж., -и_ обикн. мн. colic, _разг._ mulligrubs; collywobbles; gripes; _(поради газове)_ wind-colic; _мед._ tormina.

колѝт _м., само ед. мед._ colitis.

колѝчествен _прил._ _(с небройни същ.)_ quantitative; _(с бройни същ.)_ numerical; **~ анализ** quantitative analysis; **~и ограничения** quantitative restrictions.

колѝчеств|о _ср., -а_ **1.** quantity, amount; **голямо ~о** a (large) quantity (of), quantities (of), _разг._ volumes (of); **any amount (of)**, loads of, stacks of, oodles (of); **2.** _(брой)_ number.

колѝчк|а _ж., -и_ **1.** _(детска)_ perambulator, _разг._ pram, _амер._ baby-carriage; _(за по-голямо дете)_ _амер._ stroller; _(спортна)_ push-chair; **2.** _(за багаж)_ trolley; _(ръчна за товари)_ wheelbarrow, truck; **товароподемна ~а** jacklift; _(за продажба на зеленчук и пр.)_ hand cart; **3.** _(на инвалид)_ wheel-chair.

кòлко _впр. мест. (за количество)_ how much; _(за брой)_ how many; _(за степен, размер, сила)_ how; **~ далеч/широк/висок е** ...? how far/wide/high is ...? **~ струва?** how much is it? how much does it cost? **~ е!** it's nothing (much); **~ съм ги виждал такива като тебе** I've known/seen plenty like you.

кòлкото _относ. мест. (за количество)_ as much ~ as; _(за брой)_ as many ~ as; **едър два пъти ~ нея** twice her size, twice as big as she; **~ да се каже** just to say; **~ до мене** personally, as

for me, for all/what I care; **~ и да е странно** curiously/oddly/interestingly enough.

коловòз _м., -и, (два)_ **коловòза 1.** _жп_ line, track; _(за разминаване)_ side-track; **на трети и пр. ~** _(на гара)_ at platform number three etc.; **2.** _(следи от колела)_ groove, rut, wheeltrack, tread; **3.** _(път)_ cart-track/-road.

колòд|а _ж., -и_ pack, deck.

колодрỳм _м., -и, (два)_ **колодрỳма** bicycle track, cycling track, cycle-racing track.

колоездàч _м., -и; **колоездàчк|а** _ж., -и_ bicyclist, cyclist; **пътека за ~и** cycle path/track.

колоездàч|ен _прил., -на, -но, -ни_ cycling _(attr.)_; **~ни състезания** bicycle/cycle race/racing.

колоѐздене _ср., само ед._ cycling.

колоидàл|ен и **колоѝд|ен** _прил., -на, -но, -ни_ colloid(al); **колоиден графит** oildag.

колòквиум _м., -и, (два)_ **колòквиума 1.** _(изпит)_ preliminary oral examination; **2.** _(малка конференция)_ colloquium.

колòн|а _ж., -и_ **1.** _(стълб)_ column, pillar, post; _архит._ _(между капитела и основата)_ tige; **с ~и** columned; **2.** _строит._ **~а с капител** bracket-like column; **~а със спирална армировка** column with spiral hooping; **стоманобетонна ~а** reinforced concrete column; **3.** _(във вестник)_ column; _(на специална тема)_ feature; **4.** _воен._ column; **в ~а по двама** in column of files; **походна ~а** column of route, route column; **затворена ~а** close column; **5.** _(от коли в улично движение)_ line, tailback; **движа се в ~а** string out; **6.** _(озвучително тяло)_ speaker; ● **човек от петата ~а** fifth columnist.

колонàд|а _ж., -и_ _архит._ colonade, atrium, arcade, colonnade.

колониàл|ен _прил., -на, -но, -ни_ **1.** colonial; **~ен израз** colonialism; **~ни владения** colonial possessions, colonies; **2.**: **~ни стоки** groceries.

колониалѝз|ъм (-мът) _м., само ед._ colonialism.

колонизàтор _м., -и_ colonizer; settler.

колонизàторск|и _прил., -а, -о, -и_ colonizer's.

колонизаци|я ж., -и colonization; settlement.

колонизѝрам гл. colonize, settle.

колòни|я ж., -и **1.** (селище) colony; settlement; (население) colony, community; **2.** (почивна станция) rest/holiday home; (почивен лагер) (holiday) camp; **3.** биол. stock.

колорѝст м., -и изк. colo(u)rist.

колорѝт м., само ед. colour(ing); **местен ~** local colour.

колорѝт|ен прил., -на, -но, -ни colourful, vivid, picturesque; lively; **~ен стил** colourful/vivid style, style full of colour; **~на личност** colourful personality.

колорѝтност ж., само ед. colour, colo(u)rfulness; picturesqueness, vividness.

кòлос м., -и colossus (pl. colossi), разг. monster.

колосàл|ен прил., -на, -но, -ни colossal, huge, immense, tremendous; gargantuan; grand; разг. terrific.

колòсвам, колòсам гл. (clear-)starch.

колòсан мин. страд. прич. (и като прил.) starched, stiff; **~а яка** stiff collar.

колофòн м., само ед. **1.** хим. rosin, resin, colophony; **2.** полигр. colophon.

колумбѝ|ец м., -йни Colombian.

колумбѝйк|а ж., -и Colombian (woman).

колумбѝйск|и прил., -а, -о, -и Colombian.

Колỳмбия ж. собств. Colombia.

колхòз м., -и, (два) колхòза истор. kolkhoz, collective farm.

колхòзни|к м., -ци; колхòзничк|а ж., -и истор. kolkhoznik, collective-farmer.

кòля гл., мин. св. деят. прич. клал и кòлил slaughter, butcher, slay, kill; ● **викам, като че ли ме колят** scream as if one is being murdered; **той коли, той беси** he runs the show, he's the boss, he rules the roost, what he says goes, амер. sl. he's the big noise hereabout, he is the biggest frog in the pond.

колѝно ср., колена, коленѐ и колѐне **1.** knee; анат. genu (pl. genua); **до ~** knee-deep/-high; **морето му е до ~** he thinks the moon is made of green cheese, he makes nothing/light of difficulties; **накарвам някого да падне на колене** bring/force s.o. to his knees;

падам на колене пред някого bend the knee to s.o.; genuflect to s.o.; **2.** (род, произход) stock, family, line; tribe; **гоня до девето ~** persecute fiercely/implacably; **Давидовото ~** библ. the race of David; **от същото ~** of the same stock; **3.** техн. knee, leg, elbow, toggle; **4.** бот. joint, node.

колѝнов прил. анат. genicular; **~ вал** техн. crankshaft; биол. geniculate; (извит) cranked; **разглобяем ~ вал** built-up crankshaft.

кòма ж., само ед. мед. coma; **в състояние на ~** in a coma, comatose.

комàнд|а ж., -и **1.** (заповед) command, order, word of command; **по ~а на** at the command/order of; **2.** (управление) command; **под ~ата на** under the command of, commanded by; under the captaincy of; **поемам ~ата на** take/assume the command of; **3.** (военно поделение) detachment, outfit, party; мор. crew, ship's company; **пожарна ~а** fire-brigade; **спасителна ~а** rescue party.

комàндвам гл. **1.** (давам команда) command, order, give orders; воен. (give the word of) command; **2.** (начело съм на) command, be in command of; **3.** (разпореждам се с) order about, boss, play the boss, call the shots, разг. throw o.'s weight about; **~ в семейството** wear the trousers.

комàндване ср., само ед. **1.** command, commanding; leadership; **2.** воен. command, headquarters; **главно/върховно ~** general headquarters, high command; **поемам ~то** take the command, hoist o.'s flag.

комàнд|ен прил., -на, -но, -ни command (attr.); commanding; **~ен пункт** control panel; **~ен състав** commanders; **~но табло/~ен пулт** техн. control (switch-)board; control/instrument panel.

командѝр м., -и commander, commanding officer; (на кораб) captain; (на самолет) captain, pilot in command; **ротен ~** company commander.

командирòвам гл. commission, send on a mission/on a business trip/on an official trip (в to); воен. detach, detail.

командирòвк|а ж., -и mission, business/official trip; **научна ~а** field trip.

командирòвъч|ен прил., -на, -но,

-ни: **~ни** (пари) travelling expenses/allowance.

командѝт|ен прил., -на, -но, -ни: **~но дружество** икон. limited joint-stock company.

комàндос м., -и commando.

комàнчи само мн. Comanche.

комàр₁ м., -и, (два) комàра зоол. mosquito, gnat; **маларичен ~** malarial mosquito, anopheles; (голям) daddy-long-legs.

комàр₂ м., само ед. gambling, game of chance/hazard; **играя ~** gamble.

комарджѝйск|и прил., -а, -о, -и gambling; gambler's.

комарджѝ|я м., -и gambler; sl. punter; (на едро) амер. high-roller.

комасациòн|ен прил., -на, -но, -ни re-allocation (attr.); re-allotment (attr.).

комасàция ж., само ед. сел.-ст. re-allocation, re-allotment, regrouping (of land), land consolidation.

комàт м., -и, (два) комàта диал. hunk, chunk.

комбàйн м., -и, (два) комбàйна combine (harvester); **кухненски ~** food processor; **минен ~** mining combine.

комбайнèр м., -и combine-operator.

комбинàт м., -и, (два) комбинàта integrated works; **домостроителен ~** house building factory.

комбинатòр|ен прил., -на, -но, -ни combinational, combinatory.

комбинàци|я ж., -и combination; mixture; прен. plan, scheme, design.

комбинезòн м., -и, (два) комбине-зòна (дамски) slip; (работнически) overall(s), coverall(s).

комбинѝрам гл. combine, mix.

комбинѝран мин. страд. прич. (и като прил.) compounded, combined; **~ фураж** compounded fodder; ● **~и машини** multipurpose machines; **~и снимки** кино. special effects.

комедиàнт м., -и **1.** comedian, entertainer; (слаб актьор) board-strutter; **2.** прен. pretender, hypocrite, shammer, dissembler.

комедѝ|ен прил., -йна, -йно, -йни comedy (attr.).

комѐди|я ж., -и **1.** comedy; (достигаща до фарс) low comedy; **битова ~я** comedy of country life; **салонна ~я** comedy of manners, tea-cup-and-saucer comedy; **2.** (нещо смешно) some-

thing funny, lark; **3.** (*преструвка*) pretence, affectation, act, acting; **правя/разигравам ~и** act a part, stage a scene, put on an act.

коменда̀нт *м., -и* **1.** (*на селище*) town-major, provost-marshal; **2.** (*на лагер*) commandant.

коменда̀нтск|и *прил., -а, -о, -и* commandant (*attr.*), commandant's; **~и пост на боен кораб** conning-tower.

коменда̀нтств|о *ср., -а* **1.** (*службата*) commandantship; **2.** (*помещението*) commandant's/town-major's/ provost-marshal's office.

коментàр *м., -и,* (два) **коментàра** commentary, comment(s), exposition; descant.

коментàтор *м., -и* commentator.

коментѝрам *гл.* comment (upon); commentate; descant (on, upon).

комерсиализàция *ж., само ед.* commercialization.

комерсиализѝрам *гл.* commercialize.

комерсиалѝз|ъм (-мът) *м., само ед.* commercialism.

комерсиалѝст *м., -и* commercialist.

комерсиалистѝч|ен *прил., -на, -но, -ни* commercialistic.

комерсиàлност *ж., само ед.* commerciality.

комѐрческ|и *прил., -а, -о, -и* mercantile.

комѐт|а *ж., -и* **1.** *астр.* comet; **2.** (*кораб*) hydrofoil.

комѝз|ъм (-мът) *м., само ед.* humour, comic side (of), comic element (in).

комѝ|к *м., -ци* **1.** (*писател*) comic writer; comedist; **2.** (*актьор*) comic actor, comedian, funny man; **3.** (*шегаджия*) wag, jester, joker, wise-cracker.

кòмикс *м., -и,* (два) **кòмикса** comic strip; (*във вестник*) strip cartoon.

комѝн *м., -и,* (два) **комѝна** chimney; (*частта над покрива, фабричен*) chimney-stack; (*на параход, локомотив и пр.*) funnel, smokestack; **димящ ~** reeking chimney.

коминочистàч *м., -и* chimney-sweep(er).

комисàр (-ят) *м., -и* **1.** commissar; **2.** (*правителствен представител*) commissioner; **върховен ~** high commissioner; (*по снабдяването*) commissar.

комисàрск|и *прил., -а, -о, -и* commis-

sar's commissioner's.

комисиòн|а *ж., -и* commission, brokerage; **агентска ~а** factorage; **~а върху продажбите** sales commission; **продавам/купувам с ~а** sell/buy on commission; (*рушвет*) kick back.

комисиòн|ен *прил., -на, -но, -ни* commission (*attr.*); **на commission; ~на продажба** sale on commission; **търговец на ~ни начала** commission merchant.

комисионѐр *м., -и* commission agent/ merchant, broker, factor; (*посредник*) middleman, agent, broker, jobber; (*по продажба на недвижими имоти*) land-agent, an estate/a house agent.

комисионѐрск|и *прил., -а, -о, -и* broker's; factor's; middleman's, agent's, jobber's; **~а къща** confirming house.

комѝси|я *ж., -и* commission, committee, board; panel; **бюджетна ~я** committee of ways and means; **избирателна ~я** election committee; **участвам в ~я** sit/be on a committee.

комитѐт *м., -и,* (два) **комитѐта** committee; **благотворителен ~** care-committee; **редакционен ~** editorial board; **член на ~** committee man.

комѝч|ен *прил., -на, -но, -ни* comic(al); funny *неодобр.* ludicrous; **~ен бас** *муз.* basso buffo.

комѝчност *ж., само ед.* comicality, comicalness, humour, funny side.

комòцио *ср., само ед. мед.* commotion.

компàктдиск *м., -ове,* (два) **компàктдиска** CD player.

компàкт|ен *прил., -на, -но, -ни* compact, solid.

компàктност *ж., само ед.* compactness, solidity.

компàни|я *ж., -и* company (*и търг.*), party; **весела ~я** jolly/merry crowd; **дъщерна ~я** subsidiary/affiliated company; **правя някому ~я** keep/bear s.o. company.

компаньòн *м., -и;* **компаньòнк|а** *ж., -и* companion; **той е добър/лош ~** he is good/poor company, he is pleasant/ dull company.

компàс *м., -и,* (два) **компàса** **1.** compass; **посоките на ~а** the points of the compass; **2.** *полигр.* composing/setting stick; ● **без ~** aimlessly, at random.

компенсàтор *м., -и,* (два) **компенса̀-**

тора *техн.* jack; compensator.

компенсациòн|ен *прил., -на, -но, -ни* exchange (*attr.*), barter (*attr.*); (*обратно обвързан*) *икон.* back-to-back; **~ен заем** back-to-back loan; **~ен фонд** repayable fund.

компенсàци|я *ж., -и* (*замяна*) exchange, return, set off, offset, pay; (*на един дълг срещу друг*) *фин.* settlement per contra; **като ~я за** in exchange/return for, as a set off for; (*обезщетение*) compensation, recompense, indemnification, atonement; indemnity; *търг.* breakage; (*при съкращаване на щата*) *разг.* golden handshake.

компенсѝрам *гл.* (*загуба*) compensate, make amends for, make up (for s.th. to s.o.), offset, pay, make good, recoup; (*само материална загуба*) indemnify (s.o. for s.th.); (*уравновесявам*) balance, counterbalance, counterpoise, compensate for; countervail; *техн.* balance, equilibrate.

компетѐнт|ен *прил., -на, -но, -ни* competent, versed, qualified (по in); conversant (with); *разг.* sussed; **~ен орган** competent authority; **~ен съм** know one's onions/stuff.

компетѐнтност *ж., само ед.* competence, competency; conversance, conversancy (with); sphere; (*на комисия*) terms of reference; **в ~та на местния съд** within (under) the cognizance of the local court, cognizable by the local court; **това е извън ~та на комисията** it is outside the reference of the commission; **това не е от моята ~** this lies beyond/outside my competence, I am not competent to deal with this, that goes beyond my cognizance, this is outside my sphere, this does not pertain to my office, this is outside my capacity.

компилатив|ен *прил., -на, -но, -ни* compilation (*attr.*); **~ен труд** compilation.

компилàци|я *ж., -и* compilation, cento; *пренебр.* patchwork.

компилѝрам *гл.* compile, *пренебр.* patch together.

комплѐкс *м., -и,* (два) **комплѐкса** **1.** complex; **2.:** **жилищен ~** housing estate, blocks of flats; **курортен ~** resort complex; **спортен ~** sports centre.

комплѐкс|ен *прил., -на, -но, -ни*

complex (*attr.*); ~на програма comprehensive programme; ~но класиране спорт. all-round championship; ~но оборудване complete equipping (of a plant).

комплѐкт *м.*, -и, (два) комплѐкта set; ~ инструменти a set/kit of tools; (*дрехи*) suit; (*долни*) change of clothes/linen; (*блуза и жилетка*) twin-set.

комплѐкт|ен *прил.*, -на, -но, -ни complete.

комплекту̀вам *гл.* make up, complete; воен. recruit, reman.

комплика̀ци|я *ж.*, -и complication, difficulty.

комплимѐнт *м.*, -и, (два) комплимѐнта compliment; *разг.* sugarplum; *мн.* flattery; двусмислен ~ double-barrelled compliment; правя някому ~ pay/make s.o. a compliment, compliment s.o. (за нещо on s.th.); flatter s.o.; butter s.o. up.

комплицѝрам *гл.* complicate, make complicated.

компло̀т *м.*, -и, (два) компло̀та complot, plot, conspiracy.

комплотѝрам *гл.* complot, plot, conspire (срещу against).

композѝрам *гл.* 1. *муз.* compose; 2. жп make up, marshal.

композѝране *ср.*, *само ед.*: място за ~ на влакове switch yard.

композѝтор *м.*, -и; композѝторк|а *ж.*, -и composer.

композѝторск|и *прил.*, -а, -о, -и composer's, of a composer.

композѝци|я *ж.*, -и 1. *муз.* composition; 2. (*устройство*) structure, construction, composition, (*оформление*) design; *лит.* contexture; 3. жп train; 4. *техн.* babbit metal.

компонѐнт *м.*, -и, (два) компонѐнта component, ingredient.

компонѝрам *гл.* *остар.* compose.

компо̀т *м.*, -и, (два) компо̀та compote, stewed fruit; (*в буркани*) bottled fruit; буркан за ~ fruit jar; ~ от череши/ягоди (*в буркан*) cherries/strawberries in syrup.

компрѐс *м.*, -и, (два) компрѐса compress, pack; правя ~ make/apply a compress; студен ~ cold pack.

компресѝрам *гл.* compress.

компрѐсия *ж.*, *само ед.* compression.

компрѐсор *м.*, -и, (два) компрѐсора

техн. compressor, air/pressure blower; бутален ~ displacement blower; въздушен ~ air-compressor; (*за пробиване*) pneumatic hammer/drill, (rock-) drilling machine.

компрѐсор|ен *прил.*, -на, -но, -ни техн. compressor (*attr.*); ~на станция compressor house.

компрометѝрам *гл.* compromise, discredit (някого s.o.), bring discredit/disgrace/shame (on s.o.); || ~ се 1. compromise/disgrace o.s., bring discredit/disgrace/shame on o.s., fall into disrepute; 2. (за реколта) fail.

компро̀мис *м.*, -и, (два) компро̀миса compromise; постигам ~ arrive at/work out a compromise, strike a balance, meet (s.o.) halfway; (при пазарене) split the difference; trade-off; правя ~ compromise.

компро̀мис|ен *прил.*, -на, -но, -ни of compromise, compromise (*attr.*), in the nature of a compromise; ~но решение settlement by compromise.

компю̀т|ър *м.*, -ри, (два) компю̀търа *инф.* computer; персонален ~ър personal computer; портативен ~ър portable computer, laptop.

компю̀тър|ен *прил.*, -на, -но, -ни computer; computer-assisted; включен в ~на система on line; ~на кражба (computer) hacking; ~но обучение computing.

компютъриза̀ция *ж.*, *само ед.* computerization.

компютъризѝрам *гл.* computerize.

Комсомо̀л *м.*, *само ед.* *истор.* Comsomol, Young Communist League.

кому̀н|а *ж.*, -и commune; Парижката ~а *истор.* the (Paris) Commune; член на ~а communard.

комуна̀л|ен *прил.*, -на, -но, -ни communal; municipal; ~ни услуги public utilities/services, community services, municipal undertakings; ~но стопанство communal/municipal economy.

кому̀низ|ъм (-мът) *м.*, *само ед.* communism; военен ~ъм *истор.* war communism.

комуникацио̀н|ен *прил.*, -на, -но, -ни, -ни (of) communication.

комуника̀ци|я *ж.*, -и communication; ~и *разг.* comms.

кому̀нист *м.*, -и communist; *пренебр.* commie, red; pinko.

комунистѝческ|и *прил.*, -а, -о, -и communist.

комутатѝв|ен *прил.*, -на, -но, -ни *мат.* commutative.

комута̀тор *м.*, -и, (два) комута̀тора техн. commutator, switchboard, cut-out, exchange, two-way switch; *ел.* knife switch, junction board; антенен ~ antenna-control board; матричен ~ crosspoint commutator.

комфо̀рт *м.*, *само ед.* comfort.

комфо̀рт|ен *прил.*, -на, -но, -ни comfortable.

комшѝйск|и *прил.*, -а, -о, -и *разг.* neighbourly; (на съседа) neighbour's; neighbouring.

комшѝ|я *м.*, -и; комшѝйк|а *ж.*, -и *разг.* neighbour.

комюникѐ *ср.*, -та communiqué, official statement.

кон (-ят) *м.*, -ѐ, (два) ко̀ня horse, *поет.* steed, *амер.* *разг.* bronch, bronco; *шах.* knight; ~ за надбягване racehorse; на ~ on horseback; чистокръвен ~ thoroughbred; ● ~ с халки *спорт.* a vaulting horse; на харизан ~ зъбите не се гледат you should not look a gift horse in the mouth.

конвѐйер *м.*, -и, (два) конвѐйера техн. (belt-)conveyor, conveyor-belt, transporter; (за монтиране) assembly conveyor/belt/line, endless/continuous belt; по ~ by conveyor, on the conveyor belt; работя на ~ work on the belt.

конвѐйер|ен *прил.*, -на, -но, -ни conveyor (*attr.*).

конвекцио̀н|ен *прил.*, -на, -но, -ни convectional; convection (*attr.*).

конвѐкция *ж.*, *само ед.* *физ.* convection.

конвенциона̀л|ен *прил.*, -на, -но, -ни conventional, established.

конвенционалѝз|ъм (-мът) *м.*, *само ед.* *филос.* conventionalism.

конвѐнци|я *ж.*, -и *юр.* convention; Европейска ~я по правата на човека European Convention on Human Rights.

конвергѐнт|ен *прил.*, -на, -но, -ни convergent.

конвергѐнция *ж.*, *само ед.* convergence.

конверсио̀н|ен *прил.*, -на, -но, -ни *фин.* conversion (*attr.*).

конвѐрсия *ж., само ед. фин., език.* conversion.

конвѐртер *м.,* -и, **(два) конвѐртера** *техн.* converter.

конвертѝране *ср., само ед.* conversion.

конвертѝруем *прил.* convertible.

конвертѝруемост *ж., само ед.* convertibility.

конвойра̀м *гл.* escort, *обикн. мор.* convoy.

конво̀|й (-ят) *м.,* -и escort, convoy, train; **под ~й** under conduct/escort.

конвулсѝв|ен *прил.,* -на, -но, -ни convulsive, spasmodic; jerky; galvanic.

конву̀лси|я *ж.,* -и convulsion, jerk; *мн. мед.* jactitation.

конгломера̀т *м., само ед. геол.* conglomerate; *прен.* conglomeration.

конгломера̀ция *ж., само ед.* conglomeration; **селищна ~** urban conglomeration.

конгрега̀ци|я *ж.,* -и *църк.* congregation.

конгрѐс *м.,* -и, **(два) конгрѐса** congress; **член на Конгреса (в САЩ)** Congressman.

конгрѐс|ен *прил.,* -на, -но, -ни congress *(attr.)*, congressional.

конденза̀т *м., само ед.* condensed fluid.

конденза̀тор *м.,* -и, **(два) конденза̀тора** condenser; *ел.* capacitor; **оросѝтелен ~** spray/drip condenser; **противоотоков ~** counter-current-flow condenser; **смесѝтелен ~** contact condenser; **струен ~** jet/ejector condenser.

конденза̀тор|ен *прил.,* -на, -но, -ни *техн.* condenser-type; **~но гъ̀рне** catch-pot.

конденза̀ция *ж., само ед.* condensation.

кондензѝрам *гл.* condense; evaporate.

кондензѝран *мин. страд. прич. (и като прил.)* condensed; evaporated; **~о мля̀ко** evaporated milk.

кондо̀р *м.,* -и, **(два) кондо̀ра** *зоол.* condor *(Sarcorhamphus gryphus).*

конду̀ктор *м.,* -и **1.** conductor, ticket-collector, checktaker; *жп* guard; **2.** *(в мина)* foreman, captain.

коневъ̀дство *ср., само ед.* horse-breeding/-raising.

конезаво̀д *м.,* -и, **(два) конезаво̀да** stud (farm).

ко̀н|ен *прил.,* -на, -но, -ни horse *(attr.)*; equestrian; cavalry *(attr.)*; **~ен спорт** (horse) riding; **~на полиция** mounted police; **~ни части** mounted troops, cavalry.

кон|ѐц *м.,* -ци, **(два) конѐца** thread; **изва̀ждам ~цѝте** *(от рана)* take out the stitches; **лѐнени ~ци** spivel; **паму̀чни ~ци** (sewing-) cotton; **дъ̀рпам ~цѝте** pull wires, push buttons; **от игла̀ до ~ѐц** from beginning to end, from A to Z; **съ̀шит с бели ~ци** transparent.

конзо̀л|а *ж.,* -и *техн.* bracket; hanger; *архит.* console, corbel; *(масичка)* corbel-table; *(на мост) строит.* cantilever.

конзо̀л|ен *прил.,* -на, -но, -ни bracket *(attr.)*; console, corbel *(attr.)*; **~ен мост** cantilever bridge; **~на греда** outrigger; **~на площадка** cantilever platform.

конѝч|ен *прил.,* -на, -но, -ни; **конѝческ|и** *прил.,* -а, -о, -и conic; *(конусовиден)* conical; tapering; **~ен кла̀пан** *техн.* mitre-valve; **~и зъ̀бни колела̀** bevel gear/wheels; **~но предава̀не** *техн.* mitre-gear.

конкрѐт|ен *прил.,* -на, -но, -ни concrete, tangible; *(ясен)* specific, particular; **в ~ен смисъл** in a material sense; **~ен пример/случай** concrete/practical example.

конкретиза̀ция *ж., само ед.* concretization, substantiation.

конкретизѝрам *гл.* render concrete, express in concrete form, specify, concretize, substantiate; || **~ се** be concrete/specific.

конкрѐтност *ж., само ед.* concreteness, concrete character/form, specificity.

конкурѐнт *м.,* -и competitor; rival; *мн.* **~и** two of a trade; **той не е ~ на** he is no competition to.

конкурѐнт|ен *прил.,* -на, -но, -ни rival *(attr.)*; *(за цени и пр.)* competitive; **~на фѝрма** rival firm.

конкурентоспосо̀б|ен *прил.,* -на, -но, -ни competitive.

конкурентоспосо̀бност *ж., само ед.* competitive power.

конкурѐнция *ж., само ед.* **1.** competition; rivalry; **извъ̀н вся̀ка ~** beyond competition, in a class by itself; **2.** *(самите конкуренти)* rivals.

конкурѝрам *гл.* compete, vie (някого with s.o.), rival (s.o.) (по, в in); come/enter into competition (with).

ко̀нкурс *м.,* -и, **(два) ко̀нкурса** competition; **~ за красота̀** beauty contest; **обявя̀вам ~** announce a competition, *(за служба)* throw a post open to competition, announce/open a vacancy; **уча̀ствам в ~** enter a competition.

ко̀нкурс|ен *прил.,* -на, -но, -ни competitive; of a competition; **~ен изпит** competitive examination; **~на комисия** commission/jury of a competition.

ко̀нни|к *м.,* -ци rider, horseman; equestrian; *воен.* cavalryman, trooper.

ко̀нниц|а *ж.,* -и cavalry, horse, mounted troops.

коно̀п *м., само ед. бот.* hemp; **индѝйски ~** sunn; cannabis *(Cannabis sativa).*

коно̀п|ен *прил.* hemp(en); **~а връв** *(за камшик)* whip-cord; **~о ма̀сло** hemp-seed oil; **~о сѐме** hempseed.

консѐрв|а *ж.,* -и tinned/preserved food, *амер.* canned food; tin, can; *събир.* tinned/*амер.* canned goods; **месна/рѝбна ~а** tinned meat/fish, a tin of meat/fish, preserved meat/fish; **фа̀брика за ~и** canning factory, tinned goods factory, cannery; packing-house.

консерватѝв|ен *прил.,* -на, -но, -ни conservative, *(в Англия)* Tory; of the old stamp; *амер.* old-line *(attr.)*, *разг.* stuffy; *(неподатлив на промяна)* die-hard.

консерватѝз|ъм (-мът) *м., само ед.* conservatism; Toryism.

консерва̀тор *м.,* -и conservative, *(в Англия)* Tory.

консервато̀ри|я *ж.,* -и *муз.* college/school of music, conservatoire, *амер.* conservatory.

консерва̀торск|и *прил.,* -а, -о, -и conservative, Tory *(attr.)*.

консерва̀ция *ж., само ед.* preservation.

консѐрв|ен *прил.,* -на, -но, -ни canning, preserving; **~на кутѝя** tin, can; **~на промѝшленост** canning industry.

консервѝрам *гл.* preserve; pack; *(в кутии)* tin, can; *(в стъкла)* bottle; **~ чрез осоля̀ване** corn.

консервѝран *мин. страд. прич. (и като прил.)* preserved; tinned, canned, bottled; **~о мѐсо** *шег.* monkey meat.

консигнàтор *м.*, -и consignee.
консигнациòн|ен *прил.*, -на, -но, -ни consignment, consignation (*attr.*).
консигнàция *ж.*, *само ед. търг.* consignment, consignation; **давам на** ~ consign; **стоки на** ~ goods on consignment.
консѝлиум *м.*, -и, (два) консѝлиума *мед.* consultation.
консистèнция *ж.*, *само ед.* consistence, consistency, texture.
консистомèр *м.*, -и, (два) консистомèра consistometre.
консисториàл|ен *прил.*, -на, -но, -ни *рел.* consistorial.
консистòрия *ж.*, *само ед. рел.*, *истор.* 1. consistory; 2. parish.
кòнск|и *прил.*, -а, -о, -и equine; horse (*attr.*); ~**а муха** horsefly; ~**а сила** horsepower, *съкр.* h.p.; ~**и ход** (*бавен*) pace; • ~**о евангелие** *sl.* jaws; earful; earwigging; **чета някому** ~**о евангелие** talk to s.o. like a Dutch uncle; haul/call s.o. over the coals, put s.o. on the carpet, *разг.* give s.o. an earwigging (about); give it s.o. hot; *sl.* jaw s.o., read the riot act to s.o.
консолидàция *ж.*, *само ед.* consolidation.
консолидѝрам *гл.* consolidate.
консолидѝран *мин. страд. прич.* (*и като прил.*) consolidated; ~ **дълг** funded debt; ~**и отчети** consolidated accounts.
консолидѝране *ср.*, *само ед.* consolidation.
консонàнт *м.*, -и, (два) консонàнта *език.* consonant.
консонàнт|ен *прил.*, -на, -но, -ни *език.* consonant (*attr.*), consonantal.
консòрциум *м.*, -и, (два) консòрциума consortium, horizontal combine.
конспèкт *м.*, -и, (два) конспèкта synopsis (*pl.* synopses), syllabus, outline, summary, conspectus, compendium, abstract, epitome; ~ **по история и пр.** (examination) synopsis of history etc.
конспèкт|ен *прил.*, -на, -но, -ни brief, concise, succinct, synoptic(al), compendious, epitomic(al).
конспектѝрам *гл.* summarize, make an outline/a synopsis/an abstract/a syllabus (of), epitomize.
конспиратѝв|ен *прил.*, -на, -но, -ни conspiratorial, secret, underground,

clandestine.
конспирàтор *м.*, -и; конспирàторк|а *ж.*, -и conspirator, plotter, schemer.
конспирàци|я *ж.*, -и conspiracy, plot, scheme.
конспирѝрам *гл.* conspire, plot, scheme (**срещу** against); collude.
констàнт|а *ж.*, -и *мат.*, *физ.* constant; ~**а на затихване** attenuation/damping constant; ~**а на разсейване** diffusion constant; ~**а на скоростта** rate constant.
констàнт|ен *прил.*, -на, -но, -ни *мат.*, *физ.* constant.
констатàци|я *ж.*, -и (*на съд, комисия*) findings; (*заключение*) conclusion, inference; (*установяване*) ascertainment, discovery; **правя** ~**я** ascertain, find; state; establish.
констатѝрам *гл.* find, ascertain; (*отбелязвам*) note, state; (*установявам*) establish.
констелàци|я *ж.*, -и constellation (*и астр.*).
констипàция *ж.*, *само ед. мед.* constipation, costiveness.
конституѝрам *гл.* constitute, establish, set up.
конституционалѝз|ъм (-мът) *м.*, *само ед.* constitutionalism.
конституциòн|ен *прил.*, -на, -но, -ни constitutional.
конститỳци|я *ж.*, -и constitution.
конструѝрам *гл.* construct, build; (*проектирам*) design.
конструктѝв|ен *прил.*, -на, -но, -ни constructive, constructional, tectonic; (*градивен*) constructive; ~**ен метаболизъм** *мед.* anabolism, constructive metabolism.
конструктивѝз|ъм (-мът) *м.*, *само ед. изк.* constructivism.
конструктѝвност *ж.*, *само ед.* constructiveness.
констру̀ктор *м.*, -и 1. constructor; mechanician, maker; (*проектант*) designer; (*машиностроител*) millwright; 2. (*игра*) meccano.
конструкторск|и *прил.*, -а, -о, -и constructor's; designer's; design (*attr.*).
конструкци|я *ж.*, -и construction, mechanism, make-up, structure, design; (*телосложение*) build, structure; **надеждна** ~**я** dependable design; **олекотена** ~**я** light-weight design;

тръбна ~**я** tube construction.
кòнсул *м.*, -и consul; **генерален** ~ consul-general.
кòнсулск|и *прил.*, -а, -о, -и consular, consul's.
кòнсулств|о *ср.*, -а 1. (*учреждение*) consulate; 2. (*служба*) consulship.
консултàнт *м.*, -и consultant, adviser; ~ **по правни въпроси** legal adviser; **лекар/специалист** ~ consulting physician/expert.
консултàнтск|и *прил.*, -а, -о, -и consulting; ~**а агенция** consultancy.
консултатѝв|ен *прил.*, -на, -но, -ни consultative, advisory.
консултациòн|ен *прил.*, -на, -но, -ни consulting.
консултàци|я *ж.*, -и 1. consultation; (*лична*) counselling; (*мнение, съвет*) opinion, advice; (*при научен ръководител*) tutorial; 2. (*здравна*) health centre; **правна** ~**я** legal advice, advice in legal matters; **юридическа** ~**я** barristers'/lawyers' office.
консултѝрам (се) (*възвр.*) *гл.* consult have/hold a consultation; ~ **се с адвокат** take legal advice; ~ **се с лекар** see a doctor.
консуматѝв|ен *прил.*, -на, -но, -ни consumer (*attr.*); consumer's.
консумàтор *м.*, -и; консумàторк|а *ж.*, -и consumer, user.
консумàция *ж.*, *само ед.* 1. consumption, use; 2. (*сметка*) bill, *амер.* check; 3. *юр.* consummation.
консумѝрам *гл.* 1. consume, use (up); 2. *юр.* consummate (a crime, a marriage).
контàкт *м.*, -и, (два) контàкта 1. contact; **влизам в/установявам** ~ **с** get into contact/get in touch/establish contact with, *разг.* contact (s.o.); **в тесен** ~ in close contact; **прекъсвам** ~ break contact; 2. *ел.* contact; point, wallplug; (*висящ*) a pendant plug; (electrical) outlet, (power) point; (*закрит*) a buried plug; (*открит*) an exposed/a surface plug; **лош** ~ poor contact.
контàкт|ен *прил.*, -на, -но, -ни contact (*attr.*); (*допирен*) contractual; (*за човек*) sociable; outgoing, extrovert; approachable, conversable, club(b)able; *разг.* chummy; ~ **ен държател** *ел.* contact base.
контàктност *ж.*, *само ед.* sociability,

club(b)ability, conversability.

контаминàци|я *ж.*, **-и** contamination.

контѐ *ср.*, **-та** *разг.* dandy, fop, jack-a-dandy, coxcomb, dude; fashion-monger, fashion plate, spark, toff, swell, *sl.* nut.

контѐйнер *м.*, **-и**, **(два) контѐйнера** container, canister, bin; **~ за твърди отпадъци** refuse can; **опаковане в ~и** containerization; **слагам в ~и** containerize; **хладилен ~** refrigerated container.

контейнеровòз *м.*, **-и**, **(два) контейнеровòза** container carrier; container truck.

контѐкст *м.*, *само ед.* context; **поставям в ~** contextualize.

контекстуàл|ен *прил.*, **-на**, **-но**, **-ни** contextual.

контестàци|я *ж.*, **-и** contestation; **правя ~я** *спорт.* claim/cry foul.

контестѝрам *гл.* contest; **~ изборите** contest the validity of the elections.

контингѐнт *м.*, **-и**, **(два) контингѐнта** contingent, quota, draft.

континѐнт *м.*, **-и**, **(два) континѐнта** continent.

континентàл|ен *прил.*, **-на**, **-но**, **-ни** continental.

континуитѐт *м.*, *само ед.* *мед.* continuity.

кòнто *ср.*, *само ед.* *фин.* account.

кòнтра₁ *нареч.* (*против*, *срещу*) against, in opposition (to).

кòнтр|а₂ *ж.*, **-и** 1. *карти* (*удвояване*) double; (*заключителна игра*) odd/deciding game; *разг.* decider; 2. (*при бръснене*) against the beard/hair, second-time-overshave; 3. (*спирачка*) coaster brake; • **у него остана ~ата** he got the worst of it, he was left holding the bag/the baby.

кòнтраадмирàл *м.*, **-и** rear admiral.

кòнтраàкци|я *ж.*, **-и** counteraction.

кòнтраàлт *м.*, **-ове** *муз.* contralto.

кòнтрааргумѐнт *м.*, **-и**, **(два) кòнтрааргумѐнта** counter-argument; proof to the contrary.

кòнтраатàк|а *ж.*, **-и** counter-attack, countercharge; fightback.

кòнтраатакувам *гл.* counter-attack, countercharge; fight back.

контрабàнда *ж.*, *само ед.* contraband, smuggling; (*на спиртни напитки*) *амер.* bootlegging; *sl.* trade; (*стоки*) smuggled/contraband goods; **внасям ~**

smuggle; **~ с оръжие** gunrunning; **продавам ~** (*спиртни напитки*) *амер.* bootleg.

контрабàнд|ен *прил.*, **-на**, **-но**, **-ни** contraband, smuggled, *амер.* *sl.* bootleg (*attr.*); **~ен алкохол** *амер.* *sl.* moonshine.

контрабандѝрам *гл.* smuggle; (*спиртни напитки*) bootleg.

контрабандѝст *м.*, **-и**; **контрабандѝстк|а** *ж.*, **-и** smuggler, contrabandist, interloper; (*на оръжие*) gunrunner; (*на спиртни напитки*) *амер.* *sl.* bootlegger, moonshiner, rum-runner.

контрабàс *м.*, **-и**, **(два) контрабàса** *муз.* double bass, contrabass, bass viol, string-bass.

контрабасѝст *м.*, **-и**; **контрабасѝстк|а** *ж.*, **-и** double bass/contrabass player; contrabassist.

контрагѐнт *м.*, **-и** contracting party, contractor, partner.

контрадѝкция *ж.*, *само ед.* contradiction.

кòнтрадоказàтелств|о *ср.*, **-а** rebutting evidence.

контражỳр *м.*, *само ед.* *фот.* contra-jour.

контражỳр|ен *прил.*, **-на**, **-но**, **-ни** *фот.* contra-jour.

контрàкт *м.*, **-и**, **(два) контрàкта** contract.

контрàкци|я *ж.*, **-и** *мед.* contraction; *език.* (*на две гласни*) crasis, syneresis.

кòнтрам|ярка *ж.*, **-ѐрки** countermeasure, countermove, countermovement.

кòнтранастъплѐни|е *ср.*, **-я**; **кòнтраофанзѝв|а** *ж.*, **-и** counter-attack, counter-offensive.

кòнтраобвинѐни|е *ср.*, **-я** countercharge; recrimination; **отправям ~е** recriminate.

кòнтрапỳнкт *м.*, *само ед.* *муз.* counterpoint.

кòнтраразузнàване *ср.*, *само ед.* counter-espionage, security service, counter-intelligence; *воен.* counter-reconnaissance.

кòнтрареволюци|я *ж.*, **-и** counter-revolution.

контрàст *м.*, **-и**, **(два) контрàста** contrast (**на** to); contradistinction; (*за да изпъкне нещо*) offset, foil; **в пълен ~**

съм be in complete contrast (with); *книж.* contraposition; **като ~ на** as a foil/an offset to.

контрàст|ен *прил.*, **-на**, **-но**, **-ни** contrasting; **~ен образ** *кино.* (sharply) contrasting image.

контрастѝрам *гл.* contrast (**с** with); stand out (against); counterpoint.

кòнтраудàр *м.*, **-и**, **(два) кòнтраудàра** *воен.* counter-blow/-thrust/-push.

контрацептѝв *м.*, **-и**, **(два) контрацептѝва** *фарм.* contraceptive.

контрацептѝв|ен *прил.*, **-на**, **-но**, **-ни** contraceptive.

кòнтрашпионàж *м.*, *само ед.* counter-espionage, counter-intelligence.

контрибỳци|я *ж.*, **-и** contribution; (*обезщетение*) indemnity; **налагам ~я на някого** lay s.o. under contribution, impose an indemnity on s.o., require an indemnity from s.o.

контрѝрам *гл.* *карти* double.

контрòл *м.*, *само ед.* 1. control; oversight; check, checking; *разг.* crackdown; **без ~** out of hand; **качествен ~** quality control, quality assurance check; **упражнявам строг ~ над** exercise strict control (over); crack down on; 2. *инф.*: **~ чрез повторно предаване** transfer control; **частичен ~** selection control; 3. (*част от билет и пр.*) (pass out) check, counterfoil; 4. (*лице*) checktaker, ticket-collector.

контрòл|ен *прил.*, **-на**, **-но**, **-ни** control (*attr.*); check (*attr.*); **~ен кабел** *техн.* pilot cable; **~ен полет** *воен.* check flight; **~на работа** (*изпит*) test-paper; **~но-пропускателен пункт** checkpoint.

контролѝрам *гл.* control; check; monitor, supervise, oversee; have control over; have a grip on; govern; *разг.* keep tab(s) on; **~ положението** be in the driving seat; **някой ме контролира** be under s.o.'s control.

контролирỳем *сег. страд. прич.* controllable; manageable.

контрольòр *м.*, **-и**; **контрольòрк|а** *ж.*, **-и** controller, inspector, surveyor; (*във влак*) ticket-collector, check-taker; *разг.* jumper; (*в трамвай и пр.*) ticket inspector.

контỳзвам, **контỳзя** *гл.* bruise, contuse.

контỳзен *прил.* *мед.* contused; *разг.* crocked.

контузи|я *ж.*, -и bruise; *мед.* contusion.

контур *м.*, -и, (два) контура outline, contour, lines.

контя (се) (*възвр.*) *гл.*, *мин. св. деят. прич.* контил (се) dress up, overdress; titivate o.s.; deck o.s. out; *амер.* primp, prink.

конус *м.*, -и, (два) конуса *геом.* cone; **пресечен ~** frustum of a cone, truncated cone.

конусовид|ен и **конусообраз|ен** *прил.*, -на, -но, -ни conical, coniform, cone-shaped, conoid; tapering; turbinate.

конфедератив|ен *прил.*, -на, -но, -ни confederative.

конфедераци|я *ж.*, -и confederation; **Европейска ~я на профсъюзите** European Trade Union Confederation.

конфекция *ж.*, *само ед.* ready-made/ready-to-wear clothes, store clothes; off-the-peg clothes.

конферансие *ср.*, -та announcer, *амер.* master of ceremonies; (*естраден*) entertainer; (*на цирково представление*) ring-master.

конференци|я *ж.*, -и conference; **~я на най-високо равнище** summit conference; **~я по разоръжаването** disarmament conference.

конферирам *гл.* confer, hold a conference (**c** with).

конфети *само мн.* confetti.

конфигуратив|ен *прил.*, -на, -но, -ни configurational.

конфигураци|я *ж.*, -и configuration; **~я на местността** *воен.* conformation; lie of the land.

конфиденциал|ен *прил.*, -на, -но, -ни confidential, private.

конфиденциалност *ж.*, *само ед.* confidentiality, confidentialness.

конфирмация *ж.*, *само ед.* confirmation.

конфискацион|ен *прил.*, -на, -но, -ни confiscatory.

конфискаци|я *ж.*, -и confiscation, seizure; expropriation; **~я на имущество** seizure of property; **подлежащ на ~я** sequestrable.

конфискувам *гл.* confiscate, seize, impound; expropriate; (*кораб, стока и*) condemn.

конфитюр *м.*, -и, (два) конфитюра

кул. jam, (fruit) preserve, conserve(s); confiture; (*от портокали и пр.*) marmalade.

конфликт *м.*, -и, (два) конфликта conflict, clash, strife; encounter; **в ~ съм с** be in conflict/strife with, clash with, be at odds with, (*само за лица*) be on bad terms with, fall foul of; **въоръжен ~** armed conflict, hot war; **ядрен ~** nuclear conflict.

конфликт|ен *прил.*, -на, -но, -ни 1. conflict (*attr.*); **~ни интереси** conflicting/competing/clashing interests; 2. (*несговорчив*) unaccommodating, intractable; **~ен район** flash point.

конформация *ж.*, *само ед.* conformation.

конформиз|ъм (-мът) *м.*, *само ед.* conformity.

конформист *м.*, -и conformist, conformer.

конфронтация *ж.*, *само ед.* confrontation; clash; face-off.

конфуз *м.*, -и, (два) конфуза *разг.* dressing-down.

конфузя *гл.*, *мин.св. деят. прич.* конфузил give (s.o.) a dressing-down, put (s.o.) out of countenance, give it (s.o.) hot.

конфуциан|ец *м.*, -ци Confucianist, Confucian.

конфуцианск|и *прил.*, -а, -о, -и Confucian.

конфуцианство *ср.*, *само ед. филос.* Confucianism.

концентрат *м.*, -и, (два) концентрата 1. concentrate; *техн.* concoction; 2. (*алкохол*) *амер.* hard liquor.

концентрацион|ен *прил.*, -на, -но, -ни concentration.

концентраци|я *ж.*, -и concentration.

концентрирам *гл.* concentrate; *воен.* amass.

концентрич|ен *прил.*, -на, -но, -ни concentric.

концентричност *ж.*, *само ед.* concentricity.

концептуал|ен *прил.*, -на, -но, -ни conceptual.

концептуализ|ъм (-мът) *м.*, *само ед. филос.* conceptualism.

концепци|я *ж.*, -и conception, idea; frame of reference.

концерн *м.*, -и, (два) концерна *икон.* concern; combine.

концерт *м.*, -и, (два) концерта concert; (*самостоятелен*) recital; (*муз. произведение*) concerto; **записано по време на ~** recorded in concert; **любител/посетител на ~и** concertgoer.

концерт|ен *прил.*, -на, -но, -ни concert (*attr.*); **~ен роял** concert grand.

концертирам *гл.* give concerts; concertize; **музикант, който концертира** concert performer.

концесион|ен *прил.*, -на, -но, -ни concession (*attr.*), concessionary.

концесионер *м.*, -и concessioner, concessionaire, concessionary.

концеси|я *ж.*, -и 1. concession; 2. *мин.* claim.

концесуал|ен *прил.*, -на, -но, -ни consensual.

концлагер *м.*, -и, (два) концлагера concentration camp.

концлагерист *м.*, -и; **концлагерист|ка** *ж.*, -и prisoner in a concentration camp, camp inmate, internee.

конче *ср.*, -та foal, *разг.* nag; (*мъжко*) colt; (*женско*) filly; (*дребно*) nag; (*от дребна порода*) pony; (*играчка*) hobby-horse; (*за люлеене*) rocking-horse; cockhorse; **водно ~** *зоол.* dragonfly.

кончина и **кончина** *ж.*, *само ед.* decease, demise, death.

конюнктива *ж.*, *само ед. мед.* conjunctiva.

конюнктив|ен *прил.*, -на, -но, -ни *мед.* conjunctival.

конюнктивит *м.*, *само ед. мед.* conjunctivitis.

конюнктура *ж.*, *само ед.* situation, juncture, state of affairs, conjuncture; **политическа ~** political situation; *фин.* price-formation; **при тази ~** at this juncture.

конюнктур|ен *прил.*, -на, -но, -ни marketeering (*attr.*); **~на политика** ad hoc policy, short term policy; **~ни цени** prices at a given moment, prices dependent on the money market.

конюшн|я *ж.*, -и stable(s).

коня|к *м.*, -ци, (два) коняка cognac, brandy.

коняр (-ят) *м.*, -и groom, stable-man/-lad; (*главен*) stud groom; (*в хан*) (h)ostler; (*който пасе коне*) horseherd.

конярск|и *прил.*, -а, -о, -и groom's,

stable-man's, (h)ostler's; ~и път horse-track.

коняч|ен *прил.*, -на, -но, -ни cognac, brandy (*attr.*).

кооператив *м.*, -и, (два) кооперати-ва (*сдружение*) co-operative (society), co-operation, co-op.

кооператив|ен *прил.*, -на, -но, -ни co-operative; ~на банка mutual savings bank; на ~ни начала on a co-operative basis, on the co-op.

кооператор *м.*, -и; кооператорк|а *ж.*, -и member of a co-operative; (*на село*) member of a co-operative farm; co-operator.

кооператорск|и *прил.*, -а, -о, -и of a co-operative; of the members of a co-operative (farm).

кооераци|я *ж.*, -и 1. (*сдружение*) co-operative (society), co-operation; co-op; потребителна ~я consumers' co-operative/co-op; строителна ~я building society; трудова ~я producers' co-operative society; 2. (*жилищна сграда*) block of flats, mansions, *амер.* apartment house; 3. (*магазин*) co-operative store, co-op.

кооперирам *гл.* co-operate; || ~ се form a co-operative, join in a co-operative.

коопериране *ср.*, само *ед.* co-operation; pooling.

координат|а *ж.*, -и *мат.* co-ordinate; зададена ~а datum coordinate; ● знаеш ли му ~ите? do you know his whereabouts? do you know where one can find him/where he hangs out?

координат|ен *прил.*, -на, -но, -ни co-ordinate; ~на система co-ordinates.

координатор *м.*, -и co-ordinator, anchor-man.

координацион|ен *прил.*, -на, -но, -ни co-ordinating, coordinative.

координаци|я *ж.*, -и co-ordination; tie-in.

координирам *гл.* co-ordinate; || ~ се (с) come into line with.

координиране *ср.*, само *ед.* co-ordination, co-ordinating.

коп|а *ж.*, -и (hay)stack, (hay)rick.

копач *м.*, -и; копачк|а *ж.*, -и 1. (*човек*) digger, hoer; 2. (*мотика*) hoe, mattock; (*търнокоп*) pick, pickax(e); *мин.* mandrel, mandril.

копая *гл.*, *мин. св. деят. прич.* ко-пал dig; *поет.* delve; (*с мотика*) hoe;

(*с кирка*) mattock; *мин.* dig for, mine, stope; ● който копае гроб другиму, сам пада в него you can be caught in your own trap; he that mischief hatches mischief catches; the biter gets bit; ~ някому гроба dig s.o.'s grave; dig a pit for s.o.

копеле *ср.*, -та *грубо* bastard, whore-son, illegitimate child; *амер.* son-of-a-bitch, *съкр.* S.O.B.; (*мръсник*) *sl.* bug-ger, cunt, crumb; dickhead; fart, fink; turd; git; (*малко дете*) brat.

копи|е₁ *ср.*, -я spear, pike; (*кавале-рийско*) lance; (*спортно*) javelin; (*ри-боловно*) fish-gig/-spear; хвърляне на ~е *спорт.* javelin-throw.

копи|е₂ *ср.*, -я 1. copy; (*с индиго*) car-bon copy; (*препис*) copy, transcript; (*дубликат*) duplicate, counterpart; (*на сметка*) tally; (*на картина и пр.*) copy, replica; (*на снимка*) copy, print; (*имитация*) counterfeit; (*на завещание*) probate; автентично ~е *юр.* estreat; резервно ~е на данни *инф.* backup copy; хелиографско ~е dyeline copy; 2. *прен.* (spit and im-age; тя е ~е на майка си she is the very image/the spit and image of her mother.

копиенос|ец *м.*, -ци *истор.* lancer, spearman; armour-bearer; (*рицар*) squire.

копирам *гл.* 1. copy, make a copy; transcribe; duplicate; (*върху индиго*) calk; (*снимка*) print (off, out); 2. (*имитирам*) copy, imitate, ape.

копир|ен *прил.*, -на, -но, -ни copy-ing; ~на машина copier; ~на хартия carbon paper; vellum.

копит|ен *прил.*, -на, -но, -ни 1. *прил.* hoofed, ungulate; ~на кост coffin bone; ~на става coffin joint; 2. *като същ. само мн. зоол.*: ~ни ungulates.

копит|о *ср.*, -а hoof; двойно ~о clo-ven hoof/foot.

копк|а *ж.*, -и hole; правя първата ~а turn the first sod; *прен.* prepare/pave the way.

копнеж *м.*, -и longing; yearning, thirst, craving (за after); desideration; ~ по родината home-sickness, nostalgia; пълен с ~ wistful.

копнея *гл.*, *мин. св. деят. прич.* коп-нял long (за for); yearn, languish, gasp (for, after); pant (for, after); (*скрито*)

hanker (for, after); weary (for); (*жа-дувам*) thirst, crave (for); desiderate; ~ за родината be home-sick.

копò|й (-ят) *м.*, -и 1. sporting-dog, hound; bloodhound, sleuth(hound); 2. *прен.* (*доносник*) sleuth, ferret(er), beagle, busy, *sl.* nark.

коприва *ж.*, само *ед. бот.* nettle(s); мъртва ~ dead nettle.

коприв|ен *прил.*, -на, -но, -ни nettle (*attr.*); ~на треска nettle rash, irrita-tive fever, *мед.* urticaria.

коприн|а *ж.*, -и silk; изкуствена ~а artificial silk, rayon; сурова ~а raw silk; floss.

коприн|ен *прил.* silk (*attr.*); flossy; (*по-добен на коприна*) silky, silken; ~ плат silk; ~а буба silkworm.

копродукци|я *ж.*, -и *кино.* coproduc-tion.

копроцесор *м.*, -и, (два) копроцесо-ра *инф.* coprocessor.

копулация *ж.*, само *ед.* copulation.

копулирам *гл.* copulate; conjugate.

копче *ср.*, -та button (*и ел.*); (*което се натиска*) push-/press-button; (*на радио*) knob; (*за яка*) stud; (*за ръ-кавели*) cuff-link; ~ тик-так snap-fas-tener; секретно ~ press-button, pop-per; (*за регулиране височина на звук и пр.*) control; телено ~ hook and eye; ● ~ не можеш каза there's nothing you can say.

копър *м.*, само *ед. бот.* dill, fennel.

копърка *ж.*, само *ед. зоол.* minnow, sprat.

кор|à *ж.*, -ѝ (*на дърво*) bark, rind; (*на плод*) rind, peel; (*земна, ледена, на хляб*) crust; (*на рана*) scab; (*от тес-то*) sheet (of pastry); pastry; (*корица на книга*) cover; мозъчна ~а *анат.* cortex; *бот.* cortex; покрит с ~а cor-ticate(d); хващам ~а crust, get crusted over, skin over; mantle; ● подлагам ня-кому динена ~а play s.o. a dirty trick, diddle/fiddle s.o., practise upon s.o.

кораб *м.*, -и, (два) кораба 1. *мор.* boat, ship, vessel; военен ~ warship, man-of-war; въздушен ~ airship; качвам се на ~ board a ship, go on board (a ship), embark; пътнически ~ passen-ger-ship; търговски ~ merchant ship/vessel, merchantman; 2. (*бъчва*) vat, tun; 3. *църк.*, *архит.* nave, nef, audi-torium, (*напречен*) transept.

ко̀раб|ен *прил.*, -на, -но, -ни ship (*attr.*); ~ен дневник log(-book); ~ен инженер naval constructor; ~но платно sail.

корабокрушѐн|ец *м.*, -ци castaway, survivor of a shipwreck.

корабокрушѐни|е *ср.*, -я (ship)wreck; претърпявам ~е be shipwrecked, suffer shipwreck.

корабопла̀ване *ср.*, *само ед.* navigation, shipping.

корабоплава̀тел|ен *прил.*, -на, -но, -ни ship (*attr.*), shipping; ~но дружество shipping company.

корабремо̀нт|ен *прил.*, -на, -но, -ни: ~ен завод dockyard, graving dock.

корабостроѐне *ср.*, *само ед.* shipbuilding.

корабостройтел (-ят) *м.*, -и shipbuilder; (*на дървени кораби*) shipwright; (*проектант*) naval architect; инженер ~ naval constructor.

корабостроѝтел|ен *прил.*, -на, -но, -ни shipbuilding (*attr.*); ~ен завод dockyard.

кора̀в *прил.* **1.** hard; stiff, rigid; flinty; ~ хляб stale bread; ~а яка stiff collar; **2.** (*безчувствен*) hard, callous, thick-skinned, hard-boiled; (*суров*) harsh, stern; (*непоколебим*) firm; (*издръжлив*) tough, sturdy; ~о сърце heart of flint/stone, marble breast.

корава̀ *гл.* harden; grow hard; stiffen, grow/get stiff; (*за хляб*) get/grow stale.

коравосърдѐч|ен *прил.*, -на, -но, -ни hard-hearted, callous, flinty; stone-hearted, stony, obdurate; unfeeling; cold-blooded, cold-hearted; heartless, thick-skinned; ~ен съм have a heart of stone/flint.

коравосърдѐчност *ж.*, *само ед.* hard-heartedness, stone-heartedness, cold-bloodedness, cold-heartedness, callousness, obduracy, flintiness, stoniness; heartlessness.

кора̀л *м.*, -и, (два) кора̀ла *зоол.* coral.

кора̀лов *прил.* coral (*attr.*); coralline, coralloid; ~ остров coral island, atoll; ~ риф coral reef, key.

кора̀лообра̀з|ен *прил.*, -на, -но, -ни; **кора̀лоподо̀б|ен** *прил.*, -на, -но, -ни coralliform, coralloid.

Кора̀н *м.*, *само ед. рел.* Koran, Quran, Alkoran.

ко̀рд|а *ж.*, -и string; (*дебела*) cord; (*на въдица*) casting-line, fishing-line.

кордѐл|а *ж.*, -и ribbon, band; (*за коса*) tressure.

кордо̀н *м.*, -и, (два) кордо̀на **1.** (*верижка*) chain; (*на униформа*) aiguillette; **2.** (*от хора*) cordon; ограждам с ~ cordon off; полицейски ~ a cordon/hedge of police.

корѐ|ец *м.*, -йци Korean.

корѐйк|а *ж.*, -и Korean (woman).

корѐйск|и *прил.*, -а, -о, -и Korean.

корѐкт|ен *прил.*, -на, -но, -ни **1.** (*правилен*) correct, proper; **2.** (*вежлив*) well-bred/mannered, polite, civil; **3.** (*почтен*) upright, honest, straight.

коректѝв *м.*, -и, (два) коректѝва corrective.

корѐктност *ж.*, *само ед.* **1.** correctness, correctitude, propriety; **2.** good manners, politeness, civility; **3.** uprightness, honesty, probity.

корѐктор *м.*, -и; **корѐкторк|а** *ж.*, -и (*препарат*) Tippex; proof-reader; printer's reader; (*в застрахователна компания*) adjuster.

корѐкторск|и *прил.*, -а, -о, -и proof-reader's.

коректу̀р|а *ж.*, -и (*действие*) proof-reading; emendation; (*поправка*) correction; (*отпечатък*) proof (sheet); последна ~а press-proof; преглеждам/правя ~и correct/read proofs.

коректу̀р|ен *прил.*, -на, -но, -ни proof (*attr.*); ~ен знак proof/correction mark; ~ен лак correcting fluid, corrector.

корекцио̀н|ен *прил.*, -на, -но, -ни correction (*attr.*), adjustment (*attr.*).

корѐкци|я *ж.*, -и correction, rectification; emendation; (*в закон*) amendment; ~я на говорни дефекти speech correction; правя ~я на, внасям ~я в amend, make an amendment in; (*в текст*) emendation; (*на река и пр.*) regulation.

корела̀т *м.*, -и, (два) корела̀та correlate, correlative; *мат.* correlation.

корелатѝв|ен *прил.*, -на, -но, -ни correlational, correlative.

корела̀тор *м.*, -и, (два) корела̀тора correlator.

корела̀ци|я *ж.*, -и correlation; асиметрична ~я skew correlation; отрицателна ~я inverse correlation; положителна ~я direct correlation.

корѐм *м.*, -и, (два) корѐма abdomen,

stomach, midriff; *вулг.* belly; *разг.* tummy; *анат.* venter; боли ме ~ have a stomachache; по ~ on o.'s stomach; пускам ~ become pot-bellied/paunchy; grow/develop a pot-belly; ● лазя по ~ *прен.* grovel in the dust/dirt; на гол ~ чифте пищови a beggar on horseback.

корѐм|ен *прил.*, -на, -но, -ни abdominal, of the stomach; ~на кухина abdominal cavity.

коремоно̀г|о *ср.*, -и *зоол.* gast(e)ropod, gastropodan.

корѐмче *ср.*, -та tummy; (*на насекомо*) abdomen.

ко̀рен *м.*, -и, (два) ко̀рена **1.** root; (*въздушен*) crampon; главен ~ *бот.* tap-root; из ~ root and branch; (*на зъб*) fang; пуснал съм дълбоки, ~и be deeply rooted/entrenched; **2.** *език.*, *мат.* root; (*знакът*) radical; извличане на ~ evolution, extraction of a root; ~ квадратен от square root of; **3.** (*произход*) stock, family, race, descent.

ко̀рен|ен *прил.*, -на, -но, -ни **1.** root (*attr.*); ~ен израстък *бот.* sucker; ~ен показател *мат.* root index; **2.** (*основен*) radical, fundamental; ~ен прелом radical turn; ~но противоположни radically different, *разг.* as like as an apple to an oyster, as different as chalk and cheese; **3.** *език.* radical; **4.** (*отколешен – за население*) original, native, indigenous.

коренѝст *прил.* rooty.

коренѝщ|е *ср.*, -а roots, rootage; *бот.* root system, rhizome.

коренопло̀д|ен *прил.*, -на, -но, -ни *бот.* tuberiferous, tuberculiferous, rhizocarpous; ~ни растения root crops.

корѐн|я|к *м.*, -ци; **корен|я̀чк|а** *ж.*, -и native/original inhabitant; old-timer.

коренѝ се *възвр. гл.*, *мин. св. деят. прич.* коренѝл се root, be rooted, have o.'s roots (в in), be founded (on).

корепетѝтор *м.*, -и *муз.* rehearsal pianist, coach.

кореспондѐнт *м.*, -и; **кореспондѐнт|к|а** *ж.*, -и correspondent, *м. и* newsman; военен ~ war correspondent; член-~ corresponding member.

кореспондѐнтск|и *прил.*, -а, -о, -и correspondent's.

кореспондѐнци|я *ж.*, -и correspondence; (*писма*) post, mail; (*дописка*)

report; **водя ~я/в ~я съм с някого** be in correspondence with s.o., carry on/ keep up a correspondence with s.o.; **водя ~ята на фирма** be in charge of/do the correspondence of a firm.

кореспондйрам *гл.* correspond, be in/ carry on a correspondence (**с** with).

кореферент|ен *прил.,* -на, -но, -ни *език.* coreferential.

Корея *ж. собств.* Korea.

кориандър *м., само ед. бот.* coriander.

коригйрам *гл.* correct; *полигр.* read/ correct proof/sheets/proofs, proofread; emend; (*с червено*) red-pencil; (*подобрявам*) amend, improve, correct; (*изправям*) rectify; || ~ **се** correct o.s./o.'s mistake; (*ставам по-добър*) mend o.'s ways.

коригйране *ср., само ед.* correction, correcting; rectification; ~ **на грешки** error correction.

корида *ж., само ед.* bullfight, corrida.

коридор *м.,* -и, (два) **коридора** corridor, passage(-way); hallway; *спорт.* lane.

коринтск|и *прил.,* -а, -о, -и Corinthian.

корист|ен *прил.,* -на, -но, -ни self-seeking/-interested, mercenary; **с ~ни цели** from mercenary/self-interested motives.

користолюб|ец *м.,* -ци self-seeking/ self-interested/mercenary/covetous person.

користолюбйв *прил.* self-interested, self-seeking, mercenary; (*алчен*) avaricious, covetous, greedy, acquisitive.

користолюбие *ср., само ед.* self-seeking/-interest; mercenariness; avarice, greed; cupidity, covetousness, love of gain.

корйт|о *ср.,* -а trough; (*за пране*) (wash-)tub; (*зидарско*) hod; (*за счупена кост*) cradle; *техн.;* pan; (*на река*) bed, channel, course, runway; *геол.* syncline; **реката излезе от ~ото си** the river overflowed/burst its banks.

корифе|й (-ят) *м.,* -и *истор.* coryphaeus; *прен.* leading figure.

корйц|а *ж.,* -и **1.** (*на книга*) cover; **книги с меки ~и** paperbacks; **книги с твърди ~и** hardbacks; (*вътрешна*) titlepage; **момиче от ~ата** cover girl, pin-up girl; **2.** (*хляб*) crust (of bread);

3. (*на рана*) skin, scab; **покривам се с ~a** skin (over).

корй|я *ж.,* -и *диал.* grove, copse, coppice.

корк *м., само ед.* cork.

корков *прил.* cork (*attr.*); suberic; ~ **дъб** *бот.* cork; tree (oak) (*Quercus suber*); ~**а тапа** cork.

кормйл|ен *прил.,* -на, -но, -ни rudder (*attr.*); ~**на уредба** steering gear; ~**но колело** steering-wheel.

кормйл|о *ср.,* -а (*на кораб*) rudder, helm, wheel; (*на автомобил, самолет*) (steering-)wheel; (*на самолет и*) column control; (*на велосипед*) handle-bar; *прен.* helm; **направлявам ~ото** steer; **поемам ~ото** take the helm/wheel; **стоя на ~ото** be at the helm/wheel.

корморан *м., само ед. зоол.* cormorant (*Phalacrocorax*).

кормувам *гл.* drive (a car).

кормуване *ср., само ед.* driving.

кормчй|я *м.,* -и steersman, helmsman, wheel(s)man, man at the wheel; pilot; navigating officer, navigator, coxswain.

кормя *гл.,* мин. св. деят. прич. **кормйл** disembowel, draw; (*риба*) gut, gip.

корнет *м.,* -и, (два) **корнета** *муз.* cornet.

корнйз *м.,* -и, (два) **корнйза** архит. cornice, perch, moulding; (*над прозорец, врата*) drip(-stone), ledge, coping; **сводов ~** arcaded cornice; **фронтонен ~** rake cornice; (*на перде*) curtain-rod/-ledge.

корнер *м.,* -и, (два) **корнера** *спорт.* corner(-kick); **бия ~** take the corner.

корозйв|ен *прил.,* -на, -но, -ни corrosive.

корозион|ен *прил.,* -на, -но, -ни corrosive, corroding; ~**ен агент** corrodent.

корозионноустойчив *прил.* corrosion-proof/resisting.

корозия *ж., само ед.* corrosion; **податлив/неустойчив на ~** corrodible; **точкова ~** pinhole corrosion; **язвена ~** pit corrosion.

корон|а *ж.,* -и **1.** crown (*и на зъб*); (*на дворянин*) coronet; (*папска*) tiara; (*на дърво*) head, crown; *поет.* coronal; **2.** *техн.* crown-wheel; **3.** *астр., ел.* corona, *ел.* brush discharge.

коронар|ен *прил.,* -на, -но, -ни *анат.* coronary.

коронаци|я *ж.,* -и coronation, crowning.

корон|ен *прил.,* -на, -но, -ни crown (*attr.*); ~**ен номер** star number; ~**на роля** best part, crowning achievement.

коронк|а *ж.,* -и (*на зъб*) (artificial) crown; *анат.* corona.

коронован *мин. страд. прич.* (*и като прил.*) crowned; ~**а глава** monarch.

коронясвам, коронясам *гл.* crown; ~ **някого за крал** crown s.o. king.

корообраз|ен *прил.,* -на, -но, -ни *бот., анат.* corticate(d).

корпоратйв|ен *прил.,* -на, -но, -ни *икон.* corporative; corporate; ~**ен данък** corporation tax; ~**на организация** body corporate, corporate body.

корпораци|я *ж.,* -и *икон.* corporation.

корпулент|ен *прил.,* -на, -но, -ни *мед.* corpulent, obese; *разг.* fat, stout.

корпус *м.,* -и, (два) **корпуса 1.** body, corpus; *техн.* cage; (*на кораб, танк*) hull; (*на самолет*) fuselage; **2.** (*на сграда*) frame; (*сграда*) building; **3.** *воен., дипл.* corps; **4.** *полигр.* long primer; **5.** (*на полупроводник*) package; ~ **на транзистор** transistor package; ~ **на цифрова интегрална схема** digital-integrated package.

корпус|ен *прил.,* -на, -но, -ни corps (*attr.*); ~**ен командир** corps commander.

корпускуляр|ен *прил.,* -на, -но, -ни corpuscular.

корсаж *м.,* -и, (два) **корсажа** bodice, body, corsage.

корсар (-ят) *м.,* -и *истор.* corsair, privateer.

корсарск|и *прил.,* -а, -о, -и corsair (*attr.*), privateering.

корсет *м.,* -и, (два) **корсета** corset, stays; foundation garment; **стегнат с ~** corseted.

Корсика *ж. собств.* Corsica.

корсикан|ец *м.,* -ци Corsican.

корсиканк|а *ж.,* -и Corsican woman/ girl.

корсиканск|и *прил.,* -а, -о, -и Corsican.

корт *м.,* -ове, (два) **корта** *спорт.* court.

кортеж *м.,* -и, (два) **кортежа** procession, cortege, train.

кортикостероиди *само мн. фарм.*

corticosteroids.

коруб|а *ж.*, **-и 1.** hollow; **2.** (*дърво*) hollow tree.

корумпѝрам *гл.* corrupt.

корумпѝран *мин. страд. прич.* corrupt, corruptible, venal, bent.

корумпѝращ *сег. деят. прич.* corruptive, corrupting.

корунд *м.*, *само ед. минер.* corundum.

корупци|я *ж.*, **-и** corruption, venality, corrupt practices; *амер.* graft; **елемент на ~я** taint of corruption.

корѝ *гл.*, *мин. св. деят. прич.* **корѝл** blame, reproach, objurgate, lay the blame on, vituperate.

кос₁ *м.*, **-ове**, (два) **кòса** *зоол.* blackbird (*Turdus merula*).

кос₂ *прил.* oblique, slanting; (*за поглед*) sidelong, scowling, wry.

кос|à₁ *ж.*, **-ѝ 1.** hair; **правя ~ата си** do o.'s hair; **руса ~а, руси ~и** fair hair; **с разпуснати ~и** with o.'s hair down/ loose; **хващаме се за ~ите** tear each other's hair, fall together by the ears; **2.** (*на царевица*) silk, tassel.

кос|à₂ *ж.*, **-ѝ** (*сечиво*) scythe.

косàч *м.* mower.

косàчк|а *ж.*, **-и** mowing-machine; mower; grass-cutter; **самоходна ~а** motor mower.

кòсвен *прил.* indirect, oblique; mediate; **~ падеж** *език.* oblique case; **~а загуба** *икон.* consequential loss; **~и доказателства** *юр.* secondary/circumstantial evidence; **~о допълнение** *език.* indirect object.

кòсинус *м.*, *само ед. мат.* cosine; **аркус ~** anticosine.

косѝт|а *ж.*, **-и** hay-making, mowing.

космàт *прил.* hairy; (*рошав*) shaggy; (*влакнест*) woolly; *книж.* hirsute; **~а гъсеница** palmer-worm; **~и вежди** shaggy/bushy eyebrows.

космич|ен *прил.*, **-на, -но, -ни; космѝческ|и** *прил.*, **-а, -о, -и** cosmic, space; **~а станция** space station; **~ен кораб** spaceship; spacecraft, space vehicle; **~о пространство** outer space; **~ни лъчи** cosmic rays; **орбитална ~а станция** orbiting space station/platform.

космодрỳм *м.*, **-и**, (два) **космодрỳма** cosmodrome; spaceport; space centre.

космонàвт *м.*, **-и** space-man, cosmonaut, astronaut; **жена ~** space-woman;

~ пилот space-pilot.

космонàвтика *ж.*, *само ед.* space travel, astronautics.

космополѝт *м.*, **-и** cosmopolitan, cosmopolite citizen of the world.

космополѝт|ен *прил.*, **-на, -но, -ни** cosmopolitan; **~ен град** cosmopolis.

космополитѝз|ъм (**-мът**) *м.*, *само ед.* cosmopolit(an)ism.

Кòсмос *м.*, *само ед.* cosmos (*и прен.*); (outer) space; **базиран в ~а** space-based; **използване на ~а за мирни цели** peaceful use of outer space.

кòсо *нареч.* slantwise, slantways, aslant, obliquely, in the slant; askance, askew; **напредвам ~** *воен.* oblique; **поглеждам някого ~** look askance at s.o.

косопàд *м.*, *само ед.* falling/loss of the hair, hair loss; baldness; *мед.* alopecia.

кост *ж.*, **-и** *анат.* bone; **гръдна ~** breast bone; sternum; **изчиствам от ~ите** *кул.* (un)bone; **мокър до ~и** drenched to the bone, wet to the skin; **рибена ~** fishbone, (*десен, бод*) herringbone; **слонова ~** ivory; **кожа и ~и** skin and bone, a bag of bones; **оставям ~и** (*умирам*) die.

кòствам *гл.* cost; **това ще ми коства мястото** that will lose me my place.

костелѝв *прил.* **1.** (*с много кости*) bony; **2.** (*мършав*) bony, raw boned; **3.** (*за орех*) hard; **~ орех** *прен.* a hard nut to crack, a hard case, a tough customer.

кòст|ен *прил.*, **-на, -но, -ни 1.** bone (*attr.*); osseous; **~ен издатък** (*у кон*) bone-spavin; **~ен мозък** marrow, *анат.* medulla; **2.** (*направен от кост*) bone (*attr.*).

костенỳрк|а *ж.*, **-и** *зоол.* tortoise; (*морска*) turtle, loggerhead; **водна ~** terrapin.

костѝлк|а *ж.*, **-и** pit, stone; **без ~а** stoneless; **плод с ~а** *бот.* drupe; **чистя ~и** (*на плод*) pit/stone fruit.

костѝлков *прил. бот.* drupaceous.

кòстниц|а *ж.*, **-и** ossuary; charnel-house, bone-vault.

костỳм *прил. икон.* cost (*attr.*); **~а разлика** cost margin; **~а цена** cost price, factor price.

костỳр *м.*, **-и**, (два) **костỳра** *зоол.* perch (*Perca fluviatilis*).

костю̀м *м.*, **-и**, (два) **костю̀ма** (*мъжки*) suit (of clothes); (*дамски*) coat and

---

skirt, (tailored) suit; *театр.* costume; **бански ~** bathing/swim suit; **национален ~** national costume/dress; **плат за ~** suiting.

костю̀мирам се *възвр. гл.* dress up (in fancy dress), wear fancy dress.

костю̀миран *прил.* fancy dress (*attr.*).

кòс|ъм *м.*, **-ми**, (два) **кòсъма** hair; (*влакно*) filament; **кон с кафяв ~ъм** chestnut; **конски ~ъм** horsehair; ● **виси на ~ъм** it hangs by a thread/by a hair's breadth, it is touch and go, it is a close shave/a near thing/a tight squeak, it's a narrow/near squeak; **~ъм няма да падне от главата му** not a hair of his head shall be touched/hurt; **цепя ~ъма** (*пестелив съм*) look at both sides of a shilling; (*стиснат съм*) skin the flint; flay a flee for the hide and tallow; (*прекалено педантичен съм*) split hairs.

кося̀ *гл.*, *мин. св. деят. прич.* **косѝл** mow, cut; *прен.* mow down.

кося̀ се *възвр. гл.*, *мин. св. деят. прич.* **косѝл се** take on, chafe, fret; **не се коси!** don't take on so! take it easy!

кòт|а *ж.*, **-ми**, (два) **кòта** *ж.*, elevation, hill, bench, marking; **височинна ~а** bench mark, elevation.

котàнгенс *м.*, *само ед. мат.* cotangent; cotan.

котарà|к *м.*, **-ци**, (два) **котарàка** tomcat, pussy; ● **~кът в чизми** *лит.* Puss-in-Boots.

кòтв|а *ж.*, **-и** anchor; *ел.* armature; **вдигам ~а** weigh anchor, up-anchor, *прен.* get under way, *разг.* push off; **на ~а съм** be anchored, lie/be/ride at anchor, lie; **пускам/хвърлям ~а** drop/cast anchor, let go (the) anchor, (come to) anchor.

кот|èл *м.*, **-лѝ**, (два) **котèла** cauldron, caldron, copper; *техн.* boiler; **парен ~ел** steam-boiler, steam generator.

кòтенц|е *ср.*, **-а** kitten, puss(y); *бот.* catkin, aglet, cat's tail.

котèри|ен *прил.*, **-йна, -йно, -йни** cliqu(e)y, cliquish, factious; clannish.

кòтешк|и *прил.*, **-а, -о, -и** cat's, cat-like, feline; **~о око** *авт.* cat's eye; **с ~а стъпка** with catlike tread.

котѝл|о *ср.*, **-а 1.** litter (of kittens etc.), *прен.* brood; **2.** (*скривалище*) hole, earth; (*на зверове*) lair, den; *прен.* den, nest; **~о на усойници/на престъпле-**

ния a nest of vipers/of crime.

котѝрам *гл.* quote (at); ‖ ~ **се** be in circulation, run; (*търся се*) be in demand; *прен.* be highly thought of; **той се котира високо** his stocks stand high.

котѝран *мин. страд. прич.* (*и като прил.*) *фин.* listed (company, security), quoted; **~и инвестиции** listed investments; **~о дружество** listed company.

котирòвк|а *ж.*, -и *фин.* listing, quotation; **~а на чужда валута** quotation for a foreign currency.

кòтя се *възвр. гл., мин. св. деят. прич.* **кòтил се** have kittens, kitten; (*за друго животно*) litter, breed, have puppies etc.

кòтк|а *ж.*, -и **1.** *зоол.* cat; **дива ~а** wild cat, catamount(ain); (*без опашка – порода*) Manx cat; **от семейство ~и** feline; **2.** (*за катерене*) crampon, climbing-iron; **3.** *техн.* (travelling) crab; ● **играя на ~а и мишка** play cat-and-mouse; **~а по гръб не пада** he always comes out on top/lands on his feet; **мина му ~а път** his apple-cart was upset.

кòткам *гл.* butter up, pet; nurse, make much of, feather-bed; cluck over/around s.o.; *амер.* cosy s.o. up; *разг.* jolly (s.o.) along.

котлен *прил.* the colour of verdigris, green; **~ камък** scale, fur; incrustation; **хващам ~ камък** fur (over).

котлèт *м.*, -и, (два) **котлèта** *кул.* cutlet, (*с ребро*) chop.

котловин|à *ж.*, -и hollow, valley, pan; *геол.* kettle; (*на река*) basin.

котловѝн|ен *прил.*, -на, -но, -ни: **~но поле** plain between hills.

котлòн *м.*, -и, (два) **котлòна** (*електрически*) hot-plate, hob; (*с открит реотан*) electric ring; (*с дървени въглища*) brazier.

кòф|а *ж.*, -и pail, bucket; (*количество*) pail(ful), bucketful; (*за въглища*) coal-shuttle; (*за смет*) dust-bin, litter-bin, orderly bin, *амер.* trash-/garbage-/trash-can; (*за охлаждане на вино*) wine-cooler; (*помийна*) slop-pail.

кофàр *м.*, -и, (два) **кофàра** (pad)lock.

кофеѝн *м.*, *само ед. биохим.* caffeine; (**кафе**) **без ~** decaf(f).

кофрàж *м.*, -и, (два) **кофрàжа**

стрòит. shuttering, timbering, casing, encasing; planking, falsework, framework, formwork, lathwork, board lining; **метален ~** sheet steel form; **пълзящ ~** climbing/sliding shuttering.

кофрàж|ен *прил.*, -на, -но, -ни shuttering, casing, planking; **~ен плот** shuttering panel.

кофражѝст *м.*, -и shuttering/casing worker.

кòфти *нареч. жарг.* **1.** *прил.* fake, phoney; **~ работа** bad job/business; **2.** *нареч.*: **~ ми е** I feel rotten, I am out of the straight.

кохèзия *ж.*, *само ед. физ.* cohesion.

кохерèнт|ен *прил.*, -на, -но, -ни *физ.* coherent; cohesive; **~на сила** cohesive force.

кохерèнтност *ж.*, *само ед. физ.* coherence.

кòцкар (-ят) *м.*, -и *жарг.* rip, rake, lecher, loose fish, old buck, poodle-faker.

коч *м.*, -ове, (два) **кòча** ram.

кочàн *м.*, -и, (два) **кочàна 1.** (*от билети и пр.*) counterfoils, stubs; (*с неоткъснати билети и пр.*) book; (*с квитанции* receipt-book; **2.** (*на зелка*) stump, heart; (*царевица*) (corn-)cob; (*на ябълка и пр.*) core, heart.

кòчин|а *ж.*, -и pigsty (*и прен.*), sty, pigpen; *прен.* tip; **обръщам стаята си на ~а** make a big mess in o.'s room, mess up o.'s room.

кочѝяш *м.*, -и coachman, coacher, driver, cabman; **добър ~** good/accomplished whip.

кош *м.*, -ове, (два) **кòша** basket; crate; hamper; (*за носене на гръб или като дисаги*) pannier; (*количество*) basketful, crateful; *прен.* (*много*) heaps (of), oodles (of); **гръден ~** chest; *анат.* thorax; (*воденичен*) hopper, chute, box; **~ за отпадъци** street-tidy; (*на мотоциклет*) side-car, cycle-car; (*на балон*) car, nacelle; **~ за пране** laundry-basket; clothes-basket.

кошàр|а *ж.*, -и (sheep)pen, (sheep-)fold; (*за говеда*) cattle-pen; ● **Бог дава, ала в ~а не вкарва** God helps him who helps himself, help yourself and God will help you.

кòшер *м.*, -и, (два) **кòшера** (bee)hive; (*сламен, плетен*) skep.

кошмàр *м.*, -и, (два) **кошмàра** nightmare (*и прен.*); night-hag.

кошмàр|ен *прил.*, -на, -но, -ни nightmarish.

кòшниц|а *ж.*, -и (hand) basket, hamper; (*плитка и продълговата*) flasket; (*количество*) basketful; (*за носене на бебе*) carrycot; (*за риба*) creel, cauf; (*за жива риба*) corf; **върбова ~а** wicker-basket; ● **гледам да си оплета ~ата** have an eye on/look to the main chance; **оплитам си ~ата** feather o.'s nest, make o.'s pile.

кошничàрск|и *прил.*, -а, -о, -и basket-maker's; **~и изделия** wicker articles, wicker-work.

кошỳт|а *ж.*, -и *зоол.* hind, roe, doe.

кòшче *ср.*, -та basket; (*за бебе*) crib, cot; **~ за риба** fish-basket, creel, cauf; **~ за хартия** waste(-paper) basket.

кощỳнствам *гл.* blaspheme, profane, desecrate (**с**, **над** -).

кощỳнствен *прил.* blasphemous, sacrilegious, profane.

кощỳнство *ср.*, *само ед.* blasphemy, sacrilege; profanation (**с** of).

краб *м.*, *само ед. зоол.* crab (*Callinectes sapidus*).

крàв|а *ж.*, -и cow; **дойна ~а** milch-cow (*и прен.*), milker; **морска ~а** *зоол.* dugong, manatee (*Dugong dugon*); ● **бодлива ~а Бог рога не дава** God sends a curst cow short horns.

кравà|й (-ят) *м.*, -и, (два) **кравàя** *кул.* ring-shaped bun.

кравàр (-ят) *м.*, -и (*който отглежда крави*) dairy-farmer; (*ратай*) cow-herd, cow-man, *амер.* cow-boy.

кравàрни|к *м.*, -ци, (два) **кравàрника** cowshed, cow-house, stall, byre; (*кравеферма*) dairy farm.

краveфèрм|а *ж.*, -и dairy farm.

крàв|и *прил.*, -я, -е, -и *прил.* cow's; **~е масло** butter; **~е мляко** cow's milk.

кradà *гл., мин. св. деят. прич.* **крал** steal; (*на дребно*) pilfer, scrounge; *разг.* have sticky fingers, pinch, nick; snitch; knock off; *sl.* bone; (*по навик*) thieve; (*за служител*) loot; (*плагиатствам*) crib, lift, plagiarize; **~ с взлом** burgle.

крàден *прил.* stolen goods, *sl.* swag.

крад|èц *м.*, -цѝ thief, *sl.* crack, snitcher, *амер. sl.* mugger, fingerer; (*на дребно*) pilferer, lurcher, snatch thief; (*джебчия*) pickpocket; (*от магазин*) shoplifter; **~ец на говеда** cattle-lifter,

амер. cattle-rustler; ~ец с взлом burglar, housebreaker.

крадешкàта и **крадешкòм** *нареч.* stealthily, by stealth, on the sly, furtively; **влизам/излизам** ~ sneak in/out; **приближавам се** ~ steal up; **хвърлям поглед** ~ steal a glance (at), glance furtively (at), cast a furtive glance (at).

крадлѝв *прил.* thievish, pilfering, light-/ sticky-fingered; *юр.* larcenous.

крà|ен *прил.,* -йна, -йно, -йни **1.** *(за място)* end *(attr.),* last, endmost; *(в покрайнините)* outlying; **2.** *(за срок, време)* latest, final; ~ен срок latest/ final date, dead line; ~йна спирка/гара terminal; ~йно време е да it is high time to, it is about time to; **3.** *(заключителен)* ultimate, supreme, final; в ~йна сметка in the event; ~йна цел ultimate/final aim; **4.** *(извънреден, изключителен)* extreme; utter, uttermost; exorbitant; *(за нужда и пр.)* dire; в ~ен случай if the worst comes to the worst, in the last resort, as a last resort; *(за нужда и пр.)* urgent, pressing, extreme; в ~йна нужда/мизерия in extreme/utter/bitter/abject poverty, in sore need; ~йни мерки extreme measures; **5.** *(окончателен)* end *(attr.);* ~ен продукт end product.

краеслòв|ен *прил.,* -на, -но, -ни final, terminal.

кра̀жб|а *ж.,* -и theft; *юр.* larceny; върша дребни ~и pick and steal; ~а с взлом burglary, housebreaking; обвинен съм в ~а be indicted with larceny.

кра̀ище *ср., само ед. (област)* district; border region; *(поли на планина)* foothills.

кра|й₁ (-ят) *м.,* -ища, (два) крàя **1.** end; finish; вървя в ~я *(на шествие и пр.)* bring up the rear; от ~й до ~й from beginning/end to end; свободен/ висящ ~й a loose/free end, tag; **2.** *(завършек)* end, finish, close, termination, completion, conclusion; *(окончателен завършек) разг.* clincher, capper; *(на пиеса и пр.)* end(ing); бия се до ~й fight to a/the finish, fight to the bitter end; вижда му се ~ят it will soon be over/finished, we'll soon be through with it; the work is nearing completion; в ~я на ~ищата in the end, in the long run; after all; ultimately; when all is said and done; не му се вижда ~ят

the end of it is not yet in sight; слагам ~й на живота си put an end to o.'s life, take o.'s own life, commit suicide, make away with o.'s.; **3.** *(ръб) (на пропаст)* edge, brink, verge; *(на чаша)* brim; **4.** *(покрайнини)* outskirts, edge, skirt, fringe; end; в горния ~й на селото at the upper end of the village; на ~й света *(много далеч)* at the back of beyond; miles away; at/ *(при движение)* to the ends of the earth; **5.** *(област)* parts, region; от един и същи ~й from the same parts; роден ~й home, native place/land, country; **6.** *(кът)* corner, recess; в отдалечените ~ища на страната in the retired corners/parts of the country/land; *(части на света)* quarters, parts, corners; четирите ~ища на света the four corners of the earth; ● ~й на надеждите/плановете ми и пр. *разг.* bang goes my plans/hopes etc; не мога да му хвана ~я *(да го разбера)* I can't make head or tail of it, *(да намеря някого)* I can't track him down; отпускам му ~я drop the reins, let go; go/*амер.* hit the pace; let things take their course; ~! that's the end! *sl.* the jig is up; свързвам двата ~я make both ends meet; cut and contrive; eke out a livelihood; living/existence make buckle and tongue meet; keep body and soul together.

крà|й₂ *предл.* **1.** *(по продължение на)* along, by the side of, beside; **2.** *(до)* by, beside, near; in the vicinity/neighbourhood of; adjacent to; колата стоеше ~ пътя the car was standing off the road; ~ огъня by/beside the fire; **3.** *(за движение)* past, by; **4.** *(наред с, заедно с)* beside, along with; ● намини някой път ~ нас drop in on us/to see us some time.

крайбрèж|ен *прил.,* -на, -но, -ни coastal, littoral; coast, shore *(attr.);* waterside, seaside *(attr.); (край река)* riverside *(attr.);* ~на ивица coastline; *амер.* foreside; ~но плаване coastal navigation, cabotage; следвам ~ната извивка hug the coast.

крайбрèжи|е *ср.,* -я (sea)coast, shore, seaside, littoral; seaboard; waterside; *(на река)* bank, riverside, waterside.

краймòрск|и *прил.,* -а, -о, -и seaboard, seaside *(attr.),* coastal, maritime;

~и булевард sea front, esplanade; ~и парк maritime gardens.

крàйни|к *м.,* -ци, (два) крàйника limb; *мн.* limbs, extremities; горни/ долни ~ци upper/lower limbs/extremities.

крàйност *ж.,* -и extreme; *(прекаляване)* excess; довеждам до ~ carry to excess; изпадам в ~ run/go to extremes; отивам в другата ~ lean over backwards; това вече стига до ~ *разг.* it's the outside edge/the limit, that's carrying things too far.

крайпъ̀т|ен *прил.,* -на, -но, -ни wayside, roadside *(attr.).*

крàйцер *м.,* -и, (два) крàйцера *мор.* cruiser, capital ship.

крàйчец *м., само ед.* thin end; tip; с ~а на окото with the tail of o.'s eye, out of the corner of o.'s eye.

крайъгъл|ен *прил.,* -на, -но, -ни и **краеъгъл|ен** *прил.,* -на, -но, -ни corner *(attr.);* ● ~ен камък cornerstone.

крак *м.,* -à, (два) крàка leg; *(само стъпалото)* foot *(pl.* feet); *(на кокстенурка, пингвин и пр.)* paddle; големи ~а *sl.* battleships; изправям на ~ *(болен)* bring round/through, *(паднал)* help s.o. to his feet; на ~ *(прав)* standing, *(набързо)* hastily, quickly; ● вдигам на ~ *- прен.* rouse, raise the alarm; вървя в ~ с времето move with the times, keep abreast of the times; have/keep o.'s finger on the pulse; клатя си ~ата dangle o.'s legs, *прен.* kick o.'s heels; стъпвам на ~ата си *(оправям се здравословно, финансово)* be/get on o.'s feet/legs again; *(ставам самостоятелен)* stand on o.'s own legs, find o.'s feet; чувствам, че ми се подкосяват ~ата feel o.'s knees give (way) beneath one.

крал (-ят) *м.,* -è king; некоронован ~ uncrowned king; ● Кралят слънце the Sun King.

кралѝц|а *ж.,* -и queen.

крàлск|и *прил.,* -а, -о, -и king's, kingly, royal; regal; ~а особа, ~и особи royalty; ~а титла regal title, title of king; rozzer.

кра̀лств|о *ср.,* -а kingdom; realm.

кран₁ *м.,* -ове, (два) крàна tap, cock, *амер.* faucet; главен ~ master cock; пожарен ~ hydrant, fire-plug, hydrant-

plug; **спирателен** ~ turn-cock.

кран₂ *м.*, **-ове**, (два) **кра́на 1.** *техн.* crane; ~ **стрела** jib-crane; **куло~** tower/pillar crane; **подемен** ~ hoisting crane; **2.** *кино.*, *тв* cradle-head; **операторски** ~ camera crane.

кранйст *м.*, **-и**; **кранйстк|а** *ж.*, **-и** crane-operator.

крант|а *ж.*, **-и** jade (*и прен.*), crock, *разг.* nag.

краса́в|ец *м.*, **-ци** handsome man; (*който пленява женските сърца*) *разг.* heart-throb.

краса́виц|а *ж.*, **-и** beauty, belle, *разг.* eyeful.

краси́в *прил.* **1.** beautiful, lovely, fair, well-favoured; (*за мъж*) handsome, good-/fine-looking; **имам** ~ **почерк** write a fine/good hand; **2.** (*благороден*) nice, noble; ~ **жест** noble/handsome deed; **~и обноски** fine/nice manners; **~и фрази** fair/fine words.

кра́ск|а *ж.*, **-и** colour, hue; **представям нещо в светли/черни ~и** paint s.th. in bright/dark colours.

краснопи́с *м.*, *само ед.* calligraphy, chirography, penmanship, pencraft; (*в училище*) writing; **учител по** ~ writing master.

краснопи́с|ен *прил.*, **-на**, **-но**, **-ни** calligraphic, chirographic.

краснопи́с|ец *м.*, **-ци** calligrapher, calligraphist, chirographer.

красноре́чи́в *прил.* eloquent; fair-spoken, fine-spoken, mellifluous; (*изразителен*) eloquent, expressive, telling; **говоря ~о за** *прен.* speak volumes about; ~ **факт** eloquent fact, a fact that speaks for itself; **това е ~о доказателство, че** this is eloquent testimony to the fact that.

красноре́чие *ср.*, *само ед.* eloquence, oratory, mellifluence, silver tongue.

красот|а́ *ж.*, **-й** beauty, good looks; (*за мъж*) handsomeness; (*красива гледка*) eyeful.

кра́ста *ж.*, *само ед.* **1.** *мед.* scabies, itch; *вет.* (*у животни*) scab, mange; **2.** (*порок*) (pet) vice, passion, weak side/point; **3.** (*за човек*) *прен.* pest; **4.** (*мода*) rage; **начесвам си ~та** let go the reins, give a loose to o.'s (pet) vice, ride a hobby.

кра́став *прил.* scabby; mangy; *прен.* measly; ● **~ите магарета и през де-**

вет баира се подушват birds of a feather flock together.

кра́ставиц|а *ж.*, **-и** *бот.* cucumber; (*дребна*) gherkin; **кисели ~и** pickled cucumbers/gherkins; ● **кисел като ~а** (as) cross as two sticks; **~и на търкалета** *прен.* fiddlesticks, stuff and nonsense.

краставича́р (**-ят**) *м.*, **-и** seller/vendor of cucumbers; cucumber grower; ● **на** ~ **краставици продавам** take/carry coals to Newcastle; carry owls to Athens; teach o.'s grandmother to suck eggs.

кра́ставич|ен *прил.*, **-на**, **-но**, **-ни** cucumber (*attr.*).

кра́ставичк|а *ж.*, **-и** gherkin.

краси́ь *гл.*, *мин. св. деят. прич.* **краси́л** adorn; beautify; (*правя чест на*) be an honour/a credit to.

крат|ен *прил.*, **-на**, **-но**, **-ни** divisible; multiple; **~но число** multiple; *мат.* aliquot; **най-малкото общо ~но** the least common multiple, *съкр.* L.M.C.

кра́тер *м.*, **-и**, (два) **кра́тера** *геол.* crater.

кра́тко *нареч.* briefly, in brief; (*сбито*) concisely, telegraphically; **говоря ~ за нещо** make short of the long; **за по-~** for the sake of brevity, for short; **по-~**, **моля** cut it short, please.

кратковре́мен|ен *прил.*, **-на**, **-но**, **-ни** brief, short; momentary; transitory; fleeting; of short continuance; ephemeral; **~но затишие** brief/short lull.

кратко́сро́ч|ен *прил.*, **-на**, **-но**, **-ни** (*за заем*) short, short-term (*attr.*); (*за полица*) short-dated; (*за прогноза*) short-range; **в ~ен план** in the short run; **~но финансиране** short-time financing mechanism.

кра́ткост *ж.*, *само ед.* brevity, conciseness, concision, shortness; curtness; **за** ~ for the sake of brevity.

краткотра́|ен *прил.*, **-йна**, **-йно**, **-йни** of short duration/continuance, short-lived, transient, brief, fleeting, momentary; nondurable; unabiding; (*преходен*) transitory, fleeting, evanescent, fugitive; **~йна слава** mushroom fame, a flash in the pan; **~йни превалявания** *метеор.* passing/occasional showers; **~йно приятелство** short-lived friendship.

кра́тност *ж.*, *само ед.* rate frequency; *мат.* multiplicity.

кратун|а *ж.*, **-и 1.** *бот.* gourd, calabash; cucurbit; **2.** *прен.* noddle, pate, *sl.* nut, loaf.

крат|ък *прил.*, **-ка**, **-ко**, **-ки** short, brief, concise, succinct; curt; **бъди ~ък** be brief; **за съвсем ~ко време** in a couple of ticks, in two twos; **~ка гласна** *език.* short vowel; **~ък преглед** brief survey; **на ~ки интервали** frequently.

крах *м.*, *само ед.* crash, downfall, ruin, collapse; (*utter*) failure; bankruptcy; **претърпявам** ~ fail, suffer bankruptcy, be a failure, collapse; *разг.* come a cropper.

кра́ча *гл.*, *мин. св. деят. прич.* **кра́чил** pace, walk; (*с големи крачки*) stride; (*гордо*) stalk; **едва крачи** he can hardly walk; ~ **бодро** walk at a brisk pace; ~ **напред** make (great) headway.

кра́ч|ен *прил.*, **-на**, **-но**, **-ни** treadle, pedal (*attr.*); foot (*attr.*); **~на спирачка** foot brake; **~на шевна машина** treadle sewing machine; **с ~но управление** foot-controlled, foot-steered.

кра́чещ *сег. деят. прич.*, *като прил.*: ~ **екскаватор** walking, drag-line excavator; **~а сонда** walking drill-rig.

кра́чк|а *ж.*, **-и 1.** step (*и прен.*); го**ляма ~а** stride (*и прен.*); **на всяка ~а** at every step/turn; **на ~а от успеха** within an ace of success; **правя решителна ~а** throw the great cast; **хващам в ~а** *разг.* nail, catch s.o. on the hop, catch s.o. with their pants down (usu. pass.); **2.** (*ход*) pace; **давам ~а** (*водя при надбягване*) make the running; **ускорявам ~ата** quicken/mend/hasten o.'s pace.

крачо́л *м.*, **-и**, (два) **крачо́ла** (trouser) leg.

креати́н *м.*, *само ед.* биохим. creatine.

креату́р|а *ж.*, **-и** *пренебр.* creature, minion.

крева́т *м.*, **-и**, (два) **крева́та** bed(stead).

кре́да₁ *ж.*, *само ед.* chalk; whitening; (*за рисуване*) black/coloured chalk, crayon; **шивашка** ~ French chalk.

кре́да₂ *ж.*, *само ед.* геол. Cretaceous period.

креди́т *м.*, **-и**, (два) **кре́дита 1.** credit; *търг.* trust; **банков** ~ bank loan; **на** ~ on credit, *разг.* on tick; **обезпечен** ~

secured loan; **откривам** ~ (*в банка*) open an account (with a bank); **стоки на** ~ goods on trust; **2.** *счет.* credit (side); **~ът му се изчерпва** his credit is exhausted, *разг.* his chalk is up; **надхвърлям ~а си** overdraw o.'s account; **3.** (*бюджетен*) funds, allocations, appropriations.

крѐдит|ен *прил.,* **-на, -но, -ни** credit (*attr.*); **~на карта** *разг.* plastic money; **~но известие** credit note.

кредитѝрам *гл.* credit, give (s.o.) credit; ~ **някого с 1 милион лева** credit s.o. with/lend s.o. one million levs; (*финансирам*) finance.

кредитѝране *ср., само ед.* giving a credit; **условия за** ~ conditions for loan.

кредѝтор *м.,* **-и; кредѝторк|а** *ж.,* **-и** creditor; **настойчив** ~ dun; **последен** ~ *икон.* lender of last resort.

кредѝторск|и *прил.,* **-а, -о, -и** creditor's, of a creditor; **~о искане** creditor's petition.

крѐдитоспосо́б|ен *прил.,* **-на, -но, -ни** solvent; creditworthy.

крѐдитоспосо́бност *ж., само ед.* solvency; creditworthiness; **оценка на ~та** credit-rating.

крѐдо *ср., само ед.* credo, creed; doctrine.

крем₁ *м.,* **-ове, (два) крѐма** *бот.* lily; (*перуника*) iris.

крем₂ *м.,* **-ове, (два) крѐма** cream; ~ **за бръснене** shaving-cream; ~ **за лице** face/cold cream; ointment; **~супа** potage; **разбит на** ~ creamed.

крѐмав *прил.* cream-coloured.

крематѐриум *м.,* **-и, (два) крематѐриума** crematorium, crematory; **изгарям в** ~ cremate.

кремѐция *ж., само ед.* cremation.

кремообрѐз|ен *прил.,* **-на, -но, -ни** cream-like, creamy.

крѐмък *м., само ед.* flint; (*на пушка*) gunflint.

крѐмъклѝйк|а *ж.,* **-и** flintlock, firelock.

крѐмъч|ен *прил.,* **-на, -но, -ни** (*направен от кремък*) (made of) flint; (*съдържащ кремък*) flinty; **~ен пясъчник** millstone grit.

крѐнвирш *м.,* **-и, (два) крѐнвирша** *кул.* frankfurter, Frankfurt sausage; wiener (wurst); **сандвич с** ~ hot dog.

креѐл *м.,* **-и; креѐлк|а** *ж.,* **-и** Creole.

креѐлск|и *прил.,* **-а, -о, -и** Creole.

креп *м., само ед.* срѐре; (*за жалейка и пр.*) crape; **увивам с** ~ crape.

крепѐж|ен *прил.,* **-на, -но, -ни:** **~ен материал** linings; **~на конструкция** *мин.* cribwork, crib.

крепѝрам *гл.* crape.

крепѝтел (-ят) *м.,* **-и; крепѝтелк|а** *ж.,* **-и** supporter, upholder, prop.

крѐпко *нареч.* fast, firmly; **спя** ~ be fast/ sound asleep, sleep soundly.

крѐпна *гл.* get/grow stronger; gather/ gain strength; **да крепне** ... **may** ... flourish, may ... grow stronger and stronger.

крѐпост *ж.,* **-и** stronghold (*и прен.*), *прен.* bulwark, citadel; fortress; *истор.* castle; **летяща** ~ *воен., авиац.* flying fortress.

крѐпост|ен *прил.,* **-на, -но, -ни** **1.** *воен.* of a fortress/stronghold; **~на стена** (fortified) wall; **~ни укрепления** fortifications; **2.** *истор.* serf (*attr.*); feudal; **~ен селянин** serf; **~на зависимост** servitude, serfdom, bondage; **~но право** serfdom, serfage; ● **~ен акт** *юр.* title-deed, record.

крѐпостничество *ср., само ед. истор.* serfdom, peonage; *събир.* the serfs.

крѐп|ък *прил.,* **-ка, -ко, -ки** strong; firm; sturdy; (*за здраве*) robust; (*за сън*) sound sleep; **~ко здраве** haleness; **пожелавам ви ~ко здраве** I wish you the best of health.

крепя *гл.,* **мин. св. деят. прич. крепѝл** **1.** (*физически поддържам нещо*) support, bear, carry, sustain, uphold; (*с подпора*) prop (up), underprop; (*държа прикрепен*) hold/keep in position, hold/keep fast/fixed; (*някого*) support, hold (up), help; **2.** (*протежирам, закрилям*) support, back (up), favour, protect; be the mainstay of; (*финансово*) support, sustain; ~ **някого на власт** keep s.o. in power; ~ **положението** keep things under control; hold the fort; keep the ball rolling; manage somehow; **keep hunger from the door**; **надеждата крепи човека** there is no life without hope; || ~ **се** **1.** (*подпирам се, придържам се*) be supported/carried/upheld/sustained/ borne (**на** by); stand, rest, lie (**на** on, upon); **едва се** ~ I can hardly stand

(on my legs), I am dead beat; ~ **се здраво** stand firm; **2.** (*живея някак си*) manage somehow, keep body and soul together; **3.** (*пазя си здравето*) keep/ be in good health, wear well; feel well; **как си? крепиш ли се?** how are you keeping? (are you) keeping well?

креслѝв *прил.* **1.** (*пронизителен*) shrill, piercing; screaming, high-pitched, ear-splitting; **2.** (*рязък*) strident; **3.** (*който много кряска*) screaming, clamorous, squalling, noisy, loud-mouthed; **4.** *прен.* loud, flashy, glaring, blatant.

кресл|о́ *ср.,* **-а** arm-chair, easy chair, lounge; (*с висока облегалка за главата*) grandfather chair; (*с падаща облегалка*) recliner; **министерско ~о** ministerial post.

кресчѐндо *нареч. муз.* crescendo.

крѐтам *гл.* **1.** jog, plod, trudge, dodder (on, along); toddle; rub along; totter; **едва крета** he can hardly walk, he can hardly drag himself (about); he is on his last legs; **2.** *прен.* drag/eke out a miserable existence, languish; live from hand to mouth.

кретѐн *м.,* **-и** *мед.* cretin; *разг.* idiot; dunce; *амер.* putz.

кретенѝз|ъм (-мът) *м., само ед. мед.* cretinism; *разг.* idiocy.

кретѐнск|и *прил.,* **-а, -о, -и; кретѐнски** *нареч.* cretinous; cretinoid; *разг.* idiotic.

кретѐн *м., само ед. текст.* cretonne, chintz.

кретѐн|ен *прил.,* **-на, -но, -ни** cretonne, chintz (*attr.*); chintzy.

крѐхкост *ж., само ед.* brittleness, fragility; tenderness, delicacy; tenuity.

крѐх|ък *прил.,* **-ка, -ко, -ки** **1.** (*чуплив*) brittle, fragile, breakable; **2.** (*нежен*) frail, delicate, tender, fragile, dainty; **на ~ка възраст** of tender age; **3.** *кул.* (*за месо*) tender, lean; *метал.* (*за стомана – при ниска температура*) cold-short.

кречетѐл|о *ср.* **-а 1.** mill-clack, clapper, rattle; **2.** (*за човек*) clapper, rattle, chatterbox, windbag; gabbler.

крещя *гл.* scream, shriek, yell; (*викам*) bawl, clamour, shout, vociferate, *разг.* holler; (*заплашително*) thunder, shout (**на** at); (*карам се*) rage, storm (**на** at); **само** ~ (*за ефект*) bluster;

(*за птица*) squawk.

крещя́щ *сег. деят. прич.* (*и като прил.*) **1.** shrill, screaming; clamorous, vociferous, loud; **2.** (*за цвят, реклама*) loud, flashy, glaring, garish, jazz(y); gaudy; flamboyant; (*безвкусен*) meretricious; tinsel (*attr.*); (*за външност*) florid; **3.** (*за нужда*) pressing, urgent, imperative, crying, burning; **4.** (*очебиен*) glaring, blatant; **~а неправда** flagrant/glaring/outrageous/clamant injustice; **~о зло** an evil that cries for remedy.

кре́я *гл.* pine, languish, waste (away), droop, sink, flag, wither (away).

крив *прил.* **1.** (*изкривен*) crooked, twisted, *предик.* awry; (*за пътека*) winding, twisting; **2.** (*извит*) curved; (*за нос*) hooked, (*на една страна*) wry, on one side, crooked, cockeyed; out of the straight; **3.** (*полегат*) askew, oblique; **шевът е ~** the seam runs askew; **4.** (*извит надолу или навътре – за под, ръб на дреха и пр.*) sagging; **5.** (*недъгав*) crooked, deformed, misshapen, distorted; **6.** (*несъразмерен*) asymmetrical, irregular, misshapen, distorted, ill-proportioned; cockeyed, cock-eye; (*за огледало*) distorting; **~а представа** distorted impression/idea; **7.** (*неправилен, объркан*) wrong, wry; **~и излязоха сметките ни** our expectations/reckonings were wide of the mark, we were (sadly) out/wrong in our reckoning, our plans went all awry; **на ~ път си** you are wrong; **8.** (*виновен*) to blame; **излизам ~** come down on the wrong side of the fence; **кой е ~?** who is to blame? whose fault is it?; **9.** (*който не води към добро*) bad; **по ~и пътища** *прен.* by underhand means; **тръгнал е по ~ път** he has taken to bad ways, he has gone to the bad; **10.** (*опак*) cross-grained, crabbed, crusty, churlish; **● влезе в ~ото ми гърло** it went the wrong way; **~ ми е светът** be at odds/be on bad terms with the world; always see the gloomy side of things; always blame others; **стигнахме до (под) ~ата круша** we're just about where we started, we don't seem to have got anywhere.

крив|а́ *ж.,* **-и** curve, curved line; **диференциална ~а** derived curve; **~а на дохода** yield curve.

крива́|к *м.,* **-ци,** (*два*) **крива́ка** *нар.* (shepherd's) crook.

кри́ввам, кри́вна *гл.* turn, (*бързо*) swerve; (**в** into); **~ шапка** tilt/cock o.'s hat; **кривна зад ъгъла** he turned the corner.

кри́во *нареч.* **1.** (*не право*) crookedly, awry; *sl.* off the beam; **2.** (*несправедливо*) unjustly, wrongly; falsely; **● карам ~-ляво** manage somehow, scrape along; **~ ми е** I am out of sorts/out of spirits/in low spirits, I feel blue/low; I feel sour (*за over*); **разбирам ~** misunderstand, get (s.th., s.o.) wrong, take awry.

кривогле́д *прил.* squint-eyed, squinty, cross-eyed, squinting, cock-eyed, skew-eyed, swivel-eyed; *мед.* strabismic; **малко съм ~** have a slight squint.

кривогле́дство *ср., само ед.* squint, cast in the eye, cross-eye; *мед.* strabismus; **леко ~** a cast in the eye.

кривокра́к *прил.* bow-/bandy-/baker-legged.

криволине́|ен *прил.,* **-йна, -йно, -йни** curvilinear.

криволине́йност *ж., само ед.* curvilinearity.

криволи́ча и криволя́ *гл., мин. св. деят. прич.* **криволи́чил и криволя́л** twist and turn, zigzag; (*за път, река*) wind, meander, twist, ramble.

криволи́чещ *сег. деят. прич.* (*и като прил.*) meandering; mazy, sinuous, winding, squiggly; flexuous.

кривораз́бран *прил.* mistaken; misunderstood; **● ~а цивилизация** phoney civilization.

кривя́ *гл., мин. св. деят. прич.* **криви́л 1.** turn, bend, curve; zigzag, twist; **2.** (*куцам*) limp, be lame, hobble; **3.** (*шапка*) cock, tilt, tip; **~ очи** roll o.'s eyes; **~ токовете си** wear down o.'s heels at the side; **|| ~ се** make faces, make a wry face; **● ~ си душата** act/speak against o.'s conscience, strain o.'s conscience, play the hypocrite; **не си криви душата** be frank.

кри́еница *ж., само ед.* hide-and-seek (*и прен.*), *амер.* peek-a-boo.

кри́з|а *ж.,* **-и. 1.** crisis (*pl.* crises); paroxysm; **довеждам до ~а** bring to a head; **икономическа ~а** economic crisis, depression, slump; (*остра*) **сърдечна ~а** (sheer) heart attack; **2.** (*не-*

достиг*) shortage, want (*за, на* of); **жилищна ~а** housing shortage.

кри́зис|ен *прил.,* **-на, -но, -ни** crisis (*attr.*); paroxysmal; **~ен период** period of crisis; **~но състояние** *мед.* state of crisis; **~но явление** crisis phenomenon.

крик *м.,* **-ове,** (*два*) **кри́ка** *техн.* jack (screw); **вдигам с ~** jack up; **спускам с ~** jack down.

кри́кет *м., само ед. спорт.* cricket.

крила́т *прил.* winged (*и прен.*); feathered; (*бърз*) swift, fleet, *поет.* wing-footed; **~а ракета** *воен.* cruise missile; **~ият кон** *поет.* (*Пегас*) the flying horse.

крил|о́ *ср.,* **-а́ и -е́ 1.** wing (*и на здание, врата и пр.*); *поет.* pinion; *прен.* protection, care; **2.** (*на вятърна мелница*) sail, fly; sweep; (*на маса*) leaf; (*table*) flap; (*на врата*) leaf; **3.** *воен.* wing, flank; **4.** *спорт.* outside(r), wing; **ляво/дясно ~о** outside left/right, left/right wing; **5.** *полит.* wing, faction; **● давам ~е на** wing, lend wings, inspire; **подрязвам ~ата на някого** clip/cut s.o.'s wings; **порастват ми ~е** *прен.* perk up, gain self-consciousness; feel elated.

криловид|ен *прил.,* **-на, -но, -ни** wing-shaped/-like, aliform.

кримина́л|ен *прил.,* **-на, -но, -ни** criminal; **~ен престъпник** common criminal; **~ен роман** crime story, detective story/novel, *sl.* whodunit.

криминали́ст *м.,* **-и** criminologist.

криминали́стика *ж., само ед.* criminalistics, criminology; criminal law.

криминоло́|г *м.,* **-зи** criminologist.

криминологи́ч|ен *прил.,* **-на, -но, -ни** criminological.

криминоло́гия *ж., само ед.* criminology.

кри́мк|а *ж.,* **-и** *жарг.*: **стара ~а** *sl.* dug-out, dodo, old war horse, one of the old brigade.

кри́н|а *ж.,* **-и** *нар. остар.* half a bushel, dry measure.

кринoли́н *м.,* **-и,** (*два*) **кринoли́на** *истор.* hoop skirt, crinoline.

криоге́н|ен *прил.,* **-на, -но, -ни** cryogenic.

кри́пт|а *ж.,* **-и** crypt, undercroft.

криптогра́фия *ж., само ед.* cryptography, cryptology.

криста́л *м.,* **-и,** (*два*) **криста́ла 1.** crys-

tal; flint-glass; (заострен) needle; планински ~ (rock-) crystal; прозрачен като ~ crystal-clear, clear as crystal; 2. (стъкло) crystal(-glass), flint-glass; (с орнаменти) cut glass.

кристал|ен прил., -на, -но, -ни crystal (attr.), crystalline; прен. crystal clear; limpid; ~ен приемник crystal detector/set; ~на чистота crystal purity.

кристализа̀тор м., -и, (два) **кристализа̀тора** crystallizer.

кристализа̀ция ж., само ед. crystallization; вторична ~ postcrystallization.

кристализѝрам гл. 1. crystallize; (във форма на иглички) needle; 2. (измръзвам) freeze, be chilled/frozen to the bone, амер. разг. jell; 3. прен. take shape/form.

кристализѝране ср., само ед. crystallizing, crystallization.

кристализѝращ прил. crystallizable.

кристалографск|и прил., -а, -о, -и crystallographic.

Крит м. собств. Crete; о-в ~ the island of Crete.

критѐри|й (-ят) м., -и, (два) **критѐрия** criterion (pl. criteria) (за of, for); measure, touchstone, standard, beam; ~й за автономност criterion of non-interaction; ~й за оценка standards of judgement; правен ~й legal standard, standard of law.

критѝ|к м., -ци; **критѝчк|а** ж., -и critic; театрален ~к drama(tic) critic; (който рецензира книги в пресата) (book) reviewer.

крѝтик|а ж., -и criticism; (лит. жанр) critique; (остра) lash, thunder and lightning, разг. slating, brickbat; flack; put-down, the rough side of o.'s tongue; журн. rap, raspberry-blowing; разг. going-over; (рецензия в периодичния печат) review; безпощадна ~a slashing criticism; подложен съм на остра ~a be under the lash; be under fire, be in the firing line, run the gauntlet (от of), be rapped on/over the knuckles; това е под всяка ~a, не издържа ~a this is beneath criticism, разг. it's miserable, it'll never pass muster.

критика̀р (-ят) м., -и; **критика̀рк|а** ж., -и criticaster, caviller, fault-finder, амер. sl. knocker.

критика̀рск|и прил., -а, -о, -и cavilling, carping, captious; censorious.

критику̀вам гл. 1. (пиша критика) write a review, review; 2. (подлагам на критика) criticize; find fault (with); pass strictures on/upon; crab; разг. nibble at; knock, run down, give s.o. a roasting, put down; амер. разг. pan; (жестоко) flay, cut up, scalp, maul, lash, get o.'s knife into, shy/sling bricks at; журн. blast, slam, rap, rap (s.o.) on the knuckles, blow a raspberry at; разг. give s.o. a tongue-lashing, haul s.o. over the coals; ужасно го критикуват в тази статия разг. he gets a terrible going-over in this article.

критицѝз|ъм (-мът) м., само ед. 1. филос. criticism; 2. critical attitude.

критѝч|ен прил., -на, -но, -ни; **критѝческ|и** прил., -а, -о, -и 1. critical; censorious; ~ен отзив, ~на статия critical article, critique, review; ~ен поглед scrutiny; ~но чувство judicial faculty; 2. (съдбоносен, преломен) critical, crucial; в този ~ен момент at this juncture; ~а възраст critical age, menopause, climacteric, menopausal period; положението е ~но разг. things have come to a pretty pass.

критѝчност ж., само ед. 1. critical attitude/disposition/bend/mind/vein/spirit; censoriousness; 2. (опасност) gravity, seriousness.

критск|и прил., -а, -о, -и Cretan.

критя̀нин м., **критя̀ни**; **критя̀нк|а** ж., -и Cretan.

крѝя гл., мин. св. деят. прич. **крил** 1. hide, conceal; (пазя в тайна) hide, conceal, keep secret, keep (s.th.) back/dark; ~ нещо от някого keep s.th. from s.o., keep s.th. from the knowledge of s.o., keep s.o. in the dark about s.th.; не ~ от вас, че I will not conceal it from you that; I make no secret of the fact that; 2. (прикривам чувства и пр.) conceal, dissemble, disguise, cover, keep back; това крие известна опасност this might be dangerous; || ~ се 1. hide (o.s.), conceal o.s.; (укривам се) be in hiding, lie low/hid; разг. hole up, be on the lam; 2. (отбягвам) hide (от from), avoid (от -); 3. (намирам убежище) take shelter/cover (от from); нещо друго се крие зад думите му there is something else

behind his words; тайната на успеха му се крие в ... the secret of his success lies in ...

кроаса̀н м., -и, (два) **кроаса̀на** кул. croissant.

кроѐж м., -и, (два) **кроѐжа** 1. cut; cutting out (of clothes); 2. (замисъл) plan, scheme (против against), design (on).

кро̀йк|а ж., -и cut, fashion, style; (изрязана) pattern.

крокѐти само мн. кул. croquettes; **рибни** ~ fish fingers; амер. fish sticks.

крокодѝл м., -и, (два) **крокодѝла** зоол. crocodile; (индийски) mugger (Crocodilus Palustris).

крокодѝлск|и прил., -а, -о, -и crocodile (attr.).

кромѝд м., само ед. onion(s).

крос м., -ове, (два) **кро̀са** спорт. 1. long-distance race; ~ кънтри cross-country race/run; 2. бокс. cross-counter.

кросн|о̀ ср., -а̀ нар. (за основата) yarn-beam, warp-beam, (за платното) forebeam, cloth-beam; ● изтъквам си платното, ритвам ти ~ото kick down the ladder by which one rose.

кро̀тко нареч. gently, kindly; meekly.

кро̀тост ж., само ед. gentleness, kindness; meekness, mildness.

крот̀у̀вам гл. be/keep quiet; (спотайвам се) lie low.

крот̀|ък прил., -ка, -ко, -ки gentle, kind, mild(-tempered); dove-like, dovish; meek; (тих) quiet, mousy; ~ък като агне as meek as a lamb/as Moses; he wouldn't hurt a fly.

кро̀ул м., само ед. спорт. crawl(-stroke); плувам ~ be a crawl-swimmer.

крошѐ ср., -та спорт. straight one.

кро̀я гл., мин. св. деят. прич. **кроѝл** cut (out); (прен. plan, scheme (against); contrive; крои се нещо тъмно there is some treachery afoot; ~ заговор hatch a plot; ~ планове lay/make plans.

кроя̀ч м., -и cutter; (шивач) tailor.

круп|ен прил., -на, -но, -ни 1. (едър) large, big, wholesale, large-scale (attr.); ~ен капитал big capital; ~на промишленост large-scale industry; ~на сума a large sum (of money), a mint/pot of money; 2. (значителен) important; (изтъкнат) eminent, outstanding, prominent.

крупиѐ ср., -та croupier.

кру̀ш|а ж., -и бот. **1.** pear; (дърво) pear tree; **2.** (боксова) punchbag, амер. punching bag; • **~ата не пада по-да-леч от дървото** like father like son, like mother like child/son/daughter; a chip of the old block; **обирай си ~ите** hop/beat it, be off, scram, you trot along, амер. light out.

крушѐни|е ср., -я wreck, ruin, collapse, downfall.

кру̀шк|а ж., -и **1.** (малка круша) small pear; **2.** ел. (electric) bulb, elec-tric/incandescent lamp; • **има си ~а опашка** (there is) no smoke without fire.

крушообра̀з|ен прил., -на, -но, -ни pear-shaped, top-shaped; бот. pyri-form.

кръв ж., кръви и кървища blood; **~та нахлу в главата му** the blood rushed to his head, разг. he saw red; **прели-вам ~** give a blood transfusion; **про-ливам ~** shed blood; **тече ми ~ от но-са** my nose bleeds; • **в ~та им е** it runs in their blood; **добива плът и ~** be implemented; come to life; **~та вода не става** blood is thicker than water; **от една ~ са** they are of the same flesh and blood; **синя ~** blue/royal blood.

кръв|ен прил., -на, -но, -ни blood (attr.); мед. h(a)emal; h(a)ematic, h(a)emic; **~ен враг** deadly enemy; **~на група** blood group/type; **~на обида** mortal offence, deadly insult; **~на про-ба** blood specimen; **~но налягане** blood pressure; **~но родство** blood relation, consanguinity; **червени/бели ~ни телца** биохим. erythrocytes/leu-cocytes.

кръвнѝшк|и прил., -а, -о, -и **1.** blood-thirsty, murderous; **~и поглед** glare, glower; **2.** като нареч.: **гледам ~и** look daggers (at), glare (at).

кръвода̀рител (-ят) м., **кръвода̀ри-телк|а** ж., -и blood-donor/-giver.

кръвода̀ряване ср., само ед. blood donation.

кръвожа̀д|ен прил., -на, -но, -ни (за животно) fierce, predatory, carnivo-rous; (за човек) bloodthirsty, ferocious, fierce, sanguinary, butcherly, slaugh-terous.

кръвожа̀дност ж., само ед. ferocity, bloodthirstiness, blood lust.

кръвойзлив м., -и, (два) кръвойзли-ва; **кръвоизлия̀ние** ср., само ед. h(a)emorrhage, амер. hemorrhage; ef-fusion of blood; extravasation; • **в мо-зъка** мед. h(a)emorrhage of the brain, bleeding in the brain.

кръвоно̀с|ен прил., -на, -но, -ни blood (attr.); **~ен съд** blood vessel; **~на система** circulatory/cardiovascular system.

кръвообращѐние ср., само ед. circu-lation (of the blood).

кръвопѝ|ец м., -йци bloodsucker, leech, vampire.

кръвопрелѝване ср., само ед. blood transfusion.

кръвопролѝт|ен прил., -на, -но, -ни bloody, sanguinary, slaughterous.

кръвопролѝти|е ср., -я bloodshed; ef-fusion of blood; разг. gore.

кръвосмешѐние ср., само ед. incest.

кръвоспира̀щ прил. h(a)emostatic; styptic; **~о средство** styptic; h(a)emo-static.

кръвотечѐни|е ср., -я bleeding, h(a)e-morrhage, амер. hemorrhage; месеч-но **~е** menstruation.

кръвя̀свам, кръвя̀сам гл. become bloodshot.

кръг м., -ове, (два) кръга **1.** circle (и геом.), ring; **имам ~ове под очите си** have circles/rings round the eyes; (мат.) **лунен ~** lunar circle; **Поля-рен ~** геогр. Polar Circle; **2.** (заоби-каляне) circuit (и ел.) **3.** (сфера на действие) sphere, range; **това не е в ~а на задълженията ми** it is outside the range of my duties; **4.** (среда от хора) circle; quarters; **5.** спорт. (при конкурси) round; (обиколка) lap.

кръгло нареч. in round numbers/fig-ures; approximately.

кръгов прил. circular; воен. **~а отбра-на** circular/perimeter defence.

кръгобра̀т м., -и, (два) кръгобра̀та (circum)rotation, circle; circular mo-tion.

кръгозо̀р м., само ед. **1.** horizon; воен. range of vision; **2.** прен. range (of in-terests, knowledge etc.); (възгледи) outlook, views; **духовен ~** mental out-look; **с тесен/широк ~** narrow-/broad-minded.

кръго̀м нареч. воен. about turn! right about! амер. about face! **обръщам се ~** turn/face right-about.

кръгообра̀з|ен прил., -на, -но, -ни circular, round, wheel (attr.).

кръ̀г|ъл прил., -ла, -ло, -ли **1.** round; зоол. terete; (за движение) circular; **конференция около ~лата маса** round table conference; **~ъл почерк** round hand; **2.** (кълбовиден) round, spherical; (топчест) rotund; **3.** (приб-лизителен) round; **4.** (съвършен, пъ-лен) perfect, utter, complete, absolute, sheer; **~ла нула** nonentity; **~ъл глу-пак** perfect/downright fool; **~ъл сирак** (complete) orphan, parentless child; • **в ~ъл час** on the hour; **~ла годиш-нина** tenth, twentieth, etc. anniversary.

кръжа̀ гл. circle, fly/go/run round; (ви-тая) hover; (за тълпа) mill; авиац. (преди приземяване) stooge about.

кръжо̀|к м., -ци, (два) кръжо̀ка (study) circle/group; **литературен ~к** book club.

кръпк|а ж., -и patch; (обикн. на обув-ка) vamp; (грубо направена) botch; **слагам ~а на нещо** patch s.th.

кръст м., -ове, (два) кръста **1.** cross; (на сабя, щик) cross-bar; **на ~** cross-wise; **пречупен ~** swastika; **слагам ~ на миналото** obliterate/forget the past; **Червен ~** Red Cross; **2.** рел. cross; (с разпятие) crucifix; остар. rood; (пре-кръстване) sign of the cross; **поемам ~а си** take up/bear o.'s cross; **разпъ-вам на ~** crucify, прен. torment, ex-cruciate; **3.** (талия) waist, middle; (small of the) back; **до ~а** to the waist; (за дълбочина) down/up to the waist; waist-deep/-high; **портрет до ~а** half-length (portrait); **хващам през ~а** take round the waist, put o.s. arm round s.o.'s waist; • **Южният ~** астр. the Crux, the Southern Cross.

кръст|ен₁ прил., -на, -но, -ни **1.** of the cross; **~ен знак** sign of the cross; **2.** анат. sacral; **~на кост** sacrum, sacred bone, aitch-bone.

кръстен₂ мин. страд. прич. chris-tened, baptized.

кръстѝтел (-ят) м., -и baptist; **Йоан Кръстѝтел** библ. John the Baptist.

кръстни|к м., -ци godfather.

кръстнѝц|а ж., -и godmother.

кръсто̀вищ|е ср., -а **1.** juncture; cross-ing; **2.** (за притискане на туршия) cross-shaped boards.

кръстоно̀с|ен прил., -на, -но, -ни:

~ен поход crusade; *прен.* crusade, campaign, jihad.

кръстоно̀с|**ец** *м.*, **-ци 1.** *истор.* crusader; **2.** *зоол.*: **паяк ~ец** gardenspider.

кръстопъ̀т *м.*, **-ища**, (два) **кръстопъ̀тя** crossroad(s), crossing, junction; **на ~** at the crossroads (*и прен.*).

кръсто̀сан *прил.* **1.** cross (*attr.*); (*хибриден*) crossbred; **~ огън** cross-fire; **~ разпит** cross-examination; cross-questioning; **~о опрашване** *бот.* cross-pollination, xenogamy; **2.** (*за рима*) alternate.

кръсто̀свам, кръсто̀сам *гл.* **1.** (*слагам на кръст*) cross, lay crosswise; **~ крака** cross o.'s legs; **~ шпага с някого** cross/measure swords with s.o. (*и прен.*); **2.** (*преминавам през*) cross; (*от край до край*) traverse, travel; (*по море*) cruise; (*при търсене*) scour, prowl (about); **~ целия град** cover the town from one end to the other; **3.** (*шляя се*) rove, stroll, loaf; **4.** *бот.* cross(-fertilize), *зоол.* cross(-breed), inter-breed, mix, mongrelize.

кръсто̀ск|**а** *ж.*, **-и** (*на животни*) cross-breeding, inter-breeding; (*животното*) cross(-breed), hybrid; (*на растения*) cross-fertilization/-pollination; (*растението*) hybrid, cross (**на, от** between).

кръстосло̀виц|**а** *ж.*, **-и** crossword, puzzle.

кръстоцвѐт|**ен** *прил.*, **-на, -но, -ни** cruciferous; **~ни растения** *бот.* cruciferae, cruciferous plants.

кръстя се възвр. *гл.*, **мин. св. деят. прич. кръстил се** cross o.s., make the sign of the cross; **● намерил черква да се кръсти** he has come to the wrong shop.

кръчм|**а** *ж.*, **-и** tavern, public house; *разг.* pub, boozer; dramhouse; *амер.* saloon, bar; (*долнопробна*) jerry-shop; *амер.* honky-tonk; **● у него е ~ата** he stands treat.

кръчма̀р (-ят) *м.*, **-и; кръчма̀рк**|**а** *ж.*, **-и** publican, tavern-keeper, saloon/bar keeper; (*който стои на тезгяха*) bartender; **● правя си сметката без ~я** reckon without o.'s host.

кръшвам, кръшна *гл.* turn (aside) (**по** into), swerve, wheel, swing (**на** to).

кръшкам *гл.* shirk, skulk, skive, dodge (**от** -), evade duty; *разг.* duck out; cop

out; *австр.* duck-shove; (*от училище*) play truant, cut classes; (*увъртам*) quibble; (*изневерявам*) be unfaithful (to o.'s wife/husband).

кръща̀вам, кръстя *гл.* (*давам име*) christen, give a name (to), call, name; (*на* after); (*извършвам кръщение*) baptize; (*кръстник/кръстница съм на*) stand/be godfather/godmother to; (*давам прякор*) dub, nickname; **● виното** drown the miller, water the wine.

кръщѐл|**ен** *прил.*, **-на, -но, -ни** baptismal, of baptism; **~но име** Christian/baptismal/first/given name; **~но свидетелство** birth certificate, certificate of baptism.

кръщѐлни|**к** *м.*, **-ци** godson.

кръщѐлниц|**а** *ж.*, **-и** goddaughter.

кръщѐни|**е** *ср.*, **-я** baptism, christening; **получавам бойно ~е** have o.'s first taste of gunpowder.

кря̀кам *гл.* **1.** (*за жаба, гарга*) croak, (*за гарга и*) caw, squawk; (*за гъска*) gabble, gaggle; (*за патица*) quack; (*за кокошка*) cluck, cackle; **2.** (*викам, карам се*) scold, shout, yell.

кря̀скам *гл.* scream, yell, shriek, shout, roar, whoop; (*за кукумявка*) screech; (*за някои други птици като папагал и пр.*) squawk.

кря̀съ|**к** *м.*, **-ци**, (два) **кря̀съка** yell, scream, shriek, shout, whoop; screeching; squeal; squeak.

ксенофо̀б *м.*, **-и** xenophobe.

ксенофо̀бия *ж.*, *само ед.* xenophobia.

ксѐрокс *м.*, **-и**, (два) **ксѐрокса** xerox, copier, photocopier; **изкарвам на ~** xerox.

ксилофо̀н *м.*, **-и**, (два) **ксилофо̀на** xylophone.

ктѝтор *м.*, **-и** founder (of a church), (church-) donor.

ктѝторск|**и** *прил.*, **-а, -о, -и** founder's, donor's.

куб *м.*, **-ове**, (два) **ку̀ба** cube; **повдигам на ~** cube, raise to the third power.

куба̀ту̀ра *ж.*, *само ед.* cubic content/measurement/capacity, cubage, cubature; **~ на сграда** bulk of a building.

кубѐ *ср.*, **-та** cupola, dome; (*на покрив*) pinnacle.

кубѝ|**к** *м.*, **-ци**, (два) **кубѝка** cubic metre.

кубѝн|**ец** *м.*, **-ци** Cuban.

кубѝнк|**а** *ж.*, **-и** Cuban (woman).

кубѝнск|**и** *прил.*, **-а, -о, -и** Cuban.

кубѝч|**ен** *прил.*, **-на, -но, -ни; кубѝческ**|**и** *прил.*, **-а, -о, -и** cubic, cube-shaped, cube (*attr.*); **~ен корен** cube root; **~но уравнение** cubic equation.

кубу̀р *м.*, **-и**, (два) **кубу̀ра 1.** (*на пистолет*) holster; **2.** (*чанта*) leather saddle-bag.

ку̀бче *ср.*, **-та** cube; **~то на Рубик** Rubik cube; **режа на ~та** cube, dice.

Кувѐйт *м. собств.* Kuwait.

кувѐйт|**ец** *м.*, **-ци** Kuwaiti.

кувѐйтк|**а** *ж.*, **-и** Kuwaiti (woman).

кувѐйтск|**и** *прил.*, **-а, -о, -и** Kuwaiti.

кувѐрт *м.*, **-и**, (два) **кувѐрта** cover (charge).

кувертю̀р|**а** *ж.*, **-и** (*за легло*) bedspread, counterpane, coverlet; (*за маса*) table-cloth/-cover.

кудкудя̀кам *гл.* cackle, cluck.

ку̀к|**а** *ж.*, **-и 1.** hook; grapple; (*на въдица*) fish-hook; (*риболовна*) jig, gaff; (*ченгел*) pothook; (*над огнище*) trammel; **2.** (*за плетене*) (*две или повече*) knitting-needle, (*една*) crochet-hook; **3.** (*за закачане*) hook, peg; **4.** *прен.* (*досаден човек*) pest, pain in the neck; (*таен агент*) stool-pigeon, fink; **● заприличал е на ~а** he has become as thin as a lathe, he is reduced to nothing.

ку̀кам *гл.* call; **кукувица кука** the cuckoo calls.

ку̀кер *м.*, **-и** *нар.* mummer.

ку̀кл|**а** *ж.*, **-и** doll; (*марионетка и прен.*) puppet; (*голям манекен*) dummy; (*нещо привлекателно*) *разг.* peach; cracker; **играя на ~и** play with dolls; **сламена ~а** a corn dolly.

ку̀кл|**ен** *прил.* doll's; (*марионетен*) puppet (*attr.*); **~ театър** puppet theatre; **~о представление** puppet show.

ку̀кленск|**и** *прил.*, **-а, -о, -и** doll (*attr.*); doll-like; **~а къща** a doll's house.

ку̀-клукс-кла̀н *м.*, *само ед.* Ku-Klux-Klan; **член на ~** Klansman.

куку̀виц|**а** *ж.*, **-и** *зоол.* cuckoo; **сам като ~а** all alone, like a hermit; **● изпила му е ~а ума** he is cuckoo/daft.

кукумя̀вк|**а** *ж.*, **-и** *зоол.* (screech-/barn-)owl, owlet, the bird of Minerva; (*американска*) burrowing owl; (*грозна жена*) scarecrow, fright.

кукурѝгам *гл.* crow.

кукуря̀|**к** *м.*, **-ци**, (два) **кукуря̀ка**

бот. hellebore; • **като ~к съм** be in the pink of condition, be as fresh as a daisy.

кӯл|а *ж.,* -и tower; (*островърха*) steeple; (*на крепост*) turret; • **Вавилонската ~а** the tower of Babel; **градя въздушни ~и** build castles in the air/in Spain, limn on water.

кулачество *ср., само ед. истор.* kulaks.

кӯли *ср., само ед.* coolie.

кулинар|ен *прил.,* -на, -но, -ни culinary; **~ен магазин** a carry-away (meal) store/shop; **~но изкуство** culinary art, gastrology, gastronomy, (high-class) cookery.

кулис|а₁ *ж.,* -и *техн.* sector; guide(-way), guideway; *театр.* flat; **звукова ~а** back-ground.

кулис|а₂ *ж.,* -и *обикн. мн.* wings, sidescenes; **зад ~ите** (*и прен.*) behind the scenes/the curtain, backstage.

кулминацион|ен *прил.,* -на, -но, -ни culmination (*attr.*), culminant, climactic, meridian; **~ната точка** come to/work up to/reach a climax, culminate (в in).

кулминация *ж., само ед.* culmination, climax.

кулоар *м.,* -и *обикн. мн.* lobby.

кулон *м.,* -и, (два) кулона *физ.* coulomb.

култ *м.,* -ове, (два) култа cult (към of); **издигам нещо/някого в ~** make a cult/a fetish of s.th./s.o.; • **~ към личността** personality cult.

култиватор *м.,* -и, (два) култиватора *сел.-ст.* cultivator, tiller; mechanical hoe; **дисков ~** rototiller; **секционен ~** gang cultivator.

култивирам *гл.* cultivate; *прен. и* educate.

култӯр|а *ж.,* -и 1. culture, civilization; **духовна ~а** art and learning, art and letters; **обща ~а** general information/knowledge, attainments; **човек с** (*обща*) ~а well-informed/knowledgeable/cultured person, highly accomplished person; 2. (*отглеждане на растения*) cultivation, culture; **зърнени ~и** cereals, grain crops; **технически ~и** industrial crops.

култӯр|ен *прил.,* -на, -но, -ни 1. (*отнасящ се до културата*) cultural, of culture; **аташе по ~ни въпроси** cultural attaché; 2. (*притежаващ култура*) cultured, cultivated, well-informed, knowledgeable; civilized; (*учтив*) civil, courteous; polished; **~ен човек** (highly) cultivated man, a man of culture; **~но обслужване** good service, prompt and polite service; 3. *бот.* cultivated.

културист *м.,* -и *спорт.* body-builder.

кум *м.,* -ове best man; first witness; sponsor; godfather; • **кой ~, кой сват** who's who; **Кумчо Вълчо** Brer Wolf.

кум|а *ж.,* -и sponsor (at s.o.'s wedding); • **Кума Лиса** Brer Fox.

кумир *м.,* -и, (два) кумира idol, fetish, role model, (*гравиран*) *библ.* graven image; *само мн.* false gods; (*певец, актьор и пр.*) *разг.* heart-throb.

кумувам *гл.* stand sponsor (на to); stand godfather (to).

куп *м.,* -ове и -ища, (два) купа 1. (*неподреден*) heap; (*подреден*) pile, stack; **на ~** in a heap; aheap, (*за хора*) in a crowd; **струпани на ~** heaped/lumped together; 2. (*голямо количество*) mass, lots (of), a lot (of), heaps (of), a battery of, loads of, stacks of; **имам ~ работа** I have heaps of things to do; **~ лъжи** a parcel of lies; • **свършвам нещо през ~ за грош** botch s.th., bungle s.th., slap-dash it.

кӯп|а *ж.,* -и 1. bowl; *спорт.* cup; *разг.* pewter; 2. *карти* hearts; **дама ~а** queen of hearts.

купе *ср.,* -та compartment; (*вид кола*) coupé.

кӯпел *м.,* -и, (два) кӯпела (baptismal) font.

куплет *м.,* -и, (два) куплета couplet, stanza; **~и** comic/satiric songs.

кӯплун|г *м.,* -зи, (два) кӯплунга *техн.* coupling, joint, jaw-clutch, connection; **грайферен ~г** claw-coupling.

купол *м.,* -и, (два) купола 1. dome, cupola; calotte; **небесен ~** vault of heaven; 2. *воен.:* **~ на танк** cupola, gun-turret of a tank.

куполовид|ен *прил.,* -на, -но, -ни domed, domic(al); dome-like, dome-shaped.

купон *м.,* -и, (два) купона 1. coupon; **~ за храна** *амер.* food stamp; **с ~и** on coupons, rationed; 2. *жарг.* party, shindig, knees-up, blow-out; rave-up, do.

купон|ен *прил.,* -на, -но, -ни coupon (*attr.*); rationing (*attr.*); **~на система** rationing, coupon/ration/system.

купӯвам, кӯпя *гл.* 1. buy, purchase, get (*от някого* from s.o., **от някъде** at; from); (*редовно*) trade (at); (*някого*) buy up; **~ скъпо** buy at a high rate; 2. (*възприемам*) take in, absorb; • **той ще те купи и ще те продаде** he'll always outwit you, you'll always get the shorter end of the stick with him, he'll always give you the shorter end of the stick.

купувач *м.,* -и; **купувачк|а** *ж.,* -и buyer, purchaser; (*редовен*) customer, patron, client; *юр.* vendee.

кӯпчин|а *ж.,* -и heap, pile, stack; **~а пръст** (*и на гроб*) mound.

курабий|я *ж.,* -и *кул.* cookie, biscuit.

кураж *м., само ед.* courage, mettle; *разг.* pluck, guts, spunk, balls, gumption; **голям ~ се иска за такова нещо** it takes guts to do a thing like that; **губя ~** lose courage, be discouraged, lose heart; **давам някому ~** give s.o. courage, encourage s.o.

курбан *м.,* -и, (два) курбана *рел.* 1. (*жертвоприношение*) (votive) offering; (*жертва*) sacrifice, victim, offering; 2. (*ястие*) boiled mutton.

курие̒р *м.,* -и courier, messenger; office-boy; (*бърз*) express; (*междуселски*) carrier; *воен.* dispatch-rider.

курие̒рск|и *прил.,* -а, -о, -и courier, messenger, express (*attr.*); **~а служба** express service; **~а чанта** dispatch case.

куриоз *м.,* -и, (два) куриоза curiosity, oddity; queer/curious thing; (*нещо забавно*) interesting/funny thing; (*рядък екземпляр*) curio; rare phenomenon; **за ~** (*от любопитство*) to see what it's like, for the fun of it; **като ~** as an interesting/curious thing/fact.

куриоз|ен *прил.,* -на, -но, -ни curious, odd, queer, strange; (*забавен*) funny, interesting.

кӯркам *гл.* rumble.

кӯрни|к *м.,* -ци, (два) кӯрника (hen)coop, henhouse, pen.

курорт *м.,* -и, (два) курорта (health) resort; **отивам на ~** go on holiday; **планински/морски ~** mountain/seaside resort.

курорт|ен *прил.*, -на, -но, -ни (health) resort (*attr.*); ~ен град health resort.

курортист *м.*, -и; **курортистк|а** *ж.*, -и holiday-maker, visitor, *амер.* vacationist, vacationer.

курс *м.*, -ове, (два) ку̀рса 1. (*посока*) course, direction; path; (*на самолет*) heading; държа ~а keep/hold o.'s course; определям ~а към *мор.* lay/set a course for; променям ~а (*на кораб*) put about; 2. (*път*) course, route; 3. (*пътуване – на кола и пр.*) run; правя ~ове (*за автобус*) ply (between, from ... to); при следващия ~ on the next run; 4. (*политика, насока*) course, policy, line; държа твърд ~ steer/tread a steady course; take a strong/hard line; нов ~ new line; 5. (*обучение, времетраене, учебник, група обучавани*) course (по in); интензивен ~ *разг.* crammer; crash course; практически ~ no practical classes in; студенти от втори ~ students in the second course, second year students; 6. (*валутен*) rate (of exchange), course of exchange; ~ "купува" buying rate/quotation; ~ "продава" selling rate/quotation; в ~ съм know all about it, be well-informed.

курсант *м.*, -и cadet.

курсив *м.*, само ед. полигр. italics, italic type; в ~ in italics.

курсист *м.*, -и; **курсистк|а** *ж.*, -и student.

курсор *м.*, -и, (два) ку̀рсора инф. cursor.

куртизанк|а *ж.*, -и courtesan, lady of pleasure.

куртк|а *ж.*, -и jacket, воен. tunic, мор. mess jacket.

куртоазия *ж.*, само ед. книж. courtesy, civility, politeness.

куршум *м.*, -и, (два) куршу̀ма bullet; воен. sl. packet; разг. ounce of lead; (*олово*) lead; боен ~ service bullet; ра̀на от ~ a bullet wound; ● с един ~ два заека kill two birds with one stone; тегля някому ~а blow s.o.'s brains out; admit/knock/let/shoot daylight into s.o.

кусур *м.*, -и, (два) кусу̀ра 1. flaw, blemish, defect, fault; (*единствен*) a fly in the ointment; без ~ flawless, perfect; unobjectionable; намирам ~и на find fault with, pick holes in; 2. (*остатък*)

remainder, rest; ● не му връзвай ~ don't mind him; само това ни беше ~ът that caps/tops it all, that puts the lid on.

кути|я *ж.*, -и box; амбреажна ~я техн. clutch-housing; (*калъф за цигулка и пр.*) case; (*на високоговорител, усилвател*) cabinet; кибритена ~я match-box; пощенска ~я (*в поща*) post box, (*в къща*) letter-box; разпределителна ~я junction box; ● като то от ~я излязъл as if he has just stepped out of a bandbox.

кутсу̀з *прил.* неизм. unlucky; разг. jinxed; ~ ден амер. Black Friday.

ку̀фар *м.*, -и, (два) ку̀фара suitcase, valise; (*голям*) trunk; portmanteau; ● стягам си ~ите прен. pack up.

кух *прил.* hollow; (*празен*) empty; прен. empty, meaningless, specious; (*неискрен*) hollow; ~и фрази empty/meaningless words; flimflam talk.

кухин|а *ж.*, -и (*в дърво*) hollow; анат. cavity, chamber, recess, ventricle, antrum; коремна ~а abdominal cavity; очна ~а socket (of the eye); (*в метал*) flaw; (*в скала*) геол. vesicle; (*хлътнатина*) геол. vug.

ку̀хненск|и прил., -а, -о, -и kitchen (*attr.*); ~а печка (kitchen-) range, cooker; ~и принадлежности kitchenware, kitchen utensils.

ку̀хн|я ж., -и 1. kitchen; (*в самолет, параход*) galley; лятна ~я cookhouse; обществена ~я communal/soup kitchen; 2. (*начин на готвене*) cuisine, cooking.

куц прил. lame, limping; ~ с левия крак lame in the left leg; ● ~о и сакато, ~о и кьораво anyone and everyone, every Tom, Dick and Harry.

ку̀цам гл. 1. limp, have a limp, be lame, halt, hobble; (*вървя куцайки*) limp/stump along; 2. прен. be far from perfect, not be up to standard, (*за довод*) halt; бракът им започва да куца their marriage is getting a little frayed around the edges; тук нещо куца there is something wrong here.

ку̀ча се възвр. гл., мин. св. деят. прич. ку̀чил се pup, have puppies.

ку̀че ср., -та dog (и прен.); верен като ~ devoted as a dog; домашно ~ house dog, (*луксозно*) pet-/fancy-/lapdog; (*за пазене*) watchdog; живея ка-

то ~ lead a dog's life; уморен като ~ dog-tired; ● върви му като на бясно ~ тояги he never has any luck; живеем/сговаряме се като ~ и котка live a cat-and-dog life, live/quarrel like cat and dog; ~тата лаят, керванът си върви the dogs bark but the caravan goes/moves on.

ку̀чешк|и прил., -а, -о, -и dog's; canine; ~а вярност brute fidelity; ~а колиба kennel; ~и живот a dog's life; ~и зъб canine tooth, cuspid, (*особ. горен*) eye-tooth.

ку̀чк|а ж., -и bitch (и прен.), прен. hussy, catamaran; ● бързата ~а слепи ги ражда haste makes waste, more haste less speed.

кучка̀рни|к м., -ци, (два) кучка̀рника dog-kennel.

кушѐтк|а ж., -и couch, амер. davenport.

къдѐ въпр. нареч. 1. where, whereabouts; до ~ where, how far; знаеш ли ~ е той? do you know his whereabouts? (*към кое място*) where ... (to), which way, остар. whither; (*приблизително на кое място*) whereabout(s); 2. (*за сравнение, изтъкване предимство*) far, infinitely; той е ~ по-добър he is far/infinitely/miles better; he's better by a long chalk; 3. (*около*) (*за място*) near; (*за време*) about; 4. съюз (*при изреждане*) now ... now; ~ сам, ~ с негова помощ now by myself, now with his help; ● до немай ~ out and out, no end, to the highest degree; от немай ~ in spite of o.'s teeth, willy-nilly, of necessity.

къдѐто нареч. и съюз where; wherever; ~ и да е anywhere, no matter where.

къ̀драв прил. curly; crimpy; (*на едри вълни*) wavy; (*на ситни къдрици*) frizzly, frizzy, tightly curled, crinkly, crispy, woolly, kinkled, kinky; ~о зеле бот. savoy.

къ̀дриц|а ж., -и curl, ringlet, lock, frizzle.

къ̀дря гл., мин. св. деят. прич. къ̀дрил curl; wave; (*на ситни къдрици*) frizzle, frizz; (*студено*) perm; || ~ се (*сам*) curl/wave o.'s hair; (*на фризьор*) have o.'s hair set, have a wave, (*студено*) have a perm; косата и се къдри her hair waves/curls naturally; (*за вода – от вятъра*) dimple, ripple.

къкря *гл., мин. св. деят. прич.* **къкрил** simmer, burble; stew, coddle.

кълбест *прил.* round, globular, spherical; cumulous, cumuliform; ~ **облак** cumulus (*pl.* cumuli).

кълб|о *ср.,* -**а и** -**ѐта 1.** sphere, globe, ball, orb; **земното** ~**о** *геогр.* the (terrestrial) globe; **2.** (*конци и пр.*) ball, clew; glomeration; **навивам на** ~**о** clew; **3.:** ~**о назад** backward roll; ~**о напред** forward roll; **4.** *бот.* globule; ● ~**о дим** a puff of smoke; **свивам се на** ~**о** coil up.

кълбовид|ен и кълбообрàз|ен *прил.,* -**на,** -**но,** -**ни** spheric(al), globe-shaped, ball-shaped, globular, globate(d), globe-like; globoid, globous; conglobular; cumulous; ~**на мълния** fireball; globe-lightning.

кълвà *гл.* **1.** (*за птица*) peck, pick; (*за риба*) bite, nibble (at a bait), rise at the bait; **2.** (*зубря*) sap, swot, mug, grind; (*за изпит*) cram, *амер. разг.* bone up.

кълвàч *м.,* -**и, (два) кълвàча 1.** *зоол.* woodpecker (*Picus*); flicker (*C. auratus*); (*пъстър*) wood-pie; **2.** *неодобр.* (*зубрач*) sap, swot, mug, muz(z), crammer.

кълн *м.,* -**ове, (два) кълна** *бот.* germ.

кълнà *гл.* curse; || ~ **се 1.** swear (в by); ~ **се във всичко свято** I swear by all that is holy/by all I hold sacred; **2.** (*обещавам*) vow; ~ **се във вярност** vow fidelity, pledge/swear allegiance (**на** to); ● ~ **дните си** deplore/bewail o.'s fate.

към *предл.* **1.** (*в посока на*) toward(s); **обръщам се с лице** ~ turn o.'s face towards; face (*и прен.*); **2.** (*приближаване; прибавяне*) to; **те се приближиха** ~ **нас** they came up to us; **той отива** ~ **40 години** he is getting on for forty, he is nearly forty; **3.** (*по отношение на*) to, towards; **любов** ~ love of/for; **4.** (*около, приблизително*) (*за време*) towards, about, near; (*за брой*) about; (*за място*) near; **5.** (*цел на действие*) to, towards; **минавам** ~ pass on to.

къмпинг *м.,* -**и, (два) къмпинга** camping-site.

кънк|а *ж.,* -**и** *обикн. мн.* skates; **летни** ~**и** roller-skates; **пързалям се с/на** ~**и** skate.

кънтя *гл.* resound, ring, echo, reverberate (**от** with); roar, rumble; din (**в** in).

къпин|а *ж.,* -**и** *бот.* (*плод*) blackberry; (*храст*) bramble, blackberry bush; **отивам за** ~**и** go blackberrying.

къпя *гл., мин. св. деят. прич.* **къпал** (*дете, болен*) bath, give (s.o.) a bath/his bath; || ~ **се** (*в река, море*) bathe; (*във вана и пр.*) take/have a bath.

кървя *гл., мин. св. деят. прич.* **кървил** bleed, ooze (with)blood.

кърма₁ *ж., само ед.* **1.** (*майчино мляко*) mother's milk; **2.** (*храна за добитък*) provender, fodder, forage; mash, mess; (*специално приготвена*) feed, feeding stuffs.

кърм|à₂ *ж.,* -**и** *мор.* stern, poop; **с** ~**ата напред** stern on.

кърмàче *ср.,* -**та** suckling, baby, nurseling, child at the breast; breast-fed child.

кърмя *гл., мин. св. деят. прич.* **кърмил 1.** (*за майка*) suckle, give suck to, nurse (at the breast), feed; breast-feed; **2.** (*добитък*) feed.

кърп|а *ж.,* -**и 1.** (piece of) cloth; ~**а за лице** face-towel; facecloth, (*на ролка*) jack-towel; ~**а за хранене** (table) napkin, serviette; **2.** *анат.* caul; ● **работата е в** ~**а вързана** it's in the bag/*амер.* in the can, it's as good as done, it's dead sure, it's a dead cert(ainty), it's buttoned up; it is copper-bottomed.

кърпя *гл., мин. св. деят. прич.* **кърпил** (*поправям*) mend, repair; (*с кръпка*) patch; (*нескопосано*) botch, tinker; (*чорапи*) darn; (*обувки*) repair, cobble; (*с тенекия и пр.*) tinker; ● **кърпим я някак** we manage somehow.

къртя *гл., мин. св. деят. прич.* **къртил 1.** break/knock off; (*врата и пр.*) break open; (*нещо заковано, прикрепено*) tear/rip off; (*с лост*) prize (open, out); (*с кирка*) peck (up, down); (*стена и пр.*) tear/pull down; (*камъни от кариера*) quarry, muck; **2.** (*спя*) sleep, snooze; || ~ **се 1.** flake; crumble, fall to pieces, come/fall off; **2.** (*за кашлица*) loosen, get easier.

къс₁ *м.,* -**ове, (два) къса** piece, bit, fragment; patch; (*месо*) gobbet.

къс₂ *прил.* short; (*кратък*) short, brief; **за** ~**о време** in a short time/while; **коланът е** ~ the belt won't meet; ~**о съединение** *ел.* a short circuit.

късам *гл.* **1.** tear, rend (*и прен.*); ~ **на парчета** tear to pieces, tear up; (*конец*) break; **2.** (*бера*) pluck, pick; **3.**

(*износвам*) wear out; **4.** (*на изпит*) plough, fail, *амер.* flunk; || ~ **се** (*за плат и пр.*) tear, wear out; **лесно се** ~ tear easily; ● **дето е тънко, там се къса** a chain is only as strong as its weakest link; ~ **се от смях** split o.'s sides with laughter; laugh like a drain.

къс|ен *прил.,* -**на,** -**но,** -**ни** late; ~**на нощ** the midnight hours.

късмèт *м.,* -**и, (два) късмèта 1.** (*щастие*) luck, *книж.* fortune; (*щастлив случай*) piece/stroke of luck/of good fortune, windfall; (*неочакван*) fluke; *разг.* a bit of fat; (*за известен период*) a run of luck; **имам** ~ be lucky/fortunate, be in luck, have (the best of) luck; **на** ~ on the off chance, at hazard, at a venture; **2.** (*съдба*) fortune, lot.

късно *нареч.* late; **лягам си** ~ (*редовно*) keep late hours; **най-** ~ **в понеделник** on Monday at the latest.

късогледство *ср., само ед.* short-sightedness (*и прен.*), near-sightedness, *мед.* myopia; *прен.* lack of foresight.

къщ|а *ж.,* -**и 1.** house; **самостоятелна** ~**а** a detached house; **търговска** ~**а** business/commercial house/firm/establishment; **2.** (*дом*) home; **3.** (*семейство*) house(hold), family.

къщовни|к *м.,* -**ци** good husband; **голям е** ~**к** he is very house-proud.

кьосè *ср.,* -**та** beardless man.

кьошè *ср.,* -**та** *диал.* corner.

кюлче и кюлче *ср.,* -**та** bar, ingot, bullion.

кюн|ец *м.,* -**ци, (два) кюнеца** pipe; (*на печка*) stove-pipe.

кюп *м.,* -**ове, (два) кюпа** jar, pot; ● **в** ~**а** *прен.* in the melting pot.

кюрд *м.,* -**и** Kurd.

кюрдск|и *прил.,* -**а,** -**о,** -**и** Kurdish.

кюспè *ср., само ед.* oil-cake; (*за тор*) marc; (*от бира*) draff; **слънчогледово** ~ sunflower cake.

кютю|к *м.,* -**ци, (два) кютюка** stump, log; *прен.* block, stock, dullard.

кюфтè *ср.,* -**та 1.** *кул.* meat ball, (*панирано*) rissole; hamburger; (*от картофи и пр.*) croquette; **2.** *прен.* podge, dumpling.

кючè|к *м.,* -**ци, (два) кючèка** *муз.* Oriental (belly-)dance.

кяр *м.,* -**ове, (два) кяра** *разг.* profit, gain; **на** ~ **си** you're in pocket/in the black, it's your gain.

А **ла** *ср., само ед. муз.* la, A; **~-бемол** A-flat; **~-диез** A-sharp.

лабиа̀л|ен *прил.,* **-на,** **-но, -ни** *език.* labial.

лабиализа̀ция *ж., само ед. език.* labialization.

лабиализѝрам *гл. език.* labialize.

лабѝл|ен *прил.,* **-на, -но, -ни** unstable, labile; feeble.

лабѝлност *ж., само ед.* instability, lability.

лабирѝнт *м.,* **-и, (два)** **лабирѝнта** labyrinth, maze; **●** **~ите на закона** the meanders of the law.

лаборѐнт *м.,* **-и; лаборàнтк|а** *ж.,* **-и** laboratory assistant, lab technician, tester.

лаборато̀р|ен *прил.,* **-на, -но, -ни** laboratory (*attr.*), laboratorial.

лаборато̀ри|я *ж.,* **-и** laboratory, *разг.* lab; **космѝческа ~я** spacelab; **фотографѝческа ~я** dark room.

лабрадо̀р *м.,* **-и, (два)** **лабрадо̀ра** *зоол. (порода кучета)* labrador.

лабрадорѝт *м., само ед. минер.* labradorite.

ла̀ва *ж., само ед.* lava, dejection; **изстинала ~** coulee.

лавандѝла *ж., само ед. бот.* lavender.

лавѝн|а *ж.,* **-и** avalanche (*и прен.*), snow-slip, snow-slide.

лавѝрам *гл.* **1.** *мор.* tack, fetch about, stay, lie in stays; **2.** *прен.* temporize, manoeuvre; *разг.* bob and weave; *полит.* trim; *(увъртам)* equivocate.

лавѝц|а *ж.,* **-и** shelf, rack.

ла̀вк|а *ж., и воен.* canteen, refreshment centre; *(магазинче)* shop, store, buttery; **сладка̀рска ~а** tuck-shop.

ла̀вр|а₁ *ж.,* **-и** *църк.* monastery.

ла̀вр|а₂ *ж., и* **ла̀вър** *м.,* **-ри, (два)** **ла̀въра** *бот.* **1.** *(дърво)* bay-tree, *книж.* laurel (*Laurus nobilis*); **2.** *(клонче и пр.)* laurel (*и прен.*); **●** **жъна ~и** reap/win laurels; *и прен.* bays; **почивам на ~ите си** rest on o.'s laurels; **увенчан с ~и** laurelled, wreathed/crowned with laurels; *разг.* hit the headlines.

ла̀вров *прил.* laurel, bay (*attr.*); **~ венец** crown of laurels, laurel wreath, laurels; **~о дърво** bay-tree, sweetwood (*Laurus nobilis*).

лаг *м.,* **-ове, (два)** **ла̀га** *мор.* log.

ла̀гер₁ *м.,* **-и, (два)** **ла̀гера** camp; encampment; *воен.* bivouac; **бежански ~** refugee camp; **концентрационен ~** concentration camp; **на ~ съм** camp.

ла̀гер₂ *м.,* **-и, (два)** **ла̀гера** *техн.* bearing; gudgeon; **ролков ~** roller bearing; **сачмен ~** ball-bearing; **стойка на ~** bearing base; *(с подложка, буфер)* pillow.

ла̀гер|ен₁ *прил.,* **-на, -но, -ни** camp (*attr.*); camping.

ла̀гер|ен₂ *прил.,* **-на, -но, -ни** *техн.* of a bearing.

ла̀герни|к|а *м.,* **-ци; ла̀герничк|а** *ж.,* **-и** camper.

лагеру̀вам *гл.* camp, encamp; *воен.* go into bivouac.

лагу̀н|а *ж.,* **-и** *геогр.* lagoon, backwater.

лад *м.,* **-ове, (два)** **ла̀да** *муз.* mood, mode.

ла̀ди|я *ж.,* **-и** boat, bark.

лаза̀ня *ж., само ед. кул.* lasagne.

лазарѐт *м.,* **-и, (два)** **лазарѐта** *воен.* military infirmary; sick-quarters; *(подвижен)* field-hospital, ambulance; *(в кораб)* sick-bay; *истор.* pest-house.

ла̀зарни|к *м.,* **-ци, (два)** **ла̀зарника** *диал.* year.

ла̀зер *м.,* **-и, (два)** **ла̀зера** *физ.* laser.

лазешко̀м и **лазешка̀та** *нареч.* creeping, crawling; **движа се ~** creep, crawl.

лазу̀р *м., само ед.* azure, blueness.

лазу̀р|ен *прил.,* **-на, -но, -ни** azure, blue; cloudless, serene; **~ен поглед** Liquid/serene eyes.

ла̀зя *гл., мин. св. деят. прич.* **ла̀зил** **1.** creep, crawl; **лазят ме тръпки** shiver; **2.** *(катеря се)* clamber; **3.** *(сервилнича)* cringe, grovel (пред before); **~ по нервите на някого** get on s.o.'s nerves; give s.o. the fidgets/jumps.

лай|к *м.,* **-ци** layman, laic; dilettante, amateur; **~ците** the laity.

лайческ|и *прил.,* **-а, -о, -и** laic.

ла̀й|й (-ят) *м.,* **-и** lai; **ла̀я** bark(ing).

ла̀йвам, ла̀йна *гл.* bark, give a bark.

ла̀йденск|и *прил.,* **-а, -о, -и:** **~а стъкленица** *физ., ел.* Leyden jar.

ла̀йк|а и **ла̀йкучк|а** *ж.,* **-и** *бот.* camomile.

ла̀йнер *м.,* **-и, (два)** **ла̀йнера** *мор.,* *авиац.* liner.

ла̀йн|о *ср.,* **-а.** **1.** dirt; **2.** *(за човек)* (filthy) scum; *sl.* crap; *грубо* turd.

ла̀йстн|а *ж., и техн.* moulding, strip.

ла̀йтмотив *м.,* **-и, (два)** **ла̀йтмотива** *муз.* leitmotif; *прен.* leading/central idea.

лак *м.,* **-ове, (два)** **ла̀ка** **1.** varnish, lacquer; **безцветен ~** clear lacquer; **~ за коса** hairspray; **~ за нокти** nail polish; enamel; **2.** *(кожа)* patent leather.

лакѐ|й (-ят) *м.,* **-и** footman, footboy; flunkey, lackey; tiger; menial; *прен.* toady, flunkey, lackey.

лакѐйнича *гл., мин. св. деят. прич.* **лакѐйничил** cringe (to), fawn (on).

лакѝрам *гл.* varnish, lacquer; polish; apply varnish/lacquer; *прен.* varnish; **~ ноктите си** polish o.'s nails.

лакѝране *ср., само ед.* varnishing, lacquering.

ла̀кмус *м., само ед. хим.* turnsole (*и прен.*).

ла̀кмусов *прил.* litmus (*attr.*); **~а хартия** *хим.* litmus/test paper.

ла̀ком *прил.* greedy, gluttonous, voracious; esurient; *шег.* edacious; *разг.* gutsy; *(алчен)* greedy, ravenous, avaricious; grasping; avid.

лакомѝ|я *ж.,* **-и** gluttony, greediness, voracity; esurience, esuriency; *шег.* edacity, edaciousness; *(невъздържаност)* crapulence; *(алчност)* greed, cupidity, avidity, ravenousness; **2.** *(за човек)* glutton, stodge; *sl.* gannet.

ла̀комств|о *ср.,* **-а** *(храна)* titbit, dainty (bit), delicacy, kickshaw; **~а** table luxuries, *уч. sl.* suck ups, goodies.

лакомѝ се *възвр. гл., мин. св. деят. прич.* **лакомѝл се** be greedy (за for).

лаконѝз|ъм (-мът) *м., само ед.* laconism; laconism.

лаконѝч|ен *прил.,* **-на, -но, -ни** laconic, terse, concise, short-spoken; curt.

лаконѝчност *ж., само ед.* laconism; terseness, curtness.

ла̀кта *ж., само ед.* melted cheese; *(бонбони)* toffee.

лакта̀за *ж., само ед. хим.* lactase.

лакта̀ция *ж., само ед. мед.* lactation.

лакто̀за *ж., само ед. хим.* lactose, milk-sugar, sugar of milk.

ла̀кът (-ят) *м.,* **ла̀кти, (два)** **ла̀къта** **1.** elbow; **пробивам си път с лакти** elbow o.'s way; **с протрити лакти** out at elbows; **2.** *остар. (мярка)* cubit.

ла̀кът|ен *прил.,* **-на, -но, -ни:** **~на**

кост *анат.* cubit, ulna.

лàла *м., само ед. неодобр.* buffoon, wag.

лàладжи|я (-ята) *м.,* **-и** windbag, chatterbox, babbler, prattler; merry-andrew.

лалè *ср.,* **-та** *бот.* tulip.

лалỳгер *м.,* **-и, (два)** лалỳгера *зоол.* hamster (*Spermophylopsis leptodactylus*), ground squirrel.

лàм|а₁ *ж.,* **-и** *зоол.* llama.

лàм|а₂ *м.,* **-и** *рел. (жрец)* lama; • Далай ~а Dalai Lama, Grand Lama.

ламарѝн|а *ж.,* **-и** sheet iron/metal, laminated iron; tin; поцинкована ~а galvanized sheet iron.

ламарѝнен *прил.* sheet/corrugated iron (*attr.*).

ламбàда *ж., само ед. муз.* lambada.

ламè *ср., само ед. текст.* lamé.

ламèл|а *ж.,* **-и** *техн., бот.* lamella.

ламèл|ен *прил.,* **-на, -но, -ни** lamella (*attr.*), laminar.

лàмина *ж., само ед. анат.* lamina.

ламинѝрам *гл.* laminate.

ламинѝране *ср., само ед.* laminating.

лàмп|а *ж.,* **-и** lamp; (*на радио*) valve *амер.* tube; луминесцентна ~а fluorescent lamp; на ~а by lamplight; настолна ~а desk/table lamp; нощна ~а reading lamp; сигнална ~а *воен.* Aldis lamp; халогенна ~а halogen lamp.

лампàз *м.,* **-и, (два)** лампàза (trouser) stripe.

лàмпен *прил.* lamp (*attr.*); ~а светлина lamplight.

лампèрия *ж., само ед.* wainscoting, (wooden) panelling, panelwork.

лампиòн *м.,* **-и, (два)** лампиòна lampion, Chinese lantern; *pl.* fairy lights.

лàмпов *прил.* valve; ~ приемник *радио.* valve-set.

ламтèж *м., само ед.* и ламтèжи *само мн.* craving, lust, thirst, hunger (за for, after).

ламтя̀ *гл.* crave, thirst, lust (за for, after), covet; ~ за богатство labour after wealth.

лам|я̀ *ж.,* **-ѝ** dragon; *мит.* lamia; *прен.* glutton.

лàндграф *м.,* **-ове** *истор.* landgrave.

ландò *ср., само ед.* landau; (*малко*) landaulet.

лàндшафт *м., само ед.* landscape, scenery.

лàн|ец *м.,* **-ци, (два)** лàнеца watch-chain/-guard, fob, chainlet, albert.

ланолѝн *м., само ед.* lanolin(e), woolfat.

лансѝрам *гл. (някого)* bring s.o. to the fore/before the public, give s.o. a boost, boost/push s.o.; give s.o. a start in life; (*идея*) launch, start, promote, float, give currency to, set forth; (*шумно*) boom; || ~ се stand out, be reputed to be; лансира се като най-добрия лекар he is reputed to be the best doctor.

лансѝране *ср., само ед.* boosting; launching, promoting, floating promoting.

лàнск|и *прил.,* **-а, -о, -и** last year's; ~ият сняг the snows of yester year.

лантàн *м., само ед. хим.* lanthanum.

ланцèт *м.,* **-и, (два)** ланцèта *мед.* lancet, lance; fleam.

ланцèтни|к *м.,* **-ци, (два)** ланцèтника *зоол.* lancelet.

Лàос *м. собств.* Laos.

лàп|а *ж.,* **-и** paw; (*на заек, лисица*) pad; *прен.* clutch; *шег. (ръка)* flipper; (*на котва*) fluke; в ~ите на смъртта in the jaws of death; дай ~а! *разг.* give us your fist! попадам в ~ите на някого fall into s.o.'s clutches.

лàп|а *ж.,* **-и** *мед.* poultice, plaster, stupe; *мед.* cataplasm; налагам с ~а foment.

лапàвица *ж., само ед.* slush, sludge, sleet; wet snow.

лàпад *м., само ед. бот.* dock.

лàпам и **лàпвам**, **лàпна** *гл.* 1. gobble, bolt; wolf; swallow; gulp (down); *sl.* lower; (*ям с апетит*) gobble, tuck in, eat away, eat heartily; 2. (*вярвам на лъжа*) lap up/down, swallow, bite, take the hook; 3. (*влюбвам се*) fall for, fall head over ears in love (with); лапнал съм по be spoons/nutty on, be gone on, feel goopy about; *sl.* have a crush on, have the hots for; • ~ въдицата swallow the bait, bite; ~ голям залък bite off more than one can chew; ~ мухите gad about, fool/moon around, loaf.

лапароскòпия *ж., само ед. мед.* laparoscopy.

лапидàр|ен *прил.,* **-на, -но, -ни** lapidary.

лаплàнд|ец *м.,* **-ци;** лаплàндк|а *ж.,* **-и** Lapp, Laplander.

Лаплàндия *ж. собств.* Lapland.

лаплàндск|и *прил.,* **-а, -о, -и** Lappish.

лапнѝмух|а *м.* и *ж.,* **-и;** лапнѝшаран *м.* и *ж.,* **-и** gull, gudgeon, flat, greenhorn, booby.

лàпсус *м.,* **-и, (два)** лàпсуса *език.* lapsus, lapse, slip.

лàрв|а *ж.,* **-и** *зоол.* larva (*pl.* larvae); (*на муха*) maggot; (*на бръмбар*) grub, larva.

ларж *прил. неизм.* open-handed.

ларингѝт *м., само ед. мед.* laryngitis, clergyman's (sore) throat.

ларинголò|г *м.,* **-зи** laryngologist.

ларингология *ж., само ед. мед.* laryngology.

ларингоскòпия *ж., само ед.* laryngoscopy.

лàринкс *м.,* **-и, (два)** лàринкса *анат.* larynx.

лàск|а *ж.,* **-и** 1. (*милувка*) caress, endearment, embrace; 2. (*любезно отношение*) kindness, tenderness, affection.

лàскав *прил.* 1. (*нежен*) tender, affectionate; caressing, endearing; bland; 2. (*за отзив*) favourable, flattering, sympathetic.

ласкàтел (-ят) *м.,* **-и;** ласкàтелк|а *ж.,* **-и** flatterer, adulator, backscratcher, blandisher; flunkey, cajoler; toad-eater.

ласкàтелств|о *ср.,* **-а** flattery, adulation; blandishment; cajolery; sweet talk; backscratching; toad-eating; lip-salve; palaver; blarney, soft soap, soft-sawder; sweet-talk; flannel; *sl.* grease job; *амер. sl.* oil.

ласкàя *гл., мин. св. деят. прич.* ласкàл flatter, adulate, tickle; *разг.* toady, carn(e)y, butter (s.o.) up, soft-soap; (*явно, грубо*) lay it on thick, lay it on with a trowel, lay the butter on, use the butterboat, soft-soap, flannel; *sl.* feed a line; (*за да измамя*) cajole; oil s.o.'s tongue; || ~ се: ~ се от мисълта I feel flattered at the thought, I flatter myself at the thought (за of).

лàс|о *ср.,* **-à** lasso, lariat; хващам с ~о lasso, lariat, noose.

ластàр *м.,* **-и, (два)** ластàра 1. *бот.* tendril, tentacle, cirrus, runner; (*на ягода*) trailer; 2. (*млада лозова пръчка*) vine sprout; 3. (*издънка*) shoot, sprout; подобен на ~ tentacular.

лàсти|к *м.,* **-ци, (два)** лàстика 1. (piece of) elastic/cord; (*изрезка от гу-*

_ма_) rubber band; (_за чорапи_) garter; (_за коса_) elastic band; (_за мятане_) catapult; **2.** (_плетка_) ribbing; (_на чорап_) welt.

ласти́ч|ен _прил._, -на, -но, -ни elastic, rubber; (_за плетка_) ribbed; ~ни чорапи ribbed stockings/socks, _мед._ elastic stockings.

ласту́н|а _ж._, -и _бот._ stem (of a squash, etc.).

лат|а _ж._, -и: нивелачна ~а hub.

латви́|ец _м._, -йци; **латви́йк|а** _ж._, -и Latvian, Lett.

латви́йск|и _прил._, -а, -о, -и Latvian, Lettic, Lettish; ~и език Lett, Lettic, Lettish.

Ла́твия _ж. собств._ Latvia, Lettonia.

латѐкс _м._, _само ед._ latex.

латѐнт|ен _прил._, -на, -но, -ни latent, delitescent, dormant, _мед._ larval; в ~но състояние съм lie dormant; ~ен период latent period.

латѐнтност _ж._, _само ед._ latency, latence, delitescence, dormancy.

латерал|ен _прил._, -на, -но, -ни _фон._ lateral, divided.

латѐрн|а _ж._, -и barrel-/hand-/street-organ, hurdy-gurdy.

латѐрнаджи|я _м._, -и organ-grinder.

латинизи́рам _гл._ Latinize, Romanize.

латѝница _ж._, _само ед._ _език._ Roman alphabet.

лати́нк|а _ж._, -и _бот._ nasturtium, Indian cress (_Tropaeolum majus_).

латиноамерика́н|ец _м._, -ци; **лати́ноамерика́нк|а** _ж._, -и Latin American.

латиноамерика́нск|и _прил._, -а, -о, -и Latin American, Latin America (_attr._).

лати́нск|и _прил._, -а, -о, -и Latin; ~и език Latin, the Latin language.

лауда́нум _м._, _само ед._ _фарм._ laudanum.

лауреа́т _м._, -и laureate, prize-winner.

лаф _м._, -ове, (два) ла́фа _жарг._ word; talk; chat, gossip; стана ~ за него we happened to mention him, his name was mentioned.

лафѐт _м._, -и, (два) лафѐта _воен._, _истор._ gun-carriage, mount.

ла́фя _гл._, _мин. св._ _деят. прич._ ла́фил _жарг._ schmooze, talk, chat; natter, chew the fat/rag; have a (nice) gossip.

ла́чен _прил._ patent leather (_attr._).

ла́шкам и ла́швам, ла́шна _гл._ push,

---

shove; buffet; slam.

ла́я _гл._ bark (_и прен._); _прен._ wag o.'s tongue; (_за голямо куче_) bay (по at); _прен._ bawl (**против** against, at).

лѐбед _м._, -и, (два) лѐбеда _зоол._ swan; (_мъжки_) cob (swan); (_женски_) hen(-swan); (_млад_) cygnet.

лебѐдк|а _ж._, -и _техн._ jinney, winch, gig, hoisting crab.

лѐбедов _прил._ swan's, swan (_attr._); ~ пух swan's down; • ~а песен swan song.

лѐбервурст _м._, _само ед._ _кул._ liver sausage, white pudding.

лѐберкез _м._, _само ед._ _кул._ bologna, Bologna sausage.

леблебѝя _ж._, _само ед._ chick-peas.

лев _м._, -ове, (два) лѐва lev; два ~а two levs; не струва пукнат ~ it's not worth a straw.

лева́|к _м._, -ци; **левачк|а** _ж._, -и left-handed/cack-handed person, left-hander, lefty (_и прен._); (_несръчен човек_) butter-fingers; голям ~к е all his fingers are thumbs.

лѐвг|а _ж._, -и sea mile, league.

левѐнт _м._, -и well-built/strapping young man/fellow.

левѝц|а _ж._, -и **1.** left hand; **2.** _полит._ left wing, left.

левича́р (-ят) _м._, -и **1.** left-hander; **2.** _полит._ left-winger, leftie, _амер._ leftist.

левича́рск|и _прил._, -а, -о, -и left-wing (_attr._), leftist of the left wing; ~и уклон left-wing deviation/sectarianism.

левкемѝя _ж._, _само ед._ _мед._ leucaemia, leukaemia, leucocythaemia.

левкодѐрма _ж._, _само ед._ _мед._ leucoderma.

левкоцѝт _м._, -и, (два) левкоцѝта _обикн. мн._ _анат._ leucocyte, white blood corpuscle.

левосектѐнт _м._, -и leftist sectarian/dissenter.

левосектѐнтство _ср._, _само ед._ leftist sectarianism.

лега́л|ен _прил._, -на, -но, -ни **1.** (_законен_) legal, lawful, legitimate; **2.** (_открит_) open, above-board.

легализи́рам _гл._ legalize, authorize; (_завещание_) _юр._ prove, validate.

легализи́ране _ср._, _само ед._ legalization; (_на документ_) authentication; (_на завещание_) proving, validation.

лега́лност _ж._, _само ед._ legality, legitimacy, lawfulness.

лега́т _м._, -и _истор._ legate.

лега́то _нареч._ _муз._ legato, slur.

лега́ци|я _ж._, -и legation; _амер._ mission.

легѐн _м._, -и, (два) легѐна (wash) basin.

легѐнд|а _ж._, -и **1.** legend; ~и събир. legendry; народни ~и folktales; **2.** (_измислица_) myth, fiction, fib, tall story; **3.** (_обяснение на условни знаци_) key, explanation, legend; **4.** (_към карта_) footnote.

легенда́р|ен _прил._, -на, -но, -ни legendary, fabled, fabulous.

легѐнче _ср._, -та _анат._ pelvis.

легио́н _м._, -и, (два) легио́на legion; • Почетен ~ Legion of Honour.

легионѐр _м._, -и **1.** legionary; **2.** _истор._ member of a fascist youth organization in Bulgaria (before 1944).

леги́ран _гл._ alloy, dope.

леги́ран _мин. страд. прич._ (_и като прил._): ~а стомана _метал._ steel alloy.

леги́ращ _сег. деят. прич._ (_и като прил._): ~ елемент constituent.

легитима́ци|я _ж._, -и identity/identification card.

легити́м|ен _прил._, -на, -но, -ни legitimate.

легитими́рам се _възвр. гл._ establish o.'s identity, show/produce o.'s identity card/papers.

легити́мност _ж._, _само ед._ legitimacy.

лѐги|я _ж._, -и _истор._ legion.

легл|о́ _ср._, -а́ **1.** bed, bedstead; (_в кораб_) berth; (_на земята_) shake-down; (_съваемо, в спален вагон_) couchette; брачно ~о nuptial bed; в ~ото in bed; between the sheets; (_болен_) abed, in bed; лягам на ~о (_разболявам се_) take to o.'s bed; стая с две ~а double bedroom; **2.** (_гнездо_) nest; **3.** (_леговище_) den, earth, lair; **4.** (_на река_) bed, channel; **5.** _техн._ channel, groove; **6.** _мин._ pavement.

лѐгнал _прил._ lying; recumbent; in bed; decumbent; _мед._ decubital; в ~о положение flatways, _амер._ flatwise.

легови́щ|е _ср._, -а den, lair (_и прен._); (_на лисица_) earth.

лед _м._, -ове́, (два) лѐда ice; обкръжен/скован от ~ове ice-bound; уиски и пр. с ~ whisky etc. on the rocks; • ходя по тънък ~ walk on thin ice, walk a tightrope, skate over thin ice.

лѐден _прил._ (of) ice; glacial; (_много_

студен) icy; ice-cold, chilly, freezing; *прен.* icy, glacial; (*за вятър*) icy, nipping; ~а площадка (*за кънки*) ice-rink; ~о мълчание *прен.* icy silence.

леденѐя *гл., мин. св. деят. прич.* ле-денѝл (turn to) ice, freeze; become numb/stiff with cold.

лѐди и лѐйди *ж., само ед.* lady; (*титла*) Lady.

лѐдни|к *м., -ци,* (*два*) лѐдника 1. glacier; 2. ice-box (*и прен.*).

лѐдников *прил.* glacial; • ~ период *геол.* Ice Age, Glacial Period, Drift Epoch.

ледовѝт *прил.* glacial, icy; ice (*attr.*); Северният ~ океан *геогр.* the Arctic (Ocean); Южният ~ океан *геогр.* the Antarctic (Ocean).

ледокоп *м., -и,* (*два*) ледокопа (*на алпинист*) ice-axe.

ледоразбивач *м., -и,* (*два*) ледораз-бива̀ча *мор.* ice-breaker.

ледоход *м., само ед.* ice-break.

лѐене *ср., само ед.* casting, founding, moulding.

лежа̀ *гл.* 1. lie; recline; (*болен съм*) be laid up, lie sick, keep to o.'s bed; ~ в засада (*за звяр и пр.*) couch; ~ в затвора lie in prison, do time; ~ в основата на lie at the root of, underlie; ~ по гръб lie on o.'s back, *прен.* do nothing; 2. (*за кокошката*) brood, sit (on eggs); 3. (*намирам се*) lie, be situated (на on, at, in); 4. (*за мъгла*) lie, hang (над over, on); нещо ми лежи на сърцето s.th. lies heavy on o.'s heart.

лежа̀щ *сег. деят. прич.* 1. (*легнал*) lying, recumbent, reclining; ~ болен hospital patient; 2. (*разположен*) lying, situated.

лѐйбгвардѐ|ец *м., -йци* life-guards-man.

лейбърѝз|ъм (-мът) *м., само ед.* *полит.* Labourism.

лейбърѝст *м., -и;* лейбърѝстк|а *ж., -и* *полит.* Labour Party member.

лѐйк|а *ж., -и* watering-can/-pot.

лейкопла̀ст *м., -и,* (*два*) лейкопла̀ста adhesive tape, sticking plaster, (court) plaster.

лейтенант *м., -и* *воен.* lieutenant; *sl.* looey; старши ~ first lieutenant.

лек₁ *прил.* 1. (*не тежък*) light; ~а закуска (light) snack, slight breakfast; ~а категория *спорт.* lightweight; ~а ко-

ла (motor)car; 2. (*лесен*) light, easy, effortless; facile; simple; soft; *разг.* cushy; ~ живот easy life; ~а работа! have a good day (at the office etc.); good luck! не му е ~а задачата he faces a rough ride; 3. (*слаб, едва за-бележим*) light, slight; mild, soft; gentle; (*ефирен*) filmy; gossamer (*attr.*), gossamery; ~о наказание light/mild/merciful punishment; 4. (*пъргав*) light (of foot), nimble; имам ~а стъпка be light on o.'s feet; 5. (*за човек – несериозен*) light, frivolous; (*неморален*) light, loose, wanton; ~ характер easy/ sweet temper/disposition; ~а жена light woman, woman of easy virtue, gay woman; ~о поведение loose behaviour; wantonness; 6. (*за стил*) easy, flowing, facile, simple; ~а музика breezy music; • има ~а ръка he is always lucky; ~а атлетика *спорт.* field and track athletics; ~а му пръст! may he rest in peace! ~а нощ good night.

лек₂ *м., -ове,* (*два*) лѐка remedy, cure, curative (*и прен.*); (*лекарство*) medicine; нямам и за ~ not have a bit/jot/ whit(of), not have enough to swear by.

лѐка-полѐка *нареч.* little by little, bit by bit, gradually; (*не бързай*) easy does it!

лѐкар (-ят) *м., -и* physician, doctor; *разг.* medical man; (*неспециалист*) general practitioner; военен ~ medical officer, army surgeon.

лѐкарк|а *ж., -и* woman/lady doctor; medical woman.

лѐкарск|и *прил., -а, -о, -и* medical, doctor's, physician's; ~а визитация doctor's round; ~и кабинет consulting room; ~и преглед medical examination, (medical) check-up.

лѐкарствен *прил.* medicinal, officinal, drug (*attr.*); ~и средства drugs, pharmaceuticals.

лѐкарств|о *ср., -а* medicine, drug; *разг.* physic; *само мн. събир.* medical goods/supplies/stores; (*специалитет*) proprietary/patent medicine.

лекѐ *ср., -та* 1. stain, spot, splotch; 2. (*за човек*) rotter, swine, cad, nasty piece of goods.

лѐко *нареч.* 1. (*с лекота, лесно*) easily; lightly; ~ се отървавам get off lightly/ cheaply; ~ се справям manage easily; have a walk-over; не му е ~ he has a

hard time of it, it's rough luck on him; 2. (*нетежко*) lightly; ~ ми е на душата my heart is glad, I'm at ease; стъпвам ~ tread lightly, be light on o.'s feet, be light of foot; 3. (*нежно, кратко*) gently; softly, mildly; (*едва забележимо*) faintly; усмихвам се ~ give a faint smile; 4. (*необмислено*) lightly, frivolously; гледам ~ на живота be frivolous.

лекоатлетѝческ|и *прил., -а, -о, -и* field and track (*attr.*).

лековѐрие *ср., само ед.* credulity, gullibility, dupability; deceivableness, deceivability.

лековѝт *прил.* healing, curative, medicinal, medicative; therapeutic; (*за климат*) salubrious, healthy; ~и билки medicinal herbs, simples.

лекодола̀з *м., -и* frogman.

лекодола̀з|ен *прил., -на, -но, -ни* skin-diving (*attr.*).

лекомѝслен *прил.* flighty, frivolous, thoughtless, flippant, unthinking, light(-minded), light-headed; *разг.* slaphappy, flip, glib.

лекомѝслие *ср., само ед.* flightiness, frivolity, levity, thoughtlessness, flippancy, light-headedness, light-mindedness.

леконра̀в|ен *прил., -на, -но, -ни* loose, wanton, fast, licentious; of easy virtue; dissolute.

лекота̀ *ж., само ед.* 1. (*подвижност*) nimbleness, fleetness; 2. (*леснина*) ease; effortlessness; 3. (*несериозност*) levity; 4. (*душевно спокойствие*) peace of mind.

лексѐм|а *ж., -и* *език.* lexeme.

лѐксика *ж., само ед.* lexis, vocabulary.

лексика̀л|ен *прил., -на, -но, -ни* lexical.

лексикогра̀фия *ж., само ед.* lexicography.

лексиколо̀гия *ж., само ед.* lexicology.

лексико̀н *м., -и,* (*два*) лексико̀на lexicon, dictionary.

лѐктор *м., -и;* лѐкторк|а *ж., -и* lecturer (по in); гост-~ visiting professor.

лѐктори|я *ж., -и* 1. course of lectures, lecture course, symposium of lectures; 2. (*помещение*) lecture room.

лекувам *гл.* cure, heal; (*за лекар*) treat; || ~ се take treatments/therapy, be under treatment, undergo a treatment (от for).

лекуване *ср., само ед.* (medical) treatment, medication, cure.

лекци|я *ж.*, -и lecture; *пренебр.* homily; **изнасям/чета ~я** read/ deliver a lecture, lecture (**върху** on).

лелея *гл.* cherish, foster, hold in o.'s heart, nurse, nourish.

лел|я *ж.*, -и aunt.

лемур *м.*, -и, (два) лемура *зоол.* lemur; (*черен за мъжките и кафяв за женските*) macaco.

лен *м., само ед.* 1. *бот.* (*растение*) flax; (*див*) mother of thousands; 2. *текст.* (*плат*) linen; (*тънък*) lawn.

ленен₁ *прил.* 1. *бот.* flaxy, flaxen; 2. *текст.* (*за плат*) linen; **~о масло** linseed oil; **~о семе** linseed.

лен|ен₂ *прил.*, -на, -но, -ни *истор.* feudal; **~но владение** feudal estate, fief, feud.

ленив *прил.* lazy, indolent, slothful; idle, sluggish; *фр.* fainéant; • **накарай ~ия на работа, да те научи на ум** it takes a lazy man to find the easiest way out.

ленив|ец *м.*, -ци; **ленивк|а** *ж.*, -и lazy-bones, lazy beggar, loafer, sluggard, *фр.* fainéant.

ленив|ец₂ *м.*, -ци, (два) ленивеца *зоол.* sloth (*Bradypus tridactylus*).

лент|а *ж.*, -и band; *техн.* tape; (*панделка*) ribbon; fillet; (*на ръката*) armband; (*на шосе*) lane; **~а за изпреварване** fast lane; **~а за пишеща машина** typewriter ribbon; **транспортна ~а** conveyor belt, conveyor; **филмова ~а** film, reel.

лентов *прил.* bar; **~ шифър** bar-code.

лентя|й (-ят) *м.*, -и lazy-bones, lazy beggar, loafer, slacker, sluggard, layabout; chair-warmer, lounger.

лентяйствам *гл.* loaf, slack about, idle away o.'s time; *sl.* mooch.

леопард *м.*, -и, (два) леопарда *зоол.* leopard; (*женски*) leopardess; (*тибетски*) ounce.

лепвам, лепна *гл.* 1. stick (on, to); **~ етикет на** label (*и прен.*); **~ петно** (*на дреха*) stain, (*на някого*) stain s.o.'s reputation/name; (*нещо на някого*) *sl.* pip/hang (s.th.) on (s.o.); 2. (*удрям*): **~ някому плесница** smack s.o., slap s.o.'s face, give s.o. a box on the ear, fetch/land s.o. one; || **~ се: се на някого** attach o.s. to s.o., hang on to s.o.,

stick like glue to s.o., remain glued to s.o.

лепенк|а *ж.*, -и sticking plaster; gummed label; sticker; (*на гума*) patch; (*книжна*) wafer.

лепил|о *ср.*, -а (*от смола*) gum; mucilage; (*от животински отпадъци*) glue; (*от скорбяла*) paste, size; **дишане на ~о** solvent abuse; **латексово ~о** latex adhesion.

лепкав *прил.* sticky, adhesive, gluey, glue-like; *разг.* gungy, gummy, mucilaginous; treacly; clingy; *разг.* gooey; (*влажен*) clammy; (*за лак и пр.*) tacky; (*за течност*) viscid, viscous, glutinous, ropy; (*за повърхност*) dauby; **~ съм** (*на пипане*) have a sticky feel.

лепне ми (ти, му, й, ни, ви, им) *безл. гл.* be sticky/clammy, have a sticky feel; (*за дреха*) cling.

леп|т *ж.*, -и mite; **давам ~ата си** contribute o.'s mite.

лептон *м.*, -и обикн. мн. *физ.* lepton.

лепя *гл.*, *мин. св. деят. прич.* лепил 1. stick, glue, paste (together); 2. (*мазилка*) plaster (up); • **всичко й се лепи** everything she eats turns to fat.

лес *м.*, -ове, (два) леса forest, wood.

лесбийк|а *ж.*, -и Lesbian.

лес|ен *прил.*, -на, -но, -ни easy; effortless; simple; (*лесно постижим*) facile; (*за човек*) easy-going, tractable; (*за машина и пр.*) **~ен за опериране** user-friendly; full-proof; (*за компютърна програма*) menu driven; **~на работа** a piece of cake, child's play, doddle, pushover, an easy ride/meat; like taking candy from a baby; **~на работа!** (*не се тревожи*) it'll be all right! don't (you) worry! take it easy! **не е ~на работа** it's quite a job, it's no picnic.

леск|а *ж.*, -и *бот.* hazel (*Corylus avellana*).

леснин|а *ж.*, -и 1. (*ловкост, лекота*) ease, effortlessness; facility; 2. (*лесен начин*) easy way, knack, trick.

лесниче|й (-ят) *м.*, -и forester; (*пазач*) forest-guard, ranger.

лесничейств|о *ср.*, -а forestry; (*управление*) forestry board; (*къща*) forester's lodge.

лесно *нареч.* easily, with ease; readily; *амер.* hands down; **~ е на думи** it's

easier said than done; **~ се засягам** be touchy, be particular on points of honour; **~ спечелени пари** easy money, *sl.* money for jam; **~ ти е на тебе** it's all right for you.

леснодостъп|ен *прил.*, -на, -но, -ни easily accessible, easy of access, within easy reach; (*за човек*) approachable; *разг.* come-at-able, easy-to-get-at.

лесовъд *м.*, -и forester, sylviculturist, wood grower.

лесокомбинат *м.*, -и, (два) лесокомбината wood working plant.

Лета *ж. собств. мит.* Lethe.

летал|ен *прил.*, -на, -но, -ни *мед.* lethal; **~ен изход** lethal outcome.

летаргич|ен *прил.*, -на, -но, -ни lethargic; quiescent; dormant; **~ен сън** hibernation; dormancy.

летаргия *ж.*, *само ед.* lethargy; dormancy.

летател|ен *прил.*, -на, -но, -ни flying; **~ен апарат** aircraft, flying machine.

летв|а *ж.*, -и batten, lath; **~и** laths.

лете *нареч.* in summer; **зиме и ~** winter and summer, summer and winter.

летен *прил.*, лятна, лятно, летни summer (*attr.*); **~ лагер** holiday camp; **лятно време** summer time, *нареч.* in summer; **лятно часово време** light-saving time; daylight-saving time.

летене *ср.*, *само ед.* flying; flight; **безмоторно ~** gliding; glide; **фигурно ~** aerobatics.

лет|ец *м.*, -ци flier, airman, pilot, aviator; **~ец изпитател** test pilot; **~ец изтребител** fighter-pilot.

летищ|е *ср.*, -а airfield, aerodrome; (*аерогара*) airport; (*място, пригодено за летище*) airstrip.

летлив *прил. хим.* volatile.

летоброене *ср.*, *само ед.* (system of) chronology; era; **от/преди нашето ~** of/before our era.

летовищ|е *ср.*, -а summer/holiday resort; (*сграда*) holiday home, rest home/station.

летовни|к *м.*, -ци; **летовничк|а** *ж.*, -и holiday-maker.

летопис *м.*, -и, (два) летописа chronicle, annals; **~и** records of the past.

летопис|ец *м.*, -ци chronicler, annalist.

летувам *гл.* spend/pass the summer; (*за добитък*) summer (**в** at, in).

летуван|е *ср.*, -ия holiday.

летя *гл.* **1.** fly (*и прен.*); (*високо*) soar; (*нося се из въздуха*) float; (*за кола, влак*) tear, race, sweep (along); **времето лети** time flies; **2.** *прен.* (*щастлив съм*) tread/walk on air; (*важнича*) put on airs; • **не всичко, което лети, се яде** all is not gold that glitters.

летящ *сег. деят. прич.* (*и като прил.*) flying; *зоол.* volant.

лефер *м., само ед. зоол.* bluefish (*Pomatomus saltatrix*).

лех|а *ж.,* **-и** bed; **~а за разсад** seed bed/plot; **цветна ~а** flower-bed.

лецитин *м.,* **-и** *обикн. мн. хим.* lecithin.

лечеб|ен *прил.,* **-на, -но, -ни** curative, healing, medicinal, medicative; **~но средство** medicine, drug; remedy; medicinal substance; healing agent.

лечебниц|а *ж.,* **-и** public health station.

лечени|е *ср.,* **-я** (medical) treatment; medication; cure; **~е с глад** limotherapy; **подлагам се на ~е** undergo (a course of) treatment, take a cure; **психиатрично ~е** mental treatment.

лечим *сег. страд. прич.* (*и като прил.*) curable, medicable, healable; remediable, treatable.

лечител (**-ят**) *м.,* **-и; лечителк|а** *ж.,* **-и** healer.

лешни|к *м.,* **-ци, (два) лешника** *бот.* hazelnut; **цариградски ~к** filbert.

лешникотрошачк|а *ж.,* **-и** nutcracker(s).

лешояд *м.,* **-и, (два) лешояда** *зоол.* vulture (*Gyps, Neophron, Gypaetus*).

леща₁ *ж., само ед.* lentils; • **продаде се за паница ~** he sold his birthright for a mess of porridge.

лещ|а₂ *ж.,* **-и** *физ.* lens; *анат.* crystalline lens; **контактна ~а** contact lens; **оптическа ~а** glass.

лещенка *ж., само ед. разг.* chickenpox, *мед.* varicella.

лея *гл., мин. св. деят. прич.* **лял 1.** (*изливам*) pour; effuse; (*проливам*) shed; **~ кръв** shed/spill blood; **2.** (*изработвам във форма*) cast, found; (*свещи*) mould, make; **3.** (*метал, стъкло*) found; || **~ се** run, flow; (*за дъжд*) pour, (*на потоци*) sheet; (*за думи, мелодия*) flow; gush (forth/out); (*за кръв*) be shed; (*за пот*) run, stream; (*за светлина*) effuse; **думите се лее-**

ха от устата му he was in full flow; **пот се лееше от него** he was dripping with sweat.

лейр (**-ят**) *м.,* **-и** founder, caster, moulder, smelter.

лейрн|а *ж.,* **-и; лейрниц|а** *ж.,* **-и** foundry; (*за топене на метал*) smelt-house/-furnace.

ли *въпр. част.* **1.:** **дойде ~?** did he come? has he come? **така ~?** is that so?; **2.** (*в непряк въпрос*) if, whether; **3.** *разделителен съюз* either … or, whether … or, if … if; **4.** (*щом като, когато*) as soon as, when; **дойде ~ зимата** as soon as/when winter sets in; **5.** *съюз* once; **започне ~ да говори** once he starts talking; • **едва ~** hardly; **едва ~** he almost, all but; **кой/кога/къде ~** I wonder who/when/where.

лиан|а *ж.,* **-и** *бот.* liana.

либе *ср.,* **-та** sweetheart, love, gill; *шег.* flame.

либерал *м.,* **-и** liberal.

либерал|ен *прил.,* **-на, -но, -ни** liberal, open-minded; latitudinarian.

либерализ|ъм (**-мът**) *м., само ед.* liberalism, open-mindedness; latitudinarianism; catholicity.

Либерия *ж. собств.* the Republic of Liberia.

либидо *ср., само ед.* libido; *мед.* libido sexualis.

либи|ец *м.,* **-йци; либийк|а** *ж.,* **-и** Libyan.

либийск|и *прил.,* **-а, -о, -и** Libyan.

Либия *ж. собств.* Libya.

либретист *м.,* **-и** librettist.

либрето *ср., само ед.* libretto, book.

ливад|а *ж.,* **-и 1.** meadow, *поет.* mead; (*изкуствена*) lawn; **2.** *прен.* (*за човек*) greenhorn.

Ливан *м. собств.* Lebanon.

ливан|ец *м.,* **-ци; ливанк|а** *ж.,* **-и** Lebanese.

ливанск|и *прил.,* **-а, -о, -и** Lebanese.

ливвам, ливна *гл.* pour out.

ливре|я *ж.,* **-и** livery.

лиг|а₁ *ж.,* **-и** league, alliance.

лиг|а₂ *ж.,* **-и** slime; (*слуз*) guck, gunk; (*на човек, животно*) slobber, slaver; mucus; **текат ми ~и** drool; • **кара да ми текат ~ите** it makes my mouth water.

лигав *прил.* slobbery, dribbling, drivelling; mucous; *прен.* slimy; (*сантимен-*

тален) sloppy; *разг.* gushy; *sl.* drippy, gooey.

лигавиц|а *ж.,* **-и** mucous membrane, mucosa.

лигавни|к *м.,* **-ци, (два) лигавника; лигавниче** *ср.,* **-та** bib.

лигавя *гл., мин. св. деят. прич.* **лигавил** slobber, drool; || **~ се** slobber; *прен.* (talk) drivel, slobber, drool, talk affectedly, talk silly nonsense, twaddle; *разг.* gush.

лигатур|а *ж.,* **-и** ligature, *муз. и* slur; *мед.* ligation.

лигнин *м., само ед.* woodwool; *хим.* lignin(e).

лигнит *м., само ед. минер.* (*въглища*) lignite, brown coal.

лидер *м.,* **-и** *полит.* leader; **~ на парламентарна група** *амер.* floor leader; (*на организация*) *sl.* top banana.

лижа *гл., мин. св. деят. прич.* **лизал** lick (*и за пламъци*); • **~ някому краката** *прен.* lick s.o.'s boots/shoes/feet.

лизвам, лизна *гл.* (take a) lick; *прен.* touch, graze.

лизгар *м.,* **-и, (два) лизгара** *разг.* spade.

лизинг *м., само ед. икон.* leasing.

лик *м.,* **-ове, (два) лика** image, portrait, effigy, likeness; **виждам истинския ~ на някого** see what s.o. is really like, see s.o. in his true colours.

ликвидатор *м.,* **-и** liquidator, receiver, asset stripper, referee in bankruptcy, registrar of bankruptcies.

ликвидация *ж., само ед.* (*на компания, дружество и пр.*) liquidation, winding-up, break-up, dissolution; (*премахване*) elimination; (*на дългове*) settlement, clearing-off.

ликвид|ен₁ *прил.,* **-на, -но, -ни** *език.* liquid.

ликвид|ен₂ *прил.,* **-на, -но, -ни** liquid; *фин.:* **~ни средства** ready money, money in cash, quick assets.

ликвидирам *гл.* **1.** (*търговска дейност*) liquidate; *непрех.* go into liquidation, wind up, close up; **2.** (*дългове*) liquidate, settle, clear off; (*стока*) sell off/away; **3.** (*премахвам*) liquidate, do away with, stamp/wipe out, finish, eliminate; dispatch; (*унищожавам*) annihilate, extinguish; kill, make away with.

ликвидиране *ср., само ед.* liquidation; settlement; annihilation; extinguish-

ment; *фин.* winding-up.

ликвѝдност *ж., само ед. фин.* liquidity; **коефицент на ~** liquidity ratio.

ликò и лѝко *ср., само ед.* bast; *бот.* fibre, *амер.* fiber.

ликрà *ж., само ед. текст.* Lycra.

лѝктор *м., -и истор.* lictor.

ликỳвам *гл.* jubilate, exult, rejoice (за at); glory (in); *разг.* walk/tread on air; (*тържествувам*) exult, triumph, crow (over).

ликьòр *м., -и, (два)* ликьòра liqueur.

лилàв *прил.* violet, lilac; purple.

лилипỳт *м., -и* pigmy, dwarf; Lilliputian.

лѝли|я *ж., -и бот.* lily; Lilium; **водна ~я** water-lily.

лимàн *м., -и, (два)* лимàна *геогр.* firth, frith.

лимб *м., -ове, (два)* лѝмба *техн.* limb; *астр.* limb.

лѝмб|а *ж., -и* curl, (love) lock; kisscurl, kiss-me-quick.

лимѝт *м., само ед.* limit; **определям ~** fix a limit; **превишаване на ~а** *банк.* overdraft.

лимòн *м., -и, (два)* лимòна *бот.* lemon; (*дърво*) lemon-tree; • **жълт като ~** yellow as a guinea.

лимонàд|а *ж., -и* (*от есенция*) lemonade; (*от лимони*) lemon squash.

лимòнен *прил.* lemon (*attr.*); *хим.* citric; (*на цвят*) lemon-coloured; citrine; citreous.

лимòнов *прил.* lemon (*attr.*); citrus; *хим.* citric; **~а киселина** citric acid.

лимòнтозу *ср., само ед.* salt of lemon.

лимузѝн|а *ж., -и* limousine; *разг.* limo; sedan, saloon-car.

лѝмфа *ж., само ед. анат.* lymph.

лимфаденѝт *м., само ед. мед.* lymphadenitis.

лѝмф|ен *прил., -на, -но, -ни* lymph (*attr.*); **~ен възел** lymph node.

лин[1] *м., -и, -ове, (два)* лѝна (*съд*) vat, tun.

лин[2] *м., само ед. зоол.* tench (*Tinca tinca*).

лингвѝст *м., -и;* лингвѝстк|а *ж., -и* linguist.

лингвѝстика *ж., само ед.* linguistics; **приложна ~** applied linguistics.

линеàл *м., -и, (два)* линеàла ruler.

линè|ен *прил., -йна, -йно, -йни* 1. linear, lineal; **~ен метър** running metre; **~йно уравнение** linear equation;

2. *воен.* (*за полк*) marching; **~ен кораб** *мор.* battle-ship.

линèйк|а *ж., -и* ambulance (car).

линèйност *ж., само ед.* linearity.

линѐя *гл., мин. св. деят. прич.* линял pine, languish, flag, fall away; wither; droop.

лѝни|я *ж., -и* 1. line (*и мат., воен.*); **брегова ~я** coastline; **гранична ~я** boundary line; **крива ~я** curve; 2. (*път*) line; route; track; **въздушна ~я** air-route; **~я за трансфер** transfer facilities; 3. (*поведение, политика*) line, course; policy; **~я на поведение** line of conduct, course (of action), path; 4. (*за чертане*) ruler; **сметачна ~я** slide-rule; 5. (*фигура*) figure; **пазя ~я** keep down o.'s weight, keep slim, diet, slim; 6. (*родствена*) side, line of descent; **по бащина ~я** on o.'s father's side, in the male line of descent, on the paternal side; **по майчина ~я** on o.'s mother's side, on the maternal side, in the female line of descent; **пряка ~я** direct line of descent; **съребрена ~я** collateral/ transversal line; • **аз съм на ~я** it's my turn; **бележка под ~я** footnote; **в общи ~и** in broad outlines; to all intents (and purposes).

линогравюр|а *ж., -и изк.* linocut.

линолеум *м., само ед.* linoleum, floorcloth, *разг.* lino.

линотѝп *м., само ед. полигр.* Linotype.

линчỳвам *гл.* lynch.

лип|à *ж., -ѝ бот.* lime(-tree); *поет.* linden-(-tree).

липàза *ж., само ед. биохим.* lipase.

липозòм *м., -и обикн. мн. биохим.* liposome.

липосỳкция *ж., само ед. мед.* liposuction.

лѝпс|а *ж., -и* lack, want, unavailability; *търг.* ullage; (*недостиг*) shortage; (*отсъствие*) absence; (*лишение*) need, want, penury; (*загуби*) shrinkage; **~а на благоразумие** want of sense/ judgement; **~а на единство** (*в някакво произведение*) patchiness; **по/при ~а на** in default of; **чувствам ~ата** на feel the want of, miss; • **хванала го е ~ата** he is never to be seen.

лѝпсвам *гл.* 1. (*отсъствам*) be missing/wanting; (*на човек*) be absent; 2. (*не достигам*) lack, be lacking/want-

ing, be short; **липсват ни три долара** we are three dollars short; 3. **липсва ми** lack, be in want of, be lacking/wanting/deficient in; **много ми липсваш** I miss you a great deal; **нещо му липсва** it wants/lacks s.th., there is s.th. wrong with it, (*за човек – не е с ума си*) he is not all there, he's got a kink in the brain; • **само това липсваше!** that's the last straw! that tops it! that crowns all! *sl.* with knobs on.

лѝпсващ *сег. деят. прич.* missing.

лѝр|а[1] *ж., -и* 1. *муз., прен.* lyre; 2. *астр.* Lyra; 3. (*на трамвай и пр.*) trolley, current collector, slider; (*на струг*) quadrant, bracket.

лѝр|а[2] *ж., -и фин.* (*англ. парична единица*) pound (sterling); *разг.* quid.

лирѝз|ъм (-мът) *м., само ед.* lyricism.

лирѝ|к *м., -ци;* лирѝчк|а *ж., -и* lyricist.

лѝрика *ж., само ед.* lyric poetry; lyrics.

лирѝч|ен *прил., -на, -но, -ни;* лирѝческ|и *прил., -а, -о, -и* lyric; (*за настроение*) lyrical.

лирѝчност *ж., само ед.* lyricism; lyrical mood.

лѝс|а и лисàн|а *ж., -и* Brer Fox (*т.*).

лѝсвам, лѝсна *гл.* pour/throw out, empty; **лиснах чашата в лицето му** I splashed the contents of the cup into his face.

лисѝц|а *ж., -и* fox; (*самка*) vixen; **стара/хитра ~а** *прен.* sly/old fox, old dodger/stager; • **дера ~и** cat, be sick as a dog, shoot the cat.

лист *м., -à/-и и -ове, (два)* лѝста 1. (*на дърво, книга*) leaf (*pl.* leaves); **на папрат** frond; (*на трева*) blade; (*на цвят*) petal; **треперя като ~** tremble like an aspen leaf; 2. (*къс хартия*) sheet (of paper); (*метален*) sheet, plate; **анкетен ~** questionnaire; **болничен ~** patient's chart/card; **открит/пътен ~** pass.

лѝст|а *ж., -и* 1. (*изборна*) ticket; 2. (*дворцова*) list; 3. (*меню*) bill of fare; menu.

листà|к *м., -ци, (два)* листàка foliage; leafage; frondescence.

лѝст|ен *прил., -на, -но, -ни leaf* (*attr.*); *бот.* foliaceous, foliar; foliolate, foliose; **~на въшка** plant louse (*pl.* lice), aphid, aphis (*pl.* aphides).

лист|ò *ср., -à* leaf (*pl.* leaves); **с тесни**

~а *бот.* stenophyllous.

листовйд|ен *прил.*, -на, -но, -ни leaf-shaped, leaf-like, foliate; laminiform, foliaceous, foliar; phylloid, phyllomic; foliolate; foliose.

листовк|а *ж.*, -и newssheet.

листопад *м.*, *само ед.* leaf fall, fall of the leaf.

лйстче *ср.*, -та **1.** leaflet; **2.** slip of paper.

лисугер *м.*, -и, (два) лисугера (he-)-fox; *прен.* cunning old fox.

Лйтва *ж. собств.* Lithuania.

лйтвам, лйтна *гл.* fly off.

литератор *м.*, -и man of letters, literary man.

литераторство *ср.*, *само ед.* letters, literature.

литература *ж.*, *само ед.* **1.** literature; **2.** (*библиография*) bibliography.

литератур|ен *прил.*, -на, -но, -ни literary; ~ен английски език standard English, King's/Queen's English.

литературовед *м.*, -и literary scholar, expert in literature; literary critic; man of letters.

литературознание *ср.*, *само ед.* theory of literature.

лити|й (-ят) *м.*, *само ед. хим.* lithium.

литов|ец *м.*, -ци; **литовк|а** *ж.*, -и Lithuanian.

литовск|и *прил.*, -а, -о, -и Lithuanian; ~и език Lithuanian.

литогенеза *ж.*, *само ед. геол.* lithogenesis.

литографирам *гл.* lithograph.

литография *ж.*, *само ед.* lithography, lithoprint.

литолиза *ж.*, *само ед. мед.* litholysis.

литосфера *ж.*, *само ед.* litosphere, geosphere.

литота *ж.*, *само ед. лит.* litotes.

литраж *м.*, *само ед. техн.* displacement.

литурги|я *ж.*, -и *църк.* liturgy, mass; служа ~я say mass; officiate.

лйт|ър *м.*, -ри, (два) лйтъра litre, *амер.* liter; на ~ър by the litre.

лифт *м.*, -ове, (два) лйфта ski/chair lift, cable car.

лйхв|а *ж.*, -и interest; без ~а ex int; ~а по депозити interest on deposit accounts; плащам ~ите *прен.* pay back/return with interest, pay through the nose; проста/сложна ~а simple/compound interest.

лихвар (-ят) *м.*, -и; **лихварк|а** *ж.*, -и money-lender, usurer, money-spinner, *разг.* Jew, *sl.* note shaver.

лихварство *ср.*, *само ед.* money-lending, usury; loan sharking.

лйхвен *прил.* interest (*attr.*); банков ~ процент bank rate.

Лйхтенщайн *м. собств.* Lichtenstein.

лиц|е *ср.*, -а́ **1.** face; *sl.* mug; изсмивам се в ~ето на някого laugh in s.o.'s face; казвам нещо в ~ето на някого say s.th. to s.o.'s face; обръщам се с ~е към face, make front to; пред ~ето на in the face of; **2.** (*изражение*) face, countenance; безизразно ~е poker face; **3.** (*човек*) person, individual; (*в лит. произведение*) character; *език.* person; в ~ето на in the person of; (*представител*) front man; действащи ~а (*в пиеса*) dramatis personae, characters, (*участници в пиеса*) cast; длъжностно ~е official, office-holder, functionary; като частно ~е in o.'s private capacity, as a private person; физическо ~е *юр.* natural/physical person; юридическо ~е *юр.* juridical person, body corporate, corporate body, corporation, legal entity; **4.** *геом.* surface; **5.** (*на сграда*) face, facade, front(age), *архит.* elevation; странично ~е side-elevation; **6.** (*на плат*) right side; **7.** (*на медал*) obverse; **8.** (*на обувка*) upper, vamp; • на ~е съм be at hand, be available/present, (*явен съм*) be apparent; фактът е на ~е there is no denying the fact.

лйцев *прил.* **1.** *анат.* facial; **2.** (*за сграда*) front; ~а страна facade, front part, frontage; **3.** (*за плат*) right (side); **4.** (*за метал*) obverse; ~а плетка garter stitch; • ~а опора press-up.

лице|й (-ят) *м.*, -и, (два) лицея lyceum, college.

лицемер *м.*, -и; **лицемерк|а** *ж.*, -и hypocrite, dissembler; dissimulator; Jesuit; twister.

лицемерие *ср.*, *само ед.* hypocrisy; dissimulation; dissemblance; duplicity; falseness; cant; Jesuitism.

лицемерствам и **лицемеря** *гл.*, *мин. св. деят. прич.* лицемерил dissemble, dissimulate, pretend; play double; be a hypocrite, act as a/play the hypocrite, play the Jesuit.

лиценз *м.*, -и, (два) лиценза licence, *амер.* license; издавам ~ grant a license; получавам ~ take out a licence.

лицензиране *ср.*, *само ед.* licensing, administration of licenses.

лича (си) (*възвр.*) *гл.* **1.** (*виждам се*) show, appear, be seen, be in evidence; (*ясно е*) be evident/obvious; личат му годините he looks his age; личи си! it's obvious; от това личи, че it appears from this that, this goes to show that; по нищо не личи, че е бил там there is no evidence of his being/presence there; **2.** (*бия на очи*) be conspicuous, stand out.

лич|ен *прил.*, -на, -но, -ни **1.** (*бележит*) prominent, eminent; **2.** (*очебиен*) conspicuous, prominent; **3.** (*хубав*) comely, handsome; **4.** (*собствен*) personal (*и език.*); (*специфичен за някого*) peculiar, particular; използвам положението си за ~ни цели job; ~ен състав personnel; ~на карта identity card; ~на охрана bodyguard; ~ни вещи personal belongings, *юр.* personal effects.

личйнк|а *ж.*, -и *зоол.* larva (*pl.* larvae), grub; (*обикн. на муха*) maggot.

лйчно *нареч.* personally, in person; in the flesh; (*без присъствие на други лица*) privately, in private; ~ аз I for one, personally (I).

лйчност *ж.*, -и personality; (*човек*) person; character; без оглед на ~та without exception of persons; съмнителна ~ suspicious/suspect character.

лишавам, лишá *гл.* deprive (от of); rob (of); ~ някого от граждански права disfranchise s.o.; ~ някого от наследство disinherit s.o., cut s.o. off with a shilling; ~ от свобода imprison, put in prison; || ~ се: ~ се от нещо do without s.th., deny o.s. s.th., dispense with s.th., go short of/go without s.th.; не се ~ от нищо *разг.* do o.s. proud, indulge o.s.

лишаване *ср.*, *само ед.* deprivation; divestment; disqualification; divestiture; debarment; (*от право*) forfeiture.

лйше|й (-ят) *м.*, -и, (два) лйшея **1.** *бот.* lichen; **2.** *мед.* lichen, herpes, shingles; мокър ~ *вет.* grease.

лишен *мин. страд. прич.* (*и като прил.*) deprived, devoid, denuded, bereft (от of); destitute (of); ~ съм от възможност да be denied the oppor-

tunity of (*c ger.*); ~ **съм от чувство за** be lacking in a sense of.

лишѐни|е *ср.*, -я want, privation; deprivation; (*бедност*) poverty, destitution; **понасям ~я** suffer privation, *разг.* have a rough time (of it).

лоб *м.*, -ове, (два) лоба **1.** skull, crown; *анат.* cranium; lobe; **2.** (*чело*) forehead, brow.

лоб|ен *прил.*, -на, -но, -ни **1.** *анат.* cranial; frontal; **2.**: ~**но място** a place of execution/of s.o.'s death; Golgotha.

лоби *ср.*, -та lobby.

лобѝст *м.*, -и lobbyist.

лобода *ж.*, *само ед.* *бот.* orache, mountain-spinach, goosefoot (*Atriplex hortensis*).

лов *м.*, *само ед.* **1.** hunt, hunting, sport, chase; (*с пушка и пр.*) shooting; ~ **на бисери** pearl-fishery; ~ **на птици** fowling; **на** ~ **за** (*и прен.*) hunting for; **2.** (*дивеч*) game; (*убит дивеч*) bag; (*хваната риба*) catch; **едър** ~ big game.

ловджѝ|я *м.*, -и hunter, huntsman, sportsman.

лов|ен *прил.*, -на, -но, -ни hunting, sporting, shooting, venatic; ~**ен билет** game license.

лов|ѐц *м.*, -цѝ hunter (*и прен.*), huntsman, sportsman; (*на птици*) fowler; (*с капан*) trapper; (*който дебне*) stalker; ~**ец на бисери** pearl-diver/-fisher; ~**ец на елени** deerstalker.

ловкост *ж.*, *само ед.* dexterity, adroitness, deftness; agility; *неодобр.* legerdemain; (*умение*) skill, skilfulness.

ловувам *гл.* go hunting/shooting.

лов|ък *прил.*, -ка, -ко, -ки dexterous, adroit, deft, agile, neat-handed, natty, light-/clean-fingered, skilful, able, clever; subtle; tricksy, wary; ~**ък удар** clean stroke/blow.

ловя *гл.* **1.** catch, seize; **2.** shoot, hunt, chase; go hunting/hunting; (*с капан*) trap; (*с фенер*) jack; burn the water; ~ **риба в поток** work a stream; (*риба*) fish (for), (*с въдица*) angle, (*с мрежа*) net; **3.** (*задържам се*) take, stick; **не лови боя** it won't dye; • **лови ми окото** I like (the looks of) it; ~ **риба в мътна вода** fish in troubled waters; **не се ~ на такова хоро** I am not taking/having any, count me out.

логаритмич|ен *прил.*, -на, -но, -ни *мат.* logarithmic(al); ~**на таблица** table of logarithms.

логарѝт|ъм *м.*, -ми, (два) логарѝтъма *мат.* logarithm.

логика *ж.*, *само ед.* logic(s); (*здрав разум*) logic, sound reasoning.

логич|ен *прил.*, -на, -но, -ни; **логѝческ|и** *прил.*, -а, -о, -и *прил.* logical.

логопѐдия *ж.*, *само ед.* *мед.* logopaedics; speech therapy, *амер.* logopedics.

лоджи|я *ж.*, -и *архит.* loggia.

лодк|а *ж.*, -и boat, *поет.* bark; (*малка*) skiff, dinghy, dingey, wherry; (*корабна*) launch; (*русалка*) canoe; **возя се на ~а** go boating; **моторна ~а** motor-boat, launch; **рибарска ~а** smack, fishing boat; **спасителна ~а** life-boat.

лодкар (-ят) *м.*, -и boatman, oarsman; waterman; wherryman; (*който превозва на другия бряг*) ferryman.

лож|а₁ *ж.*, -и (*в театър и пр.*) box; (*до сцената*) baignoire; (*масонска*) lodge.

лож|а₂ *ж.*, -и (*на пушка*) rifle/gun stock.

ложе *ср.*, *само ед.* bed, couch.

лоз|а *ж.*, -й (grape) vine; (*лозница*) (trellised) vine.

лозар (-ят) *м.*, -и vine-grower/-dresser; viticulturist, viticulturalist.

лозарство *ср.*, *само ед.* vine-growing/-dressing, viniculture, viticulture.

лоз|е *ср.*, -я vineyard; • ~**ето не ще молитва, а мотика** God helps those who help themselves; **намирам се в небрано** ~**е** be at sea/at a loss/ in an awkward position, be out of o.'s depth, be like a fish out of water/like a cat in a strange garret; **не ми трябва на баир** ~**е** I'd better steer clear of this.

лозунг *м.*, -и, (два) лозунга slogan, catchword, watchword, motto, password; cry; war-/battle-cry; rallying cry.

лой *ж.*, *само ед.* suet; (*топена*) tallow; (*мазнина*) fat; **намазвам с** ~ tallow.

локал *м.*, -и, (два) локала restaurant; public house; нощен ~ night club.

локал|ен *прил.*, -на, -но, -ни local; *мед.* topical.

локализирам *гл.* localize.

локатор *м.*, -и, (два) локатора locator.

локв|а *ж.*, -и puddle, pool, plash.

локомотив *м.*, -и, (два) локомотива locomotive, engine; (*парен*) mogul; (*комбиниран с тендер*) tank-engine.

локомотив|ен *прил.*, -на, -но, -ни

locomotive; ~**ен завод** engine plant.

локум *м.*, -и, (два) локума Turkish delight; • ~**и** *прен.* padding; **разтягам** ~**и** spin yarns.

ломотя *гл.*, *мин. св. деят. прич.* ломòтил babble, gabble, gibber, jabber, prattle, splatter.

ломя (се) (*възвр.*) *гл.*, *мин. св. деят. прич.* ломѝл (се) break; (*на парчета*) crumble, shatter; *прен.* break (up), crush, smash.

лоно *ср.*, *само ед.* bosom; **прибирам в** ~**то** bring into the fold.

лопàт|а *ж.*, -и **1.** spade; (*с извити краища*) shovel; (*за смет*) dust-pan; (*фурнаджийска*) shovel, peel; (*за гребане – с две ръце*) oar, (*с една ръка*) scull, (*неприкрепена на вилка*) paddle; (*обратна*) back hoe; **2.** (*количество*) shovelful; spadeful; • **с** ~**а да ги ринеш** they are as common/ plentiful/thick as blackberries, there are oodles of them.

лопатар *м.*, -и, (два) лопатàра *зоол.* stag of a fallow deer.

лопен и **лопèн** *м.*, *само ед.* *бот.* mullein, Aaron's rod (*Verbascum thapsus*).

лорд *м.*, -ове lord; **Камарата на** ~**овете** *парлам.* the House of Lords.

лорнèт *м.*, -и, (два) лорнèта lorgnette; eyeglass.

лос *м.*, -ове, (два) лòса *зоол.* elk (*Alces alces*); **американски** ~ moose.

лосиòн *м.*, -и, (два) лосиòна lotion; **почистващ** ~ cleansing lotion, cleanser.

лост *м.*, -ове, (два) лòста **1.** *техн.*, *физ.*, *прен.* lever; heaver; *техн.* rod, tiller, bolt; (*със завит край*) crowbar; (*на везни*) beam; **буталèн** ~ pistonrod; (*на орган*) knee-swell; ~ **за управление** control/shift lever; (*в пилотска кабина*) control column, control stick, joy stick; **повдигам с** ~ lever out/over/up; **скоростен** ~ gear-lever; **2.** (*на врата*) (cross-)bar, bolt; **3.** *спорт.* horizontal bar.

лот *м.*, -ове, (два) лòта *мор.* lead; sounding-line.

лотàрия *ж.*, *само ед.* lottery (*и прен.*); (*предметна*) raffle; (prize) draw.

лотос *м.*, -и, (два) лòтоса *бот.* lotus.

лоцман *м.*, -и, (два) лоцмана *мор.* pilot, leadsman.

лоча *гл.*, *мин. св. деят. прич.* лочил lap; swig; (*пия жадно*) swill, guzzle.

лош *прил.* **1.** (*недобър*, *отрицате-*

лен, зъл bad (*comp.* worse, *super.* worst), ill, evil, wicked, foul, nasty, dark, vicious, maleficent; *амер.* mean; **в най-~ия случай** at (the) worst; **имам ~о мнение за** have/hold a poor opinion of, think meanly of; **~ късмет** bad/ill luck; mishap, misfortune; **~ проводник** non-conductor; **~а дума** cross word; **~а новина** bad/cold news; **~и времена** hard times; **~и очи** evil eyes; **~о предчувствие** misgiving, foreboding; **~о състояние** (*на сграда, път и пр.*) poor condition, disrepair; **не ставай ~!** don't be nasty!; **2.** (*недоброкачествен, противен*) bad, foul, ill, poor, rotten; **~а миризма** bad/foul/offensive smell; **~о качество** poor/low quality; **3.** (*незадоволителен*) poor, bad, inferior; broken, incorrect; *разг.* miserable; **~ английски** bad/broken English; **~ играч** poor player, *sl.* mug; **~о изпълнение** poor performance; **не е по-~ от другите** he might pass in a crowd; **4.** (*непослушен*) naughty; **5.** (*за времето*) bad, nasty, *разг.* wretched, miserable. **6.** (*за болест*) bad, malignant, severe; **~о гърло** croup; **7. като същ. ср., само ед.** ill, wrong; **зная какво е добро и какво е ~о** know right from wrong; **~о ти се пише** there's trouble in store for you, it will go hard with you; **~ото е там, че** the trouble is that, the mischief of it is that, the catch is that; *само мн.* **~ите** the baddies.

лòшо *нареч.* badly (*comp.* worse, *super.* worst), poorly, ill; **държа се ~ с някого** behave badly towards s.o., treat s.o. badly, ill-treat/-use s.o.; **~ ми е** I don't feel well, I feel badly/unwell/poorly/faint; **~ поддържан** unkempt.

лойл|ен *прил.*, -**на**, -**но**, -**ни** loyal (**към** to); **~на конкуренция** fair competition, true-hearted.

лойлност *ж., само ед.* loyalty (to), staunchness.

лойсвам, лойсам *гл.* grease over.

лугà и лỳга *ж., само ед.* lye, lixivium.

луд *прил.* **1.** (*умопобъркан*) mad, insane, lunatic, demented, crazy, brainsick, out of o.'s senses, *sl.* nuts, certifiable, crackers, loony, luny; **~ за връзване** stark/raving/staring mad, as mad as a March hare/as a hatter; certifiably mad; fit to be tied; **правя се на ~** play/

act the fool; **2.** (*смахнат*) mad, crazy, loony, daft, nuts, out of o.'s wits; *sl.* dotty, balmy, barmy, cracked, bonkers, gaga; **да не си ~?** have you gone off your head? have you taken leave of your senses? **да не съм ~ да му вярвам** I am not such a fool as to believe him; **струва ~и пари** it costs/is worth a mint of money; **тичам като ~** run like mad/fury, *разг.* run like anything/like blazes/like hell/like the (very) devil; **3.** (*буен, необуздан*) mad, wild, frantic, berserk; (*за бързина*) mad, breakneck; (*за дете*) romping, rompy; (*за смях*) wild, rollicking; uncontrolled; **избухва в ~ смях** burst into uncontrolled laughter, rollick with laughter; **~ е по нея** he is crazy/crazed/wild/*sl.* nuts about her; **~а глава** hot head, hotspur; madcap, daredevil; gay young spark; firebrand.

лудèтин|а *ж. и м.*, -**и** madcap, romp, giddy young thing.

лудèшк|и *прил.*, -**а**, -**о**, -**и** mad, crazy, wild, frantic; **~и смях** mad laughter; (*безразсъден*) inconsiderate, extravagant, rash, reckless.

лудèя *гл., мин. св. деят. прич.* **лудял 1.** rave, be mad, rage; **2.** (*лудувам*) romp; caper, curvet, *sl.* cavort; **3.** (*горя от желание*) be mad (**по** about, after, on), be crazy/daft (about, over); dote (on).

лỳдниц|а *ж.*, -**и** madhouse, lunatic/insane asylum, mental home, *шег.* funny farm; *амер. sl.* loony bin.

лудорѝ|я *ж.*, -**и 1.** (*необмислена постъпка*) (piece of) folly, foolery; escapade; **2.** (*шега*) lark, escapade, piece of mischief, prank, frolic, frisk, dido, caper; *sl.* (piece of) horseplay.

лỳдост *ж., само ед.* **1.** madness, insanity, brainsickness, craziness; frenzy; furore; **2.** (*глупост*) folly.

лудỳвам *гл.* **1.** rave, rage; **2.** be noisy, romp (about); *sl.* horse around; (*скачам*) gambol, frisk, cut capers, cavort; (*правя номера*) play pranks, frolic.

лук *м., само ед.* onions; **праз ~** leek; **чеснов ~** garlic; ● **внимавай да не сгазиш ~а** mind you keep on the right side of the law; **ни ~ ял, ни ~ мирисал** play the innocent, look as if butter wouldn't melt in o.'s mouth.

лукàв *прил.* **1.** sly, artful, cunning, wily,

crafty; guileful; foxy; designing; disingenuous; **2.** arch, roguish.

лукàвство *ср., само ед.* wile.

лукàнк|а *ж.*, -**и** *кул.* flat sausage.

лукòвиц|а *ж.*, -**и** bulb, tuber.

лукс *м., само ед.* luxury; (*пищност*) sumptuousness, splendour.

луксàция *ж., само ед. мед.* luxation.

лỳксмèт|ър *м.*, -**ри**, (**два**) **лỳксмèтъра** lucimeter.

луксòз|ен *прил.*, -**на**, -**но**, -**ни** luxurious; luxury (*attr.*); de luxe; flash; (*пищен*) sumptuous; **~ен апартамент/предмет** luxury/fancy flat/article; **~на кола** flash/posh car.

лул|à *ж.*, -**ѝ 1.** (tobacco-)pipe; **~а тютюн** pipeful; **не струва ~а тютюн** it is not worth a brass farthing/a bean/a halfpenny/an old song/*амер.* a continental; **2.** (*на телефон*) mouthpiece.

лỳмвам, лỳмна *гл.* blaze/flare/flame up, burst/break into flame(s).

лỳмен *м., само ед. физ.* lumen.

луминесцèнт|ен *прил.*, -**на**, -**но**, -**ни** luminescent, fluorescent, neon (*attr.*).

луминесцèнция *ж., само ед.* luminescence, fluorescence.

луминофòр *м., само ед.* luminophore, lumophore.

лỳмпен *м., само ед. и обикн. мн.* ragamuffin, tatterdemalion, vagabond.

лунà *ж., само ед.* moon (*и астр.*).

лỳнапарк *м.*, -**ове**, (**два**) **лỳнапарка** fun-fair.

лунатѝз|ъм (-**мът**) *м., само ед.* lunacy, sleep-walking, somnambulism.

лунатѝ|к|м., -**ци**; **лунатѝчк|а** *ж.*, -**и** sleep-walker, somnambulist.

лỳн|ен *прил.*, -**на**, -**но**, -**ни** moon (*attr.*); *астр.* lunar; **~ен камък** *минер.* moonstone; **~ен месец** lunar month; **~на светлина** moonlight; **~но затъмнение** lunar eclipse, eclipse of the moon.

лỳничк|а *ж.*, -**и** freckle, speckle, sunspot, fleck; lentigo.

лунохòд *м.*, -**и**, (**два**) **лунохòда** mooncar/-rover, lunar vehicle.

лỳп|а *ж.*, -**и** magnifying glass, magnifier; (*леща*) lens; (*за четене на ситен шрифт*) reading-glass.

лỳпинг *м.*, -**и**, (**два**) **лỳпинга** loop, lizard; **правя ~и** *авиац.* loop the loop.

лỳстро *ср., само ед.* **1.** (*лъскавина*) polish, lustre, gloss; *прен.* varnish, gloss; (*външен блясък*) showiness; **2.**

(*мас за лъскане*) polish, varnish.

лустро̀свам (се), лустро̀сам (се) (*възвр.*) *гл.* polish, varnish; *прен.* varnish.

лу̀там се възвр. *гл.* roam, ramble, rove, wander; flutter (about); *прен.* grope about; (*мъча се да намеря*) run/wander about.

лутера̀н(ин) *м.*, **лутера̀ни**; **лутера̀нк|а** *ж.*, -**и** Lutheran.

лутера̀нство *ср.*, *само ед.* Lutheranism.

луфт *м.*, -**ове**, (**два**) лу̀фта *техн.* play, windage; clearance.

лъв *м.*, -**ове**, (**два**) лъва lion (*и прен.*); *астр.* Leo, the Lion; • дразня ~а trail o.'s coat, ride for a fall; **от ~ нагоре** V.I.P.'s only, big shots only.

лъвѝц|а *ж.*, -**и** lioness.

лъвск|и *прил.*, -**а**, -**о**, -**и** lion's, of a lion; • ~и пай a lion's share.

лъж|а̀ *ж.*, -**й 1.** lie, falsehood, untruth; (*преувеличена история*) stretcher, tall story; **безсрамна ~а** downright/thumping/barefaced/brazen/outrageous lie; **изобличавам някого в ~а** give the lie to s.o.; **невинна ~а** white lie; **2.** (*измама*) deceit, cheat, artifice, guile, make-believe, sham, fake, rip-off; dupery; **всичко е ~а** all is vanity; **това е ~а** that is all smoke.

лъжа̀ *гл.*, *мин. св. деят. прич.* лъгал **1.** lie, tell a lie/an untruth, tell lies/stories, speak with a forked tongue; (*преувеличавам*) lay it on thick; ~ **безсрамно** lie in o.'s throat; swear black is white; ~ **на дребно** fib; ~ **някого в очите** lie to s.o.'s face; **2.** (*мамя, изневерявам*) be false to, deceive, cheat, play (s.o.) false; jockey; *амер. sl.* two-time; ~ **противника** (*при футбол*) dummy, give/sell the dummy; (*заблуждавам*) dupe, blind; (*на карти*) cheat, sharp, shark; || ~ **се** deceive/delude o.s., be mistaken/wrong, be in error (about); *разг.* be in the wrong box; **ако не се ~** if I am not mistaken/wrong, if my memory does not fail me, if my memory serves me right; for anything I know to the contrary; **много/горчиво се лъжете** you are greatly/gravely mistaken, you are a long way out.

лъжесвидѐтел (-**ят**) *м.*, -**и**; **лъжесвидѐтелк|а** *ж.*, -**и** false witness, perjurer, straw man, forswearer.

лъжесвидѐтелствам *гл.* forswear/per-

jure o.s., bear false witness, swear false, commit perjury.

лъж|ѐц *м.*, -**цѝ**; **лъжкѝн|я** *ж.*, -**и** liar; fibber, story-teller; ~**ец и половина**, **дърт ~ец** the deuce of a liar.

лъжѝц|а *ж.*, -**и** spoon; (*за сипване*) serving-spoon; (*за гребане*) ladle; (*за обиране на пяна*) scummer; (*решетеста*) slotted spoon; (*количество*) spoonful; **сипвам с ~а** ladle out.

лъжѝчк|а *ж.*, -**и 1.** teaspoon; (*десертна*) dessertspoon; **хранен с ~а** spoon-fed; **2.** *анат.* pit of the stomach; **под ~ата** in the pit of the stomach; **3.**: богородична ~а *бот.* bogbean.

лъжлѝв *прил.* **1.** false, untrue, wide of the truth; (*измислен*) fictitious, made up; unreal, fantastical; phoney; *разг.* spoof; (*нечестен*) dishonest, disingenuous; faithless, deceitful; misleading; shifty, twisty; mendacious; ~**о обвинение** calumny, calumniation; **2.** (*фалшив*) forged, faked, sham, counterfeit; dummy, tinsel; **вдигам ~а тревога** cry wolf, raise a false alarm; • ~**ото овчарче** the boy who cried "Wolf".

лъжо̀в|ен *прил.*, -**на**, -**но**, -**ни 1.** deceitful, deceptive, deceiving, false, fallacious; delusive, delusory; illusive, illusory; ~**ен свят** deceitful world; **2.** (*суетен*) vain.

лък *м.*, -**ове**, (**два**) лъка bow; *муз.* bow, (*на цигулка рядко и*) fiddlestick; **състезание по стрелба с ~** archery contest.

лък|а̀ *ж.*, -**й** (water-)meadow; flood plain.

лъкату̀ша *гл.*, *мин. св. деят. прич.* **лъкату̀шил** meander, wind (about); corkscrew; (*за река и*) crank, jink, coil.

лъскав *прил.* **1.** shining, glossy, lustrous, sheeny, bright; glittering; glittery; (*за плат*) silky, satiny, glacé; (*като сърма*) clinquant; (*за коса, кожа*) sleek; (*излъскан*) polished; (*чрез търкане*) burnished, furbished; (*за съдове*) scoured; **2.** *разг.* natty, dapper, swanky, glitzy.

лъскавина̀ *ж.*, *само ед.* lustre, sheen; gloss, glossiness; brightness, silkiness, shine.

лъскам и лъсвам, лъсна *гл.* (*обувки, пиринч*) polish, shine; (*паркет*) polish; *техн.* smooth; (*чрез търкане – метал*) burnish, furbish; (*метал с пясък*) scour; (*лакирам*) varnish, lac-

quer; ~ **обувките си** polish/shine o.'s shoes.

лъх *м.*, *само ед.* **1.** (*полъх*) breath, whiff, puff, zephyr; (*вълна̀*) wave, current, gust, stream; **горещ ~ нахлу от пещта** a wave of hot air wafted out of the furnace; **2.** (*миризма*) fragrance, smell, odour, whiff; (*отличителна*) savour; **първият ~ на пролетта** the first touch/breath of spring.

лъхам и лъхвам, лъхна *гл.* **1.** (*за вятър и пр.*) stir, breathe, blow softly; **2.** (*мириша*) smell (на of); (*с отличителна миризма*) savour (of); **3.** (*издавам, излъчвам*) give off, exhale; **от гората лъхаше хлад** freshness/coolness wafted from the forest.

лъч *м.*, -**й и** -**ове**, (**два**) лъча **1.** ray, beam; (*тънък*) thread; *зоол.* (*на рибна перка, морска звезда*) ray; **изпускам ~и** radiate; ~ **на надежда** a ray/gleam/glimmer/flash of hope; **рентгенови ~и** X-rays, Röntgen (rays); (*снопче светлина*) ray, beam, a pencil/streak of light; **2.** *геом.* ray, half-line.

лъчев *прил.* ray (*attr.*); ~**а болест** *мед.* radiation disease.

лъчеза̀р|ен *прил.*, -**на**, -**но**, -**ни** radiant, effulgent, luminous.

лъчѐни|е *ср.*, -**я** radiation.

лъчѝст *прил.* radiating, radiant, luminous; *прен.* radiant, beaming; *поет.* fulgent; ~**о отопление** radiant heating.

лъщя̀ *гл.* shine, gleam, be glossy/bright; (*с трептяща светлина*) shimmer; (*за метал и пр.*) glitter; (*за водна повърхност*) glisten; (*за нещо полирано, за коприна, скъпоценни камъни*) have/shed lustre; • **не всичко, което лъщи, е злато** all is not gold that glitters.

льос *м.*, *само ед. геол.* loess.

любвеобѝл|ен *прил.*, -**на**, -**но**, -**ни** amorous, amative, amatory; affectionate, loving; fond; (*темпераментен*) effusive; *шег.* lovey-dovey.

любѐз|ен *прил.*, -**на**, -**но**, -**ни** kind; **много ~но от ваша страна** (it's) very kind of you; (*приятен, мил*) amiable, engaging, winning; (*учтив*) polite, courteous, well-behaved, civil, fair-spoken, soft-spoken, suave, gallant; (*услужлив*) obliging, accommodating, complaisant; **ще бъдете ли така ~ен** да will you be so kind as to, will you be

kind enough to, will you kindly.

любе́знича *гл., мин. св. деят. прич.* любезничил be officious, show excessive politeness; pay compliments (**с** to), make o.s. pleasant.

любезност *ж., само ед.* kindness, niceness; politeness, civility, courtesy; amiability, affability; comity; fair-spokenness; (*комплимент*) compliment, civility, amenity; • разменяме си ~и exchange civilities, *ирон.* (*караме се*) have words (with s.o.).

любим *сег. страд. прич.* beloved, loved; (*скъп*) dear, precious, darling; (*предпочитан*) favourite; *като същ.* sweetheart, darling, beloved; pet.

любим|ец *м.,* -ци; **любимк|а** *ж.,* -и favourite (**на** of, **сред** with, among); *книж.* minion; (*на шеф и пр.*) blue-eyed boy; *амер.* fair-haired boy.

любител (-ят) *м., мн.;* **любителк|а** *ж.,* -и **1.** lover (**на** of); fancier; голям ~ **на** футбола football fan; ~ **на** риска risk lover; **2.** (*неспециалист*) amateur, dilettante, dabbler, laic.

любов *ж., само ед.* **1.** love; attachment, fondness, affection, sympathy, partiality; брак по ~ love-match; въртя ~ *амер. разг.* canoodle; голяма ~ grand passion; от ~ към for the love/sake of; първа ~ puppet love; **2.** (*любовна история*) love-affair, romance; **3.** (*любимо същество*) love, pet, *разг.* flame; негова стара ~ an old flame of his; **4.** (*охота, желание*) enthusiasm, fervour, zeal; върша нещо с/без ~ do s.th. with enthusiasm/reluctantly.

любов|ен *прил.,* -на, -но, -ни **1.** love (*attr.*); ~ен роман love-story; **2.** (*изразяващ любов*) loving, amorous, affectionate, tender; ~ен период (*у животните*) a mating season.

любовни|к *м.,* -ци lover, sweetheart, paramour; *разг.* fancy man; (*ухажор*) suitor, wooer.

любовниц|а *ж.,* -и love, sweetheart, sweetie; paramour, mistress, best girl, girl friend, *разг.* fancy lady.

любознател|ен *прил.,* -на, -но, -ни studious, eager to learn, inquiring, curious, inquisitive.

любопит|ен *прил.,* -на, -но, -ни **1.** curious, inquisitive; *неодобр.* prying, nosy, snoopy; snooping, intrusive; много ~ен човек a peeping Tom; **2.** (*ин-*

тересен) curios, interesting, of interest.

любопитство *ср., само ед.* curiosity; питам от ~ ask out of curiosity; умирам/горя от ~ be on tiptoe with/be dying with/be burning with curiosity.

любу́вам се (**на**) *възвр. гл.* enjoy, feast/feed o.'s eyes on, admire.

любящ *сег. деят. прич.* loving, affectionate, fond.

людое́д *м.,* -и cannibal, man-eater; (*в приказките*) ogre; *само мн. биол.* anthropophagi.

люк *м.,* -ове, (два) люка *мор.* hatch(way); *техн.* manhole, aperture.

люле́ене *ср., само ед.* rocking, swinging, swaying; oscillation.

люле́я *гл., мин. св. деят. прич.* люлял rock; (*на ръце, в люлка*) cradle; (*за да заспи*) rock to sleep; (*на колене*) dandle; (*като махало*) sway, swing, shake, toss, rock; || ~ се swing, rock, sway; oscillate, pendulate, undulate; shake, wave, rock, toss, nod; (*на дъска*) seesaw; (*движа се вълнообразно – за жита и пр.*) wave, undulate, feather; (*треса се*) totter, shake, reel; ~ се нагоре-надолу (*за самолет и пр.*) pitch.

люлк|а *ж.,* -и (*детска*) cradle (*и прен.*); слагам в ~а cradle, *прен.* nurse; (*плетена*) hammock; (*на дърво и пр.*) swing; (*от една дъска с опора*) seesaw; *воен.* (*на оръдие*) cradle.

люлчин *прил.* cradle (*attr.*); ~а песен a cradle song, lullaby.

люля|к *м.,* -ци, (два) люляка *бот.* lilac; (*храст*) lilac-shrub.

люпи́л|о *ср.,* -а nest; (*на хищна птица*) aerie, aery, eyrie, eyry; (*излюпени пилета*) brood, hatch, clutch.

люпя *гл., мин. св. деят. прич.* люпил **1.** (*мътя*) hatch, brood; (*изкуствено*) incubate; || ~ се hatch; **2.** peel.

люсп|а *ж.,* -и flake; (*на риба*) scale; *зоол., бот.* squama; (*на жито и пр.*) husk, hull; (*на грах и пр.*) pod; (*кори-ца*) peel; *бот.* integument.

лют *прил.* **1.** hot, peppery, sharp, pungent; ~и чушки chillis; (*с парлив вкус*) pungent, biting, caustic; **2.** (*зъл*) fierce, ferocious; (*за думи и пр.*) bitter, angry, caustic, biting; **3.** (*сприхав*) hot-/quick-/short-tempered; **4.** (*за алкохол*) strong, heady; **5.** (*за студ*)

bitter, hard, sharp; (*за зима*) severe; **6.** (*за рана*) sore; **7.** (*отровен – за змия*) poisonous.

люте́ница *ж., само ед. кул.* ketchup, pepper relish/puree, chutney.

лю́ти ми (**ти, му, й, ни, ви, им**) *безл. гл.* be hot/peppery/pungent/sharp/biting; (*за рана*) smart; ~ ми на очите от пушека/лука the smoke/the onions makes/make my eyes smart, my eyes smart from the smoke/the onions.

лю́тиче *ср.,* -та *бот.* buttercup, crowfoot, king-cup, golden-cup, goldilocks (*Ranunculus auricomus*).

лю́тн|я *ж.,* -и *муз.* cither(n), cittern, citole.

лютя́ *гл., мин. св. деят. прич.* лютил anger, irritate; || ~ се be angry/irritated/furious (**на** at).

люце́рна *ж., само ед. бот.* lucerne, alfalfa, medick (*Medicago sativa*).

лю́шкам (се) и **лю́швам (се), лю́шна (се)** (*възвр.*) *гл.* **1.** toss, swing, rock, sway; (*за нещо увиснало*) dangle; (*при ходене*) reel, stagger, roll, wobble; **2.** *прен.* waver, vacillate, sway, wobble.

лю́щя *гл., мин. св. деят. прич.* лю́щил peel, skin; (*кора*) bark, peel; (*орехи, царевица*) shell; (*грах и пр.*) hull, pod, shell; (*ориз*) husk; || ~ се scale, peel, come off, flake; exfoliate; *мед.* desquamate.

ляв *прил.,* -а, -о, леви **1.** left, left-hand (*attr.*); (*за посока*) leftward; ~а страна left-hand side; ~о крило *спорт.* outside left, left-wing(er); **на** ~о **от** to the left of; **с** две леви ръце съм *прен.* my fingers are all thumbs; **2.** *полит.* left(-wing).

ля́гам, ле́гна *гл.* lie (down); (*за посеви*) be beaten down; ~ болен take to o.'s bed; **да** си почина lie down and rest, repose o.s.; || ~ **си** go to bed, turn in, retire to bed/to rest/for the night; get between the blankets; *разг.* hit the hay/sack; **не си** ~ (*стоя до късно*) sit up; (*чакам*) wait up.

ля́гане *ср., само ед.:* време за ~ bedtime, time to go to bed.

лян *м.,* -ове, (два) ляна *бот.* oleander.

ля́стовиц|а *ж.,* -и swallow; (*градска*) martin; • една ~а пролет не прави one swallow does not make a summer.

ля́то *ср.,* лета́ summer; • циганско ~ Indian summer.

мавзоле́|й (-ят) *м.*, **-и,** (два) **мавзоле́я** mausoleum.

мавритан|ец *м.*, **-ци; мавританк|а** *ж.*, **-и** Moor, Mauritanian, Mauritanian (woman).

мавританск|и *прил.*, **-а, -о, -и** Moorish, Mauritanian; (*за стил*) Moresque.

ма́в|ър *м.*, **-ри** Moor.

маг *м.*, **-ове** (*жрец*) Magus (*pl.* Magi), Magician, wise man; (*вълшебник*) sorcerer.

магазѝн *м.*, **-и,** (два) **магазѝна 1.** shop, *амер.* store; **държа ~** keep a shop; **универсален ~** department store; **2.** (*на пушка*) magazine; **3.** (*на кошер*) honey storehouse/storeroom; **4.** *техн.* magazine, hopper, dispenser; *инф.* stacker.

магазине́р *м.*, **-и; магазине́рк|а** *ж.*, **-и** shopkeeper, *амер.* storekeeper; **продавач(ка)** shop-assistant, *амер.* clerk, salesman/saleswoman; (*в магазия*) storekeeper, warehouseman.

мага́ре *ср.*, **-та 1.** donkey, ass; *шег.* moke, neddy; *прен.* ass, moke; (*мъжко*) jack(ass), dickey; **не ставай ~** don't be an ass; **2.** (*подпора*) trestle, jack-horse; (*за рязане на дърва*) sawhorse, buck; (*на цигулка*) bridge; • **на две ~та сеното не може да раздели** he doesn't know chalk from cheese/B from a battledore.

мага́решк|и *прил.*, **-а, -о, -и** (*за рода*) asinine; (*на магаре*) ass's, donkey's; *прен.* mulish; **~а кашлица** whooping cough; **~и бодил** *бот.* thistle (*Garduus*); **~и инат** mulishness.

магдано́з *м.*, *само ед. бот.* parsley (*Petroselinum sativum*); **див ~** stonewort.

магистра́л|а *ж.*, **-и** (*по суша, вода*) highway; **вход/изход на ~а** slip road; **скоростна пътна ~а** express highway; *амер.* freeway; (*главна жп линия, канал*) trunk-line; (*шосе*) high road, trunk road; (*улица*) main street, thoroughfare; *инф.* bus.

магистра́л|ен *прил.*, **-на, -но, -ни** main, trunk (*attr.*), principal.

магистра́т *м.*, **-и** magistrate.

магистрату́р|а *ж.*, **-и** magistracy; magistrates.

магѝст|ър *м.*, **-ри** master; (*по хуманитарни науки*) master of arts, *съкр.* M. A.; (*по точни науки*) master of sciences, *съкр.* M.Sc.; (*фармацевт*) pharmacist.

магѝческ|и *прил.*, **-а, -о, -и** magic(al); **~а пръчка** magic wand; **~и квадрат** word-square.

магѝ|я *ж.*, **-и 1.** magic, witchcraft, sorcery, wizardry, theurgy; **~и charms,** devilry; **правя някому ~я** charm/bewitch/enchant s.o., cast a spell on s.o.; **черна ~я** black magic/art, necromancy; magic, charm; **2.** *прен.* spell, charm, enchantment.

ма́гма *ж.*, *само ед. геол.* magma.

магматѝч|ен *прил.*, **-на, -но, -ни** igneous.

магна́т *м.*, **-и** magnate, king, tycoon, *амер.* baron; **петролен ~** oil king.

магне́зи|й (-ят) *м.*, *само ед. хим.* magnesium.

магнетизѝрам *гл.* magnetize; || **~ се** become/be magnetized.

магнетѝз|ъм (-мът) *м.*, *само ед.* magnetism (*и прен.*); (*дял от физиката*) magnetics; **земен ~ъм** terrestrial magnetism.

магнетѝч|ен *прил.*, **-на, -но, -ни** magnetic.

магнетофо́н *м.*, **-и,** (два) **магнетофо́на** tape-recorder.

магнетофо́н|ен *прил.*, **-на, -но, -ни** recording, magnetic; **~на лента** recording tape.

магнѝт *м.*, **-и,** (два) **магнѝта** magnet, loadstone, lodestone.

магнѝт|ен *прил.*, **-на, -но, -ни** magnetic (*и прен.*); **ден с ~ни бури** magnetic active day; **~на стрелка** magnetic needle; **~но ядро** *ел.* core.

магнѝтоелектрѝчество *ср.*, *само ед.* magnetoelectricity.

магнѝтосфе́ра *ж.*, *само ед.* magnetosphere.

магно́ли|я *ж.*, **-и** *бот.* magnolia (*Magnolia*); *амер.* tulip tree; **американска ~я** cucumber tree.

магьо́сни|к *м.*, **-ци** magician, wizard, sorcerer (*и прен.*); theurgist, necromancer, conjurer, wise man.

магьо́сниц|а *ж.*, **-и** sorceress, enchantress (*и прен.*); (*вещица*) witch.

Мадагаска́р *м. собств.* Madagascar.

мадагаска́р|ец *м.*, **-ци; мадагаска́рк|а** *ж.*, **-и** Madagascan, Malagasy.

мадагаска́рск|и *прил.*, **-а, -о, -и** Madagascan, Malagasy.

мада́м|а *ж.*, **-и** *sl.* dame, bird, chick, doll; bimbo; a piece of crumpet; *амер.* fox.

маджа́рин *м.*, **маджа́ри; маджа́рк|а** *ж.*, **-и** Magyar, Hungarian.

маджа́рск|и *прил.*, **-а, -о, -и** Magyar, Hungarian.

маджу́н *м.*, *само ед.* **1.** putty, mastic; (*овощарски*) lute; **2.** (*петмез*) treacle, *амер.* molasses.

мадо́н|а *ж.*, **-и** Madonna (*и рел.*).

мадрига́л *м.*, **-и,** (два) **мадрига́ла** *муз., лит.* madrigal.

мае́стро *м.*, *само ед.* maestro.

ма́жа *гл.*, *мин. св. деят. прич.* **ма́зал 1.** spread (**на** on); (*с хоросан, глина*) plaster, coat, daub (**с** with); (*с блажна боя*) paint, coat with paint; (*с лекарство и пр.*) smear, rub over, (*с йод*) daub; **2.** (*смазвам*) grease, oil, lubricate; (*с катран*) tar; (*с лепило*) paste; || **~ се: ~ се с крем** cream o.'s face, use cream; **тя много се маже** she uses too much make-up/cream.

мажо́р *м.*, *само ед. муз.* major (key); **в ла ~** in A-major.

мажо́р|ен *прил.*, **-на, -но, -ни** *муз.* major.

мажоре́тк|а *ж.*, **-и** majorette.

мажорита́р|ен *прил.*, **-на, -но, -ни** majority (*attr.*); **~на система** *полит.* majority representation.

маз|а́ *ж.*, **-и́; мазе́** *ср.*, **-та** cellar, basement.

маза́ч *м.*, **-и** plasterer; (*на машина*) oilman, oiler.

ма́з|ен *прил.*, **-на, -но, -ни 1.** oily, greasy; lardy; (*за почва*) fat, mellow; (*за храна*) fat, rich, greasy; (*зацапан*) greasy; **~но петно** grease spot; (*за коса*) oily; (*на пипане*) unctuous; (*лепкав*) sticky; **2.** (*гладък*) smooth; **3.** *прен.* unctuous, oily, greasy, smooth, ingratiating, bland, suave, mealy-mouthed, smarmy.

мази́лк|а *ж.*, **-и строит.** plaster, parget; (*с гипс*) stucco; (*слой*) coat; (*на стена*) rendering; **гипсова ~а** plastering; **декоративна ~а** stuccowork.

мази́л|о *ср.*, **-а́** ointment; cream.

мазни́|к *м.*, **-ци** *пренебр.* toady, toadeater, unctuous character/person, truckler, lickspittle, bootlicker, reptile, slime,

sycophant, *sl.* oiler; **голям ~к** as sleek as a cat.

мазнин|а *ж.*, **-и** fat, grease; **животинска ~а** animal fat, adipose; **~а от печено месо** dripping, (*лой*) suet.

мазол *м.*, **-и**, (два) **мазола** corn, callosity; callus; ● **настъпвам някого по ~а** tread on s.o.'s corn/toes (*и прен.*), touch s.o. on a raw/tender spot, touch s.o. home/on the raw.

мазол|ест *прил.* calloused, horny; **~и ръце** calloused/toil-hardened hands.

мазохиз|ъм (**-мът**) *м.*, *само ед. мед.* masochism.

мазут *м.*, *само ед. хим.*, *техн.* black/ fuel oil, mazut, oil residue.

май₁ *м. неизм.* May.

май₂ *част.* (*изглежда*) it seems (to me) (that); (*вероятно*) in all probability/likelihood, most probably, apparently, to/by all appearances, very likely; **~, че не е така** I rather doubt it; **~, че ще вали** it looks like rain, I'm afraid it's going to rain, I fancy it will rain.

майк|а *ж.*, **-и** 1. mother (*и прен.*); *уч. sl.* mater; (*на животно*) dam; **бъдеща ~а** expectant mother; **втора ~а** stepmother, *юр.* venter; 2. (*причина*) mother, cause, root; **мързелът е ~а на всички пороци** idleness is the root of all evil; 3. (*главна сума на дълг*) principal; ● **за едни ~а, за други мащеха** make fish of one and flesh of the other, make chalk of one and cheese of the other; **както го е ~а родила** mother-naked, in o.'s birthday suit, in o.'s skin; **~а му стара** devil take it, damn it.

маймун|а *ж.*, **-и** monkey (*и прен.*); (*без опашка*) ape; **правя се на ~а** act the goat, play the fool, lark about/ around, clown about/around; **човекоподобна ~а** (anthropoid) ape; (*подражател*) ape.

маймунск|и *прил.*, **-а**, **-о**, **-и** (*за рода*) simian, (*като маймуна*) apish, ape-like; *прен.* apish.

майонез|а *ж.*, **-и** *кул.* mayonnaise (sauce).

майор *м.*, **-и** *воен.* major.

майск|и *прил.*, **-а**, **-о**, **-и** May (*attr.*); **~и бръмбар** *зоол.* (cock) chafer, May-bug, miller (*Melolontha vulgaris*).

майстор *м.*, **-и**; **майсторк|а** *ж.*, **-и** master (**на** of, at *с ger.*); masterhand, good hand (at); *sl.* nailer; **голям/не-**

надминат ~ past-master (in, of s.th., at doing s.th.), *разг.* fiend at; (*работник специалист*) skilled worker; (*в завод*) foreman; (*вещ човек*) expert (at); proficient (in), adept (at); *разг.* dab (at); ● **заслужил** ~ **на спорта** an honoured master of sports; **намирам си ~а** find/meet o.'s match, be outplayed; **няма го ~а** nothing doing, *sl.* Walker, *амер. sl.* nix on that (game).

майсторлък *м.*, *само ед.* 1. (*умение*) know-how, knack; 2. contrivance, contraption, gadget.

майсторск|и₁ *прил.*, **-а**, **-о**, **-и** 1. skilful, masterly, masterful; craftsmanly; **~а изработка** craftsmanship; 2. (*на майстор*) master's, of a master.

майсторски₂ *нареч.* skilfully, *амер.* skillfully, expertly.

майсторство *ср.*, *само ед.* 1. (*умение*) mastery, skill, masterdom, masterliness, mastership; **художествено** ~ art(istry); 2. (*майсторска изработка*) workmanship, craftsmanship; (*умение*) prowess.

майсторя *гл.*, *мин. св. деят. прич.* майсторил contrive, make.

майтап *м.*, **-и**, (два) **майтапа** *разг.* fun, joke, kidding, *разг.* lark, gag, leg-pull, (*с думи*) wisecrack; **за** ~ for fun, for a lark; for a gag; **не ми е до** ~ I'm in no laughing mood; **правя си** ~ **с** (*някого*) pull a fast one on (s.o.).

майтапчи|я *м.*, **-и**; **майтапчийк|а** *ж.*, **-и** wag, joker, prankster, wisecracker, spoofer, *разг.* leg-puller; *амер. разг.* cut-up, josher.

майтапя *гл.*, *мин. св. деят. прич.* майтапил kid, joke, crack a joke; spoof; || ~ **се с** chaff/rag/kid s.o., make fun/ sport of s.o., pull s.o.'s leg.

майчин *прил.* mother's, maternal; mother (*attr.*); **~о мляко** mother's/ breast milk; **по ~а линия** enate; **сине ~!** you son of a gun!

майчинск|и₁ *прил.*, **-а**, **-о**, **-и** motherly, maternal, motherlike.

майчински₂ *нареч.* maternally, motherlike, like a mother.

майчинство *ср.*, *само ед.* motherhood, maternity; (*парична помощ*) maternity benefit; **отпуск по** ~ maternity leave.

мак *м.*, **-ове**, (два) **мака** *бот.* poppy (*Papaver*); (*семе*) poppy-seed.

мака|к *м.*, **-ци**, (два) **макака** *зоол.* macaco, macaque, wanderoo (*Macaca silenus*).

макар съюз 1. (*поне*) at least; 2.: ~ **и да**, ~ **че** although, even though, even if; **и млад, сигурно ще успее** young as he is, he is sure to succeed; ~ **само** if only; 3. (*при все това*) even so.

макар|а *ж.*, **-и** 1. (*за конци*) reel, spool (of cotton/thread); (*масур*) bobbin, spool; (*на рибарска въдица*) reel; 2. (*скрипец*) pulley; *техн.* (*хаспел*) jack, windlass, hoist; *ел.* coil.

макарони *само мн. кул.* macaroni.

македон|ец *м.*, **-ци** Macedonian.

Македония *ж. собств.* Macedonia.

македонк|а *ж.*, **-и** Macedonian (woman).

македонск|и *прил.*, **-а**, **-о**, **-и** Macedonian; **Александър Македонски** *истор.* Alexander of Macedon.

макет *м.*, **-и**, (два) **макета** (miniature) model; mock-up; *театр.* scale model; ~ **в естествена големина** full-size/ scale model; (*опитен*) trial-piece/ copy; (*на стока във витрина, воен.*, *полигр.*) dummy.

маков *прил.* poppy (*attr.*); (*за рода*) papeverous, papeveraceous; *хим.* meconic; **~о семе** poppy-/maw-seed.

макраме *ср.*, *само ед. текст.*, *изк.* macrame.

макроикономика *ж.*, *само ед.* macroeconomics.

макрокосмос *м.*, *само ед.* macrocosm, universe.

макромолекул|а *ж.*, **-и** *хим.* (*обикн. на полимер*) macromolecule.

макрорелеф *м.*, *само ед.* macrorelief.

макросистем|а *ж.*, **-и** macrosystem; macroscopic system.

макроскопич|ен *прил.*, **-на**, **-но**, **-ни** macroscopic.

макроструктур|а *ж.*, **-и** macrostructure.

макси *прил.* (*за дреха*) maxi.

максим|а *ж.*, **-и** maxim, dictum (*pl.* dicta); gnome.

максимал|ен *прил.*, **-на**, **-но**, **-ни** maximum, top; **~ен товар** *ел.* breaking capacity; **~на възраст** age-limit; **~на скорост** top/highest speed.

максималист *м.*, **-и**; **максималистк|а** *ж.*, **-и** maximalist; extremist.

максимално *нареч.* at (the) most; to

the highest degree, *амер.* to the limit; използвам ~ make the most of.

максимизѝрам *гл.* maximize.

мàксимум *м., само ед.* maximum, upper/superior limit; **един, ~ два** one, at the most two; **~ на крива** peak; **положих ~ усилия** I did my utmost/my best.

Мàла Àзия *ж. собств.* Asia Minor, Lesser Asia.

Малàга *ж. собств.* Malaga.

малà|ец *м.,* -**йци; малàйк|а** *ж.,* -**и** Malay(an).

Малàйзия *ж. собств.* Malaysia.

малàйск|и *прил.,* -**а,** -**о,** -**и** Malay(an).

маларѝч|ен *прил.,* -**на,** -**но,** -**ни** malarial; (*за блата*) malarious; **~ен комар** anopheles (mosquito); **~на треска** malarial fever, ague.

малàрия *ж., само ед. мед.* malaria, *мед.* paludism.

малахѝт *м., само ед. минер.* malachite, green copper.

Мàли *ср. собств.* Mali.

малѝн|а *ж.,* -**и** *бот.* raspberry; (*храст*) raspberry bush, raspberry-cane(s).

малѝнов *прил.* raspberry (*attr.*); **~ цвят** crimson.

мàлко *нареч.* **1.** (*за мярка, степен и пр.*) little; **~ по-вляво** a bit (over) to the left; **~ по-нагоре** a bit higher up; **най-~** least; **по-~** less; **2.** (*до известна степен*) a little, some; a bit, a touch; (*за храна, питие, работа*) a spot of; **имам ~ пари** I've got some/a little money; (*в незначителна степен*) slightly, a bit; **~ си прибързал** you have been somewhat rash; **познавам го ~** I know him slightly; (*в неопределена степен*) somewhat, rather, a bit; **3.** (*с броими същ.*) few; **даде ми по-~ отколкото трябва** he gave me short measure; **~ хора го знаят** few people know him; (*недостатъчно*) (*с неброими същ.*) (too) little, not enough; (*с броими същ.*) (too) few, not enough; **4.** (*за време*) a little while, a short time, shortly, a bit (earlier/later); **за ~** for a short time; **за по-~ от час** in less than an hour, within an hour; **оставам за ~** stay for a while; **преди ~** a short/little while ago; **след ~** presently, in a moment, in a very few minutes; **5.** (*почти*) nearly, all but, narrowly; **за/без ~ щях да изпусна влака** I nearly missed the

train; **задоволявам се с ~** make do with (very) little; **и това не е ~!** who'd have thought it! that beats all! **~ по ~** little by little, bit by bit, in dribs and drabs, in penny numbers; **ни най-~** not at all, not in the least; not in the slightest (degree); not by a long chalk.

малоазѝ|ец *м.,* -**йци; малоазѝйк|а** *ж.,* -**и** Anatolian.

малоазѝйск|и *прил.,* -**а,** -**о,** -**и** of Asia Minor, Asia Minor (*attr.*), Anatolian.

малобро́|ен *прил.,* -**йна,** -**йно,** -**йни** not numerous, scanty, small; (*за население*) thinly/sparsely populated; **~йна публика** *театр.* a thin house.

маловàж|ен *прил.,* -**на,** -**но,** -**ни** unimportant, of small/little/no importance, of little significance/consequence; insignificant; non-essential minor, obscure; (*незначителен*) inconsiderable, petty, peddling, trivial, trifling, fiddling, *разг.* footling; off the map; (*несъществен*) inessential.

малово́д|ен *прил.,* -**на,** -**но,** -**ни** (*за местност*) dry, unwatered; (*за река*) shallow, low.

малограмàж|ен *прил.,* -**на,** -**но,** -**ни** underweight; (*за хартия*) light.

малоду́ш|ен *прил.,* -**на,** -**но,** -**ни** pusillanimous, faint-hearted, cowardly, white-livered, pigeon-/chicken-hearted; poor-spirited; craven; **~ен човек** coward, turnback; craven; **правя някого ~ен** woman s.o.

малоду́шие *ср., само ед.* pusillanimity, faint-heartedness, cowardliness, cowardice, spinelessness, unmanliness, white-liver, pigeon-/chicken-heartedness; craveness; **проявявам ~** show/fly the white feather, turn tail, play the woman.

малоимо́т|ен *прил.,* -**на,** -**но,** -**ни** poor, indigent, needy.

малокалѝбрен *прил.* small-calibre (*attr.*); (*за оръжие*) small-bore (*attr.*).

малокрѐв|ен *прил.,* -**на,** -**но,** -**ни** anaemic; exsanguine, exsanguinous.

малолѐт|ен *прил.,* -**на,** -**но,** -**ни** under age; (*млад*) young, juvenile; **~ен престъпник** juvenile delinquent/offender.

малолитрàж|ен *прил.,* -**на,** -**но,** -**ни** small-displacement (*attr.*); (*за кола*) with a low fuel consumption, light, small.

маломѐр|ен *прил.,* -**на,** -**но,** -**ни** un-

dersized, small.

маломо́щ|ен *прил.,* -**на,** -**но,** -**ни** *техн.* low-powered; small-output (*attr.*).

малоу́м|ен *прил.,* -**на,** -**но,** -**ни** **1.** weak-minded/-headed, feeble-minded, soft-headed, half/short-witted, imbecile, mentally defective/deficient; *разг.* dunderheaded, gormless; **2.** *като същ.* half-wit, (mental) defective, imbecile, dunce; dunderhead, nitwit, halfwit.

малоцѐнност *ж., само ед.* inferiority, small/low value; drossiness; **комплекс за ~** *псих.* inferiority complex.

малочѝслен *прил.* small, scanty, not numerous.

Мàлта *ж. собств.* Malta.

малтѝ|ец *м.,* -**йци** Maltese.

малтѝйк|а *ж.,* -**и** Maltese (woman).

малтѝйск|и *прил.,* -**а,** -**о,** -**и** Maltese.

малтретѝрам *гл.* maltreat, ill-treat/-use, mishandle, manhandle, bully, knock about, pick on, mob.

малтретѝран *мин. страд. прич.* battered; **физически ~о дете** battered child.

малформàци|я *ж.,* -**и** *мед.* malformation.

малц *м., само ед. биохим.* malt.

малцѝна *само мн.* few; not many.

малцѝнствен *прил.* minority (*attr.*).

малцинств|о́ *ср.,* -à minority.

мàлцов *прил.* malt (*attr.*); **~а захар** maltose.

малчугàн *м.,* -**и** *разг.* urchin, nipper, kid; (*съвсем малко дете*) toddler, tot.

мàл|ък *прил.,* -**ка,** -**ко,** -**ки** **1.** (*за брой, размер, вместимост, стойност, значимост*) small; **~ка бързина** low speed; **~ка кола** compact car; (*за роял, автобус, пишеща машина, фотоапарат*) baby (*attr.*); **~ка разлика** slight difference; (*недостатъчен*) scanty, insufficient, low; **~кият пръст** the little finger, *анат.* the minimus; **~ко дете** little/small child; **~ко нарушение** lesser/minor offence; (*за подробности*) minute; **~ък микробус** minibus; (*дребен, незначителен по размер, обхват, степен, сила*) little; (*с нотка на нежност*) small; **~ък доход** small/scanty income; (*второстепенен*) minor; **с най-~ки подробности** in greatest detail; **2.** (*за време*) short; **дните стават по-~ки** the days are getting shorter; **~ко време ни**

оставà time is short; **3.** (*за възраст*) young, little; **знам го от ~ък** I've known him since he was a child/knee-high/so big; **когато бях ~ък** when I was a child/young/a youngster; **~кият ми брат** my younger brother; **4.** *като същ.* child, youngster; **~ката** *обръщ.* girl, lassie; **~ките** the young ones; **~кият** *обръщ.* boy; **5.** *като същ.* *ср.* little one, child, baby; (*на животно*) cub; **едно ~ко** (*питие*) a short; **~ки** (*на животно*) young, litter, (*на птица*) nest; **раждам ~ки** bring forth young; ● **безкрайно ~ка величина** *мат.* infinitesimal (quantity); **Малката мечка** *астр.* the Lesser Bear, Ursa Minor; **~ко име** Christian name, *амер.* given/first name; **~ък грях** peccadillo; **~ък мозък** *анат.* cerebellum; **~ък Сечко** (the month of) February.

мàма *ж., само ед.* mother, mummy, mum, mam(m)a, *амер.* ma, mom.

мàмин *прил.* mother's, mummy's, mamma's; **~о детенце** mummy's boy/girl; *разг.* sop; **~ото!** my pet!

мамỳт *м., -и,* (*два*) **мамỳта** *зоол.* mammoth (*Elephans primigenius*).

мàмя *гл., мин. св. деят. прич.* **мàмил** **1.** deceive, cheat, swindle, double-cross, overreach, jiggle, jockey; fiddle; cozen; *sl.* gyp; **2.** (*примамвам*) lure, allure; (*изкусно, хитро*) entice; (*с надежди*) delude; (*като придумвам*) inveigle; **3.** (*изневерявам*) be unfaithful (to); two-time; ‖ **~ се** be mistaken/wrong; delude o.s.

манà *ж., само ед.* (*болест*) mildew, blight; (*втвърден сок*) manna; (*по тютюна*) blue mound.

манастѝр *м., -и,* (*два*) **манастѝра** *църк.* (*мъжки*) monastery, friary; (*женски*) convent, nunnery; *книж.* cloister; **затварям в ~** cloister.

манатàрк|а *ж., -и* *бот.* edible boletus (*Boletus edulis*).

мангàл *м., -и,* (*два*) **мангàла** brazier, charcoal-pan; fire-pan, chafing dish, chafing pan.

мангàн *м., само ед.;* **манганѝт** *м., само ед.* *хим.* manganese.

мангѝзи *само мн. жарг. sl.* dough, dibs, dosh, gelt, oof, spondulicks, wampum, the ready, the needful, the wherewithal.

мàнго *ср., само ед.* *бот.* mango (*Man-*

gifera indica).

мàнгров *прил.:* **~о дърво** *бот.* mangrove (*дървета или храсти от родовете Risofora, Sonneratia, Bruguiera, Avicennia и др.*).

мангỳст|а *ж., -и* *зоол.* mongoose.

мандарѝн|а *ж., -и* *бот.* tangerine; clementine (*Citrus reticulata*).

мандàт *м., -и,* (*два*) **мандàта** **1.** mandate, seat; **територия под ~** mandated territory; **2.** (*пълномощие*) warrant, power of attorney; authorization; power; **продължителност на ~** term of office.

мандàт|ен *прил., -на, -но, -ни* mandate, warrant (*attr.*); **~на комисия** (*на конгрес и пр.*) credentials committee.

мàндж|а *ж., -и* *разг.* dish; (*храна*) food; ● **на всяка ~а мерудия** have a finger in every pie.

мандолѝн|а *ж., -и* *муз.* mandolin(e); (*голяма*) mandola.

мàндр|а *ж., -и* dairy; dairy farm; (*за масло*) creamery; *прен.* gold mine; bonanza.

манèвр|а *ж.* **-и 1.** *воен.* manoeuvre (*промяна в дислокацията на войски и пр.*) evolution; (*за заблуда на противника*) feint; **2.** *жп* shunting; **3.** *прен.* manoeuvre, evolution, stratagem, gambit; **нова ~а от страна на** a new move on the part of.

манèврен *прил.* manoeuvre (*attr.*); **~ локомотив** shunting engine, dinkey; **~а война** mobile warfare.

маневрѝрам *гл.* manoeuvre; make evolutions; *жп* shunt; *мор.* jockey.

манèж *м., -и,* (*два*) **манèжа** riding-school, manege, manège; (*открит*) open-air riding-school; (*закрит*) riding-hall.

манекèн *м., -и,* (*два*) **манекèна** window-doll, dummy; (*жив*) model, mannequin; (*на художник*) lay figure, (*жив*) model; (*на ревю*) model; **шивашки ~** Paris doll; *прен.* lay figure, figurehead, mere puppet.

манèрк|а *ж., -и* canteen; (*hip*) flask; flasket.

маниà|к *м., -ци;* **маниàч|ка** *ж., -и* maniac; freak; fiend; *мед.* monomaniac; lunatic; *прен.* crank; (*запалянко*) fan; freak; **~к на тема чист въздух** fresh air crank/fiend; **телевизионен ~к** couch potato.

маниакàлност *ж., само ед.* mania.

манивèл|а *ж., -и* crank, tiller, starting handle.

маниèр *м., -и,* (*два*) **маниèра 1.** manner, way, style; **по френски ~** in the French manner; **2.** (*превзетост*) affectation, mannerism, airs.

манèрнича *гл.* be affected, have affected manners, mince, simper, put on airs/frills, give o.s. airs.

маникюр *м., -и,* (*два*) **маникюра** manicure; **правя си ~** manicure/trim o.'s nails, have o.'s nails manicured.

маникюрѝст *м., -и;* **маникюрѝстк|а** *ж., -и* manicurist.

маниòка *ж., само ед.* *бот.* manioc, cassava (*Manihot ultissima*).

манипулациòнн|а *ж., -и* *мед.* surgery.

манипулàци|я *ж., -и* manipulation; treatment; (*на тютюн*) processing; (*избори*) gerrymander, gerrymandering.

манипулѝрам *гл.* manipulate, handle, work; (*тютюн*) process; (*избори*) gerrymander.

манипулѝране *ср., само ед.* manipulation, handling; **~ на пазара** *борс.* rigging the market.

манифактỳр|а *ж., -и* **1.** manufacture, manufactory; **2.** (*текстил*) drapery, textiles, textile goods, *амер.* dry goods.

манифактỳр|ен *прил., -на, -но, -ни* **1.** manufacture (*attr.*); **2.** (*за тъкани*) draper's; **~ен магазин** draper's (shop), *амер.* dry goods store.

манифèст *м., -и,* (*два*) **манифèста** manifesto.

манифестàнт *м., -и;* **манифестàнтк|а** *ж., -и* demonstrator; parader.

манифестàци|я *ж., -и* demonstration; parade.

манифестѝрам *гл.* **1.** (*участвам в манифестация*) demonstrate; parade; **2.** (*показвам*) manifest, demonstrate.

мàни|я *ж., -и* mania, obsession (*да for с ger.*); craze; fad; furore; **~я за величие** megalomania; **~я за преследване** persecution mania; **последната му ~я** *разг.* his new baby, his latest craze.

мàнна *ж., само ед.* *библ.* manna.

манометрѝч|ен *прил., -на, -но, -ни* manometric; **~на височина** pressure head.

маномèт|ър *м., -ри,* (*два*) **маномèтъра** manometer, pressure-gauge, steam gauge.

мансàрд|а ж., -и garret, mansard; (таван) attic.

манталитѐт м., само ед. mentality, mental constitution, turn/cast/attitude of mind; mind, thought.

мантинѐл|а ж., -и crash barrier.

мàнти|я ж., -и mantle, cloak; (на съдия) gown, robe; зоол. mantle; (на мекотело) pallium.

мант|ò ср., -à (ladies) topcoat, overcoat.

манш м., -ове, (два) мàнша спорт. lap, leg, game, race; карти game.

маншѐт м., -и, (два) маншѐта cuff, wrist-band; (на панталон) cuff, turn-up; двоен ~ French cuff; панталони без ~ cuffless trousers.

маншòн м., -и, (два) маншòна muff.

марабу̀ ср., само ед. зоол. marabou (Leptoptilus).

мараня̀ ж., само ед. haze; (жега) scorching heat, sultriness.

маратòнки само мн. sneakers.

маратòнск|и прил., -а, -о, -и Marathon (attr.); ~о бягане спорт. Marathon race.

маргарѝн м., -и, (два) маргарѝна кул. margarine.

маргарѝт м., само ед. pearl.

маргарѝтк|а ж., -и бот. ox-eye (daisy); daisy, moonflower marguerite.

маргинàл|ен прил., -на, -но, -ни marginal (и мед.); fringe (attr.).

маргинàлѝз|ъм (-мът) м., само ед. икон. marginalism.

марж м., само ед. банк. margin; ~ на печалбата profit margin.

марѝна ж., само ед. navy.

маринà|а ж., -и кул. souse, marinade.

маринѝст м., -и painter of seascapes, marine painter.

маринòвам гл. souse, marinate, pickle.

марионѐт|ен прил., -на, -но, -ни puppet (attr.); прен. dummy (attr.); ~но правителство puppet government.

марионѐтк|а ж., -и puppet, marionette (и прен.), прен. и dummy, push-over, tool, stooge; ~и fantochini; политическа ~а hack.

марихуàна ж., само ед. marihuana, разг. pot, grass, ganja, gunja.

мàрк|а ж., -и 1. stamp; гербова ~а revenue stamp; залепвам ~а на писмо stamp a letter; 2. търг. trademark, brand, make; (вид, сорт) kind, sort, grade; каква ~а е колата ви? what make is your car?; 3. (знак за отчитане, проверка) check, token coin, label; (за платен акциз) tag; (на колело и пр.) license plate, амер. marker; 4. (парична единица) mark; ● слагам някому ~а trip s.o. up.

мàркер м., -и, (два) мàркера highlighter, cursor; език. marker.

мàркетинг м., само ед. marketing.

маркѝз м., -и marquis, marquess.

маркѝз|а ж., -и (в Англия) marchioness, (във Франция) marquise.

маркѝрам гл. 1. (слагам белег) mark, stamp; tag; (път) blaze; ~ път и прен. blaze a trail; (за сервитьор) check; 2. (при пеене) sing in half voice/strength.

маркирòвк|а ж., -и marking, checking, stamping, labelling; пътна ~а road marking.

мàрков прил. икон. brand; ~ продукт brand product.

марксѝз|ъм (-мът) м., само ед. Marxism.

марксѝстк|и прил., -а, -о, -и; марксѝческ|и прил., -а, -о, -и Marxist, Marxian.

маркуч м., -и, (два) маркуча hose.

мàрл|я ж., -и gauze, lint.

мармалàд м., -и, (два) мармалàда jam, preserve; (от лимони, портокали) marmalade; правя ~ от jam.

мародèр м., -и marauder, pillager, prowler, freebooter.

мародèрск|и прил., -а, -о, -и marauding; plunderous; ~и цени exorbitant prices.

мародèрствам гл. maraud, pillage, freebooting.

марокàн|ец м., -ци Moroccan, Moor.

марокàнск|и прил., -а, -о, -и Moroccan, Moorish.

марокèн м., само ед. 1. (кожа) Morocco-leather, morocco; 2. текст. marocain.

Марòко ср. собств. Morocco.

Марс м. собств. астр., мит. Mars.

марсиàн|ец м., -ци Martian.

март м. неизм. March.

мàртениц|а ж., -и Martenitsa (twined tasselled red and white thread, symbol of spring and health).

мàртенов прил.: ~а пещ метал. open-hearth/a martin furnace.

мàртенск|и прил., -а, -о, -и March (attr.).

марỳл|я ж., -и бот. lettuce (Lactuca sativa).

марципàн м., -и, (два) марципàна marzipan, остар. marchpane.

марш₁ м., -ове, (два) мàрша march (и песен); церемониален ~ parade, (стъпката) goose-step.

марш₂ междум. 1. (върви) forward! march! бегом ~! double quick! 2. (махай се) get out! off/out with you! off!

маршàл м., -и воен. marshal.

маршàлск|и прил., -а, -о, -и marshal's, of a marshal; ~и жезъл marshal's baton.

маршировк|а ж., -и marching (drill), march.

маршовам гл. march; parade; ~ с изпънати колена goose-step; ~ на място mark time.

мàршов прил. marching.

маршрỳт м., -и, (два) маршрỳта route, itinerary; определям ~а на map out/draw up/ trace the route of.

маршрỳт|ен прил., -на, -но, -ни: ~но такси fixed route taxi.

мас м., само ед. fat; (свинска) lard; (смазка) grease; живачна ~ мед. blue butter; китова ~ blubber, sperm.

мàс|а₁ ж., -и table; ~а за хранене dining-table; разговор около кръглата ~а round-table talk; слагам ~ата lay/set the table, lay the cloth; сядам на ~ата (да се храня) sit down to table; шведска ~ smorgasbord.

мàс|а₂ ж., -и 1. (вещество) mass; aggregation; огромна ~а от a wilderness of; снежна/водна ~а a large mass of snow/water; 2. (множество) a mass of, masses of, a lot of, lots of, heaps of; 3. само мн. the masses; the multitude, the millions; народните ~и people at large, broad masses of people.

масàж м., -и, (два) масàжа massage; (на лицето) facial.

масажѝрам гл. massage, knead, rub.

масажѝст м., -и masseur.

масѝв м., -и, (два) масѝва 1. геол. massif; 2. инф. array, file.

масѝв|ен прил., -на, -но, -ни massive, massy, solid; ~на къща solid-built house; ~но злато solid gold.

мàсичк|а ж., -и small table; side-table; (сгъваема надолу) butterfly-table; (на микроскоп) stage.

мàск|а ж., -и 1. mask; бал с ~и fancy-

(-dress) ball; **посмъртна ~а** (death) mask; **2.** *прен.* mask, cloak, disguise; (*от чорап*) stocking mask; **под ~ата на** under the guise/mask of; **свалям/ смъквам ~ата на някого** tear s.o.'s mask off, unmask/expose s.o., show s.o. up; **3.** (*предна част на шлем*) **4.** (*козметична*) face pack; **5.** (*на лекар и пр.*) mouth and chin mask; **6.:** **защитна ~а** (*на заварчик*) head-screen; face-guard.

маскарàд *м.*, **-и, (два) маскарàда** masquerade, fancy(-dress)ball, masked ball, (*шествие*) fancy-dress pageant; *прен.* masquerade, mummery.

маскарàд|ен *прил.*, **-на, -но, -ни** masquerade (*attr.*); **~ен костюм** fancy-dress, costume.

маскùрам *гл.* mask, disguise; *воен.* camouflage; ‖ **~ ce** put on a mask, disguise o.s.; (*обличам маскараден костюм*) dress up, get o.s. up (**като** as); *воен.* camouflage o.s.

маскùране *ср.*, *само ед.*; **маскирòв-к|а** *ж.*, **-и** masking, disguise; dressing-up; *воен.*, *прен.* camouflage.

маскирòвъч|ен *прил.*, **-на, -но, -ни** masking (*attr.*); camouflage (*attr.*).

мàслен *прил.* butter (*attr.*); buttery, oily; lubricous, oleaginous; (*на цвят*) butter-colour; **~а помпа** pressure pump; **~о тесто** shortcake, shortbread; **рисувам с ~и бои** paint in oils.

мàслени|к *м.*, **-ци, (два) мàсленика** **1.** (*съд за масло*) butter-dish; **2.** *техн.* oiler, oil-can/-box/-feeder, lubricator; (*на автомобил*) oil-box.

мàсленост *ж.*, *само ед.* oiliness, lubricity, unctuosity, greasiness; (*съдържание*) butter content.

маслùн|а *ж.*, **-и** olive; (*дърво*) olive-tree; **дива ~а** oleaster.

маслùнен и **маслùнов** *прил.* olive (*attr.*); olivaceous, (*на цвят*) olive-green/coloured, bottle-green, olivaceous.

мàсл|о *ср.*, **-à** (*твърдо*) butter; (*течно*) oil; **бия ~о** churn butter; **дървено/ маслиново ~о** olive/salad oil; **машинно ~о** lubricating/machine/engine oil, grease, lubricant; **намазвам с ~о** butter, spread butter on; **рициново ~о** castor oil; **розово ~о** attar of roses, rose-oil; **светено ~о** *църк.* chrism; • **наливам ~о в огъня** add fuel/oil to the

fire/flames, take oil to extinguish the fire; **blow the coals; светявам ~ото на** do s.o. in, dispatch s.o., *амер.* *sl.* bump s.o. off.

маслобòйн|а *ж.*, **-и** oil-factory, vegetable oil refinery; (*за краве масло*) creamery.

маслодà|ен *прил.*, **-йна, -йно, -йни** oil-bearing/-yielding, oleaginous.

масльòнк|а *ж.*, **-и** *техн.* lubricator, grease cup/box, oil-holder, oil-feeder.

мàсов *прил.* mass (*attr.*); (*общодостъпен*) popular; (*в голям мащаб*) large-scale (*attr.*); **~и сцени** *театр.* crowd scenes; **~о производство** production on a large scale, large-scale production/output.

масовизùрам *гл.* popularize; expand, enlarge; ‖ **~ ce** be/become accessible to the masses.

мàсово *нареч.* on a mass scale; in large numbers; in a mass; (*вкупом*) all together, in large numbers, en masse.

масòн *м.*, **-и** (free)mason.

масòнск|и *прил.*, **-а, -о, -и** masonic; **~а ложа** freemason's/masonic lodge.

масòнство *ср.*, *само ед.* freemasonry.

масрàф *м.*, **-и, (два) масрàфа** outlay, expenses, expenditure; **да минем с един ~** get everything done and included in one bill.

мастàр *м.*, **-и, (два) мастàра** строит. lute.

мàст|ен *прил.*, **-на, -но, -ни** хим. butyric; *мед.* fatty, lardaceous; *анат.* adipose; **~на жлеза** oil-gland.

мастùк|а *ж.*, **-и** anisette, mastic (brandy), anise-flavoured brandy.

мастùлен *прил.* ink (*attr.*); (*като мастило*) inky; **~о петно** ink-stain/-spot.

мастùлниц|а *ж.*, **-и** ink-pot/-well; (*цял прибор*) inkstand.

мастùленострỳ|ен *прил.*, **-йна, -йно, -йни; ~ен печат** ink-jet printing.

мастùл|о *ср.*, **-à** ink; **печатарско ~о** printing/printer's ink; **симпатично ~о** invisible/sympathetic ink.

мастùт *прил.* venerable; outstanding, eminent.

мастùф *м.*, **-и, (два) мастùфа** зоол. mastiff.

мастодòнт *м.*, **-и, (два) мастодòнта** палеонт. mastodon.

мастопàтия *ж.*, *само ед.* мед. mastopathy.

мастурбàци|я *ж.*, **-и** *мед.* masturbation.

мастурбùрам *гл.* masturbate.

масỳр *м.*, **-и, (два) масỳра** **1.** pipe; **2.** (*цев за конци*) spool, bobbin; **3.** (*на царевица*) ear (of maize); **4.** (*коса*) (corkscrew) curl.

мат *м.*, *само ед.* шах. (check)mate; **давам ~ на** (check) mate; **~ при втори ход** fool's mate.

математù|к *м.*, **-ци; математùчк|а** *ж.*, **-и** mathematician; **той е добър ~к** he is good at mathematics, he has a mathematical turn of mind.

математùка *ж.*, *само ед.* mathematics, *разг.* maths; **висша ~** higher mathematics, calculus; **приложна ~** applied mathematics.

математùч|ен *прил.*, **-на, -но, -ни; математùческ|и** *прил.*, **-а, -о, -и** mathematical; **~а логика** mathematical/formal logic.

мàтер|ен *прил.*, **-на, -но, -ни** mother (*attr.*), maternal; **~ен език** mother/native tongue.

материàл *м.*, **-и, (два) материàла** **1.** (*вещество*) material, stuff; **дървен ~** timber; **~и и суровини** prime and raw materials; **превързочни ~и** dressing materials; **2.** (*тъкан*) material, stuff, fabric; **помощни ~и** (*при шиене*) findings; **работим с ~и на клиента** customer's own materials made up; **3.** (*за изучаване, разискване и пр.*) material, matter; (*за набиране и журн.*) copy; **добър ~ за филм/пиеса** good stuff for a film/play; **използвам като ~ за дописка** журн. make copy of; **печатни ~и** printed matter; **учебен ~** subjects.

материàл|ен *прил.*, **-на, -но, -ни** **1.** (*веществен*) material; physical; corporeal; *юр.* tangible; **~на база** necessary equipment; **~ни блага** material comforts; **2.** (*паричен*) material, financial, economic, pecuniary; **добро ~но положение** easy circumstances; **~ен стимул** (material) incentive.

материализàция *ж.*, *само ед.* materialization.

материализùрам *гл.* materialize.

материалùз|ъм (**-мът**) *м.*, *само ед.* materialism.

материалùст *м.*, **-и; материалùст-к|а** *ж.*, **-и** materialist.

материа̀лно *нареч.* materially; **добре ~** well-off, well circumstanced; **зле е ~** *разг.* his finances are low; **зле ~ badly off**, poorly circumstanced.

матерѝ|к *м.*, **-ци**, (два) **матерѝка** continent.

матѐри|я *ж.*, **-и 1.** *филос.* matter; **жива ~я** living matter; **2.** (*вещество*) matter, material, substance, stuff; **3.** (*плат*) material, stuff, cloth, fabric; **4.** (*учебен предмет*) subject.

матинѐ *ср.*, **-та 1.** matinee, morning performance; **2.** (*дреха*) dressing-gown.

матѝрам₁ *гл.* (*правя матов*) mat, dull; delustre; (*стъкло*) frost.

матѝрам₂ *гл.* шах. (check)mate.

ма̀тк|а *ж.*, **-и** анат. uterus, womb, matrix.

ма̀тов *прил.* mat, dull, lustreless, dead, dim, opaque; (*за стъкло*) frosted; (*за хартия*) dull-/mat-finish (*attr.*); **~а светлина** dull light; **~о покритие** misty coating.

ма̀точ|ен *прил.*, **-на, -но, -ни** анат. uterine; **~на халка** мед. pessary.

ма̀точина *ж.*, само ед. бот. common balm (*Melissa officinalis*).

матра̀|к *м.*, **-ци**, (два) **матра̀ка 1.** spring-bed; **сламен ~к** straw mattress; **2.** (*подставка*) trestle.

матриарха̀т *м.*, само ед. истор. matriarchy; gyn(a)ecocracy, gynarchy.

матрѝц|а *ж.*, **-и** matrix, die, coin; полигр. jig, former.

матрѝч|ен *прил.*, **-на, -но, -ни** matrix.

матро̀с *м.*, **-и** мор. sailor, seaman; deck-hand.

матрьо̀шк|а *ж.*, **-и** Russian doll.

матỳр|а *ж.*, **-и** school-leaving examination, matriculation.

ма̀фи|я *ж.*, **-и** mafia, gang (of scoundrels/villains).

мафио̀т *м.*, **-и** gangster, mobster.

мах *м.*, **-ове**, (два) **ма̀ха** wave, swing, sweep; (*удар*) stroke.

махаго̀н *м.*, само ед. mahogany.

мах(а̀)л|а *ж.*, **-и** разг. neighbourhood, quarter; (*селце*) hamlet.

махал|о *ср.*, **-а̀** pendulum, ticker; **уравнително ~о** (*маховик, шпиндел*) техн. fly.

ма̀хам и **ма̀хвам**, **ма̀хна** *гл.* **1.** wave; (*с криле*) flap; (*опашка*) wag; (*размахвам*) flourish, brandish; (*с ръка*

~ **за да повикам**) beckon, (*правя знак да се отдалечи*) wave away, (*да се върне*) wave back; **~ с ръка за сбогом** wave good-bye; **~ с ръка на нещо** (*не одобрявам*) wave away (a proposal etc.), (*отказвам се*) give up s.th. as lost/hopeless; **той махна да ме удари** he aimed a blow at me; **2.** (*премествам, отстранявам*) take away/down/out, put away, put out of sight, remove; (*бързо*) whip off; (*свалям дреха*) take off, remove; (*обувки, ръкавици*) take/pull off, remove; (*служител*) dismiss, разг. sack, fire; **~ нещо от главата си** *прен.* get s.th. off o.'s hands; || **~ се 1.** (*отмествам се*) move away/aside, step aside; (*избягвам*) get away/off, clear off; **махай се** (*оттук*) clear/get out (of here), out you go, come out of that, be off, hop it, off with you, make yourself scarce; амер., разг. go fly a kite; **да се махаме** let's get out of here, let's take ourselves off; **2.** (*за петно, за нещо залепено*) come off; (*за облаци*) disperse; disappear; • **да ми се маха от главата** to get rid of it/him/her; **да ми се махаш от очите!** out of my sight!

махлѐнск|и *прил.*, **-а, -о, -и** local; **~а клюкарка** gossip.

махмурлѝя *прил.* неизм. (*и като същ.*) sl. dopey; **~ съм** be/have a hang-over, feel dopey.

махмурлу̀к *м.*, само ед. hang-over; the blue devils.

ма̀хов *прил.*: **~а ос** техн. flywheel axle; **~о крило** зоол. pen-feather, flight feather.

маховѝ|к *м.*, **-ци**, (два) **маховѝка** техн. flywheel.

ма̀цам и **ма̀цвам**, **ма̀цна** *гл.* **1.** stain, spot, soil, dirty; **2.** (*рисувам лошо*) daub, dab; **3.** (*удрям*) slap, strike, hit, knock; || **~ се 1.** soil o.'s clothes; **2.** (*гримирам се*) use too much make up, paint o.'s face (clumsily).

ма̀це *ср.*, **-та** жарг. sl. bird, chick, doll, twat, dollface, a piece of crumpet, a bit of fluff; амер. fox.

ма̀цк|а *ж.*, **-и** жарг. (*момиче*) sl. chick, bird, pussycat.

мач *м.*, **-ове**, (два) **ма̀ча** match; **бейзболен ~** амер. ball game; **квалификационен ~** qualifier; **начало на ~** kick-off; **преиграване на ~** replay.

ма̀чкам *гл.* **1.** (*натискам*) (*пари, хартия*) crush(up), crumple; (*нещо меко, влажно*) squeeze; (*тесто*) knead, work (up); (*приготвям глина*) puddle, pug; (*за да изстискам*) crush, press, squeeze; (*за да стане на каша*) squash, pulp; (*трева*) trample (down); (*притискам*) press, rumple, squeeze, maul; **2.** (*правя гънки на дреха*) crease, wrinkle, crumple, rumple; **3.** (*потискам*) oppress, bully, tyrannize; разг. grind (s.o.) down; || **~ се** be creased/crumpled easily, wrinkle easily, crease; **този плат не се мачка** this material is creaseless.

ма̀чт|а *ж.*, **-и** мор. mast; **задна ~а** sail-mast; **предна ~а** fore-mast.

маш|а̀ *ж.*, **-ѝ 1.** (pair of) tongs; (*за камина*) fire-irons/-tongs; **2.** (*за къдрене*) curling-irons; **3.** прен. tool, cat's-paw, амер. stooge; **използвам някого за ~а** make a cat's paw of s.o.; **служа някому за ~а** pull s.o.'s chestnuts out of the fire.

машѝн|а *ж.*, **-и 1.** machine (*и прен.*); (*механизъм*) mechanism, clock-work; **~а за мелене на месо** meat-chopper, mincing-machine, hasher, амер. meat-grinder; **~и събир.** machinery; **пишеща ~а** typewriter; **с точността на ~а** with machine-like precision; **шевна ~а** sewing-machine; **2.** locomotive, engine; • **военна ~а** machinery of war, war machinery; **държавна ~а** state apparatus/mechanism, machinery of state.

машина̀л|ен *прил.*, **-на, -но, -ни** mechanical, automatic.

машина̀ци|я *ж.*, **-и** обикн. мн. machination; само мн. engineering, underhand dealings, machinations, manoeuvres; **предизборни ~и** gerrymandering.

машѝн|ен *прил.*, **-на, -но, -ни** machine, machinery (*attr.*); machine-made; **~ен бод** lock-stitch; **~ен инженер** mechanical engineer; **~на обработка** machining; **~на част** piece.

машинѝст *м.*, **-и** engine-driver, engineman; амер. engineer; (*на влак*) motorman; (*който управлява машина*) machine-operator.

машѝнк|а *ж.*, **-и** small machine; **~а за бръснене** electric shaver; **~а за подстригване** clippers (*pl.*).

машинопѝс *м.*, само ед. typewriting, typing.

машинопѝс|ен *прил.,* -на, -но, -ни typewritten; typing; ~ен текст typescript; ~ни грешки typing errors.

машинопѝс|ец *м.,* -ци; **машинопѝск|а** *ж.,* -и typist.

машиностроѐне *ср., само ед.* (*наука*) mechanical engineering; (*промишленост*) engineering industry, machine-building, machinery construction.

машиностроѝтел (-ят) *м.,* -и millwright; (*инженер*) mechanical engineer.

мащàб *м.,* -и, (два) **мащàба** scale; measure; (*големина*) dimension; **в естествен ~, в ~ едно към едно** to scale; **карта в голям/малък ~** large-/small-scale map; **~ на престъпността** extent of crime; **от световен ~** of worldwide importance/significance.

мащàб|ен *прил.,* -на, -но, -ни: **~на линия** slide-rule.

мàщерка *ж., само ед. бот.* (wild) thyme (*Tymus serpyllorum*).

мàщех|а *ж.,* -и step-mother.

май *ж., само ед.* yeast, barm, ferment; (*квас*) leaven, sourdough; (*бирена*) brewer's yeast, barm, gyle; **за ~** for yeast, as a starter; **~ на прах** yeast powder; (*за сирене*) rennet.

мàя *гл.* keep, delay; distract, divert; || **~ се 1.** (*бавя се*) dawdle, loiter, dally, tarry; dilly-dally; moon (about); take o.'s time; peddle; **2.** (*чудя се*) puzzle (o.'s brains); **мае ми се главата** I feel giddy, my head swims.

май|к *м.,* -ци, (два) **маяка** *мор.* lighthouse; beacon.

ме *лично мест.* me.

меàнд|ър *м.,* -ри, (два) **меàндъра** *геогр., архит.* meander.

мèбел *м.,* -и, (два) **мèбела**; **мèбел** *ж. неизм.* piece of furniture; *събир.* furniture; joinery; **мека ~** upholstered furniture; **тръбна ~** tubular furniture.

мèбел|ен *прил.,* -на, -но, -ни furniture (*attr.*); upholsterer's, joiner's; ~**ни плоскости** plaques.

мебелѝрам *гл.* furnish.

мебелирòвк|а *ж.,* -и (*мебели*) furniture, furnishings; (*мебелиране*) furnishing, fitting-out.

мèгаломàн *м.,* -и; **мèгаломàнк|а** *ж.,* -и megalomaniac.

мèгаломàния *ж., само ед.* megalomania.

мèгафòн *м.,* -и, (два) **мèгафòна** megaphone, loud-hailer.

мегдàн *м.,* -и, (два) **мегдàна** *нар.* square; ● **деля ~ с** contend/compete with, have the other shop; **има ~ за** there is (plenty of) room for.

мед₁ *ж., само ед.* copper; **електролитна ~** electrolytic copper; **жълта ~** brass; **~ на слитъци** copper bar.

мед₂ *м., само ед.* honey; **сладък като ~** honey-sweet, mellifluous; ● **бъркам в ~а** tap the barrel, *sl.* dip in the gravy; **върви по ~ и масло** go/run on wheels, get on swimmingly, it is plain sailing; go like a dream; **~ ми капе на сърцето** be absolutely delighted.

медàл *м.,* -и, (два) **медàла** medal; **обратната страна на ~а** the reverse (side) of the medal; the downside; *прен.* the other side of the picture; **тиквен ~** a putty medal, *амер.* a leather medal.

медалѝст *м.,* -и; **медалѝсткк|а** *ж.,* -и holder of medal, medal-holder/winner; medallist; **златен ~** gold medallist.

медальòн *м.,* -и, (два) **медальòна** medallion, pendant; (*който се отваря*) locket.

мèд|ен₁ *прил.,* -на, -но, -ни copper (*attr.*); *хим.* cupric, cupreous; (*медоносен*) cupriferous; (*за инструмент*) brass; (*за звук на меден инструмент*) brazen; ~**ен проводник** copperweld wire; ~**ни духови инструменти** brass wind (instruments).

мèден₂ *прил.* honey (*attr.*); *прен.* honeyed; candied; **~ месец** honeymoon; **~а пита** honey-comb, (*пълна*) honey-cake; (*за звук*) silver-tongued, silvery, sweet; (*за глас*) fruity.

медиàн *м.,* -и **и** *мат.* median.

медѝ|к *м.,* -ци medical man, *амер. sl.* medic; (*студент*) medical student.

медикамèнт *м.,* -и, (два) **медикамèнта** medicine, drug.

мèдиум *м.,* -и medium.

медицѝна *ж., само ед.* medicine; **доктор по ~** doctor of medicine, *съкр.* M. D.; **съдебна ~** forensic medicine.

медицѝнск|и *прил.,* -а, -о, -и medical; health (*attr.*); ~**а помощ** medical aid; ~**а сестра** (hospital) nurse; ~**и пункт** health centre, *воен.* aid post, *амер.* aid station; ~**о свидетелство** health certificate, certificate of health.

мèди|я *ж.,* -и media; **електронни ~и**

electronic media; **мас~и** mass media.

медовѝна *ж., само ед.* mead, hydromel.

медонòс|ен *прил.,* -на, -но, -ни honey-bearing, melliferous, nectiferous; ~**на пчела** honey-bee.

медỳз|а *ж.,* -и **1.** *зоол.* medusa, jelly-fish; **2.** *мит.* Medusa.

межд|à *ж.,* -ѝ *нар.* bound(ary), border, landmark, dividing line, hedge.

междин|à *ж.,* -ѝ interstice, interspace, interval; gap, clearance; (*пролука*) crevice, chink.

междѝн|ен *прил.,* -на, -но, -ни interstitial, intermediate, intervening; medial, median; (*за време*) intermediate, transitional; *биол.* osculant; ~**ен сбор** sub-total; ~**на гара** *жп* way station; ~**но време** *спорт.* control time.

междỳ *предл.* between; (*сред*) among; **~ другото** by the way, incidentally, among other things; (*в свободното си време*) at odd moments; **~ жълто и червено** midway between yellow and red; **~ нас казано** between you and me (and the door-post/the bed-post/the lamp post/the gate-post); **~ четири стени** within four walls.

междуведòмствен *прил.* interdepartmental, interagency; ~**а комисия** joint committee.

междувпрòчем *нареч.* by the way.

междуврèменно *нареч.* in the meantime, meanwhile, in the interim, in between, between now and then.

междуградск|и *прил.,* -а, -о, -и interurban; ~**и телефонен разговор** trunk/long-distance/extension call, *амер.* toll call.

междузвèзд|ен *прил.,* -на, -но, -ни interstellar.

междуклètъч|ен *прил.,* -на, -но, -ни *биол.* intercellular; ~**но вещество** matrix.

междулѝни|е *ср.,* -я interlinear space, space between the lines; **пиша нещо в ~ето** interline s.th.

междумèти|е *ср.,* -я *език.* interjection.

междунарòд|ен *прил.,* -на, -но, -ни international; ~**ен телефонен разговор** long-distance call; ~**ни отношения** international relations; ~**но право** international law, law of nations.

междуособиц|а *ж.,* -и *обикн. мн.* internecine/civil/intestine war.

междупланѐт|ен *прил.*, -на, -но, -ни interplanetary; (*за ракета и пр.*) space (*attr.*).

междуправителствен *прил.* intergovernmental.

междурѐбрен *прил. анат.* intercostal, sub-costal.

междусѐлск|и *прил.*, -а, -о, -и between villages, connecting villages; ~и път cart-road, country road.

междучàси|е *ср.*, -я break, interval, *амер.* recess.

мезѐ *ср.*, -та appetizer, relish; tapas; *прен.* standing jest; ● **вземам някого за** ~ make game of/merry with/a fool of/an ass of s.o.; **ставам за** ~ become the laughing stock of, become a standing jest, be bandied from mouth to mouth.

мезонѐт *м.*, -и, (два) мезонѐта *архит.* maisonette, maisonnette.

мезосфѐра *ж.*, *само ед. астр.* mesosphere.

мек *прил.* **1.** soft; (*пухкав*) cushiony; (*за метал*) soft, pliant, pliable, malleable; (*за глина*) ductile; ~а глина (*за грънци*) paste; (*който лесно се огъва*) soft, supple; (*за смес*) creamy; ~а кожа supple/soft leather; (*за хляб*) fresh; (*за мебел*) upholstered; cushioned; well padded; (*кашкав*) pappy, squashy, mushy; (*отпуснат – за мускул и пр.*) limp, soft; ~а шапка a felt hat; **с** ~**а подвързия** *полигр.* paperbacked/-bound; **2.** (*за човек*) (*благ*) soft-/tender-hearted, gentle, kind; (*приветлив*) suave; (*отстъпчив*) soft, compliant, yielding, (*милостив*) lenient; **3.** (*за климат*) soft, mild; **4.** (*за светлина*) soft, shaded, subdued; (*за тонове*) soft, delicate, tender, quiet, subdued; **5.** (*за наказание*) mild, merciful, clement; **6.** (*за тютюн*) mild, medium; ● **казвам в** ~**а форма** put (s.th.) mildly; ~**а Мария** soft/accommodating chap, easy-going chap; ~**о небце** *анат.* soft palate, velum.

мѐко *нареч.* softly; ~ казано to put it mildly; to say the least; **отнасям се** ~ **с** ride with a loose rein.

мѐкост *ж.*, *само ед.*; мекотà *ж.*, *само ед.* softness; pliancy, pliability, malleability; suppleness; limpness; soft-/tender-heartedness, gentleness, kindness; compliance; lenience; clemency;

mildness; delicacy.

мекосърдѐч|ен *прил.*, -на, -но, -ни soft-/tender-hearted.

мекотѐл|о *ср.*, -и **1.** mollusc(an) (*pl.* mollusca); **2.** *прен. пренебр.* mush, spineless creature, *амер.* jelly-fish; *sl.* feeb.

мексикàн|ец *м.*, -ци Mexican; *sl.* bean eater, chico.

мексикàнк|а *ж.*, -и Mexican woman.

мексикàнск|и *прил.*, -а, -о, -и Mexican.

Мѐксико *ср. собств.* Mexico.

мекушàв *прил.* weak, feeble, flabby, flaccid, weak-willed, *разг.* gutless; soft-boiled; ~ **човек** weakling, (molly)coddle, milksop, softie, *разг.* muff, lame duck.

мелàнж *м.*, *само ед.* **1.** (*кафе*) white coffee; **2.** *текст.* (*плат – бяло и черно*) pepper-and-salt, (*от разноцветни нишки*) mixture.

меланѝн *м.*, *само ед. биохим.* melanin.

меланхолѝ|к *м.*, -ци; меланхолѝчк|а *ж.*, -и melancholic person; (*болен от меланхолия*) melancholiac.

меланхòлия *ж.*, *само ед.* melancholy, gloom; *разг.* море; *мед.* melancholia.

мелàса *ж.*, *само ед.* molasses, treacle.

мѐлб|а *ж.*, -и *кул.* coupe.

мелѐ *ср.*, -та *жарг. спорт.* scrimmage, bully; *разг.* mix-up, pell-mell, melee, rough-and-tumble.

мѐлез *м.*, -и, (два) мѐлеза mongrel, cross-breed, half-blood/-bred; (*лов. куче*) lurcher.

мелиорàци|я *ж.*, -и *сел.-ст.* melioration, reclamation, land improvement; **извършвам** ~я reclaim, ameliorate.

мѐлниц|а *ж.*, -и (flour-)mill; *техн.* crusher; gristmill; (*ръчна*) quern, grinder; **вятърна** ~а windmill; ~**а за кафе** coffee grinder; ● **наливам вода в чужда** ~**а** bring grist to s.o.'s mill.

меленичàр (-ят) *м.*, -и miller.

меленичàрск|и *прил.*, -а, -о, -и miller's; ~**а индустрия** *икон.* flour mills.

мѐлнич|ен *прил.*, -на, -но, -ни mill (*attr.*); ~**ен камък** millstone.

мелодѝч|ен *прил.*, -на, -но, -ни melodic, melodious, tuneful, mellifluous, sweet, dulcet; silvery, songful, *разг.* tuny.

мелодѝчност *ж.*, *само ед.* melody,

melodiousness, tunefulness, mellifluence, songfulness; (*на дума*) euphony, euphoniousness.

мелòди|я *ж.*, -и melody, tune, air; **основна** ~**я** (*на филм и пр.*) theme-song.

мелодрàм|а *ж.*, -и *остар.* (*и прен.*) melodrama; thriller.

мѐля *гл.*, -и *техн.*, *анат.* мелѝл и млял **1.** grind, mill; (*месо*) mince; (*за стомах*) digest; **2.** *прен.* chatter, *sl.* jaw; (*натяквам*) nag; **устата му все мели** he never stops talking, he's chatterbox/a rattle; ● **не мелят** (*не се спогаждат*) they don't get on.

мембрàн|а *ж.*, -и *техн.*, *анат.* membrane; (*диафрагма*) diaphragm; (*звуков механизъм*) sound-box, reproducer, (*на ел. грамофон*) pick-up, tone-arm.

мемоàр *м.*, -и, (два) мемоàра memoirs.

меморàндум *м.*, -и, (два) меморàндума memorandum (*pl.* memoranda), minute, *разг.* memo; **учредителен** ~ memorandum of association.

мемориàл|ен *прил.*, -на, -но, -ни memorial.

менажѐр *м.*, -и manager.

менажѐри|я *ж.*, -и menagerie (*и прен.*).

мѐнгеме *ср.*, -та *техн.* vice, (screw-)press, *амер.* vise, jaws; **малко** ~ lock-filter clamp; ~ **за тезгях** bench clamp.

мѐнзур|а *ж.*, -и graduated measure, graduate, measuring glass.

менингѝт *м.*, *само ед. мед.* meningitis.

менѝск *м.*, *само ед. анат.*, *физ.*, *опт.* meniscus.

менѝтелниц|а *ж.*, -и *фин.* bill (of exchange), draft; **обикновена** ~а promissory note; **падеж на** ~а term of a bill/draft; **посредник по** ~а bill broker.

менопàуз|а *ж.*, -и *физиол.* menopause; the change of life.

менструàл|ен *прил.*, -на, -но, -ни menstrual, menstruous; *физиол.* catamenial.

менструàци|я *ж.*, -и menstruation, menses, monthly period; *физиол.* catamenia; *разг.* monthlies; periods, course, *sl.* the curse; **болезнена** ~**я** *мед.* dysmenorrh(o)ea.

мѐнта *ж.*, *само ед. бот.* peppermint, spearmint (*Mentha*).

менте́ *ср.*, -та *жарг.* fake, counterfeit; gold-brick.

ме́нтов *прил.* (pepper) mint (*attr.*); ~ бонбо́н mint drop, peppermint (drop); ~о ма́сло oil of peppermint.

менто́л *м.*, *само ед.* *хим.* menthol.

менто́лов *прил.* mentholated, menthol (*attr.*).

менто́свам, менто́сам *гл.* *жарг.* cheat, trick, hoax, kid, spoof.

менуе́т *м.*, -и, (два) менуе́та *муз.*, *истор.* minuet.

ме́нци *само мн.* *нар.* coppers.

ме́нче *ср.*, -та *нар.* copper.

меню́ *ср.*, -та menu, bill of fare.

меня́ (се) (*възвр.*) *гл.*, *мин. св. деят. прич.* меня́л (се) change; alter, vary; (*при атмосферни условия*) weather.

мер|а́ *ж.*, -й *диал.* common pasture/land, common, grassland.

мера́|к *м.*, -ци, (два) мера́ка *разг.* longing wish, desire, yearning; ~к ми е/имам ~к да be keen on (*с ger.*), want to, should like to; **мина ми ~кът** I have dropped the idea, I am no longer keen on it.

меракли́|я *м.*, -и: ~я съм да be keen on (*с ger.*); (*любопитен съм*) be curious to (*с inf.*); (*познавач*) connoisseur (**на** of), amateur (of); ~я шива́ч бе́ше he was a tailor who loved his work; **отда́вна съм й ~я** I've been sweet on her for a long time, I've had a crush on her for a long time; **стар ~я** old buck.

ме́ргел *м.*, *само ед.* *геол.* marl, malm.

ме́рен *прил.* (*ритмичен*) measured, rhythmical; ~а реч verse.

ме́р|ен *прил.*, -на, -но, -ни (*който служи за мерене*) measuring, of measure; ~на едини́ца unit of measure; ~на систе́ма metrical/measuring system; ~на то́чка mark.

мерже́ля се *възвр. гл.* become visible, appear in the distance, loom; (*за светлина*) glimmer, show/flare faintly; **мержелее се пред очите ми** we see dimly.

мерза́в|ец *м.*, -ци scoundrel, rascal, villain, blackguard, cad, craven, snot, *книж.* caitiff, miscreant; *sl.* crumb.

ме́рзост *ж.*, -и abomination, vileness, rascality, cravenness.

меридиа́н|ен *прил.*, -на, -но, -ни meridional.

меридиа́н *м.*, -и, (два) меридиа́на

геогр. meridian, degree of longitude.

мери́ло *ср.*, *само ед.* measure, standard, criterion (*pl.* criteria), mete-wand, beam, touchstone (**за** of).

мери́но́с *м.*, *само ед.* *зоол.* (*порода овце*) merino.

мери́но́сов *прил.* merino (*attr.*).

мери́тел|ен *прил.*, -на, -но, -ни: ~на ко́лба graduated flask.

меркантѝл|ен *прил.*, -на, -но, -ни 1. mercantile; 2. (*сметкаджийски*) mercantile, mercenary.

меркантили́з|ъм (-мът) *м.*, *само ед.* *икон.* mercantilism.

мерлу́з|а *ж.*, -и *зоол.* (*риба*) (white) hake (*Gaddus merlucius*).

мерни́|к *м.*, -ци, (два) ме́рника 1. (back)sight, (rear)sight; (*оптически*) telescopic sight; 2. measure, standard, criterion; **вди́гам ~ка** set o.'s standard high; **много му е висо́к ~кът** he is too exacting; **сваля́м ~ка** climb down.

меродав|ен *прил.*, -на, -но, -ни authoritative; (*достоверен*) authentic, reliable, trustworthy; **от ~ен изто́чник** from a reliable source, on good authority.

меро́ди|я *ж.*, -и *разг.* (pot-)herb; (*магданоз*) parsley.

мероприя́ти|е *ср.*, -я initiative; function; (*мярка*) measure, action, activity; (*начинание*) undertaking, enterprise; (*законодателно*) legislative enactment.

ме́ря *гл.*, *мин. св. деят. прич.* ме́рил 1. measure; gauge; ~ дълбочина́та на plumb, fathom, sound; ~ ду́мите си control o.'s language; bridle o.'s tongue; ~ с педи span; ~ със стъ́пки pace; 2. (*на тегло*) weigh; 3. (*температура, пулс, кръвно налягане*) take; 4. (*целя*) aim, draw a bead, peg (по at); 5. (*дреха*) try on; || ~ се 1. (*на тегло*) weigh o.s, get weighed; (*на височина*) be measured for o.'s height; 2. (*прицелвам се*) aim, take aim/sight, peg (в at); 3. (*сравнявам се*) measure/match o.s. with; (*съпернича*) match/pit o.s. against; touch s.o.; **никой не може да се мери с него** nobody can match/touch him, nobody can hold/is fit to hold a candle to him; ● **два пъти ме́ри, един път режи** measure twice and cut one, score twice before you measure once, look before you leap; ~ **с два ар-**

ши́на use a double standard.

ме́с|а *ж.*, -и *муз.*, *църк.* mass.

меса́р (-ят) *м.*, -и 1. butcher, meat-salesman; 2. (*който обича месо*) great meat-eater.

меса́рниц|а *ж.*, -и butcher's (shop).

ме́с|ен *прил.*, -на, -но, -ни meat (*attr.*); ~на бани́ца a meat pie/pastry; ~на храна́ a meat diet.

ме́сест *прил.* fleshy, meaty; (*за плод и*) pulpy, succulent; ~а част на ухо́то lobe of the ear.

ме́сец *м.*, -и, (два) ме́сеца 1. month; този/теку́щия ~ the current month; 2. *разг.* (*Луната*) moon.

ме́сеч|ен *прил.*, -на, -но, -ни monthly, a month's; *астр.* menstrual.

месечина́ и месечѝна *ж.*, *само ед.*; **ме́сечко** *м.*, *само ед.* moon; по ~ by moonlight; ● **ля́я на ~та** bay at the moon.

ме́сечно *нареч.* monthly, a month; пла́щат ми ~ be paid by the month.

ме́синг *м.*, *само ед.* *метал.* brass, yellow metal.

меси́|я *м.*, -и *рел.* Messiah (*и прен.*).

мес|о́ *ср.*, -а 1. (*за ядене*) meat; бя́ло ~о (*на пиле*) breast; гове́ждо ~о beef; къ́лцано/мля́но ~о minced meat, forcemeat; ~о от диве́ч game; пиле́шко ~о chicken; пря́сно ~о fresh killed meat; свѝнско ~о pork; теле́шко ~о veal; 2. (*плът*) flesh; пуше́чно ~о cannon-fodder; стре́лям на ~о shoot point-blank; 3. (*на плод*) flesh, meat, pulp.

месокомбина́т *м.*, -и, (два) месокомбина́та packing-house.

месоя́д|ен *прил.*, -на, -но, -ни carnivorous; flesh-feeding, creophagous; ~но живо́тно carnivore.

ме́ст|ен *прил.*, -на, -но, -ни (*за място, област*) local; (*за страна*) native, home (*attr.*); (*за жител*) native(-born); *мед.* topical; ~ен го́вор vernacular; dialect; ~ен о́рган на власт-та́ local authority; ~на промишле́ност a home industry; ~на упо́йка *мед.* a local anaesthetic.

местѐнц|е *ср.*, -а place, spot; то́пло ~е *прен.* a snug/cushy job, a nice/good berth; ую́тно ~е cubby(-hole).

ме́стност *ж.*, -и place, country(side), neighbourhood; живопи́сна ~ picturesque site/spot; неравна/пресе́чена ~ rough/broken country; rugged terrain;

(*по-голямо пространство*) land, area; **планинска** ~ upland, mountain region; **пуста** ~ waste-land; (*област на дадена флора и пр.*) locality; **равнина** ~ flat country.

местоживѐене *ср., само ед.* residence, place of abode; **по** ~ in residence.

местожѝтелство *ср., само ед.* residentship, (place of) residence; domicile; **без установено** ~ unsettled; **постоянно** ~ permanent residence.

местоимѐн|ен *прил.*, -на, -но, -ни *език.* pronominal.

местоимѐни|е *ср.*, -я *език.* pronoun; **лично/показателно/възвратно/въпросително/относително** ~е a personal/demonstrative/reflexive/an interrogative/a relative pronoun.

местоназначѐни|е *ср.*, -я destination; (*на кораб*) port of destination.

местонахождѐни|е *ср.*, -я location; (*приблизително*) whereabouts; **определям** ~ето на localize.

местообита̀ване *ср., само ед.* habitat.

местоописа̀ни|е *ср.*, -я topography.

местоположѐни|е *ср.*, -я position, situation, locality, site.

местопрестъплѐни|е *ср.*, -я scene of a crime; **хващам на** ~ето catch in the act/in the fact, catch red handed/with the goods, catch in flagrant delict.

месторабо̀та *ж., само ед.* place of employment.

мѐстя *гл., мин. св. деят. прич.* мѐстил move, transfer, shift (**от** from, **на** to); (*при шах*) make a move; **твой ред е да местиш** it's your move, it's for you to move; (*изпращам на друга работа, в друго училище*) transfer, move; || ~ **се** move, shift; ~ **се на село/в града** move into the country/into town; ~ **се от една работа на друга** shift from one job to another, change o.'s job.

мѐся *гл., мин. св. деят. прич.* мѐсил **1.** (*тесто*) knead, work (up); (*глина*) puddle; **2.** (*смесвам*) mix, blend; (*карти*) shuffle; || ~ **се** intervene (**в** in), interfere (**в** with), put in o.'s oar; butt in; meddle (into); (*където не ми е работа*) meddle (**в** in, with); (*в разговор*) interpose, cut in, chip in; ~ **се в чужди работи** have an oar in every man's boat; **не се** ~ stand aside, leave the field open; • **тате носи, мама ме-**

си mum and dad will provide.

мета̀ *гл., мин. св. деят. прич.* мел sweep.

мѐтаболѝз|ъм (-мът) *м., само ед.* *биол.* metabolism, metastasis.

мѐтагала̀ктик|а *ж.*, -и metagalaxy.

мета̀л *м.*, -и, (два) мета̀ла metal; **благороден/неблагороден** ~ a precious/base metal; **цветни** ~и non-ferrous metals; **черни** ~и ferrous metals.

мета̀л|ен *прил.*, -на, -но, -ни metal (*attr.*); (*като метал*) metallic; (*металоносен*) metalliferous, metal-bearing; ~**ен блясък** a metallic lustre; ~**ни изделия** metal wares, hardware.

металѝческ|и *прил.*, -а, -о, -и metallic, metalline; (*за звук*) wiry.

металодобѝв|ен *прил.*, -на, -но, -ни metallurgic(al), metal-producing; ~**ен завод** smelting-works, smeltery; ~**на промишленост** metallurgy.

металоѐм|ък *прил.*, -ка, -ко, -ки metal-intensive.

металозна̀ние *ср., само ед.* metallography, physical metallurgy.

металокера̀мика *ж., само ед.* metal ceramics.

металообрабо̀тване *ср., само ед.* metal working.

металорѐжещ *прил.*: ~**а машина** machine-tool.

металу̀р|г *м.*, -зи metallurgist, metal-worker.

металургѝч|ен *прил.*, -на, -но, -ни; **металургѝческ|и** *прил.*, -а, -о, -и metallurgic(al).

металу̀ргия *ж., само ед.* metallurgy; metallurgical engineering; **черна/цветна** ~ ferrous/non-ferrous metallurgy.

метаморфѝз|ъм (-мът) *м., само ед.* metamorphism.

метаморфо̀з|а *ж.*, -и metamorphosis (*pl.* metamorphoses); transfiguration.

мета̀н₁ *м.*, -и, (два) мета̀на *нар.* obeisance, low bow; **правя** ~ make an obeisance, do obeisance.

мета̀н₂ *м., само ед.* *хим.* methane, formene, marsh gas, fire-damp.

метано̀л *м., само ед.* methanol.

метаста̀з|а *ж.*, -и *мед.* metastasis (*pl.* metastases).

метатѐз|а *ж.*, -и *език., хим.* metathesis (*pl.* metatheses).

мета̀тел|ен *прил.*, -на, -но, -ни: ~**но оръжие** *истор.* missile, projectile.

метафѝзика *ж., само ед.* *филос.* metaphysics.

метафизѝч|ен *прил.*, -на, -но, -ни; **метафизѝческ|и** *прил.*, -а, -о, -и metaphysical; extra-mundane.

метàфор|а *ж.*, -и metaphor.

метафорѝч|ен *прил.*, -на, -но, -ни metaphorical; figurative.

мета̀ч *м.*, -и; **метàчк|а** *ж.*, -и sweeper, scavenger.

метѐж *м.*, -и, (два) метѐжа mutiny, revolt, riot; *воен.* mutiny.

метѐж|ен *прил.*, -на, -но, -ни mutinous, rebellious; (*неспокоен, бурен*) restless, restive; turbulent, tumultuous.

метѐжни|к *м.*, -ци mutineer, rebel.

метео̀р *м.*, -и, (два) метео̀ра *косм.* meteo; falling starr.

метеорѝт *м.*, -и, (два) метеорѝта *косм.* meteorite.

метеорѝт|ен *прил.*, -на, -но, -ни meteoritic; ~**ен дъжд** meteor shower.

метеогра̀ф *м.*, -и, (два) метеогра̀фа meteorograph.

метеороло̀|г *м.*, -зи meteorologist, weatherman.

метеорологѝческ|и *прил.*, -а, -о, -и meteorological; ~**а прогноза** a weather forecast; ~**а служба** a weather service/ *амер.* bureau.

метеороло̀гия *ж., само ед.* meteorology.

метѝл₁ *м., само ед.* *хим.* methyl.

метѝл₂ *м., само ед.* *вет.* trematode (worm), liver-fluke; (*по овцете*) distoma; (*заболяване*) (liver-)rot.

метѝлов *прил. хим.* methylic, methyl (*attr.*).

метѝс *м.*, -и metis (*f.* metisse), mestizo, half-breed/-caste.

метл|а̀ *ж.*, -ѝ **1.** broom; (*от пръчки*) besom; **2.** *бот.* sorghum, Indian millet, guinea-corn, durra (*Sorghum vulgare durra*); **захарна** ~а sweet sorghum, Chinese sugar-cane (*Sorghum saccharatum*); **3.** *неодобр.* (*за жена*) gadabout; • **ще играе** ~**ата** 1) s.o. will be kicked out/fired/sacked; 2) his wife will take a stick to him.

метлѝчин|а *ж.*, -и *бот.* corn-flower, centaury, blue bottle (*Centaurea cyanus*); **червена** ~а knapweed (*Centaurea nigra*).

метлѝчк|а *ж.*, -и small broom; ~**а от пера** (*за прах*) whisk.

мѐтод *м.*, -и, (два) мѐтода method; modus.

метѐдик|а *ж.*, -и methods; procedure; technique; ~а за изпитване test procedure.

методѝст *м.*, -и 1. methodologist; 2. *рел.* Methodist.

методѝч|ен *прил.*, -на, -но, -ни methodic(al), systematic(al), orderly.

методологѝч|ен *прил.*, -на, -но, -ни methodological.

методолѐги|я *ж.*, -и methodology.

метѐ|х *м.*, -си, (два) метѐха *църк.* cell, nunnery, convent; cloister.

метрѐс|а *ж.*, -и mistress, kept woman.

метрѝч|ен *прил.*, -на, -но, -ни; метрѝческ|и *прил.*, -а, -о, -и 1. *лит.* metrical; ~о стихосложение metrical versification; 2. *мат.* metric; ~на система a metric system.

метрѐ *ср.*, само ед. underground, (в Лондон) tube, *амер.* subway; Metro, metropolitan railway.

метролѐги|я *ж.*, -и metrology.

метропѐли|я *ж.*, -и (град) metropolis; (държава) mother country, parent state.

мѐт|ър *м.*, -ри, (два) мѐтъра metre, *амер.* meter; линеен ~ър linear/running metre; на ~ър by the metre; (за мерене) yardstick, yard measure.

мех и **мях** *м.*, -ове, (два) мѐха и мяха skin; ~ за вода water-skin, ~ за вино winebag; (духало) bellows; (на гайда) bag.

механ|а *ж.*, -и tavern.

механизѐтор *м.*, -и technician, mechanic, machine operator.

механизѐция *ж.*, само ед. mechanization, mechanizing; комплексна ~ integration mechanization.

механизѝрам *гл.* mechanize, introduce machinery (into).

механѝз|ъм (-мът) *м.*, -ми, (два) механѝзъма mechanism, works; ~ъм за превключване striking gear; подемен ~ъм hoisting/winding gear; предавателен ~ъм gear; (на часовник) clockwork; събир. machinery; (уред) device; синхронизиращ ~ъм synchromesh.

механѝк|и *м.*, -ци mechanic, technician, operator, engineer; (който прави машини) mechanician, mechanist; автомобилен ~к car mechanic; разг. grease monkey; *sl.* greaser.

механѝка *ж.*, само ед. mechanics; фина ~ fine/precision mechanics/engineering.

механѝч|ен *прил.*, -на, -но, -ни; механѝческ|и *прил.*, -а, -о, -и mechanical; ~ен отдел a machine shop, a tooling shop, a machine tool shop; *прен.* mechanical.

мехлѐм *м.*, -и, (два) мехлѐма ointment, salve, liniment; cream; embrocation; (балсам) lubricant.

мехѐр *м.*, -и, (два) мехѐра 1. *анат.*, *зоол.* bladder, vesica, sac, cyst; жлъчен ~ gall-bladder; пикочен ~ (urinary) bladder; причинявам ~и vesicate; 2. (подутина) blister; излезе ми ~ на крака my foot blistered; причинявам/правя ~ raise a blister; 3. (от въздух) bubble; сапунен ~ soap-bubble; *прен.* bubble.

мехѐрче *ср.*, -та small bubble; *анат.* vesicle; (в стъкло) bleb; (в течност) bead.

меценѐт *м.*, -и Maecenas, patron.

меч *м.*, -ове, (два) мѐча (broad)sword; *поет.* steel; ● Дамоклев ~ sword of Damocles; слагам ~а в ножницата sheath the sword (и прен.).

мѐче и **мечѐ** *ср.*, -та bear cub/whelp; (играчка) Teddy bear.

мѐчешк|и *прил.*, -а, -о, -и bear (attr.); ursine; (подобен на мечка) bearish; (тромав) elephantine; ~а кожа bearskin; ● ~а услуга a doubtful service; правя някому ~а услуга kill s.o. with kindness.

мѐч|и *прил.*, -а, -о, -и: ~а пита *бот.* lungwort (Pulmonaria officinalis); ~а стъпка *бот.* cow parsnip (Heracleum); ~о грозде *бот.* bear berry; ~о ухо *бот.* mull(e)in, Aaron's rod (Verbascum).

мѐчк|а *ж.*, -и *зоол.* bear, (женска) she-bear; бяла ~а a polar bear; Голямата ~а *астр.* the Great Bear, Ursa Major, Charles' Wain, the Dipper, the Wain; Малката ~а *астр.* the Little/Lesser Bear, Ursa Minor; миеща ~а coon, raccoon; ● гладна ~а хоро не играе hungry bellies have no ears; no penny, no paternoster; no pay, no play; ~а страх, мен не страх! here goes!

мечовѝд|ен *прил.*, -на, -но, -ни sword-shaped, *анат.* xiphoid, gladiate, *бот.* ensiform.

мечт|а *ж.*, -и (day-/waking-)dream, reverie, castle in the air/in Spain; царство на ~ите dreamland, Never Never Land.

мечтѐтел (-ят) *м.*, -и; мечтѐтелк|а *ж.*, -и dreamer; visionary, stargazer.

мечтѐтел|ен *прил.*, -на, -но, -ни dreamy; (замислен) pensive, moony.

мечтѐя *гл.* dream (за of); (копнея) long, yearn, crave (за for); stargaze.

мѐшест *прил.* 1. pot-bellied; 2. (издут) bulging.

ми₁ *ср.*, само ед. *муз.* mi, E.

ми₂ 1. кратка ф-ма на личното мест. аз me, to me; 2. кратка ф-ма на прит. мест. мой my.

мѝвк|а *ж.*, -и (кухненска) sink; (умивалник) wash-/hand-basin.

миг *м.*, -ове, (два) мѝга moment, instant; split second, twinkling, twinkle, flash; *разг.* jiff(y); в един ~ momentarily, in a moment/twinkling/jiff(y)/trice/flash, in half a jiff, before you can say knife, as quick as thought.

мѝгам *гл.* blink; squint; ~ с очи wink o.'s eyes; (намигам) wink, blink an eye (на at); (за светлина) twinkle.

мигѐч *м.*, -и, (два) мигѐча *авт.* indicator, blinker, (blinking) trafficator, signal flasher, flasher lamp; давам ляв/десен ~ indicate left/right, give a left/right turn signal.

мѝгвам, мѝгна *гл.* wink; цяла нощ не съм мигнал I haven't slept a wink (all night), I didn't get a wink of sleep; ● без да му мигне окото without batting an eyelid, without turning a hair, in cold blood.

мѝгл|а *ж.*, -и eyelash, *анат.* cilia.

мигновѐн *прил.* instantaneous, momentary.

мигновѐни|е *ср.*, -я instant, moment.

мигновѐно и **мѝгом** *нареч.* instantly, momentarily, in a moment, in no time, in a trice/flash/jiff(y), in a couple of shakes, as quick as thought, like winking.

миграцион|ен *прил.*, -на, -но, -ни migratory, migrant, of migration; ~ен маршрут fly way.

мигрѐци|я *ж.*, -и migration; ~я на работна сила labour migration.

мигрѐна *ж.*, само ед. *мед.* migraine, megrim.

мигрѝрам *гл.* migrate.

мѝд|а *ж.*, **-и** *зоол.* mussel, clam; **спираловидна ~а** spirivalve.

мѝене *ср.*, *само ед.* wash(ing); *(на под с парцал)* swabbing.

мижа̀ *гл.* **1.** close/shut o.'s eyes; blink; keep o.'s eyes closed; **2.** *(за светлина)* flicker.

мѝжав *прил.* blinking; *прен.* shortsighted; *(незначителен)* squit; *(за светлина)* dim, flickering.

мѝза *ж.*, *само ед.* wager, stake.

мизансцѐн *м.*, *само ед.* mise-en-scene, stage-setting, blocking; *(действане)* business.

мизантро̀п *м.*, **-и** misanthrope, misanthropist, manhater.

мизѐр|ен *прил.*, **-на**, **-но**, **-ни 1.** *(беден)* miserable, poor, wretched, dismal, mean, squalid, dingy, ratty, sordid; **2.** *(незначителен)* poor, sorry, mean, shabby, miserable, scrubby, paltry; **3.** *(долен)* dirty, scurvy, paltry, low, mean, shabby.

мизѐри|я *ж.*, **-и 1.** *(бедност)* misery, poverty, penury, need, neediness, necessity; *(мръсотия)* squalor, squalidness; **боря се с ~ята** try to keep the wolf from the door; **изпаднал съм в голяма ~я** be reduced to the last extremity; **роден в ~я** born in the gutter; **2.** *(долна постъпка)* meanness, baseness, paltriness; **каква ~я** how paltry/mean/despicable.

мизѐрствам *гл.* live in poverty/misery, lead a miserable/wretched life, feel the pinch, rough it, *амер.* live close to o.'s belly.

микро̀б *м.*, **-и**, *(два)* **микро̀ба** microbe.

мѝкробиоло̀гия *ж.*, *само ед.* microbiology.

микробу̀с *м.*, **-и**, *(два)* **микробу̀са** mini-bus.

мѝкровълни *само мн.* microwaves.

мѝкроелектро̀ника *ж.*, *само ед.* microelectronics.

мѝкроелемѐнт *м.*, **-и**, *(два)* **мѝкроелемѐнта** trace element; **хранителен ~** micronutrient.

мѝкроикономика *ж.*, *само ед.* microeconomics.

мѝкроклѐтъч|ен *прил.*, **-на**, **-но**, **-ни** microcellular.

мѝкроклѝмат *м.*, *само ед.* microclimate.

мѝкрокомпю̀т|ър *м.*, **-ри**, *(два)* **мѝк-рокомпю̀търа** microcomputer.

микрокòсмос *м.*, *само ед.* microcosm.

микро̀н *м.*, **-и**, *(два)* **микро̀на** micron.

мѝкроорганѝз|ъм (**-мът**) *м.*, **-ми**, *(два)* **мѝкроорганѝзъма** microorganism.

микропроцѐсор *м.*, **-и**, *(два)* **микропроцѐсора** *инф.* microprocessor.

микропроцѐсор|ен *прил.*, **-на**, **-но**, **-ни**: **~на техника** microprocessor engineering.

мѝкрорелѐф *м.*, **-и**, *(два)* **мѝкрорелѐфа** *геол.* microrelief.

микроско̀п *м.*, **-и**, *(два)* **микроско̀па** microscope, *разг.* mike.

микроскопѝч|ен *прил.*, **-на**, **-но**, **-ни** microscopic(al) *(и прен.)*; *прен.* diminutive.

мѝкросреда̀ *ж.*, *само ед.* microenvironment; **естествена ~** microhabitat.

мѝкрострукту̀р|а *ж.*, **-и** microstructure, microscopic structure; **изследване на ~а** micrographic examination.

мѝкрофилм *м.*, **-и**, *(два)* **мѝкрофилма** microphotograph, microfilm.

микрофо̀н *м.*, **-и**, *(два)* **микрофо̀на** microphone, *разг.* mike; *(на телефон)* transmitter; *(скрит)* bug; **подводен ~** hydrophone; **по/на ~а** at/on the microphone.

микрофонѝя *ж.*, *само ед.* howling, microphonics, microphone effect.

мѝкрохѝмия *ж.*, *само ед.* microchemistry.

мѝкрохиру̀ргия *ж.*, *само ед.* microsurgery.

микрочѝп *м.*, **-ове**, *(два)* **мѝкрочѝпа** *инф.* microchip.

микроядр|о̀ *ср.*, **-а̀** *биол.* micronucleus.

мѝкроязовѝр *м.*, **-и**, *(два)* **мѝкроязовѝра** small dam.

мѝксер *м.*, **-и**, *(два)* **мѝксера** mixer; blender.

мил *прил.* **1.** *(скъп)* dear, *ирон.* precious; **ако ти е ~ животът** if you value your life; **~ си ми, ама аз съм си по-~ charity begins at home; ~а моя** my dear; **2.** *(добър)* kind, nice, considerate; gentle; **много ~о от ваша страна** it's very kind/considerate of you; **3.** *(приятен)* dear, nice, amiable, likable, sweet, endearing, engaging; cute; charming; **~а стара жена** an old dear; ● **давам ~о и драго** give anything to

s.o.; **правя ~и очи на някого** make up to s.o.; **fawn (on, upon).**

мѝлвам *гл.* caress, fondle, pet, stroke, nurse.

милѐя (за) *гл.*, *мин. св. деят. прич.* **миля̀л (за)** *(обичам)* hold dear, care for; *(ценя високо)* prize, cherish; *(тъгувам за)* pine/weary for.

милиа̀мпер *м.*, **-и**, *(два)* **милиа̀мпера** milliampere.

милиа̀рд *м.*, **-и**, *(два)* **милиа̀рда** milliard, *амер.* billion; *поет.* myriad; thousand million.

милиа̀рд|ен *прил.*, **-на**, **-но**, **-ни** worth millions/*амер.* billions, running up to millions/billions; *(за част)* millionth, *амер.* billionth.

милиардѐр *м.*, **-и**; **милиардѐрк|а** *ж.*, **-и** multi-millionaire, *амер.* billionaire.

милигра̀м *м.*, **-ове**, *(два)* **милигра̀ма** milligram(me), *съкр.* mg.

милилѝт|ър *м.*, **-ри**, *(два)* **милилѝтъра** millilitre, *амер.* milliliter, *фарм.* mil, *съкр.* ml.

милимѐтров *прил.* millimetre *(attr.)*; **~а хартия** chart paper, graph paper.

милимѐт|ър *м.*, **-ри**, *(два)* **милимѐтъра** millimetre, *амер.* millimeter, *съкр.* mm.

милио̀н *м.*, **-и**, *(два)* **милио̀на** million; **~и хора/пъти** millions of people/times.

милио̀н *прил.*, **-на**, **-но**, **-ни** *(за стойност)* worth millions, running up to millions; *(за част)* millionth; *(за население)* of over one million, of many millions; **~на армия** an army a million strong; **~ните народни маси** the millions, the masses in their millions.

милионѐр *м.*, **-и**; **милионѐрк|а** *ж.*, **-и** millionaire; man/woman worth millions.

милитаризѝрам *гл.* militarize; || **~ се** become/be militarized.

милитариз|ъм (**-мът**) *м.*, *само ед.* militarism.

милитаристѝч|ен *прил.*, **-на**, **-но**, **-ни**; **милитаристѝческ|и** *прил.*, **-а**, **-о**, **-и** militarist(ic).

мѝлно *нареч. остар.* sorrowfully, mournfully, pitifully.

мѝло *нареч.* nicely, sweetly, amiably; *(с любов)* fondly, tenderly, affectionately, lovingly; *(със съчувствие)* considerately, sympathetically; **~ ми е да/за**

(*тъжно ми е*) I am sorry to/for; it grieves/hurts me to, it makes my heart ache to; (*драго ми е*) it does me good to, it does my heart good to; • **давам ~ и драго за** give o.'s eyetooth for.

милови́д|ен *прил.*, **-на**, **-но**, **-ни** pretty, sweet, cute, comely, attractive; buxom.

ми́лост *ж.*, *само ед.* **1.** mercy, pity, compassion, milk of human kindness, bowels of mercy; (*пощада*) mercy, quarter; (*божествена*) grace; (*благоволение*) favour, grace; graciousness; (*помилване*) mercy, clemency; pardon, forgiveness; **имай ~ към него** have/take mercy on him, have/take pity on him; **моля за ~** beg for mercy/clemency, cry quarter; **по божия ~** by the grace of God; **той няма ~** there is no mercy in him, he has no bowels; **2.** (*скръб*) grief, sorrow; **3.** *обръщ.* honour, grace, worship; **Ваша ~** Your Honour/Grace/Worship, (*към жена*) Your Ladyship; **моя ~** *шег.* your humble servant.

мило́стив *прил.* merciful, kind, clement, compassionate; open-hearted, tender-hearted; gracious; ruthful.

мило́стиня *ж.*, *само ед.* alms, charity; **давам ~** give alms; **прося ~** beg, go begging.

милосъ́рдие *ср.*, *само ед.* charity; (*състрадание*) mercy, compassion; (*при наказание*) mercy, clemency.

милу́вк|а *ж.*, **-и** caress, endearment; (*лека*) pet; **~и** *амер. sl.* necking; **отрупвам някого с ~и** load s.o. with caresses.

ми́л|я *ж.*, **-и** mile; **английска/сухопътна ~я** statute/English mile (= 1 609 м); **морска ~я** nautical/geographical/sea/Admiralty mile, knot (= 1 853,25 м).

мим *м.*, **-ове** mime.

ми́мик|а *ж.*, **-и** play of features, facial expression, (facial) gesture.

мими́крия *ж.*, *само ед.* *биол.* mimicry, mimesis, mimic, coloration, imitation.

мимо́з|а *ж.*, **-и** *бот.* mimosa, sensitive pant (*Mimosa*).

мимоле́т|ен *прил.*, **-на**, **-но**, **-ни** transient, fleeting, short-lived, passing, evanescent, ephemeral, evasive, fugacious.

мимохо́дом *нареч.* in passing; by the way; **усмихвам се ~ на** flash a smile at.

ми́н|а *ж.*, **-и 1.** *мин.* mine (*и прен.*); **диамантена ~а** diamond field; **каменовъглена ~а** coal-mine/-pit, colliery; **2.** *воен.* (land, ground, submarine) mine; (*плуващ или самодвижещ се снаряд*) torpedo; **обезвреждане на ~и** minesweeping; **слагам ~и** lay mines.

мина́вам, ми́на *гл.* **1.** (*движа се край, през*) go/walk (past, by, through), pass (by, through); (*тържествено*) sweep (past, by, out, in, up); (*съвсем близо*) shave; **~ под** underrun; **мини да ме вземеш** come and fetch me; **пътят минава през гора/блатиста местност/долина** the road lies/leads through a wood/across a swamp/along a valley; (*за граница*) run; (*простирам се край*) run by; **случайно минах край тях** I happened to pass their house; (*по мост*) go over, cross (a bridge); (*през река, граница*) cross, pass; (*през препятствие*) get over; (*за път*) lie/lead through (across, along); **2.** (*прекарвам през, по; повтарям*) run through, pass; (*зеленчуци и пр. през сито*) pass; **~ с две/три води** wash (s.th.) in two/three waters; **~ ... с прахосмукачката** run the vacuum cleaner over ...; **минах го с още една боя** I gave it another coat of paint; (*туширам и пр.*) go over (a drawing etc. with ink); **3.** (*променям, сменям – тема и пр.*) pass (**от** from, **на** to); swing (from ... to); **~ от тема на тема** (*несвързано*) meander; **4.** (*преминавам към/на*) go on to, pass on to; (*към друга страна, неприятел*) go over to; *воен.* desert to the enemy; **~ в офанзива** take/assume the offensive; **5.** (*изпит*) pass, get through; **~ в по-горен клас** get o.'s remove, go up a form; **с колко мина?** what are your marks/grades this year?; **6.** (*преминавам в чуждо владение и пр.*) pass into (the hands of), change hands; **7.** *фин.*: **~ по сметка** refer/charge to the account of, place to the credit of; **8.** (*за време*) pass, elapse, go (by); (*незабелязано*) slip away/by; (*бързо*) fly/fleet by; **времето мина** (*изтече*) time is up; **да мине времето** to kill the time, to while away the time; **мина един час** an hour went by; **минало му е времето** it's out of date,

it has had its day; **не мина много време и** soon after that, not long after that; **9.** (*за болест, настроение, нещо лошо*) pass, be over; (*постепенно*) pass off; (*за яд и пр.*) cool; (*за мода*) go out, be out; **мина ми хремата/ядът** my cold/anger is over, I've lost my cold/anger; **модата на големите шапки мина** large hats have gone out/are out; **ще мине** it'll pass; **10.** (*протича*) be, come off, go off; **как мина урокът?** how was the lesson? **концертът мина добре** the concert went off well; **11.**: **~ за** (*имам слава на*) pass for, have the reputation of, be said/reputed to be, pass off as; **нещо, което може да мине за кафе** coffee of a kind; **той минава за добър архитект** he has the reputation of (being) a good architect; **12.** (*излъгвам, измамвам*) cheat, take in, do; **~ се** (*оставям се да ме измамят*) let o.s. be cheated/done, let o.s. be taken in; **~ се** *разг.* get/have a raw deal; **не се минавай** *амер. sl.* don't take any plugs/any wooden nickels; **13.** (*справям се*): **~ без** do without, dispense with; **~ без чужда помощ** do for o.s, manage on o.'s own; **14.** (*успява, приема се*) work, go; *разг.* make the grade; **ако мине** I'll try my luck; **дали ще мине?** will it work I wonder; **не ми минават такива (номера)** I can't let it go at that, I'll have none of it, that won't go down with me, it doesn't pay with me, you can't bamboozle me, *разг.* that cock won't fight, that cat won't jump; • **мина ми котка/лисица път** I had bad luck; **мина ми през ума** it passed through/it crossed my mind, it occurred to me, it struck me (**че** that); **~ границите на** *прен.* overstep the limits of, pass the boundaries of; **~ между капките** wangle through; (*за забележка – не прави впечатление*) miss fire; **от мен да мине** all right, have it your way.

ми́нал *мин. св. деят. прич.* (*и като прил.*) past; bygone; *език.* past; (*предишен*) former; (*за седмица и пр.*) last; **~а слава** past glory, (*за човек*) a has-been, *разг.* a back number, *sl.* a was-bird; **~и времена** times gone by; **~ият понеделник** last Monday; **по~ият понеделник** the Monday before last.

мѝнало *ср., само ед.* past; foretime; (*на човек и пр.*) record; **в близкото** ~ in recent times, not long ago; **в далечното** ~ in the remote past; **в** ~**то** in the past, in times past, in times gone by, in former times, formerly; in bygone days; **да забравим** ~**то** let bygones be bygones.

минарè *ср.,* -**та** *архит.* minaret.

мѝн|ен *прил.,* -**на,** -**но,** -**ни 1.** *техн.* mining; mine (*attr.*); ~**ен газ** firedamp; ~**но-геоложки проучвания** prospecting; ~**но дело** mining; **2.** *воен.* mine (*attr.*).

минерàл *м.,* -**и,** (**два**) **минерàла** mineral; **чисти** ~**и** fines.

минерàл|ен *прил.,* -**на,** -**но,** -**ни** mineral (*attr.*); ~**ен извор** a mineral/thermal spring; ~**на жила** *геол.* matrix; ~**ни бани** mineral baths, (*курорт*) spa; ~**ни торове** *хим.* mineral/chemical fertilizers.

минерализàция *ж., само ед.* mineralization.

минерализѝрам *гл.* mineralize.

минералòгия *ж., само ед.* mineralogy.

минзухàр *м.,* -**и,** (**два**) **минзухàра** *бот.* crocus; (*есенен*) colchicum, saffron.

миниатю̀р|а *ж.,* -**и** *изк.* miniature; (*като цветна украса на стари ръкописи*) illumination.

миниатю̀р|ен *прил.,* -**на,** -**но,** -**ни** miniature (*attr.*); cameo; tiny, teeny-weeny, minute, diminutive, midget (*attr.*); *разг.* knee-high to a grasshopper.

минижу̀п *м., само ед. разг.* mini skirt.

минимàл|ен *прил.,* -**на,** -**но,** -**ни** minimum (*attr.*); ~**на нечалба** minimum gain, margin; ~**на работна заплата** wage floor; ~**ни цени** knock-down prices.

минимизѝрам *гл.* minimize.

минимизѝране *ср., само ед.* minimization.

мѝнимум *м., само ед.* **1.** minimum, inferior limit; **екзистенц** ~ living wage, minimum of subsistence; **свеждам до** ~ reduce to a minimum; minimize, (*за разходи*) *разг.* cut to the bone; **2.** *като нареч.* at least.

минѝрам *гл.* mine, lay mines (in, at); *прен.* undermine.

министèрск|и *прил.,* -**а,** -**о,** -**и** ministerial; cabinet (*attr.*); (*който се отнася до министър*) minister's, of a minister; ~**и съвет** council of ministers, cabinet council, ministerial council; **преговори на** ~**о ниво** ministerial level talks.

министèрств|о *ср.,* -**а** ministry, office, board, *амер.* department; ~**о на войната** War Ministry, *англ.* War Office, *амер.* Department of the Army; ~**о на външните работи** Ministry of Foreign Affairs, *англ.* Foreign Office, *амер.* State Department; ~**о на вътрешните работи** Ministry of the Interior/of Internal Affairs, *англ.* Home Office, *амер.* Department of Justice; ~**о на финансите** Ministry of Finance, *англ.* Exchequer, *амер.* Treasury.

минѝст|ър *м.,* -**ри** (cabinet) minister, secretary (of state), officer of state; за**местник**~**ър** deputy-minister, *англ.* under secretary; ~**ър без портфейл** minister without portfolio; ~**ър-председател** prime minister, premier; **пълномощен** ~**ър** minister plenipotentiary.

мѝннодобѝв|ен *прил.,* -**на,** -**но,** -**ни** mining.

минòр *м., само ед. муз.* minor; **в ла-~** in A-minor.

минòр|ен *прил.,* -**на,** -**но,** -**ни** *муз.* minor; (*тъжен*) sad, doleful, melancholy, in low spirits.

миноритàр|ен *прил.,* -**на,** -**но,** -**ни** minority (*attr.*); ~**ни дялове** minority interests; ~**но акционерно участие** minority shareholding.

минохвъргàчк|а *ж.,* -**и** *воен.* minethrower, mortar.

минувàч *м.,* -**и;** **минувàчк|а** *ж.,* -**и** passer-by, *pl.* passers-by.

мѝнус *м.,* -**и,** (**два**) **мѝнуса 1.** *мат.* minus; (*отрицателна величина*) minus quantity; (*знак*) negative sign, minus (sign); ~ **пет градуса** five degrees of frost, five degrees below zero; **2.** (*недостатък*) drawback, inadequacy, shortcoming, defect; **в негов** ~ **е** it's to his discredit, it speaks badly of him; **3.** (*без*) minus, less.

минỳт|а *ж.,* -**и** minute; (*миг*) instant, moment, minute; **за** ~**а** just a moment/ second; **на** ~**ата** on the dot, at the drop of a hat, to a tick; **с всяка** ~**а** every minute, by the minute.

минỳт|ен *прил.,* -**на,** -**но,** -**ни** minute's, minute (*attr.*); ~**на стрелка** a minute hand.

миньòр *м.,* -**и** miner, coal-miner, pitman, collier.

миньòрск|и *прил.,* -**а,** -**о,** -**и** miner's, miners'; of a miner; ~**а лампа** a miner's lamp, a Davy lamp.

миокàрд *м., само ед. анат.* myocardium.

миокардѝт *м., само ед. мед.* myocarditis.

миòм|а *ж.,* -**и** *мед.* myoma.

мир₁ *м., само ед.* peace; concord; (*договор*) peace treaty; **борец за** ~ **а** champion of peace; **живея в** ~ **с** be at peace with; ~ **вам!** peace be with you! ~ **на праха му!** peace be to his ashes! God rest his soul! may he rest in peace! peace be with him; **сключвам** ~ make peace (**с** with), bury the hatchet/the tomahawk.

мир₂ *м., само ед. поет. остар.* world, universe.

мирàж *м.,* -**и,** (**два**) **мирàжа** mirage, optical illusion.

мѝр|ен *прил.,* -**на,** -**но,** -**ни 1.** peace (*attr.*); **в** ~**но време** in time(s) of peace, in peacetime; ~**ен договор** a peace treaty; ~**но население** civilian population; **2.** (*който обича мир и спокойствие*) peaceable, peaceful, restful, gentle, quiet; (*за дете*) good; **стоя** ~**ен** keep quiet; ● **да ми е** ~**на главата** to be on the safe side.

мирислѝв *прил.* (*с лоша миризма*) smelly, ill-smelling, stinking, nosy; whiffy; (*благоуханен*) sweetsmelling, fragrant, odoriferous, *поет.* odorous; (*парфюмиран*) (sweet-)scented; (*силно*) strong-scented.

миризм|à *ж.,* -**и** (*приятна или не*) smell, odour; (*приятна*) scent, fragrance; (*на животно*) scent; (*неприятна*) stink, stench; (*донесена от вятъра*) wind.

мѝрис *м., само ед.* **1.** sense of smell; **2.** smell, scent, odour; **без** ~ inodorous, scentless.

мирѝша *гл., мин. св. деят. прич.* ми**рѝсал 1.** (*помирисвам*) smell (*и* **с** at); **2.** (*изпускам миризма*) smell (**на** of) give out a smell, have an odour; (*неприятно и силно*) stink, reek (**на** of); (*изпускам специфична миризма*) be

redolent (**на** of); **мирише ми на** I can smell, there is a smell of; **мирише на хубаво/лошо/кисело и пр.** it smells good/bad/sour etc.; **розите миришат хубаво** roses smell sweet; ● **мирише на убийство** there is murder in the air; **на такова ми мирише** that's what it looks like.

мѝрно *нареч.* **1.** peacefully, peaceably; (*послушно*) quietly; ~ **и тихо** peacefully, quietly; **стойте~** be quiet; **2.** *воен.* (*команда*) attention! eyes front! **заставам** ~ come to attention; draw o.s. up (**пред някого** before s.o.); ● **да би** ~ **седяло, не би чудо видяло** you asked for trouble, that's what comes of ... (*с ger. според контекста*).

мѝро *ср., само ед. църк.* unction, chrism, holy oil.

мѝров *прил.* world (*attr.*); world-wide, universal; ~**и съдия** a justice of the peace.

мироглѐд *м.,* -**и,** (**два**) **мироглѐда** view of life, ideology, o.'s way of looking at things, *филос.* Weltanschauung.

миролюбѝв *прил.* peace-loving, peaceable, pacific; ~**а политика** a peaceful policy, a policy of peace.

миропомѐзан *мин. страд. прич.* (*и като прил.*) anointed; *прен.* elect.

миропомѐзвам, миропомѐжа *гл.* anoint.

миротвòр|ец *м.,* -**ци** peace-maker.

мѝрск|и *прил.,* -**а,** -**о,** -**и** *църк.* secular, unclerical, lay, temporal.

мѝрт|а *ж.,* -**и и мирт** *м.,* -**ове,** (**два**) **мѝрта** *бот.* myrtle (*Myrtus communis*).

мирỳвам *гл.* be/keep quiet; (*за дете*) be good.

мирянин *м.,* **миряни** *църк.* layman, laic; *pl.* laity, lay brothers.

мирясвам, мирясам *гл.* become quiet; calm down, settle down; **няма ли да мирясате най-после** do stop it for heaven's sake, it's high time you stopped.

мисионѐр *м.,* -**и; мисионѐрк|а** *ж.,* -**и** missionary.

мѝси|я *ж.,* -**и** mission; (*дипл. представителство*) mission, legation; **изпращам някого с** ~**я** send s.o. on a mission to; *прен.* message.

мискѐт *м., само ед.* muscadine(-grape), muscat(-grape), muscatel; (*вино*) muscatel (wine), muscadel, muscadine.

мѝслен *прил.* mental; (*въображаем*) imaginary.

мѝслене *ср., само ед.* thinking, thought; *разг.* brainwork.

мѝслено *нареч.* mentally, in o.'s thought; ~ **съм при вас** I am with you in my thoughts.

мислѝтел (-**ят**) *м.,* -**и; мислѝтелк|а** *ж.,* -**и** thinker, philosopher; notionalist, speculator.

мислòв|ен *прил.,* -**на,** -**но,** -**ни** mental, reflective, cogitative; ~**ен процес** a mental process, mentation.

мѝсля *гл., мин. св. деят. прич.* **мѝслил 1.** (*разсъждавам*) think (**за** of, about); reason; exercise o.'s wits; (*постоянно*) dwell (**за** on); *разг.* put on one's thinking cap; **за какво мислиш?** what are you thinking about? *разг.* a penny for your thoughts; **направих го, без да** ~ I did it without giving it a second thought; I did it off hand/on the spur of the moment; **често** ~ **за теб** I often think of you, you are often in my thoughts; **2.** (*обмислям*) think over, consider, reflect; **3.** (*напрягам се умствено*) think, puzzle over/about, cudgel/rack o.'s brains; **4.** (*смятам, считам, предполагам*) think, consider, expect, suspect, count, believe, assume; **всички го мислеха за луд** everybody thought he was mad, everybody thought/considered him (to be) mad; ~ **се за** consider/think o.s. to be; **така си и мислех** I guessed as much; **5.** (*на мнение съм*) think; **6.** (*възнамерявам*) think (**да** *с c ger.*), have some thought, have thoughts (of *c ger.*), intend (to *c inf.*), have the intention (of *c ger.*); **7.** (*желая някому нещо*) wish; ~ **някому доброто** wish s.o. well; ~ **някому злото** wish s.o. ill, mean mischief; **8.** (*тревожа се за*) worry about; **не му мисли много** take it easy; ● **каква я мислехме, каква излезе** this not what we hoped/bargained for, it's the last thing we expected; **мисли му!** да му мислиш! you'll get it!

мистериòз|ен *прил.,* -**на,** -**но,** -**ни** mysterious; occult; eerie.

мистèри|я *ж.,* -**и** mystery; (*пиеса*) mystery(-play), passion-play, miracle (play).

мѝстика *ж., само ед.* mysticism.

мистификàци|я *ж.,* -**и** mystification,

hoax, quiz, *амер. разг.* josh.

мистифицѝрам *гл.* mystify, hoax; juggle with words.

мистициз|ъм (-**мът**) *м., само ед.* mysticism.

мистѝч|ен *прил.,* -**на,** -**но,** -**ни; мистѝческ|и** *прил.,* -**а,** -**о,** -**и** mystic(al).

мистрѝ|я *ж.,* -**и** *строит.* trowel, float, depositor, pallet.

мѝс|ъл *ж.,* -**ли 1.** thought, reflection; **задна** ~**ъл** a secret purpose/design/intention; **потънал в** ~**ли** lost/deep in thought/reflection; **при** ~**ълта за** at the (mere) thought of; **това ме наведе на** ~**ълта** this made me think, this led me to think; **2.** (*идея*) idea, thought, brainchild; **блестяща** ~**ъл** *разг.* a brainwave; **3.** (*ум*) mind; ~**ълта ми е заета c** my mind is busy/occupied with.

мит *м.,* -**ове,** (**два**) **мѝта** myth; **превръщам в** ~ mythicise; **превръщам се в** ~ become a myth.

мѝтинг *м.,* -**и,** (**два**) **мѝтинга** meeting, *амер.* rally.

митѝч|ен *прил.,* -**на,** -**но,** -**ни** mythical; fabled.

мѝтниц|а *ж.,* -**и** custom-house, custom-station, customs; **в** ~**ата** (*за стока*) in bond; **освобождавам от** ~**ата** (*стока*) take out of bond.

митничàр (-**ят**) *м.,* -**и** custom-house officer, customs officer.

мѝтническ|и *прил.,* -**а,** -**о,** -**и** customs (*attr.*); ~**а декларация** a bill of entry; (*за кораб*) manifest; ~**а ставка** tariff rates; ~**о разрешение** a (bill of) sufferance.

мит|ò *ср.,* -**à** (customs) duty, customs, tariff, impost; (*такса*) duty, tax, toll; **без** ~**о** duty-free; **облагам с** ~**о** impose a tax on, tax; **плащам** ~**о** pay duty/a tax (**за** on); **по-ниски** ~**а** (*на привилегирована държава*) preferential duties; **размер на** ~**о** rate of duty.

митологизѝрам *гл.* mythologize.

митолòги|я *ж.,* -**и** mythology.

мѝтр|а *ж.,* -**и** *църк.* mitre.

митрополѝт *м.,* -**и** *църк.* metropolitan (bishop), bishop.

митрополѝ|я *ж.,* -**и** bishopric; bishop's residence.

Михàл *м. собств.*: ● **гоня** ~**я** chase the wind, go on a wild goose chase; go on a fool's errand.

мичман *м.*, **-и** *мор.* midshipman, warrant-officer.

мишелов *м.*, **-и**, (**два**) **мишелова** *зоол.* buzzard (*Buteo*).

мишеловк|а *ж.*, **-и** (*капан*) mousetrap.

мишеморка *ж.*, *само ед.* *хим.* ratsbane, rat-poison, (white) arsenic.

мишен|а *ж.*, **-и** target, blank, bull; **лесна ~а** sitting-duck/-target; **стрелба по ~а** target practice; **център на ~а** bull's eye.

миш|и *прил.*, **-а**, **-о**, **-и** mouse (*attr.*), of a mouse; mousy; *зоол.* murine; **крия се в ~а дупка** *прен.* lie low, run/take to earth; **натиквам в ~а дупка** break the back of, crush to pieces, grind to powder, knock the stuffing out of.

мишк|а *ж.*, **-и** *зоол.* mouse (*pl.* mice); **мокър като ~а** wet through, wringing/dripping wet.

мишкувам *гл.* *разг.* rummage.

мишле *ср.*, **-та** mousey, mousy.

миш-маш *м.*, *само ед.* **1.** jumble, hodge-podge, hotchpotch, mess, muddle, mingle-mangle, mishmash, mash; (*смесица от стилове*) patchwork; **2.** *кул.* (*ястие*) scrambled eggs with chopped peppers and tomatoes.

мишниц|а *ж.*, **-и** armpit; **под ~а** under o.'s arm; • **две дини под една ~а не се носят** if you run after two hares you'll catch neither.

мишц|а *ж.*, **-и** *обикн. мн. поет.* muscles, sinew, brawn, thews; **напрягам ~и** strain.

мия *гл.* wash; *поет.* lave; (*под*) mop; (*с четка*) scrub; **~ зъбите си** brush/clean/wash o.'s teeth; **~ чинии** wash up, do the dishes; || **~ се** wash.

мияч *м.*, **-и**; **миячк|а** *ж.*, **-и** washer; (*на под*) swabber.

млад *прил.* young; youthful(-looking); (*за растение*) young, new, green; **~а гора** underwood, undergrowth; **~о вино** new wine, first growth; **на ~и години** in o's younger/youthful days, in o.'s youth; **сърцето ми е ~о** be young in o.'s heart; **тя е вечно ~а** age cannot wither her, she is ageless.

младеж₁ *м.*, **-и** young man, youth; lad.

младеж₂ *м.*, *само ед.* *събир.* youth, young people/folk; **модерната/съвременната ~** the bright young people.

младежк|и *прил.*, **-а**, **-о**, **-и** youth (*attr.*), of/for young people; (*характерен за млади хора*) youthful; *пренебр.* juvenile; **~и вид** youthful appearance; **~и грешки** early errors, errors of o.'s youth; **~и увлечения** youthful extravagances.

младен|ец *м.*, **-ци** new born child, infant, baby.

младея *гл.*, *мин. св. деят. прич.* **младял** (*изглеждам млад*) look young; wear o.'s years/age well; (*ставам по-млад*) grow younger; || **~ се** try to look younger than o.'s age.

младожен|ец *м.*, **-ци** bridegroom; newly-married man; **~ци** young couple, newly-married couple, *разг.* newly weds.

младоженк|а *ж.*, **-и** bride; newly-married woman.

младоликʼ *прил.* youthful, young-looking, young for o.'s age/years.

младост *ж.*, *само ед.* youth; **в първа ~** in o.'s prime; **не е вече в първа ~** he is past his prime; **спомени от ~та** youthful memories.

младш|и *прил.*, **-а**, **-о**, **-и** junior; younger; **~и командѐн състав** *воен.* non-commissioned officers, *съкр.* N.C.O.

млекар (**-ят**) *м.*, **-и** milkman, dairyman.

млекарниц|а *ж.*, **-и** milkshop, dairy, creamery, milk bar.

млекода|ен *прил.*, **-йна**, **-йно**, **-йни** milch; *книж.* lactiferous; **~йни крави** dairy cattle.

млекопитаещ *прил.* (*и като същ.*) *зоол.* mammal; **~ите** mammalia.

млекопреработване *ср.*, *само ед.* dairying.

млеч|ен *прил.*, **-на**, **-но**, **-ни** **1.** (*от мляко*) milk, dairy (*attr.*); **магазин за ~ни произведения** creamery; **~ни произведения** dairy produce, milk foods; **2.** *хим.* lactic; *книж.* lacteal, chyliferous, lactiferous; (*свързан с лактацията*) lactic; **~на жлеза** *анат.* mammary, lacteal/lactiferous gland, mamma (*pl.* mammae); **~на киселина** *биохим.* lactic acid; **3.** (*като мляко*) milky, lacteous; **~но стъкло** opal glass; • **~ен брат** a milk/foster brother; **~ен зъб** milk-tooth, a deciduous tooth, a calf's tooth; **Млечният път** *астр.* the Milky Way.

млечицѐ *ср.*, *само ед.*: **пчелно ~** royal jelly.

млечк|а *ж.*, **-и** *бот.* milkweed, spurge, eu-phorbia.

млечниц|а *ж.*, **-и** **1.** *бот.* delicious milky cap (*Lactaria*); **2.** *разг.* (*изрив по устата на бебе*) white-gum.

млечност *ж.*, *само ед.* milkiness; (*на крава*) milk-yield.

млък *междум.* shut up! clam up!

млъквам, млъкна *гл.* fall silent, stop/cease speaking/talking etc., lapse into silence; hush up *разг.* dry up; hold o.'s peace, clam up; **млъкни!** stop your gab! *sl.* go to bed.

мляко *ср.*, **млека** milk; **варно ~** *строит.* calcimine, cream of lime; **давам ~** (*за добиче*) milk; **змийско ~** *бот.* the great celandine (*Chelidonium majus*); **кисело ~** yoghurt; **~ на прах** milk powder, powdered milk; **обезмаслено ~** skim-milk; **прясно ~** fresh milk; **тоалетно ~** cleansing milk/cream; • **има и от птиче ~** there's everything you can possibly want.

мляскам *гл.* **1.** smack, munch; **2.** (*целувам шумно*) give (s.o.) a smack/a smacking kiss.

мнемоника *ж.*, *само ед.* *псих.* art of memory, mnemonics.

мнѐни|е *ср.*, **-я** opinion (**за** of, **по** on), view, thought(s); persuasion; judgement; verdict; *разг.* bet; **имам добро/високо ~е за** have/hold a high opinion of, think highly/much/well; **имам друго ~е** take (quite) a different view; **имам лошо ~е за** have a low opinion of, think little/nothing/meanly/badly/poorly of, have no opinion of; **на различни ~я сме** be at variance with, have different views; **никой не ти иска ~ето** you may keep your remarks to yourself; **обществено ~е** public opinion, climate; **особено ~е** reservation; protest (in writing); (*отразено в протокол*) a minute of dissent; **по мое ~е** in my opinion/judgement/book, to my mind, to my thinking; **съставям си ~е за някого** appraise s.o., get/have s.o.'s measure/the measure of s.o., *разг.* have/get/know/take the length of s.o.'s foot; **това е моето ~е по въпроса** this is my view of the matter.

мним *прил.* sham, pretended, feigned; supposed, alleged; fictitious; ostensible; spurious, supposititious; (*въображаем*) imaginary; **~ болен** malingerer; **~а**

причина ostensible reason; ~о **престъпление** alleged crime.

мнйтел|ен *прил.*, -на, -но, -ни distrustful, mistrustful, suspicious; (*свръхчувствителен*) touchy.

мнòго *нареч.* **1.** (*на брой*) many, a lot of, lots of; (*подсилено*) a great many, very many, ever so many, a large/great number of, plenty of; **за ~ години** many happy returns (of the day); **2.** (*за количество*) much, a lot of, lots of; (*подсилено*) very much, a great/good deal of; plenty of, ever so much; ~ **работа** lots/stacks of work; **3.** (*пред прил. и нареч.*) very, *разг.* awfully, mighty, ever so, ever such; *sl.* not half; ~ **забавен/забавно** very/highly amusing; ~ **над** way above; (*със сравн. ст.*) much, far (and away), out and away, a lot; ~ **по-добре** much/far better; **4.** (*с гл.*) (very) much, (quite) a lot; ~ **обичам музика** I like music very much, I am very fond of music; ~ **се различават** they differ widely; ~ **съжалявам за грешката** I much regret the mistake; **страшно ~ се радвам** I am ever so glad; ● ~ **го е грижа** much he cares, *sl.* a fat lot he cares; ~ **знаеш ти!** *ирон.* a fat lot you know about it! **от ~ глава не боли** store is no sore.

многобòжие *ср., само ед.* polytheism.
многобò|й (-ят) *м.*, -и, (два) **многобòя** *спорт.* the twelve events/twelve exercises competition.
многобрàчие *ср., само ед.* polygamy.
многобрò|ен *прил.*, -йна, -йно, -йни numerous; multitudinous, multifold, multiple.
многовекòв|ен *прил.*, -на, -но, -ни centuries-old; centuries-long.
многовòд|ен *прил.*, -на, -но, -ни abounding in water, full; (*за местност*) well-watered/-rivered.
многоглàс|ен *прил.*, -на, -но, -ни many-voiced; *муз.* polyphonic.
многогодùш|ен *прил.*, -на, -но, -ни **1.** (*за дружба и пр.*) of many years, of long standing; **2.** *бот.* perennial, sychnocarpous; ~**но растение** perennial.
многодèт|ен *прил.*, -на, -но, -ни having/with many children; ~**на майка** a mother of many children/of a large family.
многоезùч|ен *прил.*, -на, -но, -ни

polylingual, polyglot.
многоетàж|ен *прил.*, -на, -но, -ни many-storeyed, multistory, multistage.
многожèнство *ср., само ед.* polygamy, plural marriage.
многожùл|ен *прил.*, -на, -но, -ни multiwire; ~**ен кабел** *техн.* a multiple cable; bunched conductor.
многознàйни|к *м.*, -ци; **многознàйниц|а** *ж.*, -и wiseacre, know-all.
многознàч|ен *прил.*, -на, -но, -ни **1.** *мат.* multiciphered; **2.** *език.* polysemantic.
многозначùтел|ен *прил.*, -на, -но, -ни significant, full of suggestion, portentous, telling; (*за поглед*) meaning, knowing.
многоклèтъч|ен *прил.*, -на, -но, -ни *биол.* multicellular.
многокрàк *прил.* multiped, polyped; ~**о насекомо** multiped.
многократ|ен *прил.*, -на, -но, -ни repeated, reiterated; *език.* frequentative; multiplex; multifold, multiple, manifold; **за ~но ползване** returnable; ~**ен вид** *език.* iterative aspect.
многократно *нареч.* repeatedly, many times, over and over again, time and again.
многолùк *прил.* many-sided.
многолюд|ен *прил.*, -на, -но, -ни crowded; (*за град*) populous; ~**но събрание** a mass meeting.
многомèст|ен *прил.*, -на, -но, -ни multi-seat; ~**ен самолет** multiseater.
многообещàващ *прил.* promising, hopeful, of (great) promise; up-and-coming; ~ **младеж** a golden boy.
многообùчан *прил.* dearly beloved.
многообрàз|ен *прил.*, -на, -но, -ни multiform, multiple, multifarous; diverse, varied.
многообрàзие *ср., само ед.* multiformity; diversity, variety; *мат.* manifold.
многоочàкван *прил.* long-expected/-awaited, eagerly awaited/expected/anticipated.
многоплàстов *прил.* multilayer(ed).
многопòлюс|ен *прил.*, -на, -но, -ни multi-polar.
многосèри|ен *прил.*, -йна, -йно, -йни serial; ~**ен телевизионен филм** TV serial.
многослòв|ен *прил.*, -на, -но, -ни verbose, loquacious, prolix, wordy,

lengthy, diffuse, diffusive, circumlocutory, windy; garrulous.
многостèн|ен *прил.*, -на, -но, -ни *геом.* polyhedral.
многостèпен|ен *прил.*, -на, -но, -ни *техн.* multistage, multistep.
многострàн|ен *прил.*, -на, -но, -ни *мат.* multilateral, polygonal; *полит.* multilateral, multipartite; *прен.* many-sided, versatile.
многотòм|ен *прил.*, -на, -но, -ни in many volumes; (*обемист*) voluminous.
многотòчи|е *ср.*, -я dots.
многофàктор|ен *прил.*, -на, -но, -ни multifactorial.
многофункцонàл|ен *прил.*, -на, -но, -ни polyfunctional, multifunctional, multirole.
многохùляд|ен *прил.*, -на, -но, -ни of many thousands.
многоцвèт|ен *прил.*, -на, -но, -ни multi-/many-coloured; *полигр.* polychromatic, polychrome; *бот.* multiflorous.
многоцùфрен *прил.*: ~**о число** *мат.* long figure.
многочùслен *прил.* numerous; multiple, multitudinous, strong in numbers.
многочлèн *м.*, -и, (два) **многочлèна** *мат.* multinomial, polynomial.
многочлèн|ен *прил.*, -на, -но, -ни **1.** of many members; ~**но семейство** large/good-sized family; **2.** *мат.* multinomial, polynomial.
многоъгъл|ен *прил.*, -на, -но, -ни polygonal, multiangular.
множà *гл., мин. св. деят. прич.* **множùл** multiply; || ~ **се** multiply, reproduce, breed.
мнòжествен *прил.* plural; ~**о число** *език.* plural (number).
мнòжеств|о *ср.*, -а multitude, great number (of); *мат.* set; **безкрайно** ~**о** *мат.* infinite set; **празно** ~**о** *мат.* null set.
мнòжим|о *ср.*, -и *мат.* multiplicand.
мнòжител (-ят) *м.*, -и, (два) **мнòжителя** *мат.* factor, multiplier; **разлагам на** ~**и** factorize.
мнозùна *нареч.* (*и като същ.*) many (people), not a few.
мнозùнств|ò *ср.*, -à majority; ~**ото** the (great) mass (of); **управление на** ~**ото** majority rule.
мобилизàци|я *ж.*, -и mobilization (*и*

прен.); (military) call-up; **пълна ~я на силите** (*при война*) a war effort.

мобилизѝрам *гл.* mobilize (*и прен.*), levy, call to the colours; || **~ се** *прен.* pull o.s. together, muster o.s. strength; collect o.'s faculties; channel o.'s energy *разг.* psych oneself up.

мобѝлност *ж., само ед.* mobility; **~ на работната сила** labour-mobility.

мо̀бифон *м., -и, (два)* мо̀бифона mobile phone.

мо̀га *гл., мин. св. деят. прич.* можа̀л **и** могъ̀л 1. (*в състояние съм*) can, be able (to), be in a position (to); **доколкото ~** as far as I am able, to the utmost of my capacity, as best I can; **не ~ да го понасям/гледам** I hate the very sight of him; **не ~ да не** I cannot but, I can't help (*c ger.*); **правя каквото ~** (*при дадени лоши условия*) make the best of it, make the best of a bad bargain/job; 2. (*позволение*) can, may; **можете да вземете която книга искате от моите** you are welcome to any of my books; **отриц.** need not, needn't; **не може** (*забрана*) must not; **така не може** that won't do, that will never do; that won't pass; 3. (*вероятност*) may; **може и да е така** that may (well) be the case; **не може да бъде** that's impossible, not really; that beats the Dutch! well, I'm a Dutchman! **не може да ня бъде** to; 4. (*съмнение*) can, may; **кой може да бъде?** who can it be?; 5. (*съгласие*) I don't mind; **искате ли още една чаша? – може** will you have another glass? I don't mind if I do.

могѝл|а *ж., -и* hill; (*малка*) hillock, knoll, toft; (*гробница*) mound, tumulus, *pl.* tumuli; **братска ~а** common grave; **издигам ~а** mound.

могъ̀щ *прил.* mighty, powerful; (*силен*) vigorous, strong.

могъ̀щество *ср., само ед.* power, might.

мо̀д|а *ж., -и* fashion, vogue; *разг.* fad, craze, twig, rage; *презр.* trendiness; **висша ~а** haute couture; **излизам на ~а** come into fashion/vogue, come in; **последната ~а** the latest fashion, *разг.* all the vogue/craze/rage/go/mode; **сега това е на ~а** it is all the rage now.

мода̀л|ен *прил., -на, -но, -ни език.* modal.

мода̀лност *ж., само ед. език.* modality.

модѐл *м., -и, (два)* модѐла 1. (*в разл. значения, и на художник*) model; (*за рокля и пр.*) design; (*за бродиране, плетене*) pattern; **на художник** an artist's model/sitter; **по ~а на** on the model of; 2. *техн.* mould; sampler; 3. (*конструкция на кола и пр.*) model, make; **кола ~ 1970 а** 1970 model; 4. (*скица, чертеж*) design; (*образец*) model, exemplar.

моделиѐр *м., -и* modeller; designer; model maker; (*металург*) pattern-maker.

моделѝрам *гл.* mould, shape (**от** out of).

моделѝране *ср., само ед.;* **моделиро̀вк|а** *ж., -и* moulding, shaping, modelling.

модѐм *м. -и, (два)* модѐма *комп.* modem.

мо̀д|ен *прил., -на, -но, -ни* fashionable, stylish, smart, modish, voguish, new, *разг.* in, trendy, (*за дума, фраза и пр.*) buzz; *разг.* ritzy, sharp, hip; *sl.* cheesy, tony, *амер. разг.* exclusive; **~на къща** fashion house; **~на фраза** catch word; **~ни дрехи** fashionable/smart/sty-lish clothes; **~ният свят** the smart set, smart society; *журн.* the glitterati; **~но ревю** fashion show/parade.

модера̀тор *м., -и, (два)* модера̀тора *техн.* damper, moderator.

модѐр|ен *прил., -на, -но, -ни* 1. fashionable, stylish, smart; 2. (*съвременен*) modern, contemporary; (*съответен на епохата*) up-to-date, modern; *неодобр.* newfangled.

модерниза̀ция *ж., само ед.* modernization, updating, retrofit.

модернизѝрам *гл.* modernize, bring/make up-to-date.

модернѝз|ъм (-мът) *м., само ед. изк.* modernism.

модѝстк|а *ж., -и* modiste, dress-maker, milliner.

модифика̀тор *м., -и, (два)* модифика̀тора modifier; *метал.* inoculant.

модифика̀ци|я *ж., -и* modification.

модифицѝрам *гл.* modify; (*променям*) alter, change; (*метал*) inoculate.

мо̀дул *м., -и, (два)* мо̀дула *техн., мат.* module, modulus.

модула̀тор *м., -и, (два)* модула̀тора *радио., ел.* modulator.

модула̀ци|я *ж., -и физ., муз.* modulation; **амплитудна ~я** *радио.* amplitude modulation, *съкр.* AM; **паразитна ~я** extraneous modulation; **честотна ~я** *радио.* frequency modulation, *съкр.* FM.

мо̀дул|ен *прил., -на, -но, -ни* modular.

модулѝрам *гл.* modulate.

мо̀же *безл. гл., мин. св. деят. прич.* мо̀жело perhaps, probably, possibly, maybe.

мозаѝч|ен *прил., -на, -но, -ни* mosaic; tessellated, tesseral; (*инкрустиран*) inlaid; **~ен под** tessellated floor/pavement; **~но кубче** (*от мрамор, стъкло и пр.*) tessera (*pl.* tesserae).

мозаѝйк|а *ж., -и* mosaic; inlay; inlaid work; tessellation; (*под*) cement/marbled floor(ing).

мозъ̀|к м., -ци, (два) мозъ̀ка 1. *анат.* brain; **главен ~к** cerebrum, brain; **гръбначен ~к** spinal cord; **костен ~к** marrow; **малък ~к** cerebellum; **тумор в ~ка** *мед.* a tumour on the brain; 2. (*ястие*) brains; 3. (*ум*) brains; *шег.* pericranium; 4. (*на престъпление*) mastermind; **човек без ~к** a brainless person; ● **до ~ка на костите** to the marrow (of o.'s bones), to the core/the backbone, to o.'s fingertips; **промиване на ~ци** brain wash.

мозъ̀ч|ен *прил., -на, -но, -ни* cerebral, of the brain, encephalic; medullary; **~на кора** (cerebral) cortex; **~ни гънки** convolutions of the brain, gyres; **сиво ~но вещество** sensorium, grey matter.

мой *прит. мест., моя̀, мо̀е, мо̀и* my; (*самостоятелно*) mine; **един ~ приятел** a friend of mine; **един от моите приятели** one of my friends; **моите като същ. само мн.** my people/folk; **това не е моя работа** that's no business/concern of mine, that's not my business.

мокасѝни *само мн.* moccasins.

мокѐт *м., -и, (два)* мокѐта moquette, wall-to-wall carpet, fitted carpet.

мокрѐем *(ми, му, ѝ, ни, ви, им)* *безл. гл.* feel wet (against the skin).

мо̀кря *гл., мин. св. деят. прич.* мо̀крил (make) wet; water; (*леко*) moisten;

(*много*) drench, soak, steep (*лен*) ret; || ~ **се** (*напикавам се*) wet o.s.

мòк|ър *прил.*, -ра, -ро, -ри wet; (*прогизнал*) soggy, soaked, soaky, drenched, sodden; (*за път*) splashy; *мед.* weeping; **като ~ра кокошка** like a drowned rat; **~ър до кости** drenched to the bone, wet to the skin, wringing/sopping/soaking wet; wet like a drowned rat; **~ър чаршаф** *мед.* a wet pack, a packing sheet; • **~ър от дъжд не се бои** (be) too far gone to care.

мол *м.*, -ове, (два) **мòла** *хим.* mol(e).

молàр *м.*, -и, (два) **молàра** *мед.* molar/multicuspid tooth.

молб|à *ж.*, -и **1.** request; (*настоятелна*) entreaty; (*смирена*) supplication; *рел.* obsecration; **имам една ~а към вас** I have a favour to ask of you; **по ~а на** at s.o.'s request; **удовлетворявам ~а** grant/meet a request, comply with a request; **2.** (*заявление*) application; (*просба*) petition, plea; **искова ~а** *юр.* (statement of) claim; **подавам ~а** hand in/send in/file/enter an application.

Молдòва *ж. собств.* Moldavia.

молдòвск|и *прил.*, -а, -о, -и Moldavian.

молдовàнин *м.*, **молдовàни; молдовàнк|а** *ж.*, -и Moldavian.

молèбен *м.*, -и, (два) **молèбена** *църк.* (public) prayer, (church) service; **отслужвам благодарствен ~** hold a Te Deum/a thanksgiving service.

молекỳл|а *ж.*, -и molecule.

молекỳл|ен *прил.*, -на, -но, -ни; **молекулàр|ен** *прил.*, -на, -но, -ни molecular.

мол|èц *м.*, -цѝ, (два) **молèца** *зоол.* (clothes-)moth; **изяден от ~ци** motheaten; **средство против ~ци** insecticide.

молѝбден *м.*, *само ед.* *хим.* molybdenum.

молѝв *м.*, -и, (два) **молѝва** pencil; **написан с ~** written in pencil; **рисунка с ~** a pencil sketch/drawing; **химически ~** indelible pencil.

молѝтв|а *ж.*, -и *църк.* prayer; (*преди или след ядене*) grace; **казвам си ~ата** say o.'s prayers; *мн.* devotions; **~а на Дева Мария** Hail Mary.

молѝтвен *прил.* prayer (*attr.*), devotional.

молѝтвени|к *м.*, -ци prayer-book, breviary.

молѝтел (-ят) *м.*, -и; **молѝтелк|а** *ж.*, -и applicant; supplicant, suitor, interpleader; *юр.* petitioner.

молл|à *м.*, -й *рел.* mullah.

мòля *гл.*, *мин. св. деят. прич.* **мòлил 1.** ask, beg (*някого за нещо*) (s.th. of s.o., s.o. for s.th., s.o. to do s.th.), request (s.th. of s.o., s.o. for s.th.); (*настоятелно*) entreat (s.th. of s.o., s.o. to do s.th., s.o. for s.th.); implore, beseech (s.o. for s.th., s.o. to do s.th.), plead (with s.o. to do s.th.); (*много настоятелно*) urge; **~ за пощада** cry for mercy, cry quarter; **~ за разрешение** ask permission; **~ някого за извинение** apologize to s.o., ask/beg s.o.'s pardon; **~ някого за услуга** ask a favour of s.o.; **2.** (*като обръщ.*) please; **~, затворете вратата** would you mind shutting the door, please shut the door, shut the door, will you; **3.** (*при недочуване*) (I beg your) pardon? (*при канене – заповядайте*) help yourself; (*няма защо*) you're welcome, don't mention it, that's all right, never mind; (*разрешение*) please do, be my guest; **мога ли да използвам телефона ви?** – **~** can I use your telephone? please do; || **~ се** pray; beg, entreat, plead; **~ ви се** *ирон.* if you please; **~ се на Бога** pray to God.

мом|à *ж.*, -й *нар.* **1.** girl, lass, lassie; *поет.* maid(en); *остар., книж.* damsel; (*неомъжена жена*) unmarried woman, spinster, bachelor girl; **~а за женене** marriageable girl; **стара ~а** old maid; **стара ~а съм** *разг.* be on the shelf; **2.** (*девица*) virgin.

момèнт *м.*, -и, (два) **момèнта 1.** moment, instant; **в ~а, в същия ~** there and then; **в ~а, когато** at the very time when; **в този ~** at this instant, at the present moment; at this stage; **за ~!** wait a moment! one moment! *разг.* half a tick! **очакваме го всеки ~** we expect him any moment, he is due in any second; **2.** (*черта, особеност*) feature, point, detail; (*епизод*) scene; **3.** *физ., техн.* moment(um); **въртящ ~** turning couple; **усукващ ~** torque, twisting couple; **моментàл|ен** *прил.*, -на, -но, -ни momentary; instantaneous; **~на снимка**

фот. snapshot.

момèнтàлно *нареч.* instantly, right away, in a moment/an instant/a tick/a trice; in a couple of shakes.

момèнт|ен *прил.*, -на, -но, -ни passing, transitory.

мòмин *прил.* girl's; **~а сълза** *бот.* lily-of-the-valley, May-lily (*Convallaria majalis*).

момѝнск|и *прил.*, -а, -о, -и girlish, maidenish, maidenly; **~о име** o.'s maiden name.

момѝнство *ср.*, *само ед.* **1.** girlhood, maidenhood; (*състояние на неомъжена*) single state; **2.** (*девственост*) maidenhead, vir-ginity.

момѝче *ср.*, -та **1.** girl, lass, lassie, young lady; *амер. sl.* jane, Jane; **моето ~ обръщ.** old girl; **неопитно ~** bread-and-butter miss; **2.** (*прислужница*) maid (servant); **~ за всичко** between girl, maid of all work; **3.** *карти* queen.

момѝчешк|и *прил.*, -а, -о, -и girlish; **~о поведение** girlishness.

момчè *ср.*, -та **1.** boy, lad, laddie; stripling, youngster; (*момък*) young man, youth, lad, young one; **бъди добро/разбрано ~** be a brick! **моето ~ обръщ.** laddie; **славно ~** a fine lad; **2.** (*прислужник*) boy, servant; **~ за всичко** a man of all work, factotum; **3.** *карти* jack, knave.

момчèшк|и *прил.*, -а, -о, -и boyish, boylike.

мòм|ък *м.*, -ци *нар.* young man, youth, lad, young one; *поет.* swain, (*ерген*) unmarried man, bachelor.

монàр|х *м.*, -си monarch, sovereign.

монархѝз|ъм (-мът) *м.*, *само ед.* *полит.* monarchism.

монархѝческ|и *прил.*, -а, -о, -и monarchic(al), monarchist, monarchal; **~а партия** *полит.* a monarchist party.

монàрхи|я *ж.*, -и monarchy; **абсолютна/конституционна ~я** an absolute/a constitutional monarchy.

монà|х *м.*, -си *църк.* monk, monastic; (*от някои ордени*) friar; **ставам ~х** enter religion, take the (monastic) vows.

монахѝн|я *ж.*, -и *църк.* nun; **ставам ~я** become a nun, take the veil.

монà́шеск|и *прил.*, -а, -о, -и monastic, monachal; cloistral; **~ото име на някого** s.o.'s name in religion.

монà́шество *ср.*, *само ед.* **1.** (*състоя-

ние) monkhood; monachism; *разг.* monkery; **2.** (*съсловие*) regular/black clergy, monks.

монго́л|ец *м.*, **-ци; монго́лк|а** *ж.*, **-и** Mongol, Mongolian.

Монго́лия *ж. собств.* Mongolia.

монголо́йд *м.*, **-и** Mongoloid (*и мед.*).

монго́лск|и *прил.*, **-а, -о, -и** Mongolian; **~и език** Mongol, Mongolian, the Mongolian language.

моне́т|а *ж.*, **-и** coin; **плащам със съ́щата ~a** give/return like for like, pay back/repay in kind; **приемам нещо за чиста ~a** take s.th. at its face value; **фалши́ва ~a** a base coin; stumer.

моне́т|ен *прил.*, **-на, -но, -ни** monetary, coin (*attr.*); **~ен автомат** slot-machine; coin-op; **~ен двор** mint; **~на система** coinage; **~но обращение** currency, circulation of money.

монитор *м.*, **-и, (два) монитора** monitor; **телевизионен ~** short-circuit TV.

мониторинг *м.*, *само ед.* monitoring.

моновале́нтност *ж.*, *само ед.* monovalence, monovalency.

монога́мия *ж.*, *само ед.* monogamy.

монограм *м.*, **-и, (два) монограма** monogram, cipher.

монографи|я *ж.*, **-и** monograph, treatise; **автор на ~я** monographer.

монозахари́д *м.*, **-и** *обикн. мн. хим.* monosaccharides, hexoses.

моноклина́л|а *ж.*, **-и** *геол.* monocline.

монокулту́ра *ж.*, *само ед. сел.-ст.* monoculture.

моно́к|ъл *м.*, **-ли, (два) моно́къла** eye-glass, monocle.

моноли́т *м.*, *само ед. геол.* monolith.

моноли́т|ен *прил.*, **-на, -но, -ни** monolithic; single-piece; *прен.* solid; (*единен*) united; **~но строителство** monolithic construction.

моноло́|г *м.*, **-зи, (два) моноло́га** monologue, soliloquy; **произнасям ~г** soliloquize.

моно́м *м.*, *само ед. мат.* monomial.

монопо́л *м.*, **-и, (два) монопо́ла** monopoly; patent; **имам ~ върху** have the monopoly of (*амер.* on).

монопо́л|ен *прил.*, **-на, -но, -ни** monopoly (*attr.*); exclusive; monopolistic; **~ен капитализъм** monopoly capitalism; **~ни права** exclusive rights; **~но положение** *борс.* corner.

монополизи́рам *гл.* monopolize; **~ разговора** hold the floor.

моноспекта́к|ъл *м.*, **-ли, (два) моноспекта́къла** *театр.* monodrama.

монотеи́з|ъм (**-мът**) *м., само ед. рел.* monotheism.

моното́н|ен *прил.*, **-на, -но, -ни** monotonous; unrelieved, unvaried; jog-trot; eventless; **~ен глас** flat voice; **~на равнина** dead level.

монофа́з|ен *прил.*, **-на, -но, -ни** *ел.* monophase.

монсеньо́р *м.*, **-и** *рел., истор.* (*и като обръщ.*) monseigneur.

монта́ж *м.*, *само ед.* **1.** *техн.* assembly, fitting, mounting, installing; erection; installation, assemblage, assembly; *ел.* wiring; **2.** *кино.* continuity, cutting, montage; (*в надпис*) cutting editor; *тв.* dub; **3.** *полигр.* imposition.

монта́ж|ен *прил.*, **-на, -но, -ни** installation, assembly, fitting (*attr.*); *ел.* **~на схема** wiring layout; **~ен цех** erecting shop, *жп* engine-shop; **~но отделение** *авиац.* assembly hall.

монтажи́ст *м.*, **-и** *техн.* spiderman; *кино.* continuity editor; **помощник-~** cutting man.

монта́жни|к *м.*, **-ци** *строит.* fitter, constructor, installer, construction man.

монти́рам *гл.* **1.** assemble, fit, mount, install; **~ оръдие** mount a gun; **2.** (*скъпоценни камъни*) incase, mount; **3.** (*филм*) edit.

монтьо́р *м.*, **-и** fitter, layer; **~ на тръбни инсталации** pipe erector; **~ на парни инсталации** steam fitter.

монуме́нт *м.*, **-и, (два) монуме́нта** monument.

монумента́л|ен *прил.*, **-на, -но, -ни** monumental, imposing, grand, stately, impressive.

мопе́д *м.*, **-и, (два) мопе́да** autocycle, moped, scooter.

мор *м.*, *само ед.* pestilence, plague; *истор.* pest; **~ по добитъка** murrain; **настана ~ по добитъка** the cattle died in hundreds.

мо́рав *прил.* purple, violet; **~о рогче** *бот.* ergot.

мора́в|а *ж.*, **-и** *нар.* lawn, grass-plot, green, sward.

Мора́вия *ж. собств.* Moravia.

мора́вск|и *прил.*, **-а, -о, -и** Moravian.

мора́л *м., само ед.* **1.** (*нравственост*)

morality, ethics; (*личен*) morals; preachify; **чета ~** moralize; *sl.* jaw; **2.** (*дух*) morale.

мора́л|ен *прил.*, **-на, -но, -ни** **1.** moral, ethic(al); **~но чувство** a sense of right and wrong; **2.** (*духовен*) spiritual, mental; **● ~но износване** obsolescence.

морализа́тор *м.*, **-и; морализа́торк|а** *ж.*, **-и** moralizer, preacher.

морализи́рам *гл.* moralize, preach, read lectures/sermons, pontificate.

морали́ст *м.*, **-и; мора́листк|а** *ж.*, **-и** moralist.

морато́риум *м.*, **-и, (два) морато́риума** moratorium; (*за частни договори*) stand-still agreement; **обявявам ~** decree a moratorium.

мо́рбили *само мн. мед.* morbilli, measles, water pox.

мо́рг *а* *ж.*, **-и** morgue, mortuary.

море́ *ср.*, **-та́** **1.** sea; *поет.* the (briny) deep; surge; *шег.* the briny; **излизам в открито ~** put (out) to sea, put out into the open sea; **изпращам по ~** ship, send by sea; **отвъд ~то** overseas, over/beyond the sea; **погребвам в ~то** commit to the deep; **и по суша** on/by land and sea; **2.** (*морски бряг*) seaside; **град на ~** a seaside town; **на ~** (*за почивка и пр.*) at the seaside; **3.** *прен.* (*голямо количество, пространство*) thousands of; a wilderness of; **~ от покриви** a wilderness of roofs; **● капка в ~то** a drop in the bucket; **~то му е до коляно** he thinks the moon is made of green cheese, he makes nothing/light of difficulties.

море́н|а *ж.*, **-и** *геол.* moraine; **вътрешна ~а** (*в ледник*) englacial moraine.

морепла́ван|е *ср.*, **-ия** seafaring, (marine) navigation; **закон за ~ето** sea-law.

морепла́вател (**-ят**) *м.*, **-и** seafarer, navigator.

морж *м.*, **-ове, (два) мо́ржа** *зоол.* walrus (*Odobaenus rosmarus*).

морз *м.*, *само ед.* Morse; *разг.* dot-and-dash code; **предавам по ~a** Morse, tap off.

мо́рзов *прил.* Morse (*attr.*); **~ апарат** Morse (linker); **~a азбука** a Morse code/alphabet; a dot-and-dash code.

мо́рков *м.*, **-и, (два) мо́ркова** *бот.* carrot.

мо́рск|и *прил.*, **-а, -о, -и** sea (*attr.*);

(*мореплавателен; крайморски*) maritime; (*свързан с кораби и корабоплаване*) nautical; (*свързан с море*) marine; (*флотски*) naval; **~а академия** a naval academy; **~а блокада** a sea-blockade; **~а болест** sea-sickness; **~а звезда** *зоол.* starfish; **~а котка** *зоол.* sting ray; **~а крава** *зоол.* cowfish, sea-cow, manatee; **~а краставица** *бот.* trepang; **~а пяна** *минер.* meerschaum; **~а сол** sea-salt, bay-salt; **~и бряг** seashore, seaside, coast, beach, seaboard; **~и вълк** *прен.* old salt, sea-dog; **~и пехотинец** *воен.* marine; **~и път** sea route, *амер.* sea-road; **~и разбойник** pirate, sea-robber, sea-wolf, sea-rover; **~и сили** (*флота*) seа/naval/marine forces; navy; **~о конче** *зоол.* sea-horse, hippocampus; **~о растение** weed, marine plant; **~о свинче** *зоол.* guinea-pig; **~о сражение** sea-fight, naval battle/action; **над/под ~ото равнище** above/below sea-level; **не ме хваща ~а болест** be a good sailor.
мòрскосѝн *прил.*, **-я, -ьо, -и** navy blue.
морỳн|а *ж.*, **-и** *зоол.* hausen, great sturgeon, beluga, Peter's fish (*Huso huso*).
морфèм|а *ж.*, **-и** *език.* morpheme.
морфèм|ен *прил.*, **-на, -но, -ни** *език.* morphemic.
морфѝн *м.*, *само ед.* *фарм.* morphine, morphia.
морфологѝч|ен *прил.*, **-на, -но, -ни** morphological; **~ен разбор** *език.* parsing; **правя ~ен разбор** *език.* parse.
морфолòгия *ж.*, *само ед.* *език.* morphology.
морỳ *гл.*, *мин. св. деят. прич.* **морѝл 1.** (*причинявам умора*) tire, exhaust, fatigue; weary; (*изтощавам с работа*) fag, jade; **много ме мори ходенето** I find walking very tiring/trying/exhausting; **2.** (*избивам, изтребвам, унищожавам*) kill (off), exterminate, annihilate, extirpate; (*чрез глад*) starve, famish; **|| ~ се** tire/exhaust o.s., be exhausted/fatigued/tired.
морỳ|к *м.*, **-ци** sailor, seaman; *поет.* mariner; (*обикновен*) deck-hand; *разг.* jack(tar), tar (*обикн.* a jolly tar, an old tar), *амер.* Jacky; **неопитен ~к** a fair-weather sailor; **пътува като прост ~к** sail before the mast; **стар/опитен ~к** an old salt.
морỳшк|и *прил.*, **-а, -о, -и** sailor's,

seaman's, of a sailor, of sailors; **~а фланелка/блуза** jumper.
мост *м.*, **-ове** и **-òве**, (*два*) **мòста 1.** bridge; **висящ ~** suspension-bridge, chain-bridge, a catenary bridge, a hanging bridge; **подвижен ~** swing-/swivel-/flying-/pivot-/turn-/bridge; (*който се вдига нагоре*) a drawbridge, a lifting bridge, a hoist bridge; **понтонен/плаващ ~** a pontoon/floating bridge; **2.** *мед.* (*в зъботехниката*) bridge (work); **3.** *авт.* axle; **заден ~** a rear/back axle; **преден ~** a front axle; **4.** (*гимнастическо упражнение*) backbend; **• минавам ~а** cross the bridge; *прен.* the worst is over; **още не съм минал ~а** the worst is still to come.
мòсти|к *м.*, **-ци**, (*два*) **мòстика** *мор.* (fore)bridge; **сигнален ~к** *жп* gantry.
мòстов и **мостòв|й** *прил.*, **-а, -о, -и** bridge (*attr.*), of a bridge; **~и кантар** weighbridge; **~о съединение** *техн.* a bridge connection.
мòстр|а *ж.*, **-и 1.** sample, specimen, standard; (*от плат*) pattern; (*пощенска пратка*) sample post; **отговарям на ~ата** be up to sample, be true to specimen; **2.** (*на обувка*) toe-cap.
мотàя и **мòтам** *гл.* **1.** reel, wind, spool; **~ прежда на кълбо** wind yarn into a ball; **2.** (*разтакавам, бавя*) keep putting off, delay; **~ преписка** delay a file; **3.** (*заблуждавам, залъгвам, разиравам*) fool, dupe, dodge; juggle with; **|| ~ се 1.** (*намотавам се*) coil around; **2.** (*разтакавам се*) dawdle, moon/fool/fiddle/hang/knock about, maunder about/along, linger, dally, traipse, ramble, doss (around); footle around; *sl.* mooch; (*по улиците*) loiter; (*не правя нищо*) stand idle, mess about; **3.** (*за глава*) swim; **мотае ми се главата** I feel giddy/dizzy; **4.** (*клатя се*) dangle, swing, sway; **• какво ми се мотаеш в краката?** stop getting in my way; **мотам се дълго с нещо/с някаква работа** get stuck on s.th.
мотèл *м.*, **-и**, (*два*) **мотèла** motel.
мотѝв *м.*, **-и**, (*два*) **мотѝва 1.** (*повод, подбуда*) motive, ground, cause, reason, incentive, impulse, inducement; **изтъквам като ~** bring forth as an argument; ground o.'s on; **имам основателни ~и** have good reasons/grounds; **2.** (*тема, сюжет*) motif,

subject, theme, *муз.* figure, tune; **3.** (*за ръкоделие*) model, pattern.
мотивацион|ен *прил.*, **-на, -но, -ни** motivational.
мотивàция *ж.*, *само ед.* motivation.
мотивѝрам *гл.* motivate, justify, give/provide reasons for, bring forth arguments for, adduce motives for; **|| ~ се** give/state o.s. reasons/arguments; ground o.s. (on s.th.).
мотѝк|а *ж.*, **-и** hoe, mattock.
мòто *ср.*, *само ед.* motto; (*максима*) maxim; (*лозунг*) slogan; *рекл.* catch-line, kicker.
мотовѝл|а *ж.*, **-и**; **мотовѝлк|а** *ж.*, **-и 1.** crutch (for yarn); *техн.* connecting rod, rocker; **2.** *само мн.* long legs/shanks.
мотокàр *м.*, **-и**, (*два*) **мотокàра** engine/motor truck.
мотокрòс *м.*, **-ове**, (*два*) **мòтокрòса** *спорт.* scramble-racing, motocross.
мòтокултивàтор *м.*, **-и**, (*два*) **мòтокултивàтора** motor hoe/cultivator.
мотопèд *м.*, **-и**, (*два*) **мотопèда** moped.
мòтопѝст|а *ж.*, **-и** motor-cycle track.
мотòр *м.*, **-и**, (*два*) **мотòра 1.** (*двигател*) motor, engine; **~ генератор** dynamotor; **пускам/запалвам ~а** start the engine; **2.** (*мотоциклет*) motor-cycle, motor bike.
мотòр|ен *прил.*, **-на, -но, -ни 1.** motor (*attr.*), of a motor, motory, motor-driven; **~но превозно средство** motor vehicle; **2.** *физиол.* motorial; **~ен мускул/нерв** *анат.* motor.
моторизѝрам *гл.* motorize.
моторѝст *м.*, **-и** *vi* motorman.
мотòрниц|а *ж.*, **-и** motor boat.
мотоциклèт *м.*, **-и**, (*два*) **мотоциклèта** motorcycle, motorbike.
мотоциклетѝз|ъм (**-мът**) *м.*, *само ед.* motor cycling.
мотоциклетѝст *м.*, **-и** motorcyclist.
мотрѝс|а *ж.*, **-и** Diesel train, motor carriage, railmotor; (*на трамвай*) (rail) motor car, motor streetcar.
Мохамèд *м. собств. рел.* Mohammed.
мохамедàнин *м.*, **мохамедàни; мохамедàнк|а** *ж.*, **-и** Moslem, Muslim, Mohammedan, Mahometan, Mussulman; Moslem/Muslim/Mohammedan/Mahometan woman.
мохамедàнство *ср.*, *само ед.* Mohammedanism, Moslemism, Islam.

мохер *м., само ед. текст.* mohair.

мочурищ|е *ср.,* -а bog, slough, swamp, marsh(land), morass, fen, quag(mire); *амер.* ooze.

мочурлив *прил.* boggy, swampy, marshy, soggy, fenny, quaggy.

мошени|к *м.,* -ци; **мошеничк|а** *ж.,* -и swindler, rascal, scoundrel, impostor, crook, cheat, fraud, defrauder, fraudster; knave, rogue, trickster, dirty fellow, nobbler, shark (*обикн. политик, адвокат*); shyster, *разг.* fiddler, bad egg, *sl.* (black) leg; *sl.* gyp; (*обикн. на карти*) sharper, palmer, rook; **банда** ~ци a pack of scoundrels, *разг.* long firm.

мошеничество *ср., само ед.* swindle, imposture, knavery, roguery, roguishness, fraudulence, jockeying, jockeyship, rascality, trickery, sharp practice, foul play, dirty work; *разг.* fiddle; flimflam; *sl.* fast shuffle/one; *sl.* gyp.

мощ *ж., само ед.* power, might, vigour, strength.

мощ|ен *прил.,* -на, -но, -ни powerful, mighty, vigorous, massive; **правя по-~ен** (*за автомобил, двигател и пр.*) *разг.* soup up.

мощи *само мн. църк.* relics; • **живи** ~ *разг.* mere skeleton, living mummy/ skeleton, a bag of bones; walking corpse.

мощност *ж.,* -и power, capacity, horse-power; vigour; (*на машина*) duty; (*на трактор*) tractive force; (*на глас*) volume; (*на радио*) sound output; (*производителност*) output; (*на пласт, жила, залеж*) *мин.* width, depth; **върхова** ~ *ел.* (on-)peak power; **излетна/стартова** ~ *авиац.* maximum take-off power, *амер.* take-off power/ rating; **изходяща** ~ *ел.* output power, (power) output; ~ **на излъчването** emissive/radiation/radiated power; **необходима** ~ required power; **полезна** ~ useful/net/real power, available capacity; **производствени** ~и production capacities; **с голяма** ~ (*за машина*) *техн.* heavy-duty (attr.); **с малка** ~ (*за машина*) *техн.* low-powered, light-duty (attr.); **с пълна** ~ at full power.

мравешк|и *прил.,* -а, -о, -и formic; ant (attr.), ant's, of ants; (*подобен на мравка*) ant-like.

мравк|а *ж.,* -и *зоол.* ant; **летяща** ~а *зоол.* ant-fly; • **лазят ме** ~и feel as if ants are creeping over o.'s skin, have the shivers, shiver; **на** ~ата **път прави** he cannot say boo to a goose, he wouldn't hurt/harm a fly.

мравояд *м.,* -и, (два) **мравояда** *зоол.* ant-eater, ant-bear.

мравуня|к *м.,* -ци, (два) **мравуняка** 1. ant-hill; *зоол.* formicarium, formicary; 2. *прен.* swarm, shoal, crowd, throng, horde.

мравчен *прил.*: ~а киселина *хим.* formic acid.

мраз *м.,* -ове́ frost, chill, nip, freezing/ chilly weather; **голям** ~ hard/sharp/bitter frost.

мразовит *прил.* frosty, (very) cold, wintry, chilly, icy; **въздухът е** ~ there's a chill in the air.

мразоустойчивост *ж., само ед.* resistance to cold, frost-resistance.

мразя *гл., мин. св. деят. прич.* **мразил** hate; (*не обичам*) dislike; (*силно*) detest, abhor, abominate, loathe (c *ger.* или *inf.* c to); **ако има нещо да** ~, **то е** ..., **от всичко най-**~ if there's anything I can't stand/I detest, it's ...; ~ **някого до смърт** hate s.o.'s guts; || ~ **се:** **мразят се** there is bad/ill blood between them.

мрак *м., само ед.* darkness, dusk, gloom, obscurity; **в** ~а in the dark; **нощният** ~ the dark of night.

мрамор *м., само ед. минер.* marble; **многоцветен** ~ brocatel(le), brocatello.

мрамор|ен *прил.,* -на, -но, -ни marble (attr.); (c шарки като на мрамора) marbled; (*от или подобен на мрамор*) *поет.* marmoreal, marmorean.

мрач|ен *прил.,* -на, -но, -ни 1. dark, obscure, dim, gloomy, sombre, murky; dingy; unlit; tenebrous; (*за време*) gloomy, dull; (*за облаци*) dark, louring; (*за небе*) dark, overcast, louring; 2. *прен.* (*нерадостен*) dark, gloomy, gloomful, sombre, sombrous, dismal, dreary, dingy; grim, sad, melancholy, cheerless, sullen, sulky; gaunt; (*за характер*) morose, saturnine; (*за поет, картина, вид и пр.*) gloomy; (*за усмивка, лице, описание и пр.*) grim; (*за вид*) grim, glum, black-faced, moody; woebegone; **виждам нещата в** ~на светлина take a gloomy view of

things; ~ни **мисли** *разг.* the blues.

мреж|а *ж.,* -и 1. net, netting, mesh-work; (*за пазаруване*) (marketing)net, string-bag, cord-bag; (*за коса*) hair net; (*решетка*) grid; (*рибарска*) fishing net, (*която се мята*) cast(ing) net, (*която сама плува в морето*) driftnet, (*която виси отвесно*) seine, (*като торба, която се влачи след лодка*) trawl; (*за ловене на пеперуди*) ring-net, butterfly net; (*за ловене на птици*) clapnet; (*против комари*) mosquito net; (*против мухи*) flyscreen, fly-net; (*върху която се скача от здание при пожар и пр.*) lifenet; (*от тънки нишки*) (wire) gauze; *ел.* grid; **телена** ~а wire-net; *воен.* а barbed wire entanglement/obstacle, wire; 2. *прен.* net, mesh(es); **оплитам в** ~ата **си** ensnare, enmesh; **плета** ~ите **си** intrigue; 3. (*система*) network, system; **водопроводна** ~а plumbing water mains; **националната електрическа** ~а the grid; **търговска** ~а network of shops; **шпионска** ~а spy(ing) ring.

мрежест *прил.* netlike, meshy; reticulate(d), reticular, retiform; (*за чорапи*) fishnet; *зоол.* telary.

мрежов *прил.*: ~а **икономика** networking economy; ~и **графици** *комп.* network (linear) charts, the PERT system.

мръвк|а *ж.,* -и *нар.* piece/morsel of meat; (*вкусна*) titbit.

мръдвам, мръдна *гл.* 1. *прех. и непрех.* move, stir, shift, budge; **мръдни малко** make room, move off a bit; **не мога да го мръдна от мястото му** I cannot budge him from his place; **не** ~ not stir (a peg); 2. (*отскачам донякъде*) slip across (до то), nip across (то), run over (то); **мръднах само за няколко минути** I was away for a few minutes only; || ~ **се** move, stir, budge; **няма да се мръдна оттук** I will not move/stir a foot; • **не е мръднал** (*за човек - не е остарял*) he's as young as ever; **не е мръднала** (*за дреха - не е остаряла*) it's as good as new; **не е мръднало** (*за ядене - не се е развалило*) it's as good as fresh; it's perfectly good.

мръзна *гл.* freeze, shiver with cold, feel cold, suffer from cold; (*стоя на сту-*

да) stand out in the cold, be exposed to the cold; (*замръзвам*) freeze, congeal.

мръ̀ква се, мръ̀кне се *възвр. гл.* it is getting/growing dark, dusk is falling, night is drawing on.

мръ̀нкам *гл.* mumble, mutter; (*недоволно*) grumble, mutter, murmur, grouse; gripe; *амер. sl.* chew the fat; (*хленча*) snivel, whimper; (*за дете*) *разг.* grizzle.

мръ̀с|ен *прил.*, -на, -но, -ни 1. dirty, grubby, grimy, soiled, mucky, messy, hoggish, unwashed; *книж.* feculent; *разг.* sleazy, scruffy (*и мизерен*) tatty; (*много*) filthy; (*нечист*) unclean, impure, frowzy, (*и мизерен*) squalid, sordid; (*покрит с лекета*) stained; (*за време*) dirty, foul, nasty, wretched, beastly; (*за вода*) foul, impure, polluted; (*за въздух*) foul, close; (*за цвят*) dingy; (*за улица, път*) dirty, muddy, miry; 2. (*долен, низък*) dirty, nasty, mean(-spirited), vile, base, wicked, sleazy; *sl.* grotty; (*като ругателен епитет*) *sl.* bloody, (*евфемистично*) blankety; (*безчестен – за деяние*) unfair, foul, abominable; (*за престъпление*) foul; ~**ен номер** dirty/nasty/mean trick; ~**ни сделки** funny business; 3.(*неприличен*) dirty, foul, filthy, nasty, ribald, scurrilous, obscene, profane, lewd; **говоря** ~**ни думи/приказки** talk filth, be foul-mouthed; ~**ен виц** dirty/ribald joke; ● **правя** ~**но на някого** play a dirty trick on s.o., *sl.* do the dirty on s.o.

мръснѝ|к *м.*, -ци 1. (*нечист човек*) dirty/slovenly fellow; 2. (*долен, нечестен човек*) base/mean person, blackguard, scoundrel, rogue, cad, villain, rat, sleazeball, scamp; dirty dog, yellow dog; *sl.* crumb; fink; 3. (*който говори неприлични неща*) dirty/ribald/scurrilous/obscene fellow; ribald; 4. (*развратник*) rake, libertine, profligate.

мръснѝц|а *ж.*, -и mean/base woman.

мръсотѝ|я *ж.*, -и 1. (*нечистотия*) dirt, filth, squalor, grime; griminess; (*боклук*) rubbish, offscourings, refuse, dregs; 2. (*долна постъпка*) dirtiness, nastiness, manginess, sleaze, dirty/nasty trick, dirty/nasty business/job; 3. (*цинизъм*) obscenity; (*неприлична ду-*

ма) dirty word; ordure.

мръ̀щя *гл.*, *мин. св. деят. прич.* мръ̀щил: ~ **нос/чело** wrinkle o.'s nose/ forehead; || ~ **се** 1. wrinkle/knit/pucker o.'s brow; frown (at/on s.o.); scowl, lour, make a wry face; sulk, be in the sulks, have (a fit of) the sulks; ~ **се на нещо** (*не одобрявам*) frown upon s.th.; 2. (*за времето, небето*) lour, lower, be overcast.

мря̀на *ж.*, **мрѐни** *зоол.* (*риба*) barbel (*Barbus*); **черна** ~ mountain barbel.

му̀д|ен *прил.*, -на, -но, -ни slow, sluggish, dilatory, *sl.* draggy, phlegmatic, laggard, tardy, languid, lumpish, lumpy; leaden; inactive, inert; unapt; backward; ~**ен човек/ученик** *разг.* dawdler, slow-coach.

му̀дно *нареч.* slowly, at a slow pace; dawdlingly.

му̀з|а *ж.*, -и *мит.* muse (*и прен.*).

музѐ|ен *прил.*, -йна, -йно, -йни of museum, museum (*attr.*); ~**йна вещ** a museum piece/specimen; ~**йна рядкост** rarity, *прен.* a fly in amber.

музѐ|й (-я̀т) *м.*, -и museum; **къща** ~**й** a museum-house, a memorial house; **природонаучен** ~**й** a natural history museum.

му̀зик|а *ж.*, -и 1. music; **забавна** ~ a light music; **любител на** ~**ата** a music-lover; **танцувам/играя под такта на** ~**ата** dance to the music; 2. (*група, оркестър*) band; **духова** ~**а** a brass band; ~**ата гръмна/засвири марш** the band blared out/forth a march.

музика̀л|ен *прил.*, -на, -но, -ни musical, music (*attr.*); ~**ен филм** a musical (film); ~**ни произведения** musical compositions; ~**но училище**, ~**на академия** music-school, a school/college of music, (*извън Англия*) conservatoire; **нямам** ~**ен слух** I am tone-deaf; **с** ~**ен съпровод** accompanied by music.

музика̀нт *м.*, -и; **музика̀нтк|а** *ж.*, -и musician.

музиковѐд *м.*, -и; **музиколо̀|г** *м.*, -зи musicologist.

музикозна̀ние *ср.*, *само ед.* musicology.

мукава̀ *ж.*, *само ед.* cardboard; (*получена от няколко залепени хартии*) pasteboard.

мула̀т *м.*, -и mulatto.

мула̀тк|а *ж.*, -и mulatto (woman).

му̀ле *ср.*, -та *зоол.* mule (*и прен.*).

мулинѐ *ср.*, *само ед.* embroidery thread.

мултимѐди|я *ж.*, -и multimedia.

мултимилионѐр *м.*, -и multimillion-aire.

мултинационà̀л|ен *прил.*, -на, -но, -ни multinational.

мултипликà̀тор *м.*, -и, (**два**) **мултипликà̀тора** 1. *кино.* (*художник*) animator; 2. *техн.* multiplicator.

мултипликà̀ци|я *ж.*, -и *кино.* animation.

мумифицѝрам *гл.* mummify.

му̀ми|я *ж.*, -и *истор.* mummy (*и прен.*); ● **сух като** ~**я** a living mummy/skeleton, a bag of bones.

мундѝр *м.*, -и, (**два**) **мундѝра** full-dress, (military) coat.

мундщу̀|к *м.*, -ци, (**два**) **мундщу̀ка** mouthpiece, embouchure; (**на юзда**) cannon-bit, (curb-)bit; (*на лула*) mouthpiece; (*на цигара*) tip; *техн.* neck; tip; nozzle; jet.

мунѝци|я *ж.*, -и *обикн. мн.* ammunition.

му̀р|а₁ *ж.*, -и *бот.* white fir (*Pinum peuce, Pinum lemodermis*).

му̀р|а₂ *ж.*, -и *зоол.* abomasum.

му̀ргав *прил.* swarthy, dark, tawny, dusky, olive, nut-brown.

мус *м.*, *само ед.* *кул.* mousse.

муса̀к|а *ж.*, -и *кул.* meat-and-vegetable hash.

муселѝн *м.*, *само ед.* *текст.* muslin, mousseline, voile, (*дебел*) muslinet.

муск|а̀ *ж.*, -и moussaka, amulet, talisman, fetish, mascot, ju-ju.

муска̀л *м.*, -и, (**два**) **муска̀ла** *диал.* vial, phial, flasket.

мускета̀р (-я̀т) *м.*, -и *истор.* musketeer.

му̀скул *м.*, -и, (**два**) **му̀скула** *анат.* muscle; **двуглав** ~ *анат.* biceps; ~**и** (*сила*) brawn; **правя** ~ a pump iron.

мускулату̀ра *ж.*, *само ед.* muscles, sinews, muscularity; (*сила*) brawn; (*на животно*) musculature.

му̀скул|ен *прил.*, -на, -но, -ни muscular, of the muscles; ~**на инжекция** an intramuscular injection, an injection i.m.; ~**на треска** stiffness.

му̀скулест *прил.* muscular, muscly, brawny, sinewy, nervous; ~ **стомах** *зоол.* gizzard.

му̀скус *м.*, *само ед. биохим.* musk.

му̀скус|ен *прил.*, **-на**, **-но**, **-ни** musk (*attr.*), musky; **~ен бик** musk-ox; **~на патица** musk-duck, Muscovy duck.

мусо̀н *м.*, **-и**, (**два**) **мусо̀на** *метеор.* monsoon; **зимният ~** the dry monsoon; **летният ~** the wet/rainy monsoon.

мусо̀н|ен *прил.*, **-на**, **-но**, **-ни** monsoonal.

муста̀|к *м.*, **-ци**, (**два**) **муста̀ка** moustache; *разг.* tash; **пускам ~ци** grow a moustache; (*на котка*) whisker; (*на риба*) barb(el); (*на рак*) feeler; (*на насекомо*) feeler, antenna, *pl.* antennae; *бот.* sucker, runner, flagellum, tendril, cirrus; (*на житно растение – осил*) awn; (*на ягода*) trailer; ● **смея се под ~к** chuckle, laugh in o.'s beard, laugh up o.'s sleeve; **суча ~к** *прен.* lick o.'s chops/lips.

мустака̀т *прил.* **1.** moustached, whiskered, with a long/big moustache; **2.** *прен.* grown-up.

муста̀нг *м.*, **-и**, (**два**) **муста̀нга** *зоол.* mustang, *амер.* bronco.

му̀ся се *възвр. гл.*, *мин. св. деят. прич.* **му̀сил се** scowl, lour, lower, pout, look cross, wear a sullen look, miff.

мута̀ци|я *ж.*, **-и** *биол.* mutation, breaking/change (of the voice).

мутѝрам *гл.* (*за глас*) break.

мутр|а *ж.*, **-и** *разг.* mug, phiz, pan, dial; (*гримаса*) grimace, wry face.

му̀ф|а *ж.*, **-и** *техн.* socket, sleeve, muff, muffle, nut, ferrule; collar, collet; (*куплунг*) coupling, coupler, union, clutch; **изолираща ~a** insulating joint; **кабелна ~a** cable box.

муфло̀н *м.*, **-и**, (**два**) **муфло̀на** *зоол.* moufflon (*Ovis musimon*).

му̀фта *разг.* **1.** *като нареч.* free-gratis-and-for-nothing; **2.** *като същ. sl.* pick-up, snap.

мух|а̀ *ж.*, **-ѝ 1.** *зоол.* fly; **2.** (*за риболов*) may-fly, cockabondy, cockabundy, (royal)coachman; **испанска ~a** Spanish fly, blister-beetle, cantharis, *pl.* cantharides; **конска ~a** horse-fly, cleg, breeze; ● **влиза ми ~а в главата** take it into o.'s head; **категория "~a"** *спорт.* flyweight; **лутам се като ~а без глава** be like a chicken with its head off; **~a да бръмне – ще се чуе** one could hear a pin drop; **от ~ата правя слон** make a mountain out of a molehill.

мухля̀сал *прил.* mouldy, musty, fusty (*и прен.*); *прен.* worm-eaten; **~ хляб** mouldy bread; **~и мозъци** persons gone/run to seed.

мухля̀свам, **мухля̀сам** *гл.* grow/go mouldy/musty/fusty.

мухоло̀вк|а *ж.*, **-и** fly-catcher, flytrap; (*леплива или отровна хартия*) fly-paper; (*мухобойка*) flapper; fly-flick, fly-flap, fly-swatter.

мухомо̀рк|а *ж.*, **-и** *бот.* fly agaric, death-cup.

му̀хъл *м.*, *само ед.* mould, must.

муцу̀н|а *ж.*, **-и** muzzle, snout; *sl.* nozzle; (*на преживно животно*) muffle.

муча̀ *гл.* (*за крава*) low, moo, (*за бик*) bellow, (*за елен*) troat.

мушам|а̀ *ж.*, **-ѝ 1.** oil skin, waterproof; (*за маса и под*) oilcloth, American cloth, waxcloth; (*покривна*) tar paper, roofing/asphaltic felt; **2.** (*дреха*) raincoat, waterproof, mackintosh, *разг.* mac, Burberry, (*официерска*) trench-coat.

мушѝтрън *м.*, **-и**, (**два**) **мушѝтръна** *зоол.* wren (*Troglodytes troglodytes*).

мушѝц|а *ж.*, **-и 1.** little fly, midge; gnat; **2.** *прен.* meek person, lamb, mouse; **кротък като ~a** as meek as a lamb; **тих като ~a** as quiet as a mouse.

му̀шк|а *ж.*, **-и** *воен.* foresight, front sight, muzzle sight, bead; **вземам на ~a** draw a bead on (*и прен.*); cover.

му̀шкам и **му̀швам**, **му̀шна** *гл.* **1.** poke, push, thrust, jab, job, jog, prod (s.th., at s.th.); (*еднократно*) give a poke/push/thrust/jab; (*с лакът*) nudge; **~ някого в ребрата** dig/prod s.o. in the ribs; **~ някого отзад** *sl.* goose s.o.; **2.** (*пъхвам*) stick, thrust, shove, jab, plunge, run, tuck (**в** in, into, through); (*незабелязано*) slip (**в** into); **~ нещо под мишница** tuck s.th. under o.'s arm; **ръце в джобовете** bury/plunge o.'s hands into o.'s pockets; **тя му му̀шна парите в ръката** she thrust the money into his hand; **3.** (*прибирам*) tuck (away); (*слагам*) stick/shove/put away. **4.** (*забивам – кама и пр.*) stick; (*промушвам – с нож*) stab, (*с копие*) spear; (*бодвам – с игла*) prick (s.th. with a pin, etc.); (*с рога*) gore; (*с остен*) goad; (*бутвам с глава – за

овен и пр.*) butt (at s.o.) (*на шиш*) spit; **~ нещо с игла stick a pin into s.th.; || **~ се** slip/sneak in; (*светкавично*) whisk (into) (*провирам се*) squeeze (through).

мушка̀т|о *ср.*, **-а** *бот.* pelargonium, (garden) geranium.

мушмул|а *ж.*, **-и** *бот.* medlar-tree (*Mespilus*); (*плод*) medlar.

мъгл|а̀ *ж.*, **-ѝ 1.** mist; (*гъста*) fog, *разг.* peasouper; (*лека*) haze; (*изпарения*) vapour; (*на облак*) fogbank; (*смесена с дим*) smog; **~ се вдига/разнася** the mist/fog is rising/lifting/clearing away; **пада ~a** it is turning foggy; **2.** *прен.* mist, fog, haze, confusion; **в ~a съм** be in a fog, be in the dark, be at a loss; ● **бъдещето е обвито в ~a** the future is uncertain, the future is wrapped in mystery; **ясно като то в ~a** as clear as mud, as clear as ditch water.

мъглѝв *прил.* **1.** misty, foggy; hazy; **2.** blurred; **3.** *прен.* hazy, nebulous, cloudy, indistinct, vague, obscure, dim, confused, muzzy, fuzzy.

мъгля̀вин|а *ж.*, **-ѝ 1.** *фот.* (*мъгляво петно*) fogging; **2.** *астр.* nebula, nebulosity.

мъгля̀во *нареч.* foggily; **виждам ~** see things through a mist.

мъдрѐц *м.*, **-ѝ 1.** wise man, man of wisdom, sage; **2.** (*зъб*) wisdom-tooth; **расте ми ~** I'm cutting a wisdom-tooth.

мъ̀дрост *ж.*, **-ѝ 1.** wisdom; (*благоразумие*) sagacity, sageness, prudence, common/good sense; **2.** (*мъдра мисъл*) piece of wisdom, wise saying.

мъдру̀вам *гл.* philosophize, theorize, subtilize; spend much time (on s.th.); incubate (s.th.).

мъ̀дря се *възвр. гл.*, *мин. св. деят. прич.* **мъ̀дрил се** look coy/wise; (*за предмет*) stand prominently.

мъ̀д|ър *прил.*, **-ра**, **-ро**, **-ри 1.** wise, sage, sagacious; reasonable, sensible, sound, commonsense, judicious, prudent, discreet; **2.** (*кротък, тих*) gentle, meek, (*послушен*) obedient; ● **докато ~рите се намъдруват, лудите се налудуват** go-getters always get a chance; **и най-~рият си е малко прост** even a wise man stumbles.

мъж *м.*, **-è** man, *pl.* men; (*съпруг*) husband, man; **държавен ~** statesman;

истински ~, ~ **на място** o.'s own man, twice the man; ~**ете** men, the sterner sex; **тя е** ~**ът вкъщи** she wears the breeches.

мъжделѝв *прил.* flickering, flickery, glimmering, faint, dim.

мъждѐя *гл., мин. св. деят. прич.* **мъждѐел** flicker, glimmer, glow faintly.

мъжемразк|а *ж.,* -**и** man-hater.

мъжѐствен *прил.* **1.** manly, manful, virile, masculine; **2.** (*смел*) courageous, brave, valiant, manful, soldierly.

мъжествò *ср., само ед.* manliness, manfulness, courage, bravery, valour, fortitude, heroism, red blood; **лишавам от** ~ unman.

мъж|ѐц *м.,* -**цѝ,** (**два**) **мъжèца** *анат.* uvula.

мъжкàр (-**ят**) *м.,* -**и** male; *за някои мъжки животни* – he- + *общата дума, напр.* he-goat: (*за заек*) buckhare, buck-rabbit; (*за вълк, лисица*) dog-wolf, dog-fox; (*за врабче*) cocksparrow.

мъжкаран|а *ж.,* -**и; мъжкàрк|а** *ж.,* -**и** (*момиче*) tomboy, romp, hoyden, gamine; (*жена*) mannish/manlike woman, virago.

мъжк|и₁ *прил.,* -**а,** -**о,** -**и** male; (*за мъже*) men's, gentlemen's, for gentlemen/ men; (*присъщ на мъж*) masculine, manly; *пренебр.* (*за жена*) mannish; ~**а сила** male vigour; ~**и дрехи** men's clothes; ~**и род** *език.* (the) masculine; **роднини по** ~**а/**~**а линия** relatives on o.'s husband's side.

мъжки₂ *нареч.* bravely, like a man, energetically; **да си поговорим по** ~ let's talk as man to man; **събираме се по** ~ *разг.* it is a stag-party.

мъзгà *ж., само ед.* sap; *прен.* sap, vigour, vitality.

мък|а *ж.,* -**и** **1.** pain, anguish, agony, pangs, misery, torment, torture, throe(s); (*изтезание*) torture, torment, rack; ~**а ми е на душата** be/feel sick/heavy at heart; **родилни** ~**и** pangs of childbirth, labour; **съсипан от** ~**а** stricken with grief; **творчески** ~**и** throes of creation; **умирам от** ~**а** die broken-hearted; **2.** (*тегло*) suffering, hardship; hard times; **кажи си** ~**ата** tell me what's worrying you; **казвам си** ~**ата** pour o.'s heart out; **3.** (*усилие*) effort, strain; difficulty; toil, drudgery; **изкарвам си хляба**

с ~**а** make o.'s living by hard work, have a hard time making o.'s living; **с** ~**а поемам дъх** battle for breath; **4.** (*пъкъл*) eternal torment, hell.

мъкна *гл.* (*влача*) drag, lug, haul, tug; (*нося*) carry (about), cart (about); *амер. разг.* tote; **пак ли ми го мъкнеш?** must you keep bringing him here?; || ~ **се** drag o.'s; drag along, trail; walk/ move heavily; traipse; (*капнал съм*) I can hardly walk, I'm on my last legs; **все се мъкнат тук** they're hanging about/around here; they've been dropping in on us all the time; ~ **се с някого** go about with s.o.

мълвà *ж., само ед.* rumour, (common) talk, gossip, hearsay, report; **носи се** ~, **че** it is rumoured that, there is some talk/a rumour that, the report/story goes that, whispers are going round that.

мълвя́ *гл., мин. св. деят. прич.* **мълвѝл** utter, say.

мълниенòс|ен *прил.,* -**на,** -**но,** -**ни** lightning (*attr.*), lightninglike; quick as lightning; fulminant; ~**на атака** a hit-and-run attack; ~**на война** *воен.* blitzkrieg; **с** ~**на бързина** like lightning/a thunderbolt, with lightning speed, like a streak of lightning; *разг.* like greased lightning.

мълни|я *ж.,* -**и** lightning; thunderbolt; **гръм и** ~**и** thunder and lightning; **гръм и** ~**и!** fire and brimstone! **разпространявам се като** ~**я** spread like wild fire.

мълчà *гл.* **1.** be silent, keep/observe silence, remain/keep silent/mum, be/keep still; not say/utter a word, say nothing; hold o.'s peace/noise; **защо мълчиш?** why are you silent, why don't you say something? ~ **си** not say a word, keep o.'s own council, hold o.'s peace, *разг.* keep o.'s noise; **мълчи като пън** he never has anything/a word to say; he hasn't a word to throw at a dog; **мълчи! мълчете!** hush! silence! don't talk! keep quiet/still/silent; (*грубо*) shut up!, *sl.* belt up! **не мога повече да** ~ (*по този въпрос*) I have to speak out; **2.** (*пазя тайна*) keep a secret, hold o.'s tongue; button up o.'s mouth; *разг.* keep (s.th.) under one's hat; keep the lid on, keep a stiff upper lip.

мълчалѝв *прил.* **1.** (*за човек*) silent, taciturn, close, reticent, close-mouthed, close-lipped, sparing of words; (*вързан*

в езика) tongue-tied, tight-lipped; **2.** (*за отговор, съгласие*) tacit, unspoken; ~**а молба** a dumb appeal; ~**о съгласие** tacit/implicit consent, connivance, *юр.* sufferance.

мълчалѝво *нареч.* in silence; implicitly; **одобрявам** ~ connive; **понасям** ~ suffer in silence; grin and bear it.

мълчàни|е *ср.,* -**я** silence; **отминавам нещо с** ~**е** pass s.th. over in silence; ● **гробно** ~**е** dead/blank/unbroken silence; ~**ето е злато** silence is golden.

мъмрен|е *ср.,* -**ия** scolding, chiding, rating, rowing, rebuke, reproof, objurgation, *разг.* talking-to; earwigging; (*служебно*) reprimand, *разг.* carpeting; **получавам** (**строго**) ~**е** be (severely) reprimanded, *разг.* walk the carpet.

мъмря *гл., мин. св. деят. прич.* **мъмрил** scold, chide; (*порицавам*) rebuke, reprove, objurgate; (*ядовито, остро*) rate; (*служебно*) reprimand; call/have s.o. on the carpet.

мъннст|о *ср.,* -**а** bead.

мъничко *нареч.* a little; just a (little) bit; a (wee) bit; a trifle; **само** ~ just a little, (*за течност*) a spot, a drop.

мънич|ък *прил.,* -**ка,** -**ко,** -**ки** **1.** very small/little, tiny, titchy, wee, teenyweeny; (*миниатюрен*) diminutive, miniature, midget, *разг.* knee-high to a grasshopper; (*по-малък от нормалното*) puny, undersized, dwarfish, manikin (*attr.*); (*незначителен*) slight, trifling, minute; ~**ко дете** tiny little boy/ girl, tiny tot; **2.** *като същ. разг.* the baby, the kid, the child.

мънкам *гл.* mumble; eat o.'s words; (*нерешително*) hem and haw.

мърдам *гл. непрех.* stir, move; budge; *прех.* (*движа, местя*) move, shift, change the place/position of; **държа нещо да не мърда** hold s.th. steady; ~ **пръстите на краката си** wriggle o.'s toes; **не** ~ stand still, not stir an eyelid; || ~ **се** move, stir; ● **няма къде да** ~ **бе** in a cleft stick, be in a corner, have no choice.

мързел *м., само ед.* laziness, indolence, idleness, sluggardness, sloth; *фр.* faineance; **хванал ме е** ~(**ът**) feel lazy.

мързелѝв *прил.* (*и като същ.*) lazy, idle, indolent, slothful, sluggish, boneidle, born tired; ● **накарай** ~**ия на ра-**

бота да те научи на акъл it takes a lazy man to find the easiest way out.

мързелѝв|ец *м.*, **-ци; мързелѝвк|а** *ж.*, **-и** lazybones, sluggard, slug, idler, loafer, lounger, sloucher; *фр.* fainéant.

мързелу́вам *гл.* be/lie idle, (just) do nothing, indulge in idleness, idle away o.'s time, lounge, moon (about), loaf (about); *разг.* slug, laze.

мързѝ ме (те, го, я, ни, ви, ги) *безл. гл., мин. св. деят. прич.* мързя́ло ме (те, го, я, ни, ви, ги) be/feel lazy; not feel like working; ~ да напра́вя нещо be too lazy to do something.

мъ́ркам *гл.* purr; *прен.* grumble, murmur, grouse.

мърл|а́ *ж.*, **-и** slut, slattern, trollop; *англ. sl.* flea-bag.

мъ́рльо *м.*, **-вци** mudlark, sweep, sloven, stinkpot; (*дете*) grub.

мъ́рляв *прил.* grubby, messy, filthy, raddled, scruffy, tatty, unkempt; *амер. sl.* grungy; *предикат. разг.* like s.th. the cat has brought in.

мърмо́рко *м.*, **-вци; мърмора́н|а** *ж.*, **-и** grumbler, grouser, grump, nagger, crabber, fussy-tail, grouch, complainer, crosspatch.

мърмо́ря *гл., мин. св. деят. прич.* мърмо́рил **1.** (*оплаквам се*) grumble, mutter, murmur, grouch, grouse; crab (about); gripe; grump; (*натяквам*) nag; **той посто́янно ми мърмо́ри**, he's always scolding me, he's always on to me; **2.** (*говоря неясно*) mumble; hem and haw; ~ под но́са си mutter to o.s.

мърсу́вам *гл. разг.* **1.** sleep around, go whoring; **2.** (*крада*) pilfer.

мърся́ *гл., мин. св. деят. прич.* мърси́л dirty, soil, foul, grime, stain; *прен.* tarnish, sully, stain; || ~ се dirty/soil o.s., become/get dirty/soiled/stained; **кой́то не се мърси** (*за плат*) stain-proof.

мъртве́ц *м.*, **мъртъвци** dead man/person; (*труп*) body, corpse; (*покойник*) (the) deceased.

мъртве́шк|и *прил.*, **-а, -о, -и 1.** *прил.* of death, death (*attr.*); deathlike; deathly, deadly; ghastly; **имам ~и вид** look like death; **~а глава** *зоол.* death's head moth; **спя ~и сън** sleep like a log; **2.** *нареч.:* **~и бле́ден** deadly/ghastly pale.

мъртви́ло *ср., само ед.* **1.** dead season/time; stagnation; deadness; *прен.*

stagnation, backwater; **2.** dead silence.

мъртвопия́н *прил.* dead-drunk, blind-drunk; incapably drunk, dead to the world.

мъртворо́ден *прил.* still-born.

мърт|ъв *прил.*, **-ва, -во, -ви** dead; (*безжизнен*) lifeless; inanimate; **~ва мате́рия** inanimate matter; **падам ~ъв** fall (stone) dead; **престру́вам се на ~ъв** simulate death; • **за ~вите или добро, или нищо** de mortuis aut nihil aut bene; **~ва кост** *мед.* osseous growth, atheroma, tumour; **~ва то́чка** dead point; standstill, deadlock, stalemate; *техн.* dead centre; **~во вълне́ние** (ground) swell, ground-sea; **~ъв сезо́н** dead/dull/off season; **ни жив, ни ~ъв** more dead than alive.

мърш|а́ *ж.*, **-и 1.** carrion, offal, dog's meat; (*труп на умряло животно*) carcass; **2.** (*мършаво животно*) scrag; • **вся́ко ста́до си има ~а** there is a black sheep in every flock.

мърша́в *прил.* lean, gaunt, scraggy, emaciated, skinny, raw-boned, meagre; (*за животно*) hide-bound.

мършаве́я *гл., мин. св. деят. прич.* мършавя́л lose flesh, grow/become thin/lean/emaciated/scraggy/gaunt.

мъст *ж., само ед.* revenge, vengeance.

мът|ен *прил.*, **-на, -но, -ни 1.** turbid, muddy, thick, troubled; *книж.* feculent; (*за питие*) dreggy, *амер.* roily; **2.** (*непрозрачен*) opaque; **~но стъкло** bone/opal glass; **3.** (*за поглед*) dull, lustreless, misty, vague, dim; **с ~ен поглед** dull-eyed; **4.** (*неясен, объркан*) muddy, muddled, dark, confused, woolly, vague, obscure; **~ни времена́** troubled times; • **~ните да го вземат/отнеса́т, ~ните го взели** plague take him, the devil take him, drat him; **тя е една ~на и кърва́ва** it is a hell of a mess.

мъти́лк|а *ж.*, **-и** turbidity, muddiness; dregginess; (*мътна течност*) turbid/muddy/thick liquid; slop; (*утайка*) dregs, lees.

мъ́тя₁ *гл., мин. св. деят. прич.* мъ́тил make turbid/muddy, trouble, muddle (*и прен.*), *амер.* roil; **мъти ми се главата** have a thick/muddle head; ~ **умове́те на хора́та** muddle/disturb people's minds; • ~ **някому вода́та** queer s.o.'s pitch, take the wind out of

s.o.'s sails, put a spoke in s.o.'s wheel, stand in s.o.'s way, thwart s.o.'s plans.

мъ́тя₂ *гл., мин. св. деят. прич.* мъ́тил **1.** brood, sit (on eggs), incubate; (*измътвам*) hatch, incubate; **2.** *прен.* plot, scheme, hatch (out), contrive; design; *разг.* cook up; ~ **съзна́нието на хора́та** contaminate the minds of people; **нещо се мъти** there is s.th. in the air/wind, there is s.th. up, trouble is brewing.

мъх *м.*, **-ове, (два) мъ́ха 1.** moss, lichen; **обра́съл с ~** mossy; **2.** (*по лице, плод, пиленце*) down; fuzz; *бот., зоол.* down, pubescence; **покрит с ~** *бот., зоол.* pubescent; **3.** (*на плат*) nap; pile; fleece; (*който пада от мъхести одеяла и пр.*) fluff, lint.

мъхав, мъхест и мъхна́т *прил.* **1.** mossy, moss-grown, covered with moss; **2.** downy; fuzzy; *бот., зоол.* pubescent; **3.** fluffy, with nap; linty; woolly; fleecy; (*за килим*) piled, velutinous.

мъ́ча *гл., мин. св. деят. прич.* мъ́чил torment, torture; (*изтезавам*) torture, excruciate, (put on the) rack (*и прен.*); (*с примамливи представи*) tantalize; (*преуморявам*) overwork, overdrive; (*безпокоя, тормозя*) vex, annoy, worry, bother, pester, molest, pick (on s.o.), gnaw (at); (*систематично*) harass, harry, plague; **какво́ те мъчи?** what's your trouble? what's worrying you? *разг.* what's biting/eating you? **мъчи ме жа́жда** be tormented by thirst; **мъчи ме съвестта́** be tortured by remorse, s.th. lies on o.'s conscience, s.th. weighs on o.'s conscience, be conscious-stricken; || ~ **се 1.** torment o.s. (over s.th.); be in torment; (*страдам*) suffer; have a hard/bad/terrible time; be a martyr (to), be tormented/tortured (with); (*изпитвам болка*) suffer/feel/undergo great pain; (*агонизирам*) agonize, suffer agony, writhe in anguish; ~ **се като грешен дя́вол** have a hell of a time; **убива́м живо́тно да не се мъчи** put an animal out of its pain; **2.** (*опитвам се, правя усилия*) try, endeavour, struggle, make efforts, do o.'s best (to do s.th.), take pains (over s.th.); ~ **се да проя́вя търпе́ние** fight to be patient; ~ **се да си спомня** rack o.'s brains.

мъч|ен *прил.*, **-на, -но, -ни** hard, dif-

ficult; (напрегнат) strenuous, arduous; ● ~ен човек a person hard to please, a person hard to get along with; difficult/tough customer.

мъчѐни|е ср., -я torment, torture; (страдание) suffering; **подлагам на ~е** put to torture; **съшинско ~е е да** it's (real) hell to.

мъченѝ|к м., -ци; **мъченѝц|а** ж., -и martyr; **Светите четиридесет ~ци** църк. the Forty Holy Martyrs.

мъченѝческ|и прил., -а, -о, -и 1. прил. martyr's, of a martyr; 2. нареч. like a martyr; **загивам ~** die the death of a martyr.

мъчѝтел (-ят) м., -и tormentor, torturer.

мъчѝтел|ен прил., -на, -но, -ни painful, racking, nagging; trying; (за главоболие) splitting; (потискащ) depressing, distressing, sad; heart-breaking, harrowing; nerve-(w)racking, nerve-trying; (тормозещ) tormenting, torturing, excruciating, vexatious; (труден, бавен) hard, difficult; **държа някого в ~но напрежение** keep s.o. on tenter-hooks; **~на загуба** grievous loss; **това беше един твърде ~ен ден** it's been rather a nerve-racking day.

мъ̀чно нареч. hard, with difficulty; (едва) hardly; ~ **ми е** feel sad/hurt/wretched/unhappy/miserable; ~ **ми е за някого** (липсва ми) miss s.o. (badly); ~ **може човек да повярва такова нещо** one can hardly believe such a thing.

мюезѝн м., -и рел. muezzin.

мюзикхо̀л м., -ове, (два) мюзикхо̀ла music-hall.

мю̀зик|ъл м., -ли, (два) мю̀зикъла musical, musical comedy.

мю̀зли и **мю̀сли** само мн. muesli.

мюсюлма̀нин м., **мюсюлма̀ни** Moslem, Muslim, Mohammedan, Mahometan, Mussulman.

мюсюлма̀нк|а ж., -и Moslem/Muslim/Mohammedan/Mahometan woman.

мюсюлма̀нство ср., само ед. Mohammedanism, Moslemism, Islam.

мюфтѝ|я м., -и рел. mufti.

мя̀зам гл. диал. resemble, be/look like.

мя̀рка ж., **мѐрки** 1. measure; техн. gauge; (за дреха) measure(ments); (критерий) criterion; прен. (граница) limit; **без ~** above/beyond (all) measure, excessively, immoderately;

всяко **нещо си има ~** there is a limit to everything; **имам чувство за ~** have a sense of proportion, keep within limits; **мерки и теглилки** weights and measures; (преценявам) have/get/know/take the length of s.o.'s foot; **минавам ~та** overdo it, go too far; **~ за дължина** a linear measure, a measure of length; **~ за обем** a solid/cubic measure; **~ за повърхност** a square measure; **направен по ~** made to measure; **това вече минава всяка ~** it's the limit; 2. (целесъобразно действие) measure, step; само мн. measures; **вземам необходими(те) мерки** take due measures/precautions, take measures accordingly; **вземам решителни мерки против** deal firmly with; clamp down on; **като предпазна ~** as a measure of precaution, by way of precaution.

мя̀ркам гл. 1. (забелязвам) catch a glimpse of, catch sight of; 2. intend, plan; || **~ се** 1. show, appear (for an instant, suddenly), show up; (рядко ходя някъде) put in an appearance once in a blue moon; **недей се мярка тук, докато се размине работата** stay clear of here until things blow over; **никакъв не се мяркаш** you're quite a stranger, there's no sign of you; 2. (неясно) loom, glint, flit past.

мя̀сто ср., места̀ 1. place; (за спортна, полит. и пр. среща) venue; (точно определено) spot; (на действие, произшествие) scene, locale; (пространство) room; (местоположение) spot, position, locality; (за/на строеж) (building) site; (за лагер, на битка) site; **в колата няма ~** there's no room in the car; **дворно** (и пр.) ~ plot (of ground), lot; **~ за спане** sleeping accommodation; **~ на скъсване** break(ing); **напишете името си на означеното ~** write your name in the space indicated; **на това ~** at that place; **няма ~ да се обърнеш** there is no room to turn in, there is no room to swing a cat; **по места** locally; **правя ~ на някого** make room for s.o.; **разглеждам интересни места** (на селище и пр.) go sightseeing; **ходя по разни места** go places; 2. (в кола, театър) seat, place; (в параход, спален вагон) berth; (в парламент) seat;

ангажирам/запазвам/резервирам ~ book a seat/place; **в залата има места за 1000 души** the hall is seated for 1000, the hall seats 1000; 3. (момент в развитието на разказ и пр.) point, (част от текст) passage; 4. (служба) place, job, office, situation, position, разг. crib; **вакантно ~** vacancy; **стоя на чело** ~ hold a high office/position; **ако бях на твое** ~ if I were you, if I were in your place/shoes/boots; **болно ~** tender/sore place/spot; **казвам/върша нещо на ~** say/do s.th. at the right place/in season; **класирам се на първо ~**, **заемам първо ~** rank first, sl. take the bun/biscuit, амер. take the cake; **~то и датата** the where and the when; **на първо ~** in the first place; first(ly); to begin with; **не мога да си намеря ~ от** not be able to contain o.s. with, be beside o.s. with (joy, etc.); **не на ~** (неуместно) out of place/season, ill-timed, untimely; **отивам на едно ~** go to the lavatory/toilet; **постави се на мое ~** suppose yourself in my place; **слабо/уязвимо ~** a weak spot/point; foible; a tender/raw/sore spot; heel of Achilles; **стоя/тъпча на едно ~** stand still, mark time; **човек на ~** a reliable person; a man to swear by; that's a man.

мя̀там и **мѐтвам**, **мѐтна** гл. 1. throw, cast; (силно) fling, hurl, dash (по at); (продължително) pelt (at); (подхвърлям) toss; (криле, ръце) flap; (поглед) cast, dart, shoot (a glance); (за кон: сбарвам от гърба си) toss, throw; (обличам дреха набързо) slip into (o.'s coat, etc.), slip on; (с ръка) wave (на такси) hail, flag down; **~ дреха на раменете си** throw/fling a coat over o.'s shoulders; **~ погледи по** make eyes at; **~ покривката на масата** spread the cloth on the table; **~ главата си** toss o.'s head; 2. (излъгвам) разг. do; finagle, pull a fast one; **мисля, че са те метнали** I think you have been done; ● **~ се** throw o.s. (on, upon); (за болен) toss; (за риба на сухо) flap; (на кон) jump, leap (onto); **метнал се е на баща си** разг. he is a chip of the old block; **~ се на седлото** leap into the saddle; (приличам) take (after); **~ се на шията на някого** fall on s.o.'s neck.

мяу̀кам гл. mew, miaow, miaou, miaul; (за човек) caterwaul.

на₁ *предл.* **1.** (*прит. отношение; отношение към деятел, служба или причина за нещо; след същ., образувани от прех. гл.*) of; **един приятел ~ баща ми** a friend of my father's; **свидетел ~ защитата** a witness for defence; **трудът ~ работника** the labour of the worker; the worker's labour; **2.** (*дателно отношение*) to; *или без предл.*; **дай една ябълка ~ него** give an apple to him, give him an apple; **~ тях им се роди син** a son was born to them; **3.** (*за място, положение*) on, upon, at, in; **книгата е ~ масата** the book is on the table; **~ море** at the seaside; **~ служба при** in the service of; **седя ~ масата** sit at the table; **4.** (*за посока*) on, to; **излизам ~ улицата** go out into the street; **падам ~ земята** fall on/to the ground; **5.** (*място или област като обект на някаква дейност*) on, to, for; **отивам ~ екскурзия/гости** go on a hike/a visit; **оттеглям се ~ съвещание** withdraw (to deliberate); **ходя ~ лов/риба/ски/покупки** go hunting/fishing/skiing/shopping; **6.** (*за време, конкретен момент*) on, at; **~ два пъти на ден/месец/година** twice a day/mouth/year; **режа на парчета** cut in/into pieces; **10.** (*за език и пр.*) in; **превеждам ~ френски** translate/turn into French; **11.** (*към*): **~ изчезване** near extinction; **12.** (*отношение към инструмент, машина, игра*) on (*или не се превежда*); **работя ~ машина** operate/run/work a machine; **свиря ~ пиано** play the piano; **13.** (*преход в дадено състояние*) to, into; **ставам ~ прах/пара** turn (in) to dust/vapour; • **има вкус ~ it**

на₂ *част.* **1.** (*ето, това е*) here; here is ...; **2.** (*вземи*) here you are; take it; **3.**: **ей тъй ~!** just so! (*без особена причина*) just like that!

набàвям, набàвя *гл.* supply, provide, furnish, get; **~ си** provide/supply o. s. (with s.th.); get; **трудно е да се набави тази книга** this book is hard to get/obtain, this book is hard to come by.

нàбе|г *м., -зи, (два)* **нàбега** sudden attack, raid, inroad, incursion; forage; foray.

набедèн *мин. страд. прич. (и като прил.)* **1.** falsely accused; **2.** (*неистински, "в кавички"*) alleged, sham, bogus, make believe; **~ поет** a would-be poet.

набеждàвам и **набедявам, набедя** *гл.* accuse falsely/wrongly/unjustly, put the blame on; charge (s.o. with an offence); slander, calumniate; *sl.* peach (against/on/upon s.o.); put the finger on; **~ някого в извършване на кражба** charge s.o. with the commission of a theft, impute the commission of theft to s.o.

набелязвам, набележа *гл.* **1.** (*план, перспективи*) map out, outline, project, plan, chalk out, lay down; (*политика*) trace (out); **набелязаната от нас политика** the policy traced by us; **2.** (*определям – лице*) pick/single out, select, nominate, decide on; (*като жертва*) mark (down); **3.** (*слагам знак на*) mark; **4.** (*излагам бегло*) explain, specify; give a broad outline (of).

набивам, набия *гл.* **1.** (*човек*) beat (up), thrash; *разг.* lick, lace; give (s.o.) a drubbing; trim/warm/dust s.o.'s jacket (for him); *sl.* lam; (*побеждавам*) *разг.* lick; **2.** (*гвоздей*) drive/hammer in; ram, pound; **~ кол** impale; **3.** (*натъпквам*) stuff, pack, cram; **4.** (*натъртвам*) bruise; (*чрез леки удари*) tamp; (*тъпча се*) *разг.* gobble (up), guzzle s.th.; gollop; || **~ се** bruise; (*за крака*) get sore; • **~ в главата на някого** drive/hammer/ram into s.o.'s head, hammer it home to s.o., drub/grind s.th. into s.o., drum/drum s.th. into s.o.('s head); **~ се някому в очи-**

те make o.s. conspicuous.

набирам, набера *гл.* **1.** (*плодове и пр.*) gather, pick; **2.** (*войници, работници и пр.*) contract, recruit; **~ работна ръка за** recruit workers/hands for, man; **3.** (*дреха*) gather; fold; **набрана пола** gathered skirt; **4.** *полигр.* set up, compose; **~ отново** reset; **5.** *мед.* gather, suppurate, maturate, point; **пръстът ми е набрал** my finger is festering; || **~ се 1.** (*за плат, дреха, чорапи*) wrinkle, pucker, crease, rumple; **2.** (*струпвам се*) gather; • **~ опит** gain/acquire experience; **~ телефонен номер** dial a number.

набиране *ср., само ед.* **1.** *полигр.* composing; type-setting; **2.** (*на работна ръка, войници*) recruitment; **~ на средства** *икон.* fund-raising.

набùт *мин. страд. прич. (и като прил.)* **1.** (*за човек, фигура*) thickset, stocky, stumpy, stubby, heavy-set; chunky; dumpy; **2.** (*гъст*) thick; (*натъпкан*) packed, stuffed; **3.** (*за плод*) bruised, damaged; **4.** (*твърд*) hard; **5.** (*наранен*) sore; **с ~и крака** footsore; **6.** (*в който се е натъпкало нещо*) ingrained; • **~о око** a practiced/trained/experienced/expert/keen/sharp eye.

наближàвам, наближà *гл.* approach, draw near (to), draw on, be on the way, come/draw close (to), near; **наближава обяд/полунощ** it's getting on for dinner-time/midnight; **тя наближава 50 години** she's getting/going on for fifty.

наблùзо и **наблùзко** *нареч.* near by, close by, close up, (near) at hand; within call; a little way; a short way off; **някъде ~** not far from here; hereabouts; thereabouts; **те живеят ~ (до нас)** they live in the/our neighbourhood.

наблъсквам, наблъскам *гл.* crowd, jam, cram, squeeze (in/down), box up (в into); stuff (с with); || **~ се: наблъскваме се** squeeze in, force o.'s way in; (*в автомобил и пр.*) pile/wedge (into a car, etc.).

наблюдàвам *гл.* watch; observe; (*разглеждам внимателно*) scrutinize, scan, examine (closely); (*само гледам*) look on; (*надзиравам*) supervise, oversee, superintend, control; (*пазя, наглеждам*) watch over, keep an eye on, look after, mind; keep watch (and ward)

over; (*следя*) snoop on (s.o.), snoop around (a place); ~ **зорко** keep a sharp eye on.

наблюда̀емост *ж., само ед.* observability.

наблюда̀тел (-**ят**) *м.*, -**и** observer; (*зрител*) spectator; bystander, looker-on, *pl.* lookers-on, onlooker; **военен** ~ military observer.

наблюда̀тел|ен *прил.*, -**на**, -**но**, -**ни** **1.** observant; watchful, penetrating, penetrative; observation (*attr.*), of observation; **много си** ~**ен** you have a very sharp/quick eye; **2.** (*за наблюдение*) observational, observation (*attr.*), of observation; ~**ен пункт** observatory, (*удобна позиция*) vantage ground/ point; ~**на кула** watch tower, (*за пожар*) fire-tower.

наблюда̀телност *ж., само ед.* power/ keenness of observation; watchfulness.

наблюдѐни|е *ср.*, -**я** observation; surveillance; superintendence; supervision; control; **държа под** ~**е** keep a watch on, keep under observation/surveillance/ control, watch, *разг.* shadow (s.o.); **под постоянно** ~**е на лекаря съм** have constant medical supervision.

наблѧ̀гам, **наблѐгна** (**на**) *гл.* stress, emphasize, lay stress/emphasis (on), accentuate; **особено** ~ **на** lay particular stress on; give prominence to.

набо̀ждам, **набода̀** *гл.* **1.** (*надупчвам навсякъде*) prick all over; (*на нещо*) stick, prick; pin, spit; fork, pitch; (*с нож*) stab; (*с копие*) pierce; (*на кол*) impale; (*за животно – с рога*) gore, gouge; (*месо с парченца сланина*) lard; **набодох си ръката от тези тръ-наци** I've pricked my hand on these thorns; **2.** (*започвам да раста, пониквам*) begin to grow, sprout, bud; **3.** (*посаждам*) plant; || ~ **се** prick o.s.

набо̀ж|ен *прил.*, -**на**, -**но**, -**ни** pious, devout, godly, religious.

наболя̀ва ме (**те**, **го**, **я**, **ни**, **ви**, **ги**) *безл. гл.* it hurts/aches a little/from time to time; **кракът ме наболя̀ва** my leg troubles me.

наболя̀л *мин. св. деят. прич.* (*и като прил.*) (*въпрос*) *разг.* ho; **въпросът е** ~ the question has gathered head.

на̀бор₁ *м.*, -**и**, (**два**) **на̀бора** (*войници*) levy, recruitment, conscription, annual contingent, call-up, age group;

(*другар от войската*) fellow-soldier; **той е мой** ~ he is my age.

на̀бор₂ *м.*, -**и**, (**два**) **на̀бора** *полигр.* (*действието*) composition, type-setting; (*набран текст*) composed matter; **давам книга за** ~ submit a book for setting; ~ **от данни** *инф.* data set.

на̀бор₃ *м.*, -**и**, (**два**) **на̀бора** (*на дреха*) frill, frillery, gathers, gathering, puckers, tucks, quilling; furbelow; *фр.* falbala; **правя** ~ frill, furbelow.

на̀бор|ен₁ *прил.*, -**на**, -**но**, -**ни** recruitment (*attr.*), conscript (*attr.*); ~**на войска** conscript army; ~**на комисия** recruiting committee, *амер.* draft board.

на̀бор|ен₂ *прил.*, -**на**, -**но**, -**ни** *полигр.* ~**ен материал** material for composition; ~**на машина** composing machine; type-setter.

на̀борни|к *м.*, -**ци** conscript, *амер.* draftee.

набраздя̀вам, **набраздя̀** *гл.* furrow; flute; line.

набра̀н *мин. страд. прич.* **1.** (*за дреха*) gathered, frilled; frilly; **2.** *полигр.* set up, composed; **3.** (*за суми, средства*) accumulated.

набро̀явам, **наброя̀** *гл.* **1.** count, number; **те навярно наброяват хиляди** they must run into thousands; **2.** (*отброявам, плащам*) count off/out; pay; ~ **някому пари** count out money to s.o., pay s.o. money (down).

набръ̀чкан *мин. страд. прич.* wrinkled, wrinkly, lined; shrunk, wizened, puckery; (*за водна повърхност*) ruffled; ~ **от старост** wrinkled with age.

набръ̀чквам, **набръ̀чкам** *гл.* wrinkle; (*водна повърхност*) ruffle; ~ **чело** wrinkle (up) o.'s forehead, knit/pucker o.'s brow; frown; || ~ **се** wrinkle, be/ become wrinkled; (*за дреха*) crease, be creased; rumple; crinkle; (*при шиене*) pucker; (*за водна повърхност*) ruffle, ripple.

набу̀твам, **набу̀там** *гл.* **1.** (*вкарвам с бутане*) cram, shove, push, jam (in, into); **2.** (*напипвам*) touch, feel, find; **3.** (*намирам*) find, come across, get hold of, come by; || ~ **се** intrude, worm o.'s way in; ~ **се сам** (*да върша нещо неприятно*) let o.s. in (for s.th.); • ~ **нещо на някого** clap s.th. on to s.o.

набу̀чвам, **набу̀ча** *гл.* (*забивам*) stick in, drive in, pin, jab; (*на вилица, ост-*

рие) stick, fork, spit; ~ **на кол** impale.

набъ̀бвам, **набъ̀бна** *гл.* swell (up), turgesce; (*за тесто*) rise; **ръцете й са набъбнали от пране** her hands are swollen with washing.

набъ̀рже и **набъ̀рзо** *нареч.* in a hurry, hastily, hurriedly, sharpish; (*между другото*) *фр.* en passant; (*небрежно*) in a slap-dash manner; **върша нещо** ~ hurry over s.th., scramble through s.th.; **прокарвам законопроект** ~ race a bill through.

навѧ̀ксвам, **навѧ̀ксам** *гл.* make up for; fetch up; get back, recover, retrieve; *разг.* make up leeway; ~ **закъснение** (*за влак*) make up for a loss, cover/ compensate a loss.

навалѝц|а *ж.*, -**и** crowd, throng, multitude; (*блъсканица*) press, jam, crush; **в асансьора имаше** ~**а** there was a bit of a squeeze in the lift; **когато има по-малко** ~**а** in the off-peak hours.

навалявам, **наваля̀** *гл.*: **много сняг/ дъжд навала през последните дни** there have been heavy snowfalls/rain-falls during the last few days.

наведнъ̀ж *нареч.* **1.** at once, together, at the same time, at a time/heat; **всички** ~ all together, all at once; **плащам** ~ (*не на изплащане*) pay outright in cash; **по три** ~ three at a time; **2.** (*внезапно*) suddenly, all of a sudden.

навѐждам, **наведа̀** *гл.* **1.** bow (down), bend (down), incline; ~ **глава** bow o.'s head; **тя наведе очи** her eyes fell; **2.** (*вдъхвам, причинявам*) inspire; **3.**: **това ме навежда на мисълта** that suggests to me, that puts me in mind; || ~ **се** bow, bend (down/over/forward), lean across/down /out/over, stoop; (*при гребане*) get forward; (*за да избегна удар*) duck (down); ~ **се на една страна** bend sideways; **не се навеждай навън** do not lean out of the window.

навѐс *м.*, -**и**, (**два**) **навеса** penthouse, shelter, shed, lean-to; awning, sunshade; ~ **за коли** carport; (*навесен механизъм*) hitch.

навестя̀вам, **навестя̀** *гл.* visit, call (up) on, pay a visit to, go/come round to see, *разг.* drop/fall/look in on (s.o.); *разг.* look up.

навечѐрвам се, **навечѐрям се** *възвр. гл.* have/finish o.'s supper; (*нахранвам се достатъчно*) have enough;

навечеря ли се? are you through with your supper?

навечѐрие *ср., само ед.* eve; (*на празник*) *църк.* vigil; **в ~то (на)** on the eve (of).

навивам, навия *гл.* **1.** wind (up), roll (up); (*въже*) coil; (*платно, знаме*) furl; (*часовник*) wind (up); (*коса*) curl; **~ на кълбо** roll/wind into a ball; **2.** (*завинтвам*) screw up/on/down; **3.** (*подтиквам, подбуждам*) *разг.* put (s.o.) up (to s.th., to do s.th.); key (s.o.) up (to doing s.th.); talk (s.o. into doing s.th.); **навит ли си?** *разг.* are you game (to *c inf.*)?; || **~ се 1.** wind (round), roll, coil; convolve; **косата й се навива** her hair curls; **2.** *прен.* (*силно се ядосвам*) work o.s. up; work o.s. into a fury; **3.** (*съгласявам се*) agree, come along/around; **той лесно се навива** he is easily persuaded; • **~ си нещо на пръста** get s.th. into o.'s head; harp on/about s.th., *разг.* set o.'s heart on s.th.

навигатор *м.,* **-и** navigating officer, navigator; pilot.

навигацион|ен *прил.,* **-на, -но, -ни** navigation (*attr.*); **~ни звезди** *мор.* clockstars.

навигация *ж., само ед.* navigation.

нави|к *м.,* **-ци,** (**два**) **навика** habit; **добивам/придобивам ~к** acquire a habit; **имам ~к да** have the habit of, be in the habit of, make a habit of (*c ger.*); **трудови ~ци** discipline.

навиквам₁, навикам *гл.* shout (at), rail (at), tell (s.o.) off, *разг.* bawl out; || **~ се** cry/shout to o.'s heart's content.

навиквам₂, навикна *гл.* get/become used/accustomed (to s.th., to doing s.th., to do s.th.); accustom/inure o.s. (to); acquire the habit (of); **~ някого на** accustom/habituate s.o. to.

навирам, навря *гл.* stick, put, shove, squeeze, drive, thrust (in, into); **~ носа си в чужди работи** poke/stick o.'s nose into other people's affairs/business, shove o.'s oar in; *амер. sl.* snoop; || **~ се** wriggle/squeeze/force o.'s way (into); squeeze in; intrude; break in (upon a company); **~ се в очите на хората** thrust o.s. forward; **~ се между шамарите** ask for trouble, invite trouble, stick o.'s neck out.

навирвам и навирям, навиря *гл.* raise (high), lift; **~ нос** go away of-fended, take offence; cock o.'s nose, become haughty.

нависоко *нареч.* high (up); • **държа се** ~ give o.s. airs, be high and mighty.

навлажнявам, навлажня *гл.* wet, moisten, damp(en); humidify; || **~ се** moisten, become moist/damp, dampen.

навле|к *м.,* **-ци** *разг.* intruder, pest, nuisance, drag, *sl.* rubberneck.

навлизам, навляза *гл.* enter, penetrate, make o.'s way (into); (*за неприятел*) invade; (*в чуждо владение*) encroach (upon); (*в чужди права*) encroach, impinge (upon); **~ в морето** put/get out to sea; **~ в нов стадий** enter upon a new stage; • **~ в години** get on in years; **~ в работата** get into the swing of the work.

навличам, навлека *гл.* **1.** (*дреха*) slip on, huddle on, drag on, shuffle on; (*c усилие*) struggle into (o.'s dress, etc.); **~ дрехите си надве-натри** fling o.'s clothes on; **2.** (*внасям*) drag up/in; **3.** (*докарвам, предизвиквам*) incur, bring, draw (on, upon); call down; **~ си неприятности** get into trouble/difficulties; come in for a lot of trouble; **сам си ~ беля на главата** let o.s. in for s.th., cook o.'s own goose; || **~ се** put on too many clothes, dress heavily, muffle up.

навл|о *ср.,* **-а** carriage, haulage; (*по вода*) freight(age), (*по влак*) railage; *амер.* (*по вода и влак*) freight(age); **занижено ~о** distress freight.

наводнени|е *ср.,* **-я** flood, inundation; freshet; (*краткотрайно*) flash flood; **~ето остави хиляди хора без подслон** thousands of people were flooded out.

наводнявам, наводня *гл.* flood (*и прен.*), inundate, deluge; **~ пазара със стоки** flood the market with goods, dump goods on the market.

навред *нареч.* everywhere; all over the place; every nook and corner.

навреждам, навредя *гл.* harm, do harm (to), injure, hurt; **сам си ~** do harm to o.s., stand in o.'s own light, tread on o.'s own tail.

навреме *нареч.* on time; (*за да направя нещо*) in time (to do s.th.); (*по разписание*) on schedule; **съвсем ~** just on/in time, in the nick of time.

навремѐн|ен *прил.,* **-на, -но, -ни** timely; opportune, seasonable; well-judged, well-timed; not unwelcome; **~на помощ** timely aid.

навръх *нареч.* **1.** on top of, at the top (of); **2.** on ... day itself; **~ Коледа** on Christmas Day (itself).

навсякъде *нареч.* everywhere; all over the place; every nook and corner; **~ бих отишъл с тебе** I'd go anywhere with you; **търсих го ~** I've looked for it all over the place/up and down/high and low.

навъждам, навъдя *гл.* breed, raise, rear; • **навъдиха се много специалисти** many specialists have cropped up.

навън и навънка *нареч.* out, outside, without; (*за посока*) out(wards); (*на открито*) out-of-doors; outdoors; **излизам ~** go/get out.

навързвам, навържа *гл.* tie on, bind (together), fasten (together); colligate; (*пленници*) chain together; **навързани** (*за алпинисти при изкачване*) on the rope.

навъртам и навъртявам, навъртя *гл.* **1.** roll, turn; **2.** screw on.

навъртам се, навъртя се *възвр. гл.* hang about/around/round, stick around, be about, be at hand.

навършвам, навърша *гл.* finish, complete; **днес се навършват 2 години откакто** two years have passed/elapsed since, it is two years since; **той е навършил 26 години** he is turned twenty-six.

навясвам и навѐсвам, навѐся *гл.* (*вежди*) knit, pucker (o.'s brows); || **~ се** frown, scowl, knit o.'s brows; **небето се е навъсило** the sky is dark/overcast.

навъсен *мин. страд. прич.* frowning, scowling, sullen, surly, sulky, gloomy, glum, morose, stern-faced, beetle-browed, *разг.* peeved; (*за небе*) dull, overcast, lowering, threatening; (*за време, ден*) gloomy, murky.

навътре *нареч.* in, inside; (*за посока*) in(wards); **~ в морето** far out at/to sea; **обърнат/извит ~** inturned; • **не го вземай** ~ don't take it to heart.

навявам, навея *гл.* **1.** (*сняг и пр.*) blow, drift; **2.** (*мисли и пр.*) bring to mind, suggest; **~ спомени** invoke memories.

навярно *нареч.* probably, most likely,

presumably; **както ~ знаете** as you may know, as you probably know; **те ~ са вече там** they must be there by now.

навя̀хвам, навѐхна *гл.* sprain, twist, wrench, *(леко)* rick, wrick.

навя̀хван|е *ср.*, **-ия** *мед.* sprain.

нага̀ждам, нагодя̀ *гл.* adapt, adjust, attune; fit; match; gear; **~ производството към търсенето** gear the output to current demand; || **~ се** adapt/adjust/accommodate o.s. **(към** to); **той умее да се нагажда** he knows on which side his bread is buttered, he is a time-server.

нага̀звам, нага̀зя *гл.* **1.** wade in; walk (into water, mud) *(газя върху)* trample, tread (on/upon); set o.'s foot (on); **2.** *прен. (за болест, беда)* come upon, befall; **3.** *прен.* enter **(в** into); **~ в чужд периметър** poach upon s.o.'s preserves.

нага̀р *м.*, *само ед.* scale, (carbon) deposit, soot formation, caking; *(на свещ)* snuff; *(в огнестрелно оръжие)* powder residue; **почиствам от ~** decarbonize.

нага̀рчам, нагорча̀ *гл.* have a slightly bitter taste, be bitterish.

нагѝздвам и **нагѝздям, нагѝздя** *гл.* dress up/out, doll up, trick out, bedizen; *(подреждам, лъскам)* разг. tart up, do up, smarten up; || **~ се** dress up/out, doll/get o.s. up, trick o.s. out, bedizen o.s., preen o.s.

наглава̀ *нареч.:* **излизам ~ с някого** cope with s.o., get the better of s.o., get the upper hand.

нагла̀са *ж.*, *само ед.* **1.** adjustment; arrangement; *муз.* tuning; **2.** disposition, make-up, bent, cast of mind; attitude; **изграждам ~** cultivate an attitude.

нагласѐн *мин. страд. прич. (и като прил.)* adjusted, fixed, arranged, prepared, organized; *(предварително)* engineered, choreographed; contrived; **~а история** trumped up story.

наглася̀вам и **нагла̀сям, наглася̀** *гл.* **1.** *(приспособявам)* fit, fix, adapt, adjust, gear **(към, с оглед на** to); **2.** *(уреждам)* prepare, organize, arrange; make arrangements (for); *(устройвам)* engineer, set up; frame up; plan; *(среща)* arrange, plan, fix, make (an appointment); **3.** *(мъртвец)* lay out; **4.** dress/get up; *(правя да изглежда*

по-привлекателен) tart up, go up; **5.** *(муз. инструмент)* tune (up); **6.** *(експонат)* mount a specimen; **7.** *(песен)* compose, make up; **8.** *(измислям)* concoct, put up, fake (up); frame up; || **~ се 1.** *(приготвям се)* prepare, get ready; **2.** deck o.s. out, dress/doll o.s. up; ● **добре се нагласих** I've got into a nice mess; **той нагласи нещата така, че те да да се срещнат** he contrived to make them meet; **хубаво го нагласи** you fixed him.

наглѐд|ен *прил.*,**-на, -но, -ни 1.** *(ясен)* clear; *(представен чрез картини, диаграми и пр.)* pictorial, graphic; **~ен пример** illustrative example; **~ен разказ** graphic account; **2.** *(при обучение)* visual, demonstrative; **~ен урок** object lesson; **~ни средства/пособия** visual aids.

наглѐждам, наглѐдам *гл.* **1.** *(надзиравам)* oversee, supervise, superintend, inspect; **2.** *(наблюдавам, пазя, грижа се за)* watch over, keep an eye on, look after, take care of, mind; **наглеждай багажа** keep an eye on the luggage.

наглѐждам се, наглѐдам се възвр. *гл.* see o.'s fill **(на** of); *(омръзва ми)* become sick/tired of looking (at); **не мога да й се нагледам** I can't take my eyes off her.

на̀гло *нареч.* impudently, insolently, brazenly; **лъжа ~** lie impudently, tell a brazen lie, flap the lie in s.o.'s teeth.

на̀глост *ж.*, *само ед.* impudence, insolence, impertinence, effrontery, presumptuousness; *(при лъжа)* brazenness.

нагнетя̀вам, нагнетя̀ *гл. техн.* inject; deliver; **~ въздух** blast.

нагной̀вам, нагной̀ *гл.* fester, suppurate.

нагова̀рям и **нагово̀рвам, нагово̀ря** *гл.* **1.** *(някому – обикн. нещо неприятно)* tell (s.o.) a lot of things, give (s.o.) a piece of o.'s mind; **наговорих един куп неща** I said a lot of things; I told many a home truth; **2.** persuade; *(подстрекавам)* put (s.o.) up to s.th.; || **~ се 1.** talk o.'s fill, have o.'s fill of talking, talk to o.'s heart's content; **не могат да се наговорят** they can't stop talking; **2.** *(уговарям се)* arrange, agree; *(тайно – за нещо лошо)* plot (together), conspire.

наго̀н *м.*, *само ед.* instinct; urge, impulse, drive; **полов ~** sex urge, libido.

наго̀ре и **нанаго̀ре** *нареч.* upward(s); uphill; up; on the up grade; **вдигам ~** put/lift up, raise (high); **~ по течението** upstream; **~ с краката** upside-down; **ходи ~надолу** walk to and fro; perambulate.

наго̀р|ен и **нанаго̀р|ен** *прил.*, **-на, -но, -ни** up, upward, uphill, upgrade; **~ен път** an uphill/a steep road/path; ● **дойде ми ~но** it was uphill work, I had a hard time.

нагорещя̀вам, нагорещя̀ *гл.* heat (up); **~ до пукване** *хим.* decrepitate; || **~ се** get hot, heat up.

наго̀рнищ|е и **нанаго̀рнищ|е** *ср.*, **-а** steep hill/climb, upward slope, acclivity, up-grade, rise, ascent, slope up.

нагоря̀вам и **нага̀рям, нагоря̀** *гл.* **1.** burn; **2.** form scale, *(за свещ)* form snuff.

наго̀твям, наго̀твя *гл.* cook/prepare a meal, get a meal ready, do the/o.'s cooking.

нагото̀во *нареч.* without (making) any effort; **чакам ~** rely on others.

нагоща̀вам и **нагостя̀вам, нагостя̀** *гл.* feast, regale (with).

награ̀бвам, награ̀бя *гл.* grab; **какво си се награбил?** what are all these parcels you're carrying?

награ̀д|а *ж.*, **-и** reward, award, prize; **Нобеловата ~а** the Nobel Prize; **парична ~а** cash prize; **присъждам ~а на** award a prize to.

награжда̀вам, наградя̀ *гл.* reward (s.o.), confer/bestow (a prize on s.o.), award (a prize/medal to s.o.); *(възнаграждавам)* recompense; *(с орден)* decorate (with).

награня̀вам, награня̀ *гл.* smell/taste somewhat rancid.

награ̀бвам, награба̀ *гл.* scoop/dip/lade/ladle up.

нагревàтел (-ят) *м.*, **-и,** *(два)* **нагревàтеля** *техн.* heater, heating apparatus.

нагревàтел|ен *прил.*, **-на, -но, -ни** heating; **~на плоча** a hot plate; **~ни уреди** *ел.* electrical heating appliances.

нагрѝзвам, нагриза̀ *гл.* nibble, gnaw (at s.th.), bite off a little bit (of s.th.).

нагрубя̀вам, нагрубя̀ *гл.* be rude to, speak rudely to, insult.

нагръдни|к *м.*, -ци, (два) **нагръдника 1.** *истор.* (*на броня*) breastplate, (*с орнаменти*) pectoral; **2.** (*на риза*) dicky, false shirtfront; front; (*на женската дреха*) plastron; **3.** (*на кон*) breast-band.

нагрявам, нагрея *гл.* warm (up), heat; **нагрян до зачервяване** red-hot.

нагрявка *ж.*, **нагревки** *мед.* heat ray treatment; **правя си нагревки** have heat ray treatments.

нагъвам, нагъна *гл.* **1.** fold; pleat; crimp; crinkle; **2.** *разг.* (*ям*) tuck in (*без допълнение*); tuck into; gobble (up); wolf (down); *разг.* gollop; *шег.* discuss (a pie, etc.); ~ **само сух хляб** be reduced to bread and water; || ~ **се** fold (*и геол.*); cockle.

нагъ|л *прил.*, -ла, -ло, -ли impudent, insolent, impertinent, presumptuous, brazen-faced, barefaced, cheeky, (*нагла лъжа*) brazen/insolent lie; ~**ла провокация** flagrant provocation.

нагълтвам, нагълтам *гл.* swallow; || ~ **се с** gobble/lap up a lot of; (*с идеи и пр.*) cram o.s. full (of), lap up; **нагълтахме се с прах** we nearly choked with dust.

нагънат *мин. страд. прич.* (*и като прил.*) **1.** folded, plaited; *геогр.* undulating, wavy; ~**а местност** rolling/ undulating country; **2.** *техн.* corrugated.

нагърбвам и **нагърбям, нагърбя** *гл.* **1.** (*товар*) shoulder, take on o.'s shoulders; **2.** *прен.* saddle (s.o.) with a task; || ~ **се 1.** bend (over); **2.** *прен.* take upon o.s.; set o.s. (to); assume the responsibility (for).

нагърчвам, нагърча *гл.* wrinkle, rumple, crease, pucker; shrivel; || ~ **се** wrinkle, be/become wrinkled, pucker, crease, be creased, rumple, cockle, crinkle, shrivel.

над *предл.* **1.** (*за място, положение*) over, above; **заспивам ~ книгата** fall asleep over o.'s book; ~ **морското равнище** above sea-level; **2.** (*повече*) over, more than; **много ~** way above; ~ **нулата** above zero; **това е ~ неговите възможности** this is beyond his capacities; this is above his head; **3.** (*за въвеждане на предложно допълнение към някои глаголи и отглаголни същ.*) over, on; at; **имам власт/**

влияние ~ have power/influence over; **работя ~** work on; • ~ **всякакво съмнение** above suspicion.

надавам, надам *гл.* **1.** give; **2.**: ~ **вик** utter/give a cry, set up a cry, cry out; emit a scream; • ~ **ухо** prick up o.'s ears.

надалеко, надалеч и **надалече** *нареч.* far, far away/off, a long way off, a great/long way ahead of us; **те са ~ един от друг** they are at a great distance from one another; • **той отиде много ~ със своите шеги** he went too far with his jokes.

надарен *мин. страд. прич.* (*и като прил.*) **1.** talented, gifted; **много ~** highly talented; endowed (**с** with); (*за мъж*) *sl.* well-hung; **2.** who has received a gift/present; **богато ~** loaded with gifts.

надарявам, надаря *гл.* **1.** make (a lot of) presents to; **2.** endow (s.o. with s.th.).

надбавк|а *ж.*, -и extra; ~**а за трудов стаж** service increments; **семейни ~и** family allowance.

надбъбреч|ен *прил.*, -на, -но, -ни *мед.*, *анат.* adrenal, suprarenal; ~**на жлеза** adrenal (gland), suprarenal gland.

надбягвам, надбягам *гл.* outdistance, outrun, outstrip; come ahead of; (*с кон*) outride; || ~ **се** run a race, race, run (in a competition).

надбягван|е *ср.*, -ия race, racing; **конни ~ия** horse races; **участвам в ~е** run.

надве и **надвè** *нареч.* in (two) parts; **сгъвам ~** fold once, fold in two, double; • **думата му ~ не става** his word is law; ~**натри** any old how, hurry-scurry, higgledy-piggledy, helter-skelter, in a slipshod manner.

надвесвам, надвеся *гл.* bend, lean, incline; || ~ **се** bend over, lean over/out/ across/down; overhang.

надвечер *нареч.* towards evening/nightfall, late in the afternoon.

надвивам, надвия *гл.* beat, defeat, worst, vanquish, conquer; overpower, (over)master, get the better of; fight down; (*чувство*) overcome, master, get the better of; get the upper hand; **любопитството надви** curiosity won, curiosity got the better of me; ~ **трудности** overcome difficulties.

надвиквам, надвикам *гл.* cry louder than, outvoice, outcry; (*карам да млъкне*) cry/shout down; || ~ **се** compete in shouting.

надвисвам, надвисна *гл.* **1.** (*за скали*) hang (over), overhang, hang out, beetle; **2.** (*за опасност*) threaten, impend, be imminent; **буря надвисва над града** a storm threatens the town.

надвишавам, надвиша *гл.* surpass, exceed; (over-)top; (*по тегло*) overweigh; **разходите няма да надвишат 1000 лева** the expenses will not exceed/ will not come to more than 1000 levs.

надвод|ен *прил.*, -на, -но, -ни surface (*attr.*).

надгроб|ен *прил.*, -на, -но, -ни sepulchral, funeral; ~**ен камък/паметник**, ~**на плоча** tombstone, gravestone; ~**но слово** a funeral oration.

наддавам, наддам *гл.* **1.** give more than is due; overpay; **2.** (*участвам в търг*) bid; ~ **повече от някого** outbid s.o.; **3.** (*в тегло*) put on weight, gain weight; **4.** (*добавям*) add; (*удължавам*) lengthen; ~ **бримка** (*при плетене*) make one; **5.** *карти* overcall.

наддаван|е *ср.*, -ия bidding; **тайно ~е** negotiated bidding; **явно ~е** advertised bidding.

надделявам, надделея *гл.* **1.** get the upper hand, prevail; preponderate; ~ **над** outweigh, get the better of; overbear; **неговото мнение надделя над другите** his opinion outweighed all the rest; **2.** master, get the better of.

наддумвам, наддумам *гл.* outtalk; (*карам да замълчи*) talk down; outargue; || ~ **се** argue.

надебелявам₁, надебелея *гл.* grow/ get fat/stout, put on weight, gain weight; burst o.'s buttons; (*за език и пр.*) grow thick, thicken.

надебелявам₂, надебеля *гл.* thicken, make (s.th.) thick; (*букви*) make bolder.

надежд|а *ж.*, -и hope (**за** of); expectation; **възлагам ~а на** set o.'s hopes on; anchor o.'s hope in/on, pin o.'s hopes on; **давам големи ~и** show great promise; **изпълнен с ~а** hopeful, expectant, expectative; ~**ата никога не умира** hope springs eternal; **храня ~и** cherish hopes, have hopes.

надежд|ен *прил.*, -на, -но, -ни **1.** (*обещаващ*) promising, hopeful, auspi-

cious; ~но начало auspicious beginning; 2. (на когото/който може да се вярва) reliable, trustworthy, trusty, steady, dependable; true as the needle to the pole; ~но доказателство юр. sure proof; (за позиция, довод и пр.) tenable.

надѐждност ж., само ед. reliability, trustworthiness; dependability, dependableness; (за позиция, теория и пр.) tenability.

надѐниц|а ж., -и кул. sausage.

надживя̀вам, надживѐя гл. survive, live longer than, outlive, overlive; outlast, last out, outgrow, outwear, see out, weather; ~ предразсъдък shed/overcome a prejudice.

надзѐм|ен прил., -на, -но, -ни overground, ground (attr.); superterrestrial; техн. overhead; рел. supermundane; воен. surface (attr.); бот. epigeal, epigeous; ~на железница an overground/ elevated railway.

надзира̀вам гл. superintend, supervise, control, oversee, overlook.

надзира̀тел (-ят) м., -и overseer, overman, supervisor, superintendent, inspector; (в затвор) jailer, warder; англ. gaoler; sl. screw; (в пансион) supervisor, housefather; (в университетен магазин) shop walker.

надзо̀р м., само ед. supervision, control; surveillance; заповед за ~ supervision order; под лекарски ~ съм be under medical care; финансов ~ prudential supervision.

надзо̀р|ен прил., -на, -но, -ни supervisory; surveillant; ~ни правомощия supervisory powers.

надзо̀рни|к м., -ци; надзо̀рниц|а ж., -и overseer, supervisor, superintendent; фин. compliance officer.

надзъ̀рвам, надзъ̀ртвам и надзъ̀ртам, надзъ̀рна гл. peep, peer, peek (в in, into), have/take a peep (at, into); take a look at; peep/peek through; give a look in; ~ в бъдещето dip into the future; ние само надзърнахме в изложбата we just looked in at the exhibition.

надѝгам, надѝгна гл. 1. raise, lift, heave; 2.: ~ вой срещу clamour against, raise o.'s voice against; ~ глава raise/ rear o.'s head, become restive, take the bit between/in o.'s teeth; || ~ ce 1. rise;

swell; надига се буря a storm is gathering; 2. (за чувство) rise, swell, well up, stir; (за прилив) run high; 3. (започвам да се бунтувам) (up)rise, rebel; 4. (ставам високомерен) get puffed, put on airs, think no small beer of o.s.

надигра̀вам, надигра̀я гл. outplay; outdance; || ~ ce compete in playing/ dancing.

надѝр м., само ед. астр. Nadir.

надлѐж|ен прил., -на, -но, -ни канц. fitting, proper, due, appropriate; в ~на форма in the proper form; ~ни мерки proper steps, appropriate measures.

надлѐз м., -и, (два) надлѐза overhead crossing, overbridge, fly-over, highway overpass.

надлъ̀гвам, надлъ̀жа гл. outwit, overreach, take in, prove more cunning than; || ~ ce try to outwit each other; vie with s.o. in cunning.

надлъ̀ж нареч. lengthwise, lengthways; in length; ~ и нашир far and wide; over hill and dale.

надлъ̀ж|ен прил., -на, -но, -ни longitudinal; мор. fore-and-aft; техн. direct-axis; ~ен разрез longitudinal section.

надмѐн|ен прил., -на, -но, -ни haughty, supercilious, arrogant, lofty, uppish, overproud, overbearing, overweening, stiff, self-righteous, (презрителен) disdainful; прен. holier-than-thou, разг. stuck-up, offish, sl. upstage, snippy.

надмѐнност ж., само ед. haughtiness, superciliousness, sniffiness, snippiness, arrogance; lordliness; loftiness; uppishness; offishness; разг. snootiness, stuckupness; (презрение) disdain.

надмина̀вам, надмина̀ гл. 1. outstrip, outdistance, leave behind, get beyond; outwalk; outrun; (при езда) outride; sl. take the cake; 2. (превъзхождам) exceed, excel, surpass, outdo (по in); (out)top, outbalance, outdo, outgo, outclass, out-rival, overpass, overmatch, overbalance; forereach; разг. go one better (than); ~ всички очаквания exceed/surpass/beat all expectations; ~ себе си surpass/outdo o.s.; това надминава всичко that passes/licks everything; that takes the cake; that beats cock-fighting; that beats the Dutch; sl. that licks creation.

надмо̀рск|и прил., -а, -о, -и above sealevel.

надмо̀щие ср., само ед. superiority, supremacy, predominance, preponderance, overweight; имам ~ над prevail over, have (the) mastery over; политическо ~ political supremacy.

наднѝквам и наднѝчам, наднѝкна гл. peep, peer (в in, into; през through), take a peep (in, at).

наднѝц|а ж., -и (a day's) wage, wages, wage-packet; плащат ми на ~а be paid by the day; работа на ~а day labour.

надничар (-ят) м., -и day-labourer, dayman, workman hired by the day, job-worker, wage-worker, wage-earner.

наднормен прил. above the quota; above the standard; ~о производство output above the quota fixed.

надо̀лнищ|е и нанадо̀лнищ|е ср., -а downhill, downward slope, descent; по ~ето on the down grade.

надо̀лу и нанадо̀лу нареч. down(wards), downhill; on the down grade; ~ по течението downstream; скачам ~ с главата jump head foremost/first; • обръщам с главата ~ 1) (обърквам) turn upside-down/topsy-turvy, upset; 2) work a complete change (in s.th.), revolutionize; всичко е (тръгнало) с главата ~ everything is topsyturvy.

надо̀м|ен прил., -на, -но, -ни: ~на работа homework, piece work done at home, outwork, domestic labour; амер. putting-out (system).

надпартѝ|ен прил., -йна, -йно, -йни non-partisan, above the party, above all parties.

надпис м., -и, (два) надписа inscription, superscription; (на монета, медал, карта, вагон) legend; (под илюстрация) caption; (около монета) circumscription; (предупредителен и пр.) notice; sign; (надгробен) epitaph, inscription; (филмов) caption; в ~а се казва the notice says; ~и на филм (continuity) titles, ~и (на филми за участващите) credit titles.

надпѝсвам, надпѝша гл. 1. (поставям надпис на) inscribe, superscribe; ~ плик address an envelope; 2. (пиша повече отколкото трябва) счет. write up; ~ сметка overcharge an ac-

count, *разг.* salt an account.

надпла̀нов *прил.* above the plan.

надпрева̀ра *ж., само ед.* contest, competition, race; emulation; *(съперничество)* rivalry; ~ **с времето** race against time; **президентска** ~ the race for the presidency.

надпрева̀рвам и надпрева̀рям, надпрева̀ря *гл.* outstrip, outdistance, outpace, leave behind, beat, get ahead of; *(при езда)* outride; *(при ходене)* outwalk; *(при бягане)* outrun; *(особ. воен.)* outmarch; || ~ **се** compete (**с** with, **в** in), emulate; contend, vie (**с** with, **за** for); ~ **се с времето** work against the clock.

надпрева̀рван|е *ср., -ия* contest, competition, race; *(съперничество)* rivalry; ~**е във въоръжаването** *полит.* armaments/arms race/drive.

надприка̀звам, надприка̀жа *гл.* outtalk; *(карам да замълчи)* talk down, outargue.

надпя̀вам, надпѐя *гл.* sing better than; || ~ **се** compete in singing.

надра̀сквам, надра̀скам *гл.* scribble, scratch, scrawl (all over); ~ **нещо** *пренебр.* scribble s.th.

надра̀ствам, надраста̀ и надра̀сна *гл.* **1.** overgrow, outgrow; grow taller than; **той е надраснал дрехите си** he has grown out of/outgrown his clothes; **2.** *прен.* rise above, outgrow.

надробя̀вам, надробя̀ *гл.* break/cut into small pieces/bits; *(хляб)* crumble; ~ **си попара** make pap; • **каквото си надробил, такова ще сърбаш** as a man makes his bed so he must lie in it; you rear what you have sown; you must drink as you have brewed.

надру̀свам, надру̀сам *гл.* shake; || ~ **се** *(вземам наркотик)* *sl.* bang up, jack up, crank up, (hit the) mainline.

надрѐнквам, надрѐнкам *гл.*: ~ **куп глупости** dish up a lot of nonsense; || ~ **се** have o.'s fill of talking nonsense/ of chatting.

надсвѝрвам, надсвѝря *гл.* outplay, excel in playing; || ~ **се** compete in playing.

надска̀чам, надско̀ча *гл.* overjump, outjump, overleap, beat in jumping.

надсмѝвам се, надсмѐя се *възвр. гл.* mock, ridicule, scoff (at), flout (at), take (s.o.) down.

надстро̀йк|а *ж., -и* **1.** *(на строеж)* superstructure, additional storey; *мор.* superstructure, deck house; **средна** ~**а** bridge erection/house/superstructure; **2.** *филос.* superstructure.

надстро̀явам, надстро̀я *гл.* superstruct; ~ **етаж** build/raise an additional storey.

наду̀вам, наду̀я *гл.* **1.** inflate; swell; fill out; bloat; distend; *(платна)* fill (out), swell; ~ **бузи** blow/puff out o.'s cheeks; **2.** *(муз. инструмент)* blow; **3.** *прен. (цена)* run up, inflate; bull; *разг.* bump up, boost, jack up, hike (up); *(факти)* exaggerate; overstate; • **надува ме на смях/плач** feel like laughing/crying; **стига вече, наду ми главата** stop it! you've given me a headache; || ~ **се 1.** swell (up); fill out; become inflated/bloated; *(за платно)* swell (out); **2.** *(важнича)* be puffed up, be swell-headed, put on airs, give o.s. airs, be stuck up (about s.th.), mount the high horse; swank; ~ **се като пуяк** ~ **се като петел на буни́ще** be proud/vain as a peacock; **3.** *(сърдя се)* sulk, be cross/sulky (**на** with), be in the sulks; • **надува ми се главата от четене** read o.s. stupid.

наду̀пчвам, наду̀пча *гл.* make/prick/ bore/punch holes in, perforate; *(с куршуми)* pierce, riddle.

наду̀т *мин. страд. прич. (и като прил.)* **1.** inflated; swollen; ~**и гуми** pumped tires; **2.** *(високомерен)* stuck-up, puffed up, swell-headed, sidy, pompous, haughty, priggish, uppish; bloated/blown-up/inflated with pride; *разг.* uppity, snooty; *sl.* poncey, jumped-up; *(който се перчи)* swaggering; ~ **човек** stuck-up, etc. person; high-hat; pompous ass; cockscomb; **3.** *(за стил, език)* pompous, bombastic, declamatory, highfalutin(g), high-flown, flatulent, grandiloquent, magniloquent; ~**и фрази** bombast; • ~**и цени** fancy/exorbitant prices.

наду̀швам, наду̀ша *гл.* **1.** smell, scent (out), nose (out) *(и прен.)*; **2.** *(подозирам нещо лошо)* smell a rat; **надушил е нещо** he's got wind of the affair/of it.

надхвъ̀рлям, надхвъ̀рля *гл.* **1.** *(надвишавам)* exceed, go beyond; ~ **доходите си** exceed/outrun o.'s income;

това надхвърля всякакви граници that's the limit; **той е надхвърлил петдесетте** he is over fifty, he is on the wrong side of fifty; **2.** *(хвърлям и пр. по-далеч)* throw further than; overshoot; overrun; || ~ **се** compete in throwing.

надхитря̀вам и надхѝтрям, надхитря̀ *гл.* outwit, overreach, outmanoeuvre, outflank, outsmart, *разг.* outjockey, be too sharp/clever for, be too many for, get the better of.

надцѐнк|а *ж., -и* surplus charge; **брутна** ~**а** *икон.* gross margin.

надценя̀вам, надценя̀ *гл.* overrate, overestimate, overvalue, *уч.* overmark; ~ **силите/възможностите си** overestimate/overrate o.'s strength/powers; overlap o.s.; bite off more than one can chew.

надъ̀лго *нареч.* **1.** lengthwise, lengthways; **2.:** **разказвам** ~ **и нашироко** tell in great detail, tell at inordinate length.

надъ̀хвам, надъ̀хам *гл.* **1.** *(стъкло)* breathe (on); **2.** *(с чувства, идеи)* inspire (s.o. with), instil (a feeling, an idea into s.o.), imbue (s.o. with a feeling, an idea); infect (s.o. with); **от малки са надъхани с такава идея** they have had these ideas instilled in them since childhood; **3.** *(подстрекавам)* incite (s.o. to do s.th.); *(фанатизирам)* fanaticize.

надя̀вам, надя̀на *гл.* **1.** *(дреха)* put/ get/slip on, don; *(през глава)* pull over; *(ботуши и пр.)* draw on; **2.** put/slip over o.'s shoulder; ~ **хомот на някого** *прен.* saddle s.o. with a job; **3.** *(намушквам, втъквам)* stick; ~ **на кол** impale; || ~ **се:** ~ **се на тел** get caught on a wire.

надя̀вам се *възвр. гл.* **1.** hope (**на, за** for; **да** to **с** *inf.*); look forward to; be hopeful; *(като отговор)* I hope so; **докато е жив човек, се надява** while there is life there is hope; ~ **на бъдещето** put o.'s hopes in the future; ~ **само на тебе** my only hope is in you; all my hopes are fixed on you; ~ **скоро да получа писмо от тебе** I'm looking forward to hearing from you soon; **2.** *(разчитам)* rely (on), trust.

надя̀сно *нареч.* **1.** right, to/on the right; **върви** ~ keep (to the) right; ~**!** *воен.*

right turn! *амер.* right face!; **2.** *полит.* to the right.

наедрявам, наедрея *гл.* grow (bigger); (*за дни*) become longer; ~ **много** grow to an enormous size.

наежвам, наежа *гл.* **1.** make s.o.'s bristles rise; make s.o.'s hackles rise, get o.'s hackles up; **2.** (*подстрекавам*) incite, instigate; || ~ **се 1.** bristle (up); stiffen; set up o.'s bristles; **2.** *прен.* bristle up.

наелектризирам *гл.* **1.** electrify, charge with electricity; **2.** excite, thrill; || ~ **се** become electrified (*и прен.*).

наем *м.*, -**и**, (**два**) **наема** (*за къща, земя*) rent; (*за колело, кон и пр.*) hire; (*за товарен кораб*) freight; **вземам под** ~ (*къща*) rent; (*колело, кон и пр.*) hire, take on lease; **давам под** ~ let (out), rent; (*колело, кон и пр.*) hire out, job; **живея под** ~ rent a house, live in lodgings.

наемам, наема *гл. юр.* lease; (*къща, апартамент*) rent, take on; (*земя, кола, пиано*) rent; (*колело, кон*) hire; (*кораб, самолет*) charter; (*работници*) hire, engage, take on, sign up; (*адвокат*) brief, retain, fee; ~ **къща за пет години** take a five-year lease of a house; || ~ **се** (*с нещо*) undertake (s.th.), take (s.th.) upon o.s.; take the responsibility/risk (**за** for); **аз не се** ~ **с тази работа** I do not feel equal to this task/job.

наемател (-**ят**) *м.*, -**и**; **наемателк**|**а** *ж.*, -**и** tenant, lodger; *амер.* roomer; *юр.* leaseholder; lessee; (*на товарен кораб*) freighter; **той ни е** ~ *амер.* he rooms in our house, he is our roomer.

наем|**ен** *прил.*, -**на**, -**но**, -**ни** hired; ~**ен работник** hired labourer/worker; hand; ~**ен убиец** hired assassin, bravo, hitman.

наемни|**к** *м.*, -**ци 1.** hired labourer; **2.** mercenary; hireling; soldier of fortune; thug; *истор.* freelance; *амер. sl.* goon, (*убиец*) hitman; **3.** (*продажник*) hireling.

наемодател (-**ят**) *м.*, -**и** landlord, lessor.

наесен *нареч.* in (the) autumn, this (coming) autumn.

нажалявам, нажаля *гл.* make sad/sorrowful, sadden; grieve; || ~ **се** be/become sad.

нажежавам, нажежа *гл.* heat red/white hot, incandesce; || ~ **се** be/become red hot, glow; ~ **се до бяло** be/become white hot, incandesce.

наживо *нареч.* (*за радио или телевизионно предаване*) live; **ще се предава** ~ will be broadcast/televised live.

нажилвам, нажиля *гл.* sting (all over).

назад *нареч.* (*посока*) back, backward(s); (*положение*) behind, at the back, in the rear; **връщам часовник** ~ set a clock/watch back; **обръщам се** ~ turn back; ● **вземам си думите** ~ take back o.'s words, withdraw/retract o.'s words, *разг.* eat o.'s words; ~ **съм с работата си** be behind with o.'s work.

назал|**ен** *прил.*, -**на**, -**но**, -**ни** *фон.* nasal; ~**ен звук** nasal.

названи|**е** *ср.*, -**я** name; appellation; designation, denotation, denomination; (*на книга и пр.*) title; **географско** ~ a geographical denomination; **под това** ~**е** under this name/title/heading.

наздраве *нареч.* your health! here's to you! here's how! cheers! prosit! (*при кихване*) (God) bless you.

наздравиц|**а** *ж.*, -**и** toast; dinner-speech; **вдигам** ~**а** (**за някого**) propose a toast (to s.o.); propose to the health (of s.o.).

назидани|**е** *ср.*, -**я** edification, instruction; exhortation; admonition; **за** ~**е** exemplary, for (s.o.'s) edification, to serve s.o. as an example.

назидател|**ен** *прил.*, -**на**, -**но**, -**ни** edifying, instructive; admonishing; preceptive; exemplary; ~**ен пример** object lesson, edifying example.

назначавам, назнача *гл.* **1.** (*на работа*) appoint, nominate, designate; take on; ~ **на вакантно място** fill a vacancy; **2.** (*уговарям*) fix, set; ~ **среща** fix/make an appointment/a date; ● ~ **анкета** institute an inquiry.

назначаване *ср.*, *само ед.* appointing, nominating, appointment, nomination; **молба за** ~ **на работа** application for employment; ~ **на държавна служба** public appointment.

назначени|**е** *ср.*, -**я 1.** (*на работа*) appointment, nomination; **2.** (*цел*) purpose; **не отговаря на** ~**ето си** it doesn't answer/serve the purpose.

назовавам, назова *гл.* call, name, term, denote, designate; style; ~ **по име**

---

call by name.

назрявам, назрея *гл.* **1.** ripen, become ripe, mature (*и прен.*); *мед.* maturate, (*за цирей*) come to a head; **2.** (*за събитие, нужда*) be/become imminent/urgent/pressing; **моментът е назрял** the moment is ripe (for); **назрели условия** (*за революция и пр.*) ripe conditions.

назубрям, назубря *гл.* cram up, swot up, sap; learn by heart/rote; con (a page etc.); *sl.* mug up (a subject); ~ **набързо** *разг.* learn up.

назъбен *мин. страд. прич.* (*и като прил.*) jagged, indented, notched; *архит.* crenellated; *техн.* cog(ged), lacerate, toothed, pronged, serrated; *бот., зоол.* crenate(d), dentate; denticulate(d); emarginated(d); erose; *бот.* laciniate(d), runcinate; ~ **като трион** saw-toothed.

найв|**ен** *прил.*, -**на**, -**но**, -**ни** naive; artless, guileless, simple, untutored; (*лековерен*) deceivable, gullible, dupable; credulous; **правя се на** ~**ен** put on an innocent air, play the innocent.

найвни|**к** *м.*, -**ци; найвниц**|**а** *ж.*, -**и** naive person, soft touch, simpleton, (*easy*) dupe, puppethead, sucker, sap, mug; *амер. разг.* patsy, easy meat; babe-in-the-wood (*обикн. мн.* babes-in-the-wood).

найвно *нареч.* innocently, naively; **той** ~ **вярваше, че** he fondly believed that.

найвност *ж.*, *само ед.* naiveté, naivety, artlessness, simplicity; ingenuousness; (*лековерност*) deceivableness, deceivability, gullibility, dupability, credulity.

наизуст *нареч.* by heart/rote; **говоря** ~ talk without knowing the facts; talk incompetently; **уча** ~ learn by heart/rote, memorize, commit to memory.

наименовани|**е** *ср.*, -**я** name, appellation, denomination, designation; ~**е на закон** title of (an) act.

найстина *нареч.* really, indeed, actually, really and truly, sure enough; *остар.* forsooth; **това е** ~ **смешно** that is really funny, that is funny indeed.

най- *част.* most, *в англ. и като наставка* -est; ~**добрият възможен приятел** the best friend that ever was, as good a friend as ever was; ~**последен** rearmost.

найлон *м.*, *само ед.* nylon.

найлонов *прил.* nylon (*attr.*).

наказан *мин. страд. прич.* punished; *разг.* on the carpet; **незаслужено ~** undeservingly punished.

наказани|е *ср.*, **-я 1.** punishment, penalty; (*задача, възложена от учител*) imposition; **дисциплинарно ~e** extra-legal penalty; **налагам ~e** inflict/ impose a punishment (on); **смъртно ~e** capital punishment, death penalty; **2.** (*мъчение*) torture, torment; imposition; **това дете е цяло ~e** that child is a (perfect) nuisance; that child is the torment of my life.

наказател|ен *прил.*, **-на, -но, -ни 1.** *юр.* (*свързан с наказателни процедури*) criminal, penal; (*който служи за наказание*) punitive; (*който идва като възмездие*) retributive; **~ен кодекс** criminal code; **~ни точки** penal points; **предприемам ~a акция срещу** take punitive action against; **2.** *спорт.* penalty (*attr.*); **11-метров ~ен удар** penalty kick; **~но поле** penalty area.

наказвам[1], **накажа** *гл.* punish; impose a punishment/penalty on; penalize; **измяната се наказва със смърт** the penalty for treason is death; **~ c глоба** impose a fine on, fine (s.o.); ‖ **~ ce** have a hard time/no end of trouble; **наказах се с този син** my son is the bane of my life.

наказвам[2], **накажа** *гл.* say a lot of things (to s.o.); give (s.o.) a piece of o.'s mind; tell frankly/openly.

наканвам се, наканя се *възвр. гл.* get round (to do *or* to doing s.th.); find time; make up o.'s mind; **тъкмо се бях наканил да излизам** I was just about to go out.

накапвам, накапя *гл.* **1.** pour out drop by drop; **2.** (*за плодове, листа*) fall, drop; **3.** spot/stain with drops; spill drops upon; ‖ **~ ce** spot/stain o.'s clothes.

накарвам, накарам *гл.* make (s.o. do s.th.); get/ask/cause/induce (s.o. to do s.th.); egg (s.o.) on (to do s.th.); **~ някого да млъкне** make s.o. hold his tongue; silence s.o.; talk s.o. down, (*c поглед*) stare s.o. into silence; **този отговор ги накара да се разсмеят** this answer made them laugh, this answer set them off laughing.

накастрям, накастря *гл.* **1.** (*клони*) cut off, lop (off), clip; **2.** *прен.* tell off, haul/call over the coals; **хубаво ме накастриха** I got/caught it in the neck.

накачулвам се и **накачулям се, накачуля се** *възвр. гл.* pile together, clamber up close together.

накисвам, накисна *гл.* **1.** soak, steep, saturate, macerate; douse, dowse; *шотл.* drouk, drook; (*билка*) infuse; (*пране*) soak; (*памук, коноп и пр.*) wet; **2.** *прен.* (*натопявам*) set (s.o.) up; *sl.* put the finger on; ‖ **~ ce** *прен. разг.* stitch o.s. up.

накит *м.*, **-и,** (*два*) **накита** (*украшение*) ornament, adornment, decoration; garnishment; (*украшения и дрехи*) finery.

накичвам, накича *гл.* (*с цвете*) stick a flower/posy on s.o.

накладк|а *ж.*, **-и** *техн.* (cover-)plate, lining; **релсова ~a** joint bar, rail bond, tie plate; **свързване с ~и** lashing.

наклеветявам, наклеветя *гл.* slander, calumniate, defame, libel, tell on, traduce, speak ill of, backbite; *sl.* peach (against/on/upon s.o.).

наклепвам и **наклепям, наклепя** *гл.* hammer out fine; **~ някого** *sl.* split on s.o.

наклон *м.*, **-и,** (*два*) **наклона** slope, bias, slant, tilt, incline, inclination, declination, slanting line, lean(ing), lowgrade, drop; fall, dip (*и геол.*); *мор.* heeling; *авиац.* bank; *геол.* rise; *физ.* incidence; (*на стена*) строит. batter; (*на покрив*) inclination; *техн.* gradient; (*на път*) declivity, slope, gradient, *амер.* grade; **без ~** aclinal; **остър ~** steep slope/pitch (of a roof, etc.); **под силен ~** (*за места в театър*) steeply banked.

наклонен *мин. страд. прич.* (*и като прил.*) **1.** (*наведен*) sloping, inclined, inclining, slanting, oblique, tilted; lopsided; low-grade; (*назад*) backswept; **върви по ~ата плоскост** go rapidly downhill; be on the down grade; **покривът е слабо ~** the roof has a slight slant; **2.** *остар.* (*склонен*) inclined, disposed (към; to do s.th.).

наклонени|е *ср.*, **-я 1.** *език.* mood; **2.** *геом., физ.* inclination, declination; (*на магнитната стрелка*) inclination, dip (of the needle).

наклонност *ж.*, **-и** inclination, recli-nation, aptitude, bent, disposition; порочни **~и** vicious propensities.

наклонявам и **накланям, наклоня** *гл.* bend, incline, tip, lower, tilt (over/ up), weigh down; (*оръжие*) *воен.* depress; (*кораб*) heel over, keel over; (*дърво – за плод*) weigh down; **~ везните** *прен.* tip the balance; **~ глава** bend o.'s head, cock o.'s head to one side; ‖ **~ ce** incline, lean (to one side), tilt (over/up). tip; (*за кораб*) heel over, keel over, list, (*силно*) take a heavy list, develop a bad list; (*за терен – внезапно, за везни, за слънцето*) dip; **на това място пътят се накланя** the road dips at that place.

наковавам, накова *гл.* (*гвоздеи*) nail, hammer (in); (*метал*) forge.

наковалн|я *ж.*, **-и 1.** *техн.* anvil; **настолна ~я** bench anvil; **щамповъчна ~я** swage anvil; **2.** *анат.* incus; ● **между чук и ~я** between the hammer and the anvil; between the devil and the deep sea; in a double bind, in the crossfire.

накол|ен *прил.*, **-на, -но, -ни: ~ни жилища** *истор.* pile dwellings, lakedwellings, lacustrine dwellings.

накрай и **накрая** *нареч.* (*за време*) in the end; at the end (of); at last, at length, finally, eventually, ultimately; (*за място*) at the end (of); in the rear; **~ света** in the remotest corner of the world/globe, *разг.* at the back of beyond; **~ силите си** at the end of o.'s tether, on o.'s last legs.

накрайни|к *м.*, **-ци,** (*два*) **накрайника** *техн.* tip, cap, tag, point, ferrule, shoe; nozzle, nose; adapter; thimble; (*на връзка за обувки – металичен*) tab, tag; (*на шнур*) point; **кабелен ~к** a cable shoe/terminal.

накрак *нареч.* standing; **~ съм** (*след боледуване*) be up/out and about; **ям ~** eat standing, have a stand-up meal.

накратко *нареч.* in short/brief, briefly; in a nutshell; in fine; **~ казано** in short; in a word; in a few words; in fine; to make/cut a long story short; the long and short of it is that ...

накрая *нареч.* (*за време*) in the end; at the end (of); at last, at length, finally, eventually, ultimately; (*за място*) at the end (of); in the rear.

накриво *нареч.* awry; aslant, aslope; at

an angle, not straight, on/to one side; **закопчавам** ~ misbutton; **картината виси** ~ the picture hangs askew, the picture is not square to the ceiling; • **гледам** ~ *прен.* look askance (at); (*с недобро око*) take a wry view of; **ставам** ~ get out of bed on the wrong side.

накуп *нареч.* together; in a pile/heap; **не съм виждал толкова пари** ~ I've never seen so much money at one time; **струпвам** ~ heap up, pile up.

накуцвам *гл.* limp slightly, limp a little, walk with a limp, have a slight limp, hobble; ~ **с единия крак** be lame in/ of one leg.

накъде *нареч.* where (to); *остар.* whither; which way; ~ **гледа къщата ви?** how does your house face?; • **без него** ~? what would you do/be without him? **виждам** ~ **биеш** I see what you're driving at; **ще го направиш като няма** ~ at/in a pinch you'll do it; when it comes to the pinch you'll do it; needs must when the devil drives.

накъдрен *мин. страд. прич.* curly, curled; crinkly; crimpy.

накъдрям, накъдря *гл.* curl; (*ситно*) frizz(le); ~ **косата на** о.'s hair curled, (*на студено къдрене*) have a permanent wave, have a perm; || ~ **се** curl; (*за водна повърхност*) crinkle, ripple.

накълцвам, накълцам *гл.* chop (up), mince; (*месо*) mince; *техн.* crush up.

накърмвам и накърмям, накърмя *гл.* (*добитък*) feed; (*дете*) suckle, give suck to, breast-feed.

накърнен *мин. страд. прич. (и като прил.*) impaired; hurt; ~**а гордост** hurt/offended pride.

накърнявам, накърня *гл.* **1.** impair, cripple; **2.** hurt, offend (s.o.'s feelings); ~ **авторитета на някого** undermine s.o.'s authority; ~ **нечии интереси** harm s.o.'s interests; || ~ **се** (*за луната*) wane; be on the wane.

накърняване *ср., само ед.* (*на права*) lesion, derogation, impairment (*на дипл. неприкосновеност*) violation; ~ **на авторски права** copyright infringement.

накъсвам, накъсам *гл.* **1.** tear to pieces; **2.** pick (flowers, fruit).

накъсо *нареч.* in brief, briefly, shortly.

налавям, наловя *гл.* catch (plenty of fish, etc.); || ~ **се** join/clasp hands.

налагам, наложа *гл.* **1.** (*поставям*) lay, put; (*компрес*) apply; (*кокошка*) set; (*зеле, туршия*) pickle; **2.** force, impose, thrust (**на** on, upon); enforce, enjoin; (*данък*) impose, assess, levy; (*наказание*) set, inflict, impose; ~ **волята си** have о.'s way, have/work о.'s will; ~ **глоба** fine (s.o.); ~ **мито** impose duty; **3.** (*правя необходимо*) necessitate; **това налага необходимостта от ново правителство** this calls for a new government; **4.** (*бия*) beat, pommel, drub, give a drubbing, thrash, thwack, wallop; *sl.* duff up; **той започна да го налага** he laid on vigorously; || ~ **се 1.** have/get о.'s way; impose о.'s will; lay down the law; make о.'s authority felt; domineer; ~ **се на някого** have/get о.'s way: impose о.'s will on s.o.; carry о.'s point; prevail on/upon s.o.; get the better of s.o., get the upper hand; **той не можа да ми се наложи** he couldn't have his own way with me; I stood my ground; **2.** (*добивам известност*) establish o.s., make o.'s reputation, make a name for o.s. (**като** to as); **неговите романи започват да се налагат на вниманието на читателите** his novels are beginning to draw the attention of the public; (*разпространявам се*) gain ground; **3.** *безл.* it is necessary/indispensable/imperative; **ако се наложи, в случай, че се наложи** if (the) occasion should demand; if need be; **това налага от обстоятелствата** circumstances demand it.

налапвам, налапам *гл.* put/take into о.'s mouth (*нагълтвам*) swallow; || ~ **се** gorge/stuff o.s. (with); • **налапал се е с гръмки фрази** he is full of high-flown talk, he is full of hot air; ~ **се с идеи** stuff/fill o.s. with ideas.

налбантин *м.*, **налбанти** *остар.* (black)smith, shoeing smith, farrier.

налбантск|**и** *прил.*, **-а, -о, -и** farrier's.

належавам се, належа се *възвр. гл.* lie о.'s fill, have о.'s fill of lying, lie to о.'s heart's content; have been lying enough; no longer feel like lying.

налеп *м.*, **-и, (два) налепа 1.** *мед.* coating; **2.** *текст.* mill-cake; *техн.* deposit, settling, incrustation, coating, bloom, tarnish, film, residue; *метал.* skull, (slag) build-up, crust, incrusta-

tion, accretion; plug.

налепвам и налепям, налепя *гл.* glue, paste, stick; ~ **афиши по стени** post bills on walls.

нали *част.* **1.** (*за запитване*): **видя го снощи,** ~? you saw him last night, didn't you? ~ **така** isn't that so? **той е там,** ~? he is there, isn't he?; **2.** (*когато се иска обяснение за нещо неочаквано*) I thought; ~ **уж си болен?** I thought you were ill; you were supposed to be ill, weren't you?; **3.** (*възражение, несъгласие, укор*): ~ **виждаш?** don't you see?; **4.** (*за потвърждаване на нещо известно*): ~ **е майка, жертва се** being a mother, she sacrifices herself; **5.** (*недоволство, яд*); **казах му да не отива, но** ~ **не ме слуша** I told him not to go, but he'll never listen to me/he'll never do as I tell him.

наливам, налея *гл.* pour (out); fill (a glass, etc. with water, etc.); infuse (into); ~ **чашата догоре** fill the glass to the brim; || ~ **се 1.** (*пия много*) drink heavily, booze, swill; guzzle; **2.** (*за плод*) ripen, grow juicy, *sl.* tank; **3.** (*напълнявам*) put on weight; fill out; • ~ **масло в огъня** add fuel/oil to the flames/fire; blow the coals; ~ **от пусто в празно** mill the wind, thrash over old straw; **очите ѝ се наляха със сълзи** her eyes filled with tears, tears welled up in her eyes, tears welled out of her eyes.

налив|**ен** *прил.*, **-на, -но, -ни 1.** (*за вино, бира*) on tap/draft, broached; **2.**: ~**но колело** *техн.* an overshot wheel.

налитам и налетявам, налетя *гл.* **1.** fly (on, upon, at, against) fall (on, upon), rush (on, upon, against), land (on, upon); **налетяха ме спомени** I was visited by memories; **2.** (*попадам на нещо лошо*) run (**на** into); **как пък на него баш налетях** what luck to run into him of all people; **3.** (*стремя се към нещо*) be after; ~ **на бой** spoil for a fight, *разг.* trail о.'s coat; **4.**: **налита ме да** (*иде ми да*) feel like (*с ger.*).

налице *нареч.* available, in/at hand; in evidence.

налич|**ен** *прил.*, **-на, -но, -ни** available; on hand; (*съществуващ*) existent, existing, extant, in existence (*предик.*),

in being; off-the-shelf; **~ни пари** ready money, effective money, money on hand, cash; **с ~ните средства** with the means on hand, with the available means, with the means available.

налѝчност *ж., само ед.* presence; availability; (*за пари*) cash, net cash; *търг.* amount on hand; **касова ~** till money, ready cash, cash in hand, till float; **при ~та на такъв добър специалист** with such a good specialist available; in the presence of such a good specialist.

нало̀|г *м.*, **-зи, (два) нало̀га** tax, duty; tribute, imposition, impost; toll; rate; **гербов ~г** stamp duty.

нало̀жен *мин. страд. прич. (и като прил.*): изпращам с **~ платеж** send (a parcel) collect; **~ превоз** *търг.* freight forward.

нало̀жител|ен *прил.*, **-на, -но, -ни** imperative, necessary, indispensable, exigent; pressing, urgent; **заминаването ми е ~но** I have to go.

налу̀дничав *прил. (за човек)* crazy, wanting, wild, eccentric, nuts, crackpot, wacky, *sl.* nutty; *амер. sl.* flak(e)y; (*за идея, план*) extravagant, crackpot, wacky, wild, wild-cat (*attr.*); farcical.

налу̀дничавост *ж., само ед.* craziness, eccentricity; extravagance; farcicality, farcicalness.

налуду̀вам се *възвр. гл.* have o.'s fling; frolic to o.'s heart's content; **~ на младини** sow o.'s wild oats.

налу̀чквам, налу̀чкам *гл.* guess (right), hit, *разг.* hit the right nail on the head; (*прилика*) hit off; **~ път** hit/strike the right trail.

на̀лче *ср.*, **-та** clout(-nail), calkin.

налъ̀м *м.*, **-и, (два) налъ̀ма** *остар.* patten.

налюбу̀вам се *възвр. гл.* feast o.'s eyes (on s.th.) to o.'s heart's content; **не мога да се налюбувам на нещо** be lost in admiration of s.th.

налютя̀вам, налютѐя *гл.* taste/be somewhat hot/pungent/peppery.

налю̀щям, налю̀щя *гл.* peel, scale; (*грах и пр.*) pod, hull, shell.

наля̀во *нареч.* left, to/on the left; leftward(s); **~!** *воен.* left turn! *амер.* left face! **~ и надясно** left and right, all over the place; **удрям ~ и надясно** hit out, lay on.

наля̀гам, налѐгна *гл.* **1.** press, exercise/exert pressure (on s.th.); depress; **2.** (*обземам*) overcome, come over; **налягат ме грижи** be oppressed with care, be bowed/weighed down with care; **налягат ме мрачни предчувствия** be overcome by premonitions, be seized with premonitions; **3.** (*явявам се в голямо количество*): **налегнали са ни мишки/хлебарки** we are infested with mice/cockroaches; ● **~ си парцалите** keep quiet/mum; lie low; be more modest; take in sail; come down a peg or two.

наля̀гане *ср., само ед.* pressure; **високо/ниско ~** high/low pressure; **кръвно ~** blood pressure; **под ~** under pressure.

намагнитизѝрам *гл.* magnetize, dipolarize.

нама̀звам, нама̀жа *гл.* **1.** smear, daub; coat; (*с мазнина*) grease, oil, lubricate, dub; (*месо с мас*) lard; (*с боя*) paint, lay a coat of paint on; (*с йод*) dab, daub; (*с мехлем*) embrocate; **~ с лепило** glue; **~ хляб с масло** spread butter on bread, butter bread; **2.** *прен.* strike it lucky, strike oil; **все гледа да намаже** he is always out for gain, he has an eye for the main chance, he takes care of number one; || **~ се** run (cream, etc, over o.'s body); **много си се намазала** you've put too much make-up on your face; ● **~ въжето** *прен.* swing.

намалѐн *мин. страд. прич. (и като прил.*) reduced, diminished; cut down; (*за цени*) knockdown; **~ размер на мито** reduced rate of duty; **с ~и цени** cut-price, *амер.* cut-rate.

намалѐни|е *ср.*, **-я** decrease, lessening, diminution; cutting; run-down; (*на цени*) reduction; cutback; (*на наказание*) *юр.* relaxation; (*на наказание*) *мат.* decrement; *търг.* discount; (*на надниците*) wage-cut; **купувам/продавам с ~е** buy/sell at reduced prices; **~е на цените** price reduction, price-cutting, *sl.* price-slashing; **пътувам с ~е** travel at reduced fare, travel with a (student, etc.) discount; (*на скорост*) slowing down, deceleration; (*на напрежение*) relaxation, easing; (*на болка*) abatement; ● **използвам ~ето** go while the going is good.

намаля̀вам₁, **намалѐя** *гл.* decrease,

diminish, grow/become smaller, lessen, contract, be on the decrease; dwindle; (*за болка, сили, вятър*) abate, let up; ease off; (*за вода – на река, езеро*) lower, sink; (*след наводнение*) subside; (*за луна*) wane, be on the wane; (*за приходи, посещение и пр.*) drop away; (*за интерес*) wane, languish; (*за дъжд*) let up, diminish; (*за вятър*) go down; (*за температура*) go down; (*за умора*) drop away; (*за аудитория*) drop off, fall off, drop away; (*за клиенти*) drop off; (*за производство, търсене, популярност, абонати*) fall off; (*за дните есен*) become/grow shorter, draw in; (*за цени, опасност и пр.*) recede; **провизиите ни са много намалели** we are running out/short of provisions; **раждаемостта е намаляла много** the birth rate is very much down; **реките са намалели от лятната жега** summer has shrunk the streams.

намаля̀вам₂, **намаля̀** *гл.* decrease, diminish, lessen, reduce; modify; downsize; (*изисквания*) reduce; (*напрежение*) ease, lessen, reduce; *ел.* kill; (*разходи*) cut down, put down, pare away, pare down, curb, draw in; (*цени*) cut, reduce, lower, knock off; (*радио*) turn/tone down; (*надници, заплати*) cut down, put down, whittle down; (*светлина*) dim; (*фитил на лампа*) turn down; (*храна – за отслабване и пр.*) cut down on; (*вина и пр.*) palliate, extenuate; (*болка*) ease, relieve, abate, alleviate; **~ загубите** mitigate the loss; **~ работното време** shorten working hours; **~ скоростта** slow down, ease up; **това намалява удоволствието ми** that takes the edge off my enjoyment.

намаля̀ване *ср., само ед.* decrease, lessening, diminution; reduction; decrement; (*на болка*) abatement; (*на напрежение*) relaxation, easing; (*на скорост*) slowing down, deceleration.

нама̀чквам, нама̀чкам *гл.* **1.** (*смачквам, измачквам*) crease, rumple, crumple; crimple; **2.** (*обработвам чрез мачкане*) press; squash; **3.** (*разтривам*) massage.

на̀ме|к *м.*, **-ци, (два) на̀мека** hint, allusion, insinuation, intimation, implication; inkling; **недвусмислен ~к а**

broad hint; **правя ~к** hint (**за** at), allude (to), drop a hint, insinuate (**че** that); **тънък/лек ~к** a gentle/delicate hint.

намѐквам, намѐкна *гл.* hint (**за** at), allude (to); imply (s.th.); insinuate (**че** that); drop a hint; (*давам някому да подразбере нещо*) give (s.o.) an inkling (of s.th.); **забележка, която намеква за нещо** an insinuating remark.

намѐрени|е *ср.*, **-я** intention; purpose; **имам добри ~я** mean well/kindly; **имам сериозни ~я** mean business; **той нямаше такива ~я** he was not so minded.

намѐс|а *ж.*, **-и** intervention, interference, meddling; **въоръжена ~а** armed intervention; **хирургическа ~а** operation.

намѐсвам, намѐся *гл.* 1. involve, implicate, entangle, mix up (s.o. in s.th.); **не намесвай политиката** don't bring politics in; 2. make (a lot of bread); || **~ се** interfere (**в** with), intervene (in), meddle (in, with); intrude; step in; put o.'s oar in; dip/put o.'s finger(s) in; put o.'s word in; **~ се в разговор** break into/burst in upon/cut into/intrude upon a conversation; chip in, clip in, cut in, strike in, edge in; (*рязко*) barge in; break in; **намесват се и други фактори** other factors come into play, other factors are involved; other factors are brought to bear; **полицията трябваше да се намеси** the police had to step in.

намѐствам и намѐстям, намѐстя *гл.* settle, put into place, put/set in the right/proper place, fit, adjust, place in position, fit on; *мед.* set, adjust, reduce; **~ изкючена кост** set a bone, put a bone into joint; **намести се добре** make yourself comfortable.

намѐстни|к *м.*, **-ци** substitute, deputy, proxy; *църк.* vicar; **кметски ~к** deputy-mayor.

намѐсто *предл.* instead of; in place of; **аз ще отида ~ тебе** I will go instead of you; **~ да чете той играе** he is playing instead of reading, he is playing while he ought to be reading.

намѐтк|а₁ *ж.*, **-и** wrap.

намѐтк|а₂ *ж.*, **-и** (*при плетене*) wool over needle; **правя ~а** make one.

намѝгвам и намѝгам, намѝгна *гл.*

wink (**на** at), give a wink (at); **~ в знак на съгласие** wink o.'s assent; **намигнах му да мълчи** I gave him a sign to keep silent.

намина̀вам, намѝна *гл.* drop in/by, look in (on s.o.), call in (on s.o.), call round, run in, bob in, pop in, be along, come around, *sl.* blow in; **утре ще намина (край вас)** I'll call tomorrow.

намѝрам, намѐря *гл.* **1.** find; (*откривам; издирвам*) find out, discover, detect, track down, earth down, ferret out, rake up, come across, run across, run to earth, hunt up/out, look up/out, dig up, lay o.'s hand on, turn up; (*нещо скрито – за полиция*) uncover; **мъчно ~ слушатели** have to look far for an audience; **~ дума в речника** look up a word (in the dictionary); **~ работа** find work/employment, *sl.* land a job; **2.** (*считам*) find, think, consider; **както то намерите за добре** as you think/ see fit/best, as you please; **за необходимо да направя нещо** find/deem it necessary to do s.th.; **нека го направи, както намери за добре** let him do it as he chooses; **3.** (*в съчетание с абстрактни същ.*): **книгата намери добър прием** the book was well received; **~ добър/радушен прием** be given a warm reception; get a warm reception; **~ сили** rally/muster/collect o.'s faculties/forces/strength, gather o.s. up; **не мога да си намеря място** *прен.* fidget, be fidgety/restless; be like a cat on hot bricks; (*бесен съм*) I'm beside myself (**от** with); || **~ се** (*за местоположение*) be, be about, be around, stand, be located; be situated, lie; (*среща се – за минерал, животински вид и пр.*) occur, be found; **говоря колкото да се ~ на приказки** indulge in small talk, chatter away for the fun of it; **~ се натясно** be in a tight corner; ● **~ си майстора** meet o.'s match.

намирѝсвам, намирѝша *гл.* **1.** (*издавам лек мирис*) smell slightly (**на** of), have a slight smell (of); be high; **рибата намирисва** the fish smells bad; **2.** get wind of; (*нещо лошо*) smell a rat.

намѝслям, намѝсля *гл.* think of; **какво си намислил сега?** what are you up to now? what are you plotting now? what's the tick? **тя си е намислила**

да стане актриса she has got/taken it into her head to become an actress.

намножа̀вам (се), намножа̀ (се) (*възвр.*) *гл.* multiply, increase.

намо̀крям, намо̀кря *гл.* wet, moisten, make wet; **~ краката си** get o.'s feet wet; || **~ се** get wet (with); **детето се е намокрило** the baby is wet.

намо̀рдни|к *м.*, (**два**) намо̀рдника muzzle; **слагам ~к на** muzzle (*и прен.*).

намота̀вам, намота̀я *гл.* wind (up); coil; twine (**на** round); coil; **~ на кълбо** roll/wind into a ball.

намо̀тк|а *ж.*, **-и** *ел.* winding, coil; (*на макара, цилиндър*) lap; **възбудителна ~а** field winding.

намра̀звам и намразя̀вам, намра̀зя *гл.* conceive a hatred for (s.o.); begin/ come to hate (s.o); take a dislike to (s.o.).

намръ̀щвам и намръ̀щям, намръ̀щя *гл.*: **~ вежди** knit o.'s brows; || **~ се** frown, scowl, lour, lower; o.'s face darkens; be in the dumps; **пак се е намръ̀щило нещо** (*за времето*) it's getting cloudy, it's clouding over.

наму̀швам, наму̀ша *гл.* **1.** (*с нож*) stab, knife; *sl.* chiv; (*с рога*) gore; **2.** (*напъхвам*) thrust (in), shove (in).

наму̀шквам, наму̀шкам *гл.* pierce, stab, jab.

намъдру̀вам се *възвр. гл.* philosophize; have o.'s fill of philosophizing; **намъдрувахте ли се?** have you made up your minds at long last? have you finally made up your minds?

намъ̀квам, намъ̀кна *гл.* (*дреха*) pull on, get/struggle into; || **~ се** get in, clamber in, sneak in; slink in.

намъ̀рдвам, намъ̀рдам *гл.* **1.** stick in, shove in; **2.** fix up; **~ някого (някъде)** sneak s.o. in; || **~ се** slink in, move in, edge into, wedge o.'s way in; get o.'s feet under the table; **виж го ти къде/ как се е намърдал** (*на място*) look where/how he's planted himself, (*на служба*) look where/how he's fixed himself up.

намя̀там, намя̀тна *гл.* **1.** throw on, throw over, slip on; **~ си палтото** throw o.'s coat on o.'s shoulders; **2.** (*при плетене*) cast on, make one; || **~ се** put/ slip (a coat, etc.) on o.'s shoulders.

нана̀сям, нанеса̀ *гл.* **1.** (*внасям*) bring

in, carry in, take in; (*натрупвам*) pile, heap, drift; (*за река*) deposit, drift; **2.** (*причинявам*) cause; (*рана*) inflict; (*удар*) strike, deliver, deal, land, get in; ~ **вреди/щети** cause damage (to), damage; ~ **обида/оскърбление на някого** insult s.o., offer an insult to s.o.; **3.** (*вписвам*) enter (names, marks, etc. in a register, etc.), book down, book in; *геом.* project (s.th. on s.th.); ~ **бележки върху книга** (*по белите полета*) make notes in the margin, make marginal notes; ~ **нещо на карта** plot s.th. on a map; **4.** (*боя*) lay on, (*дебело*) impaste; || ~ **се** (*в жилище*) move in.

нанасяне *ср., само ед.* (*щета, удар*) infliction; ~ **върху карта** mapping; ~ **на покритие** application of coating; ~ **на размери** dimensioning.

нàниз *м., -и,* (*два*) **нàниза** (*от мъниста, жълтици, чушки и пр.*) string; (*огърлица*) necklace.

нанѝзвам, нанѝжа *гл.* string (up/together), thread, (*на тел*) wire.

наново *нареч.* again, anew, afresh, once more, once again; **започвам** ~ make a fresh start.

нàнос *м., -и,* (*два*) **нàноса** alluvium, alluvion; deposit, drift; wash; silt; *геол.* mantle.

нàнос|ен *прил., -на, -но, -ни* alluvial, *геол.* superficial; ~**ни образувания** *геол.* driftage.

наобикàлям, наобиколя *гл.* **1.** (*посещавам*) visit, call on, come/go to see, drop in on; **2.** (*заобикалям*) surround, hem in; gather round, crowd round, *разг.* mob.

наоблѝчам, наоблекà *гл.* put on (a lot of clothes); dress, clothe (a lot of people).

наобядвам се *възвр. гл.* have/finish o.'s dinner/lunch (*нахранвам се достатъчно*) have enough; **наобядва ли се?** are you through with your dinner/ lunch?

наòколо *нареч.* around, about, all around, round about.

наòпаки *нареч.* **1.** (the) wrong side out, inside out, upside-down; (the) wrong end first; **всичко беше обърнато** ~ everything was upside down; **2.** (*обратно на това, което трябва да бъде*) wrong; **всичко ми върви** ~ everything goes wrong with me; **тълкувам**

~ misinterpret; **3.** (*напротив*) on the contrary; conversely; contrariwise; **тъкмо** ~ on the contrary; just the other way round.

наòстрям, наòстря *гл.* **1.** sharpen; **2.** *прен.* incite, set (s.o. against s.o. else); || ~ **се** become irritable; be incensed (*срещу* against), work o.s. up (against); ● ~ **зъби** (*за ядене*) get o.'s teeth ready; whet o.'s appetite (for a good meal); (*очаквам*) get all set (for), eagerly anticipate; ~ **уши** pin back o.'s ears, (*и прен.*) prick up o.'s ears; (*превръщам се в слух*) be all ears.

наòчни|к *м., -ци,* (*два*) **наòчника** blinkers, blinders, eye-flaps; (*на оптически уред*) eyeshades; **имам** ~**ци** have blinkers (*и прен.*).

нàпа *ж., само ед.* (*кожа*) nappa.

напàдам, напàдна *гл.* attack, assault, assail, charge, fall on/upon, jump on/ upon, come at, be down on/upon, come down on/upon, drop down on/upon, swoop down on/upon; dust up; *sl.* do up; (*внезапно – обикн. воен. или за полиция*) raid; forage, foray; (*за тълпа*) mob; (*за насекоми, паразити*) pester, infest; **напада ме дрямка** feel drowsy; ~ **в тил** attack from behind, take the enemy in the rear; ~ **отново** renew an attack.

нападàтел (-**ят**) *м., -и;* **нападàтел-к|а** *ж., -и* assailant, attacker, aggressor; (*на улицата*) mugger, raider; *воен.* forayer; *спорт.* forward; **център~** *спорт.* centre forward.

нападàтел|ен *прил., -на, -но, -ни* aggressive, militant, truculent, offensive (*и за оръжие*); invasive; ~**на война** aggressive war.

напàдам, напàдам *гл.* fall; **нападали са много ябълки** a lot of apples have fallen to the ground, there are lots of apples on the ground.

нападèни|е *ср., -я* attack, assault, onslaught, onset, onfall, charge, inrush, inroad; (*внезапно – воен. или от полиция*) raid; forage, foray; (*особ. от въздуха*) strike up; (*агресия*) aggression; incursion; (*група нападатели*) *спорт.* forwards, first line; (*при фехтовка и пр.*) lunge, thrust; **въздушно** ~**е** air raid; **предприемам** ~**е** launch an attack.

напàдк|а *ж., -и* attacks; invectives;

разг. pasting, going-over; **бивам подложен на остри** ~**и** *разг.* take a pasting, get a going-over; be in the firing line, draw the fire; **злобни** ~**и** malicious attacks; **постоянни** ~**и** running fire.

напазарỳвам *гл.* buy; do (all) o.'s shopping.

напакостявам, напакостя *гл.* harm, injure, do harm (**на** to), do an injury (to), cause damage (to); wrong (s.o.); do (s.o.) a mischief; ~ **на самия себе си,** ~ **си сам** spoil/mar o.'s. market, cook o.'s own goose.

напàлм *м., само ед.* хим., воен. napalm.

напàрвам и напàрям, напàря *гл.* steam; heat; scald; || ~ **се** *прен.* burn o.'s fingers, have/learn a good lesson.

напарфюмѝрам *гл.* scent, spray perfume on (s.th.).

напàсвам *гл.* fit, match, adjust.

нàпаст *ж., -и* scourge, plague, pest; ~ **Божия** scourge of God; **той е цяла** ~ (*за дете*) he's a holy/little terror; he is the plague of my life.

напàщам се и напàтвам се, напàтя се *възвр. гл.* go through much trouble/suffering, suffer a great deal, have a very hard time; **напатих се с това дете** that child has been the torment of my life.

напèв *м., -и,* (*два*) **напèва** melody, air, tune.

напèв|ен *прил., -на, -но, -ни* melodious, lilting, chanting; ~**ен говор** singsong; ~**на мелодия** a lilting air, singsong.

напèвно *нареч.* in a sing-song manner.

напèрвам се и напèрям се, напèря се *възвр. гл.* strut, put on airs, become perky/swaggering, get stuck up, perk.

напердàшвам, напердàша *гл.* thrash, lick, pepper, give (s.o.) a (good/sound) beating/spanking, slapping/leathering; give s.o. a drubbing; dust s.o.'s coat for them; *журн.* give s.o. a sound hammering; *разг.* give s.o. a thrashing/hammering, knock the living daylight out of s.o.; *sl.* clobber, lam, lace, paste; *амер. разг.* paddle.

напèрен *мин. страд. прич.* (*и като прил.*) puffed up, stuck up, perky, cockish; swaggering; ~**а походка** jaunty stride.

напѐт *прил.* sprightly, smart, spruce, dashing, handsome; (*за жена*) buxom.

напечàтвам, напечàтам *гл.* print, run off, strike off; (*издавам*) publish.

напѐчелвам, напѐчеля *гл.* gain, earn, make (a lot of money); || ~ **се** line o.'s pocket.

напѐчен *мин. страд. прич.* heated; (*от слънце*) hot; • положението е ~o things are looking pretty hot/tough.

напѝвам, напѝя *гл.* 1. (*правя пиян*) make (s.o.) drunk, liquor (s.o.) up; 2. (*стомна и пр.*) have the first sip (of); || ~ **се** 1. get drunk/tight, blow o.s. up (**c** on), *sl.* lush, have one over the eight; ~ **се от мъка** drown o.'s sorrow in drink; 2. drink o.'s fill; **напихме се с вода** we drank some water, we quenched our thirst.

напикàвам, напикàя *гл.* wet; || ~ **се** wet o.s., (*нощем*) wet o.'s bed; ~ **се от страх** wet o.s. with fear, wet o.s. pants with fear.

напѝпвам, напѝпам *гл.* 1. touch, feel, find; 2. (*набарвам, хващам*) catch, get hold of; put/lay o.'s fingers on; find, discover, come across; • ~ **пулса на епохата** get the spirit of the times; have o.s. finger on the pulse of time; ~ **пътя си** grope o.'s way (*и прен.*).

напѝрам, напрà *гл.* 1. press; 2. (*настоявам*) insist (за on); 3. (*за чувства, сълзи*) well up; **думите напираха у него** he was in full flow.

напѝсвам, напѝша *гл.* write, write down, take/put down; (*бързо, лесно*) write off; (*набързо*) scribble/jot down, scribble out; (*набързо – епиграма и пр.*) turn off; (*докрай и с подробности*) write out; (*на машина*) type, typewrite; (*чек*) make out; ~ **на чисто** write out fair; **прекрасно написана реч** a beautifully worded speech.

напѝтк|а *ж.*, -и drink; beverage; алкохолни ~и hard/alcoholic drinks, spirits; безалкохолни ~и soft/non-alcoholic drinks; разхладителни ~и cold drinks.

напѝчам, напекà *гл.* bake (plenty of bread, etc.); 2. (*сгорещявам*) heat; (*дрехи*) air; ~ **гърба си на слънце** warm o.'s back in the sun; || ~ **се** warm up, become warm/hot; (*за земя*) harden, cake; ~ **се на слънцето** warm o.s. in the sun, bask in the sun; • положе-

 нието е напечено things are looking pretty hot/tough.

напластѐн *мин. страд. прич.* piled (up) (in layers); *геол.* stratified, stratiform, foliaceous.

напластявам, напластя *гл.* 1. pile (up) (in layers); 2. make/stack/toss hay; || ~ **се** pile (up); stratify.

наплàшвам, наплàша *гл.* frighten, scare, cow, intimidate, overawe; || ~ **се** become frightened/scared/cowed.

наплѐсквам, наплѐскам *гл.* 1. (*изцапвам*) soil, besmirch; muddy; 2. (*с червило и пр.*) daub, paint; 3. (*набивам*) thrash, lick, pepper; give (s.o.) a (good/sound) spanking/slapping/leathering.

нàплив *м., само ед.* flow, influx, inrush, inflow; crowd, throng; (*на покани и пр.*) flush.

наплѝсквам, наплѝскам *гл.* splash (water, etc. on s.th.).

наплѝтам, наплетà *гл.* 1. knit (a lot of socks, etc.); 2. (*чорап*) foot; heel; toe; (*наставям чрез плетене*) add a piece; 3. (*коса*) braid, plait.

наплодявам (се), наплодя (се) (*възвр.*) *гл.* propagate, multiply.

наплюввам, наплюя *гл.* (*плюя върху нещо*) spit (at); (*за муха*) blow, fly-blow, fly-speck.

наплюнчвам, наплюнча *гл.* slaver, slobber, wet/dribble/cover with saliva; ~ **молив** wet a pencil.

наплюясквам се, наплюскам се *възвр. гл.* stuff/gorge o.s.

наподобявам, наподобя *гл.* 1. (*приличам на*) resemble, look like, bear a resemblance to; 2. (*правя да прилича*) make (s.th.) look/sound, etc. like s.th. else.

напойтел|ен *прил.*, -на, -но, -ни irrigating, irrigation (*attr.*); irrigative; ~на **система/мрежа** an irrigation system/network.

наполовѝна *нареч.* in half, in two; half-and-half; fifty-fifty; (*за знаме*) at half mast; **върша нещо** ~ do s.th. by halves; ~ **коприна** ~ **памук** part silk part cotton; **разрязвам** ~ cut in half, halve.

напòмням, напòмня *гл.* 1. remind (s.o. of s.th.; s.o. to do s.th.), call (s.th.) to s.o.'s mind; bring (s.th.) to s.o.'s notice; **напомни ми (че трябва) да върна книгата утре** please remind me to re-

turn the book tomorrow; **това ми напомня за младините** that carries me back to my youth; 2. (*наподобявам*) resemble, bear a resemblance to; **бананите на вкус напомнят пъпеш** bananas taste very much like melons; **ти ми напомняш (за/на) баща си** you remind me of your father.

напòмпвам, напòмпя *гл.* 1. (*вода*) pump, (*напълвам*) pump full; (*гума*) inflate, pump up; 2. *прен.* set (s.o. against s.o. else or s.th.), put (s.o. to s.th.); ~ **някого да направи нещо** instigate/incite s.o. to do s.th., put s.o. up to do s.th.; key s.o. up to doing s.th.

нàпор *м., само ед.* pressure, urge, push, (*на нахлуваща вода*) inrush; *техн.* (*на вода, пара и пр.*) head; thrust; pressure; stress; **под** ~a **на чувствата си** under the stress of o.'s feelings, on the spur/in the heat of the moment; **статичен** ~ gross head.

нàпор|ен *прил.*, -на, -но, -ни *техн.* pressure (*attr.*).

напорѝст *прил.* vigorous, full of go/pep, go-ahead, hard-charging; *неодобр.* pushy, thrusting.

напослѐдък *нареч.* lately, latterly, of late; of late years; (*неотдавна*) recently.

напоявам, напоя *гл.* 1. (*земя, растение*) water; ~ **подпочвено** subirrigate, (*от язовир и пр. чрез канали*) irrigate; 2. (*пропивам, просмуквам*) soak, steep; drench; 3. (*добитък*) give water to, water; 4. (*напивам*) make (s.o.) drunk.

напоявàн|е *ср.*, -ия irrigation, watering; soaking, steeping; **капково** ~e *сел.-ст.* drip irrigation; ~e **чрез дъждуване** *сел.-ст.* sprinkler irrigation.

напрàва *ж., само ед.* make; structure, construction; style; (*изделие*) (piece of) work; **добра** ~ good/fine workmanship; **този плат е домашна** ~ that cloth is homespun.

направлѐни|е *ср.*, -я 1. direction; *техн.* direction, sense; (*по компас*) bearing; *геол.* (*на рудна жила*) run; **в това** ~e (*в тази посока*) on these lines; **по** ~e **на** in the direction of; 2. *прен.* tendency, trend; **литературно** ~e a literary school.

направлявам *гл.* direct; guide; (*ръководя*) *амер.* mastermind.

напрàво *нареч.* 1. (*за посока*) straight,

straight ahead, right ahead, right on, directly; **влезте** ~ go right in; **вървя/карам (все)** ~ go straight on/ahead); follow o.'s nose; **2.** (*без отклонение или посредничество*): **получавам информация** ~ **от източника** get first hand information; **попадам** ~ **в целта** hit the mark; hit the bull's eye; **3.** (*откровено, без заобикалки*) frankly, openly, bluntly; forthright; point-blank; flat (and plain); right/straight out; **говори** ~ speak out, out with it, don't beat about the bush; **казах му** ~ **в лицето** I told him straight/right to his face; **пристъпвам** ~ **към въпроса** come straight to the point; **4.** (*равносилно*): **това би било** ~ **катастрофа** that would be nothing short of disaster; **5.** (*без подготовка или обмисляне*) off-hand.

направям, направя *гл.* (*изработвам*) make; (*извършвам*) do; **аз ще го направя** I'll do it, I'll get it done; **направен от злато** made/wrought of gold; **нищо не може да се направи** there's nothing to be done; it can't be helped; || ~ **се** pretend, make believe, feign.

напразен *прил.*, -на, -но, -ни **1.** vain, useless; (*безплоден*) fruitless, futile; ~**ни надежди** vain hopes; **2.** (*неоснователен*) ungrounded; unnecessary.

напразно *нареч.* in vain, to no purpose/avail/end, for nothing; fruitlessly; ~ **се трудя** work in vain, waste o.'s efforts, be an ass/fool for o.'s pains, have o.'s labour for o.'s pains; **работя** ~ (*за машина*) idle.

напрашвам, напраша *гл.* dust, make (s.th.) dusty, cover (s.th.) with dust; || ~ **се** become dusty, become covered with dust; **очите ми се напрашиха** dust got into my eyes.

напрашявам, напращя *гл.* burst (**от** with); **напращял от сили** bursting with strength, brimming over with energy.

напрегнат *мин. страд. прич.* (*и като прил.*) **1.** (*за работа*) strenuous, arduous, intensive; exacting; rush, warm, (*силно*) fierce; (*за усилие*) strenuous, arduous; (*за атмосфера*) tense, strained, stressful; electric; (*за внимание*) close, strained; (*нервен*) tense, on edge, edgy, uptight; *разг.* (all)

keyed up, over-wrought, strung up; **в най-~ия момент** in the thick of the press; ~ **живот** strenuous life; **нервите му бяха ~и до крайност** his nerves were strung up to the highest pitch; **2.** *техн.*: **предварително** ~ (*за цимент*) pre-strained, (*за стомана*) pre-stressed.

напрегнатост *ж., само ед.* intensity, tenseness; edginess; tension; stressfulness; strenuousness, strenuosity; (*пред неизвестност*) suspense.

напред *нареч.* forward, onward, ahead; in front; **гледам** ~ look ahead of one; *прен.* look into the future; **ни** ~, **ни назад** neither forwards nor backwards; *прен.* at a deadlock; stuck; **слагам часовник** ~ put a watch/clock fast.

напредвам, напредна *гл.* advance, progress, make progress/headway; push/get along; move onwards; march along; work up; get forward; get on; forge (ahead); gain ground; **времето напредва** time is getting on; it's getting late; ~ **с гигантски крачки** make great strides forward, *разг.* get on like a house on fire; ~ **с** (*работа и пр.*) make progress with, carry (an enterprise) forward, come on well with (o.'s studies, etc.), get on (with).

напреднал *мин. св. деят. прич.* advanced; **в ~а бременност** far gone in pregnancy, far gone in the family way; far gone with child; **курс за ~и** advanced course.

напредничав *прил.* (*за човек*) progressive, forward-looking; (*за идеи*) advanced, progressive; **жена с ~и възгледи** a woman of advanced views.

напредък *м., само ед.* progress, advance, headway; advancement; gain; **неговият** ~ **ме изненадва** he has come on surprisingly; **постигнат** ~ progress achieved.

напрежение *ср.*, -я **1.** tension, strain, exertion, effort; stress; tenseness; suspense; intension, tightness in the air; **държа някого в** ~ keep s.o. in suspense, keep s.o. in hot water; **намалявам/отслабвам ~ето** ease tension; **нервно/мускулно ~е** nervous/muscle strain; **2.** *ел., физ.* voltage, tension; **високо/ниско ~е** high/low voltage/tension; **под ~е** live.

напреки, напреко и напряко *нареч.*

crosswise, across; **минавам** ~ take a short cut.

напречен *прил.*, -на, -но, -ни transverse, transversal, cross; ~**ен разрез** cross-section, cut-away diagram; ~**на греда** transverse, cross-beam, cross-piece, cross bar, crossbolster, jig; (*на мост*) needle-beam; (*на под, таван*) joist.

напречник *м.*, -ци, (два) **напречника** crossarm; tie-bar; (*на под, таван*) joist; (*на стълба, стол*) rung; *мор.* anchor stock.

например *нареч.* for instance, for example; **аз** ~ I for one.

напролет *нареч.* (*пролетно време*) in spring; (*идната пролет*) in the spring, next spring, when the spring comes.

напротив *нареч.* on the contrary; contrariwise; **тъкмо** ~ just/quite the contrary, just the other way about/around/round.

напръсквам, напръскам *гл.* splash (water, etc. on s.th.); sprinkle; water; (*с пръскачка*) spray; ~ **с прах** powder.

напръстник *м.*, -ци, (два) **напръстника 1.** thimble; **2.** *бот.* foxglove, digitalis, finger-flower (*Digitalis*).

напрягам, напрегна *гл.* strain, exert; (*прекомерно*) overstrain; (*нерви, воля*) string up; ~ **всички сили** strain every nerve, brace o.'s energies, exert all o.'s strength, lay out all o.'s strength, lay o.s. out (to do s.th.); *sl.* go all out (to); ~ **ума/паметта си** rack o.'s brains.

напряко *нареч.* crosswise, across; **минавам** ~ take a short cut.

напудрям, напудря *гл.* powder; (*леко*) dab; || ~ **се** powder o.'s face/nose.

напук *нареч.* out of spite, to spite (s.o.), in defiance (of s.o.); in (s.o.'s) despite; ~ **на съдбата** in defiance of fate; **правя някому** ~ comb s.o.'s hair the wrong way.

напукан *мин. страд. прич.* (*и като прил.*) (*за земя*) cracked, fissured; (*за ръце, лице*) chapped; (*за устни*) cracked; (*за стена*) crannied; (*за чиния и пр.*) cracked; (*за дърво*) shaky; (*за боя*) blistered; (*за глеч*) crazed.

напỳквам, напукам *гл.* crack, chap; (*глеч*) craze; (*пуканки*) pop; || ~ **се** crack, chap, become cracked, get chapped, become covered with cracks/

chinks/fissures; (за глеч, боя) crackle.
напу̀скам и напу̀щам, напу̀сна гл. (страна, град) leave, depart from; (училище) leave; (разделям се) part (from s.o.); (изоставям) leave, abandon, forsake, desert, give up; (позиция) give up, relinquish; (събрание) walk out; (състезание) default; (служба) vacate, relinquish, lay down, (с отвращение) разг. chuck up; ~ **играта** leave the game, come out of the game; **принуждавам да напусне** freeze (s.o.) out; **тази мисъл не го напускаше** the thought kept recurring/never left him; || ~ **се 1.** neglect o.s.; **2.** (развеждам се) divorce, get a divorce.

напу̀скане ср., само ед. leaving, departing, deserting, relinquishing, vacating; departure, abandonment; resignation; (на състезание) default.

напу̀швам, напу̀ша гл. **1.** fumigate; **2.** fill with smoke; • **напушва ме смях** feel like laughing, choke with suppressed laughter, get the giggles, laugh/chuckle inwardly, laugh in/up o.'s sleeve.

напу̀вам (се), напъ̀на (се) (възвр.) гл. strain (o.s.), exert (o.s.), overstrain/overexert (o.s.), lay o.s. out.

напъ̀лвам и напъ̀лням, напъ̀лня гл. fill (up, out), top up; (пушка) load; ~ **гащите** shit o.s.; || ~ **се** fill (up); **напълни ми се душата** I really enjoyed it; • **главата на някого** knock some sense into s.o.; **напълни ми очите** it was a sight for sore eyes.

напъ̀лно нареч. completely, fully, quite, perfectly, squarely, absolutely, to the full, in full, every inch; to the letter; out and out; utterly; down to the ground; разг. to a frazzle; ~ **доволен** perfectly satisfied; ~ **е възможно да** it may well be that; **почти, но не** ~ almost but not quite.

напълня̀вам, напъ̀лнея гл. gain weight/flesh, put on weight/flesh, get/grow stout, pick up flesh, fill out, grow fat.

на̀пън м., -**и**, (два) на̀пъна strain; effort; (отвън – напор) pressure; мед. tenesmus; **с един** ~ with a single effort.

напъ̀пвам, напъ̀пя гл. bud, shoot, put forth buds.

напъ̀твам, напъ̀тя гл. **1.** show/point the (right) way/road (to); **2.** (поучавам) admonish, exhort.

напъ̀тствам гл. give directions (to); advise, admonish, exhort.

напъ̀тствен прил. admonishing, admonitory; ~**и думи/слова** words of advice.

напъ̀тстви|е ср., -**я** directions; advice; admonition, exhortation.

напъ̀хвам, напъ̀хам гл. stuff (in), thrust (in), stick (in), jam (in), tuck in, shove (in).

напя̀вам, напѐя гл. **1.** sing; chant; църк. cantillate; **2.** hum, croon.

нар₁ м., -**ове**, (два) на̀ра бот. (дърво и плод) pomegranate (Punica granatит).

нар₂ м., -**ове**, (два) на̀ра (легло) plank-bed.

нарабо̀твам, нарабо̀тя гл. make, produce (a certain number or quantity of); || ~ **се** have o.'s fill of working; work enough; stop/cease working; be tired of working.

нара̀вно нареч. equally, on a level, on an equal level; **делим** ~ go halves, go fifty-fifty, share (and share) a like; ~ **с** level/flush with; **срещата завърши** ~ спорт. the match ended in a draw, the match was a draw; • **сривам** ~ **със земята** raze to the ground.

нара̀ждам, народя̀ гл. (за жена) give birth to (many children); (за дърво) yield (a lot of fruit).

нара̀мвам, нара̀мя гл. shoulder, fling over o.'s shoulder.

наранѐн мин. страд. прич. hurt, injured, wounded; прен. hurt, offended, upset; ~ **съм при злополука** be injured in an accident.

нараня̀вам, нараня̀ гл. wound, injure; (чувства и пр.) hurt, offend.

нара̀ствам, нараста̀ и нара̀сна гл. grow, grow up, grow bigger; increase, be on the increase; build up; (за звук) swell; (за ден) grow longer, draw out; **шумът от самолета рязко нарасна** the sound of the aircraft grew in volume sharply.

нарѐд нареч. in order, in line, side by side; (подред, последователно) one by one, one after the other, in turn, in succession, successively; (без да избирам) as it comes; **всичко е** ~ everything is all right/under control, everything is OK; the going is good; ~ **с това** besides, along/together with that, (същевременно) at the same time; **чета всичко** ~ read page after page, read straight through, read consecutively.

нарѐдб|а ж., -**и 1.** regulation(s), instruction, order, ordinance; ~**а за запор на плащане** stop payment order; ~**а закон** канц. decree; **2.** (на къща) arrangement; furnishing, furniture.

наредѐн мин. страд. прич. (и като прил.) **1.** arranged; (за тухли и пр.) stacked, ranged; **столове, ~и покрай стената** chairs drawn up along the wall; **2.** in good order, orderly; ~**а къща/стая** a well furnished house/room.

нарѐждам, наредя̀ гл. **1.** (подреждам) arrange; (слагам в ред) put/set in order; (за показ) lay out; (войски в боен ред – разполагам) draw out, draw up; ~ **витрина** dress/arrange a shop-window; ~ **в редици** line up; ~ **декори** set the stage; ~ **пасианс** play patience; ~ **си книгите/къщата/работите** arrange o.'s books/house/affairs; **2.** (давам нареждане, заповядвам) order, direct (s.o. to do s.th.); give orders/instructions (for s.th. to be done, that s.th. should be done); give the word to s.o.; arrange, order, decree s.th. to be done/that s.th. should be done.; have s.th. done; **3.** (уреждам) arrange (to do s.th.; that s.th. should be done), make arrangements; ~ **работата** fix things up; **хубаво сте я наредили** ирон. you've made a nice mess of it all; **4.** (заплашително – наказвам, отмъщавам) fix; **аз (хубаво) ще те наредя (тебе)** I'll fix you, I'll settle you, I'll settle your hash, I'll cook your goose for you; **5.** (плача, оплаквам) lament; || ~ **се 1.** (в къща и пр.) settle (in), establish/fix o.s.; **2.** (подреждам се) line up; draw up (in a line); **войниците се наредиха в боен ред** the troops drew up in order of battle; ~ **се на опашката** take o.'s place in the queue; **3.** (подреждам си живота, работите) добре сте си **наредили** (добре сте си уредили живота) you've fixed yourselves up

very nicely; **той винаги се нарежда** he always gets the best of everything; **4.** (*уреждам се*) get fixed up; **всичко се нареди много добре за него** it worked out very well for him; **работите се нареждат добре** things are turning out all right; **5.** *прен.* (*попадам в затруднено положение*) get o.s. in a mess/fix/pickle; be in a tight corner, be in hot water, be in a fine pickle; **добре се наредихме** we're in a fine predicament; we're in for it now; here's a pretty go; **хубаво си се нaредил** a nice mess/fix/pickle you've got yourself in.

нарѐждан|е *ср.*, -ия (*заповед*) order; regulation; (*указание*) instruction, direction; *юр.* mandate, fiat; **до второ ~e** till further notice, until you hear further; **платежно ~e** banker's draft, money order; **по ~е на лекаря** on doctor's orders, on medical advice.

нàрез *м.*, -и, (*два*) **нàреза** *техн.* (*в цев на оръжие*) groove, rifling; (*на винт*) thread; **правя ~ на дърво** (*за вадене на сок*) tap a tree.

нарèчи|е *ср.*, -я език. **1.** (*говор, диалект*) dialect; **2.** adverb.

нарисувам *гл.* paint, draw (a picture of).

нарицàтел|ен *прил.*, -на, -но, -ни: **~но име** език. common noun; *прен.* byword.

нарѝчам, нарекà *гл.* **1.** call, name, give a name to; christen; term, describe, style, entitle; refer to (s.o., s.th.) as; **~ нещата с истинските/собствените им имена** call things by their proper names, call a spade a spade; **~ по име** call by name; **2.** (*определям*) set aside, intend (s.th. for s.o.); **3.** foretell s.o.'s fate; || **~ ce** be called, o.'s name is; (*сам себе си*) call o.s.; **как се нарича предната част на кораба?** what is the front part of a ship called? what do we call the front part of a ship?

наркòз|а *ж.*, -и (*вещество*) narcotic; (*въздействието, състоянието*) narcosis; **под ~a** *мед.* narcotized.

наркомàн *м.*, -и; **наркомàнк**|а *ж.*, -и drug addict, drug fiend; dope fiend; druggie; *разг.* junkie; (*който използва кокаин*) coke freak, coke head, *sl.* cokey; (*който използва хероин*) smack freak; (*който използва канабис*) pothead, doper; *sl.* mainliner, *амер.* snowbird.

наркомàния *ж.*, само ед. (narcotic) addiction, drug habit, narcotic addiction.

наркотерàпия *ж.*, само ед. narcotherapy.

наркотизѝрам *гл.* narcotize, opiate; || **~ ce** become a drug addict.

наркотѝз|ъм (-мът) *м.*, само ед. narcosis, narcotism.

наркотѝ|к *м.*, -ци, (*два*) **наркотѝка** (*вещество*) narcotic, opiate; *прен.* energizer; **разрешен ~к** authorized drug; **употребявам ~ци** dope o.s., be a drug addict.

наркотѝч|ен *прил.*, -на, -но, -ни narcotic; **изпитвам ~ен глад** *разг.* go through cold turkey; **~но средство** drug, narcotic; *мед.* stupefacient.

нарòд *м.*, -и, (*два*) **нарòда** people, nation; (*население*) population; (*множество*) multitude, crowd; **много ~** many people, plenty of people, a crowd of people, crowds of people, tons of people; **трудов ~** working people; **човек от ~а** a man of the people.

нарòд|ен *прил.*, -на, -но, -ни people's, national, popular; (*за власт*) people's; (*достъпен за народа*) popular; (*за обичаи, песни, приказки*) folk (*attr.*); (*за език*) vulgar; **~ен език** old-shoe language; **~на мъдрост** wise saw; **~на памет** folk memory.

нарòдност *ж.*, -и nationality; **от каква ~ сте? какъв сте по ~?** what is your nationality?

нарòдноосвободѝтел|ен *прил.*, -на, -но, -ни: **~на война** a war of national liberation.

нарòчвам, нарòча *гл.* single (s.o.) out, have it in for (s.o.), have a grudge against (s.o.), bear (s.o.) a grudge, have a rod in pickle for (s.o.); brand, label; **нарочиха го, че е шпионин** they branded him as a spy.

нарòчен₁ *мин. страд. прич.* (*и като прил.*) singled out; designated; intended; branded; **~ платеж** cash on delivery, *съкр.* COD.

нарòч|ен₂ *прил.*, -на, -но, -ни **1.** (*специален*) special, express; **~ен пратеник** a special envoy; **2.** (*умишлен*) deliberate, intentional, premeditated.

нарòчно *нареч.* **1.** specially, expressly; **2.** on purpose, purposely, intentionally, deliberately, advisedly, wittingly; **аз ~**

го посетих I made a point of visiting him; **~ не ти казах** I had my reasons for not telling you.

наругàвам, наругàя *гл.* upbraid, rail at, shout at, quarrel with (s.o. for doing s.th.); give (s.o.) a good dressing-down; haul (s.o.) over the coals; scold (harshly), trounce, censure, tell off, *амер. разг.* bawl out; *разг.* give (s.o.) a lick with the rough side of o.'s tongue, have (s.o.) on the mat, chew the hell out of (s.o.); *амер. sl.* give (s.o.) the gaff.

нарушàвам, нарушà *гл.* (*правилник, клетва, договор*) break, violate; (*тишина*) break, disturb; (*равновесие*) disturb, upset, disrupt; (*закон*) break, infringe, violate, outrage, contravene, offend/transgress against; **~ авторско право** infringe a copyright; **~ граница/владение** trespass; **~ мълчанието** break (in upon) the silence; **~ спокойствието на някого** disturb s.o., invade s.o.'s privacy.

нарушàван|е *ср.*, -ия violation; disturbance; fault; **~е на контакт** *ел.* contact fault.

нарушèн *мин. страд. прич.* (*и като прил.*) broken; **~о здраве** impaired health.

нарушèни|е *ср.*, -я breach, violation, disturbance; (*на закон*) infringement, infraction, offence, contravention, malpractice; (*на обещание*) departure (from); *спорт.* fault, foul, breach (of rules); **извършвам ~e** *спорт.* commit a foul, foul; **~е на закона** offence against the law, a failure to observe the law; **~е на човешките права** violation of human rights; **отбелязвам ~e** sound/mark/give/judge/rule a foul.

нарушѝтел (-ят) *м.*, -и; **нарушѝтел-к**|а *ж.*, -и violator, breaker; (*на реда*) disturber, rioter, troublemaker; (*на закона*) infringer, offender, transgressor; (*на владение*) trespasser; (*на интелектуална собственост*) infringer; **~ на обществения ред** public nuisance; (*нападател*) aggressor.

нàрцис *м.*, -и, (*два*) **нàрциса** *бот.* (*жълт с фуниийка*) daffodil, (*бял*) narcissus, *pl.* narcissi.

нарцисѝз|ъм (-мът) *м.*, само ед. *мед.* narcissism.

нарцистѝч|ен *прил.*, -на, -но, -ни narcissistic.

наръ́гвам, наръ́гам *гл.* (*намушквам*) stab, knife, jab; *sl.* chiv; (*втиквам*) thrust, poke; (*натъпквам*) shove, stick.

наръ́свам, наръ́ся *гл.* (be)sprinkle (**с** with).

на́ръч *м.*, **-и**, (**два**) на́ръча armful; faggot.

наръ́ч|ен *прил.*, **-на**, **-но**, **-ни** at hand, available.

наръ́чни|к *м.*, **-ци**, (**два**) наръ́чника handbook, manual, guide; reference book.

наря́д *м.*, **-и**, (**два**) наря́да 1. (*стоки*) (state) supply; (*предписание за производство, доставка*) (delivery) quota; delivery order; **изпълнявам ~а си** fulfil o.'s quota; 2. *воен.* fatigue, fatigue duty; **назначавам ~** detail on duty; 3. *воен.* (*група от дежурни военнослужещи*) detail, duty detail.

наря́дко *нареч.* seldom, rarely; at (rare) intervals, few and far between, sparsely.

наря́звам, наре́жа *гл.* 1. cut up, cut into pieces; (*на филии*) slice, cut into slices; (*месо*) carve up, chop up, cut up; (*зеленчуци*) chop up, cut up; *техн.* (*правя нарез на*) thread, (*на фреза*) generate; (*назъбвам*) notch, dent, indent; **брегът беше нарязан от дълбоки заливи** the coast was cut up into deep bays; 2. (*начевам – нова пита и пр.*) cut into, start (on); || **~ се** be/get drunk.

нас *вин. пад. на личното мест.* **ние** us; **ела у ~** come to our house/place, come and see us; **той беше у ~** he was at our house/place, he came to see us, he was with us, (*за по-дълго време*) he stayed with us.

насаждам, насадя *гл.* 1. plant; enroot; **~ дръвчета покрай улицата** line the street with trees; 2. *прен.* (*идеи*) implant, spread, inculcate, engrain, ingrain; enroot; impregnate; (*култура*) spread, propagate; (*чувства*) instil; **~ трудови навици у дете** teach a child/ bring up a child to be hard-working; 3. (*кокошка*) set; || **~ се** *прен.*: **~ се на пачи яйца**, **~ се хубаво** dish o.s., be nicely landed; get into a tight corner; cook o.'s own goose; • **~ някого на пачи яйца**, **хубаво ~ някого** get s.o. in a fix, get s.o. into a pretty mess, leave s.o. holding the baby/bag, cook s.o.'s goose.

насажде́ни|е *ср.*, **-я** plantation; **трайни ~я** *сел.-ст.* perennial plants.

наса́м *нареч.* 1. (*за посока*) this way, here; *остар.* hither; **~натам** to and fro, hither and thither; **право ~** right up this way, right up here; 2. (*за време*): **оттогава ~** from that time on, ever since.

насаме́ *нареч.* in private, privately; **разговор ~** private talk, tête-à-tête.

насапунисвам, насапунисам *гл.* soap, lather.

насвирвам се, насвиря се *възвр. гл.* have o.'s fill of playing (the violin, etc.); stop/cease playing (the violin, etc.).

насеко́м|о *ср.*, **-и** *зоол.* insect; **~и вредители** insect-pests.

насекомояд|ен *прил.*, **-на**, **-но**, **-ни** *биол.* insectivorous; entomophagous; **~но растение** insectivore.

населя́вам и насе́лям, населя́ *гл.* populate, colonize; **~ нов град** people a new town.

населе́н *мин. страд. прич.* (*и като прил.*) populated, inhabited; **гъсто ~** densely/thickly populated; **рядко/слабо ~** thinly/sparsely populated.

населе́ние *ср.*, *само ед.* population, inhabitants; **градско ~** city/urban population; **селско ~** village/rural/peasant population.

населе́ност *ж.*, *само ед.* density of population.

населя́вам *гл.* inhabit, live in.

наси́ла *нареч.* by force, through violence; against o.'s will, under protest, forcibly; **усмихвам се/засмивам се ~** force a smile/laugh; • **~ хубост не става** you can take a horse to water, but you cannot make him drink.

наси́лвам и наси́лям, наси́ля *гл.* force, coerce, compel, constrain, drive; **~ врата** force a door, burst a door open, smash in a door; **~ късмета си** push o.'s luck, force the game; || **~ се** make an effort, make a push, exert o.s.; (*да правя нещо, което не ми е приятно*) force o.s.; **трябва да се насиля, за да го направя** it goes against the grain for me to do it.

наси́лие *ср.*, *само ед.* force, violence, outrage; (*принуда*) coercion, constraint; *разг.* rough stuff; **домашно ~** domestic violence; *разг.* domestic; **употребявам ~ над някого** use force on

s.o., resort to violence against s.o.

наси́лни|к *м.*, **-ци** oppressor; violator; tyrannizer.

наси́лствен *прил.* forced, forcible; violent; **~и мерки** coercive measures; **~о влизане** forcible entry; **умирам от ~а смърт** die by violence, die a violent death.

насиня́вам, насиня́ *гл.* (*пране*) blue; (*боядисвам синьо*) paint blue; (*от бой*) beat black and blue.

на́сип *м.*, **-и**, (**два**) на́сипа embankment, mound; fill; *амер.* level; **железопътен ~** railway embankment.

наси́пвам, наси́пя *гл.* 1. (*сипвам*) pour (in, into); fill up; 2. (*натрупвам*) heap, pile; 3. (*посипвам*) sprinkle (over); 4. (*засипвам, запълвам*) fill; **~ канал** level a canal.

наси́п|ен *прил.*, **-на**, **-но**, **-ни**: **в ~но състояние** bulky.

наси́та *ж.*, *само ед.* satiety, repletion; **до ~** to satiety, to o.'s fill, to o.'s heart's content, to the top of o.'s bent.

наси́тен *мин. страд. прич.* saturated, impregnate(d); (*сит, преситен*) satiated; full; *хим.* saturated, concentrated; (*за цвят*) deep, live, generous, saturated; **въздух, ~ с благоухание** balmy air; **книга, ~а с хумор** a book brimming over with wit; **~ с чувственост** (*за музика и пр.*) luscious.

наси́чам, насека́ *гл.* cut/chop (up) in pieces; dismember; **~ дърва** chop wood.

наси́щам, насити́ *гл.* saturate, sate (**с** with); glut (with); impregnate; (*просмуквам*) permeate; *хим.* saturate (with); **~ глада си** appease/satisfy o.'s hunger; **~ пазара** glut the market; || **~ се** be full, be sated, have had enough; have had o.'s fill (of); (*пресищам се*) be fed up (with); *хим.* become saturated; **наситих се на музика** I'm fed up with music, I'm sick and tired of music; **не мога да му/й се наситя** I can't hear/see/read, etc. enough of him/her/it.

наско́ро *нареч.* 1. (*за минало*) recently, lately, of late; **открит/измислен** newly discovered/invented, *книж.* neoteric; 2. (*за бъдеще*) soon, before long.

наскъ́рбен *мин. страд. прич.* sad, grieved, pained, sorrowful; distressed, hurt.

наскърби́тел|ен *прил.*, **-на**, **-но**, **-ни** sad, painful; distressing.

наскърбя̀вам, наскърбя̀ *гл.* make sad, sadden, grieve, afflict, distress, pain; *(оскърбя̀вам)* hurt; **писмото ти ме наскърби дълбоко** your letter has deeply distressed/grieved me, your letter has caused me great pain; || ~ **се** be/ become sad, sadden *(от at)*; be grieved, feel hurt.

насла̀гвам, насла̀гам *гл.* put, lay; deposit.

насла̀гван|е *ср.*, -ия *геол.* deposition; sedimentation.

насла̀д|а *ж.*, -и enjoyment, delight, relish, regalement, pleasure, treat; **духовна** ~а intellectual feast.

наслажда̀вам, наслада̀ *гл.* give pleasure (to), be a pleasure (to), delight; || ~ **се (на)** enjoy, relish; take pleasure/delight in, delight in, rejoice in, revel in, feast/feed o.'s eyes on; ~ **се на успеха** revel in success.

наслаждѐние *ср.*, *само ед.* enjoyment, delight, relish, pleasure.

наследѐн *мин. страд. прич.* inherited.

наслѐдни|к *м.*, -ци heir, inheritor; *юр.* devisee; *(на когото е завещано имущество)* legatee; *(приемник)* successor; **законен** ~к heir-at-law; **ставам** ~к **на** enter into the heritage of.

наслѐдническ|и *прил.*, -а, -о, -и of an heir, of heirs.

наслѐдствен *прил.* hereditary, inherited; lineal; patrimonial; inheritable; *(за качество)* inbred; ~ **имот** patrimony, patrimonial estate; ~о **право** right of heritage/inheriting, birth right; **това е** ~**а черта** it runs in the family.

наслѐдственост *ж.*, *само ед.* heredity.

наслѐдств|о *ср.*, -а inheritance, legacy; heritage; patrimony; birth right; *юр.* devise; *(наследяем имот)* *юр.* hereditaments; *(на съпруга – вдовица)* jointure; **литературно** ~о *(ръкописи, останали след смъртта)* literary remains/heritage; **получавам** ~о come into a legacy, come into an inheritance; **получавам по** ~о inherit; **предавам се по** ~о be handed down from generation to generation/from father to son; **тази болест се предава по** ~о this disease is hereditary.

наследя̀вам, наследя̀ *гл.* inherit; succeed; *(черти, характер)* derive; ~ **имение** inherit an estate, succeed to

an estate; ~ **някого в службата** fill s.o.'s shoes, step into s.o.'s shoes.

насло̀в *м.*, *само ед.* heading, title, *(във вестник)* headline; **под** ~ under the heading/title of.

наслоѐн *мин. страд. прич.* layered; *геол.* bedded; • **дълбоко** ~ *прен.* deep-rooted/-seated.

наслоѐни|е *ср.*, -я *геол.* stratification; *(пласт)* stratum, *pl.* strata; *(тънко)* seam.

наслоя̀вам, наслоя̀ *гл.* lay, deposit; || ~ **се** stratify, be deposited, form strata/ seams.

наслу̀ка и наслу̀ки *нареч.* at random, at a guess, by guess (work), haphazard, at a venture; on the off-chance; hit or miss.

наслу̀швам се, наслу̀шам се *възвр. гл.* listen (to music, etc.) to o.'s heart's content; have o.'s fill of listening (to music, etc.); **наслушах се на оплакванията ти** I've had enough of your complaints.

насмѐшк|а *ж.*, -и *(злобна)* mockery, ridicule, derision, jest, sneer, gibe, *(презрителна)* taunt, *(незлоблива)* banter, chaff; **с** ~ mockingly, with mockery, derisively, jokingly, teasingly, gibingly.

насмѐшливост *ж.*, *само ед.* derisiveness.

насмива̀м се, насмѐя се *възвр. гл.* 1. mock, jeer, gibe, sneer; 2. laugh to o.'s heart's content, have a heart's hearty laugh; have o.'s fill of laughing.

насмѝтам, насмета̀ *гл.* 1. sweep up; 2. fall upon. assail; 3. scold, tell off, haul over the coals.

насмоля̀вам, насмоля̀ *гл.* tar, pitch.

насо̀к|а *ж.*, -и direction, guideline; slant, trend, set, stream; path, tenor, tendency; **в тази** ~а along these lines; **давам нова** ~а **на** give a new/fresh direction to, divert into a new channel; make a new departure in; ~**и за развитие** guidelines of development.

насоля̀вам, насоля̀ *гл.* 1. salt, pickle, corn, cure; 2. *прен.* give (s.o.) a dressing-down, pepper (s.o.).

насо̀чвам, насо̀ча *гл.* direct **(към, срещу** to, at, on); orientate, turn (to, on); *(оръжие)* level, aim (at), *(оръдие)* lay, train, bring to bear (on); *(прожектор)* turn (on); *(въпрос, забележка)* direct

(at); *(удар, атака)* launch; *(телескоп)* direct (towards); collimate; *(някого за сведения)* refer (s.o. to s.o. or s.th.); *(пари, стоки и пр.)* funnel; **заплашвам някого като** ~ **пистолет** threaten s.o. at the point of a gun/pistol, threaten s.o. at gun/pistol point; ~ **обвинение срещу** direct an accusation against; ~ **разговор в друга посока** switch the conversation; || ~ **се** direct/turn o.'s steps (to), advance (to); bear down (on); point (at), turn (to); *(за сведения)* refer/turn (to); *(за кораб)* head (for), bear down (upon/towards), set course (for); *(с враждебна цел)* advance (on), bear down (on), edge in (on), move in (on), march (on), zero in on; *(за войски)* advance, head; **правилно сте се насочили** you're on the right track.

насо̀чван|е *ср.*, -ия guidance; *ел.* induction; *воен.* *(на оръдие)* laying, training, aiming; *опт.* collimation; ~**е в космическото пространство** space guidance; ~**е на самолет** aircraft vectoring.

насо̀ченост *ж.*, *само ед.* 1. purpose; purposefulness; 2. trend, tendency; **с практическа** ~ on practical lines.

наспѝвам се, наспя̀ се *възвр. гл.* sleep o.'s fill, have/get enough sleep, have o.'s sleep out; **детето още не се е наспало** the child is still sleeping.

насрѐд *предл.* in the middle of; ~ **пътя се сетих** when I was half way (there) I remembered.

насрѐща *нареч.* opposite, across the street/way; over there; **той седи** ~ **ми** he sits opposite me; • **аз съм** ~ you can count on me; **те не знаят кого имат** ~ **си** they don't know who they're up against.

насрѐщ|ен *прил.*, -на, -но, -ни opposite; contrary; *фр.* en face; ~**ен вятър** contrary wind, dead-wind, noser; ~**на оферта** counteroffer; ~**но движение** contraflow.

насро̀чвам, насро̀ча *гл.* fix/set the day/ date for; **делото е насрочено за 17-и** the case will be tried/will be down for hearing on 17th.

наста̀вам, наста̀на *гл.* *(настъпвам)* set in, come (on); **в залата настана мълчание** silence fell on the audience; **не е още настанало времето за то-**

ва the time has not come for it yet, the time is not ripe.

наста̀вк|а *ж.*, **-и 1.** *(нещо наставено)* piece sewn/added on; *(на въже, греда)* splice; *техн.* neck; head (piece); cap(ping); **тръбна ~а** a branch pipe, socket, connection (pipe); **2.** *език.* suffix.

наставлѐни|е *ср.*, **-я 1.** *(указание)* direction(s), instruction; **давам ~я** instruct; **2.** *(поучение)* admonition, advice, precept, exhortation; *ирон.* edification.

наставля̀вам *гл.* admonish, exhort; tutor, monitor; *ирон.* edify; **~ някого бащински** give fatherly advice.

наста̀вни|к *м.*, **-ци** tutor, mentor, preceptor, teacher; monitor; *пренебр.* a back-seat driver; **духовен ~к** *рел.* catechist.

наставническ|и₁ *прил.*, **-а, -о, -и** preceptorial, admonitory, admonishing, edifying, edificatory; exhortatory, magisterial, tutorial.

наста̀внически₂ *нареч.* in a preceptorial manner/tone; edifyingly.

наста̀вям, наста̀вя *гл.* piece on, join on, add a length, tack on (to).

настаня̀вам, настаня̀ *гл.* **1.** *(поставям)* put, place, fix; *(някого удобно)* ensconce; **2.** find room (for); put up, install; accommodate; *(давам местожителство)* domicile, domiciliate; *(гарнизон и пр.)* station; **~ някого в болница** get s.o. into a hospital, hospitalize; **~ някого на работа** get/find/obtain a job/situation for s.o.; fix s.o. up with a job; **|| ~ се** settle (down); ensconce o.s.; fix o.s.; *(на земя, в квартира, без да имам право)* *разг.* squat; **настанете се удобно** make yourself comfortable; **~ се на хотел** put up at a hotel.

настѝвам, настѝна *гл.* catch (a) cold, take cold; **настинал съм** have a cold.

настѝгам, настѝгна *гл.* overtake, overhaul, catch up with, reach, come up with, get up to/with, draw level with, gain on/upon; pick up; *(кораб, състезател)* make up on; *(за кон и пр.)* pull up to/with; **настигна ни буря/дъжд** we were caught in a storm/in the rain.

настѝлам, настѐля *гл.* lay, spread; *(с дъски)* plank; *(с дюшеме)* floor; *(път,* *улица)* pave; *(с плочи)* flag; *(с чакълена настилка)* macadamize; gravel.

настѝлк|а *ж.*, **-и** flooring; planking; pavement, road surface, macadam, flags; *(слама)* litter; **~а с плочи** flagging; **чакълена ~а** gravelling.

настѝнк|а *ж.*, **-и** cold; *разг.* lurgy.

насто̀йни|к *м.*, **-ци; насто̀йниц|а** *ж.*, **-и** guardian; **~к по завещание** *юр.* testamentary guide.

насто̀йническ|и *прил.*, **-а, -о, -и** tutelary.

насто̀йчив *прил.* insistent, pressing, persistent, importunate, persisting, persevering; earnest; pertinacious; imperative; **~а молба** a pressing/urgent request; **с ~ тон** persistently.

насто̀йчивост *ж.*, *само ед.* insistence, persistence, perseverance, importunity; earnestness; imperativeness; urgency; *(упоритост)* obstinacy.

насто̀л|ен *прил.*, **-на, -но, -ни** table *(attr.)*, desk *(attr.)*; desktop; **~ен компютър** desktop; **~на лампа** reading lamp, desk-lamp.

насто̀йвам, насто̀я *гл.* insist (на на s.th., да on doing s.th., that s.th. should be done), persist (in doing s.th.); enjoin; stand (on), stick out (for); urge, press (o.'s demand); press the point; **~ за отговор** press for an answer; **~ на искането си** press o.'s claim; **щом толкова настоявате** since you are so insistent/pressing.

насто̀йване *ср.*, *само ед.* insistence, persistence; **по ~ на** at/on the insistence of.

насто̀йтел (-ят) *м.*, **-и; насто̀ятелк|а** *ж.*, **-и** trustee, guardian; **училищен ~** trustee of a school; **църковен ~** churchwarden, parish councillor.

насто̀ятел|ен *прил.*, **-на, -но, -ни** insistent, persistent, pressing, importunate.

насто̀ятелств|о *ср.*, **-а** board, trustees, board of trustees; trusteeship, guardianship.

насто̀ящ *прил.* **1.** *(сегашен)* present; **в ~ия момент** at this moment; **2.** *(истински)* real, genuine, true; **3.** *(съществуващ)* existent, existing, extant, in existence *(предик.)*, in being.

насто̀яще *ср.*, *само ед.* present; **по ~** at present; **● с ~то** *канц.* herewith, hereby.

настрана̀ и **настранѝ** *нареч.* aside, on/to one side; out of the way; **държа се ~ от** *(избягвам)* keep/steer/stand/stay clear of; keep (s.o.) at bay/arm's length, give (s.o.) a wide berth; **слагам ~** *(спестявам)* put/lay aside; **шегата ~** joking apart, all joking aside, *амер.* no kidding.

настро̀ен *мин. страд. прич.* **1.** tuned; pitched; *(за машина)* tooled; *(както трябва – за инструмент)* in tune; **цигулката ти е ~а твърде високо** your violin is pitched too high; **2.** *(разположен)* disposed; **враждебно ~** hostile, adverse, ill-affected; disaffected (to, towards, with); **философски ~ ум** a philosophic turn of mind, a mind of philosophic cast.

настроѐни|е *ср.*, **-я 1.** mood, humour, temper, spirits; **в лошо ~е** in a bad humour/mood, out of sorts/temper, seedy, grumpy, grumpish; *разг.* blue; **връща ми се доброто ~е** resume (o.'s) spirits; cheer up; **поддържам ~ето на някого** keep up s.o.'s spirits; **2.** *(отношение)* disposition, frame of mind, inclination, sentiments; **създаде се ~е срещу него** there was ill-feeling against him, there was opposition to him; **● картината е изпълнена с ~е** there is atmosphere in the picture.

настро̀йвам, настро̀я *гл.* **1.** *(инструмент)* tune (up), pitch, key (up), attune; *(радио)* syntonize, *(на дадена вълна за слушане – хващам)* tune in; **2.** *(създавам настроение)* prejudice, predispose, incite **(срещу** against); work (s.o.) up (against s.o. else); **настроен съм за писане** be in the mood to write, be in the mood for writing, be in a writing mood; **~ срещу себе си** antagonize; **|| ~ се** get into the mood *(да* of doing s.th.); settle down (to do s.th.); *разг.* psych up; **~ се против някого** work o.s. up against s.o.

настръ̀хвам, настръ̀хна *гл.* *(за коса)* bristle (up), stand on end; *(за животно)* bristle (up), *(за котка)* arch o.'s back; *(за човек – от гняв)* bristle (up) (with anger), *(от студ)* have gooseflesh, go goos(e)y; *(за кожа)* prick; **птицата настръхна** *(от студ, агресивност)* the bird ruffled its feathers; **цял ~ при мисълта** I shudder at the thought.

настрѣхване *ср., само ед.* bristling; ~ **на кожата** a prickly feeling/sensation.

настъпа̀тел|ен *прил.*, **-на**, **-но**, **-ни 1.** advancing; ~**ни действия** offensive; ~**но движение** advance; **2.** militant.

настъпвам₁, настъпя *гл.* **1.** step/tread on s.o.'s foot; ~ **някого по мазола** (*и прен.*) tread on s.o.'s corn, *прен.* tread on s.o.'s toes; **2.** (*напредвам*) advance (**към** towards, against, on); gain ground; be on the offensive; **врагът настъпваше упорито** the enemy ground on.

настъпвам₂, настъпя *гл.* (*наставам*) come (on), set in; occur; **в залата настъпи мълчание** silence fell on the audience; **настъпва час за раздяла** the hour of parting is at hand; **пролетта настъпи** spring is in, spring has come.

настъплѐни|е *ср.*, **-я** advance; offensive; **предприемам ~е, преминавам в ~е** take the offensive.

настървѐн *мин. страд. прич.* fierce, furious, bitter, determined; dead set (on, to *c inf.*); hell-bent (on *c ger.*); incensed; (*за куче*) *лов.* in blood; ~ **срещу** dead set against; ~**а атака/кампания** an all-out attack/campaign.

настървѐние *ср., само ед.*; **настървѐност** *ж., само ед.* fierceness; bitterness; **нахвърлям се с ~ върху някого/нещо** set on s.o./s.th.

настървявам, настървя̀ *гл.* (*куче*) set (**срещу** against); (*човек*) enrage, inflame (against); || ~ **се** become embittered/enraged (against); **настървил се е за пари** he is all out for money/gain.

настъ̀ргвам, настъ̀ржа *гл.* grate.

насу̀квам се, насу̀ча се възвр. *гл.* suck (enough milk), suck o.'s fill, suck to o.'s heart's content.

насъбѝрам, насъберà *гл.* gather, collect (a lot of).

насълзѐн *мин. страд. прич.* (*и като прил.*): **с ~и очи** with tears in o.'s eyes, with o.'s eyes welling up/brimming with tears.

насълзя̀вам, насълзя̀ *гл.* bring tears (to s.o.'s eyes); move (s.o.) to tears; || ~ **се: очите ѝ се насълзиха, тя се насълзи** her eyes filled with tears, tears welled up in her eyes, tears welled up out of her eyes, her eyes were suffused with tears.

насъ̀н *нареч.* in o.'s sleep, while asleep; in a dream; **говорене** ~ somniloquence,

somniloquy.

насърчàвам, насърчà *гл.* give courage to, encourage, enhearten, embolden; reassure; stimulate; countenance; push, urge forward; buck up, beat/bang the drum for, boost (s.o.'s confidence); (*с викове*) cheer on, *sl.* whoop up; (*състезатели*) *амер. sl.* root; **някои автори насърчават лошия вкус** some writers pander to vulgar tastes; || ~ **се** take heart, gain/take courage.

насърчѝтел|ен *прил.*, **-на**, **-но**, **-ни** encouraging; reassuring.

насъ̀сквам, насъ̀скам *гл.* set (**срещу** on); instigate (against), incite; edge on; ~ ... **един срещу друг** play ... against each other; ~ **кучета по някого** set dogs on s.o., hound dogs at/on s.o.

насъ̀щ|ен *прил.*, **-на**, **-но**, **-ни** (*за хляб*) daily; (*за нужда*) urgent, vital, material; *като същ.* **работя за ~ния** work for a bare existence.

натàм *нареч.* that way, *остар.* thither; ~ **отива работата** that's what it looks like; **по** ~ further away/on.

натàтък *нареч.* that way, *ост.* thither; further, farther; **и така** ~ and so on, and so forth, et cetera (*съкр.* etc.); **не мога да вървя** ~ I cannot go any farther; **отсега** ~ from now on.

натежàвам, натежà *гл.* weigh down, lower the scales; grow heavier; preponderate; (*за бременна жена*) grow big; **краката ми натежаха като олово** my feet felt heavy as lead; **този довод ще натежи над другите** this argument will outweigh the others.

натежàл *мин. св. деят. прич.* heavy (**от** with); (*за крайници*) leaden; ~**и за сън клепачи** eyelids heavy with sleep.

натѝквам, натѝкам *гл.* stick in, push in, shove in; jam, cram; **не го исках, но той ми го натика** I didn't want it but he forced/thrust it on me.

натѝрвам и натѝрям, натѝря *гл.* throw out, cashier, dismiss, *разг.* sack, bundle away/off, give the chuck; **тирват ме** get sacked; get o.'s marching orders.

на̀тиск *м., само ед.* pressure; stress; *техн. и пр.* compression; **намалявам** ~**а на** decompress; **упражнявам** ~**над** exert pressure on, bring pressure to bear on, put the screw on, apply the screw

to; *разг.* turn/tighten the screw(s) on, force s.o.'s hand.

натѝскам и натѝсвам, натѝсна *гл.* press; push down; jam; depress; (*ходатайствам, движа тайно*) pull wires/strings; ~ **газта** *авт.* step on the gas, put o.'s foot down; ~ **някого да направи нещо** put pressure on s.o. to do s.th.; try to compel/force s.o. to do s.th.; || ~ **се** press, push; *прен.* be keen (**за** on); (*за печалби и пр.*) be after, be out for; gun for; **всички се натискат да видят филма** there is a rush to see the film; ~ **се с момиче** neck with a girl.

натовàрвам и натовàрям, натовàря *гл.* **1.** load up; (*кораб*) freight, stow; (*самолет с бомби*) bomb up; ~ **някого с пакети** load s.o. down with parcels; **2.** (*обременявам*) burden (**с** with); **3.** (*възлагам*) charge, entrust (**с** with), put s.o. in charge (of s.th.); appoint; (*с нещо неприятно*) saddle (s.o.); **мога ли да те натоваря с една поръчка**? could you run an errand for me?; **4.** *мед.* (*сърце, нерви*) overtax; || ~ **се 1.** load o.s. down (**с** with); **2.** (*с работа, отговорност*) take (it) upon o.s. (to do s.th.), take (s.th.) upon o.s., assume the responsibility for s.th., charge o.s. (with).

натовàрван|е *ср.*, **-ия** loading; (*на кораб*) freighting, stowage; *техн.* load; *ел.* loading; **допустимо** ~**е** safe-bearing capacity, permissible/allowable load; **пробно** ~**е** proof load (*при изпитване*).

натовàрен *мин. страд. прич.* loaded (up/down); entrusted (with), charged (with); (*прекомерно*) overtaxed; **психически** ~ under mental pressure.

натоплям, натопля *гл.* warm (up), heat (up).

натопявам, натопя̀ *гл.* **1.** dip; wet; (*накисвам*) soak, steep; (*цветя*) put in water; **2.** *прен.* get (s.o.) into hot water, set (s.o.) up; frame s.o. up; **хубаво ме натопи** you've landed me in a nice fix/pickle; || ~ **се** *прен.* get o.s. in a mess/fix/pickle; get into trouble; **добре се натопих** I've got myself in a pretty mess/in a fine pickle.

наторя̀вам, наторя̀ *гл. сел.-ст.* (*с естествен тор*) dung, manure, muck; (*с изкуствен тор*) fertilize, (*с нанос-*

на тиня) warp.

наточвам₁, **наточа** *гл.* (*наострям*) sharpen, grind; (*изострям*) edge (off); (*с камък*) whet; **добре наточен** sharp-ground/-set; ~ **като бръснач** grind to a shaving edge; • ~ **зъбите си** whet o.'s appetite.

наточвам₂, **наточа** *гл.* (*бира*) draw; ~ **вода** fill (s.th.) with water; get water; (*нож*) sharpen, edge off.

натрапвам, **натрапя** *гл.* thrust, force, impose, press (**на** on, upon); (*стоки и пр.*) tout; *разг.* wish (on); ~ **мнението си на** impose/obtrude o.'s opinion/views on; || ~ **се** force/impose o.s. (**на** on, upon), intrude, obtrude (o.s.) (on, upon), thrust o.s. (into the society of); inflict o.'s company (on); violate o.'s privacy; nose in; *разг.* horn in (on); *sl.* park o.s. (on s.o.); **тази мисъл/мелодия все ми се натрапва** I can't get the thought/tune out of my mind; I've got the thought/tune on the brain.

натрапни|к *м.*, -**ци**; **натрапниц|а** *ж.*, -**и** intruder, obtruder, nuisance, pest, bore, intrusive fellow; gatecrasher.

натрапчив *прил.* intrusive, obtrusive; haunting; *псих.* compulsive; ~**а идея** fixed idea, obsession; ~**а мисъл** persistent thought, intrusive thought.

натрапчивост *ж.*, *само ед. псих.* compulsiveness.

натривам, **натрия** *гл.* rub; *прен.* rub in; ~ **дрехи със сапун** soap linen; || ~ **се** run (cream, etc. over o.'s body); • ~ **някому носа/муцуната** give s.o. a piece of o.'s mind, take s.o. down (a peg or two), give it s.o. good, tell s.o. a few home truths, give s.o. the edge of o.'s tongue, send s.o. off/away with a flea in his ear.

натриев *прил. хим.* sodium (*attr.*), sodic; ~ **хлорид** sodium chloride, table salt.

натри|й (-**ят**) *м.*, *само ед. хим.* sodium.

натрошавам, **натроша** *гл.* pound (up); (*камъни*) break; (*орехи*) crack; (*хляб*) crumb, crumble.

натрупвам, **натрупам** *гл.* heap (up), pile (up); collect into a heap; conglomerate; *икон.* accrue; (*богатство и пр.*) lay up, amass, accumulate; cumulate; (*складирам*) hoard, store up; build up; (*сметки и пр.*) run up; **вятърът е**

натрупал много сняг the wind has drifted a lot of snow; ~ **опит** gain experience; ~ **състояние** make o.'s pile; || ~ **се** accumulate; (*за хора*) gather, throng, crowd; (*за лед и пр.*) pack; (*за сняг, кал*) bank up; (*за скали*) conglomerate; • **натрупала ми се е много работа** I've got heaps of work to do.

натрупван|е *ср.*, -**ия** heaping, piling, accumulation, cumulation; hoarding; *икон.* accrual; (*на мръсотия и пр.*) lodgement; (*на превозни средства – задръстване*) (traffic) jam; ~**е на капитал** accumulation of capital; **първоначално** ~**е** *икон.* primitive accumulation.

натруфен *мин. страд. прич.* overdressed, dressed up, dolled up, dressed to kill; (*за стил*) ornate; overelaborate, fussy; luxuriant, flowery, florid; orotund, bombastic.

натръшквам, **натръшкам** *гл.* (*хора*) throw on the ground, knock down, fell, prostrate; || ~ **се** drop down on the floor/beds.

натупвам, **натупам** *гл.* spank, give (s.o.) a good/sound thrashing/spanking/drubbing; *разг.* lace, lick, rough up; **натупаха го здравата** *sl.* he got beaten (good and) proper; give s.o. socks.

натур|а *ж.*, -**и** nature; **плащам в** ~**а** pay in kind; **рисувам от** ~**а** draw/paint from nature/life.

натурал|ен *прил.*, -**на**, -**но**, -**ни** natural; (*за вино*) pure, unadulterated; ~**но възнаграждение** payment in kind.

натурализирам *гл.* naturalize; nationalize.

натурализ|ъм (-**мът**) *м.*, *само ед. изк.*, *филос.* naturalism.

натуралист *м.*, -**и**; **натуралистк|а** *ж.*, -**и** naturalist, naturalist philosopher.

натуралистич|ен *прил.*, -**на**, -**но**, -**ни** naturalistic, naturalist; (*груб*) raw.

натъжавам, **натъжа** *гл.* make sad, sadden; distress; grieve; || ~ **се** grow/become sad; be cast down.

натъквам, **натъкна** *гл.* stick; ~ **нож/щик** (*на пушка*) fix a bayonet; || ~ **се на** find, come upon, come/run against, come/run across, run into, fall in upon, fall across, stumble on/across, light on/upon, chance/happen upon; strike, bump into, encounter (**на** -); ~ **се на**

мина strike a mine; ~ **се на някого** run/bump into s.o.; ~ **се на трудност** come up against/run into a difficulty.

натъкмявам, **натъкмя** *гл.* adjust, make up, make/get ready; fix up; **ще я натъкмим някак** we'll fix it up somehow; || ~ **се 1.** dress up, deck o.s. out; do o.s. up; **2.**: ~ **се да** be ready/about to.

натъпквам, **натъпча** *гл.* stuff (up), cram, jam, pack, tuck, fill; force (in), squeeze (in), (*хора и*) coop in, coop up; (*в земя, като тъпча отгоре*) tread in; ~ **дете с храна** ply a child with food, *шег.* pump nourishment into a child; ~ **нещо в кутия** squeeze s.th. into a box; ~ **някого в миша дупка** make it hot for s.o.; || ~ **се 1.** (*някъде – за хора*) crowd; squeeze/wedge in; **2.** (*с храна*) stuff/gorge o.s.; have a good blow-out; **натъпкал съм се** I am as full as a drum.

натъртвам и **натъртям**, **натъртя** *гл.* **1.** (*крак, ръка*) bruise, contuse; hurt; (*плод*) bruise; **2.** (*подчертавам, наблягам*) stress, emphasize, underline; lay stress/emphasis on.

натъртен *мин. страд. прич.* **1.** bruised, contused; hurt; **2.** emphatic, stressed.

натюрморт *м.*, -**и**, (*два*) натюрморта *изк.* still life; ~ **с цветя** flower piece.

натягам, **натегна** *гл.* stretch (tight/tightly), tighten, tauten.

натяквам, **натякна** *гл.* reproach, upbraid (s.o. with s.th.); nag (about), rub it in; harp (on); *разг.* bleat/bang on (about), hassle, niggle; crib; bent s.o.'s ears; **има да ни натякват за това** we shall never hear the last of it; **той все натяква за това** he is always casting back to it.

натясно *нареч.* **1.** close together, squeezed/crammed for room; **живея** ~ live in close quarters, be crammed for space/room; **2.** (*зле материално*) in reduced/straitened circumstances, badly off; ~ **съм за** be pushed for; **3.** *прен.* in a corner/hole; with o.'s back to the wall; on the beach; between the devil and the deep (blue) sea; in a cleft stick, in a tight place; *sl.* floored, in a jam, in the cart; *амер.* in the jackpot; **поставям някого** ~ push s.o. to the wall; floor s.o.

наук|а *ж.*, -**и** (*положителна*) science; (*хуманитарна*) branch of schol-

arship; (*знание*) knowledge, learning, education; **естествени ~и** natural sciences; **хуманитарните ~и** the arts; **човек на ~ата** scientist, a man of science/learning; scholar; a man of letters.

нау́м *нареч.* in o.'s mind, mentally, silently; **едно ~** *мат.* carry one; **чета ~** read to o.s.; • **имам си едно ~** be on o.'s guard.

наумя́вам, наумя́ *гл.* **1.** (*напомням*) remind (за *of*); **2.** (*решавам*) decide, make up o.'s mind (to do s.th.), be up (to s.th.); take it into o.'s head (to do s.th.), put/set o.'s mind (to s.th.).

нау́стни|к *м.*, **-ци**, (**два**) **нау́стника** nozzle; *техн.* neck, orifice, probe.

науча́вам и **нау́чвам, науча́** *гл.* (*нещо, урок, новина*) learn; (*узнавам*) learn, find out; *разг.* get wise to; (*по малко и бързо*) pick up; (*набързо и повърхностно*) cram up; *sl.* mug up; (*някого*) teach (s.o. s.th., s.o. (how) to do s.th.); • **наизуст** learn by heart, commit to memory, learn off, learn up; **~ нещо от достоверен източник** have s.th. on good authority; **научил си е урока** (*и прен.*) he's learnt his lesson; || **~ се** learn (to read, paint, etc.), (*узнавам*) learn, hear, find out; (*придобивам навик*) get used (to s.th., to doing s.th.), get into the habit (of doing s.th.); **научих се, че** I('ve) learn(ed) that, it has come to my knowledge that; • **никой не се е родил научен** (you) live and learn; **ще те науча аз тебе** I'll show you what for; I'll teach you a thing or two; I'll give you a piece of my mind; I'll give you what's what.

нау́ч|ен *прил.*, **-на, -но, -ни** scientific; (*свързан с хуманитарните науки*) scholarly; (*за дружество и пр.*) learned; **без ~на стойност** unscientific, unscholarly; **~ен институт** a research/scientific institute; **~ен работник** a research scholar; a scientific worker, scientist; scholar; **от ~на гледна точка** from the point of view of science, from a scientific point of view.

нау́чно *нареч.* by scientific methods, scientifically; learnedly; **~ обоснован** theoretically substantiated, theoretically well-grounded, based on sound theoretical principles.

нау́чноизследова́телск|и *прил.*, **-а, -о, -и** research (*attr.*).

нау́чнопопуля́р|ен *прил.*, **-на, -но, -ни** popular, informative; **~ен филм** popular science film.

нау́чнотехни́ческ|и *прил.*, **-а, -о, -и** scientific and technical/technological; **~и прогрес** advance in science and technology.

нау́шни|к *м.*, **-ци**, (**два**) **нау́шника** ear-muffs, ear-tabs; (*на шапка*) ear-flaps, ear-laps, ear-caps.

на́фор|а *ж.*, *и църк.* communion/consecrated bread; wafer.

на́фта *ж.*, *само ед. хим.* **1.** naphtha; **2.** oil, petroleum.

нафтали́н *м.*, *само ед. хим.* naphthaline, naphthalene; **топчета от ~** mothballs.

на́фтов *прил.* **1.** naphtha (*attr.*); **2.** (*петролен*) oil (*attr.*), petroleum (*attr.*); **~a печка** an oil stove.

наха́кан *мин. страд. прич.* bumptious, uppish, uppity, swaggering, cocky; pushy, forward; pert; perky, pushful, cheeky, saucy, as bold as brass, hot shot, brassy, flippant, flip; fresh; *амер.* fresh, brash; **~ човек** *амер.* go-getter.

наха́л|ен *прил.*, **-на, -но, -ни** insolent, impudent, impertinent, perky, presuming, presumptuous, cheeky, saucy, flippant; *разг.* flip, sassy; *sl.* nervy, uppish, mouthy, lippy; *амер.* fresh; **~ен съм** be insolent, etc., *разг.* have a neck.

наха́лни|к *м.*, **-ци** impudent/insolent/cheeky/perky/saucy fellow; cool fish/card.

наха́лно *нареч.* insolently, impudently, impertinently, cheekily, saucily; **държа се ~** behave impertinently; *разг.* show/push a face.

наха́лство *ср.*, *само ед.* impudence, insolence, impertinence, effrontery, pertness, offensiveness; *разг.* sauce, face, cheek, nerve, neck, uppishness, gall; *sl.* mouth, lip; **това е безподобно/нечувано/невиждано ~** that's the height of impudence; *разг.* the cheek! **той има ~то да не се подчини на нарежданията** he had the cheek to disobey orders.

наха́пвам, наха́пя *гл.* **1.** (*за комари и пр.*) bite all over; **2.** (*започвам пръв да ям от нещо*) bite into.

нахвъ́рлям, нахвъ́рля *гл.* **1.** throw (about), fling (about); **~ хартии по по-** да litter the floor with paper; **2.** (*план и пр.*) outline, sketch (out), draft, draw up, rough (out), track out, jot down, dash off; || **~ се на/върху** (*нападам*) attack, assault, turn on, fling out at, set on, fly out at, let fly at, let out at, jump on/upon, make for, go for, drop on, spring at/upon, come down upon, pounce upon, lash out at; downbeat, downcast; (*на ядене*) fall upon, tackle; (*критикувам*) lash out/let fly at; **всички се нахвърлят върху него** everybody is down on him; **~ се с жар на нещо** throw/fling o.s. into s.th.

нахлу́вам, нахлу́я *гл.* rush, burst (**в**into), rush in, force o.'s way; (*със сила*) break in, *sl.* muscle in, bust in; (*влизам, без да чукам*) barge in (за *полиция*) raid; *разг.* bust; (*за неприятел*) invade (a country); **въздухът, който нахлуваше от морето** the air that pushed in from the sea; **спомени нахлуха в главата му** memories rushed/flooded (back) into his head.

нахлу́звам, нахлу́зя *гл.* pull on, slip on, get on, draw on, (*с мъка*) struggle/get (into a coat, etc.); **~ дрехите си** tumble into o.'s clothes; • **~ някому нещо на врата** saddle s.o. with s.th.

нахлу́пвам и **нахлу́пям, нахлу́пя** *гл.* pull/tip (o.'s. hat/cap) over o.'s eyes, jam (o.'s hat) on o.'s head, clap (o.'s hat).

нахо́дищ|е *ср.*, **-а** deposit, bed; field, formation; find; habitat; mineral estate; **нефтено ~е** oil field; **рудно ~е** ore deposit/field.

нахо́дк|а *ж.*, **-и** find (*и археол.*); *прен.* godsend, boon, treasure, find; **рядка ~а** rare find.

нахо́дчив *прил.* resourceful, quick-witted, ready-witted, ingenious, inventive; **~ човек** a resourceful person, a man of resource.

нахо́дчивост *ж.*, *само ед.* resource-(fullness), ready wit, quick-wittedness, ingenuity, inventiveness; gumption.

нахо́квам, нахо́кам *гл.* tell off, rate, take s.o. to task (for doing s.th.); dust (s.o.) down; *разг.* slang, have on the mat, give s.o. snuff, pepper; haul over the coals.

нахра́нвам, нахра́ня *гл.* feed; || **~ се** have/finish o.'s meal; *разг.* satisfy the inner man; **~ се добре** eat o.'s fill; make a good dinner/meal; have a square meal;

load o.s.; *разг.* lay in a good meal; **оставите ме да се нахраня спокойно** let me eat in peace.

нахълтвам, нахълтам *гл.* rush, burst (**в** into), rush in, force o.'s way; (**със сила**) break in, *sl.* muscle in, bust-in; (**влизам, без да чукам**) barge in.

нацапвам, нацапам *гл.* smear, soil, dirty.

нацепвам, нацепя *гл.* split; (**дърва**) cut, chop; ‖ ~ **се** split.

нацизъ|м (-мът) *м., само ед.* nazism.

национал|ен *прил.*, **-на, -но, -ни** national; ~**ни малцинства** national minorities; ~**но самоопределение** national self-determination.

национализаци|я *ж.*, **-и** nationalization, domestication.

национализирам *гл.* nationalize.

национализъ|м (-мът) *м., само ед.* nationalism; flag-waving.

националист *м.*, **-и**; **националистк|а** *ж.*, **-и** nationalist; flag-waver.

националистич|ен *прил.*, **-на, -но, -ни**; **националистическ|и** *прил.*, **-а, -о, -и** nationalistic.

националноосвободител|ен *прил.*, **-на, -но, -ни** national-liberation (*attr.*); ~**на борба** struggle for national liberation.

националност *ж.*, **-и** nationality.

нацист *м.*, **-и**; **нацистк|а** *ж.*, **-и** nazi, hitlerite.

нацистк|и *прил.*, **-а, -о, -и** nazi, hitlerite.

наци|я *ж.*, **-и** nation.

нацупвам се, нацупя се *възвр. гл.* pout, frown, scowl, make a wry face, knit o.'s brow, pull/draw a long face.

нацупен *мин. страд. прич.* sullen, sulky, grumpy, grumpish; *разг.* grouchy, peeved, huffy; dour, long-faced; ~ **съм** be in the pouts; have the pouts.

нацъфтявам, нацъфтя *гл.* blossom (out), blow/burst into flower, bloom.

нацяло *нареч.* in one piece, the whole piece/lot; in full; **купувам** ~ buy the whole piece/lot; buy in bulk; **плащам** ~ pay in full.

начал|ен *прил.*, **-на, -но, -ни 1.** (**пръв**) initial, first, inceptive, incipient; introductory, initiatory; **набирам** ~**на скорост** *прен.* gain momentum; ~**ен период/стадий** opening stage; ~**ен удар** *спорт.* kick off. **2.** (**основен**) elemen-

tary, primary; ~**но училище** elementary school.

начални|к *м.*, **-ци** head, chief; superior; *разг.* boss; ~**к отдел** head of department; ~**к-щаб** *воен.* chief of staff; **пряк** ~**к** immediate superior.

начал|о *ср.*, **-á 1.** beginning, commencement, start, inception; genesis; outset, offset, onset, lead-off; opening; *разг.* kick-off; (**на страница, списък**) top; **в** ~**ото** in the beginning; **в** ~**ото на годината** in the beginning of the year, at the turn of the year; **добро** ~**о** a promising beginning; **от** ~**ото до края** from beginning to end, from start to finish; from first to last; **това е** ~**ото на края** the end has begun; **2.** (**принцип**) rule, principle; **на доброволни** ~**а** a voluntarily; **на равни** ~**а** on an equal footing; share and share alike; **ръководно** ~**о** a basic/guiding principle; **3.** (**източник**) origin; source; origination; **водя** ~**ото от** originate in; proceed/derive from; (**за река**) rise, take its source, spring (from); **давам** ~**о на** originate.

начевам, начена *гл.* start, begin; (**започвам да ям от**) start in on, (**бъчва вино**) pierce; (**капитал и пр.**) encroach on/upon, break into, make inroads upon.

начело *нареч.* at the head, in the lead; at the forefront; in front; on the cutting edge; **вървя** ~ lead the way; **заставам** ~ place o.s. at the head (**на** of); take the lead; get into the saddle; **той е** ~ **на списъка** he tops the list.

наченк|а *ж.*, **-и** *обикн. мн.* beginnings; rudiments; nucleus.

начервявам, начервя *гл.* redden; paint/dye red; ~ **бузите/устните си** paint/rouge o.'s cheeks/lips; ‖ ~ **се** paint/rouge o.'s cheeks/lips.

начерням, начерня *гл.* **1.** paint/dye black; **2.** *прен.* (**очерням**) blacken, slander.

начертавам, начертая *гл.* draw, sketch; (**линия**) draw, trace; (**план и пр.**) make out, sketch, draw up, draw out, map out, outline, block out, chart out; ~ **в общи линии** ~ **с няколко щрихи** sketch out.

начесвам, начеша *гл.* **1.** (**лен, коноп**) comb; **2.** (**чеша**) scratch; **3.** scold, tell off; give (s.o.) a thrashing/hiding; • ~ **си крастата** give a loose to o.'s pet vice.

начет *м.*, **-и**, (**два**) **начета** deficit, deficiency in accounts, (**поради злоупотреби**) defalcation.

начетен₁ *мин. страд. прич.* charged with deficiency in accounts.

начетен₂ *мин. страд. прич.* well-read, well-informed, lettered, learned, erudite, knowledgeable; ~ **човек** man of erudition, knowledgeable man.

начетеност *ж.*, *само ед.* erudition, eruditeness, learning, learnedness, book-learning.

начин *м.*, **-и**, (**два**) **начина** way, manner; mode; method; tenor; **използвам по най-добрия възможен** ~ make the best of (s.th.); ~ **на действие** a course of action, modus operandi; ~ **на живот** a way of life, a manner/mode of living; **търся** ~ **да** look for a way to (do s.th.); • **няма** ~ **да не стане** it is sure/bound to happen; **по втория/другия** ~ *прен.* through the back door.

начинаещ *сег. деят. прич.* **1.** beginning, inceptive; **2.** *като същ.* beginner.

начинани|е *ср.*, **-я** beginning; undertaking; initiative; foray.

начислени|е *ср.*, **-я** deficit; **административни** ~**я** expense loading.

начислявам, начисля *гл.* find a deficit in (s.o.'s) accounts.

начитам, начета *гл.* find a deficit in (s.o.'s) accounts.

начитам се, начета се *възвр. гл.* have o.'s fill of reading; read o.'s fill; stop/cease reading; get tired of reading.

начумервам (се), начумеря (се) (*възвр.*) *гл.* pout, frown, scowl; knit o.'s brows; look glum.

начупвам, начупя *гл.* break (into pieces); (**натрошавам**) pound (up); *техн.* crush; ~ **хляб** break a loaf (of bread).

начупен *мин. страд. прич.* (**и като прил.**) broken; crushed; (**с чупки**) cranky; ~**а линия** a broken/seesaw line.

наш *прит. мест.*, **-а, -е, -и** (**и като същ.**) our, *predic.* ours; *като същ.* ~**ите** my people/family, *амер.* my folks; **той е** ~ **човек** he is one of us; • ~**ата никъде я няма** things couldn't be worse (for us), we've got the worst of it; **тя** ~**ата свърши** we're done for.

нашарвам и нашарям, нашаря *гл.* dapple, variegate, make motley, chequer, counterchange, mottle; (**с бележ-**

ки и пр.) cover (with); • ~ гърба/задника на някого tan s.o.'s hide.

нàшен|ец м., **-ци** (fellow) countryman, fellow townsman/villager, fellow from out parts, fellow from my part of the country.

нашèпвам, нашèпна гл. whisper (в in, на to); ~ на някого whisper in s.o.'s ear.

нашèствени|к м., **-ци** invader, incursionist, intruder.

нашèстви|е ср., **-я** invasion, incursion, inroad, inrush, foray.

нашùбвам, нашùбам гл. (с камшик) whip, slash, scourge, lash; (с пръчка) cane.

нашùвк|а ж., **-и** (на ръкав, пагон) stripe, chevron, (на яката) tap; • смъквам ~ите на някого воен. reduce s.o. to the ranks.

нашùйни|к м., **-ци**, (два) нашùйника neckpiece, collar.

нашùр нареч. in breadth; надлъж и ~ far and wide.

наширòко нареч. wide; on a large scale; живея ~ live in (grand) style, live at a great pace; надълго и ~ at length.

нашумявам, нашумя гл. make much noise; make a stir; cause a sensation; тази случка доста нашумя навремето that incident made quite a stir at the time.

нашумял мин. св. деят. прич., като прил., **-а, -о**, нашумèли (за въпрос) widely discussed, much talked about, burning; разг. buzz; (за събитие, личност) high-profile; ~ книга/пиеса a book/play that is the talk of the town, a book/play that has made a noise in the world, a much talked about book/play.

нащрèк нареч. on the alert, on the lookout, on the watch-out, on o.'s guard; with o.'s wits about one; wide awake; ~ съм be on the alert, be on the lookout/watch-out (for), be on o.'s guard, look out, stand by, keep a good lookout (for), be on o.'s p's and q's; разг. be on o.'s toes, be on the ball, keep o.'s eyes peeled, keep/have o.'s ear to the ground.

нащърбявам, нащърбя гл. jag, notch, chip, nick; dent; || ~ се (за луна) be on the wane.

найвe нареч. **1.** (открито) in the open; излизам ~ come out into the open,

come to light, become known, be revealed; **2.** (в будно състояние) (in o.'s) waking (hours), awake; ~ и насън awake and asleep, waking and sleeping.

наяждам и найдам, наям гл.: кой е наял хляба? who's been nibbling at the bread?; || ~ се eat o.'s fill; have/eat enough; finish o.'s meal; така се наядох на закуска, че сега не съм гладен I ate such a hearty breakfast that I'm not hungry now.

найсно нареч.: да сме ~ let's make it clear; let's get this thing straight; не съм ~ със себе си I'm all mixed up.

не част. **1.** (самостоятелен отговор) no; да или ~ yes or no; разбира се, че ~ of course not; **2.** (като отриц. част. към гл.) not, съкр. n't; ставайте don't get up; той ~ е между живите he is no more; **3.** not; къде (ли) ~ everywhere; ~ в стихията си out of o.'s element; ~ вчера, а завчера not yesterday but the day before; • ~ ми се чете I don't feel like reading.

неадеквàт|ен прил., **-на, -но, -ни** not adequate, inadequate.

неадресùран прил. undirected, unaddressed.

неамбициòз|ен прил., **-на, -но, -ни** unambitious; unaspiring.

неангажùран прил. unbooked; (за чувства и пр.) non-committed; uninvolved.

неандертàлск|и прил., **-а, -о, -и** Neanderthal; ~и човек антроп. a Neanderthal man.

неапетùт|ен прил., **-на, -но, -ни** uninviting, unappetizing.

неаргументùран прил. unbacked; ~а защита frivolous defence.

неароматизùран прил. unflavoured.

неасимилùран прил. unassimilated, not assimilated; indigested.

неасоциатùв|ен прил., **-на, -но, -ни** мат. non-associative.

небалансùран прил. non-balanced, unbalanced.

небè ср., **-сà** sky; прен. и рел. heaven; pl. heavens; до ~то sky-high; между ~то и земята between heaven and earth; на ~то in the sky; in heaven; под открито ~ in the open (air); превъзнасям до ~сата extol to the skies; • (като) гръм от ясно ~ (like) a bolt from the blue; на седмото ~ съм от

радост be in transports of joy, be on top of the world; падна ми от ~то it was a godsend, it was a God sent gift for me.

небèлен прил. **1.** (неизбелен) unbleached; текст. brown; ~а коприна gum silk; ~о платно brown holland; **2.** (за плод и пр.) in the skin, unpeeled.

нèб|ен прил., **-на, -но, -ни 1.** фон. palatal; ~ни съгласни palatal consonants; **2.** анат. palatine.

небèс|ен прил., **-на, -но, -ни** heavenly, celestial; firmamental; прен. superterrestrial, superlunary; поет. supernal; (божествен) divine; ~ен свод firmament; the vault of heaven; ~ни сили the powers above; ~ни тела heavenly/luminous bodies, luminaries; Небесното царство рел. Kingdom of God/of heaven.

небèсносин прил., **-я, -ьо, -и** sky-blue, azure; cerulean.

небùвал прил. **1.** (невиждан, незапомнен) unprecedented, unparalleled, unheard of; (за успех sl.) howling; ~а реколта bumper crop/harvest; **2.** (измислен) fantastic, imaginary.

небùвалиц|а ж., **-и** fable, cock-and-bull story; figment (of o.'s imagination); разправям ~и draw the long bow, tell tall stories, talk tall, spin a yarn; sl. feed the bull.

небитиè ср., само ед. филос. nullity, nonentity, nothing, nothingness, non-existence.

неблаговùд|ен прил., **-на, -но, -ни** improper, unseemly.

неблаговъзпùтан прил. ill-mannered, lacking manners.

неблагодàр|ен прил., **-на, -но, -ни** ungrateful, thankless, unthankful, unappreciative; ~ен труд unrewarding labour; ~на работа thankless job/task, routine work.

неблагодàрни|к м., **-ци**; неблагодàрниц|а ж., **-и** ungrateful person, ingrate.

неблагодàрност ж., само ед. ingratitude, ungratefulness, thanklessness; отвръща ми се с ~ reap ingratitude.

неблагозвýч|ен прил., **-на, -но, -ни** inharmonious, disharmonious, dissonant; lacking harmony.

неблагозвýчи|е ср., **-я** disharmony, dissonance.

неблагонадѐжд|ен *прил.*, -на, -но, -ни unreliable; undependable; not trustworthy; feckless; (*финансово*) fly-by-night.

неблагонадѐждност *ж.*, *само ед.* unreliability.

неблагонамѐрен *прил.* ill-disposed, ill-intentioned, ill-affected.

неблагополу̀ч|ен *прил.*, -на, -но, -ни unsuccessful, unhappy, bad.

неблагополу̀чно *нареч.* unsuccessfully; not happily; **завършвам ~** fail; end in failure; end fatally; come to an unfavourable/undesired end.

неблагоприлѝч|ен *прил.*, -на, -но, -ни (*за държане*) ill-mannered, unmannerly; (*за език, постъпка и пр.*) indecent, improper, indecorous; **~на постъпка/проява** indecency, indecorum.

неблагоприлѝчие *ср.*, *само ед.* indecency.

неблагопристо̀|ен *прил.*, -йна, -йно, -йни indecent, improper, indecorous.

неблагоприя̀т|ен *прил.*, -на, -но, -ни unfavourable, adverse; disadvantageous; inauspicious; unpropitious; untoward; (*за вятър*) contrary, contrarious, *мор.* baffling; (*за климат*) unsuitable; **видях го в най-~но положение** I saw him at his worst; **показвам се в ~на светлина** show at a disadvantage, show to disadvantage; **при изключително ~ни условия** with heavy/tremendous odds against one.

неблагоприя̀тно *нареч.* unfavourably, adversely; **отразявам се ~ върху** have a bad/an adverse effect on; **работата се развива ~** the affair is taking a bad/an unfavourable turn.

неблагоразу̀м|ен *прил.*, -на, -но, -ни imprudent, unadvised; ill-advised, ill-judged; unwise; not amenable to reason; (*за постъпка*) imprudent.

неблагоразу̀мие *ср.*, *само ед.* imprudence; unwisdom, unadvisedness; **имах ~то да** I was fool(ish) enough to.

неблагоразу̀мно *нареч.* imprudently; unadvisedly; **ще бъде ~ от ваша страна да направите това** you will be ill-advised to do that.

неблагоро̀д|ен *прил.*, -на, -но, -ни common, ignoble; (*долен*) base, ignoble, mean; (*за метал*) base.

неблагосклон|ен *прил.*, -на, -но, -ни ill-disposed, ill-affected (**към** towards).

неблагосклòнно *нареч.*: **гледам ~ на** look with disfavour on, discountenance, take a dim view of.

неблагосклòнност *ж.*, *само ед.* unfavourable attitude

неблагословѐн *прил.* unblessed.

неблагоустро̀ен *прил.* unurbanized, badly planned.

неблагочестѝв *прил.* impious, profane.

небоеспосо̀б|ен *прил.*, -на, -но, -ни unfit for action; disabled; incapacitated for active service.

небосво̀д *м.*, *само ед.* firmament, arch/vault/dome of heaven; *поет.* cope of heaven.

небоскло̀н *м.*, *само ед.* sky, heaven, horizon; **на ~а** on the horizon.

небострга̀ч *м.*, -и, (два) **небостр- га̀ча** skyscraper.

небрѐж|ен *прил.*, -на, -но, -ни (*за човек*) careless, negligent; unmindful; unheeding, remiss; inadvertent; slovenly, untidy, (*за работа, стил и пр.*) slipshod, sloppy, careless; perfunctory; **~но отношение към работата** neglect of o.'s work/duties; **~но шофиране** reckless driving.

небрѐжно *нареч.* carelessly; **отнасям се ~ към нещо** not take s.th. seriously, make light of s.th.

небрѐжност *ж.*, *само ед.* carelessness, negligence, unmindfulness, inadvertence, remissness, neglect, sloppiness; forgetfulness; **груба ~** wanton/gross negligence; **~ към облеклото, личната хигиена и пр.** neglect of o.'s person; **от ~** out of neglect, from neglect.

небръ̀снат *прил.* unshaven, *амер.* unrazored.

небцѐ *ср.*, *само ед. анат.* palate, roof of the mouth; **меко ~** soft palate, *анат.* velum; **твърдо ~** hard palate.

неваксинѝран *прил.* unvaccinated.

невалѝд|ен *прил.*, -на, -но, -ни invalid, void, null, nugatory; (*за билет и пр.*) expired; **~ен брак** void marriage; **~ен чек** *разг.* dud cheque; **правя ~ен** invalidate, nullify, annul; **ставам ~ен** become invalid, (*за осигуровка*) lapse.

невалѝдност *ж.*, *само ед.* nullity; *юр.* (*на документ*) infirmity.

неварѐн *прил.* unboiled; raw.

невдъхновѐн *прил.* uninspired; lack-

ing inspiration.

неведѐние *ср.*, *само ед.* ignorance; **в ~ съм** be ignorant (**относно** of); be (kept) in the dark (**about**, as to); be/run in blinkers; **държа някого в ~** keep s.o. in the dark.

невѐднъж *нареч.* more than once, repeatedly, many times, time and again, not once nor twice, over and (over) again.

невѐдом *прил.* unknown; secret; incomprehensible.

невѐж *прил.* ignorant; ill-informed; untaught, unenlightened, uneducated; grammarless; (*незапознат с нещо*) ungrounded (**в** in).

невѐж|а *м. и ж.*, -и ignoramus, *разг.* know-nothing; **пълен ~а** сам not know (a) В from a battledore, not know (a) В from a bull's foot; *амер.* not know (a) В from a broomstick, not know (a) В from a buffalo foot.

невѐжество *ср.*, *само ед.* ignorance; (*незнание*) unawareness; **от ~** through ignorance.

невежлѝв *прил.* impolite, uncivil, unmannered, unurbane; (*груб*) rude.

невежлѝвост *ж.*, *само ед.* impoliteness, uncivility; rudeness

невѐн и невѐн *м.*, -и, (два) **невена и невена** *бот.* marigold (*Calendula officinalis*)

невенча̀н *прил.* unwed(ded).

невербàл|ен *прил.*, -на, -но, -ни nonverbal.

невѐрен *прил.*, невя̀рна, невя̀рно, невѐрни 1. (*погрешен*, *неточен*) incorrect, false, erroneous; wrong; untruthful, untrue, unveracious, wide of the truth; **~ адрес** phoney address; **неверни сведения** false information, misinformation; **невярно твърдение** wrong statement, mis-statement; 2. (*за човек*) false, false-hearted, faithless, untruthful, disloyal, untrue, fickle; perfidious; mendacious; **~ съпруг** unfaithful husband; **Тома Неверни** *библ.* doubting Thomas, unbelieving Thomas/Jew; 3. (*за болест*) treacherous.

невѐрие *ср.*, *само ед.* disbelief, lack of faith/confidence; scepticism.

невѐрни|к *м.*, -ци; **невѐрниц|а** *ж.*, -и infidel, gentile, disbeliever, unbeliever; (*недоверчив човек*) doubter, distrustful person, disbeliever.

неверойт|ен *прил.*, -на, -но, -ни im-

probable; unlikely; incredible, unbelievable, past (all) belief, inconceivable; *разг.* unthinkable; (*страхотен*) ripsnorting; **на история** legend, *разг.* a tall story, a cock and bull story, windup; **~но!** would you believe it! **това е просто ~но** that passes (all) belief, it's too good to be true.

неверо̀йтно *нареч.* incredibly, inconceivably, beyond all belief, *разг.* monstrously; drop-dead; **~ добър** too good to be true.

неверо̀йтност *ж.*, **-и** improbability; incredibility; unbelievableness, unbelievability; **жестока до ~ постъпка** an unbelievably cruel act.

невѐст|а *ж.*, **-и** *нар.* bride; wife.

невестулк|а *ж.*, **-и** *зоол.* weasel (*Mustela nivalis*); **семейството на ~ите** *зоол.* the musteline family.

невещѐствен *прил.* immaterial, unsubstantial, incorporeal, bodiless; **~а собственост** *юр.* intangible property/assets; **~и права** incorporeal rights.

невзиска̀тел|ен *прил.*, **-на, -но, -ни** inexacting; unpretentious; easy-going; not particular; modest.

невзра̀ч|ен *прил.*, **-на, -но, -ни** (*и като същ.*) ill-favoured, uncomely, unimposing, unseemly, plain, nondescript, insignificant; (*за произведение и пр.*) colourless; **~ен на вид** plain; **тя е доста ~на** she has a rather common look.

невзра̀чност *ж.*, *само ед.* uncomeliness, plainness, insignificance; lack of colour.

невѝдим *прил.* invisible, unseen; **~и лъчи** *физ.* obscure rays; **като същ. ~ото** the unseen/invisible.

невѝждан *прил.* unseen, unprecedented, unparalleled, undreamed of, unheard of; **чудо ~о!** a wonder indeed!

невѝн|ен *прил.*, **-на, -но, -ни 1.** innocent (**за** of); guiltless; unblamable; irreproachable; white-handed; dove-eyed; guileless; **намирам за ~ен** find not guilty; **~ен като агънце/ангел** as innocent as a lamb, as innocent as a newborn babe, as innocent as a babe unborn; **правя се на ~ен** assume an air of innocence; put on an innocent air/look; look as if butter wouldn't melt in o.'s mouth; **2.** (*безвреден*) harmless, innocuous; inoffensive, unoffending; (*за забележка*) mild; **~на лъжа** a

white lie; **3.** virgin; **4.** (*чистосърдечен*) simple-hearted.

невѝнно *нареч.* innocently; guiltlessly; **пострадвам ~** suffer without guilt, suffer undeservedly.

невѝнност *ж.*, *само ед.* **1.** innocence, blamelessness; guiltlessness; **2.** harmlessness, inoffensiveness, mildness; **3.** virginity; **4.** simple-heartedness; guilelessness; **презумпция за ~** *юр.* presumption of innocence; **тя е самата ~** she is innocence itself, butter wouldn't melt in her mouth.

невино̀в|ен *прил.*, **-на, -но, -ни** innocent, not guilty.

невменя̀ем *прил.* (mentally) irresponsible; *юр.* non compos mentis, unanswerable, not answerable for o.'s actions; *разг.* certifiable.

невменя̀емост *ж.*, *само ед.* irresponsibility; *юр.* lunacy, insanity.

невмешателств|о *ср.*, **-а** *обикн. ед.* non-interference, non-intervention; **политика на ~о** a policy of non-interference.

невнима̀ние *ср.*, *само ед.* **1.** (*небрежност*) carelessness; neglect; inadvertence; **грешка по ~** careless mistake, mistake due to inadvertence; **по/от ~** through carelessness, out of carelessness, inadvertently; **2.** (*разсеяност*) inattention; **3.** (*незачитане*) regardlessness, inattentiveness (to a person); lack of consideration, inconsiderateness.

невнима̀тел|ен *прил.*, **-на, -но, -ни** careless, inattentive, inadvertent, thoughtless, unheeding, unmindful; unkind, uncourteous, inconsiderate (**към** to).

нево̀л|ен *прил.*, **-на, -но, -ни** involuntary, unintentional, unmeant, unwitting, unconscious, unwilling, inadvertent; **~ен свидетел** unwilling/reluctant witness, inadvertent; **~на грешка** slip.

нево̀лно *нареч.* involuntarily; instinctively, inadvertently, in spite of o.s., unwittingly; **~ си спомних детинството** I couldn't help being reminded of my childhood, I couldn't help remembering my childhood, this took me back to my childhood.

нево̀лю *нареч.*: **волю-~** willy-nilly.

нево̀л|я *ж.*, **-и 1.** misery, sorry plight, wretchedness, *поет. шег.* woe; **~ите на живота** the hardships of life; **раз-**

казвам си ~ите tell o.'s tale of woe; **2.** bondage; **● по ~я** of necessity, willy-nilly, against o.'s will, in spite of o.s.; **по ~я учител** a teacher in spite of himself.

невою̀ващ *прил.* non-belligerent.

невпѝсан *прил.* unrecorded, unentered; (*в сметка*) uncharged.

невралгѝч|ен *прил.*, **-на, -но, -ни** *мед.* neuralgic; **● ~на точка** tender(est) spot.

невра̀лги|я *ж.*, **-и** *мед.* neuralgia; *разг.* face-ache.

невра̀л|ен *прил.*, **-на, -но, -ни** *мед.* neural.

неврастенѝ|к *м.*, **-ци; неврастенѝчк|а** *ж.*, **-и** *мед.* neurasthenic, neurotic, neuropath.

неврастенѝч|ен *прил.*, **-на, -но, -ни** *мед.* neurasthenic.

неврастенѝя *ж.*, *само ед.* *мед.* neurasthenia.

невредѝм *прил.* unhurt, undamaged, unharmed, safe, intact, unimpaired, unscathed, unscarred, unscratched, uncrippled, with a whole skin, sound in life and limb, safe and sound, in one piece, whole.

неврѐли-некипѐли *само мн.* (stuff and) nonsense, rubbish, rot, bunkum; loose talk; **говоря ~** talk nonsense.

невро̀з|а *ж.*, **-и** *мед.* neurosis (*pl.* neuroses).

невроло̀|г *м.*, **-зи** *мед.* neurologist, nerve specialist.

невроло̀гия *ж.*, *само ед.* *мед.* neurology.

невротизѝране *ср.*, *само ед.* neurotization.

нѐврохиру̀р|г *м.*, **-зи** neurosurgeon.

нѐврохиру̀ргия *ж.*, *само ед.* *мед.* neurosurgery.

неврѐст|ен *прил.*, **-на, -но, -ни** infant, young; **~но дете** infant baby/child.

невъзвратѝм *прил.* irrevocable, irretrievable, unrecallable.

невъзвратѝмост *ж.*, *само ед.* irrevocability.

невъзвраща̀ем *прил.* irrepleviable.

невъздържан *прил.* immoderate, intemperate, incontinent, unreserved; (*буен*) riotous, uncontrolled; unrestrained; unsubdued; **~ език** an unbridled tongue.

невъздържа̀ние *ср.*, *само ед.*; **невъз-**

дъ̀ржаност *ж., само ед.* immoderateness, intemperance, unreserve, unrestraint, lack of self-control/-restraint, licence; debauchery.

невъзмездѐн *прил. (за щети)* unrepaired.

невъзмо̀ж|**ен** *прил.,* -на, -но, -ни impossible; infeasible; *(за план и пр.)* impracticable, unworkable; *разг.* unthinkable; unpresentable; *разг.* monstrous; *(много лош) разг.* miserable; ~**ен за пиене** undrinkable; ~**ен човек** *разг.* a pain in the neck; **правя живота на някого** ~**ен** lead s.o. a dog's life.

невъзмутѝм *прил.* imperturbable, unruffled, stolid; equanimous; undiscomfited; undisconcerted; unabashed; coolheaded, cool as a cucumber; immovable; impassible, impassive, *разг.* unflappable; **с** ~**о спокойствие** imperturbably.

невъзмутѝмо *нареч.* imperturbably, stolidly; unabashedly; coolly; **стоя/слушам** ~ stand/listen impassively.

невъзмутѝмост *ж., само ед.* imperturbability, unruffledness, stolidity; coolness; equanimity; immovability, impassibility, impassiveness, impassivity, *разг.* unflappability.

невъзобновѐн *прил.* unrenewed.

невъзпѝтан *прил.* ill-bred, unmannerly, mannerless, bad-mannered, ill-mannered, ill-behaved, low-bred, rude, cubbish, currish, ungentlemanlike; *разг.* puppyish; ~**о държане** unmannerly behaviour; ~**о е да** it is bad manners to.

невъзпѝтано *нареч.* rudely; currishly; **държа се** ~ behave in an unmannerly way.

невъзпѝтаност *ж., само ед.* unmannerliness, rudeness, bad manners; currishness.

невъзпламенѐнием *прил.* incombustible, uninflammable.

невъзпрепя̀тстван *прил.* undeterred, unhindered, unimpeded, unstopped.

невъзприемчѝв *прил.* unreceptive; slow (in the uptake), irresponsive; *книж.* impercipient.

невъзприемчѝвост *ж., само ед.* unreceptiveness, lack of receptivity, irresponsiveness, imperception.

невъзстановѝм *прил.* irretrievable, irrecoverable, non-recoverable, unrecoverable.

невъобразѝм *прил.* unimaginable, inconceivable; **това доведе до** ~**а бъркотия** this caused an indescribable mess; **това е просто** ~**о** I simply can't imagine it; that's absolutely impossible; **шумът беше** ~ the noise was indescribable.

невъоръжѐн *прил.* unarmed, weaponless; ● **с** ~**о око** with the naked/unaided eye.

невя̀рващ *прил.* **1.** irreligious; **2.** *като същ.* atheist, infidel.

невя̀рно *нареч.* wrong; untruly; *sl.* off the beam; **отговарям** ~ answer wrong, give a wrong answer; *sl.* o.'s answer is off the beam.

невя̀рност *ж., само ед.* **1.** *(към човек, кауза)* unfaithfulness, infidelity, faithlessness; disloyalty, betrayal; **съпружеска** ~ unfaithfulness, adultery; **2.** *(неправилност)* incorrectness, untrueness, untruthfulness.

негала̀нт|**ен** *прил.,* -на, -но, -ни ungallant.

негарантѝран *прил.* unwarranted, unsecured; ~ **залог** negative pledge; ~**и облигации** junk bonds.

негатѝв *м.,* -и, *(два)* негатѝва negative; **неясен** ~ *фот.* clogged negative; **ясен** ~ *фот.* negative with fine definition.

негатѝв|**ен** *прил.,* -на, -но, -ни negative.

негативѝз|**ъм** (-мът) *м., само ед.* negativism.

негла̀с|**ен** *прил.,* -на, -но, -ни *(таен)* private, secret; *(мълчалив)* silent, tacit; ~**ен съдружник** concealed/secret/sleeping partner; ~**но споразумение** tacit agreement.

неглижѐ *нареч.* in undress, in dishabille, in disarray, negligee, negligée.

нѐго *вин. пад. на личното мест.* **той** him; ~ **ден** (on) that day.

нѐгов *прит. мест.* his; its; **един** ~ **приятел** a friend of his; ● ~**ата не е за завиждане** he isn't to be envied; his plight isn't better; **той иска да бъде все** ~**ата** he always wants to have his way.

него̀д|**ен** *прил.,* -на, -но, -ни unfit, no good *(за* for); non-effective, ineffective, inefficient; useless, worthless, good-for-nothing; *(за човек и пр.)* incompetent; *(за план)* unworkable; *(остарял)* past

o.'s sell-by date; ~**ен за военна служба** unfit/ineligible for military service; unserviceable; rejected; ~**ен за живеене** *(за помещение)* untenantable; ~**ен за употреба** unfit for use, not fit to be used; ~**ен за ядене** not fit to eat, uneatable; **правя** ~**ен, обявявам за** ~**ен** disqualify.

него̀дни|**к** *м.,* -ци; **него̀дниц**|**а** *ж.,* -и good-for-nothing, ne'er-do-well, scamp, scoundrel, rapscallion, rotter, villain, bad hat, sorry fellow; *sl.* heel.

него̀дност *ж., само ед.* unfitness; unsuitability; worthlessness; ineffectiveness; disqualification *(за* for).

негодувам *гл.* be indignant *(срещу нещо* at s.th., *срещу някого* with s.o.), mutter (at; against); protest, remonstrate (against); feel strongly (about); *(вътрешно)* resent (s.o., s.th.), be dissatisfied (with); ~ **срещу някого** harbour resentment(s) against s.o.

негоду̀ване *ср., само ед.*; **негодува̀ни**|**е** *ср.,* -я indignation (at, with, against), remonstrance; resentment, resentfulness; discontent, dissatisfaction; soreness; wrath; **в изблик на** ~**е** in an outburst of indignation.

неголя̀м *прил.,* -а, -о, **неголѐми** not large/big.

негорѝм и **негоря̀щ** *прил.* incombustible, non-combustible, non-burning, non-flammable.

негостоприѐм|**ен** *прил.,* -на, -но, -ни inhospitable.

негостоприѐмност *ж., само ед.*; **негостоприѐмство** *ср., само ед.* inhospitality.

неграмо̀т|**ен** *прил.,* -на, -но, -ни illiterate, unlettered; grammarless; *прен.* ignorant; *(за произведение)* incompetent; *(за език)* uneducated; ~**но изречение** an ungrammatical sentence; ~**но писмо** misspelt letter, a letter full of spelling (and grammatical) mistakes.

неграмо̀тно *нареч.:* **говоря/пиша** ~ speak/write ungrammatically.

неграмо̀тност *ж., само ед.* illiteracy; *прен.* ignorance; **политическа** ~ political ignorance/illiteracy.

неграцио̀з|**ен** *прил.,* -на, -но, -ни ungraceful.

нѐг|**ър** *м.,* -ри Negro; *разг.* darkie, woolly-head, *амер. презр.* Jim Crow; *(прен. – човек, който върши теж-*

ката, черната работа на другиго) jackal; **вагон/трамвай само за ~ри** истор. a Jim Crow car.

нѐгърк|а ж., **-и** Negress.

нѐгърск|и прил., **-а**, **-о**, **-и** Negro (attr.); **~а къдрава коса** kinky hair, wool; **~и труд** прен. slave labour.

недалѐко, недалѐч и **недалѐче** нареч. not far (off/away), a little way (off); **~ от бреговете на Франция** off the shores of France.

нѐдалеч|ен прил., **-на**, **-но**, **-ни** not far off, near/close (by), not distant; (за минало) recent; **в ~но бъдеще** in the not too distant future, in the near future, in the measurable future; in the offing.

недалновид|ен прил., **-на**, **-но**, **-ни** improvident, short-sighted, unforeseeing.

недалновѝдност ж., само ед. improvidence, short-sightedness, lack of foresight.

недатѝран прил. (без дата) undated.

недвѝжим прил. immovable; **~о имущество** immovable property, immovables, real estate/property, realty, юр. things real, hereditaments.

недвусмѝслен прил. unambiguous, unequivocal, plain, explicit; flat; clean-cut, clear-cut; **~ намек** broad hint; **~ отказ** unequivocal/flat refusal.

недвусмѝслено нареч. unambiguously, unequivocally, plainly, in round terms; explicitly; **заявявам ~** state in no uncertain terms, state clearly and unequivocally, state in outspoken terms; **той ~ ми каза, че** he told me in so many words that.

недвусмѝсленост ж., само ед. unambiguousness, plainness, unequivocalness; explicitness.

недееспособ|ен прил., **-на**, **-но**, **-ни** incapable, incapacitated; **~но лице** disabled person.

недееспособност ж., само ед. incapacity, inability, disability.

недействител|ен прил., **-на**, **-но**, **-ни** unreal; fictional; fictitious; (с изтекъл срок) expired; юр. (невалиден) invalid, null, void, nude, nugatory; (без законна сила) inoperative; **~на бюлетина** bad/spoilt voting-paper; **правя ~ен** юр. invalidate, nullify, make null and void.

недекларѝран прил. undeclared.

недекоратѝв|ен прил., **-на**, **-но**, **-ни** unornamental.

недѐл|ен прил., **-на**, **-но**, **-ни** Sunday (attr.); **в ~ен ден** on Sundays, on a Sunday; **паркът беше приятен в ~ните дни** the park was pleasant on a Sunday.

неделѐн прил. not divided.

неделикат|ен прил., **-на**, **-но**, **-ни** indelicate; thoughtless; inconsiderate; tactless; coarse-minded; **~на забележка** an indelicate/a tactless remark.

неделѝм прил. indivisible; (неотделим) inseparable; undivided; юр. (за имот) impartible; **~ фонд** an investment fund; **~а част** an integral part, part and parcel (of).

неделов|и́й прил., **-а́**, **-о́**, **-и́** unbusinesslike; unefficacious.

недѐл|я ж., **-и** 1. Sunday; **в ~я** on Sunday; 2. (седмица) week; **две ~и** two weeks, a couple of weeks, a fortnight; • **и на него ще му дойде сляпата ~я** wedding bells will ring for him too some day.

недемократѝч|ен прил., **-на**, **-но**, **-ни** undemocratic, nondemocratic.

недеформѝран прил. undistorted.

недиагностицѝран прил. undiagnosed.

недипломатѝч|ен прил., **-на**, **-но**, **-ни** nondiplomatic, undiplomatic.

недискрѐт|ен прил., **-на**, **-но**, **-ни** indiscreet, разг. leaky.

недискрѐтност ж., само ед. indiscretion; (постъпка) a piece of indiscretion.

недисциплинѝран прил. undisciplined; wild; insubordinate; intractable.

недиференцѝран прил. not differentiated, undifferentiated.

недоброжелàтел (**-ят**) м., **-и**; **недоброжелàтелк|а** ж., **-и** ill-wisher.

недоброжелàтел|ен прил., **-на**, **-но**, **-ни** ill-disposed, malevolent, inimical; unbrotherly.

недоброжелàтелно нареч. malevolently; **отнасям се ~ към** show ill-will towards.

недоброкàчествен прил. low-grade (attr.), of poor quality, bad, poor.

недобросъвест|ен прил., **-на**, **-но**, **-ни** unconscientious, unscrupulous, dishonest; **~ен в работата си** careless in o.'s work; **~на постъпка** nasty/dirty

thing to do, dirty deed.

недобросъвестност ж., само ед. unconscientiousness, unscrupulousness; bad faith; carelessness; юр., застр. barratry.

недобросъсѐдск|и прил., **-а**, **-о**, **-и** unneighbourly.

недоварѐн прил. underdone, half-boiled.

недоварявам, недоваря гл. underdo, leave half-boiled.

недовѐрие ср., само ед. mistrust, distrust; suspicion(s); **вот на ~** парлам. non-confidence vote; **изглеждам някого с ~** look at s.o. with distrust/suspicion, eye s.o. with suspicion; **изпитвам ~ към някого** distrust s.o.; **събуждам нечие ~** rouse s.o.'s suspicions.

недоверчѝв прил. mistrustful, distrustful, suspicious, incredulous, unbelieving.

недоверчѝво нареч. distrustfully, with distrust, suspiciously, with suspicion.

недоверчѝвост ж., само ед. mistrustfulness, distrustfulness, suspiciousness, incredulity.

недовѝждам, недовѝдя гл. not see well, have poor sight; (късоглед съм) be short-sighted.

недовѝждане ср., само ед. poor sight.

недовѝждащ сег. деят. прич. weak-eyed; (късоглед) short-sighted.

недовол|ен прил., **-на**, **-но**, **-ни** dissatisfied, discontented, unsatisfied (**от** with), displeased (at s.th., with s.o.), disaffected, disgruntled; разг. browned off, cheesed-off.

недоволнѝ|к м., **-ци**; **недоволнѝц|а** ж., **-и** (от установения ред) malcontent, dissatisfactionist; (мърморко) grumbler, grouser, nagger, разг. grouch; амер. sorehead; sl. squawker.

недоволно нареч. discontentedly; (мърморейки) repiningly.

недоволствам гл. grumble, murmur, repine (**от** at); grouse, gripe; grump.

недоволство ср., само ед. dissatisfaction, discontent, discontentedness, discontentment; displeasure, disaffectedness, disaffection; murmur; soreheadedness; **създавам/сея ~ сред народа** create/sow/stir up discontent among the people.

недовършен прил. unfinished, uncompleted, incomplete, unaccomplished; half-done.

недоглѐдан *мин. страд. прич.* not carefully done, carelessly done.

недоглѐждам, недоглеѐдам *гл.* overlook, miss; not take sufficient care of.

недоглѐждан|е *ср.*, **-ия** oversight, inadvertence; • **по ~е** by oversight, inadvertently.

недодялан *прил.* uncouth, unpolished, awkward, clumsy, coarse, gauche, gawky, loutish, rough, inurbane, unaccomplished, uncourtly, unrefined, uncultivated; naff, cubbish, born in a barn; **~ съм** be uncouth, etc.; lack finish.

недоизкàзан *мин. страд. прич.* halfexpressed.

недоизкàзвам, недоизкàжа *гл.* not finish, leave unfinished.

недоизкàран *прил.* unfinished, incomplete.

недоймък *м., само ед.* deficit, deficiency, insufficiency, lack, shortage, want; dearth; (*бедност*) penury.

недокàзан *прил.* not proved, unattested, unproved, unverified, unsubstantiated.

недоказуем *прил.* beyond proof, unprovable, unverifiable, indemonstrable.

недокòснат *прил.* untouched, (*за ядене*) untasted; **~ от годините** unaffected by the years; **~ от цивилизацията** unspoiled by civilization.

недокументѝран *прил.* undocumented.

недоловѝм *прил.* imperceptible, subtle, elusive; intangible, inapprehensible; (*за слуха*) unaudible; **~ за сетивата** supersensible.

недомѝслен *прил.* stupid, thoughtless; half-baked.

недомѝсли|е *ср.*, **-я** stupidity, thoughtlessness; **говоря ~я** talk nonsense.

недомлъвк|а *ж.*, **-и** *обикн. мн.* hint; reservation; understatement; **изказвам се с ~и** beat about the bush, talk/speak in riddles.

недонòсвам, недонòся *гл.* give birth prematurely, miscarry, (*за животно*) slink.

недонòсен *прил.* **1.** prematurely born; *прен.* abortive, **2.** (*за дреха*) not sufficiently worn, still fit for wearing.

недонòсче *ср.*, **-та** prematurely born child; *прен.* abortion; (*за човек*) halfbaked (writer, etc.); **план ~** still-born/half-baked plan, abortive plan.

недообмѝслен *прил.* half-baked.

недообработѐн *прил.* unfinished.

недооценявам, недооценя *гл.* not appreciate properly; depreciate; misjudge, misprize.

недопѐчен *прил.* underdone, half-done/-baked; doughy; *метал.* undersintered.

недопѝсан *прил.* left unfinished.

недоплатѐн *мин. страд. прич.* not fully paid.

недоплàщам, недоплатя *гл.* pay less than required/less than agreed upon.

недопустѝм *прил.* inadmissible, intolerable, unallowable, unwarranted, unwarrantable, impermissible; (*предикат.*) beyond the pale; **~о нахалство** intolerable impudence, unheard-of impudence; **служа си с ~и средства** make use of unfair means.

недоразвѝт *прил.* underdeveloped; *биол.* embryonic, rudimentary, runtish; dwarfed; (*за дете*) backward, retarded; *прен.* unfledged; (*за интелект*) dwarfish; **~а функция** *мат.* implicit function.

недоразумѐни|е *ср.*, **-я** misunderstanding, misapprehension; misconception; (*несъгласие*) disagreement; **досадно ~е** a regrettable misunderstanding; **тук има някакво ~е** there must be some misunderstanding.

недорàс|ъл *прил.*, **-ла, -ло, -ли** stunted, underdeveloped, undergrown, undersized, puny; *прен.* unripe, immature (за for); **~ъл човек, ~ло животно** scrub.

недосегàем *прил.* unapproachable, untouchable, inaccessible; intangible.

недосетлѝв *прил.* slow-witted; **колко си ~!** how slow you are!

недосетлѝвост *ж., само ед.*; **недосѐщане** *ср., само ед.* slow wits.

недоспàл *мин. св. деят. прич.* sleepy.

недоспѝвам (си), недоспя (си) (*възвр.*) *гл.* not get enough sleep.

недоспѝване *ср., само ед.* insufficient sleep; **боли ме глава от ~** I have headache for lack of sleep.

недостàт|ък *м.*, **-ци, (два) недостàтъка** defect, fault, flaw, blemish, demerit, offset, failing; disadvantage, shortcoming; drawback; demerit; *разг.* a fly in the ointment; **без ~к** faultless, flawless, unblemished; **намирам на всичко ~ци** find fault with everything;

телесен/физически ~к deformity, corporal/bodily defect; **умствен ~к** mental deficiency.

недостàтъч|ен *прил.*, **-на, -но, -ни** insufficient; inadequate; short; (*оскъден*) scanty, low; exiguous; **~но снабдяване** low supply, shortage of supplies.

недостàтъчно *нареч.* insufficiently, inadequately; scantily; **~ съм снабден с** be ill provided with.

недостàтъчност *ж., само ед.* insufficiency, inadequacy, deficiency, scarcity; **сърдечна ~** cardiovascular insufficiency.

недòстиг *м., само ед.* shortage, shortness, insufficiency, lack, want, dearth (**на** of); (*недоимък*) penury.

недостижѝм *прил.* unattainable; out of reach; intangible; *разг.* un-come-at-able.

недостовѐр|ен *прил.*, **-на, -но, -ни** doubtful; not authentic(ated), unauthentic; untrustworthy; (*за текст и пр. и*) corrupt.

недостовѐрност *ж., само ед.* unauthenticated nature, lack of authentication; untrustworthiness.

недостò|ен *прил.*, **-йна, -йно, -йни** unworthy (за of); undeserving (of); demeritous; disrespectable; (*неприличен*) indecent, improper, unseemly, indecorous; (*позорен*) discreditable; **~ен за държавник** (*за постъпка*) unstatesmanlike; **отмъщавам си по ~ен начин** take a mean revenge.

недостъп|ен *прил.*, **-на, -но, -ни** inaccessible; unapproachable, unobtainable, inapproachable, un-get-at-able; out of reach, hard of access; (*за връх*) unscalable; **~ен човек** inaccessible person.

недостъпност *ж., само ед.* inaccessibility, unapproachableness.

недоумѐние *ср., само ед.* bewilderment, perplexity, amazement, quandary; **за мое (най-голямо) ~** to my (great) amazement; **предизвиквам ~** perplex (у -); **слушам с ~** listen in bewilderment; **той ме погледна с ~** he gave me a puzzled look.

недоумявам *гл.* be puzzled/bewildered/perplexed, be at a loss; *разг.* it's one too many for me; **просто ~ защо той постъпи така** I simply can't make out why he acted like that.

недоход|ен *прил.*, **-на, -но, -ни** unremunerative, unprofitable; lean; **тази работа е ~на** this business doesn't pay.

недохранвам, недохраня *гл.* undernourish, underfeed.

недохранван|е *ср.*, **-ия** undernourishment, malnutrition, innutrition.

недохранен *мин. страд. прич.* undernourished, underfed, ill-nourished, malnourished; half-starved.

недочувам, недочуя *гл.* be hard of hearing; **недочух последните думи** I failed to hear the last words; **чул-недочул** without knowing the whole story.

недояждам, недоям *гл.* not finish (o.'s meal); || **~ си** not eat enough, not get enough to eat, be underfed/undernourished.

недра *само мн.* womb, bosom, recesses; **земни ~** bowels of the earth.

недружелюб|ен *прил.*, **-на, -но, -ни** unfriendly; unamiable.

недружелюбно *нареч.* in an unfriendly manner.

недъ|г *м.*, **-зи, (два) недъга** ailment, infirmity, defect; weakness.

недъгав *прил.* ailing, crippled, infirm; valetudinarian; **~ (човек)** invalid.

недъгавост *ж.*, *само ед.* infirmity, disability.

еднакво *нареч.* differently.

нееднак|ъв *прил.*, **-ва, -во, -ви** different; dissimilar, disparate, (*по качество*) patchy, uneven.

еднознач|ен *прил.*, **-на, -но, -ни** ambiguous.

неднозначност *ж.*, *само ед.* ambiguity.

еднократ|ен *прил.*, **-на, -но, -ни** repeated, reiterated, manifold, multiple.

еднократно *нареч.* repeatedly, over and over again, time and again.

еднород|ен *прил.*, **-на, -но, -ни** heterogeneous, non-homogeneous, bitty.

еднородност *ж.*, *само ед.* heterogeneity, heterogeneousness; non-uniformity, bittiness.

неквивалент|ен *прил.*, **-на, -но, -ни** not equivalent, nonequivalent.

неекипиран *прил.* unequipped.

неекспедитив|ен *прил.*, **-на, -но, -ни** inefficient; slow.

неексплоатиран *прил.* unexploited (*новооткрит*); **~ участък** *мин.* prospect.

неексплозив|ен *прил.*, **-на, -но, -ни** inexplosive.

неекспониран *прил.* unexposed.

нееластич|ен *прил.*, **-на, -но, -ни** inelastic, non-elastic, rigid, stiff.

нееластичност *ж.*, *само ед.* inelasticity, rigidity, stiffness.

неелегант|ен *прил.*, **-на, -но, -ни** inelegant.

неестествен *прил.* unnatural; uncanny; freak; (*изкуствен*) artificial; (*престорен*) affected; (*театрален*) stagy; **~а смърт** unnatural death.

неестественост *ж.*, *само ед.* unnaturalness; unearthliness; uncanniness; artificiality; affectedness.

неестетич|ен *прил.*, **-на, -но, -ни** inartistic; ugly.

неетич|ен *прил.*, **-на, -но, -ни** nonethical, unethical.

неефектив|ен *прил.*, **-на, -но, -ни** inefficient, non-effective.

неефективност *ж.*, *само ед.* inefficiency.

неефикас|ен *прил.*, **-на, -но, -ни** inefficacious, inefficient, inoperative; (*напразен, безполезен*) unavailing; *мед.* inactive.

нежелан *прил.* undesired, unwanted; unwished (for); unwelcome; unacceptable; (*излишен*) *разг.* one too many; **~и гости** unwelcome guests.

нежелание *ср.*, *само ед.* reluctance, unwillingness, disinclination (to do s.th.); averseness, aversion (to doing s.th.); **проявявам ~ за нещо** jib at s.th.; **с ~** reluctantly, unwillingly.

нежелател|ен *прил.*, **-на, -но, -ни** undesirable, objectionable.

неж|ен *прил.*, **-на, -но, -ни 1.** tender, loving; (*за глас*) dulcet; **~на прегръдка** fond embrace; **ограждам някого с ~ни грижи** treat s.o. with tender/loving care; **2.** (*тънък*) fine; **3.** (*слаб*) delicate, fragile; **~ният пол** the fair/soft sex; **~но телосложение** a delicate build; **4.** (*женствен*) womanly.

неженен *прил.* unmarried, single, unwed(ded), unattached; **~ човек** bachelor.

неженствен *прил.* unwomanly, unladylike.

нежизнеспособ|ен *прил.*, **-на, -но, -ни** *биол.* unviable, not viable; not fit to live/survive.

нежно *нареч.* tenderly; **отнасям се ~ към някого** treat s.o. with tender/loving care.

нежност *ж.*, **-и** tenderness, delicacy; **~и** endearments, kind words, sweet nothings.

незабав|ен *прил.*, **-на, -но, -ни** immediate, speedy, prompt, instantaneous; **вземам ~ни мерки** take immediate/prompt action; **~ен отговор** a prompt/an immediate reply.

незабавно *нареч.* immediately, at once, directly, forthwith; without further delay, instantly, *разг.* first thing; in a tick/minute/jiffy, on the instant; out of hand; **действам ~** take prompt/immediate action.

незабележим *прил.* imperceptible, unnoticeable, undistinguishable, inappreciable, indiscernible; inconspicuous; subtle.

незабележимост *ж.*, *само ед.* imperceptibility; inconspicuousness; subtleness.

незабележител|ен *прил.*, **-на, -но, -ни** insignificant, unremarkable, unspectacular.

незабелязан *прил.* unnoticed, unobserved, unheeded, undiscerned, undetected, undiscovered; undistinguished; **книгата остана ~а** no one took (any) notice of the book; **оставам ~** escape (s.o.'s) notice, slip (s.o.'s) attention; pass/go unnoticed; **успявам да мина ~** elude observation.

незабелязано *нареч.* imperceptibly, inconspicuously; **есента беше дошла ~** no one had noticed that autumn was already in; **измъквам се ~** slip out unnoticed, (*от гостуване – без да се сбогувам*) take French leave.

незабравен *прил.* unforgotten.

незабравим *прил.* unforgettable, memorable, never-to-be-forgotten; (*за покойник*) *книж.* of imperishable memory.

незабравк|а *ж.*, **-и** *бот.* forget-me-not.

незаверен *прил.* uncertified, unlegalized.

незавид|ен *прил.*, **-на, -но, -ни** unenviable; **при твърде ~ни обстоятелства** in circumstances that no one will envy.

независещ *прил.*: **по ~и от мене при-**

чини/обстоятелства owing to circumstances beyond my control/over which I have no control.

независим *прил.* independent (**от** of); free; free-floating; ~ **съм** be independent (of anybody), be o.'s own master, stand on o.'s own legs/bottom, paddle o.'s own canoe; be a law into s.o.; ~**а държава** sovereign/independent state, sovereignty, independency.

независимо *нареч.* independently; ~ **от всичко, ще вървим** in spite of all (that) we'll go; ~ **от това дали ви харесва или не** whether you like it or not.

независимост *ж., само ед.* independence.

незавършен *прил.* unfinished, uncompleted, incomplete, unaccomplished, half-finished, half-completed, in an unfinished state; (*за картина*) in the rough; *език.* pendent; ~ **съм** be incomplete, be half finished; lack finish.

незадоволен *прил.* unsatisfied, not satisfied; (*за глад, любопитство*) unappeased; (*за потребност, изискване*) unmet; (*недоволен*) dissatisfied, discontented.

незадоволител|ен *прил., -на, -но, -ни* unsatisfactory, unsatisfying, inadequate.

незадължител|ен *прил., -на, -но, -ни* not obligatory, not compulsory; dispensable; (*за учебен предмет*) optional.

незает *прил.* unoccupied, vacant, free; **мястото все още е** ~**о** the job is still open.

незаинтересован и **незаинтересуван** *прил.* 1. (*безпристрастен*) detached, impartial, unbiased; ~**а страна** disinterested party; 2. (*който не проявява интерес*) uninterested, not interested (in); unconcerned.

незаинтересованост и **незаинтересуваност** *ж., само ед.* 1. disinterestedness, uninterestedness, detachment, impartiality, lack of (any) bias; unconcern; 2. lack of interest; **проявявам пълна** ~ show complete lack of interest.

незаключен *прил.* not locked, on the latch.

незакон|ен *прил., -на, -но, -ни* illegal, unlawful; illicit; wrongful; (*измамнически*) *юр.* fraudulent; (*за дете*) illegitimate, natural, born out of wed-

lock, *шег.* born on the wrong side of the blanket; ~**на комисиона** squeeze, rake-off, kick-back; ~**на сделка** shady deal, *юр.* unconscionable bargain; ~**ни средства** false pretences.

незаконно *нареч.* illegally, unlawfully; wrongfully; ~ **забогатял** profiteer.

незакономер|ен *прил., -на, -но, -ни* irregular.

закономерност *ж., само ед.* irregularity.

незаконороден *прил.* illegitimate, natural, born out of wedlock, *шег.* born on the wrong side of the blanket; bastard.

незаконосъобраз|ен *прил., -на, -но, -ни* irregular.

незакрит *прил.* (*за сметка*) unclosed.

незалесен *прил.* treeless, woodless, unwooded, forestless, waste, unforested, barren.

незаличим *прил.* indelible, ineffaceable, unforgettable; ~**о впечатление** indelible/lasting impression; ~**о петно** *прен.* indelible disgrace.

незалязващ *прил. астр.* non-setting.

незаменим *прил.* irreplaceable, unique; ~**а загуба** irreparable loss; ~**а услуга** unrepayable favour; **той е** ~ **човек** there is no one like him.

незамърсен *прил.* unsoiled, unpolluted; (*без замърсяващи примеси*) uncontaminated.

незапомнен *прил.* immemorial; (*небивал*) unrecorded, unprecedented, unparalleled; ~ **успех** an unprecedented success; **от** ~**и времена** from time immemorial.

незапълнен *прил. канц.* (*за щат*) understaffed, underhanded.

незаразен *прил.* untainted.

незаразител|ен *прил., -на, -но, -ни* non-contagious, non-communicable.

незарегистриран *прил.* unrecorded; unbooked.

незареден *прил.* uncharged.

незасвидетелстван *прил.* unattested, unverified.

незасегнат *прил.* untouched, unaffected, undisturbed, unimpaired; (*невредим*) unscathed, uncrippled.

незасенчен *прил.* (*открит*) unshaded; ● ~**а слава** unsurpassed glory.

незаслужен *прил.* undeserved; unmerited; unwarranted, gratuitous; ~**а награда** an unmerited reward; ~**о наказа-**

ние an undeserved punishment.

незаслужено *нареч.* undeservedly; gratuitously; **пострадвам** ~ suffer innocently.

незастрахован *прил.* uninsured; unassured.

незастроен *прил.* not built up; undeveloped.

незасъхнал *прил.* (*за боя, кръв и пр.*) fresh; (*за боя и*) wet.

незатъмнен *прил.* unobscured; *астр.* uneclipsed; ● ~**а слава** unsurpassed glory.

незачёнат *прил.* unconceived.

незачитане *ср., само ед.* repudiation, disrespect, lack of respect (**на** for); disobligingness; ~ **на съда** contempt of court.

незащитен *прил.* unprotected (**от** from), defenseless; undefended; indefensible; unsheltered; (*изложен*) exposed (to); (*за механизъм*) unguarded.

незащитим *прил.* untenable; indefensible.

незвезд|ен *прил., -на, -но, -ни* non-stellar.

нездрав *прил.* 1. (*с лошо здраве*) ailing, unhealthy, sickly; *разг.* under the weather, off colour; **с** ~ **цвят на лицето** pasty, sallow; 2. *прен.* unhealthy, unsound, unwholesome, morbid; ~**а атмосфера** an unhealthy atmosphere; ~**а постройка** a flimsily constructed building; ~**и елементи** unhealthy/unsound elements.

нездравослов|ен *прил., -на, -но, -ни* unhealthy, unwholesome, insanitary, insalubrious; ~**ни условия** insanitary conditions; ~**но място** fever-trap.

нездравословност *ж., само ед.* unhealthiness, unwholesomeness, insalubrity, insanitary conditions.

незем|ен *прил., -на, -но, -ни* unearthly, heavenly, celestial; *прен.* supernatural, supermundane; (*несветски*) unworldly.

незна|ен *прил., -йна, -йно, -йни** 1. unknown; ~**ен воин** unknown soldier/warrior; 2. (*незапомнен*) unprecedented, unparalleled, unheard of.

незнани|е *ср., -я* ignorance, lack of knowledge (**на** of); **от/поради** ~ through ignorance.

незначител|ен *прил., -на, -но, -ни* insignificant, unimportant, of little/no

consequence/importance, negligible, nominal, immaterial, trifling, trivial, paltry, inessential, petty, fiddling, two-penny-halfpenny, inconsiderable; (*много малък*) slight, very small, trifling, minute; *разг.* niggly, fractional; **изгледите ни за успех са ~ни** we have slight chances of success; **~ен човек** unimportant person, a person of no importance, nobody, jack-straw, a man of no account, *амер.* a no account man; (*със скромно обществено положение*) lowly person, a person of humble rank; **с ~но мнозинство** by a small/narrow/precarious/bare majority.

незначѝтелно *нареч.* slightly, insignificantly, immaterially; **покачвам цените ~** raise prices slightly.

незря̀л *прил.* unripe, green, underripe; (*неопитен и пр.*) immature, verdant, unsophisticated; *прен.* unripe, green, immature, not ready (**за** for).

незря̀щ *прич.* sightless.

неидентифицѝран *прил.* unidentified; **~ летящ обект** unidentified flying object, *съкр.* UFO.

неидентѝч|ен *прил.*, **-на, -но, -ни** nonidentical.

неизбѐж|ен *прил.*, **-на, -но, -ни** inevitable, unavoidable, inescapable, unpreventable, impending, certain (to happen), indispensable; cock-sure; **~но зло** an unavoidable/a necessary evil.

неизбѐжно *нареч.* inevitably, unavoidably, of necessity; **това ~ ще завърши с катастрофа** this is bound to end in disaster.

неизбѐжност *ж., само ед.* inevitability, unavoidability, inescapability.

неизбеляв*ащ* *прил.* (*за тъкан*) fast-colour (*attr.*); fade-proof.

неизбро̀им *прил.* countless, innumerable, uncountable

неизвѐст|ен *прил.*, **-на, -но, -ни 1.** unknown (**на** to); nameless; (*с неустановена самоличност – за човек, с неустановена националност – за потънал кораб и пр.*) unidentified; obscure; **в ~ното бъдеще** in the obscure future; **детето е от ~ен баща** the paternity of the child is unknown; **~на величина** *мат.* unknown (quantity); **съвсем ~ен човек** nobody; **2.** *като същ. ср. мат.* unknown quantity; **спускам се в ~ното** venture into

the unknown.

неизвѐстно *нареч.*: **~ къде** no one knows where, in an unknown direction/place/locality; **~ откъде е дошъл** origin unknown.

неизвѐстност *ж., само ед.* uncertainty; the unknown; **в ~ съм относно** be uncertain about, be in suspense about; be in the dark about; **държа някого в ~** keep s.o. in suspense; keep s.o. guessing; **скок в ~та** a leap in the dark.

неизвинѝтел|ен *прил.*, **-на, -но, -ни** inexcusable, unjustifiable.

неизвъ̀ршен *прил.* (*за престъпление и пр.*) uncommitted.

неизго̀д|ен *прил.*, **-на, -но, -ни 1.** (*който не носи печалба*) unremunerative, unprofitable, not paying; **тази сделка е ~на** that transaction doesn't pay; **2.** unfavourable; disadvantageous, vantageless; **в ~но положение съм** labour/lie under a disadvantage; **поставям някого в ~но положение** disadvantage s.o.

неизго̀дно *нареч.* unfavourably; disadvantageously; unprofitably.

неизда̀ден *прил.* unpublished.

неиздъ̀ржан *прил.* unsustained; unequal, uneven, not of a piece; unsatisfactory; not quite up to the mark; not up to (the) standard.

неизка̀зан *прил.* **1.** (*неизречен*) unsaid, unuttered, unvoiced, unspoken, unstated; inexpressed; inexplicit; mental; **2.** (*неизразим*) inexpressible, unspeakable, ineffable; beyond expression.

неизка̀зано *нареч.* inexpressibly, unspeakably; **обичам го ~ много** I love him more than I can say.

неизкоренѝм *прил.* ineradicable; (*за навик, предубеждение*) inveterate.

неизку̀пен *прил.* **1.** unbought, not bought; **2.** not atoned for, not expiated, unredeemed.

неизлечѝм *прил.* incurable, past cure, past/beyond remedy, cureless, irremediable.

неизлечѝмо *нареч.*: **~ болен** incurable.

неизличѝм *прил.* indelible, ineffaceable.

неизменѐн *прил.* unchanged, unaltered, the same.

неизмѐн|ен *прил.*, **-на, -но, -ни** unchanging, unalterable, inalterable, incommutable, immutable, constant, in-

variable, invaried, unvarying, eternal; (*верен*) true, faithful, unchanging, loyal, staunch, unfailing, constant; (*за обич, привързаност*) unfailing; **~на цел** a fixed purpose; **~но правило** a fixed rule.

неизмѐнно *нареч.* invariably, constantly, always.

неизменя̀ем *прил.* unchangeable, unalterable, invariable; **~а частица** *език.* particle.

неизмѐрен *прил.* unmeasured; unfathomed.

неизмерѝм *прил.* immeasurable, unmeasured, measureless; (*за дълбочина*) unfathomable, fathomless; (*извънредно голям*) immense, enormous; vast.

неизмерѝмост *ж., само ед.* immeasurability, immeasurableness, measurelessness; unfathomableness; immensity, immenseness.

неизобретѐтел|ен *прил.*, **-на, -но, -ни** uninventive.

неизпѝсан *прил.* (*за лист*) blank.

неизпѝтан *прил.* **1.** untried, untested, unpractised; unproved; **~и радости** untasted/unknown joys/pleasures; **2.** (*за ученик и пр.*) not examined.

неизплатѐн *прил.* (*за сметки*) outstanding; (*за полица*) unredeemed; **~и лихви** unpaid interests; **оставам ~** (*за дълг*) stand out.

неизплатѝм *прил. фин.* irredeemable, unpayable.

неизползва̀ем *прил.* unusable; *разг.* out of commission.

неизпо̀лзван *прил.* unused, unemployed, unutilized, (*за пари*) unappropriated; **стоя ~** (*за машина и пр.*) lie/stand idle.

неизпра̀в|ен *прил.*, **-на, -но, -ни 1.** (*неоправен*) uncorrected, unrepaired; **2.** (*повреден*) out of order/repair, out of gear; in bad repair, defective, damaged, faulty; **3.** (*нередовен, небрежен*) careless, behindhand, delinquent, inexact; negligent; (*за длъжник и пр.*) remiss in payment.

неизпра̀вност *ж.*, **-и 1.** *техн.* fault, trouble, failure, defect, disrepair, malfunction; **в ~** in disrepair, out of order/repair; **~ на двигател** engine trouble; **2.** carelessness, delinquency, negligence.

неизпрàтен *прил.*: ~**о писмо** unposted letter.

неизпълнен *прил.* unfulfilled, unperformed; outstanding; not executed; (*за съдебно решение*) unexecuted, unsatisfied, unredeemed; ~**а поръчка** back order.

неизпълнèни|е *ср.*, -**я** non-execution, non-performance, non-fulfilment, failure to execute/fulfil, failure to carry out; (*на задължение, дълг*) negligence, neglect, dereliction, defection, repudiation (of duty), failure (in duty); ~**е на задължение** *юр.* non-feasance; failure to perform obligations; ~**е на обещание** (*обикн. за женитба*) breach of promise.

неизпълнѝм *прил.* impracticable, unfeasible; (*за желание*) unrealizable; impossible; ~ **договор** unenforcable contract.

неизпълнѝтел|ен *прил.*, -**на**, -**но**, -**ни** negligent, neglectful (of o.'s duties), derelict (in o.'s duty); delinquent; careless; lax; remiss.

неизпят *прил.* unsung.

неизразѝм *прил.* inexpressible, unspeakable, unutterable, ineffable, beyond words/expression.

неизразѝмо *нареч.* inexpressibly; (*безмерно*) immeasurably; **тя е ~ хубава** she is beautiful beyond description.

неизразѝтел|ен *прил.*, -**на**, -**но**, -**ни** inexpressive; (*за лице*) featureless.

неизразѝтелност *ж.*, *само ед.* inexpressiveness.

неизразхòдван *прил.* unspent.

неизрèчен *прил.* unsaid, unuttered, unstated, unspoken; unexpressed; unvoiced; inexplicit.

неизслèдван *прил.* unstudied, unexplored; (*за тайни, дълбини*) unprobed; (*за място*) unexplored, pathless, uncharted; (*за страна и пр.*) untravelled; ~**а област** *прен.* outfield.

неизтèк|ъл *прил.*, -**ла**, -**ло**, -**ли** (*за срок*) unexpired.

неизтощѝм *прил.* inexhaustible; fatigueless.

неизчерпàем *прил.* inexhaustible; unexpendable; never failing; *поет.* drainless.

неизчерпàемост *ж.*, *само ед.* inexhaustibility.

неизчислѝм *прил.* incalculable, un-

quantifiable, beyond compute; (*неизброим*) innumerable, unreckonable, countless; immense.

неизявèн *прил.* unexpressed; (*за талант*) undeveloped.

неизяснèн *прил.* not made clear, unclarified; (*неясен*) obscure, uncleared; (*несигурен*) uncertain.

неизяснèност *ж.*, *само ед.* obscurity; uncertainty.

неизяснѝм *прил.* inexplicable.

неизящ|ен *прил.*, -**на**, -**но**, -**ни** ungraceful, lacking grace, inelegant, inurbane.

неикономѝч|ен *прил.*, -**на**, -**но**, -**ни** uneconomical.

неилюстрѝран и **неилюстрòван** *прил.* unillustrated.

неимовèр|ен *прил.*, -**на**, -**но**, -**ни** (*невероятен*) unbelievable, incredible, inconceivable, beyond belief; (*много голям*) tremendous; (*неразумен*) exorbitant; (*необикновен*) unusual, extraordinary; ~**ни усилия** tremendous efforts.

неимовèрно *нареч.* incredibly, inconceivably; unusually, extraordinarily; beyond measure; **индустрията се развива ~ бързо** the industry grows by leaps and bounds.

нèин *прит. мест.*, **нèйна**, **нèйно**, **нèйни** her; hers.

неинвестѝран *прил.* uninvested.

неиндуктѝв|ен *прил.*, -**на**, -**но**, -**ни** non-inductive.

неинициатѝв|ен *прил.*, -**на**, -**но**, -**ни** unenterprising, lacking initiative.

неинспектѝран *прил.* uninspected.

неинструктѝран *прил.* uninstructed.

неинтелектуàл|ен *прил.*, -**на**, -**но**, -**ни** unintellectual, nonintellectual, *разг.* low-brow.

неинтелигèнт|ен *прил.*, -**на**, -**но**, -**ни** unintelligent.

неинтерèс|ен *прил.*, -**на**, -**но**, -**ни** uninteresting; unamusing; (*за книга и пр.*) unreadable.

неинфектѝран *прил.* uninfected.

неинфлацион|ен *прил.*, -**на**, -**но**, -**ни** non-inflationary.

неипотекѝран *прил.* unencumbered, unmortgaged; ~ **имот** property clear of mortgage.

нейскрен *прил.* insincere, disingenuous, dissimulative, counterfeit; devious,

double-tongued, mealy-mouthed, double-tongued; oblique, tortuous, not straightforward; phoney; feigned; ~ **приятел** insincere friend, fair weather friend; ~ **смях** forced laughter.

нейстин|ен *прил.*, -**на**, -**но**, -**ни** untrue, false.

нейстинск|и *прил.*, -**а**, -**о**, -**и** not genuine; unauthentic; unreal; fictitious.

нейстов *прил.* furious, frantic, frenetic, violent, tearing; ~**и крясъци** frantic screams.

нèка *част.* let; ~ **и аз да дойда** let me come too; **те може да ме помислят за глупав**: ~! they may think I'm stupid; let them.

некадър|ен *прил.*, -**на**, -**но**, -**ни** incompetent, inefficient, feckless, poor, incapable, worthless, shiftless, good-for-nothing; *амер. sl.* half-assed; ~**но ръководство** inefficient management.

некадърни|к *м.*, -**ци**; **некадърниц|а** *ж.*, -**и** good-for-nothing, duffer, *разг.* crock, twit, dabster; *sl.* dud, sad sack.

некадърност *ж.*, *само ед.* incompetence, inefficiency, fecklessness.

некàнен *прил.* uninvited, unbidden, unasked, uncalled, unwelcome; ~ **гост** self-invited guest, interloper, intruder, gatecrasher.

неканонизѝран *прил.* uncanonized.

некастрѝран *прил.* not castrated, entire.

некатолѝческ|и *прил.*, -**а**, -**о**, -**и** non-Catholic.

некàчествен *прил.* of poor quality, bad.

неквалифицѝран *прил.* unqualified, unskilled, unspecialized; incompetent; ~ **работник** an unskilled worker, (*назначен вместо квалифициран*) dilutee.

неквалифицѝраност *ж.*, *само ед.* unqualifiedness.

некласифицѝран *прил.* unclassified.

неколкокрàт|ен *прил.*, -**на**, -**но**, -**ни** repeated.

неколкокрàтно *нареч.* repeatedly, several/many times, on several occasions, over and over (again); ~ **по-голям** several times bigger/as big.

неколцѝна *неопр. мест. разг.* a few people; ~ **избрани** a select few.

некомпàкт|ен *прил.*, -**на**, -**но**, -**ни** incompact.

некомпа̀ктност ж., само ед. incompactness.

некомпетѐнт|ен прил., -на, -но, -ни incompetent, unqualified, unauthoritative; ~но ръково̀дство mismanagement.

некомпетѐнтност ж., само ед. incompetence; incapability; lack of qualification.

неконвертиру̀ем прил. soft; ~а валу̀та soft currency.

неконкрѐт|ен прил., -на, -но, -ни not concrete, general, inexplicit; (за обвинение и пр.) broad.

неконкурѐнт|ен прил., -на, -но, -ни umncompetitive.

неконкурентноспосо̀б|ен прил., -на, -но, -ни noncompetitive.

неконсолидѝран прил. unfunded.

неконстатѝран прил. unascertained.

неконституцио̀н|ен прил., -на, -но, -ни unconstitutional.

неконсумѝран прил. (за брак) unconsummated.

неконтролѝран прил. uncontrolled, unregulated, unsupervised.

неконтролѝруем прил. out-of-control, uncontrollable.

некоординѝран прил. uncoordinated.

некорѐкт|ен прил., -на, -но, -ни incorrect, improper; tactless; indecorous.

некорѐктност ж., само ед. incorrectness, incorrectitude, impropriety; tactlessness; indecorousness.

некоригѝран прил. uncorrected.

некорумпѝран прил. uncorrupted.

некрасѝв прил. 1. unsightly, ill-looking, (за лице) homely, plain; 2. (за поведение, постъпка) ungentlemanly, improper.

некредитоспосо̀б|ен прил., -на, -но, -ни insolvent.

некро̀за ж., само ед. мед. necrosis.

некроло̀|г м., -зи, (два) некроло̀га obituary (notice).

некро̀пол м., -и, (два) некро̀пола археол. necropolis.

некръ̀стен прил. unbaptized, not baptized, not christened.

некта̀р м., -и, (два) некта̀ра nectar (и бот., прен.); сладък като ~ nectarean, nectareous; ~а жлеза бот. nectary, nectiferous gland.

некулту̀р|ен прил., -на, -но, -ни uncultured, uncivilized, rough-mannered, lacking culture; unaccomplished; uneducated, uncultivated; ~но поведение/държане bad manners.

нелега̀л|ен прил., -на, -но, -ни 1. illegal, underground, clandestine, surreptitious; ~на дейност underground activities; ~на имиграция unauthorized immigration; 2. като същ. underground revolutionary, outlaw; partisan.

нелега̀лно нареч. underground; работя ~ work underground.

нелега̀лност ж., само ед.: минавам в ~ go underground.

нелеку̀ван прил. untreated.

нелѐп прил. absurd, ridiculous, ludicrous, nonsensical, fatuitous, preposterous, farcical, outlandish, tasteless; това е ~а шега this is a silly joke; this joke is in bad taste, this joke is off-colour.

нелѐпост ж., -и absurdity, ridiculousness, ludicrousness, nonsense; fatuity, fatuousness; farcicality, farcicalness; говоря ~и talk nonsense; speak through (the back of) o.'s neck/head; каква ~! (how) ridiculous, (but) that's ridiculous; what nonsense; this is foolish! ~и nonsense.

нелетлѝв прил. хим. non-volatile; ~и масла non-volatile/non-evaporating/ fixed oils.

неликвѝд|ен прил., -на, -но, -ни фин. illiquid, unliquid, unmarketable; ~ни активи intangible assets; ~ни щети unliquidated damages.

неликвидѝран прил. unliquidated, uncleared.

неликвѝдност ж., само ед. фин. unliquidity, insolvency.

нелинѐ|ен прил., -йна, -йно, -йни non-linear.

нелитерату̀р|ен прил., -на, -но, -ни nonliterary, not literary; (разговорен) colloquial.

нелицензѝран прил. unlicensed.

нело̀вко нареч.: чувствам се ~, ~ ми е feel awkward/uncomfortable/uneasy/ cheap/ill-at-ease.

нело̀вкост ж., само ед. 1. (неудобство) awkwardness, uneasiness; 2. (непохватност) clumsiness.

нело̀в|ък прил., -ка, -ко, -ки 1. (неу-

добен) awkward; uneasy; uncomfortable; разг. cringe-making, cringeworthy; в ~ко положение съм be in an awkward situation, be embarrassed; tread (as) on eggs; излизам от ~ко положение разг. get off the hook; 2. (непохватен) clumsy, blundering, unskilful.

нелогѝч|ен прил., -на, -но, -ни illogical, nonlogical; inconsecutive, inconsequent, irrational; ~ен извод non-sequitur.

нелогѝчност ж., само ед. lack of logic, illogicality, illogicalness; inconsequence, inconsecutiveness.

нело̀ял|ен прил., -на, -но, -ни disloyal (към to); disaffected (to, towards); unsporting, unsportsmanlike; ~на конкуренция unfair competition.

нело̀ялност ж., само ед. disloyalty, infidelity, unfaithfulness.

нелюбѐз|ен прил., -на, -но, -ни impolite, discourteous, unaffable, unobliging, unamiable, unkind, ungracious, cold; той беше крайно ~ен he was the reverse of polite.

нелюбѐзно нареч. impolitely, unkindly, unamiably.

нелюбопѝт|ен прил., -на, -но, -ни incurious.

нема̀й-къдѐ нареч.: благодарен съм ти до ~ I'm no end grateful to you; нахален до ~ too cheeky for words; от ~ of necessity, willy-nilly, in spite of o.'s teeth.

немалова̀ж|ен прил., -на, -но, -ни of considerable importance/significance.

нема̀л|ък прил., -ка, -ко, -ки considerable; ~ко нещо/постижение no mean achievement.

немаркѝран прил. unmarked.

немарлѝв прил. careless, negligent, inadvertent, slipshod, slovenly, lax, slapdash, sloppy; ~ към външността си careless about o.'s person/dress.

немарлѝв|ец м., -ци careless/untidy/ slovenly/slipshod person, sloven.

немарлѝво нареч. carelessly, in a slipshod manner, sloppily.

немарлѝвост ж., само ед. carelessness, negligence, inadvertence, slapdashery, slipshoddiness, sloppiness, sluttishness; от ~ through carelessness/ negligence.

нематериа̀л|ен прил., -на, -но, -ни

immaterial, unsubstantial, metaphysical, incorporeal; extra-mundane; ~ни ценности *търг.* intangible assets.

немачкаем *прил. текст.* crease-proof, crease-resistant; drip-dry.

немебелиран *прил.* unfurnished.

немелодич|ен *прил.*, -на, -но, -ни untuneful, unvocal, tuneless, not melodious, unmusical.

немелодичност *ж., само ед.* untunefulness, tunelessness, unmusicalness.

неметал *м.*, -и *обикн. мн. хим.* nonmetal, mineral.

неметодич|ен *прил.*, -на, -но, -ни unmethodical.

нём|ец *м.*, -ци German, *разг.* Otto.

немея *гл.* become/remain/stay speechless/silent (**от** with); **човешкият език немее пред** words cannot render, there are no words for.

немилост *ж., само ед.* disgrace; disfavour; **в ~ съм пред някого** be in disgrace with s.o., to be in disfavour with s.o., to incur s.o.'s disfavour; be in the bad/black books of s.o.; **изпадам в ~** fall into disgrace (**пред** with); fall out of favour/grace, suffer disgrace; fall foul of.

немилосърд|ен *прил.*, -на, -но, -ни unmerciful, unkind.

неминуем *прил.* inevitable, unavoidable, inescapable.

неминуемо *нареч.* inevitably; **той ~ ще загуби накрая** he is bound to lose in the end.

немир|ен *прил.*, -на, -но, -ни naughty, mischievous, impish; noisy; unruly, fidgety, restless; *разг.* larky, rumbustious.

немирни|к *м.*, -ци naughty child, brat, romp, urchin, little imp; *шег.* (regular young) turk; **-ци** *разг.* little ruffians/ rogues.

немислим *прил.* unthinkable, inconceivable; unimaginable; (*невъзможен*) impossible.

немислимост *ж., само ед.* inconceivability; impossibility; unthinkability, unthinkableness.

немкин|я *ж.*, -и German (woman/girl).

немного *нареч.* (*за небройни същ.*) not much, (a) little; (*за бройни същ.*) not many, (a) few.

немодер|ен *прил.*, -на, -но, -ни unfashionable.

немонтиран *прил.* unset, unmounted, unassembled.

неморал|ен *прил.*, -на, -но, -ни immoral; (*неотнасящ се до морални схващания*) amoral; unethical; ~но действие immoral act; ~но поведение immoral conduct, misbehaviour.

немота *ж., само ед.* dumbness, muteness, mutism.

немотивиран *прил.* unmotivated, motiveless.

немотия *ж., само ед.* poverty, indigence, penury, pauperism, pauperdom.

немощ *ж., само ед.* infirmity, feebleness, frailty, debility, puniness; decrepitude; *прен.* emasculation; **старческа ~** infirmity of age; decrepit old age.

немощ|ен *прил.*, -на, -но, -ни infirm, feeble, frail, weak, doddering, doddery, decrepit, effete, puny, weedy; emasculate(d); groggy.

немск|и *прил.*, -а, -о, -и German; ~и език German, the German language.

немузикал|ен *прил.*, -на, -но, -ни unmusical; (*без слух*) tone-deaf, earless.

немузикалност *ж., само ед.* unmusicalness.

ненаблюдател|ен *прил.*, -на, -но, -ни unobservant, unseeing, undiscerning.

ненабож|ен *прил.*, -на, -но, -ни ungodly.

ненавиждам, ненавидя *гл.* hate, detest, despise, abhor, execrate, loathe; hold/have (s.th.) in detestation; hate (s.o.'s) guts.

ненавист *ж., само ед.* hatred, hate, detestation, abhorrence (**към** of, for).

ненавист|ен *прил.*, -на, -но, -ни hateful, odious, detestable.

ненавреме *нареч.* not at the proper time, untimely, inopportunely, too soon, out of season.

ненавремен|ен *прил.*, -на, -но, -ни untimely, ill-timed, mistimed, unseasonable, inopportune; ill-judged, inexpedient.

ненагляд|ен *прил.*, -на, -но, -ни darling, beloved.

ненадарен *прил.* untalented, ungifted, unendowed.

ненаде|ен *прил.*, -йна, -йно, -йни unexpected, sudden, abrupt.

ненадежд|ен *прил.*, -на, -но, -ни unreliable, unsafe, untrustworthy, troublesome.

ненадеждност *ж., само ед.* unreliability, untrustworthiness.

ненадейно *нареч.* unexpectedly, suddenly, abruptly.

ненадминат *прил.* unsurpassed, unsurpassable, unequalled, unrivalled, peerless, matchless, unmatched, second to none, unequalled, unbeaten, without a rival, in a class by itself, consummate; (*за рекорд*) unbroken; ~ **глупак** egregious fool.

ненаказан *прил.* unpunished, scot-free; **обвиняемият остана ~** the defendant went scot-free.

ненаказуем *прил.* unpunishable, nonpunishable, not subject to punishment.

ненакърнен *прил.* unimpaired, unhurt, unviolated, incorrupt; ~и **права** unimpaired rights.

ненамаляващ *прил.* constant; undiminished; (*за внимание и пр.*) unflagging; ~ **воден запас** unfailing/constant water supply.

ненамеса *ж., само ед.* non-interference, non-intervention; (*от страна на правителството в частни инициативи*) laissez-faire.

ненамясто *нареч.:* **забележката беше ~** it was an ill-timed/unseasonable remark.

ненападение *ср., само ед.* non-aggression; **пакт за ~** nonaggression pact.

ненаправляван *прил.* unguided.

ненаранен *прил.* unhurt, unwounded, uninjured.

ненареден *прил.* (*за стая и пр.*) untidy, messy.

ненарушен *прил.* unviolated; ~а **клетва** unbroken oath.

ненарушим *прил.* inviolable, sacred; (*за връзки*) indissoluble; (*за права и пр.*) indefeasible.

ненаселен *прил.* unpopulated, uninhabited, unsettled.

ненасит|ен *прил.*, -на, -но, -ни **1.** unsatiable; (*алчен*) greedy, grasping, ravenous, rapacious, voracious, gluttonous; covetous (**на** of); esurient; *шег.* edacious; **той е ~ен** he is greedy, etc.; he never thinks he's had enough; **2.** *хим.* unsaturated, nonsaturated.

ненаситност *ж., само ед.* unsatiability; greed(iness), gluttony; rapaciousness, rapacity, voracity; covetousness; esurience, esuriency; *шег.* edacious-

ness, edacity.

ненастрòен *прил.* untuned, out of tune; unadjusted.

ненатовàрен *прил. техн.* loose; idle.

ненатòчен *прил.* not sharpened; dull, blunt.

ненауч|ен *прил.,* -на, -но, -ни **1.** unscientific, unscholarly, nonscientific; **2.** untrained (for/in s.th., to do s.th.); (*ненавикнал*) unaccustomed, unused (to s.th., to doing s.th., to do s.th.).

ненахòдчив *прил.* unresourceful, uningenious, uninventive.

неномерùран *прил.* unnumbered.

ненормàл|ен *прил.,* -на, -но, -ни abnormal; (*психически*) unhinged, insane, out of o.'s wits/senses, crazy, mad; *разг.* bonkers, barmy, wacky, crackbrained, cracked, cracko; gonzo.

ненормàлност *ж., само ед.* abnormality; insanity, craziness, madness.

ненòсен *прил.* unworn.

ненòсещ *прил. (за конструкция)* nonbearing.

ненỳж|ен *прил.,* -на, -но, -ни unnecessary, needless, unneeded, uncalled-for, superfluous; (*безполезен*) useless; trashy; ~**на вещ** junk, cast-off; **никому** ~**ен** quite useless.

необвùнен *прил.* unaccused, uncharged.

необвързан *прил.* uncommitted, unattached, non-aligned, unentangled (**с** with); (*за човек*) free, having no commitments, fancy-free; unshackled; (*политически*) free-floating; ~**ите страни** the non-aligned nations.

необвързаност *ж., само ед.* non-alignment, non-commitment.

необезмаслèн *прил. (за мляко)* whole.

необезопасèн *прил.:* ~**и машини** unguarded machines.

необезпечèн *прил.* **1.** unprovided for, needy; *фин.* naked; ~ **кредитор** unsecured creditor; ~ **попечител** naked trustee; **2.** (*несигурен*) insecure, unassured, precarious.

необезпокоèн и **необезпокойван** *прил.* undisturbed, untroubled, unworried, unmolested.

необектùв|ен *прил.,* -на, -но, -ни partial, biased, prejudiced.

необещàващ *прил.* unpromising.

необикновèн *прил.* unusual, uncommon; out of the way; out of the common (run); unaccustomed; (*странен*)

freakish, off-beat, kinky; (*забележителен*) outstanding, remarkable, exceptional, extraordinary; **в това няма нищо** ~**o** there is nothing unusual/out of the way/out of the ordinary about it; ~**o събитие** a singular event/occurrence.

необикновèно *нареч.* unusually, uncommonly; notably; exceptionally; extraordinarily.

необикновèност *ж., само ед.* unusualness, uncommonness, singularity; extraordinariness.

необитàем *прил.* uninhabitable, uninhabited; (*за земя*) desolate, desert; (*за гори*) wild.

необичà|ен *прил.,* -йна, -йно, -йни unusual, uncommon, funny, funny-peculiar; striking, outlandish, unaccustomed, uncustomary, unwonted, out of the ordinary, out of the common run; **аз бях излязъл рано сутринта – нещо съвсем** ~**йно за мене** contrary to my normal habit I had gone out early in the morning.

необичàйно *нареч.* unusually, uncommonly; extraordinarily.

необичàйност *ж., само ед.* unusual character, uncommonness; unwontedness, singularity, strangeness; extraordinariness.

необлагàем *прил.* nontaxable, not subject to taxation, untaxable, exempt from taxation, tax free; ~**а сметка** tax-sheltered account.

необлечèн *прил.* not dressed, undressed, naked; bare, stripped, unclad.

необлицòван *прил.* unlined.

необлòжен *прил.* unrated, untaxed.

необлъчèн *прил.* undosed.

необменяем *прил.* inconvertible.

необмùслен *прил.* rash, thoughtless, hasty, light-headed, improvident, unadvised, ill-advised, ill-judged, unconsidered, ill-considered, unwary; overbold; impetuous; *разг.* off the cuff; ~**а постъпка** rash/hasty act; indiscreet step; imprudence.

необмùслено *нареч.* rashly, thoughtlessly, hastily, unadvisedly; (*без подготовка*) off-hand; *разг.* off the cuff; **говоря** ~ talk unguardedly.

необмùсленост *ж., само ед.* thoughtlessness, rashness, hastiness; impetuosity; recklessness.

необмùтèн *прил.* uncustomed.

необнарòдван *прил.* unpublished.

необогатèн *прил. мин.* undressed, untreated, raw, crude.

необозрùм *прил.* boundless, vast, immense.

необорùм *прил.* irrefutable, incontestable, unimpeachable, incontrovertible, unanswerable; inexpugnable; ~ **аргумент** irrefutable/compelling argument, *разг.* clincher; ~ **довод** irresistible/invulnerable argument.

необорùмост *ж., само ед.* irrefutability, incontestability, unimpeachability, incontrovertibility, unanswerableness.

необоснован *прил.* ungrounded, unfounded, ill-founded, groundless, ill-grounded, unbacked, unsound; ~**а претенция** unreasonable claim.

необоснòваност *ж., само ед.* groundlessness, baselessness, unsoundedness, rawness.

необработваем *прил.* not fit for cultivation, uncultivated, untilled.

необработен *прил. (за земя)* uncultivated, untilled; unreclaimed, barren, waste; (*за материали*) raw, crude, unprocessed, coarse, rough, untreated, unwrought, in the rough state; (*за кожа*) undressed; (*за стил*) unpolished, rough; ~ **почерк** a childish hand; ~**а кожа** undressed skin, hide.

необразòван *прил.* uneducated, unlettered, untaught.

необразòваност *ж., само ед.* lack of education/learning.

необратùм *прил.* irreversible, non-reversible; inconvertible.

необратùмост *ж., само ед.* irreversibility, non-reversibility; inconvertibility.

необременèн *прил.* unencumbered, unembarrassed; (*за имот*) residuary; ~ **с отговорност** uncharged with responsibility.

необременèност *ж., само ед.* freedom from encumbrance.

необслỳжван *прил. (за пост, станция)* unattended.

необслỳжен *прил.* unserviced.

необстò|ен *прил.,* -йна, -йно, -йни uncomprehensive, not detailed, sketchy.

необстрèлван *прил. воен.* unshelled; ~**о пространство** dead ground.

необуздàн *прил.* unbridled, ungovernable, unrestrained uncontrollable, un-

checked, unreined, unruled, riotous, turbulent, tempestuous, wild, violent, untamed, wanton; *разг.* stroppy; *журн.* unhinged, obstreperous; (*за въображение*) unbridled, riotous.

необуздàност *ж., само ед.* lack of restraint, unrestraint, ungovernableness, ungovernability, tempestuousness, turbulence, violence, rampancy; riotousness, riotous character, *разг.* stroppiness.

необусловèн *прил.* unconditioned (**от** by), independent of, absolute.

необỳт *прил.* (*бос*) barefoot; (*без обувки*) unshod, shoeless, buggy; (*без чорапи*) stockingless, sockless.

необỳчен *прил.* untrained, unschooled, untutored; *воен. sl.* raw.

необхвàт|ен *прил.*, -на, -но, -ни unbounded, boundless, immense, infinite, vast.

необходìм *прил.* necessary, indispensable, requisite (**за** to, for); needed, wanted; requirable; ~о everything necessary; **всичко** ~о everything necessary; **за това е** ~о **много смелост** it takes guts to do that; **липсва ми най**-~**ото** lack the bare necessaries; **намирам за** ~о **да** find it necessary to; **ще наредя да се направи** ~**ото** I'll see to it, I'll make the necessary arrangements.

необходìмост *ж., само ед.* necessity, indispensability, requisiteness; **в случай на** ~ in case of need, if need be; **по** ~ of necessity, perforce, nolens volens; **предмети от първа** ~ (the) necessities of life, necessaries, essentials, essential/basic commodities, objects of common use, indispensable articles; **стоки от първа** ~ *икон.* convenience goods; **това е историческа** ~ it is historically inevitable.

необщìтел|ен *прил.*, -на, -но, -ни unsociable, anti-social, uncommunicative, incommunicative, uncompanionable; unneighbourly; reticent; taciturn; closemouthed, close-lipped; *разг.* offish; (*сдържан*) self-contained, reserved; ~**ен съм** keep o.s. to o.s.; ~**ен човек** *разг.* clam.

необщìтелност *ж., само ед.* unsociability, unsociableness, incommunicativeness; (*затвореност*) reticence.

необявèн *прил.* undeclared, unannounced.

необязден *прил.* unbroken, unbacked.

необяснìм *прил.* inexplicable, unexplainable, unaccountable, that cannot be accounted for.

необяснìмост *ж., само ед.* inexplicability, unaccountability.

необят|ен *прил.*, -на, -но, -ни unbounded, boundless, immense, infinite, endless, spanless, vast, illimitable; ~**на шир** vast, boundless expanse.

необятно *нареч.* boundlessly, infinitely, immensely, endlessly, illimitably.

неоглàден *прил.* unironed, unpressed.

неогрàбен *прил.* unplundered, unrifled.

неограничèн *прил.* (*много голям*) unlimited, illimitable; (*без граници*) boundless, limitless, termless; endless, confineless; (*без пречки*) unrestricted; (*без условия*) unconditioned; **за** ~о **време** for an unlimited period; ~**а власт** absolute power; ~**и възможности** unlimited possibilities, infinite opportunities; **човек с** ~**и възможности** a man of endless resources.

неограничèно *нареч.* without limits, illimitably, boundlessly; without restriction; indefinitely; (*до насита*) *разг.* on tap; **властвам** ~ (*като пълен господар*) reign supreme.

неограничèност *ж., само ед.* unlimitedness, unrestrictedness, lack of restraint.

неограничìм *прил.* illimitable.

неодобрèн *прил.* unapproved, non-approved, non-admitted.

неодобрèние *ср., само ед.* disapproval, disapprobation, deprecation, reprehension; dispraise; disfavour; objection; *разг.* the thumbs-down.

неодобрìтел|ен *прил.*, -на, -но, -ни disapproving, unapproving, disapprobatory, disapprobative, reprobative, deprecative, deprecatory.

неодобрìтелно *нареч.* disapprovingly, with disapproval; deprecatingly, deploringly; dispraisingly; **гледам** ~ **на** disapprove of; disfavour; frown on/upon.

неодушевèн *прил.* inanimate; ~**и предмети** inanimate objects; stocks and stones.

неоживèн *прил.* unanimated; (*за улица*) quiet.

неозаглавèн *прил.* untitled, without a title.

неозвучèн *прил.* (*за филм*) not wired for sound.

неозò|й (-ят) *м., само ед.* *геол.* Cainozoic.

неозòйск|и *прил.*, -а, -о, -и *геол.* Neozoic, Cainozoic.

неокантиàнство *ср., само ед.* *филос.* neo-Kantianism.

неокàстрен *прил.* untrimmed, unpruned; (*за филм*) not cut.

неокласицùз|ъм (-мът) *м., само ед.* neo-classicism.

неокласùческ|и *прил.*, -а, -о, -и neo-classical.

неоколониалùз|ъм (-мът) *м., само ед.* neocolonialism.

неоколониалùстическ|и *прил.*, -а, -о, -и neocolonial.

неокончàтел|ен *прил.*, -на, -но, -ни inconclusive, not final; undecisive, indecisive; (*за решение, мярка и пр.*) open-ended.

неокосмèн *прил.* depilous; *биол.* glabrous.

неокупùран *прил.* unoccupied.

неолùт *м., само ед.* *геол.* Neolith.

неолùт|ен *прил.*, -на, -но, -ни *геол.* Neolithic.

неологùз|ъм (-мът) *м.*, -ми, (два) **неологùзъма** *език.* neologism, new coinage, newly coined word; modernism; **създавам/употребявам** ~**ми** neologize, coin new words.

неолющен *прил.* unhusked, with the husk on; ~ **ориз** paddy.

неомъжена *прил.* unmarried, single; ~ **жена** an unmarried/a single woman, spinster.

неòн *м., само ед.* *хим.* neon.

неонацùз|ъм (-мът) *м., само ед.* neonazism.

неонацùстк|и *прил.*, -а, -о, -и neonazi.

неòнов *прил.* neon (*attr.*); ~**и реклами** neon signs; ~о **осветление** luminescent/neon lighting.

неоператìв|ен *прил.*, -на, -но, -ни nonoperational.

неопèрен *прил.* unfledged; callow (*и прен.*); ~о **птиче** nestling.

неопетнèн *прил.* unsoiled, unstained, unblemished, untarnished, untainted; unspotted, stainless, blemishless, spotless, immaculate, unsullied, virginal, pure, incorrupt; ~о **име** spotless/un-

blemished reputation, reputation without spot or stain.

неопетнѐност *ж., само ед.* stainlessness, spotlessness, unspottedness, immaculacy, purity; incorruptibility.

неопѐчен *прил.* unbaked, not baked, unroasted, not roasted; half-baked, underdone.

неописуем *прил.* indescribable, unutterable, that baffles/beggars description, beyond description.

неопѝтан *прил.* untried; untasted; unversed.

неѐопит|ен *прил.*, **-на, -но, -ни** inexperienced, unpractised, unskilled, inexpert, tyronic, callow, unversed, untrained, unschooled, untutored; *разг.* wet behind the ears; (*за престъпник*) young in crime; ~**на ръка** an unpractised hand.

неѐопитност *ж., само ед.* inexperience, lack of experience /practice/skill; greenness; **извинявам се с** ~ plead inexperience.

неопитомѐн *прил.* untamed; undomesticated; wild; feral, ferine; savage.

неопитомяем *прил.* untamable.

неоплоден *прил.* unfertilized.

неопорочен *прил.* unblemished.

неоправдан *прил.* unjustified, unjustifiable, inexcusable, indefensible, unwarranted, unwarrantable, undue; gratuitous.

неопределѐн *прил.* indefinite, indeterminate, undetermined, not fixed, undefined, unspecified; inconclusive, indecisive, inexplicit; (*неточен, неясен*) vague, uncertain; (*за цвят и пр.*) nondescript; (*за мотиви, чувства*) obscure; (*двусмислен*) ambiguous; (*неизвестен*) unidentified; (*безформен*) formless; **в** ~ **срок** sine die; **заминавам за** ~**о време** leave for an indefinite period of time; ~**о бъдеще** uncertain future; ~**о уравнение** *мат.* indeterminate equation.

неопределѐно *нареч.* indefinitely; **говоря** ~ speak in general terms, speak in a general way.

неопределѝм *прил.* indefinable, indeterminate, indeterminable.

неопределител|ен *прил.*, **-на, -но, -ни** *език.* indefinite; ~**ен член** (the) indefinite article; ~**но наклонение** (the) infinitive.

неопрѐн *м., само ед. хим.* neoprene.

неопровергàн *прил.* not refuted; ~**и обвинения** unanswered accusations.

неопровержѝм *прил.* irrefutable, indisputable, incontestable, incontrovertible, unanswerable, unassailable; ~ **факт** hard/incontestable fact; ~**и улики** decisive evidence.

неопровержѝмост *ж., само ед.* irrefutability, indisputability, incontrovertibility, incontestability.

неопростѐн *прил.* unremitted.

неопълномощѐн *прил.* unauthorized.

неорганизѝран *прил.* unorganized; outside an organization; (*дезорганизиран, разстроен*) out of gear; ~ **работник** a non-union man.

неорганѝч|ен *прил.*, **-на, -но, -ни** *хим.* inorganic, mineral; ~**на материя** inorganic/inanimate matter; ~**на химия** inorganic chemistry.

неоригинàл|ен *прил.*, **-на, -но, -ни** unoriginal.

неортодоксàл|ен *прил.*, **-на, -но, -ни** unorthodox.

неосведомѐн *прил.* not informed, uninformed (*за* about, of), unacquainted (with), ill-informed.

неосветѐн *прил.* **1.** unlit; **2.** *църк.* undedicated; unconsecrated; unhallowed, unsanctified.

неосвободѐн *прил.* unliberated; (*от задължение*) unrelieved, undispensed; (*за затворник*) undelivered.

неоседлàн *прил.* unsaddled, bareback.

неосезàем *прил.* intangible, impalpable.

неосезàемост *ж., само ед.* intangibility, impalpability.

неосигурѐн *прил.* unprovided, unassured; (*материално*) unendowed.

неосновател|ен *прил.*, **-на, -но, -ни** groundless, unfounded, ungrounded, unjustified, unwarranted, undue, gratuitous; vain, devoid of foundation, ill-founded; baseless; ~**но обвинение** unwarranted charge; **привеждам** ~**ни доводи** give unconvincing arguments.

неоснователно *нареч.* groundlessly, without any ground/cause/reason, unjustifiably; gratuitously.

неоснователност *ж., само ед.* groundlessness, unfoundedness; gratuity, gratuitousness.

неоспòрван *прил.* unchallenged, unquestioned.

неоспорѝм *прил.* unarguable; unchallengeable; (*за довод*) irrefutable, indisputable, undisputed, incontrovertible, stringent; demonstrative; (*за факт*) incontestable, undeniable, unquestionable, incontrovertible; (*ненадминат*) beyond contest; ~**о право** an irrefutable/a clear right; **той има** ~**и заслуги за** ... his contribution to ... is undeniable.

неоспорѝмо *нареч.* unquestionably, undoubtedly, indisputably, easily; incontestably; irrefutably.

неоспорѝмост *ж., само ед.* irrefutability, indisputability, incontestability, incontrovertibility, undeniableness.

неостъклѐн *прил.* unglazed.

неосъден *прил.* not sentenced, unconvicted, uncondemned.

неосъждан *прил.* having a clean record; ~ **преди** first offender.

неосъзнàт *прил.* unrealized, not realized; unconscious; subconscious; unintentional, instinctive; **класово** ~ lacking class-consciousness; ~**а грешка** unconscious mistake, a mistake one is not aware of.

неосъществѐн *прил.* unrealized, unfulfilled, unexecuted; ~**а мечта** dream that never came true; ~**о споразумение** unexecuted agreement.

неосъществѝм *прил.* unrealizable, impracticable, unfeasible; impossible; undoable.

неосъществѝмост *ж., само ед.* impracticability, unfeasibility; impossibility.

неотбелязан *прил.* unmarked; unrecorded; ~ **на карта** uncharted; **събитието не беше** ~**о** the event passed without remark.

неотдàвна *нареч.* (quite) recently, lately, not long ago, a short while back; a short time ago; (**съвсем**) **до** ~ until (very) recently, until a (relatively) short time ago.

неотдàвнаш|ен *прил.*, **-на, -но, -ни** recent, fresh.

неотделѝм *прил.* inseparable.

неотделѝмост *ж., само ед.* inseparability, inseparableness; inhesion, inherency.

неотзивчѝв *прил.* unresponsive, irresponsive, unsympathetic, dead (към to); unhelpful.

неотзивчйвост *ж., само ед.* unresponsiveness (to), irresponsiveness (to), lack of sympathy (for); imperviousness (to).

неотклон|ен *прил.*, -на, -но, -ни unflinching, unswerving, undeviating, unflagging; swerveless, steady, steadfast, staunch; ~**на цел** constant goal.

неотклонение *ср., само ед.*: **мерки за ~** *юр.* bail.

неотклонно *нареч.* unflinchingly, steadily, steadfastly, staunchly, without flinching; perseveringly; **придържам се ~ към предписанията** stick to instructions, keep closely to the instructions; **следвам ~ целта си** pursue o.'s goal undeviatingly.

неотклонност *ж., само ед.* steadiness, steadfastness, staunchness.

неоткрйт *прил.* undiscovered.

неоткупен *прил.* (*от заложна къща*) unredeemed; (*от плен*) unransomed.

неотлагаем *прил.* indeferrable, that cannot be put off.

неотлежал *прил.* new; (*за вино*) unmatured.

неотличйм *прил.* indiscernible.

неотлож|ен *прил.*, -на, -но, -ни urgent, pressing, exigent; brooking no delay; imperious; **в ~ни случаи** in case of urgency; ~**на нужда** urgency; exigency; ~**ни задачи** urgent tasks.

неотлъч|ен *прил.*, -на, -но, -ни always/ever present, constant.

неотлъчно *нареч.* continually, constantly; **той бе ~ до болния** he never left the patient's bedside.

неотменен *прил.* unabolished, unrevoked, uncancelled.

неотмен|ен *прил.*, -на, -но, -ни irrevocable, irreversible.

неотменйм *прил.* irrevocable, irreversible; immutable; indefeasible, irrepalable; ~ **акредитив** irrevocable letter of credit; ~**а мярка** measure/step that cannot be reversed; ~**о право** irreversible right.

неотменяем *прил.* *юр.* unavoidable.

неотмерен *прил.* unmeasured.

неотместен *прил.* undisplaced.

неотмъстен *прил.* unavenged, unrequited.

неоторизйран *прил.* unauthorized.

неотплатен *прил.* unrecompensed.

неотразйм *прил.* irresistible; ~**о впе-**

чатление an indelible impression.

неотразймост *ж., само ед.* irresistibility.

неотслабващ *прил.* unremitting, unceasing, unfailing; not slackening; undiminished; unabated, unabating; ~ **вятър** unabated wind; **слушам с ~ интерес** listen with unfailing interest; **три дни бурята бушуваше с ~а сила** for there was three days the storm continued unabated.

неотстранен *прил.* (*за повреда*) unrepaired.

неотстъп|ен *прил.*, -на, -но, -ни constant, staunch, steadfast, unflinching.

неотстъпчив *прил.* relentless, unyielding, persistent, unbending, unamenable, unaccommodating, stubborn, obstinate, obdurate; *разг.* sticky.

неотстъпчйвост *ж., само ед.* relentlessness, persistence, stubbornness, unbendingness, obstinacy, obduracy.

неотчуждаем *прил.* inalienable, unalienable, imprescriptible; ~**а част** an integral part.

неотчуждаемост *ж., само ед.* inalienability, imprescriptibility.

неотчужден *прил.* unalienated.

неофашйз|ъм (-мът) *м., само ед.* neo-fascism.

неофашйстк|и *прил.*, -а, -о, -и neofascist.

неофициал|ен *прил.*, -на, -но, -ни unceremonious; (*за облекло, посещение, писмо*) informal; (*за сведения*) inofficial, unofficial; (*който не е за публикуване в печата*) off the record; **комитетът се събра на ~но заседание** the committee met informally; ~**ен договор** implied contract; ~**ен обяд** quiet dinner party.

неофициалност *ж., само ед.* informality (*и на документ*).

неоформен *прил.* unformed, unshaped, unfashioned; not in order; ~ **характер** an unformed character.

неохота *ж., само ед.* reluctance, unwillingness, disinclination, aversion, chariness, (*изразена*) bad grace; **с голяма ~** with a very bad grace; very unwillingly.

неохотно *нареч.* unwillingly, reluctantly, grudgingly; with reluctance; with a bad grace.

неоцветен *прил.* uncoloured, untinged.

неоцен *м., само ед. геол.* Neocene.

неоценен *прил.* **1.** not evaluated, unestimated, unvalued, unassessed; **2.** unprized, unvalued, unappreciated, not appreciated; underrated, underestimated.

неоценйм *прил.* inestimable, invaluable, priceless; of inestimable value.

неоценймост *ж., само ед.* pricelessness.

неочакван *прил.* unexpected, unlooked-for, unhoped-for, sudden, abrupt, unanticipated, surprising, unthought (of); ~**а развръзка** the god from the machine, deus ex machina; ~**о щастие** windfall; **правя ~о посещение на** pay a surprise visit to; *разг.* drop in (to see s.o.).

неочаквано *нареч.* unexpectedly, suddenly, abruptly, unawares, all at once, all of a sudden, on a sudden; **решението дойде съвсем ~** the decision came as a surprise.

Непал *м. собств.* Nepal.

непал|ец *м.*, -ци; **непалк|а** *ж.*, -и Nepalese.

непалск|и *прил.*, -а, -о, -и Nepalese.

непаралел|ен *прил.*, -на, -но, -ни non-parallel.

непарламентар|ен *прил.*, -на, -но, -ни unparliamentary, nonparliamentary.

непатентован *прил.* unlicensed.

непатриотйч|ен *прил.*, -на, -но, -ни unpatriotic.

непериодйч|ен *прил.*, -на, -но, -ни aperiodic(al), acyclic, non-cyclic, non-periodic.

неперпендикуляр|ен *прил.*, -на, -но, -ни not perpendicular, not vertical.

неперфорйран *прил.* imperforate, unperforated.

непечелйвш *прил.*: ~ билет blank; ~ **отрасъл/~а дейност** *икон.* dog.

непйсан *прил.* unwritten, prescriptive; ~ **закон** unwritten law.

непитател|ен *прил.*, -на, -но, -ни innutritious, (*лек*) unsubstantial.

неплавател|ен *прил.*, -на, -но, -ни unnavigable.

неплатежоспособ|ен *прил.*, -на, -но, -ни insolvent, bankrupt, unable to pay; ~**но лице** defaulter; **обявявам (се) за ~ен** declare (o.s.) bankrupt.

неплатежоспособност *ж., само ед. юр.* insolvency, bankruptcy.

неплатѐн *прил.* unpaid; unsettled, outstanding; ~ **отпуск** unpaid leave; **~и данъци** unsettled/outstanding taxes, arrears, *амер.* delinquent taxes.

неплодорòд|ен *прил.*, **-на, -но, -ни** (*за почва и пр.*) infertile, unfruitful, sterile, ungenerous, barren, jejune; **~на година** a lean year.

неплодотвòр|ен *прил.*, **-на, -но, -ни** unproductive; **~на работа** wasted work/effort.

неплът|ен *прил.*, **-на, -но, -ни** incompact; (*тънък*) thin; (*за очертание*) tenuous; unsubstantial.

неплътск|и *прил.*, **-а, -о, -и** unfleshly.

непобедѐн *прил.* unconquered, undefeated, unvanquished, unbeaten, unbowed.

непобедѝм *прил.* unconquerable, invincible; indomitable; **~о чувство** insuperable feeling.

неповѝкан *прил.* uncalled, unsummoned; (*непоканен*) unasked, uninvited.

неповторѝм *прил.* unique; **~ият Моцарт** the one and only Mozart.

непогрешѝм *прил.* infallible, unerring; (*за вкус и пр.*) impeccable; **с ~ усет** unerringly; invariably.

непогрешѝмост *ж.*, *само ед.* infallibility, unerringness, impeccability.

неподатлѝв *прил.* unsusceptible, insusceptible (**на** to), proof (against); (*здрав, издръжлив*) inflexible, tenacious; (*упорит*) unmanageable, unamenable, uncompliant, unyielding, stubborn; unpliant, unpliable; intractable; ~ **на внушение** insuggestible, impervious to suggestion; ~ **на дисциплина** refractory; ~ **на лечение** insusceptible to medical treatment.

неподатлѝвост *ж.*, *само ед.* insusceptibility; inflexibility, tenacity; stubbornness, unpliability; intractability.

неподвѝж|ен *прил.*, **-на, -но, -ни** immovable, motionless, immobile, static, fixed, rock-steady; (*за човек*) slow, sluggish, heavy; (*за живот*) sedentary; **в ~но състояние** at rest; **~на звезда** *астр.* fixed star; **~но лице** impassive face; **съвсем ~ен** stock-still, stone-still.

неподвѝжно *нареч.* immovably, without moving/stirring; at rest, at/in peace; (*без да се помръдне от мястото си*) like a stone wall; **стоя/лежа ~**

stand/lie still/motionless.

неподвѝжност *ж.*, *само ед.* immobility, motionlessness; fixity, fixedness; (*вцепенение*) torpor.

неподвързан *прил.* unbound, paperbacked, paper-bound; **~а книга** paperback.

неподгòтвен *прил.* unprepared, unready, not ready; ill-equipped; unequipped (**за** for); untrained; unrehearsed; *разг.* not cut out for; (*за материали*) in a rough state; **хващам някого ~** catch s.o. unawares; catch s.o. bending/napping/tripping, catch s.o. off (his) guard; catch s.o. on the wrong foot; *разг.* catch s.o. flatfooted.

неподдържан *прил.* ill-kept; untidy, unkempt, frowzy.

неподковàн *прил.* unshod.

неподкрепѐн *прил.* **1.** (*без помощ*) unaided; single-handed; **2.** (*за доказателства, аргументи*) undefended, uncorroborated, unsubstantiated; **3.** (*за предложение*) unbacked, unseconded.

неподкỳп|ен *прил.*, **-на, -но, -ни** **1.** (*който не е подкупен*) unbribed; clean-fingered; **2.** (*който не може да бъде подкупен*) incorruptible, unbribable, uncorrupted, incorrupt.

неподкỳпност *ж.*, *само ед.* incorruptibility.

неподлежàщ *прил.* not subject/liable (**на** to); exempt (from); free (from); ~ **на военна служба** exempt from military service; ~ **на обмитяване** unliable to duty; ~ **на прехвърляне** non-transferable.

неподобàващ *прил.* unseemly, not suitable; indecorous, unbecoming, unbeseeming; misbecoming; **с ~ на ранга му език** with words ill-fitting his rank; **с ~о за случая облекло** unsuitably dressed.

неподозрѝтел|ен *прил.*, **-на, -но, -ни** unsuspicious.

неподпечàтан *прил.* unstamped.

неподпѝсан *прил.* unsigned.

неподражàем *прил.* inimitable, unique.

неподредѐн *прил.* untidy; (*за материали*) unclassified, unaligned.

неподходящ *прил.* unsuitable, unsuited, unfit, unfitting, inappropriate; unbeseeming, unbecoming; unadapted, unapt, inadequate; (*не на висота*) une-

qual; (*за време*) inopportune; **~и един за друг** ill-assorted, ill-matched.

неподхождащ *прил.* unsuitable, unsuited, unfit, unfitting.

неподчинѐн *прил.* not subdued, not subjugated, unbowed; insubordinate.

неподчинѐние *ср.*, *само ед.* disobedience, insubordination (**на** to), non-conformity (to), non-compliance; contumacy, contumaciousness, unruliness.

непозволѐн *прил.* unallowed; (*забранен*) illegal, illicit, forbidden, prohibited; (*недопустим*) impermissible, inadmissible; **карам с ~а скорост** go over the speed limit, speed; **служа си с ~и средства** use foul means, use underhand methods, resort to underhand methods.

непознàване *ср.*, *само ед.*: **~то на закона не оправдава нарушаването му** ignorance of the law is no excuse.

непознàт *прил.* **1.** unknown; unfamiliar; unidentified; **~а област** *прен.* outfield; **2.** *като същ.* stranger, unknown person.

непокàнен *прич.* unasked, uninvited, unbidden.

непоклатѝм *прил.* unshakable, firm, immovable, staunch, unyielding; **~а вяра** steady faith; **~о алиби** cast-iron alibi; **~о спокойствие** unruffled calm.

непоколебѝм *прил.* firm, resolute, steadfast, unshakable, unshaken, unflagging, unflinching; stalwart, unyielding, unswerving, unshaken, indomitable, staunch, unshrinking, unfaltering, unwavering, immovable, inflexible; *разг.* do-or-die; gritty; grim; **той е ~** he is not to be swayed.

непоколебѝмост *ж.*, *само ед.* firmness, resoluteness, resolvedness, steadfastness, immovability; grimness, grim determination.

непокорѐн *прил.* unsubdued, unconquered, unvanquished, unruly.

непокòр|ен *прил.*, **-на, -но, -ни** disobedient, refractory, recalcitrant, undutiful, unsubmissive, contumacious, intractable, insubordinate, rebellious, indocile, ungovernable, unruly, disorderly; **имам ~ен нрав/дух, имам ~на кръв** have a rebellious/bold temperament; **~ен вятър** a wild wind.

непокòрност *ж.*, *само ед.*; **непокòрств|о** *ср.*, **-а** disobedience, refractori-

непокѐтнат *прил.* untouched; intact; whole; entire; virgin; unviolated; ~a природа unspoiled countryside.

неполя̀р|ен *прил.*, -на, -но, -ни non-polar.

непомрачѐн *прил.* unclouded, unshadowed, unalloyed, unmarred; ~о щастие cloudless/essential happiness.

непоносѝм *прил.* unbearable, unendurable, intolerable, insufferable, insupportable, past/beyond endurance, not to be endured, beyond all bearing; имам ~а болка в зъба have an excruciating toothache; станало ми е вече ~о I cannot stand/bear it any longer, it is more than I can put up with.

непоносѝмо *нареч.* unbearably, intolerably; тя пее ~ лошо she sings excruciatingly.

непоня̀т|ен *прил.*, -на, -но, -ни incomprehensible, unintelligible; inexplicable, puzzling, unaccountable; unfathomable, fathomless; по ~ни причини for reasons hard to understand; това е ~но за мене it's beyond me.

непоправѝм *прил.* incorrigible, unmendable, irretrievable, irreparable, irremediable, irreclaimable, beyond/past remedy, beyond redemption/repair; (*за грешка*) fatal; (*за човек*) incorrigible; past praying for, hopeless; ~ лъжец compulsive/congenital liar; ~ оптимист incorrigible optimist; ~a постъпка irretrievable step.

непопуля̀р|ен *прил.*, -на, -но, -ни unpopular, *разг.* at a discount.

непороч|ен *прил.*, -на, -но, -ни pure, immaculate, virtuous, virginal, unblemished, taintless.

непосветѐн *прил.* uninitiated (в in).

непосѝл|ен *прил.*, -на, -но, -ни too hard/strenuous, back-breaking, beyond o.'s strength, murderous; unachievable; *фин.* onerous; заемам се с ~на работа undertake a task beyond o.'s strength; gnaw/bite a file; ~ни данъци excessive taxation/taxes; това е ~на за мен задача this task is beyond my abilities.

непоследовател|ен *прил.*, -на, -но, -ни unconnected, inconsistent, illogical, incoherent, inconsequent, inconsecutive, nonconsecutive, contradictory; directionless; fanciful; (*безсистемен*) desultory; disjointed; excursive; (*за човек*) inconsistent; ~ен аргумент an inconsistent argument.

непослѐш|ен *прил.*, -на, -но, -ни disobedient, unruly; naughty; indocile.

непослѐшни|к *м.*, -ци; непослѐшни-ц|а *ж.*, -и naughty child, imp.

непосрѐдствен *прил.* immediate, direct; firsthand; (*естествен*) natural, spontaneous, unaffected, ingenuous; в ~a близост с in close proximity to, in the immediate vicinity of, next to; ~a опасност imminent danger; оставам в ~a връзка с keep in close contact/touch with.

непосрѐдствено *нареч.* immediately, directly; at first hand, spontaneously, naturally; живея ~ до live in the immediate neighbourhood of, live next door to; ~ до just next to, close to, *амер.* right next to, (*за къща и пр.*) next door to.

непостижѝм *прил.* unattainable, unachievable, unapproachable, unobtainable.

непостоя̀н|ен *прил.*, -на, -но, -ни changeable, inconstant, impermanent, unstable, uncertain, variable, unsteady, flexuous; unsteadfast, irregular, erratic, non-persistent, mobile; (*за човек*) inconstant, whimsical, unsteady, wayward, mercurial, wobbly, wonky, eely, eel-like, fickle, (*на когото липсва постоянство*) not persevering, lacking perseverance; (*за убеждение*) liquid; (*за пазар и пр.*) jumpy; (*за време*) changeable, changing; ~ен съм be inconstant, etc.; play fast and loose; blow hot and cold; wobble; chop and change; ~на работа temporary job; in-and-out work.

непостоя̀нство *ср.*, *само ед.* changeability, inconsistency, instability, uncertainty, variability, vacillation, unsteadiness, mobility, mutability, waywardness; wobble, wonkiness, eeliness, fickleness; lack of perseverance.

непотвърдѐн *прил.* unconfirmed; uncorroborated; unsubstantiated; ~и облигации non-assented bonds; според ~и сведения according to unconfirmed reports.

непотрѐб|ен *прил.*, -на, -но, -ни useless, of no use, worthless; discarded; (*за хартия*) waste; ~на вещ cast-off.

непотрѐбност *ж.*, *само ед.* uselessness, worthlessness.

непохва̀т|ен *прил.*, -на, -но, -ни clumsy, awkward, cack-handed; ungainly, lubberly, unwieldy, gawky; gawkish; *разг.* flatfooted; ham-fisted, ham-handed; ~ен съм be clumsy, etc.; all o.'s fingers are thumbs; be butter fingers; ~ен човек clumsy, etc, person, (*особено в игри*) *разг.* dub, muff.

непочтѐн *прил.* dishonest, dishonourable, unfair, underhand; devious; (*за сделки*) under-the-table; ~a игра foul/dirty play.

непочтѐност *ж.*, *само ед.* dishonour, dishonesty; deviousness.

неправд|а̀ *ж.*, -и injustice, iniquity; крещяща ~a glaring injustice; поправям ~a redress a grievance, right a wrong; с мен бе извършена ~a I've been wronged, I've been treated unjustly.

неправдоподо̀б|ен *прил.*, -на, -но, -ни unlikely, improbable, implausible; (*за образ и пр.*) not true to life, unconvincing; incredible; ~на история fishy tale.

неправдоподо̀бност *ж.*, *само ед.* unlikelihood, unlikeliness; improbability; implausibility; incredibility.

непра̀вед|ен *прил.*, -на, -но, -ни unrighteous, sinful; wicked.

непра̀ведни|к *м.*, -ци; непра̀ведни-ц|а *ж.*, -и unrighteous person, sinner.

непра̀вил|ен *прил.*, -на, -но, -ни irregular, anomalous; (*погрешен*) wrong, incorrect, erroneous; *език.* irregular; ungrammatical; ~ен глагол *език.* irregular verb; ~на дроб *мат.* improper fraction; ~на преценка misjudgement; ~но произношение mispronunciation; ~но произношение wrong pronunciation; ~но решение a wrong decision.

непра̀вилно *нареч.* irregularly; incorrectly, wrong(ly), erroneously, mistakenly; *sl.* off the beam; написвам ~ misspell; пресмятам ~ miscalculate; произнасям ~ mispronounce; разбирам ~ misunderstand; take (a thing) ill; *разг.* get the wrong end of the stick; тълкувам ~ misinterpret, misconstrue.

неправѝтелствен *прил.* non-governmental.

неправолинѐйност *ж.*, *само ед.* malalignment.

неправомѐр|ен *прил.*, -на, -но, -ни *юр.* illegal, unauthorized, wrongful; ~ен договор illicit contract; ~на употреба unauthorized use; ~но уволнение wrongful dismissal.

неправоспосо́б|ен *прил.*, -на, -но, -ни *юр.* unqualified, uncertificated; incompetent, incapable, disqualified; постановявам за ~ен *юр.* rule out.

неправоспосо́бност *ж.*, *само ед.* lack of proper qualifications; disqualification; disability, incompetence, incapacity.

непракти́ч|ен *прил.*, -на, -но, -ни unpractical; unbusinesslike; (*за план и пр.*) unserviceable: visionary.

непребро́ден *прил.* untraversed; trackless.

непребро́ен *прил.* uncounted; unnumbered.

непревѐден *прил.* untranslated.

непревзема́ем *прил.* impregnable, storm-proof, immune against attack.

непрево́дим *прил.* untranslatable.

непредви́ден *прил.* unforeseen, unprovided for, contingent; (*неочакван*) unexpected, uncontemplated; (*спешен*) emergency; *юр.* aleatory; ~и разноски/разходи incidental expenses, incidentals; contingencies; по ~и обстоятелства owing to unforeseen circumstances.

непредви́дим *прил.* unforeseeable, unforeseen; ~о обстоятелство unforseen event.

непредвидли́в *прил.* improvident, short-sighted, unforeseeing.

непредпазли́в *прил.* imprudent, incautious, careless, inadvertent, unwary, unguarded.

непредпазли́во *нареч.* imprudently, carelessly, inadvertently, unwarily; говоря ~ talk carelessly/imprudently; wag o.'s tongue.

непредприемчи́в *прил.* unenterprising.

непредприемчи́вост *ж.*, *само ед.* lack of enterprise.

непредсказу́ем *прил.* unpredictable, unforeseeable, chance; (*непостоянен*) fickle, erratic; unreliable; ~ човек *разг.* loose cannon.

непредсказу́емост *ж.*, *само ед.* unpredictability, unpredictableness.

непредста́вен *прил.* unrepresented; (*за факти, информация*) unreported.

непредста́вител|ен *прил.*, -на, -но, -ни **1.** unrepresentative; **2.** (*на вид*) plain, unimposing, unpresentable.

непредубеде́н *прил.* objective, unprejudiced, unbiased (**срещу** against), unjaundiced, unswayed, dispassionate, impartial; even-handed; (*за наблюдател и*) catholic.

непредуми́шлен *прил.* unpremeditated, unmeant; ~о убийство manslaughter, accidental killing.

непрежали́м *прил.* unforgettable, lamented.

непреживя́н *прил.* (*за чувство, ситуация*) unexperienced.

непрекло́н|ен *прил.*, -на, -но, -ни inflexible (*и за воля*), unbending; inexorable; adamant, stern, steely, flinty, firm; unmoved, relentless, truculent, unpersuadable, uncompromising, implacable; *полит.* intransigent; ~ен човек inflexible/adamant man, man of unbending spirit; die-hard.

непрекъ́снат *прил.* continuous, continual, unbroken, uninterrupted, ceaseless, unceasing, incessant, unremitting, permanent, perpetual; everlasting; (*за полет, демонстрации*) non-stop; (*затворен*) conterminous, conterminal; ~ поток от хора (constant/never-ending) stream of people; ~а жълта линия solid yellow line.

непрекъ́снато *нареч.* continuously, continually, uninterruptedly, without interruption, without a break, ceaselessly, incessantly; (*често*) again and again, time and again, continually; ~ изменящ се ever-changing; повтарям ~ едно и също нещо repeat the same thing over and over again; harp on the same string.

непрелѐт|ен *прил.*, -на, -но, -ни *зоол.* resident, non-migratory/-migrant.

непремѐнно *нареч.* by all means, at all costs; at all events; (*сигурно*) certainly, surely, without fail; definitely; това ~ ще стане that's bound to happen; той ~ ще дойде/ще забрави he is sure to come/forget.

непреодоли́м *прил.* (*за трудност*) insurmountable, insuperable, invincible; (*за чувство*) irresistible, unconquerable, overmastering, overwhelming, overpowering; compelling; (*за съп-* ротива) irresistible; (*за различие, празнина*) unbridgeable; ~о желание overmastering/compulsive desire; ~о препятствие insuperable/impassable obstacle.

непреодоля́н *прил.* unsurmounted; unconquered.

непрепоръчи́тел|ен *прил.*, -на, -но, -ни uncommendable.

непресметли́в *прил.* improvident.

непресметли́вост *ж.*, *само ед.* improvidence, lack of foresight.

непреста́н|ен *прил.*, -на, -но, -ни ceaseless, unceasing, uninterrupted, incessant, endless, constant, unremitting, continual; (*за звук и пр.*) ever present; ~ният напредък на цивилизацията the onward sweep of civilization.

непресто́рен *прил.* **1.** unaffected, natural, unartful; **2.** unfeigned.

непресто́реност *ж.*, *само ед.* unaffectedness; easiness.

непресъ́хващ *прил.* (*за източник*) never failing.

непретенцио́з|ен *прил.*, -на, -но, -ни modest, simple, unpretentious, unambitious, unassuming, undemanding.

непрехо́д|ен *прил.*, -на, -но, -ни **1.** (*вечен, траен*) intransient, eternal; **2.** *език.* intransitive.

непрехо́дност *ж.*, *само ед.* **1.** intransience, eternity; **2.** *език.* intransitiveness.

непречи́стен *прил.* unrefined, unpurified, crude.

неприветли́в *прил.* unfriendly, ungracious, unamiable, unaffable, stern, standoffish; chilly; forbidding; (*за гледка*) cheerless, (*за местност*) inhospitable; unpleasant; grim; (*за стая, място*) unpleasant, uninviting.

неприветли́во *нареч.* in an unfriendly manner, ungraciously, unaffably.

неприветли́вост *ж.*, *само ед.* unfriendliness, ungraciousness; cheerlessness; wintriness; standoffishness; grimness.

непривилегиро́ван *прил.* unprivileged, underprivileged, unfavoured.

непривлека́тел|ен *прил.*, -на, -но, -ни (*за човек*) unattractive, unprepossessing, uncongenial, uncomely, unlovable, ill-favoured; (*за неща*) unattractive, uncongenial, unappealing; ~ен труд lean work, stinker.

непригоден *прил.* not suited/adjusted, not fit (**за** for).

неприго̀д|ен *прил.*, **-на**, **-но**, **-ни** unfit, useless, unserviceable, unsuitable, unsuited. inappropriate (**за** for).

неприго̀дност *ж.*, *само ед.* unfitness, uselessness, inappropriateness; disqualification.

неприемлѝв *прил.* unacceptable, unreasonable, inadmissible; implausible; ineligible; (*предикат.*) beyond the pale.

неприѐт *прил.* unaccepted, unadmitted, unadopted.

непризна̀т *прил.* unrecognized, unacknowledged, unavowed, unconfessed, undivulged, unowned; **~ талант** unacknowledged genius.

признател|ен *прил.*, **-на**, **-но**, **-ни** ungrateful, unthankful, inappreciative; forgetful; unmindful (of).

неприкосновѐн *прил.* inviolable; sacred; immune; untouchable; **~ запас**, **~и дажби** *воен.* emergency rations.

неприкосновѐност *ж.*, *само ед.* inviolability; sanctity, untouchability; immunity; **дипломатическа ~** diplomatic immunity/immunities; **~ на граници** inviolability of frontiers; **~ на личността** inviolability of person, sanctity of the individual.

неприкрѝт *прил.* undisguised, unfeigned; overt; demonstrative; explicit.

неприлѝч|ен *прил.*, **-на**, **-но**, **-ни** indecent, improper, unseemly, unbecoming, indecorous; obscene, lewd, nasty, ribald, bawdy; low, unclean, suggestive; risqué, racy, smutty, *разг.* gravel; near the knuckle; *sl.* blue; **~ен анекдот** an obscene/a suggestive/a ribald joke; **~ен език** obscene/profane/improper/unbecoming language, obscenity, ribaldry; **~ен знак** an obscene gesture; **~но държане** indecent/indecorous/unbecoming/low behaviour/conduct.

неприлѝчие *ср.*, *само ед.* indecency, impropriety, unseemliness, indecorum, nastiness, obscenity, bawdiness.

непримирѝм *прил.* irreconcilable, unreconcilable, implacable, unappeasable; (*несъвместим*) incompatible (**с** with); dissociable; *полит.* intransigent; **~а борба** war to the knife; **~и противоречия** irreconcilable contradictions.

непримирѝмост *ж.*, *само ед.* irreconcilability, implacability; incompatibility; dissociability, dissociableness.

непринуден *прил.* natural, artless, (free and) easy, unaffected, spontaneous, uncontrived, unforced, unlaboured, unconstraint, unstrained, free-hearted, informal, casual, easy-going; (*незаучен*) unstudied; **~ разговор** easy conversation; frank/friendly talk; **~а обстановка** informality, informal/homey atmosphere.

непристо̀|ен *прил.*, **-йна**, **-йно**, **-йни** indecent, disgraceful, graceless; unseemly, obscene; **~йно поведение** misbehaviour; indecent/indecorous/low behaviour; **това е ~йна шега** that joke is off-colour.

непристо̀йно *нареч.* indecently; gracelessly; **държа се ~** misbehave, play it low (on s.o.).

непристъ̀п|ен *прил.*, **-на**, **-но**, **-ни** inaccessible; unapproachable; unassailable; inapproachable; out of reach.

непристъ̀пност *ж.*, *само ед.* inaccessibility; unassailableness.

неприсъ̀щ *прил.* not typical (**за** of), not characteristic (of); extrinsic(al).

неприя̀знен *прил.* hostile, inimical, unfriendly, malevolent; disaffected (to, towards, with).

неприя̀зън *ж.*, *само ед.* hostility, unfriendliness, animosity, malevolence; resentment; disaffectedness, disaffection; grudge match; *разг.* bad blood; **тая ~ към** resent.

неприятел (**-ят**) *м.*, **-и**; **неприятелк|а** *ж.*, **-и** enemy, foe; (*противник*) adversary.

неприятелск|и *прил.*, **-а**, **-о**, **-и** hostile, inimical, enemy (*attr.*); **~и войски** enemy troops/force(s).

неприя̀т|ен *прил.*, **-на**, **-но**, **-ни** unpleasant, unpleasing, displeasing, disagreeable, dislikeable; distasteful; objectionable, obnoxious, painful, unwelcome, nasty (*и за време*); *амер. sl.* uncool; (*на вкус*) unsavoury, unpalatable; *sl.* grotty; (*дразнещ*) vexing; **~на новина** unwelcome/bad news; **~на тема** sore subject; **някой ми става ~ен** take a dislike to s.o.; **това ми е крайно ~но** this is most annoying, it's terribly unpleasant.

неприя̀тно *нареч.* unpleasantly, disagreeably, obnoxiously, nastily; **много**

ми е ~, **че си отиваш** I hate to see you go; **~ ми е да ви съобщя** I regret/hate to inform you, I am sorry to inform you; **останах ~ изненадан** I was unpleasantly surprised.

неприя̀тност *ж.*, **-и 1.** trouble, nuisance, annoyance; **избягвам ~и** save o.s. trouble; **създавам ~и на някого** put s.o. to trouble, get s.o. into trouble/bother; make things warm for s.o.; **ще си имаш ~и** you'll get into trouble; **2.** unpleasantness; distastefulness, disagreeableness.

непробу̀д|ен *прил.*, **-на**, **-но**, **-ни** deep, profound; **спя ~ен сън** be fast/sound asleep.

непровѐрен *прил.* unchecked; (*за съобщение*) unconfirmed; unexamined, uninspected.

непровѐтрен *прил.* unaired, unventilated.

непроводѝмост *ж.*, *само ед.* *ел.* nonconductibility.

непроглѐд|ен *прил.*, **-на**, **-но**, **-ни** (*за нощ*) pitch-dark; (*за мрак*, *мъгла*) impenetrable.

непродуктѝв|ен *прил.*, **-на**, **-но**, **-ни** unproductive, nonproductive.

непродължѝтел|ен *прил.*, **-на**, **-но**, **-ни** short, of short duration; nondurable.

непрозорлѝв *прил.* short-sighted.

непрозорлѝвост *ж.*, *само ед.* short-sightedness.

непрозра̀ч|ен *прил.*, **-на**, **-но**, **-ни** opaque; muddy; non-transparent, impervious; (*за течност*) cloudy.

непрозра̀чност *ж.*, *само ед.* opacity, opaqueness; non-transparency; (*на стъкло*) milkiness.

непроизводѝтел|ен *прил.*, **-на**, **-но**, **-ни** unproductive; **заети в ~ен труд** not engaged in material production.

непроко̀псани|к *м.*, **-ци** scoundrel, scapegrace, no-hoper, a down-and-out, *разг.* baddy, rotter, good-for-nothing, ne'er-do-well, a bad egg/lot/hat, *разг.* deadbeat; gallows-bird.

непроменѐн *прил.* unchanged, unaltered; unaffected, unconverted; persistent; **решението да ... остава ~о** the decision to ... stays unaltered.

непроменѝм *прил.* unchangeable, unalterable, irreversible, (*за мнение и пр.*) indivertible.

непроменлѝв *прил.* unchangeable, constant, invariable (*и мат.*), non-altering.

непроменлѝвост *ж., само ед.* unchangeableness, constancy, invariability, invariableness, constant/unchangeable nature/character.

непромокàем *прил.* waterproof, showerproof, impermeable (to water), impervious, (water-)tight; rainproof; **правя** ~ waterproof.

непроницàем *прил.* **1.** opaque; **2.** impenetrable, inexplorable, unfathomable; proof (against); impervious, impermeable; tight; ~ **за влага** proof against damp, damp-proof; ~ **за звук** soundproof, impervious to sound.

непроницàемост *ж., само ед.* **1.** opacity, opaqueness; **2.** impenetrability; imperviousness, impermeability.

непроницàтел|ен *прил.*, -на, -но, -ни not penetrating, not shrewd, undiscerning, unperceptive.

непропорционàл|ен *прил.*, -на, -но, -ни disproportionate.

непросветèн *прил.* unenlightened, uneducated; natural; (*незапознат*) clueless; (*за ум*) fallow.

непросветèност *ж., само ед.* lack of enlightenment/education.

непростѝм *прил.* unpardonable, inexcusable, unforgivable; indefensible, irremissible.

непроỳчен *прил.* unstudied; unexplored; pathless.

непрофесионàл|ен *прил.*, -на, -но, -ни unprofessional; lay.

непроходѝм *прил.* impassable; pathless; (*за гора и пр.*) impenetrable; (*за река*) unfordable.

непроявèн *прил.* not (yet) manifested, not shown; latent; undeveloped (*и фот.*).

непрях *прил.*, -а, -о, непрѐки indirect; mediate; (*който заобикаля*) roundabout; ~ **път** roundabout route/road; ~**а реч** *език.* indirect speech; ~**о допълнение** *език.* indirect object.

непукѝст *м.*, -и *жарг.* happy-go-lucky; nonchalant/devil-may-care fellow; cool customer/fish/hand/operator; tough cookie.

непушàч *м.*, -и non-smoker; **купе за** ~**и** a non-smoker (compartment).

непъл|ен *прил.*, -на, -но, -ни incomplete; imperfect; fragmentary, sketchy, partial; (*за комплект*) incomplete; *език.* elliptic(al); ~**ен работен ден** short hours, part-time, short time; ~**ни знания** imperfect knowledge.

непълнолèт|ен *прил.*, -на, -но, -ни **1.** minor, under age; ~**но момче** a minor boy, minor; **2.** *като същ.* minor.

непълноцèн|ен *прил.*, -на, -но, -ни inferior, second-rate, not up to par, inadequate; **физически** ~ constitutionally inadequate; (*за мляко*) skimmed.

неработоспосòб|ен *прил.*, -на, -но, -ни unable to work, disabled, incapacitated, invalid; **ставам** ~**ен** (*поради болест*) be/become disabled, be laid aside.

неработоспосòбност *ж., само ед.* inability to work, disability, disablement; **временна** ~ temporary incapacity for work; **пълна** ~ complete invalidity.

нерав|ен *прил.*, -на, -но, -ни **1.** unequal; **встъпвам в** ~**ен брак** marry beneath/above one; ~**ни шансове** long odds; **2.** uneven, rough, jagged, jolty, rugged, lumpy, knobby; (*за стил*) uneven; ~**ен път** rough road.

неравèнств|о *ср.*, -а inequality (*и мат., астр.*).

неравномèр|ен *прил.*, -на, -но, -ни uneven, irregular, unsteady, unequal.

неравноправ|ен *прил.*, -на, -но, -ни unequal, not enjoying equal rights with others.

неравност *ж.*, -и unevenness, roughness, jaggedness, joltiness, lumpiness, knobbiness, *амер.* jog; (*на стил*) unevenness; (*на качество*) patchiness.

неравностò|ен *прил.*, -йна, -йно, -йни not of equal value/worth, nonequivalent.

нерàдост|ен *прил.*, -на, -но, -ни joyless, cheerless, mirthless; sorrowful; dismal; dreary.

неразбирàем *прил.* unintelligible, inarticulate, incomprehensible, inapprehensible, obscure, opaque, inscrutable; (*за почерк*) illegible, undecipherable, indecipherable; (*прекалено труден*) *разг.* beyond one, above o.'s head.

неразбѝране *ср., само ед.* lack of understanding; incomprehension; (*неправилно разбиране*) misunderstanding; **взаимно** ~ failure to understand one another.

неразборѝ|я *ж.*, -и confusion, muddle, mess, disorder, tangle, jumble, mix-up, topsyturvydom, *амер. разг.* muss, upside-downness.

неразбрàн *прил.* **1.** not understood; uncomprehended; (*зле разбран*) misunderstood; **той остана** ~ **за съвременниците си** his contemporaries could not appreciate him; **2.** (*неразбираем*) indistinct, unintelligible; **3.** (*упорит*) thick-/pig-/hard-/wrong-headed, unreasonable; unmanageable.

неразвѝт *прил.* undeveloped; (*за ум, потенциал*) fallow; (*изостанал*) backward; **умствено** ~ **човек** mental defective; mentally deficient person.

нераздèл|ен *прил.*, -на, -но, -ни inseparable; ~**на част** integral part, part and parcel (**от** of); ~**ни другари** very close friends, inseparable/devoted/bosom friends.

неразличѝм *прил.* indiscernible, indistinguishable, inconspicuous; indistinct.

неразположèн *прил.* **1.** (*недобре*) indisposed, queasy, unwell, poorly, seedy, out of sorts, all-overish, off-colour, not up to the mark, run down, under the weather; **чувствам се** ~ be indisposed, be ailing, not feel quite well, not feel up to the mark; have/get the pip; **2.** (*зле разположен*) ill-disposed (towards).

неразположèни|е *ср.*, -я **1.** indisposition; malaise; **поради** ~**e** because of ill health; **2.** ill-will, dislike; **проявявам** ~**e към** be ill-disposed towards, jib at.

неразработен *прил.* undeveloped; (*за земя*) unbroken, uncultivated, untilled; (*за ум, потенциал*) fallow; (*за земни богатства*) unopened, unworked.

неразрешèн *прил.* unsolved; unallowed, unpermitted; (*за акорд*) *муз.* unresolved; ~ **въпрос** open question.

неразрешѝм *прил.* insoluble; unworkable; inextricable; (*за конфликт*) irrepressible; (*за задача*) poser, stumper.

неразрѝв|ен *прил.*, -на, -но, -ни unbreakable; inseparable, indissoluble.

неразỳм|ен *прил.*, -на, -но, -ни unwise, thoughtless, foolish, imprudent; unreasonable; irrational, ill-advised; reckless; ~**на цена** unreasonable/exorbitant/steep price.

нерационàл|ен *прил.*, -на, -но, -ни irrational, not rational; (*непрактичен*) impractical; not practical; not businesslike.

нерв *м.*, -и, (два) **нѐрва 1.** nerve; **зрителен/очен** ~ an optic nerve; **игра на** ~**и** a game of nerves; **лазя/ходя по** ~**ите на някого** get on s.o.'s nerves; give s.o. the fidgets/jumps; set one's teeth on edge; **той е целият** ~**и** he is a bunch/bundle of nerves; **2.** (*жилка, вена – на лист и пр.*) vein; **3.** (*енергия, живот*) nerve.

нѐрв|ен *прил.*, -на, -но, -ни **1.** *анат.* neural, nerve (*attr.*); (*който засяга нервите*) nervous; ~**на криза** nervous breakdown; nerve crisis; ~**на система** nervous system, nerves, sensorium; ~**но разстройство** nervous breakdown; **2.** nervy, jumpy, flurried, fidgety, jerky, restive, wrought-up, in a twitter; *разг.* uptight, edgy, twitchy, wired; **в състояние на** ~**на възбуда** all of a twitter; ~**на работа** fiddling job; ~**но състояние** nervousness, wroughtup state, nervous state of mind, *sl.* the jumps; butter flies (in o.'s stomach), cold feet.

нервѝрам *гл.*: ~ **някого** irritate s.o., make s.o. nervous, get on s.o.'s nerves, set o.'s nerves on edge; jar on s.o., *разг.* get under s.o.'s skin, *sl.* give s.o. the needle, needle s.o.; || ~ **се** be/get nervous/flustered/irritated; ~ **се силно** fret and fume.

нѐрвнича *гл.*, *мин. св. деят. прич.* **нѐрвничил** be nervous/restless/restive, show signs of nervousness/restlessness, *разг.* jitter, be jittery.

нервно *нареч.* nervously, restlessly, restively; **крача** ~ **из стаята** pace the room; ~ **болен** nerve sick, neurotic.

нѐрвност *ж.*, *само ед.* nervousness, nervosity, nerves, restlessness, restiveness, edginess; *разг.* nerviness, jitters; a fit of nerves; (*постоянно местене*) *мед.* titubation; **проявявам** ~ show signs of nervousness/restlessness.

нереа̀л|ен *прил.*, -на, -но, -ни unreal, unrealistic; fictional; metaphysical; fancied, fanciful.

нереализѝран *прил.* unfulfilled, unrealized.

нереалистѝч|ен *прил.*, -на, -но, -ни nonrealistic, unrealistic.

нереа̀лност *ж.*, *само ед.* unreality.

нерегистрѝран *прил.* unrecorded, unreported, unregistered; (*за акции*) unlisted.

нерегулѝран *прил.* unadjusted, unregulated; ~**а пресечка** unmarked crossing.

нередактѝран *прил.* unedited.

нередѐ|ен *прил.*, -на, -но, -ни wrong, improper, undesirable; undue; irregular; indecorous, indecent; **върша** ~**ни работи** break the regulations; ~**на постъпка** not the right thing to do.

нередност *ж.*, -и something wrong; irregularity, indecency, indecorousness; **отстранявам** ~**и** eliminate irregularities; **техническа** ~ technical trouble.

нередо̀в|ен *прил.*, -на, -но, -ни **1.** irregular; wrong; (*за транспорт*) irregular; (*за билет, документ*) invalid; **водя** ~**ен живот** knock about, live an irregular life; ~**ен пътник** passenger without a ticket; ~**но посещение на лекции** lax attendance; **2.** (*за учител и пр.*) not fully qualified; (*свръхщатен*) supernumerary; ~**ен професор** (*гостуващ*) visiting professor.

нѐрез *м.*, -и, (два) **нѐреза** boar.

нерезулта̀т|ен *прил.*, -на, -но, -ни inoperative, ineffective, ineffectual, unavailing.

нерентабѝл|ен *прил.*, -на, -но, -ни profitless, unprofitable, unremunerative, not paying.

нерентабѝлност *ж.*, *само ед.* unremunerativeness, unprofitableness, unprofitability.

нерешѐн *прил.* unsettled, undecided, undetermined, unresolved; pendent; pending (*и за дело*).

нерешѝтел|ен *прил.*, -на, -но, -ни indecisive; irresolute, vacillating, hesitating; faltering; undetermined, unresolved; tentative; dubious; diffident; feeble-minded; *разг.* half-hearted; on the fence; ~**ен съм** be indecisive, etc., be infirm of purpose; falter; *разг.* shillyshally.

неритмѝч|ен *прил.*, -на, -но, -ни rhythmless, not rhythmic; out of time.

нерушѝм *прил.* indestructible; undestroyable; indissoluble, inviolable; sacred; ~**а дружба** eternal/indestructible friendship.

неръждаем и **неръждясващ** *прил.* non-corrosive, incorrodible, rust-resisting, rust-proof, rust- free; (*за стомана, ножче за бръснене и пр.*) stainless.

несбъ̀днат *прил.* unfulfilled, unrealized; ~**а мечта** a dream that never came true.

несвойствен *прил.* unusual (**на** for); uncharacteristic; extrinsic(al); alien; **това е** ~**о за него** it is not like him.

несвъ̀рзан *прил.* **1.** not connected; unconnected; *техн.* unlinked, uncombined, disconnected, disjoined; **2.** incoherent; inconsequent; disconnected; (*безсистемен*) desultory; (*за говор, мисли*) rambling; (*за стил*) discursive; (*за разказ*) confused; loose; ~ **разговор** desultory conversation; ~**и приказки** disjointed/disconnected talk.

несвъ̀ршен *прил.* unfinished, incomplete; undone; *език.* imperfect, imperfective; ~ **вид** *език.* imperfective aspect.

несвя̀ст *ж.* *неизм.* unconsciousness, fainting fit, swoon; **падам в** ~ faint (away), swoon, lose consciousness, *разг.* pass out.

несгово̀р|ен *прил.*, -на, -но, -ни (*за отделен човек*) contrary, (*за група хора*) at strife, at variance, (*за семейство и пр.*) divided; ~**на дружина** a disunited company.

несговорчѝв *прил.* intractable, contrary; disputatious, disputative, argumentative; dissentious; *разг.* dogged, self-willed, uncompromising, unyielding, cross-grained, pig-headed, willful; gnarled, gnarly.

несговорчѝвост *ж.*, *само ед.* intractability, contrariness; disputativeness, argumentativeness; *разг.* doggedness, uncompromisingness, pig-headedness, willfulness.

несго̀д|а *ж.*, -и **1.** (*неудобство*) discomfort, inconvenience; **2.** (*трудност, беда*) adversity, hardship, misfortune, misery, bad luck; **житейските** ~**и** the wear and tear of life.

несдъ̀ржан *прил.* immoderate, incontinent, unreserved; violent; ~ **смях** irresistible laughter; ~**а радост** unrestrained joy.

несдъ̀ржаност *ж.*, *само ед.* immoderateness, unrestraint, lack of self-control.

несериоз|ен *прил.*, -на, -но, -ни not serious; (*лекомислен*) frivolous; light, flighty, flippant, flip, futile, unreliable; (*неважен*) unimportant, insignificant; futile; (*неубедителен*) flaky; flimsy;

(*на майтап*) tongue-in-check; ~**ен човек** trifler; unreliable person; ~**но отношение** dalliance; **това е ~на работа** nothing will come of it.

несериозно *нареч.* not seriously, frivolously; flippantly; insignificantly; **говоря ~ talk** nonsense; **отнасям се ~ към** make light of.

несесѐр *м.*, -**и**, (**два**) **несесѐра** (*за тоалетни принадлежности*) dressing-case, spongebag; dressing-bag; (*за игли*) needle-book, needle-case; (*за спортни и пр. принадлежности*) kit-bag, hold-all.

несѝгур|ен *прил.*, -**на**, -**но**, -**ни** uncertain, dubious; insecure; built on sand; tottery; *разг.* chancy, iffy, touch-and-go; (*за човек*) unreliable, untrustworthy, undependable, treacherous, shifty; (*непредвидим*) hit and/or miss; (*за резултат*) marginal; (*опасен*) unsure; (*който зависи от волята или прищявката на другиго*) precarious; (*зле балансиран*) top-heavy; ~**ен в себе си** unsure of o.s.; ~**ен живот** precarious existence; ~**но положение** risky/uncertain/precarious situation, touch-and-go.

несѝгурност *ж.*, *само ед.* uncertainty, uncertainness, incertitude; insecurity; unreliability, untrustworthiness, treacherousness, shiftiness; topheaviness; precariousness; ticklishness.

несиметрѝч|ен *прил.*, -**на**, -**но**, -**ни** asymmetric(al), nonsymmetric, unsymmetrical; lopsided; *бот.* oblique.

несинхро̀н|ен *прил.*, -**на**, -**но**, -**ни** non-synchronous, asynchronous.

несистематизѝран *прил.* unclassified.

несистѐм|ен *прил.*, -**на**, -**но**, -**ни** unsystematic; excursive.

нѐскафѐ *ср.*, *само ед.* instant coffee.

нескопо̀сан *прил.* (*за човек*) inept, awkward, clumsy; (*за работа*) bungled, botched; (*за стих*) doggerel; ~**а работа** bungle, botch.

нескопо̀сни|к *м.*, -**ци**; **нескопо̀сни-ц|а** *ж.*, -**и** bungler, blunderer, duffer, lubber, fumbler, muddler, botcher, butter-fingers.

несломѝм *прил.* unbreakable, unbroken; inflexible; gritty; (*за съпротива*) irresistible; (*за воля, човек*) undaunted, dauntless, adamant; ~ **дух** indomitable courage; grit, grittiness.

несмѐт|ен *прил.*, -**на**, -**но**, -**ни** countless, incalculable, unmeasured, unnumbered, uncountable, untold; ~**ни богатства** untold riches, vast wealth.

несортѝран *прил.* not sorted out; unsorted, unassorted; (*за руда, въглища*) run-of-mine, run-of- mill; ~**а стока** a job lob.

неспецифѝч|ен *прил.*, -**на**, -**но**, -**ни** nonspecific, unspecific.

неспѝр|ен *прил.*, -**на**, -**но**, -**ни** endless, incessant, continuous, continual, unceasing, ceaseless, constant.

несподелѐн *прил.* unshared, unreciprocated, unrequited; ~**а любов** unrequited love.

неспоко̀|ен *прил.*, -**йна**, -**йно**, -**йни** restless, unrestful, restive, uneasy (*за about*); ill-at-ease; unquiet; nervous, *разг.* nervy; in a twitter, all of a twitter; troubled, anxious, on edge; (*който не може да стои на едно място*) restive, fidgety; (*за море*) rough; ~**ен дух** restless spirit; ~**ен сън** uneasy sleep; ~**йна съвест** troubled/uneasy conscience.

несполу̀к|а *ж.*, -**и** failure, ill-success, bad luck; bad/ill fortune, setback; reverse; miscarriage; *sl.* mucker; **претърпявам ~а** fail; **сполуките и ~ите на живота** the prosperities and adversities of life, the ups and downs of life.

несполу̀чвам, **несполу̀ча** *гл.* fail; miscarry; have no luck.

несполучлѝв *прил.* unsuccessful; ineffective; unhappy, unlucky; *разг.* misbegotten; (*безрезултатен*) futile; **излизам ~** come off badly, be/prove a failure; ~ **опит за преврат** abortive coup; **шегата излезе ~а** the joke misfired.

неспортсмѐнск|и *прил.*, -**а**, -**о**, -**и** unsporting, unsportsmanlike.

неспосо̀б|ен *прил.*, -**на**, -**но**, -**ни** unable (**за** to *c inf.*); incapable (**за**, **на** of; **да** of *c ger.*); incompetent, inefficient, inept, unapt; feckless; *амер. sl.* half-assed; (*за учене*) dull; **той се оказа ~ен да изпълни задачата** he proved unequal to the task.

неспосо̀бност *ж.*, *само ед.* inability, incapacity, incapability; ineptitude; ineptness, unaptness, incompetence; dullness; disability.

несправедлѝв *прил.* unjust, unfair

(**към** to); wrongful; iniquitous; (*пристрастен*) partial; ~ **съм към някого** be unjust/unfair to s.o., do s.o. an injustice; ~**а присъда** unfair judgement.

несправедлѝво *нареч.* unjustly; wrongfully; partially; **постъпвам ~ към някого** wrong s.o., do s.o. an injustice, be hard on s.o.

несправедлѝвост *ж.*, *само ед.* injustice, unjustness, unfairness; wrong; raw deal; (*груба, крещяща*) iniquity; partiality; **извършвам ~** do an injustice, do a wrong; **поправям ~** right a wrong.

несравнѝм *прил.* **1.** incomparable, peerless, without peer, matchless, not to be matched, unmatched, unparalleled, unprecedented, beyond comparison; unequalled; *книж.* beyond compare; ~ **майстор** a past-master; nonpareil; **2.** incommensurable (**с** with), incommensurate (to, with), disparate.

несръ̀ч|ен *прил.*, -**на**, -**но**, -**ни** clumsy, awkward, unskilful, artless, maladroit, inept, left-handed, lubberly, ungainly, gawky, ham-fisted; fumbling; *разг.* flat-footed; ~**ен съм** be clumsy, etc.; all o.'s fingers are thumbs; ~**ен човек** clumsy (etc.) person; a numb hand; (*обикн. в игри* – *разг.*) muff.

несръ̀чно *нареч.* clumsily, awkwardly, unskilfully, artlessly, fumblingly, in a clumsy way.

несръ̀чност *ж.*, *само ед.* clumsiness, awkwardness, unskilfulness, ungainliness, want/lack of skill, ineptitude; *разг.* flatfootedness.

нестабѝл|ен *прил.*, -**на**, -**но**, -**ни** unstable, shaky; non-persistent; *разг.* cockeyed; (*за пазар и пр.*) jumpy; ~**на индустрия** industry in a fluid state/in a state of flux.

нестабѝлност *ж.*, *само ед.* instability, unstableness, disequilibrium; *разг.* flux.

нестандарт|ен *прил.*, -**на**, -**но**, -**ни** not according to standard, non-standard, substandard; irregular; optional; (*за размер – търг.*) odd; (*ексцентричен*) (*нетрадиционен*) louche; ~**ен номер** (*на дреха*) outsize, (*под нормата*) small size.

нестина̀р (-**ят**) *м.*, -**и**; **нестина̀рк|а** *ж.*, -**и** fire-dancer.

нестина̀рство *ср.*, *само ед.* fire-dancing.

нестѝхващ *прил.* unabating, unabated; undying; (*за овации*) endless; (*за интерес*) continued.

несхо̀д|ен *прил.*, -на, -но, -ни unlike, dissimilar (to); (*коренно различен*) disparate; ~ни ill-assorted, ill-matched.

несхо̀дност *ж.*, *само ед.*; **несхо̀дств|о** *ср.*, -а dissimilarity, dissimilitude; unlikeness; disparity; ~о на характе-рите incompatibility of temperament.

несъбира̀ем *прил.* that cannot be collected; ~ дълг bad debt.

несъвместѝм *прил.* incompatible, incongruous (с with), dissociable; conflicting (with), contradictory (to); in contradiction (with); ~и понятия mutually exclusive ideas; ~и теории competing theories.

несъвместѝмост *ж.*, *само ед.* incompatibility, inconsistency, incongruity; dissociability, dissociableness.

несъвпа̀даш *прил.* not coinciding (with); *техн.* out of truth.

несъвпадѐни|е *ср.*, -я lack of coincidence; failure to coincide (with); non-coincidence, non-concurrence; non-conformity, discrepancy, variance, mis-matching.

несъвършѐн *прил.* imperfect.

несъвършѐнств|о *ср.*, -а imperfection.

несъгла̀с|ен *прил.*, -на, -но, -ни not agreeing, disagreeing; dissenting.

несъгла̀си|е *ср.*, -я **1.** disagreement, discord, dissidence; dissent; difference of opinion, variance; **между тях вина-ги има ~е за това, кой ...** they are always at odds as to who ...; **2.** (*отказ*) refusal; non-agreement; non-compliance.

несъгласу̀ван *прил.* uncoordinated, lacking co-ordination, not in agreement (with); incongruous; discordant.

несъгласу̀ваност *ж.*, *само ед.* non-co-ordination, incoordination, lack of co-ordination/agreement, unconformity; incongruity; inconsistency; discord-ance.

несъзву̀ч|ен *прил.*, -на, -но, -ни un-harmonious, dissonant, inconsonant (with, to); out of tune (with).

несъзна̀тел|ен *прил.*, -на, -но, -ни **1.** (*непреднамерен*) unconscious, involuntary; accidental; instinctive, mechanical; unwitting; ~на грешка на езика slip of the tongue; **2.** (*несъвес-тен*) unconscientious.

несъзна̀телно *нареч.* unconsciously, involuntarily, unwittingly.

несъизмерѝм *прил.* incommensurable (с with), incommensurate (to, with), dis-parate; ~и величини incommensura-ble quantities.

несъизмерѝмост *ж.*, *само ед.* incom-mensurability, disparity.

несъкрушѝм *прил.* indestructible; (*непобедим*) invincible, unconquerable; ~а воля unconquerable/adamant will.

несъкрушѝмост *ж.*, *само ед.* inde-structibility; invincibility.

несъмнѐн *прил.* undoubted; indubita-ble; unquestionable, incontrovertible, incontestable, unmistakable, unques-tionable; obvious, distinct, manifest; sure; authentic; ~а победа undoubted victory, clear-cut victory.

несъмнѐно *нареч.* undoubtedly, doubt-less, definitely, beyond (all) question, out of question/doubt, past/without question/doubt; out and out; no doubt (about it); by long odds; undeniably; as sure as fate; *амер.* it's dollars to doughnuts.

несъобра̀зен *прил.* not co-ordinated (с with), not in conformity/agreement (with).

несъобра̀з|ен *прил.*, -на, -но, -ни in-congruous, incompatible (with), out of place, absurd.

несъобразѝтел|ен *прил.*, -на, -но, -ни slow(-witted), resourceless, unin-ventive, unapprehensive, *разг.* feckless.

несъобразѝтелност *ж.*, *само ед.* lack of ingenuity, slow wits.

несъобра̀зност *ж.*, *само ед.* incongru-ity, incompatibility.

несъотвѐтстваш *прил.* discrepant, dif-fering, disagreeing; clashing; ill-as-sorted; inaccurate; unconformable; ~на действителността unfaithful; ~а цена inadequate price.

несъотвѐтстви|е *ср.*, -я discrepancy, disparity, lack of correspondence; in-conformity, disconformity, non-con-formity (to); misfit; incongruity; uncon-formability, unconformity; contrariety; *юр.* variance; (*неточност*) inaccura-cy; inadequacy; inconsistency; ~е меж-ду думи и дела discrepancy between word and deed; ~е на характерите incompatibility of temperament.

несъразмѐр|ен *прил.*, -на, -но, -ни disproportionate, disproportionable, ill-proportioned; out of proportion (with).

несъразмѐрност *ж.*, *само ед.* dispro-portion, lack of proportion.

несъстоя̀тел|ен *прил.*, -на, -но, -ни **1.** (*неспособен да плаща*) *фин.* in-solvent, bankrupt; ~ен длъжник in-solvent; **2.** (*беден*) needy, indigent; **3.** (*необоснован*) groundless, unsound, unfounded, untenable; ~ен довод un-substantiated argument.

несъстоя̀телност *ж.*, *само ед.* **1.** *фин.* insolvency, bankruptcy, failure; **обявя-вам в ~** adjudge/adjudicate/declare bankrupt; **2.** (*на твърдение*) unsound-ness; untenability; **доказвам ~та на** disprove (s.th.).

несъстрада̀тел|ен *прил.*, -на, -но, -ни uncharitable, unchristian.

несъщѐствен *прил.* immaterial, ines-sential, non-essential, unessential, inci-dental; ~ въпрос small matter; ~а грешка harmless error.

несъществу̀ваш *прил.* non-existing, inexisting, nonexistent, fictitious; null.

нетаксу̀ван *прил.* unrated.

нетактѝч|ен *прил.*, -на, -но, -ни tact-less; maladroit; indiscreet; gauche; ~ен въпрос tactless question.

нетактѝчност *ж.*, *само ед.* tactless-ness, lack of discretion; gaucheness, gaucherie; **проявявам ~** not show any tact.

нѐт|ен *прил.*, -на, -но, -ни net (*attr.*); ~но тегло net weight.

нетипѝч|ен *прил.*, -на, -но, -ни not typical (за of), unrepresentative.

нетлѐн|ен *прил.*, -на, -но, -ни imper-ishable; (*вечен*) eternal, immortal, in-corruptible.

нетлѐнност *ж.*, *само ед.* imperishabi-lity, imperishableness, incorruptibility.

нѐто *неизм.* net (weight); бруто за ~ gross as net.

нетоксѝч|ен *прил.*, -на, -но, -ни non-toxic(al).

нетолера̀нт|ен *прил.*, -на, -но, -ни intolerant, not tolerant; insular.

нетолера̀нтност *ж.*, *само ед.* intoler-ance, lack of tolerance.

нето̀ч|ен *прил.*, -на, -но, -ни inexact, inaccurate; lax; inadequate; off the beam; (*за карта, часовник*) unrelia-ble; (*за удар в игра*) loose; (*за пре-*

вод) unfaithful, loose; (*който не идва навреме*) unpunctual; **~ен вариант (на документ)** unfaithful version; **~но описание** misrepresentation; **~но подаване** *спорт.* wrong pass.

неточно *нареч.* inaccurately; *техн.* (*несъвпадащо*) out of truth; **представям ~** misrepresent; **стрелям ~** be off the mark, be wide of the mark.

неточност *ж.,* **-и** inexactness, inaccuracy; error; discrepancy; unpunctuality; (*на израз, стил*) laxity.

нетрадицион|ен *прил.,* **-на, -но, -ни** unusual, nontraditional, unorthodox, off-centre; off the wall.

нетра|ен *прил.,* **-йна, -йно, -йни** not strong/solid/durable/lasting; of short duration, non-durable, non-persistent, passing, fugitive; unabiding; flimsy, fragile; (*който лесно се разваля*) perishable, spoilable.

нетрезвен *прил.* not sober, tipsy; intoxicated, inebriated; **в нетрезво състояние** in a state of intoxication/inebriation, in a drunken state, under the influence of drink.

нетрудов *прил.* not related to labour; not earned by labour; **~ доход** unearned income.

нетрудоспособ|ен *прил.,* **-на, -но, -ни** unable to work, disabled, incapaciated, invalid; unemployable.

нетрудоспособност *ж., само ед.* inability to work, disability, disablement; unemployability; **пенсиониране поради ~** disability retirement.

нетърговск|и *прил.,* **-а, -о, -и** (*с идеална цел*) non-profit, noncommercial; **~и сдружения** non-trading partnerships; **~о споразумение** noncommercial agreement.

нетържествен *прил.* unsolemn.

нетърпелив *прил.* impatient; eager; *разг.* champing at the bit; **~ съм** be impatient, want patience.

нетърпение *ср., само ед.* impatience; eagerness; **горя от ~ да направя нещо** be (very) eager to do s.th., be raving/bursting to do (s.th.); I can hardly wait to do s.th.; **очаквам с ~** look forward (to s.th., to doing s.th.); **с ~ impatiently**, eagerly, with impatience; **с ~ очаквам писмо от тебе** I'm looking forward to your letter, I'm looking forward to hearing from you.

нетърпим *прил.* intolerable, unbearable, insupportable, past/beyond bearing/endurance; **~а жега е** it is infernally/insufferably hot.

неубедител|ен *прил.,* **-на, -но, -ни** unconvincing, unpersuasive, threadbare; inconclusive; (*аргумент*) thin, flimsy, flaky; **~но доказателство** flimsy evidence; **~но извинение** lame/flimsy excuse.

неуважение *ср., само ед.* disrespect, lack of respect (**към** for); irreverence; disesteem; **~ към съда** *юр.* contempt of court.

неуважител|ен *прил.,* **-на, -но, -ни** inadequate, not good/valid; (*непочтителен*) disrespectful, irreverent; disregardful; **по ~ни причини** without serious cause.

неуверен *прил.* uncertain (**в** of); unassured; halting; **~ в себе си** diffident; unsure of o.s.; given to self-doubt; **с ~и стъпки** with faltering steps.

неуверено *нареч.* uncertainly; falteringly; haltingly; **отговарям ~** give an uncertain answer, answer hesitatingly; **стъпвам ~** tread uncertainly/cautiously.

неувереност *ж., само ед.* uncertainty, incertitude; diffidence; faltering; lack of self-confidence; haltingness.

неугасващ *прил.* everburning, everlasting; undying; (*за пламък*) never-dying.

неугасим *прил.* inextinguishable (*и прен.*); unquenchable.

неугледен|ен *прил.,* **-на, -но, -ни** unsightly, ungainly, unseemly, slatternly, plain, unattractive, ill-favoured, not much to look at.

неударен *прил.* *фон.* unstressed, unaccented, weak; clitic.

неудачн|ик *м.,* **-ци** ill-starred/-fated person, unlucky person; failure; no-hoper; lame duck; *разг.* dud; *sl.* neverwuzzer.

неудоб|ен *прил.,* **-на, -но, -ни** uncomfortable, inconvenient; discommodious; (*за манипулиране*) unhandy, (*за носене*) unwieldy; (*неподходящ*) unsuitable; **в ~но време** at the wrong time; **в**

~но положение съм be in an awkward situation, be in a predicament, be in a tight corner; **поставям някого в ~но положение** put s.o. in an awkward situation/position/spot, put s.o. in a tight corner.

неудобно *нареч.* uncomfortably, inconveniently; discommodiously; ill at ease; uneasy; **~ ми е да направя нещо** feel awkward about doing s.th.; have a scruple/have scruples about doing s.th.; **става ми/чувствам се ~** feel awkward.

неудобств|о *ср.,* **-а** discomfort, inconvenience; awkwardness; disadvantage; (*за манипулиране, експлоатация*) unhandiness; **изпитвам ~о от нещо** feel awkward about (doing) s.th.; **създавам ~о** inconvenience (s.o.), cause inconvenience, be an inconvenience.

неудовлетворен *прил.* unsatisfied, thwarted, frustrated, discontented, uncontented; unappeased; **~ кредитор** dissenting creditor.

неудовлетвореност *ж., само ед.* lack of satisfaction, frustration; discontentedness, discontentment; **фактори на ~** *икон.* dissatisfiers.

неудовлетворител|ен *прил.,* **-на, -но, -ни** unsatisfactory, unsatisfying.

неудоволствие *ср., само ед.* displeasure, dissatisfaction; **за мое (голямо) ~** to my (great) dissatisfaction/displeasure.

неудържим *прил.* unstoppable; (*за сила, нападение*) irresistible, (*за чувство, смях и пр.*) irrepressible, uncontainable, uncontrollable; **положението става ~о** the situation is getting out of hand.

неудържимо *нареч.* irresistibly; **влече ме ~ към** be irresistibly drawn to.

неузнаваем *прил.* unrecognizable, beyond recognition.

неузнаваемост *ж., само ед.* unrecognizability; **променен до ~** changed beyond/past recognition.

неузрял *прил.,* **-а, -о, неузрели** unripe, green; (*за сирене*) unmatured.

неук *прил.* illiterate, unlettered, unschooled, uneducated, uninstructed, uninformed.

неукрасен *прил.* unadorned, undecked, unembellished, unarrayed, plain, inornate.

неукрепнал *прил.* not strong enough, not (yet) firmly established/rooted, still

shaky, wavering, unfirm; unconsolidated, uncertain; (*за знание*) unassimilated, unstable; **с ~и сили** not quite strong yet.

неукротѝм *прил.* untamable (*и прен.*); (*за кон*) full of mettle; *прен.* unabated, inappeasable; indomitable.

неуловѝм *прил.* **1.** elusive, elusory; hard/impossible to catch; **~ за окото** not visible to the naked eye; **той е ~** he is not to be caught, you can't get hold of him; **2.** (*незабележим, недоловим, едва доловим*) imperceptible, intangible, inappreciable, subtle; **~а разлика** subtle/an undefinable difference.

неумѐл *прил.* awkward; inept; unskilful, clumsy, fumbling; gawky, gawkish; inexpert, incompetent, inefficient; unsatisfactory.

неумѐло *нареч.* unskilfully; clumsily; artlessly; fumblingly; gawkily, gawkishly; **подхващам ~** fumble (at, with).

неумѐние *ср., само ед.* inability, unskilfulness, want of skill, incompetence, inefficiency, ineptitude, ineptness; **от ~** for want of skill.

неумѐст|ен *прил.*, **-на, -но, -ни** irrelevant, inappropriate, incongruous, inept, misplaced, extraneous, out of place/season, unseasonable, unsuitable, uncalled-for, out of rhyme or reason, inapposite, inopportune, unsuitable, untimely, inexpedient, malapropos; not to the point; impertinent; **~на употреба на дума** malapropism; **проявявам ~но любопитство** o.'s curiosity is out of place; **сега е ~но да** it's not the (right) moment to.

неумѐстно *нареч.* irrelevantly, inappropriately, innopportunely, extraneously; out of place/season, malapropos.

неумѝшлен *прил.* unpremeditated; unintentional; inadvertent; unmeant; unwilled; undesigned.

неумѝшлено *нареч.* unintentionally, inadvertently; without meaning (it).

неумолѝм *прил.* inexorable, implacable, inflexible; obdurate; unrelenting, relentless; immitigable; flinty; grim; **~ата истина** the irresistible truth.

неумолѝмо *нареч.* inexorably, implacably.

неумо̀р|ен *прил.*, **-на, -но, -ни** (*за човек*) untiring, tireless, indefatigable, fatigueless, unwearying, unresting, perse-

vering; (*за труд*) unflagging, unremitting; **~ни грижи** tireless/constant care, never ending care.

неуморѝм *прил.* untiring, tireless, unwearying, unresting, persevering.

неумо̀рно *нареч.* tirelessly; perseveringly; **работя ~** work hard.

неумо̀рност *ж., само ед.* tirelessness, indefatigableness.

неупотребя̀ван *прил.* unused.

неупълномощѐн *прил.* unaccredited, unauthorized, unentitled.

неуравновесѐн *прил.* unbalanced, ill-balanced, out of balance/alignment; unstable; lop-sided; (*за човек*) unbalanced, unstable; flighty; mentally erratic; **~а психика** unbalanced mind.

неуравновесѐност *ж., само ед.* unbalance, lack of balance; instability, lop-sidedness; (*за човек*) flightiness.

неурѐден *прил.* **1.** unsettled, not settled, undecided; pendent; (*за сметка*) unsettled, outstanding; **2.** (*в безредие*) in disorder, not put in order (yet); unorganized, not properly organized; **• ~о положение** an uncertain position.

неурѐдиц|а *ж.*, **-и** confusion, disorder, *разг.* mess, jumble.

неусвоѐн *прил.* indigested, unassimilated.

неусѐт|ен *прил.*, **-на, -но, -ни** imperceptible; inappreciable; **~ното приближаване на старостта** the insidious approach of age.

неусѐтно *нареч.* unnoticeably; imperceptibly; before one realizes it; **дните минават ~** the days slip by; time flies.

неуспѐх *м.*, **-и, (два) неуспѐха** failure, reverse, unsuccess, ill success, miscarriage, mishap, bad shot, *разг.* flop, muff; (*временен*) setback, check; (*на планове и пр.*) defeat; **претърпявам ~** fail, miscarry, suffer a setback; **при ~, в случай на ~** in case of failure; **пълен ~** complete failure, *разг.* no go.

неуспѐш|ен *прил.*, **-на, -но, -ни** unsuccessful; abortive; **~ен опит за бягство** (*на затворник*) an abortive escape attempt; **~но начало** an inauspicious beginning; **правя ~ен опит** try and fail.

неуспѐшно *нареч.* unsuccessfully, without success.

неуспя̀л *прил.* (*пропаднал*) unsuccessful; **~ човек** failure, *разг.* a might-

have-been, *амер. sl.* never-wuzzer.

неустано̀вен *прил.* unestablished; uncertain; unfixed; unsettled; undecided; pendent; indeterminate; unadjusted; *разг.* up in the air, in the balance; (*за мнение*) fluid; (*за време*) variable, changeable.

неусто̀им *прил.* irresistible, compelling, ravishing; overweening, overwhelming, overpowering.

неусто̀йк|а *ж.*, **-и** default; failure/neglect to fulfil o.'s obligations, defection; (*глоба за неизпълнение на задължения*) forfeit; (*глоба*) liquidated damages; *жп., мор.* demurrage; penalty for breaking a contract; **плащам ~а** pay a penalty; pay damages.

неусто̀йчив *прил.* unstable, unsteady, nonpersistent; top-heavy, waggly; (*колеблив*) fluctuating, variable, changeable; (*на студ*) *бот.* frost-tender; *хим.* inconstant, labile; **~о равновесие** *физ.* mobile equilibrium, lability.

неусто̀йчивост *ж., само ед.* instability, lability, unsteadiness, unstableness; fluctuation; changeability, flimsiness; topheaviness.

неустрашѝм *прил.* fearless, intrepid, dauntless, undaunted, unshrinking, mettlesome, lion-hearted; bold, daring, dashing, gallant; *книж.* valiant.

неутвърдѐн *прил.* (*за закон*) unenforced; unacknowledged.

неутѐш|ен *прил.*, **-на, -но, -ни** uncomforted.

неутешѝм *прил.* inconsolable, disconsolate, desolate.

неутешѝмост *ж., само ед.* desolation; disconsolation.

неутешѝтел|ен *прил.*, **-на, -но, -ни** not comforting/reassuring.

неутолѐн *прил.* (*за глад*) unappeased, (*за жажда*) unquenched, unslaked.

неутолѝм *прил.* (*за глад*) unappeasable, unappeased (*и прен.*); (*за жажда*) unquenchable (*и прен.*); insatiate, insatiable (*и прен.*); *прен.* inextinguishable.

неуточнѐн *прил.* unspecified, undesignated; (*за план и пр.*) not final.

неутра̀л|ен *прил.*, **-на, -но, -ни** neutral (*и ел., хим.*); middle-of-the-road (*attr.*); *ел., хим., физ.* indifferent; *мед.* (*за лекарство*) adiaphorous; colo(u)rless; **~ен наблюдател** a neutral/catho-

lic observer; ~ен съм be neutral, not take sides; not hold any brief for s.o.; ~на зона a neutral zone, no man's land.

неутрализа̀тор м., -и, (два) неутрализа̀тора neutralizer.

неутрализа̀ци|я ж., -и neutralization; balancing-out, equalization; ~я на заряд charge neutralization.

неутрализѝрам гл. neutralize; (влияние и пр.) counter; counterbalance; nullify; физиол. (действам на мускул) antagonize; мед. guard; (киселина) deacidify.

неутралитѐт м., само ед. neutrality; договор за ~ treaty of neutrality; пазя ~ maintain neutrality; разг. sit on the fence.

неутра̀лност ж., само ед. neutrality.

неутро̀н м., -и, (два) неутро̀на физ. neutron; непроницаем за ~и neutron-tight.

неутро̀н|ен прил., -на, -но, -ни neutron (attr.).

неучтѝв прил. impolite, uncivil, uncomplimentary, discourteous, uncourteous, disrespectful; rude (към to); thoughtless; разг. puppyish; ~о е да it is bad manners to, it is rude to.

неучтѝвост ж., само ед. impoliteness, incivility, discourtesy, discourteousness, disrespectfuness, rudeness.

неую̀т|ен прил., -на, -но, -ни not cosy.

неую̀тност ж., само ед. lack of cosiness.

неуязвѝм прил. invulnerable, immune (to); ~ от бомби bomb-proof.

неуязвѝмост ж., само ед. invulnerability.

нефизѝч|ен прил., -на, -но, -ни unphysical.

нефилтрѝран прил. unfiltered.

нефинансѝран прил. unbudgeted.

нефокусѝран прил. out-of-focus, unfocused.

нефоло̀|г м., -зи nephologist.

нефоло̀гия ж., само ед. nephology.

неформа̀л|ен прил., -на, -но, -ни informal.

неформулѝран прил. unformulated.

нефотогенѝч|ен прил., -на, -но, -ни unphotogenic.

нефрѝт₁ м., само ед. мед. nephritis; остър/хронически ~ Bright's disease.

нефрѝт₂ м., само ед. минер. nephrite, jade, kidney-stone, greenstone.

нефт м., само ед. oil, petroleum, rock-oil; **суров** ~ naphtha, base/crude/mineral/mother oil.

нѐфтен прил. oil (attr.), petroleum (attr.); ~а платформа oil-rig; ~о находище oil field; ~о петно oil slick.

нѐфтодо̀бив м., -и petroleum/oil production.

нѐфтодо̀бив|ен прил., -на, -но, -ни oil-producing, oil (attr.); ~на промишленост oil industry.

нѐфтонахо̀диш|е ср., -а oil field.

нѐфтопрера̀ботване ср., само ед. petroleum/oil refining/processing.

нѐфтопрера̀ботва̀тел|ен прил., -на, -но, -ни; **нѐфтопрера̀бо̀тваш** прил. oil processing, oil refining, petroleum processing, petroleum refining; ~ен завод an oil refinery.

нѐфтопрово̀д м., -и, (два) нѐфтопрово̀да oil conduit (pipe), oil pipeline.

нѐфтопроду̀кт м., -и, (два) нѐфтопроду̀кта petroleum/oil produce; от-падъчен ~ slop oil.

нѐфтохимѝч|ен прил., -на, -но, -ни petrochemical; ~ен комбинат petrochemical plant; ~на промишленост petrochemical industry.

нѐфтохранѝлиш|е ср., -а oil storage tank.

неха̀|ен прил., -йна, -йно, -йни careless, negligent, neglectful, heedless (към of); remiss; lax; inadvertent; (за държане) devil-may-care; ~йно отношение a devil-may-care attitude.

неха̀йство ср., само ед. carelessness, neglect, negligence, want of care, lack of consideration; laxity, remissness, inadvertence, insouciance; devil-may-care attitude; от ~ through negligence; престъпно ~ gross dereliction of duty; юр. culpable negligence.

нехара̀ктер|ен прил., -на, -но, -ни not characteristic/typical (за of), uncharacteristic, unrepresentative; extrinsic(al).

нехармонѝч|ен прил., -на, -но, -ни unharmonious, inharmonious, inharmonic, nonharmonic, disharmonious, dissonant; discordant; out of tune (with); (нехармонираш) clashing, conflicting, discrepant.

неха̀я гл., мин. св. деят. прич. неха̀ел take no heed (за of); neglect (s.th.); be careless/negligent (of); have no consid-

eration (for); not care, couldn't care less.

нехерметѝч|ен прил., -на, -но, -ни unhermetical.

нехерметѝчност ж., само ед. faulty sealing, leakage, seal failure.

нехигиенѝч|ен прил., -на, -но, -ни unhealthy, insanitary, unwholesome, unhygienic.

нехоризонта̀л|ен прил., -на, -но, -ни not horizontal, out of level, nonlevel.

нехранѝмайко м., -вци scoundrel, good-for-nothing, ne'er-do-well, scamp, bad lot/egg, blighter, разг. deadbeat; fiddler, fiddle-faddler; sl. waster, wastrel, cloth-ears.

нехранѝтел|ен прил., -на, -но, -ни not nutritious, innutritious.

нехристия̀нск|и прил., -а, -о, -и non-Christian, unchristian.

нехума̀н|ен прил., -на, -но, -ни inhumane.

нецелесъобра̀з|ен прил., -на, -но, -ни inexpedient, unsuitable.

нецелесъобра̀зност ж., само ед. inexpedience.

нецѐнзур|ен прил., -на, -но, -ни obscene, bawdy, ribald, lewd, racy; unquotable, unprintable, salacious, prurient; sl. (предик.) near the bone.

нецензурѝран прил. uncensored.

нецѐнзурност ж., само ед. obscenity, obsceneness, bawdiness, ribaldry, lewdness, salaciousness, prurience.

нецивилизо̀ван прил. uncivilized.

нецивилизо̀ваност ж., само ед. uncivilizedness.

нецитѝран прил. unquoted.

нечѐкан прил. unexpected; ~и гости unexpected visitors, visitors who drop in.

нечѐст|ен прил., -на, -но, -ни dishonest; unfair; unsporting, unsportsmanlike; devious; phoney, underhand; faithless; разг. crooked; ~на игра sl. funny business; ~на постъпка dishonest act, misdealing, foul play; по ~ен начин dishonestly; by dishonest procedures; on the crook; in an underhand way.

нечестѝв прил. impious, ungodly, godless, wicked, profane, unholy, unrighteous; foul-minded; ~ дух evil spirit; ~и сили evil powers.

нечѐстно нареч. dishonestly; deviously; foully; (предателски) in bad faith; постъпвам ~ act dishonestly, hit below the belt.

нечѐстност ж., *само ед.* dishonesty; deviousness; foul play; bad faith; faithlessness; *разг.* crookedness.

нечестолюбѝв *прил.* unambitious, unaspiring.

нечѐт|ен₁ *прил.*, -на, -но, -ни unread; (*неброен*) not counted.

нечѐт|ен₂ *прил.*, -на, -но, -ни (*за число*) uneven, odd.

нечетлѝв *прил.* illegible, unreadable, undecipherable, indecipherable.

нечетлѝвост ж., *само ед.* illegibility, unreadability, unreadableness.

нечѐтност ж., *само ед.* oddness.

нѐчи|й *неопр. мест.*, -я, -е, -и someone's, somebody's.

нечѝст *прил.* unclean, dirty; unwashed; dingy; grimy; uncleanly; (*с примеси*) impure, adulterated; *прен.* dishonourable, disreputable, shady, suspicious; unholy; **извършвам ~а сделка** jockey a transaction; **~а работа** slovenly/careless work, *прен.* shady/suspicious affair/deal; jobbery; *разг.* jiggery-pokery; funny business; **~а сила** an evil spirit; **~а съвест** guilty/bad conscience.

нечистокръв|ен *прил.*, -на, -но, -ни underbred, cross-bred, half-bred, mongrel.

нечистоплът|ен *прил.*, -на, -но, -ни dirty, uncleanly, unwashed, grubby, slovenly.

нечистоплътност ж., *само ед.* dirtiness, slovenliness.

нечистотѝ|я ж., -и filth, dirt, grime, griminess; impurity; (*канална*) sewage; (*и мизерия*) squalor.

нечифтокопѝтни *само мн. зоол.* perissodactyle.

нечленоразд ѐл|ен *прил.*, -на, -но, -ни inarticulate, unarticulated.

нечленоразд ѐлност ж., *само ед.* inarticulateness.

нечовѐч|ен *прил.*, -на, -но, -ни inhuman, inhumane, merciless, cruel, ruthless.

нечовѐшк|и *прил.*, -а, -о, -и inhuman; superhuman; unearthly.

нечу́ван *прил.* unheard of; unprecedented, unparalleled; undreamed of; (*неодобрително*) outrageous; egregious; **~о нахалство** preposterous impertinence; (*това е*) **~о**! well, I never!

нечувствѝтел|ен *прил.*, -на, -но, -ни unsensitive, insensible, insusceptible

(за to); impassive; **той е много ~ен** he has a thick skin, he is a thick-skinned fellow.

нечувствѝтелност ж., *само ед.* insensitiveness, insensibility; impassiveness, impassivity, non-sensitivity; bluntness, dul(l)ness.

нечуплѝв *прил.* unbreakable, non-breakable, shatter-proof, unshatterable; **~о стъкло** safety/unbreakable glass.

нечу́т *прил.* unheard; **оставам ~** go unheard.

нешифрòван *прил.* not in cipher; *фр.* en clair; **~о съобщение** a message in plain language.

нещаст|ен *прил.*, -на, -но, -ни unhappy, unfortunate, miserable, wretched, woeful, woebegone; unlucky, luckless; inauspicious; ill-fated, ill-starred, sick as a parrot; **~ен случай** an accident; mischance; misadventure; **~на съдба** ill-fate; **роден под ~на звезда** ill-starred.

нещасти|е ср., -я unhappiness, misery; misfortune, bad fortune, bad/hard/ill/rough luck; sorrow; **във всяко ~е има лъч надежда** every cloud has a silver lining; **за ~** as ill luck would have it; **~ето рядко идва само** an evil chance seldom comes alone; misfortunes/troubles never come alone/singly; *книж.* when sorrows come they come not single spies but in battalions; disasters come treading on each other's heels; **предвещавам ~е** be an ill omen, bode ill (for s.o.).

нещастни|к м., -ци wretch; unfortunate/luckless/ill-fated wretch/fellow.

нещастниц|а ж., -и wretch, unfortunate/luckless/ill-fated wretch/woman.

нещат|ен *прил.*, -на, -но, -ни supernumerary, part-time, not regularly appointed; not on the regular payroll.

нещ|о₁ ср., -а object, thing; something; (*във въпросителни изречения*) anything; **в реда на ~ата е** it's a matter of course, it's the natural order of things; **две мили и ~о** a little over than two miles; **иди си вземи ~ата** go and get your things/belongings; **имат го за ~о** he's thought highly of; **~ата вървят добре** it's all smooth sailing; **оставям ~ата да следват своя ход/своето развитие** let things take their course.

нещо₂ *нареч.* slightly, a bit, somewhat;

~ като (a) sort of; **~ повече** and what is more; **~ си неспокоен** you seem to be worried; **той е ~ като музикант** he is a kind of a musician, he is by way of being a musician, he is something of a musician; *пренебр.* he is a musician of sorts.

нѐя *вин. пад. на личното мест.* **тя 1.** her; **2.** that; **~ нощ** (on) that night.

неявя́ване ср., *само ед.* failure to appear/attend, non-appearance; (*пред съда*) non-appearance, default (of appearance); **~ на работа** absence from work.

неядлѝв *прил.* uneatable.

нейс|ен *прил.*, -на, -но, -ни vague, blurred, indistinct; out of focus; foggy; dim, obscure, unclear, pale, fuzzy; dreamy; (*за мисъл*) woolly, ill-defined; (*за почерк*) illegible; (*объркващ*) confusing; equivocal; **~ен негатив** *фот.* clogged negative; **~ни доводи** unclear/intangible arguments.

нейсно *нареч.* vaguely, indistinctly, dimly, obscurely, darkly.

неяснот|а ж., -и vagueness, lack of distinctness; dimness, obscurity; fogginess; fuzziness; illegibility; ambiguity; **в доклада има много ~и** there are many unclear points in the report; **това внася ~а** this is confusing.

ни₁ *част.* not a (single), never a; **~ в туй, ~ в онуй време** out of season, (*толкова късно, рано*) at such an (unearthly) hour; **~ най-малко** not in the least, not a bit of it; **~ ... ~** neither ... nor; **~ риба, ~ рак** neither fish nor fowl; neither flesh nor good red herring; **той не разбра ~ дума** he didn't understand a word.

ни₂ *кратка форма на:* **1.** личното мест. **ние** (to) us; **2.** *прит. мест.* **наш** our; **майка ~** our mother.

нѝв|а ж., -и (corn)field; **работа на ~ата** work in the field; ● **~а без плевел няма** there is a rotten apple in every bunch.

нивелацион|ен *прил.*, -на, -но, -ни levelling.

нивелàци|я ж., -и levelling.

нивелѝр м., -и, (*два*) **нивелѝра** (spirit) level, water-level, level gauge; (geodetic) level, surveyor's level, alignment sight, gradienter.

нивелѝрам *гл.* level, align; even.

нивелѝран|е *ср.*, -ия levelling, alignment; evening.

нив|ò *ср.*, -à level; издигам на повисоко ~о raise to a higher level, level up; на ~о съм measure up; be up to scratch; ~о на водата water level; ~о на живота, жизнено ~о a standard of living; под ~ото below standard.

Нигер *м. собств.* Niger.

нигерѝ|ец *м.*, -йци Nigerian.

негерѝйк|а *ж.*, -и Nigerian woman.

нигерийск|и *прил.*, -а, -о, -и Nigerian.

Нигèрия *ж. собств.* (Federation of) Nigeria.

нидерлàнд|ец *м.*, -ци Netherlander.

Нидерлàндия *ж. собств.* the Netherlands.

нидерлàндк|а *ж.*, -и Netherlander.

нидерлàндск|и *прил.*, -а, -о, -и Netherlandish.

нѝе *лично мест.* we.

нѝжа *гл.*, *мин. св. деят. прич.* нѝзал string, thread; (*връв*) lace (through); ~ тютюн string tobacco; || ~ се come/go/ drag/file one by one; дните се нижат the days go by, day after day passes by.

низ *м.*, -ове, (два) нѝза string (*и прен.*); *прен.* sequence, series; concatenation; животът му е ~ от подвизи his life is full of heroism; his life was one exploit after another; ~ жълтици a string of gold coins; ~ от неприятности a run of bad luck.

низин|à *ж.*, -й 1. lowland(s), low place, low-lying country/land; 2. *само мн. прен.* lower strata of society, ranks of the people, rank and file; издигам се от ~ите rise from the gutter; 3. *само мн. муз.* lower register.

нѝзов *прил.* local; ~ работник/функционер worker in a subordinate organization, local worker/functionary.

нѝзост *ж.*, -и meanness, baseness, vileness, sordidness, villainy; contemptibility, contemptibleness, manginess, sleaziness, littleness, turpitude; извършвам ~ do a mean thing, be guilty of a cowardly act.

низходящ *прил.* descending; downgrade; downcast; ~ ред, ~а градация a descending/decreasing series; по ~а линия in a descending line, in the line of descent.

низш и нѝзш|и *прил.*, -а, -о, -и low,

lower; ~ персонал (*слуги*) under-servants; ~и инстинкти low/base instincts.

низшестоящ *прил.* inferior, minor.

нѝз|ък *прил.*, -ка, -ко, -ки mean, base, vile, low, paltry, despicable, ignoble, contemptible, mean-spirited, menial, low-minded, *разг.* dirty, low-down; ~ка постъпка a mean act, ignominy; от ~ък произход of mean/humble birth, ignoble.

нѝкак *нареч.* not a bit, not the least bit, not at all, not a whit, never a whit; ~ не мигнах тая нощ I never slept a wink that night.

нѝкак|ъв *отриц. мест.*, -ва, -во, -ви no; (*след гл. в полож. форма*) any; (*след гл. в отриц. форма*) none; (*без същ.*) none; в ~ъв случай by no means; ~ва видимост no visibility, vision nil; няма ~во съмнение there is no doubt whatever; по ~ъв начин by no means; in no wise.

Никарàгуа *ж. собств.* Nicaragua.

нѝкел *м.*, *само ед.* nickel.

никелѝрам *гл.* nickel, plate with nickel.

нѝкна *гл.* shoot, sprout, germinate, grow; на бебето му никне зъб the baby is cutting a tooth; • дето не го сееш, там никне he springs up out of nowhere; дето стъпи, трева не никне he leaves a trail of destruction.

нѝкога *нареч.* never; ever; not once; at no time; ~ в живота си never in my life, in all my born days, never in my born days; ~ не съм виждал такова нещо never have I seen such a thing; по-добре късно, отколкото ~ better late than never; утре може да значи ~ tomorrow never comes.

нѝко|й *отриц. мест.*, -я, -е, -и no one, nobody, not anyone, not anybody; ~й друг освен no other than; по ~е време at an unearthly hour.

никотѝн *м.*, *само ед.* nicotine.

никотѝнов *прил.* nicotine (*attr.*), nicotinic.

нѝкъде *отриц. нареч.* nowhere, not anywhere; няма го ~ he is nowhere to be found, he is not to be found anywhere; с това до ~ не стигнах that got me nowhere.

нима *част.* really, indeed, is it possible, you think so; you don't say so? is that so? really! indeed! oh, do you/does he, etc.; ~ е истина? can it be true? ~

не го познаваш? surely you know him? ~ не знаеш това? is it possible that you don't know about it? but surely you know that.

нимб *м.*, *само ед.*; нѝмб|а *ж.*, -и *рел.* nimbus, halo; *изк.* vesica.

нѝмф|а *ж.*, -и *мит.* nymph; горска ~а wood nymph, dryad.

нимфомàния *ж.*, *само ед. мед.* nymphomania.

нимфомàнск|и *прил.*, -а, -о, -и nymphomaniacal.

нѝпел *м.*, -и, (два) нѝпела *техн.* nipple, sleeve, adapter; union.

нирвàна *ж.*, *само ед. рел.* (*и прен.*) nirvana.

нѝско *нареч.* low; димът се стеле ~ the smoke hangs low; той говори ~ he speaks in a low voice.

нѝскокалорѝч|ен *прил.*, -на, -но, -ни (*за храна, напитка*) lite, low-cal.

нѝскокàчествен *прил.* off-grade, of poor/inferior quality, ropy.

нисш *прил.* low, lower.

нѝс|ък *прил.*, -ка, -ко, -ки low (*и за цена, температура и пр.*); (*за човек*) short, of short stature, small in stature, undersized, *шег.* vertically challenged, (*и набит*) stumpy, stubby; (*за глас*) low, low-pitched; (*за качество*) bad, poor, inferior; (*за автомобил*) low-slung; много ~ки температури frigid temperatures; ~ко налягане low pressure; ~ък удар *спорт.* (*в бокса*) low blow.

нит *м.*, -ове, (два) нѝта *техн.* rivet, clinch(er).

нитрàт *м.*, -и *хим.* lunar caustic; nitrate; натриев ~ sodium nitrate.

нихилѝз|ъм (-мът) *м.*, *само ед.* nihilism.

нихилѝст *м.*, -и; нихилѝстк|а *ж.*, -и nihilist.

нихилистѝч|ен *прил.*, -на, -но, -ни; нихилистѝческ|и *прил.*, -а, -о, -и nihilistic.

ницшеàнство *ср.*, *само ед.* Nietzscheism.

нѝчи|й *отриц. мест.*, -я, -е, -и nobody's, no one's, no man's.

нѝш|а *ж.*, -и niche; recess; cubbyhole; *архит.* bay; анализ на ~ите *марк.* gap analysis.

нишадър *м.*, *само ед. хим.* sol ammoniac, ammonium chloride.

нишàн *м.*, -и, (два) нишàна *диал.* **1.** (*белег, знак*) sign, mark, note, vestige; **2.** (*мишена*) target, shooting-mark.

нишестè *ср.*, *само ед.* (*кола*) starch, farina; (*за ядене*) farina; **с намалено съдържание на** ~ starch-reduced.

нùшк|а *ж.*, -и fibre, thread; *бот.*, *ел.* filament; (*на разговор, разказ*) thread; **заплетени** ~и snarl; **минавам като червена** ~а **през** run like a red/scarlet/connecting thread through; **пътеводна** ~а clue.

нишковùд|ен *прил.*, -на, -но, -ни threadlike, filiform, fibriform, fibrelike, filamentous, filamentary.

нищетà *ж.*, *само ед.* misery, poverty, destitution, need, neediness; **духовна** ~ spiritual poverty, poverty of spirit; **изпадам в** ~ fall on evil days; **роден в** ~ born in the midst of misery.

нùщо *ср.*, *само ед.* nothing, (not) anything; nil; nought; *sl.* nix; **дрехите ти запрuличаха на** ~ your clothes look like nothing on earth; **за** ~ **на света** (not) for love or money, under no circumstances, not for all the tea in China; *sl.* not for toffee; **за** ~ **не го бива** he is good for nothing, he's a bad egg; **започвам от** ~ start from scratch; rise from nothing; ~ **особено** nothing special/extraordinary, nothing out of the way, nothing to speak of, *разг.* nothing very much, no great shakes; nothing to write home about; **нямам** ~ **що с** have nothing to do with; have nothing in common with; **ядосвам се за** ~ **и никакво** the merest trifle puts me out.

нищòж|ен *прил.*, -на, -но, -ни insignificant, trifling, worthless, paltry, twopenny-halfpenny, *разг.* footling; niggly, miserable; ~**ен човек** worthless/paltry fellow; ~**на сума** insignificant/paltry/nominal/exiguous sum; **обявявам за** ~**ен** declare void.

нищòжеств|о *ср.*, -а (*човек*) nonentity, nobody, nincompoop, squit, nullity, *разг.* insect, *амер.* *sl.* nit.

нùщя *гл.*, *мин. св. деят. прич.* **нùщил** pick (thread by thread), unravel, disentangle, untwine; || ~ **се** ravel.

но *съюз* but; **невероятно,** ~ **факт** strange and yet true; ~ **все пак** and yet; nevertheless.

Нòбелов *прил.* Nobel; ~**а награда** Nobel prize; **носител на** ~**а награда** Nobel prize winner.

нов *прил.* new; (*необикновен*) novel; (*модерен, съвременен*) modern; (*неизносен*) unworn; **като** ~ in mint condition; ~**а история** modern history; ~**и сведения** fresh news; **с** ~**а надежда, че** with renewed hope that; **съвсем** ~, ~**новеничък** brand new; *разг.* hot, hot off the press; spick-and-span; **той е** ~ **в тази работа** he is a new hand at this; • ~ **ден,** ~ **късмет** there's always hope; ~**а година** New Year, New Year's Day; ~**о двайсет** one more damn thing, a new one (on me).

Нòва Гвинèя *ж.* *собств.* New Guinea.

Нòва Зелàндия *ж.* *собств.* New Zealand.

новà|к *м.*, -ци novice, tyro, tiro, greenhorn, green hand, tenderfoot, beginner, neophyte, *разг.* fledg(e)ling; wet behind the ears, *sl.* mug; ~**ци** novices, beginners, babes and sucklings.

новàтор *м.*, -и; **новàторк|а** *ж.*, -и innovator; *рел.* neologist.

новèл|а *ж.*, -и *лит.*, *кино.* novelette, (long) short story, short novel.

новин|à *ж.*, -и (a piece of) news; (**във вестник и пр.**) a news story; (**една**) **тъжна** ~а a sad piece of news, sad news; **имаш ли** ~**и от него?** have you heard from him? ~**и** (*по радиото* – **бюлетин**) news bulletin, newscast.

новобрàн|ец *м.*, -ци recruit, trainee, *амер.* inductee, *sl.* rookie, sprog; novice, greenhorn; **събирам/набирам** ~**ци** recruit men.

новобрàнск|и *прил.*, -а, -о, -и recruit (*attr.*).

нововъведèни|е *ср.*, -я innovation, novelty, reform; **правя** ~я introduce reforms/changes, bring in changes.

новогодùш|ен *прил.*, -на, -но, -ни New Year's, New Year (*attr.*); ~**ни пожелания** wishes for the New Year.

новодòм|ец *м.*, -ци **1.** newly married couple; **2.** newcomers.

новозелàнд|ец *м.*, -ци; **новозелàндк|а** *ж.*, -и New Zealander; *разг.* Kiwi.

новозелàндск|и *прил.*, -а, -о, -и New Zealand (*attr.*), of New Zealand.

новоиздàден *прил.* newly/recently published.

новооткрùт *прил.* **1.** (*за магазин и пр.*) newly/recently opened; **2.** newly

discovered, new-found; ~**а звезда** *астр.* nova.

нòвост *ж.*, -и novelty; modernism; (*новина*) fresh news; **последна** ~ **на модата** the last word in fashion.

новосъздàден *прил.* newly created; ~**а служба** newly instituted office.

ноèмври *м.* *неизм.* November; **през** ~ in November.

ноемврùйск|и *прил.*, -а, -о, -и November (*attr.*), of November.

нож *м.*, -ове, (два) нòжа knife, *pl.* knives; *техн.* blade; cutter; cutting tool; (*на плуг*) coulter; **изтеглям** ~**а от ножницата** draw o.'s sword; **минавам под** ~**а** be massacred, be put to the sword, be slaughtered; ~ **с две острuета** a mixed blessing; **сгъваем** ~ **а** clasp knife, a jack knife; • **когато опре** ~**ът до кокала** when the worst comes to the worst, when it comes to the crunch; **на** ~ **съм с някого** be at daggers drawn with s.o., be at logger heads with s.o.; be on fighting terms (with).

нòжица *ж.*, *само ед.* и **ножици** *само мн.* **1.** scissors; (*градинарска*) clippers; pruning shears; (*овощарска*) billhook; (*за ламарина*) snips; **режа с** ~ scissor, shear, snip; **2.** *спорт.* scissor jump.

нòжички *само мн.* small scissors; **за нокти** nail-scissors.

нòжче *ср.*, -та pen-knife, pocket-knife (*също: джобно* ~); ~ **за бръснене** blade, a razor blade, a safety razor blade.

нòздр|а *ж.*, -и nostril.

нòкаут *м.*, -и, (два) нòкаута *спорт.* knock-out; *разг.* outer.

нокаутùрам *гл.* knock out, beat by knock-out; flatten.

нòкдаун *м.*, -и, (два) нòкдауна *спорт.* knockdown.

нòк|ът (-ътят) *м.*, -ти, (два) нòкътя nail; (*на ръката*) finger-nail; (*на крака*) toe-nail; (*на птица, животно*) claw; (*на хищна птица*) talon; *зоол.* falcula; *прен.* clutch; **забивам** ~**тите си в** claw at; • **изтръгвам някого от** ~**тите на смъртта** snatch s.o. from the clutches of death.

номàд *м.*, -и nomad.

номàдск|и *прил.*, -а, -о, -и nomadic.

номенклатỳра *ж.*, *само ед.* nomenclature, list of items/articles, the Establishment.

нòмер *м.*, -à, (два) нòмера **1.** number;

(*на кола*) registration/licence number, (*табелката*) number plate; (*на документ*) reference number; **изходящ ~** office number; **поредни/серийни ~а** running numbers; **2.** (*на обувки, дрехи и пр.*) size; **кой ~ обувки носите?** what size do you take in shoes?; **3.** (*на вестник, списание*) issue, number; **4.** (*в програма*) item, number, turn (on the programme); *амер.* feature; **5.** (*шега и пр.*) trick; dido; *разг.* wheeze; (*дяволия*) quirk; (*груба шега*) practical joke; (*минавка*) *разг.* hype; **втори път този ~ не минава** you shall not serve that trick twice; **разбирам ~ата му** I see through him; ● **отбивам (си)** ~**а** do the (bare) minimum, do s.th. for show, do no more than need be, just to say we've done it, for appearance's sake.

номера̀ци|я ж., -и numeration, numbering; (*на страници*) pagination, foliation.

номерѝрам *гл.* number, numerate, (*страници*) paginate.

номина̀л м., *само ед.* *фин.* par; **стойност по ~** par value.

номина̀л|ен *прил.*, -на, -но, -ни nominal; titular; *техн.* rated; **~на стойност** face value.

номина̀ци|я ж., -и nomination.

номинѝрам *гл.* nominate.

Норвѐгия ж. *собств.* Norway.

норвѐж|ец м., -ци; **норвѐжк|а** ж., -и Norwegian.

норвѐжк|и *прил.*, -а, -о, -и Norwegian; **~и език** Norwegian; Norse.

но̀рк|а ж., -и *зоол.* mink (*Putorius lutereola или vison*).

но̀рм|а ж., -и standard, rate, norm; quota; target figure; **морална ~а** moral standard, standard of behaviour; **над/ свръх ~ата** above the norm/average; above the planned output, above the quota planned; **под ~ата** below the norm/line; **правна ~а** legal regulation.

норма̀л|ен *прил.*, -на, -но, -ни **1.** normal; standard; natural; ordinary; unexceptional; average; (*за пулс*) steady; (*психически*) sane, of sound mind, in o.'s right mind, in o.'s senses, in possession of all o.'s faculties; **~ен курс** *търг.* parity; **~на скорост** working speed; **2.** *мат.* perpendicular, normal.

нормализа̀ция ж., *само ед.* normalization.

нормализѝрам *гл.* normalize; bring to normal; || ~ **се** return to normal, get back to normal; **животът (отново) се нормализира** life is returning to normal.

норма̀нд|ец м., -ци; **норма̀ндк|а** ж., -и Norman.

Норма̀ндия ж. *собств.* Normandy.

норма̀ндск|и *прил.*, -а, -о, -и Norman.

норматѝв м., -и, (*два*) **норматѝва** norm; rate; quota; amount per unit output, allowance, standard consumption; **~и** specification, norms.

норматѝв|ен *прил.*, -на, -но, -ни normative; **~ен акт** enactment.

нормѝрам *гл.* standardize, normalize; ration.

нормѝран *мин. страд. прич.* (*и като прил.*) fixed; ~ **работен ден** legal working hours; **~и цени** fixed/standard prices.

нос м., -**овѐ**, (*два*) **но̀са** **1.** nose; *sl.* beak, nozzle, pecker; **говоря под ~а си** mumble under/below o.s breath; **орлов ~** hawknose; **чип ~** turned-up/tiptilted/snub nose; **2.** (*на обувка*) toe; **3.** (*на кораб*) bow, head, prow; **4.** *геогр.* cape, promontory, foreland, (*малък*) gore; ● **водя някого за ~а** lead s.o. by the nose; **изкарвам някому нещо през ~а** make s.o. pay through the nose for s.th.; **пъхам ~а си в чужди работи** poke o.'s nose into other people's affairs, meddle with other people's affairs.

носа̀ч м., -и **1.** porter, carrier; **2.** *ел., жп* messenger; **3.** *строит.* collar-beam, cross-bar.

носѝтел (-**ят**) м., -и bearer; (*на зараза*) *мед.* carrier, vector, infector; (*на награда*) winner; ~ **на нови идеи** a herald of new ideas.

носоро̀|г м., -**зи**, (*два*) **носоро̀га** *зоол.* rhinoceros, *разг.* rhino.

носталгѝч|ен *прил.*, -на, -но, -ни nostalgic, homesick.

носта̀лгия ж., *само ед.* nostalgia, homesickness; **обзет от ~** homesick.

но̀ся *гл., мин. св. деят. прич.* **носѝл 1.** (*в ръце, чанта, на гръб*) carry; (*донасям*) bring; (*отнасям*) take; (*имам у себе си*) have with/on/about one; (*за река, вятър*) carry, bear, drift; (*име, следи, признаци*) bear; (*в утробата си*) carry; *мед.* gestate; (*в сърце-*

то си) bear; (*оръжие*) *амер. разг.* tote; **не ~ пари със себе си** I have no money on/with me; **носи ти се славата** everybody's talking about you, your name's on everybody's lips; **2.** (*докарвам, причинявам*) bring; **данъкът носи голям доход** the tax yields a handsome revenue; **3.** (*издържам – тежест*) bear, support, sustain; **тези колони носят тежестта на свода** these pillars bear the weight of the arch; **4.** (*понасям, издържам*) bear; **той носи майтап** he can take a joke; *sl.* he can stand the gaff; **5.** (*дреха и пр.*) wear, (*в даден случай*) have on; (*номер обувки и пр.*) take; ~ **очила** wear spectacles; **6.** (*снасям*) lay; **тези кокошки носят много яйца** these hens are good layers; || ~ **се 1.** (*ходя, движа се безцелно*) drift about/along; (*движа се стремглаво*) rush (along), scud (along); (*движа се плавно*) glide; (*едва докосвам повърхността*) skim; (*за облаци*) sail; (*за дим, облаци*) float, drift; (*летя*) fly; (*по вода, въздух*) navigate; **корабът се носи по вълните** the ship rides (on) the waves, the ship glides swiftly over the waves; ~ **се по течението** (*и прен.*) go with the tide; **2.** (*за дреха*) be worn; **това сега много се носи** this is now in general wear; **3.** (*обличам се*): ~ **се добре** dress well, be always well turned out, be particular about o.'s clothes; ● ~ **някого на ръце** wait on s.o. (hand and foot); ~ **отговорност** bear a/the responsibility, be responsible; bear the blame.

но̀т|а₁ ж., -и *муз.* note; **свиря без ~и** play without music.

но̀т|а₂ ж., -и *полит.* note; **вербална ~а** a verbal note.

нотариа̀л|ен *прил.*, -на, -но, -ни notarial; **~ен акт** notarial act, deed, title deed.

нота̀риус м., -и notary.

но̀т|ен *прил.*, -на, -но, -ни music (*attr.*); **~но пеене** singing to music.

но̀тк|а ж., -и shade, tinge, touch; ring; tang; note; flavour; **горчива/злобна ~а** a touch of bitterness/malice.

но̀у-ха̀у *ср., само ед.* *икон.* know-how, expertise.

нощ ж., -и night; **за една ~** overnight; **посред ~** in the middle of the night, at

midnight; **цяла ~ не съм мигнал** I haven't slept a wink all night.

нòщ|ен *прил.*, **-на, -но, -ни** night (*attr.*); nightly, nocturnal; (*за птица*) night (*attr.*), vespertine; **~ен пазач** night watchman; **~на пеперуда** moth, a nocturnal butterfly.

нощỳвам *гл.* spend/pass the night, stay for the night, sleep; *разг.* doss (down); **оставам да ~ у някого** stay overnight with s.o.

нрав *м.*, **-и** character, temperament, nature, disposition, temper; **странен по ~** of a strange disposition; **това не е по ~а ми** I don't like such things.

нрàвствен *прил.* moral; ethic(al); **~а личност** a person of high morals.

нỳжд|а *ж.*, **-и 1.** (*потребност*) need; necessity; **ако стане ~а** if the need should arise, if the need arises, if it becomes necessary; **имам ~а от нещо/някого** need s.th./s.o.; **2.** (*липса, бедност*) want, poverty, indigence, straits, straitened circumstances; **изпадам в ~а** be in need (of money).

нуждàя се *възвр. гл.* need; (**от -**) want, require, be/stand in need of; **~ много от нещо** need s.th. badly.

нỳл|а *ж.*, **-и** zero, nought, naught, nil; (*при изговаряне на телефонни и други номера*) О (*буквата*); *мат.* nothing, nought; *прен.* cipher, nonentity, nullity, *разг.* insect, *амер. sl.* nit;

спорт. nil, (*тенис*) love; **под/над ~ата** (*за температура*) below/above zero.

нỳлев *прил.* zero (*attr.*); *мат.* sub-zero; **с ~ резултат** goalless.

нюàнс *м.*, **-и, (два) нюàнса** shade; nuance; hue; touch; tincture; **без ~и** unshaded.

нюх *м.*, *само ед.* (*обоняние*) scent; *прен.* acumen, flair, scent, *разг.* nose, feeling; **имам тънък ~ за нещо** have a flair for s.th.

някàк|ъв *неопр. мест.*, **-ва, -во, -ви** some (kind of); (*какъв да е*) any (kind of); whatever; **пихме ~во кафе** we had coffee of a kind.

някога *неопр. нареч.* (*за минало*) once, formerly, in former times, in the past, at one time; (*едно време*) once upon a time; (*в миналото*) in times gone: (*във въпрос. изреч.*) ever; (*за бъдеще*) some time; some time or other; some/one day; **все ~ ще дойде** he will come some time or other.

няко|й *неопр. мест.*, **-я, -е, -и** (*в полож. изреч.*) some, somebody, someone; (*във въпрос. и отриц. изреч.*) any, anybody, anyone; **~й ден** some day; one of these days.

някòлко *неопр. мест.*, *числ.* several, a few, some; **~ капки лимон** a squeeze of lemon; **~ пъти** several times, on several occasions; **с ~ думи** in a few words, (*съвсем накратко*) in a nutshell.

нàкъде *неопр. нареч.* (*в полож. изречения*) somewhere; someplace; (*във въпрос. изречения*) anywhere; (*неизвестно точно къде*) somewhere or other; **виждал ли си ~ чантата ми?** have you seen my bag anywhere? **~ другаде** somewhere else, someplace else; **~ по средата** (sort of) in-between; **там ~** thereabouts.

ням *прил.*, **-а, -о, нèми 1.** dumb; *като същ.* mute; *фон.* mute, silent; **~ от/по рождение** born dumb; **2.** *прен.* mute, silent; **~о съгласие** tacit consent; **• ~ като риба/гроб/смъртта** dumb as an oyster/a fish;, silent as the grave.

нàма *безл. гл., мин. св. деят. прич.* **нàмало 1.** (*за образуване на отриц. форма на бъдеще време*) shall/will not, shan't, won't; **~ да стигне за всички** there is not enough to go round; **2.** (*не се намира, не съществува*) there is/are not; (*не е налице*) not be, be gone; **къщата вече я ~** the house is no more; **~ смисъл** it's no good/use (doing s.th.); **• ~ връщане назад** what's done can't be undone; it can't be helped; **~ защо** (*отговор на благодарност*) you're welcome; don't mention it; not at all.

нàмам *гл.* not have (got); have no ...; lack; **~ сили/средства да направя това** I can't rise to it; **• такива да ги нàмаме** none of that.

о₁ *предл.* against; on, to, onto; **придържам се ~ закона** keep within/abide by the law.

о₂ *междум.* oh, поет. o; **~ боже!** oh dear me!

оа̀гням се и обагням се, обагня се *възвр. гл.* lamb, yean.

оа̀зис *м.*, -и, (два) **оа̀зиса** oasis (*и прен.*), *pl.* oases.

обагрям, обагря *гл.* (*оцветявам*) colour, tint, paint, dye; (*оцветявам с червена боя*) crimson, encrimson, empurple; (*нашарвам*) variegate; **~ с кръв** stain with blood/red; || **~ се** turn crimson/red.

обажда̀м, оба̀дя *гл.* **1.** (*съобщавам*) tell (**някому** s.o.), let (s.o.) know, inform (s.o.); notify (s.o.), report (to s.o.); **2.** (*съобщавам за нарушение и пр.*) tell tales (**за** about), inform (against), sneak (on); **не ~ никому** keep o.'s own counsel; **~ някому тайна** let s.o. in on a secret; divulge a secret; || **~ се 1.** (*отговарям*) answer; reply; **2.** (*вземам думата, казвам, без да ме питат*) come forward; break/chime/chip in; sound off; **не се ~** hold o.'s peace; **3.** (*извиквам, бивам чут*) hail, call out; (*за радио*) come on the air; **4.** (*известявам за себе си – пиша*) write, drop a line (**на** to); let s.o. hear from one; (*телеграфирам*) telegraph, wire, cable, send (s.o.) a wire/cable; (*телефонирам*) ring (s.o.) up, give (s.o.) a ring; **не се ~** send no news of o.s.; **5.** (*напомням за себе си*) remind of o.s./of o.'s presence; (*за птица и пр.*) announce itself; (*за болест*) play up, *амер.* act up; **6.** (*наминавам, навестявам, посещавам*) call, look (s.o.) up, call to see (s.o.), (*спирам се при*) stop to talk/to speak (to s.o.); **7.** (*явявам се*) report o.s. (to); (*бивам намерен, явявам се*) turn up; **не се обаждай много** keep your breath to cool your porridge; **~ се на зов** answer/respond to a call.

обаждане *ср.*, *само ед.*: **~ по телефона** telephone call.

оба̀че *съюз* however, (*но*) but; though (*в края на изреч.*); **~ сега** (*при сегашното положение*) as it is, as things are/stand.

обая̀ние *ср.*, *само ед.* charm, spell,

enchantment, fascination, glamour; appeal, attraction, magnetism.

обая̀тел|ен *прил.*, -на, -но, -ни charming, enchanting, fascinating; appealing; captivating; glamorous; winning; winsome, fetching; charismatic.

обая̀телност *ж.*, *само ед.* charm, appeal, enchantment.

обваря̀вам, обваря̀ *гл.* boil (slightly), parboil.

обвива̀м, обвия̀ *гл.* (*обгръщам*) envelop, enfold; wrap (up); fold (up; in); (*покривам*) cover; enshroud; (*за растение*) wind/twine round, enwind, entwine, wreathe; enswathe; **~ в мъгла** wrap/shroud in mist; **~ ръце около шията на някого** put/twine/wind o.'s arms round s.o.'s neck, clasp s.o. round the neck.

обвѝв|ен *прил.*, -на, -но, -ни wrapping, packing; **~на хартия** wrapping paper, brown paper; (*тънка*) tissue paper.

обвѝвк|а *ж.*, -и cover, wrapper, envelope; *бот.*, *зоол.* galea; (*люспа*) husk, shell; (*на книга*) dust-jacket; *анат.* membrane, coat, tunic; **външна ~а** outer casing; **ципеста ~а** *анат.* veil; *техн.* jacket; casing.

обвинѐн *мин. страд. прич.* accused (в of).

обвинѐни|е *ср.*, -я accusation (**в** of), charge (of); impeachment; (*изобличаване*) denunciation; *юр.* indictment; (*като страна в процес*) prosecution; **взаимни ~я** mutual accusations, mutual recrimination, recriminations; **~е в престъпление** incrimination; **свидетел на ~ето** witness for the prosecution; **формално ~е** technical charge.

обвинѝтел (-ят) *м.*, -и accuser, *юр.* prosecutor; (*изобличител*) denunciator; *юр.* (*прокурор*) public prosecutor.

обвинѝтел|ен *прил.*, -на, -но, -ни accusatory, inculpatory; condemnatory; **~ен акт** indictment; **~на декларация** incriminatory statement; **~на реч** prosecutor's charge, indictment speech for the prosecution.

обвиня̀вам, обвиня̀ *гл.* **1.** accuse (в of), charge (with), lay to the charge (of); **~ някого в нещо** charge s.th. against s.o., blame s.th. on s.o.; *юр.* indict, arraign; (*действам като обвинител*) conduct the case for the prosecution,

represent the prosecution; **2.** (*укорявам*) blame, consider (s.o.) to blame (**за** for); || **~ се** be accused (**в** of); be charged (with); **~е взаимно** exchange charges/accusations.

обвиня̀ем *сег. страд. прич.* (*и като същ.*) accused, defendant; culprit; **~ият X.** defendant X.

обвѝт *мин. страд. прич.* covered, enveloped, wrapped; **хълмове, ~и в мъгла** hills folded/wreathed/clothed/shrouded in mist.

обвъ̀рзан *мин. страд. прич.* bound (**с** by); (*ангажиран*) committed; **~и ставки** bound rates.

обвъ̀рзаност *ж.*, *само ед.* commitment, involvement.

обвъ̀рзвам, обвъ̀ржа *гл.* bind, tie down; **~ с договор** bind in/with a contract; || **~ се** bind o.s. (**с** to), tie (o.'s) down; (*ангажирам се*) commit o.s. (to), hook into.

обга̀рям, обгоря̀вам, обгоря̀ *гл.* burn (the surface of), scorch, sear, singe, char; *мед.* cauterize.

обга̀ряне *ср.*, -ия burning, scorching, charring; *мед.* cauterization, cautery; **~ия** burns; **средство за ~е** cauterant.

обгорѐн *мин. страд. прич.* burned, burnt; **~ия** ~ receive burns.

обгра̀ждам, огра̀дя *гл.* surround, encircle (*и воен.*); encompass; environ; (*с ограда*) fence in, enclose; **~ с грижи** surround with care, lavish care (on); **тълпата го обгради** the crowd closed round him, he was mobbed; || **~ се** fence/shut o.s. in; *прен.* defend o.s. against; guard o.s. (from, against).

обгра̀ждане *ср.*, *само ед.* encirclement, encompassment, enclosure.

обгръ̀щам, обгъ̀рна *гл.* envelop, shroud, fold, enfold, enclasp; (*за мъгла*) blanket; (*за гора, хълмове*) embosom; (*с мисълта си*) grasp, comprehend; (*с поглед*) take in, embrace; (*включвам*) comprise, include; **~ с поглед** sweep with o.'s sight/a glance.

обѐд *м.*, -и, (два) **обѐда и обя̀д** *м.*, -и, (два) **обя̀да 1.** (*ядене*) dinner; lunch, luncheon; midday meal; **време за ~** dinner-time, lunch-time; **имам гости на ~** have a luncheon party; **на ~** (*по време на обеда*) at/over dinner/lunch; **официален ~** a formal luncheon; **2.** (*пладне*) midday, noon; **преди ~** in the

morning/forenoon, before noon; **след ~** in the afternoon.

о̀бед|ен *прил.*, -на, -но, -ни 1. dinner, lunch (*attr.*); **-на почивка** dinner-hour, a lunch interval/break, a noon recess; 2. midday, noon (*attr.*).

обединѐн *мин. страд. прич.* (*и като прил.*) united, combined, incorporated; (*съвместен*) joint; (*слят*) fused, amalgamated; **~и действия/усилия** joint action(s)/efforts, conjoint action; **~и сили** allied forces; **Организация на ~ите нации** the United Nations Organization, *съкр.* UNO.

обединѐни|е *ср.*, -я 1. union, alliance, association, society, amalgamation; trust; **политическо ~e** political alliance; **стопанско ~e** economic unit/group; 2. (*обединяване*) unification, integration, (*сливане*) fusion; merger.

обединѝтел (-ят) *м.*, -и unifier.

обединѝтел|ен *прил.*, -на, -но, -ни unifying; *лит.* esemplastic; **~но звено** rallying point.

обединя̀вам, обединя̀ *гл.* unify, unite; (*разделена страна*) reunify; *мат.* collate; (*предприятия и пр.*) amalgamate, combine, merge, incorporate, consolidate; (*средства*) pool; **~силите си с** join forces with; || **~ ce** unite, integrate (**c** with); *разг.* tie/team up (with); join/come together; (*за предприятия*) become amalgamated; **обединяваме се за общи действия** join hands.

обединя̀ване *ср.*, *само ед.* unification; *мат.* collating; *юр.* joinder; *полит.* (*на разделена страна*) reunification; **споразумение за ~** association agreement.

обедня̀вам, обедня̀я *гл.* grow/become poor, get poorer, become impoverished/a pauper.

обедня̀ване *ср.*, *само ед.* impoverishment, pauperization.

обезбо̀лявам *гл.* anaesthetize.

обезверѐн *мин. страд. прич.* deprived of faith; despondent, despairing, desperate, hopeless, desolate; disheartened, down-hearted.

обезверѐност *ж.*, *само ед.* despondency, desperation, desolation; hopelessness, down-heartedness.

обезверя̀вам, обезверя̀ *гл.* deprive of faith, shake (s.o.'s) faith; make (s.o.)

lose faith; dishearten; despair; || **~ ce** lose faith; despair.

обезводнѐн *мин. страд. прич.* dehydrated.

обезводня̀вам, обезводня̀ *гл.* dehydrate, deaquate; desiccate; exsiccate; (*местност*) drain.

обезводня̀ване *ср.*, *само ед.* dehydration, drainage, deaquation, desiccation; exsiccation; **~ на организма** exsiccosis.

обезврѐждам и обезвредя̀вам, обезвредя̀ *гл.* make/render harmless/inoffensive/innocuous; (*мина*) make safe, (*бомба и пр.*) dismantle, deactivate, defuse; **~ някого** pull out s.o.'s teeth.

обезвъздуша̀вам *гл.* deaerate.

обезвъздуша̀ване *ср.*, *само ед.* deaeration; bleeding; **~ на спирачки** *авиац.* brake-system bleeding.

обезглавя̀вам, обезглавя̀ *гл.* 1. behead, decapitate; 2. *прен.* deprive of leadership, destroy the brain-centre of.

обезглавя̀ване *ср.*, *само ед.* beheading.

обеззаразя̀вам, обеззаразя̀ *гл.* disinfect, sterilize; decontaminate.

обеззаразя̀ване *ср.*, *само ед.* disinfection, sterilization; decontamination.

обеззаразя̀ващ *сег. деят. прич.* (*и като прил.*) disinfecting; decontaminative; **~о средство** disinfectant, decontaminant.

обезкосмя̀вам, обезкосмя̀ *гл.* dehair, unhair; depilate, epilate.

обезкосмя̀ване *ср.*, *само ед.* depilation.

обезкуража̀вам *гл.* dispirit, discourage, dishearten, unnerve, daunt.

обезкуражѐн *мин. страд. прич.* dispirited, disheartened, discouraged, down-hearted, unnerved.

обезкуражѝтел|ен *прил.*, -на, -но, -ни disheartening, discouraging, dispiriting, unnerving, daunting.

обезкървя̀вам, обезкървя̀ *гл.* drain of blood, bleed.

обезлесѐн *мин. страд. прич.* denuded of forests.

обезлеся̀вам, обезлеся̀ *гл.* deforest, disafforest, disforest, clear of trees.

обезлеся̀ване *ср.*, *само ед.* deforestation, land clearing, disafforestation, disafforestment.

обезлѝствам, обезлистя̀ *гл.* defoliate.

обезлича̀вам, обезлича̀ *гл.* deprive of individuality, take away (s.o.'s) indivi-

duality, depersonalize; || **~ ce** lose o.'s individuality.

обезлича̀ване *ср.*, *само ед.* depersonalization.

обезлюдѐн *мин. страд. прич.* deserted, depopulated, desolate.

обезлюдя̀вам, обезлюдя̀ *гл.* depopulate, unpeople; desolate; || **~ ce** become depopulated/deserted.

обезлюдя̀ване *ср.*, *само ед.* depopulation.

обезмаслѐн *мин. страд. прич.* (*и като прил.*) fat-free, defatted, skimmed; *техн.* degreased; **~о мляко** skim(-med)/non-fat milk.

обезмасля̀вам, обезмасля̀ *гл.* skim, degrease, deoil.

обезмасля̀ване *ср.*, *само ед.* skimming; degreasing.

обезмитѐн *мин. страд. прич.* cleared from customs/duties.

обезмитя̀вам, обезмитя̀ *гл.* pay customs/duties for, see through the customs.

обезобразѐн *мин. страд. прич.* disfigured, misshapen; deformed, defaced; **лице, ~о от шарка** a pock-marked face, a face scarred with smallpox; **~ труп** a mutilated body/corpse.

обезобразя̀вам, обезобразя̀ *гл.* disfigure, mutilate, mangle; deform, deface; defeature; disfeature; (*лице*) scar; (*произведение на изкуството, лит. произведение*) mutilate.

обезобразя̀ване *ср.*, *само ед.* disfiguration, mutilation; deformation, defacement, disfeaturement.

обезопасѐн *мин. страд. прич.* safeguarded; (*за машина и пр.*) fool-proof.

обезопасѝтел|ен *прил.*, -на, -но, -ни: **~ни средства** safety guards.

обезопася̀вам, обезопася̀ *гл.* make/render safe/fool-proof.

обезопася̀ване *ср.*, *само ед.*: **~ на машините** fencing of machinery.

обезоръжа̀вам, обезоръжа̀ *гл.* disarm, unarm.

обезоръжа̀ване *ср.*, *само ед.* disarmament.

обезпаразитя̀вам *гл.* delouse, disinfest.

обезпаразитя̀ване *ср.*, *само ед.* delousing, disinfestment.

обезпеча̀вам, обезпеча̀ *гл.* secure, ensure, cover (against); (*материално*) provide for; (*набавям*) provide.

обезпечаване *ср., само ед.* (*с ценни книжа*) *фин.* securitisation; ~ **на кредит** security for a loan.

обезпечен *мин. страд. прич.* (*и като прил.*) well-provided-for, well-to-do; (*способен да плати, за агент*) *банк.* good for; (*подсигурен*) fail-safe; **материално** ~ of independent means; ~ **дълг** funded debt; (*за емисия на еврооблигации*) *фин.* committed.

обезпечение *ср., само ед.*: **допълнително** ~ *икон.* collateral security; **общо** ~ *икон.* floating charge.

обезпеченост *ж., само ед.* security; **материална** ~ financial security.

обезпокойтел|ен *прил., -на, -но, -ни* disturbing, disquieting, worrying, alarming, troublesomeness; uncanny; unnerving, disconcerting, unsettling; **вземам ~ни размери** assume alarming/startling proportions.

обезпокоявам, обезпокоя *гл.* disturb, trouble, inconvenience, bother; discomfort; discommode; discompose; (*разтревожвам*) alarm, worry, disquiet, perturb, faze.

обезпрашавам, обезпраша *гл.* render dustless, clean the dust out of.

обезпрашаване *ср., само ед.* dust removal.

обезпрашител (-ят) *м., -и техн.* dust-catcher; deduster.

обезсилвам, обезсиля *гл.* enervate, enfeeble; unman, unnerve; debilitate; take the edge off; (*изразвам от съдържание*) eviscerate; (*договор и пр.*) invalidate, make invalid, make null and void, annul, nullify; (*закон и пр.*) negate.

обезсилване *ср., само ед.* enervation; enfeeblement; debilitation; invalidation, annulment, derogation, nullification, rescission.

обезсмислям, обезсмисля *гл.* stultify; make senseless/pointless.

обезсмъртявам, обезсмъртя *гл.* immortalize; (*увековечавам*) eternalize, perpetuate.

обезсолявам, обезсоля *гл.* render saltless, desalinize, desalt, desalinate; freshen.

обезсоляване *ср., само ед.* desalination, desalinization, desalting; salting out.

обезсърчавам, обезсърча *гл.* discour-

age, put out of courage, dishearten, dispirit; choke off; throw cold water on, cast/strike a damp over/into, damp down, dampen, unnerve; || ~ **се** lose heart.

обезсърчен *мин. страд. прич.* dispirited, disheartened, discouraged, downhearted, unnerved.

обезсърчител|ен *прил., -на, -но, -ни* discouraging, unnerving, dispiriting, disheartening; daunting.

обезумявам, обезумея *гл.* go mad/crazy/insane, lose o.'s mind/senses/sanity; ~ **от** be mad/crazed/frantic with.

обезумял *мин. св. деят. прич.* driven mad/wild, frenzied, frenetic, frantic, distracted; (*безумно влюбен*) infatuated; ~ **от скръб** distraught (with grief), frantic with grief.

обезформям, обезформя *гл.* deform, misshape; distort; disfigure, contort.

обезформяне *ср., само ед.* deformation.

обезцветен *мин. страд. прич.* discoloured; *техн.* decoloured; weather-stained.

обезцветявам, обезцветя *гл.* decolour, decolourize, discolo(u)r; bleach; || ~ **се** become discoloured, fade.

обезцветяване *ср., само ед.* decoloration, decolorization, discolo(u)ration, discolo(u)rment; bleaching.

обезценка *ж., само ед.* depreciation.

обезценявам, обезценя *гл.* depreciate, cheapen; *фин.* devaluate, devalue; ~ **валута** devalue a currency.

обезценяване *ср., само ед.* depreciation; devaluation; loss of value; *икон.* debasement.

обезчестявам, обезчестя *гл.* dishonour, violate, rape, ravish, outrage; deflower.

обезчестяване *ср., само ед.* violation, rape, ravishment; defloration.

обезщетени|е *ср., -я* compensation, amends, indemnity, offset; *юр.* damages; **искам ~е** claim damages; **~е за нанесени вреди** compensation for damage; **~е при съкращение** (*от работа*) redundancy payment.

обезщетявам, обезщетя *гл.* compensate, indemnify, make amends (for), make up to (s.o. for), make restitution (for), pay (for); ~ **за вреди и загуби** *юр.* recoup for damages.

обект *м., -и, (два)* **обекта** object (*и*

език.), target; *воен.* objective; (*на шеги, нападки*) butt, target; **постоянен** ~ **на шеги/закачки** standing jest; **работя на** ~ work on a building site/project; **строителен** ~ building/construction site, (building) project; **туристически** ~ beauty spot, place/point of interest; **търговски** ~ commercial outlet.

обектив *м., -и, (два)* **обектива** *опт.* object-glass, lens, objective (*и прен.*); ~ **с голяма светлосила** high-power objective; ~ **с малка светлосила** low-power objective; **широкоъгълен** ~ wide-angle lens.

обектив|ен *прил., -на, -но, -ни* objective, (*безпристрастен*) impartial, unbiased, fair; even-handed; *филос.* (*действителен*) outer; ~**на оценка** an impartial assessment; **по ~ни причини** for objective reasons/considerations.

обективиз|ъм (-мът) *м., само ед. филос.* 1. objectivism; 2. unprincipled attitude.

обективистич|ен *прил., -на, -но, -ни* unprincipled.

обективно *нареч.* 1. objectivery; 2. without bias/prejudice.

обективност *ж., само ед.* objectivity; (*безпристрастност*) impartiality; objectiveness, even-handedness.

обелвам, обеля *гл.* (*плод*) peel, pare, (*кора на дърво*) bark, (*царевица*) husk; (*орех, яйце*) shell; **обелих си коляното** my knee was skinned, I rubbed the skin off my knee, I grazed my knee; ● **не ~ зъб за** make no mention of, keep quiet about.

обелен *мин. страд. прич.* (*и като прил.*) peeled, pared; shelled; grazed, skinned; ~**о място** a raw place.

обелиск *м., -и, (два)* **обелиска** obelisk.

обелк|а *ж., -и* **и обелки** *само мн.* peelings, parings.

обем *м., -и, (два)* **обема** volume, cubage; (*вместимост*) capacity; (*големина*) bulk; (*съдържание*) content; (*размер*) size; *прен.* amount, scope; **мярка за** ~ a measure of capacity; ~ **на продажбите** sales volume.

обем|ен *прил., -на, -но, -ни* volumetric; ~**но тегло** bulk weight, density.

обемист *прил.* voluminous, capacious, bulky; (*голям*) large; (*масивен*) massive.

обѐмност *ж., само ед.* volume; voluminosity, voluminousness; massiveness; *изк.* tactile value.

** òбертон** *м.*, -ове, (два) òбертона *муз.* overtone.

обѐсвам, обѐся *гл.* hang; **ще го обесят за това** he will hang/be hanged for it; *разг.* he will swing for it; || ~ **се** hang o.s.; ~ **се на шията на** hang round s.o.'s neck.

обѐсване *ср., само ед.* hanging; **осъждам на смърт чрез** ~ sentence to death by hanging.

обѐт *м.*, -и, (два) обѐта vow, pledge; **давам** ~ vow, take a vow; **дал съм** ~ be under a vow.

обетòван *прил.* Promised; • ~а земя *библ.* Promised Land.

обещàвам, обещàя *гл.* promise; *прен.* give/show promise, hold out/show a promise, bid fair (да то); **давам повече, отколкото съм обещал** be better than o.'s word; **денят обещава да бъде хубав** it looks as if it is going to be fine; **не** ~ make no promise(s); **той обещава, но не изпълнява** his promises are like piecrust.

обещàващ *сег. деят. прич.* (*и като прил.*) promising; of promise; ~ **художник** budding artist, artist of promise; ~ **човек** coming man, high-flyer, up-and-coming actor/player etc.

обещàни|**е** *ср.*, -я promise; pledge; **давам** ~**е** make a promise, promise, hold out a promise; **изпълнявам** ~**ето си** keep/redeem o.'s promise, act to o.'s promise, fulfil o.'s pledge; be as good as o.'s word/promise, keep o.'s word; **тези** ~**я са вятър и мъгла** these promises are a snare and a delusion.

обжàлвам, обжàля *гл. юр.* appeal (against), lodge/bear an appeal (against).

обжàлване *ср., само ед. юр.* appeal; ~ **на присъда** appeal against a sentence.

обзавѐден *мин. страд. прич.*: **модерно** ~ up-to-date.

обзавѐждам, обзаведà *гл.* fit up/out, equip, furnish; (*с мебели, килими и пр.*) upholster; (*магазин*) stock; ~ **собствено домакинство** start a home/household of o.'s own; || ~ **се** settle, install o.s., establish o.s., get installed, furnish o.'s house; **добре сте се обзавели** you're beautifully set up.

обзавѐждан|**е** *ср.*, -ия fitting-up, furnishing (o.'s house); **кухненско** ~**е** kitchen fittings.

обзалàгам се, обзалòжа се *възвр. гл.* bet, lay a bet, take bets, wager; ~ **за голяма сума** make a wager for a large stake.

обзалàгане *ср., само ед.* bet, betting, wager.

обзѐмам, обзѐма *гл.* (*за страх и пр.*) seize, take hold (of), (*за мисли и пр.*) come over, crowd in upon; possess, dominate.

обзòр *м.*, -и, (два) обзòра **1.** survey; bird's eye view; synopsis; digest; **2.** (*обсег на зрението*) scope of vision, field of view.

обигрàвам се, обигрàя се *възвр. гл.* become expert/skilful/skilled (в in), become a good/practised hand (at), acquire proficiency (in); *разг.* learn the ropes.

обигрàн *мин. страд. прич.* trained, schooled, practised, experienced, proficient, perfect (in), a good/dab hand (at); discriminating; *разг.* hard-bitten; ~ **съм** *разг.* know the ropes.

обигрàност *ж., само ед.* skill, proficiency.

обѝд|**а** *ж.*, -и insult, injury, affront, offence, wrong, slight; abuse; a slap in the face; **нанасям** ~**а** insult, offend; **преглъщам** ~**а** swallow an insult, pocket an insult/injury; eat dirt/humble pie/o.'s leek/*амер.* crow.

обѝден₁ *мин. страд. прич.* insulted, offended; wronged, pained, slighted, hurt; *разг.* huffy; **вид на** ~ an injured air; **чувствам се** ~ **от** resent.

обѝд|**ен**₂ *прил.*, -на, -но, -ни (*който причинява обида*) insulting, offending, offensive, opprobrious, derogatory, disparaging; (*за сравнение*) invidious.

обѝдно *нареч.* derisively; **става ми** ~ feel offended/hurt/pained/injured/slighted.

обидчѝв *прил.* touchy, susceptible, quick to take offence, tetchy, pettish, quick-tempered, peevish, spiky, thin-skinned.

обѝждам, обѝдя *гл.* offend, insult; give offence, hurt/wound/injure s.o.'s feelings, be rude to; ~ **много** outrage; || ~ **се** take offence, be/feel hurt/slighted, take exception (от at); **лесно се** ~ be

quick to take offence; **не исках да ви обидя** I meant no offence.

обикàлям, обиколя *гл.* **1.** (*ходя от място на място*) go about; (*ходя около*) go/walk round; (*за самолет*) circle; (*с кола*) drive round; (*страна, район*) tour, make a tour of, travel over, make the round of; (*за лекар*) make the rounds; go o.'s rounds; ~ **магазините** wander about the shops; hunt through the shops; ~ **много** (*правя голям завой*) go a long way round; ~ **от ръка на ръка** circulate from hand to hand; **2.** (*заобикалям, обкръжавам*) surround; encircle; **3.** (*движа се около*) go/circle round; (*за река*) flow round; **път, който** (**много**) **обикаля** a roundabout way; **4.** (*пътувам*) get about, (*скитам*) wander (about), roam; ~ **страна** travel round a country, tour a country, (*скитам*) knock about; **5.** (*навестявам, спохождам*) go round to see (s.o.); drop in (on s.o.); **6.** (*ухажвам*) court; woo; **7.** (*навъртам се*) hang/stand around.

обѝквам, обѝкна *гл.* come/get to like/love; conceive a liking for; take a liking/fancy to; grow fond of; ~ (**свиквам с**) **работата си** warm to o.'s work.

обикновѐн *прил.* ordinary, usual, common(place); normal, average, workaday; *разг.* common or garden; (*редови*) rank and file; (*за човек*) ordinary; (*за работа*) ordinary, usual; (*прост*) plain; (*среден*, "*средна работа*") middling; (*необработен, не от високо качество*) coarse; (*известен*) familiar; **най-** ~ trivial, run-of-the-mill; ~ **наблюдател** mere spectator; ~**а дроб** *мат.* simple/common/vulgar fraction; ~**о явление** common practice; **това е нещо** ~**о** it's all in the day's work.

обикновѐно *нареч.* usually, commonly, ordinarily, normally, generally, as a rule.

обикòл|**ен** *прил.*, -на, -но, -ни round, roundabout; oblique; ~**на трамвайна линия** belt line.

обикòлк|**а** *ж.*, -и **1.** tour (*и на караул*), (*на лекар*) rounds; (*посещение*) visitation; **инспекционна** ~**а** inspection tour; **2.** *геом.* circumference; (*мярка*) girt; *спорт.* (*на писта*) lap; **гръдна** ~**а** chest measurement; ~**а на лагер** *воен.* perimeter.

обѝл|**ен** *прил.*, -на, -но, -ни abundant;

plentiful, lavish, rich, profuse, prolific; generous; (*за валеж*) heavy.

òбир *м.*, -и, (два) òбира robbery; (*на къща*) burglary; (*на улицата*) mugging; извършвам ~ commit a robbery.

обѝрам, оберà *гл.* **1.** rob (s.o. of s.th.), plunder; *разг.* skin; *прен.* fleece, rook; ~ всичко make a clean sweep; (*при хазарт*) sweep the board; ~ къща burgle a house; **2.** (*плод и пр.*) pick; ~ каймака skim the milk, take the cream off; *прен.* skim the cream off; cream (*и прен.*); ~ трохи pick up crumbs; ● ~ лаврите gain/win laurels, *разг.* hit the headlines; ~ си крушите hop/beat it, be off, scram, *амер.* light out.

обирàч *м.*, -и и обирнѝ|к *м.*, -ци extortionist.

обѝрническ|и *прил.*, -а, -о, -и rapacious, plundering.

òбиск *м.*, -и, (два) òбиска search, police raid, *юр.* perquisition; заповед за ~ search warrant; правя ~ на search.

обискѝрам *гл.* search, conduct a search in/of; (*човек*) body-search, frisk; *амер. sl.* shake down.

обитàвам *гл.* inhabit, dwell/live in, be in occupation of; (*за дух*) haunt.

обитàем *прил.* inhabitable, habitable, fit to live in, tenantable.

обитàтел (-ят) *м.*, -и; обитàтелк|а *ж.*, -и inhabitant, dweller; denizen; (*на къща*) occupant; (*на къща, болница, затвор*) inmate.

обѝтел *ж.*, -и *църк.* cloister, monastery (*и прен.*).

обѝц|à и обец|à *ж.*, -и **1.** earring; (*на петел*) wattle, (*на гълъб*) jewing; висяща ~а eardrop, ear-pendant; **2.** *бот.* fuchsia; ● това да ти е ~а на ухото bite on that! put that in your pipe and smoke it! chalk it up to experience.

òбич *ж.*, *само ед.* love, affection, fondness, liking (of, for); спечелвам ~та на endear o.s. to.

обичà|ен *прил.*, -йна, -йно, -йни customary, habitual, usual, ordinary, unexceptional; ~йна гледка familiar sight; ~йно явление common occurrence.

обичà|й (-ят) *м.*, -и, (два) обичàя custom, usage, convention; consuetude; (*на народ и пр.*) custom, usage, tradition; (*на човек*) habit; имам ~й да have a habit of (*с ger.*), be in the habit

of (*с ger.*), be accustomed to (*с inf.*); it is my custom to; според ~я as usual, according to custom; той имаше ~й да седи там с часове he would sit there for hours.

обичàйно *нареч.* habitually, normally, usually, customarily; както ~ as usually, true to form.

обѝчам *гл.* love; (*харесвам*) like, care for; (*имам склонност, привързан съм към*) be fond of; have a fondness for; какво обичате? what can I do for you? обичат се като кучето и котката there is no love lost between them; той обича да се шегува he will have his little joke; he is fond of joking; ● картофите обичат песъчлива почва potatoes thrive in sandy soil.

обѝч|ен *прил.*, -на, -но, -ни (*и като същ.*) dearly loved, cherished; (*предпочитан*) favourite, pet; ~ният на бàща си father's favourite.

обкòв *м.*, *само ед.*; обкòва *ж.*, *само ед.* (gold silver) facing; plate; collet; *техн.* casing, lining; икона със сребърен ~ icon with a silver repoussé cover.

обковàвам, обковà *гл.* (*обшивам, бронирам*) plate, (*с желязо*) bind, mount, face; (*с дъски*) case, face, line, cover; (*с гвоздеи*) stud.

обкръжàвам, обкръжà *гл.* surround, encircle (*и воен.*); environ; (*неприятелски кораби*) double upon; ~ с тайнственост mystify, shroud in mystery.

обкръжèни|е *ср.*, -я **1.** encirclement; лично ~е kitchen cabinet; попадам в ~е воен. be surrounded/encircled; **2.** environment, surroundings.

облàг|а *ж.*, -и benefit, advantage; (*печалба*) gain, profit; извличам големи ~и derive large benefits (*от from*); нямам никаква ~а от това I profit/gain nothing by that; ползвам се от служебни ~и be on the gravy train.

облагàем *прил.* taxable, ratable, excisable; (*за стока*) leviable, dutiable; (*за печалба*) assessable; chargeable; ~и активи chargeable assets.

облàгам, обложà *гл.* tax, assess; ~ стоки с данък levy duty on goods; || ~ се be taxed/taxable.

облàгане *ср.*, *само ед.* **1.** taxation, levy; двойно данъчно ~ duplicate taxation; прогресивно ~ graduated taxation; **2.**

(*на езика*) furring.

облагодèтелствам *гл.* favour; stretch a point in s.o.'s favour, give (s.o.) leverage; най-облагодетелстваната държава *полит.* the most favoured nation.

облагородявам, облагородя *гл.* **1.** ennoble, elevate, dignify, exert an ennobling/elevating influence on; (*повишавам качеството на*) refine; **2.** (*порода*) improve; (*растение*) engraft, inoculate, cultivate.

облагородяване *ср.*, *само ед.* ennoblement; improvement; (en)grafting, inoculation, cultivation.

**обл
àдавам, облàдая** *гл.* possess, be in possession/be master of, hold; (*за страх и пр.*) seize, take hold of; обладан от зъл дух possessed.

облàжвам, облàжа *гл.* **1.** make (s.o.) break his fast; give meat dish to; **2.** make fat/greasy; || ~ се break o.'s fast.

òбла|к|а *м.*, -ци, (два) òблака cloud; буреносен ~к storm-cloud; небето е покрито с ~ци the sky is overcast; ~к дим pall of smoke; ● живея в ~ците be in the clouds, let o.'s thoughts go wool-gathering, daydream; падам от ~ците fall from the moon; тъмен ~к в ясно небе fly in the ointment.

òблаковид|ен *прил.*, -на, -но, -ни cloud-like.

облакътявам се, облакътя се *възвр. гл.* lean an elbow (on), lean/rest o.'s elbows (on).

òбласт *ж.*, -и **1.** region, province, district, area; планинска ~ a highland region, a mountain area; **2.** (*сфера*) field, sphere, province, domain, realm; (*специалност*) field of study; ~ на приложение scope of application; това не е от моята ~ that is not (within) my province; **3.** *анат.* region; ~ неизследвана ~ terra incognita; хора от всички ~и на живота people from all walks of life.

òбласт|ен *прил.*, -на, -но, -ни regional, district; ~ен съд *юр.* district court.

òблач|ен *прил.*, -на, -но, -ни cloudy, overcast.

òблачност *ж.*, *само ед.* cloudiness; висока/средна/ниска ~ high/medium/low cloud; разкъсана ~ broken clouds.

облегàл|о *ср.*, -а; облегàлк|а *ж.*, -и back; (*на стол*) backrest; (*странич-

но, *на стол*) elbow-rest, arm(-rest).

облекл|о̀ *ср.*, **-а̀** clothing, clothes, dress; garments, apparel, attire, raiment, garb, costume; get-up; (*обикн. младежко*) *разг.* gear; (*носия*) dress, costume, *разг.* rig-out, toggery; **официално ~о** formal dress; **формено ~о** uniform, outfit; **цивилно ~о** civilian/plain clothes.

облекча̀вам, облекча̀ *гл.* lighten, reduce the weight of, make lighter; disencumber; unburden; disburden; (*правя по-лесен – труд и пр.*) make easy/easier; facilitate; (*болка*) alleviate, relieve, lessen, allay, reduce, ease; (*наказание*) *юр.* mitigate, commute, lighten; **~ страданията на** ease the sufferings of; **~ уличното движение** ease traffic; || **~ се** (*ходя по нужда*) ease nature; relieve nature/the bowels/o.s.; *разг.* answer a call of nature.

облекчѐн *мин. страд. прич.* relieved; disencumbered; (*за режим*) benign.

облекчѐни|е *ср.*, **-я** alleviation, relief, comfort; ease; easement; **въздъхвам с ~е** draw/heave/breathe a sigh of relief; breathe again/freely; **данъчни ~я** tax concessions; **за голямо ~е на** much to the relief of.

облекчѝтел|ен *прил.*, **-на, -но, -ни** alleviating, relievieng, soothing.

облѐпвам и облѐпям, облепя̀ *гл.* stick all over (with); **~ с афиши** plaster with posters, placard; **~ с марки** stamp; **~ с тапети** paper.

облѐчен *мин. страд. прич.* dressed; **добре ~** well-dressed; **~ като моряк** *книж.* in the garb of a sailor; **~ по последната мода** dressed in the height of fashion; **• ~ във власт** set in/vested with authority.

облѐщвам се, облѐщя се *възвр. гл.* goggle (at), goggle o.'s eyes, stare with bulging eyes.

облѝвам, облѐя *гл.* pour over; (*за маркуч*) play (on); **облива ме пот** run in/pour with sweat; **~ с вода** pour/throw water over, souse with water; || **~ се: ~ се в сълзи** be drowned/bathed in tears.

облига̀тор|ен *прил.*, **-на, -но, -ни** obligate, obligatory.

облигацио̀н|ен *прил.*, **-на, -но, -ни** *фин.* contractual; **~ен заем** bond issue.

облига̀ци|я *ж.*, **-и** *фин.* bond, share, stock; **държавни ~и** gilt-edged secu-

rities, gilts.

облѝзвам, облѝжа *гл.* lick; (*чиния и пр.*) lick clean; polish off; || **~ се** lick o.'s lips, (*за животно*) lick itself, lick its chops; **• да си оближеш пръсти-те** a real treat; it'll make you long for more, simply delicious.

облѝ|к *м.*, **-ци**, (*два*) о̀блика aspect, appearance, countenance; face; pattern.

облитера̀ция *ж.*, *само ед.* *биол.* obliteration.

облицо̀вам *гл.* *строит.* (*с камък*) face, revet (**с** with); (*с дърво*) panel, wainscot, (*с фурнир*) veneer, (*с плоч-ки*) tile; **~ отново** reface; (*с ламари-на*) coat in tinplate.

облицо̀ван *мин. страд. прич.* coated; veneered; faced; (*с ламперия*) panelled; **~ с плочки** tiled.

облицо̀вк|а *ж.*, **-и** facing, revetment; encasing; (*с плочки*) tiling; (*ламперия*) panelling, wainscoting; (*за сте-ни*) wallcovering; **вътрешна ~а** lining; **с дъбова ~а** panelled in oak, oak-panelled.

облицо̀въч|ен *прил.*, **-на, -но, -ни** lining, facing (*attr.*).

облѝчам, облека̀ *гл.* 1. put on; (*човек*) dress; (*стол и пр.*) upholster; (*копче и пр.*) cover; (*зъб*) crown; (*осигуря-вам с облекло*) clothe, dress, provide with clothing, keep in clothes; 2. *прен.* invest, vest; **~ в пълномощия** invest with full powers/authority; **~ във власт** vest with power; vest power in; || **~ се** (*сам без чужда помощ*) dress o.s.; put on o.'s clothes; **~ се набързо** dress in a hurry, tumble into o.'s clothes; **~ се по последната мода** wear most fashionable clothes; **~ се с вкус** dress in good style.

обло̀|г *м.*, **-зи**, (*два*) обло̀га bet, wager.

обло̀жен *мин. страд. прич.* 1. (*с ми-то, такса*) taxed, assessed; 2. (*за език*) furred, furry, coated.

обло̀жк|а *ж.*, **-и** dust-cover/-jacket/-wrapper.

облъ̀чвам, облъча̀ *гл.* irradiate, expose to radiation; subject to X-ray treatment.

облъ̀чван|е *ср.*, **-ия** irradiation; X-ray treatment; **радиоактивно ~е** radiation exposure; **ултравиолетово ~е** ultra-violet illumination; **чувствителен към ~е** radiation-sensitive.

облъ̀чен *мин. страд. прич.* exposed to radiation; treated with radiation.

обля̀гам (се), облѐгна (се) (*възвр.*) *гл.* 1. lean, rest (**на** on, against); **~ на рамото на** lean on s.o.'s shoulder; slump against s.o.'s shoulder; **~ се сил-но на** bear heavily on; 2. *прен.* (*осла-ням се*) rely (on).

обля̀н *мин. страд. прич.*: **~ в пот** streaming/bathed in perspiration; **~ в светлина** suffused/flooded with light.

обмѐн *м.*, *само ед.* exchange, interchange; *хим.* metathesis; **~ на валута** change, currency exchange; **~ на данни** *инф.* data exchange; **търговски ~** trade.

обмѐн|ен *прил.*, **-на, -но, -ни** *икон.*: **~ен курс** exchange rate, rate of exchange.

обменя̀ем *прил.* exchangeable; (*за по-лица и пр.*) negotiable.

обменя̀вам и обмѐням, обменя̀ *гл.* exchange, interchange; (*полица и пр.*) negotiate; (*пари*) change; **~ опит** exchange experience; **~ чрез метаболи-зъм** *биол.* metabolize.

обмѝслен *мин. страд. прич.* (*и като прил.*) considered, deliberate; **~а стъп-ка** well-advised step; **~о решение** (well-)considered decision; **предвари-телно ~** premeditated.

обмѝслям, обмѝсля *гл.* think over, consider, revolve (in o.'s mind); ponder (on); deliberate (on, over); chew over; **~ добре** give (a matter) o.'s full consideration, think twice; **~ как да на-правя нещо** cast about how to do s.th.; **~ предварително** think out in advance, (*престъпление и пр.*) premeditate.

обмѝсляне *ср.*, *само ед.* consideration; deliberation; **след зряло ~** on/after (a) mature consideration, after careful thought.

обмѝтвам, обмѝтя *гл.* impose customs-duty on.

обмѝтяване *ср.*, *само ед.*: **подле-жащ на ~** liable to duty, dutiable, customable.

обмя̀на *ж.*, **обмѐни** exchange; **~ на ве-ществата** *биол.* metabolism; **~ на опит** exchange/sharing/pooling of (o.'s) experience; **~ на парите, парична ~** monetary/currency reform.

обнадежда̀вам, обнадеждя̀ *гл.* raise the hope(s) of, raise s.o.'s hopes; hold out/give hopes to; fill/inspire with hope;

elate; **обнадежден съм** be hopeful, be buoyed up (with new hope); || ~ **се** take hope/heart.

обнарòдвам *гл.* publish, make public; (*закон*) promulgate; (*комюнике, подробности и пр.*) release; (*в държавен вестник*) gazette; (*цифри и*) issue.

обнарòдване *ср., само ед.* publication; promulgation.

обновèн *мин. страд. прич.* renewed.

обновùтел (-ят) *м.*, -и renovator, reformer, regenerator.

обновùтел|ен *прил.*, -на, -но, -ни renovative, renovating, restoring, refreshing.

обновлèние *ср., само ед.* renovation, renewal, reformation, regenesis.

обновявам, обновя *гл.* renovate, restore, redesign; renew, refresh, revive, vitalize, update.

обнòски *само мн.* manners; behaviour, bearing; deportment, comportment, demeanour; **груби** ~ rudeness; rough usage; rugged manners; **изтънчени** ~ polished/refined manners.

обобщàвам, обобщà *гл.* generalize; draw a general conclusion (from).

обобщèни|е *ср.*, -я generalization, general conclusion, summary.

обобщùтел|ен *прил.*, -на, -но, -ни summary (*attr.*), compendious.

обогатùтел|ен *прил.*, -на, -но, -ни: ~**ен завод** ore-dressing plant; concentrator.

обогатявам, обогатя *гл.* enrich; (*почва и пр.*) fertilize; dress; (*руда*) dress, treat, concentrate; ~ **знанията си** add to o.'s knowledge, stock o.'s mind with knowledge; ~ **речника си** enlarge/extend o.'s vocabulary.

обогатяване *ср., само ед.* enrichment; *метал.* dressing, concentration, treatment; ~ **на почва** fertilization; ~ **на руда** ore concentration/dressing, ore benefication.

обоготворявам, обоготворя *гл.* deify; idolize.

ободрùтел|ен *прил.*, -на, -но, -ни encouraging, reassuring, exhilarating, exhilarant, exhilarative, cheering, bracing, energizing, stimulating; invigorating, enlivening; (*освежителен*) refreshing, fresh, tonic.

ободрявам, ободря *гл.* encourage, reassure, exhilarate, elate, cheer/brace up,

refresh, key up, pick up, nerve, revitalize; enliven, invigorate; *разг.* pep pup, ginger up; || ~ **се** take heart, cheer up, feel more cheerful; feel refreshed.

обожàвам *гл.* adore, worship; idolize.

обожàване *ср., само ед.* adoration, worship; idolization.

обожàтел (-ят) *м.*, -и adorer, admirer; *шег.* swain, beau; *рел.* worshipper.

обожàтелк|а *ж.*, -и adorer, admirer; worshipper.

обожествявам, обожествя *гл.* deify; divinize.

обожествяване *ср., само ед.* deification; divinization.

обòз *м.*, -и, (два) **обòза** *воен.* army supply train; baggage/waggon train, train of waggons; transport (unit).

обозначàвам, обозначà *гл.* mark, put a sign (on); designate; denote.

обозначèни|е *ср.*, -я designation, denotation, symbol; indication; **търговско** ~**е на стоки** trade description.

обозрùм *прил.* comprehensible; compassable.

обòй (-ят) *м.*, -и, (два) **обòя** *муз.* oboe, hautboy.

обоняние *ср., само ед.* sense of smell; *книж.* olfaction; **имам тънко** ~ have a good nose (for).

обонятел|ен *прил.*, -на, -но, -ни olfactory, olfactive.

обòр *м.*, -и, (два) **обòра** *сел.-ст.* cattle-pen, cattle-shed; (*краварник*) cowshed, byre; (*конюшня*) (horse-)stable; ● **Авгиеви** ~**и** Augean stables.

обòрвам, обòря *гл.* refute, confute, rebut, impugn, controvert, vanquish, disprove, dispose of; (*обвинение и пр.*) belie; (*теория и пр.*) confute, disprove; explode; ● **оборва ме сън** succumb to sleep, begin to nod.

оборòт *м.*, -и, (два) **оборòта** 1. turnover; **няма** ~ no business done; 2. *техн.* revolution; rev; **двигател с 1500** ~**а в минута** motor with 1500 revolutions per minute; **с бавни** ~**и** *техн.* slow-motion (*attr.*).

оборòт|ен *прил.*, -на, -но, -ни: ~**ен капитал** *фин.* circulating/floating/working capital; ~**ни активи/фондове** *фин.* current assets; floating assets.

оборỳдвам *гл.* equip, furnish, outfit, fit up; fit out.

оборỳдване *ср., само ед.* equipping,

equipment; (*съоръжения*) equipment, installations, fixtures; ~ **на работното място** workplace layout; **резервно** ~ stand-by equipment; **хладилно** ~ refrigerating equipment.

обосновàвам, обосновà *гл.* ground, base, substantiate, give proof of; || ~ **се** give reasons (for); state o.'s reasons/grounds.

обоснован *мин. страд. прич.* (*и като прил.*) well-founded/reasoned, grounded, (*за договор и*) valid, (*доказан*) substantiated; ~**о мнение** founded/considered opinion, reasoned judgement; **юридически** ~**о** legally warranted/sound.

обособен *мин. страд. прич.* (*и като прил.*) isolated, detached; differentiated; separate; (*независим*) independent, autonomous; ~**а част** *език.* separate unit.

обособявам, обособя *гл.* differentiate, isolate, set apart, separate; || ~ **се** differentiate; (*ставам независим*) became independent/autonomous; ~ **се** като set up/establish o.s. as.

обработваем *прил.* workable; ~ **детайл** workpiece; ~**а земя** arable/tillable/cultivable/agricultural land; cropland; ~**а ширина** working width.

обработвàемост *ж., само ед.* workability; (*на почва*) arability, cultivability.

обработвам, обработя *гл.* 1. (*земя*) till, cultivate; 2. (*материали*) work, process, (*метал и*) machine, tool; ~ **по размер** finish to size; 3. (*придавам завършен вид на*) work up, finish, polish; manipulate; 4. (*глас*) cultivate, train; 5. *прен.* frame, condition, brain wash; (*предумвам, убеждавам*) talk over/round, get round.

обработване *ср., само ед.* (*на земя*) cultivation, tilling; tillage, tilth; (*на изоставена земя*) reclamation; (*на материали*) working, processing, (*на метал и пр.*) machining; (*на глас*) training; *прен.* framing, conditioning; brain washing; talking over/round; (*на данни и пр.*) *киб.* processing.

обработен *мин. страд. прич.* (*и като прил.*) cultivated, tilled; processed, machined; trained; framed, brainwashed; ~**а кожа** leather, (*с космите*) fur; **студено** ~ hard wrought.

обрабо́тк|а *ж.*, **-и** cultivation, tilling, polishing; training; working, treatment, processing; **автомати́чна ~а на да́нни** automatic data processing; **в ~а на** (*за песен и пр.*) arranged by; **терми́чна ~а** heat treatment; *инф.* **фо́нова ~а** background processing.

о́браз *м.*, **-и**, (два) **о́браза** image; shape, form; (*лице*) face; (*изображение*) picture; (*литературен*) portrait; (*в худ. произведение*) character, figure; (*стилистическо средство*) image; **загу́бвам чове́шки ~** become brutalized/dehumanized; **изли́чавам ~** *фот.* bleach out an image; **по ~ и подо́бие на** in the image of.

о́браз|ен *прил.*, **-на**, **-но**, **-ни** figurative, graphic, colourful, picturesque; (*който се отнася до образ*) effigial; **~ен ези́к** figurative language; **~но описа́ние** word-painting, word-picture.

образ|е́ц *м.*, **-ци́**, (два) **образе́ца 1.** model, pattern, standard, norm; **взе́мам за ~е́ц** take as a/o.'s model; **~е́ц за подража́ние** a pattern/model to imitate; exemplar; **по англи́йски** (*и пр.*) **~е́ц** on the English (etc.) model; **со́ча за ~е́ц** set up as a model/pattern (for); **2.** (*мостра*) sample, specimen; **контро́лен ~е́ц** check sample; **~е́ц за изпи́тване** test specimen; **3.** (*формуляр*) form.

о́бразност *ж.*, *само ед.* figurativeness; imagery.

образо́вам *гл.* educate, provide an education for, train.

образо́ван *мин. страд. прич.* (*и като прил.*) educated; cultivated; **~о о́бщество** polite society.

образова́ни|е *ср.*, **-я** education; **ви́сше ~е** higher/university/college education; **да́вам ~е на** give (s.o.) an education, provide an education (for s.o.); **полу́чавам сво́ето ~е** receive o.'s schooling; **първона́чално/сре́дно ~е** elementary/secondary education; **с юриди́ческо ~е** educated in law.

образо́ваност *ж.*, *само ед.* erudition.

образова́тел|ен *прил.*, **-на**, **-но**, **-ни** educational; educatory, educative; **~ен ценз** educational qualification, (*за постъпване в университет*) registrable qualification.

образу́вам *гл.* form, make, constitute, generate; (*организирам*) organize;

(*основавам*) found, establish, set up; **~ кордо́н око́ло** throw a cordon round; **|| ~ се** form, be formed; come into being; be generated (from).

образу́ване *ср.*, *само ед.* formation, establishment; **~ на котле́н ка́мък** *техн.* scaling, scale formation.

образу́ващ|а и образува́телн|а *ж.*, **-и** *геом.* generant.

образцо́в *прил.* model (*attr.*); (*отличен*) exemplary; **~ ред** perfect order, apple-pie order; **~о обслу́жване** exemplary service; **~о стопа́нство** model/demonstration farm.

обра́снал *мин. св. деят. прич.* overgrown; **~ с плеве́ли** weedgrown; (*небръснат*) unshaven; (*с коса*) hairy.

обра́ствам, обраста́ *гл.* become overgrown, be covered (**с** with); **~ с плеве́ли** weed over, grow over with weeds, be/get overrun with weeds.

обра́т *м.*, **-и**, (два) **обра́та 1.** turn, change; **неоча́кван ~** twist; **~ на съдба́та** reversal of fortune, a twist of fate; **2.** (*израз*) turn of speech.

обра́т|ен *прил.*, **-на**, **-но**, **-ни 1.** opposite, contrary, reverse; converse; (*за артерия, нерв и пр.*) recurrent; **в ~ен ред** in the reverse order; **има́м ~но де́йствие** rebound; **~ен заво́й** *авт.* U turn; **~ен сми́съл** opposite sense; **~на разпи́ска** advice of delivery; **с ~на по́ща** by return of post; **ста́ва тъ́кмо ~ното** the tide is flowing in the opposite direction; **2.** (*хомосексуален*) *вулг.* bent, poofy.

обрати́м *мин. страд. прич.* reversible.

обра́тно *нареч.* back; back to front, the other way about, conversely, contrariwise; counter (**на** to); **и ~** and vice versa; *фин.* **~ обвъ́рзан** back-to-back; **~ отчи́тане на вре́мето** dating back; **тъ́кмо ~то** just the other way round.

обраща́емост *ж.*, *само ед.* *фин.* turnover.

обраще́ние *ср.*, *само ед.* *фин.* currency, circulation (ot); **изли́зам от ~** drop out of currency; **пу́скам в ~** put in circulation, emit; *прен.* (*идеи и пр.*) give currency to; bring/call into requisition, place/put in requisition.

о́бред *м.*, **-и**, (два) **о́бреда** rite, ritual, ceremony, observance; **венча́лен ~** marriage ceremony.

о́бред|ен *прил.*, **-на**, **-но**, **-ни** ritual.

обре́зк|а *ж.*, **-и** обикн. *мн.* clippings, cuttings, parings, trimmings.

обремене́н *мин. страд. прич.* encumbered, burdened (with); **чове́к с ~а насле́дственост** a hereditary defective.

обременя́вам, обременя́ *гл.* burden, load, saddle, encumber, weigh, inconvenience; overburden; **~ с да́нъци** burden with taxes; **~ ума́ си** tax o.'s intellect.

обременя́ване *ср.*, *само ед.* encumbrance.

обре́чен *мин. страд. прич.* (*определен*) set aside (**за** for); (*обещан*) promised, votive; (*осъден, предопределен*) (ill-)doomed, condemned; fated, predestined; foredoomed; **той е ~** he is a goner.

о́брив *м.*, **-и**, (два) **о́брива** rash, eruption; exanthema; **придру́жен с ~** *мед.* eruptive.

обрису́вам *гл.* outline, describe, depict, delineate, sketch, portray.

обрису́ване *ср.*, *само ед.* description, depiction, delineation, portrayal, characterization.

обри́чам, обрека́ *гл.* (*обещавам*) promise; (*посвещавам*) consecrate, dedicate; (*осъждам*) doom, condemn (to); (*предварително*) foredoom; **|| ~ се** pledge, vow (**да** to *с inf.*).

обро́|к *м.*, **-ци**, (два) **обро́ка** vow, promise, pledge; votive offering.

обро́чищ|е *ср.*, **-а** consecrated ground.

обру́лвам, обру́ля *гл.* shake down; **лице́, обру́лено от вя́търа** a weather-beaten face.

обръ́свам, обръ́сна *гл.* shave; (*брада и пр.*) shave off; *прен.* fleece, skin, swindle; **|| ~ се** shave, have a shave; **гла́дко обръ́снат** clean-/smooth-shaven.

о́бръч *м.*, **-и**, (два) **о́бръча** hoop; *техн.* ring, rim, girdle; *воен.* belt, ring (round); **● от ста́ро/де́бело дъ́рво ~ не се ви́е** you can't teach an old dog new tricks.

обръ́щам, объ́рна *гл.* **1.** turn, turn round/about; (*и надолу*) reverse; **~ гръб на** *прен.* turn o.'s back on, cold-shoulder, give s.o. the cold shoulder; **~ наопа́ки** turn inside out; **~ нова́ страни́ца** *прен.* turn over a new leaf; **~ по́глед** turn o.'s gaze (**към** on); **~ ча́ша** turn a glass (upside) down/bottom upward, (*изпивам*) down, knock back; **2.**

(*превръщам, променям*) turn, change, convert (into), (*свеждам*) reduce (to); (*преминавам*) switch over (to); ~ **в пари** convert o.'s property into money; ~ **в своя полза** turn to o.'s own advantage/account; ~ **на шега** turn into a joke, make a jest of; **3.** (*придумвам, спечелвам на своя страна*) bring round; **4.** (*претърсвам, преравям*) ransack, scour, comb (for); search high and low; (*преброждам*) range; ~ **библиотека** ransack a library; || ~ **се 1.** turn round; (*за сърце*) turn over; ~ **се за помощ към** call in, call on s.o. to help; appeal to s.o. for aid/help; ~ **се към** (*заговарям*) address (o.s. to), accost; (*отнасям се до*) apply/refer to (**за** for), approach (s.o.); (*моля*) appeal to (for); ~ **се против някого** turn on s.o.; **2.** (*променям се – за вятър*) shift, work round, change its quarter, change (from north to east, to south etc.); (*за време*) break; (*оправя се*) turn out fine; (*възприемам нова линия на поведение*) veer (round), change sides; ~ **се на 180°** *прен.* veer round, backpedal; **3.** (*преобръщам се, прекатурвам се*) overturn, turn over, tip over/up, (*за плавателен съд, кола*) capsize, be capsized; **когато се обърне колата, пътища много** if ifs and ans were pots and pans, there would be no trade for tinkers; if things were to be done twice, all would be wise; **4.** (*превръщам се*) turn (to, into), be transformed (into), be converted (to, into), be reduced (to); • **докато се обърнеш** before you can say Jack Robinson/knife; **не мога да си обърна езика** be unable to put two words together; **нещата се обърнаха** the shoe/boot is on the other foot now; **няма къде да се обърнеш** there is no room to turn round/to swing a cat in; be cramped for room; ~ **с главата надолу** upset, turn upside down, set topsy-turvy, play havoc/hell with.

обръщане *ср., само ед.* turn, turning, reversing; overturning; (*превръщане*) conversion (*и мат.*); • ~ **на 180°** *прен.* somersault.

обръщѐни|е *ср., -я* appeal (to), address (to); **начин на** ~**е** (*в писмо и език.*) a form of address.

обрязвам, обрѐжа *гл.* clip, trim, cut (the edges of), clop; *рел.* circumcise.

обрязване *ср., само ед.* edging, clipping, trimming; *рел.* circumcision.

обса̀д|а *ж., -и* siege; **вдигам** ~**ата** raise the siege; **затягам** ~**а** press/push a side.

обса̀д|ен *прил., -на, -но, -ни* siege (*attr.*); ~**но положение** a state of siege.

обсадѐн *мин. страд. прич.* besieged, under siege.

обсаждам, обсадя̀ *гл.* besiege, lay siege to, beleaguer, beset.

обсѐбвам, обсѐбя *гл.* **1.** appropriate, take possession of; *sl.* corral; (*монополизирам*) engross; (*незаконно*) misappropriate, embezzle; (*власт и пр.*) usurp; **2.** obsess, infatuate, haunt, possess.

обсѐбен *мин. страд. прич.* obsessed (with), besotted (with), infatuated (with), possessed (by), wrapped up (in); ~ **от мисълта** hooked on the idea.

обсѐг *м., само ед.* sphere, scope, range, extent; purview, spectrum; (*на оръдие*) gunshot; (*сфера на действие*) incidence, radius of action; terms/frame of reference; **в** ~ **на** within, within the sweep of; **вън от** ~ **на** outside the scope/compass/sweep of, beyond the scope of, out of range of.

обсерватори|я *ж., -и* observatory.

обсѝпвам, обсѝпя *гл.* cover, strew (with); *прен.* heap (on), shower (with, on); ~ **с въпроси** ply/overwhelm/flood/pester with questions; fire questions at; ~ **с подаръци** shower/rain gifts on, load with gifts; ~ **с укори** heap reproaches on, heap with blame, overwhelm with reproaches.

обслу̀жвам, обслу̀жа *гл.* serve, attend to; cater for (*и снабдявам с храна*); (*машина и пр.*) operate, handle, service; *техн.* maintain; (*влак, танк и пр. и*) man; (*оръдие и пр.*) work; ~ **въздушна линия** operate an air-service, fly a service/on a route; ~ **интересите/нуждите на** cater for the interests/the needs of.

обслужване *ср., само ед.* service, attendance; *техн.* servicing, maintenance; ~ **по стаите** room service; **профилактично техническо** ~ preventive maintenance.

обстано̀вка *ж., само ед.* **1.** situation, atmosphere, context; *разг.* set-up; **бойна** ~ tactical situation; **при такава** ~

under such conditions; **2.** furnishings, furniture; **приятна** ~ **на стая и пр.** pleasantly furnished room, etc.

обсто̀|ен *прил., -йна, -йно, -йни* detailed, circumstantial, thorough, exhaustive, in-depth, thorough-going; elaborate; comprehensive; (*за доклад и пр.*) substantial; ~**ен преглед** a comprehensive survey, a thorough examination; **твърде** ~**ен** expatiatory.

обстойно *нареч.* in detail, thoroughly, elaborately.

обстоятелствен *прил. език.* adverbial; ~**о подчинено изречение** (**за време и пр.**) an adverbial clause (of time, etc.).

обстоятелств|о *ср., -а* circumstance; **при тези** ~**а** under the circumstances, at this juncture; **смекчаващи вината** ~**а** extenuating/mitigating circumstances; **стечение на** ~**ата** combination of circumstances, coincidence.

обстрѐл *м., само ед. воен.* scope of fire; (*на дивеч*) gunning; **под** ~ **съм** be under fire.

обстрѐлвам, обстрѐлям *гл.* fire (at, on); (*с оръдия*) shell; (*дивеч*) gun; ~ **с картечница** machine-gun.

обстру̀ктор *м., -и* obstructor; *амер., полит. sl.* filibuster.

обструкцион|ен *прил., -на, -но, -ни* obstructional, obstructive.

обструкциониз|ъм (-**мът**) *м., само ед.* obstructionism.

обструкционѝст *м., -и полит.* obstructionist.

обстру̀кци|я *ж., -и* obstruction; **правя** ~**и** obstruct, *амер.* filibuster.

обсъждам, обсъдя̀ *гл.* discuss, talk over, argue, debate, consider; ~ **въпрос** thresh out an issue.

обсъждан|е *ср., -ия* discussion, consideration; deliberation; **предлагам на** ~**е** bring up/submit for discussion, table; **предмет на** ~**е** a point at issue, a subject of discussion/in hand.

обтѐгнат *мин. страд. прич. (и като прил.*) stretched (tight), tightly stretched, tense, taut; ~**и отношения** strained/tense relations.

обтя̀гам, обтѐгна *гл.* stretch tight; ~ **лък** draw a bow; || ~ **се** stretch out (на оп).

обува̀лк|а *ж., -и* shoehorn.

обу̀вам, обу̀я *гл.* put on, (*чорапи и пр.*) pull on; (*снабдявам с обувки*)

provide with shoes; ~ някого put on s.o.'s shoes/stockings for him/her; || ~ **се, ~ си: ~ си обувките** put on o.'s shoes.

обу̀в|ен прил., -на, -но, -ни: ~**на индустрия** (boot and) shoe industry, shoe-manufacturing; ~**ни артикули** footwear, footgear.

обу̀вк|а ж., -и shoe; **балнн ~и** (дамски) dancing slippers, (мъжки) pumps; **кабелна ~а** ел. cable shoe.

обузда̀вам, обузда̀я гл. curb, restrain, repress, put under restraint, hold down, bridle, control, keep in check/within bounds; contain; ~ **гнева си** smother o.'s anger, rein in o.'s anger; curb o.'s temper; govern o.'s temper; ~ **страстите си** master o.'s passions.

обусла̀вям, обусловя̀ гл. determine, condition, set the pattern for; cause; stipulate; govern.

обусловѐност ж., само ед. conditionality.

обуча̀вам, обуча̀ гл. teach, instruct; train (in); (единично) tutor; (войници и) drill; ~ **системно** train up, instruct systematically; || ~**се** train (за ... to be ...), receive training (in); ~ **се при** train under.

обучѐни|е ср., -я teaching, instruction, training, tuition; ~**е в извънработно време** out-of-hours training; ~**е по управление** coaching; **податливост на** ~**е** teachability.

обу̀ща само мн. (половинки) shoes, (цели) boots; **магазин за** ~ shoe-shop, амер. shoe-store; **туристически** ~ hiking shoes.

обуща̀р (-ят) м., -и shoemaker; (кърпач) cobbler; • ~**ят ходи бос** the cobbler's wife is always worst shod.

обуща̀рск|и прил., -а, -о, -и shoemaker's; ~**и конец** shoe-thread.

обхва̀т м., само ед. range, scope, band, gamut; extent; воен. outflanking, (близък) envelopment; **нискочестотен** ~ lower frequency range; ~ **за радиовръзка** communication band; **радиолюбителски** ~ amateur band.

обхва̀щам, обхва̀на гл. 1. put an/ o.'s arm round, embrace; 2. (обгръщам) envelop; enfold, infold; surround; embed; (разпространявам се) spread (all over, to); воен. outflank; (разпространявам се из) pervade;

(включвам) cover, include, take in, comprise; comprehend; (период) span; **зданието бе обхванато от пламъци** the building was in flames, flames enveloped the building; ~ **много/най-различни теми** range over a large number/a variety of subjects; ~ **с поглед** sweep with a glance; **страната бе обхваната от криза** the country was caught (up) in/was in the grip of a crisis; 3. (обземам) seize, grip; (за болест и пр.) affect, attack; (за студена вълна и пр.) hit.

обхо̀д м., само ед. detour; by-pass; ~ **на участък** beat; воен. turn, turning/ enveloping/outflanking movement.

обхо̀д|ен прил., -на, -но, -ни circumventive; circumvolutory; ~**ен път** by-pass, by-path, by-road; circumvolution.

обхо̀ждам, обхо̀дя гл. 1. (пътувам из) travel over; (посещавам) visit; (участък) be on the beat; ~ **гъсталак** лов. shoot a covert; 2. (заобикалям) go round; ~**във фланг** воен. outflank.

обшѝвам, обшѝя гл. edge, border, trim; ~ **с дъски/ламарина** lag.

обшѝвк|а ж., -и edging, bordering; техн. casing, encasing; plating, sheath, sheathing, lining; ~**а на кораб** skin.

обшѝр|ен прил., -на, -но, -ни (просторен) wide, vast, extensive; large, spacious, roomy; commodious; (подробен) detailed, circumstantial, long; ~**ен преглед** extensive review, comprehensive survey/account; ~**ни познания** vast knowledge, great erudition.

общ прил. general; (който се отнася за повече хора или предмети) common (за to); (който засяга всички) universal; (съвместен) joint; shared; (взаимен) mutual; (сумарен) total, aggregate; (всеобхватен) икон. blanket (attr.); (за помещение) shared; **за** ~**о ползване** for general use; **имам нещо много** ~**о с** have a good deal in common with, have a great deal to do with; **не искам да имам нищо** ~**о с** разг. I wouldn't touch (s.th.) with a barge pole; **намираме** ~ **език** find common ground, learn to understand one another; ~**а култура** general knowledge/information.

общежѝти|е ср., -я 1. hostel; 2. само ед. (обществен живот) community, society.

общѐствен прил. social, of society; public; **на** ~**и начала** (за длъжност) unsalaried; ~ **деец** a public man/figure/ worker; ~**а тайна** an open secret; **правя нещо** ~**о достояние** make s.th. public; **хора с най-различни** ~**и положения** people of all conditions, people from all walks of life.

общѐственост ж., само ед. public; **връзки с** ~**та** public relations; **музикална/театрална** ~ musical/theatre circles; **обръщам се към** ~**та** apply to the public; (обществено мнение) public opinion.

общѐств|о ср., -а society, community; (среда) company; **висше** ~**о** high life; society; **влизам в** ~**ото** enter society; **издигам се в** ~**ото** rise in the world; **първобитно** ~ истор. a primitive community/society.

общѝн|а ж., -и 1. (градска) municipality; (селска) commune, parish; (жителите) community; истор. community, commune; 2. (здание) town-/city-hall; municipality hall/building.

община̀р (-ят) м., -и councillor, alderman.

общѝнск|и прил., -а, -о, -и municipal; communal; ~**а земя** common land; ~**и съветник** municipal councillor; ~**о управление** municipal government.

общѝтел|ен прил., -на, -но, -ни sociable, friendly, genial, convivial, conversable; communicative; clubby, club(b)able; forthcoming; разг. matey, chummy, pally; **накарвам някого да бъде по-**~**ен** break through a person's reserve; ~**ен човек** (good) mixer.

о̀бщност ж., -и community, commonwealth; fraternity; **Европейска икономическа** ~ European Economic Community; ~ **на възгледите** a consensus of opinion, a common outlook.

о̀бщо нареч. commonly, generally, universally; (заедно) together; **действам** ~ **с** act jointly with, make common cause with; ~ **взето** on the whole, taken as a whole, in general, by and large; in the main, taken all round, in all; as a rule.

общовалѝд|ен прил., -на, -но, -ни of general validity.

общодостъ̀п|ен прил., -на, -но, -ни generally accessible; free to all; open; амер. free-for-all; popular, exoteric; ~**ен език** simple language; ~**ни цени**

popular prices.

общодържàв|ен *прил.*, -на, -но, -ни state (*attr.*).

общоизвèст|ен *прил.*, -на, -но, -ни well-known, current; notorious; ~на истина copy-book maxim.

общонарòд|ен *прил.*, -на, -но, -ни national, nation-wide, public, general; ~на акция a nation-wide campaign; ~но дело the work/concern of the entire nation.

общообразовàтел|ен *прил.*, -на, -но, -ни of general education(al value); ~но училище a school of general education.

общополèз|ен *прил.*, -на, -но, -ни of general use, of use to all; socially useful; ~ен труд socially useful work, work of benefit to the community.

общоприèт *прил.* generally/commonly/universally accepted/used/adopted, conventional, standard, current, *разг.* kosher; (*за идея и пр.*) orthodox; в ~ия смисъл на думата in the accepted sense of the term; ~о мнение commonly accepted opinion; generally held view.

общочовèшк|и *прил.*, -а, -о, -и universal, common to all mankind.

общỳвам *гл.* associate, commune, consort, keep company, converse, mingle (freely), mix, mate, be in touch, rub elbows/shoulders (**c** with); associate together, consort (freely) together; fraternize (with); (*дружа*) be friends (with); те не общуват с други хора they keep themselves to themselves.

общỳване *ср.*, *само ед.* association, intercourse; communication; conversation, dealings, contact(s); communion; средство за ~ a means of communication.

об|ъл *прил.*, -ла, -ло, -ли round(ed), spherical.

объркан *мин. страд. прич.* (*и като прил.*) mixed-up, entangled, muddled; confused, put out, perplexed, confounded, foxed; distracted, flustered, snarly; in a fog, at a stand; muddy, muddle-headed, mazy, all at sea; fuzzy; addled; животът ми е толкова ~! my life is such a mess! ~и работи tangled affairs; съвсем съм ~ be all mixed-up, be in a maze.

объркам, объркам *гл.* **1.** (*смесвам*)

mix; (*конци*) entangle; **2.** confuse, throw into confusion, mix up, perplex, nonplus, bewilder, distract, put off, baffle; flurry; discomfit; flummox; fox; gravel; (*планове, сметки и пр.*) upset, frustrate; foil; derange; discomfit; *разг.* upset s.o.'s applecart; spike s.o.'s guns, cook s.o.'s goose, freak (s.o. out); (*за въпрос*) stump, flummox, put all at sea; addle; || ~ **се** get confused/mixed up, be(come) confused/muddled, become flustered, be put out; get into a tangle; нещата се объркаха things went wrong; • ~ живота си make a muddle of o.'s life; ~ конците get into a mess/muddle/scrape; be at a loss.

обърнат *мин.страд. прич.* turned; (*за яка*) turn-down; (*за плат и пр.*) reversed; ~ нагоре/надолу upturned; ~ съм към (*за сграда*) face (east etc.).

обърсвам, обърша *гл.* wipe off/away (в on); ~ праха на dust; ~ сълзите си wipe o.'s tears away, dry o.'s eyes; || ~ **се** wipe o.'s face/hands.

обяв|а *ж.*, -и announcement, notice, sign, bill; (*във вестник и пр.*) advertisement; *разг.* ad; classified ad; давам ~а във вестник place/put an advertisement in a paper; място за ~и advertisement boarding.

обявявам, обявя *гл.* (*решение, намерение, факт*) announce, publish; promulgate; (*политика, програма*) declare, proclaim, make known; (*на вестник*) advertise; (*на митница*) declare; *карти* bid; ~ война на declare war on; ~ за виновен (*за съдебни заседатели*) bring in guilty; ~ стачка go on strike; || ~ **се** declare/pronounce o.s. to be (за for, против against), take a stand (for, against).

обядвам *гл.* have/take o.'s lunch, lunch; ~ навън lunch out.

обяснèни|e *ср.*, -я **1.** explanation; *книж.* explication; впускам се в ~я enter into long explanations; любовно ~е a declaration of love; **2.** (*разговор, разпра*) quarrel, words; от ~е мина-ха към бой they proceeded from words to blows.

обяснѝтел|ен *прил.*, -на, -но, -ни explanatory, explanative; explicatory, explicative, exponent, expositive; ~на клауза interpretation clause.

обяснявам, обясня *гл.* explain (на

to); *книж.* explicate; (*тълкувам*) interpret; expound; (*разказвам*) tell; (*значение и пр.*) define; (*каква е причината за нещо*) account (за for); ~ си нещо understand s.th., account for s.th; interpret; той ни обясни теорията си he expounded his theory to us; || ~ **се** make o.s. clear, explain; ~ **се** на някому (*в любов*) make s.o. a declaration of love.

обятия *само мн.* arms, embrace; посрещам/приемам с отворени ~ welcome/receive with open arms; притискам в ~та си fold in o.'s arms, embrace.

овакантявам, овакантя *гл.* vacate; leave vacant (a place); || ~ **се** fall vacant/void, become vacant/free.

овакантяване *ср.*, *само ед.* avoidance, vacation.

овàл *м.*, -и, (два) овàла oval.

овàлвам, овàлям *гл.* **1.** roll; **2.** soil, dirty; ~ в кал bedraggle; || ~ **се** get (all) dirty.

овàлен *прил.* oval(-shaped); *анат.* olivary; *бот.* ovate.

овàци|я *ж.*, -и ovation; cheers; бурни ~и a tumultuous welcome, loud cheering; prolonged applause; обирам ~ите stop the show, hit the spot.

овдовявам, овдовея *гл.* be(come) widowed; (*за жена*) become a widow, (*за мъж*) become a widower.

овèн *м.*, -овни, (два) овèна **1.** *зоол.* ram; (*кастриран*) wether; **2.** *астрол.* (*зодия*) Aries.

овèс *м.*, *само ед.* oats.

овèсен *прил.* oat (*attr.*); ~а каша oatmeal porridge; ~и ядки oat flakes.

овехтявам, овехтея *гл.* grow old, be worn out, wear out, become threadbare.

овладявам, овладея *гл.* master, make o.s. master of, take possession/hold of, gain command of; (*чувство*) master, overmaster, overcome, keep under; (*за чувство, мисъл*) come over, seize; invade o.'s mind; (*предмет*) master; (*език*) master, attain proficiency in; ~ добре положението get things properly under control; || ~ **се** get control of o.s., pull o.s. together, regain o.'s composure, master/recover/grip/curb o.'s temper, take o.s. in hand, get a hold on o.s.; take a grip on o.s.; gather o.s. together, collect o.'s faculties; ~ топката *спорт.* tackle/control the ball.

овлажнѝтел (-ят) *м.*, **-и**, **(два) овлаж-**
нѝтеля moistener, *техн.* dampener;
~ на въздуха air humidifier.
овлажнявам (се), **овлажнѐя (се)**
(възвр.) *гл.* become/grow moist/damp;
humidify.
овлажняване *ср.*, *само ед.* moistening,
humidification, dampening, damping.
овнешк|и *прил.*, **-а**, **-о**, **-и**: **~о месо**
mutton.
овошк|а *ж.*, **-и** fruit-tree; fruiter;
(плод) fruit.
овощар (-ят) *м.*, **-и** fruit-grower; po-
mologist; fruiter; *(продавач)* fruiterer,
fruit-dealer.
овощарск|и *прил.*, **-а**, **-о**, **-и** fruit-
grower's, fruit growing; pomological;
~и район fruit-growing region.
овощарство *ср.*, *само ед.* fruit-grow-
ing, fruit-culture; pomiculture.
овощ|ен *прил.*, **-на**, **-но**, **-ни** fruit
(attr.); **~на градина** fruit orchard/gar-
den.
овулацион|ен *прил.*, **-на**, **-но**, **-ни**
ovulatory.
овулàция *ж.*, *само ед.* *биол.* ovula-
tion.
овулѝрам *гл.* *биол.* ovulate.
овц|à *ж.*, **-è** и **-ѝ** sheep *(и pl.)*; **оагне-**
на ~а ewe.
овцевъдство *ср.*, *само ед.* sheep-
breeding/-rearing.
овчар (-ят) *м.*, **-и** shepherd.
овчарск|и *прил.*, **-а**, **-о**, **-и** shepherd's;
pastoral; **~и скок** *спорт.* pole-jump/
-vault; **~о куче** shepherd dog.
овч|и *прил.*, **-а**, **-е/-о**, **-и** sheep's; **~е**
месо mutton; **~е сирене** sheep's milk
cheese, cheese made from the milk of
sheep; ● **вълк в ~а кожа** a wolf in
sheep's clothing.
овъглявам, **овъгля** *гл.* carbonize, car-
bonify, char; **овъглен** charred; || **~ се**
become carbonized, char.
овършàвам, **овършèя** *гл.* thresh out.
оглавявам, **оглавя** *гл.* stand at the
head, take the lead, lead, head.
огладнявам, **огладнèя** *гл.* become/get
hungry.
оглàждам, **оглàдя** *гл.* smooth out;
(с ютия) iron, press; *(стил и пр.)*
polish (up).
огласявам и **оглàсям**, **оглася** *гл.*
make (s.th.) ring/resound (with), make
(s.th.) vocal/re-echo; **птичи песни ог-**

ласяваха **гората** birdsong filled the
forest, the forest resounded/echoed with
the song of birds.
огласяване *ср.*, *само ед.* *(на инфор-*
мация) publicity, giving publicity to.
оглед *м.*, **-и**, **(два) оглѐда** *юр.* view,
inspection; **~ на имущество** inspec-
tion of property; **правя ~** view; ● **без ~**
на regardless/irrespective of, without
reference to, without respect to.
огледàл|ен *прил.*, **-на**, **-но**, **-ни** smooth,
unruffled; glassy; **~ен образ** mirror
image.
огледàл|о *ср.*, **-à** looking-glass; mirror
(и прен.); *авт.* rear-view mirror; **гла-**
дък като ~о smooth as a mirror *(за*
вода и пр.) unruffled, glassy; **гледам**
се в ~о look at o.s. in a glass/mirror.
оглѐждам, **оглѐдам** *гл.* survey, exam-
ine, take a survey of, eye, scan, look
(s.th.) over; *(без допълн.)* have a look
round; **~ местопрестъплението** visit
the scene of crime; **~ от горе до долу/**
от глава до пети look s.o. up and down,
look (s.o.) over, examine s.o. from top to
toe; || **~ се** look round/about one;
(при търсене на нещо) cast o.'s eyes
about; *(в огледало)* look at o.s. in a
mirror; *(за предмети, отразявам*
се) be reflected.
оглозгвам и **оглождвам**, **оглозгам** и
огложда *гл.* gnaw, pick (clean).
оглупявам, **оглупѐя** *гл.* become/grow
stupid/feeble-minded/weak in the head/
dotty; *sl.* go gaga.
оглушàвам₁, **оглушѐя** *гл.* become/
grow/go deaf.
оглушàвам₂, **оглушà** *гл.* deafen.
оглушѝтел|ен *прил.*, **-на**, **-но**, **-ни**
deafening; ear-piercing; *(гръмовит)*
thunderous; piercing; **~ен трясък** ear-
splitting crash.
оглушки *само мн.*: **правя си ~** turn a
deaf ear **(за** to), pay no heed (to); feign
deafness.
огнев|и *прил.*, **-à**, **-ò**, **-ѝ** *воен.* fire
(attr.); **~а линия** front/firing line; **~а**
мощ *воен.* fire power.
огнен *прил.* fiery *(и прен.)*; *(за небе,*
залез и пр.) lurid; *(подобен на огън)*
flame-like; **~а стихия** blaze, raging
flame.
огнеопàс|ен *прил.*, **-на**, **-но**, **-ни** in-
flammable.
огнестрѐл|ен *прил.*, **-на**, **-но**, **-ни** fire

(attr.); gunshot *(attr.)*; **~но оръжие** fire-
arm.
огнеупòр|ен *прил.*, **-на**, **-но**, **-ни** fire-
proof; flameproof; refractory; fire-re-
sistant, oven-proof, fire-tight; apyrous;
calcitrant; **~ен материал** fireproof-
ing; **~на каса** safe, strong-box; **~на**
тухла fire brick.
огнѝщ|е *ср.*, **-а** 1. fireplace; hearth; 2.
(център) centre, seat; *мед.* focus *(pl.*
foci); ● **домашно ~е** home; fire-side;
the hearth; **~е на зараза** *мед.* a centre
of infection, nidus.
огнѝр (-ят) *м.*, **-и** stoker; fireman.
огòлвам, **огòля** *гл.* bare, lay bare, un-
cover, strip naked; denude; dismantle;
(глава) shave to the skin; *(нерв и пр.)*
expose; *(обезлесявам)* denude (of for-
ests), deforest; *(пасище)* depasture;
(отнемам всичко на, ограбвам) rob
to the skin; || **~ се** *геол.*, *мин.* outcrop.
огòлен *мин. страд. прич.* *(и като*
прил.) bare; denuded, denudate; *(за*
глава) bald; *(за нерв и пр.)* exposed;
~а жица uncovered wire.
оголявам, **оголѐя** *гл.* become bare;
(оплешивявам) grow/become bald;
(оставам без дрехи) have nothing to
wear; be left without a stitch; *(обедня-*
вам) grow poor, become impoverished/
destitute, be reduced to poverty; **дърве-**
тата оголяха the trees are leafless/bare.
огорчàвам, **огорчà** *гл.* distress, embit-
ter, grieve, pain, hurt, mortify, chagrin;
|| **~ се** be grieved/pained/distressed/hurt.
огорчèн *мин. страд. прич.* aggrieved,
grieved; pained, hurt, ill-used; embit-
tered; **~ съм от** be distressed about/
grieved at, grieve over/be chagrined at,
feel sore about.
огорчèни|е *ср.*, **-я** grief, distress, af-
fliction, mortification; embitterment;
chagrin; **за мое голямо ~е** much to
my regret/chagrin.
огрàбвам, **огрàбя** *гл.* rob, plunder,
loot, pillage, despoil, raid; *(плячкос-*
вам) sack; *(отнемам нещо)* burgle, *sl.* crack a crib.
огрàбване *ср.*, *само ед.* robbery, plun-
dering, spoliation, pillage, looting, raid-
ing; sacking.
оград|а *ж.*, **-и** fence, enclosure; *(зи-*
дана) wall; *(стобор)* board fence, fenc-
ing; **градина с ~а** walled garden; **ка-**
менна ~а fence of stone, stone fence.

ограждам, оградя *гл.* enclose, fence in/off; **ограден със стена** walled; **~ със запетаи** enclose within commas; || **~ се (от)** *прен.* fence o.s. off from.

ограждане *ср., само ед.* enclosure, fencing.

ограмотявам, ограмотя *гл.* make literate, teach how to read and write; || **~ се** become literate, learn how to read and write.

ограмотяване *ср., само ед.* liquidation of illiteracy, learning to read and write; **курсове за ~** literacy courses.

ограничавам, огранича *гл.* limit, restrict, confine (в to); *(разходи и пр.)* retrench, curb cut down, cut back (on); *амер.* crimp; *(свобода, възможности и пр.)* restrict, restrain, set limits/ bounds to; circumscribe; cramp; *разг.* put/keep the lid on; *(свобода или конфликт)* curtail; *(война, конфликт)* localize; *(инфекция)* focalize; *(пожар, епидемия и пр.)* contain, bring under control; *(обвързвам)* tie (down); *(стеснявам)* narrow, specialize; *(мащаба на)* downsize; *(отбелязвам границите на)* set landmarks to, mark out, delimit; **~ в дадено пространство** confine within certain limits; **~ пресата** muzzle the press; || **~ се** confine/restrict o.s. **(с** to); **~ се до най-необходимото** limit o.s. to strict necessities.

ограничен *мин. страд. прич. (и като прил.)* limited, restricted, tempered, narrow; finite; *(в движенията)* confined; *(малък, оскъден)* small, scanty, sparing; **дружество с ~а отговорност** limited liability company, *съкр.* Ltd; **~ ум** narrow/one-track/closed mind; **~ човек** narrow-minded/limited man, man of narrow vision/limited views, man lacking perspective; **~о пространство** confined/cramped space.

ограничени|е *ср.,* **-я** restriction, limitation; *(наложено от правителството и пр.)* clampdown; **налагам ~я** put restraints (на on); *разг.* clamp down (on), crack down on; **~е на скоростта** speed limit; **ползвам се без ~е от** make free use of.

ограниченост *ж., само ед.* finiteness, limitedness, restrictedness; *(на мирогледа)* narrow-mindedness, narrow/ restricted outlook, narrow field of vision, limitedness, boundedness; *(огра-*

ничено съществуване) circumscribed existence.

ограничител (-ят) *м.,* **-и, (два)** **ограничителя** *техн.* stop; restrictor, limiter, detent.

ограничител|ен *прил.,* **-на, -но, -ни** restrictive, confining, limitary, limitative, limiting; **~ни мерки** crackdown.

огризвам, огриза *гл.* pick clean; nibble, gnaw (at).

огризк|а *ж.,* **-и 1.** *само мн.* leavings, scraps (from a meal); **2.** *(от ябълка, круша)* core.

огром|ен *прил.,* **-на, -но, -ни** enormous, huge, immense, formidable, tremendous; gargantuan; *(много голям)* oversize(d); *(обширен)* vast; *sl.* whopping, thumping; **~ен успех** enormous/ huge/resounding success; **~но мнозинство** *(при избори)* huge/thumping majority; **~но удоволствие** exquisite pleasure.

огрявам, огрея *гл.* shine on, light (up), illuminate; *(за усмивка)* light up; *(изгрявам)* rise, *прен.* come up; *(стоплям)* warm; **огрян от слънцето** lit (up) by the sun, with the sun upon it, touched by the sun; || **~ се** warm o.s., bask o.s.; ● **не ме огря** nothing came my way; I struck a snag.

огъвам, огъна *гл.* bend, curve; *(тел)* kink; || **~ се** *(за греда и пр.)* bend under a strain, warp, cave in, give way; **~ се** *прен.* give way, climb down, wobble; knuckle under, buckle up, break down; give in, yield (to); cave in, falter (before); **~ се под тежестта на** bend/ sag beneath the weight of, sink under the weight of, buckle up under; **~ се пред трудности** yield to/shrink back from difficulties.

огън (-ят) *м.,* **огньове, (два) огъня** **1.** fire *(и воен.)*; *(температура)* temperature, fever; *(кибрит)* light; **запалвам ~** make/build a fire; **край/около ~я** *(огнището)* by/round the fireside; **кръстосан ~** *воен.* cross-fire; **хвърля ме в ~** run a temperature; **2.** *прен.* fire, ardour; ● **играя си с ~я** skate over thin ice, ride for a fall, trail o.'s coat; play with edged tools, tempt fate; **наливам масло в ~я** add fuel to the fire; **хвърлям се в ~я за** go through fire and water for (the sake of); give o.'s eye-teeth for.

огърлиц|а *ж.,* **-и** necklace.

од|а *ж.,* **-и** *лит., муз.* ode (на to).

одежд|а *ж.,* **-и** *поет.* rich garment; *църк.* vestment; **църковни ~и** clerical garb, clericals.

одеколон *м.,* **-и, (два)** одеколона eau-de-Cologne.

одейл|о *ср.,* **-а** blanket.

одирам, одера *гл.* **1.** skin, flay; excoriate; *(ожулвам)* graze; **~ жив** flay/skin alive *(и прен.)*; **~ кожата на животно** flay; **2.** *прен. (оскубвам)* skin, fleece; *(критикувам жестоко)* pan; || **~ се** graze (o.'s arm, knee etc.); ● **детето е одрало кожата на баща си** the child is the living/spitting image/the (very) spit and image of his father.

одисе|я *ж.,* **-и 1.** odyssey; **2. Одисеята** the Odyssey.

одитор *м.,* **-и** *фин.* auditor.

одиторск|и *прил.,* **-а, -о, -и** *фин.* auditorial.

одобрен *мин. страд. прич.* approved; *разг.* okayed; *канц.* read and approved; **бивам ~ от правителството** receive government approval.

одобрени|е *ср.,* **-я** encouragement, reassurance; approval, approbation; sanction, endorsement, ratification, confirmation; *разг.* the thumbs-up; **мълчаливо ~е** *(тайно съучастие)* connivance; **общо ~е** general approval; a chorus of assent; **~е на законопроект** passage of the bill.

одобрител|ен *прил.,* **-на, -но, -ни** approving, approbatory, approbative; of approbation/approval.

одобрявам, одобря *гл.* approve (of), sanction, endorse; *разг.* o.k.; okay; give the thumbs-up/the green light/the go-ahead; *(закон и пр.)* sanction, ratify; *(назначение)* confirm; *(договор)* ratify; **не ~** disapprove (of), not approve (of); *разг.* take a dim view of, do not hold with.

одрасквам, одраскам *гл.* scratch, graze; || **~ се** scratch o.s., get scratched (on a wire etc.).

одумвам, одумам *гл.* gossip about; *(злословя по адрес на)* backbite, blacken s.o.'s character, *разг.* bad-mouth.

одухотворен *прил.* inspired, spiritual; exalted; soulful; *(за лице)* expressive.

одухотворявам, одухотворя *гл.* spiritualize.

одушевявам, одушевя гл. animate.

одър м., **одри, (два) одъра** plank-bed; (диван) (long) seat; ● пуснали го под ~а, той се качил на ~а give him an inch and he'll take a mile; смъртен ~ death bed.

одържавявам, одържавя гл. nationalize, socialize; (църковен имот) deconsecrate.

одържавяване ср., само ед. nationalization, going public.

одъртявам, одъртея гл. grow old/feeble, become decrepit.

одялвам, одялам гл. hew, trim; (греда) square; (камък) tool.

ожаднявам, ожаднея гл. grow/become thirsty.

оженвам, оженя гл. marry, give (away) in marriage (to); || ~ се marry (за -); разг. get tied up; не се ~ remain single/unmarried; ~ се добре make a good match.

ожесточавам, ожесточа гл. embitter, make (s.o.) bitter, harden (s.o.'s heart); sour; exasperate; exacerbate; || ~ се become embittered, grow/become bitter, harden (o.'s heart) (към, срещу against); feel bitter (към about); become exasperated.

ожесточен мин. страд. прич. (и като прил.) bitter, embittered, exacerbated; vicious; dead set (срещу against); ~о преследване eager pursuit; ~о сражение a fierce/keen/bitter/stubborn/desperate fight; fierce fighting; разг. warm work.

оживен мин. страд. прич. (и като прил.) animated, lively, spirited; (кипящ) effervescent; амер. разг. chipper; busy, stirring, thriving; когато уличното движение е най-~о when the traffic is heaviest; ~ спор a lively controversy, a spirited/lively debate, разг. a set-to; ~а търговия brisk trade, a brisk market.

оживление ср., само ед. liveliness, excitement, animation, spirit, spiritedness, exhilaration, bustle.

оживявам, оживея гл. **1.** revive, come back to life; (за миналото и пр.) become alive; (оставам жив) survive, live; live to see; болният ще оживее the patient will live/pull through; **2.** прех. enliven, animate, reanimate, resuscitate, vivify, vitalize, bring life to,

put life into, give (s.th.) a lift, разг. jazz up, perk up, sl. pep up; (разказ и пр.) touch up; ~ събрание put fresh life into a meeting; || ~ се become animated, grow warm(er), warm up, brighten up, come alive, come to life, perk up; ● ~ на сърцето на grow on.

оживяване ср., само ед. survival; (вдъхване на живот) vivification.

ожулвам, ожуля гл. rub sore, chafe, gall, graze, abrade, break the skin; (дреха) wear out/threadbare; ~ си (коляното и пр.) skin.

ожънвам, ожъна гл. finish reaping; reap.

озаглавявам, озаглавя гл. entitle, head; designate.

озадачавам, озадача гл. puzzle, confuse, perplex, bewilder, mystify, baffle, bemuse, разг. stick; озадачен съм от puzzle over, stumble at; || ~ се be puzzled etc.

озадачено нареч. in/with bewilderment; поглеждам ~ give a puzzled look.

озаптявам, озаптя гл. quell, subdue, put down, put a curb on, call/bring to order, разг. crack down on.

озарявам, озаря гл. light up (и за усмивка), illuminate; озарява ме нова идея a new idea dawns on me, I have a brainwave.

озахарявам, озахаря гл. saccharify; sugar; coat with sugar.

озверен прил. brutal, ferocious, fierce, savage.

озверявам, озверя гл. enrage; || ~ се **1.** get enraged, fly into a rage, sl. cut up rough; **2.** become brutalized/ferocious.

озвучавам, озвуча гл. sound-screen, sound-track; (зала и пр.) wire for sound; ~ филм make the sound-track for a film; (площад и пр.) install loudspeakers/public address system in.

озвучаване ср., само ед. synchronization, doubling; sound recording.

озвучител|ен прил., -на, -но, -ни: -но тяло speaker.

оздравявам₁, оздравея гл. get better/well, recover (от from), recover/regain o.'s health, pull round; be well again, be restored to health; (възстановявам се след боледуване) convalesce; (за рана) heal, mend; ~ от болест come through an illness.

оздравявам₂, оздравя cure, heal; restore to health; resume o.'s health.

оздравяване ср., само ед. recovery; (възстановяване) convalescence; recuperation; той отива към (пълно) ~ he is convalescing; финансово ~ financial recovery/strengthening.

озлобен мин. страд. прич. (и като прил.) bitter, embittered, hardened.

озлобявам, озлобя гл. embitter, empoison (срещу against); || ~ се become embittered; fly into a temper.

озлочестявам, озлочестя гл. make unhappy/wretched/miserable; distress; (момиче) ruin, outrage.

ознаменувам гл. mark, celebrate (with), signalize (by), commemorate, memorialize.

означавам, означа гл. (отбелязвам) mark, note; denote; (знача) mean, signify, denote, designate, stand for, indicate; symbolize, typify, imply, connote; (звук – за буква) represent; какво означава ...? what are the implications of ...? ~ на карта lay down in a map.

озовавам се, озова се възвр. гл. find o.s., land; разг. fetch up, end up; най-накрая се озова в Лондон he fetched up in London.

озон м., само ед. хим. ozone.

озонов прил. ozone (attr.).

озъбвам се, озъбя се възвр. гл. show/bare o.'s teeth; (засмивам се) grin; прен. snap (на at); ~ на прен. bite; snap s.o.'s head/nose off.

озъртам се, озърна се възвр. гл. look round/about; look furtively, cast a furtive glance about; ~ да видя look round for.

окадявам, окадя гл. smoke, blacken with smoke; (обеззаразявам с дим от сяра) fumigate with sulphur; ~ с тамян incense, cense, thurify.

оказвам, окажа гл. render, give, show; ~ влияние exercise/exert influence (на on); bring influence to bear (on); ~ съдействие на lend o.'s support to, give (s.o.) o.'s support; ~ съпротива show/offer resistance, put up resistance; ~ топъл прием на give a warm welcome/reception to, accord (s.o.) a warm welcome; || ~ се turn out; prove (to be); be found (to be); оказа се, че it turned out that, it was found that.

оказион м., -и, (два) оказиона bar-

gain; **купувам ~** buy a second-hand bargain; **това е ~** this is secede-hand.

оказио̀н|ен *прил.*, **-на**, **-но**, **-ни**: **~ен магазин** a second-hand (goods) shop; **~на разпродажба** a rummage sale.

ока̀йвам, **ока̀я** *гл.* pity, be sorry for; lament for/over, mourn over, bemoan; deplore; || **~ се** bemoan o.'s lot.

ока̀лвам, **ока̀лям** *гл.* soil, dirty, make dirty, muddy, make muddy; cover with mud (*и прен.*); || **~ се** get muddy/dirty.

ока̀пвам₁, **ока̀пя** *гл.* fall off, drop off (*и за плодове*); (*за коса, зъби*) fall out; (*отпадам*) drop out; **косата ми окапва** lose o.'s hair.

ока̀пвам₂, **ока̀пя** *гл.* soil, spot; || **~ се с** (*нещо*) soil/spot o.'s clothes, let s.th. drop on o.'s clothes.

окарикату̀рявам и окарикату̀рям, **окарикату̀ря** *гл.* caricature, travesty, burlesque; stultify.

окарѝн|а *ж.*, **-и** *муз.* ocarina.

ока̀стрям, **ока̀стря** *гл.* **1.** (*дърво*) prune, trim (down); (*клони и пр.*) lop off; pare away/off; **2.** cut down, curtail, retrench; truncate (*и територия, текст*); (*филм*) cut.

ока̀стряне *ср.*, *само ед.* pruning; lopping off; cutting down, curtailment, retrenchment, truncating.

ока̀чвам, **окача̀** *гл.* hang (up), suspend; (*звънец на животно и пр.*) put (on); **~ орден** decorate; **● за това ще те окачат на въжето** you'll swing for it; **~ на пирона** (*оставям без разглеждане*) *прен.* shelve.

окачествя̀вам, **окачествя̀** *гл.* qualify, describe (**като** as); **не зная как да окачествя** have no words for.

ока̀ян *мин. страд. прич.* wretched, miserable, forlorn; deplorable, ratty, despicable; **изглеждам ~** *разг.* look like something the cat dragged in.

океа̀н *м.*, **-и**, **(два) океа̀на** *геогр.* ocean; **Атлантѝческият ~** the Atlantic (Ocean); **Индѝйският ~** the Indian Ocean; **Сѐверният ледовит ~** the Arctic (Ocean); **Тѝхият/Велѝкият ~** the Pacific (Ocean); **Ю̀жният ледовит ~** the Antarctic (Ocean).

Океа̀ния *ж. собств.* Oceania.

океаногра̀фия *ж.*, *само ед.* oceanography.

океаноло̀гия *ж.*, *само ед.* oceanology.

океа̀нск|и *прил.*, **-а**, **-о**, **-и** ocean

(*attr.*), oceanic; **~и кораб** ocean-going ship/steamer, ocean liner.

о̀кис *м.*, **-и**, **(два) о̀киса** *хим.* oxide; **зелен меден ~** verdigris.

окислѝтел (**-ят**) *м.*, **-и**, **(два) окислѝтеля** *хим.* oxidizer, oxidant.

окисля̀вам (се), **окисля̀ (се)** (*възвр.*) *гл.* oxidize, oxidate, oxygenate.

окисля̀ване *ср.*, *само ед. хим.* oxidizing, oxidation, oxidization, oxygenation.

окѝчвам, **окѝча** *гл.* adorn, decorate; stick a flower (on).

оклевета̀вам, **оклеветя̀** *гл.* slander, calumniate, traduce, vilify.

оклевета̀ване *ср.*, *само ед.* slandering, defamaton, vilification, malicious accusation; *рекл.* ashcanning.

оклю̀мвам, **оклю̀мам** *гл.* hang o.'s head, be down in the mouth; *разг.* have (a fit of) the grumps; (*за цвете*) droop.

око̀ *ср.*, **очи** eye; **● без да ми мигне ~то** without batting an eyelid; without turning a hair; (*без да се поколебая*) in cold blood; **върви, накъдето ми видят очите** go no matter where, go at random; wander aimlessly; **гледам право в очите** meet s.o.'s eye, look at s.o. full in the face; **издигам се/падам в очите на** rise/fall in s.o.'s estimation/ esteem; **на четири очи** in private, alone, tête-à-tête, confidentially; **~ за зъб, зъб за зъб** an eye for an eye, a tooth for a tooth; give/return like for like; measure for measure.

окова̀вам, **окова̀** *гл.* (en)chain, put in chains, shackle, fetter; **~ във вериги** bind/shackle in chains.

око̀ви *само мн.* chains, shackles, fetters; irons; (*белезници*) manacles, handcuffs; *прен.* trammels, shackles; **● слагам/махам ~** put on/take off fetters.

ококо̀рвам, **ококо̀ря** *гл.* **1.**: **~ очи** open o.'s eyes wide; goggle (at), stare (with bulging eyes) (at); (*за очи*) bulge/ pop out; **2.** (*надувам се, перя се; съвземам се*) perk up.

око̀л|ен *прил.*, **-на**, **-но**, **-ни** **1.** (*който се намира наблизо*) neighbouring, adjacent; (*който се намира наоколо*) surrounding, encompassing; (*за въздух*) ambient; **~на среда** environment, surroundings; circumambience; **~нията свят** the world around; **2.** (*обиколен*) roundabout; devious, circui-

tous; (*косвен*) oblique; (*със заобикалки*) circumlocutory; **по ~ни пътища** *прен.* by devious means, through crooked ways; **3.** *като същ. само мн.* **~ните** bystanders; those around (s.o.); (*роднини и приятели*) friends and relations.

око̀ли|я *ж.*, **-и** *остар.* district; **избирателна ~я** constituency.

око̀лност *ж.*, **-и** neighbourhood, vicinity, surrounding area/country; surroundings; **в ~та на** in the vicinity of; **~и** (*на град*) environs.

о̀коло *предл.* **1.** round, around, round about; **2.** (*приблизително*) about; in the neighbourhood of; some; **~ десет години** a matter of ten years; **струва ~ ...** it costs something like ...; **3.** (*относително, във връзка с*) about.

околовръ̀ст|ен *прил.*, **-на**, **-но**, **-ни** round, circular; **~на железопътна линия** circular/circle railway, belt line; **~но шосе** ring-road, bypass.

околозѐм|ен *прил.*, **-на**, **-но**, **-ни** circumterraneous.

околосвѐтск|и *прил.*, **-а**, **-о**, **-и** round the world; **~о пътуване** a tour/trip round the world, round-the-world trip.

окомѐр *м.*, **-и**, **(два) окомѐра** (*прицел*) estimation by sight; **добър ~** a correct/faultless eye; **лош ~** a faulty eye.

окомѐр|ен *прил.*, **-на**, **-но**, **-ни** by the eye, by sight; **~на снимка** an eyesketch, a sketch-map; a rough plan, a hasty sketch.

окончавам *гл. език.* end (**на** in).

окончани|е *ср.*, **-я** *език.* ending, termination, inflexion.

окончатѐл|ен *прил.*, **-на**, **-но**, **-ни** final, conclusive, definitive, determinate; *юр.* peremptory; **~на цена** a net price; *амер.* net; **~но решение/присъда** *юр.* a final judgement, a judgement of the final Court of Appeal; **това е ~но** that's flat.

оконча̀телно *нареч.* finally, conclusively, definitely, once and for all; completely; **въпросът е ~ решен** the matter is definitely settled.

око̀п *м.*, **-и**, **(два) око̀па** *воен.* trench; entrenchment; **влизам/отивам в ~ите** mount the trenches.

окопа̀вам, **окопа̀я** *гл.* (*растение*) earth up, dig round; hill; **~ дърво** trench round a tree; || **~ се** *воен.* en-

trench o.s., dig o.s. in.

окòп|ен *прил.*, **-на, -но, -ни** trench (*attr.*); **~ни култури** earthed-up cropsl.

окопѝтвам се, окопѝтя се *възвр. гл.* pull o.s. together, come to o.s., rally, recover, recover o.'s nerve/o.'s wits; recover from surprise, find o.s./o.'s tongue/o.'s voice; see where one is.

окосявам, окося *гл.* mow (down).

окòтвам се, окòтя се *възвр. гл.* kitten, give birth to kittens, litter.

окошàрвам, окошàря *гл. разг.* pen, coop.

окрàск|а *ж.*, **-и** colour; *биол.* colo(u)r-ation.

окрилявам и **окрѝлям, окриля** *гл.* elate, lend (s.o.) wings, give wings to, wing (s.o.).

òкрѫ|г *м.*, **-зи**, (два) **òкрѫга** county, province, region; *воен.* military district, command; **избирателен ~г** electoral/election district.

окрѫжàвам, окрѫжà *гл.* surround, encircle, encompass.

окрѫж|ен *прил.*, **-на, -но, -ни** county (*attr.*); regional; **~ен прокурор** *амер.* district attorney.

окрѫжност *ж.*, **-и** *геом.* circumference; **вписана ~** inscribed circle; **описана ~** circumscribed circle.

оксѝд *м.*, **-и**, (два) **оксѝда** *хим.* oxide.

оксидѝрам *гл.* oxidite, oxygenate.

оксижèн *м.*, **-и**, (два) **оксижèна** 1. *хим.* oxygen; 2. *техн.* (*апарат*) blow-/torch-lamp, oxyacetylene torch.

оксиженѝрам *гл.* 1. weld, treat with oxygen; 2. (*коса*) peroxide, bleach.

оксиженѝст *м.*, **-и** (oxygen-)welder.

Òксфорд *м. собств.* Oxford.

òксфордск|и *прил.*, **-а, -о, -и** Oxford (*attr.*), Oxonian; **~и възпитаник** a graduate of Oxford University, an Oxonian.

октàв|а *ж.*, **-и** 1. *муз.* octave; **пея ~а горе/долу** sing an octave; 2. *полигр.* octavo; 3. *лит.* octet, octave.

октàн *м., само ед. хим.* octane.

октàнов *прил.*: **~о число на чист бензин** clear octane.

октоèд|ър *м.*, **-ри**, (два) **октоèдъра** *геом.* octahedron.

октòмври *м., неизм.* October; **през ~ миналата година** last October, last year in October.

октомврийск|и *прил.*, **-а, -о, -и** October (*attr.*).

октопòд *м.*, **-и**, (два) **октопòда** *зоол.* octopus, devil-fish.

окỳлт|ен *прил.*, **-на, -но, -ни** occult; cabbalistic.

окултѝз|ъм (**-мът**) *м., само ед.* occultism, cabbalism.

окултѝст *м.*, **-и** occultist.

окуляр *м.*, **-и**, (два) **окуляра** eyepiece, eye-lens, ocular.

окуляр|ен *прил.*, **-на, -но, -ни** ocular.

окупàтор *м.*, **-и** invader, occupier, occupant.

окупациòн|ен *прил.*, **-на, -но, -ни** occupation (*attr.*), of occupation; **~на армия** army of occupation, occupation army.

окупàци|я *ж.*, **-и** occupation; **чужда ~я** alien occupation.

окупѝрам *гл.* occupy.

окуражàвам, окуражà *гл.* encourage, embolden, give courage to, nerve; reman; *разг.* give heart; ‖ **~ се** take courage/heart.

окуражѝтел|ен *прил.*, **-на, -но, -ни** encouraging; reassuring.

окỳчвам се, окỳча се *възвр. гл.* pup, whelp, litter.

окъпвам, окъпя *гл.* give (s.o.) a bath; **дъждът хубавичко ни окъпа** we got a good ducking; the rain gave us a good ducking; **окъпан в светлина** bathed in light; ‖ **~ се** (*в река, море*) bathe; (*в баня*) have/take a bath.

окървавèн *прич.* blood-stained, stained with blood, bloody; gory; **ръцете ми са ~и** have blood on o.'s hands.

окървавявам, окървавя *гл.* stain/smear with blood; make bleed.

окъсвам, окъсам *гл.* 1. (*цветя*) pluck off; break off; tear off; 2. reduce to tatters/rags, wear out; ‖ **~ се** become threadbare/worn-out.

окъсявам, окъсèя *гл.* become too short; **всичките ѝ дрехи са окъсели** she has grown out of/outgrown her clothes.

олеàнд|ър *м.*, **-ри**, (два) **олеàндъра** *бот.* oleander (*Nerium*).

олèквам, олекнà *гл.* become lighter; **олекна ми на сърцето/душата** that's a load/weight off my mind, a weight was taken off my mind.

òлеле *междум.* oh dear, dear me.

олелѝ|я *ж.*, **-и** hullabaloo, uproar, racket, rumpus, row, din, shindy; **вдигам голяма ~я/~я до бога** make/kick up a big fuss/a terrific uproar (over).

оливия *ж., само ед.* cooking/vegetable oil.

олигàвям, олигàвя *гл.* slaver over, beslobber; **олигавен** slavered/slobbered over, beslobbed.

олигàрхи|я *ж.*, **-и** *полит., икон.* oligarchy.

олигофрèн *м.*, **-и** *мед.* oligophrenic.

олигофрèния *ж., само ед. мед.* oligophrenia.

олигоцèн *м., само ед. геол.* oligocene.

Олѝмп *м. собств. мит.* Olympus.

олимпиàд|а *ж.*, **-и** Olympiad; (*олимпийски игри*) Olympic games, Olympics.

олимпѝ|ец *м.*, **-йци** Olympian.

олимпийск|и *прил.*, **-а, -о, -и** 1. Olympian; 2. *спорт.* Olympic; ● **~о спокойствие** Olympian detachment.

òлио *ср., само ед.* cooking/vegetable oil.

олихвявам се, олихвя се *възвр. гл.* accumulate at interest.

олицетворèни|е *ср.*, **-я** personification (*и лит.*), embodiment; epitome; **той е ~е на любезността** he is politeness itself/the soul of politeness.

олицетворявам, олицетворя *гл.* personify, embody; be representative of, represent; epitomize.

олòв|ен *прил.*, **-на, -но, -ни** lead (*attr.*); *хим., мед.* plumbic; (*като олово*) leaden; **~ен войник** tin/toy soldier; **~а руда** lead-ore; **~но отравяне** lead-poisoning, saturnism, plumbism.

олòво *ср., само ед. хим.* lead; **покрит с ~** lead-plated.

олтàр *м.*, **-и**, (два) **олтàра** *църк.* altar (*и прен.*); sanctuary.

олỳ|к *м.*, **-ци**, (два) **олỳка** gutter, runnel.

олюлявам се, олюлèя се *възвр. гл.* sway, stagger, totter, reel, stumble along; (*за крака*) falter; **ставам, олюлявайки се** stagger to o.'s feet.

олющвам, олющя *гл.* peal off, skin; (*ориз*) husk; (*грах и пр.*) hull, pod; (*кора на дърво*) bark, chip off; (*обувки*) scrape; ‖ **~ се** peel away/off; chip; exfoliate.

ом *м.*, **-ове**, (два) **òма** *физ.* ohm.

омагьо̀сан *мин. страд. прич.* (*и като прил.*) bewitched, enchanted, spellbound; under a spell; haunted; ~ **кръг** vicious circle; a chicken and egg situation.

омагьо̀свам, омагьо̀сам *гл.* cast a spell on, bewitch, enchant; ensnare.

ома̀|ен *прил.*, -**йна**, -**йно**, -**йни** bewitching, enchanting, charming, fascinating; entrancing.

ома̀звам, ома̀жа *гл.* grease, smear; || ~ **се** get greasy.

ома̀йвам, ома̀я *гл.* fascinate, charm, enchant, entrance, cast a spell on, bewitch; enrapture, enthral; **бивам омаян от** fall under the spell of.

ома̀йниче *ср.*, -**та** *бот.* harefoot, avens, geum (*Geum urbanum*).

омаловажа̀вам, омаловажа̀ *гл.* belittle, cry down, minimize, trivialize, depreciate, undervalue, disparage, make light/little of, play/do down; downgrade, downplay, diminish, decry; derogate; (*грешка и пр.*) extenuate; (*вина и пр.*) palliate; *разг.* pooh-pooh.

омаломоща̀вам, омаломощя̀ *гл.* exhaust, enfeeble, weaken, drain the strength of; enervate, debilitate; (*надвивам*) overpower, overwhelm.

омаля̀вам, омалѐя *гл.* become too small.

ома̀р *м.*, -**и**, (**два**) **ома̀ра** *зоол.* lobster, sea crayfish.

ома̀р|а *ж.*, -**и** haze.

омаскаря̀вам, омаскаря̀ *гл.* bring shame/disgrace on, make a laughing stock/a fool of, make (s.o.) ridiculous; || ~ **се** disgrace o.s., make a fool/a laughing stock of o.s.

ома̀цвам, ома̀цам *гл.* smear, soil, daub.

ома̀чквам, ома̀чкам *гл.* crush, crease.

ома̀ян *мин. страд. прич.* fascinated, charmed, spellbound, bewitched, enraptured, enthralled (**от** by, with), under the spell (of), toilsome.

о̀мбудсма̀н *м.*, -**и** ombudsman.

омѐга *ж.*, *само ед.* omega.

омѐквам, омѐкна *гл.* grow/become soft(er); (*за климат*) grow milder; (*за време*) get warm(er); (*за плод*) mellow; (*за глас*) go soft; *прен.* relent, soften (down); melt; ~ **към** soften towards.

омекотѝтел (-**ят**) *м.*, -**и**, (**два**) **омекотѝтеля** softener.

омекотя̀вам, омекотя̀ *гл.* soften (up).

омекча̀вам, омекча̀ *гл.* soften; (*кашлица*) loosen.

омѐсвам, омѐся *гл.* knead, work up.

Омир *м. собств.* Homer.

омѝтам, омета̀ *гл.* **1.** sweep (away); sweep clean; **2.** (*изяждам*) polish off; *разг.* put away, knock (it) back; || ~ **се** *разг.* get away; **омитай се оттук** get away, off with you, hop it, scram, get lost; *sl.* bugger/buzz off.

омлѐт *м.*, -**и**, (**два**) **омлѐта** *кул.* omelette.

о̀мнибус *м.*, -**и**, (**два**) **о̀мнибуса** omnibus, bus.

омо̀крям, омо̀кря *гл.* wet, douse, dowse, drabble.

омонѝм *м.*, -**и**, (**два**) **омонѝма** *език.* homonym.

омонѝм|ен *прил.*, -**на**, -**но**, -**ни** *език.* homonymous.

омота̀вам, омота̀я *гл.* **1.** wind (round), twine; convolve; enlace; **2.** *прен.* entangle, involve, enmesh.

омра̀за *ж.*, *само ед.* hatred (**към** of s.o., **за** s.th.), odium; detestation; **спечелвам си** ~**та на** incur the hatred/odium of.

омра̀з|ен *прил.*, -**на**, -**но**, -**ни** hateful, detestable, odious, loathsome, obnoxious; **името му ми е** ~**но** his name is anathema to me; ~**на дума** a dirty word.

омръ̀звам, омръ̀зна *гл.* tire, bore; grow/become boring, weary; **омръзва ми** get/be/grow tired (**да** of, *с ger.*), get bored with, get fed up with (**да** *с ger.*); *sl.* be stiff with; ~ **на хората** make a nuisance of o.s.

омъ̀жвам, омъ̀жа *гл.* marry, give in marriage; ~ **се** (**за**) marry.

омръ̀лушвам се, омръ̀лушa се *възвр. гл.* be dispirited/down in the mouth/out of sorts; droop, lose heart/courage, become despondent; *разг.* pull a long face; **той се омърлуши** his countenance fell.

омръ̀лушен *мин. страд. прич.* down in the mouth, crestfallen, low-spirited, downcast, down-hearted, sick as a parrot.

омрься̀вам, омрься̀ *гл.* **1.** dirty, soil; *разг.* muck; **2.** *прен.* defile, sully, pollute, profane.

омършавя̀вам, омършавѐя *гл.* grow/become emaciated.

онагледя̀вам, онагледя̀ *гл.* illustrate; make clear with visual aids; visualize.

онагледя̀ване *ср.*, *само ед.* use of illustrations/visual aids.

онанѝз|ъм (-**мът**) *м.*, *само ед.* *мед.* masturbation, self-abuse, onanism, auto-erotism.

онанѝрам *гл.* masturbate.

ондула̀тор *м.*, -**и**, (**два**) **ондула̀тора** *техн.* undulator.

ондула̀ци|я *ж.*, -**и** (hair)wave.

оневиня̀вам, оневиня̀ *гл.* free from guilt/blame; *юр.* exculpate.

оневиня̀ване *ср.*, *само ед.* *юр.* exculpation.

онемя̀вам, онемѐя *гл.* become/grow/fall dumb; *прен.* be struck dumb, be dumbfounded (**от** with); ~ **от смущение** lose o.'s tongue.

онеправда̀вам, онеправдя̀я *гл.* wrong, do injustice to, treat unjustly/unfairly.

онеправда̀н *мин. страд. прич.* underprivileged; wronged, slighted; *като същ.*: ~**ите от съдбата** the outcasts of fortune.

о̀нзи *показ. мест.*, **она̀зи, онова̀, онѐзи** that.

о̀никс *м.*, *само ед.* *минер.* onyx.

онколо̀|г *м.*, -**зи** oncologist.

онкологѝч|ен *прил.*, -**на**, -**но**, -**ни** oncological.

онколо̀гия *ж.*, *само ед.* *мед.* oncology.

о̀ня *показ. мест.*, **она̀я, онова̀, онѝя** that; **на** ~ **свят** in the hereafter; ~ **ден** the day before yesterday; the other day.

ООН (*Организация на обединените нации*) United Nations Organization, UNO.

опа̀двам, опа̀дам *гл.* fall/drop off; (*за коса*) fall out; **косата ми опада** I lost my hair.

опа̀звам, опа̀зя *гл.* preserve, protect (**от** from), guard, safeguard (against); **боже опази!** God forbid!; || ~ **се** (**от**) safeguard o.s. against.

опа̀зване *ср.*, *само ед.* **1.** safeguarding, protection, preservation, conservation, defence; **2.** (*на природата, на застрашени видове животни и пр.*) conservation, preservation; ~ **на културното наследство** safeguarding of heritage; ~ **на околната среда** environmental protection; ~ **на служебна тайна** professional security.

о̀пак *прил.*, -а, -о, -и **1.** (*обратен*) reverse, wrong; **2.** (*неразбран, опърничав, своенравен*) cross-grained, cantankerous, wrong-headed, crotchety, trying, difficult to deal with, contrarious, shrewish, perverse, ornery, stroppy; ~а работа a tricky/tough job; **3.** *като същ. ср.* the reverse/the wrong side of; обръщам с ~ото навън turn inside out; ~о на ръка the back of o.'s hand.

опако̀вам *гл.* pack (up), wrap (up), do (up); encase.

опако̀вк|а *ж.*, -и packing; (*художествена*) packaging; (*материал*) packing, package; (*на вестник и пр.*) wrapper; (*с дъски*) encasement.

опако̀въч|ен *прил.*, -на, -но, -ни packing, wrapping.

опа̀л *м.*, *само ед.* **1.** *минер.* opal; огнен ~ *girasol*; **2.** *текст.* muslin.

опа̀рвам, **опаря̀** *гл.* burn; (*с вряла вода*) scald; (*за коприва*) sting; || ~ се burn/scald o.s., get burned/scalded, (*от коприва*) get stung; *прен.* burn o.'s fingers, have/get o.'s fingers burnt, put o.'s finger(s) in the fire; singe o.'s feathers.

опа̀свам₁, **опаса̀** *гл.* (*трева и пр.*) graze down/away, crop; (*пасище*) depasture.

опа̀свам₂, **опа̀ша** *гл.* **1.** (*пояс и пр.*) gird (on), buckle on; **2.** (*обкръжавам*) encircle, girdle; girth, gird; *поет.* engird(le); || ~ се gird o.s. (with); ~ се (*слагам си пояс*) put on a belt/girdle.

опа̀с|ен *прил.*, -на, -но, -ни dangerous, hazardous; (*за пътуване и пр.*) perilous; (*рискован*) risky, precarious, hazardous; ~ен за здравето hazardous to health; ~на зона danger area; ~на тема horny subject; • ~ен е *разг.* he's terrific.

опасѐни|е *ср.*, -я apprehension, misgiving, fear; нямам ~я have no qualms.

опа̀сност *ж.*, -и danger, peril, risk, jeopardy, hazard; *pl.* hazards; вън от ~ out of danger, *разг.* out of the wood, above water; гледам ~та в лицето face/brave the danger; има ~ да вали there is a threat of rain; предотвратявам ~ ward off a danger.

опася̀вам се *възвр. гл.* apprehend, fear; be apprehensive of/about; ~ за живота си fear for o.'s life.

опаша̀т *прил.* tailed; *зоол.* caudate; ~а звезда comet; ~а лъжа a whopping/thumping/swingeing/whacking lie, whopper, *sl.* out-and-outer.

опа̀ш|ен *прил.*, -на, -но, -ни *анат.* caudal; *зоол.* cercal; ~на кост coccyx.

опа̀шк|а *ж.*, -и **1.** (*на лисица*) brush; (*на заек, елен*) scut; (*на паун*) train; без ~а *зоол.* excaudate; махам ~а (*за куче*) wag its tail; **2.** (*дръжка на лист, плод*) stem; ~а на лист *бот.* petiole; **3.** (*край на нещо*) tail-end, end; вървя на ~ата bring/close up the rear; ~а на самолет tailpiece; **4.** (*редица от хора*) queue, line; чакам на ~а stand in line, queue (for), queue up (for); **5.** (*от коса*) (pony)tail, cue; **6.** (*спирачка, тежест*) drag; • духвам някому под ~ата send s.o. packing/flying; sack s.o.; свивам/подвивам ~а put o.'s tail between o.'s legs, turn tail.

онѐк|а *ж.*, -и guardianship, wardship, custody; tutelage (*и прен.*); поставям под ~а put under guardianship, place in custody, put in ward.

опеку̀н *м.*, -и guardian; custodian; *юр.* (*на непълнолетен*) tutor; (*над имущество*) trustee.

опело̀ *ср.*, *само ед.* *църк.* funeral/burial service.

о̀пер|а *ж.*, -и opera; (*сграда*) operahouse; на ~а съм be at the opera; • ~а серия *муз.* opera seria.

оператѝв|ен *прил.*, -на, -но, -ни **1.** operative, working, effective; ~на памет *инф.* random access memory, *съкр.* RAM; **2.** *мед.* operative, surgical; ~на намеса surgical intervention/interference; **3.** *воен.* operational, operations (*attr.*); ~ен отдел operations section; ~ен план operations plan.

опера̀тор *м.*, -и operator, handler, attendant; (*кинооператор*) cameraman; *кино* (*главен*) director of photography; допълнителен ~ *инф.* complementary operator; помо̀щник-~ cameraman.

операцио̀н|ен *прил.*, -на, -но, -ни **1.** *мед.* operation, (*attr.*) operating, surgical; ~на зала an operating room; (*амфитеатрална*) an (operating) theatre; ~на сестра a theatre-nurse; **2.** *икон.* operation (*attr.*); **3.** *воен.* operational, operations (*attr.*).

операцио̀н|а *ж.*, -и *мед.* operating room, (operating-)theatre.

опера̀ци|я *ж.*, -и *мед.*, *воен.*, *фин.* operation; извършвам ~я perform an operation (на on); ~я на сърцето an operation on the heart, a cardiac operation; парични ~и monetary/money transactions.

о̀пер|ен *прил.*, -на, -но, -ни opera (*attr.*), operatic; ~ен певец an opera singer; ~но изкуство operatic art.

опѐрен *мин. страд. прич.* **1.** (full-)fledged; **2.** *прен.* cocky, pert, bumptious.

оперѐт|а *ж.*, -и *муз.* musical (comedy), operetta.

оперѐт|ен *прил.*, -на, -но, -ни musical-comedy (*attr.*).

оперѝрам *гл.* **1.** *мед.* operate (някого on s.o.); || ~ се be operated on, have/undergo an operation (for); ~ се от сливици have o.'s tonsils out/removed; **2.** *воен.* operate; **3.** (*боравя*) operate, do operations (с with); ~ с цифри use figures.

опетнѐн *мин. страд. прич.* sullied, tarnished, stained, tainted (*и прен.*), blemished, *разг.* fly-blown.

опетня̀вам, **опетня̀** *гл.* sully, tarnish, stain, soil, smear, smirch, stigmatize, defile, bring dishonour, cast a slur (on), taint; ~ паметта на besmirch the memory of; || ~ се stain o.'s record.

опеча̀лен *мин. страд. прич.* afflicted, grieved; grief-stricken; (*натъжен*) sad, despondent; като същ. mourner; ~ите the bereaved; mourners.

опеча̀лявам, **опеча̀ля** *гл.* afflict, grieve, distress, make sad; || ~ се become/be grieved.

опѐчен *мин. страд. прич.* baked; roasted; добре ~ well-done, done to a turn; (*сигурен*) copper-bottomed; • работата ми е ~а be a made man.

опиа̀т *м.*, -и, (два) опиа̀та *фарм.* opiate, narcotic, dope.

опѝвам, **опѝя** *гл.* make (s.o.) drunk, intoxicate; inebriate; ~ с вино get s.o. drunk on wine; || ~ се get drunk/inebriated (с on), become/be intoxicated (by/with) (*и прен.*); *прен.* luxuriate, revel (in).

опѝпвам, **опѝпам** *гл.* feel; run o.'s fingers over/along; grope (about); (*да намеря нещо*) fumble (for); ~ почвата see how the land lies; throw out/put out feelers.

опѝрам₁, оперà *гл.* wash; do s.o.'s/the washing; ~ **и изглаждам** launder; ● ~ **пешкира** *прен.* bear/take the brunt, take the rap.

опѝрам₂, опрà *гл.* **1.** (*възправям, подпирам*) rest, set, lean, prop up (**на** against); ~ **гръб о врата/стена** put/set/ rest o.'s back against a door/a wall; **2.** (*достигам до*) touch; (*до нещо твърдо*) strike; ‖ ~ **се 1.** (*облягам се*) lean (against, on); ~ **се о** steady o.s. against; **2.** (*оснѣнам се, разчитам*) rely, depend, lean (on), fall back (on); **3.** (*съпротивлявам се*) stand up (to), make o.'s stand (against); jib, stick, boggle (at); **работата ми се опря** it proved to be a sticky job, it proved to be uphill work; ● ~ **на камък** strike a snag.

** òпис** *м.,* **-и,** (**два**) òписа inventory; list; **имуществен** ~ *юр.* inventory of the property attached; **права** ~ **на** take an inventory (of); schedule; **складов** ~ landing account.

описан *мин. страд. прич.* described; *юр.* (*за дългове*) distrained; *геом.* described, circumscribed.

описàни|е *ср.,* **-я** description; account; presentation; specification; **не се поддава на ~e** it is beyond description, it defies/beggars description.

описàтел|ен *прил.,* **-на, -но, -ни** descriptive; *език.* analytical; **~но спрежение** *език.* periphrastic conjugation.

опѝсвам, опѝша *гл.* **1.** describe; depict; portray; give an account of; (*правя опис*) make an inventory (of), list; ~ **подробно** *журн.* write up; **2.** *юр.* distrain; **3.** *геом.* describe, circumscribe; ~ **кръг** describe a circle.

òпит *м.,* **-и,** (**два**) òпита **1.** attempt, try; (*придружен с риск*) venture; (*усилие*) endeavour, effort; *спорт.* trial; *разг.* shot, go, fling; ~ **за измама/ кражба** attempt at fraud/theft, attempted fraud/theft; ~ **за преврат** attempted coup; **правя** ~ make an attempt, attempt, try, endeavour; make an effort; *разг.* give it a try/shot/go; **2.** (*практика, опитност*) experience, background; **житейски** ~ knowledge of life/of the world, experience, worldly knowledge; **човек с голям** ~ old stager; **3.** (*научен*) experiment, test, trial; ~ **по химия** experiment in chemistry, chemical experiment; **~и на голяма**

височина high altitude tests.

опѝтвам, опѝтам *гл.* **1.** try, attempt, endeavour; ~ **всички средства** try every possible/all available means, explore every avenue, leave no avenue unexplored; try every trick in the book; ~ **късмета/щастието си** try o.'s luck/ fortune; **2.** (*изпитвам, изпробвам*) test, put to the test; ~ **почвата** *прен.* test/probe the ground, feel o.'s way (along); throw out feelers; take o.'s bearings/soundings; **3.** (*вкусвам*) taste, sample; try; (*вземам за от*) partake of; ‖ ~ **ce** try, attempt, make an attempt, endeavour; seek, offer (**да** o *c inf.*); have a try; take o.'s chance; try o.'s hand, have a go/fling/shot (at), trun o.'s hand (to); ~ **се да достигна до** feel o.'s way to; **само се опитай!** just you try!

òпит|ен *прил.,* **-на, -но, -ни 1.** (*който има опит*) experienced; (*вещ*) trained, skilled; (*който знае много*) knowing; **~ен човек** a man of experience; **2.** (*експериментален*) experimental; (*за опит*) test (*attr.*), for research; **~ни животни** animals for research/experimental purposes, test animals; **~но поле** an experimental field, proving/testing ground; (*за хора*) *прен.* human guinea-pigs.

опитомèн *мин. страд. прич.* tamed, domesticated; (*питомен*) tame.

опитомѣвам, опитомѣ *гл.* tame, domesticate; *амер.* domesticize.

òпиум и òпи|й (**-ят**) *м., само ед.* opium; *прен.* opiate; *sl.* Chinese tobacco.

опѝчам, опекà *гл.* **1.** bake; (*месо*) roast; (*на скара*) broil, grill; **агнето се опече** the lamb is done to a turn; **2.** (*усвоявам, изучавам добре*) master; ● **~си работата** make assurance double/doubly sure; ~ **си ума** be careful, watch out, watch o.'s step, mind o.'s step/o.'s p's and q's, mind what one is about, be on o.'s guard, keep o.'s wits about one.

опиянèн *мин. страд. прич.* intoxicated (with); (*от алкохол и пр.*) inebriated, befuddled, *прен.* exhilarated; elated; entranced; ~ **от успех** flushed/ elated with success.

опиянèни|е *ср.,* **-я** intoxication, exultation, flush; elation; enchantment; in-

ebriation, exhilaration, euphoria, entrancement; **~ето от първата любов** the first flush of love.

опиянѣвам, опияни *гл.* intoxicate; excite, elate; enchant; (*от алкохол и пр.*) inebriate; befuddle, exhilarate, *разг.* give (s.o.) a buzz.

оплàквам₁, оплàча *гл.* mourn (for, over), lament, weep (for); bemoan, bewail, beweep; **жив да го оплачеш** it makes your heart bleed to see him; ‖ ~ **ce** complain (**от** of, **срещу** against); grumble, croak; *разг.* beef (about), bleat (about), carp (at, about), gripe, grouch; crab (about); *sl.* squawk; (*правя оплакване*) make a complaint (**за** about; **пред** to); present o.'s grievance (to); report; **не мога да се оплача от** have no quarrel with/against.

оплàквам₂, оплàкна *гл.* rinse; ● ~ **си гърлото** (*пийвам си*) have a drop, wet o.'s whistle; ~ **си очите** feast o.'s eyes.

оплàкван|е *ср.,* **-ия** beef (about), bleat (about), carp (at, about), grouch; complaint, grievance; *разг.* gripe; **книга за ~ия** *канц.* book of complaints, complaints book; **той е за ~e** he is to be pitied.

оплèзвам (се), оплезя (се) (*възвр.*) *гл.* stick/put out (o.'s tongue); (*за куче*) hang out (its tongue).

оплèсквам, оплèскам *гл.* **1.** dash, splash, spatter, bespatter; drabble; ~ **с кал** dash/splash with mud; **2.** (*изяждам*) gobble up; **3.** (*извършвам зле*) bungle, botch, muddle, make a mess/a bad job/sad work of; *разг.* cock (s.th.) up, fluff, foul up, balls up, goof, make a hash of, bodge (up), bugger up; ‖ ~ **ce** get bespattered; slop o.s.; ● **сега я оплескахме** now we are in for it, we have made a mess/a bad job of things; a nice mess we have got ourselves into; we've gummed up the works.

оплешивѣвам, оплешивѣя *гл.* grow/ go bald, lose o.'s hair.

оплодѣвам и оплождам, оплодя *гл.* fertilize; fecundate; *книж.* fructify; (*изкуствено*) inseminate, impregnate, fructify; *бот.* (*опрашвам*) pollinate.

оплодѣван|е и оплождан|е *ср.,* **-ия** fertilization; fecundation; insemination; impregnation; pollination; **изкуствено ~e** artificial insemination; ● **оплождане "ин витро"** in vitro fer-

tilization; съкр. IVF.

оплю́вам, оплю́я гл. **1.** spit at/upon, bespatter; (за мухи) blow (on); **2.** прен. taint, blemish, drag o.'s name through the mud; denigrate; разг. dish the dirt (on).

оповестѐн мин. страд. прич. announced, published, proclaimed, released; (за резултат от изпити и пр.) out.

оповестя́вам, оповестя́ гл. announce, proclaim, promulgate, publish, make public, give out; release.

оповестя́ване ср., само ед. announcement, proclamation, promulgation, publication, release; ~ **на интереси** disclosure of interests.

опожаря́вам, опожаря́ гл. burn down, destroy by fire, reduce to ashes; set on fire, set fire to; set ablaze.

опожаря́ване ср., само ед. arson.

опозицио́н|ен прил., -на, -но, -ни opposition (attr.), of the opposition; ~**ни възгледи** полит. oppositional views.

опозиционѐр м., -и; **опозиционѐр|ка** ж., -и member of the opposition, oppositionist.

опозициони́ст м., -и contrarian.

опози́ци|я ж., -и opposition; **в** ~**я** in opposition; **излизам в** ~**я** go into oppostion; **правя** ~**я** to be opposed to.

опозна́вам, опозна́я гл. get/come to know, become well acquainted (with), familiarize o.s. (with); ~ **отблизо** gain an intimate knowledge of; || ~ **се: опознаваме се взаимно** get to know each other.

опозна́ване ср., само ед. knowledge (of); acquaintance; **конференция за взаимно** ~ an ice-breaking conference.

опозоря́вам, опозоря́ гл. disgrace, dishonour, defame, discredit, taint, blemish; tarnish; || ~ **се** disgrace o.s., dishonour o.s., sink in the mire.

оползотворя́вам, оползотворя́ гл. use, make use of, utilize, turn to account, put to a useful purpose, turn (s.th.) to good advantage; ~ **напълно** use to the best advantage.

оползотворя́ване ср., само ед. utilization, use; (на отпадъци) reclaiming.

опо́мням, опо́мня гл. bring s.o. to his senses; (свестявам) bring round/to, restore to consciousness; || ~ **се** collect o.s., collect o.'s faculties; (свестявам

се) come round, regain consciousness; **опомни се!** come to your senses!

опонѐнт м., -и; **опонѐнтк|а** ж., -и opponent; contradictor.

опони́рам гл. oppose, be opposed (**на** to), be against; contravene.

опо́р|а ж., -и **1.** support, stay, prop; техн. fulcrum, bearing; **2.** прен. support, stand-by, mainstay, stronghold, bulwark; ~**а в живота** o.'s mainstay in life; **сигурна** ~**а** a tower of strength.

опо́р|ен прил., -на, -но, -ни: ~**на точка** point of support/rest, supporting point; техн. fulcrum, bearing; воен. stronghold, strong point; ~**но-двигателен апарат** анат. bones and joints, locomotory system.

опороча́вам, опороча́ гл. defile, corrupt, debase, pervert; (избори и пр.) юр. vitiate, discredit; || ~ **се** deteriorate, degenerate.

опортюни́з|ъм (-мът) м., само ед. opportunism, time-serving; (doctrine of) expedience/expediency.

опортюни́ст м., -и; **опортюни́стк|а** ж., -и opportunist, timeserver, trimmer.

опортюнисти́ч|ен прил., -на, -но, -ни opportunist; expedient.

оправда́вам, оправда́я гл. **1.** юр. (подсъдим) acquit, discharge, declare/judge not guilty, exculpate; ~ **поради липса на доказателства** give s.o. the benefit of the doubt; **2.** (извинявам) excuse, justify; (оттеглям обвинение) exculpate, exonerate, vindicate, absolve, разг. whitewash; **3.** (заслужавам) justify, warrant; **не** ~ **очакванията на някого** fall short of s.o.'s expectations; **4.** фин. (разходи) account for; present documents/receipts for; || ~ **се 1.** justify o.s.; ~ **се пред някого** clear o.s. with s.o., put o.s. right with o.'s.; **2.** (сбъдвам се) come true/off; • **целта оправдава средствата** the end justifies the means.

оправда́ни|е ср., -я justification, vindication, exculpation, exoneration; юр. acquittal, discharge; (извинение) excuse; **за** ~**е** by way of excuse; **нямам никакво** ~**е** разг. have no leg to stand on.

оправда́тел|ен прил., -на, -но, -ни justificatory; exculpatory, exonerative; ~**на присъда** a verdict of "not guilty",

acquittal.

о̀прав|ен прил., -на, -но, -ни full of go/pep, hard-charging, go-ahead.

опра́вен мин. страд. прич. (здрав) robust, healthy-looking; (за животни) sleek.

опра́ви|я ж., само ед. justice; (law and) order; **няма** ~ **в тоя свят** the world is out of joint.

опра́вям, опра́вя гл. **1.** set/put right, put in order arrange, adjust, settle, sort out, fix; regulate, rectify; **няма аз да** ~ **света** I'm not to reform the world; ~ **каша** clear/tidy up a mess, sort out a muddle; ~ **сметките си с** square/settle accounts with, get o.'s accounts square with; settle (up) with; **2.** (нещо криво) straighten, set/put straight; (коса) arrange, adjust, fix, smooth (down); (рокля) smooth (down); ~ **легло** make a bed; ~ **яката си** straighten down o.'s collar; **3.** (нещо разбъркано) untangle; disentangle, unravel; **4.** (упътвам) show the (right) way to, help (s.o.) on his way; **5.** (вразумявам) bring to o.'s senses, knock some sense into one; **тази сума ще те оправи ли?** will this sum tide you over?; || ~ **се 1.** come right, improve, mend; **всичко ще се оправи на края** things will come (out all) right in the end; **оправяй се, както то знаеш/сам се оправяй** sort yourself out as best you can; **2.** (след болест) get better, get back on o.'s feet; be on the mend; (напълно) get well, recover, recuperate; (след побъркване) recover o.'s sanity; (съземам се) rally, be/look o.s. again; **3.** (напълнявам) put on/gain weight; **4.** (поправям се) improve o.'s behaviour), mend o.'s ways, turn over a new leaf, reform o.s.; abandon o.'s bad habits; **5.** (оправдавам се) clear o.s./o.'s name, put o.s. right, sort o.s. out (**пред** with); **6.** (ориентирам се) find o.'s way about; (стъпвам на краката си) find o.'s feet; (намирам пътя) find o.'s way; (уреждам работите си сам) shift for o.s., take care of o.s.; **7.** (за времето) get better, clear (up); • **върви, че се оправяй после** you'll be in a devil of a mess; you'll have the devil to pay.

опра́звам, опра́зня гл. empty; (освобождавам – къща и пр.) leave, vacate, move out (of); (изваждам по-

къщнината от) dismantle; *(селище)* evacuate; ‖ ~ **се** *(за къща)* become/ fall vacant; *(за селище)* be/become deserted.

опра̀швам, опра̀ша *гл. бот.* pollinate; ‖ ~ **се** be(come) pollinated.

опра̀шван|е *ср.,* *-ия бот.* pollination; **изкуствено** ~е crop-dusting; **кръсто-сано** ~е cross-pollination; cross-fertilization.

определѐн *мин. страд. прич. (и като прил.*) definite, determinate, exact, precise, clear-cut; *език.* definite; *(изричен)* explicit; *(установен)* appointed, fixed; *(известен)* certain; **на** ~**ото място** on the spot appointed, at the spot agreed on; **при** ~**и условия** under certain/given conditions; **той няма** ~**а цел** he has no specific aim.

определѐни|е *ср.,* *-я* **1.** definition; *език.* attribute; **3.** *юр.* decision, ruling.

определѝтел (**-ят**) *м.,* *-и,* (**два**) **определѝтеля 1.** *език.* modifier; **2.** *мат.* determinant; **3.** *(на растения и пр.)* guide (to).

определѝтел|ен *прил.,* *-на, -но, -ни* *език.* definite; ~**ен член** a definite article.

определя̀м, определя̀ *гл.* **1.** *(давам определение на)* define; *(посочвам точно)* determine, fix, set; *разг.* put one's finger on (it); *(посочвам изрично)* specify; *(назовавам)* name, nominate (as); *език.* qualify, modify; *(местоположение)* locate; *(улавям)* pin down, *разг.* put o.'s finger on; ~ **границите на** define/delimit the frontiers of; ~ **данък** assess a tax; ~ **политика** lay down a line/policy; **търсенето определя предлаганото** demand determines supply; **2.** *(предназначавам)* destine, design, designate (**за** for); assign, allot, appropriate; ~ **годишен доход на** settle an annual income on; ~ **заплата за дадена служба** assign a salary to an office; ‖ ~ **се** declare o.s.; determine o.'s position, define/state o.'s standpoint, take a stand.

определя̀щ *сег. деят. прич.* decisive, determining, determinative, determinant; ~ **фактор** determinant.

опреснѝтел|ен *прил.,* *-на, -но, -ни* refreshing; ~**ен курс** refresher course.

опресня̀вам, опресня̀ *гл.* refresh *(и прен.*); *прен.* brush up; ~ **знанията**

си по английски brush up o.'s English, give o.'s English a brush-up.

опресня̀ване *ср., само ед.* refreshment, refreshing; ~ **на паметта** refreshing the memory.

оприличава̀м, оприличѝ *гл.* liken, compare (**на** to); *(вземам за)* take for.

опроверга̀вам, опроверга̀я *гл.* refute, disprove, deny, confute; controvert; give the lie (to); explode; *юр.* traverse; ~ **обвинение** *юр.* retort a charge; ~ **слух** deny/disprove a rumour.

опровержѐни|е *ср.,* *-я* refutation, disproof, disproval; denial, confutation; contradiction; *юр.* disclaimer, traverse; *полит.* dementi; *(в печата)* corrective statement; ~**е на свидетелски показания** impeachment of witness.

опропастя̀вам, опропастя̀ *гл.* ruin, bring/drive to ruin; drag down; covenant; ‖ ~ **се** be ruined, go to ruin.

опропастя̀ване *ср., само ед.* ruin; **пълно** ~ wreck (and ruin).

опростѐн *мин. страд. прич.* simplified; *(за лит. герой)* two-dimensional; ~**а карта** key map.

опростя̀вам₁, опростя̀ *гл.* (over)simplify; reduce to simple terms; ease; *(из-пълнението на една работа)* deskill; *(правя по-модерен чрез опростяване на формата)* streamline.

опростя̀вам₂, опростя̀ *гл. (опрос-тачвам се – външно)* become vulgar, lose o.'s refinement; *(душевно)* go to seed mentally, become dull.

опростя̀ване *ср., само ед.* **1.** simplification, deskilling; **2.** vulgarization.

опротивя̀вам, опротивѐя *гл.* become repulsive/loathsome/hateful (**на** to); **опротивява ми** ... develop a distaste for ..., be sick (and tired) of ...; be off (s.th.); ~ **на всички** make a nuisance/a bore of o.s.; ~ **на някого** turn sour on s.o.

опроща̀вам, опростя̀ *гл. (дълг, наказание)* remit; *(дълг и пр.)* cancel; *юр.* release; *(прощавам на)* forgive, excuse, pardon, condone; ~ **греховете на** absolve s.o. of his sins.

опроща̀ване *ср., само ед.* remission; *(на дълг и пр.)* remittal; forgiveness, pardon, condonation; ~ **на данъци** remission/abatement of taxes.

опрощѐние *ср., само ед.* forgiveness;

condonation; *църк.* absolution, remission.

опръ̀сквам, опръ̀скам *гл.* splash (**с** with), bespatter, besprinkle.

опти|к м., -ци optician.

о̀птик|а ж., -и optics; *(магазин)* optician's; **лазерна** ~а laser optics.

оптима̀л|ен *прил.,* *-на, -но, -ни* optimum, optimal; ~**ен ръст** optimal growth.

оптимиза̀ция *ж., само ед.* optimization.

оптимизѝрам *гл.* optimize.

оптимѝз|ъм (-мът) *м., само ед.* optimism.

оптимѝст *м.,* *-и* optimist; ~ **по природа** of a buoyant disposition; ~ **съм** be optimistic (about); look on the bright side of things/life.

оптимистѝч|ен *прил.,* *-на, -но, -ни* optimistic; sanguine, hopeful; glowing; confident, buoyant; ~**но настроение** *журн.* the feelgood factor.

оптѝческ|и *прил.,* *-а, -о, -и;* **оптѝч|ен** *прил.,* *-на, -но, -ни* optical; ~**и магазин** optician's; ~**на измама** optical illusion; ~**о стъкло** (**леща**) lens.

о̀пус *м.,* *-и,* (**два**) **о̀пуса** *муз., лит.* opus.

опустоша̀вам, опустоша̀ *гл.* devastate, ravage, lay waste, desolate, depredate, overrun; *(страна и пр.)* lay bare; *(помитам)* sweep; *(за кози, скакал-ци)* denude.

опустошѐни|е *ср.,* *-я* devastation, ravage, depredation; desolation; ~**я на болест** ravages of a disease.

опустошѝтел|ен *прил.,* *-на, -но, -ни* devastating, devastative, ravaging.

опустя̀вам, опустѐя *гл.* become deserted; *(за земя)* run wild, become waste; ● **пусто да опустее!** drat it!

опу̀хвам, опу̀хам *гл.* **1.** shake off; **2.** *(набивам)* thrash, give a thrashing/ drubbing to, dust s.o.'s jacket.

опу̀швам, опу̀ша *гл.* smoke, fill with smoke, blacken with smoke; *(дезин-фектирам чрез опушване)* fumigate; fume; ~ **със сяра** fumigate with sulphur, sulphurate; *(изгонвам с пушек)* smoke out/away, stink out.

опу̀шен *мин. страд. прич.* smoky, smoke-black, fire-blackened, dingy; *(за стая, таван)* smoked up, sooty, thick with soot; *(за въздух)* thick; *(дезин-*

фекциран) fumigated.

опци|я *ж.*, **-я** option; *юр.* election; търгувана ~я *икон.* traded option.

опъвам, опъна *гл.* **1.** stretch (tight, tightly), draw (tight), tauten, pull, strain; (*лък*) bend, draw; (*платна на кораб*) spread; ~ въже stretch/pull a rope tight; ~ до скъсване strain to breaking-point; ~ платната *мор.* crack on sail; **2.** (*за дреха*) be tight; **3.** (*върша тежка работа*) do the hard work, do most of the work, drudge and slave; set/put o.'s shoulder to the wheel; (*бъхтя път*) trudge, tramp; **4.** (*карам да върши тежка работа*) make s.o. toil/slave; ‖ ~ се **1.** tauten; **2.** (*лягам*) stretch out (**на** on); **3.** (*противя се*) jib, kick (**срещу** against); ~ се на някого stand up to s.o.; ● ~ каиша *прен.* bear the brunt.

опълчвам, опълча *гл.* set (against); ~ против себе си antagonize; ‖ ~ се (против) set o.'s face against, turn on; oppose, take a stand against, take up arms, stand up to; crusade against.

опълчèн|ец *м.*, **-ци** *воен.*, *истор.* volunteer.

опълчèни|е *ср.*, **-я** *воен.*, *истор.* volunteer force/corps, army of volunteers; people's/civil home guard.

опън *м.*, *само ед. физ.*, *метал.* tension.

опънат *мин. страд. прич.* (*и като прил.*) stretched/drawn tight, tense, taut; strained (*и прен.*); ~а жица taut wire; ~а кожа tight drawn skin, taut skin; с ~и платна full sail, with all sails set.

опържвам, опържа *гл.* fry.

опърлям, опърля *гл.* singe; (*за слънце, вятър*) tan, give a tan to.

опърничав *прил.* shrewish, obstinate, stubborn, truculent, self-willed, obdurate, perverse, headstrong, wilful, intractable, vixenish, pig-headed, stroppy, contumacious; cross-grained; crotchety; (*неконструктивен*) bolshy, (*за жена и пр.*) termagant.

опявам, опея *гл.* **1.** perform a funeral service (over, for), read the burial service (over); **2.** *прен.* nag, preach; din, ding; harp on (one/the same string), rub it in, rub in a lesson, go on about things, hassle, niggle, (*недоволствам*) beef, bleat, whine, whinge, squawk; ще има

да ни опяват за това we shall never hear the last of it.

орà *гл.* plough, till.

оракул *м.*, **-и** *истор.* (*и прен.*) oracle.

оракулск|и *прил.*, **-а, -о, -и** oracular, sibylline.

орал|ен *прил.*, **-на, -но, -ни** *анат.* oral.

оран *ж.*, *само ед.* *сел.-ст.* ploughing, tillage, tilth; (*време за оран*) ploughing-time.

орангутан *м.*, **-и,** (*два*) орàнгутана *зоол.* orang-utang, orang-utan (*Symia satyrus*).

оранжàд|а *ж.*, **-и** orangeade, orangesquash.

оранжев *прил.* orange.

оранжерй|ен *прил.*, **-йна, -йно, -йни** grown under glass.

оранжèри|я *ж.*, **-и** conservatory, hothouse, greenhouse, glasshouse.

оратор *м.*, **-и** (public) speaker, orator; rhetorician; *амер.* elocutionist *ирон.* speech-maker; *амер. sl.* spellbinder.

оратори|я *ж.*, **-и** *муз.* oratorio.

оратòрск|и *прил.*, **-а, -о, -и** oratorical, rhetorical; *амер.* elocutionary; ~о изкуство the art of public speaking.

оратòрствам *гл.* hold forth, perorate, orate, speechify.

орàч *м.*, **-и** ploughman.

орбит|а *ж.*, **-и** orbit; *анат.* eye-socket, orbit; *радио.* orb; изстрелвам в ~а *косм.* put into orbit; очите му изскочиха от ~ите си his eyes were jumping out of his head.

орбитàл|ен *прил.*, **-на, -но, -ни** orbital; ~ен отсек *косм.* orbital compartment.

оргàз|ъм (**-мът**) *м.*, *само ед. мед.*, *физиол.* orgasm, (sexual) climax.

орган₁ *м.*, **-и,** (*два*) òргана **1.** *анат.* organ; ~и на речта organs of speech; ~и на храносмилането digestive organs; полови ~и sexual organs; **2.** (*печатно издание*) organ, publication; **3.** (*учреждение, тяло*) body, *амер.* agency; върховен ~ High Authority.

орган₂ *м.*, **-и,** (*два*) òргана *муз.* organ; композиция за ~ organ work.

организàтор *м.*, **-и; организàторк|а** *ж.*, **-и** organizer; sponsor; (*на предприятие*) promoter; (*на демонстрация и пр.*) ring-leader.

организàторск|и *прил.*, **-а, -о, -и** or-

ganizer's; ~а дарба a talent for organization.

организациòн|ен *прил.*, **-на, -но, -ни** organization (*attr.*), organizing (*attr.*); organizational; ~ни способности organizing abilities/powers; ~но събрание organizational meeting.

организàци|я *ж.*, **-и** organization, body; липса на ~я inadequate arrangements, lack of organization; Организация на обединените нации United Nations Organization, съкр. UNO.

организùрам *гл.* organize, get up; (*уреждам*) arrange; (*установявам, основавам, създавам*) set up; (*започвам*) set s.th. on foot; (*предприятие и пр.*) promote; (*инсценирам*) stage; (*сделка, заговор*) engineer; ~ по войнишки regiment; ‖ ~ се become organized; *разг.* get o.'s act together, sort o.s. out; организираме се срещу *разг.* gang up on.

организùран *мин. страд. прич.* organized; зле ~ (*за партия и пр.*) looselyknit; poorly organized; *като прил.* ~а престъпност organized crime.

организ|ъм (**-мът**) *м.*, **-ми,** (*два*) организма organism, (*човешки и пр.*) constitution, system; вреден за ~ма bad for the system; здрав ~м robust constitution.

органùч|ен *прил.*, **-на, -но, -ни; органùческ|и** *прил.*, **-а, -о, -и** organic; constitutional; structural, built-in; изпитвам ~на омраза към hold in abomination, loathe; ~на тор natural fertilizer; ~на химия organic chemistry.

òрги|я *ж.*, **-и** orgy.

òрд|а *ж.*, **-и** *истор.* horde (*и прен.*).

òрден *м.*, **-и,** (*два*) òрдена **1.** order; decoration; medal; награждавам с ~ decorate; ~ за храброст a military cross, a war decoration; получавам ~ be decorated; **2.** (*организация*) order; Йезуитски ~ *рел.* the Order of Jesuits; рицарски ~ *истор.* an order of knighthood.

орденонòс|ец *м.*, **-ци** bearer of a decoration, holder of an order; medallist, medal-holder.

òрдер *м.*, **-и,** (*два*) òрдера *фин.* warrant; voucher; draft; касов ~ order of payment, pay order.

ординàт|а *ж.*, **-и** *мат.* Y-axis; *геом.* ordinate; *геод.* offset.

ордьо̀в|ър м., -ри, (два) ордьо̀въра кул. hors d'oeuvre.

оредя̀вам, оредѐя гл. thin; (за коса) thin (out), get thinner; (за тълпа) thin away, thin out; (за редици) thin (down); (за публика, аудитория и пр.) fall off.

орѐл м., орлѝ, (два) орѐла зоол. eagle; белоглав ~ зоол. bald/American eagle (Haliaeetus leucocephalus); иска да живее с орлите he wants to live forever.

орео̀л м., -и, (два) орео̀ла halo, glory, gloria, aureole, nimbus.

о̀рех м., -и, (два) о̀реха бот. (wal)nut; (дърво) walnut-tree; кокосов ~ coconut; ● костелив ~ a hard/tough nut to crack.

о̀рехов прил. walnut (attr.); ~ фурнир walnut-veneer; ~а черупка nutshell.

о̀рехче ср., -та 1. зоол. (птица) jenny wren; 2.: индийско ~ nutmeg.

орѝгвам се, орѝгна се възвр. гл. belch, burp, bring up air; книж. eruct.

орѝгван|е ср., -ия belching, eructation.

оригина̀л м., -и, (два) оригина̀ла 1. original; юр. script; (на документ) top copy; ~ът на картината the original picture; 2. прен. crank, eccentric, oddity.

оригина̀л|ен прил., -на, -но, -ни 1. original, authentic, genuine; ingenious; ~ни налучквания ingenious guesses; 2. (странен) odd, cranky, eccentric.

оригина̀лнича гл. try to be original; be eccentric.

Ориѐнт м. собств. (the) Orient; (the) East.

ориента̀л|ец м., -ци; ориента̀лк|а ж., -и oriental.

ориента̀листика ж., само ед. Oriental studies.

ориента̀лск|и прил., -а, -о, -и oriental.

ориента̀ци|я ж., -и orientation (и прен.); guideline; загубвам ~я lose o.'s bearings.

ориентѝр м., -и, (два) ориентѝра landmark, reference point; авиац. наземен ~ ground object.

ориентѝрам гл. orient(ate); put (s.o.) on the right track, help (s.o.) to find his bearings; (насочвам) orientate (towards), give (s.o.) a lead (towards), show s.o. the ropes; ‖ ~ се 1. find o.'s

way, find/get o.'s bearings; не мога да се ~ not know o.'s way about/around; ~ се (схващам) бързо/бавно be quick/slow in the uptake; ~ се по карта take o.'s bearings from a map; 2. (осведомявам се) become acquainted (with); get to know.

ориентѝране ср., само ед. orientation; способност за ~ sense of direction; туристическо ~ orienteering.

ориентиро̀въч|ен прил., -на, -но, -ни orientational, tentative; ~ни знаци orientation marks; ~ни цифри tentative figures.

орѝз м., само ед. rice; неолющен ~ paddy.

орѝзищ|е ср., -а rice-field, paddy field.

орѝзов прил. rice (attr.); ~а каша rice gruel; ~а хартия India paper.

орѝс ж., само ед. и орисѝ|я ж., -и fate, destiny, fortunes, lot.

орѝсвам, орѝсам гл. destine, fate.

орѝсниц|а ж., -и fate, evil fairy; ~ите the weird/fatal sisters.

оркестра̀ци|я ж., -и orchestration.

оркестрѝрам гл. orchestrate.

оркѐст|ър м., -ри, (два) оркѐстъра муз. orchestra; духов ~ър (brass-)band.

о̀рлов и орлѝов прил. eagle's; ~ нос an aquiline nose; с ~ поглед eagle-eyed.

орнамѐнт м., -и, (два) орнамѐнта ornament, decoration, design; ромбовиден ~ lozenge moulding.

орнамента̀л|ен прил., -на, -но, -ни ornamental, decorative; ~на форма ornamentation.

орнитоло̀|г м., -зи ornithologist.

орнитоло̀гия ж., само ед. ornithology.

оро̀нвам, ороня̀ гл. (жито и пр.) shell; (листа) shed; ‖ ~ се fall, drop.

орося̀вам, орося̀ гл. 1. bedew, besprinkle; 2. (напоявам) water, irrigate.

орося̀ван|е ср., -ия irrigation; watering, spraying.

орта̀|к м., -ци разг. partner.

орта̀шк|и прил., -а, -о, -и common; ● ~ата работа и кучетата не я ядат the common horse is worst shod.

ортодокса̀л|ен прил., -на, -но, -ни orthodox.

ортопѐд м., -и orthopedist.

ортопѐди|я ж., само ед. orthopaedics, orthopaedy.

Орфѐй м. собств. мит. Orpheus.

орхидѐ|я ж., -и бот. orchid.

орѐдѐ|ен прил., -йна, -йно, -йни gun (attr.); ~ен огън gunfire, shellfire.

оръ̀ди|е ср., -я 1. tool, instrument, implement; земеделски ~я agricultural implements/equipment; ~я за производство instruments of production, industrial implements; 2. прен. tool; (за човек) разг. stooge; послушно ~е ready tool, convenient tool/instrument (in the hands of); 3. воен. gun, cannon, piece of ordinance; брегово ~е coastal gun; противовъздушно ~е anti-aircraft gun; тежко ~е heavy gun.

оръжѐ|ен прил., -йна, -йно, -йни arms (attr.); ~ен склад depot of arms, arms depot; ~йна индустрия arms industry.

оръжено̀с|ец м., -ци 1. armour-bearer, squire; 2. прен. henchman.

оръ̀жи|е ср., -я weapon; събир. arms, weapons, weaponry; прен. weapon, instrument; вдигам се на ~е rise in arms (against); лично ~е personal weapon; огнестрелно ~е firearm; хладно ~е blank weapon, cold steel.

оръ̀фвам, оръ̀фам гл. fray, ravel out; ‖ ~ се become frayed/ravelled/shabby, ravel; get frayed around the edges, (за книга) become/get dog-eared.

оря̀звам, орѐжа гл. trim, clip; cut off; (увяхнали цветове) deadhead.

ос ж., -и 1. axis, pl. axes; земна ~ a terrestrial axis, an axis of the equator; надлъжна ~ longitudinal axis; оптическа ~ an axis of vision; 2. техн. (на колело) axle, pivot shaft; (на джобен часовник) stem, pin.

ос|а̀ ж., -и зоол. wasp; гнездо на ~и (и прен.) a hornet's nest.

осака̀тявам[1], осакатя̀ гл. 1. maim, cripple, lame, mutilate, disable; 2. (окастрям) truncate; 3. прен. spoil, mar, emasculate.

осака̀тявам[2], осакатѐя гл. become crippled/lame/invalided.

осака̀тяване ср., само ед. injury, maiming, mutilation; юр. mayhem.

оса̀нк|а ж., -и carriage, bearing; величествена ~а a stately/an imposing figure, a stately/fine presence, a lofty mien.

осведомѐн мин. страд. прич. (well-)informed, notified; (запознат) versed (по in), conversant (with); competent; разг. genned up (on); (посветен) privy (to); добре ~ well-informed, knowl-

edgeable; in the picture; *разг.* clued-up; **погрешно** ~ misinformed.

осведомѐност *ж., само ед.* knowledge (of), conversance (with); knowledgeability; familiarity (with), familiarness.

осведомѝтел|ен *прил.,* **-на, -но, -ни** informative; **~ен бюлетин** an information bulletin; **~на служба/агенция** an information/a news service/agency.

осведомя́вам, осведомя́ *гл.* inform (за of, about), notify (of); bring (s.th.) to s.o.'s notice; *разг.* fill (s.o.) in (on s.th.), put s.o. in the picture; gen (s.o.) up (on); ~ **редовно** keep advised; || ~ **се** inform o.s., inquire (about, after), make inquiries (about); ~ **се по даден въпрос** set o.s. right on a matter.

освежа́вам, освежа́ *гл.* refresh, freshen; enliven, invigorate; *(стая)* redecorate, refurbish, recreative; renovate; **дъждът освежи въздуха** the rain has cooled the air; || ~ **се** refresh o.s. (**c** with).

освежа́ване *ср., само ед.* recreation, invigoration, refreshment; enlivenment; *(на стая)* redecoration, refurbishment, renovation.

освежѝтел|ен *прил.,* **-на, -но, -ни** refreshing, refreshful, enlivening, recreative, invigorating; *(за въздух)* bracing; **~ни напитки** refreshers.

освѐн *предл.* except(ing), except for, save, but; *(в допълнение към)* besides; **всички други** ~ all but; ~ **това** besides, moreover, furthermore, in addition, for that matter, by the same token.

освѐтен₁ *мин. страд. прич.* lit (up), lighted (up), illuminated; *(за сцена, сграда)* spotlit; **ярко** ~ brilliantly lit up.

освѐтен₂ *мин. страд. прич. църк.* sanctified, consecrated.

освѐтител|ен *прил.,* **-на, -но, -ни** illuminating; **~ен снаряд** an illuminating shell, a star-shell; candle-bomb; **~но тяло** illuminant, a lighting fixture.

освѐтлени|е *ср.,* **-я 1.** light(ing), illumination; **матово** ~**е** soft lighting; **улично** ~**е** public lighting, electric street-lighting; **употребявам за** ~**е** ... use ... as illuminant; **2.** elucidation, explanation, interpretation.

освѐтя́вам, освѐтя́ и освѐтля́вам, освѐтля́ *гл.* light up, illuminate, illumine; *(за прожектор)* sweep, play

(on); *(въпрос)* cast a light on; elucidate; enlighten; **c прожектор** play a search-light on.

освеща́вам, освеща́ *гл.* **1.** *църк.* sanctify, consecrate; **2.** *(с церемония)* inaugurate, dedicate.

освеща́ван|е *ср.,* **-ия 1.** *църк.* sanctification, consecration; **2.** inauguration, dedication ceremony.

освидѐтелствам *гл.* certify.

освидѐтелстване *ср., само ед.* certification; **подлежащ на** ~ certifiable.

освирепя́вам, освирепя́ *гл.* grow savage/furious/fierce/brutal; become enraged.

освѝрквам, освѝркам *гл.* hiss, boo, catcall, hoot.

освободѐн *мин. страд. прич. (и като прил.)* free(d), set free, liberated; released, relieved; *(от данъци, военна служба)* exempt (от from); dismissed, discharged; cleared; ~ **доход** franked income; *(нефиксиран)* floating; *(без задръжки)* uninhibited, unrestrained; *разг.* freewheeling.

освободѝтел (-ят) *м.,* **-и** liberator.

освободѝтел|ен *прил.,* **-на, -но, -ни** liberating, liberation *(attr.)*; **~но движение** a movement of liberation, liberation/freedom movement.

освобожда́вам, освободя́ *гл.* **1.** free, set free, liberate, set at liberty, disenthrall; *(от затвор)* discharge, release; ~ **задържано лице** set free/dismiss a detainee; ~ **от залог** redeem, take out of pledge; **2.** *(избавям)* release, relieve, ease (of); *(от затруднение и пр.)* extricate (from); *(откъсвам, откубвам)* disentangle, disengage (from); *(от дълг и пр.)* discharge, dispense; ~ **от отговорност** dispense/exonerate from/relieve of responsibility; ~ **ръката си** disengage o.'s hand; **3.** *(от изпит, данък, военна служба и пр.)* exempt from; ~ **от наряд** *воен.* exempt from; fatigue; **4.** *(уволнявам от служба)* dismiss, discharge, *(като ненужен)* put (s.o.) out to grass; *(временно)* suspend; **5.** *(опразвам)* clear, vacate; ~ **пътя от превозни средства** clear the road of traffic; **6.** *(на митница)* clear (o.'s luggage etc.) (through the customs); **7.** *техн.* release; *(разединявам)* disengage; **8.** *хим.* liberate, eliminate; || ~ **се** free/liberate o.s. (of),

get free (from); disengage o.s. (from); *(с чужда помощ)* be set free; *(отървавам се)* get rid of; *(отскубвам се)* break loose/free, cut loose (from); *(овакантявам се)* fall vacant; ~ **се от влиянието на** outgrow the influence of; **• ~курса на валутата** *икон.* float the country's currency; ~ **пари** set money free.

освобожда́ване *ср., само ед.* liberation; emancipation; release; discharge, exemption; dismissal; vacation; getting rid of, riddance; *(от затруднение и пр.)* extrication; *(на стоки от митница)* clearance, *(от дълг)* *търг.,* *юр.* acquittance; quittance; acquittal; *техн.* release; *хим.* liberation; ~ **от данъци** tax exemption; ~ **от затвор** release from prison; ~ **от отговорност** exoneration from responsibility.

освобождѐни|е *ср.,* **-я** liberation, emancipation; disenthrallment.

оседла́вам, оседла́я *гл.* saddle.

осеза́ем *прил.* tangible, tactile, touchable, palpable, corporeal; *хим.* notable; *филос.* phenomenal.

осеза́ние *ср., само ед.* (sense of) touch/feeling; **разстроено** ~ *мед.* tactile disturbance.

осеза́тел|ен *прил.,* **-на, -но, -ни 1.** *биол.* tactile, tactual; **~ен орган** tactile organ; **2.** *прен.* tangible, palpable, sensible, appreciable; clear, obvious, evident; **на нужда** felt want.

осѐйвам, осѐя *гл.* strew, stud, dot (with).

о́сем *бройно числ.* eight.

о́семдесѐт *бройно числ.* eighty.

осеменя́вам, осеменя́ *гл.* inseminate.

осеменя́ван|е *ср.,* **-ия** insemination; **изкуствено** ~**е** *вет.* artificial insemination.

осемна́десет (осемна́йсет) *бройно числ.* eighteen.

о́семсто́тин *бройно числ.* eight hundred.

о́семча́сов *прил.* eight-hour *(attr.)*; ~ **работен ден** an eight-hour working day, an eight hours day.

осеня́вам, осеня́ *гл. (за мисъл)* dawn on; *(за усмивка)* light up.

осѐян *мин. страд. прич.* strewn, dotted, studded, set, peppered (**c** with); **небе, (гъсто) ~о със звезди** a sky (thick) set/studded with stars.

осигурѐн *мин. страд. прич. (и като прил.*): ~ **доход** a secured/an assured income; ~ **материално** provided for.

осигурѝтел|ен *прил.*, **-на**, **-но**, **-ни** insurance (*attr.*); **-ен фонд** indemnity fund; **-на инсталация** *техн.* a safety appliance; **-ни мерки** safety measures.

осигурòвк|а *ж.*, **-и** insurance, assurance; **-а срещу безработица** unemployment insurance.

осигурявам, осигуря *гл.* secure, ensure, cover (against); (*материално*) provide for; ~ **бъдещето на** make provision for; ~ **някого с всичко, от което има нужда** provide s.o. with everything he needs; || ~ **се** make provision for o.s.; secure o.s. (**срещу** against); insure (o.'s property, car etc.); **той се е осигурил до края на живота си** he's all right for the rest of his life.

осигуряван|е *ср.*, **-ия** insurance; **обществено** ~**е** social/state/national insurance/security; **-е срещу пожар** fire-insurance.

осѝл *м.*, **-и**, (**два**) **осѝла** awn; *събир.* beard; *бот.* glochidium (*pl.* glochidia).

осиновèн *мин. страд. прич.* adopted.

осиновѝтел (**-ят**) *м.*, **-и** adoptive father; *юр.* adopter.

осиновявам, осиновя́ *гл.* adopt (as son, daughter).

осиновяван|е *ср.*, **-ия** adoption; **-е на дете** child adoption.

осиромашàвам, осиромашèя *гл.* become impoverished/destitute, be reduced to poverty.

осиротявам, осиротèя *гл.* be orphaned, become/be left an orphan; *прен.* be left desolate.

осквернявам, оскверня *гл.* desecrate, profane, violate; defile.

оскỳбвам, оскубя́ *гл.* **1.** (*плевели и пр.*) pluck/pull out; (*коса*) tear out; (*птица*) pluck; deplume; **2.** *прен.* fleece, skin, rip off.

оскъ́д|ен *прил.*, **-на**, **-но**, **-ни** scanty, scant, scarce, exiguous, meagre, slender, skimpy; (*недостатъчен*) poor; (*сиромашки*) penurious; ("**къ́т**" – **и за пари**) tight; **-ен доход** a slender income; **-на светлина** poor light; **-на храна** a lean/sparing diet.

оскъпявам, оскъпя́ *гл.* make more expensive, raise the cost of.

оскърбѝтел|ен *прил.*, **-на**, **-но**, **-ни**

insulting, offensive, derogatory, opprobrious, abusive; contumelious; (*несправедлив*) invidious; **-ен тон** an insulting tone.

оскърблèни|е *ср.*, **-я** insult, injury, contumely, wrong, affront, offence, abuse; **нанасям** ~**е на** insult, offend; **-е на съда** disrespect/contempt of court; **-е чрез действие** *юр.* assault and battery.

оскърбявам, оскърбя́ *гл.* insult, offend, injure, wound, hurt, affront, abuse; ~ **грубо** outrage; || ~ **се** take offence.

ослàбвам, ослабя́ *гл.* **1.** weaken, exhaust, enfeeble; cripple, impair; **2.** loosen.

осланявам, осланя́ *гл.* cover with frost.

ослàням се *възвр. гл.* rely, depend, count, bank, rest (on); pin o.'s faith on.

ослепѝтел|ен *прил.*, **-на**, **-но**, **-ни** blinding, dazzling, glaring, garish; **-ен блясък** glare.

ослепявам₁, ослепя́ *гл.* blind, deprive of sight; put out s.o.'s eyes; *прен.* dazzle.

ослепявам₂, ослепèя *гл.* go/grow/become blind, lose o.'s sight; be struck with blindness; be struck blind; ~ **напълно** go totally blind.

ослỳшвам се, ослỳшам се *възвр. гл.* **1.** listen (**за** for), give/lend an ear; listen with both ears; ~ **да чуя** listen for a sound; **2.** *прен.* drag o.'s heels (feet).

осмелявам се, осмеля́ се *възвр. гл.* dare, venture; take courage, make bold, make so bold as (to **с** *inf.*); take the liberty (to **с** *inf.*, of **с** *ger.*); **не се осмелявам да изляза** I dare not/I don't dare to go out; ~ **да се изкажа** venture a judgement/an opinion.

осмѝвам, осмèя *гл.* ridicule, hold up to ridicule, satirize, laugh to scorn, deride, mock, guy, jeer, poke fun (at), *разг.* take (s.o.) down; (*като имитирам*) send (s.o.) up.

осмислям, осмисля *гл.* give a meaning/significance to; make sense of, rationalize; ~ **живота** make life liveable/worth living/worthwhile.

осмоъ́гъл|ен *прил.*, **-на**, **-но**, **-ни** octagonal, octangular.

осмъртявам, осмъртя́ *гл.* do to death, lay low, bump off.

оснòв|а *ж.*, **-и 1.** base, foot, bottom; (*главната част на нещо*) basis, *pl.* bases; (*на постройка*) foundation; *строит.* bed, bedding, groundwork; (*на колона*) footstall, plinth; (*на път*) bottoming; *прен.* root; **въз** ~**а на** on the basis of; in virtue of; **давам** ~**а за** provide a basis for; **изгорял до** ~**и** burnt to the ground, *разг.* burnt to a frazzle; **служа за** ~**а на** serve as (the) basis of; **2.** (*основни познания*) grounding (**по** in); **имам добра** ~**а по** be well-grounded in; **3.** *само мн.* elements, rudiments, fundamentals, principles; **4.** *текст.* warp; **5.** *мат.* radix; **6.** *бот.*: ~**а на разклонение** joint; **7.** *хим.* base, alkali; **8.** *техн.* root; **9.** *език.* stem, theme.

основавам, основа́ *гл.* **1.** found; (*създавам*) establish, set up, (*учредявам*) institute; (*предприятие и пр.*) promote, launch, start; float; (*селище*) form, found; ~ **библиотека** set up a library; **2.** (*базирам*) base; || ~ **се** base o.s., base o.'s arguments, take (up) o.'s stand (**на** on); ~ **се върху** (*данни и пр.*) work on.

основаване *ср.*, *само ед.* founding, foundation, establishment, setting up; floatation.

основàн *мин. страд. прич.* founded; based (on); ~ **върху факти** founded in fact.

основàни|е *ср.*, **-я** reason, grounds, merits; **имам** ~**е да** have good reason to; **лишен от** ~**е** unfounded; **на общо** ~**е** on an equal footing, at a flat rate, without exception.

основàтел (**-ят**) *м.*, **-и**; **основàтелк|а** *ж.*, **-и** founder; **член** ~ foundation member.

основàтел|ен *прил.*, **-на**, **-но**, **-ни** well-founded/-grounded, valid, sound; (*оправдан*) justified; (*за претенции*) lawful, valid; **-ен довод** valid argument; **-ни опасения** just fears.

основàтелно *нареч.* with (good) reason, for good reasons, reasonably; justifiably.

оснòв|ен *прил.*, **-на**, **-но**, **-ни** basic, fundamental, underlying, core; (*главен*) main, chief, principal, cardinal; (*цялостен*) radical, thorough(-going); (*първичен*) primary; *техн.* middle; *хим.* basic; (*за съчинения*) standard;

като същ. ~ното (*в учение и пр.*) the essential/main thing; **в ~ните си линии** in substance, in the main; **~ен речников фонд** basic stock of words; **~на мисъл** keynote; **~но почистване** (*на къща*) spring cleaning, (*на машина и пр.*) thorough cleaning.

осно̀вно *нареч.* thoroughly; **проучвам ~** (*въпрос и пр.*) go thoroughly into.

осо̀б|а *ж.*, -и person; *шег.* personage, worthy; **важна ~а** great person, person of distinction, high personage, *шег.* big wig/gun/shot/bug, VIP.

осо̀бен *прил.* special, particular; (*необикновен, странен*) odd, strange, peculiar, unusual, queer, singular, surreal; *разг.* off-the-wall; *амер.* funky; **нищо ~о** nothing (very) special, nothing of importance, nothing out of the way; nothing out of the common; *разг.* nothing much, nothing to write home about, no great shakes; **~о мнение** reservation (по on), *юр.* dissenting opinion; **той си е ~** he has his little ways; he has a peculiar turn of mind.

осо̀беност *ж.*, -и special feature, peculiarity; speciality; **индивидуална ~** idiosyncrasy.

осо̀л(я̀)вам, осоля̀ *гл.* salt; (*за да консервирам*) corn.

оспо̀рвам, оспо̀ря *гл.* contest, dispute, contravene; challenge, controvert, question, call in question, query; (*чрез съдебен процес*) litigate; (*състезавам се за*) contend/compete for; **~завещание/твърдение** dispute a will/a contention; **~съществуването на** impugn the existence of.

оспо̀рим *сег. страд. прич.* (*и като прил.*) contestable, disputable, challengeable, voidable, controvertible; **~ договор** voidable contract.

осребря̀вам, осребря̀ *гл.* cash (down); encash; **~чек** cash/collect a cheque (on a bank); get a draft cashed.

оста̀вам, оста̀на *гл.* **1.** remain, stay; (*не заминавам*) stay/remain behind, stay on; **~ в паметта на** stick in o.'s memory; **~ в сила** remain in force, hold good, (*за заповед*) stand; **~ на власт** remain in power, continue in office; (*на лице, на разположение съм*) be left; **не ми оставя нищо друго освен** I have no choice/option but (to *c inf.*); nothing remains for me but; **не оставя**

нищо друго, **освен** there is nothing for it but (to *c inf.*), the only alternative is; **остава ми за цял живот** remain with one all o.'s life; **3.** (*в дадено състояние, положение*) be, be left, remain; **не ~ без работа** keep busy, have no lack of employment; **не ~ назад от** keep up with, keep abreast of; **~ без подслон** be left homeless, lose o.'s home; • **между нас да си остане, тук да си остане** let this remain between us, keep mum about it; **не ~ длъжен** give as good as one gets, answer back, get o.'s own back; **~ в сянка** *прен.* take a back seat.

оста̀вк|а *ж.*, -и retirement; **в ~а** *воен.* retired; **давам си ~ата** give/send/hand in o.'s resignation; apply for retirement.

оста̀вям, оста̀вя *гл.* **1.** leave; (*изоставям*) abandon, forsake, desert; (*любовник, любовница*) jilt; (*позволявам*) let; (*не прибирам, не измитам*) leave about/around; **не ~ някого да спи** keep s.o. awake; **нищо не е останало от него** he is a mere shadow of his former self; **~ след себе си** leave behind (one), (*за буря и пр.*) leave in its train/wake; **2.** (*запазвам, отлагам*) keep, leave; (*въпрос, решение*) hold over; **~ най-хубавото за най-после** leave the best till last; **3.** (*слагам — прибор, книга и пр.*) lay/put down; **4.** (*преставам да се занимавам с, отказвам се от*) leave, give up; drop; **~ навик** drop a habit; **~ работата** leave off work; **|| ~ се** let o.s. (*c inf. без* to); **остави ме намира!** get off my back! **~ се на провидението** trust in providence; • **~ костите си** lay o.'s bones; **~ работата там** (*не правя нищо повече*) let it go at that, leave it at that.

оста̀нки *само мн.* relic, survival, *неодобр.* hangover; *pl.* remains, debris, (*от ядене*) scraps, left-overs, (*отпадъци*) leavings, trash; **~ от древността** remains of antiquity; **тленни ~** mortal remains; **honoured dust.**

остаря̀вам, остарѐя *гл.* **1.** get/grow/become old; age; (*изоставам от съвременността*) become antiquated/obsolete; be behind the times, go/become out of date, become old-fashioned/dated, date, grow stale; **~ бързо** (*за произведение на изкуството и пр.*)

date quickly; **2.** (*извехтявам*) get/become shabby, show signs of wear/age.

остаря̀ване *ср.*, *само ед.* growing old, aging; (*морално*) obsolescence; **признаци на ~** signs of age.

остаря̀л *мин. св. деят. прич.* (*и като прил.*) (grown) old; **много ~** (grown) very old; (*морално*) obsolete; (*отживял*) antiquated, outworn, out-of-date, outdated, old-fashioned, out-moded, dated; past o.'s sell-by date; **~а дума** obsolete word.

оста̀тъ|к *м.*, -ци **1.** remainder, rest; (*ресто*) change, odd money; **без ~к** completely, entirely; without remainder, with nothing to spare; to a fraction; **2.** *pl.* remnants, remains, oddments, odds and ends, left-overs, pickings, waste, *разг.* odd-come-shorts; **~ци от храна** left-overs, scraps, broken victuals/meat, remains of food, waste food, food debris; **3.** *търг.* rest, balance; **~к след съставяне на баланс** a balance in hand; **4.** *хим.* residium (*pl.* residia); **5.** *мат.* remainder, residual, excess; **~к при деление на 9** excess of nine.

оста̀тъч|ен *прил.*, -на, -но, -ни residual, residuary.

остѐн *м.*, -и, (*два*) остѐна *нар.* goad; prod; cattle-prod; мушкам/карам с ~ goad (*и прен.*).

о̀стеопоро̀за *ж.*, *само ед.* *мед.* osteoporosis.

острѝгвам, острѝжа *гл.* cut s.o.'s hair; (*овца*) shear.

остриѐ *ср.*, -та edge, keen/sharp blade; (*остър връх*) point; (*на инструмент*) nib; (*шип*) spoke; **нож с две ~та** a double/two-edged sword, *прен.* a double-edged sword/weapon; **тънко ~ a** fine edge.

острѝлк|а *ж.*, -и pencil-sharpener.

острѝц|а *ж.*, -и *биол.* threadworm, pinworm.

о̀стро *нареч.* sharply (*и прен.*), acutely, harshly; bitingly; **отговарям ~** answer back, snap.

о̀стров *м.*, -и, (*два*) о̀строва island; (*речен*) eyot; *поет.* isle; (*на улица с голямо движение*) refuge; **Британските ~и** the British Isles.

о̀стров|ен *прил.*, -на, -но, -ни island (*attr.*), insular.

островитя̀нин *м.*, островитя̀ни; ост-

ровитянк|а ж., **-и** islander.

островръх прил. (sharply) pointed, peaked, spiked, spiry; cuspidal, cuspidate(d), cusped; бот. mucronate; ~ покрив a gabled roof, a pointed/tent roof.

острота ж., само ед. **1.** sharpness; прен. keenness, acuteness, subtley; pointedness; (a cutting) edge, bite, pungency; (на ирония, злобна шега) sting; **2.** (духовита забележка) witty remark, witticism.

остроу́м|ен прил., **-на, -но, -ни** witty; (оригинален, добре измислен) ingenious; **~ен** отговор repartee, comeback; **~на** забележка witty/smart remark, sally of wit, wisecrack.

остроу́ми|е ср., **-я** wit; (духовита забележка) repartee, witticism; размяна на **~я** a piece of swordplay.

остроу́мнича гл., мин. св. деят. прич. **остроу́мничил** (try to) be witty, crack jokes, wisecrack.

остроъ́гъл|ен прил., **-на, -но, -ни** геом. acute-angled.

о́стря гл., мин. св. деят. прич. о́стрил sharpen; (на камък) whet, grind, hone, (на ремък) strop.

остъклѐн мин. страд. прич. glazed.

остъкля́вам, остъкля́ гл. glaze.

о́ст|ър прил., **-ра, -ро, -ри 1.** sharp, keen; (заострен) pointed, sharp; много **~ър** завой hairpin bend; **~ри** черти (на лицето) strongly marked features; **2.** (твърд на пипане) coarse; **~ра** коса coarse/stiff/wiry hair; **3.** (за вятър, време, болка, миризма) sharp; acute; bitting; **~ра** болка sharp/acute/keen/severe/exquisite/мед. lancinating pain; (стомашна) griping pain; **~ър** апандисит acute appendicitis; **~ър** вятър sharp/keen/biting/nippy/ nipping/brisk/searching wind; **4.** (силно развит, проницателен) keen; acute, sharp; **~ър** ум keen/penetrating/ acute/perspicacious mind, sharp wits/ intelligence; **с ~ър** слух sharp-eared; **5.** (рязък, рязко проявен) sharp; acute; (язвителен) sarcastic, caustic, biting; gingery; (рязък, груб) harsh; **~ра** критика sharp/scathing criticism; **~ра** нужда sharply-felt/pressing need.

остъ́ргвам, остъ́ржа гл. scrape (off).

осуетя́вам, осуетя́ гл. frustrate, spoil, foil, defeat; dash, discomfit, ba(u)lk,

thwart, bring to naught/nothing, scotch, play havoc (with), knock (a plan, etc.) on the head, put paid to; (неутрализирам) neutralize, counteract; **~ пла́новете на** discomfit s.o., put a spoke in s.o.'s wheel, spike s.o.'s guns; || **~ се** come to naught/nothing, разг. come a cropper, go down the drain.

осъвременя́вам, осъвременя́ гл. modernize, contemporize; bring up-to-date, up-date.

осъ́ден 1. мин. страд. прич.: **~ (предварително) на** неуспех (fore)doomed to failure; **~ съм на** смърт be under sentence of death; **2. като** същ. convicted person, convict.

осъди́тел|ен прил., **-на, -но, -ни** reprehensible, culpable, blam(e)able, blameworthy, condemnable, deserving censure, censurable; deprecating; demeritous; exceptionable, objectionable; **~на** присъда юр. guilty verdict.

осъ́ждам, осъ́дя гл. **1.** convict (of a crime) condemn, (on a charge), sentence; **~ на** затвор give (s.o.) a prison sentence; **~ някого да** заплати глоба sentence s.o. to pay a fine, sentence s.o. to a fine; **осъ́ждат ме на** пет години receive a term of five years, разг. get five years; **2.** (укорявам) blame, censure, denounce, condemn; deprecate, reprehend; decry; speak in reproof of; **3.** (обричам) doom, destine; (предварително) foredoom.

осъ́ждане ср., само ед. conviction, condemnation; blame, censure, denunciation; decrial; **~ по** бързото производство юр. summary conviction.

осъзна́вам, осъзна́я гл. realize, become aware/conscious of, awaken to (the consciousness of); wake up to a situation; разг. catch on, tune in to, wise up to, latch on to; **~ нуждата от** wake up to the need for; || **~ се** become aware, come to o.'s senses; **~ се** класово become class-conscious.

осъ́мвам, осъ́мна гл. meet the dawn, dawn/morning/daylight/first light finds one, be caught by the dawn/daylight; **не се знае как ще осъ́мнем** we do not know what tomorrow has in store for us; **~ знаменитост** awake to find o.s. famous; **осъ́мнахме със сняг** we woke up to find everything covered with snow.

осъществи́м прил. feasible, practica-

ble, realizable, workable; effectible.

осъществя́вам, осъществя́ гл. realize, (план) carry out, implement; (желание и пр.) fulfil; accomplish; materialize, carry into effect, put into practice; (надзор) supervise; **~ план** implement a project; **~ финансова проверка** carry out an audit; || **~ се** be implemented/fulfilled/realized/accomplished, materialize, come to fruition; eventuate, get off the ground, go through; (сбъдвам се) come true; (за проект) be put into effect.

осъществя́ване ср., само ед. realization, fulfilment, fruition; implementation; **практическо ~** practical achievement.

от предл. **1.** (отдалечаване) from, away from, out of, off; **идвам ~ града** come from town; **изваждам три ~ десет** take three (away) from ten; **ставам ~ масата** get up from the table; **2.** (положение спрямо друг предмет) of, on; **наляво ~ вратата** (to the) left of the door; **3.** (част от цяло; принадлежност, произход) of, from; **деца ~ първия брак** children of the first marriage; **купувам ~ магазин** buy from/at/in a shop; **родом ~** born in, native of; **студент ~ университета** a student of/from the university, a university student; **4.** (материя) of, out of; **~ дърво/стомана/пластмаса** made of wood/steel/plastics; **5.** (причина) from, for, out of, with, through, by; because of; **викам ~ яд/отчаяние** shout in anger/despair; **заспивам ~ умора** fall asleep from weariness/with fatigue; **умирам ~ болест/глад** die of an illness/of hunger; **6.** (причинител, автор) by; **роман ~ Дикенс** a novel by Dickens; **7.** (изходна точка във времето) from, for, since; **не съм го виждал ~ години** it's years since I saw him, I haven't seen him for years; **тоя хляб е ~ два дни** this bread is two days old; **8.** (сравнение) than; **той е по-висок ~ мене** he is taller than I; ● **~ моя страна** on my part; **отстъпвам ~ цена** give way on a price.

отбеля́зан мин. страд. прич. marked (off), noted (down); (put) on record, registered.

отбеля́звам, отбеле́жа гл. mark (off); (със знак отстрани) tick off; (с рез-

ки и пр.) score, notch; (със звездичка) star; (регистрирам) register, record, put/place on record; (в дневник и пр.) enter; (за уред) register, read; (точки при игра) score, make; (на карта) mark on/in; (обръщам внимание на) draw attention to, make reference to; note, record, mention, notice, observe; **заслужава да се отбележи** it is worth noting, it is noteworthy; ~ **напредък** make progress, mark an advance, register progress; ~ **факт** note a fact.

òтбив *м.*, *само ед.* discount, rebate, deduction, markdown; **правя** ~ make a reduction/rebate.

отбѝвам, отбѝя *гл.* **1.** (*отклонявам*) turn aside, deflect; (*река*) divert, redirect, turn into a new channel; divert the water of; ~ **някого от пътя му** make s.o. turn off the road; *прен.* lure s.o. from his path; **2.** (*отблъсквам*) beat off/back, drive back, repel; parry, foil; repulse; ~ **удар** parry a blow; **3.** (*удържам*) deduct, knock off, keep back (from); **4.** (*дете от кърмене*) wean; || ~ **се 1.** turn off/aside, deviate; ~ **се от пътя** pull off the road, turn aside from the way, turn out of the way; **2.** (*посещавам за кратко време*) look in, drop in, call in, turn in, nip in, stop by, pop in; ~ **се в пристанище** (*за кораб*) call/stop at a port, put to port; ● ~ **военната си служба** serve o.'s time as a soldier; **отбих една голяма грижа** that's a great weight/a load off my mind/chest.

отбѝвк|а *ж.*, *-и* turn-off; (*край пътя*) *амер.* rest stop.

отбѝрам₁, отберà *гл.* pick (out), select, choose; cull; ~ **хубавото грозде** pick out grapes.

отбѝрам₂, отберà *гл.* (*разбирам*) understand (**от** ~), have a discerning eye (**от for**), be knowledgeable (about); have a smattering (**от of**); **нищо не отбира** he does not know chalk from cheese.

отблагодарявам се, отблагодаря се *възвр. гл.* return a/the favour; ~ **на** requite, repay, recompense, return s.o.'s kindness; make (s.o.) amends (for).

отблѝзо *предл.* at close quarters, at short/close range, from a short distance, from close-by/nearby; **познавам** ~ have intimate knowledge of; **следвам** ~ fol-

low at a short distance, follow close upon.

отблъсквам, отблъсна *гл.* **1.** beat off/back, drive back, repulse, repel; **2.** (*удар*) parry/ward off; **3.** *прен.* repel, put off, disgust, revolt; *амер.*, *sl.* gross out; (*отчуждавам*) alienate.

отблъскващ *сег. деят. прич.* repulsive, repellent, odious; distasteful; forbidding; off-putting; ~**а миризма** stench, evil smell.

отблясъ|к *м.*, *-ци* reflection, gleam, glimmer; **хвърлям** ~**ци** cast back gleams (**върху** on).

отбò|й (-**ят**) *м.*, *само ед.* retreat; *техн.* release; **бия** ~**й** beat the retreat; sound the retire; *прен.* beat a retreat, back out; **свиря** ~**й** sound off.

отболява, отболи *гл.* stop aching/hurting.

отбòр₁ *м.*, *-и*, (**два**) **отбòра** *спорт.* team; ~ **гост** a visiting team; ~ **домакин** a home team.

отбòр₂ *м.*, *само ед.* choice; the pick of; ~ **юнаци** pretty bunch, fine lot; tarred with the same brush.

отбòр|ен *прил.*, *-на*, *-но*, *-ни* choice, select, picked; *спорт.* team (*attr.*); ~**но класиране** team classification.

отбрàн *мин. страд. прич.* (*и като прил.*) choice, select(ed); picked; ~**о общество** select society, the cream of society.

отбрàна *ж.*, *само ед.* defence (*и спорт.*); (*защита*) protection; **брегова** ~ coast-defence; **противовъздушна** ~ anti-aircraft defence; air-raid precautions.

отбранѝтел|ен *прил.*, *-на*, *-но*, *-ни* defensive, defence (*attr.*); **държа** ~**на позиция** keep to o.'s defences; ~**ни съоръжения** defensive works, defences.

отбранявам, отбраня *гл.* defend; (*защищавам*) protect.

отбройвам, отброя *гл.* count out.

отбягвам, отбягна *гл.* avoid, shun, keep away from, fight shy of; evade, elude, dodge, shirk, jink; circumnavigate; eschew; fence off; (*серия удари*) *разг.* duck and weave, duck and dive, (*някого*) *разг.* give (s.o.) a wide berth, steer clear of; ~ **въпрос** dodge a question; ~ **отговорности/задължения** evade/shirk o.'s responsibilities/obligations.

отвàр|а *ж.*, *-и* **1.** infusion, tea, decoction; **приготвям** ~**а** decoct; **2.** (*извара*) curds.

отварàчк|а *ж.*, *-и* (tin-)opener.

отвàрям, отворя *гл.* **1.** open; ~ **бутилка** uncork/open a bottle; ~ **врата** open a door, throw/push open a door; ~ **скоби** open the brackets, *прен.* mention/say in parenthesis, mention parenthetically; digress; **2.** (*започвам; започвам работа с*) open; ~ **магазин** start a shop, set up a shop; ~ **разговор** start a conversation; || ~ **се 1.** open, (*за пори и пр.*) open up; (*от вятъра*) blow/fly open; **2.** (*за човек*) open out; ● **не** ~ **дума** make no mention (**за** of); ~ **апетита на** whet/sharpen s.o.'s appetite; ~ **очите си** keep o.'s eyes open/skinned/peeled; watch o.'s step, be on the look out.

отведнàж и **отведнъж** *нареч.* suddenly, all of a sudden; at once, abruptly.

отвèждам, отведà *гл.* lead away/off, take away/off, walk away/off, march away/off, draw aside; (*вода*, *пара*) lead; (*завеждам*) take; (*за път*, *следа*) lead; (*със сила*) manhandle; ~ **в плен** lead captive, lead into captivity.

отвèртк|а *ж.*, *-и* screw-driver, turnscrew, key-bit; **динамометрична** ~**а** torque screwdriver.

отвèс *м.*, *-и*, (**два**) **отвèса** plumb, plumb-line, plummet, *техн.* vertical level.

отвèс|ен *прил.*, *-на*, *-но*, *-ни* vertical, perpendicular, upright; sheer; *геом.* normal; ~**на подпора** *мин.* upright.

отвèтни|к *м.*, *-ци* defendant, respondent; **главен** ~**к по дело** principal defendant.

отвѝвам, отвѝя *гл.* **1.** uncover, unwrap; **2.** unwind, untwine; **3.** (*отвинтвам*) unscrew; || ~ **се** uncover o.s.

отвѝквам, отвѝкна *гл.* **1.** get/grow/fall out of a habit; break o.s. of a habit; fall out of the habit (**of** *с ger.*), lose the habit/knack (**of** *с ger.*), grow unused/disaccustomed (**to** *с ger.*); get out of practice; **2.** (*отучвам*) break s.o. of a habit/of the habit (**да** *с ger.*), fall out of a habit; dishabituate, disaccustom (s.o. to do s.th., to doing s.th.).

отвѝнтвам, отвѝнтя *гл.* unscrew; || ~ **се** get/become unscrewed.

отвисòко *нареч.* from above, from a

height, *прен.* from on high; (*надменно*) loftily; **гледам ~ на** look down on, look down o.'s nose at.

отвлѝчам, отвлека̀ *гл.* carry off/away; abduct, kidnap; *sl.* snatch; (*с влачене*) drag/tug off/away; (*добитък*) drive away; (*самолет*) hijack; (*внимание*) draw away, divert, distract; **~ вниманието на някого от работата му** distract s.o. from his work, take s.o.'s mind off his work; put s.o. off his work; || **~ се** (*при говорене*) digress, stray, ramble; (*при работа*) o.'s mind strays.

отвлѝчан|е *ср.*, **-ия** abduction, kidnapping; (*на самолет*) hijacking; diversion, distraction.

отво̀д *м.*, **-и**, (*два*) **отво̀да** 1. *юр.* challenge; **правя си ~** beg to be struck off a list; 2. *техн.* deviation; **~ на антена** down-lead.

отво̀д|ен *прил.*, **-на**, **-но**, **-ни** deviation (*attr.*); **~ен канал** deviation/drainage canal.

отводнѝтел|ен *прил.*, **-на**, **-но**, **-ни** draining, drainage (*attr.*).

отводнявам, отводня̀ *гл.* drain, unwater.

отво̀р *м.*, **-и**, (*два*) **отво̀ра** opening, aperture; orifice; *анат.* foramen (*pl.* -ramina); (*изходен*) outlet; (*на бутилка*) neck, mouth; (*дупка*) hole, perforation; **~ за влизане на въздух** vent; **руднѝчен ~** outset.

отво̀рен *мин. страд. прич.* (*и като прил.*) 1. open; *бот.* (*за лист и пр.*) patent; **~ за посетители** open to the public; (*зяпнал*) open-mouthed; **~и очи** with o.'s eyes wide open; **~о писмо** post-card, (*във вестник и пр.*) open letter; **политика на ~и врати** open-door policy; 2. (*за човек*) bright; smart; wide-awake, alert; sociable; *неодобр. sl.* smart-ass, stuck-up, uppity, snooty; 3. (*за цвят*) bright.

отвратѐн *мин. страд. прич.* disgusted, repelled, sick at heart.

отвратѝтел|ен *прил.*, **-на**, **-но**, **-ни** disgusting, repellent, repulsive, repugnant, loathsome, distasteful, nauseous, nauseating, sickening, vile, atrocious, heinous, abominable, noisome; execrable; *разг.* flagitious; miserable, unspeakable, lousy; god-awful; gruesome; *амер. sl.* gross-out; **имам ~ен вкус** taste vile; **~ен човек** toad; **~но време**

foul/beastly/atrocious weather.

отвратѝтелно *нареч.* disgustingly, repulsively nauseatingly, sickeningly, atrociously, abominably; execrably; flagitiously; gruesomely.

отвраща̀вам, отвратя̀ *гл.* disgust, revolt, repel, repulse, sicken, nauseate; *амер., sl.* gross out; **това ме отвраща̀ва** it makes my gorge rise, my gorge rises at it; || **~ се** be/become disgusted (**от** with), be revolted/repelled/repulsed (by), revolt (at), be put off (by), recoil (in disgust) (from); loathe, abhor, have/hold in abhorrence (**от** -); execrate; **просто да се отвратиш** it's enough to make one sick.

отвращѐни|е *ср.*, **-я** disgust, loathing, repellence, repulsion, repugnance; aversion, distaste, nausea; **чувствам ~е към** have an aversion for, loathe, execrate.

отвръ̀щам, отвъ̀рна *гл.* 1. (*отплащам се*) return, requite, repay, pay back (for); (*отмъщавам*) retaliate (for); **~ със зло** retaliate with violence; **~ със същото** pay/requite like for like, pay s.o. back in his own coin; fight fire with fire; 2. (*отговарям*) reply, retort (on s.o.); **~ дръзко** answer/talk/snap back; **~ на чувства** reciprocate s.o.'s feelings, repay s.o.'s affection; 3. (*отдръпвам, отклонявам*) turn away, turn aside, avert; **~ поглед** avert o.'s eyes (from); || **~ се** 1. turn away (from); wince away (from); (*от приятел*) give up; 2. (*за време*) break; (*за вода*) get lukewarm.

отвъ̀д *предл.* beyond, across.

отвъ̀д|ен *прил.*, **-на**, **-но**, **-ни** far, further.

отвъ̀дното *ср.*, *само ед.* the hereafter; eternity.

отвъ̀н и отвъ̀нка *нареч.* from (the) outside, from without; (*от чужбина*) from abroad; (*вън*) outside, outdoors; **действам по заповеди ~** work on outside orders; **~ навътре** from the outside/from without inwards.

отвъ̀рзвам, отвъ̀ржа *гл.* untie, unfasten, unbind, undo, loose; unchain (*за синджир*); (*пускам – куче и пр.*) let loose; (*лодка от пристан*) unmoor; || **~ се** come untied/unfastened/undone.

отвъ̀тре *нареч.* from within/(the) inside, (on the) inside; **заключвам ~**

lock on the inside; **~ навън** from the inside outwards.

отга̀твам, отга̀тна *гл.* guess; **опитвам се да отга̀тна** guess at; **~ га̀танка** guess/read a riddle.

о̀тглас *м.*, *само ед.* resonance, echo (*и прен.*); *прен.* response, answer, repercussion; *език.* vowel-gradation, ablaut.

отглѐждам, отглѐдам *гл.* grow, cultivate; (*животни*) breed, raise; (*деца*) bring up, rear, raise, nurture, nourish; foster; **~ от най-ранно детство** cradle.

отгова̀рям, отгово̀ря *гл.* 1. answer, reply (**на** to, **с** by), make/give an answer, make a reply (to); (*когато чуя името си*) respond (to); **~ дръзко** answer/talk back, retort; **~ на огън** return (the) fire, shoot/fire back; (*за батарея*) fire in return; **~ на поздрава на** return/acknowledge s.o.'s greeting; **~ на чувствата на** return s.o.'s love/affection, respond to/repay s.o.'s affection; reciprocate s.o.'s feelings/affection; 2. (*отговорен съм*) be responsible (**за** for), be answerable (for), answer (for), be in charge (of); (*гарантирам*) vouch for; **не ~** don't hold me responsible, don't say I didn't warn you; **~ с главата си** answer (for s.th.) with o.'s life; 3. (*съответствам, подхождам*) fit, suit, correspond (to), square (with), be in line/keeping (with), measure up (to), conform (with, to); (*на цвят*) match; **делата не отговарят на думите му** his acts belie his words, his acts do not square with his words; **~ на изисквания** suit requirements, qualify; **~ на очакванията на** come up to s.o.'s expectations.

о̀тговор *м.*, **-и**, (*два*) о̀тговора answer, reply, rejoinder, response; **в ~ на** in answer/reply/response to; (*провокация – като контрамярка, наказание*) in retaliation for; **възползвам се от правото си на ~** exercise s.o.'s right for reply; **остроумен ~** repartee.

отгово̀р|ен *прил.*, **-на**, **-но**, **-ни** 1. responsible, accountable, answerable (**пред** to; **за** for); in charge of; **държа някого ~ен** hold s.o. responsible/accountable (for); **~ен редактор** editor-in-chief; **~ен съм** (*грижа се*) **за** нещо/някого be in charge of s.th./s.o., have s.th./s.o. in o.'s keeping; 2. (*с чув-*

ство за отговорност) dutiful, responsible, reliable.

отгово̀рни|к *м.,* **-ци** person in charge (**за** of), person responsible (for); (*за по-млади работници*) chargehead; **~к на цех** a shop-steward.

отгово̀рност *ж.,* **-и** trust; responsibility; *юр.* amenability; **беше освободен от всякаква ~** he was quit of all responsibility; **на своя ~** on o.'s own responsibility; **нося голяма ~** bear a heavy responsibility; **привличам/под-веждам под ~** indict (**за** for; **като** as).

отго̀ре *нареч.* from above; (*за нареж-дане и пр.*) from high(er) quarters; (*на*) on (the) top (of), above; **~ до долу** from top to bottom; **~ на това/~ на всичко** on top of that/all, to top/cap it all; into the bargain; to make it/matters worse; **~ надолу** from above/from the top down-wards, (*за подход, управ-ление*) *икон.* top-down; **прочетох го ~~~** I skimmed through it.

отда̀вам, отда̀м *гл.* **1.** give, render, pay; (*под наем*) demise; **~заслуженото на някого** give/render s.o. his due, do s.o. justice/right, give s.o. full credit; **~ пос-ледна почит** pay (s.o.) the last honours; **~ чест** salute; **2.** (*приписвам*) attach, ascribe, attribute, assign (to); charge (to), put down to; **~ голямо значение на** set little store by; **~ всич-ко на** ascribe/attribute everything to, put it all down to; **3.** (*посвещавам*) devote, give (up) (**на** to); **~** (*пожерт-вам*) **живота си** lay down o.'s life; || **~ се 1.** give o.s. up (**на** to); (*посвеща-вам се*) devote o.s. (to); (*на удоволст-вия*) indulge (in); (*на скръб и пр.*) abandon o.s., give o.s. over (to), wallow in; **~ се на мързел/порок** lapse into idleness/vice; **~ се на политика** go into/take up/enter politics; **~ се на размисъл** indulge in meditation, sink into/plunge in thought; become pensive; **2.** (*за жена*) give o.s. (to a man); **от-дава ми се** be good at, have a gift for; (*успявам*) manage (to *с inf.*), succeed (in *с ger.*).

отда̀вна *нареч.* **1.** long ago, long since; **много ~** a long time ago; **~забравен** long (since) forgotten; **~ чувствана нужда** a long-felt want; **2.** (*от много време*) for a long time; **датирам ~** go back a long way; **~ не е бил толкова**

щастлив, колкото сега he is now happier than for a long time past.

отда̀внаш|ен *прил.,* **-на, -но, -ни** old, ancient; (*отдавна възникнал*) of long standing, long-standing; **~на вражда** an ancient feud; **~но приятелство** a friendship of long standing.

отда̀ден *мин. страд. прич.* given up, devoted, dedicated (**на** to); **тя е изця-ло ~а на грижата за болните** she is all given up to caring for the sick.

отдалѐко и отдалѐч *нареч.* **1.** from afar, from/at a distance, from far off, from a long way (off), at long range; **гледам ~** look from far off; take a dis-tant view of; **2.** (*със заобикалки*) in a roundabout way; distantly; beating about the bush; **започвам разговор ~** approach a subject in a roundabout way, beat about the bush.

отдалеча̀вам, отдалеча̀ *гл.* **1.** remove, take away; **2.** (*отчуждавам от себе си*) alienate, estrange; || **~ се 1.** move away, drift away (*пеша*) walk away (**от** from); (*за ездач*) ride away (*за стъпки*) retreat; (*за изгледи, надеж-да, опасност и пр.*) recede; (*откло-нявам се*) stray; **~ се много** retreat to a great distance; recede into the far distance; *прен.* travel far (from); **~ се от действителността** drift far (from reality; **2.** (*отчуждавам се*) be/become alienated/estranged, drift away (from).

отдалечѐн *мин. страд. прич.* remote, distant, far off; far removed; outlying; (*затънтен*) out of the way; **къща ~а от пътя** a house remote from the road; **~ съм от** be far removed, lie remote (from).

отдѐл *м.,* **-и,** (*два*) **отдѐла** section; (*на учреждение, факултет и пр.*) de-partment; (*отрасъл*) branch; (*във вестник*) column, section; **научноиз-следователски ~** research depart-ment; **~ за мъжко облекло/за желе-зария и пр.** (*в универсален магазин*) men's clothing/hardware department etc.; **~ пласмент** sales department; **технически ~** engineering department.

отдѐл|ен *прил.,* **-на, -но, -ни** separate, detached; (*единичен*) particular, sin-gle, individual, isolated; **във всеки ~ен случай** in any particular case; **~ен вход** private entrance; **~ен човек** a

particular individual; **това е ~ен въп-рос** that is (quite) another question.

отделѐни|е *ср.,* **-я 1.** (*на шкаф и пр.*) compartment, section, (*на хладил-ник*) locker; **2.** (*в учреждение и пр.*) department, section, bureau; **началник на ~е** a departmental chief; **3.** (*в бол-ница*) ward; **4.** (*в училище*) (school) form; *амер.* grade; **5.** *воен.* detach-ment; **6.:** **машинно ~е** engine-room.

отделѝм *прил.* separable.

отделѝтел|ен *прил.,* **-на, -но, -ни** *биол.* secretory; excretory, excretive, emunctory; **~ен орган** excretory (or-gan), emunctory.

отдѐлно *нареч.* separately, individu-ally; singly; (*в отделна опаковка – за пощенска пратка*) under separate cover; (*при разглеждане, обсъжда-не и пр.*) in isolation; **живея ~ от** live apart from.

отдѐлям, отделя̀ *гл.* **1.** separate, de-tach, disjoin, sever; dissever; set off/ apart, mark off, dissociate, disconnect, disunite; **~ истината от лъжата** dis-tinguish truth from falsehood; winnow out the true from the false; **~ със заве-са** curtain off; **~ със запетаи** mark off by commas; **~ Църквата от държа-вата** disestablish the church; **2.** (*отби-рам, избирам*) pick (out), single out, select, choose; **3.** (*посвещавам*) devote, spare; (*определям, предназначавам*) allot, allocate (to), earmark (for); **~ вре-ме за** spare the time for; take time off to (do s.th.); **~ място за** give/spare room for, (*във вестник и пр.*) devote/ allocate space to; **~ средства за** set aside/ apart funds, allocate funds; **4.** (*скът-вам, пестя*) put by/aside, save; **~ за черни дни** put aside for a rainy day; **~ от залъка си** stint o.s. of food (да in order to), pinch and scrape (in order to); **5.** *физиол.* secrete; (*топлина, га-зове и пр.*) evolve, release, give off; em-anate; emit; yield; (*пара, въздух*) ex-hale; (*излишни вещества*) excrete, eliminate; (*течност*) exude; **6.** *хим.* liberate; || **~ се 1.** move away (from); separate, get detached; (*за човек и*) detach o.s., part, separate o.s. (from), leave s.o.'s side; cut loose; cut o.s. off (from); (*за път*) branch off; (*за пред-мет*) get/become detached, detach it-self; (*за горен пласт и пр.*) come off/

away; (за кора) peel off; **не се отделя́-
ме един от друг** keep up with each
other; stick together; be inseparable; ~
се от обществото withdraw from/cut
o.s. off from society; ~ **се от тълпа**
break away from/step out of a crowd;
2. (различавам се) be distinguished;
(изпъквам) stand out; ~ **се на фона
на** stand out against; **3.** (отчуждà-
вам се) become estranged (from); **4.**
(заживявам отделно от близки-
те си) set up o.'s own home; set up a
separate establishment; live on o.'s own;
отделяме се set up house together; **5.**
(за учреждение) be organized (as a
separate institution); **6.** (за пара, газ
и пр.) be given off, be liberated; (във
вид на пара, пот и пр.) transpire; • ~
син/дъщеря give a son/daughter his/
her share of the property.

отделяне ср., само ед. separation; dis-
severance, disseverment, disseveration;
dissociation; физиол. secretion; (на
ненужни вещества) excretion, elimi-
nation, discharge; (на средства) allot-
ment, allocation; (на газ, топлина)
evolution; evolvement; emanation; ~ **на
формата от съдържанието** divorce
of form and content; ~ **от колектива**
detachment from the collective (body).

отдéто нареч. остар. from where;
(следствие на което) whence; ~ **и
да погледнеш** from whichever side
you look at it; **почвам не ~ трябва**
begin at the wrong end; • ~ **дошло,
там и отишло** easy come, easy go.

òтдих м., само ед. rest, period of rest,
repose, relaxation; (кратка почивка)
respite, break; **без никакъв ~** without
a moment of respite; **време за ~** breath-
ing-space.

отдолу нареч. from below; ~ **нагоре**
from below/from the bottom upwards;
(за подход, управление) bottom-up;
(от долната страна) underneath.

отдръпвам, отдръпна гл. draw back,
pull back, withdraw; (по-енергично)
jerk back; ~ **настрана** draw/pull aside;
(премествам) move (off, away); || ~
се draw back, withdraw, draw in o.'s
horns, pull in o.'s horns, bow (o.s.) out;
(настрана) move/draw aside; edge
away, (за придошла река, вълна) re-
cede; (за прилив) run/go out, roll back;
(за кръв) flee (back) (from); (за тъл-

па и пр.) fall back, make way; (за
приятел, поддръжник и пр.) fall
away (from); (стоя в сянка) take a
back seat; ~ **се в себе си** shrink/with-
draw into o.s.

отдỳшни | к м., -ци, (два) **отдỳшника**
air-hole/-vent, ventage; airway; прен.
vent, outlet, safety-valve; **намирам ~к**
find a vent, find release (in); **търся ~к**
seek a vent; (за чувствата, енергия-
та си и пр.) blow/let off steam.

отдъхвам (си), отдъхна (си) (възвр.)
гл. (поемам си дъх) recover o.'s
breath; (успокоявам се) breathe again/
freely, heave a sigh of relief, relax; (по-
чивам си) rest, take a rest; **не оста-
вям някого да си отдъхне** give s.o.
no respite; разг. keep s.o. on the jump.

отдя́сно нареч. from the right; (на-
дясно) on/to the right (of); ~ **наляво**
from right to left; ~ **на пътя** on the right
(of the road).

отегчàвам, отегчà гл. bore, weary, tire;
bother, pester; (вина и пр.) aggravate;
~ **някого с молби** pester s.o. with re-
quests; || ~ **се** be/get bored (от with);
have a dull time; (страшно се отегчих-
ме** we were bored stiff.

отегчàващ прич.: ~ **и вината об-
стоятелства** юр. aggravating circum-
stances.

отегчèн мин. страд. прич. bored,
weary (от with); разг. browned-off,
cheesed-off; ~ **до смърт** fed up to the
back teeth/to death.

отегчèние ср., само ед. boredom;
приемам нещо с ~ find s.th. irksome,
be irked by s.th.

отегчùтел | ен прил., -на, -но, -ни bor-
ing, dull, tedious, tiresome, irksome,
разг. pestilent, stodgy; ~ **ен човек** bore;
(който много говори) long-winded
fellow; ~ **на реч** long-winded speech,
screed.

отежнявам, отежнù гл. complicate;
aggravate; **това само ще отежни по-
ложението** that will only complicate
matters/make matters worse.

отèк | ъл прил., -ла, -ло, -ли swollen;
edematous.

от | èц м., -ци́ father.

отéчествен прил.: ~ **а война** a patri-
otic war.

отéчеств | о ср., -а mother country, na-
tive land, homeland, home country, fa-

therland; **второ ~о** o.'s adopted land,
the country of o.'s adoption.

отживèлиц | а ж., -и anachronism,
remnant, survival; разг. an old hat,
passé.

отживявам, отживèя гл.: ~ **времето
си** outlive o.'s time/day, become anti-
quated/obsolete.

отживя́л мин. страд. прич. (и като
прил.) antiquated, obsolete, outworn,
anachronistic, out-of-date, old-fash-
ioned, outmoded; dated, as dead as a
dodo; ~ **о суеверие** exploded supersti-
tion.

отзàд нареч. at the back/rear; behind;
(за движение) from behind, from the
back/rear; **вървя най-~** bring up the
rear, follow in the rear; ~ **напред** back-
wards.

òтзву | к м., -ци, (два) **òтзвука** echo,
reverberation; прен. response, an-
swer, reaction; (отражение) rever-
beration, repercussion; **намирам ~к**
meet with/find a response.

отзвучàвам, отзвучà гл. fade away, die
down.

отзèмам, отзèма гл. **1.** take (от from);
take/have o.'s share of; **2.** (отказвам
се) give up; ~ **си от** give (s.th., s.o.) up
as a bad job.

òтзив м., -и, (два) **òтзива** report; no-
tice, comment, opinion; (рецензия) re-
view, criticism; (отзвук) echo, re-
sponse; **получавам добри ~и в печа-
та** (за книга) have/get/receive a good
press.

отзивчùв прил. responsive; helpful,
obliging; forthcoming; warm-hearted,
sympathetic, understanding; approach-
able; ~ **човек** a man of ready sympa-
thy, a sympathetic person.

отзивчùвост ж., само ед. responsive-
ness, sympathy; approachability.

отзовàвам, отзовà гл. call back, recall;
countermand; (от изборна длъж-
ност) deselect; ~ **дипломатически
представители** withdraw envoys; || ~
се 1. respond, reply (to); come forward,
meet half way; ~ **се на покана за ду-
ел** respond to a challenge; **2.**: ~ **се за**
speak of, refer to; ~ **се пренебрежи-
телно/неодобрително за** (в печата)
write down.

отзовàване ср., само ед. recall; with-
drawal, withdrawing; deselection; **за-**

повед за ~ letter of recall.

отѝвам, отѝда *гл.* 1. go (в, на to); (*на път съм*) be bound (в for); (*упътвам се*) head (for); (*за път и пр.*) lead; не ~ на работа/училище stay away from work/school; не ~ по-далеч not go further (than), stop short (of), *прен.* leave it at that; ~ във ваканция go on o.'s vacation, go away for the holidays; ~ до най-малките подробности go into the minutest details; ~ на добре/зле take a turn for the better/the worse; take a good/bad turn; ~ твърде далеч *прен.* overreach o.s., overshoot o.s./the mark; 2. (*приближавам се*) approach, near; ~ към привършване near completion; 3. (*бивам изразходван, използван*) go (за on), be spent (on), be used (for); за един костюм отиват 3 метра плат it takes 3 metres of material to make a suit; 4. (*бивам похабен*) be spent; ~ на вятъра be wasted, be thrown away, go for nothing; *разг.* go down the drain/tube; || ~ си 1. go/get/turn away; go o.'s way, take o.s. off; (*откъсвам се*) tear o.s. away; (*прибирам се*) go home; (*за живот, ден*) decline; (*съм на края на живота си*) *разг.* peg out; ~ си (*съм на края на живота си и пр.*) be on the way out; ~ си с празни ръце go empty-handed; 2. (*подхождам*) suit, fit, sit well (on); тия цветове не ти отиват these colours don't match, these colours clash; ● ~ по реда си (*умирам*) go the way of all flesh; отиде, та се не видя it vanished into thin air, (*свърши се*) that's the end.

отѝване *ср., само ед.* going; (*пътуване*) journey (out); билет за ~ и връщане a return ticket; на ~ on the way out; ~ и връщане going and return.

отѝчам, отекà *гл.* swell.

òтказ *м., -и, (два)* òтказа refusal; denial, rejection, repudiation, rebuff; *юр.* traverse; *техн.* failure; не приемам ~ take no denial/refusal; ~ за достъп *юр.* denial of access; получавам ~ be refused, meet with a refusal; (*при предложение за женитба и*) get the mitten; той не приема ~ he will not take no for an answer.

отказвам, откàжа *гл.* refuse (на -), decline (да to); (*отговарям отрицателно*) deny, answer in the negative,

return a negative; reject; (*да дам*) withhold; ~ да изпълня задължение repudiate an obligation; ~ да разбера shut o.'s mind to; ~ на кандидат за женитба refuse a suitor; || ~ се give up (от, да -, с *ger.*); (*доброволно*) forfeit; for(e)go; desist (от, да from c *ger.*); (*от нещо скъпо*) forsake; *разг.* kiss (s.th.) goodbye; *непрех.* throw in o.'s hand, call it quits; не се ~ от правата си stand firm on o.'s rights; ~ се! (*много е трудно*) I give up! *разг.* it beats/licks me; ~ се от думите си deny/renounce/withdraw/retract o.'s words; той се отказа от тази мисъл he thought better of it.

отказване *ср., само ед.* denial, renunciation; renouncement; repudiation; rejection; disallowance; disavowal; ~ от право/претенция *юр.* disclaimer, waiver.

откàкто *нареч.* since, ever since; ~ свят светува since the world began; ~ се помня as long as I can remember.

откàрвам, откàрам *гл.* take; (*с кола и*) drive (в, на to); (*добитък*) drive away; ~ в затвора take/carry off to prison; ● ~ бой take/get a drubbing.

откàт *м., само ед. техн., воен.* recoil, kick, back-blow.

откачàлк|а *м. и ж., -и* (*откачен човек*) crackbrain, crackpot, nutter, nutcase; basket case, oddball, wacko; *амер. sl.* flake.

откàчвам, откачà *гл.* 1. unhook, unhang, unhitch, unlink; (*вагон*) uncouple; (*врата, прозорец*) unhinge; (*резе, мандало*) unhasp; (*телефонна слушалка*) lift; *ел.* unplug, disconnect; ~ картина take down a picture; 2. (*спечелвам*) get (s.th. to o.'s advantage; 3. *разг.* (*побъркан съм*) be unhinged, not be all there, blow out a fuse; (*побърквам се*) *sl.* go bonkers, go bananas, go off the rails, go gaga, go off the deep end; || ~ се 1. come unhinged/unhooked/uncoupled; 2. (*отървавам се*) get away; get rid (от of); не можеш да се откачиш от него there's no getting rid of/getting away from him.

откачèн *прил.* (*смахнат*) crazy, bonkers, barmy, crack-brained, cracked, cracko, unhinged; off his onion, out of o.'s wits, loony, balmy, unhinged, *sl.* dotty, bonkers, gaga, gonzo; off-the-

wall; централно ~ switched off at the main.

òткли|к *м.*, -ци, (два) òтклика response, reaction, answer.

откликвам, откликна *гл.* answer, respond; ~ на чувства reciprocate s.o.'s feelings.

отклонèни|е *ср., -я* diversion; departure (from); *счет.* variance; (*от тема*) digression; excursus; *физ.* deflection, deviation, divergence, divagation, (*заобикаляне*) detour; (*на самолет, кораб от курса му*) drift; (*от шосе*) turn-off; *физ., астр.* declination, aberration; *биол.* (*от нормалното*) aberration; deviance; *ел.* tap, tapping; *мор.* sheer; ~е на небесно тяло от орбитата му *астр.* perturbation; ~е от нормата a departure from the norm; ~е от правия път lapse.

отклонявам, отклоня *гл.* 1. divert, turn aside, draw away, *физ.* deflect, lead away, deviate; (*удар и пр.*) ward/fend off, avert, parry; (*разубеждавам*) dissuade, put (s.o.) off (от from и с *ger.*); (*заблуждавам*) put off the scent; ~ въпрос evade/dodge a question; ~ някого от целта му turn s.o. from his purpose; ~ от правия път lead astray; ~ с пренебрежение (*въпрос и пр.*) brush aside; ~ средства divert funds, switch resources (to); 2. (*отхвърлям*) decline, turn down; ~ се deviate, diverge, swerve, depart, divagate (from); deflect; (*избягвам*) avoid, evade (за път) branch off, fork; (*от път*) turn off; не се ~ от предмета/темата/въпроса keep/stick to the point; ~ се от курса си (*за кораб, самолет*) yaw, steer out of course, drift, go off course; ~ се от правия път stray/deviate from the right path/course, swerve from the straight path, go astray; err.

отключвам, отключа *гл.* unlock; unlatch; ~ на някого let s.o. in; || ~ си let o.s. in.

отковàвам, отковà *гл.* unnail; || ~ се come apart.

откогà *нареч.* since when; how long ~ ~ са тези стенописи? to what period do these murals belong? how far back do these murals date?

откогàто *нареч.* since.

откòлкото *нареч.* than; предпочитам

да остана вкъщи, ~ да изляза I'd rather stay at home than go out; **това е повече, ~ ми е нужно** this is more than I need.

откопавам, откопая *гл.* dig up; (*от гроб*) disinter, exhume.

откопчавам, откопчая *гл.* unbutton; undo; (*ремък, каишка*) unstrap; (*катарама*) unbuckle; (*брошка*) unclasp.

откопчвам, откопча *гл.* **1.** disengage, wrench/tear free/loose; **2.** *прен.* get s.th. (от някого out of s.o.); || ~ **се** disengage o.s., disentangle o.s. (from); wrench/tear o.s. free; slip away; **едва се откопчах** I had a hard time getting out of it.

откос *м.*, **-и**, (два) **откоса** swath; (*оставен да съхне*) windrow; *техн.* angle of repose; (*на подпорна стена*) batter; **воден ~** upstream batter; **въздушен ~** downstream batter.

открадвам, открадна *гл.* steal, make away/off with; (*дете и пр.*) carry away/off, kidnap, abduct; *разг.* snatch; **откраднали са ми часовника** I have had my watch stolen; ● ~ **половин час почивка** snatch half-an-hour's rest.

откраднат *мин. страд. прич.* (*и като прил.*) stolen; **~о имущество** stolen property.

открай 1. *нареч.* from the (very) beginning; **2.** *предл.* from the end of; ~ **време** from time immemorial; time out of mind.

открехвам, открехна *гл.* **1.** set ajar, open slightly/a crack; half open; **2.** *прен. разг.* show s.o. the ropes, *sl.* wise s.o. up; || ~ **се** come ajar.

откривам, открия *гл.* **1.** uncover, lay bare/open; *прен.* open; (*тайна и пр.*) let out, reveal; (*нерв*) expose; (*паметник*) unveil; ~ **душата/сърцето си на някого** open o.'s heart to s.o., unbosom o.s. to s.o.; ~ **за някого пътя към** put s.o. on the road to; ~ **картите си** show o.'s hand/game/cards (*и прен.*); ~ (**широки**) **перспективи** open up broad vistas (за to); **2.** (*учредявам, поставям начало на*) open; (*танц, разисквания и пр.*) lead off; (*тържествено*) inaugurate; ~ **нови работни места** create/generate new jobs; ~ **сезона** open/launch the season; ~ **сметка/партида** open an account; **3.** (*намирам*) discover; find out; detect; espy; *разг.* scout out, sniff out; (*причина*,

източник и пр.) run to earth/ground; (*нещо скрито*) unearth, hunt up, trace, dig up; ~ **грешки** discover faults, detect mistakes/errors; || ~ **се** (*за изложба, учреждение и пр.*) open; (*за гледка*) open out; **от върха се открива хубава гледка** a fine view opens out from the peak, there is a fine view from the peak; ● **открил Америка** he thinks he has discovered America.

откриване *ср.*, *само ед.* opening; unveiling, uncovering; discovery; detection; ~ **на повреда** trouble location, failure detection; **реч при ~ на нещо** opening speech, inaugural address; **тържествено ~** inauguration.

откривател (-ят) *м.*, **-и** discoverer; (*изобретател*) inventor.

открит *мин. страд. прич.* (*и като прил.*) **1.** open (за to); (*честен*) above board; downright; (*на открито*) open-air; (*за рудник*) opencast; (*незащитен*) exposed, bare; (*явен*) overt, (*неприкрит*) undisguised; demonstrative; **живот на ~о** outdoor/open air life; **излизам в ~о море** put out into the open sea; **оставам ~** (за въпрос) be left open; **~а сметка** open account; **2.** (*откровен*) frank, candid, straightforward, outspoken; forthcoming, forthright; guileless; *разг.* up-front.

открити|е *ср.*, **-я** discovery; (*изобретение*) invention; **~я** (*резултати*) findings.

открито *нареч.* openly; frankly, plainly; aboveboard; downrightly; **той ~ признава, че** he freely admits (that).

откритост *ж.*, *само ед.* transparency.

откровен *прил.* frank, sincere, candid, straightforward, direct, forthcoming, forthright; foursquare; free-spoken, outspoken, plain-spoken, outright, open-hearted; guileless; ~ **разговор** heart-to-heart talk; **~о признание** candid admission, frank avowal.

откровени|е *ср.*, **-я** revelation; *разг.* eye-opener.

откровено *нареч.* frankly, sincerely, candidly, openly; forthright; **говоря напълно ~** speak in all sincerity; **~ казано** frankly (speaking).

откровеност *ж.*, *само ед.* frankness, sincerity, candidness, candour, openness, open-heartedness, straightforwardness; downrightness, forthrightness; di-

rectness; free-spokenness.

откроявам се, откроя се *възвр. гл.* show up, loom, stand out, be outlined (**на фона на** against).

откуп *м.*, **-и**, (два) **откупа** ransom, ransom-money, redemption payment; **искам ~** as hold (s.o.) to ransom, exact a ransom (from); **плащам голям ~** pay heavy ransom.

откупвам, откупя *гл.* repurchase; (*пленник*) ransom, buy off; (*нещо заложено*) buy back, redeem; (*картина*) buy; || ~ **се** redeem o.s., buy o.s. out, ransom o.s. (from); (*от повинност, военна служба*) buy/purchase o.'s exemption.

откупване *ср.*, *само ед.* repurchase; redemption; (*на човек*) ransom; *икон.* buyback.

откъде *нареч.* from where, where; *книж.* whence.

откъдето *нареч.* from where; where ... from; (*вследствие на което*) whence; ~ **и да** wherever; no matter where from.

откъм *предл.* from, from the side/direction of; (*по отношение на*) in, as regards; **беден/богат ~** poor/rich in; ~ **града** on the city side.

откърмвам и **откърмям, откърмя** *гл.* **1.** suckle, nurse; **2.** *прен.* bring up, rear, nurture.

откърмен *мин. страд. прич. прен.* nurtured, brought up, reared (**в духа на** in the spirit of).

откъртвам, откъртя *гл.* break/split off; lever out; (*врата*) force; (*покрив и пр. – за вятър*) tear off; (*камък и пр.*) dislodge, lever out; (*заспивам*) *разг.* go out like a light; *sl.* flop; **откъртих му един сън** I had a good sound sleep/snooze; || ~ **се** break loose, give way; (*за мазилка и пр.*) come off; (*за камък и пр.*) become dislodged; ● **въздишка се откърти от гърдите му** a sigh escaped him.

откършвам, откърша *гл.* break/snap/chip away at off; || ~ **се** break off, snap.

откъс *м.*, **-и**, (два) **откъса** fragment, snippet; (*извадка*) excerpt, extract; (*пасаж*) passage.

откъсвам, откъсна *гл.* tear (off), break off; (*цвете, плод*) pick; (*страница, чек*) tear out; (*крайник – за граната*) shoot off; (*отделям*) divide; (*област и пр.*) detach (**от** from); (*от дом*

и пр.) uproot; **не мога да откъсна очи от** I can't take my eyes off; ~ **копче** tear/pull off a button; ~ **някого от семейството му** tear s.o. away from (the bosom of) his family; || ~ **се** (*за копче и пр.*) come off; (*за човек*) tear (o.s.) away; break away, cut o.s. away/off/adrift, cut loose (**от** from); (*загубвам връзката с*) lose touch with; (*отчуждавам се*) become estranged; ~ **се от народа си** divorce o.s. from o.'s people; ● **откъснал съм главата на** look the spitting/very image of, be the spit and image of; **откъснаха ми се ръцете** my arms grew limp; **толкова се откъсна от сърцето му** this is all he could bring himself to give.

откъсване *ср., само ед.* tearing off; breaking loose; **без ~ от производството** without discontinuing work, without quitting o.'s job.

откъсле|ен *прил., -на, -но, -ни* fragmentary, scrappy, snatchy, snippety, sketchy, incomplete, piecemeal; (*недостатъчен*) scrappy; (*прекъсван*) disjointed, disconnected, desultory; ~**ни превалявания** occasional showers; **чувам ~ен разговор** overhear snatches/scraps of conversation.

откъснат *мин. страд. прич.* torn, cut off (**от** from); (*за село и пр. – поради наводнение и пр.*) marooned; (*загубил връзка с*) out of touch (with); disconnected (from); detached (from); (*отчужден*) estranged; (*за изречение и пр.*) out of its context; ~ **лист** a loose leaf; ~ **от света** (*за селище*) remote, godforsaken; **теория**, ~**а от практиката** a theory divorced from practice.

отлагам₁, отложа *гл.* put off, postpone; remit, defer, hold/leave over (**за** for, until); stave off; (*заседание, събрание*) adjourn; (*изпълнението на присъда, налагане на наказание*) reprieve; (*изпълнението на проект, план и пр.*) put on ice, shelve; **бивам отложен** be put off/postponed, lie over, *воен.* be deferred from military service; **не отлагай днешната работа за утре** don't put off till tomorrow what you can do today; ~ **за неопределено време** postpone indefinitely/to the indefinite future.

отлагам₂, отложа *гл. хим.* precipitate.

отлагане₁ *ср., само ед. хим.* precipi-

---

tation, sedimentation, deposition; ~ **на мазнини** *биохим.* adipopexis.

отлагане₂ *ср., само ед.* postponement, rescheduling, delay, deferment, deferral, adjournment; **въпросът не търпи** ~ the matter is urgent, the matter brooks no delay, the matter allows no delay; ~ **на наказанието** interruption of sentence.

отлежавам, отлежа *гл.* mature, age, become seasoned; **оставям (идея) да отлежи** put (an idea) into cold storage, put it on ice.

отлежал *мин. св. деят. прич.* seasoned, mellow; ~**о вино** mature/mellow wine; (*за дивеч*) high.

отлепвам и оплепям, отлепя *гл.* unstick, unglue; pull/tear/rip off; || ~ **се** come off, come/get unstuck.

отлетявам, отлетя *гл.* fly away/off.

отлив *м., -и, (два)* **отлива** ebb(-tide), low/neap/outgoing tide; falling/receding tide; reflux; ~**ът започва** the tide turns; *прен.* exodus (**от** from).

отливам, отлея *гл.* **1.** pour out; **2.** (*правя отливка*) cast, found, mould; ~ **в калъп/форма** (cast in a) mould.

отливане *ср., само ед.* casting; ~ **на камбани** bellfoundry.

отливк|а *ж., -и* cast, moulding, casting; **гипсова** ~**а** plaster cast; **художествена** ~**а** art casting.

отлик|а *ж., -и* distinguishing feature, contradistinction; characteristic, attribute, denominator; **външни** ~**и** external differences, formal characteristics.

отлитам, отлетя *гл.* fly off/away; take wing/flight; (*на юг – за птици*) migrate (south); (*за време*) fly/fleet by; (*за момент*) slip by; (*за дух*) depart; (*отдалечавам се бързо*) hurry/whirl away; (*за самолет*) take off (**за** for); leave the airport; (*със самолет*) fly away/off (**за** for), take off (to).

отлитане *ср., само ед.* (*на птици*) migration; (*на самолет*) take-off.

отличавам, отлича *гл.* **1.** distinguish, tell apart; **2.** (*оказвам чест*) honour, distinguish; || ~ **се 1.** (*разпознавам се*) be known (**с** by); (*характеризирам се*) be distinguished/remarkable/notable (**с** for); **2.** (*проявявам се добре*) distinguish o.s. (**с** by, **като** as); achieve/gain distinction (as); excel (as); make

---

o.'s mark in the world.

отлич|ен *прил., -на, -но, -ни* excellent, splendid, superb, first-class, fine, straight A; *разг.* swell; spiffing; capital, cracking, crackerjack; (*майсторски*) masterly; ~**ен ученик** prize pupil; ~**но здраве** perfect health; ~**но настроение** high spirits.

отличи|е *ср., -я* distinction; (*медал*) medal; (*орден*) order; (*отличен успех*) excellent marks; **диплома с** ~**е** an honours diploma; **най-високо** ~**е** top honours.

отличител|ен *прил., -на, -но, -ни* distinctive; distinguishing; contradistinctive; ~**ни белези/черти** distinguishing marks/traits, identifying/identification marks; ~**ни знаци** *воен.* insignia.

отлични *к м., -ци;* **отличничк|а** *ж., -и* **1.** (*ученик, студент*) outstanding/excellent/prize pupil/student; **2.** (*работник – и в общ смисъл*) outstanding/excellent worker.

отлично *нареч.* perfectly, excellently; to perfection; famously; **зная** ~, **че** know perfectly well that; ~! excellent! fine! perfect! well done! good for you! **чувствам се** ~ *разг.* feel first-class.

отложен *мин. страд. прич.* **1.** adjourned, deferred, postponed; ~**и плащания** deferred payment; **2.** (*натрупан*) *хим.* precipitated; *геол.* deposited.

отломк|а *ж., -и* fragment, piece, splinter, sliver; chip; ~**и** *геол.* debris.

отломък *м., -ци, (два)* **отломъка** large piece (**от** of); fragment.

отлъчвам, отлъча *гл.* **1.** separate, part; exclude (**от** from); *църк.* excommunicate; unchurch; (*от обществото*) ostracize; **2.** (*малко животно*) wean; || ~ **се** (*от група*) stray; (*от работа*) absent o.s. (without leave), take French leave.

отлъчване *ср., само ед.* separation, exclusion; excommunication; weaning; absenteeism.

отлюсивам се, отлюспя се *възвр. гл. полит.* disaffiliate, disassociate (with).

отляво *нареч.* from the left; (*наляво*) on the left (hand) side, to the left (of); ~ **на пътя** on the left of the road.

отмалявам, отмалея *гл.* grow faint; weak/languid; languish (with); **отма-**

ляха ми краката my legs are wobbly, I am shaky on my legs/*разг.* my pins.

отмаля̀ване *ср., само ед.* faint feeling, feeling of faintness/weakness.

отма̀хвам, отма̀хна *гл.* take away, remove; ~ **от себе си** (*отказвам да се занимавам с*) shrug off, make light of, write off; ~ **от съзнанието си** dismiss from o.'s mind.

отменѝтел|ен *прил.,* -на, -но, -ни dissolving, subsequent.

отмѐням *прил.* revocable, reversible, cancellable, voidable, defeasible, abatable; ~ **договор** voidable contract.

отмѐням, отменя̀ *гл.* **1.** abolish; (*закон*) abrogate, repeal, revoke, rescind; (*заповед, нареждане*) countermand, cancel, rescind, reverse; (*забрана, военно положение, ембарго, полицейски час*) lift; (*гол*) *спорт.* disallow; (*решение*) override; *юр.* disaffirm; (*събрание, официално посещение, поръчки и пр.*) cancel; *разг.* cry off; (*стачка, събрание*) call off; (*присъда*) repeal, reverse, quash, rescind; **временно отменен** *юр.* in abeyance; **2.** (*замествам*) replace, take s.o.'s place; (*помагам на*) help, lend s.o. a hand.

отмѐняне *ср., само ед.* abolition, abrogation, repeal, revocation, reversal, rescission, cancellation, countermand; (*на присъда*) reprieve; ~ **на договор** dissolution of a contract.

отмѐрвам, отмѐря *гл.* measure off/out; weigh off; • ~ **думите си** measure/weigh o.'s words.

отмѐрен *мин. страд. прич.* measured, deliberate, tempered, steady; rhythmical; (*спокоен*) unimpassioned; (*за жест и пр.*) precise, restrained; ~**и стъпки** measured steps, a measured tread.

отмѐствам, отмѐстя *гл.* remove, displace, draw away/aside, pull off, move away/aside; dislodge; (*премествам*) shift; || ~ **се** move/step aside, stand aside/away, edge away, stand clear/off (from); get out of s.o.'s way; ~ **се назад** draw/step back.

отмѐтк|а *ж.,* -и tick; check-off.

отминѐвам, отмина̀ *гл.* **1.** go (on) o.'s way, pass on, pass by, leave behind; (*за неприятности*) blow over; ~ **бързо** whisk past; (*за ден*) wear away; ~ **някого** pass s.o. by; **2.** (*преминавам*) go, be over; fly, pass (away); **3.** *прен.* pass

over; overlook; ~ **с мълчание** pass over in silence; shrug off.

отмѝрам, отмра̀ *гл.* die away/out, fade away; (*за обичай*) fall into decay.

отмѝране *ср., само ед.* dying away/out, fading away; ~ **на държавата** withering away of the state.

отмо̀ра *ж., само ед.* rest, recreation, respite, relaxation; diversion.

отморя̀вам, отморя̀ *гл.* refresh, rest, relax; ~ **очите** rest s.o.'s eyes; || ~ **се** rest, refresh o.s., unbend; *разг.* chill out, veg out.

отмъ̀квам, отмъ̀кна *гл.* drag/carry off/away; (*задигам*) *книж.* purloin; *разг.* make off with, get/run away with, walk off with, filch, pinch, lift, nick, snitch, grab.

отмъстѝтел (-ят) *м.,* -и; **отмъстѝтелк|а** *ж.,* -и avenger, revenger (за of).

отмъстѝтел|ен *прил.,* -на, -но, -ни vindictive, revengeful; ~**но нападение** a reprisal attack.

отмъща̀вам и **отмъстя̀вам, отмъстя̀** *гл.* revenge o.'s. take revenge/vengeance (на on, за for), have o.'s revenge; pay s.o. back; *разг.* get back o.'s own; **заклевам се да си отмъстя** swear vengeance; ~ **за обида** avenge/revenge an injury; ~ **си** avenge o.s., have o.'s revenge, pay off; get even (with).

отмъщѐни|е *ср.,* -я revenge, vengeance; **като** ~**е за** as a revenge, in revenge for.

отмѝна *ж., само ед.* **1.** help, assistance; helper; **2.** abolition, repeal, revocation, rescission, cancellation, countermand; defeasance; *юр.* disaffirmation, disaffirmance; *частична* ~ derogation.

отмя̀там, отмѐтна *гл.* **1.** toss/throw/fling aside/back; **2.** (*слагам знак отстрани на*) tick off, check; || ~ **се** change o.'s mind, go back on o.'s word; back out; chop and change, flip-flop; ~ **се от споразумение** *разг.* rat on/renege on an agreement.

отмя̀тане *ср., само ед.* **1.** recantation; **2.** tick.

отна̀сям, отнеса̀ *гл.* **1.** (*занасям*) take, carry, (*за превозно средство*) take, drive; **2.** take/carry away; (*за вода*) bear/carry away/off; (*за вълни и пр.*) wash away, (*за течение*) drift, (*от палуба на кораб – за вълна*) sweep/wash overboard; (*за вятър*) blow/

carry away, whiffle; (*покрив – за вятъра*) blow off; (*за болест*) carry off; **бивам отнесен от вълните** drift out to sea; ~ **мост** sweep away a bridge; **3.** *прен.* refer, relate, assign (to); ~ **към дадена категория** assign to a category; ~ **спор до съда** *юр.* submit a dispute to the court; || ~ **се 1.** (*обръщам се*) apply, address o.s. (към to); **действам, без да се** ~ **до** act without reference to; **2.** (*свързан съм*) have to do (with), apply, refer (to); concern; (*спадам*) belong, pertain, be related (към to); ~ **се пряко до** have a direct bearing on; **това се отнася до тебе** that applies to/concerns you, that is meant for you; **3.** (*имам определено отношение към, държа се с*) treat, behave to(wards); **отнасяй се с хората, така, както искаш да се отнасят с тебе** do as you would be done by; ~ **се критично/скептично/обективно/с недоверие/с презрение към** be critical/sceptical/objective/distrustful/contemptuous of; • ~ **боя** get a licking, get a (good) thrashing; **3 се отнася към 4 както 6 към 8** 3 is to 4 as 6 is to 8.

отнача̀ло *нареч.* first, at first; (*в началото*) in the beginning; (*от началото*) from the beginning; **започвам** ~ *разг.* take it from the top; ~ **докрай** from beginning to end, from first to last; (*отново*) afresh, all over again.

отнѐмам, отнѐма *гл.* **1.** deprive (s.o. of s.th.), divest (s.o. of s.th.); take away (s.th. from s.o.), bereave (of); forfeit; *разг.* pip (s.o. to s.th.); (*време*) take (up); (*намалявам стойността на*) detract (from); (*паспорт и пр.*) impound, take away (from); (*от възнаграждение; точки*) dock; ~ **времето на** take up/occupy the time of; ~ **имунитет** *парлам.* withdraw/lift immunity; ~ **някому думата** deprive s.o. of the right to speak, rule out of order; silence; ~ **със сила** take away by force; **2.** (*махам*) take (**от** off).

отнѐмане *ср., само ед.* deprivation; *икон.* divestment; divesture; (*намаляване*) detraction; (*от възнаграждение; на точки*) dockage; **насилствено** ~ **на владение** disturbance of tenure; ~ **на права/имунитет** withdrawal of rights/immunity.

отнѐсен *прил.* scatter-brained, absent-minded, moony, crazy; faraway; *разг.* scatty, dead to the world, not all there; *шотл.* in a dwam.

отно́во *нареч.* again, once again, once more; **научавам ~** learn afresh; **~ и ~** time and time again, time after time; times out of number/without number; **посещавам ~** revisit; **тръгвам ~ на път** resume o.'s journey.

относѝтел|ен *прил., -на, -но, -ни* relative (*и език.*); **~ен дял** percentage; **~на справедливост** comparative rectitude; **~но тегло** specific gravity.

относѝтелност *ж., само ед.* relativity, relativeness; **теория на ~та** *физ.* theory of relativity.

отно́сно *предл.* about, concerning, on, of, with regard/respect to, regarding, in respect of.

отношѐни|е *ср., -я* 1. (*гледище, становище*) attitude (to, toward); **вземам ~е** take a stand (**по on**), take up a position (**on**)/an attitude (toward); **имам определено ~е по** (*даден въпрос*) feel strongly about/on, feel deeply about; 2. (*връзка*) relation (**с to**), relationship, bearing (**on**); **брачни ~я** marital relations; **законът няма ~е към случая** the law doesn't touch the case; **~я между родители и деца** parent-child relations; **установявам дипломатически ~я** establish diplomatic relations; **честни/открити ~я** plain dealings; 3. (*отнасяне, държане*) treatment (**към of**) behaviour (to); (*подход*) approach (to); **не очаквах от вас подобно ~** I did not expect such a treatment at your hands; 4. (*насока, страна*) respect; **в едно или друго ~е** one way or the other; **по ~е на** as regards, regarding, with respect/regard to; in/with relation to, in reference to, in the case of; **само в това ~е** in this one respect; 5. *мат.* ratio.

отнякъде *нареч.* from somewhere; **другаде** from somewhere else.

ото́|к *м., -ци, (два) ото́ка* swelling, *мед.* tumefaction, tumescence, intumescence, oedema, edema.

отоплѐни|е *ср., -я* heating; **използвам парно ~е** be heated by steam, be steam-heated; **~е и осветление** heat and light; **подово ~е** underfloor heating.

отоплѝтел|ен *прил., -на, -но, -ни*

heating; **~на инсталация** heating installation/system; **~ни материали** fuel.

отоплявам и **ото́плям, ото́пля** *гл.* heat; **~ се с въглища** use coal for heating.

оторизѝрам *гл.* authorize.

отпа́дам, отпа́дна *гл.* 1. (*отслабвам*) grow weak/faint, flag, decline; (*линея, крея*) fall away, languish, droop, sink, pine away; **силите му отпадат** his strength is declining/flagging/failing; 2. fall away, drop off; (*преставам да участвам в*) drop out (of), fall off; (*за студент*) drop out; (*бивам изживян*) die out; (*преставам да бъда обект на внимание*) drop out of the picture; (*за възражение и пр.*) become irrelevant/invalid.

отпа́дане *ср., само ед.* falling away, decline; dropping out; **~ на дисциплината** falling-off of discipline; **~ на студенти** student wastage, students dropping out.

отпа́днал *мин. св. деят. прич.* faint, weak, feeble, failing; languid, limp; nerveless; (*за болен и*) at a low ebb; **~ духом** depressed, dispirited, low; *разг.* wet, gutted.

отпа́дъ|к *м., -ци, (два) отпа́дъка** refuse, waste, waste matter; scraps, odds and ends; leavings, pickings, discard; *разг.* throw-out, junk; **животински/индустриални/памучни ~ци** animal/industrial/cotton waste; **радиоактивни ~ци** radioactive waste/effluents; **събирам ~ци** collect scrap; **хранителни ~ци** scraps (of food).

отпа́дъч|ен *прил., -на, -но, -ни** waste (*attr.*); **~ни води** refuse waters, industrial effluents.

отпеча́твам₁, отпеча́там *гл.* 1. (*книга и пр.*) print (off); strike off; **~ неясно** slur; **~ 1500 екземпляра от** strike off 1500 copies of; 2. (*оставям отпечатък*) imprint, impress, stamp; **|| ~ се** impress o.s.; leave an imprint.

отпеча́твам₂, отпеча́там *гл.* (*разпечатвам, отварям*) unseal.

отпеча́тване *ср., само ед.* (*книга и пр.*) printing.

отпеча́ть|к *м., -ци, (два) отпеча́тъка** imprint, impress, mark, stamp; print; (*отличителен белег*) hallmark; **личен ~к** the stamp of personality; **оставям своя ~к** leave o.'s mark/stamp (**на**

on); **~к от пръсти** finger print; **сла-гам ~ка си** set o.'s mark (on).

отпѝвам, отпѝя *гл.* take a pull (**от at**), take a sip (of), drink a (long) draught (from).

отпѝсвам, отпѝша *гл.* 1. strike off a name (from a list), strike a name off (a list), cross out, cancel; 2. (*смятам за загубен*) give up, (for lost, for dead); (*отказвам се от*) write off (as irretrievable); **отпиши го** it is all up with him; *разг.* he is a gone coon/goose, he's a goner; **|| ~ се** have o.'s name struck off; **~ се от училище** leave school.

отпла́та *ж., само ед.* reward, requital, requitement, recompense, payment, repayment; *поет.* guerdon; (*отмъщение*) retaliation, reprisal, retribution; **за ~** in retaliation/requital (for); as a reward for.

отпла́щам (се), отплатя́ (се) (*възвр.*) *гл.* pay, repay, pay back/off, recompense, requite; (*отмъщавам си*) retaliate; (*отмъщавам*) get back on s.o. for; **~ на злото с добро** repay good for evil, repay evil with/by good; **~ се със същото** pay back in kind/in the same coin, return like for like, turn the tables (on).

отплѐсвам, отплѐсна *гл.* distract; **|| ~ се** stray, straggle, go/fly off at a tangent, go astray; (*за куршум*) ricochet, glance off; (*отвличам се*) be distracted, stray, deviate (**от from**), ramble (**on**), ride off on a side issue; **не се ~** stick to the point/to the facts.

отплу́вам *гл.* sail (off/away), set sail (**с in**; **за to**); take passage, embark (**за for**); (*за кораб*) put away, put/stand (out) to sea, get under way; **~ от пристанище** clear at a port, leave harbour/port.

отплу́ване *ср., само ед.* sailing, departure; **готов за ~** ready for sail.

отпо́р *м., само ед.* resistance, repulse, rebuff; countercheck; **срещам решителен ~** be decisively repulsed, be resolutely rebuffed.

отпочѝвам си, отпочѝна си *възвр.* *гл.* rest, take a rest.

отпра́в|ен *прил., -на, -но, -ни:* **~на точка** starting(-off) point, a point of departure/reference.

отпра́вям, отпра́вя *гл.* send, address, direct; (*стрела*) send; (*огън*) direct; **~ заплаха** make a threat (against); **~ мо-**

литва offer (up) a prayer; ~ **обвине́ние** lay a charge, make an accusation (against); ~ **поглед** fix o.'s eyes (on); cast a glance (towards); || ~ **се** make/head (**към** for); set off (for); make o.'s way, take o.s. (to); turn/direct o.'s steps (towards); wend o.'s way (to).

отпразну́вам гл. celebrate; **ще отпразну́ваме случая, както трябва** we'll make this an occasion.

отпра́тк|а ж., -и reference; ~**а към друго място в същата книга** cross-reference.

отпра̀щам, отпра̀тя гл. send off/away, dispatch; (връщам) send away, turn back; (насочвам някого за справка) refer (to).

отпрѐд нареч. in front, at the front; (при движение) from the front; дъждът **бие** ~ have the rain in o.'s face; **с ръце** ~ with o.'s hands before one.

отпрѝщвам, отпрѝщя гл. unjam, free, loosen; ~ **бент** open a sluice/the sluices/the floodgates; прен. open the floodgates.

о̀тпуск м., -и, (два) о̀тпуска; о̀тпуск|а ж., -и leave (of absence), holiday; (воен., мор., на затворник) furlough; **в ~ съм** be on holiday; **неплатен** ~ holiday(s) without pay; ~ **по майчинство** maternity leave; **платен** ~ holiday(s) with pay; full-pay leave.

отпускам и отпу̀щам, отпу̀сна гл. **1.** (средства) grant, allot, assign; (заем, пенсия, стипендия) grant; (периодично) allow, give an allowance; (снабдявам) воен. issue (и с with); ~ **заем** issue/float a loan, make (s.o.) a loan; **редовно отпускани суми** regularly forthcoming sums; **2.** (удължавам) lengthen; (разширявам) widen, let out (и шев); (охлабвам) slacken, loosen, ease, relax; (колан) let out, loosen; (ръкав, яка) ease; (въже) мор. pay/let out, ease off; (преставам да държа здраво) loosen o.'s grip/hold (on); **болката ме отпусна** the pain has eased; ~ **му края** let go the reins; ~ **сърцето си** relax; **3.** (навеждам) sink; drop, let fall; ~ **глава** hang o.'s head; **4.** (дисциплина) not be able to enforce discipline (on), spoil, indulge; || ~ **се 1.** slacken, slack, relax; (за кожа) loosen; (за мускул) go slack, become flabby/flaccid; (за зна-

ме) droop; **обувките ми се отпускат** wear off the stiffness of o.'s shoes; **2.** (в работата си) ease off, let up, slacken/relax o.'s efforts, (работя недобросъвестно) become undisciplined/slack, slacken, slack it; (отпочивам си) relax; **3.** (не се стеснявам) feel at ease, relax, unbend, let o.s. go, open up/out, throw off constraint, thaw; (държа се свободно) let o.'s hair down; ~ **се пред някого** let o.s. go with s.o.; **4.** (ставам по-щедър) loosen o.'s purse, show generosity; **5.** (снишавам се, навеждам се) sink, drop; ~ **се с цялата си тежест** rest o.'s weight (**на** against); **6.** (за времето) become/turn warmer; there is a break in the cold spell; **ако времето се отпусне** if the cold relaxes.

отпуска̀р (-ят) м., -и soldier on leave/furlough, furloughed soldier.

отпу̀снат мин. страд. прич. (и като прил.) slack, loose, limp, flabby, flaccid, drooping, flagging; flaggy, floppy, (небрежен) slack, lax, negligent, undisciplined, inefficient; (без енергия) languid, spiritless; (спокоен) at ease, relaxed, mellow; (бавен, отмерен) leisurely; (за стойка) slouchy; (за заем, кредит) granted, allowed, issued; ~**и ръце** arms hanging/dropped at o.'s sides; **с ~и юзди** with a loose rein.

отпу̀снатост ж., само ед. looseness, flabbiness, flaccidity, flaccidness; slackness, slouchiness, laxity, remissness, negligence, indiscipline; languidness, languor.

отпу̀швам, отпу̀ша гл. unstop; unblock; (махвам тапата на) uncork; (отварям) open; (нещо задръстено) unclog, clear, clear (out); ~ **бент** open a sluice/the flood gates; || ~ **се** get unstopped.

отпъту̀вам гл. set off/out (за for), leave, depart (for).

отра́вям₁, отро̀вя гл. poison; (слагам отрова в храна и пр.) doctor; • ~ **живота на** poison s.o.'s (whole) life, make life hell for s.o., be the bane of s.o.'s existence/life.

отра́вям₂, отро̀вя гл. (изравям) unearth, (от гроб) disinter, exhume.

отра̀вяне₁ ср., само ед. poisoning; ~ **на кръвта** blood-poisoning; мед. toxaemia.

отра̀вяне₂ ср., само ед. (изравяне)

disinterment.

отража̀тел (-ят) м., -и, (два) отража̀теля физ. reflector; reverberator; техн. mitre; deflector.

отражѐни|е ср., -я reflection; прен. reverberation, after-effect, impact (**върху** on); **давам своето** ~**е** tell, have an effect/impact, разг. come home to roost.

отразя̀вам, отразя̀ гл. reflect; (като огледало) mirror (back); (звук) reverberate, echo; (събития – за преса, радио и пр.) cover; || ~ **се 1.** be reflected; (за звук) reverberate, echo; **2.** (засягам) have an effect/repercussions (on), affect; tell (on); **горещината ми се отразява много зле** the heat takes it out of me; ~ **се зле на здравето** be detrimental to health.

отра̀но нареч. early, in good season; beforehand; from an early hour, very early on; at an early date; (от ранна възраст) at/from an early age; **предупреждавам** ~ warn in good time, give (s.o.) long enough notice.

отра̀ствам, отра̀сна гл. grow up.

отра̀с|ъл м., -ли, (два) отра̀съла branch, field, department, sector.

отрѐждам, отредя̀ гл. assign, allot; intend, destine, set aside, earmark (**за** for); **съдба, отредена за** a lot in store for.

отрезвѝтел|ен прил., -на, -но, -ни sobering; chastening.

отрезвя̀вам₁, отрезвя̀ гл. sober (down) (и прен.); cool off.

отрезвя̀вам₂, отрезвѐя гл. become sober; прен. sober (down).

отрѐзк|а ж., -и piece; (от вестник) clipping; ~**и** trimmings.

отрѐпк|а ж., -и **1.** rag; **2.** прен. twerp, twirp, toerag, rotter, wretch, despicable/contemptible person, deadbeat, scum, sleazeball; sl. crud; ~**ите на обществото** the offscourings of humanity, the dregs of society.

отрѝтвам, отрѝтна гл. **1.** kick aside/away; **2.** прен. spurn, repudiate.

отрица̀ни|е ср., -я negation (и прен.); (отказ) denial; denegation.

отрица̀тел|ен прил., -на, -но, -ни negative (и език., техн.); (неблагоприятен) unfavourable, hostile; ~**ни характери** bad/wicked/condemnable characters; ~**но отношение** disap-

proval (of), unfavourable attitude (to).

отрица̀телно *нареч.* negatively; in negative terms; **отговарям ~** reply in the negative, return a negative.

отрѝчам, отрека̀ *гл.* deny; (*отхвърлям*) reject, repudiate, renounce; **~ въпреки очевѝдните фа̀кти** fly in the face of the evidence; **|| ~ се от** deny, renounce; disown, disclaim, disavow; retract, recant; give up; **~ се от ду̀мите си** deny/unsay o.'s words.

отро̀в|а *ж.*, **-и** poison; (*змийска и прен.*) venom; *прен.* virus; **съ̀щинска ~a** rank poison.

отро̀в|ен *прил.*, **-на, -но, -ни** poisonous, venomous; (*с приба̀вена отро̀ва*) doctored; **~ен газ** poison/toxic gas.

отро̀нвам, отро̀ня *гл.* **1.** break/tear off; (*за вя̀тър*) blow off; **2.** (*листа̀, сълзи*) shed; **|| ~ се** fall; **• не ~ ду̀ма** not speak/say/utter a word.

отру̀пан *мин. страд. прич.*: **дърво, ~о с плод** a tree hung/loaded/heavily laden/heavy with fruit, a well-laden tree.

отру̀пвам, отру̀пам *гл.* pile; heap, shower, submerge (**с** with); (*с ра̀бота, внима̀ние и пр.*) overwhelm; **~ ма̀са с я̀стия** pile a table with dishes; **~ с внима̀ние** load with kindness, heap/ shower kindness on.

отря̀д *м.*, **-и, (два) отря̀да** detachment, detached force, party, contingent, draft, commando, squad; **доброво̀лен ~** voluntary assistants of militia; **~ за бъ̀рзо реагѝране** flying squad.

отря̀звам, отрѐжа *гл.* **1.** cut off (*и коса*), (*с ножици*) snip/clip off, (*с трион*) saw off; **~ върха̀ на** (*дърво, храст*) tip; **~ пъ̀тя за отстъплѐние на** intercept the retreat of; **2.** (*отказвам*) refuse flatly, give a curt refusal, give (s.o.) a brush-off; **• ~ глава̀та си** I'd stake my life on it, I'll eat my boots/ hat/head (if); **той е отря̀зал глава̀та на баща̀ си** he is the spit and image/ the picture/a second edition of his father.

отря̀з|ък *м.*, **-ци, (два) отря̀зъка** piece; (*на купо̀н*) point; (*тало̀н от рекла̀ма*) boxed-in coupon.

отсега̀ *нареч.*: **~ ната̀тък** from now on, from this time onwards.

отсѐчк|а *ж.*, **-и** segment; intercept.

отсѝчам, отсека̀ *гл.* **1.** cut/hew/chop off, (*дърво, гора̀*) cut down, fell; **~ пръ̀чка** cut a stick; **2.** *прен.* decide

(firmly); (*ду̀ми, молба̀*) cut short, refuse flatly; (*казвам решѝтелно*) snap, say curtly; **• като̀ речѐ и отсѐче** that was his final word, that was that.

отска̀чам, отско̀ча *гл.* **1.** jump/spring off/aside/back/away; (*връщам се обра̀тно след уда̀р*) bound (off), rebound, bounce (off), recoil (from), dap; be jerked off; (*за оръ̀жие*) kick, recoil; **2.** (*изтѝчвам*) run round, slip across (до to), pop/nip up/down/across/ along/round (to); **~ до града̀** pay a flying visit to the town.

отско̀|к *м.*, **-ци, (два) отско̀ка** ricochet, rebound, overswing; **при ~к** on the bound.

отско̀ро *нареч.* for a short time; quite recently; **той е ту̀к ~** he has not been here long.

отску̀бвам, отску̀бна *гл.* pluck out/ off; (*растѐние*) pull up; (*изтръ̀гвам*) wrest, wrench (**от** from); **|| ~ се** disengage o.s., wrench/tear o.s. away/free; break loose/free; **~ се за дѐн-два** take a day or two off.

отсла̀бвам₁, отсла̀бна *гл.* get/grow thin, become thin(ner); lose weight/ flesh; reduce; **~ с 2 кг** lose 2 kg; (*изнемо̀щявам*) become/grow weak, become weaker, weaken; (*за зрѐние*) fail, grow dim; (*за глас*) sink, drop, grow weak; (*за па̀мет*) fail, fade; (*за вя̀тър и пр.*) drop, abate, subside, grow less intense; (*за огъ̀н*) die down; (*за интерѐс*) languish, flag; (*за бо̀лка и пр.*) ease.

отсла̀бвам₂, отсла̀бя *гл.* relax, ease, reduce; loosen; diminish; (*обезсѝлвам*) enfeeble, enervate, weaken, deprive of strength.

отсла̀бване *ср.*, *само ед.* getting thin, losing weight, loss in weight; slimming; growing weak; tabefaction; abatement; relaxation; (*на дѐйствие*) extenuation; attenuation; abatement; reduction; weakening; **срѐдство за ~** slimming aid.

отсла̀бнал *мин. св. деят. прич.* (*и като прил.*) thin, lean, spare; (*много*) peaked, pinched; **~о зрѐние/па̀мет** failing sight/memory.

отслу̀жвам, отслу̀жа *гл.* **1.** serve o.'s time as a soldier; **2.** *църк.* perform (a rite), hold (a service); **~ литургѝя** celebrate mass.

отспѝвам си, отспя̀ си *възвр. гл.* have o.'s sleep out; have a good sleep; make

up for lost sleep; **~ след пъту̀ване** sleep off o.'s journey.

отсра̀мвам се, отсра̀мя се *възвр. гл.* acquit o.s. well, do o.s. justice, do o.'s level best, make a good show (**пред** before); (*отпла̀щам се*) return a favour/kindness.

отсрѐща *нареч.* opposite, across/over the way, over there; *поет.* yonder; (*при движѐние*) from the opposite side; **~ на** over against, opposite.

отсрѐщ|ен *прил.*, **-на, -но, -ни** opposite, yonder; (*за странѝца*) adverse, facing; **~ната къ̀ща** the house over the way, the house opposite.

отсро̀чвам, отсро̀ча *гл.* postpone, put off; (*пла̀щане*) defer; *юр.* adjourn; **~ дѐло** postpone a suit.

отсро̀чен *мин. страд. прич.* delayed, postponed, put off; *юр.* adjourned; *фин.* deferred; **а̀кции с ~ дивидѐнт** deferred shares/stock.

отсро̀чк|а *ж.*, **-и** postponement; deferment; deferral; adjournment; grace; **да̀вам ~а** grand a delay (**на** to); **~а на присъ̀да** *юр.* arrest of judgement.

отстоя̀вам, отстоя̀ *гл.* defend, vindicate, assert, fight for, champion, uphold, stand up for, maintain; **~ позѝциите си** hold/stand o.'s ground, stick to o.'s guns.

отстрана̀ *нареч.* at the side (of); (*при движѐние*) from the side; (*до*) by the side (of), alongside; **наблюда̀вам ~** look on.

отстраня̀вам, отстраня̀ *гл.* remove, eliminate, push away/aside, weed out; comb out; (*изго̀нвам*) drum (s.o.) out; (*постепѐнно*) edge (s.o.) out, phase (s.th.) out; (*внима̀телно*) ease out; (*прѐчка*) remove, clear, eliminate, obviate; *разг.* mop up; *разг.* freeze out; (*от дъ̀лжност*) remove (**от** from); (*от учѐбно заведѐние, клуб*) expel; (*врѐменно от дъ̀лжност, учѐбно заведѐние*) suspend (from); (*нежела̀телни паса̀жи в кнѝга*) expurgate; (*технѝческа неизпра̀вност*) debug; (*нерѐдност*) *юр.* abate (a nuisance); *хир.* excise, exsect, extirpate; **~ запла̀ха** ward off a menace; **~ риск** eliminate a risk; **|| ~ се** move aside/away, make way, get out of the way.

отстраня̀ване *ср.*, *само ед.* removal, elimination; suspension; expulsion; *хир.*

excision, extirpation; ~ **на грешки** error correction.

отстъпател|ен *прил.*, -на, -но, -ни of retreat, retreating.

отстъпвам, отстъпя *гл.* **1.** step back/aside; go/fall back; ~ **на заден план** fall/retire into the background; **2.** *прен.* yield, give in, give way, succumb (**пред** to, before), defer (to) (**по** on); give/lose ground; *прен.* toe the line; (*от правило, принцип*) deviate, depart (from), abandon; **не ~ по нищо пред** be no way inferior to; be in every way s.o.'s equal; **3.** *воен.* retreat, effect a retreat, recede, retrocede, fall back, withdraw, draw back; ~ **в пълен ред** make good o.'s retreat; **4.** (*отказвам се от нещо в полза на някого*) give up, yield; (*право, територия и пр.*) cede; (*право и*) concede; ~ **първото място на** concede the first rank (to); **5.** (*в цена*) bate, abate, take off, discount, mark down; **6.** (*давам, продавам на ниска цена*) let (s.o.) have (s.th.) (for); **бивам отстъпен** go (за for); • **търпението им отстъпи пред гнева** their patience gave way to anger.

отстъпване *ср., само ед.* yielding, retreat; fall-back; (*на имот*) transfer; (*на територия*) cession; ~ **от позиции** climb-down.

отстъпк|а *ж.*, -и concession; *разг.* climb-down; (*на цена*) reduction (in price), abatement (from the price); (*при незабавно плащане*) *разг.* cashback; *търг.* discount, rebate, allowance; **взаимни ~и** mutual concessions, give and take; **данъчна ~а** tax abatement.

отстъплѐни|е *ср.*, -я departure, retreat; fall-back; **в ~е** in retreat.

отстъпчив *прил.* yielding, pliant, pliable, compliant, compliable, conformable, flexible, malleable, amenable, tractable, facile; exorable; **той е ~ човек** he is always ready to yield, she is a complier.

отстъпчивост *ж., само ед.* compliance, compliantness, compliableness, conformability, pliancy, pliability, tractability; flexibleness, flexibility; exorability.

отсъждам, отсъдя *гл.* decide, determine, settle, rule; *юр.* adjudicate, adjudge; *спорт.* mark, give, judge, rule, sound.

отсъствам *гл.* be absent, be/stay away (**от** from); ~ **поради болест** be on sick leave.

отсъстви|е *ср.*, -я non-attendance; absence; (*на служител през работно време*) absenteeism; **в мое ~е** in my absence, while I am away.

отсядам, отседна *гл.* put up, stay (**в** at) (**у** with).

отсянка *ж.*, **отсенки** shade, nuance, tinge, tincture, touch.

оттам *нареч.* from there, thence; **минавам** ~ pass there/that way.

оттатък *нареч.* beyond, across, on the other side (of); (*при движение*) from the other side (of).

оттеглям, оттегля *гл.* withdraw, draw/take back; (*войска*) draw off, withdraw, take back; (*предложение и пр.*) retract, back down; (*съгласие*) revoke; (*шахматна фигура*) retract; (*отзовавам*) call back, recall; ~ **обвинение** withdraw/drop a charge; || ~ **се** withdraw/drop a charge; draw (**в** room, **в** into), draw back; retire; go away into retirement; (*преставам да вземам участие в*) drop out, back out; (*за вода*) recede; (*за прилив*) go out; (*защото ме е страх*) back away; *разг.* chicken out; (*от пост и пр.*) stand/step down, resign; *воен.* draw off; ~ **се от света** renounce the world.

оттенъ|к *м.*, -ци, (**два**) **оттенъка** shade, nuance, tinge; **небето имаше** **златист ~к** the sky was touched with gold; ~**к на гласа** (over)tone.

оттогава *нареч.* since then, from/since that time; **не съм го виждал** ~ I haven't seen him since.

отто|к *м.*, -ци, (**два**) **оттока** flow, outlet, run-off.

оттук *нареч.* **1.** from here, (*през тук*) this way, (*за влизане*) this way in; **заминавам** ~ leave here; **2.** (*поради това*) hence.

отучвам, отуча *гл.* break/cure of (a habit etc.); wean (from); disaccustom (to); || ~ **се** break/cure o.s. of (a habit etc.), leave off a habit.

отхвърлен *мин. страд. прич.* outcast; ~ **от обществото** cast out by society.

отхвърлям, отхвърля *гл.* **1.** throw off/back; toss back; (*настрана*) throw aside; (*було*) throw back; **2.** *прен.* reject, cast aside, turn down, refuse, decline, *разг.* give (s.th.) the thumbs-down; give (s.o.) the elbow; (*противник*) *воен.* repulse, throw/hurl back; (*отказвам се от*) discard; disclaim; ~ **всяка отговорност** (*от себе си*) decline/disclaim all responsibility; *юр.* traverse; (*иск*) disallow, nonsuit; **4.** be through with; get s.th. over; do (a lot of work), cover (a lot of ground).

отход|ен *прил.*, -на, -но, -ни *техн.* outgoing; ~**ен канал** cloaca.

отцепвам, отцепя *гл.* split/cut/chip off; dissever; (*район*) close off; || ~ **се** split (off), secede (from), separate (from); break away (from); disaffiliate (with).

отчайвам, отчая *гл.* dispirit, discourage, dishearten, cast down, drive/reduce to despair, throw into despair; || ~ **се** fall into/yield to despair, despond, grow dispirited, become disheartened, be cast down, lose heart, give up.

отчайние *ср., само ед.* despair, desperation; despondency, discouragement; down-heartedness; **довеждам до** ~ drive to/plunge into despair, reduce to despair.

отчѐт *м.*, -и, (**два**) **отчѐта** account; (*за работа*) report; **годишен** ~ annual report; **искам** ~ **от** demand an explanation from, call/bring s.o. to account; bring s.o. to book.

отчѐт|ен *прил.*, -на, -но, -ни under review; ~**ен период** period under review/survey; current period.

отчислѐни|е *ср.*, -я deduction; **задължителни ~я** statutory deductions.

отчислявам, отчисля *гл.* strike off (the list); *воен.* discharge; ~ **в запаса** transfer to the reserve; || ~ **се** have o.'s name struck off the list.

отчитам, отчета *гл.* **1.** give/render an account (of), report (on); ~**грешка** own/admit/recognize a fault, own to having made a mistake; **2.** (*за уред*) read, give; || ~ **се** give/render an account (of).

отървавам, отървà *гл.* rid (**от** of); (*спасявам*) save, rescue (**от** from); extricate (from, out of); ~ **от беда** help s.o. out of trouble; *разг.* pull s.o. out of a hole, get/let s.o. off the hook; • **ва ~ кожата** escape by the skin of o.'s teeth; || ~ **се** get rid/clear (**от** of), rid o.s. (of), dispose of, throw off, shake off; extricate o.s. (from, out of); (*спасявам се*) save o.'s skin, get off (safe),

come/get off with a whole skin; (*отмахвам от себе си грижата за*) have s.th. off o.'s hands; ~ **се леко/лесно** get off lightly/easily, escape with life and limb; ● **отърва се** (*умря*) his labours are over; he is out of all his troubles; he is at rest.

отърсвам, отърся *гл.* shake off; (*пепел от цигара*) knock/flip off; ǁ ~ **се** shake o.s.; ~ **се от навик** shake off/break off/drop a habit.

оферт|а *ж.*, -и offer, tender, bid, *търг.* quotation; **правя** ~а tender, put in an estimate.

официер *м.*, -и **1.** *воен.* (army, military) officer; ~ **от запаса** reserve officer; **2.** *шах.* bishop.

официал|ен *прил.*, -на, -но, -ни official, formal; (*за облекло*) formal, dress (*attr.*); full-dress; (*за държане*) formal; stiff, prim, starchy; ~**но посещение** official visit, (*на държавник, владетел*) state visit, (*на служебно лице*) duty call; ~**но съобщение** official announcement/communication, public notice.

оформлèни|е *ср.*, -я presentation, mounting, design, arrangement, (*на вестник и пр.*) layout; **музикално** ~**е** musical setting.

оформям, оформя *гл.* **1.** shape, form, fashion, model, frame, mould; ~ **книга** get up/mount/design/present a book; **2.** (*съставям – документ и пр.*) make out, draw up; (*узаконявам*) legalize; (*придавам окончателна форма на*) finalize, give a final form to; ~ **споразумение** make an agreement legal, formalize an agreement; ǁ ~ **се** form, take form/shape, shape up, assume a shape and pattern, develop; ~ **се като личност** develop o, 's personality.

офсèт *м.*, *само ед. полигр.* offset; **печатам на** ~ reproduce by the photo offset method, print by the process of offset.

охладител|ен *прил.*, -на, -но, -ни cooling, refrigerating; ~**на инсталация** a cooling system.

охлаждам, охладя *гл.* cool, chill, ice; *техн.* refrigerate; (*пàри*) condense; *прен.* dampen, damp; ~ **ентусиазма (на)** knock the stuffing (out of), puncture s.o.'s balloon.

охлюв *м.*, -и, (*два*) **охлюва** snail; *зоол.*

helix; *анат.* cochlea (*pl.* cochleae).

охрàна *ж.*, *само ед.* **1.** protection; ~ **на труда** protection of labour, labour protection/safety; personal protection; **2.** (*стража*) (security) guard; **лична** ~ body-guard, life-guard.

охранител|ен *прил.*, -на, -но, -ни preserving, protective; ~**ни мерки** protective measures.

оцàпвам, оцàпам *гл.* dirty, soil, stain, *разг.* muck; ~ **с кал** muddy.

оцветявам, оцветя *гл.* colour, tint, tinge, stain; (*плат, коса*) dye; *прен.* colour, tint.

оцелявам, оцелея *гл.* survive (intact), get off safe, ride out, (*за предмет*) remain, be left, (*за сграда и пр.*) be left standing.

оцèнк|а *ж.*, -и **1.** valuation, assessment, appraisal, rating; **цялостна** ~а overall assessment; **2.** (*мнение, преценка*) evaluation, appreciation, appraisal, estimate; **давам вярна** ~а give a just/good evaluation of; **3.** (*на успех при изпит и пр.*) rating; (*писмена бележка*) mark, score, grade; **текуща** ~а process of continuous assessment.

оценявам, оценя *гл.* **1.** value, evaluate, appraise, assess, rate, estimate; cost; ~ **имот на** *юр.* value a property at; **2.** (*преценявам, съставям си мнение за*) evaluate, appraise, estimate; ~ **високо** estimate highly; **3.** (*успех, поведение на ученик, студент*) rate, mark.

оцèт *м.*, *само ед.* vinegar; **като** ~ vinegary.

очаквам *гл.* **1.** expect (*от* from), anticipate; await; **не те очаквах вече** I had given you up; **2.** **очаква ме** (*предопределено ми е*) await, be/lie in store (for), (*предстои ми*) be in for; ● **да не очаква човек!** well, of all things!

очàкван|е *ср.*, -ия expectation; expectance; expectancy; (*неизвестност*) suspense; **надминавам всички** ~**ия** exceed expectation.

очаровател|ен *прил.*, -на, -но, -ни charming, fascinating, enchanting, captivating, winning, bewitching, ravishing; delightful; engaging, fetching; glamorous; ~**ният принц** Prince Charming.

очевид|ен *прил.*, -на, -но, -ни obvious, ostensible, plain, evident, appar-

ent, manifest, patent; downright; ~**ен факт** simple/uncontested fact.

очевид|ец *м.*, -ци; **очевид|а** *ж.*, -и eyewitness; ~**ец съм** be on the spot.

оч|ен *прил.*, -на, -но, -ни eye (*attr.*), ocular, *мед.* ophthalmic; ~**ен лекар** eye-doctor, oculist, eye-specialist; ● *като същ. само мн.* ~**ни** lectures for external students.

очер|к *м.*, -ци, (*два*) **очерка** (feature) article, story, (*скица*) sketch, (*критичен*) essay, (*сбито изложение*) outline.

очертавам, очертая *гл.* outline, trace out; contour; delineate, sketch; (*изобразявам*) portray; (*описвам*) describe; (*излагам*) lay down; ǁ ~ **се** be delineated (**на** against); (*оформям се*) take form/shape; (*появявам се*) emerge, come up; **денят се очертава като хубав** it looks like a fine day.

очилà *само мн.* spectacles, glasses; *разг.* specs; **чета с** ~ read through glasses.

очиствам, очистя *гл.* clean; cleanse; (*отстранявам*) clear (away); (*птица – изтърбушвам*) draw, disembowel, (*животно, птица, риба преди готвене*) dress; *хим.* purify; refine; *прен.* purge, purify (**от** of); (*изяждам*) eat/gobble up, dispose of; (*убивам*) do away with; dispatch; *sl.* do (s.o.) in; ~ **от прах/смет** clear of dust/from rubbish; ~ **стари сметки** clear off old scores; ǁ ~ **се 1.** clean o.s.; *прен.* cleanse o.s.; ~ **се от предразсъдъци** purge o.s. of prejudices; **2.** (*за въздуха*) become clear; (*за облаци, мъгла*) clear away; (*за прах*) clear; **небето се очисти** the sky cleared; **3.** (*махам се*) clear off/out, take o.s. off, make o.s. scarce.

òще *нареч.* **1.** (*повече*) (some) more; (*друг*) another, a further; ~ **веднъж** once more/again; over again; ~ **по-добре** still better, better still; **2.** (*все още, досега*) still, yet; **има** ~ **време** there is still/yet time; **3.** ~ **като дете** even as a small child, even when a child; ● **и** ~ **как** I should think/say so, *амер.* and how; *разг.* will a duck swim? not half.

ощетявам, ощетя *гл.* harm, damage, cause damage/loss to; (*интерес*) injure; ~ **хазната/държавата** rob/defraud the revenue.

павàж м., *само ед.* pavement; (*платно*) roadway, carriageway.

павè *ср.*, -тà paving-stone/-block, square, cobble.

павиàн м., -и, (два) павиàна *зоол.* baboon (*Papio hamadrias*).

павилиòн м., -и, (два) павилиòна pavilion, kiosk, stall; изложбен ~ exhibition hall; ~ **за закуски** refreshment booth/stall.

павѝрам *гл.* pave.

павликѝянин м., павликяни; павликя̀нк|а ж., -и Bulgarian catholic.

павликя̀нство *ср.*, *само ед.* *рел.* medieval Christian heresy.

пагòд|а ж., -и *архит.* pagoda.

пагòн м., -и, (два) пагòна *воен.* epaulet(te), shoulderstrap.

па̀губ|ен *прил.*, -на, -но, -ни pernicious, baneful, baleful, disastrous, catastrophic, devastating, ruinous, destructive; calamitous, noxious, fatal, maleficent; deleterious; **върша своята ~на работа** do o.'s deadly/evil work; **~но влияние** harmful/poisonous influence.

пад м., *само ед.* fall; (*на язовир*) head of water; ~ **на налягане** *физ.* pressure drop; ~ **на напрежение** *ел.* voltage drop.

па̀дам, па̀дна *гл.* **1.** fall (на on, to); (*бързо*) drop; (*за самолет*) crash (to earth/to the ground); (*за бомба*) hit (на -); (*за копче и пр.*) come off; (*за коса, зъб, пломба*) fall out; (*за дъжд*) fall; (*за мазилка*) fall off; (*за покрив*) come/fall down; (*за утайка*) settle; (*за шапка*) fall off; ~ **мъртъв** fall down dead, drop dead; ~ **от стол** fall off a chair; ~ **от умора** drop down with fatigue; ~ **по очи** fall forward on o.'s face, fall prone; **2.** *прен.* fall, sink; (*за дух*) sink low; (*за теория*) fall down; (*за отговорност, подозрение*) fall (on); (*за ударение*) fall, rest (on); (*за възражение, обвинение*) fall to the ground; (*за цени и пр.*) drop, go down; *журн.* tumble; **акциите падат** the shares are depreciating, the price of the shares is dropping; **вината пада върху** the blame falls upon; **не ~ духом** keep cheerful, keep o.'s chin up, keep a stiff upper lip; ~ **в очите на** fall in s.o.'s estimation; || ~ **се 1.** (*получавам при делба*) fall (to o.'s lot), get; (*на лотария*) win at/in a lottery; (*за задача, чест и пр.*) fall (to); (*за награда*) go (to); (*имам право на*) be entitled to; **на мене се падна честта да** I have the honour to; **така ти се пада** (it) serves you right; **2.** (*съм, намирам се*) be; **какъв ти се пада той?** what is he to you?; **3.** (*случвам се*) happen to be; **Коледа се падна в понеделник** Christmas fell/was on Monday; ● **каквото падне** whatever comes my way; **не ~ на гърба си** always fall on o.'s feet; **пада си малко артист** he is something of an actor; ~ **си по** (*много обичам*) have a soft/warm spot in o.'s heart for s.o.; *sl.* be nuts on; be crazy about; go a bundle on; flip over; **сега ми е паднало** now's my chance, it's now or never; **щях да падна** (*от учудване*) you could have knocked me down with a feather.

падѐж м., -и, (два) падѐжа **1.** *език.* case; **език с ~и** an inflected language; **2.** *фин.* date of payment; redemption date; ~ **на полица** maturity; **стойност на ~а** maturity value.

падѐни|е *ср.*, -я fall; downfall, comedown; (*позор*) disgrace; **морално ~е** degradation.

падинà ж., -ѝ hollow, depression, dip; *геол.* trough.

падишàх м., -и sultan.

паж м., -ове page; footboy; (*който държи шлейф*) train-bearer.

пазàр м., -и, (два) пазàра market; (*пазарище*) market-place; **вътрешен/външен ~** home/foreign market; **купувам от ~а** buy on the market, get in the market; **Общият ~** the Common Market; **оживен ~** brisk market; **отивам на ~** go shopping; ~ **в Ориента** baza(a)r.

пазарлъ̀|к м., -ци, (два) пазарлъ̀ка bargain, bargaining, chaffer, chaffering; **правя ~к** strike/make/seal/close a bargain; ● **това не влизаше в ~ка** that is more than I bargained for.

пазару̀вам *гл.* go shopping, do o.'s shopping/marketing; **ще си ~ другаде** I shall take my custom elsewhere.

пазà|ч м., -и; пазà́чк|а ж., -и guard, caretaker; warden; door-keeper, gatekeeper; conservator; (*на животно*) keeper; **нощен ~** (night-)watchman; ~ **на фар** lighthousekeeper.

пàзв|а ж., -и bosom, breast; *бот.* axil; ● **крия змия в ~ата си** cherish/nourish a snake in o.'s bosom; **плюя в ~ата си** take the plunge; **~и** *прен.* recesses.

пазѝтел (-ят) м., -и; пазѝтелк|а ж., -и custodian, guardian, keeper, caretaker; (*бранител*) defender, protector; ~ **на закона** custodian of the law, law-keeper; ~ **на право/съкровище/език** custodian of a right/a treasure/a language.

пàзя *гл.*, *мин. св. деят. прич.* пàзил guard, protect, keep, preserve (from); (*поддържам*) keep, maintain; (*грижа се за*) look after; keep an eye on; (*спазвам*) observe; (*права*) protect, safeguard; **пази боже** God forbid; ~ **в пълна тайна** keep (s.th.) dead secret; ~ **диета** be on/follow a diet, diet; ~ **за** be on the watch for; ~ **неутралитет** observe neutrality, keep neutral; ~ **здравето си** take care of/look after health; keep fit; || ~ **се** (*грижа се за себе си*) take care of/look after o.'s; **пази се!** take care! look/watch out! look ahead! ~ **се от** be careful of, keep away from/clear of, beware of, steer clear of; (*взимам мерки срещу*) guard (o.'s) against; (*избягвам*) avoid, shun.

па̀|й₁ (-ят) м., -йове и -еве, (два) па̀я share, portion.

па̀|й₂ (-ят) м., -йове и -еве, (два) па̀я *кул.* (*сладкиш*) pie.

пак *нареч.* again, over again, once more, a second time; (*все още*) still; **все ~** still, all the same; **и ~** yet again; ~ **ли?** what? again?

пакèт м., -и, (два) пакèта pack, package, parcel, packet; (*пощенски*) parcel; ~ **акции** block of shares; ~ **от мерки** set of actions; ~ **чай** packet of tea, tea-packet; **софтуерен ~** software package; ● **на ~** in a group.

пакетѝрам *гл.* pack (up), parcel, make into a package/parcel; (*увивам*) wrap up; ~ **стоки** do up goods into parcels.

Пакистàн м. *собств.* Pakistan.

пакистàн|ец м., -ци Pakistani.

пакистàнк|а ж., -и Pakistani (woman).

пàкост ж., -и mischief, harm, injury, damage; **правя ~** do mischief/harm/damage; cause damage.

пакостя̀ *гл., мин. св. деят. прич.* па-костѝл do/work mischief; ~ на do/cause harm/damage/injury to, harm, damage, injure.

пакт *м., -ове, (два)* па̀кта pact; ~ за взаимопо̀мощ mutual assistance pact; ~ за ненападѐние non-aggression pact (между between); Северноатлантѝчески ~ North Atlantic Treaty Organization, съкр. NATO.

па̀лав *прил.* mischievous, naughty; playful, romping, rompish, rompy, lively, noisy, boisterous, larky.

па̀лавни|к *м., -ци* mischievous/naughty/romping boy; ~ци *разг.* little ruffians.

пала̀мр̀к|а *ж., -и остар.* swaphook.

паламѝда *ж., само ед. бот.* corn-thistle, creeping, cirsium (*Circium arvense*).

паламу̀д *м., -и, (два)* паламу̀да *зоол.* belted bonito (*Palamis sarda*).

пала̀нк|а *ж., -и* small town.

пала̀ск|а *ж., -и воен.* cartridge-box/-pouch.

пала̀т|а *ж., -и* court; (ка̀мара) chamber, house; смѐтна ~а a chamber of accounts; съдѐбна ~а courts of justice; law courts; търго̀вска ~а a chamber of commerce.

палатализа̀ци|я *ж., -и език.* palatalization.

пала̀тк|а *ж., -и* tent; (на панаир) stall, booth; (голя̀ма) marquee; кръгла ~а a bell tent; на ~и воен. under canvas; опъ̀вам ~а pitch a tent.

пала̀ч *м., -и* executioner, hangman; *прен.* butcher, hangman; *sl.* topping-cove.

пала̀чинк|а *ж., -и кул.* pancake; *амер.* slapjack, flapjack.

палѐж *м., -и, (два)* палѐжа arson, fire-raising.

палеозо̀йск|и *прил., -а, -о, -и* palaeozoic; ~а ѐра palaeozoic era/period.

палеолѝт *м., само ед. геол.* palaeolith; (the) Paleolithic Age.

палеонтоло̀гия *ж., само ед.* palaeontology.

па̀леоантрополо̀гия *ж., само ед.* palaeoanthropology.

Палестѝна *ж. собств.* Palestine.

палестѝн|ец *м., -ци* Palestinian.

палестѝнк|а *ж., -и* Palestinian (woman).

палестѝнск|и *прил., -а, -о, -и* Palestinian.

палѐт *м., -и, (два)* палѐта pallet.

пал|ец *м., -ци, (два)* палѐца 1. *анат.* thumb, (на крак) big/great toe; hallux; 2. *техн.* pin, pawl; tapper, finger; detent; двѝжещ ~ец driving pawl; ● стѝскам ~ци keep o.'s fingers crossed.

палѝтр|а *ж., -и* palette; (ша̀рения) smorgasbord.

па̀лк|а *ж., -и* stick; (полицѐйска) truncheon; *амер.* club; (диригѐнтска) baton; под ~ата на under the baton of.

па̀лм|а *ж., -и бот.* palm(-tree); ко̀косова ~а coconut-tree, coco-tree; фѝникова ~а date-palm; ● нося̀ ~ата на пъ̀рвенството bear the palm.

палт|о̀ *ср., -а́ (сако)* coat, jacket; дъ̀лго ~о́ greatcoat; еднорѐдно/двурѐдно ~о́ a single-/double-breasted coat; къ̀со ~о́ coatee.

па̀луб|а *ж., -и мор.* deck; го̀рна ~а an upper deck; a promenade deck; до̀лна ~а a lower deck; излета̀телна ~а (на самолетоносач) flight-deck; ка̀чвам се на ~ата go on deck.

па̀ля *гл., мин. св. деят. прич.* па̀лил 1. light; (радио, ел. лампа) turn/switch on; (затоплям баня) heat; ~ двѝгател start an engine; ~ огъ̀н light/make/build/kindle a fire; ~ цига̀ра light a cigarette; 2. (подпалвам) set on fire, set fire to; 3. (за слъ̀нце) burn, scorch; || ~ се 1. kindle, catch fire, ignite; 2. *прен.* be easily aroused/enkindled, get enthusiastic easily, be easily carried away; ● който се хва̀ли, не па̀ли sparks that fly don't start a fire; they brag most that can do least.

паля̀чо *м., -вци* clown, jester, fool; *презр.* buffoon; пра̀вя се на ~ play the fool.

па̀мет *ж., само ед.* memory; ако ~та ми не ме лъ̀же if my memory does not fail me; if my memory is not at fault; if I remember rightly; в ~ на in memory of, (като надпис) in living memory of; вѐчна ~ may his memory live for ever; напря̀гам ~та си rummage/search in o.'s memory; оператѝвна ~ main memory.

па̀метни|к *м., -ци, (два)* па̀метника monument, memorial; исторѝчески ~к a (historical) record, a record of the past; надгро̀бен ~к tombstone; пѝсмен ~к a written record.

паму̀к *м., -ци, (два)* паму̀ка cotton; (растѐнието) cotton plant; (медѝцински) cotton-wool; заха̀рен ~к *амер.* spun sugar; ● ва̀дя ня̀кому ду̀шата с ~к wheedle s.o.; мек като ~к soft as butter.

паму̀ч|ен *прил., -на, -но, -ни* cotton (*attr.*); ~ен ко̀нец (sewing-)cotton; ~на матѐрия a cotton fabric.

памфлѐт *м., -и, (два)* памфлѐта pamphlet, lampoon.

пана̀йр *м., -и, (два)* пана̀йра 1. fair; ~ за занаятчѝйски произведѐния a trade fair; (със забавлѐния) fun fair; 2. three-ring circus.

Пана̀ма *ж. собств.* Panama.

пана̀ма₂ *ж., само ед.* 1. (ша̀пка) Panama hat; 2. *текст.* canvas.

пана̀м|ец *м., -ци* Panamian.

панацѐя *ж., само ед.* panacea, heal-all, cure-all; elixir.

па̀нд|а *ж., -и зоол.* panda (*Aelurus fungens*).

па̀нделк|а *ж., -и* ribbon; fillet; (върза̀на) bow.

пандѝз *м., -и, (два)* пандѝза *жарг.* gaol, jail, slammer, *sl.* stir.

панѐл *м., -и, (два)* панѐла panel; монта̀жен ~ строит. subpanel.

панѐр *м., -и, (два)* панѐра big (wicker-)basket; ~ за пра̀не a laundry basket.

па̀ника *ж., само ед.* panic, scare; *разг.* flap, tizzy; *sl.* funk; всявам ~ raise/cause a panic, spread (the) alarm; обзѐт от ~ panic-stricken.

паникьо̀свам, паникьо̀сам *гл.* alarm, scare; *амер. разг.* give s.o. the jitters; || ~ се panic; *разг.* flap; *амер. разг.* have the jitters; funk.

панѝрам *гл. кул.* fry in egg and breadcrumbs.

панихѝд|а *ж., -и църк.* requiem, memorial service, mass for the dead.

па̀нѝц|а *ж., -и* bowl, dish; ● стъ̀пвам на ~и tread on eggs.

панѝческ|и *прил., -а, -о, -и* panic; ~о бя̀гство stampede.

панкрѐас *м., -и, (два)* панкрѐаса *анат.* pancreas.

пан|о̀ *ср., -а́* wall panel.

панора̀м|а *ж., -и* panorama, view.

пансио̀н м., -и, (два) пансио̀на boarding-house, (*храна*) board; (*училище пансион*) boarding school; пълен ~ board and lodging; full board.

па̀нт|а₁ ж., -и hinge, *техн.* knuckle.

па̀нт|а₂ ж., -и *жарг.* vagabond, tramp, good-for-nothing fellow, reedy, *амер.* hobo.

пантало̀ни *само мн.* trousers, *амер. разг.* pants; без ~ trouserless; къси ~ shorts; ~ с ниска талия hipsters.

пантейз|ъм (-мът) м., *само ед.* pantheism.

пантео̀н м., -и, (два) пантео̀на pantheon.

пантѐр|а ж., -и *зоол.* panther; (*женска*) pantheress.

пантомѝм|а ж., -и pantomime, dumb show, *разг.* panto.

пантоф м., -и, (два) пантофа slipper, mule; • по ~и in slippers.

па̀п|а м., -и *църк.* pope.

папага̀л м., -и, (два) папага̀ла *зоол.* parrot (*и прен.*); *прен.* copy-cat; • повтарям като ~ parrot.

папара̀|к м., -ци *журн. жарг.* paparazzo.

папата̀|к м., -ци, (два) папата̀ка *зоол.* midget.

папа̀|я ж., -и *бот.* papaya.

папѝл|а ж., -и *мед.* papilla.

папио̀нк|а ж., -и bow-tie.

папѝрус м., -и, (два) папѝруса *истор.* papyrus.

папк|а ж., -и folder, file, case; (*обикн. кожена, за документи, писма, рисунки и пр.*) portfolio; ~а за ноти music-case; ~а за писма writing-case.

па̀плач ж., *само ед.* mob, rabble, canaille, riffraff, vermin, doggery.

па̀прат ж., -и *бот.* fern; обрасъл с ~ ferny; орлова ~ bracken; царска ~ flowering/royal fern (*Osmunda regalis*).

па̀пство ср., *само ед.* papacy, popedom.

папуня|к м., -ци, (два) папуняка *зоол.* hoopoe (*Upupa epops*).

папу̀р м., -и, (два) папу̀ра *бот.* (bul)rush, reed-mace.

па̀р|а ж., -и steam; (*със силна миризма, вредна, отровна*) fume; (*изпарение*) vapour, exhalation; алкохолни ~и alcohol vapours, alcoholic fumes; който се движи с ~а propelled by steam, steam-driven; под ~а съм go

---

full steam ahead, *прен.* work at high pressure; пускам ~а let off/out steam; работя с пълна ~a be in full blast; • вдигам ~a kick up a row.

пар|а ж., -и coin; *разг.* (*пари*) money; *sl.* dough; brass; не струвам пукната ~a not be worth a (brass) farthing/a red cent; нямам ни пукната ~a not have a penny to o.'s name/to bless o.s. with; be stone-broke; be penniless/broke; be without a rap.

парабел м., -и, (два) парабела *воен.* automatic (pistol).

пара̀бол|а₁ ж., -и *мат.* parabola.

пара̀бол|а₂ ж., -и *лит.* parable.

парава̀н м., -и, (два) парава̀на screen; *прен.* cover, cloak, screen; window-dressing.

Парагва̀й м. *собств.* Paraguay.

парагва̀йск|и *прил.*, -а, -о, -и Paraguayan.

парагенѐза ж., *само ед. минер.* paragenesis.

парагра̀ф м., -и, (два) парагра̀фа *канц.* paragraph; (*в закон*) section; (*знак*) section mark; *полигр.* indention.

пара̀д м., -и, (два) пара̀да parade, (*воен. и пр.*) review, march-past; водя ~a lead the field; ~ на военновъздушните сили air display; ~ на модата fashion fest; приемам ~a review/inspect the troops, take the salute.

парадѝгм|а ж., -и *език.* paradigm (*и прен.*).

парадѝрам *гл.* show off, put on airs, give o.s. airs; *амер., разг.* grandstand; ~ с parade, plume o.s. on, make a show/display/parade of, show off, air, flaunt; ~ с патриотизъм drape/wrap o.s. in the flag.

парадо̀кс м., -и, (два) парадо̀кса paradox (*и лог.*).

паразѝт м., -и, (два) паразѝта 1. *зоол.* parasite (*и прен.*); 2. *прен.* drone, sponger; *sl.* free-loader; ~и vermin (*и прен.*).

паразитѝрам *гл.* live parasitically; *sl.* free-load.

пара̀клис м., -и, (два) пара̀клиса *архит.* chapel.

паралѐл м., -и, (два) паралѐла parallel; *геогр.* degree of latitude; правя ~ draw a parallel (между between).

паралелепѝпед м., -и, (два) парале-

лепѝпеда *геом.* parallelepiped; правоъгълен ~ cuboid.

паралѐлк|а ж., -и 1. *спорт.* (*уред*) parallel bars; 2. (*клас*) class, division.

пара̀лиз|а ж., -и *мед.* paralysis; palsy (*и прен.*); засегнат от ~a stricken with paralysis; прогресивна ~a creeping paralysis.

парализѝрам *гл.* paralyse; *прен.* cripple; cramp; || ~ се become paralysed.

паралингвѝстика ж., *само ед.* (*в семиотиката*) paralinguistics.

паралѝч м., *само ед. мед.* paralysis; palsy; детски ~ infantile paralysis, poliomyelitis, *разг.* polio.

паранормал|ен *прил.*, -на, -но, -ни (*свръхестествен*) paranormal; ~ни явления paranormal phenomena.

парано̀я ж., *само ед. мед.* paranoia.

парапѐт м., -и, (два) парапѐта parapet, rail(ing); guardrail; въжен ~ manrope.

парапсихоло̀гия ж., *само ед.* parapsychology.

параф м., -и, (два) пара̀фа *разг.* initials; слагам ~ на initial.

парафѝн м., *само ед. хим.* paraffin.

парафѝрам *гл.* initial, endorse; *разг.* O.K.

парахо̀д м., -и, (два) парахо̀да *остар.* steamer, steamship, ship, boat; (*малък*) steamboat; пътнически ~ a passenger steamer/liner; пътуване с ~ voyage; товарен ~ a cargo ship, freighter.

парашу̀т м., -и, (два) парашу̀та parachute; скачам с ~ parachute; jump by parachute, bail out.

парашутѝз|ъм (-мът) м., *само ед.* parachutism.

парвеню̀ м., -та *пренебр.* parvenu, upstart, vulgarian; той е ~ *разг.* he is jumped-up.

пардесю̀ ср., -та (light) overcoat.

парѐз|а ж., -и *мед.* paresis.

па̀р|ен *прил.*, -на, -но, -ни steam (*attr.*); ~ен котел steam-boiler; ~на баня vapour-bath, sudatorium; ~но отопление central heating.

парѝ *само мн.* money (*само sg.*); *разг.* cash; dough, brass, dibs; (*книжни*) *sl.* lettuce; *амер.* cabbage; (*монети*) coins, hard money; **без ~** (*много евтин*) dirt cheap, as cheap as dirt, giveaway; **изкарвам/печеля ~** earn/make money; **печеля (много) малко ~** earn a pittance; **спечелвам добри ~ от** make a good thing of; **със свои ~** (*за купуване и пр.*) out of o.'s own pocket; for a song; ● **събирам бели ~ за черни дни** lay up/provide/put by/save against a rainy day; **той е червив с ~** he has money to burn.

Парѝж *м. собств.* Paris.

парижа̀нин *м.*, **парижа̀ни; парижа̀нк|а** *ж.*, **-и** Parisian.

па̀ри|й (-ят) *м.*, **-и** pariah, outcast(e); untouchable.

парѝрам *гл.* parry, fence/ward/fend off, avert, evade; counter (*и прен.*); **~ удар** ward off/counter a blow.

паритѐт *м.*, *само ед. икон.*, *полит.* parity; par; **валутен ~** par of exchange, par value; **под ~а** below par.

парѝч|ен *прил.*, **-на**, **-но**, **-ни** monetary, pecuniary; financial; money (*attr.*); **~ен влог** cash deposit; **~на реформа** a monetary/currency reform; **~ни задължения** liabilities, money obligations; **~но възнаграждение** financial recompense.

парѝчк|а *ж.*, **-и 1.** small coin; **2.** *бот.* daisy.

парк *м.*, **-ове**, **(два) па̀рка 1.** park; **2.** *воен.* stock; depot; **автомобилен ~** fleet of motor vehicles; motor fleet; **самолетен ~** flying stock.

паркѐт *м.*, *само ед.* parquet (floor), inlaid floor; **слагам ~** parquet.

па̀ркинг *м.*, **-и**, **(два) па̀ркинга** parking lot, car park.

па̀ркинсонов *прил.*: **~а болест** *мед.* Parkinson's disease.

паркѝрам *гл.* park.

парла̀мент *м.*, **-и**, **(два) парла̀мента** parliament; **свиквам/разпускам ~** open/convene/dissolve parliament.

парлѝв *прил.* **1.** (*лют*) hot, peppery; (*за растение*) stinging; **2.** *прен.* burning; (*за болка*) searing; **~ въпрос** burning question/issue, explosive issue, controversial point; **~а забележка** biting remark.

пармеза̀н *м.*, *само ед. кул.* (*сирене*) Parmesan (cheese).

Парна̀с *м. собств. мит.* Parnassus.

па̀рни|к *м.*, **-ци**, **(два) па̀рника** hothouse, greenhouse; force-house; (*покрита леха*) hotbed; **домати от ~к** hothouse tomatoes; **~к без отопление** cold frame.

паро̀ди|я *ж.*, **-и** parody, travesty; *разг.* spoof; send-up; **автор на ~и** parodist; **~я на правосъдие** travesty of justice.

пародонто̀за *ж.*, *само ед. мед.* parodontitis.

паро̀л|а *ж.*, **-и** password, parole, watchword, code word; sign; turnkey; **казвам ~ата** give the password.

паронѝм *м.*, **-и**, **(два) паронѝма** *език.* paronym.

паростру̀|ен *прил.*, **-йна**, **-йно**, **-йни** steam-jet; **~йна помпа** ejector.

паротѝт *м.*, *само ед. мед.* parotitis.

па̀рса *ж.*, *само ед. разг.* collection; ● **обирам ~та** take the gate-money; **събирам ~та** pass/send round the hat, go round with the hat, make the hat go round.

партѐнк|а *ж.*, **-и** footcloth; *pl. воен.* foot-wrappings; ● **агенция ~а** *sl.* grapevine (telegraph).

Партено̀н *м. собств. истор.* Parthenon.

па̀ртер *м.*, **-и**, **(два) па̀ртера 1.** ground floor, *амер.* first floor, first storey; **2.** (*в театър*) stalls, (*задните редове*) pit; **3.** *спорт.* (*стойка в борба*) kneeling/ground position.

па̀рти *ср.*, **-та** party, blow-out, shindig; **женско ~** hen party; **мъжко ~** stag party.

партѝд|а *ж.*, **-и** lot, batch, consignment, shipment; (*сметка*) account; **опитна ~а** (*изделия*) development batch; **откривам ~а** *фин.*, *счет.* open an account; **~а стока** consignment of goods.

партиза̀нин *м.*, **партиза̀ни 1.** partisan, guerrilla (fighter); **2.** (*привърженик*) partisan, adherent, follower, supporter.

партиту̀р|а *ж.*, **-и** (musical) score; (*за оркестър*) full score.

па̀рти|я *ж.*, **-и 1.** *полит.* party; **опозиционна ~я** opposition party; **от коя ~я сте?** what party do you belong to?; **2.** *муз.* part; **3.** (*игра*) game, set, lap; **~я шах** game of chess; **4.** *прен.* (*удобен кандидат за женитба*) match; **добра ~я** good match, eligible young man/woman; ● **той е от нашата ~я** he is one of us, he is on our side.

партнѝрам *гл.* partner.

партньо̀р *м.*, **-и** partner; (*при спортна игра*) playmate.

парфю̀м *м.*, **-и**, **(два) парфю̀ма** scent, perfume.

парфюмѝрам *гл.* odorize, scent, put scent on; || **~ се** dab o.s. with scent.

парца̀л *м.*, **-и**, **(два) парца̀ла 1.** rag (*и вехта дреха*); **мокър ~** a wet clout; **на ~и** in rags/tatters; **~ за прах** dustcloth, duster; **ставам на ~** (*за дреха*) be worn/reduced to rags/tatters; **2.** *презр.* (*за човек*) wet rag, softy, jellyfish; **3.** *само мн.* (*материал за правене на хартия*) paper-stock; **4.** *само мн. презр.* trappings, trumpery, frippery, furbelows; drapes; ● **налягам си ~ите** lie low, fly low, keep quiet; take in sail, draw in o.'s horns; **с все ~и** neck and crop; lock, stock and barrel; bag and baggage.

парцѐл *м.*, **-и**, **(два) парцѐла** plot (*и на гробища*); lot, parcel, piece; (*дребен*) croft; **~ за строеж** building plot/ground.

парцелѝрам *гл.* plot/parcel/piece out.

парчѐ *ср.*, **-та 1.** piece, (*малко*) bit, (*голямо*) dollop, (*рязан*) slice; (*плат, дърво, връв и пр.*) length (of); **на ~** by the job; **на ~та** in pieces; **~ земя** a plot of land, a patch of land/ground, a private plot; **~ по ~** bit by bit, piecemeal; **~ хляб** *прен.* a bit of bread, bread, livelihood; **продавам на ~** sell by the piece; **работя на ~** work on a piece-rate basis, be on piece rates; **2.** (*привлекателна жена*) *разг.* peach, doll, babe, (good-)looker; (*привлекателен мъж*) *разг.* (good-)looker, heart-throb; *sl.* eyeful, hot number.

па̀ря *гл.*, *мин. св. деят. прич.* **па̀рил 1.** (*попарвам*) scald; (*слагам на пара*) steam; (*за коприва и пр.*) sting, prick; **~ на езика** bite the tongue; **2.** be hot (to the touch), burn; ● **пари ми под краката** be like a cat on hot bricks.

пас *м.*, **-ове**, **(два) па̀са** *спорт.* pass.

паса̀ *гл.*, *мин. св. деят. прич.* **па̀съл 1.** graze, pasture, feed (on); **~ трева**

graze; **2.** (*за пастир*) graze, pasture, tend, look after; (*овце и пр.*) shepherd; **~ добитък** graze/pasture cattle; ● **не пасе трева** he knows what he's about, he's no fool, he's not so stupid, he's clever enough; he knows better than that; there are no flies on him; **пращам някого да пасе** *прен.* put s.o. out to grass.

пасаж *м.*, -и, (два) **пасажа 1.** passage; (descriptive) set-piece; **2.** (*проход*) passage, gallery, way through; (*с магазини*) arcade; **3.** *муз.* passage; **4.** (*риби*) shoal, run; (*птици*) passage.

пасажер *м.*, -и; **пасажерк|а** *ж.*, -и passenger.

пасатор *м.*, -и, (два) **пасатора** liquidizer.

пасбищ|е *ср.*, -а pasture, pastureground, grazing (ground), grassland; (*за овце и пр.*) sheep-walk, sheep-run.

пасвам, пасна *гл.* fit (tight/close); lap (over).

пасианс *м.*, -и, (два) **пасианса** patience, solitaire; ● **хвърлям/редя ~** play a game of patience.

пасив *м.*, -и **1.** *фин.* liabilities, debit side; **евентуален ~** contingent liability; **задължителни ~и** eligible liabilities; **2.** *език.* passive (voice).

пасирам *гл.* strain.

пасмина *ж.*, *само ед.* brood, tribe, set, breed, crew, gang; (bad) lot; **знам каква ~ си** I know what sort/kind you are; I know your sort.

пасо добле *ср.*, *само ед.* *муз.* (*танц*) paso doble.

паспорт *м.*, -и, (два) **паспорта** passport (за to); (*лична карта*) identity card; (*на уред, машина*) testing certificate; **вписвам в ~** inscribe on a passport; **заминавам/пътувам с български/дипломатически ~** go abroad/ travel on a Bulgarian/diplomatic passport; **изваждам си ~** take out a passport.

паст|а *ж.*, -и **1.** *кул.* (*малък сладкиш*) cake; ~и (fancy) cakes, pastry; **2.** (*за зъби и пр.*) paste; ~а за зъби tooth-paste; (*туба*) a tube of tooth-paste; **3.** *кул.* pasta (*общо наименование на всички видове тестени варива*).

пастел *м.*, -и, (два) **пастела** pastel (*и рисунка*); (*за рисуване*) crayon; **ри-**

сувам с ~ draw in pastel.

пастет *м.*, *само ед.* *кул.* paste, pâté, forcemeat.

пастир *м.*, -и herd, herdsman, (*воловар*) oxherd, (*кравар*) cowherd, (*овчар*) shepherd; *прен.* pastor, shepherd.

пастор *м.*, -и *църк.* (*обикн.* *католически*) minister, pastor, clergyman.

пастърма *ж.*, *само ед.* *кул.* jerk, dried/cured/jerked meat.

пастьоризирам *гл.* pasteurize.

Пасха *ж.*, *само ед.* **1.** (*еврейски празник*) Passover; **2.** *църк.* (*Великден*) Easter.

пат *м.*, -ове, (два) **пата** *шах.* stalemate; (*равен резултат*) draw.

патент *м.*, -и, (два) **патента** patent; (*разрешително*) license; **имам ~ за** be licensed to, have patent-rights for; **нарушен ~** infringed patent; **преотстъпване на ~** patent assignment; **собственик на ~** patentee.

патентовам *гл.* patent.

патериц|а *ж.*, -и crutch; **ходя с ~и** walk on crutches; ● **на ~и** (visit s.o.) on the day after his name-day.

патетич|ен *прил.*, -на, -но, -ни pathetic, moving; full of pathos.

патина *ж.*, *само ед.* *хим.*, *изк.* patina.

патиц|а *ж.*, -и duck; *дет.* quack-quack; **дива ~а** wild duck, mallard; **северна морска ~а** eider.

патк|а *ж.*, -и duck; *прен.* *грубо* fool, gull.

патладжан *м.*, -и, (два) **патладжана** aubergine, eggplant; ● **нос като ~** bottlenose.

патоген|ен *прил.*, -на, -но, -ни *мед.* pathogenetic, pathogenic.

пато|к *м.*, -ци, (два) **патока** drake.

патологич|ен *прил.*, -на, -но, -ни pathological; ~**но раждане** morbid labour.

патология *ж.*, *само ед.* *мед.* pathology.

патос *м.*, *само ед.* pathos; passion, fervour, ardour; enthusiasm; **лъжлив ~** gush, effusiveness.

патриар|х *м.*, -си *истор.*, *библ.*, *църк.* patriarch.

патриархат *м.*, *само ед.* *истор.* patriarchy.

патриарши|я *ж.*, -и patriarchate.

патриотиз|ъм (-мът) *м.*, *само ед.* patriotism.

патрици|й (-ят) *м.*, -и *истор.* patrician.

патрон₁ *м.*, -и patron; (*светец покровител*) patron saint.

патрон₂ *м.*, -и, (два) **патрона** *воен.* cartridge; **боен ~** ball-cartridge, live cartridge; **маневрен/халосен ~** blank cartridge; **учебен ~** drill/dummy bullet; ● **изгърмял съм си ~ите** *разг.* have shot o.'s blows, have had o.'s chips.

патронаж *м.*, *само ед.* patronage.

патрондаш *м.*, -и, (два) **патрондаша** cartridge-belt; (*през рамо*) bandolier.

патрул *м.*, -и, (два) **патрула** patrol.

патрулирам *гл.* patrol (из -).

патя *гл.*, *мин. св. деят. прич.* **патил** suffer, endure, meet with/undergo hardships; have a hard time of it; **имало глава да пати** that's just your/my (bad) luck; **ще има много да ти пати главата** there's a lot of trouble in store for you, you'll have the devil to pay.

пауз|а *ж.*, -и pause, break; interval, *муз.* rest, pause; **правя ~а** pause.

паун *м.*, -и, (два) **пауна** *зоол.* peacock; (*женски*) peahen (*Pavo cristatus*).

паус *м.*, *само ед.* tracing/rice paper; **копирам на ~** counterdraw.

пафт|а *ж.*, -и *нар.* buckle, clasp; belt buckle.

пациент *м.*, -и; **пациентк|а** *ж.*, -и patient.

пацифиз|ъм (-мът) *м.*, *само ед.* pacifism.

пацифист *м.*, -и pacifist.

пача *ж.*, *само ед.* jelly, (*колбас*) brawn, *амер.* headcheese; (*телешка*) calves' foot (jelly), (*говежда*) cowheel; (*от свинска глава*) pig's head brawn, (*от свинска крака*) jellied pig's trotters; ● **хиля се като ~** grin like a cheshire cat.

пачавр|а *ж.*, -и clout, dish-cloth, cloth; *прен.* slut, trollop, slattern.

пачк|а *ж.*, -и pack, packet, wad (of); (*хартия*) batch, sheaf, packet; ~**а банкноти** wad; ~**а за патрони** cartridge-clip; ~**а кибрит** pack/box of matches.

паша *ж.*, *само ед.* pasture; grazing; grassland; **изкарвам на ~** send/put/ turn out to grass; **овцете са на ~** the sheep are out grazing; **пчелите са на ~** the bees are collecting pollen.

пашкул *м.*, -и, (два) **пашкула** co-

coon; *науч.* follicle; **свивам се на ~** cocoon o.s.

пащърнàк *м., само ед. бот.* parsnip (*Pastinaca*); **див ~** cow-parsnip.

паяжин|а *ж., -и* cobweb, spider'(s) web/net; (*която се носи из въздуха*) gossamer; **покрит с ~и** cobwebbed, cobwebby; **тънък като ~a** gossamer(y); cobwebby.

пàя|к *м., -ци,* (два) пàяка *зоол.* spider.

паякообрàз|ен *прил., -на, -но, -ни* spiderlike, spidery; **~ни** *зоол.* arachnida.

пев|èц *м., -цù;* **певùц|а** *ж., -и* singer, *муз.* vocalist; (*за птица*) songster, song-bird; (*поет*) bard.

педагòгика *ж., само ед.* pedagogics, pedagogy, education.

педàл₁ *м., -и,* (два) педàла pedal; (*на шевна машина*) treadle; **въртя ~ите** (*на велосипед*) pedal; **~ на газта** accelerator; **~ на съединителя** clutch pedal.

педàл₂ *м., -и вулг.* fag, faggot, gay, pansy, bugger, queer, queen, poof, poofter; *амер.* flit.

педàнт *м., -и;* **педàнтк|а** *ж., -и* pedant; prig; hair-splitter, verbalist; *разг.* square-toes.

педантùз|ъм (-мът) *м., само ед.* pedantry, verbalism; formality.

педерàст *м., -и мед.* homosexual; *юр.* bugger; *ирон.* pansy, queer.

педиàтрия *ж., само ед. мед.* p(a)ediatrics.

педикюр *м., само ед.* pedicure, podiatry, chiropody; **с ~** with varnished toe-nails.

педофùл *м., -и* paedophile.

пèд|я *ж., -и* span; **две ~и широк** two spans wide; ● **не отстъпвам ни ~я земя** not yield/budge an inch; **Педя човек – лакът брада** Tom Thumb.

пèйджър *м., -и,* (два) пèйджъра pager, *разг.* buzzer, beeper.

пейзàж *м., -и,* (два) пейзàжа landscape, scenery, country scene; **горски зимен ~** a woodland/winter scene; (*картина*) landscape; **лунен ~** moonscape; **морски ~** seascape.

пèйк|а *ж., -и* bench, seat.

пек *м., само ед.* (scorching) heat, sultriness; **на най-голямия ~** in the heat of the day, at the hottest time of the day.

пекà *гл., мин. св. деят. прич.* пèкъл **1.** bake, (*на огън, във фурна*) roast; (*цяло животно*) barbecue; (*изпичам, зачервявам*) toast; (*глина*) bake, burn, fire; **~ баница** bake a cheese pastry; **2.** (*за слънцето*) scorch, be hot, shine hot (on), beat down (on); (*за огън*) warm; **~ се на огъня** warm o.s. at the fire; **~ се на слънце** sunbathe take the sun.

пекàр (-ят) *м., -и* baker.

пèквам, пèкна *гл.* (*за слънцето*) come/shine/burst out.

пекинèз *м., -и,* (два) пекинèза *зоол.* (*куче*) Pekin(g)ese, peke.

пектùн *м., само ед. биохим.* pectin, vegetable jelly.

пелен|à *ж., -и* diaper, baby's napkin/ nappy; **~и** diapers, nappies; *прен.* blanket, shroud; ● **в ~и** in o.'s swaddling clothes/bands.

пеленàче *ср., -та* infant, baby-in-arms.

пеленгàтор *м., -и,* (два) пеленгàтора *опт., радио.* course-and-bearing-indicator; direction finder.

пелерùн|а *ж., -и* cape, cloak, mantle, tippet; **~a с качулка** hooded cape.

пеликàн *м., -и,* (два) пеликàна *зоол.* pelican.

пелùн *м., само ед. бот.* wormwood; **див ~** mugwort; (*вино*) wormwood wine.

пелтè *ср., само ед. кул.* jelly.

пелтè|к *м., -ци грубо* stammerer, stutterer.

пелтèча *гл., мин. св. деят. прич.* пелтèчил stammer, stutter; (*от вълнение*) splutter.

пелюр *м., само ед.* pelure-paper, flimsy.

пèмза *ж., само ед. минер.* pumice(-stone), Paris white.

пендàр|а *ж., -и остар.* gold coin.

пèнест *прил.* foamy, frothy; **~о състояние** foaminess, frothiness.

пèнис *м., -и,* (два) пèниса *анат.* penis, *sl.* cock, prick, dick, pecker, willy, dong, *амер.* dork.

пеницилùн *м., само ед. фарм.* penicillin.

пенсионèр *м., -и;* **пенсионèрк|а** *ж., -и* (old-age) pensioner.

пенсионùрам *гл.* pension off, superannuate; *разг.* put s.o. out to grass; ‖ **~ се** retire (on a pension), be pen-

sioned off.

пèнси|я *ж., -и* pension; **възраст за ~я** pension/pensionable age; **даващ право на ~я** (*за труд, стаж и пр.*) pensionable; **инвалидна ~я** disablement pension; **получавам ~ята си** draw o.'s pension.

пенснè *ср., -та* pince-nez.

пентагòн *м., -и,* (два) пентагòна **1.** *геом.* pentagon; **2. Пентагòнът** *само ед.* the Pentagon.

пеньоàр *м., -и,* (два) пеньоàра peignoir, dressing gown, morning gown, housecoat.

пèня се *възвр. гл., мин. св. деят. прич.* пèнил се **1.** foam, froth, (*за сапун*) lather; (*за вълна*) break into foam; (*кипя*) effervesce; fizz; bubble; **2.** *прен.* fume, froth up, foam with rage, foam at the mouth.

пèпел *ж., само ед.* ash; **правя на/ превръщам в ~** reduce/burn to ashes; (*вулканична*) cinder; ● **~ ти на езика** touch wood; **посипвам главата си с ~** repent in sackcloth and ashes; put ashes on o.'s head; **тури му ~ let bygones be bygones** forget it; *икон.* *жарг.* put the kibosh on.

пепелни|к *м., -ци,* (два) пепелùйка ash-tray; (*стоящ*) ash-receiver, (*на стена*) cigarette extinguisher.

пепелянк|а *ж., -и зоол.* viper, adder.

пеперỳд|а *ж., -и зоол.* butterfly; **нощна ~a** (night) moth, *прен.* fly-by-night.

пепùт *м., само ед. текст.* shepherd's plaid/check.

пепсùн *м., само ед. биохим.* pepsin.

пер *м., -ове* peer.

перà *гл., мин. св. деят. прич.* прал wash, do the washing/laundry; (*за дъжд*) pelt, beat (on); **голям дъжд ни пра** we were drenched to the skin (with rain); **~ някого** wash for s.o.; ‖ **~ се** (*за плат*) launder; **който може да се пере** washable.

перàлн|я *ж., -и* washing machine; (*с капак отпред*) front-loader; **обществена ~я** laundry, launderette, laundromat.

первàз *м., -и,* (два) первàза border, edge, (*на прозорец*) sill, (*корниз*) cornice; *архит.* wash-board, *техн.* shoulder; **~ на дюшеме** skirting-board.

пèрвам, пèрна *гл.* flick, flip, fillip, slap, strike lightly.

первѐрзи|я ж., -и мед. perversion (и прен.).

пергамѐнт м., само ед. parchment.

пергѐл м., -и, (два) пергѐла 1. (pair of) compasses; ~ за чертане на елипси trammel; рамо на ~ compass arm; 2. само мн. жарг. sl. (крака) stilts, pins.

перда̀х м., само ед. thrashing, drubbing, leathering, hammering, clouting, dusting, towelling; ям голям ~ get a good thrashing/drubbing.

перда̀ша гл., мин. св. деят. прич. **перда̀шил** 1. thrash, drub, wallop, trounce; lick, leather, hammer; sl. towel; use big stick methods; ~ здравата give s.o. a sound thrashing/a good hiding/hammering; 2. строит. smooth down/away; 3. жарг. (работя енергично) steam ahead/away; (движа се бързо) tear along, belt; ~ с велосипед bash along on a bicycle.

пердѐ ср., -та 1. curtain, (транспарант) blind; 2. мед. cataract.

перѝл|о ср., -а̀ handrail, railing; guardrail; (на стълбище) banisters; (на платформа, мост и пр.) parapet; ~о на балкон balcony railings.

перимѐт|ър м., -ри, (два) перимѐтъра perimeter; запазвам ~ър stake out a claim; запазен ~ър прен. vested interest, staked claim.

перио̀д м., -и, (два) перио̀да 1. period; space of time; разг. stretch; (кратък) spell; гратисен ~ grace period; дълъг ~ разг. blue moon; ледников ~ glacial era/period, ice age; лош ~ bad spin; много кратък ~ разг. jiffy, less than no time; непрекъснат ~ от време tract; отчетен ~ period under review, accounting period; през тоя ~ (на развитие) at this stage; разплоден ~ breeding season; 2. мат. repetend; 3. език. period.

периодиза̀ци|я ж., -и division into periods, periodization.

перио̀дика ж., само ед. periodicals.

периодѝч|ен прил., -на, -но, -ни periodic(al); recurring at regular intervals; cyclic(al); ~ен печат periodical press, periodicals; ~на дроб recurring decimal; ~на таблица хим. periodic table; ~ни валежи recurrent/intermittent rainfalls; ~но явление recurrent phenomenon.

перипѐти|я ж., -и лит. peripet(e)ia, peripety; прен. vicissitude, change; живот, пълен с ~и a life marked by vicissitudes; минавам през много ~и suffer many changes; след много ~и after many vicissitudes of fortune/разг. ups and downs.

периста̀лтика ж., само ед. физиол. peristalsis, vermiculation.

перитонѝт м., само ед. мед. peritonitis.

перифѐри|я ж., -и 1. periphery; (на шапка) brim; без ~я (за шапка) brimless; в ~ята на on the periphery of; on the fringe(s) of; с широка ~я broad-/wide-brimmed; 2. (покрайнина) outskirts; fringe; в ~ята на on the outskirts of.

перифра̀з|а ж., -и paraphrase, paraphrasis, circumlocution.

перифразѝрам гл. paraphrase.

пѐрк|а ж., -и (на риба) fin; (на кораб, самолет) screw, propeller; (на вентилатор, турбина) vane; (на водно колело) float(-board); (на гребно колело) paddle; (на лопата за гребане) blade; с ~и finned, finny.

пѐрко м., -вци strutter, swankpot.

перку̀си|я ж., -и мед. percussion.

пѐрл|а ж., -и pearl (и полигр.).

перманга̀нат м., само ед. хим. permanganate; калиев ~ potassium permanganate; натриев ~ Condy('s fluid).

перманѐнт|ен прил., -на, -но, -ни permanent.

перманѐнтност ж., само ед. permanence.

перна̀т прил. feathered, feathery; като същ. човек с ~ите our feathered friends.

перо̀ ср., -а̀ 1. feather; (за украшение) plume; ~а (перушина) plumage; feathering; шапка с ~о a feathered hat; 2. спорт. feather-weight; 3. (за писане) pen (и прен.); (писец) nib; (от птица) quill; ~а (на стрела) fletchings; човек на ~ото a man of the pen; 4. (на лук и пр.) leaf; 5. (в бюджет и пр.) item, article; фин. allocation; голямо ~о big item; доходно ~о source of income; приходни ~а items of revenue; 6. (за китара, мандолина) pick, plectrum; • гладя с ~о pat on the back.

перодръжк|а ж., -и penholder.

перо̀н м., -и, (два) перо̀на жп (rail-

way, station) platform.

перпендикуля̀р м., -и, (два) перпендикуля̀ра геом. perpendicular; издигам ~ raise a perpendicular (to); спускам ~ drop a perpendicular (on).

пѐрси само мн. истор. Persians.

персѝ|ец м., -йци; персѝйк|а ж., -и Persian.

персѝйск|и прил., -а, -о, -и Persian; ~и килим Persian/an oriental rug.

Пѐрсия ж. собств. Persia.

персо̀н|а ж., -и person; важна ~а bigwig, big gun/wheel/bug; VIP; • ~а нон грата юр. persona non grata.

персона̀ж м., -и, (два) персона̀жа лит., театр., кино. character.

персона̀л м., само ед. personnel, staff; административно-управленски ~ office and management personnel; нямирам ~ за staff; обслужващ ~ attending/maintenance personnel; с недостатъчен ~ understaffed; съкращавам ~а reduce the staff.

перспектѝв|а ж., -и perspective; (изглед) vista; prospect, outlook (и прен.); откривам светли ~и hold out bright prospects (на to); ~и prospects, expectations, outlook, разг. lookout; по правилата на ~ата in perspective; perspectively.

Перу̀ ср. собств. Peru.

перуа̀н|ец м., -ци Peruvian.

перуа̀нк|а ж., -и Peruvian (woman).

перуа̀нск|и прил., -а, -о, -и Peruvian.

перу̀к|а ж., -и wig; малка ~а (за темето) toupee.

перу̀ника ж., само ед. бот. iris; блатна ~ sword flag (Iris pseudoacorus).

перу̀шина ж., само ед. plumage; feathering; (мека) down; без ~ unfledged; лек като ~ light as a feather; с ~ full-fledged; • хвърчи ~ прен. the fur is flying.

перфѐкт|ен прил., -на, -но, -ни perfect (и език.), (без грешка) smooth, slick, above/beyond reproach.

перфока̀рт|а ж., -и aperture card, punched card; складова ~а bin card; управляваща ~а control card.

перфора̀тор м., -и, (два) перфора̀тора perforator; (за книжа) paperpunch.

перфора̀ци|я ж., -и perforation.

перц|è ср., -а̀ feather, прен. featherweight.

пèрча се *възвр. гл., мин. св. деят. прич.* пèрчил се swagger, swank, show off, put on airs, strut (about), go strutting about, throw/chuck o.'s weight about; make a parade of; *амер., разг.* grandstand; *sl.* flash it (about); ~ **с нещо** flaunt s.th.

перчèм *м., -и, (два)* перчèма forelock; quiff.

пес *м., -ове, (два)* пèса cur.

пèс|ен *ж., -ни* 1. song; **коледна ~ен** carol; *лит.* canto; **народна ~ен** folk song; **с ~ен на уста** singing; **това радио си е изпяло вече ~ента** this radio is ready for the scrap heap; 2. *прен.* (*добре заучена реч*) *разг.* spiel; ● **все старата ~ен** the tune the old cow died of; **~ента му е изпята** his tale is told, he is played out; he is done for; *разг.* his number is up; **пея друга ~ен** sing another tune, change o.'s tune/note, tell a different story, come down a peg (or two).

песèт|а *ж., -и фин.* peseta (*исп. парична единица до 31.12.2001 г.*).

песимùз|ъм (-мът) *м., само ед.* pessimism.

песимùст *м., -и;* **песимùстк|а** *ж., -и* pessimist; *разг.* croaker; **~ съм** take a gloomy view of things.

песнопèни|е *ср., -я църк.* chant.

песнопòйк|а *ж., -и* 1. singer, song-stress; 2. (*сбирка от песни*) songbook.

пèсо *ср., само ед. фин.* peso.

песоглàв|ец *м., -ци* 1. (*разбойник*) scamp; 2. (*бабуин*) *зоол.* chacma.

пестелùв *прил.* thrifty, frugal, economical; costive; **много съм ~** take care of the pence; **~ на думи/хвалби** sparing of words/praise; **~ човек** economizer.

пестùл *м., само ед.* damson cheese; ● **правя на ~** beat to a jelly.

пестицùд *м., -и, (два)* пестицùда *хим.* pesticide.

пестя *гл., мин. св. деят. прич.* пестùл save, economize; be parsimonious of; (*скътвам*) put by, put/lay aside, lay away/up; **~ думите си** be sparing of o.'s words; **~ от** save on; **~ средствата си** be economical of o.'s means.

песъчùнк|а *ж., -и* grain/particle of sand; **~и** grit.

пет *бройно числ.* five; **умножаване по ~** quintuplication; ● **без ~ пари**

съм be without a penny to o.'s name.

пет|à *ж., -и* heel; *анат.* calx; **от глава до ~и** from head to toe/foot; ● **Ахилесова ~а** (the) heel of Achilles; Achilles' heel; **вървя по ~ите на** follow at/on s.o.'s heels, tread on s.o.'s heels, dog the footsteps of, tail after, follow as a shadow, shadow; **плюя си на ~ите** take to o.'s heels, show a clean pair of heels; **те са по ~ите ни** they are close on us/hard on our heels.

петà|к *м., -ци, (два)* петàка *остар.* farthing; ● **не струва ни ~к** it's not worth a (brass) farthing.

петвеков|èн *прил., -на, -но, -ни* five-century long/old; **~но турско владичество** *истор.* five centuries of Ottoman rule.

петдесèт *бройно числ.* fifty; **~ на сто** fifty per cent; **~ на сто има шанс** there's a fifty-fifty chance, it's fifty-fifty.

петдесèтгодùшнина *ж., само ед.* fiftieth anniversary.

Петдесèтница *ж., само ед. църк.* Pentecost, Whitsun.

пет|èл *м., -ли, (два)* петèла cock, rooster; **бой с ~ли** cock-fighting; **див ~ел** heath-cock, black-cock, black grouse/game, *прен.* wild cat; ● **не чувам ~лите** *разг.* not to know o.'s arse/ass from o.'s elbow; **първи/втори ~ли** first/second cock-crow; **ставам с ~лите** rise at cockcrow, be up with the lark.

пèт|и *редно числ., -а, -о, -и* fifth; **една ~а** one fifth (part).

петùци|я *ж., -и* petition.

петлè *ср., -та* 1. cockerel; (*за човек*) cockalorum; 2. (*на оръжие*) cock; ● **перчи се като ~** he struts like a turkey-cock.

петмèз *м., само ед.* treacle, molasses.

петнàдесет (петнàйсет) *бройно числ.* fifteen.

петнùст *прил.* spotted; dapple, dappled; **~ кон** dapple; **~ тиф** spotted fever, typhus.

петн|ò *ср., -à* spot, stain, blot; (*малко*) speck, (*голямо*) patch, (*от кал, боя*) splash; (*разлято*) blotch, splodge, splotch, blur; *прен.* blot, slur, blemish, stain, smear; **бяло ~о на челото на животно** star; **лепвам ~о на** put a stigma on, cast a stain on s.o.'s honour; **мазно ~о** grease spot; **на ~а** spotty,

---

spotted, *зоол., бот.* punctate **позорно ~о** stigma, brand (за on).

петня *гл., мин. св. деят. прич.* петнùл soil, spot, sully, fleck, flecker, tarnish, blemish, stigmatize; throw/fling mud (at); **~ доброто име на** cast a slur on/smear s.o.'s reputation; *разг.* dish the dirt on s.o.

петобàл|ен *прил., -на, -но, -ни уч.:* **~на система** marking system based on five grades.

петобò|й (-ят) *м., само ед.* pentathlon.

петолùни|е *ср., -я муз.* staff, *pl.* staves.

петолùстни|к *м., -ци, (два)* петолùстника *бот.* five-finger (*Virginia creeper*); cinquefoil (*и архит.*).

петоъгълни|к *м., -ци, (два)* петоъгълника *геом.* pentagon.

Петрòвден *м. неизм. църк.* St. Peter's day.

петрогрàфия *ж., само ед.* petrography.

петрòл *м., само ед. минер.* (petroleum/rock/mineral) oil; (*рафиниран*) petrol; (*за лампа*) kerosene; (*суров*) crude (oil); **експерт по ~а** oil-man.

петролопрерабòтвател|ен *прил., -на, -но, -ни* oil-refining/-processing.

петролопровòд *м., -и, (два)* петролопровòда (oil) pipe-line, oil-conduct.

пèтстотин *бройно числ.* five hundred.

петýни|я *ж., -и бот.* petunia.

петýр|а *ж., -и* 1. rolled sheet (of dough); 2. (*широка част на лист*) leaf blade; *бот.* lamina.

пèтъ|к *м., -ци, (два)* пèтъка Friday; **в ~к** on Friday; **всеки ~к** on Fridays, every Friday; **Разпети ~к** *църк.* Good Friday.

пехòта *ж., само ед. воен.* infantry; foot (soldier); **капитан от ~та** captain of foot.

печàл *ж., само ед.* grief, mournfulness, sadness, sorrow, ruefulness, *поет.* dole, dolorousness, dolour.

печалб|а *ж., -и* 1. gain, profit, returns; earnings, gainings; winnings (*и от хазартна игра*); (*от лотария, тото*) windfall, jackpot, prize; **без ~а** without any profit; **неразпределена (задържана) ~а** retained profit; **чиста ~а** clear/net profit, clear gain; 2. (*полза, облага*) use, benefit, advantage.

печàт *м., -и, (два)* печàта 1. seal;

прен. (*отпечатък*) stamp; **контролен ~** hallmark; **слагам ~a си на прен.** leave an impress on; **слагам/удрям ~ на** stamp, put/set/affix a seal to; **2.** *само ед.* (*печатане*) print(ing), press; **излизам от ~** come off the press, come out, be published; **под ~** in the press, at the printer's; **подготвям за ~** prepare for the printer's; **3.** *само ед.* (*шрифт*) print, type, (*вид печат*) printing; **дребен/ситен/ едър ~** small/ large print; **чист ~** fine printing; **4.** *само ед.* (*периодичен печат, преса*) press; **закон за ~a** press law.

печа̀там *гл.* print; (*на пишеща машина*) type; (*обнародвам*) publish; **|| ~ ce** be in the press, be at the printer's; (*за автор*) appear in print, have o.'s works published.

печа̀тниц|a *ж.*, **-и** printing/house/ -press, printing establishment, printing-office, press; *разг.* printer's.

печѐля *гл.*, *мин. св. деят. прич.* пе-чѐлил earn, gain; (*извличам полза*) gain, profit, benefit (**от** by, from); (*във война, облог, на лотария*) win; (*победител съм – и прен.*) win the field; carry/win the day; **гледам да ~ време** play for time; **~ повече гласове от** out-vote; **~ честно хляба си** earn/turn an honest penny.

пѐчен *мин. страд. прич.* (*и като прил.*) **1.: ~a филия** toast; **~o месо** roast(ed) meat; **2.** *жарг.* (*опитен*) street-wise, street-smart; **~ съм** be up to all the dodges.

печенѐги и **печенѐзи** *само мн.* *истор.* Pechenegs.

пѐчк|a *ж.*, **-и** stove; **готварска ~a** a cooking range, cooker; **електрическа ~a** an electric stove/heater, (*готварска*) an electric cooker; **микровълно-ва ~a** microwave cooker/oven.

печу̀рк|a *ж.*, **-и** *бот.* (field) mushroom (*Agaricus*).

пеш₁ *м.*, **-ове**, (*два*) пѐша coat-tail; flapper; **хващам се за ~a на** hang to s.o.'s coat-tail.

пеш₂ и **пеша̀**, **пешко̀м** *нареч.* on foot; **ходя ~** go on foot, walk; *разг.* step it, tramp it.

пешехо̀д|ец *м.*, **-ци**; **пешехо̀дк|a** *ж.*, **-и** pedestrian, walker; **алея за ~ци** walkway.

пѐшк|a *ж.*, **-и** *шах.* pawn.

пешкѝр *м.*, **-и**, (*два*) пешкѝра towel, (*на ролка*) jack-towel, round towel; **● опирам ~a** bear the brunt, take the rap, get it in the neck, get a good ticking-off; *разг.* carry the can, be left holding the baby.

пещ *ж.*, **-и** oven; *техн.* furnace; **висо-ка/доменна ~** *метал.* blast-furnace; **кремационна ~** incinerator; **паля ~та** heat the oven; **~ на локомотив** fire-box.

пещер|а̀ *ж.*, **-и** cave, *поет.* cavern; (*от варовик, в парк и пр.*) grotto, grot.

пещерн|к *м.*, **-ци** speleologist; spelunker, *разг.* potholer.

пея *гл.*, *мин. св. деят. прич.* пял sing; (*в църква*) chant; (*за петел*) crow; **~ вярно** sing in tune; **~ като славей** sing like a lark; **● все една и съща песен ~** harp on the same string; **~ друга песен** change o.'s note.

пианѝст *м.*, **-и**; **пианѝстк|a** *ж.*, **-и** pianist, piano-player.

пиа̀н|o *ср.*, **-а** piano; **концерт за ~o** a piano concerto, a concerto for piano; **свиря на ~o** play the piano.

пиа̀ц|a *ж.*, **-и**: **~a за таксита** taxi-stand, taxi rank, cab-stand.

пѝвниц|a *ж.*, **-и** wine-shop, alehouse, public house, drinking place, *разг.* pub; *амер.* saloon.

пивова̀рн|a *ж.*, **-и** brewery.

пигмѐй *м.* (-**ят** *м.*), **-и** pygmy (*и прен.*).

пигмѐнт *м.*, **-и**, (*два*) пигмѐнта *хим.*, *биол.* pigment, colouring matter.

пигмента̀ци|я *ж.*, **-и** pigmentation.

пиедеста̀л *м.*, **-и**, (*два*) пиедеста̀ла *архит., изк.* pedestal, plinth; footstall (*и прен.*).

пиезомѐр *м.*, **-и**, (*два*) пиезомѐра piezometre.

пиелонефрѝт *м.*, *само ед. мед.* pyelonephritis.

пиелоцистѝт *м.*, *само ед. мед.* pyelocystitis.

пѝене *ср.*, *само ед.* drinking; **годен за ~** fit to drink, potable; **удрям го на ~** take to drink.

пиѐс|a *ж.*, **-и** (stage)play; *муз.* piece; **куклена ~a** puppet play; **поставям ~a** produce a play.

пиетѐт *м.*, *само ед.* piety; **изпитвам ~ към** hold in the greatest/deepest respect.

пижа̀м|a *ж.*, **-и** pyjamas.

пѝйвам, **пѝйна** *гл.* take a drink/drop/ glass; **~ си** редовно tipple; crook the little finger; **пийни нещо!** take a drop of something!

пѝк|a *ж.*, **-и 1.** *истор.* (*оръжие*) lance, pike; **2.** (*карта*) spade; **дама ~a** a queen of spades.

пика̀нт|ен *прил.*, **-на**, **-но**, **-ни** piquant (*за ядене*) savoury, appetizing; gingery; spicy; (*за вкус*) pungent, nippy; (*за сос*) poignant; (*за детайли, подробности и пр.*) racy; juicy; *амер.* nutty; **~на жена** glamour girl, pin-up girl; **~на новина** tit-bit; **~но сирене** strong cheese.

пика̀п *м.*, **-и**, (*два*) пика̀па *авт.* (*закрита камионетка*) pick-up.

пика̀я *гл.*, *мин. св. деят. прич.* пика̀л piss, make/pass water; pee, have a pee, wee, do a wee; *вулг.* (to take a) slash; (*за добитък*) stale.

пѝкел *м.*, **-и**, (*два*) пѝкела (*на алпинист*) ice-axe.

пикѝрам₁ *гл. авиац.* dive, swoop, (fall into a) nose-dive, dart down; tail up; *разг.* scream down.

пикѝрам₂ *гл. сел.-ст.* prick in/out, thin out.

пѝкни|к *м.*, **-ци**, (*два*) пѝкника picnic; *амер.* junket.

пѝков *прил.*: **~ час** pick/rush hour.

пѝколо *ср.*, *само ед.* errand-boy.

пѝкоч|ен *прил.*, **-на**, **-но**, **-ни** uric, urinary; **~ен канал** *анат.* ureter, urethra; **~ен мехур** *анат.* bladder.

пѝксел *м.*, **-и**, (*два*) пѝксела *тв, инф.* pixel.

пиктогра̀фия *ж.*, *само ед.* pictography.

пикьо̀р *м.*, **-и 1.** *жп* foreman plate-layer; **2.** roadsman.

пил|а̀ *ж.*, **-и** file; (*едра*) rasp; (*плоска*) key-file; (*голяма*) rasper; (*за нокти*) emery board; **ситна ~a** smooth file; *мед.* scalper **стругарска ~a** lathe file; **часовникарска ~a** needle file.

пила̀ф *м.*, **-и**, (*два*) пила̀фа *кул.* pi-lau, pilaff, pilaw.

пѝле *ср.*, **-та 1.** chicken, chick; (*новоизлюпено*) fledgeling; **~то се излюпи** the chicken is out; **2.** (*млада, несна-сяла кокошка*) pullet; **3.** (*птичка*) bird; **● галено обръщение** ducky, pet; **● ~тата/пилците се броят на-есен** don't count your chickens before

they are hatched; the proof of the pudding is in the eating; **ранно ~ рано пее** it's the early bird that catches the worm.

пилѐя гл., мин. св. деят. прич. пи**лял** scatter, throw/fling about/away; (*разхищавам*) squander; waste; dissipate; overspend; fritter away; ~ **времето си** diddle; fiddle away o.'s time; dilly-dally; ~ **пари** make the money fly; launch out; spill the money; splash out, splurge; || ~ **се** (*скитам се*) rove; roam, loiter, linger about, idle, potter about, *амер.* around.

пилигрѝмство ср., само ед. pilgrimage.

пилòн м., -и, (два) пилòна архит. pylon; *техн.* tower; pile.

пилòр м., -и, (два) пилòра анат. pylorus.

пилòт м., -и pilot; втори ~ co-pilot, co-driver.

пилотàж м., само ед. pilotage; **висш** ~ aerobatics, aerial acrobatics, advanced flying; **демонстрация на висш ~** flying circus.

пилотѝрам гл. pilot, fly; navigate.

пиля гл., мин. св. деят. прич. пилѝл file; (*с едра пила*) rasp.

пинакотѐк|а ж., -и истор., изк. standing gallery.

пингвѝн м., -и, (два) пингвѝна зоол. penguin (*Spheniscformes*).

пѝнг-пòнг м., само ед. спорт. table-tennis, ping-pong.

пинѝ|я ж., -и бот. stone-pine, Italian pine; sea-pine, star-pine (*Pinus pinea*).

пѝнт|а ж., -и (*мярка за вместимост*) pint.

пинтѝ|я м. и ж., -и разг. skinflint, miser, niggard, tight-wad, flay-flint; muck-worm; grab-all.

пинцèт м., -и и пинцèти само мн. (a pair of) nippers, pincette; (*малки*) tweezers.

пѝнчер м., -и, (два) пѝнчера зоол. (*куче*) pinscher.

пионèр м., -и 1. pioneer; ~ **съм в** (*инициатор съм на*) pioneer, be a pioneer (in); 2. воен. field engineer; sapper; pioneer; *амер.* combat engineer.

пиòнк|а ж., -и 1. шах. pawn; 2. прен. pawn, tool, lay figure.

пипàл|о ср., -à 1. зоол. tentacle, feeler,

antenna, *pl.* antennae, palp(us); cirrus; byssus; 2. (*оръдие на някого*) tool, agent, stooge.

пѝпам гл. 1. (*докосвам*) touch; (*опипвам*) feel; (*в тъмното*) grope (about), feel (за for); (*бърникам*) meddle with; 2. (*работа*) work, handle; 3. (*крада*) pinch, pilfer, steal; || ~ **се** touch o.s.; • **леко ~** прен. pull o.'s punches; **пипайте внимателно!** handle with care; ~ **здраво** handle without mittens/gloves, rule with an iron hand.

пипвам, пипна гл. 1. touch; feel; 2. (*хващам*) catch, lay/get (o.'s) hands on; get/clap hold of; grab (hold of); *sl.* nab, nick; *уч. sl.* nail; ~ **болест** catch a disease, click it; 3. (*арестувам*) cop, nick; grab; **само да го пипна** if I can only get hold of him.

пипèрниц|а ж., -и pepper-box/-pot, pepper-castor/-caster.

пипèт|а ж., -и pipette; (*за лекарство*) (medicine) dropper; dosimeter.

пѝпкав прил. 1. вет. having the pip; 2. разг. неодобр. slow; sluggish; awkward, clumsy, fumbling (about), bungling; laggard; (*за дейност*) fiddly; ~ **човек** laggard, slowcoach; numb-hand; fumbler.

пѝпкам се възвр. гл. be slow/sluggish; dawdle, fumble, bungle, potter, peddle; dither; take o.'s time; dilly-dally; hang fire.

пипнешкòм и пипнешкàта нареч. gropingly; by sense of touch; **върви ~** grope o.'s way; **търся ~** grope for/after.

пир м., -ове, (два) пѝра feast, banquet, revelry; *sl.* spread, tuck-in.

пирамѝд|а ж., -и и геом., истор. pyramid; воен. (*от пушки*) stack; **правилна ~а** regular pyramid; **пресечена ~а** truncated pyramid.

пирàн|я ж., -и зоол. piranha (*Serrasalmus*).

пирàт м., -и pirate, buccaneer; freebooter; истор. filibuster; **компютърен ~** жарг. hacker.

пирен м., -и, (два) пѝрена бот. ling, heather (*Celluna vulgaris*).

Пиренèи само мн. собств. обикн. членувано геогр. the Pyrenees.

пиретѝци само мн. фарм. pyretics.

Пирѝн м. собств. the Pirin Mountains.

пирѝнч м., само ед. остар. brass.

пирѝт м., само ед. минер. pyrites, brasil.

Пѝров прил. Pyrrhic; • ~а победа Pyrrhic victory.

пирòг м., само ед. кул. pie; tart; ~ **с месо** meat-pie; ~ **с ябълки** apple-pie.

пирогèн|ен прил., -на, -но, -ни анат. pyrogenic, pyretogenous; ~на терапия pyretotherapy; ~но вещество pyrogen.

пирографѝрам гл. do poker-work (on).

пирогрàфия ж., само ед. poker-work, pyrography.

пирòжк|а ж., -и кул. patty, pate.

пиромàн м., -и; пиромàнк|а ж., -и pyromaniac.

пиромàния ж., само ед. псих. pyromania.

пирòн м., -и, (два) пирòна nail; (*с широка главичка*) tack; (*като декорация*) stud; **работилница за ~и** nailery; • **закачам нещо на ~** прен. shelve s.th.

пиротèхника ж., само ед. pyrotechnics, fireworks.

пирофòбия ж., само ед. псих. pyrophobia.

пирỳвам гл. (have a) feast/banquet; (*гуляя*) revel, roister, carouse; go on the razzle-dazzle.

пируèт м., -и, (два) пирỳета изк., спорт. pirouette.

пиршеств|ò ср., -à feast, banquet; carousal, carouse.

писàлк|а ж., -и pen; (*автоматична*) fountain-pen; (*с химикал*) ball-pen.

писане ср., само ед. writing; **хартия за ~** writing paper, stationery.

писàни|е ср., -я writing, writ; • **Свещеното ~е** библ. (Holy) Scripture(s), Holy Writ.

пѝсар (-ят) м., -и; пѝсарк|а ж., -и clerk; (*в съд*) recorder; scrivener.

писàтел (-ят) м., -и writer, author; penman; ~ **съм** be a writer, книж. wield the pen.

пѝсвам, пѝсна гл. scream, cry out; • **писна ми главата/писнаха ми**

ушите *прен.* I've had enough of it, I can't stand it any longer, I'm fed up with it, I'm sick and tired of hearing it.

пис|ец *м.*, -ци, (два) писѐца nib; pen; ~ец за плакати a stylo pen.

писи|я *ж.*, -и *зоол.* (*риба*) flounder, fluke (*Pleuronectes flesus*), sole (*Solea vulgaris*); dab (*Pleuronectus limanda*).

пискам *гл.* 1. (*плача*) weep (noisily); 2. shriek, scream, squall; squeak, squeal; (*за пиле*) peep; 3. *разг.* (*карам се*) scold, give it s.o. hot, raise hell, kick up a row; (*протестирам*) clamour (срещу against).

пискюл *м.*, -и, (два) пискюла tassel; pendant, thrum; украсен с ~и tasselled; ● като ~ на всичко to cap it all.

писменост *ж.*, -и writing, literature; literacy; script.

писм|о́ *ср.*, -а́ 1. letter; epistle; *търг.* favour; кредитно ~о *фин.* letter of credit; поздравително ~о letter of congratulation; препоръчано ~о registered letter; 2. (*записване на човешка реч*) writing; 3. (*почерк*) hand(writing); китайско ~о Chinese characters/ writing (*и прен.*); клинообразно ~о *истор.* cuneiform/arrowheaded characters; стенографско ~о shorthand.

писоа́р *м.*, -и, (два) писоа́ра urinal; public lavatory.

пист|а *ж.*, -и *спорт.* (racing) track/ path; (*за авт. надбягвания*) speedway; *авиац.* runway, flight strip, landing-strip; course, (*импровизирана, временна*) air-strip; (*на магнетофонна лента*) track; ● ~a! make way!

пистолѐт *м.*, -и, (два) пистолѐта 1. *воен.* pistol, gun; *амер. sl.* gat; автоматичен ~ automatic (pistol), *разг.* auto; воден ~ (*играчка*) squirt-gun; сигнален ракетен ~ flare gun; *техн.* (*за боядисване*) air-brush, paint-/varnish-pistol, spraying pistol; sprayer.

пису́кам *гл.* squeak, peep, cheep, squawk; (*за малко птиченце*) tweet.

пись|к *м.*, -ци, (два) писька shriek, squeal, scream, cry, squawk.

пит|а *ж.*, -и 1. *кул.* (round) loaf, flat cake; (*печена на жар*) damper; медена ~a (*подсладена с мед*) honey-cake; 2. (*кашкавал и пр.*) cake; слънчогледова ~a head of sunflower; 3. (*восъчна за пчелен мед*) honey-comb;

● направен на ~a flattened, pressed; с чужда ~a правя бащин помен do s.th. at s.o. else's expense.

Питаго́р *м. собств.* Pythagoras.

Питаго́ров *прил.* Pythagorean; ● ~a теорема Pythagorean theorem.

питам *гл.* 1. ask, question, enquire, inquire, *амер.* query (някого за нещо s.o. about s.th.); никой не те пита you may keep your remarks to yourself; 2. (*искам разрешение*) ask permission; || ~ се wonder; ● гледай него, не питай за баща му there is nothing to choose between him and his father; не питай старо, а патило consult experience rather than age; пита се *безл.* the question is; то като дойде не пита evil/ trouble comes unbidden/uninvited.

пита́я *гл.*, *мин. св. деят. прич.* пита́л nourish; entertain, feel; foster; (*надежда*) cherish; nurse; (*симпатия*) feel; ~ злоба bear malice.

питекантро́п *м.*, -и *палеонт.* pithecanthropus.

питиѐ *ср.*, -та drink, beverage; безалкохолно ~ soft drink, non-alcoholic drink; едно ~ *разг.* shot; силно ~ stiff drink; спиртно ~ alcoholic/strong drink; liquor; spirits; *амер. разг.* booze; тонизиращо ~ *разг.* pick-meup.

питк|а *ж.*, -и *кул.* cake; small flat loaf.

питом|ен *прил.*, -на, -но, -ни tame; domestic(ated); farmed; *прен.* civilized; ● оставям ~ното, за да гоня дивото throw away/drop the substance for the shadow.

пито́н *м.*, -и, (два) пито́на *зоол.* python (*Python reticulatus*).

пиу́кам *гл.* peep, cheep; (*електронен сигнал*) bleep; (*за телефон и пр.*) beep.

пихти|я *ж.*, -и jelly; ● правя на ~я beat to a pulp.

пиц|а *ж.*, -и *кул.* pizza (pie).

пицари|я *ж.*, -и pizzeria.

пи́ша *гл.*, *мин. св. деят. прич.* пи́сал 1. write (някому to s.o., за about); (*рецепта, разписка и пр.*) make out; (*с тебешир*) chalk down/up; (*под диктовка*) write down; не ~ send no news of o.s.; ~ на машина typewrite, type; ● с краката си write with o.'s boots; ~ перо/с мастило write with a pen/in ink; ~ си с be in correspondence with, keep up a correspondence

with; 2. (*съчинявам статия, стихове, книга*) write, compose; (*муз. произведение*) compose; 3. (*за вестник, списание и пр. – съобщавам*) say, write; какво пише тук? what does it say here?; || ~ се 1. (*записвам се*) enlist; put o.'s name down (for); 2. (*минавам за*) *разг.* pretend to be, set up for; set o.s. up as; ● лошо ти се пише you're in for trouble, you'll get it in the neck; пиши го бегало it's as good as lost; write it off, cancel it, book it off as a loss.

пишма́н *прил. неизм.* (*и като същ.*) sorry, regretful; ~турист и пр. a would-be/self-styled hiker, etc.; ставам ~ regret, rue.

пищ|ен *прил.*, -на, -но, -ни magnificent, splendid, gorgeous, sumptuous; exuberant; flamboyant; (*за растителност*) luxuriant, lush; luxurious; (*за стил*) ornate, florid.

пищо́в *м.*, -и, (два) пищо́ва 1. pistol; 2. *жарг.* (*за преписване на изпит*) cheat sheet.

пищя́ *гл.* 1. shriek, squeal, scream; ~ та се късам scream o.s. into fits, scream o.'s head off; 2. *прен.* scold, raise hell; 3. (*за уши*) ring, buzz, sing.

пищя́л *м.*, -и, (два) пищя́ла 1. *анат.* shin(-bone), tibia; shank; 2. *зоол.* (*на птица*) tarsus; (*на копитно животно*) cannon(-bone).

пи́я *гл.*, *мин. св. деят. прич.* пил drink; (*на малки глътки*) sip; (*на големи глътки*) gulp (down); (*попийвам си*) tipple; (*пиянствам*) tope, be on the bottle; (*всмуквам, попивам*) drink in; absorb; какво ще пиеш? (*за алкохол*) *шег.* what's your poison? не ~ (*алкохол*) I never touch wine; ~ до забрава drink till all is blue; ~ като смок drink like a fish; ~ лекарство take medicine; ~ наздравица за някого toast s.o., propose/drink a toast to s.o.

пийвиц|а *ж.*, -и *зоол.* 1. leech (*и прен.*); залепвам се като ~a stick like a leech/burr; слагам ~и put on/apply leeches; 2. *прен.* blood-sucker; extortionist.

пиян *прил.* drunk, intoxicated, inebriated, tipsy; *разг.* tight, *sl.* lush, in liquor, tanked, soused, canned up, pickled; pissed, ratted, well-primed, blotto,

boozed-up; *амер. sl.* on the blink; **мъртво~** dead to the world, stewed to the gills; **~ съм** be drunk, be in o.'s cups, see pink elephants; **~ човек** drunk; • **и лудият бяга от ~ия** even the madman fears the drunkard.

пийнств|о *ср.*, **-а** drunkenness, drink-(ing), hard drinking; *разг.* winebibbing; **затънал в ~о** sodden; **~ото ще го погуби** drink will be his ruin.

плавам *гл.* **1.** (*за предмет*) float; (*за кораб*) sail, navigate; (*за лед*) drift; **~ по течението** *прен.* go/swim with the tide/stream; **~ срещу течението** go up the stream; *прен.* go against the stream; **2.** (*за човек*) swim; **3.** (*за облак*) sail by, float (in/through the sky).

плав|ен *прил.*, **-на, -но, -ни 1.** (*за движение*) easy, supple, light, grace-ful; (*за походка*) light; (*за говор*) fluent, smooth; (*за мелодия*) flowing; (*постепенен*) gradual, gradational; **2.** *език.* (*за звук*) liquid.

плàвни|к *м.*, **-ци, (два) плàвника** *зоол.* swimmeret; flipper.

плавò|к и **плàв|ец** *м.*, **-ци, (два) плавòка** и **плàвеца** (*поплавък*) float; *техн.* swimmer.

плавỳн *м.*, *само ед. бот.* club moss (*Lycopodium*).

плагиàтств|о *ср.*, **-а** plagiarism.

плàдне *ср.*, *само ед.* noon, midday, noontide, noonday; **по ~** at noon; **посред ~** in full/broad daylight; • **трае от ден до ~** be short-lived.

пладнỳвам *гл.* **1.** (*за добитък*) lie down at noon; **2.** (*за човек*) take o.'s midday rest/o.'s siesta; have o.'s lunch.

плаж *м.*, **-ове, (два) плàжа** beach, bath-ing-beach; **женски/евин ~** a women's beach, a nudist beach for women; **мъжки/адамов ~** a men's beach, a nudist beach for men.

плàзма *ж.*, *само ед. физ., биол.* plasma, plasm.

плазмòди|й (-ят) *м.*, **-и, (два) плазмòдия** *биол.* plasmodium, *pl.* plasmodia.

плàк|а *ж.*, **-и** *фот., полигр.* (photo-graphic) plate; table.

плакàт *м.*, **-и, (два) плакàта** poster, placard.

плàкна *гл.* rinse, swill; **~ гърлото си** gargle, (*пийвам*) have a drink, wet o.'s whistle; **~ очите си** *разг.* feast one's

eyes on.

плам *м.*, *само ед.* flame, fire; ardour, fervour, fervency; fieriness.

плàмвам, плàмна *гл.* **1.** (*за огън*) blaze up, flare up, burst/break into flames; (*за постройка*) go up in flames; (*подпалвам се*) take/catch fire; (*за пожар*) break out; **2.** (*избухвам*) break out; flare up (**от** with); (*за епидемия*) break out, burst out; (*от гняв*) flare up, fly into a rage; **3.** (*възпалявам се*) be/become inflamed; (*изчервявам се*) blush, crimson, flush (**от** with); (*за уши*) tingle; (*от удар, срам, негодувание*) tingle.

пламтя *гл.* glow, blaze, flare, flame, glare.

плàмъ|к *м.*, **-ци, (два) плàмъка** flame; (*ярък*) blaze; flare; **в ~ци** on fire, in flames, ablaze.

план *м.*, **-ове, (два) плàна 1.** plan, scheme, design, project; blue-print; (*разположение на град, жилище, градина*) lay-out; (*чертеж*) blue-print; draught; design; **благоустройствен ~** structure plan; **по ~** as planned; **съставям ~** devise/work out/elaborate a plan/project/scheme; **2.** *изк.*: **едър ~** *кино., тв* close-up; **излизам на преден ~** *прен.* come to the fore; **отстъпвам на заден ~** *прен.* recede into the background; **3.** (*намерение*) plan, intention; **разстройвам/обърквам ~овете на някого** spoil/upset s.o.'s plans; upset s.o.'s applecart; **4.** (*в литературата*) aspect, angle, level, light; **в друг ~** in a different light.

плàнер *м.*, **-и, (два) плàнера** *авиац.* glider.

планèт|а *ж.*, **-и** *астр.* planet, sphere; **големи ~и** major planets; **малки ~и** minor planets, asteroids.

планетàриум *м.*, **-и, (два) планетàриума** planetarium.

планимèтрия *ж.*, *само ед. геом.* plane geometry, planimetry.

планин|à *ж.*, **-и** *геогр.* mountain; (*пред название*) Mount; (*ниска*) hill; (*верига*) range; *прен.* pile, heap; **ледена ~а** iceberg; **на ~а съм** be in the mountain(s); **Стара ~а** the Balkan Mountains/Range; • **като че ли ~а се смъкна от плещите ми** a great load was taken off my mind, I felt greatly relieved; **~а човек** a giant of a man.

планинàр (-ят) *м.*, **-и** alpinist, moun-tain-climber, mountaineer.

планѝрам₁ *гл.* **1.** plan, project; (*улица, градина*) lay out; *техн.* draft, map out; **2.** *прен.* (*възнамерявам*) intend, plan.

планѝрам₂ *гл.* *авиац.* glide.

планисфèра *ж.*, *само ед. астр., геогр.* (*карта*) planisphere.

плàнк|а *ж.*, **-и** *техн.* strap, strip; plank.

планктòн *м.*, *само ед. биол.* plank-ton; **морски ~** haliplankton.

планогрàфия *ж.*, *само ед.* plano-graphy.

планомèрност *ж.*, *само ед.* planning, system.

плантàци|я *ж.*, **-и** *сел.-ст.* planta-tion, estate.

пласѝрам *гл.* **1.** (*стоки*) sell, market, find market for, dispose, trade off; **~ наркотици** push drugs; **2.** (*капитал*) invest; **3.** (*топка*) *спорт.* place well/badly; || **~ се** *спорт.* be placed, position o.s.

пласмèнт *м.*, *само ед.* (*на стоки*) sale, disposal; outlet; (*на капитали*) investment; **стоки с бавен ~** goods of slow sale.

пласт *м.*, **-ове, (два) плàста** layer; *геол.* stratum, *pl.* strata; **водоносен ~** water-bearing bed; (*находище*) bed; (*от боя и пр.*) coat, coating, overlay, wash; (*на море, атмосфера*) region; (*тънък*) lamella, *pl.* lamellae; **на ~ове** strati-fied, in layers; **~ боя** coat of paint; **тънък ~** (*прослойка*) *геол., мин.* seam.

плàстик|а *ж.*, **-и 1.** *само ед.* (*движение*) plastic movements, callisthen-ics; (*за танц*) grace; expression; **2.** (*като предмет*) eurhythmics, move-ment courses; **3.** *само ед.* (*скулптура*) plastic arts.

пластилѝн *м.*, *само ед. хим.* plasti-cine.

пластѝнк|а *ж.*, **-и** lamella, *pl.* lamel-lae; plate; *техн.* wafer, disk.

пластѝр *м.*, **-и, (два) пластѝра** *мед.* plaster, adhesive tape.

пластѝч|ен *прил.*, **-на, -но, -ни** plas-tic; yielding; (*за глина*) fictile; **~на операция/хирургия** *мед.* plastic op-eration/surgery; **~ни движения** gra-ceful movements; **~ни материали** *хим., техн.* plastics.

пла̀стмас|а *ж.*, **-и** *хим.* plastic.

пласт|я̀ *гл.*, *мин. св. деят. прич.* **плас-тѝл** make/toss/stack hay, ted, cock.

пласьо̀р *м.*, **-и** marketing agent, commercial traveller; (*на наркотици*) pusher; (*на фалшиви пари*) *sl.* slinger.

плат *м.*, **-овѐ**, (*два*) **пла̀та** *текст.* cloth, material, textile, fabric; (*вълнен*) stuff; **памучен ~** cotton (material); (*копринен*) silk fabric, silk; **~ за палта** coating; **~ за ризи** shirting; **~ за рокля** dress material.

плата̀н *м.*, **-и**, (*два*) **плата̀на** *бот.* plane-tree, plane, platan (*Platanus orientalis*).

платѐж *м.*, *само ед.* *фин.* payment; **с наложен ~** cash on delivery, *съкр.* c.o.d, carriage forward.

платѐж|ен *прил.*, **-на**, **-но**, **-ни** pay (*attr.*), payment (*attr.*); **законно ~ средство** *икон.* legal tender; **~ен баланс** *фин.* balance of payment; **~на ведомост** *фин.* pay-sheet; **постоянно ~но нареждане** *банк.* standing order.

платѐжоспосо̀бност *ж.*, *само ед.* solvency, ability to pay.

платѝк|а *ж.*, **-и** *зоол.* bream (*Abramis brama*).

платѝна *ж.*, *само ед.* *хим.* platinum; **покриване с ~** platinization.

пла̀тк|а *ж.*, **-и 1.** (*на дреха*) yoke; **2.** *техн.* plate; **дънна ~а** *комп.* mainboard; **печатна ~а** *ел.* printed-circuit card.

платнѝщ|е *ср.*, **-а** canvas; (*брезент*) tarpaulin; *воен.* ground sheet, ground cloth, tent section; shelter half; **въздушно-сигнално ~е** ground panel strip.

платн|о̀ *ср.*, **-а̀ 1.** (*тъкан*) cloth, stuff, cotton, linen, coarse unbleached cotton; **блед като ~о** as white as a sheet; **2.** (*парче*) cloth, sheet; **3.** (*корабно*) sail; **вдигам ~ата** hoist/set sail; **с всички ~а** in full sail; **събирам ~ата** take/haul in sail; **4.** (*за рисуване, картина*) canvas; **5.** (*на път, улица*) roadway, bed, subgrade, carriageway; *жп* permanent way; **6.** (*екран*) screen; ● **изтъквам си ~ото, ритам ти крос-ното** knock down the ladder by which one has risen.

платноход *м.*, **-и**, (*два*) **платнохо̀да** *остар.* sail ship, sailer.

плат|о̀ *ср.*, **-а̀** *геогр.* table-land, plateau.

платонѝч|ен *прил.*, **-на**, **-но**, **-ни**; **платонѝческ|и** *прил.*, **-а**, **-о**, **-и** Platonic.

платфо̀рм|а *ж.*, **-и 1.** platform; **нефтодобивна ~а** oil-rig; **2.** (*вагон*) truck; platform car; *амер.* flatcar, flat; (*кола*) truck, dray; (*на локомотив*) footplate; **3.** *воен.* (*на оръдие*) emplacement; **4.** *прен.* (*програма*) platform, programme.

плах *прил.* **1.** (*страхлив*) timid, easily frightened/scared, nervous, mousy, milk-livered, timorous; pigeon-hearted, pusillanimous; (*предпазлив*) gingerly; **2.** (*свенлив*) diffident, shy, shrinking; (*за движения и пр.*) furtive; (*за поглед*) stealthy.

плац *м.*, **-ове**, (*два*) **пла̀ца** *обикн. воен.* (parade-)ground; **учебен ~** drill ground.

пла̀цдарм *м.*, *само ед.* *обикн. воен.* base; manoeuvring/*амер.* manoeuvering ground; place of arms; (*предмостов*) bridgehead; (*брегов*) beachhead; **~ за агресия** *воен.* springboard for aggression.

плацѐнт|а *ж.*, **-и** *анат.* placenta, *pl.* placentae, afterbirth; secundine; **остатък от ~а по главата на новородено дете** caul.

плач *м.*, **-овѐ**, (*два*) **пла̀ча** crying, weeping, tears; lament, lamentation; (*с глас*) wail; ● **~ на нищо не става** tears won't help; ● **~ Йеремиев** *библ.* the laments of Jeremiah.

пла̀ч|а *гл.*, *мин. св. деят. прич.* **пла̀кал** (*със сълзи*) weep, cry; (*с глас*) wail; **~ за нещо** (*изисквам*) cry out/aloud for; **~ за някого** (*оплаквам*) bewail, bemoan; cry/weep over; mourn; **~ от радост/скръб** weep for joy/sorrow; **~ сърцераздирателно** sob o.'s heart out; **плаче за бой** he deserves a sound thrashing.

пла̀ша *гл.*, *мин. св. деят. прич.* **пла̀шил** frighten, scare; (*пропъждам животно, птица*) scare away; (*сплашвам*) bully, intimidate; (*заплашвам*) threaten; **положението на болния ги плаши** they are alarmed by the condition of the patient; ‖ **~ се** be frightened/startled (*от* at, by), take fright, be afraid (of); flinch (from); (*за кон*) shy (*от* at); ● **~ гаргите** *шег.* try to look

fearful.

плашѝл|о *ср.*, **-а̀** scarecrow; *прен.* guy, sight; fright; bugbear, bugaboo, golliwog; **виж се какво си ~о!** (look) what a sight you are!

плащ *м.*, **-ове**, (*два*) **пла̀ща** mantle; cloak.

пла̀щам, **платѝ** *гл.* pay (за for) (*и прен.*); (*вноска, глоба*) pay up; *прен.* pay the penalty; *разг.* dub up; *sl.* stump up; **аз ~** (*при черпене*) this is on me; **карам някого да си плати** bring (s.o.) to account; **~ в брой** pay down, pay in cash/in ready money; **~ на части** pay in instalments; **~ полица** discharge a bill; ● **не се знае кой пие, кой плаща** nobody knows who's the boss here.

плащанѝц|а *ж.*, **-и 1.** shroud, cape, mantle, cloak; **~ата на нощта** the pall of night; **погребална ~а** a hearse-cloth; **2.** *църк.* shroud of Christ, representation of the burial of Christ.

плебѐ|й (**-ят**) *м.*, **-и** *истор.* plebeian (*и прен.*).

плѐвел *м.*, **-и**, (*два*) **плѐвела** weed.

плѐвни|к *м.*, **-ци**, (*два*) **плѐвника** и **плѐвн|я** *ж.*, **-и** *barn*; (*над конюшня*) hayloft, loft.

плѐвр|а *ж.*, **-и** *анат.* pleura.

плеврѝт *м.*, *само ед.* *мед.* pleurisy; **воден/гноен ~** wet/effusive pleurisy.

плевя̀ *гл.*, *мин. св. деят. прич.* **плѐ-вѝл** weed (out).

пледѝрам *гл.* *юр.* plead; (*защищавам*) defend; **~ за невиновност** plead not guilty; **~ кауза пред някого** *прен.* plead a cause with s.o.

пледоа̀ри|я *ж.*, **-и** *юр.* plea, pleading, speech for the defence; **~и** pleading; **~и на обвинението** pleadings in charge.

плѐзя (се) (*възвр.*) *гл.*, *мин. св. деят. прич.* **плѐзил (се)** put out/stick out o.'s tongue (*на* at); make/pull faces (*на* at); **~ езика си** (*за куче и пр.*) loll o.'s tongue.

плѐйбо̀|й (**-ят**) *м.*, **-и** play-boy.

плексигла̀с *м.*, *само ед.* plexiglass.

плексѝт *м.*, *само ед.* *мед.* plexitis.

плѐме *ср.*, **-на** tribe; (*раса*) race; (*род*) clan; **член на ~** tribesman.

плѐменни|к *м.*, **-ци** nephew.

плен *м.*, *само ед.* captivity; **в ~ съм на страстите си** be the captive/slave of

o.'s passions; **вземам в ~** take prisoner; **държа някого в ~** hold s.o. captive/ prisoner; **попадам в ~** be taken prisoner.

пленàр|ен *прил.*, -на, -но, -ни plenary; **~но заседание** *парлам.* plenary/full session/meeting.

пленѝтел|ен *прил.*, -на, -но, -ни fascinating, charming, enchanting; engaging; captivating, winning, taking, fetching, alluring, bewitching, ravishing.

плèнни|к *м.*, -ци captive; prisoner-of-war.

плèнум *м.*, -и, (два) плèнума *обикн. полит.* plenum; plenary session; **разширен ~** an enlarged plenum.

пленявам, пленя *гл.* **1.** take prisoner, capture, take captive; **2.** (*очаровам*) captivate, fascinate, charm, enchant; **идеята ме плени** I was fetched by the idea.

плеонàз|ъм (-мът) *м.*, -ми, (два) плеонàзъма *лит.* pleonasm.

плèсен *ж.*, -и mould, mildew; must; fungus, *pl.* fungi.

плесенясвам, плесенясам *гл.* grow/get mouldy, become/grow musty; mildew.

плèскам *гл.* **1.** spatter, bespatter; soil, dirty, mess up; **2.** *прен.* paint badly, dab on paint.

плеснѝц|а *ж.*, -и slap in the face (*и прен.*), box on the ear; cuff; **удрям ~а на** slap s.o.'s face, slap s.o. in the face, box s.o.'s ear; cuff.

плет *м.*, -ове и -ища, (два) плèта (wattle) fence; **жив ~** hedge, hedge-row; green fence.

плетà *гл.*, *мин. св. деят. прич.* плел **1.** (*с шишове*) knit; (*с кука*) crochet; **~ дантела** make lace; **2.** (*кошница, стол*) weave; (*коса*) braid; tress, plait; (*въже*) twist; (*рогозка*) plait; (*вплитам*) intertwine; (*мрежа*) net; **~ паяжина** spin a web; **~ цветя на венец** wreathe flowers into a garland; **●** **~ кошницата си** *прен.* see to o.'s own interests.

плетенѝц|а *ж.*, -и tangle; (*орнамент*) interlaced design/work; interlacing, knotwork.

плетив|о *ср.*, -à **1.** knitting, knitting work; crochet-work; **2.** (*плетени дрехи*) knitwear.

плèтк|а *ж.*, -и (knitting) stitch; **права**

~а garter stitch.

плешѝв *прил.* (*и като същ.*) bald, bald-headed; (*за връх и пр.*) bare; **~ човек** baldhead, *разг.* coot, *пренебр.* slaphead; **съвсем ~** (as) bald as a coot/as an egg/as a billiard ball.

плèшк|а *ж.*, -и *анат.* shoulder-blade; blade-bone; **агнешка ~а** a shoulder of lamb; *кул.* quarter.

плèщи и плещѝ *само мн.* shoulders; **● изнасям нещо на ~те си** do s.th. single-handed; bear the brunt of s.th.

плейд|а *ж.* и **1.** *астр.*, *мит.* Pleiad(s); **2.** *прен.* pleiad; galaxy; host, large number, multitude; constellation.

плик *м.*, -ове, (два) плѝка **1.** envelope; **2.** (*кесия*) paper-bag; **3.** (*дамски долни гащи*) panties.

плѝсвам, плѝсна *гл.* **1.** (*за дъжд*) pour down; **2.** (*вода*) throw, fling (**върху** on); (*помия*) slop, spill.

плисè *ср.*, -та pleat; crimp; goffer, gauffer.

плисѝрам *гл.* pleat, make pleats; crimp.

плѝскам, плѝсна *гл.* **1.** splash, spatter, throw, empty, slop, spill; **~ с вода** throw water over; **2.** (*за дъжд*) it is raining hard, it is pouring; **плисна пороен дъжд** the rain came down in torrents; **|| ~ се** spatter; dabble; **~ се** (*за вълни и пр.*) swash, beat; (*за малки вълни*) lap; (*за фонтан*) play.

плѝтк|а *ж.*, -и plait; tress; braid; (*лук и пр.*) rope (of); **сплитам косата си на ~а** plait/braid/cue o.'s hair.

плиткоỳм|ен *прил.*, -на, -но, -ни short-witted, fat-witted, half-witted, shallow-brained, shallow.

плитчин|à *ж.*, -ѝ mud-bank; shallow; shoal; (*на река*) bar; **засядам на ~а** run aground; **изтеглям от ~а** (*кораб*) set afloat.

плѝт|ък *прил.*, -ка, -ко, -ки **1.** shallow; **~ко място** shoal; shallow; **2.** *прен.* superficial; transparent; foolish; (*за фраза*) glib.

плод *м.*, -ове, (два) плода **1.** fruit (*и прен.*); **давам ~** bear fruit; fruit; fructify; **~ на въображението** creation/coinage of the brain, figment of the imagination/mind; **~ на многогодишен труд** the result/outcome/product of many years of labour; **~ове сбор** fruit; (*отделни/различни плодове*) fruits; **2.** (*развит зародиш*) *анат.*

foetus.

плòдни|к *м.*, -ци, (два) плòдника *анат.*, *бот.* ovary; *бот.* seed-vessel; carpophore; germen.

плодовѝтост *ж.*, *само ед.* fecundity; prolificacy, prolificness; fertility; fruitfulness; fruitage; copiousness; *книж.* fructuousness.

плодорòдие *ср.*, *само ед.* **1.** fruitfulness, fertility, fecundity; **2.** (*богата реколта*) rich crop/harvest; abundance.

плодотвòр|ен *прил.*, -на, -но, -ни fruitful, beneficial.

плодя *гл.*, *мин. св. деят. прич.* плодѝл propagate, generate; engender; produce; breed; **|| ~ се** propagate, multiply; (*за животни*) breed.

пломб|а *ж.*, -и **1.** *мед.* (*на зъб*) filling, stopping; **махам ~а** (*на зъб*) unstop; **2.** (*оловен печат*) (lead)seal, stamp.

пломбѝрам *гл.* **1.** (*зъб*) fill, stop, stuff; **2.** (*с оловен печат*) seal.

плòндер *м.*, -и, (два) плòндера (*футбол*) bladder.

плòскост *ж.*, -и **1.** flatness; **2.** (*повърхност*) plane; surface, area; **вертикална ~** vertical plane; **наклонена ~** ramp; **носеща ~** carrying surface; **3.** *прен.* level; **на друга ~** on a different plane; **4.** (*плоска забележка*) platitude, commonplace remark.

плòс|ък *прил.*, -ка, -ко, -ки **1.** flat (*и прен.*); (*за повърхност*) plane; tabular; **~ка бобина** *радио.* disc-coil; **~ки гърди** flat chest; **съвсем ~к** flat as a pancake/flounder; **2.** *прен.* (*банален*) commonplace; (*блудкав*) insipid, namby-pamby; **~ка шега** flat joke.

плот *м.*, -ове, (два) плòта **1.** broad board; raft; **2.** (*на врата, ламперия и пр.*) panel; **кофражен ~** shuttering panel.

плòтер *м.*, -и, (два) плòтера *техн.* plotter.

плох|à *ж.*, -ѝ box-pleat.

плòч|а *ж.*, -и slab; table; slabstone; (*желязна и пр.*) plate; (*каменна, за настилка на улица, тротоар и пр.*) paving stone, flag(-stone); (*плака*) plate; (*за покриване на къщи*) slate, tile-stone; (*за писане*) slate; **бетонна ~а** *строит.* concrete (floor) slab; **гра-**

мофонна ~a gramophone record/disc/ disk; надгробна ~a gravestone, tombstone; паметна ~a plaque; ъглова/ фасонна ~a *техн.* gusset.

плочк|а *ж., -и (керамична)* tile; *(с надпис)* tablet; plate; *(стъклена, за микроскоп)* mount; *зоол.* scutum; *(за подова облицовка)* floor tile; покрит с ~и *(за под, стена, баня, камина и пр.)* tiled.

площ *ж., -и area; (повърхност)* surface; жилищна ~ floorage; living area/ space; затревена/тревна ~ lawn; *(изчислена в акри)* acreage; опорна ~ *архит.* area of bearing; поливна ~ area under irrigation.

площа̀д *м., -и, (два)* площа̀да *(четвъртит)* square; *(кръгъл)* circus.

площа̀дк|а *ж., -и* 1. ground, platform; stage; 2. *(стълбищна)* landing; *(на вагон)* platform; ~а за кацане *авиац.* landing place; спортна ~а a sports ground; playground; стартова ~а *(за ракети)* launching platform; строителна ~a building site.

плу̀вам *гл. (за човек, животно)* swim (about); *(за предмет) и прен.* float; *(за кораб)* sail *(по on, към for)*; steam; steer (for); navigate; все покрай брега ~ hug the coast/shore; ~ в *(имам в изобилие)* roll in; ~ в пот be bathed in sweat; ~ кучешката dog paddle, doggie paddle; ~ по течението *(и прен.)* swim with the tide/stream.

плу̀ване *ср., само ед. спорт.* swimming; natation; гръбно ~ back-stroke; гръдно ~ breast-stroke; синхронно ~ synchronized swimming.

плув|ец *м., -ци* swimmer.

плувк|а *ж., -и (на въдица)* swimmer, cork.

плу̀вки *само мн. спорт.* bathing trunks.

плуг *м., -ове, (два)* плу̀га *сел.-ст.* plough; дръжка/рамо на ~ ploughtail; моторен ~ *(автоплуг)* motorplough; тракторен ~ a tractor-driven plough.

плуралѝз|ъм (-мът) *м., само ед.* pluralism.

Плуто̀н *м. собств. мит., астр.* Pluto.

плуто̀ни|й *(-ят) м., само ед. хим.* plutonium.

плъзвам, плъзна *гл.* 1. swarm, teem (по, в in); overspread (по, в -); 2. *(пр-*

заля̀м) slide, glide; || ~ ce slide, glide; slip over; *(по скала и пр.)* slide down; плъзна се между пръстите му it slipped through his fingers; погледът му се плъзна по хоризонта his eyes swept the horizon.

плъзгам *гл.* glide, slide, slip; ~ погледа си върху нещо pass o.'s eye over s.th.; || ~ ce glide, slide; slip; slither (по over); *(за кола, колело)* skid; *(за лодка)* glide/slip through water; ~ ce по повърхността of skim.

плъзга̀ч *м., -и, (два)* плъзга̀ча *техн.* slide, runner, rider; slide-block; cross head; *(на шейна)* runner.

плънк|а *ж., -и* filling, stuffing; farce, farcemeat, forcemeat.

плъстя̀ *гл., мин. св. деят. прич.* плъстѝл felt, pad.

плът *ж., само ед.* flesh; *прен.* body; ~а *шег.* o.'s outward Adam; тленна ~ clod.

плът|ен *прил., -на, -но, -ни* thick, dense, compact, consistent; *(за плат)* thick, close; *(за глас)* full-toned; orotund, rotund, deep-toned; *(за стена и пр.)* solid; *(за цвят)* saturated, dense; *(за сглобка) техн.* frictiontight.

плътност *ж., само ед.* thickness, density, compactness; consistence; solidity; substance; *(на глас, цвят)* deepness; ~ на огъня *воен.* density of fire; firing capability.

плъх *м., -ове, (два)* плъха *зоол.* rat; отрова за ~ове ratsbane; ● канцеларски ~ quill-driver, ink-slinger; книжен ~ book worm.

плъ̀свам се, плъ̀сна се *възвр. гл.* sprawl, flop (down), plump down, flake out, park o.'s carcass; *(на земята)* fall flat; grabble.

плю̀нк|а *ж., -и* spittle, spit; saliva; *мед.* sputum, *pl.* sputa.

плюс *м., -ове, (два)* плю̀са 1. plus; 2. *(положително, ценно качество)* asset; advantage, acquisition; ● ~-минус — give or take ...

плюш *м., -ове, (два)* плю̀ша *текст.* plush.

плюща̀ *гл. (за знаме и пр.)* flap; flutter; *(за камшик)* crack, lash, smack; *(за дъжд)* lash, pelt; *(за платно) мор.* whip.

плю̀я, плю̀на и плю̀вам *гл.* spit (на

(up) on); expectorate; *разг.* gob; ● не плюй в кладенеца, защото може да ти потрябва да пиеш вода от него don't foul the well, you may need its waters; плюл на очите си brazenfaced, brazen; ~ на петите take to o.'s heels, show a clean pair of heels; hare off, hare it; *sl.* flap the heels; ~ си на ръцете get to work, buckle down; roll up o.'s sleeves; take off o.'s coat to work.

пля̀ва *ж., само ед.* 1. chaff; 2. *прен. (празни приказки, безсмислици)* flannel.

пля̀свам, пля̀сна *гл.* slap; spank; flap; *(камшик)* whack, crack; ~ на *прен.* snap o.'s fingers at; ~ с ръце clap (o.'s hands); || ~ ce *(падам)* flop, plump down.

пля̀скам *гл.* 1. slap, smack; *(бия)* spank, smack, slap; 2. *(издавам плясък)* flap, slap, splash, lap; ~ с камшик crack a whip; ~ с крила flap o.'s wings; 3. *(ръкопляскам)* clap (o.'s hands), applaud.

пля̀съ|к *м., -ци, (два)* пля̀съка splash; flap; *(за вълни)* lap(ping); wash; *(на камшик)* crack.

плячк|а *ж., -и* booty, plunder, loot; *воен.* spoil(s); *(пленен кораб) мор.* prize; *(на хищник)* prey; *sl.* swag; лесна ~a easy game; *разг.* sitting duck; ставам ~a на fall a prey to; търся ~a prowl.

плячко̀свам, плячко̀сам *гл.* loot, spoil, plunder, pillage, ravage, despoil, depredate; freeboot.

пневма̀тика *ж., само ед. физ.* pneumatics; pneumodynamics.

пневма̀тич|ен *прил., -на, -но, -ни* 1. pneumatic; електронно-~ен pneutronic; ~ен транспортьор airslide; ~на разпънка *мин.* air bar; с ~но управление air-controlled; 2. *техн.* air-powered, air-driven; ~ен буфер bumper bag; ~ен отбоен чук jackhammer; ~на спирачка air-operated brake.

пневмо̀ни|я *ж., -и мед.* pneumonia, inflammation of the lungs; двойна ~я double pneumonia.

пневмохидравлѝч|ен *прил., -на, -но, -ни* pneumohydraulic.

по₁ *предл.* 1. *(върху)* on, over; *(протежение на ~ хоризонтално)* along;

вървя ~ следите на follow the footprints of; trail (s.o.); **качвам се/слизам ~ стълбата** go up/down the stairs; **ходя ~ тревата** walk on the grass; (*по наклон*) up, down; **2.** (*по повърхността на*) on, over, in; ~ **лицето му се яви усмивка** a smile spread over his face; **3.** (*според*) according to; ~ **европейски** (*образец*) after the European fashion; ~ **закон** in law; ~ **мое мнение** in my opinion, to my mind; **4.** (*въз основа на*) on, at; ~ **настояване на** at the insistence of; **работя** ~ **договор** work under contract; **5.** (*сред*) among; **болест** ~ **добитъка** a disease among cattle; **6.** (*чрез; посредством; по отношение на; като се съди по*) by, through; **водя се** ~ go by; ~ **заповед** by order; ~ **никакъв начин** by no means; ~ **радиото/телефона** over the radio/telephone; **7.** (*вследствие на*) through, by; ~ **навик** out of habit; ~ **тази причина** for this reason; **8.** (*за начин, език и пр.*) in; ~ **английски** in English; ~ **риза** in o.'s shirtsleeves; **9.** (*за стреляне, насочване*) at, on, for; **10.** (*за нареждане на материали*) under; ~ **автори** under authors; **11.** (*около, по време на*) about, at; ~ **празниците** during the holidays; ~ **цели дни** days on end; **12.** (*разпределение*) by; **един** ~ **един** one by one; **малко** ~ **малко** little by little; **пет, умножено** ~ **пет** five multiplied by five; **13.** (*за скорост, цена и пр.*) at; **изминавам** ~ **5 километра в час** go at the rate of 5 kilometres per hour; **14.** (*специалност*) of, in; **професор** ~ **история** professor of/ in history.

по₂ *част.* (*за образуване на сравн. ст. на прил., нареч. и наречни изрази*) more; -er; ~**лесен** easier; ~**хубав** more handsome/beautiful.

поа̀нт *а ж.*, **-и** *лит.* (the) cream of the joke (*и прен.*).

побѐд|а *ж.*, **-и** victory; (*в игра, спорт и пр.*) win; *прен.* triumph; **лесна ~а** walkover, walkaway; **спечелвам/удържам ~а** carry the day, win the day/ field; *амер.* throw s.o. for a loss; **съкрушителна изборна ~а** *амер.* landslide.

победѝтел (**-ят**) *м.*, **-и** victor, vanquisher; (*при състезания*) winner, *sl.*

top dog; (*над много по-силен противник*) *журн.* giant-killer; **излизам ~** be victorious, come off victorious, be left in possession of the field, *спорт.* win.

побежда̀вам, победя̀ *гл.* conquer, vanquish, overcome; defeat; gain/win a victory over; score a victory over; *прен.* win the field, win through; master, overmaster, overpower; *спорт.* win (against); triumph over; be victorious (over); (*в състезание и пр.*) *sl.* whop; whip; ~ **без усилие** win hands down; ~ **едва-едва** win by a head, win but only just.

побеля̀вам, побелѐя *гл.* become/turn white, whiten; (*за коса*) grey, turn grey, grizzle; (*напълно*) turn/grow white; ~ **от ядове** worry o.s. grey.

побесѐдвам *гл.* have a talk (**с** with), talk (with).

побесня̀вам, побеснѐя *гл.* **1.** grow rabid; **2.** go mad (**от** with), become furious/enraged, be frenzied/wild with rage; see red, run amok; *разг.* go bananas, hit the roof, blow o.'s top, cut up rusty; foam at the mouth; *амер. разг.* be (get) on o.'s ears; **той побесня от яд** he flew into a rage, he became wild/ furious with rage, *sl.* he got into an awful bate.

побивам, побия *гл.* **1.** drive (**в** into); set up, erect; **2.** *полигр.* batter; ● **не смятам да ~ кол тук** I won't rust here; **побиват ме тръпки** shiver, shake, shudder, it gives me the creeps, it sends cold shivers down my back.

побирам, побера̀ *гл.* (*за съд*) contain, hold, take; accommodate; (*за зала, стадион*) seat; **умът ми не го побира** it's more than I can imagine, it is hard to believe/grasp; || ~ **се** go/get in(to); gather up; **не мога да се побера в кожата си** be ready to jump out of o.'s skin.

побледня̀вам, побледнѐя *гл.* turn/ grow pale/white; pale, whiten; become/ grow pallid/wan.

побо̀|й (**-ят**) *м.*, **-и**, (**два**) **побо̀я** beating, thrashing; *разг.* bust-up, punch-up; *юр.* battery; **нанасям ~й на** thrash, beat up; buffet; give (s.o.) a sound thrashing; *юр.* assault.

поболя̀вам, поболѐя *гл.* (*правя да се разболее*) make ill; || ~ **се** fall ill;

прен. eat o.'s heart out; **ще се поболея от това** it will finish me, it will be the death of me.

побра̀тим *м.*, **-и** sworn brother.

побратимя̀вам се, побратимя̀ се *възвр. гл.* swear brotherhood/fellowship; *прен.* fraternize (**с** with); (*градове*) twin.

побу̀твам, побу̀тна *гл.* jog, joggle (**с лакът**) nudge.

побъбрям, побъбря *гл.* chat a little, have a chat (with).

побъ̀рквам, побъ̀ркам *гл.* **1.** (*попречвам, осуетявам*) derange, upset; **2.** (*подлудявам*) drive mad/crazy; drive (s.o.) up the wall; || ~ **се** go mad, go off o.'s head; go out of o.'s mind; *прен.* be mad (on, about); ~ **се на тема** be mad about.

побя̀гвам, побя̀гна *гл.* take flight (**в** to), run away, break into a run; flee.

повалям, повалям *гл.* bring/throw/fling down; overthrow, lay low; (*за човек*) knock down/out, fell, prostrate, lay out; send (s.o.) flying; *разг.* flatten; *амер. sl.* knock (s.o.) galleywest; (*и за болест*) go down with; (*убивам, блъскам с кола*) mow down; (*дърво*) fell; (*за вятър*) blow down; **противника си** *спорт.* knock out o.'s opponent.

повдѝгам, повдѝгна *гл.* raise, lift, pick up, take up; uplift; (*нещо тежко*) heave; (*с крик*) jack (up); (*въпрос*) raise, bring up/forward, moot (*пред* before); ~ **глава** raise o.'s head, *прен.* become rebellious; ~ **нечие самочувствие** boost s.o.'s confidence; ~ **обвинение срещу някого** bring an accusation against s.o.; || ~ **се 1.** raise o.s.; ~ **се на пръсти** stand on tiptoe; **2.**: ~ **дига ми се** feel sick, turn sick (**от** at), my stomach heaves; (*мъча се да повърна*) retch.

поведѐние *ср.*, *само ед.* conduct, behaviour, demeanour; (*държане*) bearing, manners; deportment; **агресивно ~** violent behaviour; **имам добро ~** be well-behaved; **лошо ~** misbehaviour, misconduct.

повѐждам, поведа̀ *гл.* lead; conduct; drive; (*почвам нещо пръв*) give a lead, take the lead; ~ **хорото** *прен.* lead off; (*в резултата*) *спорт.* go in/ take the lead; || ~ **се по** take after, follow the lead of; ~ **се по ума** ha be in-

fluenced by.

по̀ве|й (-ят) *м.*, **-и**, **(два) по̀вея** puff, whiff, breath.

повели́тел|ен *прил.*, **-на**, **-но**, **-ни** imperative, authoritative, dictatorial; imperious, peremptory, commanding; **~но наклонение** *език.* imperative mood, the imperative.

по̀ве́л|я *ж.*, **-и** command, bidding, ordinance, decree; dictate; **височайша̀ ~я** an imperial decree/order; **по ~я на съвестта** under the dictates of conscience; **~я на съдбата** fatality.

повеля̀вам, повеля̀ *гл.* ordain, decree; command; *прен.* enjoin, prescribe, demand, require.

пове́ри|е *ср.*, **-я** belief, superstition, tradition.

повери́тел (-ят) *м.*, **-и** bailor.

поверя̀вам, поверя̀ *гл.* entrust (**на** to), trust (with) consign (to); (*тайна*) confide, whisper; (*задача*) give, set, assign; (*учреждение*) put in charge of; **~ на грижите на** commit to/put in/ deliver into the charge of, confide to s.o.'s cares, entrust to the care of; **~ някому тайна** trust s.o. with a secret, impart a secret to s.o., unbosom o.'s secret to o.s.

по̀вест *ж.*, **-и** short novel, novelette.

повествова̀ни|е и **повествува̀ни|е** *ср.*, **-я** narration.

по̀вет *м.*, **-и**, **(два) по̀вета** *бот.* clematis, traveller's joy, old man's beard (*Clematis vitalba*).

повѐтиц|а *ж.*, **-и** *бот.* bindweed, convolvulus (*Convulvulus*).

по̀вече *нареч.* **1.** more; **в ~ от случаите** for the most part, in most cases, mostly; **не ~ от (час)** (an hour) at the most/*разг.* at the outside; **нещо ~ what** is more, furthermore; **още ~** still more; **~ от една миля** over a mile, a mile and better; **той е ~ учен, отколкото лекар** he is more of a scientist than a doctor; (*в излишък*) extra, to spare, enough and to spare, in excess; **2.** (*за време – по-дълго, отново*) any longer/ more, no more, again; **да ги няма̀ме ~ такива** *разг.* no more of this; don't let this happen again; **не мога ~** I can't stand (it) any more.

повива̀м, повѝя *гл.* swaddle, diaper, put a diaper on (a baby).

повика̀вам, повика̀м *гл.* call, sum-

mon, call up, (*гласно*) call out (to), (*със знак*) beckon (to); (*чрез другиго*) send for; (*в съд*) summon, cite; (*за помощ, услуга*) call in; (*такси и пр.* **на улицата**) hail; *рел.* call away; (*призовавам*) call on; **~ за военна служба** call up (for military service); **~ лекар** call in a doctor, send for a doctor; **тя го повика настрана** (*с глава*) she beckoned him aside, (*с движение*) she motioned him aside.

пови́нност *ж.*, **само ед.** *юр., воен.* service; duty; *остар.* obligation; **военна ~** military/national service, military conscription; **трудова ~** labour service.

повиша̀вам, повиша̀ *гл.* raise; (*интерес, бдителност и пр.*) heighten; (*увеличавам*) increase, enhance; (*в длъжност*) promote; advance; *муз.* sing sharp; *разг.* (*цени, заплати и пр.*) raise, jack up, put up; (*принудително*) force up; **~ двойно** double; **~ производителността на труда** raise the productivity of labour; || **~ се** rise become higher; (*за интерес, цени, ниво*) run high, *разг.* go through the roof.

повише́ни|е *ср.*, **-я** rise, raise (**на** in); (*служебно*) promotion, advancement, preferment; uprise; (*на заплата и пр.*) rise in salaries/wages; pay-increase; **~е на производителността на труда** higher/intensified productivity of labour.

повли́чам, повлека̀ *гл.* **1.** drag (along), (*при падане*) drag down; (*за течение*) sweep away; **2.:** **~ след себе си** involve; **това може да повлече след себе си важни последствия** it may entail serious consequences, this may have important consequences/results; || **~ се 1.** begin to drag o.s., begin to creep/crawl; **2.:** **~ се по** *прен.* (*подражавам, следвам*) follow (s.o.); **~ се с** keep company with; • **~ крак** lead off; be the first (to), set the pattern (for).

повлия̀вам, повлия̀я *гл.* influence, affect; have influence upon; (*на някого*) get round (somebody); (*върху мнение и пр.*) bias; || **~ се** be influenced (**от** by), fall under the influence (of).

по̀вод₁ *м.*, **-и**, **(два) по̀вода** occasion, cause, ground, reason, pretext; **без ~** without any reason; **давам ~ за размишления** give/provide matter/ground

for reflection; **касацио́нен ~** *юр.* ground for cassation; **по ~ на това** in this connection, apropos of this; **~ за развод** ground for divorce.

по̀вод₂ *м.*, **-и**, **(два) по̀вода** halter; (*юзди*) (bridle-)rein; **~и на кон** lead.

пово̀|й (-ят) *м.*, **-и**, **(два) пово̀я** *нар.* swathing bands/clothes, wrapper; • **с черен ~й** повиван ill-fated/-starred, luckless.

повра̀т|ен *прил.*, **-на**, **-но**, **-ни** turning; *прен.* crucial; vicissitudinary, vicissitudinous; **~на точка** turning point; crucial moment; landmark; watershed.

повре́д|а *ж.*, **-и** damage; injury; (*на машина*) break-down, failure; fault; trouble; (*на търговски стоки*) breakage; **телесна ~а** a physical injury; *юр.* battery; **техни́ческа ~а** technical hitch; **части́чна ~а** fractional damage.

повре́ждам, повре́дя *гл.* damage, injure; spoil; (*машина*) put out of order, derange; || **~ се** be damaged; break down, get out of order; (*обикн. за апаратура*) *разг.* go haywire.

повръ̀щам, повръ̀на *гл.* vomit, be sick, throw up; fetch up, disgorge; regurgitate; *разг.* to toss one's cookies; *грубо* puke; **повръ̀ща ми се** feel/turn sick, feel like vomiting.

повсеме́ст|ен *прил.*, **-на**, **-но**, **-ни** general, all over; nation-wide; ubiquitous; **~ен данък** poll tax; **~ен обиск** house-to-house search(es).

повта̀рям, повто̀ря *гл.* repeat, go over (again); (*многократно*) reiterate; (*за болест*) break out again, recrudesce; (*мач, изсвирено парче, сцена*) replay; **повта̀ря ме** (*за болест*) have a relapse; **~ все едно и също нещо** harp on the same string; **~ като папагал** parrot; repeat parrot-fashion; **~ наум** go over in o.'s mind, rehearse in o.'s mind; || **~ се** repeat o.s.; recur; **това да не се повта̀ря** don't let it happen/occur again.

повторе́ни|е *ср.*, **-я** repetition; (*многократно*) reiteration; (*на уроци и пр.*) recapitulation; (*при мач и пр.* **по телевизията**) replay; *муз.* repeat; **знак за ~е** repeat (mark); • **~ето е майка на знанието** practice makes perfect, repetition mater studiorum.

повърхнин|а̀ *ж.*, **-и́** surface; (*площ*) area (*и геом.*); **определям ~ата на**

кръга square the circle.

повърхност *ж.*, **-и** surface; top; *прен.* fringe; **държа се на ~та** keep afloat; **издигам се на ~та** rise to the surface; **матова ~** dull finish; **равна ~** plane surface.

повявам, повея *гл.* begin to blow; (*полъхвам*) whiffle.

повярвам *гл.* believe; give credence/credit to; **кой би повярвал?** who would have believed it? **~ на някого** take s.o. at his word.

повяхвам, повяхна *гл.* wither, droop, fade (away); (*за красота*) dim, decay.

погаждам, погодя *гл.* **1.** bring to terms, conciliate, reconcile; **2.** *разг.* play tricks (**на** on); **~ лоша шега на** play a joke on (s.o.); || **~ се** get on/along (**с** with), hit it off together; **не се ~ с** not see eye to eye with.

погазвам, погазя *гл.* **1.** trample on/upon; **2.** *прен.* (*нарушавам*) violate, infringe upon, over-ride; (*закон*) transgress; (*дадена дума*) dishonour; **~ чувствата на някого** trample on s.o.'s feelings.

погалвам, погаля *гл.* caress, fondle, stroke; give s.o. a pat.

погасител (-ят) *м.*, **-и** payer; (*длъжник*) debtor.

погасявам, погася *гл.* (*сума*) pay off/up, redeem, clear off, sink; discharge; extinguish; **~ заем** redeem a loan; **~ кредит** reimburse a credit; **~ полица** cancel a bill; **~ финансови задължения** discharge financial obligations; || **~ се** *юр.* (*за право*) lapse.

погач|а *ж.*, **-и** *кул.* round loaf.

поглаждам, погладя *гл.* stroke, caress.

поглед *м.*, **-и**, (**два**) **погледа** **1.** look; (*очи*) eyes; **бегъл ~** glance, glimpse; **на/при пръв ~** at first sight, on the face of it; **приковавам ~ върху** fix o.'s eyes on/upon; **тревожен ~** a troubled look; **хвърлям ~** glance, cast a glance, have a look (**на, върху** at); *разг.* have/take a gander (**на**, **върху** at); **2.** (*гледка*) vista, view; **широк ~** wide vista; **3.** *само ед. прен.* vision; **с широк ~ за нещата** broadminded.

поглеждам, погледна *гл.* **1.** look (at); take/have a look (at); (*надниквам мимоходом*) give a look in; have/take a

peep (into, at); (*чрез вдигане на очи*) look up (at); (*книга, вестник*) look into; glance through; **~ крадешком** steal a glance (at); peep (at); **~ назад** take a backward glance (at); **2.** (*грижа се, интересувам се за*) look after, take care of, take interest in; || **~ се** look at o.s.; • **няма да те погледна вече** I won't have anything to do with you! **~ сериозно на** take a serious view of.

поглъщам, погълна *гл.* **1.** swallow (up); engulf; (*лакомо*) gulp down, devour; wolf; *поет.* englut, engorge; (*с мъка*) take down; *sl.* lower; (*попивам*) absorb; (*шум, топлина*) absorb; (*за пламъци*) lick up; consume; (*удар*) cushion; **2.** *прен.* (*увличам*) engross, absorb; **3.** *прен.* (*възприемам, поемам*) devour; take in, absorb; **~ жадно всяка казана дума** hang on a person's lips, drink in/eat up every word; **4.** (*средства*) consume; (*време*) take up; **5.** *икон.* (*компания*) take over.

погнуса *ж.*, *само ед.* loathing, revulsion, nausea (**от** at); (*отвращение*) disgust (at); repugnance (to, against), abomination.

погнусявам, погнуся *гл.* disgust, revolt, repel; stir the gorge; || **~ се** be/become disgusted (at); revolt (at, against, from).

поговорк|а *ж.*, **-и** proverb, saying.

поголов|ен *прил.*, **-на, -но, -ни** mass; capitative; **~ен данък** *фин.* capitation; **~но клане** slaughter; massacre.

погранич|ен *прил.*, **-на, -но, -ни** frontier (*attr.*), border (*attr.*), borderline (*attr.*); **~ен знак** *воен.* boundary mark; **~на застава** *воен.* frontier post.

погреб *м.*, **-и**, (**два**) **погреба** *воен.* (*за боеприпаси*) magazine; ammunition dump; (*на кораб*) powder magazine; **барутен ~** *прен.* powder-keg; **сnaряден ~** *мор.* a shell room.

погребал|ен *прил.*, **-на, -но, -ни** funeral (*attr.*); funereal, funerary; mortuary; dirgeful; **~на церемония** funeral rites; exequies; **~но бюро** undertaker's office, funeral parlour; *амер.* funeral home.

погребвам, погреба *гл.* bury, inter, inhume, lay to rest, lay in the grave; entomb; (*тържествено*) commit a body to the ground; **~ в морето** bury at sea, commit to the deep.

погребени|е *ср.*, **-я** funeral, burial, obsequies, interment, inhumation; **бия за ~е** (*за камбана*) toll a funeral knell; **~е на държавни разноски** state funeral.

погреш|ен *прил.*, **-на, -но, -ни** wrong, mistaken, incorrect, erroneous; wrongful; perverse; (*за план, основа и пр.*) faulty; (*неправилен, за произношение, доводи*) vicious; (*за разсъждение и пр.*) fallacious; **~на представа** misconception; **~ни сведения** misinformation.

погрижвам се, погрижа се *възвр. гл.* take care (**за** of); look after; see to it; (*предварително*) provide (**за** for); make provisions (for); **аз ще се погрижа за това** I'll see to it.

погрознявам, погрознея *гл.* lose o.'s good looks, grow/become ugly.

погром *м.*, **-и**, (**два**) **погрома** **1.** (*поражение*) rout, defeat; debacle; hammering; **2.** (*изстъпление*) outrage; (*избиване*) massacre.

погубвам, погубя *гл.* destroy, ruin, undo, be the ruin/undoing of; work s.o.'s ruin; bring ruin to; *разг.* do for; bring down; || **~ се** go to o.'s fate.

погъделичквам, погъделичкам *гл.* tickle; **~ под брадата** chuck (under the chin); • **~ самолюбието на някого** tickle s.o.'s vanity.

под₁ *м.*, **-ове**, (**два**) **пода** floor.

под₂ *предл.* **1.** under; (*на по-ниско равнище/степен от*) below, beneath, underneath; **~ всякаква критика** beneath criticism; **~ коляното** below the knee; **подписвам се ~ документ** sign a document; **той е ~ трийсет години** he is under thirty; **2.** (*при име, наслов и пр.*) under; **пиша ~ псевдонима ...** write under the pen-name of ...; **~ заглавие** under the headline of; **3.** (*за начин*) at; in; under; **държа ~ ключ** keep under lock and key; **~ гаранция** *юр.* on bail; **~ строй** *воен.* in military formation; **4.** (*за обстоятелства*) under; in; **~ акомпанимента на** to the accompaniment of; **~ дъжда** in the rain; **~ контрол** under control; **5.** (*за ръководство, власт, влияние, грижи, редакция*) under; in; **~ властта на някого** in s.o.'s power; **~ редакцията на** edited by, under the editorship of; **~ чуждо робство** under for-

eign domination; ● поставям ~ съмнение call in question; смея се ~ мустак laugh in o.'s beard, laugh up o.'s sleeve.

подàвам, подàм гл. 1. (давам) hand, pass, reach; ~ глава от вратата pop/ stick o.'s head round the door; ~ ръка offer o.'s hand in greeting; (помагам) give/lend a hand (на to); подаваме си ръце join hands; подайте ми солта, моля pass me the salt, please; may I trouble you for the salt, please?; 2. спорт., техн. feed; (топка) спорт. pass, serve; (при футбол и пр.) pass; (при игра на карти) lead; (за диригент) give the clue; ~ на нападателите спорт. (футбол) feed the forwards; ~ реплика на актьор театр. feed an actor; 3. (документ) file, hand in, submit (до with); (телеграма) send, hand in; (оплакване и пр.) lodge (до with), present; (тъжба, жалба) юр. lay; ~ молба file a petition (до with); || ~ се (показвам се) peep out, peer; (издавам се напред) project, stick out, (нагоре) stick up; (виждам се) show, stick out; (вися навън) hang out; ● ~ оставка give up o.'s post.

подàгра ж., само ед. мед. gout, gouty affection, науч. podagra; болен от ~ gouty.

подàнств|о ср., -а a nationality, citizenship; имам българско ~о be a Bulgarian citizen; приемам чуждо ~о become a foreign subject; условия за предоставяне на ~о юр. qualification for naturalization.

подàрь|к м., -ци, (два) подàръка present, gift; (дар) donation; (нещо безплатно) разг. freebie; (за бедните) handout; нещо, дадено за ~к token; фирмен ~к giveaway.

подарявам, подаря гл. give, give away; make/give a present (на to); present s.o. (with s.th.); (живот, свобода) grant; ~ ти го you are welcome to it/it's yours; той обича да подарява he is fond of making/giving presents.

подàтел (-ят) м., -и; подàтелк|а ж., -и sender; амер. mailer; return address.

податлѝв прил. pliable, pliant; susceptible; yielding; supple; pervious; amenable; ductile; ~ на внушение/ въздействие manageable; ~ на убеж-

даване persuadable.

подайнѝ|е ср., -я alms, dole, charity; живея от ~я live on charity, live on the alms basket.

подбèдриц|а ж., -и анат. shank.

подбèл м., само ед. бот. colt's foot (Tussilago farfara).

подбѝв м., -и, (два) подбѝва ridicule, derision; chaff; ● вземам на ~ make fun of, poke fun at, make s.o. the bait of o.'s jokes, make (a) game of (s.o.); pull s.o.'s leg; kid s.o.

подбѝвам, подбѝя гл. 1. (цена) beat down, undercut, cut under; underbid; (авторитет, репутация) injure, undermine, derogate; 2. (подигравам) make fun of, poke fun at, kid; || ~ се (подигравам се) joke, kid, poke fun at.

подбѝрам, подберà гл. 1. select, pick out, single out; match; (избирам) choose; winnow; cull; (тенденциозно)garble; добре ~ думите си be felicitous in o.'s choice of words; 2. (подкарвам, забирам) round up, drive; 3. прен. (емвам) go for (s.o.), rail at/ against, assail.

подбòр м., само ед. selection; choice; естествен ~ биол. natural selection; ~ на думите wording; случаен ~ стат. random sample.

подбỳд|а ж., -и motive, stimulus, incentive, inducement; лъжà от безкористни ~и pious fraud.

подбỳждам, подбỳдя гл. (подстрекавам) incite, instigate; foment; (подтиквам) impel, induce, prompt, work up; galvanize (s.o. into doing s.th.); ~ някого към престъпление abet s.o. in a crime.

подвèждам, подведà гл. 1. (излъгвам) mislead; lay/lead astray; lead on, stuff; dupe, take in; lead (s.o.) up the garden path; 2. (привличам, включвам) bring under, reduce; ~ под общ знаменател мат. bring under a common denominator, прен. generalize; под отговорност prosecute; start proceedings against; || ~ се: лесно се ~ be easily duped.

подвѝвам, подвѝя гл. bend; bow; tuck in/up/under; double in; ~ край на дреха hem; ~ опашка tuck in o.'s tail, прен. (ставам смирен) begin to sing small; ● цял ден не съм подвил

крак I have been on the run all day long.

пòдви|г м., -зи, (два) пòдвига feat, exploit; (act of) heroism, great/heroic deed, deed of valour/heroism; прен. achievement.

подвѝж|ен прил., -на, -но, -ни 1. movable (и за празник), mobile (и за войска); (за театър) travelling; (плъзгащ се) slidable; ~ен блок техн. travelling block; ~ен мост drawbridge; balance bridge; ~на болница field hospital; 2. (жив) lively, active, agile; nippy; lithe; limber; wanton; brisk; 3. (за ум и пр.) quick; resilient; (пъргав, гъвкав) versatile.

подвѝжност ж., само ед. 1. mobility; 2. (живост) liveliness; agility; 3. versatility, quickness.

подвизàвам се възвр. гл. work, act, be active (като as); ~ на сцената walk/ tread the boards; ~ из висшето общество move in high society.

подвѝквам, подвѝкна гл. shout (на at); utter cries/shouts.

подвлàст|ен прил., -на, -но, -ни subordinate; dependent (на on), subject (на to); ~на държава a vassal state.

подвòд|ен прил., -на, -но, -ни submarine; under-water (attr.); submerged; sub-surface (attr.), subaquatic, subaqueous; undersea (attr.); ~ен кабел submarine cable; ~но плуване (с маска и апарат за дишане) diving; ~но течение undercurrent.

подвòдниц|а ж., -и submarine; submer-gible; истор., воен. (германска) U-boat; амер. sl. pigboat.

подвързвам, подвържа гл. 1. (книга) bind; ~ с корици enclose in bookcovers, case in; 2. (завързвам) tie underneath.

подвързѝ|я ж., -и binding; bookcover; давам книгите си на ~я have o.'s books bound; мека ~я a paperback; с кожена ~я leather-bound.

подгѝзвам, подгѝзна гл. grow/become wet/damp; soak, drench.

подглàсни|к м., -ци; подглàснич-к|а ж., -и next on the (electoral) list; runner-up.

подгòня, подгòня гл. chase/drive away; run/dash after, give chase to, whip on; (дивеч и пр.) rouse, flush, put to flight; лов. jump.

подготвйтел|ен *прил.*, **-на, -но, -ни** preparatory, preparative, (*предварителен*) preliminary; **~на работа** preparations, *прен.* spade work.

подготвям, подготвя *гл.* prepare, make ready; get up; gear up (for, to *c inf.*); (*обучавам*) train, instruct, practise (**по** in); **~ за изпит** tutor (s.o.); **~ почвата** *прен.* pave the way, clear the decks; || **~ се** prepare (o.s.); get/make ready; **~ се по** *разг.* bone up on.

подготовк|а *ж.*, **-и** preparation; (*обучение*) training; instruction; schooling; **без предварителна ~а** off-hand; *мин.* (*на находище*) opening-up; **той има добра ~а по** he is well-grounded in.

подгрявам, подгрея *гл.* warm/heat up.

подгъв *м.*, **-и**, (**два**) **подгъва** hem.

подгъвам, подгъна *гл.* bend, fold; turn up/in; double in; tuck in; (*дреха*) hem; (*крака и пр.*) tuck (**под** under); **~ ъгъл на страница** fold/turn down the corner of a page; || **~ се** (*за крака*) give way (**от** with).

поддавам, поддам *гл.* sag; || **~ се** fall, succumb, yield, give in (**на** to); give way; fall; weaken; **не се ~** (*не отстъпвам*) *прен.* stick out o.'s chest; **~ се лесно** be amenable (**на** to); **~ се на внушение** be susceptible/open to suggestion; **~ се на изкушение** succumb to temptation.

поддиректори|я *ж.*, **-и** *комп.* sub-directory.

поддръжка *ж.*, *само ед.* **1.** (*подкрепа*) support, backing (up), help; championship; **широка ~** broad support; **2.** (*поддържане*) maintenance, (means of) support, sustenance; **3.** *техн.* (*на машини, съоръжения и пр.*) upkeep, maintenance.

поддържам *гл.* **1.** hold up, support; brace; **2.** *прен.* (*подкрепям*) support, sustain, back up, uphold; keep going; (*парично и пр.*) support; (*домакинство, войска и пр.*) maintain; (*организъм*) sustain; (*човек*) go (in) to bat for; (*предложение, кандидат*) second; promote; (*кандидатура*) support, back; (*защищавам*) speak in support of, vindicate; (*морално*) encourage; (*потвърждавам*) vouch; (*с гориво*) keep up, feed; *техн.* maintain; (*на дадено равнище*) keep up, main-

tain; (*теория*) hold; **~ в добро състояние** keep in repair, keep in good condition; keep up; **~ връзка с** keep in touch/contact with; **~ дисциплина** maintain discipline; **~ формата си** keep fit; || **~ се** keep fit.

поддържане *ср.*, *само ед.* **1.** supporting, support; backing; (*на достигнато ниво*) sustainability; sustainment; **2.** maintenance; (*ремонт*) upkeep; **~ на ред и законност** maintenance of law and order; **разходи за ~** upkeep.

подезйч|ен *прил.*, **-на, -но, -ни** *анат.* sublingual.

подействам *гл.* have/produce an effect; have influence (on); have/take effect (**на** on); affect; **лекарството подейства** the drug has worked.

поделени|е *ср.*, **-я** unit; section; (*отряд*) detachment; *воен.* (*част*) outfit; **военно ~е** military establishment; (*на банка*) sub-branch.

поделям, поделя *гл.* divide, partition; share; parcel; **~ си разходите** (*с някого*) go halves/Dutch (with s.o.).

подем *м.*, **-и**, (**два**) **подема** upsurge, prog-ress, advance; upswing, upbeat, boom; revival; (*културен, нравствен*) uplift, *амер.* upstick.

подзаглави|е *ср.*, **-я** subtitle, caption, (*във вестник*) subheading.

подзаконов *прил.* sublegislative; **~и нормативни актове** *юр.* subdelegated legislation.

подзем|ен *прил.*, **-на, -но, -ни** underground, subterranean, subterraneous; **~ен етаж** basement; **~ен трус** earth tremor; **~на железница** underground, tube, *амер.* subway; ● **~ният свят** the underworld.

подземи|е *ср.*, **-я** (*изба*) basement; (*затвор*) dungeon; (*гробница*) crypt; (*противовъздушно скривалище*) air-raid shelter.

подивявам, подивея *гл.* become wild/unsociable; run/grow wild; become savage.

подигравам, подиграя *гл.* mock, ridicule, laugh at, make fun of, fool; scoff/skit at; jeer (at), flout (at); *книж.* deride; || **~ се** make fun (**на** of), gibe, mock, sneer, jeer (**на** at); toy (with); make (a) game of (s.o.); *разг.* take (s.o.) down, take the mickey out of (s.o.); (*имитирам подигравателно*) take

(s.o.) off, send (s.o.) up; **те се подиграха с него** they made a fool/an ass (out) of him.

подигравк|а *ж.*, **-и** mockery, ridicule; derision; (*забележка*) gibe; (*пародия*) travesty, jeer; **служа за ~а на ** be the butt of; **ставам за ~а на хората** become the laughing stock of everyone.

подйр₁ и **подйре₁** *предл.* (*след*) after, behind; in s.o.'s wake/train; **~ това** then, thereupon, afterwards.

подйр₂ и **подйре₂** *нареч.* (*по-късно, после*) after, afterwards; later; *разг.* then.

подиум *м.*, **-и**, (**два**) **подиума** platform; podium; rostrum, stage, dais; (*естрада за оркестър*) bandstand; (*моден*) catwalk.

подкан|а *ж.*, **-и** prompting, reminding, invitation.

подканям и **подканвам, подканя** *гл.* urge, invite, call on; (*напомням*) remind; **~ към ред** call to order; **трябва често да го подканват** he needs frequent prodding.

подквас|а *ж.*, **-и** ferment; (*квас*) leaven (*и прен.*).

подквасвам, подквася *гл.* sour; make into yog(h)urt; curdle; || **~ се** curdle, turn into yog(h)urt.

подклаждам, подкладà *гл.* **1.** light; (*огън с гориво*) refresh, add fuel to; fan; stoke; **2.** *прен.* foment; incite, spur on, fuel, stoke; ● **~ огъня** *прен.* fan the fire.

подклàс *м.*, **-ове**, (**два**) **подклàса** *зоол., бот.* order.

подков *м.*, **-и**, *амер.* shoe, (*конска*) horse-shoe; **~ата ми пада** (*за кон и пр.*) cast/throw a shoe; **свалям ~ите** (*на кон и пр.*) unshoe.

подковавам, подковà *гл.* **1.** (*кон и пр.*) shoe; nail; **2.** *прен.* brief, prepare, train, *неодобр.* indoctrinate.

подковообрàз|ен *прил.*, **-на, -но, -ни** horseshoe(-shaped).

подкòж|ен *прил.*, **-на, -но, -ни** *анат.* subcutaneous, subdermal; (*за инжекция*) hypodermic, percutaneous; **~ен кръвоизлив** *мед.* extravasation; **~на тъкан** *анат.* hypodermic tissue.

подкòп *м.*, **-и**, (**два**) **подкòпа** *мин.* (*в забой*) shear; kerb, jad, cut.

подкопàвам, подкопàя *гл.* undermine; mine; sap; chip away at; *прен.* erode.

подкòрен|ен *прил.*, **-на, -но, -ни** under the root(s); *мат.* under the radical sign; **извличане на ~ни величини** *мат.* evolution, extraction of roots.

подкосявам се, подкосà се възвр. гл.: краката ми се подкосяват I feel weak in the knees, my legs fail me, my legs sink under me.

подкрèпа *ж.*, *само ед.* support, backing; *(на мнение, предложение)* backing, seconding; *(опора)* support, prop, stay; buttress; *(морална)* countenance; *прен., поет.* mainstay; **в ~ на думите си** in confirmation/corroboration of o.'s words; **изразявам ~та си** show o.'s support, keep the flag flying.

подкреплèни|е *ср.*, **-я** reinforcement; *воен.* *(на обсадени войски)* relief.

подкрèпям и подкрèпвам, подкрепя *гл.* **1.** support, sustain; fortify; patronize; *(начинание)* back, endorse; promote; *воен.* reinforce; *(кандидат, кандидатура)* back up; *(теория, твърдение)* corroborate; *(някого)* *sl.* front for, stooge for; *(кауза, движение)* uphold, enlist for; **с доказателства** verify; **~ твърдение с факти/цифри** substantiate; **2.** *(немощен човек)* support; *техн.* timber, prop; *(засилвам)* fortify; reinforce; || **~ се** fortify o.s.; refresh o.s.; *разг.* refresh the inner man.

пòдкуп *м.*, **-и, (два) пòдкупа** bribe; *юр.* subornation; *разг.* backhander, payoff; *sl.* fix; *(изразен в процент от печалбата* икон. жарг. rake-off; kick-back *(за мълчание)* hush-money; **вземам ~** *sl.* dip o.'s beak, get o.'s hands dirty, be on the take; cop a drop.

подкỳпвам, подкỳпя *гл.* bribe; hand out bribes; *разг.* get at; **~, за да лъже-свидетелства** suborn; **~ някого** *разг.* grease/oil/tickle s.o.'s palm.

подкъсявам, подкъсà *гл.* shorten, make shorter; *(коса)* bob.

подлàгам, подлòжа *гл.* **1.** put under; **2.: ~ на** subject to, put to; submit to; **въпросът е подложен на разискване** the question has come/is under discussion; **~ на съмнение** question; **подложен съм на критика** come in for criticism; **3.** *полигр.* overlay; || **~**

се 1. lend a back to (s.o.); give (s.o.) a leg up; **2.** be subjected to; undergo; **~ се на диета** go on diet; **3.: ~ си** *(хапвам си)* line o.'s stomach; ● **~ крак** *(спъвам)* trip up; **~ ръка** *(за милостиня)* stretch out o.'s hand for alms, beg, go begging.

подлежà *гл.* be liable **(на** to), be subject (to); **войниците подлежат на уволнение** the soldiers are due to be discharged; **не подлежи на съмнение** it is beyond/past doubt; **присъда, която подлежи на обжалване** *юр.* a sentence subject to appeal.

пòдлез *м.*, **-и, (два) пòдлеза** subway, underpass.

подлèпям и подлèпвам, подлепя *гл.* paste (under), glue (under); *полигр.* overlay.

подлèц *м.*, **-и** mean fellow, scoundrel, villain, wretch, bastard; skunk, rat, snot, twerp.

подливам, подлèя *гл.*: **~ някому вода** ruin s.o.'s chances, foil s.o.'s plans, put a spoke in s.o.'s wheel, pull the rug (out) from under s.o.'s feet.

подлистни|к *м.*, **-ци, (два) подлѝстника 1.** *(на вестник, списание)* feuilleton, serial; **безплатен ~к** free sheet; **2.** sheet with black parallel lines (for writing pad).

пòдло|г *м.*, **-зи, (два) пòдлога** *език.* subject.

подлòг|а *ж.*, **-и** urinal, bed-pan.

подлòжк|а *ж.*, **-и** pad, padding; *(чинийка)* saucer; *(за обуща)* sock; insole; *(за чиния, тенджера и пр.)* mat; *полигр.* overlay; *(за чаша)* coaster.

пòдлост *ж.*, **-и 1.** baseness, villainy, dastardliness, treachery, snakiness, turpitude; **2.** *(дело)* act of treachery, dirty work, mean/base/low action; **извършвам ~** behave like a scoundrel/cad.

подлудявам, *гл.* go mad, become insane.

подлудявам₂**, подлудя** *гл.* drive mad/crazy, send mad; make mad/wild; madden, craze; distract, drive to distraction; *разг.* drive s.o. nuts.

подлъгвам, подлъжа *гл.* dupe, cheat, fool, trick; **~ някого** trick s.o. *(да into с ger.);* *(подмамвам)* entice, allure, lure on; *разг.* string (s.o.) along, play along; cosy along; *(примамвам)* decoy, beguile; *sl.* feed/shoot/toss a line.

подмàзвам, подмàжа *гл.* **1.** *(с мазилка, гипс)* plaster, stucco; *(с масло)* grease, oil; **2.** *прен.* *(подкупвам)* grease the palm (of); || **~ се** bootlick, ingratiate o.s. **(на** with), curry favour **(на** with), fawn (on), make/suck up (to), cringe (to, before), crouch, curry favour with, play up (to), butter s.o. up, smarm (over), toady (to), brown-nose.

подмазвàч *м.*, **-и** toady, sycophant, backscratcher, bootlicker, groveller, suck-up, truckler.

подмàмвам, подмàмя *гл.* entice, lure on, allure; bait the line, trap; *(чрез примамка)* decoy; *(мамя)* hold out baits (on).

подмèням, подменя *гл.* substitute; replace; **~ нещо с нещо друго** substitute s.th. for s.th. else, replace s.th. by s.th. else.

подмèтк|а *ж.*, **-и** sole; **слагам ~и на обувките си** have o.'s shoes (re)soled.

подминàвам, подмѝна *гл.* bypass; *(пропускам, прескачам)* skip, omit.

подмѝшниц|а *ж.*, **-и** armpit.

подмладявам, подмладя *гл.* rejuvenate, rejuvenesce, make young(er); || **~ се 1.** rejuvenate; **2.** *биол.* rejuvenesce.

подмòкрям, подмòкря *гл.* wet slightly; || **~ се** wet o.s., get/become slightly wet; *(за бебе)* wet o.'s diapers/nappies.

подмòл *м.*, **-и, (два) подмòла 1.** cavity in a bank (under the water surface); **2.** reef.

подмòл|ен *прил.*, **-на, -но, -ни** underground, underhanded, secret; surreptitious; *(подривен)* subversive.

подмяна *ж.*, **подмèни** substitution, replacement, change.

подмятам, подмèтна *гл.* **1.** *(дете, топка)* toss up, throw up; **2.** *(стърнище)* plough the stubble in/under; **3.** *прен.* *(разкарвам)* send from pillar to post; **4.** *(загатвам)* hint (за at), drop hints, throw out hints (to s.o. about s.th.), insinuate; **подмятаме си думи** bandy words.

поднàсям, поднесà *гл.* **1.** present, submit, offer; *(подарък)* present; *(поздравления)* offer, extend; **~ почитанията си** pay o.'s respects **(на** to); **съболезнованията си** extend o.'s condolences; **2.** *(ядене)* serve; *(нещо*

определено) offer; ~ **до устата си** carry to o.'s lips; **3.** (*закачам се, подигравам*): ~ **някого** pull s.o.'s leg, kid s.o.; have/put s.o. on; ● ~ **на тепсия** serve on a platter/plate.

подновявам, поднови *гл.* **1.** renew, renovate, refurbish, furbish up; (*повреден орган*) *зоол.* reproduce, regenerate; (*поданство*) revive; **2.** (*започвам отново*) resume, reopen, begin again, take up again; ~ **абонамент** renew a subscription; ~ **бойни действия** *воен.* resume hostilities; ~ **заседания** (*за конференция и пр.*) reopen; ~ **преговори** reopen negotiations, *разг.* get talks going again; ~ **усилията си** renew o.'s efforts.

подножи|е *ср.*, **-я** foot; (*на паметник*) pedestal.

поднос *м.*, **-и**, (*два*) **подноса** tray; (*малък сребърен и пр.*) salver; (*старинен, голям*) charger; ~ **за нафора** *църк.* paten.

подносвам, подноса *гл.* (*дрехи*) begin/start wearing (every day).

подобава *безл.* *гл.* become, befit, be proper; pertain, behoove; **както ~** duly; **не ~ на един младеж да се държи така** it is not becoming for a young man to behave like that; it does not behoove a young man to behave like that.

подоб|ен *прил.*, **-на**, **-но**, **-ни** similar (**на** to); resemblant; such; *разг.* suchlike; **~ни триъгълници** *геом.* similar triangles; ● **и тем ~ни** and suchlike, and their like, and the like; **нищо ~но** certainly not, (*неучтиво*) nothing of the kind/sort.

подоби|е *ср.*, **-я** likeness, semblance, similarity, similitude, resemblance; effigy; **жалко ~е на** an apology for.

подобрени|е *ср.*, **-я** improvement, betterment, amelioration, change for the better, touch-up; (*частично оздравяване*) rally; **отива към ~е** (*за болен*) he is making a good recovery.

подобрявам, подобря *гл.* improve (on), make better, better, amend, ameliorate; (*издание*) revise, bring up to date, perk up, soup up; (*почва*) fertilize, enrich; ~ **положението си** better o.'s fortunes, improve o.'s situation; ~ **рекорд** improve on/better a record; || ~ **се** improve, change for the better; take a turn for the better; look/be looking up;

be on the mend.

подов *прил.* floor (*attr.*); **~а настилка** flooring; **~а повърхност** floor area/ space.

подозирам, подозра *гл.* suspect (**в** of **с** *ger.*), be suspicious; **започвам да ~ нещо лошо** *разг.* smell a rat.

подозрени|е *ср.*, **-я** suspicion; **будя ~е** arouse suspicion; **имам ~я, че** be suspicious (that).

подопеч|ен *прил.*, **-на**, **-но**, **-ни**: **~но лице** *юр.* ward.

подострям, подостря *гл.* **1.** sharpen; give an edge to; **2.** *прен.* (*подстрекавам*) incite, egg on.

подотрас|ъл *м.*, **-ли**, (*два*) **подотрасъла** subsector.

подоход|ен *прил.*, **-на**, **-но**, **-ни** *фин.* income (*attr.*); **~ен данък** income tax.

подочувам, подочуя *гл.* get wind of, overhear; gather; learn, get to know; know by hearsay; hear (s.th.) on/through the grapevine.

подпалвам, подпаля *гл.* set fire to, set on fire, set afire; (*възпламенявам*) ignite; (*запалвам*) light, kindle; || ~ **се** take/catch fire; ignite.

подпалвач *м.*, **-и** incendiary; fireraiser, *разг.* fire-bug; ~ **на война** warmonger.

подпечатвам, подпечатам *гл.* (rubber-)stamp, seal, affix/attach a seal to, put o.'s seal to; (*мерки и теглилки*) gauge.

подпечатване *ср.*, *само ед.* apposition of a seal, putting a seal (to), sealing.

подпирам, подпра *гл.* prop up, support (**с** with), stay up; (*стена*) prop; underpin, underprop, underset; (*с греда*) shore up; (*облягам*) lean, rest (on); ~ **главата си с ръка** rest o.'s head on o.'s hand; ~ (*растение*) **с пръчка** stick; || ~ **се** lean (**на** against) rest (on).

подпис *м.*, **-и**, (*два*) **подписа** signature; **слагам ~а си под** subscribe to, put/attach/affix o.'s signature to/under; **собственоръчен ~** manual sign, manuscript signature.

подписвам, подпиша *гл.* sign, undersign, put o.'s name to/under; ~ **с двете ръце** be dead sure (**че** that); || ~ **се** sign; subscribe (to); (*чек и пр.*) endorse; ~ **се като свидетел** witness.

подпитвам, подпитам *гл.* pump

(s.o.), pump information (out of s.o.) (**за** about); ask in a roundabout way; feel (s.o.) out.

подплат|а *ж.*, **-и** lining; *техн.* lap; liner; **~а за пола** half-slip, waist slip; **свалям ~ата** на unline; (*вълнена*) caddis.

подплатявам, подплатя *гл.* line; (*с кожа*) fur, line with fur; ~ **с памук** wad, quilt.

подплашвам, подплаша *гл.* scare (away, off); give (s.o.) a scare, put the wind up (s.o.); frighten, startle; (*дивеч*) jump, spring, rouse; || ~ **се** be frightened/scared; be startled; take alarm.

подплънк|а *ж.*, **-и** filling; pad; (*на дреха и пр.*) pad, padding; (*за бюст*) *разг.* falsies.

подполковни|к *м.*, **-ци** *воен.* lieutenant-colonel.

подпомагам, подпомогна *гл.* help, aid, assist, give assistance (to), lend a helping hand (to), support; patronize; (*дело*) help on, forward, advance, further, promote, foster; facilitate; ~ **съдебно преследване** encourage prosecution.

подпомагане *ср.*, *само ед.* helping, assistance, aid; (*на дело*) furtherance, advancement, promoting, promotion; (*на бедни, пострадали*) relief; **социално ~** по домовете domiciliary care/services.

подпор|а *ж.*, **-и** support, pillar; (*дървена*) strut, prop; jamb; stanchion; (*временна на стена и пр.*) needle; (*на мост*) pier; *стр.* buttress; strut; (*при четене*) bookrest; (*за книги на рафтове*) book-end; (*дървена, желязна*) *мор.* fid.

подпоручи|к *м.*, **-ци** *воен.* second lieutenant.

подпочвен *прил.* subsoil (*attr.*), subterranean, subsurface; **~а вода** groundwater.

подправям, подправя *гл.* **1.** (*фалшифицирам*) counterfeit, falsify; forge; fake; tamper (with); *разг.* doctor, cook; fiddle; fabricate; (*монети*) debase; (*питие*) adulterate, doctor, load; (*чужд текст*) sophisticate; **2.** (*ястие*) season, spice, flavour.

подпухвам, подпухна *гл.* puff up, swell, bloat.

подпухналост *ж.*, *само ед.* puffiness,

bloatiness; turgidity.

подпъхвам, подпъхна *гл.* tuck in/up/under; shove/thrust under.

подравням и подравнявам, подравня *гл.* level (up), make even/level; (*текст*) justify; || ~ **се** *воен.* dress.

подравняване *ср., само ед.* levelling (up), (*на текст*) justification, alignment.

подравям, подровя *гл.* 1. dig under; undermine; (*почва*) eat/wash away; 2. *прен.* undermine, subvert.

подравяне *ср., само ед.* 1. undermining; 2. subversion.

подражавам *гл.* imitate; copy; be imitative of, take o.'s cues from, assume the manner of; (*ревностно*) emulate; ~ сляпо на някого ape s.o.

подражание *ср., само ед.* imitation; mimicry.

подразбирам, подразбера *гл.* understand, infer; deduce; gather; get the idea; || ~ **се** it is taken for granted; it goes without saying; **който се подразбира** implicit; **подразбира се, че няма да дойде** it figures that he won't come.

подразделени|е *ср., -я* subdivision; partition; *биол.* subspecies.

подразделям, подразделя *гл.* subdivide (**на** into).

подразням, подразня *гл.* tease; irritate, vex, annoy, gall; (*апетит*) whet.

подразряд *м., -и, (два)* **подразряда** *биол.* suborder.

подрайон *м., -и, (два)* **подрайона** subdistrict, subregion.

подранявам, подраня *гл.* be early; **подраних с пет минути** I've come five minutes early.

подраствам, подрасна и подраста *гл.* grow up; grow big.

подред *нареч.* in succession; **три дни** ~ three days running/in succession.

подреждам, подредя *гл.* arrange, set/put in order, tidy; fix (*материал*); marshal, range; (*сметки и пр.*) *фин.* agree; ~ **работите** get things square; || ~ **се** *разг.* (*оплесквам я*) get (o.s.) into a nice mess/fix/pickle.

подремя и подремвам, подремна *гл.* take a short nap/*разг.* kip, doze off.

подривам, подрина и подрия *гл.* 1. dig under/underneath; shovel under/away; ~ **на добитъка** (*в обор*)

shovel away the manure; 2. (*скала, бряг и пр.*) eat away (*и прен.*); 3. *прен.* undermine, mine, subvert; sap; (*власт и пр.*) disrupt; 4. *воен.* blow up, blast, sap.

подритвам, подритна *гл.* kick around (*и прен.*); (*прен. и*) treat like dirt.

подроб|ен *прил., -на, -но, -ни* detailed; circumstantial; elaborate, expatiatory; (*за преглед*) narrow; close, minute.

подробност *ж., -и* (piece of) detail, particular; particularity; **до най-малката** ~ down to the last/minutest detail; ~**и** *разг.* ins and outs, twists and turns; **технически** ~**и** technicalities.

подронвам, подроня *гл.* lower, undermine; chip away at; *прен.* erode; **инфлацията подрони доверието към правителството** confidence in the government was eroded by inflation.

подръка *нареч.* 1. (*наблизо, наръки*) at hand, near at hand, handy, at o.'s elbow; available; 2. arm in arm.

подръпвам, подръпна *гл.* pull; give a pull; ● **той обича да си подръпва** (*попийва*) he likes to drink, he enjoys a glass.

подръч|ен *прил., -на, -но, -ни* available, at hand.

подрязвам, подрежа *гл.* cut short; (*коса и пр.*) clip, crop, bob; (*клони и пр.*) lop, pare; pare off/away/down; (*храсти*) trim; (*издънки*) nip; (*дървета и пр.*) prune; (*опашка на кон*) dock; ~ **крилата на** *прен.* clip the wings of.

подсвирвам, подсвирна *гл.* whistle (to s.o.), give a whistle; ~ **си** whistle, whistle a tune.

подсещам, подсетя *гл.* remind (**за** of), call to mind; give a hint, give (s.o.) the cue.

подсещане *ср., само ед.* reminding; (*напомняне*) reminder.

подсигурител|ен *прил., -на, -но, -ни*: ~**на кредитна линия** back-up line.

подсигурявам, подсигуря *гл.* secure; assure; *амер.* forfend; || ~ **се** (*с резервен вариант*) *разг.* have more than one string to o.'s bow.

подсилвам, подсиля *гл.* strengthen; reinforce; enforce; fortify; *разг.* beef

up; (*ефект и пр.*) exalt; (*тонове*) tone up; *разг.* jazz up, lend colour to; (*вино*) fortify; (*преувеличавам*) exaggerate.

подсирвам, подсиря *гл.* curdle; turn into cheese; casefy.

подсистем|а *ж., -и* subsystem; **осигуряваща** ~**а** a supporting subsystem.

подсичам, подсека *гл.* cut under; || ~ **се** (*за кожа*) crack, chap; (*за крака, бебе*) get sore.

подсказвам, подскажа *гл.* hint, give a hint, prompt; *прен.* suggest (**на** to); **не подсказвайте!** no hinting! ~ **някому какво да каже** put words into s.o.'s mouth; ~ **отговор на свидетел** *юр.* lead/prompt a witness.

подскачам, подскоча *гл.* jump (up and down); jig; (*весело*) frolic, caper, frisk, gambol; (*на един крак*) hop about; (*за сърце*) leap, give a bound, skip a beat; (*при танц и пр.*) cut a caper, jig about; (*лудувам*) caper, romp, frisk about, frolic, curvet; ~ **от радост** romp; **това ме накара да подскоча** I nearly jumped out of my skin.

подско|к *м., -ци, (два)* **подскока** bound; bounce; leap; gambol.

подсладител (-ят) *м., -и, (два)* **подсладителя** sweetener.

подслаждам, подсладя *гл.* sweeten (*и прен.*), add sugar to; *рядко* dulcify.

подсло|й (-ят) *м., -еве, (два)* **подслоя** sublayer.

подслон *м., само ед.* shelter; cover; (*жилищно помещение*) accommodation; (*убежище*) asylum; **временен** ~ tabernacle; **хиляди хора останаха без** ~ thousands were left homeless.

подслонявам, подслоня *гл.* shelter, give shelter to; accommodate, lodge, provide lodgings for, put up, take in.

подслушвам, подслушам *гл.* eavesdrop (on); *разг.* earwig; spy through the keyhole; (*телефонен разговор*) tap, (*с друг апарат*) tap the line; (*със скрит микрофон*) bug, tap.

подслушван|е *ср., -ия* eavesdropping; **апарат за** ~**е** bugging device; **инсталирам апарат за** ~**е** bug; ~**е на телефонни разговори** phone tapping, wire-tapping, bugging.

подсмърчам *гл.* 1. sniff, sniffle; snuff; 2. (*хленча*) whine, whimper.

подсолявам, подсоля *гл.* salt, add salt to.

подста̀вен *прил.* false, fictitious; ~о дружество nominee/fronting company; ~о лице dummy, tool, man of straw, figurehead, nominee; *sl.* plant.

подста̀нци|я *ж.*, -и *техн.* substation, switchyard, sub-control office; **разпределителна ~я** *ел.* subfeeder.

подстрека̀вам *гл.* instigate, incite, foment, work up, put (s.o.) up to s.th./to doing s.th.; set (on); egg on, prod (s.o. into doing s.th.), key s.o. up (into doing s.th.); ~ **към действие** rouse to action.

подстрека̀телств|о *ср.*, -а instigation, incitement; abetment; fomentation; *юр.* inducement (to).

подстрѝгвам, подстрѝжа *гл.* **1.** (*коса*) cut s.o.'s hair; give s.o. a trim; (*овце*) shear; ~ **ниско** crop short; **2.** *църк.* ordain as monk/nun; || ~ **се 1.** have o.'s hair cut/trimmed/bobbed, have a haircut; **2.** *църк.* take the vows/(*за жена*) the veil.

подстрѝгван|е *ср.*, -ия **1.** haircut; trimming; (*на овце*) shearing; **2.** *църк.* taking vows/(*за жена*) the veil.

по̀дстъп *м.*, -и, (два) по̀дстъпа *обикн. мн.* approach; attack; *воен.* pass, avenue of approach.

подсушàвам, подсушà *гл.* **1.** dry and air; dry; **2.** change a baby/a baby's diapers.

подсъд|ен *прил.*, -на, -но, -ни *юр.* justiciable; (*за деяние*) actionable, cognizable, suable, triable; (*подведомствен на съд*) jurisdictional (to), justiciable, under the competence (of); ~**ен съм на местния съд** be under the jurisdiction of the local court, fall within the cognizance of the local court; ~**но нарушение** cognisable offence.

подсъдѝм *прил.* **1.: на** ~**ата скамейка** in the dock; ~ **съм** be on trial; ~**а скамейка** dock, bar; **2.** *като същ. м.* defendant; culprit; (*в съда*) accused, prisoner at the bar.

по̀дсъзнание *ср.*, *само ед.* subconsciousness; the unconscious; **в** ~**то** at/ in the back of o.'s mind.

по̀дтекст *м.*, *само ед.* subtext, implied/deeper meaning; (*на реч, забележка и пр.*) drift.

по̀дти|к *м.*, -ци, (два) по̀дтика impulse, stimulus, incentive, incitement, urge, fillip; **давам** ~**к на** stimulate; fillip, give a fillip to.

подтѝквам, подтѝкна *гл.* **1.** (*тикам напред*) push/ hurry/drive on; **2.** *прен.* incite, prompt, inspire, stimulate, urge/push on; fillip; (*подлъгвам*) cosy along; ~ **към действие** galvanize into action; light a fire under (s.o.); ~ **към престъпление** *юр.* suborn.

по̀дтип *м.*, -ове, (два) по̀дтипа subtype.

по̀дточк|а *ж.*, -и subsection, subparagraph.

подуѐвам се, подуѐ се *възвр. гл.* swell, swell up/out; bloat (up, out), *мед.* tumefy.

подутин|à *ж.*, -ѝ swelling; turgidity; *мед.* intumescence, tumefaction.

поду̀тост *ж.*, *само ед.* swollenness, puffiness, bloatiness.

поду̀хвам, поду̀хна *гл.* blow lightly, blow slightly; puff, whiff.

поду̀швам, поду̀ша *гл.* **1.** smell, scent, get scent of; (*помирисвам*) sniff (at); **2.** *прен.* get wind of, nose out; ~ **нещо лошо** smell a rat.

подхва̀щам, подхва̀на *гл.* (*започвам*) begin, undertake; take up, go/set about (s.th.); (*захващам се за*) tackle; (*въпрос, тема и пр.*) approach, broach; **не** ~ **правилно** (*някаква работа*) mishandle, mess up; ~ **въпрос пред някого** take s.th. up with s.o.; ● **пак подхвана старата си песен** he's on about it again.

подхвръ̀квам, подхвръ̀кна *гл.* fly up/off/away; flit about.

подхвъ̀рлям, подхвъ̀рля *гл.* **1.** toss, throw, fling (**нагоре** up, **към, на** to); flick, flip (**на** at); ~ **насам-натам** toss to and fro, bandy (about); **той ми подхвърли един плик** he flicked an envelope at me, he flipped me an envelope; **2.** (*загатвам, намеквам*) hint, insinuate; (*думи, шеги, забележки*) throw in/out; **3.** (*дете*) leave, abandon (a child at s.o.'s door).

подхѝлвам се *възвр. гл.* grin; smirk.

подхлъ̀звам, подхлъ̀зна *гл.* cheat, trick, fool, dupe, diddle; || ~ **се** slip; *прен.* slip up; ● ~ **на динена кора** trip s.o. up.

подхо̀д *м.*, -и, (два) подхо̀да approach to, method of approach; **комплексен** ~ integrated approach; ~ **към хората** the common touch; **програмно-целеви** ~ *икон.* programming, planning

and budgeting method, *съкр.* PPB method.

подходя̀щ *сег. деят. прич.* (*и като прил.*) suitable, appropriate, right (**за** to, for), suited, fitting; *книж.* felicitous; eligible; apposite, adequate (**за** to), congenial; (*целесъобразен*) expedient; **в** ~**ия момент** at the right time/moment; **избирам** ~ **момент за нещо** time s.th. well; ~ **съм** *разг.* fill the bill; **той е** ~ **за този пост** he is the right man for the post.

подхо̀ждам₁, подхо̀дя *гл.* approach; ~ **внимателно към някого** approach s.o. gently/tactfully.

подхо̀ждам₂ *гл.* suit, fit, become, match; answer the purpose; ~ **за** be suitable/suited for; **тази постъпка не ти подхожда** such behaviour is unbecoming of/on you; **те си подхождат като двойка** they make a nice couple.

подхра̀нвам, подхра̀ня *гл.* feed up; (*добитък*) fodder, fatten up; *техн.* feed; supply; ~ **почвата** feed the ground with manure; ~ **празни надежди** feed/ foster vain hopes.

подценя̀вам, подценя̀ *гл.* underrate, underestimate, undervalue; misjudge; (*омаловажавам*) belittle, disparage; deprecate; depreciate; ~ **заслугите на някого** not give s.o. his due.

подценя̀ване *ср.*, *само ед.* underestimation, undervaluation; disparagement; deprecation; depreciation; **не е за** ~ it's nothing to sneer at.

подчерта̀вам, подчерта̀я *гл.* **1.** underline, score under, underscore; ~ **с две черти** underline twice; **2.** *прен.* emphasize, stress, lay/put stress/emphasis on; give prominence to; bring into relief; (*правя да изпъкне*) enhance, accentuate, exaggerate; *амер.* highlight; ~ **дебело** stress strongly, underline especially, emphasize heavily, lay special emphasis on, stress emphatically.

подчинѐн *мин. страд. прич.* **1.** *като прил.* subordinate (**на** to); tributary, subaltern; (*за народ и пр.*) subject (**на** to); (*зависим*) dependent; (*покорен*) subjugated; downtrodden; (*на волята на*) subservient (**на** to); **в** ~**о положение** in a state of subordination; ~**о изречение** *език.* subordinate clause; **2.** *като същ.* subordinate; in-

ferior; *презр.* underling; *разг.* understrapper.

подчинѐние *ср., само ед.* submission, subjection; conformance; (*покорство*) obedience; **доброволно** ~ willing obedience; **мълчаливо** ~ mute submission.

подчиня̀вам, подчиня̀ *гл.* subordinate, subject, bring (s.o.) to heel; *разг.* bring (s.o.) into line; (*покорявам*) subdue, master, overpower, subjugate, reduce to submission; ~ **на властта на** bring under the sway of; || ~ **се** *разг.* toe the line; **не се** ~ **на** defy, disobey; ~ **се на** submit to, knuckle under to; (*слушам*) obey.

подшѝвам, подшѝя *гл.* **1.** hem; line; stitch; oversew; **2.** (*подплатявам*) line; (*книга*) stitch; (*подвързвам*) bind; (*документи и пр. в папка*) clip together.

подшу̀швам, подшу̀шна *гл.* whisper; (*загатвам*) hint, suggest; tip s.o. off (about); give s.o. a tip-off; ~ **някому нещо** drop a word in s.o.'s ear; (*подсказвам*) prompt.

по̀д|ъл *прил.*, -ла, -ло, -ли mean, base, vile, underhand, low; mean-spirited; *разг.* low-down, dirt, niddering, ornery, snaky.

подя̀ждам, подя̀м *гл.* **1.** (*ядосвам, закачам*) nag, get at, bug; twit; **2.** *прен.* gnaw (at); **3.** (*подкопавам, за вода*) eat away, undermine; **4.** *прен.* ruin, sponge on; ~ **някого** sponge on s.o.

подя̀лба *ж.*, подѐлби (*на собственост*) division (of property); sharing, partition, partitioning; ~ **на пазари** sharing of markets; ~ **на плячка** division of spoils.

поевтиня̀вам, поевтиня̀я *гл.* become cheaper, go down (in price).

поевтиня̀ван|е *ср.*, -ия reduction of prices/in the price of.

поединѝчно *нареч.* one by one, one at a time; singly; **всеки се спася̀ва** ~ (every man to himself) and the devil take the hindmost.

поѐзи|я *ж.*, -и poetry; verse; **епѝческа** ~я epic poetry; **лѝрическа** ~я lyrical verse.

поѐм|а *ж.*, -и *лит., муз.* narrative poem; **симфонѝчна** ~а tone poem.

поѐмам, поѐма *гл.* **1.** (*вземам*) take,

take up; ~ **ю̀здите** pick up/gather up the reins, *прен.* (*управлението в ръцете си*) take the helm; **2.** *прен.* assume, undertake, take on, take upon o.s.; (*задължение*) assume, enter into; ~ **ангажимент** undertake (да to *c inf.*); ~ **командването на** *воен.* take/assume command of/over; ~ **отново** (*работа и пр.*) resume; ~ **разноските** *разг.* foot the bill; *фин.* defray; ~ **риска да/на** run the risk of (*c ger.*) take o.'s chance, take the chance of (*c ger.*); **3.** (*залавям се, заемам се с*) take up, take in hand, undertake; **4.** (*тръгвам*) set out, start; (*път и пр.*) take; ~ **към** head for, make for, bend o.'s steps towards; ~ **пътя на** *прен.* take the road of, tread the path of; **5.** (*храна и пр.*) take; ~ **въздух** inhale; (*влага и пр.*) absorb; **6.** (*за печка, комин*) draw; **7.** (*схващам*) take in.

по̀|ен *прил.*, -йна, -йно, -йни song, singing (*attr.*); ~**ен лебед** whooping swan (Cygnus cygnus); ~**йна птица** song-bird, songster, warbler.

поѐт *м.*, -и поет; *пренебр.* rhymester, versifier, poetaster.

поета̀|ен *прил.*, -на, -но, -ни stage-by-stage, staged.

поетѝзирам *гл.* **1.** poetize, write poetry; **2.** make poetic.

поѐтика *ж., само ед.* poetics, theory of poetry.

пожа̀р *м.*, -и, (два) пожа̀ра fire; blaze; (*голям*) conflagration; **щети от** ~ fire damage.

пожа̀р|ен *прил.*, -на, -но, -ни fire (*attr.*); ~**ен кран** fire plug/cock, hydrant; ~**на команда** fire squad/brigade; ~**на помпа** fire-pump, (*голяма*) fire-engine.

пожа̀рн|а *ж.*, -и *разг.* fire-brigade, *амер.* fire company; (*зданието*) fire station, *амер.* fire department.

пожарника̀р (-ят) *м.*, -и fireman; fire-fighter.

пожа̀рогасѝтел (-ят) *м.*, -и, (два) пожа̀рогасѝтеля fire-extinguisher.

пожела̀вам, пожела̀я *гл.* **1.** wish; **не ти** ~ **да бъдеш на негово място** I hope you may never be in his place/shoes; ~ **ти всичко най-хубаво** I wish you the best of luck; **2.** want; (*силно*) covet, desire, crave.

пожела̀ни|е *ср.*, -я **1.** wish; **сърдеч-**

ни ~я за рождения ти ден best wishes for your birthday, many happy returns of the day; **2.** desire, craving.

пожѐртвам *гл.* sacrifice (на to); ~ **живота си** lay down o.'s life; (*отказвам се от*) give up.

пожертвова̀ни|е и пожертвува̀-ни|е *ср.*, -я sacrifice; (*жертва*) offering; (*дарение*) gift, donation, contribution, offering; *рел.* oblation; **волни** ~я voluntary/free donations/contributions/offerings; **кутия за волни** ~я collecting box, collection box.

пожѝзнен *прил.* life (*attr.*); for life; lifelong; ~**а рента** life annuity, perpetuity; ~**о владение** *юр.* life-interest.

пожълтя̀вам, пожълтѐя *гл.* **1.** turn/become yellow; **2.** make/dye yellow.

пожѐнвам, пожѐна *гл.* reap (и *прен.*); ~ **плодовете на своя труд** reap the fruits of o.'s labour.

по̀з|а *ж.*, -и pose, posture, attitude; *фот.* exposure; **заемам** ~**а** (*за снимка*) pose; *прен.* strike/assume a pose; **заемам театрална** ~**а** attitudinize.

позабра̀вям, позабра̀вя *гл.* be apt/inclined to forget, be forgetful; **позабра̀вил съм да говоря френски** my French is a little rusty.

позагрубя̀вам, позагрубѐя *гл.* become a little rough; *амер.* toughen; roughen.

позака̀шлям се *възвр. гл.* clear o.'s throat, cough slightly/intermittently.

позакрѐпвам, позакрѐпна *гл.* grow a little stronger/healthier, gain in health; gain strength.

позакъсня̀вам, позакъснѐя *гл.* **1.** be/come/arrive a little late; **2.** not be very punctual.

позамѝслям се, позамѝсля се *възвр. гл.* become thoughtful; (*преди извършването на нещо*) think twice, stop and think; ~ **върху** ponder (over).

позамо̀гвам се, позамо̀гна се *възвр. гл.* get on o.'s feet, better o.'s position, mend o.'s fortunes.

позасѝлвам, позасѝля *гл.* strengthen/reinforce a little; (*работа и пр.*) step up; || ~ **се** become somewhat stronger; gain a little strength; (*за звук*) grow a little louder; (*здравословно*) grow a bit stronger.

позастаря̀вам, позастарѐя *гл.* age somewhat.

позатихвам, позатихна *гл.* calm down, subside; drop; die down; begin to let up; (*за епидемия*) subside.

позатоплям, позатопля *гл.* warm up a little; || ~ **се** get warmer.

позахладява се, позахлади се *безл. възвр. гл.* get cooler.

позволени|е *ср.*, **-я** permission, leave; (*писмено*) permit, authorization; **да-вам някому ~е да си служи с/да се ползва от** give s.o. a free run of; **искам ~е** ask permission/leave (**от** of, **за** for); **с ваше ~е** by your leave; **с ~е на** by (kind) permission of.

позволителн|о *ср.*, **-и** licence, per-mit; **~о за носене на оръжие** a gun licence; **~о за риболов** a fishing per-mit.

позволявам, позволя *гл.* allow, per-mit; let; (*давам възможност на*) enable; **не мога да си позволя** I can-not afford, I can ill afford; || ~ **си** pre-sume, dare, take the liberty; (*осмеля-вам се*) venture; allow o.s.; **~ си лукса да** indulge in the luxury (*c ger.*), afford o.s. the pleasure of (*c ger.*).

позвънявам, позвъня *гл.* ring; ~ **на вратата** ring the doorbell; (*по телефона*) ring up, give a ring; *разг.* give s.o. a bell.

поздрав *м.*, **-и**, (*два*) **поздрава** greet-ing; salute, salutation; **изпращам ~** send o.'s (best) regards (**на** to); **отвръ-щам на ~** return a greeting; **подна-сям/предавам ~и на** bring/convey greetings to; **предай й моя ~** remem-ber me to her, give her my kind/best regards, pass on my kind/best regards to her; commend me to her; **с ~** with kind regards.

поздравявам, поздравя *гл.* 1. greet; *разг.* say hello (to); give (s.o.) the time of day; **поздрави жена си от мен** re-member me to/give my kind regards to your wife; say hello to your wife from me; 2. (*честитя*) congratulate (**за** on); *книж.* felicitate; ~ **от името на** welcome/greet on behalf of; ~ **те за рождения ти ден** many happy returns of the day.

позеленявам, позеленея *гл.* turn/grow/become green; ~ **от завист** be-come/turn green with envy; ~ **от яд** become livid with anger.

позѐмлен *прил.* land (*attr.*); ~ **договор**

land contract; ~ **закон** *юр.* agrarian law; ~**а собственост** landed property/estate, land.

позив *м.*, **-и**, (*два*) **позива** (*възвание, апел*) appeal, call; (*листче, лист*) leaflet, broad sheet; fly-sheet.

позирам *гл.* 1. pose, posturize, pos-ture, strike an attitude; assume affected postures, peacock; 2. (*на художник*) sit for o.'s portrait (for).

позитивиз|ъм (**-мът**) *м.*, *само ед. филос.* positivism, positive philosophy.

позици|я *ж.*, **-и** 1. position; **дълги ~и** *фин.* long position, bull position; **държа ~ите си** (*и прен.*) hold o.'s own field; stick to o.'s guns; **изходна ~я** (*и прен.*) starting position; **открита ~я** an open/a direct position; 2. (*станови-ще*) stand, standpoint, attitude; ground; **заемам ~я** *прен.* take a stand (**по** on); **отстоявам ~ята си** stand/hold o.'s ground; stick to o.'s guns; **променям ~ята си** shift/change o.'s ground.

позлат|а *ж.*, **-и** gilt, gilding; (*варак*) gold-leaf.

позлатявам, позлатя *гл.* 1. gild, overgild; gold-plate; 2. *прен.* load with money.

познавам, позная *гл.* 1. (*зная*) know; be acquainted with; (*добре*) be familiar with; have a knowledge of; ~ **бегло ня-кого** have a nodding/bowing acquaint-ance with s.o., know s.o. slightly; 2. (*раз-познавам*) know, recognize; ~ **по** know by; (*измежду много неща или хора*) pick out; 3. (*отгатвам, узнавам*) guess, tell; **позна!** you got it, that was a good guess; you guessed right; 4. *филос.* cognize; || ~ **се** 1. (*виждам се, лича*) show, be apparent/evident, be known; **денят се познава от сут-ринта** *прен.* good blood tells; 2.: **не се ли познаваме с вас?** haven't we met before? ~ **се с** (*познат съм с*) know, be acquainted with, have met.

познавател|ен *прил.*, **-на**, **-но**, **-ни** cognitive; ~**на способност** *псих.* cog-nition.

познани|е *ср.*, **-я** 1. knowledge; ~**я** knowledge (**по** of), learning; **човек с обширни ~я** a man of great erudition/learning, a knowledgeable person. 2. *само ед. филос.* cognition.

познанств|о *ср.*, **-а** acquaintance, ac-quaintanceship; **бегло ~о** a nodding/

passing/bowing acquaintance; **завърз-вам ~о** strike up an acquaintance.

позовавам се, позова се *възвр. гл.* 1. go (**на** by), rely (on), base o.'s argu-ment (on); **нямам на какво да се позо-ва** I have no evidence to go on; I've got nothing to go on/to go by; 2. (*цити-рам*) quote, refer (to), cite; allude (to); ● ~ **на младостта си** plead the inex-perience of youth.

позор *м.*, *само ед.* disgrace, shame, ignominy, infamy, stigma; *книж.* ob-loquy, opprobrium, contumely; **изла-гам на ~** expose to shame; ~**!** shame! **съм за** be a disgrace/reproach to.

позоря *гл.*, *мин. св. деят. прич.* по-**зорил** 1. disgrace, be a disgrace to; 2. (*клеветя*) cast aspersion(s) on; de-fame, slander, vilify; drag through the mire.

позьор *м.*, **-и**; **позьорк|а** *ж.*, **-и** af-fected person, poser; pretender, fraud, sham, smoothie.

поизмачквам, поизмачкам *гл.* crumple (a little); (*дрехи*) crumple up/crease/wrinkle a little.

поизоставям, поизоставя *гл.* tend to neglect/relinquish now and then; let slide; || ~ **се** (*външността си*) tend to neglect o.'s appearance, let o.s. slide; (*пускам му края*) tend to go/run to seed.

поизострям, поизостря *гл.* sharpen a bit, make/render a little sharper; *прен.* strain to a certain degree; || ~ **се** (*за болка*) get/become somewhat more acute; *прен.* become somewhat strained.

поизтърквам, поизтъркам *гл.* (*дре-ха*) wear out a little; (*с жулене – съ-дове, под и пр.*) scour/scrub off here and there/in a hurried manner; || ~ **се** (*за надпис и пр. – от времето*) wear away a little.

поизчаквам, поизчакам *гл.* wait for a while; bide (o.'s time) for a while, temporize for a while.

пойлк|а *ж.*, **-и** watering trough.

пойл|о *ср.*, **-à** 1. watering place; 2. wa-tering trough.

поймен|ен *прил.*, **-на**, **-но**, **-ни** nomi-nal; ~**ен списък** list of names, index of names; ~**но повикване** roll-call.

поисквам, поискам *гл.* ask for, de-mand; want, wish; call for; request,

claim; ~ **правата си** claim/demand o.'s rights; ~ **сметка от** hold responsible, hold to account.

пойскване *ср., само ед.* asking, demanding; claiming; **писма до** ~ letters to be called/applied for; General Delivery.

пойнтер *м., -и, (два)* **пойнтера** *зоол.* (*куче*) pointer.

показ *м., само ед.* show; **за** ~ for show; **изкарвам/излагам на** ~ exhibit, expose, display, put up on/for view, show; expose to the public gaze; (*демонстрирам*) flaunt, show off; *разг.* trot out; **излагам се на** ~ make a show of o.s.; **на** ~ on show/view/exhibition.

показал|ец *м., -ци, (два)* **показалеца** (*на ръка*) forefinger, index (finger); (*списък*) index; (*указател*) indicator, pointer.

показалк|а *ж., -и* pointer.

показани|е *ср., -я* evidence, testimony, testification, testifying, attestation; (*на уред*) reading, indication; **давам ~я** *юр.* testify, bear witness, give evidence/testimony (**за** to); (*под клетва*) depone, depose; **снемам ~я** *юр.* take (s.o.'s) testimony take an affidavit.

показател (-ят) *м., -и, (два)* **показателя** index, *pl.* indexes, indices; indicator; finger; *мат.* exponent, index; *техн.* indicator; *икон.* ratio; (*знак*) *амер.* bellwether; **технически ~и** technical features.

показвам, покажа *гл.* show, display, manifest, present; evince; produce; (*високо*) hold up; (*посочвам*) point (at, to); indicate, show; (*излагам*) exhibit; (*билет, паспорт и пр.*) produce, present; (*за уред*) register, give, show, read, *разг.* say; (*за стрелка*) stand at; (*за скала при апарат*) dial; ~ **главата си от прозореца** stick o.'s head out of the window; ~ **местата на** (*в театър, кино и пр.*) show/usher people to their seats; ~ **на какво съм способен** show o.'s mettle, show what one is made of, show o.'s paces, come into o.'s own; **с пръст** point o.'s finger at; **показват ми вратата/пътя** get o.'s marching orders; || ~ **се 1.** (*виждам се*) show; (*явявам се*) appear, put in an appearance; come into sight, come into view, come out; (*изведнъж*)

pop up/out; (*за слънцето и пр.*) come out; **2.** *геол., мин.* outcrop; **3.** *прен.* (*докарвам се*) show off, put o.'s best foot forward; • ~ **си рогата** show the cloven hoof, betray the cloven hoof/foot.

покайвам се, покая се *възвр. гл.* repent.

покан|а *ж., -и* invitation (**за** to); bidding; (*писмена*) invitation card; **по ~а на** at the invitation of; **по-рано приета ~а** (*при отказ на покана*) owing to a previous engagement.

поканвам, поканя *гл.* invite, ask (**на** to); (*предлагам*) offer; (*призовавам*) call on; ~ **на чаша чай** invite for a cup of tea.

покапвам, покапя *гл.* drop, fall in drops; **покапва** (*вали*) it's sprinkling (rain), it is spotting with rain; • **покапва по малко** there's just enough to keep the pot boiling.

покачвам, покача *гл.* raise, put up; ~ **изкуствено** (*цена*) force/run up; || ~ **се** climb, mount, ascend; (*за температура и пр.*) rise; (*за цени и*) go up, be on the up-grade; (*засилвам се – за напрежение и пр.*) increase, be intensified; **барометърът се е покачил** the barometer has risen.

покайни|е *ср., -я* repentance, penitence; contriteness, contrition; compunction; *църк.* penance.

поквара *ж., само ед.* debauchery, depravation, corruption, depravity; demoralization; taint.

покварявам, покваря *гл.* corrupt, deprave, debauch; defile; pervert; taint; subvert; vitiate, demoralize; || ~ **се** become corrupt/depraved.

покер *м., само ед.* **карти** (game of) poker.

покланям се, поклоня се *възвр. гл.* **1. bow, make a bow** (**на** to); ~ **в знак на благодарност** bow o.'s thanks; ~ **пред тленните останки на някого** pay o.'s last respects to s.o.; **2.** *прен.* worship, deify, adore, honour, revere.

поклащам, поклатя *гл.* shake, rock, sway; wag, waggle; ~ **глава** shake o.'s head; || ~ **се 1.** rock, sway; waggle, wobble; (*при вървене*) waddle; **пердетата се поклатиха от вятъра** the curtains flapped with the breeze; **2.** *прен.* (*раздвижвам се*) move, stir.

поклон *м., -и, (два)* **поклона** bow;

(*реверанс*) curtsey, curtsy; (*поздрав*) compliments, regards; ~ **до земята** bow to the ground, kowtow; ~ **пред ...** let us honour ...

поклонени|е *ср., -я* worship, adoration; (*хаджилък*) pilgrimage; **отивам на ~е** go on a pilgrimage, make a pilgrimage (**в** to).

поклонни|к *м., -ци; поклонниц|а* *ж., -и* **1.** (*почитател*) worshipper, admirer; (*на жена*) suitor, admirer; ~ **к на Вагнер** a Wagner enthusiast; **2.** *рел.* pilgrim; (*до Йерусалим*) palmer; **3.** (*привърженик*) follower, adherent, partisan, disciple; votary.

поко|ен *прил., -йна, -йно, -йни** late, deceased; defunct; *юр.* decedent; *като същ.* ~**йният** the late lamented, the deceased, the departed; ~**йният ми чичо** my late uncle.

покои *само мн.* room, chamber.

поко|й (-ят) *м., само ед.* peace, quiet, quietude, quietness, calm, repose, easefulness; quiescence; **в** ~**й** at rest, in repose, without motion; **вечен** ~**й** eternal peace; **душевен** ~**й** peace of mind; **не давам някому** ~**й** not give s.o. peace/rest, keep s.o. on the trot; never leave s.o. alone.

покойни|к *м., -ци; покойниц|а* *ж., -и* deceased, departed; **дом на** ~**ците** (*обикн. към гробищен парк*) a funeral home, mortuary.

поколебавам се, поколебая се *възвр. гл.* hesitate.

поколени|е *ср., -я* generation; (*потомство*) offspring; **подрастващото** ~**е** the rising generation.

покорство *ср., само ед.* submissiveness, submission, obedience, duteousness, tractability.

покорявам, покоря *гл.* subdue, subjugate; enslave; (*завоювам*) conquer, make a conquest of; (*превъзмогвам*) overcome; || ~ **се** submit (**на** to), obey; knuckle under, resign o.s. (to); **не се** ~ be disobedient, refuse to obey; ~ **се сляпо на някого** *разг.* eat out of s.o.'s hand.

покрай *предл.* **1.** (*за движение*) along, alongside of; past; **минете** ~ **нас** call on us on your way, come round to see us; **2.** (*близо*) close, close to, by; **3.** (*около*) around; **4.** (*заедно с*) along with; in addition to; ~ **другото** посе-

тихме и музея among other things we went to the museum as well.

покрайнинѝ *само мн.* outskirts, suburbs; *(на страна)* outlying districts/ parts.

покрив *м., -и, (два)* пòкрива roof; *прен.* shelter; **бащин** ~ home; **керемиден** ~ tile-roof; **сламен/тръстиков** ~ thatch.

покривàл|о *ср., -à* cover, veil; *(брезентово)* awning; *прен. поет.* mantle, cloak, veil, shroud.

покрѝвам, покрѝя *гл.* **1.** cover; overlay; encase *(с* in); *(слагам покрив на)* roof *(*in); *(с плочи)* slate; *техн. (по краищата)* overlap; ~ **с боя** overlay/coat with paint; **2.** *(разстояние, разходи)* cover; *(разходи и пр.)* defray; *(норма)* fulfil; ~ **норма** *спорт.* reach the standard; **3.:** ~ **карта** take a card with a higher one; *(с коз)* trump a card; *(с по-висок коз)* overtrump a card; || ~ **се 1.** cover o.s.; be covered; *техн.* overlap; ~ **се с пяна** scum; ~ **се с руменина** blush; **2.** *(съвпадам)* tally, coincide *(с* with); **3.** *(крия се) sl.* go to earth, lie doggo, hunker down, lie low.

покрѝвк|а *ж., -и* **1.** cover; *науч.* tegument; ~**а за чай** tea cloth; ~**а за маса** tablecloth; **2.** *прен.* cloak, mantle, veil; shroud; **под снежна** ~**а** under a blanket of snow.

покрѝти|е *ср., -я* **1.** *(на дълг, дефицит и пр.)* discharge, payment; **2.** *фин.* amount available; effects; *застр.* cover; *амер.* coverage; **златно** ~**е** gold holding/backing, gold reserve; **чек без** ~**е** no effects, kite; *амер.* rubber check; **3.** *воен.* overhead cover; **4.** *(значение)* sense, meaning; *език.* equivalent; **5.** *стр.* covering; roofing; **огнезащитно** ~**е** flame-retardant coating.

покровѝтелствам *гл.* patronize; protect; extend o.'s protection to.

покровѝтелств|о *ср., -а* patronage; *(закрила)* protection; auspices.

покрỳса *ж., само ед.* despair; grief; affliction; *(силна)* prostration; brokenheartedness.

покръствам, покръстя *гл.* Christianize; convert; || ~ **се** become converted to Christianity.

покръстван|е *ср., -ия* Christianization; conversion (to).

покупàтел|ен *прил., -на, -но, -ни* purchasing, purchase *(attr.)*.

покупàтелност *ж., само ед.* purchasability.

покỳпк|а *ж., -и* purchase; *(действие)* buying, purchasing; **по** ~**и съм** be out shopping; ~**ко-продажба** sale-trade; jobbing; **правя** ~**и** make purchases, go shopping; *(в големи количества)* be on the buy.

покушèни|е *ср., -я* attempt; ~**е срещу някого** attempt on the life of s.o.

покълвам, покълна *гл.* germinate; germ; sprout.

покъртвам, покъртя *гл.* move/touch deeply, affect, wring the heart (of); || ~ **се** be deeply moved, be affected *(от* by).

покъртѝтел|ен *прил., -на, -но, -ни* deeply moving/touching; heartrending, pathetic.

покъщнина *ж., само ед.* furniture, furnishings, household goods/belongings; **те изнесоха цялата** ~ they stripped the house of all its furnishings.

пол *м., -ове, (два)* пòла sex; **от двата** ~**а** of both sexes; **от мъжки** ~ male; of the male sex.

пол|à *ж., -и* **1.** skirt, overskirt; **плисирана** ~**а** pleated skirt; **права** ~**а** straight skirt; **тясна** ~**а** slim skirt; **широка** ~**а** full skirt; **2.** *(скут)* lap; **3.** *само мн. прен. (на планина)* foot; **в** ~**ите на Рила** at the foot of the Rila Mountains; **4.** *(на шапка)* brim; **шапка с широки** ~**и** a wide-brimmed hat; ● **държа се за** ~**ата на майка си** be tied to o.'s mother's apron strings.

полàгам, полòжа *гл.* **1.** lay; rest, put; *(ръка, глава и пр.)* repose; ~ **някого в гроба** lay s.o. in the grave, lay s.o. to rest; *(умрял)* enshrine s.o.; **2.** *мат.* replace, put; ● ~ **всички усилия** do o.'s utmost/best, bend/direct/apply/devote all o.'s energies to, throw all o.'s energies into, move heaven and earth; ~ **грижи за** look after, take (good) care of; ~ **изпит** sit for/take an examinationf; ~ **клетва** take an oath; ~ **основата на** lay the foundations o.

полàзвам, полàзя *гл.* creep/crawl over; **полазило ме е нещо** some creepy-crawly has got at me; **тръпки ме полазват** my skin is crawling; I shiver, I shudder *(при* at); my flesh creeps; I

am all over goose-flesh.

поларойд *м., -и, (два)* поларойда polaroid.

полè *ср., -та и* поля **1.** field; *(равнина)* plain, open country; **ледено** ~ ice-field; *(находище) мин.* field; **на** ~**то** in the field; **смущаващо** ~ *радио.* interference field; **2.** *(фон)* ground, background *(*на on); **3.** *(на книга)* margin; **бележки в** ~**то на книга** marginalia; **4.** *(на картина, знаме, монета и пр.)* field; **5.** *(област на дейност)* field, stage; **бойно** ~ *воен. (и прен.)* battle-field, field of battle; **зрително** ~ field/range of vision, field of view; ~ **на действие** field of activity, sphere/ score of action; **6.** *воен., техн. (на нарез в дуло)* rib.

полев|ѝ *прил., -à, -ò, -ѝ воен.* field *(attr.)*; ~**à болница** field hospital.

полегàт *прил.* slant, slanting, sloping, oblique, raking, inclined; low-grade; gradient; *(за свод, арка)* архит. rampant; ~ **покрив** sloping roof; ~**о чело** receding/retreating forehead.

полèдица *ж., само ед.* silver thaw; **навън е ужасна** ~ the streets and pavements are like glass; it's terribly slippery outside; the streets are slippery with ice.

полезрèние *ср., само ед.* range/field of vision; eye-shot.

полèмик|а *ж., -и* controversy, polemics, dispute, argument; disputation; eristic; **вестникарска** ~ a paper war.

полесражèни|е *ср., -я* battle-field, scene of battle, site of a battle.

пòлет *м., -и, (два)* пòлета flight *(и авиац.)*; soaring; **вертикален** ~ vertical take-off; ~ **на въображението** stretch of the imagination; **пробен** ~ test flight; **система за управление на** ~**ите** flight management system, FMS.

пòлз|а *ж., -и* use, advantage, benefit; interest, favour; usefulness; utility; **в** ~**а на някого** in s.o.'s favour, *спорт. (за обрат)* to the advantage of, *(за шпиониране и пр.)* for, on behalf of; **извличам** ~**а** a benefit *(от* from, by); **обществена** ~**а** public benefit; public well-being; **от** ~**а** beneficial, helpful, of use/service/advantage/benefit *(за* to).

пòлзвам *гл.* use, employ; make use of; || ~ **се:** ~ **се без ограничения** make free use of; ~ **се с добро/лошо име**

have a good/bad reputation; ~ **се с привилегии** enjoy privileges; ~ **се с уважение** be held in respect; be respected.

ползотвор|ен *прил.*, **-на, -но, -ни** beneficial; useful; salutary.

поливалѐнтност *ж., само ед.* polyvalency.

поливам, полея *гл.* pour (on, upon); (*растение*) water; (*улица*) water, spray, sprinkle; (*напоявам*) irrigate; ~ **някому да се измие** pour water for s.o. to wash; ~ **със студена вода** *прен.* throw cold water on; put a damper on; || ~ **се с нещо** spill s.th. on o.s.; ● **да го полеем** this calls for a drink; ~ **нещо** *прен.* (*обикн. по повод*) celebrate, drink on s.th.

поливач *м.*, **-и** street orderly, watercart man.

полигамия *ж., само ед. биол.* polygamy; plural marriage.

полиглот *м.*, **-и** polyglot.

полигон *м.*, **-и** (два) **полигона** *воен.* range, firing ground; **артилерийски ~** firing field; **изпитателен ~** test area; proof ground; **учебен ~** drill-ground.

полиграфия *ж., само ед.* polygraphy.

полиетилен *м., само ед. хим.* polyethylene, polythene.

полизахарид *м., само ед. биохим.* polysaccharide.

поликлиник|а *ж.*, **-и** polyclinic.

полилѐ|й (**-ят**) *м.*, **-и**, (два) **полилѐя** chandelier; (*със стъклени висулки*) lustre, pendant; **елетрически ~й** electrolier.

полимѐр *м.*, **-и**, (два) **полимѐра** *хим.* polymer; **присаден ~** graft polymer.

полимеризация *ж., само ед.* polymerization.

полинезѝ|ец *м.*, **-йци** Polynesian.

полинезийск|и *прил.*, **-а, -о, -и** Polynesian.

Полинѐзия *ж. собств.* Polynesia.

полиноза *ж., само ед. мед.* pollinosis, hayfever, summer catarrh.

полином *м.*, **-и**, (два) **полинома** *мат.* polynomial.

полиомиелит *м., само ед. мед.* poliomyelitis, polio.

полип *м.*, **-и**, (два) **полипа** 1. *зоол.* polyp; sea anemone; 2. *мед.* polypus.

полирам *гл.* polish; glaze; face, brighten up; *техн.* (*метал*) lap; burnish; furbish; (*излъсквам*) buff; (*лакирам*) varnish, lacquer.

полировка *ж., само ед.* polishing; polish; (*излъскване*) buffing; (*на метал*) burnishing.

полисѐмия *ж., само ед. език.* polysemy.

политам, политя *гл.* fly off; soar; (*спускам се*) dart off; (*падам*) fall; ~ **да падна** stagger, sway.

политеѝз|ъм (**-мът**) *м., само ед. рел.* polytheism.

политемигрант *м.*, **-и**; **политемигрантк|а** *ж.*, **-и** political emigrant.

политехника *ж., само ед.* polytechnic, school of engineering; college of technology.

политѝ|к *м.*, **-ци** politician; political figure; *амер.* statesman.

политика *ж., само ед.* 1. politics; 2. (*линия на поведение*) policyline; **валутна ~** monetary policy; **вътрешна ~** home/internal policy; **~ на мирно съвместно съществуване** policy of peaceful co-existence; ● **бистря ~та** talk/discuss/jaw politics; **правя ~ на някого** play up to s.o.; fawn upon s.o., curry s.o.'s favour.

политиканствам *гл.* dabble in politics, intrigue.

политѝческ|и *прил.*, **-а, -о, -и** political; (*за безредици и пр.*) civil; **по ~и съображения** for reasons of policy; on political grounds, for political reasons/considerations; for reasons of state; **~а икономия** political economy; **~а принадлежност** political allegiance; **~и деец** politician; **~ото поприще** the stage of politics.

политология *ж., само ед.* political science.

политур|а *ж.*, **-и** polish, varnish, lacquer; glazing, glaze; **цветна ~а** stain.

полифония *ж., само ед. муз., език.* polyphony.

полиц|а *ж.*, **-и** bill (of exchange), promissory note, draft; (*от купувач на продавач*) trade acceptance; **застрахователна ~а** insurance policy; comprehensive policy; **сконтирам ~а** discount a bill.

полѝц|а *ж.*, **-и** shelf, *pl.* shelves; **~а за книги** a book shelf.

полица|й (**-ят**) *м.*, **-и** policeman, police officer; patrolman; (*police*) consta-

ble; peace officer; *разг.* copper, cop, booby; *амер.* blue coat; *sl.* jack; **пътен ~й** *разг.* speed cop; **цивилен ~й** plain clothes man.

полѝци|я *ж.*, **-и** police; constabulary; **конна ~я** mounted police/constabulary; **криминална ~я** criminal (investigation) department; **~ята** the police, *амер.* the law.

полѝчб|а *ж.*, **-и** omen, augury, sign, portent; foreshadower, foreboding; **добра/лоша ~а съм за нещо** augur well/ill for s.th.

полк *м.*, **-ове**, (два) **полка** *воен.* regiment.

полк|а *ж.*, **-и** *муз.* (*танц*) polka.

полковни|к *м.*, **-ци** *воен.* colonel; **~к от авиацията** group-captain.

поло₁ *ср., само ед. спорт.* polo.

поло₂ *ср.*, **-а** (*дреха*) turtleneck (sweater).

полов *прил. биол.* sexual, sex (*attr.*); **~а зрялост** puberty; **~и органи** genitals, (privy) parts; **~о сношение** sexual intercourse; *юр.* carnal knowledge; **~о съзряване** pubescence.

половин *прил. неизм.* half; **на ~ път от** half-way from; **~ билет** half fare; **~ живот** half a lifetime; **~ килограм/ километър** half a kilogram/kilometre; ● **~ човек съм** be a wreck/an invalid, be the shadow of o.'s former self.

половин|а *ж.*, **-и** half; *юр.* moiety; **на ~а** in two; **през ~ата** in/through the middle; **разделям на ~а** halve; **стигнал съм до ~ата** be half way through; ● **мъж и ~а** a real man, a manly man, a man and a half.

поло|г *м.*, **-зи**, (два) **полога** 1. nest, laying-place; 2. nest egg.

положѐни|е *ср.*, **-я** 1. (*местоположение*) position; (*поза*) position, attitude; (*на местност, терен*) lay; **изходно ~е** *спорт.* first position, position of attention; **отвесно ~е** a vertical position; 2. (*състояние, обстоятелства*) condition, state; situation; (*състояние*) *разг.* lay of the land; (*обществено, правно*) status, standing, condition; (*обстоятелства*) juncture; **влизам в ~ето на** understand, sympathize with; **военно ~е** martial law; **извънредно ~е** a state of emergency; **с високо обществено ~е** high-placed, of high social standing; **семей-**

но/социално ~е a family/social status; **това е ~ето** that's the way the cookie crumbles; ● **при всяко ~е** in any case, anyway; at all events; **при това ~е** as the case stands, as matters stand; things being so; as it is, as things now stand; under the circumstances; in this situation.

положител|ен *прил.*, **-на**, **-но**, **-ни** positive; *мат.*, *ел.* positive, plus; (*за отговор, решение и пр.*) affirmative; (*за звания и пр.*) definite, certain; (*за характер*) good, praiseworthy, laudable; (*за човек*) trustworthy; staid; (*за критика*) favourable; **~ен заряд** *ел.* positive charge; **~на степен** *език.* positive degree; **~но въздействие** favourable/beneficial effect; **промяна в ~ен смисъл** change for the better.

полонез|а *ж.*, **-и** *муз.* polonaise.

полск|и₁ *прил.*, **-а**, **-о**, **-и** field (attr.), agrarian; **~а мишка** a field/harvest mouse; **~а работа** field/land work; **~и цветя** flowers of the field.

полск|и₂ *прил.*, **-а**, **-о**, **-и** Polish.

полтъргайст *м.*, *само ед.* poltergeist.

полуавтомат *м.*, **-и**, (два) **полуавтомата** semi-automatic machine.

полубог *м.*, *само ед.* demigod.

полубожеств|о *ср.*, **-а** demideity, demigod.

полувисшист *м.*, **-и**; **полувисшистк|а** *ж.*, **-и** college graduate.

полувреме *ср.*, **-на** *спорт.* half-time.

полугоди|е *ср.*, **-я** half-year, (a period of) six months; (*семестър*) term, semester.

полуда *ж.*, *само ед.* madness, craze; frenzy; *мед.* delirium; **до ~** to distraction; **докарвам до ~** drive mad/crazy/ to distraction.

полуд|ен *м.*, **-ни**, (два) **полудена** half a day.

полудрямка *ж.*, *само ед.* slumber.

полудявам, **полудея** *гл.* go mad, become insane; go out of o.'s mind, *разг.* take leave of o.'s senses; (*вбесявам се*) become/get furious/wild (**от** with); go crazy; *sl.* go ape; **чувствам, че ще полудея** be at o.'s wits' end.

полуетаж *м.*, **-и**, (два) **полуетажа** (*долен*) semi-basement; (*тавански*) garret rooms.

полужив *прил.* half-dead, (*от страх*) more dead than alive.

полузатворен *прил.* half-shut/-closed; (*за врата*) ajar.

полузащит|а *ж.*, **-и** *спорт.* halfbacks.

полуизсъхнал *прил.* half-dried; halfwithered.

полукръг *м.*, **-ове**, (два) **полукръга** semicircle, half-circle.

полукълб|о *ср.*, **-а** hemisphere; **Северно/Южно ~о** northern/southern hemisphere.

полумесец *м.*, **-и**, (два) **полумесеца** half-moon; demilune; (*сърп*) crescent (moon); ● **Червеният ~** the Red crescent.

полумрак *м.*, *само ед.* semi-darkness/ -obscurity; half-light; (*след залез*) twilight, dusk.

полумърт|ъв *прил.*, **-ва**, **-во**, **-ви** halfdead; **~ъв от страх** more dead than alive with fear.

полунощ *ж.*, **-и** midnight; the witching hour; **в ~** at midnight.

полуостров *м.*, **-и**, (два) **полуострова** *геогр.* peninsula.

полупроводни|к *м.*, **-ци**, (два) **полупроводника** *ел.* semi-conductor.

полупрозрач|ен *прил.*, **-на**, **-но**, **-ни** semi-transparent; translucent; (*за материя*) vapoury.

полуразпад *м.*, *само ед.* *физ.* halfdecay.

полуразрушен *прил.* half-destroyed; (*за къща и пр.*) tumble-down; decrepit, downfallen; **~а сграда** wreck.

полуремарке *ср.*, **-та** semi-trailer.

полусляп *прил.*, **-а**, **-о**, **полуслепи** half-blind, not fully blind; starblind.

полусфер|а *ж.*, **-и** hemisphere.

полусъзнание *ср.*, *само ед.* semiconsciousness; **в ~** half-/semi-conscious.

полусън *м.*, *само ед.* half-sleep; somnolence; light slumber; **в ~** half sleeping.

полусянка *ж.*, **полусенки** penumbra.

полутвърд *прил.* semi-hard.

полутеч|ен *прил.*, **-на**, **-но**, **-ни** semifluid/-liquid; viscous.

полутон *м.*, **-ове**, (два) **полутона** 1. *муз.* semitone; undertone; tone, *амер.* half step; 2. *изк.* undertint, half-tint, half-tone, undertone.

полуфабрикат *м.*, **-и**, (два) **полуфабриката** semi-manufactured article; semi-manufacture; half-finished mate-

rial; half-finished product; **~и** semi-/ part manufactured goods, semi-/part-finished goods; ready-to-cook food; *икон.* intermediate goods products.

полуфинал *м.*, **-и**, (два) **полуфинала** *спорт.* semi-final.

получавам, **получа** *гл.* 1. get, receive; (*неочаквано*) be given; (*като абонат*) take (in); **ще си го получиш** *sl.* you'll cop it; 2. (*добивам*) get, receive, obtain; *хим.* get, prepare; **~ основа** receive a grounding (**по** in); **~ удовлетворение** obtain/get satisfaction; || **~ се** 1. (*по пощата*) come, arrive; 2. (*оказвам се*) turn out, come out; **получи се съвсем не това, което предполагах** it turned out different from what I expected; ● **получава се така, че** it happens so that.

получател (**-ят**) *м.*, **-и**; **получателк|а** *ж.*, **-и** recipient; (*на писмо*) addressee; (*на пари*) payee; drawee; **~ на стока** consignee.

получешовит *прил.* half-joking; half-serious.

Полша *ж.* *собств.* Poland.

полъгвам, **полъжа** *гл.* 1. fib occasionally; 2. (*заблуждавам*) mislead; beguile, entice; || **~ се** be deceived/misled/beguiled; be taken in.

полъх *м.*, *само ед.* waft, whiff, breath of air; puff; (*благоухание*) fragrance; **~ на вятъра** a puff of wind.

полъхвам, **полъхна** *гл.* blow gently; puff, whiff, whiffle.

полюбопитствам *гл.* ask, want to know; show curiosity, be curious.

полюбувам се *възвр. гл.* feast o.'s eyes (**на** on); admire for a while.

полюлявам, **полюлея** *гл.* rock a while, swing gently (now and then); jiggle; || **~ се** rock, swing, sway.

полюс *м.*, **-и**, (два) **полюса** pole; **два ~а** two poles, *прен.* (two) antipodes; **Северен ~** *геогр.* North Pole.

поля|к *м.*, **-ци** Pole.

полякин|я *ж.*, **-и** Polish woman/girl.

полян|а *ж.*, **-и** (*ливада*) meadow, (*изкуствено затревена*) lawn; green; (*горска*) glade, clearing.

поляр|ен *прил.*, **-на**, **-но**, **-ни** polar; arctic; **~ен кръг** polar circle, *геогр.* Frigid Zone; **~на звезда** *астр.* polar/ north star; Polaris, lodestar.

поляризаци|я *ж.*, **-и** polarization.

поля̀рност ж., само ед. polarity; ~ на импулс pulse polarity; ~ на химична връзка bond polarity.

помага̀л|о ср., -à appliance; stand-by; manual; (учебник) text-book; (книга) reference book, handbook; учебни ~a school aids/appliances, training aids.

пома̀гам, помо̀гна гл. help, assist, aid; lend a (helping) hand (на to), give a hand; (материално) support, help; (облекчавам, за лекарства) relieve, be of help, do good; (парично, за държава) subsidize; ~ в нужда befriend; ~ за help in (c ger.), contribute to; ~ при (събиране на реколта и пр.) assist with.

пома̀звам, пома̀жа гл. smear, rub; книж., църк. anoint.

пома̀|к м., -ци; помакѝн|я ж., -и Bulgarian Mohammedan.

помежду̀ предл. between, in between.

по̀мен м., -и, (два) по̀мена 1. memorial service, commemoration; 2. (споменаване) mentioning, mention; • ни ~ от not the slightest trace of, not a rag/ vestige of; няма и ~ от there is no trace of, there is nothing left of.

помѐствам, помѐстя гл. 1. move, shift (a little way); budge; 2. (статия във вестник) publish; ~ реклама put in an advertisement/разг. an ad; 3. (смествам, намествам) find room/ place for, put in; || ~ ce 1. go in, fit in; 2. (отмествам се) move aside; (в отриц. изречение) budge; няма да се помѐстя нито крачка I will not budge an inch.

помеща̀вам се възвр. гл. be housed/ accommodated/located, be situated, be in; в тази сграда се помещават мно̀го кантори this building houses lots of offices.

помещѐни|е ср., -я (стаи) premises, room(s); (жилище) dwelling; багаж-но ~e luggage room; на ~ето on the premises; командно ~e control room; складово ~e storeroom.

помѝлвам₁ гл. caress, fondle, stroke (a little).

помѝлвам₂ гл. юр. (опрощавам) pardon, reprieve.

помѝнъ|к м., -ци, (два) помѝнъка means of livelihood/living; (занаят) occupation.

помирѐни|е ср., -я (сдобряване) rec-

onciliation; (примирение) resignation.

помирѝсвам, помирѝша гл. 1. smell, take a smell at; 2. прен. have a taste of.

помиря̀вам, помиря̀ гл. reconcile, make peace between; bring together; || ~ ce 1. be reconciled (c with, to), make o.'s peace (with s.o.); bury the hatchet; помиря̀ваме се (сдобрява-ме се) make it up; kiss and be friends; 2. (примиря̀вам се) reconcile o.s. (c to), put up (with).

помѝслям, помѝсля гл. think, think a little, think for a while; (размислям) think (over), consider, reflect (on); като то си помѝслиш on reflection; upon second thought; || ~ си think it over; ~ си (преди да извърша нещо) think twice (before c ger.); 1. (предполагам) think; като си помѝслиш (само) if you just think; 2. (погрижвам се за) think (за of c ger.), think (about), see (about); ~ си за утрешния ден take thought for the morrow.

помѝтам, помета̀ гл. 1. (мета) sweep (up), broom (up); 2. (отнасям - за буря, епидемии и пр.) sweep away/off; (разрушавам) wipe out, sweep away, raze to the ground; (власт и пр.) sweep away/aside; (покосявам) mow down.

помѝ|я ж., -и slops, swill, wish-wash, dish-water; rinsings; (за напитка) slipslop; (храна за прасе и други животни) hogwash; като ~я wishy-washy, sloppy; кофа за ~я slop-pail; хвърлям ~ята empty the slops.

помия̀р м., -и, (два) помия̀ра 1. mon-grel; (бездомно куче, котка) stray dog/ cat, alley cat; 2. прен. пренебр. (за човек) sl. alley cat/rat.

по̀мня гл., мин. св. деят. прич. по̀м-нил remember, keep/bear in mind; ни-що не ~ my mind is a complete blank; помни ми думата mark my words.

по̀мощ ж., -и help, assistance, aid; (при затруднение, опасност) back-ing up, книж. succour; (подкрепа) support; (облекчение) relief; (субси-дия) subsidy; (на бедни, постради-ли) relief; (на безработни) dole; ~и unemployment benefits; ~и relief funds; медицинска ~ medical attendance/aid; оказвам ~ help, render/give aid/help; парична ~ financial aid/assistance;

правна ~ legal assistance; сигнал за ~ мор. a distress signal; хуманитарна ~ humanitarian aid; • Господ да ти е на ~ God help you.

помо̀щни|к м., -ци; помо̀щниц|а ж., -и assistant, helper, help; mate, helpmate; (заместник) deputy; до-машна ~ца au-pair, help, maid-serv-ant; ~к-командир воен. second in command; assistant commander; ~к-съдия deputy judge; пръв ~к right-hand man.

по̀мп|а ж., -и pump; бензинова ~а авт. petrol pump, амер. gasoline pump; бутална ~а авт. reciprocat-ing-pump, piston-pump; въздушна ~а air-pump; пожарна ~а a fire-engine; смукателна ~а suction-pump; цилин-дър/корпус на ~а pump-barrel.

по̀мпам гл. pump; ~ вода pump (up) water.

помпо̀зност ж., само ед. pomposity, pompousness; turgidity, stodginess.

помпо̀н м., -и, (два) помпо̀на pom-pon.

помрача̀вам, помрача̀ гл. 1. darken, dim, obscure; overshadow; eclipse; (очи) dim, blear, blur; 2. прен. (съз-нание, живот и пр.) cloud, dull; trou-ble; cast a gloom (on); ~ бъдещето си darken o.'s future; || ~ ce darken; grow/ become dark/dim/obscure; умът му се помрачи his mind was troubled/af-fected; he became insane.

помрачѐние ср., само ед. mental derangement; temporary insanity.

помръ̀двам се, помръ̀дна се възвр. гл. stir, budge; move a bit; (за уши) twitch; не се помръ̀два it won't budge an inch.

помръ̀квам, помръ̀кна гл. 1. be-come gloomy/downcast; 2. (за небе) darken; lower; become dark/overcast.

помя̀там, помѐтна гл. (неволно) miscarry, have/suffer a miscarriage; (изкуствено) have an abortion; (за животно) drop, slip (o.'s calf/lamb/ foal etc.).

помя̀тан|е ср., -ия miscarriage, mis-birth; (изкуствено) abortion; (за жи-вотно) dropping, slipping.

понаку̀цвам гл. be a little lame, have a slight limp, limp a little.

понамирѝсвам, понамирѝша гл. smell slightly (на of); have a slight smell.

понамо̀крям, понамо̀кря *гл.* wet slightly; make slightly wet; **дъждът ни понамокри** we got a little wet in the rain; || ~ **се** (get) slightly wet.

понамръ̀щвам се, понамръ̀ща се *възвр. гл.* frown/scowl a little.

понапълнявам, понапълнѐя *гл.* put on/gain a little weight/flesh, grow a little stouter.

понастѝвам, понастѝна *гл.* catch a slight cold.

понастоя̀щем *нареч.* at present; for the time being; currently, nowadays.

поня̀сам, понеса̀ *гл.* **1.** (*за вятър, вода*) drag along, carry off, sweep away; (*за превозно средство*) bear off; **2.** (*вземам със себе си*) take (along), carry (along); **3.** (*търпя*) stand, endure, bear; sustain; (*не противодействам срещу*) tolerate, support, put up with; **не ми понася** *sl.* I can't hack it; **не** ~ (*дадено лекарство*) be allergic to; ~ **болки** bear/stand pain; ~ **загуба** suffer/sustain a loss; ~ **последствията** take/face/suffer the consequences; *разг.* face the music, pay the piper; || ~ **се 1.** sweep/sail/float/rush along; (*за коне*) rush off; **2.** *прен.* (*за звук, мълва*) spread, be heard.

понаучавам, понауча *гл.* pick up/learn a thing or two now and then; || ~ **се** get used (to *с ger.*).

понѐ *нареч.* at least; at any rate; leastwise, leastways; ~ **сега/този път** this once; **той е** ~ **60-годишен** he is every bit of sixty; he is sixty if he is a day.

понѐчвам, понѐча *гл.* start (да to *с inf.*); make, offer; **той понечи да ме удари** he made as if/though to strike me; **тя понечи да каже** she was about to say s.th.

по̀ни *ср.*, **-та** *зоол.* pony, nag.

понижа̀вам, понижа̀ *гл.* **1.** lower, reduce; debase; relegate (до to); (*служебно*) reduce in rank/status, declass, degrade, downgrade, demote; *sl.* kick downstairs; (*качество, стойност*) debase; ~ **гласа си** drop/lower/hush o.'s voice; [*муз.*] flatten; (*при пеене*) sing flat; || ~ **се** go down, drop, fall.

понижѐние *ср.*, *само ед.* lowering,

drop, fall; (*намаление*) reduction, cut; downgrading; (*на качество, стойност*) debasement; (*служебно*) demotion; ~ **на температурата/цените** a fall/drop in temperature/prices.

понѝквам, понѝкна *гл.* come up, spring up; grow; (*за семе*) germinate, germ, sprout, shoot; **поникна ми зъб** cut a tooth; **поникват ми мустаци** grow a moustache; **поникнала му е брада** he has grown a beard.

понѝчк|а *ж.*, **-и** *кул.* (large)doughnut; *амер.* donut.

поносѝмост *ж.*, *само ед.* tolerance, tolerability, tolerableness, compatibility, passableness.

понто̀н|ен *прил.*, **-на, -но, -ни** pontoon (*attr.*); ~**ен мост** pontoon bridge; float-bridge; ~**на рота** *воен.* pontoon company.

по̀нчо *ср.*, *само ед.* poncho.

поня̀кога *нареч.* sometimes, at times, occasionally, now and then, from time to time; ~ ... **друг път** sometimes ... sometimes, sometimes ... other times.

поня̀ти|е *ср.*, **-я** concept, notion, idea; *филос.* conception; **нямам** (*никакво*) ~**е от** have not the slightest idea/notion of; ~**е си нямам** I haven't a dot the foggiest; **разтегливо** ~**е** elastic/flexible term.

поозъ̀ртам се, поозъ̀рна се *възвр. гл.* look around quickly, look left and right quickly; have a quick look round.

поокопѝтвам се, поокопѝтя се *възвр. гл.* recover o.'s nerve somewhat, pull o.s. together somewhat.

поолѐквам, поолѐкна *гл.* be a little easier to (walk, carry etc.); **поолеква ми** feel better; feel relieved.

поопра̀вям, поопра̀вя *гл.* set (s.th.) to rights (hurriedly); ~ **косите си** tidy o.'s hair a little, run a comb through o.'s hair; || ~ **се** improve slightly; **той се пооправи** (*здравословно*) he's on the mend, he's getting a little better.

поосвежа̀вам, поосвежа̀ *гл.* refresh somewhat/a little.

поослу̀швам се, поослу̀шам се *възвр. гл.* listen attentively for a while.

поотдалеча̀вам се, поотдалеча̀ се *възвр. гл.* go some way, recede a certain distance, move away (a certain distance).

поотдѐлно *нареч.* singly, separately,

individually, one by one.

поотслабвам, поотсла̀бна *гл.* get (a little) thinner, lose a little weight; (*за шум, буря*) abate a little.

поохладнявам, поохладнѐя *гл.* (*за чувства*) cool, cool down (a little).

поощрѐни|е *ср.*, **-я** encouragement, stimulation; (*парично – на предприятие*) bounty.

поощря̀вам, поощря̀ *гл.* encourage; stimulate; lead on, bring on; (*в низости*) pander (**в** to).

поп *м.*, **-ове** *и* поп *м.*, **-ове**, (два) по-па **1.** (*католически, православен*) priest; (*протестантски*) parson; **2.** *карти* king; ~ **пика** king of spades; ● **върж**и ~**а, да е мирно селото** catch the troublemaker and all will be well; **ще плати като** ~ he'll pay like a Dutchman; he'll pay on the nail; he'll pay for it willy-nilly.

попа̀дам, попа̀дна *гл.* **1.** (*озовавам се, изпадам*) fall, get (**в** into); (*случайно*) fall among; (*в затвор и пр.*) land (in); ~ **в клопка/капан** be caught in a trap, walk/fall into a trap; ~ **в плен** be taken prisoner; ~ **под ударите на закона** fall foul of the law, run afoul of the law; **2.** (*улучвам*) hit; ~ **в целта** come/get/hit/strike home; *прен.* get home; **3.** (*натъквам се – на хора*) chance (**на** on), fall in (with), come across; (*на нещо*) find, lay o.'s hands (on), stumble (across), (*идея и пр.*) pick up, hit upon; ~ **на мина** (*за кола и пр.*) run into a mine; **4.** (*причислявам се*) belong; come; **това попада в друга категория** this comes under a different category; **5.** *в съчет.* **с каквото, което, дето и пр.: каквото ми попадне** whatever comes handy; whatever I can lay hands on.

попадѐни|е *ср.*, **-я** hit; ~**е на мълния** a stroke of lightning; **пряко** ~**е** direct hit.

попа̀р|а *ж.*, **-и 1.** sop(s); ~**а с мляко** milk-sops; **2.** *прен.* mess; ● **дробя/забърквам** ~**а** (*обикн. някому*) cause trouble (for s.o.), get (s.o.) into trouble; **каквато** ~**а съм си надробил, такава ще сърбам** I have made my bed and have to lie in it; **ял/сърбал съм му вече** ~**ата** *разг.* I have already suffered at his hands, I have burned my fingers already.

попа̀рвам, попа̀ря *гл.* (*с гореща во-да*) scald; (*запарвам*) steam; (*чай*) make, brew, infuse; (*за слана, студ и пр.*) frost, touch, nip, whither (*и прен.*); (*мановсам*) blacken, blight.

попечѝтел (-ят) *м.*, -и; **попечѝтел-к|а** *ж.*, -и trustee, guardian; custodian; **законен ~** (*при недееспособност*) next friend.

попечѝтелств|о *ср.*, -а guardianship, trusteeship; custody; (*на имущество*) trust; bailment; **завещавам под ~о** leave in trust; **нормативно ~о** constructive trust; **поставям под ~о** place in custody.

по̀пзвезд|а̀ *ж.*, -ѝ pop-star.

попѝвам, попѝя *гл.* **1.** (*за земя и пр.*) absorb, suck up/in, imbibe; (*вода*) take up; (*вода с парцал*) swab up; (*мастило с попивателна*) blot; (*с гъба*) soak up; (*за течност, боя – поема се*) soak in, sink in; **2.** *прен.* suck/drink in; ‖ **~ се** soak (**в** into), be absorbed (by).

попива̀тел|а *ж.*, -и (*хартия*) blotting paper.

попѝтвам, попѝтам *гл.* **1.** ask, inquire (**за** after, about); **те попитаха за вас** they inquired about you; **2.** (*искам разрешение*) ask; ask s.o.'s permission (to do s.th.).

попла̀в|к *м.*, -ци, (два) **попла̀въка** техн. float; **странични ~ци** (*на кану*) outrigger.

поплѝн *м.*, само ед. текст. poplin.

поплю̀вам *гл.*: **не си ~** stick at nothing, stand no nonsense; handle without mittens/gloves.

по̀пмузик|а *ж.*, -и pop-music.

попо̀в *прил.*: **~а лъжичка** зоол. tadpole; **~о прасе** зоол. mole-cricket (*Gryllotalpa vulgaris*).

поправѝтел|ен *прил.*, -на, -но, -ни correctional, corrective, correction (attr.); **~ен дом** reformatory; **~ен изпит** a supplementary examination, resit; амер. разг. make-up (examination); **~на мярка/средство** corrective.

попра̀вк|а *ж.*, -и correction; (*на конкретни неща*) repair(s); (*в закон и пр.*) amendment; (*на текст*) emendation; (*поправителен изпит*) resit; **давам обущата си на ~а** have o.'s shoes fixed/repaired; **списък на ~и** (*в книга*) corrigenda.

попра̀вям, попра̀вя *гл.* **1.** correct; righten; (*нещо развалено*) repair, put right, mend; (*откъм нрави*) reform, mend; (*граница*) rectify; (*грешка*) correct, set right, rectify; (*дата, закон*) amend; (*дреха*) alter, fix up; (*издание, мнение*) revise; (*писмени работи*) mark; (*несправедливост, зло*) repair, redress, set right, make good; (*книга, статия*) blue-pencil; (*текст*) emendate; **2.** (*привеждам в ред*) straighten, (*косата си*) smooth, tidy (o.'s hair); (*останал назад и пр. часовник*) set (to the correct time), put right, correct (**по** by); **3.** (*подобрявам*): **~ поведението си** mend o.'s ways, do better, turn over a new leaf, (*нравствено*) reform; ‖ **~ се 1.** correct o.s.; (*тръгвам по прав път*) mend o.'s ways, reform; (*подобрявам се*) improve; **2.** (*за време*) clear up, improve; **3.** (*възстановявам здравето си*) recover.

попрегъ̀рбвам се, попрегъ̀рбя се *възвр. гл.* begin to stoop, stoop slightly in walking; **баща ми вече се е попрегъ̀рбил** my father is already fairly bent with age.

по̀прищ|е *ср.*, -а path, walk of life, field; line; career, profession; **военно ~е** a military career; **литературно ~е** literary pursuits; literary field; **широко ~е** ample/wide field/scope.

популя̀ци|я *ж.*, -и population.

популѝз|ъм (-мът) *м.*, само ед. populism.

популя̀р|ен *прил.*, -на, -но, -ни popular (**сред** with); (*за музика и пр.*) разг. low-brow; **много ~ен** top of the pops; **~на музика** разг. pop (music); **ставам ~ен** become popular, gain in popularity, gain currency.

популяризѝрам *гл.* popularize, make popular; амер. разг. sell; ‖ **~ се** become popular, catch on.

популя̀рност *ж.*, само ед. popularity; vogue; currency, currentness; **добивам ~** become popular/fashionable/current/widespresd; catch on.

по̀пче *ср.*, -та зоол. goby (*Gobio, Gobius*).

попъ̀лвам, попъ̀лня *гл.* replenish, fill up (*и сбирка*); (*бланка, място, подробности*) fill in/амер. out, make out; (*загуба*) make up for; (*знания*) en-

rich, widen; (*неточен брой*) complete, make up; (*състава, екипажа на*) воен., мор. man; (*липса*) supply, remedy; **~ липси/празноти** supply deficiencies.

попъ̀лване *ср.*, само ед. replenishment; воен. (*с хора*) reinforcement; replacement; **~ на библиотека** completion of library funds; **~ на загуби** воен. replacement of casualties; амер. loss replacement.

попъ̀т|ен *прил.*, -на, -но, -ни (*за вятър*) fair, favourable, trade (attr.); (*за течение*) following; **~ен вятър** мор. forewind; авиац. tail-wind.

пор *м.*, -ове, (два) **по̀ра** зоол. polecat, fitch(et), foul marten, foumart (*Putorius putorius*); **воден ~** mink (*Putorius lutreola, vison*).

по̀р|а *ж.*, -и анат. pore.

порабо̀твам, порабо̀тя *гл.* do some work, work a little from time to time.

поравно̀ *нареч.* equally, in equal parts; **деля ~** divide into equal parts, divide fairly, share and share alike; **разпределям ~** average a loss.

порадѝ *предл.* because of, on account of, in view of, by reason of; through; for; **~ липса на средства/пари** for lack of funds/money.

пора̀ждам, породя̀ *гл.* raise, engender, breed, cause, give rise (to), arouse, originate, bring forth; call forth; **~ лоши отношения/чувства** breed ill blood; **~ съмнение** arouse suspicion; ‖ **~ се** arise, spring/start up, originate.

поражѐни|е *ср.*, -я **1.** defeat; debacle; reverse; амер. throw-down; **нанасям ~е на** defeat s.o.; check-mate; **претърпявам ~е** suffer a defeat/reverse, be defeated, разг. get/have the worst of it; get the knock; **приемам ~е без съпротива** take it lying down; **пълно ~е** rout; check mate; (*на империя и под.*) overthrow; **2.** (*повреда*) injury; **~я losses**; damage; **правя ~я на** work havoc with; **3.** мед. lesion, injury, damage.

поразведря̀вам се, поразведря̀ се *възвр. гл.* (*за време*) clear up a little; (*за човек*) refresh o.s., clear o.'s head.

поразѝтел|ен *прил.*, -на, -но, -ни striking; staggering; overwhelming, startling; stupendous; arresting; (*за нахалство*) breathtaking; (*за ефект и пр.*)

striking, electric; (*за успех*) spectacular, dazzling.

поразѝ|я *ж.*, -и damage; havoc (*и прен.*); (*детска лудория*) mischief; **правя** ~и play havoc (with); cause/work havoc; do damage (**сред** among); *разг.* break china; ● **на** ~**я** whole-sale; left and right; **пия на** ~**я** be a hard drinker/heavy drinker.

поразмѝслям (се), поразмѝсля (се) (*възвр.*) *гл.* think s.th. over, consider; **като поразмислих малко** (*промених решението си*) on second thoughts.

поразпѝтвам, поразпѝтам *гл.* ask a question or two, ask a few questions; ask/inquire here and there.

поразприка̀звам се *възвр. гл.* become a little more talkative; say a little too much.

поразтрѐбвам, поразтрѐбя *гл.* tidy up (a room) hurriedly/more or less.

поразхладя̀вам, поразхладя̀ *гл.* cool (s.th.) a little; || ~ **се** become/get a little cooler.

поразхо̀ждам се, поразхо̀дя се *възвр. гл.* take a stroll, go for a stroll.

поразя̀вам, поразя̀ *гл.* **1.** (*враг*) defeat, strike down, destroy; **2.** (*нанасям тежки повреди, щети*) damage, destroy; (*за студ, слана и пр.*) nip; *мед.* affect; **3.** *прен.* strike, overwhelm, startle, astound, stagger; give (s.o.) a fit, throw (s.o.) into a fit.

пора̀ствам, пора̀сна и пораста̀ *гл.* grow up/big; (*за растение, дърво*) grow tall; **дните пораснаха** the days have drawn out; **пораства ми брада** grow a beard; *прен.* fledge; (*увеличавам се*) increase; ~ **на ръст** grow in stature; ● **пора̀сна му работата** *разг.* he has become a big shot/a big wig, he's moved up in the world; **пора̀стват ми криле** feel elated, become enthusiastic, be filled with enthusiasm; feel as if one could fly.

порѐдиц|а *ж.*, -и (*марки*) series (*sg.*); (*от събития*) consecution; *комп.* sequence; **обучаваща** ~**а** training set; ~**а от преговори** round of negotiations.

по̀рест *прил.* spongiform; spongious; porous; poriferous; faveolate, favose; ~**а структура** cellular texture.

порѐчи|е *ср.*, -я *геогр.* river valley.

по̀рив *м.*, -и, (*два*) по̀рива impulse; spontaneous movement; ~ **на вятър**

blast, gust (of wind); flurry.

порица̀вам, порица̀я *гл.* censure, castigate, criminate, lash, blame, rebuke, reprehend (**за** for), reproach (**за** with), cry down, speak in reproof of; decry; reprobate, reprove.

порица̀ни|е *ср.*, -я reprimand, reprobation, reprehension, reproach; (*официално*) censure; decrial, castigation, crimination; **достоен за** ~**е** reprehensible; **заслужавам** ~**е** be blameworthy, deserve blame; **излагам някого на общественото** ~**е** hold s.o. up to public censure/execration.

порногра̀фи|я *ж.*, -и pornography, porn, smut; **твърда/мека** ~**я** hard-core/soft-core porn.

порногра̀фск|и *прил.*, -а, -о, -и pornographic; libidinous; blue, adult, smutty.

поро̀бвам, поро̀бя *гл.* enslave, bring into bondage; || ~ **се** work like a slave, become a slave (to s.th.).

поро̀бван|е *ср.*, -ия enslavement, subjection.

поро̀д|а *ж.*, -и breed, race.

породѝст *прил.* thoroughbred, pedigree (*attr.*), pedigreed; (*за куче, бик и пр.*) pure-breed.

поро̀|ен *прил.*, -йна, -йно, -йни torrential; **вали** ~**ен дъжд** the rain is coming down in torrents; it is raining cats and dogs; ~**ен дъжд** torrential/pelting rain, downpour, cloudburst, *разг.* drencher.

порозовя̀вам, порозовѐя *гл.* become rosy; (*за лице*) flush.

поро̀ищ|е *ср.*, -а a gully, flood bed, gulch.

поро̀|й (-ят) *м.*, -и, (*два*) поро̀я (*наводнение и прен.*) flood; torrent; (*течение*) debacle; (*проливен дъжд*) flood rain; downpour; *разг.* drencher; soaker; **внезапен** ~**й** cloudburst; ~**й от думи/писма** a flood of words/letters; ~**й от ругатни** a hail of abuse.

поро̀|к *м.*, -ци, (*два*) поро̀ка vice; (*физически недостатък*) defect; ● ~**к на сърцето** *мед.* valvular disease/lesion/defect.

поро̀ч|ен *прил.*, -на, -но, -ни vicious; depraved, wicked; whorish.

порт *м.*, -ове, (*два*) по̀рта *мор.* port, harbour.

по̀рт|а *ж.*, -и (*вратня*) (wooden) gate, gateway; ● **Високата** ~**а** *истор.*

the (Sublime) Porte.

порта̀л *м.*, -и, (*два*) порта̀ла *архит.* portal.

портатѝв|ен *прил.*, -на, -но, -ни portable; (*за компютър*) lap-held.

по̀ртвайн *м.*, *само ед.* port.

портиѐр *м.*, -и; **портиѐрк|а** *ж.*, -и door-keeper, gatekeeper; porter, janitor.

по̀рти|к *м.*, -ци, (*два*) по̀ртика *архит.* portico, atrium.

портмонѐ *ср.*, -та purse, wallet.

портока̀л *м.*, -и, (*два*) портока̀ла *бот.* orange.

портока̀лов и портока̀лен *прил.* orange (*attr.*); ~**а кора** orange peel.

портрѐт *м.*, -и, (*два*) портрѐта portrait; likeness, picture; effigy; ~ **в цял ръст** full-length portrait; ~ **по свидетелски показания** *юр.* identikit (picture); **рисувам** ~ **на някого** paint s.o.'s portrait.

портретѝст *м.*, -и; **портретѝстк|а** *ж.*, -и portrait painter, portraitist.

португа̀л|ец *м.*, -ци Portuguese; ~**ците** the Portuguese.

Португа̀лия *ж. собств.* Portugal.

португа̀лк|а *ж.*, -и Portuguese woman/girl.

португа̀лск|и *прил.*, -а, -о, -и Portuguese.

портфѐйл *м.*, -и, (*два*) портфѐйла wallet; pocket-book, note-case; (*министерски*) portfolio; **депозиран** ~ security portfolio; **инвестиционен** ~ investment portfolio; ● **министър без** ~ minister without portfolio.

пору̀твам, пору̀тя *гл.* damage, dilapidate.

пору̀чи|к *м.*, -ци *воен.* lieutenant, first lieutenant; ~**к летец** flying officer.

порфѝр *м.*, *само ед. минер.* porphyry; **гранитен/кварцов** ~ elvan.

порфѝр|а *ж.*, -и (*дреха на монарх*) purple, royal purple mantle.

порцела̀н *м.*, *само ед.* china, porcelain; (*неглазиран*) biscuit, bisque.

порцела̀нов *прил.* china (*attr.*), porcelaineous; ~**а глина** porcelain clay, kaolin; ~**и изделия** china.

порцио̀н *м.*, -и, (*два*) порцио̀на *воен.* ration, daily allowance.

по̀рци|я *ж.*, -и portion; (*вкъщи*) helping (of); serving; **половин** ~**я** a children's portion; ● **малка** ~**я** *прен.* small

fry/number/party.

поръбвам, поръбя *гл.* hem.

порък|а *ж.*, **-и** instruction, order; commission.

поръсвам, поръся *гл.* (*с вода и пр.*) sprinkle (**с** with); (*със захар и пр.*) dust, dredge, powder (with); ~ **със захар** sugar (a cake).

поръчвам, поръчам *гл.* order; (*възлагам*) tell, ask, commission; ~ **на** place an order with; ~ **такси** call a taxi(-cab).

поръчени|е *ср.*, **-я** errand, mission, commission; message; (*указание*) instructions.

поръчител (-ят) *м.*, **-и; поръчителк|а** *ж.*, **-и** guarantee, reference, guarantor; *юр.* surety; bondsman; voucher; *фин.*, *търг.* warrantor; ~ **за гаранция** voucher to warranty; **ставам** ~ go/become bail.

поръчителствам *гл.* vouch (**за** for), warrant (for); stand bail; go security/ bail; stand surety, give security (**на** for), *търг.* guarantee.

поръчк|а *ж.*, **-и** order; (*нещо възложено*) errand, commission; **изпълнявам ~и** (*за куриер*) run errands/messages (for); **момче за ~и** errand-boy, fetcher and carrier; **направен по ~а** made to order, *амер.* custom-made; custom-build; (*за облекло и пр.*) made to measure; bespoke; **обувки/автомобил по ~а** custom shoes/car; **правя ~а** place an order (**при** with).

поря *гл.*, *мин. св. деят. прич.* **порил** **1.** (*нещо шито*) rip; **2.** *прен.* (*вълни, море – за кораб*) cleave, plough, furrow.

порядък *м.*, *само ед.* order; **всичко е в пълен ~** everything is under control/ as it should be; everything is in apple-pie order; **от първи ~** *мат.* first-order; • **от ~а на милиони тонове** of the order of millions of tons.

порязвам (се), порежа (се) (*възвр.*) *гл.* cut (o.s.); • **порязаха го** *прен.* he was turned down.

посадк|а *ж.*, **-и** *биол.* implantation.

посаждам, посадя *гл.* plant, (*в саксия*) pot, (*фиданки*) plant out, (*семена*) put in.

посвенявам се, посвеня се *възвр.* *гл.* be ashamed; **не се** ~ have the face (да to).

посвещавам, посветя *гл.* **1.** devote (**на** to); give up (to); (*книга и пр.*) dedicate (**на** to); (*в тайна*) let, initiate (into); ~ **живота си** dedicate/consecrate o.'s life (**на** to); **2.** (*в орден и пр.*) consecrate (s.o. into); ~ **в рицарство** knight s.o., dub s.o. (knight); || ~ **се на** devote o.s. to, throw o.s. into.

посвещени|е *ср.*, **-я** dedication.

посвиквам, посвикна *гл.* (more or less) get used to s.th.

посев *м.*, **-и 1.** sowing; **семе за** ~ sowing-seed; **2.** (*обикн. мн.*) crops; sown fields; emblements; (*неожънати*) stand.

посегателств|о *ср.*, **-а** violation (**върху** of), encroachment (**върху** on), aggression, outrage (**върху** against); ~**о върху дете** child abuse; ~**о върху свободата/имота на** encroachment upon the liberty/property of.

Посейдон *м.* *собств.* *мит.* Poseidon, the Earthshaker.

посетител (-ят) *м.*, **-и; посетителк|а** *ж.*, **-и** visitor; (*редовен, на ресторант, хотел*) patron, regular customer; **редовен** ~ **на театрите** a regular theatre-goer; **случаен** ~ a chance/ an occasional comer/visitor.

посещавам, посетя *гл.* visit, call on; (*лекции, курс и пр.*) attend; (*често*) frequent; ~ **официално** pay an official visit (**на** to); **рядко посещаван** unfrequented.

посещени|е *ср.*, **-я** visit, call; (*официално, книж.*) visitation; (*на лекции и пр.*) attendance; **делово ~е** business visit; **ден за ~е** (*в болница*) visiting day; **официално ~е** (*на държавници*) state visit; ~ **е на добра воля** goodwill visit; **приятелско ~е** unofficial/social visit.

посинявам, посинея *гл.* turn/grow/ become blue.

посипвам, посипя *гл.* sprinkle, strew (**с** with); ~ **с прах** powder, dust; ~ **с пясък** sand; • ~ **главата си с пепел** *прен.* cover o.'s head with ashes.

посичам, посека *гл.* **1.** (*съсичам*) slay, sabre; (*обезглавявам*) behead; **2.** (*наранявам*) gash, slash; (*дърво със секира*) hew (down).

поскитвам, поскитам *гл.* **1.** roam about, wander (for a while); **2.** (*гуляя*) gad about.

поскъпвам, поскъпна *гл.* rise in price, become/grow dearer/more expensive; **животът поскъпва** the cost of living is going up.

поскъпване *ср.*, *само ед.* rise (**на** in the price/cost of); *икон.* appreciation; ~ **на живота** rise in the cost of living.

послани|е *ср.*, **-я 1.** message; *истор.* (*царско*) breve; **2.** (*писмо*) epistle.

послани|к *м.*, **-ци** *дипл.* ambassador (**в** to, in); **дипломат с ранг на** ~**к** ambassador at large; **извънреден и пълномощен** ~**к** ambassador extraordinary and envoy plenipotentiary.

после *нареч.* afterwards, then; (*по-късно*) later on; **и** ~? what then? **кога най-** ~ **ще дойде той?** when on earth will he come?

последвам *гл.* **1.** (*вървя след*) follow, go after; (*случвам се след*) supervene; ensue; (*като резултат*) result, be the result/consequence (of); ensue; **ако последва смърт** should death supervene; **2.** (*правя същото*) follow suit.

послед|ен *прил.*, **-на, -но, -ни 1.** (*непоследван от друг*) last; (*окончателен*) final; (*от двама споменати*) latter; **в** ~**ния** (*критичния*) **час** at the supreme moment; at the eleventh hour; **вървя** ~**ен** bring up the rear; **до** ~**ния момент** to the last; ~**на воля** *юр.* last will and testament; ~**ният му час настъпи** his time had come, his dying day had come, he was breathing his last; **2.** (*скорошен, най-нов*) recent; (*за новини*) red-hot; (*за мода, модел, издание и пр.*) new, newest; latest; *разг.* up-to-the-minute; **в** ~**но време** for some time past; recently, lately, of late; **3.** (*най-лош, най-долен*) lowest, worst; utmost, uttermost; ~**ен глупак** the world's greatest fool.

послед|ица *ж.*, **-и** *обикн. мн.* consequence, sequel, result, outgrowth; **естествена** ~**а** corollary; **имам за** ~**а** entail; ~**и** consequences, after-effects, aftermath; **условия, които са** ~**и от войната** conditions ensuant on the war.

последовател (-ят) *м.*, **-и; последователк|а** *ж.*, **-и** follower, adherent; (*ученик*) disciple.

последовател|ен *прил.*, **-на, -но, -ни 1.** (*който следва след друг*) consecutive, successive, successional; contiguous; *ел.* serial; ~**но свързване** el.

cascade/series connection; **2.** (*логичен*) consistent, coherent; logical; **3.** (*с твърдост в убежденията*) staunch, steady.

последователност *ж., само ед.* **1.** succession, successiveness, sequence; continuity; order; concatenation; **2.** (*логичност*) consistency, consecution; coherence; congruence, congruency; **3.** (*в убежденията*) staunchness.

последстви|е *ср., -я* consequence, sequel; effect, result; outcome, outgrowth, after-effect; (*отрицателно*) backlash; **далечни** ~я far-reaching results/effects/consequences; **жалбата му остана без** ~е no action was taken on his appeal, *разг.* his appeal was shelved; • **в** ~**е** subsequently.

послепис *м., само ед.* postscript, *съкр.* P. S.

послеслов *м., само ед.*; **послесло́ви|е** *ср., -я* epilogue, afterword.

посло́виц|а *ж., -и* proverb; saying; adage.

послужвам, послужа *гл.* serve, be of service/use; help; do; (*влизам в работа*) come in useful/handy; ~ **си** make use of; **това ще ни послужи** this will answer/serve our/the purpose, it will come in quite useful/handy.

послуша́ние *ср., само ед.* obedience; manageability, governability, governableness, tractability; conformableness, conformability, compliance, compliability; submissiveness; *книж.* duteousness.

послушвам, послу́шам *гл.* **1.** (*съвет*) listen (to s.o., to the advice of s.o.); take the advice; give ear to; (*подчинявам се на*) obey; **послушай ме!** take my advice! take my tip! listen to me! do as I tell you!; **2.** (*слушам известно време*) listen for a while.

послъгвам, послъжа *гл.* fib, tell fibs.

посо́к|а *ж., -и* direction; *геол.* (*на жила, пласт*) strike; **от всички** ~**и** from the four winds; **по** ~**а на слънцето** sunward; sunwise; ~**а на настъпление** *воен.* a line of advance; ~**ите на света** the four cardinal points.

посо́лств|о *ср., -а* *дипл.* embassy.

посоля́вам, посоля́ *гл.* salt, add salt to.

посо́чвам, посо́ча *гл.* indicate, point (at, to); (*име, адрес, библиография*) give; ~ **изрично** specify; ~ **някого за**

свидетел name s.o. as a witness, put s.o. in evidence; • ~ **някому вратата** show s.o. the door.

поспи́рам, поспра́ *гл.* stop, halt.

посра́мвам, посрамя́ *гл.* bring shame on, (*опозорявам*) disgrace; || ~ **се** cover o.s. with shame, disgrace o.s.; **не ce** ~ acquit o.s./do well.

посребря́вам₁, посребре́я *гл.* become like silver; (*за коса*) grey, turn grey; (*за морска повърхност и пр.*) silver over.

посребря́вам₂, посребря́ *гл.* plate/ coat with silver, silver-plate.

посре́д *предл.* in the middle of, (*всред*) in the midst of; ~ **бял ден** in broad/full daylight; ~ **нощ** in the dead of night; ~ **пътя** in mid-course.

посре́дни|к *м., -ци* mediator, intermediary; moderator; (*при преговори*) negotiator, go-between, honest broker, (*при продажба на имоти*) estate agent, land-agent, *амер.* realtor; (*комисионер*) middleman, factor; (*борсов*) broker, stock-broker; (*арбитър*) arbiter, arbitrator; *спорт., юр.* umpire; **работя/служа като търговски** ~**к** job.

посредни́ча *гл., мин. св. деят. прич.* **посре́дничил** mediate (between); (*уреждам спор*) arbitrate; (*при in*); *разг.* act as a go-between; ~ **в полза на някого** make intercession for s.o.

посре́дничеств|о *ср., -а* mediation, intermediation, intercession, agency; factoring; **чрез** ~**ото на някого** through s.o.'s mediation/agency, by the intercession of s.o.

посре́дствен *прил.* mediocre, inferior, undistinguished; indifferent, poor, mean, middling; below par; middlebrow; *амер.* tacky.

посре́дственост *ж., само ед.* mediocrity; meanness.

посре́дством *предл.* by means of, by/ through the medium of; through; by dint of.

посре́щам, посре́щна *гл.* **1.** meet, welcome; **2.** (*приемам гости*) receive; ~ **радостно и тържествено** *прен.* kill the fatted calf; ~ **сърдечно** give a warm/hearty welcome to (s.o.); ~ **хладно** give a cold reception (to); (*за предложение, план*) be well received, find favour (with s.o.); **3.** (*но-*

вина) receive; (*радостно събитие*) welcome; ~ **мъжки/храбро** (*събитие*) show a bold front to, put a bold front on it, carry it off, brave it out; **4.** (*задоволявам разноски, разходи и пр.*) meet, (*разходи и*) defray; ~ **нуждите си** cover o.'s needs; ~ **удар** receive a blow.

посръ́бвам, посръ́бна *гл.* **1.** take little sips (of); **2.** (*пия, пиянствам по малко*) be fond of a drink, be always nipping; bib; **посръ́бнал съм си** (*повечко*) have had a glass too many, be a bit tight/tipsy.

пост₁ *м., -ове, (два) по́ста* **1.** (*място, сграда*) post; **всички на** ~**а си!** every man to his post! **напускам** ~**а си** desert o.'s post; **отивам на** ~ *воен.* mount guard; ~ **на брегова служба** coast guard station; **преден** ~ outpost; **2.** (*лице*) *воен.* guard, sentry, sentinel; **кавалерийски** ~ a mounted sentry, vedette; **3.** (*висша длъжност*) post; **ръководен** ~ high office, leading position; **снемам от** ~ remove from office; • **телефонен** ~ telephone.

пост₂ *м., -и* *църк.* fast, fasting; **Велик** ~ Long Lent; **Коледен** ~ advent; **нарушавам** ~**ите** *разг.* break the fast.

поста́вк|а *ж., -и* stand; base, support; rack; (*за сушене на чинии*) plate-rack; (*за химикали*) standish; ~**а за саксии** flower stand; ~**а за чадъри** umbrella-stand.

поста́вям, поста́вя *гл.* **1.** put, place, rest, set; stand; plant; (*граници*) set (up), fix; (*грунд*) *техн.* ground; ~ **бомба** (*в самолет и пр.*) plant a bomb; ~ **дата на писмо** date a letter; (*звънец, телефон и пр.*) install; (*капан*) set, lay; ~ **караул** *воен.* post/station a guard; (*препинателен знак*) put; **2.** (*пиеса*) put up, produce, stage, mount, get up; bring a play on the stage; **пиеса, която се поставя** a play in/under rehearsal; • ~ **в зависимост от** make dependent on; ~ **въпрос за разглеждане** put/table a question for discussion (пред to); ~ **на карта** (*рискувам*) stake, hazard; ~ **натясно** *прен.* drive s.o. into a corner, corner s.o., bring s.o. to bay; ~ **условия** lay down terms.

поста́вяне *ср., само ед.* (*на пиеса*) production, staging; putting, setting;

право на ~ **на пиеса** stage-rights.

постамѐнт *м.*, **-и**, **(два) постамѐнта** *строит.*, *архит.* pedestal, base, plinth.

постано̀вк|а *ж.*, **-и 1.** *театр.* staging, production, setting; **~а на ... про-** duced by ..., а ... production; **2.** *(на въпрос)* formulation, treatment; **3.** *муз.* *(на глас)* training.

постановлѐни|е *ср.*, **-я** decree, enactment, measure; ordinance; fiat; *(на корпорация и пр.)* statute; **~е за фалит** bankruptcy order; **с министерско** ~**е** by government decree.

постановявам, постановя̀ *гл.* decree, enact; **както постановява законът** as by law enacted.

постара̀вам се, постара̀я се *възвр. гл.* try, endeavour, do o.'s best; take care; put o.'s best foot forward.

постаро̀му *нареч.* in the old way; as before; **всичко е** ~ nothing has changed, everything is as it was; there's nothing new.

постѐл|я и **постѐлк|а** *ж.*, **-и** bed, bedding; *(завивка)* covering, cover; *(за добитък)* litter.

по̀ст|ен *прил.*, **-на, -но, -ни 1.** lenten, meatless; **2.** *прен.* meagre, poor; *(за автор, лекция и пр.)* jejune; ~**но ядене** a vegetable dish, lenten fare; ● ~**на боя** distemper.

постепѐн|ен *прил.*, **-на, -но, -ни** gradual, step-by-step (*attr.*); gradational.

по̀стер *м.*, **-и**, **(два) по̀стера** poster, *разг.* pin-up.

постѝгам, постѝгна *гл.* reach, achieve, attain, effect, effectuate; get; *(компромис и пр.)* work out, arrive at; ~ **блясъкав успех** carry the day; make the grade; ~ **желанието си** have/obtain o.'s wish; ~ **победа** *спорт.* score a victory, win (a match, etc.); ~ **първия си успех** *разг.* break o.'s duck; ~ **споразумение** come to an agreement/ understanding, strike a bargain; *(след дълги разисквания)* hammer out an agreement; ~ **съгласие** reach an agreement; ~ **целта си** achieve o.'s end, gain o.'s end/object/purpose/point; get o.'s way; win through; ~ **чудеса** work wonders.

постижѐни|е *ср.*, **-я** achievement, attainment; effort; **бляскаво** ~**е** éclat;

голямо ~**е** *(за някого)* *разг.* a feather in o.'s cap; capstone.

постѝлам, постѐля *гл.* **1.** *(килим, легло, слама и пр.)* spread (out); ~ **някому** make up a bed for s.o.; ~ **с килим** carpet, cover with a carpet; **2.** *(застилам – за сняг, паднали листа и пр.)* cover, carpet; *(с цветя)* cover; *(със слама)* litter (down); *(с камъчета)* pebble; ● **каквото си постелеш, на такова ще легнеш** as you make your bed, so you will lie on it; **така си е постлал** *прен.* it is his own fault, he has only himself to blame.

по̀стимпресиониз|ъм (**-мът**) *м.*, *само ед.* *изк.* postimpressionism.

постѝхвам, постѝхна *гл.* *(за вятър)* abate, drop (somewhat); *(за викове)* die down.

по̀стмодерниз|ъм (**-мът**) *м.*, *само ед.* *изк.* postmodernism.

по̀стназал|ен *прил.*, **-на, -но, -ни** *език.* postnasal.

постов|ѝ (**-ѝят**) *м.*, **-ѝ** policeman/soldier on point duty.

по̀стоператѝв|ен *прил.*, **-на, -но, -ни** *мед.* postoperative.

постоя̀н|ен *прил.*, **-на, -но, -ни** constant, permanent; *(за вятър, климат; за увеличаване, намаляване)* steady; *(неизменен)* invariable, unchangeable, stable; *(за капитал)* fixed; *(за температура, население)* stationary; *(неизменчив)* steadfast, steady; even; *(непрекъснат)* unceasing, continuous; perennial; *(редовен, постоянно повтарящ се)* continual, perpetual; frequent; regular; *(дълготраен)* permanent; steady; *бот.*, *зоол.* persistent; *(за комитет, лагер, армия)* standing; *(за болка, недоволство)* nagging; ~**ен адрес** a permanent address; ~**на величина** *мат.*, *физ.* a constant (quantity), a fixed quantity; ~**но местожителство** residence; ~**на тема** an invariable/*разг.* a pet subject.

постоя̀нств|о *ср.*, **-а** constancy; perseverance; permanency; persistency; stability; steadfastness.

постоя̀нствам *гл.* persevere, *(упорствам)* persist (**в** in).

постра̀двам, постра̀дам *гл.* suffer (**от** from), be affected (**от** by), be hard hit (**от** by); *(бивам накърнен)* be im-

paired; *(катастрофирам)* have an accident; *(от пожар)* be damaged (by); *(изпащам си)* come to harm/grief; **растенията пострадаха от вятъра** the plants are touched with the wind.

постро̀йк|а *ж.*, **-и 1.** *(сграда)* building; *(голяма, претенциозна)* edifice; structure; ~**а без асансьор** walk-up building; ~**а само от желязо** an all-steel construction; *(действие)* construction, building; **2.** *прен.* fabric, structure.

построявам, построя̀ *гл.* build, construct, erect; *прен.* frame; *воен.* form (up); draw (up); *(изречение, триъгълник)* construct; *(ъгъл)* plot; ~ **мост над река** span a river with a bridge; ‖ ~ **се** *воен.* draw up, form.

по̀стскрѝптум *м.*, *само ед.* postscript, *съкр.* P. S.

по̀стструктуралѝз|ъм (**-мът**) *м.*, *само ед.* *филос.* poststructuralism.

по̀сттравматѝч|ен *прил.*, **-на, -но, -ни** *мед.* posttraumatic.

постула̀т *м.*, **-и**, **(два) постула̀та** *науч.* postulate.

постъ̀пвам, постъ̀пя *гл.* **1.** *(действам, държа се)* act; behave; *(по даден начин)* proceed (**при, в случай на** in); ~ **правилно** play the game; ~ **честно** play fair, be fair to s.o.; **2.** *(влизам)* ~ **в** *(училище, болница – като болен и пр.)* enter; *(в организация)* join; ~ **във войската/флотата** enrol in the army/navy; ~ **на военна служба** join the army, enlist for military service; **3.** *(за поща, документ)* come in; be received.

постъ̀пк|а *ж.*, **-и 1.** action, act, deed; proceeding; **2.** *само мн.* steps, representations (to); **правя** ~**и** *канц.* take steps; make representations (**пред** to).

постъплѐни|е *ср.*, **-я** receipt; *pl.* receipts, returns, revenues, incomings, proceeds.

постя̀ *гл.*, *мин. св. деят. прич.* **по̀стил** fast, keep the fast, keep lent; ● **през Великия пост** keep the Lent.

посъвѐтвам *гл.* advise, counsel, ask (s.o.'s) advice; ‖ ~ **се** seek advice/counsel (**с** from), ask advice (**с** of), take counsel (**с** with); talk things over (**с** with); ~ **се с** consult (s.o.) (**за** on).

посъ̀рвам, посъ̀рна *гл.* fade; wither,

droop; *прен.* become dejected; (*отслабвам*) become lean/haggard.

посърналост *ж., само ед.* cheerlessness, dejection, droopiness.

посявам, посѐя *гл.* sow; ~ **с овес** sow to oats; ● **каквото посееш, такова ще пожънеш** we reap as we sow.

посявка *ж., посѐвки биол.* culture.

посягам, посѐгна *гл.* **1.** reach out o.'s hand (**за** for); reach (for, after); (*да грабна*) make a grab for; grab at; **2.** (*опитвам се*) offer, try to; **3.**: ~ **да удяря** strike at s.o.; **4.** *прен.*: ~ **на** (*права, привилегии, свобода и пр.*) encroach/infringe/trench (up)on; ● ~ **на живота на** attempt s.o.'s life, make an attempt on s.o.'s life.

пот *ж., само ед.* sweat, perspiration; water; **облян в** ~ running/dripping with sweat; **с кървава** ~ *прен.* in blood and sweat.

потà|ен *прил.*, **-йна, -йно, -йни 1.** (*потулен*) secret, sneaky, secluded, remote; (*тайнствен, непознат*) impenetrable, inscrutable, mysterious; covert; stealthful; (*нелегален*) clandestine; **~йно място** secluded spot; **2.** (*за човек – скрит, мълчалив*) secretive, reticent, furtive; deep; **3.** (*за време – тайнствен*) mysterious, uncanny; **~йна среща** clandestine meeting; **4.** (*таен, задкулисен*) secretive, covert, surreptitious, hole-and-corner, cloak-and-dagger.

потайниче *ср., само ед. бот.* liverwort, stonebreak (*Hepatica triloba, Anemone hepatica*); London pride (*Saxifraga umbrosa*).

потàйност *ж.*, **-и** secrecy; mystery; sneakiness, stealthiness, surreptitiousness; clandestine character; covertness.

потàпям, потопя *гл.* sink; submerge; steep; dip, immerse; douse, dowse; *шотл.* dook, douk; (*кораб – преднамерено*) scuttle.

потвърждàвам, потвърдя *гл.* confirm, bear out; bear testimony (to); substantiate; (*съобщение*) fortify; support; vouch, warrant; (*присъда*) uphold; (*показания, теория*) corroborate; ~ **верността на** witness; ~ **получаването на** (*писмо*) acknowledge receipt of; || ~ **се** be confirmed/verified; (*за теория и пр.*) be corroborated, be borne out.

потвържденѝ|е *ср.*, **-я** confirmation; (*на теория*) corroboration; support; (*за получаване на писмо и пр.*) acknowledgement; **обратно ~е** (*на сигнал*) checkback.

потѐглям, потѐгля *гл.* set out, start (on a journey) (*за* for); march away/off/forth; (*за влак*) move off, pull out of the station, (*за кола*) set off, drive off.

потеклò *ср., само ед.* descent, lineage, origin, stock; line, stem; **от благородно/знатно** ~ of noble blood/lineage, a person of noble birth; **от селско** ~ of peasant stock; **от скромно** ~ of humble parentage, of mean birth; of low extraction.

потѐнтност *ж., само ед.* potency.

потенциàл *м., само ед.* potential (*и физ.*); **военен** ~ war potential.

потенциàл|ен *прил.*, **-на, -но, -ни** potential.

потенциомèт|ър *м.*, **-ри, (два)** потенциомèтъра *ел., техн., радио.* potentiometer, variable resistor; **автоматичен ~ър** self-balancing potentiometer; **еталонен ~ър** comparison potentiometer.

потѝр *м.*, **-и, (два)** потѝра *църк.* chalice, communion cup.

потѝскам, потѝсна *гл.* **1.** (*угнетявам*) oppress, keep down/under; hold down, grind down; bear hard on (s.o.); depress; **това ме потиска** it gives me (a fit of) the blues; it is a weight on my mind; **2.** (*чувство, желание*) repress, suppress, bottle up.

потѝснатост *ж., само ед.* depression; low spirits; megrims; *разг.* the blues.

потѝсни|к *м.*, **-ци; потѝсниц|а** *ж.*, **-и** oppressor, represser; tyrant, tyrannizer.

потѝчам, потекà *гл.* start running; **потекоха му лигите** his mouth watered; **сълзи потекоха по страните ѝ** tears streamed down her cheeks.

потни|к *м.*, **-ци, (два)** потника **1.** (*фланелка*) vest; **2.** (*на кон*) sweatcloth, saddle-cloth.

потò|к *м.*, **-ци, (два)** потòка **1.** stream, (water) course, (*по-малък*) brook, (*буен*) torrent; **на ~ци** (*за дъжд*) in torrents/showers/bucketfuls; **2.** *прен.* spate, flux; (*от думи, стоки и пр.*) flow; stream(s); tide; gush; **вхо-**

дящ и изходящ ~к (*от автомобили*) in-and-out traffic; **въздушен/газов ~к** air/gas flow; **~к от бежанци** a flood of refugees; **~к от хора** a stream of people; **~ци от кръв** streams of blood; ● **енергичен ~к** *физ.* flux; **~к на съзнанието** *лит., псих.* stream of consciousness; **случаен ~к** *комп.* random flow.

потòмств|о *ср.*, **-а** posterity; (*деца*) offspring, progeny; generation.

потòм|ък *м.*, **-ци; потòмк|а** *ж.*, **-и** descendant, heir.

потòн *м.*, **-и, (два)** потòна ceiling (*и авиац.*).

потòп *м., само ед. библ.* (*и прен.*) deluge, flood.

потопявам, потопя *гл.* **1.** sink, wreck; *разг.* send to the bottom; **~ кораб** sink/scuttle a ship; **2.** (*слагам под вода*) submerge, flood, inundate, deluge; swamp; **3.** (*топвам*) dip, steep, immerse (**в** in, into); || ~ **се 1.** (*за подводница*) submerge, dive; **2.** (*за човек*) dip, plunge; **3.** *прен.* be absorbed/lost/buried (**в** in).

потòч|ен *прил.*, **-на, -но, -ни** flow (*attr.*); **~ен метод** chain method; **~на работа** continuous operation; **~но производство** line/flow production.

потпỳри *само мн. муз.* potpourri, musical medley, pasticcio, olio; mosaic; cento.

потрàквам, потрàкам *гл.* rattle; (*за дъжд*) patter.

потрѐби *само мн.*: **домашни** ~ household articles.

потребѝтел (-ят) *м.*, **-и; потребѝтелк|а** *ж.*, **-и** consumer, user; **върховна власт на ~я** consumer sovereignty; **краен** ~ end user; final/ultimate consumer.

потреблѐние *ср., само ед.* consumption; ~ **на глава от населението** per capita consumption; **стоки за широко** ~ consumer goods.

потрѐбност *ж.*, **-и** need, necessity; necessities; requisiteness; **вътрешни ~и** aspirations, inner needs, spiritual needs.

потрѐпвам, потрѐпна *гл.* **1.** (*за дървета, храсти*) tremble; (*за пламък на лампа*) flutter, flicker; **2.** (*за човек – от страх*) quail, wince, twitch, start, flinch, blench (**при** at); (*от ра-*

дост) flutter.

потрѐпван|е *ср.*, **-ия** twitch, wince.

потрѐсвам, **потресѐ** *гл.* stun, shock, shake; give s.o. a shock.

потрѝвам, **потрѝя** *гл.*: ~ **ръце** rub o.'s hands; exult; || ~ **се** loiter, linger; **не се потривай!** be quick about it! look sharp!

потрѝсам, **потресѐ** *гл.* horrify, terrify, shock, shake; give s.o. a shock/fit; throw s.o. into fits; **това доста ме потресе** it gave me a bit of a jolt/shock.

потро̀пвам, **потро̀пам** *гл.* knock; rap; ~ **с крак** stamp o.'s foot.

потрошàвам, **потрошà** *гл.* **1.** break (many things); smash; **2.** *прен.* (*пари*) spend, drop.

потру̀двам се, **потру̀дя се** *възвр. гл.* do some work; bestir o.s.; take trouble/pains (over s.th.); try and do s.th.

потрѐгвам, **потрѐгна** *гл.*: **в началото потрѐгна** things went well at first; **потрѐгва ми** have a run of luck.

потрѐпвам, **потрѐпна** *гл.* shudder, shiver (**от** with); (*за мускул и пр.*) twitch.

потрѐпван|е *ср.*, **-ия** shudder.

поту̀лвам, **поту̀ля** *гл.* conceal, cover up, whitewash; cloak; (*премълчавам*) hush up, suppress; draw a veil over.

поту̀лване *ср.*, *само ед.* cover-up, whitewash.

поту̀пвам, **поту̀пам** *гл.* **1.** (*по рамо, гръб*) pat; tap; **2.** *разг.* (*бия*) spank, give a spanking to.

потурчвам, **потурча** *гл.* **1.** convert to Mohammedanism; **2.** *прен.* pinch, *амер.* maverick; || ~ **се** turn Turk, adopt Mohammedanism.

потушàвам, **потушà** *гл.* **1.** (*пожар*) put out, extinguish, bring under control, keep under, subdue; get (a fire) under; **2.** (*въстание*) crush, suppress, repress, quell, keep down/under; bring under control; *разг.* squash, squelch.

потушàване *ср.*, *само ед.* extinguishment; suppression, repression, crushing.

потъвам, **потъна** *гл.* **1.** (*за кораб, камък и пр.*) sink, go down; (*за подводница*) submerge; be engulfed; ~ **в морето** be lost at sea; (*в кал, сняг, пясък; сън*) sink into; **2.** *прен.* be lost/absorbed (in); ~ **в зеленина** be buried in greenery/verdure; ~ **в земята** sink into the ground (**от срам** with shame); • **потъна вдън земя** he has gone to earth.

потъмнявам, **потъмнѐя** *гл.* **1.** grow dark/dim, darken; film over; (*за метал*) tarnish; (*за небе и*) overcloud, darken, lour, grow sombre; (*за цвят*) deepen; *прен.* (*за лице*) darken, lower, lour; grow sullen/sombre; **2.** *фон.* (*редуцирам се*) be darkened/reduced.

потъмнява̀н|е *ср.*, **-ия** darkening; tarnishing; *фон.* reduction.

потъпквам, **потъпча** *гл.* **1.** trample on, tread down; trample underfoot; (*въстание и пр.*) stamp out, quell, stifle, suppress, overbear, squelch, squash; **2.** (*не зачитам*) scorn, defy, violate, run/ride roughshod over; **3.** (*сподавям*) suppress.

потъпкване *ср.*, *само ед.* trampling on/upon, repression, suppression; violation.

потърсвам, **потърся** *гл.* look for, ask for, seek; try to find; (*в указател, речник*) look up; ~ **правата си** claim o.'s rights ~ **сметка от някого** (*и прен.*) bring s.o. to book/account.

потя се *възвр. гл.*, *мин. св. деят. прич.* **потѝл** be sweat, perspire; (*за стъкло*) be dim/steamy.

поу̀к|а *ж.*, **-и** lesson; (*заключение на басня*) moral; **извличам ~а** learn/draw a lesson (**от** from).

поумнявам, **поумнѐя** *гл.* grow/become wiser, come to o.'s senses.

поучèни|е *ср.*, **-я** instruction, lecturing; precept, lesson; *ирон.* edification.

поучѝтел|ен *прил.*, **-на**, **-но**, **-ни** instructive, edifying; didactic.

похабявам, **похабя** *гл.* waste, spoil; take the bloom off; (*затъпявам*) blunt, take the edge off; *прен.* (*развалям, разстройвам*) be the ruin of, blunt (s.o.); || ~ **се** crock (up), go to waste, *разг.* go down the drain.

похапвам, **похапна** *гл.* have a bite, take a snack; have a hasty/sketchy meal; **ще похапнем, каквото дал Господ** we'll have/take pot luck; || ~ **си** enjoy o.'s food, be a great eater; **хубавичко си** ~ have a good feed, feed o.'s face.

похарчвам, **похарча** *гл.* **1.** spend (all o.'s money); **2.** sell, dispose of (all one has to sell).

похвàл|а *ж.*, **-и** praise, (*официална*) commendation; (*похвално слово*) encomium, eulogy, panegyric, laudation; *разг.* a pat on the back; **сипя ~и** be lavish in/of praises.

похвàлвам, **похвàля** *гл.* **1.** praise, speak favourably of; commend; **2.** praise occasionally; || ~ **се** boast, brag (**с** of, about); **мога да се похваля с** have to o.'s credit; **с какво ще се похвалиш?** what is new with you? what's your news?

похвàт *м.*, **-и**, (*два*) **похвàта 1.** (*умение*) skill, knack, dexterity; **имам ~ за** be skilled in, have a knack for; **нямам ~** be clumsy/awkward, have not got the right approach; **2.** (*начин*) method, way; **търговски ~и** salesmanship; style; **3.** (*средство*) device; technique; mechanism; trick; **художествени/поетически ~и** artistic devices, literary/poetic devices.

похитѝтел (**-ят**) *м.*, **-и** ravisher; kidnapper; (*на самолет, автобус*) hijacker; (*на власт*) usurper; (*на жена*) abductor, rapist; (*на деца*) child mobster.

похищàвам, **похитя** *гл.* ravish, kidnap; outrage; (*жена*) rape; abduct.

похищèни|е *ср.*, **-я** ravishment, abduction; kidnapping; hijacking.

похлупà|к *м.*, **-ци**, (*два*) **похлупàка** lid, (dish-)cover; **стъклен ~к** bell-glass, glass-cover; • **под стъклен ~к** in cotton wool; **слага на всяко гърне ~к** he always wants to have the last word.

по̀ход *м.*, **-и**, (*два*) **по̀хода 1.** march; **2.** *воен.* campaign (**против** against); **заповед за ~** *воен.* marching orders, route; **кръстоносен ~** *истор.* crusade; **на ~** on the march; **3.** (*организирано посещение*) excursion (до to).

по̀ход|ен *прил.*, **-на**, **-но**, **-ни** march (*attr.*); marching; field (*attr.*); route (*attr.*); camp (*attr.*); **~на кухня** travelling kitchen, *амер.* field kitchen; *sl.* soup kitchen; **~но легло** camp-bed; stretcher; **~но снаряжение** field kit.

похо̀дк|а *ж.*, **-и** walk, gait, step; (*носене*) deportment; **лека ~а** light/tripping step, airy tread.

похождѐни|е *ср.*, **-я** adventure, exploit.

похотлѝв *прил.* lascivious, lubricious, sensuous, salacious, lewd, lustful, libidinous; voluptuous, whorish, prurient; carnal-minded; fleshly; lecherous; concupiscent; ~ **поглед** leer; ~**и мисли** wanton thoughts.

похотлѝвост *ж., само ед.* lechery, licentiousness, sensuality, lasciviousness, lubricity, lewdness, lustfulness, concupiscence, prurience; fleshliness; voluptuousness, animalism.

поцинко̀вам *гл.* zinc, coat with zinc; galvanize.

поцинко̀ване *ср., само ед.* galvanization, galvanizing; **електролитно** ~ zinc plating.

по̀чв|а *ж.,* -**и** soil; ground (*и прен.*); **варовита** ~**а** calcerous soil; **плодородна** ~**а** fat/rich/fertile soil; **рохкава** ~**а** mould; • **болест на нервна** ~**а** stress disease; **загубвам** ~**а под краката си** get out of o.'s depth; feel the ground slipping from under o.'s feet; the soil is crumbling away under o.'s feet; **на местна** ~**а** on a local basis, locally; **подготвям** ~**ата за** pave/ smooth the way for; prepare the ground for.

по̀чвам, по̀чна *гл.* begin, start, commence (**да** *с ger.,* **то** *с inf.*); get going; get under way; (*за училище*) set in; (*за сезон, епоха*) set in; ~ **да действам** (*за сила и пр.*) come into play; ~ **като** begin as; ~ **от нищо** start from scratch, build from the ground up; ~ **отново** (*след прекъсване*) resume; ~ **преговори** enter into/upon negotiations.

почвообработвàтел|ен *прил.,* -**на**, -**но,** -**ни** soil-cultivation (*attr.*).

почервенявам, почервенèя *гл.* redden, (*от вълнение*) blush, (*от силно движение*) flush, turn red; (*за небе и пр.*) glow, loom red; ~ **от срам** flush/ blush with shame; ~ **от яд** get purple in the face with anger, flame with anger.

по̀чер|к *м.,* -**ци,** (**два**) **по̀черка** handwriting, hand; **грозен** ~**к** cacography; **едър** ~**к** round hand; **красив** ~**к** calligraphy.

почернявам, почернèя *гл.* become black, blacken (**от** with); (*от слънце*) tan, get/become brown sunburnt; (*за небе*) be black (with); **лесно** ~ tan eas-

ily; **мъчно** ~ not tan easily; **хубаво си почернял** you have got a nice tan.

почèрням, почèрня *гл.* **1.** blacken (s.th.), make/turn black; **2.** *прен.* ruin s.o.'s life, plunge s.o. in distress; **3.** (*злословя*) defame, vilify.

почèрпвам, почèрпя *гл.* **1.** treat s.o. (**с** to), (*в пивница и пр.*) stand (**някого нещо** s.o. s.th.); **2.** (*вода и пр.*) draw; **3.** *прен.* (*сведения и пр.*) obtain, get; (*поука и пр.*) draw; ~ **опит от някого** draw on s.o.'s experience; || ~ **се: хайде да се почерпим** let's have a drink; what about having a drink?

почèрпк|а *ж.,* -**и** treat.

почèсвам, почèша *гл.* scratch (a little); || ~ **се** (*по*) scratch; ~ **се по главата** (*недоумявам*) scratch o.'s head (over s.th.); • ~ **езика си** *прен. разг.* indulge in idle talk, gossip.

по̀чест *ж.,* -**и** honour; **вземам за** ~ present arms; **за** ~! *воен.* at the salute; **оказвам** ~**и на** pay honours to; **последни** ~**и** funeral/last honours; ~**и** honours.

по̀чет|ен *прил.,* -**на,** -**но,** -**ни 1.** (*ползващ се с почит*) honourable, respectable, estimable, (*за възраст*) venerable; ~**ен гост** guest of honour, chief guest; **2.** (*избран в знак на почит*) honorary; ~**ен гражданин** honorary citizen/freeman (**на** of); ~**но звание** honorary title/degree; ~**но място** place of honour; • **държа на** ~**но разстояние** keep s.o. at arm's length, hold/ keep s.o. at bay.

почѝвам, почѝна *гл.:* ~ **си** rest, have/take a rest; relax; (*по-продължително*) take a holiday; (*не работя*) break from work; lie by; (*разпускам*) *разг.* put one's feet up; **2.** (*за покойник*) rest, lie; (*умирам, само св. вид*) die; *разг.* pass away; (*на надгробен камък*) тук почива ... here lies (the body of) ...; • ~ **върху нещо** *книж.* rest on, repose on; be grounded/founded on/upon; ~ **на лаврите си** rest on o.'s laurels, lie/rest on o.'s oars.

почѝв|ен *прил.,* -**на,** -**но,** -**ни:** ~**ен ден** rest day, a day off; ~**ен дом,** ~**на станция** holiday home/house.

почѝвк|а *ж.,* -**и** rest; repose; respite; (*прекъсване*) break; time-out; **без** ~**а** untiringly, without rest, nonstop; **не зная що е** ~**а** know no rest.

по̀чин *м.,* -**и,** (**два**) **по̀чина** initiative; **по свой собствен** ~ on o.'s own initiative.

почѝствам, почѝстя *гл.* clean (up); (*стая, къща*) turn out; (*чрез търкане*) burnish, furbish (up); (*маса*) clear; (*ръб, при шев*) overcast; (*от мини и пр.*) sweep (for mines); (*с водна струя*) hydroblast.

почѝстван|е *ср.,* -**ия** cleaning; cleansing, clearing; (*с шкурка*) sanding; (*с гъба*) sponge-down; **основно** ~**е** spit and polish.

по̀чит *ж., само ед.* respect, esteem; deference; regard; reverence, veneration; worship; honour; **на** ~ in esteem/ favour (**у** with); **от** ~ **към** out of deference to; **отдавам** ~ **на** pay tribute to, render homage to; **с** ~ (*в писмо*) yours faithfully.

почѝтам, почетà *гл.* honour, respect, revere, esteem; pay/do homage to; hold in reverence; (*ядене*) do justice to; ~ **с мълчание паметта на** stand in silence in memory of; ~ **с присъствието си** honour with o.'s presence.

почитàни|е *ср.,* -**я: моите** ~**я!** my compliments; **поднасям** ~**ята си** pay o.'s respects (**на** to), pay tribute to.

почитàтел (-**ят**) *м.,* -**и; почитàтел**|**к**|**а** *ж.,* -**и** admirer; lover; worshipper, venerator.

почтèн *прил.* **1.** respectable, reputable, estimable, honourable; ~ **гражданин** worthy citizen; **2.** (*за възраст*) venerable, patriarchal; **човек на** ~**а възраст** elderly person, person well advanced in years; **3.** (*нравствен*) honest, upright, loyal; straight, orderly; **4.** (*голям, значителен*) considerable.

почтèност *ж., само ед.* respectability, reputability, decency, uprightness, correctness.

почтѝтелност *ж., само ед.* respect, respectfulness, reverentness, deference.

почу̀вствам *гл.* feel; have the feeling, (*разбирам*) realize, become aware (of **с** *ger.*); **тя почувства огромно облекчение** relief flooded through her, she was flooded with relief; || ~ **се** feel.

почу̀да *ж., само ед.* wonderment, wonder, amazement.

почу̀двам, почу̀дя *гл.* astonish, amaze; || ~ **се** be astonished/amazed, wonder.

почу̀квам, почу̀кам *гл.* knock, tap (**на** on, at); *мед.* percuss; **той почука силно** he gave a loud knock.

пошегу̀вам се *възвр. гл.* joke, jest; say/do s.th. for a joke, say/do s.th. by way of a joke; **той не може да не се пошегува** he must have his little joke; **човек не може да се пошегува с него** he can't take a joke, he's touchy.

пошѐпвам, пошѐпна *гл.* whisper.

по̀шлост *ж.*, **-и** commonplaceness, banality, triteness.

пошу̀швам, пошу̀шна *гл.* whisper; **пошушват си нещо на ухо** they whisper s.th. to each other.

пощ|а̀ *ж.*, **-и** post; (*кореспонденция*) post, *амер.* mail; (*пощенска станция*) post office; (*време на разнасяне*) delivery; (*вагон*) mail van, mail car; **въздушна ~а** air mail; **гласова ~а** voice mail; **електронна ~а** e-mail; **обикновена ~а** ordinary/*амер.* regular/surface mail; **по ~ата** by post, through the post, *амер.* by mail; **с бърза ~а** by special/*амер.* express delivery; **с обратна ~а** by return post/mail.

пощада *ж.*, *само ед.* mercy; **без ~** without mercy; mercilessly; **моля за ~** beg for o.'s life, cry/ask for mercy.

пощаджи|я *м.*, **-и** postman, letter-carrier; *амер.* mailman.

пощадя̀вам, пощадя̀ *гл.* spare; have mercy on.

по̀щенск|и *прил.*, **-а, -о, -и** post (*attr.*), postal, mail (*attr.*); postage (*attr.*); **~а картичка** postcard; **~а кутия** (*за писма до поискване*) post office box, *съкр.* P. O. B.; (*частна*) letter box, *амер.* mail-box; **~и гълъб** carrier pigeon, homing pigeon; **~и запис/превод** money/postal order; **~и клон, ~а станция** (branch) post-office; **~о клеймо/печат** postmark.

пощуря̀вам, пощуря̀я *гл.* go crazy; **~ да** take it into o.'s head to.

по̀щя *гл.*, *мин. св. деят. прич.* по̀щил louse, delouse, clean from lice; *прен.* comb.

поя̀ *гл.*, *мин. св. деят. прич.* поѝл 1. (*животно*) water; 2. (*напоявам*) irrigate, water; 3. *разг.* (*гости с вино, ракия*) wine; ● **гостили ги, поили ги** they were dined and wined.

поя̀ва *ж.*, *само ед.* appearance, advent.

появя̀вам се, появя̀ се *възвр. гл.* 1. appear, come/heave into view/sight; come forward; make o.'s appearance; show up; emerge; (*изведнъж, за нещо голямо*) loom into sight; **~ на пазара** come into the market; (*за плодове, зеленчуци*) come in season; **~ отново на сцената** stage a come-back; 2. *прен.* arise; spring up.

пойлни|к *м.*, **-ци**, (**два**) пойлника *техн.* soldering-iron; copper-bit; (*поялна лампа*) soldering/brazing lamp; blowlamp, blowtorch, torch.

по̀яс *м.*, **-и**, (**два**) по̀яса 1. belt, girdle; waist-band, waist-belt; (*за украшение*) sash; 2. (*кръст*) waist; (*за дълбочина*) waist-deep, waist-high; **трева до ~а** waist-high grass; 3. *анат.* girdle; cingulum; **преден/раменен ~** pectoral/shoulder girdle; 4. *геогр.* zone, belt; **полярен/умерен/тропически, горещ ~** a frigid/temperate/torrid zone; **часови ~** time zone; ● **разпасвам ~а си** run riot; ride the high horse, throw o.'s weight about; let o.s. go, ride roughshod; **спасителен ~** life-belt, cork-jacket, cork-vest.

пояснѐни|е *ср.*, **-я** explanation; illustration, elucidation, explication; **в ~е на** in illustration of.

поясня̀вам, поясня̀ *гл.* explain, *книж.* explicate; elucidate; illustrate (**с** by); throw light upon; **~ чрез примери** exemplify, illustrate; || **~ се** make o.s. clear.

пра̀ба̀б|а *ж.*, **-и** great-grandmother.

пра̀бъ̀лгарин *м.*, **пра̀бъ̀лгари** proto-Bulgarian.

пра̀бъ̀лгарск|и *прил.*, **-а, -о, -и** proto-Bulgarian.

прав *прил.* 1. (*без извивки*) straight; unbent; rectilinear, rectilineal; (*изправен*) upright, erect; (*неседнал*) standing; unseated; (*за яка*) stand-up; **по ~а линия** in a direct/straight line; **как the crow files**; **под ~ ъгъл** at right angles (to); **~ ток** *ел.* a direct/continuous/unidirectional current; **с ~и рамена** square-shouldered; **стоя ~** stand; 2. *прен.* (*който има право; правилен*) right; **влизам в ~ия път** (*за престъпник и пр.*) go straight; **на ~ път съм** be on the right track (*и прен.*); **~ съм** be right/in the right; 3. *прен.* (*справедлив, законен*) right; rightful;

● **~ти път** nobody is keeping you; good riddance.

пра̀в|а *ж.*, **-и** *геом.* straight line.

пра̀вда *ж.*, *само ед.* 1. justice; 2. truth, reality; **жизнена ~** reality; **умирам за ~** die in a good cause.

правдѝв *прил.* 1. (*верен, точен*) truthful, veracious; true to life; life-like; 2. (*справедлив*) just, fair, upright.

правдоподо̀б|ен *прил.*, **-на, -но, -ни** likely; (*вероятен*) probable, feasible, plausible; verisimilar; **~но извинение** colo(u)rable excuse.

пра̀вед|ен *прил.*, **-на, -но, -ни** 1. just, righteous; 2. *църк.* pious.

пра̀в|ен *прил.*, **-на, -но, -ни** 1. (*от областта на правото*) legal, law (*attr.*); **от ~на гледна точка** legally speaking; **~ен факултет** a law faculty; **~ни науки** law, jurisprudence; 2. (*основан на право*) lawful, rightful.

пра̀вил|ен *прил.*, **-на, -но, -ни** 1. (*прав, верен*) right, correct, true; 2. (*редовен, закономерен; съразмерен*) regular; **~ни черти на лицето** regular features; (*за дроб*) proper.

пра̀вилни|к *м.*, **-ци**, (**два**) пра̀вилника rules, regulations; statutes, statute-book; **~к за вътрешния ред** interior regulations; **~к за движението** traffic ordinance.

пра̀вилно *нареч.* correctly; (*за разбиране*) rightly; **постъпвам ~** do the right thing; ● **съвсем ~** that's right enough.

пра̀вил|о *ср.*, **-а** rule (*и език.*); (*принцип*) principle, norm; **изключение на ~о** exception to a rule; **процедурно ~о** standing rule; **спазвам ~ата** play the game; (*при игра и пр.*) cheat; ● **по ~о** as a rule, usually.

правѝст *м.*, **-и** jurist; lawyer; (*студент по право*) law student; student in law.

правѝтелствен *прил.* governmental, government (*attr.*); **~а болница** hospital for government officials; **~а криза** cabinet crisis.

правѝтелств|о *ср.*, **-а** government.

пра̀вну̀|к *м.*, **-ци** great-grandson; **~ци** great-grandchildren.

пра̀в|о₁ *ср.*, **-а** 1. right (**на** to, **с** *ger.*, **над** over); title (**на** to); **авторско ~о** *юр.* copyright; **в ~ото си съм** be within

o.'s rights (да то, in *c ger.*); възстановявам ~ата на restore s.o. to his rights; давам ~о на някого entitle s.o. to (*c inf.*); ~à rights, (*пълномощия*) powers; entitlements; ~ата на човека human rights; ~о на гласуване, избирателно ~о right to vote, elective franchise; suffrage; ~о на давност *юр.* prescription, prescriptive right; **с** ~о with good reason, with truth, rightly, fairly reasonably; 2. (*наука*) law, jurisprudence; гражданско ~о civil/common law; доктор по ~о a doctor of law; наказателно ~о criminal law; следвам ~о study law, study/read for the bar; 3. (*справедливост, правда*) justice.

пра̀во₂ *нареч.* 1. (*в права посока*) straight, direct; right, bang; гледам ~ **в** очите look (s.o.) full in the face; 2. (*направо в целта*) fair and square; *sl.* caplump, caplunk; (*направо към целта; без заобикалки*): попадам ~ **в** целта hit the mark/the bull's eye.

правовѐр|ен *прил.*, -на, -но, -ни 1. orthodox; 2. *като същ.* true believer; Mohammedan; ~ните the faithful.

правовѐрност *ж.*, *само ед.* orthodoxy.

правогòвор *м.*, *само ед.* orthoepy.

правоимàщ *прил.* 1. entitled (to); competent; 2. *като същ.* *юр.* rightful claimant.

праволинѐ|ен *прил.*, -йна, -йно, -йни 1. rectilinear, rectilineal; 2. *прен.* undeviating, straightforward; right-minded.

праволинѐйност *ж.*, *само ед.* straightforwardness, straightness.

правомѐр|ен *прил.*, -на, -но, -ни in conformity with the law; legal, lawful.

правомѐрност *ж.*, *само ед.* legality, legitimacy, conformity with the law.

правомòщи|е *ср.*, -я authority; явно ~е ostensible authority.

правонарушѐни|е *ср.*, -я tort; *юр.* breaking/infringement/transgression of the law; offence; наказуемо ~е punishable offence; съществено процесуално ~е infringement of an essential procedural requirement.

правонарушѝтел (-ят) *м.*, -и tortfeasor; *юр.* lawbreaker, offender, trespasser; delinquent; transgressor/infringer of the law; wrong-doer.

правоотношѐни|е *ср.*, -я relations; трудови ~я employment relations, industrial relationship.

правопѝс *м.*, *само ед.* *език.* orthography, spelling; владѐя ~а spell correctly, be good at spelling.

правопѝс|ен *прил.*, -на, -но, -ни spelling (*attr.*), orthographic; ~на грешка a spelling mistake, an orthographic error, a graphic error.

правораздàване *ср.*, *само ед.* *юр.* jurisdiction, administration of justice/law; лѝпса на ~ want of jurisdiction.

правослàв|ен *прил.*, -на, -но, -ни 1. (Greek) Orthodox; Православната църква the Orthodox Church; 2. *като същ.* member of the Greek Orthodox Church.

правоспосòб|ен *прил.*, -на, -но, -ни *юр.* (legally) competent, qualified; certified, licensed, registered; ~ен счетоводител chartered accountant.

правоспосòбност *ж.*, *само ед.* *юр.* capacity, legal capacity; qualification; (*компетентност*) competence; документ за ~ certificate of qualification, proof of ability.

правостоя̀щ *прил.* 1. standing; 2. *като същ.* *разг.* strap-hanger, *амер.* standee; място за ~и standing room/space; пътувам ~ strap-hang.

правосъ̀д|ен *прил.*, -на, -но, -ни juridical.

правосъ̀дие *ср.*, *само ед.* justice; заблуждаване на ~то perverting the course of justice; раздавам ~ administer justice, administer the law.

правотà *ж.*, *само ед.* rightness; correctness; (*справедливост*) justice.

правоъ̀гъл|ен *прил.*, -на, -но, -ни *геом.* rectangular, right-angled; orthogonal.

правоъ̀гълни|к *м.*, -ци, (два) правоъ̀гълника *геом.* rectangle.

прàвя *гл.*, *мин. св. деят. прич.* прàвил 1. (*изработвам, произвеждам*) make; (*извършвам, уреждам, изпълнявам*) do; (*грешка*) make, perpetrate; (*чай, кафе и пр.*) make; ~ впечатление на някого make/produce an impression on s.o.; ~ всичко възможно do o.'s utmost, do what one can, do o.'s best, do all one can; ~ въпрос raise an issue, *разг.* make a fuss, kick up a fuss (за about); ~ добро do good; ~ една обиколка *спорт.* get round one lap; ~ изключение make/be an exception; ~ снимка take a pic-

ture/snapshot; ~ сравнения/паралели/заключения draw comparisons/parallels/conclusions; ~ стъпка take a step; ~ състояние make money/a fortune; 2. (*постъпвам, действам*) do, act; зле правите като you are wrong to; прави, както ти казвам do as I tell you; 3. (*представям някого за някакъв*) take (s.o.) for; защо ме правиш на дете? why do you treat me like a child? 4. (*превръщам в*) turn (s.th.) into, make into; ~ на пепел burn to ashes; 5. (*при смятане*) make; пет по пет правят двадесет и пет five times five make twenty five; 6. (*ставам причина за, предизвиквам*) cause, bring about; ‖ ~ **се** (*преструвам се*) pretend, feign; ~ **се** на безразличен wear an air of indifference; ~ **се** на луд (*смахнат*) play the fool/goat/monkey; ~ **се** на невинен put on an innocent air/look; ~ **се, че не виждам** wink, connive, look the other way, (*не обръщам внимание на*) turn a blind eye to, pretend not to see; give (s.th./s.o.) the go-by; (*пренебрегвам*) cut (s.o.) dead, give (s.o.) the cold shoulder; ● какво правите? how are you? how are you getting along? ~ **бебе на** get (a girl) in trouble, make (a woman) pregnant; put (a woman) in the family way; ~ малко на fawn (upon), toady; ~ **си застраховка** take out an insurance; ~ **си сметката без кръчмаря** reckon without o.'s host; ~ **си устата** drop a hint (that one would like s.th.); ~струвам contrive, leave no stone unturned.

праг *м.*, -ове, (два) прàга 1. threshold; doorstep; (*на врата*) door-sill; на/пред ~а на *прен.* on the brink/threshold of; on the verge of; 2. *само мн.* (*на река*) shoots; rapids; 3. *псих.* (*на чувствителността*) limen; долен ~ floor; 4. *ел.* level; ● да не си пристъпил повече ~а ми don't darken my door again.

прагматѝз|ъм (-мът) *м.*, *само ед.* pragmatism.

прагматѝ|к *м.*, -ци pragmatist.

прагматѝч|ен *прил.*, -на, -но, -ни pragmatic(al), tough-minded.

прàгов *прил.* liminal, threshold (*attr.*); ~а цена upset price; ~о споразумѐние threshold agreement.

пра̀дедй *само мн.* for(e)bears, ancestors.

пра̀дя̀до *м.*, **-вци** great-grandfather.

◆ **пра̀езй|к** *м.*, **-ци** parent language, protolanguage.

праз *м.*, *само ед. бот.* leeks; *(отделен стрък)* leek.

пра̀з|ен *прил.*, **-на**, **-но**, **-ни 1.** *(за съд и пр.)* empty; *(незает – за маса, място, служба)* vacant; *(необитаван)* uninhabited, tenantless; *(безлюден)* empty, *(за улица)* deserted; *(неизписан, непопълнен – за бланка, чек, лист)* blank, *(за пощенски запис)* void; **~но място** vacant plot (of land), vacant lot, *(в книга, на карта и пр.)* blank; **~но пространство** vacuum, empty; *книж.* void space; **с ~ни ръце** empty-handed; **2.** *(незает, без работа)* idle; *техн.* loose; **~ен ход** *техн.* idle running; **3.** *прен. (безсъдържателен, без стойност)* superficial, empty, yeasty; *(за човек)* empty-headed; **~ен поглед** glassy/glassy-eyed stare; **~ни приказки** idle talk/words, claptrap; twaddle, wish-wash, wind; hot air, flannel; *sl.* gaff; **4.** *прен. (напразен, неосъществим)* vain, false, fond; *(за желания)* ineffectual; **~ни мечти** castles in the air; ● **на ~ен стомах** on an empty stomach; **наливам от пусто в ~но** *прен.* mill the wind.

празненств|о *ср.*, **-а** festival, festivity; festive occasion.

пра̀зни|к *м.*, **-ци**, (два) **пра̀зника 1.** holiday; feast; **официален ~к** public holiday, *амер.* legal holiday; **2.** *прен. (поради радостно събитие)* gala day, red-letter day.

празнин|а̀ *ж.*, **-й 1.** blank, gap; cavity; void; vacancy; **оставям ~а** leave a blank/gap; **2.** *прен. (в доклад, книга и пр.)* omission; **~а в образованието** a gap in o.'s education; ● **Торичелева ~а** *физ.* Torricellian vacuum.

празнич|ен *прил.*, **-на**, **-но**, **-ни** holiday *(attr.)*; convivial; *(свързан с празник)* festal, festive; Sunday *(attr.)*; **~ен ден** red-letter day; **~ен концерт** gala concert; **~на атмосфера** convivial atmosphere.

празногла̀в *прил.* empty-headed, blunt-witted, rattle-brained; feather-brained; feather-headed; *амер. sl.* dimwit.

празногла̀вие *ср.*, *само ед.* slow-headedness, empty-headedness, dim-wittedness.

празнодỳмств|о *ср.*, **-а** wordiness, windiness, idle talk, twaddle, vapourings; *разг.* gab; *(многословие)* verbiage, verbosity.

празнỳвам *гл.* **1.** celebrate, keep a holiday, make holiday; **2.** *(не работя по случай празник)* have a holiday.

пра̀историческ|и *прил.*, **-а**, **-о**, **-и** prehistoric; **~и човек** eoanthropus.

пра̀исто̀рия *ж.*, *само ед.* prehistory.

практѝ|к *м.*, **-ци**; **практѝчк|а** *ж.*, **-и 1.** practical worker, practician; **2.** functionalist, utilitarian.

пра̀ктик|а *ж.*, **-и** practice; **на ~а** in practice; in actual fact; *(студентска)* practicum; **~а съм в болница** *(за студент медик)* walk the hospitals; **прилагам на ~а** put/carry into practice; **установена ~а** usage; convention, standard practice.

практикувам *гл.* practise; *(за лекар)* be in practice; **~ медицина/право** practise medicine/law; **това често се практикува** this is common practice.

практѝч|ен *прил.*, **-на**, **-но**, **-ни 1.** practical; hard-headed; down-to-earth; *(за дреха)* easy-care; **~но правило** a rule of thumb; **2.** *(изпълним)* practicable; feasible; *разг.* doable.

практѝческ|и *прил.*, **-а**, **-о**, **-и** practical; **~и опит** hands-on experience; **~о приложение** practical application (of).

практѝчност *ж.*, *само ед.* practical-ness; practicality.

пра̀не *ср.*, *само ед.* washing; laundry; **~ на пари** (money) laundering, money-washing; **прах за ~** a washing powder; **простирам ~** hang out washing.

пра̀от|ец *м.*, **-ци** forefather; progenitor; **~ци** ancestors, forefathers, forebears.

пра̀родѝн|а *ж.*, **-и** first/original home; land of origin.

пра̀родѝтел (-ят) *м.*, **-и** grandparent, ancestor.

прасѐ *ср.*, **-та** pig; hog.

прас|ец *м.*, **-ци**, (два) **прасѐца** *анат.* calf (of the leg).

пра̀сков|а *ж.*, **-и** *бот.* peach; *(дърво)* peach-tree.

пра̀славя̀нск|и *прил.*, **-а**, **-о**, **-и** език.

Primitive Slavonic.

пра̀ста̀р *прил.* very old; ancient, age old; **от ~и времена** Since God knows when *sl.* for donkey's years.

пра̀ся *гл.*, *мин. св. деят. прич.* **пра̀сил 1.** *(за свиня)* farrow; **2.** *(за прасенце)* be born; **|| ~ се 1.** *(за свиня)* farrow, litter; **2.** *(за прасенце)* be born.

пра̀тени|к *м.*, **-ци**; **пра̀тенѝц|а** *ж.*, **-и** messenger, delegate; *(дипломатически)* envoy.

пра̀тк|а *ж.*, **-и** consignment, shipment; **нова ~а** *(от същите стоки)* *търг.* repeat; **пощенска ~а** parcel.

прах *м.*, **-ове**, (два) **пра̀ха** и **прах** *ж.*, *само ед.* **1.** dust; **изтърсвам ~ от дрехата си** *(при падане)* dust o.s. down; **лежа в ~а** *прен.* gather dust; **покрит с ~** thick with dust; **2.** *(лекарство)* powder; **ставам на ~** pulverize; **3.** *прен. (останки)* ashes, remains; ● **мир на ~а му** peace to his ashes; **не давам ~ да падне на** keep as the apple of o.'s eye; **в очите** *прен.* eye-wash.

пра̀хан *ж.*, *само ед.* tinder; *(от дърво)* touchwood.

прахоля̀|к *м.*, **-ци** dust; cloud/whirl of dust.

прахообра̀з|ен *прил.*, **-на**, **-но**, **-ни** dustlike, in powder, powdered, dust-like; pulverous.

прахоотдѐляне *ср.*, *само ед.* dust separation.

прахо̀свам, **прахо̀сам** *гл.* squander, skittle, dissipate, waste (за on); throw/cast to the dogs; fritter (away), fribble (away); **~ си времето** idle away/waste one's time.

прахо̀сване *ср.*, *само ед.* squandering; dissipation, waste.

прахосмука̀чк|а *ж.*, **-и** vacuum-cleaner, hoover; **чистя с ~а** hoover.

прахо̀сническ|и *прил.*, **-а**, **-о**, **-и** squandering, wasteful, dissipative; extravagant, prodigal.

прахо̀сничество *ср.*, *само ед.* extravagance, prodigality, wastefulness, dissipation; fribble.

прахоуло̀вител (-ят) *м.*, **-и**, (два) **прахоуло̀вителя** *техн.* dust-catcher/-collector, dust precipitator, dust-collector, delinter.

пра̀ша *гл.*, *мин. св. деят. прич.* **пра̀шил** cover with dust; raise dust; **|| ~ се** get/become dusty.

прашѐц *м.*, *само ед.* **1.** *бот.* pollen; **2.** *бот.* (*на плод и пр.*) bloom; **3.** (*фин прах*) fine dust.

прашѝнк|а *ж.*, *-и* speck/particle/fleck of dust, mote.

прà̀шк|а *ж.*, *-и* **1.** sling; catapult; **2.** band, ribbon.

прàщам, прàтя *гл.* send, dispatch, forward; transmit; (*нещо за поместване във вестник, за изложба*) send in; ~ **на заточение** banish, exile, send into exile; ~ **поздрави** send/give o.'s greetings/regards/compliments (to); ~ **с влака** send on by train.

пращѐне *ср.*, *само ед.* crackle, crackling; *книж.* crepitation; *радио.* bangs.

пращѝн|а *ж.*, *-и* обикн. *мн.* *разг.* wine marc.

пращя *гл.* **1.** crackle; *книж.* crepitate; **2.** *прен.* burst (with); be full to bursting (от with); ~ **от здраве** be a picture of health.

преадресѝрам *гл.* readdress; (*за писмо*) redirect.

преамбюл *м.*, *-и*, (*два*) **преамбю̀ла** *юр.* preamble; ~ **на договор** preamble to a treaty.

пребивàвам *гл.* stay, sojourn, reside.

пребѝвам, пребѝя *гл.* beat/flog/batter to death, beat black and blue, beat/thrash s.o. within an inch of his life; beat s.o.'s brains out; ~ **с камъни** stone to death; || ~ **се 1.** become/get dog-tired; wear o.s. out (да с *ger.*); **2.** (*наранявам се*) hurt/bruise/wound o.s.

пребледнявам, пребледнѐя *гл.* turn/grow/become pale, pale, blanch; the blood flees back from o.'s face.

преболедувам *гл.* pull through (an illness).

пребòрвам, пребòря *гл.* overcome, beat; || ~ **се** wrestle, struggle, fight (with); *прен.* fight (against); grapple, cope (with); ~ **се със себе си** pull o.s. together.

пребоядѝсвам, пребоядѝсам *гл.* (*плат*) dye again/anew; redye; (*стена и пр.*) repaint; recoat; renew the paint; || ~ **се** *жарг.* *полит.* become a turncoat, turn o.'s coat.

преброявам, преброя *гл.* count (up), take count of; ~ **гласовете при избори** poll (the votes); (*население*) take the census of; || ~ **се** *воен.* tell off.

преброяван|е *ср.*, *-ия* counting; (*на населението*) census; (*на гласове*) poll; **извършвам ~е** (*на населението*) take the census (of the population).

пребъ̀двам, пребъ̀да *гл.* survive, live through; abide, last/live for ever.

пребъ̀рквам, пребъ̀ркам *гл.* rummage through; ransack, rifle.

превàл *м.*, *-и*, (*два*) **превàла** *геогр.* ridge.

превалява, превалѝ *безл.* *гл.* **1.** it rains occasionally/from time to time/now and then; **2.** stop/cease raining.

превантѝв|ен *прил.*, *-на*, *-но*, *-ни* **1.** *юр.* preventive; **2.** *мед.* prophylactic.

преварѐн *мин. страд. прич.* (*за вода*) boiled; (*за месо*) boiled to shreds; (*за яйца*) hard-boiled.

преварявам, преваря *гл.* **1.** reboil, boil again/anew; **2.** (*вода за дезинфекция*) boil; **3.** overboil, overdo; (*яйце*) boil hard; || ~ **се** be overboiled; (*за крем*) curdle, turn.

превѐждам₁, преведà *гл.* translate, render (**на** into); (*устно*) interpret; ~ **дума по дума** translate/interpret word for word; ~ **на английски език** translate/render/interpret/put into English.

превѐждам₂, преведà *гл.* **1.** lead/take over/across; **2.** (*прехвърлям*) transmit, transfer (и за човек); (*пари и пр.*) send, remit; (*през трудности, препятствия и пр.*) pilot.

превѐждан|е *ср.*, *-ия* (*прехвърляне*) transference, transfer.

превѐнция *ж.*, *само ед.* *юр.* prevention.

превѐс *м.*, *само ед.* superiority, preponderance (**над** over); **вземам ~** gain/get the upper hand over; **числен ~** numerical superiority; majority.

превзѐмам, превзѐма *гл.* capture, seize, take; (*покорявам*) conquer.

превзѐмам се *възвр.* *гл.* be affected, put on airs.

превзѐмк|а *ж.*, *-и* airs (and graces); affectation, frills.

превзѐт *мин. страд. прич.* affected; pretentious; mannered, sidy; snobbish; mimini-pimini, prissy; (*за походка*) strutting; (*за маниер*) pretty-pretty.

превзѐтост *ж.*, *само ед.* affectation, affectedness; snobbery, prissiness.

превѝвам, превѝя *гл.* **1.** bend; twist; **2.** *прен.* bend; ~ **врат пред** bow to/before; bend the knee (**пред** to); **2.** wind again, re-wind; || ~ **се** bend; stoop; ~ **се от болка** writhe/fold up with pain; ~ **се от смях** split o.'s sides with laughter, double/fold up with laughter, be in stitches; ~ **се под тежестта на** groan under.

превѝт *мин. страд. прич.* bent; (*пресукан*) twisted; (*за гръб*) stooping, bent; (*от болка, смях*) doubled up (with); ~ **под товара** weighed down by the load.

превишàвам, превишà *гл.* exceed, surpass; (*превъзхождам*) excel; ~ **по брой** outnumber; ~ **по значение/важност** outweigh, overweigh; ~ **скоростта** exceed the speed limit.

превишàване *ср.*, *само ед.* exceeding, surpassing; excess; ~ **на кредит** (*в банка*) overdraft; ~ **на права** abuse of rights/authority, exceeding o.'s rights/authority; ~ **на скорост** speeding violation.

превклю̀чвам, превклю̀ча *гл.* switch over (и *прен.*); commutate; (*канали по телевизор*) *разг.* zap, channel-hop, flick through the channels; ~ **скоростите** *авт.* change/shift gears.

превклю̀чване *ср.*, *само ед.* switching/changing over; ~ **на канали** *тв* channel-hopping; *амер.* channel-surfing; ~ **на предавки** *авт.* gearshift, gear change.

превключвàтел (*-ят*) *м.*, *-и*, (*два*) **превключвàтеля** *ел.*, *техн.* (change-over) switch, commutator; (*разделителен*) circuitbreaker.

превòд₁ *м.*, *-и*, (*два*) **превòда** (*писмен*) translation; version; (*устен*) interpreting, interpretation; **буквален ~** word-for-word translation/interpretation; **консекутивен/симултанен ~** consecutive/simultaneous interpreting.

превòд₂ *м.*, *-и*, (*два*) **превòда 1.** (*на пари*) remittance, transfer, transmission of funds; **нареждане за банков ~** *фин.* transfer order; ~ **по пощата** а postal order; **2.** (*преместване*) transfer, transference.

преводàч *м.*, *-и*; **преводàчк|а** *ж.*, *-и* translator; (*устен*) interpreter.

превòд|ен *прил.*, *-на*, *-но*, *-ни* translation (*attr.*); (*за текст*) translated; ~ **на сметка** *фин.* transferable account.

преводѝм *сег. страд. прич.* translatable.

прѐвоз *м.,* -и, (два) прѐвоза transport, haulage, transportation, carriage, conveyance; (*навло*) carriage, freight; ~ **на стоки** goods traffic, transport of goods; ~ **по суша** rail and road transport; **транзитни** ~и traffic in transit.

превозвам, превозя *гл.* transport, haul, convey, carry; (*по море*) ship; (*през река*) ferry; (*с лодка*) row over; (*с каруца*) cart; ~ **стоки** (*за кораб, самолет*) carry freight.

превозване *ср., само ед.* transportation; ~ **на войски** *воен.* troop-carrying, troop transportation.

превозвач *м.,* -и carter, carrier; (*с лодка*) boatman; ferryman; **вътрешен** ~ inland carrier; **свободен** ~ exempt carrier.

прѐвоз|ен *прил.,* -на, -но, -ни transport (*attr.*), transportation (*attr.*); ~но **средство** vehicle; conveyance.

прѐвозен *мин. страд. прич.* transported.

преврат *м.,* -и, (два) преврата 1. *полит.* coup d'état; coup; take-over; **правя** ~ make/stage/engineer a coup; 2. (*обрат*) turn, (radical) change.

преврат|ен *прил.,* -на, -но, -ни wrong, false; vicissitudinary, vicissitudinous; ~**на представа** false/wrong impression; ~**но щастие** changing/inconstant luck/fortune.

превратност *ж.,* -и vicissitude; the turn of the tide; ● ~**ите на живота** the vicissitudes/the ups and downs of life, the reverses/tricks of fortune.

превръзк|а *ж.,* -и bandage, dressing; (*за придържане на ръка*) sling; **дамска** ~а sanitary towel/pad.

превръщам, превърна *гл.* transform, convert, turn, change; transmute (**в** into); (*свеждам*) reduce (to, into); ~ **в пепел** reduce to ashes; ~ **в развалини** reduce to ruins; ~ **километри в мили** (*преобразувам*) convert kilometres into miles; || ~ **се** turn, change (**в** to, into), become (**в** ~).

превръщан|е *ср.,* -ия change, transformation, conversion; transmutation; (*свеждане*) reduction; ~**е в газ** gasification.

превъзбуждане *ср., само ед.* overexcitation.

превъзмо̀гвам, превъзмо̀гна *гл.* surmount, overcome; get over; conquer; fight down; (*справям се*) negotiate; cope with; ~ **всички трудности** win through.

превъзна̀сям, превъзнеса̀ *гл.* exalt, extol, eulogize, cry up; glorify; sing s.o.'s praises; emblazon; enthrone; *амер.* glamorize; ~ **до небесата** praise to the skies; || ~ **се** put on airs; (*с приказки*) talk big, rave (about), enthuse (over).

превъзпитавам, превъзпитам *гл.* re-educate; reform; *(s.o., s.o.'s character)*.

превъзпитаване и **превъзпитание** *ср., само ед.* re-educating, re-education; reformation; *полит.* indoctrination; ~ **на малолетни престъпници** *юр.* correction of young delinquents.

превъзхо̀д|ен *прил.,* -на, -но, -ни excellent, superior, superb, gorgeous; matchless, unbeatable; fit for a king; *разг.* primo, capital, crackerjack, cracking, tiptop; *амер. разг.* topflight; ~**на степен** *грам.* superlative degree.

превъзхо̀дителств|о *ср.,* -а excellency, vantage; **Ваше** ~**о** Your Excellency.

превъзхо̀дство *ср., само ед.* excellence (**пред** to); superiority, supremacy, preponderance (**над** over); **имам** ~ have the upper hand (**над** of); **числено** ~ numerical superiority, superior numbers, (*мнозинство*) majority.

превъзхо̀ждам *гл.* excel, exceed, surpass (**по** in); outmatch, outdo; domineer (over, above); *разг.* best; be a cut above s.o.; go one better (than); *спорт.* outclass; ~ **по численост/брой** outnumber; ~ **съперник** outrival.

превъоръжа̀вам (се), превъоръжа̀ (се) (*възвр.*) *гл.* rearm.

превъоръжа̀ване *ср., само ед.* rearming; rearmament.

превъпльща̀вам, превъплътя̀ *гл.* re-embody, reincarnate, reincorporate; || ~ **се** be reincarnated; re-embody, reincarnate; be transformed.

превъпльщѐни|е *ср.,* -я reincarnation; transformation.

превързвам, превържа̀ *гл.* tie/bind up, bandage (up); tie round; (*рана*) dress, bandage; (*кръвоносен съд*) ligate.

превъртам, превъртя̀ и **превъртя̀вам** и **превъртвам** *гл.* 1. turn; (*пру-*...

...жина*) overwind; (*филм*) reel; ~ **два пъти ключа** double-lock the door; 2. *прен.* be/go round the bend; (*откачам*) go berserk, go/run amok; || ~ **се** turn.

прега̀звам, прега̀зя *гл.* 1. (*преминавам с газене*) ford/wade through/across; cross; 2. (*премазвам*) run over; (*с кон*) ride down, override; 3. (*страна*) overrun.

прега̀рям, прегоря̀ *гл.* 1. *непрех.* be burnt/scorched/parched; 2. (*за огън*) die down, burn low; 3. *прех.* burn (*и ядене*); scorch; parch; (*при гладене*) scorch.

прегладня̀вам, прегладнѐя *гл.* 1. be faint with hunger, be starving/starved, be famishing; 2. lose o.'s hunger.

прѐглас *м.,* -и, (два) прѐгласа *език.* mutation.

прѐглед *м.,* -и, (два) прѐгледа 1. review; examination, inspection; survey; check; *разг.* going-over; **медицински** ~ a medical examination/check up; **периодичен** ~ routine inspection; **правя** ~ inspect; take/make a survey of; review; examine; ~ **на печата** pressreview; 2. *кино.* newsreel; 3. *юр.* retrial.

преглѐд|ен *прил.,* -на, -но, -ни clear; well arranged; perspicuous.

преглѐдност *ж., само ед.* clarity; perspicuity, perspicuousness.

преглѐждам, прегледам *гл.* 1. look, look through/over, go through/over; inspect; examine, survey; check; (*сметки*) go over; *фин.* audit; (*прелиствам набързо*) flick/flip through, have a quick flick through; ~ **бегло** have a look at, skim through; run over; ~ **болен** examine a patient; ~ **изпитни работи** mark examination papers; 2. *юр.* (*съдебно решение*) review; 3. (*с оглед на поправка*) revise, go over again; || ~ **се** *разг.* have/undergo a medical examination; ~ **се на лекар** see a doctor; ~ **се на рентген** have an X-ray examination, be X-rayed.

преглъщам, преглътна *гл.* swallow (*и прен.*), gulp; **жадно** ~ gulp down; **не мога да преглътна нещо** it sticks in o.'s craw ● **обида** swallow/pocket/ stomach an insult; eat humble pie; ~ **сълзите си** force back o.'s tears, gulp down o.'s tears; *прен. непрех.* grin

and bear it.

преговарям₁, преговоря *гл.* review, go over, revise; make a revision (of).

преговарям₂ *гл.* (*водя преговори*) negotiate (**с** with); conduct/hold negotiations/talks (with); ~ **за сключване на споразумение** negotiate an agreement.

преговор *м.*, -**и**, (два) **преговора 1.** review; revision; **2.** *само мн.* negotiations, talks; *воен.* (*обикн. за примирие*) parley; **мирни** ~**и** peace talks; **предварителни** ~**и** preliminaries; **търговски** ~**и** trade negotiations.

преград|а *ж.*, -**и** barrier (*и прен.*); bar; (*препятствие*) obstacle, barrier; (*параван*) screen; *техн.* baffle, baffler; partition; **вентилационна** ~**а** air partition; (*осигуряване*) *икон.* hedge.

преграден *мин. страд. прич.* partitioned off; (*отделен с прегради*) cabined; (*за път и пр.*) barred, blocked.

преград|ен *прил.*, -**на**, -**но**, -**ни** barrage (*attr.*); screening; ~**ен балон** *воен.* barrage balloon; ~**ен огън** *воен.* defensive fire, curtain-fire; standing barrage.

преграждам, преградя *гл.* **1.** partition (off) (**с** by); box off; (**с въже**) rope off; **2.** (*слагам препятствие на*) bar, block; obstruct.

преграждане *ср.*, *само ед.* **1.** partitioning; **2.** (*на път и пр.*) barring, blocking.

преграквам, прегракна *гл.* become/ grow/get hoarse; ~ **от викане/говорене** yell/talk o.s. hoarse.

прегрешавам, прегреша *гл.* trespass, transgress, sin; offend.

прегрешени|е *ср.*, -**я** transgression, trespass, sin; offence, misdeed; (*незначително*) peccadillo; **младежки** ~**я** indiscretions of youth.

прегризвам, прегриза *гл.* gnaw through.

прегрупиран|е *ср.*, -**ия** regrouping, reordering, rearrangement.

прегрупирам *гл.* regroup; reshuffle; rearrange; || ~ **се** regroup, reshuffle.

прегръдк|а *ж.*, -**и 1.** embrace; hug; clasp; **2.** *само мн.* (*обятия*) arms; **хвърлям се в** ~**ите на** fall into the arms of.

прегръщам, прегърна *гл.* embrace, clasp, hug, hold in o.'s arms; gather into o.'s arms; || ~ **се: прегръщаме се** embrace/hug each other; • ~ **нова идея** adopt/embrace/espouse a new idea.

прегрявам, прегрея *гл.* overheat; *техн.* superheat; || ~ **се** overheat.

прегряване *ср.*, *само ед.* excessive heating, overheating, superheating.

прегъвам, прегъна *гл.* **1.** (*огъвам*) bend (double); bow down; flex; **2.** (*сгъвам*) fold; double back;|| ~ **се 1.** bend; **2.** fold; **колената му се прегънаха** his knees doubled up under him.

прегъван|е *ср.*, -**ия** bending, folding.

прегъвк|а *ж.*, -**и** fold; bend; crease.

прегърбвам се, прегърбя се *възвр. гл.* stoop.

прегърбен *мин. страд. прич.* stooping, stooped, bent; ~ **от старост** bent (down) with age.

пред *предл.* **1.** in front of; before; ahead of; (*сграда, превозно средство, вход; прозорец, витрина*) outside; (*огледало, театър, каса и пр.*) at; **2.** (*за време*) before; **3.** (*при, в присъствието на*) at; in the presence of; ~ **лицето на смъртта** in the face of death; **4.** *прен.* (*близо до*) on the verge of; **те са** ~ **развод** they're on the verge of divorce; **5.** (*по отношение на*) before, to, towards; **виновен съм** ~ **кого/**~ **закона** be guilty towards s.o./ before the law; **6.** (*за сравнение*) to; in comparison with; **те са нищо** ~ **него** they are nothing in comparison with him, they can't compare with him.

преда *гл.*, *мин. св. деят. прич.* **прел** spin; (*за котка*) purr; • **не** ~ *разг.* cut no ice (**пред** with); **тънко** ~ be as meek as a lamb (**пред** before).

предавам, предам *гл.* **1.** give; deliver; turn over, transfer; (*подавам*) hand over; (*по-нататък*) pass on, transmit; (*връчвам*) hand in; *юр.* serve; (*престъпник*) deliver/give up; turn over, surrender, (*на друга държава*) extradite; (*оръжие*) give up; (*на следващите поколения*) hand down; ~ **богу дух** yield (up) o.'s soul, *шег.* give up the ghost; ~ **на съд** bring to court/ trial; commit for trial; hand over to justice; ~ **на съхранение** deposit for safe-keeping; ~ **опита си** pass on o.'s experience; ~ **по наследство** hand down; **2.** (*извършвам предателст-*

во) betray; **3.** (*съобщавам*) tell, inform; convey; communicate, impart; transmit; ~ **по радиото/телевизията** broadcast/announce over the radio/on television; **4.** (*възпроизвеждам, изобразявам*) render, convey; **5.** (*преподавам*) teach, present material; **6.** (*за радиостанция и пр.*) be on the air; broadcast; **не** ~ be off the air; || ~ **се** surrender, give o.s. up; yield; hang out/show the white flag; knuckle under; throw in o.'s cards/hand/the towel; ~ **се в плен** yield o.s. prisoner; ~ **се на отчаяние** give o.s. up to despair, abandon o.s. to despair.

предаван|е *ср.*, -**ия 1.** giving, delivering, handing over; transmission; transference; delivery; conveyance; (*по радио или телевизия*) broadcast, transmission; (*изразяване*) conveying, conveyance; communication; (*на неприятел и пр.*) surrender; ~**е на щафета** *спорт.* passing the baton, baton pass; **2.** (*предателство*) betrayal; **3.** (*преподаване*) teaching; **4.** *техн.* transmission; gear, gearing; drive; **верижно** ~**е** chain drive; ~**е на данни** data transmission; **предно/задно** ~**е** (*на кола и пр.*) front-/rear-axle drive.

предавател (-**ят**) *м.*, -**и**, (два) **предаватели** transmitter; (*малък*) transmitting set; *радио.* sender.

предавател|ен *прил.*, -**на**, -**но**, -**ни** transmission (*attr.*), driving; ~**ен механизъм** gear, gearing; ~**на кутия** gearbox.

предавк|а *ж.*, -**и** *авт.* transmission, gear, drive.

предан *прил.* devoted; faithful; loyal; attached; true-hearted; **ваш** ~ (*в писмо*) yours truly, yours faithfully; ~ **син** devoted/dutiful son.

предани|е *ср.*, -**я** legend; saga; tradition.

преданост *ж.*, *само ед.* devotion, devotedness; loyalty; faith; attachment; allegiance.

предател (-**ят**) *м.*, -**и** traitor, betrayer; double-crosser; fifth columnist; *разг.* quisling.

предателск|и *прил.*, -**а**, -**о**, -**и** treacherous, treasonable, traitorous; perfidious; traitor's; disloyal, false-hearted.

предателски₂ *нареч.* treacherously,

perfidiously; disloyally; in bad faith; like a traitor; *разг.* trappy.

предателств|о *ср.*, -а treachery, treacherousness, betrayal; perfidy; disloyalty; false-heartedness; (*спрямо държавата*) treason; **извършвам ~о** commit treachery/treason.

предач *м.*, -и; **предачк|а** *ж.*, -и spinner.

предач|ен *прил.*, -на, -но, -ни spinning; **~на машина** a spinning loom/machine.

предачниц|а *ж.*, -и spinning workshop.

предбалканск|и *прил.*, -а, -о, -и Northern Balkan, Fore-Balkan (*attr.*).

предбрач|ен *прил.*, -на, -но, -ни antenuptial, premarital, before (the) marriage.

предваканцион|ен *прил.*, -на, -но, -ни pre-vacational, pre-holiday (*attr.*).

предварвам, предваря *гл.* ward/stave off, forestall, anticipate; (*осуетявам*) prevent, avert.

предварител|ен *прил.*, -на, -но, -ни preliminary, precursory; previous; *фин.* (*бъдещ*) forward; **без ~на подготовка** on the spur of the moment, off hand; **~ен арест** *юр.* protective custody; **~на продажба на билети** advance booking(s); **~ни преговори** preliminary discussions/talks, exploratory talks; pourparler; **~но споразумение** pre-arrangement; **~но условие** preliminary/previous/prior condition; precondition, pre-requisite (за for).

предвестни|к *м.*, -ци; **предвестни|ц|а** *ж.*, -и forerunner, precursor; herald, harbinger; (*неодушевен предмет*) portent, presage; **~к на пролетта** heralds of spring.

предвестявам, предвестя *гл.* herald; forerun; usher in.

предвещавам, предвещая *гл.* forebode, spell, portend, presage; foretoken, foreshadow; forerun; (*дъжд, сняг и пр.*) threaten, promise; **облаците предвещават дъжд** the clouds threaten rain; **~ добро** promise well.

предвиден *мин. страд. прич.* (*от закона*) statutable, statutory, stipulated; **ако не е ~о друго** unless provided otherwise, provide otherwise.

предвидим *сег. страд. прич.* foreseeable, calculable; anticipated; fore-

knowable.

предвидимост *ж.*, *само ед.* foreseeability.

предвидлив *прил.* provident, foreseeing; foresighted, far-seeing; forethoughtful; (*благоразумен*) prudent, circumspect.

предвидливост *ж.*, *само ед.* foresight; foresightedness, forethought, forethoughtfulness; (*благоразумие*) prudence.

предвиждам, предвидя *гл.* **1.** foresee; (*имам предвид*) envisage; envision; expect; **2.** provide for; stipulate; **законът не предвижда такива случаи** the law makes no provision for such cases; **~ в бюджета** budget for; **~ всички възможности** leave nothing to accident/chance; **3.**: **~ някого/нещо за** have s.o./s.th. in mind for, earmark s.o./s.th. for.

предвиждан|е *ср.*, -ия **1.** foresight, foreseeing; foreknowledge; prognosis, prognostication; envisagement; (*за време*) forecast; (*очакване*) expectation; **2.** (*в закон и пр.*) provision, stipulation.

предвкусвам, предвкуся *гл.* have a foretaste of; foretaste, (*очаквам*) anticipate; (*нещо приятно*) look forward (to).

предвкусване *ср.*, *само ед.* foretaste; anticipation.

предводител (-ят) *м.*, -и; **предводителк|а** *ж.*, -и leader.

предводителство *ср.*, *само ед.* leadership.

предвождам *гл.* lead, stand in the lead (of), be the leader (of).

предвождане *ср.*, *само ед.* leading; leadership.

предговор *м.*, -и, (два) **предговора** preface; foreword; (*увод към книга и пр.*) introduction.

предгради|е *ср.*, -я suburb; **в/от ~е** suburban; **жител на ~е** suburbanite; **~я** environs.

преддвери|е *ср.*, -я anteroom, antechamber; (*в театър и пр.*) lobby; *църк.*, *архит.* narthex; **~е на ада** (*при католиците*) limbo.

предел *м.*, -и, (два) **предела** limit, bound; *обикн. pl.* confines; (*край*) end; **в ~а/~ите на** within the limits/compass/confines of, within; **излизам из-**

вън ~ите на *прен.* exceed the limits/bounds of, go beyond.

предел|ен *прил.*, -на, -но, -ни utmost, top (*attr.*); terminational; *икон.* marginal; **~на възраст** age limit; **~на скорост** top speed; fly at the ceiling; **~но напрежение** *техн.* breaking stress/point.

пред|ен *прил.*, -на, -но, -ни **1.** front, fore-; *книж.*, *зоол.* anterior; **на ~ен план** *изк.*, *фот.* in the foreground, at the forefront; *прен.* in the limelight; **~ен ход** *авт.* forward motion; (*на бутало*) outstroke; **~на позиция** *воен.* a forward/advance position; **~на част** fore-part; **~ни крака** *зоол.* forelegs, forefeet; **~но стъкло** *авт.* windscreen, *амер.* windshield; **2.** (*предишен*) previous; **~ния ден** the previous day, the day before.

предзнаменовани|е *ср.*, -я omen, foretoken; portent, forerunner, foreshadower; foreboding, presage; augury.

преди₁ *предл.* before, prior to; ago, back (*след същ.*); **~ много време** a long time ago/back; **~ всичко** first of all, first and foremost, to begin with; above all things; for one thing; in the first instance/place; *разг.* first thing.

преди₂ *нареч.* **1.** previously, formerly, before; *поет.* ere; **по-~** earlier, formerly; **точно както ~** just as before; **2.**: **~ да** before (и *с ger.*); **той е вече, както ~** (*възстанови се*) he is (quite) his own/old self again.

предизбор|ен *прил.*, -на, -но, -ни (pre-)election (*attr.*), electioneering; **~на агитация** electioneering; **~на реч** election/campaign speech.

предизвести|е *ср.*, -я notification, warning, advice, (advance) notice.

предизвестявам, предизвестя *гл.* inform, notify, advise (beforehand); warn.

предизвикател|ен *прил.*, -на, -но, -ни provocative, provoking; challenging; defiant.

предизвикателно *нареч.* in a provoking/provocative/challenging manner; defiantly; **държа се ~ към някого** behave in a provoking, etc., manner to s.o., bid defiance to s.o., defy s.o.; challenge s.o.

предизвикателств|о *ср.*, -а provocation; challenge; defiance; dare; (*на*

жена, която иска да привлече мъж) sl. come-on; **приемам** ~о take a challenge/dare.

предизвѝквам, предизвѝкам *гл.* **1.** provoke; defy; behave provocatively; ~ **някого** *(ядосвам)* provoke s.o., get/ take a rise out of s.o.; *(на дуел, състезание и пр.)* challenge (**на** to), dare (to); throw (down) the gauntlet; ~ **съдбата** fly in the face of fortune/providence, tempt fate, *разг.* stretch o.'s luck; **2.** *(пораждам)* call forth, give rise to, arouse, elicit, stir up, excite; evoke; *(причинявам)* cause; *(буря)* raise; *(възмущение)* compel; *(любов, омраза)* evoke; *(състояние)* induce; ~ **промяна** work a change; ~ **съмнение** give rise to doubt.

предизвѝкване *ср., само ед.* provoking; provocation, challenge; defiance; *(пораждане)* evocation.

предикàт *м., -и, (два)* **предикàта** *език.* predicate.

предикатѝв|ен *прил., -на, -но, -ни език.* predicative.

предикатѝвност *ж., само ед.* predicativity.

предѝмно *нареч.* mainly, chiefly; in the main; *(преобладаващо)* predominantly; mostly, for the most part.

предѝмств|о *ср., -а* **1.** priority (**пред** over); privilege; *спорт.* lead; *(изгода)* advantage; *журн.* the high ground; *(предпочитание)* preference; **давам** ~о *(преднина)* **на** give priority/primacy to, yield precedence to; **имам** ~о **пред** *разг.* be one up on; **2.** *авт.* right of way; **без** ~о *(знак)* yield; **имам/давам** ~о have/yield the right of way; **улица без** ~о a minor road; **улица с** ~о a major road.

предислòви|е *ср., -я* foreword, preface, preamble.

прѐдислоцѝрам (се) *(възвр.) гл. воен.* relocate.

прѐдисторѝческ|и *прил., -а, -о, -и* pre-historic.

прѐдистòрия *ж., само ед.* pre-history; *прен.* background.

предѝш|ен *прил., -на, -но, -ни* previous, former, past; foregone; preceding, prior.

прѐдклàсика *ж., само ед. муз.* baroque music.

прѐдкласѝческ|и *прил., -а, -о, -и*
preclassic(al).

предкòлед|ен *прил., -на, -но, -ни* pre-Christmas.

предкрѝзис|ен *прил., -на, -но, -ни* precritical.

предлàгам, предлòжа *гл.* offer (**на** to); suggest; propose; *(възможности)* hold out; *(женитба, кандидат, пост)* propose; *(план)* put forward; *(на обсъждане и пр.)* submit; *(теория)* propound, advance; *(за продан, цена и пр.)* tender; *(цена)* bid; **той предлага да заминем веднага** he suggests that we (should) leave immediately, he suggests our leaving immediately; ~ **услугите си като** offer o.s. as.

предлàгане *ср., само ед.* offering, proposing; *търг.* supply; **търсене и** ~ supply and demand.

предлò|г *м., -зи, (два)* **предлòга** **1.** *език.* preposition; **2.** *(повод)* pretext, pretence (**за** for); *(основание)* ground (for); **под лъжлив** ~г on/under false pretences; **под** ~г, **че** under the pretence/excuse that, on the plea of.

предложèни|е *ср., -я* offer, proposal *(и за женитба)*; suggestion; *(официално)* tender; *(на събрание и пр.)* motion; **правя** ~е make an offer; make/ offer a suggestion; put/advance/table a proposal, *(за женитба)* propose (to s.o.), *(на събрание и пр.)* move, present a motion; **търговско** ~е *(оферта)* quotation; offer.

прѐдменструàл|ен *прил., -на, -но, -ни* premenstrual.

предмèт *м., -и, (два)* **предмèта** **1.** object; *търг.* article; ~**и от първа необходимост** prime necessities, necessities of life; **2.** *(тема)* subject, topic, matter, theme; ~ **на спор** a point at issue; ~ **съм на** be the subject of; **3.** *(учебен)* subject, discipline.

предмèт|ен *прил., -на, -но, -ни* object *(attr.)*; *(конкретен)* objective; ~**ен каталог** a descriptive catalogue; ~**но стъкло** *опт.* slide.

предмѝшниц|а *ж., -и* *анат.* forearm.

предназначàвам, предназначà *гл.* intend, mean, design (**за** for); destine (**за** to, for); *(отделям настрана)* set aside, earmark (for); *(средства)* appropriate, allocate (to).

предназначèн *мин. страд. прич.* in-
tended, meant, destined, designed (**за** for); in store for; *(предопределен)* earmarked (for); *(за читатели и пр.)* addressed (to); calculated (**да** с *inf.*).

предназначèни|е *ср., -я* purpose; function; use; *фин.* appropriation; *(съдба)* destination, predestination.

преднамèрен *прил.* premeditated; studied; *(умишлен)* intentional, deliberate, wilful; *(за мнение и пр.)* biased.

преднамèреност *ж., само ед.* premeditation, studiedness, forethought; wifulness; deliberateness; *(на мнение и пр.)* bias.

предначертàвам, предначертàя *гл.* outline/plan/sketch/design beforehand; map out; draft; trace.

преднинà *ж., само ед.* priority, precedence *(пред over)*; *(аванс)*; lead, advantage; **вземам** ~ take/gain the lead; **давам** ~ give priority (**на** to).

прѐдниц|а *ж., -и* front (part); *(на обувка)* vamp; *(на кон)* forehand.

предòбед *м., -и, (два)* **предòбеда** forenoon, morning.

прѐдовол|ен *прил., -на, -но, -ни* very/ most satisfied/pleased, ever so pleased.

предозѝрам *гл.* overdose.

предозѝране *ср., само ед.* overdosage.

предопределèн *мин. страд. прич.* predetermined, predestined, foreordained; fated; destined.

предопределèние *ср., само ед.* **1.** predetermination, predestination; preordination; foreordainment, foreordination; *рел.* election; *(съдба)* destiny, fate; fatality; **2.** *(призвание)* vocation.

предопределям, предопределя *гл.* predetermine, predestine, preordain, foreordain.

предостàвям, предостàвя *гл.* **1.** give (up); *(право)* concede; grant; *(поверявам)* commit, consign; ~ **възможност** give/afford an opportunity (**на** to); ~ **нещо на нечие разположение** place s.th. at s.o.'s disposal; ~ **факти на някого** furnish s.o. with details; **2.** leave; **тя предостави на мене да избера** she left it to my choice.

прѐдостатъч|ен *прил., -на, -но, -ни* ample; more than enough; enough and to spare; *(изобилен)* abundant; plentiful; copious.

предотвратѝм *сег. страд. прич.* avertible; avoidable; preventable; excludible, excludable.

предотвратѝмост *ж., само ед.* avoidability; avertibility; preventability.

предотвратя̀вам, предотвратя̀ *гл.* avert; fend/ward/stave/head off; prevent; keep out; exclude; forerun; *разг.* scotch; (*избягвам*) avoid, forestall; ~ нещастен случай prevent an accident.

предотвратя̀ване *ж., само ед.* averting, warding; prevention; forethoughtful.

предохранѝтел|ен *прил.*, -на, -но, -ни protective, safety.

предпàзвам, предпàзя *гл.* protect (от from, against); preserve (from); prevent (from); safeguard (against); cushion (against, from); keep (out of); || ~ се guard (от against), keep (out of).

предпàзване *ср., само ед.* protection, prevention, preservation.

предпàз|ен *прил.*, -на, -но, -ни protective; preventive; precautionary, precautional; safety (*attr.*); *мед.* prophylactic; взѐмам ~ни мерки provide (срещу against).

предпазѝтел (-ят) *м.*, -и, (два) предпàзителя *техн., ел.* safety device/lock/catch; safety guard; (*решетъчен, за съоръжение*) fender; (*бушон*) safety fuse; ~ за пръст (*кожен или гумен*) finger-tip, cot, finger-stall; ~ на пушка safety-bolt.

предпазѝтел|ен *прил.*, -на, -но, -ни protective, safety; ~ен клапан *техн.* safety-valve; ~на кутия *ел.* cutout base.

предпазлѝв *прил.* cautious, wary, gingerly; circumspect; careful, guarded; prudent, discreet (*и при говорене*); (*уклончив*) cagey.

предпазлѝво *нареч.* cautiously, warily; gingerly; carefully, guardedly; in a circumspect manner; with discretion; guardedly; *говоря* ~ *разг.* mind o.'s p's and q's; дѐйствам ~ walk a tightrope.

предпазлѝвост *ж., само ед.* cautiousness, caution; circumspectness, circumspection; gingerliness; wariness; discretion; от ~никой не е пострадал the better part of valour is discretion.

предписàни|е *ср.*, -я directions, instructions; (*на закон*) prescript; *мед.* prescription; *юр.* writ; warrant; (*запо-* *вед*) order; по лекарско ~е *фарм.* (*за лекарство*) on prescription; съгласно ~ето на by the order of.

предпѝсвам, предпѝша *гл.* prescribe; (*заповядвам*) order, enjoin on; ~ лечение give/prescribe a treatment.

прѐдпланинà *ж., само ед.* foothill.

предплàта *ж., само ед.* advance payment, prepayment; (*капаро*) down payment, earnest; в ~а in advance.

предплàщам, предплатя̀ *гл.* pay in advance, prepay; (*давам капаро*) pay down.

предплàщане *ср., само ед.* advance payment; paying in advance; prepayment.

предполагàем *прил.* supposed; presumable, presumptive, presumed; hypothetical, assumed, putative; conjectural; conjecturable; ~ купувач prospective buyer/client; ~ наслѐдник heir presumptive; ~и промѐни supposed changes; ~о доказàтелство *юр.* presumptive evidence.

предполàгам, предположа̀ *гл.* suppose; presume; my guess is (that ...); *разг.* figure; (*допускам*) assume (*и мат.*); (*имам като предпоставка*) presuppose; involve; (*правя догадки*) suppose, conjecture; imagine, guess; surmise; осмѐлявам се да предположа hazard a conjecture; ♦ чо̀век предполàга, Господ разполàга man proposes, God disposes.

предположѐни|е *ср.*, -я supposition; (*допускане*) assumption; conjecture; hypothesis; (*догадка*) speculation; изкàзвам ~ make a guess; по ~е supposedly; това са само ~я this is mere guesswork/speculation.

прѐдпослѐд|ен *прил.*, -на, -но, -ни last but one, before last, next to the last; ~ната годѝна the year before the last; ~ният вагон the last carriage but one, the carriage before the last.

предпостàвк|а *ж.*, -и 1. *филос.* premise; 2. (*предварително условие*) prerequisite; precondition (за for).

предпостàвям, предпостàвя *гл.* premise; set as a prerequisite/premise.

предпочѝтам, предпочета̀ *гл.* prefer (пред to, да с ger. или с inf.); elect (to с inf.); like better; have a preference (for); ~ да остàна I would rather not go; ~ кафе пред чай I prefer cof-

fee to tea, I like coffee better than tea.

предпочитàни|е *ср.*, -я preference (за for); predilection (for); preferability; (*избор*) choice; (*пристрастие*) partiality (for); отдàвам ~е на give preference (на to).

предпрàзнич|ен *прил.*, -на, -но, -ни pre-holiday; on the eve of a holiday, festive, holiday (*attr.*); рàботно врѐме в ~ни дни working-/business-/office-hours before a holiday.

предприѐмам, предприѐма *гл.* undertake; embark on; launch; (*нещо рисковано*) take the plunge; нѝщо не ~ take no steps/measures, do nothing; hold o.'s fire; not lift a finger; ~ дѐйствия take an action.

предприемàч *м.*, -и contractor, entrepreneur, enterpriser, undertaker.

предприемчѝв *прил.* enterprising; *разг.* up-and-doing; go-ahead, go-getting; (*готов да поеме риск*) sporting; ~ чо̀век man of enterprise; *амер.* go-getter.

предприемчѝвост *ж., само ед.* enterprise, drive; *разг.* get-up-and-go.

предприя̀ти|е *ср.*, -я undertaking, enterprise; (*търговско и пр.*) business establishment, firm, company, concern; мàлки и срѐдни ~я small and medium-sized enterprises; *търг.* смѐсено ~е joint venture.

прѐдпубертѐт|ен *прил.*, -на, -но, -ни prepubescent.

предразполàгам, предразположа̀ *гл.* predispose, be conducive (към to); ~ ня̀кого set s.o. at ease; ~ ня̀кого към откровѐност draw s.o. out.

предразположен *мин. страд. прич.* predisposed (към to); (*податлив, обикн. на болест*) susceptible, liable, prone (to); ~ към настинки liable to catch a cold.

предразположѐни|е *ср.*, -я predisposition; (*податливост*) susceptibility; *мед.* diathesis, *pl.* diatheses.

предразсъ̀д|ък *м.*, -ци, (два) предразсъ̀дъка prejudice, bias; prepossession, animus (against); без ~ци unprejudiced, unbias(s)ed; закостеня̀л в ~ци steeped in prejudice.

предрàков *прил. мед.* precancerous.

прѐдреволюцио̀н|ен *прил.*, -на, -но, -ни pre-revolutionary.

прѐдренесàнсов *прил.* pre-Ren-

aissance.

предрешàвам, предрешà *гл.* **1.** decide beforehand; forejudge, prejudge; **2.** predetermine; (*събитие, резултат*) foreordain; ~ **въпрос** prejudge an issue.

предрèшвам, предрèша *гл.* disguise (**като** as); || ~ **се** disguise o.s.

предрèшване *ср., само ед.* disguising, disguise.

предрѝчам, предрекà *гл.* predict, foretell; foreshadow; prognosticate; ~ **бъдещето** (*гадая*) tell fortunes.

предрѝчан|е *ср.,* **-ия** prediction, foretelling; (*прогноза*) prognosis, prognostication; ~**е на бъдещето** (*гадаене*) fortune-telling.

председàтел (-ят) *м.,* **-и; председàтелк|а** *ж.,* **-и** president; (*на събрание, комисия*) chairman, chairperson, (*жена*) chairwoman; (*на Камарата на общините в Англия и на Камарата на представителите в САЩ*) Speaker; **избират ме за ~** (*на събрание*) be called to the chairmanship, be called to take the chair; **министър-~**, ~ **на Министерския съвет** prime minister, premier; ~ **на изпитна комисия** head examiner.

председàтелск|и *прил.,* **-а, -о, -и** presidential; president's; chairman's; **заемам ~ото място** take the chair, (*на масата*) sit at the head of the table.

председàтелствам *гл.* preside (**на** at, over); be in the chair, occupy/fill the chair; act as chairman, be the chairman (at); ~ **събрание** preside a meeting.

председàтелство *ср., само ед.* chairmanship; presidency; **под ~то на** presided over by, under the chairmanship of; **поемам ~то** take the chair.

предсказàни|е *ср.,* **-я** prediction; prophecy; divination; ~**е на бъдещето** (*гадаене*) fortune-telling.

предсказàтел (-ят) *м.,* **-и; предсказàтелк|а** *ж.,* **-и** soothsayer; (*гадател*) fortune-teller; diviner.

предскàзвам, предскàжа *гл.* predict, prognosticate, forecast; (*пророкувам*) foretell, prophesy; divine; ~ **бъдещето** (*гадая*) tell fortunes.

предсмъ̀рт|ен *прил.,* **-на, -но, -ни** death (*attr.*); death-bed (*attr.*); dying; ~**на агония** death tolls, death agony,

death struggle; ~**но желание** dying wish, death-bed wish.

предсро̀ч|ен *прил.,* **-на, -но, -ни** pre-term, (occurring) before the time set; (fulfilled) ahead of schedule/term.

предстàв|а *ж.,* **-и** notion, idea; (mental) picture; *разг.* street credibility; (*схващане*) concept; **not to have an earthly; нямам никаква ~а** I haven't got the slightest/haziest/remotest idea/notion, *разг.* I haven't (got) a clue; I haven't got the foggiest (idea); **съставям си ясна ~а** за **положението** form a clear view of the situation.

представѝтел (-ят) *м.,* **-и; представѝтелк|а** *ж.,* **-и** representative; deputy; *търг.* agent; commis; (*който говори от името на други*) spokesman; spokeswoman, spokesperson; **в качеството на ~** in a representative capacity **народен ~** deputy (to the National Assembly), (*в Англия*) Member of Parliament, **съкр. М. P.,** (*в САЩ*) congressman; **официален ~** official agent.

представѝтел|ен *прил.,* **-на, -но, -ни 1.** representative, exemplary (**по отношение на** of); **2.** (*на външен вид*) personable; (*внушителен*) imposing, impressive; dignified; (*едър*) portly; ● ~**ен хотел/магазин** luxury hotel/shop, de luxe hotel/shop.

представѝтелств|о *ср.,* **-а 1.** representation; *юр.* delegation; **изключително право на ~о** exclusive sales rights; **юридическо ~о** legal representation; **2.** (*учреждение*) agency.

представк|а *ж.,* **-и** *език.* prefix.

представлèни|е *ср.,* **-я** performance, show; **правя ~е** *театр.* stage a performance/show; put on a show; **правя ~е** *прен.* (*преструвам се*) put on a show/an act.

представлявам *гл.* represent; be; (*представител съм на*) represent (**пред** to); deputize (for); **нищо не представлява** there's nothing to it, it isn't worth much, (*за човек*) he's a nobody/ a mere nothing; ~ **в парламента** (*област и пр.*) sit for; **това не представлява трудност** this offers/presents no difficulty.

представям, представя *гл.* **1.** present; offer; submit; produce; ~ **доказателства** put in/produce/furnish/ex-

hibit evidence/proof; ~ **за разглеждане** submit for consideration; table for discussion; ~ **се отлично** o.'s performance is excellent; **2.** (*запознавам*) introduce, present; **мога ли да ви ~ ...** may I introduce ... to you; **3.** (*изобразявам*) represent, depict; be representative of; (*пиеса*) perform; (*играя ролята на*) personate, perform the part of; || ~ **си** imagine, picture, fancy; figure to o.s.; envisage, visualize; **представете си!** imagine! just fancy!; || ~ **се** present o.'s; (*за случай и пр.*) present itself, offer, arise; (*запознавам се*) introduce o.s. (to); ~ **се за** present o.s. as, pass o.s. off as; ~ **се** (*явявам се*) **на началника си** report to o.'s superior.

представяне *ср., само ед.* presenting; presentment, presentation; representation; performance; (*запознаване*) introduction; (*на новини в медиите*) reporting.

предстой *гл. само 3 л. ед.* be imminent, be at hand; lie ahead/before, be in store (for), await; (*в близко бъдеще*) be coming/forthcoming; lie just round the corner; **предстои ми повишение** be in the frame for promotion; **предстои ни да** we are faced with, we are in line for, (*за нещо лошо*) we are in for, (*следва да*) we are to; **предстои ни още много/доста/дълъг път** we've still got a long way to travel/go.

предсъ̀рдие *ср., само ед. анат.* auricle (of the heart).

предтèч|а *м.,* **-и** precursor, forerunner, foreshadower (*и библ.*).

предубедèн *мин. страд. прич.* prejudiced, biased; partial, slanted.

предубедèност *ж., само ед.* prejudice, bias.

предубеждàвам, предубедя̀ *гл.* prejudice, bias (**срещу** against).

предубеждèни|е *ср.,* **-я** prejudice, bias; preconceived idea/notion; slant (**към** on); *книж.* jaundice; **без ~я** unbiased, unprejudiced, open-minded, without prejudice; **гледам с ~е на** take a jaundiced view of.

предумване *ср., само ед.* persuading; persuasion; cajolement; exhortation.

предумисъл *м., само ед.* premeditation; preconception; forethought.

предумѝшлен *прил.* premeditated, aforethought; wilful; ~о престъпление *юр.* premeditated/wilful crime; ~о убийство *юр.* murder, *амер.* murder in the first degree.

предупредѝтел|ен *прил.,* -на, -но, -ни precautionary; warning; premonitory; ~ен пътен знак a warning sign.

предупрежда̀вам, предупредя̀ *гл.* 1. warn, forewarn (за of, about) (да не against *c ger.*); caution (against *c ger.*); give a warning (за of); put on o.'s guard (against *c ger.*); ~ ви, че ... please note that; I warn you that ...; 2. (*уведомявам предварително*) give notice (to) (*и за уволнение*), notify, advice, tell beforehand, let know beforehand (of); *разг.* tip off; give s.o. the tip-off; (*официално, писмено*) serve notice on; ~ някого, че ще бъде уволнен след едни месец give s.o. a month's notice.

предупреждѐни|е *ср.,* -я 1. warning; forewarning; (*напомняне*) reminder; правя ~е give a warning; стрелям без ~е shoot on sight; 2. (*предизвестие*) notice; *sl.* tip-off; ~е за напускане (*на квартира*) notice to quit; ~е за уволнение с едномесечен срок month's notice.

предусѐщам, предусѐтя *гл.* anticipate; (*нещо лошо*) have a foreboding (of), forebode; (*предвкусвам*) foretaste.

предусѐщане *ср., само ед.* anticipation; (*на нещо лошо*) foreboding; misgiving; (*предвкусване*) foretaste, foretasting.

предучѝлищ|ен *прил.,* -на, -но, -ни preschool (*attr.*); деца от ~на възраст children under school age.

предхо̀д|ен *прил.,* -на, -но, -ни preceding, previous, foregoing; antecedent.

предхо̀ждам *гл.* precede, go before.

предхристия̀нск|и *прил.,* -а, -о, -и pre-Christian.

предцѝ *само мн.* forefathers, ancestors.

предчу̀вствам *гл.* have a presentiment (of, about); (*за нещо лошо*) have a foreboding/misgiving (of, about); ~ го *разг.* feel in o.'s bones.

предчу̀встви|е *ср.,* -я presentiment; anticipation; premonition; *разг.* hunch; лошо ~е misgiving; foreboding (of evil).

предшѐствам *гл.* precede, go before,

forego, forerun.

предшѐстващ *сег. деят. прич.* (*и като прил.*) preceding, pre-existing, foregoing; (*бивш*) previous, former; ~ дълг antecedent debt; ~и претенции *фин.* prior charges.

предшѐствени|к *м.,* -ци; предшѐствениц|а *ж.,* -и predecessor, forerunner, foregoer, precursor.

предъвквам, предъвча *гл.* chew, ruminate; *прен.* chew the cud, chew over; *разг.* rehash.

предъвкване *ср., само ед.* rumination; *прен.* rehash.

предявѝтел (-ят) *м.,* -и; предявѝтелк|а *ж.,* -и bearer; ~ на чек payee; чек, платим на ~я check payable to bearer.

предявя̀вам, предявя̀ *гл.* present; ~ високи изисквания/големи претенции demand/expect a great deal; make big claims; ~ документи produce/ present documents; ~ иск срещу bring a suit against; lay a claim against; ~ искания put forward/make demands, lay claims (за to); ~ право на/за claim, lay claim to; ~ претенции make demands, have pretensions (за to).

предявя̀ване *ср., само ед.* presenting; presentation; ~ на авторско право assignment of copyright; ~ на иск bringing/laying of a suit; ~ на правото си asserting/assertion of o.'s rights; при ~ (*на чек, документ и пр.*) at/ on sight, on/upon presentation.

предя̀сти|е *ср.,* -я *кул.* entrée; starter, appetizer.

преекспонѝрам *гл. фот.* overexpose; overprint.

преекспонѝране *ср., само ед. фот.* overexposure; overprinting.

прежа̀лвам, прежа̀ля *гл.* 1. get over the loss of, become reconciled to the loss of; reconcile o.s. to the loss of; cease mourning/grieving for; 2. *прен.* give up, sacrifice; part with; || ~ се sacrifice o.s.; take the risk/plunge.

прѐжд|а *ж.,* -и yarn, thread; вълнена ~a woollen yarn, wool; камгарна/ щрайхгарна ~a *текст.* worsted/ carded yarn.

преждеврѐмен|ен *прил.,* -на, -но, -ни premature; (*ненавременен*) untimely; ~на смърт untimely death; ~но раждане premature birth.

преждеврѐменно *нареч.* prematurely; (*ненавременно*) untimely; ~ развит precocious.

преждеврѐменност *ж., само ед.* prematurity; untimeliness; (*на смърт и пр.*) earliness.

прежѐнвам, прежѐня *гл.* marry before (an elder brother or sister).

преживѐлиц|а *ж.,* -и experience.

прежѝв|ен *прил.,* -на, -но, -ни *зоол.* ruminant; ~но животно ruminant.

преживя̀вам, преживѐя *гл.* 1. (*изпитвам*) experience, go through; (*изтърпявам*) endure, suffer; много е преживял he has been/gone through a lot; ~ тежко take to heart; feel keenly; 2. (*надживявам*) survive, outlive, outlast; 3. (*живея, прехранвам се*) subsist, make both ends meet; keep (o.s., o.'s head) above water, keep the pot boiling, scratch a living; колкото да преживея to keep body and soul together.

преживя̀ване *ср., само ед.* 1. experience; 2. survival; 3. subsistance.

прежѝвям *гл.* 1. ruminate, chew the cud; 2. *разг.* repeat over and over again, rehash.

прежу̀лвам, прежу̀ля *гл.* rub sore.

прежу̀рям, прежу̀ря *гл.* 1. be/shine/ burn hot; 2. scorch.

прежълтя̀вам, прежълтѐя *гл.* turn/ become/grow yellow; grow/turn pale (от with).

през *предл.* 1. (*за място*) through; by way of, via; (*пряко*) across; (*по, отгоре*) over; гледам ~ рамото на look over the shoulder of; да се върнем ~ Пловдив let's return by way of/via Plovdiv; метнат ~ рамо slung across o.'s shoulder; показвам си главата ~ вратата thrust o.'s head in at the open door; ~ полето across the fields; 2. (*за време*) in, during; in the course of; ~ деня during the day, in the daytime; by day; ~ последните години in recent years; ~ цялата нощ all night long/ through, all through the night, throughout the night; 3. (*интервал*) at intervals of, at an interval of; ~ две улици two blocks away; ~ ден/месец every other/second day/month; ~ ден ~ два every other day or so; ~ една улица от within a street/block of; ~ три сантиметра at intervals of 3 cm; ● един ~

друг helter-skelter, pell-mell; one after the other; ~ **девет села в десето** across the mountains and over the hills; in a far/distant country.

презапасяване *ср., само ед. икон.* hoarding.

презàпис *м., -и, (два)* презàписа recording, rerecording, dubbing.

презаписвам, презапùша *гл.* **1.** (*в университета*) repeat; **2.** record (from one tape-recorder to another), re-record.

презарèждам, презаредя *гл.* reload; recharge; overcharge.

презарèждан|е *ср., -ия* recharge, recharging; overcharge, overcharging.

презастрахòвам *гл.* reinsure; double check; || ~ **се 1.** get reinsured; **2.** *разг.* play it safe, make assurance double sure.

презастрахòване *ср., само ед.* reinsuring, reinsurance.

презастраховател (-ят) *м., -и* reinsurer.

презастраховател|ен *прил., -на, -но, -ни* reinsuring, reinsurance (*attr.*); ~**ен брокер** reinsurance broker.

презастраховк|а *ж., -и* reinsurance.

прèзбалкàнск|и *прил., -а, -о, -и* trans-Balkan.

презвùтер *м., -и цьрк.* presbyter; priest.

презвитериàнск|и *прил., -а, -о, -и* Presbyterian.

презвитериàнство *ср., само ед. истор.* Presbyterianism.

презвитериàн|ец *м., -ци* Presbyterian.

прèзглава *нареч.* **1.** headlong, precipitately, impetuously; (*при падане*) head-first; (*при премятане*) head over heels; **бягам** ~ scamper, rush off, run helter-skelter, run for o.'s life; **2.** with o.'s head under the cover/blanket; **завùвам се** ~ draw the clothes over o.'s head.

презентатùв|ен *прил., -на, -но, -ни* presentational.

презерватùв *м., -и, (два)* презерватùва condom; *амер. sl.* rubber; *англ. sl.* French letter.

президèнт *м., -и* president.

президèнтск|и *прил., -а, -о, -и* presidential; **времетраене на** ~**и мандат** presidential tenure; ~**и пьлномощия** presidential powers.

президèнтство *ср., само ед.* presidency; presidentship.

презùдиум *м., -и, (два)* президùума presidium; **почетен** ~ honorary presidium; ~ **на Народното сьбрание** Presidium of the National Assembly.

прèзиме *ср., -нà* surname; last name; **викам/назовавам някого по** ~ surname s.o.

презимỳвам *гл.* winter, spend/pass the winter; (*за животно*) hibernate.

презимỳване *ср., само ед.* spending the winter; wintering; (*за животно*) hibernation.

презùрам, презрà *гл.* despise, disdain, scorn, spurn, be contemptuous of, look down upon, hold in contempt; execrate, hold in execration; ~ **опасностите** disregard dangers; make light of dangers.

презмòрск|и *прил., -а, -о, -и* oversea(s) (*attr.*).

презокеàнск|и *прил., -а, -о, -и* transoceanic; oversea(s) (*attr.*).

презполовявам, презполовя *гл.* **1.** halve, cut/divide in two; **2.** (*свьршвам наполовина*) get through half; ~ **разстоянието** cover half the distance.

презрàмк|а *ж., -и* shoulder-straps; **без** ~**и** strapless.

презрèние *ср., само ед.* contempt, disdain, scorn; execration; **гледам с** ~ **на** look contemptuously at; **отнасям се с** ~ **кьм** treat/regard with contempt, *разг.* turn up o.'s nose at.

презрùтел|ен *прил., -на, -но, -ни* contemptuous, disdainful, scornful, *sl.* snippy, snooty, snorty.

презрявам, презрèя *гл.* get/grow over-ripe.

презỳмпция *ж., само ед. книж.* assumption, presumption; ~ **по правило** presumption of law.

преигрàвам, преигрàя *гл.* **1.** play again/anew; replay, play off; **2.** *театр.* overact; *разг.* ham it up.

преигрàване *ср., само ед.* **1.** *спорт.* replay; **2.** *театр.* overacting.

преизбùраемост *ж., само ед.* reeligibility.

преизбùрам, преизберà *гл.* reelect, re-nominate.

преизбùране *ср., само ед.* reelection, re-nomination.

преизгрàждам, преизградя *гл.* build

again/anew, re-build.

преиздàвам, преиздàм *гл.* republish, reissue; **книгата е преиздавана няколко пьти** the book has gone through several editions.

преиздàване *ср., само ед.* republication.

преиздàден *мин. страд. прич. (и като прил.)* reissued; ~ **паспорт** replacement passport; ~ **патент** reissued patent.

преизпòдня *ж., само ед.* nether/lower world/regions; hell; Tartarus; abyss.

преизпьлвам, преизпьлня *гл.* fill to overflowing/to the brim; || ~ **се** be brimming over (**с** with), be full to overflowing.

преизпьлнен *мин. страд. прич.* **1.** (*изпьлнен с превишение*) overfulfiled; **2.** (*препьлнен*) overflowing (with), brimming over (with), replete, fraught (with).

преизпьлнèние *ср., само ед.* over-fulfilment.

преизпьлнявам, преизпьлня *гл.* overfulfill; exceed.

преизчислявам, преизчисля *гл.* re-figure, recalculate.

преизчисляване *ср., само ед.* recalculation, revaluation.

преименỳвам *гл.* rename, change s.o.'s name, give a new name to.

преимỳществен *прил.* pre-emptive; ~**о право** overriding interest, priority; ~**о право на купуване** pre-emptive right.

преимỳществ|о *ср., -а* advantage (**над** over); priority (over).

преиначàвам, преиначà *гл.* misrepresent, distort; pervert; (*погрешно изтьлкувам*) misinterpret, misconstrue.

преиначàване *ср., само ед.* mispresentation, distortion, perversion; (*погрешно тьлкуване*) misinterpretation, misconstruction.

прекадявам, прекадя *гл.* cense, incense, thurify.

прекадяване *ср., само ед.* censing, incensation, thurification.

прекалèн *мин. страд. прич. (и като прил.)* excessive; overdone; too great; exaggerated; exorbitant; (*предик.*) over the odds; (*неоправдан*) unconscionable; (*за ласкателство и пр.*) fulsome; *разг.* (*предик.*) over-the-top,

съкр. ОТТ; ~ **светец** overpious person; ● ~ **светец и Богу не е драг** it's too much of a good thing.

прекалѐно *нареч.* excessively, to excess; above/beyond all measure; exorbitantly; (*твърде*) too; ~ **много** much/far too much, (*за брой*) much/far too many; ~ **хитър** too clever by half; **това е вече** ~! that's going too far! that's a bit thick!

прекалявам, прекаля *гл.* overdo it, go too far, carry it too far, go to extremes; (*с употребата на нещо*) be heavy-handed (with); *разг.* come/go it too strong, lay/put it on (too) thick; ~ **с** err on the side of; ~ **с исканията си** push o.'s claims/demands too far.

прекарвам, прекарам *гл.* **1.** (*пренасям, прехвърлям*) carry, take, transport, drive; get/take/carry across; (*с каруца*) cart; (*през река*) ferry over; **2.** (*промушвам и пр.*) pass; run; put; shove; force; drive (through); ~ **през сито** sieve; ~ **ръка през косата си** run o.'s hand/fingers through o.'s hair; **3.** (*водопровод, инсталация и пр.*) make; build; ~ **водопровод** (*вкъщи*) join the water-supply system; **4.** (*начертавам*) draw; **5.** (*време*) spend, pass; (*преминавам, преживявам*) go through, undergo; experience; (*болест*) have; (*справям се*) manage; ~ **времето си в безделие** idle/while away o.'s time; waste o.'s time; ~ **изпитания** pass through trials; **6.** (*изпързалвам*) take (s.o.) for a ride, do (s.o.) down, *sl.* do the dirty on; ● ~ **през ума си** go over/revolve in o.'s mind; meditate on/over, ponder over.

прекатурвам, прекатуря *гл.* overturn, upset, topple/tip over; (*кораб и пр.*) capsize; || ~ **се** upset, be overturned/upset, overturn, topple/tip over, capsize.

прекатурване *ср., само ед.* overturning, upsetting, tipping over, capsizing.

прекачвам се, прекача се *възвр. гл.* **1.** climb/get/scramble (over); **2.** (*на влак или пр.*) change (trains, etc.); (*на кораб*) trans-ship.

прекачван|е *ср., -ия* changing, transshipment; **без** ~**е** direct.

преквалификаци|я *ж., -и* changing o.'s profession, requalification, re-

training; Employment Training, *съкр.* ЕТ; **професионална** ~**я** vocational retraining.

преквалифицирам *гл.* re-qualify (s.o.); train for a new job; retrain; (*работници*) reskill; || ~ **се** change o.'s profession, requalify, train for a new job.

прекипявам, прекипя *гл.* **1.** (*за вино и пр.*) cease fermenting; **2.** (*изкипявам*) boil over; ● **прекипява ми** boil over, fly into a rage; lose patience.

прекланям, преклоня *гл.* bow, bend (down); ~ **глава** bow o.'s head; || ~ **се** bow (down), bow o.'s head; bow down (**пред** before), bend/bow the knee (before, to); pay/render homage to; ~ **се пред волята на** bow to the wish of.

преклонѐн *мин. страд. прич.* bent; ● ~**а главица сабя не я сече** bend your knee and save your head; a bent head turns away wrath.

преклон|ен *прил., -на, -но, -ни* old; advanced; declining; **на** ~**на възраст** well advanced in years, stricken in years; ~**на възраст** (extreme) old age; declining years.

преклонение *ср., само ед.* **1.** (*почит*) admiration; homage; **2.** (*покорство*) submission; prostration.

прекомѐр|ен *прил., -на, -но, -ни* excessive, exorbitant, too great, inordinate; disproportionate; exaggerated; (*за бързина, оптимизъм, слабост*) undue; (*за цена, претенции и пр.*) extravagant, exorbitant.

прекомѐрност *ж., само ед.* excessiveness, exorbitance; extravagance.

прекопавам, прекопая *гл.* hoe, dig; hoe again; dig over.

прекопирвам, прекопирам *гл.* copy; trace.

прекосявам, прекося *гл.* **1.** cross; traverse; cut across; (*за път, река*) cut/run across; take a short-cut; ~ **неправилно улица** *разг.* jaywalk; **2.** *разг. прен.* cut to the quick.

прекрас|ен *прил., -на, -но, -ни* beautiful, magnificent, splendid, gorgeous, exquisite, delightful, excellent; lovely, fine; (*за характер*) grand; (*за възможности*) splendid.

прекрасно *нареч.* beautifully, lovely; exquisitely; perfectly well; ~! very well! fine! excellent! splendid! *разг.*

swell! capital!

прекратявам, прекратя *гл.* stop, cease; discontinue; put an end to, make and end of, terminate; (*прекъсвам*) break/cut off; leave off; ~ **дебати** suspend debates/discussions; ~ **огъня** *воен.* cease fire; ~ **плащания** suspend/stop payment(s); ~ **стачка** call off a strike; || ~ **се** cease, stop, come to an end.

прекратяване *ср., само ед.* ceasing; cessation; discontinuance, discontinuation; stop, end; suspension; termination; ~ **на военните действия** cessation of hostilities; ~ **на дебатите** closure, gag; ~ **на дело** (*от съда*) nonsuit, abatement of action; ~ **на договор** termination of a contract; ~ **на плащанията** suspension of payments.

прекрачвам, прекрача *гл.* **1.** cross, step (over); step across; (*с голяма крачка*) stride over; **2.** *прен.* overstep.

прекройвам, прекроя *гл.* cut again/anew; *прен.* reshape, recast.

прекръствам, прекръстя *гл.* **1.** cross (s.o.); make the sign of the cross (over s.o.); **2.** rebaptize; give another name to, rename; || ~ **се 1.** cross o.s.; **2.** be baptized/christened again; have o.'s name changed, change o.'s name.

прекупвам, прекупя *гл.* buy (in order to resell); buy second hand.

прекупвач *м., -и* middleman, dealer.

прекършвам, прекърша *гл.* break/snap off; break (in two); || ~ **се** break (in two), snap.

прекъсвам, прекъсна *гл.* interrupt, break/cut off; (*преустановявам*) discontinue, stop, put an end to; cut short; suspend; *ел.* break; (*телефон*) disconnect; (*ток*) turn/cut off; (*чужд разговор*) butt in, chip in, barge in on; (*обучението си*) drop out; ~ **абонамента** си withdraw o.'s subscription; ~ **дипломатически отношения** break off/sever diplomatic relations (**с** with); ~ **някого** cut s.o. short.

прекъсван|е *ср., -ия* interrupting; interruption; disconnection; discontinuance; suspension; (*при двигател*) jam; ~**е на пластове** *геол.* omission of beds; (*за обедна почивка и пр.*) break, recess, interval; (*на спортно състезание и пр.*) time-out; *мед.* (*на пулс*) intermission; ~**е на работата**

юр. work stoppage; ~е на ток **ел.** power break-down; **пулс с ~е** an intermittent pulse; **с ~е** intermittently; on and off; in snatches; by fits and starts.

прекъсвач *м.*, **-и**, **(два) прекъсвача** *ел.* switch, circuit-breaker; disconnector, cutout; **автоматичен ~** contactor; **стъпален ~** resistance breaker; *(двигател)* **чукче на ~** arm breaker.

прекъснат *мин. страд. прич. (и като прил.)* interrupted, disconnected, suspended; **~а верига** *ел.* open circuit; **~а линия** broken line.

прелат *м.*, **-и** prelate.

прелез *м.*, **-и**, **(два) прелеза** crossing; *жп* level/*амер.* grade crossing; *(на шосе)* highway crossing, fly over; *(на плет, ограда)* stile; **неохраняван ~** *жп* non-guarded crossing.

прелест *ж.*, **-и** charm, fascination; loveliness; exquisiteness; *книж.* delectability, delectableness.

прелест|ен *прил.*, **-на**, **-но**, **-ни** charming, fascinating, lovely, delightful; fetching; exquisite; *книж.* delectable.

прелет|ен *прил.*, **-на**, **-но**, **-ни** migratory; ~на птица bird of passage (*и прен.*), migratory bird, migrator.

прелетявам, прелетя *гл.* fly over; *(покрай)* fly/flit past/by.

преливам, прелея *гл.* **1.** *(наливам)* pour (from one vessel into another); *(вино)* decant; *мед.* transfuse, make a transfusion; **2.** *(препълвам се)* overflow, flow over the edge, brim (over), run over, spill over, overtop, overspill (в into); **сърцето ми прелива от радост** my heart swells/is brimming over with joy; || **~ се** *(за цветове)* gradate, shade, grade; play; *(едно в друго – за значение)* shade off/merge into one another; ● **~ от пусто в празно** mill the wind, draw water in a sieve, thrash over old straw.

преливан|е *ср.*, **-ия** pouring, overflow, overtopping, decantation; *мед.* transfusion; *(на цветове)* gradation; play.

прелив|ен *прил.*, **-на**, **-но**, **-ни:** ~ен канал escapement; overflow channel; ~ен клапан *техн.* spilling gate.

преливни|к *м.*, **-ци**, **(два) преливника** overflow drain, overflow; *(на язовир)* spillway; escape.

прелиствам и прелиствам, прелиствам

гл. turn over the pages of; leaf (through); flip through, thumb through; *(бегло преглеждам)* look/go through; flick/flip through, have a quick flick through.

прелитан|е *ср.*, **-ия** flight; *(на птици)* migration.

прелитам, прелетя *гл.* fly, flit.

прелом *м.*, **-и**, **(два) прелома** turning point; sudden change; *(у човек)* change of heart; upturn; **извършвам ~** turn the tide.

прелом|ен *прил.*, **-на**, **-но**, **-ни** crucial, decisive; cataclysmal, cataclysmic; ~ен момент a crucial moment, a turning point.

преломявам, преломя *гл.* break (in two).

прелъгвам, прелъжа *гл.* outwit; cheat, deceive, dupe, entice; coax (да into с ger.).

прелъстител (-ят) *м.*, **-и**; **прелъстителк|а** *ж.*, **-и** seducer; enticer; *ж.* Circe.

прелъстявам, прелъстя *гл.* seduce; *прен. и* lure, entice.

прелюбодействам *гл.* commit adultery, fornicate.

прелюбодейни|е *ср.*, **-я** adultery, fornication; criminal conversation.

прелюди|я *ж.*, **-и** *муз. (и прен.)* prelude.

премазвам, премажа *гл.* crush; smash; beat down; *(с кола)* run over.

премалявам, премалея *гл.* grow faint/weak (от with).

премалял *мин. св. деят. прич.* faint, weak (with); ~ от глад weak from starvation; ~ от жажда parched with thirst.

премалялост *ж.*, *само ед.* faintness.

премахвам, премахна *гл.* remove, do away with, abolish, suppress, obliterate; expunge; *(из основи)* eradicate; *(грешка, недостатък, страх)* eliminate; *(опасност, трудност, неудобство)* obviate; *(позор, страх и пр.)* wipe out; ~ неприятна миризма deodorize; ~ от лицето на земята wipe off the face of the earth; ~ парламентарен имунитет waive parliamentary immunity; ~ съмнения remove all doubts; ~ такси abolish charges.

премахване *ср.*, *само ед.* removing; removal; abolition; elimination; obliteration; suppression; expunction; *(изкореняване)* eradication; ~ на преч-

---

ките за търговия removal of barriers to trade.

премедикация *ж.*, *само ед.* *мед.* premedication.

премежди|е *ср.*, **-я** misadventure; mishap; danger; narrow escape; close shave.

променям и премеяявам, променя *гл.* dress up/out; || **~ се** put on o.'s best; dress up; smarten o.s. up; ● **променил се Илия, погледнал се пак в тия** six of one and half a dozen of the other.

премервам, премеря *гл.* measure; *(претеглям)* weigh; *(дрехи, обувки)* try on; *(на другиго)* fit on; || **~ се 1.** measure o.s.; weigh o.s.; **2.:** **~ се с някого** compare o.s. with s.o.; **3.** *(прицелвам се)* take aim (at); ● **~ някого** *прен.* size s.o. up; **~ силите си с** try o.'s strength against, measure swords with; **три пъти премери, един път режи** measure twice and cut once, look before you leap, score twice before you measure once.

премерван|е *ср.*, **-ия** measuring, measurement.

премерен *мин. страд. прич.* **1.** measured; **2.** *прен.* well-considered, careful, circumspect, deliberate.

премествам, преместя *гл.* shift, move (away); put/place somewhere else; translocate; *(на друга служба)* transfer (на to); || **~ се** move; move house; **~ се в нов апартамент** move to a new flat.

преместван|е *ср.*, **-ия 1.** shifting, moving; transference, translocation; shift; displacement; **2.** *(на жилище)* move; **3.** *техн. (на машинна част)* travel; **4.** *ел.* translation.

премиал|ен *прил.*, **-на**, **-но**, **-ни** bonus (*attr.*); ~ен фонд bonus funds; като същ. ~ни bonuses.

премигам и премигвам, премигна *гл.* wink, blink; *(за свещ)* flicker, gutter.

премиер *м.*, **-и** premier, prime-minister.

премиер|а *ж.*, **-и** *театр.* first night/performance; prèmière.

премиер|ен *прил.*, **-на**, **-но**, **-ни** first-night (*attr.*); ~ен филм a first-run film.

премижавам, премижа *гл.* close o.'s eyes (for a while); ~ пред close o.'s

eyes to, pretend not to see, wink at.

преминàвам, премѝна гл. **1.** pass, get/go/pass over, cross; traverse; (*разстояние*) go, walk, cover; (*опасност и пр.*) pass, get past; ~ **границата** cross the frontier, *прен.* go too far; **2.** (*сменям – тема, начин на действие и пр.*) pass/go/move on, proceed (**към** to); (*в друга вяра и пр.*) go/pass over (to); ~ **на другата страна** change sides; ~ **на нова/друга тема** switch over to another topic; ~ **на страната на противника** desert/defect to the enemy; ~ **от ръка на ръка** change hands; **3.** (*прекарвам, преживявам*) pass, spend; **4.** (*отминавам, свършвам с*) be over, pass, subside; **черешите вече преминаха** cherries are over; **5.** (*протичам*) pass/go off; **6.** (*превръщам се*) pass, turn (в into).

преминàван|е ср., -ия passing; passage; crossing; transition; **право на ~е** right of way; **свободно транзитно ~е** free transit.

премирàм₁, **премрà** гл. faint, pass away, lose consciousness; swoon; ~ **от страх** be chilled with fear.

премирàм₂ гл. give/award a premium/prize/bonus/bounty to.

премирàн мин. страд. прич. prize (*attr.*), prize-winning.

премирàне₁ ср., само ед. fainting; fainting-fit, swoon.

премирàне₂ ср., само ед. giving/awarding of a premium/prize/bonus/bounty to.

премислям, премисля гл. think over/out; *sl.* chew the cud; chew over.

премѝтам, премета гл. sweep up.

прѐми|я ж., -и **1.** (*награда*) prize, award; (*възнаграждение*) bonus, gratuity, bounty, premium; *фр.* douceur; **застрахователна ~я** insurance premium; **получавам ~я** take/get/earn a prize; **2.** *фин.* premium.

премодулѝране ср., само ед. overmodulation.

премрèжвам, премрèжа гл. veil, dim; **премрежват ми се очите** my eyes swim, everything swims before my eyes.

премрòзвам, премрòзна гл. freeze (right through), be/get frozen; (*за растения*) be nipped by the frost; ~ **до смърт** freeze to death.

премрòзване ср., само ед. freezing;

frostbite.

премъ̀дрост ж., само ед. great wisdom.

премъ̀д|ър прил., -ра, -ро, -ри very wise, sage.

премлъчàвам, премлъчà гл. pass over in silence, keep silent (about); (*скривам*) conceal; (*име, факт*) suppress; ~ **нещо** keep s.th. to o.s.

премя̀на ж., премèни attire, dress, apparel; o.'s (Sunday) best, finery; best feathers; *поет.* array, garments; *шег.* glad rags.

премя̀там, премèтна гл. **1.** throw, fling, cast (over, across); toss; ~ **крак въз крак** cross o.'s legs; ~ **през рамо** fling/throw/sling over o.'s shoulder; **2.** (*обръщам*) turn over; (*катурвам*) upset, overturn; **3.** (*измамвам*) разг. pull a fast one (on s.o.) take (s.o.) for a ride; || ~ **се** turn/toss over; ~ **се през глава** turn head over heels, make a somersault; **сърцето ми се преметна** my heart gave a leap, my heart leapt into my mouth/boots.

премя̀тан|е ср., -ия throwing over/across; somersaults; flip.

пренавѝвам, пренавѝя гл. **1.** (*наново навивам*) re-wind, re-reel; **2.** (*навивам премного*) overwind.

пренавѝван|е ср., -ия rewind, re-winding; ~**е на лента** backwind.

пренаèмам, пренаèма гл. **1.** (*като пренаемател*) subrent, *амер.* sublease; **2.** (*наемам повторно*) rent again/anew.

пренаèмане ср., само ед. subrent, sublease, subtenancy.

пренаемàтел (-ят) м., -и subtenant, undertenant.

преназначàвам, преназначà гл. re-appoint; reassign.

преназначèни|е ср., -я reappointment; reassignment.

пренапрежèние ср., само ед. super tension, overstrain, overstress, overtension; *ел.* overvoltage.

пренарèждам, пренаредя гл. rear-range.

пренарèждане ср., само ед. rear-rangement.

пренаселèн мин. страд. прич. over-populated; congested.

пренаселèност ж., само ед. over-population; congestion; redundant

population.

пренасѝтен мин. страд. прич. glut-ted; *хим.* oversaturated; **районът е ~ с болници** the region is glutted with hospitals.

пренасѝтеност ж., само ед. glut; *хим.* oversaturation.

пренасѝщам, пренасѝтя гл. over-saturate, supersaturate; glut (with).

пренасѝщане ср., само ед. oversaturation, supersaturation.

пренасòчвам, пренасòча гл. redirect, deflect; (*на нова работа, длъжност*) redeploy.

пренасòчване ср., само ед. redirection, deflection; (*на работна ръка*) redeployment.

пренастрòйване ср., само ед. read-justment; changeover; (*на радио*) re-tuning.

пренàсям, пренесà гл. **1.** carry, transfer, convey; shift; carry over (и *фин.*); (*с лодка, самолет*) ferry; (*болест и пр.*) carry, transmit; spread; *разг.* (*нещо тежко*) hump, cart; ~ **нещо по море/въздуха** do ship/fly s.th. to; **2.** *прен.* carry away, transport (в to, into); || ~ **се** move (house); ~ **се в друг апартамент** move to another flat.

пренàсян|е ср., -ия carrying; carriage; conveyance; (*по въздуха*) airlift; ~**е на енергия** energy transfer.

преначертàвам, преначертàя гл. redraw.

пренебрèгвам, пренебрèгна гл. neglect, ignore, disregard, disesteem; slight, set at naught; (*не обръщам достатъчно внимание на*) overlook, pass by, brush off; (*не зачитам*) disoblige; ~ **някого** разг. give s.o. the cold shoulder; leave s.o. out in the cold; ~ **общественото мнение** defy/disregard public opinion.

пренебрèгване ср., само ед. neglecting; neglect, slight, disregard; **не е за ~** it's not to be sneezed/sniffed at; it is not to be despised; **съзнателно ~** voluntary ignorance.

пренебрèгнат мин. страд. прич. ne-glected; **чувствам се ~** feel out of things.

пренебрежèние ср., само ед. neglect, disregard, slight; disesteem; **говоря с ~ за** speak slightingly of, disparage (s.o.); **отнасям се с ~** разг. turn o.'s

nose up (at); look down o.'s nose (at); flout (at); **отнасям се с ~ към** set at naught/defiance.

пренебрежител|ен *прил.*, **-на, -но, -ни** slighting, disparaging, depreciating; derogatory; neglectful; (*презрителен*) disdainful.

пренебрежителност *ж., само ед.* slight, disparagement; derogatoriness; neglect.

преномерирам *гл.* re-number; (*страници*) re-paginate.

преномериране *ср., само ед.* re-numbering; (*на страници*) re-pagination.

прѐнос *м., само ед.* transport, transportation; transference; *фин.* carried over, *съкр.* CO; carry forward, *съкр.* C/F; *обратен* ~ carry back.

преносвач *м.*, **-и** porter, carrier; removal man.

прено̀с|ен *прил.*, **-на, -но, -ни** figurative, metaphorical; **в ~ен смисъл** figuratively; **~ен израз** a figure of speech.

преносим *сег. страд. прич.* portable, transportable; conveyable; *воен.* motorized.

преносимост *ж., само ед.* portability, transportability.

преносител (-ят) *м.*, **-и** carrier.

пренощувам *гл.* spend the night; stay overnight.

пренощуван|е *ср.*, **-ия** spending the night; staying overnight; **места за ~е** sleeping accommodation.

преобладавам *гл.* predominate, prevail (**над** over).

преобладаване *ср., само ед.* predomination; predominance, prevalence.

преобладаващ *сег. деят. прич.* (*и като прил.*) predominant, predominating, prevalent, prevailing, preponderant; uppermost; dominant, ruling; (*за влияние*) pervasive; **~ото мнение** the general opinion, the current coin.

преоблечен *мин. страд. прич.* dressed in other/new clothes; (*предрешен*) disguised.

преобличам, преоблека *гл.* **1.** change the clothes of; **2.** disguise o.s. (**като** as); || **~ се** change (o.'s clothes).

преоборудвам *гл.* re-equip.

преоборудване *ср., само ед.* re-equipment, refitment.

Преображение *ср., само ед. църк.*

Transfiguration.

преобразовани|е *ср.*, **-я** transformation; reform; (*реорганизация*) reorganization.

преобразовател (-ят) *м.*, **-и** reformer; reorganizer.

преобразувам *гл.* reform; transform; reorganize; (*превръщам*) transduce, convert (**в** into).

преобразуван|е *ср.*, **-ия** reformation, transformation; reorganization.

преобразувател (-ят) *м.*, **-и**, (**два**) **преобразувателя** *техн.* transducer; **контролен ~** monitoring transducer; *ел.* converter; transformer; **~ на напрежение в честота** voltage-to-frequency converter; **сигнален ~** signal transducer; **цифров ~** digitizer.

преобразувател|ен *прил.*, **-на, -но, -ни** transformational.

преобразявам, преобразя *гл.* transform, change, transfigure; || **~ се** change (**в** into); be transformed.

преобразяван|е *ср.*, **-ия** transforming; transformation, change.

преобръщам, преобърна *гл.* **1.** overturn, turn/tip/topple over, upturn, upset; **~ наопаки** turn upside down; **2.** (*превръщам*) transform, convert, turn (**в** into); || **~ се 1.** overturn; topple/tip over; (*за лодка и пр.*) capsize, turn turtle; (*във въздуха*) turn a somersault; **2.** (*превръщам се*) turn (into), become.

преобувам, преобуя *гл.* change s.o.'s shoes/socks/stockings/trousers; || **~ се** change o.'s shoes/socks/stockings/trousers.

преодолимост *ж., само ед.* surmountableness, superability, superableness.

преодолявам, преодолея *гл.* overcome, get over, surmount; get the better of; (*чувства и пр.*) overcome, live down, get the better of; **~ земното притегляне** *косм.* overcome terrestrial gravity; **~ най-трудното в една работа** break the neck of a task; **~ трудност** wade through a difficulty.

преоравам, преора *гл.* replough, plough again.

преориентаци|я *ж.*, **-и** reorientation.

преориентиране *ср., само ед.* reorientation.

преориентирвам, преориентирам

гл. reorient(ate); || **~ се** reorient(ate) o.s.

преосвещенств|о *ср.*, **-а** *църк.* Right Reverend; **Негово ~о** the Right Reverend.

преосвидетелствам *гл.* re-examine, subject to a (medical) re-examination; || **~ се** be re-examined.

преосвидетелстван|е *ср.*, **-ия** re-examination, re-examining.

преосигурявам, преосигуря *гл.* re-insure; || **~ се** reinsure o.s.; *разг.* make assurance doubly sure; play safe.

преосмислям *гл.* give a new meaning to; rethink; redefine; re-examine.

преосмисляне *ср., само ед.* redefinition.

преостойностяване *ср., само ед.* re-valuation.

преоткриване *ср., само ед.* rediscovery.

преотстъпвам, преотстъпя *гл.* **1.** give, cede; dispose of; (*временно*) give s.o. the use of; (*право, имущество*) *юр.* remise; assign (a right); **~ писмено** sign away; **~ полица** negotiate a bill; **2.** sell (o.'s share of).

преотстъпван|е *ср., само ед.* **1.** cession, (*на права и пр.*) *юр.* remise, remission; assignment; **2.** selling; **3.** money paid for the right of taking s.th. over.

преоформяне *ср., само ед.* transformation; **~ като държавен дълг** transformation into state debt.

преохлаждане *ср., само ед.* undercooling, overcooling; (*при закаляване*) overquenching.

преоценен *мин. страд. прич.* (*и като прил.*) revalued, reassessed, reestimated; (*с намалени цени*) at reduced prices; **~и стоки** bargains; **продажба на ~и стоки** bargain sale.

преоценк|а *ж.*, **-и** revaluation, reassessment; reappraisal; re-estimation; re-examination.

преоценявам, преоценя *гл.* revalue, reassess, reestimate; reappraise; reevaluate; set a new price to; (*стоки и пр.*) reduce the prices of; (*активи*) write down; transvalue.

преоценяване *ср., само ед.* reappraising; revaluation; reassessment, reappraisal; (*на стоки и пр.*) price-reduction.

препарат *м.*, **-и**, (**два**) **препарата**

preparation; (*лекарство*) patent medicine; (*за пране, за миене*) detergent; (*за защита*) protectant; (*за отстраняване на боя*) paint stripper; (*за отблъскване на насекоми*) repellent; (*за унищожаване на гризачи*) rodentcide; почистващ ~ cleaning compound; химични ~и chemicals.

препара̀тор *м.*, -и; **препара̀торк|а** *ж.*, -и **1.** laboratory assistant; **2.** (*на животни и пр.*) taxidermist.

препари̂рам *гл.* stuff (an animal).

препари̂ране *ср.*, *само ед.* taxidermy.

препа̀свам, **препа̀ша** *гл.* gird, belt; ~ престилка tie/put on an apron; ~ са̀бята си gird on o.'s sward; || ~ се put a belt/sash on.

препа̀ск|а *ж.*, -и tie, band.

препеча̀твам, **препеча̀там** *гл.* reprint; (*нещо, печатано другаде*) reproduce; (*на пишеща машина*) retype; (*марки*) overprint.

препеча̀тван|е *ср.*, -ия reprinting; reprint; (*на марки*) overprinting; **право на ~е** copyright; **фототипно ~е на книга** reimpression.

препеча̀тк|а *ж.*, -и **1.** *филат.* overprint; **2.** *полигр.* reprint.

препѐчен *мин. страд. прич.* (*и като прил.*) overdone; hard-baked; (*за филия*) toasted; **~а филия хляб** a piece of toast.

препи̂вам, **препи̂я** *гл.* drink too much, overdrink; **препил е** he has had a drop more than he can carry.

препина̀тел|ен *прил.*, -на, -но, -ни **език.** punctuation (*attr.*); **поставям ~ни знаци** punctuate; **~ни знаци** stops, punctuation marks.

препи̂рам, **препера̀** *гл.* **1.** wash again; **2.** do some washing, do a bit of washing.

препи̂рам се *възвр. гл.* argue, dispute; have an argument; squabble (**с** with, **за** about).

препи̂рн|я *ж.*, -и dispute, argument, disagreement, controversy, squabble; dissension, *sl.* ruction.

прѐпис *м.*, -и, (два) прѐписа copy; transcript (**от** of); **автентичен** ~ *юр.* estreat; **правя** ~ **от** duplicate, make a copy of.

препи̂свам, **препи̂ша** *гл.* **1.** copy (out); transcribe; (*наново*) rewrite; (*на пишеща машина*) retype; ~ **на чис-**то write out clean, make a clean copy of; **2.** (*на изпит*) copy, crib (**от** from); cheat; (*плагиатствам*) plagiarize, crib (from); **3.** *юр.* (*прехвърлям*) transfer, convey.

препи̂сван|е *ср.*, -ия copying; transcription.

препи̂свач *м.*, -и; **препи̂свачк|а** *ж.*, -и **1.** copyist; transcriber; **2.** (*на изпит*) cribber, cheater.

прѐписк|а *ж.*, -и correspondence; exchange of letters.

препита̀вам се *възвр. гл.* subsist, live; earn/make o.'s living; support o.s.; ~ **с труда си** live by o.'s labour; **с какво се препитавате?** what do you do for a living?

препита̀ние *ср.*, *само ед.* subsistence, living, livelihood; **без средства за** ~ with nothing to live on; *юр.* without visible means of support; **изкарвам ~то си** earn/make o.'s living; earn o.'s daily bread; support o.s.; **средства за** ~ something to live on; **търся** ~ try to make a living.

препи̂твам, **препи̂там** *гл.* examine, test.

препи̂тван|е *ср.*, -ия testing, examining.

препи̂чам, **препека̀** *гл.* overdo, overroast; (*хляб*) bake hard; (*изгарям*) burn; (*филии хляб*) toast; (*ракия*) distil a second time; || ~ **се:** ~ **се на огъня** toast/warm o.s. before the fire; ~ **се на слънце** bask in the sun.

препли̂там, **преплета̀** *гл.* **1.** interweave, intertwine, interlace, interwist; ~ **пръсти** lock fingers together; **2.** (*плета отново*) knit again; (*коса*) plait/ braid again; || ~ **се** interweave, interlace, intertwine (**с** with); be interwoven (with); ● **преплита ми се езикът** mumble, stammer; **преплитат му се краката** he totters/staggers; he trips over his own feet.

препли̂тан|е *ср.*, -ия interweaving, interlacing; **~е на червата** *мед.* volvulus; ● **~е на интереси/мотиви** wheels within wheels.

преплу̀вам *гл.* swim across; (*с кораб*) sail across; (*с гребна лодка*) row across.

преповта̀рям, **преповто̀ря** *гл.* reiterate, say over, repeat again; repeat over and over again; (*идеи*) rehash; (*като преговор*) recapitulate.

преповторѐни|е *ср.*, -я repetition, rehash.

препода̀вам, **препода̀м** *гл.* teach (s.o. s.th.); (*излагам учебен материал*) present material.

препода̀ване *ср.*, *само ед.* teaching; (*обучение*) instruction; (*на учебен материал*) presentation; ~ **на английски като чужд език** Teaching English as a Foreign Language, *съкр.* TEFL.

препода̀ва̀тел (-ят) *м.*, -и; **препода̀ва̀телк|а** *ж.*, -и teacher; (*в университет*) lecturer; ~ **по история** a teacher in history, a history teacher.

препода̀ва̀телск|и *прил.*, -а, -о, -и teacher's; teaching; lecturer's; **~о тяло** a teaching staff, *амер.* faculty.

преподо̀б|ен *прил.*, -на, -но, -ни *църк.* Reverend; Venerable.

препокри̂вам, **препокри̂я** *гл.* recover.

преполовѐн *мин. страд. прич.* halved; **бутилката е ~а** the bottle is half-empty; **работата е ~а** the work is half-done.

преполовя̀вам, **преполовя̀** *гл.* halve; lessen by/reduce to one-half; be halfway through; eat/drink half of.

препоръ̀к|а *ж.*, -и recommendation; reference; **имам добра ~а** I have good references; **окончателна ~а** final recommendation.

препоръ̀чан *мин. страд. прич.* (*и като прил.*): **~о писмо** registered letter.

препоръ̀чвам, **препоръ̀чам** *гл.* recommend; (*съветвам*) advise; ~ **някого** recommend s.o.; put/throw in a good word for s.o.

препоръ̀чване *ср.*, *само ед.* recommending; recommendation; ... **не е за** ~ ... is not to be recommended.

препоръ̀чи̂тел (-ят) *м.*, -и recommender.

препоръ̀чи̂тел|ен *прил.*, -на, -но, -ни recommendatory, advisable; **~но писмо** letter of recommendation/credence; testimonial; credentials.

препра̀вям, **препра̀вя** *гл.* remake, refashion, remodel; (*дреха, глас и пр.*) alter; (*лит. произведение и пр.*) rehash.

препра̀звам, **препра̀зня** *гл.* empty, put, pour (**от** ... **в** from ... into).

препра̀тк|а *ж.*, -и reference, refer-

ence note; cross-reference, cross-index.

препращам, препратя гл. transmit, dispatch; (*писмо и пр.*) forward, send on; (*отнасям*) refer (**към** to); cross-refer, cross-index.

препречвам, препреча гл. bar, block (up), obstruct; ~ **пътя на** bar/block/ stop the way of, head/back off; || ~ **се** stand in s.o.'s way.

препродавам, препродам гл. resell.

препрочитам, препрочета гл. re-read; read/go over.

препускам, препусна гл. race, gallop, trot, career; ride at full speed; rush/ speed/tear along, *разг.* skitter.

препускане ср., *само ед.* racing; galloping; (*надбягване*) race.

препъвам, препъна гл. trip (up); (*кон*) hobble; || ~ **се 1.** stumble, trip (**на** over); **2.** falter, speak haltingly, stammer.

препълвам, препълня гл. overfill, overbrim, fill (up); (*помещение*) overcrowd, cram; || ~ **се** overfill; overbrim; overflow; fill (up); ● ~ **чашата на търпението** break the camel's back.

препълване ср., *само ед.* overfill(ing), overbrim(ming), overflow(ing).

препълнен мин. страд. прич. overfilled, brimming over, overflowing (**с** with); full (of); replete (with); *разг.* choke-full (of); (*за помещение и пр.*) overcrowded, packed, crammed, stacked (**с** with), choke-full (of); (*до краен предел*) filled/packed to capacity; full to the gunwale; *разг.* full up.

препържвам, препържа гл. **1.** fry crisp; **2.** fry too much.

препятствам гл. hinder, impede; obstruct; bar, inhibit; ~ **правораздаването** obstruct justice.

препятстви|е ср., -**я** hindrance, obstacle, impediment; *прен.* stumbling-block; **бягане с ~я** *спорт.* hurdle-race, hurdles, (**с коне**) steeplechase, obstacle-race; **непреодолимо ~е** *прен.* stone wall.

преработвам, преработя гл. **1.** re-make; (*литературно произведение и пр.*) revise; rehash; remould, recast; redraft; (*приспособявам*) adapt; (*издание*) revise; (*план*) redraw; **2.** (*обработвам*) process, manufacture, work (**в** into); || ~ **се** overwork (o.s.), work too much/hard.

преработвател|ен прил., -**на**, -**но**, -**ни** processing; manufacturing; ~**на промишленост** manufacturing industry.

преработк|а ж., -**и 1.** revision; (*преправяне*) remaking; remodelling, re-cension; **2.** (*обработка*) processing, working, manufacturing; **химична ~а на нефт** oil conversion.

преравям, преровя гл. dig over/ around, grub up; (*търся*) rummage, ransack through.

прераждам, прерода гл. regenerate; || ~ **се** be born anew, be regenerated, become a new man, reincarnate.

прераждан|е ср., -**ия** regeneration, reincarnation; rebirth; *рел.* transmigration, metempsychosis.

преразглеждам, преразгледам гл. re-examine, reconsider; revise; (*дело*) rehear; ~ **мнението си** revise s.o.'s opinion.

преразглеждан|е ср., -**ия** (*на решение*) re-examination, re-consideration; (*на съдебно дело*) (judicial) review, rehearing; (*на договор*) revision.

преразказ м., -**и**, (*два*) **преразказа 1.** story retold; **2.** (*действие*) retelling.

преразказвам, преразкажа гл. re-tell; reproduce, give a restatement of; tell o.'s own words, paraphrase.

преразпределение ср., *само ед.* re-distribution; re-allotment; reallocation; repartition; ~ **на националния доход** *икон.* income redistribution.

преразпределям, преразпределя гл. redistribute; reallot, reallocate; repartition.

преразход м., *само ед.* over-expenditure, overrun; *фин.* overdraft; ~ **на средства** cost overrun.

прераствам, прерасна и **прерасна** гл. grow, develop (**в** into).

прерастване ср., *само ед.* growing, development (**в** into).

пререгистраци|я ж., -**и** re-registration.

пререгистрирам гл. re-register.

пререждам, прередя гл. **1.** rearrange; **2.** get/push ahead of s.o., be out of o.'s turn; ~ **на опашка** jump the queue.

пререждане ср., *само ед.* rearranging; rearrangement; ~ **на опашка** queue-jumping.

пререкани|е ср., -**я** обикн. мн. wrangle, altercation; argument, dispute; **влизам в ~е с** start an argument with.

прерисувам гл. **1.** (*рисувам отново*) draw/paint again; **2.** (*прекопирвам*) copy.

прери|я ж., -**и** *геогр.* prairie.

прерогатив м., -**и**, (*два*) **прерогатива** prerogative.

прерогатив|ен прил., -**на**, -**но**, -**ни** prerogative (*attr.*).

прероден мин. страд. прич. reborn; regenerated; reincarnate.

преръмява, преръми безл. гл. **1.** drizzle; **2.** stop/cease drizzling.

преръсвам, преръся гл. sprinkle, be-sprinkle.

прерязвам, прережа гл. cut (through); (*с трион*) saw in two; (*отрязвам*) cut off; ● **прерязва ме нещо** feel a sudden sharp pain, *прен.* feel a pang.

прес|а₁ ж., -**и** press; **бутална ~а** ram press; **полировъчна ~а** rolling-press; ~**а за грозде** wine-press; **хидравлична ~а** hydraulic press; **щанцова ~а** punching press.

преса₂ ж., *само ед.* press; ● **жълта ~** yellow press, tabloid journalism; ~**та** the fourth estate.

пресаждам, пресадя гл. replant.

пресаждане ср., *само ед.* replanting.

пресаташе ср., -**та** press-officer, press agent; *амер.* flack.

пресвет|и прил., -**а**, -**о**, -**и** *църк.* Most Holy.

пресеквам, пресекна гл. stop, cease; (*за извор и пр.*) dry up, run dry; (*за глас*) break, crack; (*свършвам се*) give out, become exhausted.

пресекулк|а ж., -**и** обикн. мн. stopping, stop; **на ~и** by fits and starts; on and off; in snatches; from time to time; intermittently.

преселвам, преселя гл. settle; move; deport; || ~ **се** move; (*за народ, племе*) migrate; ~ **се в друга държава** emigrate to/immigrate into another country; ● ~ **се във вечността** be gathered to o.'s forefathers.

преселени|е ср., -**я** migration, transmigration, emigration; **Великото ~е на народите** *истор.* the great migration of peoples.

преселни|к м., -**ци**; **преселниц|а** ж., -**и** settler; (*изселник*) emigrant;

(заселник) immigrant; transmigrant.

пресѐлническ|и *прил.*, **-а, -о, -и** settler's; immigrant; emigrant *(attr.)*.

прѐсен *прил.*, **прясна, прясно, прѐсни** fresh; *(за хляб, картофи)* new; *(за лук)* spring; green; *(без квас)* unleavened; ~ **гроб** new grave; ~ **сняг** new snow; **прясна новина** latest news; **прясна следа** hot/warm scent; **прясно масло** butter; **с пресни сили** with renewed strength; with fresh vigour.

пресѐчен₁ *мин. страд. прич. (и като прил.)* **1.** *(отрязан)* cut; cut off; *(за път – от препятствия)* barred; blocked; *геом.* truncated; **~а местност** broken ground, rough/broken/rugged country/terrain; **2.** crossed, intersected; **3.** *(за мляко и пр.)* turned, curdled; **~о мляко** curd.

пресѐч|ен₂ *прил.*, **-на, -но, -ни** of intersection; intersection *(attr.)*; **~на точка** a point of intersection.

пресѐчк|а *ж.*, **-и** crossing, intersection; *(кръстопът)* crossroads (sg., *pl.*); *(улица)* cross-street; **~и за пешеходци** a pedestrian crossing; *(означена с бели ивици)* a zebra crossing.

пресѝлвам, пресѝля *гл.* strain, overstrain; force; overtax; **не ги пресилвайте много** don't press them too hard; don't make them work too hard; *(преувеличавам)* exaggerate; overstate; || ~ **се** strain/overstrain/overwork/overexert o.s.; overtax o.'s strength; *разг.* knock o.s. up.

пресѝлване *ср.*, *само ед.* straining; overexertion; strain; exaggeration; overstatement.

пресѝлен *мин. страд. прич.* forced, strained; *(за твърдение, сравнение и пр.)* far-fetched; *предик. (преувеличен)* over-the-top, *съкр.* ОТТ.

пресѝпвам₁, **пресѝпна** *гл.* go/become/grow hoarse.

пресѝпвам₂, **пресѝпя** *гл.* pour *(от ... в* from ... into); *(вино и пр.)* decant.

пресѝпване₁ *ср.*, *само ед.* hoarseness; **викам/говоря до ~** shout/talk o.s. hoarse.

пресѝпване₂ *ср.*, *само ед.* pouring; *(на вино и пр.)* decanting.

пресѝпнал *мин. св. деят. прич.* husky, hoarse; *(за глас и)* thick.

пресѝта *ж.*, *само ед.* satiety; surfeit; **до ~** to satiety, to (a) surfeit.

пресѝтен *мин. страд. прич.* **1.** satiated, surfeited, sated, replete, full to repletion *(от* with); *хим.* saturated, over-saturated; *(за пазар)* glutted *(с* with); ~ **от удоволствия** glutted with pleasure; **2.** *прен.*, *разг.* fed up *(от* with), blasé.

пресѝчам₁, **пресекà** *гл.* **1.** cut, cut off; intercept; *(съобщения и пр.)* cut off; *(път)* bar, block; ~ **някому пътя** cut off/intercept s.o.'s course, cut s.o. off; *прен.* cross s.o.'s path; **2.** *(някого, който го говори)* interrupt, cut short, *(живот)* cut short; *(дейност)* neutralize; **3.** *(за линия, път)* intersect, cross, cut across; **4.** *(минавам през)* cross, cut across; ~ **направо през гората** take a short-cut through the forest; ~ **неправилно улица** *разг.* jay-walk; ~ **улицата** cross the street, walk across the street; || ~ **се** intersect, cross; *(в една точка)* concure; ● **пресича ми се гласът** catch o.'s breath.

пресѝчам₂ **(се), пресекà (се)** *(възвр.)* *гл.* *(за мляко и пр.)* turn, curdle

пресѝчане *ср.*, *само ед.* cutting; interruption; interception; intersection; crossing; ~ **на множества** *мат.* intersection of sets.

пресѝщам, пресѝтя *гл.* satiate, sate, surfeit **(с, на** with); *(пазар)* glut (with); || ~ **се** be satiated *(на, от* with), have a surfeit (of); *прен.*, *разг.* become fed up (with).

пресѝщане *ср.*, *само ед.* satiating; *(на пазар)* glut; *(преситеност)* satiety, surfeit; repletion; oversaturation; **има ~ със селскостопански продукти** there is a glut of agricultural products.

прескàчам, прескòча и **прескòкна** *гл.* **1.** jump over; vault over; *(през нещо)* spring/leap across; **2.** *(при четене и пр.)* skip, omit; leave out; *(ден, седмица)* пропускам) **не прескача ден** he never misses a day; **3.** *(за сърце)* miss a beat; ● ~ **до някого** drop/pop in on s.o.; ~ **до някъде** hop/skip/nip over/across to; ~ **трапа** *прен.* turn the corner.

прескàчане *ср.*, *само ед.* jumping; jump; *(пропускане)* omission; skipping.

прескò|к *м.*, **-ци, (два) прескòка** *спорт.* long-horse; *(за жени)* side-horse.

прѐсконферѐнци|я *ж.*, **-и** press/news conference.

преслѐдвам *гл.* **1.** *(гоня)* pursue, chase; be after, be in pursuit of; ~ **ожесточено** be in hot pursuit of; **2.** *прен.* *(за идея и пр.)* haunt, torment; obsess; **нещастието го преследва** he is dogged by ill fortune/luck; **3.** *(подлагам на гонение)* persecute, victimize; *разг.* gun for; **4.** *(по съдебен ред)* prosecute; **5.** *(стремя се към)* strive for, seek after, pursue, be after; drive at; have in view; ~ **целта си** pursue o.'s object/aim.

преслѐдван|е *ср.*, **-ия 1.** *(гонене)* chase, pursuit; *(на избягал престъпник и пр.)* man-hunt; **успоредно ~е** *воен.* parallel pursuit; **фронтално ~е** *воен.* direct pursuit; **2.** *(гонение)* persecution, victimization; **~е по политически причини** persecution on political grounds; **3.** *юр.* prosecution; **наказателно ~е** criminal prosecution.

преследвàч *м.*, **-и; преследвàчк|а** *ж.*, **-и** chaser, pursuer; persecutor.

преслỳшвам, преслỳшам *гл.* *мед.* auscultate, percuss; sound s.o.'s lungs, tap s.o.'s chest, etc.

преслỳшване *ср.*, *само ед.* *мед.* percussion; auscultation.

пресметлѝв *прил.* calculating; prudent, sagacious.

пресметлѝвост *ж.*, *само ед.* prudence; *(предвидливост)* foresight; *(икономичност)* economy.

пресмятам, пресмѐтна *гл.* calculate, make a calculation/tally of; compute; figure up/out, count up, work out, reckon (up); *(приблизително)* estimate.

пресмятан|е *ср.*, **-ия** calculating; calculation, computation; **по мое ~е** by my reckoning; **погрешно ~е** miscalculation; ~ **наум** mental arithmetic.

преснѝмам, преснѐма *гл.* make/take another picture/photo(graph) of; make a copy of; photocopy.

пресòвам *гл.* press; squeeze; ~ **чрез матрица** extrude.

пресòване *ср.*, *само ед.* pressing, squeezing, extrusion, moulding; compactification; **горещо ~** hot extrusion/moulding; ~ **в автоклав** autoclave moulding.

пресолявам, пресоля *гл.* **1.** put too

much salt (in, on); **2.** *прен.* (*прекаля-вам*) overdo, carry/go too far.

прѐспапиѐ *ср.*, -та paper-weight.

преспѝвам, преспя́ *гл.* **1.** spend/pass the night; stay overnight; **2.** sleep for a while; • да преспим, пък утре ще решим let's sleep on it; let's carry the matter to the pillow.

прѐспоко|ен *прил.*, -йна, -йно, -йни quite calm/peaceful.

пресра́мвам се, пресрамя́ се *гл.* overcome o.'s shyness/bashfulness/embarrassment, muster courage (да то).

пресре́щам, пресре́щна *гл.* meet; intercept.

пресре́щане *ср.*, *само ед.* meeting; intercepting; interception.

пресро́чвам, пресро́ча *гл.* allow (a term) to expire; delay/not pay at maturity.

преста́вам, преста́на *гл.* cease, stop, leave off (да g cer.); не ~ да се интересувам от persist in showing interest in; престана да излиза (*за вестник*) cease publication; fold up; преста-ни! stop it/that! turn it up! enough is enough!

престаря́вам се, престаря́я се *възвр. гл.* be overzealous, be officious; *разг.* be bending over backwards; ~ с err on the side of.

престаря́ван|е *ср.*, -ия overzealousness, officiousness; excess of zeal.

престаря́вам, престаря́я *гл.* grow/become too old, become superannuated.

престаря́лост *ж.*, *само ед.* superannuation.

преста́ция *ж.*, *само ед.* *юр.*, *фин.*: насре́щна ~ *фин.* consideration.

престѝж *м.*, *само ед.* prestige; prestigiousness; губя ~ lose face, lose prestige, ruin o.'s prestige; загуба на ~ loss of face.

престѝж|ен *прил.*, -на, -но, -ни prestigious.

престѝлк|а *ж.*, -и apron; (*цяла*) overall; лекарска ~a white overall; уче-ническа ~a gymslip.

прѐсто *нареч.* *муз.* presto.

престо́|й (-ят) *м.*, -и, (два) престо́я (*пребиваване*) stay, sojourn, residence; stopover; (*на влак*) stop; (*на кораб*) demurrage; (*на машини и пр.*) idle time; outage; dead time, downtime; (*денгуба*) demurrage.

престо́л *м.*, -и, (два) престо́ла **1.** throne (*и прен.*); насле́дявам ~a succeed to the crown/throne; отка́звам се от ~a abdicate (the crown); поста́вям някого на ~a enthrone s.o.; сва́лям от ~a dethrone; стъ́пвам/въз-ка́чвам/ка́чвам се на ~a come to the throne/crown, ascend the throne, take the crown; **2.** *църкк.* communion table, altar.

престо́л|ен *прил.*, -на, -но, -ни throne (*attr.*); ~ен град a capital city, metropolis.

престолонасле́дни|к *м.*, -ци heir to the crown, successor to the throne, crown prince; (*в Англия*) the Prince of Wales.

престо́рен *мин. страд. прич.* (*и като прил.*) affected, feigned (*и за глас*), counterfeit, sham, pretended, simulated; dissimulative; factitious; fictitious; ~a учтивост surface politeness.

престо́реност *ж.*, *само ед.* affectedness, affectation; factitiousness; pretence, simulation, sham.

престоя́вам, престоя́ *гл.* **1.** stay, remain, sojourn; (*за влак*) stop; **2.** (*за хляб и пр.*) become stale.

престраша́вам се, престраша́ се *възвр. гл.* venture, make bold; risk; take o.'s courage in both hands, pluck up/muster o.'s courage, screw up o.'s courage, take the plunge.

престре́лк|а *ж.*, -и firing, gunfight gunfighting, skirmish, exchange of shots/fire; ~a от въпроси a volley of questions.

престроя́вам, престрои́ *гл.* **1.** rebuild, reconstruct; **2.** *воен.* re-form; || ~ се *воен.* re-form.

престрои́ван|е *ср.*, -ия rebuilding; reconstruction.

престру́вам се, престо́ря се *възвр. гл.* pretend (to be); feign, make believe, sham, fake, simulate; dissemble; dissimulate; *разг.* let on (че that), go through the motions; ~ на болен pretend to be ill, sham/feign/fake illness; ~ на луд feign madness.

престру́ване *ср.*, *само ед.* pretending; affectedness, affectation; dissemblance; fakery; pretence, simulation, dissimulation.

престру́вк|а *ж.*, -и pretence; affectedness, affectation; simulation, dissi-

mulation; sham.

преструктури́рам *гл.* restructure.

преструктури́ране *ср.*, *само ед.* restructuring.

престъ́пвам, престъ́пя *гл.* **1.** step over, (*праг*) cross; **2.** (*нарушавам*) break, violate, infringe; transgress; ~ закона violate the law.

престъ́пване *ср.*, *само ед.* stepping over; infringement, violation; transgression.

престъ́п|ен *прил.*, -на, -но, -ни criminal, felonious; malfeasant; maleficent; nefarious; culpable; delinquent; ~ен свят gangland, underworld; ~на небре́жност culpable/gross negligence; ~но безде́йствие criminal omission; ~но неха́йство gross dereliction of duty ~но посега́телство criminal trespass.

престъпле́ни|е *ср.*, -я crime, offence; malefaction; misdeed; *юр.* felony; (*на служебно лице*) malfeasance; обви-ня́вам в ~е charge with a crime, accuse of a crime, incriminate ~е от общ характер criminal offence; угла́вно ~е *юр.* criminal offence.

престъ́пни|к *м.*, -ци; престъ́пни-ц|а *ж.*, -и criminal, offender; felon; malefactor; malfeasant; закора́вял ~к tough criminal; малоле́тен ~к juvenile delinquent.

престъ́пност *ж.*, *само ед.* criminality; criminal nature/character; feloniousness; crime; детска/малоле́тна ~ juvenile delinquency.

престъ́ргвам, престъ́ржа *гл.* **1.** *техн.* grind/polish anew; **2.** *техн.* (*цилиндър*) rebore; (*цилиндрите*) дви́гателя на кола́та *авт.* have the engine of o.'s car rebored; **3.** (*противам*) rub sore.

пресу́квам, пресу́ча *гл.* twist thoroughly.

пресуша́вам, пресуша́ *гл.* **1.** drain, dry (up); (*чаша*) drain; **2.** (*премного*) overdry.

пресуша́ван|е *ср.*, -ия draining, drying (up); (*на блато и пр.*) drainage; reclamation.

пресъзда́вам, пресъзда́м *гл.* re-create; reproduce; ~ престъпле́ние reconstruct a crime.

пресъзда́ване *ср.*, *само ед.* recreation; reproduction; reconstruction.

пресъ́хвам, пресъ́хна *гл.* **1.** dry up;

(за кладенец, чешма и пр.) run dry; (за гърло) dry up, be parched; **2.** become too dry.

пресъхнал мин. св. деят. прич. dried up; run dry; (за пране) overdry; much too dry; (за гърло) parched.

пресявам, пресея гл. **1.** sift (out), bolt; (през решето) screen, cribble; (отсявам жито и пр.) winnow; **2.** прен. (хора) screen, filter out; **3.** (повторно) sift/bolt/screen a second time.

пресяване ср., само ед. sifting, sieving, screening, bolting; **влажно** ~ wet screening.

пресягам (се), пресегна (се) (възвр.) гл. reach (за for); stretch o.'s arm out; make a long arm.

пресяда ми (ти, му, й, ни, ви, им), пресёдне ми (ти, му, й, ни, ви, им) безл. гл. stick; get stuck; ~ **на гърлото** s.th. sticks in my throat; • **ще ти преседне** sl. you may whistle for it.

претворявам, **претворя** гл. **1.** transform, convert, change, turn (**в** into); **2.** книж. re-create; reproduce.

претворяване ср., само ед. transforming; conversion, transformation; change; re-creation.

претеглям₁, **претегля** гл. **1.** weigh (out); **2.** прен. assess, gauge.

претёглям₂, **претёгля** гл. be/go through; suffer; endure.

претёгляне ср., само ед. weighing; (на алтернативите) trade-off.

претекст м., само ед. pretext, pretence; **благовиден** ~ plausible/specious pretext/excuse.

претендёнт м., -и; **претендёнтк|а** ж., -и claimant; pretender; спорт. contender.

претендйрам гл. claim (за -), lay claim (за to); put in a claim (on), have a claim (on); **не** ~ **да съм** make no pretence to be; ~ **за обезщетение** seek redress.

претенцио́з|ен прил., -на, -но, -ни exacting, particular; pretentious; fastidious; разг. choosy, fussy, showy, pernickety; (за стил) studied, pretentious.

претенцио́зност ж., само ед. pretentiousness; fastidiousness; разг. fussiness, choosiness.

претёнци|я ж., -и обикн. мн. claim; (неоснователна) pretension; юр. bad

claim; **без** ~**и** unpretentious, unpretending; unpretentiously, unpretendingly; **имам** ~**и** make claims; **предявявам** ~**я върху** lay claim to, have a claim on, claim.

претйчвам, претйчам гл. run across/over; dash across.

претоварвам, претоваря гл. **1.** overload; surcharge (и ел. мрежа), supercharge; (с работа) overwork, overtask, overburden, overtax; **2.** (товаря отново) re-load, transfer; (на кораб) trans-ship; ~ **от кораб на влак** transship/re-load from freighter to train; || ~ **се** overwork o.s.

претоварване ср., само ед. ел. over-voltage/overload; overloading, overburdening, overcharge; **информационно** ~ information overwork; **недопустимо** ~ prohibitive overload.

претоплям, претопля гл. **1.** (затоплям отново) reheat, warm up; **2.** warm/heat too much; overheat.

претопявам, претопя гл. **1.** (стопявам) (руда и пр.) smelt; (хартия) pulp; (масло) clarify; **2.** (наново) melt again/anew; re-cast; re-fuse; **3.** прен. assimilate.

претопяване ср., само ед. melting; прен. assimilation.

преториа́н|ец м., -ци истор. praetorian.

преториа́нск|и прил., -а, -о, -и истор. praetorian.

претрёпвам, претрёпя гл. **1.** nearly kill with work; **2.** do away with, kill; || ~ **се 1.** overstrain o.s.; **2.** (да услужа) go out of o.'s way, go all out; **3.** kill o.s.

претривам, претрия гл. **1.** (прокъсвам или повреждам с триене) rub through, fray; wear out; (кожа) rub sore; **2.** (прерязвам) saw off, cut off/away with a saw; (с пила) file off/through, cut through with a file; • ~ **прага на** visit constantly, be a constant guest at s.o.'s house.

претрупан мин. страд. прич. over-burdened; overladen; jam-packed (with); (много украсен) ornate, flamboyant; finicky, finical; florid; overelaborate; fussy; (за стил и пр.) elaborate, ornate; (за програма) over-crowded; **мебелировката бе твърде** ~**а, за да е елегантна** the furniture was too fussy to be elegant; ~ **с гри-**

жи care-laden.

претру́паност ж., само ед. **1.** over-work; press of work; overburdened state; **2.** excess of details; finicality, finicalness; fussiness; (на стил) elaborateness, ornateness, redundancy; flamboyance, flamboyancy; floridity, floridness.

претру́пвам, претру́пам гл. **1.** over-burden; surcharge; (с вещи) clutter; **2.** прен. overcrowd.

претръпвам, претръпна гл. **1.** (преставя да боли) cease aching, feel/have no more pains; **2.** прен. become inured/hardened/accustomed.

претру́пвам, претру́пам гл. (свършвам бързо) hurry/rush/shuffle through, make short work of; dispose of; разг. give short shrift (to); slubber over a job; ~ **нещата** rush o.'s fences.

претъпкан мин. страд. прич. over-crowded, packed, crammed.

претъпквам, претъпча гл. **1.** cram, stuff; (превозно средство и пр.) fill to capacity, pack, crowd; ~ **някого с ядене** overfeed s.o.; **2.** (стъпквам) trample on/upon; || ~ **се** be crammed; (за превозно средство и пр.) get/be crammed/packed/crowded; (от ядене) overeat, stuff (o.s.); ~ **се от ядене** be ready to burst, be stuffed full.

претъркулвам, претъркулна, претъркуля гл. roll over/away; || ~ **се 1.** roll over/away; **2.** (за време) go by, pass quickly.

претърпявам, претърпя гл. (понасям) endure, bear, stand; (бивам подложен на) go through, undergo; (загуба, поражение, наказание) suffer; ~ **изменения** undergo changes; **неуспех/несполука** suffer a reverse; fail; meet with failure; fall short of the mark.

претърсвам, претърся гл. search, look/go through, scour; (човек) (body-) search; разг. frisk; амер. shake down (езеро, река) drag; (претършувам) rummage, ransack; **полицията претърси района** the police made a sweep through the area; **претърсиха щателно гората** they combed the forest.

претърсване ср., ~**ия** search, rum-mage; comb-out, combing-out.

претършу́вам гл. rummage through, ransack.

преувеличавам, преувелича гл. ex-

aggerate; magnify; overstate; distend; *разг.* stretch the truth; lay it on thick; pile it on; (*разказвам измислици*) draw a long bow; embroider (a story); *sl.* shoot a line; **не преувеличавай!** *разг.* draw it mild! **той много преувеличава** all his geese are swans.

преувеличѐни|е *ср.,* **-я** exaggeration; overstatement; (*измислици*) embroidery.

преумòра *ж., само ед.* overfatigue; overstrain, strain, overwork; **~ на очите** eyestrain; **умствена ~** brain-fag, mental straight.

преуморѐн *мин. страд. прич.* overstrained, overtired, overworked; overwrought; run down, overdriven.

преуморя̀вам, преуморя̀ *гл.* overwork, overtire; overfatigue; overstrain; **~ някого от ходене** walk s.o. off his legs; || **~ се** overstrain/overtire o.s., overwork (o.s.).

преуспя̀вам, преуснѐя *гл.* prosper, succeed (**в** in); be successful (in); flourish, thrive.

преуспя̀ване *ср., само ед.* success, prosperity.

преуспя̀л *мин. св. деят. прич.* prosperous, successful, thriving.

преустановя̀вам, преустановя̀ *гл.* stop, discontinue, put an end to; interrupt; leave off; suspend; (*временно*) stall; *разг.* call it a day; **~ всякакви опити** abandon all attempts; **~ всякакви отношения** sever all relations; **~ плащания** suspend/stop payment(s).

преустановя̀ване *ср., само ед.* stopping; discontinuance, discontinuation; suspension, cessation; (*на движение, работа и пр.*) stoppage; **~ на бойните действия** cessation of hostilities.

преустройвам, преустроя̀ *гл.* reorganize; reconstruct, readjust, realign; recompose; (*правителство*) reshuffle; reshape; || **~ се** adjust/reorient o.s.

преустройван|е *ср.,* **-ия** reorganizing; reorganization; reconstruction; (*на квартал, зона*) redevelopment.

преустройство|о *ср.,* **-а** reorganization; reconstruction, readjustment, realignment; recomposition; (*на правителство*) reshuffle; (*преориентиране*) reorientation.

префасонѝрам *гл.* remodel, refashion, remake, restyle, reshape; *sl.* duff.

префѐкт *м.,* **-и** prefect.

префектỳр|а *ж.,* **-и** prefecture.

преференциа̀л|ен *прил.,* **-на, -но, -ни** preferential, preferred; **~на договореност** preferential arrangement; **~но прехвърляне** assignment with preference.

преференциалѝз|ъм (-мът) *м., само ед.* preferentialism.

преферѐнци|я *ж.,* **-и** preference; **отменима ~я** voidable preference.

префѝкс *м.,* **-и, (два) префѝкса** *език.* prefix.

префѝнен *мин. страд. прич.* refined, delicate; sophisticated; dainty; *ирон.* genteel; dudish; (*придирчив*) fastidious; pernickety; (*за мошеник, лицемер и пр.*) refined.

префѝненост *ж., само ед.* refinement; sophistication; fastidiousness; genteelness, gentility; daintiness.

префѝням, префѝня *гл.* refine; make dainty/delicate.

префуча̀вам, префуча̀ *гл.* rush/flash/ whizz/whisk/whirl past.

префърцỳнен *прил.* **1.** dolled up; *разг.* dressed to kill; **2.** affected, punctilious, pernickety, mincing, la-di-da; citified; genteel.

префърцỳненост *ж., само ед.* affectedness, punctiliousness, airs and graces; genteelness, gentility.

преха̀пвам, преха̀пя *гл.* bite (through); **~ език** bite o.'s tongue; (*внезапно спирам да говоря*) pull o.s. up.

прехва̀лвам, прехва̀ля *гл.* praise too much/highly, overpraise.

прехва̀щам, прехва̀на *гл.* catch, grasp, take hold of.

прехва̀щане *ср., само ед.* авиац. interception.

прехврѐквам, прехврѐкна *гл.* fly (across, over, about, past); flutter, flit (about, around, to and fro).

прехвъ̀рлям, прехвъ̀рля *гл.* **1.** throw across/over; get across; transfer; (*с лопата*) shovel (away); (*прескачам*) jump over; (*от един бряг на друг*) ferry; **прехвърлихме хребета** we topped the ridge; **~ стена** climb over a wall; **2.** (*отговорност*) shift (**на** on, upon); (*имот и пр.*) *юр.* make over, transfer; attorn; assign; (*права, задължения*) devolve (upon); **3.** (*компютърни данни*) dump; || **~ се** cross/go

over; cross (**в** into); jump/climb over; (*на превозно средство*) transfer, change (to); ● **той е прехвърлил 50-те** he has turned fifty, he is past/over fifty, he is on the wrong side of fifty; he will never see fifty again.

прехвъ̀рлян|е *ср.,* **-ия** transferring; transfer; transference; (*на отговорност*) shift; (*на права, задължения*) devolvement, devolution; (*на ценни книжа, имот и пр.*) assignment conveyance; **автоматично ~е на акции** transmission of shares; **акт за ~е** transfer deed; **~е на имущество** *юр.* disposal of property; **~е по сметка** *фин.* clearance.

прехвъ̀рчавам и прехвъ̀рчам, прехвъ̀рча *гл.* fly, flutter, flit.

прехла̀с *м., само ед.* ecstasy; trance; rapture.

прехла̀свам се, прехла̀сна се възвр. гл. go into ecstasies (**по** over), be entranced (by), be lost/rapt in admiration (of); *разг.* go overboard (**по** for, about).

прехла̀снат *мин. страд. прич.* entranced; enraptured, rapt, transported; lost in admiration.

прехла̀снатост *ж., само ед.* ecstasy; rapture.

прѐход *м.,* **-и, (два) прѐхода** passage, transition; *воен.* march; (*етап*) stage, lap; **еднодневен ~** a day's march; **~ от една тоналност в друга** *муз.* modulation.

прѐход|ен *прил.,* **-на, -но, -ни 1.** transitional, transition (*attr.*); passing; **~ен период** transition(al) period; **a period of transition; 2.** (*временен*) transitory, transient; fleeting, flying; fugititve; (*краткотраен*) fleeting, short-lived; short-termed; fugacious; passing; **~но знаме** *истор.* an interim banner; **3.** *език.* transitive.

прехòдност *ж., само ед.* transitoriness; transience, transiency; (*мимолетност*) ephemeralness, ephemerality, fleetingness; caducity; fugtiveness; *език.* transitivity.

прехра̀на *ж., само ед.* living, livelihood, subsistence, maintenance; keep; *шег.* bread and butter; (*храна*) food; **изкарвам ~та си** earn/make o.'s living, earn o.'s daily bread; **изкарвам с труд ~та си** work for o.'s living.

прехра̀нвам, прехра̀ня *гл.* **1.** pro-

vide for, maintain; keep; feed; **2.** (*хра-ня повече, отколкото е нужно*) overfeed; stuff/cram/ply with food; || ~ **ce** live, subsist (**c** by), make a living (out of); **от какво се прехранвате?** what do you do for a living?

прецаквам, прецакам *гл.* do (s.o.) down, do the dirty on (s.o.); **прецакват ме** be hard done by.

прецапвам, прецапам *гл.* splash through/across.

прецедент *м.*, -**и**, (**два**) **прецедента** precedent; **без** ~ unprecedented; **няма такъв** ~ there is no precedent for it.

прецедент|ен *прил.*, -**на**, -**но**, -**ни** precedent (*attr.*), precedential; ~**но право** *юр.* case law.

прецеждам, прецедя *гл.* strain, filtrate, filter, percolate; || ~ **ce** filter (through), percolate.

прецеждане *ср.*, *само ед.* filtering, filtration; percolation, collation.

преценк|а *ж.*, -**и** estimate, estimation; appraisal, judgement, assessment; **гру-ба** ~**a** rough estimate; *разг.* guesstimate; **по моя** ~**a** in my judgement/opinion; in my estimation; **по** ~**a на** in the opinion of; by the decision of; **пра-вя** ~**a за някого** pass judgement on s.o.; **правя** ~**a на** make an assessment of.

преценявам, преценя *гл.* estimate, appraise, assess; rate, judge, weigh (up); gauge; *разг.* size/sum up; **преценете сам** use your own judgement; ~ **на око** gauge s.th. by the eye; (*приблизител-но*) *разг.* guesstimate; ~ **някого** *sl.* have s.o. taped; ~ **положението** assess the situation; size/sum up the situation.

преценяване *ср.*, *само ед.* estimation; assessment; appraisal, estimation.

прециз|ен *прил.*, -**на**, -**но**, -**ни** precise, exact; fine; ~**ен съм в работата си** dot o.'s i's and cross o.'s t's.

прецизирам *гл.* specify.

прецизност *ж.*, *само ед.* precision; exactness, exactitude; *радио.* fidelity.

прецъфтявам, прецъфтя *гл.* fade; go/run to seed; (*за дърво*) shed its blossoms.

преча *гл.*, *мин. св. деят. прич.* пре-чил stand/be in s.o.'s way/light; be an obstacle, be obstructive (to); put obstacles in s.o.'s path; (*безпокоя*) disturb; **нищо не ти пречи да** there's nothing

to prevent you from (*c ger.*); **преста-вам да** ~ *прен.* get out of s.o.'s way/light; ~ **да** hamper, impede from (*c ger.*); ~ **на** prevent, hinder, impede.

пречиствам, пречистя *гл.* purge (away, out) (**от** from, of); *прен.* purify, cleanse; (*въздух*) clear; (*организма*) depurate; (*вода, кръв*) purify; (*ме-тал*) refine; (*захар*) clarify, refine, defecate.

пречистване *ср.*, *само ед.* purifying; purification; purging; depuration; clarification; cleansing; clean-up.

пречистен *мин. страд. прич.* purified; refined.

пречк|а *ж.*, -**и** **1.** obstacle, hindrance, impediment, hindrance, holdback (**за** to); encumbrance; cumbrance; countercheck; stumbling-block, spoke in s.o.'s wheel; (*незначителна*) hitch; **2.** (*на ре-шетка*) bar; (*на подвижна стъл-ба*) rung.

пречкам се *възвр. гл.* stand/get in the way; be under s.o.'s feet; obtrude o.s.

пречуквам, пречукам *гл.* **1.** crush, smash; **2.** *разг.* do/make away with, bump off; **ще те пречукат преди да се усетиш** you'll be on the spot before you know where you are.

пречупвам, пречупя *гл.* **1.** break in two; (*кост и пр.*) fracture; **2.** *прен.* bend; break; crack; **3.** *физ.* refract; (*за лъчи*) deflect; diffract; || ~ **ce 1.** break, be broken; **2.** (*огъвам се*) bend, give way; **3.** *физ.* be refracted; ● ~ **снага/кръст** bend down.

пречупван|е *ср.*, -**ия** breaking; (*на кост*) fracture; *физ.* refraction, refractiveness, deflection; diffraction.

пречупен *мин. страд. прич.* (*и ка-то прил.*) broken; *прен.* bent; *физ.* refracted; ~ **кръст** swastika.

прешлен *м.*, -**и**, (**два**) **прешлена 1.** *анат.* vertebra, *pl.* vertebrae; **гръден** ~ thoracic vertebra; **поясен** ~ lumbar vertebra; **шиен** ~ cervical vertebra; **2.** *бот.* node.

прешленест *прил.* **1.** *анат.* vertebral; **2.** *бот.* nodulous.

прещипвам, прещипна *гл.* pinch; squeeze; nip; ~ **пръстите си на вра-тата** jam o.'s fingers in a door.

преяждам, преям *гл.* **1.** overeat, eat too much; surfeit, glut o.s.; **2.** (*пре-гризвам*) gnaw through.

при *предл.* **1.** (*близо до*) at, near, by, close to; **битката** ~ **Сливница** *истор.* the battle of Slivnitsa; **2.** (*заедно с*) with; at; (*под ведомството на, в със-тава на*) under, attached to, in, at; **той живее** ~ **майка си** he lives at his mother's (house); **3.** (*до, към*) (*за по-сока*) to; **4.** (*за време*) in, during, on, at; at the time of; under; ~ **сключва-нето на договора** on signing the treaty/contract; ~ **тези думи** with these words; on/upon hearing these words; **5.** (*при наличието на*) with; with ... at hand; for; under; in (the presence of); ~ **зак-рити врата** *юр.* in camera; ~ **нагря-ване/охлаждане** when heated/chilled; ~ **такива познания/способности** with such knowledge/talents; **6.** (*в сравне-ние с*) in comparison with, compared to; ● ~ **все**, *xe* although; ~ **това** how-ever, besides; at that.

прибавк|а *ж.*, -**и** addition; augmentation; (*допълнение*) supplement; (*не-що вмъкнато*) interpolation; (*към съчинение*) addendum, *pl.* addenda; *юр.* (*към документ*) label; (*нещо до-пълнително*) extra.

прибавям, прибавя *гл.* add (**към** to); *разг.* throw in; (*допълвам*) supplement; (*вмъквам*) interpolate (into); (*към смес*) fold in, stir in; ~ **накрая** subjoin; (*при писане*) append (към to).

прибалтийск|и *прил.*, -**а**, -**о**, -**и** Baltic.

прибежк|а *ж.*, -**и** *обикн. мн. воен.* bound, rush; **правя** ~**a** make a rush.

прибирам, прибера *гл.* **1.** (*събирам*) gather, collect; take in; store; stow (away); (*реколта и пр.*) harvest, gather (in), bring in, put under cover; (*добитък*) drive in; (*при себе си*) take in; (*подслонявам*) put up; (*багаж*) pack; (*нещо от земята, куче и пр. от улицата*) pick up; (*скътвам*) put/tuck away; (*роза и охлюв*) draw in; (*деца от училище и пр.*) collect; (*печалба*) net; ~ **класове** glean; **котва** stow the anchor; ~ **ножа в нож-ницата** (*и прен.*) sheathe o.'s sword; ~ **коса** put/do up o.'s hair; ~ **ръка** with-draw o.'s hand; **2.** (*поставям в ред*) arrange, put in order; tidy (up), clean up; ~ **масата** clear the table; **3.** (*арес-тувам*) *разг.* clap up; || ~ **ce** come/go home; come back, return; **не се** ~

до късно stay out (late); **~ се в черупката си** retire into o.'s shell.

приближавам, приближа *гл.* 1. come/draw near(er); approach; 2. draw/pull up (**към to**); bring near, put close (**до to**); **той приближи чашата до устата си** he held the cup up to his lips; || **~ се** come/draw/go/get near(er) (**до to**); approach; step/come/walk/go up (**to**); (*за дата*) draw near; (*по качество и пр.*) approximate (**до to**).

приближен *мин. страд. прич.* (*и като същ.*) attendant, follower; close associate; **~и** retinue, entourage.

приближеност *ж., само ед.* proximity; closeness.

приблизител|ен *прил., -на, -но, -ни* approximate; (*груб*) rough; **с ~на точност** with a fair approach to accuracy.

приблизително *нареч.* approximately; roughly; at a rough guess, in rough figures; thereabout(s); **~ същият** about the same; **той е ~ на 40 години** he is forty or so/thereabout.

прибо́|й (-ят) *м., само ед.* surf.

приболява ме (**те, го, я, ни, ви, ги**), **приболи ме** (**те, го, я, ни, ви, ги**) *безл. гл.* 1. begin to hurt; 2. hurt from time to time.

прибор *м., -и,* (**два**) **прибора** 1. device, apparatus, implement, instrument, appliance, utensil; **инструменти и ~и** tools and appliances; **кухненски ~и** kitchen utensils; **светлочувствителен ~** photosensitive device; 2. (*малък комплект*) set; **~ за чай** tea-set.

приборостроене *ср., само ед.* instrument-building/making.

прибързан *мин. страд. прич.* (*и като прил.*) hasty, hurried, precipitate; (*необмислен*) rash, inconsiderate, snap, *амер.* touch-and-go; **правя ~ извод** jump to/at a conclusion; **~и мерки** rash measures.

прибързано *нареч.* rashly, hastily; out of hand; in a hurry; **действам ~** go off at half-cock; **реагирам ~** shoot/fire from the hip; jump/beat the gun.

прибързаност *ж., само ед.* precipitance, rashness, haste, hurry.

прибързвам, прибързам *гл.* act too hastily, be overhasty (**in** *с ger.*); jump/beat the gun.

прибягвам₁, прибягам *гл.* run over

(**to**); dash across (**to**).

прибягвам₂, прибягна *гл.* resort (**към to**), have recourse (**to**); turn (**to**); fall back (**upon**); **~ до измама** stoop to sharp practice.

приватизация *ж., само ед.* privitization; **Агенция за ~** Privitization Agency.

приватизирам *гл.* privitize.

приведен *мин. страд. прич.* 1. (*наведен*) bent, stooping, stooped; (*леко изгърбен*) round-shouldered; 2. (*изтъкнат, цитиран*) adduced; quoted, cited; 3. (*сведен*) reduced (**до to**); *техн.* adjusted; 4.: **~ в изпълнение** carried out; executed, fulfilled.

привеждам, приведа *гл.* 1. (*навеждам*) bend; 2. (*изтъквам, цитирам*) adduce; qoute, cite; **~ доказателства** produce evidence; 3. (*свеждам*) reduce (**към to**); **~ към общ знаменател** reduce to a common denominator; *прен.* treat/regard as equal, regard as one and the same thing; 4. carry out; set; **~ в изпълнение** carry/put into effect; execute; put into practice; give effect to; || **~ се** bend.

привет *м., -и,* (**два**) **привета** regards; greetings; **изпращам ~** send o.'s (best) regards; **той ви изпраща сърдечен ~** he sends you his best/warmest regards.

приветлив *прил.* 1. affable, friendly, amiable; cordial; sweet; forthcoming; **ставам по-~** *прен.* thaw; 2. (*приятен*) attractive, pleasant, agreeable; cheery.

приветливост *ж., само ед.* affability, amiability; friendliness; pleasantness, attractiveness, cheeriness.

приветствам *гл.* greet, salute, hail, acclaim (*и събитие*); (*посрещам*) welcome, bid welcome; **~ идеята** I hail the idea.

приветстви|е *ср., -я* greeting, welcome; (*приветствено слово*) welcoming speech/message.

привечер₁ *нареч.* towards evening, at nightfall/dusk; late in the afternoon; *поет.* in the gloaming.

привечер₂ *ж., -и* dusk; evening.

прививам, привия *гл.* (*извивам*) bend; curve.

привид|ен *прил., -на, -но, -ни* seeming, apparent, ostensible; imaginary; (*престорен*) sham, mock (*attr.*); facti-

tious; colo(u)rable; (*фиктивен*) fictitious.

привидени|е *ср., -я* apparition, phantom, phantasm, ghost, spectre, spook; *псих.* eidolon.

привидност *ж., само ед.* seemingness; ostensibility; factitiousness; colo(u)ring, colo(u)rability; false/misleading appearance.

привижда ми (**ти, му, й, ни, ви, им**) **се, привиди ми** (**ти, му, й, ни, ви, им**) **се** *безл. възвр. гл.* have a vision (of); seem to see.

привиквам₁, привикам *гл.* (*повиквам*) call.

привиквам₂, привикна *гл.* get accustomed/used (**на to, да to** *с ger.*); get into the habit/way (of *с ger.*); habituate (o.s. to).

привилегировам *гл.* privilege; favour.

привилегирован *мин. страд. прич.* (*и като прил.*) privileged; favoured; **~ наследник** beneficiary heir; **~ите класи** the privileged classes; **~о финансиране** franchised financing; **статут на ~а нация** most favoured nation status.

привилеги|я *ж., -и* privilege; favour; eligibility; **давам ~я на** grant a privilege to; **данъчна ~я** tax benefit; **ползвам се с ~я** enjoy privileges/favours; **получавам ~я** secure a privilege.

привич|ен *прил., -на, -но, -ни* habitual; usual; customary.

привичк|а *ж., -и* habit, habitude.

привкус *м., само ед.* twang.

привлекател|ен *прил., -на, -но, -ни* attractive, charming, prepossessing, lovable, engaging, desirable, fetching, taking; *разг.* dishy; *sl.* groovy; (*за ядене, предложение*) tempting; (*за ядене, обстановка*) inviting; **~на усмивка** winning smile.

привлекателност *ж., само ед.* attractiveness, charm, lovableness, prepossessingness, desirability; engagingness.

привличам, привлека *гл.* 1. attract, draw; **личност, която привлича внимание** arresting personality; **невинността й го привлече** her innocence engaged him; **~ внимание** focus attention; come to the foreground; beat the drum (**върху** for s.th./s.o.); **~ на своя страна** gain/win over; win round; **~**

нечие внимание attract/draw/engage s.o.'s attention; ~ **симпатиите на всички** win all hearts; ~ **широка публика** attract a large following; **това не ме привлича** this does not appeal to me, this has no attraction for me; **2.** (*за работа, участие и пр.*) draw in, involve, enlist; ~ **най-способните** enrol brains and talent; • ~ **някого под отговорност** bring s.o. to justice; prosecute s.o.

привли́чане *ср., само ед.* attracting; attraction; *физ.* gravity; ~ **под отговорност** *юр.* prosecution.

привна́сям, привнеса́ *гл.* bring in, introduce.

приводня́вам се, приводня́ се *възвр. гл.* splash down.

привъ́ржени|к *м.,* **-ци; привъ́рженица** *ж.,* **-и** adherent; upholder; follower, champion, partisan; votary, *f.* votaress; **педантичен ~к** stickler; **~к на умерената/твърдата политика** soft-/hard-liner.

привъ́рзан *мин. страд. прич.* **1.** (*вързан*) tied, bound; **2.** (*предан, отдаден*) attached, devoted.

привъ́рзаност *ж., само ед.* adherence; (*обич*) fondness, affection; (*преданост*) devotion; attachment (to).

привъ́рзвам, привъ́ржа *гл.* **1.** tie (up), fasten, bind (**към** to); (*ремък*) strap (to); (*животно*) tether (to); (*кораб*) moor; berth; **2.** *прен.* attach, make attached (to); || ~ **се** attach o.s., become attached, take a liking (**към** to).

привъ́ршвам, привъ́рша *гл.* **1.** (*свързвам, израходвам*) run out of, finish; be running out/short of; **2.** (*завършвам*) finish, end; bring to an end; complete; wind up; || ~ **се** be running short/out; be coming to an end; be nearly over; **тази стока се е привършила** this article is out of stock.

привъ́ршване *ср., само ед.* finishing; completion; **на ~съм** be near(ing) completion; **парите ни са на ~** our money is giving out.

прига́ждам, пригодя́ *гл.* adjust, adapt, fit; accommodate; modulate.

прига́ждане *ср., само ед.* adjusting; adjustment, adaptation; accommodation.

пригладня́ва ми (ти, му, й, ни, ви, им), пригладне́е ми (ти, му, й, ни,

ви, им) *безл. гл.* begin to feel hungry; *разг.* be ready for a bit/for a little something.

пригла́ждам, пригла́дя *гл.* smooth (over), sleek (down); || ~ **се** smarten o.s. up.

пригла́сям *гл.* accompany; (*на някого при пеене*) join/chime in; *прен.* say amen to.

приглуше́н *прил.* muted.

приго́д|ен *прил.,* **-на, -но, -ни** suitable (**за** for); (*удобен*) convenient (for); (*годен*) fit (for).

пригоде́н *мин. страд. прич.* adjusted, adapted; modified.

приго́дност *ж., само ед.* suitability, suitableness; fitness; aptitude; (*приспособимост*) adaptability.

приго́твям (се), приго́твя (се) (*възвр.*) *гл.* prepare, make/get ready (**за** for); ~ **лекарства** mix drugs; ~ **се за бой** *мор.* clear the deck for action (*и прен.*); ~ **ядене** fix a meal.

приготовле́ни|е *ср.,* **-я** preparation; arrangements; **правя ~я** make preparations (**за** for).

прида́вам, прида́м *гл.* (*качество*) impart, lend, give, communicate; invest (with); endue, indue (with); ~ **вкус на** add a zest to, make piquant; ~ **значение на** attach importance/significance to; ~ **си важност** put on airs; ~ **си вид на човек, който знае всичко** assume a knowing air.

прида́т|к *м.,* **-ци, (два)** прида́тъка appendage; adjunct.

придви́жвам, придви́жа *гл.* move, shift (**до** to, **up** to, **към** towards); move/push forward; ~ **въпрос** do s.th. about/take action on a matter; ~ **резерви** *воен.* move up reserves; || ~ **се** move/draw nearer; (*напредвам*) advance, move/push forward/on; *воен.* gain ground; ~ **се напред с бой** fight o.'s way forward.

придви́жван|е *ср.,* **-ия** moving; move, advance.

придво́р|ен *прил.,* **-на, -но, -ни** court (*attr.*); **~ен лекар** court physician; **~на дама** maid of honour; lady-in-waiting; **2. като същ.** courtier.

придирвам и **придирям** *гл.* find fault with, carp at, niggle; cavil; crab; (*придирчив съм*) be hard to please, pick and choose, be particular/fastidi-

ous/exacting/exigent/finicky, be pernickety, be dainty (about); **не ~ много** take things as they come.

придирчи́в *прил.* fastidious, nice, particular, exacting, exigent, hard to please; fault-finding; captious; cavilling; *разг.* fussy, pernickety, choosy; carping, nagging, finical, finicky, picky; **~а публика** exacting public/audience.

придирчи́вост *ж., само ед.* fastidiousness, exigency; exactingness, niceness; fussiness; fault-finding; pickiness; finicality, finicalness; captiousness.

придиха́ни|е *ср.,* **-я** *език.* aspiration.

придоби́вам, придоби́я *гл.* acquire, gain, win, earn; (*вид*) acquire, assume, take on; ~ **опит** gain experience; ~ **права** gain/win rights; ~ **увереност** gain confidence.

придоби́ване *ср., само ед.* acquisition; procurement; (*на статут*) accession; ~ **на национална независимост** accession to national independence.

придоби́вк|а *ж.,* **-и** acquisition; gain.

придружа́вам, придружа́ *гл.* **1.** accompany, attend; (*като охрана и пр.*) escort, convoy; ~ **някого до дома/до вратата** see s.o. home/to the door; **2.** (*пея, свиря с*) accompany.

придружа́ваш *сег. деят. прич.* accompanying; (*за обстоятелства*) attendant, concomitant; **посланикът и ~ите го лица** the ambassador and the attending officials/and his party.

придруже́н *мин. страд. прич.* accompanied; ~ **от трудности** involving difficulties; **със сертификат** accompanied by a certificate.

придружи́тел (-ят) *м.,* **-и; придружи́телк|а** *ж.,* **-и** companion.

придря́мва ми (ти, му, й, ни, ви, им) се, придре́ме ми (ти, му, й, ни, ви, им) се *безл. възвр. гл.* feel sleepy/drowsy.

приду́мвам, приду́мам *гл.* talk (**някого да** s.o. into *c ger.*); persuade (s.o. to), wheedle (s.o. into *c ger.*); coax (s.o. into *c ger.*).

придъ́ржам, придъ́ржа *гл.* hold up; support; || ~ **се 1.** hold on, cling (to); ~ **се към брега** *мор.* keep close to the shore, keep the land aboard, hug the shore; **2.** *прен.* keep, stick, adhere, cleave (о, **към** to); ~ **се към закона**

keep within/abide by the law; **~ се към темата** confine o.s to the subject, *разг.* stick to the subject; **~ се строго към** stick rigidly to.

прѝем *м., -и, (два)* прѝема reception; welcome; society function; **давам ~** give/hold a reception; **намирам добър ~** be well received.

приѐмам, приѐма *гл.* 1. *(нещо дадено)* accept, take; **~ поръчки** take in orders; **~ предложение** *(за женитба)* accept a proposal; 2. *(оказвам гостоприемство)* receive, take in, welcome; entertain; **~ гости** *(в даден ден)* be at home to visitors; 3. *(за официално лице, лекар и пр.)* receive/see visitors/patients; **ще го приема** I'll see him; 4. *(кандидати)* accept, approve; *(в училище и пр.)* take in; admit; **~ на работа** take on, give employment (to); 5. *(закон)* pass; *(резолюция)* pass, adopt; *(протокол)* approve; *(предложение)* carry; 6. *(поданство, религия)* adopt; **~ българско поданство** take/adopt Bulgarian citizenship, become a Bulgarian citizen; 7. *(храна)* take; 8. *(вид, форма)* take on, assume; 9. *(съгласявам се)* agree, consent (да to); *разг.* give (s.th.) the thumbs-up; **да приемем, че** let us assume that; given/granted that; **не ~ да** refuse to; *(примирявам се с)* put up with, square up to; **~ за дадено** take for granted; ● **приема се** *(при гласуване)* carried; **~ длъжност** assume office; **~ за чиста истина/монета** take for gospel truth; **~ нещата, както са** take things as one finds them; **~ светото причастие** take holy communion.

приѐмане *ср., само ед.* accepting; acceptance; reception; *(допускане)* admittance; *(предположение)* assumption; *(на закон)* passage, passing; **~ на нов член** admission of a new member.

приемателен *прил., -на, -но, -ни* receiving; **~ен апарат** *радио.* receiving set, receiver; **~ен пункт** receiving station, reception centre.

приѐмен *прил., -на, -но, -ни* reception *(attr.)*; receiving; **~ен баща** *юр.* adoptive father, stepfather; **~ен изпит** entrance examination; **~ни часове** reception/visiting hours, calling hours, call-hours; business hours; *(на лекар,*

преподавател) consultation/consulting hours.

приемлѝв *прил.* acceptable; *(приличен)* reputable, reasonable, decent; *(допустим)* admissible; eligible; **~о извинение** acceptable/plausible/reasonable excuse.

приѐмна *ж., -и* 1. *(зала)* reception-room/-hall; *(вкъщи)* drawing room, sitting-room, lounge; 2. *(чакалня)* waiting-room, receiving room.

приѐмник₁ *м., -ци;* **приѐмница** *ж., -и* successor; **~к на престола** heir to the throne/Crown; **~к съм на някого** succeed s.o.

приѐмник₂ *м., -ци, (два)* приѐмника 1. *радио.* receiver, receiving set, wireless (set); **детекторен ~к** a crystal receiver/set; **лампов ~к** a valve receiver; **~к, който излъчва сигнали** bleeper; 2. *(събирателен съд)* receptacle.

приѐмственост *ж., само ед.* succession; continuity.

приѐт *мин. страд. прич.* accepted, received, adopted; **не е ~ да** it is bad form to; **~о е да** it is the custom to; **така е ~о** that is the custom.

прижѝве *нареч.* while still living; in/during o.'s lifetime; before one dies.

приз *м., -ове, (два)* прѝза prize, award.

призванѝе *ср., -я* vocation, calling; **намирам ~ето си** find o.'s vocation, find o.s.; **следвам своето ~е** follow o.'s calling/vocation; **художник по ~е** painter/artist by vocation.

призѐм|ен *прил., -на, -но, -ни* ground *(attr.)*; **~ен етаж** a ground floor.

призѐмие *ср., -я* ground floor.

приземявам, приземя *гл. авиац.* ground, land; || **~ се** land; **~ се чрез принудително кацане** crash-land.

приземяван|е *ср., -ия* landing, touch-down; *спорт. (в гимнастиката)* landing; **~е с принудително кацане** *авиац.* crash-landing.

призѝв *м., -и, (два)* призива 1. (clarion) call, appeal; exhortation; challenge; **отвръщам/отзовавам се на ~а** respond to/answer the call; 2. *воен.* levy, call up; *амер.* selection.

призѝв|ен *прил., -на, -но, -ни* 1. *воен.* call-up *(attr.)*; **~на комисия** a call-up committee; 2.: **~ен вик/призивни думи** call.

призлява ми (ти, му, й, ни, ви, им), призлее ми (ти, му, й, ни, ви, им) *безл. гл.* become/feel faint (от with); **~ като** *прен.* it makes me sick to.

прѝзм|а *ж., -и геом., физ.* prism; ● **през ~ата на** in the light of.

признавам, призная *гл.* acknowledge, recognize; *(неохотно)* admit, own; *(вина)* confess; *разг.* come clean; **не ~** deny; *(дълг)* refuse to acknowledge, repudiate; **~ грешката си** *(сбърк ах)* stand corrected; **~ за недействителен** *юр.* nullify; **~ за свой** *(син и пр.)* own, acknowledge; **~ някому нещо** *(като заслуга)* give s.o. credit for s.th.; **~ публично** make a public avowal; **~ си всичко** make a full confession, get the whole thing off o.'s chest, make a clean breast of it; **~ ти го** I will give you that; || **~ се** acknowledge o.s., admit, confess, own; **~ се в любов** make a declaration of love; **~ се за победен** acknowledge/admit defeat, own/acknowledge o.s. beaten/defeated; fling up o.'s cards; *спорт., разг.* throw up the sponge.

признаване *ср., само ед.* acknowledging; acknowledgement, recognition; admission; confession; **~ на дипломи** recognition of diplomas.

прѝзна|к *м., -ци, (два)* прѝзнака symptom, sign; indication; *(останка)* vestige; **рецесивен ~к** *мед.* recessive trait; **той не даваше някакви ~ци на живот** he showed/gave no signs of life.

признанѝ|е *ср., -я* acknowledgement, recognition, renown; admission, confession, avowal; **получавам всеобщо ~е** be universally acknowledged/recognized; **правя ~я пред съда** confess before the court; **~е в любов** love, love/ ~е a declaration of love.

признат *мин. страд. прич. (и като прил.)* acknowledged, recognized; **~ писател** a writer of standing/reputation; **~ факт** acknowledged fact.

признател|ен *прил., -на, -но, -ни* grateful, thankful (на to).

признателност *ж., само ед.* gratitude, thankfulness, appreciation.

призовавам, призова *гл.* call, summon; *(обръщам се към)* call (up)on, appeal to, invoke; *(увещавам)* exhort, urge; *(благословия, проклятие)* call down (върху on); *(дух)* evoke, conjure

up; ~ **боговете** invoke the gods; ~ **в съд** (*с призовка*) serve a subpoena (on s.o.), subpoena (s.o.); cite (s.o.); *разг.* have (s.o.) up; ~ **за свидетел** summon as witness; ~ **към ред** call to order.

призовàване *ср., само ед.* calling; invocation; (*в съд*) summons (*sg.*).

призòвк|а *ж., -и* summons, subpoena; writ; citation; citation; diligence; **предавам/връчвам някому ~a** serve a summons on s.o., subpoena s.o.

призори *нареч.* at dawn/daybreak, before dawn.

прѝзра|к *м., -ци, (два)* прѝзрака ghost, spectre, phantom, phantasm, apparition; spook.

призрàч|ен *прил., -на, -но, -ни* ghostly, spectral, phantasmal, spooky; eerie; (*недействителен*) shadowy, unreal, visionary; dreamy, dreamlike.

призрàчност *ж., само ед.* ghostliness; spookiness; visionariness, shadowiness, immateriality; unreality.

призьòр *м., -и* *спорт.* prize-winner.

прийждам, придойда *гл.* 1. throng, crowd; come in flocks/crowds; 2. (*за река*) swell, rise; be in spate/flood.

прийждане *ср., само ед.* swelling; high water; spate.

прийсква ми (ти, му, й, ни, ви, им) се, прийска ми (ти, му, й, ни, ви, им) се *безл. възвр. гл.* feel like (*с ger.*); **когато му се прииска** whenever he likes, whenever he feels like it.

прийòм *м., -и, (два)* прийòма practice.

прикадàвам, прикадя *гл.* cense, incense, thurify.

приказвам *гл.* talk, speak (**на** to, **с** to, with); (*казвам*) say; (*разказвам*) tell; (*разговарям*) talk, converse; **не си ~ с него** we are not on speaking terms with him; ~ **до пресипване** talk o.s. hoarse; ~ **насън** talk in o.'s sleep; ~ **си** chat, have a chat; ~ **приказва се** it is said, they say, people say; **приказваме за вълка, а той е в кошарата** talk of the devil and he is sure to appear; **хората приказват** (*злословят*) people are talking.

приказване *ср., само ед.* talking, speaking; **не е за ~** the less said about it the better.

прѝказ|ен *прил., -на, -но, -ни* fabulous; fabled; fairy (*attr.*); dreamlike; fan-

tastic; enchanting; (*за стил и пр.*) fairy-tale (*attr.*); ~**на страна** fairy-land; dream-land/-world.

прикàзк|а *ж., -и* tale, story; **вълшебни ~и** fairy-tales; **да си дойдем на ~ата** to resume our subject, to come back where we left off, let's return to our muttons; **да си кажем по една ~а** let's have a chat/gossip; **народни ~и** popular/folk tales; **от много ~и файда няма** what's the use of talking; **празни ~и** mere/idle talk; rigmarole; tittle-tattle, fiddle-faddle, bla-bla; smooth words and fair promises; ~**и** (*говорене*) talk; **разказвам ~и** tell stories/tales (*и прен.*); **само да се намирам на ~и** for the sake of talking/of saying s.th.; **седя на (сладки) ~и** sit chatting, enjoy a chat; **хорски ~и** gossip.

приказлѝв *прил.* talkative, loquacious; garrulous; conversable, conversational; *разг.* gabby.

приказлѝвост *ж., само ед.* talkativeness, loquacity; garrulousness, garrulity.

прикàзно *нареч.* fabulously, fantastically; ~**красив** enchantingly beautiful.

прикàнвам, прикàня *гл.* urge (s.o.), call (on s.o.); ~ **към ред** call to order; ~ **към тишина** call for silence.

прикàпвам, прикàпя *гл.* begin to rain/drizzle, start raining/drizzling.

прикàчвам, прикàча *гл.* attach, fasten (**на** to), tack (on to); tag (on to); (*вагон и пр.*) hitch, couple; (*епитет*) stick/tack/tag on; ~ **прякор на някого** give s.o. a nickname, nickname s.o.; ~ **с карфици** pin on, fasten/attach with pins.

прикàчван|е *ср., -ия* attachment, fastening, tacking; hitching, coupling.

прикипява ми (ти, му, й, ни, ви, им), прикипѝ ми (ти, му, й, ни, ви, им) *безл. гл.* boil over (**от** with); lose o.'s temper.

приклàд *м., -и, (два)* приклàда *воен.* (*на пушка*) butt(-stock); **с вдигнат ~** *воен.* with clubbed rifle.

приклèщвам, приклèщя *гл.* wedge, jam; **приклещих пръста си на вратата** I jammed/caught my finger in the door.

приключвам, приключа *гл.* end, finish; conclude, close, bring to an end/ to a conclusion; wind up; get s.th. over;

разг. call it a day, drop the curtain, hang up o.'s tools; (*успешно*) wrap (s.th.) up; ~ **без загуба** break even; ~ **преговори** conclude negotiations; ~ **сметките (си)** settle o.'s accounts; *фин.* strike a balance.

приключèни|е *ср., -я* adventure; **любовно ~e** a love adventure.

приключèнск|и *прил., -а, -о, -и* adventure (*attr.*); ~**и роман/разказ** an adventure story.

прикляквам, приклекна *гл.* squat.

приковàвам, прикова *гл.* nail, fix (to, together, on to); pin; root to the spot/ground; ~**вниманието** rivet/hold/ arrest/grab/grip/enchain the attention; hold spell-bound; ~ **очи** rivet/fix o.'s eyes on; **страхът го прикова на място** to fear rooted him to the ground/spot.

прикрèпвам, прикрепя *гл.* 1. attach, fasten, affix (**към** to), tail/join on (to); 2. (*придържам*) hold; support.

прикрèпване *ср., само ед.* attachment, fastening, fixing.

прикрѝвам, прикрия *гл.* conceal, cover up; screen; keep back; *воен.* cover; (*намерение, чувство*) disguise; (*скривам*) hide; (*предпазвам*) protect, shelter, screen; (*от слънце*) shade; ~ **гнева си** dissemble/hide o.'s anger; ~ **очите си с ръка** (*от слънцето*) screen o.'s eyes (against the sun); shade/shield o.'s eyes; ~ **чувство** dissemble (a feeling); || ~ **се** hide, conceal o.s.; *воен.* take cover; **той умее да се прикрива** he knows how to disguise his feelings; he is a skilful dissembler.

прикрѝт *мин. страд. прич.* concealed, veiled; close, secret, secretive, furtive; closet; (*таен, задкулисен*) underhand, undercover, covert, backstage, sneaky; **едва ~о злорадство** ill concealed gloating.

прикрѝти|е *ср., -я* *воен.* cover; (*войскова част*) covering party; **под ~ето** na under the cover of; screened by, under the shelter of; **стрелям от ~е** *воен.* snipe.

прикрѝтост *ж., само ед.* closeness; furtiveness; covertness; secretiveness; secrecy; sneakiness.

прилàгам, приложа *гл.* 1. apply; execute; exercise; ~ **закон/наредба** enforce a law/a decree; ~ **на дело** put into practice; ~ **на дело идеите си**

practice what one preaches; **2.** (*поставям към*) enclose, include; attach; add; (*към договор*) annex; **~ отделно** (*в отделно писмо*) send under separate cover.

прилàгане *ср., само ед.* applying; application; execution; implementation; implement; **избирателно ~ на закона** selective use of law; **~ на закона** administration of law.

прилагàтелн|о *ср., -и език.* adjective.

прилежàние *ср., само ед.* diligence, industry, perseverance, assiduity, assiduousness, application (to work).

прилèж|ен *прил., -на, -но, -ни* diligent, assiduous, hard working, painstaking; (*в учението*) diligent, studious.

прѝлеп *м., -и, (два)* прѝлепа *зоол.* bat; **~ кръвопиец** vampire, vampirebate.

прилèпвам₁, прилепя *гл.* stick, press (on to, to); adhere (to); **~ ухо до** put/ apply o.'s ear to; || **~ се** stick (close), press close (**към** to), adhere (to); (*за кораб*) come alongside (of); **~ се до стената** flatten o.s. against the wall.

прилèпвам₂, прилепна *гл.* fit tight/ close.

прилèпване *ср., само ед.* adhesion, adherence, sticking.

прилèпнал *мин. св. деят. прич.* stuck, adhering (to); (*за дреха*) tight-/ close-fitting, skin-tight.

прилепчѝв *прил.* catching, contagious.

прилепчѝвост *ж., само ед.* contagion.

прилетявам, прилетя *гл.* come flying, fly (до, към to); (*със самолет*) arrive by air; *прен.* come/arrive in all haste; come hurrying along.

прѝлив *м., -и, (два)* прѝлива rising tide, high tide/water; flood (tide); *прен.* influx, afflux, surge; **~ и отлив** ebb and flow, high and low tide; *прен.* flux and reflux; **~ на гордост/гняв** a surge of pride/anger; **~ на кръв** flush, a rush of blood, *мед.* congestion; **~ на сили** a fit of energy.

прилѝвам, прилèя *гл.* pour in, add.

прѝлив|ен *прил., -на, -но, -ни* tidal; **~на вълна** a tidal wave; **~на ивица** tide lands.

прѝлик|а *ж., -и* resemblance, likeness; (*сходство*) similarity; **голяма ~а** a close resemblance; **те са си лика–~а** they are a good match.

прилѝчам *гл.* **1.** resemble, be/look like (**на** -); bear a resemblance (to); take after; **думите му приличаха на заплаха** his words were in the nature of a threat; **което си прилича, се привлича** like will to like; **който много си прилича** (*за портрет и пр.*) lifelike; **не ~ на** be unlike; **това на нищо не прилича!** this is simply unheard of! that simply won't do! that's no way to behave! **той много прилича на баща си** he is the picture of his father; **2.** (*подхождам, отивам*) become, (*за дреха*) be becoming, suit; (*за поведение*) become fit, befit.

прилѝч|ен *прил., -на, -но, -ни* **1.** (*подобен*) like, resembling (**на** -), similar (**на** to); **2.** (*пристоен*) decent, proper; respectable; seemly; decorous; (*с добро държане*) well-behaved; **в/с ~ен вид** presentable; **~ен превод** quite a good translation; **~но възнаграждение** an appropriate/suitable remuneration.

прилѝчие *ср., само ед.* decency, decorum, propriety, respectability; **от ~** for appearance's sake; for the sake of propriety; to save appearance; **в decency** (**към** towards); **спазвам ~** behave o.s.; observe the rules of propriety.

приложèн *мин. страд. прич.* **1.** applied; executed; **2.** (*поставен към*) enclosed; included, added; subjoined; accompanying; **~о ви изпращаме** *търг.* enclosed please find; **тук ~** enclosed herewith.

прилож|ен₂ *прил., -на, -но, -ни* applied; practical; **~на наука** applied science.

приложèни|е *ср., -я* **1.** application; putting into practice; **намирам/имам ~е** find application, be applied; **2.** (*нещо приложено*) enclosure; (*към печатно издание*) supplement; appendix; (*поставен към*) appended; (*към доклад*) addendum; **3.** *език.* apposition.

приложѝм *сег. страд. прил.* applicable; workable; enforceable; practicable, feasible.

приложѝмост *ж., само ед.* applica-

bility; workability.

приложност *ж., само ед.* applicability, practicability; workability; enforceability, viability; relevancy; practicability, feasibility, feasibleness.

прилошàва ми (ти, му, й, ни, ви, им), прилошèе ми (ти, му, й, ни, ви, им) *безл. гл.* feel unwell/feel faint; **да ти прилошее от миризмата** the smell was fit to knock you down.

прилошàван|е *ср., -ия* faint spell, queasiness.

прилунявам се, прилуня се *възвр. гл.* land on the moon.

прилуняване *ср., само ед.* moonlanding, landing on the moon.

прилъгвам, прилъжа *гл.* entice; coax, wheedle, bait the line; cajole, beguile, sweet-talk, lure, wile.

прилютява ми (ти, му, й, ни, ви, им), прилютее ми (ти, му, й, ни, ви, им) *безл. гл.* get/have a sharp/hot taste (in o.'s mouth); (*за ядене*) taste sharp/hot.

прилягам, прилегна *гл.* **1.** fit; fit close; dovetail; **~ съвсем точно** fit like a glove; **тази рокля приляга плътно по тялото** this dress is a close/tight fit; **2.** (*подхождам*) become, suit; befit; **3.**: **дърводелството много му приляга** he is a good hand at carpentry; he has a knack/bent for carpentry; **приляга ми** (*идва ми отръки*) come natural.

прѝма *прил. неизм.* first; **акомпанирам на ~ виста** play an accompaniment off hand; **~балерина** first/star dancer, prima ballerina; **свирене/пеене ~ виста** *муз.* sight reading/singing.

примадòн|а *ж., -и* prima donna, diva.

прималявам, премалея *гл.* grow/feel faint; faint, swoon; **прималява ми от глад** be faint with hunger; **сърцето й премаля** her heart sank.

примàмвам, примàмя *гл.* entice, lure, allure, beguile; decoy; woo; coax, wheedle; bait the line; (*изкушавам*) tempt; **~ в засада** decoy into an ambush.

примàмк|а *ж., -и* bait, enticement, allurement; lure; decoy; draw; **~и** blandishments.

примамлѝв *прил.* enticing, alluring; tempting; *разг.* come-hither; (*за до-*

води) specious.

примамлѝвост *ж., само ед.* allurements; enticement.

примàти *само мн. зоол.* primates.

приматолòгия *ж., само ед.* primatology.

примèр *м.,* **-и, (два) примèра 1.** (*случай*) instance; example; case; **служа за ~ на** illustrate, exemplify; **цитирам като ~** cite as an example/illustration; **2.** (*за подражание*) model example; **давам личен ~** set an example, give a lead, show the way (**на** to); **давам някого за ~** hold s.o. up/cite s.o. as a model; **за ~** as an example/a model; **по ~а на** after the example of; in imitation of; **следвам ~а на** *прен.* tread in the steps of.

примèрвам се, примèря се *възвр. гл.* take aim, aim (**в** at).

примèр|ен *прил.,* **-на, -но, -ни** exemplary; model; **~ен устав** model statute; **~но наказание** exemplary punishment.

примèс *м.,* **-и, (два) примèса** (*вещество*) admixture; *техн.* impurity; adulterant; (*към метал*) alloy; (*на цвят и пр.*) tinge, dash; *прен.* touch; **без ~и** without alloy, unalloyed (*и прен.*); **скални ~и** rocky impurities.

примèсвам и примèсям, примèся *гл.* admix; (*прибавям*) add; (*в сплав*) alloy.

примигам и примѝгвам, примѝгна *гл.* wink; (*за светлина*) flicker; (*за звезди*) twinkle.

примижàвам, примижà *гл.* blink; half-close o.'s eyes, look with eyes half-closed.

примѝрам, примрà *гл.* faint, fail, sink, swoon; languish, die away; **~ за вода** be dying for a drink; **~ от радост** be in an ecstasy of joy; **~ от страх/ ужас** be struck with fear/terror; have o.'s heart in o.'s mouth; o.'s heart goes faint within o.s.; **~ от удоволствие** be tickled to death.

примирèн *мин. страд. прич.* **1.** resigned (**с** to); **2.** (*помирен*) reconciled (**с** with).

примирèние *ср., само ед.* **1.** resignation; **2.** (*помирение*) reconciliation.

примирèнческ|и *прил.,* **-а, -о, -и 1.** conciliatory, compromising; **2.** passive, resigned.

примѝрие *ср., само ед.* armistice, truce; (*спиране на огъня*) cease-fire; suspension/cessation of arms/hostilities; **сключвам ~ с** conclude/sign a truce with; *прен.* smoke the pipe of peace with.

примирѝмост *ж., само ед.* reconcilability.

примирѝтел|ен *прил.,* **-на, -но, -ни** conciliatory, pacificatory; (*за тон, маниер и пр.*) apologetic.

примирѝтелност *ж., само ед.* conciliation, conciliatoriness, reconcilability, reconcilableness.

примирявам, примиря *гл.* reconcile, conciliate, bring to terms; (*идеи, системи и пр.*) reconcile, syncretize; || **~ се** be/become reconciled; acquiesce; *журн.* bite the bullet; **~ се с** put up with; resign o.s. to; square up to, choke (s.th.) down; **~ се с положението** accept the facts.

примирявàне *ср., само ед.* reconciling; conciliation, reconciliation.

примитѝв|ен *прил.,* **-на, -но, -ни** primitive; **~ен човек** cave-man (*и прен.*).

примитивѝз|ъм (-мът) *м., само ед.* primitivism.

примитѝвност *ж., само ед.* primitiveness.

примк|а *ж.,* **-и** loop; (*на въже*) slip-knot, slipnoose; *прен.* noose, trap, snare, pitfall; **влизам в ~а** be caught in a trap, be trapped; put o.'s neck into a noose; **сам си слагам ~ата около врата** put o.'s head on the block.

примòлвам се, примòля се *възвр. гл.* beg, entreat, implore.

примòрск|и *прил.,* **-а, -о, -и** maritime, seaside (*attr.*); coastal, sea-shore (*attr.*), littoral; **~и булевард** promenade.

примрял *мин. св. деят. прич.* faint, languid (**от** with); fainting, in a faint/ swoon; **~ от глад** pinched with hunger.

примул|а *ж.,* **-и** *бот.* primrose, primula (*Primula abconica*).

примус *м.,* **-и, (два) примуса** primus (burner), primus-stove.

примъквам, примъкна *гл.* drag/ draw to o.s.; drag up (**до** to); || **~ се** drag o.s. up (to); drag along (to); sneak/ steal up (to).

принадлежà *гл.* belong (**на, към** to);

(*отнасям се*) pertain, appertain (to); (*за власт, право, привилегия*) reside (in); **това принадлежи на миналото** this is a thing of the past.

принадлèжност *ж.,* **-и 1.** belonging; appurtenance; affiliations; **национал-на ~** nationality; **2.** (*предмет*) requisite; *техн.* appliance, attachment; gadget; **автомобилни ~и** motor accessories; **3.** *само мн.* (*вещи*) belongings; gear; paraphernalia; *юр.* pertinents; *техн.* accessories; implements; fittings; tackle, gear; (*комплект*) outfit, kit, equipment; **риболовни ~и** fishing tackle/gear; **тоалетни ~и** articles of toilet, toilet articles.

принàсям, принесà *гл.* bring (**на** to); offer; (*допринасям*) contribute; **~ в жертва** offer as a sacrifice; sacrifice; **~ жертва** offer sacrifice (**на** to).

принизявам, принизя *гл.* **1.** bend; **2.** humiliate; **3.** (*омаловажавам*) disparage, belittle; **4.** (*опошлявам*) debase, degrade, vulgarize; || **~ се** descend (**до** to).

принòс *м.,* **-и, (два) принòса** contribution (**към** to).

приносѝтел (-ят) *м.,* **-и; приносѝ-телк|а** *ж.,* **-и** bearer; holder; **~ на застрахователна полица** policy holder.

прѝнтер *м.,* **-и, (два) прѝнтера** *техн.* printer; **лазерен ~** laser printer; **мастилено-струен ~** ink-jet printer.

принỳда *ж., само ед.* compulsion, constraint; coercion; force; pressure; *юр.* duress(e); **по ~** out of/by/from necessity, under compulsion; *юр.* under duress(e); **пълна ~** *икон.* full-line force; *sl.* screws, third degree.

принуждàвам, принудя *гл.* compel, force, force s.o.'s hand; constrain; (*със сила*) coerce; dragoon; *sl.* put the screws (to), put the squeeze (on), twist s.o.'s arm, bulldoze (s.o. into doing s.th.); (*със заплахи*) frighten (s.o. into doing s.th.), put the frighteners on; **~ да кацна** (*самолет*) force down; **~ някого да се съгласи** force assent out of s.o.; **~ по силата на закона** bind over (да to); **~ с военна сила** bayonet into (*с ger.*); || **~ се** be forced (да to).

принц *м.,* **-ове** prince.

принцѝп *м.,* **-и, (два) принцѝпа** principle; maxim; tenet; **по ~** on/in princi-

ple, as a matter of principle, as a rule; fundamentally; ~ при оценяване point of reference; човек с ~и man of principles.

приобщавам, приобщя *гл.* incorporate, join (to); || ~ ce join (към нещо s.th.), affiliate/unite o.s. (with s.th.).

приоритет *м.*, -и, (два) приоритета priority; antecedence; имам ~ пред have priority over; underlie.

припадам, припадна *гл.* faint (away), go into a faint; lose consciousness; collapse, have a fit; fall down in a fit/faint; *разг.* pass out; *книж.* swoon; *шотл.* dwam; ~ от смях split o.'s sides with laughter; roll with laughter; laugh o.'s head off; fall about laughing.

припадъ|к *м.*, -ци, (два) припадъка fit, fainting-fit; swoon; seizure; *(пристъп)* fit; *(силен)* paroxysm; смея се до ~к roll with laughter, laugh o.'s head off; състояние на ~к *мед.* syncope.

припарвам, припаря *гл.* come close; venture near; не давам на друг да припари give no one else a look-in; не ~ до keep away, give a wide berth to.

припаси *само мн.* supplies, stores; бойни ~ ammunition; военни ~ military supplies, munitions; хранителни ~ food supplies, provisions, comestibles.

припев *м.*, -и, (два) припева *муз.* refrain, burden, chorus.

припе|к *м.*, -ци, (два) припека sunny spot/side; (hot) sun; на ~к in the sun.

припечелвам, припечеля *гл.* earn, *разг.* make; ~ нещо make a little money; make an additional s.th.

приписвам, припиша *гл.* 1. *(отдавам)* ascribe, attribute, put down (на to); *(неоснователно)* impute (to); *(вина и пр.)* lay at s.o.'s door; *(авторство)* assign; ~ някому добри намерения credit s.o. with good intentions; 2. *юр.* *(прехвърлям)* transfer, make/sign over; convey; ~ имот на някого transfer/convey property to s.o., sign/make a property over to s.o.

припичам, припека *гл.* 1. roast; *(изгарям)* burn; 2. *(топля)* warm; 3. *(за слънце и пр.)* be hot; burn, scorch; be pleasantly warm; || ~ ce bask (in the sun); *(на огън)* warm o.s.; toast before the fire.

приплавам, припламна *гл.* blaze/

flare up.

приплод *м.*, *само ед.* offspring; давам породист ~ breed true.

приплъзвам се, приплъзна се *възвр. гл.* slip; *техн.* skid.

приповдигам, приповдигна *гл.* raise, lift; || ~ ce raise o.s. (up), rise slightly; *(от болест)* take a turn for the better.

приподписвам, приподпиша *гл.* countersign.

припознавам, припознае *гл.* 1. recognize, acknowledge formally; own; дете *(за свое)* *юр.* own/father a child; 2. be grateful; || ~ ce mistake/take s.o. for s.o. else.

припо|й *(-ят)* *м.*, -и, (два) припоя *техн.* solder; *(твърд)* braze.

припокриване *ср.*, *само ед.* overlap; ~ на обхват *радио.* range overlap; ~ на операции *комп.* operation overlap; ~ на програми *комп.* processing overlap.

припомням, припомня *възвр. гл.* remind *(някому нещо* s.o. of s.th.), bring/(re)call s.th. to s.o.'s mind; refresh s.o.'s memory; || ~ си recollect, remember, recall; (re)call to mind; опитвам се да си припомня ransack/rack o.'s brains/memory; ~ си миналото run back over the past.

припряност *ж.*, *само ед.* impatience, restlessness; nervousness.

припълзявам, припълзя *гл.* creep/crawl up/over; come creeping/crawling.

припявам, припее *гл.* 1. sing in accompaniment; sing the burden/refrain; 2. *(над мъртвец, гроб)* wail, keen.

приравнявам, приравня *гл.* make even/equal; equalize; make of equal size; 2. *прен.* make equal, put/place on the same footing *(към* as, with), give/confer the same status (as); *(свеждам)* reduce (to); *разг.* lump together; ~ към нула *мат.* nullify; || ~ ce 1. place/put o.s. on the same footing/level as; 2. come alongside of.

прираст *м.*, *само ед.* increase, growth, accretion; augmentation; естествен ~ natural increase; ~ на капитал capital gains; ~ на населението increase/growth in population.

природа *ж.*, *само ед.* 1. nature; жива/мъртва ~ animate/inanimate nature; игра на ~та a freak of nature;

мъртва ~ *изк.* a still life; ~та ще си вземе своето nature will have its course; сред ~та in the open (air); close to nature; 2. *(характер, естество)* character, nature; fibre; *(на човек и пр.)* temper, make-up; по ~ by nature, naturally; 3. *(местност, гледка)* countryside; scenery, landscape.

природен *мин. страд. прич. (и като то прил.)* born from/of a second marriage; ~ брат half-brother.

природ|ен *прил.*, -на, -но, -ни 1. natural; ~ен закон law of nature; ~ни бедствия *застр.* elemental perils; ~ните стихии the elements; the elemental forces; 2. *(вроден)* innate, inborn, congenital; ~на интелигентност innate/native intelligence, mother wit.

природно-климатич|ен *прил.*, -на, -но, -ни natural and climatic.

природозащитни|к *м.*, -ци environmentalist; conservationist; green.

природознание *ср.*, *само ед.* natural history.

природолечение *ср.*, *само ед.* naturopathy.

природонауч|ен *прил.*, -на, -но, -ни natural science *(attr.)*.

присадк|а *ж.*, -и graft; scion; inoculation; *мед.* graft.

присаждам, присадя *гл.* engraft, graft, inoculate; *мед.* graft, *(орган)* transplant.

присвивам, присвия *гл.* bend; присвива ме стомах have a colic, be badly griped (by colic); присвива ме сърце то feel a pang in o.'s heart; ~ очи screw (up)/half-close o.'s eyes; || ~ ce от болка writhe/squirm with pain.

присвоявам, присвоя *гл.* appropriate; *(незаконно)* *юр.* deforce; *разг.* commandeer; *(обществени средства)* embezzle; ~ незаконно misappropriate; usurp; defalcate; ~ право assume/usurp a right.

прискърбие *ср.*, *само ед.* sorrow, regret; affliction; с дълбоко ~ with deep sorrow/regret; с ~ научаваме, че we are grieved/we regret to learn that.

присламчвам се, присламча се *възвр. гл.* tag after, attach o.s. (към to); sneak up (to); ingratiate o.s. with s.o., make up to s.o., creep into s.o.'s good graces.

прислуга *ж.*, *само ед.* 1. servants,

domestics; **2.** (*слугиня*) servant, maid-servant, maid; **3.** (*прислужване*) attendance, service; **4.** *воен.* crew, (gun) detachment.

прислужвам, прислужа *гл.* wait, attend (**на** on, upon); serve; **~ при храчене** wait/serve at table.

присмех *м.*, *само ед.* ridicule, mockery, derision; *sl.* razz; **вземам на ~** make fun of, poke fun at, laugh at; **за ~ съм на** be the laughing stock of; • Господ и на ~ помага things said in jest often come true.

присмехул|ен *прил.*, -на, -но, -ни mocking, derisive, sneerful, gibing, jeering.

присмехулни|к *м.*, -ци **1.** mocker, banterer, scoffer, ridiculer, sneerer; flouter; **2.** *зоол.* mocking-bird.

присмивам се, присмея се *възвр. гл.* laugh, mock, jeer, gibe, flout, scoff (**на** at); make fun (of), poke fun (at); taunt; ridicule, deride.

приспадам, приспадна *гл.* deduct, subtract.

приспивам, приспя *гл.* lull to sleep; put to sleep; coax to sleep; **~ бдителността на някого** lull s.o.'s vigilance, put s.o. off his guard; **~ с песен/чете-не** sing/read to sleep.

приспивател|ен *прил.*, -на, -но, -ни somniferous, soporific, slumberous, drowsy; *като същ.* **-но** *фарм.* sleeping-pill/-drug, soporific; *амер. sl.* goofball.

приспособлени|е *ср.*, -я device, appliance, contrivance, gear, gadget; gimmick; *sl.* gizmo, gismo; **-е за вадене на костилки** stoner; **регулиращо -е** adjusting/adjustment gear.

приспособявам, приспособя *гл.* adapt, adjust, accommodate (**за, към** to); || **~ се** adapt/adjust/accommodate o.s. (to); conform (to).

пристав *м.*, -и police-officer, superintendent; **съдебен ~** bailiff.

пристявам, пристяна *гл.* elope (**на** with); *разг.* flit.

пристявк|а *ж.*, -и **1.** piece added; *техн.* adaptor, appliance, attachment; **2.** *език.* affix.

пристянищ|е *ср.*, -а **1.** harbour, port; **2.** (*пристанищен град*) port; **военно ~е** naval harbour; **входно ~е** *мор.* port of entry; **междинно ~е** *мор.* port

of call; **-е с плаващ вълнолом** *мор.* floating harbour; **3.** *прен.* refuge, asylum, haven.

пристянищ|ен *прил.*, -на, -но, -ни harbour, port (*attr.*); **-ен град** seaport town, port; **-ен работник** docker; **стеведоре**; **-ни съоръжения** harbour works; **-ни такси** harbour dues; wharfage.

пристигам, пристигна *гл.* arrive (**на** *гара, в пристанище, хотел и пр.* at; *в град, страна и пр.* in), come in, (*със самолет*) fly in (**в** to), turn up; **~ вкъщи** arrive/get home; **~ на мястото** arrive on the scene; **~ последен** bring up the rear; **~ пръв** (*за състезател*) come in first, (*за кон*) land first.

присто|ен *прил.*, -йна, -йно, -йни decent, proper, decorous.

пристраст|ен *прил.*, -на, -но, -ни partial (**към** to), biased, prejudiced (**във вреда на някого** against, **в полза на** in favour of), one-sided; **-но разглеждане на дело** *юр.* unfair hearing; **-но решение** *юр.* one-sided judgement.

пристрастеност *ж.*, *само ед.* passion (**към** for), addiction (to).

пристрасти|е *ср.*, -я partiality (**към** to, for), bias, prejudice (towards); predilection (for); **отнасям се с ~** adopt a partial/biased/prejudiced attitude (towards); (*неблагоприятно*) treat unfairly.

пристрастявам се, пристрастя се *възвр. гл.* take (**към** to), conceive a passion (for), become/grow addicted (to).

пристройк|а *ж.*, -и *и* annex(e); extension; outhouse; (*навес*) lean-to.

пристроявам, пристрой *гл.* add to a building.

пристъп *м.*, -и, (*два*) пристъпа **1.** *воен.* assault, storm, rush; onslaught, attack; **превземам с ~** take by assault/storm; carry by assault; **2.** (*на вятър*) blast; **3.** (*на болест, чувство*) fit, attack, outburst; paroxysm; **~ на гняв/ярост** fit of anger/fury, paroxysm of rage; **~ на кашлица** fit of coughing, coughing fit; **~ на малария** bout of malaria; **~ на ревност** pangs of jealousy.

пристъпвам, пристъпя *гл.* **1.** (*вървя*) step, take a step; advance; (*приближавам се*) step/go/come up (**към** to); **едва ~** move slowly; walk with dif-

ficulty; **2.** (*започвам*) begin, set about, start; proceed; **~ към гласуване** proceed to a vote; **~ към дело/действие** take action; **~ към работа** get (down) to business, set to work.

пристягам, пристегна *гл.* tighten (up); *мор.* frap.

присъд|а *ж.*, -и sentence; judgement; (*решение на съдебни заседатели*) verdict; **издавам ~а** *юр.* pass a sentence (on); **произнасям ~а над** *юр.* pass judgement on/upon; **смъртна ~а** *юр.* a death/capital sentence; **съдебна ~а** *юр.* judgement-at-law; **условна ~а** *юр.* a suspended sentence.

присъединявам, присъединя *гл.* join, add (**към** to); (*включвам*) integrate (**към** with), incorporate (in); (*към организация*) annex; || **~ се** join, attach o.s. (**към** to); latch on; (*към договор и пр.*) adhere, accede; (*към група от хора*) fall in (with); come into the fold, (*отново*) return to the fold; **~ се към конвенция** accede to convention; **~ се към мнението на някого** subscribe to s.o.'s opinion, associate o.s. with s.o.'s opinion; swell the chorus.

присъединяван|е *ср.*, -ия joining; incorporation; annexation; subscription; accession; **договор за ~е** *юр.* adhesion contract, accession treaty; **преговори за ~е** *полит.* accession negotiations.

присъждам, присъдя *гл.* adjudge, adjudicate; (*награда и пр.*) award, adjudge (**на** to); (*звание, титла*) confer (on); **~ вреди и загуби** *юр.* award damages (to).

присърце *нареч.* to heart; to o.'s liking/taste; • вземам ~ take to heart.

присъствам *гл.* be present (at); (*на урок, представление и пр.*) attend; поканени сте да присъствате your presence is (kindly) requested; те присъстваха на събитието they witnessed the event.

присъстви|е *ср.*, -я presence, attendance; **~ето Ви е необходимо** your presence/attendance is necessary/essential; • военно ~е military presence; постоянно ~е standing committee; *прен.*, *разг.* fixture; **~е на духа** presence of mind; equanimity; **сведение за ~е**

record of attendance.

присъщ *прил.* inherent, innate, inbred, resident (**на** in); intrinsic; peculiar, incidental (to); **с ~ата му лекота** with the ease characteristic of him, with his habitual ease.

присядам, приседна *гл.* sit down (for a while); take a seat (**до някого** at s.o.'s side, by s.o.).

притвор *м.,* -**и,** (**два**) **притвора** *църк.,* *архит.* narthex.

притеглям, притегля *гл.* draw/pull nearer, draw to o.s.; (*привличам*) attract.

притегляне *ср., само ед.* drawing; attraction; *физ.* gravity, gravitation; ● **земно ~** *физ.* gravity.

притежавам *гл.* possess, be in possession (of); own; have (in o.'s possession); (*позволително и пр.*) hold; **~ добро здраве** enjoy good health; **той притежава обширни знания по предмета** he is well versed/read in the subject.

притежани|е *ср.,* -**я** possession; (*собственост*) property, ownership.

притежател|ен *прил.,* -**на,** -**но,** -**ни** *език.* possessive; **~но местоимение** *език.* a possessive pronoun.

притеснявам, притесня *гл.* **1.** embarrass, make uneasy, inconvenience, throw into confusion, trouble, put to trouble, incommode; *разг.* disoblige; **2.** (*потискам*) oppress; **3.** (*карам да бърза*) press, hurry, rush; || **~ се** be/feel uneasy/ill at ease/troubled/worried/nervous; worry; *разг.* have kittens, get o.'s knickers in a twist, get cold feet (about); **не се притеснявай!** take it easy! go easy! (*не бързай*) take your time; do it at your leisure.

притискам, притисна *гл.* **1.** press (close) (**до** to, against); squeeze; (*прегръщам*) hug, hold tight, embrace; **~ пръста си на вратата** pinch/jam o.'s finger in the door; **~ ухо** до press o.'s ear to; **2.** (*потискам*) oppress; || **~ се** press o.s. (**до** to, against); squeeze (**до** against); cuddle, nestle, snuggle (against); **~ пазара** corner the market; **~ се до гърдите на някого** press close against s.o.; ● **~ някого до стената** corner s.o., drive s.o. to the wall/into a corner, bring to bay.

прито|к *м.,* -**ци,** (**два**) **притока 1.** *геогр.* tributary, confluent, affluent;

(*на река*) feeder; **2.** (*прилив, наплив*) flow, influx, onflow; (*на вода в язовир*) inflow; **~к на капитали** *икон.* an influx of capital.

притурк|а *ж.,* -**и** supplement, pull-out; (*към книга*) addendum, *pl.* addenda, appendix, *pl.* appendixes, appendices.

притч|а *ж.,* -**и** parable, saying; ● **Притчи Соломонови** *библ.* the Provebs.

притъмнявам, притъмнея *гл.* grow/become dark, darken; ● **притъмня му пред очите** his sight grew dim, everything swam before his eyes; (*от ярост*) he saw red.

притъпявам, притъпя *гл.* **1.** (*острие*) blunt, dull; take the edge off; **2.** (*чувство, болка и пр.*) deaden, dull; stupefy; attenuate; **~ чувствителността на** desensitize; || **~ се** become/get blunt/dull; *прен.* become dull.

приумиц|а *ж.,* -**и** whim, freak, caprice, fancy, whimsy, vagary, crotchet.

приучвам, приуча *гл.* habituate, accustom, train, school, inure (**към** to); teach; **~ някого към дисциплина** inculcate discipline/order into s.o.; || **~ се** learn, train/teach o.s., inure o.s., become inured (**към** to); **~ някого към ред** teach/train/accustom s.o. to be orderly; **~ се към нещо от най-ранна възраст** suck in s.th. with o.'s mother's milk.

прихващам, прихвана *гл.* **1.** catch (hold of); take hold of; **2.** (*болест*) catch, contract; **3.** (*сума*) deduct, keep back; **4.** (*дреха при проба*) take in; || **~ се** take/strike root; ● **какво го е прихванало** what has come over him, what devil has got inside him; what's got him; **какво ме прихвана да** whatever) possessed me to; **когато го прихване** when the fit is on him; **понякога го прихваща** he (occasionally) gets into one of his moods; **прихваща ме** the fit is on me.

прихлупвам, прихлупя *гл.* **1.** cover; hang (low) over; **2.** (*шапка*) pull down over o.'s eyes/ears/face.

приход *м.,* -**и,** (**два**) **прихода** income; gainings; (*от труд*) earnings; (*държавен*) revenue; receipts; **неутрализиран ~** revenue neutral; (*от представление*) proceeds; (*от спортно*

събитие) gate; (*от посеви*) emblements.

прицветни|к *м.,* -**ци,** (**два**) **прицветника** *бот.* bract; **без ~к** ebracteate.

прицел *м., само ед.* target, (shooting) mark, bull's eye; *прен.* butt, target; ● **вземам на ~** draw a bead on; *прен.* make s.o. the butt of o.'s attacks; **държа на ~** hold at gunpoint; **удобен ~** *прен. разг.* sitting duck.

прицелвам се, прицеля се *възвр. гл.* take aim/sight (**в** at); level o.'s gun (at, against); (*при хвърляне на камък*) have a cock shot (*в* at); **~ внимателно** take a careful sight, take good aim, aim carefully (at).

причаквам, причакам *гл.* waylay, ambush, lie in wait/ambush for; be in wait for.

причасти|е₁ *ср.,* -**я** *език.* participle; **сегашно/минало ~е** present/past participle.

причасти|е₂ *ср.,* -**я** *църк.* Holy Communion, Eucharist, the Sacrament; **съд за ~** a communion cup; **~ последно ~е** the last sacrament; **свето ~е** the Holy/Blessed Sacrament, the Sacrament of the altar.

прическ|а *ж.,* -**и** hair-style (*и мъжка*); hair-do.

причестявам, причестя *гл. църк.* administer Holy Communion; || **~ се** receive Holy Communion, receive the sacrament, partake of communion, commune.

причин|а *ж.,* -**и** cause; (*основание*) reason; (*подбуда*) motive; **без ~а** without rhyme or reason, for no earthly/particular reason; **без явна ~а** for no apparent reason; **главна ~а** mainspring; **няма ~а той да ...** there's no reason why he should ...; **по една или друга ~а** for one reason or another, for some reason or other; **по ~а на** because of; on account of, owing/due to; by reason of; **по простата ~а, че** for the simple reason that; **по тази ~а** by this token, by the same token; **~а и следствие** cause and effect; **~а съм за** be at the bottom of; **~ата, поради която** the reason that.

причинявам, причиня *гл.* cause, occasion; bring about; give rise to, produce; engender; **~ безпокойство на някого** put s.o. to inconvenience, in-

convenience s.o.; ~ **неприятности** stir up trouble, (*някому*) give s.o. trouble; ~ **огорчение на** give pain to; ~ **поражения** inflict damage; act destructively (*и за болест*); ~ **телесна повреда на някого** do s.o. bodily harm.

причислявам, причисля *гл.* **1.** add; (*към учреждение и пр.*) attach (**към** to); **2.** *прен.* reckon, number (**към** among), rank (among, with); ‖ ~ **се 1.** be added/attached; **2.** *прен.* (**към**) join, associate o.s. with; (*спадам към*) belong to.

причудлив *прил.* whimsical, odd, quaint, queer, eccentric, bizarre; fantastic, strange; viewy.

пришел|ец *м.*, **-ци; пришелк|а** *ж.*, **-и и пришъл|ец** *м.*, **-ци; пришъл-к|а** *ж.*, **-и** new-comer; immigrant; (*странник*) stranger.

пришèстви|е *ср.*, **-я** *църк.* advent; • **Второто ~е** the Second Coming; Last Judgement; Doomsday; **до второ ~е** *разг.* till kingdom-come, till the Greek calends.

прѝшк|а *ж.*, **-и** blister; **правя ~и** raise blisters.

прищявка *ж.*, **прищèвки** whim, caprice, (passing) fancy, whimsy; crotchet; **по негова ~** at his whim.

приют *м.*, **-и, (два) приюта 1.** asylum; home; **детски ~** orphanage, orphan asylum; ~ **за бедни** poorhouse; workhouse; ~ **за бездомници** reception centre; ~ **за душевно болни** lunatic asylum, mental hospital/home; **старчески ~** home for the aged; **2.** (*убежище*) shelter, refuge; *полит.* asylum.

приютявам, приютя *гл.* shelter, give shelter/refuge to; ‖ ~ **се** take shelter.

прийтел (-ят) *м.*, **-и** friend; *разг.* crony, mate, chum, pal; *sl.* cully; **интимен/близък ~** bosom friend, soul mate; **~ю** *обръщ.* old chap/man, *пренебр.* (my) man! (*на момиче*) boy-friend; • **кажи ми кои са ти ~и, за да ти кажа какъв си** a man is known by the company he keeps; ~ **в нужда се познава** a friend in need is a friend indeed.

прийт|ен *прил.*, **-на, -но, -ни** (*за човек*) pleasant, agreeable, likable, amiable, nice; endearing; engaging; (*за неща*) pleasant, agreeable, pleasing, enjoyable, pleasurable, gratifying; congen-

ial; **~ен за слушане** *разг.* easy on the ear; **~ен на вид** nice-/good-looking, pleasant to look at, comely, pleasing/gratifying to the eye; easy to the eye; **~но прекарване!** have a good/nice time! have fun! enjoy yourself! **с ~ен вкус** tasty, delicious, palatable.

приятно *нареч.* pleasantly, agreeably, pleasurably; enjoyably; gratifyingly; ~ **ми е да** I take pleasure in (*с ger.*); it is my/a pleasure to; I am very pleased/delighted/glad to; **съчетавам приятното с ~то** combine duty with pleasure.

прòб|а *ж.*, **-и 1.** (*изпитване*) trial, test; try-out; (*на двигател и пр.*) trial run; (*на метал*) assay; **за ~а** (*за машина и пр.*) on trial; **правя ~а** try, make a trial; **2.** (*образец*) sample; *мед.* culture; **3.** (*на дреха и пр.*) fitting; (*на готова дреха*) trying-on, try-on; **отивам на ~а** go for a fitting; **правя ~а** fit s.th. on s.o.; **4.** (*клеймо върху благороден метал*) hallmark; (*относително съдържание на благороден метал*) standard; **злато от 56-а ~а** 14-carat gold; **сребро от долна ~а** silver of base alloy; • **от долна ~а** low-grade (*attr.*); *прен.* low-down; (**от**) **чиста ~а** of the first water.

пробация *ж.*, **само ед.** *книж.* probation.

прòбвам *гл.* try, test; (*дреха и пр.*) try on; (*за шивач*) fit on; (*сплав на благороден метал*) assay; (*на вкус*) taste; ‖ ~ **се** try o.'s hand (at s.th.), have a crack/shot/fling at.

прòбе|г *м.*, **-зи, (два) прòбега** lap; run; **безаварѝен ~г** *авт.* trouble-free mileage; **годишен ~г в мили** *авт.* annual mileage; **колоездачен ~г на мира** *спорт.* cycle-tour of peace.

прòбив *м.*, **само ед.** break; gap; breach; *воен.* break-through; *ел.* rupture; disruption, (*на диелектрик*) breakdown; **електрически ~** *ел.* voltage failure; **правя ~** (*и прен.*) get/have a foot in the door.

пробѝвам, пробия *гл.* pierce, make/bore/drive a hole in; (*със свредел*) bore, drill; (*билет и пр.*) punch, perforate; (*тунел*) bore, drive (*през* through); *воен.* break through; (*за растения*) shoot up; (*стена*) breach; (*за цирей*) burst; (*за слънцето*) break/struggle through; ~ **прозорец** (*в стена*) put in

a window; ~ **си път** force/work/make/fight/elbow/carve o.'s way; force a passage, (*като разсичам клони и пр.*) hack o.'s way through; *прен.* make o.'s way (in life, in the world); ~ **фронта на неприятеля** *воен.* break the enemy front.

проблèм *м.*, **-и, (два) проблèма** problem; drawback; hitch; crux; *разг.* queeb, headache; **имам ~и** *разг.* be on a sticky wicket; **няма ~!** no sweat! **правя ~ от** *разг.* make heavy weather of; **тежък ~** *разг.* toughie; **това (не) е мой ~** *разг.* that is (not) my funeral.

проблясвам, проблèсна *гл.* flash (forth) (*и прен.*); coruscate; shine, gleam, glitter, glimmer (forth); glint; (*за мокра/лъскава повърхност*) glisten.

проблясъ|к *м.*, **-ци, (два) проблясъ-ка** flash, gleam, glimmer, glint ray (**на** of); coruscation; **имам ~к** *прен.* see daylight; **~к на надежда** a glimmer/gleam/flash/ray/spark of hope; **~к на съзнание** lucid moment; **~ци на остроумие** flashes of wit.

пробòждам, прободà *гл.* pierce (through), punch, run/stick through; transfix; (*с нож*) stab; knife; *sl.* chiv; **нещо ме пробожда** have a shooting pain; ~ **в сърцето** stab to the heart, pierce through the heart; ~ **с карфица** stick a pin through.

пробỳждам, пробỳдя *гл.* **1.** wake up, awaken, rouse, arouse; call up; **2.** *прен.* evoke, call forth arouse, awaken; ‖ ~ **се** wake up, awake (*и прен.*).

провал *м.*, **-и, (два) провала 1.** failure; ruin; collapse; fiasco; *разг.* fizzle; *sl.* crack-up; (*на представление*) flop, damp squib, washout, ring-ding; (*падение*) downfall; **пред ~** on the brink of ruin; **пълен ~** dead failure; **2.** betrayal, treachery; **станал е ~** we have been betrayed.

провалям, проваля *гл.* **1.** frustrate, upset, foil, bring to naught; (*развалям*) wreck, ruin, spoil; (*законопроект*) defeat; (*стачка*) break; ~ **предложение** turn down a suggestion/motion; ~ **сделка** spoil a deal, (*с гласуване*) vote down a suggestion/motion; **2.** (*събарям*) break (through); ‖ ~ **се 1.** fall through; collapse; (*план и пр.*) play havoc with; ~ **нечии планове** cook

(s.o.'s) goose, spike (s.o.'s) guns; 2. (*не успявам*) fail; break down, collapse, founder, flop, be a flop; go flop; come to naught, go wrong, miscarry, misfire, come to grief; be a fiasco; *разг.* fall down (on); fizzle (out); *sl.* lay an egg; (*на изпит*) fail, *амер. разг.* flunk; *разг.* be/get plucked/ploughed; (*за бизнес, усилия*) *разг.* come a cropper, go down the drain, go down the tube, flop; fall flat; ~ **се в** *разг.* fall down on; ~ **се напълно** be a complete failure/flop.

провѐждам, проведа́ *гл.* 1. lead, take, conduct (**през** through); 2. (*реализирам, прилагам*) carry out, implement, put through; (*избор, изпит, събрание*) hold; (*акция*) organize, conduct; (*политика*) pursue; (*състезание*) hold; ~ **на практика** put into practice, implement; ~ **пленарно заседание** *парлам.* sit in plenary session.

провѐрк|а *ж.,* -и check-up, control; verification; examination; proof, *разг.* vetting, going-over; **вечерна** ~**а** *воен.* retreat; **данъчна** ~**а** tax inspection; **митническа**~**а** customs examination; ~**а на паспортите** passport examination; ~**а на присъстващите** (*по списък*) roll-call; ~**а на самоличността** identification.

проверя́вам, проверя́ *гл.* (*факти и пр.*) verify, ascertain, make sure of, check (up); (*сметки*) check (up), *фин.* audit; (*документи и пр.*) examine; (*съмнителни лица*) examine; (*машина*) overhaul, check up, try out, test; **дай да проверя** let me check up/make sure/see ~ **в речник** look up in a dictionary; ~ **присъстващите** (*по списък*) call the roll.

проветря́вам, проветря́ *гл.* air, (*помещение*) ventilate; || ~ **се** air.

провидѐние *ср., само ед.* обикн. членувано providence.

прови́зии *само мн.* provisions, victuals, stores; viands; comestibles; **снабдявам с** ~ provision, victual; cater (for).

провинѐни|е *ср.,* -я offence (**срещу, против** against); *юр.* culpa; **сериозно** ~**е** *разг.* a hanging matter.

прови́нци|я *ж.,* -и province; country; **дълбока/затънтена** ~**я** remote part of the country, *амер.* backcountry, *разг.* backwater.

провиня́вам се, прови́ня се *възвр. гл.* commit an offence; offend; be guilty (**в** of); be at fault; **в какво се е провинил?** what is his offence? ~ **пред някого** do wrong by s.o.

прови́рам, проврá *гл.* shove/push/run/pass/squeeze through; || ~ **се** squeeze/wriggle through, pick/thread/worm o.'s way (**през** through).

провла́|к *м.,* -ци, (два) прòвлака *геогр.* isthmus, neck (of land).

провли́чам, провлека́ *гл.* 1. drag; trail; 2. (*при говорене*) drawl; 3. (*протакам*) protract, drag out.

проводи́мост *ж., само ед.* conductivity, conduction, conducting power (*и прен.*); (*на канал и пр.*) capacity; **магнитна** ~ (magnetic) permeability/permeance; **пълна** ~ admittance; **специфична** ~ conductance.

проводни́|к *м.,* -ци, (два) проводника 1. *ел.* conductor; wire, lead, conduit; **добър** ~**к** a good conductor; **лош** ~**к** non-conductor; 2. *прен.* bearer, instrument, vehicle; champion; agent; exponent; promoter; (*изразител*) mouthpiece.

провока́ци|я *ж.,* -и provocation, instigation; **поддавам се на** ~**я** let o.s. be provoked; **скрита** ~**я** covert provocation; red rag.

провоки́рам *гл.* provoke, instigate; ~ **убийство** instigate a murder.

провъзглася́вам, провъзглася́ *гл.* proclaim; declare; (*конституция*) promulgate; (*принцип*) set forth, advance, enunciate; ~ **някого за почетен гражданин на София** give s.o. the freedom of the city of Sofia.

провървя́вам, провървя́ *гл.* 1. begin walking; 2. (*за машина и пр.*) begin to operate.

провървя́ва ми (**ти, му, ѝ, ни, ви, им**) *безл. гл.* have a streak of good luck, have a run of luck, strike it lucky.

прòгимнази|я *ж.,* -и *уч.* junior high school; first school.

проглѐждам, проглѐдам **и** проглѐдна *гл.* 1. begin to see; (*за сляп*) see again, recover o.'s sight; 2. (*разбирам, проумявам*) begin to understand; realize; ● **пази боже сляпо да прогледа** God keep us from the upstart.

прогнòз|а *ж.,* -и prognosis, *pl.* prognoses, prognostication; forecast; *пра-*

вя́ ~**а** prognosticate; ~**а за времето** *метеор.* a weather forecast.

прогòнвам, прогòня *гл.* chase/drive/send away; give chase to; banish; (*животно, птица*) scare/chase away; (*демонстранти*) drive back; (*мисли и пр.*) dispel, dismiss, banish; (*от скривалище*) flush out; (*зли духове*) exorcise; **вятърът прогони облаците** the wind drove/blew the clouds away.

програ́м|а *ж.,* -и 1. program(me); (*разписание*) timetable; по ~**а** by programme; ~**а за икономическо развитие** economic development programme; **телевизионна** ~**а** (*във вестник*) listing; **учебна** ~**а** syllabus (of instruction); programme of studies; *амер.* curriculum; 2. *комп.:* **обслужваща** ~**а** service programme; ~**а за проверка на правописа** spellchecker.

програми́рам *гл.* program(me).

прогрѐс *м., само ед.* progress; advance, headway.

прогреси́рам *гл.* make progress/headway, progress, advance.

прогрѐси|я *ж.,* -и *мат.* progression; **аритметична/геометрична** ~**я** arithmetical/geometrical progression.

прода́вам, прода́м *гл.* sell; (*амбулантно*) peddle, hawk; *англ. sl.* flog; ~ **в брой** sell for cash; ~ **на едро/дребно** sell wholesale/retail; ~ **на търг** sell by auction; || ~ **се** 1. (*за имот, стока*) be on/for sale; be marketed; (*харча се*) sell; **продава се като топъл хляб** it sells like hot cakes; 2. (*за човек*) sell out (на to).

продава́ч *м.,* -и seller; vendor (*и юр.*); (*в магазин*) salesman; *амер.* clerk; shop-assistant; ~ **на цветя** florist; **уличен** ~ street vendor, peddler, peddlar, hawker.

продажб|а *ж.,* -и sale; selling, marketing; vendition; **предварителна** ~**а на билети** (*за театър и пр.*) advance booking; ~**а на дребно** retail; ~**а на едро** wholesale; **стимулиране на** ~**ите** sales promotion.

прòдан *ж., само ед.* sale; **за** ~ on/for sale, on the market; *разг.* up for grabs.

продовòлствие *ср., само ед.* 1. (*храни*) food, foodstuffs, food supplies; 2. supplying of provisions/foodstuffs.

проду́кт *м.,* -и, (два) проду́кта 1. product, produce; (*артикул*) commo-

dity; **вторичен** ~ by-product, epiphenomena; **~и от първа необходимост** essential commodities; basic products, essentials (of life); **хранителни ~и** foodstuffs; **2.** *само мн.* provisions, victuals, foodstuffs; **3.** (*резултат*) product, result (на of).

продуктив|ен *прил.*, **-на**, **-но**, **-ни** productive; efficient; (*за писател и пр.*) prolific, copious.

продукци|я *ж.*, **-и 1.** production, produce (*и сел.-ст.*); **дневна ~я** daywork; output; **2.** (*музикална*) pupils' concert; *кино.* production; **директор на ~я** production manager.

продумвам, **продумам** *гл.* utter, say; begin to speak, open o.'s lips/mouth; **да не си продумал дума** mum's the word.

продълговат *прил.* long(ish), oblong, elongated.

продължавам, **продължа** *гл.* **1.** *прех.* lengthen; prolong, extend; continue; (*традиция*) carry on; (*абонамент, договор*) renew; *геом.* produce; ~ **да съществувам** linger on (и до iто), remain in being, (*въпреки трудности*) persist; ~ **делото на някого** take up where s.o. has left off; ~ **пътя си за** go on to, continue on o.'s way to; ~ **рода си** continue/reproduce/ perpetuate o.'s kind, propagate o.'s species, perpetuate o.s.; **2.** *непрех.* continue, go on, last; (*за разговор и пр.*) proceed, be in progress; **конференцията продължава** the conference is underway; **продължавай!** go ahead! go on! **~ и през нощта** go on/continue into the night; extend into the night.

продължени|е *ср.*, **-я** continuation, prolongation; extension; *спорт.* injury time; (*на договор и пр.*) renewal; (*на лит. произведение*) sequel; (*доразвиване*) development, follow-on; (*на мач и пр.*) extra time; **в ~е на** during, for, in the course of, throughout; **~ето следва** (*за разказ и пр.*) to be continued.

продънвам, **продъня** *гл.* knock the bottom of; stave in; (*под и пр.*) break down; || ~ **се** (*за под*) fall in; collapse; (*за бъчва*) stave in; ● ~ **се от ядене** eat till one is fit to burst, eat o.s. sick.

проект *м.*, **-и**, (**два**) **проекта** (*чертеж*) project, design, plan, blueprint;

(*предварителен текст*) draft; (*намерение*) plan, (*обикн. лошо*) scheme; **в ~** projected; **идеен ~** green field project; **по ~а на** after the design of, designed by.

проектант *м.*, **-и** designer; **главен ~** general designer.

проектирам *гл.* **1.** project (*и геом.*); design; **2.** (*възнамерявам*) intend, plan, propose; design.

проектодоговор *м.*, **-и**, (**два**) **проектодоговора** draft contract; (*между държави*) draft treaty; **внасям ~** submit a draft treaty.

проектозакон *м.*, **-и**, (**два**) **проектозакона** bill.

проектосмет|ен *прил.*, **-на**, **-но**, **-ни**: **~на документация** draft statement of account.

проекци|я *ж.*, **-и** *мат.* projection; **вертикална ~я** a vertical projection; **фронтална ~я** a front view/elevation; **хоризонтална ~я** a horizontal projection; a plan view.

проензим *м.*, **-и**, (**два**) **проензима** *мед.* proferment; proenzyme.

прожектирам *гл.* show; ~ **филм** show a film.

прожектор *м.*, **-и**, (**два**) **прожектора** searchlight; *кино.* arclight; *театр.* spotlight; (*за осветяване на здание*) floodlight; **насочвам** ~ turn a searchlight (към on), spotlight, floodlight; **осветен с** ~ floodlit.

прожекци|я *ж.*, **-и** *кино.* (film-)show.

проза *ж.*, *само ед.* prose; **житейската** ~ the prose of existence; **произведение в** ~ a prose work; **художествена** ~ fiction.

прозвищ|е *ср.*, **-а** byname, nickname, sobriquet.

прозвучавам, **прозвуча** *гл.* sound, ring out.

прозирам₁, **прозра** *гл.* see through; perceive, see (clearly), understand.

прозирам₂, **прозра** *гл.* show through; be seen through; be perceptible/visible; peep out; **в думите му прозираше ирония** there was a touch of irony in his words; **светлината прозира през пердето** the light shines through the curtain; **този плат прозира** this cloth is transparent.

прозодия *ж.*, *само ед. лит.* prosody; versification.

прозор|ец *м.*, **-ци**, (**два**) **прозореца** window (към on); (*двукрилен*) casement (-window), two-fold/double-sashed window; (*тавански*) garret-/dormer-window; (*който стига до пода*) French window; **без ~ци** windowless; **~ец с решетка** lattice window; **с ~ци** windowed; **стъкла за ~ец** window-glass/-panes.

прозрач|ен *прил.*, **-на**, **-но**, **-ни** transparent (*и прен.*); sheer; lucent, translucent; pellucid; glassy; (*бистър*) limpid; (*за материя и пр.*) diaphanous; gauzy, gossamer (*attr.*), gossamery; see-through; (*очевиден, явен*) obvious, thin; **~ен намек** broad hint.

прозрени|е *ср.*, **-я** insight; enlightenment; epiphany.

проигравам, **проиграя** *гл.* **1.** gamble away; lose; ~ **си шансовете** *sl.* have had o.'s chips; **2.** (*за усмивка и пр.*) play, shine.

произведени|е *ср.*, **-я 1.** work, production, product; produce; **избрани ~я** selected works; a selection of works; **музикално ~e** musical composition, piece of music; **печатни ~я** publications; **~e на изкуството** a work of art; **2.** *мат.* product.

произвеждам, **произведа** *гл.* **1.** produce, turn out; (*изработвам*) manufacture; (*енергия и пр.*) generate; **~ масово** produce on the line; ~ **фурор** cause a sensation; **2.** *воен.* (*повишавам в чин*) promote; **произведоха го капитан** he was promoted to the rank of captain.

производн|а *ж.*, **-и** *мат., език.* derivative.

производство *ср.*, *само ед.* **1.** production; manufacture; make; (*добив*) output; (*нещо произведено*) produce; **влизам в ~то** go to work at/in a factory; **единично** ~ job production; **машинно** ~ mechanical/mechanized production/manufacture; ~ **на зеленчуци** vegetable-growing; **ръчно** ~ manual production; **серийно** ~ serial/commercial production; **2.** *воен.* (*повишение в чин*) promotion; ● **съдебно** ~ legal procedure/proceedings.

произвол *м.*, *само ед.* arbitrariness, arbitrary act; arbitrary rule; **върша ~и** act in an arbitrary manner, act high-handedly; ● **оставям на ~а на съдба-**

та leave to the mercy of fate; turn adrift.

произвол|ен *прил.*, **-на, -но, -ни 1.** arbitrary; high-handed; overbearing; **2.** unspecified; (*за метод*) random; (*за предположение и пр.*) gratuitous; (*за обяснение*) fanciful; (*за догадка*) wild.

произли̇зам, произли̇за *гл.* derive, come (**от** from); (*от род и пр.*) descend, be descended (**от** from); (*следствие съм на*) result, be the result, ensue, eventuate, spring (from); **от всичко това произлиза** it follows from all that.

произна̇сям, произнеса̇ *гл.* pronounce, utter; (*изговарям*) articulate; ~ **присъда** *юр.* pass (a) sentence, pass judgement (on); ~ **реч** make/deliver a speech; ~ **ясно/отчетливо** enunciate; || ~ **се** express an option, judge, pass-judgement (**по** on); (*за съд*) rule, pass/ deliver judgement on; **не се произна̇ся** (*за буква*) is not sounded, is silent.

произношѐни|е *ср.*, **-я** pronunciation; **той говори английски с немско ~е** he speaks English with a German accent.

произхо̇д и пройзход *м.*, *само ед.* origin, genesis; provenance; birth, parentage, descent, line, lineage, filiation; stock; background; derivation (*и език.*); **аристократичен** ~ aristocratic pedigree; **от знатен** ~ of high/noble birth/ parentage/descent/extraction; of illustrious birth; highborn; **от скромен** ~ low-born; of low extraction; **социален** ~ social origin/background; • **~ът на видовете** *биол.* the origin of species.

произхо̇ждам *гл.* **1.** descend (**от** from), come (of from), be descended (from); **2.** come, result, ensue, follow (from); evolve (from); emanate (from).

произшѐстви|е *ср.*, **-я** event; (*нещастен случай*) accident; incident; **няма ~я** there is nothing to report; **пътнотранспортно ~е** road traffic accident, *съкр.* RTA.

прока̇за *ж.*, *само ед. мед.* leprosy.

прока̇рвам, прока̇рам *гл.* **1.** (*път*) build, make, cut; (*бразда, черта*) draw; (*железница, водопровод и пр.*) run, lay, construct, build; (*тунел*) cut, drive, build, dig, pierce; (*вода*) lay on, put in, install; (*електричество*) lay on, install; wire (a house) for electric-

ity; (*тръба*) lay; (*въже и пр.*) run; (*жица*) stretch; (*ръка – по чело и пр., лък – по струна*) pass, draw (**по** over, across); (*пръсти през коса*) run; ~ **си телефон** have a telephone installed; **2.** (*законопроект*) pass, carry, put/ get/push through, (*с трудност*) navigate; ~ **законопроект по кратката процедура** rush a bill through; (*резолюция*) carry; (*политика*) implement, carry through; (*идея в лит. произведение*) develop; • ~ **бразда** *прен.* blaze a trail.

прока̇т *м.*, *само ед. метал.* rolled/ shaped metal/stock, rolled iron.

прокла̇мàци|я *ж.*, **-и** proclamation.

проклѐт *прил.* **1.** cursed, damned, *книж.* accursed; *sl.* bloody, blasted, goddam(n), fucking, effing, ruddy; frigging; *англ. sl.* flipping; **2.** bad, wicked, vicious; **3.** (*противен*) confounded, blessed, *вулг.* bloody; **4.** (*сърдлив*) crusty, crabbed, bad-tempered; • ~ **да е!** damn/confound him! damnation take him!

проклети̇|я *ж.*, **-и 1.** wickedness, viciousness, spite, ill-temper; *разг.* cussedness; **2.** curse, oath; **3.** wicked man/ woman; *разг.* cuss; • **за ~я** as ill luck would have it.

прокли̇нам, прокълна̇ *гл.* curse, *разг.* cuss, damn; execrate; call down curses (on s.o.); ~ **деня, когато ...** I rue the day when ...

прокля̇ти|е *ср.*, **-я** curse, *разг.* cuss, imprecation; malediction; **~е!** damnation!; *евфем.* tarnation.

проко̇б|а *ж.*, **-и** omen, portent, foreboding.

прокопа̇вам, прокопа̇я *гл.* dig, cut; (*тунел*) drive, pierce, dig through.

прокопси̇я *ж.*, *само ед.* good luck; success; prosperity; • **няма ~** a fellow doesn't stand a chance (in this world), etc.).

прокра̇двам се, прокра̇дна се *възвр. гл.* sneak/steal/slink by/past; ~ **до** steal up to.

проку̇ден *мин. страд. прич.* **1.** *като прил.* banished; **2.** *като същ.* exile, outcast.

проку̇ждам, проку̇дя *гл.* banish, drive away; exile, drive into exile; cast out.

прокурату̇ра *ж.*, *само ед. юр.* prose-

cutor's office.

прокуро̇р *м.*, **-и** *юр.* public prosecutor; *амер.* district attorney.

прокълна̇т *мин. страд. прич.* cursed, *разг.* cussed, damned.

про̇лет *ж.*, **-и** spring, springtime; **през ~та** in spring.

пролетариа̇т *м.*, *само ед.* proletariat.

пролетаризи̇рам *гл.* turn into proletarians; || ~ **се** become/turn proletarian.

про̇лив *м.*, **-и**, (*два*) про̇лива *геогр.* strait, sound; (*тесен*) neck; • **Проливите** the Straits.

проли̇вам, проле̇я *гл.* shed, spill; ~ **кръвта си** shed o.'s blood; ~ **сълзи** shed tears (**за** over).

проличàвам, пролича̇ *гл.* appear, be/ become visible, show; be/become apparent/clear.

про̇ло̇г|м., **-зи**, (*два*) про̇лога *лит.* prologue (*и прен.*) (**към** to).

про̇лом *м.*, *само ед.* **1.** *геогр.* gorge, defile; **2.** (*пробив*) breach; break; gap.

пролу̇к|а *ж.*, **-и** slit, chink, crack, rift; intervening space.

промежду̇т|ък *м.*, **-ци**, (*два*) промежду̇тъка interval, gap; **в ~ците** between whiles.

проме̇ням, променя̇ *гл.* change, alter, modify, vary; shift; revise, mutate; (*напълно*) reverse; (*честота, глас, тон*) modulate; (*конституция*) amend; (*декора и прен.*) shift the scene; ~ **мнението си** change/revise o.'s opinion; think better (**за** of); ~ **посоката си** (*за вятър*) shift (round); **това можеше коренно да промени нещата** this might have made a great deal of difference; || ~ **се** change, alter, vary; **се в добър/лош смисъл** change for the better/the worse; ~ **се спрямо някого** change o.'s attitude towards s.o.

проми̇вам, проми̇я *гл.* **1.** wash away; (*рана*) wash out, bathe; (*очи*) bathe; flush (out); *мед. и* lave; douche; (*тръби, канали и пр.*) flush; (*пясък за злато*) pan off, cradle; (*руда*) toss; (*мозък*) brainwash; *хим., техн.* edulcorate; **2.** *фот.* develop.

проми̇вк|а *ж.*, **-и** washing (out); (*на рана*) irrigation, bathing; (*на тръби, канали*) flushing, flushout; *мед.* lavage, lavement; douche; (*с гореща вода*) hot rinse.

проми̇шленост *ж.*, *само ед.* indus-

try; **добивна** ~ extractive industry; **ед-ра** ~ a large-scale industry; **енергий-на** ~ power industry; **месопрерабо́т-ваща** ~ meat industry; **нефтохими́-ческа** ~ petrochemical industry; **тежка/лека** ~ a heavy/light industry; **це-лулозно-хартиена** ~ pulp industry.

промо̀ци|я ж., -и promotion; (*на нов продукт, филм, книга и пр.*) write-up, plug; (*на книга*) blurb; (*на съби́тие*) build-up.

промъ̀квам, промъ̀кна гл. get/squeeze through; smuggle; || ~ **ce** steal, slink (by, in); squeeze through; creep, slip (in, by); edge (**в** into); edge o.'s way (into); (*за мисъл, чувство*) steal, creep (**в** into); make/worm/edge/sneak o.'s way (into); insinuate o.s.; (*влизам без билет*) gate-crash.

промя̀на ж., **промѐни** change; alteration; variation, (*на температура и пр.*) variance; (*обрат*) reversal; (*в каби́нет и пр.*) shuffle, reshuffle; **корѐнна** ~ sweeping change; (*на възгледи и пр.*) volte-face; **не подлежи на** ~ not liable to variation; ~ **на врѐмето** change in the weather.

пронѝзвам, пронѝжа гл. pierce (*и прен.*), transpierce, transfix, run through; (*с нож*) stab; (*с щит*) jab; (*с копие*) spear; **очите ѝ го пронизваха** her eyes were boring into him; ~ **с поглед** pierce with o.'s eyes; **студъ̀т го бешѐ пронизал до кости** he was chilled to the marrow/bone.

пронѝквам, пронѝкна гл. penetrate (**през** through, **в** into); permeate, pervade; make o.'s way (**в** into); infiltrate; percolate; (*за мъгла и пр.*) creep in; || ~ **ce** be imbued/filled (**c** with), be penetrated (by); imbue o.'s mind (with); be/become pervaded (with).

проница̀тел|ен прил., -на, -но, -ни penetrating, perspicacious, sagacious, keen, shrewd, perceptive, astute; clear-eyed, clear-sighted; discerning; long-headed, *разг.* up to snuff; **~ен поглед** keen/searching/piercing look; **~ен ум** astute/subtle/penetrating mind; shrewdness.

пропага̀нда ж., *само ед.* propaganda. **пропаганди́рам** гл. propagandize, make/conduct propaganda for; (*разпространявам*) propagate, disseminate; popularize.

пропа̀дам, пропа̀дна гл. **1.** fall through, collapse; (*поддавам, хлътвам*) give way, sink; **2.** (*не сполучвам*) fail, miscarry, come to nothing/nought; come to grief; (*на изпит*) fail, *разг.* be ploughed/plucked; (*за планове и пр.*) fail, flop, break down, collapse, go wrong; end in smoke; (*за представление и пр.*) be a failure/flop; (*за държава*) fall; ~ **напълно** be a complete failure/flop; (*отивам напразно*) be wasted, be in vain; **3.** (*изчезвам*) disappear, vanish; (*загубвам се*) be lost; (*загивам*) perish, die; rot away; (*нравствено*) go to the bad; **пропаднахме! we re done for!; ● ~ **вдън земя** vanish from the face of the earth, vanish into thin air.

пропа̀дан|е ср., -ия falling through; failure, flop; collapse, break-down, cave-in; (*загуба*) loss; (*на мост и пр.*) collapse; (*на почва*) soil subsidence; **~е на скала** *мин.* rockfall.

пропа̀н-бута̀н м., *само ед.* propane-butane.

про̀паст ж., -и precipice, abyss, chasm; *прен.* (*голяма разлика*) gulf, gap; (*гибел*) ruin; **в края на ~та** on the brink/edge of a precipice; on the verge of disaster/ruin; **падам в** ~ fall down a precipice, go/fall over a precipice.

пропедѐвтика ж., *само ед.* propaedeutics.

пропилѐн м., *само ед.* хим. propylene.

пропиля̀вам, пропилѐя гл. squander, dissipate; waste; misspend; fritter away, make away with; ~ **врѐмето си** fool/idle o.'s time away, dally away o.'s time, live in idle dalliance; fiddle about/around.

про̀повед ж., -и църк. sermon, homily; ● **държа** ~ read a sermon (*и прен.*).

проповя̀двам гл. preach; sermonize; evangelize.

прополис м., *само ед.* bee glue; propolis.

пропорциона̀л|ен прил., -на, -но, -ни proportional; (*съразмерен*) proportionate, in proportion; commensurate, commensurable; (*уравновесен*) balanced; **~на избирателна система** proportional representation; **~но разпределение** apportionment; **срѐдно ~но** *мат.* a mean proportional.

пропо̀рци|я ж., -и proportion ratio, scale; **аритмети́чна/геометри́чна ~я** *мат.* an arithmetical/a geometrical proportion.

пропу̀квам, пропу̀кам гл. crack; || ~ **ce** crack; become cracked/fissured; *прен.* flaw.

про̀пуск м., -и, (*два*) про̀пуска **1.** (*грешка*) lapse, omission; blunder; (*небрежност*) negligence; oversight; **~и в образованието на някого** gaps in s.o.'s education; **2.** clearance, permit; pass; (*за безплатно влизане*) free pass; *воен.* (*парола*) password; **3.** (*в учреждение и пр.*) porter's office.

пропу̀скам и пропу̀щам, пропу̀сна гл. **1.** let pass; let through; (*допускам*) let in, admit; (*вода и пр.*) be pervious to, let through; ~ **тѐчност** leak; **този плат не пропуска вода** this cloth is waterproof/impervious to water; **2.** (*изпускам*) omit, leave out; *разг.* give (s.th.) a miss; (*при четене*) skip, miss; (*недоглеждам*) overlook; **не** ~ **случай да** lose no occasion to; catch at any opportunity (*of с ger.*); ~ **изгоден момент за продажба** miss the market; ~ **срока** exceed the time-limit.

пропуска̀тел|ен прил., -на, -но, -ни admission (*attr.*); **~ен пункт** check-point; examination post; barrier; **~на способност** (*на път*) traffic capacity; (*на гара*) terminal capacity.

пропъ̀ждам, пропъ̀дя гл. drive/chase away; dismiss, banish; (*за птици и пр.*) scare/shoo away; ~ **мрачни мисли/съмнения** dispel dark thoughts/doubts.

пропъ̀лзявам, пропъ̀лзя гл. **1.** creep/crawl (**към** to); **2.** begin creeping/crawling.

про̀рез м., -и, (*два*) про̀реза cut ing; slot; slit; (*дълбок*) ~

проро̀|к м., -ци pr ... ...ner; fore-teller; ● **никой не е ~к в своето село** no one is a prophet in his own country.

проря̀звам, проря̀жа гл. cut through; (*с трион*) saw through; (*за зъби*) erupt, cut through; *мед.* crown.

про̀свам, про̀сна гл. bring/throw/fling down; (*човек*) knock down, *разг.* flatten; || ~ **ce** sprawl, lie prone/flat; fall flat/prostrate/sprawling/full length; ~ **ce на стол** sprawl back in a chair.

просвѐта ж., *само ед.* education; en-

lightenment; (*на обучение*) instruction; **народна ~** public education.

просветлявам, просветлея *гл.* become brighter/lighter, lighten; *прен.* light up, clear.

просвещение *ср., само ед.* education; enlightenment; ● **епохата на Просвещението** *истор.* the Enlightenment; **народно ~** public education/instruction.

просител (-ят) *м., -и;* **просителк|а** *ж., -и* applicant; suppliant; *юр.* petitioner.

просия *ж., само ед.* begging; mendicancy, mendicity; **монаси, които живеят от ~** *истор.* mendicant friars.

проскубан *мин. страд. прич.* (*за птица*) moulting (in patches); (*без перушина*) featherless; (*за живонтно*) mangy; (*за брада*) scanty; (*за растения*) thinned out.

прослава *ж., само ед.* 1. (*възхвала*) glorification; 2. (*слава*) fame, glory.

прославям, прославя *гл.* make famous/illustrious, bring fame to; (*възхвалявам*) glorify; || **~ се** become famous/celebrated/illustrious (**с** for), cover o.s. with glory; *разг.* make o.'s mark.

проследявам, проследя *гл.* 1. trace (out, through, up), track out; (*следя*) follow; shadow (s.o.); (*звяр и пр.*) hunt down; **~ престъпник** trace/trail a criminal; **~ с очи** follow with o.'s eyes; **~ улика** follow up a clue; 2. (*проучвам*) study; (*произход, развитие*) trace back (**до** to), retrace.

проследяван|е *ср., -ия* tracing.

прослойк|а *ж., -и* 1. *геол.* seam; streak; layer; folium; 2. (*обществена*) stratum, *pl.* strata.

прослушван|е *ср., -ия* hearing; *муз.* audition (*при състезание*) round, stage; **~е на певец** trial hearing of a singer.

просо *ср., само ед. бот.* millet; **индийско ~** *бот.* durra, Indian millet, guinea-corn (*Sorghum vulgare*); ● **карам/удрям през ~то** run riot, behave anyhow, not give a damn, throw propriety to the winds; cut corners.

проспект *м., -и, (два)* **проспекта** (*брошура с рекламна и пр. цел*) prospectus; catalogue; **~и** publicity materials.

просперитет *м., само ед.* prosperity;

affluence; **години на ~** *разг.* go-go years.

просрочвам, просроча *гл.* allow (a term) to expire; **~ вноска** fail to pay an instalment (in time); **~ времето** exceed the time-limit, be behind-hand/late (with); **~ полица** *фин.* allow a bill to become overdue.

прост *прил.* 1. simple, plain; (*обикновен*) common, ordinary; **на ~ език** (*казано*) in plain words; in common parlance; **~ (начин на) живот** plain living; **~а истина** coy-book truth, common/homely truth; **~о число** *мат.* prime number; **с ~о око** with the naked/unaided eye; 2. (*лесен*) simple, easy; **много е ~о** that's simple enough; **съвсем ~** (*лесен*) as easy as ABC/as winking, as easy as falling off a log, foolproof; 3. (*без украшение*) plain, ungarnished, unadorned; (*първобитен, груб*) rude, rough; 4. (*неук*) simpleminded; uneducated; (*просташки*) vulgar; **от ~о потекло** low-born, baseborn; **~ човек** low-brow; ● **не съм ~** know chalk from cheese, know on which side o.'s bread is buttered.

простата *ж., само ед. анат.* prostate (gland), prostatic gland.

просташк|и₁ *прил., -а, -о, -и* vulgar; boorish; caddish, churlish; gross.

просташки₂ *нареч.* in a vulgar/boorish manner, vulgarly; like a boor/cad.

простир *м., -и, (два)* **простира** clothesline.

простирам, простра *гл.* (*крак, ръка*) stretch out; extend; (*разгъвам*) sprawl; spread out (*и пипала*); (*пране*) hand out; (*повалям*) lay/stretch out, prostrate; (*власт*) extend (**върху** to); || **~ се** stretch, spread, extend; (*за влияние, власт*) extend (**върху** to); **пътят се простираше през полето** the road lay/ran across the field; ● **да не се ~ надълго** let's not go into all that; to cut a long story short; **~ се според чергата си** cut o.'s coat according to o.'s cloth; stretch o.'s arm no further than o.'s sleeve will reach.

проституирам *гл.* 1. become/be a prostitute; *разг.* be on the game; 2. *прен.* **~ с** prostitute.

проститутк|а *ж., -и* prostitute; streetwalker; *разг.* tart; (*от по-висока класа*) call-girl; *sl.* hooker, flatbacker;

квартал с ~и *амер.* red light district.

проституция *ж., само ед.* prostitution, white slavery, streetwalking.

просто *нареч.* 1. simply; plainly; 2. (*само*) merely, just; **това е ~ повод** it's a mere pretext.

простодушие *ср., само ед.* simpleheartedness/-mindedness, artlessness, unsophisticatedness, ingenuousness.

простолюдие *ср., само ед.* common people, populace; *презр.* rabble, ruck, low life, vulgar herd, riff-raff; *ирон.* hoi polloi.

простор *м., -и* 1. expanse; space; spaciousness; room; commodiousness; *pl.* open spaces; 2. *прен.* scope; elbowroom; **давам ~ на** give scope to, give full range/play to.

простота *ж., само ед.* simplicity, plainness; unpretentiousness; rusticity.

простоти|я *ж., -и* *разг.* ignorance; (*глупост*) (a piece of) foolery/idiocy; **направил го е от ~я** he didn't know any better.

пространств|о *ср., -а* space; room; (*площ*) area, tract, stretch; **жизнено ~о** *прен.* elbow-room; **празно ~о** void; **природата не търпи празно ~о** nature abhors a vacuum.

прострелвам, прострелям *гл.* 1. shoot through, send a bullet through; bring/shoot down; 2. test; (*оръжие*) clean; ● **с поглед/очи** shoot a glance at.

простуда *ж., само ед. мед.* cold, chill.

простудявам, простудя *гл.* let catch a cold/chill; **внимавайте да не простудите детето** take care/make sure the child doesn't catch cold; || **~ се** catch cold, take/catch a chill; **~ се лошо** catch a bad cold/chill.

просфора *ж., само ед. църк.* Communion Bread.

просълзявам, просълзя *гл.* move to tears, draw tears (from s.o.'s eyes); || **~ се** be moved to tears, tears come into o.'s eyes; shed tears; **~ се от смях** laugh till the tears come.

просъница *ж., само ед.* state of being half-awake; ● **в ~** half-awake.

прося *гл., мин. св. деят. прич.* **просил** beg (**от от**); go begging; cadge; (*умолявам*) beg, beseech, entreat, solicit; **~ извинение** beg pardon; **~ милост** beg for mercy; ● **той си го просеше** he

had it coming to him.

про́ся|к *м.,* -ци beggar; mendicant.

прота́кам, прото́ча *гл.* 1. protract, prolong, procrastinate, draw/drag out; ~ **умишлено** pettifog; 2. *(удължа-вам)* stretch out; *(думи)* drawl; *(врат)* crane; || ~ **се** 1. *(бавя се)* drag on; 2. *(влача се)* drag.

протеже́ *ср.,* -та protégé; *(за жена)* protégée.

проте́з|а *ж.,* -и *мед.* prosthesis, *pl.* prostheses; *(за крайник на тялото)* artificial limb; зъбна ~a denture.

проте́йн *м.,* -и *обикн. мн. хим.* pro-tein.

проте́ктор *м.,* -и, *(два)* проте́ктора protector.

протектора́т *м.,* -и, *(два)* протекто-ра́та protectorate; държава под ~ *полит.* protected state.

протекциони́з|ъм (-мът) *м., само ед.* protectionism.

проте́кци|я *ж.,* -и protection; patron-age; ~я на роднини nepotism.

протерозо́|й (-ят) *м., само ед. геол.* Proterozoic era, Proterozoic.

проте́ст *м.,* -и, *(два)* проте́ста 1. pro-test; remonstrance; *(масов)* outcry; *юр.* objection; в знак на ~ in protest; от-правям писмен ~ register/enter a pro-test; 2. *фин. (на полица)* protest.

протеста́нт *м.,* -и; **протеста́нтк|а** *ж.,* -и Protestant.

протести́рам *гл.* 1. protest, make a protest (пред to, срещу against); re-monstrate (пред with, срещу against); *разг.* kick (against); *sl.* squawk; ~ пис-мено register/enter a protest; 2. *фин.:* ~ полица protest a bill.

проти́в *предл.* against; *(противно, об-ратно на)* contrary to; *юр., спорт.* versus; доводите "за" и "~" the pros and cons; имам нещо ~ have s.th. against, be opposed (to), object (to), mind; той няма нищо ~ he /doesn't mind/object.

проти́вни|к *м.,* -ци; **проти́вниц|а** и **проти́вничк|а** *ж.,* -и opponent; antagonist; *(враг)* enemy; *(съперник)* adversary; ~к на брака misogamist; той е сериозен ~к he is an opponent to be reckoned with.

проти́вно *нареч.* 1. in contrast (на to), as opposed (to), counter (to), unlike; 2. *(неприятно, отблъскващо)* in a re-

pulsive/repugnant way; ~ ми е да го гледам I hate the sight of him.

противобе́сен *прил.,* противобя́сна, противобя́сно, противобе́сни anti-rabies *(attr.);* • Противобесен инсти-тут (Институтът "Пастьор" във Франция) Pasteur Institute.

противове́с *м., само ед.* counterbal-ance, counterpoise; в ~ на това to coun-terbalance that, as a set-off to that.

противовъзду́ш|ен *прил.,* -на, -но, -ни anti-aircraft; air-defence *(attr.);* ~на отбрана *воен.* an aircraft defence, air-defence; ~но скривалище *воен.* an air-raid shelter.

противога́з *м.,* -и, *(два)* противога́за *воен.* gas mask/helmet.

противоде́йствам *гл.* oppose, coun-ter, counteract (на -); countermove; *(балансирам)* equiponderate; *разг.* buck.

противоде́йствие *ср., само ед.* op-position (срещу to); counteraction (to); reaction (against); counterforce, resist-ance; countermove, countercheck.

противодържа́в|ен *прил.,* -на, -но, -ни anti-state *(attr.);* seditious.

противоесте́ствен *прил.* unnatural, against nature; *(извратен)* perverted.

противозако́н|ен *прил.,* -на, -но, -ни unlawful, illegal, against the law; ~на дейност wrongful trading; ~но събиране unlawful assembly.

противозача́тъч|ен *прил.,* -на, -но, -ни *фарм.* contraceptive, preventive; вземам ~ни be on the pill; *разг.* an-tibaby pill, the pill; ~но средство con-traceptive, preventive.

противоконституцио́н|ен *прил.,* -на, -но, -ни anti-constitutional; un-constitutional; обявявам за ~ен over-turn.

противоотро́в|а *ж.,* -и *фарм., мед.* antidote; anti-toxin(e).

противопожа́р|ен *прил.,* -на, -но, -ни anti-fire *(attr.),* fire-precaution *(attr.);* ~на помпа fire-fighting pump; ~на стълба fire escape.

противопоказа́ни|е *ср.,* -я 1. *юр.* contradictory evidence; counter-evi-dence; 2. *мед.* contra-indication.

противополо́жност *ж.,* -и opposite; contrast; antipode; • единство на ~ите unity of opposites/contraries; пълна ~ an exact opposite, antithesis, antipode

(на of, to).

противопоста́вям, противопоста́-вя *гл.* oppose (на to); set (against), con-trast (with); confront; ~ едно мнение на друго contrast two opinions; || ~ се: ~ се на oppose, resist, fight back, coun-ter, withstand, make a stand against, be opposed to; challenge, defy; fly in the face of; семейството му се противо-постави his family expostulated with him.

противоре́ча *гл.* contradict, gainsay, belie (на -); run counter (to); be at vari-ance (with); cut across; ~ в разрез съм с) contravene; ~ си contradict o.s.

противоре́чи|е *ср.,* -я contradiction, discrepancy; disconformity; contrari-ety; *юр. (в закон или между два за-кона)* antinomy; в ~е contrary to; дейс-твам в пълно ~е с go flat against.

противостоя́ *гл.* oppose, resist, with-stand (на -); stand, make a stand (на against).

противота́нков *прил. воен.* anti-tank *(attr.); амер.* anti-mechanized.

противя́ се *гл., мин. св. деят. прич.* противи́л се oppose, resist, withstand (на -); demur; stand (against); put up/ offer resistance; *разг.* kick (against).

проти́чам, протека́ *гл.* 1. flow; run; begin to flow/run; begin to leak/ooze; 2. *(за време)* elapse, pass, *(бързо)* fly; 3. *(извършвам се)* pass, go (off); болест-та протича нормално the illness is tak-ing its normal course.

про́то|к *м.,* -ци, *(два)* про́тока *геогр.* strait, sound; channel.

протоко́л *м.,* -и, *(два)* протоко́ла 1. written statement; report; record of pro-ceedings/evidence; *само мн. (при кон-ференция и пр.)* proceedings, minu-tes, transactions; *(на парламент)* journals; водя ~ на заседанието take the minutes, keep a record of the ses-sion; ~ от изпит record of an examina-tion, course report; съдебен ~ *юр.* record; съставиха за произшест-вието they drew up a written statement about the accident; 2. *(в дипломация-та и пр.)* protocol; etiquette; formal-ity; *(отдел)* protocol department; за-веждащ ~a chief of protocol.

прото́н *м.,* -и, *(два)* прото́на *физ.* proton.

прототи́п *м.,* -ове, *(два)* прототи́па

prototype, archetype, prefiguring type.
протòчвам, протòча *гл.* **1.** *(влача)*
trail; *(опъвам)* stretch; **2.** *(протакам)*
draw out; lengthen; protract, prolong;
(думи) drawl; **3.** *(врат)* stretch out,
crane; || ~ **се 1.** trail, drag; *(за път и
пр.)* stretch *(и с away)*; **2.** *(бавя се)*
drag (on), spin out, grind on; **3.** *(удъл-
жавам се)* grow longer; **4.** *(продъл-
жавам дълго)* be long drawn out.
протрѝвам, протрѝя *гл.* **1.** *(плат,
дреха)* fray, wear through; frazzle; wear
threadbare; wear holes in; wear into
holes; *(кожа)* rub sore; gall; **2.** *(пре-
чеждам с триене)* strain; rub through
a sieve/strain; || ~ **се** get frayed, fraz-
zle, wear out, wear into holes.
протягам, протегна *гл.* stretch, ex-
tend; *(ръка)* stretch/hold/put out; ~
врат crane forward, make a long neck;
~ **ръка за помощ** lend a helping hand;
|| ~ **се** stretch (o.s.).
проумявам, проумèя *гл.* compre-
hend; fathom, get to the bottom of, make
out; **накарвам някого да проумее**
(нещо) drive (s.th.) home; **не мога да
го проумея** I can make nothing of it.
проỳчвам, проỳча *гл.* study, investi-
gate, examine, make a study of; explore;
make inquiries; *(някого за служба и
пр.)* vet; *(въпрос)* take up, go/inquire
into; *разг.* dig into; *(положение)* ex-
amine, investigate; *разг.* see how the
land lies; throw out/put out feelers *(до-
кумент и пр.)* peruse; *геол.* pros-
pect (for); *разг. (обект на евентуал-
но нападение)* case the joint; *(допит-
вам се)* *стат.* canvass; ~ **грижливо/
специално/основно** make a careful/
special/thorough study of.
проỳчван|е *ср.*, **-ия** studying; study,
investigation, examination; research,
inquiry; exploration; exploration work;
perusal; *разг.* going-over; *геол.* pros-
pecting; research; *(изследване)* sur-
vey; *полит. (предизборно)* opinion
polls; **грижливо ~е** close examination;
провеждам предизборно ~е con-
duct an opinion polls; **~е на общест-
веното мнение** public opinion re-
search/poll; **~е на пазара** marketing.
профàн *м.*, **-и** ignoramus; layman **(в,
по in)**; ~ **съм в изкуството** I am igno-
rant of art.
професионàл|ен *прил.*, **-на, -но, -ни**

professional; vocational; **~ен навик** the
stamp of o.'s profession; a professional
trick; **~ен съюз** trade-union; *амер.*
labour-union; **~на болест** *мед.* occu-
pational disease, industrial disease; **~но
училище** *уч.* vocational training.
професионалѝз|ъм (-мът) *м.*, *само
ед.* professionalism.
професѝ|я *ж.*, **-и** profession, trade;
(занятие) occupation; **по ~я** by pro-
fession/trade; **свободни ~и** liberal pro-
fessions.
професòр *м.*, **-и** professor.
професỳра *ж.*, *само ед.* professor-
ship, professorate.
прòфил *м.*, **-и, (два) прòфила** profile;
side-face; *(очертание)* outline; *(стра-
ничен изглед)* sideview; *фот.* half-
face; *(на окоп, път и пр.)* section;
метал. shaped metal; **в ~** in profile,
(за портрет) half-faced; **напречен
~** *техн.* cross-section.
профилàктика *ж.*, *само ед.* preven-
tive maintenance; *мед.* prophylaxis,
prevention.
профилѝрам *гл.* profile, shape; *(об-
разование)* specialize.
прòфсъюз *м.*, **-и, (два) прòфсъюза**
trade-union; *амер.* labour-union; **от-
раслов ~** industrial trade union.
профучàвам, профучà *гл.* rush/flash/
shoot (past, by); fly along; *(за стрела,
куршум и пр.)* whizz past; *разг.* zoom
(by, past).
прохлàда *ж.*, *само ед.* coolness,
cool; freshness; **вечерна ~** the cool of
evening.
прòход *м.*, **-и, (два) прòхода** passage;
thoroughfare; *геогр.* pass; *(отвор)* ori-
fice; **страничен ~** by-passage; **тесен
~** *геогр.* throat, narrow.
прòход|ен *прил.*, **-на, -но, -ни** pas-
sage *(attr.)*; thoroughfare *(attr.)*; pass
(attr.); **~ен кондензатор** *ел.* duct ca-
pacitor.
проходѝлк|а *ж.*, **-и** baby-walker.
проходѝм *сег. страд. прич.* passable,
practicable, pervious, negotiable; **труд-
но~** difficult to pass/cross.
проходѝмост *ж.*, *само ед.* passabil-
ity; negotiability; *(на терен)* roadabil-
ity; **~ с висока ~** *авт.* cross-country.
прохòждам, прохòдя *гл.* begin to
walk; learn how to walk.
процедѝрам *гл.* proceed, act; *разг.*

go about.
процедỳр|а *ж.*, **-и** procedure.
процедỳр|ен *прил.*, **-на, -но, -ни** of
procedure, procedure *(attr.)*; proce-
dural; **~ен въпрос** *парлам.* point of
order/procedure.
процеждам, процедя *гл.* filtrate, fil-
ter, percolate, strain; || ~ **се** trickle, fil-
ter, percolate, ooze, seep **(през** through);
● ~ **през зъби** say through clenched
teeth, say between o.'s teeth.
процèнт *м.*, **-и, (два) процèнта** **1.** per-
centage, rate (per cent); *(след числ.)*
per cent; *(част)* proportion, part; **лих-
вен ~** rate of interest; **на смъртност-
та** death-rate; **сконтов ~** bank rate; **2.**
(комисиона) discount; *(лихва)* interest.
процèнт|ен *прил.*, **-на, -но, -ни** percen-
tage *(attr.)*; **~на ставка** rate per
cent; **~но увеличение** rated increase.
процèнтов *прил.* percentage *(attr.)*.
прòцеп| *м.*, **-и, (два) прòцепа** *(пукна-
тина)* cleft, crevice, crack, slit, chink;
~ на визьор *техн.* sighthole.
прòцеп| *м.*, **-и, (два) прòцепа** thill,
pole, shaft.
процèс *м.*, **-и, (два) процèса 1.** proc-
ess; **в ~ на обсъждане** is under in-
vestigation/consideration/discussion;
производствен ~ manufacturing/pro-
duction process; **~ на оздравяване**
healing process, convalescence; **2.** *мед.*
inflammation; **3.** *юр.* proceedings at
law; action at law; case; *(граждански)*
lawsuit, suit; *(наказателен)* trial; **бра-
коразводен ~** divorce suit; **завеждам
~ срещу** initiate legal proceedings
against, go to law with.
процèси|я *ж.*, **-и** procession; **участ-
вам в ~я** go/walk in procession.
процèсор *м.*, **-и, (два) процèсора**
комп. processor; central processing
unit, *съкр.* CPU; **буферен ~** front-end
processor.
процесуàл|ен *прил.*, **-на, -но, -ни**
procedure *(attr.)*, of procedure; **~но
право** *юр.* procedural law.
процесуàлноправ|ен *прил.*, **-на,
-но, -ни** technical, procedural.
процъфтявам, процъфтя *гл.* flour-
ish, prosper, thrive, flower.
процъфтяващ *сег. деят. прич.* flour-
ishing, prospering, thriving.
прòчие и прòчее *съюз, нареч.:* **и ~** et
cetera, *съкр.* etc.; and so on.

прочѝствам, прочѝстя *гл.* **1.** cleanse; clean up; (*с водна струя*) flush (out); (*въздух, път*) clear; (*гора*) thin; (*продухвам*) scavenge; ~ **бъбреците** flush the kidneys; ~ **от** clear/rid/free of; ~ **терена** *воен.* mop up; **2.** *прен.* (*организация*) purge; (*съчинения*) expurgate; ● ~ **пътя за** clear the way for.

прочѝстване *ср.*, *само ед.* cleansing; clearing; purgation.

прочит *м.*, -**и**, (**два**) **прочита** reading; *книж.* perusal; **нещо/книга за** ~ light reading; reading matter.

прочѝтам, прочетѐ *гл.* **1.** read (through); *книж.* peruse; (*гласно*) read out; ~ **набързо** glance through; **2.** count (up), take count of; **3.** (*молитва*) say, read.

прочѝтане *ср.*, *само ед.* reading; *книж.* perusal.

прочувам, прочуя *гл.* begin to hear; restore o.'s hearing.

прочувам се, прочуя се *възвр. гл.* become famous/known (**с** for); *разг.* make o.'s mark; go on record; *неодобр.* become notorious (for).

прочувствен *прил.* heart-felt; deep-felt; full of emotion, moving; *пренебр.* effusive; ● ~**и слова** words ringing with emotion.

прочувствено *нареч.* with deep feeling/emotion; feelingly.

прочувственост *ж.*, *само ед.* emotion, deep feeling; *пренебр.* effusiveness.

прочут *мин. страд. прич.* famous, renowned, celebrated, noted (**с** for); *неодобр.* notorious.

прошарвам, прошаря *гл.* speckle, mottle, dapple, variegate; intersperse (with); ‖ ~ **се** (*за коса*) turn grey, grizzle.

прошарен *мин. страд. прич.* (*и като същ., прил.*) speckled; motley; variegated; (*за коса*) greyish, grizzled, grizzly; turning/going grey, touched/ streaked with grey; griseous; (*за човек*) grey-haired, grey-headed.

прошѐпвам, прошѐпна *гл.* whisper.

прошк|а *ж.*, -**и** *обикн. ед.* pardon; forgiveness; **искам** ~**а** ask s.o.'s forgiveness.

прощавам, простя *гл.* forgive, pardon; (*снизходителен съм към*) condone; (*дълг*) remit, excuse; **прощавай-**

те! 1) excuse me! sorry! I beg your pardon!; 2) farewell! adieu!; ‖ ~ **се** say/bid good-bye (to), take (o.'s) leave (of), bid farewell/adieu (to); ~ **се с** *прен.* give up; ● **да/ще прощаваш** nothing doing! not me! **за бог да прости** 1) for the peace of s.o.'s soul; 2) without pay; **не** ~ **някому** (*не се давам*) give like for like; **работя за бог да прости** get nothing for o.'s troubles/work.

прощаване *ср.*, *само ед.* **1.** (*сбогуване*) farewell; valediction; (*раздяла*) parting, leave-taking; **махам с ръка за** ~ wave good-bye; **на** ~ at parting; **2.** forgiving; forgiveness; pardon.

прощал|ен *прил.*, -**на**, -**но**, -**ни** parting; farewell (*attr.*); valedictory; ~**на реч** valediction; ~**ни думи** parting words; ~**но писмо** last letter.

прощъпа̀лни|к *м.*, -**ци**, (**два**) **прощъпа̀лника** cake made to celebrate the first steps made by a child.

проя̀в|а *ж.*, -**и** manifestation; (*деяние*) act, deed; (*на добра воля*) gesture; (*на чувство*) display; (*на сила*) show; (*дейност*) activities; **враже́ски** ~**и** hostile activities.

проявѝтел (-**ят**) *м.*, -**и**, (**два**) **проявѝтеля** *фот.* developer; **изравняваш** ~ compensating developer.

проявявам, проявя *гл.* **1.** manifest, show, display, reveal, exhibit, evince; give evidence of; ~ **гостоприемство** extend hospitality; ~ **интерес към** take an interest in; ~ **нерешителност** hesitate, vacillate; ~ **нетърпение** show/exhibit signs of impatience; **2.** *фот.* develop; ‖ ~ **се** show/manifest o.s.; (*показвам качествата си*) show o.'s worth; (*оказвам се*) prove to be; ~ **се като художник** make o.'s mark as a painter.

проя̀ждам, проя̀м *гл.* **1.** begin eating; recover o.'s appetite; eat/have/taste for the first time; **2.** (*разяждам*) eat/gnaw through; eat away; (*за киселина и пр.*) corrode; ‖ ~ **се** be eaten through.

проясня̀вам се, проясня̀ се *възвр. гл.* clear up/away, brighten.

пружѝн|а *ж.*, -**и** spring; (*на легло*) bed-spring; **без** ~**и** springless.

пружѝн|ен *прил.*, -**на**, -**но**, -**ни** spring (*attr.*); elastic, springy.

пружинѝрам *гл.* spring; be elastic/springy.

пруса̀|к *м.*, -**ци**; **пруса̀чк|а** *ж.*, -**и** Prussian.

пруса̀шк|и *прил.*, -**а**, -**о**, -**и** Prussian.

Пру́сия *ж. собств.* Prussia.

пру́ск|и *прил.*, -**а**, -**о**, -**и** Prussian.

пръждо̀свам, пръждо̀сам *гл. разг.* send to the devil/to hell; ‖ ~ **се** scram, clear off; beat it; **пръждо̀свай се!** go to hell! get lost! *sl.* fuck off! eff off!

пръсвам, пръсна *гл.* **1.** scatter; (*облаци, мрак*) scatter, disperse, dispel; (*течност*) spray; splash; **2.** burst, blast; ‖ ~ **се 1.** scatter, disperse; **2.** (*счупвам, разбивам се*) break, be shattered; fall to pieces; (*при избухване*) burst, explode, blow up; ● ~ **черепа си** blow out o.'s brains.

пръсване *ср.*, *само ед.* scattering; ● **ям до** ~ eat till one is ready to burst; fill o.'s face.

пръскам *гл.* **1.** (*течност*) spray; sprinkle; spatter; splash; (*на тънка струя*) squirt; (*при пържене*) frizz, sp(l)utter; ~ **слюнки** sputter; **2.** (*разпространявам, излъчвам*) scatter, disperse; (*аромат*) give out; ~ **светлина** shed/diffuse light; **3.** (*пилея*) squander, dissipate, waste; **4.** *безл.* (*за дъжд*): **пръска** it is drizzling, it is spotting with rain, the rain is spattering down; ‖ ~ **се 1.** scatter, disperse; **2.** (*експлодирам*) burst, explode, blow up; **3.** (*разпадам се*) break; break/fall to pieces; **4.** dabble; (*напръсквам се*) sprinkle o.s.; ● ~ **се от смях** burst/split o.'s sides with laughter, burst with laughing, laugh o.'s head off; **сърцето му се пръска** his heart is ready to burst.

пръска̀чк|а *ж.*, -**и** sprayer, spray; (*пулверизатор*) atomizer; ~**а за дъждуване** an overhead spraying machine; (*в парк и пр.*) lawn-sprinkler.

пръснат *мин. страд. прич.* **1.** scattered, dispersed; (*за село*) straggling; (*за растителност, население*) sparse; **2.** (*с взрив и пр.*) blown up.

пръст₁ *м.*, -**и**, (**два**) **пръста** (*на ръка*) finger; (*на крак*) toe; **големият** ~ the thumb, (*на крака*) the big toe; **малкият** ~ (*кутре*) the little finger; **стъпвам/ходя на** ~**и** tiptoe; ● **въртя някого на** ~ **са** wind/twist s.o. around o.'s little finger; **върша** (*нещо*) **през** ~**и** cut corners; **да си оближеш** ~**ите** simply delicious; **знам на** ~**и** have at

o.'s finger-tips/-ends, have at o.'s fingers' ends; **изсмуквам от ~ите си** invent, fabricate; **не си мръдвам ~а** not lift/raise/stir/move a finger; **оставам с ~ в уста** be left empty-handed; **познавам като петте си ~а** know like the back/palm of o.'s hand.

пръст₂ *ж.*, *само ед.* earth, soil; dirt; **лека му ~** may he rest in peace.

пръстен₁ *прил.* earthen, earth (*attr.*); ~ **под** earth/dirt floor; ~и **изделия** earthenware.

пръстен₂ *м.*, -и, (два) **пръстена** ring; *техн.* hoop, ferrule; rim; collar; **венчален ~** wedding ring; **годишен ~** *бот.* age-ring; **уплътнителен ~** *техн.* grummet; **строит.** girdle.

пръстеновид|ен *прил.*, -на, -но, -ни ring (*attr.*), ring-shaped, annular.

прът *м.*, -ове, (два) **пръта** pole, rod, staff; (*метален*) bar; (*в кокошарник*) perch; (*на копие*) shaft; ~ **на знаме** flagstaff; ~ **с резба** *техн.* threaded rod; ● **слагам ~ в колелата на някого** spike s.o.'s guns.

пръхкав *прил.* crumbly, friable, brittle; loose; (*за кожа*) dry.

пръхтя *гл.* (*обикн. за кон*) snort.

пръчк|а *ж.*, -и stick; (*за биене, на въдица*) rod; (*шибалка*) switch; (*тънка и жилава*) wand; (*метална*) bar; (*палка*) baton; (*тояга*) staff; **бия с ~а** cane; **маслоизмерваща ~а** *авт.* oil dipstick, oil gauge rod; ● ~**ата е излязла от рая** spare the rod and spoil the child; **ще играе** ~**ата** you'll have taste of the rod.

пряк *прил.*, -а, -о, **преки** 1. direct; straight; (*непосредствен*) immediate; ~ **наследник** nearest/lineal heir (**на** to); *юр.* heir apparent; ~ **път** short cut; ~**а реч** *език.* direct speech; ~ **свободен удар** *спорт.* goal kick; 2. (*напречен*) cross; ~**а** (*улица*) crossing.

пряко и преко *нареч.* 1. directly, straight; 2. (*напреко*) crosswise; ● **работя преко сили** overstrain o.s.

прякор *м.*, -и, (два) **прякора** nickname; by-name, surname, sobriquet; **изкарвам ~ на някого** nickname s.o., fasten a nickname on.

прям *прил.* forward, frank, open; blunt; direct; downright, forthright; outright, outspoken; upfront; free-spoken, freehearted; foursquare; *разг.* flatfooted.

прямота *ж.*, *само ед.* straightforwardness, downrightness, forthrightness; foursquareness; directness, frankness, unreservedness, bluntness; free-spokenness, free-heartedness; foursquareness; *разг.* flatfootedness; *амер. разг.* square-shooting.

пряспа *ж.*, **преспи** snow-drift; driven snow.

псалм *м.*, -и, (два) **псалма и псалом** *м.*, -и, (два) **псалома** *библ.* psalm.

псалмопис|ец *м.*, -ци *библ.* psalmist.

псе *ср.*, -та cur, dog.

псевдонаук|а *ж.*, -и pseudo-science.

псевдоним *м.*, -и, (два) **псевдонима** pseudonym; alias; (*литературен*) pen-name; (*на актьор*) stage-name.

психиатрич|ен *прил.*, -на, -но, -ни; **психиатрическ|и** *прил.*, -а, -о, -и *мед.* psychiatric(al).

психиатрия *ж.*, *само ед.* *мед.* psychiatry; (*болница*) a hospital for mental diseases.

психиат|ър *м.*, -ри psychiatrist, psychiater; alienist; mental specialist.

психика *ж.*, *само ед.* psyche, mentality, mental make up; mind.

психическ|и *прил.*, -а, -о, -и; **психич|ен** *прил.*, -на, -но, -ни psychic; mental; ~**о натоварване** stress; ~**о разстройство** mental derangement/disorder; ~**о състояние** mental condition.

психоанализа *ж.*, *само ед.* psychoanalysis, *pl.* psychoanalyses; **подлагам на ~** psychoanalyze.

психоаналити|к *м.*, -ци psychoanalyst; *разг.* shrink, nut doctor.

психоаналитич|ен *прил.*, -на, -но, -ни psychoanalytic.

психоза *ж.*, *само ед.* *мед.* psychosis.

психоло|г *м.*, -зи psychologist.

психологиз|ъм (-мът) *м.*, *само ед.* psychological analysis (*и лит.*).

психологическ|и *прил.*, -а, -о, -и psychological.

психология *ж.*, *само ед.* psychology; **инженерна ~** human engineering.

психопат *м.*, -и; **психопатк|а** *ж.*, -и *мед.* psychopath, *разг.* psycho; sociopath.

психосоматич|ен *прил.*, -на, -но, -ни *мед.* psychosomatic.

психотерапевт *м.*, -и psychotherapist.

психотерапевтич|ен *прил.*, -на,

-но, -ни psychotherapeutic.

психотерапия *ж.*, *само ед.* psychotherapy.

психофизиология *ж.*, *само ед.* *мед.* psychophysiology.

псориазис *м.*, *само ед.* *мед.* psoriasis.

псувам *гл.* swear (at); *разг.* use language (at), cuss; *sl.* eff and blind; (*кълна, проклинам*) curse; ● ~ **като хамалин** swear like a trooper.

псувн|я *ж.*, -и swear-word, oath, curse; *pl.* bad/foul language, *амер. sl.* warm/hot language, effing.

птеродактил *м.*, -и, (два) **птеродактила** *палеонт.* pterodactyl.

птиц|а *ж.*, -и bird; fowl; **блатна ~а** wader; **домашни ~и** poultry; fowls; **камилска ~а** *остар.* ostrich; **пойна ~а** songster, songbird; singing bird, warbler; **прелетна ~а** a bird of passage, a migratory bird; **райска ~а** *зоол.* paradise bird; ● **важна ~а** *разг.* a big wig/shot; **що за ~а е той?** what sort of a man is he?

птицевъдство *ср.*, *само ед.* *сел.-ст.* poultry-raising/-farming.

птицеферм|а *ж.*, -и *сел.-ст.* poultry farm.

птицечовк|а *ж.*, -и *зоол.* duck-billed platypus, duck-bill, duck-mole (*Ornithorhyncus*).

птичар (-ят) *м.*, -и, (два) **птичаря** *зоол.* (*ловно куче*) fowler.

птичарни|к *м.*, -ци, (два) **птичарника** 1. *сел.-ст.* (*за домашни птици*) poultry-yard; 2. (*клетка, кафез за декоративни и пр. птици*) aviary.

птиче *ср.*, -та birdie; bird; (*без пера*) nestling; ● **едно ~ ми каза** a little bird/my little finger told me; *разг.* I heard it on the grapevine.

птич|и *прил.*, -а, -о/-е, -и bird (*attr.*), bird's, birds'; (*за домашни птици*) poultry (*attr.*); *науч.* avian; **от ~и поглед/полет** from a bird's eye view; ~**и двор** poultry-yard, fowl run.

пубертет *м.*, *само ед.* puberty.

пубертет|ен *прил.*, -на, -но, -ни puberty (*attr.*), of puberty; ~**на възраст** (age of) puberty.

публика *ж.*, *само ед.* public; (*зрители, слушатели*) audience; (*само зрители*) spectators; (*на спортно събитие*) gate; ● **излизам пред ~** ven-

ture before the public; **широка̀та ~ the** general public, the public at large.

публика̀ци|я ж., -и publication; **непристо̀йна ~я** obscene publication.

публику̀вам гл. publish; release; issue.

публицѝст м., -и publicist.

публицѝстика ж., само ед. publicism, political journalism.

публицистѝч|ен прил., -на, -но, -ни publicistic; **~ен стил** журн. journalistic style, journalese.

пу̀блич|ен прил., -на, -но, -ни public; (открѝт) open; • **~на тайна** an open secret; **~ен дом** brothel, bagnio, red lamp, house of prostitution/of ill fame; амер. parlour house.

пу̀дел м., -и, (два) пу̀дела зоол. poodle.

пу̀динг м., -и, (два) пу̀динга кул. pudding; **~ със стафиди** plum pudding.

пу̀дра ж., само ед. powder; • **~ захар** castor/powdered/icing sugar.

пу̀дря гл., мин. св. деят. прич. пу̀дрил powder; || ~ **се** powder (o.'s face); use powder.

пуѐрторика̀н|ец м., -ци Puerto Rican.

пуѐрторика̀нк|а ж., -и Puerto Rican (woman).

пуѐрторика̀нск|и прил., -а, -о, -и Puerto Rican.

Пуѐрто Рѝко ср. собств. Puerto Rico.

пу̀йк|а ж., -и зоол. turkey; прен. goose.

пу̀кал₁ м., -и, (два) пу̀кала earthen jug/pitcher.

пу̀кал₂ м., -и, (два) пу̀кала зоол. barnowl; • **гледам като ~** stand goggling; **мълча̀ като ~** scowl without saying a word.

пу̀кам и пу̀квам, пу̀кна гл. 1. crack; split; burst; break; разг. go crack; **ледъ̀т пука** the ice cracks; **~ гума** puncture a tyre/tire, have a puncture; have a blow-out; **~ царевица/пуканки** popcorn; 2. (за оръжие) go off; ring out; explode, burst; 3. (звук) clunk; 4. (умѝрам) sl. pop off; || ~ **се** 1. crack; split; бот. (за семенна кутѝйка) dehisce; (за пъ̀пка) burst open; 2. (пръ̀скам се, експлодѝрам) burst; explode; go off; (за гума) be punctured; 3. (за пролет и пр.) begin, set in; **зора се пу̀ква** dawn is breaking; • **да пу̀кна, ако знам** I'll be blown/hanged if I know; **I'm a Dutchman if I know; не**

ми пу̀ка! I don't care a pin! I don't give a fig! I don't give a toss!/damn!/shit! I am not fussed! **~ се от смях** burst/split o.'s sides laughing/with laughter, laugh o.'s head off; **~ се от яд** be hopping mad.

пу̀канк|а ж., -и popcorn.

пукнатѝн|а̀ ж., -ѝ crack, split, rift; rent, flaw (в земя̀) cleft, fissure, crevice, (в лѐдник) crevasse; (през коя̀то изтѝча тѐчност, газ и пр.) leak; (про̀лука) chink; метал. повъ̀рхностна **~а** skin breaking.

пул м., -ове, (два) пу̀ла диал. 1. (за табла̀) piece; (пѐшка) man, draughtsman; 2. big/large button; spangle; stud.

пулвериза̀тор м., -и, (два) пулвериза̀тора atomizer, pulverizer, sprayer; diffuser; air gun; техн. injector.

пуло̀вер м., -и, (два) пуло̀вера pullover, sweater; (без ръка̀ви) slipover.

пу̀лпит м., само ед. мед. pulpitis.

пулс м., само ед. pulse (и прен.); (брой на пулсѝранията) pulse-rate; **измѐрвам ~а на някого** take s.o.'s pulse; **слаб ~** low pulse; **ускорен ~** quick(ened) pulse.

пулсѝрам гл. pulsate, beat, throb.

пулт м., -ове, (два) пу̀лта desk; music-stand; техн. desk, panel, console; **диригентски ~** conductor's stand; **диспечерски ~** dispatcher's console; **информацио̀нен ~** bulletin board; **за управлѐние** техн. control panel/desk/board.

пу̀ля гл., мин. св. деят. прич. пу̀лил goggle; || ~ **се** goggle, open o.'s eyes wide; stare, gape (at); gawk; sl. gaup, gawp.

пу̀м|а ж., -и зоол. puma, mountain lion; cougar (Felis concolor).

пу̀мпал м., -и, (два) пу̀мпала (spinning) top, whipping-top; • **въ̀рти се като ~** be fidgety; cannot keep still.

пункт м., -ове, (два) пу̀нкта 1. point; station; **здравен ~** health centre; **команден ~** command post; **краен ~** terminal point/station; destination; **начален/изходен ~** initial/starting point; **наблюда̀телен ~** observation point/post; **сборен ~** meeting place/point, assembly place/point/post; 2. (то̀чка от програ̀ма, до̀говор и пр.) item, article; paragraph; (на полит. програ̀ма) plank; 3. полигр. point.

пунктѝр м., -и, (два) пунктѝра dotted line; полигр. leader; изк. stipple.

пунктуа̀ция ж., само ед. език. punctuation.

пу̀нкци|я ж., -и мед. puncture; **пра̀вя ~я на тар.**

пунш м., -ове, (два) пу̀нша punch.

пу̀р|а ж., -и cigar.

пургатѝв м., -и, (два) пургатѝва фарм. laxative, purgative, purge.

пурѝз|ъм (-мът) м., само ед. език. purism.

пурита̀нство ср., само ед. Puritanism.

пу̀рпур|ен прил., -на, -но, -ни crimson, purple, vermilion.

пу̀скам и пу̀щам, пу̀сна гл. 1. (позволя̀вам) let (да -); allow, permit (да to); (да влѐзе) let in; (да излѐзе) let out; (да мѝне) let through; **няма да те пу̀сна** I won't let you go; **~ някого в о̀тпуск** let s.o. go on leave, give s.o. leave of absence; 2. (освобожда̀вам) set free; release; turn/let loose; (без наказа̀ние) let off; (птѝца) let out; **~ под гара̀нция** release on bail; 3. (привѐждам в дѐйствие, движѐние) start, put in action/operation; (машѝна) set in motion; set going; (мото̀р) start; **~ пло̀ча** play a record; **~ програ̀ма на компю̀тър** run a programme on a computer; **~ ра̀диото** switch/turn on the radio; **~ чѐшмата/вода̀та** turn on the tap/the water; 4. (оста̀вям да падне) drop, (бо̀мба) let fall; (нѐщо, което държа̀) let hold of; lose/leave hold of, let go (of); 5. (изпу̀скам, излъ̀чвам) let out, emit; give off/forth; **~ вода̀ в тоалѐтна** flush a toilet; **~ па̀ра** let/blow off steam; **този плат пу̀ска** this material is not colour-fast; 6. (изпра̀щам, отпра̀вям) send, release, let off; (пло̀ча на паза̀ра) release; **~ в обращѐние** issue, circulate; float; **~ на паза̀ра** put on the market; **~ от пѐчат** release; **~ филм** (по екра̀ните) release a film; 7. (оста̀вям да расте) (let) grow; **~ гуша** grow/develop/get a double chin; **~ корен(и)** take/strike root (и прен.); **~ пѝпала** throw out tentacles/feelers; 8. (отпу̀скам, разхла̀бвам) (повоˈди) loosen; **~ ю̀здите на** give the rein to (и прен.); 9. (разпра̀вям, разпространя̀вам) spread; **~ слухове** spread/start/circulate/float rumours; **~ шѐги** crack jokes; || ~ **се** descend, come/go/get/

climb down (по -); (*за жена на мъж*) *sl.* give the come-on, throw out a line; • ~ бюлетина vote; ~ в ход всички средства leave no stone unturned; move heaven and earth; ~ фиш (*за тото*) hand in a form for the pools.

пу̀сков *прил. техн.* starting; ~ обект term-bound construction project; ~ срок target date; ~о устройство starting device; starter.

пуст *прил.* **1.** desert, deserted, waste (*attr.*); desolate; gaunt; uninhabited; ~а земя waste land; **2.** (*безрадостен*) bleak, dreary; forlorn; **3.** (*празен*) empty, vain; (*за поглед*) blank, dull; **4.** poor, wretched; **5.** (*проклет*) doggone; damned; • наливам от ~о в празно mill the wind.

пустѐещ *сег. деят. прич.* (*и като прил.*) desolate, deserted; ~и земи uncultivated lands.

пустѐя *гл., мин. св. деят. прич.* пустя̀л become desolate/deserted, be deserted.

пустѝн|ен *прил.,* -на, -но, -ни desert (*attr.*); uninhabited; waste.

пустѝнни|к *м.,* -ци (*отшелник*) hermit; eremite, anchoret, anchorite.

пустѝня *ж., само ед. геогр.* desert, wilderness; • глас в ~ a voice (crying) in the wilderness.

пустослов|ен *прил.,* -на, -но, -ни vain, idle.

пустота̀ *ж., само ед.* **1.** emptiness; desolation; gauntness; **2.** waste land; wilderness; **3.** vanity; душевна ~ vacuity of mind.

пу̀стош *ж., само ед.* **1.** waste/vacant land; wilderness; **2.** emptiness, desolation.

пух *м., само ед.* down; (*на млада ...*) floccus; (*на плат*) fluff;

пухтя̀ *гл.* puff; snort (*от* with); (*задъхвам се*) pant (with); puff and blow; (*за влак*) chug; chuff.

пу̀ша *гл., мин. св. деят. прич.* пу̀шил **1.** smoke; be a smoker; той пуши много he is a heavy smoker; **2.** (*изпускам дим, опушвам*) smoke, fume.

пуша̀ч *м.,* -и; **пуша̀чк|а** *ж.,* -и smoker; • на марихуана *sl.* pot-head; страстен ~ chain-smoker.

пу̀ше|к *м.,* -ци, (два) пу̀шека smoke; fumes; • когато той работи, ~к се вдига when he does work, he works with a vengeance.

пу̀шеч|ен *прил.,* -на, -но, -ни gun (*attr.*); • ~ен изстрел *воен.* rifle-shot; ~но месо *прен.* cannon-fodder.

пушѝлка *ж., само ед.* **1.** smoke; **2.** dust (in the air).

пу̀шк|а *ж.,* -и rifle, gun; въздушна ~а air-gun; ловджийска ~а shot gun, fowling-piece, sporting piece/gun; стрелям с ~а fire a gun; • гол като ~а as poor as a church mouse.

пущина̀|к *м.,* -ци, (два) пущина̀ка waste/barren land; wild(s); wilderness.

пу̀я|к *м.,* -ци, (два) пу̀яка *зоол.* turkey-cock (*и прен.*); *разг.* gobbler; • надува се като ~к he puts on airs, he peacocks (about), he struts/about like a peacock.

пчел|а̀ *ж.,* -й *зоол.* bee; дива ~а carpenter-bee; ~а работничка worker-bee; рой/рояк ~и a swarm of bees.

пчела̀рск|и *прил.,* -а, -о, -и apiarian; apicultural.

пчела̀рство *ср., само ед.* bee-keeping, apiculture.

пчел|ен *прил.,* -на, -но, -ни bee (*attr.*), bees (*attr.*); *науч.* apian; ~ен восък beeswax; ~ен кошер beehive; ~на пита honeycomb.

пчелѝн *м.,* -и, (два) пчелѝна bee-gar... apiary.

пъ̀дя *гл., мин. св. деят. прич.* пъ̀дил drive/chase away (*и мисъл*); *разг.* shoo-away; (*мухи и пр.*) flap away/off.

пъ̀клен *прил.* infernal, hellish, fiendish. •

пъ̀къл *м., само ед.* hell; inferno.

пъл|ен *прил.,* -на, -но, -ни **1.** full; (*цял*) complete; (*за текст*) integral; complete and unabridged; в ~ен ход in full steam (ahead) (*и прен.*); ~ен комплект complete set; ~ен с опасности/последствия fraught with dangers/consequences; с ~ни шепи generously; **2.** (*абсолютен*) absolute, utter, sheer; total; *разг.* out-and-out; downright; fuul-on; *презр.* deep-dyed; (*съвършен*) perfect; в ~на безопасност perfectly safe; в ~но противоречие с in direct contradiction to; ~на глупост sheer/utter nonsense; ~но мнозинство absolute majority; ~но разорение utter ruin; **3.** (*дебел*) corpulent, portly, fleshy, fleshly; stout; plump; **4.** (*за огнестрелно оръжие*) loaded; • дишам с ~ни гърди breathe in deeply; ~ен отличник a straight A student; ~ен сирак a complete orphan, a parentless child.

пълзѐне *ср., само ед.* creeping, crawling.

пълзя̀ *гл.* **1.** creep, crawl; **2.** *прен.* grovel, kiss the dust/ground; ~ пред някого lick s.o.'s boots.

пълзя̀щ *сег. деят. прич.* (*и като прил.*) creeping, crawling; *биол.* reptant; ~о растение creeper, creeping plant.

пълково̀д|ец *м.,* -ци military commander, general.

пълнѐж *м.,* -и, (два) пълнѐжа **1.** filling; padding; (*на дюшек, ядене*) stuffing; (*за възглавници и пр.*) fibrefill; (*за придаване на тежест*) makeweight; (*заряд*) charge (*и ел.*);

---

down; правя/разбивам на ~ и прах smash to smithereens, knock/tear to pieces, run/make rings around, make mincemeat of, reduce to dust and ashes, hack to bits; knock into a cocked hat; beat hollow, blow up (*и прен.*); (*побеждавам лесно*) hammer, thrash.

пу̀хен *прил.* downy; fluffy; down (*attr.*); ~а възглавница a down pillow.

пу̀хкав *прил.* fluffy, downy; feathery; fleecy.

мека ~ common wheat; твърда ~ durum.

пшенѝчен *прил.;* **пшенѝч|ен** *прил.,* -на, -но, -ни wheaten, wheat (*attr.*); frumentaceous.

пъда̀р (-ят) и **пъда̀рин** *м.,* пъда̀ри field-keeper; глас като на ~ a stentorian voice.

пъдпъдъ̀|к *м.,* -ци, (два) пъдпъдъ̀ка *зоол.* quail.

пълнѝтел (-ят) *м.,* -и, (два) пълнѝтеля **1.** filler; **2.** *воен.* charger, cartridge-clip; **3.** (*за химикалка*) refill; **4.** (*на бетон*) aggregate.

пълновла̀ст|ен *прил.,* -на, -но, -ни sovereign; all-powerful.

пълновла̀стие *ср., само ед.* sovereignty.

пълново̀дие *ср., само ед.* high water.

пълнокръ̀в|ен *прил.,* -на, -но, -ни

full-blooded, vigorous (*и прен.*); *мед.* plethoric.

пълнолѐт|ен *прил.*, **-на**, **-но**, **-ни** adult; of (full/legal) age; *юр.* major; **~ен съм** be of age.

пълнолѐтие *ср.*, *само ед.* majority, full age; coming of age; **достигам ~** come of age, attain o.'s majority.

пълнолу̀ние *ср.*, *само ед.* full moon.

пълномàслен *прил.* (*за мляко*) unskimmed; whole; full-cream; (*за млечни продукти*) whole-milk (*attr.*).

пълнометрàж|ен *прил.*, **-на**, **-но**, **-ни** full-length (*attr.*).

пълномòщ|ен *прил.*, **-на**, **-но**, **-ни** plenipotentiary; **~ен министър** minister plenipotentiary; **~ен представител** plenipotentiary.

пълномòщи|е *ср.*, **-я** power, authority; power of attorney; plenary powers; commission; *юр.* proxy; procuration; **давам ~я на някого** empower s.o.; **извънредни ~я** extraordinary powers; **превишавам ~ята си** go beyond o.'s commission; exceed o.'s instructions.

пълномòщни|к *м.*, **-ци**; **пълномòщничк|а** *ж.*, **-и** proxy; commissioner; representative; agent; procurator; *юр.* attorney.

пълномòщн|о *ср.*, **-и** power/letter/ warrant of attorney; (*за управление на имот, оставен без завещание*) letter of administration; (*за попечителство*) trust-deed.

пълноправ|ен *прил.*, **-на**, **-но**, **-ни** enjoying full rights; *юр.* competent, (legally) qualified; **~ен член** full member.

пълноправие *ср.*, *само ед.* full civil rights; competency.

пълнотà *ж.*, *само ед.* **1.** completeness; fullness; (*изчерпателност*) exhaustiveness, thoroughness; **2.** (*на тялото*) corpulence, stoutness, fleshiness, plumpness.

пълноцѐн|ен *прил.*, **-на**, **-но**, **-ни** of full value; (*за личност*) complete; (*равностоен*) adequate; **~ен живот** fulfilled life; **~на храна** nourishing food, adequate nourishment.

пълня *гл.*, *мин. св. деят. прич.* **пъл-нил** fill; (*чушки и пр.*) stuff; (*оръжие*) load; **~ възглавница** stuff a pillow; **~ отново** re-fill; replenish; **|| ~ се** fill, be filled (**с** with); **● ~ някому гла-**

вата с нещо stuff s.o.'s head with s.th., try to impress s.th. on s.o.

пълчѝщ|е *ср.*, **-а** обикн. мн. horde.

пън *м.*, **-ове**, (**два**) **пѐна 1.** stump, stub, block; (*за горене*) log; **2.** *прен.* blockhead; **● мълча като ~** be as mute as a poker; **спя като ~** sleep like a log/top.

пънк *м.*, *само ед.* *муз.* punk rock.

пъп *м.*, **-ове**, (**два**) **пѐпа** *анат.* navel; *науч.* umbilicus; *sl.* bellybutton; *прен.* hub; **● там му е хвърлен ~ът** *прен.* that's his favourite haunt.

пѐпеш *м.*, **-и**, (**два**) **пѐпеша** *бот.* (musk-)melon.

пѐпк|а *ж.*, **-и 1.** *бот.* bud; **листна ~a** leaf-bud, *науч.* gemma, *pl.* gemmae; **2.** (*по кожата*) pimple, blotch; *мед.* pustule, papula, papule; (*обикн. по лицето*) acne; **синя ~a** *мед.* anthrax.

пѐпля *гл.*, *мин. св. деят. прич.* **пѐп-лил** creep, crawl.

пѐрвен|ѐц *м.*, **-ци 1.** winner, leader; *спорт.* champion; **~ец на класа** top of the form/class; top boy; **2.** (*за дете*) first born (son); **3.** (*виден жител*) notable.

пѐрвенств|ò *ср.*, **-à 1.** priority, primacy, precedence; leadership; (*превъзходство*) superiority, supremacy, pre-eminence; **2.** *спорт.* championship; **световно ~о по футбол** world football cup finals; a football world cup; **спечелвам ~о** come out first; **3.** (*по рождение*) primogeniture; **● получавам/вземам палмата на ~ото** bear the palm.

пѐрвескѝн|я *ж.*, **-и** woman/female animal giving birth for the first time.

пѐрв|и бройно числ., **-а**, **-о**, **-и** (*и като то прил., същ.*) **1.** first; (*от два или повече предмета или лица*) former; **~а скорост** *авт.* first gear; **~ият срещнат** the first man one meets; **свиря ~а цигулка** play first fiddle (*и прен.*), **2.** (*най-важен, най-главен*) first, foremost, primary, prime; chief, main; **предмети от ~а необходимост** prime necessities, staple commodities; **~и в списъка** at the top of the list; **~и министър** prime minister; **3.** (*най-добър, изтъкнат*) leading, foremost; best; (*за качество*) first; **● ~ите редици на** in the forefront of; **на/при пръв поглед** at first sight/blush, on the face of it; **на ~а линия** in the lead, in the

front ranks; *воен.* in the front/firing/ fighting line; **на ~о време** at first, (*сега засега*) for the time being; **от ~а ръка** (*за сведения и пр.*) at first hand, first-hand (*attr.*).

пѐрвѝч|ен *прил.*, **-на**, **-но**, **-ни** primary, elemental, archetypal; (*първоначален*) initial, original, (*за организация*) local; **~на информация** source information; **~на реакция** gut reaction; **~ни форми на живот** primary/ ancestral forms of life.

пѐрвобѝт|ен *прил.*, **-на**, **-но**, **-ни** primitive, primordial, primeval, pristine.

пѐрвобѝтнообщѝн|ен *прил.*, **-на**, **-но**, **-ни**: **~ен строй** *истор.* primitive/ tribal communism.

пѐрвойзточни|к *м.*, **-ци**, (**два**) **пѐрвойзточника** prime source; origin.

пѐрвокàчествен *прил.* prime, first-rate (*attr.*); high-grade (*attr.*); top-class (*attr.*); of the best quality, best-quality (*attr.*); *разг.* first-chop, tiptop.

пѐрвоклàс|ен *прил.*, **-на**, **-но**, **-ни 1.** first-rate/-class, *разг.* first-string (*attr.*); top class (*attr.*), top flight (*attr.*), top-rating, of the first water; of the first order; fit for a king; top-line; *разг.* first-chop, *sl.* top-notch; (*за купе, вагон и пр.*) first-class; **~ен лъжец** champion liar; **2.** (*за първи клас в училище*) first-grade/-year (*attr.*).

пѐрвоклàсни|к *м.*, **-ци** first grade pupil, first-year boy.

пѐрвоначàл|ен *прил.*, **-на**, **-но**, **-ни** original, initial, primary, primordial; **~ен вариант** (*на предложение*) original motion; **~на заплата/цена** starting salary/price; **~но натрупване** *икон.* primitive accumulation.

пѐрвообраз *м.*, **-и**, (**два**) **пѐрвообра-за** prototype, archetype, original; **~на причина** original/first cause; (*за човек*) prime mover.

пѐрворòд|ен *прил.*, **-на**, **-но**, **-ни** first-born; *юр.* primogenitary; **~на рожба** first-born, firstling; **● ~ният грях** *църк.* the original sin.

пѐрвостѐпен|ен *прил.*, **-на**, **-но**, **-ни** first-rate (*attr.*), best; paramount; **от ~но значение** of the first/of primary/of prime/of paramount importance/significance; of the essence; essential; **~ен**

принцип over-riding principle.

пъргав *прил.* **1.** quick, nimble, brisk, spry, smart, lively, agile, prompt; cracking; (*работлив*) busy, bustling; (*за ум*) quick, nimble, agile, ready; ~ ум esprit; **2.** (*еластичен, гъвкав*) elastic.

пъргавина *ж., само ед.* quickness, briskness, promptness, alacrity, agility, nimbleness; liveliness; sprightliness, spryness; *физ., техн.* elasticity, flexibility.

пържа (се) (*възвр.*) *гл., мин. св. деят. прич.* пържил (се) fry; *техн.* roast; ● ~ се в собственото си масло stew in o.'s own juice, fry in o.'s own grease.

пържол|а *ж.,* -и *кул.* chop, steak.

пързалк|а *ж.,* -и slide; (*за кънки*) skating-rink; (*за шейни*) toboggan-slide/-shoot/-run.

пързалям *гл.* slide; take s.o. sledging; || ~ ce slide; (*с кънки*) skate, go skating; (*със ски*) ski; (*с шейна*) sledge, go sledging; toboggan.

пърля *гл., мин. св. деят. прич.* пърлил singe; (*за слънце и пр.*) scorch.

пъртин|а *ж.,* -и path, track; **правя** ~a make a way, clear a passage.

пърхам *гл.* **1.** (*за птица*) flit, flutter; flicker; flap (wings); **2.** *прен.* (*дишам тежко*) snort; **3.** *прен.* (*за сърце*) beat, throb, pound.

пърхот *м., само ед.* dandruff, scurf; *мед.* furfur.

пъстрея *гл., мин. св. деят. прич.* пъстрял (*за гора*) turn yellow/red/golden; (*за ливада*) be gaudy/gay (*от цветя* with flowers).

пъстрота *ж., само ед.* **1.** variegation, diversity (of colour), wealth of colour; gay colours; **2.** *прен.* medley.

пъстроцвет|ен *прил.,* -на, -но, -ни gay.

пъстря *гл., мин. св. деят. прич.* пъстрил variegate, make motley; fleck, flecker; (*с изрази*) lard (o with).

пъст|ър *прил.,* -ра, -ро, -ри motley, variegated, parti-coloured, versicoloured; (*ярък*) gay, bright; (*весел*) jazzy; (*за пеперуда, плат*) gaily-coloured; (*на петна*) dappled; fleckered; **с** ~**ър косъм** (*за кон*) roan; ● ~**ра аудитория** a mixed audience.

пъстърв|а *ж.,* -и *зоол.* trout (*Trutta furis*); **американска** ~a brook/speckled trout.

път₁ (-ят) *м.,* -ища, (два) пътя **1.** road, way (*и прен.*); (*пътека*) path, track (*и на комета, самолет*); (*шосе*) highway; (*на река; линия на поведение*) course; (*маршрут*) route, course; (*място за преминаване*) passage; **влизам в правия** ~ go straight; **давам** ~ (*на превозно средство*) give the green light to; (*една кола на друга*) cede; **на прав** ~ **съм** be on the right track; **на** ~ **съм да открия нещо** be on the brink of a discovery; **отъпкан** ~ beaten track (*и прен.*); ~**ищата ни се разделят** our ways part; **стоя на** ~**я на някого** (*преча*) be/stand in s.o.'s way; **тръгвам по лоши** ~**ища** get into bad ways, go to the bad; **2.** (*пътуване*) journey, (*по вода*) voyage; (*по море*) passage, (*по въздуха*) flight; **далечен** ~ long journey; (*на*) **добър** ~ have a pleasant journey! bon voyage! **тръгвам на** ~ set out, set forth, set out on a journey; **3.** (*средство*) way, means; (*източник на новини и пр.*) source; **по легален** ~ legally, in a legal way; **по околен** ~ in a roundabout way, indirectly; **4.** (*на коса*) parting; *амер.* part; ~ **отстрани** parting on one side; **реша се на** ~ part o.'s hair; ● **Млечният** ~ *астр.* the Milky Way, the Galaxy; **намирам се на** ~ **и под** ~ be as common as blackberries; be a dime a dozen; **прав ти** ~ good riddance.

път₂ *м.,* -и, (два) пъти time; **всеки** ~, **когато** whenever; **един** ~ **завинаги** once and for all; **един** ~ **на ден** once a day; **на един** ~ at a time; (*изведнъж*) at one go; **някой** ~ sometime; **от първия** ~ first go.

пътеводител (-ят) *м.,* -и, (два) пътеводителя (*книга*) guide-book, itinerary; vade mecum; (*за автомобилисти*) road-book.

пътек|а *ж.,* -и **1.** path(way), footway, walk, track; (*от дъски*) boardwalk; **движеща се** ~a (*в летище, магазин*) travelator; ~**а направих до** I beat a path to (s.o.'s door); **2.** (*килим*) strip of carpet; (*на стълбище*) stair-carpet; **3.** (*в театър, кино*) aisle.

пътепис *м.,* -и, (два) пътеписа *лит.* travel notes.

пътепоказател (-ят) **и пътеуказател** (-ят) *м.,* -и, (два) пътепоказателя **и пътеуказателя** guide-board/-post, direction-board/-post; signpost; **стълб с** ~ finger-post.

пътешествам *гл.* travel, journey; (*по море*) voyage.

пътешестви|е *ср.,* -я journey, trip; *pl.* travels; (*по море*) voyage; **околосветско** ~e tour round the world, world tour.

пътни|к *м.,* -ци; **пътничк|а** *ж.,* -и traveller; (*с влак, кораб и пр.*) passenger; (*за жена*) lady/woman passenger; (*по море*) voyager; **правостоящ** ~к straphanger; **търговски** ~к travelling salesman; ● **той е** ~к (*умира*) he's at death's door, he's on his deathbed.

пътувам *гл.* travel, journey; (*по море*) voyage, sail, (*със самолет*) fly; (*движа се – за влак и пр.*) run, go; ~ **из страната** tour the country; ~ **прав** (*в автобус*) strap-hang.

пъхам и пъхвам, **пъхна** *гл.* stick, shove, poke, tuck, insert (*в* into); (*незабелязано*) slip (into); (*през нещо*) run, pass (through); ~ **монета в ръката на някого** press a coin into s.o.'s hand; ~ **носа си навсякъде** *разг.* poke o.'s nose everywhere; have a finger in every pie; || ~ **се** creep, crawl (*под* under); slip (*в* into); (*дето не ми е мястото*) thrust o.s. in, butt in.

пъча *гл., мин. св. деят. прич.* пъчил stick out; || ~ **се** stick out o.'s chest; *прен.* swagger about, strut about.

пъшкам *гл.* groan, moan; (*въздишам*) sigh.

пюре *ср.,* -та purée; mash; **доматено** ~ *кул.* tomato paste/sauce; **картофено** ~ *кул.* mashed potatoes; **правя на** ~ mash.

пяна *ж., само ед.* foam; froth; spume; (*нечиста*) scum; (*на бира, вино*) froth, head; (*на кон*) lather; (*от сапун*) lather, (soap-)suds; **морска** ~ *минер.* meerschaum; **покрит с** ~ (*за кон*) in a lather; **с** ~ **на устата** foaming at the mouth (*и прен.*).

пясъ|к *м.,* -ци **1.** sand; (*плаж*) beach; **движещи се** ~ци quicksands; **2.** *мед.* gravel; (*в пикочния мехур*) urinary sand; shifting/drift sands; ● **захар на** ~к granulated sugar; **златоносен** ~к auriferous gravel.

пясъчни|к *м.,* -ци, (два) пясъчника sandpit; *минер.* sandstone; **слоест** ~к *геол.* leastone.

раболѐп|ен *прил.*, -на, -но, -ни servile, obsequious, fawning, cringing; slavish; subservient.

раболѐпие *ср.*, *само ед.* servility, obsequiousness, fawning, cringing, subservience, subserviency, slavishness.

раболѐпнича *гл.*, *мин. св. деят. прич.* **раболѐпничил** fawn (on), cringe (to/before), crouch, grovel (to, before), smarm (over); toady, truckle (to); *sl.* kowtow (to); ~ **пред някого** *разг.* lick s.o.'s boots.

рàбот|а *ж.*, -и **1.** *само ед.* work (*без pl.*); a piece/job of work; (*труд*) labour; (*на комисия и пр.*) proceedings; **всичката му ~а е такава** that's his style; he mucks up everything; **единица ~а** *физ.* a unit of work; **къщна/домакинска ~а** chores; **нямам бърза ~а** I'm in no hurry; **обществена ~а** public/volunteer/social work; **2.** (*занятие, служба, задължение*) job, employment, work; occupation, business; line; *sl.* grind; (*непривлекателна*) graft; **без ~а съм, нямам ~а** be out of work/of a job, be unemployed; **говоря по ~а** talk shop; **навлизам в ~ата** get into the swing of the work; **постоянна ~а** a regular/full-time job; **3.** (*нещо*) thing; (*въпрос*) affair, matter, business; **гледай си ~ата!** 1) mind your own business; 2) (*не се тревожи*) don't worry; **не е там ~ата** that's not the point; it's quite a different thing/matter; **не ми е ~а да ти казвам, но** far be it from me to tell you but ...; **там е ~ата, там е цялата ~а** that's just the point; **4.** (*дело, творба*) work; (*статия и пр.*) paper; **5.** *уч.* (*писмена*) written work, paper, exercise; **домашна ~а** homework, home assignment; **класна ~а** test; **6.** *обикн. мн.* (*въпроси, отношения, интереси, дела, мероприятия*) affairs, matters, works; **укрепителни ~и** *воен.* defensive works; ● **голяма ~а!** big deal! **да си нямаш ~а с него** *разг.* he's a tough customer; **не е кой/бог знае каква ~а** it's not much of a job, it isn't so hard; **не му е чиста ~ата** he's playing an underhand game; **спукана му е ~ата** he's done for; **хубава ~а!** here's a pretty mess! you're a fine one! can you beat it!

ра̀бот|ен *прил.*, -на, -но, -ни working; ~**ен ден** workday; ~**на заплата** salary, (*надница*) wages; ~**на ръка** labour/work force, workers, hands; ~**но време** working time; business/office hours.

ра̀ботещ *сег. деят. прич.* working; active; operating.

ра̀ботѝлниц|а *ж.*, -и workshop; **авторемонтна** ~**а** motor repair shop, motor workshop; **дърводелска** ~**а** carpenter's shop, joinery.

работлѝв *прил.* industrious, diligent, hard-working.

работнѝ|к *м.*, -ци worker; workman; hand; (*общ*) labourer; **квалифициран** ~**к** skilled worker; **научен** ~**к** scientist; scholar; **общ** ~**к** unskilled worker, (*на строеж*) hodman; **селскостопански** ~**к** agricultural worker; farmhand; **строителен** ~**к** construction worker, builder.

ра̀ботническ|и *прил.*, -а, -о, -и worker's, workers'; working; labour (*attr.*); ~**и квартал/произход** working-class quarter/origin; ~**о движение** working-class movement.

работодател (-ят) *м.*, -и; **работода̀телк|а** *ж.*, -и employer.

работоспосо̀б|ен *прил.*, -на, -но, -ни **1.** (*годен за работа*) able-bodied; fit for work; **2.** hard-working; efficient.

работоспосо̀бност *ж.*, *само ед.* fitness/capacity for work; working capacity; efficiency; employability.

рабо̀тя *гл.*, *мин. св. деят. прич.* **рабо̀тил 1.** work (**върху** at, on; **в** at, in); be at work; **какво работиш?** what do you do? what's your job? ~ **усърдно/усилено** work tooth and nail; hammer away at; **2.** (*правя, произвеждам*) make, manufacture; **3.** (*за машина и пр.*) run; operate; function; **машината работи** the machine is on; ~ **добре** (*за часовник*) keep good time; **4.** (*за магазин и пр.*) be open; operate; ‖ ~ **се** be in progress, be in the making; ● **който не работи не трябва да яде** he who does not work shall not eat; **умът му работи** he has a fine brain.

ра̀бск|и *прил.*, -а, -о, -и slavish; (*раболепен*) servile, subservient, obsequious.

ра̀в|ен *прил.*, -на, -но, -ни **1.** (*гладък*) even, smooth; (*хоризонтален*) level; (*плосък*) flat; **две ~ни лъжички** two

level teaspoons (of); ~**ен като длан/тепсия** as flat as the palm of your hand, as flat as a board/pancake/flounder; **2.** (*еднакъв, равностоен*) equal; **на ~ни начала** on equal terms (**с** with); on an equal footing (with); on a footing of equality; on a par (with); **няма ~ен на него** he has no equal/match/rival; he stands alone; no one can touch him in; ~**ен резултат** *спорт.* draw; ~**ни пред закона** equal in the eye of the law; ~**ни условия** equal opportunities; **3.** (*равномерен, монотонен*) even, regular; steady; uniform; **4.** *като същ.* peer, compeer, equal.

ра̀венств|о *ср.*, -а equality; parity; *мат.* equation; (*спортно*) draw; **знак за ~о** *мат.* sign of equality; ~**о пред закона** equality in the eye of the law.

равѝн *м.*, -и *рел.* rabbi.

равѝнск|и *прил.*, -а, -о, -и rabbinic(al).

равио̀ли *само мн. кул.* ravioli.

равнѐни|е *ср.*, -я **1.** *воен.* dressing; alignment; ~**е надясно/наляво!** *воен.* right/left dress!; **2.** *църк.* (*подравняване на гроб*) levelling a grave on the 40th day after the funeral.

равнѐц *м.*, *само ед. бот.* milfoil, yarrow (*Achillea millefolium*).

равнин|а̀ *ж.*, -и plain; *мат.* plane; **базова** ~**а** datum plane; **допирателна** ~**а** *мат.* tangential plane; **разширена** ~**а** extended plane; (*низина*) lowland.

равнѝн|ен *прил.*, -на, -но, -ни plain (*attr.*), flat, level; *геом.* plane (*attr.*); ~**на местност** flat country.

равнѝс *нареч. воен.* dress! надясно/наляво ~! right/left dress!

равнѝщ|е *ср.*, -а **1.** level; **морско** ~**е** sea-level; ~**е на водата** water level; **2.** *прен.* level; standard; **конференция на най-високо** ~**е** top-level conference, summit conference/meeting; ~**е на живот** standard of life, living standard; ~**е на заплатите** wage level.

ра̀вно *нареч.* **1.** (*гладко, равномерно*) evenly, smoothly, regularly; **2.** (*еднакво, равностойно*) equally, alike; ● **седем без три е ~ на четири** three from seven leaves four; seven minus three is (equal to) four.

равнобѐдрен *прил. геом.* isosceles.

равновѐс|ен *прил.*, -на, -но, -ни equiaxial; equibalance.

равновесие *ср.*, *само ед.* equilibrium,

balance; equipoise; counterpoise; equiponderance; **възстановявам** ~**то на** redress the balance of; **душевно** ~ mental equilibrium; **нарушавам** ~**то на** disturb the equilibrium of; upset the balance of; **пазя** ~ keep o.'s balance; maintain o.'s equilibrium; ~ **на сили-те** *полит.* balance of power.

равнодѐл|ен *прил.*, -**на**, -**но**, -**ни**: ~**ен такт** *муз.* common measure.

равнодѐнствен *прил.* equinoctial.

равнодѐнствие *ср.*, *само ед.* equinox; **пролетно/есенно** ~ vernal/autumnal equinox.

равноду̀ш|ен *прил.*, -**на**, -**но**, -**ни** indifferent (**към** to); listless, apathetic; unmoved, unconcerned, unanimated; unsympathetic (to).

равноду̀шие *ср.*, *само ед.* indifference; listlessness, apathy; **отнасям се с** ~ **към** be indifferent to/towards.

равноду̀шно *нареч.* indifferently; listlessly, apathetically; with indifference.

равнозна̀ч|ен *прил.*, -**на**, -**но**, -**ни** equivalent, equipollent; identical, equal; synonymous.

равнозна̀чност *ж.*, *само ед.* equivalence, equivalency; equipollence, equipollency.

равномѐр|ен *прил.*, -**на**, -**но**, -**ни** uniform (**и** *физ.*); even; steady, constant; level; (**за климат**) equable; ~**но дви-жение** *физ.*, *техн.* uniform motion; ~**но ускорение/забавяне** *физ.*, *техн.* uniform acceleration/deceleration.

равномѐрно *нареч.* uniformly, evenly, steadily; ~ **напластен** *геол.* even-bedded.

равнопоста̀вен *прил.* equal, uniform.

равнопра̀в|ен *прил.*, -**на**, -**но**, -**ни** equal in rights; possessing/enjoying equal/the same rights; ~**ни членове** equal partners; ~**но участие** equitable interest.

равнопра̀вие *ср.*, *само ед.* equality (of rights), equal rights; **пълно** ~ absolute equality of rights.

равносил|ен *прил.*, -**на**, -**но**, -**ни** equivalent, tantamount, equal (**на** to); equipollent; of equal power/strength/ meaning.

равносмѐтк|а *ж.*, -**и** balance, balance-sheet; *прен.* **правя** ~**а** strike a balance.

равносто̀|ен *прил.*, -**йна**, -**йно**, -**йни** equivalent; of equal worth/value; equal

in value; equipollent; tantamount (**на** to); ~**йни сме** (*за опоненти и пр.*) *разг.* be level pegging.

равносто̀йност *ж.*, *само ед.* equivalence; equipollence; equiponderance; equal worth/value; *икон.* par value.

равностра̀н|ен *прил.*, -**на**, -**но**, -**ни** *геом.* equilateral; ~**на фигура** equilateral.

равноускорѝтел|ен *прил.*, -**на**, -**но**, -**ни** uniformly accelerating.

равночесто̀т|ен *прил.*, -**на**, -**но**, -**ни** equifrequent.

равноъ̀гъл|ен *прил.*, -**на**, -**но**, -**ни** *геом.* equiangular.

равня̀вам, **равня̀** *гл.* level (up), even up; ~ **стъпките си с** fall in step with; || ~ **се 1.** compare o.s. (**с** to, with); **2.** be equal/equivalent/tantamount (**на** to); **3.** *воен.* dress, align; ~ **се надясно/на-ляво** dress right/left.

ра̀гтайм *м.*, *само ед.* *муз.* ragtime.

рагу̀ *ср.*, -**та** ragout.

ра̀дар *м.*, -**и**, (**два**) **ра̀дара** *техн.* radar; **самолетен** ~ airborne radar.

ра̀дар|ен *прил.*, -**на**, -**но**, -**ни** *техн.* radar (*attr.*).

ра̀двам *гл.* make glad/happy; rejoice, gladden; please, delight; ~ **окото** be a pleasure to the eye, be a feast for the eyes; **това може само да ме ра̀два** that's all to the good; || ~ **се** be glad (**да** to), rejoice (**на** at), be pleased/de-lighted (**на** with); glory (in); **не се рад-вай преждевременно** don't halloo till you are out of the wood; ~ **се на** (*нас-лаждавам се на*) love, enjoy; rejoice at, take pleasure in, be delighted at/with s.th.; ~ **се на добро здраве** enjoy good health; ~ **се на това, което имам** count o.'s blessings.

радетѐл (-**ят**) *м.*, -**и** partisan, champion (**за** of); furtherer (of).

радѐя *гл.*, *мин. св. деят. прич.* **ра-дѐял** care (**за** for); cherish (**за** -), be zealous (for).

радж|а̀ *м.*, -**й** rajah.

радиа̀л|ен *прил.*, -**на**, -**но**, -**ни** radial.

радиа̀н *м.*, -**и**, (**два**) **радиа̀на** *мат.* radian.

радиа̀тор *м.*, -**и**, (**два**) **радиа̀тора** radiator.

радиацио̀н|ен *прил.*, -**на**, -**но**, -**ни** radiative, radiation (*attr.*); **мерки за** ~**на защита** radiological countermeasures;

~**но поражение** radiation damages.

радиа̀ция *ж.*, *само ед.* *физ.* radiation.

ра̀ди|й (-**ят**) *м.*, *само ед.* *хим.* radium.

радика̀л[1] *м.*, -**и**, (**два**) **радика̀ла** *хим.*, *мат.* radical.

радика̀л[2] *м.*, -**и** *полит.* radical.

радика̀л|ен *прил.*, -**на**, -**но**, -**ни** **1.** *полит.* radical; **2.** (*основен, коренен*) radical, basic; drastic; thorough-going; all-out; **взeмам** ~**ни мерки** take drastic measures; ~**ни промени** sweeping changes.

радикализѝрам *гл.* radicalize.

радикалѝз|ъм (-**мът**) *м.*, *само ед.* *полит.* radicalism.

радикулѝт *м.*, *само ед.* *мед.* radiculi-tis.

ра̀дио *ср.*, *само ед.* radio, wireless; (*апарат*) radio/wireless set; receiver; (*без усилвател*) tuner; **по** ~**то** over/ on the radio; by radio; on the air; **пре-давам нещо по** ~**то** broadcast s.th.

ра̀диоактѝв|ен *прил.*, -**на**, -**но**, -**ни** *физ.*, *хим.* radioactive; ~**ен прах** fall-out; ~**ни отпадъци** radioactive debris/ waste; ~**но заразяване** radioactive contamination.

ра̀диоактѝвност *ж.*, *само ед.* *физ.* radioactivity; **измерване на** ~ radioas-say; ~ **в атмосферата** airborne radio-activity.

ра̀диоаку̀стика *ж.*, *само ед.* radio-acoustics.

ра̀диоаку̀стич|ен *прил.*, -**на**, -**но**, -**ни** radioacoustic.

ра̀диоапара̀т *м.*, -**и**, (**два**) **ра̀диоапа-ра̀та** radio/wireless set; *разг.* radio; (*приемник*) receiver, receiving set.

ра̀диоаппарату̀ра *ж.*, *само ед.* radio equipment.

ра̀диовръ̀зк|а *ж.*, -**и** radio communi-cation; communication by radio.

ра̀диовъ̀з|ел *м.*, -**ли**, (**два**) **ра̀дио-възела** *техн.* radio-centre.

ра̀диовълн|а̀ *ж.*, -**й** *физ.* radio-wave.

ра̀диоговорѝтел (-**ят**) *м.*, -**и**; **ра̀дио-говорѝтелк|а** *ж.*, -**и** announcer; speaker.

ра̀диогра̀м|а *ж.*, -**и** radiogram; wire-less message; *амер.* radiotelegram.

ра̀диограмофо̀н *м.*, -**и**, (**два**) **ра̀дио-грамофо̀на** radiogram.

радиогра̀ф *м.*, -**и**, (**два**) **радиогра̀фа** radiograph.

радиогра̀фия *ж.*, *само ед.* *мед.* ra-

diography.

ра̀диодиапазо̀н *м.*, -и, (два) ра̀дио-
диапазо̀на radio(-frequency) range.

ра̀диоелектро̀ника *ж.*, *само ед.* ra-
dioelectronics, radiotronics, communi-
cations-electronics; **космѝческа ~** as-
tronics.

ра̀диоизлъ̀чване *ср.*, *само ед.* radio-
frequency radiation/emission.

ра̀диоизото̀п *м.*, -и, (два) ра̀диоизо-
то̀па radioisotope.

ра̀диоимпу̀лс *м.*, -и, (два) ра̀диоим-
пу̀лса radio-frequency pulse.

ра̀диоинженѐр *м.*, -и radio engineer.

ра̀диокана̀л *м.*, -и, (два) ра̀диокана̀-
ла radio channel/link.

ра̀диокасетофо̀н *м.*, -и, (два) ра̀дио-
касетофо̀на radio cassette-recorder.

ра̀диокомпа̀с *м.*, -и, (два) ра̀диоком-
па̀са radio compass; direction finder.

ра̀диола̀мп|а *ж.*, -и radio-valve, *амер.*
radio-tube.

радиолѝза *ж.*, *само ед.* хим. radioly-
sis; radiolytic decomposition.

ра̀диолока̀тор *м.*, -и, (два) ра̀диоло-
ка̀тора radiolocator, radar.

ра̀диолокацио̀н|ен *прил.*, -на, -но,
-ни radiolocating; radar (*attr.*); **~на ка-
бѝна** radar compartment; **~но насо̀ч-
ване** radar guidance.

ра̀диолока̀ция *ж.*, *само ед.* radio-
location, radar.

ра̀диолуминесцѐнция *ж.*, *само ед.*
radioluminescence.

ра̀диолъ̀ч *м.*, -и, (два) ра̀диолъ̀ча ra-
dio beam.

ра̀диолюбѝтел (-ят) *м.*, -и radio-fan/
-amateur, ham.

ра̀диолюбѝтелск|и *прил.*, -а, -о, -и:
~а ста̀нция amateur radio.

ра̀диома̀я|к *м.*, -ци, (два) ра̀диома̀я-
ка radio beacon.

ра̀диометеороло̀гия *ж.*, *само ед.* ra-
diometeorology.

ра̀диометрѝч|ен *прил.*, -на, -но, -ни
radiometric.

радиомѐтрия *ж.*, *само ед.* radiometry.

радиомѐт|ър *м.*, -ри, (два) радиомѐ-
търа radiometer.

ра̀диомрѐж|а *ж.*, -и radio network.

ра̀дионавига̀ция *ж.*, *само ед.* radio-
navigation.

ра̀диопеленга̀тор *м.*, -и, (два) ра̀дио-
пеленга̀тора radio direction finder.

ра̀диопеленга̀ция *ж.*, *само ед.* radio

direction finding.

ра̀диопиѐс|а *ж.*, -и radio-play; radio-
sketch.

ра̀диопреда̀ван|е *ср.*, -ия (radio) trans-
mission; broadcast(ing).

ра̀диопредава̀тел (-ят) *м.*, -и, (два)
ра̀диопредава̀теля (radio/wireless)
transmitter, emitting station.

ра̀диопредава̀тел|ен *прил.*, -на, -но,
-ни (radio) transmitting, (radio) broad-
casting.

ра̀диоприѐмане *ср.*, *само ед.* radio-
receiving, radio reception.

ра̀диоприѐмни|к *м.*, -ци, (два) ра̀-
диоприѐмника (radio) receiving set,
(wireless/radio) receiver; **криста̀лен/
детѐкторен ~к** crystal set.

ра̀диопрогра̀м|а *ж.*, -и radio pro-
gram(me).

ра̀диоразпръ̀скване *ср.*, *само ед.*
broadcasting.

ра̀диорелѐ|ен *прил.*, -йна, -йно, -йни
radio-relay; **~йни систѐми** radio link
systems.

ра̀диосигна̀л *м.*, -и, (два) ра̀диосиг-
на̀ла radiosignal.

радиоско̀п *м.*, -и, (два) радиоско̀па
radioscope.

радиоско̀пия *ж.*, *само ед.* radioscopy.

ра̀диослуша̀лк|а *ж.*, -и (radio-)ear-
phone(s).

ра̀диослуша̀тел (-ят) *м.*, -и; ра̀дио-
слуша̀телк|а *ж.*, -и (radio) listener.

ра̀диосмущѐния *само мн.* radio-fer-
quency interference.

ра̀диосо̀нд|а *ж.*, -и radiosonde.

ра̀диоспектрогра̀ф *м.*, -и, (два) ра̀-
диоспектрогра̀фа radiospectrograph.

ра̀диоспектроско̀п *м.*, -и, (два) ра̀-
диоспектроско̀па radiospectroscope.

ра̀диоста̀нци|я *ж.*, -и radio/wireless
station; transmitting station, transmit-
ter; **похо̀дна ~я** wireless sender; **засѐч-
на ~я** direction finder station.

ра̀диотеа̀т|ър *м.*, -ри, (два) ра̀дио-
теа̀търа theatre on the air.

ра̀диотелегра̀м|а *ж.*, -и radiogram;
амер. radiotelegram.

ра̀диотелегра̀ф *м.*, -и, (два) ра̀дио-
телегра̀фа wireless; wireless/radio tele-
graph.

ра̀диотелемѐтрия *ж.*, *само ед.* ra-
diotelemetry.

ра̀диотелеско̀п *м.*, -и, (два) ра̀дио-
телеско̀па radiotelescope.

ра̀диотелефо̀н *м.*, -и, (два) ра̀дио-
телефо̀на radiotelephone, radiophone;
портатѝвен ~ *амер. sl.* walkie-talkie.

ра̀диотерапѐвт *м.*, -и radiotherapist.

ра̀диотерапевтѝч|ен *прил.*, -на, -но,
-ни radiotherapeutic.

ра̀диотера̀пия *ж.*, *само ед.* мед. ra-
diotherapy.

ра̀диотехнѝ|к *м.*, -ци wireless/radio
mechanic.,

ра̀диотѐхника *ж.*, *само ед.* radiotech-
nics, radio-engineering.

ра̀диотехнѝческ|и *прил.*, -а, -о, -и
radiotechnical.

ра̀диото̀чк|а *ж.*, -и radio-rediffusion
set, wired-radio outlet.

ра̀диотранслацио̀н|ен *прил.*, -на,
-но, -ни radio-relaying.

ра̀диотрансла̀ция *ж.*, *само ед.* re-
broadcasting.

ра̀диоуправлѐние *ср.*, *само ед.* radio
control.

ра̀диоурѐдба *ж.*, *само ед.* radio net-
work; (*във влак*) train radio; (*високо-
говорѝтелна*) loudspeaker system.

ра̀диофа̀р *м.*, -ове, (два) ра̀диофа̀ра
radio beacon; **импу̀лсен ~** pulse-type
radio beacon; **насо̀чващ ~** homing
beacon.

ра̀диофѝзика *ж.*, *само ед.* radio-
physics.

радиофика̀ция *ж.*, *само ед.* installa-
tion of radio/wireless sets; installation
of loudspeaker systems; public address
system.

радиофицѝрам *гл.* install radio sets/
loudspeakers in.

ра̀диофо̀ния *ж.*, *само ед.* radiophony.

ра̀диохимѝч|ен *прил.*, -на, -но, -ни
radiochemical.

ра̀диохѝмия *ж.*, *само ед.* radiochem-
istry.

ра̀диохо̀р *м.*, -ове, (два) радиохо̀ра
radio choir.

ра̀диоцѐнт|ър *м.*, -рове, (два) ра̀дио-
цѐнтъра radio/wireless centre, broad-
casting centre.

ра̀диоча̀с *м.*, -овѐ, (два) ра̀диоча̀са
feature programme; **детски ~** children's
hour.

ра̀диочестот|а̀ *ж.*, -ѝ *физ.* radio-fre-
quency.

радиошу̀м *м.*, *само ед.* hum, radio
noise.

радѝст *м.*, -и; **радѝстк|а** *ж.*, -и ra-

dio/wireless operator.

ра̀диус *м.*, -и, (два) ра̀диуса *обикн. ед. геом.* radius, *pl.* radii; ~ **на дейст-вие** *воен.* tactical radius; (на оръжие) range.

ра̀дост *ж.*, -и joy, gladness; delight; felicity; *остар.* gladsomeness; glee, gleefulness; **деля ~и и скърби** share weal and woe; **преизпълнен с ~** overjoyed; gleeful; full of glee; ~ **вкъщи** a happy event; *ирон.* what a blasted nuisance, now we're landed.

ра̀дост|ен *прил.*, -на, -но, -ни glad, joyful, joyous; gleeful; of joy/delight; *остар.* gladsome; ~**но известие** glad/happy news; glad tidings.

ра̀достно *нареч.* joyfully, joyously; gleefully; with joy/delight, delightedly.

раду̀ш|ен *прил.*, -на, -но, -ни cordial, hearty; warm; sincere.

раждаѐмост *ж.*, *само ед.* birth-rate, natality; **ограничаване на ~та** birth control; **поощрявам ~та** encourage births.

ра̀ждам, родя̀ *гл.* **1.** bear, give birth to; bring into the world; be in childbed; (за земя, растение и пр.) produce, yield; (за страна) produce; (за животно) bring forth young; drop; throw; **тя роди син** she gave birth to a son; **тя ще ражда** she is near her time, she has reached her time; **2.** *прен.* (пораждам) give rise to; generate; || ~ **се** be born; come into the world, see the light of day; (за растения) grow; **родил му се е син** a son was born to him; **родих се с тази електрическа печка** *прен.* this electric stove is a real blessing/boon.

ра̀ждан|е *ср.*, -ия birth; childbirth; child-bearing; confinement; (освобождаване от бременност) delivery; *мед.* parturition; (при животни) litter; **статистика на ~ията** birth statistics; **умирам при ~е** die in childbirth.

разбесня̀вам се, разбеснѐя се *възвр. гл.* run amok/amuck; break into a frenzy; get/fly into a rage, *разг.* blow o.'s top.

разбѝвам, разбия̀ *гл.* **1.** break (up), smash, shatter; (врата, каса) break/force open; crack; (магазин и пр.) break into; (стена) break through; (с избухливо вещество) blast; *физ.*, *хим.* split; (почва, път) break/cut up; ~ **ключалка** break/force a lock; ~ **на**

парчета break to pieces; smash to pieces/smithereens; shatter; hack to bits; **2.** (побеждавам, сразявам) defeat, rout, beat; flatten; hammer, thrash; **3.** (яйца и пр.) whip, beat, beat up); **4.** (живот) wreck; (надежди) shatter, dash; (сърце) break; || ~ **се** crash, shatter, break; (за вълни) break (o against, on); (за кораб) be wrecked; (за самолет) crash; ~ **се о скали** founder on rocks.

разбѝване *ср.*, *само ед.* breaking (up), smashing, shattering; ~ **на атома** *физ.* splitting of the atom, atomic fission.

разбинто̀вам *гл.* undress, take off/remove the bandage from.

разбира̀ем *прил.* comprehensible, understandable, intelligible; (ясен) clear, lucid; perspicuous.

разбѝрам, разбера̀ *гл.* **1.** understand, comprehend; make out; get it right; *разг.* get; catch on; (следя мисълта на) follow; (схващам, осъзнавам) realize, see; (откривам) find out; (хитрина и пр.) see through; **не знам как да ~ всичко това** I don't know what to make of all this/of it all; ~ **какво искате да кажете** I see your point; ~ **колко струва някой** size s.o. up, get s.o.'s number; ~ **намека** take the message/hint; ~ **смисъла на** make sense of; **2.** (имам мнение за, преценявам) see, look at; ~ **нещата иначе** I take a different view of things; **3.** (споделям, съчувствам) understand, be in sympathy with; **4.** (~ от) understand, have a knowledge/grasp of, be a judge o, be skilled inf; (оценявам) appreciate; (бива ме за) know about, be good at, be (well) versed in; **не ~ от тия работи** this is not in my line; ~ **от работата си** be up to o.'s work, *разг.* know o.'s stuff/onions; **той не разбира от дума** he won't listen to reason; **5.** (~ от, имам полза от) profit by; **не си разбрах от почивката** my holiday was anything but a rest; || ~ **се 1.** (спогаждам се) get on/along (c with), hit it off; (споразумявам се) come to terms/to an agreement, agree (c with); (напълно съм съгласен) see eye to eye (c with); **най-после се разбрахме** we finally reached an agreement; ~ **се с някого** da arrange/settle with s.o. to; **2.** *само 3 л.* **ако разбирате какво искам да кажа** if you see what I mean, if you

follow me; **разбира се** certainly, naturally, sure, definitely, of course, by all means; *амер. разг.* you bet; **това се разбира от само себе си** it goes without saying, it stands to reason; ● **давам някому да разбере** 1) make it clear to s.o. (that); 2) (сгълчавам) tick s.o. off; teach/give s.o. a lesson; sort s.o. out.

разбѝран|е *ср.*, -ия understanding, comprehension; (схващане) concept; conception; (проникновение) insight (на into); ~**ия** views, convictions.

разбира̀телство *ср.*, *само ед.* understanding; agreement; fellowship; (добра воля) good will; **живея в ~ с** live/be on good terms with.

разбѝт *мин. страд. прич.* (и като прил.) broken up/down; ~ **от скръб** crushed by grief; ~ **път** a bumpy/pot-holed road; ~**и яйца** beaten up eggs; c ~**о сърце** with a broken heart.

разбо̀йни|к *м.*, -ци **1.** robber, brigand; bandit, highwayman; (крадец) burglar; house-breaker; *морски* ~**к** pirate, sea-robber; **2.** *прен.* scoundrel, villain; (за дете) *шег.* scamp.

разбо̀йническ|и₁ *прил.*, -а, -о, -и brigandish; piratic.

разбо̀йнически₂ *нареч.* like a bandit.

разболя̀вам, разболѐя *гл.* make (s.o.) ill; || ~ **се** fall/get ill/*амер.* sick; be taken ill/*амер.* sick (от with); *sl.* conk out; (хващам) get; develop, be affected with; ~ **се от морска болест** become seasick; ~ **се тежко** be taken gravely ill, fall gravely ill.

разбо̀р *м.*, -и, (два) разбо̀ра *обикн. ед.* analysis, *pl.* analyses; *език.* parsing; *воен.* (на занятие, учение) critique; **правя ~ на език** parse, construe.

разбра̀н *мин. страд. прич.* **1.** understood, realized; (схванат) grasped; **2.** (разумен, сговорчив) sensible, reasonable, understanding; amenable to reason; open to conviction; **3.** (ясен) simple, clear.

разбу̀ждам, разбу̀дя *гл.* wake up, awaken, rouse (from sleep); || ~ **се** wake up, awake.

разбу̀лвам, разбу̀ля *гл.* unveil; (тайна и пр.) disclose, reveal; demystify; (загадка, мистерия) unravel.

разбу̀лване *ср.*, *само ед.* unveiling; disclosure; unravelment; demystification; clear-up.

разбунтувам *гл.* excite to rebellion/ *воен.* mutiny/revolt; urge/rouse to rebellion; stir up; || ~ **се** rise (in revolt/ rebellion), revolt, rebel; *воен.* mutiny.

разбунтувал се *мин. св. деят. прич.* (*народ и пр.*) rebel, rebellious, *воен.* mutinous.

разбунтуване *ср., само ед.* 1. (*подбуждане към бунт*) stirring up; 2. (*бунт*) revolt, rebellion; (*воен.*) mutiny.

разбутвам, разбутам *гл.* 1. shove/ push aside/asunder/away; 2. (*разбърквам, разхвърлям*) disarrange, turn topsy-turvy, rake up, mess up, mess about with.

разбушувам се *възвр. гл.* begin to rage/bluster; (*за море*) run high.

разбъбрям се, разбъбря се *възвр. гл.* begin prattling/babbling/jabbering; prattle/babble away.

разбързвам се, разбързам се *възвр. гл.* bestir o.s., bustle about, hurry; **защо сте се разбързали?** why all this hurry?

разбъркан *мин. страд. прич.* (*и като прил.*) stirred, unarrayed; (*разхвърлян*) untidy; in a mess; (*за коса*) disarranged; (*за сънища*) confused; **~о положение** a mix-up.

разбърквам, разбъркам *гл.* 1. stir/ shake up; ~ **бетон** batch concrete; 2. (*смесвам*) mix (up, together); 3. (*карти и пр.*) shuffle; 4. disarrange, derange, throw into disorder/confusion, confuse, upset, disturb; jumble (up, together); turn upside-down; (*планове и пр.*) upset; ~ **ума на някого** unsettle/perturb s.o.'s mind; || ~ **се** get/ become confused; get mixed up.

разбъркване *ср., само ед.* stirring; mixing; confusion, disarrangement, derangement, disorder; *техн.* agitation; (*на карти*) shuffle.

разбягвам се, разбягам се *възвр. гл.* take to flight, flee in disorder; take to o.'s heels; disperse; scamper (away).

развален *мин. страд. прич.* (*и като прил.*) 1. (*за храна, плодове*) spoilt, gone bad, decayed; (*воняш*) putrid; (*за въздух*) stuffy, foul, vitiated; (*за яйце*) bad, addled, rotten; **месото е малко ~о** the meat is a bit off, the meat is slightly tainted; **миризма на ~о** a musty smell; 2. (*повреден*) damaged, out of order/repair, in bad repair; **със-**

сем ~ beyond repair; 3. (*разрушен*) destroyed; demolished; 4. (*безнравствен*) corrupt, depraved; **~а жена** a loose woman; • ~ **договор** a broken contract; **~и пари** change.

развалин|а *ж.,* **-и** 1. (*сграда*) ruin; *pl.* ruins, remains, (*от сграда*) debris, rubble; **градът е в ~и** the town lies in ruins; 2. *прен.* wreck; **той е вече ~а** he is the shadow of his former/previous self.

развалям, разваля *гл.* 1. spoil, impair, mar; (*вида, ефекта*) disfigure; (*съсипвам*) ruin; (*въздух и пр.*) vitiate, contaminate; (*вкус*) spoil, vitiate; (*стомах*) upset, disorder; (*повреждам*) damage; ~ **апетита си** spoil o.'s appetite; ~ **комплект** damage a set; ~ **фигурата си** lose o.'s figure; 2. (*разрушавам*) pull down, destroy, demolish; 3. (*разтурям, осуетявам*) (*сдружение*) dissolve; (*договор*) break; disaffirm; (*годеж*) break off; (*приятелство*) sever, break; ~ **дом/семейство** break up a home/family; 4. (*нарушавам, разстройвам*) spoil, mar; upset; disturb; put a damper (on); ~ **впечатлението от** spoil the effect of; ~ **плановете на някого** upset s.o.'s apple-cart; ~ **спокойствието на някого** disturb s.o.'s; 5. (*морално*) corrupt, deprave, debauch; 6. (*пари*) change, break; || ~ **се** 1. go/get bad; *разг.* go to the dogs; go to pot; (*влошавам се*) deteriorate, become worse; (*за продукти и пр.*) spoil, perish; (*за месо*) taint; (*за вода*) putrefy; **настроението му се развали** his spirits fell, he got out of humour; **тази храна не се разваля лесно** this food will keep; 2. (*погрознявам*) lose o.'s looks; 3. (*за време*) break.

разваляне *ср., само ед.* spoiling; подлежащ на ~ (*за стоки, храна и пр.*) perishable; ~ **на времето** break in the weather.

разварявам, разваря *гл.* boil soft; overboil; || ~ **се** boil soft; ~ **се много добре** boil to rags/shreds.

разведен *мин. страд. прич.* 1. (*разделен*) divorced; separated; 2. *като същ.* divorcé, (*за жена*) divorcée.

разведрявам, разведря *гл.* clear (up), brighten; enliven; (*човек*) cheer up; || ~ **се** brighten, cheer up; refresh o.s.; (*за*

чело clear; (*за време*) clear (up), brighten; (*за небето и*) become serene.

разведряване *ср., само ед.* clearing; fair weather; *полит.* detente; ~ **на атмосферата** *прен.* easing up of the atmosphere.

развеждам, разведа *гл.* 1. (*водя*) take/ show/conduct round; (*кон*) walk; guide (about); 2. (*съпрузи*) divorce; || ~ **се** divorce; get a divorce; **той се разведе с жена си** he divorced his wife, he got divorced from his wife.

развеждане *ср., само ед.* 1. (*развод*) divorcing; divorce; 2. (*водене*) showing/taking round; guiding.

развейпрах *м. неизм.* harum-scarum (fellow); flyaway; flibbertigibbet; freebooter; (*прахосник*) spendthrift, squanderer, wastrel; play-boy.

развенчавам, развенчая *гл.* 1. depose, dethrone, uncrown; *разг.* debunk; 2. (*разделям*) divorce, separate.

развеселен *мин. страд. прич.* cheered up, cheerful, merry, gay; in high spirits; elated; exhilarated.

развеселявам, развеселя *гл.* cheer up, brighten, exhilarate; raise the spirits of; gladden; || ~ **се** cheer up, brighten.

развивам, развия *гл.* 1. develop; (*спомагам за развитието на*) cultivate; promote; educate; ~ **въпрос/тема** talk/ write on a subject; elaborate a subject; enlarge on/upon a subject; ~ **културна дейност** engage in/carry out cultural activities; ~ **скорост** gather/speed, put on speed; 2. (*отвивам*) unwind, untwist, unroll, untwine, disentwine, unreel, uncoil; reel off; wind off; (*знаме*) unfurl; (*пакет и пр.*) unwrap, undo; (*бурма*) unscrew; (*завит човек*) uncover; 3. (*листа, пъпки*) put forth; || ~ **се** 1. develop (в into); (*напредвам*) advance; ~ **се с бавни темпове** (*за страна, икономика*) be in the slow lane; 2. come/wind off; come unwound/ unreeled/unwrapped; uncoil, unroll; (*откривам се*) uncover o.s.; 3. (*за пъпка*) open; (*за дърво*) come into leaf; 4. (*ставам*) take place; **действието се развива в Ирландия** the action is laid/set in Ireland; **оставям нещата да се развиват сами** let things drift, let things take their course; **събитията се развиват благоприятно/неблагоприятно** events are taking a favoura-

ble/an unfavourable turn.

развиделява се, развиделее се и **развиделѝ се** *безл. възвр. гл.* dawn/day is breaking, day is dawning.

развиделяване *ср., само ед.* dawning, dawn; daybreak.

развиквам се, развикам се *възвр. гл.* break/burst into cries/shouts; (*карам се*) *разг.* raise a hullabaloo; kick up a row.

развилнявам се, развилнея се *възвр. гл.* (begin to) rage, bluster; fly into a rage; (*за деца*) romp about; run wild.

развинтвам, развинтя *гл.* unscrew; loosen; (*болт*) unbolt, withdraw the bolts from; || ~ **се** come/be unscrewed, unscrew; become loose.

развинтен *мин. страд. прич. (и като прил.)* unscrewed; (*отчасти*) loosened, loose, slack; ● ~**а фантазия** exuberant imagination; dirty/perverted mind.

развит *мин. страд. прич. (и като прил.)* **1.** (*физически*) well-built/-developed; strong, sturdy, robust; **напълно** ~ full-grown, full(y)-fledged; ~**и мускули** strong/well-developed muscles; **2.** (*напреднал*) advanced; developed; (*за вкус и пр.*) cultivated; **3.** (*отвит*) unwound, unrolled, unreeled, uncoiled; wound off; **4.** (*открит*) uncovered; bare.

развитие *ср., само ед.* development, growth; follow-on; (*напредък*) advance; progress; (*на болест, интрига и пр.*) progress.

развихрям, развихря *гл.* unleash, unchain; fan; || ~ **се** rage; storm; (*за страсти*) run high; (*действам енергично*) get into o.'s stride.

развлекател|**ен** *прил.*, -**на**, -**но**, -**ни**: ~**на програма/книга** *разг.* middlebrow.

развлечени|**е** *ср.*, -**я** amusement, entertainment; diversion; distraction; pastime; dissipation; **за** ~**е** for fun.

развличам, развлека *гл.* entertain, amuse; (*разсейвам*) divert, distract; || ~ **се 1.** amuse o.s.; have a nice/good time, have fun; **2.** (*разтакавам се*) dally; waste o.'s time, idle o.'s time away.

развод₁ *м.*, -**и**, (**два**) **развода** divorce; **дело за** ~ divorce suit; ~ **по взаимно съгласие** mutual divorce.

развод₂ *м.*, -**и**, (**два**) **развода** change/shift of guards/sentries; posting of sentries.

разводнен *мин. страд. прич.* diluted with water; (*рядък*) thin; *разг.* wishy-washy; *прен.* insipid.

разводнявам, разводня *гл.* dilute with water, water down; *прен.* spin out, water down.

разво|**й** (-**ят**) *м., само ед.* development; (*напредък*) advance, progress.

развонявам се, развоня се *възвр. гл.* begin to stink.

разврат *м., само ед.* lewdness, lechery, depravity, debauchery; depravation, debauchedness; fornication; (*поквара*) corruption.

разврат|**ен** *прил.*, -**на**, -**но**, -**ни** lewd, lecherous, debauched, profligate; depraved; loose, fast; (*покварен*) corrupt.

развратни|**к** *м.*, -**ци** lecher; rake, roué; debauchee; libertine, profligate; fornicator; **стар** ~**к** old goat.

развратнича *гл., мин. св. деят. прич.* **развратничил** lead a depraved life, indulge in debauchery; fornicate.

развращавам, развратя *гл.* debauch, deprave; (*покварявам*) corrupt; || ~ **се** become debauched/depraved/corrupt.

развръзк|**а** *ж.*, -**и** *лит.* dénouement; (*на заплетено положение*) solution; *прен.* outcome, result, issue, conclusion.

развъд|**ен** *прил.*, -**на**, -**но**, -**ни** breeding (*attr.*).

развъдни|**к** *м.*, -**ци**, (**два**) **развъдника** (*за животни*) stock-breeding farm; (*за малки животни, обикн. зайци*) warren; (*за риба*) breeding-pond/-pool; (*на болести и пр.*) breeding-ground/-place, hotbed.

развъждам, развъдя *гл.* (*животни*) raise, breed, rear; || ~ **се** multiply.

развъждане *ср., само ед.* raising, breeding, rearing, growing.

развълнувам *гл.* **1.** agitate, flutter, disturb, excite, upset; (*трогвам*) move, touch; **2.** (*море*) ruffle, make rough; || ~ **се 1.** get/become/be excited/agitated/upset/fluttered/moved/touched; **2.** (*за море*) become rough, rise in waves, surge, billow.

развълнуван *мин. страд. прич.* **1.** excited, agitated; *разг.* hyped-up, hyper; (*трогнат*) moved; **2.** (*за море*) rough, high, choppy.

развързан *мин. страд. прич.* untied;

развързвам, развържа *гл.* untie, unbind, unknot, undo; unfasten; (*възел*) undo; (*разхлабвам*) loose, loosen; (*куче*) unleash; (*обувки*) unlace; ~ **някому ръцете** *прен.* give s.o. a free hand; give s.o. full scope; || ~ **се** get/come undone/untied/loose.

развъртам, развъртвам, развъртявам, развъртя *гл.* **1.** (*винт*) unscrew; (*болт*) unbolt; (*частично*) loosen; **2.** (*размахвам наоколо*) swing (about, around); brandish; || ~ **се** (*работя бързо*) bustle, set to, get going; roll up o.'s sleeves.

развявам, развея *гл.* **1.** (*знаме и пр.*) wave, flourish; *мор.* fly; **2.** (*вея в различни посоки*) blow about; scatter, disperse; || ~ **се 1.** (*за знаме и пр.*) wave, fly, stream; flutter; **2.** (*шляя се*) gad about; *разг.* ponce about/around; ● ~ **байрака си** throw/fling o.'s cap over the windmill.

развят *мин. страд. прич. (и като прил.)*, -**а**, -**о**, **развети** (*за знаме*) hoisted, raised; (*който се вее*) floating, flying; **с развети знамена** with flying colours, with flags flying.

разгадавам, разгадая *гл.* guess; unriddle, unravel, unpuzzle, puzzle out; solve; make out; disentangle; ~ **сънища** read dreams.

разгар *м., само ед.* climax; height; **в** ~**а на сезона** at the height of the season; **в** ~**а на сражението** in the thick/heat/rage of the fight/battle; **работата е в** ~**а си** the work is in full swing.

разгарям, разгоря *гл.* kindle (*и прен.*); *прен.* inflame; rouse, fan; ~ **жажда** make s.o. thirsty; ~ **страстите** fan the passions to a heat; || ~ **се** burn/flare/flame/blaze up; (*за жар*) glow; *прен.* reach o.'s height; run high.

разгащвам, разгащя *гл.* let (s.o.) out of hand; || ~ **се 1.** loosen o.'s belt; **какво си се разгащил?** pull up your trousers; **2.** *прен.* get out of hand; do o.'s work in a slovenly way; be slovenly in o.'s work.

разгласявам, разглася *гл.* announce, make public; proclaim; *разг.* blaze abroad; (*тайна и пр.*) divulge, give away.

разгласяване *ср., само ед.* annunciation; proclamation; divulgence, divulge-

ment; disclosure; publication; ~ **на засекретени сведения** disclosure of classified information.

разглѐждам, разглѐдам *гл.* examine, look at, scrutinize; (*въпрос*) go into, take up, consider, (*подробно*) thresh out; (*случай, заявление, молба, спор*) consider; (*служебно*) inspect; (*изложба*) see; (*къща*) see, go over; (*албум, сметки*) go/look through; (*разисквам*) discuss; view; (*в книга и пр. – за автор*) treat; ~ **дело** *юр.* hear/try a case; ~ **забележителностите на** see the sights of, go sightseeing in; ~ **от всички страни** take an all-round view of; ~ **под микроскоп** study under the microscope.

разглѐждане *ср., само ед.* examination, inspection; (*внимателно*) scrutiny; (*обсъждане*) consideration; treatment; **връщам дело за ново** ~ *юр.* refer a case for reconsideration; ~ **на витрини** window-shopping.

разглѐзвам, разглѐзя *гл.* spoil, indulge, pamper, mollycoddle; || ~ **се** become/get spoiled.

разглѐзен *мин. страд. прич.* spoilt, pampered.

разглобѐн *мин. страд. прич.* disjointed; dismantled; • **чувствам се** ~ feel all-overish/groggy/battered/used up.

разглобявам, разглобя́ *гл.* disjoint, take to pieces; take apart; dismantle; disassemble; disarticulate; dismount; demount; (*монтирано оръдие*) *воен.* strip.

разглобяване *ср., само ед.* disassembly, disarticulation; dismantling, dismounting, knocking down, stripping.

разглобяем *прил.* demountable; dismountable; *разг.* knockdown, takedown; collapsible, collapsible; (*за част*) detachable.

разгневѐн *мин. страд. прич.* angered, angry; enraged; furious; *амер. разг.* snake-headed; ~ **съм** be in a rage, be furious/mad; my blood is up.

разгневявам, разгневя́ *гл.* anger, enrage, make angry, move/rouse/excite to anger, infuriate, incense, exasperate; *разг.* get s.o.'s dander up; throw into a fit/into fits; || ~ **се** get/become angry; fly into a passion/rage; flare up; *разг.* get o.'s dander up; have/throw a fit; *амер. разг.* get on o.'s ears.

разгова̀рям₁ *гл.* talk (**с** to, with), converse (with); speak (to, with); ~ **с някого** have a talk with s.o.; **умея да** ~ be a good conversationalist; || ~ **се 1.** talk, chat; have a talk/chat (с with); **2.** get talking.

разгова̀рям₂, разгово̀ря *гл.* **1.** engage s.o. in conversation; **2.** (*развличам с разговор*) entertain with talk.

разгова̀ряне *ср., само ед.* talking, speaking; (*разговор*) conversation, talk.

ра̀зговор *м.*, **-и, (два) ра̀зговора** conversation, talk; discourse; (*непринуден*) chat; (*по телефона*) call; **водя** ~ carry on a conversation; ~ **насаме** face-to-face talk; **служебен телефонен** ~ business call.

разгово̀р|ен *прил.*, **-на, -но, -ни 1.** (*употребяван при разговор*) colloquial; **~ен израз/дума** colloquialism; **2.** (*който се отнася до разговор*) conversational.

разговорли́в *прил.* talkative; loquacious; communicative.

разгово̀рни|к *м.*, **-ци, (два) разгово̀рника** phrase-book.

разго̀лвам, разго̀ля *гл.* **1.** bare, uncover; **2.** (*обличам леко*) dress too lightly; **3.** *прен.* lay bare, unmask; || ~ **се 1.** bare/uncover o.s., strip; **2.** dress too lightly.

разго̀лен *мин. страд. прич.* bared; bare; (*гол*) naked; nude.

разго̀нвам, разго̀ня *гл.* drive/chase away; disperse, scatter; (*мисли и пр.*) dispel; (*облаци и пр.*) dissipate; • ~ **някому фамилията** make it hot for s.o., give it s.o. hot.

разго̀нвам се, разго̀ня се *възвр. гл.* (*за животно*) come into its/the mating season, come in season.

разго̀нване *ср., само ед.* **1.** driving away; **2.** (*при животни*) ruttishness, heat; oestrus; **период на** ~ mating season.

разгорещѐн *мин. страд. прич.* heated (*и прен.*); all in a glow; hot, warm; *прен.* ardent, fervent, fervid, flaming, passionate, fiery.

разгорещя́вам, разгорещя́ *гл.* **1.** heat; make hot; **2.** *прен.* kindle, inflame, rouse, excite; || ~ **се 1.** become/get hot; **2.** *прен.* warm up; get into a state, get all worked up; (*за спор, страсти*) run high, flare up.

разгра̀бвам, разгра̀бя *гл.* **1.** sack, plunder, pillage, ransack, loot; despoil; (*грабвам*) snatch, grab; **разграбиха вещите му** they stripped him of his belongings; they ransacked his house; **2.** (*покупки*) buy/grab/snap/snatch up; **книгата се разграбва като топъл хляб** the book sells like hot cakes, there is a run on the book.

разградѐн *мин. страд. прич.* unfenced; fenceless.

разгра̀ждам, разградя́ *гл.* pull/take down the fence/wall of; remove the fence of, open up.

разграничавам, разграничѝ *гл.* **1.** delimit, demarcate, draw a/the line (between), mark off; ~ **функциите** determine the spheres of action; **2.** (*различавам*) differentiate; distinguish, discriminate (between); contradistinguish; **3.** (*разделям*) dissociate.

разграничѐни|е *ср.*, **-я** delimitation, demarcation; distinction; discrimination; differentiation; contradistinction; **правя тънки** ~**я** refine (on, upon), *разг.* split hairs.

разграничѝм *сег. страд. прич.* differentiable, distinguishable.

разграничѝтел (-ят) *м.*, **-и, (два) разграничѝтеля** delimiter.

разграничѝтел|ен *прил.*, **-на, -но, -ни** demarcating, demarcation (*attr.*); delimitative; (*отличителен*) distinctive; discriminative, discriminatory; differential; contradistinctive.

разграфя́вам, разграфя́ *гл.* rule; divide into columns; (*градуирам*) graduate.

разгро̀м *м., само ед.* rout, utter defeat; debacle; *амер.* throw-down.

разгромя́вам, разгромя́ *гл.* rout, put to rout; defeat (utterly, completely), annihilate, smash; flatten; *разг.* make a pig's ear of; *австр. sl.* donkey-lick; ~ **метеж** smash a revolt.

разгръщам, разгъ́рна *гл.* **1.** unfold; unroll; (*книга*) open; (*вестник, дреха, ръце*) spread out; **2.** (*отмахвам встрани – клони и пр.*) push aside; **3.** (*показвам, проявявам*) show, display; (*дейност*) carry out; (*способност*) develop; **4.** *воен.* deploy, extend.

разгу́л|ен *прил.*, **-на, -но, -ни** dissipated, loose, dissolute, licentious, rackety, raffish; debauched.

разгъвам, разгъна *гл.* **1.** unfold, open; spread (out); (*пакет и пр.*) unwrap; unpack; (*знаме, корабно платно и пр.*) unfurl; **2.** *воен.* deploy; extend; **3.** (*развивам*) develop; (*агитация и пр.*) carry out; || **~ се** unfold; spread open; (*за знаме, корабно платно и пр.*) unfurl.

разгънат *мин. страд. прич.* (*и като прил.*) unfolded; spread out; *воен.* extended; **в ~ строй** in open formation; in extended order.

раздавам, раздам *гл.* distribute (to, among), hand out, give out; *разг.* dish out; (*подарявам*) give away; (*карти*) deal (out); (*храна*) serve, dish out; (*помощи*) dole out; (*правосъдие*) administer, dispense; deal out; (*награди*) give, present (**на** to), confer (**на** on, upon); (*оръжие и пр.*) issue; || **~ се 1.** (*за звук*) be heard, ring out, resound; sound; (*за гръм*) roar, crash; **раздаде се вик** a cry rang out, a cry was heard; **2.** *прен.* not spare o.s.

раздаване *ср., само ед.* distributing; distribution; (*на карти*) deal; (*на правосъдие*) administration; (*на награди и пр.*) presentation; (*на писма*) delivery; **~ на дипломи** graduation ceremonies, presentation of degrees.

раздавач *м., -и* postman, letter-carrier; *амер.* mailman; (*на телеграми*) telegraph messenger.

раздалечавам, раздалеча *гл.* set wide apart, set at a distance, pull/draw apart; move apart.

раздвижвам, раздвижа *гл.* **1.** move, stir; set in motion; **2.** *прен.* stir, stir into action, stir up (to activity), excite, rouse; fillip, give a fillip to; || **~ се** stir, bestir o.s., get going; *шег.* get a move on.

раздвижване *ср., само ед.* moving, stirring; movement; fillip; *прен.* animation; **~ на войски** troop movements.

раздвижен *мин. страд. прич.* (*и като прил.*) varied; dynamic, vigorous; *архит.* broken up.

раздвоен *мин. страд. прич.* (*и като прил.*) **1.** bifurcate(d), furcated, forked; (*за копито*) cloven; *бот.* dichotomous, furcate; (*разполовен*) bisected; **2.** *прен.* divided; split; **~ съм** be in two minds, be in a state of uncertainty, be in a cleft stick; waver; be divided in o.'s mind/in purpose; **~о съзнание** *псих.*

divided mind.

раздвоение *ср., само ед.;* **раздвоеност** *ж., само ед.* **1.** bifurcation, divarication, furcation; **2.** *прен.* split mind, divided purpose; **~ на личността** *псих.* split personality.

раздвоявам, раздвоя *гл.* bifurcate; (*разделям на две*) split, divide in two; (*разцепвам*) cleave; rive; || **~ се 1.** bifurcate, fork; (*разцепвам се*) split; **2.** (*за човек*) be divided in o.'s mind.

раздел *м., -и,* (*два*) **раздела** section; division; part, partition.

разделение *ср., -я* division, separation; (*разцепление*) cleavage; **~е на властите** separation/division of power.

разделителен *прил., -на, -но, -ни* **1.** *език.* disjunctive; **2.** (*който разделя*) dividing, division (*attr.*); **~на стена** a partitioning wall; partition.

разделям, разделя *гл.* **1.** (*деля на части*) divide (**на** into); **~ на части** parcel out, break up; (*територия, наследство*) divide; *разг.* carve up; **2.** (*разпределям, раздавам*) divide; distribute; share (out); partition, apportion; (*храна и пр.*) portion out; (*сума и пр.*) split up (**между** between); **3.** (*чрез преграда*) partition (off), box off; *техн.* disjoin, disconnect, uncouple, ungear; **4.** (*класирам*) divide, classify; **5.** *мат.* divide; **~ десет на две** divide ten by two; **6.** *прен.* (*внасям разединение*) set at variance; disunite, split; || **~ се 1.** (*деля се на части*) divide, be separated (into); branch; split; **пътят се разделя на две** the road forks; **2.** (*отделям се*) part, separate (*и за съпрузи*); sever; part company; **разделихме се като добри приятели** we parted good friends; **~ се с** part from, (*с предмет*) part with; **3.** *мат.* divide (**на** by), be divisible (by); ● **пътищата ни се разделят** that's where we part.

раздирам, раздера *гл.* **1.** tear (**на парчета** to pieces); rend asunder, tear up; **2.** (*разранявам*) tear, lacerate; **3.** *прен.* rend; (*за кашлица*) tear.

раздор *м., само ед.* discord, dissension; **сея ~и** sow the seeds of discord/dissension, stir up trouble; ● **ябълка на ~a** an apple of discord, a bone of contention.

раздразнен *мин. страд. прич.* sore,

worked-up; edgy; vexed; disgruntled; exacerbated, exasperated; galled; *разг.* het up, uptight, rattled, narked, ratty, peeved; cheesed-off, in a chafe; *sl.* pissed.

раздразнение *ср., -я* irritation, exasperation, rattiness, fit of nerves, vexation; **в състояние на силно ~е** under severe provocation.

раздразнителен *прил., -на, -но, -ни* irritable, fractious, short-tempered, edgy, petulant, peevish, pettish, testy, fretful, querulous, irascible; prone to anger; crabbed, crabby; *разг.* antsy, tetchy.

раздразням и раздразвам, раздразня *гл.* irritate (*и рана*), annoy, gall, exacerbate; exasperate; disgruntle; ruffle s.o.'s temper, rattle s.o.'s cage; set o.'s nerves on edge; put out, tease, provoke; *разг.* gravel; (*любопитство*) pique, arouse; **~ апетита** whet/stimulate the appetite; || **~ се** get irritated/annoyed; chafe, fret; (*за куче*) get angry.

раздробявам, раздробя *гл.* break to pieces, break up small, break; (*имот*) fragment, parcel out, subdivide; comminute; (*фино*) dispergate; granulate.

раздробяване *ср., само ед.* fragmentation, parcellation; granulation; shredding, breaking; crushing; disintegration; **фино ~** *техн.* fine crushing.

раздрусвам, раздрусам *гл.* shake (*и прен.*); concuss; (*за кола*) jolt; **~ леко** joggle.

раздрусване *ср., само ед.* shake up, jolt; concussion.

раздрънкан *мин. страд. прич.* (*и като прил.*) (*за кола*) rickety, crazy, beaten-up; clapped-out; **~а кола** jalopy; flivver; (*за машина*) cranky, jangling; (*за пиано*) jangly, jangled; (*за нерви*) jangled, unstrung, shattered.

раздрънквам, раздрънкам *гл.* **1.** (*разхлопвам, развалям*) batter (to pieces); (*пиано*) make jangly; **2.** (*за кола*) jolt; **3.** (*разгласявам, разпространявам*) babble, let out, retail, peddle; **~ тайна** blab out a secret; let the cat out of the bag, spill the beans; || **~ се 1.** get battered; (*за кола*) batter/rattle itself to pieces; (*за пиано*) get jangly; **2.** (*започвам да дрънча*) (begin to) creak and clatter; **3.** start blab-

bing (about).

раздувам, раздỳя *гл.* **1.** swell, cause to swell; distend; *(балонче)* inflate; **2.** *прен.* exaggerate, make too much of, boost, crack up, play up, puff; *(реч, доклад)* pad put; || **~ се** swell; distend.

раздỳт *мин. страд. прич. (и като прил.)* swollen; inflated; exaggerated; padded out; puffed up; **~и сметки** padded bills.

раздỳхвам, раздỳхам *гл.* fan, blow up; *(разнасям)* blow about/away; *прен.* fan up, foment, foster, rake up, stir up, whip up; **~ страсти(те)** fan the flame.

раздъ̀рпан *мин. страд. прич. (и като прил.)* bedraggled, slovenly, untidy; unkempt, frowzy; *(за коса)* tousled; *(за книга)* battered, tattered, dog-eared.

раздъ̀рпвам, раздъ̀рпам *гл.* pull about; maul; push about/aside; *(коса)* tousle.

раздя̀ла *ж.,* **раздели** separation, parting, *разг.* split-up; **при ~** at parting.

разединèн *мин. страд. прич. (и като прил.)* discrete; torn by division, disunited; **~а нация** divided nation.

разединèни|е *ср.,* **-я** disunion, disunity; *ел.* release; disconnection; **внасям ~е в** disunite, bring disunity to.

разединя̀вам, разединя̀ *гл.* **1.** disunite, disconnect, release, tear apart; **2.** *(откачвам)* uncouple, decouple, unlink; disjoin; *(освобождавам)* disengage; *ел.* break.

разжа̀лвам *гл. воен.* degrade, cashier; **~ в редник** degrade/reduce to the ranks, disrank.

разжа̀лване *ср., само ед.* (solemn) degradation; reduction from work.

раззеленя̀вам се, раззеленя̀ се *възвр. гл.* become green, *(за дърво)* come into leaf.

разигра̀вам, разигра̀я *гл.* **1.** *(кон)* prance; *(мечка)* make dance; *(кукли)* work, operate; **2.** *(въртя, разкарвам)* lead s.o. a pretty dance, tantalize; drive from pillar to post; **3.** *(комедия и пр.)* enact, act out; **~ комедия** *прен.* play-act; || **~ се** begin to play/dance, frisk about; *(за сцена и пр.)* be acted out/enacted; *(случвам се, ставам – за събитие и пр.)* take place, occur, happen; ● **~ на лотария** raffle; **~ коня си** ride roughshod (over); call the tune; boss the show.

разисквам *гл.* discuss, consider, debate; **~ въпрос** argue a question; || **~ се** be under debate/discussion/consideration; **новината се разисква нашироко във вестниците** the news makes big stories in the papers.

разискван|е *ср.,* **-ия** discussion, debate; argument; **предмет на ~е** point at issue; **~ия** *(на комисия и пр.)* proceedings.

ра̀зказ *м.,* **-и, (два) ра̀зказа** story, tale, narrative; *(изложение)* account; *(описание)* description; *(лит. вид)* short story; **~ на очевидец** first-hand account.

разка̀звам, разка̀жа *гл.* tell (за of, about), relate, narrate, recount; give an account of; tell/relate a story/stories (за about, of; за това как of how); **продължавам да ~** go on with o.'s story; **~ за живота си** tell the story of o.'s life, recount o.'s life; **той умее да разказва** he can tell a good story.

разказва̀тел|ен *прил.,* **-на, -но, -ни** narrative; **~но изкуство** narrative skill.

разказва̀ч *м.,* **-и; разказва̀чк|а** *ж.,* **-и** narrator, relator, storyteller; *(автор на разкази)* (short-)story writer.

ра̀зказ|ен *прил.,* **-на, -но, -ни 1.** narrative; **2.** *език.* declarative.

разка̀йвам се, разка̀я се *възвр. гл.* **1.** repent; **ще се разкайваш за това** you'll live to repent it; you'll sweat for this; you shall rue it; **2.** *(съжалявам)* be sorry (за about), rue.

разка̀пвам се, разка̀пя се *възвр. гл.* disintegrate, fall to pieces; decompose, moulder.

разка̀рвам, разка̀рам *гл.* **1.** *(стока и пр.)* deliver; cart/truck about; **2.** *(разпръсвам – навалица и пр.)* disperse, scatter; *(премахвам – болка)* stop; *(уплаха)* dispel; **3.** *(изпъждам)* send s.o. about his business, send s.o. packing, send away; *sl.* give (s.o.) the bird/ the bum's rush; **разкарай се!** *sl.* sod off! get lost! piss off! hop it! bugger off! buzz off! beat it! push off! up yours! *амер. разг.* go fly a kite; **4.** *(разигравам)* order about, chivy, drag here and there, send from pillar to post; run s.o. off his feet; give s.o. a lot of trouble; **5.** *(разслабвам стомаха)* loosen; || **~ се** *(шляя се)* knock/gad about, fool around; run about; *(махам се)* take o.s.

off, make o.s. scarce, *sl.* sod off; *(за облаци)* disperse, blow over.

разка̀йни|е *ср.,* **-я** repentance, contrition; contriteness, remorse; **измъчван от ~е** tormented with remorse.

разкѝсвам, разкѝсна *гл.* (let) soak; || **~ се 1.** get soft; go mushy; **2.** *прен.* be(come) limp (with heat); be in a bad mood, be down in the mouth, be blue.

разкла̀тен *мин. страд. прич.* shaken *(и за положение)*; *(разнебитен – за постройка и пр.)* rickety, dilapidated, ramshackle; **~ зъб** loose tooth; **~и нерви** shattered/unstrung nerves; **с ~о здраве** in failing/poor health, broken in health.

разкла̀щам, разкла̀тя *гл.* shake *(и прен.)*; *(течност)* stir, agitate; *(клони)* shake, sway; *(зъб, кол)* loosen; *(здраве, нерви)* shatter; || **~ се** *(разхлабвам се)* get loose; **съюзът им започва да се разклаща** their alliance is fraying at the edges.

разклòн *м.,* **-и, (два) разклòна** road fork.

разклонèн *мин. страд. прич.* branched; *бот.* divaricate; *(с много клонки)* twiggy; *(клонест)* branchy; ramified, furcated; *бот.* deliquescent.

разклонèни|е *ср.,* **-я** branching (out); bifurcation; divarication; ramification; embranchment; offset, offshoot; *(на планина)* spur; *(на път)* branch, fork; *анат., бот.* ramus; **~е на еленов рог** *зоол.* antler; **~е на жп линия** siding, feeder; *бот.* node; *ел.* derivation; tap.

разклонѝтел (-ят) *м.,* **-и, (два) разклонѝтеля** *техн.* fork-joint; *ел.* connection-block; coupling; *(на тръба)* T-joint; **акустичен ~** *техн.* acoustic coupler.

разклонѝтел|ен *прил.,* **-на, -но, -ни: ~на кутия** *ел.* distributor-box.

разклоня̀вам, разклоня̀ *гл. ел.* tap; || **~ се** ramify, bifurcate, branch out; *бот.* deliquesce; divaricate; *(за път)* fork, divide into two, form branches; part.

разкова̀вам, разкова̀ *гл.* unnail.

разкòвниче *ср.,* **-та** open sesame; nostrum, panacea; ● **намирам ~то** find the magic key (за to).

разкòл *м., само ед.* schism, dissent, (religious) nonconformity; dissidence; faction; *църк.* split, disunity, dissen-

sion; *полит.* (*разцепление*) cleavage.

разколебàвам, разколебàя *гл.* shake, cause to hesitate; || ~ **се** be shaken in o.'s opinion/conviction, weaken, hesitate.

разколебàване *ср., само ед.* hesitation.

разколебàн *мин. страд. прич.* (*и като прил.*) shaken, hesitant; **с ~а вяра** shaken in faith.

разкòлни|к *м.,* **-ци** schismatic, dissenter; *полит.* dissident.

разкопàвам, разкопàя *гл.* dig (up); excavate; grub; (*улица*) dig/tear up; ~ **с търнокоп** pick up.

разкòпки *само мн. археол.* excavations; diggings.

разкопчàвам, разкопчàя *гл.* unbutton; (*копче*) undo; (*катарама*) unbuckle, undo; (*карфица*) unpin; || ~ **се** unbutton o.'s coat, etc.

разкòш *м., само ед.* luxury; (*външен блясък*) magnificence, splendour; sumptuousness; **пораснал в ~** nursed in luxury.

разкòш|ен *прил.,* **-на, -но, -ни** luxurious, sumptuous; (*великолепен*) magnificent, splendid, gorgeous; grand; fabulous, fantastic; *амер. sl.* slick; **~ен живот** rich living; life of luxury; **~но издание** luxury edition, edition de luxe.

разкрасявам, разкрася *гл.* prettify, beautify, make pretty; embellish; *амер.* glamorize; glorify; *прен.* paint in bright colours; decorate, adorn; embroider; || ~ **се** make o.s. pretty, smarten o.s. up.

ràзкрач *м.,* **-и,** (*два*) **ràзкрача** stride; **на един ~ от** one step from.

разкрàчвам (се), разкрàча (се) (*възвр.*) *гл.* straddle.

разкрàчен *мин. страд. прич.* (*и като прил.*) astraddle, astride, with o.'s legs apart; (*за почерк*) sprawling; ~ **стоеж** straddling position, side straddle.

разкрепостявам, разкрепостя *гл.* free (serfs).

разкрещявам се, разкрещя се *възвр. гл.* start shouting, break into cries; (*започвам да ругая*) *разг.* kick up a rumpus.

разкривам, разкрия *гл.* reveal, disclose; lay bare/open, uncover; (*тайна*) divulge; *разг.* let on; ~ **възможности за** hold out opportunities for; ~ **душата си** open up/bare o.'s soul; ~ **намеренията си** open/disclose o.'s designs; come into the open; give the game away;

~ **скоби** open the brackets; expand; || ~ **се** reveal o.s.; (*бивам разкрит*) come out, come to light.

разкривèн *мин. страд. прич.* distorted; contorted; (*за почерк*) cramped; ~ **от вятъра** blown by the wind.

разкривявам, разкривя *гл.* distort; wrench; || ~ **се** go all awry.

разкрит *мин. страд. прич.* discovered, detected, uncovered, revealed; **тайната е ~а,** **убийството е ~о** the secret/ murder is out.

разкрити|е *ср.,* **-я** (*откритие, разоб- личение*) disclosure.

разкройвам, разкрой *гл.* cut out.

разкървавявам, разкървавй *гл.* make bleed, draw blood; || ~ **се** bleed.

разкъртвам, разкъртя *гл.* (*бетон и пр.*) break up/loose; (*стена и пр.*) batter; (*кашлица*) loosen; || ~ **се** crumble, fall to pieces; (*за кашлица*) loosen.

разкършвам, разкърша *гл.* **1.** (*чупя*) break; **2.** (*раздвижвам*) stretch; ~ **снага** stretch o.s.; || ~ **се** stretch; limber up.

разкъсан *мин. страд. прич.* torn; ~**а облачност** broken clouds.

разкъсвам, разкъсам *гл.* tear; lacerate (*и прен. – сърце*); (*на парченца*) tear to pieces; fritter; (*верига и пр.*) break; (*за звяр*) tear to pieces; rip up; (*за бомба*) blow to pieces; ~ **кордон** break through a cordon; ~ **някого на парчета** tear s.o. limb from limb; **страна, разкъсвана от гражданска война** a country rent by civil war; || ~ **се** (*за облаци*) break apart; (*за сърце*) break; **облаците се разкъсаха** the clouds parted; ● ~ **се от работа/тичане** kill o.s. with work/with running around.

разкъсване *ср., само ед.* laceration, tearing to pieces, dismemberment; rupture; divulsion; (*на орган или кръво- носен съд*) *мед.* rhexis; ~ **на облаци- те** *метеор.* break/rift in the clouds.

разлàгам, разлòжа *гл.* **1.** decompose; decompound; *мат.* expand; (*на мно- жители*) resolve into factors, factorize; *физ.* resolve (**на** into); (*лъчи и пр.*) diffract; *хим.* break down; **2.** (*морал- но*) demoralize, corrupt; contaminate; || ~ **се 1.** decompose; *хим.* (*на със- тавни части*) decompound; (*гния*) decay, fester, moulder; **2.:** ~ **се морал-**

но become corrupt/demoralized.

разлàгане *ср., само ед.* decay, decom- position; disintegration; degeneration; festering; *биол.* cataplasia; *мат.* ex- pansion, development; (*на множите- ли*) factorization; (*морално*) demor- alization, corruption; **химично ~** *хим.* chemical decomposition.

разлàйвам, разлàя *гл.* start (the dogs) barking; || ~ **се** begin to bark.

разлèпвам, разлепя *гл.* **1.** paste/stick up, post (up); **2.** (*отлепвам*) unstick, unglue; || ~ **се** come off, come unstuck.

разливам, разлèя *гл.* spill; (*чаша, бутилка*) upset; (*в чаши*) pour out; ~ **топлина по тялото** make the blood tingle; || ~ **се** spill; (*за боя, мастило*) run (**по** on); (*за река*) overflow its banks.

ràзлик|а *ж.,* **-и** difference; (*разгра- ничение*) distinction; contradistinction; (*дискриминация*) discrimination; (*несъответствие*) disparateness, dis- parity; **без ~а на** (*възраст и пр.*) ir- respective/regardless of; **за ~а от** in contrast to, by contrast with, as distinct with, distinguished from, as contrasted with, in contradistinction from; unlike; **не мога да кажа в какво се състои ~ата** I can't tell the difference; **с голяма/ малка ~а** (*за спечелване на избори и пр.*) by a large /narrow margin.

разлиствам, разлистя *гл.* turn over the pages of; leaf (through); || ~ **се** come into leaf, put forth leaves; foliate.

разлистване *ср., само ед.* (*на книга*) turning over the pages; (*на дърво*) leaf- ing, sprouting leaves.

разлистен *мин. страд. прич.* in leaf; ~**и дървета** trees thick with leaves.

различàвам, различà *гл.* distinguish, tell apart; discern; (*виждам, чувам*) make out; discern; (*разпознавам сред тълпа, на тъмно и пр.*) pick out; (*правя разлика*) discriminate; **не мо- га да ги различà** I can't tell one from the other; ~ **доброто от злото** know good from evil; || ~ **се** differ (**от** from; **по** in); **не се ~ по нищо от** differ in no way from.

различ|ен *прил.,* **-на, -но, -ни** differ- ent, differing; dissimilar; (*разнообра- зен*) various, varied, diverse; **говорим на ~ни езици** *прен.* be at cross-pur- poses; **коренно ~ен** disparate; ~**ни**

мнения conflicting opinions.

различи|е *ср.*, **-я** difference, distinction; divergence; dissimilarity, dissimilitude.

различйтел|ен *прил.*, **-на**, **-но**, **-ни** distinguishing; *зоол.* epismatic.

разложени|е *ср.*, **-я** 1. decay, rot; decomposition; 2. *прен.* corruption, demoralization; **вътрешно** (*морално*) ~**е** dry rot.

разло̀м *м.*, **-и**, (**два**) **разло̀ма** *геол.* fault; failure; fracture; break.

разлюля̀вам, **разлюлѐя** *гл.* 1. swing, sway; 2. *прен.* shake.

разлят *мин. страд. прич.* (*и като прил.*) 1. (*за река*) in spate; **~а течност** slop; 2. *прен.* long-winded, tedious, diffuse; sprawly.

разма̀зан *мин. страд. прич.* (*за физиономия*) unctuous.

разма̀звам, **разма̀жа** *гл.* 1. spread, smear, daub (**по** on); 2. (*смачквам*) crush; 3. *прен.* hold forth, descant, be long-winded.

разма̀х *м.*, *само ед.* 1. swing (**на крила**) spread; flap; 2. *прен.* scope, range, extent; (*сила*) power; *разг.* dash; **той е човек с** ~ he's got dash.

разма̀хвам, **разма̀хам** *гл.* swing, brandish, flourish; (*примамка*) dangle; ~ **опашка** whisk o.'s tail; ~ **оръжие** wave a weapon in the air.

размѐквам, **размѐкна** *гл.* 1. soften; 2. *прен.* soften, mollify; disarm; 3. (*за горещина*) oppress; || ~ **се** 1. relent, soften up, become softer; 2. *прен.* melt, soften.

размѐн|ен *прил.*, **-на**, **-но**, **-ни** exchange (*attr.*); **на** ~**ни начала** on an exchange basis; ~**на монета** *прен.* pawn; ~**на търговия** barter(-trade).

разменя̀вам и **размѐням**, **разменя̀** *гл.* exchange (**за** for); commute; counterchange; (*като търговия*) trade, barter; *разг.* swop, swap; (*думи в изречение*) transpose; ~ (**няколко**) **думи с** have a few words with; ~ **пари** (*с чужда валута*) change o.'s money; ~**е си ролите** turn the tables (on), reverse roles.

размѐр *м.*, **-и**, (**два**) **размѐра** 1. size; (*мащаб*) scale; (*количество*) amount; (*степен*) degree, extent; **в голям/ма̀лък** ~ on a large/small scale; **в естествени** ~**и** full-size, full-scale; ~ **на зап-**

лата/лихва rate of wages/interests; ~ **на щетите** measure/extent of damages; **свеждам до естествени** ~**и** reduce to just/correct proportions, scale down; 2. *проз.* metre, measure.

размѐрвам, **размѐря** *гл.* mark out, measure off; weigh out.

размѐсвам, **размѐся** *гл.* 1. intermingle, intermix, mix (up, together); jumble up/together; (*карти*) shuffle; ~ **силно питие с вода** temper strong drink with water; 2. (*тесто*) knead, work.

размѐствам, **разместѝ** *гл.* change the order/position of, transpose; rearrange; (*разбърквам*) disorder; disarrange; *геол.* dislocate, displace; (*става*) dislocate, disjoint; || ~ **се** 1. change places; 2. (*измествам се*) become dislocated, come out of place/position.

размѐстване *ср.*, *само ед.* transposition, dislocation, displacement, shift, translocation; misalignment; malalignment; ~ **в правителството** *полит.* cabinet changes; ~ **на пластове** *геол.* upheaval, uplift.

размечта̀вам се, **размечта̀я** *се възвр. гл.* give o.s. up to dreams (**за** of).

размина̀вам се, **размѝна се** *възвр. гл.* 1. pass each other, walk past each other; cross (each other) (*и за писма*); (*за влакове*) meet; **трябва да сме се разминали** we must have missed each other; 2. (*за буря и прен.*) blow over; (*за яд и*) simmer down; (*за болка*) pass; ● **няма да му се размине** he won't get away with it, he's sure to get it in the neck; (*ще трябва да го направи*) he'll have to go through with it; **разминаваме се** (*не се разбираме*) talk at cross-purposes.

размина̀ване *ср.*, *само ед.* (*на влакове*) meeting; (*неразбиране*) talking at cross-purposes.

размѝр|ен *прил.*, **-на**, **-но**, **-ни** riotous, turbulent, tempestuous, disturbed, tumultuous; unpeaceful; ~**ни времена** troubled times, troubled epoch, time of trouble; ~**ни духове** discontented/ restless; spirits.

размирѝсвам, **размирѝша** *гл.* scatter fragrance in; (*разво̀нявам*) make stink, stink out; (*за нещо да започне да мирише*) begin to smell, become redolent (**на** of), (*неприятно*) begin to stink, stink, smell bad.

размѝрици *само мн.* unrest, commotion, turbulence, turmoil, violence, rioting; **всяване на** ~ rabble-rousing.

размѝрни|к *м.*, **-ци**; **размѝрниц|а** *ж.*, **-и** troublemaker, mischief-maker, stirrer, rabble-rouser.

размисля̀м, **размѝсля** *гл.* reflect, meditate (**върху** on, upon); ponder (**върху** on, over); (*вземам друго решение*) change o.'s mind; **като размисли човек** now I come to think of it; on reflection, on second thought; take one thing with another; || ~ **се** brood (**върху** on, over).

ра̀змис|ъл *м.*, **-ли**; **размишлѐни|е** *ср.*, **-я** reflection, meditation, thought; **потъна̀л съм в** ~**ъл** be in a (brown) study.

размишля̀вам *гл.* speculate (**върху** on, upon, over), cogitate (on, upon), muse (on, upon); ~ **си** debate with o.s.

размножа̀вам, **размножа̀** *гл.* 1. breed; (*за дрожди*) gemmate; 2. (*документ*) make copies of, multiply, manifold; (*на циклостил и пр.*) duplicate; (*на хектограф*) copygraph; (*в четири копия*) quadruplicate; ~ **на циклостил** mimeograph; || ~ **се** multiply, reproduce; (*за животни*) breed, propagate; (*за растения*) propagate; (*чрез пъпкуване*) gemmate; (*за риби, жаби, миди*) spawn; ~ **се бързо** (*и прен.*) proliferate.

размножа̀ване и **размножѐние** *ср.*, *само ед.* multiplication, reproduction, propagation; (*за дрожди*) gemmation; **полово/безполово** ~ *биол.* sexual/agamic reproduction; (*на документ*) copying, duplication, making copies of; (*на циклостил*) mimeographic reproduction.

размножѝтел|ен *прил.*, **-на**, **-но**, **-ни** generative.

размота̀вам, **размота̀я** *гл.* unwind, wind off, uncoil, unreel; disentangle, disentwine; || ~ **се** 1. wind off, reel off, come unwound/uncoiled; *прен. разг.* goof off; 2. *прен.*: ~ **някого** bugger s.o. about/around.

размразя̀вам (**се**), **размразя̀** (**се**) (*възвр.*) *гл.* unfreeze, thaw (out), defreeze; (*хладилник*) defrost.

размразя̀ване *ср.*, *само ед.* thawing, unfreezing, defreezing, defrosting; ~ **на хладилник** refrigerator defrosting.

размърдвам, размърдам *гл.* **1.** stir, move; **2.** *прен.* stir (up), rouse; galvanize (s.o. into doing s.th.); ~ **мозъка си** use o.'s mind; *разг.* use o.'s loaf; get o.'s brain into gear; ‖ ~ **се** bestir o.s., liven up, awake, spring into activity, get going; *разг.* get cracking, jump to it, *sl.* make a move; **размърдай се!** get a move on; *разг.* make it snappy! move it! snap into it! pull/get your finger out.

размътвам, размътя *гл.* trouble, stir up, ruffle; muddy, make turbid; ~ **ума/главата на** addle the wits/the head of, unsettle the judgment of; ‖ ~ **се** become turbid/muddy; (*за ум*) become fuddled/muddled.

размяна *ж.*, **размени** exchange, interchange; commutation; (*размена търговия*) barter; ~ **на мнения** exchange/interchange of views; ~ **на опит** sharing/pooling of experience.

разнасям, разнеса *гл.* **1.** carry (a)round/about; (*превозвам*) transport (с in); (*по къщите – писма, мляко и пр.*) deliver; ~ **закуски** (*на прием и пр.*) carry around refreshments; **2.** (*разпръсквам*) scatter, disperse, clear away, (*дим и пр. – за вятър*) drift away; (*разпространявам слух и пр.*) spread; ~ **аромат** scatter fragrance; ~ **болест** carry a disease; ‖ ~ **се 1.** (*разпространявам се*) spread; (*за слух*) get about; (*разпръсквам се*) scatter, disperse, (*за мъгла*) clear/roll away; (*за дим*) drift away; (*за песен и пр.*) resound; (*за оток*) resolve; **разнесе се слух, че** it got about that, it was rumoured that; **2.** *мед.* scatter, clear away; (*за тумор*) resolve.

разнебитвам, разнебитя *гл. разг.* **1.** batter, destroy; dilapidate; **2.** *прен.* ruin; (*семейство*) break up.

разнежвам, разнежа *гл.* affect, move, stir; ‖ ~ **се** get affectionate, grow/become tender; be moved.

разни *прил. само мн.* various, diverse, sundry, different; all sorts of; (*заглавие на страница за обяви и съобщения във вестник*) miscellaneous column; (*в сметка – разни услуги*) sundries; **по ~ начини** in a number of ways; ~ **хора, ~ мнения** no two people think alike.

разнищвам, разнищя *гл.* **1.** (un)ravel; wear to threads; (*шнур*) fray; *мор.*

feaze; ~ **тъкан** unravel a web; **2.** *прен.*: ~ **работа** unravel an affair; get to the bottom of things; **3.** (*съсипвам*) be the death of, kill, finish; ‖ ~ **се 1.** (un)ravel, get unravelled; **2.** *прен.* go to pieces.

разногласи|е *ср.*, **-я** dissension, discord, disaccord, disharmony, dissidence; difference/division (of opinion), disagreement (in opinion), variance, contrariety, jar; **изглаждам ~ята** settle the differences.

разноезич|ен *прил.*, **-на, -но, -ни** polyglot, of many languages, many-tongued.

разнолик *прил.* many-faced/-sided.

разнообраз|ен *прил.*, **-на, -но, -ни** varied; (*разен*) various, diverse, multifarious, multiform; (*пъстър, шарен*) variegated, chequered; **животът е ~ен** life is multiform, (*ежедневието*) life is full of variety; **~на дейност** manifold activities; **variegated career**; **~на храна** balanced diet.

разнообразие *ср.*, *само ед.* variety, variedness, diversity; **внасям ~ в** ring (the) changes on; **за ~** for a change, by way of change/variety, for the sake of change/variety.

разнообразявам, разнообразя *гл.* vary, diversify, lend variety to, variegate, (*стил и пр.*) lend colour to; break/relieve the monotony of; ~ **храната си** vary o.'s diet; ‖ ~ **се** become less monotonous, become more varied/colourful.

разнород|ен *прил.*, **-на, -но, -ни** heterogeneous; (*разнообразен*) various, diverse, miscellaneous.

разнородност *ж.*, *само ед.* heterogeneity, heterogeneousness; variety, diversity, miscellaneousness; promiscuity, promiscuousness.

разнос|ен *прил.*, **-на, -но, -ни: ~на търговия** home delivery.

разноски *само мн.* expense(s), cost(s), outlay; **на свои ~** at o.'s own charge/expense; **поемам част от ~те** no share the cost of; **режийни ~** overheads, overhead expenses.

разностран|ен *прил.*, **-на, -но, -ни** versatile, many-sided; *геом.* scalene.

разноцвет|ен *прил.*, **-на, -но, -ни** parti-coloured, varicoloured, of different colours; (*пъстър, шарен*) variegated.

разобличавам, разобличã *гл.* expose,

unmask, denounce; *разг.* debunk, blow the lid off, blow s.o.'s cover; bring to light, blow the whistle (on); put the finger on.

разобличàване *ср.*, *само ед.* и **разобличèни|е** *ср.*, **-я** denunciation, exposure; denouncer; exposé; *разг.* whistle-blowing.

разобличùтел (-ят) *м.*, **-и**; **разобличùтелк|а** *ж.*, **-и** denouncer; *разг.* debunker, whistle-blower.

разобличùтел|ен *прил.*, **-на, -но, -ни** denunciatory.

разопакòвам *гл.* unpack, unwrap, uncase.

разопакòване *ср.*, *само ед.* unwrapping, unpacking; ~ **на товар** *търг.* breaking bulk.

разорàвам, разорà *гл.* plough up; (*разбивам*) break/cut up; ~ **целина** break/upturn virgin soil.

разорèн *мин. страд. прич.* ruined.

разоръжàвам (се), разоръжà (се) (*възвр.*) *гл.* disarm (*и прен.*).

разоръжàване *ср.*, *само ед.* disarmament; **всеобщо и пълно ~** *полит.* universal and overall disarmament.

разорявам, разоря *гл.* ruin, bring to ruin, take (s.o.) to the cleaners; *разг.* break the bank; (*докарвам до просяшка тояга*) beggar; ‖ ~ **се** be ruined; go bankrupt.

разотивам се, разотида се *възвр. гл.* disperse, scatter, go out several/different ways, (*за манифестанти и пр.*) disband; **гостите се разотидоха** the party broke up.

разочаровам се *възвр. гл.* disappoint, disillusion; (*не оправдавам надеждите на*) fail, let down; **изпълнението му ме разочарова** his performance did not come up to my expectations; ‖ ~ **се** become disappointed (**от** in, with, at), become disillusioned/disenchanted (**от** with); ~ **се от себе си** fall out of conceit with o.s.

разочарование *ср.*, *само ед.* disappointment (**от** in), disillusionment (**от** with), disenchantment (**от** with); frustration; *разг.* let-down, come-down, lemon; **силно ~** rude awakening.

разпàдам се, разпàдна се *възвр. гл.* **1.** disintegrate, fall apart, break up/down; (*разлагам се*) decompose, decay; (*за фирма*) demerge; *хим.* dis-

sociate; ~ **на съставните си части** disintegrate, fall to pieces, come apart; **2.** *прен.* go to pieces, fall apart, collapse; go to rack and ruin; be in/fall into decay; **3.** (*разделям се*) fragment; be divided (**на** into).

разпа́дане *ср., само ед.* disintegration, break up; decomposition, decay; (*на федерация и пр.*) dissolution; (*за фирма*) demerger; *геол.* disruption; *хим.* dissociation.

разпа́лвам, разпа́ля *гл.* **1.** kindle (into flame), make blaze; (*с духане*) blow into a blaze; ~ **огън** set a fire to burn; fan up a fire; **2.** *прен.* inflame, kindle; intensify, foment, incite, fan; *разг.* enthuse; ~ **война** unleash war; ~ **въображението** fire/kindle the imagination; || ~ **се 1.** burn/blaze/flame up; **2.** *прен.* run high, become intense; *разг.* hot up; (*за въображението*) run riot; (*за човек*) get heated; (*въодушевявам се*) warm up to a subject.

разпа́рям, разпо́ря *гл.* rip up; (*сламеник и пр.*) slit; (*нещо шито*) unpick, unrip, unseam; (*рокля и пр.*) take to pieces; (*набор, плисе*) untuck; || ~ **се** get unstitched/unsewn; ~ **се по шевовете** (*и прен.*) come apart at the seams; rip along the seams.

разпа́свам, разпа́ша *гл.* unbelt, ungird; • ~ **пояса си** let o.s. go, run riot; || ~ **се** take off o.'s belt.

разпе́нвам, разпе́ня *гл.* cause to foam; || ~ **се 1.** break into foam, lather; (*пускам мехурчета*) effervesce; **2.** *прен.* foam at the mouth.

разпе́нен *мин. страд. прич.* (*и като прил.*) foaming, foamy; *прен.* foaming at the mouth; ~**о море** a foaming sea; (*пенлив – за течност*) effervescent.

разпе́рвам, разпе́ря *гл.* spread, stretch out, extend; expand, unfold; ~ **крила** spread o.'s wings; ~ **ръце** throw/fling out o.'s arms; || ~ **се** spread/stretch out, fan out.

разпеча́твам, разпеча́там *гл.* **1.** unseal; **2.** *прен.* go to rack and ruin; || ~ **се** come unsealed.

разпеча́тк|а *ж., -и* printout.

разпиля́вам, разпиля́я *гл.* scatter, strew; disject; (*възрзон, сол, захар и пр.*) spill; (*средства*) dissipate, squander; (*печатарски набор*) break up,

distribute; ~ **хартии по пода** litter papers about/over the floor; || ~ **се** scatter, disperse, (*за група хора*) straggle; (*за коса*) come/hang down; **косата й се разпиля по раменета** her hair fell loose over her shoulders; • **той се разпилява** he goes in for many things at once.

разпиля́н *мин. страд. прич.* scattered; (*за село и пр.*) straggling; (*за коса*) straggly, (falling) loose; (*безсистемен*) desultory, unmethodical, casual, discursive; (*за материал*) unorganized.

разписа́ни|е *ср., -я* time-table, schedule; *воен.* roster, rote; **влакът се движи по ~е** the train is up to schedule; **спазвам ~ето** keep the time-table.

разпи́свам, разпи́ша *гл.* sign; || ~ **се 1.** sign (o.'s name); ~ **се на полица** receipt a bill; **2.** (*увеличам се да пиша*) get into a writing vein.

разписк|а *ж., -и* receipt (**за** for), voucher; **временна ~а** interim receipt.

разпи́т *м., -и,* (*два*) **разпи́та** examination, interrogation; *разг.* grilling; (*на обвиняем*) interrogatory; **кръстосан ~** cross-examination; **подлагам на ~** interrogate, question, examine; *разг.* grill, put on the grill, give (s.o.) a grilling.

разпи́твам, разпи́там *гл.* inquire (of) (*за* about), make inquires (**за** about); *юр.* interrogate, question, examine; *разг.* grill, draw; **питам и ~** ask all sorts of questions, ply with questions.

разпи́тване *ср., само ед.* questioning, examination, interrogation; ~ **на свидетели** hearing of witnesses.

разпла́квам, разпла́ча *гл.* make cry, reduce to tears, bring tears to s.o.'s eyes; || ~ **се** burst/break into tears.

разпла́та *ж., само ед.* retribution, punishment, requital; settling of accounts, vengeance; *разг.* pay off; **часът на ~та дойде** the day of reckoning has come.

разпла́щам се, разпла́тя се *възвр. гл.* pay off o.'s debts, settle accounts, disburse; ~ **на длъжниците си** repay o.'s creditors.

разплаща́тел|ен *прил., -на, -но, -ни* paying.

разпли́сквам, разпли́скам *гл.* spill (over), slop; splash about; || ~ **се** be spilled, spill over.

разпли́там, разплета́ *гл.* disentangle; (*връв*) untwine, disentwine, untwist; (*чорап*) unravel; (*коса*) unplait, unbraid, undo; (*плетиво*) unknit, rip up; (*нещо заплетено*) disentangle; || ~ **се** disentangle; come untwined, untwist; (*за чорап*) come unravelled; (*за коса*) get/come undone/unplaited; • **чорапът се разплита** this is the beginning of the end.

разпло́д *м., само ед.* *биол.* breeding; **животни за ~** breeding stock, animals kept for breeding purposes.

разпло́д|ен *прил., -на, -но, -ни** brood (*attr.*); **~ен период** *зоол.* breeding-season.

разпозна́вам, разпозна́я *гл.* discern, distinguish, make/pick out, tell (one from another), identify; recognize; *разг.* spot; ~ **сред тълпа** pick out from a crowd.

разпозна́ване *ср., само ед.* discerning, identification; recognition; (*в полицията*) line-up, identity parade.

разпокъса́н *мин. страд. прич.* broken, fractured, in pieces; discontinuous; (*за земя*) parcelled out; (*разединен*) disunited; (*несъгласуван*) not co-ordinated.

разпокъ́свам, разпокъ́сам *гл.* dismember, partition, divide up; ~ **страна** dismember/partition a country.

разпола́гам₁, разполо́жа *гл.* dispose, arrange; situate, locate; (*поставям*) place, emplace, position; situate; (*лагер*) set up; || ~ **се** settle (down), install o.s.; ~ **се като у дома си** make o.s. at home; ~ **се удобно** make o.s. comfortable/snug, ensconce o.s.

разпола́гам₂ *гл.* dispose (**с** of); ~ **с** have at o.'s disposal, be master of, command, have enough; (*богат съм*) be well-to-do; ~ **с времето си** have o.'s time to o.s.; ~ **с пари** have plenty of money; *разг.* be in funds.

разположе́н *мин. страд. прич.* **1.** (*за сграда и пр.*) situated; ~ **съм** lie, be situated/located; **2.** (*в добро настроение*) in good humour; in good spirits; **не съм** ~ (*физически*) be out of sorts; **3.** (*склонен, предразположен*) disposed; **добре съм** ~ be well/kindly disposed, mean well (**към** by).

разположе́ни|е *ср., -я* **1.** situation, location; position (*и воен.*); emplace-

ment; (*на стаи*) disposition; ~е на **местността** lay of the land; **2.** (*на духа*) frame of mind, mood; (*симпатия, благоразположение*) favour, goodwill; **3.** (*право, власт да се разпорежда човек с нещо*) disposal; **къщата е на мое** ~е have the run of the house; **на ваше** ~е **съм** I am at your service, I am yours to command.

разпорèдб|а ж., -и decree, order, covenant, edict, regulation.

разпоредѝтел (-ят) м., -и steward, (*в универсален магазин*) shopwalker, *амер.* floorworker; (*в театър, кино*) usher.

разпоредѝтел|ен прил., -на, -но, -ни efficient, competent, regulatory.

разпорèждам (се), разпорèдя (се) (*възвр.*) гл. order, see (to it) (that), direct that; arrange (*за* about); make (all) arrangements (that); (*заповядвам*) *разг.* lay down the law; **be in the saddle**; ~ **се като у дома си** lord it.

разпорèждан|е ср., -ия order, direction; instruction, injunction; (*решение*) decision; (*на съд*) writ; **до второ** ~е until further notice/orders; ~е **за явяване в съда** writ of summons; subpoena; (*с имущество*) disposition.

ра̀зпр|а ж., -и quarrel, disagreement, dissension, dispute, variance; (*шумна*) altercation, brawl, wrangle; *разг.* dingdong; (*между две семейства и пр.*) feud; **семейна** ~а a family feud.

разправѝ|я ж., -и quarrel, dispute; (*шумна*) altercation, brawl, wrangle; *разг.* row; (*неприятност*) trouble; **домашни/лични** ~и domestic/personal squabbles; **имам си** ~и **с** have a hard time with.

разпра̀вям, разпра̀вя гл. tell (*за* of, about); relate, recount; (*обяснявам*) explain; (*казвам*) say; ~ **приказки** *разг.* spin yarns; **разправят, че** they say that, it is said that, the story goes that, there is talk that; || ~ **се 1.** argue, dispute; (*шумно*) wrangle; ~ **се с** have it out with; ~ **се с бой** fight it out; **2.** (*говори се*): **за какво се разправя?** what is the story about?; ● **на мене ли ще ги разправяш** tell me another.

разпределèни|е ср., -я distribution; (*на средства и пр.*) apportionment, allocation; **вътрешно** ~е internal arrangement; ~е **на доходи** division of

income; ~е **на роли** casting, allocation of roles.

разпределѝтел (-ят) м., -и distributor; **шибърен** ~ *техн.* slide-valve.

разпределѝтел|ен прил., -на, -но, -ни distributing, distributive; distributional; ~на **кутия** *техн.* cam-box; junction box; ~**на сметка** *счет.* appropriation account.

разпределя̀м, разпределя̀ гл. distribute, share out, allot, allocate, apportion; (*групирам*) classify; (*раздавам*) deal out, give out, parcel out, dispense; (*време*) divide; ~ **времето си** plan o.'s time; ~ **роли между актьори** cast parts for actors, cast actors for parts; ~ **сума** share out/allocate/apportion (out) a sum (**между** among).

разприка̀звам, разприка̀жа гл. engage (s.o.) in conversation, set (s.o.) talking, make (s.o.) talk; || ~ **се** get talking, fall/get into conversation (c with); find/unloose(n) o.'s tongue; be absorbed in conversation; (*увличам се от темата си*) warm up to o.'s subject.

разпрода̀вам, разпрода̀м гл. sell off/out; *търг.* clear; ~ **с наддаване** sell by auction, put up to auction, auction off; || ~ **се** be/get sold out.

разпрода̀жб|а ж., -и bargain-sale, clearance sale, selling off, trading-down; (*при ликвидация*) closing down sale; (*благотворителна*) jumble sale; **публична** ~а auction.

разпростѝрам, разпростра̀ гл. spread (out); || ~ **се 1.** spread out, stretch, extend; (*за влияние*) spread out (**върху** to), extend (**върху** over); **2.** (*излагам подробно*) spread o.s., enlarge, expatiate, dilate; expand (on); dwell (**върху** on); spread out in detail; branch out; speak/write at length; **няма да се** ~ I will not labour the point.

разпространèн *мин. страд. прич.* (*и като прил.*) widespread; far-flung; (*за животни, растения*) widely distributed; (*за заблуда*) vulgar, popular, current; **широко** ~ (*за дума и пр.*) in general currency.

разпространèние ср., *само ед.* diffusion, spread(ing), currency, currentness (*и на идеи*); occurrence, incidence; (*на болест, култура, учение*) dissemination; (*на вярвания, обичаи, лъжи*) propagation; (*на книги, вест-*

ници, новини) circulation, distribution; (*продажба*) sale, disposal; **добивам (широко)** ~ gain (wide) currency.

разпространѝтел (-ят) м., -и; **разпространѝтелк|а** ж., -и spreader, disseminator, propagator; circulator.

разпространя̀вам, разпространя̀ гл. spread, disseminate, diffuse, propagate, circulate, distribute; ~ **влиянието си** extend/advance o.'s influence; ~ **идеи** spread abroad/diffuse ideas, give currency to ideas; ~ **книги** (*чрез продажба*) distribute books; ~ **слухове** circulate/spread (abroad) rumours; || ~ **се** spread (*и за болест, новини*); gain/acquire currency; (*за звук, светлина*) travel; (*за дума*) become current, (*за идеи и пр.*) get current; (*за миризма*) spread, diffuse; (*за пожар*) spread (**върху** over, to); (*за слух*) spread, get about/around, get into circulation; ~ **се широко** become widespread, gain wide currency.

разпръ̀сквам, разпръ̀скам; разпръ̀свам, разпръ̀сна гл. scatter, throw about, disperse, dissipate, strew; disseminate; (*светлина*) *физ.* diffuse, diffract; (*разгонвам*) dispel, scatter, disperse, drive away; (*облаци, мъгла*) blow/drive away, dissipate, disperse; (*съмнения и пр.*) dispel, allay; ~ **искри** shower sparks; ~ **тълпа** break a crowd; || ~ **се** scatter, disperse, dissipate; (*за облаци, дим и пр.*) clear/drift away, clear off; (*за облаци и*) break, (*за мъгла и пр.*) thin out; (*за тълпа*) break up, disperse; (*разхвърчавам се на пръски*) scatter in a spray/in fine drops; *мед.* resolve; **не се разпръсква** (*за група*) keep together.

разпу̀квам, разпу̀кна гл. crack (open), split; || ~ **се** crack (apart, open, up), become cracked, split (open); (*за лед*) crack; (*за пъпки*) burst open; (*отварям се*) spread out, expand, unfold; ~ **се широко** crack wide open, split open.

разпу̀скам и разпу̀щам, разпу̀сна гл. **1.** (*разширявам, отхлабвам*) (*колан, пояс*) loosen; (*дреха*) widen, let out; ~ **коса** unbraid o.'s hair, let o.'s hair fall loose; **2.** *уч.* (*освобождавам от занятие*) dismiss, (*войски*) disband; (*парламент*) dissolve; (*събра-*

ние) adjourn; **разпуснаха ученици-те за ваканцията** school broke up for the holidays; **3.** (*разхайтвам*) spoil, let (s.o.) get out of hand; ‖ ~ **се 1.** (*разширявам се*) stretch (*и за обувки, дрехи*); expand, widen, swell out; **2.** (*разхайтвам се*) get out of hand/control; **3.** (*успокоявам се*) relax; *разг.* chill out; (*за сърце*) melt, expand; **4.** (*живея без сметка*) loosen o.'s purse-strings, spend freely; **не се** ~ stint o.s.

разпускане *ср., само ед.* dismissal, dismissing; dismissal; dissolution; adjournment; disbandment; (*на училище*) break-up.

разпу̀снат *мин. страд. прич. (и като прил.*) (*морално*) loose(-living), slack in morals, fast, dissipated, licentious, raffish; (*немарлив*) lax, remiss, neglectful, sluttish; (*недисциплиниран*) undisciplined, disorderly, unruly; **водя** ~ **живот** lead a fast life, live fast/riotously; ~**и нрави** loose morals.

разпу̀снатост *ж., само ед.* looseness, slackness; sluttery; laxity, remissness, lack of discipline; loose morals, dissipatedness, dissipation, licence, raffishness, raunchiness.

разпъ̀вам, разпъ̀на *гл.* extend, stretch; (*палатка*) pitch; • ~ **на кръст** crucify, *прен.* torment, excruciate.

разпъ̀ване *ср., само ед.* stretching; pitching; ~ **на кръст** *истор., църк.* crucifixion.

разпя̀вам се, разпѐя се *възвр. гл.* **1.** break/burst into song; **2.** (*за певец*) get o.s. into voice.

разпя̀ти|е *ср.,* -**я** *църк. (и прен.*) crucifix; calvary.

разрабо̀твам, разрабо̀тя *гл.* develop, work out, elaborate; (*земя*) work, cultivate, till; (*целина, блатисто място*) reclaim; (*машина*) run in; (*глас*) train; (*инструмент*) play up; ~ **мина/петролни залежи и пр.** work/exploit a mine/oil-fields etc.; ~ **тема** work up a theme; elaborate on a subject; ‖ ~ **се** get into o.'s stride.

разрабо̀тване *ср., само ед.* development; working out; exploitation; **дългосрочно** ~ long-term development; ~ **на технологичен процес** process design.

разрабо̀тк|а *ж.,* -**и** development (*и муз.*), (*на въпрос, проект*) working

out, (*подробна*) elaboration, treatment; *минер.* exploitation; expansion.

разра̀вям, разро̀вя *гл.* **1.** dig up; (*изравям*) dig up, exhume, disinter; (*пепел*) rake up/over; (*гроб*) open; ~ **земята** plough up the ground; **2.** (*претършувам*) rummage through, ransack.

разраня̀вам, разраня̀ *гл.* lacerate (*и прен.*) ulcerate; rub sore; inflame; ‖ ~ **се** become sore/inflamed, open.

разра̀ствам (се), разра̀сна (се) и разраста̀ (се) (*възвр.*) *гл.* **1.** increase; grow, spread (*и за град*); (*за скандал, инцидент и пр.*) blow up; (*за растение*) run wild; **2.** (*за предприятие и пр.*) expand, develop.

разра̀стване *ср., само ед.* growth; expansion, development; ~ **на град** urban sprawl.

разревавам се, разрева̀ се *възвр. гл.* begin to cry, set up/raise a howl.

разрѐд *м.,* -**и,** (*два*) разрѐда **1.** class, rank, category; **2.** *бот., зоол.* order; **3.** *мат.* digit; **4.** (*на работници*) rate.

разредѐн *мин. страд. прич. (и като прил.*) **1.** (*за въздух, газ*) rarefied, tenuous, thin; ~**о вино** watered down wine, (*малко*) wine dashed with water; **2.** thinned; diluted, watered; rarified.

разредѝтел (-ят) *м.,* -**и,** (*два*) разредѝтеля *хим.* thinner, diluent; *ел.* discharger, attenuator; attenuator.

разрѐдка *ж., само ед. полигр.* spacing; space, lead; **с** ~ spaced.

разрѐждам, разредя̀ *гл.* thin out (*и посеви*); (*кръвта*) thin; (*течност*) dilute, water down; (*алкохол*) qualify; (*въздух*) rarefy; *полигр.* space out, lead; *ел.* uncharge; ~ **малко** (*вино и пр.*) dash; (*при сядане*) space out, seat apart; ‖ ~ **се 1.** thin (out); become rarefied; (*за мрак*) disperse; (*за тълпа*) thin out; **2.** (*случвам се по-рядко*) become less frequent.

ра̀зрез *м.,* -**и,** (*два*) ра̀зреза section; *мед.* incision; (*на дреха*) slash; **надлъжен** ~ longitudinal section; **напречен** ~ cross-section, transection; • **в** ~ **с** against contrary to, at variance with; counter to.

разреша̀вам, разреша̀ *гл.* **1.** (*позволявам*) allow, permit; (*за цензура*) pass; ~ **заем** grant a loan; ~ **публику-**

ването на книга pass a book for the press; **2.** (*решавам – въпрос, задача*) solve; work out, figure out; (*уреждам – въпрос*) settle, dispose of; **ако разрешите** *като обръщ.* by your leave.

разрешѐни|е *ср.,* -**я 1.** permission; (*официално*) authorization; clearance; (*документ*) permit, licence; **получавам** ~ **от** get permission from, get leave from/out of; **с ваше** ~**е** *като обръщ.* by your leave; **2.** (*решение*) solution; (*уреждане*) settlement; **3.** (*изход*) issue, outcome; **лесно** ~**е** an easy way out; **4.** *муз.* resolution.

разрешѝтелн|о *ср.,* -**и** permit, licence; ~**о за износ** export licence; ~**о за работа** work permit.

ра̀зрив *м.,* -**и** обикн. ед. **1.** rupture; disruption; split; **2.** *прен.* (*в отношенията между хора*) bust-up, break-up, collapse; ~ **на сърцето** *мед.* rupture of the heart.

разрѝвам, разрѝна *гл.* **1.** shovel (off, away); **2.** (*жар и пр.*) poke, stir up.

разрида̀вам се, разрида̀я се *възвр. гл.* burst into sobs.

разро̀швам, разро̀ша *гл.* ruffle, rumple, dishevel, tousle, disarrange; ‖ ~ **се** get/become disarranged/tousled.

разро̀шен *мин. страд. прич. (и като прил.*) dishevelled; shaggy; ~**а коса** dishevelled/tousled/wild hair.

разру̀ха *ж., само ед.* ruin, destruction, downfall; decay; (*морална*) degradation, *разг.* ruination.

разруша̀вам, разруша̀ *гл.* (*здание*) destroy, demolish, pull down; flatten; play havoc (with); wreck, ruin (*прен.*); (*подривам*) subvert; disrupt; erode; (*опустошавам*) devastate; depredate; *биол.* destroy; ~ **до основи** raze to the ground; ‖ ~ **се** go to ruin/wreck, collapse; (*за скали*) disintegrate.

разрушѐни|е *ср.,* -**я** destruction, demolition, collapse; (*рушене – на сграда и пр.*) decay; (*на скали*) disintegration; ~**я на времето** the ravages of time; ~**я, причинени от война** war damage.

разрушѝтел|ен *прил.,* -**на,** -**но,** -**ни** destructive; wrecking; disruptive; (*подривен*) subversive; ~**на сила** a destructive force, an explosive power; ~**ни елементи/идеи** disruptive elements/ideas.

разря̀д *м.,* -**и,** (*два*) разря̀да *ел.* dis-

charge.

разрязвам, разрежа *гл.* cut; (*дълбоко*) gash, slash; (*надлъж*) slit; (*с трион*) saw up; *мед.* dissect, cut up; (*вена, стомах и пр.*) cut open; ~ **с ланцет** lance.

разсад *м., само ед.* seedlings; ~ **на зеле/цветно зеле** cabbage/cauliflower sprouts.

разсадни|к *м.*, -ци, (два) **разсадника** nursery(-garden), seed-bed; *прен.* centre; (*на болести и пр.*) nidus, hotbed; **дървесен** ~**к** arboretum.

разсаждам, разсадя *гл.* prick off/out, set out.

разсейвам, разсея *гл.* **1.** disperse, scatter; *физ.* (*светлина*) diffract, diffuse; **2.** (*отвличам вниманието на*) distract (s.o.'s attention); **3.** (*страх, съмнение и пр.*) dispel, dissipate, allay, resolve; ~ **съмнения/подозрения** clear up doubts/suspicions; || ~ **се 1.** (*разпръсквам се*) clear away; melt away; *физ.* be diffracted; **2.** (*за човек*) be distracted; (*за внимание*) wander; (*ставам разсеян*) become distracted; **3.** (*за страх и пр.*) vanish; **4.** *мед.* (*за туморни клетки*) metastize.

разсейване *ср., само ед.* dispersion, dispersal, dispersing; dissipation; scattering; *физ.* diffraction, diffusion; ~ **в йоносферата** ionospheric scatter; *радио.* leaking.

разсекретявам, разсекретя *гл.* declassify.

разсеян *мин. страд. прич.* (*и като прил.*) absent(-minded); scatter-brained, scatty, forgetful; feather-brained, feather-headed; *псих.* divergent; (*за поглед*) vacant, wandering, abstracted; ~**а светлина** *физ.* scattered light.

разсипвам, разсипя *гл.* **1.** spill; (*разпръсквам*) scatter, strew; **2.** (*сервирам*) dish (up), serve; **3.** (*разпилявам*) dissipate, waste, squander; **4.** (*разрушавам*) destroy; **5.** (*съсипвам*) ruin; *разг.* finish; ~ **с/от работа** kill with work; || ~ **се 1.** spill; **2.** (*ставам на късчета*) break to pieces; **3.** *прен.* be ruined, go to ruin; *разг.* crock up; ~ **се да хваля** be loud in s.o.'s praises.

разсичам, разсека *гл.* cut up, cut to pieces; • **светкавици разсичат небето** lightning streaks the sky.

разследвам *гл.* investigate, inquire into,

look into, probe into; *разг.* dig into; ~ **случай** investigate a case.

разследван|е *ср.*, -**ия** investigation, examination; *разг.* going-over; *юр.* inquest, inquiry; **започвам официално** ~**е** institute an official investigation.

разслоени|е *ср.*, -**я** stratification; *прен.* differentiation.

разслоявам, разслоя *гл.* stratify; delaminate; exfoliate.

разсмивам, разсмея *гл.* make s.o. laugh; move s.o. to laughter; amuse, entertain, keep amused; ~ **хората** (*предизвиквам смях*) raise a laugh; || ~ **се** break into a laugh, burst into laughter.

разсрочвам, разсроча *гл.* spread, prolong, space out; ~ **дълг** *фин.* reschedule a debt.

разсрочен *мин. страд. прич.* (*и като прил.*) deferred; ~**о плащане** deferred payment.

разстилам, разстеля *гл.* spread; flatten out; || ~ **се** spread out.

разстояни|е *ср.*, -**я** distance, stretch; (*на полет*) flight; (*промеждутък*) space, interval, gap; **в** ~**е на** within, in the space of; **държа на** ~**е** keep at arm's length; ~ **между две** (*автобусни и пр.*) **спирки** stage; **скъсявам** ~**ето между** bridge/narrow the gap/the distance betwent.

разстрел *м.*, -**и**, (два) **разстрела** execution, shooting down.

разстрелвам, разстрелям *гл.* shoot, execute; (*група*) shoot down, fusillade; (*един по един*) pick off.

разстрелване *ср., само ед.* execution, shooting down; **осъждам на смърт чрез** ~ sentence to death by firing squad.

разстроен *мин. страд. прич.* **1.** disorganized; (*за муз. инструмент*) off-tune, out of tune; (*за стомах*) disordered, upset; (*за здраве*) broken; *амер. sl.* (*емоционално, психически*) unglued; **душевно** ~ mentally deranged; **с** ~**о здраве** broken in health; **2.** (*смутен, огорчен*) upset, troubled, distressed; *разг.* gutted; ~ **съм** *разг.* feel choked (**от** about).

разстройвам, разстроя *гл.* **1.** disorganize, throw into confusion, disrupt, break up, upset, unsettle, disarrange, derange; confound, throw out of gear; *разг.* play (merry) hell with; play the

deuce with; (*осуетявам*) frustrate, thwart; baffle; ~ **здравето на** upset/undermine/ruin the health of; ~ **плановете на** derange/upset/frustrate the plans of; *разг.* put a/the crimp in the plans of, play the deuce/the devil/the very devil/the devil and all with the plans of; **2.** *муз.* untune, detune, put out of tune; **3.** (*смущавам, огорчавам*) upset, distress, put out, distract, ruffle (s.o.'s) feathers; || ~ **се 1.** get upset, get/work o.s. up into a lather, get het up; **2.** (*за муз. инструмент*) get out of tune.

разстройство *ср., само ед.* **1.** confusion, disorganization, disorder, derangement, disruption, breakdown; **2.** (*леко болезнено състояние*) upset; **душевно** ~ mental derangement; mental disorder; disturbance; **стомашно** ~ upset; (*лошо храносмилане*) indigestion.

разсъбличам, разсъблека *гл.* undress, (*гол*) strip, undress to the skin, disrobe; || ~ **се** take off o.'s clothes, undress, disrobe; get undressed, (*гол*) strip.

разсъдител|ен *прил.*, -**на**, -**но**, -**ни**; **разсъдлив** *прил.* judicious, sensible, reasonable; prudent, discerning; (*критичен*) judicial, critical.

разсъдък *м., само ед.* reason, sense, understanding; **загубвам** ~**а си** lose o.'s reason; **със здрав** ~ in sound mind.

разсъждавам *гл.* reason, think; (*мъча се да докажа*) argue; ~ **сам** use o.'s own judgement.

разсъждени|е *ср.*, -**я** reasoning, ratiocination; (*твърдение*) contention, argument, point.

разсъмване *ср., само ед.* dawn, daybreak; day-spring, cock-crow; first light; **на** ~ at dawn/daybreak, towards break of day, by daybreak; at cock-crow; **преди** ~ before dawn/daybreak/day/daylight.

разсъмва се, разсъмне се *безл. възвр. гл.* it is dawning, day is breaking; **когато се разсъмна** when morning came.

разсънвам, разсъня *гл.* disturb s.o.'s sleep; || ~ **се 1.** lose o.'s sleep; **2.** (*събуждам се напълно*) become fully awake, wake up fully.

разсърдвам, разсърдя *гл.* anger,

make angry, put in a temper, put s.o.'s back up; disgruntle; || ~ **се** become/get angry (**от** at; **на** with), become/get cross (**на** with); lose o.'s temper; *разг.* turn nasty.

разсъ̀хвам се, разсъ̀хна се *възвр. гл.* shrink, warp.

разтака̀вам *гл.* put off, keep s.o. dangling; send from pillar to post; (*протакам*) spin/drag out; || ~ **се** dawdle away o.'s time, idle; waste time, lounge/ moon about; dilly-dally.

раздва̀рям, разтво̀ря *гл.* **1.** open, throw/fling open; expand; spread/stretch (out); unfold; *прен.* open up; (*книга*) open, spread open; (*карта*) spread out; ~ **чадър** put up/open an umbrella; ~ **широко** (*врата, прозорец*) throw wide open; **2.** (*в течност*) dissolve; *хим.* digest; || ~ **се 1.** open; (*за рана*) open up; (*за цвят, пъпка*) unfold; (*за устни, облаци*) part; **2.** (*в течност*) dissolve.

раздво̀р *м., само ед.* solution; **цимен-тов** ~ grout.

раздво̀рен *мин. страд. прич.* (*и като прил.*) open; dissolved; **с ~и обя-тия** with arms wide open, with wide open arms.

раздворѝм *сег. страд. прич.* soluble; dissoluble, dissolvable; ~ **в масла и мазнини** liposoluble.

раздворѝтел (-ят) *м.,* -**и**, (**два**) раз-творѝтеля *хим.* solvent, resolvent, dissolving agent, dissolvent; *фарм.* (*на лекарство*) vehicle.

разтега̀тел|ен *прил.,* -**на**, -**но**, -**ни** extensible; extendible, extendable; extensile; ~**на маса** extending/extension table.

разтеглѝвост *ж., само ед.* tensibility; extendability, extendibility; distensibility; elasticity; stretchability.

разтѐглям, разтѐгля *гл.* **1.** stretch; extend; distend; ~ **мускул/сухожилие** sprain a muscle/tendon; **2.** (*при гово-рене*) drawl; || ~ **се** stretch.

разтѐгнат *мин. страд. прич.* extended; stretched (out); (*за разказ*) prolix, long-winded; sprawly.

разтѝчвам се, разтѝчам се *възвр. гл.* **1.** scamper about; **2.** *прен.* bestir o.s. (**да то**; **да помогна на** in aid of); try everywhere; *разг.* do a bit of running, stir o.'s stumps, pull many strings.

разтова̀рвам, разтова̀ря *гл.* **1.** unload; discharge; (*от кораб и пр.*) unship; (*чрез обръщане на вагонетка и пр.*) dump; **2.** (*облекчавам*) relieve; disburden; disencumber; || ~ **се 1.** take on less work; *прен.* ease o.s. of a burden; ~ **се психически** relax; **2.** (*отма-рям*) *разг.* let o.'s hair down, chill out, veg out.

разтова̀рване *ср., само ед.* unloading; dumping; disburdenment; discharging; unshipping; *икон.* dishoarding; **неза-бавно** ~ quick dispatch.

разтопѐн *мин. страд. прич.* (*и като прил.*) melted; molten; fused; (*за пче-лен мед*) runny; ~**а маса** fusion.

разтопя̀вам (се), разтопя̀ (се) (*възвр.*) *гл.* **1.** melt; (*за метал и*) fuse; (*за сняг, лед*) thaw; *техн.* liquefy, liquate; **2.** *прен.* melt; ● **тя се разтапяше от любезност** she was all sugar and honey.

разто̀чвам, разто̀ча *гл.* roll out; flat-ten out.

разточѝтел|ен *прил.,* -**на**, -**но**, -**ни** extravagant, wasteful, prodigal, lavish; dissipative; thriftless, unthrifty; ~**ен съм** be free with o.'s money.

разтра̀квам, разтра̀кам *гл.* **1.** be-gin to clatter/rattle; **2.** (*повреждам*) batter.

разтрѐбвам, разтрѐбя *гл.* tidy up; put in order; ~ **масата** clear the table, clear away; ~ **стая** do a room, put a room straight.

разтрево̀жвам, разтрево̀жа *гл.* alarm, disturb, discompose, disquiet, perturb, make uneasy, cause alarm; fluster; || ~ **се** take alarm (**от** at), be-come/get alarmed, become/get anxious (**за** about).

разтрево̀жен *мин. страд. прич.* alarmed, perturbed, uneasy, anxious (**за** about).

разтрепѐран *мин. страд. прич.* (*за човек, сърце*) fluttered, in a flutter; dithery; (*за глас*) trembling, quavering, quivering; shaking.

разтрепѐрвам, разтрепѐря *гл.* flut-ter, put in(to) a flutter; || ~ **се** tremble, shake, quiver, fall/get into a flutter; ~ **се целият** tremble all over, be all of/in a tremble.

разтрѝвам, разтрѝя *гл.* **1.** (*размачк-вам*) rub down; knead; massage; (*с масло*) embrocate; **2.** (*стривам*) crush

small, crush/grind to powder; **3.** (*раз-мазвам*) rub up.

разтро̀пвам се, разтро̀пам се *възвр. гл.* clatter/stamp about.

разтроша̀вам, разтроша̀ *гл.* break up (small), break to pieces; || ~ **се** break (to pieces); crumble.

разтръбя̀вам, разтръбя̀ *гл.* trumpet around, clarion forth, blaze abroad, pro-claim (from the housetops), cry from the housetops.

разтуптѝвам се, разтуптѝ се *възвр. гл.* begin to thump/throb/palpitate/flut-ter.

разтỳрвам и разтỳрям, разтỳря *гл.* **1.** (*разхвърлям*) mess up; **2.** disman-tle, take to pieces; (*събарям*) pull down, demolish, destroy; **3.** (*разбивам, раз-стройвам*) break up, disrupt; (*орга-низация, събрание и пр.*) break up, disband; (*партия*) suppress, ban; ~ **игра** spoil a game; || ~ **се** break up.

разтỳха *ж., само ед.* comfort, conso-lation, solace.

разтуша̀вам и разтỳшвам, разтуша̀ *гл.* comfort, console; || ~ **се** solace/con-sole o.s. (**с** with).

разтълкỳвам *гл.* interpret, explain.

разтъ̀пквам, разтъ̀пча *гл.* **1.** (*сняг и пр.*) tramp down; (*обувки*) break in; **2.:** ~ **кон** walk a horse; || ~ **се** go for a stroll, stretch o.'s legs.

разтъ̀рвавам, разтъ̀рва *гл.* part, sepa-rate.

разтъ̀рсвам₁, разтъ̀рся *гл.* **1.** shake, (*леко*) jar, (*силно*) concuss; (*за земя*) quake; (*бутилка*) shake (up); (*за ко-ла*) jolt; **2.** *прен.* shake (up), convulse; || ~ **се** shake; (*леко*) jar.

разтъ̀рсвам₂, разтъ̀рся *гл.:* ~ **се** look/ search thoroughly.

разтя̀гам, разтѐгна *гл.* stretch; dis-tend; (*жила, мускул*) crick, wrick, rick; || ~ **се** stretch.

разубежда̀вам, разубедя̀ *гл.* dissuade (from **с** *ger.*), discourage (from **с** *ger.*); deter (from **с** *ger.*); (*с доводи*) argue/ talk out of (**с** *ger.*).

разубежда̀ване *ср., само ед.* dissua-sion.

разузна̀вам, разузна̀я *гл.* (try and) find out, throw out a feeler, make in-quiries (about); see how the land lies; spy out the ground; *воен.* reconnoitre.

разузна̀ван|е *ср.,* -**ия** (*организация*)

intelligence service; secret service; (*дей-ност*) (secret) intelligence, intelligence work; *воен.* reconnaissance; **бойно ~e** battle reconnaissance; scouting; **оти-вам на ~e** go reconnoitring.

разузнава̀тел|ен *прил.*, **-на**, **-но**, **-ни** intelligence, reconnaissance (*attr.*); **~на гру̀па** reconnaissance party, reconnais-sance unit; **~на дѐйност** (*във войска-та*) reconnaissance work, (*извън вой-ската*) intelligence work.

разузнава̀ч *м.*, **-и** scout, intelligence agent/officer, secret service man/agent, reconnoitrer; (*самолет*) reconnais-sance aircraft/plane.

ра̀зум *м.*, *само ед.* reason, intelligence, mind, wit(s); **здрав ~** common sense, gumption; *разг.* horse-sense; **отивам против здравия ~** outrage common sense.

разу̀м|ен *прил.*, **-на**, **-но**, **-ни** sensible, reasonable; common-sense, common-sensical; (*разсъдлив*) judicious; (*за постъпка*) wise; discriminate; **~на по-литика** judicious policy; **~но управ-ление** sound management.

разуча̀вам, разуча̀ *гл.* study; prepare.

разфасо̀вам *гл.* package.

разформѝрам и **разформиро̀вам** *гл.* disband, dissolve, break up; *воен.* de-activate.

разфу̀чавам се, разфуча̀ се *възвр. гл.* begin to rage/bluster/storm, fly into a rage.

разха̀йтвам, разха̀йтя *гл.* spoil; || ~ **се** get out of hand; get into idle habits.

разхвъ̀рлям, разхвъ̀рля *гл.* **1.** throw/ fling about, scatter; spread (out); **2.** (*разбърквам*) disarrange, mess up; *разг.* foul up; **3.** (*разпределям*) dis-tribute, divide up, split up (**върху** among); *фин.* apportion; || ~ **се** change into more comfortable clothes.

разхвъ̀рлян *мин. страд. прич.* **1.** un-tidy (*за човек и пр.*), slovenly, messy; (*небрежен*) slipshod; (*за легло, завивки и пр.*) tumbled; **2.** (*разпилян*) scat-tered, loose; **3.** (*безсистемен*) desul-tory, discursive, rambling; ● **~ по̀черк** loose handwriting.

разхища̀вам, разхитя̀ *гл.* squander, dissipate, waste.

разхища̀ване *ср.*, *само ед.*; **разхи-щѐние** *ср.*, *само ед.* waste, wasteful

practices; **~ на материа̀ли** misuse of materials.

разхладѝтел|ен *прил.*, **-на**, **-но**, **-ни** cooling, refrigerant, refrigerative.

разхла̀ждам и **разхла̀дявам, раз-хладя̀** *гл.* cool (off); || ~ **се** get cool(er); cool down/off; (*за времето*) get cooler; ~ **се с** keep cool on.

разхла̀ждане *ср.*, *само ед.* cooling; **нещо за ~** s.th. cool, a cooling/refresh-ing drink.

разхло̀пан *мин. страд. прич.* (*и ка-то прил.*) dilapidated, rickety, crazy, shaky, (*за сграда и*) ramshackle, (*за кола*) rattling, rickety, crazy, ram-shackle; **~а кола** jalopy.

разхло̀пвам се, разхло̀пам се *възвр. гл.* (*развалям се*) fall into disrepair; (*за кола*) get rickety.

ра̀зход *м.*, **-и**, (*два*) **ра̀зхода** expense, expenditure, outlay, outgo, cost; (*на си-ли, пари и пр.*) drain; (*на вода от язовир*) outflow; (*консумация – на енергия и пр.*) consumption; **експлоа-тацио̀нни ~и** operating costs; **непред-вѝдени ~и** contingencies.

разхо̀дк|а *ж.*, **-и** walk; stroll; (*на кон, на велосипед*) ride; (*с кола*) drive, spin; (*с лодка*) row; **място за ~а** walk; **отивам на ~а** go for a walk.

разхо̀ждам, разхо̀дя *гл.* take for a walk; (*с превозно средство*) take for a drive; (*куче, кон*) walk; || ~ **се** walk (about), have/take a walk; **~ се на чист въздух** take the air; **~ се с лодка** go boating.

разхубавя̀вам, разхубавя̀ *гл.* embel-lish; (*човек*) beautify, make beautiful/ pretty; || ~ **се** become/grow (more) beau-tiful/pretty.

разхъ̀лцвам се, разхъ̀лцам се *възвр. гл.* get hiccoughs; (*плача*) burst into sobs.

разцвѐт *м.*, *само ед.* bloom, blossom-ing (forth), flowering, efflorescence, hey-day; zenith; **в ~а на силите си** in the prime of o.'s life, in o.'s prime, in full vigour, at the height/in the fullness of o.'s powers; **икономѝчески ~** eco-nomic boom.

разцвѐтк|а *ж.*, **-и** colour scheme; col-ouring.

разцѐнк|а *ж.*, **-и** и *фин.* rate, tariff.

разцентро̀вам *гл. техн.* decenter, put out of centre; disadjust.

разцѐпвам, разцѐпя *гл.* split (*и физ., и прен.*); *прен. и* rend; (*разсичам със сатър и пр.*) cleave; (*дърво, камък със сечиво*) rive; (*дърво – за гръм*) split asunder; (*буца и пр.*) split out; (*глава*) split open; || ~ **се** split.

разцѐпване *ср.*, *само ед.* splitting; cleaving, cleavage; (*в ядрената фи-зика*) spallation; *физ.* fission; ~ **на атома** splitting the atom.

разцеплѐни|е *ср.*, **-я** split, cleavage.

разцъ̀фвам, разцъ̀фна; разцъфтя̀ *гл.* bloom, blossom out (*и прен.*), burst into blossom/bloom, flower; expand, unfold; *бот.* effloresce.

разцъ̀фнал и **разцъфтя̀л** *мин. св. деят. прич.* blooming, in bloom, blos-soming, flowering; *бот.* efflorescent; (*за цвете*) full-blown, in full bloom.

разчѐквам, разчѐкна *гл.* **1.** (*уста – отварям*) open wide; **2.** (*разкъсвам*) tear apart/to pieces, split (open); ● ~ **устата си от приказване** talk o.s. blue in the face.

разчерта̀вам, разчертая̀ *гл.* line; ~ **на квадра̀ти** cross-rule.

разчѐсвам, разчѐша *гл.* **1.** (*коса*) comb (out); (*вълна*) comb, card, (*лен, коноп*) hackle; **2.** (*рана*) scratch raw.

разчѝствам, разчѝстя *гл.* clear; (*раз-валини*) clear out; (*сметки*) clear, liq-uidate; (*разтребвам*) tidy up, clear away; (*терен от дървета*) clear-fell, clear-cut; ~ **пъ̀тя на** clear/pave/smoothe the way for; ~ **ста̀ри смѐтки** pay off old scores.

разчѝтам₁, разчета̀ *гл.* make out, de-cipher, *разг.* figure on, bank on, reckon on; (*с трудност*) puzzle out; (*текст*) spell out.

разчѝтам₂ *гл.* rely, count (**на** on, **за** for); look to (**за** for), put reliance (to); **на нѐго не мо̀же да се разчѝта** he is not to be relied on; ~ **на къ̀смета си** ride o.'s luck.

разчѝтам₃, разчета̀ *гл.* (*планирам*) plan, map out.

разчѝтане₁ *ср.*, *само ед.* deciphering.

разчѝтане₂ *ср.*, *само ед.* relying; reli-ance (**на** on).

разчѝтане₃ *ср.*, *само ед.* planning.

разчленя̀вам, разчленя̀ *гл.* dismem-ber, disarticulate, disjoint, break up; segment; (*анализирам*) analyse.

разчовъ̀рквам, разчовъ̀ркам *гл.*

scratch open; ~ **стари рани** *прен.* rip up old wounds/grievances.

разчо̀рлен *мин. страд. прич. (и като прил.)* dishevelled; ~**а коса** dishevelled/tousled/ruffled/disarranged hair.

разчо̀рлям, разчо̀рля *гл.* dishevel, tousle, ruffle, rumple; || ~ **се** get/become dishevelled.

разчу̀вам се, разчу̀я се *възвр. гл.* get about/abroad, spread, leak (out), take wind; *(за слава и пр.)* spread.

разчу̀вствам *гл.* affect, move; || ~ **се** give way to o.'s feelings, be moved; become emotional; *разг.* take on.

разчу̀пвам, разчупя *гл.* break up; ~ **оковите си** burst o.'s fetters.

разшѐтвам се, разшѐтам се *възвр. гл.* 1. get busy, bustle about; make o.s. useful; 2. *(появявам се масово)* fill.

разшѝвам, разши́я *гл.* unpick, unstitch, unseam; || ~ **се** get/come unstitched, come unsewn, rip along the seams.

разширѐн *мин. страд. прич. (и като прил.)* wide(ned), extended; expanded; ~**и зеници/ноздри** *мед.* dilated pupils/nostrils; ~**о издание** *полигр.* enlarged edition.

разширѐни|е *ср.*, -я enlargement, extension, expansion *(и физ.)*; broadening, widening, spreading; dilation; flare; ~**е на търговия** expansion of trade, trade expansion; ~**е на улица** widening of a street.

разширя̀вам, разширя́ *гл.* 1. *(улица и пр.)* widen, broaden; *(пристанище)* expand; *(дреха)* widen, let out; *мед.* dilate; *физ.* expand; ~ **очи** open o.'s eyes wide; 2. *прен.* widen, broaden, extend, expand, enlarge; *(изводи и пр.)* fill out; ~ **дейността си** extend o.'s activities; ~ **познанията си по** improve/enlarge o.'s knowledge of; || ~ **се** widen, become wider, expand, broaden; *(за река)* widen, spread out; **разширяват се с носене** *(за обуща)* stretch with wearing.

разшифро̀вам *гл.* decipher, decode, decrypt.

разю̀здан *мин. страд. прич.* 1. unbridled, unrestrained, ungovernable; 2. idle; undisciplined; loose; profligate.

разю̀здвам, разю̀здя *гл.* 1. spoil; 2. *(кон)* unbridle.

разя̀ден *мин. страд. прич.* eaten

away, corroded; *(за метал)* perished; ~ **от киселина** eaten into by an acid; *прен.* corroded.

разя̀ждам, разя̀м *гл.* 1. eat away/up; erode; *(за ръжда, киселина)* corrode, *(за киселина и пр.)* eat into, *(за ръжда, вода – метал и пр.)* fret; *(за болест)* waste (away); *хим.* attack; *мед.* canker; 2. *прен.* gnaw at; corrode; || ~ **се** 1. develop a hearty appetite; 2. *(измъчвам се)* be eaten up *(от* with).

разярѐн *мин. страд. прич.* infuriated, enraged, furious; fit to be tied; ~ **съм** be in a passion, be in a violent temper, be in high dudgeon.

разяря̀вам, разяря́ *гл.* infuriate, enrage, lash (s.o.) into a passion; || ~ **се** fly into a rage, become violent.

разяснѐни|е *ср.*, -я explanation, *книж.* explication; elucidation.

разяснѝтел|ен *прил.*, -на, -но, -ни explanatory, explanative, explicatory, explicative; elucidatory; elucidative; elaborative; expository, expositive; *(помощен в учебния процес)* adjunctive.

разяснявам, разясня́ *гл.* explain, *книж.* explicate; elucidate, make clear/plain; expound, explicate *(на* to).

райран *мин. страд. прич.* striped, stripy.

ра|й (-ят) *м., само ед.* paradise; *библ.* Eden; ● **земен ~й** an earthly paradise.

ра̀йбер *м.*, -и, *(два)* ра̀йбера bolt, catch; *техн.* reamer.

ра̀йграс *м., само ед. бот.* rye-grass.

райѐ *ср.*, -та stripe; **на** ~**та** striped, stripy.

райо̀н *м.*, -и, *(два)* райо̀на *(административен)* district; *(област)* region, area; *(квартал)* quarter, section, neighbourhood; *(на казарма и пр.)* grounds; premises; *(на часовой и пр.)* beat; **в** ~**а на** in the vicinity of; **жилищен ~** residential area; **промишлен ~** industrial area; ~ **на действие** range of action.

райо̀н|ен *прил.*, -на, -но, -ни district *(attr.)*, sectional; regional.

районѝрам *гл.* divide into districts, zone.

ра̀йск|и *прил.*, -а, -о, -и heavenly, paradisiac(al); ~**а птица** *зоол.* bird of paradise; ~**и газ** *мед.* (азотен окис, използван за наркоза) laughing gas.

ра|к *м.*, -ци, *(два)* ра̀ка 1. *зоол.* cray-

fish, crawfish; *(морски)* crab; *(омар)* lobster; ~**к пустинник** *зоол.* hermit-crab; **червен като** ~**к** red as lobster; 2. *астр., астрол.* Cancer; 3. *само ед. мед.* cancer; ● **знам къде зимуват** ~**ците** know on which side o.'s bread is buttered; know the time of day/a thing or two; **ни риба, ни** ~**к** neither fish, nor flesh (nor good red herring).

ракѐт|а₁ *ж.*, -и 1. rocket, missile; **зенитна** ~**а** *воен.* air-defence missile; **космическа** ~**а** space-rocket; 2. *(кораб)* hydrofoil.

ракѐт|а₂ *ж.*, -и *спорт.* (tennis-)racket; *(за тенис на маса)* bat.

ракѐт|ен *прил.*, -на, -но, -ни rocket *(attr.)*, *(с ракетен двигател)* jet(-propelled), rocket-propelled; ~**на площадка** a rocket-launching site/pad.

ракѝта *ж., само ед. бот.* (bitter) osier.

ракѝ|я *ж.*, -и brandy; **една** ~**я** *(чашка)* a brandy.

ра̀кл|а *ж.*, -и 1. chest; closet; 2. *воен.* caisson, ammunition waggon.

ра̀ков *прил.* 1. crayfish *(attr.)*, crab *(attr.)*; 2. cancerous; carcinomatous; ~**о образуване** *мед.* a cancerous growth.

рако̀вин|а *ж.*, -и (sea-)shell, *(кръгла)* scallop (shell); *зоол.* carapace.

ракообра̀з|ен *прил.*, -на, -но, -ни *зоол.* crustaceous; crustacean; crab-like; ~**но** crustacean, *pl.* crustacea.

раку̀рс *м., само ед. изк.* foreshortening; *кино.* close-up, shots at a certain angle; **рисувам в** ~ foreshorten.

ра̀л|о *ср.*, -а̀ a wooden plough.

ра̀м|а *ж.*, -и *техн., авт.* frame; housing; **носеща** ~**а** support frame.

рамаза̀н *м., само ед. рел.* Ramadan, Rhamadhan, Ramazan.

ра̀мен|ен *прил.*, -на, -но, -ни shoulder *(attr.)*, humeral.

ра̀мк|а *ж.*, -и 1. frame; *техн.* cradle; *(на велосипед)* crossbar; ~**а на врата** door-casing; **поставям картина в** ~**а** frame/enframe a picture; **очила с рогови** ~**и** horn-rimmed glasses; *(на легло)* bedstead; 2. *само мн. прен.* framework; **в** ~**ите на възможното** within the range/bounds of possibility.

ра̀мков *прил.*: ~**о споразумение** *икон.* package deal.

ра̀м|о *ср.*, -ена̀ и -енѐ 1. shoulder; ~**о до** ~**о** shoulder to shoulder, *прен.* cheek by jowl, side by side; **вдигам на**

~o lift on to o.'s shoulder; удрям едно ~o (*помагам*) *разг.* give (s.o.) a leg up; 2. *техн.*, *физ.* arm; (*на кран*) jib; 3. *геом.* ray, half-line.

ра̀мп|а *ж.*, -и 1. loading platform; наклонена ~a access ramp; *жп* up-grade; 2. *театр.* footlights, limes, floats.

ра̀н|а *ж.*, -и wound; sore; дълбока ~a gash; отворена ~a gaping wound; стари ~и *прен.* old sores; ● слагам пръст в ~ата put o.'s finger on the sore place.

ранг *м.*, -ове, (два) ра̀нга 1. rank, grade, class, standing; капитан първи ~ *мор.* captain; 2. *театр.* tier.

ранглѝст|а *ж.*, -и *спорт.* the rankings.

рандеву̀ *ср.*, -та appointment, rendezvous; *разг.* date.

рандема̀н *м.*, *само ед.* output, yield.

ранѐн *мин. страд. прич.* (*и като същ.*) wounded; (*при злополука*) injured; *разг.* crocked; ~и *воен.* casualties.

ра̀н|ен *прил.*, -на, -но, -ни early; в ~на възраст at an early age; в ~ни зори at early dawn, in the small hours, in the grey of morning.

ра̀ним *сег. страд. прич.* vulnerable.

ра̀ниц|а *ж.*, -и rucksack, knapsack; *амер.* backpack; *воен.* haversack.

ра̀но *нареч.* early, at an early hour; (*навреме*) in good time; early in the day; колкото е възможно по~ as early as possible; at o.'s earliest convenience; ~ или късно sooner or later, some time or another; eventually; ● ранно пиле ~ пее the early bird catches the worm.

ранобу̀д|ен *прил.*, -на, -но, -ни early-rising.

ранобу̀дни|к|а *м.*, -ци; ранобу̀дниц|а *ж.*, -и early riser; *разг.* early bird.

ра̀нчо *ср.*, *само ед.* ranch; малко ~ ranchette.

раня̀вам₁, раня̀ *гл.* wound, hurt, injure; || ~ се hurt o.s.

раня̀вам₂, раня̀ *гл.* get up early; turn up/appear early.

рапѝр|а *ж.*, -и rapier; (*за фехтуване*) foil.

ра̀пица *ж.*, *само ед. бот.* rape (seed), colza, cole-seed, cole (*Brassica napus oleifera*).

ра̀пич|ен *прил.*, -на, -но, -ни rape (*attr.*), rapeseed (*attr.*); ~но семе rapeseed, colza, seed.

ра̀порт *м.*, -и, (два) ра̀порта report;

debriefing; давам/правя ~ make a report (на to).

рапорту̀вам *гл.* report (на to).

рапсоди|я *ж.*, -и *муз.* rhapsody.

ра̀с|а *ж.*, -и 1. race; 2. (*порода*) breed.

расиз|ъм (-мът) *м.*, *само ед. филос.*, *полит.* racism, racialism.

расѝст *м.*, -и; расѝстк|а *ж.*, -и racist, racialist.

расѝстк|и *прил.*, -а, -о, -и racialist (*attr.*), racial.

ра̀с|о *ср.*, -а̀ cassock; ● хвърлям ~ото cast off the cassock, unfrock o.s.

ра̀сов *прил.* racial; (*за животно*) pedigree (*attr.*); clean-bred; ~а вражда race/racial hatred.

раста̀ и ра̀сна *гл.*, *мин. св. деят. прич.* ра̀съл и ра̀снал 1. grow; (*за ново поколение, град и пр.*) grow up; (*за град и пр.*) expand; (*за интерес, надежда*) run high; (*увеличавам се*) increase, be on the increase, mount; ~ на височина grow in stature; 2. (*усъвършенствам се*) grow, develop, improve o.s./o.'s mind.

растѐж *м.*, *само ед.* 1. growth; (*увеличение*) increase; vegetation; *бот.* movement; 2. *прен.* growth, development.

растѐни|е *ср.*, -я plant; едногодишно/двугодишно/многогодишно ~е annual/biennial/perennial plant.

растѝтел|ен *прил.*, -на, -но, -ни plant, vegetable (*attr.*); (*за тъкан, продукт и пр.*) vegetal; (*който се отнася до растение*) vegetative; ~ен пояс vegetation zone; ~на храна vegetable diet.

растѝтелност *ж.*, *само ед.* 1. vegetation, vegetable life; 2. (*зеленина*) verdure, green vegetation, greenery.

растя̀щ *сег. деят. прич.* growing, increasing; ~а загриженост growing/mounting concern.

рата̀|й (-ят) *м.*, -и farmhand.

ратификацио̀н|ен *прил.*, -на, -но, -ни ratification (*attr.*); ~ен протокол protocol of ratification.

ратифика̀ци|я *ж.*, -и ratification, sanction, validation.

ратифицѝрам *гл.* ratify, approve, sanction, validate.

рафинѐри|я *ж.*, -и refinery; (*петролна*) oil refinery.

рафинѝрам *гл.* refine; (*захар и пр.*) defecate.

рафинѝраност *ж.*, *само ед.* shrewd-

ness, subtlety.

рафт *м.*, -ове, (два) ра̀фта shelf.

рахатлъ̀к *м.*, *само ед. разг.* easy life; ease.

рахатя̀свам, рахатя̀сам *гл. разг.* relax, find o.'s peace, have peace.

рахѝт *м.*, *само ед. мед.* rachitis, rickets, English disease.

рахитѝч|ен *прил.*, -на, -но, -ни rachitic, rickety.

рациона̀л|ен *прил.*, -на, -но, -ни rational; ~ни числа *мат.* rational quantities.

рационализа̀тор *м.*, -и innovator.

рационализа̀торск|и *прил.*, -а, -о, -и time-saving; innovative.

рационализа̀ци|я *ж.*, -и rationalization; innovation.

рационализѝрам *гл.* rationalize, streamline.

рационалѝз|ъм (-мът) *м.*, *само ед. филос.* rationalism (*и прен.*).

рационалѝст *м.*, -и rationalist.

рационалистѝч|ен *прил.*, -на, -но, -ни rationalistic.

рациона̀лност *ж.*, *само ед.* rationality, rationalness.

ра̀чешк|и *прил.*, -а, -о, -и 1. crab-fish, crab (*attr.*); 2. making no headway.

реабилита̀ция *ж.*, *само ед.* rehabilitation; exoneration, exculpation, vindication.

реабилитѝрам *гл.* rehabilitate; exculpate, vindicate; exonerate; retrieve; exonerate from blame.

реагѐнт *м.*, -и reactant; *хим.* reagent.

реагѝрам *гл.* react (на to, против against); respond (на to); *разг.* kick (against); ~ остро go off the deep end.

реактѝв *м.*, *само ед.* reactive, reagent, chemical agent.

реактѝв|ен *прил.*, -на, -но, -ни reactive; *физ.* jet; ~ен самолет (*пътнически*) jet-liner; *разг.* jumbo-jet; ~но гориво jet propulsion fuel.

реактѝвност *ж.*, *само ед. хим.* reactivity.

реа̀ктор *м.*, -и, (два) реа̀ктора reactor; ядрен ~ с обогатено гориво enriched nuclear reactor.

реакцио̀н|ен *прил.*, -на, -но, -ни reactionary.

реакционѐр *м.*, -и; реакционѐрк|а *ж.*, -и reactionary.

реакционѝз|ъм (-мът) *м.*, *само ед.*

reactionism.

реакци|я *ж.*, **-и** reaction; (*отзвук*) response; (*отражение*) repercussion, reverberation; **остра ~я** backlash; **предизвиквам ~я** evoke a response, trigger off reaction; **хим.** react (upon).

реал|ен *прил.*, **-на, -но, -ни** real, genuine, actual, factual; concrete, material; (*реалистичен*) realistic; (*веществен*) substantial; (*осъществим*) practicable, workable, feasible; **~на основа** workable basis (**за** for); **~ни нужди** actual wants; **~ният свят** the material world.

реализаци|я *ж.*, **-и** realization; implementation; fulfillment; **канали за ~я** *марк.* distribution mix.

реализирам *гл.* realize; (*придобивам*) make; **~ големи/незаконни печалби** make big/illegal profits (**от** on); **~ мечтите си** fulfill o.'s dreams; || **~ се** fulfill o.s.

реализ|ъм (**-мът**) *м.*, *само ед.* realism; truth to nature.

реалист *м.*, **-и**; **реалистк|а** *ж.*, **-и** realist.

реалистич|ен *прил.*, **-на, -но, -ни** realistic; matter-of-fact; (*в изкуството и пр.*) true to life, life-like; (*безкомпромисен*) hard-edged.

реалност *ж.*, **-и** reality; factuality, factualness; tangibility; substantiality; (*нещо съществуващо*) entity.

реанимация *ж.*, *само ед.* **1.** *мед.* resuscitation, revivescence; **2.** (*отделение в болница*) intensive care ward.

реанимирам *гл.* reanimate.

ребрен *прил. анат.* costal.

ребр|о *ср.*, **-à 1.** *анат.* rib; costa; **плаващи ~a** floating/false/short ribs; **2.** (*на цилиндър, радиатор и пр.*) gill; **с ~a** finned, gilled; ● **на ~о** edgewise.

ребром *нареч.*: **поставям въпроса ~** put the question squarely/point-blank, ask point-blank.

ребус *м.*, **-и**, (**два**) **ребуса** rebus, puzzle; conundrum.

рев *м.*, **-ове**, (**два**) **рева** roar; (*на бик*) bellow; (*на магаре*) bray; (*на слон*) trumpet; (*викане*) yell, bawl; (*плач*) howl, boohoo, yells.

рева *гл.* roar (*и за вълни, буря и пр.*); (*за бик*) bellow; (*за магаре*) bray; (*за слон*) trumpet; (*викам*) yell, bawl; (*плача*) cry, squall, boohoo,

blub, blubber.

реванш *м.*, *само ед.* **1.** revenge; **2.** *спорт.* return match/game.

реваншиз|ъм (**-мът**) *м.*, *само ед.* *полит.* revanchism.

реваншѝрам се *възвр. гл.* **1.** make up, return a favour, repay a kindness (**на** to); **2.** have o.'s revenge; **~ на** repay, compensate.

реваншист *м.*, **-и** revenge-seeker.

реввам, ревна *гл.* **1.** roar; set up/raise a howl; **2.** (*заплаквам*) turn on the waterworks.

ревер *м.*, **-и**, (**два**) **ревера** lapel; **хващам за ~а** (*и прен.*) buttonhole.

реверанс *м.*, **-и**, (**два**) **реверанса** curtsy; **правя ~** (*и прен.*) drop/make a curtsy.

реверсивност *ж.*, *само ед.* reversibility.

ревизион|ен *прил.*, **-на, -но, -ни** inspection (*attr.*), of inspection; auditorial; **~на комисия** inspection committee, *фин.* auditing committee.

ревизиониз|ъм (**-мът**) *м.*, *само ед.* *полит.* revisionism.

ревизионистич|ен *прил.*, **-на, -но, -ни**; **ревизионистк|и** *прил.*, **-а, -о, -и** revisionist.

ревизирам *гл.* inspect; audit; (*преразглеждам*) revise.

ревизи|я *ж.*, **-и 1.** inspection, (*единична*) tour of inspection; **2.** (*на магазин*) stock-taking; (*проверка, преразглеждане*) overhaul; (*на мирен договор, теория*) revision; **магазинът е в ~я** stock-taking; **финансова ~я** audit(ing); **3.** *полигр.* press-proof.

ревизор *м.*, **-и**; **ревизорк|а** *ж.*, **-и** (government) inspector; **финансов ~** commissioner of audit, auditor.

ревл|а *ж.*, **-и**; **ревльо** *м.*, **-вци** crybaby, softy.

ревматиз|ъм (**-мът**) *м.*, *само ед.* *мед.* rheumatism; **болен от ~ъм** rheumatic.

ревматич|ен *прил.*, **-на, -но, -ни** rheumatic; *разг.* rheumaticky; (*за симптоми*) rheumatoid.

ревматоло|г *м.*, **-зи** rheumatologist.

ревматологич|ен *прил.*, **-на, -но, -ни** rheumatological.

ревматология *ж.*, *само ед.* *мед.* rheumatology.

ревнив *прил.* jealous (**по отношение на, към** of).

ревнив|ец *м.*, **-ци**; **ревнивк|а** *ж.*, **-и** jealous man, jealous woman.

ревниво *нареч.* **1.** jealously; **2.** zealously, fervently; **пазя ~** guard jealously.

ревност *ж.*, *само ед.* **1.** jealousy; *разг.* the green-eyed monster; **2.** (*усърдие*) zeal, fervency, fervour.

ревност|ен *прил.*, **-на, -но, -ни** zealous, ardent, fervent, fervid, eager, keen, dedicated, devoted; dyed-in-the-wool; painstaking.

ревнувам *гл.* be jealous of; **започвам да ~** become jealous of.

револвер *м.*, **-и**, (**два**) **револвера** revolver, *разг.* gun.

революцион|ен *прил.*, **-на, -но, -ни** revolutionary.

революционер *м.*, **-и**; **революционерк|а** *ж.*, **-и** revolutionary (*и прен.*).

революци|я *ж.*, **-и** revolution (*и прен.*).

ревю *ср.*, **-та 1.** *театр.* revue; **2.** (*модно*) fashion-show/-review.

регал *м.*, **-и**, (**два**) **регала 1.** (*чаша*) mug; **2.** *полигр.* case-rack.

регат|а *ж.*, **-и** *мор.* regatta.

реге *ср.*, *само ед.* *муз.* reggae.

регенерат *м.*, *само ед.* reclaimed product; (*на авт. гума*) recapped tyre.

регенерация *ж.*, *само ед.* regeneration; reclaiming; recovery; **~ на автомобилна гума** tyre recapping/retreading.

регенерирам *гл.* regenerate, reclaim, revivify, reprocess.

регент *м.*, **-и** *полит.* regent.

регентск|и *прил.*, **-а, -о, -и** regent's; regency (*attr.*); regental.

регентство *ср.*, *само ед.* regency; regentship.

регионал|ен *прил.*, **-на, -но, -ни** regional.

регистратор *м.*, **-и**; **регистраторк|а** *ж.*, **-и** registering clerk, registrar, recorder, filer; *прен.* recorder, (*в хотел*) receptionist; **~ на фирми** registrar of companies.

регистратура *ж.*, *само ед.* registry (office); (*в болница*) reception office; record department; (*в хотел*) reception desk.

регистрацион|ен *прил.*, **-на, -но, -ни** registrational, registration (*attr.*).

регистраци|я *ж.*, **-и** registration; **дата на ~я** record date.

регистрирам *гл.* register; file; (*отбе-*

лязвам) record; ~ търговско дружество register a company.

регистрѝран *мин. страд. прич. (и като прил.)* registered; filed; ~ **капитал** authorized capital.

регистрѝране *ср., само ед.* registration, recording, entry, enrolment; ~ **на фондова борса** *икон.* stock-exchange listing.

регѝст|ър *м.*, -ри, (два) регѝстъра 1. register; **патентен** ~ър register of patents; **съдебен** ~ър court register; 2. *муз.* register, range, gamut; compass; ~ър **на гласа** range/gamut of a voice; ● ~ър **тон** register ton.

регламѐнт *м.*, -и, (два) регламѐнта *обикн. ед.* 1. regulations; 2. time-limit.

регламентѝрам *гл.* regulate, specify.

реглàн *м., само ед.* raglan.

регресѝв|ен *прил.*, -на, -но, -ни regressive, retrogressive.

регресѝрам *гл.* regress, retrogress.

регрѐси|я *ж.*, -и *геол., псих., мед.* regression.

регулатѝв|ен *прил.*, -на, -но, -ни regulatory.

регулàтор *м.*, -и, (два) регулàтора *техн.* regulator, controller (*и прен.*); (*на машина*) governor.

регулациòн|ен *прил.*, -на, -но, -ни 1. regulating; 2. (*градоустройствен*): ~ен **план** town-planning scheme.

регулàци|я *ж.*, -и 1. regulation; 2. (*градоустройство*) town-planning.

регулѝрам *гл.* 1. regulate, regularize, control; equalize; (*механизъм и пр.*) adjust; (*уличното движение*) control; 2. (*улица и пр.*) plan.

регулѝране *ср., само ед.* regulation, regularization, adjustment; *техн.* control; **дистанционно** ~ remote control; ~ **на уличното движение** traffic-control, handling of traffic.

регулирòвчи|к *м.*, -ци traffic policeman, traffic-controller.

регулирỳем *сег. страд. прич.* regulable, adjustable.

ред *м.*, -овѐ, (два) рѐда 1. (*линия; ивица*) row, range, line; (*ръкописен, печатен*) line; **на първия** ~ in the front row; **нов** ~ indentation; 2. (*известен брой, поредица*) a number/succession of; series; **в тоя** ~ **на мисли** in this train of thought; **по азбучен** ~ in alphabetic

order; 3. (*начин на действие, подреждане; изправност; обичаи; сбор от правила, норми; режим, строй*) order, system; *воен.* order, formation, array; **научавам на** ~ discipline; teach s.o. order; **по административен** ~ through administrative channels; **слагам в** ~ put in order, set to rights, (*стая и пр.*) do, (*нещо повредено*) put right; **установен** ~ fixed routine, an established usage/method; 4. (*време, удобен случай*) turn; time, *разг.* go; **когато му дойде** ~ът all in good time; **чакам си** ~а wait o.'s turn; *само мн.* (*на армия, организация*) ranks; **той влезе в** ~овете **на армията** he joined the army/ranks; 6. *мат.* series; ● **дневен** ~ agenda; **отивам по** ~а **си** (*умирам*) go the way of all flesh.

редактѝрам *гл.* 1. edit; emend; 2. (*формулирам*) word; ~ **резолюция** draw up/draft a resolution.

редàктор *м.*, -и; редàкторк|а *ж.*, -и editor; **отговорен** ~ managing editor; **текстов** ~ *комп.* word processor.

редакциòн|ен *прил.*, -на, -но, -ни editorial; ~на **колегия** an editorial board/staff, a board of editors.

редàкци|я *ж.*, -и 1. (*помещение*) editor's office; ~я **на вестник** office-building; editorial office(s); 2. (*колегия от редактори*) editors; 3. (*редактиране*) editing; **под** ~ята **на** edited by, under the editorship of; 4. (*формулиране*) wording, phrasing; 5. (*версия*) version.

рѐд|ен *прил.*, -на, -но, -ни 1. proper, accepted; usual; ~но **е** it is right, it is in order, it is only proper; 2. *език.* ordinal.

рѐдингот *м.*, -и, (два) рѐдингота frock-coat, cutaway.

редѝц|а *ж.*, -и row, line, file, rank; tier; *мат.* queue; (*известен брой*) a number/series of; **заставам в** ~а fall into rank.

рѐдни|к *м.*, -ци non-commissioned officer, private (soldier), ranker; *амер. разг.* G.I.

редòв|ен *прил.*, -на, -но, -ни 1. regular; **водя** ~ен **живот** keep regular hours; ~ен **клиент** patron; ~но **присъствие** strict attendance; 2. (*за документ и пр.*) in order; 3. (*за стока*) standard (*attr.*); 4. (*честен*) clean,

разг. legit, kosher.

редов|ѝ *прил.*, -à, -ò, -ѝ rank-and-file (*attr.*); ~ите **членове** (*в организация и пр.*) the ranks, the grass roots.

рѐдом *нареч.* side by side; (*на една линия – за тичане при надбягване*) neck and neck; ~ **с** together with.

редỳвам **се** *възвр. гл.* alternate, take turns (**да** at *с ger.*), take it in turns (**да** to); succeed each other; **редуваме се помежду си** we alternate with each other.

редỳктор *м.*, -и, (два) редỳктора 1. *техн.* reduction gear, speed reducer; 2. *хим.* reducer, reducting agent, deoxidizer.

редỳкция *ж., само ед.* 1. *фон.* reduction; 2. *хим.* deoxidization.

редуцѝрам *гл.* reduce.

редя́ *гл.*, *мин. св. деят. прич.* редѝл 1. arrange, put/set in order; (*на редици*) range; (*дърва, тухли и пр.*) stack, (*тухли*) lay; ~ **букви** *полигр.* set type; 2. (*говоря*) speak, utter; 3. (*на умряло*) keen, wail over; || ~ **се** 1. range o.s.; ~ **се на опашка** queue/line up; 2. (*изреждаме се*) pass.

рѐжа *гл., мин. св. деят. прич.* рязал 1. cut, (*с ножици и пр.*) clip, spin; (*с трион*) saw; (*на резени – зеленчук, плод*) slice; (*месо*) carve; (*лозе, нокти*) trim; (*труп*) cut up, open; **ножът не реже** the knife won't cut; ~ **на резени** cut into slices; 2. (*за вино и пр.*) be sharp; (*за вятър*) bite, cut like a knife; 3. (*говоря остро*) be cutting (towards); 4. (*за звук*) rend; (*за неприятен звук*) grate (on the ear); 5. *разг.* (*късам на изпит*) plough; || ~ **се** cut; ● ~ **го късо** cut/make it short.

режѝ|ен *прил.*, -йна, -йно, -йни: ~йни **разноски** *икон.* overhead expenses, overheads, oncost, fixed costs.

режѝм *м.*, -и, (два) режѝма *обикн. ед.* 1. regime, (*управление*) administration; **установявам** ~ set up/install a regime; 2. *мед.* regimen; (*диета*) diet; ~ **на хранене** regimen of diet; regular diet; 3. (*условия за работа, използване и пр.*) regime, regimen; *техн.* conditions, rate; **валутен** ~ exchange arrangements; ~ **на най-облагодетелствана нация** favoured nation treatment.

режисѝрам *гл.* stage, produce, direct.

режису̀ра *ж., само ед.* staging, (stage) production; **под ~та на** produced/directed by.

режисьо̀р *м.,* -и producer; **кино~** director.

резб|а̀ *ж.,* -ѝ **1.** carving, *(извършена с трионче)* fretwork; *(украса)* woodcarving; **2.** *техн.* thread(ing); **с ля̀ва ~а** left-threaded.

резба̀р (-ят) *м.,* -и wood/carver/-cutter.

резба̀рск|и *прил.,* -а, -о, -и wood-carving *(attr.)*, wood-carver's.

резѐ *ср.,* -та latch, bolt, catch.

резеда̀в *прил.* reseda(-coloured).

рѐзен *м.,* -и, *(два)* рѐзена slice, *(подѐбел)* chunk, hunk; *(месо, риба за готвене)* fillet; **~ лимон** a slice of lemon.

резѐрв *м.* и **резѐрв|а** *ж.,* -и **1.** reserve; fall-back; *фин. (паричен)* provision; *(стоков)* stockpile; *(за джобна батерия, химикалка и пр.)* refill; **златен ~** bullion, gold reserve; **~и воен.** reserves; **стоя в ~** lie by; **2.** *прен.* reservation; **приемам с ~и** receive with reservations, *разг.* take (s.th.) with a grain of salt, take (s.th.) for what it is worth; **3.** *спорт.* substitute; **Х като ~а на У** X for Y.

резерва̀т *м.,* -и, *(два)* резерва̀та reserve, preserve, sanctuary; **~ за дивеч** a game reserve/preserve.

резѐрв|ен *прил.,* -на, -но, -ни reserve *(attr.)*; *(запасен, двоен)* spare, duplicate; **имам ~ен вариант** have/keep a card up o.'s sleeve; **~ен играч** *спорт.* reserve; substitute, substitution; **~ни части** spare parts, spares, duplicates.

резервѝрам *гл.* reserve; *(ангажирам)* book, make reservations.

резервѝран *мин. страд. прич.* **1.** reserved; **2.** *прен.* reserved, distant, reticent, aloof, undemonstrative, *разг.* offish.

резервоа̀р *м.,* -и, *(два)* резервоа̀ра reservoir; basin; *(на машина)* feedtank; *(на автомобил)* petrol tank; *амер.* gas tank; **пълня ~а си** *(за кораб)* tank.

рез|ѐц *м.,* -цѝ, *(два)* резѐца **1.** cutter; *(сечиво)* chisel; **2.** *(зъб)* incisor, fronttooth, foretooth.

резидѐнт *м.,* -и resident.

резидѐнци|я *ж.,* -и residence; **~я на правителството** seat of the government.

резѝл *м., само ед. разг.* disgrace; • **ставам за ~** make a show of o.s., make an exhibition of o.s., disgrace o.s.

резѝстор *м.,* -и, *(два)* резѝстора resistor; *ел.* resistor; **разряден ~** discharge resistor.

резѝтба *ж., само ед. (на лозе)* pruning, trimming.

резлѝв *прил.* **1.** *(за звук)* sharp, strident; **2.** *(за питие)* tart, sharp; *(за вятър)* cutting, biting, nipping, sharp.

резолюци|я *ж.,* -и resolution; decision; **предлагам/подкрепям/приемам ~я** move/second/adopt a resolution.

резона̀нс *м., само ед.* resonance.

резона̀тор *м.,* -и, *(два)* резона̀тора resonator; vibrator; cavity; *фон.* resonance, resonance box, soundbox, sounding board.

резонѝрам *гл.* resound, resonate.

резулта̀т *м.,* -и, *(два)* резулта̀та **1.** result; *(изход)* outcome, issue; *(последица)* effect; consequence; corollary; *(на проучване и пр.)* findings; **в ~ (на)** as a result (of); **имам обратен ~** produce precisely the opposite effect; **обявявам ~ите от гласуване** declare the poll, *(от конкурс)* give out the results; **2.** *спорт.* score; **завършвам при равен ~** end in a draw.

резулта̀т|ен *прил.,* -на, -но, -ни effective, fruitful, productive, operative, efficacious.

рѐзус-фа̀ктор *м., само ед. биохим.* Rhesus factor, Rh factor.

резюмѐ *ср.,* -та summary, resume; argument, synopsis; recapitulation; abstract; epitome; *(на договор и пр.)* *юр.* memorandum.

резюмѝрам *гл.* sum up, summarize; epitomize; capsulize; digest, recapitulate.

рѐимпо̀рт *м., само ед.* reimport, reimportation.

рейд₁ *м.,* -ове, *(два)* рѐйда *мор.* roadstead.

рейд₂ *м.,* -ове, *(два)* рѐйда *воен.* raid.

рейс *м.,* -ове, *(два)* рѐйса *(пътуване)* trip, run; *(автобус)* bus; **редовен ~** regular service.

рѐйтинг *м., само ед.* rating; **с най-висок ~** top-rated.

рек|а̀₁ *ж.,* -ѝ river; stream; **нагоре по ~ата** upstream, up the river; **~а Ду-** nav the Danube; **~и** *(дъжд)* floods of rain.

река̀₂ *гл., мин. св. деят. прич.* рѐкъл **1.** say, tell; **2.** decide, make up o.'s mind; **ако рече** if he sets his mind to it; **3.** *(струва ми се)* think, it seems to me; • **речено-сторено** no sooner said than done; suit the action to the word; **това ще рече** that is to say.

рѐкапитула̀ция *ж., само ед.* recapitulation, recap.

рѐквием *м.,* -и, *(два)* рѐквиема **1.** *църк.* requiem (mass); **2.** *муз.* requiem.

реквизѝрам *гл.* requisition, impress; *(за военни цели и пр.)* commandeer.

реквизѝт *м., само ед.* **1.** *театр.* stage-property, properties; **2.** *разг.* props; requisite, necessity.

реквизѝция *ж., само ед.* requisition(ing), *(през време на война и пр.)* commandeering; **правя ~** impose requisition.

рѐкет *м., само ед.* racket, racketeering; **политически ~** political racketeering.

рекетьо̀р *м.,* -и racketeer.

рекла̀м|а *ж.,* -и **1.** advertisement; *разг.* ad; *(на магазин)* signboard; **място за ~а** commercial slot/break; **неонова ~а** neon sign; **телевизионна ~а** commercial; **2.** *(рекламиране)* advertising, publicity; **лоша ~а** bad advertisement, poor publicity (за for); **правя ~а** *(за книга и пр.)* talk up; write up.

реклама̀ци|я *ж.,* -и claim (за to); reclamation; returned work; **правя ~я** lodge/file/put in a claim (за for).

рекла̀м|ен *прил.,* -на, -но, -ни advertising; promotional; **~ен агент** publicity agent; **~на дейност** publicity; **~ни материали** dealer aids.

реклама̀рам *гл.* advertise, give publicity to, make publicity for, *разг.* boost, publicize, push, *амер.* play up, sell; *(шумно и натрапчиво)* hype (up); **~ стоката си** cry o.'s wares *(и прен.)*.

реко̀лта *ж., само ед.* crops; *(на отделно растение)* harvest, yield; crop; *прен.* vintage; **богата/отлична ~** rich/bumper harvest/crop; **прибирам ~та** gather in/harvest the crops, bring in the grain; **слаба ~** poor crop, crop failure.

реконструѝрам *гл.* reconstruct; rehabilitate.

реконструктѝв|ен *прил.,* -на, -но, -ни reconstructive, of reconstruction.

реконстру̀кци|я ж., -и reconstruction; rehabilitation, redesign; ~я на каби-нет government reshuffle.

реко̀рд м., -и, (два) реко̀рда record; постигам ~ set up a record.

реко̀рд|ен прил., -на, -но, -ни record(-breaking).

рекордьо̀р м., -и; рекордьо̀рк|а ж., -и record-holder; record-breaker.

рѐктор м., -и rector, (в Англия) chancellor, амер. president.

ректора̀т м., само ед. rector's/chancellor's office, rectorate.

рѐкторск|и прил., -а, -о, -и rector's, rectorial, chancellor's; амер. president's.

рѐктум м., само ед. анат. rectum; разг. back passage.

релакса̀ция ж., само ед. relaxation; мед. relaxation.

релаксѝрам гл. relax, rest; разг. chill out, veg out, let one's hair down.

релатѝв|ен прил., -на, -но, -ни relative.

релѐ ср., -та техн., ел. relay; транс-лационно ~ autorelay.

релѐ|ен прил., -йна, -йно, -йни relay-operated.

релѐф м., само ед. 1. изк. relief; укра-сявам с ~ emboss; 2. (на местност, терен) lay; ~ на морското дъно sub-marine topography.

релѐф|ен прил., -на, -но, -ни 1. in relief; (изработен с релеф) embossed, raised; (за шрифт) glyphic; (за стък-лен предмет) cut-glass; ~на карта a relief map, an embossment map; ~но стъкло cut glass; 2. прен. incisive, trenchant, clear-cut, bold, vivid.

религио̀з|ен прил., -на, -но, -ни religious; godly; (за музика) sacred; ~на организация religious organization.

религио̀зност ж., само ед. religiousness, religiosity, piety; godliness.

релѝги|я ж., -и religion; официална ~я established religion.

релѝкв|а ж., -и relic.

рѐлс|а ж., -и rail; движещ се по ~и track-mounted; излизам от ~ите (и прен.) run off/leave/jump the rails, be derailed; ~и rails, жп track, metals.

рема̀рк|а ж., -и лит. stage-direction.

ремаркѐ ср., -та trailer; многоколес-но ~ multiwheel trailer; ~ на товарен автомобил lorry trailer.

ремѝ ср., -та шах., карти even, tie, draw; играта излезе ~ the game was drawn.

ремѝкс м., само ед. муз. remix.

ремилитариза̀ция ж., само ед. remi-litarization.

ремилитаризѝрам гл. remilitarize.

реминисцѐнци|я ж., -и reminiscence.

ремо̀нт м., само ед. repair(s); в ~ съм be under/undergo repair(s); извърш-вам ~ carry out repairs; текущ ~ rou-tine/current/operating repair.

ремо̀нт|ен прил., -на, -но, -ни repair (attr.); строит. remedial; ~на рабо-тилница repair shop.

ремонтѝрам гл. repair; mend, refit, recondition; основно ~ overhaul.

рѐмъ|к м., -ци, (два) рѐмъка (leather) strap, thong; предавателен ~к техн. driving belt; ~к на пушка a rifle sling; ● не ти трябва от мечка ~к don't trouble trouble until trouble troubles you.

рѐмъч|ен прил., -на, -но, -ни: с ~но предаване belt-driven.

рендѐ ср., -та 1. plane, (голямо) try(ing) plane; 2. (кухненско) grater.

рендо̀свам, рендо̀сам гл. plane (away, down), dress.

ренега̀т м., -и renegade, backslider, ter-giversator, apostate, разг. turncoat.

Ренеса̀нс м., само ед. истор. Renais-sance, revival.

ренеса̀нсов прил. renaissance (attr.); of the renaissance.

реномѐ ср., само ед. reputation; stand-ing; спасявам си ~то save o.'s face.

реномѝран прил. celebrated, famous, of repute.

рѐнта ж., само. ед. income, private means; годишна ~ annuity; пожизне-на ~ life annuity.

рентабѝл|ен прил., -на, -но, -ни pay-ing, profitable, lucrative, gainful.

рентабѝлност ж., само ед. profitable-ness, profitability, lucrativeness; gain-fulness; cost-effectiveness.

рѐнтген м., -и, (два) рѐнтгена обикн. ед. X-ray; преглеждам на ~ X-ray.

рѐнтгенов прил. X-ray, Roentgen (attr.); ~ апарат X-ray; ~а снимка radio-graph, electrograph, an X-ray photo-graph, roentgenogram.

рентгено̀граф м., -и, (два) рентгено-гра̀фа X-ray photograph.

рентгеногра̀фия ж., само ед. radio-graphy, roentgenography; ~ на бъбре-ка renography.

рентгеноло̀гия ж., само ед. radiol-ogy, roentgenology.

рентгеномѐтрия ж., само ед. roent-genometry, X-ray dosimetry.

рентиѐр м., -и; рентиѐрк|а ж., -и rentier, person of independent means.

реорганиза̀ци|я ж., -и reorganization; журн. shake-up.

реорганизѝрам (се) (възвр.) гл. re-organize, remould, reorder.

реоста̀т м., -и, (два) реоста̀та техн., ел. rheostat; ~ с подвижен контакт sliding resistor.

реота̀н м., -и, (два) реота̀на ел., техн. heating-resistor, heating coil/wire.

репарацио̀н|ен прил., -на, -но, -ни reparation (attr.).

репара̀ции само мн. юр. reparations; разплащания по ~ reparation pay-ment.

репатрѝрам гл. repatriate.

рѐпе|й (-ят) м., -и, (два) рѐпея бот. burdock, bur(r), cocklebur (Arctium Lappa).

репертоа̀р м., само ед. театр. rep-ertoire; прен. repertory.

репертоа̀р|ен прил., -на, -но, -ни театр. repertoire, repertorial, reper-tory (attr.).

репетѝрам гл. rehearse.

репетѝтор м., -и; репетѝторк|а ж., -и coach, tutor.

репетицио̀н|ен прил., -на, -но, -ни rehearsal (attr.).

репетѝци|я ж., -и rehearsal; dummy/ trial run; генерална ~я dress-rehearsal.

рѐпичк|а ж., -и бот. (червена) rad-ish.

рѐплик|а ж., -и retort, rejoinder, re-mark; (дръзка) backchat; театр. cue, catchword; муз. answer; подавам ~а give the cue.

репорта̀ж м., -и, (два) репорта̀жа (piece of) reporting, (descriptive) re-port, reportage; ексклузивен ~ журн. exclusive; правя ~ за амер. cover.

репортѐр м., -и (newspaper) reporter; newsman; разг. амер. newshound.

репресѝв|ен прил., -на, -но, -ни re-pressive; retaliatory; ~на мярка meas-ure of repression, reprisal.

репресѝране ср., само ед. repression.

репрѐси|я ж., -и repression, suppression.

репрѝза ж. и **репрѝз** м., само ед. муз., спорт. recapitulation, reprise, restatement.

репродуктѝв|ен прил., -на, -но, -ни reproducible, reproductive.

репроду̀кци|я ж., -и изк. (art) reproduction; разг. repro.

репродуцѝрам гл. reproduce.

репу̀блик|а ж., -и полит. republic.

република̀н|ец м., -ци republican.

република̀нск|и прил., -а, -о, -и republican; ~о управлѐние republican government.

репута̀ция ж., само ед. reputation, (good) name; record, standing; **неопетнѐна** ~ undamaged reputation.

рес|а̀ ж., -ѝ (на върба и пр.) catkin, pussy; ament; (на царевица и пр.) tassel; лозови ~и inflorescence; ~и зоол., бот. cilia.

ресн|а̀ ж., -ѝ fringe; tassel; с ~и fringy; украся̀вам с ~и fringe.

реснѝц|а ж., -и eyelash; ~и анат. cilia.

ресо̀р₁ м., -и, (два) ресо̀ра техн. spring.

ресо̀р₂ м., -и, (два) ресо̀ра обикн. ед. (сфера) sphere, field, province.

респѐкт м., само ед. respect.

респектѝв|ен прил., -на, -но, -ни respective.

респектѝрам гл. awe, inspire/strike with respect.

респира̀тор м., -и, (два) респира̀тора техн., мед. respirator, spirophore.

респира̀ция ж., само ед. respiration.

реставра̀тор м., -и; **реставра̀торк|а** ж., -и restorer.

реставра̀ция ж., само ед. restoration (и полит.).

реставрѝрам гл. restore; renovate.

реститу̀ирам гл. restitute.

реститу̀ция ж., само ед. юр., биол. restitution.

рѐсто ср., само ед. 1. change, odd money; 2. нареч.: ~! разг. no go! nothing doing! (не го искам) take it back!

рестора̀нт м., -и, (два) рестора̀нта restaurant; ~ градѝна an open-air restaurant.

рестриктѝв|ен прил., -на, -но, -ни restrictive.

ресу̀рси само мн. resources; природ-ни ~ natural resources.

рѐтина ж., само ед. анат. retina, pl. retinas, retinae.

реторѝч|ен прил., -на, -но, -ни; **рето-рѝческ|и** прил., -а, -о, -и и **ри-торѝч|ен** прил., -на, -но, -ни; **ри-торѝческ|и** прил., -а, -о, -и rhetorical, erotetic.

ретрансля̀тор м., -и, (два) ретранс-ля̀тора retransmitter; радио. relay-station, two-way repeater.

ретрансла̀ция ж., само ед. retransmission; rediffusion; радио. rebroadcast(ing).

ретранслѝрам гл. retransmit.

рѐтро прил. и предст. retro.

ретрогра̀д|ен прил., -на, -но, -ни retrograde, retrogressive.

ретрогра̀дност ж., само ед. retrogression, ultra conservatism.

ретроспектѝв|ен прил., -на, -но, -ни retrospective; ~ен ка̀дър flashback.

ретроспѐкция ж., само ед. retrospect, retrospection; flashback; cutback.

рѐфер м., и спорт. referee, umpire.

рефера̀т м., -и, (два) рефера̀та paper, (scholarly) essay (въ̀рху on).

реферѐндум м., -и, (два) реферѐндума referendum; обявя̀вам национа-лен ~ call a national referendum.

реферѐнт|ен прил., -на, -но, -ни reference (attr.).

реферѐнции само мн. references; да-вам добри ~ за give s.o. a good character.

рефинансѝрам гл. refinance.

рефлѐкс м., -и, (два) рефлѐкса reflex; усло̀вен ~ биол. a conditioned reflex.

рефлѐкс|ен и **рефлексѝв|ен** прил., -на, -но, -ни reflex (attr.), reflexive.

рефлектѝрам гл. reflect.

рефлѐктор м., -и, (два) рефлѐктора 1. опт., астр. reflector, speculum; 2. авт. (на кола) tail-light.

рефлекто̀р|ен прил., -на, -но, -ни reflex (attr.).

рефо̀рм|а ж., -и reform.

реформа̀тор м., -и; **реформа̀торк|а** ж., -и reformer.

Реформа̀ция ж., само ед. истор. Reformation.

реформѝз|ъм (-мът) м., само ед. полит. reformism.

реформѝрам (се) (взвр.) гл. reform; ~ управлѐние reform administration.

рефрѐн м., -и, (два) рефрѐна муз. refrain, burden (и прен.).

рехабилита̀тор м., -и; **рехабилита̀-торк|а** ж., -и мед. remedial gymnast, occupational therapist, rehabilitation therapist.

рехабилитацио̀н|ен прил., -на, -но, -ни rehabilitation (attr.), rehabilitative.

рехабилита̀ция ж., само ед. мед. rehabilitation, (disablement) resettlement.

рецензѐнт м., -и; **рецензѐнтк|а** ж., -и reviewer; ~ на изда̀телство (publisher's) reader.

рецензѝрам гл. review, (нещо, пред-ложено за издаване) read.

рецѐнзи|я ж., -и review, notice; (на нещо, предложено за издаване) opinion; пра̀вя/пѝша ~я на review.

рецѐпт м., -и мед. prescription; кул. recipe; по ~а (за готвене и пр.) from a recipe.

рецѐпши|я ж., -и reception desk.

рецѐсия ж., само ед. recession.

рецидѝв м., -и, (два) рецидѝва 1. мед. relapse, recurrence; 2. юр. recidivism; second offence.

рецидивѝз|ъм (-мът) м., само ед. юр. recidivism.

рецидивѝст м., -и; **рецидивѝстк|а** ж., -и recidivist, habitual criminal; разг. backslider, old lag/hand/sweat; осо̀бено опа̀сен ~ юр. special dangerous recidivist.

рециклѝрам гл. reclaim.

реципро̀ч|ен прил., -на, -но, -ни мат. reciprocal.

рецита̀л м., -и, (два) рецита̀ла recital; (на поезия и пр.) reading.

рецита̀тор м., -и; **рецита̀торк|а** ж., -и reciter, recitalist, reader; declaimer.

рецитѝрам гл. recite, read; declaim.

реч ж., -и 1. speech; (обръщение) address; встъпѝтелна ~ opening speech; държа̀ ~ make/deliver a speech; за-ключѝтелна ~ closing speech; 2. (език) speech; пря̀ка/непря̀ка ~ ез. direct/indirect speech; ро̀дна ~ native speech.

рѐч|ен прил., -на, -но, -ни river (attr.), fluvial; книж. fluviatile; (за риба) freshwater; ~ен бряг river bank, riverside; ~но корабопла̀ване river/inland navigation.

рѐчни|к м., -ци, (два) рѐчника 1. dictionary; съста̀вител на ~к lexicographer; 2. (думите, с които някой си

служи) vocabulary.

рѐчников *прил.* lexical; **основен ~ фонд** basic word stock.

рѐша *гл., мин. св. деят. прич.* **рѐсал** comb, dress; || **~ се** comb, do o.'s hair.

решàвам, решà *гл.* **1.** decide, make up o.'s mind, resolve, determine; *(за съд)* rule, give a ruling; **делото бе решено в негова полза/вреда** the case went for/against him; **~ съдбата на** decide/ seal the fate of; **2.** *(задача)* solve, work out; **~ задачи** *(елементарни)* do sums; || **~ се** *(престрашавам се)* take the plunge; **не мога де се реша да** I can't bring myself to.

решàващ *прил.* decisive, conclusive; determinant; crucial; *(за удар)* winning; **~ глас** casting vote, deliberative vote, *(при гласуване)* the odd man; **~ фактор** determinant.

решѐн *мин. страд. прич.* **1.** decided, solved, settled; **съдбата му е ~а** his fate is sealed; he is doomed; **2.** resolved, all set (*да c inf.*), bent, intent (*да* on *c ger.*), out to (*c inf.*); **~ на всичко** desperate, stopping at nothing, resolved to try all means.

решѐни|е *ср.,* **-я 1.** decision, determination, resolution; *(на съд)* verdict, judg(e)ment, finding; **компромисно ~е на спор** *юр.* transaction; **променям ~ето си** change o.'s mind, have second thoughts; **2.** *(на задача, гатанка)* solution (of), answer (to); *(на задача и пр.)* working-out (of).

решѐтк|а *ж.,* **-и** *(на прозорец, канал)* grating; *(на прозорци)* bars, *(от летвички)* lattice, trellis; *(на радиатор, врата)* grille; *(пред камина)* fender; fireguard, fire screen; *(в банка и пр.)* (protecting) grille; *театр.* gridiron; *техн.* grid, guard; *физ.* lattice; **вентилационна ~а** *техн.* air grid; **с ~а** *(за прозорец)* grated, (iron-)barred; grilled; ● **зад ~ите** behind (prison) bars.

решѐт|о *ср.,* **-а** riddle; *(дърмон)* screen; *кул.* colander, cullender; ● **правя на ~о** riddle (with holes), make a riddle of.

решѝтел|ен *прил.,* **-на, -но, -ни 1.** *(непоколебим)* resolute, resolved, decided, determined, unhesitating; firm; grim; strong-minded; fortitudinous; *(смел)* venturesome; *(енергичен)* vigorous, forceful; drastic *(и за мерки)*;

(несъмнен) decided; thorough-going; **вземам ~ни мерки** take drastic measures, take forceful action; **~ен отговор** downright/final reply; **2.** *(съдбоносен)* decisive, crucial, make-or-break; *(начало на нападение и пр.)* zero-hour; **~ен момент** crux; *разг.* the crunch, crunch time; *журн.* high noon.

решѝтелност *ж., само ед.* determination, resolution, firmness; vigour of purpose; strong-mindedness; grim resolve; *(категоричност)* decisiveness, finality; *(смелост)* daring, grim courage; *разг.* pluck.

рея се *възвр. гл., мин. св. деят. прич.* **рѐял се** и **рял се** roam, ramble; rove *(и за поглед)*, wander (about), mean-der; *(за поглед и пр.)* travel.

рѝб|а *ж.,* **-и 1.** fish; **отивам да ловя ~а** go fishing; **речна/морска ~а** river-/sea-fish; **~ите** *събир.* the finny tribe; **2.** *астр., астрол.* **Риби** Pisces; ● **ловя ~а в мътна вода** *прен.* fish in troubled waters; **мълча като ~а** be as dumb/mute as a fish.

рибàр (-ят) *м.,* **-и 1.** fisherman; *(въдичар)* angler; **2.** *(продавач)* fishmonger; **3.** *(любител на риба)* great fish-eater.

рибàрск|и *прил.,* **-а, -о, -и** fisherman's, fishermen's *(за село, мрежа, кооперация, лодка)* fishing; **~и принадлежности** fishing tackle.

рѝб|ен *прил.,* **-на, -но, -ни; рѝбен** *прил.* fish *(attr.)*; *(който мирише на риба)* fishy; **~ена кост** herringbone; **~ни консерви** tinned/canned fish; ● **бод ~ена кост** wheat-ear stitch, fishbone stitch, feather-stitch.

риболòв *м., само ед.* fishing, fishery; **океански ~** deep-sea fishing/fishery.

риванòл *м., само ед. фарм.* flavin(e).

рид *м.,* **-ове, (два) рѝда** hill, elevation, rising ground.

ридàни|е *ср.,* **-я** sobs, sobbing.

ридàя *гл., мин. св. деят. прич.* **ридàл** sob.

рѝз|а *ж.,* **-и 1.** shirt; *(женска)* chemise; **усмирителна ~а** a strait jacket; **2.** *техн.* mantle, jacket; lining; **водна ~а** water jacket; ● **изкарвам кирливите си ~и на показ** wash o.'s dirty linen in public; cry stinking fish.

рѝзниц|а *ж.,* **-и** *истор.* chain-mail, chain armour.

рикошѐт *м., само ед.* ricochet, indirect hit.

рикошѝрам *гл.* ricochet, rebound; glance (aside, off); *прен.* Backfire.

рѝм|а *ж.* **~ ~ ~и** *лит.* rhyme, rime; **непълни ~и** imperfect rhymes.

римỳвам *гл.* rhyme, rime.

ринг *м.,* **-ове, (два) рѝнга** *спорт. (при бокс; гумено кръгче)* ring.

ринѝт *м., само ед. мед.* rhinitis.

рѝпсен *прил.* corded, repped, corduroy *(attr.)*; **~о кадифе** corduroy, cord.

рис *м.,* **-ове, (два) рѝса** *зоол.* lynx, mountain cat *(Felis lynx)*.

риск *м.,* **-ове, (два) рѝска** risk; **излагам на ~** endanger, jeopardize, put in jeopardy; **на свой ~** at o.'s risk/peril; ● **печели, ~ губи** nothing ventured, nothing gained.

рисковàн *прил.* risky, hazardous, precarious, dangerous, perilous, unsound, touch-and-go, chancy; *разг.* dicey, dodgy, ticklish; *(начинание, бизнес и пр.)* wildcat; **~ е** *разг.* it is as much as o.'s ears are worth; **~о начинание** a risky enterprise, a leap in the dark.

рискỳвам *гл.* (take a) risk, run a risk, take chances; *разг.* stick o.'s neck out; *(пари)* stake; **който рискува – печели** nothing venture, nothing have/gain; **не искам да ~** be unwilling to take risks, play safe; **~ живота си** risk/venture/stake o.'s life.

рисỳвам *гл.* **1.** draw, *(с бои)* paint; **~ от натура** draw/paint from life/nature; **~ с маслени бои** paint in oil(s); **2.** *прен.* depict, portray, paint; **~ със светли/мрачни краски** paint in bright/dark colours.

рисувàтел|ен *прил.,* **-на, -но, -ни** drawing *(attr.)*; **~на хартия** drawing-paper.

рисỳнк|а *ж.,* **-и** drawing; *(шарка)* design, pattern; **~а върху корица на книга** a cover design; **~а с молив** pencil-drawing.

рѝтам *гл.* **1.** kick; *(играя футбол)* play football; **2.** *(за огнестрелно оръжие)* recoil, kick; || **~ се: ритаме се** kick at each other; ● **~ срещу ръжен** kick against the pricks.

рѝтвам, рѝтна *гл.* kick, give a kick (at); *(събарям с ритане)* kick over.

ритмѝч|ен *прил.,* **-на, -но, -ни** rhythmical; metrical; *муз.* mensural, men-

surable; ~но движение a rhythmical movement.

ритмѝчност *ж., само ед.* rhythm, rhythmicity.

ритнѝ｜к *м.*, -ци, (два) ритнѝка kick.

ритуа̀л *м.*, -и, (два) ритуа̀ла ritual, rite.

ритуа̀л｜ен *прил.*, -на, -но, -ни ritual (*attr.*), ritualistic; ceremonial.

рѝт｜ъм *м.*, -ми, (два) рѝтъма rhythm; measure.

риф *м.*, -ове, (два) рѝфа *геогр.* reef, ledge, shelf.

рѝцар (-ят) *м.*, -и 1. *истор.* knight; странстващ ~ knight-errant; 2. *прен.* (кавалер) gentleman.

рѝцарск｜и *прил.*, -а, -о, -и knightly; *прен.* chivalrous; ~и роман *лит.* a chivalrous romance, a romance/tale of chivalry.

роб *м.*, -и slave, bond(s)man; **работя като ~ върху** toil at.

робовладѐлск｜и *прил.*, -а, -о, -и slave-holding/-owing; ~и строй slave system.

робо̀т *м.*, -и, (два) робо̀та robot; като ~ (*и прен.*) robot-like.

ро̀бск｜и *прил.*, -а, -о, -и slave (*attr.*); (присъщ на роб) servile, slavish; ~и живот a life of servitude.

ро̀бство *ср., само ед.* 1. slavery, servitude, bondage; thraldom; роден в ~ slave-born; 2. *прен.* drudgery.

робу̀вам *гл.* be a slave, be in servitude/ bondage (на to); (работя като роб) drudge and slave, drudge (на for); *прен.* be a slave (на to); ~ на навика be enslaved to habit.

ров *м.*, -ове, (два) ро̀ва ditch, dike; dyke; (около замък и пр.) moat, foss(e); противотанков ~ *воен.* anti-tank ditch, tank-ditch.

ро̀вя *гл.*, мин. св. деят. прич. ро̀вил 1. dig; (под земята) mine; (с пръчка и под.) poke; (с муцуната си) nuzzle, rootle, (за свиня) root about (for); (земята) grub (up/out); (за кокошка) scratch (for); (пепел) rake over; (погребвам) bury; ~ в сметта dig in the garbage; ~ (изравям) земя dig up earth; 2. (тършувам) hunt, rummage, ransack, rake, ferret, forage, scavenge; grub (из in/among); (в джоб, торба) fumble, feel, grope; *прен.* (раздухвам стари вражди и пр.) rake up; ~ из книжа rummage through/about/among

papers; || ~ се dig, delve; ~ се в историята probe into history.

рог *м.*, -ове и -а̀, (два) ро̀га 1. horn; 2. (на вила) prong; 3. (на непълна луна) cusp; 4. *муз.* horn, bugle; **ловджийски** ~ hunting horn, huntsman's bugle; ● слагам ~а на cuckold; тъмно като в ~ pitch dark.

ро̀гов *прил.* horn (*attr.*); (за вещество) horny, corneous; очила с ~и рамки horn-rimmed glasses.

ро̀говица *ж., само ед.* cornea; присаждане на ~ corneal grafting.

рого̀зк｜а *ж.*, -и (rush-)mat, straw-mat, matting.

род *м.*, -ове и -овѐ, (два) ро̀да 1. (семейство) family; (роднини) extended family; kin; (група роднински семейства) clan; (произход) birth, origin, stock; от стар ~ of an old family; човек от ~а a man of birth; 2. (поколение) generation; 3. (племе) tribe; 4. *биол.* genus, *pl.* genera, genuses; човешкият ~ mankind, humanity, the human race, our species; 5. (вид) sort, kind, type; нещо от тоя ~ s.th. of the sort/kind; първи по ~а си first-ever; 6. *език.* gender.

ро̀д｜ен *прил.*, -на, -но, -ни 1. (за брат, сестра) o.'s own; ~ен брат o.'s real/full/whole brother, o.'s own brother, o.'s blood brother, o.'s brother by birth; brother-german; 2. (за страна, къща и пр.) native, home (*attr.*), o.'s own; ~ен край homeland, land of o.'s birth; *амер.* God's (own) country; 3. (национален) national.

родѐн *мин. страд. прич.* born; те са ~и един за друг they are exactly suited to each other.

родѝл｜ен *прил.*, -на, -но, -ни maternity (*attr.*); ~ен дом maternity hospital/home; ~ни мъки birth-/labour-pains, pangs of childbirth, travail, throes of child-birth; *прен.* the throes of creation/authorship.

родѝна *ж., само ед.* native land, motherland, mother country; home (*и прен.*). – там, откъдето произлиза нещо); тъгувам по ~та be homesick.

родѝтел (-ят) *м.*, -и parent.

родѝтелск｜и *прил.*, -а, -о, -и parental, parent's; ~и права *юр.* parental rights.

роднѝн｜а *м. и ж.*, -и relative, relation,

kinsman, (жена) female relation, kinswoman; най-близки ~и next of kin; той няма живи ~и he has no surviving relatives.

роднѝнск｜и *прил.*, -а, -о, -и: ~и връзки ties of relationship/blood, kinship ties.

родолю̀б｜ец *м.*, -ци; **родолю̀бк｜а** *ж.*, -и patriot.

родосло̀в｜ен *прил.*, -на, -но, -ни genealogical; ~но дърво family tree.

ро̀дствен *прил.* 1. related, kindred (на to); near of kin; consanguineous, consanguine; ~и връзки ties of relationship, kinship ties; 2. (близък) kindred, allied, related; cognate.

ро̀дство *ср., само ед.* 1. relationship, kinship; кръвно ~ kindred, blood relationship; consanguinity; 2. *прен.* alliance, propinquity, affinity; cognateness.

рождѐн *прил.*: ~ ден birthday.

рождѐние *ср., само ед.* birth; сляп от ~ blind from birth, congenitally blind.

ро̀з｜а *ж.*, -и *бот.* rose.

ро̀зов *прил.* 1. rose (*attr.*); ~о масло attar of rose(s); rose oil; 2. pink, rose-coloured; rosy (*и прен.*); ● гледам на света през ~и очила see things through rose-coloured spectacles.

рокендро̀л *м., само ед. муз.* rock and roll, rock'n'roll.

ро̀кл｜я *ж.*, -и dress, gown, frock; булчинска ~я a wedding/bridal dress.

ролѐтк｜а *ж.*, -и 1. tape-measure, tape-line, measuring reel; 2. (на магазин и пр.) (steel-)shutter, (rolling-)shutter.

ро̀лк｜а *ж.*, -и 1. *техн.* roller; 2. *фото.* spool (и за магнетофон); 3. (за коса) metal curler.

ро̀л｜я *ж.*, -и part, role, role (*и прен.*); (текст) lines; влизам в ~ята си throw o.s. into o.'s part; главна ~я a principal/leading/star part.

рома̀н *м.*, -и, (два) рома̀на 1. *лит.* novel; **криминален** ~ a detective story/ novel; 2. (любовни връзки) (love-)affair.

рома̀нс *м.*, -и, (два) рома̀нса *муз.*, *лит.* song, drawing-room ballad, romance.

романтѝз｜ъм (-мът) *м., само ед. лит., изк., муз.* romanticism; romantic period.

романтѝч｜ен *прил.*, -на, -но, -ни romantic, star-eyed; *разг.* bodice-ripping.

ромб *м.*, -ове, (два) ро̀мба *геом.* rhomb, rhombus; diamond; lozenge.

ро̀ня *гл.*, *мин. св. деят. прич.* ро̀нил (*листа*, *сълзи*) shed; (*царевица*) shell; || ~ **се** (*за жито и пр.*) crumble; (*за капки*) trickle (down); (*за листа*) fall; (*за бряг*) crumble.

роса̀ *ж.*, *само ед.* **1.** dew; **па̀да ~** dew falls; **2.** (*време, когато пада роса*) dew-fall; **3.** (*ситен дъжд*) drizzle.

ро̀т|**а** *ж.*, -и *воен.* company; **почетна ~а** guard of honour.

рой|**к** *м.*, -ци, (два) ро̀йка (*птици*) flight, flock; (*пчели*) swarm, cluster.

рубѝн *м.*, -и, (два) рубѝна ruby; **с ~и** ruby-studded.

ру̀брик|**а** *ж.*, -и rubric, heading; (*във вестник*) column; feature; (*радио*) programme; **отделям в ~и** rubricate.

руга̀я *гл.*, *мин. св. деят. прич.* руга̀л abuse, revile, vituperate, call names, rail (at), shout (at), call s.o. rough names; fulminate (against); *sl.* slang.

ру̀д|**а** *ж.*, *и геол.* ore; **обогатѐна ~а** dressed/concentrated ore.

ру̀дни|**к** *м.*, -ци, (два) ру̀дника *мин.* (metal) mine, pit, colliery.

руж *м.*, -ове, (два) ру̀жа rouge, blusher, highlighter.

рулѐтк|**а** *ж.*, *само ед.* roulette.

рул|**о̀** *ср.*, -а̀ roll (*и кул.*); **навит на ~о** rolled up.

румъ̀н|**ец** *м.*, -ци Rumanian, Romanian.

Румъ̀ния *ж. собств.* Rumania, Romania.

румъ̀нк|**а** *ж.*, -и Romanian (woman).

румъ̀нск|**и** *прил.*, -а, -о, -и Rumanian, Romanian.

рунд *м.*, -ове, (два) ру̀нда *спорт.* round.

рус *прил.* blond, fair, fair-haired; **~о момиче, ~а жена** blonde.

руса̀лк|**а** *ж.*, -и **1.** mermaid, water-nymph, nix(ie); **2.** (*лодка*) canoe; **3.** *зоол.* mayfly; ephemera, *pl.* ephemeras, ephemerae.

Русия *ж. собств.* Russia.

ру̀ск|**и** *прил.*, -а, -о, -и Russian.

рускѝн|**я** *ж.*, -и Russian (woman).

русна̀|**к** *м.*, -ци Russian.

рутина̀ *ж.*, *само ед.* **1.** routine; groove, rut; **2.** (*обиграност*) routine; skill;

training.

ру̀хвам, ру̀хна *гл.* **1.** collapse, fall down, topple; **2.** (*за план и пр.*) break down, fall to the ground; (*за надежди*) be crushed, crumble to nothing; **3.** (*за човек*) collapse, break down; *разг.* crack up.

ру̀че|**й** (-ят) *м.*, -и, (два) ру̀чея brook, stream.

руша̀ *гл.*, *мин. св. деят. прич.* рушѝл destroy (*и прен.*); (*разбивам*) disrupt; (*събарям*) pull down, demolish; (*бряг и пр. - за река*) undermine; || ~ **се** crumble (away), crumble down/to ruin, fall to pieces/into ruins, be in/fall into decay; totter.

рушвѐт *м.*, -и, (два) рушвѐта *разг.* bribe; *фр.* douceur; *разг.* palm-oil, backhander, sweetener; *амер.* kickback; (*на посредник*) key money; • **взѐмам ~** take bribes, graft; **да̀вам ~** (**на**) bribe; *разг.* oil s.o.'s fist/hand/palm.

ръб *м.*, -ове, (два) ръ̀ба edge, fringe; (*ивица*) border, list, edging; (*шев - и на чорап*) seam; (*на панталони*) crease; (*на тротоар*) side; *техн.* flange; **на ~а на сѝлите си съм** be at the end of o.'s tether, be at o.'s last gasp, be on o.'s last legs.

ръ|**ка̀** *ж.*, -цѐ **1.** hand; (*от кѝтката до ла̀кътя*) forearm; (*от кѝтката до ра̀мото*) arm; **взѐмам/нося на ~це** take/carry in o.'s arms; **~ка за ~ка** hand-in-hand (c with); **2.** (*обществено положение*) standing, rank; **чо̀век от пъ̀рва ~ка** a man of high standing; **3.** *само мн.* (*власт*) hands; **оста̀вям се в ~цѐте на** put o.s. in s.o.'s hands; **4.** (*беритба*) priming; **5.** (*карти*) hand; (*възможност за игра*) entry; **реша̀ващата ~ка** the odd trick; • **в добри ~це** in safe hands; **на бъ̀рза ~ка** hastily, hurriedly; offhand, slapdash, (*много бързо*) in no time.

ръка̀в *м.*, -и, (два) ръка̀ва **1.** sleeve; **запрѐтвам ~и** roll up o.'s sleeves (*и прен.*); **2.** (*на река*) branch, arm; **3.** (*пасаж*) chute.

ръкавѝц|**а** *ж.*, -и glove; (*с един пръст*) mitt, mitten; **сла̀гам си ~и** pull on o.'s gloves; • **хвъ̀рлям ~ата** throw the gauntlet to.

ръково̀д|**ен** *прил.*, -на, -но, -ни lead-

ing; directive; directorial; **~ен о̀рган** governing body.

ръководѝтел (-ят) *м.*, -и; **ръководѝтелк**|**а** *ж.*, -и leader, head; (*на курс*) instructor; *ж.* instructress; **нау̀чен ~** director of studies, adviser.

ръково̀дств|**о** *ср.*, -а **1.** management, guidance, leadership, direction; **под ~ото на** under the guidance/direction of; **2.** (*кнѝга*) handbook, textbook, manual (по of); **3.** (*ръководѝтели*) leaders; governing (and executive) body; board.

ръково̀дя *гл.*, *мин. св. деят. прич.* ръково̀дил lead, guide, direct; (*събрание и пр.*) preside at, chair; (*управля̀вам*) manage, run, be in charge of, be at the head of; **~ фѝрма** manage a firm; || ~ **се** be led/guided (от by); go by.

ръст *м.*, -ове, (два) ръ̀ста **1.** height, stature; **изпра̀вям се с цѐлия си ~** rise/stand up/draw o.s. up to o.'s full height; **със срѐден ~** middle-sized, of medium height; **2.** (*развитие*) growth, development.

ръч|**ен** *прил.*, -на, -но, -ни hand (*attr.*); manual; (*изработен на ръка̀*) handmade; **~на изработка** hand-made; **~на шевна машина** hand sewing machine.

ря̀д|**ък** *прил.*, -ка, -ко, рѐдки **1.** (*за гора, посеви, коса*) thin, sparse; (*за мрѐжа*) wide-meshed; (*за зъби*) widely-spaced; (*за плат*) loosely woven, flimsy; **~ка гора** thinly planted/sparse wood; **2.** (*разводнѐн*) thin, diluted; (*за питие и пр.*) wishy-washy; **~ка кал** liquid mud, slush; **3.** (*който не се срѐща чѐсто, необикновѐн*) rare; uncommon, unusual, exceptional; **~ка дарба** an unusual talent; rare gift.

ря̀з|**ък** *прил.*, -ка, -ко, рѐзки **1.** (*за звук*) harsh, strident, metallic; **~ък звук/шум** jar, jangle; **2.** (*внезапен*) sudden, unexpected, abrupt; (*за движѐние*) jerky; **~ко повишѐние на цѐните** sharp rise in prices; **~ък завой** sharp turn; **3.** (*за очерта̀ния*) sharp, sharply-outlined; **4.** (*груб, о̀стър, обѝден*) sharp, blunt, harsh, snappy, snappish, curt, crabby; gruff, gruffish; (*язвѝтелен*) caustic, trenchant, biting; **~к отка̀з** rebuff.

ря̀па *ж.*, рѐпи *бот.* turnip.

с, със *предл.* **1.** (*заедно с*) with, and; **мляко ~ кафе** coffee with milk, white coffee; **ние ~ тебе** you and I; **2.** (*свързване, съединение*) with; **свързвам се ~ някого** get in touch with s.o., contact s.o.; **3.** (*оръдие, средство*) with, by; **режа ~ нож** cut with a knife; **хващам ~ мрежа** catch in a net; **4.** (*материя, с която се работи*) in; **пиша ~ молив/мастило** write in pencil/ink; **търгувам ~ жито** deal in wheat; **5.** (*заменяне*) by; **заменям нещо ~ нещо** replace s.th. by s.th.; **6.** (*съдържание*) of; **ваза ~ цветя** a vase of flowers; **7.** (*за външни белези*) with; (*облечен, обут с*) in; ~ **шапка в ръка** hat in hand, with o.'s hat in o.'s hand; **човек ~ бяла коса** a man with white hair, a white-haired man; **8.** (*за вътрешни белези*) of; (*вътрешно състояние*) in; ~ **повишено настроение** in high spirits; **9.** (*начин на действие*) with; ~ **цената на** at the cost of; **слушам ~ внимание** listen with attention; **със сила** by force; **10.** (*спрямо, по отношение на*) to, towards; **как сте със здравето?** how is your health?; **11.** (*против*) against; **боря се ~ бедността** struggle against poverty; **12.** (*за време – продължителност, едновременност*) for; ~ **пристигането** on arriving; ~ **часове наред** for hours on end; (*малко след*) on; **13.** (*за разлика в количество/брой; сравнение*) by; **в сравнение ~** in comparison with, compared with; **закъснях ~ 10 минути** I was 10 minutes late/too late by ten minutes; ~ **един ден по-рано** a day early/too soon; **14.** (*обект на дейност/отношение*) **гордея се ~** be proud of; **подигравам се ~** make fun of; • ~ **най-добри пожелания** (with) best wishes; ~ **намерение да** with the intention of (*с ger.*).

сабо́ *ср., само ед.* sabot.

сабота́ж *м., -и, (два)* **сабота́жа** sabotage; **върша ~** sabotage, carry out/commit sabotage.

саботи́рам *гл.* sabotage, torpedo.

саботьо́р *м., -и* saboteur.

саб|я *ж., -и* **1.** sword; (*крива*) sabre; **със ~я в ръка** sword in hand; **2.** *зоол.* scabbard-fish, sword-fish.

сава́н *м., -и, (два)* **сава́на** shroud, winding-sheet; cerement, cerecloth; grave clothes.

са́г|а *ж., -и лит.* saga.

сади́з|ъм (-**мът**) *м., само ед. псих.* sadism (*и прен.*).

сади́ст *м., -и* sadist.

садисти́ч|ен *прил., -на, -но, -ни* sadistic.

са́домазохи́з|ъм (-**мът**) *м., само ед. псих.* sadomasochism.

садя́ *гл., мин. св. деят. прич.* **сади́л** plant; (*със сади́ло*) dibble.

са́жд|а *ж., -и обикн. мн.* flake of soot, sooty smut; **изцапан със ~и** sooty; ~**и** soot, grime; (*от локомотив*) smuts.

саздъ́рма́ *ж., само ед. кул.* corned-beef/-pork, etc.

сайва́нт *м., -и, (два)* **сайва́нта** *диал.* shed, penthouse, lean-to.

са́йдер *м., само ед.* cider.

сак *м., -ове, (два)* **са́ка 1.** sack, hold-all; (*риболовен*) spoon-net; **2.** travelling/shopping bag.

сака́т *прил.* crippled; (*куц*) lame; *като същ.* – (*човек*) cripple, a disabled person.

сак|о́ *ср., -а́* coat, jacket.

сакра́л|ен *прил., -на, -но, -ни анат.* sacral.

сакрализа́ция *ж., само ед. мед.* sacralization.

сакси́|ен *прил., -йна, -йно, -йни:* ~**йно цвете** a potted plant.

сакси́|я *ж., -и* flowerpot, plant pot; **посаждам в ~я** pot; ~**я с цветя** a pot of flowers; • **расъл в ~я** mollycoddled; (*have*) lived in an ivory tower; (*have*) lived in a cocoon.

саксофо́н *м., -и, (два)* **саксофо́на** *муз.* saxophone.

сал *м., -ове, (два)* **са́ла** raft.

сала́м *м., -и, (два)* **сала́ма** *кул.* sausage; salami; *разг.* banger.

саламандъ|р *м., -ри, (два)* **саламандъра** *зоол.* salamander; **морски ~р** congo eel/snake.

саламу́ра *ж., само ед.* brine, souse, pickle; **слагам в ~** pickle (in brine), souse.

сала́т|а *ж., -и* **1.** *кул.* salad; **руска ~а** Russian salad; ~**а от картофи** potato salad; **2.** *бот.* (*маруля*) lettuce (*Lactuca sativa*).

са́лдо *ср., само ед. фин.* balance; де-

битно ~ debit balance; **кредитно ~** credit balance.

салици́л *м., само ед.* salicyl, salicylic acid.

салици́лов *прил. хим.* salicylic.

салкъ́м *м., -и, (два)* **салкъ́ма** *разг.* (*акация*) acacia, robinia.

са́лни|к *м., -ци, (два)* **са́лника** *техн.* oil-seal, stuffing box, gland; **набивам ~к** pack a gland.

сало́н *м., -и, (два)* **сало́на** (*зала*) hall; (*гостна стая*) drawing-room, parlour, main sitting-room; (*в хотел, клуб и пр.*) lounge; (*на кораб и пр.*) saloon; **гимнастически ~** gymnasium; *разг.* gym; **пълен ~** *театр.* a full house; **театрален ~** auditorium; **фризьорски и козметичен ~** a beauty parlour.

сало́н|ен *прил., -на, -но, -ни:* ~**ен разговор** small-talk; ~**ни маниери** society manners.

салтана́т *м., -и, (два)* **салтана́та** splendour, magnificence, ostentation, pomp, trappings, frills; • **продавам ~и** show off.

са́лт|о *ср., -а спорт.* somersault; flip; **задно ~о** back somersault; **предно ~о** front somersault.

са́лтомортале́ *ср., само ед.* **1.** flying somersault (*и прен.*); **правя ~** make/turn a somersault in the air; **2.** *прен.* breakneck/hazardous enterprise; (*в разсъжденията*) desperate jump, unwarranted conclusion.

салфе́тк|а *ж., -и* (table-)napkin, serviette; **книжна ~а** a paper serviette.

салю́т *м., -и, (два)* **салю́та** salute; (*със знамена*) *мор.* dip(ping); **давам ~** give a salute; **топовен ~** a gun salute.

сам *прил.* **1.** (*самотен*) alone, by o.s.; (*непридружен*) unattended; **живея ~** live by o.s., live alone, (*самотен съм*) live a solitary life; **оставаме ~и** be left together; **съвсем ~**, ~**самичък/самин** quite alone, all by o.s.; **2.** (*без чужда помощ*) by o.s.; single-handed, unassisted; on o.'s own; for o.s.; **бръсна се/обличам се ~** shave/dress o.s.; **въпросът се разреши ~** the issue settled itself; **действам/виждам/откривам ~** act/see/discover for o.s.; **решавам ~** decide for o.'s/on o.'s own, make up o.'s own mind; **3.** (*не някой друг/нещо друго*) oneself; very, actual; **в ~ото начало** at the very beginning; **до ~ия**

край to the very end, right through to the end; **от ~ото начало** from the very beginning, right from the start/outset, *разг.* from the word go; **~ата истина** the very/strict/real/naked/unvarnished truth, the truth itself; **4.** (*олицетворение*) itself; personified, incarnate; **~ата посредственост/невинност** mediocrity/innocence itself; ● **разбира се от ~о себе си** it goes without saying, it is self-evident; **~ за себе си** on o.'s own account.

самàр *м.*, **-и**, (**два**) **самàра** *остар.* packsaddle (*и прен.*).

самарàнин *м.*, **самарàни** *библ.* Samaritan; ● **милостивият ~** the good Samaritan.

сàмба *ж.*, *само ед. муз.* samba.

сàмбо *ср.*, *само ед. спорт.* sambo.

сам|èц *м.*, **-цù**, (**два**) **самèца** male, mate, outlier; (*вълк*) dog(-wolf); (*елен*) buck, stag; **~ец, който живее отделно от стадото** rogue.

сàмк|а *ж.*, **-и** female, mate.

сàмо *нареч.* **1.** only, solely; **~ в този случай** in this case only; **това е ~ за добро** it's all to the good; **това му прави ~ чест** it's all to his credit; **той е ~ кожа и кости** he is nothing but skin and bone; **2.** (*просто*) merely, only; **~ като я погледна** the mere sight of her; **3.** (*не повече от, точно*) only, just; **~ веднъж през живота си** once in a lifetime; **~ преди две седмици** only a fortnight ago, as recently as a fortnight ago; **4.** (*все, непрекъснато*) all the time; keep (*с ger.*); do nothing but (*с inf. без* to); **детето ~ плаче** the child keeps crying, the child cries all the time; **~ влизам и излизам** do nothing but go in and out; **5.** (*покрит, изцапан с*) all covered with; (covered) all over with; **~ кал съм** be all covered with mud, be mud all over, *разг.* be all over mud; **6.** *съюз:* **не ~ красива, но и умна** not only beautiful, but also clever, she is clever as well as beautiful; **~ да не закъснееш** mind you're not late; **(*молба*) please, don't be late; **7.** *част.:* **1)** (*за усилване*) only, just; **да знаеш ~** if only you knew; **2)** (*закана*) just; **~ се опитай!** just you dare! just try!); **3)** (*тъкмо, точно*): **~ за гости сме а** fine state we're in to have company;

● **всичко ще направя, ~ и ~ да го спася** I'd do anything to save him; **~ така!** that's it! that's more like it! now you're talking!

самоанàлиз *м.*, *само ед.* self-examination, introspection, the study of the self.

самобùт|ен *прил.*, **-на**, **-но**, **-ни** original, distinctive.

самобùтност *ж.*, *само ед.* originality.

самобичỳвам се *възвр. гл.* castigate o.s., flagellate o.s.

самобръснàчк|а *ж.*, **-и** safety-razor; **електрическа ~а** an electric razor/ shaver.

самовàр *м.*, **-и**, (**два**) **самовàра 1.** tea-urn, samovar; **2.** (*в баня*) geyser.

самовлàст|ен *прил.*, **-на**, **-но**, **-ни 1.** absolute; **2.** despotic, autocratic; **~ен господар** absolute ruler, autocrat.

самовлàстие *ср.*, *само ед.* autocracy, absolute rule, absolutism.

самовнушèни|е *ср.*, **-я** *псих.* auto-suggestion.

самовòл|ен *прил.*, **-на**, **-но**, **-ни** self-willed, wilful; unwarranted; **~но отлъчване** unwarranted absence; *воен.* absence without leave, *съкр.* AWOL.

самовъзпитàние *ср.*, *само ед.* self-education.

самовъзпроизвèждане *ср.*, *само ед.* self-reproduction.

самодè|ен *прил.*, **-йна**, **-йно**, **-йни** amateur (*attr.*).

самодè|ец *м.*, **-йци**; **самодèйк|а** *ж.*, **-и** amateur (performer/artist).

самодèйност *ж.*, *само ед.:* **художествена ~** amateur art activities; (*отделна проява*) an amateur performance.

самодùв|а *ж.*, **-и** *мит.* wood-nymph, elf, fairy; ● **царството на ~ите** fairy-land, elf-land.

самодùвск|и *прил.*, **-а**, **-о**, **-и** fairy (*attr.*), elfin; elf-like.

самодовòл|ен *прил.*, **-на**, **-но**, **-ни** self-satisfied, complacent, conceited, smug, priggish; *разг.* big-headed, too big for o.'s boots, puffed up; **~на усмивка** a complacent smile.

самодовòлство *ср.*, *само ед.* self-satisfaction, complacency, conceit, conceitedness, smugness, priggishness.

саможèртв|а *ж.*, **-и** self-sacrifice.

саможùв *прил.* unsociable, withdrawn; (*затворен в себе си*) reserved, reti-

cent, reclusive, recluse.

самозабрàва *ж.*, *само ед.* self-oblivion; forgetfulness of self.

самозабрàвям се, **самозабрàвя се** *възвр. гл.* **1.** (*от възторг и пр.*) be lost (*от* in); **2.** be/become presumptuous.

самозадоволявам се, **самозадоволя̀ се** *възвр. гл.* be self-sufficient/-sufficing.

самозадоволя̀ване *ср.*, *само ед.* self-sufficiency.

самозалъгвам се, **самозалъжа се** *възвр. гл.* be complacent, delude o.s. (*за* about).

самозалъ̀гване *ср.*, *само ед.* wishful thinking.

самозапàлвам се, **самозапа̀ля се** *възвр. гл.* (*за въглища и пр.*) ignite spontaneously; (*за човек*) burn o.s. to death.

самозащùта *ж.*, *само ед.* self-defence, self-protection; **при ~** in self-defence.

самозвàн *прил.* self-styled, self-proclaimed, self-appointed; false.

самозвàн|ец *м.*, **-ци** impostor, impersonator, pretender.

самоиздръ̀жка *ж.*, *само ед.* self-support, self-reliance; **на ~ съм** be self-supporting, self-funded, provide for o.s.; not be financed by the state.

самоизмàма *ж.*, *само ед.* self-deception, self-delusion.

самоизмàмвам се, **самоизмàмя се** *възвр. гл.* delude o.s., deceive o.s.

самоизмъ̀чвам се, **самоизмъ̀ча се** *възвр. гл.* torment o.s., torture o.s.

самоконтрòл *м.*, *само ед.* self-control; self-test.

самокрùтика *ж.*, *само ед.* self-criticism; **правя си ~** criticise o.s., admit o.'s faults openly.

самокритù|чен *прил.*, **-на**, **-но**, **-ни** critical of o.s.

самолèт *м.*, **-и**, (**два**) **самолèта** *авиац.* plane, aeroplane, aircraft (*и pl.*); **безмоторен ~** glider; **пътнически ~** passenger plane; (*който обслужва определена линия*) liner; **реактивен ~** jet-plane.

самолèт|ен *прил.*, **-на**, **-но**, **-ни** air (*attr.*), aircraft (*attr.*); **~на снимка** aerial photograph; **~на формация** flight formation.

самолèтоносàч *м.*, **-и**, (**два**) **самолè-**

тоносàча *воен.* aircraft-carrier; *амер. разг.* flattop.

самолѐтостроѐне *ср., само ед.* aircraft industry.

самолѝч|ен *прил.,* -на, -но, -ни personal.

самолѝчност *ж., само ед.* (personal) identity; **документи за** ~ identification documents/papers, *съкр.* ID; **провер-ка на** ~**та** identity check; **установя-вам** ~**та си** identify o.s.

самолюбѝв *прил.* egotistic(al), selfish, self-centred; ambitious.

самолюбѝе *ср., само ед.* egotism, self-ishness, ambition **оскърбявам** ~**то на** pique s.o.

самомнѐние *ср., само ед.* (self-)con-ceit, self-importance, vanity; **голямо** ~ a swelled head.

самомнѝтел|ен *прил.,* -на, -но, -ни (self-)conceited, self-important, over-proud, overweening, vain.

самонаблюдѐние *ср., само ед.* self-analysis, introspection.

самонадѐян *прил.* self-reliant; (*само-уверен*) conceited, self-confident, pre-suming, presumptuous, overweening, overbold; cocky, cocksure; pushy, *разг.* toffee-nosed.

самообвинѐни|е *ср.,* -я self-accusa-tion, self-incrimination.

самооблада̀ние *ср., само ед.* self-con-trol; self-command, self-possession; presence of mind, nerve; (*спокойст-вие*) composure; equanimity; **загу̀б-вам** ~ lose o.'s self-control/counte-nance, lose control of o.s.; *разг.* loose o.'s cool; lose o.'s nerves/head/o.'s pres-ence of mind, blow o.'s top; lose o.'s grip on o.s.; **запазвам** ~ keep o.'s head (cool), keep cool, keep o.'s counte-nance, hold o.s. down, keep a stiff up-per lip, tough it out; **той загуби** ~ his temper ran away with him.

самообразо̀вам се *възвр. гл.* educate o.s.; read for self-instruction.

самообразова̀ние *ср., само ед.* self-education.

самообслу̀жване *ср., само ед.* self-service; **магазин на** ~ a self-service shop, (*голям*) supermarket.

самооправда̀вам се, самооправдая̀ се *възвр. гл.* justify o.s./o.'s behaviour; find excuses.

самоопра̀шване *ср., само ед. бот.*

self-pollination; cleistogamy.

самоопределѐние *ср., само ед.* self-determination.

самоопредѐлям се, самоопредѐля се *възвр. гл.* determine o.'s own status/ form of government/allegiance.

самоосигуря̀ване *ср., само ед. икон.* self-insurance.

самоотбра̀на *ж., само ед.* self-defence; **действам при законна** ~ *юр.* act un-der duress; **при** ~ in self-defence.

самоотвѐржен *прил.* selfless, dedi-cated.

самоотвѐженост *ж., само ед.* self-lessness.

самопозна̀ние *ср., само ед. филос.* self-knowledge.

самопризна̀ни|е *ср.,* -я confession, admission; **по негово** ~**е** on his own admission; **правя пълни** ~**я** *юр.* con-fess fully (to), make a full confession (of).

саморазпа̀дане *ср., само ед. и* **само-разпа̀д** *м., само ед.* (spontaneous) de-composition.

саморазпра̀ва *ж., само ед.* taking the law/matters into o.'s own hands; lynch law; mob law; (*сбиване*) fight; **влизам в** ~ take the law into o.'s own hands, (*бия се*) fight.

саморазпра̀вям се, саморазпра̀вя се *възвр. гл.* take the law/a matter/mat-ters into o.'s own hands; (*за тълпа*) lynch.

саморà̀с|ъл *прил.,* -ла, -ло, -ли self-sown, self-grown; ~**ло растение** wilding.

самореклама̀ *ж., само ед.* self-adver-tisement, self-advertising, exhibition-ism, splurge.

саморо̀д|ен *прил.,* -на, -но, -ни vir-gin, native; (*прен.*) natural, native; **къс** ~**но злато** nugget; ~**ен талант** native talent.

саморъ̀ч|ен *прил.,* -на, -но, -ни auto-graphic; (*автентичен*) authentic; ~**ен подпис** sign manual, autograph, o.'s own signature; ~**но направено заве-щание** *юр.* holographic will.

самосва̀л *м.,* -и, (два) **самосва̀ла** *авт.* tip-lorry, dumper, *амер.* dump truck/ car/lorry.

самостоя̀тел|ен *прил.,* -на, -но, -ни **1.** independent, self-dependent; (*неза-висим, безпристрастен*) detached; ~**на изложба** one-man show; **2.** (*за*

жилище) self-contained; ~**на рабо-та** work done on o.'s own; *уч.* private study; ~**на стая** separate room, room to o.s.

самостоя̀телно *нареч.* independently; on o.'s own; (*без чужда помощ*) sin-gle-handed, unaided, off o.'s own bat; **действам** ~ act independently/in o.'s individual capacity, take independent action, *разг.* paddle o.'s own canoe; **мисля** ~ think for o.s., use o.'s own head/brains.

самостоя̀телност *ж., само ед.* inde-pendence; autonomy; self-dependence; strong-mindedness; detachment; (*в мисленето*) independence of judge-ment.

самосъзна̀ние *ср., само ед.* (self-)con-sciousness, self-awareness.

самосъхранѐние *ср., само ед.* self-preservation; **инстинкт за** ~ an in-stinct of self-preservation.

самота̀ *ж., само ед.* solitude, loneli-ness; friendlessness; desolation; forlorn-ness, forsakenness.

самотѐк *м., само ед.:* ● **оставям на** ~ let things drift/slide.

само̀т|ен *прил.,* -на, -но, -ни solitary, lonely, lonesome; desolate; forlorn; for-saken; friendless; companionless; (*за път и пр.*) unfrequented; ~**на майка** deserted/unmarried/single mother; (*за къща, дърво*) solitary; **чувствам се** ~**ен** feel lonely; (*и объркан*) adrift.

самоубѝвам се, самоубѝя се *възвр. гл.* kill o.s., commit suicide, take o.'s own life.

самоубѝ|ец *м.,* -йци; **самоубѝйц|а** *ж.,* -и suicide.

самоубѝйствен *прил.* suicidal.

самоубѝйств|о *ср.,* -а suicide, *юр.* felo de se; **инсцениране на** ~**о** rigged/ staged suicide; **опит за** ~**о** attempted suicide.

самоуважѐние *ср., само ед.* self-es-teem, self-respect.

самоувѐрен *прил.* self-confident, as-sured, *разг.* cocksure, bumptious; **пре-калено** ~ (self-)opinionated.

самоувѐреност *ж., само ед.* self-con-fidence, (self-)assurance.

самоу̀к *прил.* self-educated, self-taught.

самоунижа̀вам се, самоунижа̀ се *възвр. гл.* humiliate o.s., abase o.s.

самоунижѐние *ср., само ед.* self-hu-

miliation, self-abasement, self-disparagement.

самоунищожѐние *ср., само ед.* self-destruction/-annihilation.

самоуправлѐние *ср., само ед.* self-government; self-rule; home rule; **мѐстно ~** local self-government; **пълно ~** complete self-government.

самоуправлявам се *възвр. гл.* govern o.s.

самоуспокоявам се, самоуспокоя се *възвр. гл.* be overcomplacent (about).

самоусъвършѐнствам се *възвр. гл.* perfect o.s.

самоучѝтел (-ят) *м., -и, (два)* **самоучѝтеля** teach-yourself book, self-instructor (по in).

самохвалко *м., -вци;* **самохвалк|а** *ж., -и* boaster, braggart, show-off; *(за мъж и)* braggadocio.

самохвалство *ср., само ед.* boasting, boastfulness, vainglory, vaingloriousness, swagger, bluster, fanfaronade, rodomontade, sabre-rattling, splurge.

самоход|ен *прил., -на, -но, -ни* self-propelled; automotive; self-moving.

самоцѐл *ж., само ед.* end in itself.

самоцѐл|ен *прил., -на, -но, -ни:* **~но изкуство** *изк.* art for art's sake.

самочувствие *ср., само ед.* general condition, disposition; spirits; self-confidence; **повишено ~** great/high spirits, self-confidence; **понижено ~** low/poor spirits; inferiority complex.

самун *м., -и, (два)* **самуна** *диал.* loaf; **~ хляб** a loaf of bread.

самур *м., -и, (два)* **самура** *зоол.* sable *(Martes zibellina) (и кожата).*

самура|й (-ят) *м., -и истор.* samurai.

самурен *прил.* sable *(attr.).*

сан *м., -ове, (два)* **сана** dignity, high rank; **бивам посветен в духовен ~** take holy orders, be ordained to the priesthood; **духовен ~** religious order.

санаториа́л|ен *прил., -на, -но, -ни* sanatorium *(attr.);* **~ен режим** sanatorium regime.

санато́риум *м., -и, (два)* **санато́риума** sanatorium, *pl.* sanatoriums, sanatoria.

санберна́р и сенберна́р *м., -и, (два)* **санберна́ра и сенберна́ра** *зоол.* St. Bernards's dog, (great) St. Bernard.

сангвини́|к *м., -ци;* **сангвини́чк|а** *ж., -и псих.* sanguine person.

сангвини́ч|ен *прил., -на, -но, -ни* sanguine.

санда́л *м., -и обикн. мн.* sandal.

са́ндвич *м., -и, (два)* **са́ндвича** *кул.* sandwich; *разг.* butty, sarnie; **~ с шунка** a ham sandwich.

сандъ́|к *м., -ци, (два)* **сандъ́ка 1.** box, chest; *(голям куфар)* trunk; *мор. (в кабина)* locker; *(за пренасяне на предмети)* packing-case; **2.** *(погребален)* coffin.

санду́че *ср., -та* box; *(за цветя на прозорец или балкон)* window-box; *(за скъпоценности)* casket.

санѝране *ср., само ед.* confirmation.

санита́р (-ят) *м., -и* health-officer; hospital attendant; *воен.* medical orderly; *(носач)* stretcher-bearer.

санита́р|ен *прил., -на, -но, -ни* sanitary, medical; **~ен пункт** medical centre; *(за първа помощ)* first-aid centre; **~на норма** *(за замърсяване на въздуха и пр.)* safety/sanitary standard; **~но-ветеринарен контрол** veterinary supervision.

санкционѝрам *гл.* sanction, approve, endorse; impose sanctions.

са́нкци|я *ж., -и* **1.** sanction; *(одобрение)* approval; **2.** *(наказание)* sanction; **имуществена ~я** penalty payment; **парична ~я** pecuniary sanction; **юридически ~и** legal sanctions.

сано́вни|к *м., -ци* dignitary *(и прен.).*

санскрѝтск|и *прил., -а, -о, -и* Sanskrit; **~и език** Sanskrit.

сантѝм *м., -и, (два)* **сантѝма 1.** *остар.* penny; **2.** *разг.* centimetre.

сантимента́л|ен *прил., -на, -но, -ни* sentimental; *sl.* sappy, soppy, slushy, touchy-feely, drippy, namby-pamby; twee; *амер.* cornball, corny; gushy, gooey; **ставам ~ен** *sl.* turn on the water works.

сантимента́лнича *гл., мин. св. деят. прич.* **сантимента́лничил** be sentimental/maudlin.

сантимента́лност *ж., само ед.* sentimentality; **~и** sob-stuff; *sl.* flapdoodle, slush; **~сълзлива** ~mawkishness, sloppy sentiment; *разг.* goo; *sl.* tear-jerking.

сантимѐт|ър *м., -ри, (два)* **сантимѐтъра** centimetre; *(шивашки)* tape-measure.

сапрофѝт *м., -и обикн. мн. биол.* saprophyte.

сапрофѝт|ен *прил., -на, -но, -ни биол.* saprophytic.

сапу́н *м., -и, (два)* **сапу́на** soap; **мия ръцете си със ~** wash o.'s hands in soap; **~ за бръснене** shaving soap, *(отделно калъпче)* soap; **тоалетен парфюмиран/течен ~** toilet/scented/soft soap.

сапу́нен *прил.* soap *(attr.),* soapy; **правя ~и мехури** blow (soap-)bubbles; **~а пяна** lather.

сапуниѐрк|а и сапуниѐрк|а *ж., -и* soap-box/-dish/-tray.

сапунѝсвам, сапунѝсам *гл.* soap; *(натривам със сапунена пяна)* lather; **|| ~ се** soap o.s.

сапфѝр *м., -и, (два)* **сапфѝра** *минер.* sapphire.

сапьо́р *м., -и воен.* sapper, pioneer, engineer.

сапьо́рск|и *прил., -а, -о, -и* sapper, pioneer, engineer *(attr.).*

сара́|й (-ят) *м., -и, (два)* **сара́я** seraglio *(и прен.).*

сара́ф(ин) *м.,* **сара́фи** money-changer; cambist.

сардѐл|а *ж., -и разг.* sardine; *(консерва)* tinned sardines; **кутия ~и** a tin of sardines; • **наблъскани като ~и** packed like sardines; like rabbits in a warren.

сардѝн|а *ж., -и зоол.* pilchard *(Clupea pilhardus).*

сардонѝч|ен *прил., -на, -но, -ни;* **сардонѝческ|и** *прил., -а, -о, -и* sardonic.

сарка́з|ъм (-мът) *м., само ед.* sarcasm.

сарка́стич|ен *прил., -на, -но, -ни* sarcastic, mordant, taunting, nipping, snide, corrosive.

сарка́стичност *ж., само ед.* sarcasm, snideness, mordancy, bitingness.

саркофа́|г *м., -зи, (два)* **саркофа́га** sarcophagus, *pl.* sarcophagi.

сарм|а́ *ж., -и обикн. мн. кул.* stuffed cabbage/vine leaves; • **свивам някому ~ите** bring s.o. to heel/to his knees.

сатана́ *м., само ед.* Satan.

сатанѝнск|и *прил., -а, -о, -и* satanic, diabolic(al); fiendish; **~а злоба/жестокост** fiendishness; **~и смях** diabolic laughter.

сателѝт *м., -и, (два)* **сателѝта** satellite *(и прен.).*

сателйт|ен *прил.*, **-на**, **-но**, **-ни** satellite (*attr.*); **~но предаване** satellite brodcasting.

сатѐн *м.*, *само ед. текст.* (*памучен*) sateen; (*копринен*) satin.

сатѐнен *прил.* sateen, satin (*attr.*).

сатинѝрам *гл.* satin, glaze.

сатѝр *м.*, **-и** *мит.* satyr.

сàтир|а *ж.*, **-и** satire (срещу on).

сатирѝ|к *м.*, **-ци** satirist.

сатирѝч|ен *прил.*, **-на**, **-но**, **-ни**; **сатирѝческ|и** *прил.*, **-а**, **-о**, **-и** satiric(al), epigrammatic; **~ен театър** theatre of satire.

сатурàтор *м.*, **-и**, (два) **сатурàтора** *хим.* (*апарат*) saturator.

Сатỳрн *м. собств. мит.*, *астр.* Saturn.

сатурнѝз|ъм (-**мът**) *м.*, *само ед. мед.* saturnism.

сатър *м.*, **-и**, (два) **сатъра** chopper, cleaver; ● **тегля ~а на някого** kill s.o., do s.o. in; *прен.* (*на изпит*) plough, (*уволнявам*) sack, fire, (*с критика*) make mincemeat of s.o.

сàун|а *ж.*, **-и** sauna.

сàундтрак *м.*, **-ове**, (два) **саундтрàка** *муз.* soundtrack.

сафàри *ср.*, **-та** safari.

сафрѝд *м.*, *само ед. зоол.* scad (*Trachurus trachurus*).

сачм|à *ж.*, **-ѝ** 1. pellet, (grain of) small shot, round shot; **дребни ~и** small shot, bird-shot; **едри ~и** buck-/swan-shot; 2. *техн.* ball.

сачмѐн *прил. техн.* ball (*attr.*); ~ **лагер** ball-bearing.

сащѝсвам, **сащѝсам** *гл.* dumbfound; overcome with astonishment; *разг.* flabbergast; ‖ ~ **се** be dumbfounded.

сбàрвам, **сбàрам** *гл. разг. жарг.* catch, *sl.* nab.

сбѝвам, **сбѝя** *гл.* compress, condense, squeeze down/together; (*правя компактен*) compactify; ‖ ~ **се** 1. (*ставам по-сбит*) become pressed together/compressed, contract; 2.(*започвам да се бия*) get into a fight/scrap (**с** with), have a fight (**с** with), come to blows (**с** with); fall to fisticuffs (**с** with); **търся** (*повод*) **да се сбия** spoil for a fight.

сбѝван|е *ср.*, **-ия** fight, scrap, scuffle, fray, brawl; *разг.* fisticuffs; *амер. разг.* mix-in.

сбѝрам, **сберà** *гл.* gather; collect; bring together.

сбѝрк|а *ж.*, **-и** 1. collection; 2. (*събрание*) gathering, meeting, get-together.

сбѝрщина *ж.*, *само ед. пренебр.* rabble, riffraff, rout; (*смесена компания*) omnium gatherum; (*сбор от разнородни предмети*) medley, odds and ends.

сбѝт *мин. страд. прич.* 1. brief, concise, condensed, compressed, compact, succinct, compendious, curt, terse; **в ~а форма** briefly, in condensed/compact form; **~ почерк** close handwriting; 2. (*за почва*) compact, hard.

сбѝтост *ж.*, *само ед.* 1. brevity, conciseness, compendiousness, terseness, succinctness; 2. compactness, hardness.

сближàвам, **сближà** *гл.* bring/draw together, bring/draw closer; ~ **възгледи/предположения** bring views/proposals closer; ‖ ~ **се** draw closer (**с** to), become intimate/take up (**с** with); **сближаваме се** draw closer together, (*сприятеляваме се*) become good/close friends.

сближàване *ср.*, *само ед.* 1. intimacy; 2. *полит.* rapprochement; 3. (*сходство*) convergence.

сблъсквам се, **сблъскам се** *възвр. гл.* 1. collide, come into collision (**с** with); (*натъквам се на*) run into, come/run against, bump up against, come across; (*с трудност, неприятел*) encounter; **сблъскваме се** run/cannon into each other; (*за влакове*) crash together, meet head-on; (*за коли*) crash head on; 2. *прен.* be confronted/faced with; ~ **с действителността** be confronted/faced with reality, be confronted with the facts of life; 3. (*за интереси и пр.*) clash, conflict (**с** with); impinge (**с** on).

сблъсъ|к *м.*, **-ци**, (два) **сблъсъка** 1. (*на коли и пр.*) collision, crash; **~к на влакове** train collision; **фронтален ~к** head-on collision; 2. *прен.* clash, conflict; confrontation, collision; encounter; face-off; **~к на интереси** clash of interest; 3. (*схватка*) skirmish, brush; (*сражение*) a passage of/at arms; (*безредица*) affray; **улични ~ци** street affrays.

сбогом *нареч.* good-bye, farewell (**на** to); **казвам последно ~ на** say o.'s last farewell to; **целувам/прегръщам**

за ~ kiss/embrace good-bye/in farewell.

сбогỳвам се *възвр. гл.* say good-bye (**с** to), take o.'s leave (**с** of); *прен.* say/bid farewell (**с** to); **отивам си, без да се сбогувам** take French leave; ~ **завинаги с** take final leave of.

сбогỳван|е *ср.*, **-ия** leave-taking; farewell; valediction.

сбор *м.*, **-ове**, (два) **сбòра** 1. (*резултат от събиране на числа*) (addition) sum, total, whole; **общ ~** a grand/sum total; 2. (*постъпления*) taking, receipts; (*от продажба на билети*) box-office takings, take; (*от спортно състезание*) **пълен ~ театр.** all tickets sold; 3. (*комплект, серия и пр.*) collection, set; 4. (*от хора*) congregation, group, assembly; 5. *воен.* muster, assembly; 6. *разг.* (*събор*) fair.

сбòр|ен *прил.*, **-на**, **-но**, **-ни** 1. assembly (*attr.*); **~ен пункт** assembly-point; a meeting place/point; 2. (*смесен*) mixed; **~ен тим** a combined team/side, *неодобр.* a scratch team.

сборѝчквам се, **сборѝчкам се** *възвр. гл.* scuffle, have a scuffle, tussle (**с** with); **сборичкаме се** scuffle together.

сборѝщ|е *ср.*, **-а** gathering place, rallying point, resort, haunt, *амер.* stamping ground.

сборни|к *м.*, **-ци**, (два) **сборника** collection; digest; **литературен ~к** literary miscellany/medley; (*от статии по някакъв въпрос*) symposium; **~к от закони** legal code, statute book; **~к от математически задачи** book of mathematical problems.

сбръчкан *мин. страд. прич.* wizened, wrinkled, (*за лице и пр.*) lined; contracted.

сбръчквам, **сбръчкам** *гл.* wrinkle; contract; ~ **чело** wrinkle o.'s forehead, knit o.'s brows; ‖ ~ **се** wrinkle; break into wrinkles; (*за лист*) curl.

сбỳтвам, **сбỳтам** *гл.* 1. nudge, jog; 2. (*смествам*) pack, cramp, squeeze.

сбъдвам се, **сбъдна се** *възвр. гл.* come true, come to pass, come to fruition, be realized, materialize.

сбъркан *мин. страд. прич.* (*и като прил.*) 1. mistaken, wrong; **~а сметка** miscalculation; 2. *разг.* (*за човек*) not all there, not quite right in the head.

сбърквам, **сбъркам** *гл.* make a mis-

take (**че** by *c ger.*), err, go wrong (**че** to
c *inf.*), be wide of the mark; (*сгреша-
вам*) sin; (*заблуждавам се*) go astray;
~ **номера** mistake the number; ~ **при
смятане** do a sum wrong; ~ **пътя** mis-
take/miss o.'s way, go/take the wrong
way/road; **събъркал си адреса** *прен.*
you have mistaken your man; you've
come to the wrong shop; || ~ **се 1.** make
a mistake; **2.** (*слисвам се*) become con-
fused/perplexed/embarrassed; (*бивам
изненадан*) be taken aback; ~ **се от
страх** be struck dumb with fear, be dis-
mayed, be filled with dismay; ● **как се
събърка да дойдеш?** how come you
decided to visit us?

свàд|а *ж.*, **-и** quarrel, row, squabble,
brawl, tussle, fray; (*която може да
свърши с бой*) *разг.* dust-up, scrap.

свадлѝв *прил.* quarrelsome, conten-
tious, cantankerous, pugnacious, shrew-
ish, peevish, crusty, vixenish, spiky; dog-
gish; crabbed, crabby; fratchy; ~ **човек**
nagger.

свадлѝвост *ж.*, *само ед.* quarrelsome-
ness, contentiousness, cantankerousness,
shrewishness, peevishness, vixenishness,
crustiness, rowdiness; crabbedness; dog-
gishness.

свàлям, свалѝ *гл.* **1.** take down; (*ма-
хам*) remove; (*дреха и пр. от себе
си*) take off, remove; (*шапка и пр. от
закачалка, книга и пр. от полица*)
reach/lift/take down; (*товар*) lay down;
(*платно на лодка*) pull down; (*зна-
ме*) pull/haul down; (*пушка, раница*)
unsling; ~ **вериги** knock off irons; ~
ботушите/ръкавиците си pull off o.'s
boots/gloves; ~ **шапка** (*за поздрав*)
raise/lift o.'s hat (**на** to), *прен.* take off
o.'s hat (**на** to); **2.** (*събарям*) knock/
throw down, down; **3.** (*пътници*) put/set
down, drop, (*принудително*) force
down/off; (*дебаркирам*) disembark; **4.**
(*отнемам властта на – монарх*)
dethrone, depose; (*правителство*)
overthrow, oust, unseat, depose, top-
ple; ~ **от престол** dethrone; **5.** *жарг.*
(*успешно ухажвам*) impress, make
a conquest of; (*флиртувам*) *разг.* get
off with; ● ~ **звездите** promise golden
mountains; ~ **маската/булото на** un-
mask; ~ **от себе си всяка отговор-
ност** decline all responsibility (**за** for).

свàляне *ср.*, *само ед.* downthrow; ~ **на
конци** *мед.* removal of sutures; ~ **от
власт** *полит.* overthrow.

свалйч *м.*, **-и** *жарг.* stud, charmer,
womanizer, lady-killer.

свàрвам, сваря *гл.* **1.** find, catch, sur-
prise; **не ~ влака** miss the train; ~ **ня-
кого неподготвен** take s.o. by sur-
prise; catch s.o. nodding/napping/bend-
ing/tripping/off their guard/at a bad
time/on the wrong foot; **2.** (*успявам*)
manage (to *c inf.*), succeed (**да** in *c
ger.*); (*извършвам нещо навреме*) do
s.th. in time.

сварявам, сваря *гл.* boil, cook; (*бира,
чай*) brew; (*кафе, чай*) make; ~ **яйце**
boil/cook an egg; || ~ **се 1.** boil; **2.** *прен.
разг.* stew.

свàстик|а *ж.*, **-и** swastika.

сват *м.*, **-ове 1.** matchmaker; **пращам
~ове** send matchmakers; **2.** kinsman/
relation by marriage; **~ове** (*роднини*)
in-laws.

свàтб|а *ж.*, **-и** wedding; (*гостите*)
wedding party; ● **сребърна/златна ~а**
silver/golden wedding.

сватбàр (-ят) *м.*, **-и; сватбàрк|а** *ж.*,
-и wedding-guest.

свàтбен *прил.* wedding (*attr.*), nuptial;
~о празненство wedding celebrations/
festivities, a marriage feast; **~о пъте-
шествие** a wedding trip.

сватòсвам, сватòсам *гл.* arrange a
marriage for; make a match of it; make
a match for; ask/see in marriage; || ~
се become related by marriage.

свèдени|е *ср.*, **-я 1.** (a piece of) infor-
mation, intelligence; (*отчет*) report;
за ~е by way of information, for the
sake of information; **2.** *само мн.* in-
formation, record; *разг.* gen; (*позна-
ния*) knowledge (**по** of); **неверни ~я**
misinformation, mis-statements; **спо-
ред получените ~я** according to in-
formation received.

свеж *прил.* fresh (*и прен.*); (*прохла-
ден*) cool; (*за въздух и пр.*) crisp, brac-
ing; ~ **цвят на лицето** a fresh com-
plexion; (*за цветове*) fresh; **~и цве-
тя** fresh-cut flowers; ● **със ~а мисъл**
sharp-witted, clear-headed.

свèждам, сведà *гл.* **1.** bent/bow down;
2. (*приравнявам*) reduce, bring (**до**
to), (*понижавам*) relegate (**до** to);
reduce to the level of; ~ **до най-съ-**

щественото reduce to essentials; || ~
се come down, boil down (**до** to); ● ~
глава/чело *прен.* bow down (**пред** to).

свèжест *ж.*, *само ед.* freshness; **загуб-
вам ~та си** wither.

свèкър *м.*, **-и** father-in-law (o.'s hus-
band's father).

свекърв|а *ж.*, **-и** mother-in-law (o.'s
husband's mother).

свенлѝв *прил.* shy, bashful, diffident;
(*за момиче*) coy.

свенлѝвост *ж.*, *само ед.* shyness, bash-
fulness; diffidence; coyness, pudency.

сверявам, сверя *гл.* (*текст*) collate
(**с** with); (*проверявам*) verify, check;
(*часовник*) regulate, correct, set (to the
correct time); put right (**с** by), synchro-
nize (**с** with); ● ~ **часовника си** set
o.'s watch right, *прен.* see how the land
lies.

свèстен *прил.*, **свястна, свястно, свèст-
ни 1.** decent, of decent quality, ade-
quate; (*за дрехи*) decent, presentable;
разг. good enough, passable, tolerable;
(*разумен*) sensible, reasonable; **2.** (*за
човек*) decent, reliable.

свестявам, свестя *гл.* bring round/to,
restore to consciousness; || ~ **се** come
round/to, come to o.s., regain conscious-
ness.

свет и свят[2]; свет|ѝ *прил.*, **-à, -ò, -ѝ**
holy, (*като епитет*) saint; (*свещен*)
sacred; (*праведен*) saintly; **за него ня-
ма нищо свято** nothing is sacred to/
with him, he holds nothing sacred; **Све-
тият Дух** the Holy Spirit/Ghost.

свèтвам, свèтна *гл.* flash; (*за очи*)
brighten up; (*за прозорец*) be lighted;
(*бивам електрифициран*) light up;
(*за светофар*) come/flash/go on;
(*за град и пр. след запалване на
електричеството*) the lights are
switched on in; (*след излъскване и
пр.*) shine; (*запалвам електричест-
во*) turn/switch on the light; light up
the room; ~ **с фенерче** flash a torch (**в
лицето на** into the face of); **2.** *жарг.*
(*удрям*) strike, bash.

светèн *прил.* (*осветен със специален
ритуал*) holy; **~а вода** holy water.

свет|èц *м.*, **-цѝ** saint; *подигр.* goody-
goody; **правя се на ~ец** *разг.* play/
act/be the goody-goody; **прекален
~ец и Богу не е драг** temperance is
good when it is temperate; too much

of a good thing.

свѐтещ *сег. деят. прич.* (*и като прил.*) (*за циферблат и пр.*) luminous; **~и реклами** illuminated/neon signs.

свѐтѝл|ен *прил.*, **-на, -но, -ни** illuminating; **~ен газ** illuminating/coal gas.

свѐтѝлни|к *м.*, **-ци, (два) свѐтѝлника 1.** candlestick, (*разклонен*) candelabrum; **2.** *прен.* enlightener.

свѐтѝл|о *ср.*, **-а** (*източник на светлина*) luminary (*и прен.*); **небесно ~о** luminary, a heavenly body.

свѐтѝн|я *ж.*, **-и** sacred/holy thing/place; relic; **~я му** *разг.* his reverence.

свѐтѝц|а *ж.*, **-и** saint; ● **прави се на ~а** she looks as if butter won't melt in her mouth.

свѐтѝ|я *м.*, **-и** saint.

свѐткàвиц|а *ж.*, **-и** lightning; *фот.* flash light, photoflash; **кълбовидна ~а** globe-lightning, fire-ball; ● **като ~а** like lightning, as quick as lightning, with the speed of lightning.

свѐткàвич|ен *прил.*, **-на, -но, -ни** lightning (*attr.*); flash; **~ен блясък а** flash of lightning, lightning-flash; **със ~на бързина** at lightning speed; with the speed/rapidity of lightning; *разг.* like a scalded cat.

свѐткàвично *нареч.* at lightning speed; with the speed of lightning; **времето мина ~** the time passed like a flash.

свѐтлин|à *ж.*, **-ѝ 1.** light (*и прен.*); **лунна ~а** moonlight; **на дневна ~а** in the daylight, by daylight; **слънчева ~а** sunlight, sunshine; **2.** *само мн.* lights; **габаритни ~и** park lights; ● **виждам нещо в истинската му ~а** see s.th. in its true colours; **представям в благоприятна ~а** put in a favourable light, show/display to (the best) advantage.

свѐтлѝн|ен *прил.*, **-на, -но, -ни** luminous; light (*attr.*); **~ен сигнал** light signal; **~ни години** light years.

свѐтло *нареч.* light; brightly; **докато е още ~** while it is yet daylight, while there is (still day) light, while daylight remains.

свѐтлолюбѝв *прил.* light-demanding, heliophilous; *биол.* photophilic, photophilous.

свѐтлост *ж.*, *само ед.* (*титла*) Serene Highness; **Ваша ~** Your Highness.

свѐтнал *мин. св. деят. прич.* **1.**

lighted/lit up; (*огрян от слънцето*) sun-lit, lit by the sun; **2.** *прен.* (*от радост и пр.*) beaming, lit up, radiant; **~о от радост лице** a face radiant/beaming with joy; **3.** (*отслабнал*) pinched with hunger; **4.** (*лъскав*) shiny.

свѐтòв|ен *прил.*, **-на, -но, -ни** world (*attr.*); global; (*свързан с този свят*) mundane, worldly; (*общовалиден*) universal, world-wide; **~ен пазар** world market; **~на война** world war; **~на известност** world-wide fame.

свѐтòвноизвѐст|ен *прил.*, **-на, -но, -ни** universally known, world-famous, famous all over the world, of world renown; **~на търговска марка** globally familiar trade mark; **ставам ~ен** achieve world fame.

свѐтоглѐд *м.*, *само ед.* view of life, outlook on life, world outlook, ideology, philosophy.

свѐтотàтствам *гл.* commit sacrilege; (*с думи*) blaspheme.

свѐтотàтств|о *ср.*, **-а** sacrilege; desecration; profanation; (*чрез думи*) blasphemy.

свѐтофàр *м.*, **-и, (два) светофàра** traffic lights.

свѐтск|и *прил.*, **-а, -о, -и 1.** worldly, worldly-minded, mundane, earthly; earth-born, earth-bound; fleshly; (*мирянски*) lay, laic, non-clerical, unclerical, temporal, secular; (*за литература, изкуство*) secular, profane; (*за власт*) temporal power, secular authority; **2.** (*изтънчен*) polite, refined, genteel, urbane, fashionable; (*отракан*) sophisticated, worldly; **водя ~и живот** go out and entertain a great deal; **~и обноски** correct manners, urbanity; **~о общество** high life, high society, fashionable world/society.

свѐтỳлк|а *ж.*, **-и** *зоол.* firefly; (*без крила*) glow-worm.

свѐт|ъл *прил.*, **-ла, -ло, -ли 1.** light; (*ярък*) bright; (*който излъчва светлина*) (*осветен*) lighted, lit; **~ли петна** bright spots; **~ъл лъч** a ray of light, (*на прожектор*) a beam of light; **2.** (*за цвят*) light, pale; **~ла бира** pale beer; **~ла кожа** fair skin, a fair complexion; **~ъл шрифт** *полигр.* light-face, light-faced type; **3.** *прен.* (*радостен, тържествен*) bright, glorious, great; (*благороден*) noble; **~ли пер-**

спективи bright prospects; **~ъл ден/празник** a great day; **4.** *като същ.* light; daylight; **на ~ло** in the light; **стигнахме по ~ло** we got there before (it got) dark; ● **~ла неделя** *църк.* Easter week; Eastertide.

свѐтя *гл.*, *мин. св. деят. прич.* **свѐтих 1.** shine; (*за лампа и пр.*) be on; (*за прозорец и пр.*) be lighted/lit (up); (*за звезда*) twinkle; **~ в стая** (*за слънцето*) shine into a room; **2.** (*от чистота*) be spotless, be spotlessly/immaculately clean, be as clean as a new pin; **3.** (*за лице, очи*) shine, beam, be bright (*от with*); **4.** (*осветявам пътя на някого*) light s.o./s.o.'s way (*до* to); hold a light for s.o.; **ще ти ~ да слезеш** I'll light you downstairs; ● **стига си ми светил над главата** *разг.* stop breathing down my neck.

свѐтявам, свѐтя *гл.* bless, consecrate; ● **~ маслото на** do s.o. in, do s.o. to death, bump s.o. off.

свечерѝва се, свечерѝ се *безл. възвр. гл.* dusk/night is falling; the day is drawing to an end; night is coming/drawing on; it is getting dark.

свечерѝване *ср.*, *само ед.* dusk; *поет.* evenfall; **на ~** at nightfall/ dusk.

свещ *ж.*, **-и 1.** candle, (*вощеница*) taper, wax-candle; (*лоена*) tallow candle; **2.** *ел.* candle-power; **крушка от 60 ~и** a 60 candle-power bulb; **3.** *авт.* sparking plug; **4.** *авиац.* vertical climb, zoom; **правя ~** zoom; ● **прав като ~** bolt upright; **такъв човек със ~ да го търсиш** you'll never find the like of him.

свещѐн *прил.* sacred, holy; (*неприкосновен*) sacred, sacrosanct; *прен.* sacred; **~ дълг** a sacred duty; **~а война** a holy war; **Свещено писание** (Holy) Scripture, the Scriptures, Holy Writ.

свещѐни|к *м.*, **-ци** priest, (*православен*) Orthodox priest, (*протестантски*) clergyman, minister (of the gospel, of religion), pastor; (*военен*) chaplain; **ставам ~к** take (holy) orders, be ordained, become a priest.

свещеническ|и *прил.*, **-а, -о, -и** priestly, sacerdotal; **приемам ~и сан** take (holy) orders.

свещенодѐйстви|е *ср.*, **-я** religious rite; *прен.* ritual.

свещѝчк|а *ж.*, **-и** *фарм.* suppository.

свѐщни|к *м.*, **-ци, (два) свѐщника**

candlestick; (*с орнаменти*) candelabra.

свивам, свия *гл.* **1.** (*прегъвам*) bend, flex; *анат.* flex; (*плат*) fold; ~ **на две** bend in two; fold in two; ~ **юмрук** clench o.'s fist; **2.** (*увивам на кълбо, тръба*) roll (up); twist; (*знаме, платно на кораб*) furl, strike, roll up, take in; ~ **на кълбо** roll into a ball; ~ **хартия** twist up a piece of paper; **3.** (*загъвам, опаковам*) wrap up; **4.** (*тръгвам по, възвивам*) turn; ~ **надясно** turn right/to the right; ~ **по улица** turn into/up/down a street; **5.** (*венец, китка*) make; ~ **на венец** twine into a wreath; **6.** (*дреха*) take in; (*при плетене*) cast off, knit two etc. together; **7.** (*сгърчвам, сбръчквам*): ~ **очи** screw up/narrow o.'s eyes; ~ **презрително устни** curl up o.'s lips; **8.** (*за вятър, буря*) come up, rise; **9.** (*за болка, скръб*) grip; **свива ме корема** have a colic; **10.** (*открадвам*) *разг.* pinch, lift, have sticky fingers; ~ **гнездо** build a nest (*и прен.*), *прен.* pitch o.'s tent; ~ **рамена** shrug (o.'s shoulders); || ~ **се 1.** shrink, contract; (*изсъхвам, увяхвам*) shrivel up; ~ **се при пране** shrink in washing; **2.** (*навеждам се, сгушвам се*) bend (double), double up, huddle (o.s.); (*от страх, раболепие*) cower, crouch, cringe, quail (*пред* before); (*свъзвам се, като една част влиза в друга*) telescope; ~ **се от болка** double up with pain, be doubled (up) with pain; **3.** (*за змия*) coil up; ~ **се на кълбо** roll o.s. up into a ball; **4.** *прен.* (*пестя*) live frugally, draw in o.'s horsns, stint o.s.; (*скъперник съм*) screw, skin a flint, look twice at every penny; **5.** *прен.* (*стеснявам се*) be shy; ● ~ **се в черупката си** retire/withdraw/shrink into o.'s shell, shrink into o.'s.

свидѐтел (-ят) *м.*, -и; **свидѐтелк|а** *ж.*, -и witness, (*очевидец*) eyewitness; ~ **на престъпление** witness to a crime.

свидѐтелск|и *прил.*, -а, -о, -и witness (*attr.*); ~**и показания** evidence, testimony, statement.

свидѐтелствам *гл.* **1.** attest, testify (*за* to); ~ **против съучастниците си** turn state's evidence; **2.** (*показвам, доказателство съм*) testify (*за* to), attest, show (*за* -).

свидѐтелств|о *ср.*, -а **1.** certificate; (*за честност и пр.*) testimonial; **зрелостно** ~**о** school-leaving certificate; **медицинско** ~**о** certificate of health; ~**о за собственост** *юр.* document of title; **2.** (*свидетелски показания*) proof.

свидлѝв *прил.* avaricious, stingy, niggardly, close(-fisted), tight, miserly, mean.

свѝжд|ане *ср.*, -ия meeting, appointment; (*в болница, затвор*) visit; **ден за** ~**е** visiting day.

свѝквам₁, свѝкам *гл.* call (together); summon; (*парламент и пр.*) convoke, convene; ~ **митинг** call a meeting; ~ **под знамената** call to the colours.

свѝквам₂, свѝкна *гл.* get used (*с* to), get/grow accustomed (*с* to; *да* to *с ger.*); **както беше свикнал** as was his use/ as he used to; ~ **с мисълта за** get used to the idea of; ~ **с навиците на** get used to/fall into o.'s ways.

свѝла *ж.*, *само ед.* *нар.* silk.

свѝлен *прил.* silk (*attr.*).

свинар (-ят) *м.*, -и; **свинàрк|а** *ж.*, -и pig-tender; swineherd.

свиневъдство *ср.*, *само ед.* pig-breeding, swinebreeding.

свинефѐрм|а *ж.*, -и pig-breeding farm.

свѝнск|и *прил.*, -а, -о, -и **1.** pig (*attr.*), pig's; ~**о месо** pork; **2.** *прен.* piggish, swinish, pig-like.

свинчѐ *ср.*, -та young pig, piglet; **морско** ~ *зоол.* guinea-pig (*Cavia porcellus*).

свинщин|а *ж.*, -и *грубо* **1.** (*мръсотия*) squalor, filth; **2.** (*долна постъпка*) swinish/dirty trick; swinishness.

свин|я *ж.*, -ѐ, -и *и* -й **1.** pig, hog; swine (*и pl.*); (*нерез*) boar; (*угоена*) porker; **дива** ~**я** *зоол.* wild-boar (*Hylochoerus*); **2.** *прен.* грубо (*груб или лаком човек*) pig; (*неприятен, безнравствен или безчестен човек*) swine; ● **разбира ти** ~**я от кладенчова вода** cast pearls before swine.

свирѐп *прил.* ferocious, fierce, savage; (*за епидемия и пр.*) violent; ~ **поглед** fierce/grim look.

свѝрк|а *ж.*, -и **1.** whistle, pipe; (*детска*) penny-whistle, tin-whistle; (*клаксон*) horn; (*на параход, линейка и пр.*) siren; (*на локомотив*) (steam-) whistle; (*на фабрика*) siren, hooter; **овчарска** ~**а** reed-pipe; **2.** *анат.* shinbone; ● **водя се по** ~**ата на** dance to

s.o.'s tune/pipe.

свѝркам *гл.* whistle, pipe; blow a whistle; (*с уста*) whistle; (*освирквам*) hoot (**на, по** at); hiss.

свиря *гл.*, *мин. св. деят. прич.* **свирил 1.** play (*music*); ~ **на цигулка/китара/ пиано** play (on) the violin/the guitar/ the piano; ~ **с клаксон** sound/play/ hoot a horn; ~ **с уста** whistle; **2.** *непрех.* (*за инструмент*) play; (*за радио*) play, be on; (*за сирена*) hoot; (*за клаксон*) honk, toot; **3.** (*за вятър*) sing, whistle, sough; (*за куршум и пр.*) whistle, whiz(z); whine, sing; (*за сабя и пр.*) swish, whistle; (*за гърди*) wheeze; **4.** (*за щурец*) chirr; (*за комари*) buzz; (*за кос и пр.*) pipe; ● **както ми свирят, така играя** dance to s.o.'s tune/ pipe; ~ **тревога** sound the alarm.

свистя *гл.* whistle, hiss, whizz, zip, swish.

свит *мин. страд. прич.* **1.** bent, folded; compressed, contracted; ~**и рамена** hunched shoulders; **седя** ~ sit crouching; **2.** *прен.* shy, timid, bashful, retiring, backward; (*неуверен в себе си*) diffident; (*непредприемчив*) unenterprising; (*сдържан, мълчалив*) reticent, uncommunicative; ~ **човек** *разг.* a shy fish; ● **със** ~**о сърце** with a sinking heart, fearfully, anxiously.

свѝт|а *ж.*, -и suite, retinue; entourage; train.

свѝтъ|к *м.*, -ци, (**два**) **свѝтъка** roll, scroll.

свлàчищ|е *ср.*, -а slump, landslide; *геол.* earth creep, soil creep, landslide, landfall.

свлѝчам, свлекà *гл.* drag down, pull down/off; (*кожа и пр.*) strip off; ~ **трупи** slide timber down a hill; bring down logs; || ~ **се** slide/come down; (*за кожа*) slough off/away; **почвата се свличаше под краката му** the ground was slipping from under him (*и прен.*); ● ~ **някому кожата** give s.o. a (good) hiding.

свобод|à *ж.*, -ѝ **1.** freedom, liberty; *икон.* discretion; **имам пълна** ~**а да** have entire freedom to; **на** ~**а** (*неограничаван*) in freedom, at leisure; (*свободен, пуснат на свобода*) at liberty, (*изблizгал*) on the loose; **на действие** *разг.* elbow room, leeway; ~**а на печата/събранията/сдружаването** freedom of the press/of assembly/

of association; **2.** (*в отношенията*) familiarity; **3.** (*лекота, непринуденост*) ease, easiness; freedom; leisure, disengagement.

свобо̀д|ен *прил.,* -на, -но, -ни **1.** free; *хим.* free, uncombined; **~ен съм** be at liberty (да то); **~на търговия** free trade; **2.** (*незает*) vacant, not occupied; (*за жилище и пр.*) unoccupied, untenanted; (*за маса и пр.*) unreserved; (*незает с работа*) free, disengaged; **~ен ден** a day off; **през ~ото си време** in o.'s spare time, at off times, at o.'s leisure; **3.** (*неограничаван*) unrestricted; fetterless; (*необвързан*) unshackled, unattached; footloose, fancy-free; (*неприкрепен*) unattached, loose; **~ен достъп** до free access to; **~ен наем** decontrolled rent; **4.** (*непринуден*) natural, free and easy; **~но държане** free and easy manners; **5.** (*в излишък*) extra; **~ни пари** spare money; **6.** (*халтав*) loose; ● **~ен от предразсъдъци** open-minded; **~но съчинение** essay.

свобо̀дно *нареч.* freely; (*лесно*) easily; **държа се ~** (*непринудено*) behave naturally; **служа си ~ с** make free use of; ● **телефонът дава ~** the telephone gives the dialling tone.

свод *м.,* -ове, (два) сво̀да **1.** *архит.* vault, arch; **2.** *анат.* fornix; **небесният ~** the vault/arch/cope of heaven; the firmament.

сво̀дни|к *м.,* -ци procurer, pander, pimp; *sl.* ponce.

сво̀днича *гл.,* *мин. св. деят. прич.* **сво̀дничил** pander, procure, act as a procurer/procuress.

своево̀л|ен *прил.,* -на, -но, -ни **1.** wilful, self-willed, obstinate, wayward; opinionated; irresponsible; **~на постъпка** arbitrary act; **2.** despotic, arbitrary; *разг.* high-handed; **~ни методи** high-handed methods.

своево̀ли|е *ср.,* -я **1.** self-will; wilfulness, waywardness; irresponsibility; **2.** arbitrariness; licence; **върша ~я** take the law into o.'s own hands; break through every restraint, break loose from all restraint.

своево̀лнича *гл., мин. св. деят. прич.* **своево̀лничил** be self-willed, show self-will; act in an arbitrary manner; act arbitrarily; take liberties; **~ с** play fast

and loose with.

своеврѐмен|ен *прил.,* -на, -но, -ни due, timely; seasonable, opportune.

своенра̀в|ен *прил.,* -на, -но, -ни self-willed, wilful, headstrong, contrary, unmanageable, wrong-headed, wayward, capricious, crotchety.

своеобра̀з|ен *прил.,* -на, -но, -ни original; (*особен*) peculiar; (*странен*) odd, queer, *разг.* cranky.

сво̀|й *прит. мест.,* -я, -е, -и my, your, etc.; (*собствен*) o.'s own; **в ~ води** on familiar ground; **на ~я глава** *разг.* off o.'s own bat; **по ~я воля** of o.'s own free will; **чувствам се между ~и** feel among friends.

сво̀йск|и₁ *прил.,* -а, -о, -и familiar, intimate, friendly; chummy; **~и начин на заговаряне на хората** a familiar mode of address.

сво̀йски *нареч.* familiarly; cordially; in a familiar way/manner; **по ~** as among friends/relatives.

сво̀йствен *прил.* characteristic, distinctive, typical (**на** of), inherent, resident (**на** in), proper, peculiar, natural, intrinsic, essential (**на** to); (*отличителен*) individual, distinctive.

сво̀йств|о *ср.,* -а characteristic, quality, attribute, feature, property; *хим., физ.* property; **лечебно ~о** healing property/virtue.

свра̀к|а *ж.,* -и *зоол.* magpie (*Pica pica*).

сврѐдел *м.,* -и, (два) сврѐдела *техн.* auger; gimlet, drill.

свредл|о̀ *ср.,* -а̀ *техн.* drill; **дърводелско ~о** wood drill, gimlet.

свръ̀зк|а *ж.,* -и **1.** messenger; runner; contact man; go-between; **2.** *техн.* tie, coupling; **3.** *воен.* (*ординарец*) orderly; **офицер за ~а** liaison officer; **4.** *воен.* intercommunication, signals.

свръх *предл.* (*над, извън*) over, above, besides, in excess of.

свръ̀хдо̀з|а *ж.,* -и overdose, megadose.

свръхестѐствен *прил.* supernatural, preternatural; weird; unearthly.

свръхзву̀ков *прил. физ.* supersonic, ultrasonic; (*за честота*) superaudible, hypersonic.

свръ̀хмо̀щ|ен *прил.,* -на, -но, -ни superpower, overpowerful; extra-heavy.

свръхнасѐлен *прил.* overpopulated.

свръ̀хпеча̀лб|а *ж.,* -и *фин.* super

profit; express profit; **данък върху ~ите** an excess profit tax.

свръ̀хпла̀нов *прил.* (over and) above the plan; **~о производство** production above the plan.

свръ̀хпроду̀кция *ж., само ед. икон.* production above the plan.

свръ̀хпроизво̀дство *ср., само ед. икон.* overproduction, excess production.

свръ̀хразвитие *ср., само ед.* overdevelopment.

свръ̀хсекрѐция *ж., само ед. биол.* succorrhoea.

свръ̀хсѝл|а *ж.,* -и superpower.

свръ̀хско̀рост|ен *прил.,* -на, -но, -ни superhighspeed, superfast.

свръхтова̀р *м.,* -и, (два) свръ̀хтова̀ра overload (*и ел.*).

свръ̀хчувствѝтел|ен *прил.,* -на, -но, -ни supersensitive, overemotional, oversensitive; (*болезнено чувствителен*) neurotic; *мед.* allergic (към то); (*за уред*) ultrasensitive.

свръ̀щам, свръна *гл.* **1.** (*възвивам*) turn (**по** into, down, up); **2.** (*отбивам се*) drop in (**у** някого to see s.o., at s.o.'s place); **3.** (*добитък*) drive in/home; ● **каквото свръна** whatever I can lay my hand on; whatever is nearest to hand.

свръзан *мин. страд. прич.* connected (**с** with), joined (**с** to); bound up (**с** with), bound, tied (**с** to); (*чрез роднинство и пр.*) related (**с** to); (*с въпрос и пр.*) relevant (**с** to); (*логичен, разбираем*) coherent, consistent; **~ за цял живот с** linked for life to; **това е ~о с големи разноски** this will entail great expense; **тясно~** close-knit, closely connected (with), bound up (with).

свръзвам, свръжа *гл.* **1.** bind, tie together, fasten, connect; (*части на нещо*) fit together; (*здраво*) *техн.* brace; *ел.* join up; (*като във верига*) concatenate; (*за мост, път*) connect; **2.** (*по телефон*) put through (**с** to); **3.** *хим.* combine; **4.** *полигр.* (*страница*) make up; (*книга*) gather; **5.** (*установявам връзка*) put in touch (**с** with); (*създавам близки отношения между*) bind together, bring close together; **6.** (*установявам връзка между явления, представи*) associate, couple (**с** with); relate (to); **~ теорията с**

практиката bring theory and practice together; || ~ **се 1.** (*за жп линии*) junction, (*за път*) connect; **2.** хим. combine (**с** with); **3.** (*по телефона*) get in touch (**с** with), get on/through (**с** to), get (s.o. on the phone); **4.** (*с хора*) get in touch, communicate (**с** with), contact (s.o.); (*влизам в отношения*) associate (**с** with); (*ставам съдружник*) make o.s./become a partner (in s.th.), hook up (**с** with); (*обвързвам се*) bind o.s. (чрез by); ~ **се чрез брак с** become linked by marriage to; ● ~ **съдбата си с** throw/cast in o.'s lot with.

свързване *ср.*, *само ед.* connection, association, communication; *хим.* bonding, fixing; **повторно** ~ reconnection; ~ **на набор** *полигр.* justification.

свързоч|ен *прил.*, **-на**, **-но**, **-ни 1.** *воен.* signal (*attr.*), signalling; ~**на техника** communications engineering; ~**ни войски** signals; **2.** *техн.:* ~**ни материали** bolts, nuts and wire.

свързочни|к *м.*, **-ци** *воен.* signaller, signalman.

свърталищ|е *ср.*, **-а** haunt, resort, retreat, repair, den, nest; hiding place; *амер. sl.* joint.

свъртам, свъртя *гл.:* **не ме свърта на едно място** be restless, fidget, be fidgety, be in a fidget, have the fidgets; (*постоянно скитам*) be a rolling stone; || ~ **се: не се** ~ (*вкъщи*) never be in, never be at home.

свършвам, свърша *гл.* **1.** *прех.* finish, complete, end, bring to an end; **нищо не е свършил до сутринта** he hasn't done a hand's turn all morning; ~ **нещо добре/зле** make a good/bad job of s.th.; **2.** *непрех.* come to an end; finish; end; terminate (*и език.*) (**с**, **на** in); (*за урок, война и пр.*) be over; (*за срок*) expire; (*с известни последици*) end, result (**с** in); ~ **с** finish with, get through with, dispose of; get s.th. over; ~ **добре** turn out for the best, (*за човек*) make good; ~ **зле** come to a bad end (*и за човек*); **свърших за днес** I am through for today; **3.** (*изразходвам*) use up; (*изяждам*) finish off/up; **4.** (*учебно заведение*) finish; ~ **училище** finish school/o.'s schooling; leave school; **5.** (*идвам до дадено положение*) end; ~ **в затвора** wind up/land in person; **6.** (*умирам*) die; ~

със самоубийство die by suicide; || ~ **се 1.** (*минавам*) come to an end, be over, end; (*изтичам – за срок и пр.*) expire; **2.** (*бивам израходван, изчерпан*) give/run out, fail; (*бивам продаден*) be sold out; (*за ядене в ресторант*) be off; **запасите ни свършиха** our supplies gave out; **работата не се свършва с това** that is not all, that is not the end of it; there is more to it than that; **да свършим с това** let's have done with it; **хубаво я свършихме! свършихме я!** a fine mess we've made of it.

свършване *ср.*, *само ед.* end, termination; completion; **няма** ~ there is no end to it; ~ **на кислорода** oxygen failure; ~ **на училище** (*преди ваканция*) break-up.

свършен *мин. страд. прич.* (*и като прил.*) **1.** finished, completed; terminated; **всичко е** ~**о** it is all over, it's all up, the race is run, the game is up; **с мене е** ~**о** I am finished; ~ **факт** accomplished fact, fait accompli; **2.** *език.* perfect; ~ **вид** (*на глагол*) terminative aspect.

свъсвам, свъся *гл.:* ~ **вежди/чело** knit/pucker o.'s brows.

свъсен *мин. страд. прич.* **1.** knit, puckered; **2.** (*намръщен*) frowning, scowling.

свян *м.*, *само ед.* shyness, bashfulness, diffidence; (*престорен*) coyness, demureness; **без** ~ shameless, *нареч.* shamelessly.

свяст *ж.*, *само ед.* consciousness; **загубвам** ~ become insensible, lose consciousness.

свят[1], *м.*, **светове**, (**два**) **свята 1.** world, (**Земята**) earth, (**Вселената**) universe; **животинският** ~ the animal world; **отивам си от тоя** ~, **напускам тоя** ~ depart from this world, go to a better world/to kingdom-come; **пътувам по света** travel round the world; **растителният** ~ the vegetable kingdom; **Старият/Новият** ~ *прен.* the Old/New World; **2.** (*хора*) people; **много** ~ lots of/many people, crowds; **пъстър/шарен** ~ a motley crowd, all sorts of people; **3.** (*кръг от хора*) world, circles; **театралният** ~ the theatrical world, the theatrical circles; ● **вие ми се** ~ feel giddy/dizzy, my

head reels, my head is all of a swim; **откакто** ~ **светува** within the memory of man, within man's remembrance; since the world began, since time immemorial; **светът е в краката ти** the world is your oyster; ~ **ми се завива при мисълта** my mind/brain reels at the thought.

свят[2] *прил.* вж. **свет.**

святкам *гл.* flash; coruscate; (*за очи*) sparkle, snap.

святост (**светостта**) *ж.*, *само ед.* sacredness, holiness, saintliness.

сгазвам, сгазя *гл.* **1.** trample on, crush; **2.** (*за превозно средство*) run over/down, mow down; (*за кон*) ride over; **сгази го кола** he was run over by a car; **3.** (*скарвам се на*) haul/call over the coals; ● ~ **лука** be on the loose.

сгафвам, сгафя *гл. разг.* bugger (it) up; foul up, screw up, cock up; drop a brick/clanger; put o.'s foot in o.'s mouth/in it; *sl.* fuck up.

сгащвам, сгаща *гл.* corner, trap.

сглобен *мин. страд. прич.* assembled.

сглобк|а *ж.*, **-и** *техн.*, *строит.* putting/fitting/piecing together; (*на дървени части*) jointing; **неподвижна** ~**а** stationary/close fit; **свободноплъзга**-**ща** ~**а** easy-push fit.

сглобявам, сглобя *гл.* put/fit/piece together; (*монтирам*) assemble, fit (together), mount; (*дървени части*) joint, (*чрез зъбци*) dovetail, (*чрез жлеб*) rabbet.

сглобяване *ср.*, *само ед.* assembly, assemblage, mounting, putting/fitting/piecing together, jointing; **окачено** ~ (*на мост*) balanced erection, assembly, fitting, installation.

сглобяем *прил.* sectional; ~**а конструкция** precast unit; ~**о строителство** prefabrication.

сглупявам, сглупя *гл.* act foolishly; be fool enough, be a fool (**че** to *с inf.*).

сговарям, сговоря *гл.* persuade; talk s.o. into (*с ger.*); || ~ **се 1.** bring to terms; **2.** arrange; agree (**да** to).

сговор *м.*, *само ед.* agreement, accord; (*разбирателство*) harmony, peace.

сговор|ен *прил.*, **-на**, **-но**, **-ни** united; harmonious; ● ~**на дружина планина повдига** union is/makes strength, many hands make light work.

сговорлив и **сговорчив** *прил.* accom-

modating, cooperative, conciliatory, tolerant, easy-going, amenable, tractable, manageable.

сговорчѝвост *ж., само ед.* conciliatoriness, amenability, tractability.

сго̀д|ен *прил.*, -на, -но, -ни opportune, suitable, seasonable, timely, favourable, propitious; **~ен момент** an opportune moment.

сгодѐн *мин. страд. прич.* engaged (to be married) (**за** to).

сгодя̀вам, сгодя̀ *гл.* betroth; contract; || **~ се** become/get engaged (**за** to).

сго̀твям, сго̀твя *гл.* cook, prepare (a dish, a meal); **~ на бърза ръка обед** knock up a meal (at a moment's notice).

сгра̀бчвам, сгра̀бча *гл.* clutch, grip, grasp, grapple, grab, seize; (*прегръщам*) hug, clasp in o.'s arms; **~ ръката на** grab hold of s.o.'s hand; || **~ се с** grapple with.

сгра̀д|а *ж.*, -и building, (*голяма*) edifice, structure; (*къща*) house; **административна ~а** office-building; **жилищна ~а** residential building, tenement house.

сгреша̀вам, сгреша̀ *гл.* **1.** make a mistake (**дето, като** in *с ger.*), make the mistake (**дето, като** of *с ger.*); go/be wrong; fall into error; **~ много** make a great mistake; **2.** (*извършвам грях*) sin, offend, err (**против** against).

сгромоля̀свам се, сгромоля̀сам се *възвр. гл.* fall down with a crash, crash/tumble/break down, collapse; flop; *разг.* come a cropper.

сгромоля̀сване *ср., само ед.* crash, collapse, breakdown; *разг.* purler.

сгря̀вам, сгрѐя *гл.* warm, heat (up); || **~ се** warm o.s. (**на** at), grow/get warm.

сгур(ѝя) *ж., само ед.* cinder(s), (*от метал*) slag, dross, clinker, scoria; (*коксова*) coke ash; **насипвам със ~** (*път*) grit.

сгу̀швам, сгу̀ша *гл.* **1.** (*прегръщам*) hug; **2.** (*мушвам – глава*) nestle (**в** against), (*за птичка*) tuck in (under); || **~ се** huddle up, (*в легло*) tuck o.s. up, snuggle down; (*за птичка и прен.*) nestle, lie snug; **~ се до** huddle (o.s.) up to, snuggle up to, nestle against.

сгу̀шен *мин. страд. прич.* huddled (up); nestling, crouching, tucked away, snuggled (**до** against, **в** in); **~ в легло-**

то/в ъгъла huddled up in bed/in a corner.

сгъва̀ем *прил.* collapsible, foldable, folding, fold-up; (*за авт. седалка*) tip-up; **~ стол** folding chair, camp-chair; **~а маса** drop table; **~о легло** foldaway/folding bed.

сгъвам, сгъна *гл.* **1.** fold (up); bend; flex; **~ на две** fold in two/in half, double up; **2.** (*увивам*) fold/wrap up (**в** in).

сгъване *ср., само ед.* folding, bending.

сгълча̀вам, сгълча̀ *гл.* give (s.o.) a scolding/good talking to, tell (s.o.) off; dust (s.o.) down; *амер.* chew out.

сгърчвам, сгърча *гл.* **1.** (*сбръчквам*) wrinkle; **2.** (*свивам*) contort, twist; || **~ се** wrinkle; crumple up, shrivel; double up, writhe, squirm, wriggle; **~ се от болка** double up/be convulsed with pain, wince with pain.

сгърчен *мин. страд. прич.* convulsed, writhing; twisted; crumpled, shrivelled; **лице, ~о от болка** a face convulsed with pain.

сгъстен *мин. страд. прич.* (*и като прил.*) (*за въздух и пр.*) compressed; (*за шрифт*) close; (*за мляко и пр.*) condensed; **~ строй** *воен.* close order.

сгъстѝтел (-ят) *м.*, -и, (два) сгъстѝтеля densifier; thickening agent, thickener; *хим.* stiffener.

сгъстя̀вам, сгъстя̀ *гл.* **1.** thicken, make thick, condense; (*чрез изваряване*) boil down; evaporate; (*чрез притискане*) compress; **2.** (*редици и пр.*) close, draw close; (*хора*) squeeze, crowd together; **~ редиците** close the ranks; || **~ се 1.** thicken, become thicker; condense, boil down, evaporate; clot; (*за здрач, мрак и пр.*) close in, gather, deepen; (*втвърдявам се*) fix; **2.** (*за хора*) reduce o.'s living area, crowd together; **сгъстяваме се, за да направим място на** crowd together to make room for; **● сгъстис!** *воен.* close up!

сгъстя̀ване *ср., само ед.* thickening, condensation; concentration; (*чрез изпаряване*) evaporation; compression; **~ на информация** *инф.* data compression.

сдѐлк|а *ж.*, -и transaction, business, deal, bargain; **добра ~а** a good stroke of business; **сключвам ~а** make/strike/conclude a bargain, put a deal across, do a deal (**с** with); **търговска ~а** busi-

ness transaction.

сдобѝвам се, сдобѝя се *възвр. гл.* obtain, get, acquire, procure (**с** -), come into possession (of), come by; **~ с един екземпляр** secure a copy of.

сдобря̀вам, сдобря̀ *гл.* reconcile, make peace between, make things up between, restore friendship between; || **~ се** make it up, make up a quarrel, make friends again, be reconciled, get on good terms (**с** with).

сдружа̀вам, сдружа̀ *гл.* unite, bring (close) together; || **~ се** make/become friends (**с** with), associate; unite, combine, team up, band together; consociate; (*за търговски дружества и пр.*), amalgamate, pool, become partners; (*ставам съдружник*) go/enter into partnership (**с** with).

сдружа̀ване *ср., само ед.* association.

сдружѐни|е *ср.*, -я association, consociation; society, company, corporation; fold; (*сдружаване*) clubbing; (*на търговски дружества – за обща дейност*) amalgamation, pool; *истор.* (*еснаф*) guild; **~е с идеална/нестопанска цел** *юр.* non-profit/non-commercial association.

сду̀швам се, сду̀ша се *възвр. гл.* become intimate; (*с някаква цел*) club/band together (**за да** to).

сдъвквам, сдъвча *гл.* chew up.

сдържам, сдържа̀ *гл.* restrain, hold (in, in check, back), keep in control, check, curb; dam up; *псих.* suppress, inhibit; (*възхищение, радост, яд и пр.*) contain; (*страх, усмивка и пр.*) repress; (*смях и пр.*) hold, (*плач и пр.*) stifle; **~ смеха си** refrain from laughing; **~ сълзите си** keep/hold/force/gulp back o.'s tears; || **~ се** restrain/check/contain o.s. (**от** from *с ger.*); refrain (from *с ger.*); control/check o.s.; keep o.'s temper, *разг.* hold o.s. in; **не можах да се сдържа** I lost my temper, I couldn't contain myself; **● не ме сдържа на едно място** be a rolling stone.

сдъ̀ржан *мин. страд. прич.* **1.** reserved, self-controlled, guarded, restrained; contained; demure, chary; (*необщителен*) reticent, uncommunicative; (stand-)offish, aloof; *разг.* cagey; (*спокоен*) composed, cool, collected; **~ отговор** reserved/guarded reply; **~ съм** keep/observe measure; **2.**

(*потиснат*) repressed; (*умерен*) moderate, downbeat.

сдържаност *ж., само ед.* reserve, reservedness, restraint, containment, self-control; guardedness; reticence, temperateness.

сдърпвам се, сдърпам се *възвр. гл. разг.* come to logger-heads; miff; come to blows.

се *кратка ф-ма на възвр. лично мест.* сѐбе си oneself, myself, yourself, himself, herself, itself, ourselves, yourselves, themselves.

сеàнс *м., -и, (два)* сеàнса séance, (*при художник*) sitting; (*на фокусник и пр.*) performance, show; (*спиритически*) séance, planchette session.

сѐбе си *възвр. лично мест.*: дълбоко в ~ deep in o.s.; идвам на ~ come round, come to o.'s senses; не съм на ~ not be in o.'s senses, be out of o.'s senses, not be o.s.; от само ~ се разбира it goes without saying; it stands to reason.

себелюб|ец *м., -ци;* себелюбк|а *ж., -и* egoist.

себелюбие *ср., само ед.* selfishness, self-love, egoism.

себеотрицани|е *ср., -я* self-denial/renunciation/-abnegation, selflessness.

себеподоб|ен *прил., -на, -но, -ни*: общувам със ~ни mingle with o.'s own kind.

себестойност *ж., -и* prime cost, cost price.

себич|ен *прил., -на, -но, -ни* selfish, egoistical.

себичност *ж., само ед.* selfishness, egoism.

себорèя *ж., само ед. мед.* seborrhoea, *амер.* seborrhoea.

сèвер *м., само ед.* north; на ~ in the north, (*за движение*) north(wards); пътувам на ~ travel north; рекàта тече от ~ на юг the river runs from north to south.

сèвер|ен *прил., -на, -но, -ни* north, northern; най-~ен most northerly, northernmost; (*за раса*) Nordic; ~ен вятър a north/northerly wind; ~но сияние northern lights, Aurora Borealis.

севернй|к *м., -ци;* севернячк|а *ж., -и* northerner.

северозàпад *м., само ед.* north-west.

северозàпад|ен *прил., -на, -но, -ни* north-west(ern); (*за вятър*) north-westerly.

северойзток *м., само ед.* north-east.

северойзточ|ен *прил., -на, -но, -ни* north-east(ern); (*за вятър*) north-easterly.

сегà *нареч.* now; (*понастоящем*) at present; (*този път*) this time; (*в наше време*) nowadays, today, at the present time; ей ~ идвам I shan't be a minute; за ~ толкова that's all for the present/the time being; тъкмо ~ ли? now of all times.

сегàш|ен **1.** *прил., -на, -но, -ни* present, present-day, current, actual, of today; при ~ните условия in present circumstances, under present conditions; ~ното положение на нещата the present state of affairs; **2.** *като същ.* ~ното the present.

сегмèнт *м., -и, (два)* сегмèнта *мат., биол., техн.* segment; (*на повърхнинна фигура*) calotte; *инф.* несъвместими ~и exclusive segments.

сегментàци|я *ж., -и* segmentation.

сегрегàтор *м., -и, (два)* сегрегàтора *техн.* segregator.

сегрегàци|я *ж., -и техн., полит.* segregation.

сегрегùрам *гл. техн.* segregate.

седàлищ|е *ср., -а* **1.** seat; (*централа*) head/main office, headquarters, domicile; (*резиденция*) residence; ~е на търговско дружество *юр.* residence of a company; **2.** *анат.* seat, buttocks, posterior(s); nates; **3.** *разг. прен.* (*на панталони*) seat.

седàлищ|ен *прил., -на, -но, -ни анат.* sciatic, ischiatic; ~ен мускул gluteus; ~ен нерв sciatic nerve.

седàлк|а *ж., -и* seat; ~а с катапулт *авиац.* ejection seat.

седàл|о *ср., -à* seat, (*на стол*) chairbottom.

седàн *м. неизм. авт.* sedan.

седатùв|ен *прил., -на, -но, -ни мед.* sedative.

сèдем *бройно числ.* seven.

седемдесèт *бройно числ.* seventy.

сèдемстотин *бройно числ.* seven hundred.

седèф *м., само ед.* mother-of-pearl.

седèфен *прил.* mother-of-pearl (*attr.*); nacreous; ~а мида nacre.

седимèнт *м., само ед. мед., геол.,*

хим. sediment.

седл|ò *ср., -à* saddle; (*на струг*) tailstock, footstock, sliding head(stock); дамско ~о ladies' saddle, side-saddle; държа се здраво на ~то sit o.'s saddle, have a firm seat.

седловùн|а *ж., -й геогр.* col, saddle, saddleback.

седловùн|ен *прил., -на, -но, -ни* saddle-shaped.

седмà|к *м., -ци;* седмàче *ср., -та* seven-months child.

сèдмиц|а *ж., -и* week; иднàта ~а next week; Стрàстната ~а *църк.* the Holy week.

сèдмиц|а *ж., -и* seven (*и карта*); the figure seven; (*трамвай и пр.*) the number seven.

сèдмич|ен *прил., -на, -но, -ни* weekly; ~но списание a weekly (periodical/paper/magazine).

сèдмични|к *м., -ци, (два)* сèдмичника weekly (periodical/paper/magazine).

сèднал *мин. св. деят. прич.* sitting, seated.

седя *гл.* **1.** sit, be seated; ~ изправен sit up straight; ~ мирно sit/keep still; ~ на масата sit at the table; **2.** (*стоя, прекарвам*) stay, remain, be; ~ до късно/нощем/цяла нощ sit up late/at night/all night; **3.** (*за предмет, имот - съществува*) be there, still stand; ● ~ на тръни sit/be on tenterhooks; седят ми на главàта/врàта they're always at me, they never leave me alone..

седянк|а *ж., -и остар.* working-bee.

седящ *сег. деят. прич.* sitting; sedentary; ~о положение sitting position.

сèене *ср., само ед. сел.-ст.* sowing; редово ~ drilling.

сезùрам *гл. юр.* approach; той бе сезùран по въпроса the matter was referred to him.

сезòн *м., -и, (два)* сезòна season; мъртъв ~ dead/dull/slack/off season.

сезòн|ен *прил., -на, -но, -ни* seasonal; season (*attr.*); ~ен работник seasonal worker; ~на работа seasonal work/employment; ~ни стоки season goods.

сеизмùч|ен *прил., -на, -но, -ни геол.* seismic, seismal; ~ноустойчив earthquake-resistant, earthquake-proof.

сеизмùчност *ж., само ед.* seismicity.

сеизмогрàм|а *ж., -и* seismogram.

сеизмогрàф м., -и, (два) **сеизмогрàфа** seismograph.

сеизмолò | г м., -зи seismologist.

сеизмолòгия ж., само ед. seismology.

сеизмомѐтрия ж., само ед. seismometry.

сеизмомѐт | ър м., -ри, (два) **сеизмомѐтъра** seismometer; **чувствителен ~ър** tromometer.

сейр м., -и, (два) **сейра** разг. spectacle, show; • **гледам ~** watch the fun.

сеирджѝ | я м., -и разг. gaper, quidnunc.

сеитб | а ж., -и 1. sowing; **редова ~a** drilling; 2. sowing(-time), seed-time; **пролетна/есенна ~a** spring/autumn sowing; 3. (посятото) crop(s).

сеитбообращѐни | е ср., -я crop-rotation, rotation/succession of crops.

сейм м., -ове, (два) **сейма** полит. Sejm.

сейф м., -ове, (два) **сейфа** safe; разг. cash box; **външен ~** (на банка) night safe.

секà гл., мин. св. деят. прич. **сѝкъл** 1. cut; (дърва и) chop, hew, hack; (отсичам) cut (down), fell; (със сабя) cut, slash, sabre; **~ дърво** chop away at a tree; **~ месо** chop up meat; 2. (монети) mint, strike, stamp; **~ пари** coin money; 3. (за път и пр.) cut through; 4. карти cut; • **умът/пипето му сече** he is sharp witted, разг. there are no flies on him.

секàч м., -и 1. lumberer; (в гора) lumber-jack, woodman, woodcutter; feller; амер. faller; (който сече дърва) woodchopper; 2. техн. chisel; punch; bit; **пневматичен ~** air chipper, pneumatic chipping hammer.

сѐквам, сѐкна гл. stop.

секвѐнци | я ж., -и муз., истор. sequence.

секвестѝрам гл. sequestrate; confiscate; seize.

секвестѝране ср., само ед. sequestration; confiscation; seizure.

секвѐст | ър м., -ри, (два) **секвѐстъра** юр. sequestration; **налагам ~ър върху** sequestrate.

секвòя ж., само ед. бот. sequoia, redwood, big tree (Sequoya).

секѝр | а ж., -и axe.

сѐкна се възвр. гл. blow o.'s nose (с, в on).

секрѐт₁ м., -и, (два) **секрѐта** secret; **съобщавам нещо под ~** tell s.th. as a secret.

секрѐт₂ м., -и, (два) **секрѐта** физиол. secretion.

секретàр (-ят) м., -и; **секретàрк | а** ж., -и secretary; **~ на дружество** officer of a society; **частен ~** private secretary.

секретариàт м., -и, (два) **секретариàта** secretariat; (канцелария) secretary's office.

секретàрск | и прил., -а, -о, -и secretarial.

секрѐт | ен прил., -на, -но, -ни secret, private; **строго ~но** top secret; • **~на брава** combination/Yale lock, latch, spring-lock; **~но копче** press-button.

секрѐтно нареч. as a secret, in secret, secretly.

секрѐтност ж., само ед. secrecy; **гриф за ~** канц. secrecy grading.

секрѐци | я ж., -и физиол. secretion; body/tissue fluids, rheum; **жлеза с външна ~я** exocrine (gland); **жлеза с вътрешна ~я** ductless gland, endocrine.

секс м., само ед. sex, love-making, (полов акт) разг. nookie; rumpy-pumpy; **безопасен ~** safe sex.

сексапѝл м., само ед. sex-appeal; desirability.

сексапѝл | ен прил., -на, -но, -ни sexy, sex-appeal (attr.); desirable.

сѐкси прил. неизм. и нареч. sexy, seductive, voluptuous; разг. beddable, raunchy; foxy; предик. hot stuff.

секстàнт м., -и, (два) **секстàнта** мор. sextant.

секстѐт м., -и, (два) **секстѐта** муз. sextet(te).

сексуàл | ен прил., -на, -но, -ни sexual; **~но влечение** sexual passion.

сексуàлност ж., само ед. sexuality.

сѐкт | а ж., -и рел. sect.

сектàнт м., -и; **сектàнтк | а** ж., -и sectarian, dissenter, nonconformist.

сектàнтск | и прил., -а, -о, -и sectarian, dissenting, nonconformist; partisan.

сектàнтство ср., само ед. sectarianism, nonconformity; partisanship, deviationism.

сѐктор м., -и, (два) **сѐктора** 1. геом., воен. sector; 2. (област) sector, branch, field, sphere (of activity); **обществен**

~ state/co-operative enterprise; **частен ~** private enterprise; 3. радио. band.

секỳнд | а ж., -и second (и муз.); разг. moment; **една ~a** just a moment/second/разг. mo/разг. sec; **на ~ата** right on time, on the dot.

секундàнт м., -и second.

секундàрни | к м., -ци, (два) **секундàрника** second('s) hand.

секундомѐр м., -и, (два) **секундомѐра** stopwatch, seconds-counter.

секциòн | ен прил., -на, -но, -ни sectional, section (attr.), partitioned.

сѐкци | я ж., -и section; department; bureau.

селектѝв | ен прил., -на, -но, -ни selective; discriminatory.

селѐктор м., -и, (два) **селѐктора** selector.

селекциòн | ен прил., -на, -но, -ни selection (attr.).

селекционѐр м., -и selectionist.

селѐкци | я ж., -и selection.

селѝтра ж., само ед. хим. saltpetre, nitre; **амониева ~** ammonium nitrate.

селѝтрен и селѝтров прил. nitre (attr.); ~ **завод** a saltpetre/nitre works.

сѐлищ | е ср., -а settlement; (селце) hamlet; **ваканционно ~e** holiday resort; **~a** (в дадена държава) towns and villages; rural settlements.

сѐлищ | ен прил., -на, -но, -ни: **~ен план** a town/village plan; **~на система** settlement system, system of settlement.

сѐл | о ср., -à village (и жителите); (не градовете) the countryside; **живея на ~o** live in the country; **на ~o** in the country(side); in rural areas; • **всяко ~o и закон** so many countries, so many customs.

сѐлск | и прил., -а, -о, -и (свързан със село, селяни) village; peasant (attr.); (свързан със стопанство, бит) rural; geoponic; (извън града) country (attr.); (прост, непокварен, груб) rustic; амер. cracker-barrel; ~**и говор** rustic speech; ~**и имот** rural property; ~**и произход** peasant origin; ~**о стопанство** rural economy, agriculture.

сѐлскостопàнск | и прил., -а, -о, -и agricultural, farm (attr.); geoponic; ~**а продукция** farm/agricultural produce; ~**и машини** agricultural/farming machinery; ~**и работник** agricultural worker.

селяндур м., -и грубо yokel, lout, rustic, boor, bumpkin, clodhopper, hawbuck; carrot-cruncher; амер. sl. hick, rube.

сѐлянин м., сѐляни peasant; (жител на село) villager; (не гражданин) countryman; sl. пренебр. carrot-cruncher; redneck.

сѐлянк|а ж., -и peasant woman; countrywoman; fishwife.

сѐлячество ср., само ед. peasantry.

семàнтика ж., само ед. език. semantics.

семантѝч|ен прил., -на, -но, -ни semantic.

семафор м., -и, (два) семàфора жп signal, semaphore.

сѐме ср., -нà 1. seed; (зърно) grain; (на плодове) pip; (на гъби) spores; (на риба) soft roe, milt; биол. semen, sperm; посявам ~ната на прен. sow the seeds of; ~ за посев sowing seeds; слънчогледово ~ sunflower-seed; 2. (поколение) seed; ~то на Юда прен. seed of the Judas.

семедѐл м., -и, (два) семедѐла бот. seed-leaf.

семедѐл|ен прил., -на, -но, -ни бот.: ~ен лист cotyledon.

семѐ|ен прил., -йна, -йно, -йни 1. family (attr.), domestic; в тесен ~ен кръг in the midst of o.'s family; ~ен живот domestic/family life; ~йно огнище home, matrimonial home; ~йно положение marital/family status; 2. (женен) married; ~ен човек married/family man.

семѐйств|о ср., -а family (и бот., зоол., език.); от добро ~о of good family/stock, well-born; създавам ~о have a family of o.'s own; • това се случва и в най-добрите ~а accidents will happen in the best regulated families.

семѐм|а ж., -и език. sememe.

семѐн|ен прил., -на, -но, -ни seed (attr.); биол. seminal, spermatic; ~на обвивка бот. seed-coat; ~на течност физиол. semen, ejaculate.

сѐменни|к м., -ци, (два) сѐменника бот. seed-vessel, pericarp, capsule.

семестриàл|ен прил., -на, -но, -ни terminal, semester, term (attr.).

семѐст|ър м., -ри, (два) семѐстъра (university) term, semester; half-year;

през ~ъра during term.

семинàр м., -и, (два) семинàра seminar; colloquium.

семинàр|ен прил., -на, -но, -ни seminar (attr.); ~но упражнение seminar.

семинàри|я ж., -и: духовна ~я (ecclesiastical) seminary.

семиòтика ж., само ед. език. semiotics, semeiology.

семѝт м., -и Semite.

семѝтск|и прил., -а, -о, -и Semitic.

сѐмк|а ж., -и бот. seed, seed-grain, (на плод и пр.) pip; тиквени ~ите на seed; тиквени ~ pumpkin-seed(s).

сѐмп|ъл прил., -ла, -ло, -ли simple, plain; clinical; without frills.

сенàт м., -и, (два) сенàта senate (и истор.).

сенàтор м., -и senator.

сенàторск|и прил., -а, -о, -и of a senator, senatorial.

сенàтск|и прил., -а, -о, -и senate (attr.).

сѐн|ен прил., -на, -но, -ни: ~на хрема/треска мед. hay fever.

сензацио̀н|ен прил., -на, -но, -ни sensational; startling, thrilling; spectacular; разг. splashy; журн. blockbusting; ~ен материал журн. scare story; ~ен успех spectacular/resounding success; ~на новина журн. scoop.

сензаци|я ж., -и sensation; предизвиквам ~я make/create/cause a stir; produce a sensation, make a hit; cause great excitement; set the world (the Thames) on fire; журн. hit the headlines; ~я на деня highlight of the day.

сензитѝв|ен прил., -на, -но, -ни мед. sensitive.

сѐнзор м., -и, (два) сѐнзора техн., ел. sensor.

сѐнзор|ен прил., -на, -но, -ни мед., техн., ел. sensory; ~ен екран touch screen.

сѐнни|к м., -ци, (два) сѐнника shade; sun blind; бот. (съцветие) umbel.

сенникоцвѐт|ен прил., -на, -но, -ни бот. umbelliferous.

сенò ср., само ед. hay; куп ~ a bundle of hay; правя ~то на копи cock the hay.

сенокòс м., само ед. haymaking; haymowing, hay harvest, haying, haymaking season; по ~ in haymaking time.

сенсибилизàтор м., -и, (два) сенси-

билизàтора хим., фот. sensitiser, sensitizer.

сенсуалѝз|ъм (-мът) м., само ед. филос. sensualism.

сентѐнци|я ж., -и maxim; epigram; gnome.

сѐнчест прил. shady.

сепаратѝв|ен прил., -на, -но, -ни separate; ~ен мирен договор юр., полит. separate peace treaty.

сепаратѝз|ъм (-мът) м., само ед. separatism (и полит.).

сепарàтор м., -и, (два) сепарàтора техн. separator; (на търкалящ се лагер) retainer; млечен ~ skimmer.

сепарàция ж., само ед. мед., техн., хим. separation.

сепарѐ ср., -та box.

сѐпвам, сѐпна гл. startle, give s.o. a start/shock; || ~ се 1. start, give a start; be startled; flinch; 2. прен. come to o.'s senses.

сѐпи|я ж., -и 1. зоол. cuttlefish, squid (Sepia officinalis); 2. (боя) sepia.

септѐмври м. неизм. September.

септемврѝйск|и прил., -а, -о, -и September (attr.).

септѝч|ен прил., -на, -но, -ни мед. septic.

серафѝм м., -и, (два) серафѝма библ. seraph, pl. seraphim, seraphs.

сервѝз м., -и, (два) сервѝза 1. set, service; ~ за хранене dinner set; ~ за чай tea set; 2. авт. service-station; 3. (за поправка на радиоапарати, магнетофони, грамофони и пр.) repair shop.

сервѝз|ен прил., -на, -но, -ни service (attr.); ~ни помещения offices.

сервилàт м., -и, (два) сервилàта кул. cervelat.

сервѝл|ен прил., -на, -но, -ни servile, slavish.

сервѝлност ж., само ед. servility.

сервѝрам гл. 1. serve, dish up; (за прислуга) wait at table; ~ на serve s.o. with lunch; чаят е сервиран tea is up; 2. (изненадвам) spring (някому нещо s.th. on s.o.); ~ един куп неприятности lead (s.o.) a merry dance; 3. спорт. serve.

сѐрвис м., -и, (два) сѐрвиса спорт. service.

сервитут м., само ед. юр. easement, servitude; видим ~ apparent easement;

реален ~ real servitude.

сервитут|ен *прил.*, -на, -но, -ни servient, on sufferance; ~ен имот servient estate/tenement; ~но право easement.

сервитьор *м.*, -и waiter.

сервитьорк|а *ж.*, -и waitress, *sl.* nippy.

сѐрводвигател (-ят) *м.*, -и, (два) сѐрводвигателя *авт.* servomotor.

сѐрвомеханйз|ъм *м.*, -ми, (два) сѐрвомеханйзъма *техн.* servo-mechanism, servogear, servounit.

сѐрвоспирачк|а *ж.*, -и *авт.* servo-brake.

сѐрвоуправлѐние *ср.*, *само ед.* servo-control; *авт.* power-steering, servo-steering.

сергй|я *ж.*, -и (street-)stall, stand; (*за книги*) bookstall.

сѐрен *прил.*, сярна, сярно, сѐрни sulphur (*attr.*), sulphurous; ~ извор *минер.* a sulphurous spring.

серенад|а *ж.*, -и *муз.* serenade.

сержант *м.*, -и *воен.* sergeant, non-commissioned officer, *разг.* non-com, *съкр.* N.C.O.; младши/старши ~ a junior/senior sergeant.

сери|ен *прил.*, -йна, -йно, -йни serial; ~йно производство batch production, mass production.

сериоз|ен *прил.*, -на, -но, -ни **1.** serious, earnest, unsmiling; (*важен, тежък*) grave; (*за довод, причина, възражение, обвинение и пр.*) valid, good; имам ~ни намерения по отношение на be in earnest about; положението става ~но things are becoming/getting serious; things are getting past a joke; ~ен разговор earnest/serious conversation; ~ен човек/вид serious person/air; **2.** (*значителен*) considerable; goodly; ~на сума goodly amount of money, handsome sum (of money).

сериозно *нареч.* seriously, earnestly; (*не на шега*) in earnest; говоря ~ I mean it, I mean what I say, I mean business, I am in earnest; заемам се ~ за работата take the case seriously in hand.

сериозност *ж.*, *само ед.* seriousness, earnestness, gravity; *книж.* gravitas; ~та на положението the gravity of the situation.

сери|я *ж.*, -и series; concatenation; квалификационна ~я *спорт.* heat;

~я марки a set of stamps; филм в няколко ~и serial (film).

серкмѐ *ср.*, -та fishing-net.

серпантин|а и **серпентин|а** *ж.*, -и **1.** serpentine turning, twist, corkscrew, continuous loop; *техн.* coil; **2.** *мин.* serpentine; **3.** (*хартиена*) paper streamer; **4.** (*в печка*) boiler tube; *техн.* worm-pipe.

серт *прил. неизм.* **1.** *разг.* peppery, testy, quick-tempered; **2.** (*за тютюн/ ракия*) strong.

сертификат *м.*, -и, (два) сертификата *юр.* certificate; получавам ~ receive/obtain a certificate; ~ за качество certificate of quality, grade certificate; ~ за правоспособност certificate of proficiency.

сѐрум *м.*, -и, (два) сѐрума serum, *pl.* serums, sera; сборен ~ pooled serum.

сѐрум|ен *прил.*, -на, -но, -ни: ~но лечение serotherapy.

сѐси|я *ж.*, -и session, sitting; изпитна ~я examinations; ~я на съд (law-)term, assizes.

сестр|а *ж.*, -и **1.** sister; **2.** (*медицинска*) nurse, *разг.* sister; хирургическа ~а dresser; **3.** (*калугерка*) sister.

сѐстринск|и *прил.*, -а, -о, -и **1.** *прил.* sisterly; ~о поведение sisterliness; **2.** nursing (*attr.*).

сетив|ен *прил.*, -на, -но, -ни sensuous, sensory; ~ни органи organs of sense, sense-organs; ~но възприемане sense perception.

сетив|о *ср.*, -а sense.

сѐтне *нареч.* after (that), afterwards, later (on), then; най-~ at last, (*накрай време*) at long last.

сефтѐ *диал.* **1.** *ср.*, -та first sale; **2.** *нареч.* for the first time.

сеч *ж.*, *само ед.* **1.** (wholesale) slaughter, carnage, massacre; **2.** (*на дървета*) felling, cutting (down); гола ~ clear felling.

сѐчене *ср.*, *само ед.*: ~ на пари coinage.

сѐчени|е *ср.*, -я *геом.* section; напречно/отвесно ~е vertical section; пълно ~е bulk cross-section; • Цезарево ~е *мед.* Caeserean birth/operation, hysterotomy.

сечив|о *ср.*, -а tool, implement, instrument.

сѐчищ|е *ср.*, -а (wood-)cutting area;

(*изсечено място*) clearing.

сешоар *м.*, -и, (два) сешоара hairdrier.

сѐщам се, **сѐтя се** *възвр. гл.* **1.** think (за of), it occurs to me, it comes into/it crosses my mind; сетих се, че it struck me that; it dawned on me that; **2.** (*отгатвам*) guess right; всеки може да се сети it is anybody's guess; ей сега ще се сетя I have it on the tip of my tongue; **3.** (*спомням си*) remember, think of; • тебе думам дъще, сещай се снахо take a gentle hint.

сѐя *гл.*, *мин. св. деят. прич.* сял **1.** sow; (*на бразди*) drill; ~ нива с овес (и пр.) sow a field under oats, etc.; **2.** (*пресявам*) sift, bolt; **3.** (*разпространявам*) spread, disseminate; ~ раздори sow discord/dissension; make trouble; • дето не го сееш там никне he turns up where you least expect him; който сее ветрове, ще жъне бури he who sows the wind shall reap the whirlwind.

сейлк|а *ж.*, -и *сел.-ст.* drill, seeder; редова ~а a seed-drill.

сеяч *м.*, -и sower.

си₁ *част.* **1.** (*след глаголи за движение – у дома и пр.*) home, away; отивам ~ go home; **2.** (*частица за емоционално подсилване*) (*най-често не се превежда*); just; нямам ~ нийде никого be quite alone in the world; **3.** (*след неопределителни местоимения и наречия*) (*не се превежда*); някой ~ someone.

си₂ *кратка ф-ма на възвр. прит. мест.* свой my, your, etc.; гледай ~ работата mind your own business; не мога да ~ намеря химикала I can't find my pen.

си₃ *кратка ф-ма на възвр. лично мест.* себе си *в дат. пад.*: купих ~ книга I have bought myself a book; мисля ~ think (within o.s.).

сиамск|и *прил.*, -а, -о, -и Siamese.

Сибир *м. собств.* Siberia.

сибирск|и *прил.*, -а, -о, -и Siberian.

сив *прил.* **1.** grey; ~а мечка *зоол.* grizzly bear (*Ursus horribilis*); ~о вещество *анат.* grey matter; **2.** (*безинтересен, делничен, еднообразен*) drab, dull, humdrum, uninteresting, monotonous; ~ живот grey/drab/dull/eventless life.

сивота̀ *ж., само ед.* **1.** greyness; **2.** *прен.* drabness, dullness, monotony; ~**та на живота** the prose of existence.

сѝгл|а *ж.,* -**и** logogram, grammologue, logograph, phraseogram.

сѝгма *ж., само ед. език.* sigma.

сигматѝч|ен *прил.,* -**на,** -**но,** -**ни** *език.* sigmatic.

сигна̀л *м.,* -**и, (два) сигна̀ла 1.** signal, call; **давам ~ за опасност** give warning of danger; **звуков ~** sound signal; **светлинен ~** light signal; (*ракета*) flare; **система от ~и** code; **2.** *прен.* warning; **получиха се/има ~и, че** we have been warned that.

сигна̀л|ен *прил.,* -**на,** -**но,** -**ни** signal (*attr.*); signalling; ~**ен огън** a beacon/ signal light, a signal-/watch-fire.

сигнализа̀тор *м.,* -**и, (два) сигнализа̀тора** *техн.* signalling apparatus.

сигнализа̀ци|я *ж.,* -**и** signalling, signalization; signals; **звукова аварийна ~я** rings alarm; **флагова ~я** flag signalling.

сигнализѝрам *гл.* **1.** signal, give signals (**за** of, **на** to); **~ с флагче** flag; **2.** *прен.* warn, give warning (**за** of).

сигнату̀р|а *ж.,* -**и** press-mark.

сѝгур|ен *прил.,* -**на,** -**но,** -**ни 1.** (*уверен, убеден*) sure (**в, за** of), certain (of), positive (about); **можеш да бъдеш ~ен в това** you may be sure of it/ depend on it; ~**ен съм** I'm sure/certain/positive; I'll be bound, *разг.* I bet; **2.** (*надежден*) reliable, trustworthy, dependable; steadfast, firm; (*обикн. финансово*) copper-bottomed; **в ~ни ръце** in safe/trustworthy hands; in safe custody; **напълно ~ен** (*за метод и пр.*) fool-proof; ~**ен доход** an assured income; ~**ен приятел** a firm/steadfast friend; **3.** (*безопасен*) safe, secure; ~**но капиталовложение** a sound investment; *разг.* blue chips; **чувствам се ~ен** feel secure; **4.** (*който показва твърдост*) steady, firm; ~**а стъпка** a firm step; **5.** (*неизбежен, неминуем*) certain; *разг.* sure as eggs is eggs; ~**ен успех** a (dead) cert; ~**на смърт** certain death.

сѝгурно *нареч.* **1.** (*положително*) surely, certainly, for sure/certain, positively, assuredly, undoubtedly, definitely; **бавно, но ~** slowly but surely, slow and sure; **повече от ~ е, че** it's a

pound to a penny that, *амер. sl.* it's dollars to doughnuts that; **2.** (*вероятно, навярно*) probably; **сега той ~ е там** he must/may/should be there now, he is probably there now; **3.** (*безопасно*) securely, safely; **за по-~** for security's/safety's sake; **to be on the safe side, to make assurance double sure; to play it safe.**

сѝгурност *ж., само ед.* assurance, confidence; certainty, certitude; sureness, positiveness; safety, safeness, security; (*надеждност*) reliability, dependability; **държавна ~** state security; **за по-голяма ~** as a security (against).

сизѝфов и **сизѝфовск|и** *прил.,* -**а,** -**о,** -**и:** • **~ труд** Sisyphean labour, Sisyphean task.

сѝл|а *ж., само ед.* **1.** strength; force; forcefulness; (*мощ*) power, might; (*степен на сила*) intensity, vehemence, violence; (*енергия*) energy, vigour, stamina; (*насилие*) force, violence; **възстановявам ~ите си** restore o.'s forces/energies, recover o.'s strength; **гравитационна ~а** *физ.* attraction of gravity; **защитни ~и на организма** staying power, forces/powers of resistance; **конска ~а** horse power (*съкр.* h.p.); **политика от позиция на ~ата** a-position-of-strength policy; ~**а на болест** virulence of a disease; ~**а на вятъра** strength of the wind; ~**а на духа** strength of mind, fortitude; **физическа ~а** physical force, bodily strength; *разг.* beef; elbow-grease; **2.** *юр.* effect; force; validity; **влизам в ~а** come into force/effect, become effective/operative, take effect; **нямам законна ~а** be null and void; **3.** (*изтъкнат деец, талант*) talent; **млади ~и** young/new talent, young energies, new blood; **4.** *само мн.* (*група с влияние*) forces; **разпределение на ~и** alignment of forces; **революционни/демократически ~и** revolutionary/democratic forces; **5.** *само мн. воен.* forces; **морски/сухопътни ~и** naval/land forces; **съсредоточаване на ~и** build-up; • **в ~ата си** at o.'s height, (*за човек и пр.*) in o.'s prime; **работна ~а** *икон.* labour.

силабѝч|ен *прил.,* -**на,** -**но,** -**ни; силабѝчск|и** *прил.,* -**а,** -**о,** -**и** syllabic.

сила̀ж *м., само ед.* silage.

сѝл|ен *прил.,* -**на,** -**но,** -**ни 1.** strong;

(*могъщ*) powerful, mighty; (*енергичен*) energetic, vigorous, lusty; (*влиятелен - за покровител и пр.*) powerful; (*за звук, глас*) loud; (*за мотор, оптичен инструмент и пр.*) powerful; (*за питие*) strong, stiff, heady, nappy, potent; (*за впечатление, чувство*) strong, lively; intense; exquisite; (*за забележка*) forcible, forceful; ~**ен дъжд/сняг** heavy/driving rain/snow; ~**ен характер** strong character; ~**ен човек** strong/robust/tough/sturdy/stalwart man, a man of muscle; *разг.* strapping man; ~**на болка** violent/exquisite pain; ~**но влияние** powerful/pervasive influence; **2.** (*който знае много*) good (**по** at), well up (**в**); • **правото е на ~ния** might is right; ~**ните на деня** the powers that be; the men of the day; those in authority.

силико̀н *м., само ед. хим.* silicon.

сѝлно *нареч.* strong(ly), greatly, highly; vigorously, violently, powerfully, hard; *разг.* like anything; (*усилено, ожесточено*) hard; ~ **възбуден** highly/ greatly excited; **тичам ~** run hard; **това е ~ казано** that's going too far, that's something of an overstatement, that's putting it too strong.

сѝлов *прил.:* ~**о поле** field of force.

силогѝз|ъм (-**мът**) *м.,* -**ми, (два) силогѝзъма** *филос.* syllogism.

сѝлоз *м.,* -**и, (два) сѝлоза** silo, grain elevator; store-pit.

силуѐт *м.,* -**и, (два) силуѐта** silhouette, outline; (*на град*) skyline.

симбио̀за *ж., само ед. биол.* symbiosis.

сѝмвол *м.,* -**и, (два) сѝмвола** symbol (**на** of); emblem; (*знак*) token; (*в отриц. смисъл*) byword (for); • **Символ на вярата** *църк.* credo.

символизѝрам *гл.* symbolize, emblematize, typify, stand for; be a symbol/ token of.

символѝз|ъм (-**мът**) *м., само ед. изк., лит.* symbolism.

символика *ж., само ед.* symbolics.

символѝч|ен *прил.,* -**на,** -**но,** -**ни; символѝческ|и** *прил.,* -**а,** -**о,** -**и** symbolical; emblematic(a); figurative; ~**но** (*частично*) **заплащане** token payment; ~**но представяне** figuration, figurative representation; allegorization.

символѝчност *ж., само ед.* sym-

bolicalness.

симетрѝч|ен *прил.*, -на, -но, -ни symmetric(al).

симетрѝчност *ж.*, *само ед.* symmetricalness.

симѐтри|я *ж.*, -и symmetry.

симпатизѝрам *гл.* sympathize, be in sympathy (на with); be sympathetic, be well-disposed (на to); не ~ be out of sympathy (на with).

симпатѝч|ен *прил.*, -на, -но, -ни nice, attractive, agreeable, pleasant, amiable, likeable, lov(e)able, genial, engaging; (на вид) nice-/pleasant-looking, attractive; ~ен ми е I like him; ~на нервна система *физиол.* a sympathetic system.

симпатѝ|я *ж.*, -и 1. feeling, liking (към for) fondness (към of), sympathy (for); печеля нечии ~и endear s.o.; чувствам ~я към have a kindly feeling towards, have liking for; 2. sweetheart, *разг.* fancy-boy/-girl.

симпатя̀г|а *м.* и *ж.*, -и nice chap/ bloke, grand fellow, *амер.* swell guy; (обикн. за момиче) *sl.* cutey, cutie.

симпо̀зиум *м.*, -и, (два) симпо̀зиума symposium, *pl.* symposia.

симпто̀м *м.*, -и, (два) симпто̀ма symptom (за, на of).

симптоматѝч|ен *прил.*, -на, -но, -ни symptomatic (за of).

симула̀нт *м.*, -и; **симула̀нтк|а** *ж.*, -и simulator, dissimulator; feigner; shirker, faker, shammer, malingerer; dissembler.

симулатѝв|ен *прил.*, -на, -но, -ни simulated; ~на продажба simulated/ fraudulent sale.

симула̀тор *м.*, -и, (два) симула̀тора simulator.

симула̀ци|я *ж.*, -и simulation, dissimulate, dissimulation, dissemblance, malingering.

симулѝрам *гл.* simulate, feign, sham, fake; dissemble; (кръшкам) shirk; (правя се на болен) malinger.

симулѝране *ср.*, *само ед.* simulation.

симулта̀н|ен *прил.*, -на, -но, -ни simultaneous.

симфонѝч|ен *прил.*, -на, -но, -ни (за оркестър, концерт) symphony; (за музика, произведение) symphonic.

симфо̀ни|я *ж.*, -и *муз.* symphony (и прен.).

син₁ *м.*, -ове son; имам ~ от have son by; ● мамин ~ mollycoddle; **Син**

божи the son of God.

син₂ *прил.*, -я, -ьо, -и blue; ● ~ камък blue/copper vitriol; ~я кръв blue blood.

синаго̀г|а *ж.*, -и synagogue.

сина̀п *м.*, *само ед.* 1. *бот.* mustard (*Sinapis arvensis*); 2. (хардал) mustard-plaster.

Сингапу̀р *м.* *собств.* Singapore.

сингапу̀рск|и *прил.*, -а, -о, -и Singaporean.

синджѝр *м.*, -и, (два) синджѝра chain; ● ~ роби chain-gang; ~ марка as thick as thieves.

синдѝ|к *м.*, -ци *юр.* syndic; *фин.* assignee/trustee in bankruptcy, manager, bankruptcy trustee, trustee in bankruptcy; временен ~к receiver.

синдика̀л|ен *прил.*, -на, -но, -ни trade-union (*attr.*); syndical.

синдикалѝз|ъм (-мът) *м.*, *само ед.* syndicalism.

синдикалѝст *м.*, -и syndicalist.

синдика̀т *м.*, -и, (два) синдика̀та syndicate, (trade) union.

синдро̀м *м.*, -и, (два) синдро̀ма syndrome (и *мед.*); ~ на придобита имунна недостатъчност (СПИН) acquired immune deficiency syndrome, *съкр.* AIDS.

синдро̀м|ен *прил.*, -на, -но, -ни syndromic.

синева̀ *ж.*, *само ед.* azure.

синѝгер *м.*, -и, (два) синѝгера *зоол.* titmouse (*Parus*); (син) tom-tit (*Parus caeruleus*).

синѝн|а *ж.*, -ѝ 1. blue colour, azure; 2. (от удар) black and blue mark, bruise; ~и под очите dark circles under the eyes.

синко̀п *м.*, *само ед.* *мед.*, *муз.*, *език.* syncope; *муз.* syncope, syncopation.

синкретѝз|ъм (-мът) *м.*, *само ед.* *филос.* syncretism.

синкретѝч|ен *прил.*, -на, -но, -ни *филос.* synchretistic, syncretic.

синов|ен *прил.*, -на, -но, -ни filial, sonlike; ~ни чувства filial affection, filialness.

сино̀д *м.*, -и, (два) сино̀да synod; ● Светият ~ църк. the Holy Synod.

синода̀л|ен *прил.*, -на, -но, -ни synodical; ~ни старци members of the Holy Synod.

синонѝм *м.*, -и, (два) синонѝма *език.* synonym (и прен.); ~ на a synonym

of/for, synonymous with.

синонѝм|ен *прил.*, -на, -но, -ни synonymous (на with); ~ен речник dictionary of synonyms.

синопти|к *м.*, -ци meteorologist; *разг.* weather-man.

синоптѝч|ен *прил.*, -на, -но, -ни synoptic; ~на карта synoptic/weather chart.

сѝнор *м.*, -и, (два) сѝнора *нар.* boundary (of a field), (field) boundary, boundary strip; служа за ~ на mark the boundary of.

синта̀ксис *м.*, *само ед.* *език.* syntax.

синтактѝч|ен *прил.*, -на, -но, -ни syntactic(al); правя ~ен разбор на parse.

синтѐз *м.* и **синтѐза** *ж.*, *само ед.* synthesis, *pl.* syntheses.

синтеза̀тор *м.*, -и, (два) синтеза̀тора *муз.* synthesizer.

синтезѝрам *гл.* synthesize.

синтетѝч|ен *прил.*, -на, -но, -ни; **синтетѝческ|и** *прил.*, -а, -о, -и 1. (синтезиран) synthetic; 2. *хим.* synthetic, man-made; ~ен каучук synthetic rubber; ~ни влакна synthetic/man-made fibres; ● ~ни езици *език.* synthetic/inflectional languages.

синуз̀ит *м.*, *само ед.* *мед.* sinusitis, sinuitis.

сѝнус₁ *м.*, -и, (два) сѝнуса *мат.* sine.

сѝнус₂ *м.*, -и, (два) сѝнуса *анат.* sinus.

синусо̀йд|а *ж.*, -и *мат.* sinuosoid, sine curve.

синусоида̀л|ен *прил.*, -на, -но, -ни *мат.* sinusoidal.

синхро̀н *м.*, *само ед.* synchronization.

синхро̀н|ен *прил.*, -на, -но, -ни synchronous, synchronic; ~ен превод simultaneous translation.

синхрониза̀тор *м.*, -и, (два) синхрониза̀тора *техн.* synchronizer, *разг.* synchro.

синхрониза̀ция *ж.*, *само ед.*; **синхронизѝране** *ср.*, *само ед.* *техн.* synchronization, locking-in.

синхронизѝрам *гл.* synchronize; contemporize; *ел.* bring into step.

синхронѝз|ъм (-мът) *м.*, *само ед.* synchronism; (синхронност) synchrony.

синхро̀нност *ж.*, *само ед.* synchronicity, synchrony, synchronism.

синци *само мн.* beads.

синчец *м., само ед. бот.* **1.** squill, scilla (*Scilla bifolia*); **2.** (*метличина*) cornflower (*Centaurea cyanus*).

сипвам, сипя *гл.* (*течност*) pour (в into); (*ядене*) put, serve, dish out; (*брашно и пр.*) empty (в into); ‖ ~ **си** help o.s. to, (*наливам си*) pour o.s.

сипе|й (-ят) *м., -и, (два)* **сипея** scree; *геол.* talus.

сира|к *м., -ци* orphan; **пълен ~к** complete orphan, parentless child; **оставам ~к** be left an orphan.

сирашк|и *прил., -а, -о, -и* orphan (*attr.*), of an orphan.

сирен|а₁ *ж., -и обикн. мн. мит.* siren, mermaid.

сирен|а₂ *ж., -и* (scream) siren, hooter; **~а за мъгливо време** *мор.* foghorn.

сирене *ср., само ед.* cheese; **обезмаслено ~** defatted cheese; **пикантно ~** strong cheese.

сири|ец *м., -йци* Syrian.

сирийк|а *ж., -и* Syrian (woman).

сирийск|и *прил., -а, -о, -и* Syrian.

Сирия *ж. собств.* Syria.

сирома|х *м., -си* poor man; **той е ~х** he is poor, he is a poor man.

сиромашк|и₁ *прил., -а, -о, -и* (*и като същ.*) poor man's; poor, destitute, indigent, poverty-stricken; (*за дрехи, къща*) mean(-looking); **~и живот** a poor man's life; **● ~о лято** Indian summer, St. Martin's summer.

сиромашки₂ *нареч.* poorly.

сироп *м., -и, (два)* **сиропа** syrup; **заливам със/напоявам в ~** syrup.

сиропиталищ|е *ср., -а* orphanage.

сирот|ен *прил., -на, -но, -ни* **1.** lonely, friendless, forlorn; **2.** orphan (*attr.*).

систем|а *ж., -и* **1.** system, plan; **работя по ~ата на** work on the lines of; **~а за наблюдение и контрол** monitoring system; **Слънчева/нервна/метрична/избирателна/купонна ~а** solar/nervous/metric/electoral/rationing system; **2.** (*модел*) model, pattern, type; (*конструкция*) design; **3.** (*мрежа, серия*) network, series; system; **напоителна ~а** irrigation network/system; **~а от лостове** lever linkage; **4.** *геол.* series; **● у него е ~а да** it is a practice with him to.

систематизация *ж., само ед.* systematization.

систематизирам *гл.* systematize, render systematic, make into a system; (*подреждам*) classify; (*закони*) codify.

систематич|ен *прил., -на, -но, -ни*; **систематическ|и** *прил., -а, -о, -и* systematic(al); methodical; **~ен каталог** subject catalogue.

систем|ен *прил., -на, -но, -ни* **1.** systematic; **~но образование/обучение** a formal education/training; **2.** *биол.* systemic; **3.** system (*attr.*); **~ен анализ** system analysis.

системно *нареч.* systematically; methodically; (*редовно*) consistently, habitually.

системност *ж., само ед.* system, method, orderliness; **внасям ~в** bring order and system into.

сит *прил.* **1.** satisfied, sated, satiated, replete; **~ съм** (*ял съм достатъчно*) I've had enough; **2.** (*обилен*) full, hearty, abundant; **3.** (*преситен*) fed up, surfeited (на with), sick of; **● ~ият на гладния не вярва** he whose belly is full, believes not him who is fasting.

сит|ен *прил., -на, -но, -ни* small, fine; **~ен прах/пясък** fine dust/sand; **● ~но хоро** a quickstep folk dance.

ситно *нареч.* finely, fine; **кълцам/нарязвам (на) ~** chop fine.

сит|о *ср., -а* sieve, cribble; (*за брашно*) bolter; *техн.* screen; **гъсто/рядко ~о** a fine/coarse sieve.

ситост *ж., само ед.* satiety, satiation, repletion; **до ~** to repletion.

ситуаци|я *ж., -и* situation; **игрова ~я** *псих.* game situation.

сиукс *м., -и* Sioux.

сифилис *м., само ед. мед.* syphilis; *разг.* pox.

сифон *м., -и, (два)* **сифона** siphon; plughole; **~ на умивалник** trap.

сицилианск|и *прил., -а, -о, -и* Sicilian.

Сицилия *ж. собств.* Sicily.

сия|ен *прил., -йна, -йно, -йни* radiant, shining, effulgent; *поет.* fulgent.

сияещ *сег. деят. прич.* radiant; refulgent, effulgent.

сияни|е *ср., -я* radiance; refulgence; (*сийност*) effulgence; (*ореол*) halo, nimbus, aureole; (*на осветен от електричество град*) skyglare of lights; **Северно ~е** *геогр.* northern lights, Aurora Borealis.

сияя *гл., мин. св. деят. прич.* **сиял** shine, be radiant, blaze, glow; **~ от радост** beam/be radiant with joy, be elated with joy.

сказани|е *ср., -я* story, saga.

сказуем|ен *прил., -на, -но, -ни език.* predicative; **~но определение** predicative.

сказуем|о *ср., -и език.* predicate.

скакал|ец *м., -ци, (два)* **скакалеца** *зоол.* grasshopper; (*вредител*) locust; **● нападат като ~ци** they fall like locusts (on).

скал|а *ж., -и* rock; (*назъбена*) crag; (*отвесна*) cliff; (*голям камък*) boulder; **подводна ~а** a reef.

скал|а *ж., -и* scale, dial; (*на оптически уред*) reticle; **подвижна ~а** (*на заплащане*) sliding scale.

скалар|ен *прил., -на, -но, -ни мат.* scalar; **~на величина** scalar quantity.

скал|ен *прил., -на, -но, -ни* rock (*attr.*); epilithic; *бот.* rupicolous; **~ен орел** *зоол.* imperial eagle; **~ни образувания** rock formations.

скалист *прил.* rocky, craggy, rugged; **~а почва** rocky soil.

скалп *м., -ове, (два)* **скалпа** scalp.

скалпел *м., -и, (два)* **скалпела** *хир.* scalpel.

скалпирам *гл.* scalp.

скалъпвам, скалъпя *гл.* **1.** put/knock together, botch/patch/trump/rustle up; **2.** *прен.* fabricate, concoct, cook up, make up; coin; forge; (*набързо*) cobble together.

скалъпен *мин. страд. прич.* (*и като прил.*): **~а история** patched-up/ got-up story.

скамейк|а *ж., -и* bench; **● на подсъдимата ~а** in the dock, at the bar; **още от училищната ~а** from o.'s schooldays, ever since one was at school.

скандал *м., -и, (два)* **скандала** scandal; (*караница*) row, brawl, *разг.* kick-up, shindy, rumpus, scrap, bustup; **вдигам ~** *разг.* kick up/make a row, kick up/raise a dust, raise hell, make the feathers fly.

скандалджи|я *м., -и;* **скандалджийк|а** *ж., -и* trouble-maker, brawler; rowdy; wrangler; (*в политиката*) muckraker.

скандал|ен *прил., -на, -но, -ни* scandalous, disgraceful, outrageous, atro-

cious, flagrant; gross; flagitious, infamous, shocking.

скандализѝрам *гл.* scandalize, outrage.

скандинàв|ец *м.*, -ци Scandinavian, Northman.

скандинàвк|а *ж.*, -и Scandinavian woman, Northwoman.

скандинàвск|и *прил.*, -а, -о, -и Scandinavian.

скандѝрам *гл.* (*на събрание*) shout/chant slogans, applaud rhythmically.

сканѝрам *гл.* scan.

сканѝране *ср.*, *само ед.* scanning.

скàпан *мин. страд. прич.* **1.** rotting, rotten, squashy; *sl.* duff; *разг.* cheesy, crappy, crummy, grotty; ~ съм I am zonked; **2.** (*уморен*) bushed, flaked out; dead beat; dished; *разг.* fagged out; frazzled; *амер.* pooped.

скàпвам се, скàпя се *възвр. гл.* fall to piece, come to bits, disintegrate, crumble; (*изгнивам*) rot (away), decay; (*от работа*) *разг.* fag (out).

скàр|а *ж.*, -и **1.** (*на печка*) (fire-)grate, (*на локомотив*) fender, *разг.* cowcatcher, (*на трамвай*) safety-device, guard; **2.** (*за печене*) grill, gridiron, broiler; **говеждо на ~a** grilled beef; **пека на ~a** cook/broil on a grill; **3.** (*ядене*) grill; **мешана ~a** mixed grill; **4.** (*на плаж, в баня*) grille; **5.** *мин.* nog.

скàран *мин. страд. прич.* on bad terms, at odds, at variance, at loggerheads, out (**с** with); ~ **със света** nobody's friend.

скàрвам, скàрам *гл.* set at odds/at loggerheads/by the ears; cause a quarrel between, embroil, estrange; || ~ **се 1.** quarrel, fall out, fall into disagreement, get embroiled (**с** with); have words, squabble (with); **скарваме се** quarrel, fall by the ears, fall out (**за** over); **2.** (*смъмрям*) scold, reprimand, *разг.* tell off (**на** -).

скарѝд|а *ж.*, -и *зоол.* shrimp (*Crangon vulgaris*).

скарлатѝна *ж.*, *само ед. мед.* scarlet fever, scarlatina.

скàстрям, скàстря *гл.* tick/slag off, take up sharply, call/haul over the coals, be short with s.o., give s.o. the edge/rough side of o.'s tongue, give s.o. a piece of o.'s mind, *разг.* give s.o. a

rollicking.

скат₁ *м.*, -ове, (два) скàта slope, incline; glacis.

скат₂ *м.*, -ове, (два) скàта *зоол.* devilfish (*Batomorpha*).

скàут *м.*, -и boy-scout.

скафàнд|ър *м.*, -ри, (два) скафàндъра diver's/astronaut's suit; space suit.

скàчам, скòча *гл.* **1.** jump, spring, leap, (*подскоквам*) start up; (*отскачам*) bounce; (*подскачам*) skip, caper, frisk, gambol; (*за риба*) leap; (*за топка*) bounce, bound; (*за цени, продажби*) zoom, shoot up; ~ **върху** jump up/spring at, jump on; ~ **от радост** jump for joy; ~ **с парашут** dive with a parachute, bail out; **2.** (*при четене и пр.*) skip (**от** … **на** from … to); ~ **от тема на тема** jump from one subject to another, ramble from subject to subject.

скàчвам, скачà *гл.* connect, link together, join; *техн.* couple; || ~ **се 1.** (*за жици и пр.*) be/get entangled; **2.** *косм.*: ~ **се в орбита** dock.

сквèр|ен *прил.*, -на, -но, -ни *остар.* obscene, foul, evil, vile, prurient.

сквернослòви|е *ср.*, -я blasphemy, obscenity, ribaldry, profanity; foul/bad language.

скверня *гл.*, *мин. св. деят. прич.* **сквернѝл** defile, desecrate.

скейтбòрд *м.*, -ове, (два) скèйтбòрда skateboard; **каране на** ~ skateboarding.

скейтбòрдист *м.*, -и skateboarder.

скèле *ср.*, -та *строит.* scaffolding, staging; falsework; **опòрно** ~ cradle.

скелèт *м.*, -и, (два) скелèта **1.** *анат.* skeleton; **2.** *прен. ирон.* (*за човек*) walking corpse/skeleton; **запрѝличал на** ~ reduced/worn to a skeleton; **3.** (*на изгоряла къща*) shell; (*на разказ и пр.*) bare bones; **4.** *техн.* frame, framework; **носещ** ~ load-bearing skeleton.

скелèт|ен *прил.*, -на, -но, -ни skeletal.

скèл|я *ж.*, -и **1.** scaffolding, staging; (*на мост*) falsework; **висяща ~я** flying scaffolding, (*за мазачи*) hanging stage; **опòрна ~я** (*при поправка на кораб*) cradle; **2.** (*пристанище*) pier, jetty.

скèнер *м.*, -и, (два) скèнера scanner.

скептѝ|к *м.*, -ци sceptic.

скептицѝз|ъм (-мът) *м.*, *само ед.*

филос. scepticism.

скептѝч|ен *прил.*, -на, -но, -ни; **скептѝческ|и** *прил.*, -а, -о, -и sceptical (**по отношение на** about), unbelieving.

ск|и *ж.*, -и *обикн. мн.* skis; **карам ~и** ski, go in for skiing.

скилѝд|а и скилѝдк|а *ж.*, -и clove (of garlic), (garlic) clove.

скѝмва ми (ти, му, й, ни, ви, им), скѝмне ми (ти, му, й, ни, ви, им) *безл. гл.* take it into o.'s head (**да то**); **правя, каквото ми скѝмне** follow o.'s fancy.

скимтèне *ср.*, *само ед.* whining; whine; whimpering.

скимтя *гл.* whine, whimper.

скѝнхедс *м.*, *само ед. жарг.* skinhead.

скиòр *м.*, -и; **скиòрк|а** *ж.*, -и skier.

скиòрск|и *прил.*, -а, -о, -и skiing (*attr.*); ~**и обувки** ski-boots.

ски-пѝст|а *ж.*, -и ski-run; **лесна ~a** green run.

скѝпт|ър *м.*, -ри, (два) скѝптъра sceptre.

скѝ-скòк *м.*, -ове, (два) скѝ-скòка *спорт.* ski-jumping.

скѝ-спòрт *м.*, *само ед.* skiing.

скѝтам (се) (*възвр.*) *гл.* wander, roam, rove, ramble, range, knock about; (*хойкам*) gad about, trapse, traipse, gallivant; ~ **без цел** loiter, meander, ramble; ~ **из град/страна** roam a town/a country; ~ **по широкия свят** roam the wide world.

скѝтни|к *м.*, -ци; **скѝтниц|а** *ж.*, -и wanderer, roamer; (*човек без постоянно местожителство*) vagrant, tramp, vagabond, dosser, drifter; *амер.* hobo; (*номад*) nomad, migrant; ~**ци цигани** wandering/roaming gypsies.

скѝтническ|и и скѝтнишк|и *прил.*, -а, -о, -и wandering, roaming, roving, vagabondish; nomadic, migratory; **вòдя ~и живот** vagabondize; lead a nomadic life; ~**о племе** nomad tribe.

скѝтничество *ср.*, *само ед.* wandering/roaming/nomadic life; migratory/vagrant existence; vagrancy, vagabondage.

скѝторя *гл.*, *мин. св. деят. прич.* **скѝторил; скитòсвам** *гл.* gad about, knock about, gallivant, *sl.* muck about.

скѝц|а *ж.*, -и **1.** sketch, draft; ~**a по памет** memory sketch; (*на доклад и*

пр.) outline; (*чернова*) rough copy/ draft; (*план*) plan, design, layout, outline; (*на място*) *амер.* plot; **2.** *изк.* sketch, study, freehand, freehand drawing; 3. *прен.* guy, scarecrow; freak; **той е голяма ~a** he's quite a character.

скицѝрам *гл.* sketch (out), block (out), rough out, draft, make a draft, delineate, contour, outline; **~ по/от** sketch from.

скицѝране *ср., само ед.* sketching; (*нахвърляни щрихи*) underpainting.

скѝцни|к *м.*, **-ци, (два) скѝцника** sketch-block/-book, sketchpad.

склад *м.*, **-ове, (два) склада** store, storehouse, warehouse, depot (*обикн. военен*); (*на библиотека*) book storage, storage space; (*на книжарница, кораб*) store-room; (*хранилище*) depository; **давам на ~** store; **имам на ~** have/carry in stock, hold/keep in store; stock; **~ за боеприпаси** ammunition dump/depot; **~ за дървен материал** timber-yard; **~ за зърнени храни** storehouse for grain, cornhouse.

склададжи|я *м.*, **-и** warehouseman, storeman; coal-/timber-yard owner.

складѝрам *гл.* store, deposit, warehouse; *прен.* pile up.

складѝран *мин. страд. прич.* stored.

складѝране *ср., само ед.* storage, storing; warehousing.

складов *прил.* warehouse (*attr.*); **~a разписка** warehouse receipt/bill; **~и съоръжения** storage facilities.

скланям, склоня *гл.* **1.** bend, incline, lean; **2.** (*убеждавам*) persuade, bring round; *разг.* get round; **3.** (*съгласявам се*) agree, come round; **4.** *език.* decline, inflect; ● **~ глава** submit.

склероза *ж., само ед. мед.* sclerosis; **множествена ~** multiple sclerosis.

склероскоп *м.*, **-и, (два) склероскопа** *техн.* scleroscope.

склеротѝч|ен *прил.*, **-на, -но, -ни** sclerotic.

склон *м.*, **-ове, (два) склона** slope; (*нанагорнище*) acclivity; (*нанадолнище*) declivity; drop; fall-line; **полегат ~** gentle slope; glacis; **~ на планина** a side/flank of a mountain, mountainside; **стръмен ~** steep slope.

склон|ен *прил.*, **-на, -но, -ни** inclined, disposed, prone, given, apt (**към** to);

(*предразположен*) susceptible; liable; (*готов*) willing; **не съм ~ен** be averse (**към** to, да to с *inf. или ger.*); **~ен да приеме чужди съвети** open to advice; **~ен към напълняване** inclined to corpulence; **~ен съм да** be/feel inclined to, tend to.

склонѐни|е *ср.*, **-я** *език.* declension.

склонност *ж., само ед.* inclination, aptitude, bent, turn (**към** for); (*предразположение*) proneness, tendency, trend, penchant, propensity, leaning (**към** to); (*обикн. отрицателна*) proclivity (to); (*пристрастие*) predilection, partiality (**към** for); (*вкус*) taste, relish; **проявявам ~ към** show an inclination for; **~ към заболяване** susceptibility to illness; **~ към рисуване** aptitude for painting.

склонявам, склоня *гл.* **1.** bend; **2.** (*убеждавам*) persuade.

склоняем *сег. страд. прич. език.* declinable.

сключвам, сключа *гл.* **1.** conclude; **~ брак** contract a marriage; **~ договор** enter into/conclude an agreement/a treaty; **~ застраховка** take out an insurance; (*съединявам*) join; **~ вежди** knit o.'s brows; **~ ръце** join o.'s hands together.

сключване *ср., само ед.* conclusion; contraction; formation.

сключен *мин. страд. прич. (и като прил.):* **-и вежди** meeting/joined brows.

скоб|а *ж.*, **-и 1.** *техн.* cramp(-iron), clamp; brace; staple; clip, yoke; **монтажна ~a** assembly bracket; **шарнирна ~a** a hinged clip; **2.** (*знак*) bracket, parenthesis; **кръгли/малки ~и** (round) brackets, parenthesis; **разкривам ~и** remove the brackets; **слагам в ~и** enclose in/put between brackets, bracket; ● **отварям ~и** say parenthetically; make a (small) parenthesis, engage in a digression.

сковавам, скова *гл.* **1.** knock/nail/ hammer together, knock up; **~ колиба** knock up a hut; **2.** (*за студ – човек*) benumb, (*земята и пр.*) bind, grip; freeze hard; (*за болест*) paralyse, cripple; **студът е сковал реката** the river is ice-bound; **3.** *прен.* paralyse; cramp, cripple; torpefy; **~ езика на някого** make s.o. tongue-tied; || **~ се 1.** be fro-

zen hard; (*за човек, ръце*) be numb (with cold); freeze (stiff); (*от болест*) be paralysed/crippled (**от** with); **2.** *прен.* be paralysed (with).

скован *мин. страд. прич.* **1.** frozen, numb, benumbed, stiff; **~ от жестока суша** in the grip of severe drought; **~ от лед/мраз** ice-/frost-bound; **2.** *прен.* (*за човек*) stiff, formal, starchy, awkward; **3.** (*за движения*) heavy, laboured, laborious.

скованост *ж., само ед.* stiffness; rigidity; awkwardness; starch, starchiness; narrow-mindedness; **мускулна ~** *мед.* catatonia.

скок *м.*, **-ове, (два) скока 1.** jump, leap; (*във вода*) dive; **овчарски ~** pole-jump/-vault; **правя ~** take a leap; **с един ~** at a bound; *спорт.* **~ от кула** high-board jump; **2.** *прен.* leap; **~ в развитието** a leap forward; ● **~ в неизвестността** a leap in the dark; a jump into the unknown; **~ в цените** a jump in prices.

скоквам, скокна *гл.* jump/spring up, bound; jump to o.'s feet; take a leap.

скоклив *прил.* **1.** skittish, frisky; **2.** (*за музика, танц*) lively.

скокообраз|ен *прил.*, **-на, -но, -ни** uneven, unsteady; **~но развитие** *биол.* saltatory evolution.

сконтѝрам *гл.* discount, make a discount; **~ полица** discount a bill.

сконтѝране *ср., само ед.* discount, discounting; **~ на търговски ценни книги** discounting commercial instruments.

сконто *ср., само ед. фин.* discount.

сконтов *прил.* discount (*attr.*); **~ пазар** discount market.

сконфузвам, сконфузя *гл.* **1.** abash; put to shame/to the blush, discountenance, put out of countenance; discomfit; *амер. разг.* discombobulate; **2.** (*смъмрям*) tell off; || **~ се** become/feel embarrassed.

скопос|ен *прил.*, **-на, -но, -ни** neat, orderly, tidy, handy.

скопчвам, скопча *гл.* clasp, lock, join, interlock; *техн.* engage, couple, mesh; || **~ се** interlock; *техн.* mesh.

скопявам, скопя *гл.* castrate; geld; emasculate; (*петел*) caponize.

скопяване *ср., само ед.* castration; emasculation.

скорбут *м., само ед. мед.* scurvy; бо-

лен от ~ scorbutic.

скорбя́ла *ж.*, *само ед.* starch.

скор|е́ц *м.*, **-ци́**, **(два) скоре́ца** *зоол.* starling (*Sturnus vulgaris*).

ско́ро *нареч.* **1.** (*след кратко време*) soon, presently, shortly, before long, by and by; *поет.* ere long; (*след малко*) in a little while; (*тия дни*) one of these days; **колкото може по-~** as soon as possible; **той ще се върне** ~ he will soon be back; **2.** (*неотдавна*) recently, lately, not long ago; **3.** (*бързо*) quickly, fast; **час по-~** at once, with all possible speed; • **в най-~ време** in the nearest future; **той по-~ ще умре, отколкото да се предаде** he will sooner/ rather die than surrender.

скоропоговорк|а *ж.*, **-и** tongue-twister.

скоропости́жно *нареч.*: **умирам ~** die suddenly, die untimely/a premature death, die in o.'s boots/shoes.

скорост *ж.*, **-и 1.** speed, rate; *физ.* velocity; **голяма/малка ~** high/low velocity; **начална ~** initial velocity; **позволена ~** a speed limit; **~ на светлината** velocity of light; **увеличавам ~та** increase speed; **2.** *авт.* gear; **включвам на първа ~** engage the first gear; **предна/задна ~** forward/reverse.

скорост|ен *прил.*, **-на, -но, -ни** high-speed (*attr.*); **~на кутия** *авт.* gear-box.

скоростоме́р *м.*, **-и**, **(два) скоросто-ме́ра** speedometer, speed indicator.

скорострел|ен *прил.*, **-на, -но, -ни** quick-firing.

скороте́ч|ен *прил.*, **-на, -но, -ни** *мед.* fulminant; foudroyant; **~на туберку-лоза** galloping consumption.

скорош|ен *прил.*, **-на, -но, -ни** (*от скоро време*) fresh, (*неотдавнашен*) recent; (*предстоящ*) coming, forth-coming, approaching.

скорпио́н *м.*, **-и**, **(два) скорпио́на 1.** *зоол.* scorpion; **2.** *астр.* Scorpio.

скосявам, скося́ *гл.* **1.** (*режа косо*) bevel, chamfer, cant; (*минавам напряко*) cut short, short-cut; **2.** (*ядосвам*) exasperate; || **~ се** be exasperated, be beyond o.s.

скот *м.*, **-ове и -о́ве**, **(два) ско́та** beast, brute; *прен.* swine; (*тъп*) dullard.

скотовъд|ен *прил.*, **-на, -но, -ни** stock-/cattle-breeding; **~на ферма** cattle-breeding farm, stock-farm.

скотовъ́д|ец *м.*, **-ци** stock-breeder.

скотовъ́дство *ср.*, *само ед.* stock-/cattle-breeding, stock-/cattle-raising.

ско́тск|и *прил.*, **-а, -о, -и** bestial, brutish, beastly; **~ живот** a wretched life.

скрап *м.*, *само ед.* scrap.

скреж *м.*, *само ед.* hoar frost, white frost; *книж.* rime.

скре́пер *м.*, **-и**, **(два) скре́пера** *техн.* scraper; *строит.* bullclam, scraper, slusher; **работа със ~** scrape.

скрепя́вам, скрепя́ *гл.* fasten, make fast; *техн.* join/fasten together; (*с болтове*) bolt; **~ с печат** impress with seal, put/set/affix a seal to; **~ с подпис** affix o.'s signature to.

скрибу́цам *гл.неодобр.* creak, squeak; **~ на цигулка** scrape.

скривалищ|е *ср.*, **-а** a hiding-place; covert; stash; (*за припаси и*) cache, dump; *воен.* dugout; **излизам от ~ето си** come out of hiding, (*за животно*) break cover; **противовъздушно ~е** an air-raid shelter; a bomb(-proof) shelter.

скри́вам, скри́я *гл.* **1.** hide, conceal, *разг.* stash; (*прикривам*) screen (*от* from); (*подслонявам*) shelter; **~ следите си** cover o.'s tracks; **~ съкровище** hide away a treasure; **2.** (*прибирам*) put/tuck away; put aside; **~ малко от** (*ядене и пр.*) put (some ...) aside; **3.** (*премълчавам*) keep back, withhold (*от* from); (*прикривам – чувства и пр.*) hide, disguise, dissemble; repress; **не ~ чувствата си** wear o.'s heart on o.'s sleeve; **~ истината** hide/ conceal/suppress the truth, hold back the truth, cover up (the truth); **~ намеренията си** conceal/dissemble o.'s intentions; || **~ се** hide (o.s.), conceal o.s.; (*подслонявам се*) take cover/shelter; **~ се в дупката си** run to ground; **~ се от погледа на пас** from the view/ out of the sight of; **слънцето се скри зад облаците** the sun was hidden by the clouds.

скрижа́ли *само мн.* *библ.* tables.

скрин *м.*, **-ове**, **(два) скри́на** chest of drawers, dresser; commode; *амер.* bureau.

скрип|е́ц *м.*, **-ци́**, **(два) скрипе́ца** pulley, block, trochlea; (*за вдигане на тежести*) (hoisting) crab; **въжен ~ец** rope-tackle block; (*за вдигане на котва*) cat-block.

скрипти́ *гл.* crunch, grate.

скрит *мин. страд. прич.* (*и като прил.*) hidden, screened, concealed; (*таен*) secret; (*потаен*) stealthy, furtive; (*за причина*) underlying; (*непроявил се*) dormant; *физ., юр.* latent; **~ смисъл/значение** inner significance/meaning, hidden/implicit/ implied meaning, implication; **~а заплаха** covert/latent threat; **~и подбуди** ulterior motives; **~и способности** dormant faculties; • **няма ~о покрито** is all fair, it is open and above board.

скриш|ен *прил.*, **-на, -но, -ни** secret, clandestine; (*потаен*) furtive, stealthy, underhand, covert, surreptitious; (*за място*) hidden, secret, remote, secluded; (*за човек*) secretive; **~но място** to a secret place.

скри́шно и скри́шом *нареч.* secretly, in secret, clandestinely; furtively, stealthily, by stealth, covertly, surreptitiously, underhand, in a corner.

скрое́н *мин. страд. прич.* cut (out); добре ~ (*за фабула и пр.*) well-knit; **~а история** a made-up story.

скро́м|ен *прил.*, **-на, -но, -ни** modest, humble, lowly; demure; (*без претенции*) unpretending, unassuming, unpresuming, unpresumptuous; (*който не се изтъква*) unostentatious; (*който не се натрапва*) unobtrusive; (*за неща*) modest, humble, simple, plain, homely; (*за ядене и пр.*) frugal; (*по размери*) on a small scale; (*за събитие*) low-key; **от ~ен произход** of humble birth/origin; **престорено ~ен** demure; **според моето ~но мнение** in my humble opinion; **~но тържество** a modest celebration.

скро́мност *ж.*, *само ед.* modesty, humility; demureness; **прекалена ~** prudery.

скроту́м *м.*, *само ед.* *анат.* scrotum.

скроя́вам, скроя́ *гл.* **1.** cut (out); **2.** *прен.* think/cook up, concoct, fabricate, invent; **~ лъжа** make up/concoct a lie; **~ план** think out a plan; concoct a scheme.

скру́пули *само мн.* scruples; heart-searching(s); **имам ~** be sqeamish (*за* about); **морални ~** conscientious scruples.

скръб *ж.*, **скръби** grief, sorrow; *поет.* dolefulness, dolorousness, dolour; • **ми-**

рова ~ Weltschmerz; Byronic gloom, weariness of life, world sorrow.

скръб|ен *прил.*, **-на**, **-но**, **-ни** sorrowful, grieved, mournful, sad; distressful; *поет.* doleful, dolorous; **~на вест** obituary (notice).

скръндз|а *м. и ж.*, **-и** miser, curmudgeon, skinflint, close file, niggard.

скръствам, **скръстя** *гл. (ръце)* fold; *(крака)* cross.

скръстен *мин. страд. прич.*: **не стоя със ~и ръце** be active, be up and doing, not let the grass grow under o.'s feet.

скръцвам, **скръцна** *гл.* creak, squeak; ● ~ **със зъби** put o.'s foot down (**на** on), crack down (on).

скубя *гл.*, *мин. св. деят. прич.* **скубал** 1. pluck, pull off/out; *(коса)* tear; *(птица)* pluck; *(изтръгвам с корена)* pull/tear up by the roots; *(трева – за овца и пр.)* crop; ~ **косата си** tear o.'s hair; 2. *прен.* fleece, flay, rook, squeeze, skin, do.

скука *ж.*, *само ед.* boredom, tedium; drabness; dul(l)ness; *sl.* dullsville; *книж.* ennui; **каква ~!** what a bore! **умирам от ~** be bored to death.

скул|а *ж.*, **-и** cheek-bone.

скулест *прил.* with high/prominent cheek-bones.

скулптор *м.*, **-и** sculptor.

скулптур|а *ж.*, **-и** sculpture.

скумрий|я *ж.*, **-и** *зоол.* mackerel (*Scomber scombrus*).

скункс(с) *м.*, **-ове**, (**два**) **скункс(с)а** *зоол.* skunk.

скупчвам (се), **скупча (се)** *(възвр.) гл.* cluster, clump (together), bunch (together), flock (together); group; heap up, pile up.

скут *м.*, **-и и -ове**, (**два**) **скута** lap; **при ~а на майка си** at o.'s mother's knee.

скутер *м.*, **-и**, (**два**) **скутера** scooter.

скучая *гл.*, *мин. св. деят. прич.* **скучал** be bored; have a dull/tedious time; **за да не ~** to pass away the time.

скуч|ен *прил.*, **-на**, **-но**, **-ни** dull, boring, tedious, humdrum, dead-and-alive; irksome; *(еднообразен)* drag, jog-trot, humdrum; **~ен човек** bore; **~на реч** flat speech; **~но четиво** dull reading.

скучно *нареч.* dully, tediously; **дните минават ~** the days drag on; **прекарвам ~** have a dull time.

скъп *прил.* 1. dear, expensive; *(който струва скъпо)* costly; *(скъпоценен)* precious; *(шикозен)* posh, swell, flash; **излизам ~** come expensive; **~а книга** expensive book; **~а работа/победа** costly business/victory; 2. *прен.* dear, cherished; ~ **спомен** cherished/precious memory; **тя ми е много ~а** I am very fond of her, I care very much about her; 3. *(свидлив, сдържан)* sparing, chary; ~ **на думи** sparing of (o.'s) words; reticent, taciturn; ● **на брашното евтин, на триците ~** penny wise and pound foolish.

скъпо *нареч.* 1. dear, heavily, high, at a high price; **купувам/продавам ~** buy/sell dear/at a high price; **плащам ~ за** pay heavily/high/a high price for; ~ **струващ** costly; 2. *(богато)* expensively; 3. *прен.* dearly; **продавам живота си ~** sell o.'s life dearly; ● **ще ти струва ~** you'll have to pay through the nose for it.

скъпотия *ж.*, *само ед.* high prices, high cost of living; **настава ~** the cost of living goes up.

скъпоцен|ен *прил.*, **-на**, **-но**, **-ни** precious; **~ен камък** a precious stone, gem.

скъпоценност *ж.*, **-и** jewel, piece of jewellery, gem; *прен.* thing of great value, precious thing; **~и** jewellery; **евтини/фалшиви ~и** pinchbeck, paste jewellery.

скъпя *гл.*, *мин. св. деят. прич.* **скъбил** hold dear, cherish, treasure; *(ценя високо)* value, prize; *(давам неохотно)* stint, skimp; **не ~ пари** be free with money; ~ **времето си** value o.'s time; ~ **думите си** be sparing of o.'s words; || **се** stint; grudge, be stingy with; **без да се ~** without stint, unstintingly; ~ **се за стотинката** grudge every penny.

скърбя *гл.*, *мин.св. деят. прич.* **скръбил** sorrow (**за** at, over, for), grieve (**за** about, over), mourn (**за** for, over); **за миналото** grieve over the past; ~ **за смъртта на** sorrow over the death of, mourn s.o.'s death.

скърпвам, **скърпя** *гл.* 1. patch/botch up, tinker (up), knock together, revamp; 2. *прен.* patch/botch up; *(извинение и пр.)* trump up.

скърпен *мин. страд. прич. (и като прил.)* patched up, pieced together, patchy; **~а работа** patchwork; **~о извинение/обвинение** trumped-up excuse/charge.

скърцам *гл.* creak, squeak; *(за перо)* scratch; *(за пясък, сняг)* crunch; ~ **със зъби** grind/grit/gnash o.'s teeth.

скърцащ *сег. деят. прич.* creaking, squeaking, squeaky; *(за обуща)* creaky; *(за перо)* scratchy; *(за пясък, сняг)* crunchy.

скършвам, **скърша** *гл.* snap, break in two; ~ **врата на някого** wring s.o.'s neck; ● ~ **кефа/хатъра на** cross.

скъсан *мин. страд. прич.* torn; *(дрипав)* ragged, tattered; *(за дреха и)* out at elbows; **панталони, на коленете/отзад** trousers through at the knees/torn in the seat; **~и обуща** worn/broken shoes, down-at-heel shoes.

скъсвам, **скъсам** *гл.* 1. tear, rend, *(дреха и пр.)* tear a hole in; *(връв и пр.)* break; *(износвам)* wear out; *(накъсвам)* tear up; *(плик)* tear open; *(обява знаме и пр.)* tear down; *(бент – за река)* burst; ~ **веригите си** burst o.'s fetters; ~ **на две/на парчета** tear in two/to pieces; 2. break off, sever, *разг.* call it a day, call it quits; ~ **дипломатическите отношения с** break off diplomatic relations with; ~ **с някого** break (it off) with s.o., break off relations with s.o.; 3. *(на изпит)* fail; *разг.* plough, pluck, flunk; || **се** 1. tear; *(за връв и пр.)* break; *(за нещо опънато – струна и пр.)* snap; *(за копче)* come off; 2. *прен. (старая се)* lay o.s. out, fall over o.s. (**да то**); ● ~ **се от работа** work o.'s fingers to the bone; *разг.* burst a gut; ~ **се от смях** burst o.'s sides with laughter.

скъсване *ср.*, *само ед.* rupture, break, tear(ing), severance, breach, breaking off; **до ~** to the breaking point; ~ **на дипломатическите отношения** rupture of (diplomatic) relations.

скъсен *мин. страд. прич. (за срок и*

пр.) shortened; (*смален в перспектива*) foreshortened.

скъсявам, скъся *гл.* shorten, curtail; (*дреха*) shorten; **дните се скъсяват** the days are closing in; ~ **живота/дните на някого** bring s.o. to an early grave; ~ **разстоянието** shorten the distance, bridge/narrow the gap (*и прен.*) (**между ... и ...** between ... and ...); ~ **рокля** reduce the length of a dress.

скътан *мин. страд. прич.* (*и като прил.*): ~**и пари** a nest egg.

скътвам, скътам *гл.* put/lay by, put/ lay/tuck/store away, ensconce; lay aside/ up, save, store up (for future use/for the future); *разг.* salt away/down.

слаб *прил.* **1.** (*физически*) weak; (*тънък*) thin; (*мършав*) lean, spare; (*хилав*) feeble, puny; (*крехък, неустойчив*) frail, slender; ~ **в лицето** thin in the face, thin-faced; ~**о зрение** weak eyes, defective/poor eyesight; **2.** (*безсилен*) weak, effete; **със ~а воля** weak-willed, weak of will; **3.** (*лек; нетраен*) slight, light; flimsy; ~ **вятър** gentle/light breeze; ~**а искра** *техн.* thin spark; **4.** (*с малко сила*) weak, faint, feeble, effete; (*за питие, разтвор*) weak; **готвя на ~ огън** cook over a gentle/low fire, cook gently; ~ **звук** weak/faint sound; ~ **пулс** low/weak pulse; **5.** (*лек, незначителен, недостатъчен*) slight, poor; ~ **наклон** gentle slope; ~**а реколта** poor crop, crop failure; **6.** (*незадоволителен, прен. несолиден*) poor; (*за търговия, дисциплина*) slack; ~ **артист/писател/ученик** poor actor/writer/student; ~ **интерес** low/ mild interest; ~**а памет** poor/bad/weak memory; **7.** *като същ.* (*слаба оценка*) poor mark; *амер. разг.* flunk; ● **намирам ~ото място на някого** find the joint/chink in s.o.'s armour; get on the soft/blind side of s.o.; **социално** ~ needy, in the lowest income bracket.

слабея *гл.* lose flesh/weight, grow thin, emaciate, fall away.

слабо *нареч.* weakly, feebly; faintly; (*лошо*) badly, poorly; (*в малък мащаб*) on a small scale; **познавам някого** ~ know s.o. slightly; ~ **осветен** dimly/ scantily lit/lighted; ~ **развит** poorly developed; ● ~ **се чува** *разг.* nothing doing, *sl.* that cat won't jump.

слабост *ж.*, **-и 1.** (*физическа*) weakness, feebleness, frailty, debility; *мед.* asthenia; thinness; **пристъп на** ~ a fit of weakness; **чувствам** ~ feel faint; **2.** *прен.* (*на воля и пр.*) weakness, feebleness; frailty; (*недостатък*) failing, defect, fault; flaw, demerit; (*слабо място*) weak point/side, foible; **в момент на** ~ in a weak moment; **намирам ~и на** find fault with; **3.** (*склонност*) weakness, fondness (**към** for); **имам** ~ **към някого** have a soft spot/corner in o.'s heart for s.o., be fond of s.o.

слаботелес|ен *прил.*, **-на, -но, -ни** frail, puny, feeble, feeble-bodied, weedy.

слаботоков *прил. ел.* weak current (*attr.*); ~**а техника** light-current engineering.

слабоум|ен *прил.*, **-на, -но, -ни 1.** weak-/feeble-minded, imbecile, half-witted; *разг.* dotty, moronic, nitwitted; fat-headed; gormless; **2.** *като същ.* dunce, halfwit, moron.

слабоумие *ср.*, *само ед.* weak-/feeble-mindedness, imbecility, dementia; half-wittedness, *мед.* dementia; **старческо** ~ dotage, senility; senile dementia.

слабохарактер|ен *прил.*, **-на, -но, -ни** of weak character; weak-willed; flabby, feeble, feeble-minded; frail; weak-kneed; *разг.* wet, wimpy, drippy; dough-faced.

слава *ж.*, *само ед.* glory; (*име*) name; (*известност*) fame, celebrity, renown; (*репутация*) reputation; *разг.* kudos; **ползвам се с лоша** ~ have a bad reputation, be in bad repute; ~ **богу** Thank God/goodness; glory be to God; **със световна** ~ world-famous.

славе|й (**-ят**) *м.*, **-и**, (**два**) **славея** *зоол.* nightingale (*Luscinia megarhynchos*).

слав|ен *прил.*, **-на, -но, -ни** glorious, famous, renowned, of great renown, celebrated, illustrious; *разг.* fine, grand, *sl.* swell; ~**ен човек** fine chap, good chap, good sport/sort, jolly good fellow, regular guy; *sl.* swell guy; ~**на победа** glorious victory.

славист *м.*, **-и; славистк|а** *ж.*, **-и** Slav scholar, student of Slavonic languages.

славистика *ж.*, *само ед.* Slavonic studies/philology.

славно *нареч.* gloriously; *разг.* wonderfully, fine; **прекарахме си** ~ we had

a grand time, we had glorious fun.

славолюбие *ср.*, *само ед.* ambition; vanity, vainglory, love of fame.

славословя *гл.*, *мин. св. деят. прич.* **славословил** glorify, exalt, praise highly, sing the praises of, descant on/ upon, extol, eulogize; chant s.o.'s praises.

славя *гл.*, *мин. св. деят. прич.* **славил** glorify, do honour to; || ~ **се** be famous/ famed, have a reputation/name (**с** for).

славянин *м.*, **славяни; славянк|а** *ж.*, **-и** Slav.

славянофил *м.*, **-и** Slavophil(e).

славянофоб *м.*, **-и** Slavophobe.

славянск|и *прил.*, **-а, -о, -и** (*за народ, произход*) Slav; (*за език, литература*) Slavonic, Slavic.

слагам, сложа *гл.* put, place, set, lay; (*изправено*) stand; (*чайник, мазилка, подкова, шапка, презрамка, белезници, кръпка, подметка, марка, грамофонна плоча и пр.*) put on; (*хастар, грамофонна игла, препинателен знак и пр.*) put in; (*перде, знаме, сергия, обява, афиш, антена, възпоменателна плоча и пр.*) put up; (*стълб, ограда, километрични камъни, антена и пр.*) set up; (*телефонна слушалка*) put down, replace, cradle; (*котлон, ютия*) put in; (*публикувам във вестник*) insert; (*тор*) spread; **не** ~ **в устата си** not touch; ~ **да спи** put to sleep; ~ **маста** set/lay table, lay the cloth; ~ **настрана** (*скътвам*) put by/aside; ~ **препинателни знаци** put in the stops; || ~ **се** (*докарвам се*) play up (**пред, на** to), fawn (upon), toady (to); ~ **таралеж в гащите си** ask for trouble, get involved with a trouble-maker; ~ **точка/край на** put an end/a stop to.

сладк|а *ж.*, **-и** обикн. мн. кул. sweeties, sweetmeats, pastry, cakes; **сухи ~и** biscuits.

сладкар (**-ят**) *м.*, **-и; сладкарк|а** *ж.*, **-и** confectioner, pastry-cook; pastry shop owner.

сладкарниц|а *ж.*, **-и** confectioner's (shop), confectionery, pastry shop, sweet shop.

сладкарск|и *прил.*, **-а, -о, -и:** ~**и изделия** confectionery.

сладкиш *м.*, **-и**, (**два**) **сладкиша** sweetmeat, cake; (*десерт*) sweet; (*с плодове*) tart.

слàдк|о₁ *ср.*, -à jam, preserve; **обичам** ~о have a sweet tooth; ~о от череши/ягоди cherry/strawberry jam; (*десерт*) sweet (course), desert.

слàдко₂ *нареч.* sweetly; да ви е ~! good appetite! enjoy your meal/dinner! **заспивам** ~ fall into a sweet sleep; ям ~ eat with relish/gusto.

сладковòд|ен *прил.*, -на, -но, -ни freshwater (*attr.*).

сладкодỳм|ен *прил.*, -на, -но, -ни eloquent, soft-/fair-spoken, smooth-tongued; silver-tongued; candied.

сладкопò|ен *прил.*, -йна, -йно, -йни sweet-voiced, melodious.

сладнѝкав *прил.* 1. sweetish; 2. *прен.* mawkish, sugary; milk-and-water; touchy-feely; *разг.* chocolate-box.

сладолèд *м.*, -и, (два) сладолèда ice-cream; **машина за** ~ (ice-cream) freezer.

слàдост *ж.*, -и sweetness (*и прен.*); *прен. и* relish, enjoyment, pleasure.

сладост|ен *прил.*, -на, -но, -ни sweet, delicious.

сладострàст|ен *прил.*, -на, -но, -ни voluptuous, salacious.

сладострàстие *ср.*, *само ед.* voluptuousness, salacity.

сладỳр *м.*, -и; сладỳрче *ср.*, -та; сладурàн|а *ж.*, -и *разг.* honey, peach, cracker; a gem of a child; *sl.* cutey, cutie, *амер. sl.* toots.

слàд|ък *прил.*, -ка, -ко, -ки sweet, (*за звук и пр.*) *книж.* dulcet; (*миловиден*) sweet; engaging; cute; ducky; ~ка работа *прен.* fat work; ~ки приказки a pleasant chat; ~ък на вкус sweet to the taste.

слàлом *м.*, *само ед.* *спорт.* slalom (race); **гигантски** ~ a giant slalom.

сталомѝст *м.*, *и спорт.* slalomist.

слàма *ж.*, *само ед.* straw; (*за покрив*) thatch; ~ за постилане bedding straw.

слàмен *прил.* straw (*attr.*); ~ покрив a straw roof, a thatched roof; ~а шапка a straw hat; ● ~ вдовец a grass widower; ~а вдовица a grass widow.

слàмени|к *м.*, -ци, (два) слàменика straw-mattress, pallet, palliasse, pail-lasse.

слàмк|а *ж.*, -и (bit/piece of) straw; (*стръкче*) stalk, stem; (*за пиене*) *амер.* sipper; пия със ~а drink through a straw; ● хващам/ловя се за ~а catch/

clutch at a straw.

сланà *ж.*, *само ед.* frost; white/ground frost.

сланѝна *ж.*, *само ед.* bacon.

слàст|ен *прил.*, -на, -но, -ни lustful, voluptuous; ~ен поглед leer.

след *предл.* 1. (*за място*) after; (*подир*) behind; (*един след друг*) one after another; **върви** ~ **някого** walk behind s.o.; **затвори вратата** ~ **себе си** shut the door behind you; 2. (*за време*) after; (*за промеждутък от време в бъдещето*) in; **ден** ~ **ден** day by/after day; day in day out; **не** ~ **много дълго време** before long; presently, by and by; ~ **като размислих** on second thoughts; after thinking it over; ~ **смъртта му** following his death; 3. (*след превъзходна степен*) next to, after; **той е най-добрият** ~ Х he is the best after Х.

след|à *ж.*, -ѝ 1. trace, track, (*обикн. от нещо влачено*) trail; (*белег от рана*) scar, mark; (*белег от камшик и пр.*) weal, welt; (*следа от кръв*) bloodmark; (*от стъпки*) footprint, footmark; (*от пръст*) finger-print; (*от колела*) wheel-track, rut; (*от животно*) trail; (*на кораб*) wake, track; (*миризма от животно*) scent; **върбя по** ~ите на follow in s.o.'s track(s)/trail, follow s.o.'s footprints; **оставям** ~и leave traces (**след себе си** behind one); *прен.* make/leave o.'s mark; **попадам на** ~ата get on the trail; ~а от вълк/заек a print of a wolf's/hare's foot; 2. *прен.* (*остатък, белег*) mark, sign, vestige; **от него нямаше и** ~а there was no sign of him; ~и от миналото vestiges of the past.

слèдвам *гл.* 1. follow, come after/next, go after; (*идвам като естествена последица от*) follow in the train of; **както следва** as follows; ~ **някого непосредствено/отблизо** follow s.o. close behind, follow closely; 2. *прен.* (*пример, съвет*) follow; (*политика, път*) pursue; follow; ~ **примера на някого** follow s.o.'s example/lead, *разг.* take pattern by s.o.; ~ **свой собствен път** strike out a line of o.'s own; 3.: **следва да се извиниш** you ought to/should apologize; 4. (*уча*) study/pursue o.'s studies; ~ **в университет** study at a university; **той следва медицина**

he is doing medicine, he is studying to be a doctor; ● **какво следва от това?** what follows from this? **от това следва, че** it follows/results/ensues from this that.

слèдващ *сег. деят. прич.* (*и като същ., прил.*) following, next, coming; (*последвал*) subsequent, succeeding; **да влезе** ~ият next, please; **през** ~ите години in the following years; in after years.

следвоèн|ен *прил.*, -на, -но, -ни post-war.

следдѝплом|ен *прил.*, -на, -но, -ни: ~на специализация post-graduate work.

слèд|ен *прил.*, -на, -но, -ни *остар.* following; next; **на** ~ния ден the next day; **той каза** ~ното he said as follows, he said the following (words).

следѝзбор|ен *прил.*, -на, -но, -ни postelection (*attr.*).

следобèд *м.*, -и, (два) следобèда afternoon; *нареч.* in the afternoon.

следобèд|ен *прил.*, -на, -но, -ни afternoon (*attr.*).

следовàтел (-ят) *м.*, -и examining magistrate; investigator; (*водещ разпит*) interrogator; ~ **при смъртни случаи** coroner.

следовàтелно *нареч.* therefore, consequently, hence.

следоперàтив|ен *прил.*, -на, -но, -ни postoperative.

следродѝл|ен *прил.*, -на, -но, -ни postnatal.

слèдствие *прил.* (*и като същ.*) *юр.*: ~ материал evidence; ~а комисия committee of inquiry; ~и органи/власти investigating authorities.

слèдстви|е *ср.*, -я 1. (*последица*) consequence, result, effect; (*логическо, извод*) corollary; причина и ~е cause and effect; 2. *юр.* inquest, inquiry, investigation; водя ~е hold an inquest, prosecute, hold an inquiry (по into), investigate; предварително ~е preliminary inquest; той е под ~е his case is under investigation.

следя́ *гл.*, *мин. св. деят. прич.* следѝл 1. watch, follow; keep an eye on, keep an eye open (for); ~ внимателно watch closely, keep a close watch on; с поглед follow with o.'s eyes; (*обръщам внимание на*) attend to; 2. (*наб-*

людавам, в течение съм на, не за-
губвам връзката си с) follow, keep
up with, keep track of, keep abreast of;
~ **модата** keep up with/follow the fash-
ion; ~ **развитието на събитията** fol-
low/observe the course of events, keep
in touch with the situation; ~ **разго-**
вора follow the conversation; 3. (*гри-*
жа се за) see (**за** to); ~ **за изпълне-**
нието на плана see to the execution
of the plan; see to it that the plan is ex-
ecuted; 4. (*наблюдавам тайно)* keep
under observation, (*шпионирам)* spy
(on); (*вървя по следите на)* track,
trace, trail, *разг.* shadow, dog; ~ **ня-**
кого по стъпките dog s.o.'s steps.

слѐпвам, слепя̀ *гл.* stick/glue/paste/
gum together; ‖ ~ **се** clot, conglutinate.

слѐпване *ср., само ед.* conglutination.

слеп|ѐц *м.,* -цѝ blind man; ● **хванал**
съм се като ~ец за тояга за hang on
to s.o. (for dear life).

слепешка̀та и слепешко̀м *нареч.*
blindly, gropingly; ● **действам** ~ act
in a haphazard way; **купувам** ~ buy a
pig in a poke.

слепоо̀ч|ен *прил.,* -на, -но, -ни *анат.*
temporal; ~**на кост** a temporal bone.

слепоо̀чи|е *ср.,* -я temple, temporal
bone.

слепота̀ *ж., само ед.* blindness (*и*
прен.); sightlessness; **кокоша** ~ night
blindness.

слепя̀вам, слепя̀ *гл.* stick/glue/paste
together, conglutinate.

слѝв|а *ж.,* -и plum; (*дърво*) plum-tree;
(*сушена*) prune; ● **~и ли имаш в ус-**
та̀та? why don't you speak up?

слѝвам, слея̀ *гл.* fuse, combine, unite,
blend, merge, amalgamate, coalesce; ~
думи run together/slur words; ‖ ~ **се**
fuse, combine, unite (**с** with); (*за река*)
join (**с** with); (*за реки*) flow together,
join; (*за организации, раси и пр.*)
amalgamate, merge; (*за партии и*)
coalesce; (*за цветове, звукове и пр.*)
blend, merge; ~ **се с тълпа** melt into a
crowd.

слѝване *ср., само ед.* fusion, amalga-
mation, coalescence, merger; (*на ре-*
ки) confluence, junction; (*уедряване*)
merger; ~ **на юридически лица** amal-
gamation of legal persons; *език.* (*на*
две думи) blending.

слѝвиц|а *ж.,* -и *анат.* tonsil; **вадя**

~**ите си** have o.'s tonsils out; **възпа-**
ление на ~**ите** tonsillitis.

слѝвов *прил.* plum (*attr.*); ~**а ракия**
plum-brandy.

слѝзам, сля̀за *гл.* go/come/get down,
descend; (*от превозно средство*) get
down/off (**от** -), alight (from), get out
(of); (*от кон*) alight (**от** from), dis-
mount; ~ **на гара** get out at a station;
~ **на земята** come down to earth (*и*
прен.); ~ **от дърво** climb down a tree,
come/get down from a tree; ~ **от сце-**
ната (*за пиеса*) be off, (*за актьор*)
leave the stage, *прен.* (*за човек*) pass
from the picture, disappear from the
scene, *разг.* be out of the running; ~
по стълбите go down the stairs.

слѝзане *ср., само ед.* descent; disem-
barkation; disembarkment.

слѝсвам, слѝсам *гл.* amaze, astonish,
astound, disconcert, dismay, dumb-
found, stupefy, stun, overwhelm, knock
out, take aback, take s.o.'s breath, make
s.o. stare, *разг.* flabbergast; ‖ ~ **се** be
dumbfounded/wonder-struck, be taken
aback, *разг.* fall over backwards.

слѝсване *ср., само ед.* amazement, stu-
pefaction.

слѝт|ък *м.,* -ци, (**два**) слѝтъка *метал.*
ingot; bar; **невтвърден** ~**ък** green in-
got; ~**ък от благороден метал** bul-
lion.

слова̀|к *м.,* -ци Slovak(ian).

Слова̀кия *ж. собств.;* **Слова̀шко** *ср.*
собств. Slovakia.

слова̀чк|а *ж.,* -и Slovak (woman).

слова̀шк|и *прил.,* -а, -о, -и Slo-
vak(ian).

сло̀в|ен *прил.,* -на, -но, -ни: ~**но бо-**
га̀тство stock of words.

словѐн|ец *м.,* -ци; **словѐнк|а** *ж.,* -и
Slovene.

словѐнск|и *прил.,* -а, -о, -и Slovene,
Slovenian.

словѐс|ен *прил.,* -на, -но, -ни verbal,
oral; word (*attr.*); ~**ен двубой** pen duel;
~**ен портрет** descriptive portrait; ~**на**
война war of words.

словѐсност *ж., само ед.* literature;
letters.

сло̀в|о *ср.,* -а̀ 1. word; 2. (*реч*) speech,
oration, (*обръщение*) address; (*пропо-*
вед) sermon; ● **губя дар** ~**о** lose the
faculty of speech; **заключително** ~**о**
concluding speech; **имам дар** ~**о** *разг.*

have a glib tongue; have a ready flow
of language; **надгробно** ~**о** funeral
oration; **свобода на** ~**ото** freedom of
speech.

словоизлия̀ни|е *ср.,* -я verbiage; ef-
fusion of speech.

словоизлия̀тел|ен *прил.,* -на, -но,
-ни (*за реч и пр.*) gushing, long-winded,
wordy; effusive, garrulous.

сло̀вом *нареч.* in words; ● ~ **и циф-**
ром literally, precisely, exactly, no
more than.

словообразу̀ване *ср., само ед. език.*
word-building, word-formation, deriva-
tion.

словообразу̀вател|ен *прил.,* -на, -но,
-ни *език.* word-building, word-form-
ing, formative.

словоохо̀тлив *прил.* talkative, loqua-
cious, voluble, verbose, glib, garrulous,
chatty; in full flow.

словоохо̀тливост *ж., само ед.* talka-
tiveness, loquaciousness, volubility, lo-
quacity, glibness, garrulity, garrulous-
ness, verbiage.

словорѐд *м., само ед. език.* word or-
der.

словослага̀тел (-**ят**) *м.,* -и; **словосла-**
га̀телк|а *ж.,* -и *полигр.* compositor,
typesetter.

словосъчета̀ни|е *ср.,* -я combination
of words, word group.

слог₁ *м.,* -ове, (**два**) сло̀га *език.* sylla-
ble.

слог₂ *м.,* -ове, (**два**) сло̀га boundary
(of a field).

сло̀ест *прил.* laminar, laminated, strati-
fied, layered; flaky.

сло̀жен₁ *мин. страд. прич.:* **добре** ~
well-knit/-made.

сло̀ж|ен₂ *прил.,* -на, -но, -ни complex,
complicated, sophisticated; elaborate;
problematic(al); (*заплетен*) intricate,
involved, knotty, convoluted, tangled;
(*деликатен*) delicate, subtle, tricky;
(*съставен*) compound, composite;
~**ен въпрос** complicated question/mat-
ter/issue; tricky problem; ~**ен харак-**
тер complex character; ~**на дума** *език.*
compound word; ~**на работа** tricky
thing, no easy matter; ~**но положение**
complicated situation.

сло̀жност *ж., само ед.* complexity, in-
tricacy; elaborateness; ~**та на полити-**
ката the intricacies of politics.

сложноцвѐт|ен *прил.*, -на, -но, -ни *бот.* decompound.

сло|ѝ (-ят) *м.*, -еве, (два) слоя layer, *геол. прен.* stratum, *pl.* strata; (боя) coat(ing); **висшите ~еве** the highest circles; **последен ~й** (боя, мазилка) finish, finishing coat; **тънък ~й** film, thin layer.

сломѐн *мин. страд. прич.* broken, crushed, subdued, dejected, downcast, down-hearted, sick at heart; frustrated; **~ духом** mentally broken, broken-hearted; **~ от скръб** weighed down with grief, grief-stricken; **той беше ~ от отказа й** he was dashed by her refusal.

сломявам, сломя *гл.* break, crush; **~ духа на** break/crush the spirit of; **~ защитата на противника** *спорт.* break down the defence; **~ съпротивата на** break/wear down s.o.'s resistance.

слон *м.*, -ове, (два) слона *зоол.* elephant; **женски ~** cow elephant; **мъжки ~** bull elephant.

слѐнов *прил.* elephantine; **~а кост** ivory.

слѐнск|и *прил.*, -а, -о, -и elephantine.

слуг|а̀ *м.*, -й **1.** servant, man, manservant, domestic; menial; **~а на народа** servant of the people/public; **2.** *прен.* agent; • **~а на двама господари** man who serves two masters.

слугин|я *ж.*, -и servant-girl, serving maid, housemaid, maid(-servant).

слугувам *гл.* be a servant (у to), be in service (у with); **~ на двама господари** serve two masters.

служа *гл.*, *мин. св. деят. прич.* **служил 1.** (работа) work, serve (в in, at, като as); (във войската, флотата) serve, see service; (за свещеник) officiate, serve; **~ във войската** serve in/with the army, do national service in the army; **~ литургия** serve/celebrate mass; **~ при** serve/take service under; **2.** (използван съм за) serve (за as, for), do duty/service for; **~ за пример** serve as an example (на of; за for); **~ си добре с език** have a good command of a language; **~ си с измама** cheat; **3.** (за куче) sit up.

служб|а̀ *ж.*, -и **1.** (работа) post, position, situation, employment, job, work; service; **на държавна ~а съм** work for the government, be a state employee, be in the civil service, be em-

ployed as a government official, have a government job; **на ~а съм при някого** be in s.o.'s employment/employ; **напускам ~а** leave/resign office; **постъпвам на ~а** begin/start working; **2.** воен. (military) service; **действителна ~а** active service, service with the colours; **постъпвам на военна ~а** enter the service, join up; **3.** (отделение, бюро) office, bureau, service; **консулска ~а** consular service; **~а на президента** Office of President; **~а по заетостта** employment services; **4.** църк. (divine) service; **5.** (предназначение, роля) function, use; **6.** (полза) service; **поставям в ~а на науката и пр.** place at the service of science, etc.

службогѐн|ец *м.*, -ци place-hunter, office-seeker.

служѐб|ен *прил.*, -на, -но, -ни official, office (attr.); **~ен автомобил** company car; **~на бележка** memorandum; certificate; **~ни задължения** (official) duties, functions; **~но ползване** business use.

служещ (-ият) *м.*, -и; **служещ|а** *ж.*, -и employee.

служител (-ят) *м.*, -и; **служителк|а** *ж.*, -и employee; (в администрацията) office worker, white-collar worker; (прислужник в учреждение) attendant; **божи ~** servant of God, priest; **данъчен ~** revenue official; **държавен ~** civil/public servant, state employee, government official; **щатен ~ съм** be on the staff.

слузест *прил.* mucilaginous, mucous, slimy; **~а ципа** mucous membrane.

слука *нареч.*: **на ~!** good luck!

слух *м.*, -ове, (два) слуха **1.** hearing, ear; **идвам/достигам до ~а на** catch/meet the ear of, come upon s.o.'s ears; **имам добър/слаб ~** have a good/bad ear; **имам музикален ~** have a good ear for music; **напрягам ~а си** strain o.'s ears; **2.** (мълва) rumour, report; hearsay; **носи се ~** a rumour is about/afloat/current, it is rumoured/whispered, rumour has it, there is a report (че that); **пускам ~** spread a rumour, set a rumour afloat/abroad, whisper.

слухов *прил.* auditory, acoustic; **~ апарат** hearing-aid; deaf aid; **~и възприятия** aural impressions.

слухтя *гл.* listen (attentively), strain o.'s

ears; eavesdrop; (нащрек съм) be on the alert/on the look-out/on o.'s guard; have/keep o.'s ears to the ground; (дебна) snoop; **~ да чуя звук/стъпки/телефон/дали не идва някой** listen for a sound/footsteps/the telephone/s.o.'s coming.

случа̀|ен *прил.*, -йна, -йно, -йни accidental, coincidental, fortuitous, casual, chance (attr.); (краткотраен) fugitive; **не е ~йно това, че** it is no accident/it is not by chance that; **~ен човек** nobody; **~йна среща** chance/accidental meeting, casual encounter.

случа̀|й (-ят) *м.*, -и, (два) случая case; (повод) occasion; (възможност) opportunity, chance; (пример) instance; **в противен ~й** otherwise, or else; if not; failing this; **в ~й на** in case of (с ger.), in the event of (с ger.); **нещастен ~й** accident; casualty; **при всички ~и** any way, in any case; **смъртен ~й** death, (поради злополука) fatality; **удобен/благоприятен ~й** opportunity.

случайно *нареч.* by chance/accident; accidentally; fortuitously; *книж.* by happenstance; **не е ~**, че it is no chance/accident that, it is hardly a coincidence that; **~ бях там** I happened to be there; **срещам ~** happen to meet, happen upon; run/come across.

случайност *ж.*, *само ед.* chance, accident; (случаен характер) fortuity, fortuitousness; *юр.* fortuitous event; **по щастлива ~** by good fortune, *разг.* by a fluke; **само по една ~** by a mere chance; coincidentally.

случвам, случа *гл.* run across; chance upon; find; catch; **не случих с женитбата си** I had no luck with my marriage; || **~ се** happen (с to), occur, come about, come to pass, fall out; take place; chance; *разг.* pan out; (за нещо неприятно) befall (на -); **какво се е случило?** what has happened? what's the matter? what's up? **случи се, че** it happened that; **това често се случва с него** he is often like that.

случк|а *ж.*, -и occurrence, happening; event; incident; **изграден върху истинска ~** a founded on fact.

слушалк|а *ж.*, -и (телефонна) receiver; earpiece; **вдигам ~ата** pick up the receiver; **лекарска ~а** *мед.* stetho-

scope; **слагам ~ата** put back the receiver; (*за глухи*) ear-trumpet; *само мн.* earphones, headphones, headset.

слу̀шам *гл.* **1.** listen (to); (*чувам, прослушвам*) hear; ~ **лекция** attend a lecture; ~ **напрегнато** listen intently; hang on/upon s.o.'s lips; **2.** (*подчинявам се на*) obey; listen (to); heed; (*послушен съм*) be obedient/good; **не го слушай** don't listen to him, pay no attention/regard to him; ~ **съвета на някого** listen to s.o.'s advice.

слуша̀тел (-ят) *м.*, **-и; слуша̀телк|а** *ж.*, **-и** listener; *мн.*, *събират.* audience.

слъ̀нц|е *ср.*, **-à** sun; *поет.* daystar; (*слънчева светлина*) sunshine; **грея/пека се на ~е** bask in the sun; **на ~е** in the sun; **при изгрев/залез ~е** at sunrise/sunset; ● **и на нашата улица ще изгрее ~е** every dog has its day.

слънцестоѐне *ср.*, *само ед. астр.* solstice.

слънча̀свам, слънча̀сам *гл.* be affected by/have/get sunstroke.

слъ̀нчев *прил.* sun (*attr.*), solar; (*светъл*) sunny; ~ **лъч** sunbeam; ~ **удар** sunstroke; **~а светлина** sunlight, sunshine; **Слънчева система** *астр.* a solar system; **~о затъмнение** *астр.* a solar eclipse, an eclipse of the sun; ● ~ **сплит** *мед.* solar plexus.

слънчоглѐд *м.*, **-и, (два) слънчоглѐ-да 1.** *бот.* sunflower (*Helianthus annuus*); (*семе*) sunflower seed; **див ~** sneezeweed (*Hellenium autumnalis*); **2.** *прен.* turn-coat.

слънчоглѐдов *прил.* sun flower (*attr.*); **~о масло** sunflower-seed oil.

слюд|а *ж.*, **-и** *минер.* mica; *геол.* daze.

слю̀нк|а *ж.*, **-и** saliva, drivel; slaver; *разг.* spittle; **отделяне на ~а** salivation.

сля̀гам се, слѐгна се *възвр. гл.* **1.** settle (down); sink; (*за почва*) subside; (*сбива се*) become more compact; **2.** (*навеждам се*) bend; stoop; lie down (*и за трева*).

сля̀гане *ср.*, *само ед.* settlement, settling, compaction; *минер.* (*на скали, фундамент*) subsidence; *мин.* convergence; ~ **на горнище** roof/top convergence, roof sagging.

сляп *прил.*, **-а, -о, слѐпи** blind (*и прен.*); sightless; *като същ.* blind

man; *като същ. pl.* the blind; **напълно/съвършено ~** stone-blind, blind as a bat/beetle/mole; **~а вяра** blind/implicit faith; **~а улица** a blind alley; **~о увлечение** infatuation; ● **~а баба** (*игра*) blind man's buff.

слят *мин. страд. прич.* fused, combined, merged, amalgamated.

сма̀зан *мин. страд. прич.* crushed, smashed; *разг.* dished; ~ **от бой** beaten black and blue; ~ **от данъци** ground down with taxes; ~ **от скръб** broken-hearted, cut up.

сма̀звам[1]**, сма̀жа** *гл.* **1.** crush, smash, squash; (*с превозно средство*) run over; (*контузвам*) bruise; (*с тежест*) (com)press; ~ **от бой** beat the life out of, beat black and blue; **2.** *прен.* crush, overwhelm; rout; (*потушавам*) put down, stamp out, suppress, crush, stifle; steam-roller.

сма̀звам[2]**, сма̀жа** *гл.* (*намазвам*) oil, grease, lubricate.

сма̀зване[1] *ср.*, *само ед.* crushing, smashing, overwhelming, repression.

сма̀зване[2] *ср.*, *само ед.* oiling, greasing; *техн.* lubrication.

сма̀зка *ж.*, *само ед.* (*консистентна*) grease; greasing; lubricant, lubricator; (*за кожи*) dubbin(g); ~ **за ски** ski wax.

смазо̀ч|ен *прил.*, **-на, -но, -ни** lubricating, greasing; **~но масло** lubricating oil; lubricant.

сма̀йвам, сма̀я *гл.* astound, amaze, dumbfound, strike dumb; stupefy, stun; stagger; *разг.* flabbergast, knock/strike (s.o.) all of a heap; || ~ **се** be dumbfounded/astounded, etc., be left speechless.

сма̀йване *ср.*, *само ед.* amazement, stupefaction.

смаля̀вам, смаля̀ *гл.* diminish; make smaller; reduce, decrease; cut down; downsize; dwindle (away); || ~ **се** become smaller; decrease, diminish; dwindle (away).

смаля̀ване *ср.*, *само ед.* diminishing; reduction; decrease; (*на луната*) decrescence.

смара̀гд *м.*, **-и, (два) смара̀гда** *минер.* emerald.

сма̀хвам се, сма̀хна се *възвр. гл.* go crazy/mad, go out of o.'s mind; *разг.* go off o.'s beam/chump/rocker, go nuts.

сма̀хнат *мин. страд. прич.* (*и като*

прил.) crazy, crack-brained; feeble-minded; *разг.* cracked, cracky, crackers, not all there, loopy, dippy; *sl.* nuts, nutty, potty, off o.'s chump/beam/rocker; *като същ.* crackpot.

сма̀чкан *мин. страд. прич. прен.* shabby, scrubby.

сма̀чквам, сма̀чкам *гл.* (*дреха и пр.*) crush, rumple, crumple; crease; (*развалям формата на*) bash, batter in; (*картофи*) mash; (*плодове*) squash; mash, (*стъпквам*) trample/stamp/tread down; (*цигара*) stub (out); (*муха, комар*) swat; **тълпата го смачка** the crowd squeezed him to death; || ~ **се** become creased; crumple; ● ~ **фасона на** take s.o. down a peg/a pin, wipe s.o.'s eye, knock the stuffing out of s.o., put s.o.'s nose out of joint, *амер.* take the starch out of s.o.

сма̀ян *мин. страд. прич.* astounded, amazed, dumbfounded, stupefied, stunned; overcome with astonishment; *разг.* flabbergasted.

смекча̀вам, смекча̀ *гл.* **1.** (*омекотявам*) soften; **2.** *прен.* (*облекчавам болка*) alleviate, allay, mitigate, assuage; (*успокоявам*) mollify; (*израз, твърдение, светлина, цветове*) tone down; (*вина*) extenuate; (*удар*) cushion; (*правя по-умерен*) moderate; modify; ~ **международното положение** ease international tension; ~ **наказание** mitigate a punishment; **3.** *език.* palatalize; || ~ **се** soften, be mollified; (*за гняв, болка*) subside, be toned down.

смекча̀ващ *сег. деят. прич.* softening, mitigatory, mitigating; mollifying; extenuating, extenuatory; **~и вината обстоятелства** *юр.* extenuating/mitigating circumstances.

смел *прил.* bold, brave, courageous, audacious, venturesome, daring, unshrinking; *разг.* plucky, spunky; gritty; dare-devil; gutsy.

смѐло *нареч.* boldly, bravely, fearlessly; gamely.

смѐлост *ж.*, *само ед.* boldness, courage, daring; audacity; *разг.* guts, pluck, spunk; gameness; dare-devilry; **проявявам безразсъдна ~** rush in where angels fear to tread; **събирам ~** pluck up/muster courage, screw up.

смелча̀г|а *м.*, **-и** dare-devil.

смèн|ен *прил.*, -на, -но, -ни shift (*attr.*); ~на работа shift work/labour.

сменя̀вам, сменя̀ *гл.* 1. change; shift; replace; ~ дрèхите си change; ~ тèмата change the subject; ~ собствèника си (*за вещ*) change hands; 2. (*замèствам*) replace; take s.o.'s place; do s.o.'s work; *воен.* relieve, change; (*измèствам*) displace, supplant, supersede; сменя̀ме си ролите change/ switch/reverse roles; 3. (*размèням*) exchange (нèщо с нèщо s.th. for s.th.); || ~ се take turns.

сменя̀ем *прил.* removable; replaceable; (*замèняем*) exchangeable; interchangeable; ~и части *техн.* removable parts.

сменя̀м *гл.* change; shift; replace; (*за дърво – листа, за животно – козина*) shed, moult.

смерч *м.*, -ове, (два) смèрча *метеор.* tornado, wind spout; (*пясъчен*) sandstorm.

смес *ж.*, -и mixture; commixture; (*еднородна*) blend; (*разнородна*) composite; (*смесица*) medley; ~ от полимèри polyblend.

смèсвам, смèся *гл.* 1. mix; commix; mingle, commingle, intermingle; blend; compound; (*прибавям*) add (в to); dash (with); *биол.* (*кръстосвам*) cross; ~ цветове blend/merge colours; (*карти*) shuffle; 2. (*бъркам, не различавам*) mix up, confuse, confound; ~ произволно lump together; || ~ се mix, intermingle, mingle, commingle; merge; (*за бои*) blend; ~ се с тълпата mingle with the crowd.

смèсване *ср.*, *само ед.* mixing; mixture; compounding; blend; (*объркване*) confusion.

смèсен *мин. страд. прич.* (*и като прил.*) mixed; (*нечист*) impure; (*за порода*) hybrid; (*нечистокръвен*) mongrel; (*кръстосан*) crossed; (*разнороден*) compound; heterogeneous; ~ брак intermarriage, mixed marriage; ~ магазин general store.

смеситèл (-ят) *м.*, -и, (два) смеситèля (*за вода*) mixer tap.

смèсица *ж.*, *само ед.* mixture; blend; smorgasbord; (*бъркотия*) medley; confusion, hodgepodge, hotchpotch.

смèствам, смèстя *гл.* find room/place for; || ~ се 1. squeeze together; 2. (*по-*

бирам се) go/squeeze in; смèстете се да сèдна make room for me.

смет *ж.*, *само ед.* sweepings, rubbish; litter, garbage, waste; refuse; кофа за ~ dustbin, litter-bin; *амер.* ash-can.

смèтал|о *ср.*, -à abacus, ball-frame.

смèтана *ж.*, *само ед.* cream; гъста ~ double cream; ~ на прах (*за кафе*) creamer.

смета̀ч|ен *прил.*, -на, -но, -ни calculating; ~на линийка slide-ruler; ~на машина computer, calculator, calculating machine.

смèт|ен *прил.*, -на, -но, -ни account (*attr.*), estimate (*attr.*); budget (*attr.*); ~на палата audit office.

смèтищ|е *ср.*, -а dung-hill; dumping-ground.

смèтк|а *ж.*, -и 1. account; (*изчисление*) calculation; (*за плащане*) bill, (*в заведение*) score; *разг.* tab; водя ~а keep accounts (за of); на/за нèгова ~а at his expense; on his account; на стопанска ~а self-supporting; на self-supporting basis; не ми излизат ~ите the accounts don't balance, the account books won't add up; оправям ~ите си с някого settle/square accounts with s.o. (*и прен.*); текуща/чèкова ~а current account, account current, съкр. a/c; 2. (*изгода*) profit, interest, advantage; в нèго няма ~а it does not pay; има ~а да it pays to; на ~а (*за купуване*) cheaply, on the cheap; • брак по ~а marriage of convenience; в крайна/послèдна ~а in the long run; in the last/final reckoning, in the final analysis, all things considered; ultimately; виждам ~ата на make short work of; добри/чисти ~и, добри приятели short reckonings make long friends; държа ~а за bear in mind, consider, take account of, take into account; имам да урèждам/разчиствам ~и с разг. have a bone to pick with s.o.; правя си ~ата без кръчмаря reckon without o.'s host; правя тънки ~и: 1) be pedantic/overparticular in o.'s accounts; 2) (*кроя планове в своя полза*) разг. have an eye on the main chance.

смèткаджи|я *м.*, -и canny/shrewd fellow, fox; (*скъперник*) miser, close-fisted person.

смехотвòр|ен *прил.*, -на, -но, -ни laughable; ridiculous.

смèш|ен *прил.*, -на, -но, -ни funny, comical, laughable; droll; (*за присмех*) ridiculous, ludicrous; не ставай ~ен! don't make a fool of yourself! don't be foolish! правя някого ~ен make a laughing stock of s.o., expose s.o. to ridicule; това е просто ~но! it's simply ridiculous! this is foolish!

смèшк|а *ж.*, -и joke, jest; trick, prank; (*анекдот*) joke, funny story; (*разказана от комик*) gag; правя ~и crack jokes.

смешнѝ|к *м.*, -ци joker, jester, buffoon, mountebank; droll.

смèшно *нареч.* comically, in a funny manner/way; става ми ~ it makes me laugh.

смèя *гл.* dare, venture, make bold/free; как смèеш! how dare you! ~ да кажа I make bold to say; I dare say; I venture to say.

смèя се *възвр. гл.*, *мин. св. деят. прич.* смял се laugh; (*надсмивам се*) laugh (at), mock (at), make fun (of); ~ до посиняване/припадък burst/split o.'s sides with laughter; laugh o.s. sick; laugh o.'s head off; fall about; ~ принудено give a forced laugh, force a laugh; • най-добре се смее този, който се смее послèден he laughs best who laughs last.

смѝгам и смѝгвам, смѝгна *гл.* wink (на at).

смѝлам, смèля *гл.* grind, mill; (*месо*) mince, hash; (*за стомах*) digest; *прен.* assimilate; (*разгромявам*) defeat utterly, rout; flatten.

смѝлане *ср.*, *само ед.* grinding, milling; crushing; mincing; digestion; *прен.* assimilation; фино ~ fine grinding.

смиля̀вам, смиля̀ *гл.* move (to mercy); || ~ се have/take pity/mercy (над on); той се смили над нèго he took pity on him.

смирèн *мин. страд. прич.* humble, meek; (*покорен*) submissive.

смирèние *ср.*, *само ед.* humbleness, humility; meekness; submission.

смирèност *ж.*, *само ед.* humbleness, meekness; submission.

смиря̀вам, смиря̀ *гл.* subdue; (*страсти и пр.*) restrain; (*гордост и пр.*) humble; || ~ се become humble; humble o.s.

смѝслен *прил.* reasonable, sensible,

meaningful; ~ **живот** worth-while life.

смислено *нареч.* sensibly, reasonably; **говоря** ~ talk sense.

смислов *прил.* of meaning; sense (*attr.*); notional, logical; *език.* semantic; ~ **оттенък** a shade of meaning.

смисъл *м., само ед.* sense, meaning; (*значение*) meaning, signification, significance; (*полза*) use; (*цел*) purport; **в широк** ~ in a broad sense; in a general way; **говоря без** ~ talk nonsense; **преносен** ~ figurative/metaphorical sense/meaning; **пряк** ~ literal sense/ meaning; ~**ът на живота/закона** the meaning of life/of the law; **това няма никакъв** ~ this makes no sense at all.

смитам, сметá *гл.* sweep away/clean; sweep up.

смлян *мин. страд. прич.* ground; ~ **на едро** (*за брашно и пр.*) coarsely ground; ~ **ситно** finely ground.

смог *м., само ед.* smog.

смогвам, смогна *гл.* manage, succeed; be able.

смок *м.*, **смоци и смокове, (два) смо- ка** grass-snake (*Coluber*); • **пия като** ~ drink like a fish.

смокинг *м.*, -и, (два) **смокинга** din- ner-jacket, dinner-coat; *амер.* tuxedo, *разг.* tux.

смокинен и смокинов *прил.* fig (*attr.*); ~**и листа** fig-leaves.

смокин|я *ж.*, -и 1. fig; 2. (*дърво*) fig- tree.

смол|á *ж.*, -и́ resin; (*катран*) pitch, tar; **борова** ~a oleoresin; **импрегни- рам със** ~a resinate; **покрит със** ~a resin-coated.

смолист *прил.* resinous, pitchy; gummy; (*катранен*) tarry; (*за коса*) lustrous black; ~**о черен** coal-black.

смотáвам, смотáя *гл.* 1. (*навивам*) wind; 2. bungle up; mess up, confuse.

смотан *прил.* 1. muddled, confused; (*за човек*) awkward, clumsy; ~ **човек** muff, flat; 2. (*долнокачествен*) crappy, low-down, crummy, trashy.

смотолéвям, смотолéвя *гл.* 1. mum- ble, falter; 2. botch, bungle, mumble.

смрад *ж., само ед.* stench, stink, *книж.* fetor; *амер. sl.* funk.

смрад|ен *прил.*, -на, -но, -ни; **смрад- лив** *прил.* stinking, reeking, olid; evil- smelling, foul; fetid; *амер. sl.* funky.

смразявам₁, смразя *гл.* freeze, con-

geal; (*с поглед и пр.*) wither; frown (s.o.) down; ~ **някому кръвта** make s.o.'s blood run cold; || ~ **се** freeze.

смразявам₂, смразя *гл.* (*скарвам*) embroil (**c** with); estrange (from), make mischief between; make bad blood (be- tween).

смразяващ *сег. деят. прич.* freezing; (*за усмивка и пр.*) wintry; (*за поглед, отговор и пр.*) withering.

смрачáвам се, смрачá се *възвр. гл.* get/grow dark.

смръзвам, смръзна *гл.* freeze, con- geal; || ~ **се** freeze, become frozen, be- come stiff with cold; congeal; **кръвта ми се смръзна от ужас** my blood cur- dled/froze with horror, horror con- gealed my blood.

смръщвам, смръщя *гл.*: ~ **вежди** knit o.'s brows; || ~ **се** knit o.'s brows; make an angry face.

смуг|ъл *прил.*, -ла, -ло, -ли swarthy, dark; dusky.

смукалк|а *ж.*, -и; **смукал|о** *ср.*, -а и -á sucker (*и бот., зоол.*).

смукáтел (-ят) *м.*, -и, (два) **смукáте- ля** *техн.* sucker.

смукáтел|ен *прил.*, -на, -но, -ни suck- ing, suction (*attr.*); *зоол.* suctorial; ~**на помпа** *техн.* a suction pump.

смукáч *м.*, -и 1. грубо (*експлоата- тор*) blood-sucker; 2. грубо (*пияни- ца*) boozer, soaker, sponge; 3. *техн.* choke.

смýквам, смýкна *гл.* suck; draw in; ~ **от лулата си** take a puff at o.'s pipe.

смут *м.*, -ове, (два) **смýта** (*уплаха*) dismay; (*объркване*) confusion; flurry; discompoisure, disconcertment; pertur- bation; (*размирица*) disturbance, tu- mult, commotion, *разг.* tizzy; **внасям** ~ perturb; **причинявам** ~ stir (up)/ cause a commotion.

смутéн *мин. страд. прич.* confused, disconcerted, discomposed, flustered, embarrassed, perplexed, bewildered; confounded, abashed, put out.

смут|ен *прил.*, -на, -но, -ни troubled, confused, embarrassed, perplexed, muddleheaded, unrestful; ~**ни време- на** troubled/unquiet times.

смутéно *нареч.* discomposedly; discon- certedly; in confusion/embarrassment/ bewilderment.

смýча *гл.*, *мин. св. деят. прич.* смý-

кал suck; draw (in); *прен.* sap, drain; (*лула, цигара*) pull (at); ~ **кръвта на някого** suck s.o.'s blood, suck the life- blood out of s.o.

смýшквам, смýшкам *гл.* poke; dig; (*с лакът*) nudge; jab, job.

смущáвам, смутя *гл.* 1. confuse, em- barrass, perplex, perturb, discounte- nance, put out of countenance, put out; bewilder, abash; (*обърквам*) upset, dis- concert, discomfit, confound; disquiet; fluster, flurry, ruffle (s.o.'s) feathers, flummox, gravel; *разг.* rattle; flivver; (*преча на*) interfere with; ~ **душев- ния покой на някого** disturb s.o.'s peace of mind; 2. (*обезпокоявам*) trouble, disturb, bother, ruffle; discon- cert, faze; 3. *радиотехн.* jam; || ~ **се** be confused/perplexed/embarrassed/ disconcerted; get easily embarrassed/ confused; be shy/awkward.

смущáващ *сег. деят. прич.* cofusing, embarrassing, muddling; disturbing.

смущéни|е *ср.*, -я 1. disturbance, dis- quietude; discomposure; disconcerted- ness; (*объркване*) embarrassment; con- fusion, perplexity; uneasiness; (*психи- ческо и пр.*) disorder; **област на** ~**е на радиопредаване** nuisance area; 2. *радио.* jamming, atmospherics, strays, interference; **защита от** ~**я** anti-jam- ming.

смъдва ме (те, го, я, ни, ви, ги), **смъдне ме (те, го, я, ни, ви, ги)** *безл. гл.* sting, smart (*и прен.*).

смъдя *гл.* smart; sting; **очите ми смъ- дят** my eyes smart.

смъквам, смъкна *гл.* 1. take/pull/drag/ haul down; remove; (*власт*) overthrow; (*кожа*) strip (off); (*събличам*) take/slip off; (*снижавам*) lower, bring down; (*намалявам*) reduce; (*принудител- но*) force down; ~ **малко цената** knock s.th. off the price; ~ **някому кожата от бой** beat s.o. black and blue; ~ **от престола** dethrone, depose; 2. (*от- мъквам*) steal, filch; ~ **много пари от някого** *разг.* fleece s.o.; 3. (*за бо- лест*) waste; || ~ **се** 1. get/climb/slip down; 2. (*отслабвам*) waste away; lose weight, grow thin.

смълчáвам се, смълчá се *възвр. гл.* become/fall silent; lie silent, be hushed; fall into silence.

смълчáване *ср.*, *само ед.* lull.

смълчан *мин. страд. прич.* hushed.

смъмрям, смъмря *гл.* scold, tell off, give s.o. a scolding, take s.o. to task, tick (s.o.) off, dust (s.o.) down, give s.o. the edge of o.'s tongue, *амер.* chew out; throw the books at s.o., give s.o. a dressing-down.

смъмряне *ср., само ед.* scolding; reprimand; *разг.* telling-off, ticking-off; earwigging; a flea in o.s ear.

смънквам, смънкам *гл.* mumble, falter (out).

смърдя *гл.* stink (**на** of).

смъркам *гл.* **1.** sniff; (*при хрема*) sniffle; (*питие*) take a sip; ~ **енфие** take snuff; **2.** *разг.* (*пия*) booze, tipple.

смърт *ж., само ед.* death; *юр.* decease; *sl.* big sleep; (*смъртен случай*) fatality; (*образно*) The Grim Reaper; the fatal shears; **бия се на живот и** ~ wage a life-and-death struggle; fight for dear life; **въпрос на живот и** ~ life-and-death matter, matter of life and death; **естествена/насилствена** ~ natural/violent death; **на косъм от** ~**та** within a hair's breath/an inch of death; **намирам** ~**та си** meet o.'s death.

смърт|ен *прил.,* -**на**, -**но**, -**ни 1.** (*смъртоносен*) mortal, deadly; (*за рана*) fatal; (*за оръжие*) lethal; **2.** (*отнасящ се до смърт*) death (*attr.*); ~**ен одър/**~**но легло** deathbed; ~**на присъда** *юр.* death sentence; ~**но наказание** *юр.* death penalty; capital punishment; the extreme penalty (of the law); **3.** (*най-страшен, опасен*) mortal, deadly; ~**ен враг** deadly enemy/foe; mortal enemy; ~**ен грях** *църк.* deadly/mortal sin; **4.** (*който не е безсмъртен*) born of woman, earth-/woman-born; mortal (*и като същ.*); ● ~**на бледост** deathly/deadly/ghostlike/death-like pallor.

смъртни|к *м.,* -**ци** dead man; corpse; ● **блед като** ~**к** as pale/white as death/ashes; as pale/white as a ghost/sheet.

смъртно *нареч.* mortally; deadly, deathly; ~ **ранен** mortally wounded, wounded to death; ~ **уморен** tired to death, dead-tired.

смъртност *ж., само ед.* death-rate, mortality(-rate); (*при новородени*) neo-mortality; **детска** ~ infant mortality.

смъртонос|ен *прил.,* -**на**, -**но**, -**ни** lethal, mortal, fatal, deadly; deathly;

death-dealing; ~**ен газ** lethal gas; ~**на болест/рана** fatal illness/wound; ~**но оръжие** lethal/deadly weapon.

смъртоносно *нареч.* lethally; mortally, fatally; to death; **ранявам** ~ wound fatally, wound to death.

смърч *м.,* -**ове**, (**два**) **смърча 1.** *бот.* spruce (*Picea excelsa*); **2.** *бот.* juniper.

смът|ен *прил.,* -**на**, -**но**, -**ни** vague, dim, hazy; indistinct; misty; dreamy; (*за спомен и пр.*) vague, confused; foggy; (*за мотиви, чувства и пр.*) obscure; ~**ен спомен** dim/hazy recollection/reminiscence; ~**на представа** vague/dim/foggy idea; hazy notion.

смяна *ж.,* **смени 1.** change, changing; (*заместване*) replacement; (*на хора, коне*) relay; *воен.* (*на караул*) relief, change; ~ **на гражданството** change of nationality/citizenship; ~ **на пола** sex change; **2.** (*в предприятие и пр.*) shift; **нощна** ~ night shift; *презр.* graveyard shift, lobster shift; **работя на две/три смени** work/operate in two/three shifts.

смятам, сметна *гл.* **1.** reckon, count; (*изчислявам*) work/figure out, calculate, compute; **без да се смята** not counting; exclusive of; ~ **на ум** work out in o.'s mind, make mental calculations; **2.** (*считам*) consider (**за** -), think; regard (**за** as); *книж.* deem; **смятат го за луд** they take him for a madman; **той се смята за гений** he thinks/fancies himself a genius; **тя го смята за един от най-добрите си приятели** she reckons him among her best friends; **3.** (*възнамерявам*) intend, plan, mean (**да** to **c** *inf.*); think (of **c** *ger.*), figure (on **c** *ger.*), be going (to **c** *inf.*); **4.** (*струва ми се*) think, figure, guess.

смятане *ср., само ед.* reckoning, counting, calculating; computation, calculation; (*предмет*) arithmetic, sums; *мат.* calculus; **диференциално/интегрално** ~ differential/integral calculus; (*диференциално*) fluxions.

смях *м.,* **смехове**, (**два**) **смяха** laughter, laugh; **избухвам в** ~ burst out laughing, burst into laughter, roar with laughter; **не му е до** ~ he is/feels in no mood for laughing/laughter; he is not joking; **правя някого за** ~ make a

laughing-stock/a fool of s.o.; **предизвиквам/възбуждам** ~ raise a laugh; **ставам за** ~ become a laughing-stock.

снабдител (-**ят**) *м.,* -**и** supplier, purveyor; furnisher; (*с провизии*) victualler.

снабдител|ен *прил.,* -**на**, -**но**, -**ни 1.** supplying; supply (*attr.*); feeding; ~**ен кран** feed-cock; ~**ен отдел**, ~**на служба/база** supply, department/service/base; **2.** *техн.* feeding.

снабдявам, снабдя *гл.* supply; furnish; provide (**с** with); equip, fit (with); *разг.* fix (with); (*с инвентар*) stock; ~ **с храна** *воен.* victual; || ~ **се** get, obtain, procure (**с** -); supply/furnish/provide/equip o.s. (**с** with), be supplied (with); ~ **се с гориво** refuel.

снабдяване *ср., само ед.* supplying; supply; (*продоволствие*) supply of provisions; *техн.* feeding; **военно** ~ war supplies.

снаг|а *ж.,* -**и** body, figure, shape; **тънка** ~ a slender waist; (*на здание, планина и пр.*) form.

снаждам, снадя *гл.* splice, join; fit together; (*на дреха*) add.

снаж|ен *прил.,* -**на**, -**но**, -**ни** well-built/-set; stalwart, robust, strapping.

снайпер *м.,* -**и**, (**два**) **снайпера**; **снайперист** *м.,* -**и** sniper, sharpshooter; **мерник на** ~ sniperscope.

снаряд *м.,* -**и**, (**два**) **снаряда** *воен.* shell; projectile; **бронебоен** ~ armour-piercing shell; **обстрелвам със** ~**и** shell; **химически** ~ gas-shell.

снаряд|ен *прил.,* -**на**, -**но**, -**ни** *воен.* shell (*attr.*); projectile (*attr.*); ~**ен погреб** shell-room.

снаряжени|е *ср.,* -**я** equipment, outfit; gear; *воен.* accoutrements; **в пълно бойно** ~**е** fully accoutred.

снасям, снеса *гл.* lay; ~ **яйца** (*за риба, жаба*) spawn.

снах|а *ж.,* -**и 1.** (*жена на син*) daughter-in-law, *pl.* daughters-in-law; **2.** (*братова жена*) sister-in-law, *pl.* sisters-in-law.

снеговалеж *м.,* -**и** snowfall, fall of snow.

снегорин *м.,* -**и**, (**два**) **снегорина**; **снегоринач|ка** *ж.,* -**и** snow-plough.

снегоход *м.,* -**и**, (**два**) **снегохода** snowmobile.

снеж|ен *прил.,* -**на**, -**но**, -**ни** snow

(*attr.*); of snow; snowy; **~ен човек** snow-man; **~на покривка** snow-cover, a blanket of snow; **~на топка** snow-ball; **~ни върхове** snow-capped peaks.

снежинк|а *ж.*, **-и** snowflake.

снежнобял *прил.*, **-а, -о, снежнобели** snow-white, white as snow.

снекбар *м.*, **-ове, (два) снекбара** snack-bar, diner.

снемам, снема *гл.* **1.** take down; fetch down; (*демонтирам*) dismantle; (*махам*) take off, remove; **~ всякаква отговорност от себе си** decline all responsibility; **~ ембарго** lift an embargo; **~ от дневния ред** take off the agenda; **~ от пост/длъжност** depose, remove, demote; **~ шапката си** take off o.'s hat, (*за поздрав и пр.*) remove o.'s hat; **2.** (*фотографирам*) photograph, take a photograph/picture/snapshot (of); *разг.* snap; **~ филм** make/shoot a film; **|| ~ се** have o.'s picture/photo(graph) taken; **•** **~ копие от нещо** take/make a copy of s.th.; **~ показания** take (s.o.'s) evidence.

снемане *ср., само ед.* taking down; removal; (*от пост, длъжност*) demotion, deposal, deposition; **~ от длъжност** removal from office, dismissal.

снижавам, снижа *гл.* **1.** (*глас*) lower; **2.** (*намалявам*) reduce; (*цени*) reduce, bring down, cut.

снижаване и **снижение** *ср., само ед.* lowering; reducing; reduction; **~ на себестойността** lowering the prime cost of production.

снизходител|ен *прил.*, **-на, -но, -ни** **1.** (*пренебрежителен*) condescending, sparing; (*покровителствен*) patronizing; (*милостив*) clement; (*който лесно прощава*) forgiving; **2.** (*невзискателен*) indulgent, lenient; easygoing; **~ен към себе си** self-indulgent.

снизходително *нареч.* condescendingly; indulgently; with condescension/indulgence; forgivingly.

снизходителност *ж., само ед.*; **снизхождение** *ср., само ед.* condescension, condescendence, sparingness; forgiveness; (*милостивост*) clemency; graciousness; (*липса на взискателност*) indulgence, lenience.

снимам, снема *гл. фот.* photograph, take a photo.

снимач|ен *прил.*, **-на, -но, -ни** pho-

tographic; shooting; filming; **~на площадка** *кино.* set; **~на техника:** 1) filming/camera equipment; 2) filming technique.

снимк|а *ж.*, **-и** photograph, photo, shot; (*моментална*) snap(shot); **правя ~а** take a picture/snapshot; **рентгенова ~а** *мед.* X-ray photograph, radiograph, roentgenograph, roentgenogram; **самолетна ~а** aerial photograph/view.

снишавам, снишá *гл.* lower (*и глас*); (*знаме и пр.*) strike; **|| ~ се 1.** (*за местност*) slope down; **2.** (*привеждам се*) stoop; **3.** (*за глас*) sink (to a whisper).

сноб *м.*, **-и** snob; *разг.* a stuffed shirt.

снобúз|ъм (-мът) *м., само ед.* snobbery, snobbishness.

снобск|и *прил.*, **-а, -о, -и** snobbish, snobby, sniffy, *разг.* snooty.

снова *гл.* **1.** (*нареждам основа за тъкане*) warp; **2.** *прен.* walk/go/hurry to and fro; hurry up and down, shuttle.

сноп *м.*, **-и** и **-ове, (два) снопа** sheaf, *pl.* sheaves; (*съчки*) bundle; faggot; *анат.* funiculus; **падам като ~** drop on the spot; (*умирам*) drop dead; **~ светлина** shaft of light.

снос|ен *прил.*, **-на, -но, -ни** tolerable, decent, passable; supportable, acceptable, fairly good, fair; (*за живот*) li(e)vable, tolerable, *разг.* tol-lol.

сноуборд *м.*, **-ове, (два) сноуборда** snowboard; **каране на ~** snowboarding.

сношавам се, сношá се *възвр. гл.* **1.** communicate; intercommunicate (**с** with); have/hold intercourse (with); come into contact; (*чрез писма*) correspond; **2.** (*копулирам*) copulate, have sexual intercourse (with).

сношени|е *ср.*, **-я** communication; contact, intercourse; correspondence; (*отношения*) relations; **полово ~е** copulation, sexual intercourse; *юр.* carnal knowledge.

снощи *нареч.* last night.

сняг (снегът) *м., само ед.* snow; **вали ~** it snows; **покрит със ~** covered with snow, snow-covered/-clad; (*за връх, планина*) snow-capped/-topped; **снегът се сипеше на парцали** snow was falling thick; **•** **сметана/белтъци на ~** *кул.* whipped cream/egg-whites.

собствен *прил.* o.'s own; of o.'s own; (*частен*) private; **на ~и разноски** at o.'s own expense; **~а стойност** *мат.*, *физ.* eigenvalue; **~о име** proper name; *език.* proper noun/name.

собствени|к *м.*, **-ци** owner, proprietor, holder (*и юр.*); **дребен ~к** smallholder; **~к на недвижим имот** holder of estate; **~к по закон** statutory owner.

собственическ|и *прил.*, **-а, -о, -и** proprietary, possessive, possessory; **~и задължения** proprietary duties.

собственоръч|ен *прил.*, **-на, -но, -ни** autographic; **~ен подпис** sign manual; autograph, o.'s own signature, manuscript signature.

собственоръчно *нареч.* autographically, with o.'s own hand; **подписвам се ~** sign in person.

собственост *ж., само ед.* *юр.* property; proprietorship; ownership; possession; **нотариален акт за ~** holding deed; **обществена ~** public/social property; **право на ~** title; **частна ~** private property.

сов|а *ж.*, **-и** *зоол.* (*птица от сем. Striges и Strigiformes*) owl, owlet, barn-owl.

совалк|а *ж.*, **-и 1.** *текст.* shuttle; **2.** *анат.* forearm/forelimb bones; **•** **дипломатическа ~а** shuttle diplomacy.

сод|а *ж.*, **-и 1.** soda; **~а бикарбонат (за хляб)** sodium bicarbonate, baking soda; **~а каустик** *хим.* caustic soda; **2.** (*газирана вода*) soda-water.

содомúт *м.*, **-и** *мед.* sodomite.

содомúя *ж., само ед.* *мед.* sodomy, crime against nature.

соев *прил.* soy-bean (*attr.*); **~ сос** *кул.* soy sauce.

со|й (-ят) *м.*, **-еве, (два) соя** stock, origin; breed; family; pedigree; **•** **от ~й** pedigree (*attr.*), thoroughbred; (*за човек*) of good stock.

сок *м.*, **-ове, (два) сока** juice; (*на растение*) sap; **жизнени ~ове** the sap of life; **плодов/лимонов/гроздов ~** fruit/lemon/grape juice; **стомашен ~** gastric juice.

сокá|к *м.*, **-ци, (два) сокáка** street, lane; **•** **кьор/чакмак ~к** a blind alley, cul-de-sac; *прен.* (*безизходица*) deadlock, impasse.

сокóл *м.*, **-и, (два) сокóла** *зоол.* falcon (*Falco*); (*мъжки*) tercel; **лов със**

~и falconry.

Сократ *м. собств.* Socrates.

сократовск|и *прил.*, -а, -о, -и Socratic.

сол₁ *ж.*, *само ед.* (*за ядене*, *хим.*) salt; *фарм.* sal; **готварска ~** table-salt, (common) cooking salt; **малко/щипка ~** a touch/pinch of salt; **морска ~** sea-salt; **шарена ~** (a mixture of) ground dried herbs, salt and paprika; ● **~та на земята** *библ.* the salt of the earth; **трия/търкам ~ на главата на** give s.o.'s head a washing; give s.o. dressing down; call/haul s.o. over the coals.

сол₂ *ср.*, *само ед. муз.* G; sol; **ключ ~** treble clef.

солàр|ен *прил.*, -на, -но, -ни solar.

солàриум *м.*, -и, (*два*) солàриума solarium.

солèн *прил.* **1.** (*съдържащ сол*) salt (*attr.*), salty; ~**о езеро** salt(-water) lake; **2.** (*осолен*) salt(ed); ~**а риба** salt fish; ~**о говеждо месо** corned beef; **3.** *прен.* (*скъп*) stiff; ~**а шега** cruel joke; ~**о му излезе** he got it hot; he had the deuce/ the devil to pay, (*в пари*) he had to pay through the nose.

солèн|ен *прил.*, -на, -но, -ни salt (*attr.*); ~**на киселина** *хим.* hydrochloric acid; ~**на мина** salt mine.

солèнк|а *ж.*, -и *кул.* cheese straw/ cracker.

соленòйд *м.*, -и, (*два*) соленòйда *ел.* solenoid; ~ **с вмъкваща се сърцевина** solenoid-and-plunger.

солèти *само мн.* pretzel sticks.

солидàр|ен *прил.*, -на, -но, -ни solidary, making common cause (**с** with), joint; ~**на отговорност** *юр.* joint liability.

солидаризѝрам се *възвр. гл.* hold together (**с** with); make common cause (with); stand (by); hold, side (with).

солидàрност *ж.*, *само ед.* solidarity; *фр.* esprit de corps.

солѝд|ен *прил.*, -на, -но, -ни solid, strong, massive; sound; firm; (*за обувки*, *дрехи*) stout; (*съществен*) substantial; (*сигурен*) trustworthy, reliable; ~**на сума** considerable sum, *разг.* tidy sum; ~**на фирма** well-established company/firm; ~**ни** (*по*)**знания** thorough/profound knowledge.

солѝст *м.*, -и; **солѝстк|а** *ж.*, -и soloist.

сòлниц|а *ж.*, -и *обикн. мн.* **1.** saltern,

salt-works; **2.** (*мина*) salt-mine/-pit, (*открита*) salt-pan.

солнѝц|а *ж.*, -и salt-cellar; castor.

сòло *ср.*, *само ед.* solo; ~ **балерина** solo-dancer.

сòлов *прил.* solo (*attr.*); ~**о пеене** solo singing.

солфèж *м.*, *само ед. муз.* solfeggio, sol-fa.

соля́ *гл.*, *мин. св. деят. прич.* солѝл salt, put (some) salt on/in; (*ръся*) sprinkle with salt; (*консервирам*) salt down; (*със саламура*) pickle; (*месо и пр.*) corn.

сом *м.*, -ове, (*два*) сòма *зоол.* sheat-fish (Silurus glanis).

сомалѝ|ец *м.*, -йци Somalian, Somali.

сомалѝйк|а *ж.*, -и Somalian/Somali (woman).

сомалѝйск|и *прил.*, -а, -о, -и Somalian, Somali.

Сомàлия *ж. собств.* Somalia.

соматѝч|ен *прил.*, -на, -но, -ни somatic(al), corporeal.

сомбрèр|о *ср.* a sombrero.

сомнамбỳл *м.*, -и sleep-/night-walker, somnambulist.

сомнамбулѝз|ъм (-мът) *м.*, *само ед. мед.* somnambulism, somnambulance; sleep-/night-walking.

сомнамбỳлск|и *прил.*, -а, -о, -и somnambulant, somnambulistic.

сонàр *м.*, -и, (*два*) сонàра *мор.* sonar.

сонàт|а *ж.*, -и *муз.* sonata.

сòнд|а *ж.*, -и **1.** *техн.* drill; drilling/ boring machine; (*петролна*) rig; гео-**ложка ~а** a prospecting drill; **пускам ~а** drill; sink/drill a borehole (**за** for); **2.** *мед.* probe; **стомашна ~а** stomach-tube; **3.** (*балон*) sounding balloon; **4.** (*space*) sonde.

сондàж *м.*, -и, (*два*) сондàжа **1.** drilling, prospecting; sounding; probing (*и прен.*); геоложки ~ earth bore; прав-**ва ~** drill; проучвателен ~ exploratory/trial boring; **2.** (*отвор след сондиране*) borehole; **3.** *прен.* probing.

сондàж|ен *прил.*, -на, -но, -ни drilling, prospecting; sounding; probing (*и прен.*); drill (*attr.*); probe (*attr.*); ~**ен кладенец** *геол.* test-pit; ~**но изследване** *марек.* sample survey.

сондѝрам *гл.* **1.** sound (out); drill; *мед.* probe; **2.** *прен.* sound (out), throw out feelers; (*някого*) approach, sound, put

out a feeler to; ask; draw; ~ **почвата** take bearings/soundings; *прен.* see how the land lies, see how things stand.

сондѝране *ср.*, *само ед.* sounding, drilling; probing; *марект.* sampling.

сонèт *м.*, -и, (*два*) сонèта *лит.* sonnet; **автор на** ~**и** sonneteer.

сонèт|ен *прил.*, -на, -но, -ни *лит.* sonnet (*attr.*).

сонòр|ен *прил.*, -на, -но, -ни *фон.* sonorous, resonant.

сòп|а *ж.*, -и club, cudgel, bludgeon, staff, the big stick.

сòпам се и **сòпвам се**, **сòпна се** *възвр. гл.* snap, fly out (**на** at); snap s.o.'s head off.

сополàн *м.*, -овци; **сополàн|а** *ж.*, -и **1.** sniveller; driveller; **2.** *прен.* green-horn; **3.** (*малко дете*) mite.

сополѝвя *гл.*, *мин. св. деят. прич.* сополѝвил make snotty; || ~ **се** snivel, have the snivels; drivel.

сопрàн *м.*, -и, (*два*) сопрàна *муз.* soprano, treble voice.

сопрàнов *прил.* soprano (*attr.*).

сорт *м.*, -ове, (*два*) сòрта *бот.* variety; (*вид*) sort, kind; (*качество*) quality, grade; (*на тютюн*) brand; (*на памук*) growth; **от същия ~** of the same sort/kind; **такъв ~ хора** this kind of people.

сортѝрам *гл.* sort out, assort, grade; classify; separate; (*по големина*) size; (*по цвят*, *големина*) match.

сортѝране *ср.*, *само ед.* assortment, sorting out, sizing, grading, classification, separation.

сортировàч *м.*, -и; **сортировàчк|а** *ж.*, -и sorter, classifier, sizer, grader.

сортирòвка *ж.*, *само ед.* assortment, sorting out; grading; sizing; matching; separating, separation.

сортирòвч|ен *прил.*, -на, -но, -ни sorting (*attr.*); ~**на станция** *жп* a marshalling/sorting yard.

сòртов *прил.* high-quality/-grade (*attr.*); ~**а стомана** *метал.* section steel; ~**и семена** grain of high/good quality; select seeds.

сос *м.*, -ове, (*два*) сòса *кул.* sauce; (*от печено месо*) gravy; (*за салата*) dressing.

сосиèр|а *ж.*, -и sauce-boat, gravy-boat/ -bowl.

софѝз|ъм (-мът) *м.*, -ми, (*два*) со-

фи́зъма *филос.* sophism; a piece of sophistry.

софи́ст *м.,* -и; **софи́стк|а** *ж.,* -и soph-ist.

софи́стика *ж., само ед. книж.* soph-istry; philosophism; (*казуистика*) casuistry.

софисти́ч|ен *прил.,* -на, -но, -ни sophistic(al); casuistical.

софр|а́ *ж.,* -й *разг.* 1. (low round din-ing) table; 2. (*ядене*) meal.

со́фтуер *м., само ед. инф.* software, computer package.

социалдемокра́т *м.,* -и social demo-crat.

социалдемократи́ческ|и *прил.,* -а, -о, -и social-democratic(al).

социалдемокра́ция *ж., само ед.* so-cial democracy.

социа́л|ен *прил.,* -на, -но, -ни social; ~**ен произход** social origin; family background; ~**но законодателство** social legislation; ~**но положение** so-cial position/standing/status; ~**но чув-ство** community feeling.

социализа́ция *ж., само ед.* sociali-zation.

социализи́рам *гл.* socialize.

социали́з|ъм (-мът) *м., само ед.* so-cialism.

социали́ст *м.,* -и; **социали́стк|а** *ж.,* -и socialist; (*умерен*) пренебр. pinko; **тесен** ~ left-wing/revolutionary socialist.

социалисти́ческ|и *прил.,* -а, -о, -и socialist (*attr.*), socialistic.

социа́лноикономи́ческ|и *прил.,* -а, -о, -и socio-economic.

социа́лнополити́ческ|и *прил.,* -а, -о, -и sociopolitical.

социоло́|г *м.,* -зи sociologist.

социологизи́рам *гл.* interpret from a sociological point of view.

социологи́з|ъм (-мът) *м., само ед.* sociological approach/interpretation; *неодобр.* crude sociological approach/interpretation.

социологи́ч|ен *прил.,* -на, -но, -ни; **социологи́ческ|и** *прил.,* -а, -о, -и sociological.

социоло́гия *ж., само ед.* sociology, social science.

со́ча *гл., мин. св. деят. прич.* **со́чил** show; (*с пръст*) point (to, at); (*указ-вам*) indicate; (*свидетелствам за*)

be indicative (of); (*изтъквам*) point out; (*оръжие*) point (at); ~ **за при-мер** hold up as an example.

со́ч|ен *прил.,* -на, -но, -ни 1. juicy, sappy, succulent; mellow; (*за расти-телност*) rich; ~**на трева** rich/lush/succulent grass; ~**на ябълка** juicy ap-ple; 2. *прен.* (*за устни*) fresh, full, rosy; (*за глас*) mellow, rich; (*за цвят, смях*) rich; (*за стил*) rich; vigorous, lively; luscious.

со́я *ж., само ед. бот.* soy-bean, soya (*Soja hispida*).

спаге́ти *само мн. кул.* spaghetti.

спад *м.,* -ове, (*два*) **спа́да** decrease, reduction, drop; fall-off; *техн.* drop; *икон.* downturn; falling-off; decline, decrease, recession; (*рязък*) nose dive; downswing; dip; (*тенденция към спа-дане*) downtrend; **постепенен** ~ tail-off.

спа́дам₁, спа́дна *гл.* 1. (*намалявам се*) fall, come/go down; (*за цени*) slump, nose-dive, tumble, droop; dip (*рязко*); (*за брой*) fall (to); (*за води*) subside, recede; (*за оток*) subside; (*за треска*) abate, subside; (*за температура*) fall, drop; (*за производство*) fall off, decrease; (*за авт. гума*) become flat, go down, lose pressure; **гумата ми е спаднала** my tyre is low on air; (*за под*) sag; (*за почва*) subside, cave in, sink; (*за настроение*) drop off, wane; (*за интерес*) flag; (*отслабвам, гу-бя тегло*) lose weight; 2. deduct (**от** from).

спа́дам₂ *гл.* (*принадлежа*) belong; pertain (**към** to); fall (under).

спа́дане *ср., само ед.* subsiding; drop; decrease, reduction; fall-off; degression, decrement; (*рязко, на цени*) slump; ~ **на оток** *мед.* detumescence.

спа́днал *мин. св. деят. прич.* sub-sided, abated, fallen; ~**а гума** a flat tire/tyre.

спазаря́вам, спазаря́ *гл.* agree on the (selling) price of; || ~ **се** bargain, strike a bargain; meet over a price; come to an understanding (on).

спа́звам, спазя́ *гл.* observe, respect, keep; (*подчинявам се на*) obey; (*пра-вило, закон и пр.*) abide/stand by; ad-here to; observe; ~ **правилник** keep/obey/observe rules; follow regulations; ~ **срок** keep a dead-line.

спа́зване *ср., само ед.* observing, abid-ing, keeping; observance; adherence (to), compliance (with); ~ **на договор** adherence to a treaty, compliance with a treaty, observance of a treaty; ~ **на закон** observation of law, abidance by the law.

спа́зм|а *ж.,* -и и **спа́з|ъм** *м.,* -ми, (*два*) **спа́зъма** *обикн. мн.* spasm, con-vulsion; grip; (*лек*) twitch.

спазмати́ч|ен *прил.,* -на, -но, -ни spasmodic.

спа́л|ен *прил.,* -на, -но, -ни sleeping (*attr.*); ~**ен вагон** sleeping car, *разг.* sleeper; ~**ен чувал** a sleeping bag.

спа́лн|я *ж.,* -и bedroom; (*обща в пан-сион и пр.*) dormitory; (*мебел*) bed-room suite.

спана́к *м., само ед. бот.* spinach.

спана́чен *прил.* spinach (*attr.*).

спане́ *ср., само ед.* sleep; sleeping.

спа́рвам се, спаря́ се *възвр. гл.* 1. be-come mouldy/musty; go bad, spoil; 2. (*за кожа*) become sore; (*за крака*) chafe, be chafed.

спа́рен *мин. страд. прич.* musty, mouldy; fusty; (*за въздух*) stuffy, close, frowsy, fuggy, frowsty.

спа́рингпартньо́р *м.,* -и *спорт.* spar-ring-partner.

спа́рингсре́щ|а *ж.,* -и *спорт.* spar-ring match.

спартакиа́д|а *ж.,* -и *спорт.* field-day.

спарта́н|ец *м.,* -ци; **спарта́нк|а** *ж.,* -и *истор.* Spartan.

спарта́нск|и *прил.,* -а, -о, -и Spartan (*и прен.*).

спаружвам се, спаружа се *възвр. гл.* shrink, shrivel; wilt, wither (*и за лице*).

спасе́ние *ср., само ед.* 1. (*спасяване*) rescuing, saving; rescue; escape; 2. *църк.* salvation; redemption.

спаси́тел (-ят) *м.,* -и 1. rescuer; saver; (*плувец*) life-guard; 2. **Спаси́телят** *рел.* Saviour, Redeemer.

спаси́тел|ен *прил.,* -на, -но, -ни res-cue (*attr.*), salvage (*attr.*), life-saving; ~**ен пояс** life-belt, life-buoy; ~**на служ-ба** (*плувци*) life-guard, (*в планина-та*) life-saving service.

спасти́ч|ен *прил.,* -на, -но, -ни *мед.* spastic, spasmodic, convulsive.

спа́стрям, спа́стря *гл. диал.* save, put aside.

спася́вам, спася́ *гл.* save; (*от паде-*

ние) redeem, retrieve; (*от опасност*) rescue; (*вещи при корабокрушение и пр.*) salvage, salve; ~ **болен** (*за лекар*) bring/pull a patient through; ~ **положението** save/retrieve the situation, save o.'s/s.o.'s bacon, save the day; ~ **репутацията си** mend o.'s fences (*особ. в политиката*); *разг.* save (o.'s) face; || ~ **се** save o.s.; be saved; (*избягвам*) escape; take refuge (**в** in); **той едва се спаси** he had a narrow escape/squeak, he had a close shave of it.

спасяване *ср., само ед.* saving, rescue; *прен.* salvation; redemption.

спедитор *м., -и* forwarder, forwarding/ shipping agent; freighter.

спедиторск|и *прил., -а, -о, -и* forwarding, shipping; ~**а кантора** shipping agency.

спектак̀|ъл *м., -ли, (два)* спектак̀ъ-**ла** *театр.* performance, play; show; **дневен** ~**ъл** matinée.

спектрал|ен *прил., -на, -но, -ни* spectrum (*attr.*), spectral; ~**ен анализ** *физ.* spectral/spectrum analysis.

спектралност *ж., само ед.* spectrality, spectralness.

спектрогра̀м|а *ж., -и* *физ.* spectrogram.

спектрография *ж., само ед.* spectrography.

спектрографск|и *прил., -а, -о, -и* spectrographic.

спектроскоп *м., -и, (два)* спектро-**скопа** spectroscope.

спектроскопия *ж., само ед.* spectroscopy.

спектроскопск|и *прил., -а, -о, -и* spectroscopic.

спект̀|ър *м., -ри, (два)* спектъра *физ.* spectrum, *pl.* spectra.

спекула *ж., само ед.* speculation, profiteering, jobbery.

спекулант *м., -и; спекулантк|а** *ж., -и* speculator, profiteer; *разг.* shark; **борсов** ~ stag; ~ **с поземлени имоти** land-jobber.

спекулантск|и *прил., -а, -о, -и* profiteer's; speculative.

спекулатив|ен *прил., -на, -но, -ни* speculative; ~**на акция** *борс.* high flyer.

спекулаци|я *ж., -и* **1.** speculation, profiteering, jobbery; *амер.* flyer, flier;

~**я с обществени фондове** jobbing of public funds; **2.** *филос.* speculation.

спекулирам *гл.* speculate (**с** in); profiteer (by); (*на борсата*) stag; gamble on the stock exchange; ~ **с акции** speculate in shares.

спекулиране *ср., само ед.* speculating; speculation; jobbery; profiteering; gambling; (*на борсата*) stock-jobbery.

спелеоло̀|г *м., -зи* spel(a)eologist.

спелеологич|ен *прил., -на, -но, -ни* spel(a)eological.

спелеология *ж., само ед.* spel(a)eology.

спер̀ма *ж., само ед.* *биол.* sperm; semen.

сперматозойд *м., -и, (два)* сперма-**тозойда** *биол.* spermatozoon, *pl.* spermatozoa, spermatocyte; germ cell.

спесим̀ен *м., само ед.* *фин.* specimen.

спестов|ен *прил., -на, -но, -ни* **1.** *фин., банк.* (*за спестявания*) savings (*attr.*); ~**ен влог** a saving(s-bank) deposit; ~**на каса/банка** a savings bank; ~**на книжка** a savings-bank book; **2.** economical, thrifty; saving.

спестовност *ж., само ед.* economy; thrift, thriftiness.

спестявам, спестя *гл.* **1.** save (up); economize; lay/put aside, lay up; (*с мъка*) scrape together; ~ **за черни дни** lay up for a rainy day; **2.** (*време*) save; **3.** *прен.* save (**някому нещо** s.o. s.th.); ~ **си труда** save o.s. the trouble.

специал|ен *прил., -на, -но, -ни* special, especial; particular; **съвсем** ~**ен** extra special.

специализант *м., -и; специализант-**к|а** *ж., -и* post-graduate student.

специализаци|я *ж., -и* specialization; **на** ~**я съм в болница** do specialized training in a hospital.

специализирам (се) (*възвр.*) *гл.* specialize (**по** in); make a speciality (of).

специализиран *мин. страд. прич.* (*и като прил.*) specialized; ~ **магазин** single-line store; ~**а роля** single-task role.

специализиране *ср., само ед.* specializing; specialization.

специалист *м., -и; специалстк|а** *ж., -и* specialist, expert (**по** in); **той е голям** ~ **в тази област** he is a great authority in this field.

специалитет̀ *м., -и, (два)* специали-

тета speciality; (*лекарство*) specific; proprietary medicine; ~ **на заведение-то** the speciality of the house.

специа̀лно *нареч.* specially; expressly; particularly, in particular; ~ **създаден за** expressly designed for.

специалност *ж., -и* speciality, *амер.* specialty; (*в университет*) subject; **втора** ~ supplementary/subsidiary/second subject.

специфика *ж., само ед.* specifics, specificity, specific character.

спецификация *ж., само ед.* specification; *разг.* spec; **предварителна** ~ tentative specification; ~ **на материали** list of materials.

специфицирам *гл.* specify.

специфич|ен *прил., -на, -но, -ни* specific; ~**но съпротивление** *ел.* resistivity.

специфичност *ж., само ед.* specificity.

спечелвам, спечеля *гл.* win, gain, earn; (*придобивам*) acquire; (*пари*) earn, make; (*война, състезание*) win; ~ **време** gain time; ~ **изборите с голямо мнозинство** sweep the election; ~ **награда** win a prize; ~ **предимство пред** gain an advantage over; ~ **уважение/слава** win respect/fame.

спеш|ен *прил., -на, -но, -ни* urgent, pressing; exigent; rush (*attr.*); ~**ен случай** *мед.* emergency; ~**на поръчка** pressing order; ~**на работа** urgent affair/matter, matter of urgency; ~**но отделение** casualty (ward).

спешност *ж., само ед.* urgency; exigency; (*бързина*) hurry, haste; **по** ~ **as** an emergency case.

спикер *м., -и* speaker; (*по радио*) announcer.

спинал|ен *прил., -на, -но, -ни* *анат.* spinal.

спининг *м., само ед.* *спорт.* spinning.

спийвам, спийпам *гл.* catch, nab.

спирал|а *ж., -и* spiral, coil, swirl; volution; helix, *pl.* helices, helixes; (*за очи*) mascara, eyeblack; *бот., зоол.* convolution; *ел.* coil; **по** ~**а** in a spiral; (*противозачатъчна*) coil, intra-uterine device, *съкр.* IUD.

спирал|ен *прил., -на, -но, -ни* spiral, helical; corkscrew (*attr.*); *техн.* coil, coiled.

спираловид|ен и **спираллообраз|ен**

прил., -на, -но, -ни spiral (*attr.*), spiroid; voluted; corkscrew; convolute, convoluted.

спирам, спра *гл.* **1.** *прех.* stop (да *с ger.*); put an end to; bring to a stop/stand/standstill; (*задържам*) hold up; stay; (*възпирам*) check, hold back/in/up, restrain, withhold, stem; (*преча на*) hinder, impede, check, trammel; (*преустановявам*) cease, discontinue, leave off, suspend, *разг.* axe; (*прекъсвам*) break off; (*кон, кола*) pull up; (*електричество, телефон и пр.*) cut off; **не можеш да го спреш** there's no stopping him; **~ вестник** (*временно*) suspend a newspaper, (*постоянно*) suppress a newspaper; **~ дейността си** suspend o.'s activities, (*за предприятие*) close down; **~ настъплението** hold back/check the advance; **~ поглед върху** rest o.'s gaze on; fix o.'s eyes on; **2.** *непрех.* stop, come to a halt/stand/stop/standstill; cease; pause; (*за превозно средство*) pull/draw up; (*за часовник*) stop, run down; **~ неочаквано** (*за кон*) jib; (*на пристанище*) call (at); (*внезапно*) break off, come to a sudden/abrupt stop; stop short/dead; (*не мога да продължа*) break down; **токът спря** there is a power cut, the power is cut off; **3.** (*отсядам*) put up, stay (в at); || **~ се** stop; (*въздържам се*) check/restrain o.s., hold in; **не се ~ пред нищо** stop/stick at nothing; go to any length(s); **няма нищо, на което да се спре погледът** there is nothing to catch the eye; • **все трябва да спрем някъде** (*да сложим граница*) we must draw the line somewhere.

спиране *ср.*, *само ед.* stopping; suspension; stay; discontinuance, discontinuation; pause; standstill; cessation; (*на вестник и пр.*) suppression; (*временно*) suspension; **~ на бойни действия** cessation of hostilities; **~ на производството** close-down.

спирач|ен *прил.*, -на, -но, -ни brake (*attr.*); **~ен път** *авт.* braking/stopping distance; **~на система** *техн.* brake gear.

спирачк|а *ж.*, -и **1.** brake; *разг.* anchor(s); **внезапна ~а** emergency brake, *жп* communication cord; **ръчна ~а** *авт.* hand brake; **удрям/скачам на**

~ите *разг.* slam on the brakes; **2.** *прен.* curb; deterrent, restraint; drag, drag-chain.

спиритѝз|ъм (-мът) *м.*, *само ед.* spiritism; *пренебр.* table-turning.

спиритѝст *м.*, -и; **спиритѝстк|а** *ж.*, -и spiritist.

спиритѝческ|и *прил.*, -а, -о, -и spiritistic; psychical; **~и сеанс** a (spiritistic) séance.

спиритуалѝз|ъм (-мът) *м.*, *само ед.* spiritualism.

спиритуалѝст *м.*, -и; **спиритуалѝстк|а** *ж.*, -и spiritualist.

спиритуалистѝч|ен *прил.*, -на, -но, -ни spiritualistic.

спѝрк|а *ж.*, -и stop; station; halt; **автобусна ~а** bus stop/station; **~а по желание** request stop.

спирт *м.*, *само ед.* alcohol; spirit(s); **метилов/етилов ~** methyl/ethyl alcohol; **~ за горене** methylated spirit.

спѝрт|ен *прил.*, -на, -но, -ни alcoholic, spirituous; spirit (*attr.*); **~на лампа** spirit-lamp; **~ни напитки** alcoholic drinks; spirits, alcoholic/spirituous liquors.

спѝртов *прил.* spirit (*attr.*), alcohol (*attr.*).

спиртомѐр *м.*, -и, (*два*) спиртомѐра *физ.*, *техн.* alcoholmeter, alcohol gauge.

спиртосвам, спиртосам *гл.* alcoholize (s.th.); preserve in alcohol/spirits.

списани|е *ср.*, -я magazine, periodical, review; bulletin; (*седмично*) weekly; (*двуседмично*) fortnightly; (*месечно*) monthly; (*на месец и половина*) bimonthly; (*на два месеца*) bimonthly; (*на три месеца*) quarterly.

спѝсвам *гл.* edit, publish.

спѝсъ|к *м.*, -ци, (*два*) спѝсъка list; roll; register; (*на съдебни заседатели*) panel; (*на съдебни решения*) docket; **избирателен ~к** roll, register; **извиквам по ~к** call the roll; **поименен ~к** roll; **правя ~к** make out/write/compose a list; • **в черния ~к съм** be on the black list.

спѝц|а *ж.*, -и spoke.

спѝчам, спекà *гл.* cake; dry up, scorch; || **~ се** cake; dry up, be scorched; (*свивам се*) shrink; (*за човек*) become wizened.

сплав *ж.*, -и *техн.*, *метал.* alloy;

медно-цинкова ~ red brass.

сплашвам, сплаша *гл.* frighten, scare; daunt; intimidate; bully, cow, browbeat; *амер.* *разг.* bulldoze; **~ някого** put the fear of .../death ..., put the fear of God into s.o.

сплашване *ср.*, *само ед.* frightening; bullying; intimidation.

сплескан *мин.* *страд.* *прич.* (*и като прил.*) flattened (out); *бот.* complanate; **със ~ нос** flat-nosed.

сплесквам, сплескам *гл.* flatten (out); squash, crush beat flat; (*с чук*) hammer flat; (*и метал*) batter; || **~ се** become flat, flatten.

сплескване *ср.*, *само ед.* bulging-in; flattening; battering.

сплетнича *гл.*, *мин.* *св.* *деят.* *прич.* **сплетничил** talk scandal; make intrigues, intrigue; collogue; (*клюкарствам*) gossip, tell tales, tittle-tattle.

сплетническ|и *прил.*, -а, -о, -и scheming, designing, intriguing.

сплетн|я *ж.*, -и piece of scandal; intrigue; (*клюка*) gossip, tittle-tattle; **~и** scandal.

сплит *м.*, -ове, (*два*) сплѝта string/plait (of onions, etc.).

сплитам, сплетà *гл.* braid, plait; (*едно с друго*) interweave, intertwine, interlace; (*обърквам*) entangle; (*венец*) wind, twine; || **~ се 1.** plait o.'s hair; **2.** interweave, intertwine, interlace; become entangled.

сплѝтк|а *ж.*, -и **1.** *текст.* string/plait (of onions, etc.); **2.** (*коса*) braid, plait.

сплотѐн *мин.* *страд.* *прич.* (*и като прил.*) united; **~и редици/редове** serried ranks; **със ~и сили** with joint efforts.

сплотѐност *ж.*, *само ед.* unity, cohesion; solidarity.

сплотявам (се), сплотя (се) (*възвр.*) *гл.* unite, rally (около round); **сплотяваме редиците си** close o.'s ranks.

сплотяване *ср.*, *само ед.* uniting, rallying; unification.

сплъстявам, сплъстя *гл.* felt; mat; || **~ се** become matted, mat, felt; clot.

спогаждам, спогодя *гл.* bring to terms; reconcile, conciliate; || **~ се** come to terms, agree, come to/reach an agreement/understanding; (*сдобрявам се*) make/fix it up, be friends again.

споглѐждам се, споглѐдам се *възвр.*

гл. (само мн.) cast a glance each other, throw glances at each other, exchange glances.

спогодб|а *ж.*, **-и** agreement; compact; *(сделка)* bargain; **сключвам** ~**а** conclude/make an agreement; strike a bargain.

спогодявам, спогодя *гл.* reconcile, conciliate.

сподавен *мин. страд. прич. (и като прил.)* constrained; suppressed; ~ **глас** constrained/choked voice; ~ **плач** sobbing.

сподавям, сподавя *гл.* suppress; repress; put down; hold in; gulp; *(вик и пр.)* choke down, stifle, muffle; *(чувства и пр.)* fight down, force back, block out, blank out, bottle up.

сподвижни|к *м.*, **-ци; сподвижниц|а** *ж.*, **-и** adherent; co-worker; *(последовател)* follower.

споделён *мин. страд. прич. (и като прил.)* shared; *(общ)* common, joint; ~**а любов** mutual affection, requited love.

споделям, споделя *гл.* share; *(участвам в)* participate in, share, partake of; ~ **неговите виждания** I fully agree with him.

спойк|а *ж.*, **-и** 1. *техн.* solder, soldering, welding; soldered/welded place; clincher; 2. *прен.* cohesion, unity; link.

спойлер *м.*, **-и, (два) спойлера** *авт.* spoiler.

споко|ен *прил.*, **-йна, -йно, -йни** calm, tranquil; *(тих)* quiet, still, restful; *(необезпокояван)* undisturbed, untroubled, unruffled, peaceful, at ease; easeful; *(неразтревожен)* anxiety-free; *(уравновесен – за човек)* easy-/even-tempered; well-balanced; *разг.* laidback, unfazed; *(сдържан)* composed, sedate; *неодобр.* placid; *(бавен – за движение)* deliberate, easy; *(без събития)* uneventful; **бъди ~ен** don't worry; ~**ен съм** feel/be easy (in o.'s mind), not worry; ~**ен характер** even temper; ~**йно море** calm/tranquil/still sea; **със ~йна съвест** with an easy/a clear conscience.

спокойно *нареч.* calmly; quietly; tranquilly; uneventfully; *(бавно – за движение)* at an easy pace; **спя** ~ sleep peacefully; ~! keep your hair on! *(не бързай)* take your time! *(не се трево-*

жи) steady! take it easy! don't get excited!

спокойствие *ср., само ед.* calm, calmness; quiet; quietness; quiescent; reposefulness; tranquillity; stillness; ease; easefulness; placidity; *(самообладание)* composure; composedness; equability, equableness; **душевно ~** peace of mind; **запазвам ~** keep calm; keep a level head; keep o.'s countenance; *разг.* keep o.'s shirt/hair on.

сполитам и сполетявам, сполетя *гл.* befall, overtake; **сполетява ме нещастие** come to grief; meet with disaster.

сполук|а *ж.*, **-и** good luck, stroke/piece of good luck; success; ● **без мъка няма ~а** no pains, no gains.

сполучвам, сполуча *гл.* succeed, be successful (in, да **и с** *ger.*); *разг.* draw a winner, be lucky (**с** with, in); make the grade; *(успявам)* manage (to); **не ~ fail**; come to grief, draw blank; fall flat.

сполучлив *прил.* successful; *(уместен)* felicitous, apt; effective; *(за идея)* happy; **излизам ~** be successful, be a success, come off (well); *(за брак, план и пр.)* work out; ~ **опит** a successful attempt.

спомагам, спомогна *гл.* contribute, be conducive, minister (**за** to); make (for); help, assist, further, promote (**за** -).

спомагател|ен *прил.*, **-на, -но, -ни** subsidiary, accessory, ancillary; auxiliary *(и език.)*; *(допълнителен, второстепенен)* secondary; ~**ен глагол** *език.* auxiliary (verb); ~**ен механизъм/мотор** *техн.* servo-mechanism/-motor.

спомен *м.*, **-и, (два) спомена** 1. memory, recollection, remembrance, reminiscence (за of); *(мн.: мемоари)* memoirs, reminiscences; 2. *(предмет за спомен)* souvenir; keepsake, memento (of); **за ~** as a souvenir/keepsake (of).

споменавам, спомена *гл.* mention, make mention of; touch on; refer to; *(загатвам)* allude (to); **без да ~ имена** naming/mentioning no names; ~ **случайно** make casual mention of; mention in passing; let fall (that).

споменаване *ср., само ед.* mentioning; mention; reference; allusion.

споменат *мин. страд. прич. (и като*

прил.) mentioned, referred, alluded; ~ **на първо място** first mentioned; ~**ият въпрос** the question/matter referred to.

спомням, спомня *гл.* call to mind; recall; || ~ **си** recollect, remember, recall, call to mind, think of; **доколкото си ~** as far as I remember; to the best of my remembrance, memory collection; **не си ~ нищо** my mind is a complete blank.

спонсор *м.*, **-и** sponsor.

спонсорирам *гл.* sponsor.

спонсорск|и *прил.*, **-а, -о, -и** sponsorial.

спонтан|ен *прил.*, **-на, -но, -ни** spontaneous; reflexive; free-hearted; free-form; ~**ен аборт** *мед.* miscarriage.

спонтанно *нареч.* spontaneously, free-heartedly; *(импровизирано)* *разг.* off the top of o.'s head.

спор *м.*, **-ове, (два) спора** argument, dispute; *(шумен)* quarrel; *(противоречие)* controversy; *(научен)* disputation, debate; **безполезен/празен ~** a useless argument, mere arguing; **започвам ~** start an argument, enter into a discussion; **няма ~, че** it goes without saying that; **предмет на ~** debatable ground.

спор|а *ж.*, **-и** *биол.* spore; **малка ~а** sporule.

спорадич|ен *прил.*, **-на, -но, -ни** sporadic(al); separate, individual.

споразумени|е *ср.*, **-я** agreement; understanding; *(узаконено обещание)* compact; *икон.* covenant; **блокиращо ~е** *юр.* lock-out agreement; **многоотраслово ~е** industry-wide agreement; **постигам ~е** come to an agreement/understanding, come to terms; **тайно ~е** collusion.

споразумявам се, споразумея се *възвр. гл.* agree, come to terms, make terms (**с** with); come to/reach an agreement/understanding (**относно** about); strike a bargain; ~ **тайно с** be in collusion with.

според *предл.* according to; in accordance with; after; ~ **мене** in my opinion/view, to my mind; according to me; as I take it; ~ **простирам се ~ чертата си** *разг.* live within o.'s means/income.

спор|ен₁ *мин. страд. прич. (и като прил.)*, **-на, -но, -ни** disputable, debatable; contestable; disputed; con-

tested; contentious; controversial; moot; (*неуреден*) outstanding; (*подлежащ на съдебно уреждане*) litigious; **~ен въпрос** controversial/debatable/moot point; point at issue; (*неуреден*) outstanding question/point; vexed question; **~на територия** debatable ground, territory in dispute; **~на топка** *спорт.* jump ball.

спо̀р|ен₂ *прил.*, -**на**, -**но**, -**ни** satisfying, gratifying; (*лек*) easy; (*доходен*) profitable; (*икономичен*) economical.

спорт *м.*, -**ове**, (**два**) **спо̀рта** sport(s); **воден** ~ aquatics, aquatic sports; **занимавам се със** ~ go in for sports; **конен** ~ riding.

спо̀рт|ен *прил.*, -**на**, -**но**, -**ни** sports (*attr.*); sporting, athletic; **~ен комплекс** sports centre; **~на фигура** athletic figure; **~ни състезания** sports contests; **по облекло** sportswear.

спортѝст *м.*, -**и** sportsman.

спортѝстк|а *ж.*, -**и** sportswoman.

спортсмѐн *м.*, -**и** sportsman.

спортсмѐнск|и *прил.*, -**а**, -**о**, -**и** sportsmanlike, sportsmanly; **~о чувство** good sportsmanship.

спорт-то̀то *ср.*, *само ед.* pools; **играя на** ~ play/do the pools.

спортувам *гл.* go in for sports, engage in sports.

спо̀ря *гл.*, *мин. св. деят. прич.* **спо̀рил** argue, dispute, contend; fight; have an argument (**за** about); debate; chop logic/words; (*карам се*) have words (with); (*дърля се*) wrangle; *sl.* fatmouth; ~ **за безсмислени неща** argue the toss.

спо̀ря *гл.*, *мин. св. деят. прич.* **спо̀рил** **1.** proceed smoothly; **на него всичко му спори** everything comes easy to him; **2.** (*насища, задоволява – за храна*) be filling; be economical; (*не се изразходва бързо*) go a long away.

спо̀соб *м.*, -**и**, (**два**) **спо̀соба** method, way, mode, manner; (*средство*) means, arrangement, contrivance; **работя по** ~**а на** follow the method of.

спосо̀б|ен *прил.*, -**на**, -**но**, -**ни** able (**да** to *с inf.*), capable (of *с ger.*); (*даровит*) bright, gifted, talented; clever; good (at); **не мислех, че е ~ен на това** I didn't think he had it in him; **той е ~ен на всичко** he is capable of anything; he is up to anything.

спосо̀бност *ж.*, -**и** ability (**за** for, to *с inf.*); (*вродена*) capacity, capability (for); (*дарба*) faculty (of, for), talent, aptitude, flair (for); **покупателна** ~ purchasing power/capacity; **умствени ~и** mental/intellectual faculties/capacity; **човек с големи ~и** a person of great abilities.

спосо̀бствам *гл.* contribute, redound, be conducive (**за** to, *и с ger.*); be instrumental (in *и с ger.*); ~ **за** promote, further, favour.

спотайвам, спотая̀ *гл.* hide, conceal; ‖ ~ **се** lurk, skulk; keep/lie close; lie low; (*клинча*) shirk, malinger; (*при разговор*) be reticent/reserved.

споту̀лвам и споту̀лям, споту̀ля *гл.* cover up; hush up.

спохо̀ждам, споходя̀ *гл.* visit, drop in on, drop in to see, call on/upon.

споя̀вам, споя̀ *гл.* weld together, solder; *прен.* knit/weld together, cement; unite; ‖ ~ **се** become welded together, become soldered; *прен.* become united.

справедлѝв *прил.* just, fair, fair-minded, equitable; even; (*безпристрастен*) impartial; **да бъдем ~и към** let us do/render/give justice to; **~а присъда** just sentence; **~и искания** just demands; **това не е ~о!** *разг.* that's a bit stiff!

справедлѝвост *ж.*, *само ед.* justice, fairness, equity; fair/square deal; fair-mindedness; (*безпристрастност*) impartiality; equitableness; (*заслуженост*) deservedness; **получавам** ~ obtain justice.

спра̀вк|а *ж.*, -**и** (*проверка*) verification, check up; (*сведение*) information, check up; (*отправка*) reference; **гише/бюро ~и** an inquiry office; **обръщам се за ~а към някого** consult s.o. for information; apply to s.o. for information; refer to s.o.; **правя ~а** make inquiries, inquire (**за** about), (*в книга и пр.*) consult (a book etc.); (*в указател, речник и пр.*) look up.

справо̀ч|ен *прил.*, -**на**, -**но**, -**ни** information, reference, referential, inquiry (*attr.*); **~на книга** reference book, book of reference, (*наръчник*) manual, guide.

справо̀чни|к *м.*, -**ци**, (**два**) **справо̀чника** reference book, book of reference; digest; (*наръчник*) manual, guide; **джобен ~к** vade mecum.

спра̀вям се, спра̀вя се *възвр. гл.* cope (**с** with); manage; carry (s.th.) off (well), get/come to grips (with); bring under control; (*надделявам*) get the better of; **не мога да се справя с това** I am not up to this, this is beyond my powers, it is too much for me; *разг.* this beats me; I can't hack this; ~ **с трудност** cope with/overcome a difficulty; ~ **със задачата си** cope with o.'s task, be equal to/measure up to o.'s task.

спрежѐни|е *ср.*, -**я** *език.* conjugation.

спрѐ|й (-**ят**) *м.*, -**йове**, (**два**) **спрѐя** spray, sprayer.

спрѐтнат *мин. страд. прич.* (*и като прил.*) tidy, neat; spruce, smart, trim, taut, wellgroomed, dapper, spick-and-span; *разг.* nifty; **~а къщичка** snug little house.

спрѐтнатост *ж.*, *само ед.* tidiness, neatness, trimness, tautness, smartness, spruceness, dapperness.

спрѐчквам се, спрѐчкам се *възвр. гл.* quarrel, fall out, come to odds, have words (**с** with); have an altercation (with); squabble, wrangle (with); fall to the fisticuffs; *sl.* scrap.

спрѐчкван|е *ср.*, -**ия** quarrelling; quarrel, altercation, squabble, high words, wrangle, scrap; **това доведе до ~е** that led to a quarrel; it led to words.

спринт *м.*, -**ове**, (**два**) **спрѝнта** *спорт.* sprint.

спринтѝрам *гл. спорт.* sprint.

спринтьо̀р *м.*, -**и** *спорт.* sprinter.

спринцо̀вк|а *ж.*, -**и** syringe; squirt.

спрѝхав *прил.* hot-/quick-/short-/tempered; tetchy, petulant, testy; irascible; choleric; snappish; crusty, combustible; doggish; fractious; *разг.* peppery, ratty, stroppy, spicy; fretful, fratchy; *амер.* cranky; swift to anger; ~ **характер** hot/quick temper; ~ **човек** *разг.* spitfire.

спрѝхавост *ж.*, *само ед.* quick/hot temper; irascibility, irritability; testiness, tetchiness; crustiness, doggishness, fractiousness; snappiness, snappishness; *разг.* short fuse.

сприятелявам се, сприятеля̀ се *възвр. гл.* make/become friends (**с** with); strike up a friendship (with); take up (with); *разг.* pal up, chum up (with); *амер.* cotton to; ~ **от първия момент** hit it off (**с** with).

спря̀гам, спрѐгна *гл.* **1.** *език.* conju-

gate; **2.** (*сгъвам*) fold; **3.** (*нишки*) twist/ wind together; **4.** harness (**в** to).

спрямо *предл.* **1.** toward, towards; in relation to; **2.** (*в сравнение с*) in comparison with, compared to.

спукан *мин. страд. прич.* (*и като прил.*) cracked; (*за гума*) flat; (*за апендикс*) ruptured, perforated; **~а гума** flat; ● **~а му е работата** *разг.* he is in for it, he is done for, his game is up, his goose is cooked.

спуквам, спукам *гл.* crack, break, burst, rupture; (*надута гума*) puncture; || **~ се** crack; break; burst (*и кръвоносен съд*); (*за гума*) become punctured/flat; ● **~ се от смях** split/burst o.'s sides with laughter, laugh o.'s head off, fall about.

спукване *ср., само ед.* cracking, breaking, bursting, rupture; (*на гума*) puncture; **до ~** fit/ready to burst.

спускам и **спущам, спусна** *гл.* let down, drop; (*бавно*) lower; *мор.* haul down; (*перде*) pull down; (*завеса*) draw, drop; **~ знаме** lower a flag; fly a flag at half-mast; **~ лодка** lower a boat; || **~ се 1.** (*слизам*) descend, come/go/ get/climb down (**по -**); (*за коса*) fall (**до** down to); (*за сълзи*) drop/roll down; **~ се по река** float/sail downstream, go with the stream; **~ се с шейна** coast down a hill; **2.** (*за терен*) descend, slope (down), (*леко*) sweep down, (*рязко*) sink, dip, fall away; (*за път*) descend, (*рязко*) dip; **3.** (*за нощ, мрак, студ, тишина*) fall, descend; (*за завеса*) fall, drop, go down; **нощта се спусна над земята** night folded the earth; **4.** (*втурвам се*) rush (**върху** at, after), dash (**по** down, **върху** at), bear down (**срещу** on, upon); fly (at, towards, after); make a dash/bolt (**към** for), dart (upon); (*върху някого*) fall (on s.o.).

спускане *ср., -ия* letting down; descent; drop; dip; **ски~е** *спорт.* downhill race, down-slope/hill skiing.

спусък *м., -ци,* (*два*) **спусъка** *воен.* trigger; *техн.* release; ● **натискам ~ка** pull the trigger.

спъвам, спъна *гл.* **1.** (*препъвам*) trip up; **2.** (*кон и пр.*) hobble, fetter, clog; **3.** (*преча*) impede, hinder, hamper, obstruct; be an obstacle to; *амер. разг.* crimp; (*ограничавам*) cramp; || **~ се**

stumble, trip (**о, в** against, over, on).

спъване *ср., само ед.* tripping, trip; hobbling, clogging; (*пречене*) obstructing.

спънк|а *ж., -и* обикн. *мн.* hindrance, impediment; obstacle, handicap; drawback; hitch; hold-back, stumbling-block; *разг.* drag; **правя ~и** make difficulties; **срещам ~и** meet with/encounter difficulties.

спътни|к *м., -ци,* (*два*) **спътника 1.** fellow-traveller, companion; **2.** *астр., косм.* satellite; (*изкуствен*) sputnik; **изстрелвам ~к** launch a satellite.

спя *гл., мин. св. деят. прич.* **спал** sleep, be asleep; slumber; **отивам да ~ go** to bed; **~ вечен сън** sleep the last/ long sleep; **~ дълбоко** be fast asleep, sleep soundly, (*въобще*) be a sound sleeper; **~ зимен сън** (*за животно*) hibernate; **той не спа цяла нощ** he was up all night; ● **да спи зло под камък** let sleeping dogs lie.

спящ *сег. деят. прич.* (*и като прил.*) sleeping; **~а красавица** a sleeping beauty.

сработвам, сработя *гл.* turn out; produce; finish o.'s work; || **~ се** work in harmony, work well (**с** with); make a good team; *прен.* hit it off (together).

сравнени|е *ср., -я* comparison; parallel; *лит.* simile; (*съпоставяне*) juxtaposition; **в ~е с** in comparison with, (as) compared to, (as) compared with; **степени на ~е** *език.* degrees of comparison.

сравним *сег. страд. прич.* comparable (**с** to).

сравнимост *ж., само ед.* comparability.

сравнител|ен *прил., -на, -но, -ни** comparative; collative; relative; **~ен анализ** *науч.* comparative analysis; **~на степен** *език.* comparative (degree).

сравнявам₁, сравня *гл.* (*съпоставям*) compare (**с** with); cross-check; *разг.* stack up against; (*оприличавам*) compare (**с** to); (*подробно – текстове и пр.*) collate; **~ с оригинала** (*ръкопис и пр.*) collate with the original; || **~ се** compare o.s. (to); put o.s. on a level (with); **с нищо не може да се сравни** there is nothing to equal it.

сравнявам₂, сравня *гл.* (*заравнявам*)

level; **~ със земята** raze to the ground, *прен.* (*някого*) ruin.

сравняване *ср., само ед.* comparing; comparison; (*сверяване*) collation.

сражавам се *възвр. гл.* fight (**с -**); engage in battle (**с** with); join battle.

сражени|е *ср., -я* battle, engagement, action; **влизам в ~е** take the field; **спечелвам/губя ~е** win/lose a battle.

сразявам, сразя *гл.* **1.** (*разгромявам*) defeat, vanquish, crush, rout; overwhelm; **2.** (*повалям*) strike down; smite (*и за болест*); **3.** *прен.* crush, overwhelm, squelch.

сразяване *ср., само ед.* crushing; rout, defeat.

срам *м., само ед.* shame; (*позор*) disgrace; disgracefulness; (*смущение*) shyness; **ставам за ~** be put to shame; **умирам от ~** burn with shame; ● **~ не ~** however awkward it may be.

срамежлив *прил.* bashful, shy; (*присторено*) coy.

срамежливост *ж., само ед.* bashfulness, shyness, coyness.

срам|ен *прил., -на, -но, -ни** shameful; (*позорен*) disgraceful, ignominious; **няма нищо ~но в** there is no disgrace in; ● **~на кост** *анат.* pubic bone.

срамот|а *ж., -и разг.* shame, disgrace; **~а!** for shame! shame on you! you ought to be ashamed of yourself!

срамувам се *възвр. гл.* be/feel ashamed (**от** of, **да** to **с** *inf.*); (*стеснявам се*) be/feel bashful/shy.

сраствам (се), срастна (се) (*възвр.*) *гл.* grow together, unite, coalesce; conglutinate; (*за кост*) knit together; *бот., геол., физиол.* accrete; **~ се със средата** assimilate o.s. (to o.'s surroundings).

срастван|е *ср., -ия* accretion; concrescence; coalescence; adhesion; conglutination; (*на кост*) knitting.

сребрист *прил.* silvery, silver (*attr.*), argentine.

сребро *ср., само ед.* **1.** silver (*и монети*); **съдържащ ~** argentiferous; **2.** (*сребърни предмети, сервизи*) silverware, silver.

сребролюб|ец *м., -ци* avaricious person, miser.

сребролюбие *ср., само ед.* love of money, money-madness; avarice; mammonism.

срѐбър|ен прил., **-на, -но, -ни** silver (attr.), argentic; **~ен блясък** a silver shimmer; **~ни изделия** silver (goods), silverware; ● **~на сватба** a silver wedding/anniversary.

сред предл. (измежду) among; (посред) in the middle/midst of; amidst; in; **~ нощ** at midnight; in the middle of the night, in the dead of night; **~ приятели** among friends.

сред|а̀ ж., **-й 1.** (средина) middle; **на ~ата на пътя** midway, halfway; **стигнал съм до ~ата** (на работата и пр.) be half way through; (при изкачване) be half way up; **точно по ~ата** slick in the middle; **2.** (на хляб и пр.) crumb, soft/inner part; **3.** физ. medium, pl. media, mediums; **пречупваща ~а** опт. refracting medium; **4.** (окръжаващи условия) environment; surroundings, ambient; **естествена ~а** биол. habitat; **семейна ~а** family background; **5.** (група хора) обикн. мн. circle, quarter; sphere; ● **златната ~а** the happy/golden mean.

срѐд|ен прил., **-на, -но, -ни 1.** middle; medial; median; (централен) central; (междинен) intermediate; **на ~на възраст** middle-aged; **~ен ръст** average/medium height; **~ните векове** истор. the Middle Ages; **2.** мат. average; mean; **под ~ното (ниво)** below the average; **~на величина, ~но число** average; mean quantity; **3.** (второстепенен, обикновен) middling, tolerable, passable; (умерен) moderate; **4.** като същ. (бележка) satisfactory; ● **~на ръка човек** a man of moderate means; **~но образование/училище** a secondary education/school.

Средизѐмно морѐ ср. собств. the Mediterranean.

Средиземномо̀рие ср. собств. Mediterranean countries/lands.

средиземномо̀рск|и прил., **-а, -о, -и** Mediterranean.

срѐдищ|е ср., **-а** centre (и прен.).

срѐдищ|ен прил., **-на, -но, -ни** central.

средновеко̀в|ен прил., **-на, -но, -ни** medi(a)eval, of the Middle Ages.

Средновеко̀вие ср., само ед. истор. Middle Ages.

средносро̀ч|ен прил., **-на, -но, -ни** medium-term.

средношко̀л|ец и **средношко̀лни|к** м., **-ци; средношко̀лк|а** ж., **-и** secondary school student; амер. high-school student.

средно̀щ ж., само ед. midnight; (the) dead of night; нареч. at midnight, in the middle of the night.

средно̀щ|ен прил., **-на, -но, -ни** midnight (attr.).

срѐдств|о ср., **-а** means (sg., pl.); medium; agency, instrument; device; contrivance; (парични) funds, resources; (способи) ways and means; **изразно ~о** a means/vehicle of expression; **лечебно ~о** remedy, drug; **предпазно ~о** preservative, preventive; **противозачатъчно ~о** мед. contraceptive; **~а за съществуване/препитание** means of existence/subsistence; **~о за масова информация** mass media; **финансови ~а** financial resources.

срѐсвам, срѐша гл. comb; ‖ **~ се** comb o.'s hair.

срѐщ|а ж., **-и 1.** meeting; (уговорена) appointment, engagement, rendezvous; разг. date; (на противници) encounter; **избягвам ~а с някого** avoid meeting s.o.; **определям ~а** fix/make an appointment/a date (за for); date (s.o.) up; **отивам на ~а** keep an appointment/a date; **2.** (събиране) gathering, party; **другарска ~а** reunion; **семейна ~а** family reunion; разг. get-together; (на организация) conference; (научна) symposium; **3.** спорт. event; match; race; meet; (бокс) bout, match.

срѐщам, срѐщна гл. meet, see; (натъквам се на) come across, encounter; run into; (трудности и пр.) meet with, encounter, come up against; **напречната греда** (за топка – при футбол) hit the cross bar; **~ съпротива** meet with/encounter resistance; ‖ **~ се 1.** meet, get together; **често се ~ с някого** see a lot of s.o.; **2.** (намирам се) be found, be met with; occur; happen; **такива неща се срещат много често** such things happen very often.

срѐщ|ен прил., **-на, -но, -ни 1.** opposite; **~ната къща** the house opposite, the house across the road; **2.** воен. encounter (attr.); **~ен бой** encounter battle.

срещу̀ предл. **1.** (против) against; спорт., юр. versus; **заставам ~ ня-**

кого confront s.o.; **~ течението** against the current/stream; **точно ~ вятъра** мор. in the wind's eye; **2.** (насреща) opposite; facing; over against; across from; (пред) in front of; **един ~ друг** face to face; **той седеше ~ прозореца** he sat facing the window; **3.** (за сравнение) as against, compared to, contrasted with; to; **4.** (за, в замяна на) for; in exchange/return for; **~ малка такса** for a small charge/fee; **5.** before, on the eve of preceding; **~ Коледа** on Christmas eve; ● **получавам ~ подпис** sign and receive.

срещуполо̀ж|ен прил., **-на, -но, -ни** opposite; contrapositive; vis-à-vis.

срѝвам, срѝна гл. **1.** tear/level down; raze (to the ground); lay in ruins; demolish; dismantle; прен. do away with; **2.** (наривам на куп) rake/shovel together; ‖ **~ се** collapse; (за цени и пр.) fall through the floor.

срѝтвам, срѝтам гл. kick, give a kick to; ‖ **~ се: сритваме се 1.** exchange kicks; **2.** прен. quarrel; come to/be at loggerheads (c with).

срѝчам гл. spell (out); read haltingly; **той (едва) срича** he can hardly read.

срѝчк|а ж., **-и** език. syllable; **разделям на ~и** syllabify.

сро̀д|ен прил., **-на, -но, -ни** related, allied (c, на to); predic. akin (c to); germane (to); kindred; congenial; (подобен) similar (to); (по характер и пр.) kindred, congenial, connate, connatural; (по род, раса и пр.) congeneric, congenerous; **~ни души** kindred spirits/souls.

сродя̀вам, сродя̀ гл. join, ally; ‖ **~ се** become related (c with); become allied by marriage (to, with); **~ се със семейството чрез брак** marry into a family.

срок м., **-ове, (два) сро̀ка 1.** (даден момент) date; time limit; (на полица и пр.) term; (падеж) maturity; **в ~** in time; **изпитателен ~** period of probation, probationary/trial period; **краен ~** final date, dead-line; **определям ~** fix a time; **~ за доставка** delivery date; **2.** (промеждутък от време) period, time, term; **в най-кратък ~** in the shortest time, with the shortest possible delay; **при изтичането на ~а** at the expiration of the term/period, on expiry of the term; **3.** (училищен) term.

срòч｜ ен *прил.*, -на, -но, -ни **1.** (*бърз, спешен*) urgent, pressing; exigent; rush (*attr.*); **2.** (*свързан с определен срок*) periodic, at a fixed date/day; fixed, term, time; ~**ен депозит/полица** term/time deposit/policy; ~**ен заем** a fixed loan; ~**но плащане** payment delivered at a fixed date; **3.** (*в училище*) of a/the term, term (*attr.*); ~**но класно** a term test.

срòчно *нареч.* urgently; pressingly; exigently; promptly; in (good) time.

срỳтвам, срỳтя *гл.* tear/pull down; demolish; || ~ **се** collapse, fall (down/to the ground); topple; *мин.* (*при подкопаване*) calve.

срỳтван｜ е *ср.*, -ия tearing/pulling down; demolition; demolishment; collapse; fall; (*на земни пластове*) landslide, landslip; (*на сняг*) snowslide, avalanche.

срỳтен *мин. страд. прич.* torn/pulled down; demolished; dilapidated, in ruins.

срỳбкѝн｜ я *ж.*, -и Serbian girl/woman.
срỳбск｜ и *прил.*, -а, -о, -и Serbian; ~**и език** Serbian, the Serbian language.

срỳгвам, срỳгам *гл.* poke, nudge, elbow; jostle.

срỳч｜ ен *прил.*, -на, -но, -ни deft, dext(e)rous, skilful, dextrous, adroit; handy; swift-/neat-/light-handed, lightfingered.

срỳчквам, срỳчкам *гл.* poke; nudge.

срỳчно *нареч.* skilfully, dexterously, dexterously, adroitly; with skill; with a deft hand.

срỳчност *ж.*, -и dexterity, dextrousness, skill, adroitness, deftness; handiness; *sl.* know-how.

срỳда *ж.*, срèди Wednesday; **в** ~ on Wednesday.

срỳзвам, срèжа *гл.* **1.** cut; (*леко*) snick; *техн.* shear; **2.** *прен.* snap at, snub; rebuff, tell off.

срỳзван｜ е *ср.*, -ия cutting; shearing.

стабѝл｜ ен *прил.*, -на, -но, -ни stable; steady; firm; (*на краката си*) surefooted; (*надежден*) dependable, reliable.

стабилизàтор *м.*, -и, (*два*) стабилизàтора *техн.* stabilizer, balancer; equalizer; **вертикален** ~ *авиац.* fin; **хоризонтален** ~ *авиац.* horizontal stabilizer; tailplane.

стабилизацион｜ ен *прил.*, -на, -но,

-ни stabilizing.

стабилизàция *ж.*, *само ед.* stabilization.

стабилизѝрам *гл.* stabilize; equalize; (*цена и пр.*) peg; || ~ **се** stabilize o.s., become stable; steady.

стабѝлно *нареч.* steadily; firmly; fixedly.

стабѝлност *ж.*, *само ед.* stability, firmness, steadfastness; fixity, fixedness; (*надеждност*) reliability, dependability; (*на автомобил*) road-holding; sure-footedness.

стàв｜ а *ж.*, -и *анат.* joint; articulation; (*на пръст, обикн. най-долната*) knuckle; **неподвижност на** ~**ите** *мед.* anchylosis.

стàвам, стàна *гл.* **1.** stand/get up, rise; (*след падане*) pick o.s. up; (*от легло*) get up, rise, be up; (*оздравявам*) be up and about; (*въставам*) rise (up), rise in arms; **винаги** ~ **рано** practise early rising; ~ **на крака** rise to o.'s feet; ~ **накриво** get out of bed on the wrong side; **2.** (*придобивам нови качества, преминавам в друго състояние*) become, get, grow, turn; grow up to be; **болният става все по-зле** the patient is getting worse and worse; ~ **за смях** become a laughing stock; ~ **опасен** turn dangerous; **той ще стане добър лекар/музикант** he'll make a good doctor/musician; **3.** (*годен съм*) do, be fit (*за for*); make; (*готов съм*) be ready; **тази пола става още за носене** this skirt is still fit to wear; **4.** (*случва се, състои се*) happen, come about, fall out, occur, come to be; take place, be held; be in progress, go on; **какво става?** what's the matter? what's up? what's going on? **каквото ще да стане** (*на всяка цена*) at all costs, at any price, by all means, (*не се интересувам от последиците*) come what may, come hell or high water; **съжалявам, че стана така** I'm sorry things have turned out the way they have; **това стана пред очите ми** it happened in my sight; **5.** (*излиза сполучлив*) come off; be done; come (*от of*); **нищо няма да стане** nothing will come of it; *разг.* (it's) no go; **така става ли?** will that do? will that be all right?; **6.** (*вирея*) grow, thrive; **7.** (*прилягам – за дрехи и пр.*) fit; **обувките ми**

стават my shoes fit (well); **8.** (*идва, наближава – за време*) come; **става нощ** night comes/falls; **стана време да** the time has come to; **9.** *разг.* (*при отговор – бива, може*) all right, O.K., agreed; **10.** (*възлизам на, набоявам*) add/come up to; grow to; get to be; ● **от всяко дърво свирка не става** you can't make a silk purse out of a sow's ear; ~ **причина за** cause, bring about, (*за човек*) be to blame for.

стàв｜ ен *прил.*, -на, -но, -ни joint (*attr.*); *техн.* articular; ~**ен ревматизъм** *мед.* rheumatic fever.

стàвк｜ а *ж.*, -и stake; rate; **данъчна** ~**а** tax rate; **тарифна** ~**а** tariff rate; ● **правя очна** ~**а между** confront s.o. with s.o.

стагнàция *ж.*, *само ед. икон.* stagnation.

стагфлàция *ж.*, *само ед. икон.* stagflation.

стàд｜ ен *прил.*, -на, -но, -ни gregarious; herd (*attr.*); ~**ен инстинкт**, ~**но чувство** *зоол.* herd/gregarious instinct.

стадѝ｜ ен *прил.*, -йна, -йно, -йни; стадиàл｜ ен *прил.*, -на, -но, -ни phasic; by stages; ~**йно развитие** phasic development, development by stages.

стàди｜ й (-ят) *м.*, -и, (*два*) стàдия stage; phase.

стадион *м.*, -и, (*два*) стадиòна stadium, *pl.* stadia, stadiums.

стàд｜ о *ср.*, -à herd; drove; (*коне*) stud; (*овце, кози, гъски; и прен.*) flock; (*риби*) shoal; (*китове*) gam; (*лъвове*) pride; ● **няма** ~**о без мърша** There is a black sheep in every flock.

стà｜ ен *прил.*, -йна, -йно, -йни room (*attr.*); indoor; ~**йна температура** room temperature.

стаèн *мин. страд. прич.* subdued, suppressed; hidden.

стаж *м.*, -ове, (*два*) стàжа **1.** length of service, apprenticeship; **2.** (*предварителна служба, стажуване*) probation, probationary period; practice; training; **на** ~ **съм** be a probationer, work on probation; be in training; **непрекъснат трудов** ~ continuity of employment.

стажàнт *м.*, -и; стажàнтк｜ а *ж.*, -и probationer; trainee; apprentice.

стажàнтск｜ и *прил.*, -а, -о, -и probationer's.

стажу̀вам *гл.* work on probation, be a probationer; be in training.

стака̀н *м.*, -и, (два) стака̀на *остар.* cup, chalice, goblet, bowl, beaker.

сталагмѝт *м.*, -и, (два) сталагмѝта *геол.* stalagmite.

сталактѝт *м.*, -и, (два) сталактѝта *геол.* stalactite.

стан₁ *м.*, -ове, (два) ста̀на *текст.*, *техн.* loom; работя на два ~a work/operate two looms, *прен.* have several jobs on o.'s hands, have several/too many irons in the fire.

стан₂ *м.*, -ове, (два) ста̀на (лагер) camp, bivouac.

стан₃ *м.*, само ед. нар. (фигура) stature, figure; тънък ~ slender waist.

станда̀рт *м.*, -и, (два) станда̀рта standard; държавен ~ national standard; по ~ standard.

станда̀рт|ен *прил.*, -на, -но, -ни standard; *прен.* conventional, normal; ~но тегло standard weight.

стандартиза̀ция *ж.*, само ед. standartization.

стандартизѝрам *гл.* standartize; typify.

станда̀ртно *нареч.* according to standard.

станио̀л *м.*, само ед. tin-foil, silver-paper.

становѝщ|е *ср.*, -a attitude (към to, towards), standpoint, point of view; stand, position (по on); официално ~e legal opinion; променям ~ето си shift/change o.'s ground.

стано̀|к *м.*, -ци, (два) стано̀ка *техн.* frame; *воен.* mount; (за рисуване и пр.) easel.

станцио̀н|ен *прил.*, -на, -но, -ни station (attr.).

ста̀нци|я *ж.*, -и station; крайна ~я terminal station, terminal; terminus, *pl.* terminuses, termini; опитна ~я experimental station; почивна ~я holiday house/home; пощенска ~я post-office.

ста̀пям и **стопя̀вам**, **стопя̀** *гл.* melt, fuse; *техн.* flux.

стар *прил.* 1. old; (древен) ancient; (минал) past; former; (за паметник, ръкопис, култура и пр.) ancient; of an early date; (за приятелство и пр.) of long standing; доброто ~o време the good old days; от ~ата школа of the old school; ~ брой back issue/number; 2. (отживял) out of date, out-

---

dated, old-fashioned; **3.** (известял) old, worn out, left-off, (даден от друг) hand-me-down; **4.** (бивш) former; **5.** като същ.: ~ият the old man; • на ~o second hand; ~ ерген old bachelor; ~ стил old style, Julian calendar.

стара̀ние *ср.*, само ед. endeavour; effort; (усърдие) diligence; application; влагам цялото си ~ do o.'s best/utmost.

стара̀тел|ен *прил.*, -на, -но, -ни assiduous, diligent, painstaking; thorough; studious.

стара̀я се *възвр.* *гл.*, мин. св. деят. прич. стара̀л се try; endeavour; seek; take pains, be at pains (да to); exert o.s.; put o.'s best foot forward; напразно се старая beat the air, mill the wind; ~ с всички сили do o.'s best/utmost.

старѐене *ср.*, само ед. ageing.

старѐещ *сег. деят. прич.* ag(e)ing; senescent.

старѐйшин|а *м.*, -и elder; *pl.* fathers.

ста̀р|ец *м.*, -ци old man.

старѐя *гл.*, мин. св. деят. прич. старя̀л **1.** (остарявам) grow old, age; advance in years/age; get on in years; **2.** (изглеждам стар) look older (than o.'s age).

старин|а̀ *ж.*, -и **1.** (време) antiquity; (вещ) antique, antiquity; (сграда) historical monument; **2.** само мн. old age; на ~и in o.'s old age.

старѝн|ен *прил.*, -на, -но, -ни ancient; antique; historical; (за дума) archaic; old; (старовременен) old-time; ~ен замък an ancient castle; ~на мебел antique furniture.

старѝнност *ж.*, само ед. antiquity.

старѝц|а *ж.*, -и old woman, old lady/dame; *разг.* old wife.

старобъ̀лгарск|и *прил.*, -а, -о, -и Old-Bulgarian.

староврѐм|ен и **староврѐмеш|ен** *прил.*, -на, -но, -ни; **староврѐмск|и** *прил.*, -а, -о, -и old-time; antique, antiquated, old-fashioned.

старогръ̀цк|и *прил.*, -а, -о, -и Hellenic, ancient Greek.

старозавѐт|ен *прил.*, -на, -но, -ни *библ.* of the Old Testament.

старомо̀д|ен *прил.*, -на, -но, -ни old-fashioned; out of date; outmoded; dated; fusty; (за дреха) frumpish, frumpy; (за човек) of the old school; antediluvian;

---

fogeyish; ~ен човек (old) fog(e)y; (за жена) dowdy(ish).

старомо̀дност *ж.*, само ед. old-fashioned style/manner; fogyism, fogeyism; (у жена) dowdiness, frumpishness, frumpiness.

ста̀рому *нареч.*: по ~ as before, as of old.

старопеча̀т|ен *прил.*, -на, -но, -ни incunabular; ~ни книги *истор.* early printed book, incunabula.

старопита̀лищ|е *ср.*, -а home for the aged.

старопланѝнск|и *прил.*, -а, -о, -и of the Balkan Mountains/Range.

ста̀рост *ж.*, само ед. old age; живея до дълбока ~ live to a ripe old age; със ~та зрението/слухът отслабва old age reduces s.o.'s sight/hearing; умирам в дълбока ~ die at an advanced age.

старт *м.*, -ове, (два) ста̀рта *спорт.* start (и прен.).

ста̀ртер *м.*, -и, (два) ста̀ртера *спорт.*, *техн.* starter, igniter.

стартѝрам *гл.* *спорт.* start; *разг.* kick off, (машина, система) bring on line, (проект, инициатива) launch, get (s.th.) off the ground; помагаме на малки компании да стартират we help small companies get off the ground.

стартѝране *ср.*, само ед. starting; повторно ~ *инф.* restart; ~ на ракета *косм.* rocket launch(ing).

ста̀ртов *прил.* start (attr.); заставам на ~ата линия *спорт.* (и прен.) toe the line; ~а линия *спорт.* mark.

ста̀рческ|и *прил.*, -а, -о, -и old man's; old; senile; ~а немощ weakness of old age.

старчо̀|к *м.*, -ци buffer, (old) codger; old fogey; *презр.* old bat; *sl.* old buzzard, oldster, old crock.

ста̀рш|и *прил.*, -а, -о, -и **1.** *прил.* senior; (по години) elder; (най-стар) eldest, oldest, senior; *воен.* senior, higher-ranking; ~и лекар a chief doctor/physician; **2.** като същ. senior; foreman; chief, doyen; in charge; (стражар) police-sergeant; кой е ~ият тук? who is in charge here?

старшѝн|а̀ *м.*, -и (-а̀та) *воен.* sergeant-major; warrant-officer; *амер.* first sergeant; *мор.* petty officer.

старшинство̀ *ср.*, само ед. seniority;

(*предимство*) anteriority; **по ~** by (right of) seniority.

статѝв *м.*, **-и**, (два) **статѝва** easel; stand.

статѝст *м.*, **-и**; **статѝстк|а** *ж.*, **-и** *театр., кино.* mute; walking gentleman/lady; supernumerary (actor/actress); super; extranumerary, extra, walker-on.

статистѝ|к *м.*, **-ци**; **статистѝчк|а** *ж.*, **-и** statistician; *застр.* actuary.

статѝстика *ж.*, *само ед.* statistics; ~ **на раждания, умирания и пр.** vital statistics.

статистѝч|ен *прил.*, **-на**, **-но**, **-ни**; **статистѝческ|и** *прил.*, **-а**, **-о**, **-и** statistic(al); *застр.* actuarial; **~а оценка** *застр.* actuarial valuation; **~о изследване** census survey.

статѝч|ен *прил.*, **-на**, **-но**, **-ни** static(al); **~ен регистър** *инф.* staticizer.

статѝчност *ж.*, *само ед.* static character.

статѝ|я *ж.*, **-и** **1.** article; (*във вестник, на специална тема*) feature; **уводна ~я** a leading article, leader, editorial; **2.** (*счетоводна*) item; **3.** (*в документ*) clause; **4.** (*в речник*) entry.

статор *м.*, **-и**, (два) **статора** *ел.* stator.

статоскоп *м.*, **-и**, (два) **статоскопа** statoscope.

статус *м.*, *само ед.* status (*и мед.*).

статуетк|а и **статуйк|а** *ж.*, **-и** statuette, figurine.

статукво *ср.*, *само ед.* (the) status quo.

статут *м.*, *само ед.* status, statute; **дипломатически ~** diplomatic status; **~ на военнопленници** prisoner-of-war status.

стату|я *ж.*, **-и** *изк.* statue.

стафѝд|а *ж.*, **-и** raisin; sultana.

стационар *м.*, **-и**, (два) **стационара** hospital.

стационар|ен *прил.*, **-на**, **-но**, **-ни** stationary; hospital (*attr.*); **~ен сателит** в **~на орбита** *косм.* fixed satellite; **~но поле** *физ.* constant field.

стач|ен *прил.*, **-на**, **-но**, **-ни** strike (*attr.*); **~ен комитет** strike committee; **~ен пост** picket; **~на вълна** wave of strikes.

стачк|а *ж.*, **-и** strike, walkout, *амер.* tie-up; **гладна ~а** hunger strike; **обща/политическа ~а** general/political strike; **обявявам ~а** go on strike; **walk/**

go/come out; **незаконна ~а** wild-cat strike; **парализиран от ~а** strike-bound.

стачкоизмѐнни|к *м.*, **-ци** strike-breaker, scab, blackleg; *sl.* fink.

стачкувам *гл.* be/go on strike; be out (on strike); **~ за повишаване на заплатите** strike for higher pay.

стачкуващ *сег. деят. прич.* striking, on strike.

стачни|к *м.*, **-ци**; **стачниц|а** *ж.*, **-и** striker.

ста|я *ж.*, **-и** room; *книж.* chamber; **гостна ~я** parlour, drawing-room; **живея сам в ~я** have a room to o.s.; **~я под наем** room to let; ● **пазя ~ята** be confined to o.'s room.

ствол *м.*, **-ове** и **-и**, (два) **ствола** trunk; stem; bole.

стѐгнат *мин. страд. прич.* (*и като прил.*) **1.** tight, tightened, tense, compact; (*опънат*) taut; (*за тяло*) firm; (*за плетка*) tight; (*за плат*) tightly woven; **~и редици** serried ranks; **2.** (*спретнат*) tidy, neat; **3.** (*за дисциплина*) strict; **~ човек** disciplined/organized person; **4.** (*за стил*) succinct, terse, concise; **~а реч** crisp speech; **5.** (*за стомах*) constipated.

стѐгнатост *ж.*, *само ед.* **1.** tightness; compactness; tautness; firmness; (*на плат*) close texture; **2.** (*спретнатост*) neatness, tidiness; **3.** (*сбитост*) succinctness; terseness, conciseness.

стегозав|ър *м.*, **-ри**, (два) **стегозавъра** *палеонт.* stegosaur.

стелаж *м.*, **-и**, (два) **стелажа** *техн.* rack, shelf, shelving; (*за инструменти*) tool stand.

стѐлк|а *ж.*, **-и** insole.

стѐля *гл.*, *мин. св. деят. прич.* **стѐлил** spread, lay; cover; || **~ се** fall, drift, spread, creep (**по, над** over), envelop (**по, над** -); (*за ливади и пр.*) spread.

стен|а *ж.*, **-и** wall; (*на връх*) face, (*стръмна*) escarpment; **ограждам със ~и** wall in; **подпорна ~а** a retaining wall; **шкаф, вграден в ~ата** a built-in cupboard; wall-cupboard; **язовирна ~а** dam (wall); ● **говоря на ~ите** talk to a brick wall; **Великата китайска ~а** a Chinese wall (*и прен.*); **притискам някого до ~ата** corner s.o., drive s.o. into a corner/to the wall, bring s.o. to bay.

стѐна *гл.* moan, groan.

стенàни|е *ср.*, **-я** moaning; groaning; moan, groan.

стѐнвестни|к *м.*, **-ци**, (два) **стѐнвестника** wall-newspaper.

стенд *м.*, **-ове**, (два) **стѐнда** bench, stand; **изпитателен ~** test-bed.

стѐн|ен *прил.*, **-на**, **-но**, **-ни** wall (*attr.*); mural; **~ен часовник** clock.

стѐнещ *сег. деят. прич.* moaning, moanful.

стенобѝт|ен *прил.*, **-на**, **-но**, **-ни**; **стенобо|ен** *прил.*, **-йна**, **-йно**, **-йни** *истор.* battering; **~на/~йна машина** battering-ram.

стенограм|а *ж.*, **-и** shorthand record/report; verbatim report; **разчитам ~а** (*преписвам*) extend shorthand.

стенограф *м.*, **-и**; **стенографк|а** *ж.*, **-и** stenographer, stenographist, shorthand writer.

стенографѝрам *гл.* write shorthand; take down in shorthand, take/keep shorthand notes of.

стенографѝя *ж.*, *само ед.* stenography, shorthand.

стенографск|и *прил.*, **-а**, **-о**, **-и** shorthand (*attr.*); stenographic(al).

стенокардѝя *ж.*, *само ед. мед.* stenocardia.

стенопѝс *м.*, **-и**, (два) **стенопѝса** *изк.* mural painting, wall-painting, fresco(e)s.

стенопѝс|ец *м.*, **-ци** muralist.

стенотипѝя *ж.*, *само ед.* stenotypy.

степ *ж.*, **-и** *геогр.* steppe.

стѐпвам, **стѐпам** *гл.* mat; cause to shrink; || **~ се** mat; become matted; shrink.

стѐп|ен *прил.*, **-на**, **-но**, **-ни** steppe (*attr.*).

стѐпен₂ *ж.*, **-и** **1.** (*стадий*) stage (*и техн.*), *техн.* ratio; **~ на платежоспособност** margin of solvency; **~ на секретност** security grading; **2.** (*служебна*) rank; (*на орден*) class; (*на съд*) instance; (*на роднинство*) degree; (*научна*) degree; **присъждам научна ~ на** confer a degree on; **3.** *език.* degree; **положителна/сравнителна/превъзходна ~** positive/comparative/superlative degree; **~и на сравнение** degrees of comparison; **4.** *мат.* power; (*степенен показател*) exponent; **на ~ n** to the n-th degree; **повдигам на**

втора/трета ~ raise to the second/third power; ● **до известна** ~ to a certain extent/degree; to some extent, in a/some measure; within limits; **до такава** ~, **че** to the extent of (*c ger.*); to the extent that, to such an extent that.

стѐпен|ен *прил.*, -на, -но, -ни degree (*attr.*); stage (*attr.*); ~**ен показател** *мат.* exponent; ~**на функция** *мат.* power function.

степенувам *гл.* **1.** grade, gradate; rate, class, classify; **2.** *мат.* raise to (second, third, etc.) power; **3.** *език.* put in the comparative or superlative (degree); || ~ **се** *език.* form its degrees of comparison.

степенуване *ср., само ед.* grading, rating, classifying; gradation, classification; *език.* comparison.

стѐрео *прил. неизм.* stereophonic.

стереогра̀ф *м.*, -и, (два) **стереогра̀фа** stereograph.

стереографѝч|ен *прил.*, -на, -но, -ни stereographic.

стереогра̀фия *ж., само ед.* stereography.

стереоефѐкт *м.*, -и, (два) **стереоефѐкта** stereoscopic effect.

стереоизомѐрия *ж., само ед.* stereoisomerism.

стереомагнетофо̀н *м.*, -и, (два) **стереомагнетофо̀на** stereo tape recorder.

стереометрѝч|ен *прил.*, -на, -но, -ни; **стереометрѝческ|и** *прил.*, -а, -о, -и stereometric(al).

стереомѐтрия *ж., само ед.* stereometry, solid geometry.

стереомикроско̀п *м.*, -и, (два) **стереомикроско̀па** stereomicroscope.

стереоско̀п *м.*, -и, (два) **стереоско̀па** stereoscope, viewer.

стереоскопѝч|ен *прил.*, -на, -но, -ни stereoscopic.

стереоскопѝя *ж., само ед.* stereoscopy.

стереотѝп *м.*, -и, (два) **стереотѝпа** stereotype (*и полигр.*); **динамичен** ~ *физиол.* dynamic stereotype.

стереотѝп|ен *прил.*, -на, -но, -ни stereotype (*attr.*); stereotyped; *прен.* trite, hackneyed; ~**на фраза** stock/trite phrase, hackneyed expression; ~**но издание** stereotype edition; reprint.

стереотипѝрам *гл.* stereotype.

стереотѝпия *ж., само ед.* stereotype.

стереофѝлм *м.*, -и, (два) **стереофѝлма** three-dimensional film, stereo-film.

стереохѝмия *ж., само ед.* stereochemistry.

стерѝл|ен *прил.*, -на, -но, -ни sterile, germ-free.

стерилиза̀тор *м.*, -и, (два) **стерилиза̀тора** sterilizer; sterilizing machine; (*малък*) sterilizing tray.

стерилиза̀ция *ж., само ед.* sterilization.

стерилизѝрам *гл.* sterilize.

стерилитѐт *м., само ед. мед.* sterility.

стерѝлност *ж., само ед.* sterility (*и мед.*).

стѐрлинг *м.*, -и *фин.* sterling; **фунт** ~, **лира** ~**а** pound sterling.

стѐрлингов *прил.* sterling (*attr.*).

стерна̀л|ен *прил.*, -на, -но, -ни *мед.* sternal.

стеснѐн *мин. страд. прич.* (*и като прил.*): ~ **пазар** tight market.

стеснѐни|е *ср.*, -я **1.** embarrassment; (*свенливост*) shyness, bashfulness; (*притесненост*) constraint; **от** ~**е** out of bashfulness; **2.** (*на път*) bottleneck.

стеснѝтел|ен *прил.*, -на, -но, -ни shy, bashful; self-conscious; diffident; retiring; (*за мълчание*) awkward; ~**ен човек** wallflower.

стеснѝтелно *нареч.* shyly, bashfully; diffidently; retiringly; with/in embarrassment.

стеснѝтелност *ж., само ед.* shyness, bashfulness; diffidence; embarrassment; self-consciousness; (*притесненост*) constraint.

стеснявам, стесня *гл.* **1.** (*правя тесен*) narrow (*и прен.*), make narrow(er); make tight; (*отвор и пр.*) constrict; (*дреха и пр.*) take in; **2.** (*причинявам стеснение*) embarrass; inconvenience; **3.** (*в квартира*) crowd; || ~ **се 1.** feel shy/embarrassed; be/feel ill at ease (**от някого** in s.o.'s presence); be ashamed (**от** of); **без да се** ~ without embarrassment; ~ **се да направя нещо** feel too shy/feel ashamed to do s.th.; **2.** (*сблъсквам се*) crowd together; (*за седнали хора*) sit closer; (*в квартира*) live in close quarters; **3.** (*ставам по-тесен*) narrow, get/grow narrow(er).

стеснява̀н|е *ср.*, -ия narrowing; contraction; constriction.

стетоско̀п *м.*, -и, (два) **стетоско̀па** *мед.* stethoscope.

стетоско̀пск|и *прил.*, -а, -о, -и stethoscopic.

стечѐние *ср., само ед.* concurrence; confluence; (*на хора*) concourse; **по** ~ **на обстоятелствата** coincidentally.

стѝгам, стѝгна *гл.* **1.** (*пристигам*) arrive (**в** at, in); reach, gain; get (**в** to); ~ **там** get there; **2.** (*достигам, настигам*) reach, catch up with; overtake; **не мога да го стигна** (*някого*) I can't catch up with him, (*нещо някъде*) it is out of my reach; **3.** (*до граница/предел; и прен.*) get, reach; **ако се стигне дотам** if it comes to that, if the worst comes to the worst; ~ **до заключение** arrive at a conclusion, conclude; ~ **дотам, че да** go so far as to (*c inf.*), go to the length of (*c ger.*); **4.** (*достатъчен съм*) suffice, be sufficient/enough; (*трая*) last out, be enough to go round; **не му стига времето** he is pressed for time, he hasn't enough time; **няма да стигне за всички** (*ядене и пр.*) there's not enough to go round; **това ми стига** that's enough for me, that will do for me.

стѝгм|а *ж.*, -и *истор., рел., биол., мед.* stigma.

стигматѝч|ен *прил.*, -на, -но, -ни stigmatic.

стик *м.*, -ове, (два) **стѝка** *спорт.* stick; ~ **за голф** golf club.

стѝкер *м.*, -и, (два) **стѝкера** sticker.

стил *м.*, -ове, (два) **стѝла** style, flair; *разг.* twig; **изискан** ~ classiness, elegance, finesse, fineness; **не ми е в** ~**а да** it goes against the grain to (*c inf.*).

стѝл|ен *прил.*, -на, -но, -ни **1.** of style; **2.** chaste, refined; (*шик*) classy, elegant, posh, swanky, stylish, dashing; up-market; (*в даден стил*) period (*attr.*); ~**на мебел** period furniture; ~**на рокля** a dress with flair.

стилиза̀тор *м.*, -и stylist, stylizer.

стилиза̀ция *ж., само ед.* stylization.

стилизѝрам *гл.* stylize.

стилѝст *м.*, -и; **стилѝсткǀа** *ж.*, -и stylist, master of style; style-editor; (*фризьор*) hairstylist.

стилѝстика *ж., само ед.* study of style, *език.* stylistics.

стилистѝч|ен *прил.*, -на, -но, -ни stylistic of style.

стилǀо̀ *ср.*, -а̀ *остар.* fountain-pen.

стѝмул *м.*, -и, (два) **стѝмула** stimu-

lus, *pl.* stimuli; incentive, motive, impetus; fillip; **финансов** ~ *разг.* sweetener; **ценови** ~ price incentive.

стимулант *м.,* **-и** *фарм.* stimulant, energizer; *sl.* bang, a shot in the arm, turn-on; (*за паметта и интелекта*) smart drug.

стимулация *ж., само ед.* stimulation.

стимулирам *гл.* stimulate, suscitate; fillip, give a fillip to; (*обикн. икономиката*) *амер.* prime the pump (of); ~ **някого да даде най-доброто от себе си** put s.o. on his/her mettle.

стимулиране *ср., само ед.* stimulating, stimulation; *маркет.* promotion; ~ **на потребителите** consumer promotions; ~ **на продажбите** sales promotion.

стимулиращ *сег. деят. прич.* stimulant, stimulating; cordial.

стипендиант *м.,* **-и**; **стипендиант**|**а** *ж.,* **-и** scholarship student; exhibitioner, holder of a bursary.

стипендия *ж.,* **-и** scholarship, grant, bursary, exhibition.

стипц|**а** *ж.,* **-и 1.** *хим.* alum, styptic (pencil); **2.** *прен.* scrape-penny, skinflint, niggard, penny-pincher, *амер. sl.* tight-wad.

стипчав и **стипчив** *прил.* astringent, tart; crabbed.

стипчивост *ж., само ед.* astringency, tartness; crabbedness.

стиропор *м., само ед.* expanded polystyrene, styrofoam.

стиск|**а** *ж.,* **-и** handful.

стискам, стисна *гл.* **1.** squeeze; press, compress; hold tight; (*държа, хващам здраво*) hold tight; clutch; get/ take a good grip of/on; (*за обувки*) pinch; ~ **в обятията си** hug; ~ **устни** compress/set o.'s lips; o.'s lips tighten; press o.'s lips together; **2.** be stingy (with o.'s money); button up o.'s purse, keep a tight hold on the purse strings; || ~ **се 1.** maintain grasp of, keep hold of, cling to; **2.** (*скъпернича*) be stingy/thrifty/ miserly; button up o.'s purse; **3.** (*въздържам се*) hold o.s. in; • **не ми стиска** not dare, *разг.* lack/not have the guts/gumption, can't hack it; **там го стиска чепикът** that/there is where the shoe pinches.

стиснат *мин. страд. прич.* **1.** squeezed; **със** ~**и зъби** with clenched/set teeth;

2. (*свидлив*) close-/tight-fisted, stingy, skinflinty, niggardly, parsimonious; curmudgeonly.

стиснатост *ж., само ед.* stinginess, niggardliness, parsimony; (*пестеливост*) cheese-paring.

стих *м.,* **-ове,** (**два**) **стиха** *лит.* verse; (*отделен ред*) line; *pl.* poetry; **в** ~**ове** in verse/metre; **пиша** ~**ове** write poetry.

стихвам, стихна *гл.* calm down, subside, abate; (*за вятър и*) fall; become quiet, be hushed, quiet down; fade away; ebb (away).

стихи|**ен** *прил.,* **-йна, -йно, -йни 1.** elemental; (*произволен*) spontaneous; sporadic; random; (*неудържим*) irrepressible; vehement; ~**ен пожар** conflagration; **2.** (*без план*) planless; unorganized.

стихийно *нареч.* spontaneously; sporadically; (*неудържимо*) irrepressibly; vehemently; (*без план*) without plan.

стихийност *ж., само ед.* **1.** spontaneity; **2.** (*безплановост*) planlessness, planless work; lack of organization.

стихи|**я** *ж.,* **-и** element; **огнена** ~**я** firestorm; • **в** ~**ята си съм** be in o.'s element, be at o.'s best.

стихоплетство *ср., само ед.* verse-making.

стихосбирк|**а** *ж.,* **-и** book/volume of poetry.

стихосложени|**е** *ср.,* **-я** versification, prosody.

стихотвор|**ен** *прил.,* **-на, -но, -ни** poetic(al); metrical, versicular; **превръщам в** ~**на форма** versify; ~**на реч** verse.

стихотворени|**е** *ср.,* **-я** poem; (*кратко*) rhyme, rime; ~**е в проза** a prose poem.

стихотвор|**ец** *м.,* **-ци 1.** poet, rhymer; **2.** *пренебр.* rhymester.

стихотворство *ср., само ед.* **1.** versification; poetry; **2.** *пренебр.* verse-making.

стичам се, стекъ се *възвр. гл.* **1.** flow/ run/stream down; (*за сълзи и*) roll down; (*на капки или тънка струйка*) trickle/ooze down; **2.** (*сливам се*) flow/run together; unite; **3.** (*събирам се*) crowd, throng, flock, assemble, come crowding.

стичане *ср., само ед.* flowing down; (*на хора*) concourse, confluence.

сто *бройно числ.* (one) hundred; ~ **на** ~ **1)** (*изцяло*) completely, entirely; **2)** (*непременно*) dead-sure, most certainly/surely; ~ **процента!** *разг.* You bet (your life)!

стобор *м.,* **-и,** (**два**) **стобора** (board) fence; paling.

стоварвам, стоваря *гл.* **1.** unload; dump (down); (*дебаркирам*) disembark, land, debark; **колата ни стовари пред хотела** the car dropped us in front of the hotel; **2.** *прен.* (*вина, отговорност*) put, lay (**върху** on); **цялата отговорност се стовари върху него** the entire responsibility fell on him; **3.** (*удар*) deal, crash, *sl.* land; || ~ **се** fall down (heavily); drop (down).

стоварване *ср., само ед.* unloading; dumping; disembarkation.

стогодиш|**ен** *прил.,* **-на, -но, -ни** centenary; centennial, centenarian; (*за възраст*) one/a hundred years old.

стогодишнин|**а** *ж.,* **-и** centenary, centennial; (*юбилей*) centennial anniversary.

стоеж *м., само ед.* posture; position.

стоешком и **стоешката** *нареч.* in a standing position; standing.

стожер *м.,* **-и,** (**два**) **стожера 1.** pillar; post; **2.** champion, mainstay, pillar.

стой|**к** *м., само ед. филос.* stoic.

стоициз|**ъм** (**-мът**) *м., само ед. филос.* stoicism; stoicalness.

стойческ|**и₁** *прил.,* **-а, -о, -и** stoic(al).

стойчески₂ *нареч.* stoically, firmly, with stoicism.

стойк|**а** *ж.,* **-и 1.** posture, pose; *спорт.* stand; (*на ловджийско куче*) (dead) set; **правя** ~**а** (*за куче*) set, make a set; **челна** ~**а** *спорт.* headstand; **2.** (*статив*) easel; stand; **шарнирна** ~**а** *техн.* hinge prop; **3.** (*на мотоциклет и пр.*) crutch.

стойност *ж.,* **-и** value (*и мат., прен.*) cost; worth; (*цена*) price; (*на монета, банкнота*) denomination; **без** ~ of no value, valueless; **на обща** ~ to the (total) value of; **първоначална** ~ *икон.* historic(al) cost; **с голяма** ~ of great/ incalculable value; **според** ~**та** *фин.* ad valorem.

стойност|**ен** *прил.,* **-на, -но, -ни** value (*attr.*).

сток|**а** *ж.,* **-и 1.** commodity; goods, wares; merchandise, article (of trade);

налична ~а stock; партида ~и consignment of goods; ~и с платени мита duty-paid goods; 2. (и животни) livestock, cattle; ● знам си ~ата! know my man; той не е ~а he is no good, he is a bad egg.

сто̀ков прил. commodity (attr.), goods (attr.); ~а борса commodity/goods exchange; ~о обращение, ~ оборот commodity circulation/turnover, circulation of goods.

стоковѐд м., -и икон. expert on merchandise.

стокообмѐн м., само ед. 1. икон. barter; exchange of merchandise; merchandise traffic; 2. (търговия) trade, commerce.

стокооборо̀т м., само ед. икон. commodity circulation, (commodity) turnover, circulation of goods.

стокопроизводѝтел (-ят) м., -и икон. commodity producer.

стокра̀т|ен прил., -на, -но, -ни centuple, centuplicate, hundredfold.

стол₁ м., -ове и -о̀ве, (два) сто̀ла chair; (без облегалка) stool; (в кино и пр.) seat; предлагам ~ на offer a chair to; сгъваем ~ folding chair; ~ за инвалид wheelchair, invalid-chair; ● електрически ~ electric chair; разг. hot seat; от два ~а, та на земята fall between two stools.

стол₂ м., -ове, (два) сто̀ла (трапезария) canteen; воен. mess-room; (в манастир, пансион) refectory.

стола̀рство ср., само ед. joinery, cabinet-making.

столѐвк|а ж., -и hundred-lev piece/ note.

столѐт|ен прил., -на, -но, -ни centenary, centennial, centenarian; hundred-year (attr.); ~ен дъб a hundred year/ a century old oak.

столѐти|е ср., -я century.

столѐтни|к м., -ци 1. (човек) centenarian; 2. бот. century-plant, agave (Agave americana).

сто̀лиц|а ж., -и capital (city); metropolis.

столича̀нин м., столича̀ни; столича̀нк|а ж., -и inhabitant of a/the capital.

сто̀лич|ен прил., -на, -но, -ни capital (attr.); metropolitan; ~ен град capital (city).

столо̀в|а ж., -и (стая за хранене) dining-room; воен. mess-room; (трапезария) canteen; (в манастир, пансион) refectory.

сто̀лче ср., -та 1. stool; little chair; (образувано от ръцете на двама души) lady-chair; 2. (на чаша) stem, foot, stalk; (чаша) wineglass, stemmed glass.

стома̀на ж., само ед. метал. steel; инструментална ~ tool steel.

стома̀нен прил. steel (attr.); (твърд като стомана) steely; прен. iron; ~и изделия steelwork.

стоманобето̀н м., само ед. техн. armoured/reinforced concrete, ferro-concrete; reinforcing bars.

стоманодо̀бив м., само ед. steel-making.

стоманолѐяр (-ят) м., -и steel-caster/ -founder/-worker.

стоманолѐяр|ен прил., -на, -но, -ни: ~ен завод steel plant/works.

стоманолѐярн|а ж., -и steel foundry, steelworks.

стоматоло̀|г м., -зи stomatologist, dentist.

стоматологѝч|ен прил., -на, -но, -ни stomatological.

стоматоло̀гия ж., само ед. мед. stomatology, dentistry.

стома̀|х м., -си, (два) стома̀ха stomach; боли ме ~х have a stomach(-ache).

стома̀ш|ен прил., -на, -но, -ни stomachal, stomachic(al); gastric, ventricular; ~ен сок gastric juice; ~ни болки stomach-ache, gastralgia; ~но разстройство diarrhoea; indigestion.

сто̀мн|а ж., -и pitcher, earthen jug; ● веднъж ~а за вода, два пъти, найпосле се счупила the pitcher goes to the well once too often.

стон м., -ове, (два) сто̀на moan, groan.

стоно̀ж|ка ж., -и зоол. centipede, millipede (Yulus terrestris).

стоп междум. (и като същ.) stop! halt!

сто̀паджи|я м., -и разг. hitch-hiker.

стопа̀нин м., стопа̀ни 1. owner, proprietor; master; sl. boss; (на жилище, имот) landlord; (на гостилница) inn-keeper, landlord, host; (домакин) host; (земеделски) farmer; с грижата на добър ~ (и юр.) with the care of

a good husband; 2. (съпруг) husband; диал. good man; (глава на семейство) householder, master (of the house).

стопанѝсвам гл. manage, take care of, look after; keep; run; use.

стопанѝсване ср., само ед. managing; management.

стопа̀нк|а ж., -и 1. owner, proprietress; (домакиня) housewife; hostess; (хазяйка) landlady; 2. (съпруга) wife; разг. missis, missus.

стопа̀нск|и прил., -а, -о, -и economic; business (attr.); ~и сгради farm buildings.

стопа̀нств|о ср., -а 1. economy; горско ~о forestry, (на страна) national forestry; селско ~о agriculture and livestock breeding, agriculture, farming; rural economy; 2. (земеделско) farm; държавно земеделско ~о state farm.

стопѝрам гл. (кола и пр.) thumb a lift.

сто̀плям, сто̀пля гл. warm (up), heat (up); прен. warm; ~ душата warm the cockles of the heart; || ~ се grow/get warm, warm up; warm o.s. (на at).

стопя̀вам, стопя̀ гл. 1. melt, fuse; техн. flux; (руда за метал) smelt, fuse; (сланина) fry (out); (сняг, лед) thaw, melt; 2. прен. emaciate, reduce to skin and bone/to a shadow; || ~ се 1. melt (away), melt (down); thaw, deliquesce; техн. flux; 2. прен. (отслабвам) lose weight, become emaciated; be reduced to a shadow; (от старост, болест) dwindle (away); (от мъка и пр.) waste away (от with); 3. прен. (изчезвам) vanish, dwindle to nothing; парите се стопиха the money just vanished.

стопя̀ване ср., само ед. melting; fusion; (на сняг, лед) thaw.

сто̀рвам, сто̀ря гл. do; какво да сто̀ря? what can/should I do?; || ~ се: сторва ми се it seems to me.

стот|ен прил., -на, -но, -ни hundredth; ~на страница page of hundred.

стотѝнк|а ж., -и stotinka; прен. farthing, penny, cent; ● жълти ~и peanuts, chicken feed; треперя над ~ата look twice at every penny.

сто̀тиц|а ж., -и hundred.

сто̀ч|ен прил., -на, -но, -ни goods (attr.); ~на гара жп goods station/ yard, амер. freight depot/yard.

стоя̀ гл. 1. stand; be; (престоявам)

stop, stay, remain; be; (*намирам се, лежа*) be, lie; ~ **вкъщи** stay at home; ~ **здраво на краката си** stand/be firm on o.'s feet (*и прен.*); ~ **прав** stand; **2.** (*не липсвам*) still be there, still stand; **старата къща още стои** the old house still stands/ is still standing; **3.** *прен.* (*за въпрос и пр.*) stand; **така стоят работите/нещата** that is how matters stand; **4.** (*подхожда, прилича*) suit; be becoming (to), (*по мярка е*) fit; **стои ти много добре** it suits/fits you very well, it's a perfect fit; • **стой!** stop! halt! stand! (*почакай*) hold on! wait a moment! ~ **на тръни/игли/бодли** be on tenterhooks, be on thorns; ~ **зад някого** back s.o.

стоя̀нк|а *ж.*, **-и** (*за коли, таксита и пр.*) parking/stopping place; taxi rank.

страда̀л|ен *прил.*, **-на, -но, -ни** full of suffering; sorrowful, sad.

страда̀лческ|и *прил.*, **-а, -о, -и** of a sufferer/martyr; martyred; **~и вид** an air of a martyr/sufferer, a martyred air.

стра̀дам *гл.* suffer (**от** from); be victim (of); (*от болест*) have; be afflicted (with); **от това работата страда** this is detrimental/prejudicial to our work; ~ **за кауза** suffer for a cause.

страда̀ни|е *ср.*, **-я** suffering; pain; distress; (*болест*) malady.

страда̀тел|ен *прил.*, **-на, -но, -ни** *език.* passive; **~ен залог** *език.* passive voice, the passive.

стра̀ж|а *ж.*, **-и** guard, watch; sentry; **задържан съм под ~а** be under arrest; be in custody; **почетна ~а** guard of honour; **стоя/съм на ~а** be on guard; be on the watch, keep watch; commit to custody.

стража̀р (-ят) *м.*, **-и** policeman; **горски** ~ forest-guard.

стража̀рск|и *прил.*, **-а, -о, -и** policeman's, of a policeman.

стражев|ѝ *прил.*, **-а̀, -о̀, -ѝ** sentry (*attr.*), watch (*attr.*), guard (*attr.*); **~а кула** watch-tower.

стран|а̀ *ж.*, **-ѝ 1.** side; (*посока*) direction; (*на плат, монета*) face, side; *геом.* face; **на всички ~и** in all directions; **обратната ~а на медала** the reverse of the medal (*и прен.*); **от лявата/дясната ~а на** to/on the left/right of; on the left/right hand side; **2.** (*буза*) cheek; **3.** (*при спор, преговори*) party, side; (*в съдебен процес*) litigant; (*линия на родство*) side; **заинтересованите ~и** the parties concerned; **заставам на/вземам ~ата на** take the side of, back, side with; **4.** (*държава, земя*) country, land; **родна ~а** a native country/land, country of o.'s birth; **5.** (*качество, черта*) side; aspect; feature, point; facet; **добра/положителна ~а** good point, merit, advantage; **6.** (*гледище, отношение*) aspect; respect; **от друга ~а** on the other hand; **разглеждам въпрос от всички ~и** consider a question/matter in all its aspects; • **от ~а на** on the part of, on behalf of.

стра̀н|ен *прил.*, **-на, -но, -ни** strange, odd, unusual; fanciful; queer, quaint, outlandish; peculiar; fantastic(al); freakish, freaky; weird; cranky; *разг.* funny; (*загадъчен*) mysterious; eerie; **~ен човек** freak, crank, queer fellow/bird/fish; **~на работа!** *разг.* that's funny/strange!

странѝране *ср., само ед. полигр.* page make-up.

стра̀ниц|а *ж.*, **-и** page; • **нова ~а** *прен.* a fresh start, a clean slate; **отварям нова ~а** *прен.* turn over a new leaf.

странѝч|ен *прил.*, **-на, -но, -ни 1.** side (*attr.*); sidewise; *техн.* lateral; **~ен съдия** *спорт.* linesman, touch judge; **~на улица** by-/side-street; **2.** (*второстепенен, допълнителен*) secondary, incidental, accessory; chance (*attr.*); external, outside, extraneous; **~ен въпрос** side-issue; extraneous matter; **~ен човек** outsider; **~ен доход** side earning; **~на дейност** incidental business; **~ни ефекти** side effects; fallout.

стра̀нни|к *м.*, **-ци; стра̀нниц|а** *ж.*, **-и 1.** (*чуждестранец*) stranger; foreigner; **2.** wanderer.

стра̀нно *нареч.* strangely, oddly, in a strange/queer way/manner; (*като уводна дума*) strange to say, strangely/oddly enough; ~, **че** it is strange that.

страннопріѐмниц|а *ж.*, **-и** inn.

стра̀нност *ж., само ед.* strangeness, oddity, queerness, quirkiness, singularity.

стра̀нствам *гл.* wander (about), travel; roam.

стра̀нстване *ср., само ед.* wandering, roaming; travel.

стра̀нстващ *сег. деят. прич.* wandering, strolling, vagrant, itinerant, peripatetic; ~ **музикант** wandering musician; ~ **рицар** knight errant.

стра̀нство *ср., само ед.* foreign countries/parts; **отивам в** ~ go abroad.

страня̀ *гл., мин. св. деят. прич.* **странѝл** stay/keep aside (**от** from); ~ **от** avoid, shun; keep aloof/away from; fight shy of.

страст *ж.*, **-и 1.** passion; (*похот и пр.*) lust; **обхванат от** ~ seized with passion; **2.** (*разгорещеност, разпаленост*) vehemence; emotion, feeling; fervour, fervency, fervidness; (*увлечение*) zeal, ardour; **~ите се разгорещиха/разпалиха** feelings ran high.

стра̀ст|ен *прил.*, **-на, -но, -ни 1.** passionate; impassioned; lustful; hot-/red-blooded; (*за желание*) ardent, fervent; **2.** (*разгорещен, разпален*) flaming; vehement; • **Страстната седмица** *църк.* Holy Week, Passion Week.

стра̀стно *нареч.* **1.** passionately, with passion; **2.** (*разгорещено, разпалено*) vehemently; fervently; hammer and tongs.

стратѐ|г *м.*, **-зи 1.** strategist; gamesman; **2.** *истор.* strategus.

стратегѝч|ен *прил.*, **-на, -но, -ни; стратегѝческ|и** *прил.*, **-а, -о, -и** strategic.

стратѐги|я *ж.*, **-и** strategy; (*изкуство, наука*) strategics; **безпогрешна** ~ safe strategy.

стратоско̀п *м.*, **-и, (два) стратоско̀па** stratoscope.

стратосфѐра *ж., само ед.* stratosphere.

страх *м.*, **-овѐ, (два) стра̀ха** fear, dread (**от** of); (*уплаха*) fright; *sl.* creeps, cold feet, (blue) funk; (*опасение*) apprehension; **под ~ от смъртно наказание** under/on pain of death; under penalty of death; **смъртен** ~ mortal fear; ~ **пред неизвестното** fear of the unknown; **ужасно ме е ~ от** be terrified of; • ~ **лозе пази** take no chances.

страхлѝв *прил.* cowardly; white-livered, faint-hearted; *разг.* weak-kneed, chicken-hearted, gutless; (*плах*) timid, timorous.

страхлѝв|ец *м.*, **-ци; страхлѝвк|а** *ж.*, **-и** coward, craven; poltroon, das-

tard; faint-heart.

страхлѝвост *ж., само ед.* cowardice; cowerdliness; unmanliness; poltroonery; (*плахост*) timidity, timidness; faint-heartedness.

страховѝт *прил.* awful, fearful, horrible, fearsome, terrific, redoubtable; formidable; dreaded; *поет.* direful; grisly; gruesome; (*зловещ*) sinister, macabre, creepy.

страховѝтост *ж., само ед.* fearfulness, horribleness, creepiness; formidability, formidableness, redoubtableness.

страхопочита̀ние *ср., само ед.* veneration, awe (**пред** of).

страхопъ̀зльо *м.*, -вци; **страхопъ̀зл|а** *ж.*, -и coward; chicken-/white-livered person; chicken-hearted fellow, *sl.* funk.

страхо̀т|ен *прил.*, -на, -но, -ни horrible, dreadful, terrible; awful; (*разкошен*) fabulous, fantastic, cool, extrafine, superb; *sl.* fantabulous; **тя е ~на** she is a smasher.

страху̀вам се *възвр. гл.* be afraid (**от** of), fear (**от** -); **не се страхувам от нищо** fear nothing, be fearless; **~ за живота си** be/go in fear/terror of o.'s life.

стра̀ш|ен *прил.*, -на, -но, -ни **1.** terrible, frightful, fearful; fearsome, awful; dreadful, formidable; dreaded; forbidding; grisly; gruesome; (*огромен*) tremendous; (*за противник*) redoubtable; **не е толкова ~ен, колкото изглежда** his bark is worse than his bite; **няма нищо ~но** there is nothing to be alarmed at/afraid of; **~но** главоболие racking/splitting headache; **2.** (*отличен*) *разг.* terrific, tremendous, fabulous; **● Страшният съд** *църк.* Doomsday, Day of Judgement.

стра̀шно *нареч.* terribly, awfully; fearfully, fearsomely; frightfully; **~ ми харе́сва** *разг.* like/enjoy awfully, like/enjoy ever so much; **~ съжалявам** be awfully sorry.

стра̀я се *възвр. гл., мин. св. деят. прич.* стра̀ял се hold o.s. back; restrain o.s.

стрел|а̀ *ж.*, -и arrow, bolt; shaft (*и прен.*); (*на подемен кран*) jib, outrigger; **бърз като ~a** as swift as an arrow/

as lightning/as thought/as the wind.

стрелб|а̀ *ж.*, -и shooting (*и спорт.*); fire, firing; fusillade; **оръдейна ~a** *воен.* gunfire, cannonade; **учебна ~a** *воен.* firing practice.

стрелбѝщ|е *ср.*, -а shooting ground/ range; shooting gallery; rifle-range, butts; archery-ground, firing field/ ground.

стрѐлвам (се), стрѐлна (се) (*възвр.*) *гл.* shoot; **~ с поглед/очи** shoot a glance at, dart a look at; dart.

стрел|ѐц *м.*, -цѝ **1.** shot, marksman; gunman, gunslinger; *авиац.* gunner; (*войник*) rifleman; **2.** *само мн.* rifles; (*с лък*) archer, bowman; (*изкусен из засада*) sniper; **лош ~ец** poor marksman/shot; **отличен ~ец** (good) marksman; **3.** *астр., астрол.* Sagittarius, the Archer.

стрелк|а̀ *ж.*, -и (*на часовник*) hand; *строит.* rise; (*на компас и пр.*) needle, pointer; (*на чертеж и пр.*) arrow; **железопътна ~a** railway point, switch; **обратно на часовниковата ~a** counter-clockwise; **по часовниковата ~a** clockwise.

стрѐлкам *гл.* shoot a glance (at), dart a look (at); || **~ се** dart; shoot; streak.

стрелко̀в|и *прил.*, -а, -о, -и rifle (*attr.*); infantry (*attr.*); shooting (*attr.*); **~и части** rifle-corps.

стреловѝд|ен *прил.*, -на, -но, -ни arrow-shaped/-headed; sagittate, sagittal; (*за крило на самолет*) backswept.

стрело̀чни|к *м.*, -ци *жп* switchman, signalman, shunter, pointsman.

стреля̀м *гл.* shoot (*и спорт.*); fire (**по** at); **● ~ на месо** shoot to kill; **~ с пистолет/пушка** fire a pistol/rifle.

стремгла̀в *прил.* headlong, precipitate; (*успех, кариера*) *разг.* soaraway.

стрѐме *ср.*, -на̀ **1.** stirrup (*и строит.*); **2.** *анат.* stirrup-bone.

стрѐмеж *м., само ед.* striving, aspiration (**към** for, after); pursuit (of); ambition; endeavour; (*желание*) desideration; (*насока*) tendency, drive, trend (towards); (*втурване*) onrush.

стремѝтел|ен *прил.*, -на, -но, -ни impetuous, vehement, headlong, vigorous, precipitous, soaring; irresistible, sweeping.

стремѝтелно *нареч.* impetuously, vehemently, headlong, vigorously, pre

cipitously; *разг.* hand over fist.

стремѝтелност *ж., само ед.* impetuosity, vehemence, precipitance; vigour, rush, sweep; momentum.

стремя̀ се *възвр. гл., мин. св. деят. прич.* **стремѝл се** strive (**към** for); aspire (to, after); seek, aim (at), endeavour; have s.th. in o.'s sights; *разг.* be after; be/go out for; (*страстно желая*) long, crave (for); **~ към невъзможното** chase rainbow; **~ към победа** strive for victory.

стрес *м., само ед.* stress.

стрѐснат *мин. страд. прич.* startled, taken aback; alarmed.

стрех|а̀ *ж.*, -и eaves; (*навес*) awning; *прен.* roof.

стрѝвам, стрѝя *гл.* grind; crush; **~ прах** grind/reduce to powder, triturate; pulverize, powder.

стрѝване *ср., само ед.* grinding, crushing; pulverization; **фино ~** comminution.

стрѝд|а *ж.*, -и *зоол.* oyster (*Ostrea edulis*)

стрѝжа *гл., мин. св. деят. прич.* **стрѝгал** cut, clip; (*овца*) shear; || **~ се** have a haircut, have o.'s hair cut.

стрѝжене *ср., само ед.* cutting; (*на овце*) shearing.

стрѝи *само мн. анат.* stretch marks.

стрѝкт|ен *прил.*, -на, -но, -ни strict.

стриптийзьо̀р *м.*, -и; **стриптийзьо̀рк|а** *ж.*, -и stripper, stripteaser.

стрѝптийз *м., само ед.* strip-tease; **~ клуб** striptease club, fleshpot.

стрихнѝн *м., само ед. фарм.* strychnine.

стро̀г *прил.* **1.** strict (*взискателен*) exacting; (*суров*) severe; rigorous, tough; (*за мерки*) strong, drastic; (*твърд*) stern; grim; (*за правилник и пр.*) stringent, rigorous; **~ съм към някого** be strict with s.o.; **~a заповед/забрана** strict order/prohibition; **~o наказание** severe punishment; **2.** (*точен, определен*) strict; **~a диета** strict diet; **~o предупреждение** severe/stern warning; **3.** (*непретрупан, прост*) austere, simple.

стро̀го *нареч.* strictly, severely; firmly; **отнасям се ~** be severe with; **~ поверително** top secret.

стро̀гост *ж., само ед.* strictness; severity; rigorousness; toughness; auster-

ity; firmness; (*твърдост*) sternness; rigidity; grimness; (*на правила, закони и пр.*) stringency.

строев|й *прил.*, **-à**, **-ò**, **-и** line (*attr.*); combatant; ~а подготовка *воен.* drill.

строёж м., **-и**, (*два*) строёжа 1. (*структура, устройство*) structure; (*биол.*, *геол.* texture; *хим.* constitution; молекулен ~ molecular structure; ~ на ядро nuclear constitution; 2. (*построяване, градеж*) building, construction; (*строителен обект*) building/ construction site/project; в ~ in/under construction.

стрò|ен *прил.*, **-йна**, **-йно**, **-йни** 1. (*за човек*) slender; shapely; well-built/ -knit; stalwart; (*за дърво и пр.*) slender, graceful; (*за система и пр.*) orderly; harmonious; 2. (*за редици*) close, orderly.

строител (-ят) *м.*, **-и** builder (*и прен.*); constructor; инженер ~ civil engineer.

строител|ен *прил.*, **-на**, **-но**, **-ни** building (*attr.*), construction (*attr.*); ~ен обект, ~на площадка building/construction site/project; ~ен работник builder, construction worker.

строителство *ср.*, *само ед.* building; construction; жилищно ~ housing construction; пътно ~ road building.

строй (-ят) *м.*, **-еве**, (*два*) строя 1. system; order; regime; държавен ~й state system; обществен ~й social system/order/fabric; 2. *воен.* formation; order; line; излизам от ~я break rank, *прен.* be shelved, fall into disuse; (*за човек*) give up work; под ~й in military formation; състен ~й close formation/order; 3. *муз.* pitch; tune.

стройност *ж.*, *само ед.* slenderness; slimness; shapeliness; (*на движения*) grace; (*хармоничност, системност*) harmoniousness; orderliness; harmony, order.

строполясвам се, строполясам се и **строполявам се, строполя се** *възвр. гл.* collapse, crash down, fall (over) (*по стълби*) tumble down; *спорт.* crumple (up).

строф|а *ж.*, **-и** *лит.* stanza; strophe.

строшавам, строшà *гл.* break; (*глава и пр.*) bash in; (*на парчета*) shatter, break to pieces, crush, smash; || ~ се break; be broken; ● ~ главата си *прен.* *sl.* get it in the neck.

строй₁ *гл.*, *мин. св. деят. прич.* стройл build, construct; erect; ~ къща build a house for o.s., have a house build.

строймам, строй₂ *гл.* 1. *воен.* form (up), draw up; rank; ~ в колона form in column; 2. (*мъмря*) *разг.* give hell; || ~ се fall in, draw up; form/line up; fall in line; fall into rank; строй се! form! fall in!

стрỳва си *безл. възвр. гл.* be worth; deserve; (*има смисъл*) be worth while; не си стрỳва! the game is not worth the candle.

стрỳвам *гл.* 1. cost, be worth; какво ти стрỳва да it's nothing to you to; това нищо не стрỳва this costs nothing, *прен.* this is worthless, this is no good/ no use, this is not worth anything; 2. стрỳва ми се it seems/appears to me; I (should) think, I figure, I fancy; *амер.* I guess; 3. (*правя, панихида*) hold a memorial service.

струг *м.*, **-ове**, (*два*) стрỳга lathe; machine tool; дърводелски ~ a woodturning lathe.

стругар (-ят) *м.*, **-и**; стругàрк|а *ж.*, **-и** turner.

стругàрск|и *прил.*, **-а**, **-о**, **-и** turner's, turners'; ~а работилница a turnery workshop.

струговам и **стругỳвам** *гл.* turn (on a lathe).

стрỳ|ен *прил.*, **-йна**, **-йно**, **-йни** swift-flowing; ~ен принтер *комп.* jet printer.

стрỳжк|а *ж.*, **-и** chip, shaving; (*малка метална*) swarf; *само мн.* turnings, smithereens; големи ~и heavy chips.

структỳр|а *ж.*, **-и** structure; framework; compages; set-up, setup; (*на дърво*) grain; *прен.* fabric; texture; contexture; външнополитическа ~а foreign policy structure; ~а на обществото structure/fabric of society.

структурализ|ъм (-мът) *м.*, *само ед.* structuralism.

структỳр|ен *прил.*, **-на**, **-но**, **-ни** structural; textural, contextural.

стрỳн|а *ж.*, **-и** string; cord, chord; гласни ~и *анат.* vocal c(h)ords; засягам ~а *прен.* touch/strike a chord.

стрỳн|ен *прил.*, **-на**, **-но**, **-ни** stringed; string (*attr.*); ~ен инструмент *муз.* stringed instrument; ~ен оркестър/ квартет *муз.* string orchestra/quartet.

стрỳпвам, стрỳпам *гл.* heap/pile up,

amass; assemble; (*войски*) concentrate, mass, build up; (*къща*) put up; || ~ се crowd, throng; flock, gather; cluster, clump; всичко се струпа на моята глава I had to bear the brunt of it all.

стрỳпван|е *ср.*, **-ия** heaping, piling up; clustering; *воен.* concentration, build up; ~е на противникови войски hostile concentration.

стрỳ|я *ж.*, **-и** jet, spurt; stream; (*слаба*) trickle; (*силна*) spout; flush; (*от светлина*) stream; ray; въздушна ~я air flow/blast; 2. *прен.* wave.

стрừв *ж.*, *само ед.* 1. bait; 2. (*настървение*) bloodthirstiness; (*ярост*) fury.

стрừвниц|а *ж.*, **-и** meat-eating bear.

стрừк *м.*, **-ове**, (*два*) стрừка spray, sprig; stalk; (*лук и пр.*) stick; ~ трева a blade of grass.

стрừм|ен *прил.*, **-на**, **-но**, **-ни** steep, sheer, precipitous, abrupt; arduous; *книж.* declivitous; ставам по-~ен steepen.

стрừмнин|à *ж.*, **-и** steep slope; steep, declivity; steepness; *амер.* grade.

стрừскам и **стрừсвам, стрừсна** *гл.* 1. startle; scare, shock; give (s.o.) a start/ turn; *разг.* faze, freak (out); spook, *sl.* put the frighteners on; шумът го стрừсна the noise made him start; 2. (*накарам да се опомни*) sober up; (*подбуждам*) rouse (s.o.) to action; || ~ се 1. be startled; start, give a start; freak (out); ~ се насън start from o.'s sleep; 2. *прен.* sober up, come to o.'s senses.

стрừха *ж.*, **стрừхи** eaves; (*навес*) awning; *прен.* roof; родна ~ home.

студ *м.*, **-ове** 1. cold; (*застудяване на времето*) cold spell; дърво и камък се пука от ~ it's bitter/icy cold; силен/ остър/лют ~ bitter/sharp/biting cold; 2. *мед.* algor, cold, chill.

студèн *прил.* 1. cold; *книж.* gelid; (*техн. и за цветове*) cold; ~ душ cold shower, *прен.* wet blanket; ~а вълна cold spell; 2. *прен.* cold; frosty; emotionless; (*неприветлив*) unfriendly; chilly; bleak; standoffish; (*без чувство*) lukewarm, frigid; callous; ~ прием cold reception; ● ~а война cold war.

студенинà *ж.*, *само ед.* 1. cold; coldness; *книж.* gelidness, gelidity; 2. *прен.* unfriendliness, coldness; frostiness; frigidity, lukewarmness; bleakness; standoffishness.

студѐно *нареч.* coldly; frostily (*и прен.*); *книж.* gelidly; ~ **ми е** be/feel cold, be chilly.

студѐнт *м.*, -и; **студѐнтк|а** *ж.*, -и (university) student, undergraduate; ~ **юрист**, ~ **по право** student of law, law student.

студѐнтск|и *прил.*, -а, -о, -и student (*attr.*), undergraduate (*attr.*); ~**а книж-ка** student's record book.

студи|ен *прил.*, -йна, -йно, -йни: ~**ен запис** studio recording.

студио *ср.*, *само ед.* studio; ~ **за звукозапис** sound-recording studio.

студи|я *ж.*, -и study (**върху** of); paper, essay (on).

студоустойчив *прил.* cold-resistant; frost-hardy; freezeproof; (*за растение*) half-hardy.

стъбл|о *ср.*, -а stem, stalk; *бот.* caulis; (*дънер*) trunk; **кухо** ~о *бот.* culm.

стъквам, стъкна *гл.* poke, stir; (*запалвам*) light, kindle; ‖ ~ **се** (*издокарвам се*) cut a dash.

стъклàр (-ят) *м.*, -и **1.** glass maker, glassman; glazier; **2.** glasscutter; glassman; (*който изработва изделия от стъкло*) glass-blower.

стъклàрск|и *прил.*, -а, -о, -и glass (*attr.*); ~**и изделия** glasswork, glassware; ~**и магазин** glass-hop/store.

стъклен *прил.* **1.** glass (*attr.*); vitreous; ~**а вата** glass wool; ~**о влакно** glass fibre; **2.** *прен.* glassy.

стъкл|о *ср.*, -а **1.** glass; (*на прозорец*) window-glass, (window-)pane; (*за витрина*) plate-glass; (*на очила*) lens; (*на часовник*) watch-glass, crystal; (*за наблюдение*) sight-glass; **матово** ~о clouded/ground/frosted glass; **превръщам в** ~о vitrify; **предно** ~о (*на автомобил и пр.*) wind-screen, *амер.* windshield; **2.** bottle; ~**о на лампа** lamp-chimney; ● **водно** ~о *хим.* water-glass, sodium silicate.

стъкмявам, стъкмя *гл.* get ready, prepare; arrange, fix up; (*някого*) dress up; ‖ ~ **се** prepare, get ready; dress up; do o.s. up.

стълб *м.*, -ове, (**два**) **стълба** post, pillar; (*от вода, въздух и пр.*) column; **телеграфен** ~ telegraph pole/post; ● **гръбначен** ~ *анат.* spinal column; **приковавам на позорния** ~ put to the pillory.

стълб|а *ж.*, -и (*подвижна*) (step-)ladder; (*стъпало*) step; **противопожарна** ~а fire-escape, ladder escape.

стълбищ|е *ср.*, -а staircase, stairs; (*между две площадки*) flight of stairs; **евакуационно** ~е emergency staircase; **парадно** ~е front/principal staircase.

стълкновени|е *ср.*, -я clash, collision, tussle; confrontation; encounter; **въоръжено** ~е armed conflict.

стълпотворени|е *ср.*, -я: ● **Вавилонско** ~е *библ.* Babel, Tower of Babel.

стъмва се и стъмнява се, стъмни се *възвр. гл.* it is getting/growing dark.

стъпал|о *ср.*, -à **1.** step; (*на стълбище*) stair; (*на подвижна стълба*) rung, stave; (*на вагон и пр.*) footplank, footboard; (*на амфитеатър*) gradin(e); **височина на** ~о *архит.* rise; **2.** *анат.* foot, *pl.* feet; **3.** (*на чорап*) foot; **4.** *прен.* stage; **издигам се на по-високо** ~о rise to a higher level.

стъпвам, стъпя *гл.* tread, step, set foot (in, on); make/take a step; (*ходя*) walk; ~ **някому на врата/шията** get s.o. under, bend s.o. to o.'s will, bring s.o. to his knees; ~ **тежко** walk heavily; trudge, tramp; clomp; ● ~ **на краката си** find o.'s feet.

стъписвам, стъписам *гл.* startle; confuse; take aback; ‖ ~ **се** dumbfounded/startled/taken aback, become confused; (*за кон*) shy.

стъпк|а *ж.*, -и **1.** step (*и прен.*); (*голяма*) stride; (*походка*) pace, gait; (*балетна*) pas; (*шум от стъпка*) footstep, step, footfall, tread; (*отпечатък от стъпка*) footmark; (*на танц*) step; (*мярка – разкрач*) step; (*стъпало*) foot; **вървя по** ~**ите на някого** tread in s.o.'s steps, follow in the steps of s.o, *прен.* follow in s.o.'s footsteps/tracks; **вървя с бърза** ~**а** walk quickly, walk with a rapid step; **правя решителна** ~**а** make/take a decisive step; **2.** *лит.* foot, measure, metre; **3.** *техн.*, *мат.* pitch; step; module; ~**а на винт** *техн.* screw pitch.

стъпквам, стъпча *гл.* **1.** tread/walk/stamp upon; trample, crush under foot; stamp down/out; (*трева и пр.*) stamp flat; (*с кон*) ride down, ride over; **2.** *прен.* crush.

стъргàл|о *ср.*, -а и -à **1.** scraper; **2.**

прен. promenade.

стърготùн|а *ж.*, -и обикн. мн. (*от трион*) saw-dust; (*от пила*) filings; (*стружки*) shavings; smithereens.

стържа *гл.*, *мин. св. деят. прич.* **стъргал 1.** scrape, rasp; (*тиган и пр.*) scour; (*със стъргало*) grate; *мед.* scarify; **2.** (*за груба тъкан*) scratch; **3.** (*издавам неприятен звук*) scrape, grate.

стърпявам се, стърпя се *възвр. гл.* refrain, keep o.s., restrain o.s. (*да from c ger.*); hold o.s. in; **едва се стърпях да не се изсмея** I could barely refrain from laughing.

стърчà *гл.* **1.** project, protrude, stick/jut out; (*нагоре*) stick up; (*извисявам се*) rise; ~ **над другите** stick/stand out among the rest; (*изпъквам, издувам се*) bulge; (*за коса*) stand on end, stick up, bristle; **2.** (*стоя прав*) stand; (*без работа*) hang about.

стършел *м.*, -и, (**два**) **стършела** *зоол.* hornet (*Vespa crabro*).

стюардèс|а *ж.*, -и air-hostess; flight attendant.

стягам, стѐгна *гл.* **1.** tighten (up); fasten (tight); clasp; press, grip; clamp; constrict; (*редици*) close; *мед.* (*вена и пр.*) strangulate; (*за дреха*) be tight; (*за обувка и пр.*) pinch; ~ **колана си** (*и прен.*) pull o.'s belt tight; tighten o.'s belt; **2.** (*подреждам, стъкмявам*) get ready, prepare; (*ремонтирам*) repair, put in good trim; (*обличам*) dress; ~ **багажа си** pack (up); **3.** (*дисциплинирам*) be exacting/strict; tighten the screw; ~ **дисциплината** tighten discipline; ‖ ~ **се 1.** get ready, prepare; set about (*c ger.*); gird (up) o.'s loins; **2.** (*втвърдявам се*) harden (*и за мускули*); congeal; **3.** become more disciplined; **4.** *прен.* (*събирам сили*) brace o.s. up, brace o.s. energies; pull o.s. together; draw o.s.'s up, collect o.'s faculties; buck up; take a grip on o.s.

субèкт *м.*, -и, (**два**) **субèкта 1.** *лог.*, *език.* subject; **2.** *разг.* fellow, chap, guy, *sl.* spiv; character.

субектùв|ен *прил.*, -на, -но, -ни subjective; *журн.* *sl.* gonzo; ~**ен идеализъм** *филос.* subjective idealism, subjectivism.

субективùз|ъм (-мът) *м.*, *само ед.* *филос.* subjectivism; subjective/per-

sonal attitude.

субекти́вност ж., *само ед.* subjectivity; (*пристрастие*) bias.

субсиди́рам *гл.* subsidize, back.

субсиди́ране *ср., само ед.* subsidization.

субси́ди|я ж., *-и обикн. ед.* subsidy, grant, bounty; (*дотация*) subvention, grant-in-aid; **държавни ~и** government subsidy, state aid; **целеви ~и** grants in aid.

субста́нци|я ж., *-и* substance.

субти́три *само мн. кино.* subtitle.

субтропи́|к м., *-ци обикн. мн. геогр.* subtropic.

сувени́р м., *-и, (два)* **сувени́ра** souvenir, keepsake.

суверѐн|ен *прил., -на, -но, -ни* sovereign; (*върховен*) supreme.

суверенитѐт м., *само ед.* sovereignty; **нарушен ~** offended sovereignty.

Суда́н м. *собств.* Sudan.

суда́н|ец м., *-ци* Sudanese.

суда́нк|а ж., *-и* Sudanese (woman).

суда́нск|и *прил., -а, -о, -и* Sudanese.

суджу́|к м., *-ци, (два)* **суджу́ка** flat sausage.

суевѐр|ен *прил., -на, -но, -ни* superstitious.

суевѐри|е *ср., -я* superstition.

сует|а́ ж., *-й* vanity; foppery; ● **пана-ир на ~ата** *прен.* vanity fair.

суѐт|ен *прил., -на, -но, -ни* vain; conceited; foppish.

суѐтност ж., *само ед.* vanity; foppery, foppishness.

суетя́ се *възвр. гл., мин. св. деят. прич.* **суети́л се** bustle/fuss/fluster/flutter about; trot/run/scurry about; *разг.* faff (about).

сукма́н м., *-и, (два)* **сукма́на** low-cut sleeveless dress; tunic.

султа́н м., *-и* sultan.

султа́нск|и *прил., -а, -о, -и;* **султа́-нов** *прил.* sultan's, of a sultan, sultanic.

сулфами́д м., *-и обикн. мн. фарм.* sulphanilamides, *амер.* sulfanilamides; sulpha-drugs.

сулфа́т м., *-и, (два)* **сулфа́та** хим. sulphate; **железен ~** ferrous sulphate, copperas.

сулфи́т м., *-и, (два)* **сулфи́та** хим. sulphite.

су́м|а ж., *-и* sum; amount; **играя на големи/малки ~и** play at high/low

stakes; **на ~а** to the amount of, amounting to; **трансфѐрна ~а** transfer fee.

су́ма₂ *нареч. нар.* a lot of, lots of, a battery of; **~ народ** lots of/a lot of people.

сума́р|ен *прил., -на, -но, -ни* summational, summary; total.

сумато́ха ж., *само ед.* bustle, turmoil, confusion, commotion, flurry, tumult, turbulence; agitation, combustion, disturbance, flurry, stir; *разг.* carfuffle; *sl.* razzle-dazzle, rumpus.

сумира́м *гл.* add; sum up; recapitulate; summarize.

су́мо *ср., само ед. спорт.* sumo.

сумтя́ *гл.* breathe heavily (and noisily); grunt; wheeze; snort; snotter.

су́п|а ж., *-и кул.* soup.

су́пен *прил.* soup (*attr.*); **~а лъжица** tablespoon.

суперлати́в м., *-и, (два)* **суперлати́ва 1.** *език.* superlative (degree); **2.** *само мн. прен.* big words/talk, exaggeration.

су́пермаркет м., *-и, (два)* **су́пермар-кета** supermarket.

су́порт м., *-и, (два)* **су́порта** *техн.* saddle; toolhead; carriage; slide; **~ на струг** lathe carriage.

сурвака́р (-**ят**) м., *-и нар.* sourvakar (boy going from house to house wishing people a Happy New Year).

сурди́нка ж., *само ед. муз.* sordine, mute; ● **под ~ муз.** (*и прен.*) with muted strings, with a mute on; *прен.* under o.'s breath.

суро́в *прил.* **1.** raw; uncooked, unboiled; (*недопечен*) half-baked; (*за хляб*) heavy; **~о месо** raw meat; **2.** (*необработен*) raw; crude; **~ нефт** crude oil; **~и материали** raw materials/stuffs; **3.** *прен.* (*строг, груб*) severe, harsh, rigorous, heavy-handed; (*за човек*) rough, savage, rude, hard-bitten; (*безмилостен*) cruel, severe; tough; *журн.* swingeing; **~а присъда** severe sentence; **4.** *прен.* (*прост, първичен*) wild, harsh, austere; **~а красота** wild/harsh/austere beauty; **5.** *прен.* (*тежък, мъчно поносим*) hard; (*за климат*) severe, harsh, raw, inclement, rigorous; ● **в ~ вид** in the raw, *прен.* in the rough.

суро́ватка ж., *само ед.* **1.** (*на мляко и пр.*) whey; (*от масло*) buttermilk; **2.** *мед.* serum, *pl.* serums, sera.

суровин|а́ ж., *-й* raw material/stuff.

сурови́н|ен *прил., -на, -но, -ни* raw-

material (*attr.*); **~на база** a source of raw materials, a raw-material base/source.

суса́м м., *само ед. бот.* sesame, gingili (*Sesamum indicum*).

суспенди́рам *гл.* suspend.

сутеньо́р м., *-и* souteneur, fancy-man; *sl.* ponce.

сутерѐн м., *-и, (два)* **сутерѐна** basement.

сутиѐн м., *-и, (два)* **сутиѐна** brassiere, *разг.* bra.

су́треш|ен *прил., -на, -но, -ни* morning (*attr.*).

су́трин₁ ж., *-и* morning; **тази ~** this morning.

су́трин₂ *нареч.* in the morning; **утре ~** tomorrow morning.

суфи́кс м., *-и, (два)* **суфи́кса** *език.* suffix.

суфлѐ *ср., -та кул.* soufflé.

суфли́рам *гл. театр.* prompt (*и прен.*).

суфльо́р м., *-и;* **суфльо́рк|а** ж., *-и* prompter.

суфльо́рск|и *прил., -а, -о, -и* prompter's; **~а будка** prompt-box.

сух *прил.* **1.** dry; *геогр.* arid; (*за дърво*) dry, dead; **~ климат** dry climate; **~ хляб/стале bread;** **~а кашлица** dry cough; hack, hacking cough; **2.** (*слаб, мършав*) lean, meagre, gaunt, stringy; spare; dried-up; **3.** *прен.* (*скучен*) dry, dull, arid; ● **излизам ~ от водата** come off clear; **~о вино** a dry wine.

суха́р м., *-и, (два)* **суха́ра** rusk; ship's biscuit.

су́хо₁ *нареч.* dryly, drily (*и прен.*).

су́хо₂ *ср., само ед.* **1.** dry place; **на ~** in the dry, in a dry place; **2.** (dry) land; ● **оставам на ~** to be left high and dry, be left on the wrong side of the door, be left with o.'s finger in o.'s mouth, be left stranded, get nothing for o.'s pains.

сухожи́ли|е *ср., -я анат.* tendon; sinew; **коля́нно ~е** hamstring.

сухозѐм|ен *прил., -на, -но, -ни* land (*attr.*); terrestrial.

сухопъ́т|ен *прил., -на, -но, -ни* land (*attr.*); **~ни сили воен.** land forces.

су́ча₁ *гл., мин. св. деят. прич.* **су́кал** spin; (*усуквам*) twist; (*мустак*) twist, twirl.

су́ча₂ *гл., мин. св. деят. прич.* **су́кал** suck.

су́ша₁ ж., *само ед.* (*земя*) land, earth,

dry land, mainland; ● по ~ и по море by land and by sea.

сѐша₂ ж., само ед. (засуха) drought.

сѐшà гл., мин. св. деят. прич. сушѝл 1. dry; (в центрофуга) spin-dry; (въздуха) dehumidify; (тютюн) cure; desiccate; 2. (за болест) consume; || ~ се dry, get dried.

сушѐн мин. страд. прич. dried; dry; ~и плодове dried/desiccated fruit(s).

сушѝлн|я ж., -и drying-room, dry house; (за плодове) evaporator; техн. drying-oven/-furnace; dessicator.

сфѐр|а ж., -и sphere; прен. realm, sphere, province, compass, scope; ● висши ~и highest/leading circles; ~а на влияние полит. sphere of influence.

сферѝч|ен прил., -на, -но, -ни; сферѝческ|и прил., -а, -о, -и spheric(al), spheral, globular; of a sphere; global; ~на геометрия spherics, spherical geometry.

сфинкс м., -ове, (два) сфѝнкса археол. sphinx (и прен.).

сформѝрам гл. set up, form; ~ правителство form a government.

схванат мин. страд. прич. (и като прил.) 1. (скован) stiff, muscle-bound; benumbed, (от студ и пр.) numb; paralysed; (изтръпнал) dead; ~ врат a stiff neck; 2. прен. пренебр. (непохватен) clumsy, bungling; awkward left-handed; ~ човек duffer, bungler.

схвàтк|а ж., -и 1. воен. skirmish; engagement; melee, mêlée; 2. (сбиване) scrimmage, rough-and-tumble; (спречкване) skirmish, squabble; разг. dust-up.

схватлѝв прил. quick of apprehension/ understanding; quick to learn/grasp; receptive; teachable; intelligent; sharp, bright, clever.

схвàщам, схвàна гл. understand, grasp, comprehend, perceive, take in; get (s.th.) right; (смисъл) catch; разг. cotton on; (намек) take; ~ бързо/бавно be quick/slow to grasp; be quick/slow in/on the uptake; ~ неправилно misunderstand, misapprehend; || ~ се get/ feel stiff; be benumbed, become torpid; have cramp; be paralysed, be seized by paralysis; кракът ми се схвана I've got cramp in my leg; my leg has gone to sleep.

схѐм|а ж., -и 1. sketch, diagram, scheme; design; outline, plan; set up;

физ. circuit; ел. circuitry, circuit; интегрална ~а integrated scheme; ~и за финансиране икон. financing arrangements; 2. прен. cliché; 3. радио.: ~а за честотна корекция deaccentuator.

схематизѝрам гл. 1. schematize; 2. oversimplify.

схематизѝран мин. страд. прич.: ~ образ a stock character.

схематѝч|ен прил., -на, -но, -ни schematic; diagrammatic(al); outlined; (нахвърлян) sketchy.

схематѝчно нареч. in outline; in a diagram, diagrammatically; sketchily.

схѝзм|а ж., -и църк. schism.

схизматѝч|ен прил., -на, -но, -ни църк. schismatic.

схо̀д|ен прил., -на, -но, -ни similar (на to); like; (сроден) akin (на, с to); (еднакъв) same, identical; мат. (identically) equal.

схо̀дств|о ср., -а similarity (и геом.); (прилика) resemblance, likeness; analogy; sameness, identity; долàвям ~о hit/catch a likeness.

схолàстика ж., само ед. scholasticism.

схоластѝч|ен прил., -на, -но, -ни; схоластѝческ|и прил., -а, -о, -и scholastic.

схрỳсквам, схрỳскам гл. crunch (up).

сцѐн|а ж., -и 1. театр. stage; boards; излизам на ~ата come on (the stage); 2. (част от действие) scene; заключителна ~а finale; 3. (зрелище, скандал) scene; семейни ~и family rows; ● появявам се на ~ата прен. come on the stage.

сценàри|й (-ят) м., -и, (два) сценàрия scenario, screenplay, screen version, script.

сценарѝст м., -и; сценарѝстк|а ж., -и scenario-/screenplay-/script-writer.

сценѝч|ен прил., -на, -но, -ни 1. stage (attr.); театр. scenic; ~ен ефект stage effect; ~на треска stage fright/fever; 2. (подходящ за изпълнение на сцена) scenic; stage-worthy.

сценѝчност ж., само ед. (на актьор) stage presence.

сценогрàфия ж., само ед. scenography.

сцѐпвам₁, сцѐпя гл. split, cleave, rift, rive.

сцѐпвам₂, сцепя гл. техн. couple; || ~

се техн. be coupled, engage, bite.

сцеплѐни|е ср., -я cohesion; adhesion; coherence, coherency; без ~е non-cohesive.

счѐпквам, счѐпкам гл. grip, grasp, clutch, seize; || ~ се 1. grapple; have a scrap, come to scraps/grips (с with); grip each other; come to close quarters; 2. (скарам се) have words, come to words, quarrel, squabble, have a tiff.

счетово̀д|ен прил., -на, -но, -ни book-keeping (attr.), accounting; (главна) ~на книга ledger.

счетово̀дѝтел (-ят) м., -и; счетово̀дѝтелк|а ж., -и book-keeper, accountant; ledger-clerk; разг. number-cruncher.

счетово̀дств|о ср., -а 1. book-keeping; двойно ~о double entry, book-keeping by double entry; просто ~о single entry; 2. (канцелария) book-keeper's/ accountant's office.

счѝтам, счетà гл. consider, reckon, regard, think, look upon, find; книж. deem; ~ за нужно/необходимо consider it necessary; ~ за целесъобразен consider appropriate; || ~ се 1. consider/ think/regard o.s.; (считам ме) be considered/reputed to be; be looked upon/ regarded as; count for; 2. (вземам под внимание) take into consideration, consider (с -), reckon (with); това не се счита this does not count.

счỳпвам, счỳпя гл. break; (кост и) fracture; ~ рекорд спорт. break a record; || ~ се break, get/be broken; (развалям се – за машина) break down; (при силен напор) give in/way.

събàрям, събо̀ря гл. 1. throw down; (с удар) knock/bring down; (убивам) bring down; (плод от дърво) shake down; (катурвам) overturn, upset; topple down; (здание) demolish, pull/ tear/take down; flatten; 2. (власт) overthrow, topple, oust; 3. (за болест) lay up; || ~ се fall, crash, drop, tumble/ topple down.

събàряне ср., само ед. throwing down; demolition; demolishment; заповед за ~ на сграда demolition order; (на власт) overthrow.

събесѐдвам гл. talk, converse, speak.

събесѐдван|е ср., -ия talk, conversation; discussion; colloquy.

събесѐдни|к м., -ци interlocutor; col-

locutor; **той е интересен/скучен ~к** he is good/poor company.

събѝрам, съберѐ гл. **1.** gather (together); collect; bring together; for-(e)gather; (*бера*) pick; (*от земята*) pick up; (*смет*) sweep up; (*гласове*) poll; net; (*прах*) collect; gather; (*посеви*) gather in; (*натрупвам*) accumulate, amass; (*свиквам*) call together, convoke, convene; (*данъци*) levy; (*войска*) levy, muster, raise; фин. (*изваждам от употреба*) call in; **~ марки** collect stamps; **~ пари** (*от други хора*) collect money, raise funds, (*спестявам*) save (money), (*малко по малко*) scrape money together, (*за подарък и пр.*) have a whip-round; chip in; club together; pool money; **~ багажа си** pack up; **2.** (*приближавам един до друг*) push/put/bring together; (*прибирам*) gather; **3.** (*смръщвам, сбръчквам*) (*устни*) pucker; (*вежди и*) knit; **4.** (*спечелвам на своя страна*) rally; (*сдобрявам*) bring together; (*ставам причина да се срещнат*) bring together; **5.** (*побирам, съдържам*) hold, contain; (*за зала*) seat; **6.** мат. add (up); **7.** техн. assemble, fit together; **8.** (*сили, смелост*) muster; **~ мислите си** collect/compose o.'s thoughts; concentrate; **~ сили** rally/muster/collect o.'s faculties/forces/strength; gather o.'s up; || **~ се 1.** get/gather together, assemble, convene, club together (with); congregate; (*за облаци*) gather; (*за обсъждане и пр.*) meet, get together; (*по някакъв случай*) hold a reunion; **2.** (*дружа*) keep company, mix, associate (with); **3.** (*свивам се*) shrink; **4.** (*побирам се*) go/fit in; **● с какъвто се събереш, такъв ще станеш** a man is known by the company he keeps; touch pitch and be defiled.

събѝран|е ср., **-ия** collecting, gathering, meeting; collection; levy; **~е на вектори** мат. composition of vectors; (*натрупване*) accumulation; amassment; (*свикване*) convocation; **~е на данъци** tax collection; мат. addition.

събѝти|е ср., **-я** event; *само мн.* полит. developments; **неочаквано ~е** thunderclap.

съблазнѝтел|ен прил., **-на, -но, -ни** tempting, alluring, enticing; seductive; seducing, mouthwatering, vampish.

съблазнявам, съблазнѝ гл. entice, tempt, allure; (*прелъстявам*) seduce; inveigle; || **~ се** be tempted.

съблѝчам, съблека́ гл. (*някого*) undress; strip s.o. of; книж. disrobe, divest (of clothes); (*дреха*) take off; **~ палтото си** take off o.'s coat; || **~ се** undress, strip, disrobe; take off o.'s clothes.

съблюдавам гл. observe, abide by.

съболезновани|е ср., **-я** *обикн. мн.* condolence; **изказвам някому ~ята си** condole with s.o.; present/express/offer o.'s condolences to s.o.; **● моите ~я** my condolences, my deep sympathy.

съболезновател|ен прил., **-на, -но, -ни** condolatory, of condolence.

събор м., **-и, (два)** събо́ра **1.** (*панаир, сбор*) fair; **2.** (*конгрес*) convention; истор. council, synod; рел. convocation; **● Вселенски ~** църк. an (o)ecumenical council.

събо́ретин|а ж., **-и** tumble-down dwelling; shack.

събо́т|а ж., **-и** Saturday; **● Велика ~a** църк. Holy Saturday.

събо́т|ен прил., **-на, -но, -ни** Saturday (*attr.*); **~ен ден** Saturday, нар. on Saturday(s).

съботнии м., **съботяни; съботян-к|а** ж., **-и** рел. sabbatarian; adventist.

събрани|е ср., **-я 1.** meeting; gathering; assembly; **законодателно ~е** legislative assembly; **народно ~е** national assembly; **2.: пълно ~е на съчиненията на** the complete works of.

събу́вам, събу́я гл. take/pull off; **~ обувките си** take off o.'s shoes; || **~ се** take off o.'s shoes/socks/stockings.

събу́ждам, събу́дя гл. **1.** awaken, wake, rouse (from sleep); **2.** прен. (*пробуждам*) awaken, arouse, evoke; stir up; revive; **~ интерес** set the heather on fire; **~ любопитство** arouse curiosity; || **~ се** wake up, awake.

събу́ждан|е ср., **-ия** waking (up); (*пробуждане*) revival, evocation; **~е по телефона** wake-up call.

съвест ж., *само ед.* conscience; **гризе ме ~та** my conscience pricks me; **постъпвам по ~** act according to/follow the dictates of o.'s conscience.

съвест|ен прил., **-на, -но, -ни 1.** conscientious, thorough; dutiful; книж.

duteous; scrupulous; **2.** (*нравствен*) upright, honest.

съвѐт м., **-и, (два)** съвѐта **1.** (*съветване*) advice, counsel; разг. tip; (*приятелски*) admonition; (*на юрист*) opinion, advice; **по негов ~** on his advice; **по ~ на лекарите** on medical advice; **2.** (*съвещателно тяло*) council; **Министерски ~** polit. council of ministers; **3.** (*сграда*) council house/building.

съвѐтвам гл. advise, counsel; (*с укор*) admonish; **~ някого да не** advise s.o. against (*c ger.*); || **~ се** consult (**с -**), seek advice/counsel (**с** from), take counsel (**с** with); talk things over(with); ask advice (**с** of); **~ се с адвокат/лекар** take legal/medical advice; consult a lawyer/doctor.

съвѐтни|к м., **-ци** adviser, advisor, counsellor; **градски/общински ~к** municipal councillor.

съвещавам се *възвр. гл.* take counsel, confer (**с** with); deliberate (on), consult (on, about), hold a consultation/conference, discuss; **съвещаваме се** consult together, разг. put our heads together.

съвещани|е ср., **-я** conference; meeting; (*обсъждане*) discussion, deliberation, consultation; **съдът се оттегля на ~е** the court adjourns for deliberation.

съвещател|ен прил., **-на, -но, -ни** consultative; deliberative; **~ен орган** deliberative/consultative body.

съвзѐмам се, съвзѐма се *възвр. гл.* (*след болест, война и пр.*) recover; (*след болест и пр.*) recuperate, pull through; (*след нещо неприятно*) pull o.s. together; recover o.s.; collect o.'s faculties; (*след припадък*) come to, regain consciousness, разг. come round/to; (*съживявам се*) pick up.

съвмѐст|ен прил., **-на, -но, -ни** joint, joined, combined; collaborative; coactive; coadjutant; concurrent; common; **~ен живот** life together; **~ни действия** joint action; воен. combined operations.

съвместѝм сег. страд. прич. compatible (**с** with); conformable (to).

съвкуплѐни|е ср., **-я** copulation; coition.

съвпадам, съвпадна гл. coincide, concur, tally (**с** with); разг. fall in (with); (*еднакъв съм*) coincide, be identical;

(*по време*) coincide, concur; clash; co-exist; (*по място*) coincide; (*за мнения*) agree, concur, coincide, accord, be in keeping (with); dovetail; **не** ~ disagree, conflict, not square (**с** with); not correspond (to), not be in keeping (with); **това съвпада с плановете ми** this fits in well with my arrangements/plans.

съвпадѐни|е *ср.*, **-я** coincidence; concurrence.

съврѐмен|ен *прил.*, **-на**, **-но**, **-ни** contemporary, contemporaneous; present-day (*attr.*); (*нов*) modern; up-to-date; current; ~**ен човек** a modern man.

съврѐменни|к *м.*, **-ци**; **съврѐменни-ц|а** *ж.*, **-и** contemporary; cotemporary; coeval.

съврѐменност *ж.*, *само ед.* contemporaneity; contemporaneousness; modern times; o.'s own times; (*настояще*) the present; **нашата** ~ the present day.

съвсѐм *нареч.* quite; (*напълно*) entirely, completely; absolutely; (*изцяло*) totally, altogether; (*съвършено*) wholly, utterly, thoroughly, *разг.* clean; ~ **друг** quite/altogether different; ~ **неочаквано** most unexpectedly; ~ **сам** all alone; all by himself.

съвършѐн *прил.* perfect; thorough; consummate; downright; (*безгрешен*) faultless; (*несъмнен*) absolute, out-and-out; ~**а противоположност** exact opposite.

съвършѐнство *ср.*, *само ед.* perfection; consummation; **в/до** ~ to perfection.

съглас|ен *прил.*, **-на**, **-но**, **-ни** *език.* consonantal; ~**ен звук** consonant.

съглас|ен₂ *прил.*, **-на**, **-но**, **-ни** concordant (**с** with); in agreement (**с** with); (*с предложение, при гласуване*) content; ~**ен съм напълно** I am in full agreement.

съгласѝе *ср.*, **-я** 1. consent, assent; agreement; **взаимно** ~**е** mutual consent/agreement; **мълчаливо** ~**е** implicit consent; connivance; 2. (*единомислие*) accord, concord; harmony; agreement.

съгласувам *гл.* 1. co-ordinate, harmonize, bring into line (**с** with); concert; 2. *език.* make agree (with); ‖ ~ **се** 1. concur; conform (**с** to); go together, come into line(with); 2. *език.* agree.

съгласявам се, съглася се *възвр. гл.* agree (**с нещо** to s.th.); ~ **с мнението на мнозинството** accede to the majority.

съглашѐни|е *ср.*, **-я** 1. agreement, understanding; 2. (*договор*) agreement, convention; compact; covenant; 3. *полит., истор.* entente.

съд|₁ *м.*, **-ове**, (**два**) **съда** 1. vessel; container; utensil; **плавателен** ~ vessel, craft; 2. *анат.* vessel, vasculum, *pl.* vascula; **кръвоносен** ~ blood-vessel.

съд|₂ *м.*, **-илища** *юр.* law-court, court, court of law/justice; **Върховен** ~ supreme court; **давам някого под** ~ **sue/** prosecute s.o.; bring s.o. to trial; bring an action/a suit against s.o.; institute proceedings /an action against s.o.; *разг.* have the law of/on s.o.; ● **Страшният** ~ **църкв.** Doomsday.

съдб|à *ж.*, **-и** fate; fortune; lot; (*участ*) destiny; (*нещастна*) doom; ● **на произвола на** ~**ата** at the mercy of fate.

съдбов|ен и съдбонòс|ен *прил.*, **-на**, **-но**, **-ни** fateful, fatal (**за** to); crucial, decisive; ~**но решение** doomsday decision.

съдѐб|ен *прил.*, **-на**, **-но**, **-ни** *юр.* legal; forensic; judicial; judiciary; court (*attr.*); ~**ен процес** legal proceedings; lawsuit, case; ~**на палата** law courts.

съдѐйствам *гл.* co-operate (**на** with); concur (with); (*на човек*) assist, help; (*за развитие и пр.*) further, promote; (*допринасям*) contribute (**за** to); ~ **за** facilitate.

съдѐйстви|е *ср.*, **-я** co-operation, concurrence; assistance, help, aid, promotiveness; **оказвам** ~**е на някого** assist/help s.o.

съдѝйск|и *прил.*, **-а**, **-о**, **-и** judicial; judiciary; of a judge, of judges; ~**и сигнал** *спорт.* signal.

съдѝя *м.*, **съдѝи** 1. judge; justice; magistrate; **върховен** ~ chief justice; supreme judge; ~**изпълнител** officer of the court; bailiff, an executory officer; receiver; 2. *спорт.* referee; judge; umpire; **страничен** ~ (*при ръгби*) touch-judge.

съдружни|к *м.*, **-ци**; **съдрỳжниц|а** *ж.*, **-и** partner; copartner; associate.

съдържам *гл.* contain; (*побирам*) hold; (*състоя се*) consists of; (*обхващам*) comprise, embrace.

съдържàни|е *ср.*, **-я** 1. contents; (*същина*) content; substance; matter; (*на термин*) connotation; (*на лит. произведение*) subject(-matter); (*на документ*) tenor; 2. (*списък*) (table of) contents; ● **форма и** ~**е** form and content/matter.

съдя *гл.*, *мин. св. деят. прич.* **съдил** 1. (*за съд*) try, put on trial; bring to trial; (*за страна*) sue, bring a suit against, bring up before the court, litigate with; ~ **за нанесени вреди** sue for damages; 2. (*отсъждам, преценявам*) judge; pass judgement upon, pass a verdict on; stand in judgement; (*вадя заключение*) judge (**по**, **от** by, from **за** of); 3. (*мъмря, укорявам*) admonish; rebuke; ‖ ~ **се** go to law (**с** with), be at law (with).

съединѐни|е *ср.*, **-я** 1. (*действие*) joining, junction; **шарнирно** ~**е** *техн.* articulated joint, link connection, socket joint; 2. (*съюз*) union; (*единство*) unity; (*единение*) combination; coalescence; *хим.* compound; *техн.* joint; junction; connection; butt; coupling, linkage, tracking; **късо** ~**е** *ел.* a short circuit; 3. *воен.* formation; ● ~**ето прави силата** union is strength; united we stand, divided we fall.

съединѝтел (**-ят**) *м.*, **-и**, (**два**) **съединѝтеля** *техн.* connector; (*амбреаж*) clutch; *ел.* coupling.

съединѝтел|ен *прил.*, **-на**, **-но**, **-нн** connecting; *анат.* (*за тъкан*) connective, conjunctive; *език.* copulative.

съединявам, съединя *гл.* join, unite, conjugate; connect; (*две парчета*) piece/tag together; couple; ~ **на късо** *ел.* shunt, short-circuit; ‖ ~ **се** unite; join together, coalesce; fuse; meet; *хим.* combine; (*за дружества, организации*) merge; amalgamate, consolidate.

съжалѐни|е *ср.*, **-я** regret; (*жалост*) pity, ruth; **за** ~**е** unfortunately.

съжалявам, съжаля *гл.* pity, have/take pity on, be sorry for; **много** ~ **за** I am most regretful for.

съживявам, съживя *гл.* 1. revive, revitalize, resuscitate, bring back to life, reanimate; 2. *прен.* (*възобновявам*) revive, wake, awaken; stir; 3. *разг.* perk up, jazz up, pep up, ginger up, put some punch/pep into (it); galvanize; *прен.* (*оживявам*) animate, enliven, quicken,

vivify, revivify, brighten up, *разг.* buck up; (*ободрявам*) pick up; || ~ **се 1.** revive, resuscitate, come back to life, come to life again; recover, spring to life; **2.** *прен.* become animated; brighten up; pick up; reinvigorate.

създавам, създам *гл.* **1.** create, make; (*теория, учение*) found, originate; (*изобретявам*) invent, devise; excogitate; **2.** (*основавам*) establish; (*предприятие и пр.*) found, set up, start, float; (*изграждам*) build (up); (*семейство*) found, set up, raise a family; **3.** (*причинявам*) give rise to; (*докарвам*) bring about; (*пораждам*) generate, give birth to; call into being; ~ **настроение** create a mood; || ~ **се** be created/founded/originated/formed/initiated; originate, begin, arise; come into being; be in the making.

създател (-ят) *м.*, -и; **създателк|а** *ж.*, -и creator; maker; generator; (*на учение, теория*) founder, originator; ● **Създателят** *църк.* The Creator.

съзирам, съзра *гл.* **1.** catch sight of, set o.'s eyes on, spot, see; notice; spy, espy; *книж.* descry; **2.** (*долавям*) perceive, notice; || ~ **се** be noticeable/seen, show.

съзнавам, съзная *гл.* realize; be/become aware/conscious of; be alive to; be awake to; *разг.* get wise to; (*грешка*) admit; (*дълг*) recognize; ~ **вината си** acknowledge/admit o.'s guilt.

съзнание *ср.*, *само ед.* consciousness; awareness; (*чувство за дълг и пр.*) sense (**за** of); **губя** ~ lose consciousness, faint, pass out, (*за кратко време*) have a black-out, *поет.* swoon.

съкращавам, съкратя *гл.* **1.** (*скъсявам*) shorten, curtail; (*дума*) abbreviate; (*книга и пр.*) abridge; (*непечеливши клонове и дейности*) *икон.* downsize; **2.** (*намалявам*) reduce, cut (down), curtail, retrench; ~ **щат** *икон.* reduce the establishment, cut down the staff; **3.** (*уволнявам*) discharge; lay off, *икон.* make (s.o.) redundant; **4.** *мат.* (*дроб*) cancel; (*уравнение*) eliminate; abbreviate by cancellation.

съкращени|е *ср.*, -я **1.** shortening; curtailment; (*на дума*) abbreviation; (*на книга и пр.*) abridgement; ~**е на щата** *икон.* redundancy; **2.** (*намаление*) reduction, cut; **3.** (*уволняване по*

съкращение) laying off, dismissal, contraction, layoff; **4.** *мат.* cancellation; elimination.

съкровищ|е *ср.*, -а treasure; (*заровено*) treasure trove, *прен.* (*за човек и пр.*) jewel; **търсене на** ~**е** treasure-hunt.

съкрушавам, съкруша *гл.* crush, shatter, smash; (*армия, неприятел*) overwhelm, crush, rout; (*опечалявам*) distress, prostrate; break (s.o.'s heart).

съкрушител|ен *прил.*, -на, -но, -ни shattering, crushing, smashing, overwhelming; knockout (*attr.*) (*и спорт.*), knock-down (*attr.*); ~**ен удар** stunning/swashing blow, hammer-blow; *разг.* finisher; floorer.

сълз|à *ж.*, -й tear; tear-drop; **едва сдържам** ~**ите си** be on the brink of tears, ● **крокодилски** ~**и** crocodile tears.

сълз|ен и **слъз|ен** *прил.*, -на, -но, -ни *анат.* lacrimal, lacrymal, lachrymal; ~**на жлеза** *анат.* a lachrymal gland.

съм (си, е, сме, сте, са) *гл.*, *мин. св. деят. прич.* **бил 1.** be; (*присъствам*) be there/present; **не** ~ **това, което бях** I'm not the man I was; I am not my old self; **2.** (*при сложни гл. форми*) be; have; **виждал** ~ **го** I have seen him.

съмишлени|к *м.*, -ци; **съмишлениц|а** *ж.*, -и adherent, follower.

съмнени|е *ср.*, -я **1.** doubt, uncertainty (**в** as to, about); dubiety (regarding); **поставям нещо под** ~**е** question/doubt s.th.; call/bring s.th. in question; impeach s.th.; throw discredit on s.th.; **2.** (*подозрение*) suspicion (*недоверие*) mistrust; distrust; (*опасение*) misgiving; apprehension.

съмнител|ен *прил.*, -на, -но, -ни **1.** (*несигурен*) doubtful, doubtable; problematic, questionable, shaky; ~**ен резултат** equivocal outcome; **2.** (*подозрителен*) suspicious, dubious; equivocal; *разг.* fishy, dodgy; (*за репутация и пр.*) shady; dingy; ~**на личност** dubious character.

съмнявам се *възвр. гл.* **1.** doubt (**в** -), have doubts (**в** of, as to, about); **2.** (*не вярвам*) mistrust, suspect (**в** някого s.o.); have doubts about.

сън (-ят) *м.*, -ища, (*два*) съня **1.** (*спане*) sleep; slumber; (*дрямка*) nap; doze; *разг.* shut-eye, kip; **спокоен** ~ sound

sleep; **2.** (*съновидение*) dream; **сънувам** ~ dream, have/dream a dream; ● **зимен** ~ *зоол.* (*и прен.*) hibernation.

сънародни|к *м.*, -ци; **сънародниц|а** *ж.*, -и compatriot, fellow-countryman, *f.* fellow-countrywoman.

сън|ен *прил.*, -на, -но, -ни sleepy, drowsy; slumberous; somnolent; half-asleep; ~**на болест** *мед.* sleeping-sickness.

съображени|е *ср.*, -я *обикн. мн.* consideration; (*причина*) reason; **излагам** ~**ята си** state the reasons.

съобразявам, съобразя *гл.* **1.** (*преценявам*) weigh (in o.'s mind); consider (carefully); take into consideration; **2.** (*досещам се*) realize; guess; **3.** conform (s.th. to); || ~ **се (с)** conform/reckon with; take into consideration/account, consider; bear in mind; comply with; ~ **се с желанията на другите** show consideration for others.

съобщавам, съобщя *гл.* (*обявявам*) announce; (*известявам*) communicate, report, bring word, let (s.o.) know; tell; (*уведомявам*) inform, notify (**за** of), *търг.* advise; (*новина*) convey, impart, give out, (*особ. лоша*) break; || ~ **се: съобщава се, че** it is reported/announced that.

съобщени|е *ср.*, -я **1.** announcement; communication, report, message, word, intimation, intelligence, information; **официално** ~**е** official announcement; communiqué; **2.** (*връзка*) communication.

съоръжени|е *ср.*, -я equipment; outfit; **строителни** ~**я** building equipment.

съответствам *гл.* conform (**на** with), correspond (**на** to, with), be in line (with); concur (with); dovetail; (*подхождам*) suit, fit; be appropriate (to); (*на описание*) tally (with); (*на изисквания*) meet, fit.

съперни|к *м.*, -ци; **съперниц|а** *ж.*, -и rival; contender, competitor; emulator.

съприкосновени|е *ср.*, -я contact, touch, contiguity; **влизам в** ~**е с** come into contact with, get in touch with.

съпротива *ж.*, *само ед.* resistance; opposition; defence; fightback; (*движение*) resistance movement; **оказвам** ~ put up/offer resistance (**на** to), resist, oppose (**на** -).

съпротивлѐни|е *ср.,* -**я** *физ.,* *мед.* resistance; *техн.* strength.

съпротив(л)ѐвам се, съпротивя̀ се *възвр. гл.* resist, oppose; put up/show/ offer resistance; fight back; stand (against), make a stand (against); hold out (against); (*устоявам*) withstand; (*имам нещо против*) object (to); **не се съпротивлявам** offer/make/show no resistance, (*приемам без съпротива*) take things lying down.

съпрỳ|г *м.,* -**зи** husband, spouse.

съпрỳг|а *ж.,* -**и** wife, spouse; *юр.* feme; *шег.* trouble and strife.

сърбѝ ме (те, го, я, ни, ви, ги) *безл. гл.* itch.

сърбѝн *м.,* **сърби** Serb, Serbian.

Сърбия *ж. собств.* Serbia.

сърдѐч|ен *прил.,* -**на,** -**но,** -**ни 1.** heart (*attr.*), of the heart; cardiac; ~**ен мускул** *анат.* heart muscle; **2.** *прен.* sociable; hearty; cordial; (*за човек*) affectionate, warmhearted, (*жизнерадостен*) cheery, genial; ~**ен прием** cordial reception, hearty welcome; **3.** *прен.* (*любовен*) of the heart, heart (*attr.*), love (*attr.*).

сърдѝт *мин. страд. прич.* angry, cross (**на** with, **за** at, about); grumpy, grumpish; ratty, disgruntled; *разг.* snakeheaded; in a huff, huffy; *амер.* rednecked; ~**и сме** we are not on friendly/ good terms, (*не си говорим*) we're not on speaking terms.

сърдя̀ *гл.,* *мин. св. деят. прич.* **сърдил** anger, make angry; (*дразня*) irrigate, vex, tease; || ~ **се** be angry/cross (**на** with, **за** at, about); *разг.* get the hump.

съревновани|е *ср.,* -**я** emulation; *спорт.* contest; (*конкуренция*) competition; **обявявам** ~**е** challenge to emulation.

сърц|ѐ *ср.,* -**а̀ 1.** heart (*и прен.*); *sl.* ticker; **с открито** ~**е** open-hearted; *нар.* open-heartedly; **2.** (*среда, средина*) (*на плод; и техн.*) core; (*на земята*) centre; **3.** (*мъжество*) courage; ● **на драго** ~**е** willingly, gladly, with pleasure; **златно** ~**е** heart of gold.

съсѐд *м.,* -**и**; **съсѐдк|а** *ж.,* -**и** neighbour; **всички** ~**и** the whole neighbourhood.

съсѝпвам, съсѝпя *гл.* **1.** (*унищожавам*) ruin; (*опустошавам*) devastate,

lay waste; ravage; (*дрехи и пр.*) ruin, spoil; **2.** (*разсипвам, смазвам*) finish; bring (s.o.) to grief; *разг.* do for; *sl.* spifflicate; || ~ **се** be ruined; be done for; be wasted; ~ **се от работа** work o.s. to death; kill o.s. working; work o.'s fingers to the bone; work o.'s socks off.

състàв *м.,* -**и,** (**два**) **състàва** composition (*и хим.*); make-up; (*структура*) structure; **личен** ~ personnel, staff.

съставя̀вам, съставя̀ *гл.* **1.** compose, constitute, make up; comprise; form (*и правителство, представа, мнение*); (*представлявам*) be; ~ **списък** make a list; **2.** (*съчинявам, написвам*) compile; ~ **речник** compile a dictionary.

състезàвам се *възвр. гл.* compete (**с** with, **по, в** in, **за** for); contend (with; for); take part in a contest/a race; (*в избори*) run (**с** against); *юр.* controvert (s.o.).

състезàни|е *ср.,* -**я** contest, competition, *спорт.* event; match; *юр.* controversy; **атлетически** ~**я** athletic events.

състезàтел (-ят) *м.,* -**и**; **състезàтелк|а** *ж.,* -**и** competitor; contestant; athlete.

състоя̀ни|е *ср.,* -**я 1.** state, condition; (*положение*) position, status; **твърдо/ течно/газообразно** ~**е** hard/liquid/ gaseous state; **2.** (*богатство*) fortune, wealth; **наследявам** ~**е** come into money.

състрадàние *ср.,* *само ед.* compassion; compassionateness; commiseration; sympathy, pity; empathy; **отнасям се със** ~ **към** have compassion on.

съучàстни|к *м.,* -**ци**; **съучàстниц|а** *ж.,* -**и** accomplice, associate; confederate; party; *юр.* accessory (to a crime); **ставам** ~**к в престъпление** become party to a crime.

съхранѐние *ср.,* *само ед.* preservation; conservation (*и техн.*); safe-keeping; storage; **давам нещо на** ~ deposit/entrust s.th. for safe-keeping, give s.th. into s.o.'s charge.

съчинѐни|е *ср.,* -**я 1.** (*литературно*) work, writing; *муз.* composition, work; **2.** *уч.* composition; essay; theme; ● **избрани** ~**я** *лит.* selected works.

съчиня̀вам, съчиня̀ *гл.* **1.** write, compose; **2.** (*измислям*) invent, make up, fabricate; concoct; || ~ **си** tell stories; dream up, invent, *разг.* draw/pull the

long bow.

съчỳвствие *ср.,* *само ед.* sympathy (**към** for); compassion, commiseration; fellow-feeling; **не срещам** ~ meet with no sympathy.

съществ|ò *ср.,* -**à** (*нещо живо*) being, creature, thing; man; existent; ● **говоря/отговарям по** ~**о** speak/answer to the poin.

съществỳвам *гл.* exist; be; subsist; be in existence; *безл.* there is/are; there exist(s).

съществỳване *ср.,* *само ед.* existence; subsistence; **съвместно** ~ co-existence.

същност *ж.,* *само ед.* essence; nature; character; substance, main point; gist, pith, core, root, crux; ~**та на въпроса** the point/pith/gist/root of the matter.

съю̀з *м.,* -**и,** (**два**) **съю̀за 1.** union; alliance; league; coalition; association; **професионален** ~ trade union; **2.** *език.* conjunction.

съюзя̀вам, съюзя̀ *гл.* ally, make allies; || ~ **се** form an alliance (**с** with), become allied (with), enter into an alliance (with); confederate (with); **съюзя̀ваме се против** make common cause against; *разг.* gang up against.

сюжѐт *м.,* -**и,** (**два**) **сюжѐта** subject(-matter); (*фабула*) plot, storyline.

ся̀дам, сѐдна *гл.* **1.** sit down; seat o.s., be seated, take a seat/chair; (*изправям се от легнало положение*) sit up; **седнете!** sit down! take a seat!; **2.** (*заемам се усърдно*) get down to; ~ **над книгата/книгите** settle down to reading, apply o.s. to study; **3.** (*спирам да работя; мирясвам*) rest; stop.

ся̀нка *ж.,* **сѐнки 1.** (*неосветено място*) shade; shady place; **светлини и сенки** *изк.* light and shade; **2.** (*очертание, силует*) shadow; *астр.* umbra; **хвърлям** ~ cast a shadow; *прен.* cast a reflection, throw discredit (**върху** on); **3.** (*призрак*) apparition, phantom; (*на умрял човек*) shade, ghost, spectre; **4.** *прен.* (*следа*) trace; vestige; ● **стоя/оставам в** ~ stand/remain in the shadow/background, keep in the background; fall into the shade; stay out of the limelight; take a back seat; efface/obliterate o.s.

ся̀ра *ж.,* *само ед.* *хим.* sulphur; brimstone; ~ **на прах** powdered sulphur; flowers of sulphur.

та₁ *съюз* 1. (*при изброяване*) and; 2. (*че*) even; **стана блед, ~ жълт** he grew pale, even yellow; 3. (*камо ли*) let alone; 4. (*за начин*; *следствие*; *за цел – ~* да) so (that); (*за цел и*) in order to (*c inf.*); **той пусна радиото, ~ да чуе новините** he switched on the radio so that he might/in order to hear the news.

та₂ *част.* 1. *разг.* (*за подчертаване*) why; **кой беше този? – ~ брат ми** who was that? why, my brother; 2. (*при повторение*): **като рече София, ~ София** it had to be Sofia or nothing; 3.: **е ~** (*какво, що?*) so what?; • **~ да си дойдем на думата** to come back to what we were talking about/saying.

табà|к₁ *м., -ци остар.* furrier, leather-worker.

табà|к₂ *м., -ци, (два) табàка* sheet (of wrapping paper).

табакèр|а *ж., -и* cigarette box/case; (*за тютюн*) tobacco-box/case.

табàн *м., -и, (два) табàна* sole (of foot or shoe); *мин.* spoil bank.

табàско *ср., само ед. кул.* tabasco.

табèл|а *ж., -и* (sign)board, sign.

табèлк|а *ж., -и* plate; (*с име*) nameplate.

табиèт *м., -и, (два) табиèта диал.* 1. character, nature; 2. (*навик*) custom, habit; manner, way; • **по ~** after o's own heart.

тàбл|а *ж., -и* 1. (*за поднасяне*) tray, salver; 2. *само ед.* (*игра*) backgammon, *разг.* trick-track; 3. (*на врата и пр.*) panel; **горна ~ на креват** head-board; **долна ~ на креват** foot-board.

табланèт *м., само ед. карти* kind of card game.

тàблен *прил.* panel (*attr.*).

таблетѝрам *гл.* press/make into tablets.

таблèтк|а *ж., -и* tablet, pill, lozenge, pastille; **във форма на ~и** in tablets, in tablet form, tabloid; **~а шоколад** a block/bar of chocolate.

тàблиц|а *ж., -и* table, graph, scale; **електронна ~а** spreadsheet; **нареждам в ~а** to tabulate; **~а за дозиране на лекарства** *мед.* posological table; **~а за умножение** multiplication table; **четиризначна ~а** four-digit table;

щатна ~а salary scale.

табл|ò *ср., -à* 1. *техн.* panel, board; plate; desk; (*на стадион*) scoreboard; **арматурно ~о** (*на кола*) dashboard; **зарядно ~о** charging panel; **контролно/командно ~о** control board/panel/ desk; **превключвателно/разпределително ~о** switchboard; distributing frame; **светлинно ~о** scoreboard; **сигнално ~о** indicator, *жп* (signal) target, a signal board; 2. *изк.* panel; 3. (*на креват*) board.

таблоѝд *м., -и, (два) таблоѝда* tabloid.

табòр *м., -и, (два) тàбора* 1. battalion; 2. (*лагер*) camp.

табỳ *ср., само ед.* taboo; **обявявам нещо за ~** taboo s.th.

табулàтор *м., -и, (два) табулàтора комп.* tabulator (key).

табулѝрам *гл.* tabulate.

табурèтк|а *ж., -и* stool.

тàв|а *ж., -и* large baking dish/tin.

тавàн *м., -и, (два) тавàна* 1. ceiling; **начупен ~** a sloping ceiling; **окачен ~** false/hung ceiling; **сводообразен ~** cove ceiling; 2. (*помещение*) attic; loft; garret; **на ~а** in the attic; 3. *прен.* (*пределни възможности*) limit, range; top; **~ на цените** price ceiling; (*на самолет*) ceiling; • **нисък му е ~ът** he's pretty narrow-minded.

тавàнск|и *прил., -а, -о, -и* attic (*attr.*), garret (*attr.*); **~а стая** attic room, a room in the attic, garret; **~и прозорец** (*вертикален*) garret window, (*на покрива*) skylight.

тавѝчк|а *ж., -и* small pan/dish/tray; **~а за инструменти** instrument tray.

тавтолòгия *ж., само ед. език.* tautology.

Таджикистàн *м. собств.* Tadjikistan.

таджѝкск|и *прил., -а, -о, -и* Tadjik.

таекуòндо *ср., само ед. спорт.* tae kwon do.

тà|ен *прил., -йна, -йно, -йни* 1. secret; (*прикрит*) veiled; masked; surreptitious, covert, concealed, shrouded in secrecy/mystery; (*скришен, непозволен*) clandestine, surreptitious, underhand, backstairs (*attr.*), huggermugger, covert, backdoor, cloak and dagger; (*извършен крадешката*) stealthy, furtive; (*нелегален*) subterranean, underground, under-the-coun-

ter, undercover; (*поверителен*) secret, confidential; *разг.* hush-hush; **~ен агент, ~ен полицай** plain-clothes man; **~ен съюз** secret alliance; **~йна печатница** underground printing press; **~йна служба** secret service; **~йни сделки** underhand/secret dealings; **~йно гласуване** secret ballot; 2. (*тайнствен*) mysterious, inscrutable, enigmatic, cryptic, occult; • **Тайната вечеря** *църк.* the Last Supper.

таз₁ *м., -ове, (два) тàза анат.* pelvis, *pl.* pelves.

таз₂ *показ. мест.* this; **и ~ добра!** goodness! you don't say!

тàзгодѝш|ен *прил., -на, -но, -ни* this year's.

тазобèдрен *прил. анат.* coxofemoral.

тàзов *прил. анат.* pelvic.

Таѝти *ср. собств.* Tahiti.

таитѝнин *м., таитѝни; таитàнк|а** *ж., -и* Tahitian.

тайгà *ж., само ед. геогр.* dense forest, taiga.

Тайлàнд *м. собств.* Thailand.

тайлàндск|и *прил., -а, -о, -и* Thai.

тàймер *м., -и, (два) тàймера техн.* timer.

тàйн|а *ж., -и* secret; mystery, enigma; riddle; (*пазене на тайна*) secrecy; **адвокатска ~а** legal secret; **доверявам ~ите си на някого** take s.o. into o.'s confidence, confide in s.o.; **държа/пазя в ~а** keep in secrecy, keep secret; **не breathe a word to anyone, keep under wraps**, *разг.* keep under o.'s hat; **лекарска ~а** medical secret; **найстрога ~а** utmost secrecy; **обществена ~а** an open secret; **посвещавам някого в ~а** let s.o. into a secret; **раздрънквам ~а** *разг.* let the cat out of the bag; *sl.* spill the beans; **служебна ~а** an official secret.

тайнопѝс *м., само ед.* cryptography.

тайнствен *прил.* mysterious, eerie; enigmatic, inscrutable, occult, mystical, inexplicable, puzzling, unfathomable, cryptic.

тайнственост *ж., само ед.* mysteriousness, mystery; eeriness.

тайф|à *ж., -и* gang, band, bunch, crowd.

тайфỳн *м., -и, (два) тайфỳна* typhoon.

такà *нареч.* 1. (*за начин*) thus, so, (in) this/that way, in such a way; like this/

that; (по този начин) thereby; **ето** ~! that's the way (to do it)! **и** ~ **нататък** and so on and so forth; **как** ~ how come? how's that? ~ **да се каже** so to say/speak; as it were; ~ **е прието/~ се прави** it is the usual practice; ~ **или иначе** somehow or other; one way or (an)other; anyhow, in any event; at any rate; in either case; ~ **кажи** that's more like it; ~ **ли**? really? indeed? is that so? is that really the case? so that's it? ~ **му се пада** (it) serves him right; ~ **нареченият** the so called; ~ **погледнато** looking at it in that light/way; **2.** (толкова) so, to such an extent; **бъдете** ~ **добър да** be so kind as to, be kind enough to; **3.** (за потвърждение) that's it/right, that's so, to be sure, sure, so it is; ~ **да бъде** all right, very well; so be it; **ха** ~! that's it!; • **защо го направи**? – (ей) ~ why did you do it? – because I felt like it; **значи** ~ so that's that; **и** ~ and so; therefore; hence; **и** ~, **и** ~ either way, (без друго) anyhow, anyway; **както** ..., ~ **и** both ... and; **както то тук**, ~ **и там** both here and there, here as well as there; **не току** ~ not without reason, with good reason; ~ **че да** so as to.

та̀ке ср., **-та** beret; cap.

такела̀ж м., само ед. мор. ropes and tackle; rigging, tackle.

тако̀ва показ. мест. ср. what's-its-name; doodah, амер., кан. doodad.

та̀кс|а ж., **-и** charge, fee; (за пътуване) fare; **входна** ~**а** door money; **данъци и** ~**и** tolls and charges; **митнически** ~**и** customs dues, border tax; **пристанищни** ~**и** harbour dues, wharfage; **училищна** ~**а** tuition (fee).

такса̀ция ж., само ед. forest taxation, estimate survey.

такси ср., **-та** taxi, taxi-cab, cab; **товарно** ~ van; **шофьор на** ~ taxi-driver.

таксидио̀т м., **-и** истор. mendicant friar.

таксимѐт|ър м., **-ри**, (два) **таксимѐтъра 1.** (уред) taximeter; **2.** (кола) taxi, cab.

таксоно̀мия ж., само ед. taxonomy, taxology.

таксу̀вам гл. **1.** charge, tax, rate; **2.** прен. (считам) consider, interpret, take; assess.

такт₁ м., **-ове**, (два) **та̀кта** муз. time;

measure; bar; **в** ~ муз. in time, (при маршируване) in step; **в шест осми** ~ in six-eight rhythm/time/meter; **не вървя в** ~ break step; **обърквам** ~**а** get out of time; **спазвам** ~**а** keep time; **три четвърти** ~ triple time, three four time, three part time; **четири четвърти** ~ common time; • **съм/живея в** ~ **с времето** be in step with the times, keep pace with times.

такт₂ м., само ед. tact, tactfulness; clock cycle; **липса на** ~ tactlessness; **проявявам** ~ show tact, be tactful.

такт₃ м., **-ове**, (два) **та̀кта** техн. strokes.

тактѝ|к м., **-ци** воен. tactician.

та̀ктика ж., само ед. tactics; ~ **на груб натиск** jackboot tactics.

тактѝч|ен прил., **-на**, **-но**, **-ни** tactful; discreet; ~**ен съм** use tact; ~**ен човек** a man of tact, a tactful man/person.

тактѝческ|и прил., **-а**, **-о**, **-и** воен. tactical; ~**а единица** a tactical unit; ~**и ход** tactic, gambit, ploy.

тактѝчност ж., само ед. tact, tactfulness.

та̀ктов прил. муз. bar (attr.), time (attr.); ~**а черта** bar.

тактувам гл. муз. beat time.

такъ̀в показ. мест., **така̀ва**, **тако̀ва**, **такива** such; that sort of; (такова) so; (следният) the following; **в** ~ **случай** in that case, in such a case, if such is the case; then; **по** ~ **начин** in such a way/manner; in this way/manner, so, thus; ~ **е светът** so goes the world, such is the world; ~, **какъвто** such as; **те всички са такива** they are all like that, (еднакви) they are all alike, they are all the same; • **глупак** ~! you fool! you flaming idiot! **такива ми ти работи** разг. so goes the world! **такива не ми минават, да ги нямаме такива** I'll have none of that, none of your tricks; that can't get by me; I'm not having any; I won't stand for it.

тала̀з м., **-и**, (два) **тала̀за** large/heavy wave, surge, billow.

тала̀мус м., само ед. анат. (optic) thalamus.

тала̀нт₁ м., **-и**, (два) **тала̀нта** talent; gift, endowment (за for); flair; **търсач на** ~**и** talent-hunter/-scout; **тя има голям** ~ she is very gifted/talented; she

has the knack (за for).

тала̀нт₂ м., **-и**, (два) **тала̀нта** истор. talent.

талантлѝв прил. talented, gifted, endowed; able, capable; (за произведение) of great talent, clever.

таласѐмия ж., само ед. мед. thalass(a)emia.

таласъ̀м м., **-и**, (два) **таласъ̀ма** goblin, hobgoblin, bogy, bogle; ghost, ghoul.

тала̀ш м., само ед. shavings; (за опаковка) wood fibre.

талашѝт м., само ед. chip board, fibreboard, beaverboard.

та̀лер м., **-и**, (два) **та̀лера** истор. thaler.

талѝг|а ж., **-и** cart, dray.

талѝ|й (**-ят**) м., само ед. хим. thallium.

талисма̀н м., **-и**, (два) **талисма̀на** talisman, amulet, charm.

та̀ли|я ж., **-и** waist; middle; (очертание) waistline; **дреха**, **кроена в** ~**я** a dress fitting in/at the waist; **тънка** ~**я** a slender waist.

талк м., само ед. минер. talc; (прах) talcum/talc powder; dusting powder; **подобен на** ~ talcoid, talcose.

та̀лков прил. минер. talcose, talcous, talc (attr.); ~**и шисти** steatite, soapstone.

талму̀д м., само ед. рел. Talmud.

талмудѝст м., **-и** Talmudist; прен. dogmatist.

тало̀н м., **-и**, (два) **тало̀на 1.** stub, counterfoil; check; slip; ticket; **2.** карти talon, stock; **регистрационен** ~ (на автомобил) registration document.

та̀лп|а ж., **-и** plank; ~**а за дюшеме** batten.

та̀лус м., **-и**, (два) **та̀луса** анат. anklebone, astragalus.

таля̀н м., **-и**, (два) **таля̀на** pound net.

там нареч. there; over there; ~, **където си ти** where you are; **хей** ~ over there, right out there; • **дето един**, ~ **и два-ма** one more won't make any difference; **сега сме ни тук**, **ни** ~ now we're nowhere, now we're stuck; ~ **е работата/въпросът**, **че** the trouble/fact is that.

тамаго̀чи ср., **-та** cyberpet.

тамбур|а̀ ж., **-ѝ** муз. pandore; man-

dolin(e); lute; tambourine.

тамплиѐр *м.*, -и *истор.* Templar.

тампо̀н *м.*, -и, (два) тампо̀на **1.** *мед.* tampon, wad, swab; **2.** *техн.* pad; **гумен ~** rubber pad/buffer; **3.** (*за гумен печат*) ink-pad.

тампонѝрам *гл.* **1.** *мед.* tampon, wad, swab; **2.** *техн.* plug up.

тамя̀н *м.*, *само ед.* incense, frankincense; **кадя ~** burn incense, *прен.* (*лаская*) ingratiate o.s. (with), fawn (on), play up to, butter s.o. up; ● **бягам от някого/нещо като дявол от ~** give s.o./s.th. a wide berth; **замирисал на ~** with one foot in the grave.

тамя̀нов и **тамя̀нен** *прил.* incense (*attr.*), of incense.

тананѝкам *гл.* hum; croon.

тана̀т *м.*, *само ед.* *хим.* tannate.

танатофо̀бия *ж.*, *само ед.* *мед.* thanatophobia.

та̀нгенс *м.*, -и, (два) та̀нгенса *геом.* tangent; **аркус ~** antitangent.

тангѐнт|а *ж.*, -и *геом.* tangent.

танг|о̀ *ср.*, -а̀ tango.

тандѐм *м.*, -и, (два) тандѐма tandem.

танзанѝ|ец *м.*, -йци Tanzanian.

танзанѝйк|а *ж.*, -и Tanzanian (woman).

танзанѝйск|и *прил.*, -а, -о, -и Tanzanian.

Танза̀ния *ж. собств.* Tanzania.

танѝн *м.*, *само ед.* *хим.* tannin, tannic acid.

танк₁ *м.*, -ове, (два) та̀нка *воен.* tank.

танк₂ *м.*, -ове, (два) та̀нка: **обувки с ~ове** wedge heels, wedges.

та̀нкер *м.*, -и, (два) та̀нкера *мор.* (oil-)tanker; oil-carrier.

танкѝст *м.*, -и *воен.* tankman; *амер.* tanker.

та̀нков *прил. воен.* (*attr.*); (*брониран*) armoured; **~а част, ~о поделение** a tank/an armoured unit.

танц *м.*, -и, (два) та̀нца dance; dancing; **~ на смъртта** dance macabre; **учител/урок по ~** a dancing master/lesson; **хич не го бива в ~ите** *sl.* he can't dance for toffee.

танцу̀вам *гл.* dance; *sl.* boogie, shake a leg, shake it; **~ на палци** toe-dance.

танцьо̀р *м.*, -и; **танцьо̀рк|а** *ж.*, -и dancer; *разг.* hoofer.

та̀п|а *ж.*, -и cork (*и на въдица*); (*запушалка и пр.*) stopper; (*на водопро-*

водна труба) cap, end cap.

тапѐт *м.*, -и, (два) тапѐта *обикн. мн.* **1.** wall-paper; **поставям/залепвам ~ на стена** paper a wall; **свалям ~** unhang wallpaper; **слагам нови ~и** re-paper; **2.** decorative wall design (applied with a roller).

тапѝр *м.*, -и, (два) тапѝра **1.** *зоол.* tapir (*Tapirus americanus*); **2.** *прен. разг.* dullard, fool, dolt, dunce.

тапицѐри|я *ж.*, -и upholstery; **с кожена ~я** upholstered in/with leather.

тапицѝрам *гл.* **1.** (*мебели*) upholster; **2.** (*поставям тапети*) paper.

тапѝ|я *ж.*, -и title-deed; *прен.* document.

та̀ра *ж.*, *само ед.* *търг.* tare.

та̀раб|а *ж.*, -и **1.** plank/wooden/lath fence; **2.** (*дъска*) plank.

таралѐж *м.*, -и, (два) таралѐжа *зоол.* hedgehog (*Erinaceus europaeus*); **морски ~** (sea-)urchin; echinus (*Echium*); ● **не ми трябва ~ в гащи** not me!

тарама̀ *ж.*, *само ед.*: **~ хайвер** roe-spread.

тара̀н *м.*, -и, (два) тара̀на battering ram.

тарантул|а *ж.*, -и *зоол.* tarantula; wolf-spider.

тарапан|а̀ *ж.*, -й mint; *прен.* (*изобилие от средства, хора*) galore; **у тях е цяла ~а** they always have food and drink galore; their house is always crowded with people.

тарато̀р *м.*, -и, (два) тарато̀ра (cold) yog(h)urt and chopped cucumber soup.

тарика̀т *м.*, -и *разг.* wise guy; sly one; dog; dodger, *амер.* slicker; **безскрупулен ~** *амер.* snollygoster.

тарѝф|а *ж.*, -и **1.** rate, rates; tariff; (*на надници*) wagerate; (*на билети*) fare, fares; **двойна ~а** two-rate tariff; **единна ~а** all-in tariff; **многоценова ~а** multirate tariff; **твърда ~а** flat rate; **2.** (*разписание*) time-table.

та̀ртор *м.*, -и **1.** the Prince of Darkness; Satan, the devil; **2.** *прен.* (*водач, главатар*) ringleader; *разг.* top-dog; **3.** *прен.* (*ад*) the Bottomless Pit, Tartarus.

тартю̀ф *м. неизм.* hypocrite.

тархана̀ *ж.*, *само ед.* *диал.* **1.** dried ground yeasty dough; **2.** soup prepared from it.

тас *м.*, -ове, (два) та̀са basin, bowl; (*на автомобилно колело*) hubcap.

тасманѝ|ец *м.*, -йци; **тасманѝйк|а** *ж.*, -и Tasmanian.

тасманѝт *м.*, *само ед.* *минер.* tasmanite.

Тасма̀ния *ж. собств.* Tasmania.

тата̀рин *м.*, татари Ta(r)tar.

тата̀рк|а *ж.*, -и Ta(r)tar woman/girl.

тата̀рск|и *прил.*, -а, -о, -и Ta(r)tar (*attr.*), Tartarian.

та̀тковина *ж.*, *само ед.* (mother) country, homeland.

тату̀|рам *гл.* tattoo.

тату̀иро̀вк|а *ж.*, -и (*действие*) tattooing; (*шарките*) tattoo.

тату̀л и **та̀тул** *м.*, *само ед.* *бот.* thorn apple, datura, stramonium (*Datura stramonium*).

тафта̀ *ж.*, *само ед.* *текст.* taffeta.

таха̀н *м.*, *само ед.* ground baked sesame-seed; **~халва** halva(h).

тахигра̀фия *ж.*, *само ед.* tachygraphy.

тахика̀рдия *ж.*, *само ед.* *мед.* tachycardia.

тахимѐтрия *ж.*, *само ед.* *геод.* tacheometry, tacheometrical survey.

та̀ча *гл.*, *мин. св. деят. прич.* та̀чил respect, esteem, revere, venerate, hold in respect/esteem; embosom; enshrine; **~ паметта на** keep s.o.'s memory green; **~ празник** observe/keep a holiday.

тая *гл.*, *мин. св. деят. прич.* тайл **1.** hide; conceal; keep to o.s.; (*пропускам*) leak, ooze, exude; seep out.; (*чувство и пр.*) cherish, harbour, foster; (*подозрение*) entertain; **~ злоба** bear a grudge, bear (s.o.) ill-will; || **~ се** lie low, lurk; be secretive.

твар *ж.*, -и being; creature; thing; **подла ~** a low creature.

тво|й *прит. мест.*, -я, -е, -и your, *остар.* thy, yours, thine; **един ~й приятел** a friend of yours; **как са ~ите хора?** how are your people/folks? how's everybody at home? **~я воля, нека бъде ~ята воля** as you wish; **това е ~ят молив** this pencil is yours.

творб|а̀ *ж.*, -ѝ work, creation.

твор|ѐц *м.*, -цѝ creator, maker; *прен.* author, creative artist; architect.

творѝтел|ен *прил.*, -на, -но, -ни *език.* instrumental.

тво̀рческ|и *прил.*, -а, -о, -и creative; (*съзидателен*) constructive; (*оригинален*) original; **~а сила** creative/constructive power; creativeness; construc-

tive spirit; ~и успехи achievements.

твòрчество *ср., само ед.* (creative) work; creation; (*произведение*) works; **нарòдно** ~ folk-/peasant-lore; folk art; **цялостно** ~ (*на художник*) oeuvre.

творя̀ *гл., мин. св. деят. прич.* **творѝл** create.

твърд₁ *прил.* **1.** hard; *физ.* solid; (*който не се огъва*) stiff; ~ **като камък** rock-solid (*и прен.*); ~**а корица** hard cover; ~**о тяло** *физ.* solid; **2.** *прен.* (*смел, решителен, непоколебим*) firm, steadfast, unyielding, stiff, stubborn, staunch, unwavering, fortitudinous, steady; *разг.* gritty, hard-nosed, hard-boiled; (*непреклонен*) adamant; unyielding; flinty; grim; ~ **характер** resolute character; ~**а позиция** strong/ hard/firm line; ~**о решение** determination, grim resolve; ~**о становище/ убеждение** strong/firm stand/conviction; **3.** (*установен, постоянен*) stable, fixed; steady; ~ **обменен курс** fixed exchange rate; ~**а валута** stable currency; ● ~**а вода** hard water.

твърд₂ *ж., само ед.* **1.** (*небосвод*) firmament; **2.** (*земя*) earth.

твърдèни|е *ср., -я* assertion, affirmation; statement; (*при спор*) contention; (*тържествено*) asseveration; (*недоказано*) allegation; **аргументирано** ~**е** well-founded statement; **оспорвам** ~**е** contest a statement.

твърдин|à *ж., -ѝ* **1.** stronghold; bulwark; fortress; citadel; **2.** hardness, stiffness, solidity.

твърдоглàв *прил.* headstrong; pig-/ hard-/bull-headed, mulish; stubborn; stiff-necked, dogged; die-hard, contumacious.

твърдя̀ *гл.* maintain, assert, affirm, claim, hold; (*при спор*) contend; (*без основание*) allege; argue; (*тържествено*) asseverate; **аз** ~, **че** it is my contention that; ~, **че съм невинен** contend/assert to be innocent; ~, **че съм роднина на** claim kinship with; **той твърдѝ, че** he will have it that.

те₁ *кратка ф-ма на личното мест.* **ти във вин. пад.** you.

те₂ *лично мест.* they.

театровèд *м., -и* drama specialist.

театрознàние *ср., само ед.* science of dramatic art; stagecraft.

теàт|ър *м., -ри, (два)* теàтъра **1.** the-

atre (*и воен.*); the stage; (*сградата*) theatre, playhouse; **опèрен** ~**ър** opera; **2.** (*представление*) performance; show; **3.** (*гледка, сцена*) spectacle, sight, show; ● ~**ър на абсурда** *лит., театр.* theatre of the absurd; ~**ър на бойните действия** *воен.* theatre of war.

тèбе *лично мест. остар.* (*съкр.* теб) you.

тебешѝр *м., -и, (два)* тебешѝра chalk; (*парче*) a piece of chalk.

тевтòн|ец *м., -ци* Teuton.

тевтòнск|и *прил., -а, -о, -и* Teutonic.

тегèл *м., -и, (два)* тегèла seam.

тèглен|е *ср., -ия* **1.** pulling, hauling, tugging, drawing; haulage, traction; *мор.* towage; **2.** suffering, hardships; **3.** (*от сметка*) drawing, withdrawal.

теглѝлк|а *ж., -и* balance; scales.

теглѝл|о *ср., -à* suffering, hardships.

теглѝч *м., -и, (два)* теглѝча thill; *техн.* draw-bar.

тегл|ò *ср., -à* **1.** *само ед.* weight; **атомно/молекулно** ~**о** atomic/molecular weight; **брутно** ~**о** gross weight; **излишно** ~**о** overweight; **нетно/чисто** ~**о** net weight; **общо** ~**о** gross weight; **относително** ~**о** specific gravity/weight; *хим.* density; **постоянно** ~**о** *техн.* dead load; **2.** (*страдание*) suffering; hardships; hard life.

тèгля *гл., мин. св. деят. прич.* тèглил **1.** pull, haul; (*влача*) drag; (*кораб и пр.*) tow, have in tow, tug; **2.** (*измуквам*) draw; suck; pull at; (*за комин*) draw; ~ **вода от кладенец** draw water from a well; **3.** (*прокарвам – линия и пр.*) draw; **4.** (*пари, лотария*) draw; ~ **жребий** draw lots; ~ **от спестяванията си** draw on o.'s savings; **5.** (*измервам тегло*) weigh; **6.** (*последица*) face; **7.** (*разноски*) pay; foot the bill; *разг.* pay the piper; ~ **като куче** live a dog's life; **8.:** ~ **тегли ме** be drawn (**към** to); gravitate towards; ‖ ~ **се 1.** weigh o.s.; check o.'s weight; **2.** (*дърпам се*) pull/draw back; **3.** (*отбягвам, страня*) keep away/aside (from); (*проявявам нежелание*) be reluctant/unwilling; ● **те теглят към нас** they gravitate towards us; they're well-disposed towards us; **теглих му един хубав бой** I gave him a sound drubbing/thrashing.

тèгна *гл.* **1.** weigh, weigh heavy; **кле-**

пачите му тегнат за сън his eyelids grow heavy; **2.** *прен.* be a burden to; oppress.

тегòб|а *ж., -и* **1.** duty; service; **2.** suffering, hardships.

тежà *гл.* **1.** weigh, be/feel heavy; **колко тежиш?** what do you weigh? **тежи ми** it's too heavy for me; **2.** *прен.* (*оказвам влияние*) be influential; carry weight (*и за думи*); **3.** *прен.* (*в тежест съм на някого; измъчвам*) weigh heavy (upon); be/lie heavy (**на** on); **нещо му тежи** he's got something on his mind; ● **всеки камък тежи на мястото си** the right man in the right place; **главата ми тежи** my head feels heavy.

тèжест *ж., -и* **1.** weight; (*товар*) load; burden; (*на въдица, мрежа*) lead; **вдигане на** ~ *спорт.* weightlifting; **център на** ~**та** centre of gravity; **2.** *прен.* (*влияние, важност*) authority, prestige, influence; (*влияние*) sway; **нямам** ~ **пред** cut no ice with; **човек с** ~ a man that carries weight; **3.** *прен.* heaviness; **в главата** heaviness in the head; **4.** (*бреме, отговорност*) burden; encumbrance; **в** ~ **съм на** be a burden to; (*парично задължение*) charge; ● **данъчна** ~ pressure of taxation; **доказателствена** ~ evidential burden; ~ **на произшествието** *застр.* accident severity; ~**и върху имот** *юр.* charges on an estate.

тежин|à *ж., -ѝ* weight.

тежкàр (-ят) *м., -и разг.* stud.

тèжко *нареч.* **1.** heavily, ponderously; hard; (*трудно*) with difficulty; **дишам** ~ breathe heavily, (*много тежко*) labour for breath; **чувам** ~ be hard of hearing; **2.** (*важно, надменно*) with an air of importance; in a weighty manner; **3.** (*сериозно*) seriously, gravely, severely; heavily; (*опасно*) dangerously; **понасям** ~ take badly; ~ **ми е** (*лошо ми е*) feel wretched/ill, (*мъчно ми е*) feel miserable/wretched/oppressed.

тежкò *нареч. разг.:* ~ **му!** poor devil! I'm sorry for him! he'll have a hard time of it!

тèжкотовàр|ен и **тèжкотонàж|ен** *прил., -на, -но, -ни* heavy-freight (*attr.*).

тѐж|ък *прил., -ка, -ко, -ки* **1.** heavy; weighty; ponderous; elephantine; ~**ка вода** heavy water; ~**ка категория**

спорт. heavyweight; ~ка химическа промишленост large-scale chemical industry; **2.** (*труден*) hard, difficult; arduous; burdensome, cumbersome, cumbrous; onerous; severe; tough; (*изнурителен*) gruel(l)ing; (*мъчителен*) painful; (*усилен*) effortful; (*за човек, характер*) difficult, trying; ~ка загуба grievous loss, (*материална*) heavy loss; ~ки данъци heavy/oppressive; onerous taxes; ~ки мисли gloomy/ painful thoughts; ~ко дишане heavy/ laboured breathing, (*много тежко*) gasping for breath, (*при коне*) broken wind; ~ко наказание severe punishment; ~ко раждане difficult confinement; heavy/severe penalty; ~ък труд, ~ка работа hard work, toil; ~ък упрек bitter reproach; **3.** (*сериозен, значителен*) serious, grave; important; ~ка болест serious/grave illness; ~ка телесна повреда *юр.* grievous bodily harm; ~ко поражение (*на противник*) resounding defeat, (*увреждане*) severe injury; **4.** (*важен*) weighty, that carries weight; **5.** (*ленив, тромав*) clumsy, slow, sluggish; lazy; ● ~ка дума: 1) hard word, bitter reproach; 2) weighty/final word; ~ка ръка strong arm, heavy fist; ~ка сватба grand wedding; ~ък на плащане slow in paying his debts; ~ък стил laboured/heavy/ ponderous style; ~ък човек: 1) clumsy man; 2) difficult man, a man hard to please/to get on with; 3) weighty man, a man who carries weight; *разг.* big shot/wig.

тèз|а ж., -и **1.** thesis, *pl.* theses; proposition; **2.** (*съчинение*) thesis; treatise; paper; (*университетска*) diploma work.

тèзис м., -и, (два) тèзиса thesis, *pl.* theses.

тек *прил. неизм. разг.* odd.

текà *гл.* **1.** flow; run; (*във вадичка*) gutter; **от мен тече пот** be bathed in perspiration/sweat; be perspiring/sweating profusely/at every pore; **от раната тече кръв** the wound is bleeding; **сълзите ѝ течаха** по бузите tears ran/ streamed down her cheeks; **2.** (*прокапва, протича*) leak; (*таи*) ooze; (*за свещ*) gutter; **обувките ми текат** my shoes leak; **3.** (*за време*) pass, (*бързо*) fly; (*за мелодия, мисли и пр.*)

flow; **времето тече неусетно** time slips by; time flies; ● **ако не тече, все капе** there's enough to keep the pot boiling; **лихвата си тече** the interest is accumulating; **текат ми лигите** my mouth waters.

текùл|а ж., -и tequila.

текст м., -ове, (два) тèкста text; (*либрето или към муз. творба*) words; *полигр.* letterpress; (*към илюстрация*) caption; първоначален ~ **на документ** original tenor; ~**а четоха** (*надписи в края на дублиран филм*) dubbing readers.

текстùл м., *само ед.* fabrics, textiles; textile fabrics, soft goods; **нетъкан** ~ non-woven fabric.

тèкстов *прил.* text (*attr.*); ~ **материал** text, (*ръкопис*) copy.

текстолòгия ж., *само ед.* textual criticism.

тèкстообработк|а ж., -и *комп., полигр.* word processing.

текстуàл|ен *прил.*, -на, -но, -ни literal; textual; word for word (*attr.*).

текстỳра ж., *само ед.* texture; grain orientation.

текстурùрам *гл.* texturize.

тектòника ж., *само ед. геол.* tectonics, structural geology.

тектонùч|ен *прил.*, -на, -но, -ни *геол.* tectonic.

текỳчество *ср., само ед.* fluctuation; **норма на** ~**то** quit rate; ~ **на кадри** turnover; ~ **на работна ръка** fluctuation/fluidity of labour/manpower, floating labour.

текỳщ *сег. деят. прич.* **1.** flowing, running; **2.** (*сегашен*) current; present; ongoing; ~ **актив** circulating asset; ~ **дълг** floating debt; ~ **контрол** testing, continuous assessment; ~**а работа** routine work; ~**и разходи** operating costs; current expenses.

тел м., -ове, (два) тèла; **тел** ж., *само ед.* wire; **бодлив** ~ barbed wire; **гладък** ~ plain wire; ~ **за простиране на дрехи** clothes-line.

тèлбод м., -ове, (два) тèлбода stapler.

телè *ср.*, -та **1.** calf, *pl.* calves; **мъжко** ~ a bull calf; **2.** *прен.* (*глупак*) fool, dolt; ● **гледам като** ~ (**в железница**) stare stupidly, stand open-mouthed; **търся под вола** ~ go to a goat for wool; split hairs.

телевùзи|я ж., -и *обикн. ед.* television; *разг.* telly; *sl.* goggle-box; **гледам** ~**я** watch TV; **по** ~**ята** on TV; *разг.* on telly; **предавам по** ~**ята** televise, telecast.

телевùзор м., -и, (два) телевùзора TV set, television, television set, *разг.* telly, *амер.* the tube; *sl.* goggle-box.

телегенùч|ен *прил.*, -на, -но, -ни telegenic.

телегрàм|а ж., -и telegram; *разг.* wire, cable; **бия/подавам** ~**а на някого** send s.o. a wire/cable/telegram; wire/cable/telegraph s.o.; **бланка за** ~**а** telegraph form.

телегрàф м., -и, (два) телегрàфа telegraph, (*уред*) telewriter; (*телеграфна станция*) telegraph-office; **безжичен** ~ wireless telegraph, wireless; **изпращам съобщение по** ~**а** telegraph/ wire/cable a message, send a message by telegraph/wire/cable.

телегрàф|ен *прил.*, -на, -но, -ни telegraph (*attr.*), telegraphic; ~**ен ключ** tapper, a Morse key; ~**ен стил** a telegraphic style, telegraphese; ~**ен стълб** telegraph-pole/-post; ~**а агенция** a telegraph agency; a news agency; ~**на лента** tape; ~**но съобщение** a telegraphic message; telegram; wire.

телеграфùрам *гл.* telegraph, wire, cable.

телегрàфия ж., *само ед.* telegraphy.

телегрàфо-пòщенск|и *прил.*, -а, -о, -и postal and telegraph.

тèлезàпис м., -и, (два) тèлезàписа telerecording.

телекинèза ж., *само ед.* telekinesis.

тèлеконферèнци|я ж., -и audioconference, teleconference.

тèлекопùр м., -и, (два) тèлекопùра telecopier.

тèлекс м., -и, (два) тèлекса telex; **съобщавам по** ~**а** telex.

телемàн м., -и *разг.* couch potato.

тèлемàркетинг м., *само ед.* telemarketing.

тèлен *прил.* wire (*attr.*); ~**а мрежа** (*за ограда*) wire-netting, *воен.* a wire entanglement; ~**о копче** (*мъжко и женско*) hook and eye.

тèлеобектùв м., -и, (два) тèлеобектùва telephotolens; telescopic lens.

телеолòгия ж., *само ед. филос.* teleology.

телепа̀т м., -и telepathist.

телепа̀тия ж., само ед. telepathy.

телепортѝрам гл. teleport.

телепортѝране ср., само ед. teleportation.

телѐс|ен прил., -на, -но, -ни bodily, corporal, physical; (плѣтски) corporeal; ~ен цвят carnation, flesh-colour; ~на повреда physical/bodily injury, юр. battery; ~но възпитание physical training/education, съкр. Р.Т.; ~но наказание corporal punishment.

телеско̀п м., -и, (два) телеско̀па telescope.

телетѐкст м., само ед. teletext.

телефо̀н м., -и, (два) телефо̀на telephone, разг. phone, sl. blower; авто-
матичен ~, ~ автомат public telephone, public call-box, telephone-booth; безжичен ~ wireless telephone; говоря по ~a speak on/over the telephone/phone; клетъчен ~ cell phone; кой е на ~a? who is speaking? на ~а е Иванов (при отговор) this is Ivanov; this is Ivanov speaking; свързвам някого по ~a put s.o. through (to); свързвам се по ~a c някого get on to s.o.; get s.o. on the phone.

телефонѝрам гл. telephone, phone; call on the phone, ring s.o. up, give s.o. a call/a ring; разг. buzz.

телефонограм|а ж., -и telephone message.

телефо̀нче ср., -та бот. bindweed.

тел|ѐц м., -цѝ, (два) телѐца 1. calf; 2. астр., астрол. Taurus; the Bull; • Златният ~ец библ. the Golden Calf.

телецѐнт|ър м., -рове, (два) телецѐн-
търа television centre.

телѐшк|и прил., -а, -о, -и calf (attr.); ~а кожа calf(skin); ~о месо veal; • изпадам в ~и възторг enthuse (от over, about); ~и възторг silly raptures.

теля се възвр. гл., мин. св. деят. прич. тѐлил се 1. (за крава – ражда) calve; 2. (за теле – ражда се) be born.

телѝц|а ж., -и heifer.

телосложѐни|е ср., -я build, frame, constitution; разг. make; figure.

телохранѝтел (-ят) м., -и bodyguard.

тѐлфер м., -и, (два) тѐлфера техн. (monorail) electric hoist; telpher.

телц|ѐ ср., -à биол. corpuscle; бели кръвни ~a white corpuscles, leuco-
cytes; червени кръвни ~a red corpuscles, erythrocytes.

тѐлче ср., -та piece of wire; (за подшиване) wire staple.

тѐм|а ж., -и subject; theme; (на разговор, статия и пр.) topic; муз. theme; неприятна ~а sore point; няма нищо общо с ~ата it's off the point; побъркан съм на някоя ~a be nuts on a subject ~a на доклад subject of a report; ~а с вариации муз. theme and variations.

темàтика ж., само ед. subjects; theme; subject-matter.

тѐмбър м., само ед. timbre; tone quality; мек ~ a mellow/soft timbre; остър ~ a harsh timbre.

тѐме ср., -та crown, pate; (на планина) summit; с голо ~ bald-headed, bald.

теменỳг|а ж., -и бот. (горска) violet (Viola tricolor), heartsease; (градинска) pansy (Viola altaica); (дива, неароматна) dog-violet.

темерỳт(ин) м., темерỳти surly fellow; curmudgeon; dumb dog.

Темѝда ж. собств. мит. Themis.

темп м., -ове, (два) тѐмпа rate, speed, pace; забавям ~a slacken the pace; работя с ускорени/бързи ~ове work at accelerated rates; work rapidly, work against time; ~ на икономически растеж economic growth rate; ~ на производство rate of production.

темперамѐнт м., само ед. temperament, temper; прен. mettle.

температỳр|а ж., -и temperature; имам/правя ~а run/have a temperature; have fever; максимална ~а peak temperature; меря ~ата (на болен) take the temperature; (при опити и пр.) take readings of the temperature.

тѐмпо ср., само ед. муз. tempo, time; в бързо ~ муз. in quick time.

темпора̀л|ен прил., -на, -но, -ни физ., мед. temporal.

тен м., само ед. complexion; (слънчев загар) tan.

тенденцио̀зност ж., само ед. bais; tendentiousness.

тенденци|я ж., -и 1. (склонност, стремеж) trend; tendency (към toward, to); drift (to); постоянна ~я икон. secular trend; проявявам ~я към exhibit a tendency to; show a trend toward; tend to; ~ята на пазара the
run of the market; 2. (насоченост, преднамереност) purpose; неодобр. bias; основна ~я underlying purpose; роман с явна ~я patently tendentious novel; purpose-novel.

тѐнджер|а ж., -и pot, saucepan, stew pan; херметическа ~a pressure-cooker.

тендовагинѝт м., само ед. мед. tendovaginitis.

тендото̀мия ж., само ед. мед. tendotomy.

тенекѐ ср., -та tin-plate; (кутия) tin-can; бяло ~ tinplate; sheet iron/metal, laminated iron.

тенекеджѝ|я м., -и tinsmith, tinman, tinner, whitesmith.

тенекѝен прил. 1. tin (attr.), tin-plate (attr.); ~a кутия tin, tin-can/-box; ~и съдове tinware; 2. (за звук) tinny.

тенекѝ|я ж., -и tin-plate; (кутия) tin-can; • връзвам някому ~я make a laughing stock of s.o.

тѐнзор м., -и, (два) тѐнзора техн. tensor.

тензỳх м., само ед. текст. cheesecloth.

тѐнис м., само ед. спорт. tennis; ~ на маса table tennis, разг. ping-pong; ~корт tennis-court.

тѐни|я ж., -и зоол. tapeworm, taenia; cestode.

тено̀р м., -и, (два) тено̀ра муз. tenor.

тѐнт|а ж., -и awning, tent.

теого̀ния ж., само ед. мит. theogony.

теокра̀т м., -и theocrat.

теокра̀ция ж., само ед. истор. theocracy.

теоло̀|г м., -зи theologian.

теоло̀гия ж., само ед. theology.

теома̀ния ж., само ед. theomania.

теорѐм|а ж., -и мат. theorem; доказвам ~a prove a theorem; извеждам ~a work out a theorem.

теоретизѝрам гл. theorize.

теорѐти|к м., -ци; теоретѝчк|а ж., -и theoretician; theorist; ideologist; разг. boffin, egg-head.

теори|я ж., -и theory; theoretics; на ~я in theory, theoretically; ~я на вероятностите theory of chances, мат. calculus of probability; ~я на уязвимостта exposure theory.

теосо̀фия ж., само ед. theosophy.

тепа̀виц|а ж., -и fulling mill.

тепавичар (-ят) *м.*, -и fuller.

тѐпам *гл.* **1.** *текст.* full; **2.** *(бия) разг.* thrash, drub; **3.** *(ходя със ситни крачки)* trip along.

тепѐ *ср.*, -та hillock, hill.

тепегьо̀з *прил. неизм. разг.* cheeky, brazen-faced.

тѐпих и **тепѝх** *м.*, -и, *(два)* тѐпиха и тепѝха *спорт.* mat; carpet.

тепсѝ|я *ж.*, -и baking-dish; ● гладък като ~я as smooth as glass, unrippled; поднасям на ~я hand on a (silver) platter; равен като ~я as flat as a pancake.

терако̀та *ж.*, *само ед. изк.* terracotta.

терапѐвт *м.*, -и *мед.* therapeutist.

терапевтѝч|ен *прил.*, -на, -но, -ни *мед.* therapeutical.

терапия *ж.*, *само ед.* **1.** therapy; therapeutics; *(лечение)* treatment; ~ чрез масаж massotherapy; **2.** *разг.* ward for internal diseases (in a hospital).

терас|а *ж.*, -и terrace; platform; *геол.* ledge; на ~и in terraces, terraced; покрита ~а porch; стъклена ~а *(за болни)* solarium.

терасѝрам *гл.* terrace.

терасовѝд|ен *прил.*, -на, -но, -ни terrace-like, in terraces, terraced; amphitheatric(al).

ператѝз|ъм (-мът) *м.*, *само ед.* teratism.

тератогѐн *м.*, -и teratogen.

тератоло̀|г *м.*, -зи teratologist.

тератоло̀гия *ж.*, *само ед.* teratology.

тѐрби|й (-ят) *м.*, *само ед. хим.* terbium.

терѐн *м.*, -и, *(два)* терѐна **1.** ground, terrain, area; на ~а on the field/ground; наклонен ~ sloping land; победа на собствен ~ home win; победа на чужд ~ away/visiting/return victory; пресечен ~ rough country, rugged terrain; работа на ~ field work; **2.** *спорт.* field, ground; (на) свой ~ (on) home ground; спечелвам/загубвам на чужд ~ win/lose the away/return game.

терзани|е *ср.*, -я torment; excruciation; agony; anguish.

терзая *гл.*, *мин. св. деят. прич.* терзал torment; torture; excruciate; мъка терзаеше сърцето му sorrowed gnawed at his heart; || ~ се torment o.s., suffer torments, be in torments; fret (about, over).

териѐр *м.*, -и, *(два)* териѐра *(куче)* terrier.

териториа̀л|ен *прил.*, -на, -но, -ни territorial; ~ни води territorial waters; ~ни претенции territorial ambitions; ~но надмощие *спорт.* field superiority.

терито̀ри|я *ж.*, -и territory; area; брегова ~я land domain; зависима ~я subject territory.

терк *м.*, -ове, *(два)* тѐрка *диал.* **1.** *(модел)* model, pattern; вземам ~ от някого take s.o. as o.'s model, follow s.o.'s lead; take a leaf out of s.o.'s book; **2.** *прен.* queer fish; codger.

терлѝ|к *м.*, -ци, *(два)* терлика slipper; *(детски)* bootee.

термал|ен *прил.*, -на, -но, -ни thermal.

терматоло̀гия *ж.*, *само ед.* thermatology.

тѐрмин *м.*, -и, *(два)* тѐрмина term; правни ~и law terms.

термина̀л *м.*, -и, *(два)* термина̀ла *киб.* terminal control unit.

термина̀тор *м.*, -и terminator.

терминоло̀гия *ж.*, *само ед.* terminology; в юридическата ~ in legal parlance.

термио̀н|ен *прил.*, -на, -но, -ни thermionic.

термѝт₁ *м.*, *само ед. хим.* thermit(e).

термѝт₂ *м.*, -и *обикн. мн. зоол.* termite, white ant.

термѝтни|к *м.*, -ци, *(два)* термѝтника termitarium, termitary.

термѝч|ен *прил.*, -на, -но, -ни; термѝческ|и *прил.*, -а, -о, -и heat *(attr.)*, thermal, thermic; ~на обработка heat treatment.

термоана̀лиз *м.*, -и, *(два)* термоана̀лиза thermal analysis.

термобатѐри|я *ж.*, и *ел.* thermoelectric pile, thermopile; thermobattery.

термогенера̀тор *м.*, -и, *(два)* термогенера̀тора thermogenerator.

тѐрмодина̀мика *ж.*, *само ед. физ.* thermodynamics.

тѐрмоелектрѝчество *ср.*, *само ед.* thermoelectricity.

тѐрмоизола̀ция *ж.*, *само ед. физ.*, *техн.* thermo-insulation, heat-insulation.

тѐрмола̀мп|а *ж.*, -и *техн.* thermal lamp.

тѐрмолуминесцѐнция *ж.*, *само ед.* thermoluminescence.

тѐрмомагнетѝз|ъм (-мът) *м.*, *само ед.* thermomagnetism.

термомѐтрия *ж.*, *само ед.* thermometry, temperature logging.

термомѐт|ър *м.*, -ри, *(два)* термомѐтъра thermometer; медицински ~ър clinical thermometer; слагам ~ър на болен take a patient's temperature; ~ър на Реомюр/Фаренхайт Réaumur/Fahrenheit thermometer; ~ър на Целзий centigrade/Celsius thermometer.

тѐрмообработк|а *ж.*, -и thermal/heat treatment.

термопо̀мп|а *ж.*, -и heat pump.

тѐрморегула̀тор *м.*, -и, *(два)* тѐрморегула̀тора heating controller; *физ.* thermoregulator.

тѐрморегула̀ция *ж.*, *само ед. физ.* thermoregulation, heat regulation.

тѐрморезѝстор *м.*, -и, *(два)* тѐрморезѝстора temperature-sensitive resistor.

тѐрморелѐ *ср.*, -та thermorelay, temperature/thermal relay.

тѐрмос *м.*, -и, *(два)* тѐрмоса thermos (flask), vacuum flask/bottle.

термоста̀т *м.*, -и, *(два)* термоста̀та attemperator; *физ.*, *техн.* thermostat.

термоста̀тич|ен *прил.*, -на, -но, -ни thermostatic.

тѐрмосфѐра *ж.*, *само ед.* thermosphere.

тѐрмотера̀пия *ж.*, *само ед. мед.* thermotherapy, thermotherapeutics.

тѐрмоустойчивост *ж.*, *само ед.* thermal stability, heat resistance/stability, thermostability, *метал.* thermal shock resistance.

тѐрмофѝзика *ж.*, *само ед.* thermophysics.

термохѝмия *ж.*, *само ед.* thermochemistry.

термоя̀дрен *прил. физ.* thermonuclear; ~а бомба thermonuclear bomb, (fission-)fusion bomb; ~а техника thermonucleonics.

теро̀р *м.*, *само ед.* terror, terrorism; intimidation.

тероризѝрам *гл.* terrorize, bully, intimidate.

терорѝз|ъм (-мът) *м.*, *само ед.* terrorism.

терори́ст *м.*, **-и; терори́стк|а** *ж.*, **-и** terrorist.

терпенти́н *м.*, *само ед.* *хим.* turpentine, resin oil; *разг.* turps.

терти́п *м.*, *само ед.* system, order.

тѐрц|а *ж.*, **-и 1.** *муз.* third; **голя́ма/ ма́лка** ~**а** a major/minor third; **2.** *мат.* one-sixtieth of a second; **3.** *карти* run of three.

терциѐр *м.*, *само ед.* *геол.* Tertiary.

терци́н|а *ж.*, **-и** *лит.* terza rima.

тѐсен *прил.*, **тя́сна, тя́сно, тѐсни 1.** narrow; (*за дреха и пр.*) tight; tight-/ close-fitting; (*за пространство*) cramped, confined; (*за стая*) small; ~ **процеп** hairline fissure; **тя́сно мя́сто** (*на път, шосе*) bottleneck; **2.** (*ограничен*) limited, narrow; (*специализиран*) narrow; ~ **кръгозор** a limited horizon; **тя́сна специалност** a particular speciality; **3.** (*близък, интимен*) close, intimate; **поддъ́ржам тѐсни връзки с** be in close relations/connections with; maintain close ties with.

тесл|а́ *ж.*, **-и** adze; ~**а за ва́дене на гвоздеи** claw-hammer.

тесни́н|а́ *ж.*, **-и́ 1.** (*клисура*) gorge, pass; defile; (*тясна част на пътя*) bottleneck; **2.** *мор.* (*приток*) strait.

тесногрѐд *прил.* narrow(-minded); straight-laced, hidebound; prejudiced, bigoted.

теснолинѐ|ен *прил.*, **-йна, -йно, -йни** *жп* narrow-gauge (*attr.*); ~**ен път** a narrow-gauge track.

теснолинѐйк|а *ж.*, **-и** narrow-gauge line.

теснота́ *ж.*, *само ед.* narrowness (*и прен.*); tightness; closeness.

тесноти́я *ж.*, *само ед.* close quarters, crowdedness; **живеем в** ~ we are very crowded at home, we live in cramped conditions.

тест *м.*, **-ове,** (два) **тѐста** test, check, probation, tryout; **пакет** ~**ове** *псих.* test battery.

тестѐ *ср.*, **-та** (*банкноти*) wad; (*хартия*) quire; (*колода*) pack.

тести́кул и тѐстис *м.*, **-и,** (два) **тести́кула и тѐстиса** *анат.* testicle, testis, *pl.* testes.

тест|о́ *ср.*, **-а́** dough; **клиса́во** ~**о** stiff dough; (*за сладки*) paste, pastry; (*за палачинки*) batter; **маши́на за мѐсене на** ~**о** kneader; **многоли́стно** ~**о**

puff-paste; ● **той е от друго/различно** ~**о** he is (made) of a different clay, he is cast in a different mould, he is a horse of a different colour.

тестостеро́н *м.*, **-и** *биохим.* testosterone.

тѐтанус *м.*, *само ед.* *мед.* tetanus; lockjaw.

тетива́ *ж.*, *само ед.* bow-string.

тетра́дк|а *ж.*, **-и** note-/exercise-book, copy-book; **но́тна** ~**а** music-book.

тетрало́ги|я *ж.*, **-и** *книж., муз.* tetralogy.

тѐтрацикли́н *м.*, **-и** *обикн. мн.* *фарм.* tetracycline.

тѐтрев *м.*, **-и,** (два) **тѐтрева** *зоол.* heath-cock, black-cock; black grouse/ game (*Tetrao tetrix*).

тефло́н *м.*, *само ед.* Teflon.

тефтѐр *м.*, **-и,** (два) **тефтѐра** register, book of accounts, account book; ledger; **запи́свам в** ~**ите** enter in the books; ● **запи́свам в че́рния** ~ put on the black list; blacklist.

тѐхен *прит. мест.*, **тя́хна, тя́хно, тѐхни** their; theirs; **ка́к са тѐхните?** how are their folks/people? ~ **дом, те́хният дом** their home.

техни́|к *м.*, **-ци** technician; repairman; mechanic; **самолѐтен** ~**к** air mechanic; (*с добра техника, за музикант и пр.*) technician.

тѐхник|а *ж.*, **-и 1.** technics; engineering; (*технология*) technology; **хла́дилна** ~**а** refrigerating engineering; **2.** (*начин, метод*) technique; (*сръчност*) skill; **3.** (*съоръжения, машини*) machinery, equipment; (*неподвижни*) installations; (*промишлени съоръжения*) plant; **бя́ла** ~**а** white goods; **4.** (*учебно заведение*) school of technology; higher school of engineering/technology.

тѐхникум *м.*, **-и,** (два) **тѐхникума** technical school/college; vocational college/school.

техничар (**-ят**) *м.*, **-и** *разг.* techie.

техни́ческ|и *прил.*, **-а, -о, -и** technical, engineering (*attr.*); (*машинен, механичен*) mechanical; (*технологически*) technological; ~**и культури** industrial/technical crops; ~**и науки** technical sciences; ~**и реда́ктор** a technical editor; ~**о черта́не** mechanical drawing.

тѐхно *ср.*, *само ед.* *муз.* techno.

технокра́т *м.*, **-и** technocrat.

технокра́ция *ж.*, *само ед.* technocracy.

техноло́|г *м.*, **-зи** technologist, industrial engineer.

техноло́ги|я *ж.*, **-и** technology; (*метод*) (technological) method, processing methods; ~**я на гори́вата** fuel engineering; ~**я на произво́дството** production/process engineering.

тѐч|ен *прил.*, **-на, -но, -ни** liquid; fluid; **в** ~**но състоя́ние** in a liquid state; as liquid/fluid; ~**ен въ́здух** *физ.* liquid air; ~**но гори́во** liquid fuel, fuel oil.

течѐни|е *ср.*, **-я 1.** (*на вода*) stream; current; (*въздушно*) draught; current; **бя́ло** ~**е** *мед.* leucorrhoea; **изло́жен на** ~**е** (*за място*) draughty; **наго́ре по** ~**ето, сре́щу** ~**ето** upstream; **обра́тно** ~**е** *техн.* backwash; **ста́ва** ~**е** there is a draught; it is draughty; **2.** (*на времето*) course; flow; **в** ~**е на еди́н ме́сец** in the course of a month, within a month, during one month; **с** ~**е на времето** in the course of time, as time goes by; by and by; (*своевременно*) in due course; **3.** *прен.* (*насока*) trend; current; tendency; school; **4.** (*на списание*) file; ● **в** ~**е съм на** be posted up in, be aware of, know (the particulars) of; *разг.* be on the ball; ~**ето ме понесѐ със себѐ си** the crowd carried me along.

тѐчност *ж.*, **-и** liquid; fluid; **мя́рка за** ~**и** a liquid measure; **рабо́тна** ~ driving/pressure fluid; **свива́ема** ~ compressible fluid; **спира́чна** ~ brake fluid; **херметизи́раща** ~ sealing fluid.

ти *лично мест.* **1.** you; *остар.* thou; **говоря́ с ня́кого на** ~ address s.o. familiarly; **2.** (*дат. пад.*) you, to you; *остар.* thee, to thee; **3.** (*съкр. от твоят*) your; *остар.* thy, thine; **4.** (*в съчет.*: **оня ми** ~, **къде** ~, **какъв** ~ **не се превежда**) **кой** ~ **гле́да, кой** ~ **мисли за това́** nobody cares, nobody thinks about that; who cares; ● **на** ~ **съм с исто́рията** have history at o.'s fingertips; ~ **ба́ща,** ~ **ма́йка!** I'm lost without you, for God's sake help me! ~ **пък с твоя́ ревматизъ́м** you and your rheumatism.

тиа́р|а *ж.*, **-и** tiara.

Тибѐт *м.* *собств.* Tibet.

тибѐтск|и *прил.*, -а, -о, -и Tibetan, of Tibet.

тигàн *м.*, -и, (два) **тигàна** frying pan.

тигѐл *м.*, -и, (два) **тигѐла** copple; *техн.* crucible; melting-pot.

тигрѝц|а *ж.*, -и *зоол.* tigress.

тѝг|ър *м.*, -ри, (два) **тѝгъра** *зоол.* tiger.

тийнѐйджър *м.*, -и teenager.

тик *м.*, -ове, (два) **тѝка** *мед.* tic; има нервни ~ове have nervous tics.

тѝкам *гл.* **1.** (*бутам, тласкам*) push; shove, thrust; (*бутам напред*) push on; (*в нещо*) stick, put; **2.** (*подканвам, подтиквам*) push on, urge, press; || ~ се elbow/push/squeeze o.s.; ~ се напред thrust o.s. forward.

тѝкв|а *ж.*, -и **1.** *бот.* pumpkin; *амер.* squash; **2.** *прен.* knob, noddle, conk, pate; • не било в ~и, та в кратуни it's all the same, it is six of one and half a dozen of the other; (*безсмислено е*) it's no use; не ми трябва от зелена ~а семе no use asking advice from a greenhorn.

тиквам, тѝкна *гл.* give a push/a shove; ~ някого в затвора throw s.o. in jail, jail s.o., send (s.o.) down; ~ страна във война drag a country into a war.

тѝквени|к *м.*, -ци, (два) **тѝквеника 1.** *кул.* pumpkin-pastry, pumpkin pie; **2.** *шег.* cabbage-head, dolt, dunce, dunderhead, fat-head; *амер.* timblewit, wally.

тѝквичк|а *ж.*, -и *бот.* vegetable marrow, courgette; *амер.* zucchini.

тѝков *прил.*: ~о дърво *бот.* teak (*Tectona grandis*).

тѝксо *ср.*, *само ед.* cello(-)tape, sellotape; *амер.* Scotch tape.

тѝк-тàк *междум.* tick-tack.

тил *м.*, -ове, (два) **тѝла 1.** *анат.* back/scruff of the neck/head/skull, nape (of the neck); occiput; **2.** *воен.* rear, back areas; home front; излизам в ~а на противника gain the enemy's rear; нападам в ~ take in the rear; служа в ~а serve on the home front; • (строени) в ~ in file; стоя в ~ keep in file.

тѝлд|а *ж.*, -и *полигр.* tilde, swung dash.

тилилѐйск|и *прил.*, -а, -о, -и: гори ~и impassable/dense forests.

тѝлов *прил.*; **тилов|ѝ** *прил.*, -à, -ò, -ѝ *воен.* rear (*attr.*); of/in the rear; non-

combatant; home (*attr.*); ~и райони back areas, areas in the rear; ~и служби services in the rear; administrative/auxiliary services; • ~и герой a carpet knight; a feather-bed warrior.

тим *м.*, -ове, (два) **тѝма** *спорт.* team.

тимпàн *м.*, -и, (два) **тимпàна** *муз.* kettle-drum, timbal.

тѝмус *м.*, *само ед.* *анат.* thymus.

тѝмус|ен *прил.*, -на, -но, -ни thymic; увеличение на ~ната жлеза thymic enlargement.

тѝнест *прил.* slimy, slobbish, oozy; silty; miry; sludgy; mud (*attr.*); ~о дъно mud bottom.

тинктѝр|а *ж.*, -и *фарм.* tincture; йодова ~а tincture of iodine.

тинтàв|а *ж.*, -и *бот.* gentian; autumn bells; жълта ~а yellow butterwort (*Gentiana lutea*); пролетна ~а spring gentian (*Gentiana verna*).

тѝня *ж.*, *само ед.* slime, slob, ooze, silt, mud, mire (*и прен.*).

тип *м.*, -ове, (два) **тѝпа 1.** type; (*вид*) kind; sort; (*разновидност*) species, variety; (*модел*) model; pattern; (*направа*) make; *биол.* phylum, *pl.* phyla; **2.** (*типичен образ*) type; той е ~ на еснаф he is a typical philistine; **3.** *разг.* (*човек*) bloke, chap, guy, fellow, bird, *sl.* spiv; *sl.* gink; (*долен човек*) squirt; той не е моят ~ he is not my sort.

типàж *м.*, -и characters; (*във филм, пиеса*) cast.

типизѝрам *гл.* typify; *търг.* standardize.

тѝпов *прил.* type (*attr.*); model (*attr.*); standard (*attr.*); ~ договор standard contract; ~ модел a standard model/type; ~ хляб brown bread; ~а полица *фин.* blanket policy; ~и жилища tract homes; ~и постройки standard buildings.

типогрàфия *ж.*, *само ед.* **1.** typography, printing; **2.** (*печатница*) printing press/house/*амер.* shop.

типолòгия *ж.*, *само ед.* typology.

тирàд|а *ж.*, -и tirade, declamation, screed, harangue.

тирàж *м.*, -и, (два) **тирàжа 1.** print run; (*бройки на издание*) circulation; (*на книга*) total print; **2.** (*теглене на заем, облигации и пр.*) drawing; облигацията е излязла от ~ the bond has been drawn; **3.** (*печатане*) printing.

тирàж|ен *прил.*, -на, -но, -ни **1.** (*за лотария, облигации и пр.*) drawing (*attr.*); ~ен лист a list of winning tickets; a list of bonds due for payment; **2.** *полигр.* circulation (*attr.*).

тирàн(ин) *м.*, тирàни tyrant; bully; represser, oppressor; убиване на ~ tyrannicide.

тиранизѝрам *гл.* tyrannize (*някого* over s.o.); torment, bully; domineer (over), grind down.

тирàния *ж.*, *само ед.* tyranny.

тиранозàв|ър *м.*, -ри, (два) **тиранозàвъра** *палеонт.* tyrannosaur.

тирàнти *само мн.* braces; suspenders.

тирбушòн *м.*, -и, (два) **тирбушòна 1.** corkscrew; **2.** *авиац.* (*летателна фигура*) spin.

тирѐ *ср.*, -та dash; blank.

тирѝстор *м.*, -и, (два) **тирѝстора** *радио.* thyristor.

тирòл|ец *м.*, -ци; **тирòлк|а** *ж.*, -и Tyrolese.

тирòлск|и *прил.*, -а, -о, -и Tyrolese, Tyrolean.

тис *м.*, -ове, (два) **тѝса** *бот.* yew (*Taxus baccata*).

титàн[1] *м.*, -и **1.** *мит.* Titan; **2.** *прен.* giant, titan, colossus.

титàн[2] *м.*, *само ед.* *хим.* titanium.

титанѝч|ен *прил.*, -на, -но, -ни; **титанѝческ|и** *прил.*, -а, -о, -и titanic; gigantic.

тѝтл|а *ж.*, -и **1.** title; *разг.* a handle to o.'s name; (*научна степен*) degree; без ~а (*за човек*) untitled; носител на ~а title-holder; **2.** *език.* mark of abbreviation.

тѝтри *само мн.* *фин.* securities, bonds and shares.

тѝтул *м.*, -и, (два) **тѝтула 1.** title, degree; **2.** *полигр.* title.

тѝтул|ен *прил.*, -на, -но, -ни *полигр.*: ~на страница title page.

титулѝвам *гл.* title, call/name by title; style; entitle; designate.

титулЯр (-ят) *м.*, -и titular(y); ~ на застрахователна полица policyholder; ~ на катедра holder of a chair.

тиф *м.*, *само ед.* *мед.* typhus; коремен ~ abdominal typhus/typhoid; тифоид/enteric fever; петнист ~ epidemic typhus fever, classical typhus.

тифòз|ен *прил.*, -на, -но, -ни typhoid, typhic, typhus (*attr.*); ~но болен ty-

phous patient/case.

тих *прил.* **1.** quiet, still; (*безшумен*) silent; noiseless; (*за глас*) low; (*слаб*) faint; (*нежен*) gentle, soft; **~и стъпки** light footfalls; silent/noiseless steps; **2.** (*спокоен*) quiet, calm, tranquil; serene; peaceful; (*за вятър*) gentle; (*за време, море*) calm; (*кротък, смирен*) quiet; (*безветрен*) windless; • **~а вода** a snake in the grass; **~ите води са най-дълбоки** still waters run deep; **Тихият океан** the Pacific (Ocean).

тихомъ̀лком *нареч.* without a word; on the sly/quiet.

тихоокеа̀нск|и *прил.*, **-а**, **-о**, **-и** Pacific.

тѝчам *гл.* run; **~ насам-натам** run to and fro, run about; **~презглава**, **~като луд** scamper, scutter, scoot; run like blazes; run for o.'s life; **~ след** run after (*и прен.*); • **~ по лекари/адвокати** run around seeing doctors/lawyers.

тѝчннк|а *ж.*, **-и** *бот.* stamen.

тишина̀ *ж.*, *само ед.* silence, quiet(ness); stillness, calm; tranquillity; *прен.* peace; **на ~** when/where it is quiet; **нарушавам ~та** break the silence; disturb the quiet/silence; **пазя ~** keep/be quiet; make no noise; maintain silence; **сред нощната ~** in the stillness of the light; **~!** quiet! silence!

тлак|а̀ *ж.*, **-и** working-bee.

тла̀скам и тла̀свам, тла̀сна *гл.* **1.** push, shove; **~ гюлле** *спорт.* put the shot; **2.** *прен.* (*подбуждам*) incite, insigate, plunge (към to); promote, further, carry forward.

тла̀скане *ср.*, *само ед.* pushing; **~ на гюлле** *спорт.* putting the shot, shotput.

тла̀с|к *м.*, **-ци**, (два) тла̀съка **1.** push, shove; impact; jerk; jog, jab; (*удар*) shock; **2.** *прен.* (*подтик*) incitement; stimulus, *pl.* stimuli, impetus; fillip; **давам начален ~к** set the ball rolling; **давам ~к на** stimulate; give (an) impetus to; fillip, give a fillip to; start (s.th.) off; set (s.th.) going; galvanize; light a fire under.

тлѐн|ен *прил.*, **-на**, **-но**, **-ни** perishable; (*преходен*) transient, transitory; **~ни останки** mortal remains; honoured dust.

тлѐнност *ж.*, *само ед.* perishability, perishableness; mortality; caducity.

тлѐя *гл.*, *мин. св. деят. прич.* тлял **1.** smoulder (*и за чувства*); **2.** *прен.* wither away, languish, pine away.

тлъст *прил.* fat; stout, obese, adipose; (*за храна*) fat, fatty, rich; (*за почва*) fat, rich; (*за животно*) in (prime/pride of) grease; • **~ кокал** *разг.* gravy/fat job; cash cow; *амер. разг.* pap; **~ шрифт** *полигр.* bold type, heavy-faced type; **~а заплата** fat salary.

тлъстѐя *гл.* grow fat; (*за добитък*) fatten; (*за птици*) grow plump.

тлъстѝг|а *ж.*, **-и** *бот.* sedum, (common) stonecrop, wall grass/pepper, liveforever (*Sedum*).

тлъстина̀|а *ж.*, **-й** fatness; (*тлъста част*) fat, *разг.* flab; (*над талията*) spare tyre.

то₁ *лично мест.* it; **~ се знае** everybody knows, it is well known; **~ се знае!** sure! certainly! by all means!; • **туй ~** and that's that; there (you are)!

то₂ *част.* (*за усилване, подчертаване*) then; (*или не се превежда*) **ако те не отидат, ~ и ние няма да отидем** if they do not go, we shan't go there either; • **и ~** at that; **скъп, и ~ много** expensive, and very expensive at that; **~ пък една гара!** *пренебр.* some station!

тоалѐт *м.*, **-и**, (два) тоалѐта **1.** (*облекло*) dress; **2.** (*обличане*) dressing; toilet; **занимавам се с/правя ~а си** make o.'s toilet; dress; **3.** (*клозет*) lavatory, toilet.

тоалѐт|ен *прил.*, **-на**, **-но**, **-ни** toilet (*attr.*); **~ен сапун** toilet/bath soap; **~на вода** cologne; **~на чантичка** a vanity case/box/bag; **~ни принадлежности** toilet articles/things, toiletries, (*комплект*) toilet-set; toiletware; **~но мляко** cleansing milk.

тоалѐтк|а *ж.*, **-и** dressing table.

тоалѐтн|а *ж.*, **-и и 1.** lavatory, loo; (*дамска*) powder room; *разг.* loo; (*без канализация*) privy; **дамска ~а** ladies' room; **мъжка ~а** gents; **обществена ~а** public convenience; **ходя до ~а** *разг.* spend a penny, pay a visit, visit the smallest room; **2.** *театр.* dressing room.

тоалѝрам *гл.* dress; || **~ се** dress (up).

Т-обра̀з|ен *прил.*, **-на**, **-но**, **-ни** T-shaped.

това̀ *показ. мест.* this; that; it; **все ~ е**

it's the same thing; it's all the same; **въпреки ~** in spite of that, nevertheless; **зависи от ~, дали** it depends on whether; **и без ~** anyway, anyhow; **какво от ~?** what of it/that? **Левски е ~** (*не е кой да е*) it's Levcki, after all; **освен ~** besides (that), in addition (to that), furthermore; **от ~ следва, че** thence it follows that; hence, therefore; **при все ~** nevertheless, none the less; **при ~** moreover; besides, furthermore, what's more; at that; **след/подир ~** after that, afterwards; • **е то** that's that; **~онова** this and that; **тъкмо ~, което трябва** the very/right thing; that's just the ticket; just/quite the thing I needed.

това̀р *м.*, **-и**, (два) товара **1.** load; burden; freight; goods; *мор., авиац.* cargo; **мъртъв/неполезен ~** dead load/weight; **полезен ~** service/net/useful load, pay load; **2.** *прен.* burden, encumbrance; weight; **тежък ~ ми падна/ми се смъкна от гърба** that's a great weight off my mind; **~ съм за някого** be a drag on s.o.; **3.** *ел.* charge; **без ~** idle; **под ~** on load; **с ~** under load.

товара̀ч *м.*, **-и** loader; (*пристанищен*) stevedore.

това̀р|ен *прил.*, **-на**, **-но**, **-ни** goods (*attr.*), freight (*attr.*); (*за кораб или самолет*) cargo (*attr.*), cargo-carrying; (*за животно*) pack (*attr.*); **~ен автомобил** lorry, *амер.* truck; **~ен вагон** freight car, (*закрит*) goods-van, (*открит*) goods-truck, goods-wag(g)on; **~ен влак** freight/goods train; **~ен кон** dray-/pack-/sumpter-horse; drafter; **~ен кораб** cargo/boat, freighter; **~ен трафик** goods traffic; shipping.

товарѝтелниц|а *ж.*, **-и** *търг.* consignment note, waybill, *съкр.* WB; bill of lading; **~а за експедиция** shipping bill.

товаровместѝмост *ж.*, *само ед.* *техн.* tonnage; *търг.* cargo-carrying capacity.

товароподѐмност *ж.*, *само ед.* lifting power; lifting capability; *техн.* (*за хаспел и пр.*) hoisting capacity/tonnage; (*на превозно средство*) carrying/loading capacity.

товароразтоварѝтел|ен *прил.*, **-на**, **-но**, **-ни**: **~ни работи** load handling operations.

товаря *гл., мин. св. деят. прич.* **то-варил 1.** load; charge; freight; (*на кораб*) lade, freight; (*хора, на кораб*) embark; (*на влак*) entrain; (*на самолет*) emplane; (*на коли*) *воен.* embus; **2.** *прен.* burden (c with), work (s.o.) hard.

тог|а *ж., -и* toga; gown (*и на адвокати и пр.*).

тогава *нареч.* **1.** (*за време*) then, at that/the time; **и ~?** and what next? and then? **от ~ насам/нататък** thereafter; **само ~** (then and) then only; **~ и само ~, когато** *мат.* if and only if; **~ и ~** at such and such a time; **~ когато** when; (*докато*) whereas, while; **2.** (*съюз*) then, in that case.

тоест *нареч.* that is to say, namely; *съкр.* i. e.; ● **~ как/къде?** how/where do you mean?

тоз и този *показ. мест.* this, *pl.* these, that, *pl.* those; this/that one; he; **за ~, дето духа** all for nothing; **много е умен ~ Петър** he's very clever, is Peter/Peter is; **на ~ свят** in this world, on earth; **~, който** he who/that; whoever; the one that; **~ месец** *търг.* instant, *съкр.* inst.; **~ мой приятел** that friend of mine.

той *лично мест.* he.

ток₁ *м., -ове,* (два) **тока** heel (of shoe); (*капачка*) heel-tap; **обувки с ниски ~ове** low-/flat-heeled shoes; **обувки с тънки, високи ~чета** stilettos, stiletto shoes.

ток₂ *м., само ед. ел.* current; electricity; **галваничен ~** galvanic/voltaic current; **нарастващ ~** swelling current; **непостоянен (прав) ~** intermittent/make-and-break current; **постоянен ~** continuous/direct current, *съкр.* d.c.; **прав ~** direct current, *съкр.* d.c.; **променлив ~** alternating current, *съкр.* a.c.; **пускам/спирам ~а** switch on/off the current; **регулиране на ~а** current adjustment; **силен ~** heavy current; **~ът дойде** the current/electricity is on again; **хваща ме ~** get an electric shock.

ток|а *ж., -и* buckle, clasp.

токайск|и *прил., -а, -о, -и:* **~о вино** Tokay.

токат|а *ж., -и муз.* toccata.

токачк|а *ж., -и зоол.* guinea-hen, guinea-fowl, galeeny (*Numida meleagris*).

тòков *прил.* current (*attr.*).

токоизправител (*-ят*) *м., -и,* (два) **то-коизправителя** charger; *ел.* rectifier.

токоразпределител (*-ят*) *м., -и,* (два) **токоразпределителя** *авт., ел.* ignition-distributor.

токсиколо|г *м., -зи* toxicologist.

токсикология *ж., само ед. мед.* toxicology.

токсин *м., -и обикн. мн. мед.* toxin.

токсич|ен *прил., -на, -но, -ни* toxic(al); **~ен дерматит** *мед.* toxicodermatosis.

току *нареч.* **1.** (*тъкмо*) just; **2.** (*изведнъж, ненадейно*) at once, suddenly, in no time; **~виж** all of a sudden, before you know it; presently; **3.** (*често, непрекъснато*) always, forever; **той ~ пита** he is forever asking questions; **4.** (*нека само*) if only; (*само*) only.

току-така и **току-тъй** *нареч.* just like that; without any particular reason; **не ~** not for nothing; with good reason, not without reason.

току-що *нареч.* just (now); hardly, scarcely; newly; **~ бях влязъл** I had hardly come in when; **~ обръснат** newly/fresh shaven; **~ пристигнал от Лондон** fresh from London; **~ разцъфнал** new-blown; **~ свършил училище** fresh/new from school.

толеранс *м., само ед.* allowance, tolerance (*и техн.*), margin.

толерант|ен *прил., -на, -но, -ни* tolerant (**към** to); broad-minded.

толерантност *ж., само ед.* tolerance; forbearance.

толерирам *гл.* tolerate; be tolerant toward.

толкова 1. *показ. мест.* that much/many, so much/many; this/that much; (*не повече*) so/that much; **още ~** as much again; (*за брой*) as many again; **стига ли ти ~?** is that enough for you? **~! that's all! ~ време** so much time; so long; **~ пъти** so many times; **2.** *нареч.* so; this, that; **в ~ и ~ часа** at such and such a time; **и ~ ~** and that's that; and that's all there is to it; **какво ~ му харесваш?** what is there so wonderful about it? **колкото по-рано, ~ по-добре** the sooner/earlier, the better; **не е ~ глупав, колкото изглежда** he's less of a fool than he looks; **~, колкото** so much/many as; **~ мога** that's all I can

do; **~ повече, че** the more so that; **~ по-добре/-зле** so much the/all the better/worse.

том *м., -ове,* (два) **тома** volume.

томахавк|а *ж., -и* tomahawk.

томбол|а *ж., -и* lottery; raffle.

томография *ж., само ед.* tomography, laminography; *мед.* tomography.

тон₁ *м., -ове,* (два) **тона 1.** *муз.* tone; **висок ~** high(-pitched) tone; **давам ~** give the pitch; (*с камертон*) give the tuning A; *прен.* set the pace/the fashion; give the lead; **неразличаване на ~овете** tone-deafness; **нисък ~** deep note; low(-pitched) tone; **пея в ~** sing in tune; **~ за настройване** tuning tone; **цял/половин ~** whole/semi tone; **2.** (*глас, интонация*) tone, voice; tone of voice; **не с този ~!** *разг.* none of your lip! **повишавам ~а** raise o.'s voice; **променям ~а** alter o.'s tone; *разг.* sing another song/tune; come down a peg or two, sing small; **3.** (*нюанс*) tone, hue, shade, tinge; **не е в ~** (*за цвят*) it doesn't match, *прен.* it is out of harmony with; **4.** *прен.* manners; form; **не е добър ~** it's not the thing, it's not done; **5.** *мед.* sound; **сърдечен ~** cardiac/heart sound.

тон₂ *м., -ове,* (два) **тона** ton; **два ~а жито** two tons of wheat; **метрически ~** metric ton; **регистър-~** register ton.

тон₃ *м., само ед. зоол.* tunny, tuna-fish (*Thynnus vulgaris*).

тонаж *м., само ед.* tonnage; **полезен ~** *търг.* cargo deadweight tonnage.

тонал|ен *прил., -на, -но, -ни муз.* tonal; **~ен режим** *тел.* tone mode.

тоналност *ж., само ед. муз.* tonality, key, mode.

тонер *м., само ед.* toner.

тоник *м., само ед.* tonic.

тониране *ср., само ед. полигр.* toning.

тонколон|а *ж., -и* speaker-system.

тонооператор *м., -и* sound-operator.

тонрежисьор *м., -и* sound-engineer.

тонус *м., само ед. мед.* tone; tonicity.

топ₁ *м., -ове воен.* cannon, gun; **2.** *шах.* castle, rook; ● **на ~а на устата съм** bear the brunt; stand in the breach; be up against it; **хвърлям ~а** kick the bucket; turn up o.'s toes, *sl.* bite the dust, curl up o.'s toes, join the great majority.

топ₂ *м.*, -ове, (два) то̀па 1. (*плат*) bale; roll; 2. (*хартия*) ream; pack.

топа̀з *м.*, -и, (два) топа̀за *минер.* topaz.

то̀пвам, то̀пна *гл.* dip, immerse; ǁ ~ **се** (*в морето*) go in for a dip.

топѐне *ср.*, *само ед.* 1. melting, fusing; fusion; (*на сняг, лед*) thawing, thaw; температура/точка на ~ melting point; 2. (*потапяне*) dipping, soaking, immersion.

то̀пк|а *ж.*, -и ball; (*кълбо*) sphere; (*дръжка на врата*) knob; **играя на ~а** play ball; снежна ~а snowball; ~и (*тестиси*) *sl.* balls, cobs, cods, eggs, goolies; ● прехвърлям ~ата *разг.* pass the buck; ~ата е у него he has the ball in his court.

топлѝйк|а *ж.*, -и pin.

топлина̀ *ж.*, *само ед.* warmth; *физ.* heat; единица ~ calorie, thermal unit, unit of heat; лъчиста ~ radiant heat; относителна ~ specific heat; скрита ~ на топене latent heat of fusion.

топлѝн|ен *прил.*, -на, -но, -ни *физ.* thermal, heat (*attr.*); calorific; ~ен екран (*на катод*) heat-shield; ~ен ефект, ~но действие a calorific effect; ~на изолация thermal/heat insulation.

то̀плоелектроцентра̀л|а *ж.*, -и thermal power station.

топлоѐмкост *ж.*, *само ед.* thermal capacity, heat capacity.

топлоенергѐтика *ж.*, *само ед.* heat-power industry.

то̀плоизолàци|я *ж.*, -и heat insulation.

топлокръ̀в|ен *прил.*, -на, -но, -ни warm-blooded.

топлолюбѝв *прил. бот.* thermophilic, heat-loving.

топломѐр *м.*, -и, (два) топломѐра heat-flow gauge; *физ.* calorimeter.

топлообмѐн *м.*, *само ед.* heat exchange.

топлоотдѐляне *ср.*, *само ед.* heat release, production of heat; heat generation; calorification.

топлопоглъ̀щане *ср.*, *само ед.* heat absorption.

топлопрово̀д *м.*, -и, (два) топлопрово̀да heating system/mains.

топлоснабдя̀ване *ср.*, *само ед.* heat-supply; centralized heating system.

топлота̀ *ж.*, *само ед.* warmth; *прен.* warmth; genialness, geniality; cordiality; affection.

топлоустойчивост *ж.*, *само ед.* thermostability; heat endurance/resistance.

топлофика̀ция *ж.*, *само ед.* fitting of heating installations; installation of a centralized heating system; heat-and-power supply.

топлофицѝрам *гл.* supply with a central(ized) heating system.

топлоцентра̀л|а *ж.*, -и heating plant.

топлочувствѝтелност *ж.*, *само ед.* thermal sensitivity.

то̀пля *гл.*, *мин. св. деят. прич.* то̀плил 1. warm; heat; (*за облекло*) keep warm; 2. *прен.* warm, delight; ǁ ~ **се** 1. warm o.s. (**на at**); (*за вода*) heat; 2. (*използваме за отопление*) use as fuel, use for heating; ● това не ни топли we are none the better for it; we have nothing to gain by it, it's a cold comfort.

топо̀в|ен *прил.*, -на, -но, -ни gun (*attr.*), cannon (*attr.*); ~ен гърмеж gunshot; ~на стрелба gunfire.

топогра̀ф *м.*, -и topographer; (*земле-мер*) surveyor.

топогра̀фия *ж.*, *само ед.* topography; ~та на страната the natural features of the country.

топо̀л|а *ж.*, -и *бот.* poplar (*Populus*); канадска ~а Canadian poplar; срѐбриста/бяла ~а silver/white poplar, abele (*Populus alba*).

тополо̀гия *ж.*, *само ед.* *мат.* topology.

топонѝм *м.*, -и, (два) топонѝма *език.* toponym.

топонѝмия *ж.*, *само ед.* *език.* toponymy.

топо̀р *м.*, -и, (два) топо̀ра axe; broadaxe, battle-axe.

топохѝмия *ж.*, *само ед.* topochemistry.

топу̀з *м.*, -и, (два) топу̀за 1. (*на кантар и пр.*) weight; poise; 2. (*боздуган*) mace; 3. (*на часовник*) bob.

то̀пче *ср.*, -та 1. small ball; globule, pellet; (*за игра*) marble; супа от ~та meat-ball soup; 2. (*за дете*) roly-poly; 3. *воен.* small cannon.

то̀пчест *прил.* 1. ball-shaped, globular; rotund; 2. (*пълен, дебел*) plump, podgy.

то̀п|ъл *прил.*, -ла, -ло, -ли 1. warm; (*за цвят и пр.*) glowing; (*за време и пр.*) mild; ~ла храна cooked warm food; ~ъл - ~ъл oven-fresh, piping hot, hot and hot; ~ъл хляб fresh bread; 2. *прен.* warm, cordial, hearty, genial, kindly; (*нежен*) affectionate; (*съчувстващ*) sympathetic; ● като ~ъл хляб like hot cakes; ~ло мѐстенце snug/cushy/fat/gravy job; a place in the sun.

топя̀₁ *гл.*, *мин. св. деят. прич.* топѝл 1. (*потопявам*) dip (**в** into); 2. (*натопявам, накисвам*) steep, soak; drench; 3. (*при ядене*) dip pieces of bread (in the sauce); dunk; 4. (*набеждавам*) set s.o. up; *sl.* put the finger on.

топя̀₂ *гл.*, *мин. св. деят. прич.* топѝл (*стопявам*) melt; *техн.* smelt; fuse; flux; (*масло*) clarify; (*сланина*) render; ǁ ~ **се** 1. melt, smelt, fuse; (*за сняг или лед*) melt, thaw; 2. *прен.* (*слабея*) waste away; (*за сърце*) melt; (*намалявам*) dwindle (away/to nothing).

тор *м.*, -ове manure, dung; compost; muck; (*химически*) fertilizer; азотен ~ nitrogen/nitric fertilizer; станал на ~ decayed; фосфатен ~ phosphate fertilizer.

то̀ракс *м.*, *само ед.* *анат.* thorax.

торб|а̀ *ж.*, -и bag; (*чувал*) sack; (*сак*) holdall; (*войнишка*) valise, kitbag; дрехите му стоят като ~а his clothes hang loose; конска ~а foddersack; ~а цимент a bag of cement; циганска ~а rag-bag; ● слагам си главата в ~ата put o.'s neck into the noose.

то̀рбест *прил.* baggy, baglike; saccate, sacciform, sac-like.

торбѝчк|а *ж.*, -и pouch; *биол.* sack; прашинкова ~а *бот.* anther; ~и под очите pockets/fullness under the eyes, baggy skin below the eyes.

тореадо̀р *м.*, -и toreador, torero, bull-fighter.

то̀р|ен *прил.*, -на, -но, -ни fertilized, manured; ~ен бръмбар *зоол.* dung-beetle/chafer (*Geotrypes stercorarius*); ~ен червей *зоол.* muckworm.

торѐне *ср.*, *само ед.* fertilization, manuring.

то̀ри *само мн.* *полит.* Tory.

то̀ри|й (-ят) *м.*, *само ед.* *хим.* thorium.

то̀рѝщ|е *ср.*, -а dunghill, manure-heap, muckheap.

тормо̀з *м.*, *само ед.* torment, harassment; excruciation; **нра̀вствен ~** *юр.* mental cruelty.

тормо̀з|я *гл.*, *мин. св. деят. прич.* **тормо̀зил** torment, harass; tantalize; bully; badger; hassle; chiv(v)y, *(психически)* excruciate; go hard (with); *(с шеги)* chaff, banter, tease; ‖ **~ се** worry, torment o.s., fret, chafe; eat o.'s heart out.

торна̀д|о *ср.*, -а tornado.

то̀ров *прил.* fertilizer *(attr.)*; manure *(attr.)*.

то̀роразпръскв̀ач *м.*, -и, (два) то̀роразпръскв̀ача manure-spreader, fertilizer-spreading machine.

торпѐд|о *ср.*, -а *воен.* torpedo; **маневриращо ~о** pattern-running torpedo; **самонасочващо се ~о** homing torpedo; **учебно ~о** practice torpedo.

торпедоно̀с|ец *м.*, -ци, (два) торпедоно̀сеца 1. *мор.* torpedo boat; 2. *авиац.* torpedo bomber/plane.

торпѝл|а *ж.*, -и *воен.* torpedo; **жива ~а** one-man torpedo.

торс *м.*, -ове, (два) то̀рса; то̀рсо *ср.*, *само ед. изк.* torso, trunk.

то̀рт|а *ж.*, -и cake; *(с плодове или мармалад)* tart; *(сметанова)* gateau; **~а на три нива** three-tier cake.

торф *м.*, *само ед.* peat; **мазен ~** bituminous peat.

то̀рфен *прил.* peat *(attr.)*, peaty, turfy; **~ брикет** peat-block; **~ мъх** peat-moss; **~о блато** bog moss, peatbog; **~о находище** peatery.

торя̀ *гл.*, *мин. св. деят. прич.* **торѝл** manure, dung; *(изкуствено)* fertilize; apply/use/spray fertilizer/manure/compost/dung on.

тост *м.*, -ове, (два) то̀ста health, toast; **вдигам ~ за някого** drink to the health of s.o., drink s.o.'s health; **предлагам ~ за някого** propose the health of s.o.

то̀стер *м.*, -и, (два) то̀стера toaster.

тота̀л|ен *прил.*, -на, -но, -ни total.

тотализа̀тор *м.*, -и, (два) тотализа̀тора *спорт.* totalizer, *разг.* tote.

тоталитар̀из|ъм (-мът) *м.*, *само ед.* *полит.* totalitarianism.

тотѐм *м.*, -и, (два) тотѐма totem.

то̀то *ср.*, *само ед. разг.* tote; totalizer; pool(s); **играя на ~** play/do the pools.

тофус *м.*, *само ед. мед.* tophus.

то̀ча₁ *гл.*, *мин. св. деят. прич.* то̀чил sharpen; *(на точило)* grind; *(на брус)* whet; *(на ремък)* strop; *(на струг)* turn; • **~ зъби срещу някого** have a crow to pick with s.o.; have a grudge against s.o.; **~ си зъбите** *(за ядене)* lick o.'s chops, *прен. (в очакване на нещо)* be all agog (for), be all set (for).

то̀ча₂ *гл.*, *мин. св. деят. прич.* то̀чил 1. *(течност)* draw; tap; **~ вино** tap wine; 2. *(тесто)* roll (out); 3. *(нишка)* spin; draw; ‖ **~ се** 1. *(за хора)* come dawdling along, dribble (away); 2. *(за течност)* trickle; *(за дим и пр.)* curl/wind up(wards); 3. *(за сироп и пр.)* be/become ropy/stringy; **точи се** *(за пиво)* be on tap/draught.

то̀ч|ен *прил.*, -на, -но, -ни exact, precise; accurate; *(ясно определен)* clean-cut, clear-cut; *(за време, часовник)* right; *(близък до оригинала)* faithful; *(който не закъснява)* punctual; **~ен изстрел** a good/an accurate shot, a well-aimed shot; **~ен като часовник** as regular as clockwork; **~ен превод** faithful translation; **~ни данни/~на информация** facts and figures; **~ни науки** exact sciences; **~но време** *(по телефона)* speaking clock system.

точѝл|ен *прил.*, -на, -но, -ни sharpening, grinding; **~ен ремък** strop.

точѝлк|а *ж.*, -и rolling-pin.

точѝл|о *ср.*, -а whetstone; grindstone.

то̀чк|а *ж.*, -и 1. point; *(петънце)* dot, spot; **допирна ~а** a point of contact *(и прен.)*; *прен.* common ground; **мъртва ~а** *техн.* dead centre/point, *(безизходица)* deadlock; **огнева ~а** *воен.* a weapon emplacement, fire-nest; **опорна ~а** *физ., прен.* fulcrum; **плат на ~и** dotted material; **~а на кипене** boiling point, *съкр. b.p.*; 2. *език.* full stop, full point; *амер.* period; **~а и запетая** semi-colon; 3. *(въпрос, параграф и пр.)* item; *(от член на закон и пр.)* section; **виновен по всички ~и** guilty on all counts; **~а в договор** clause of a treaty; 4. *спорт.* point; **победител по ~и** a winner on points; • **изходна ~а** a starting point, a point of departure; **кулминационна ~а** climax; **обирам ~ите** take the cake; pull off a coup; **от гледна ~а на** from the point of view of, in terms of; **~а! stop it! (that's enough!** *(категоричен съм)* that's flat! **~а по въпроса** enough on that head/chapter!

то̀чков *прил. техн.* point *(attr.)*, spot *(attr.)*; **~а база** points basis; **~о запояване** spot-welding.

то̀чност *ж.*, *само ед.* accuracy, precision; exactness; exactitude; *(правилност)* correctness; *(изпълнителност)* punctuality; *(на възпроизведения звук)* fidelity; **с пълна ~** to the letter; to the dot; **to a T**; **с ~та на часовников механизъм** like clockwork; **~ на превода** accuracy of the translation.

тоя̀г|а *ж.*, -и stick, staff, cudgel, club, bludgeon; • **докарвам някого да просяшка ~а** a beggar s.o., reduce s.o. to beggary; **на чужд гръб и сто ~и са малко** It's all very well for you to speak; **хващам се за някого като слепец за ~а** pin o.'s faith on s.o., be quite helpless without s.o.

травѐрс|а *ж.*, -и 1. *жп* sleeper; *амер.* crosstie; 2. *строит.* cross-beam, cross-arm, traverse.

травестѝт *м.*, -и transsexual, transvestite, cross-dresser; *разг.* gender-bender.

тра̀вм|а *ж.*, -и *мед.* trauma; **психологическа ~а** shock; mental trauma.

травматизѝрам *гл.* traumatize.

травмат̀из|ъм (-мът) *м.*, *само ед.* traumatism.

травматоло̀гия *ж.*, *само ед.* traumatology.

трагѐди|я *ж.*, -и tragedy.

траг̀из|ъм (-мът) *м.*, *само ед.* tragedy; tragic situation.

трагѝ|к|м *м.*, -ци 1. *(актьор)* tragedian, tragic actor; 2. *(автор на трагедии)* tragedian.

трагикомѐди|я *ж.*, -и mock tragedy, tragicomedy.

традиционал̀из|ъм (-мът) *м.*, *само ед.* traditionalism.

традѝци|я *ж.*, -и tradition; **по ~я** by tradition; **предавам ~ята** hand down the tradition, hand/pass on the torch.

траекто̀ри|я *ж.*, -и trajectory; path; **възходяща ~я** ascending trajectory; **~я на полет** flight path.

тра̀|ен *прил.*, -йна, -йно, -йни *(продължителен)* lasting, durable; continued; permanent; solid, firm, strong; *хим.* stable; *(за влияние и пр.)* enduring; abiding; **~ен съюз** stable/firm/lasting alliance; **~йни знания/познания** sound knowledge; **~йни насаж-**

дения plantations of perennial plants; orchards and vineyards; ~йни продукти non-perishable goods; ~йни цветове/бои fast colours; rain-and-sunproof colours; ~йно увреден wholly and permanently disabled.

трàйност ж., само ед. durability; stability; endurance; solidity; (за плат) long wear.

трàкам гл. rattle, clack; clatter; (леко) tick; (чукам) rap; knock; (за дъжд) patter; (силно) pelt; (за зъби) chatter; (за щъркел) clatter, clapper; ~ на машина rattle/tap away on a typewriter; ~ токове click o.'s heels.

трàквам, трàкна гл. rap; knock.

трàки само мн. истор. Thracians.

траки|ец м., -йци; тракийк|а ж., -и Thracian.

тракийск|и прил., -а, -о, -и Thracian.
Трàкия ж. собств. Thrace.

тракт м., само ед. анат. tract; стомашно-чревен ~ digestive tract.

трактàт м., -и, (два) трактàта treatise, tractate.

трактòвк|а ж., -и treatment, handling; (тълкуване) interpretation.

трàктор м., -и, (два) трàктора трактор; гъсеничен ~ a caterpillar tractor; колесен ~ a wheeled tractor.

трàкци|я ж., -и техн. traction; haulage.

трал м., -ове, (два) трàла мор. trawl(-net).

трàлер м., -и, (два) трàлера trawler.

трамбòвка ж., само ед. 1. rammer, beetle; метал. punner, dabber; 2. разг. trudging; sl. padding.

трамбỳвам гл. 1. ram; stamp; pun; pack; 2. разг. foot it, trudge, footslog; sl. pad.

трамва|й (-ят) м., -и, (два) трамвàя tram; амер. street-car; (линия) tramway; tramline; амер. street railway; ● ~й да стана, ако … I'll eat my hat, if …, I'm a Dutchman if …

трàмп|а ж. и разг. swop, swap; dicker; правя ~а с нещо swop s.th.

трамплѝн м., -и, (два) трамплѝна spring-/plunge-board (и прен.); (за ски) ski-jump; прен. stepping-stone, jumping-off place.

транзѝстор м., -и, (два) транзѝстора 1. transistor set/radio; 2. (полупроводник) transistor.

транзѝт 1. нареч. directly, without stopping, nonstop; 2. м., само ед. transit.

транзѝт|ен прил., -на, -но, -ни transit, through; ~ен пътник through passenger; ~ни стоки goods in transit.

транзитив|ен прил., -на, -но, -ни език. transitive.

транс м., само ед. мед. trance.

трàнсатлантѝческ|и прил., -а, -о, -и transatlantic.

трàнсгранѝч|ен прил., -на, -но, -ни cross-border.

трàнсевропейск|и прил., -а, -о, -и trans-European.

Трансилвàния ж. собств. Transylvania.

транскодѝрам гл. техн. transcode.

трàнсконтинентàл|ен прил., -на, -но, -ни transcontinental.

транскрибѝрам гл. език. transcribe.

транскрѝпция ж., само ед. език. transcription.

транслàтор м., -и, (два) транслàтора translator.

транслàция ж., само ед. ел. relay, relaying.

транслитерàция ж., само ед. език. transliteration.

трансмисиòн|ен прил., -на, -но, -ни transmission (attr.); ~ен ремък a transmission belt; ~на верига drive chain; ~но колело a driving wheel.

трансмѝси|я ж., -и техн. (ремък) transmission belt; (предавка) transmission drive; верижна ~я chain-drive/-gear.

трансокеàнск|и прил., -а, -о, -и transoceanic; overseas (attr.).

транспарàнт м., -и blind; спускам/дърпам ~ите draw the blinds.

трансплантàнт м., -и, (два) трансплантàнта мед. transplant.

трансплантàци|я ж., -и мед. transplantation.

транспонѝрам гл. муз. transpose; put into another key.

транспòрт м., само ед. transport; transportation; freightage; автомобилен/шосеен ~ road transport; (на стоки) road haulage; градски ~ urban transport/facilities; ~ на стока goods traffic.

транспортèр м., -и, (два) транспортèра техн. carrier, transporter, conveyor; винтов/шнеков ~ screw/spiral/worm conveyer.

транспортѝр м., -и, (два) транспортѝра техн. protractor; ~нониус vernier protractor.

транспортѝрам гл. transport; convey; freight; (извозвам) haul; ~ по въздуха airlift.

трансфèр м., -и, (два) трансфèра transfer; ~ на валутните резерви transfer of foreign-reserve assets; ~ на портфейли portfolio transfer.

трансформàци|я ж., -и transformation.

трансформѝрам гл. transform; (превръщам) convert.

трàнсцендентàлност ж., само ед. филос. transcendence, transcendency.

трàнсцендèнт|ен прил., -на, -но, -ни филос. transcendent, transcendental (и мат.).

транш м., -ове, (два) трàнша фин. tranche.

траншè|я ж., -и воен. trench; ditch.

трап м., -ове и -ища, (два) трàпа ditch; pit; мор. gangway; ● прескачам ~а pull through, turn the corner, be over the hump.

трапèз|а ж., -и table; прен. repast; сядам на ~ата sit down to table.

трапезàри|я ж., -и 1. dining-hall, dining-room; амер. eating hall; воен. mess-room; (в пансион или манастир) refectory; безплатна ~я (за бедни или при бедствие) soup-kitchen; 2. (мебели) dining-room set/suite.

трàпер м., -и trapper.

трапèц м., -и, (два) трапèца 1. геом. trapezium, pl. trapezia; равнобедрен ~ antiparallelogram; 2. спорт. trapeze.

трапчѝнк|а ж., -и (на буза) dimple; с ~и dimpled.

трас м., само ед. геол. trass.

трасàнт м., -и търг. drawer.

трасàт м., -и търг. drawee.

трасè ср., -та строит. route, permanent way; астр. path; (въздушно) airway; (очертание) layout; кабелно ~ cable routing; ~ на път road-bed.

трасѝрам гл. trace, mark out, outline; lay out.

трасѝращ сег. деят. прич. (и като прил.): ~ снаряд воен. tracer (shell)

трàт|а ж., -и търг. draft, bill.

трàулер м., -и, (два) трàулера мор. trawler.

тра̀ур *м.*, *само ед.* mourning; дълбок ~ deep mourning; нося ~ за be in mourning for; слагам ~ go into mourning.

трафѝ|к *м.*, **-ци**, **(два) трафѝка** traffic.

трахѐ|ен *прил.*, **-йна**, **-йно**, **-йни** *анат.* tracheal.

трахеотомѝя *ж.*, *само ед.* *мед.* tracheotomy.

трахѐ|я *ж.*, **-и** *анат.* trachea, windpipe.

тра̀я *гл.* **1.** last; *(продължавам)* continue, take; *(за храна)* keep; *(за дреха)* wear well; ~ дълго go a long way; **2.** *(търпя)* endure, put up with; *(чакам)* wait; ~ **си** be patient, wait patiently; **3.** *(мълча)* keep mum; keep it dark; **зная нещо, ама си** ~ keep s.th. up o.'s sleeve; **трай!** shut up! hold your fire! **трай си!** keep it to yourself!; ● **трай, коньо, за зелена трева** while the grass grows the horse starves.

трѐбя *гл.*, *мин. св. деят. прич.* **трѐбил 1.** *(изсичам)* clear of underwood etc.; **2.** *(унищожавам)* kill, exterminate, do away with; **3.** *(ориз, леща)* pick.

трев|а̀ *ж.*, **-ѝ 1.** grass; **лечебни/лековити** ~**и** medicinal herbs; **морска** ~**а** seaweed; **не ходете по** ~**ата** keep off the grass; **птича** ~**а** *бот.* bird grass *(Polygonum aviculare)*; **2.** *(марихуана)* grass, marijuana, ganga, ganja; *амер. sl.* gage; ● **тя не пасе** ~**а** she's no fool, you can't fool her.

тревѝст *прил.* **1.** grassy, grass (*attr.*); grass-like; gramineous, graminaceous; ~**озелен** grass-green; **2.** *бот.* herbaceous.

тревог|а̀ *ж.*, **-ѝ** alarm; anxiety, uneasiness; fluster; discomposure; disquiet, disquietedness, disquietude; *воен.* *(сигнал)* alarm, alert; **бия** ~**а** sound/ring the alarm; **бойна** ~**а** a battle alarm/alert; **в** ~**а съм** be alarmed/anxious/uneasy; **вдигам** ~**а** raise an alarm, give the alarm; **въздушна** ~**а** alert, air-raid warning/alert; **сигнал за** ~**а** *мор.*, *воен.* distress signal.

тревѐжа *гл.*, *мин. св. деят. прич.* **тревожил** alarm; worry, trouble; bother; discompose; make uneasy; disturb; harass; || ~ **се** worry, be anxious/worried/alarmed/uneasy (**за** about); get cold feet (about s.th.); *разг.* get in(to) a tizzy;

(нарушавам спокойствието си) bother; trouble (o.s.); **не се тревожете** don't worry, keep calm, be easy; **не се тревожете за тези дреболии** don't bother about these trifles.

тревопа̀с|ен *прил.*, **-на**, **-но**, **-ни** herbivorous, graminivorous.

тревѝсвам, **тревѝсам** *гл.* grow over with grass.

трѐгер *м.*, **-и**, **(два) трѐгера** *строит.* cross-beam, crossbar; *(над врата или прозорец)* lintel.

трѐзвен *прил.* **1.** sober; **2.** *(благоразумен)* sober(-minded), sensible; common-sense, common-sensical; clear-headed; ● ~ **като краставица** *амер. разг.* as sober as a judge.

трѐзвеност *ж.*, *само ед.* soberness, sobriety; *(въздържание)* temperance; teetotalism.

трезор *м.*, **-и**, **(два) трезо̀ра** safety vault, strong-room, safe-deposit.

трѐли *само мн.* *муз.* *(при пеене)* trill; *(при муз. инструмент)* shake; *(на птица)* warble, warbling.

трем *м.*, **-ове**, **(два) трѐма 1.** porch, veranda(h); corridor; *(в дворец)* antechamber; **2.** *(стая)* big room; guest-room; **3.** *(в парламент)* lobby.

трѐм|а *ж.*, **-и** *полигр.* diaeresis.

тренажо̀р *м.*, **-и**, **(два) тренажо̀ра** simulator, trainer; training device/mock-up/machine; *(за имитиране на полет)* flight stimulator.

трендафил *м.*, **-и**, **(два) трендафила** *бот.* rose *(Rosa centifolia)*.

трѐнинг *м.*, *само ед.* *спорт.* **1.** training; **2.** *(костюм)* training suit.

тренѝрам *гл.* train; coach; **започвам да** ~ go into training; || ~ **се** train; *(даден спорт)* be in/go into training for.

треньо̀р *м.*, **-и**; **треньо̀рк|а** *ж.*, **-и** *спорт.* trainer, coach.

трепана̀ци|я *ж.*, **-и** *мед.* trepanation.

трепанѝрам *гл.* *мед.* trepan (s.th.).

трепа̀ч *м.*, **-и** hot stuff; knock-out, stunner; *sl.* capper.

трѐпвам, **трѐпна** *гл.* wince; start, quail, blench, shrink, draw back, flinch; *(за клепачи)* flutter; *(за глас, устни)* quiver; *(за пламък и пр.)* flicker; **без да ми трепне окото** without batting an eyelid; without flinching; **не** ~ **окото ми не трепва** not turn a hair; **не** ~ **пред** face out.

трепѐрене *ср.*, *само ед.* trembling, shivering, shuddering, vibration; tremble; shiver; tremor; quiver, quaver, quakiness; tremulousness; *(на мускул)* twitch.

трепѐря *гл.* **1.** tremble (**от** with), shake, quake; dither; *(за лист, глас)* quiver; *(за глас, от немощ)* quaver; dodder; *(от студ)* shiver; vibrate; ~ **за живота си** go in fear of o.'s life; ~ **като лист** tremble like an aspen leaf; ~ **над** treasure, dote on; coddle; make much of, mollycoddle; ~ **от страх** shudder/shake with fear; ~ **при мисълта за** shudder at the thought of; **целият** ~ tremble/shiver/shudder all over, be all of a tremble; **2.** *(боя се от някого)* stand in terror (**от** of), dread (**от** -); ● ~ **над парата** look twice at a penny.

трѐпет *м.*, **-и** *обикн. ед.* **1.** tremor, trembling, quiver; **2.** *(вълнение)* thrill; excitement; anxiety, trepidation; **със страх и** ~ with fear and trepidation; **на очакването** the thrill of expectation.

трепетлѝк|а *ж.*, **-и** *бот.* aspen, asp, trembling poplar *(Populus tremula)*.

трѐпкам *гл.* flicker; *(за звезда)* twinkle.

трептя̀ *гл.* vibrate; *физ.* oscillate; *(за светлина)* flicker; *(за звезда)* twinkle, wink; *(за пламък)* waver; gutter; *(за листа)* shake; **амплитудно-модулирани трептения** amplitude-modulated oscillations; **трептения със звукова честота** acoustic oscillations; ● **на устните му трептеше усмивка** a smile played on his lips.

трѐпя *гл.*, *мин. св. деят. прич.* **трѐпал 1.** do away with, finish, kill; bash s.o.'s head in; **2.** *(изтощавам с работа)* overwork, kill with work; || ~ **се** drudge and slave; work o.s. to a frazzle; *амер. sl.* work o.'s butt off.

треса̀ *гл.*, *мин. св. деят. прич.* **трѐсъл** shake; rock; convulse; || ~ **се** shake; tremble, shiver; quake; ~ **се от смях** shake/rock with laughter; **целият се** ~ shake all over.

треса̀вищ|е *ср.*, **-а** swamp, quagmire, bog, marsh, morass.

треск|а̀ *ж.*, **-ѝ** chop; sliver; splinter; ~**и за подпалка** kindling-wood; ● **имам** ~**и за дялане** be far from perfect; have rough edges.

трѐск|а₁ *ж.*, **-и** fever; ague; *прен.* fever,

ferment; excitement, agitation; **блатна** ~a malaria; **жълта** ~a yellow fever; **периодична/повтаряща се** ~a intermittent fever, ague; **родилна** ~a puerperal fever; **сенна** ~a hay fever; **сценична** ~a stage-fright; **тропическа** ~a tropical/jungle fever; **хвърлям в** ~a throw into a fever (*и прен.*); • **златна** ~a a gold rush.

трѐска₂ *ж., само ед.* зоол. cod(-fish) (*Gadus morhua*).

трѐт|а *ж.,* -и third part, (one) third; **две** ~и two-thirds.

третѐйск|и *прил.,* -а, -о, -и arbitration (*attr.*); ~**и съд** *юр.* an arbitration court, a court of arbitration.

трѐт|и *редно числ.,* -а, -о, -и third; ~и **март** the third of March, March the third, March 3rd, March 3; ~и **балкон** *театр.* gallery; **един** ..., **други** ..., ~**и** some ..., others ..., still others; **на** ~o **място** in the third place, thirdly; **от** ~a **ръка** indirectly, from indirect sources, from a third person; ~и **номер** number three.

третѝрам *гл.* 1. treat (*и of*); deal with; handle; хим. treat, process; ~ **зле** treat badly, maltreat; 2. (*считам*) regard (**като** as), take (for), treat (as), consider (to be, as).

трѐто *ср., само ед.* (*ядене*) third course; dessert, sweets.

третоклàс|ен *прил.,* -на, -но, -ни 1. third-class (*attr.*); 2. third-rate.

третоклàсни|к *м.,* -ци; **третоклàс- ничк|а** *ж.,* -и third-class/-grade pupil.

трещя̀ *гл.* rattle; crash, thunder; crack; **трещи (се)** it thunders; there is a thunder-storm.

три *бройно числ.* three; • **две** ~ two or three; **правя се на** ~ **и половина** play the innocent.

триàд|а *ж.,* -и triad.

триадрѐс|ен *прил.,* -на, -но, -ни *инф.* three-address.

триàж|ен *прил.,* -на, -но, -ни: ~**на гара** *жп* a marshalling yard.

трибàгрени|к *м.,* -ци, (**два**) **трибàг- реника** tricolour banner.

трибо̀|й (-**ят**) *м., само ед.* спорт. triathlon.

трибология *ж., само ед.* tribology.

трибомѐтрия *ж., само ед.* tribometry.

трибу̀н *м.,* -и tribune (*и истор.*).

трибу̀н|а *ж.,* -и 1. rostrum, *pl.* rostra; platform; tribune; 2. (*за зрители*) stand; **централна** ~a grand stand; 3. *прен.* forum.

трибунàл *м., само ед.* tribunal.

тривиàл|ен *прил.,* -на, -но, -ни trivial, banal; hackneyed.

трѝгер *м.,* -и, (**два**) **трѝгера** bistable, multivibrator, flip-flop, toggle, trigger.

триглàв *прил.* three-headed, tricephalous; ~ **мускул** анат. triceps; ~**о чу- довище** *мит.* tricephalus.

тригономѐтрия *ж., само ед.* мат. trigonometry; *уч. sl.* trig; **равнинна** ~ plane trigonometry; **сферична** ~ spherical trigonometry.

тригу̀н|а *ж.,* -и triangular syruped pastry.

трѝдесет (трѝйсет) *бройно числ.* thirty; **през** ~**те години на миналия век** in/during the thirties of the last century; **прехвърлил съм** ~**те** be in o.'s thirties, be over thirty.

трѝдесет|и (трѝйсет|и) *редно числ.,* -а, -о, -и thirtieth; **една** ~а **част** one thirtieth (part).

трѝене *ср., само ед.* rubbing; friction; **без** ~ frictionless.

тризнàч|ен *прил.,* -на, -но, -ни three-unit; *мат.* three-digit (*attr.*).

тризъ̀б|ец *м.,* -ци, (**два**) **тризъ̀беца** trident.

триизмѐр|ен *прил.,* -на, -но, -ни *мат.* three-dimensional.

трик *м.,* -ове, (**два**) **трѝка** trick; dodge; **знам всички** ~ове be up to all tricks/ dodges.

трико̀ *ср., само ед.* 1. jersey, knitted fabrics/wear/goods; 2. (*на танцьор*) tights, leotard(s), (*с цвета на тяло- то*) fleshings, flesh-tights; 3. (*бельо*) stockinet underwear.

трико̀лк|а *ж.,* -и tricycle; three-wheeled vehicle.

трико̀льор *м.,* -и, (**два**) **трико̀льора** tricolour (banner).

трикотàж *м., само ед.* (*материя*) knitted fabric(s); stockinet; knitwear, knitted wear, knitted goods; hosiery.

трикрàк *прил.* three-legged; tripod, tri- pedal; ~a **масичка** trivet table; tripod; ~o **столче** three-legged stool, tripod.

трикрàт|ен *прил.,* -на, -но, -ни three- fold, triple; treble; triplicate; ~ен **пър- венец** three times champion.

трикфѝлм *м.,* -и, (**два**) **трикфѝлма** cartoon picture/film.

трилемѐж|ен *прил.,* -на, -но, -ни *техн.* three-furrow (*attr.*).

трѝлер *м.,* -и, (**два**) **трѝлера** *муз.* shake, trill, quaver.

трилио̀н *м.,* -и, (**два**) **трилио̀на** trillion (1,000,000,000,000,000).

трилѝстни|к *м.,* -ци, (**два**) **трилѝст- ника** *бот.* trefoil.

трило̀ги|я *ж.,* -и *лит.* trilogy.

трѝлър *м.,* -и, (**два**) **трѝлъра** thriller, *разг.* chiller, spine-tingler/-chiller.

трѝма *бройно числ.* three people/persons; three; **по** ~ in threes; **за** ~ **ни, за нас** ~**та** for us three, for the three of us; **и** ~**та** all three of us/you/them; all three.

тримàчтов *прил. мор.* three-masted, three-mast (*attr.*); ~ **кораб** a three-master.

трѝмер *м.,* -и, (**два**) **трѝмера** *техн.* trimmer; trimming tab.

тримѐсечи|е *ср.,* -я quarter, three months; trimester.

тримѐст|ър *м.,* -ри, (**два**) **тримѐстъ- ра** quarter; trimester; *уч.* term.

тринàдесет (тринàйсет) *бройно числ.* thirteen; *разг.* long dozen, baker's dozen; ~ **часà** thirteen hours, one o'clock p.m.

трино̀жни|к *м.,* -ци, (**два**) **трино̀ж- ника** tripod.

трино̀м *м.,* -и, (**два**) **трино̀ма** мат. trinomial.

трѝ|о *ср.,* -à *муз.* trio; **струнно** ~o a string trio; ~**осоната** *муз.* trio-sonata.

трио̀д *м.,* -и, (**два**) **трио̀да** ел. triode; **полупроводников** ~ crystal/ semiconductor triode; **усилвателен** ~ triode-amplifier.

трио̀кис *м.,* -и, (**два**) **трио̀киса** хим. trioxide.

трио̀л|а *ж.,* -и *муз.* triplet.

трио̀н *м.,* -и, (**два**) **трио̀на** saw; handsaw, bow-saw; (*за дърва*) frame-saw; (*голям, за двама души*) large saw, pit-saw; **режа с** ~ saw.

трио̀р *м.,* -и, (**два**) **трио̀ра** grain cleaner/grader.

трѝпер *м., само ед.* мед. gonorrhoea.

триплòщни|к *м.,* -ци, (**два**) **трип- лòщника** авиац. triplane.

триптѝ|к *м.,* -ци, (**два**) **триптѝка** авт. triptyque.

триптѝх *м.*, -и, (два) триптѝха *изк.* triptych.

трѝста *бройно числ.* three hundred.

тристѝши|е *ср.*, -я *лит.* tercet, tristich.

трѝти|й (-ят) *м.*, *само ед.* *хим.* tritium.

тритѐмни|к *м.*, -ци, (два) тритѐмника three-volume work.

тритѐн *м.*, -и, (два) тритѐна 1. *зоол.* triton; newt; 2. *мит.* Triton; merman.

триумвѝр *м.*, -и *истор.* triumvir.

триумвирàт *м.*, -и, (два) триумвирàта *истор.* triumvirate, triarchy.

триýмф *м.*, -и, (два) триýмфа triumph.

триумфѝрам *гл.* triumph.

трифàз|ен *прил.*, -на, -но, -ни *ел.* three-phase (*attr.*); **~ен ток** rotary current.

трихѝн|а *ж.*, -и *зоол.*, *мед.* trichina.

трихинелòза *ж.*, *само ед.* *мед.* trichinosis.

трихлорѝд *м.*, *само ед.* *хим.* trichloride.

трихолòгия *ж.*, *само ед.* *мед.* trichology.

трицвѐт *м.*, -и, (два) трицвѐта tricolour (banner).

трѝцепс *м.*, -и, (два) трѝцепса *анат.* triceps (muscle).

трѝци *само мн.* bran; дървени ~ sawdust; брашно с ~те wholemeal; ● на ~те скъп, на брашното евтин penny wise and pound foolish; strain at a gnat and swallow a camel.

тричлѐн *м.*, -и, (два) тричлѐна *мат.* trinomial.

триъгъл|ни|к *м.*, -ци, (два) триъгълника *геом.* triangle; неравностранен ~к a scalene triangle; правоъгълен ~к a right-angled triangle; равнобедрен ~к an isosceles triangle; решаване на ~к calculation of triangle.

трѝя *гл.*, *мин. св. деят. прич.* трил 1. (*търкам*) rub; (*за да загрея*) chafe; (*изтърквам, изтривам*) rub out, erase; корабът се триеше о скалите the ship was grinding on the rocks; 2. (*бърша*) wipe; (*под, съдове*) scrub, scour; 3. (*жуля болезнено*) rub, chafe; abrade; 4. (*стривам*) grind (small); ● трий си го на главата do whatever you like with it; ~ някому сол на главата hassle, niggle (s.o.).

трòвя *гл.*, *мин. св. деят. прич.* трòвил 1. poison; envenom; 2. *прен.* vex,

irritate, tease; bully; ~ живота на някого be the bane of s.o.'s life; || ~ се 1. poison o.s.; 2. *прен.* torment o.s.; suffer torments; be vexed/irritated; fray, fret, chafe, sit on thorns, worry, fret and fume.

трогàтелност *ж.*, *само ед.* touchingness.

трòгвам, **трòгна** *гл.* move, touch; affect; това никак не ме трогва it leaves me cold; ~ до сълзи move to tears; || ~ се be moved/touched; (*вземам присърце*) take to heart; хич не се ~ *разг.* I couldn't care less.

трò|ен *прил.*, -йна, -йно, -йни triple, threefold; treble; triplicate; (*трикатен*) three-ply (*attr.*); (*състоящ се от три части*) trimerous, trinary; в ~ен размер threefold; Тройният съюз *истор.* Triple Entente.

Трòица *ж.*, *само ед.* *рел.* Trinity.

трòйк|а *ж.*, -и 1. three; triad; ~а каро карти three of diamonds; 2. (*трамвай, автобус*) tram/bus №3; 3. (*прежда*) three-ply yarn; 4. troika, three-horse carriage/sleigh, three-in-hand; 5. *уч.* pass; получавам ~а get a pass; 6. (*секс, в който участват трима души*) troilism.

трол *м.*, -ове, (два) трòла *мит.* troll.

тролѐ|й (-ят) *м.*, -и, (два) тролѐя 1. *техн.* trolley; 2. trolley car.

тролейбýс *м.*, -и, (два) тролейбýса trolley bus, *амер.* trolley car.

трòмав *прил.* clumsy; lubberly, lumpish, lumbering; clumpy, clunky; ungainly; ungraceful; sluggish; elephantine; gawky, gawkish; ham-fisted, ham-handed.

тромб *м.*, -ове, (два) трòмба *мед.* thrombus, *pl.* thrombi; blood-clot.

тромбòза *ж.*, *само ед.* *мед.* thrombosis.

тромбòн *м.*, -и, (два) тромбòна *муз.* trombone.

тромбофлебѝт *м.*, *само ед.* *мед.* thrombophlebitis.

тромбоцѝти *само мн.* *физиол.* thrombocytes.

тромпѐт *м.*, -и, (два) тромпѐта *муз.* trumpet.

трон *м.*, -ове, (два) трòна throne; *църк.* (*стол*) stall; седя на ~а be enthroned, be/sit on the throne; *прен.* (*царувам*) reign; свалям от ~а dethrone, depose.

трòпам *гл.* 1. clatter, patter; (*чукам, почуквам*) knock, rap (на at); (*стъпвам тежко*) stamp, tramp, clop, clomp, clump; 2. (*играя хоро*) dance; хайде да му тропнем едно хоро let's dance; ● ~ на нечия врата come begging for help.

тропàр *м.*, -и, (два) тропàра *църк.* antiphon, gradual.

трòпвам, **трòпна** *гл.* rap, tap, knock; ~ с крак stamp o.'s foot; ● ~ нещо на някого в очите tell s.o. a home truth.

трòпи *само мн.* *книж.* tropes, figures of speech.

трòпи|к *м.*, -ци, (два) трòпика *геогр.* tropic; ~к на Козирога tropic of Capricorn.

тропикàл *м.*, *само ед.* *текст.* tropical, light synthetic woollen material.

тропològия *ж.*, *само ед.* tropology.

тропòля *гл.*, *мин. св. деят. прич.* тропòлил rattle, clatter, stump about; clop; clump; (*за кола*) rumble/rattle along.

тропòсвам, **тропòсам** *гл.* tack, baste.

тропòск|а *ж.*, -и 1. basting, tack(ing); 2. (*конец*) basting/tacking thread; махам ~а untack, unbaste.

трòпот *м.*, *само ед.* tramp; stamp(ing); (*стъпки*) heavy footfalls, stamping; бърз ~ a patter of feet; конски ~ a thud/clatter of hoofs/horses; clip-clop.

трòсвам, **трòсна** *гл.* 1. dump (down); 2. (*сопвам се*) snap; || ~ се 1. drop heavily; 2. snap.

трòскот *м.*, *само ед.* *бот.* couch(-grass), quitch(-grass), twitch, twitch grass, scutch (*Gynodon dactilon*).

тротѝл *м.*, *само ед.* trotyl; *съкр.* T.N.T.

тротоàр *м.*, -и, (два) тротоàра pavement; *амер.* sidewalk; (*на мост*) footway.

трофѐ|й (-ят) *м.*, -и, (два) трофѐя *воен.*, *лов.* trophy; *мор.* prize; (*плячка*) booty; *мн.* captured war materials; captures.

трох|à *ж.*, -ѝ crumb; *мн. прен.* leavings, (*жълти стотинки*) chicken feed; ● до ~а completely, entirely; ни ~а not a pinch; not a bit.

трошà *гл.*, *мин. св. деят. прич.* трошѝл break (small), crush; smash; (*орехи*) crack; (*хляб*) crumble; || ~ се crumble; fall apart; ~ пари spend/waste/squander money, *разг.* blow money; оставям някого да си троши глава-

та give s.o. rope enough to hang himself.

трошàчк|а ж., -**и** техн. crusher; crushing/grinding mill; disintegrator; breaker; **дискова** ~**a** a disc crusher; **конусна** ~**a** a cone breaker.

троянск|и прил., -**а**, -**о**, -**и** 1. истор. Trojan; 2. of (the Bulgarian town of) Troyan.

трубадỳр м., -**и** истор. troubadour.

труд м., -**ове**, (два) **трỳда** labour; work (и научно съчинение); (безпокойство) trouble; **давам/правя си** ~ **да** take the trouble to (c inf.), give o.s. trouble to, take pains to; trouble to; go to the trouble (of c ger.); **Международна организация на** ~**a** International Labour Organization, съкр. ILO; **не си струва** ~**a** it is not worth the trouble, the game is not worth the candle; **охрана на** ~**a** labour protection; (съоръжения) safety devices; **постигам без** ~ take things in o.'s stride; **принудителен** ~ forced labour, compulsory work; **сизифов** ~ Sisyphean labour; **тежък** ~ hard work; toil; разг. graft; **и работна заплата** manpower and wages; labour and remuneration; **умствен** ~ mental/brain work.

трỳдност ж., -**и** difficulty; hardship; (трудно положение) predicament; (препятствие) obstacle; stumbling-block; (критичен момент) crux; **болният с** ~ **се изправи на краката си** the patient struggled to his feet; **не представлявам** ~ offer no difficulty; **представлявам известна** ~ be a matter of some difficulty.

трỳдов прил. working (attr.); labour (attr.), work (attr.); ~ **колектив** working team; (в предприятие) workers and employees, work force; **колективен** ~ **договор** икон. collective bargain; ~ **обект** work site; ~ **стаж** length of service; ~**a книжка** record of service; work-book; ~**о възнаграждение** labour remuneration; ~**a неспособност** skill dissipation; ~**a повинност** labour service/conscription; ~**a злополука** an employment accident; ~**a дейност** work; ~**и отношения** labour relations.

трỳдововъзпитàтел|ен прил., -**на**, -**но**, -**ни**; ~**ен лагер** labour camp.

трудод|èн (-енят) м., -**ни**, (два) **тру-**

додèна working-day, work-day unit.

трудолюбие ср., само ед. industry, diligence, industriousness; assiduousness.

трудоспособност ж., само ед. (годност) ability to work; (работоспособност) capacity for work, working capacity, labour efficiency; **загуба на** ~ disability, disablement.

трудоустройвам, трудоустрой гл. transfer to a more appropriate job (for reasons of health); provide employment.

трỳдя се възвр. гл., мин. св. деят. прич. **трỳдил се** 1. work hard; toil, labour (върху at), (много усилено) drudge; hammer away at; 2. (стремя се) try; make an effort/efforts.

труп м., -**ове**, (два) **трỳпа** 1. corpse, dead body; (на животно) carcass; **жив** ~ walking corpse; 2. анат. trunk; torso; 3. trunk, stem, log; stock; • **като** ~ **съм** be dead beat; **само през** ~**а ми** (only) over my dead body.

трỳп|а[1] ж., -**и** театр. company (of actors); group, troupe; **танцова** ~**a** dance group/ensemble.

трỳпа[2] ж., само ед. kind of card game.

трỳпам гл. heap, pile up; accumulate; cumulate; amass; (алчно; и за катерици и пр.) hoard; (складирам) store up, lay up; (богатство) lay up, amass; воен. concentrate, amass, build up; ~ **знания** amass knowledge; || ~ **се** accumulate, pile up; (тълпя се) crowd, gather, throng; clutter.

трỳпи само мн. logs, trunks, stems; (дървен материал) lumber, timber, logs; **недялани/необработени** ~ timber in the round, unhewn timber; **строителни** ~ building timber; **за бичене** saw logs.

трус м., -**ове**, (два) **трỳса** (earthquake) shock; tremor.

трỳб|а ж., -**и** 1. pipe; tube; мн. tubing; pipes; **водопроводна** ~**a** waterpipe; **дренажна** ~**a**, **водосточна** ~**a** drain pipe, drain; **смяна на** ~**и** retubing; ~**a за печка** stove-pipe; flue; 2. муз. trumpet; (рог) bugle; horn; (за събуждане на войници) reveille; • **стахиева** ~**a** анат. trachea; **евстахиева** ~**a** анат. Eustachian tube; **йерихонска** ~**a** a stentorian voice.

трỳбач м., -**и** trumpeter (и воен.); (с рог) bugler.

трỳб|ен прил., -**на**, -**но**, -**ни** 1. tubular; pipe (attr.); мед. cannular, cannulate; ~**на инсталация** tubing, piping; ~**на мебел** tubular furniture; 2. воен. trumpet (attr.); ~**ен зов** a clarion call.

трỳбопровод м., -**и**, (два) **трỳбопровода** pipework; pipeline; **захранващ** ~ delivery pipeline; **подземен** ~ buried pipeline; **транспорт по** ~ pipage.

трỳбя гл., мин. св. деят. прич. **трỳбил** 1. trumpet, blare forth; blow the trumpet/horn; 2. прен. blare forth, trumpet abroad.

трỳгвам, трỳгна гл. 1. start, set out/off, embark (on) (към, за for; на on); (напускам, заминавам) leave; depart, go away/off, be off, разг. get off; ~ **в крак с** fall in line with, fall into step with; ~ **пръв** lead the way, lead off; ~ **си** leave, go away; 2. (за път) start, (за река) take its source; 3. (почвам да обикалям) frequent (по -); ~ **между народа** go among the people; 4. (показвам се в някакъв вид) go about/out; ~ **бос** go about barefoot; 5. (сприятелявам се) go about, make friends, разг. chum up (с with); 6. (почвам да функционирам, за машина и пр.) start working/operating; ~ **добре** (за начинание) start off on the right foot; ~ **зле** get off on the wrong foot; 7. (вървя добре – за работа и пр.) go/proceed well; **като трỳгне** – **върви** nothing succeeds like success; **работата трỳгна** things are/our work is getting on/along well; 8.: **веднъж като му трỳгне на човек** (добре) once you get going, (зле) it never rains but it pours; **трỳгва ми** be in luck, do well; get on well/all right; • ~ **по лош път** take to evil ways; ~ **по света** venture out into the world; **трỳгнал да се жени** he's taken it into his head to get married.

трỳж|ен прил., -**на**, -**но**, -**ни** auction (attr.); ~**ен документ** tender document, мн. tenders; ~**на гаранция** bid bond; ~**на зала** auction room; ~**на оферта** tender offer.

трън м., -**и**, (два) **трỳна** thorn; prickle; **магарешки** ~ бот. (Scotch) thistle; **кисел** ~ barberry (Berberis vulgaris); • **кокоши** ~ мед. corn; **от** ~ **та на глог** out of the frying pan into the fire; **седя/**

стоя като на ~и be on pins and needles; be on tenterhooks; be like a cat on hot bricks; be all on edge; ~ в очите на някого a thorn in s.o.'s side/flesh.

тръна̀|к м., -ци, (два) тръна̀ка thornbushes; briers.

тръ̀нк|а ж., -и бот. blackthorn (*Prunus spinosa*); (плод) sloe.

тръ̀нлив прил. thorny; прен. difficult, hard; ~ (житейски) път a life full of hardships.

тръ̀пк|а ж., -и shiver; creeps; (при изтръпване) pins and needles; прен. thrill; (the) cut and thrust; заради ~ата for kicks; ~и ме побиха a chill/cold shivers went down my spine.

тръ̀пна гл. **1.** shiver, shudder (от with, при at); (от приятна мисъл) be thrilled (with); ~ в очакване/неизвестност разг. sweat (it) out; **2.** (изтръпвам) grow numb.

тръ̀пчивост ж., само ед. astringency; tartness, acerbity.

тръс м., само ед. trot; бавен/тежък ~ jog-trot; карам/подкарвам кон в ~ trot a horse; яздя ~ trot, ride at a trot.

тръ̀свам, тръ̀сна гл. **1.** shake; (глава назад) jerk; fling back, toss; **2.** (тръшвам) throw down, dump; (врата) slam; **3.** прен. (казвам грубо) blurt/snap out.

тръ̀скам гл. shake; (за каруца) jolt.

тръст м., -ове, (два) тръ̀ста икон. trust, pool; благотворителен ~ charitable trust; ~ за жилищно кредитиране housing trust.

тръстѝк|а ж., -и бот. reed (*Phragmites communis*); (папур) rush (*Junkus*); захарна ~а sugar-cane.

тръ̀тк|а ж., -и parson's/pope's nose.

тръ̀шкам и тръ̀швам, тръ̀шна гл. **1.** hurl/fling down; dump; send (s.o.) flying; (с шум) bang; **2.** (затръшвам) slam; (със силен шум) bang; || ~ се **1.** drop/fall down heavily; throw o.s.; fling o.s.; **2.** (за врата) slam.

трюм м., -ове, (два) трю̀ма мор. hold.

трю̀фел м., -и, (два) трю̀фела бот. truffle, swinebread (*Tuber aestivum*).

тря̀бва (да) безл. гл. must, should, have to, have got to; ако ~ if required; би тря̀бвало should, ought to; когато ~ и когато не ~ in and out of season; не ~ (не е необходимо) need not, (не бива) must not; така ~ that's as it

should be; ~ вече да сте чули за това you must/will have heard of that already.

тря̀бвам гл. be necessary/needed, be indispensable (на to); за този модел тря̀бва много плат this model requires a lot of material; не ти и тря̀бва you'd better not; тря̀бва ми I need; ще ми тря̀бват 5 минути it'll take me 5 minutes; що ти тря̀бва да отиваш? what's the use of going? what do you want to go for?

тря̀свам, тря̀сна и тря̀скам гл. crash; (врата) bang; (удрям) clonk; разг. go bang; ~ с юмрук по масата bang o.'s fist on the table; || ~ се: ~ се във вратата go bang/smash into the door; bang o.'s head against the door.

тря̀съ|к м., -ци, (два) тря̀съка crash; bang; peal (of thunder), thunder.

ту ... ту съюз now ... now; at times ... at times/at others; sometimes ... sometimes; at one moment ... at another; ~ така, ~ така now this way, now that.

ту̀б|а ж., -и tube; **2.** (за бензин и пр.) can; container; **3.** муз. tuba.

туберкуло̀за ж., само ед. мед. tuberculosis, съкр. ТВ, consumption; белодробна ~ pulmonary tuberculosis, consumption; костна ~ bone/osseous tuberculosis; масови прегледи за ~ tuberculosis control; скоротечна ~ galloping consumption.

ту̀бус м., -и, (два) ту̀буса анат. tube, canal.

туз м., -ове, (два) ту̀за 1. ace; **2.** разг. money-bag, swell, tycoon; (големец) bigwig, big pot/bug; амер. big shot.

тузѐм|ец м., -ци; тузѐмк|а ж., -и native, aboriginal (*pl.* aborigines).

туист м., само ед. twist.

тук(а) нареч. here; (за посока) this way; (в адрес) local; (обаждане при проверка по списък) present; ~ вода, там вода, не можахме да намерим we looked here, there and everywhere, and there was no water; ~ да си останеш between you and me; ~ е Петър (при обаждане по телефона) this is Peter speaking.

тука̀н м., -и, (два) тука̀на зоол. toucan (*Rhamphastidae*).

тулу̀вищ|е ср., -а trunk, torso; (на кон, крава) barrel.

тулу̀мбичк|а ж., -и 1. syringe; oil-can;

2. kind of sweetmeat soaked in syrup.

ту̀мб|а ж., -и crowd, throng; band; на ~и in groups; in droves.

ту̀мор м., -и, (два) ту̀мора мед. tumour; morbid growth; neoplasm; доброкачествен/злокачествен ~ benign/malignant tumour; мозъчен ~ encephaloma; ~ в напреднал стадий advanced tumour.

ту̀ндр|а ж., -и геогр. tundra.

тунѐл м., -и, (два) тунѐла tunnel; (за пешеходци) subway.

ту̀нер м., -и, (два) ту̀нера радио. tuner.

тунѐяд|ец м., -ци sponger, hanger-on, parasite.

тунѝк|а ж., -и tunic.

Тунис м. собств. Tunisia.

тупа̀лк|а ж., -и (carpet-)beater.

ту̀пам гл. 1. (килим, тъпан) beat; **2.** (бия) drub, thwack; clonk; **3.** (тупти) beat, throb, pulsate; (силно) thump; сърцето ми взе да тупа my heart went bumpety-bump; **4.** (потупвам) tap, rap; pat; **5.** (падам) plump, tumble, flop down; ~ се по гърдите разг. slap/beat o.'s breast; boast; brag.

ту̀пвам, ту̀пна гл. 1. (падам) plump, tumble, flop down, thump; ~ на земята come bump on the floor; **2.** (удрям) hit, strike; (леко) flap; tap, rap, plop.

тупѝрам гл. (коса) backcomb.

тупка̀м гл. 1. (тупти) throb, beat, pulsate; **2.** (потупвам) rap, tap; pat.

туптѐне ср., само ед. pulsation, beat, throb, palpitation; ~ на сърцето heartbeat.

туптѝ гл. beat, pulsate, palpitate, throb; (неравномерно) flutter.

тур₁ м., -ове, (два) ту̀ра 1. (обиколка) tour; **2.** (част от състезание) round; bout.

тур₂ м., -ове, (два) ту̀ра шах. rook, castle.

ту̀р|а ж., само ед. tail (of a coin); ези-~ head or tail; хвърлям ези-~ toss up.

турбѝн|а ж., -и техн. turbine; водна ~а a water/hydraulic turbine; парна ~а a steam turbine; реактивна ~а a reaction turbine.

ту̀рбоагрега̀т м., -и, (два) ту̀рбоагрега̀та turboset.

турбовентила̀тор м., -и, (два) ту̀рбовентила̀тора turboblower, turbofan, turboventilator, fanjet.

тỳрбогенерàтор *м.*, -и, (два) тỳрбо-генерàтора *техн.* turbogenerator.

тỳрбокомпрèсор *м.*, -и, (два) тỳрбо-компрèсора *техн.* turbo-supercharger; turbo-compressor.

турбореактѝв|ен *прил.*, -на, -но, -ни turbojet (*attr.*), jet (*attr.*); ~ен самолет jet-propelled aircraft, jet plane.

турбулèнтност *ж.*, *само ед.* turbulence.

турѝзъм *м.*, *само ед.* tourism; hiking.

турѝст *м.*, -и; **турѝстк|а** *ж.*, -и tourist; hiker, excursionist; sightseer; *шег.* rubberneck.

туркѝн|я *ж.*, -и Turkish woman/girl.

туркмèн *м.*, -и Turkman.

туркмèнск|и *прил.*, -а, -о, -и Turkmen.

турмалѝн *м.*, -и *минер.* tourmaline, jetstone.

турнè *ср.*, -та tour; **правя ~ из страната, на ~ съм из страната** tour the country.

турникèт *м.*, -и, (два) турникèта *мед.* tourniquet.

турнѝр *м.*, -и, (два) турнѝра tournament (*и истор.*).

тỳроперàтор *м.*, -и tour operator.

турск|и *прил.*, -а, -о, -и Turkish; *истор.* Ottoman; **седя по ~и** sit cross-legged; **~а баня** Turkish/sweating bath; **~и език** Turkish, the Turkish language; ● **минавам като през ~и гробища** take no notice of anyone around.

Тỳрция *ж. собств.* Turkey.

тур|чин *м.*, -ци Turk; *истор.* Ottoman.

туршѝ|я *ж.*, -и pickled vegetables, pickles; **смесена ~я** mixed pickles.

тỳтакси *нареч.* immediately, straightaway, right away/off, at once, without delay; in no time, at the drop of a hat.

тỳткàл *м.*, *само ед.* (bone-)glue.

туткам се *взвр. гл.* dawdle; be slow, fumble, potter (about).

тỳтмани|к *м.*, -ци, (два) тỳтманика **1.** cheese-/hearth-cake; **2.** *разг.* bumpkin.

тỳф|а *ж.*, -и tuft; tussock; clump; **на ~и** clumpy, tufty; clustery, clustering.

тỳхл|а *ж.*, -и brick; **направен/построен от ~а** brick-built, brick-made, brick (*attr.*); **облицовъчна ~а** front/ashlar/face brick; **~а със заоблени ъгли** bullnose.

тухлàрство *ср.*, *само ед.* brick-making.

туч|ен *прил.*, -на, -но, -ни **1.** (*за растителност*) lush, succulent, luxuriant; **2.** (*за земя*) fertile, rich; **3.** fat, well-fed.

туш₁ *м.*, -ове, (два) тỳша India(n) ink; China ink; (*за мигли*) mascara; eyeliner.

туш₂ *м.*, -ове, (два) тỳша *спорт.* touchdown; **победа с ~** winning/win/victory by touchdown.

тушѝрам₁ *гл.* **1.** draw in India(n) ink; **2.** (*слагам сенки на*) shade.

тушѝрам₂ *гл.* **1.** (*докосвам*) touch; **2.** *спорт.* beat by touchdown.

тщеслàвие *ср.*, *само ед.* vanity, vainglory; love of fame.

тъг|à *ж.*, -й sadness; melancholy; (*скръб*) grief, sorrow; **~а по родината** homesickness.

тъгỳвам *гл.* grieve, be sad/melancholy.

тъжà *гл.*, *мин. св. деят. прич.* тъжѝл **1.** grieve (за, по for); be sad; **тя много тъжи за родината си** she is very homesick; **2.** (*в траур съм*) be in mourning for; || ~ **се** complain (от of); *юр.* lodge a complaint/grievance (against).

тъжб|а *ж.*, -и complaint, plaint; *юр.* plea; litigation; **подавам ~а** lodge a complaint, (*в съда*) appeal to the court.

тъждèствен *прил.* identical (с with), (one) and the same (as); **~ с оригинала** identical with the original.

тъждеств|ò *ср.*, -à identity.

тъж|ен *прил.*, -на, -но, -ни sad; melancholy; sorrowful; mirthless, woeful; **~ни очи** sad/wistful eyes.

тъжѝтел (-ят) *м.*, -и; **тъжѝтелк|а** *ж.*, -и *юр.* plaintiff; suitor; complainant.

тъй *нареч.* thus; so; **~ вярно** *воен.* yes, sir! **~ като** since, as; in view of the fact that.

тъкà *гл.* weave; **~ паяжина** spin a web.

тъкан *ж.*, -и **1.** *текст.* fabric, stuff, cloth, textile, material; texture, contexture; **гумирана ~** proof fabric; **2.** *биол.* tissue; texture; **съединителна ~** stroma; commissure; **3.** tissue.

тъкàч *м.*, -и weaver.

тълкỳвам *гл.* interpret, construe, put a construction on, render; (*обяснявам*) explain; give an interpretation/explanation of; (*сънища*) interpret, read; **клаузата може да се тълкува по два**

начина the clause reads both ways; **~ погрешно/неправилно/криво** misinterpret, misconstrue.

тълп|à *ж.*, -й crowd; throng; flock; *неодобр.* mob; rabble; gaggle; **на ~и** in droves, in groups; **~ата се събра наоколо** the crowd gathered round.

тълпя се *възвр. гл.*, *мин. св. деят. прич.* тълпѝл се crowd, throng; flock (together); swarm.

тъм|à *ж.*, -й **1.** darkness, dark; **2.** (*преизподня*) hell, inferno; **вечната ~а** the bottomless pit.

тъмнèя *гл.*, *мин. св. деят. прич.* тъмнял **1.** grow/get/become dark, darken; darkle; (*за очи*) dim; **тъмнее ми пред очите** see dark; **~ на някого** stand in s.o.'s light; **2.** show dark.

тъмнин|à *ж.*, -й **1.** darkness, dark; obscurity; **в ~та** in the dark; **непрогледна ~а** impenetrable darkness, pitch-darkness; **2.** *прен.* (*невежество*) ignorance, darkness.

тъмнѝц|а *ж.*, -и **1.** dungeon, jail, gaol; prison; **2.** dark, darkness.

тъмножълт *прил.* buff.

тъмнозелèн *прил.* dark-/deep-green; bottle green.

тъмнокòж *прил.* dark-skinned, swarthy.

тъмнокòс *прил.* dark-haired, dark.

тъмносѝн *прил.*, -я, -ьо, -и dark-/deep-blue; (*за плат*) navy-blue.

тъмнотà *ж.*, *само ед.* darkness, dark.

тъмночервèн *прил.* dark-red; crimson.

тъна *гл.* (*потъвам*) sink; be buried; **~ в мизерия** be plunged/sunk/buried in poverty, be ground down by poverty; **~ в невежество** live in profound ignorance; **~ в разкош** roll in luxury.

тънковлàкнест *прил.* fine-fibred.

тънкост *ж.*, -и **1.** thinness; (*на нишка или тъкан*) fineness; (*на фигура*) slenderness/slimness; **2.** (*на вкус*) delicacy, fineness; (*на ум и пр.*) subtlety; **3.** (*подробност*) fine point; minute detail; piece of subtlety, nicety; **4.** *само мн.* refinements, subtleties, twists and turns; **достигам до ~ите на езика** come to the niceties of the language; **~ите на дипломацията** the cobwebs of diplomacy.

тън|ък *прил.*, -ка, -ко, -ки **1.** thin; fine, delicate; (*за фигура, шия, кръст*) slender, slim; (*за струя, нишка*) fine;

(*за стебло*) slender; (*за ноздри, нос*) delicate; (*за пръст*) slender; (*за устни*) thin; (*за игла*) slender, fine; (*за слой*) thin, fine; (*за плат*) sleazy; **с ~ка талия** wasp-waisted; **~ки черва** *анат.* small intestine(s); **~ък и гъвкав** willowy; **2.** (*за звук, глас*) thin, high, high-pitched, small; (*писклив*) shrill; **3.** (*за сетиво*) keen; **4.** (*неуловим, незабележим*) subtle; faint; **5.** (*точен, подробен, проницателен*) fine, fine-drawn, delicate, nice, subtle; (*за ум, наблюдател*) keen; (*за политик, дипломат*) astute, subtle, shrewd; (*за вкус*) discriminating; (*за анализ*) fine, subtle; **правя си ~ки сметки** be calculating/shrewd; make shrewd plans; **~ка разлика** subtle/delicate/fine/ fine-drawn/nice distinction/difference; minute/hairline distinction; **~ък познавач** connoisseur; **~ък усет** fine sense (**за** of); **6.** (*изящен, грижливо изработен*) fine, delicate; exquisite; ● **~ка кесия** slender purse; **~ък вятър** keen/ biting wind.

тъп *прил.* **1.** (*за нож и пр.*) blunt; **~ата част на брадва** the butt-end of an axe; **2.** *прен.* (*глупав*) dull, stupid, crass, loggerheaded, slow-/beef-/blunt-/dim-witted, dull-/thick-/wooden-headed; dull of apprehension, gormless, doltish, ditzy-brained; *sl.* dopey; *разг.* dorky; dead from the neck up, dead above the ears; (*неизразителен*) dull, obtuse, stupid, meaningless; **~ като галош** as thick as mince; **~ ученик** dunce; (*безинтересен*) flat, (as) dull (as ditch water); **3.** (*за болка и пр.*) dull; (*за звук и пр.*) muffled; ● **~ ъгъл** *геом.* an obtuse angle.

тъпан *м.*, **-и**, (**два**) **тъпана** drum; (*голям*) kettle-drum, timbal; ● **един бие ~а, друг събира парсата** one beats the bush and another catches the bird; one man makes a chair and another sits in it; **спирам се в къщи като прах на ~** be always on the move; be out all the time; **~ прах не събира** a rolling stone gathers no moss.

тъпанàр (**-ят**) *м.*, **-и 1.** drummer; **2.** berk, dunce; numskull, neddy, nitwit, stodge; *sl.* thicko; *sl.* clod-hopper, clodpole, clodpoll, chowder-head, clunk, dickhead, dimwit; *sl.* dumbo; *австр. sl.* dubbo.

тъпанче *ср.*, **-та** *анат.* tympanum, *pl.* tympanums, tympana, ear-drum.

тъпèя *гл., мин. св. деят. прич.* **тъпял** get blunt/dull; *прен.* grow stupid.

тъпота *ж., само ед.* и **тъпотѝ|я** *ж.*, **-и** stupidity, dullness, foolishness; doltishness; goofiness.

тъпоъ̀гълни|к *м.*, **-ци**, (**два**) **тъпоъ̀гълника** *геом.* obtuse-angled triangle.

тъпча *гл., мин. св. деят. прич.* **тъпкал 1.** (*газя*) tread on, trample on/ upon; stamp on; **~ глина** knead clay; **2.** (*натъпквам*) stuff; cram, jam; squeeze; **не тъпчете детето с храна** don't overfeed the child; **той е бил тъпкан с тези идеи от ранно детство** he has had these ideas crammed down his throat from early childhood; **3.** (*потискам*) oppress; || **~ се 1.** be crowded; crowd together; **2.** (*ям много*) stuff/ cram o.s. (**с** with), gorge o.s. (on), guzzle; gobble (up); gormandize; fill o.'s face, fill o.s. up; *поет.* engorge; ● **~ на едно място** mark time.

търбу̀|х *м.*, **-си**, (**два**) **търбу̀ха 1.** *зоол.* (*на преживно животно*) rumen; **2.** *разг.* belly, paunch; pot-belly; maw.

търбу̀ша *гл., мин. св. деят. прич.* **търбу̀шил** disembowel, draw.

търг *м.*, **-ове**, (**два**) **тъ̀рга** auction; **бивам продаден на ~** come under the hammer; **вземам/печеля ~** obtain/get/ secure/undertake a contract; **на ~** by auction/tender; **обявявам ~** (*за построяване и пр.*) invite tenders (for); **покана за участие в ~** invitation to tender; **участвам в ~ за** tender for.

търгòв|ец *м.*, **-ци** dealer (**на** in); shopkeeper, tradesman; **амбулантен/уличен ~ец** hawker, street-vendor, huckster; **~ец на дребно** retail dealer, retailer, trader; **~ец на коне** horse-dealer, coper.

търговѝ|я *ж.*, **-и** trade, commerce; business; traffic; (*търгуване*) trading, trade relations; **въртя ~я** carry on trade; **вътрешна/външна ~я** home/ foreign trade; **забранена ~я** illegal trade; **~я на едро** wholesale trade; **~я с наркотични средства** drug-traffic, traffic in drugs.

търгòвск|и *прил.*, **-а**, **-о**, **-и** commercial, of commerce/trade; trade (*attr.*), business (*attr.*); merchant (*attr.*); mercantile; **~а организация** trade/trading

organization; **~а отстъпка** trade discount; **~и баланс** balance of trade; **~и брокер** merchandise broker; **~и връзки** trade relations; business connections; **~и договор**, **~о споразумение** trade agreement; **~и дружества** trading corporations/partnerships; **~и кораб** merchant vessel/ship; merchantman; trader; **~и партньор** trading partner; **~и представител** trade/commercial representative; **~и стоки/артикули** articles of trade, merchandise, commercial goods; **~о наименование** (*на стока*) a trade name.

търгу̀вам *гл.* **1.** deal, trade, traffic (**с** in); carry on business/a trade; do/transact business; **~ с недвижими имоти** deal in real estate; **2.** *прен.* be willing to sell.

тържеств|ò *ср.*, **-à 1.** (*церемония*) (official) ceremony; solemnity; function; *мн.* celebrations, festivities; (*празненство*) festivity, festival, fête; occasion; **официално ~о** formal ceremony; **семейно ~о** family occasion; (*възтържествуване, победа*) triumph, victory; (*радост*) exultation, triumph; **~о на справедливостта** triumph of justice.

тържеству̀вам *гл.* **1.** triumph, be triumphant (**над** over); be victorious; **2.** (*ликувам*) exult (**над** over); *разг.* crow (over); (*злорадствам*) gloat (over).

тържѝщ|е *ср.*, **-а** market-place, commodity market.

търкàлям, **търколя̀** *гл., мин. св. деят. прич.* **търколѝл 1.** roll; **2.** (*поваля̀м*) knock, tumble (down, over); || **~ се 1.** roll, tumble; **~ се в калта** wallow in the mud; **~ се от смях** roll over with laughter; **2.** (*за вещи*) lie about, be scattered about; **дрехи се търкаляха по пода** clothes littered the floor.

търкам *гл.* **1.** rub; (*под и пр.*) scrub; **~ носа си о** nuzzle against; **~ очите си** rub o.'s eyes; **2.** (*излъсквам*) polish; **3.** (*стривам*) grate; grind; **4.** (*режа*) saw.

търкỳлвам (се), **търкỳлна (се)** (*възвр.*) *гл.* roll (down), tumble down; ● **търкулнала се тенджерката, та си намерила похлупака** like (will) to like, like begets like, birds of a feather (flock together).

търнокоп *м., -и,* **(два)** **търнокопа** pick(axe).

търпение *ср., само ед.* patience; endurance; *(снизхождение)* forbearance; **губя ~** lose patience; **изкарвам някого из ~** try s.o.'s patience, exasperate s.o., drive s.o. to desperation/past all endurance; **имам ~ с** bear with; **с ~ всичко се постига** everything comes to him who waits.

търпимост *ж., само ед.* tolerance, toleration, tolerability, tolerableness, forbearance **(спрямо, към** of); *(особ. религиозна)* latitude; **религиозна/политическа ~** religious/political tolerance.

търпя *гл.* 1. *(понасям, издържам)* bear; *(нещо мъчително)* suffer, undergo; *(понасям твърдо)* endure, *разг.* stick out; *(без допълнение)* bear it, have patience, put up with it, *разг.* stick it out; *(някого)* stand; **не мога да го ~** I can't stand him, I can't bear the sight of him, I hate his guts, *разг.* I am allergic to him; **не се търпи вече** it's intolerable, it's more than flesh and blood can bear; 2. *(примирявам се с)* put up with, tolerate; 3. *(допускам)* stand for, brook; **въпросът не търпи отлагане** the matter brooks no delay, the matter admits of no delay; **тон, който не търпи възражение** a tone that brooks no contradiction, a tone allowing of/permitting no reply; **~ промени** undergo changes.

търсене *ср., само ед.* search, quest **(на** for, of); retrieval; *(на минерали и пр.)* prospecting; *(на стоки)* demand, request, market **(на** for); **допълнително ~** complementary demand; **скрито ~** latent demand; **~ и предлагане** supply and demand; **~ и предлагане на работна ръка** labour-market; **~ на петрол** oil prospecting; **~ на подпочвена вода** rhabdomancy.

търся *гл., мин. св. деят. прич.* **търсил** 1. look for, seek (after), search for, hunt for; be in search of; be on the lookout for; try to find; go in quest of; *разг.* scout (a)round for; *(работа и пр.)* want; *(човек за работа)* want, ask for; *(някого у дома му)* ask for; *(пипнешком)* feel about, grope, fumble, fish (for), scrabble (in, around); *(в речник и пр.)* look up; *(минерали и пр.)* mine, prospect (for); **~ начин да try** to find a way of **(с** *ger.*); **търсят те по телефона** you are wanted on the telephone; 2. *(взискателен съм)* be particular; || **~ се** *(за стока)* be in demand/request, be sought after, *(за човек от полицията)* be wanted (by the police); **в задачата се търси ...** the problem is to find ...; **постоянно се търси** be in uniform demand; ● **какво търсиш тука?** what do you want here? what are you doing here? **със свещ да търсиш няма да намериш** *(човек)* you'll never find the like of him, *(нещо)* you can't get it for love or money; **той си го търсеше** he was asking for it, he had it coming; **~ си правото** demand o.'s right.

търте|й (-ят) *м., -и,* **(два)** **търтея** *зоол. и прен.* drone; *прен. sl.* free-loader.

тъст *м., -ове* father-in-law (o.'s wife's father).

тътен *м., -и,* **(два)** **тътена** roll, rumble, grumble; peal; **барабанен ~** drum roll.

тътна *гл.* rumble; grumble; *(за буря)* mutter.

тътря *гл., мин. св. деят. прич.* **тътрил** drag, haul, lug (about, along); **~ краката си** shuffle (with) o.'s feet, shuffle along; || **~ се** shuffle, drag along, straggle, jog on/along.

тъч *м., -ове,* **(два)** **тъча** *спорт.* touch; **избивам в ~** kick into touch, kick out;

изпълнение на **~** *спорт.* throw-in.

тъч-лини|я *ж., -и* *спорт.* touch-line.

тъщ|а *ж., -и* mother-in-law (o.'s wife's mother).

тюл *м., -ове,* **(два)** **тюла** tulle, net.

тюлен *м., -и,* **(два)** **тюлена** *зоол.* seal, bladder nose *(Phoca)*.

тюрбан *м., -и,* **(два)** **тюрбана** turban.

тюркмен *м., -и* Turkman.

тюркменск|и *прил., -а, -о, -и* Turkman.

тюркоаз *м., -и,* **(два)** **тюркоаза** turquoise.

тюркск|и *прил., -а, -о, -и* Turkic.

тютюн *м., само ед.* tobacco, *разг.* baccy; *(грубо нарязан)* canaster; **първокачествен ~** bird's eye; **~ за дъвчене** chewing-tobacco; **~ за лула** pipe-tobacco.

тютюнопроизводство *ср., само ед.* tobacco-growing/cultivation.

тя *лично мест.* she.

тяг|а *ж., -и* 1. *(в комин)* draught, blast, exhausting power; **изкуствена ~а** induced draught; **обратна ~а** back-draught; 2. *техн.* traction, haulage; tractive force; draughting; **парна/конска ~а** steam/horse traction.

тягост|ен *прил., -на, -но, -ни** oppressive, painful; **правя ~но впечатление** depress; **~на гледка** painful/distressing sight.

тяло *ср., тела и телеса** body; *(мъртво)* corpse; *(без крайниците)* trunk, torso; *прен.* flesh; *(на логаритмична линия)* stock; **грижи за ~то** personal hygiene; **небесно ~** heavenly body, sphere; **твърдо ~** *физ.* solid; **треперя с цялото си ~** tremble all over, be all shaking; **чуждо ~** foreign substance/body; ● **дипломатическо ~** diplomatic corps, diplomats; **книжно ~** *полигр.* inner book; **управително ~** management, board of managers.

тях *лично мест.* them.

у₁ *предл.* **1.** (*място*) at; ~ **дома съм** be at home, be in; ~ **нас** at our place; **2.** (*посока*) to; **ела** ~ **нас** come to our place; **оти- вам си** ~ **дома** go home; **3.** (*при хора*) with; **гостувам** ~ stay with; (*у себе си*) on, about; **имаш ли пари** ~ **тебе?** have you (got) any money about/with you? **4.** (*за качество*) about, with, in; **има нещо странно** ~ **него** there is s.th. strange about him; **5.** (*между*) among; **думите му пре- дизвикаха възмущение** ~ **публи- ката** his words aroused indignation among the public, his words roused the public to indignation.

у₂ *междум.* **1.** (*недоволство и пр.*) ugh; **2.** (*учудване*) oh; **3.:** ~~~ boo.

убеден *мин. страд. прич. (и като прил.)* **1.** convinced, persuaded (**в** of); **мога да бъда** ~ be open to conviction/ persuasion; **2.** (*уверен*) confident; **дъл- боко съм** ~, **че** it's my profound con- viction that, I'm deeply convinced that; **3.** (*сигурен*) positive, sure, certain; ~ **привърженик** staunch supporter (**на** of).

убедител|ен *прил.*, **-на**, **-но**, **-ни** con- vincing, convictive; persuasive; (*psycho- logically*) credible; (*за довод и пр.*) cogent, weighty, strong, conclusive; forceful, forcible; (*за образ*) convinc- ing, true to life, lifelike; **защитата е** ~**на** the pleading is sufficient; ~**ен съм** (*за довод, тон*) carry conviction.

убеждавам, убедя *гл.* convince (**в** of), bring over (**в** of), bring round; get (s.o.) round; bring (s.th.) home (to s.o.); (*да направи нещо*) persuade (s.o. to do s.th.), prevail (on/upon s.o. to do s.th.), talk/argue/reason (s.o. into doing s.th.); ~ **някого, че няма от какво да се бои** talk s.o.'s fears away; || ~ **се** con- vince o.s., be convinced, come round (to the opinion that); (*проверявам*) make sure/certain (of, that); **все пове- че се** ~, **че** it has been borne in (up)on me that.

убеждени|е *ср.*, **-я 1.** (*мнение*) con- viction, belief; persuasion; *разг.* doxy; **отстоявам смело** ~**ята си** have the courage of o.'s convictions; **по мое** ~**е** in my opinion, to the best of my belief; **2.** (*убеждаване*) persuasion; **по пъ-**

тя на ~**ето** by means of persuasion.

убежищ|е *ср.*, **-а** shelter, refuge, asy- lum, protection; sanctuary; *поет.* ha- ven; **давам** ~**е** give sanctuary, afford/ give shelter, *полит.* give political asy- lum; **намирам** ~**е в** take refuge in; **ти- хо** ~**е** a haven of rest.

убивам, убия *гл.* **1.** (*лишавам от живот*) kill, *поет.* slay; destroy; crush the life out of; (*предумишлено*) mur- der; *разг.* make away with, make meat of, finish, lay out; (*животно от със- традание*) put down; (*в състояние на афект*) kill in heat of passion; (*по невнимание*) kill by negligence; (*ма- сово*) slaughter, massacre; (*по полити- чески причини*) assassinate; (*с електрически ток*) electrocute; (*за- повядвам да убият*) put to death; **Бог да го убие** God smite him, God strike him dead; **да ме убиеш не мо- га да ти кажа** for the life of me I couldn't tell you, *разг.* I'm jiggered if I know; ~ **на място** (*за гръм*) strike s.o. dead; ~ **някого от бой** club s.o. to death; **2.** *прен.* crush; (*желание, страсти*) mortify, deaden, dull; ~ **апетита на** take the edge off s.o.'s ap- petite; ~ **времето** while away/beguile the time, cheat time, *шег.* kill the ene- my; (*при пътуване*) cheat the jour- ney; ~ **надежда** crush a hope; **3.** (*на- търтвам, удрям*) hurt (o.'s finger etc.); (*за обувка*) pinch, hurt; **4.** *sl.* kill; **това, което каза, ме уби** what he said (nearly) killed me; || ~ **се 1.** kill o.s.; **2.** hurt o.s., be hurt; ~ **убих се да тичам и пр.** I nearly killed myself running etc.

уби|ец *м.*, **-йци** killer, murderer, slayer; assassin; **наемен** ~**ец** gun for hire, hit- man; *прен.* (*нещо впечатляващо*) *sl.* stunner, knock-out.

убийствен *прил.* deadly, murderous, homicidal, killing, pestilential; destruc- tive, ruinous; exterminatory, extermi- native; ~ **поглед** deadly/murderous look; ~**а горещина** murderous/scorch- ing heat.

убийств|о *ср.*, **-а** murder, kill(ing), slay- ing; (*непредумишлено*) *юр.* man- slaughter; (*политическо*) assassina- tion; (*предумишлено*) wilful killing/ murder, premeditated/calculated mur- der, *амер.* homicide; ~**о по невнима- ние** reckless homicide, manslaughter.

убийц|а *ж.*, **-и** killer, murderess.

убит *мин. страд. прич. (и като прил.)* **1.** killed; **имаше много** ~**и** many lives lost; **2.** (*за цвят*) dull, quiet, so- ber, *изк.* degraded; **картина в** ~**и то- нове** a picture painted in a low key; **3.** (*от скръб*) crushed, prostrate (**от** with); **4.** (*наранен, натъртен*) bruised, hurt.

убождам (се), убода (се) (*възвр.*) *гл.* prick (o.s.).

убождан|е *ср.*, **-ия** prick(ing); (*леко*) pin-prick.

убор|ка *ж.*, **-и 1.** tidying-up, clean-up; **2.** (*на кон*) brushing down.

убягвам, убягна *гл.* escape; **ефектът ми убягна** the effect was lost on me; ~ **от погледа** escape notice.

уважавам, уважа *гл.* respect, honour, revere, esteem, have respect for, regard with respect/deference, hold in venera- tion; hold (s.o.) in high esteem; profess a great esteem for; (*вземам под вни- мание*) take into consideration; (*ис- кане*) grant; **не** ~ (*някого*) hold (s.o.) in low esteem; ~ **себе си** have self-res- pect.

уважаван *мин. страд. прич.* respect- ed, honoured, esteemed.

уважаем *сег. страд. прич.* honoured, revered, esteemed; ~**и** (*обръщ. в писмо*) dear.

уважени|е *ср.*, **-я** respect (**към** for), regard, esteem, veneration, deference; **гледам с** ~**е на** regard with respect, look up to; **изгубвам** ~**ето на хората** lose caste; **от** ~**е към** in/out of defe- rence to, out of regard for; • **да си имаме** ~**ето** pardon/excuse me, but ...; **моите** ~**я** my compliments.

уважител|ен *прил.*, **-на**, **-но**, **-ни** va- lid, good, serious; **по** ~**ни причини** with good/valid/cogent reason.

увардвам, увардя *гл.* **1.** preserve in- tact, save; **2.** (*причаквам*) catch.

уведомител|ен *прил.*, **-на**, **-но**, **-ни** of information/notification; ~**но пис- мо** a letter of advice.

уведомлени|е *ср.*, **-я** information; no- tification, notice.

уведомявам, уведомя *гл.* inform (*за* of), let (s.o.) know, give notice to, send word to; (*официално*) notify, serve notice, advise; (*предупреждавам*) warn; (*държа в течение*) keep (s.o.) informed/posted.

увековечàвам, увековечà *гл.* perpetuate, immortalize; eternalize, commit to history.

увеличàвам, увеличà *гл.* increase; heighten; (*чрез добавки*) augment; amplify; (*разширявам*) broaden, widen, enlarge (*и снимка*); extend, enhance; (*снимка*) blow up; (*с увеличително стъкло*) magnify; (*размножавам*) multiply; (*заплата*) raise; (*цени и пр.*) raise, put up; inflate; *разг.* bump up; ~ **напрежението** *ел.* step up; ~ **оборотите** (*на мотор*) rev; (*до най-голямата възможна степен*) maximize; || ~ **ce** increase, rise, grow, mount, be on the increase; (*размножавам ce*) multiply; (*за тълпа*) grow thicker; **трудностите се увеличават от** the difficulties are aggravated by.

увеличèни|е *ср.,* -**я** increase, growth, augmentation; amplification; (*и на заплати, цени*) rise, mark-up; enlargement (*и на снимка*), extension, magnification; multiplication.

увеличител (-ят) *м.,* -**и,** (**два**) **увеличителя** enlarger.

увеличител|ен *прил.,* -**на,** -**но,** -**ни** magnifying; ~**о стъкло** a magnifying glass/lens, magnifier.

увенчàвам, увенчàя *гл.* crown, enwreathe; culminate (**c** with).

увèрен *прил.* **1.** (*сигурен*) sure (**в** of), assured, confident, positive, certain (of); **можете да бъдете** ~, **че** you can rest assured that; ~ **съм** I'm sure/certain, I'll warrant; ~ **съм в себе си** be sure of o.s., be self-reliant; **2.** (*за глас, движение*) confident, sure, steady, unfaltering; masterful.

уверèни|е *ср.,* -**я 1.** assurance; **2.** (*документ*) certificate; **в** ~**е на което** in faith thereof; **настоящето се дава в** ~**е на това, че** this is to certify that.

увèреност *ж., само ед.* confidence, assurance, certitude, certainty, conviction, trust; **вдъхвам** ~ **в** reassure.

увертю̀р|а *ж.,* -**и** *муз.* overture (**към** to).

уверя̀вам, уверя̀ *гл.* assure (**в** of); make (s.o.) believe (that); (*убеждавам*) (try to) convince, persuade; ~ **ви** I assure you; || ~ **ce** make sure, see for o.s.; be/become convinced (of), be satisfied (**че** that).

увèсвам, увèся *гл.* hang (up), suspend

(*обикн. в pass.*); ~ **нос** *разг.* be down in the dumps, be crest-fallen, have (a fit of) the blues, be sick as a parrot.

увеселèни|е *ср.,* -**я** entertainment, amusement, merrymaking; diversion; **градинско** ~**е** an open air fête.

увеселѝтел|ен *прил.,* -**на,** -**но,** -**ни** pleasure (*attr.*), entertainment (*attr.*); ~**ен влак** an excursion train.

увещàвам, увещà *гл.* persuade, advise, urge (*някого* s.o.); talk (s.o.) round; (*с укор*) exhort, admonish (s.o.), remonstrate, expostulate (with s.o.); (*с ласкателство*) coax, woo, wheedle, cajole (s.o. into doing s.th.).

увещàни|е *ср.,* -**я** advice, admonition, admonishment, exhortation, remonstration; coaxing, cajolement.

увѝ *междум.* alas.

увѝвам, увѝя *гл.* wrap (up) (*омотавам*) wind; enlace; *прен.* shroud, cloak; ~ **главата си с кърпа** wrap a towel round o.'s head; || ~ **ce 1.** wrap o.s. up; **2.** (*за растение и пр.*) wind, enwind, coil; entwine, intwine; ● **ce около някого** hang around s.o., play up to s.o.

увѝв|ен *прил.,* -**на,** -**но,** -**ни 1.** winding; climbing; ~**но растение** a climbing/clambering plant; **2.** (*за увиване*) wrapping, packing.

увѝрам, увря̀ *гл.* boil (up), be boiled/cooked; ~ **от горещина** I'm (simply) melting (with heat); ● **не му увира главата** he is thick-headed/pig-headed, he is as stubborn as a mule, he won't listen to reason.

увѝсвам, увѝсна *гл.* hang down, droop, sag; lop; *бот.* nutate; (*държа ce*) hang on (**на** to); ~ **на въжето/бесилката** hang; **носът му увисна** *прен.* his face fell.

увлекàтел|ен *прил.,* -**на,** -**но,** -**ни** absorbing, interesting, fascinating, engrossing; enthralling; gripping; (highly) readable; spellbinding.

увлèчен *мин. страд. прич.* enthusiastic, keen (on), *разг.* mad (**по** about); rapt (in); **много е** ~ **по нея** he is mad about her, he has the hots for her.

увлечèни|е *ср.,* -**я 1.** (*отдаване, страст*) enthusiasm, animation, transport; penchant, passion (for); (*краткотрайно*) fad; (*усърдие*) passion, gusto, fervour; **c** ~**е** enthusiastically, with animation; **2.** (*краткотрайна*

любов) infatuation; crush; **младежко** ~**е** calf-love, puppet love; (*обект на любовта*) flame; **3.** (*усърдие*) zeal, zest, enthusiasm; **4.** (*любимо занимание*) hobby; **5.** (*залитане*) aberration; **без** ~**я!** don't let yourself be carried away.

увлѝчам, увлекà *гл.* **1.** carry away, carry with one; sway, captivate, transport; fascinate, enthral; sweep along, sweep off o.'s feet; storm; ~ **някого в разговор** engage s.o. in conversation; **2.** (*отвличам*) carry, sweep (along, away); || ~ **ce** warm up (to a subject); be carried away, be/become infatuated (with); be/become absorbed/engrossed (in); ~ **ce по** be carried away by; be taken up with; become wrapped up in; go in for; *sl.* go mad on.

у̀вод *м.,* -**и,** (**два**) **у̀вода** introduction, preface (**към** to); (*към реч*) exordium; **без** ~ unprefaced.

уволнèн *мин. страд. прич.* dismissed, discharged; *разг.* sacked, fired; **бивам** ~ *разг.* get o.'s books/cards; get the sack/bag/kick, be fired/sacked, get o.'s walking-papers/walking orders/walking ticket, get (the order of) the boot, get the bullet.

уволнèни|е *ср.,* -**я** discharge, dismissal, release (**от** from); *sl.* chops; (*временно – по липса на работа*) lay-off; **войници пред** ~**е** soldiers awaiting discharge; **предупреждение за** ~**е** notice; **ще има** ~**я** *разг.* heads will roll.

уволня̀вам, уволня̀ *гл.* discharge, dismiss, discard, give s.o. their cards; *разг.* give (s.o.) the sack/bag/mitten/bucket/bird, sack, *амер.* fire, kick out, cashier; *воен.* discharge, release; (*демобилизирам*) muster out; ~ **по политически причини** victimize; || ~ **ce** leave the service, retire; *воен.* get o.'s discharge.

увреждам, увредя *гл.* harm, hurt, do harm (to), injure; wrong, prejudice.

уврежда̀н|е *ср.,* -**ия** injury, harm, damage, wrong.

у̀вул|а *ж.,* -**и** *анат.* uvula.

увула̀р|ен *прил.,* -**на,** -**но,** -**ни** *език.* uvular.

увълчвам, увълча *гл.* make a brute of, bring out the brute in; || ~ **ce** become cruel/fierce; become rapacious.

увързвам, увържа *гл.* tie up, bind.

увъртам, увъртя *гл.* twist; ~ **го** *прен.*

beat about the bush; prevaricate; equivocate; resort to evasions, use evasions; || ~ **ce** hang (*около* around), pay court (to), dance attendance (on); (*умилквам се*) fawn (on).

увяхвам, увяхна *гл.* wither, fade.

угаждам₁, **угадя** *гл.* (*предусещам*) anticipate; foresee.

угаждам₂, **угодя** *гл.* indulge, humour; tickle; **не може да му се угоди** he is hard to please, there is no pleasing him; || ~ **си** pamper o.s., do o.s. well, indulge o.s.; (*прекомного*) overindulge.

Уганда *ж. собств.* Uganda.

уганд|ец *м.*, **-ци** Ugandan.

угандк|а *ж.*, **-и** Ugandan (woman).

угандск|и *прил.*, **-а**, **-о**, **-и** Ugandan.

угар *ж.*, *само ед.* fallow land.

угарк|а *ж.*, **-и** cigarette end, fag-end; (*от пура*) stub, stump, *амер. sl.* butt; (*от свещ*) candle-end.

угасвам, угасна *гл.* go/die out; become extinct (*и за вулкан*); *прен.* die away.

угаснал *мин. св. деят. прич.* extinct (*и за вулкан*); (*за цигара, огън*) dead; (*за поглед*) dull, lustreless; (*за глас*) far-away; ~ **съм** (*за огън и пр.*) be out.

угасявам, угася *гл.* **1.** put out, extinguish, stifle; (*свещ*) blow/puff out; (*светлина и пр.*) douse, dowse; (*ел. осветление*) switch/turn off, put out; (*радио и пр.*) switch/turn off; (*праха – за дъжд*) settle (the dust); **2.** (*жажда*) quench; **3.** (*вар*) slake; **4.** *прен.* stifle, smother.

углав|ен *прил.*, **-на**, **-но**, **-ни** criminal, penal; felonious; **~но дело** criminal trial; **~но престъпление** criminal offence, felony.

углед|ен *прил.*, **-на**, **-но**, **-ни** good-looking, handsome, comely; (*за неща*) fine, handsome, pretty.

углъбявам се, углъбя се възвр. *гл.* be deeply absorbed (in); go deep (in).

угнетен *мин. страд. прич.* depressed, low(-spirited); *разг.* doomy.

угнетител|ен *прил.*, **-на**, **-но**, **-ни** oppressive; depressing, doom-laden.

угнетявам, угнетя *гл.* oppress; depress; repress; hold down, grind down; *разг.* put down.

угнивам, угния *гл.* **1.** (*за плод*) mellow; **2.** (*загнивам*) rot, decay.

уговарям, уговоря *гл.* discuss, talk over, negotiate, settle; (*поставям ус-*

ловия) stipulate, specify; (*съгласувам*) concert; || ~ **ce** agree (on, upon), arrange, settle.

уговорен *мин. страд. прич.* (*и като прил.*) stipulated, specified; preconcerted; (*за знак и пр.*) prearranged; **там имахме ~a среща** it was agreed to meet there.

уговорк|а *ж.*, **-и** stipulation, reservation, arrangement, qualification, modification; **мълчалива ~a** mental reservation; (*в документ*) proviso, caveat; (*saving*) clause; (*обвързващо споразумение*) *юр.* covenant; **с ~ата, че** with the reservation that, on condition that.

угод|ен *прил.*, **-на**, **-но**, **-ни** pleasing, pleasant; convenient.

угодни|к *м.*, **-ци** fawner, toady, truckler, crawler; courtier; (*пред големци*) sycophant; *разг.* bootlicker.

угоднича *гл.*, *мин. св. деят. прич.* **угодничил** fawn (**пред** on), curry favour (**пред** with), toady, truckle (to), kowtow (to), grovel (to); curry favour (with).

угодническ|и *прил.*, **-а**, **-о**, **-и** servile, officious, obsequious, menial, bland, smarmy, boot-licking, grovelling, slavish, toadyish; compliant, compliable; greasy.

угоднически *нареч.* servilely, officiously, obsequiously.

угоен *мин. страд. прич.* (*и като прил.*) fattened, fatted; fat as butter; *предик.* in (prime/pride of) grease; **~о младо животно** fatling.

уголемявам, уголемя *гл.* enlarge; (*с леща; снимка*) magnify; (*разширявам*) extend, expand.

уголемяван|е *ср.*, **-ия** enlarging; enlargement; extending, extension, expanding, expansion; magnifying.

угощавам, угостя *гл.* treat (**с** to), regale (with), feast; ~ **богато** kill the fatted cow.

угощени|е *ср.*, **-я** treat, regalement, feast, *разг.* spread.

угоявам, угоя *гл.* fatten, feed well; (*птица*) cram.

угрижвам се, угрижа се възвр. *гл.* become worried; **какво си се угрижил?** why do you look/why are you so worried?

угрижен *мин. страд. прич.* worried; care-worn; **изглеждам ~** look worried,

---

wear a worried look.

угризени|е *ср.*, **-я** remorse; (*леко*) compunction; qualm; scruple; **без ~e** without compunction; **~e на съвестта** remorse, pangs/worms/pricks/twinges/qualms of conscience, the worm of conscience.

угроза *ж.*, *само ед.* threat, menace.

удава ми (**ти, му, й, ни, ви, им**) **се, удаде ми** (**ти, му, й, ни, ви, им**) **се** *безл. възвр. гл.* **1.** (*иде ми отръки*) have a knack/bent for, be good at, have a gift for; **удава му се** it comes natural to him; **2.** (*успявам*) succeed (in **с** *ger.*), manage (to **с** *inf.*); **не ми се удава** fail (to **с** *inf.*); **3.** (*имам възможност*) have an opportunity; happen.

удавни|к *м.*, **-ци** drowned man; **~кът се лови за сламка** a drowning man will catch/clutch at a straw.

удавниц|а *ж.*, **-и** drowned woman.

удавям, удавя *гл.* **1.** drown (*и прен.*); ~ (*мъка и пр.*) **с пиене** drown away/down; **2.** (*удушавам*) strangle; (*за животно*) kill; || ~ **ce** drown, be/get drowned; *sl.* go feed the fishes; *поет.* find a watery grave; (*нарочно*) drown o.s.

удар *м.*, **-и**, (**два**) **удара 1.** hit; blow (*и прен.*); *разг.* clout; *sl.* wipe; *диал., шотл.* dunt; stroke (*и на камбана, часовник*); percussion; (*внезапен*) jab, jog, jar, back-hander; (*с ръка*) buffet, cuff; (*при сблъскване и прен.*) shock; (*с остро оръжие*) stab; (*с нож*) cut; (*с брадва*) chop; (*с камшик*) lash, slash, cut, sting; (*с крак*) kick; (*с юмрук*) cuff, punch, *спорт.* fib; (*при билярд*) stroke, shot; (*на крила*) wingbeat; *муз.* touch; (*на пулса*) beat, stroke; (*на сърцето*) throb, beat; **насям ~** strike a blow at s.o.; strike s.o. a blow; **отговарям на ~а с ~** strike back; **попадам под ~ите на закона** come within the provisions of the law; **решаващ ~** *sl., амер.* sockdologer; **свободен/наказателен ~** *спорт.* a foul shot; **съкрушителен ~** a smashing blow, a hammer-/hammering blow, crasher; **~ в гърба** a stab in the back (*и прен.*); **~ с глава** *спорт.* header; **2.** *воен.* blow, attack; **тактика на внезапни ~и** shock tactics; **3.** *мед.* stroke, apoplectic stroke/seizure; **получавам ~** have a (paralytic) stroke, fall into/be

seized with/be struck with apoplexy; **прен.** (*изплашвам се*) have/get the shock of o.'s life; **4. прен.** (*бързи пари*) *разг.* a fast/quick buck; **правя ~** *sl.* make a bomb/killing.

уда̀рен *мин. страд. прич.* **1.** *език.* accented, stressed; **2.** (*смахнат*) crazy, crack-brained, touched in the head, a little touched, nuts; **3. като същ.** crackbrain; **правя се на ~** act stupid, play dumb, pretend not to understand.

уда̀рен *прил.*, **-на, -но, -ни 1.** (*способен, усърден*) capable, industrious, efficient; **~на бригада** a team of shockworkers; **2.** (*бърз, ускорен*) urgent, accelerated; **~но лечение** an intensive/a concentrated treatment; **3.** (*отнасящ се до удар*) percussion (*attr.*), percussive; **~ен инструмент** *муз.* a percussion instrument; **~на вълна** detonation; **4.** *воен.* shock (*attr.*); striking; **~на група** an emergency team, a mass of manoeuvre.

ударѐни|е *ср.*, **-я** accent, stress; *прен. и* emphasis; (*знак*) accent; **поставям ~е на** accent, stress, *прен.* lay stress on, emphasize, accentuate; **сложно ~е** circumflex accent.

у̀дарни|к₁ *м.*, **-ци;** **у̀дарничк|а** *ж.*, **-и** shock-worker.

у̀дарни|к₂ *м.*, **-ци, (два) у̀дарника** (*на пушка*) cock, dog, striker, firing-pin; (*на чук*) hammer-block.

удароусто̀йчив *прил.* shock-proof/-resistant.

уда̀ч|ен *прил.*, **-на, -но, -ни** felicitous; apt; appropriate.

удвоѐн *мин. страд. прич.* double(d), twofold.

удво̀явам, удво̀я *гл.* double, redouble; *език.* geminate; reduplicate; || **~ се** double.

удебелѐни|е *ср.*, **-я** thickening.

удебеля̀вам, удебеля̀ *гл.* thicken; (*букви*) make bolder.

удесеторя̀вам, удесеторя̀ *гл.* make tenfold; decuple.

удивѐн *мин. страд. прич.* astonished, astounded, wonder-struck; *разг.* flabbergasted.

удивител|ен *прил.*, **-на, -но, -ни** astonishing, amazing; astounding; (*чудесен*) wonderful, marvellous, wondrous; **~ен знак, ~на** an exclamation mark/point.

удивлѐние *ср.*, *само ед.* astonishment, amazement; wonderment.

удивя̀вам и удивля̀вам, удивя̀ *гл.* astonish, amaze, astound; *разг.* flabbergast; || **~ се** be astonished/amazed/astounded (на at).

удо̀б|ен *прил.*, **-на, -но, -ни 1.** convenient; (*за жилище, мебел*) comfortable; (*уютен*) cosy, cozy; (*за боравене*) handy; **~но палто** a coat of easy fit; **2.** (*подходящ – за момент и пр.*) suitable, opportune, propitious; (*за човек*) suited; **~ен случай** opportunity; **~на позиция** vantage ground.

удо̀бств|о *ср.*, **-а** convenience; comfort; handiness; facility; **за ~о** for the sake of convenience.

удовлетворѐн *мин. страд. прич.* satisfied, contented; **~ съм** *разг.* call it square.

удовлетворѐние *ср.*, *само ед.* satisfaction, gratification; (*за загуба*) indemnification, compensation; *юр.* remedy; **професионално ~** professional fulfillment.

удовлетворя̀вам, удовлетворя̀ *гл.* satisfy; (*молба*) grant, comply with; (*любопитство*) appease; suffice; **~ изискванията** answer/fulfill/meet the requirements, be up to the requirements.

удово̀лстви|е *ср.*, **-я** pleasure; enjoyment; gusto; (*развлечение*) amusement, treat; (*сладост*) relish; luxury; *книж.* delectation; **доставям ~е** give pleasure, gratify; *разг.* give a kick; **имам ~ето да ви съобщя** I am pleased to inform you; **намирам ~е в** take pleasure/delight/enjoyment in; **do (s.th.) for enjoyment;** *разг.* get a kick out of; **с най-голямо ~е** gladly; with the greatest of pleasure; I should/would love to.

удостоверѐни|е *ср.*, **-я** certificate; letter-certificatory; **писмено ~е** testimonial letter.

удостоверя̀вам, удостоверя̀ *гл.* certify, testify, attest; (*истинността на нещо*) verify; (*подпис*) witness (a signature); **~ самоличността си** prove o.'s identity, identify o.s.

удостоя̀вам, удостоя̀ *гл.* honour (с with); (*със степен, титла*) confer (on s.o.); (*с награда*) award (s.th. to s.o.); (*благоволявам*) vouchsafe (s.th.), deign, condescend (to с *inf.*).

удрѐмвам се и удря̀мвам се, удрѐ- мя се *възвр. гл.* **1.** become sleepy, begin to doze; **2.** *прен.* be crestfallen.

удръжк|а *ж.*, **-и** обикн. мн. deduction; **~и** stoppages.

у̀дрям, уда̀ря *гл.* **1.** (*бия, блъскам*) hit, strike; *разг.* clout; *диал., шотл.* dunt; (*силно*) slog, *sl.* crack; (*за гръм*) strike; (*за град*) hit; (*клавиш, акорд*) strike; (*с камшик*) lash, whip, scourge; (*тъпан*) beat; **~ някого** hit s.o., strike s.o. a blow, fetch s.o. a blow/*sl.* a wipe; **~ печат на** stamp, (*пощенски*) postmark; **~ по масата** bang/pound on the table; **~ с все сила** smash; **~ с ръка** cuff; **~ главата си о стената** bump o.'s head against the wall; **2.** (*застрелвам*) shoot, hit; **3.** (*за звънец, камбана, прех. и непрех.*) ring; (*час*) strike; chime; **часът му удари** his time has come; **4.: ~ на** (*започвам да*) take to (с *ger.*), start (с *ger.*); **~ го на живот** burn the candle at both ends, go/be on the loose, go the pace, live it up; paint the town red; **5.: ~ на** (*мириша, имам вкус на*) smell/taste of; || **~ се** hurt o.s., bump o.s. (against); jar (upon, against); **лодката се удари о скала** the boat struck against the rock; **той си удари главата в масата** his head struck the table; ● **вземи единия, та удари другия** they are of the same kidney, they are birds of a feather/tarred with the same brush/all of a piece; **виното го удари в главата** the wine went to his head; **ударих му хубав бой** I gave him a good drubbing/thrashing; **~ ключ на** lock, put (s.th.) under lock and key; **~ на камък** draw blank; **~ през просото** throw propriety to the winds.

удуша̀вам, удуша̀ *гл.* strangle, smother, choke, suffocate, throttle; || **~ се** suffocate, choke.

удуша̀ване *ср.*, *само ед.* strangling, strangulation, choking; suffocation; **смърт чрез ~** death from/by strangulation.

удължа̀вам, удължа̀ *гл.* prolong, lengthen, elongate; make longer; protract; (*дреха*) lengthen, let out, let down; **~ нота** *муз.* hold/prolong a note; **~ срока** prolong/extend the term; || **~ се** lengthen, become longer; stretch.

удължаван|е *ср.*, **-ия** prolongation, elongation, lengthening; protraction;

extension; ~е на работния ден extension of working hours.

удължител (-ят) *м.*, -и, (два) удължителя extension; (*уред*) extensor, extender; lengthener.

удържам, удържа *гл.* **1.** (*правя удръжки*) deduct, stop, keep back (от form), take (off); **2.** (*устоявам*) withstand (s.th.), not give way (to s.th.); (*сподавям*) suppress; ~ на думата си keep o.'s word/promise, be as good as o.'s word; ~ победа win (a victory), carry the day, come out victorious; || ~ се restrain/check/contain o.s.

удържане *ср.*, *само ед.* deducting, deduction; ~ на данъци withholding taxes.

уединявам, уединя *гл.* isolate; || ~ се seclude/isolate o.s., retire; cloister.

еднаквявам, еднаквя *гл.* make equal, equalize; standardize; typify; unify.

еднаквяване *ср.*, *само ед.* equalization; standardization; unification.

уедрявам, уедря *гл.* pool, amalgamate, consolidate.

Уелс *м. собств.* Wales.

уелск|и *прил.*, -а, -о, -и Welsh.

уестърн *м.*, -и, (два) уестърна western; *sl. амер.* horse opera.

уж *част.* as if; allegedly; professedly; ostensibly; *пред същ.* alleged, would-be; ~ на шега as if in fun; ~ си ми приятел you are supposed to be my friend, you make yourself out to be my friend.

ужас *м.*, -и terror, horror, dread, awe; какъв ~! how horrible/terrible! обхванат от ~ terror-stricken, horror-struck/-stricken; horrified.

ужасен *мин. страд. прич.* horrified, terrified, terror-stricken, horror-struck/-stricken, *predic.* aghast, in dismay.

ужас|ен *прил.*, -на, -но, -ни **1.** (*страшен*) terrible, horrible, horrid, dreadful, awful, appalling; macabre, lurid; shocking; horrific, horrendous; frightful; *поет.* direful; grisly; gruesome; **2.** (*лош, неприятен*) awful, beastly, ghastly, miserable, confounded, wretched, execrable, flagitious; god-awful; gruesome; *sl.* stinking; имам ~ен вид look ghastly; ~на неприятност awful/blasted/frigging nuisance.

ужаси|я *ж.*, -и horror, horrible thing; monstrosity.

ужасявам, ужася *гл.* horrify, terrify,

appal, *амер.* appall; dismay, strike with dismay; scare (s.o.) out of his wits; || ~ се be horrified/terrified/appalled (от by, at), recoil (от from).

ужилвам, ужиля *гл.* sting.

узаконявам, узаконя *гл.* legalize, legitimate, legitimize, constitutionalize, validate; enact; ~ положението си regularize o.'s position.

узбек *м.*, -и; **узбечк|а** *ж.*, -и Uzbek.

Узбекистан *м. собств.* Uzbekistan.

узбекск|и *прил.*, -а, -о, -и Uzbek; ~и език Uzbek, the Uzbek language.

узнавам, узная *гл.* learn (за about, от from), find out, come to know (за of, about, от through).

узрявам, узрея *гл.* become ripe, ripen, mature; *прен.* mature, grow to maturity; (*за цирей*) come to a head.

узурпатор *м.*, -и usurper.

узурпирам *гл.* usurp, seize, assume.

уиндсърфинг *м.*, *само ед.* sailboarding.

уиски *ср.*, -та whisky; ~ с лед whisky on the rocks; ~ със сода whisky and soda; *амер.* high-ball.

уйдисвам, уйдисам *гл. разг.* fit (in); match (with); ~ на акъла на някого give s.o. his head; let o.s. be led by s.o., be fool enough to follow s.o.

указ *м.*, -и, (два) указа decree, edict, fiat, ordinance, enaction, enactment.

указани|е *ср.*, -я (*посочване*) indication (на of); (*наставление*) instructions, directions, lead; давам ~е explain, direct; instruct; задължителни ~я mandatory instructions.

указател (-ят) *м.*, -и, (два) указателя (в книга) index, *pl.* indexes, indices; (*телефонен*) (telephone) directory; *жп* railway guide/A.B.C.; (*уред*) indicator, pointer.

указвам, укажа *гл.* indicate, show; be indicative (of); ~ литература по даден въпрос refer to/quote literature dealing with a subject.

укахърявам се, укахъря се *възвр. гл.* become worried.

уклон *м.*, *само ед. полит.* deviation; десен ~ right-wing deviation.

уклончив *прил.* evasive, circumlocutional, circumlocutory, non-committal, oblique; elusive, elusory, devious; *разг.* cagey.

укор *м.*, -и, (два) укора reproach,

blame; rebuke, reprimand, reproof, reprehension, twit; (*и съвет*) admonition; *разг.* a rap on the knuckles; ~и opprobrium.

укорявам, укоря *гл.* reproach, rebuke, reprove, reprimand, objurgate, upbraid, blame, reprehend, admonish, upbraid (за with, for), twit; shake/wag o.'s finger (at); ~ някого за нещо *разг.* cast s.th. in s.o.'s teeth.

украин|ец *м.*, -ци; **украинк|а** *ж.*, -и Ukrainian.

украинск|и *прил.*, -а, -о, -и Ukrainian; ~и език (the) Ukrainian (language).

Украйна *ж. собств.* the Ukraine.

украс|а *ж.*, -и decoration(s), ornaments; trimming; embellishment; garnishment; garnish; златна ~а (на подвързия) gold tooling; *прен.* colouring; пищна ~а *разг.* emblazonry.

украсявам, украся *гл.* decorate, adorn; beautify; embellish; garnish; (*шапка и пр.*) trim; *прен.* (*случая с измислици*) exaggerate; embroider the truth; ~ със скъпоценности jewel; ~ улиците (*по някакъв случай*) dress the streets.

украшени|е *ср.*, -я adornment, decoration, ornament; embellishment; (*евтино*) trinket; fandangle, fallal, falderal, falderol; ~я *прен.* trappings; furbelows; (*на дреха*) trimmings; costume jewellery; *муз.* embellishment.

укрепвам, укрепна *гл.* strengthen; reinforce, consolidate; become stronger; (*за власт и пр.*) become consolidated/stabilized, get a firm foothold; (*физически*) gain in health; (*позиция, град*) embattle.

укрепващ *сег. деят. прич.* (*и като прил.*) strengthening; *фарм., мед.* roborant, tonic; ~и лекарства roborants, tonics.

укрепител|ен *прил.*, -на, -но, -ни strengthening; *воен.* fortifying; fortification (*attr.*); ~ни работи fortifications.

укреплени|е *ср.*, -я fortification, defences; rampart; works; fort; външно ~е fortalice.

укрепявам, укрепя *гл.* strengthen; *воен.* fortify; (*с насипи*) mound; (*с подпорки*) prop (up), shore up; (*бряг*) reinforce; (*власт и пр.*) consolidate; (*съюз, мир и*) confirm; || ~ се *воен.* fortify o.'s position, dig o.s. in.

укривам, укрия *гл.* conceal, hide; tuck

away; (*престъпник*) conceal, harbour, give harbour to a criminal; (*факти*) *юр.* misrepresent; ~ **крадени вещи** receive stolen goods, *sl.* fence; || ~ **се** hide, conceal o.s., seek/find/take shelter; go into/be in hiding; make default; *разг.* lie low, lie doggo; be on the lam; ~ **се от съда** abscond.

укривѝтел (-ят) *м.*, -и; **укривѝтелк|а** *ж.*, -и concealer; (*на крадени вещи*) receiver (of stolen goods), *sl.* fence, fencing-cully.

укротѝтел (-ят) *м.*, -и; **укротѝтелк|а** *ж.*, -и tamer; ~ **на змии** snake-charmer.

укротя̀вам, укротя̀ *гл.* tame, master; (*гняв и пр.*) subdue, moderate, curb; govern; (*животни*) tame, master, manage; (*дете*) calm, quiet, soothe, *разг.* hush; || ~ **се** become tame; (*за гняв, буря и пр.*) calm down.

укротя̀ване *ср.*, *само ед.* taming, curbing, mastering, soothing.

улавям, уловя̀ *гл.* catch, take hold of, grab (hold of); grasp (at); grapple; seize, trap; (*в грешка, лъжа*) catch out; (*престъпник*) *sl.* collar, nobble; ~ **станция** *радио.* receive/get a station; || ~ **се** catch o.s.; ~ (**се**) **в мрежа** mesh, net.

улѐгнал *мин. св. деят. прич.* sedate, staid, steady; equable, even-tempered; ~ **е вече** *разг.* he has sown his wild oats; ~ **с възрастта** mellowed by time.

улѐ|й (-ят) *м.*, -и, (два) **улѐя** furrow, groove; (*наклонен*) chute, shoot; (*за дървени трупи и пр.*) runway; flume; (*на сграда*) gutter; (*за промиване на руда*) sluice; (*шлюз*) sluice; *техн.* furrow, groove, coulisse, rifle; (*на воденица*) millrace, leat; (*на канал* – *за оттичане*) outfall, catch-drain; (*планински*) gully, couloir; **транспортен** ~**й** chute-conveyor.

улеснѐни|е *ср.*, -я facilitation; *мн.* facilities, opportunities; **за** ~**е** for facility's sake; **за** ~**е** to facilitate.

улесня̀вам, улесня̀ *гл.* facilitate, make easier; (*работа*) *разг.* oil/grease the wheels; (*някого*) help, aid, assist.

улѝк|а *ж.*, -и clue, *юр.* piece of evidence; ~**и** evidence.

улѝсвам, улѝсам *гл.* divert, preoccupy; || ~ **се** become preoccupied/engrossed.

улѝц|а *ж.*, -и street; **да не съм намерил здравето/очите си и пр. на** ~**ата, та да** ... *разг.* my health/eyesight, etc.

is too precious for me to ...; **идвам от** ~**ата** *прен.* come from the gutter; **изхвърлям на** ~**ата** chuck/turn out; **на** ~**ата** in/*амер.* on the street; *прен.* in the gutter; (*без работа*) *разг.* out on o.'s ears; **търговска** ~**а** shopping street; ~**ата е затворена** no thoroughfare; ● **ще бъде празник и на нашата** ~**а** our day will also come.

уличѝвам, уличѝ *гл.* charge (**в** with), accuse (of), incriminate; *разг.* nail.

улич|ен *прил.*, -на, -но, -ни street (*attr.*); ~**ен търговец** street pedlar/vendor, hawker, huckster; ~**но движение** (street) traffic.

улични|к *м.*, -ци street urchin/arab, guttersnipe, mudlark; ragamuffin.

уличниц|а *ж.*, -и streetwalker, *амер.* tramp; *sl.* floozy, floozie.

уло̀в *м.*, -и, (два) **уло̀ва** catch, take; (*на риба и пр.*) draught.

уло̀вк|а *ж.*, -и trick, device, stratagem, ruse, subterfuge; trap, catch, fetch; dodge, (*чрез примамване*) wile; come-on; ~**и** meshes.

ултимѝтум *м.*, -и, (два) **ултимѝтума** ultimatum; **издавам/пращам/предявявам** ~ **до** issue an ultimatum to; present s.o. with an ultimatum.

ултраакустика *ж.*, *само ед.* supersonics.

ултравиолѐтов *прил. физ.* ultra-violet.

ултразву̀к *м.*, *само ед. физ.* supersound, ultrasound; **с** ~ ultrasonically.

ултракъ̀с *прил.* ultrashort, high-frequency, *съкр.* H.F.; ~**и вълни** (**УКВ**) ultrashort waves, VHF (very high frequency), UHF (ultra high frequency).

ултрамарѝн *м.*, *само ед.* ultramarine.

ултрамикроско̀п *м.*, -и, (два) **ултрамикроско̀па** ultramicroscope, hypermicroscope.

ултрамодѐр|ен *прил.*, -на, -но, -ни ultra-modern; *пренебр.* newfangled.

ултрареакционѐр *м.*, -и diehard reactionary.

улулиц|а *ж.*, -и *зоол.* (tawny-)owl, owlet (*Strix aluco*).

улу̀чвам, улу̀ча *гл.* **1.** hit; **не** ~ **целта** miss, fall short of/be wide of the mark; ~ **целта** *воен.* drive a charge home; (*момент*) hit it, hit the (right) nail on the head; **3.** (*успявам*) bring it off.

уля̀гам (**се**), **улѐгна** (**се**) (*възвр.*) *гл.* settle down (*и прен.*), subside; (*за утайка*) settle, sink.

ум *м.*, -овѐ, (два) **у̀ма** mind, intellect, wit, brains, *разг.* grey matter, nous, grey cells; savvy; *шег.* pericranium; (*начин на мислене*) mentality; **близко е до** ~**а** it stands to reason; **взѐмам** ~**а на някого** strike s.o. speechless, take s.o.'s breath away; **дойде ми на** ~, **че** it occurred to me that, it came to my mind that, the thought/idea struck me that; **загу̀бвам** ~**а си** go mad (**по** on); be mad/*амер.* crazy (about); go off o.'s head; be out of o.'s mind, be driven out of o.'s wits (**от** with); **и през** ~ **не би ми минало** I wouldn't dream of it; **идва ми** ~**ът в главата** come to o.'s senses, cast o.'s colt's teeth; **излезе/изскочи ми от** ~**а** I (clean) forgot, it slipped from my mind; **не съм с** ~**а си** not be right in o.'s head, not be quite all there, be out of o.'s senses, be off o.'s head/rocker, wander in o.'s mind; **с кой** ~ **го направи?** how could you do that? **сѐче му** ~**ът** he has a good head on his shoulders; ~**ът ми не го побира** this is beyond all reason, it's inconceivable; ● **каквото му е на** ~**а, такова му е на езика** he wears his heart upon his sleeve; ~ **царува,** ~ **робува,** ~ **патки пасе** some are wise and some are otherwise; that's what comes of not using your head.

умалѐн *мин. страд. прич.* reduced; shortened; on a small scale; **в** ~ **вид** in miniature.

умалѝтел (-ят) *м.*, -и, (два) **умалѝтеля** *мат.* subtrahend.

умалѝтелно *нареч. език.* diminutive.

умаля̀вам, умаля̀ *гл.* become/grow small; **умаляват ми дрехите** outgrow o.'s clothes.

умаля̀ем|о *ср.*, -и *мат.* minuend.

умѐл *прил.* clever, adroit, dexterous; perfect; able, capable, skilful, cunning.

ум|ен *прил.*, -на, -но, -ни intelligent, clever, smart; (*разумен*) prudent, sensible; (*проницателен*) shrewd, *разг.* cute, brainy; **много** ~**ен** as sharp as a needle; quick-witted.

умѐни|е *ср.*, -я ability, skill, dexterity, knack, *разг.* know-how; mastery.

умѐрвам, умѐря *гл.* hit; ~ **целта** hit the target.

умѐрен *прил.* moderate; middle-of-the-road; downbeat; modest; restrained; (*за климат*) temperate, bland, mild, gentle; (*скромен*) frugal; (*за ход и пр.*) tempered; **~а преценка** conservative estimate; **~и възгледи** reasonable view.

умѐсвам, умѐся *гл.* knead, mix, make, work.

умѐст|ен *прил.*, **-на**, **-но**, **-ни** proper, appropriate, to the point/purpose, well-judged; pertinent, relevant, well-judged; germane; (*за отговор*) neat; felicitous; effective; **~ен пример** a case in point; **~но доказателство** relevant evidence.

умѐя *гл.*, *мин. св. деят. прич.* **умял** can, be able, know (how); **както ~** as best I can, to the best of my ability; **не ~** be unable, not know (how); **~ да правя нещо** know how to do s.th., have the/a knack of/for doing s.th., be good at (doing) s.th.; **човек, който умее всичко** a Jack of all trades.

умивални|к *м.*, **-ци**, (*два*) **умивалника** wash-basin, sink; wash-stand, wash-hand-stand; (*кухненски*) (kitchen) sink.

умивалн|я *ж.*, **-и** wash-room, lavatory.

умивам, умия *гл.* wash; (*чинии и пр.*) wash up; **~ ръцете си** *прен.* wash o.'s hands (**от** of).

умилѐние *ср.*, *само ед.* **1.** tenderness, tender emotion; **2.** sadness; sympathy, compassion; **изпадам в ~ при вида на** melt at the sight of.

умилквам се *възвр. гл.* fawn (**на** on, upon), make up (to); curry favour (**на** with); **~ около** blarney.

умилостивявам, умилостивя *гл.* placate, propitiate; conciliate, appease; **|| ~ се** relent; melt with pity.

умилявам, умиля *гл.* touch, move; **|| ~ се** melt.

умирам, умра *гл.* **1.** die (**от** of, from); (*за тъкан*) *мед.* mortify; (*леко*) pass (quietly) away; depart; (*отивам си от тоя свят*) go the way of all flesh; close o.'s days; join the majority; be gathered to o.'s fathers; go over/cross the divide; *sl.* answer the last roll-call, bite the dust, feed the worms, kick the bucket, peg out; **роден ...**, **умрял ...** born ..., died ...; **той не умира** (*за герой*) he never dies; **~ като куче** die like a dog, die a dog's death; **~ неочаквано** die suddenly, *разг.* die in o.'s boots; drop off (the

hooks), pack up, quit the stage, go aloft, *амер.* join the angels, cast/hand/pass in o.'s checks; *sl.* go west, turn up o.'s nose to the daisies; **~ от естествена/насилствена смърт** die a natural/violent death; **2.** (*за чувства и пр.*) wither; **3.** (*изпитвам силна болка, жажда, желание и пр.*) die; **~ от глад** starve, be starving, be starved (to death), be dying with hunger; (*наистина*) starve to death, die of starvation; **~ от жажда** be parched with thirst; **• ~ от завист** die of envy; **~ от любопитство** be dying of/burning with curiosity, *книж.* be devoured with curiosity; **~ от скука** mope (o.s.) to death, die of boredom; **ще умра, ама ще го направя** I'll do it or die in the attempt.

умиране *ср.*, *само ед.* dying, death; **на ~** at the/o.'s last gasp; **не е болка за ~** it won't kill you, it's nothing to worry about.

умирачка *ж.*, *само ед.* death, end.

умирисвам, умириша *гл.* make smell/reek/stink, fill with a foul smell; **|| ~ се** begin to smell/reek; be smelly, reek; (*развалям се*) go bad/off.

умиротворявам, умиротворя *гл.* make peace, pacify; (*успокоявам*) appease.

умирявам, умиря *гл.* pacify; appease; calm (down); restore order/peace; calm/quiet down.

умислям се, умисля се *възвр. гл.* be/become thoughtful, muse, be lost/sunk in thought; **какво си се умислил?** what's on your mind?; *разг.* a penny for your thoughts.

умисъл *ж.*, *само ед.* design, intent, intention, object; *юр.* malice; **без ~** unintentionally; **с ~** designedly, deliberately, with set purpose, intentionally, in cold blood.

умишлен *прил.* deliberate, intentional, premeditated, designed, purposeful, wilful, voluntary; **~о нараняване** wounding with intent; **~о убийство** murder, homicide.

умлаут *м.*, *само ед.* *език.* umlaut, mutation.

умната *нареч. разг.* carefully, prudently; **~!** be careful! no nonsense! draw it mild! watch out!, *разг.* keep your nose clean!

умни|к *м.*, **-ци**; **умниц|а** *ж.*, **-и** clever

man/woman; smart/clever child; *ирон.* wiseacre; sage; clever-clever; cleverdick; *амер.* wise guy; *разг.* smarty.

умножавам, умножа *гл.* multiply (**на** by), *мат.* multiply together; increase; **|| ~ се** multiply; increase, grow.

умножѐние *ср.*, *само ед.* multiplication; **знак за ~** multiplication sign; **таблица за ~** multiplication table.

умножител (**-ят**) *м.*, **-и**, (*два*) **умножителя** multiplier.

умозаключѐни|е *ср.*, **-я** conclusion, deduction, inference; **неправилно/нелогично ~е** paralogism, non-sequitur.

умозрѐние *ср.*, *само ед.* *филос.* speculation.

умолявам *гл.* entreat, implore, beseech (**някого да** s.o. to **с** *inf.*); supplicate, plead with (**за** for); (*тържествено*) conjure; **умолявате се да** you are requested to.

умопобърквам се, умопобъркам се *възвр. гл.* become deranged/insane, go mad.

умопомрачавам се, умопомрача се *възвр. гл.* become deranged/insane, go mad.

умопомрачѐние *ср.*, *само ед.* insanity, mental derangement/disease, lunacy; dementedness; distraction; (*от ярост*) *разг.* red mist.

умора *ж.*, *само ед.* tiredness, weariness, fatigue (*и техн.*); lassitude; **капнал от ~** worn out, exhausted, done up, drained, spent, washed-out; prostrated with fatigue; **устойчив на ~** (*за метал*) fatigue-proof.

уморѐн *мин. страд. прич.* (*и като прил.*) tired (**от** with, of), wearied, fatigued; jaded; (*силно*) worn out, exhausted, washed-out, spent; **с ~ вид** tired/jaded looking; **смъртно ~** dead beat.

уморител|ен *прил.*, **-на**, **-но**, **-ни** tiring; fatiguing, wearisome, tiresome.

уморявам, уморя *гл.* **1.** tire, weary; **~ кон с езда** override a horse; **2.** (*убивам*) kill; (*от глад*) starve (out), starve to death; **ще ме умориш** you'll be the death of me; **|| ~ се** get/grow tired (**от** with); (*силно*) become exhausted, be done up; *разг.* frazzle.

умотворѐни|е *ср.*, **-я** brainchild; **народни ~я** folklore.

ѝмствен *прил.* mental, intellectual; **~**

багаж mental furniture/outfit; **~и спо-собности** brains, mental powers/capacities, mentality; grey matter; **~о раз-стройство** (mental) derangement.

умỳвам *гл.* speculate, theorize; subtilize, fine-draw; (*колебая се*) hesitate; **какво толкова му умуваш** stop turning things over.

умъдря̀м се, умъ̀дря се *възвр. гл.* stand like an image/like a graven image; brood; look glum.

умълча̀вам се, умълча̀ *се възвр. гл.* fall/become silent, lapse into silence.

умъртвя̀вам, умъртвя̀ *гл.* kill (*и спорт. – топка*), *спорт. и* cushion; do away with, destroy; deaden, mortify; (*чувства*) starve; (*нерв*) destroy, kill.

унаследя̀вам, унаследя̀ *гл.* inherit.

уна̀сям, унеса̀ *гл.* carry away, transport; (*унася ме дрямка* I'm growing sleepy; || ~ **се** be lost in reverie/in a dream, indulge in reverie, drift/go off; (*заспивам*) drop off to sleep; **~ се в мисли** muse.

унга̀р|ец *м.*, *-ци* Hungarian, Magyar.

Унга̀рия *ж. собств.* Hungary.

унга̀рк|а *ж.*, *-и* Hungarian/Magyar woman/girl.

унга̀рск|и *прил.*, *-а, -о, -и* Hungarian; **~и език** Hungarian.

унгвѐнт *м.*, *само ед. фарм.* unguent.

унес *м.*, *само ед.* trance, ecstasy, reverie; languor; (*безчувствено състоя-ние*) stupor, daze; dreaminess; *мед.* coma.

униа̀т *м.*, *-и;* **униа̀тк|а** *ж.*, *-и истор.* Uniat(e).

унѝвам *гл.* despond, become disheart-ened/ dejected/low-spirited; be cast down.

универма̀|г *м.*, *-зи, (два)* универма̀-га department/general store.

универса̀л|ен *прил.*, *-на, -но, -ни* uni-versal; general, general-purpose, all-purpose, multipurpose, omnipurpose; *техн.* omnidirectional, omnidirective; **~ен магазин** department/general store, general shop; **~но средство** universal remedy, panacea, cure-all.

универсалѝз|ъм *(-мът) м., само ед. филос.* universalism.

универса̀лност *ж., само ед.* univer-sality; generalness, generality.

университѐт *м.*, *-и, (два)* универси-тѐта university; **следвам в ~а** study

at the university.

унижа̀вам, унижа̀ *гл.* humiliate, abase, snub, humble (in the dust); lower; mor-tify; *разг.* bring low/down; do down; (*поставям в срамно положение*) degrade; make (s.o.) bite the dust, treat s.o. like dirt; || **~ се** humiliate o.s., abase/ debase o.s., demean o.s.; stoop, con-descend, lower o.s. (*до то, да to с inf.*); eat humble pie/crow/dirt, bend o.'s neck, swallow o.'s pride, lick/kiss the dust, kiss the ground, sink in the mire; *разг.* lose face; **~ се пред някого** crawl to/before s.o.

унижѐни|е *ср.*, *-я* humiliation, abase-ment, mortification; degradation; **под-лагам се на ~е** eat humble pie, lick/ kiss the dust.

унизѝтел|ен *прил.*, *-на, -но, -ни* hu-miliating, ignominious, disparaging, de-grading; demeaning; humbling; abject; **~но поражение** galling defeat.

уника̀л|ен *прил.*, *-на, -но, -ни* unique, nonpareil, matchless.

уника̀лност *ж., само ед.* uniqueness.

уника̀т *м.*, *-и, (два)* уника̀та unique copy/object of art.

ỳникум *м.*, *само ед.* s.th./s.o. unique.

унѝл *мин. страд. прич.* despondent, crestfallen, low-spirited, downcast, downbeat; down-hearted; droopy, drooping; listless; subdued, cheerless, rueful, dejected; gloomy; flat, mopish, moody, pathetic, wet; *амер.* leaden; **~ съм** feel low; have a face as long as a fiddle; *sl.* be on a downer.

унѝлост *ж., само ед.;* **унѝние** *ср., са-мо ед.* despondency, down-hearted-ness; low spirits; cheerlessness, depres-sion; droopiness; dejection; ruefulness, sadness; the megrims; the doldrums; *разг.* blue devils, the blues; **изпадам в ~** have (a fit of) the mopes.

униполя̀р|ен *прил.*, *-на, -но, -ни анат.* unipolar.

унисо̀н *м., само ед.* unison; **в ~** in uni-son.

унита̀р|ен *прил.*, *-на, -но, -ни* unitary, unitarian; **~на държава** unitary state.

унифика̀ция *ж., само ед.* unification.

унифицѝрам *гл.* unify.

унифо̀рм|а *ж.*, *-и* uniform; **в ~а** in uniform; **парадна ~а** full dress.

унищожа̀вам, унищожа̀ *гл.* destroy, make away with, do for, subvert; *sl.*

spifflicate; (*напълно*) annihilate, exter-minate, extirpate; squelch; (*опусто-шавам*) ravage, devastate, lay waste; ruin, wreck; (*за пожар*) devour; (*бър-зо, внезапно, напълно*) sweep away; *разг.* zap; *прен.* crush, run down; (*обезсилвам – закон и пр.*) nullify; (*договор и пр.*) *юр.* vitiate, invalidate; (*права*) annul, abrogate; (*чрез зали-чаване*) blot out, obliterate; (*власт*) overthrow; (*обществена система*) abolish, do away with; (*ликвидирам – класа и пр.*) do away with; (*мизе-рия и пр.*) wipe out, put an end to; (*изяждам, изпивам*) finish off; (*пречки*) break down; (*марки*) deface, cancel; **започвам да ~** lay the axe to the root of, set the axe to; **унищожават се взаимно** *мат.* cancel each other.

унищожѐни|е *ср.*, *-я* destruction, an-nihilation; extermination; extirpation; abolition; vitiation, invalidation; abro-gation; annulment; cancellation, neut-ralization.

унищожѝтел|ен *прил.*, *-на, -но, -ни* destructive, annihilating; exterminative, exterminatory; extirpative; devastating; (*за огън и пр.*) consuming, consump-tive; (*за поглед*) killing, scathing, with-ering; (*за критика*) scathing, destruc-tive, annihilating, cutting, slashing; (*за довод*) crushing; (*за победа*) sweep-ing, landslide (*attr.*).

ỳни|я *ж.*, *-и* union.

ỳнци|я *ж.*, *-и* ounce, съкр. oz.

ỳокмен *м.*, *-и, (два)* ỳокмена walk-man.

Уо̀лстрийт *м. собств.* Wall Street.

упа̀дам, упа̀дна *гл.* decline, decay; go down; dwindle; moulder.

упа̀дък *м., само ед.* decline, decay; downfall; *книж.* declension; (*краен*) nadir; downward career; *изк.* deca-dence; **в ~** on the decline, in decline, decadent; on the downgrade.

упла̀ха *ж., само ед.* fright, scare; *амер. разг.* jitters.

упла̀швам, упла̀ша *гл.* frighten, scare; put fear (into s.o.), give (s.o.) a fright/ *амер. разг.* the jitters; (*дивеч*) get up; (*карам да избяга*) frighten away; **~ до смърт** frighten to death, scare stiff; || ~ **се** become frightened (**от** by), be afraid (**от** of); take a fright, have a scare; jump out of o.'s skin; (*за кон*) start,

shy; **не се ~ от нещо** face s.th. out.

уплътнѐни|е *ср.*, **-я; уплътнѝтел (-ят)** *м.*, **-и, (два)** уплътнѝтеля *техн.* gasket; packing, seal(ing); saddle; gland, obturator.

уплътнявам, уплътня *гл. физ., техн.* make (water-/air-)tight, firm, pack, seal, congest; calk; *техн.* consolidate; obturate; **~ работното си време** work efficiently.

уповавам се *възвр. гл.* hope; trust (**на** to, in), rely (on), reckon (up)on, rest (on, in), repose (in), anchor/set o.'s faith (to, on).

упованѝе *ср.*, *само ед.* hope, confidence, trust.

уподобявам, уподобя *гл.* liken, compare (**на** to).

упоѐн *мин. страд. прич.* **1.** (*с упойка*) anaesthetized, under an anaesthetic, befuddled, bemused; **2.** (*пиян*) drunk, intoxicated (*и прен.*), *sl.* dopey; *прен.* enraptured, rapt.

упойтел|ен *прил.*, **-на, -но, -ни 1.** *мед.* anaesthetic; narcotic; **~но средство** opiate; narcotic; **2.** (*за пиене*) intoxicating, inebriating; (*за аромат и пр.*) heady, languorous.

упойвам *гл.* bemuse, hocus.

упойк|а *ж.*, **-и** (*средство*) anaesthetic; opiate; (*упояване*) anaesthesia; **пълна/местна ~а** general/local anaesthesia; **с/без ~а** under/without anaesthesia.

упокò|й (**-ят**) *м.*, *само ед. църк.* rest, peace.

упоменàвам, упоменà *гл.* mention, touch on, refer to.

упòр *м.*, *само ед.* support, stay; **стрелям в ~** fire pointblank.

упорѝт *прил.* **1.** (*неотстъпчив*) tenacious, dogged, persevering, pertinacious, unyielding, unbending, uncompromising, unpliant; flinty; (*мъчно излечим – за болест*) refractory, obstinate; (*за съпротива*) stubborn, stiff, sturdy; **~а борба** a stubborn struggle; **~а кашлица** a persistent cough; **2.** (*за труд*) hard, strenuous, unremitting, patient, steady, persistent, persevering; **3.** (*твърдоглав*) stubborn, obstinate, mulish, self-willed, wilful, strong-headed, obdurate, opinionated, stiff-necked; (*досадно*) pertinacious.

упòрствам *гл.* **1.** persist (**в** in); persevere (in, with); *разг.* hammer away (at),

plug away (at); (*не се отказвам*) soldier on; (*при преговори*) stand out, haggle, stick out; **2.** be stubborn/obstinate, show obstinacy; be wedded to an opinion; not yield an inch; jib (at).

употрѐба *ж.*, *само ед.* use; (*начин на употреба*) usage; **влизам в ~** come into use; **за еднократна ~** throw-away (*attr.*); **излизам от ~** fall into disuse, go out of use, (*за дума и пр.*) become obsolete; **повторна ~** reuse.

употребявам, употребя *гл.* **1.** use; make use of; (*използвам*) employ; (*вземам вътрешно*) take; (*пари*) spend; **~ спиртни напитки** drink, indulge in drink; **2.** (*изразходвам*) use up, consume, exhaust, finish; || **~ се** be used, be in use.

упойвам, упоя *гл.* **1.** intoxicate (*и прен.*), inebriate, make drunk, befuddle; *прен. sl.* dope; **2.** *мед.* anaesthetize, (*с етер*) etherize.

управа *ж.*, *само ед.* **1.** management; administration; board; managing body; **2.** (*ред, управия*) law and order.

управѝтел (-ят) *м.*, **-и** manager, director; superintendent; superior; (*на област и пр.*) governor; (*на имение*) steward, bailiff; (*на имот*) land agent; (*на младежко общежитие*) warden.

управѝя *ж.*, *само ед.* law and order; good management/organization; *ирон.* mess, muddle, a muddled state of affairs; **няма ~** there's no justice.

управлѐни|е *ср.*, **-я 1.** (*действие*) management; (*на страна*) government; **автономно ~е** off-line control; **административно ~е** executive management; **дистанционно ~е** *техн.* remote control; **лошо ~е** mismanagement, maladministration; **поемам ~ето** take control; **~е на кола** driving; **2.** (*учреждение*) office, administration; board, directorate, bureau; **главно ~е** head office.

управлявам *гл.* govern (*и език.*); rule (over); (*предприятие и пр.*) manage, control, run, superintend; (*машина*) operate, run, work; (*автомобил*) drive, steer; (*кораб*) steer; (*самолет*) fly.

управляващ *сег. деят. прич.* (*като прил. и като същ.*) ruling, governing; managing; **~а партия** ruling party.

управляем *сег. страд. прич.* dirigible; steerable; rulable; controllable;

manageable.

управни|к *м.*, **-ци** ruler.

упражнѐни|е *ср.*, **-я** exercise; (*тренировъчно*) drill; **гимнастически ~я** gymnastic drill/exercises; **домашно ~е** home work; **правя ~е** do an exercise.

упражнявам, упражня *гл.* **1.** exercise, drill, practise; **~ се** practise; **2.** (*практикувам*) practise, follow; **3.** (*прилагам*) exercise (**над** over), exert (**над** upon); **~ влияние** exercise/wield influence, bring influence to bear.

упрѐ|к *м.*, **-ци, (два)** упрѐка reproach; rebuke; reproof.

упрѐквам, упрѐкна *гл.* reproach, reprimand, reprehend, blame.

упълномощàвам, упълномощя *гл.* authorize, empower, depute; warrant; entitle; commission; **~ някого** lodge power with s.o.

упълномощѝтел (-ят) *м.*, **-и** authorizer, *юр.* principal.

упътвам, упътя *гл.* direct; show the way to; instruct; || **~ се** make (**към** for), direct o.'s steps (to), proceed (to), set out (for), steer (o.'s course) (for); (*за кораб*) be bound (for).

упътван|е *ср.*, **-ия** directing; direction; instruction.

урà *междум.* hurrah, hurray; (*от радост*) whoopee; **гръмко ~** a storm of cheers, ringing cheers; • **вдигам на ~** mob; hiss, hoot; rag.

уравнѐни|е *ср.*, **-я** *мат.* equation; **извеждам ~е** derive an equation; **квадратно ~е** a quadratic equation; **~е с две неизвестни** an equation with two unknown quantities.

уравнилòвка *ж.*, *само ед.* levelling; wage-levelling; egalitarianism.

уравнѝтел|ен *прил.*, **-на, -но, -ни** equalization (*attr.*), equalizing, levelling; **~на система** clearing system.

уравновесѐн *мин. страд. прич.* **1.** (well-)balanced; **2.** (*за характер*) well-balanced, steady, equable, level; (*за човек*) steady, level-headed, even-tempered, staid; laid-back.

уравновесѐност *ж.*, *само ед.* **1.** (*равновесие*) equilibrium; **2.** (*за характер, човек*) steadiness, equability, equableness, even temper; poise; balance of mind; sobriety.

уравновесявам, уравновеся *гл.* balance, counterpoise, counterbalance;

counterweigh; equibalance, equilibrate; equipoise (*и прен.*); *прен.* countervail, offset; (*еднаквявам*) equalize.

уравня̀вам, уравня̀ *гл.* **1.** (*правя гла̀дък*) level; smooth; **2.** equate; (*правя еднакви*) equalize; || ~ **се: ~ се с някого** come up with s.o.

урага̀н *м.*, **-и**, (*два*) урага̀на (*и прен.*) hurricane, tornado; ~ът **на войната** the turmoil of war.

ура̀н *м.*, *само ед.* хим. uranium.

урбаниза̀ция *ж.*, *само ед.* urbanization.

ỳрв|а *ж.*, **-и** precipice; ravine; cliff.

урегулѝране *ср.*, *само ед.* regulation; adjustment.

урегулѝрвам, урегулѝрам *гл.* regulate; adjust.

ỳред *м.*, **-и**, (*два*) ỳреда device, appliance, instrument, apparatus; (*механично приспособление*) contrivance, *разг.* contraption; (*гимнастически*) apparatus; exerciser.

уредб|а *ж.*, **-и 1.** order, organization; **2.** *техн.* installation, outfit, system; **запалителна** ~а *авт.* ignition system; **озвучителна** ~а public address system, *съкр.* PA system; **3.** regulation, order, organization; **нормативна** ~а regulation.

урѐдни|к *м.*, **-ци** organizer; manager; (*на музей*) curator, keeper.

ỳредност *ж.*, *само ед.* neatness, tidiness; orderliness.

уредостроѐне *ср.*, *само ед.* instrument-making, instrument engineering.

урѐждам, уредя̀ *гл.* **1.** (*турям в ред*) arrange, settle; (*въпрос, сметка*) liquidate, settle; *разг.* square away; (*въпрос и пр.*) dispose of; (*документ*) regularize; (*сметка*) pay; (*паспорт, билет*) get (in order); (*положението на някого*) regularize; (*дълг*) discharge; (*нагласявам*) engineer, set up; frame up; ~ **сметките си с някого** settle/square o.'s accounts with s.o.; get even with s.o.; (*убивам*) *sl.* fix s.o.; ~ **спорове** patch up differences, fix up a quarrel; **2.** (*устройвам, нагласям*) organize, arrange, get/sew up; engineer, contrive; *разг.* fix; (*изложба и пр.*) hold; (*концерт*) give; ~ **да** **си** **срещна** fix an appointment, make a date; (*спектакъл и пр.*) engineer; **ще уредим тая работа** we'll fix it up.

урѐмия *ж.*, *само ед.* мед. ur(a)emia.

урѐт|ер *м.*, **-ри**, (*два*) урѐтера анат. ureter.

урѐтр|а *ж.*, **-и** анат. urethra.

урѐчен *мин. страд. прич.* fixed, appointed; stipulated.

урѝгвам се, урѝгна се *възвр. гл.* belch, burp.

урѝна *ж.*, *само ед.* urine.

уринѝрам *гл.* urinate.

ỳрн|а *ж.*, **-и** urn; **избирателна** ~а ballot-box.

уро̀вен *м.*, *само ед.* level, standard; **жизнен** ~ living standard, living standards, standard of living.

ỳрод *м.*, **-и** freak (of nature), abortion, monstrosity, misshapen/deformed creature; monster; mooncalf.

уродлѝвост *ж.*, *само ед.* monstrosity, deformity, malformation; ugliness; crookedness; **комична** ~ grotesqueness.

урожа̀|й (-ят) *м.*, *само ед.* harvest, yield, crop.

уро̀|к *м.*, **-ци**, (*два*) уро̀ка lesson (по in) (*и прен.*); **давам някому добър** ~к give/teach s.o. a good lesson; **нагледен** ~к an object lesson; **служа за** ~к point to a moral.

ỳроки *само мн. разг.* the evil eye; **да не му е** ~ touch wood.

уроло̀|г *м.*, **-зи** urologist.

уроло̀гия *ж.*, *само ед.* urology.

уро̀нвам, уро̀ня *гл.* lower, injure, cripple, derogate; ~ **достойнството си** demean o.s.

урочасвам, урочасам *гл. прех.* bring ill-luck (on), bring misfortune (on), put an evil spell (on), cast/put the evil eye (on); *непрех.* be bewitched, be under a spell, be the victim of an evil eye.

уртика̀рия *ж.*, *само ед. мед.* urticaria, nettle-rash.

Уругва̀й *м. собств.* Uruguay.

уругва̀йск|и *прил.*, **-а, -о, -и** Uruguayan.

усамотѐност *ж.*, *само ед.* и **усамотѐние** *ср.*, *само ед.* solitude, seclusion, retirement, loneliness; privacy; apartness.

усамотя̀вам се, усамотя̀ се *възвр. гл.* seclude o.s., retire; retire into o.s.

усвоя̀вам, усвоя̀ *гл.* (*храна*) assimilate; absorb; (*овладявам*) master, make o.s. master of; pick up; (*език,*

знания) acquire, learn; digest; (*обичай и пр.*) adopt; get into (a habit); (*производство*) start; ~ **нови земи** reclaim land; ~ **средства** put funds to use.

усвоя̀ване *ср.*, *само ед.* assimilation; absorption; mastering; adoption; **труден за** ~ difficult to master.

усѐдналост *ж.*, *само ед.* settled/fixed way of life.

ỳсет *м.*, *само ед.* sense (за of); insight (into); feeling, flair (for); panache (at); *разг.* nose (for).

усѐщам, усѐтя *гл.* feel, become aware/conscious (of, че that), realize, notice; **малка е, ама вече се усеща** she's young but she's becoming aware of things; **не усетих как го направих** I was hardly aware of how I did it; ~ **вкус на таста**.

усѐщан|е *ср.*, **-ия** sensation; **силни** ~ия excitement, emotions; ~ето **е прия́тно** it feels nice.

усѝлвам, усѝля *гл.* strengthen; increase; (*подкрепям*) reinforce; (*правя по-интензивен*) intensify, enhance; *разг.* crank up; (*звук, тон*) amplify; (*радио, тон*) make louder; (*огън*) mend; (*болка*) aggravate; exacerbate, exasperate; (*за лекарство*) invigorate; ~ **хода си** quicken/mend o.'s pace/step; || ~ **се** become stronger; intensify; gain in strength; grow in momentum; (*за чувство*) deepen, mount; (*за шум, звук*) swell, grow louder; (*за огън, вятър*) get up; (*за вятър и пр.*) rise, stiffen; (*за течение*) set strongly; (*за съпротива, решителност*) stiffen; **дъждът се усилва** it is raining harder.

усилва̀тел (-ят) *м.*, **-и**, (*два*) усилва̀теля техн., физ. amplifier; booster; intensifier; *радио.* note magnifier; ~ **на изображение** image intensifier.

усилен₁ *мин. страд. прич.* (*и като прил.*) (*засилен*) strengthened, increased, reinforced, intensified, enhanced, amplified; (*напрегнат*) intense, strenuous; (*за контрол и пр.*) doubled; ~о **строителство** building boom.

усил|ен₂ *прил.*, **-на, -но, -ни** (*тежък*) hard, strenuous, effortful.

усили|е *ср.*, **-я** effort, exertion; endeavour; striving; **печеля без** ~е win hands down; **полагам особени** ~я **да** go out of o.'s way to; **правя** ~я make efforts;

take pains; try hard; put o.'s best foot forward; **с общи ~я** by common effort(s).

ускоре́ние *ср.*, *само ед.* acceleration, precipitation; speed up; **земно ~** *физ.* acceleration of gravity.

ускори́тел (-ят) *м.*, -и, (два) ускори́теля *техн.* accelerator; hastener; *хим.* accelerant.

ускоря́вам, ускоря́ *гл.* accelerate, hasten, step up, quicken; (*изпълнение на план*) speed up; (*работа*) expedite; (*събитие*) precipitate; (*скорост на машина*) speed; (*срок, събрание*) bring forward; **~ крачката/вървежа си** quicken/mend o.'s pace; put on the pace; *разг.* get cracking; **~ процедура** force the pace; **~ ход** (*за кола*) put on speed.

усла́вям, усло́вя *гл.* engage, hire; || **~ се 1.** be hired/engaged; **2.** (*споразумявам се*) agree, settle; get (s.th.) settled; come to terms/to an agreement.

усла́ждам, усладя́ *гл.* sweeten, make sweet; || **~ се** taste good (**на** to), give pleasure; **услажда ми се** enjoy, relish; be pleased (with), take pleasure (in).

усло́в|ен *прил.*, -на, -но, -ни **1.** (*зависещ от условия*) conditional (*и език.*); (*за рефлекс*) conditioned; (*за присъда*) suspended; provisional, provisory; **~на присъда** judgment provisionally enforceable, probational sentence; **~но решение/постановление** *юр.* order/rule nisi; (*относителен*) relative; **2.** (*приет*) conventional; **~ен знак** conventional sign; symbol; **~ен сигнал** prearranged signal.

усло́ви|е *ср.*, -я condition; (*точка в договор*) clause; (*обстоятелство*) circumstance; (*уговорка*) caveat, proviso; **какви са вашите ~я?** what are your terms? **облекчени ~я** preferential terms; **поставям ~я** lay down conditions; **при ~е, че** on condition that, provided; on the understanding that; **~я на работа** conditions of work.

усло́вност *ж.*, -и convention, conventionality; **без ~и** unconventional.

усложне́ни|е *ср.*, -я complication (*и мед.*), convolution; nodus; *мн.* embroilments.

усложня́вам, усложня́ *гл.* complicate; compound; (*нарочно*) confuse; **~ живота си** complicate matters; || **~ се** be-

come complicated/involved; **интри́гата се усложня́ва** the plot thickens.

услу́г|а *ж.*, -и service, favour; good turn; **лоша ~а** an ill turn, disservice; **на вашите ~и** at your service; **правя някому ~а** do/grant/render s.o. a favour/service; **do s.o. a good turn; телефонни ~и** directory inquiries.

услу́жвам, услу́жа *гл.* do/render a service/favour, do a good turn; **с какво мога да ви услу́жа?** what can I do for you? what may I serve you with? **~ с** lend, oblige (with).

усми́вк|а *ж.*, -и smile; grin; (*цинична, похотлива, злобна*) leer; **отговарям с ~а** smile back; **с едва забележима ~а** with the merest suggestion of a smile; **широка ~а** toothy smile.

усмиря́вам, усмиря́ *гл.* pacify, quiet, appease; (*бунт и пр.*) suppress, put down; (*деца*) bring/reduce to order.

усми́хвам се, усми́хна се *възвр. гл.* smile; grin (**на** at); give a smile (to); flash a smile at; **~ на** (*проявявам благоразположение към*) smile on/upon; **~ под мустак** laugh up/in o.'s sleeve.

усмотре́ние *ср.*, *само ед.* discretion; **действам по свое ~** use o.'s own discretion; act of o.'s own accord; please o.s.; **по ~ на съда** at the discretion of the court.

усмъ́рдявам, усмърдя́ *гл.* make (s.th.) stink, stink (up); || **~ се** stink.

усо́е *ср.*, *само ед. разг.* dark recesses, cool/shady spot.

усо́|ен *прил.*, -йна, -йно, -йни sunless, dank.

усо́йниц|а *ж.*, -и *зоол.* viper; horned adder.

успева́емост *ж.*, *само ед.* results, grades, marks, rates, pass-rate.

успе́ние *ср.*, *само ед.*: **Успе́ние Богородично** *църк.* the Assumption.

успе́х *м.*, -и, (два) успе́ха success; (*в училище*) results, grades, marks; **книгата/пиесата ще има ~** the book/play will go down well; **нямам ~** fail, prove a failure/flop; come to nothing/nought; (*за пиеса*) be a flop, get the knock; **общ ~** overall performance; **с ~** successfully; **той има големи ~и** he is a great success.

успи́вам, успя́ *гл.* put to sleep; || **~ се** oversleep.

успокое́ние *ср.*, *само ед.* relief; reas-

surance; tranquillization; **за мое ~** to my great relief; **лекарство за ~ на нервите** sedative, tranquillizer, calmative.

успокоя́вам, успокоя́ *гл.* calm, quiet, soothe; set at rest; (*съвест и пр.*) relieve, ease; (*болка, скръб*) assuage, hush, lull, soothe; ease; (*гняв*) appease; (*нерви*) steady, tranquillize; (*убеждавам да не се тревожи*) reassure, set s.o.'s mind at rest; (*умирявам*) still; (*отморявам*) rest; **~ духовете** take the heat out of (a situation, quarrel, etc.); **~ някого** calm s.o., *разг.* stroke s.o. down; || **~ се** calm/cool down; compose o.s., make o.'s mind easy, set o.'s mind at rest/at ease; (*утешавам се*) take comfort; **успокой се!** compose yourself; be yourself; (*не се вълнувай*) *разг.* keep your shirt on.

успоре́дк|а *ж.*, -и *спорт.* parallel bars.

успоре́дни|к *м.*, -ци, (два) успоре́дника *геом.* parallelogram.

успоре́дно *нареч.* parallel (**с** with); (*едновременно*) simultaneously, at the same time.

успя́вам, успе́я *гл.* succeed (in **с** ger.), be successful (in **с** ger.), manage (to **с** *inf.*); (*имам достатъчно време*) have time (**да** с *inf.*); (*за план*) work; (*преуспявам*) push/get along; (*постигам целта си*) make it, make the grade, *sl.* bring home the bacon; (*в рисковано начинание*) *разг.* come up trumps; **едва ~** (*в последната минута*) draw it fine; **не ~** fail; **~ в живота** make a success of o.'s life.

усредня́ване *ср.*, *само ед. фин.* averaging; **~ на разходите** cost averaging.

уст|а́ *ж.*, -и, *зоол.* osculum; (*отвор*) mouth, opening, aperture; **взе ми думите от ~ата** he took the words out of my mouth; **влизам на хората в ~ата** *прен.* start people talking, give food for gossip; **гледам някого в ~ата 1)** (*колко яде*) (be)grudge s.o. every bite/every morsel/the bread he eats; **2)** (*слушам с внимание*) hang on s.o.'s lips; **3)** (*угодничи*) be at s.o.'s beck and call; **държа/затварям ~ата си** hold o.'s tongue, button up o.'s mouth; **изплъзна ми се от ~ата** I blurted it out; **има голяма ~а** *прен.* he is boastful, he talks big; **не е за неговата ~а лъжица** he is not up to it; **не слагам в ~а** not touch; **нямаш ли ~а да му ка-**

жеш? you've got a tongue in your head, why don't you speak out? **оставам с отворена** ~а *прен.* stand agape, gape; **оставам с пръст в** ~**ата** *прен.* be left stranded/empty-handed, be left with o.'s finger in o.'s mouth, *амер. sl.* get the cheese; **правя си** ~**ата за** drop a gentle hint about, fish for, angle for; **с половин** ~а reluctantly, half-heartedly.

у̀став *м.,* -**и, (два) у̀става** statute(s); rules, by-laws; *и воен.* regulations; standing orders; organization chart; (*на ООН*) charter; *воен.* training regulations, field manual; **по** ~**а** according to the statute(s).

установѐн *мин. страд. прич. (и като прил.)* established, fixed, settled; (*неподлежащ на промяна*) unalterable; (*с правилник, устав*) prescribed; (*рутинен*) routine (*attr.*); ~ **час** fixed hour; ~**а практика** existing practices; ~**и факти** established facts.

установя̀вам, установя̀ *гл.* **1.** (*определям, узаконявам*) fix, settle, determine, specify; institute; (*закон, правило*) lay down; ~ **цена** fix a price; **2.** (*осъществявам*) establish; ~**връзка** contact, get in touch (with), *воен.* establish communication/contact/a connection (with); **3.** (*изяснявам, доказвам, намирам*) ascertain, find, determine, find out; ~ **причините за смъртта** establish the cause of death; || ~ **се 1.** (*някъде*) settle down, establish o.s.; ~ **се като зъболекар и пр.** set up as a dentist etc.; **2.** (*спирам се, решавам*) fix, decide (**на** on); make o.'s choice.

уста̀т *прил.* talkative; sharp/shrewd-tongued, shrewish, pert.

у̀ст|**ен** *прил.,* -**на,** -**но,** -**ни** mouth (*attr.*), vocal, verbal, oral; *език.* labial; *анат.* oscular; ~**ен изпит** oral examination, viva voce; ~**на договореност** verbal arrangement.

у̀сти|**е** *ср.,* -**я 1.** *геогр.* mouth; outfall, outflow, issue; debouchment; (*на долина*) jaws; embouchure; **2.** (*отвор*) orifice, mouth; (*на шахта*) outset.

устѝсквам, устѝскам *гл.* hold out.

у̀сти|**а** *ж.,* -**и** lip; *анат., бот.* labium; **горна/долна** ~**а** an upper/a lower lip.

устоѝ *само мн.* **1.** *техн.* abutment, bankseat; buttress; (*на мост*) pier; **2.** *прен.* mainstay, foundations, basis; **нравствени** ~ moral principles.

устойчивост *ж., само ед.* stability, steadiness, steadfastness, fastness; firmness, fixity, rigidity, fixedness; hardiness; resistance; ~ **при натоварване** stability under load.

устоя̀вам, устоя̀ *гл.* withstand (s.th.), resist (s.th.), stand up (to, against), bear up (to, against); hold out (against); *прен.* keep o.'s ground, hold o.'s own; **не** ~ **на** yield to, give under; ~ **на думата си** keep o.'s promise/word.

у̀стрем *м.,* -**и, (два) у̀стрема** (on)rush, onset; zeal (for); élan.

устремя̀вам, устремя̀ *гл.* concentrate, fix, turn (**към** on), direct (towards); || ~ **се** rush, dash (**към** at), bear down (upon); ~ **се нагоре** shoot up.

устро̀йвам, устро̀я *гл.* arrange, organize; (*установявам*) set up, establish; (*спектакъл, заговор*) engineer; ~ **живота си** make o.'s own life; || ~ **се**, establish o.s.; **добре сте се устроили** you've fixed yourselves up very nicely.

устро̀йств|**о** *ср.,* -**а 1.** (*начин на направа*) structure, pattern, lay-out; frame; make-up (*и прен.*); (*приспособление*) aid; **2.** (*начин на организация*) organization, arrangement; system, set-up; (*политическо, икономическо, обществено*) constitution; **държавно** ~**о** state system; **3.** (*механизъм*) mechanism, device; **запаметяващо** ~**о** *инф.* memory, storage.

усу̀квам, усу̀чва *гл.* twist; wind round; give a twist; *прен.* beat about the bush, palter; quibble; hum (hem) and haw; resort to evasions, use evasions; || ~ **се** twist, coil; convolve; ~ **се около някого** hang around s.o.; fawn (up)on s.o.

усъвършѐнствам *гл.* perfect, improve, streamline, refine (on, upon); || ~ **се** perfect o.s., become perfect.

усъ̀рдие *ср., само ед.* zeal, eagerness, diligence, assiduity; thoroughness; mettle.

уся̀дам, уся̀дна *гл.* settle down.

утаѐч|**ен** *прил.,* -**на,** -**но,** -**ни** *геол.* sedimentary; ~**ен слой** sediment.

ута̀йк|**а** *ж.,* -**и 1.** sediment, deposition; precipitate, lees, dregs; grouts; ~**а от кафе** coffee grounds; **2.** *прен.* lees, dregs, scum; (*на обществото*) raff, ragtag.

утала̀жвам, утало̀жа *гл.* allay, mitigate; (*жажда*) slake, quench; (*глад*) satisfy, assuage, still; (*гняв*) appease;

(*нерви*) steady; (*болка*) lull, soothe, hush; ~ **страстите** take the heat out of (a situation, quarrel, etc.); || ~ **се 1.** quiet down; (*за човек*) settle down; become sedate; **духовете се утало̀жиха** people calmed down; **2.** (*утайвам се*) settle, be deposited.

утайвам се, утай се *възвр. гл.* settle, be deposited.

утвържда̀вам, утвърдя̀ *гл.* confirm, approbate, approve; (*план, договор*) endorse, sanction, ratify; || ~ **се** strengthen o.'s position; win recognition (**като** as); gain ground.

утвърждѐни|**е** *ср.,* -**я** approval, confirmation; endorsement, sanction, ratification; recognition.

утежнѐни|**е** *ср.,* -**я** *фин.* charge; (*върху недвижим имот*) *юр.* encumbrance; **без** ~**е** (*неипотекиран*) unencumbered, free of encumbrances; **с** ~**е** (*ипотекиран*) bonded, encumbered.

утежня̀вам, утежня̀ *гл.* aggravate.

утесня̀вам, утеснѐя *гл.* become/grow narrow/tight/too small.

утѐха *ж., само ед.* comfort, consolation; (*това, което утешава*) solace.

утѐчк|**а** *ж.,* -**и** *ел.* leak(age); (*фира*) ullage.

утеша̀вам, утеша̀ *гл.* comfort, console; || ~ **се** console o.s.; take comfort; seek consolation (**с** in), be comforted/consoled (**by**); find comfort/consolation (in).

утешѐние *ср., само ед.* comfort, consolation, solace.

утилитарѝз|**ъм** (-**мът**) *м., само ед.* *филос.* utilitarianism.

утилита̀рност *ж., само ед.* utility, usefulness.

утѝхвам, утѝхна *гл.* abate, calm down, subside; become quiet, be hushed; die away; (*за вятър и пр.*) sink; (*за буря и пр.*) lull; **бурята утихна** the storm is spent.

утоля̀вам, утоля̀ *гл.* (*жажда*) slake, quench; (*глад*) satisfy, still, assuage.

утопѝз|**ъм** (-**мът**) *м., само ед.* Utopianism; millenarianism.

уто̀пи|**я** *ж.,* -**и** Utopia; fool's paradise.

уточня̀вам, уточня̀ *гл.* specify, make more precise/exact; itemize; particularize; define more accurately/precisely/exactly; || ~ **се** settle; decide.

уточня̀ване *ср., само ед.* specifying, specification, particularization; elabo-

ration; modification.

утра̀йвам, утра̀я гл. **1.** last, hold out; **2.** (понасям) stand, bear, endure.

у̀тре нареч. tomorrow; до ~ till tomorrow, (при сбогуване) see you tomorrow; ~ вечер tomorrow night; ~ сутрин tomorrow morning.

утрѐпвам, утрѐпя гл. kill, murder; sl. bump s.o. off; ~ се от работа be dogtired; kill o.s. with work, work o.s. to death.

у̀трин ж., -и morning, поет. morn.

утр̀о ср., -а̀ **1.** morning, поет. morn; ~ото е по-мъдро от вечерта night brings counsel, sleep on it, consult your pillow; **2.** (представление) morning performance, matinée.

утро̀б|а ж., -и womb.

утройвам, утрой гл. treble, triple, triplicate; || ~ се treble, triple.

утъпквам, утъпча гл. trample down; stamp.

уфоло̀гия ж., само ед. ufology.

уха̀ междум. **1.** (за присмех) go on!; **2.** (за готовност) and how! sure!

уха̀жвам гл. court, woo; make love to; pay/make court to, pay o.'s addresses to; ~ открито make open advances to.

уха̀ни|е ср., -я fragrance, perfume, scent, odour, aroma.

уха̀пвам, уха̀пя гл. bite; (леко) nip.

уха̀я гл. give out a sweet perfume, smell sweet.

ухѝлвам се, ухѝля се възвр. гл. grin (на at).

ух̀о ср., ушѝ **1.** ear; външно ~ анат. auricle, external ear; **2.** (на игла) eye; техн. tag, tab; (на съд, брава и пр.) lug; (на плуг) mouldboard; • давам ~ на listen to, (подслушвам) eavesdrop; затънал до уши в работа up to o.'s eyes/chin in work; обеца на ~ a good warning; от едното ~ влязло, от другото излязло in at one ear, out at the other; it glances off him like water off a duck's back.

уцѐлвам, уцѐля гл. hit (the mark).

уча̀ гл., мин. св. деят. прич. у̀чил learn; study; (обучавам) teach; ~ за study to be; || ~ се learn, study; ~ се (добре) do well at school; ~ се от собствените си грешки profit/learn by o.'s own mistakes; човек се учи, докато е жив live and learn.

у̀част ж., само ед. fate, destiny, lot;

(нещастна) doom; споделям ~та на някого share s.o.'s fate; (доброволно) throw in o.'s lot with s.o.

уча̀ствам гл. take part, participate, be, assist, join (в in); (за артист в програма) appear, play; в главните роли участват ... (в афиш) starring ...; (имам дял) have a share/hand (in), weigh in (with), chip in; ~ в състезание go in for a competition.

уча̀сти|е ср., -я **1.** participation; share; interest; partnership; вземам ~ в participate; **2.** (съчувствие) sympathy.

уча̀стъ|к м., -ци, (два) уча̀стъка **1.** (дял) section, part; (на път, река) section, length; **2.** (земя) lot, plot; tract; (малък) strip, parcel; строителен ~к building site; **3.** (административен) district; (обикалян от пост) beat; избирателен ~к electoral district/area.

учѐб|ен прил., -на, -но, -ни **1.** (за дело, заведение) educational, educative; (за година, помагало) school (attr.); ~ен предмет (school) subject; ~на година school year, (в университета) academic year; **2.** (който служи за учение) training (attr.), drill (attr.); ~на кола test car; ~на стрелба artillery practice, dummy firing; (с пушка) rifle practice.

учѐбни|к м., -ци, (два) учѐбника textbook; course book; manual.

у̀чене ср., само ед. study, studies, learning; (на занаят) apprenticeship.

учѐни|е ср., -я **1.** (философско и пр.) doctrine, teaching, principles; гражданско ~е civics; **2.** (учене) studies; **3.** воен. drill, (tactical) exercise, practice; dry run.

ученѝ|к м., -ци; ученѝчк|а ж., -и pupil, student, schoolboy/schoolgirl; (на занаят) apprentice; (последовател) disciple, follower.

ученолю̀бие ср., само ед. studiousness, love of learning.

учетворя̀вам, учетворя̀ гл. quadruple, make fourfold.

учѝлищ|е ср., -а school; (занятия) classes; бягам от ~е play truant, cut classes; на ~е at school; средно ~е a secondary school; амер. a high school.

учѝтел (-ят) м., -и teacher (по of); (в училище) (school) master; домашен/частен ~ tutor; ставам ~ become a teacher, take up teaching.

учѝтелк|а ж., -и teacher, (school)mistress.

учленя̀вам, учленя̀ гл. фон. articulate; sound.

учредѝтел (-ят) м., -и; учредѝтелк|а ж., -и founder, founding father, constitutor; член-~ founder-member.

учредя̀вам, учредя̀ гл. constitute, establish, set up; found; (компания) float; (организация, правилник) institute; ~ със закон establish by law.

учреждѐни|е ср., -я office, department, institution, establishment; банково ~е agency bank, banking establishment.

учтѝвост ж., само ед. politeness, courtesy, civility; courteousness; fair-spokenness; suavity, suaveness, good manners.

учу̀двам, учу̀дя гл. surprise; astonish; || ~ се wonder (на at), be surprised/astonished (at); не бива да се учудваме, че it should not surprise us that.

учу̀дване ср., само ед. wonder, surprise, astonishment, wonderment; за мое голямо ~ much to my surprise.

учу̀ден мин. страд. прич. surprised, astonished (at).

уша̀нк|а ж., -и ear-flap; ear-cap.

уш|ѐн прил., -на, -но, -ни ear (attr.); анат. otic; ~ен лекар an ear specialist, aurist, otologist; ~на кал earwax; ~на раковина cochlea.

ушѝвам, ушѝя гл. sew; make (a dress, a suit); tailor; ~ си рокля и пр. (при шивача) have a dress etc. made, (сам) make o.s. a dress etc.

уширѐни|е ср., -я broadening, widening; ~е на път (за спиране) lay-by.

ущъ̀рб м., само ед.: в ~ на to the detriment/prejudice of.

ую̀т м., само ед. domesticity, coziness, snugness.

ую̀т|ен прил., -на, -но, -ни cosy, cozy, snug, homey.

уязвя̀вам, уязвя̀ гл. wound, hurt, sting; ~ на болното място, ~ дълбоко touch in a tender place, flick on the raw, cut/wound to the quick.

уякча̀вам, уякча̀ гл. strengthen.

уяснѐни|е ср., -я explanation.

уясня̀вам, уясня̀ гл. clarify, clear up; explain; положението скоро ще се уясни things will soon settle into shape.

уясня̀ване ср., само ед. clarifying, clarification; explanation.

Ф

фа *ср., само ед. муз.* fa, F.

фàбрик|а *ж., -и* factory, mill; (*завод*) plant, works; захарна ~а sugar plant/factory; ~а за гвоздеи nailery; хартиена ~а paper-mill.

фабрикàнт *м., -и* manufacturer, maker; factory/mill owner.

фабрикàт *м., -и, (два)* фабрикàта finished/manufactured product; set up; *мн.* factory-made goods.

фабрикỳвам *гл.* **1.** manufacture, produce, make; **2.** *прен.* fabricate, trump up, fake.

фабрѝч|ен *прил., -на, -но, -ни* factory (*attr.*); (*промишлен*) industrial, manufacturing; (*за произведение*) manufactured, industrial, factory-made; mechanical; ~на марка trade mark; ~на цена first cost.

фàбул|а *ж., -и* plot, story.

фавн *м., -и, (два)* фàвна *мит.* faun.

фаворизàция *ж., само ед.* favouritism, favouring; partiality (**на** to).

фаворизѝрам *гл.* favour, be partial to.

фаворѝт *м., -и;* фаворѝтк|а *ж., -и* favourite, front-runner; *книж.* minion.

фагòт *м., -и, (два)* фагòта *муз.* bassoon.

фагоцѝт *м., -и обикн. мн. биол.* phagocyte.

фагоцитòза *ж., само ед. биол.* phagocytosis.

фàз|а *ж., -и* phase (*и ел.*), *ел.* leg; (*период*) period, stage; висша ~а highest stage; във ~а *ел.* in step.

фазàн *м., -и, (два)* фазàна *зоол.* pheasant; (*златист*) macartney.

фàзер *м., само ед.* hardboard, fibreboard.

фàзов *прил.* phase (*attr.*); phasic; ~а разлика *ел.* lag.

фазомèр *м., -и, (два)* фазомèра phase(-angle) meter.

файдà *ж., само ед.* benefit; голяма ~ (ще имам) a fat lot of use that'll be to me; от много приказки ~ няма what's the use of talking.

файл *м., -ове, (два)* фàйла *комп.* file; входен ~ input file; изходен ~ output file; основен ~ master file; работен ~ work file.

файтòн *м., -и, (два)* файтòна cab; (*частен*) carriage; phaeton; chaise;

(*закрит*) *амер.* carryall.

файтонджѝ|я *м., -и* cabman, cabby.

фàк|ел *м., -ли, (два)* фàкела torch; cresset; flambeau.

фàкел|ен *прил., -на, -но, -ни* torch (*attr.*); ~но шествие torchlight procession.

факѝр *м., -и* fakir; *прен.* wizard, dab, hand, *амер. sl.* whiz (**в** at).

факс *м., -ове, (два)* фàкса fax machine, fax.

факсимилè *ср., -та* facsimile, autotype.

факт *м., -и, (два)* фàкта fact, datum, *pl.* data; ако не беше ~ът, че were it not for the circumstance (that); голи ~и dry/stark/brute facts; затварям очите си пред ~ите run away from the facts; общоизвестен ~ a notorious fact, truism; поставям пред свършен ~ present with a fait accompli; ~! it's a fact! ~ е, че it's a fact that.

фактѝческ|и₁ *прил., -а, -о, -и* factual; (*действителен*) actual, real, virtual, substantial; ~а грешка error in facts, error of fact; ~и материал/данни facts, factual material; ~ото положение на нещата the actual state of affairs.

фактѝчески₂ *нареч.* as a matter of fact; in reality; in (actual) fact, practically, actually, in effect, de facto; in point of fact; for that matter; to all intents and purposes.

фàктор *м., -и, (два)* фàктора **1.** factor, agent; **2.** *прен.* (*за човек*) figure, (*за нещо, което оказва влияние*) operator; (*за нещо, което трябва да се вземе предвид*) consideration; **3.** *полигр.* foreman, overseer; **4.** *мат.* factor; **5.**: ~и на производството *икон.* input(s).

фактỳр|а *ж., -и* **1.** *търг.* invoice, bill, delivery note; **2.** *изк.* texture.

фактурѝрам *гл.* invoice.

факултатѝв|ен *прил., -на, -но, -ни* optional, facultative; elective; permissive; ~ен предмет optional subject, elective course, extra.

факултèт *м., -и, (два)* факултèта faculty, department, school; юридически ~ faculty of law, law school.

факултèт|ен *прил., -на, -но, -ни;* факултèтск|и *прил., -а, -о, -и* faculty (*attr.*); ~о ръководство faculty board.

фал₁ *м., -ове, (два)* фàла *спорт.* foul; false start (*и прен.*); slip-up; (*гаф*)

clanger; *фр.* faux pas; правя ~ drop a clanger/brick.

фал₂ *м., -ове, (два)* фàла *мор.* fall.

фалàнг|а *ж., -и* phalanx.

фалѝрам *гл.* go bankrupt, cease payment, *разг.* go bung; fold; *прен. разг.* peg out.

фалѝт *м., само ед.* bankruptcy, failure, crash, break-up; обявявам ~ go bankrupt, cease payment.

фалѝческ|и *прил., -а, -о, -и* phallic.

фалòпиев *прил.*: ~а тръба *анат.* oviduct.

фàлос *м., -и, (два)* фàлоса *анат.* phallus; fertility symbol.

фалц *м., само ед. техн.* rabbet, rebate, fillister, crease.

фалцèт *м., само ед. муз.* falsetto, head register/voice.

фàлцмашѝн|а *ж., -и* seamer; folding machine.

фàлцòване *ср., само ед.* seaming; folding.

фалцỳвам и фалцòвам *гл. техн.* fold.

фалш *м., само ед.* **1.** hypocrisy, insincerity, falseness; hollowness; **2.** *муз.* false note.

фалшѝв *прил.* false, spurious, counterfeit, coined; (*за документ и пр.*) forged, *разг.* fake(d), doctored (up); dud (*attr.*); (*неистински, изкуствен*) artificial, imitation (*attr.*), tinsel (*attr.*), flash; *амер. разг.* phon(e)y; (*престорен*) factitious, faked; contrived; (*за човек*) deceitful, designing, false-hearted; *муз.* false; пускам в обращение ~и пари utter; ~а банкнота dud banknote; ~а тревога false alarm; ~и документи forged documents, sham papers; ~о име fictitious name.

фалшификàт *м., -и, (два)* фалшификàта forged document; (*вещ*) fake, imitation.

фалшификàтор *м., -и* forger, counterfeiter, fake(r); (*на пари*) *sl.* snidesman, coiner.

фалшификàци|я *ж., -и* **1.** (*действие*) falsification; (*на документи*) forgery, doctoring; fabrication; (*на изборните резултати*) ballot-rigging; (*чрез примес*) adulteration. **2.** (*предмет*) imitation, counterfeit, fake.

фалшифицѝрам *гл.* falsify, tamper with; (*чрез примес*) adulterate, *sl.* duff; (*документ*) forge, fake, doctor; fabri-

cate; (*изборни резултати*) rig an election; (*обикн. пари*) coin, counterfeit; *разг.* cook; (*данни и пр.*) *разг.* wangle; fiddle.

фамѝл|ен *прил.*, -на, -но, -ни family (*attr.*); familial; lineal; ~но име family name, surname.

фамилиа̀рнича *гл.*, *мин. св. деят. прич.* фамилиа̀рничил treat (s.o.) without ceremony.

фамилиа̀рност *ж.*, *само ед.* familiarity, unceremoniousness; не допускам ~ от страна на някого keep s.o. at arm's length.

фамѝли|я *ж.*, -и family; (*род*) stock.

фамо̀з|ен *прил.*, -на, -но, -ни notorious, famous.

фанарио̀т *м.*, -и *истор.* Phanariot.

фанатизѝрам *гл.* fanaticize.

фанатѝз|ъм (-мът) *м.*, *само ед.* fanaticism, bigotry; partisanship; религио̀зен ~ъм religionism.

фанатѝ|к *м.*, -ци; фанатѝчк|а *ж.*, -и fanatic, zealot, bigot; energumen.

фанда̀нго *ср.* *неизм.* *муз.* fandango.

фанѐл|а *ж.*, -и sweater; jersey; (*тениска*) T-shirt.

фантазѝрам *гл.* give play to o.'s fancy, let o.'s imagination run away with one; (*измислям си*) dream up, fancy, imagine; (*хубави неща*) built castles in the air/in Spain.

фанта̀зи|я *ж.*, -и 1. (*творческо въображение*) imagination; развитата ~я dirty mind; 2. fantasy, fancy; (*приумица*) fancy, whim, fad; (*измислица*) fib, figment; *разг.* pie in the sky; ~и moonshine; mare's nest; 3. *муз.* fantasia.

фантазьо̀р *м.*, -и; фантазьо̀рк|а *ж.*, -и dreamer, romancer, castle-builder; visionary, fantast, phantast.

фантасмаго̀ри|я *ж.*, -и phantasmagoria.

фанта̀ст *м.*, -и fantast; писател ~ science fiction writer.

фанта̀стика *ж.*, *само ед.* fabulousness, fantastic nature; fantasticalness, fantasticality; научна ~ science fiction; *разг.* sci-fi; ~! *разг.* fabulous!

фанто̀м *м.*, -и, (два) фанто̀ма phantom; apparition; *псих.* eidolon; фирма ~ a fly-by-night company.

фанфа̀р|а *ж.*, -и fanfare, trumpet; бойни ~и martial music; ~и (*звук*) a

flourish of trumpets, (*състав*) a bugle band.

фанфаро̀н *м.*, -и swashbuckler, braggart.

фар *м.*, -ове, (два) фа̀ра 1. (*на море*) lighthouse; пазач на ~ lighthouse keeper, lighthouseman; 2. (*на кола*) headlight.

фара̀д *м.*, -и, (два) фара̀да *физ.* farad.

фарао̀н *м.*, -и Pharaoh.

фарао̀нск|и *прил.*, -а, -о, -и Pharaoh (*attr.*), Pharaoh's.

фа̀рватер *м.*, *само ед.* *мор.* fairway, pass; channel.

фарингѝт *м.*, -и *мед.* pharyngitis.

фаринголо̀гия *ж.*, *само ед.* pharyngology.

фарингоско̀пия *ж.*, *само ед.* pharyngoscopy.

фа̀ринкс *м.*, -и, (два) фа̀ринкса *анат.* pharynx.

фарисѐ|й (-ят) *м.*, -и Pharisee (*и прен.*).

фарисѐйство *ср.*, *само ед.*; фарисѐйщина *ж.*, *само ед.* Pharisaism.

фармаколо̀гия *ж.*, *само ед.* pharmacology.

фармакопѐя *ж.*, *само ед.* pharmacopoeia, dispensary.

фармацѐвт *м.*, -и pharmaceutist, dispensing chemist, dispenser, *амер.* pharmacist, druggist.

фармацѐвтика *ж.*, *само ед.* pharmaceutics.

фарма̀ция *ж.*, *само ед.* pharmacy.

фарс *м.*, -ове, (два) фа̀рса farce; (*груб*) slap-stick.

фарширо̀вам *гл.* stuff.

фас *м.*, -ове, (два) фа̀са fag(-end), (*от пура*) stub; *амер. sl.* butt.

фаса̀д|а *ж.*, -и 1. facade, front(age); forefront; front elevation; 2. *прен.* window-dressing; shell.

фасѐтк|а *ж.*, -и facet.

фа̀ск|а *ж.*, -и *техн.* chamfer.

фасо̀н *м.*, -и, (два) фасо̀на fashion, style, make; (*на дреха и пр.*) cut; (*външен вид*) *разг.* the cut of o.'s jib/rig; • за ~ for show/style; правя/продавам ~и put on airs, (*сърдя се*) be miffed; смачквам някому ~a take s.o. down a peg/a pin, make s.o. look small, cut s.o. down to size, ruffle s.o.'s feathers, wipe s.o.'s eye, knock the stuffing out of s.o., put s.o.'s nose out of joint, *амер.*

take the starch/frills out of s.o.

фасонѝрам *гл.* shape, fashion; (*дървен материал*) side.

фасу̀л *м.*, *само ед.* (kidney) beans; зелен ~ French beans, string beans, butter-beans; • прост като ~ (*за човек*) boor, lout; dunce; просто като ~ as easy as ABC/as shelling peas/as falling off a log/as winking.

фа̀сунг|а *ж.*, -и *техн.* socket, lamp-/bulb-holder.

фата̀л|ен *прил.*, -на, -но, -ни fatal; (*смъртоносен*) death-dealing; ~ен срок dead line; ~на грешка vital error; ~на (*смъртоносна*) доза lethal dose.

фаталѝз|ъм (-мът) *м.*, *само ед.* fatalism.

фаталѝст *м.*, -и; фаталѝстк|а *ж.*, -и fatalist.

фа̀ул *м.*, -и, (два) фа̀ула *спорт.* foul.

фа̀уна *ж.*, *само ед.* fauna.

фашизѝрам *гл.* make/render fascist, nazify; || ~ ce become/turn fascist.

фашѝз|ъм (-мът) *м.*, *само ед.* fascism, nazism.

фашѝст *м.*, -и; фашѝстк|а *ж.*, -и fascist, nazi.

файнс *м.*, *само ед.* faience, majolica, maiolica; (*изделия*) pottery; glazed earthenware.

фебрѝл|ен *прил.*, -на, -но, -ни *мед.* febrile, feverish.

февруа̀ри *м.* *неизм.* February.

февруа̀рск|и *прил.*, -а, -о, -и February (*attr.*).

федера̀л|ен *прил.*, -на, -но, -ни federal; ~ен агент *разг.* Fed.

федерализ|ъм (-мът) *м.*, *само ед.* federalism.

федератѝв|ен *прил.*, -на, -но, -ни federative; ~на държава federal state.

федера̀ци|я *ж.*, -и federation, federal union.

фѐдербал *м.*, *само ед.* *спорт.* badminton; battledore and shuttlecock; перо за ~ shuttlecock.

федерѝрам *гл.* federate.

феерѝч|ен *прил.*, -на, -но, -ни fairy (*attr.*), enchanting.

феѐри|я *ж.*, -и scene of fairy; pageant; *театр.* fairy-scene/-play transformation scene; (*за деца*) pantomime.

фейлето̀н *м.*, -и, (два) фейлето̀на feuilleton.

фека́л|ен *прил.*, -на, -но, -ни *мед.* faecal.

фека́лии *само мн.* faeces.

фела́х *м.*, -и fellah, *pl.* fellaheen, fellahs.

фѐлдмарша́л *м.*, -и field-marshal.

фелдфѐбел *м.*, -и sergeant major, master sergeant, *амер.* first sergeant.

фѐлдшер *м.*, -и surgeon's/doctor's assistant, medical auxiliary.

фѐлдшпат *м.*, *само ед. минер.* feldspar, felspar.

фемини́з|ъм (-мът) *м.*, *само ед.* feminism.

фемини́стк|а *ж.*, -и feminist; suffragette.

фенѐр *м.*, -и, (два) фенѐра 1. lantern; уличен ~ a street lamp; ~ от динена или тиквена кора *амер.* jack-o'-lantern; 2. *техн.* lantern(-pinion).

фенѐрче *ср.*, -та (electric) torch, flashlight.

фѐникс *м.*, -и, (два) фѐникса phoenix, Arabian bird.

фени́л *м.*, *само ед. хим.* phenyl.

фѐнобарбита́л *м.*, *само ед. фарм.* phenobarbital, phenobarbitine.

фено́л *м.*, *само ед. хим.* phenol, carbolic acid.

феноло́гия *ж.*, *само ед.* phenology.

феноме́н *м.*, -и, (два) феноме́на phenomenon, *pl.* phenomena; *прен.* prodigy.

феноменали́з|ъм (-мът) *м.*, *само ед. филос.* phenomenalism.

феноти́п *м.*, *само ед. биол.* phenotype.

фео́д *м.*, -и, (два) фео́да *истор.* feud, fief, feod, feudality.

феода́л *м.*, -и feudal lord, lord of the manor; baron.

феода́л|ен *прил.*, -на, -но, -ни feudal; (за имот) feudatory; ~ен строй feudal system.

феодали́з|ъм (-мът) *м.*, *само ед.* feudalism.

фереджѐ и **фѐредже** *ср.*, -та yashmak, veil.

фѐрибот *м.*, -и, (два) фѐрибота ferry(-boat); ferry-steamer; превоз/транспорт с ~ ferriage.

фѐрм|а₁ *ж.*, -и farm, homestead; животновъдна ~а cattle-breeding/stock farm, ranch.

фѐрм|а₂ *ж.*, -и *техн.* frame, girder, truss.

ферма́н *м.*, -и, (два) ферма́на *истор.*

firman, royal decree; *прен.* screed, rigmarole.

фермѐнт *м.*, -и, (два) фермѐнта ferment.

ферментàци|я *ж.*, -и fermentation, working.

ферменти́рам *гл.* ferment, work; ripen.

фѐрмер *м.*, -и farmer, homesteader.

фѐрмерство *ср.*, *само ед.* (занятие) farming; (съсловие) (the)farmers.

фѐробето́н *м.*, *само ед.* ferroconcrete, reinforced concrete.

феро́до *ср.*, *само ед.* friction lining; *авт.* brake lining.

фѐромагнети́з|ъм (-мът) *м.*, *само ед.* ferromagnetism.

феромагни́т *м.*, -и обикн. мн. физ. ferromagnetic material, ferromagnet.

фѐросъедини́ни|е *ср.*, -я ferrocompound.

ферти́л|ен *прил.*, -на, -но, -ни *мед.* fertile, fruitful.

фес *м.*, -ове, (два) фѐса fez.

фестива́л *м.*, -и, (два) фестива́ла festival; fête.

фесто́н *м.*, -и, (два) фесто́на festoon; бод ~ button-hole stitch; изрязвам на ~ jig.

фети́ш *м.*, -и, (два) фети́ша fetish, fetich (и прен.).

фетиши́з|ъм (-мът) *м.*, *само ед.* fetishism, fetichism.

фети́шист *м.*, -и; **фети́шистк|а** *ж.*, -и fetishist, fetichist.

фѐтус *м.*, -и, (два) фѐтуса *мед.* f(o)etus.

фехто́вка *ж.*, *само ед.* fencing.

фехто́вчи|к *м.*, -ци fencer; swordsman.

фехту́вам се *възвр. гл.* fence.

фехтува́ч *м.*, -и fencer, master of fencing, swordsman.

фѐ|я *ж.*, -и fairy; ~ите (в приказките) the good people.

фиа́ско *ср.*, *само ед.* fiasco, crash, *sl.* cropper, fizzle, flop, washout, ring-ding; претърпявам ~ suffer fiasco, be a fiasco, fail, fizzle (out), crash, flop; fall flat; *sl.* bite the dust, come a cropper.

фи́б|а *ж.*, -и hair-slide, hairpin, hairgrip.

фи́бр|а *ж.*, -и fibre.

фибрила́ция *ж.*, *само ед. мед.* fibrillation, flutter.

фибро́за *ж.*, *само ед. мед.* fibrosis.

фибро́м *м.*, *само ед. мед.* fibroid.

фи́бър *м.*, *само ед.* fibre.

фигаро́ *ср. неизм.* (knitted)vest.

фи́гур|а *ж.*, -и 1. figure; скулптурна ~а sculpture, statue; 2. (на човек и прен.) figure; представлявам жалка ~а cut a poor/sorry figure; развалям/поддържам ~ата си lose/keep o.'s figure; централна ~а (в роман) protagonist, central figure; 3. *лит.* figure (of speech); 4. *карти* face-card, court-cart; 5. *шах.* (chess-)man, piece; играя с белите/черните ~и play white/black; 6. (при кънки, танц, фехтовка) figure.

фигура́л|ен *прил.*, -на, -но, -ни (за композиция) figured; figural.

фигура́нт *м.*, -и; **фигура́нтк|а** *ж.*, -и super(numerary), mute (attendant); *прен.* dummy, figurehead; (статист) extra.

фигурати́в|ен *прил.*, -на, -но, -ни figurative.

фигу́р|ен *прил.*, -на, -но, -ни figure (attr.); ~но пързаляне figure skating.

фигури́рам *гл.* figure (като as), be; (за нещо) feature; ~ в списъка be on the list.

фигури́ст *м.*, -и; **фигури́стк|а** *ж.*, -и *спорт.* figure-skater.

фида́нк|а *ж.*, -и sapling.

фидѐ *ср.*, *само ед.* vermicelli, spaghetti; pasta.

физи́|к *м.*, -ци; **физи́чк|а** *ж.*, -и physicist.

фи́зика *ж.*, *само ед.* 1. (наука) physics; ядрена ~ nuclear physics; 2. (телесно устройство) physique.

физикохи́мия *ж.*, *само ед.* physical chemistry.

физиологи́ч|ен *прил.*, -на, -но, -ни physiological; ~ен разтвор a physiological/salt solution, isotonic solution, saline.

физиоло́гия *ж.*, *само ед.* physiology.

физионо́мист *м.*, -и; **физионо́мистк|а** *ж.*, -и physiognomist; не съм ~ I can't remember faces.

физионо́ми|я *ж.*, -и face, physiognomy, countenance, (cast of) features, *sl.* mug; *прен.* face, individuality, style; правя ~и make/pull faces.

физиотера́пия *ж.*, *само ед.* physiotherapy.

физическ|и₁ *прил.*, -а, -о, -и 1. (който се отнася до науката физика)

physics (*attr.*), physical; **2.** (*телесен*) physical, bodily; corporeal; (*за труд*) manual; **~и труд** manual labour, physical work, *разг.* elbow grease; **~о лице** *юр.* natural/physical person; **3.** (*за сили, закон*) material.

физѝчески₂ *нареч.* physically; in body.

фѝзкултура *ж., само ед.* physical culture/education; sports; gymnastics.

фи|й (**-ят**) *м., само ед. бот.* vetch, tare, chickling (*Vicia sativa*).

фикс *неизм.*: **идея ~** fixed idea, obsession, fixation.

фиксàж *м., само ед. фот.* fixing agent, clearing-bath, hyposulphite; (*за бои*) fixative, fixer, mordant.

фиксàтор *м., -и, (два)* **фиксàтора** fixer; fixative; (*за бои*) ager.

фѝксинг *м., само ед. фин.* fixing.

фиксѝрам *гл.* fix; clamp, catch.

фиксѝране *ср., само ед.* fixing, fixation; **~ на цени** price-fixing.

фиктѝв|ен *прил., -на, -но, -ни* fictitious; (*за причина*) ostensible; paper (*attr.*); (*за доход, сметка*) notional; **~ен брак** technical marriage, marriage in name only; **~ен търг** mock auction.

фѝкус *м., -и, (два)* **фѝкуса** *бот.* India rubber plant, ficus (*Ficus*).

филантрòп *м., -и* philanthropist.

филантрòпия *ж., само ед.* philanthropy.

филателѝст *м., -и;* **филателѝстк|а** *ж., -и* philatelist, stamp collector.

филателѝя *ж., само ед.* philately.

филджàн *м., -и, (два)* **филджàна** coffee cup.

филè *ср., -та* (*месо*) sirloin, fillet, undercut.

филиàл *м., -и, (два)* **филиàла** branch (office), subsidiary/affiliated company; annex; *амер.* affiliate.

филигрàн *м., само ед.* filigree; (*воден знак*) water-mark.

филѝз *м., -и, (два)* **филѝза** shoot, sprout; tendril; offset, offshoot, outgrowth; chit; **млади ~и** fresh sprouts.

филипѝк|а *ж., -и обикн. мн.* diatribe, invective.

Филипѝни *мн. собств.* the Philippines; **жител на ~те** Filipino.

филипѝнск|и *прил., -а, -о, -и* Philippine; Filipino.

филѝ|я *ж., -и* slice; **нарязвам на ~я** slice; **пържена ~я** French toast.

филм *м., -и, (два)* **фѝлма 1.** *фот., кино.* film, roll-film; **цветен ~** colour film; **2.** (*показан на екрана*) film, moving picture; *амер.* motion picture, movie; **анимационен ~** cartoon (film); **анимиран cartoon**; **документален ~** documentary; **игрален ~** feature film; **сериен ~** serial film.

филмѝрам *гл.* film, make a film (**роман и пр.** of a novel etc.); put (a novel etc.) on the films; screen; picturize.

фѝлмов *прил.* film (*attr.*); filmic; **~ актьор** film actor; **~а звезда** film/movie star; **~о студио** studio.

филогенèза *ж., само ед. биол.* phylogenesis.

филодендрòн *м., -и, (два)* **филодендрòна** *бот.* philodendron.

филоксèра *ж., само ед. зоол.* philloxera.

филолò|г *м., -зи;* **филолòжк|а** *ж., -и* philologist.

филолòги|я *ж., -и* philology.

филосòф *м., -и* philosopher; **дървен ~** wiseacre.

филосòфи|я *ж., -и* philosophy; ● **голяма ~я!** big deal! **не е голяма ~я да** it's easy enough to.

философствам *гл.* philosophize, use big words; *разг.* chew o.'s cabbage/tobacco.

филтрàт *м., -и, (два)* **филтрàта** filtrate, filter liquor.

филтрàция *ж., само ед.* filtration; seepage; percolation.

филтрѝрам *гл.* filter, filtrate, strain, percolate; leach.

фѝлт|ър *м., -ри, (два)* **фѝлтъра** filter; strainer; percolator; **с ~ър** (*за цигара*) filter-tipped; **химичен ~ър** purifier.

филхармòни|я *ж., -и* philharmonic orchestra/society.

филц *м., само ед.* felt, felting.

фин *прил.* **1.** (*тънък*) fine; (*за тъкан и пр.*) sheer; **~а мазилка** finishing coat; **2.** (*изящен*) fine, exquisite; (*елегантен*) gracile; (*за черти на лицето*) fine-drawn; **3.** (*изискан*) fine, delicate, cultivated; well-bred; *разг.* U (*съкр. от* upper class); **4.** *техн.* (*точен*) precision (*attr.*); (*за пила*) dead-smooth; **~а механика** precision/fine mechanics; (*производство*) precision tool manufacture; **~и инструменти**

precision instruments.

финàл *м., -и, (два)* **финàла 1.** *спорт.* final; **класирам се за ~а** be in the finals; **на ~а** in the finals; **стигам пръв на ~а** breast the tape; **2.** *муз.* finale.

финàл|ен *прил., -на, -но, -ни** final; **~ен акорд** final chord; **~на сцена** finale; **~но състезание** run-off.

финализѝрам *гл.* finalize.

финалѝст *м., -и;* **финалѝстк|а** *ж., -и* finalist.

финàнси *само мн.* finances; **министерство на ~те** Ministry of Finance, (*в Англия*) the Exchequer, (*в САЩ*) the Treasury.

финансѝрам *гл.* finance, sponsor; (*предприятие*) float; fund.

финансѝст *м., -и* financier; city man.

финàнсов *прил.* financial, money (*attr.*); **~ отдел** a financial department; **~а година** fiscal year.

финèс *м., само ед.* finesse, fineness, refinement; fine taste; exquisiteness; (*на вкус*) niceness.

финикѝ|ец *м., -йци* Phoenician.

финикѝйск|и *прил., -а, -о, -и* Phoenician.

Финѝкия *ж. собств. истор.* Phoenicia.

финѝков *прил. бот.* date (*attr.*); **~а палма** a date (palm).

фѝниш *м., -и, (два)* **фѝниша** *спорт.* finish.

финишѝрам *гл. спорт.* finish; **той финишира трети** he is running third.

финлàнд|ец *м., -ци;* **финлàндк|а** *ж., -и* Finn.

Финлàндия *ж. собств.* Finland.

финлàндск|и *прил., -а, -о, -и* Finnish; **~и език** Finnish.

финт *м., -ове, (два)* **фѝнта** *спорт.* feint; dummy.

финтѝрам *гл. спорт.* feint; pass (s.o.) a dummy.

финтифлюшк|а *ж., -и* frills, frippery; trinket, gewgaw, falderal, fandangle; gaud.

фиòрд *м., -и, (два)* **фиòрда** fiord, fjord.

фирà *ж., само ед.* waste, wastage; loss; allowance (for waste); ullage; ● **давам ~** *прен.* grow/become senile, fall into dotage.

фѝркам *гл.* tipple, *sl.* booze it up, dip the bill.

фѝрм|а *ж., -и* **1.** (*предприятие*) firm,

company; concern; business; **ръково-**
дя ~a carry on a business; **търговска**
~a commercial establishment; **2.** (*та-*
бела) sign-board; ● **голяма** ~a a big
wig/pot/gun, *амер.* a big cheese/noise/
shot; **какво е за твоята** ~a it's a flea-
bite.

фѝрмен *прил.* firm, company (*attr.*),
corporate; ~ **знак** logo; ~**о управле-**
ние corporate management.

фирн *м., само ед.* névé, firn.

фѝрнис *м., само ед. изк.* varnish.

фиск *м., само ед.* fisc, treasury, exche-
quer.

фискал|ен *прил.*, -**на**, -**но**, -**ни** fiscal.

фистàн *м.*, -**и**, (**два**) **фистàна** sleeve-
less dress.

фѝстула *ж., само ед. мед.* fistula;
gathering, syrinx.

фису̀р|а *ж.*, -**и** *мед.* fissure, cleft, crack.

фитѝл *м.*, -**и**, (**два**) **фитѝла** wick, (*на*
свещ) candle-wick; (*за възпламеня-*
ване на заряд) fuse, (slow) match;
● **пускам** ~**и** instigate, intrigue, put a
bee in s.o.'s bonnet.

фѝтобиолòгия *ж., само ед.* plant bi-
ology, phytobiology.

фѝтогенèза *ж., само ед.* phytogene-
sis.

фѝтогеогрàфия *ж., само ед.* phyto-
geography.

фѝтопатолòгия *ж., само ед.* plant
pathology, phytopathology.

фѝтопланктòн *м.*, -**и**, (**два**) **фѝто-**
планктòна phytoplankton.

фѝтотерàпия *ж., само ед.* phytother-
apy.

фѝтотоксѝн *м., само ед. мед.* phyto-
toxin, plant toxin.

фѝтофàгия *ж., само ед.* phytophagy.

фѝтохѝмия *ж., само ед.* phytochem-
istry.

фиш *м.*, -**ове**, (**два**) **фѝша** slip, (index-/
file-)card; (*за спорт-тото*) form, cou-
pon; **попълвам** ~ **за спорт-тото** fill
in the pools (coupon).

фишè|к *м.*, -**ци**, (**два**) **фишèка 1.** squib;
fire cracker; **2.** (*от пари*) rouleau.

флаг *м.*, -**ове**, (**два**) **флàга** flag, ban-
ner, ensign; *мор.* jack; (*дълъг и те-*
сен) streamer; **вдигам** ~ hoist a flag;
спускам ~ lower a flag, (*в знак на*
траур) lower a flag at half-mast.

флàгман *м.*, -**и**, (**два**) **флàгмана 1.**
flag-officer; **2.** (*кораб*) flagship.

флàгче *ср.*, -**та** little flag; *мор.* (*триъ-*
гълно) burgee.

флакòн *м.*, -**и**, (**два**) **флакòна** phial,
vial; bottle.

фламàнд|ец *м.*, -**ци**; **фламàндк|а**
ж., -**и** Fleming.

фламàндск|и *прил.*, -**а**, -**о**, -**и** Flem-
ish; ~ **език** Flemish.

фламèнко *ср., само ед. муз.* flamenco.

фламѝнго *ср., само ед. зоол.* flamingo.

фланг *м.*, -**ове**, (**два**) **флàнга** *воен.*
flank, wing; **прикривам** ~**а си** cover
o.'s flank.

флàнгов *прил.* flank (*attr.*); ~**а атака**
a flanking attack.

фланèл|а *ж.*, -**и 1.** sweater, jersey;
(*долна спортна*) (under)vest, (*без ръ-*
кави) singlet; **2.** (*плат*) flannel.

фланèлк|а *ж.*, -**и** singlet; *спорт.* foot-
ball shirt, gym vest, T-shirt.

флàн|ец *м.*, -**ци**, (**два**) **флàнеца** *техн.*
flange, ring, mill-cog; collar; **без** ~**ец**
flangeless; ~**ец на вентил** valve pad.

фланкѝрам *гл. воен.* flank; (*с огън*)
rake.

флàшк|а *ж.*, -**и** *техн.* chaser.

флебѝт *м., само ед. мед.* phlebitis.

флèгм|а *ж.*, -**и 1.** *мед.* phlegm; **2.** *разг.*
phlegmatic person, drip, slow coach; *sl.*
drag ass; (*ленивец*) sluggard, drone.

флегматѝ|к *м.*, -**ци**; **флегматѝчк|а**
ж., -**и** phlegmatic person.

флегматѝч|ен *прил.*, -**на**, -**но**, -**ни**
phlegmatic, stolid; slow; *sl.* draggy,
drag-ass.

флèйк|а *ж.*, -**и** scallop, scollop.

флèйт|а *ж.*, -**и** flute; (*малка за воен-*
на музика) fife.

флейтѝст *м.*, -**и** flutist, flute-player;
амер. flautist.

флèкси|я *ж.*, -**и** *език.* flexion; **без** ~**я**
uninflected.

флèксор *м.*, -**и**, (**два**) **флèксора** *анат.*
flexor (muscle).

флѝгел-адютàнт *м.*, -**и** aide-de-camp,
equerry.

флигòрн|а *ж.*, -**и** cornet, flugelhorn.

флѝнтглàс *м., само ед. техн.* flint-
glass.

флирт *м.*, -**ове**, (**два**) **флѝрта** flirta-
tion; dalliance; *амер. sl.* necking; **не-**
винен ~ mild flirtation.

флиртỳвам *гл.* flirt, trifle; toy (**с** with);
(*за мъж*) philander; *амер. разг.* ca-
noodle; *sl.* give (s.o.) the glad eye.

флòпидѝск *м.*, -**ове**, (**два**) **флòпидѝс-**
ка *комп.* floppy-disk.

флопидѝсков *прил. комп.* floppy-disk
(*attr.*); ~**о устройство** disk drive.

флòра *ж., само ед.* flora, vegetation.

флот *м.*, -**ове**, (**два**) **флòта и флòт|а**
ж., -**и** fleet; (*военноморски*) navy; **въз-**
душен ~ air-fleet/force; **търговски** ~
mercantile marine, merchant fleet.

флотàци|я *ж.*, -**и** flotation; **колектив-**
на ~**я** bulk flotation; **първична** ~**я**
rough flotation.

флотѝли|я *ж.*, -**и** flotilla, fleet.

флòтск|и *прил.*, -**а**, -**о**, -**и** naval; ~**и**
офицер naval officer.

флуѝд *м.*, -**и** aura; fluids.

флуктуàция *ж., само ед. мед.* fluc-
tuation.

флумàстер *м.*, -**и**, (**два**) **флумàстера**
felt-tip pen.

флуòр *м., само ед. хим.* fluorine.

флуоресцèнция *ж., само ед.* fluores-
cence; luminescence.

флуорѝд *м., само ед. хим.* fluoride.

флуорѝт *м., само ед. минер.* fluor,
fluorite, fluorspar.

флуороводорòд *м., само ед.* hydro-
gen fluoride, fluorine hydride.

флуорогрàф *м.*, -**и**, (**два**) **флуорогрà-**
фа fluorograph.

фльòнг|а *ж.*, -**и** bow, knot.

фльòрц|а *ж.*, -**и** *жарг.* tart.

флюс *м., само ед. техн.* flux.

фоайè *ср.*, -**та** foyer, lobby.

фòби|я *ж.*, -**и** *мед.* phobia, morbid
dread.

фòйерверк *м.*, -**и**, (**два**) **фòйерверка**
firework(s), sparkler; fizgig.

фòкстериèр *м.*, -**и**, (**два**) **фòкстериè-**
ра fox-terrier.

фòкстрот *м., само ед.* foxtrot.

фòкус₁ *м.*, -**и**, (**два**) **фòкуса** trick; stunt;
(*с карти*) card trick; **правя** ~**и** jug-
gle; conjure, do conjuring tricks.

фòкус₂ *м.*, -**и**, (**два**) **фòкуса** *физ.* fo-
cus; **на** ~ in focus.

фòкус|ен *прил.*, -**на**, -**но**, -**ни** focal;
~**о разстояние** focal distance/length.

фòкуснѝ|к *м.*, -**ци** juggler, conjurer,
trickster; mugger.

фолѝкул *м.*, -**и**, (**два**) **фолѝкула**
анат. follicle, bulb.

фòлио *ср., само ед.* **1.** *полигр.* folio;
2. (*от метал*) foil; ~ **за опаковане**
packaging film.

фолклòр *м., само ед.* folklore.

фолклòр|ен *прил.*, **-на, -но, -ни** folk-lore (*attr.*); folkloric.

фон *м.*, **-ове, (два) фòна** background; (*контрастиращ*) foil; **на светъл/тъмен ~** on/against a light/dark background; (*жив*) ground; **служа за ~ на** supply the background to, serve as a background to.

фонд *м.*, **-ове, (два) фòнда** fund; (*запасен*) stock; **набирам ~ове** raise funds; **основен ~** fixed capital formation; **резервен ~** emergency fund; **~ за подпомагане** (*при бедствия*) reflief fund; **~ работна заплата** wage fund.

фондàци|я *ж.*, **-и** foundation; endowment; **благотворителна ~я** charitable foundation.

фòндов *прил.* fund, stock (*attr.*); ● **~а борса** stock exchange.

фонèм|а *ж.*, **-и** *език.* phoneme.

фонèтика *ж., само ед.* phonetics.

фоногрàм|а *ж.*, **-и** phonogram.

фоногрàфия *ж., само ед.* phonography.

фòнокардиогрàфия *ж., само ед. мед.* phonocardiography.

фòнокàрт|а *ж.*, **-и** phonecard.

фонолòгия *ж., само ед. език.* phonology.

фономèтрия *ж., само ед.* phonometry.

фонотèк|а *ж.*, **-и** collection/library of records and tapes.

фонтàн *м.*, **-и, (два) фонтàна** fountain.

фонтанèл|а *ж.*, **-и** *анат.* fontanel, *амер.* fontanelle, coronal suture.

фòрзац *м.*, **-и, (два) фòрзаца** fly-leaf.

фòрм|а *ж.*, **-и 1.** (*очертание, облик*) form, shape; conformation; **приемам ~ата на** take the shape of; **2.** (*състояние*) state, form; **в течна ~а** in liquid state; **3.** (*структура*) form, structure, frame; **~а и съдържание** form and content; **~а на управление** a form/system of government; **4.** *език.* form; **основни ~и на глагола** principal parts of the verb; **5.** (*вид*) form; mode; guise; **в писмена ~а** in written form; **под ~ата на** under the guise/pretext of, in the form of, as a; **6.** *полигр.* plate, forme, *амер.* form; **7.** *техн.* mould; **придавам дадена ~а на** mould; **8.** (*за печене*) tin, pan, mould; **~а за торта**

cake pan/tin; **9.** *само мн.* (*изпъкнали части на тялото*) curves; **с красиви ~и** (*за жена*) curvaceous, curvy; **10.** (*състояние на спортист и пр.*) form, trim, shape; **в добра ~а** in good form, on form, in practice/training, (*физически*) in good shape/trim, fit, in fine/good fettle, in the pink; (*играя добре*) (be) on o.'s game; **в отлична ~а** on top of o.'s. form, in mint condition; as fit as a fiddle; fighting fit; (*за състезател*) in perfect shape/condition/trim; **не съм във ~а** be out of training/practice; be off form; be off o.'s game; **поддържам ~ата си** keep fit, keep in trim; keep in practice; keep o.'s hand in.

формалдехѝд *м., само ед. хим.* formaldehyde; *търг.* aldoform.

формàл|ен *прил.*, **-на, -но, -ни** formal; (*повърхностен*) perfunctory; (*само по име*) nominal; **~ен договор** a treaty on paper only.

формализàция *ж., само ед.* formalization.

формализѝрам се *възвр. гл.* be a stickler (**за** for), pettifog.

формалѝз|ъм (-мът) *м., само ед.* formalism; formality; finicality, finicalness; red tape.

формалѝн *м., само ед. хим.* formalin.

формалѝст *м.*, **-и; формалѝстк|а** *ж.*, **-и** formalist; stickler; pettifogger; square-toes.

формàлност *ж.*, **-и** formality; form, technicality; **само ~** mere formality; **юридически ~и** legal technicalities/formalities.

формàт *м.*, **-и, (два) формàта** size, format; **в голям/малък/джобен ~** large-/small-/pocket-sized.

формàци|я *ж.*, **-и** *полит., геол.* formation.

формѝрам *гл.* **1.** (*образувам*) form; set up; **2.** (*придавам завършеност на*) form, mould, shape; (*характер*) mould; || **~ се** take shape; (*развивам се*) develop.

формỳвам *гл. техн.* model, mould.

фòрмул|а *ж.*, **-и** formula, *pl.* formulae, formulas.

формулѝрам *гл.* formulate, define; formularize; (*принципи*) lay down/out; enunciate; (*намирам подходящи думи*) phrase, word, couch.

формулирòвк|а *ж.*, **-и** formulation; wording, phrasing; formularization; *мат.* enunciation; **давам ~а на** formulate; **неясна ~а** obscure wording.

формуляр *м.*, **-и, (два) формуляра** form, schedule, blank; **~ за технически преглед** inspection checklist.

формуляр|ен *прил.*, **-на, -но, -ни** form (*attr.*).

форсѝрам *гл.* **1.** (*ускорявам*) speed up; rev (up); (*двигателя*) gun; **2.** *воен.* force; **~ река** force a crossing over a river; **3.** *карти* force s.o.'s hand.

форсѝран|е *ср.*, **-ия** speed-up; forcing; *авт.* acceleration.

фòрсмажор *м., само ед.* force majeure; case of absolute necessity; *застр.* an act of God.

форт₁ *м.*, **-ове, (два) фòрта** *воен.* fort.

форт₂ *м.*, **-ове, (два) фòрта** (*на обувка*) counter.

фòрте *нареч. муз.* forte.

фортѝсимо *нареч. муз.* fortissimo.

фортификàци|я *ж.*, **-и** fortification (*attr.*).

фòрум *м.*, **-и, (два) фòрума** forum.

фòрцепс *м.*, **-и, (два) фòрцепса** *мед.* forceps; (*малък зъболекарски*) pair of nippers.

фосгèн *м., само ед. хим.* phosgene.

фосѝл *м.*, **-и** *палеонт.* fossil.

фосфàт *м.*, **-и** *хим.* phosphate.

фòсфор *м., само ед. хим.* phosphorus.

фосфоресцèнция *ж., само ед.* phosphorescence; luminescence.

фосфоресцѝрам *гл.* phosphoresce.

фосфорѝрам *гл.* phosphorize, phosphorate.

фосфорѝт *м.*, **-и** *минер.* phosphorite.

фòто *ср., само ед.* photographer's, photographic studio.

фòтоапарàт *м.*, **-и, (два) фòтоапарàта** (photographic) camera.

фòтоателиè *ср.*, **-та** photo studio.

фòтобиолòгия *ж., само ед.* photobiology.

фотогенѝч|ен *прил.*, **-на, -но, -ни** photogenic; **~ен съм** take well, photograph well, (*за актьор*) have a film face, film well.

фòтогравюр|а *ж.*, **-и** photogravure, photo engraving; photoprint.

фòтограмèтрия *ж., само ед. геод.* photogrammetry, metrophotography.

фото̀гра̀ф *м.*, *-и* photographer.

фотографѝрам *гл.* photograph, take a photograph/picture of; || ~ **ce** have o.'s photo/picture taken.

фотографѝ|я *ж.*, *-и* **1.** *само ед.* photography; цветна ~я colour photography, photochromy; **2.** *(снимка)* photo(graph), picture.

фо̀тода̀тчи|к *м.*, *-ци*, *(два)* фо̀тода̀тчика photo sensor.

фо̀тодио̀д *м.*, *-и*, *(два)* фо̀тодио̀да photodiode.

фо̀тоелектрѝчество *ср.*, *само ед.* photoelectricity.

фо̀тоелектро̀н *м.*, *-и*, *(два)* фо̀тоелектро̀на photoelectron.

фо̀тоелемѐнт *м.*, *-и*, *(два)* фо̀тоеле мѐнта photocell; photopile; phototube.

фо̀тоемѝсия *ж.*, *само ед.* photoemission.

фо̀тоему̀лсия *ж.*, *само ед.* photoemulsion.

фо̀тоефѐкт *м.*, *-и*, *(два)* фо̀тоефѐкта photoeffect.

фо̀тожурналѝстика *ж.*, *само ед.* photojournalism.

фо̀тоизло̀жб|а *ж.*, *-и* exhibition of photographs.

фо̀токинѐза *ж.*, *само ед.* photokinesis.

фо̀токлѐтк|а *ж.*, *-и* photocell; electric eye.

фо̀токо̀пи|е *ср.*, *-я* photocopy, photostatic copy, photoprint.

фо̀толѐнт|а *ж.*, *-и* (photographic) film; ~а с голяма чувствителност fast film.

фотолѝза *ж.*, *само ед.* photolysis.

фо̀толитогра̀фи|я *ж.*, *-и* photolithography.

фо̀толуминесцѐнция *ж.*, *само ед.* photo-luminescence.

фо̀толюбѝтел **(-ят)** *м.*, *-и* amateur photographer.

фо̀томатериа̀л *м.*, *-и*, *(два)* фо̀томатериа̀ла photographic material.

фо̀томѐтрия *ж.*, *само ед.* photometry.

фо̀томеха̀ника *ж.*, *само ед.* photomechanics.

фо̀томонта̀ж *м.*, *-и*, *(два)* фо̀томонта̀жа photomontage; composite picture.

фото̀н *м.*, *-и*, *(два)* фото̀на *физ.* photon.

фо̀тообектѝв *м.*, *-и*, *(два)* фо̀тообектѝва lens.

фо̀топла̀к|а *ж.*, *-и* photoplate.

фо̀тополимѐр *м.*, *-и*, *(два)* фо̀тополимѐра photopolymer.

фо̀торезѝстор *м.*, *-и*, *(два)* фо̀торезѝстора photoresistor, light resistor, photoconductive cell, photoresistance.

фо̀торелѐ *ср.*, *-та* photorelay, photoswitch.

фо̀торепортѐр *м.*, *-и* cameraman.

фо̀тосинтѐза *ж.*, *само ед.* *бот.* photosynthesis.

фо̀тосинтезѝрам *гл.* *бот.* photosynthesize.

фо̀тосфѐра *ж.*, *само ед.* *астр.* photosphere.

фо̀тотера̀пия *ж.*, *само ед.* phototherapy.

фототѝп|ен *прил.*, *-на*, *-но*, *-ни* *полигр.* phototype *(attr.)*, phototypic; collotypic; **трето ~но издание** third impression by photography.

фо̀тотѝпия *ж.*, *само ед.* filmsetting; *полигр.* phototype, collotype.

фо̀тотранзѝстор *м.*, *-и*, *(два)* фо̀тотранзѝстора phototransistor, photosensitive transistor.

фо̀тофѝниш *м.*, *-и*, *(два)* фо̀тофѝниша *спорт.* photo finish.

фо̀тохартия *ж.*, *само ед.* photographic paper.

фо̀тохѝмия *ж.*, *само ед.* photochemistry.

фо̀тохроногра̀фия *ж.*, *само ед.* photochronography.

фо̀тоцинкогра̀фия *ж.*, *само ед.* photozincography.

фотьо̀йл *м.*, *-и*, *(два)* фотьо̀йла armchair, easy chair.

фрагмѐнт *м.*, *-и*, *(два)* фрагмѐнта fragment.

фрагмѐнт|ен и **фрагмента̀р|ен** *прил.*, *-на*, *-но*, *-ни* fragmentary; disconnected.

фрагмента̀рност *ж.*, *само ед.* fragmentariness; disconnectedness; snippiness.

фра̀з|а *ж.*, *-и* phrase; **празни/голи ~и** mere words/phrases, claptrap, bunkum, *разг.* jiggery-pokery.

фразеоло̀гѝч|ен *прил.*, *-на*, *-но*, *-ни*; **фразеоло̀гѝческ|и** *прил.*, *-а*, *-о*, *-и* phraseological.

фразеоло̀гия *ж.*, *само ед.* **1.** phraseology; **2.** *(празнодумство)* verbiage, claptrap.

фразѝрам *гл.* *муз.* phrase.

фразьо̀рство *ср.*, *само ед.* phrase-mongery; claptrap.

фрак *м.*, *-ове*, *(два)* фра̀ка dress-coat, dress suit, tail-coat, evening-dress, swallow-tailed coat, tails, *разг.* claw-hammer.

факту̀р|а *ж.*, *-и* *мед.* fracture.

фракцио̀н|ен *прил.*, *-на*, *-но*, *-ни* **1.** *полит.* factional; factious; **~на борба** interfaction struggle; **2.** *хим.* fractionating, fractional, fractionary; **~на дестилация** fractional distillation.

фракционѐр *м.*, *-и* factionary, factionist, member of a faction.

фра̀кци|я *ж.*, *-и* **1.** *полит.* faction; cave, caucus; **образувам ~и** caucus; **2.** *хим.* fraction; *(при дестилация)* runnings.

франзѐл|а *ж.*, *-и* French loaf/bread.

франк₁ *м.*, *-ове*, *(два)* фра̀нка franc.

франк₂ *м.*, *-и* *обикн. мн.* *истор.* Franks.

франкмасо̀н *м.*, *-и* freemason, craftbrother.

франкмасо̀нство *ср.*, *само ед.* freemasonry.

фра̀нко *нареч.* *търг.* free.

франт *м.*, *-ове* dandy, coxcomb, toff; Jack-a-dandy, jackanapes; tailor's dummy; *sl.* nut.

франциска̀н|ец *м.*, *-ци* *рел.* Franciscan, Minorite, Grey Friar.

Фра̀нция *ж.* *собств.* France.

францу̀зин *м.*, *францу̀зи* Frenchman, *pl.* Frenchmen, *събир.* the French; *разг.* Frenchy; *пренебр.* Frog.

французо̀йк|а *ж.*, *-и* Frenchwoman, *pl.* Frenchwomen.

фра̀нчайз *м.*, *само ед.* *икон.* franchise.

фра̀нчайзинг *м.*, *само ед.* *икон.* franchasing.

фрапа̀нт|ен *прил.*, *-на*, *-но*, *-ни* striking; *(за облекло)* glaring, showy, flashy.

фрапѝрам *гл.* strike, impress; shock.

фра̀свам, **фра̀сна** *гл.* *разг.* clout, whack, fetch (s.o.) a blow; *sl.* cosh; dish it out; let go (at s.o.); **като ти фрасна един** I'll give you one; || ~ **ce** give o.s. a bump.

фрега̀т|а *ж.*, *-и* frigate.

фрѐз|а и **фрѐзмашѝн|а** *ж.*, *-и* cutter, mill, milling/cutting machine; fraise; metal processing machine.

фрезѝрам *гл.* *техн.* mill.

фрезѝст *м.*, -и; **фрезѝстк**|**а** *ж.*, -и milling-machine operator, miller.

фрезòване *ср.*, *само ед.* milling.

френетѝч|**ен** *прил.*, -на, -но, -ни; **френетѝческ**|**и** *прил.*, -а, -о, -и frantic, frenetic, wild; phrenetic.

френолòгия *ж.*, *само ед.* phrenology.

фрѐнск|**и** *прил.*, -а, -о, -и French; Gallic; *разг.* Frenchy; **~и език** French, the French language; **~и ключ** shifting spanner; monkey-wrench; **~о грозде;** (red) currant, (*храст*) currant bush.

фреòн *м.*, *само ед.* хим. freon.

фрѐск|**а** *ж.*, -и fresco, *pl.* frescoes, mural (painting).

фривòл|**ен** *прил.*, -на, -но, -ни frivolous.

фригѝдност *ж.*, *само ед.* мед. frigidity, sexual coldness.

фригѝйск|**и** *прил.*, -а, -о, -и Phrygian.

фриз *м.*, -ове, (два) **фрѝза** архит. frieze; **полукръгъл** ~ baston.

фрѝзер *м.*, -и, (два) **фрѝзера** deep-freeze, freezer.

фризѝрам *гл.* do (s.o.'s) hair; coiffure; curl, wave; *прен.* dress up; || ~ **се** (*при фризьор*) have o.'s hair done/curled/waved; (*сам*) do o.'s hair.

фризỳр|**а** *ж.*, -и hairdo, hair-style, coiffure.

фризьòр *м.*, -и; **фризьòрк**|**а** *ж.*, -и hairdresser, hairstylist; coiffeur; *ж.* coiffeuse; **на** ~ at the hairdresser's.

фрикасè *ср.*, *само ед.* fricassée.

фрикатѝв|**ен** *прил.*, -на, -но, -ни фон. fricative, unstopped, open.

фрикциòн|**ен** *прил.*, -на, -но, -ни frictional, friction (*attr.*).

фрѝкци|**я** *ж.*, -и friction, rubdown.

фритюрни к *м.*, -ци, (два) **фритюр-**
ника deep-fryer.

фройдѝз|**ъм** (-мът) *м.*, *само ед.* Freudianism.

фронт *м.*, -ове, (два) **фрòнта** 1. воен. *прен.* front; **водя война на два** ~**а** fight on two fronts; **единен** ~ united front; 2. (*предна страна*) facade, frontage; 3. мин. face, long wall; 4. метеор.: **размит** ~ diffused front.

фронтàл|**ен** *прил.*, -на, -но, -ни воен. frontal; ~**но нападение** front/direct/

frontal attack.

фрòнтов *прил.*; **фронтов**|**и** *прил.*, -а, -о, -и front (*attr.*); ~**а линия** (front) line; ~**а част** front-line unit.

фронтовà|**к** *м.*, -ци front fighter, front-line soldier.

фронтòн *м.*, -и, (два) **фронтòна** pediment; (*на покрив*) gable.

фруктиèр|**а** *ж.*, -и fruit dish/bowl, epergne.

фрỳктов *прил.* fruit (*attr.*).

фруктòза *ж.*, *само ед.* хим. fructose, fruit sugar, levulose.

фрѐцкам се *възвр. гл.* strut.

фỳг|**а**₁ *ж.*, -и муз. fugue.

фỳг|**а**₂ *ж.*, -и техн. joint, gap.

фугàс *м.*, -и, (два) **фугàса** воен. fougasse, fougade, land mine, field charge.

фугàс|**ен** *прил.*, -на, -но, -ни fougasse (*attr.*); ~**ен снаряд** mine shell.

фугѝрам *гл.* техн. joint, point.

фỳкам се *възвр. гл.* show off, swank, put o.s. forward, throw o.s's weight about; ~ **с нещо** flaunt s.th.

фỳкльо *м.*,-вци; **фỳкл**|**а** *ж.*, -и swank, swankpot, cutup.

фунгицѝди *само мн.* fungicides.

фундамèнт *м.*, -и, (два) **фундамèнта** foundation, groundwork.

фундаментàл|**ен** *прил.*, -на, -но, -ни fundamental.

фунѝ|**я** *ж.*, -и funnel; (*на грамофон*) horn.

функционàл|**ен** *прил.*, -на, -но, -ни functional; *мед.* dynamic; ~**ен клавиш** комп. function key, F-key.

функционèр *м.*, -и functionary.

функционѝрам *гл.* function, work.

функци|**я** *ж.*, -и 1. (*работа*) function, work; **изпълнявам** ~**ите на някого** do the duties of s.o.; 2. мат. function; **производна** ~**я** derived function.

фурàж *м.*, *само ед.* fodder, forage, provender; green crop; feed; **зърнен** ~ grain fodder.

фурàжк|**а** *ж.*, -и peak(ed) cap.

фуражомèлк|**а** *ж.*, -и fodder shredder.

фургòн *м.*, -и, (два) **фургòна** (*на влак*) (luggage-)van; (*кола*) (covered) wag(g)on, caravan.

фурѝ|**я** *ж.*, -и 1. мит. fury; 2. (*зла*

жена) fury, virago, harpy; 3. (*ярост*) fury; ● **работя като** ~**я** work like blazes, work/like nobody's business.

фуркèт *м.*, -и, (два) **фуркèта** hairpin.

фурм|**à** *ж.*, -й date; (*дърво*) date-palm.

фỳрн|**а** *ж.*, -и (*на печка*) oven; (*хлебопекарница*) bakery; (*магазин*) baker's (shop); **на** ~**а** baked.

фурнѝр *м.*, *само ед.* veneer; (*многократен*) plywood.

фурнѝрам и **фурнирòвам** *гл.* veneer.

фурòр *м.*, *само ед.* furore; **предизвиквам** ~ cause great excitement, cause/ create a stir; **произвеждам** ~ be a riot.

фурỳнкул *м.*, -и, (два) **фурỳнкула** *мед.* furuncle, boil.

фỳст|**а** *ж.*, -и (*дреха*) petticoat, underskirt; *прен.* (*жена*) petticoat, (a piece of) skirt.

фустàн *м.*, -и, (два) **фустàна** sleeveless dress.

фустанèл|**а** *ж.*, -и kilt, filibeg, fustanella, petticoat.

фут *м.*, -ове, (два) **фỳта** (*мярка*) foot, *pl.* feet.

фỳтбол *м.*, *само ед.* football, soccer; *разг.* footie, footy; **американски** ~ *разг.* gridiron.

футболѝст *м.*, -и footballer, football-/ soccer-player.

футурѝз|**ъм** (-мът) *м.*, *само ед.* futurism.

фучà *гл.* 1. whiz(z); (*за вятър*) sough, roar; bluster; (*за котка*) spit, swear; 2. (*за превозно средство*) burn the wind/earth, *амер.* burn up the road; 3. (*за човек*) be in a rage/fury; (fret and) fume, rage; raise the devil.

фъртỳн|**а** *ж.*, -и snow-storm, blizzard.

фъстъ|**к** *м.*, -ци, (два) **фъстъ̀ка** 1. peanut; monkey-nut, ground-nut; goober; **цариградски** ~**к** pistachio; 2. *прен.* shrimp, midget, minikin, hop-o'-my-thumb, *sl.* titchy; *прен. sl.* pee-wee.

фъ̀фля *гл.*, мин. св. деят. прич. **фъ̀флил** lisp, have a lisp, speak with a lisp.

фъшкѝ|**я** *ж.*, -и dung; ~**и** droppings.

фю̀рер *м.*, -и Führer, Fuehrer.

фю̀чърс *м.*, *само ед.* икон. futures.

фю̀чърс|**ен** *прил.*, -на, -но, -ни futures (*attr.*); ~**на търговия** futures trading.

ха *част.* oh! ha! why! ~ **да видим** well, let's see; ~ **днес**, ~ **утре** I kept postponing (until); ~**така** that's it! ~ **тук**, ~ **там** now here, now there.

хабанѐра *ж.*, *само ед. муз.* habanera.

хабѐр *м.*, -**и**, (два) хабѐра news, tidings, message; *sl.* griff; ● **няма си** ~ **от** he hasn't the least/faintest/foggiest idea of, he has no inkling of.

хабилита̀ция *ж.*, *само ед.* attainment of academic rank.

хабилитѝрам се *възвр. гл.* attain academic rank.

хабитуа̀л|ен *прил.*, -**на**, -**но**, -**ни** *мед.* habitual, customary, usual.

хабя̀ *гл.*, *мин. св. деят. прич.* хабѝл waste; (*похабявам*) spoil, ruin; (*изтъпявам*) blunt; || ~ **се** wear out; be wasted; ● ~ **думите си** waste o.'s words, spend/waste o.'s breath.

хава̀ *ж.*, *само ед.* **1.** weather; climate; **2.** (*положение*): **каква е ~та?** how does the land lie? how are things?

Хава̀и *мн. собств.* Hawaii.

хава̀йск|и *прил.*, -**а**, -**о**, -**и** Hawaiian; **Хава̀йските острови** the Hawaiian Islands.

хава̀н *м.*, -**и**, (два) хава̀на; хава̀нче *ср.*, -**та** mortar.

хавлѝен *прил.* towel; ~ **плат** towelling; ~**а тъкан** terry-cloth.

хавлѝ|я *ж.*, -**и** (*кърпа*) (Turkey) towel; (*дреха*) bath-robe/-gown; (*материя*) towelling.

хаджѝ|я *м.*, -**и**; хаджѝйк|а *ж.*, -**и** pilgrim, hadji.

хаза̀ри *само мн. истор.* Khazars.

хаза̀рт *м.*, *само ед.* gambling; games of chance.

хаза̀рт|ен *прил.*, -**на**, -**но**, -**ни** gambling (*attr.*); gaming; ~**на игра** game of chance/hazard, gambling game.

хазн|а̀ *ж.*, -**и** exchequer, treasury.

хазя̀ин *м.*, хазя̀и landlord; (*домакин*) host.

хазя̀йк|а *ж.*, -**и** landlady; (*домакиня*) hostess.

хаирлѝя *прил. неизм.* lucky; of good omen.

Хаѝти *ср. собств.* Haiti.

хайва̀н(ин) *м.*, хайва̀ни **1.** beast, animal; **2.** *прен.* fool, dullard.

хайвѐр *м.*, *само ед.* (*в риба*) (hard) roe; (*след изхвърлянето*) spawn; (*на жаба*) frogspawn; **хвърлям** ~ spawn; **чер** ~ caviar(e); ● **пращам някого за зелен** ~ send s.o. on a fool's errand/on a wild goose chase.

ха̀йде *част.* come on; jump to it; run/go along; **е**, ~ (*отстъпка*) well, all right; ~ **да** let us (*c inf.*); ~ **де!** (*изненада*) you don't say so! you don't mean it! what! indeed; ~, ~ come, come; now, now; (*за утешение*) there, there.

хайдутин *м.*, хайду̀ти haidouk, outlaw; rebel.

ха̀йк|а *ж.*, -**и** *лов.* battue, shooting party; **2.** (*преследване*) posse; raid; round up, manhunt; (*кампания против някого*) witch-hunt.

хайла̀з(ин) *м.*, хайла̀зи idler, loafer, slacker, do-nothing.

хайлазу̀вам *гл.* slack about, idle away o.'s time, twiddle o.'s thumbs; *sl.* mike.

ха̀йлайф *м.*, *само ед.* high life, beau monde, upper crust, the smart set.

хайма̀н|а *м. и ж.*, -**и** ne'er-do-well, scapegrace, loose fish; (*скитник*) vagabond, bum, rolling stone.

хак *м.*, -**ове**, (два) ха̀ка pay, reward; ● ~ **му е** (it) serves him right.

ха̀квам, **ха̀кна** *гл.* clap, bang.

ха̀кер *м.*, -**и** hacker.

хал *м.*, *само ед.* state, condition; plight; **всеки знае ~а си** everyone knows best where his own shoe pinches; **на същия** ~ in the same fix/boat.

ха̀л|а *ж.*, -**и 1.** (*вихрушка*) whirlwind, storm; **като ~а** like mad, like a whirlwind; **2.** *мит.* dragon.

хала̀т *м.*, -**и**, (два) хала̀та dressing-gown, morning gown, morning wrap, wrapper; (*източен*) oriental robe.

ха̀лб|а *ж.*, -**и** pint pot, stein, tankard, mug.

халва̀ *ж.*, *само ед.* halva(h), halavah.

ха̀ле *ср.*, -**та** hall.

ха̀ли *само мн.* covered market, market hall.

халѝф *м.*, -**и** caliph.

халифа̀т *м.*, -**и**, (два) халифа̀та caliphate.

ха̀лищ|е *ср.*, -**а** fleecy rug.

халк|а̀ *ж.*, -**и 1.** ring; loop; *техн.* hoop; clevis; (*брънка*) link; (*на кутийка от бира, кока кола и пр.*) ring-pull; **венчална ~а** a wedding ring; **2.** *само мн. спорт.* rings.

халколѝт|ен *прил.*, -**на**, -**но**, -**ни** *археол.* chalcolythic.

халкопирѝт *м.*, *само ед. минер.* chalcopyrite.

халогѐн *м.*, -**и** *обикн. мн. хим.* halogen.

халогѐн|ен *прил.*, -**на**, -**но**, -**ни** haloid; halogenous.

хало̀сан *мин. страд. прич.* (*и като прил.*) cracked, *sl.* nuts, off o.'s chump/beam/rockers, not all there; (*разсеян*) scatter-brained, maundering.

хало̀свам, **хало̀сам** *гл.* bash, bang; clout; ~ **някого по главата** give s.o. a clout; || ~ **се 1.** bang; **халосах се о вратата** I banged my head against the door; **2.** *прен.* fool about, play the fool; speak with a forked tongue.

ха̀лос|ен *прил.*, -**на**, -**но**, -**ни** blank; ~**ен патрон** blank cartridge.

ха̀лтав *прил.* loose, slack; lax.

ха̀лтавост и **халтавина̀** *ж.*, *само ед.* looseness, slackness.

халцедо̀н *м.*, *само ед. минер.* chalcedony, Mocha (stone/pebble).

халюцина̀ци|я *ж.*, -**и** hallucination; **имам/виждам ~и** suffer from hallucinations.

халюцинѝрам *гл.* suffer from hallucinations; be under a hallucination.

хама̀|к *м.*, -**ци**, (два) хама̀ка hammock.

хама̀л(ин) *м.*, хама̀ли porter; (*пристанищен*) stevedore, longshoreman.

хамало̀гия *ж.*, *само ед.* drudgery, toil.

хама̀лск|и *прил.*, -**а**, -**о**, -**и 1.** porter's, stevedore's; **2.** (*тежък*) ~**и труд** dirty/spade work, drudgery, toil; **3.** (*просташки*) vulgar.

хамалу̀вам *гл.* drudge (and slave); bear the brunt.

хама̀м *м.*, -**и**, (два) хама̀ма Turkish baths, hammam.

хамба̀р *м.*, -**и**, (два) хамба̀ра barn, bin, granary; (*в кораб*) hold; **прибирам в** ~ store, (*зърно*) garner.

хамелео̀н *м.*, -**и**, (два) хамелео̀на *зоол.* chameleon (*и прен.*).

хамѝти *само мн.* Hamites.

хамѝтск|и *прил.*, -**а**, -**о**, -**и** Hamitic.

хамсѝ|я *ж.*, -**и** *зоол.* sprat, anchovy (*Engrarilis encrasicgolus*).

хаму̀т *м.*, -**и**, (два) хаму̀та horse-collar.

хан₁ *м.*, -**ове**, (два) ха̀на inn.

хан₂ *м.*, **-ове** khan.

хангàр *м.*, **-и**, **(два) хангàра** hangar, (aeroplane) shed, airshed; dock.

хàндбал *м.*, *само ед.* handball.

хàндикап *м.*, *само ед. спорт.* odds.

ханджѝйк|а *ж.*, **-и** innkeeper, landlady, hostess.

ханджѝ|я *м.*, **-и** innkeeper, landlord, host.

хàнств|о *ср.*, **-а** khanate.

хàнче *ср.*, **-та** small inn.

ханш *м.*, **-ове**, **(два) хàнша** hip, haunch.

хан'ъм|а *ж.*, **-и** married Turkish woman.

хàос *м.*, *само ед.* chaos; maze; *прен.* mess, pandemonium, pell-mell; topsy-turvy; gallimaufry; whirl; *амер. разг.* muss.

хаотѝч|ен *прил.*, **-на**, **-но**, **-ни** chaotic; discontinuous, discursive, orderless, rambling.

хап *м.*, **-ове**, **(два) хàпа** pill, tablet, pellet; **горчив ~** *прен.* a bitter pill (to swallow).

хàпвам, **хàпна** *гл.* **1.** take/have a bite; partake (of); have s.th. to eat; **~ набързо** snatch a meal; **~ си (хубаво)** feed o.'s face, have a good feed; do justice to a meal; satisfy the inner man, coal up; **2.** *(вкусвам)* taste; **не ~ месо** I never touch meat.

хàпк|а *ж.*, **-и** mouthful, morsel, bit, bite; **панирани ~и** fritters.

хаплѝв *прил.* biting; caustic, mordant, pungent, snappish, stinging, tart, trenchant, mordaceous, gingery; corrosive, acrid, acrimonious; **~а забележка** caustic/biting/gingery remark, *разг.* nasty one.

хàпльо *м.*, **-вци** nincompoop, ninny, mooncalf, simpleton, dolt, duffer, chuckle-head, con(e)y, *амер.* sucker, saphead.

хàпче *ср.*, **-та** pill, *фарм.* globule.

хàпя *гл.*, *мин. св. деят. прич.* **хàпал** bite; *(за кон и пр.)* savage; *прен.* sting, quip.

харакѝри *ср.*, *само ед.* hara-kiri.

харàктер *м.*, **-и**, **(два) харàктера** **1.** character; disposition, temper; mettle; make-up; nature; **по ~** by nature; **той не е общителен по ~** he is not sociable by nature, he is not a good mixer; **човек с ~** personality; **2.** *(свойство)* nature, characteristic; pattern; **от подобен ~** of like nature; **~ на мест-**

ността relief, nature of a locality, *воен.* nature of the ground, character of the terrain.

характèр|ен *прил.*, **-на**, **-но**, **-ни** **1.** characteristic (за of); typical (of), peculiar (to); representative (of); distinctive; **~на черта** characteristic/typical feature; speciality; **~ни особености** characteristic features, peculiarities; **2.** *(с твърд характер)* strong-willed/-minded; ● **~ен актьор** character actor.

характеризѝрам *гл.* characterize, stamp, mark *(като* as); *(описвам)* describe; || **~ се** be described/assessed **(като** to as).

характерѝстик|а *ж.*, **-и** characterization, *(на герой)* character sketch; *(на служебно лице)* record, profile; *техн. (на работа на машина)* performance, response; *мат.* characteristic; **експлоатационна ~а** performance characteristic; **техническа ~а** engineering characteristic.

харамѝ|я *м.*, **-и** outlaw, rebel.

хàрдлàйнер *м.*, **-и** hard liner.

хàрдуер *м.*, *само ед. инф.* hardware.

харèм *м.*, **-и**, **(два) харèма**; **харемлъ|к** *м.*, **-ци**, **(два) харемлъка** harem, seraglio.

хàр|ен *прил.*, **-на**, **-но**, **-ни** good, fine, nice.

харèсвам, **харèсам** *гл.* like, have a liking for, fancy, take a fancy to, enjoy, care for; take to; **много ми хареса** I was much taken with it; **най-много ~** prefer, like best; **не ~** dislike; **това харесва ли ви?** do you like it? is it to your liking? || **~ се** be liked; appeal; take/catch/tickle (s.o.'s) fancy; *(за неща)* go down well; **тази книга не се харесва** this book is not a success; **те веднага се харесаха** they took to each other at once.

харѝзвам, **харѝжа** *гл.* give away; **~ ти го** it is yours for keeps.

харѝзма *ж.*, *само ед.* charisma.

харизматѝч|ен *прил.*, **-на**, **-но**, **-ни** charismatic.

хармàн *м.*, **-и**, **(два) хармàна** **1.** *(място)* threshing-floor; stack-yard; **2.** *(време за вършитба)* threshing-time; **3.** *(количество снопи)* stack; **4.** *(кръг около луната)* halo, ring; **5.** *(за тютюн)* blend, brand.

хармонизàция *ж.*, *само ед.* harmonization.

хармонизѝрам *гл.* harmonize.

хармòник|а *ж.*, **-и** concertina; *(акордеон)* accordion; **устна ~а** mouth organ.

хармонѝрам *гл.* harmonize, be harmonious, be in harmony, go **(с, на** with); chime (together); *(за цветове и пр.)* match, tone (in).

хармòниум *м.*, **-и**, **(два) хармòниума** harmonium, American organ, reed organ.

хармонѝч|ен *прил.*, **-на**, **-но**, **-ни** harmonious; *мат., муз.* harmonic; symphonious; **~но развита личност** a versatile person, a full/complete man.

хармòния *ж.*, *само ед.* harmony; *(единодушие)* harmony, agreement, concord; **в ~ с** in harmony/chime with.

хàрно *нареч.* all right, fine.

хàрт|а *ж.*, **-и** charter.

хàрпи|я *ж.*, **-и** *мит.* harpy.

харпỳн *м.*, **-и**, **(два) харпỳна** harpoon, spear, gaff, fish-fork.

хартѝен *прил.* paper *(attr.)*; **~о производство** papermaking.

хартѝйк|а и **хартѝшк|а** *ж.*, **-и** piece/slip of paper.

хартѝ|я *ж.*, **-и** paper; **амбалажна ~я** wrapping/brown paper, cap-paper; **вестникарска ~я** newsprint; **гланцирана ~я** coated paper, chalk-overlay; **милиметрова ~я** plotting paper; **оризова ~я** India paper; **~я за писма** letter-paper, *(малък формат)* notepaper; **цветна ~я** coloured paper.

харч *м.*, **-ове**, **(два) хàрча** expenditure; expense; outlay; **надвивам на ~а си** be comfortably off.

хàрча *гл.*, *мин. св. деят. прич.* **хàрчил** spend (за on); *(пари и пр.)* lay out; **~ много** overspend; **~ с широка ръка** spend money like water; *разг.* splash out, splurge (on); || **~ се** sell (well), be sold; be a good seller; **харчи се като топъл хляб** it sells like hot cakes.

хасè *ср.*, *само ед.* sheeting.

хàспел *м.*, **-и**, **(два) хàспела** *техн.* winder, windlass, hoist, lift, crab.

хастàр *м.*, *само ед.* lining; *(на мазилка)* rough coating, back/first coat.

хатъ́р *м.*, *само ед.*: **за ~а** for s.o.'s sake, for s.o.'s beaux; **скършвам ~а на някого** disoblige s.o.

хашѝш *м., само ед.* hashish; *sl.* dope, hash.

хвала̀ *ж., само ед.* praise, honour (**на** to); ~ **на** praise be to.

хвалб|а̀ *ж.,* -**и** praise, *разг.* sugar, big words; (*самохвалство*) boast(ing).

хвалѐбствен *прил.* laudatory, eulogistic, panegyric(al); *книж.* encomiastic; ~**а песен** a song of praise; ~**а реч** panegyric; encomium; ~**а статия** *журн. sl.* write-up.

хвалѐбстви|е *ср.,* -**я** praise; laudation; (*слово*) eulogy, panegyric, encomium; (*славене*) glorification.

хва̀ля *гл., мин. св. деят. прич.* хва̀-лил praise, pay tribute to; (*превъзна-сям*) vaunt; || ~ **се** boast, brag (**с** of, about); vaunt; blow o.'s own trumpet; pat o.s. on the back; talk big; swank; *sl.* breeze; **това не е нещо, с което да се хвали човек** that's nothing to write home about; ● **всеки хвали стоката си** nothing like leather (said the shoemaker).

хва̀тк|а *ж.,* -**и 1.** (*количество*) handful, wisp; **2.** hold, grip; (*при борба*) lock, clutch, hold; position (*и воен.*); **той знае всички ~и** *прен.* he knows all the tricks.

хва̀щам, хва̀на *гл.* **1.** (*вземам с ръ-ка*) take, catch, catch hold of (**за** by); (*здраво*) grip; (*сграбчвам*) grasp; (*внезапно*) seize, snatch; (*грубо*) grab; (*топка и пр.*) catch; ~ **здраво** grip/ take a good grip of/on; have a strong grip; ~ **някого за гушата** fly at s.o.'s throat; ~ **някого под ръка** take s.o.'s arm; **2.** (*докосвам*) touch; **3.** (*ловя, за-лавям* – лов, престъпник, болест) catch, get; (*престъпник и пр.*) lay hold of, lay hands on; ~ **в лъжа** *уч. sl.* nail; ~ **в мрежата си** *прен.* net; ~ **ве-нерическа болест** *sl.* cop a dose; ~ **на местопрестъплението** catch/surprise in the act, catch red-handed, catch with the goods; (*престъпник*) *sl.* nobble; **4.** (*пусната бримка*) take/pick up; **5.** (*превозно средство*) take, catch; get; (*успявам да хвана*) make; (*ра-диостанция*) get; **6.** (*ловя, задър-жам*) catch; (*за ваксина*) take; ~ **ко-рен** take/strike root; ~ **ръжда** rust, **7.** (*за прожектор и пр.*) pick out; **8.** (*ня-кого за работа и пр.*) rope in; (*нае-мам*) hire, engage, employ the services

of; **9.** (*побирам – за съд и пр.*) hold, contain; **10.** (*започвам*) begin, start, commence; set in; **не хваща работа** he never sticks to a job; **11.** (*залавям се с*) turn o.'s hand to; **каквото хване, добре го свършва** whatever he turns his hand to he does well; **12.** (*прихва-щам; продавам на някаква цена*) charge; **скъпо ми хващате брашно-то** you are charging too much for the flour; **13.** (*подействам, правя впе-чатление*) get, grip; ● **не ме хваща сън** I can't sleep, I can't get a wink of sleep; **не мога да му хвана края** I can't make head or tail of it; **хваща ме виното** the wine gets/goes (in) to my head; **хваща ме срам** become/be ashamed; **хваща ме ток** get an electric shock; **хваща ме хрема** catch a cold (in the head); ~ **пътя** set off; take to the road; hit the road; **хващат ме дяволите** get furious/mad, fly into a rage; || ~ **се 1.** take hold (**за** of), get hold of, take/get a grasp of; **хвани се за мене** hold on to me; **2.** (*за расте-ние*) strike/take root; (*за риба*) bite; **3.** *разг.* (*вярвам*) fall for it, be taken in; ● ~ **се за главата** clutch o.'s head, *прен.* be flabbergasted, (*не знам как-во да правя*) be at o.'s wits end; ~ **се на бас** make a bet; ~ **се на въдицата** swallow the bait, rise to the bait; ~ **се на работа** take a job; ~ **се на хорото** join the dance.

хво̀йна *ж., само ед. бот.* juniper.

хвощ *м.,* -**ове,** (**два**) **хво̀ща** *бот.* horse-tail, mare's-tail, cat's-tail, joint-weed (*Equisetum*).

хвръ̀квам, хвръ̀кна *гл.* **1.** fly off/away; fly up; flit, flutter; (*за самолет*) take off; **2.** (*за пари и пр.*) vanish, be lost; (*за време*) pass quickly, fly; (*за мла-дост, надежди*) be over; ● **хвръкна ми шапката** my hat blew off; *прен.* I was bowled over, I was swept off my feet.

хвъ̀рле|й (-**ят**) *м.,* -**и,** (**два**) **хвъ̀рлея** cast, throw.

хвъ̀рлям, хвъ̀рля *гл.* **1.** throw, *книж.* cast; (*на земята, долу*) throw down; (*изсипвам*) tip; (*оттатък; мост*) throw over; (*запращам*) chuck, shy, (*със сила*) hurl, fling; (*котва*) cast, drop; (*мрежа, въдица, зарове, жре-бий*) cast; (*войски*) fling, throw (**на,**

върху, срещу on); (*светлина*) throw, shed; (*смет*) dump; (*сянка*) cast, throw, project; (*в затвора*) put, throw (**в** into); (*дреха – свалям*) take off; shed; (*нещо непотребно*) throw away, discard; leave off; (*дреха – напролет*) cast off; (*изливам, изхвърлям*) emp-ty; (*карти*) lay; (*ездача – за кон*) toss, unseat; (*перушина, козина*) cast; ~ **в бой** throw into battle; ~ **вината върху** lay the blame on; ~ **във възду-ха** blow up; ~ **оръжието** lay down arms; ~ **поглед на/към** cast a glance at, (*бегло*) dart/shoot a glance at; flash a glance/look at, flash o.'s eyes at; ~ **парите си на вятъра** throw o.'s money out of the window, throw o.'s money away; ~ **хайвер** spawn; ~ **чук/копие** *спорт.* throw the hammer/the javelin; **2.** *прен.:* ~ **в скръб** plunge into sorrow; ~ **в униние** depress; ● ~ **камъни в градината на някого** take a dig at s.o.; ~ **око на** take a look at, (*харесвам*) set o.'s heart on, be keen on; ~ **ръка-вицата** throw down the gauntlet/the glove; ~ **сили в** put (great) effort into, throw o.s. into; ~ **топа** kick the bucket, croak, pack up; || ~ **се** throw o.s. (**вър-ху** on, upon), come (at), go (at); (*мя-там се*) toss; jerk; ~ **се напред** lunge (forward); (*гмуркам се*) plunge (**в** in-to); (*нахвърлям се*) pounce (upon); (*спускам се*) rush (to, at), (*за куче*) fly (at); (*дейно участвам*) throw/fling o.s. (into); **готов съм да се хвърля в огъня за някого** be willing/ready to go through fire and water for s.o.; ~ **се в обятията на някого** fall into s.o.'s arms; ~ **се на риск** *прен.* ● ~ **се на голямо** play for high stakes; ~ **се на** (*с удоволствие се занимавам с*) go in for.

хвърча̀ *гл.* fly; (*ниско над водна по-върхност*) skitter; (*вървя бързо и ле-ко*) bounce along; ● **не всичко, което хвърчи се яде** not all that glitters is gold; ~ **нависоко** *прен.* fly at high game, o.'s ambitions soar high; ~ **от радост** walk/tread on air.

хвърчѝл|о *ср.,* -**а̀** kite; **пускам ~о** fly a kite.

хегемо̀н *м.,* -**и** predominant/leading power.

хегемо̀ния *ж., само ед.* hegemony, predominance.

хедонѝз|ъм (-мът) *м., само ед.* hedonism.

хей *междум. и част.* hello, hullo; hey.

хекатòмба *ж., само ед.* hecatomb.

хекзамèтър *м., само ед.* hexameter.

хекѝми *м.,* хекѝми doctor.

хексагонàл|ен *прил.,* -на, -но, -ни six-sided.

хексаèд|ър *м.,* -ри, (два) хексаèдъра *геом.* hexahedron.

хектàр и **хèктар** *м.,* -и, (два) хектàра и хèктара hectare.

хектолѝт|ър *м.,* -ри, (два) хектолѝтъра hectolitre.

хектомèт|ър *м.,* -ри, (два) хектомèтъра hectometre.

хèле *нареч.* **1.** (*най-после*) at last; **2.** (*особено*) especially.

хèли|й (-ят) *м., само ед. хим.* helium.

хеликòптер *м.,* -и, (два) хеликòптера helicopter; *разг.* chopper, copter; *амер. sl.* eggbeater.

хèлиогравю̀р|а *ж.,* -и heliogravure, photogravure.

хелиогрàф *м.,* -и, (два) хелиогрàфа heliograph, blueprinter.

хелиогрàф|ен *прил.,* -на, -но, -ни; хелиогрàфск|и *прил.,* -а, -о, -и heliographic; ~о копие blueprint.

хелиогрàфия *ж., само ед.* heliography.

хèлиотерàпия *ж., само ед.* heliotherapy, sun-ray/sunshine treatment.

хелиотрòп *м.,* -и *бот.* heliotrope.

хелиоцентрѝч|ен *прил.,* -на, -но, -ни heliocentric.

хèлиофѝзика *ж., само ед.* heliophysics, solar physics.

хем *съюз:* тя ~ плачеше, ~ се смееше she was half crying, half laughing; ~ ... ~ both ... and; now ... now; not only ... but; part ... part; • ~ да внимаваш mind your step(s); ~ сърби, ~ боли you can't have it both ways, you can't eat your cake and have it.

хематолòгия *ж., само ед. мед.* haematology, *амер.* hematology.

хематòм *м.,* -и, (два) хематòма *мед.* haematoma, *амер.* hematoma.

хемиàлгия *ж., само ед. мед.* hemialgia.

хемисинтèза *ж., само ед.* chemosynthesis.

хемиспàз|ъм *м.,* -ми, (два) хемиспàзъма *мед.* hemispasm.

хемисфèра *ж., само ед. геогр., анат.* hemisphere.

хемоглобѝн *м., само ед. физиол.* h(a)emoglobin, *амер.* hemoglobin.

хемодинàмика *ж., само ед. мед.* haemodynamics, *амер.* hemodynamics.

хемолѝза *ж., само ед. мед.* haemolysis, h(a)ematolysis, *амер.* chemolysis.

хемолитѝч|ен *прил.,* -на, -но, -ни *мед.* haemolytic, *амер.* hemolytic.

хемомèтрия *ж., само ед.* chemometry.

хемопрофилàктика *ж., само ед.* chemoprophylaxis.

хеморагѝч|ен *прил.,* -на, -но, -ни *мед.* haemorrhagic, *амер.* hemorrhagic.

хеморàгия *ж., само ед. мед.* haemorrhage, *амер.* hemorrhage, bleeding.

хеморòйди *само мн. мед.* h(a)emorrhoids, *амер.* hemorrhoids, *разг.* piles.

хемостàза *ж., само ед. мед.* haemostasis, *амер.* hemostasis.

хемостатѝци *само мн. мед.* haemostatics, *амер.* hemostatics, styptics.

хемосфèра *ж., само ед.* chemosphere.

хемотерàпия *ж., само ед. мед.* haemotherapy, *амер.* chemotherapy.

хемотоксѝн *м.,* -и *обикн. мн. мед.* haemotoxin, *амер.* hemotoxin.

хемотропѝз|ъм (-мът) *м., само ед. бот.* chemotropism.

хемофѝлия *ж., само ед. мед.* h(a)emophilia, *амер.* hemophilia.

хендè|к *м.,* -ци, (два) хендèка ditch.

хепатѝт *м., само ед. мед.* hepatitis.

хептèн *нареч.* quite; entirely; totally.

херàлдика *ж., само ед.* heraldry.

хербàри|й (-ят) *м.,* -и, (два) хербàрия herbarium.

хербицѝд *м.,* -и, (два) хербицѝда herbicide; обработка с ~и herbigation.

хèринг|а *ж.,* -и *зоол.* herring.

хермафродѝт *м.,* -и hermaphrodite, epicene.

хермафродѝт|ен *прил.,* -на, -но, -ни hermaphrodite, epicene (*attr.*); gynandrous; *зоол.* monoecious.

хермафродитѝз|ъм (-мът) *м., само ед. мед.* hermaphrodi(ti)sm, androgyny, gynandry, gynandrism; epicenism.

хермелѝн *м.,* -и, (два) хермелѝна ermine, minever, miniver, stoat.

херменèвтика *ж., само ед.* hermeneutics.

херметизàция *ж., само ед.* capsulation; pressurization; sealing; encapsulation.

херметизѝрам *гл.* encapsulate.

херметѝческ|и₁ *прил.,* -а, -о, -и hermetic, air-tight, air-proof; fluid-tight; vacuum-packed; ~а тенджера pressure cooker.

херметѝчески₂ *нареч.* hermetically.

хèрни|я *ж.,* -и *мед.* hernia, rupture; дискова ~я discal hernia, slipped disc.

херойн *м., само ед. мед.* heroin; diamorphin; *разг.* smack; *sl.* junk, gold dust.

хèрпес *м.,* -и, (два) хèрпеса *мед.* herpes; (на устата) cold sore, fever blister; ~ зостер zoster, shingles.

херувѝм *м.,* -и, (два) херувѝма cherub, *pl.* cherubim.

херц *м.,* -ове, (два) хèрца *ел.* cycle (per second); (единица за честота) hertz.

херцò|г *м.,* -зи duke.

херцогѝн|я *ж.,* -и duchess.

херцòгств|о *ср.,* -а dukedom; (област) duchy.

хетèр|а *ж.,* -и hetaera, *pl.* hetaerae.

хетероàтом *м.,* -и, (два) хетероàтома *хим.* heteroatom.

хетеровакцѝн|а *ж.,* -и *мед.* heterovaccine.

хетерогèн|ен *прил.,* -на, -но, -ни heterogeneous.

хетерогèнност *ж., само ед.* heterogeneity.

хетеродѝн|ен *прил.,* -на, -но, -ни *радио.* heterodyne (*attr.*).

хетерозигòт|ен *прил.,* -на, -но, -ни *биол.* dihybrid.

хетерозòм|а *ж.,* -и *обикн. мн. биол.* sex chromosome, allosome.

хетеромòрф|ен *прил.,* -на, -но, -ни *биол.* heteromorphous.

хетероморфѝз|ъм (-мът) *м., само ед. геол.* heteromorphism.

хетерополимèр *м.,* -и, (два) хетерополимèра heteropolymer.

хетерополя̀р|ен *прил.,* -на, -но, -ни heteropolar.

хèтеросексуàл|ен *прил.,* -на, -но, -ни heterosexual.

хетероциклѝч|ен *прил.,* -на, -но, -ни heterocyclic.

хèттрѝк *м., само ед.* (във футбола) a hat trick.

хиàз|ъм (-мът) *м., само ед. лит.* chiasmus.

хиаци̇нт *м., само ед.* **1.** *бот.* hyacinth: **2.** *минер.* jacinth, hyacinth.

хиберна̇ция *ж., само ед. мед.* hibernation, winter sleep.

хибри̇д *м., -и, (два)* хибри̇да hybrid, cross(breed); mongrel.

хибридизи̇рам *гл.* hybridize.

хигие̇на *ж., само ед.* hygiene; обществена ~ sanitation.

хигиенизи̇рам *гл.* sanitate, make sanitary.

хигиени̇ст *м., -и* health-officer, medical/sanitary officer; sanitary inspector; public health expert/specialist; person responsible for hygiene.

хигиени̇ч|ен *прил., -на, -но, -ни* hygienic; sanitary; healthful.

хигроме̇т|ър *м., -ри, (два)* хигроме̇търа hygrometer.

хигроскопи̇ч|ен *прил., -на, -но, -ни;* **хигроскопи̇ческ|и** *прил., -а, -о, -и* hygroscopic, moisture-retentive; ~ен памук absorbent/hygroscopic cotton-(wool).

хигроскопи̇чност *ж., само ед.* hygroscopicity, hygroscopic capacity, water-absorbing quality.

хидартро̇за *ж., само ед. мед.* articular dropsy.

хи̇др|а *ж., -и* зоол., *мит.* hydra.

хидра̇влика *ж., само ед.* hydraulics.

хидравли̇ч|ен *прил., -на, -но, -ни* hydraulic; ~ен чук water-hammer; ~на преса hydraulic press; ~на спирачка hydraulic brake.

хидра̇нт *м., -и, (два)* хидра̇нта hydrant; stand-pipe.

хидра̇т *м., -и, (два)* хидра̇та хим. hydrate.

хидрата̇ция *ж., само ед. хим.* hydration.

хидра̇т|ен *прил., -на, -но, -ни* hydrated.

хидрати̇рам *гл.* hydrate, moisturize.

хидра̇ция *ж., само ед.* hydrogenation.

хидри̇д *м., -и, (два)* хидри̇да хим. hydride.

хидри̇рам *гл.* hydrogenate, hydrogenize.

хидроагрега̇т *м., -и, (два)* хидроагрега̇та hydraulic turbo-alternator.

хидроаку̇стика *ж., само ед.* hydro-acoustics.

хидробиоло̇гия *ж., само ед.* hydro-biology.

хидрове̇з|ел *м., -ли, (два)* хидрове̇зела water-power system, dam and network of canals.

хидроге̇л *м., само ед.* hydrogel.

хидроге̇н|ен *прил., -на, -но, -ни* hydrogenous.

хидрогенера̇тор *м., -и, (два)* хидрогенера̇тора hydrogenerator.

хидрогеоло̇гия *ж., само ед.* hydro-geology.

хидрогра̇фия *ж., само ед.* hydrography.

хидродина̇мика *ж., само ед.* hydro-dynamics, fluid dynamics.

хидродинами̇ч|ен *прил., -на, -но, -ни* hydrodynamic.

хидроенерге̇тика *ж., само ед.* hydraulic-power engineering.

хидроенерги̇|ен *прил., -йна, -йно, -йни* water-power.

хидрозадви̇жване *ср., само ед.* hydraulic/fluid-power drive.

хидроизола̇ция *ж., само ед.* hydraulic seal; waterproofing.

хидроизоли̇рам *гл.* hydrolyse.

хидроинжене̇р *м., -и* hydraulic engineer.

хидроинжене̇рство *ср., само ед.* hydraulic engineering.

хидрокси̇л *м., -и* хим. hydroxyl.

хидрокси̇л|ен *прил., -на, -но, -ни* хим. hydroxyl; ~ен радикал hydroxyl radical.

хидро̇лиза *ж., само ед.* hydrolysis.

хидролизи̇рам *гл.* hydrolyze.

хидрологи̇ч|ен *прил., -на, -но, -ни;* **хидрологи̇ческ|и** *прил., -а, -о, -и* hydrological.

хидроло̇гия *ж., само ед.* hydrology.

хидролока̇ция *ж., само ед.* sound operation navigation and ranging.

хидромелиорати̇в|ен *прил., -на, -но, -ни* aquaculture (*attr.*).

хидромелиора̇ция *ж., само ед.* irrigation and land reclamation; aquaculture.

хидрометеорологи̇ческ|и *прил., -а, -о, -и* hydrometeorological.

хидрометеороло̇гия *ж., само ед.* hydrometeorology.

хидрометри̇ч|ен *прил., -на, -но, -ни* hydrometric.

хидроме̇трия *ж., само ед.* hydrometrics.

хидромеха̇ника *ж., само ед.* hydro-

mechanics, mechanics of fluids.

хидропла̇н *м., -и, (два)* хидропла̇на hydroplane, seaplane; (*с корпус – лодка*) flying-boat.

хидропневмати̇ч|ен *прил., -на, -но, -ни* hydropneumatic.

хидроста̇тика *ж., само ед.* hydrostatics.

хидростати̇ч|ен *прил., -на, -но, -ни* hydrostatic.

хидросулфа̇т *м., -и* хим. hydrosulphate.

хидросфе̇ра *ж., само ед.* hydrosphere.

хидротера̇пия *ж., само ед.* hydrotherapy, water-cure.

хидротерма̇л|ен *прил., -на, -но, -ни* hydrothermal.

хидротехни̇|к *м., -ци* water/hydraulic engineer.

хидроте̇хника *ж., само ед.* hydro-technics, water(-supply) engineering.

хидротехни̇ческ|и *прил., -а, -о, -и* hydrotechnical, water-engineering.

хидроуправле̇ние *ср., само ед.* hydraulic control.

хидрофи̇зика *ж., само ед.* hydrophysics.

хидрофи̇л|ен *прил., -на, -но, -ни* hydrophilic, water-retaining.

хидрофи̇лност *ж., само ед.* wetting ability.

хидрофо̇б|ен *прил., -на, -но, -ни* hydrophobic; moisture-repellant.

хидрофо̇бия *ж., само ед. мед.* hydrophobia, rabies.

хидрохлори̇д *м., -и* обикн. мн. хим. hydrochloride.

хидроцефа̇лия *ж., само ед. мед.* hydrocephaly.

хие̇н|а *ж., -и* зоол. hyena, hyaena.

хи̇ж|а *ж., -и* hut, hovel; cabin; **туристическа ~а** chalet; rest-house; mountain hostel.

хикс *м., -ове, (два)* хи̇кса мат. х.

хи̇лав *прил.* feeble, feeble-bodied; puny; of poor physique; effete; forceless; (*немощен*) doddering, doddery; (*за растение*) undergrown; (*недорасъл*) stunted; ● **девет баби, ~о дете** too many cooks spoil the broth.

хилиа̇з|ъм (-мът) *м., само ед.* millenarianism.

хи̇лк|а *ж., -и* bat; (*за тенис*) racket.

хи̇лене *ср., само ед.* grinning; smirk; simper; snickering, giggling.

хиля̀да и хѝляди *бройно числ.* thousand; **десет хиляди** ten thousand; **един на хиляда** one in a thousand; **на хиляда** per thousand; **с хиляди** by the thousand; thousands and/upon thousands; **хиляда деветстотин шестдесет и първа година** nineteen sixty-one; ● **Хиляда и една нощ** Arabian nights.

хилядàрк|а *ж.,* -и thousand-lev bill; thousand levs.

хѝляд|ен *прил.,* -на, -но, -ни thousandth; millesimal; (*многолюден*) thousand-strong, numerous, populous; **една ~на** one thousandth.

хилядолѐт|ен *прил.,* -на, -но, -ни millenary, millennial, thousand-year old.

хилядолѐти|е *ср.,* -я millennium, *pl.* millennia.

хилядолѝстни|к *м.,* -ци, (два) хилядолѝстника *бот.* milfoil.

хѝля се *взвр. гл.* grin; (*глупаво*) smirk, simper; (*с кикот*) snigger; snicker; giggle.

хѝмен *м., само ед. анат.* maidenhead, hymen.

химѐр|а *ж.,* -и chimera; illusion; the end of the rainbow.

химерѝч|ен *прил.,* -на, -но, -ни chimerical; illusory.

химизàция *ж., само ед.* chemicalization, extension of chemical usage, use/ application of chemicals.

химѝ|к *м.,* -ци; химѝчк|а *ж.,* -и chemist.

химикàл *м.,* -и, (два) химикàла chemical (substance).

химикàлк|а *ж.,* -и ball-point pen.

химѝкотехнологѝческ|и *прил.,* -а, -о, -и of chemical engineering.

хѝмиотерàпия *ж., само ед. мед.* chemotherapy.

химѝч|ен *прил.,* -на, -но, -ни; химѝческ|и *прил.,* -а, -о, -и chemical; ~**а бомба** gas bomb; ~**а война** chemical/ gas warfare; ~**о вещество** chemical (substance); ~**о чистене** dry cleaning.

хѝмия *ж., само ед.* chemistry; *уч. sl.* stinks; **индустриална ~** chemical engineering, engineering chemistry; **оргàнична/неоргàнична ~** organic/inorganic chemistry.

химкомбинàт *м.,* -и, (два) хѝмкомбинàта chemical works.

химн *м.,* -и, (два) хѝмна anthem;

цъ̀рк. hymn, canticle; **национàлен ~** a national anthem; **религиозни ~и** hymns, hymnody.

хинѝн *м., само ед.* quinine.

хинѝнов *прил.* quinine (*attr.*); quinic; cinchona (*attr.*), cinchonic; ~**о дърво** cinchona.

хипѐрбол|а *ж.,* -и **и 1.** *мат.* hyperbola; **2.** *лит.* hyperbole.

хиперболизàция *ж., само ед.* hyperbolization.

хиперболизѝрам *гл.* hyperbolize.

хиперболоѝд *м.,* -и, (два) хиперболоѝда *мат.* hyperboloid.

хѝпервитаминòза *ж., само ед. мед.* hypervitaminosis.

хиперглобулѝя *ж., само ед. мед.* hypercythaemia, *амер.* hypercythemia.

хипердактѝлия *ж., само ед. мед.* polydactylia.

хиперѐмия *ж., само ед. мед.* hyperaemia, *амер.* hyperemia, engorgement.

хѝперзву̀|к *м.,* -ци, (два) хѝперзву̀ка hypersound.

хѝперзву̀ков *прил.* hypersonic, hyperacoustic.

хѝперкинѐза *ж., само ед. мед.* hyperkinesia, supermotility.

хѝпермàркет *м.,* -и, (два) хѝпермàркета hypermarket.

хѝперравнин|à *ж.,* -й *мат.* hyperplane.

хѝперрефлѐксия *ж., само ед. мед.* hyperreflexia.

хѝперсекрѐция *ж., само ед. мед.* supersecretion.

хѝперстатѝч|ен *прил.,* -на, -но, -ни hyperstatic(al).

хипертонѝч|ен *прил.,* -на, -но, -ни *мед.* hypertonic.

хипертонѝя *ж., само ед. мед.* hypertonia, hypertonicity, high blood pressure.

хипертрòфия *ж., само ед. мед., биол.* hypertrophy, overgrowth.

хѝперфу̀нкция *ж., само ед. мед.* hyperfunction.

хѝперхидрòза *ж., само ед. мед.* hyperhidrosis, excessive sweating.

хѝперядр|ò *ср.,* -à supernucleus.

хипнòза *ж., само ед.* (*състояние*) hypnosis, mesmerism; induced trance; (*хипнотизъм*) hypnotism; **лекувам с ~** treat by hypnotism/mesmerism; **под ~ съм** be in a state of hypnosis, be in a

hypnotic state, be hypnotized/mesmerized.

хипнотизàтор *м.,* -и; хипнотизàтор|к|а *ж.,* -и hypnotist, mesmerist.

хипнотизѝрам *гл.* hypnotize, mesmerize, entrance.

хипнотѝз|ъм (-мът) *м., само ед.* hypnotism, mesmerism.

хипнотѝци *само мн. мед.* hypnotics, somnifacients.

хипнотѝч|ен *прил.,* -на, -но, -ни hypnotic, mesmeric.

хѝповитаминòза *ж., само ед. мед.* hypovitaminosis.

хѝпогликѐмия *ж., само ед. мед.* low blood sugar.

хиподрòм и хиподру̀м *м.,* -и, (два) хиподрòма и хиподру̀ма race-course, turf; (*арена*) hippodrome.

хипокрàтов *прил. мед.* Hippocratic.

хипокрѝт *м.,* -и hypocrite.

хипопотàм *м.,* -и, (два) хипопотàма *зоол.* hippopotamus, *pl.* hippopotami, hippopotamuses; *разг.* hippo.

хипостàза *ж., само ед. мед.* hypostasis, hypostatic congestion.

хипостатѝч|ен *прил.,* -на, -но, -ни *мед.* hypostatic.

хипоталàмус *м., само ед. анат.* hypothalamus.

хипотѐз|а *ж.,* -и hypothesis, *pl.* hypotheses; speculation; supposition.

хипотену̀з|а *ж.,* -и *геом.* hypotenuse.

хипотѐрмия *ж., само ед.* hypothermia.

хипотетѝч|ен *прил.,* -на, -но, -ни hypothetic(al), suppositional.

хипотонѝч|ен *прил.,* -на, -но, -ни *мед.* hypotonic.

хипотонѝя *ж., само ед. мед.* hypotonia, diminished tension.

хипофѝза *ж., само ед. анат.* hypophysis, pituitary (gland).

хипофѝз|ен *прил.,* -на, -но, -ни *анат.* hypophyseal.

хипофу̀нкция *ж., само ед. мед.* hypofunction.

хипохондрѝ|к *м.,* -ци; хипохондрѝчк|а *ж.,* -и hypochondriac.

хипохòндрия *ж., само ед.* hypochondria.

хипсогрàфия *ж., само ед.* hypsography.

хипсомѐтрия *ж., само ед. геод.* hypsometry.

хирогра́ф м., -и, (два) хирогра́фа chirograph.

хирома́нт м., -и; **хирома̀нтк|а** ж., -и chiromancer, palmist, palm-reader; *разг.* mitt-reader.

хирома̀нтия ж., *само ед.* chiromancy, palmistry, palm-reading.

хиру̀р|г м., -зи surgeon; operator, operating surgeon.

хирургѝческ|и *прил.*, -а, -о, -и surgical; ~а намеса/интервенция surgical treatment.

хиру́ргия ж., *само ед.* surgery; възстановителна/пластична ~ restorative/plastic surgery.

хистерѐзис м., *само ед. ел.* hysteresis.

хистерѐзис|ен *прил.*, -на, -но, -ни hysteretic.

хистогра̀м|а ж., -и histogram, bar chart/graph, column diagram.

хистоли́за ж., *само ед. мед.* histolysis.

хистоло́гия ж., *само ед.* histology.

хистопатоло̀гия ж., *само ед. мед.* histopathology.

хистоплазмо̀за ж., *само ед. мед.* histoplasmosis.

хит м., -ове, (два) хѝта (smash) hit; *(крясък на модата)* rave, (all the) rage; *журн. (за филм, книга)* blockbuster; ~ на годината/месеца flavour of the year/month.

хитлери́ст м., -и; **хитлерѝстк|а** ж., -и Hitlerite, nazi.

хитлерѝстк|и *прил.*, -а, -о, -и Hitlerite, nazi (*attr.*).

хитрѐц м., -ѝ sly/cunning/crafty person; shrewd fellow; dodger, shifter; *шег.* slyboots, fox, sly dog, deep one, cunning bird, knowing blade, sly old/deep old file.

хитрин|а̀ ж., -ѝ; **хѝтрост** ж., -и *(качество)* cunning, slyness, slickness, art, wile, wiliness, design; *(проява)* dodge, trick, artifice, clever device, contrivance, subterfuge, finesse, overreach, expedient; *(военна)* stratagem; *(коварство)* guile, craft-(iness); *(уловка)* device, ruse, dodge, fetch, catch; *(претекст)* creephole; измъквам нещо с хитрост finesse s.th. away; прибягвам до ~и resort to expedients; тук има някаква ~а there is a catch in this.

хѝтро *нареч.* slyly, cunningly, craftily; ~ скроен deep-laid.

хитру̀вам *гл.* play tricks, use craft/cunning/art; dodge; be sly/cagey; palter, finesse.

хитру̀ш|а ж., -и sly/cunning woman/girl.

хит|ър *прил.*, -ра, -ро, -ри sly, cunning, crafty, artful, wily, subtle, clever, cute, wide-awake; dodgy, shifty, wary, disingenuous; creep-mouse; *sl.* downy; ~ър като лисица vulpine.

хихи́кам *гл.* snicker, snigger; titter; *(със задоволство)* chuckle.

хихи́кане *ср.*, *само ед.* snigger, snicker; giggling, tittering, tehee.

хич *нареч.*: платихме му колкото да не е без ~ it was only a token payment, we paid him just enough to say we did; ~ да не те е грижа don't you worry; ~ ме няма feel rotten; ~ не си приличат they are as different as chalk from cheese.

хѝщ|ен *прил.*, -на, -но, -ни predatory, of prey; *(за човек)* rapacious, grasping, vulturous; ~ни животни/птици beasts/birds of prey, predatory animals.

хѝщни|к м., -ци, (два) хѝщника beast/bird of prey, predatory animal, predator; *прен.* rapacious/predatory person, plunderer, spoiler, vulture, cormorant.

хла̀бав *прил.* loose, loose-jointed, slack; lax; *(за дреха)* loose-fitting; малко ~ on the loose side.

хлабавина̀ ж., *само ед.* looseness; *техн.* windage.

хлабина̀ ж., *само ед. техн.* backlash; free distance; допустима ~ safe clearance.

хлад м., *само ед.* cool(ness), freshness.

хла̀д|ен *прил.*, -на, -но, -ни cool *(и прен.)*, *прен.* lukewarm, tepid, wintry; ~ен прием cool/cold/frosty reception; lukewarm welcome; ~но оръжие cold steel.

хладѝл|ен *прил.*, -на, -но, -ни refrigeratory; ~ен вагон refrigerator car/van; ~ен завод, ~на инсталация a freezing plant; ~на чанта coll bag/box.

хладѝлни|к м., -ци, (два) хладѝлника ice-box *(и прен.)*; *(електрически)* refrigerator, *разг.* fridge, frig; *(шкаф и пр.)* ice-safe, meat-safe; *(склад)* cold store; в ~к in cold storage.

хладина̀ ж., *само ед.* cool(ness), coolth; freshness; *прен.* coldness, tepidness.

хладнокръ̀в|ен *прил.*, -на, -но, -ни calm, cool, composed, imperturbable, unabashed, cold-blooded; cool-headed; equanimous; *разг.* unflappable.

хладнокръ̀вие *ср.*, *само ед.* calmness, coolness, composure, imperturbability, equanimity; nerve, *разг.* unflappability; загубвам ~ lose o.'s head/nerve/cool; запазвам ~ keep o.'s head, keep cool, keep o.'s temper in line; *разг.* not turn a hair, play it cool.

хла̀дност ж., *само ед.* coolness; *(на чувства)* tepidness tepidity.

хла̀д|ък *прил.*, -ка, -ко, -ки lukewarm, tepid.

хлапа̀|к м., -ци (mere) lad, stripling; (unlicked) cub; *пренебр.* lout, bantling.

хлапа̀чк|а ж., -и bubble-gummer, teenybopper, bopper.

хлапѐ *ср.*, -та urchin, boy, kid; *разг.* nipper, (young) shaver.

хлеба̀р (-ят) м., -и baker.

хлеба̀рк|а₁ ж., -и baker's wife; woman baker.

хлеба̀рк|а₂ ж., -и *зоол.* cock-roach, *(черна)* black-beetle.

хлеба̀рниц|а ж., -и bakery, baker's (shop).

хлеб|ен *прил.*, -на, -но, -ни bread *(attr.)*; mealy; ~на гума art gum; ~но дърво bread-fruit tree.

хлебозаво̀д м., -и, (два) хлебозаво̀да mechanical bakery; bread-making plant.

хлеборо̀дие *ср.*, *само ед.* fertility.

хлѐнча *гл.*, *мин. св. деят. прич.* хлѐнчил whimper, whine, snivel; *прен.* complain; *(за дете)* *разг.* grizzle.

хлѝпам *гл.* sob.

хло̀пам и **хло̀пвам**, **хло̀пна** *гл.* knock; rap, tap; clatter; *(удрям)* strike, hit; *(затръшвам)* slam, bang; clap; едната му дъска хлопа he is not all there, he is off his beam/his mind/his rockers, he has a screw/tile/cog loose, he has bats in the belfry/rats in the attic, he is barmy/balmy/on the crumpet.

хлор м., *само ед. хим.* chlorine.

хлорѝрам *гл.* chlorinate.

хло̀роводоро̀д м., *само ед. хим.* hydrogen chloride.

хлорофи́л м., *само ед. бот.* chlorophyll.

хлорофо̀рм м., *само ед. хим.* chloroform.

хлъзвам (се), хлъзна (се) *(възвр.) гл.* slip, slide, slither; *(за кола)* skid.

хлъзгам *гл.* slip, slide.

хлътвам, хлътна *гл.* **1.** sink, sag, cave in, fall in; *(огъвам се)* yield; *(за човек)* fall in, tumble in; *(за терен)* drop; *(за бузи)* sag; *(за очи)* sink in; **2.** *(влюбвам се)* fall (for s.o.); ~ **по някоя жена** go silly over a woman; **3.** *(парично)* be stung (**с** for).

хлъцвам, хлъцна *гл.* hiccup; hiccough.

хляб *м.,* -**ове**, (два) **хляба** bread; *(самун и пр.)* loaf of bread; **насъщен** ~ daily bread; **пресен** ~ new/fresh bread; • **има много** ~ **да ядеш, докато** much water will flow under the bridge before you; **като топъл** ~ like hot cakes, like beans; **у него има още** ~ there's life in the old dog yet; ~ **и зрелища** bread and circuses, panem et circenses.

хмел *м., само ед. бот.* hops; hop vine (*Humulus lupulus*).

хоби *ср.,* -**та** hobby.

хобот *м.,* -**и**, (два) **хобота** trunk; *зоол.* proboscis.

хоботче *ср.,* -**та** *(на насекомо)* proboscis; *(на пчела)* siphonet.

ход *м.,* -**ове**, (два) **хода 1.** *(вървеж)* walk, gait; pace; tread; *(конски)* pace; **бавен** ~ slow march; **бърз** ~ quick march; **2.** *(движение)* motion, run; **в** ~ afoot; in progress; under way, *(за машина)* running; **давам** ~ **на дело** proceed with a case; **заден** ~ reverse/backward motion; **пускам в** ~ **всички средства** leave no stone unturned, move heaven and earth; **3.** *(скорост)* speed; **4.** *техн.* stroke, drive; **работя на празен** ~ float; **5.** *(развитие) (на събития)* course, march, progress, tide, development; tenor; *(на мисли)* train; *(на болест)* progress; ~**ът на събитията** the course of events; the pattern of events; **6.** *воен. (такт)* cadence; ~ **за съобщение** communication trench; **7.** *шах. и прен.* move; **правя погрешен** ~ play a wrong card.

ходатайствам *гл.* intercede (**пред** with, **за** for); solicit (s.o. for s.th.); *разг.* put in a word (for), say/drop a good/kind word (for), pull wires; move, canvass (for).

ходатайство *ср.,* -**а** intercession, interceding; canvassing.

ходене *ср., само ед.* walking; *разг.* legwork; **спортно** ~ heel-and-toe walk, race walking.

ходж|а *м.,* -**и** ima(u)m.

ходил|о *ср.,* -**а** foot, *pl.* feet; sole; *анат.* metatarsus.

ходом *нареч.* at a walking pace, at a walk, at a foot pace; **вървя** ~ *(за кон)* walk; ~ **марш!** Forward march!

ходя *гл., мин. св. деят. прич.* **ходил 1.** go, walk; *разг. (пеш)* foot it; *(бавно)* jog along; *(за превозно средство)* run; **трябва да си** ~ I must be off/ be going; ~ **насън** sleepwalk; ~ **пеш** tramp, walk; ~ **с някого** go about with s.o., carry on with s.o.; date s.o.; **2.** *(посещавам)* go (to), attend, visit; ~ **на лекции** attend lectures; ~ **по кафенетата и пр.** frequent the cafes etc.; **3.** *(занимавам се с)* go (**с** *ger.*); ~ **на лов** go hunting; ~ **на пазар** go shopping; **4.** *(обличам се с)* wear; **5.** *(имам интимни отношения)* carry on (**с** with), get off (with).

хойкам *гл.* gad about, loaf; vagabond, maroon, *амер.* maverick; *(имам безразборни връзки)* play the field, fool around.

хокам *гл.* tell off, rate, revile; chide, scold, tick off; dress down; take (s.o.) to task; *разг.* slang, blister.

хоке|й (-**ят**) *м., само ед. спорт.* hockey; ~**й на лед** ice-hockey; ~**й на трева** field hockey; *кан.* grass-hokey.

хол *м.,* -**ове**, (два) **хола** lounge, hall; *(в жилище)* living-room.

холанд|ец *м.,* -**ци** Dutchman.

Холандия *ж. собств.* Holland, the Netherlands.

холандк|а *ж.,* -**и** Dutchwoman.

холандск|и *прил.,* -**а**, -**о**, -**и** Dutch; ~**и език** Dutch.

холдинг *м.,* -**и**, (два) **холдинга** holding, holding company.

холенд|ър *м.,* -**ри**, (два) **холендъра** *техн.* hollander.

холера *ж., само ед. мед.* (Asiatic/epidemic/malignant) cholera.

холестерин и **холестерол** *м., само ед. биохим.* cholesterol.

холограм|а *ж.,* -**и** hologram.

холография *ж., само ед.* holography.

хомеопатия *ж., само ед. мед.* hom(o)eopathy.

хомеостаза *ж., само ед.* homeostasis.

хомогенизирам *гл.* homogenize.

хомогенност *ж., само ед.* homogeneity.

хомолож|ен *прил.,* -**на**, -**но**, -**ни** homologous.

хомосексуал|ен *прил.,* -**на**, -**но**, -**ни** homosexual.

хомосексуализ|ъм (-**мът**) *м., само ед. мед.* homosexuality.

хомосексуалист *м.,* -**и** homosexual, *разг.* homo, pansy, *sl.* queer, queen, *амер. sl.* fag(got).

хомот *м.,* -**и**, (два) **хомота** yoke (*и прен.*); ox-bow; noose; *техн.* loop.

хонорар *м.,* -**и**, (два) **хонорара** fee, emolument, honorarium; *авторски* ~ author's payment, *(върху продадена книга, представление)* royalties; **получавам** ~ draw a fee.

хонорувам *гл.* pay (a fee to).

хоноруван *мин. страд. прич. (и като същ.)* part-time, supernumerary; ~ **преподавател и пр.** part-time lecturer/worker, part-timer.

хопвам се, хопна се *възвр. гл.* jump (**на** on to).

хор *м.,* -**ове**, (два) **хора** choir, choral society; *(оперен и прен.)* chorus; *прен.* all together, all at once; **пея в** ~ be a member of a choir.

хора *само мн.* people; folk; **какво ще кажат** ~**та** what will Mrs Grundy say; **като** ~**та** properly; **като ще вършиш нещо, върши го като** ~**та** what is worth doing is worth doing well; **не за пред** ~ not fit to be seen, not presentable; **разни** ~, **разни идеали** different strokes for different people; ~ **на изкуството** artists; ~ **на науката** men of science, scholars; ~ **сме** we have a heart, we are fellow-men; it's only human.

хорал *м.,* -**и**, (два) **хорала** *муз.* chorale.

хорд|а *ж.,* -**и** *мат.* chord; subtense; span.

хоре|й (-**ят**) *м.,* -**и**, (два) **хорея** *лит.* trochee.

хореограф *м.,* -**и** choreographer.

хореография *ж., само ед.* choreography; **създавам** ~**та на** choreograph.

хоризонт *м.,* -**и**, (два) **хоризонта** horizon, skyline; *(в открито море)* sea-line; **на/зад** ~**а** on/below the horizon; *мин.* level.

хоризонта̀л *м.*, -и, (два) хоризонта̀ла horizontal (line); (на карта) contour line.

хоризонта̀л|ен *прил.*, -на, -но, -ни horizontal, level; ~на координата *мат.* x-axis.

хорѝст *м.*, -и; хорѝстк|а *ж.*, -и member of a choir/chorus; choir singer; *църк.* chorister.

хормо̀н *м.*, -и, (два) хормо̀на hormone.

хор|о̀ *ср.*, -а̀ horo, round/ring/chain dance; водя ~ото lead the ring dance, *прен.* be/stand in the lead; хващам се на ~ото join (in) the dance; • щом се хванеш на ~ото, трябва да играеш in for a penny, in for a pound; if you dance you must pay the fiddler; you can't back out.

хо̀ров *прил.* choral; chorus (*attr.*); choir (*attr.*).

хороса̀н *м.*, *само ед.* mortar, plaster.

хороско̀п *м.*, -и, (два) хороско̀па horoscope; *разг.* the stars.

хо̀рск|и *прил.*, -а, -о, -и (other) people's.

хортѐнзи|я *ж.*, -и *бот.* hydrangea.

хорту̀вам *гл.* speak, talk.

хору̀гв|а *ж.*, -и *църк.* gonfalon.

хоспитализѝране *ср.*, *само ед.* *мед.* hospitalization.

хотѐл *м.*, -и, (два) хотѐла hotel.

храбрѐц *м.*, -ѝ brave/courageous man; dare-devil.

хра̀брост *ж.*, *само ед.* bravery, courage, valour, gallantry; dare-devilry lionheartedness, soldierliness; (безразсъдна) foolhardiness; изключителна ~ a feat of valour.

хралу̀п|а *ж.*, -и hollow; (на катеричка) drey; *прен.* den.

храм *м.*, -ове, (два) хра̀ма temple; shrine; church; *архит.*, *поет.* fane; (будистки) tope.

хра̀мов *прил.* church (*attr.*); ~ празник patron saint's day.

хран|а̀ *ж.*, -ѝ 1. food; foodstuff; nourishment, nutrition, nutriment, sustenance; *sl.* grub, tuck, nosh; *амер.* chow; (на добитък) fodder; (за птички) birdseed; (припаси) victuals, eatables, *sl.* eats, peck; (в пансион) board; (в стол, болница) dietary; (ядене) meal; суха ~а provisions, *воен.* personal rations; топла ~а cooked meal, cooked

food; ~а и квартира board and lodging; keep; 2. *прен.* food, nourishment, sustenance; духовна ~а mental/intellectual food, spiritual food/nourishment, nurture of the mind, mental pabulum; ~а за въображението fodder for the imagination; 3. *само мн.* foodstuffs; зърнени ~и grain, cereals.

хра̀нен|е *ср.*, -ия feeding; nutrition; заведение за обществено ~е catering establishment; *разг.* eatery; изкуствено ~е (на дете) spoon-/bottle-feeding.

хра̀ненише *ср.*, -та foster-child; nurse child.

хранѝлищ|е *ср.*, -а depository, depot, storehouse, repository; (на мощи) feretory.

хранѝлк|а *ж.*, -и feeding-trough; rack; feedbox; (торба) feedbag.

хранѝтел|ен *прил.*, -на, -но, -ни 1. (питателен) nourishing, nutritive, nutrient, nutritious, alimentary; sustaining; ~ни вещества в почвата soil nutrient; 2. (който се отнася за храна) alimentary, food (*attr.*); ~ни продукти foodstuffs, victuals, *разг.* eatables; *sl.* eats; ~но-вкусова промишленост food, wine and tobacco industries; 3. *техн.* (захранващ) feed(ing).

хранопрово̀д *м.*, -и, (два) хранопрово̀да gullet, throttle; *анат.* oesophagus.

храносмѝлане *ср.*, *само ед.* digestion; добро ~ eupepsia; лошо ~ indigestion, dyspepsia.

храносмила̀тел|ен *прил.*, -на, -но, -ни digestive; alimentary; peptic; ~на система, ~ен апарат a digestive system/apparatus.

хранту̀тя *гл.*, *мин. св. деят. прич.* храну̀тил pamper, cosset.

храня *гл.*, *мин. св. деят. прич.* хранѝл 1. feed, nourish; nurture; (бебе) nurse; ~ изкуствено bring up/raise on the bottle; bottle-feed; 2. (поддържам) keep (up), support, maintain; provide for; 3. (чувства и пр.) cherish, foster; harbour, entertain; ~ лоши чувства към някого bear malice to/towards s.o.; || ~ се eat; have o.'s meals/o.'s breakfast, lunch etc.; take o.'s meals; *воен.* mess; той се храни (в момента) he is at table; ~ се c feed on, live on; • храни куче да те лае bite the

hand that feeds you, eaten bread is soon forgotten.

храст *м.*, -и, (два) хра̀ста bush, frutex; (градински) shrub; розов ~ rose bush.

храстала̀|к *м.*, -ци, (два) храстала̀ка bushes, scrub, thicket, brushwood; (малка горичка) spinn(e)y; (в гора) undergrowth.

хра̀чк|а *ж.*, -и phlegm, spittle; expectoration; *мед.* sputum, *pl.* sputa.

хрѐбет *м.*, -и, (два) хрѐбета (mountain) ridge, spear, crest, chine.

хрѐма *ж.*, *само ед.* cold (in the head); имам ~ I have a sinus infection, *разг.* I have got the sniffles; сенна ~ hay fever; хващам ~ catch a cold (in the head).

хрѐмав *прил.* suffering from a cold; with a running nose.

хризантѐм|а *ж.*, -и *бот.* chrysanthemum.

хризоберѝл *м.*, *само ед.* *минер.* chrysoberyl, cat's eye.

хрилѐ *само мн.* gills; branchia(e).

хрип *м.*, -ове, (два) хрѝпа wheeze; (обикн. на умиращ) ruckle; ~ове *мед.* crepitation, crepitus.

хриптѝ *гл.* wheeze, ruckle.

хрѝсим *прил.* humble, meek; dove-like, dovish; malleable; tractable; law-abiding; conforming.

хрисову̀л *м.*, -и, (два) хрисову̀ла *истор.* royal decree.

християнѝзирам *гл.* Christianize, convert to Christianity.

християнѝн *м.*, християни; християнк|а *ж.*, -и Christian.

християнство *ср.*, *само ед.* Christianity, Christiandom; (учение) the Word.

христома̀ти|я *ж.*, -и reader; collectanea.

Христо̀с *м. собств.* Christ, the Messiah; ~ Пантократор Christ Pantokrator.

хром₁ *прил.* (куц) lame, crippled, limping; (обикн. за крак) *sl.* game, gammy.

хром₂ *м.*, *само ед.* *хим.* chromium, chrome.

хроматѝз|ъм (-мът) *м.*, *само ед.* 1. *физ.* chromatism; 2. *муз.* chromatic scale.

хромѝрам *гл.* chrome-plate; plate/coat with chromium.

хромозо̀м|а *ж.*, -и обикн. мн. *биол.* chromosome.

хромолитогра̀фия *ж.*, *само ед.* **1.** (*процес и здание*) chromolithography; **2.** (*отпечатък*) chromolithograph.

хро̀ник|а *ж.*, -и chronicle, annals; (*във вестник, по радио*) news items, news in brief; **семейна ~а** (*роман*) saganovel.

хронѝч|ен *прил.*, -на, -но, -ни; хронѝческ|и *прил.*, -а, -о, -и chronic.

хроноло̀гич|ен *прил.*, -на, -но, -ни; хронологѝческ|и *прил.*, -а, -о, -и chronological; **~а грешка** parachronism.

хроноло̀гия *ж.*, *само ед.* chronology; time-sequence.

хрономѐт|ър *м.*, -ри, (два) хрономѐтъра chronometer, master-clock; *спорт.* stop-watch.

хру̀мва ми (ти, му, ѝ, ни, ви, им), хру̀мне ми (ти, му, ѝ, ни, ви, им) *безл. гл.* it occurs to me; it dawns on me; **хрумна ми мисълта** the idea flashed across/into/through my mind; the idea flashed on me/suggested itself to me/came across my mind; **хрумна ми, че** I had a fancy that.

хру̀мван|е *ср.*, -ия (chance) idea, whim; **гениално ~е** a stroke of genius; **~ия** airy notions, whims.

хру̀пам *гл.* munch; (*по-шумно – обикн. за кон*) champ.

хру̀пкав *прил.* crisp; crunchy.

хру̀скам *гл.* crunch.

хруща̀ *гл.* (*за сняг и пр.*) be crisp underfoot, make a crunching sound.

хруща̀л *м.*, -и, (два) хруща̀ла cartilage; gristle.

хрѐтк|а *ж.*, -и greyhound, wolf-hound; harrier; courser.

хрян *м.*, *само ед.* *бот.* horse-radish.

хубав *прил.* **1.** (*красив*) pretty, lovely, fine-looking, beautiful; well-favoured, comely, sightly; (*за мъж*) handsome, good-looking; **~ крак/глезен** neat leg/ankle; **2.** (*доброкачествен, добър*) good, fine, nice; (*за въздух, вода и пр.*) sweet; **всичко ~о!** all the best! good luck! **~а работа!** *ирон.* a pretty

business/kettle of fish! a fine thing, indeed! **~ите неща стават бавно** Rome was not built in a day; **~о време** fine weather.

хубав|ѐц *м.*, -цѝ handsome/good-looking man, *амер. sl.* (good-)looker.

хубавѐя *гл.*, *мин. св. деят. прич.* хубавя̀л grow pretty/better-looking.

хубавѝц|а *ж.*, -и beauty; belle; *амер. sl.* (good-)looker.

хубост *ж.*, -и beauty, good looks, sightliness; comeliness; **~та е до време** beauty is soon past, beauty is not eternal; ● **насила ~ не става** you can take a horse to the water but you cannot make him drink.

хубостнѝ|к *м.*, -ци scamp, scapegrace; (nasty) piece of goods, good-for-nothing fellow.

хубостнѝц|а *ж.*, -и scamp; good-for-nothing woman/girl; *шег.* minx.

хугено̀т *м.*, -и *истор.* Huguenot.

худо̀жествен *прил.* artistic, art (*attr.*); **~а академия** academy of fine arts; **~а гимнастика** eurhythmics, cal(l)isthenics; **~а самодейност** amateur art activities, (*театрална*) amateur theatricals/stage; **~и занаяти** arts and crafts, artistic crafts.

худо̀жни|к *м.*, -ци; худо̀жничк|а *ж.*, -и artist; (*живописец*) painter; **~к декоратор** *театр.* scene-painter.

ху̀квам, ху̀кна *гл.* bolt, bolt it, bolt for it, dart (off), tear away, rush (off); scoot (off); scamper off/away; stampede; ~ **да бягам** take to o.'s heels; make a run for it.

ху̀л|а *ж.*, -и abuse, detraction, insult, scurrility; *мн.* aspersion(s), obloquy, opprobrium; bad/foul language.

хулига̀н *м.*, -и; хулига̀нк|а *ж.*, -и hooligan, hoodlum, ruffian, rowdy, tiger; *sl.* larrikin; *разг.* tearaway; *амер.* palooka.

ху̀ля *гл.*, *мин. св. деят. прич.* ху̀лил abuse, traduce, defame, malign, denigrate; blaspheme; vituperate; vilify; scoff (at); inveigh (against).

ху̀ма *ж.*, *само ед.* fuller's earth.

хума̀н|ен *прил.*, -на, -но, -ни humane; **~на медицина** (human) medicine.

хуманѝз|ъм (-мът) *м.*, *само ед.* humanism.

хуманита̀р|ен *прил.*, -на, -но, -ни humanitarian; **~ните науки** the humanities, the (liberal) arts.

хума̀нност *ж.*, *само ед.* humaneness, humanity.

ху̀мор *м.*, *само ед.* humour; **черен ~** gallows humour; black comedy; **чувство за ~** a sense of humour.

хуморѐск|а *ж.*, -и sketch; funny/humorous story; *муз.* humoresque.

хуморѝст *м.*, -и humorist.

ху̀мус *м.*, *само ед.* humus, mould; *амер.* mold.

ху̀н *м.*, -и *обикн. мн. истор.* Hun.

ху̀нт|а *ж.*, -и junta.

ху̀рк|а *ж.*, -и distaff.

хуса̀р *м.*, -и hussar.

хъ̀кам *гл.* **1.** snort (approval); **2.** mutter, mumble, hum and haw.

хъ̀лбо|к *м.*, -ци, (два) хъ̀лбока flank.

хълм *м.*, -ове, (два) хъ̀лма hill; elevation.

хъ̀лцам *гл.* hiccup, hiccough; (*при плач*) sob.

хъ̀лцукам *гл.* hiccup.

хърва̀тин *м.*, хърва̀ти; хърва̀тк|а *ж.*, -и Croat.

хърва̀тск|и *прил.*, -а, -о, -и Croatian; **~и език** Croatian.

Хърва̀тска *ж. собств.* Croatia.

хързу̀лвам, хързу̀лна *гл.* **1.** slip; **2.** *прен.*: ~ **някому нещо** palm s.th. off on s.o.

хъ̀ркам *гл.* snore; (*в агония*) rattle in o.'s throat.

хърсъ̀з(ин) *м.*, хърсъ̀зи villain, scoundrel.

хъс *м.*, *само ед.* (*енергия*) punch, zip, pzazz; *разг.* get-up-and-go; **с ~** with gusto/panache/dash/flair.

хъш *м.*, -ове exile, outcast.

хъшла̀шк|и *прил.*, -а, -о, -и of tramp/loafer; rascally.

цайтнот *м., само ед.* спорт. time trouble.

цакам *гл.* карти trump, ruff.

цамбурвам, цамбурна *гл.* tumble in, plop.

цаня *гл., мин. св. деят. прич.* цанил hire; || ~ **се** hire o.s. out.

цапам *гл.* **1.** (*мърся*) soil, stain, dirty, grime; foul; muck; mess; (*с боя и пр.*) daub, smudge; (*с мръсни пръсти*) finger-mark; **2.** (*рисувам лошо*) daub, blotch, mess about with paint; **3.** (*във вода, кал*) splash, (*с ръце*) paddle; **4.** (*плещя*) babble, prattle; || ~ **се** become/get dirty/soiled; spot, stain.

цапардосвам, цапардосам *гл.* bash; *разг.* chump; *sl.* crown; slog, catch (s.o.) a blow (on, in) fetch s.o. a blow.

цапвам, цапна *гл.* **1.** (*удрям*) slap, spank; *разг.* clout; **2.** (*боя и пр.*) daub; **3.** (*цопвам*) splash, plop.

цапнат *мин. страд. прич.* (*в устата*) foul-mouthed, coarse, gross, broad, ribald.

цар (-ят) *м.,* -è king; (*български, руски*) tsar, czar; *шах* king; ● **Бог високо,** ~ **далеко** there's no one to turn to, no help from anywhere; ~ **съм на** *разг.* be an ace/a wizard at; ~**ят дава, пъдарят не дава** the boss/says yes, the porter says no.

царевица *ж., само ед.* maize, Indian corn, *амер.* corn; **варена** ~ cooked corn, (*цяла*) corn on the cob; **сладка** ~ sweet/green corn.

царевича|**к** *м.,* -ци, (*два*) царевича̀ка **1.** (*нива*) maize-field, *амер.* cornfield; **2.** (*шума*) maize-stalks.

царевич|**ен** *прил.,* -на, -но, -ни maize (attr.), *амер.* corn (attr.); ~**но брашно** maize meal, maizina, *амер.* corn meal; cornflour, cornstarch.

царедвор|**ец** *м.,* -ци courtier; *пренебр.* courtling.

цареубий|**ец** *м.,* -йци regicide.

цариз|**ъм** (-мът) *м., само ед.* tsarism, czarism.

цариц|**а** *ж.,* -и queen (*и шах.*); (*българска, руска*) tsaritsa, czaritsa.

царкин|**я** *ж.,* -и princess; queen.

царск|**и**₁ *прил.,* -а, -о, -и **1.** king's; czar's, tsarist, czarist; royal, kingly, regal; ~**а власт** monarchy, regal power; ~**а Русия** czarist/imperial Russia; ~**и**

почести royal honours; ~**ият път** the public road; the king's highway; *прен.* the beaten track; **2.** fine, fit for a king; ~**о ядене** a dish fit for a king.

царски₂ *нареч.* **1.** regally, royally; **2.** *разг.* tiptop, fine; in clover; **живея** ~ live on/off the fat of the land, live in clover.

царствен *прил.* kingly, regal.

царств|**о** *ср.,* -à kingdom, realm; ● **женско** ~**о** petticoat government; **Небесното** ~**о** kingdom of heaven; ~**о му небесно** God bless his soul.

царувам *гл.* reign (*и прен.*); wield the sceptre.

царуване *ср., само ед.* reign; regnancy; **през** ~**то на** in/under the reign of.

цафар|**а** *ж.,* -и shepherd's pipe, reed-pipe.

цаца *ж., само ед.* зоол. sprat.

цвекло *ср., само ед.* beetroot; **захарно** ~ sugar beet; **червено** ~ beet.

цвеклопроизводство *ср., само ед.* beet-production/-cultivation.

цветар (-ят) *м.,* -и; **цветар**|**ка** *ж.,* -и florist; *книж.* floriculturist; (*продавачка*) flowergirl.

цветарни|**к** *м.,* -ци, (*два*) цветарника **1.** (*градина*) nursery garden; glasshouse; **2.** (*етажерка*) flower stand.

цветарниц|**а** *ж.,* -и flower-shop, florist's (shop).

цвет|**е** *ср.,* -я flower; **живи** ~**я** cut flowers; **плат на** ~**я** floral/flowered/flowery fabric; **стайни** ~**я** window-plants, indoor/pot plants; ● **не е** ~**е за мирисане** he is a bad hat/a skunk, he is not a man to know.

цвет|**ен** *прил.,* -на, -но, -ни **1.** coloured; chromatic; (*за стъкло*) coloured, stained; (*за филм*) colour (attr.); (*за метал*) non-ferrous; ~**ен молив** crayon; ~**ен телевизор** colour TV; **2.** flower (attr.); floral; **с** ~**ни мотиви** архит. floriated, floriated; ~**ен прашец** бот. pollen; ~**на леха/пъпка** flowerbed/-bud.

цветист *прил.* flowery, florid, ornate; flaming, colo(u)rful; *прен.* exuberant.

цветомузика *ж., само ед.* light show.

цветоусещане *ср., само ед.* colour sensation.

цветущ *прил.* flourishing; **в** ~**о здраве** in robust/exuberant health; hale and hearty; as fit as a fiddle.

цветче *ср.,* -та blossom, floweret; (*част от сложен цвят*) бот. floret.

цвиля *гл., мин. св. деят. прич.* цвилил neigh, (*леко*) whinny.

цвъкам *гл.* **1.** spit through o.'s teeth; **2.** (*за птица*) drop; **3.** (*мърся*) soil; **4.** (*с помпичка*) squirt out, spurt.

цвъркал|**о** *ср.,* -à **1.** squealer, squeaker; **2.** (*помпичка*) squirt.

цвъртя̀ и цвърча̀ *гл.* chirp, chirr, chirrup, twitter, peep; (*за насекоми*) stridulate; (*при пържене*) sizzle.

цвят (цветъ̀т) *м.,* цветовè, (*два*) цвя̀та **1.** (*краска*) colour; **основен** ~ primary/base colour; (*на карти за игра*) suit; (*на лицето*) complexion; **различен на** ~ of different colour; **2.** (*на растение*) blossom, flower; **3.** *прен.* (*най-хубавата част*) elite, flower, pick, cream; the best of the bunch, the pick of the basket/bunch.

цев *ж.,* -и pipe, tube; reed; (*на пушка*) barrel; (*на ключ*) shank.

цедк|**а** *ж.,* -и strainer, sifter; percolator; colander; ~**а за чай** (tea-)strainer.

цедя *гл., мин. св. деят. прич.* цедил strain; filter; (*изстисквам*) squeeze; ● ~ **думите си** speak through/with set teeth.

цезаров *прил.* Caesarian; ~**о сечение** мед. a Caesarian operation.

цези|**й** (-ят) *м., само ед.* хим. caesium, *амер.* cesium.

цезур|**а** *ж.,* -и *и лит.* caesura.

Цейлон *м. собств.* Ceylon.

цейлон|**ец** *м.,* -ци Ceylonese.

цейлонит *м., само ед.* минер. celonite.

цейлонск|**и** *прил.,* -а, -о, -и Ceylon (attr.).

цекал|**ен** *прил.,* -на, -но, -ни мед. c(a)ecal.

цел *ж.,* -и **1.** aim, purpose, goal, object, objective, end; (*предназначение*) designation; **без** ~ aimlessly; unintentionally; (*за ходене*) at random; **не постигам** ~**та си** miss the mark; **поставям си за** ~ set o.s. the task (да of *с* ger.), make it o.'s object (to *с inf.*); **постигам** ~**та си** achieve/attain/reach/gain o.'s object; accomplish what one has set out to do; gain o.'s point; *разг.* hook/land o.'s fish; *амер. разг.* make o.'s Jack; **с благотворителна** ~ in aid of charity; **с** ~ **да** with the purpose of (*с ger.*); **2.** (*мишена*) target, mark; **зем-**

на/подвижна ~ *воен.* a ground/moving target; **попадам в ~та** (*и прен.*) hit the mark/the bull's eye, come/get/hit/strike home; **той винаги удря право в ~та** he never misses; • **~та оправдава средствата** the aim justifies the means.

целволѐ *ср., само ед. текст.* staple fibre.

целѐб|ен *прил., -на, -но, -ни* curative; healing; medicinal, medicative; salubrious.

целев|ѝ *прил., -а̀, -о̀, -ѝ* objective-/result-oriented; **~а група** target population; **~и заем** tied loan.

целенасо̀чен *прил.* purposeful, result-oriented, purposive; single-hearted/minded; focused.

целестѝн *м., само ед. минер.* celestine, celestite.

целесъобра̀з|ен *прил., -на, -но, -ни* expedient; advisable; to the purpose.

целесъобра̀зност *ж., само ед.* expedience; advisability, expediency.

целеуказа̀ние *ср., само ед. воен.* target destination.

целеустремѐн *прил.* purposeful, clear of purpose.

целеустремѐност *ж., само ед.* purposefulness, clearness of purpose.

целиба̀т *м., само ед. рел.* celibacy, celibate; (*човек*) celibate.

целин|а̀ *ж., -ѝ* new soil, wild land, virgin soil/land; **разорана ~а** virgin soil upturned.

цѐлина *ж., само ед. бот.* celery.

целогодѝш|ен *прил., -на, -но, -ни* year-round.

целоднѐв|ен *прил., -на, -но, -ни* day (*attr.*), all day (*attr.*); daylong; **~на детска градина** day nursery.

целоку̀п|ен *прил., -на, -но, -ни* complete, whole, total.

целоку̀пност *ж., само ед.* totality.

целому̀дрен *прил.* chaste, virgin; continent; virtuous.

целому̀дрие *ср., само ед.* chastity, virtue, continence.

целофа̀н *м., само ед.* cellophane.

целу̀вам, целу̀на *гл.* kiss, give a kiss; **~ за лека нощ/за сбогом** kiss good night/goodbye; || **~ се:** **целуваме се** kiss.

целу̀вк|а *ж., -и* **1.** kiss; *шег.* osculation; (*лека*) peck; **пращам въздушна**

~а на някого blow/throw s.o. a kiss; **2.** (*сладкиш*) meringue.

целула̀р|ен *прил., -на, -но, -ни* *биол.* cellular.

целулѝт *м., само ед.* cellulite.

целуло̀за *ж., само ед.* cellulose; (*каша*) pulp.

целулойд *м., само ед.* celluloid.

целя̀ *гл., мин. св. деят. прич.* **целѝл** aim (at *с* ger.), be after; tend towards; seek (to *с* inf.); **това цели да** this is meant to; *прен.* drive at.

цементѝт *м., само ед.* cementite, iron carbide.

цен|а̀ *ж., -ѝ* price; *прен.* worth; (*стойност*) cost, value; **изкупна ~а** purchasing price; **покачване на ~ите** rise in prices; **с намалени ~и** at reduced/knock-down prices; **слагам ~а на** (*стока с етикет*) label; **фабрична ~а** cost price; **~а на едро** trade price; **~а по споразумение** the price is a matter of negotiation; • **знам ~ата си** know o.'s own value; **на всяка ~а** at any cost; by all means; (*с всякакви средства*) by fair means or foul, by hook or by crook; **~а нямам** (*за човек*) be worth o.'s weight in gold, (*за предмет*) be beyond/above price.

цѐн|ен *прил., -на, -но, -ни* valuable, worth while, of value; **търговия с ~ни книжа** jobbing; **~ни книжа** *търг.* securities.

ценз *м., -ове,* (*два*) **цѐнза** qualification; **избирателен ~** electoral qualification; **имам нужния ~ за** be qualified for, *разг.* measure up to.

цѐнзор *м., -и* censor, expurgator.

цензу̀р|а *ж., -и* censorship; **позволен от ~ата** passed by the censor; licensed.

цензурѝрам *гл.* censor; (*книга*) expurgate.

ценѝтел (**-ят**) *м., -и;* **ценѝтелк|а** *ж., -и* connoisseur.

цѐнност *ж., -и* value, worth; **~и** (*ценни вещи*) valuables.

ценов|ѝ *прил., -а̀, -о̀, -ѝ* *икон.* price, pricing; **~а политика** pricing policy.

ценообразу̀ване *ср., само ед. икон.* pricing, price-formation.

ценора̀зпис *м., -и,* (*два*) **ценора̀зписа** price-list; tariff; (*на жп билети*) table of fares.

цент *м., -ове,* (*два*) **цѐнта** cent, *амер. разг.* penny.

цѐнтнер *м., -и,* (*два*) **цѐнтнера** centner; hundredweight.

централ|а *ж., -и* **1.** main/head office; **телефонна ~а** (central) telephone exchange; **~а, моля** operator, please; **2.** *ел.* station; plant; **водноелектрическа ~а** hydroelectric power plant, water-power plant/station; **топлоелектрическа ~а** a fuel-burning power plant, thermal-electric power station.

централ|ен *прил., -на, -но, -ни* central; midmost; middlemost; *геогр.* midland (*attr.*); (*за място, положение*) foremost; **~на алея** (*на изложение и пр.*) midway; **~но отопление** central heating.

централиза̀ция *ж., само ед.* centralization.

централизѝрам *гл.* centralize.

централѝз|ъм (**-мът**) *м., само ед.* centralism.

центрѝз|ъм (**-мът**) *м., само ед. полит.* centrism.

центрѝрам *гл.* centre.

центрѝран|е *ср., -ия* centring, centre adjustment.

центрѝст *м., -и* *полит.* centrist.

центробѐж|ен *прил., -на, -но, -ни* centrifugal; **~на сила** centrifugal force.

центро̀вам *гл. техн.* centre.

центро̀вка *ж., само ед. техн.* centring, alignment; *авт.* adjustment, setting.

центростремѝтел|ен *прил., -на, -но, -ни* centripetal; **~на сила** centripetal force.

центрофу̀г|а *ж., -и* centrifuge; (*за мляко*) creamer; **~а за мед** honey extractor.

центрофугѝрам *гл.* centrifugalize, centrifuge.

центурио̀н *м., -и* *истор.* centurion.

цѐнт|ър *м., -рове,* (*два*) **цѐнтъра** **1.** centre (*и на град*); *прен.* pivot, hub; (*на култура и пр.*) seat; **в ~ра на вниманието съм** be in the limelight, be in the foreground; (*в печата*) make the headlines, make big headlines; **~ър на голям град** downtown; **~ър на тежестта** a centre of gravity; **2.** (*учреждение*) centre; **изчислителен ~ър** computing centre.

ценя̀ *гл., мин. св. деят. прич.* **ценѝл** (*достойнство, услуга*) appreciate; (*уважавам*) esteem; (*оценявам, пре-*

ценявам) estimate, value; ~ **високо** appreciate highly; prize, treasure, value high; (*човек*) think highly/much of.

цеоли́т *м., само ед. минер.* zeolite.

це́пвам, це́пна *гл.* split; **цепнал ми се е ръкавът** I've got a split in my sleeve; **цепната устна** (*от рождение*) harelip.

цепели́н *м., -и, (два)* **цепели́на** Zeppelin.

це́пениц|а *ж., -и* log; *шег.* cudgel.

це́пк|а *ж., -и* slit, chink; cleft; (*на дреха*) slash, slit; (*на ръкав и пр.*) fent.

цепнати́н|а *ж., -и* crack, fissure, cleft; *геол.* break, joint; (*в почва*) crevice; (*дълбока в ледник*) crevasse; (*през която изтича течност, лава*) leak.

це́пя *гл., мин. св. деят. прич.* **це́пил** split; cleave; (*дърва и пр.*) chop, splinter, cut; (*плат*) rip, tear, rend; ~ **въздуха** (*и прен.*) rend the air; ~ **дърва на летви** rend laths; || ~ **се** (*и прен.*) split, part asunder; **главата ми се цепи** I've got a splitting headache; ● **не му ~ басма** not mince o.'s words with s.o., not mince matters.

цер *м., -ове, (два)* **це́ра** *бот.* (cerris) oak, Turkey oak, moss-capped oak.

цервика́л|ен *прил., -на, -но, -ни анат.* cervical.

це́рвикс *м., само ед. анат.* cervix.

церебра́л|ен *прил., -на, -но, -ни* cerebral.

церези́н *м., само ед.* ceresin.

церемониа́л *м., само ед.* ceremonial; ceremony.

церемониа́л|ен *прил., -на, -но, -ни* ceremonial; ceremonious; formal, official; **~но шествие** parade.

церемониа́лмайстор *м., -и* master of ceremonies, marshal; compere.

церемо́ни|я *ж., -и* ceremony; function; **без повече ~и** without further ado; **~я по въвеждане в длъжност** ceremony of installation.

церемоня́ се *възвр. гл., мин. св. деят. прич.* **церемони́л се** stand on ceremony; **не се церемоня** not stand on ceremony, (*прям съм*) not mince matters/o.'s words; make no bones (about s.th., to do s.th.).

це́ри|й (-ят) *м., само ед. хим.* cerium.

цери́телк|а (-ят) *м., -и;* **цери́телк|а** *ж., -и* healer.

церя́ *гл., мин. св. деят. прич.* **цери́л**

cure, heal; || ~ **се** take/undergo treatment.

це́си|я *ж., -и юр.* cession, transfer, absolute assignment.

цех *м., -ове, (два)* **це́ха** (work)shop, department, shed; *истор.* guild, corporation; **бояджийски ~** paint shop; **леярски ~** casting shop, foundry.

це́це *неизм. зоол.* tsetse (fly).

циа́н *м., само ед. хим.* cyanogen.

цианами́д *м., само ед. хим.* cyanamide.

циани́д *м., само ед. хим.* cyanid(e).

циани́н *м., само ед. хим.* cyanine.

циани́т *м., само ед. минер.* cyanite.

цианка́ли|й (-ят) *м., само ед. хим.* potassium cyanide, cyanide of potassium.

циа́новодород *м., само ед. хим.* hydrogen cyanide, hydrocyanogen.

цианогене́за *ж., само ед. бот.* cyanogenesis.

циано́за *ж., само ед. мед.* cyanosis; blue disease.

циви́л|ен *прил., -на, -но, -ни* (*граждански*) civil; *като същ.* civilian; (*който не участва във война*) non-combatant; **~ни дрехи** plain clothes, *разг.* civvies; **~но лице** civilian.

цивилиза́тор *м., -и* civilizer.

цивилиза́ци|я *ж., -и* civilization.

ци́вк|а *ж., -и* pipe, tube; hole; opening; *разг.* nose.

ци́вря *гл., мин. св. деят. прич.* **ци́врил** whimper; *разг.* blub, blubber, *sl.* turn on the waterworks.

ци́ганин *м.,* **ци́гани** Gipsy, Gypsy; *sl.* gippy, gippo.

циганк|а *ж., -и* Gipsy/Gypsy woman; zingara.

циганйя *ж., само ед. пренебр.* stinginess, niggardliness; gipsydom, gypsydom.

ци́ганск|и *прил., -а, -о, -и* Gipsy, Gypsy (*attr.*); **~и език** the Gypsy language; Romany; ● **~о лято** Indian summer.

циганя́ се *възвр. гл., мин. св. деят. прич.* **циганя́л се** bargain, haggle; (*стиснат съм*) be stingy/niggardly.

цига́р|а *ж., -и* cigarette; *sl.* fag.

цигаре́ *ср., -та* cigarette-holder.

ци́гл|а *ж., -и* (roof-)tile.

цигула́р (-ят) *м., -и;* **цигула́рк|а** *ж., -и* violin player, violinist; (*уличен, остар.*) fiddler.

цигу́лк|а *ж., -и* violin, fiddle; **свиря на ~a** play the violin.

цика́д|а *ж., -и зоол.* cicada.

цикла́м|а *ж., -и бот.* cyclamen.

цикли́ч|ен *прил., -на, -но, -ни* cyclic.

циклогра́фия *ж., само ед.* cyclography.

цикло́н *м., -и, (два)* **цикло́ни** cyclone; low-pressure area.

циклости́л *м., -и, (два)* **циклости́ла** mimeograph, cyclostyle, duplicating machine, duplicator, manifolder.

циклотро́н *м., -и, (два)* **циклотро́на** *физ.* cyclotron.

циклофре́ния *ж., само ед. мед.* cyclophrenia, cyclothymia, cyclic insanity.

ци́кля *гл., мин. св. деят. прич.* **ци́клил** scrape.

цико́рия *ж., само ед. бот.* chicory, succory.

ци́к|ъл *м., -ли, (два)* **ци́къла** cycle; (*концерти и пр.*) series; **завършване на ~ъла** loop termination.

цилиндри́ч|ен *прил., -на, -но, -ни* cylindrical; tubular; *зоол.* terete.

цили́ндров *прил.* cylinder (*attr.*).

цили́нд|ър *м., -ри, (два)* **цили́ндъра** **1.** cylinder, tube; *техн.* cylinder; drum; roll; **спирачен ~ър** brake cylinder; **2.** (*шапка*) top-hat.

цимба́л *м., -и, (два)* **цимба́ла** *муз.* cymbal.

циме́нт *м., само ед.* cement; **бързовтвърдяващ се ~** quick-hardening/ early-strength cement.

ците́нти́рам *гл.* cement; *прен.* consolidate, strengthen; *техн. (метал)* case-harden.

цименти́т *м., само ед. хим.* cimentite.

цини́з|ъм (-мът) *м., -ми, (два)* **цини́зъма** obscenity, scurrility; cynicism; cynicalness; *обикн. мн. разг.* **~ми** dirt, obscene words, four-letter words; *sl.* effing.

цини́к *м., -ци;* **цини́чк|а** *ж., -и* ribald, loose talker; (*човек без идеали*) cynic; misanthrope.

ци́ни|я *ж., -и бот.* zinnia.

цинк *м., само ед. хим.* zinc; (*обикн. на пръчки*) spelter.

ци́нквайс *м., само ед.* zinc-white, Chinese white.

цинкогра́фия *ж., само ед.* **1.** zincography, process engraving; **2.** (*работилница*) zincographer's shop.

цинобър м., *само ед.* cinnabar.

ционйз|ъм (-мът) м., *само ед.* Zionism.

цип м., **-ове, (два) цйпа** zipper, zip(-fastener); *амер.* slide-fastener.

цйп|а ж., **-и** cover; envelope; skin; coat; (*много тънка*) film; *анат.* membrane, capsule; *бот.* skin, envelope, envelopment; **девствена ~а** *анат.* hymen, virginal membrane; **мозъчна ~а** *анат.* velamen, *pl.* velamina; **плавателна ~а** (*у птици*) web.

ципокрйл *прил. зоол.* hymenopterous, hymenopteran.

цйре|й (-ят) м., **-и, (два) цйрея** boil, gathering; *мед.* furuncle.

цирк м., **-ове, (два) цйрка** circus; *прен.* three-ring circus.

циркóн м., *само ед. минер.* zircon.

циркóни|й (-ят) м., *само ед. хим.* zirconium.

циркулйрам *гл.* circulate; (*за превозно средство*) run.

циркуляр м., **-и, (два) циркуляра** 1. (*писмо*) circular (letter), form-letter; 2. *техн.* disk/circular saw; (*за дърва*) buzz-saw.

цйркус м., **-и, (два) цйркуса** *геол.* circus, cirque.

цирóза ж., *само ед. мед.* cirrhosis.

цистéрн|а ж., **-и** cistern, tank.

цистйт м., *само ед. мед.* cystitis.

цитадéл|а ж., **-и** citadel; *прен.* stronghold, bulwark.

цитáт м., **-и, (два) цитáта** quotation, citation; **край на ~а** unquote; **начало на ~** quote.

цитйрам *гл.* quote, cite, adduce, advert; (*споменавам*) mention, refer to, allude to; **~ точни данни** quote/cite chapter and verse.

цитогенéза ж., *само ед. биол.* cytogenesis.

цитолйза ж., *само ед. мед.* cytolysis.

цитоплáзма ж., *само ед. физиол.* cytoplasm.

цйтр|а ж., **-и** *муз.* zither; *поет.* cithara.

цитронáда ж., *само ед.* lemon-squash.

цйтрусов *прил.* citric; citrus (*attr.*); **~о растение** citrus.

циферблáт м., **-и, (два) циферблáта** dial(-plate); (*на часовник и пр.*) face.

цйфр|а ж., **-и** figure, cipher; digit.

цйфров *прил.* figure (*attr.*); numerical; digital; **~ волтметър** digital voltmeter; **~а изчислителна машина** *инф.* digital computer.

цйц|а ж., **-и** breast, bosom; *sl.* boobs, bumpers, knockers, tits.

цицйн|а ж., **-и** bump, lump.

цицй|я м. и ж., **-и** skinflint, screw, hunks, curmudgeon.

цóк|ъл м., **-ли, (два) цóкъла** 1. plinth, socle; baseboard; (*на колона*) pedestal, footing, footstall, die; 2. *ел.* screw cap, socket.

цол м., **-ове, (два) цóла** inch.

цóпвам, цóпна *гл.* splash, plop, flop, go flop (in into).

цугтромбóн м., **-и, (два) цугтромбóна** *муз.* slide-trombone.

цунáми *неизм.* tsunami.

цýпя се *възвр. гл.*, *мин. св. деят. прич.* **цýпил се** sulk, pout, be in a pet/tiff/miff; have a face as long as a fiddle.

цъкам *гл.* tick; **~ с език** click o.'s tongue.

цървýл м., **-и, (два) цървýла** sandal; • **ще вземеш на босия ~ите** you can't squeeze blood out of a stone.

църкам *гл.* 1. squirt; (*при пържене*) sizzle, sputter; 2. (*за птици*) chirp, chirrup, twitter, peep.

църкв|а ж., **-и** church; place of worship; (*манастирска*) minster.

църкóв|ен *прил.*, **-на, -но, -ни** church (*attr.*); ecclesiastical; **~ен настоятел** church warden; **~на служба** public/divine worship, divine service.

църкóвнославянск|и *прил.*, **-а, -о, -и** Church-Slavonic.

цъфвам, цъфна *гл.* 1. blow/burst into flower, bloom, blossom (out); *бот.* effloresce; 2. *прен.* (*явявам се*) spring up; 3. (*спуква се*) burst; (*за мазилка*

и пр.) crack; come off; 4. (*изпадам в лошо състояние*) be in a (nice) fix; **~ и завързвам** be in for it.

цъфтèж м., *само ед.* flowering, florescence; *бот.* efflorescence; anthesis; (*сезон*) blossoming/flowering season.

цъфтя *гл.* 1. bloom, blossom, flower, come out; be in blossom/flower; 2. *прен.* flourish.

цял *прил.*, **-а, -о, цéли** 1. entire, whole, all (the); full; (*непокътнат*) whole, intact, in one piece; (*завършен*) complete(d); (*несъкратен*) unabridged; **в ~ ръст** (*за портрет*) whole-length, full-length; **оставам ~** remain intact; **по целия свят** all over the world, throughout the world; **през ~ото време** all the time; **с ~о гърло** at the top of o.'s voice; **с ~ото си сърце** from the bottom of o.'s heart; whole-heartedly; **спя цели 12 часа** sleep the clock round; **това е ~ата работа** that's the long and the short of it; **цели страници** pages and pages; **~ ден** all day (long); **~ е на баща си** he is his father all over; **~ час** a full hour; **~а година** a whole/a full year; **~а нота** *муз.* breve; **~о число** a whole number, *мат.* integer; 2. (*истински*) regular, real; veritable; **той е ~ дявол** he is the devil himself, he is the very devil; • **не съм с целия си** not be all there, have a screw loose.

цялост (целосттá) ж., *само ед.* entirety, entireness, wholeness, integrity; completeness, totality; continuity; *фил.* continuum; (*цялостно нещо*) whole, entity.

цялост|ен *прил.*, **-на, -но, -ни** entire, complete, integral, total, all round, overall; full-scale; **~но развитие** all-round development.

цялостно *нареч.* entirely, fully, in full; to a fraction; in the lump; whole-heartedly.

цяр (церът) м., **церовè, (два) цяра** cure, curative, remedy; • **нямам и за ~** not have enough to swear by.

чàвк|а ж., -и зоол. (jack)daw (*Corvus monedula*); grackle.

чадър м., -и, (два) чадъра umbrella; (слънчобран) sunshade, parasol; разг. brolly; англ. разг. gamp.

ча|ен прил., -ена/-йна, -ено/-йно, -ени/-йни tea (attr.); ~ена лъжичка teaspoon; (количество) teaspoonful; ~ена чаша teacup; ~йна роза бот. tea-rose.

ча|й (-ят) м., само ед. tea; (следобедна закуска) (afternoon) tea; (с гости) tea-party; ~й в пакетчета tea-bags.

чàйк|а ж., -и зоол. (sea-)gull; sea-mew.

чàйни|к м., -ци, (два) чàйника 1. (за запарване на чай) tea-pot; (за варене на вода) (tea-)kettle; 2. разг. (малък локомотив) dolly, dinkey.

чак нареч. 1. (за време) not till/until/before, only; as late as; защо ми казваш ~ сега? why didn't you tell me before? ~ до (right) until; as late as; ~ сега not till now; 2. (за място): ~ до/в as far as, (right) up to, (right) down to, (right) into; ~ на върха right at the top; ~ от all the way from; ~ тук all the way here; 3. (за степен) (all) that, that much; не беше ~ толкова лесно it was not all that easy.

чакàл м., -и, (два) чакàла зоол. jackal.

чакàлн|я ж., -и waiting-room; (вестибюл) antechamber, anteroom.

чàкам гл. 1. wait (for); книж. tarry (for); await; никой не знае какво го чака nobody knows what the future has/holds in store for him; чакай малко wait a bit/a minute/a moment/a jiffy/half a mo; ~ удобна момент lie low; 2. (очаквам) expect; чакаме го на обед we expect him to dinner; 3.: ~ на някого rely/depend on s.o.

чакъл м., само ед. gravel, rubble, broken stone, breakstone, (road) metal, wash; настилам с ~ gravel; metal.

чàлвам, чàлна гл. разг. strike, hit; || ~ ce go off o.'s wits.

чàлга ж., само ед. folk song.

чалм|à ж., -й turban.

чàлнат мин. страд. прич. barmy, batty, gaga, daffy, queer in the head; daft, certifiable, nutty, dippy, doolally; амер. разг. be off o.'s trolley, wacky; амер. sl. flaky.

чалъм м., -и, (два) чалъма 1. (лесина) knack, trick, hang; хванах му ~а I've got the hang of it; 2. (умение, опит) savvy, what it takes; върша (нещо) с ~ do (s.th.) with panache; 3. (превземки) airs and graces; • продавам ~и give o.s. airs, put on airs.

чам м., само ед. pine.

чан м., -ове, (два) чàна (sheep) bell.

чàнт|а ж., -и bag; дамска ~а handbag; пътна ~а travelling bag; ученическа ~а (school) bag, satchel.

чào междум. bye, see you (later), cheerio, so long.

чапкънин м., чапкъни разг. rip, rake, loose fish.

чàпл|а ж., -и зоол. heron (*Ardea*).

чапрàз м., -и, (два) чапрàза buckle, clasp; • стоя някому диван ~ wait on s.o. respectfully, dance attendance on s.o.

чардà|к м., -ци, (два) чардàка veranda(h); balcony, loggia; амер. porch.

чàрдаш м., само ед. муз. czardas.

чарк м., -ове, (два) чàрка 1. cog wheel, toothed wheel; ~ове разг. clock work; 2. (дъскорезница) saw-mill.

чàрлстон м., само ед. 1. муз. Charleston; 2. (тип панталон) flares.

чаров|ен прил., -на, -но, -ни charming, fascinating, enchanting; appealing; captivating; seductive; winning, winsome.

чародè|ен прил., -йна, -йно, -йни magic, bewitching, enchanting, sorcerous.

чародèйств|о ср., -а magic, sorcery; necromancy; прен. magic, enchantment.

чàртър|ен прил., -на, -но, -ни chartered; ~ен полет chartered flight.

чаршàф м., -и, (два) чаршàфа (bed) sheet.

чаршù|я ж., -и bazaar, market.

час м., -овè, (два) чàса 1. hour; в колко ~а? at what time? колко е ~ът? what time is it? what is the time? шег. how goes the enemy? на добър ти ~! good riddance! на добър ~! good luck! sl. good biz! приемни ~ове reception hours; (на лекар) consultation hours; с ~ове for hours (on end); сто км в ~ one hundred km per/an hour; ~ за почивка time (off) for rest, breaks; ~ и половина an hour and a half; ~ по ~ frequently, always, constantly, forever; ~ по-скоро as soon as possible; ~овете след полунощ, малките ~ове the small hours; 2. (учебен) class, period; • в ~ съм прен. be on the ball; на ~ по лъжичка a spoonful an hour, прен. in minute doses.

чàсов прил. hour (attr.); time (attr.).

часовù (-ят) м., часовù sentry, sentinel; поставям ~ post a sentry.

часòвни|к м., -ци, (два) часòвника timepiece; разг. ticker; дет. tick-tock; (джобен) watch; (ръчен) wristwatch; (стенен, за маса и пр.) clock; биологичен ~к body clock; като по ~к like clockwork, on the dot; пясъчен ~к hourglass, sand-glass; слънчев ~к sundial; точен като ~к as regular as clockwork.

часовникàр (-ят) м., -и watchmaker; clock-maker.

часовников прил. clock (attr.); watch (attr.); по посока на ~ата стрелка clockwise; ~ механизъм clockwork; timing mechanism.

част ж., -и 1. part; (дял) part, portion, share; section, partition; за ~ от секундата прен. for a split second; идеална ~ юр. share; на ~и parts/sections; piecemeal; от всички ~и на света from all corners of the earth; по-голямата ~ от the greatest/better part of, most of, the bulk of; резервни ~и spare parts, spares; съставна ~ а constituent/component part; constituent, component; ingredient; ~ на речта език. part of speech; form class; 2. воен. unit, outfit; 3. (област на дейност) sector; официална ~ official proceedings; това не е по моята ~ it is not within my competence.

чàст|ен прил., -на, -но, -ни 1. (не обществен) private; ~ни уроци private lessons; ~но лице private person; 2. (отделен) particular; ~ен случай special case; isolated case; exception; variant; 3. като същ. ср. мат. quotient.

частù|ца ж., -и, и 1. fragment; fraction, little part, bit, whit, jot, tittle; ни ~а истина not a shred/grain of truth; всяка ~а от тялото си with every fibre of his being; 2. език. particle; 3.: физ. елементарна ~а corpuscle, ultimate particle.

частич|ен *прил.*, -на, -но, -ни **1.** partial; occasional; piecemeal; fractional; **2.** *език.* partitive.

частни|к *м.*, -ци private shopkeeper/ craftsman/farmer, self-employed craftsman, etc.

частно *нареч.* privately; in private.

чатал *м.*, -и, (два) чатала **1.** fork; **2.** crotch, the V of o.'s legs.

чатвам, чатна *гл.* understand, grasp; catch on, tune in; *разг.* suss.

чаткам *гл.* rattle; crackle.

чат-пат *нареч. разг.* **1.** now and then; occasionally, once in a blue moon; (*набързо*) hurriedly; **почистих стаята ~** I gave the room a lick and a promise; **2.** here and there; ● **разбирам ~ от** have a smattering of.

чау-чау *ср. неизм. зоол.* chow.

чаш|а *ж.*, -и (*стъклена*) glass, (*за вода*) tumbler; (*порцеланова*) cup, (*с прави стени*) mug; (*количество*) glassful, cupful; (*църковна*) chalice; **~а със столче** stemmed glass, goblet; ● **препълвам ~ата на** fill up the measure of.

чашк|а *ж.*, -и **1.** small/little cup/glass; (*металическа*) pannikin; (*на лула*) bowl; **да пием по ~а** let's have a drink; **2.** *бот.* chalice, calyx, *pl.* calyces; (*ложе*) receptacle; envelope; **3.** *техн.* socket; (*порцеланов изолатор*) *ел.* bell.

чашкодрен *м.*, -и, (два) чашкодрена *бот.* spindle-tree, prick-timber, prick wood (*Euonymus europaeus*).

чвор *м.*, -ове, (два) чвора **1.** knot, knar, gnarl; node, nodus; (*малък*) nodule; *техн.* gib; **2.** (*опак човек*) crotchety/ shrewish/cross-grained/wrong-headed person.

че *съюз* **1.** that (*често не се превежда*); **каза, ~ ще дойде** he said (that) he would come; **не ~ не може** not but what he can, it isn't as if he couldn't; **2.** (*причина*) because, for, that (*или не се превежда*); **3.** (*като, да – не се превежда; следва inf. или ger.*); **4.** (*следствие*) that (*или не се превежда*); **5.** (*иначе*) or (else), otherwise; **бързай, ~ ще закъснееш** hurry up or you'll be late; **6.** (*противопоставяне, но*) but; **по-добре малко, ~ хубави** better few but good/fine; **7.** (*връзка с предишно изказване, е, та*) so (*или*

не се превежда); **8.** (*учудване*) why; **~ тъкмо тази книга ми трябва** why, this is the very book I want; **9.** (*при възклицание, за усилване*) what; **ей ~ гуляй му ударихме!** what a feast we had! ● **в случай ~** if, in case; **иди, ~ му вярвай** can you trust him? **само ~** only.

чеверме *ср.*, -та barbecue.

чевръст *прил.* nimble, active, brisk, spry, deft, alert; up and doing; lightfooted; *поет.* fleet.

чед|о *ср.*, -а child, offspring, issue; *като обръщ.* my child.

чезна *гл.* **1.** languish, pine, waste/consume away (**от** with); **2.** (*изчезвам*) vanish, disappear; die/fade away.

чеиз *м.*, -и, (два) чеиза trousseau, dowry; (*заделени вещи*) bottom drawer.

чек *м.*, -ове, (два) чека cheque, *амер.* check; **банков ~** banker's draft; **осребряване на ~ове** payment of cheques; **~ без покритие** worthless check.

чеки|я *ж.*, -и penknife; (*голяма*) jackknife; (*с автоматично отварящо се острие*) flick-knife; *sl.* chiv.

чекмедже *ср.*, -та drawer; (*което се заключва*) locker; (*за пари*) till.

чекръ|к *м.*, -ци, (два) чекръка **1.** spinning-wheel; *техн.* gin; swipe; **2.** (*на кладенец*) windlass.

чел|ен *прил.*, -на, -но, -ни **1.** *анат.* frontal; butt-to-butt; **~на кост** frontal; **2.** (*преден, пръв*) front, foremost; leading; **в ~ните редици** at the forefront; **~ен опит** best workers in their field, advanced experience; **~ен удар** (*при сблъскване*) head-on collision; **~на стойка** *спорт.* handstand.

челюст *м.*, -и; **челюстк|а** *ж.*, -и cellist, violoncellist.

чел|о₁ *ср.*, -а **1.** forehead; **бърча ~о** knit/pucker o.'s brow; **прояснявам ~о** smooth/unbend the brow; **2.** *техн.* joint; **3.** (*предна част*) front (part), face.

чел|о₂ *ср.*, -а *муз.* cello, violoncello.

челюст *ж.*, -и **1.** jaw; *науч.* maxilla, *pl.* maxillae, maxillas; (*за животно и пр.*) chop; **2.** *техн.* jaw; shoe; (*на менгеме*) bite; (*на клещи*) cheek.

челяд *ж.*, *само ед.* children, offspring; (*домочадие*) family, household; (*на птици*) brood, flock.

челядинк|а *ж.*, -и *бот.* agaric (*Ma-*

rasimus caryophylleus).

чемерйка *ж.*, *само ед. бот.* (white/ false) hellebore (*Veratrum album*).

ченге *ср.*, -та *разг.* snooper, *амер.* nark; cop, copper, rozzer; *sl.* flatfoot.

ченгел *м.*, -и, (два) ченгела hook; ● **трябва да му теглиш думите с ~** you can't get a word out of him.

чене *ср.*, -та *разг.* jaw; (*бърборко*) chatterbox, prattler; gabbler.

чеп *м.*, -ове, (два) чепа **1.** knot, nodus, knar; gnarl; *амер.* burl; **2.** (*запушалка*) (vent-)peg, vent plug, spigot, toggle; *техн.* gib.

чепи|к *м.*, -ци, (два) чепика shoe; ● **ето къде го стяга ~кът** that's where the shoe pinches.

чепк|а *ж.*, -и bunch, cluster.

чепкам *гл.* pick, card, tease.

чепкам се *възвр. гл. разг.* have words (**с** with).

черве|й (-ят) *м.*, -и, (два) червея worm; **дъждовен ~й** earth-worm; **книжен ~й** bookworm; (*в сирене, брашно и пр.*) mite; (*използван за стръв*) flag-worm; (*ларва, личинка*) larva, *pl.* larvae, maggot, grub.

червен *прил.* red (*и прен. полит.*); **нагорещен до ~о** red-hot; **~ пипер** paprika, red pepper, (*лют*) cayenne (pepper); **~а боровинка** cowberry, mountain cranberry, red bilberry; ● **~а лампа** (*сигнална*) red flag; **Червената шапчица** *лит.* Little Red Riding Hood; **Червеният кръст** the Red Cross.

червендал|ест *прил.* red-/rosy-cheeked, ruddy, rubicund; florid; having a florid complexion.

червенея *гл.*, *мин. св. деят. прич.* **червенеел** redden, grow/become red; (*от смущение*) blush (**от** with); || **~ се** show/appear red; (*за небе*) flame; (*за цвета*) glare red.

червеникав *прил.* reddish, ruddy, rubicund; (*за коса*) gingery; (*за небе, залез*) lurid; **~окафяв** russet; (*за кон*) sorrel.

червенина *ж.*, *само ед.* redness; (*от вълнение*) blush, glow.

червеноарме|ец *м.*, -йци *истор.* Red Army man.

червенобузест *прил.* red/apple-/ruddy-cheeked.

червенокож *прил.* **1.** red-skinned; **2.** *като същ.* redskin, Red Indian.

червенокòс *прил.* red-haired; ginger-haired.

червеноперк|а *ж.*, -и *зоол.* (*риба*) rudd (*Scardinius erythrophthalmus*).

червеношийк|а *ж.*, -и *зоол.* (robin) redbreast, robin, *диал.* ruddock (*Erithacus rubecula*).

червѝв *прил.* worm-eaten; wormy; maggoty; • ~ съм с пари be worth a mint of money, be flush with money, be rolling/swimming in money, be filthy/stinking rich, have money to burn, wallow in money.

червѝл|о *ср.*, -à lipstick; rouge; *разг.* lippy; **слагам ~о на устните си** *разг.* put on lipstick, paint o.'s lips, (*малко*) touch up o.'s lips.

черв|ò *ср.*, -à intestine, gut; **дебело ~о** large intestine, colon; **право ~о** rectum; **сляпо ~о** blind gut, cul-de-sac; *науч.* caecum, *амер.* cecum; **тънки ~а** small intestines; • **в ~ата** *прен.* to the backbone, through and through.

червя *гл.*, *мин. св. деят. прич.* **червѝл** rouge, tint with rouge; paint/dye red; || ~ **се** redden; grow/become red; (*от срам и пр.*) blush (**от** with); **няма защо да се червиш** (*от срам*) you have no call to blush; ~ **се за някого** blush for s.o.

червясвам, червясам *гл.* become wormy; be/become infested with worms; be/become maggoty.

червяч|ен *прил.*, -на, -но, -ни: **~но колело** *техн.* worm-wheel.

чèрг|а *ж.*, -и **1.** rug; **парцалена ~а** rag-carpet; (*за покриване*) wrap; **2.** (*циганска шатра*) Gypsy/Gipsy tent; **3.** (*род*) kin, stock; **човек от нашата ~а** one of us; • **простирам се според ~ата си** cut o.'s coat according to o.'s cloth.

чергàр (-ят) *м.*, -и; **чергàрк|а** *ж.*, -и nomad; wanderer; *неодобр.* vagabond; *разг.* Gypsy, Gipsy.

черд|à и **чард|à** *ж.*, -й herd, drove.

чèр|ен *прил.*, -на, -но, -ни **1.** black; (*за хляб*) brown; (*от слънце*) brown, sunburnt, tanned; (*за метали*) ferrous; (*за шрифт*) thick, bold, boldface; **~ен като дявол** as black as the devil; **~ен пипер** *бот.* pepper; **~ен хайвер** caviar(e); **~на бира** porter, dark beer; **~на дъска** *уч.* blackboard; **2.** *прен.* black, dismal, gloomy; **~ен**

неблагодарник a monster of ingratitude; **~ни дни** hard times; **~ни мисли** black/gloomy thoughts; **3.** (*за вход, стълбище*) back; service (*attr.*); **4.** *като същ.* black; **~ните** the blacks, *амер.* the coloured men/people; • **заради ~ните очи на някого** for s.o.'s beaux yeux; **казвам на ~ното бяло** call black white; **~ен ми е пред очите** I can't bear the sight of him; **~ен списък** a black list; **~на борса/пазар** grey/ black market; **~на кутия** (*на самолет*) black box, flight recorder; **~на овца** *прен.* black sheep; **~на работа** dirty/menial/job, *разг.* sweat, donkey work, (*нетворческа*) routine work; **~но злато** coal.

чèреп *м.*, -и, (*два*) **чèрепа** *анат.* skull; *науч.* cranium, *pl.* crania; (*емблема на смъртта*) death's head; ~ **и кости** (*изображение*) skull and crossbones.

чèрепно-мòзъч|ен *прил.*, -на, -но, -ни *анат.* cerebral.

черèш|а *ж.*, -и *бот.* cherry; (*дърво*) cherry-tree; (*дива, черна*) merry, *амер.* choke-cherry.

чèркв|а *ж.*, -и church.

черкèзин *м.*, черкèзи Circassian.

Чèрна горà *ж. собств.* Montenegro, Crna Gora.

чернèя *гл.*, *мин. св. деят. прич.* **чернèел** blacken, turn/grow/become black; || ~ **се** show/appear black, loom dark, stand out black.

чернѝлк|а *ж.*, -и **1.** black(ing); (*саж-ди*) soot; **2.** *бот.* rot, brand; **3.** *грубо* (*негър*) *sl.* darky, darkey, dinge.

чернѝц|а *ж.*, -и *бот.* mulberry; (*дърво*) mulberry tree.

чèрно *нареч.*: **имам нещо ~ на бяло** have s.th. in black and white/in writing, have written proof of s.th.; ~ **ми е пред очите** feel miserable, have the dismals, be in the dismals.

чернобòрсаджи|я *м.*, -и; **чернобòрсаджийк|а** *ж.*, -и black marketeer.

чернов|à *ж.*, -й rough copy, draft.

черноглèд *прил.* pessimistic; *разг.* doomy.

черноглèдство *ср.*, *само ед.* pessimism.

черногòр|ец *м.*, -ци; **черногòрк|а** *ж.*, -и Montenegrin.

чернодрòб|ен *прил.*, -на, -но, -ни

liver (*attr.*).

чернозèм *м.*, -и, (*два*) **чернозèма** black earth, humus, chernozem.

чернокòж *прил.* **1.** black; **2.** *като същ.* black; *амер.* coloured man.

чернокòс *прил.* black-haired.

Чèрно морè *ср. собств. геогр.* the Black Sea, Euxine Sea, the Euxine.

чернооòк *прил.* black/dark-eyed.

чернорабòтни|к *м.*, -ци labourer, navvy; *разг.* drudge, dogsbody; gofer.

чернорѝз|ец *м.*, -ци monk.

чèрня *гл.*, *мин. св. деят. прич.* **чèрнил 1.** pain/dye black, blacken; **2.** *прен.* slander, defame, asperse, libel, cast slurs/aspersions on; fling/throw mud at; ~ **името на някого** soil s.o.'s name/reputation.

черпà|к *м.*, -ци, (*два*) **черпàка** ladle; bailer; scoop.

чèрпя *гл.*, *мин. св. деят. прич.* **чèрпил 1.** (*вода, сведения*) draw; (*знания*) obtain; (*с черпак*) ladle (out), scoop up; ~ **от опита на някого** draw on s.o.'s experience; **2.** (*гощавам*) treat (*някого с нещо* s.o. to s.th.); (*плащам*) give s.o. a treat, stand s.o. a treat/a drink; stand treat; **аз** ~ this one is on me, it's on me, it's my treat.

черт|à *ж.*, -й **1.** (*линия*) line; trace; (*изрязана, издълбана*) notch, nick; *мат.* vinculum, *pl.* vincula; **бележка под ~а** footnote; **2.** (*граница*) boundary, pale; **3.** (*на лице*) feature, lineament; **4.** (*свойство*) trait; (*отличителна*) characteristic/distinguishing feature, characteristic; **това е семейна ~а** it is a family trait, it runs in the family; • **тегля ~ата** (*правя равносметка*) square accounts.

чертàне *ср.*, *само ед.* drawing; drafting; **техническо ~** engineering drawing.

чертàя *гл.* **1.** draw, trace; **2.** (*планове, карта*) draw up, make.

чертèж *м.*, -и, (*два*) **чертèжа** plan, sketch; (*груб*) draught, draft, blue print; (*проект*) design; *геом.* diagram; **правя ~** draft.

чертѝц|а *ж.*, -и; **чертѝчк|а** *ж.*, -и (*съединителна*) hyphen; (*тире*) dash; (*част от буква*) stroke; **писан с ~а** (*за дума*) hyphenated.

чертò|г *м.*, -зи, (*два*) **чертòга** hall, chamber; (*дворец*) palace, castle.

чертѐжни|к *м.*, -ци draughtsman,

draftsman.

черу̀пк|а *ж.*, **-и** shell; cockleshell; (*на мида*) valve; (*на костенурка и пр.*) *зоол.* carapace; test; **без ~а** naked; **излизам от ~ата си** come out of o.'s shel; **с ~а** testaceous; **свивам се в ~ата си** withdraw/retire into o.'s shell|; **~а от яйце** egg-shell.

черчевѐ *ср.*, **-та** window-frame, sash.

чесно̀в *прил.* garlic (*attr.*); garlicky; **~ лук** garlic.

чест₁ *прил.* frequent; common, usual; (*за пулс*) quick, fast; ● **~ огън** *воен.* quick/rapid fire.

чест₂ *ж.*, *само ед.* **1.** honour; credit; **в ~ на** in honour of; **въпрос на ~** a matter/a question of honour; **имам ~ да** have the honour of (*c ger.*); **моминска ~** virginity; **на мене се падна ~та да** the honour fell to me to; **отдавам ~ воен.** salute; **с ~ и слава** with flags flying; **това не ти прави ~** this is unworthy of you; **2.** (*участ*) fare, lot; **за зла ~** as ill luck would have it.

чѐствам *гл.* celebrate; solemnize; **~ памет на** commemorate.

чѐствани|е *ср.*, **-ия** celebration, celebrating; commemoration.

чест|ен *прил.*, **-на**, **-но**, **-ни** honest, upright; clean-fingered; white; loyal; veracious; candid; forthright; frank; (*справедлив*) fair, fair-dealing, just; impartial; even-handed; (*начин на живот*) law-abiding; reputable; respectable; virtuous; (*открит*) outspoken; plain; outright; (*за постъпка*) above-board, upright, *амер.* on the level; **давам ~на дума** pledge o.'s word of honour, pawn o.'s word; **живея/изхранвам се с ~ен труд** earn/get/make an honest livelihood; **~на дума** a word of honour; (*на пленник, затворник – че няма да избяга*) parole; **~на игра** fair play.

честит *прил.* happy; ● **~ рожден ден** many happy returns (of the day); **~а Коледа** merry Christmas! **~а Нова година!** happy New Year! **~o!** (my) congratulations.

честитк|а *ж.*, **-и** greeting; felicitation.

честитя *гл.*, *мин. св. деят. прич.* **честитѝл** congratulate (*някому нещо* s.o. on s.th.); **~ някому рождения ден** wish s.o. many happy returns of the day.

чѐстно *нареч.* honestly, uprightly, sin-

cerely; truthfully; in good faith; (*справедливо*) fair(ly); justly; even-handedly; *амер.* on the level; (*открито*) frankly, square, openly; outright; plainly; **постъпвам ~ към някого** play fair by s.o.; **~ и открито** square and fair; **~ казано** frankly speaking.

чѐстност *ж.*, *само ед.* honesty, uprightness, rectitude, probity, veracity; truthfulness; integrity; virtue; candour; good faith; (*справедливост*) equity; even-handedness; fairness; rectitude; (*в дела*) straight dealing, fair-dealing; *амер. разг.* square-shooting.

чѐсто *нареч.* often, frequently; **твърде ~** very often, more often than not, all too often; **~-пъти** often, frequently, time and again, over and over again, oftentimes; **~ се случва** be of frequent occurrence.

честолюбѝв *прил.* **1.** ambitious; high-flown; **2.** self-respecting; (*който лесно се засяга*) touchy, sensitive, thin-skinned.

честолюбѝе *ср.*, *само ед.* **1.** ambition; **2.** self-respect; touchiness; **засягам ~то на някого** hurt s.o.'s pride, injure s.o.'s self-esteem.

честот|а *ж.*, **-ѝ** frequency; **основна ~** *физ., радио.* fundamental frequency; base frequency; **средна ~а** *радио.* center-frequency; **преобразувател на ~а** frequency-changer.

честот|ен *прил.*, **-на**, **-но**, **-ни** frequency (*attr.*); **~на модулация** frequency modulation; **~на характеристика** *радио.* frequency characteristic; **~но изкривяване** *радио.* frequency distortion.

чѐсън *м.*, *само ед.* garlic; **главичка ~** a bulb of garlic; **скилидка ~** a clove of garlic.

чѐт|а *ж.*, **-и** band, detachment.

чета̀ *гл.*, *мин. св. деят. прич.* **чел 1.** read; *книж.* peruse; (*молитва*) say; (*безразборно*) browse; **да се чете ...** to be read ..., should read as follows ...; **не се чете** (*за подпис*) illegible; **~ буква по буква** spell; **~ лекции** read/deliver lectures; **~ между редовете** read between the lines; **~ мисли** read s.o.'s mind; **~ на глас** read aloud/out loud/ out/off; ● **~ някому морал/конско евангелие** call/haul s.o. over the coals, *sl.* jaw s.o.; **2.** (*броя*) count.

четво̀р|ен *прил.*, **-на**, **-но**, **-ни** fourfold, quadruple.

четво̀рк|а *ж.*, **-и** four; **~а каро** the four of diamonds; (*коне*) four-in-hand, a team of four horses; (*лодка*) four oar; (*трамвай и пр.*) (tram etc.) number four; (*четирима играчи и пр.*) foursome; (*близнаци*) quadruplets.

четво̀рно *нареч.* fourfold.

четвъ̀рт *ж.*, **-и** quarter, fourth; **два без ~** (a) quarter to two; **два и ~** (a) quarter past two; **три-и такт** *муз.* three-four time; **~ час** a quarter of an hour.

четвъ̀рт| *редно числ.*, **-а**, **-о**, **-и** fourth; **номер ~и** number four; **~а страница** page four; **~и по ред** fourth (in succession).

четвъртѝн|а *ж.*, **-и** quarter, fourth; **~а нота** *муз.* crotchet.

четвъртѝт *прил.* square; (*правоъгълен*) rectangular.

четвъртокла̀сни|к *м.*, **-ци**; **четвъртокла̀сничк|а** *ж.*, **-и** pupil in the fourth grade.

чѐтвъртфина̀л *м.*, **-и**, (*два*) **чѐтвъртфина̀ла** *спорт.* quarterfinal.

четвъ̀рт|к *м.*, **-ци**, (*два*) **четвъ̀ртька** Thursday; ● **Велики ~к** *църк.* Maundy Thursday, Holy Thursday.

чѐт|ен *прил.*, **-на**, **-но**, **-ни** even.

чѐтен|е *ср.*, **-ия** reading; **~е на мисли** mind-reading; **~е по устните** lip-reading.

чет|ѐц *м.*, **-цѝ** reader.

четив|о *ср.*, **-а** reading; extract; reading matter; **препоръчително ~о** required reading.

чѐтина *ж.*, *само ед.* bristle(s).

четѝнест *прил.* **1.** bristly, bristling; bristle-like; setaceous; (*за брада*) stubbly; **2.** *зоол.* chaetiferous.

четѝри *бройно числ.* four; **за ~ ръце** four-handed; **на/между ~ очи** face to face, one-on-one, confidentially; **с ~ крака** four-legged; ● **отварям очите си на ~** keep a bright look-out, keep o.'s eyes peeled, be watchful.

четѝригодиш|ен *прил.*, **-на**, **-но**, **-ни** (*за срок*) four-year (*attr.*); of four years; for four years; quadrennial; **~на служба** four years of service; (*за възраст*) four-year old, of four (years); **той е ~ен** he is four (years old).

четѝригодѝшнин|а *ж.*, **-и** fourth anniversary.

четирѝдесет (четирийсет) *бройно числ.* **1.** forty; в **~те години на миналия век** in the forties of the last century; **2.** *църк.* service/prayer on the fortieth day after s.o.'s death.

четирѝдесетгодѝш|ен (четирийсетгодѝш|ен) *прил.*, -на, -но, -ни forty-year old, of forty (years); (*за срок*) forty-year (*attr.*), of forty years, forty years long.

четирѝдесетгодѝшнин|а (четирийсетгодѝшнин|а) *ж.*, -и fortieth anniversary; fortieth birthday.

четирѝдесет|и (четирийсет|и) *редно числ.*, -а, -о, -и fortieth.

четѝридневен прил., -на, -но, -ни four-day (*attr.*), of four days.

четѝриетаж|ен *прил.*, -на, -но, -ни four-storeyed.

четѝриизмѐр|ен *прил.*, -на, -но, -ни four-dimensional.

четѝрикрàт|ен *прил.*, -на, -но, -ни fourfold, quadruple, quadruplicate.

четѝрикрил|ен *прил.*, -на, -но, -ни four-leaved/-winged.

четѝрилѝст|ен *прил.*, -на, -но, -ни four-leaved.

четирѝма *бройно числ.* four (people), foursome.

четиримèсеч|ен *прил.*, -на, -но, -ни four-month (*attr.*), four months long, of four months; (*за възраст*) four-month-old, of four months.

четиримèсечи|е *ср.*, -я four-month period, period of four months.

четѝриметров *прил.* four-metre (*attr.*), four metres long.

четѝримотор|ен *прил.*, -на, -но, -ни four-engine (*attr.*).

четиринàдесет (четиринàйсет) *бройно числ.* fourteen.

четиринàдесетгодѝш|ен (четиринàйсетгодѝш|ен) *прил.*, -на, -но, -ни fourteen years old, fourteen years of age, of fourteen (years); fourteen-year (*attr.*).

четиринàдесетгодѝшнин|а (четиринàйсетгодѝшнин|а) *ж.*, -и fourteenth anniversary; fourteenth birthday.

четиринàдесет|и (четиринàйсет|и) *редно числ.*, -а, -о, -и fourteenth.

четиринòг *прил.* (*и като същ.*) four-legged/-footed, *науч.* quadruped, quadrupedal.

четиринòг|о *ср.*, -и *зоол.* tetrapod.

четириполю̀с|ен *прил.*, -на, -но, -ни quadripolar.

четирипроцèнтов *прил.* four per cent (*attr.*).

четириразря̀д|ен *прил.*, -на, -но, -ни *комп.* four-digit.

четирисрѝч|ен *прил.*, -на, -но, -ни quadrisyllabic.

четиристà|ен *прил.*, -йна, -йно, -йни four room (*attr.*), of four rooms.

четиристèн *м.*, -и, (два) четиристèна *геом.* tetrahedron.

четиристѝши|е *ср.*, -я quatrain, tetrastich.

четиристòт|ен *редно числ.*, -на, -но, -ни four hundredth.

четѝристòтин *бройно числ.* four hundred.

четириткàктов *прил.* (*за двигател*) four-cycle (*attr.*), four-stroke (*attr.*).

четиричàсов *прил.* four hour (*attr.*), of four hours.

четиричлèн|ен *прил.*, -на, -но, -ни four-member (*attr.*), of four members; *мат.* quadrinomial.

четириъгъл|ен *прил.*, -на, -но, -ни quadrangular; four-cornered.

четириъгъл|ни|к *м.*, -ци, (два) четириъгълника *геом.* quadrangle, tetragon; **правилен ~к** regular tetragon; (*квадрат*) square.

четк|à *ж.*, -и **1.** brush; **минавам с ~а** coat, (*повторно*) re-coat; **~а за зъби** tooth-brush; **2.** *само мн.:* **~и** (*ласкателства*) flattery; cajolery; sweet talk; *разг.* butter, soft soap, flannel.

четкам *гл.* **1.** brush; **2.** *прен.* soft-soap; butter up; flannel; *sl.* feed a line.

четлѝв *прил.* legible, clear, neat, readable; **имам ~ почерк** write a good/clear/neat hand.

четмò *ср.*, *само ед.* reading; **уча се на ~ и писмо** learn how to read and write.

чèтни|к *м.*, -ци rebel, revolutionary, revolutionist; (*водач*) leader.

чечèн|ец *м.*, -ци Chechen.

чечèнк|а *ж.*, -и Chechen (woman).

чечèнск|и *прил.*, -а, -о, -и Chechen.

чех *м.*, -и Czech.

Чèхия *ж.* *собств.* Czech Republic.

чехкѝн|я *ж.*, -и Czech woman/girl.

чèх|ъл *м.*, -ли, (два) чèхъла slipper; (*без пета*) mule; **по ~ли** in o.'s slippers; ● **мъж под ~ъл** a henpecked husband, a husband under petticoat gov-

ernment.

чèхълче *ср.*, -та **1.** *зоол.* paramecium, *pl.* paramecia, slipper animalcule; **2.** *бот.* lady's slipper.

чèша *гл.*, *мин. св. деят. прич.* чèсал **1.** scratch; (*с нокти*) claw; **2.** (*реша*) comb; (*кон*) rub down, scour, curry, currycomb; **3.** (*вълна*) comb, card; (*лен*) hackle; || **~ се** scour o.s.; **~ се по главата**, **~ глàвата си** scratch o.'s head; ● **~ си езика** wag o.'s tongue.

чешѝт *м.*, -и **1.** type, sort, species; **2.** *прен.* card, queer fish, codger, crank, freak, rum/queer stick, *sl.* rum number, case, caution; ● **всички са един ~** they're all of a piece.

чèшк|и *прил.*, -а, -о, -и Czech; **~и език** Czech, the Czech language.

чешм|à *ж.*, -и fountain; (*кран*) tap, *амер.* faucet.

чѝга *ж.*, *само ед.* *зоол.* sterlet, sturgeon (*Acipenser ruthenus*).

чѝзми *само мн.* (high) boots; ● **Котаракът в ~** Puss-in-Boots.

чѝ|й *въпр. мест.*, -я, -è, -и whose; **~я е тази кнѝга?** whose book is that/whose is this book?

чѝ|йто *относ. мест.*, -ято, -ето, -ито whose, of whom; **~йто и да** whosoever.

чилè *ср.*, -та skein, hank; lea.

Чѝли *ср. собств.* Chile.

чилѝ|ец *м.*, -йци Chilean.

чилѝйк|а *ж.*, -и Chilean woman/girl.

чилѝйск|и *прил.*, -а, -о, -и Chilean.

чим *м.*, -ове, (два) чѝма turf, sod, greensward.

чимшѝр и чемшѝр *м.*, -и, (два) чимшѝра и чемшѝра *бот.* box(-tree); boxshrub (*Buxus sempervirens*); (*дърво*) boxwood; **див ~** holly; ruscus.

чин₁ *м.*, -ове, (два) чѝна (*за сядане*) desk, form, seat.

чин₂ *м.*, -ове, (два) чѝна (*ранг*) rank, grade; *мор.* rating; **повишавам/произвеждам в ~ ...** promote to the rank of ...

чинàр *м.*, -и, (два) чинàра *бот.* plane(-tree), *амер.* sycamore.

чинèли *само мн.* *муз.* cymbals.

чинѝйк|а *ж.*, -и saucer.

чинѝ|я *ж.*, -и plate; (*за сервиране*) dish; (*количество*) plateful; дълбока **~я** soup-plate; плитка **~я** dinner-plate; малка **~я** dessert-plate; клозет-

на ~я lavatory pan, can; **летяща ~я** flying saucer, Unidentified Flying Object, *съкр.* UFO.

чйнк|а₁ *ж., -и (стринка)* aunt.

чйнк|а₂ *ж., -и зоол.* finch (*Fringilla coelebs*).

чйнно *нареч.* respectfully, with respect; (*кротко*) quietly.

чинόвни|к *м., -ци* official, functionary; clerk; office worker; white-collar worker; **държавен ~к** state employee, (*в Англия*) civil servant, civil service clerk, *амер.* office-holder.

чйня *гл., мин. св. деят. прич.* **чйнил 1.** (*правя*) do; **2.** (*струвам*) be worth; **нищо не чини** it is worthless; ● **чини ми се** it seems/appears to me.

чип₁ *прил.* snub(-nosed); **~ нос** turned up nose, tip-tilted nose, snub/pug nose.

чип₂ *м., -ове, (два)* **чйпа** *карти, инф.* chip.

чирà|к *м., -ци* apprentice; **давам някого за ~к** apprentice s.o.; (*новак*) novice, tyro, tiro, beginner.

чиракỳвам *гл.* serve o.'s apprenticeship, be an apprentice, serve/work as an apprentice; be apprenticed (**при** to).

чйроз *м., -и, (два)* **чйроза** dried mackerel, stockfish; *прен.* dried herring.

чйслен *прил.* numeral, numerical; **~ състав** (numerical) strength.

чйсленост *ж., само ед.* number(s); (*на войска, организация*) strength.

числйтел (-ят) *м., -и, (два)* **числйтеля** *мат.* numerator.

числйтел|ен *прил., -на, -но, -ни:* **~но име** *език.* numeral.

числ|ό *ср., -à* **1.** number (*и мат., език.*); figure; quantity (*и мат.*); **дробно ~о** fractional number; **единствено ~о** *език.* singular; **множество ~о** plural; **цяло ~о** whole number, integer; **2.** date; **на първо ~о идния месец** on the first of next month; ● **в това ~о** including.

числя *гл., мин. св. деят. прич.* **чйслйл** count, reckon; || **~ се** (*принадлежа*) belong (**към** to); (*включен съм*) be reckoned; **~ се в отпуск** be on leave; **~ се в списъка** be on the list.

чист *прил.* **1.** clean; (*чистоплътен*) cleanly; (*спретнат*) neat, tidy, orderly; *разг.* natty; (*без петна*) stainless, unsoiled; unblemished; immaculate, spotless, unspotted; (*без вина*) clean

(as a whistle); **~ въздух** clear/clean/pure/fresh air; **~ съм** *sl.* have a clean nose; **~a вода** pure/fresh water; **~a работа** neat job; **~a съвест** clear conscience; **2.** (*без примес*) pure, unalloyed, unadulterated; plain, absolute; (*за метал и пр.*) native; **на ~ български** in pure Bulgarian; **~ спирт** 100 proof alcohol; **~a вълна** pure wool; **~ата истина** the literal/simple truth; **~о злато** pure/fine gold; **3.** (*за доход, печалба*) net, clear; *разг.* take-home pay; **~a загуба** dead loss; **~a печалба** net profit; **4.** (*за черти на лицето*) clean-cut; (*ясно очертан*) crisp; **5.** (*истински, същински*) mere, pure, sheer, downright; **~a глупост** downright/flat/sheer/arrant/perfect nonsense; ● **~a лудост** stark madness; ● **вземам нещо за ~a монета** take s.th. at its face value, take s.th. in good faith; **~и сметки, добри приятели** short reckonings make long friends.

чистàч *м., -и* cleaner.

чистàчк|а *ж., -и* **1.** (*жена*) cleaner; (*почасово*) char-(woman), help, cleaning woman; **2.** *авт.* windscreen wiper, *амер.* windshield wiper/cleaner; **3.** (*инструмент*) scraper.

чйстене *ср., само ед.* cleaning, cleansing, clearing, purification.

чистйлище *ср., само ед. рел.* purgatory.

чйсто *нареч.* cleanly, neatly.

чистокрѝв|ен *прил., -на, -но, -ни** (*обикн. за кон*) pure-blooded, thorough-bred; clean-bred; true-bred/born, full-blooded/-bred; pedigree (*attr.*).

чистосърдèч|ен *прил., -на, -но, -ни** candid, frank, open-hearted, free-hearted; ingenuous, plain, guileless.

чистосърдèчност *ж., само ед.* candour, candidness; (*непосредственост*) frankness, open-heartedness, ingenuousness, good faith.

чистотà *ж., само ед.* **1.** cleanness, cleanliness; (*спретнатост*) neatness; **пазете ~** no litter(ing), drop no litter; **2.** (*липса на примеси*) purity; **3.** *прен.* purity.

чистя *гл., мин. св. деят. прич.* **чйстил 1.** clean; *книж.* cleanse; purge; (*чрез триене, с химикал*) scour; (*с четка*) brush; (*с кърпа*) mop (up); (*кон*) scour, rub down, curry; (*комин*)

sweep; (*ориз*) pick; (*химически*) dry-clean; (*канал*) dredge; (*плодове*) peel; (*от костилките*) stone, pit; (*орехи*) shell; (*грах*) shell, pod; (*риба от люспите*) scale; (*пиле, риба и пр. за готвене*) dress; **2.** (*за чистачка*) char; **ходя да ~** (*по къщите*) go out charring/cleaning; **3.** (*от примеси*) purify; *прен.* purge; **4.** (*унищожавам*) exterminate, kill; **5.** *карти* discard; || **~ се** (*за птица*) preen o.s.

чйтав *прил.:* **здрав и ~** safe and sound, alive and kicking.

читàлищ|е *ср., -а* community centre, library/cultural club; (*хранилище за книги*) reading-room, library.

читàлн|я *ж., -и* reading-room.

читàнк|а *ж., -и* reader; spelling-book.

читàтел (-ят) *м., -и;* **читàтелк|а** *ж., -и* reader.

чифлѝ|к *м., -ци, (два)* **чифлѝка** farm, homestead, grange; (*малък*) croft.

чифт *м., -ове, (два)* **чйфта 1.** pair; couple; *разг.* brace; **~ обувки/ръкавици** a pair of shoes/gloves; **2.** even (number); **играя на ~ и тек** play at odd or even; **3.** (*дрехи за преобличане*) change.

чифтокопѝт|ен *прил., -на, -но, -ни зоол.* cloven-footed/-hoofed.

чифтòсвам, чифтòсам *гл.* (*животни*) mate, pair (for breeding), couple; (*предмети*) match, mate; || **~ се** couple (**с** with).

чйчо *м., -вци* uncle.

чичопè|й (-ят) *м., -и, (два)* **чичопèя** *зоол.* oriole (*Oriola galbula*).

член *м., -ове, (два)* **члèна 1.** member; (*на научно дружество и пр.*) fellow; **постоянни представители на държавите ~ове** Permanent Representatives of the Member States; **ставам ~ на** join; **~кореспондент** *науч.* corresponding member; **2.** *език.* article; **кратък ~** article with the objective case; **пълен ~** article with the nominative case; **3.** (*на договор*) clause; (*на устав и пр.*) article; **по ~ 14 от** under article 14 of; **4.** *мат.* member, term; **5.** *анат.* (*крайник*) limb, member; (*мъжки полов орган*) penis.

членестонòг *прил. зоол.* arthropod.

членораздèл|ен *прил., -на, -но, -ни:* **~на реч** articulate speech.

члèнск|и *прил., -а, -о, -и** membership

(*attr.*); ~и внос membership due/fees; subs; ~и състав membership.

членувам *гл.* 1. be a member (в of); belong (to); be on the books; никъде не ~ I'm not a member of any party; I don't belong to any society; 2. *език.* use with the article.

чоба̀нин *м.*, чоба̀ни shepherd.

човѐк *м.*, хо̀ра, *след дума за количество:* ду̀ши 1. man; person; *разг.* fellow, chap, guy, jack, bloke, *sl.* joker, josser, bird; дрехите правят ~a fine feathers make fine birds, clothes make the man; имени́т ~ celebrity; като ~ in human decency; (*прилично*) decently; мой ~ *като обръщ. разг.* old man, old cock; ня̀ма жив ~ there's nobody around, there isn't a living soul around; от него ня̀ма да излѐзе ~ he'll never make good/be any good; прикри́т/затво̀рен ~ clam; ста̀вам нов ~ wipe off the slate, start with a clean slate; той е наш ~ he is one of us; he is with us/on our side; той е прекра̀сен ~ he is a regular fellow/guy; ~ на изку̀ството artist; човѐче божи! man alive! sakes alive! 2. (*агент; оръ̀дие*) creature; 3. *неопр.* one, you; ~ никога не зна̀е you never can tell; 4. (*съпруг*) man, husband.

човеколю̀б|ец *м.*, -ци philanthropist.

човеколю̀бие *ср.*, *само ед.* philanthropy, love of mankind.

човекомра̀з|ец *м.*, -ци misanthrope, man-hater, hater of mankind.

човеконена̀вистничество *ср.*, *само ед.* misanthropy, hatred of mankind.

човекоподо̀б|ен *прил.*, -на, -но, -ни anthropoid; anthropomorphous; human in form; ~на маймуна an anthropoid ape, simian.

човекоубѝ|ец *м.*, -йци homicide.

човекоя̀д|ец *м.*, -ци man-eater, cannibal, ogre.

човекоя̀дство *ср.*, *само ед.* cannibalism.

човѐче *ср.*, -та 1. mannikin, dwarf; 2. *като обръщ.* man.

човѐч|ен *прил.*, -на, -но, -ни humane, kind-hearted, good-hearted, good-natured, good-humoured, gentle.

човѐчество *ср.*, *само ед.* humanity, mankind, the human race.

човѐшк|и₁ *прил.*, -а, -о, -и 1. human; на ~и език in plain language;

2. humane.

човѐшки₂ *нареч.* 1. (*като човек*) like a human being; 2. decently; intelligently; properly.

човѐщина и човѐщина̀ *ж.*, *само ед.* 1. humaneness; humanity; kindness; 2. human weakness; ex ~! it's only human.

чо̀вк|а *ж.*, -и bill; (*клюн*) beak; (*нос*) hooter.

човѐркам *гл.* 1. pick, poke, probe, tinker, *разг.* mess about; 2. scratch; 3. *прен.* (*за мисъл и пр.*) keep gnawing.

чо̀пля *гл.*, *мин. св. деят. прич.* чо̀плил pick (at), poke, probe; все нещо чопли (*занимава се*) he is always busy doing s.th., he's always pottering about at odd jobs; нещо ме чопли 1) feel unhappy in o.'s mind (about s.th.); 2) feel an itch (to do s.th.).

чора̀п *м.*, -и, (*два*) чора̀па sock, (*дъ̀лъг*) stocking; ~и (*като стока*) hosiery, hose; ● изму̀квам се по ~и *прен.* shoot the moon.

чорапога̀щни|к *м.*, -ци, (*два*) чорапога̀щника tights, pantihose.

чорб|а̀ *ж.*, -и́ broth, soup.

чорбаджѝйк|а *ж.*, -и mistress, lady, rich woman/lady.

чорбаджѝйск|и *прил.*, -а, -о, -и master's, boss's; lordly, grand; ~а къща a rich man's house, mansion.

чорбаджѝ|я *м.*, -и master, boss; rich/ wealthy man; сам съм си ~я be o.'s own master.

чо̀рлав *прил.* dishevelled, ruffled, tousled, unkempt; (*за брада*) shaggy, bushy.

чо̀рля *гл.*, *мин. св. деят. прич.* чо̀рлил dishevel, tousle; ruffle; rumple.

чрѐв|ен *прил.*, -на, -но, -ни intestinal, enteric, enteral.

чревоуго̀дни|к *м.*, -ци glutton, gourmand, *разг.* foodie.

чрез *предл.* through, by, by means of; by/through the medium of; ~ ... (*в адрес на писмо*) c/o ...

чрезмѐр|ен *прил.*, -на, -но, -ни immense; extraordinary; inordinate.

чу̀брица *ж.*, *само ед.* savory.

чува̀л *м.*, -и, (*два*) чува̀ла 1. sack; (*количество*) sackful; 2. *воен.* pocket; ● бра̀шнен ~ 1) bottomless pit; he never runs dry; 2) a labour of Sisyphus, a Sisyphian task.

чу̀вам, чу̀я *гл.* hear; (*научавам*) un-

derstand, learn; (*послушвам*) listen; да не чу̀е дя̀волът/злото touch wood; не ще и да чу̀е за това he won't hear of it; he will have none of it; чу̀ваш ли ме? can you hear me? (*заканително*) do you hear me? чул те госпо̀д may it come true; чух го да ка̀зва I heard him say; || ~ ce be heard; sound, ring; (*за глас*) carry (well/clearly); де се е чу̀ло и видя̀ло whoever heard (of *c ger.*); дума̀та му се чу̀ва his word goes a long way; нищо не се чу̀ вече за него/не се чу̀ he was no more heard of; това да се чу̀ва that is good news; чу̀ваш ли се какви ги прика̀зваш? do you realize what you're saying?

чу̀вствам *гл.* feel; ~ глад/жа̀жда feel/ be hungry/thirsty; || ~ ce feel, be; как се чу̀вства̀ш? how are you? how do you find yourself? ~ ce по-добре след почѝвката feel (all) the better for the rest.

чу̀вствен *прил.* sensual; erotic; luscious, sensuous; voluptuous; material; carnal-minded; fleshly.

чу̀вственост *ж.*, *само ед.* sensuality; eroticism; voluptuousness; carnality, fleshliness.

чувствѝтел|ен *прил.*, -на, -но, -ни 1. sensitive, susceptible (към to); (*към болка*) tender; (*болезнено*) morbid; (*за орган*) irritable; (*лесно възбудим*) high-strung; 2. (*нежен, сантиментален*) sensitive; sentimental; tender; thin-skinned; (*който лесно се засяга*) touchy, tetchy, crusty; ~но сърце soft/ tender/feeling heart; 3. (*за уред*) precision (*attr.*), delicate; (*за радио и пр.*) sensitive; 4. (*значителен*) sensible, considerable, perceptible, felt, appreciable, marked, palpable, tangible.

чувствѝтелност *ж.*, *само ед.* 1. sensibility, sensitiveness; (*за неща*) sensitivity; (*податливост*) susceptibility; (*болезненост*) tenderness; 2. (*сантименталност*) sensitivity; sentimentality; tenderness; 3. (*на уред*) responsiveness; (*на филмова лента*) film speed.

чу̀вств|о *ср.*, -а 1. (*вълнение*) feeling, sentiment, emotion; (*на съжаление, гордост*) feeling (of); имам добри ~а към feel kindly towards; не храня ло̀ши ~а bear no grudge; с ~о emotively,

emotionally, feelingly; **2.** (*усет, сетиво*) sense (за of); ~о **за малоценност/превъзходство** an inferiority/a superiority complex; ~о **за мярка** a sense of proportion; **3.** (*усещане*) sensation; **физиология на** ~**ата** aestho-physiology; **4.** (*впечатление*) feeling.

чугу̀н м., *само ед. метал.* cast iron; (*на големи късове*) pig-iron.

чуда̀|к м., -**ци** crank, eccentric (man), crotchety fellow, queer body/card, odd/queer/strange fish, oddity, freak, original, faddist; *sl.* odd-ball.

чуда̀тост ж., *само ед.* oddity, queerness, quirkiness, quizzicality, grotesqueness, eccentricity, faddishness; freakishness, freakiness; fancifulness; kink.

чу̀д|ен *прил.*, -**на**, -**но**, -**ни** **1.** (*който буди недоумение*) wonderful, marvellous, wondrous; strange, queer, odd, funny; *шотл.* ferly; ~**ен човек си ти** you're a funny fellow! I can't make you out; **2.** (*прекрасен*) beautiful, lovely, *разг.* slashing.

чудѐс|ен *прил.*, -**на**, -**но**, -**ни** **1.** (*необикновено хубав; отличен*) beautiful, lovely, wonderful, marvellous, fine, *разг.* grand, thumping, topping, cracking, crackerjack, capital; miraculous, *sl.* spiffing, clipping, groovy; *sl.* def; ~**ен човек** *разг.* topper; crackerjack; **2.** (*свръхестествен*) miraculous, marvellous.

чуднова̀тост ж., *само ед.* strangeness, peculiarity, oddity, singularity, outlandishness, queerness; *разг.* rumness.

чу̀д|о *ср.*, -**еса̀** miracle; *прен.* wonder, marvel; (*образец*) paragon; ● **всяко** ~**о за три дни** a nine days' wonder; **дете** ~**о** an infant prodigy; **за** ~**о и приказ** most wonderful; **по** (*някакво*) ~**о** by (some) miracle, miraculously; as if by magic; as if touched with a wand; ~**о на чудесата** wonder of wonders.

чудо̀вищ|е *ср.*, -**а** monster; monstrosity.

чудодѐ|ен *прил.*, -**йна**, -**йно**, -**йни** wonder-working.

чудотво̀р|ец м., -**ци** wonder worker; thaumaturge; *пренебр.* miracle-monger.

чу̀дя се *възвр. гл.*, *мин. св. деят. прич.* чу̀дил **се** wonder, marvel, be amazed/astonished (**на** at); (*недоумя-*

вам) be at a loss; ~ **и се мая** rack/beat/puzzle/cudgel o.'s brains.

чужбѝна ж., *само ед.* foreign country/countries; **в** ~ abroad, in foreign parts.

чужд *прил.* **1.** (*не свой*) somebody else's, another's; **нещо ми е** ~**о** I don't feel at home with s.th.; **2.** (*чуждестранен*) foreign; (*за предприятие, имоти*) foreign-owned; (*несроден*) alien (**на** to); outside; (*неприсъщ*) extrinsic(al); ~ **елемент** an alien element; ~ **съм на идея и пр.** be a stranger to an idea etc.; ~ **човек** stranger, outsider; ● **живея на** ~ **гръб** sponge; **на** ~ **гръб и сто тояги са малко** it's all very well for you to speak;

чужден|ец м., -**ци**; **чужденк|а̀** ж., -**и** foreigner, stranger; alien; outlander.

чуждестра̀н|ен *прил.*, -**на**, -**но**, -**ни** foreign; alien; (*за плодове и пр.*) foreign-grown; ~**ен вид** foreignness.

чуждѝц|а ж., -**и** *език.* loan-word, borrowing; foreignism, exotic, exoticism.

чуждопокло̀нни|к м., -**ци**; **чуждопоклонниц|а** ж., -**и** imitator of foreign models.

чук₁ м., -**ове**, (**два**) чу̀ка hammer (*и спорт.*); (*дървен; и спорт.*) mallet, (*голям*) maul; (*ковашки*) sledge-hammer; (*дърводелски, за изваждане на пирони*) claw-hammer; (*чукче на врата*) knocker; **механичен** ~ trip-hammer; **пневматичен** ~ jack-hammer, pneumatic hammer, puncher; ● **между** ~**а и наковалнята** between the hammer and the anvil, between the devil and the deep sea.

чук₂ *междум.*: ~~~ knock-knock! rat-a-tat, rat-tat.

чу̀кам *гл.* knock (**на** at, on), rap (on), (*леко*) tap; (*орехи*) crack; (*в хаван*) pound, bray; (*лен*) scutch, swingle; (*за-чуквам*) hammer, drive in; (*за дъжд*) beat (**по** against); patter; *мед.* percuss; *вулг.* (*имам сексуален контакт*) bang, bonk, fuck, roger, screw; || ~ **се** clink glasses; **чука се** s.o. is knocking at/on the door, there's knock on/at the door; ● ~ **на дърво** touch wood.

чу̀кан|е *ср.*, -**ия** knocking; hammering.

чука̀р м., -**и**, (**два**) чука̀ра (rocky) peak; crag.

чу̀квам, **чу̀кна** *гл.* **1.** knock, give a

knock, tap, rap; **2.** strike, hit; **3.** (*срязвам някого*) repulse (s.o.); || ~ **се** bump (**о**, **в** against); **чукваме се** clink glasses.

чу̀кван|е *ср.*, -**ия** (**с пръст**) fillip.

чума̀ ж., *само ед.* **1.** *мед.* plague, black death; bubonic plague; pestilence, pest; **2.** *прен.* pest, pestilence; **3.** (*за жена*) fright; eyesore, *sl.* face-ache; ● ~**та да го тръшне!** plague on him!

чумѐря се *възвр. гл.*, *мин. св. деят. прич.* чумѐрил **се 1.** scowl, frown, look glum, knit o.'s brows; o.'s face darkens; **2.** (*за небе*) lour, lower, look threatening.

чупк|а ж., -**и 1.** bend, turn, twist, kink; (*на път*) bend, turn, traverse; *архит.* return; (*ъгъл*) angle; corner (of a street); **2.** (*гънка*) crease; (*на коса*) wave; **3.** (*на съд*) chip; ● ~**а!** ~**ата!** be gone! get lost! *амер. разг.* go fly a kite! *sl.* buzz off! bugger off! fuck off! eff off!

чуплѝв *гл.* breakable, brittle; fragile; frangible; frail; cracky, tender; (*за метал и пр.*) short; **внимание,** ~**о!** glass with care!

чу̀пя *гл.*, *мин. св. деят. прич.* чу̀пил break, *мед.* fracture; (*орехи*) crack; (*троша*) crush; ~ **прозорци** smash windows; ~ **рекорд** break a record; ~ **ръце** wring o.'s hands; || ~ **се 1.** break; (*повреждам се* – *за мотор и пр.*) break down; (*с шум*) crash; **2.** *разг.* slip out, take French leave, beat it; *англ. разг.* do a flit; *амер. разг.* fly the coop; ● **нека си чупи главата** let him do as he likes and learn the hard way.

чуру̀йкам *гл.* warble, (*пея*) pipe, carol, tweet; (*цвъртя*) chirp, chirrup, chirm, twitter.

чуто̀в|ен *прил.*, -**на**, -**но**, -**ни** famous, famed, renowned, legendary.

чу̀тур|а ж., -**и 1.** mortar; **2.** *разг.* nob, pate, noddle.

чучѐл|о *ср.*, -**а** scarecrow, straw man.

чучулѝг|а ж., -**и** *зоол.* (sky)lark (*Alauda*).

чу̀чур м., -**и**, (**два**) чу̀чура spout; (*извор*) source.

чу̀шк|а ж., -**и 1.** *бот.* capsule; (*пиперка*) pepper, capsicum; **2.** (*шушулка*) pod; **3.** *прен.* (*нос*) pecker, conk.

чу̀шкам *гл.* hull, pod.

шаблòн м., -и, (два) **шаблòна** 1. pattern, mould, templet, former; (*за рисунка*) stencil; *техн.* gauge; profile gauge; 2. *прен.* cliche; **започвам да мисля/действам по ~** get into a rut.

шаблонизѝрам *гл.* render trite/commonplace/banal; formalize; || **~ ce** become trite etc.

шàвам *гл.* 1. stir, move; fidget; 2. *разг.* gad about, fool around.

шава̀р м., *само ед. бот.* sedge, rush (*Scirpus*); calamus.

шàввам, шàвна *гл.* stir, move.

шагрèн м., *само ед.* shagreen.

шадрава̀н м., -и, (два) **шадрава̀на** fountain.

шàйб|а ж., -и 1. *техн.* (driving) wheel; disc; pulley; (*на телефон*) number dial, disc; 2. *техн.* washer; 3. *спорт.* puck; ● **завъртà ме ~ата** be rushed off o.'s feet.

шàйк|а ж., -и gang, band, pack; clique; rabble; *англ. sl.* firm.

шал м., -ове, (два) **шàла** shawl; (*дълъг*) stole.

шалва̀ри *само мн.* shalwars, shulwars, loose Turkish trousers.

шàлтер м., -и, (два) **шàлтера** *техн.* circuit-breaker.

шàлче *ср.*, -та scarf; (*топло*) muffler.

шама̀н м., -и shaman, medicine-man; witch-doctor; voodooist.

шамандỳр|а ж., -и buoy, float; (*конична*) nun-buoy; drogue.

шама̀р м., -и, (два) **шама̀ра** slap (in the face); *прен.* slap in the face; cuff; **заплèвих му един ~** I gave him a smack in the face; ● **бỳтам се между ~ите** ask/look for trouble.

шамарòсвам, шамарòсам *гл.* slap.

шампанизѝрам *гл.* make fizzy.

шампàнско *ср., само ед.* champagne; *разг.* fizz; champers; **ще се лее ~** champagne corks will be popping.

шампиòн м., -и; **шампиòнк|а** ж., -и champion, title-holder; **~ по ски/шах/тенис** a ski/chess/tennis champion.

шампионàт м., -и, (два) **шампионàта** championship; *разг.* champ.

шампоа̀н м., -и, (два) **шампоа̀на** shampoo; **мѝя косàта си с ~** shampoo o.'s hair.

шàмфъстък м., *само ед.* pistachio.

шàн|ец м., -ци, (два) **шàнеца** ditch, trench.

шанс м., -ове, (два) **шàнса** chance; **използвам последния си ~** play o.'s last card; **имам реàлни ~ове за** be in the frame for; **нямам никакъв ~** not to have an earthly, be on a hiding to nothing.

шàнтав *прил.* dotty, barmy, balmy, cracked, crackpot, potty, nuts.

шантажѝрам *гл.* blackmail; levy blackmail.

шантỳнг м., *само ед. текст.* shantung.

шàнц|а ж., -и platform, jumping-hill/track, ski-run/-jump.

шап м., *само ед. вет.* foot-and-mouth disease, *съкр.* F.M.D., glanders.

шàпк|а ж., -и hat; (*с мека/с широка периферия*) felt/squash hat; (*без периферия*) cap; **без ~a** hatless, bareheaded; **с ~a** with o.'s hat on; wearing a hat; **свàлям някому ~a** raise o.'s hat to s.o., *прен.* take off o.'s hat to s.o.; ● **накривàвам ~ата си** have not a care in the world; **пàк ме е стегнàла ~ата** *разг.* I've got the blues again.

шапкàр (-ят) м., -и hatter, milliner.

шара̀н м., -и, (два) **шара̀на** *зоол.* carp (*Cyprinus carpio*).

шàрен *мин. страд. прич.* (*и като прил.*) 1. variegated, parti-/many-coloured, motley; (*на фигури*) patterned; (*ярък*) gay, bright, gaily coloured; (*неприятно ярък*) gaudy; (*за кон, сянка*) dappled; (*за кон – с тъмни петна*) piebald; 2. (*смесен*) mixed; ● **~ свят** it takes all kinds to make a world.

шаренèя се *възвр. гл., мин. св. деят. прич.* **шаренѝл се** show/appear manycoloured, show gay.

шарж м., -ове, (два) **шàржа** 1. overacting; 2. cartoon, caricature.

шàржè д'афèр м., *само ед. дипл.* charge d'affaires.

шàрка₁ ж., *само ед. мед.* measles.

шàрк|а₂ ж., -и pattern, design; (*на/от шаблон*) stencil.

шарлата̀нин м., **шарлата̀ни** charlatan, quack, mountebank, crook; medicaster, empiric.

шарлата̀нствам *гл.* play the charlatan, mountebank, quack; be up to some hanky-panky.

шарнѝр м., *само ед. техн.* hinge, (knuckle-)joint, articulation, link.

шарнѝр|ен *прил.*, -на, -но, -ни articulated, hinged; **~ен болт** pivot; eyebolt.

шартрьòз м. *неизм. фр.* chartreuse.

шарф м., -ове, (два) **шàрфа** 1. scarf; 2. *воен.* sash.

шаря *гл., мин. св. деят. прич.* **шарѝл** 1. variegate, dapple, chequer, checker; *поет.* counterchange; (*с резки*) streak; (*с молив*) scribble, scrawl; 2. (*скитам*) wander/knock/prowl about; (*за очи*) wander, rove; 3. (*бия с коприва*) nettle; || **~ ce** have the measles.

шасѝ *ср.*, -та *техн.* frame (work); *авт.* chassis; (*на радио*) base-board; (*на самолет*) undercarriage, landing gear.

шàтр|а ж., -и tent, pavilion; marquee; shelter.

шàферк|а ж., -и bridesmaid, *амер.* maid-of-honour.

шафра̀н м., *само ед. бот.* saffron (*Crocus sativum*).

шах₁ м., -ове shah.

шах₂ м., *само ед.* (*игра*) chess; **игра̀я ~** play chess; ● **държа в ~** *прен.* hold/keep at bay.

шàхмàт м., *само ед.* 1. chess; 2. checkmate.

шахматѝст м., -и; **шахматѝстк|а** ж., -и chess-player.

шàхт|а ж., -и shaft; (*за смет*) refusechute; (*за асансьор*) lift-shaft.

шашардѝсвам, шашардѝсам *гл.* flurry, fluster; perplex, put out, freak (out); *амер. разг.* discombobulate; || **~ ce** get flurried, fluster, flap, lose o.'s head, be dumbfounded; *sl.* be in a flat spin, freak (out).

шашàрм|а ж., -и 1. confusion, ballyhoo; 2. put-up affair/job, trickery, bluff.

шàшвам (ce) (*възвр.*) *гл.* fluster, freak (out); flurry, get flurried; flap; give (s.o.) a fit; *амер. разг.* discombobulate.

шàшк|а ж., -и sabre; sword.

шàшм|а ж., -и trick, fetch, swindle, stunt, put up affair/job.

шàшнат *мин. страд. прич.* flurried, flustered, dumbfounded, perplexed; freaked out; *шотл.* donnard, donnered, donnert.

шàяк м., *само ед.* homespun, frieze.

швед м., -и; **швèдк|а** ж., -и Swede.

швèдск|и *прил.*, -а, -о, -и Swedish; **~а стена** *спорт.* wall bars.

швейца̀р|ец м., -ци Swiss.

швейца̀рк|а ж., -и Swiss woman/girl.

Швейца̀рия ж. собств. Switzerland.

швейца̀рск|и прил., -а, -о, -и Swiss.

швепс м., -ове, (два) швѐпса schweppes.

Швѐция ж. собств. Sweden.

шев м., -ове, (два) шѐва 1. (шиене) sewing; stitchery; needlework; needlecraft; 2. (съшито място) seam; мед. stitch, suture (и бот.); анат. (на черепа) suture; 3. техн. joint; 4.: печатарски ~ (на коли) kettle stitches.

шѐв|ен прил., -на, -но, -ни sewing (attr.); мед. sutural; ~на машина a sewing machine; stitcher.

шевио̀т м., само ед. текст. serge, cheviot.

шевѝц|а ж., -и embroidery.

шевро̀ ср., само ед. kid, buckskin, chrome kid; обувки от ~ kid shoes.

шевро̀н м., само ед. chevron.

шег|а̀ ж., -и joke, книж. jest; разг. lark; (номер) trick; казах го само на ~а I only said it in sport; на ~а in fun/ jest, by way of a joke, for a lark, for fun, in sport; не е ~а работа it's no trifle, it's no joke doing that; it's no mean feat; не на ~а in (good) earnest; обръщам всичко на ~а make a joke of everything; с него ~а не бива he is not (a man) to be trifled with, you must mind your P's and Q's with him; това беше само на ~а it was meant only for a tease; ~ата настрана no kidding, without joking, joking/jesting apart, but seriously.

шегаджѝ|я м., -и; шегаджѝйк|а ж., -и joker, banterer, wag, jester, merryandrew, spoofer, амер. sl. jollier; амер. разг. josher, cut-up.

шеговѝт прил. jocular, jocose, facetious, playful, tricksy, full of fun; bantering, waggish; tongue-in-cheek.

шегу̀вам се възвр. гл. joke, make a joke; книж. jest; (не говоря сериозно) kid, speak in jest, be in jest, разг. be funny; (отнасям се несериозно) trifle, play (с with); (закачам се) rally, chaff, quiz; не се шегувам be serious, be in earnest; be in no laughing mood; mean what one says; stand no nonsense; той обича да се шегува he must have his little joke.

шедьо̀в|ър м., -ри, (два) шедьо̀вра masterpiece; masterwork.

шезло̀нг м., -и, (два) шезло̀нга lounge, chaise-longue; deck-chair.

шейн|а̀ ж., -и sledge, sled, sleigh; техн. carriage, slide-block; (за спускане по наклон) toboggan; спускам се с ~а sledge, toboggan, coast; (състезателна) bobsleigh.

шейх м., -ове sheikh.

шѐллак м., само ед. shellac(k), French polish.

шелф м., само ед.: континентален ~ геол. continental shelf.

шѐмет м., само ед. 1. giddiness, dizziness, vertigo; 2. вет. staggers; 3. (и ж.) разг. crank, queer fish; oddball, giddy pate.

шѐмет|ен прил., -на, -но, -ни 1. (за височина) dizzy, giddy, towering, heady, vertiginous; (за успех) soaraway; ~на бързина lightning speed; 2. (трескав) frantic, frenetic, hectic; 3. вет. affected with staggers.

шемизѐтк|а ж., -и shirtwaist, longsleeved blouse.

шѐнкел м., -и, (два) шѐнкела авт. steering knuckle.

шеп|а̀ ж., -и hollow (of the hand); cupped hand(s); (количество) handful (of); fistful.

шѐпна и шептѝ гл. whisper, murmur; speak under o.'s breath; (за листа и пр.) rustle.

шѐпот м., само ед. whisper, murmur; (на листа) rustle, rustling; висок ~ театр. stage-whisper.

шерѝф м., -и sheriff.

шѐст бройно числ. six.

шѐствам гл. 1. march; (важно) stalk; 2. (разпространявам се) become wide-spread; be generally accepted, gain ground.

шѐстви|е ср., -я procession, train, амер. parade.

шѐстгодѝш|ен прил., -на, -но, -ни six years old, six years of age, aged six; ~но дете a six-year-old child, a child of six.

шѐстгодѝшнин|а ж., -и sixth anniversary, sixth birthday.

шестдесѐт (шейсѐт) бройно числ. sixty; threescore.

шестдесѐтгодѝш|ен (шейсѐтгодѝш|ен) прил., -на, -но, -ни sixty years old, sixty years of age, aged sixty.

шестдесѐтгодѝшнин|а (шейсѐтго-

дѝшнин|а) ж., -и sixtieth anniversary/birthday.

шестдесѐт|и (шейсѐт|и) редно числ., -а, -о, -и sixtieth.

шестднѐв|ен прил., -на, -но, -ни six-day (attr.).

шѐст|и редно числ., -а, -о, -и sixth.

шестѝма бройно числ. six (men, persons).

шестѝц|а ж., -и six; (за трамвай и пр.) tram/bus number six.

шестмѐсеч|ен прил., -на, -но, -ни (за възраст) six months old, of six months; (за трайност) six months'.

шестна̀десет (шестна̀йсет) бройно числ. sixteen.

шестна̀десетгодѝш|ен (шестна̀йсетгодѝш|ен) прил., -на, -но, -ни sixteen years old, sixteen years of age, aged sixteen.

шестна̀десет|и (шестна̀йсет|и) редно числ., -а, -о, -и sixteenth.

шестокла̀сни|к м., -ци sixth former, sixth-form boy, boy in the sixth form/ grade.

шестор|ен прил., -на, -но, -ни 1. sixfold; 2. (за прежда) six-ply.

шесто̀рк|а ж., -и six.

шестостѐн|ен прил., -на, -но, -ни геом. hexahedral.

шестостра̀н|ен прил., -на, -но, -ни геом. hexagonal, six-sided.

шестоъ̀гъл|ен прил., -на, -но, -ни геом. hexagonal, six-sided.

шѐстстотѝн бройно числ. six hundred.

шѐстча̀сов прил. six-hours (attr.).

шѐтам гл. 1. do the housework/the chores; be active/spry; 2. (скитам) gad/trot about, roam.

шеф м., -ове chief; manager, director; head; разг. boss, head man, top-dog, kingpin; (който е поел шефство) patron.

шѐфство ср., само ед. management, leadership; patronage (на of).

шѝбам гл. 1. (с камшик и пр.) lash, slash, scourge, whip, trounce; (с пръчка) cane; 2. (за дъжд и пр.) lash, beat, drive (по against).

шѝбвам, шѝбна гл. 1. flick, swish; 2. (пъхам) slip.

шибо̀|й (-ят) м., -и, (два) шибоя бот. gillyflower, wall flower (Cheiranthus cheiri); (летен) stock (Matthiola incana).

шивàч *м.*, -и tailor.

шивàчк|а *ж.*, -и dressmaker, seamstress.

шѝ|ен *прил.*, -йна, -йно, -йни neck (*attr.*); *анат.* cervical.

шѝене *ср.*, *само ед.* sewing, stitching, needlework.

шизофрèния *ж.*, *само ед.* *мед.* schizophrenia; split personality.

шѝйк|а *ж.*, -и 1. neck; 2. *техн.* journal, gudgeon; *архит.* necking; 3. *анат.* (*на матка, на зъб*) cervix.

шик *неизм.* 1. *като същ. м.* chic, smartness, swankiness; *sl.* snazziness; 2. *като прил. и нареч.* chic, smart; *разг.* posh, classy; swanky, snazzy, groovy; *sl.* nobby, tony.

шикалкàва *гл.*, *мин. св. деят. прич.* шикалкàвил shilly-shally, beat about the bush; speak with a forked tongue; fence (with a question); play fast and loose (with); twist and turn; stand off and on; sidestep (it); *амер. разг.* stall; (*не изпълнявам задължение*) welsh.

шѝле *ср.*, -та (weaned) lamb.

шѝл|о *ср.*, -à 1. awl; (*дърводелско*) bradawl; (*каменарско*) jumper; (*за шев*) stiletto; 2. *прен.* busybody, meddler; ● -о в торба не стои he's always up to s.th., you can't keep him down.

шимпанзè *ср.*, -та *зоол.* chimpanzee; *разг.* chimp, jocko.

шѝн|а *ж.*, -и rim; tyre, tire; *мед.* splint.

шинèл *м.*, -и, (*два*) шинèла greatcoat, *амер.* overcoat.

шинѝрам *гл.* *мед.* splint.

шип *м.*, -ове, (*два*) шѝпа 1. prickle, thorn, prick, spike, nib, spine; calk; *биол.* calcar (*метален*) point, prong; (*на спортни обувки*) spike; (*на еленов рог*) prong, tine; (*на бастун и пр.*) ferrule; (*на остен*) prick; (*на петел*) spur; *техн.* (axle-)journal; 2. *мед.* exostosis, *pl.* exostoses.

шѝпк|а *ж.*, -и *бот.* (wild) briar, (dog) brier, dog rose (*Rosa canina*); eglantine (*Rosa rubidinosa*); (*плод*) hip.

шир *ж.*, *само ед.* expanse, space; (*водна*) tract, (*небесна*) expanse; водна ~ expanse of water.

ширà *ж.*, *само ед.* must.

шѝрвам се, шѝрна се *възвр. гл.* spread out far and wide.

ширинà|а *ж.*, -ѝ 1. *само ед.* width, breadth; в/на ~а in width/breadth;

breadthwise; breadthways; 20 метра на ~а 20 metres wide; (*на филм*) width, range. 2. *геогр.* latitude; на 30° северна ~а in the latitude of 30° N.

ширѝт *м.*, -и, (*два*) ширѝта galloon, braid; lace; cord; (*на униформа*) braid, aiguillette.

шѝрок *прил.* 1. (*не тесен*) wide; ~ екран wide screen; 2. (*свободен – за дреха*) loose; (*за обувки*) wide; 3. (*обширен*) broad; (*за помешение, кола*) roomy; ~ двор spacious yard; 4. *прен.* (*неограничен, пространен, обширен*) sweeping, broad; в ~ия смисъл in the broad sense; стоки за ~о потребление consumer goods; ~ата публика the general public, society/people at large; 5. *език.* (*за гласна*) open; ● с ~а ръка free-handed, openhanded, generous; *нареч.* free-/open-handedly, generously; с ~о сърце easy-going.

шѝроко *нареч.* wide; widely; broadly; с ~ отворени очи with wide(-open) eyes; ● ~ ми е около врата have not a worry in the world, have not a care.

широкоекрàн|ен *прил.*, -на, -но, -ни wide-screen (*attr.*), vistascope (*attr.*), cinemascope (*attr.*).

широколѝст|ен *прил.*, -на, -но, -ни *бот.* broad-leaved, deciduous.

широкоразпространèн *прил.* widespread, universal.

широчинà *ж.*, *само ед.* width, breadth.

шѝря се *възвр. гл.*, *мин. св. деят. прич.* шѝрил се 1. (*разпространявам се*) spread; (*за идеи и пр.*) hold sway; (*за нещо отрицателно*) be rife; 2. (*движкa се без ограничение*) roam at large; (*за птица*) fly at will; 3. (*разполагам се*) make o.s. at home; spread o.s. out; live in a spacious home/flat; оставям някого да се шири, както ще let s.o. loose.

шѝст|а *ж.*, -и обикн. мн. *минер.* schist, slate, shale.

шифрòвам *гл.* cipher; code, encode, codify, encipher, encrypt.

шѝф|ър *м.*, -ри, (*два*) шѝфъра cipher, key, code.

шѝхта *ж.*, *само ед.* *метал.* stock, charge, mixture, blend.

шиш *м.*, -ове, (*два*) шѝша 1. spit; broach; (*за печене на месо*) rotisserie; на ~ on a spit; *фр.* en brochette; 2. (*игла за плетене*) knitting-needle.

шишàрк|а *ж.*, -и (fir-)cone, *науч.* strobile.

шишè *ср.*, -та 1. bottle; flask; (*четвъртито*) casebottle; 2. (*на лампа*) (lamp-)chimney.

шѝшкав *прил.* fat, obese, corpulent, paunchy, gross, rolypoly, dumpy, pudgy, podgy, pudgy; *sl.* fat-assed.

шишкавèя *гл.*, *мин. св. деят. прич.* шишкавял get/grow fat/paunchy.

шѝшко *м.*, -вци fatty, fat-chops; humpty-dumpty, dumpling, *sl.* pudge, podge.

шѝшче *ср.*, -та skewer; (*ядене*) grill, grilled meat.

шѝ|я₁ *ж.*, -и neck (*и на шише*); *анат.* cervix; ● не врат, ами ~я it is six of one and half a dozen of the other.

шѝя₂ *гл.*, *мин. св. деят. прич.* шил sew; (*бродирам*) embroider; ~ на машина sew on a machine; ~ си рокля (*сама*) I'm making myself a dress; (*при шивачка*) I'm having a dress made.

шкарп *м.*, *само ед.* scarp; *геол.* ledge; *воен.* (e)scarp, escarpment.

шкартѝрам *гл.* scrap, discard, cast; *разг.* (*уволнявам*) sack, fire.

шкаф *м.*, -ове, (*два*) шкàфа cupboard, cabinet; (*особ. старинен*) commode; вграден ~ built-in cupboard, wall cupboard, press; (*в училище, учреждение*) locker; ~ за книги bookcase; (*гардероб*) wardrobe; (*за папки, фишове*) filing-cabinet; (*за дрехи, бельо*) clothespress.

шкембè *ср.*, -та 1. (*корем*) belly, potbelly, paunch, gut; *шег.* bay window; corporation; 2. (*за ядене*) tripe.

шкѝпер *м.*, -и skipper.

шкòл|а *ж.*, -и school (*и муз., лит., изк.*); ~а по езда riding school.

шкòлни|к *м.*, -ци *воен.* cadet.

школỳвам *гл.* school, train; *непрех.* learn, study; || ~ ce study, school/train o.s.

шкòнто *ср.*, *само ед.* *фин.* discount.

шкỳрка *ж.*, *само ед.* sandpaper, abrasive paper, emery cloth/paper; garnetpaper; glass paper.

шлàгер *м.*, -и, (*два*) шлàгера popular tune, *разг.* hit.

шлàйфам *гл.* *техн.* finish, burnish, grind, sand.

шлàйфмашѝн|а *ж.*, -и *техн.* finisher, burnisher, grind, grinder, sander.

шлàка *ж.*, *само ед.* slag; dross; clinker.

шланг *м.*, -ове, (два) шлàнга hose.

шлейф *м.*, -ове, (два) шлèйфа train.

шлем *м.*, -ове, (два) шлèма helmet, headpiece.

шлеп *м.*, -ове, (два) шлèпа barge.

шлѝфер *м.*, -и, (два) шлѝфера mackintosh, mac, raincoat.

шлифòвам *гл.* grind; (*полирам*) polish, smooth; (*метал, стъкло*) lap; (*брилянт и пр.*) facet, dress; *прен.* polish; || ~ **се** become polished/ refined.

шлиц *м.*, -ове, (два) шлѝца 1. *техн.* groove; slot; 2. (*на палто*) slit; (*на панталони*) fly.

шлòсер *м.*, -и fitter, locksmith; mechanic; ~ **механик** mill-wright.

шлюз *м.*, -ове, (два) шлю̀за lock, canal-lock, flash; floodgate; sluice.

шляпам *гл.* 1. slap, smack; 2. (*ходя из кал и пр.*) wade, squelch; splash, plash, slop.

шляпвам, шля̀пна *гл.* slap, smack; (*пльосвам*) splash/plash down.

шляя се *възвр. гл., мин. св. деят. прич.* шлял **се** loaf/knock about, lop about, maunder along/about; amble along, trapse, stroll; maroon; saunter; gallivant; dawdle, (dilly-)-dally, footle, mooch, mess/muck about, moon (about), *амер. sl.* be/go on the bum.

шмàйзер *м.*, -и, (два) шмàйзера *воен.* sub-machine gun, *амер.* machine carbine; *разг.* tommy gun.

шмекерỳвам *гл.* swindle; *sl.* gyp; (*в игра*) cheat; play with marked cards.

шмѝргел *м.*, -и, (два) шмѝргела emery, grinder.

шмỳгвам, шмỳгна *гл.* slip (в into); || ~ **се** slip (in, off, away).

шнѝцел *м.*, -и, (два) шнѝцела *кул.* cutlet.

шнòл|а *ж.*, -и hair-clasp/-slide.

шнòрхел *м.*, -и, (два) шнòрхела schnorkel, snorkel, air-pipe.

шнур *м.*, -ове, (два) шнỳра cord, twine, lacing, lace, strand; (*на чанта*) drawstring; (*плюшен*) chenille; (*за обточване*) edging; *ел.* flex; (*оплетка*) braid.

шовинѝз|ъм (-мът) *м.*, *само ед.* chauvinism, jingoism.

шок *м.*, *само ед.* shock (*и мед.*); *разг.* jolt, jar; **получавам** ~ get a shock.

шокѝрам *гл.* shock, scandalize; give s.o. a jolt; flabbergast, *разг.* freak (s.o. out).

шоколàд *м.*, *само ед.* chocolate.

шòрти *само мн.* shorts.

шосè *ср.*, -та highway, metalled/macadam road; **асфалтирано** ~ asphalt/tarmac road; *амер. sl.* blacktop.

шотлàнд|ец *м.*, -ци Scotsman, Scotchman, Scot; *разг.* Jock; ~**ците** the Scotch.

Шотлàндия *ж. собств.* Scotland.

шотлàндк|а *ж.*, -и Scotswoman, Scotchwoman.

шотлàндск|и *прил.*, -а, -о, -и Scottish, Scotch; ~**о уиски** scotch (whisky).

шòу *ср.*, *само ед.* show.

шòубизнес *м.*, *само ед.* show-business; *разг.* show biz.

шòумен *м.*, -и showman.

шофѝрам *гл.* drive.

шофьòр *м.*, -и (motor car) driver, chauffeur, motorist; ~ **на такси** taxi-driver, taxi-cab driver, taxi-man.

шпàг|а *ж.*, -и sword, rapier; *поет.* steel.

шпàкл|а *ж.*, -и pallet, putty-knife, broad knife.

шпаклòвам *гл.* putty.

шпалѝр *м.*, *само ед.* lane (of people), double row; **образувам** ~ lane.

шпàлт|а *ж.*, -и *полигр.* (*за набор*) galley, pull; (*коректура*) galley-proof.

шпековам *гл.* lard.

шпèрплат *м.*, *само ед.* plywood, threeply.

шперц *м.*, -ове, (два) шпèрца skeleton-/pass-/master-key; picklock; passepartout; **отварям с** ~ pick (a lock).

шпѝлк|а *ж.*, -и *техн.* bolt, stud.

шпѝндел *м.*, -и, (два) шпѝндела *техн.* mandrel, mandril, arbor, potter's wheel.

шпиòнин *м.*, шпиòни spy; *sl.* nose, nark.

шпионѝрам *гл.* spy (**някого** on s.o.); be on the lurk; spy through/listen at keyholes.

шпòр|а *ж.*, -и spur; *pl. sl.* persuaders.

шприц *м.*, -ове, (два) шпрѝца 1. squirt, syringe; spray, atomizer, injector; 2. (*питие*) wine fiz(z).

шрифт *м.*, -ове, (два) шрѝфта type, print, characters, letters, fo(u)nt.

шрот *м.*, *само ед.* groats.

шỳб|а *ж.*, -и furcoat.

шỳблер *м.*, -и, (два) шỳблера *техн.* cal(l)iper-gauge/-square; slide gauge, trammelhead.

шубрà|к *м.*, -ци, (два) шубрàка bushes; (*в гора*) underwood, undergrowth,

underbrush, brushwood, scrub.

шỳквам, шỳкна *гл.* utter a sound.

шум *м.*, -ове, (два) шỳма 1. noise, sound; noisiness; (*силен*) *разг.* din, row, racket; (*глух*) thud; (*на криле*) flapping; (*шумолене*) rustle; (*в ушите*) buzzing; (*врява*) clamour, hullabaloo, uproar, hubbub, pandemonium; (*от стъпки*) pad, clop; *мед.* thrill, (*в сърцето*) murmur; **вдигам** ~ make a noise/din, raise an uproar/a hullabaloo; *прен.* cause a stir; make a fuss; 2. *прен.* stir, to-do; fuss; **много** ~ **за нищо** much ado about nothing; much cry and little wool.

шỳма *ж.*, *само ед.* foliage, leaves; greenery; verdure.

шỳм|ен *прил.*, -на, -но, -ни 1. noisy, loud, tumultuous; knockabout, roistering, boisterous; vociferous; uproarious; obstreperous; clamorous, clamant; (*за човек*) loud-mouthed; 2. sensational; topical; high-profile.

шумозаглушѝтел (-ят) *м.*, -и, (два) шумозаглушѝтеля anti-rattler, noise-killer; muffler; (*за уши*) ear-protector.

шумоля́ *гл.*, *мин. св. деят. прич.* шумолѝл rustle, murmur, whisper; (*ромоня*) ripple, babble; (*за плат*) rustle, crinkle; (*за вятър*) sough.

шумя́ *гл.* make a noise; be noisy; (*за листа*) rustle, whisper; (*за шампанско*) sparkle; (*за поток*) murmur, babble; **не шумете** keep quiet.

шỳнка *ж.*, *само ед.* ham; gammon; ~ **с яйца** ham and eggs.

шунтѝрам *гл. ел.* shunt; decouple.

шỳпвам, шỳпна *гл.* rise, ferment; effervesce; (*за ядене*) turn sour.

шỳпл|а *ж.*, -и pore, bubble; honeycomb; *техн.* (*в отливка*) knot; *метал.* air-pocket; (*в метал*) bleb.

шỳрвам, шỳрна *гл.* gush out/forth.

шỳре|й (-ят) *м.*, -и brother-in-law.

шуртя́ *гл.* gush (forth, out), spout, flow (out), well up; (*с шум*) gurgle; (*клокоча*) clock.

шут *м.*, -ове fool, jester; clown; buffoon; merry-andrew; zany; pantaloon.

шỳшна *гл.* whisper; (*за чайник*) sing.

шушỳлк|а *ж.*, -и 1. (*на грах и пр.*) pod; *бот.* follicle; (*с отделни преградки*) loment; 2. (*от лед*) icicle.

шхỳн|а *ж.*, -и *мор.* schooner.

шỳткам *гл.* hush.

ща *гл., мин. св. деят. прич.* щял want, like; **ако ви се ще** if you are so minded; **ако щеш** as you wish, if you will, suit yourself; **ако щеш вярвай** believe it or not; **без да** ~ unwittingly, involuntarily; **вратата не ще да се затвори** the door won't shut; **за щяло и нещяло** about anything and everything; **има място, колкото щеш** there's plenty of room, there's acres of room; **каквото ще да става** no matter what, happen what may; **не** ~ I don't want (to *c inf.*); **не ще и съмнение** no doubt; **не щеш ли** suddenly, sure enough, as chance/luck would have it; **но той не щя** but he wouldn't; **прави, каквото щеш** do as you like; **че ... ли не щеш, че ... не щеш** there were quantities of ..., there were ... and ... in abundance; ~ **не** ~ willy-nilly, whether I like/want it or not; volens nolens, willing or no; **ще ми се да** I feel like (*c ger.*); I should like to (*c inf.*); **ще ти се** it would be nice, wouldn't it? *sl.* sez you! you may whistle for it; **що щеш тука?** what are you doing here?

щаб *м., -ове, (два)* щаба staff, headquarters; command post; *(на полк)* depot; **в** ~**а** at headquarters; **генерален** ~ a general staff; **офицер от** ~**а** a staff officer.

щаб|ен *прил., -на, -но, -ни* staff (*attr.*).

щава *ж., само ед. разг.* (*дъбилна киселина*) tannic acid, tannic, tan.

щавач *м., -и* tanner.

щавен *мин. страд. прич.* (*и като прил.*) tanned; ~**а кожа** cordovan (leather).

щавене *ср., само ед.* tanning, tannage.

щавя *гл., мин. св. деят. прич.* щавил tan.

щадя *гл., мин. св. деят. прич.* щадил spare; **не** ~ **сили** spare no effort (да *c inf.*); ~ **себелюбието на някого** spare s.o.'s self-esteem, let s.o. down gently; ~ **силите си** spare/conserve o.'s strength.

щайг|а *ж., -и* tray, (wooden) crate.

щам *м., -ове, (два)* щама *биол.* strain.

щамп|а *ж., -и 1. изк.* print, wood-cut; **2.** *текст.* print.

щампов *прил.:* ~ **чук** swage.

щампòвам *гл.* impress.

щампòване *ср., само ед.* die forging, pressure forging, presswork, repoussé.

щампòвчи|к *м., -ци* forgeman.

щàмподържàч *м., -и, (два)* щàмподържàча die holder, sow block.

щампòсвам, щампòсам *гл.* print, stamp.

щàнг|а *ж., -и* rod, bar, lever; *спорт.* bar bell; **влекачна** ~**а** tow-bar; *спорт.* (*вдигане на тежести*) изтласкване на ~**и** jerk; **изхвърляне на** ~**и** snatch; **кормилна** ~**а** steering column; **съединителна** ~**а** connecting rod; **теглителна** ~**а** (*на вагон и пр.*) drawbar.

щàнгѝст *м., -и спорт.* weight-lifter.

щàнгоснемàч *м., -и, (два)* щàнгоснемàча *техн.* pole retriever.

щанд *м., -ове, (два)* щàнда counter; stand, stall; ~ **за книги** book-stall.

щандѝст *м., -и;* **щандѝстк|а** *ж., -и* shop-assistant.

щàнц|а *ж., -и техн.* die; stamp; punch.

щанцòвам *гл. техн.* punch, stamp, emboss.

щанцòван *мин. страд. прич. техн.* punched, stamped; **студено** ~ coldpunched.

щанцòване *ср., само ед. техн.* punching, die-stamping.

щàпам *гл.* **1.** tramp; **2.** (*за дете*) toddle.

щапел *м., -и, (два)* щàпела *текст.* staple.

щàпел|ен *прил., -на, -но, -ни текст.* staple (*attr.*).

щапỳкам *гл.* toddle, paddle, patter.

щàстие *ср., само ед.* **1.** happiness; bliss; felicity; **лъжливо/мнимо** ~ a fool's paradise; **2.** (*сполука, късмет*) luck, good fortune, piece of good fortune; **за** ~ fortunately, by good luck; **имам** ~**то да** have the (good) fortune to (*c inf.*); have a chance (to *c inf.*, of *c ger.*); **колелото на** ~**то** the wheel of fortune; **опитвам** ~**то си** try o.'s luck; ~**то ми изневери** luck has turned; ● **семейно** ~ *бот.* aspidistra.

щастлѝв *прил.* **1.** happy; **безкрайно** ~ as happy as the day is long; **бъдете** ~**и** I wish you happiness; **много съм** ~ be all smiles; **много** ~ very happy, thrice happy; ~ **баща** proud father; ~ **край** happy end(ing); ~**а старост** green old age; ~**и дни** halcyon days; **2.** (*къс-*метлия) lucky, fortunate; **по една** ~**а случайност** by a lucky chance, by a fluke; ~**а случайност** piece/stroke of good luck, lucky chance; fluke.

щастлѝв|ец *м., -ци* happy/lucky/fortunate man; *разг.* lucky dog/beggar.

щастлѝвк|а *ж., -и* happy/lucky/fortunate woman.

щат₁ *м., -ове, (два)* щàта establishment, budget, full time employment (F.T.E.); **зачислявам някого на** ~ enter s.o. on the pay-roll, take s.o. on the staff; **на** ~ **съм** be on the staff/on the pay-roll; **непопълнен** ~ undermanning; **няма** ~ there is no vacancy; **съкращение на** ~**а** a reduction of the staff.

щат₂ *м., -и, (два)* щàта state; **Генералните** ~**и** *истор.* the Estates-General; **Съединени американски** ~**и** the United States of America; **Щатите** the States.

щàтел|ен *прил., -на, -но, -ни* thorough, careful, close; narrow, minute; searching; **най-**~**ен** meticulous; ~**ен преглед** thorough/careful/close examination, overhaul; ~**но изследване** searching inquiry.

щàтелно *нареч.* thoroughly, carefully, narrowly; **претърсвам ... най-**~ go through ... with a fine-tooth comb.

щàт|ен *прил., -на, -но, -ни* regular; on the pay-roll; ~**ен служител съм** назначен съм на ~**на длъжност** be on the staff/the pay-roll; be permanently appointed; *sl.* be on the stab.

щàтск|и *прил., -а, -о, -и* state (*attr.*); ~**и долар** US dollar.

щафèт|а *ж., -и* **1.** relay-race; **2.** baton; **предавам** ~**ата** pass/hand the baton (*и прен., прен. и* pass on the torch.

щафèт|ен *прил., -на, -но, -ни* relay (*attr.*); ~**но бягане** relay race.

ще *част.* (*за образуване на бъд. вр. на гл.*) will, shall; **каза, че** ~ **дойде** he said he would come/he was coming; **това** ~ **е мястото** that would be the place; **утре** ~ **има буря** there will be a storm tomorrow; ~ **му кажа** I'll tell him, I'm going to tell him; ● **ако** ~, **да е** go the whole hog; it's neck or nothing.

щѐдро *нареч.* generously, lavishly, liberally; freely; unstintingly, without stint; with open hand, with a free hand; free-handedly.

щѐдрост *ж., само ед.* generosity, bounty, lavishness, liberality, open-handedness; free-handedness.

щѐд|ър *прил.*, **-ра, -ро, -ри** generous, bounteous, bountiful, liberal, free, open-handed, free-handed, large-handed, large-/free-/big-hearted, lavish, munificent, stintless, unstinted, grudgeless, ungrudging, princelike; **прекомерно ~ър** generous to a fault; **~ър съм на** (*думи, обещания*) be profuse/liberal of.

щѐк|а *ж.*, **-и** (*за ски*) (ski) stick; (*за билярд*) (billiard) cue, mace.

щѐкер *м.*, **-и, (два) щѐкера** *ел.* socket, coupling.

щекотлѝв *прил.* ticklish, delicate, prickly, nice; spiny; *разг.* hot, tricky; **~ въпрос** a ticklish point, a techy subject, a knotty/burning question, a hot potato.

щекотлѝвост *ж., само ед.* ticklishness, delicacy, nicety.

щѐмпел *м.*, **-и, (два) щѐмпела** stamp; seal; cachet; *техн.* punch; **пощенски** ~ post-mark.

щемпелу̀вам *гл.* (rubber)stamp; letter.

щѐни|е *ср.*, **-я** desire, wish.

щѐпсел *м.*, **-и, (два) щѐпсела** *ел.* (piece) plug, contact-pin/-plug; **двуконтактен** ~ twin/two-pin plug; **триконтактен** ~ three-point/pin plug.

щѐпсел|ен *прил.*, **-на, -но, -ни** plug-in, plug-type; **~но съединение** plug-and-socket.

щѐрк|а *ж.*, **-и** daughter, girl child.

щѐрн|а *ж.*, **-и** cistern, tank; reservoir.

щет|а̀ *ж.*, **-ѝ** damage; **морски ~и** sea casualties; **нанасям ~и** cause/do damages, damage; endamage; **понасям/претърпявам ~и** suffer losses/damages; incur losses/damages; **предявявам иск за ~и срещу някого** bring an action for damages against s.o., sue s.o. for damages; **~и** *застр.* average.

щѝглец *м.*, **-и, (два) щѝглеца** *зоол.* goldfinch, thistle-finch (*Carduelis carduelis*).

щѝк *м.*, **-ове, (два) щѝка** bayonet.

щѝков *прил.* bayonet (*attr.*); **~о съединение** *техн.* a bayonet catch.

щѝм *м.*, **-ове, (два) щѝма** *муз.* voice, part.

щипа̀лк|а *ж.*, **-и** *зоол.* earwig (*Forficula*).

щѝпвам, щѝпна *гл.* pinch, tweak, give s.o. a pinch.

щѝпване *ср., само ед.* pinch, tweak.

щѝпк|а *ж.*, **-и 1.** (*за пране*) clothes-peg/-pin, peg, laundry pin; (*за хартия*) clip, clasp; (*за коса*) hair-pin; **2.** (*количество*) pinch; **~а сол** a pinch/sprinkle of salt.

щиплѝв *прил.* biting.

щѝпци *само мн.* (*и на рак*) (pair) of pincers, pair of nippers; (*на щипалка*) forfex; *зоол.* chela; (*хирургически*) forceps; extractors; (*за вежди и пр.*) tweezers; **~ за захар** sugar tongs.

щѝпя *гл.*, *мин. св. деят. прич.* **щѝпал 1.** pinch, tweak; **2.** (*за студ*) bite, nip; **щѝпе** (*за времето*) there is a nip in the air.

щир *м., само ед. бот.* amaranth, love-lies-bleeding (*Amaranthus caudatus*).

щѝрборд *м., само ед. мор.* (*десен борд на кораб*) starboard.

щит *м.*, **-ове, (два) щѝта** shield; (*кръгъл*) buckler; **оръдеен** ~ a gun shield; *техн.* guard.

щитовѝд|ен *прил.*, **-на, -но, -ни** shield-shaped, scutiform, peltate; **~ен хрущял** *анат.* thyroid cartilage; **~а жлеза** *анат.* thyroid (gland).

щитоно̀с|ец *м.*, **-ци** shield-bearer; (*слуга*) varlet.

щифт *м.*, **-ове, (два) щѝфта** pin, peg, nog, (locking-)finger, brad, pintle; **зацепващ** ~ catch pin; **конусен** ~ taper pin; **ограничителен** ~ stop/banking pin; **предпазен** ~ guard/breaking pin; **съединителен** ~ coupling pin; **централен** ~ locating/fitting pin.

щѝхел *м.*, **-и, (два) щѝхела** *техн.* cutter, (en)graver.

що₁ *въпр. мест.* **1.** what; **няма ~** it can't be helped; **~ думаш!** you don't say so! **~ за** what kind/sort of; what manner of; what... like; **~ за идея/въпрос?** what an idea/a question! **~ за идиот** of all the idiots! **~ за човек е?** what kind/sort/manner of man is he? what is he like? **~ рече?** what did you say?

що₂ *относ. мест.* what(ever), that; **де ~ може** wherever he can; **направи ~ можеш** do what/whatever you can; **правя ~ правя** whatever I do; ● **било ~ било** let bygones be bygones; **говоря за тоя ~ духа** talk in vain/to the wind; **за тоя ~ духа** in vain; **ще те прати за тоя ~ духа** he'll send you on a wild goose chase.

що₃ *въпр. нареч.* **1.** = **защо; 2.** (*колкото*) as; **вървял ~ вървял** after he had gone some way; **едва ~** hardly; no sooner... than; **едва ~ влязохме и той се развика** we had hardly entered when he began to shout; **~ годе** of a sort/kind; more or less; a little; **~ се отнася до мене** as for me, as to me, as far as I am concerned, I for one; **3.** (*във възклиц. изреч.*) how, how much; **~ ми е мило и драго** how I rejoice; **~ пари е спечелил** you can't imagine how much money he has made; **~ пари ми струва** the money it has cost me.

щок *м., само ед. фин.* (*акционерен капитал*) stock; *геол.* typhon.

що̀кер *м.*, **-и, (два) що̀кера** *техн.* mechanical stoker.

що̀лн|я *ж.*, **-и** *мин.* stulm.

щом *съюз* **1.** (*и ~ като*) as soon as, the moment/minute, directly; **ще му кажа, ~ го видя** I'll see him as soon as I see him; **~ влезе, започна да** as soon as/directly the moment he entered the room he began to; **~ го видях** the moment I saw him; **2.** (*понеже, тъй като*) since, as, if; now (that); once; **остани ~ искаш** stay if you want to; **~ е така, няма какво да се говори** in that case/that being the case there's no more to be said; **~ си го започнал, трябва да го свършиш** once you've begun, you must finish it; **~ си дошъл, по-добре е да останеш** now (that) you've come you'd better stay.

що̀пер *м., само ед. авиац.* corkscrew.

що̀р|а *ж.*, **-и** (Venetian/Persian) blind, persienne, shade, shutter.

що̀сапара̀т *м.*, **-и, (два) що̀сапара̀та** slotting attachment.

що̀сел *м.*, **-и, (два) що̀села** *техн.* ram, slide.

що̀смашѝн|а *ж.*, **-и** slotter.

що̀то *съюз* that; **погрижете се ~ всички да дойдат** see to it that everybody comes; **така ~** so that; **~ да** so as to.

щрайх *м., само ед. муз.* string.

щра̀йхгар|ен *прил.*, **-на, -но, -ни** tweed (*attr.*).

щра̀йхга̀рн *м., само ед.* (*прежда*) carded (woollen) yarn; (*плат*) tweed.

щрак *междум.* click! **~~** clickety-click.

щра̀кам и щра̀квам, щра̀кна *гл.* click, snap; (*за болка*) twinge; throb;

(*кибрит*) strike; (*правя снимка*) snap; **той щракна запалката** he flicked his lighter; ~ **лампата** snap/flick/flip on the light; flick the switch; ~ **с пръст** snap/click o.'s fingers; flip.

щра̀кан|е *ср.*, **-ия** snap, click; (*болка*) twinge, throbbing pain.

щранг *м.*, **-ове**, (**два**) **щра̀нга** *техн.* riser, stand pipe, lift line.

щра̀нгпрѐс|а *ж.*, **-и** extrusion press.

щраплѝк *м.*, *само ед. метал.* trowel.

щра̀ус *м.*, **-и**, (**два**) **щра̀уса** *зоол.* ostrich.

щра̀усов *прил.* ostrich (*attr.*); *науч.* struthious; ~**и пера** ostrich feathers.

щрих *м.*, **-и**, (**два**) **щрѝха** stroke, touch; stipple; **нанасям** ~**и** (*на карта и пр.*) hatch, shade; **обрисувам нещо в едри** ~**и** give a bold outline of s.th.; **предавам в едри** ~**и** outline; **пресечен** ~ crosshatching; ~**и на карта** hachures.

щрѝхов *прил.*: ~**а гравюра** line-engraving.

щрихо̀вам *гл.* hatch, shade; hachure.

щрихо̀ван *мин. страд. прич.* hatched, shaded.

щрихо̀ване *ср.*, *само ед.* hatching, shading.

щру̀дел *м.*, **-и**, (**два**) **щру̀дела** strudel.

щръ̀квам, **щръ̀кна** *гл.* rise, stand on end, stand upright/erect, bristle up;

какво си щръкнал над главата ми? why do you keep hanging over me/ breathing down my neck? **ушите на конете щръкнаха** the horses pricked up their ears.

щръ̀клиц|а *ж.*, **-и** *зоол.* gadfly, warble(-fly) (*Hypoderma bovis*).

щръ̀кнал *мин. св. деят. прич.* upright, erect; projecting; (*за коса*) upstanding, bristling; **косата му е** ~**а** his hair sticks right up.

щу̀к|а *ж.*, **-и** *зоол.* pike; (*млада*) jack, pickerel.

щу̀квам, **щу̀кна** *гл.* dart (off), dash away; vanish; **съвсем ми щукна из ума** it has gone clear out of my mind; **щукна ми из ума** it slipped my memory, it escaped me.

щур и **щу̀рав** *прил.* stupid, crazy, balmy, dotty, gormless; nutty.

щура̀|к *м.*, **-ци** fool, dolt, idiot, stupid.

щурам се *възвр. гл.* potter about, loaf about; run about; flutter (about); peddle; *разг.* faff (about).

щу̀рвал *м.*, **-и**, (**два**) **щу̀рвала** *мор.* wheel.

щур|ѐц *м.*, **-цѝ**, (**два**) **щурѐца** *зоол.* cricket (*Gryllus*).

щурѐя *гл.*, *мин. св. деят. прич.* **щуря̀л** go mad.

щурм *м.*, **-ове**, (**два**) **щу̀рма** assault, storm; **превземам с** ~ take/capture by

assault/storm.

щу̀рман *м.*, **-и** *мор.* steersman wheel(s)-man, navigator, navigating officer; pilot.

щу̀рмов *прил.* assault (*attr.*); ~ **отряд** storming party; ~ **самолет** contour-fighter; ~**а авиация** attack aviation; ~**и войски** storm troops.

щурмова̀|к *м.*, **-ци** storm-trooper, stormer.

щурму̀вам *гл.* storm, assault.

щуротѝ|я *ж.*, **-и** (piece of) stupidity/ idiocy/foolery; escapade.

щурц *м.*, *само ед. архит.* lintel, transom; stop-head.

щу̀рчо *м.*, **-вци 1.** fool, dolt, idiot, stupid; **2.** cricket.

щу̀цер *м.*, **-и**, (**два**) **щу̀цера** *техн.* orifice; stub pipe.

щъкам *гл.* potter about.

щърб *прил.* **1.** clipped; **2.** (*без зъб*) gap-toothed.

щърбел *м.*, **-и**, (**два**) **щърбела** notch, nick; ● **присмял се хърбел на** ~ the pot calling the kettle black.

щъ̀ркел *м.*, **-и**, (**два**) **щъ̀ркела** *зоол.* stork (*Ciconia*).

щъркелиц|а *ж.*, **-и** female stork.

щъ̀ркелов и **щъ̀рков** *прил.* stork (*attr.*), stork's.

щъркокра̀к *прил.* long-legged.

щъ̀рче *ср.*, **-та** young stork.

ъглест *прил.* angular.
ъглов *прил.* **1.** *мат.,* *физ.* angular; **2.** corner (*attr.*); ~ **удар** *спорт.* corner(-kick); **~а стомана** *метал.* edge-iron; ~**о разстояние** *астр.* latitude.
ъгловат *прил.* angular; (*за почерк и* *пр.*) stiff.
ъгловатост *ж.,* *само ед.* angularity.
ъгловид|ен *прил.,* **-на, -но, -ни** angular, angle-shaped.
ъгломѐр *м.,* **-и, (два) ъгломѐра** gonio-

meter, octant, protractor; angle-gauge.
ъг|ъл *м.,* **-ли, (два) ъгъла 1.** *мат.* angle; **външен ~ъл** (*на сграда*) *архит.* coign; **вътрешен/външен** **~ъл** an interior/exterior angle; **допълнителен ~ъл** a supplementary/supplemental angle; **остър ~ъл** an acute angle; **под ~ъл от ... градуса** at an angle of ... degrees; **прав ~ъл** a right angle; **пресичам се под прав ~ъл** decussate; **прилежащи ~ли** adjacent/ contiguous angles; **пространствен** **~ъл** a solid angle; **срещулежащи ~ли**

alternate angles; **тъп ~ъл** an obtuse angle; **~ъл на откос** *техн.* rake; *архит.* return; **2.** corner; **на ~ъла** at the corner; **с подгънати ~ли** (*за книга*) dog-eared; **3.** (*кът*) nook, corner; **тих ~ъл** a quiet nook/corner.
ъгъл|ен *прил.,* **-на, -но, -ни** corner (*attr.*).
ъгълни|к *м.,* **-ци, (два) ъгълника** *техн.* (set-)square, leg, knee.
ъгълче *ср.,* **-та** nook, corner.
ъперкът *м.,* *само ед. спорт.* uppercut.

The twenty-eighth letter of the Bulgarian alphabet. This letter occurs only in combination with the vocal "o" and after consonants; for example: **асансьор** [asãn'sjɔr] lift; **миньор** [mi'njɔr] pitman; **режисьор** [reʒi'sjɔr] director; **фризьор** [fri'zjɔr] hairdresser; **шофьор** [ʃɔ'fjɔr] driver.

юа́н *м.*, -и, (два) юа́на (китайска парична единица) yuan.

юбиле́|ен *прил.*, -йна, -йно, -йни jubilee (*attr.*).

юбиле́|й (-ят) *м.*, -и, (два) юбиле́я anniversary; **25-годи́шен ~й** a silver jubilee; **50-годишен ~й** a (golden) jubilee.

юбиля́р (-ят) *м.*, -и hero of an anniversary/a jubilee.

юбиля́рк|а *ж.*, -и heroine of an anniversary/jubilee.

юв|а́ *ж.*, -й 1. waif, stray animal; *амер.* maverick; 2. (*за човек*) tramp, bum; 3. (*за жена*) fizgig, flirt, vamp.

ювени́л|ен *прил.*, -на, -но, -ни *мед.* juvenile, young.

юг *м.*, *само ед.* south; **на ~** in the south, (*посока*) south(ward); **на ~ от** to the south of.

югоза́пад *м.*, *само ед.* south-west.

югоза́пад|ен *прил.*, -на, -но, -ни south-west(ern); (*за вятър, посока*) south-westerly.

югоисто́к *м.*, *само ед.* south-east.

югоисто́ч|ен *прил.*, -на, -но, -ни south-easterly.

Югосла́вия *ж. собств. истор.* Yugoslavia, Jugoslavia.

югосла́вск|и *прил.*, -а, -о, -и Yugoslav.

югославя́нин *м.*, югославя́ни Yugoslav(ian).

югославя́нк|а *ж.*, -и Yugoslav(ian) woman/girl.

Ю́да *м. собств. библ.* Judas (*и прен.*).

юд|а́ *ж.*, -и *мит.* storm-demon; bad fairy.

юде́|й (-ят) *м.*, -и; **юде́йк|а** *ж.*, -и Israelite; Judaist; **~йците** the Israelites.

юде́йск|и *прил.*, -а, -о, -и Judaic, Israelitish.

юде́йство *ср.*, *само ед.* Judaism.

Юде́я *ж. собств. истор.* Jud(a)ea, Israel.

ю́динск|и *прил.*, -а, -о, -и treacherous.

ю́ж|ен *прил.*, -на, -но, -ни south, southern, southerly; (*за вятър, посока*) southerly, (*за посока*) southward; **Ю́жен полюс** the South Pole; the Antarctic; **Ю́жна Аме́рика** South America; **~но сияние** aurora australis; **Ю́жното полукъ́лбо** the Southern Hemisphere.

Южноафрика́нска репу́блика *ж. собств.* the Republic of South Africa.

южня́|к *м.*, -ци (*жител на юга*) southerner; (*за вятър*) souther.

южня́шк|и *прил.*, -а, -о, -и southern.

юзд|а́ *ж.*, -и rein, (*само ремъ́ците*) bridle; *и прен.* curb; **изтъ́рвам ~ите** let the situation get out of hand/control; **нахлузвам ~ата на кон** bridle a horse; **отпускам ~ата** на unrein, uncurb (*и прен.*); **стягам здраво ~ите на** keep a tight rein on (*и прен.*).

юзде́чк|а *ж.*, -и (bridle-)bit, bar.

ю́ка *ж.*, *само ед. бот.* yucca.

юла́р *м.*, -и, (два) юла́ра halter; **сла́гам ~ на** halter, put a halter on.

ю́ли *м. неизм.* July.

юлиа́нск|и *прил.*, -а, -о, -и Julian.

ю́лск|и *прил.*, -а, -о, -и July (*attr.*), of July.

юмру́|к *м.*, -ци, (два) юмру́ка 1. fist; *sl.* mitt; **бия с ~ци** pummel; **бой с ~ци** fisticuffs, a stand up fight; **свивам ~к** clench o.'s fist; **удрям с ~к по масата** bang o.'s fist on the table; **~ци** *sl.* dukes; 2. *техн.* lobe.

юмру́ч|ен *прил.*, -на, -но, -ни fist (*attr.*); fistic; **~ен бой** fisticuffs; **~но право** fist-/club-law.

юна́|к *м.*, -ци hero, champion; ● **~к без рана не може/ходи** big boys don't cry; a brave fellow is bound to have wounds.

юнача́г|а *м.*, -и strapping young man, stalwart, lusty fellow; dare-devil.

юна́ч|ен *прил.*, -на, -но, -ни brave, heroic, stalwart; daring; masculine; full of mettle; gallant; doughty.

юна́чество *ср.*, *само ед.* bravery, heroism, courage; dare-devilry; mettle; virility; manliness; gallantry, gallantness; doughtiness.

юна́шк|и₁ *прил.*, -а, -о, -и hero's, of a hero, heroic; **~а смърт** a heroic death; **~и гроб** a grave of a hero, a hero's grave; **~и песни** heroic songs/ballads.

юна́шки₂ *нареч.* 1. bravely, heroically, courageously, valiantly; gallantly; doughtily; 2. in real/good earnest; **~ си хапнахме** we had a hearty meal.

юнг|а́ *м.*, -и *мор.* ship's boy.

юн|е́ц, -ци, (два) юне́ца steer, young ox; bullock.

ю́ни *м. неизм.* June.

юни́ц|а *ж.*, -и heifer, young cow.

ю́нкер *м.*, -и 1. cadet; 2. *истор.* junker.

ю́нкерск|и *прил.*, -а, -о, -и cadet's; junker's; **~а школа** a military school.

ю́нош|а *м.*, -и teenager; youth, young man, adolescent, juvenile.

ю́ношеск|и *прил.*, -а, -о, -и juvenile, youthful, adolescent; **~и годи́ни** in o.'s teens; **~о първенство** *спорт.* junior championship; **~о увлечение** (*любовно*) calf-love.

ю́ношество *ср.*, *само ед.* boyhood, adolescence.

ю́нск|и *прил.*, -а, -о, -и June (*attr.*), of June.

Ю́питер *м. собств. мит.*, *астр.* Jupiter.

ю́ра *ж.*, *само ед. геол.* Jura.

ю́рвам се, **ю́рна се** *възвр. гл.* rush, dash, dart.

юрга́н *м.*, -и, (два) юрга́на quilt, coverlet, counterpane.

юрде́|к *м.*, -ци, (два) юрде́ка drake.

юрде́че *ср.*, -та duckling.

юрде́чк|а *ж.*, -и duck.

юриди́ческ|и *прил.*, -а, -о, -и juridical, legal; **~а консулта́ция** a barristers'/lawyers' office; **~а служба** (*при предприятие*) a disputed claims office; **~и справочник** a law list; **~и съ́ветник** (*правителствен*) law-officer; **~и факултет** a faculty/department of law, a law faculty; **~о действие** a legal act.

юрисди́кция *ж.*, *само ед.* jurisdiction; **кралска ~** regalities.

юрисконсу́лт *м.*, -и legal adviser/expert, company/corporation lawyer.

юриспруде́нция *ж.*, *само ед.* jurisprudence, (science of) law.

юри́ст *м.*, -и 1. lawyer, jurist, man of law, legal practitioner; **подготвиха го за ~** he was bred to the law; **ставам ~** go into the legal profession; 2. (*студент*) law-student, student of law.

ю́ркам *гл.* 1. chase, go for, attack; 2. hurry, rush; fluster.

ю́рск|и *прил.*, -а, -о, -и *геол.* Jurassic.

ю́руш *м. неизм.* storm, assault, charge; **с/на ~** by assault/storm.

ют *м.*, *само ед. мор.* quarter deck, poop.

ю́та *ж.*, *само ед. бот.* jute.

ю́тен *прил.* jute (*attr.*).

ютй|я *ж.*, -и and iron; (*с дървени въглища*) charcoal iron.

юфка́ *ж.*, *само ед. кул.* noodles.

я₁ *част. разг.* **1.** *(подкана, молба, насърчение, заповед)* come, do, now then, I'd/you'd better; **~ да видя** let me see; **~ ме остави на мира** do leave me alone; **~ ми кажи** come, tell me; **~ по-малко шум там!** now then, a little less noise there!; **2.** *(наблягане или досада)* of course; **набих го, ~** of course I gave him a sound thrashing; **3.** *(ако, само ако)* **~ да беше друг** now if it had been s.o. else; **~ пък/па тоя** just look at him, just listen to him; who does he think he is; drop dead.

я₂ *междум.* *(изненада)* oh, why, what, I say; *(при съглеждане на нещо)* look; *(при ослушване)* listen; **~ това било от Бах** why, I didn't know that was by Bach.

я₃ **(я-я)** *съюз* either ... or; **~ има, ~ няма** there may be and on the other hand there may not; **~ има вода, ~ няма** either there is water or there isn't; it's a toss up whether there is water or not.

ябанджи|я *м.,* -и; **ябанджийк|а** *ж.,* -и stranger, foreigner.

йблан *м.,* -и, (два) **йблана** *бот.* plane-tree (*Platanus orientalis*).

йбълк|а *ж.,* -и **1.** *бот.* apple; *(дърво)* apple-tree; **захаросана ~a** *(на клечка)* toffee-apple; **земна ~a** Jerusalem artichoke; **райска ~a** persimmon; **2.** *(скула)* cheek-bone; **3.** *(месо)* rump steak; ● **адамова ~a** *анат.* Adam's apple; **очна ~a** *анат.* eye-ball; **хубавата ~a свиня я изяжда** the worst pig often gets the best pear; **~a на раздора** an apple of discord, a bone of contention.

йбълков *прил.* apple (*attr.*); **~ сладкиш** apple-pie; **~о вино** cider; **~о съединение** *техн.* ball and socket (joint).

йбълчен *прил.* apple (*attr.*); *хим.* malic; **~a кост** *анат.* cheek-bone.

Ява *ж. собств.* Java.

яван|ец *м.,* -ци; **йванк|а** *ж.,* -и Javanese.

йванск|и *прил.,* -а, -о, -и Javanese.

йваш₁ *прил. неизм. разг.* *(за тютюн)* mild, medium.

йваш₂ *нареч. разг.* *(и ~~)* at an easy pace; **карам я ~** take it easy; **много ~ я карате** you're too slow; **правя нещо ~~~** take o.'s time over s.th.

йв|ен *прил.,* -на, -но, -ни *(открит)* open manifest, overt; frank; *(неприкрит)* explicit; *(очевиден)* evident, obvious, ostensible, visible, palpable, patent, pronounced; denotative; *(крещящ)* bald, blatant, flagrant, blazing; **причините са ~ни** the causes are obvious/are not far to seek; **~на глупост** downright/patent nonsense; **~на смърт/гибел** certain death; **~но доказателство** clear indication, clear proof; **~но превъзходство** decisive superiority.

явлѐни|е *ср.,* -я **1.** phenomenon, *pl.* phenomena; **топлинни/електрически ~я** phenomena of heat/electricity; **2.** *мед.* effect; **странично/остатъчно ~e** side/residual effect; **3.** *театр.* scene.

йвно *нареч.* openly, manifestly, obviously, demonstrably, evidently, explicitly; expressly; **тя ~ предпочита** she obviously prefers; **~ е, че ...** *разг.* it figures that ...

явнобрач|ен *прил.,* -на, -но, -ни *бот.* phanerogamic, phanerogamous; **~но растение** phanerogam.

йвор *м.,* -и, (два) **йвора** *бот.* sycamore; **птичи ~** bird's eye maple.

йворов *прил.* sycamore (*attr.*).

явйвам се, явй се *възвр. гл.* show; appear, show o.s; *(неочаквано)* turn/show up; *(представям се)* present o.s.; *(в полиция и пр.)* report (в to); *(за дух)* appear, materialize; **~ в качеството на прокурор** appear for the prosecution; **~ в ролята на** figure as; **~ като защитник на обвиняемия** appear for the defendant; **~ като поръчител** stand security; **~ на бял свят** see the light of day; **~ на изпит** sit for/go in for an examination, take an examination; **~ на конкурс** take part in a competition; **~ на работа** report for work; **~ пред съда** appear before the court.

йгод|а *ж.,* -и *бот.* strawberry; **сладко от ~и** strawberry jam.

йгода|к *м.,* -ци, (два) **йгодака** strawberry patch.

йгодов *прил.* strawberry (*attr.*).

ягодовид|ен *прил.,* -на, -но, -ни *бот.* bacciform, baccate.

ягорид|а *ж.,* -и sour grapes.

ягуар *м.,* -и, (два) **ягуара** *зоол.* American leopard/tiger; *амер.* panther; jaguar.

яд *м.,* -ове, (два) **йда 1.** anger; **изблик на ~** a fit/an outburst of temper; **пукам/пръскам се от ~** be mad with rage, be hopping mad; **~ ме е** be angry/*амер.* mad (на at); smart (over); be annoyed (at); *(съжалявам)* be sorry; **извън себе си от ~** mad with rage, beside o.s. with rage; **направих го от ~** I did it out of spite; **2.** *(грижа)* worry, trouble; **бера ~ове** worry; **дребни ~ове** small worries, *разг.* pinpricks; **малки деца, малки ~ове** small children, small worries; **създавам някому ~ове** trouble/worry s.o.; pester s.o.; give s.o. a headache; **3.** poison.

йдва се *безл. възвр. гл. разг.* be passable/tolerable.

йд|ен *прил.,* -на, -но, -ни **1.** angry; **2.** sorrowful, sad.

йдене *ср.,* -та **1.** eating; **бързо ~** *мед.* tachyphagia; **годен за ~** edible, eatable, fit to eat; **негоден за ~** inedible, not fit to eat; **неща за ~** things to eat, *разг.* eatables; **2.** *(обед, вечеря и пр.)* meal; **преди/след ~** before/after meals; **3.** food; *(ястие)* dish; **първо/второ ~** first/second course.

йдец *м., само ед.* **1.** wishbone, wishing-bone, breastbone; **2.** *междум.* (I) got you there! snubs!

йдйв|ен *прил.,* -на, -но, -ни edible, eatable, comestible; *книж.* esculent.

йдк|а *ж.,* -и **1.** kernel; *науч.* nucleus, *pl.* nuclei; **2.** *(център)* core; **3.** *(най-съществена част)* kernel, crux; **4.** *(месо)* sweetbread; **5.** *полит.* small underground unit.

ядлйв *прил. хим., мед.* mordant.

ядовйт *прил.* **1.** angry; **2.** *(раздразнителен)* irritable, irascible.

ядовйто *нареч.* angrily; irritably.

ядовйтост *ж., само ед.* **1.** anger; **2.** irritability, irascibility.

ядòсан *мин. страд. прич.* angry, irritated, cross, *амер.* mad (на at, with); *разг.* in a temper; in a fume; **страшно ~** as cross as two sticks, crosser than two sticks; **~ съм** my blood is up; **~ съм на** be out of patience with; *(в лошо настроение)* cross, put out, annoyed (at s.th.).

ядòсано *нареч.* angrily, crossly; irritably.

ядòсвам, ядòсам *гл.* make angry; worry; *разг.* peeve, put s.o.'s back up; put

s.o. in a fume; ‖ ~ **се** be angry/*амер.* mad (**на някого** with s.o., **за нещо** about s.th.); get angry; be in a chafe; fume (about/over/at); *sl.* get the needle; cut up rusty; **не се** ~ keep o.'s temper.

я́дрен *прил.* nuclear; *биол.* nucleate; ~ **заряд** nuclear warhead; ~**а бомба** fission/nuclear/atomic bomb; ~**и запаси** nuclear stockpiles.

ядр|о́ *ср.*, -а́ **1.** kernel; *науч.* nucleus, *pl.* nuclei; atomic nucleus; **2.** (*основна група*) main body.

ядроподо́б|ен *прил.*, -на, -но, -ни *анат.* nucleiform.

яз *м.*, -ове, (два) я́за dam, weir; (*вир*) pool; **воденичен** ~ millpond.

я́зв|а *ж.*, -и **1.** *мед.* ulcer, sore; **сибирска** ~а anthrax; **стомашна** ~а a gastric ulcer; ~**а на дванадесетопръстника** a duodenal ulcer; **2.** *прен.* canker.

я́звен *прил.* ulcerative, ulcerous; ~**а болест** ulcer(s).

язви́тел|ен *прил.*, -на, -но, -ни caustic, biting, mordant, mordacious, tart, trenchant, truculent, waspish, stinging, corrosive, vitriolic, acrid, acrimonious, splenetic; ~**ен отговор** retort; ~**на забележка** barb.

язви́телно *нареч.* caustically, bitingly, tartly, mordantly, corrosively.

язви́телност *ж.*, *само ед.* causticity, mordancy, mordaciousness, acrimony, tartness, trenchancy, corrosiveness, sting.

яздешко́м и **яздешка́та** *нареч.* on horseback.

язди́т|ен *прил.*, -на, -но, -ни riding; ~**ен кон** riding horse.

я́здя *гл.*, *мин. св. деят. прич.* я́здил **1.** ride; ~ **на кон** ride on horseback; **2.** (*седя като на седло*) sit astride, straddle; **3.** *прен.* trample (up)on.

я́зов|ец *м.*, -ци, (два) я́зовеца *зоол.* badger (*Meles meles*).

я́зовина *ж.*, *само ед.* badger hole.

язови́р *м.*, -и, (два) язови́ра reservoir, artificial lake, dam lake; (*стена*) dam, barrage.

язови́р|ен *прил.*, -на, -но, -ни dam (*attr.*); ~**на стена** dam (wall).

язъ́к *нареч.* what a shame; too bad; what a waste; hard luck, it's a pity; ~ **за ... so** much ... wasted; ~ **за парите** so much

---

money down the drain; ~ **за човека** another good man gone; another man bites the dust.

яйц|е́ *ср.*, -а́ egg; *науч.* ovum, *pl.* ova; **бъркани** ~а scrambled eggs; **великденско** ~е an Easter egg; **снасям** ~а lay eggs; ~**а на очи** poached eggs; ● **гледам/пазя като писано** ~е keep like the apple of o.'s eye, it is the apple of o.'s eye; **molly-coddle; крепя като рохко** ~е wrap up in cotton wool; **насаждам някого на пачи** ~а put s.o. in a pickle/fix/jam; get s.o. in hot water, leave s.o. holding the baby/the bag.

яйцеви́д|ен *прил.*, -на, -но, -ни oval, oviform, ovoid, ovate egg-shaped.

яйцекле́тк|а *ж.*, -и ovum, *pl.* ova.

яйцено́с|ен *прил.*, -на, -но, -ни *зоол.* oviparous.

яйцеполага́ло *ср.*, *само ед.* *зоол.* terebra.

яйцепрово́д *м.*, -и, (два) яйцепрово́да *анат.* oviduct.

яйцепрово́д|ен *прил.*, -на, -но, -ни *анат.* oviducal, oviductal.

яйча́р (-ят) *м.*, -и; **яйча́рк|а** *ж.*, -и eggdealer.

яйча́рск|и *прил.*, -а, -о, -и egg-dealer's.

я́йч|ен *прил.*, -на, -но, -ни; **я́йчен** *прил.* egg (*attr.*); ~**ен прах** egg powder; ~**на черупка** egg-shell.

я́йчени|к|а *ж.*, -ци, (два) я́йченика batter-pudding.

я́йчни|к *м.*, -ци, (два) я́йчника *анат.* ovary; **възпаление на** ~**ците** *мед.* ovaritis, oophoritis, oothecitis.

як₁ *прил.* strong, robust, sturdy, tough, strapping, hefty, stalwart, well-knit, lusty, vigorous, brawny, foursquare; (*набит*) stocky; (*за неща*) strong; **много** ~ as tough as old boots; ~ **и здрав** hale and hearty.

як₂ *м.*, -ове, (два) я́ка *зоол.* yak.

як|а́ *ж.*, -и́ collar; neck-piece; **обърната** (*надолу*) ~а turn-down collar; **плисирана** ~а toby collar; **права** ~а stand-up collar, *разг.* choker; **хващам някого за** ~**ата** seize s.o. by the collar, collar s.o.

я́ке *ср.*, -та jacket; jerkin.

я́ко₁ *нареч. разг.* **1.** fast, tight, firmly; **2.** (very) much.

я́ко₂ *предл. остар.:* **изчезвам** ~ **дим** vanish (into thin air).

якоби́н|ец *м.*, -ци *истор.* Jacobin.

якоби́нск|и *прил.*, -а, -о, -и *истор.* Jacobin (*attr.*).

якоби́нство *ср.*, *само ед.* *истор.* Jacobinism.

якоби́т *м.*, -и *истор.* Jacobite.

якоби́тск|и *прил.*, -а, -о, -и *истор.* Jacobite (*attr.*).

я́кост *ж.*, *само ед.* strength, robustness, stockiness, sturdiness, vigour, toughness; *техн.* strength; ~ **на натиск/ опън/огъване/удар** compressive/tensile/bending/impact strength.

я́лов *прил.* barren, unfruitful, sterile; ~**а крава** a barren/dry cow; ~**а скала** *геол.* waste; ● **работата излезе** ~**а** the affair came to nothing; ~ **опит** a futile attempt.

я́ловиц|а *ж.*, -и **1.** (*крава*) barren/dry cow; (*свиня*) gilt; **2.** (*жена*) childless woman.

я́ловост *ж.*, *само ед.* sterility, barrenness.

ям *гл.*, *мин. св. деят. прич.* ял **1.** eat; feed on; have/take o.'s meals; **започвам** ~ fall to; **не искам да** ~, **не ми се яде** be off o.'s food, (*за животно*) be off o.'s feed; **не съм ял цял ден** I haven't touched food all day; **не** ~ **месо** be off meat, never touch meat; **ни яли, ни пили** without bite or sup; **яде ми се** feel hungry; **яде ми се ...** feel like eating ...; ~ **едва-едва** trifle with o.'s food; ~ **лакомо** gormandise; wolf down (o.'s food); ~**недостатъчно** underfeed; ~ **неохотно** pick (at) o.'s food); ~ **с апетит** ply/play a good knife and fork; ~ **три пъти на ден** have three meals a day; **2.** (*измъчвам*) pester, badger, nag; **какво те яде?** *разг.* what is eating you? **нещо ме яде** 1) s.th. on my mind, s.th. is worrying me, s.th. is nagging at the back of my mind; 2) s.th. is biting me; ‖ ~ **се 1.** fret, fume, chafe (at, under); be in a chafe; **2.: тези гъби не се ядат** these mushrooms are not edible; ~ **се с някого** bicker/squabble with s.o., be at each other's throats; ● ~ **бой** get a thrashing/drubbing/licking, *прен.* be beaten, lose, *разг.* be licked; ~ **калай** get it hot, get a good dressing down/a rap on the knuckles, be called/hauled over the coals; ~ **си думите** clip/eat/swallow o.'s words.

ям|а *ж.*, -и 1. pit; въздушна ~а air hole/pocket, bump; вълча ~а pitfall; помийна ~а cesspit, cesspool; поставям в ~а (зеленчуци и пр.) pit; ~а за сгурия ashpit; 2. *прен. (непресъхващ извор)* drip roast.

Ямайка *ж. собств.* Jamaica.

ямайск|и *прил.*, -а, -о, -и Jamaican.

ямб *м.*, -ове, (два) **ямба** *лит.* iambus.

ямбич|ен *прил.*, -на, -но, -ни; **ямбическ|и** *прил.*, -а, -о, -и iambic.

ямк|а *ж.*, -и *анат.* axilla, *pl.* axillae.

ямокопач *м.*, -и hole digger, earth borer.

ямурлу|к *м.*, -ци, (два) **ямурлука** hooded cloak.

янки *неизм.* Yankee.

януари *м. неизм.* January.

януарск|и *прил.*, -а, -о, -и January (*attr.*), of January.

япон|ец *м.*, -ци Japanese, *разг.* Jap; *пренебр.* nip.

Япония *ж. собств.* Japan.

японк|а *ж.*, -и Japanese woman/girl.

японск|и *прил.*, -а, -о, -и Japanese, *разг.* Jap; ~а роза climbing rose, rose-creeper; ~и език Japanese; ~и стил Japanesque.

ярд *м.*, -ове, (два) **ярда** yard; на ~ by the yard.

яре *ср.*, -та kid.

яребиц|а *ж.*, -и *зоол.* partridge (*Perdix perdix*); шотландска ~а red grouse (*Lagopus lagopus scoticus*).

яребич|ен *прил.*, -на, -но, -ни; **яребич|и** *прил.*, -а, -о/-е, -и partridge (*attr.*).

ярем *м.*, -и, (два) **ярема** yoke (*и прен.*); noose, ox-bow; **свалям** ~а на yoke (*и прен.*); **слагам** ~ на yoke (*и прен.*).

ярешк|и *прил.*, -а, -о, -и kid (*attr.*); ~а кожа kid (-skin).

ярина *ж.*, *само ед.* lamb's wool.

ярк|а *ж.*, -и pullet; chicken.

ярко *нареч.* bright, brightly.

яркост *ж.*, *само ед.* brightness; brilliance; vividness; lucence, lucency, refulgence; flamboyance, flamboyancy; garishness; **действителна** ~ intrinsic brightness; **коефициент на** ~ brightness coefficient; **максимална** ~ highlight brightness; **основна** ~ background brightness; **скала на** ~та *тв* brightness scale; **на изображението** brightness of image/brightness detail.

яркочервен *прил.* scarlet, vermilion; ~ цвят vermilion, cherry (red).

ярма *ж.*, *само ед.* feed, soft food, mess, mash.

ярмомелк|а *ж.*, -и fodder(-)mill, grain mill.

ярозит *м.*, *само ед. минер.* jarosite.

ярост *ж.*, *само ед.* fury, frenzy, rabidity, passion, wrath; ferocity, ferociousness; furiousness; **изпадам в** ~ become furious, fly into a rage, get into a fury, *амер.* throw a fit; *амер. разг.* be (get) on o.'s ears; **пристъп на** ~ a fit of fury/passion.

ярост|ен *прил.*, -на, -но, -ни 1. (*гневен*) furious, fierce, ferocious; vicious; (*безпощаден*) slashing; 2. (*буен*) fierce, vehement, violent, stormy; ~**ен вятър** raging/fierce wind.

яр|ък *прил.*, -ка, -ко, -ки bright, brilliant, dazzling; lucent; (*крещящ*) loud, flamboyant; garish; gaudy; (*с ярки, силни бои – за картина*) lurid; (*за цвят*) vivid, gay, lively, *разг.* jazz(y); ~**ко описание** vivid/lively description; ~**ък израз на** clear expression of; ~**ък привърженик на** ardent adherent (of); ~**ък пример** telling/glaring/striking example; ~**ък талант** pronounced talent.

яс|ен *прил.*, -на, -но, -ни 1. (*светъл, ведър*) serene, clear; ~**ни поглед** serene/limpid eyes; 2. (*за звук*) clear, ringing; (*при говорене*) articulate; (*отчетлив*) distinct; **съвсем** ~**ен** as clear as a bell; 3. (*разбран*) clear, plain; distinct; explicit; unambiguous; cut and dried; (*за език, стил*) lucid, neat; perspicuous; ~**ен негатив** negative with fine definition; ~**ен образ** *тв* sharp picture; 4. (*очевиден*) obvious, evident.

ясен *м.*, -и, (два) **ясена** *бот.* ash(-tree); **бял** ~ manna-ash.

ясенов *прил.* ash (*attr.*).

ясл|а *ж.*, -и crib, manger; feeding rack, fodder-rack; (*за добитък*) hack; **детски** ~**и** crèche, day nursery; child care center.

ясмин *м.*, *само ед. бот.* jasmine, jessamine.

яснея *гл.*, *мин. св. деят. прич.* **яснял** clear up.

ясно *нареч.* clearly; distinctly; **говори по-~** (*по-отчетливо*) speak up, don't mumble, make yourself heard, (*за да те разбера*) make yourself clear; **говоря кратко и** ~ speak briefly and to the point; keep it short and sweet; **давам** ~ **да се разбере** make it quite/pretty clear; **и така е** ~ it needs no explanation; **казах му** ~ I told him in so many words; **казвам** ~ **какво мисля** make o.s./o.'s meaning clear; **от това не ми стана по-~** I am none the wiser for it; **от** ~ **по-~** as plainly as anything; ~ **като бял ден** as clear as day/noon-day/light, as plain as the nose on your face, *sl.* it stands out a mile; ~ **ли е?** (*това, което казвам*) do I make myself clear? ~ (**ми е**) see, *разг.* I get you, I'm with you.

ясновид|ец *м.*, -ци; **ясновидк|а** *ж.*, -и clairvoyant; diviner; prognosticator.

ясновидство *ср.*, *само ед.* clairvoyance; divination.

ясност и яснота *ж.*, *само ед.* clearness, clarity; serenity, lucidity; perspicuity; (*на образ*) definition; **внасям** ~ make things clear; clear up s.th.; put things right.

яспис *м.*, *само ед. минер.* jasper.

ясти|е *ср.*, -я dish; **основно** ~**е** main dish; *амер.* entrée; **постно** ~**е** vegetable dish.

ястреб *м.*, -и, (два) **ястреба** *зоол.* hawk (*Accipiter*); ~ **кокошар** goshawk (*Accipiter gentilis*).

ястребов *прил.* hawk (*attr.*), of a hawk; ~ **поглед** hawk's eye.

ятаган *м.*, -и, (два) **ятагана** yataghan, ataghan.

ятà|к *м.*, -ци associate; supporter (of partisans/guerrillas).

ят|о *ср.*, -à 1. flock, flight; (*особ. яребици*) covey; (*чучулиги*) exaltation; 2. *авиац.* wing, (flying) squadron.

ятрогения *ж.*, *само ед. мед.* iatrogeny.

яхам *гл.* ride; ~ **кон** ride on horseback.

яхвам, яхна *гл.*: ~ **кон** mount a horse, mount/get on a horse.

яхни|я *ж.*, -и stew, casserole.

яхт|а *ж.*, -и yacht; на ~а on a yacht; плувам с ~а to sail in a yacht.

яхтклуб *м.*, -ове, (два) **яхтклуба** marina.

яхър *м.*, -и, (два) **яхъра** stable.

яш|ен *прил.*, -на, -но, -ни *шег.* edacious; **не съм** ~**ен** be a small eater; ~**ен съм** be a great/heavy/hearty/big eater, ply/play a good knife and fork.

ПРИЛОЖЕНИЯ

ПРИЛОЖЕНИЯ

НЕПРАВИЛНИ ГЛАГОЛИ
IRREGULAR VERBS

Infinitive (инфинитив)	Past Tense (минало време)	Past Participle (минало причастие)	Meaning (значение)
abide	*abode, abided*	*abode, abided*	оставам верен на, държа на
arise	**arose**	**arisen**	възниквам, появявам се
awake	*awoke*	*awaked, awoken*	събуждам (се)
be	**was/were**	**been**	съм
bear	*bore*	*borne, born*	нося, понасям, раждам
beat	**beat**	**beaten**	бия, разбивам, удрям
become	*became*	*become*	ставам, подхождам
beget	**begot**	**begotten**	пораждам
begin	*began*	*begun*	започвам
bend	**bent**	**bent**	огъвам, превивам (се), навеждам (се)
bereave	**bereaved, bereft**	**bereaved, bereft**	лишавам, претърпявам загуба на близък
beseech	**besought**	**besought**	умолявам
beset	*beset*	*beset*	обсаждам, обсипвам
bet	**bet, betted**	**bet, betted**	обзалагам се, хващам се на бас
bid	*bid*	*bid*	предлагам парична сума на търг
bind	**bound**	**bound**	връзвам, подвързвам
bite	*bit*	*bitten*	хапя, отхапвам, захапвам
bleed	**bled**	**bled**	кървя, пускам сок
blend	*blended, blent*	*blended, blent*	смесвам (се), съчетавам (се)
bless	**blessed, blest**	**blessed, blest**	благославям, надарявам с
blow	*blew*	*blown*	духам, надувам, изгарям (за бушон)
break	**broke**	**broken**	чупя (се), късам (се)
breed	*bred*	*bred*	отглеждам, размножавам, възпитавам, пораждам
bring	**brought**	**brought**	нося, довеждам
broadcast	*broadcast, broadcasted*	*broadcast, broadcasted*	предавам (по радиото, телевизията)
build	**built**	**built**	строя, построявам
burn	*burnt, burned*	*burnt, burned*	горя, изгарям
burst	**burst**	**burst**	избухвам, пръсвам (се)
buy	*bought*	*bought*	купувам
cast	**cast**	**cast**	хвърлям, отливам
catch	*caught*	*caught*	хващам, схващам
chide	**chided, chid**	**chided, chid**	карам се на, упреквам
choose	*chose*	*chosen*	избирам, предпочитам
cleave	**clove, cleft**	**cloven, cleft**	разсичам, сека, проправям път
cling	*clung*	*clung*	държа се здраво, притискам се, не се отделям от
come	**came**	**come**	идвам
cost	*cost*	*cost*	струвам
creep	**crept**	**crept**	пълзя, промъквам се
cut	*cut*	*cut*	режа, подрязвам, порязвам
deal	**dealt**	**dealt**	боравя, търгувам, справям се
dig	*dug*	*dug*	копая
do	**did**	**done**	правя, върша, изминавам
draw	*drew*	*drawn*	дърпам, тегля, рисувам, чертая
dream	**dreamt, dreamed**	**dreamt, dreamed**	сънувам, мечтая
drink	*drank*	*drunk*	пия
drive	**drove**	**driven**	шофирам, гоня, преследвам, тласкам
dwell	*dwelt*	*dwelt*	живея, обитавам
eat	**ate**	**eaten**	ям
fall	*fell*	*fallen*	падам
feed	**fed**	**fed**	храня, захранвам
feel	*felt*	*felt*	чувствам (се)
fight	**fought**	**fought**	боря се, бия се
find	*found*	*found*	намирам
flee	**fled**	**fled**	бягам, побягвам

Infinitive (инфинитив)	Past Tense (минало време)	Past Participle (минало причастие)	Meaning (значение)
fling	*flung*	*flung*	хвърлям, запращам
fly	flew	flown	летя
forbear	*forbore*	*forborne*	въздържам се, проявявам търпимост
forbid	**forbade**	**forbidden**	забранявам
forecast	*forecast, forecasted*	*forecast, forecasted*	предсказвам, прогнозирам
foresee	**foresaw**	**foreseen**	предвиждам
foretell	*foretold*	*foretold*	предсказвам
forget	**forgot**	**forgotten**	забравям
forgive	*forgave*	*forgiven*	прощавам
forsake	**forsook**	**forsaken**	напускам, изоставям
freeze	*froze*	*frozen*	замръзвам, замразявам
get	**got**	**got, gotten**	вземам, получавам, донасям, ставам
gild	*gilded*	*gilded, gilt*	позлатявам
gird	**girded, girt**	**girded, girt**	опасвам, препасвам, обграждам
give	*gave*	*given*	давам, подарявам
go	**went**	**gone**	отивам
grave	*graved*	*graven, graved*	дълбая, гравирам
grind	**ground**	**ground**	смилам (се), счуквам
grow	*grew*	*grown*	раста, порaствам, отглеждам
hang	**hung**	**hung**	вися, окачвам
have	*had*	*had*	имам
hear	**heard**	**heard**	чувам
hew	*hewed*	*hewed, hewn*	сека, повалям
hide	**hid**	**hidden**	крия (се)
hit	*hit*	*hit*	удрям, блъскам, улучвам
hold	**held**	**held**	държа (се), задържам, побирам, провеждам (се)
hurt	*hurt*	*hurt*	удрям, наранявам
inlay	**inlaid**	**inlaid**	инкрустирам
keep	*kept*	*kept*	държа, задържам, поддържам
kneel	*knelt*	*knelt*	коленича
know	*knew*	*known*	зная, познавам
lay	**laid**	**laid**	слагам, поставям
lead	*led*	*led*	водя, ръководя, дирижирам
lean	**leant, leaned**	**leant, leaned**	навеждам се, облягам (се), подпирам се
leap	*leapt, leaped*	*leapt, leaped*	скачам, прескачам
learn	**learnt, learned**	**learnt, learned**	уча, научавам (се), узнавам
leave	*left*	*left*	напускам, заминавам, тръгвам, оставям
lend	**lent**	**lent**	давам на заем
let	*let*	*let*	оставям, позволявам, пускам
lie	**lay**	**lain**	лежа, простирам се
light	*lit, lighted*	*lit, lighted*	запалвам, осветявам, огрявам
lose	**lost**	**lost**	губя, изгубвам, загубвам
make	*made*	*made*	правя, създавам, изработвам, произвеждам
mean	**meant**	**meant**	знача, искам да кажа, имам предвид
meet	*met*	*met*	срещам (се), посрещам
melt	**melted**	**melted, molten**	топя (се), разтопявам (се)
miscast	*miscast*	*miscast*	възлагам неподходяща роля
misdeal	**misdealt**	**misdealt**	неправилно раздавам карти
mislay	*mislaid*	*mislaid*	забутвам, не мога да намеря
mislead	**misled**	**misled**	заблуждавам, подвеждам
misspell	*misspelt*	*misspelt*	написвам неправилно
misspend	**misspent**	**misspent**	пропилявам, прахосвам
mistake	*mistook*	*mistaken*	сбърквам
misunderstand	**misunderstood**	**misunderstood**	погрешно разбирам, неправилно тълкувам
mow	*mowed*	*mown, mowed*	кося, покосявам
outbid	**outbid**	**outbid**	наддавам, предлагам по-висока цена
outdo	*outdid*	*outdone*	надминавам, превъзхождам
outgrow	**outgrew**	**outgrown**	надраствам, превъзмогвам
outride	*outrode*	*outridden*	надпреварвам в езда

Infinitive (инфинитив)	Past Tense (минало време)	Past Participle (минало причастие)	Meaning (значение)
outrun	outran	outrun	надминавам, изпреварвам
outshine	*outshone*	*outshone*	*блестя повече от, засенчвам*
overbear	overbore	overborne	надделявам, объркввам, надвивам, потушавам
overcast	*overcast*	*overcast*	*засенчвам, заоблачавам*
overcome	overcame	overcome	побеждавам, преодолявам, обхващам
overdo	*overdid*	*overdone*	*прекалявам, препичам, прегарям, преварявам*
overhang	overhung	overhung	надвисвам
overhear	*overheard*	*overheard*	*дочувам, подслушвам*
overlay	overlaid	overlaid	слагам покритие, облицовам
overleap	*overleapt, overleaped*	*overleapt, overleaped*	*прескачам, надскачам*
override	overrode	overridden	прегазвам, стъпквам, погазвам, вземам превес
overrun	*overran*	*overrun*	*опустошавам, гъмжа, надхвърлям*
oversee	oversaw	overseen	надзиравам, ръководя
overshoot	*overshot*	*overshot*	*надхвърлям целта, отивам твърде далеч*
oversleep	overslept	overslept	успивам се
overtake	*overtook*	*overtaken*	*настигам, изпреварвам, връхлитам*
overthrow	overthrew	overthrown	прекатурвам, повалям, свалям (от власт)
partake	*partook*	*partaken*	*споделям, напомням (за)*
pay	paid	paid	плащам
put	*put*	*put*	*слагам, поставям*
quit	quitted, quit	quitted, quit	напускам, зарязвам, прекратявам
read	*read*	*read*	*чета*
rebind	rebound	rebound	подвързвам отново
rebuild	*rebuilt*	*rebuilt*	*възстановявам отново*
redo	redid	redone	преработвам, преправям
remake	*remade*	*remade*	*създавам отново*
rerun	reran	rerun	пускам отново филм или телевизионна програма
retell	*retold*	*retold*	*преразказвам*
rewrite	rewrote	rewritten	написвам отново
rid	*rid*	*rid*	*отървавам, избавям*
ride	rode	ridden	яздя, возя се, карам колело
ring	*rang*	*rung*	*звъня*
rise	rose	risen	изгрявам, издигам се, ставам
run	*ran*	*run*	*бягам*
saw	sawed	sawn	режа с трион
say	*said*	*said*	*казвам*
see	saw	seen	виждам
seek	*sought*	*sought*	*търся*
sell	sold	sold	продавам
send	*sent*	*sent*	*изпращам*
set	set	set	залязвам, поставям, намествам
sew	*sewed*	*sewn, sewed*	*шия, зашивам*
shake	shook	shaken	тръскам, клатя, разтърсвам, треса се
shave	*shaved*	*shaved, shaven*	*бръсна (се)*
shear	sheared	shorn	стрижа овце
shed	*shed*	*shed*	*роня (листа, сълзи), проливам (кръв)*
shine	shone	shone, shined	грея, блестя, лъсвам
shoe	*shod*	*shod*	*обувам, подковавам*
shoot	shot	shot	стрелям, застрелвам
show	*showed*	*shown*	*показвам, лича*
shrink	shrank, shrunk	shrunk, shrunken	свивам се, отдръпвам се
shut	*shut*	*shut*	*затварям (се)*
sing	sang	sung	пея, изпявам
sink	*sank*	*sunk, sunken*	*потъвам, хлътвам, отпускам се*
sit	sat	sat	седя
slay	*slew*	*slain*	*убивам*
sleep	slept	slept	спя
slide	*slid*	*slid*	*плъзгам се, пързалям се*
sling	slung	slung	хвърлям с прашка, превързвам (счупена ръка

Infinitive (инфинитив)	Past Tense (минало време)	Past Participle (минало причастие)	Meaning (значение)
			през рамото)
slink	*slunk*	*slunk*	*промъквам се, прокрадвам се*
slit	slit	slit	разрязвам, разцепвам
smell	*smelt, smelled*	*smelt, smelled*	*мириша, душа, надушвам*
smite	smote	smitten	удрям, поразявам, смазвам
sow	sowed	sown, sowed	сея, засявам
speak	spoke	spoken	говоря
speed	*sped*	*sped*	*бързам, профучавам*
spell	spelt, spelled	spelt, spelled	изговарям буква по буква
spend	spent	spent	харча (пари), прекарвам (време)
spill	spilt, spilled	spilt, spilled	разливам (се)
spin	*spun, span*	*spun*	*преда, изплитам, въртя (се)*
spit	spat	spat	плюя, изплювам (се), цвъртя
split	*split*	*split*	*цепя (се), съдирам (се), разцепвам (се)*
spoil	spoilt, spoiled	spoilt, spoiled	развалям (се), разглезвам
spread	*spread*	*spread*	*разстилам, простирам (се), протягам, намазвам*
spring	sprang	sprung	скачам, никна
stand	stood	stood	стоя прав, ставам, подпирам, търпя
stave	staved, stove	staved, stove	пробивам (се)
steal	*stole*	*stolen*	*крада, прокрадвам се*
stick	stuck	stuck	пробождам, залепвам, засядам, затъвам
sting	*stung*	*stung*	*жиля, лютя, жегвам*
stink	stank, stunk	stunk	воня, омирисвам
strew	strewed	strewn, strewed	разпръсквам, обсипвам, осейвам
stride	strode	stridden	крача
strike	*struck*	*struck, stricken*	*удрям, поразявам*
string	strung	strung	слагам струни на, нанизвам
strive	*strove*	*striven*	*боря се*
swear	swore	sworn	заклевам се, ругая
sweep	*swept*	*swept*	*мета, помитам*
swell	swelled	swollen	надувам се
swim	*swam*	*swum*	*плувам, вие ми се свят*
swing	swung	swung	люлея (се), обръщам се, мятам
take	*took*	*taken*	*вземам, хващам, занасям, завеждам*
teach	taught	taught	уча, обучавам, преподавам
tear	*tore*	*torn*	*късам, разкъсвам, скъсвам (се)*
tell	told	told	казвам, разказвам, различавам
think	*thought*	*thought*	*мисля, считам, смятам*
throw	threw	thrown	хвърлям
thrust	*thrust*	*thrust*	*мушкам, забивам, тласкам*
tread	trod	trodden, trod	тъпча, газя, стъпвам, настъпвам
undergo	*underwent*	*undergone*	*претърпявам, понасям, бивам подложен*
understand	understood	understood	разбирам, осъзнавам
undertake	*undertook*	*undertaken*	*поемам, заемам се с, предприемам*
undo	undid	undone	разкопчавам, развързвам, развалям
upset	*upset*	*upset*	*развалям, разстройвам, преобръщам (се), прекатурвам (се)*
wake	woke, waked	woken, waked	събуждам (се), будя (се)
waylay	*waylaid*	*waylaid*	*устройвам засада на, дебна*
wear	wore	worn	нося, износвам (се)
weave	*wove*	*woven*	*тъка, изплитам, измислям*
weep	wept	wept	плача
win	*won*	*won*	*печеля, спечелвам*
wind	wound	wound	извивам (се), увивам, обвивам, навивам
withdraw	*withdrew*	*withdrawn*	*изтеглям (се), оттеглям (се)*
withhold	withheld	withheld	отказвам да дам, попречвам някому
withstand	*withstood*	*withstood*	*удържам, устоявам на*
wring	wrung	wrung	извивам, изстисквам, изтръгвам
write	*wrote*	*written*	*пиша, написвам*

ИЗПОЛЗВАНА ЛИТЕРАТУРА

A Dictionary of Law. Oxford: Oxford University Press, 1997.

ABA Bounds. Световен речник по право и търговия. Русе, 1993.

Adam Longman Dictionary of Busines English. Longman, Relod, 1993.

BBC English Dictionary. London, 1993.

Collins COBUILD English Dictionary. Glasgow: Harper Collins Publishers, 1995.

Collins COBUILD Pocket Idioms Dictionary. London: Harper Collins Publishers, 1996.

Collins English Dictionary. Millenium Edition, Glasgow: Harper Collins Publishers, 1998.

Chambers Idioms. W&R Chambers Ltd. Edinburgh, 1993.

Courtney R. Longman Dictionary of Pharsal Verbs. 1983.

Funk and Wagnalls Standard Desk Dictionary. New York: Harper and Row Publishers, 1984.

Garmonsway, G., Simpson, J. The Modern English Dictionary. Galley Press, 1987.

Green, Jonathon. The Slang Thesaurus. Penguin Books. London, 1988.

Hornby A. S. Oxford Advanced Learner's Dictionary of Current English. Oxford University Press, 1989.

Hornby, A. S., Cowie, A. P., Gimson, A. C. Oxford Advanced Learner's Dictionary of Current English. Oxford: Oxford University Press, 1987.

Jones, D. An English Pronouncing Dictionary. London: Dent & Sons, 1989.

Kirkpatrick, B. Roget's Thesaurus of English Words and Phrases. The Penguin, 1987.

Longman Language Activator. London, 1993.

Longman's Register of New Words. London: Longman, 1989.

Rodget International Thesaurus. New York, 1977.

Smith, M., Merritt, R. The Language of Trade. New York: U.S. Dept. of Commerce, State & Treasury, 1994.

Spasov, D. A Dictionary of English Phrasal Verbs. Sofia: Naouka I Izkoustvo, 1994.

Spears, R. A. American Idioms Dictionary. NTC's, 1991.

Spears, R. A. Dictionary of American Slang. NTC's, 1991.

The Concise Oxford Dictionary. Oxford: Oxford University Press, 1987.

The Oxford English Dictionary. Oxford University Press, 1992.

The Penguin Modern Guide to Synonyms and Related Words. London. 1987.

Watson, J., Hill, A. A Dictionary of Communications and Media Stu-dies. Arnold, 1996.

Webster's Encyclopedic Dictionary of the English Language. New York: Lexicon Publications Inc., 1991.

Атанасова, Т., М. Ранкова, Р. Русев, Д. Спасов, Вл. Филипов, Г. Чакалов. Българско-английски речник. С., 1983.

Атанасова, Т., М. Ранкова, Г. Чакалов, Р. Русев. Английско-български речник. С., 1966, 1973.

Арнаудов, д-р Г. Д., д-р П. Г. Арнаудова. Terminologia medica poliglota. III прераб. и доп. изд., С., 1992.

Банък, Гр., Р. Бакстър, Е. Дейвис. Световен речник по икономикс. Русе, 1992.

Банък, Гр., У. Мансър. Световен речник по финанси. Русе, 1991.

Боянова, С., Л. Илиева, В. Кильовски, Е. Златанова. Английско-български речник. В. Търново, 1998.

Буров, Ст., В. Бонджолова, М. Илиева, П. Пехливанова. Съвременен тълковен речник на българския език. III изд. В. Търново, 2001.

Габеров, Ив., Д. Стефанова. Речник на чуждите думи в българския език. В. Търново, 2002.

Георгиев, Вл., Ив. Гълъбов и др. Български етимологичен речник. 1971–1999.

Йохансен, Х., Дж. Т. Пейдж. Световен речник по мениджмънт. Русе, 1992.

Китанов, Б. Ботанически речник на латински, български, руски, английски, френски и немски език. С., 1994.

Клайн. Световен речник по банково и застрахователно дело. Русе, 1994.

Кошник, В. Световен речник по маркетинг и реклама. Русе, 1997.

Мюллер, В. К. Англо-русский словарь. М., 1988.

Ничева, К., С. Спасова-Михайлова, Кр. Чолакова. Фразеологичен речник на българския език, т. I-II. С., 1974–1975.

Нов правописен речник на българския език. С., 2002.

Ръдърфорд, Д. Английско-български учебен речник по икономика. С., 1998.

Семерджиев, С., Г. Николов, А. Кирчев, С. Ангелов. Английско-български политехнически речник. С., 1995.

Христов, Хр. Английско-български медицински речник. С., 1991.